令和7年版

三段対照式
交通実務六法

交通警察実務研究会 編集

東京法令出版

編集に当たって

本書は、第一線警察官が、交通警察行政の現場で個々の事案に対処するに当たり、簡便かつ迅速に根拠法令を引くことができるよう、道路交通法の各条文に対応する同施行令、同施行規則の関係条文及び判例等を同一ページに登載した「三段対照式」法令集です。

また、「道路交通法事項索引」や、同施行令及び同施行規則の条文ごとの登載ページを目次欄に設け、個別にもすばやく検索できるようにしているほか、参照条文、判例を二色刷りにしており、各条文ごとに反則金、違反点数を登載、さらに、巻末には実務の場において必要な参考資料を収録するなど、実務的で極めて便利なものでありますので、第一線の警察官の必携書として広く活用していただきたいと思います。

令和六年七月

交通警察実務研究会

凡　例

●本書の編集方針

本書は、広く交通実務の便に供するため、主要な法律、政令、規則、条約及び図表・統計資料を登載し、七のパートに分類した。また、道路交通法には、参照条文、実例・判例、反則金・反則点数を付すとともに、法（上段）、政令（中段）、府令及び関係法条（下段）が参照できるよう、三段対照式とした。

●判　例

道路交通法に関する各級裁判所の判決を各条に、次の要領で判例として付した。

判例は、[判例]と表示した。

判例の末尾には、その裁判所名と判例年月日を（　）をもって示し、裁判所名は次のように省略した。

最高	最高裁判所
△高	△高等裁判所
△○地	△○地方裁判所
△○簡	△○簡易裁判所

●公布年月日及び改正経過

各法令等の公布年月日及び法令番号は、各法令名の次に〔　〕で示し、改正経過は、順次併記してその沿革を明らかにした。

●公布文・制定文等の省略

法令の公布文、制定文及び本文中の目次は省略するのを原則とした。

●附則の取扱い

各法令の附則中、現在必ずしも必要でないものは省略した。

●参照条文

[参照]〔道路〕二1、道二①、道運二⑦、占用許可＝道三二、…

ア　〔　〕内は参照を求める要旨を示し、これを細分した場合は、細分した事項の次に＝をつけて、細分した事項に係る条数を配列した。

イ　単に条数だけ掲げてあるのは、その法令の条数を示し、他の法令にわたり参照を必要とするものは、法令名又は法令名略語と条数をともに掲げた。

ウ　①、②の数字は項数を、1、2の数字は号数を示し、同じ法令の条数は「・」で、異なる法令の間は「、」で区切った。

エ　参照条文には、次の法令名略語を用いた。

あへん	**あへん法**
学教	**学校教育法**
覚醒剤	**覚醒剤取締法**
貨物運送	**貨物利用運送事業法**
貨物自運	**貨物自動車運送事業法**
火薬	**火薬類取締法**
軌道	**軌道法**
軌道運規	**軌道運転規則**
軌道建規	**軌道建設規程**
行組	**国家行政組織法**
警	**警察法**
警官職務	**警察官職務執行法**
刑	**刑法**
刑訴	**刑事訴訟法**
憲	**日本国憲法**
公浴	**公衆浴場法**
高圧ガス	**高圧ガス保安法**
戸	**戸籍法**
高速	**高速自動車国道法**
国賠	**国家賠償法**
古物	**古物営業法**
旅自運輸規	**旅客自動車運送事業運輸規則**
自治	**地方自治法**
自抵当	**自動車抵当法**
自賠	**自動車損害賠償保障法**
質屋	**質屋営業法**
失火	**失火ノ責任ニ関スル法律**

略称	法令名
指定講習機関規則	指定講習機関に関する規則
自転車道	自転車道の整備等に関する法律
児福	児童福祉法
銃刀所持	銃砲刀剣類所持等取締法
商	商法
消防	消防法
水防	水防法
精神	精神保健及び精神障害者福祉に関する法律
整備令	故障車両の整備確認の手続等に関する命令
大麻	大麻取締法
地域交安活動推進委員規則	地域交通安全活動推進委員及び地域交通安全活動推進委員協議会に関する規則
駐車	駐車場法
駐車令	駐車場法施行令
道	道路法
道交令	道路交通法施行令
道交規	道路交通法施行規則
道運	道路運送法
道運規	道路運送法施行規則
道運車	道路運送車両法
道運車令	道路運送車両法施行令
道運車規	道路運送車両法施行規則
道構令	道路構造令
毒劇令	毒物及び劇物取締法施行令
風営	風俗営業等の規制及び業務の適正化等に関する法律
武器	武器等製造法
保安基準	道路運送車両の保安基準
麻薬	麻薬及び向精神薬取締法
民	民法
無軌条電運規	無軌条電車運転規則
無軌条電建規	無軌条電車建設規則
旅館	旅館業法
旅券	旅券法
旅自運転者の要件の政令	旅客自動車運送事業用自動車の運転者の要件に関する政令

●検　索

法令の検索は、「総目次」、各編扉の「編目次」及び表見返しの「法令名索引」を利用いただきたい。

また、道路交通法の事項の検索は、第一編巻頭の「道路交通法事項索引」によられたい。

●反則金

道路交通法各本条末尾の反則金中「※原付」は、小型特殊自動車のみをいう。

●反則点数

反則点数中「酒気帯び」の数値は、呼気一リットルに含むアルコール保有量をいう。

●内容現在

本書に収録した法令は、令和六年六月二八日現在の内容とした。

総目次

第一編 道路交通

◆道路交通法事項索引◆
○道路交通法（昭三五法一〇五）……一
○道路交通法施行令（昭三五政二七〇）……一
○道路交通法施行規則（昭三五総府令六〇）……一
【参考】道路交通法〔抄〕【令和八年一月一日以降施行】……九四一
○盲導犬の訓練を目的とする法人の指定に関する規則（平四国公委規一七）……九六一
○盲導犬の訓練を目的とする法人の指定に関する規則附則第三項の規定に基づき告示（平五国公委告五）……九六三
○確認事務の委託の手続等に関する規則（平一六国公委規二三）……九六四
○道路交通法施行規則の規定に基づき、道路交通の管理に関する技術開発に寄与することを目的とする公益法人を指定する等の件（令五国公委告二二）……九七二
○故障車両の整備確認の手続等に関する命令（昭三五総府・運令一）……九七二
○道路交通法施行規則の一部を改正する内閣府令附則第二項の規定に基づき、型式認定番号に準ずるものとして国家公安委員会が定めるものを定める件（令五国公委告一四）……九七四
○特定小型原動機付自転車の性能等確認制度に関する告示（令四国交告一二九四）……九七四
○届出自動車教習所が行う教習の課程の指定に関する規則（平六国公委規一）……九七六
○届出自動車教習所が行う教習の課程の指定に関する規則第一条第二項第一号ロの規定に基づく自動車安全運転センターが行う届出自動車教習所の職員に対する自動車の運転に関する研修の課程で国家公安委員会が指定するものを定める件の全部を改正する件（平一八国公委告三二）……九九二
○応急救護処置に関し医師である者に準ずる能力を有する者を定める規則（平六国公委規二）……九九二
○応急救護処置に関し医師である者に準ずる能力を有する者を定める規則の規定に基づき、日本赤十字社が定める資格のうち、応急救護処置に必要な知識の指導に必要な能力を有すると認められる者に対して与えられるものとして国家公安委員会が指定するものを定める件（平七国公委告五）……九九二
○技能検定員審査等に関する規則（平六国公委規三）……九九三
○技能検定員審査等に関する規則の規定に基づき、技能教習又は学科教習についての技能又は知識に関する教習であって国家公安委員会が指定するもの及び国家公安委員会が指定する審査細目を定める件（令元国公委告五二）……一〇〇四
○道路交通法施行規則第三十三条第五項第一号ハの規定により内閣総理大臣が指定する模擬運転装置及び同号ニの規定により内閣総理大臣が指定する無線指導装置に関する件（平一六内府告一八七）……一〇〇五
○道路交通法施行規則の規定に基づき、運転シミュレーターに係る国家公安委員会が定める基準を定める件（平六国公委告四）……一〇〇七
○運転免許に係る講習等に関する規則（平六国公委規四）……一〇〇八
○運転免許に係る講習等に関する規則第四条第二項第二号及び第七条第二項第四号の規定に基づき、国家公安委員会が指定する講習を定める件（令四国公委告一〇）……一〇一二
○道路交通法施行規則第九条の十第六号の規定に基づき、国家公安委員会が定めるアルコール検知器を定める件（令三国公委告六三）……一〇一二
○大型自動車免許の欠格事由等の特例に係る教習の課程の指定に関する規則（令四国公委規四）……一〇一三
○道路交通法の規定に基づき、自動車安全運転センターが行う自動車の運転に関する研修の課程であって国家公安委員会が指定するものを定める件（令元国公委告五一）……一〇一八
○外国等の行政庁等の免許に係る運転免許証の日本語による翻訳文を作成する能力を有する法人の指定に関する規則（平六国公委規五）……一〇一八
○自動車等の運転に関する外国の行政庁の免許に係る運転免許証の日本語による翻訳文を作成する能力を有する公益法人を指定する件（平六国公委告一〇）……一〇二一
○自動車等の運転に関する外国等の行政庁等の免許に係る運転免許証の日本語による翻訳文を作成する能力を有する法人を指定する件（令三国公委告一〇）……一〇二一
○指定講習機関に関する規則（平二国公委規一）……一〇二一

○指定講習機関に関する規則第五条第五号の規定に基づき、国家公安委員会が指定する講習を定める件（平一四国公委告三六）……一〇二五
○国家公安委員会が指定する講習を定める件（平三国公委告二）……一〇二五
○運転適性指導又は運転習熟指導についての技能及び知識の向上に資するものとして国家公安委員会が指定する講習を定める件（平一九国公委告一〇）……一〇二六
○交通事故調査分析センターに関する規則（平四国公委規九）……一〇二六
○交通事故調査分析センターに関する規則第三条第二項前段の規定に基づき届出があった事故例調査に従事する職員の身分を示す証票の様式を告示（平五国公委告二）……一〇二九
○原動機を用いる歩行補助車等の型式認定の手続等に関する規則（平四国公委規一九）……一〇三〇
○道路交通法の規定に基づく意見の聴取及び弁明の機会の付与に関する規則（平六国公委規二七）……一〇三四
○地域交通安全活動推進委員及び地域交通安全活動推進委員協議会に関する規則（平二国公委規七）……一〇三六
○交通安全活動推進センターに関する規則（平一〇国公委規三）……一〇三八
○運転免許取得者等教育の認定に関する規則（平一二国公委規四）……一〇四三
○運転免許取得者等教育の認定に関する規則第二条第一号イ(2)の規定に基づき、自動車安全運転センターが行う自動車の運転に関する研修の課程であって国家公安委員会が指定するものを定める件（令四国公委告一二）……一〇五〇
○道路交通法第百十条第一項の規定に基づき自動車専用道路を指定する件（平一一国公委告一六）……一〇五〇
○工事又は作業を行なう場合の道路の管理者と警察署長との協議に関する命令（昭三五総府・建令二）……一〇五三
○道路交通法施行規則第一条の二の規定により、原動機を用い、かつ、レール又は架線によらないで運転する車のうち、道路交通法第二条第一項第十号の内閣府令で定める大きさが総排気量については〇・〇五リットル、定格出力については〇・六〇キロワットとされることとなる三輪以上のものを指定する件（平一二総府告四八）……一〇五三
○内閣総理大臣が指定するカタピラを有する自動車を定める件（平一六内府告一二六）……一〇五三
○車体の構造上その運転に係る走行の特性が二輪の自動車の運転に係る走行の特性に類似するものとして内閣総理大臣が指定する三輪の自動車を定める件（平二一内府告二四九）……一〇五四
○内閣総理大臣が指定する特殊な構造を有する自動車を定める件（平二一内府告三）……一〇五四
○運転免許取得者等検査の認定に関する規則（令四国公委規八）……一〇五五
○重度の傷病者でその居宅において療養しているものについていつでも必要な往診をすることができる体制を確保しているものとして国家公安委員会が定める基準を定める件（平二一国公委告八）……一〇五八
○交通の方法に関する教則（昭五三国公委告三）……一〇五八
○交通安全教育指針（平一〇国公委告一五）……一〇九〇
○座席ベルトの装着義務の免除に係る業務を定める規則（昭六〇国公委規一二）……一一〇八
○交通事件即決裁判手続法（昭二九法一一三）……一一〇八
○交通事件即決裁判手続規則（昭二九最規一四）……一一一〇
○交通安全対策特別交付金等に関する政令（昭五八政一〇四）……一一一〇
○自動車安全運転センター法（昭五〇法五七）……一一一三
○自動車安全運転センター法施行規則〔抄〕（昭五〇総府令五三）……一一一七
○自動車の保管場所の確保等に関する法律（昭三七法一四五）……一一二二
○自動車の保管場所の確保等に関する法律施行令（昭三七政三二九）……一一二六
○自動車の保管場所の確保等に関する法律施行規則（平三国公委規一）……一一二九
○道路標識、区画線及び道路標示に関する命令（昭三五総府・建令三）……一一三五
○交通安全施設等整備事業の推進に関する法律（昭四一法四五）……一一九五
○交通安全施設等整備事業の推進に関する法律施行令（昭四一政一〇三）……一一九八
○交通安全施設等整備事業の推進に関する法律施行規則（昭四一総府・建令一）……一二〇一
○指定自動車教習所等の教習の基準の細目に関する規則（平一〇国公委規一三）……一二〇二
○指定自動車教習所の指定に係る別段の申出に関する規則（平二八国公委規一九）……一二一二

第二編　交通安全対策

○交通安全対策基本法（昭四五法一一〇）……一二二一
○第十一次交通安全基本計画【概要】（令三中央交通安全対策会議）……一二二五

○自転車の安全利用の促進及び自転車等の駐車対策の総合的推進に関する法律（昭五五法八七）……一二二七
○自転車の防犯登録を行う者の指定に関する規則（平六国公委規一二）……一二二九
○交通政策基本法（平二五法九二）……一二三〇

第三編　道路及び交通施設

○道路法（昭二七法一八〇）……一二四一
○道路法施行令（昭二七政四七九）……一二八〇
○道路法施行規則〔抄〕（昭二七建令二五）……一三二〇
○道路構造令（昭四五政三二〇）……一三三三
○道路構造令施行規則（昭四六建令七）……一三四八
○共同溝の整備等に関する特別措置法（昭三八法八一）……一三四八
○車両制限令（昭三六政二六五）……一三五三
○車両の通行の許可の手続等を定める省令（昭三六建令二八）……一三五六
○国土開発幹線自動車道建設法〔抄〕（昭三二法六八）……一三六四
○道路整備特別措置法〔抄〕（昭三一法七）……一三六六
○道路整備特別措置法施行規則〔抄〕（昭三一建令一八）……一三六七
○高速自動車国道法（昭三二法七九）……一三六八
○高速自動車国道法施行令（昭三二政二〇五）……一三七五
○高速自動車国道の路線を指定する政令（昭三二政二七五）……一三八一
○一般国道の路線を指定する政令（昭四〇政五八）……一三八四
○幹線道路の沿道の整備に関する法律〔抄〕（昭五五法三四）……一四〇三
○幹線道路の沿道の整備に関する法律施行令〔抄〕（昭五五政二七三）……一四〇六
○幹線道路の沿道の整備に関する法律施行規則〔抄〕（昭五五建令一二）……一四〇八
○自転車道の整備等に関する法律（昭四五法一六）……一四〇九
○駐車場法〔抄〕（昭三二法一〇六）……一四一〇
○駐車場法施行令〔抄〕（昭三二政三四〇）……一四一二
○自動車ターミナル法〔抄〕（昭三四法一三六）……一四一四
○自動車ターミナル法施行規則〔抄〕（昭三四運令四七）……一四一六
○自動車ターミナルの位置、構造及び設備の基準を定める政令（昭三四政三二〇）……一四一七
○特定車両停留施設の構造及び設備の基準を定める省令（令二国交令九一）……一四一八

第四編　道路運送車両

○道路運送車両法（昭二六法一八五）……一四三一
○道路運送車両法施行令（昭二六政二五四）……一四七〇
○道路運送車両法施行規則（昭二六運令七四）……一四七四
○自動車登録令〔抄〕（昭二六政二五六）……一五五七
○自動車登録規則〔抄〕（昭四五運令七）……一五五八
○自動車の登録及び検査に関する申請書等の様式等を定める省令（昭四五運令八）……一五六六
○道路運送車両の保安基準（昭二六運令六七）……一六四四
○道路運送車両の保安基準の細目を定める告示〔抄〕（平一四国交告六一九）……一六六八
○道路運送車両の保安基準第三十一条第十四項、第十五項、第二十三項及び第二十四項に基づき、自動車から排出される排出物の基準等に関する事項を定める告示（平一三国交告一二九四）……一七八一
○道路運送車両の保安基準第五十五条第一項、第五十六条第一項及び第五十七条第一項に規定する国土交通大臣が告示で定めるものを定める告示（平一五国交告一三二〇）……一七八三
○道路運送車両の保安基準第二章及び第三章の規定の適用関係の整理のため必要な事項を定める告示（平一五国交告一三一八）……一七八六
○自衛隊法〔抄〕（昭二九法一六五）……一九九七
○自動車点検基準（昭二六運令七〇）……一九九七
○自動車型式指定規則〔抄〕（昭二六運令八五）……二〇一一
○指定自動車整備事業規則〔抄〕（昭三七運令四九）……二〇一二
○自動車事故報告規則〔抄〕（昭二六運令一〇四）……二〇一六
○道路交通に関する条約の実施に伴う道路運送車両法の特例等に関する法律（昭三九法一〇九）……二〇一七

第五編　自動車損害賠償保障

○自動車損害賠償保障法〔抄〕（昭三〇法九七）……二〇二一
○自動車損害賠償保障法施行令〔抄〕（昭三〇政二八六）……二〇三四
○自動車損害賠償保障法施行規則〔抄〕（昭三〇運令六六）……二〇四〇
○独立行政法人自動車事故対策機構法〔抄〕（平一四法一八三）……二〇四一

第六編　関係法令

○道路運送法（昭二六法一八三）……二〇五一
○旅客自動車運送事業運輸規則（昭三一運令四四）……二〇八一
○自動車運転代行業の業務の適正化に関する法律（平一三法五七）……二一〇七
○自動車の運転により人を死傷させる行為等の処罰に関する法律（平二五法八六）……二一一七
○自動車の運転により人を死傷させる行為等の処罰に関する法律施行令（平二六政一六六）……二一一九
○道路交通に関する条約〔抄〕（昭三九条約一七）……二一二〇

第七編　参考資料

○反則手続と刑事手続……二一四一
○交通反則通告手続……二一四二
○指示・使用制限のフロー……二一四三
○放置駐車違反の責任追及の流れ……二一四四
○交通切符等の適用の対象となる車両等の種類……二一四五
○保安基準適用時期一覧……二一四六
○反則金一覧表……二一七一
○交通違反等の点数一覧表……二一七二
○交通事故の場合の付加点数……二一七三
○処分基準点数……二一七三
○制動距離と摩擦係数から速度を推定する方法……二一七四
○車両の外観図……二一七五
○乗用自動車の構造図……二一七九
○人体外部の名称……二一八〇

第一編　道路交通

第一編　道路交通

◆道路交通法事項索引◆

○道路交通法（昭三五法一〇五）……一
○道路交通法施行令（昭三五政二七〇）……一
○道路交通法施行規則（昭三五総府令六〇）……一
【参考】道路交通法〔抄〕【令和八年一月一日以降施行】……九四一
○盲導犬の訓練を目的とする法人の指定に関する規則（平四国公委規一七）……九六一
○盲導犬の訓練を目的とする法人の指定に関する規則附則第三項の規定に基づき告示（平五国公委告五）……九六三
○確認事務の委託の手続等に関する規則（平一六国公委規一三）……九六四
○道路交通法施行規則の規定に基づき、道路交通の管理に関する技術開発に寄与することを目的とする公益法人を指定する等の件（令五国公委告一二）……九七二
○故障車両の整備確認の手続等に関する命令（昭三五総府・運令一）……九七二
○道路交通法施行規則の一部を改正する内閣府令附則第二項の規定に基づき、型式認定番号に準ずるものとして国家公安委員会が定めるものを定める件（令五国公委告一四）……九七四
○特定小型原動機付自転車の性能等確認制度に関する告示（令四国交告一二九四）……九七四
○届出自動車教習所が行う教習の課程の指定に関する規則（平六国公委規一）……九七六
○届出自動車教習所が行う教習の課程の指定に関する規則第一条第二項第一号ロの規定に基づく自動車安全運転センターが行う届出自動車教習所の職員に対する自動車の運転に関する研修の課程で国家公安委員会が指定するものを定める件の全部を改正する件（平一八国公委告三二）……九九二
○応急救護処置に関し医師である者に準ずる能力を有する者を定める規則（平六国公委規二）……九九二
○応急救護処置に関し医師である者に準ずる能力を有する者を定める規則の規定に基づき、日本赤十字社が定める資格のうち、応急救護処置に必要な知識の指導に必要な能力を有すると認められる者に対して与えられるものとして国家公安委員会が指定するものを定める件（平七国公委告五）……九九二
○技能検定員審査等に関する規則（平六国公委規三）……九九三
○技能検定員審査等に関する規則の規定に基づき、技能教習又は学科教習についての技能又は知識に関する教習であって国家公安委員会が指定するもの及び国家公安委員会が指定する審査細目を定める件（令元国公委告五二）……一〇〇四
○道路交通法施行規則第三十三条第五項第一号ハの規定により内閣総理大臣が指定する模擬運転装置及び同号ニの規定により内閣総理大臣が指定する無線指導装置に関する件（平一六内府告二八七）……一〇〇五

○道路交通法施行規則の規定に基づき、運転シミュレーターに係る国家公安委員会が定める基準を定める件（平六国公委告四）……一〇〇七
○運転免許に係る講習等に関する規則（平六国公委規四）……一〇〇八
○運転免許に係る講習等に関する規則第四条第二項第二号ニ及び第七条第二項第四号の規定に基づき、国家公安委員会が指定する講習を定める件（令四国公委告一〇）……一〇一二
○道路交通法施行規則第九条の十第六号の規定に基づき、国家公安委員会が定めるアルコール検知器を定める件（令三国公委告六三）……一〇一二
○大型自動車免許の欠格事由等の特例に係る教習の課程の指定に関する規則（令四国公委規四）……一〇一三
○道路交通法の規定に基づき、自動車安全運転センターが行う自動車の運転に関する研修の課程であって国家公安委員会が指定するものを定める件（令元国公委告五一）……一〇一八
○外国等の行政庁等の免許に係る運転免許証の日本語による翻訳文を作成する能力を有する法人の指定に関する規則（平六国公委規五）……一〇一八
○自動車等の運転に関する外国の行政庁の免許に係る運転免許証の日本語による翻訳文を作成する能力を有する公益法人を指定する件（平六国公委告一〇）……一〇二一
○自動車等の運転に関する外国等の行政庁等の免許に係る運転免許証の日本語による翻訳文を作成する能力を有する法人を指定する件（令三国公委告一〇）……一〇二一
○指定講習機関に関する規則（平二国公委規一）……一〇二一
○指定講習機関に関する規則第五条第五号の規定に基づき、国家公安委員会が指定する講習を定める件（平一四国公委告三六）……一〇二五
○国家公安委員会が指定する講習を定める件（平三国公委告二）……一〇二五
○運転適性指導又は運転習熟指導についての技能及び知識の向上に資するものとして国家公安委員会が指定する講習を定める件（平一九国公委告一〇）……一〇二六
○交通事故調査分析センターに関する規則（平四国公委規九）……一〇二六
○交通事故調査分析センターに関する規則第三条第二項前段の規定に基づき届出があった事故例調査に従事する職員の身分を示す証票の様式を告示（平五国公委告二）……一〇二九
○原動機を用いる歩行補助車等の型式認定の手続等に関する規則（平四国公委規一九）……一〇三〇
○道路交通法の規定に基づく意見の聴取及び弁明の機会の付与に関する規則（平六国公委規一七）……一〇三四
○地域交通安全活動推進委員及び地域交通安全活動推進委員協議会に関する規則（平二国公委規七）……一〇三六
○交通安全活動推進センターに関する規則（平一〇国公委規三）……一〇三八
○運転免許取得者等教育の認定に関する規則（平一二国公委規四）……一〇四三
○運転免許取得者等教育の認定に関する規則第二条第一号イ(2)の規定に基づき、自動車安全運転センターが行う自動車の運転に関する研修の課程であって国家公安委員会が指定するものを定める件（令四国公委告一二）……一〇五〇
○道路交通法第百十条第一項の規定に基づき自動車専用道路を指定する件（平一一国公委告一六）……一〇五〇
○工事又は作業を行なう場合の道路の管理者と警察署長との協議に関する命令（昭三五総府・建令二）……一〇五三
○道路交通法施行規則第一条の二の規定により、原動機を用い、かつ、レール又は架線によらないで運転する車のうち、道路交通法第二条第一項第十号の内閣府令で定める大きさが総排気量については〇・〇五〇リットル、定格出力については〇・六〇キロワットとされることとなる三輪以上のものを指定する件（平二総府告四八）……一〇五三
○内閣総理大臣が指定するカタピラを有する自動車を定める件（平一六内府告一二六）……一〇五三
○車体の構造上その運転に係る走行の特性が二輪の自動車の運転に係る走行の特性に類似するものとして内閣総理大臣が指定する三輪の自動車を定める件（平一二内府告二四九）……一〇五四
○内閣総理大臣が指定する特殊な構造を有する自動車を定める件（平二一内府告三）……一〇五四
○運転免許取得者等検査の認定に関する規則（令四国公委規八）……一〇五五
○重度の傷病者でその居宅において療養しているものについていつでも必要な往診をすることができる体制を確保しているものとして国家公安委員会が定める基準を定める件（平二一国公委告八）……一〇五八
○交通の方法に関する教則（昭五三国公委告三）……一〇五八
○交通安全教育指針（平一〇国公委告一五）……一〇九〇
○座席ベルトの装着義務の免除に係る業務を定める規則（昭六〇国公委規一二）……一一〇八
○交通事件即決裁判手続法（昭二九法一一三）……一一〇八
○交通事件即決裁判手続規則（昭二九最規一四）……一一一〇
○交通安全対策特別交付金等に関する政令（昭五八政一〇四）……一一一〇
○自動車安全運転センター法（昭五〇法五七）……一一一三
○自動車安全運転センター法施行規則〔抄〕（昭五〇総府令五三）……一一一七
○自動車の保管場所の確保等に関する法律（昭三七法一四五）……一一二二
○自動車の保管場所の確保等に関する法律施行令（昭三七政三二九）……一一二六
○自動車の保管場所の確保等に関する法律施行規則（平三国公委規一）……一一二九
○道路標識、区画線及び道路標示に関する命令（昭三五総府・建令三）……一一三五
○交通安全施設等整備事業の推進に関する法律（昭四一法四五）……一一九五
○交通安全施設等整備事業の推進に関する法律施行令（昭四一政一〇三）……一一九八
○交通安全施設等整備事業の推進に関する法律施行規則（昭四一総府・建令一）……一二〇一
○指定自動車教習所等の教習の基準の細目に関する規則（平一〇国公委規一三）……一二〇二
○指定自動車教習所の指定に係る別段の申出に関する規則（平二八国公委規一九）……一二一二

◆道路交通法事項索引◆

注　〈二①(五)〉は、「二条一項五号」を示す。

あ

ページ
合図……〈五三〉……一九〇
――を行う時期及び合図の方法……〈五三③〉……一九〇
安全間隔保持義務……〈一八②〉……七六
安全運転の義務……〈七〇〉……二四一
安全運転管理者等……〈七四の三〉……二七五
――が行う交通安全教育等……〈七四の三②③〉……二七七
――に対する解任命令……〈七四の三⑥〉……二八〇
――に対する講習……〈七四の三⑨・一〇八の二①(一)〉……二八〇・六二三
――の選任……〈七四の三①〉……二七五
――の選任及び解任届……〈七四の三⑤〉……二七九
安全地帯……〈二①(六)〉……一二
――側方徐行義務……〈七一(三)〉……二四五
――等進入禁止……〈一七⑥〉……七一

い

意見の聴取……〈一〇四〉……五四四
――に際しての有利な証拠の提出……〈一〇四②〉……五四四
――を行う場合の参考人等の事情聴取……〈一〇四③〉……五四四
一時停止……〈四三〉……一三〇
指定場所における――……〈四三〉……一三〇
――場所の進行妨害禁止……〈四三〉……一三〇
一般原動機付自転車……〈二①(十イ)〉……一七
――の運転に関する講習……〈一〇八の二①(六)〉……六一八
――の運転免許……〈六章〉……三五八
――の交差点における右折方法の特例……〈三四⑤〉……一〇六
――の乗車用ヘルメット着用義務……〈七一の四②〉……二五七
――の二段階右折……〈三四⑤〉……一〇六
一方通行……〈一七⑤(一)〉……七〇
――路での右折方法……〈三四④〉……一〇六
移動用小型車……〈二①(十一の三)〉……二〇
――等を通行させる者の義務……〈一四の四〉……六一
違法工作物等に対する措置……〈八一〉……三四八
――に対する負担金（等）……〈八一⑧～⑪〉……三五二・三五三
――の換価処分と代金保管……〈八一④～⑥〉……三五一・三五二
――の帰属……〈八一⑫〉……三五三
――の除去等に要した費用の負担……〈八一⑦〉……三五二
違法駐車に対する措置……〈五一・七五の八②〉……一五七・三〇四
違法駐車車両に積載物があつた場合の措置……〈五一㉒〉……一六七
――に対する警察署長の移動措置……〈五一⑤〉……一五九
――に対する駐車方法の変更・移動措置……〈五一③〉……一五八
――の移動等に要した費用の負担……〈五一⑮〉……一六五
――の廃棄……〈五一⑬〉……一六五
――の売却……〈五一⑫〉……一六五
――の負担金（等）……〈五一⑯～⑲〉……一六五・一六六
――の保管……〈五一⑥〉……一五九
――売却代金の売却費用への充当……〈五一⑭〉……一六五
――保管の手続……〈五一⑥～⑨〉……一五九～一六二
――を移動するときの警察官等の警察署長に対する報告……〈五一④〉……一五九
違法停車車両への移動命令……〈五〇の二〉……一五七
――に対する措置……〈五〇の二〉……一五七

う

右折の禁止……〈三五の二①〉……九一
――の方法……〈三四〉……一〇六
運行記録計（タコグラフ）……〈六三の二〉……二一七
――による記録等……〈六三の二〉……二一七
運転……〈二①(十七)〉……一三
過労――等の禁止……〈六六〉……二三六
国際運転免許証による自動車等の――禁止等……〈一〇七の五〉……五九一
国際運転免許証による自動車等の――禁止等の報告……〈一〇七の六〉……六〇二
酒気帯び――等の禁止……〈六五〉……二三三
――等の妨げとなる乗車、積載……〈五五②〉……一九四
無免許――等の禁止……〈六四〉……二三一
運転者及び使用者の義務……〈四章〉……二三一
――席以外の乗車装置に乗車する者の座席ベルト着用……〈七一の三②〉……二五二
自動車等の――の遵守事項……〈七一の二・七一の三・七五の一〇〉……二五一・二五二・三〇九
大型自動二輪車等の――の遵守事項……〈七一の四〉……二五七
――の義務……〈四章一節・四章の二　三節〉……二三一・三〇九
――の遵守事項……〈七一・七五の一〇〉……二四二・三〇九
運転習熟指導……〈一〇八の四①(二)・一〇八の五②〉……六四一・六四三
――員……〈一〇八の四①(二)〉……六四一
――員の解任……〈一〇八の五③〉……六四三
運転適性指導……〈一〇八の四①(一)・一〇八の五①〉……六四一・六四二
――員……〈一〇八の四①(一)〉……六四一
――員の解任……〈一〇八の五③〉……六四三
運転免許……〈八四〉……三五八
――試験……〈六章四節〉……四三三
――試験受験資格……〈九六・九六の二〉……四三三・四三六
――試験等の手数料……〈一一二①〉……六八六
――試験の停止等……〈九七の三〉……四六九
――試験の方法……〈九七〉……四四〇
――試験の免除……〈九七の二〉……四五七
――取得者等教育……〈一〇八の三二の二〉……六六六
――取得者等検査……〈一〇八の三二の三〉……六六八
――等に関する手数料……〈一一二〉……六八六
――の仮停止……〈一〇三の二①〉……五四〇
――の仮停止通知書及び免許証の送付……〈一〇三の二④⑤〉……五四一
――の仮停止の効力の消滅……〈一〇三の二⑥〉……五四一
――の仮停止をした場合の弁明の機会の供与……〈一〇三の二②〉……五四一
――の拒否等……〈九〇〉……三八二
――の拒否等に関する規定の適用の特例……〈一〇八の三三〉……六七一
――の拒否等における弁明及び有利な証拠の提出の機会の供与……〈九〇④〉……三九二
――の区分……〈八四②〉……三五八
――の欠格期間の指定……〈九〇⑨〉……三九四
――の欠格事由……〈八八〉……三七二
――の効力停止の期間短縮……〈一〇三⑩〉……五三九
――の効力の仮停止……〈一〇三の二・一〇七の五⑩〉……五四〇・五九七
――の失効……〈一〇五〉……五六七
――の条件……〈九一〉……四〇二
申請による――の条件の付与……〈九一の二〉……四〇三
――の申請等……〈六章二節・八九〉……三七二・三七四
――の申請による取消し……〈一〇四の四〉……五六一
――の電磁的方法による記録……〈九三の二〉……四一六
――の取消し、停止（等）……〈九〇⑤⑥・六章六節・一〇三〉……三九三・五三一
――の取消し、停止等の処分の通知……〈一〇三⑨〉……五三九

――の取消し、停止の処分移送……〈一〇三②～⑤〉……五三三・五三四
――を取り消したときの欠格期間の指定……〈一〇三⑦⑧〉……五三五・五三六
運転免許証等……〈六章三節〉……四〇七
――の記載事項……〈九三〉……四一五
――の記載事項の変更届出等……〈九四〉……四一七
――の携帯義務……〈九五①〉……四二〇
――の更新及び定期検査……〈一〇一〉……五〇〇
――の更新での七〇歳以上の者の特例……〈一〇一の四〉……五一三
――の更新（等）……〈六章五節〉……五〇〇
――の更新の特例……〈一〇一の二〉……五〇四
――の更新の申請の特例……〈一〇一の二の二〉……五〇七
――の更新を受けようとする者の義務……〈一〇一の三〉……五一一
――の交付……〈九二〉……四〇七
――の再交付……〈九四②③〉……四一八・四一九
――の提示義務……〈九五②〉……四二〇
――の提出……〈一〇七③・一〇七の五⑤⑦〉……五七九・五九四・五九五
――の提示要求……〈六七①②〉……二三七・二三八
――の電磁的方法による記録……〈九三の二〉……四一六
――の返還……〈一〇七④・一〇七の五⑥〉……五七九・五九四
――の返納等……〈一〇七〉……五七九
――の保管……〈一〇九〉……六七四
――の有効期間……〈九二の二〉……四〇九
――保管証……〈一〇九①〉……六七四

え

遠隔操作型小型車……〈二①(十一の五)〉……一二
歩行者と――との関係……〈一四の二〉……六〇
――に対する危険防止等の措置……〈一五の二〉……六三
――の遠隔操作を行う者の義務……〈一四の三〉……六〇
――の使用者の義務……〈三章の二〉……六三
――の使用者に対する指示……〈一五の六〉……六六
沿道の工作物等の危険防止措置……〈八二〉……三五五
――の保管……〈八二②③〉……三五六

お

追越し……〈二①(二十一)〉……二四
――の方法……〈二八〉……九七
――を禁止する場合……〈二九〉……九九
――を禁止する場所……〈三〇〉……一〇〇
――をする場合の運転者の注意義務……〈二八④〉……九八
追抜きの禁止……〈三八③〉……一一八
横断（等）……〈三章三節〉……九〇
――等の禁止……〈二五の二・七五の五〉……九一・三〇〇
――の禁止の場所……〈一三〉……五六
――の方法……〈一二・六三の六〉……五五・二二五
――歩行者等の保護のための通行方法……〈三章六節の二〉……一一七
横断歩道……〈二①(四)〉……一二
――横断の義務……〈一二①〉……五五
――等における歩行者等の保護……〈三八①〉……一一七
――等における歩行者等の優先……〈三八〉……一一七
――のない交差点における歩行者の優先……〈三八の二〉……一一九
――への進入禁止……〈五〇②〉……一五五
大型自動車等の運転資格……〈八五⑤〉……三六一
――の無資格運転の下命、容認の禁止……〈七五①(五)〉……二八二
大型自動二輪車等の運転者の遵守事項……〈七一の四〉……二五七
――の初心運転者の二人乗り禁止……〈七一の四⑤〉……二五八
大型免許等を受けようとする者の義務……〈九〇の二〉……三九七

か

カーナビゲーション→「携帯電話等使用における運転者の遵守事項」の項参照
外国運転免許証を所持する者……〈一〇七の二〉……五八五
過積載車両に係る指示……〈五八の四〉……二〇六
—に係る措置命令……〈五八の三〉……二〇五
—の運転の要求等の禁止……〈五八の五〉……二〇七
過積載の下命、容認の禁止……〈七五①㈥〉……二八二
加速してはならない義務……〈二七①〉……九六
貨物自動車……〈五五①〉……一九四
—の転落を防ぐために必要な措置……〈七一㈣〉……二四五
空ぶかし……〈七一㈤の三〉……二四六
仮停止期間の通算……〈一〇三の二⑦〉……五四一
仮納付金の返還……〈一二九④〉……七五九
仮免許……〈八七〉……三六八
—運転者の保護……〈七一㈤の四〉……二四六
—による運転及び練習のため運転するときの条件……〈八七②〉……三六八
—による旅客自動車の運転禁止……〈八七④〉……三六九
—の欠格事由……〈八八②〉……三七三
—の種類……〈八四⑤〉……三五九
—の取消し……〈一〇六の二〉……五七七
—の有効期間（等）……〈八七⑥〉……三六九
—の要件……〈八七①〉……三六八
—標識表示義務……〈八七③〉……三六九
過労運転に係る車両の使用者に対する指示……〈六六の二〉……二三七
—等の下命、容認の禁止……〈七五①㈣〉……二八二
—等の禁止……〈六六〉……二三六
環状交差点……〈四③〉……三〇
—における左折等……〈三五の二①②〉……一一〇・一一一
—における他の車両等との関係等……〈三七の二〉……一一五

き

危険防止（等）の措置……〈六一・六七・七五の三・五章二節〉……二二一・二三七・二九八・三四八
—措置義務……〈七二①〉……二六七
沿道の工作物等の—措置……〈八二〉……三五五
—のための応急の措置……〈六七④〉……二三八
基準該当初心運転者……〈一〇〇の二〉……四九九
基準該当若年運転者……〈一〇二の三〉……五二九
—に対する特例取得免許に係る講習……〈一〇八の二①㈩㈣〉……六二五
軌道敷内の通行……〈二一〉……八二
技能検定……〈九九の二・九九の五〉……四八五・四八九
—員……〈九九の二・九九の五〉……四八五・四八九
救護措置義務違反……〈七二①〉……二六七
急発進、急加速……〈七一㈤の三〉……二四六
急ブレーキの禁止……〈二四〉……八九
教習指導員……〈九九の三〉……四八八
教則の内容の範囲内の運転免許試験……〈九七③〉……四五六
共同危険行為等の禁止……〈六八〉……二四〇
行列等の通行……〈一一〉……五三
緊急自動車（等）……〈三章七節〉……一二〇
—等の使用者の運転者教育義務……〈七四③〉……二七四
—等の特例……〈四一・七五の九〉……一二五・三〇八
—の交差点又はその付近以外の場所での優先……〈四〇②〉……一二四
—の交差点又はその付近における優先……〈四〇①〉……一二四
—の通行区分等……〈三九〉……一二〇
—の停止義務の免除……〈三九②〉……一二三
—の優先……〈四〇・七五の六②〉……一二四・三〇一

く

区画線……〈二②〉……二四

け

警音器の使用等……〈五四〉……一九二
警察官等の交通規制……〈六〉……四〇
――等の手信号等……〈六①〉……四〇
――の行う通行の禁止、制限……〈六④〉……四二
――の行列指揮者に対する下命……〈一一③〉……五四
――の告知……〈一二六①〉……七五〇
――の車両検査等……〈六三①〉……二一四
警察署長等への委任……〈五〉……三九
――の行う違法駐車に対する措置……〈五一⑤～⑬⑯～⑱㉑〉……一五九～一六六
――の権限……〈五①〉……三九
――の通行の許可……〈八②〉……四五
警察本部長に対する事務の委任……〈一一四の二①〉……七一〇
軽車両……〈二①㈩〉……一九
――の乗車人員又は積載制限……〈五七②〉……二〇一
――の並進の禁止……〈一九〉……七七
携帯電話等使用における運転者の遵守事項……〈七一(五の五)〉……二四七
軽微違反行為……〈一〇二の二〉……五二八
――をした者の受講義務……〈一〇二の二・一〇七の四の二〉……五二八・五九〇
――をした者に対する講習の手続……〈一〇八の三の二〉……六三五
警報機に対する義務……〈三三②〉……一〇四
牽引される車両……〈一六②〉……六七
――自動車……〈七五の八の二①〉……三〇六
自動車の――制限……〈五九〉……二〇八
自動車以外の車両の――制限……〈六〇〉……二一〇
――車両数等の制限……〈五九②〉……二〇八
――第二種免許で運転できるもの……〈八六④〉……三六七
――免許……〈八五③〉……三六一
――免許で運転できるもの……〈八五④〉……三六一
減速車線……〈七五の七②〉……三〇二
限定解除審査手数料……〈一一二①㈥〉……六八九
原動機付自転車→「一般原動機付自転車」の項参照
現場の関係者に対する措置……〈六③〉……四二

こ

公安委員会に対する通知（免許の取消し等）……〈九〇⑪〉……三九五
――による積載重量等の制限の定め……〈五七②〉……二〇一
――の交通規制……〈四〉……二九
――の定める運転者の遵守事項……〈七一㈥〉……二四七
――の指定による適用除外（駐車）……〈四五③〉……一三四
――の事務の委任……〈一一四の二〉……七一〇
――の情報の提供……〈一〇九の二〉……六七八
公開による聴聞……〈七五⑦〉……二八六
工作物等
違法――に対する措置……〈八一〉……三四八
沿道の――の危険防止措置……〈八二〉……三五五
――に対する応急措置……〈八三〉……三五七
――の差し出し保管……〈八三②〉……三五七
――の保管……〈八三②③〉……三五七
交差点……〈二①㈤〉……一二
――等への進入禁止……〈五〇〉……一五五
――における左方車両等への進行妨害の禁止……〈三六①〉……一一三
――における自転車の通行方法……〈六三の七〉……二二六

——における他の車両等との関係等……〈三六〉……一一三
——における通行方法等……〈三章六節〉……一〇六
——における優先道路等への車両等の徐行義務……〈三六③〉……一一三
——における優先道路等への車両等の進行妨害の禁止……〈三六②〉……一一三
講習……〈六章の二・一〇八の二〉……六一三
——手数料……〈一一二②〉……六八九
——の委託……〈一〇八の二③〉……六三三
更新時講習……〈一〇八の二①(十一)〉……六二三
高速自動車国道（等）……〈七五の三〉……二九八
——等における権限……〈一一四の三〉……七一一
——等における故障車両に係る指示……〈七五の八③〉……三〇四
——等における自動車の交通方法等の特例……〈四章の二〉……二九六
——等における大型自動二輪車等の二人乗りの禁止……〈七一の四③④〉……二五七
——等における駐停車の禁止……〈七五の八①〉……三〇三
後退の禁止……〈二五の二〉……九一
交通安全活動推進センター
都道府県——……〈一〇八の三一〉……六六一
全国——……〈一〇八の三三〉……六六四
交通安全教育……〈一〇八の二七〉……六五六
——教育指針の作成……〈一〇八の二八①～③〉……六五六・六五七
交通規制
警察官等の——……〈六〉……四〇
——の方法……〈四②〉……三〇
交通公害……〈二①(十三)〉……二四
——に関する交通規制の手続……〈一一〇の二①〉……六八一
交通事故調査分析センター……〈六章の三・一〇八の一三①〉……六四七
——に対する監督命令……〈一〇八の二三〉……六五三
——の運営に対する配慮……〈一〇八の二四〉……六五四
——の事業……〈一〇八の一四〉……六四八
——の事業計画等の提出……〈一〇八の二〇〉……六五二
——の指定等……〈一〇八の一三〉……六四七
——の指定の取消し等……〈一〇八の二三〉……六五三
——の報告及び検査……〈一〇八の二一〉……六五二
——の役職員の解任命令……〈一〇八の一九〉……六五一
——の役職員の秘密保持義務……〈一〇八の一八〉……六五一
——への協力……〈一〇八の一六〉……六四九
交通事故の場合の緊急措置及び報告義務の特例……〈七二④〉……二六八
——の場合の緊急措置義務……〈七二①〉……二六七
——の場合の警察官の必要な指示権……〈七二③〉……二六八
——の場合の警察官の不退去命令……〈七二②〉……二六七
——の場合の措置……〈四章二節・七二〉……二六七
——の場合の妨害の禁止……〈七三〉……二七三
——報告義務……〈七二①〉……二六七
交通巡視員……〈一一四の四〉……七一一
——に対する被服、装備品等の貸与……〈一一四の四④〉……七一二
——の告知及び報告……〈一二六④〉……七五一
——の設置……〈一一四の四①〉……七一一
——の任命……〈一一四の四③〉……七一一
交通の安全と円滑に資するための民間の組織活動等の促進……〈六章の四〉……六五五
交通の方法に関する教則の作成……〈一〇八の二八④〉……六五七
高齢者等の保護……〈一四⑤・七一(二の二)〉……五九・二四三
呼気検査権……〈六七③〉……二三八
国外運転免許証……〈一〇七の七①〉……六〇三
——交付手数料……〈一一二①(十二)〉……六八九
——の交付……〈一〇七の七〉……六〇三
——の交付申請……〈一〇七の七②～④〉……六〇五・六〇六
——の失効……〈一〇七の九〉……六〇七
——の提出、返還……〈一〇七の一〇②③〉……六〇八
——の返納（等）……〈一〇七の一〇〉……六〇七
——の有効期間……〈一〇七の八〉……六〇七
国際運転免許証……〈一〇七の二〉……五八五
——等の携帯及び提示義務……〈一〇七の三〉……五八七
——等の保管……〈一〇九〉……六七四

——等を所持する者に対する報告徴収……〈一〇七の三の二〉……五八八
——による自動車等の運転禁止（等）……〈一〇七の五〉……五九一
——による自動車等の運転禁止等の報告……〈一〇七の六〉……六〇二
——の仮禁止……〈一〇七の五⑩〉……五九七
——の提出……〈一〇七の五⑤⑦〉……五九四・五九五
——の返還……〈一〇七の五⑥〉……五九四
——を所持する者……〈一〇七の二〉……五八五
告知……〈一二六〉……七五〇
故障車両運転許可証の様式……〈六三⑧〉……二二五
——車両についての警察署長に対する報告……〈六三⑤〉……二二五
——車両についての報告を受けた警察署長の措置……〈六三⑥〉……二二五
——車両の運転許可……〈六三③〉……二二四
——車両の標章の交付……〈六三④〉……二二五
——車両の標章の取扱い……〈六三⑦〉……二二五
——等の場合の措置……〈七五の一一〉……三一〇
国家公安委員会の指示権……〈一一〇〉……六八〇
——の全国的な幹線道路における指示権……〈一一〇①〉……六八〇
——の高速自動車国道等における指示権……〈一一〇②〉……六八一
——への報告……〈一〇六〉……五七〇
混雑緩和の措置……〈六②〉……四二
——交差点への進入の禁止……〈五〇①〉……一五五

さ

最高速度……〈二二〉……八四
——違反行為に係る車両の使用者に対する指示……〈二二の二〉……八七
——違反の下命、容認の禁止……〈七五①㈡〉……二八二
再試験……〈六章四節の三・一〇〇の二〉……四九四
——に係る免許の取消し……〈一〇四の二の二〉……五四七
——の移送……〈一〇〇の三〉……四九九
最低速度……〈二三・七五の四〉……八八・二九九
酒酔い運転……〈一一七の二㈠〉……七一七
座席ベルト装着義務……〈七一の三①〉……二五二
左折車両の優先……〈三七〉……一一四
——の禁止……〈二五の二①〉……九一
——の方法……〈三四〉……一〇六
作動状態記録装置……〈六三①〉……二二四
——による記録等……〈六三の二の二〉……二二八

し

シートベルト→「座席ベルト」の項参照
時間制限駐車区間……〈四九～四九の七〉……一四四～一五四
高齢運転者等専用——……〈四九の二〉……一四八
——内における駐車方法……〈四九の三③〉……一四九
——における車両の駐車……〈四九の三①〉……一四八
——における駐車の方法等……〈四九の三〉……一四八
——における停車の特例……〈四九の六〉……一五四
——に駐車する場合の義務……〈四九の三④〉……一四九
——の路上駐車場に関する特例……〈四九の七〉……一五四
時間制限超過駐車禁止……〈四九の三②〉……一四八
試験移送通知書……〈一〇〇の三〉……四九九
事故例調査……〈一〇八の一四㈡〉……六四八
——に従事する者の遵守事項……〈一〇八の一五〉……六四九
指定通行区分……〈三五〉……一〇九
——場所における一時停止……〈四三〉……一三〇
指定講習機関……〈一〇八の四〉……六四〇
——に対する検査等……〈一〇八の九〉……六四五
——に対する適合命令等……〈一〇八の八〉……六四四
——の指定の取消し……〈一〇八の一一〉……六四六
——の役員等の秘密保持義務等……〈一〇八の七①〉……六四四

指定自動車教習所……〈九九〉……四七三
――職員講習……〈一〇八の二①(九)〉……六二〇
――の指定……〈九九①〉……四七三
――の指定の取消し等……〈一〇〇〉……四九三
自転車……〈二①(十一の二)〉……二〇
――以外の車両の自転車道通行禁止……〈一七③〉……六八
――横断帯……〈二①(四の二)〉……一三
――道……〈二①(三の三)〉……一二
交差点における――の通行方法……〈六三の七〉……二三六
――道がある場合の通行方法に関する規定の適用……〈一六④〉……六七
――道の通行区分……〈六三の三〉……二一九
――の横断の方法……〈六三の六〉……二三五
――の交通方法の特例……〈三章一三節〉……二一九
――の制動装置等……〈六三の九〉……二三七
――の通行方法の指示……〈六三の八〉……二三六
――の反射器材備え付け義務……〈六三の九②〉……二三七
普通――の歩道通行……〈六三の四〉……二二三
自動運行装置……〈二①(十三の二)〉……二三
――を備えている自動車の運転者の遵守事項等……〈七一の四の二〉……二六〇
自動車……〈二①(九)〉……一六
――運転者の座席ベルト装着義務……〈七一の三①〉……二五二
――以外の車両の牽引制限……〈六〇〉……二一〇
――検査証……〈六三①〉……二一四
――専用道路……〈七五の二の三〉……二九六
――専用道路における大型自動二輪車等の二人乗りの禁止……〈七一の四④⑤〉……二五七・二五八
――道……〈二①(一)〉……一一
――等の右折方法……〈三四②〉……一〇六
――等の運転者の遵守事項……〈七一の二〉……二五一
――の運転者の遵守事項……〈七一の三・七五の一〇〉……二五二・三〇九
――の運転免許……〈六章〉……三五八
――の牽引制限……〈五九〉……二〇八
――の交通方法……〈四章の二 二節〉……二九九
――の種類……〈三〉……二七
――の使用者等に対する報告、資料提出の要求……〈七五の二の二〉……二九五
――の使用者の義務等……〈七五〉……二八一
――の使用の制限……〈七五②〉……二八三
自動車教習所……〈六章四節の二・九八〉……四七〇
――に対する指導、助言……〈九八③～⑤〉……四七二
――の職員に対する講習……〈九九の四〉……四八九
――の適合命令等……〈九九の七〉……四九二
――の届出……〈九八②〉……四七〇
児童、幼児の保護……〈一四③④・七一(二)・(二の三)〉……五八・五九・二四二・二四三
車間距離の保持……〈二六〉……九三
若年運転者期間……〈一〇二の三〉……五二九
――期間の取消し……〈一〇四の二の四〉……五五二
――講習……〈一〇八の三の三〉……六三六
遮断機に対する義務……〈三三②〉……一〇四
車道……〈二①(三)〉……一二
――通行の原則……〈一七①〉……六八
車両……〈二①(八)〉……一三
――通行帯……〈二①(七・二〇)〉……一三・一七
――通行帯の通行区分指定……〈二〇②〉……七七
――の検査（等）……〈六三〉……二一四
――の交通方法……〈三章〉……六七
――の最高速度……〈二二①〉……八四
――の通行区分……〈一七〉……六八
車両等の運転者の義務……〈四章〉……二三一
――の使用者の義務……〈七四〉……二七四
――の直前直後の横断禁止……〈一三①〉……五六
――の灯火……〈五二〉……一八七
――を離れる場合の措置……〈七一(五)〉……二四五
車輪止め装置……〈五一⑥〉……一五九

重被牽引車……〈五一の四①〉……一七一
——を牽引する牽引自動車の通行区分……〈七五の八の二〉……三〇六
酒気帯び運転等の禁止……〈六五〉……二三三
——の下命、容認の禁止……〈七五①㈢〉……二八二
受講による処分期間の短縮（免許の保留等）……〈九〇⑫〉……三九五
出頭日時場所の告知等（免許証の提出）……〈一〇九⑤〉……六七七
出発地警察署長……〈五六①〉……一九六
酒類提供等の禁止……〈六五③〉……二三三
消音器不備車両の運転の禁止……〈七一の二〉……二五一
乗車人員の制限……〈五七①〉……一九六
——、積載及び牽引……〈三章一節〉……一九四
——の制限（等）……〈五七〉……一九六
——の方法……〈五五〉……一九四
——の方法の特例……〈五六〉……一九六
乗車用ヘルメットの基準……〈七一の四⑧〉……二五九
——の着用義務……〈七一の四①②③〉……二五七
使用者に対する通知……〈一〇八の三四〉……六七三
——の義務……〈四章三節〉……二七四
消防用車両……〈四一の二①〉……一二六
——車両に対する特例……〈四一の二④〉……一二七
——車両の通行区分等……〈四一の二③〉……一二七
——車両の優先（等）……〈四一の二〉……一二六
徐行……〈二①(二十)〉……二四
——すべき場所……〈四二〉……一二八
停車中の路面電車がある場合の——……〈三一〉……一〇一
初心運転者期間……〈一〇〇の二①〉……四九四
——講習……〈一〇八の三〉……六三三
——標識等の表示義務……〈七一の五〉……二六二
——等の保護……〈七一(五の四)〉……二四六
信号機……〈二①(十四)〉……二三
——の信号等に従う義務……〈七〉……四三
——の設置・管理の委任……〈五②〉……三九
——の設置促進……〈四③〉……三〇
信号の意味……〈四④〉……三一
進行妨害……〈二①(二十三)・三六①②〉……二四・一一三
進行方向別通行区分の指定……〈三五①〉……一〇九
審査請求の制限……〈一一三の三〉……七〇九
身体障害者用の車……〈二①(十一の四)〉……二一
——の保護……〈七一㈡〉……二四二
進路の変更の禁止……〈二六の二〉……九四
——を譲る義務……〈二七②〉……九六

せ

制限外許可証の携帯義務……〈五八②〉……二〇三
——の交付等……〈五八〉……二〇三
制限外牽引許可証の携帯義務……〈五九④〉……二〇九
——の交付……〈五九③〉……二〇九
——の様式等……〈五九⑤〉……二〇九
制限外積載許可……〈五七③〉……二〇一
整備通告書の交付等……〈六三④〉……二一五
整備不良車両……〈六二〉……二一三
——の運転の禁止（等）……〈三章一二節・六二〉……二一三
政令大型自動車の運転資格……〈八五⑤〉……三六一
——大型自動二輪車の運転資格……〈八五⑨〉……三六三
——普通自動車の運転資格……〈八五⑧〉……三六三
——普通自動二輪車の運転資格……〈八五⑩〉……三六四
積載の制限（等）……〈五七〉……一九六
——の方法……〈五五〉……一九四
——の方法の特例……〈五六〉……一九六
積載物の重量の測定等……〈五八の二〉……二〇四
——の報告……〈七二①〉……二六七
設備外積載許可……〈五六①〉……一九六
全国交通安全活動推進センター……〈一〇八の三二〉……六六四
前方横切り……〈三二〉……一〇三

そ

騒音を発する走行等の禁止……〈七一(五の三)〉……二四六
速度……〈三章二節〉……八四
損壊物等の移動……〈七二の二①〉……二七一
——の保管……〈七二の二②〉……二七一

た

第一種免許……〈八五〉……三五九
——で運転することができる自動車等の種類……〈八五②〉……三六〇
——の欠格事由……〈八八①〉……三七二
——の種類……〈八四③〉……三五八
第二種免許……〈八六〉……三六六
——で運転することができる自動車等の種類……〈八六②〉……三六六
——の欠格事由……〈八八①〉……三七二
——の種類……〈八四④〉……三五九
対面交通……〈一〇①・一七④〉……五二・六八
タコグラフ（運行記録計）……〈六三の二〉……二一七
多通行帯道路……〈二四⑤〉……一〇六
他の車両と行き違うとき等の灯火の操作……〈五二②〉……一八八
——に追いつかれた車両の義務……〈二七〉……九六

ち

地域交通安全活動推進委員……〈一〇八の二九〉……六五八
——の委嘱の要件……〈一〇八の二九①〉……六五八
——の解嘱……〈一〇八の二九⑤〉……六五九
——の活動内容……〈一〇八の二九⑥〉……六五九
——の身分……〈一〇八の二九④〉……六五九
地域交通安全活動推進委員協議会……〈一〇八の三〇〉……六六〇
——の意見具申……〈一〇八の三〇③〉……六六〇
——の活動内容……〈一〇八の三〇②〉……六六〇
——の組織……〈一〇八の三〇①〉……六六〇
チャイルドシート→「幼児用補助装置」の項参照
駐車……〈二①(十八)〉……二三
違法——に対する措置……〈五一〉……一七七
高齢運転者等専用時間制限駐車区間における
——の禁止……〈四九の四〉……一五一
時間制限——区間……〈四九〜四九の七〉……一四四〜一五四
時間制限——区間における——の特例……〈四九の五〉……一五三
——の禁止……〈七五の八〉……三〇三
——の方法……〈四七〉……一四一
——の方法の特例……〈四八〉……一四三
——を禁止する場所……〈四四①・四五〉……一三一・一三四
——を禁止する場所の特例……〈四六〉……一四〇
——余地がない場所の駐車禁止……〈四五②〉……一三四
聴聞……〈七五④・一〇七の五④〉……二八五・五九三
——の特例……〈一〇四の二〉……五四六
直進車両の優先……〈三七〉……一一四

つ

通学通園バス……〈七一(二の三)〉……二四三
通行
軌道敷内の——……〈二一〉……八二
行列等の——……〈一一〉……五三
——指示書……〈五八の三②〜④〉……二〇五

自転車の――方法の指示……〈六三の八〉……二一六
左側寄り――等……〈一八〉……七五
――の禁止（等）……〈八〉……四五
――方法の指示……〈一五〉……六一
通行区分……〈一〇・一七〉……五二・六八
緊急自動車の――……〈三九〉……一二〇
指定――……〈三五〉……一〇九
自転車道の――……〈六三の三〉……二一九
車両等の――……〈一七〉……六八
重被牽引車を牽引する牽引自動車の――……〈七五の八の二〉……三〇六
歩行者等の――……〈一〇〉……五二
通告……〈一二七〉……七五二
つえ……〈一四①②〉……五七・五八

て

停止
指定場所における一時――……〈四三〉……一三〇
――している車両等がある場合の一時停止義務……〈三八②〉……一一七
停車中の路面電車がある場合の――……〈三一〉……一〇一
停車……〈二①(十九)〉……二四
時間制限駐車区間における――の特例……〈四九の六〉……一五四
――中の路面電車がある場合の停止又は徐行……〈三一〉……一〇一
――の禁止……〈七五の八〉……三〇三
――の方法……〈四七〉……一四一
――の方法の特例……〈四八〉……一四三
――を禁止する場所……〈四四①〉……一三一
――を禁止する場所の特例……〈四六〉……一四〇
適性検査……〈一〇一⑤〉……五〇二
臨時――……〈一〇二・一〇七の四〉……五二五・五八九
手信号等の意味……〈六⑤〉……四二
手数料
免許等に関する――……〈一一二〉……六八六
転回の禁止……〈二五の二〉……九一
点数制度……〈九〇①(四)・一〇三①(五)〉……三八三・五三二
転落、飛散防止措置……〈七一(四)〉……二四五
転落積載物等……〈八一の二〉……三五四
――危険防止の措置等……〈七一(四の二)〉……二四五
――の除去……〈八一の二①〉……三五四
――の占有者等……〈八一の二①〉……三五四
――の保管……〈八一の二②〉……三五四

と

ドアを開く場合等の安全確認等の措置……〈七一(四の三)〉……二四五
灯火及び合図……〈三章一〇節〉……一八七
――の点灯義務……〈五二①〉……一八七
道路……〈二①(一)〉……一一
――維持作業用自動車……〈四一④〉……一二六
――維持作業用自動車の特例……〈七五の九②〉……三〇八
――外に出る車両の妨害の禁止……〈二五③〉……九〇
――外に出るための右折……〈二五②〉……九〇
――外に出るための左折……〈二五①〉……九〇
――外に出る場合の方法……〈二五〉……九〇
――使用期間満了後の原状回復の措置……〈七七⑦〉……三四二
――使用許可証の亡失・汚損等……〈七八⑤〉……三四五
――使用許可申請書の様式……〈七八⑥〉……三四六
――使用許可の手続……〈七八〉……三四三
――使用許可の取消し、停止等……〈七七⑤⑥〉……三四二
――における危険を防止する等のため必要な下命……〈六三②〉……二一四
――における禁止行為等……〈五章一節・七六〉……三三九
――の管理者との協議……〈七九〉……三四七

――の管理者の特例……〈八〇〉……二四七
――の交通に関する調査……〈一一一〉……六八五
――の使用等……〈五章〉……三三九
――の使用の許可……〈七七〉……三四〇
――の右側通行の原則……〈一〇①〉……五二
道路標示……〈二①(十六)〉……二三
――による進路変更の禁止……〈二六の二③〉……九四
道路標識……〈二①(十五)〉……二二
――等による通行の禁止……〈八①〉……四五
――等の種類等……〈四⑤〉……三七
特定講習（取消処分者講習又は初心運転者講習）……〈一〇八の四②〉……六四一
――の休廃止……〈一〇八の一〇〉……六四五
――の業務に関する規程……〈一〇八の六〉……六四三
特定小型原動機付自転車等……〈一八〉……七五
――運転者講習等の受講命令……〈一〇八の三の五〉……六三七
――の運転による交通の危険を防止するための講習……〈一〇八の二①(十五)〉……六二五
特例――の歩道通行……〈一七の二〉……七三
特例――の路側帯通行……〈一七の三〉……七四
一六歳未満の者による――の運転等の禁止……〈六四の二〉……二三三
特定自動運行
――が終了した場合の措置……〈七五の二三〉……三三六
――計画等の遵守……〈七五の一八〉……三三一
――中の遵守事項……〈七五の二〇〉……三三五
――において交通事故があった場合の措置……〈七五の二三〉……三三八
――の許可基準等……〈七五の一三〉……三一六
――の許可等……〈四章の三〉……三一三
――の許可の取消し等の報告……〈七五の二九〉……三三七
――を行う前の措置……〈七五の一九〉……三三一
特定情報……〈一〇八の一七①〉……六五〇
――管理規程……〈一〇八の一七〉……六五〇
特定の交通の規制等の手続……〈一一〇の二〉……六八一
都道府県交通安全活動推進センター……〈一〇八の三二〉……六六四
取消処分者講習……〈一〇八の四①(一)〉……六四一
泥はね運転……〈七一(一)〉……二四三
トロリーバス……〈二①(十二)〉……二三
――の停留所付近の駐停車禁止……〈四四①(五)〉……一三一

な

斜め横断の禁止……〈一三②〉……五五

に

二重追越しの禁止……〈二九〉……九九
二重免許の禁止……〈八八③〉……三七三
荷台乗車許可……〈五六②〉……一九六

の

納付命令……〈五一の四⑤〉……一七二
乗合自動車の発進の保護……〈三一の二〉……一〇二
――の停留所付近の駐停車禁止……〈四四①(五)〉……一三一

は

パーキング・チケット……〈四九①〉……一四四
――の設置・管理……〈四九①〉……一四四
――発給設備……〈四九①〉……一四四

パーキング・メーター……〈四九①〉……一四四
――の設置・管理……〈四九①〉……一四四
バス優先レーン……〈二〇の二〉……八〇
反則金……〈一二五③〉……七四九
――等の納付等の期間の特例……〈一二九の二〉……七六〇
――の仮納付……〈一二九〉……七五八
――の納付……〈一二八・一三〇の二③〉……七五五・七六一
反則行為……〈一二五①〉……七四八
――に関する処理手続の特例……〈九章〉……七四八
反則者……〈一二五②〉……七四八
――に係る刑事事件……〈一三〇〉……七六〇
――に係る保護事件……〈一三〇の二〉……七六一
――に対する告知及び通知……〈九章二節〉……七五〇

ひ

ひき逃げ→「救護措置義務違反」の項参照
非常信号等励行義務……〈三三③〉……一〇四
左側部分通行の原則……〈一七④〉……六八
――部分通行の例外……〈一七⑤〉……七〇
――寄り通行等……〈一八〉……七五
標章
故障車両の――……〈六三④〉……二二五
使用制限車両の――……〈七五⑨〉……二八六
放置車両確認――……〈五一の四〉……一七一

ふ

副安全運転管理者の選任……〈七四の三④〉……二七九
不出頭等の場合の特例（聴聞）……〈一〇四④〉……五四四
負傷者の救護義務……〈七二①〉……二六七
負担金……〈五一⑯～⑲・八一⑧～⑪〉
一六五・一六六・三五二・三五三
普通自転車の並進……〈六三の五〉……二二五
――の歩道通行……〈六三の四〉……二二三
踏切の直前停止義務……〈三三①〉……一〇四
――の通過……〈三三〉……一〇四
――への進入禁止……〈五〇②〉……一五五

へ

並進
軽車両の――の禁止……〈一九〉……七七
普通自転車の――……〈六三の五〉……二二五

ほ

放置違反金……〈五一の四〉……一七一
――の納付命令……〈五一の四⑤〉……一七三
放置車両……〈五一の四〉……一七一
――の確認事務等の委託……〈五一の八〉……一七八
――確認機関……〈五一の一三〉……一八二
――の下命、容認の禁止……〈七五①㈦〉……二八三
方面公安委員会への権限の委任……〈一一四〉……七〇九
――本部長に対する事務の委任……〈一一四の二②〉……七一〇
――本部長への権限の委任……〈一三一〉……七六二

歩行者
横断歩道等における――等の優先……〈三八〉……一一七
横断歩道のない交差点における――の優先……〈三八の二〉……一一九
――等の通行区分……〈一〇〉……五二
――等の通行方法……〈二章〉……五二
――用道路等の特例……〈一三の二〉……五六
――用道路を通行する車両の義務……〈九〉……五〇
歩行補助車等……〈二①(九)〉……一六
歩道……〈二①(二)〉……一一
――等通行の原則……〈一〇②〉……五二
普通自転車の――通行……〈六三の四〉……二三三
本線車道……〈二①(三の二)〉……一二
――に入る場合等における他の自動車との関係……〈七五の六〉……三〇一
――の交差点についての不適用……〈一六③〉……六七
――の出入の方法……〈七五の七〉……三〇二
――の優先……〈七五の六①〉……三〇一

ま

マフラー切断等→「消音器不備車両の運転の禁止」の項参照

み

右側追越しの原則……〈二八①〉……九七
――の例外……〈二八②〉……九七
みなす公務員……〈一〇八の七②・一〇八の三二⑥〉……六四四・六六三
民間の組織活動等の促進を図るための措置……〈一〇八の二六〉……六五五

む

無免許運転の下命、容認の禁止……〈七五①(一)〉……二八二
――等の禁止……〈六四〉……二三二

め

迷惑行為……〈六八・七一(一)〉……二四〇・二四三
目が見えない者の保護……〈一四①・七一(二)〉……五七・二四三
免許関係事務の委託……〈六章八節・一〇八〉……六〇九
免許→「運転免許」の項参照
免許試験等の手数料→「運転免許試験等の手数料」の項参照
免許証→「運転免許証」の項参照

も

盲導犬……〈一四①〉……五七
――を連れている者の保護……〈七一(二)〉……二四三

や

夜間の点灯義務……〈五二①〉……一八七
薬物の影響による運転の禁止……〈六六〉……二三六

ゆ

優良運転者の免許証の有効期間……〈九二の二〉……四〇九

優先

緊急自動車の——……〈四〇〉……一二四

交差点の左方車等の——……〈三六①〉……一一二

交差点の広い道路側車両の——……〈三六②③〉……一一二・一一三

消防用車両の——……〈四一の二〉……一二六

横断歩道のない交差点における歩行者の——……〈三八の二〉……一一九

横断歩道等における歩行者等の——……〈三八〉……一一七

優先通行帯

路線バス等——……〈二〇の二〉……八〇

よ

幼児の保護……〈一四③④・七一(二)・(二の三)〉……五八・五九・二四二・二四三

——用補助装置……〈七一の三③〉……二五三

り

両罰規定……〈一二三〉……七四六

旅客自動車等の運転禁止……〈八五⑪〉……三六四

——用車両……〈八五⑪〉……三六四

臨時適性検査……〈一〇二・一〇七の四〉……五二五・五八九

——に係る取消し等……〈一〇四の二の三〉……五四八

れ

レッカー移動……〈五一③⑤〉……一五八・一五九

ろ

路肩……〈七五の三〉……二九八

路上駐車場と時間制限駐車区間……〈四九の七①〉……一五四

——とパーキング・メーター等……〈四九の七②〉……一五四

——にパーキング・メーター等が設置されていない場合の特例……〈四九の七③〉……一五五

路線バス等優先通行帯……〈二〇の二〉……八〇

路側帯……〈二①(三の四)〉……一二

特例特定小型原動機付自転車等の——通行……〈一七の三〉……七四

——における駐停車の方法……〈四七③〉……一四一

路面電車……〈二①(十三)〉……一三

停車中の——がある場合の停止又は徐行……〈三一〉……一〇一

——等の最高速度……〈二二②〉……八四

——の交通方法……〈三章〉……六七

わ

割込み等の禁止……〈三二〉……一〇三

判例・関連法規（□内のもの。）

○道路交通法

〔昭和三五・六・二五　法律一〇五〕

改正　昭和三七・六法一四七、九法一六一、昭和三八・四法九〇、昭和三九・六法九一、昭和四〇・六法九六、昭和四二・八法一二六、昭和四五・五法八六、一二法一四三、昭和四六・四法四六、五法八八、六法九六、法九八、一二法一三〇、昭和四七・六法五一、昭和五一・六法六四、昭和五三・五法五三、昭和五八・五法三六、昭和五九・五法二五、昭和六〇・七法八七、昭和六一・五法六三、平成元・一二法八二、法八三、法九〇、平成二・七法七三、法七四、平成三・五法六〇、平成四・五法四三、平成五・五法四三、一一法八九、平成七・四法七四、平成八・五法三二、平成九・五法四一、平成一〇・九法一一〇、平成一一・五法四〇、七法八七、一二法一六〇、平成一二・五法八六、平成一三・六法五一、一二法一三八、平成一四・六法七七、七法九八、平成一六・六法七三、法九〇、法一一二、法一一三、平成一七・六法七七、一〇法一〇二、平成一八・五法四〇、六法五〇、一二法一一八、平成一九・五法五四、六法九〇、平成二一・四法二一、七法七九、平成二三・六法七二、平成二四・八法六七、平成二五・六法四三、法四四、六法五三、一一法七六、法八六、平成二六・六法六九、一一法一一四、平成二七・六法四〇、九法七六、平成二九・六法五二、令和元・五法一四、六法二〇、法三七、令和二・六法四二、法五二、令和四・四法三二、令和五・五法一九、六法五六、令和六・五法三四

編注＝令和四年四月二七日法律第三二号の改正の一部は、令和七年四月二六日までに施行のため、現行の条文の後に□で改正後の条文を掲載いたしました。
・令和四年六月一七日法律第六八号の改正は、令和七年六月一日から施行されます。改正により本則中の文言は次のように改められます。

○道路交通法施行令

〔昭和三五・一〇・一一　政令二七〇〕

改正　昭和三七・六政二三五、八政三一九、昭和三八・六政二〇五、昭和三九・八政二八〇、昭和四〇・七政二五八、昭和四二・九政二八〇、昭和四三・二政一七、八政二六四、一〇政二九八、昭和四四・一二政三一〇、昭和四五・七政二二七、一〇政三二〇、昭和四六・六政一九五、一一政三四八、昭和四七・四政一〇〇、六政二四六、八政三二二、昭和四八・三政二七、一一政三三三、昭和五〇・三政三八、昭和五二・一二政三三三、昭和五三・八政三一三、一二政三八一、昭和五五・一二政三二八、昭和五六・三政四〇、昭和五七・六政一七三、昭和五八・五政一〇四、昭和五九・一〇政三一〇、昭和六〇・七政二一九、昭和六一・三政九二、一〇政三二九、一二政三七一、昭和六三・四政九〇、八政二四三、一〇政三〇九、平成元・九政二五五、平成二・三政二六、七政二一四、一〇政三〇三、平成三・一政一二、五政一八三、平成四・六政二三一、平成五・六政二〇〇、九政二八八、一〇政三四八、一二政三八六、平成六・八政二七三、九政三〇三、平成七・六政二六六、平成八・一政一二、五政一六〇、一一政三三二、平成九・六政二一五、九政三〇〇、一二政三九一、平成一〇・五政一九一、平成一一・二政一九、七政二二九、一〇政三二一、平成一二・六政三〇三、政三三四、七政三九三、平成一三・一二政三九九、平成一四・二政二四、一二政三八五、政三八六、平成一五・四政二一三、平成一六・二政二二二、三政五〇、八政二五七、九政二七五、一二政三八一、政三九〇、平成一七・五政一八三、六政二〇三、政二三一、平成一八・一政一〇、八政二七六、一一政三五二、平成一九・一政三、三政三九、政五五、五政一七〇、八政二六六、平成二〇・四政一四九、平成二一・一政一二、四政一二七、八政二二六、一二政二九一、平成二三・一二政四一一、平成二四・三政五四、平成二五・六政一七九、一一政三一〇、平成二六・三政六三、四政一六九、一一政三

○道路交通法施行規則

〔昭和三五・一二・三　総理府令六〇〕

改正　昭和三七・九総府令四四、昭和三八・三総府令一一、七総府令三三、昭和三九・八総府令三六、昭和四〇・八総府令四一、昭和四一・九総府令五一、昭和四二・一総府令一、九総府令四四、一一総府令五一、昭和四三・二総府令六、三総府令八、五総府令二七、八総府令四九、昭和四四・八総府令三一、昭和四五・八総府令二八、昭和四六・一一総府令五三、昭和四七・三総府令八、五総府令二七、八総府令五五、昭和四八・三総府令一一、昭和五〇・三総府令一〇、九総府令五五、一二総府令八〇、昭和五三・八総府令三七、昭和五四・八総府令四〇、一一総府令五〇、昭和五六・一総府令三、昭和五八・二総府令二、五総府令一八、六総府令二二、昭和五九・九総府令四六、一〇総府令五一、昭和六〇・七総府令三五、昭和六一・三総府令七、一一総府令五〇、昭和六三・六総府令三六、一〇総府令四五、平成元・二総府令五、七総府令四三、平成二・五総府令一二、一〇総府令五一、平成三・一総府令一、四総府令九、六総府令三〇、平成四・七総府令三八、八総府令四五、平成六・一総府令一、三総府令九、九総府令四九、平成七・六総府令三三、九総府令四三、平成八・八総府令四一、一一総府令五二、平成九・八総府令四八、平成一〇・三総府令二、五総府令三〇、七総府令五〇、一二総府令七六、平成一一・一総府令二、三総府令一一、八総府令四一、平成一二・一総府令四、三総府令一八、総府令二九、八総府令八七、総府令八九、平成一四・四内府令三四、一二内府令八三、平成一五・三内府令九、平成一六・五内府令五二、八内府令七四、一二内府令九三、内府令九七、平成一七・三内府令一六、平成一八・二内府令四、平成一九・一内府令一二、八内府令六六、平成二〇・五内府令三三、一〇内府令六〇、平成二一・五内府令二八、六内府令三三、一二内府令七四、平成二二・六内府令三一、一二内府令五四、平成二三・九内府令五〇、一二内府令七〇、平成

改正前	改正後
禁錮	拘禁刑
懲役	拘禁刑

・令和五年六月一六日法律第六三号の改正、令和六年五月二四日法律第三四号の改正の一部及び令和六年六月二一日法律第五九号の改正は、施行までに期間があるため、三段対照には改正を加えず、三段対照の次（九四一頁）に改正後の該当条文を掲載いたしました。

六六、一二政四一二、平成二七・一政一九、政三一、三政七四、一二政四二一、平成二八・一政一三、政二一、七政二五八、平成三〇・一政一、平成三一・三政三八、令和元・九政一〇八、政一〇九、令和二・六政一八一、一一政三二三、令和三・六政一七二、令和四・一政一六、五政一九五、九政三〇四、一二政三九一、令和五・三政五四、令和六・一政一二、三政四三

編注＝道路交通法施行令及び同法施行規則は、道路交通法と対照できるよう編集してあるため、条文の順序になっていない箇所がありますので、使用上の便宜を考慮して各条文の見出し及び掲載ページを目次中に掲げました。

二四・六内府令三九、平成二五・一内府令二、一一内府令七二、平成二六・三内府令一七、内府令二一、一〇内府令六五、平成二七・一内府令五、一一内府令六八、一二内府令七二、平成二八・七内府令四九、平成二九・一〇内府令四八、平成三〇・三内府令六、六内府令三〇、一二内府令五八、令和元・五内府令五、六内府令一二、九内府令三一、令和二・三内府令二九、六内府令四五、一二内府令七〇、一二内府令八五、令和三・六内府令四一、一一内府令六八、令和四・二内府令七、九内府令五四、一二内府令六七、令和五・三内府令一七、八内府令六二、令和六・六内府令五九、内府令六〇、内府令六一

編注＝令和六年六月二六日内閣府令第六〇号の改正の一部は、令和七年四月一日施行のため、現行の条文の後に□で改正後の条文を掲載し、令和八年四月一日以降の改正は、施行までに期間があるため、改正を加えてありません。

道路交通法

目次

ページ
第一章　総則（第一条―第九条）……一一
第二章　歩行者等の通行方法（第十条―第十五条の二）……五二
第二章の二　遠隔操作型小型車の使用者の義務（第十五条の三―第十五条の六）……六三
第三章　車両及び路面電車の交通方法……六七
第一節　通則（第十六条―第二十一条）……六七
第二節　速度（第二十二条―第二十四条）……八四
第三節　横断等（第二十五条・第二十五条の二）……九〇
第四節　追越し等（第二十六条―第三十二条）……九三
第五節　踏切の通過（第三十三条）……一〇四
第六節　交差点における通行方法等（第三十四条―第三十七条の二）……一〇六
第六節の二　横断歩行者等の保護のための通行方法（第三十八条・第三十八条の二）……一一七
第七節　緊急自動車等（第三十九条―第四十一条の二）……一二〇
第八節　徐行及び一時停止（第四十二条・第四十三条）……一二八
第九節　停車及び駐車（第四十四条―第五十条）……一三一
第九節の二　違法停車及び違法駐車に対する措置（第五十条の二―第五十一条の十五）……一五七

施行令

目次

ページ
第一章　総則
第一条　歩行補助車等……一六
第一条の二　公安委員会の交通規制……二九
第二条　信号の意味等……三一
第三条　信号機の灯火の配列等……三五
第三条の二　警察署長の交通規制等……三九
第四条　手信号の意味……四〇
第五条　灯火による信号の意味……四〇
第六条　通行を禁止されている道路における通行の許可……四五
第二章　歩行者の通行方法
第七条　車道を通行する行列等……五三
第八条　目が見えない者等の保護……五七
第三章　車両及び路面電車の交通方法
第九条　三以上の車両通行帯が設けられている場合の通行方法……七七
第一〇条　路線バス等の範囲……八〇
第一一条　最高速度……八四
第一二条　最高速度の特例……八四
第一三条　緊急自動車……一二〇
第一四条　緊急自動車の要件……一二二
第一四条の二　道路維持作業用自動車……一二六
第一四条の三……一二六
第一四条の四　消防用車両の要件……一二六
第一四条の五　停車又は駐車をすることができる場所について特に配慮する必要がある者……一三八
第一四条の六　路側帯が設けられている場所における停車及び駐車……一四一
第一四条の七　パーキング・メーターの作動等の方法……一四九
第一四条の八　車両を返還する場合の手続……一五九
第一五条　車両を保管した場合の公示事項……一六二
第一六条　車両を保管した場合の公示の方法……一六二
第一六条の二　車両の価額の評価の方法……一六五
第一六条の三　保管した車両を売却する場合の手続……一六五
第一六条の四……一六五
第一六条の五　登録の嘱託……一六六
第一七条　保管した車両に関する規定の準用……一六七

施行規則

目次

ページ
第一章　総則
第一条　歩行補助車等の基準……一六
第一条の二　一般原動機付自転車の総排気量等の大きさ……一七
第一条の二の二　特定小型原動機付自転車の大きさ等……一八
第一条の二の三　原動機を用いる軽車両……一九
第一条の三　人の力を補うため原動機を用いる自転車の基準……二〇
第一条の四　移動用小型車の基準……二〇
第一条の五　原動機を用いる身体障害者用の車の基準……二一
第一条の六　遠隔操作型小型車の基準……二一
第一条の七　非常停止装置の基準……二二
第一条の八　押して歩いている者を歩行者とする車両の大きさ等……二四
第二条　自動車の種類……二七
第二条の二　舗装されていない道路の部分等に横断歩道等を設ける場合における道路標識の設置……二九
第三条　交差点における左折の表示……三三
第三条の二　信号の表示……三四
第四条　信号機の構造等……三六
第五条　通行禁止道路通行許可証の様式等……四五
第五条の二　盲導犬の用具……五七
第五条の三　移動用小型車又は遠隔操作型小型車に付ける標識の様式……六一
第五条の四　遠隔操作による通行の届出……六三
第五条の五　届出番号等の表示……六五
第五条の六　自転車道を通行することができる車両の大きさ等……六八
第五条の六の二　特例特定小型原動機付自転車の歩道通行……七三
第五条の七　普通自動二輪車の最高速度を区分する原動機の大きさ……八四
第六条　通行区分の特例を認められる自動車……一二五
第六条の二　道路維持作業用自動車の塗色……一二六
第六条の三　消防用車両の灯火の要件……一二六

第十節　灯火及び合図（第五十二条―第五十四条）……一八七
第十一節　乗車、積載及び牽引（第五十五条―第六十一条）……一九四
第十二節　整備不良車両の運転の禁止等（第六十二条―第六十三条の二の二）……二一二
第十三節　自転車の交通方法の特例（第六十三条の三―第六十三条の十一）……二一九
第四章　車両等の運転者及び使用者の義務……二三一
第一節　運転者の義務（第六十四条―第七十一条の六）……二三一
第二節　交通事故の場合の措置等（第七十二条―第七十三条）……二六七
第三節　使用者の義務（第七十四条―第七十五条の二の二）……二七四
第四章の二　高速自動車国道等における自動車の交通方法等の特例……二九六
第一節　通則（第七十五条の二の三・第七十五条の三）……二九六
第二節　自動車の交通方法（第七十五条の四―第七十五条の九）……二九九
第三節　運転者の義務（第七十五条の十・第七十五条の十一）……三〇九
第四章の三　特定自動運行の許可等（第七十五条の十二―第七十五条の二十九）……三一三

第一七条の二　委託することのできない事務……一七〇
第一七条の三　放置違反金の額……一七三
第一七条の四　放置違反金の仮納付……一七三
第一七条の五　公示による納付命令……一七三
第一七条の六　登録の有効期間……一八〇
第一七条の七　放置車両確認機関に係る公示事項……一八二
第一八条　道路にある場合の灯火……一八七
第一九条　夜間以外の時間で灯火をつけなければならない場合……一八八
第二〇条　他の車両等と行き違う場合等の灯火の操作……一八八
第二一条　合図の時期及び方法……一九〇
第二二条　自動車の乗車又は積載の制限……一九六
第二三条　原動機付自転車の乗車又は積載の制限……二〇〇
第二四条　制限外許可の条件……二〇三
第二四条の二　過積載車両に係る提示書類……二〇四
第二五条　故障自動車の牽引……二〇八
第二五条の二　整備不良車両に係る提示書類……二一四
第二六条　普通自転車により歩道を通行することができる者……二二三
第四章　車両等の運転者及び使用者の義務
第二六条の二　同乗の禁止の対象とならない自動車……二三四
第二六条の二の二　呼気検査の方法……二三八
第二六条の三　通学通園バス……二四三
第二六条の三の二　座席ベルト及び幼児用補助装置に係る義務の免除……二五二
第二六条の三の三　運転者以外の者を乗車させて大型自動二輪車等を運転することができる者……二五七
第二六条の四　初心運転者標識の表示義務を免除される者……二六二
第二六条の四の二　聴覚障害の程度……二六五
第二六条の四の三　損壊物等の保管の手続等……二七一
第二六条の五　緊急自動車等……二七四
第二六条の六　自動車の使用の制限の基準……二八三
第二六条の七……二九二
第二六条の八　車両の使用の制限の基準……二九三
第四章の二　高速自動車国道等における自動車の交通方法等の特例
第二七条　最高速度……二九六

第六条の三の二　停車又は駐車に関係のある者による合意……一三二
第六条の三の三　停車又は駐車に関係のある者……一三二
第六条の三の四　高齢運転者等標章の様式等……一三二
第六条の三の五　高齢運転者等標章の記載事項の変更の届出……一三六
第六条の三の六　高齢運転者等標章の再交付の申請……一三八
第六条の三の七　高齢運転者等標章の返納……一三九
第六条の四　パーキング・メーターの機能……一三九
第六条の五　パーキング・チケットの様式等……一四四
第六条の六　パーキング・チケット発給設備の機能……一四五
第六条の七　時間制限駐車区間における駐車の適正を確保するための措置……一四五
第六条の八　パーキング・メーターの管理等の委託……一四六
第七条　受領書の様式……一四七
第七条の二　保管車両一覧簿等の様式……一五九
第七条の二の二　警察署長による公表……一六二
第七条の三　一般競争入札における掲示事項等……一六四
第七条の四　車両移動保管関係事務の委託……一六五
第七条の五　標章の取付け……一七〇
第七条の六　弁明通知書の記載事項……一七一
第七条の七　公示納付命令書の様式……一七二
第七条の八　国家公安委員会への報告……一七三
第七条の九……一七六
第七条の一〇　国土交通大臣等への通知……一七六
第七条の一一　普通自動車の乗車人員又は積載重量を区分する原動機の大きさ……一七七
第七条の一二　特定普通自動車等……一九六
第七条の一三　特定普通自動車等に係る積載物の重量の制限……一九七
第七条の一四　積載の高さ等について特別の制限を受ける普通自動車……一九八
第二章　積載の制限外許可等……一九九
第八条　制限外許可証の様式等……一九六
第八条の二　通行指示書の様式……二〇五
第八条の三　再発防止命令の方法……二〇七
第八条の四　牽引の用具の構造及び装置……二〇八
第八条の五　牽引の許可証の様式等……二〇八
第九条　運行記録計による記録の保存……二一七
第九条の二　作動状態記録装置による記録の保存……二一八

道路交通法

第五章　道路の使用等……三三九
第一節　道路における禁止行為等（第七十六条―第八十条）……三三九
第二節　危険防止等の措置（第八十一条―第八十三条）……三四八
第六章　自動車及び一般原動機付自転車の運転免許……三五八
第一節　通則（第八十四条―第八十七条）……三五八
第二節　免許の申請等（第八十八条―第九十一条の二）……三七二
第三節　免許証等（第九十二条―第九十五条）……四〇七
第三節　免許証等（第九十二条―第九十五条の六）
第四節　運転免許試験（第九十六条―第九十七条の三）……四三三
第四節の二　自動車教習所（第九十八条―第百条）……四七〇
第四節の三　再試験（第百条の二・第百条の三）……四九四
第五節　免許証の更新等（第百一条―第百二条の三）……五〇〇
第五節　免許証等の更新等（第百一条―第百二条の三）

施行令

第二七条の二　高速自動車国道における交通方法の特例に係る最低速度を定めない本線車道……二九九
第二七条の三　最低速度……三〇〇
第二七条の四　違法駐車している自動車を移動することができる場所……三〇四
第二七条の五　高速自動車国道等に係る車両の保管の手続等……三〇四
第二七条の六　自動車を運転することができなくなつた場合における表示の方法……三一〇
第四章の三　特定自動運行の特則
第二七条の七　特定自動運行において交通事故があつた場合における損壊物等の保管の手続等……三二九
第二七条の八　特定自動運行が終了した場合における表示の方法……三三〇
第五章　工作物等の保管の手続等
第二八条　工作物等を保管した場合の公示事項……三四九
第二九条　工作物等を保管した場合の公示の方法……三四九
第二九条の二　工作物等を返還するための措置……三五〇
第二九条の三　工作物等の価額の評価の方法……三五一
第三〇条　保管した工作物等を売却する場合の手続……三五一
第三一条……三五二
第三二条　保管した工作物等に関する規定の準用……三五四
第六章　自動車及び一般原動機付自転車の運転免許
第三二条の二　大型免許を受けた二十一歳に満たない者等が運転することができない大型自動車、中型自動車又は準中型自動車……三六一
第三二条の三　中型免許を受けた二十一歳に満たない者等が運転することができない中型自動車又は準中型自動車……三六二
第三二条の三の二　準中型免許を受けた二十一歳に満たない者等が運転することができない準中型自動車又は普通自動車……三六三
第三二条の四　普通免許を受けた者が運転することができない普通自動車……三六三
第三二条の五　大型二輪免許等を受けた者が運転することができない大型自動二輪車等……三六三
第三二条の六　仮運転免許を受けた者の同乗指導をすることができる者……三六八
第三二条の七　十九歳から大型免許等を受けることができる者……三七二

施行規則

第二章の二　自転車に関する基準
第九条の二の二　普通自転車の大きさ等……二一九
第九条の二の三　普通自転車により安全に車道を通行することに支障を生ずる程度の身体の障害……二二四
第二章の三　自動車等の運転者の遵守事項
第九条の三　制動装置……二二七
第九条の四　反射器材……二二七
第九条の四の二　消音器の備付けに係る規定の適用がない自動車等……二五一
第九条の四の三　消音器の機能に著しい支障を及ぼす改造等……二五一
第九条の五　乗車用ヘルメット……二五七
第九条の六　初心運転者標識等の表示……二六二
第九条の七　初心運転者標識等の様式……二六二
第九条の七の二　聴覚障害の基準……二六五
第二章の四　安全運転管理者等
第九条の八　安全運転管理者等の選任を必要とする自動車の台数……二七五
第九条の九　安全運転管理者等の要件……二七六
第九条の一〇　安全運転管理者の業務……二七七
第九条の一〇の二　電磁的方法による記録……二七八
第九条の一一　副安全運転管理者の人数……二七九
第九条の一二　届出事項等……二七九
第九条の一三……二七九
第二章の五　車両の使用の制限
第九条の一三の二　聴聞の手続……二八五
第九条の一四　車両の使用制限書の記載事項……二八六
第九条の一五　標章の様式……二八七
第九条の一六　申請の手続……二八七
第二章の六　停止表示器材の基準
第九条の一七　夜間用停止表示器材……三一〇
第九条の一八　昼間用停止表示器材……三一一
第二章の七　特定自動運行の許可等
第九条の一九　特定自動運行の許可証の交付等……三一三
第九条の二〇　特定自動運行の許可の申請書の様式等……三一三
第九条の二一　特定自動運行の許可の申請書の添付書類等……三一五
第九条の二二　意見聴取……三一五
第九条の二三　変更の許可の申請等……三一八

第六節　免許の取消し、停止等（第百三条―第百七条）……五三一
第七節　国際運転免許証及び外国運転免許証並びに国外運転免許証（第百七条の二―第百七条の十）……五八五
第八節　免許関係事務の委託（第百八条）……六〇九
第六章の二　講習（第百八条の二―第百八条の十二）……六一三
第六章の三　交通事故調査分析センター（第百八条の十三―第百八条の二十五）……六四七
第六章の四　交通の安全と円滑に資するための民間の組織活動等の促進（第百八条の二十六―第百八条の三十二の四）……六五五
第七章　雑則（第百八条の三十三―第百十四条の七）……六七一
第八章　罰則（第百十五条―第百二十四条）……七一五
第九章　反則行為に関する処理手続の特例……七四八
第一節　通則（第百二十五条）……七四八
第二節　告知及び通告（第百二十六条・第百二十七条）……七五〇
第三節　反則金の納付及び仮納付（第百二十八条―第百二十九条の二）……七五五
第四節　反則者に係る刑事事件等（第百三十条・第百三十条の二）……七六〇
第五節　雑則（第百三十一条・第百三十二条）……七六二
附　則……七六三

第三十二条の八　十九歳から中型免許等を受けることができる者……三七二
第三十三条　免許の拒否又は保留の基準……三八二
第三十三条の二……三八三
第三十三条の二の二……三九〇
第三十三条の二の三　免許の拒否又は保留の事由となる病気等……三九一
第三十三条の三　免許を与えた後における免許の取消し又は停止の基準……三九三
第三十三条の四　免許の拒否等の場合の免許の欠格期間の指定の基準……三九四
第三十三条の五　免許の保留等の期間を短縮することができる範囲……三九五
第三十三条の五の二　仮運転免許の拒否の基準……三九六
第三十三条の五の三　大型免許等を受けようとする者に対する講習を受ける必要がない者……三九七
第三十三条の六　申請による免許の条件の付与等の基準……四〇四
第三十三条の六の二　免許証の更新を受けることができなかつたやむを得ない理由……四一〇
第三十三条の七　優良運転者及び違反運転者等に係る基準……四一一
第三十三条の八　免許証の有効期間等の特例の適用がある日……四一四
第三十四条　受験資格の特例……四三三
第三十四条の二……四三六
第三十四条の三　試験の免除……四五七
第三十四条の四……四六五
第三十四条の五……四六五
第三十四条の六　指定自動車教習所の指定の区分……四七三
第三十五条　指定自動車教習所の指定の基準……四七五
第三十六条　再試験の基準……四九四
第三十七条　同等の免許……四九五
第三十七条の二　再試験により取り消された免許に準ずるもの……四九五
第三十七条の三　初心運転者講習終了者に係る再試験の基準……四九六
第三十七条の四　再試験の受験期間の特例……四九七
第三十七条の五　免許証の更新の特例……五〇四
第三十七条の六　免許証の更新を受けようとする者に対する講習を受ける必要がない者……五一一

第九条の二四　特定自動運行計画の軽微な変更……三一九
第九条の二五　軽微な変更等の届出等……三一九
第九条の二六　許可の公示の方法……三二〇
第九条の二七　教育……三二一
第九条の二八　特定自動運行主任者の要件……三二三
第九条の二九　遠隔監視装置……三二四
第九条の三〇　特定自動運行中である旨の表示……三二五
第九条の三一　特定自動運行を行う場合における運行記録計の記録の保存……三三〇
第九条の三二　高速自動車国道等において特定自動運行が終了した場合における表示のための装置……三三一
第九条の三三　許可の取消し等に係る通知……三三五
第九条の三四　許可の取消しの公示の方法……三三五
第九条の三五　仮停止に係る通知……三三六
第九条の三六　公安委員会への報告……三三六
第九条の三七　国家公安委員会への報告……三三七
第九条の三八　許可証の返納等……三三七
第三章　道路使用の許可
第一〇条　道路使用許可証の様式等……三四三
第一一条　道路使用許可証の記載事項の変更の届出……三四五
第一二条　道路使用許可証の再交付の申請……三四五
第四章　工作物等の保管等
第一三条　保管工作物等一覧簿等の様式……三四九
第一四条　受領書の様式……三五〇
第一五条　一般競争入札における掲示事項……三五二
第五章　運転免許及び運転免許試験
第一五条の二　緊急自動車の運転資格の審査……三六一
第一五条の三　練習運転のための標識の表示……三六九
第一六条　練習運転のための標識の様式……三六九
第一七条　免許申請書……三七四
第一八条……三七六
第一八条の二……三七八
第一八条の二の二　質問票の様式……三八〇
第一八条の二の三　技能検査……三八一
第一八条の三　免許の拒否等に係る通知……三八二
第一八条の四　免許の保留に係る適性検査の受検等命令……三九三
第一八条の五　限定解除審査の申請の手続……四〇二
第一八条の六　申請により付与又は変更する免許の条件等……四〇三

施行令

第三七条の六の二……五一三
第三七条の六の三　運転技能検査等の基準……五一四
第三七条の六の四　認知機能が低下した場合に行われやすい違反行為……五二一
第三七条の六の五　臨時認知機能検査の受検期間等の特例……五二二
第三七条の七　臨時適性検査……五二七
第三七条の八　軽微違反行為等……五二八
第三七条の九　特例取得免許から除かれる免許……五二九
第三七条の一〇　若年運転者講習の受講の基準……五二九
第三七条の一一　若年運転者講習の受講期間の特例……五二九
第三八条　免許の取消し又は停止及び免許の欠格期間の指定の基準……五三一
第三八条の二　免許の取消し又は停止の事由となる病気等……五三八
第三九条　意見の聴取の手続……五四四
第三九条の二　臨時適性検査に係る免許の効力の停止をする場合等……五四八
第三九条の二の二　若年運転者講習終了者に係る免許の取消しの基準……五五二
第三九条の二の三　申請による取消しの際に受けることができる免許の種類……五六一
第三九条の二の四　申請による取消しの基準……五六二
第三九条の二の五　運転経歴証明書の交付……五六七
第三九条の二の六……五六八
第三九条の三　仮運転免許の取消しの基準……五七七
第三九条の四　我が国と同等の水準の運転免許制度を有する国又は地域……五八五
第三九条の五　日本語による翻訳文を作成する者……五八五
第四〇条　自動車等の運転の禁止の基準……五九一
第四〇条の二　委託の方法……六〇九
第四〇条の三　委託することのできない事務……六〇九
第七章　雑則
第四一条　公安委員会の講習の対象となる指定自動車教習所の職員……六二〇
第四一条の二　初心運転者講習の受講期間の特例……六三四
第四一条の三　特定小型原動機付自転車危険行為等……六三七
第四一条の四　保管証……六七四
第四二条　国家公安委員会の指示……六八〇
第四二条の二　特定の交通の規制に関する意見の聴取……六八二

施行規則

第一九条　免許証の記載事項等……四〇七
第一九条の二　免許証の電磁的方法による記録……四一六
第二〇条　免許証の記載事項の変更の届出の手続……四一七
第二一条　免許証の再交付の申請……四一八
第二一条の二　仮免許による運転練習……四三六
第二一条の三　大型免許等に係る受験資格の特例……四三七
第二二条　試験の場所等……四三九
第二三条　適性試験……四四〇
第二三条の二　道路において行わなくてよい運転免許試験項目……四五六
第二四条　技能試験……四四二
第二五条　学科試験……四五六
第二六条　試験の順序等……四五六
第二六条の二　特定失効者又は特定取消処分者に係る講習の受講期間等……四五九
第二六条の三　認知機能検査……四五九
第二六条の四　認知機能検査等を受ける必要がない者……四六〇
第二六条の五　運転技能検査……四六〇
第二六条の六　運転技能検査等の基準……四六四
第二七条　試験の一部免除の基準……四六五
第二八条　運転免許試験成績証明書……四六六
第二八条の二　再試験……四九四
第二八条の三　再試験通知書……四九六
第二八条の四　再試験受験申込書……四九七
第二八条の五　試験移送通知書の様式……四九九
第二九条　免許証の更新の申請等……五〇〇
第二九条の二……五〇四
第二九条の二の二……五〇七
第二九条の二の三　認知機能検査等を受ける必要がない場合……五一三
第二九条の二の四　報告徴収の方法……五一九
第二九条の二の五　臨時認知機能検査……五二一
第二九条の二の六　臨時高齢者講習……五二三
第二九条の三　臨時適性検査等……五二五
第二九条の四　処分移送通知書の様式……五三三
第二九条の五　免許の効力の停止に係る適性検査の受検等命令……五三四
第三〇条　仮停止……五四〇
第三〇条の二　仮停止通知書の様式……五四一
第三〇条の二の二　聴聞の手続……五四六

第四三条　法第百十二条第一項の政令で定める区分及び額……六八六
第四三条の二　警察庁長官への権限の委任……七〇九
第四四条　権限の委任……七〇九
第四四条の二　交通巡視員の要件等……七一一
第四四条の二の二　自衛隊の防衛出動時における交通の規制に関する国家公安委員会の指示……七一三
第四四条の三　アルコールの程度……七一九
第八章　反則行為に関する処理手続の特例
第四五条　反則行為の種別及び反則金の額……七四八
第四六条　告知書……七五〇
第四七条　通告書……七五二
第四八条　送付による通告の効力発生時期……七五二
第四九条　通告書の送付費用……七五二
第五〇条　通知書……七五三
第五一条　納付期間の特例……七五五
第五二条　反則金の納付及び仮納付……七五五
第五二条の二　家庭裁判所の指示に係る反則金の納付……七六一
第五三条　削除
第五四条　公示通告……七五八
第五四条の二　期間の特例の適用がある日……七六〇
第五五条　方面本部長への権限の委任……七六二
附　則……七六三

第三〇条の三　再試験に係る処分移送通知書の様式……五四七
第三〇条の三の二　若年運転者期間に係る取消しに係る処分移送通知書の様式……五五三
第三〇条の四　免許の取消し等……五五五
第三〇条の五　出頭命令書の交付……五五六
第三〇条の六　免許証の提出……五五七
第三〇条の七　保管証……五五七
第三〇条の八　公安委員会への通知……五五八
第三〇条の九　取消しの申請等……五六一
第三〇条の一〇　運転経歴証明書の交付の申請の手続……五六四
第三〇条の一一　運転経歴証明書の記載事項等……五六四
第三〇条の一二　運転経歴証明書の記載事項の変更の届出……五六五
第三〇条の一三　運転経歴証明書の再交付の申請……五六五
第三〇条の一四　運転経歴証明書の返納……五六六
第三一条　国家公安委員会への報告……五七〇
第三一条の二……五七〇
第三一条の二の二……五七〇
第三一条の三……五七〇
第三一条の四　仮免許の取消し……五七八
第三一条の四の二　免許関係事務の委託……六〇九
第三一条の四の三　委託契約書の記載事項……六〇九
第三一条の四の四　公示の方法……六〇九
第六章　自動車教習所
第三一条の五　自動車教習所の届出……四七〇
第三一条の六　報告等……四七二
第三二条　コースの種類、形状及び構造の基準……四七六
第三三条　教習の時間及び方法……四七七
第三四条　技能検定……四八九
第三四条の二　卒業証明書の発行等……四九〇
第三四条の三　指定前における教習の基準……四八四
第三四条の四　指定前における教習を修了した者に対する技能試験……四八五
第三五条　申請の手続……四七三
第三六条　変更の届出……四七五
第三七条　指定書等……四七五
第七章　国際運転免許証及び外国運転免許証並びに国外運転免許証
第三七条の二　報告徴収の方法……五八八
第三七条の二の二　臨時適性検査……五八九

第三七条の三　処分移送通知書の様式……五九七
第三七条の四　自動車等の運転禁止処分に係る事項
等の記載方法……五九五
第三七条の五　自動車等の運転の仮禁止の通知等……五九七
第三七条の五の二　自動車等の運転の禁止等……五九八
第三七条の六　運転禁止処分等についての報告事項……六〇二
第三七条の七　国外運転免許証の様式……六〇三
第三七条の八　国外運転免許証の交付……六〇五
第三七条の九　国外運転免許証交付申請書……六〇五
第三七条の一〇　国外運転免許証で運転することが
できる自動車等の指定……六〇六
第八章　講習
第三八条　講習……六一三
第三八条の二……五一一
第三八条の三　講習の委託……六三二
第三八条の四　初心運転者講習通知書……六三三
第三八条の四の二　違反者講習通知書……六三五
第三八条の四の二の二　若年運転者講習通知書……六三六
第三八条の四の三　講習通知事務の委託……六三六
第三八条の四の四　特定小型原動機付自転車運転者
講習等の受講命令の方法……六三七
第三八条の四の五　特定小型原動機付自転車運転者
講習等の受講命令等についての報告事項……六四〇
第八章の二　雑則
第三八条の四の六　運転免許取得者等教育に係る報
告等……六六六
第三八条の四の七　運転免許取得者等検査に係る報
告等……六六六
第三八条の五　使用者に対する通知……六七三
第三八条の六　保管証の様式……六七四
第三八条の七　交通情報の提供……六七八
第三八条の八　特定交通情報提供事業の届出……六七九
第三九条　国家公安委員会が指示を行う全国的な幹
線道路……六八〇
第三九条の二　原動機を用いる歩行補助車等の型式
認定……二一九
第三九条の二の二　原動機を用いる軽車両の型式認
定……二二〇
第三九条の三　人の力を補うため原動機を用いる自
転車の型式認定……二二一

道路交通法

施行令

施行規則

第三九条の四　移動用小型車の型式認定……二二一
第三九条の五　原動機を用いる身体障害者用の車の型式認定……二二一
第三九条の六　遠隔操作型小型車の型式認定……二二一
第三九条の七　普通自転車の型式認定……二二三
第三九条の八　安全器材等の型式認定……二二八
第三九条の九　運転シミュレーターの型式認定……二二八
第三九条の一〇　型式認定の手続等……二二九
第九章　告知書等の様式等
第四〇条　告知書の様式……七五〇
第四一条　通告書の様式……七五二
第四二条　通知書の様式……七五三
第四三条　納付書の様式……七五五
第四四条　振込みによる反則金の納付等において明らかにすべき事項……七五六
第四五条　公示通告書の様式……七五八
附　則……七六三

第一章　総則

（目的）

第一条　この法律は、道路における危険を防止し、その他交通の安全と円滑を図り、及び道路の交通に起因する障害の防止に資することを目的とする。

〔本条改正・昭四五法一四三〕

参照 〔道路〕二①1、道二①、道運二⑦・⑧、道運車二⑥、高速二①、駐車二3、道路の種類＝道三、歩行者等の通行方法＝一〇—一五の二、車両等の交通方法＝一六—六三の二の二、禁止行為＝七六、使用の許可＝七七、占用の許可＝道三二、管理者＝道一二—一八の二、構造＝道二九—三一の二、道構令

（定義）

第二条　この法律において、次の各号に掲げる用語の意義は、それぞれ当該各号に定めるところによる。

一　道路　道路法（昭和二十七年法律第百八十号）第二条第一項に規定する道路、道路運送法（昭和二十六年法律第百八十三号）第二条第八項に規定する自動車道及び一般交通の用に供するその他の場所をいう。

二　歩道　歩行者の通行の用に供するため縁石線又は柵その他これに類する工作物によつて区画された道路の部分をいう。

法第一条

判例 ※　道路交通取締法の被害法益は、一般的には道路交通の安全という公益ではあるが、同法に違反した無謀な自動車運転によつて損壊された物の所有者は、現に道路通行中の者でなくても同法違反の行為により、検察審査会法二条二項に規定する「犯罪によつて害を被つた者」に該当する。（広高　昭三一、五、一四）

道路法

（用語の定義）

第二条　この法律において「道路」とは、一般交通の用に供する道で次条各号に掲げるものをいい、トンネル、橋、渡船施設、道路用エレベーター等道路と一体となつてその効用を全うする施設又は工作物及び道路の附属物で当該道路に附属して設けられているものを含むものとする。

2〜5　〔略〕

（道路の種類）

第三条　道路の種類は、左に掲げるものとする。

一　高速自動車国道
二　一般国道
三　都道府県道
四　市町村道

三　車道　車両の通行の用に供するため縁石線若しくは柵その他これに類する工作物又は道路標示によつて区画された道路の部分をいう。
三の二　本線車道　高速自動車国道（高速自動車国道法（昭和三十二年法律第七十九号）第四条第一項に規定する道路をいう。以下同じ。）又は自動車専用道路（道路法第四十八条の四に規定する自動車専用道路をいう。以下同じ。）の本線車線により構成する車道をいう。
三の三　自転車道　自転車の通行の用に供するため縁石線又は柵その他これに類する工作物によつて区画された車道の部分をいう。
三の四　路側帯　歩行者の通行の用に供し、又は車道の効用を保つため、歩道の設けられていない道路又は道路の歩道の設けられていない側の路端寄りに設けられた帯状の道路の部分で、道路標示によつて区画されたものをいう。
四　横断歩道　道路標識又は道路標示（以下「道路標識等」という。）により歩行者の横断の用に供するための場所であることが示されている道路の部分をいう。
四の二　自転車横断帯　道路標識等により自転車の横断の用に供するための場所であることが示されている道路の部分をいう。
五　交差点　十字路、丁字路その他二以上の道路が交わる場合における当該二以上の道路（歩道と車道の区別のある道路においては、車道）の交わる部分をいう。
六　安全地帯　路面電車に乗降する者若しくは横断

規制標示

種類	路側帯	駐停車禁止路側帯	歩行者用路側帯
（図）	車両通行帯境界線、車道中央線など／道路の左端	車両通行帯境界線、車道中央線など／道路の左端	車両通行帯境界線、車道中央線など／道路の左端
番号	108	108の2	108の3
意味	路側帯であること。	車の駐車と停車が禁止されている路側帯であること。	車の駐車と停車、特例特定小型原動機付自転車と軽車両の通行が禁止されている路側帯であること。
色	記号は白	記号は白	記号は白

道路運送法

（定義）
第二条　この法律で「道路運送事業」とは、旅客自動車運送事業、貨物自動車運送事業及び自動車道事業をいう。
2～6　〔略〕
7　この法律で「道路」とは、道路法（昭和二十七年法律第百八十号）による道路及びその他の一般交通の用に供する場所並びに自動車道をいう。
8　この法律で「自動車道」とは、専ら自動車の交通の用に供することを目的として設けられた道で道路法による道路以外のものをいい、「一般自動車道」とは、専用自動車道以外の自動車道をいい、「専用自動車道」とは、自動車運送事業者（自動車運送事業を経営する者をいう。以下同じ。）が専らその事業用自動車（自動車運送事業者がその自動車運送事業の用に供する自動車をいう。以下同じ。）の交通の用に供することを目的として設けた道をいう。

高速自動車国道法

（高速自動車国道の意義及び路線の指定）
第四条　高速自動車国道とは、自動車の高速交通の用に供する道路で、全国的な自動車交通網の枢要部分を構成し、かつ、政治・経済・文化上特に重要な地域を連絡するものその他国の利害に特に重大な関係を有するもので、次の各号に掲げるものをいう。
一　国土開発幹線自動車道の予定路線のうちから政令でその路線を指定したもの
二　前条第三項の規定により告示された予定路線のうちから政令でその路線を指定したもの
2・3　〔略〕

している歩行者の安全を図るため道路に設けられた島状の施設又は道路標識及び道路標示により安全地帯であることが示されている道路の部分をいう。

七　車両通行帯　車両が道路の定められた部分を通行すべきことが道路標示により示されている場合における当該道路標示により示されている道路の部分をいう。

八　車両　自動車、原動機付自転車、軽車両及びトロリーバスをいう。

指示標識

種類	横断歩道	横断歩道	自転車横断帯	横断歩道・自転車横断帯
番号	407－A	407－B	407の2	407の3
表示する意味	横断歩道であること。	同　右	自転車横断帯であること。	横断歩道及び自転車横断帯であること。
色	記号と縁線は白、縁と地は青	同　右	同　右	同　右

指示標示

種類	
番号	
意味	
色	

 自転車横断帯	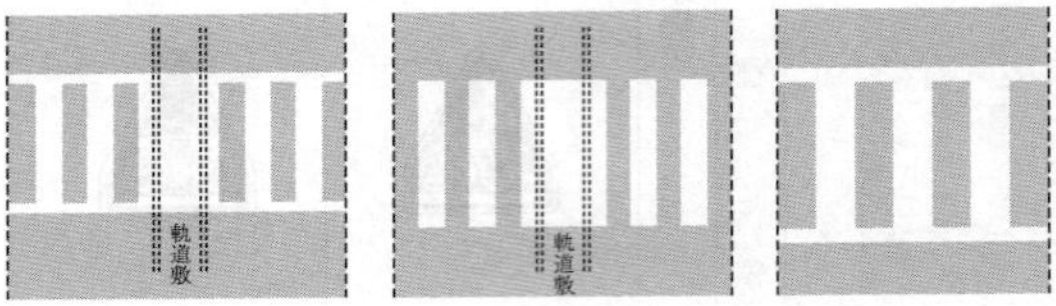 横　断　歩　道
201の 3	201
自転車横断帯であること。	横断歩道であること。
同　　右	記号は白

指示標識

種類	番号	表示する意味	色
 安全地帯	408	安全地帯であること。	記号と縁は白、地は青

指示標示

種類	番号	意味	色
 軌道敷の縁石 安全地帯	207	安全地帯であること。	外わくは黄 内わくは白

規制標示

種類	番号	意味	色
1 高速自動車国道の本線車道以外の道路の区間に設けられる車両通行帯 (1) ペイントかこれに類するものによるとき  車道中央線など 車両通行帯境界線 車両通行帯最外側線 道路の左端			

九　自動車　原動機を用い、かつ、レール又は架線によらないで運転する車又は特定自動運行を行う車であつて、原動機付自転車、軽車両、移動用小型車、身体障害者用の車及び遠隔操作型小型車並びに歩行補助車、乳母車その他の歩きながら用い

第一章　総則

（歩行補助車等）

第一条　道路交通法（以下「法」という。）第二条第一項第九号の歩行補助車等は、次に掲げるもの（原動機を用いるものにあつては、内閣府令で定める基準に該当するものに限る。）とする。

一　歩行補助車、乳母車及びショッピング・カート

二　レール又は架線によらないで通行させる車であつて、次のいずれにも該当するもの（前号に掲げるものを除く。）

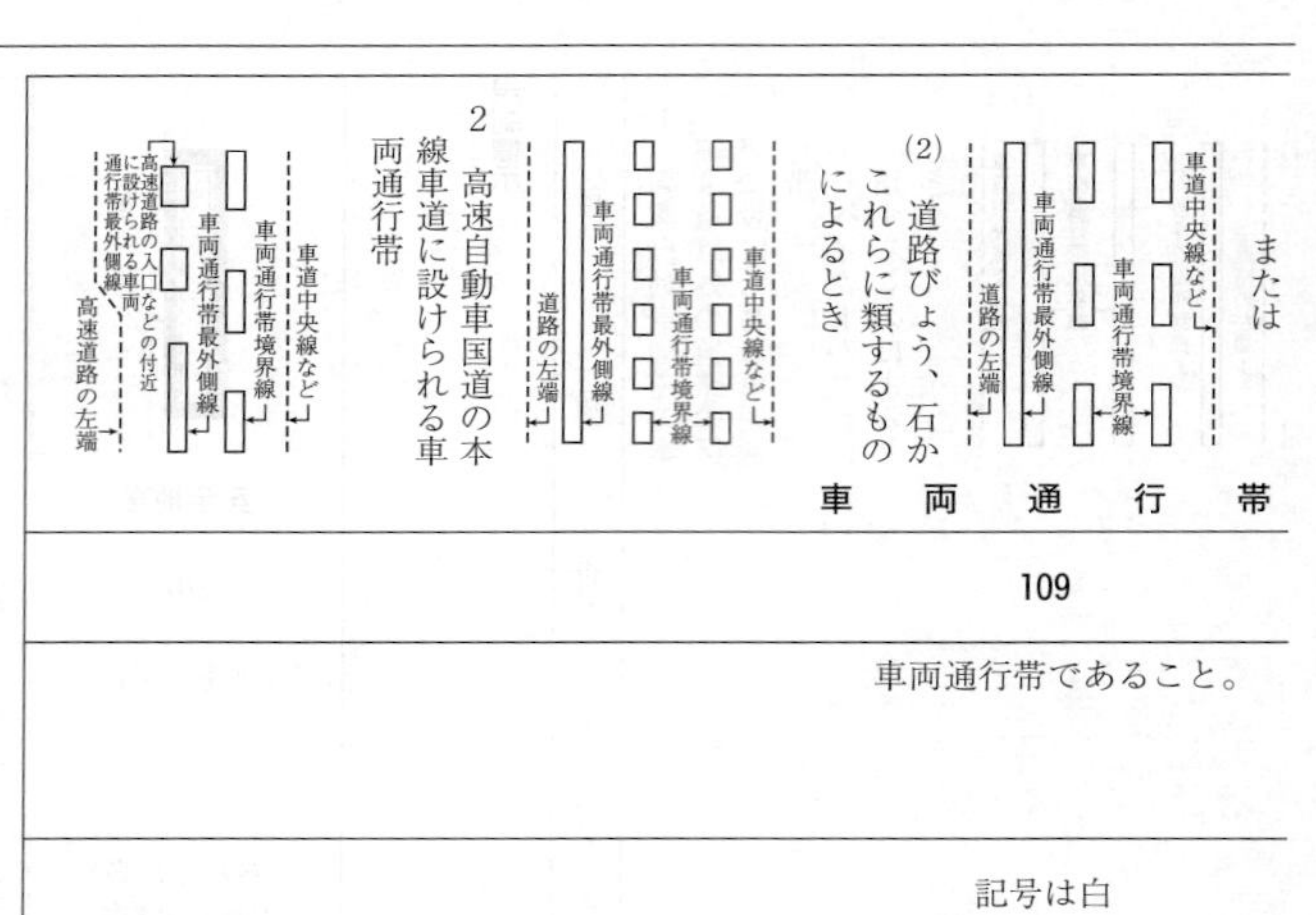

第一章　総則

（歩行補助車等の基準）

第一条　道路交通法施行令（昭和三十五年政令第二百七十号。以下「令」という。）第一条各号列記以外の部分の内閣府令で定める基準は、次に掲げるとおりとする。

一　車体の大きさは、次に掲げる長さ、幅及び高さを超えないこと。

イ　長さ　百二十センチメートル

る小型の車で政令で定めるもの（以下「歩行補助車等」という。）以外のものをいう。

十　原動機付自転車　原動機を用い、かつ、レール又は架線によらないで運転する車であつて次に掲げるもののうち、軽車両、移動用小型車、身体障害者用の車、遠隔操作型小型車及び歩行補助車等以外のものをいう。

イ　内閣府令で定める大きさ以下の総排気量又は定格出力を有する原動機を用いる車（ロに該当

イ　車体の大きさが他の歩行者の通行を妨げるおそれのないものとして内閣府令で定める基準に該当すること。

ロ　車体の構造が歩きながら用いるためのものとして内閣府令で定める基準に該当すること。

〔一・二項改正・三・四項削除・昭四〇政二五八、本条全改・平七政二六六、改正・平一二政三〇三・令元政一〇八・令四政三九二〕

ロ　幅　七十センチメートル

ハ　高さ　百二十センチメートル

二　車体の構造は、次に掲げるものであること。

イ　原動機として、電動機を用いること。

ロ　六キロメートル毎時を超える速度を出すことができないこと。

ハ　歩行者に危害を及ぼすおそれがある鋭利な突出部がないこと。

ニ　歩行補助車等を通行させている者が当該車から離れた場合には、原動機が停止すること。

2　前項第一号の規定は、次に掲げる車については、適用しない。

一　特定の経路を通行させることその他の特定の方法により通行させる乳母車（通行させる者が乗車することができないものに限る。）で、当該方法が他の歩行者の通行を妨げるおそれのないものであることにつきその通行の場所を管轄する警察署長（その通行の場所が同一の都道府県公安委員会（以下「公安委員会」という。）の管理に属する二以上の警察署長の管轄にわたるときは、そのいずれかの警察署長）の確認を受けたもの

二　令第一条第二号に掲げる車

3　令第一条第二号イの内閣府令で定める基準は、次に掲げる長さ及び幅を超えないこととする。

一　長さ　百九十センチメートル

二　幅　六十センチメートル

4　令第一条第二号ロの内閣府令で定める基準は、道路交通法（昭和三十五年法律第百五号。以下「法」という。）第六十三条の三に規定する普通自転車の乗車装置（幼児用座席を除く。）を使用することができないようにした車その他の車であつて、通行させる者が乗車することができないものであることとする。

〔本条追加・平七総府令四三、改正・平一二総府令八九、見出し・一項改正・二―四項追加・令元内府令三一、二項改正・令四内府令六七〕

（一般原動機付自転車の総排気量等の大きさ）

第一条の二　法第二条第一項第十号イの内閣府令で定める大きさは、二輪のもの及び内閣総理大臣が指定する三輪以上のものに

するものを除く。）

ロ　車体の大きさ及び構造が自転車道における他の車両の通行を妨げるおそれのないものであり、かつ、その運転に関し高い技能を要しないものである車として内閣府令で定める基準に該当するもの

あつては、総排気量については〇・〇五〇リットル、定格出力については〇・六〇キロワットとし、その他のものにあつては、総排気量については〇・〇二〇リットル、定格出力については〇・二五キロワットとする。

〔本条全改・昭四〇総府令四一、改正・昭四七総府令八・昭五九総府令四六、旧一条を繰下・平七総府令四三、本条改正・平一二総府令八九・令元内府令三一、見出し・本条改正・令五内府令一七〕

（特定小型原動機付自転車の大きさ等）

第一条の二の二　法第二条第一項第十号ロの内閣府令で定める基準は、次の各号に掲げるとおりとする。

一　車体の大きさは、次に掲げる長さ及び幅を超えないこと。

イ　長さ　百九十センチメートル

ロ　幅　六十センチメートル

二　車体の構造は、次に掲げるものであること。

イ　原動機として、定格出力が〇・六〇キロワット以下の電動機を用いること。

ロ　二十キロメートル毎時を超える速度を出すことができないこと。

ハ　構造上出すことができる最高の速度を複数設定することができるものにあつては、走行中に当該最高の速度の設定を変更することができないこと。

ニ　オートマチック・トランスミッションその他のクラッチの操作を要しない機構（以下「AT機構」という。）がとられていること。

ホ　道路運送車両の保安基準（昭和二十六年運輸省令第六十七号）第六十六条の十七に規定する最高速度表示灯（第五条の六の二第一項において単に「最高速度表示灯」という。）が備えられていること。

〔本条追加・令五内府令一七〕

道路交通法施行規則第一条の二の規定により、原動機を用い、かつ、レール又は架線によらないで運転する車のうち、道路交通法第二条第一項第十号の内閣府令で定める大きさが総排気量については〇・〇五〇リットル、定格出力については〇・六〇キロワットとされることとなる三輪以上のものを指定する件

道路交通法施行規則（昭和三十五年総理府令第六十号）第一条〔現行＝第一条の二〕の規定により、原動機を用い、かつ、レール又は架線によらないで運転する車のうち、道路交通法（昭和三十五年法律第百五号）第二条第一項第十号の総理府令で定める大きさが総排気量については〇・〇五〇リットル、定格出力について

十一　軽車両　次に掲げるものであつて、移動用小型車、身体障害者用の車及び歩行補助車等以外のもの（遠隔操作（車から離れた場所から当該車に電気通信技術を用いて指令を与えることにより当該車の操作をすること（当該操作をする車に備えられた衝突を防止するために自動的に当該車の通行を制御する装置を使用する場合を含む。）をいう。以下同じ。）により通行させることができるものを除く。）をいう。

イ　自転車、荷車その他人若しくは動物の力により、又は他の車両に牽引され、かつ、レールによらないで運転する車（そり及び牛馬を含み、小児用の車（小児が用いる小型の車であつて、歩きながら用いるもの以外のものをいう。次号及び第三項第一号において同じ。）を除く。）

ロ　原動機を用い、かつ、レール又は架線によらないで運転する車であつて、車体の大きさ及び構造を勘案してイに準ずるものとして内閣府令で定めるもの

は〇・六〇キロワットとされることとなる三輪以上のものを次のとおり指定し、平成三年一月一日から施行する。なお、昭和六十年二月八日総理府告示第二号は、平成二年十二月三十一日限り廃止する。

車室を備えず、かつ、輪距（二以上の輪距を有する車にあつては、その輪距のうち最大のもの）が〇・五〇メートル以下である三輪以上の車及び側面が構造上開放されている車室を備え、かつ、輪距が〇・五〇メートル以下である三輪の車

（原動機を用いる軽車両）

第一条の二の三　法第二条第一項第十一号ロの内閣府令で定めるものは、次の各号のいずれにも該当するものとする。

一　車体の大きさは、次に掲げる長さ、幅及び高さを超えないこと。

イ　長さ　四・〇〇メートル

ロ　幅　二・〇〇メートル

ハ　高さ　三・〇〇メートル

二　車体の構造は、次に掲げるものであること。

イ　原動機として、電動機を用いること。

ロ　歩きながら運転するものであること。

十一の二　自転車　ペダル又はハンド・クランクを用い、かつ、人の力により運転する二輪以上の車（レールにより運転する車を除く。）であつて、身体障害者用の車、小児用の車及び歩行補助車等以外のもの（原動機を用いるものにあつては、人の力を補うため原動機を用いるものであつて内閣府令で定める基準に該当するものを含み、移動用小型車及び遠隔操作により通行させることができるものを除く。）をいう。

十一の三　移動用小型車　人の移動の用に供するための原動機を用いる小型の車（遠隔操作により通行させることができるものを除く。）であつて、

ハ　運転者が当該車から離れた場合には、原動機が停止すること。

〔本条追加・令元内府令三二、旧一条の二の二を繰下・令五内府令一七〕

（人の力を補うため原動機を用いる自転車の基準）

第一条の三　法第二条第一項第十一号の二の内閣府令で定める基準は、次に掲げるとおりとする。

一　人の力を補うために用いる原動機が次のいずれにも該当するものであること。

イ　電動機であること。

ロ　二十四キロメートル毎時未満の速度で自転車を走行させることとなる場合において、人の力に対する原動機を用いて人の力を補う力の比率が、(1)又は(2)に掲げる速度の区分に応じそれぞれ(1)又は(2)に定める数値以下であること。

(1)　十キロメートル毎時未満の速度　二（三輪又は四輪の自転車であつて牽引されるための装置を有するリヤカーを牽引するものを走行させることとなる場合にあつては、三）

(2)　十キロメートル毎時以上二十四キロメートル毎時未満の速度　走行速度をキロメートル毎時で表した数値から十を減じて得た数値を七で除したものを二から減じた数値（三輪又は四輪の自転車であつて牽引されるための装置を有するリヤカーを牽引するものを走行させることとなる場合にあつては、走行速度をキロメートル毎時で表した数値から十を減じて得た数値を三分の十四で除したものを三から減じた数値）

ハ　二十四キロメートル毎時以上の速度で自転車を走行させることとなる場合において、原動機を用いて人の力を補う力が加わらないこと。

ニ　イからハまでのいずれにも該当する原動機についてイからハまでのいずれかに該当しないものに改造することが容易でない構造であること。

二　原動機を用いて人の力を補う機能が円滑に働き、かつ、当該機能が働くことにより安全な運転の確保に支障が生じるおそれがないこと。

〔本条追加・平七総府令四三、改正・平一二総府令八九・平二〇内府令六〇・平二九内府令四八・令二内府令七〇〕

（移動用小型車の基準）

第一条の四　法第二条第一項第十一号の三の内閣府令で定める基準は、次に掲げるとおりとする。

一　車体の大きさは、次に掲げる長さ、幅及び高さを超えない

車体の大きさ及び構造が他の歩行者の通行を妨げるおそれのないものとして内閣府令で定める基準に該当するもののうち、身体障害者用の車以外のものをいう。

十一の四　身体障害者用の車　身体の障害により歩行が困難な者の移動の用に供するための車（原動機を用いるものにあつては、内閣府令で定める基準に該当するものに限り、遠隔操作により通行させることができるものを除く。）をいう。

十一の五　遠隔操作型小型車　人又は物の運送の用に供するための原動機を用いる小型の車であつて

こと。

イ　長さ　百二十センチメートル

ロ　幅　七十センチメートル

ハ　高さ　百二十センチメートル（ヘッドサポートを除いた部分の高さ）

二　車体の構造は、次に掲げるものであること。

イ　原動機として、電動機を用いること。

ロ　六キロメートル毎時を超える速度を出すことができないこと。

ハ　歩行者に危害を及ぼすおそれがある鋭利な突出部がないこと。

〔本条追加・令四内府令六七〕

（原動機を用いる身体障害者用の車の基準）

第一条の五　法第二条第一項第十一号の四の内閣府令で定める基準は、次に掲げるとおりとする。

一　車体の大きさは、次に掲げる長さ、幅及び高さを超えないこと。

イ　長さ　百二十センチメートル

ロ　幅　七十センチメートル

ハ　高さ　百二十センチメートル（ヘッドサポートを除いた部分の高さ）

二　車体の構造は、次に掲げるものであること。

イ　原動機として、電動機を用いること。

ロ　六キロメートル毎時を超える速度を出すことができないこと。

ハ　歩行者に危害を及ぼすおそれがある鋭利な突出部がないこと。

ニ　自動車又は原動機付自転車と外観を通じて明確に識別することができること。

2　前項第一号の規定は、身体の状態により同号に定める車体の大きさの基準に該当する身体障害者用の車を用いることができない者が用いる身体障害者用の車で、その大きさの身体障害者用の車を用いることがやむを得ないことにつきその者の住所地を管轄する警察署長の確認を受けたものについては、適用しない。

〔本条追加・平四総府令四五、旧一条の二を繰下・平七総府令四三、一項改正・平一二総府令八九、見出し・一・二項改正・平二九内府令四八、見出し・一・二項改正・旧一条の四を繰下・令四内府令六七〕

（遠隔操作型小型車の基準）

第一条の六　法第二条第一項第十一号の五の遠隔操作型小型車の車体の大きさ及び構造に係る内閣府令で定める基準は、次に掲

遠隔操作により通行させることができるもののうち、車体の大きさ及び構造が歩行者の通行を妨げるおそれのないものとして内閣府令で定める基準に該当するものであり、かつ、内閣府令で定める基準に適合する非常停止装置を備えているものをいう。

十二　トロリーバス　架線から供給される電力により、かつ、レールによらないで運転する車をいう。

十三　路面電車　レールにより運転する車をいう。

十三の二　自動運行装置　道路運送車両法（昭和二十六年法律第百八十五号）第四十一条第一項第二十号に規定する自動運行装置をいう。

十四　信号機　電気により操作され、かつ、道路の交通に関し、灯火により交通整理等のための信号を表示する装置をいう。

十五　道路標識　道路の交通に関し、規制又は指示を表示する標示板をいう。

げるとおりとする。

一　車体の大きさは、次に掲げる長さ、幅及び高さを超えないこと。

イ　長さ　百二十センチメートル

ロ　幅　七十センチメートル

ハ　高さ　百二十センチメートル（センサー、カメラその他の通行時の周囲の状況を検知するための装置及びヘッドサポートを除いた部分の高さ）

二　車体の構造は、次に掲げるものであること。

イ　原動機として、電動機を用いること。

ロ　六キロメートル毎時を超える速度を出すことができないこと。

ハ　歩行者に危害を及ぼすおそれがある鋭利な突出部がないこと。

〔本条追加・令四内府令六七〕

（非常停止装置の基準）

第一条の七　法第二条第一項第十一号の五の非常停止装置に係る内閣府令で定める基準は、次に掲げるとおりとする。

一　押しボタン（車体の前方及び後方から容易に操作できるものに限る。）の操作により作動するものであること。

二　前号の押しボタンとその周囲の部分との色の明度、色相又は彩度の差が大きいことにより当該押しボタンを容易に識別できるものであること。

三　作動時に直ちに原動機を停止させるものであること。

〔本条追加・令四内府令六七〕

道路運送車両法

（自動車の装置）

第四十一条　自動車は、次に掲げる装置について、国土交通省令で定める保安上又は公害防止その他の環境保全上の技術基準に適合するものでなければ、運行の用に供してはならない。

一〜十九　〔略〕

二十　自動運行装置

二十一　〔略〕

2　〔略〕

十六　道路標示　道路の交通に関し、規制又は指示を表示する標示で、路面に描かれた道路鋲、ペイント、石等による線、記号又は文字をいう。

十七　運転　道路において、車両又は路面電車（以下「車両等」という。）をその本来の用い方に従つて用いること（原動機に加えてペダルその他の人の力により走行させることができる装置を備えている自動車又は原動機付自転車にあつては当該装置を用いて走行させる場合を含み、特定自動運行を行う場合を除く。）をいう。

十七の二　特定自動運行　道路において、自動運行装置（当該自動運行装置を備えている自動車が第六十二条に規定する整備不良車両に該当することとなつたとき又は当該自動運行装置の使用が当該自動運行装置に係る使用条件（道路運送車両法第四十一条第二項に規定する条件をいう。以下同じ。）を満たさないこととなつたときに、直ちに自動的に安全な方法で当該自動車を停止させることができるものに限る。）を当該自動運行装置に係る使用条件で使用して当該自動運行装置を備えている自動車を運行すること（当該自動車の運行中の道路、交通及び当該自動車の状況に応じて当該自動車の装置を操作する者がいる場合のものを除く。）をいう。

十八　駐車　車両等が客待ち、荷待ち、貨物の積卸し、故障その他の理由により継続的に停止すること（貨物の積卸しのための停止で五分を超えない時間内のもの及び人の乗降のための停止を除く。）、又は車両等が停止（特定自動運行中の停止を除く。）をし、かつ、当該車両等の運転をする者（以下「運転者」という。）がその車両等を離れて直ちに運転することができない状態にあることをいう。

十九　停車　車両等が停止することで駐車以外のものをいう。

二十　徐行　車両等が直ちに停止することができるような速度で進行することをいう。

二十一　追越し　車両が他の車両等に追い付いた場合において、その進路を変えてその追い付いた車両等の側方を通過し、かつ、当該車両等の前方に出ることをいう。

二十二　進行妨害　車両等が、進行を継続し、又は始めた場合においては危険を防止するため他の車両等がその速度又は方向を急に変更しなければならないこととなるおそれがあるときに、その進行を継続し、又は始めることをいう。

二十三　交通公害　道路の交通に起因して生ずる大気の汚染、騒音及び振動のうち内閣府令・環境省令で定めるものによつて、人の健康又は生活環境に係る被害が生ずることをいう。

2　道路法第四十五条第一項の規定により設置された区画線は、この法律の規定の適用については、内閣府令・国土交通省令で定めるところにより、道路標示とみなす。

3　この法律の規定の適用については、次に掲げる者は、歩行者とする。

一　移動用小型車、身体障害者用の車、遠隔操作型小型車、小児用の車又は歩行補助車等を通行させている者（遠隔操作型小型車にあつては、遠隔操作により通行させている者を除く。）

二　次条の大型自動二輪車又は普通自動二輪車、二輪の原動機付自転車、二輪又は三輪の自転車その

交通公害に係る大気の汚染、騒音及び振動を定める命令

道路交通法（昭和三十五年法律第百五号）第二条第一項第二十三号の内閣府令・環境省令で定めるものは、次の各号に掲げる大気の汚染、騒音及び振動であつて、当該区域において人の健康を保護し、及び生活環境を保全する上で維持されることが望ましい限度を超えるものとする。

一　道路を通行する自動車又は原動機付自転車から排出される一酸化炭素、炭化水素、鉛化合物、窒素酸化物又は粒子状物質に起因する大気の汚染

二　自動車又は原動機付自転車の通行に伴つて発生する騒音及び振動

道路法

（道路標識等の設置）

第四五条　道路管理者は、道路の構造を保全し、又は交通の安全と円滑を図るため、必要な場所に道路標識又は区画線を設けなければならない。

2・3　〔略〕

（押して歩いている者を歩行者とする車両の大きさ等）

第一条の八　法第二条第三項第二号の内閣府令で定める基準は、三輪以上の特定小型原動機付自転車（法第十七条第三項に規定

他車体の大きさ及び構造が他の歩行者の通行を妨げるおそれのないものとして内閣府令で定める基準に該当する車両（これらの車両で側車付きのもの及び他の車両を牽（けん）引しているものを除く。）を押して歩いている者

〔本条改正・昭三八法九〇・昭三九法九一・昭四〇法九六・昭四五法八六・法一四三・昭四六法八八、一項改正・二・三項追加・昭四六法九八、一・三項改正・昭五三法五三、一項改正・平元法八二・法八三・平四法四三、一・三項改正・平七法七四、一項改正・平一一法八七、一・二項改正・平一一法一六〇、一項改正・平一九法九〇、一・三項改正・令元法二〇、三項改正・令二法四二、一・三項改正・令四法三二、一項改正・令六法三四〕

参照 〔道路〕道二①、道運二⑦・⑧、道運車二⑥、高速二①、駐車二3、道路の種類＝道三、禁止行為＝七六、使用の許可＝七七、占用の許可＝道三二、管理者＝道一二―二八の二〔歩道〕道構令二1・一一、歩行者等の歩道通行義務＝一〇②、自転車の歩道通行＝六三の四、特例特定小型原動機付自転車の歩道通行＝一七の二〔車道〕道構令二4・五・一四〔本線車道〕高速四①、最低速度＝七五の四、横断等の禁止＝七五の五、本線車道に入る場合等における他の自動車との関係＝七五の六、出入の方法＝七五の七〔自転車道〕自転車道二③、自転車道の通行区分＝六三の三〔路側帯〕歩行者等の路側帯通行義務＝一〇②、特例特定小型原動機付自転車等の路側帯通行＝一七の三、路側帯における停車又は駐車の方法＝四七③〔横断歩道〕設置＝四①、歩行者等の横断歩道付近での道路横断＝一二①〔自転車横断帯〕設置＝四①、自転車の自転車横断帯付近での道路横断＝六三の六〔道路標識又は道路標示〕設置＝四①、種類、様式、設置場所等＝道路標識、区画線及び道路標示に関する命令〔交差点における通行方法等〕三四―三七の二、道路の平面交差又は接続＝道構令二七〔安全地帯〕車両の安全地帯進入禁止＝一七⑥〔車両通行帯〕設置＝四①、基準＝道交令一の二④、通行区分＝二〇

する特定小型原動機付自転車をいう。以下同じ。）であること又は次に掲げる長さ及び幅を超えない四輪以上の自転車であることとする。

一　長さ　百九十センチメートル

二　幅　六十センチメートル

〔本条追加・令二内府令七〇、旧一条の五を繰下・令四内府令六七、本条改正・令五内府令一七〕

法第二条

判例 ※　学童その他一般公衆の多数出入する小学校校庭のごときものは、道路交通取締法にいう「道路」の中に包含されるものと解するを相当とする。（高高　昭二七、三、二九）

※　車道と車道が交わる十字路において、四つ角の宅地または歩道の角を切り取つて車道の幅員を拡大してある部分は、交差点に包含される。（名高　昭三七、一一、二六）

※　本条一号にいわゆる「一般交通の用に供するその他の場所」とは、現に一般公衆及び車両等の交通の用に供されているとみられる客観的状況のある場所で、しかもその通行することについて、通行者がいちいちその都度管理者の許可などを受ける必要のない場所をいうものと解するのが相当である。（仙高　昭三八、一二、二三）

※　自動車を運転中、電話をかける用件が生じたのでエンジンを止めたうえ、七メートル離れた店頭の赤電話のところに行き、まず電話帳をめくつて先方の番号を調べ、次いで電話をかけようとしたときは、「運転者がその車両等を離れて直ちに運転することができない状態」にあつたといえるから、道路交通法二条一八号後段に定める「駐車」にあたる。（最　昭三九、三、一一）

※　歩車道の区別のある国道とその区別のない市道とが交わる場合の交差点は、国道の車道と市道の交わる部分の区域である。（高高　昭四〇、五、一一）

※　道路の交わる部分とは、本件のように、車道と車道とが交わる十字路の四つかどに、いわゆるすみ切りがある場合には、各車道の両側のすみ切り部分の始端を結ぶ線によつて囲まれた部分をいうものと解するのが相当である。（最　昭四三、一二、二四）↘

↙ ※　十字路と三差路とが互いにその側端を接している場所において、その十字路と三差路に設置された数個の信号機が、昼夜を通じ一連の循環をもつて連動し、当該場所の全体を図示して進路を指示する一個の指導看板が立てられている等の状況が認められるときは、右の場所は、いわゆる複合交差点として本法上一個の交差点とみなすべきである。（大高　昭四四、七、一八）

※　「運転した」とは、「道路において車両等をその本来の用い方に従つて用いた」との意味であるところ、自動車の本来的機能および道路交通法の立法趣旨に徴すると、駐車中の自動車を新たに発進させようとする場合において、右にいう自動車を「本来の用い方に従つて用いた」とは、単にエンジンを始動させただけでは足りず、いわゆる発進操作を完了することを要し、かつ、それをもつて足りるものと解するのが相当である。（最　昭四八、四、一〇）

※　機械式ブレーキを備え、タイヤ直径二二インチの、側車のつかない二輪自転車を小学校四年生の児童が使用した場合、右自転車は、道路交通法二条一項一一号及び同条三項一号にいう「小児用の車」にはあたらず、同法にいう「軽車両」にあたる。（福高　昭四九、五、二九）

※　右白線（歩車道の区別のある道路で、車道部分の路端に沿つて引かれた白線）は、本件現場の状況に即して考えれば、路肩または路側帯と見るべきではなく、車両の運転者の視線を誘導し、側方余裕を確保する機能を分担する道路構造令二条一一号の路側を表す白線であると認められ、その外側も道路交通法上の車道に属し、法令等により通行規制の措置がとられていない場所なので、かりに側帯外を通行していたとしても違法のかどはない。（東高　昭五三、八、三）

①―③、道交令九〔車両〕道運車二①〔自動車〕種類＝三、道交規二、他法に定める自動車＝道運車二②、道運二⑥、駐車二4、高速二④、自賠二①、自抵当二、他法の自動車の種別＝道運車三、道運車規二・別表一、保安基準＝道運車四〇―四六、保安基準二―五八の二〔政令で定めるもの（歩行補助車等）〕道交令一、道交規一・三九の二〔内閣府令で定める大きさ（一般原動機付自転車）〕道交規一の二、道運車二③、道運車規一、保安基準＝道運車四四、保安基準五九―六七の三〔軽車両〕他法に定める軽車両＝道運車二④、道運車令一、保安基準＝道運車四五、保安基準六八―七三〔内閣府令で定める基準（特定小型原動機付自転車）〕道交規一の二の二〔内閣府令で定めるもの（原動機を用いる軽車両）〕道交規一の二の三・三九の二の二〔内閣府令で定める基準（人の力を補うため原動機を用いる自転車）〕道交規一の三・三九の三〔内閣府令で定める基準（移動用小型車）〕道交規一の四・三九の四〔内閣府令で定める基準（身体障害者用の車）〕道交規一の五・三九の五〔内閣府令で定める基準（遠隔操作型小型車）〕道交規一の六・三九の六〔内閣府令で定める基準（非常停止装置）〕道交規一の七〔信号機〕設置＝四①、信号に従う義務＝七、信号の意味等＝道交令二、灯火の配列等＝道交令三、信号の表示＝道交規三の二、構造＝道交規四・別表一〔運転〕運転者＝自賠二④〔駐車、停車〕駐車＝駐車二5、駐車、停車に関する定め＝四四―五一の四〔徐行〕徐行できる場合＝三一、徐行すべき場合＝九・一八②・二五①②・三四・三五の二・三六③・三七の二②・三九②・七一1―3、徐行すべき場所＝四二〔停止〕停止すべき場合＝一七②・三二・三三①・三八①・②・四〇①・四一の二①・四三・五八の二・六一・六三①・六三の四②・六七・七一2・2の2・一一一②、緊急自動車の停止不要＝三九②、停止の合図＝五三、道交令二一〔追越し〕追越しに関する規定＝二八―三〇〔進行妨害〕進行妨害に関する規定＝三六①・②・三七・三七の二①・四三・七五の六〔内閣府令・環境省令の定め（交通公害）〕交通公害に係る大気の汚染、騒音及び振動を定める命令〔内閣府令・国土交通省令の定め〕道路標識、区画線及び道路標示に関する命令七〔内閣府令で定める基準〕道交規一の八

※　本件駐車場は、周囲を取り囲む南側道路との間に一箇所、東側道路との間に二箇所、遮蔽物がなく自動車が自由に出入りする事が可能な入り口があり、また、北側道路との間はフェンスや縁石等がなくどこからでも出入りが可能であって、前記店舗の利用者のみならず、本来周囲の道路を利用すべき車、自転車、歩行者なども多数通行しており、その中には直近の交差点の信号待ちを回避しようとして本件駐車場内を通行するものも少なくないという状況が認められ、「一般交通の用に供するその他の場所」として道路交通法上の道路に当たるということができる。（東高　平一三、六、一二）

※　私人の経営する月極駐車場で、その形状等は別紙現場見取図〔略〕のとおりであり、東西約二三メートル、南北約一九メートルのほぼ長方形で、アスファルトで舗装され、その中に一八台分の駐車区画が設けられているものは、道路交通法上の道路とはいえない。（東高　平一四、一〇、二二）

※　店舗を訪れる不特定の客の利用に供されている駐車場であって、三〇台分の駐車区画が設けられ、その出入口は常時開放されていて、管理者は交通について管理も行わず、その中央部分は、駐車する自動車や利用者がその出入りに当たって通過する場所であるなど判示の事実関係の下においては、同駐車場中央部分は道路交通法二条一項一号にいう道路に当たる。（大高　平一四、一〇、二三）

（自動車の種類）

第三条 自動車は、内閣府令で定める車体の大きさ及び構造並びに原動機の大きさを基準として、大型自動車、中型自動車、準中型自動車、普通自動車、大型特殊自動車、大型自動二輪車（側車付きのものを含む。以下同じ。）、普通自動二輪車（側車付きのものを含む。以下同じ。）及び小型特殊自動車に区分する。

〔一項改正・昭三九法九一、見出し・一項改正・二項削除・昭四〇法九六、本条改正・平七法七四・平一一法一六〇・平一六法九〇・平二七法四〇〕

参照 〔自動車〕二①9、他法に定める自動車＝道運車二②、道運二⑥、駐車二4、高速二④、自賠二①、自抵当二、自動車の種類＝道交規二、他法の自動車の種別＝道運車三、道運車規二、保安基準＝道運車四〇―四三、保安基準二―五八の二〔特別用途の自動車の保安基準〕緊急自動車＝保安基準四九、道路維持作業用自動車＝保安基準四九の二、旅客自動車＝保安基準五〇、ガス運送容器を備える自動車等＝保安基準五〇の二、火薬運送自動車＝保安基準五一、危険物運送自動車＝保安基準五二〔内閣府令の定め〕道交規二

道路運送車両法施行規則

別表第一（第二条関係）

自動車の種別	自動車の構造及び原動機	自動車の大きさ 長さ	幅	高さ
普通自動車	小型自動車、軽自動車、大型特殊自動車及び小型特殊自動車以外の自動車			
小型自動車	四輪以上の自動車及び被けん引自動車で自動車の大きさが下欄に該当するもののうち軽自動車、大型特殊自動車及び小型特殊自動車以外のもの（内燃機関を原動機とする自動車（軽油を燃料とする自動車及び天然ガスのみを燃料とする自動車を除く。）にあつては、その総排気量が二・〇〇リットル以下のものに限る。）	四・七〇メートル以下	一・七〇メートル以下	二・〇〇メートル以下
	二輪自動車（側車付二輪自動車を含む。）及び三輪自動車で軽自動車、大型特殊自動車及び小型特殊自動車以外のもの			
軽自動車	二輪自動車（側車付二輪自動車を含む。）以外の自動車及び被けん引自動車で自動車の大きさが下欄に該当するもののうち大型特殊自動車及び小型特殊自動車以外のもの（内燃機関を原動機とする自動車にあつては、その総排気量が〇・六六〇リットル以下のものに限る。）	三・四〇メートル以下	一・四八メートル以下	二・〇〇メートル以下
	二輪自動車（側車付二輪自動車を含む。）で自動車の大きさが下欄に該当するもののうち大型特殊自動車及び小型特殊自動車以外のもの（内燃機関を原動機とする自動車にあつては、その総排気量が〇・二五〇リットル以下のものに限る。）	二・五〇メートル以下	一・三〇メートル以下	二・〇〇メートル以下
大型特殊自動車	一 次に掲げる自動車であつて、小型特殊自動車以外のもの イ ショベル・ローダ、タイヤ・ローラ、ロード・ローラ、グレーダ、ロード・スタビライザ、スクレーパ、ロータリ除雪自動車、アスファルト・フィニッシャ、タイヤ・ドーザ、モータ・スイーパ、ダンパ、ホイール・ハンマ、ホイール・ブレーカ、フォーク・リフト、フォーク・ローダ、ホイール・クレーン、ストラドル・キャリヤ、ターレット式構内運搬自動車、自動車の車台が屈折して操向する構造の自動車、国土交通大臣の指定する構造のカタピラを有する自動車及び国土交通大臣の指定する特殊な構造を有する自動車 ロ 農耕トラクタ、農業用薬剤散布車、刈取脱穀作業車、田植機及び国土交通大臣の指定する農耕作業用自動車 二 ポール・トレーラ及び国土交通大臣の指定する特殊な構造を有する自動車			
小型特殊自動車	一 前項第一号イに掲げる自動車であつて、自動車の大きさが下欄に該当するもののうち最高速度十五キロメートル毎時以下のもの	四・七〇メートル以下	一・七〇メートル以下	二・八〇メートル以下
	二 前項第一号ロに掲げる自動車であつて、最高速度三十五キロメートル毎時未満のもの			

（自動車の種類）

第二条 法第三条に規定する自動車の区分の基準となる車体の大きさ及び構造並びに原動機の大きさ（以下この条において「車体の大きさ等」という。）は、次の表に定めるとおりとする。

自動車の種類	車体の大きさ等
大型自動車	大型特殊自動車、大型自動二輪車、普通自動二輪車及び小型特殊自動車以外の自動車で、車両総重量が一一、〇〇〇キログラム以上のもの、最大積載量が六、五〇〇キログラム以上のもの又は乗車定員が三〇人以上のもの
中型自動車	大型自動車、大型特殊自動車、大型自動二輪車、普通自動二輪車及び小型特殊自動車以外の自動車で、車両総重量が七、五〇〇キログラム以上一一、〇〇〇キログラム未満のもの、最大積載量が四、五〇〇キログラム以上六、五〇〇キログラム未満のもの又は乗車定員が一一人以上二九人以下のもの
準中型自動車	大型自動車、中型自動車、大型特殊自動車、大型自動二輪車、普通自動二輪車及び小型特殊自動車以外の自動車で、車両総重量が三、五〇〇キログラム以上七、五〇〇キログラム未満のもの又は最大積載量が二、〇〇〇キログラム以上四、五〇〇キログラム未満のもの
普通自動車	車体の大きさ等が、大型自動車、中型自動車、準中型自動車、大型特殊自動車、大型自動二輪車、普通自動二輪車又は小型特殊自動車について定められた車体の大きさ等のいずれにも該当しない自動車
大型特殊自動車	カタピラを有する自動車（内閣総理大臣が指定するものを除く。）、ロード・ローラ、タイヤ・ローラ、ロード・スタビライザ、タイヤ・ドーザ、グレーダ、スクレーパ、ショベル・ローダ、ダンパ、モータ・スイーパ、フォーク・リフト、ホイール・クレーン、ストラドル・キャリヤ、アスファルト・フィニッシャ、ホイール・ハンマ、ホイール・ブレーカ、フォーク・ローダ、農耕作業用自動車、ロータリ除雪車、ターレット式構内運搬自動車、自動車の車台が屈折して操向する構造の自動車及び内閣総理大臣が指定する特殊な構造を有する自動車（この表の小型特殊自動車の項において「特殊自動車」という。）で、

法第三条

判例 ※　乗車定員が一一人以上である大型自動車の座席の一部が取り外されて現実に存する席が一〇人分以下となった場合においても、乗車定員の変更につき国土交通大臣が行う自動車検査証の記入を受けていないときは、当該自動車はなお道路交通法上の大型自動車に当たる。

また、このような状況である大型自動車を普通自動車免許で運転することが許されると思い込んで運転した者には、無免許運転の故意が認められる。（最　平一八、二、二七）

<table>
<tr><td></td><td colspan="4">小型特殊自動車以外のもの</td></tr>
<tr><td>大型自動二輪車</td><td colspan="4">総排気量が〇・四〇〇リットルを超え、又は定格出力が二〇・〇〇キロワットを超える原動機を有する二輪の自動車（側車付きのものを含む。）で、大型特殊自動車及び小型特殊自動車以外のもの</td></tr>
<tr><td>普通自動二輪車</td><td colspan="4">二輪の自動車（側車付きのものを含む。）で、大型特殊自動車、大型自動二輪車及び小型特殊自動車以外のもの</td></tr>
<tr><td rowspan="3">小型特殊自動車</td><td rowspan="3">特殊自動車で、車体の大きさが下欄に該当するもののうち、一五キロメートル毎時を超える速度を出すことができない構造のもの</td><td colspan="3">車体の大きさ</td></tr>
<tr><td>長さ</td><td>幅</td><td>高さ</td></tr>
<tr><td>四・七〇メートル以下</td><td>一・七〇メートル以下</td><td>二・〇〇メートル（ヘッドガード、安全キャブ、安全フレームその他これらに類する装置が備えられている自動車で、当該装置を除いた部分の高さが二・〇〇メートル以下のものにあつては、二・八〇メートル）以下</td></tr>
<tr><td colspan="5">備考　車体の構造上その運転に係る走行の特性が二輪の自動車の運転に係る走行の特性に類似するものとして内閣総理大臣が指定する三輪の自動車については、二輪の自動車とみなして、この表を適用する。</td></tr>
</table>

〔一項改正・昭三九総府令三六、見出し・一項改正・二項削除・昭四〇総府令四一、本条改正・昭四三総府令四九・昭四五総府令二八・昭五〇総府令一〇・平八総府令四一・平一六内府令五二・平一八内府令四・平二一内府令三三・平二八内府令四九・令元内府令三二〕

車体の構造上その運転に係る走行の特性が二輪の自動車の運転に係る走行の特性に類似するものとして内閣総理大臣が指定する三輪の自動車を定める件

道路交通法施行規則（昭和三十五年総理府令第六十号）第二条の表備考の規定に基づき、車体の構造上その運転に係る走行の特

（公安委員会の交通規制）

第四条　都道府県公安委員会（以下「公安委員会」という。）は、道路における危険を防止し、その他交通の安全と円滑を図り、又は交通公害その他の道路の交通に起因する障害を防止するため必要があると認めるときは、政令で定めるところにより、信号機又は道路標識等を設置し、及び管理して、交通整理、歩行者若しくは遠隔操作型小型車（遠隔操作により道路を通行しているものに限る。）（次条から第十三条の二までにおいて「歩行者等」という。）又は車両等の通行の禁止その他の道路における交通の規制をすることができる。この場合において、緊急を要するため道路標識等を設置するいとまがないとき、その他道路標識等による交通の規制をすることが困難であると認めるときは、公安委員会は、その管理に属する都道府県警察の警察官の現場における指示により、道路標識等の設置及び管理による交通の規制に相当する交通の規制をすることができる。

（公安委員会の交通規制）

第一条の二　法第四条第一項の規定により都道府県公安委員会（以下「公安委員会」という。）が信号機又は道路標識若しくは道路標示を設置し、及び管理して交通の規制をするときは、歩行者、車両又は路面電車がその前方から見やすいように、かつ、道路又は交通の状況に応じ必要と認める数のものを設置し、及び管理してしなければならない。

2　法第四条第一項の規定により公安委員会が路側帯を設けるときは、その幅員を〇・七五メートル以上とするものとする。ただし、道路又は交通の状況によりやむを得ないときは、これを〇・五メートル以上〇・七五メートル未満とすることができる。

3　法第四条第一項の規定により公安委員会が横断歩道又は自転車横断帯（以下「横断歩道等」という。）を設けるときは、道路標識及び道路標示を設置してするものとする。ただし、次の各号に掲げる場合にあつては、それぞれ当該各号に定めるところによることができる。

一　横断歩道等を設けようとする場所に信号機が設置されている場合　道路標示のみを設置すること。

二　横断歩道等を設けようとする道路の部分が舗装されていないため、又は積雪その他の理由により第一項の規定に適合する道路標示の設置又は管理が困難である場合　内閣府令で定めるところにより、道路標識のみを設置すること。

4　法第四条第一項の規定により公安委員会が車両通行帯を設けるときは、次の各号に定めるところによるものとする。

一　道路の左側部分（当該道路が一方通行となつているときは、当該道路）に二以上の車両通行帯を設けること。

二　歩道と車道の区別のない道路（歩行者の通行の用に供しな

性が二輪の自動車の運転に係る走行の特性に類似するものとして内閣総理大臣が指定する三輪の自動車を次のように定める。

道路交通法施行規則第二条の表備考の内閣総理大臣が指定する三輪の自動車は、次に掲げるすべての要件を満たすものとする。

一　三個の車輪を備えていること。

二　車輪が車両中心線に対して左右対称の位置に配置されていること。

三　同一線上の車軸における車輪の接地部中心点を通る直線の距離が四百六十ミリメートル未満であること。

四　車輪及び車体の一部又は全部を傾斜して旋回する構造を有すること。

（舗装されていない道路の部分等に横断歩道等を設ける場合における道路標識の設置）

第二条の二　令第一条の二第三項第二号の規定による道路標識の設置は、次に掲げる方法により行わなければならない。

一　道路標識は、歩道と車道の区別のない道路の部分に横断歩道又は自転車横断帯（以下この条において「横断歩道等」という。）を設けようとする場合に当該横断歩道等の左右の側端上の当該道路の路端に近接した位置に、歩道と車道の区別のある道路の部分に横断歩道等を設けようとする場合

2　前項の規定による交通の規制は、区域、道路の区間又は場所を定めて行なう。この場合において、その規制は、対象を限定し、又は適用される日若しくは時間を限定して行なうことができる。

3　公安委員会は、環状交差点（車両の通行の用に供する部分が環状の交差点であつて、道路標識等により車両が当該部分を右回りに通行すべきことが指定されているものをいう。以下同じ。）以外の交通の頻繁な交差点その他交通の危険を防止するために必要と認められる場所には、信号機を設置するように努

い道路を除く。）に車両通行帯を設けるときは、その道路の左側端寄りの車両通行帯の左側に一メートル以上の幅員を有する路側帯を設けること。ただし、歩行者の通行が著しく少ない道路にあつては、路側帯の幅員を〇・五メートル以上一メートル未満とすることができる。

三　車両通行帯の幅員は、三メートル以上（道路及び交通の状況により特に必要があると認められるとき、又は道路の状況によりやむを得ないときは、一メートル以上三メートル未満）とすること。

5　法第四条第一項の規定により公安委員会が行う交通の規制のうち、次の各号に掲げる道路標識又は道路標示（以下「道路標識等」という。）による交通の規制は、それぞれ当該各号に定める事由があるときに行うものとする。

一　法第十七条の二第一項の道路標識等　歩道及び交通の状況により支障がないこと。

二　法第二十一条第二項第三号の道路標識等　交通の頻繁な道路における車両の通行の円滑を図るため特に必要があること。

三　法第四十六条の道路標識等　道路及び交通の状況により特に支障がないこと。

四　法第六十三条の四第一項第一号の道路標識等　歩道及び交通の状況により支障がないこと。

五　法第六十三条の五の道路標識等　道路及び交通の状況により支障がないこと。

〔本条追加・昭四六政三四八、三・五項改正・昭五三政三一三、三項改正・平一二政三〇三、四・五項改正・平二〇政一四九、五項改正・令五政五四〕

規制標識

種類	番号	表示する意味	色
環状の交差点における右回り通行	327の10	環状の交差点において、車両が右回りに通行すべきことを指定	記号と縁は白、地は青

にあつては当該横断歩道等の左右の側端を当該車道に接する歩道上に延長した線上の当該歩道の車道寄りの路端に近接した位置に、それぞれ設置すること。

二　道路標識の設置には、柱を用い、かつ、その柱の接地部分が、前号の位置にあることとなるようにすること。

三　道路標識の標示板は、当該横断歩道等の左右の側端又はその延長線に沿い、かつ、その表面が当該横断歩道等の外方に向くこととなるようにすること。

〔本条追加・昭四六総府令五三、改正・昭五三総府令三七・平七総府令四三〕

法第四条

判例　交通規制の効力

※　公安委員会の行う道路通行の禁止、制限は、その処分の内容を標示する道路標識によつてしなければ法的効力を生じないものと解すべきである。（最　昭三七、四、一〇）

※　道路標識は、いかなる通行を規制するのか容易に判別できる方法で設置すべきであるから、その設置場所、設置状況に照らし、どの道路の一方通行を指示するものか明らかでないような方法で設置された標識は、適法かつ有効なものとはいえない。（最　昭四一、四、一五）

※　東京都公安委員会の交通規制が通行禁止の対象を空車、迎車のタクシーだけに限り、実車のタクシー、自家用車、ハイヤーなどを除外していることについて、道路における危険を防止し交通の安全と円滑を図るため必要最小限度の規制措置として合理的な理由があるときは、憲法一四条一項に違反するものでない。（最　昭四七、一二、二二）

※　交差点付近に設置されている最高速度指定の道路標識が、当該交差点を左折する車両の運転者からこれを見ることはできてもその道路の状況（判文参照）のもとにおいては、左折にあたつての安全確認をしなければならない関係上、見やすいように設置されているということができないから、その者に対する関係では適法有効なものであるとはいえない。（大高　昭五〇、五、三〇）

※　標識と標示を併用する場合、道路標示「停止線」が道路標識「一時停止」から離れたところに表示されていて見えない場合は無

めなければならない。

4　信号機の表示する信号の意味その他信号機について必要な事項は、政令で定める。

（信号の意味等）

第二条　法第四条第四項に規定する信号機の表示する信号の種類及び意味は、次の表に掲げるとおりとし、同表の下欄に掲げる信号の意味は、それぞれ同表の上欄に掲げる信号を表示する信号機に対面する交通について表示されるものとする。

信号の種類	信号の意味
青色の灯火	一　歩行者及び遠隔操作型小型車（遠隔操作により道路を通行しているものに限る。）（以下この条において「歩行者等」という。）は、進行することができること。 二　自動車、一般原動機付自転車（法第十八条第一項に規定する一般原動機付自転車をいう。以下同じ。）（右折につき一般原動機付自転車が法第三十四条第五項本文の規定によることとされる交差点を通行する一般原動機付自転車（以下この表において「多通行帯道路等通行一般原動機付自転車」という。）を除く。）、トロリーバス及び路面電車は、直進し、左折し、又は右折することができること。 三　多通行帯道路等通行一般原動機付自転車、特定小型原動機付自転車（法第十七条第三項に規定する特定小型原動機付自転車をいう。以下この条及び第四十一条の三第一項において同じ。）及び軽車両は、直進（右折しようとして右折する地点まで直進し、その地点において右折することを含む。青色の灯火の矢印の項を除き、以下この条において同じ。）をし、又は左折することができること。
黄色の灯火	一　歩行者等は、道路の横断を始めてはならず、また、道路を横断している歩行者等は、速やかに、その横断を終わるか、又は横断をやめて引き返さなければならないこと。 二　車両及び路面電車（以下この表において「車両等」という。）は、停止位置を越えて進行してはならないこと。ただし、黄色の灯火の信号が表示された時において当該停止位置に近接して

効であるが、本件の「停止線」は、「一時停止」標識から約四〇メートル交差点内に入ったところに表示されていても、標識の位置から表示のあるのを見ることができるから、右の道路標示「停止線」は有効である。（名高　昭五〇、一二、一〇）

※　公安委員会の行った本件の駐車禁止の規制は、交通量を減らし、交通公害を防止するためにやむを得ず必要な措置であり、裁量の範囲内であるため、違法、無効とはならず、憲法に反してはいない。（最　昭六二、九、一七）

※　自動車が、信号機で交通整理が行われている十字路交差点を直進するとき、対面信号が黄色に変わったところで、急制動をかけても停止するまでに停止線を越えると認めた場合であっても、横断歩道等を横断する可能性のある歩行者又は車道交差部分に進入してくる可能性のある車両との衝突を避けるためには、急制動の措置を執ることが求められる。（東高　平五、四、二二）

※　文書偽造罪における偽造について、被告人が作成して駐車禁止除外指定車標章とそのビニール製ケース上面の隙間から入れた紙片は、大きさ、形状、色、印字内容、字体等が真正なものと酷似していて、ビニール製ケース内で標章と一体となっているため、紙片記載の数字（年）が有効期限及び発行日が正規のものであるかのような外観であったことに加え、警察等が窓ガラス越しに確認する駐車禁止除外指定車標章の使用方法を考えれば、被告人が作成した標章を東京都公安委員会が作成した真正の公文書と一般人に信じさせる程類似していたことは明らかであることから、本件の行為は有印公文書偽造罪の「偽造」に当たる。（東京地　平二二、九、六）

	いるため安全に停止することができない場合を除く。
赤色の灯火	一　歩行者等は、道路を横断してはならないこと。 二　車両等は、停止位置を越えて進行してはならないこと。 三　交差点において既に左折している車両等は、そのまま進行することができること。 四　交差点において既に右折している車両等（多通行帯道路等通行一般原動機付自転車、特定小型原動機付自転車及び軽車両を除く。）は、そのまま進行することができること。この場合において、当該車両等は、青色の灯火により進行することができることとされている車両等の進行妨害をしてはならない。 五　交差点において既に右折している多通行帯道路等通行一般原動機付自転車、特定小型原動機付自転車及び軽車両は、その右折している地点において停止しなければならないこと。
人の形の記号を有する青色の灯火	一　歩行者等は、進行することができること。 二　特例特定小型原動機付自転車（法第十七条の二第一項に規定する特例特定小型原動機付自転車をいう。以下この表において同じ。）及び普通自転車（法第六十三条の三に規定する普通自転車をいう。以下この条及び第二十六条第三号において同じ。）は、横断歩道において直進をし、又は左折することができること。
人の形の記号を有する青色の灯火の点滅	一　歩行者等は、道路の横断を始めてはならず、また、道路を横断している歩行者等は、速やかに、その横断を終わるか、又は横断をやめて引き返さなければならないこと。 二　横断歩道を進行しようとする特例特定小型原動機付自転車及び普通自転車は、道路の横断を始めてはならないこと。

人の形の記号を有する赤色の灯火	一　歩行者等は、道路を横断してはならないこと。 二　横断歩道を進行しようとする特例特定小型原動機付自転車及び普通自転車は、道路の横断を始めてはならないこと。
青色の灯火の矢印	車両は、黄色の灯火又は赤色の灯火の信号にかかわらず、矢印の方向に進行することができること。この場合において、交差点において右折する多通行帯道路等通行一般原動機付自転車、特定小型原動機付自転車及び軽車両は、直進する多通行帯道路等通行一般原動機付自転車、特定小型原動機付自転車及び軽車両とみなす。
黄色の灯火の矢印	路面電車は、黄色の灯火又は赤色の灯火の信号にかかわらず、矢印の方向に進行することができること。
黄色の灯火の点滅	歩行者等及び車両等は、他の交通に注意して進行することができること。
赤色の灯火の点滅	一　歩行者等は、他の交通に注意して進行することができること。 二　車両等は、停止位置において一時停止しなければならないこと。
備考　この表において「停止位置」とは、次に掲げる位置（道路標識等による停止線が設けられているときは、その停止線の直前）をいう。 一　交差点（交差点の直近に横断歩道等がある場合においては、その横断歩道等の外側までの道路の部分を含む。以下この表において同じ。）の手前の場所にあつては、交差点の直前 二　交差点以外の場所で横断歩道等又は踏切がある場所にあつては、横断歩道等又は踏切の直前 三　交差点以外の場所で横断歩道、自転車横断帯及び踏切がない場所にあつては、信号機の直前	

2　交差点において公安委員会が内閣府令で定めるところにより左折することができる旨を表示した場合におけるその交差点に設置された信号機の前項の表に掲げる黄色の灯火又は赤色の灯火の信号の意味は、それぞれの信号により停止位置をこえて進行してはならないこととされている車両に対し、その車両が左折することができることを含むものとする。

（交差点における左折の表示）

第三条　令第二条第二項、第四条第二項及び第五条第二項の規定による公安委員会の表示は、別記様式第一の標示を、左折しようとする車両がその前方から見やすいように、信号機の背面板の下部（信号機に背面板が設けられていない場合にあつては、信号機の灯器の下方）又は道路の左側の路端に近接した当該道

3　公安委員会が信号機について、当該信号機の信号が特定の交通に対してのみ意味を表示するものである旨を内閣府令で定めるところにより表示した場合における信号機の第一項の表に掲げる信号の意味は、当該信号機について表示される特定の交通についてのみ表示されるものとする。

4　公安委員会が、人の形の記号を有する青色の灯火、人の形の記号を有する赤色の灯火の信号を表示する信号機について、当該信号機の信号が歩行者等、特定小型原動機付自転車及び自転車に対して意味を表示するものである旨を内閣府令で定めるところにより表示した場合における当該信号の意味は、次の表の上欄に掲げる信号の種類に応じ、それぞれ同表の下欄に掲げるとおりとする。

路上の位置（歩道と車道の区別のある道路にあつては、車道の左側部分に接する歩道の車道寄りの路端に近接した当該歩道上の位置）に設けて行なうものとする。

〔本条改正・昭三八総府令一一・総府令三三・昭四六総府令五三・令元内府令三二〕

別記様式第一（第三条関係）

備考　1　矢印及びわくの色彩は青色、地の色彩は白色とする。

2　図示の長さの単位は、センチメートルとする。

3　道路の左側の路端に設ける場合にあつては、図示の寸法の1.5倍に拡大するものとする。

〔本様式全改・昭38総府令11、改正・昭50総府令10〕

（信号の表示）

第三条の二　令第二条第三項の規定による公安委員会の表示は、別記様式第一の二の標示を、当該信号機の信号に対面する歩行者、車両又は路面電車がその前方から見やすいように、信号機の灯器に接して設けて行うものとする。

2　令第二条第四項の規定による公安委員会の表示は、別記様式第一の二の二の標示を、当該信号機の信号に対面する歩行者、特定小型原動機付自転車及び自転車がその前方から見やすいように、信号機の灯器に接して設けて行うものとする。

〔本条追加・昭三九総府令二六、改正・昭四五総府令二八・昭五三総府令三七、一項改正・二項追加・平三〇内府令三〇、二項改正・令五内府令一七〕

信号の種類	信号の意味
人の形の記号を有する青色の灯火	一　歩行者等は、進行することができること。 二　特定小型原動機付自転車及び自転車は、直進をし、又は左折することができること。
人の形の記号を有する青色の灯火の点滅	一　歩行者等は、道路の横断を始めてはならず、また、道路を横断している歩行者等は、速やかに、その横断を終わるか、又は横断をやめて引き返さなければならないこと。 二　特定小型原動機付自転車及び自転車は、道路の横断を始めてはならず、また、当該信号が表示された時において停止位置に近接しているため安全に停止することができない場合を除き、停止位置を越えて進行してはならないこと。
人の形の記号を有する赤色の灯火	一　歩行者等は、道路を横断してはならないこと。 二　特定小型原動機付自転車及び自転車は、道路の横断を始め、又は停止位置を越えて進行してはならないこと。 三　交差点において既に左折している特定小型原動機付自転車及び自転車は、そのまま進行することができること。 四　交差点において既に右折している特定小型原動機付自転車及び自転車は、その右折している地点において停止しなければならないこと。

備考　この表において「停止位置」とは、第一項の表の備考に規定する停止位置をいう。

5　特定の交通についてのみ意味が表示される信号が他の信号と同時に表示されている場合における当該他の信号の意味は、当該特定の交通について表示されないものとする。

〔二項改正・三項追加・昭三九政二八〇、一・三項改正・四項追加・昭四五政二二七、一・二項改正・昭四六政三四八、一・三項改正・四項追加・旧四項を五項に繰下・昭五三政三一三、一項改正・昭六〇政二一九、二―四項改正・平一二政三〇三、一・四項改正・平二〇政一四九、令四政三九一、令五政五四〕

（信号機の灯火の配列等）

第三条　信号機の灯火の配列は、赤色、黄色及び青色の灯火を備

3　車両又は特定の車両に対して表示する標示

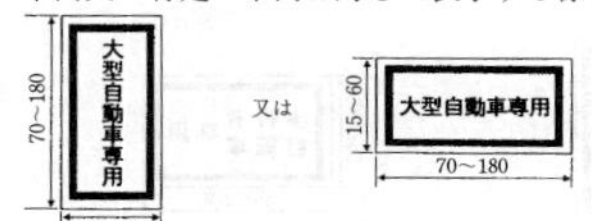

備考　1　縦の長さが横の長さより長い標示の文字は縦書、横の長さが縦の長さより長い標示の文字は横書とする。

2　車両又は特定の車両に対して表示する標示の文字は、図示の例により、車両又は特定の車両を表示するものとする。

3　縁線及び文字の色彩は青色、縁及び地の色彩は白色とする。

4　図示の長さの単位は、センチメートルとする。

5　縁及び縁線の太さは、おおむね1.5センチメートルとする。

〔本様式追加・昭39総府令36、改正・昭45総府令28、全改・昭46総府令53、改正・昭50総府令10・昭53総府令37、全改・平23内府令50、改正・平30内府令30・令４内府令67・令５内府令17〕

別記様式第一の二（第三条の二関係）

1　歩行者（交差点において斜めに道路を横断する歩行者を除く。）及び遠隔操作型小型車（遠隔操作により道路を通行しているものに限る。以下この様式及び別記様式第一の二の二において同じ。）（交差点において斜めに道路を横断するものを除く。）に対して表示する標示

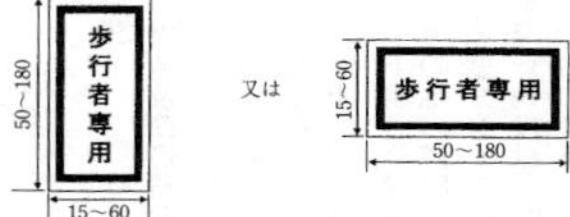

2　交差点において斜めに道路を横断する歩行者、遠隔操作型小型車、特例特定小型原動機付自転車（法第十七条の二第一項に規定する特例特定小型原動機付自転車をいう。別記様式第一の二の二において同じ。）及び普通自転車（法第六十三条の三に規定する普通自転車をいう。別記様式第一の二の二において同じ。）に対して表示する標示

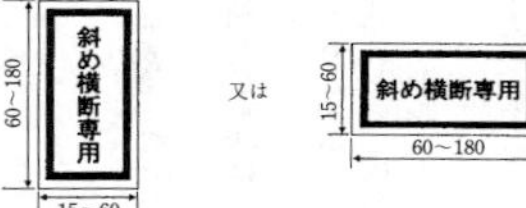

えるものにあつては、その灯火を横に配列する場合は右から赤色、黄色及び青色の順、縦に配列する場合は上から赤色、黄色及び青色の順とし、赤色及び青色の灯火を備えるものにあつては、その灯火を横に配列する場合は右から赤色及び青色の順、縦に配列する場合は上から赤色及び青色の順とする。

2 信号機が表示する信号の順序は、次の各号に掲げる区分に従い、それぞれ当該各号に定めるとおりとする。

一 青色の灯火、黄色の灯火及び赤色の灯火の信号を連続して表示する場合　青色の灯火、黄色の灯火及び赤色の灯火の信号の順とすること。

二 人の形の記号を有する青色の灯火、人の形の記号を有する青色の灯火の点滅及び人の形の記号を有する赤色の灯火の信号を連続して表示する場合　人の形の記号を有する青色の灯火、人の形の記号を有する青色の灯火の点滅及び人の形の記号を有する赤色の灯火の信号の順とすること。

3 前二項に規定するもののほか、信号機の構造、性能その他信号機について必要な事項は、内閣府令で定める。

〔一項改正・二項全改・昭四六政三四八、三項改正・平一二政三〇三〕

別記様式第一の二の二（第三条の二関係）

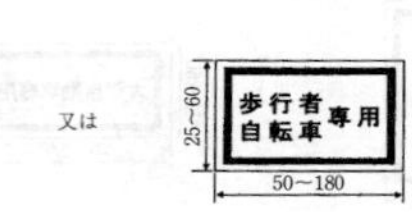

備考　1　歩行者（交差点において斜めに道路を横断する歩行者を除く。）、遠隔操作型小型車（交差点において斜めに道路を横断するものを除く。）、特定小型原動機付自転車（交差点において斜めに道路を横断する特例特定小型原動機付自転車を除く。）及び自転車（交差点において斜めに道路を横断する普通自転車を除く。）に対して表示するものとする。

2　縦の長さが横の長さより長い標示の文字は縦書、横の長さが縦の長さより長い標示の文字は横書とする。

3　縁線及び文字の色彩は青色、縁及び地の色彩は白色とする。

4　図示の長さの単位は、センチメートルとする。

5　縁及び縁線の太さは、おおむね1.5センチメートルとする。

〔本様式追加・平30内府令30、改正・令4内府令67・令5内府令17〕

（信号機の構造等）

第四条　信号機の構造及び灯器の高さの基準は、別表第一のとおりとする。

2 青色の灯火の矢印及び黄色の灯火の矢印の種類及び形状は、別表第一の二のとおりとする。

3 信号機の灯器の性能は、次の各号に定めるとおりとする。

一 灯火は、高速自動車国道及び自動車専用道路においては二百メートル、その他の道路においては百五十メートル前方から識別できる光度を有すること。

二 灯火の光の発散角度は、左方、右方及び下方に、それぞれ四十五度以上のものであること。

三 太陽の光線その他周囲の光線によつて紛らわしい表示を生じやすいものでないこと。

〔一・二項改正・昭四六総府令五三、二項改正・昭五四総府令五〇、二項追加・旧二項を三項に繰下・平二三内府令五〇〕

5　道路標識等の種類、様式、設置場所その他道路標識等について必要な事項は、内閣府令・国土交通省令で定める。

〔二項改正・昭四〇法九六、付記改正・昭四五法八六、一項改正・昭四五法一四三、見出し改正・一・二項・付記全改・五項追加・昭四六法九八、五項改正・平一一法一六〇、三項改正・平二五法四三、一項・付記改正・令四法三二〕

参照〔都道府県公安委員会〕警三八―四六の二〔政令で定めるところ〕道交令一の二、道交規二の二〔本法における公安委員会の職権、職務の例〕信号機、道路標識等の設置、管理、通行禁止場所の指定＝八①、歩行者用道路の指定＝九、横断禁止場所の指定＝一三②、道路の中央の指定＝一七④、勾配の急なまがりかどの通行方法の指定＝一七⑤5、車両通行帯の設置＝二〇①、通行区分の指定＝二〇②、路線バス等優先通行帯の設置＝二〇の二①、軌道敷内通行＝二一②3、最高速度の指定＝二二①、路面電車等の最高速度の指定＝二二②、自動車の最低速度の指定＝二三、車両の横断、転回、後退の禁止の指定＝二五の二②、進路変更の禁止の指定＝二六の二③、追越し禁止場所の指定＝三〇、直進、左折及び右折車両の通行区分の指定＝三四①・②・④、優先道路の指定＝三六②、停止線の設置＝三八①、徐行場所の指定＝四二、一時停止場所の指定＝四三、停車、駐車禁止場所の指定＝四四、駐車禁止場所の指定＝四五①、歩車道の区別のない道路につき駐車に関する指定＝四五②、駐車禁止解除の指定＝四五③、停車又は駐車の禁止の解除の指定＝四六、停車又は駐車の方法の指定＝四八、時間制限駐車区間におけるパーキング・メーター、パーキング・チケット発給設備の設置、管理等＝四九、放置違反金の納付命令＝五一の四④前段、軽車両の灯火を定めること＝道交令一八①5、警音器の使用＝五四①1・2、軽車両の乗車、積載の制限＝五七②、制限外牽引の許可＝五九②、同上の許可証の交付＝五九③、自動車以外の車両の牽引制限＝六〇、運転者の遵守事項を定めること＝七一6、安全運転管理者等選任・解任の届出の受理＝七四の三⑤、安全運転管理者等の解任命令＝七四の三⑥、自動車の使用制限の命

別表第一（第四条関係）

信号機の構造及び灯器の高さ	縦型 中央柱式	縦型 側柱式	縦型 懸垂式	横型
	3.5以上	4.5以上	4.5以上	4.5以上
備考	一　道路の状況により必要があるとき又は主として歩行者のために設ける信号機（以下この表において「歩行者専用信号機」という。）若しくは可搬式の信号機を設けるときは、二・五メートル以上の高さとすることができる。 二　上記の図示の長さの単位は、メートルとする。			

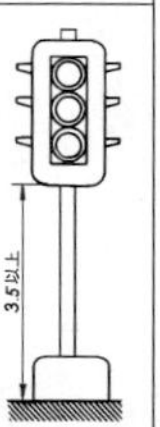

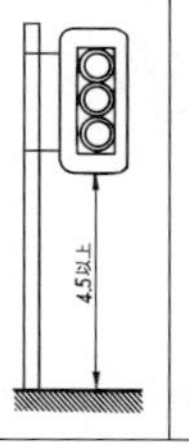

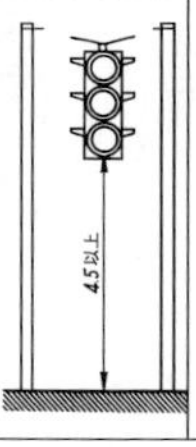

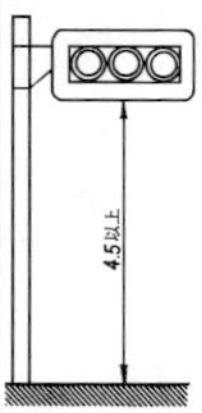

灯器の構造	縦型 赤、黄及び青の三色を備えるもの	縦型 赤及び青の二色を備えるもの	横型 赤、黄及び青の三色を備えるもの	横型 赤及び青の二色を備えるもの	点滅型
備考	一　信号表示面が円形となつている信号機の当該信号表示面の直径は、二〇センチメートルから四五センチメートルまでとする。ただし、歩行者専用信号機又は可搬式の信号機にあつては、一五センチメートルとすることができる。 二　信号表示面が正方形となつている信号機は、歩行者専用信号機のみに用いるものとし、当該信号表示面の一辺の長さは、二〇センチメートルから二五センチメートルまでとする。 三　背面板を設ける場合にあつては、その図柄は幅一〇センチメートルのしま模様とし、その色彩は緑と白又は黄と黒とする。				

〔本表改正・昭四〇総府令四一・昭五〇総府令一〇・昭五四総府令五〇・平二六内府令一七〕

令＝七五②、聴聞の実施＝七五④、高速自動車国道の本線車道における最低速度の指定＝七五の四、優先本線車道の指定＝七五の六①、道路における禁止行為を定めること＝七六④7、道路使用の許可を受けなければならない行為を定めること＝七七①4、運転免許の申請受理及び試験の実施＝八九、運転免許の拒否、保留等＝九〇、免許に条件をつけること＝九一、運転免許証の交付＝九二①、免許証に条件、条件の変更記入＝九三②、免許証の記載事項の変更届出受理及び変更事項の記載＝九四①、免許証の再交付の申請の受理＝九四③、自動車教習所の指定等＝九九、運転免許試験の停止等＝九七の三、免許証の更新の申請の受理及び定期検査の実施＝一〇一、更新期間前における免許証の更新の申請の受理及び適性検査の実施＝一〇一の二、免許証の更新申請の特例＝一〇一の二の二、臨時適性検査の実施＝一〇二①、免許の取消し、停止等＝一〇三、聴聞の実施＝一〇四、免許の取消し、停止等の報告＝一〇六、仮免許の取消し＝一〇六の二、免許証の返納受理＝一〇七、国際運転免許証等所持者に対する臨時適性検査の実施＝一〇七の四、国際運転免許証等所持者に対する自動車等の運転禁止等＝一〇七の五、同上の報告＝一〇七の六、国外運転免許証の交付＝一〇七の七、国外運転免許証の返納受理＝一〇七の一〇、講習の実施＝一〇八の二、運転者の違反内容を使用者に通知＝一〇八の三四、情報の提供＝一〇九の二、特定の交通の規制を行う場合の関係機関等への意見聴取及び協議＝一一〇の二、道路の交通に関する調査を警察官に行わせること＝一一一①、同上の結果を道路管理者に通知＝一一一③〔信号機〕二①14、信号の意味等＝道交令二、道交規三・別記様式一、灯火の配列等＝道交令三、信号の表示＝道交規三の二・別記様式一の二、構造＝道交規四・別表一〔歩行者等〕通行方法＝一〇―一五の二〔車両等〕二①17〔交差点〕二①5、交差点における通行方法等＝三四―三七の二〔内閣府令・国土交通省令〕道路標識、区画線及び道路標示に関する命令

〔罰則　第一項後段については第百十九条第一項第一号〔三月以下の懲役又は五万円以下の罰金〕、第百二十一条第一項第一号及び第二号〔二万円以下の罰金又は科料〕〕

別表第一の二（第四条関係）

灯火の矢印の種類	灯火の矢印の形状
車両等が直進（令第二条第一項の多通行帯道路等通行一般原動機付自転車、特定小型原動機付自転車又は軽車両が右折しようとして右折する地点まで直進し、その地点において右折することを含む。）をすることができることとなるもの	
車両等が左折することができることとなるもの	
車両等（令第二条第一項の多通行帯道路等通行一般原動機付自転車、特定小型原動機付自転車及び軽車両を除く。）が右折し、又は転回することができることとなるもの	
備考　灯火の矢印の形状については、道路の形状により特別の必要がある場合にあつては、当該道路の形状に応じたものとすることができる。	

〔本表追加・平二三内府令五〇、改正・令五内府令一七〕

点数

警察官現場指示違反

一般　二点

酒気帯び（〇・二五未満）　一四点

（警察署長等への委任）

第五条　公安委員会は、政令で定めるところにより、前条第一項に規定する歩行者等又は車両等の通行の禁止その他の交通の規制のうち、適用期間の短いものを警察署長に行わせることができる。

2　公安委員会は、信号機の設置又は管理に係る事務を政令で定める者に委任することができる。

〔見出し・一・二項・付記改正・昭四五法八六、本条全改・昭四六法九八、一項改正・令四法三二〕

参照　〔公安委員会〕四①〔政令の定め〕道交令三の二①〔警察署長〕警五三②・③〔信号機〕二①14、設置＝四①、信号等に従う義務＝七、信号の意味等＝道交令二、灯火の配列等＝道交令三、構造＝道交規四・別表一〔政令で定める者〕道交令三の二②

（警察署長の交通規制等）

第三条の二　法第五条第一項の規定により公安委員会が警察署長に行わせることができる交通の規制は、次に掲げる道路標識等による交通の規制（法第四条第一項後段に規定する警察官の現場における指示によるこれらの交通の規制に相当する交通の規制を含む。）で、その適用期間が一月を超えないものとする。

一　法第八条第一項の道路標識等
二　法第九条の道路標識等
三　法第十三条第二項の道路標識等
四　法第二十二条の道路標識等
五　法第二十五条の二第二項の道路標識等
六　法第三十条の道路標識等
七　法第四十二条の道路標識等
八　法第四十三条の道路標識等
九　法第四十四条第一項の道路標識等
十　法第四十五条第一項又は第二項の道路標識等
十一　法第四十五条の二第一項の道路標識等
十二　法第四十六条の道路標識等
十三　法第四十八条の道路標識等

2　法第五条第二項の政令で定める者は、道路に敷設する軌道に係る軌道経営者その他公安委員会が適当であると認める者とする。

〔本条追加・昭四六政三四八、一項改正・昭四八政二一七・平二〇政一四九・平二一政一九一・令二政三二三〕

（警察官等の交通規制）

第六条　警察官又は第百十四条の四第一項に規定する交通巡視員（以下「警察官等」という。）は、手信号その他の信号（以下「手信号等」という。）により交通整理を行なうことができる。この場合において、警察官等は、道路における危険を防止し、その他交通の安全と円滑を図るため特に必要があると認めるときは、信号機の表示する信号にかかわらず、これと異なる意味を表示する手信号等をすることができる。

（手信号の意味）

第四条　法第六条第一項に規定する手信号の種類及び意味は、次の表に掲げるとおりとする。

手信号の種類	手信号の意味
腕を横に水平にあげた状態（横に水平にあげた腕をおろし、引き続き身体の方向を変えないで交通整理をしている状態を含む。）	一　横に水平にあげた腕（腕をおろした場合においては、身体の正面。以下この表において同じ。）に平行する交通については、第二条第一項の表に掲げる青色の灯火の信号の意味に同じ。 二　横に水平にあげた腕に対面する交通については、第二条第一項の表に掲げる赤色の灯火の信号の意味に同じ。
腕を垂直にあげた状態（横に水平にあげた腕を垂直にあげ、又は垂直にあげた腕を横に水平にあげた状態にもどすまでの間の状態を含む。）	一　腕を垂直にあげる前の状態における水平にあげた腕に平行する交通については、第二条第一項の表に掲げる黄色の灯火の信号の意味に同じ。 二　腕を垂直にあげる前の状態における水平にあげた腕に対面する交通については、第二条第一項の表に掲げる赤色の灯火の信号の意味に同じ。
備考　第二条第一項の表に掲げる黄色の灯火又は赤色の灯火の信号の意味と同じ意味を表示する手信号の意味に係る停止位置は、同表の備考の三に規定する場所にあつては、手信号を行なつている警察官又は法第百十四条の四第一項に規定する交通巡視員（以下「警察官等」という。）の一メートル手前の場所とする。	

2　交差点において公安委員会が内閣府令で定めるところにより左折することができる旨を表示した場合におけるその交差点において行なわれる前項の表に掲げる手信号（第二条第一項の表に掲げる黄色の灯火又は赤色の灯火の信号の意味と同じ意味を表示するものに限る。）の意味は、それぞれの手信号により停止位置をこえて進行してはならないこととされている車両に対し、その車両が左折することができることを含むものとする。

〔見出し・一・二項改正・昭四五政二二七、見出し改正・一項全改・二項改正・昭四六政三四八、二項改正・平一二政三〇三〕

（灯火による信号の意味）

第五条　法第六条第一項に規定する手信号その他の信号のうち、灯火による信号の種類及び意味は、次の表に掲げるとおりとす

法第六条

判例※　自動三輪車が交差点内に入つた途端エンジンが止まり横断歩道の中央で停車したので急拠エンジンを始動したが、その時警察官の手信号による「止れ」の信号に変つた場合運転者としては可能な限り後退して交差点の外に出るべきであるが、後退不可能な場合は次の「進め」の信号に変るまでそのまま停車を続け、若し横断歩道上の歩行者に対する交通の妨害となるおそれがあるときは、他の車馬の交通の妨害とならない方法で緩衝地帯等の別の場所に転進する等、危険の発生を未然に防止するに必要かつ十分な注意を払い、それに相当した処置をすべき義務がある。（佐世保簡　昭三三、三、一四）

私人の交通整理の信頼性

※　私人Aによる交通規制が四条にいう交通整理にあたらないことは、原判決の判示するとおりであるが右Aが本件交差点に進入する車両に対し赤旗により停止の合図をしていたものである以上、左方から同交差点に進入する車両の運転者としては、右方から進行してくる車両の運転者が右Aの停止の合図に従うことを信頼してよいのであつて、右方から進行してくる車両の運転者が右Aの停止合図を無視し同交差点に進入してくることまでを予想して徐行しなければならない業務上の注意義務はないものと解するのが相当である。（最　昭四八、三、二二）

第三条（交差点における左折の表示）……三三ページ参照

る。

灯火による信号の種類	灯火による信号の意味
灯火を横に振つている状態	一　灯火が振られている方向に進行する交通については、第二条第一項の表に掲げる青色の灯火の信号の意味に同じ。 二　灯火が振られている方向に進行する交通とその灯火により交通整理が行なわれている場所において交差する交通については、第二条第一項の表に掲げる赤色の灯火の信号の意味に同じ。
灯火を頭上にあげている状態	一　灯火を頭上にあげる前の状態における灯火の振られていた方向に進行する交通については、第二条第一項の表に掲げる黄色の灯火の信号の意味に同じ。 二　灯火を頭上にあげる前の状態における灯火の振られていた方向に進行する交通とその灯火による信号により交通整理が行なわれている場所において交差する交通については、第二条第一項の表に掲げる赤色の灯火の信号の意味に同じ。
備考　第二条第一項の表に掲げる黄色の灯火又は赤色の灯火の信号の意味と同じ意味を表示する灯火による信号の意味に係る停止位置は、同表の備考の三に規定する場所にあつては、灯火による信号を行なつている警察官等の一メートル手前の場所とする。	

2　交差点において公安委員会が内閣府令で定めるところにより左折することができる旨を表示した場合におけるその交差点において行なわれる前項の表に掲げる灯火による信号（第二条第一項の表に掲げる黄色の灯火又は赤色の灯火の信号の意味と同じ意味を表示する灯火による信号に限る。）の意味は、それぞれの灯火による信号により停止位置をこえて進行してはならないこととされている車両に対し、その車両が左折することができることを含むものとする。

〔見出し・一・二項改正・昭四五政一二七・昭四六政三四八、二項改正・平一二政三〇三〕

第三条（交差点における左折の表示）……………三三ページ参照

2　警察官は、車両等の通行が著しく停滞したことにより道路（高速自動車国道及び自動車専用道路を除く。第四項において同じ。）における交通が著しく混雑するおそれがある場合において、当該道路における交通の円滑を図るためやむを得ないと認めるときは、その現場における混雑を緩和するため必要な限度において、その現場に進行してくる車両等の通行を禁止し、若しくは制限し、その現場にある車両等の運転者に対し、当該車両等を後退させることを命じ、又は第八条第一項、第三章第一節、第三節若しくは第六節に規定する通行方法と異なる通行方法によるべきことを命ずることができる。

3　警察官は、前項の規定による措置のみによつては、その現場における混雑を緩和することができないと認めるときは、その混雑を緩和するため必要な限度において、その現場にある関係者に対し必要な指示をすることができる。

4　警察官は、道路の損壊、火災の発生その他の事情により道路において交通の危険が生ずるおそれがある場合において、当該道路における危険を防止するため緊急の必要があると認めるときは、必要な限度において、当該道路につき、一時、歩行者等又は車両等の通行を禁止し、又は制限することができる。

5　第一項の手信号等の意味は、政令で定める。

〔一項改正・昭三八法九〇、見出し・付記改正・旧一項を改正し二項に繰下・一・四・五項追加・旧二項を三項に繰下・昭四六法九八、四項・付記改正・令四法三二〕

参照　〔警察官〕警三四・五五・六二・六三〔交通巡視員〕一一四の四、道交令四四の二〔車両等〕二①17〔道路〕二①1、道二①、道運二⑦・⑧、道運車二⑥、高速二①、駐車二3、道路の

第四条（手信号の意味）……四〇ページ参照

種類＝道三〔運転者〕二①18〔政令の定め〕道交令四・五

（罰則　第二項については第百二十条第一項第一号〔五万円以下の罰金〕　第四項については第百十九条第一項第一号〔三月以下の懲役又は五万円以下の罰金〕、第百二十一条第一項第一号及び第二号〔二万円以下の罰金又は科料〕）

点数

混雑緩和措置命令違反

一　般　　一点

酒気帯び（〇・二五未満）　　一四点

警察官通行禁止制限違反

一　般　　二点

酒気帯び（〇・二五未満）　　一四点

（信号機の信号等に従う義務）

第七条　道路を通行する歩行者等又は車両等は、信号機の表示する信号又は警察官等の手信号等（前条第一項後段の場合においては、当該手信号等）に従わなければならない。

〔三項改正・昭三八法九〇、付記改正・昭四五法八六、一項改正・昭四五法一四三、本条全改・昭四六法九八、本条・付記改正・令四法三二〕

参照　〔信号機〕二①14、設置＝四①、信号の意味等＝道交令二、灯火の配列等＝道交令三、信号の表示＝道交規三の二、構造＝道交規四・別表一、手信号等の意味＝道交令四・五〔歩行者等〕二③〔警察官等〕六①、警察官＝警三四・五五・六二・六三、交通巡視員＝一一四の四、道交令四四の二

（罰則　第百十九条第一項第二号〔三月以下の懲役又は五万円以下

法第七条

判例　※　青信号に従い交差点に進入する自動車運転者は、特別の事情のないかぎり、赤信号を無視して突入してくる車両のあることまで予想して運転すべき業務上の注意義務を負うものではない。（最　昭四三、一二、二四）

※　いやしくも信号機の表示するところに従つて運転をすれば、他の道路から進入する車両と衝突するようなことはないはずであるから、自動車運転者としては、信号機の表示するところに従つて自動車を運転すれば足り、いちいち徐行して左右道路の車両との安全を確認すべき注意義務はないものと解するのが相当である。（最　昭四五、九、二五）

※　車両が最高制限速度を超える速度で交差点に接近中、その対面信号が黄色の灯火表示に変わつたのが、最高制限速度で走行していたとしても、交差点入口までに安全に停止することができない地点であつた場合には、同車両がそのまま交差点を通過しようとしたからといつて、その運転者に黄色の灯火表示を無視した注意義務違反があるということはできない。（最　昭四七、五、四）↖

の罰金）、同条第三項（十万円以下の罰金）、第百二十一条第一項第一号及び第二号（二万円以下の罰金又は科料））

反則金

信号無視（赤色等）	大型	一万二千円	普通	九千円
	二輪	七千円	原付	六千円
信号無視（点滅）	大型	九千円	普通	七千円
	二輪	六千円	原付	五千円

点数

信号無視（赤色等・点滅）	一　般	二点
	酒気帯び（〇・二五未満）	一四点

黄色の点滅信号の意味

※　道路交通法施行令二条一項所定の黄色の灯火点滅信号による規制の意味は、当該信号設置場所における道路の広狭、優先関係、見とおしの良否、車両または歩行者の往来状態等の諸般の事情に応じて、当該場所を進行する自動車運転者に対し、道路交通の安全と円滑を図る見地から課せられる交通法令上の各種義務および運転業務上の注意義務をはたすべき、いつそうの留意を喚起するにあると解すべきである。（最　昭四八、九、二七）

※　信号機の表示する信号に従つて一時停止することなく漫然交差点に進入し人身事故を発生させた場合、いわゆる信号無視の罪と業務上過失傷害罪とは、観念的競合の関係にある。（最　昭四九、一〇、一四）

※　被疑者は、深夜の交差点を青信号に従つて時速約六五キロメートルで通過しようとしたところ、被害者（赤信号無視）は酩酊はしていたが、右衝突地点に達するまでの行動は、いわゆる飛出しではなく、普通の歩行であつたこと、被疑者が信号のみに注意を集中し、右前方に対する注視を怠つたこと、深夜において、酩酊した歩行者等が信号を無視して横断をするような事態が、全く予期し得ないことでないこと等の事情からして、本件に対し信頼の原則を適用することは相当でない。（高高　昭四九、一〇、二九）

※　赤色の灯火の点滅信号を表示する道路を進行する車両の運転者は、交差道路が黄色の灯火の点滅信号を表示している交差点においては、所定の停止位置で一時停止し、再度発進して交差点に進入するにあたつては、交差道路上の交通の安全を確認し、接近してくる車両との衝突の危険を回避するため、その進行妨害を避けるなど所要の措置をとるべき注意義務がある。（最　昭五〇、九、一一）

※　交差点に進入する際、信号が青色を表示しているからといつて、交差点における交通状況を注視し、その状況に対応した行為をする義務がなくなるものではないのであるから、特段の必要がないのに指定最高速度を約九〇キロメートル毎時超過する一三〇キロメートル毎時で走行することは、交差点を含む進路上の人車等の安全への配慮を全く欠くとしかいいようのない、極めて危険な無謀運転行為であつて、実質的な危険性をもつ違法な行為であり、過失行為となる。（名高　平四、四、二八）

※　被告人は、対面信号機の手前約七八メートルにおいて、信号機が赤色を表示していたのを認めたのであるから、信号機の赤色表示が続くときは、交差点直前に停止することができるよう、減速、徐行するなどして事故発生を防止すべき注意義務があるのに、先を急ぐ余り、信号機の表示が間もなく青色に変わるものと軽信し、時速約六〇キロメートルのまま進行を続けたことは過失である。（東高　平五、九、一三）

※　交通整理の行われている交差点を右折する際、対向車両の通過待ちのために交差点内に一時停止しているうちに対面信号が赤色表示になり、交差道路の信号が青色信号になつた場合には、いつたん後退して次に対面信号が青色表示になつて右折可能になるまで待つか、そうでないとしても信号の表示に留意しつつ、他の車両との衝突を回避しながら、通行車両の合間を縫つて右折進行すべきものであつて、青信号で交差道路を進行する車両の進路を塞いで進行してもよいなどとは到底認められない。（東高　平六、五、一九）

※　刑法（平成一九年法律第五四号による改正前のもの）（旧）二〇八条の二第二項後段にいう赤色信号を「殊更に無視し」とは、およそ赤色信号に従う意思のないものをいい、赤色信号であることの確定的な認識がない場合であつても、信号の規制自体に従うつもりがないため、その表示を意に介することなく、たとえ赤色信号であつたとしてもこれを無視する意思で進行する行為も、これに含まれる。（最　平二〇、一〇、一六）

（通行の禁止等）

第八条　歩行者等又は車両等は、道路標識等によりその通行を禁止されている道路又はその部分を通行してはならない。

2　車両は、警察署長が政令で定めるやむを得ない理由があると認めて許可をしたときは、前項の規定にかかわらず、道路標識等によりその通行を禁止されている道路又はその部分を通行することができる。

（通行を禁止されている道路における通行の許可）

第六条　法第八条第二項の政令で定めるやむを得ない理由は、次の各号に掲げるとおりとする。

一　車庫、空地その他の当該車両を通常保管するための場所に出入するため車両の通行を禁止されている道路又はその部分を通行しなければならないこと。

二　身体の障害のある者を車両の通行を禁止されている道路又はその部分を通行して輸送すべき相当の事情があること。

三　前二号に掲げるもののほか、貨物の集配その他の公安委員会が定める事情があるため車両の通行を禁止されている道路又はその部分を通行しなければならないこと。

〔本条全改・昭四六政三四八〕

（通行禁止道路通行許可証の様式等）

第五条　法第八条第二項の規定による許可を受けようとする者は、申請書二通を当該車両の通行を禁止されている道路又はその部分（以下「通行禁止道路」という。）の存する場所を管轄する警察署長に提出しなければならない。

2　第一項の申請書及び法第八条第三項の許可証の様式は、別記様式第一の三のとおりとする。

〔本条追加・昭四六総府令五三〕

別記様式第一の三（第五条関係）

通行禁止道路通行許可申請書

年　月　日

警察署長殿

申請者　住所
　　　　氏名

主たる運転者　住所
　　　　　　　氏名

車両の種類		番号標に表示されている番号	
運転の期間	年　月　日　時から　年　月　日　時まで		
通行しようとする通行禁止道路の区間			
やむを得ない理由			

第　　号

通行禁止道路通行許可証

上記のとおり許可する。ただし、次の条件に従うこと。

条件	

年　月　日

警察署長印

備考　用紙の大きさは、日本産業規格Ａ列４番とする。

〔本様式追加・昭46総府令53、改正・昭50総府令10・平６総府令９・平11総府令２・令元内府令12・令２内府令85〕

3　警察署長は、前項の許可をしたときは、許可証を交付しなければならない。

4　前項の規定により許可証の交付を受けた車両の運転者は、当該許可に係る通行中、当該許可証を携帯していなければならない。

5　第二項の許可を与える場合において、必要があると認めるときは、警察署長は、当該許可に条件を付することができる。

6　第三項の許可証の様式その他第二項の許可について必要な事項は、内閣府令で定める。

〔本条全改・昭四六法九八、六項改正・平一一法一六〇、一項・付記改正・令四法三二〕

参照　〔道路標識等〕二①4・15・16・四⑤〔警察署長〕警五三②・③〔政令の定め〕道交令六〔運転者〕二①18〔内閣府令の定め〕道交規五・別記様式一の三

（罰則　第一項については第百十九条第一項第二号〔三月以下の懲役又は五万円以下の罰金〕、同条第三項〔十万円以下の罰金〕、第百二十一条第一項第一号及び第二号〔二万円以下の罰金又は科料〕第五項については第百二十一条第一項第三号〔二万円以下の罰金又は科料〕）

反則金

通行禁止違反　大型　九千円　普通　七千円
二輪　六千円　原付　五千円

通行許可条件違反
大型　六千円　普通　四千円
二輪　四千円　原付　三千円

点数

通行禁止違反
一　般　二点
酒気帯び（〇・二五未満）　一四点

規制標識

種類	通行止め	車両通行止め	車両進入禁止	二輪の自動車以外の自動車通行止め	大型貨物自動車等通行止め	特定の最大積載量以上の貨物自動車等通行止め
番号	301	302	303	304	305	305の2
表示する意味	歩行者、遠隔操作型小型車、車、路面電車の通行止め	車の通行止め	一方通行路出口（車の反対方向への進入の禁止）	自動車（二輪の自動車を除く。）の通行止め	専ら人を運搬する構造の大型自動車以外の大型自動車、特定中型自動車で、専ら人を運搬する構造の特定中型乗用自動車以外のもの及び大型特殊自動車の通行止め	特定の最大積載量以上の専ら人を運搬する構造の普通自動車以外の普通自動車、準中型乗用自動車以外の準中型自動車、中型乗用自動車以外の中型自動車（特定中型自動車を除く。）、特定中型乗用自動車以外の特定中型自動車、大型乗用自動車以外の大型自動車及び大型特殊自動車の通行止め（この標識の下に補助標識503－Cがある。）
色	斜めの帯とわくは赤、縁と地は白、文字は青	斜めの帯とわくは赤、縁と地は白	帯と縁は白、地は赤	記号は青、斜めの帯とわくは赤、縁と地は白	同　右	同　右

道路法

（通行の禁止又は制限）

第四六条　道路管理者は、左の各号の一に掲げる場合においては、道路の構造を保全し、又は交通の危険を防止するため、区間を定めて、道路の通行を禁止し、又は制限することができる。

一　道路の破損、欠壊その他の事由に因り交通が危険であると認められる場合

二　道路に関する工事のためやむを得ないと認められる場合

2・3　〔略〕

第四七条　1・2　〔略〕

3　道路管理者は、道路の構造を保全し、又は交通の危険を防止するため必要があると認めるときは、トンネル、橋、高架の道路その他これらに類する構造の道路について、車両でその重量又は高さが構造計算その他の計算又は試験によつて安全であると認められる限度をこえるものの通行を禁止し、又は制限することができる。

4　〔略〕

車両制限令

（総重量、軸重及び輪荷重の制限）

第七条　道路構造令（昭和四十五年政令第三百二十号）第二十三条第二項の基準（強度に係るものに限る。）を参酌して法第三十条第三項の条例で定める基準に適合している舗装がされていない都道府県道又は市町村道で、これに代わるべき他の道路があるものについて、道路管理者が路面の破損を防止するため必要と認められる車両の総重量、軸重又は輪荷重の限度を定めたときは、当該道路を通行する車両の総重量、軸重又は輪荷重は、当該限度を超えないものでなければならない。ただし、当該道路を通行しなければ目的地に到達することができない車両については、この限りでない。

2　融雪、冠水等のため支持力が著しく低下している道路について、道路管理者が路盤又は路床の破損を防止するため必要と認められる車両の総重量、軸重又は輪荷重の限度を定めたときは、当該道路を通行する車両の総重量、軸重又は輪荷重は、当該限度をこえないものでなければならない。

3　〔略〕

通行許可条件違反　一般　一点
酒気帯び（〇・二五未満）　一四点

大型乗用自動車等通行止め	二輪の自動車・一般原動機付自転車通行止め	自転車以外の軽車両通行止め	特定小型原動機付自転車・自転車通行止め	車両（組合せ）通行止め	大型自動二輪車及び普通自動二輪車二人乗り通行禁止	タイヤチェーンを取り付けていない車両通行止め
306	307	308	309	310	310の2	310の3
大型乗用自動車等の通行止め	二輪の自動車と一般原動機付自転車の通行止め	軽車両（自転車を除く。）の通行止め	特定小型原動機付自転車と自転車の通行止め	標示板に表示されている車の通行止め	大型自動二輪車（側車付きのものを除く。）及び普通自動二輪車（側車付きのものを除く。）の通行につき、運転者以外の者の乗車禁止	タイヤチェーンを取り付けていない車両の通行を禁止
同　右	同　右	同　右	同　右	同　右	同　右	記号と縁は白、地は青

 重量制限	 指定方向外進行禁止	 指定方向外進行禁止	 指定方向外進行禁止	 指定方向外進行禁止	 指定方向外進行禁止	 指定方向外進行禁止
320	311－F	311－E	311－D	311－C	311－B	311－A
標示板に表示されている重量を超える総重量の車両の通行を禁止	同　右	同　右	同　右	同　右	同　右	矢印の方向以外への車の進行禁止
文字と記号は青、わくは赤、縁と地は白	同　右	同　右	同　右	同　右	同　右	同　右

一方通行	一方通行	歩行者等専用	普通自転車等及び歩行者等専用	特定小型原動機付自転車・自転車専用	高さ制限
326－B	326－A	325の4	325の3	325の2	321
同　右	標示板の矢印が示す方向の反対方向にする車両の通行を禁止	(1)歩行者専用道路（歩行者だけの通行のために設けられた道路）の指定 (2)歩行者用道路の指定	(1)自転車歩行者専用道路の指定 (2)特定小型原動機付自転車と自転車以外の車の通行止め (3)特例特定小型原動機付自転車と普通自転車が歩道を通行できることの指定	(1)自転車道の指定 (2)自転車専用道路(自転車だけの通行のために設けられた道路)の指定 (3)特定小型原動機付自転車と自転車以外の車と歩行者等の通行禁止	標示板に表示されている高さより高い車（積載した荷物の高さを含む。）の通行止め
同　右	記号と縁線は白、縁と地は青	同　右	同　右	記号と縁は白、地は青	同　右

（歩行者用道路を通行する車両の義務）

第九条　車両は、歩行者の通行の安全と円滑を図るため車両の通行が禁止されていることが道路標識等により表示されている道路（第十三条の二において「歩行者用道路」という。）を、前条第二項の許可を受け、又はその禁止の対象から除外されていることにより通行するときは、特に歩行者に注意して徐行しなければならない。

（二項改正・昭三八法九〇・昭三九法九一、一・二項改正・旧三項を四項に繰下・三項追加・昭四五法一四三、本条全改・昭四六法九八、付記全改・令四法三二）

参照〔車両〕二①8〔歩行者〕二③〔道路標識等〕二①4・15・

歩行者等通行止め	特定小型原動機付自転車・自転車一方通行	特定小型原動機付自転車・自転車一方通行
331	326の2－B	326の2－A
歩行者等の通行の禁止	同　右	標示板の矢印の示す方向の反対方向に特定小型原動機付自転車と自転車が進行することの禁止
文字と記号は青、斜めの帯とわくは赤、縁と地は白	同　右	同　右

道路法

（自動車専用道路の指定）

第四八条の二　道路管理者は、交通が著しくふくそうして道路における車両の能率的な運行に支障のある市街地及びその周辺の地域において、交通の円滑を図るために必要があると認めるときは、まだ供用の開始（他の道路と交差する部分について第十八条第二項ただし書の規定によりあつたものとみなされる供用の開始及び自動車のみの一般交通の用に供する供用の開始を除く。次項において同じ。）がない道路（高速自動車国道を除く。）について、自動車のみの一般交通の用に供する道路を指定することができる。この場合において、当該道路に二以上の道路管理者（当該道路と交差する道路の道路管理者を除く。）があるときは、それらの道路管理者が共同して当該指定をするものとする。

2　道路管理者は、交通が著しくふくそうし、又はふくそうすることが見込まれることにより、車両の能率的な運行に支障があり、若しくは道路交通騒音により生ずる障害があり、又はそれらのおそれがある道路（高速自動車国道及び前項の規定により指定された道路を除く。以下この項において同じ。）の区間内に

16・四⑤

（罰則　第百十九条第一項第二号〔三月以下の懲役又は五万円以下の罰金〕、同条第三項〔十万円以下の罰金〕）

反則金

歩行者用道路徐行違反

大型　九千円　普通　七千円

二輪　六千円　原付　五千円

点数

歩行者用道路徐行違反

一般　二点

酒気帯び（〇・二五未満）　一四点

おいて、交通の円滑又は道路交通騒音により生ずる障害の防止を図るために必要があると認めるときは、当該道路（まだ供用の開始がないものに限る。）又は道路の部分について、区域を定めて、自動車のみの一般交通の用に供する道路又は道路の部分を指定することができる。ただし、通常他に道路の通行の方法があつて、自動車以外の方法による通行に支障のない場合に限る。

3　道路管理者は、第一項又は前項の規定による指定をしようとする場合においては、一般自動車道（道路運送法第二条第八項に規定する一般自動車道をいう。次条において同じ。）との調整について特に考慮を払わなければならない。

4　道路管理者は、第一項又は第二項の規定による指定をしようとする場合においては、国土交通省令で定めるところにより、あらかじめ、その旨を公示しなければならない。その指定を解除しようとする場合においても、同様とする。

第二章　歩行者等の通行方法

〔章名改正・令四法三二〕

（通行区分）

第一〇条　歩行者等は、歩道又は歩行者等の通行に十分な幅員を有する路側帯（次項及び次条において「歩道等」という。）と車道の区別のない道路においては、道路の右側端に寄つて通行しなければならない。ただし、道路の右側端を通行することが危険であるときその他やむを得ないときは、道路の左側端に寄つて通行することができる。

2　歩行者等は、歩道等と車道の区別のある道路においては、次の各号に掲げる場合を除き、歩道等を通行しなければならない。

一　車道を横断するとき。

二　道路工事等のため歩道等を通行することができないとき、その他やむを得ないとき。

3　前項の規定により歩道を通行する歩行者等は、普通自転車通行指定部分（第六十三条の四第二項に規定する普通自転車通行指定部分をいう。第十七条の二第二項において同じ。）があるときは、当該普通自転車通行指定部分をできるだけ避けて通行するように努めなければならない。

〔一・二項改正・昭四六法九八、三項追加・平一九法九〇、一—三項改正・令四法三二〕

法第一〇条

判例　道路の左側を横に並んで歩いていた者に対する注意義務

※　車両の交通量の多い歩車道の区別のない道路の左側端を、横に並んで三人の女性が自動車の走行方向と同一方向に向かい歩いていた場合に、センターライン寄りの一人（A）が仲間の一人（B）にふざけてBに押され突如右側によろけたということであれば、それは、同女らの歩行は左側通行で、もともと交通の安全を無視した危険な行動であり、自動車運転者にこのような危険無謀な被害者の行動を予見し、これとの接触を避けるため警音器の吹鳴、徐行、安全確認をしてその右側方を通過すべき業務上の注意義務を課することは正当とはいえない。（東高　昭四五、七、一六）

参照 〔歩行者等〕二③〔歩道〕二①2、道構令二1〔路側帯〕二①3の4〔歩行者のための施設〕歩道＝二①2、横断歩道＝二①4、安全地帯＝二①6、信号機＝二①14・四、道路標識＝二①15・四、道路標示＝二①16・四〔歩行者の義務〕信号機の信号等に従う義務＝七、右側通行の義務＝一〇①、歩道通行の義務＝一〇②、政令で定める行列の車道の右側端通行の義務＝一一①、横断歩道附近における横断歩道による道路横断の義務＝一二①、目が見えない者の政令で定めるつえの携行又は政令で定める盲導犬を連れている義務＝一四①、道交令八①・②〔歩行者に対する禁止事項〕公安委員会、警察署長、警察官による通行の禁止制限＝四①・五①・六④、斜め横断＝一二②、車両等の直前、直後の横断＝一三①、指定区間の道路横断＝一三②、目が見えない者以外の者（耳がきこえない者等を除く）の政令で定めるつえの携行・政令で定める用具を付けた犬を連れての通行＝一四②、酒に酔い道路をふらつく行為＝七六④1、道路に寝そべり、立ちどまる等の行為＝七六④2、進行中の自動車、トロリーバス、路面電車に飛び乗り等の行為＝七六④6〔車道〕二①3、道構令二4〔道路〕二①1、道二①、道運二⑦・⑧、道運車二⑥、高速二①、駐車二3、道路の種類＝道三〔普通自転車通行指定部分〕六三の四②

（行列等の通行）

第一一条 学生生徒の隊列、葬列その他の行列（以下「行列」という。）及び歩行者の通行を妨げるおそれのある者で、政令で定めるものは、前条第二項の規定にかかわらず、歩道等と車道の区別のある道路においては、車道をその右側端（自転車道が設けられている車道にあつては、自転車道以外の部分の右側端。次項において同じ。）に寄つて通行しなければな

第二章　歩行者の通行方法

〔章名改正・昭三八政二〇五〕

（車道を通行する行列等）

第七条 法第十一条第一項の政令で定めるものは、次の各号に掲げるものとする。

一　銃砲（拳銃を除く。）を携帯した自衛隊（自衛隊法（昭和二十九年法律第百六十五号）第二条第一項に規定する自衛隊をいう。以下同じ。）の行列（百人未満のものを除く。）

二　旗、のぼり等を携帯し、かつ、これらによつて気勢を張る行列（百人未満のものを除く。）

三　象、きりんその他大きな動物をひいている者又はその者の参加する行列

〔旧八条を繰上・昭四六政三四八〕

自衛隊法

（定義）

第二条 この法律において「自衛隊」とは、防衛大臣、防衛副大臣、防衛大臣政務官、防衛大臣補佐官、防衛大臣政策参与及び防衛大臣秘書官並びに防衛省の事務次官及び防衛審議官並びに防衛省本省の内部部局、防衛大学校、防衛医科大学校、防衛会議、統合幕僚監部、情報本部、防衛監察本部、地方防衛局その他の機関（政令で定める合議制の機関並びに防衛省設置法（昭

らない。

2　前項の政令で定める行列以外の行列は、前条第二項の規定にかかわらず、歩道等と車道の区別のある道路において、車道を通行することができる。この場合においては、車道の右側端に寄つて通行しなければならない。

3　警察官は、道路における危険を防止し、その他交通の安全と円滑を図るため必要があると認めるときは、第一項の行列の指揮者に対し、区間を定めて当該行列が道路又は車道の左側端（自転車道が設けられている車道にあつては、自転車道以外の部分の左側端）に寄つて通行すべきことを命ずることができる。

〔一・三項改正・昭四五法八六、一・二項改正・昭四六法九八、付記改正・令四法三二〕

参照〔政令で定めるもの〕道交令七〔歩道等〕二①2・3の4・一〇①、道構令二1〔車道〕二①3、道構令二4〔道路〕二①1、道二①、道運二⑦・⑧、道運車二⑥、高速二①、駐車二①3、道路の種類＝道路三〔自転車道〕二①3の3、自転車道二③〔警察官〕警三四・五五・六二・六三

（罰則　第一項については第百二十一条第一項第四号〔二万円以下の罰金又は科料〕　第二項及び第三項については第百二十一条第一項第五号〔二万円以下の罰金又は科料〕）

和二十九年法律第百六十四号）第四条第一項第二十四号又は第二十五号に掲げる事務をつかさどる部局及び職で政令で定めるものを除く。）並びに陸上自衛隊、海上自衛隊及び航空自衛隊並びに防衛装備庁（政令で定める合議制の機関を除く。）を含むものとする。

2〜5　〔略〕

（横断の方法）

第一二条 歩行者等は、道路を横断しようとするときは、横断歩道がある場所の付近においては、その横断歩道によつて道路を横断しなければならない。

2 歩行者等は、交差点において道路標識等により斜めに道路を横断することができることとされている場合を除き、斜めに道路を横断してはならない。

〔見出し改正・一項削除・旧二・三項を改正し一・二項に繰上・昭四六法九八、一・二項改正・令四法三二〕

参照 〔横断歩道〕二①4〔道路〕二①1、道二①、道運二⑦・⑧、道運車二⑥、高速二①、駐車二3、道路の種類＝道三〔交差点〕二①5、交差点における通行方法等＝三四―三七の二〔道路標識等〕二①4・15・16・四⑤

指示標示

種類	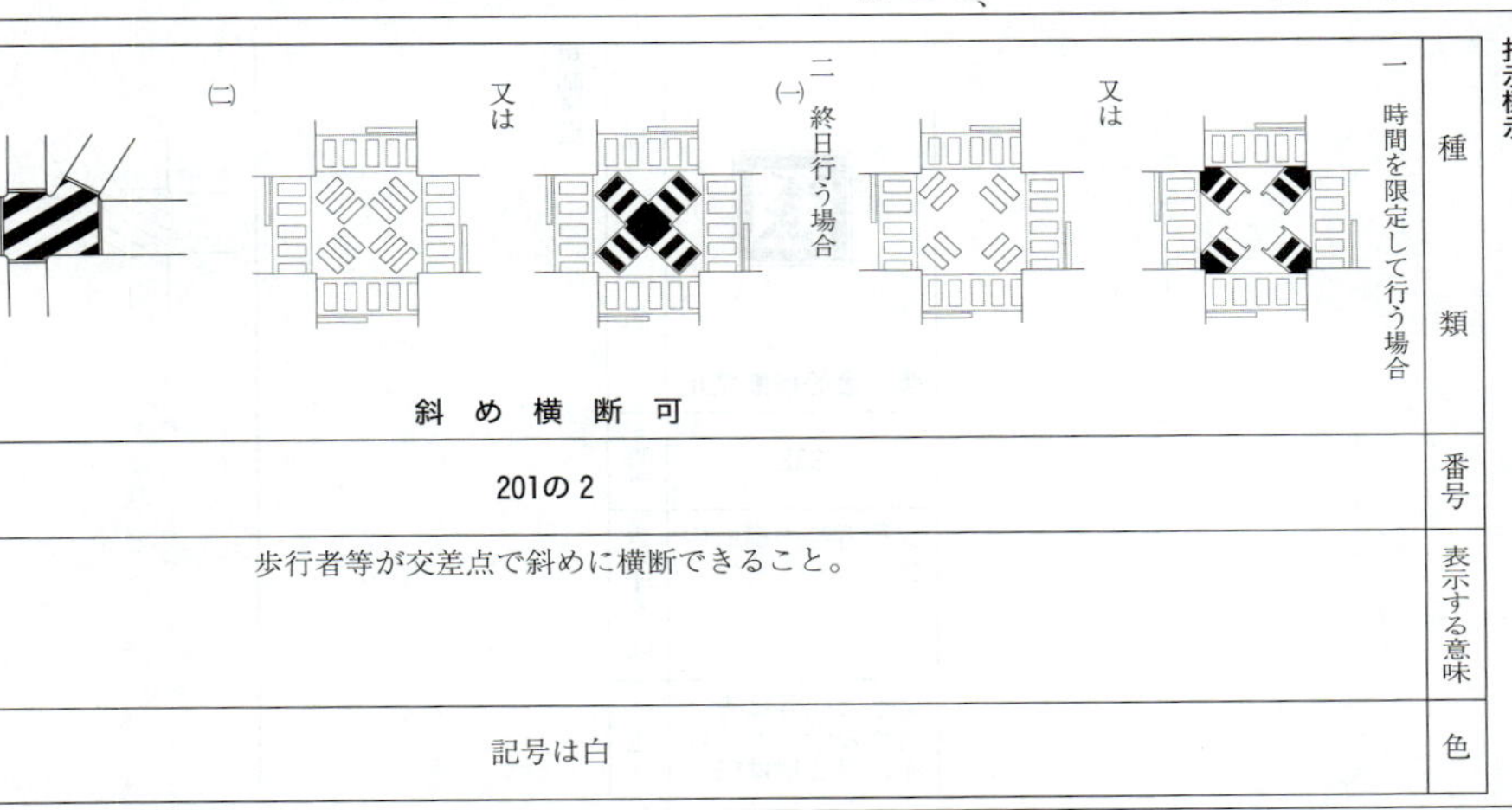
番号	201の2
表示する意味	歩行者等が交差点で斜めに横断できること。
色	記号は白

法第一二条

判例 **「横断歩道がある場所の付近」の意義**

※ 最寄りの横断歩道から約四〇メートル離れた地点は、〝横断歩道がある場所の付近〟とはいえない。（大高 昭四五、八、二一）

（横断の禁止の場所）

第一三条　歩行者等は、車両等の直前又は直後で道路を横断してはならない。ただし、横断歩道によつて道路を横断するとき、又は信号機の表示する信号若しくは警察官等の手信号等に従つて道路を横断するときは、この限りでない。

2　歩行者等は、道路標識等によりその横断が禁止されている道路の部分においては、道路を横断してはならない。

〔一項改正・昭四五法八六、二項全改・昭四六法九八、一・二項改正・令四法三二〕

参照〔車両等〕二①17〔道路〕二①1、道二①、道運二⑦・⑧、道運車二⑥、高速二①、駐車二3、道路の種類＝道三〔横断歩道〕二①4、歩行者等の横断方法＝一二〔信号機〕二①14〔警察官等〕六①、警察官＝警三四・五五・六二・六三、交通巡視員＝一一四の四、道交令四四の二〔手信号等〕道交令四・五

（歩行者用道路等の特例）

第一三条の二　歩行者用道路又はその構造上車両等が入ることができないこととなつている道路を通行す

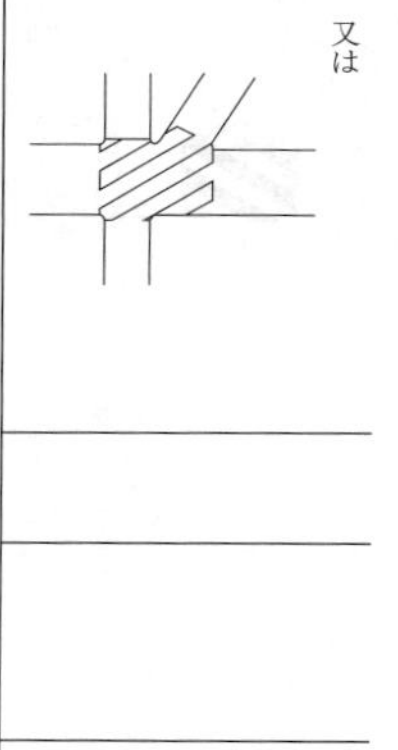

規制標識

種類	番号	表示する意味	色
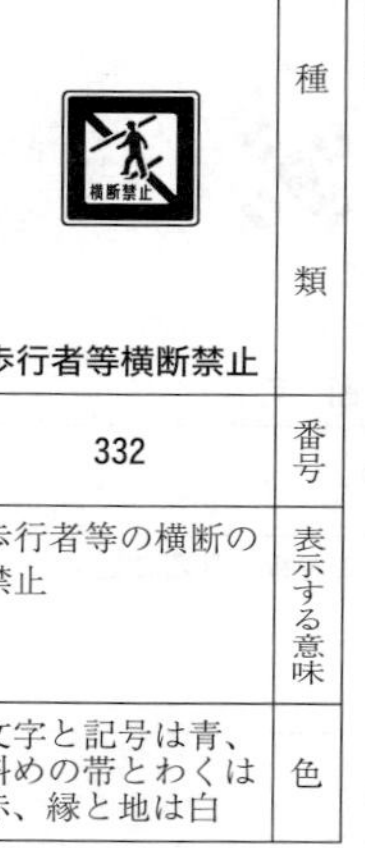 歩行者等横断禁止	332	歩行者等の横断の禁止	文字と記号は青、斜めの帯とわくは赤、縁と地は白

る歩行者等については、第十条から前条までの規定は、適用しない。

〔本条追加・昭四六法九八、改正・令四法三二〕

参照 〔車両等〕二①17〔道路〕二①1、道二①、道運二⑦・⑧、道運車二⑥、高速二①、駐車二3、道路の種類＝道三〔歩行者等〕二③

（目が見えない者、幼児、高齢者等の保護）

第一四条 目が見えない者（目が見えない者に準ずる者を含む。以下同じ。）は、道路を通行するときは、政令で定めるつえを携え、又は政令で定める盲導犬を連れていなければならない。

（目が見えない者等の保護）

第八条 法第十四条第一項及び第二項の政令で定めるつえは、白色又は黄色のつえとする。

2　法第十四条第一項の政令で定める盲導犬は、盲導犬の訓練を目的とする一般社団法人若しくは一般財団法人又は社会福祉法（昭和二十六年法律第四十五号）第三十一条第一項の規定により設立された社会福祉法人で国家公安委員会が指定したものが盲導犬として必要な訓練をした犬又は盲導犬として必要な訓練を受けていると認めた犬で、内閣府令で定める白色又は黄色の用具を付けたものとする。

（盲導犬の用具）

第五条の二 令第八条第二項の内閣府令で定める用具は、白色又は黄色の別図の形状のものとする。

〔本条追加・昭五三総府令三七、改正・平一二総府令八九〕

別図（第五条の二関係）

側面図

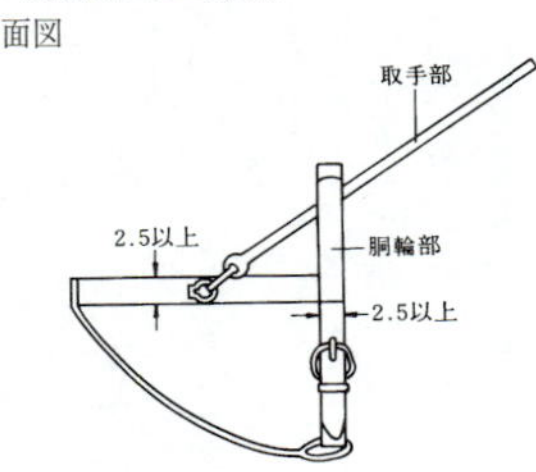

正面図

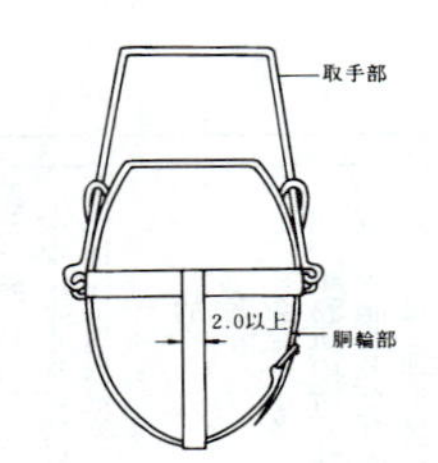

備考　1　取手部については、目が見えない者（目が見えない者に準ずる者を含む。）が把持する部分（盲導犬の使用時において、当該者が確実に把持することができ、かつ、取手部から容易に外れない構造のものに限る。）を更に別に取り付けることができる。

2　胴輪部のうち盲導犬の両前肢の間を通す部分については、備えないことができる。

3　図示の長さの単位は、センチメートルとする。

〔本図追加・昭53総府令37、改正・平22内府令54〕

2　目が見えない者以外の者（耳が聞こえない者及び政令で定める程度の身体の障害のある者を除く。）は、政令で定めるつえを携え、又は政令で定める用具を付けた犬を連れて道路を通行してはならない。

3　児童（六歳以上十三歳未満の者をいう。以下同じ。）若しくは幼児（六歳未満の者をいう。以下同じ。）を保護する責任のある者は、交通のひんぱんな道路又は踏切若しくはその附近の道路において、児童若しくは幼児に遊戯をさせ、又は自ら若しくはこ

3　前項の指定の手続その他の同項の指定に関し必要な事項は、国家公安委員会規則で定める。

4　法第十四条第二項の政令で定める程度の身体の障害は、道路の通行に著しい支障がある程度の肢体不自由、視覚障害、聴覚障害及び平衡機能障害とする。

5　法第十四条第二項の政令で定める用具は、第二項に規定する用具又は形状及び色彩がこれに類似する用具とする。

〔本条追加・昭三八政二〇五、改正・昭四六政一九五、見出し改正・一項追加・旧一項を二項に繰下・旧八条の二を繰上・昭四六政三四八、二・四項追加・旧二項を三項に繰下・昭五三政三一三、三項追加・旧三・四項を四・五項に繰下・平四政三三一、二項改正・平一二政三〇三・政三三四・平一九政三九〕

社会福祉法

（申請）

第三一条　社会福祉法人を設立しようとする者は、定款をもつて少なくとも次に掲げる事項を定め、厚生労働省令で定める手続に従い、当該定款について所轄庁の認可を受けなければならない。

一　目的
二　名称
三　社会福祉事業の種類
四　事務所の所在地
五　評議員及び評議員会に関する事項
六　役員（理事及び監事をいう。以下この条、次節第二款、第六章第八節、第九章及び第十章において同じ。）の定数その他役員に関する事項
七　理事会に関する事項
八　会計監査人を置く場合には、これに関する事項
九　資産に関する事項
十　会計に関する事項
十一　公益事業を行う場合には、その種類
十二　収益事業を行う場合には、その種類
十三　解散に関する事項
十四　定款の変更に関する事項
十五　公告の方法

2～6　〔略〕

盲導犬の訓練を目的とする法人の指定に関する規則

（平成四年九月一六日国家公安委員会規則第一七号）

れに代わる監護者が付き添わないで幼児を歩行させてはならない。

4　児童又は幼児が小学校、幼稚園、幼保連携型認定こども園その他の教育又は保育のための施設に通うため道路を通行している場合において、誘導、合図その他適当な措置をとることが必要と認められる場所については、警察官等その他その場所に居合わせた者は、これらの措置をとることにより、児童又は幼児が安全に道路を通行することができるように努めなければならない。

5　高齢の歩行者、身体の障害のある歩行者その他の歩行者でその通行に支障のあるものが道路を横断し、又は横断しようとしている場合において、当該歩行者から申出があつたときその他必要があると認められるときは、誘導、合図その他適当な措置をとることにより、当該歩行者が安全に道路を横断することができるように努めなければならない。

〔二項改正・昭三八法九〇、四項改正・昭四五法八六、一・二項改正・昭四六法九八・昭五三法五三、見出し改正・五項追加・平九法四一、五項改正・平一三法五一、四項改正・平二四法六七〕

参照　〔道路〕二①1、道二①、道運二⑦・⑧、道運車二⑥、高速二①、駐車二3、道路の種類＝道三〔政令で定めるつえ〕道交令八①〔政令で定める盲導犬〕道交令八②、道交規五の二〔政令で定める程度〕道交令八④〔政令で定める用具〕道交令八⑤〔保護する責任がある者〕民八一八・八二〇・八五七・八六七・八七七、児福六〔小学校〕学教一〔幼稚園〕学教一〔警察官等〕六①、警察官＝警三四・五五・六二・六三、交通巡視員＝一一四条

四の四、道交令四四の二

（歩行者と遠隔操作型小型車との関係）

第一四条の二　遠隔操作型小型車は、遠隔操作により道路を通行する場合において、歩行者の通行を妨げることとなるときは、当該歩行者に進路を譲らなければならない。

〔本条追加・令四法三二〕

参照〔遠隔操作型小型車〕二①11の5〔道路〕二①1、道二①、道運二⑦・⑧、道運車二⑥、高速二①、駐車二3、道路の種類＝道三〔歩行者の通行方法〕一〇～一五の二

（遠隔操作型小型車の遠隔操作を行う者の義務）

第一四条の三　遠隔操作型小型車（道路を通行しているものに限る。）の遠隔操作を行う者は、当該遠隔操作型小型車について遠隔操作のための装置を確実に操作し、かつ、道路、交通及び当該遠隔操作型小型車の状況に応じ、他人に危害を及ぼさないような速度と方法で通行させなければならない。

〔本条追加・令四法三二〕

参照〔遠隔操作型小型車〕二①11の5〔道路〕二①1、道二①、道運二⑦・⑧、道運車二⑥、高速二①、駐車二3、道路の種類＝道三

（移動用小型車等を通行させる者の義務）

第一四条の四　移動用小型車又は遠隔操作型小型車を道路において通行させる者は、当該移動用小型車又は遠隔操作型小型車の見やすい箇所に内閣府令で定める様式の標識を付けなければならない。

〔本条追加・令四法三二〕

参照　〔移動用小型車〕二①11の3〔遠隔操作型小型車〕二①11の5〔道路〕二①1、道二①、道運二⑦・⑧、道運車二⑥、高速二①、駐車二3、道路の種類＝道三〔内閣府令で定める様式〕道交規五の三・別記様式一の三の二・一の三の三

（罰則　第百二十一条第一項第六号〔二万円以下の罰金又は科料〕）

（通行方法の指示）

第一五条　警察官等は、第十条第一項若しくは第二項、第十二条若しくは第十三条の規定に違反して道路を

（移動用小型車又は遠隔操作型小型車に付ける標識の様式）

第五条の三　法第十四条の四の内閣府令で定める様式は、移動用小型車にあつては別記様式第一の三の二のとおりとし、遠隔操作型小型車にあつては別記様式第一の三の三のとおりとする。

〔本条追加・令四内府令六七〕

別記様式第一の三の二（第五条の三関係）

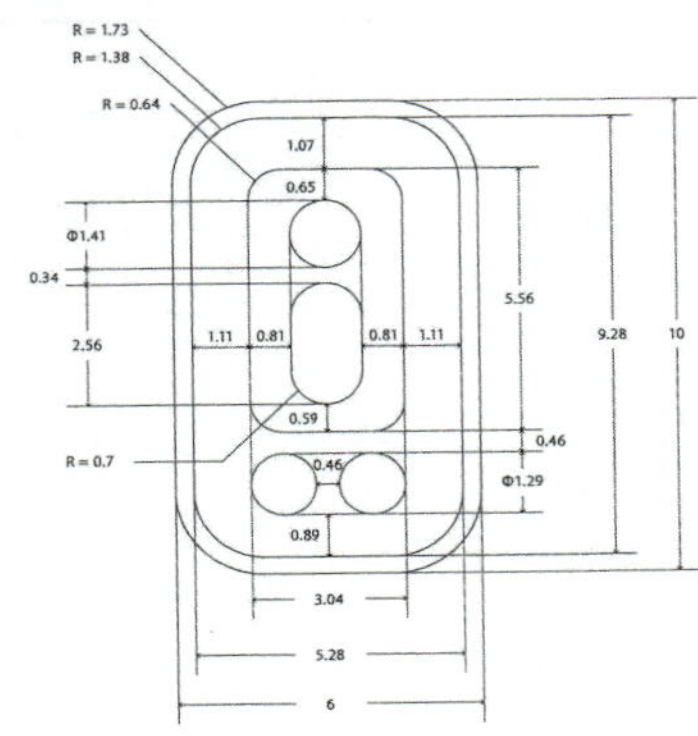

備考　1　縁及びマークの色彩は白色、地の部分の色彩は青緑色とする。
　　　2　地の部分には反射材料を用いるものとする。
　　　3　図示の長さの単位は、センチメートルとする。

〔本様式追加・令４内府令67〕

別記様式第一の三の三（第五条の三関係）

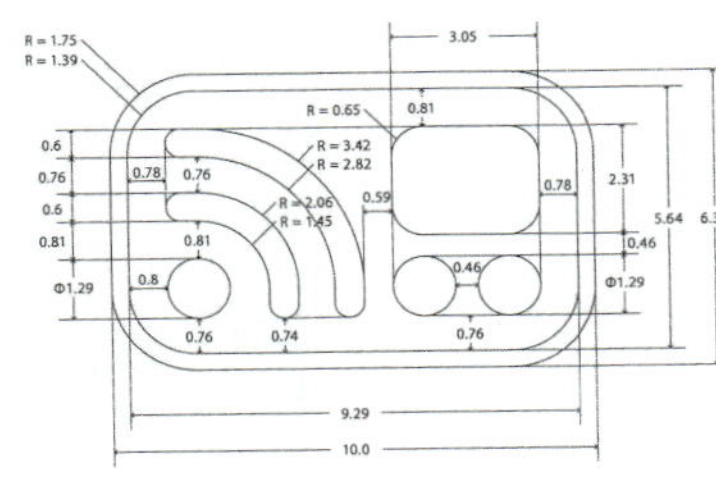

備考　1　縁及びマークの色彩は白色、地の部分の色彩は青緑色とする。
　　　2　地の部分には反射材料を用いるものとする。
　　　3　図示の長さの単位は、センチメートルとする。

〔本様式追加・令４内府令67〕

通行している歩行者又はこれらの規定若しくは第十四条の二若しくは第十四条の三の規定に違反して道路を通行している遠隔操作型小型車の遠隔操作を行う者に対し、当該各条に規定する通行方法によるべきことを指示することができる。

〔本条改正・昭四五法八六・昭四六法九八・平一九法九〇、本条・付記改正・令四法三二〕

参照 〔警察官等〕六①、警察官＝警三四・五五・六二・六三、交通巡視員＝一一四の四、道交令四四の二〔道路〕二①1、道二①、道運二⑦・⑧、道運車二⑥、高速二①、駐車二3、道路の種類＝道三

〔罰則　第百二十一条第一項第七号〔二万円以下の罰金又は科料〕〕

（遠隔操作型小型車に対する危険防止等の措置）

第一五条の二　警察官等は、遠隔操作により道路を通行している遠隔操作型小型車が著しく道路における交通の危険を生じさせ、又は交通の妨害となるおそれがあり、かつ、急を要すると認めるときは、道路における交通の危険を防止し、又は交通の妨害を排除するため必要な限度において、当該遠隔操作型小型車を停止させ、又は移動させることができる。

〔本条追加・令四法三二〕

参照 〔警察官等〕六①、警察官＝警三四・五五・六二・六三、交通巡視員＝一一四の四、道交令四四の二〔道路〕二①1、道二①、道運二⑦・⑧、道運車二⑥、高速二①、駐車二3、道路の種類＝道三〔遠隔操作型小型車〕二①11の5

第二章の二　遠隔操作型小型車の使用者の義務

〔本章追加・令四法三二〕

（遠隔操作による通行の届出）

第一五条の三　遠隔操作型小型車（遠隔操作により道路において通行させるものに限る。以下この項及び次条において同じ。）の使用者は、内閣府令で定めるところにより、次に掲げる事項を当該遠隔操作型小型車を遠隔操作により通行させようとする場所を管轄する公安委員会に届け出なければならない。その届け出た事項を変更しようとするときも、同様とする。

一　遠隔操作型小型車の使用者の氏名又は名称及び住所並びに法人にあつては、その代表者の氏名

二　遠隔操作型小型車を遠隔操作により通行させようとする場所

三　遠隔操作型小型車の遠隔操作を行う場所の所在地及び連絡先並びに遠隔操作のための装置、人員その他の体制

四　運送される人又は物の別及び当該人又は物の運送の方法

五　非常停止装置の位置及び形状

六　遠隔操作型小型車の仕様に関する事項として内

（遠隔操作による通行の届出）

第五条の四　法第十五条の三第一項の規定による届出は、遠隔操作型小型車の道路における遠隔操作による通行を開始しようとする日の一週間前までに、別記様式第一の三の四の届出書を提出して行うものとする。

2　法第十五条の三第一項第六号の内閣府令で定める事項は、遠隔操作型小型車に係る次に掲げる事項とする。

一　大きさ

二　原動機の種類

三　構造上出すことができる最高の速度

3　法第十五条の三第二項の内閣府令で定める書類は、次に掲げるとおりとする。

一　届出をする者が住民基本台帳法（昭和四十二年法律第八十一号）の適用を受ける者である場合にあつては、同法第十二条第一項に規定する住民票の写し（以下「住民票の写し」という。）

二　届出をする者が住民基本台帳法の適用を受けない者（自然人に限る。）である場合にあつては、旅券、外務省の発行する身分証明書又は権限のある機関が発行する身分を証明する書類（以下「旅券等」という。）の写し

三　届出をする者が法人である場合にあつては、登記事項証明書

四　遠隔操作型小型車が遠隔操作により安全に通行させることができることについての審査（以下この号において単に「審査」という。）を行うことを目的として設立された一般社団法人又は一般財団法人であつて審査を行うのに必要かつ適切な組織及び能力を有するものが実施する審査に合格したことを証する書面その他の届出に係る遠隔操作型小型車の構造及

閣府令で定める事項

2　前項の規定による届出には、当該届出をする者に係る住民票の写し又は登記事項証明書、当該届出に係る遠隔操作型小型車の仕様を示す書面その他の内閣府令で定める書類を添付しなければならない。

3　公安委員会は、第一項前段の規定による届出があつたときは、当該届出をした者を識別するための番号、記号その他の符号（次条において「届出番号等」という。）をその者に通知しなければならない。

〔本条追加・令四法三二〕

参照〔遠隔操作型小型車〕二①11の5〔内閣府令の定め〕道交規五の四①・別記様式一の三の四〔公安委員会〕四①、警三八～四六の二〔内閣府令で定める事項〕道交規五の四②〔内閣府令で定める書類〕道交規五の四③

（罰則　第一項については第百十九条の二の二第一号〔三十万円以下の罰金〕、第百二十三条〔罰金刑又は科料刑〕）

び性能を示す書面

五　遠隔操作型小型車を遠隔操作により通行させようとする場所の付近の見取図

〔本条追加・令四内府令六七〕

別記様式第一の三の四（第五条の四関係）

遠隔操作型小型車使用届出書（新規・変更）

年　月　日

公安委員会　殿

届出者

道路交通法第15条の３第１項の規定により次のとおり届出をします。

使用者	〒　― 電話（　）　―　番
通行場所	
遠隔操作を行う場所	〒　― 電話（　）　―　番
遠隔操作のための体制	
運送される人又は物の別	人　・　物
人又は物の運送の方法	
非常停止装置の位置及び形状	
遠隔操作型小型車の大きさ	
原動機の種類	
構造上出すことができる最高の速度	

備考　1　使用者の欄には、遠隔操作型小型車の使用者の氏名又は名称及び住所並びに法人にあつては、その代表者の氏名を記載すること。
2　通行場所の欄には、遠隔操作型小型車を遠隔操作により通行させようとする場所を記載すること。
3　遠隔操作を行う場所の欄には、遠隔操作型小型車の遠隔操作を行う場所の所在地及び連絡先を記載すること。
4　遠隔操作のための体制の欄には、遠隔操作のための装置、人員その他の体制について必要な事項を記載すること。
5　所定の欄に記載できないときは、別紙に記載の上、これを添付すること。
6　届出をした事項を変更するときは、変更があつた事項に関してのみ記載すること。
7　不要の文字は、横線で消すこと。
8　用紙の大きさは、日本産業規格A列４番とする。

〔本様式追加・令４内府令67〕

（届出番号等の表示義務）

第一五条の四　前条第一項前段の規定による届出をした遠隔操作型小型車の使用者は、内閣府令で定めるところにより、同条第三項の規定により通知された届出番号等を遠隔操作型小型車の見やすい箇所に表示しなければならない。

〔本条追加・令四法三二〕

参照　〔遠隔操作型小型車〕二①11の5〔内閣府令の定め〕道交規五の五

（報告及び検査）

第一五条の五　公安委員会は、この章の規定の施行に必要な限度において、遠隔操作型小型車の使用者に対し、遠隔操作型小型車の遠隔操作による道路における通行に関し報告若しくは資料の提出を求め、又は警察職員に、第十五条の三第一項第三号に規定する場所その他の遠隔操作型小型車の使用者の事務所に立ち入り、帳簿、書類その他の物件を検査させ、若しくは関係者に質問させることができる。

2　前項の規定により警察職員が立ち入るときは、その身分を示す証票を携帯し、関係者に提示しなければならない。

3　第一項の規定による立入検査の権限は、犯罪捜査のために認められたものと解してはならない。

〔本条追加・令四法三二〕

参照　〔公安委員会〕四①、警三八～四六の二〔遠隔操作型小型車〕

（届出番号等の表示）

第五条の五　法第十五条の四に規定する届出番号等の表示は、当該遠隔操作型小型車の見やすい箇所に、明瞭にしなければならない。

〔本条追加・令四内府令六七〕

二①11の5〔警察職員〕警三四・五五

（罰則　第一項については第百十九条の二の三第一号〔二十万円以下の罰金〕、第百二十三条〔罰金刑又は科料刑〕）

（遠隔操作型小型車の使用者に対する指示）

第一五条の六　公安委員会は、遠隔操作型小型車の使用者又はその使用する者が遠隔操作型小型車の遠隔操作による道路における通行に関しこの法律若しくはこの法律に基づく命令の規定又はこの法律の規定に基づく処分に違反した場合において、道路における危険を防止し、その他交通の安全と円滑を図るため必要があると認めるときは、当該遠隔操作型小型車の使用者に対し、遠隔操作型小型車の遠隔操作による道路における通行に関し必要な措置をとるべきこと（措置をとるまでの間、遠隔操作型小型車の遠隔操作による道路の通行を停止させることを含む。）を指示することができる。

〔本条追加・令四法三二〕

参照　〔公安委員会〕四①、警三八～四六の二〔遠隔操作型小型車〕二①11の5〔道路〕二①1、道二①、道運二⑦・⑧、道運車二⑥、高速二①、駐車二3、道路の種類＝道三

（罰則　第百十九条の二の二第二号〔三十万円以下の罰金〕、第百二十三条〔罰金刑又は科料刑〕）

第三章　車両及び路面電車の交通方法

第一節　通則

（通則）

第一六条　道路における車両及び路面電車の交通方法については、この章の定めるところによる。

2　この章の規定の適用については、自動車又は原動機付自転車により他の車両を牽引する場合における当該牽引される車両は、その牽引する自動車又は原動機付自転車の一部とする。

3　この章の規定のうち交差点における交通に係る規定は、本線車道を通行している自動車については、適用しない。

4　この章の規定の適用については、自転車道が設けられている道路における自転車道と自転車道以外の車道の部分とは、それぞれ一の車道とする。

〔三項追加・昭三八法九〇、四項追加・昭四五法八六、三項改正・昭四六法九八〕

参照　〔道路〕二①1、道二①、道運二⑦・⑧、道運車二⑥、高速二①、駐車二3、道路の種類＝道三〔車両〕二①8〔路面電車〕二①13〔自動車〕二①9、自動車の種類＝三、道交規二〔原動機付自転車〕二①10、道交規一の二〔牽引〕自動車の牽引制限＝五九、自動車以外の牽引制限＝六〇、牽引における危険防止の措置＝六一、牽引車の装置＝道運車四一①8、保安基準一九

〔交差点〕二①5〔本線車道〕二①3の2〔自転車道〕二①3の3、自転車道二③

（通行区分）

第一七条 車両は、歩道又は路側帯（以下この条及び次条第一項において「歩道等」という。）と車道の区別のある道路においては、車道を通行しなければならない。ただし、道路外の施設又は場所に出入するためやむを得ない場合において歩道等を横断するとき、又は第四十七条第三項若しくは第四十八条の規定により歩道等で停車し、若しくは駐車するため必要な限度において歩道等を通行するときは、この限りでない。

2 前項ただし書の場合において、車両は、歩道等に入る直前で一時停止し、かつ、歩行者の通行を妨げないようにしなければならない。

3 特定小型原動機付自転車（原動機付自転車のうち第二条第一項第十号ロに該当するものをいう。以下同じ）、二輪又は三輪の自転車その他車体の大きさ及び構造が自転車道における他の車両の通行を妨げるおそれのないものとして内閣府令で定める基準に該当する車両（これらの車両で側車付きのもの及び他の車両を牽引しているものを除く。）以外の車両は、自転車道を通行してはならない。ただし、道路外の施設又は場所に出入するためやむを得ないときは、自転車道を横断することができる。

4 車両は、道路（歩道等と車道の区別のある道路においては、車道。以下第九節の二までにおいて同じ。）の中央（軌道が道路の側端に寄つて設けられて

指示標識

種類	番号	表示する意味	色
中央線 ／ 中央線	406	道路の中央や中央線であること。	文字、記号と縁は白、地は青

（自転車道を通行することができる車両の大きさ等）

第五条の六 法第十七条第三項の内閣府令で定める基準は、第一条の八に掲げる長さ及び幅を超えない四輪以上の自転車であることとする。

〔本条追加・令二内府令七〇、旧五条の三を改正し繰下・令四内府令六七〕

いる場合においては当該道路の軌道敷を除いた部分の中央とし、道路標識等による中央線が設けられているときはその中央線の設けられた道路の部分を中央とする。以下同じ。）から左の部分（以下「左側部分」という。）を通行しなければならない。

指示標示

種類	番号	意味	色
1　道路の右側にはみ出して通行してはならないことをとくに示す必要がある道路に設ける場合 2　1以外の場所に設ける場合 (1)　ペイントかこれに類するものによるとき (2)　道路びょう、石かこれらに類するものによるとき 3　道路の中央以外の部分を道路の中央として指定する場合 (1)　常時指定するとき (2)　日や時間を限って指定するとき 標示筒、標示さくか黄色の灯火のついている道路びょう 4　1と3の(1)の場合でとくに必要があるとき 中央線	205	道路の中央や中央線であること。	記号は白

法第一七条

判例　※　低速で進行中の先行車両は、本条にいう「その他の障害」に当たらない。（最　昭三九、一二、二四）

道路の中央から右の部分を通行していた自動車に信頼の原則が適用された事例

※　交差する道路（優先道路を除く。）の幅員より明らかに広い幅員道路から、交通整理の行われていない交差点に入ろうとする自動車運転者としては、その時点において、自己が一七条三項に違反して道路の中央から右の部分を通行していたとしても、右の交差する道路から交差点に入ろうとする車両等が交差点の入口で徐行し、かつ、自車の進行を妨げないように一時停止するなどの措置に出るであろうことを信頼して交差点に入れば足り、本件被害者のようにあえて交通法規に違反して交差点に入り、自車の前で右折する車両のありうることまでも予想して、減速徐行するなどの注意義務はない。（最　昭四五、一一、一七）

※　道路幅員に照らして、道路上にタクシーやバスが駐停車している部分においては、その側方を通過する際、自動車の車体が中央線よりも右方へはみ出さざるを得ない場合には道路交通法一七条四項（現五項）三号に該当し、同条項二号の「道路の幅員」とは、道路の構造上の幅員を指すのであって、駐停車中の車両が占有している部分を除いた幅員を指すものではない。（東高　昭五一、一〇、二五）

5　車両は、次の各号に掲げる場合においては、前項の規定にかかわらず、道路の中央から右の部分（以下「右側部分」という。）にその全部又は一部をはみ出して通行することができる。この場合において、車両は、第一号に掲げる場合を除き、そのはみ出し方ができるだけ少なくなるようにしなければならない。

一　当該道路が一方通行（道路における車両の通行につき一定の方向にする通行が禁止されていることをいう。以下同じ。）となつているとき。

二　当該道路の左側部分の幅員が当該車両の通行のため十分なものでないとき。

三　当該車両が道路の損壊、道路工事その他の障害のため当該道路の左側部分を通行することができないとき。

四　当該道路の左側部分の幅員が六メートルに満たない道路において、他の車両を追い越そうとするとき（当該道路の右側部分を見とおすことができ、かつ、反対の方向からの交通を妨げるおそれがない場合に限るものとし、道路標識等により追越しのため右側部分にはみ出して通行することが禁止されている場合を除く。）。

規制標識

種類	番号	表示する意味	色
追越しのための右側部分はみ出し通行禁止	314	車が追越しのため、道路の右側部分にはみ出して通行することの禁止	記号は青、斜めの帯とわくは赤、縁と地は白

車両制限令

（路肩通行の制限）

第九条　歩道、自転車道又は自転車歩行者道のいずれをも有しない道路を通行する自動車は、その車輪が路肩（路肩が明らかでない道路にあつては、路端から車道寄りの〇・五メートル（トンネル、橋又は高架の道路にあつては、〇・二五メートル）の幅の道路の部分）にはみ出してはならない。

五　勾配の急な道路のまがりかど附近について、道路標識等により通行の方法が指定されている場合において、当該車両が当該指定に従い通行するとき。

6　車両は、安全地帯又は道路標識等により車両の通行の用に供しない部分であることが表示されているその他の道路の部分に入つてはならない。

〔三・四項・付記改正・六項追加・昭三九法九一、三項・付記改正・昭四五法八六、一―五項改正・六項削除・昭四六法九八、三項追加・旧三―五項を四―六項に繰下・付記改正・昭五三法五三、四項改正・平一六法九〇、三項・付記改正・令二法四二、一・三項・付記改正・令四法三二〕

規制標示

種類	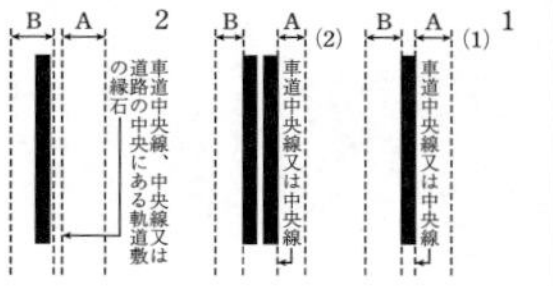 追越しのための右側部分はみ出し通行禁止
番号	102
意味	車が追越しのため、道路の右側部分にはみ出して通行することの禁止 1の図の道路では、A・Bのいずれを通行する車についても禁止している。 2の図の道路では、Bを通行する車について禁止している。
色	記号は黄

指示標示

種類	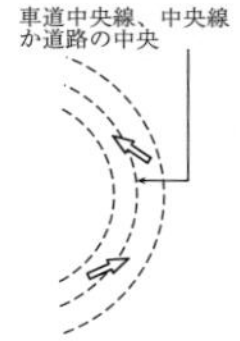 右側通行
番号	202
意味	車が道路の中央から右の部分を通行することができること。
色	記号は白

規制標示

種類	 立入り禁止部分
番号	106
意味	車が通行してはならない部分の指定
色	記号の縁線は黄、斜線は白

参照 〔車両〕二①8〔歩道〕二①2、道構令二1・一一〔路側帯〕二①3の4〔車道〕二①3、道構令二4〔特定小型原動機付自転車〕二①10ロ〔自転車〕二①11の2〔他の一時停止の規定〕四〇①・四一の二①・四三・六三の四②・七一2・2の2・一一一②〔道路〕二①1、道二①、道運二⑦・⑧、道運車二⑥、高速二①、駐車二3、道路の種類＝道三〔自転車道〕二①3の3、自転車道二③〔内閣府令で定める基準〕道交規五の六〔軌道〕軌道一・二、軌道敷の範囲＝軌道一二〔追越し〕二①21、方法＝二八、禁止する場合＝二九、禁止場所＝三〇〔安全地帯〕二①6、歩行者がいるときの徐行＝七一3

（罰則　第一項から第三項まで及び第六項については第百十九条第一項第六号〔三月以下の懲役又は五万円以下の罰金〕　第四項については第百十七条の二の二第一項第四号〔五年以下の懲役又は百万円以下の罰金〕、第百十七条の二の二第一項第八号イ〔三年以下の懲役又は五十万円以下の罰金〕、第百十九条第一項第六号〔三月以下の懲役又は五万円以下の罰金〕）

反則金

通行区分違反	大型	一万二千円	普通	九千円
	二輪	七千円	原付	六千円

点数

通行区分違反	
一般	二点
酒気帯び（〇・二五未満）	一四点
妨害運転（交通の危険のおそれ）	二五点
妨害運転（著しい交通の危険）	三五点

（特例特定小型原動機付自転車の歩道通行）

第一七条の二　特定小型原動機付自転車のうち、次の各号のいずれにも該当するもので、他の車両を牽引していないもの（遠隔操作により通行させることができるものを除く。以下この条及び次条において「特例特定小型原動機付自転車」という。）は、前条第一項の規定にかかわらず、道路標識等により特例特定小型原動機付自転車が歩道を通行することができることとされているときは、当該歩道を通行することができる。ただし、警察官等が歩行者の安全を確保するため必要があると認めて当該歩道を通行してはならない旨を指示したときは、この限りでない。

一　歩道等を通行する間、当該特定小型原動機付自転車が歩道等を通行することができるものであることを内閣府令で定める方法により表示していること。

二　前号の規定による表示をしている場合においては、車体の構造上、歩道等における歩行者の通行を妨げるおそれのない速度として内閣府令で定める速度を超える速度を出すことができないものであること。

三　前二号に規定するもののほか、車体の構造が歩道等における歩行者の通行を妨げるおそれのないものとして内閣府令で定める基準に該当すること。

2　前項の場合において、特例特定小型原動機付自転車は、当該歩道の中央から車道寄りの部分（普通自転車通行指定部分があるときは、当該普通自転車通行指定部分）を徐行しなければならず、また、特例特定小型原動機付自転車の進行が歩行者の通行を妨

規制標識

種類	番号	表示する意味	色
普通自転車等及び歩行者等専用	325の3	(1)自転車歩行者専用道路の指定 (2)特定小型原動機付自転車と自転車以外の車の通行止め (3)特例特定小型原動機付自転車と普通自転車が歩道を通行できることの指定	記号と縁は白、地は青

規制標示

種類	番号	意味	色
特例特定小型原動機付自転車・普通自転車歩道通行可	114の2	特例特定小型原動機付自転車と普通自転車が歩道を通行することができることを指定	記号は白
道路端　歩道の側端 特例特定小型原動機付自転車・普通自転車の歩道通行部分	114の3	特例特定小型原動機付自転車と普通自転車が歩道を通行することができることとし、かつ、特例特定小型原動機付自転車と普通自転車が歩道を通行する場合において、通行すべき部分を指定	記号は白

（特例特定小型原動機付自転車の歩道通行）

第五条の六の二　法第十七条の二第一項第一号の内閣府令で定める方法は、道路運送車両の保安基準第六十六条の十七第二項及び第三項の基準に適合する最高速度表示灯を点滅させることにより表示する方法とする。

2　法第十七条の二第一項第二号の内閣府令で定める速度は、六キロメートル毎時とする。

3　法第十七条の二第一項第三号の内閣府令で定める基準は、次の各号に掲げるとおりとする。

一　側車を付していないこと。

二　制動装置が走行中容易に操作できる位置にあること。

三　歩行者に危害を及ぼすおそれがある鋭利な突出部がないこと。

〔本条追加・令五内府令一七〕

げることとなるときは、一時停止しなければならない。ただし、普通自転車通行指定部分については、当該普通自転車通行指定部分を通行し、又は通行しようとする歩行者がないときは、歩道の状況に応じた安全な速度と方法で進行することができる。

〔本条追加・令四法三二〕

参照 〔特定小型原動機付自転車〕二①10ロ・一七③〔車両〕二①8〔道路標識等〕二①4・15・16・四⑤〔歩行者〕二③〔警察官等〕六①、警察官＝警三四・五五・六二・六三、交通巡視員＝一一四の四、道交令四四の二〔内閣府令で定める方法〕道交規五の六の二①〔内閣府令で定める速度〕道交規五の六の二②〔内閣府令で定める基準〕道交規五の六の二③

〔罰則　第二項については第百二十一条第一項第八号（二万円以下の罰金又は科料）〕

反則金

歩道徐行等義務違反　原付　三千円

（特例特定小型原動機付自転車等の路側帯通行）

第一七条の三　特例特定小型原動機付自転車及び軽車両は、第十七条第一項の規定にかかわらず、著しく歩行者の通行を妨げることとなる場合を除き、道路の左側部分に設けられた路側帯（特例特定小型原動機付自転車及び軽車両の通行を禁止することを表示する道路標示によつて区画されたものを除く。）を通行することができる。

2　前項の場合において、特例特定小型原動機付自転

規制標示

種類	番号	意味	色
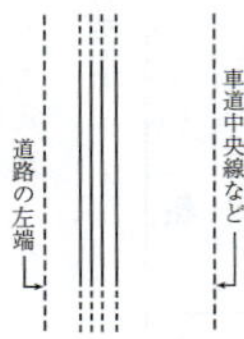 歩行者用路側帯	108の3	車の駐車と停車、特例特定小型原動機付自転車と軽車両の通行が禁止されている路側帯であること。	記号は白

道路法

（道路等との交差等）

第四八条の一四　道路管理者は、前条第一項から第三項までの規定による指定をした、又はしようとする道路又は道路の部分を道路等と交差させようとする場合においては、当該道路又は道路の部分の安全な交通が確保されるよう措置しなければならない。

2　道路等の管理者は、道路等を前条第一項の規定による指定を受けた道路若しくは道路の部分（以下「自転車専用道路」という。）、同条第二項の規定による指定を受けた道路若しくは道路の部分（以下「自転車歩行者専用道路」という。）又は同条第三項の規定による指定を受けた道路若しくは道路の部分（以下「歩

車及び軽車両は、歩行者の通行を妨げないような速度と方法で進行しなければならない。

〔本条追加・昭四五法八六、全改・昭五三法五三、一項改正・平二五法四三、見出し・一・二項・付記改正・旧一七条の二を繰下・令四法三二〕

参照〔特定小型原動機付自転車〕二①10ロ・一七③〔軽車両〕二①11〔路側帯〕二①3の4〔道路標示〕二①16

（罰則　第二項については第百二十一条第一項第八号〔二万円以下の罰金又は科料〕）

反則金

路側帯進行方法違反　原付　三千円

（左側寄り通行等）

第一八条　車両（トロリーバスを除く。）は、車両通行帯の設けられた道路を通行する場合を除き、自動車及び一般原動機付自転車（原動機付自転車のうち第二条第一項第十号イに該当するものをいう。以下同じ。）にあつては道路の左側に寄つて、特定小型原動機付自転車及び軽車両（以下「特定小型原動機付自転車等」という。）にあつては道路の左側端に寄つて、それぞれ当該道路を通行しなければならない。ただし、追越しをするとき、第二十五条第二項若しくは第三十四条第二項若しくは第四項の規定により道路の中央若しくは右側端に寄るとき、又は道路の状況その他の事情によりやむを得ないときは、この限りでない。

行者専用道路」という。）（以下これらを「自転車専用道路等」と総称する。）と交差させようとする場合においては、当該自転車専用道路等の安全な交通が確保されるよう措置しなければならない。

法第一八条

判例

※　**幼児、児童等の側方通過時の注意義務**

自動車運転者は、一〇歳位の学童が道路横断のため佇立している場合には同人が自分の方を向いて眺めたとしても情況判断を誤り前進行動を起こすかも知れないことが予測されるから、右学童を厳に注視するとともに危害防止のために適当減速または徐行してその傍を通過する業務上の注意義務がある。（大高　昭三六、一一、九）

※　**歩行者の側方通過時の注意義務**

自動車運転者には、一般に、接触やあおりによる事故の発生することを考え、それを防止するため適正な速度で、適正な間隔を保つて進行すべき業務上の注意義務があることは多言を要しないところであるが、本件のように締めていたロープが突然切断して起る転倒事故までも予測し、これによる人身事故の防止措置を講ずべき注意義務があるとするのはいささか過大な要求であつて、

2　車両は、前項の規定により歩道と車道の区別のない道路を通行する場合その他の場合において、歩行者の側方を通過するときは、これとの間に安全な間隔を保ち、又は徐行しなければならない。

〔本条改正・昭三八法九〇、見出し削除・一項改正・二項追加・旧一九条を繰上・昭三九法九一、見出し追加・昭四五法八六、見出し・一・二項改正・付記追加・昭四六法九八、一項・付記改正・令四法三二〕

参照〔車両〕二①8、道運車二①〔トロリーバス〕二①12〔車両通行帯〕二①7・二〇〔道路〕二①1・一七④、道二①、道運二⑦・⑧、道運車二⑥、高速二①、駐車二3、道路の種類＝道三〔自動車〕二①9、自動車の種類＝三、道交規二〔一般原動機付自転車〕二①10イ、道交規一の二〔軽車両〕二①11〔追越し〕二①21、方法＝二八、禁止する場合＝二九、禁止場所＝三〇〔歩道〕二①2、道構令二1・一一〔車道〕二①3、道構令二4〔徐行〕二①20

（罰則　第二項については第百十九条第一項第六号〔三月以下の懲役又は五万円以下の罰金〕）

反則金

歩行者側方安全間隔不保持等

大型	九千円	普通	七千円
二輪	六千円	原付	五千円

点数

歩行者側方安全間隔不保持等

一般	二点
酒気帯び（〇・二五未満）	一四点

寧ろかかる注意義務はないと解するのが自動車交通の実情にもそうゆえんである。（東高　昭四四、一、三一）

（軽車両の並進の禁止）

第一九条　軽車両は、軽車両が並進することとなる場合においては、他の軽車両と並進してはならない。

〔本条追加・昭三九法九一、見出し追加・付記改正・昭四五法八六、二項改正・昭四六法九八、二項削除・付記改正・昭五三法五三、付記改正・令四法三二〕

参照　〔軽車両〕二①11

〔罰則　第百二十一条第一項第八号〔二万円以下の罰金又は科料〕〕

（車両通行帯）

第二〇条　車両は、車両通行帯の設けられた道路においては、道路の左側端から数えて一番目の車両通行帯を通行しなければならない。ただし、自動車（小型特殊自動車及び道路標識等によつて指定された自動車を除く。）は、当該道路の左側部分（当該道路が一方通行となつているときは、当該道路）に三以上の車両通行帯が設けられているときは、政令で定めるところにより、その速度に応じ、その最も右側の車両通行帯以外の車両通行帯を通行することができる。

2　車両は、車両通行帯の設けられた道路において、道路標識等により前項に規定する通行の区分と異なる通行の区分が指定されているときは、当該通行の区分に従い、当該車両通行帯を通行しなければなら

第三章　車両及び路面電車の交通方法

法

（三以上の車両通行帯が設けられている場合の通行方法）

第九条　法第二十条第一項ただし書の規定による自動車の通行方法は、法第二十二条第一項の規定により当該道路において定められている自動車の最高速度より著しくおそい速度で通行し、このため他の自動車の通行を妨げることとなる場合を除き、当該道路の左側部分（当該道路が一方通行となつているときは、当該道路）の最も右側の車両通行帯以外の車両通行帯を通行するものとする。

〔見出し・本条改正・昭三九政二八〇、本条改正・昭四五政二二七、全改・昭四六政三四八〕

規制標識

種類	番号	表示する意味	色
二輪 軽車両 **車両通行区分**	327	車の通行区分の指定	文字と縁線は青、縁と地は白

ない。

種類	特定の種類の車両の通行区分	専用通行帯	普通自転車専用通行帯
番号	327の 2	327の 4	327の 4 の 2
意味	車の種類を特定した通行区分の指定	標示板に表示された車の専用の通行帯の指定	普通自転車の専用の通行帯の指定
色	記号と縁は白、地は青	文字、記号と縁は白、地は青	同　右

規制標示

種類	車両通行区分	特定の種類の車両の通行区分
図	車両通行帯境界線 車道中央線等 自動車（二輪を除く） 自動車（二輪を除く） 二輪・軽車両 道路の左側端又は車両通行帯最外側線 （図示の文字は、通行区分を指定された車両通行帯及び車両の種類を示す。）	車道中央線等 車両通行帯境界線 大貨等 道路の左側端又は車両通行帯最外側線 （図示の文字は、通行区分を指定された車両通行帯及び車両の種類を示す。）
番号	109の 3	109の 4
意味	車の種類別の通行区分の指定	車の種類を特定した通行区分の指定
色	文字は白	文字は白

3　車両は、追越しをするとき、第二十五条第一項若しくは第二項、第三十四条第一項から第五項まで若しくは第三十五条の二の規定により道路の左側端、中央若しくは右側端に寄るとき、第三十五条第一項の規定に従い通行するとき、第二十六条の二第三項の規定によりその通行している車両通行帯をそのまま通行するとき、第四十条第二項の規定により一時進路を譲るとき、又は道路の状況その他の事情によりやむを得ないときは、前二項の規定によらないことができる。この場合において、追越しをするときは、その通行している車両通行帯の直近の右側の車両通行帯を通行しなければならない。

〔一―三項改正・昭三八法九〇、見出し・一―四項・付記改正・昭三九法九一、一・四項・付記改正・昭四五法八六、一・三項削除・二項追加・旧二・四項を改正し一・三項に繰上・付記改正・昭四六法九八、三項改正・昭六〇法八七・平二五法四三、付記改正・令四法三二〕

参照　〔車両通行帯〕二①7、設置＝四①、基準＝道交令一の二④〔車両〕二①8〔道路〕二①1・一七④、道二①、道運二⑦・⑧、道運車二⑥、高速二①、駐車二3、道路の種類＝道三〔道路の左側部分〕一七④〔一方通行〕一七⑤1〔政令で定めるところ〕道交令九〔追越し〕二①21、方法＝二八、禁止する場合＝二九、禁止場所＝三〇

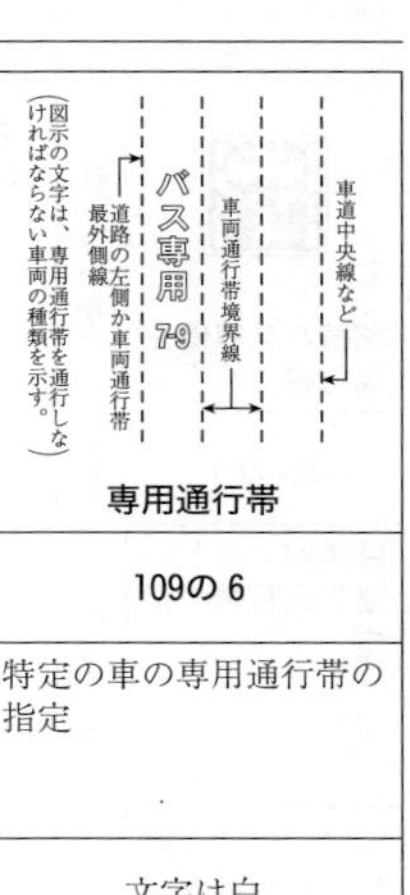

専用通行帯

109の6

特定の車の専用通行帯の指定

文字は白

（罰則　第百二十条第一項第三号〔五万円以下の罰金〕、同条第三項〔五万円以下の罰金〕）

反則金

通行帯違反　大型　七千円　普通　六千円
　　　　　　二輪　六千円　原付　五千円

点数

通行帯違反
　一　般　一点
　酒気帯び（〇・二五未満）　一四点

（路線バス等優先通行帯）

第二〇条の二　道路運送法第九条第一項に規定する一般乗合旅客自動車運送事業者による同法第五条第一項第三号に規定する路線定期運行の用に供する自動車その他の政令で定める自動車（以下この条において「路線バス等」という。）の優先通行帯であることが道路標識等により表示されている車両通行帯が設けられている道路においては、自動車（路線バス等を除く。以下この条において同じ。）は、路線バス等が後方から接近してきた場合に当該道路における交通の混雑のため当該車両通行帯から出ることができないこととなるときは、当該車両通行帯を通行してはならず、また、当該車両通行帯を通行している場合において、後方から路線バス等が接近してきたときは、その正常な運行に支障を及ぼさないように、すみやかに当該車両通行帯の外に出なければならな

（路線バス等の範囲）

第一〇条　法第二十条の二第一項の政令で定める自動車は、道路運送法（昭和二十六年法律第百八十三号）第九条第一項に規定する一般乗合旅客自動車運送事業者による同法第五条第一項第三号に規定する路線定期運行の用に供する自動車、法第七十一条第二号の三に規定する通学通園バスその他人又は貨物を輸送する事業の用に供する自動車で当該道路におけるその通行の円滑を図ることが特に必要であると認めて公安委員会が指定したものとする。

〔本条全改・昭三九政二八〇、一―三項改正・昭四〇政二五八、三項削除・旧四項を三項に繰上・昭四三政二六四、一項改正・昭四五政二二七、本条全改・昭四六政三四八、改正・平二政二一四・平九政二一五・平一八政二七六〕

規制標識

種類	番号	表示する意味	色
路線バス等優先通行帯	327の5	路線バスなどの優先通行帯の指定	文字、記号と縁は白、地は青

道路運送法

（種類）

第三条　旅客自動車運送事業の種類は、次に掲げるものとする。

一　一般旅客自動車運送事業（特定旅客自動車運送事業以外の旅客自動車運送事業）

イ　一般乗合旅客自動車運送事業（乗合旅客を運送する一般旅客自動車運送事業）

ロ・ハ　〔略〕

二　〔略〕

（許可申請）

第五条　一般旅客自動車運送事業の許可を受けようとする者は、次に掲げる事項を記載した申請書を国土交通大臣に提出しなければならない。

一・二　〔略〕

三　路線又は営業区域、営業所の名称及び位置、営業所ごとに配置する事業用自動車の数その他の一般旅客自動車運送事業の種別（一般乗合旅客自動車運送事業にあつては、路線定期運行（路線を定めて定期に運行する自動車による乗合旅客の運送をいう。以下同じ。）その他の国土交通省令で定める運行の態様の別を含む。）ごとに国土交通省令で定める事項に関する事業計画

い。ただし、この法律の他の規定により通行すべきこととされている道路の部分が当該車両通行帯であるとき、又は道路の状況その他の事情によりやむを得ないときは、この限りでない。

2　前条第一項本文の規定は、前項の車両通行帯の直近の右側の車両通行帯又は道路の部分を通行する自動車については、適用しない。

〔本条追加・昭四六法九八、一項改正・平元法八三・平一八法四〇、付記改正・令四法三二〕

参照〔政令で定める自動車〕道交令一〇〔道路標識等〕二①4〔車両通行帯〕二①7・二〇〔道路〕二①1・一七④、道二①、道運二⑦・⑧、道運車二⑥、高速二①、駐車二3、道路の種類＝道三

〔罰則　第一項については第百二十条第一項第三号〔五万円以下の罰金〕、同条第三項〔五万円以下の罰金〕〕

反則金

路線バス等優先通行帯違反

大型	七千円	普通	六千円
二輪	六千円	※原付	五千円

点数

路線バス等優先通行帯違反

一　般	一点
酒気帯び（〇・二五未満）	一四点

規制標示

種類	路線バス等優先通行帯 車道中央線など 車両通行帯境界線 バス優先 7-9 道路の左側か車両通行帯最外側線
番号	109の7
意味	路線バスなどの優先通行帯であること。
色	文字は白

2・3　〔略〕

（一般乗合旅客自動車運送事業の運賃及び料金）

第九条　一般乗合旅客自動車運送事業を経営する者（以下「一般乗合旅客自動車運送事業者」という。）は、旅客の運賃及び料金（旅客の利益に及ぼす影響が比較的小さいものとして国土交通省令で定める運賃及び料金を除く。以下この条、第三十一条第二号、第八十八条の二第一号及び第四号並びに第八十九条第一項第一号において「運賃等」という。）の上限を定め、国土交通大臣の認可を受けなければならない。これを変更しようとするときも同様とする。

2～7　〔略〕

（軌道敷内の通行）

第二一条 車両（トロリーバスを除く。以下この条及び次条第一項において同じ。）は、左折し、右折し、横断し、若しくは転回するため軌道敷を横切る場合又は危険防止のためやむを得ない場合を除き、軌道敷内を通行してはならない。

2 車両は、次の各号に掲げる場合においては、前項の規定にかかわらず、軌道敷内を通行することができる。この場合において、車両は、路面電車の通行を妨げてはならない。

一 当該道路の左側部分から軌道敷を除いた部分の幅員が当該車両の通行のため十分なものでないとき。

二 当該車両が、道路の損壊、道路工事その他の障害のため当該道路の左側部分から軌道敷を除いた部分を通行することができないとき。

三 道路標識等により軌道敷内を通行することができることとされている自動車が通行するとき。

3 軌道敷内を通行する車両は、後方から路面電車が接近してきたときは、当該路面電車の正常な運行に支障を及ぼさないように、すみやかに軌道敷外に出るか、又は当該路面電車から必要な距離を保つようにしなければならない。

〔付記改正・昭四五法八六、一・二項改正・昭四六法九八、付記改正・令四法三二〕

参照 〔車両〕二①8〔トロリーバス〕二①12〔左折、右折〕三四〔横断、転回〕禁止＝二五の二〔軌道敷〕軌道＝軌道一・二、軌道敷の範囲＝軌道一二〔路面電車〕二①13〔道路〕二①1・一

指示標識

種類	軌道敷内通行可
番号	402
表示する意味	自動車が軌道敷内を通行できること。
色	記号と縁は白、地は青

七④、道二①、道運二⑦・⑧、道運車二⑥、高速二①、駐車二
3、道路の種類＝道三〔道路の左側部分〕一七④〔運行〕道運
車二⑤、自賠二②

（罰則　第百二十一条第一項第八号〔二万円以下の罰金又は科料〕）

反則金

軌道敷内違反　大型　六千円　普通　四千円
二輪　四千円　原付　三千円

点数

軌道敷内違反
一　般　一点
酒気帯び（〇・二五未満）　一四点

第二節　速度

（最高速度）

第二二条　車両は、道路標識等によりその最高速度が指定されている道路においてはその最高速度を、その他の道路においては政令で定める最高速度をこえる速度で進行してはならない。

2　路面電車又はトロリーバスは、軌道法（大正十年法律第七十六号）第十四条（同法第三十一条において準用する場合を含む。第六十二条において同じ。）の規定に基づく命令で定める最高速度をこえない範囲内で道路標識等によりその最高速度が指定されている道路においてはその最高速度を、その他の道路においては当該命令で定める最高速度をこえる速度で進行してはならない。

〔本条全改・昭四六法九八、付記改正・平一三法五一・令四法三二〕

参照　〔車両〕二①8〔道路標識等〕二①4〔最高速度〕違反行為の下命等＝二二の二、七五①2、七五の二〔道路〕二①1・一七④、道二①、道運二⑦・⑧、道運車二⑥、高速二①、駐車二3、道路の種類＝道三〔政令で定める最高速度〕道交令一一、特例＝道交令一二、道交規五の七〔路面電車〕二①13〔トロリーバス〕二①12〔軌道法一四条に基づく命令の定め〕軌道運規五三―五八、無軌条電運規四六―四八

（最高速度）

第一一条　法第二十二条第一項の政令で定める最高速度（以下この条、次条及び第二十七条において「最高速度」という。）のうち、自動車及び原動機付自転車が高速自動車国道の本線車道（第二十七条の二に規定する本線車道を除く。次条第三項及び第二十七条において同じ。）並びにこれに接する加速車線及び減速車線以外の道路を通行する場合の最高速度は、自動車にあつては六十キロメートル毎時、原動機付自転車にあつては三十キロメートル毎時とする。

〔本条改正・昭三八政二〇五・昭三九政二八〇・昭四〇政二五八・昭四三政二六四・昭四六政三四八・昭五九政三一〇・平四政二三一・平一一政三二一・令元政一〇九〕

（最高速度の特例）

第一二条　自動車（内閣府令で定める大きさ以下の原動機を有する普通自動二輪車を除く。）が他の車両を牽引して道路を通行する場合（牽引するための構造及び装置を有する自動車によつて牽引されるための構造及び装置を有する車両を牽引する場合を除く。）の最高速度は、前条及び第二十七条第一項の規定にかかわらず、次に定めるとおりとする。

一　車両総重量（道路運送車両法（昭和二十六年法律第百八十五号）第四十条第三号に掲げる車両総重量をいう。以下同じ。）が二千キログラム以下の車両をその車両の車両総重量の三倍以上の車両総重量の自動車で牽引する場合　四十キロメートル毎時

二　前号に掲げる場合以外の場合　三十キロメートル毎時

2　前項の内閣府令で定める大きさ以下の原動機を有する普通自動二輪車又は原動機付自転車が他の車両を牽引して道路を通行する場合の最高速度は、前条の規定にかかわらず、二十五キロメートル毎時とする。

3　法第三十九条第一項の緊急自動車が高速自動車国道の本線車道並びにこれに接する加速車線及び減速車線以外の道路を通行する場合の最高速度は、前条及び前二項の規定にかかわらず、八十キロメートル毎時とする。

〔一項改正・昭三七政二三五、一・三項改正・昭三八政二〇五、一―三項改正・昭四〇政二五八、一・三項改正・昭四六政三四八、一―三項改正・平四政二三一、一項改正・平五政三四

（普通自動二輪車の最高速度を区分する原動機の大きさ）

第五条の七　令第十二条第一項の内閣府令で定める大きさは、総排気量については〇・一二五リットル、定格出力については一・〇〇キロワットとする。

〔本条追加・昭四〇総府令四一、旧五条の三を繰上・昭四六総府令五三、旧五条の二を繰下・昭五三総府令三七、見出し・一項改正・昭五九総府令五一、見出し改正・一項削除・旧二項を一項に繰上・平四総府令四五、見出し・本条改正・平八総府令四一、本条改正・平一二総府令八九、旧五条の三を繰下・令二内府令七〇、旧五条の四を繰下・令四内府令六七〕

軌道法

（建設、運輸、運転及び係員に関する規程）

第一四条　軌道ノ建設、運輸、運転及係員ニ関スル規程ハ命令ヲ以テ之ヲ定ム

（軌道に準ずべきもの）

第三一条　本法ハ一般交通ノ用ニ供スル軌道ニ準スヘキモノニ之ヲ準用ス

②　前項ノ軌道ニ準スヘキモノハ国土交通省令ヲ以テ之ヲ定ム

道路運送車両法

（自動車の構造）

第四〇条　自動車は、その構造が、次に掲げる事項について、国

（罰則　第百十八条第一項第一号（六月以下の懲役又は十万円以下の罰金）、同条第三項（三月以下の禁錮又は十万円以下の罰金））

反則金

速度超過（高速三五以上四〇未満）
大型　四万円　普通　三万五千円
二輪　三万円　原付　二万円

速度超過（高速三〇以上三五未満）
大型　三万円　普通　二万五千円
二輪　二万円　原付　一万五千円

速度超過（二五以上三〇未満）
大型　二万五千円　普通　一万八千円
二輪　一万五千円　原付　一万二千円

速度超過（二〇以上二五未満）
大型　二万円　普通　一万五千円
二輪　一万二千円　原付　一万円

速度超過（一五以上二〇未満）
大型　一万五千円　普通　一万二千円
二輪　九千円　原付　七千円

速度超過（一五未満）
大型　一万二千円　普通　九千円
二輪　七千円　原付　六千円

点数

速度超過（五〇以上）
一　般　一二点
酒気帯び（〇・二五未満）　一九点

速度超過（三〇（高速四〇）以上五〇未満）
一　般　六点
酒気帯び（〇・二五未満）　一六点

速度超過（二五以上三〇（高速四〇）未満）
一　般　三点
酒気帯び（〇・二五未満）　一五点

八、一・二項改正・平八政一六〇、一項改正・平一一政三三一、一・二項改正・平一二政三〇三、三項改正・令元政一〇九）

第二七条（最高速度）……………二九六ページ参照

規制標識

種類	番号	表示する意味	色
50 最高速度	323	車と路面電車の最高速度の指定	文字は青、わくは赤、縁と地は白（灯火で表示されるときは、文字は白か黄、地は黒）
50 特定の種類の車両の最高速度	323の2	車両の種類を特定して最高速度を指定（この標識の下に補助標識503－Ａがある。）	同　　右

規制標示

種類	番号	意味	色
30 最高速度	105	車と路面電車の最高速度の指定	文字は黄

土交通省令で定める保安上又は公害防止その他の環境保全上の技術基準に適合するものでなければ、運行の用に供してはならない。
一・二〔略〕
三　車両総重量（車両重量、最大積載量及び五十五キログラムに乗車定員を乗じて得た重量の総和をいう。）
四～九〔略〕

法第二二条

判例　**速度取締りが適法とされた事例**

※　数人が一グループとなり、互いに連絡を取つて速度違反の取締りをしようとするいわゆる定置測定式速度違反取締りにおいては、合図係、測定係および記録係が互に協力して現認した速度違反の犯人を、停車係が記録係の通報によつて停車させた場合にも、なお右犯人は「現に罪を行い終つた」現行犯人というべきであり、停車係が配置されていた場所があらかじめ道路上に測定された一定区間の出口から約三〇〇メートル離れた地点であつたことは、高速度で走行する自動車の速度違反の取締りのため必要かつ相当の距離であるから、このことによつて、右犯人が「現に罪を行い終つた」現行犯人とは認められないと解すべき理由は見当らない。（東高　昭四一、一、二七）

※　速度記録紙中、被疑車両の特定に関する記載部分は、本件被疑車両の捜査に従事し、レーダー・スピード・メーターの記録係をしていた巡査が視覚により認識したところを記載したもので、刑訴法三二一条三項の書面にあたる書面として証拠能力を与えられる。（東高　昭四九、一〇、二四）

※　法定速度違反の故意で、法定速度を下回る指定制限速度を超える速度で走行した場合には、特段の事情のないかぎり、法定速度を無視するとともに、指定制限速度の規則をも無視する意思を有しているものと認めるべきである。（大阪地　昭四九、一〇、三〇）

※　道路標識による最高速度四〇キロメートル毎時の指定が無効であるため、六七キロメートル毎時の速度で車両を運転した者に過失による指定最高速度違反が成立しない場合でも、故意による法定最高速度遵守義務違反の罪は成立する。（大高　昭五〇、五、三

速度超過（二〇以上二五未満）
　一　般　二点
　酒気帯び（〇・二五未満）　一四点
速度超過（二〇未満）
　一　般　一点
　酒気帯び（〇・二五未満）　一四点

〇）

※　オービスⅢ（速度違反自動取締装置）による速度違反の取締りは、①測定装置としての機械の正確性についてプラス誤差が絶対に出ないようになつており信頼性があること、②本件発生時に正確に作動しており正確性があること、③写真撮影がいわゆる肖像権・プライバシーの権利を侵害しない相当な方法をもつて行われていること、④オービスⅢを手段とする速度違反の取締り及び検挙について、適法性及び相当性が認められることなどから、本件撮影写真・速度測定記録等の証拠は、刑訴法三二一条三項による証拠能力を有し、これを証拠として用いることは許容される。（東京簡　昭五五、一、一四）

※　法定速度より低い最高速度の指定がなされている道路において、法定速度を超える速度で走行した認識があれば、指定による制限速度を知らなかつたとしても、指定速度違反罪の故意犯が成立する。（広高　昭五五、七、八）

※　警察用自動車が行った追尾式による速度違反事件の検挙に対して、警察用自動車が赤色警光灯をつけず、緊急自動車としての要件を満たさない状態で法定最高速度を超えて追跡走行したことは違法であるが、追跡した車両は一見してパトカーとわかる外観をしており、一般の車両に比べても、その高速度運転が他の交通に与える危険は少ないことに加えて、警察官の違法行為が被告人に具体的不利益をもたらすものでないため、速度測定カードの証拠能力を否定するほど重大な違法とはいえない。（札高　昭六〇、一、二四）

※　道路交通法違反（速度違反）の取調べにあたり、違反者が特段の事情もなく運転免許証の提示を拒否している場合、逃亡又は罪証隠滅のおそれがあると認められるため、現行犯逮捕及び留置は適法である。（前橋地　昭六〇、三、一四）

※　貨物自動車の運転者が制限最高速度の二倍を超える速度で走行し、ハンドル操作を誤り信号柱に激突させ、後部荷台に乗っていた同乗者を死亡させた。このとき、たとえ運転者が同乗者がいることを認識していなかった場合でも業務上過失致死罪が成立する。（最　平元、三、一四）

（最高速度違反行為に係る車両の使用者に対する指示）

第二二条の二　車両の運転者が前条の規定に違反する行為（以下この条及び第七十五条の二第一項において「最高速度違反行為」という。）を当該車両の使用者（当該車両の運転者であるものを除く。以下この条において同じ。）の業務に関してした場合において、

※　レーダー式車両速度測定器を使った速度違反の認定について、同測定器の仕組み、被告人の自動車と後続のトラックとの位置関係を鑑みると、測定器は後続トラックの影響を受けずに被告人の自動車の速度を正確に測ったものであり、また、測定の際に被告人の自動車と後続トラックとの間で電波が二重反射し誤測定となったことも認められないこと、加えて路面の凹凸により車体が上下動したことが測定結果へ影響しないことから、被告人の自動車を速度違反と認定した原判決に事実誤認はない。（東高　平元、四、二六）

※　制限速度違反で現行犯逮捕された被疑者の身柄を検察官のもとへ送致するまで約二〇時間留置を継続したことは、否認事件であり被疑者の逃亡や罪証隠滅を防止しつつ捜査を遂げるため必要であり、適法である。（広高　平二、一〇、二五）

※　速度違反の罪は、運転行為の継続中における一時的、局所的な行為をその対象としているものと解される。（大高　平三、一、二九）

※　昭和四二年八月一日付警察庁次長通達は「ことさらに身を隠して取締りを行ったり、予防または制止すべきにかかわらず、これを黙認してのち検挙したりすることのないよう留意すること」とするが、不公正との批判を受けるおそれのないような場合にまで、常に運転者に対して交通違反に対する取締りがなされていることを事前に明示して取締まることを、あえて指示しているものとは解されないから、例えば、交通事故の危険性があり、違反車両が多いと認められる地点においては、無差別かつ公平に取締りを実施する場合には、取締りの実効性をも考慮して運転者に対し取締り地点を秘匿して一斉に摘発する方法をとることが、右通達の趣旨に反するとは考えられない。（大高　平三、六、五）

※　速度違反車両の自動撮影を行う速度違反自動監視装置による車両や運転者の容貌等の写真撮影は、現に犯罪が行われている場合になされ、犯罪の性質、態様からいって緊急に証拠保全をする必要があり、その方法も一般的に許容される限度を超えない相当なものであるときは、速度自動監視装置の設置されていることが当該道路を走行する自動車の運転者らに事前に告知されていない場合であっても、憲法一三条に違反しないと解するのが相当であり、このような予告板の有無は、同装置による写真撮影の結果を捜査及び刑事訴追に利用することについてなんら影響を及ぼすものではない。（東高　平五、九、二四）

※　制限速度を超過した状態で継続して自動車を運転し、二地点を進行した場合、右二地点間の距離が約一九・四キロメートルも離れており、その間道路状況等も変化している事案においては、右二地点間における速度違反の行為は併合罪の関係にある別罪を構成する。（最判　平五、一〇、二九）

当該最高速度違反行為に係る車両の使用者が当該車両につき最高速度違反行為を防止するため必要な運行の管理を行つていると認められないときは、当該車両の使用の本拠の位置を管轄する公安委員会は、当該車両の使用者に対し、最高速度違反行為となる運転が行われることのないよう運転者に指導し又は助言することその他最高速度違反行為を防止するため必要な措置をとることを指示することができる。

2　前項の規定による指示に係る車両の使用者が道路運送法の規定による自動車運送事業者、貨物利用運送事業法（平成元年法律第八十二号）の規定による第二種貨物利用運送事業を経営する者又は軌道法の規定による軌道経営者（トロリーバスを運行するものに限る。）である場合における当該指示は、公安委員会が当該事業を監督する行政庁とあらかじめ協議して定めたところによつてしなければならない。

〔本条追加・平九法四一、二項改正・平一四法七七〕

参照　〔最高速度違反行為の下命等〕一二二・七五①2・七五の二〔車両〕二①8〔最高速度〕二二①・②、道交令一一・一二・二七〔公安委員会〕四①、警三八―四六の二〔トロリーバス〕二①12

（最低速度）

第二三条　自動車は、道路標識等によりその最低速度が指定されている道路（第七十五条の四に規定する高速自動車国道の本線車道を除く。）においては、法令の規定により速度を減ずる場合及び危険を防止するためやむを得ない場合を除き、その最低速度に達

規制標識

種類	30 最低速度
番号	324
表示する意味	自動車の最低速度の指定
色	文字と記号は青、わくは赤、縁と地は白

しない速度で進行してはならない。

〔本条改正・昭三九法九一、全改・昭四六法九八〕

参照 〔自動車〕二①9、自動車の種類＝三、道交規二

（急ブレーキの禁止）

第二四条　車両等の運転者は、危険を防止するためやむを得ない場合を除き、その車両等を急に停止させ、又はその速度を急激に減ずることとなるような急ブレーキをかけてはならない。

〔一項削除・旧二項を改正し一項に繰上・昭三八法九〇、本条全改・昭四六法九八、付記改正・令二法四二、全改・令四法三二〕

参照 〔車両等〕二①17

（罰則　第百十七条の二第一項第四号〔五年以下の懲役又は百万円以下の罰金〕、第百十七条の二の二第一項第八号ロ〔三年以下の懲役又は五十万円以下の罰金〕、第百十九条第一項第三号〔三月以下の懲役又は五万円以下の罰金〕）

反則金

急ブレーキ禁止違反

大型	九千円	普通	七千円
二輪	六千円	原付	五千円

点数

急ブレーキ禁止違反

一般	二点
酒気帯び（〇・二五未満）	一四点
妨害運転（交通の危険のおそれ）	二五点
妨害運転（著しい交通の危険）	三五点

法第二四条

判例 **事前に減速すべき場合に当たるとされた事例**

※　本件横断歩道は、市街地の交差点外側に接着し、しかもその直前に駐車していたトラックのため、いわゆる死角となつて、本件バスの運転者から横断歩道の両側部分が歩道側端から道路中央寄りに一・六五メートル位の間は見えない状態であつたが、他方右トラックは、当時ビールの積み降ろしのため、車体を歩道端に寄せて駐車中であつたから、横断歩道直前に、停車中の車両が存在している場合等とは異なり、右のような場合、バスの運転者としては、むしろ直ちに停車できるような速度にまで減速し、急停車により乗客に与える衝撃をできるだけ緩和する措置を講じて進行すれば足りる。（札高　昭四五、八、二〇）

第三節　横断等

〔節名改正・昭三九法九一〕

（道路外に出る場合の方法）

第二五条　車両は、道路外に出るため左折するときは、あらかじめその前からできる限り道路の左側端に寄り、かつ、徐行しなければならない。

2　車両（特定小型原動機付自転車等及びトロリーバスを除く。）は、道路外に出るため右折するときは、あらかじめその前からできる限り道路の中央（当該道路が一方通行となつているときは、当該道路の右側端）に寄り、かつ、徐行しなければならない。

3　道路外に出るため左折又は右折をしようとする車両が、前二項の規定により、それぞれ道路の左側端、中央又は右側端に寄ろうとして手又は方向指示器による合図をした場合においては、その後方にある車両は、その速度又は方向を急に変更しなければならないこととなる場合を除き、当該合図をした車両の進路の変更を妨げてはならない。

〔本条追加・昭三九法九一、付記改正・昭四五法八六、見出し・付記改正・一項追加・旧一・二項を改正し二・三項に繰下・昭四六法九八、二項・付記改正・令四法三二〕

参照　〔車両〕二①8〔道路〕二①1・一七④、道二①、道運二⑦・⑧、道運車二⑥、高速二①、駐車二3、道路の種類＝道三〔特定小型原動機付自転車等〕二①10ロ・一八①〔トロリーバス〕二①12〔手又は方向指示器による合図〕五三、道交令二一、方向指示器＝保安基準四一

法第二五条

判例　法二五条三項にいう注意義務

※　被告人が右折もしくは転回するについて既にその準備体制に入つたとはいえ、被告人は、その右折転回に際し、後方を同一方向に進行する車両が、交通法規に従い、追突等の事故を回避するような運転をすることであろうことを期待して運転するだけでは足りず、一時停止するなどして後方の安全を十分に確認する義務があつたものと解せられる。なぜなら、前記右折、転回するについての法の規定に合致した適切な合図、方法が履行されるときは後続車が右折、転回車両の動向に対処しうる十分の余裕があるから、後続車が前車の進路を妨害しないものと信頼することは許容されて然るべきであるけれども、本件のように交差点以外の場所において、しかも法の規定の三分の一程度の合図距離であるため、適法にして十分なる合図がなされ得ない場合には、後続車が前車である右折、転回車両の合図をときに見逃すこともやむをえないものがあるのみならず、その動向に十分に対処しえない場合もありうるのであつて、後続車が前車の進路を妨害しないものと右折、転回車両が全面的に信頼することを許容することは道路交通上極めて危険だからである。（東高　昭四九、八、六）

（罰則　第一項及び第二項については第百二十一条第一項第八号〔二万円以下の罰金又は科料〕　第三項については第百二十条第一項第二号〔五万円以下の罰金〕）

反則金

道路外出右左折方法違反

大型	六千円	普通	四千円
二輪	四千円	原付	三千円

道路外出右左折合図車妨害

大型	七千円	普通	六千円
二輪	六千円	原付	五千円

点数

道路外出右左折方法違反・道路外出右左折合図車妨害

一　般	一点
酒気帯び（〇・二五未満）	一四点

（横断等の禁止）

第二五条の二　車両は、歩行者又は他の車両等の正常な交通を妨害するおそれがあるときは、道路外の施設若しくは場所に出入するための左折若しくは右折をし、横断し、転回し、又は後退してはならない。

2　車両は、道路標識等により横断、転回又は後退が禁止されている道路の部分においては、当該禁止さ

規制標識

種類	番号	表示する意味	色
車両横断禁止	312	車の横断の禁止（道路の左側に面した場所に出入するための横断を除く。）	記号は青、斜めの帯とわくは赤、縁と地は白

法第二五条の二

判例　※　転回禁止区域内においては転回行為を絶対に禁止する趣旨であるから、転回する当時具体的に他の交通を妨害するおそれがあつたかどうか、その交通妨害に対応する措置がとられたかどうか等のことは、その違反罪の成立について影響はない。（東高昭二七、六、一三）

※　本条一項にいう「転回」とは、同一路上において車両の進行方

れた行為をしてはならない。

〔付記改正・旧二五条を繰下・昭三九法九一、付記改正・昭四五法八六、一項改正・二項全改・昭四六法九八、付記改正・令四法三二〕

参照〔車両〕二①8〔車両等〕二①17〔道路〕二①1・一七④、道二①、道運二⑦・⑧、道運車二⑥、高速二①、駐車二3、道路の種類＝道三

（罰則　第一項については第百十九条第一項第六号〔三月以下の懲役又は五万円以下の罰金〕　第二項については第百二十条第一項第四号〔五万円以下の罰金〕、同条第三項〔五万円以下の罰金〕）

反則金

法定横断等禁止違反
　大型　九千円　普通　七千円
　二輪　六千円　原付　五千円

指定横断等禁止違反
　大型　七千円　普通　六千円
　二輪　六千円　原付　五千円

点数

法定横断等禁止違反
　一　般　二点
　酒気帯び（〇・二五未満）　一四点

指定横断等禁止違反
　一　般　一点
　酒気帯び（〇・二五未満）　一四点

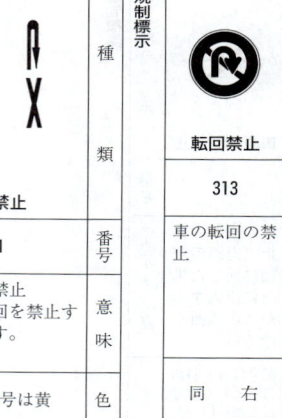

種類	番号	意味	色
転回禁止	313	車の転回の禁止	同右

規制標示

種類	番号	意味	色
8-20 転回禁止	101	車の転回の禁止 数字は、転回を禁止する時間を示す。	文字と記号は黄

向を逆に転ずる目的で行う運転操作の開始から終了までの一連の行為を指称し、かかる目的で運転行為を開始すれば、方向転換が完了するに至らなくても、同条項にいう「転回」に該当する。（最　昭四六、七、二）

※　自動車が道路外の場所に入るため左折しようとして、その入口の手前にさしかかつた場合において、左側に後方から来る二輪車の進入可能な間隔を残しており、かつ、約一〇秒間停止したのちに左折を開始しようとするときは、あらかじめ左折の合図をしてこれを続けていても後進車が左折による進路の変更を妨害することはないものと信頼してはならず、後進車の有無及びその動静に注意を払い、特に左後方の安全を確認したうえ左折すべき注意義務がある。（東高　昭五〇、一〇、八）

※　転回車の運転者は、対向車及び後続車等他の車両の有無、動静に注意して、これとの衝突を避けることはもとより、これら車両の交通の妨害にならないような方法で転回を行うべき注意義務があるが、対向車が通常予測すべき程度の速度（制限速度を時速三〇キロメートル超過する時速八〇キロメートル程度）を超える異状な高速度である場合、転回車の運転者としては、転回を開始するに当たつて、特段の事情がない限り、このような高速度で接近してくる対向車のあることまで予想して、転回の際の安全を確認すべき注意義務はないというべきである。（東地　平六、一、三一）

第四節　追越し等

（車間距離の保持）

第二六条　車両等は、同一の進路を進行している他の車両等の直後を進行するときは、その直前の車両等が急に停止したときにおいてもこれに追突するのを避けることができるため必要な距離を、これから保たなければならない。

〔二項追加・付記改正・昭三九法九一、付記改正・昭四五法八六、二項削除・昭四六法九八、付記改正・平二一法二一・令二法四二・令四法三二〕

参照　（車両等）二①17（必要な距離）停止距離＝保安基準二章及び三章に関する告示、路面電車が追従する場合の車間距離＝軌道運規六一、同上の場合の運転速度＝軌道運規五八

〔罰則　第百十七条の二第一項第四号（五年以下の懲役又は百万円以下の罰金）、第百十七条の二の二第一項第八号ハ（三年以下の懲役又は五十万円以下の罰金）、第百十九条第一項第四号（三月以下の懲役又は五万円以下の罰金）、第百二十条第一項第二号（五万円以下の罰金）〕

反則金

高速自動車国道等車間距離不保持

大型	一万二千円	普通	九千円
二輪	七千円	原付	六千円

車間距離不保持

大型	七千円	普通	六千円
二輪	六千円	原付	五千円

法第二六条

判例　※　先行車が急に停止したときとは、先行車が制動機の制動力によつて停止した場合のみならず、制動機の制動力以外の作用によつて極端にいえば先行車に追突するなどして制動をかけずに停止した場合をも含むと解するのが相当である。（最　昭四三、三、一六）

※　法四一条等により適用が除外されていないパトカーの法二六条違反の運転行為につき、刑法三五条により違法性が阻却された事例

法三九条・四一条・四一条の二は、緊急自動車及び消防用車両（以下これらを「緊急自動車等」という。）に対し、同法上の特定の義務規定を列挙してその適用を除外しているところ、所論は、このことを根拠として、適用を除外されていない規定については、緊急自動車等に対してもその適用があることはもとより、それらの規定に違反する場合に、その違法性を阻却されないものと主張する。しかしながら、右各規定が緊急自動車等について特定の義務規定の適用を除外しているのは、それら自動車に課せられた特殊な任務にかんがみ、運転時の具体的事情のいかんを問わず、常に又は「二二条の規定に違反する車両等を取締る場合」（四一条二項参照）などの類型的な付加要件のもとに、特定の義務を免除する必要があるとの判断に出た趣旨とみるのが相当であり、所論のように適用を除外されていない規定に違反する運転については、当然に職務行為としての正当性が失われ運転時の具体的事情のもとにおける正当な職務行為として刑法三五条による違法性の阻却を認めることをも排除する趣旨を含むものと解すべきではない。すなわち、刑法三五条などに基づく違法性阻却の有無の判断は、あくまでも具体的事情の下での個別的・具体的な判断であるから、前記道路交通法の適用排除の規定によつて、その外に置かれ行為の違法性阻却が一般的に否定されたものとみるのは妥当でないばかりでなく、道路交通法が、刑事訴訟法その他各般の法令に基づく職務行為についてまで正当性を右する範囲を前面的に画しているものと解するのは相当でないのである。したがつて、車間距離の保持を義務づけた道路交通法二六条に違反する行為についても刑法三五条の見地から、その違法性阻却の有無をあらためて検討する必要がある。

これを本件についてみると、前記パトカーは、道路交通法三九条一項・四一条一項・二項にいう「緊急自動車」にあたり（同法施行令一三条一項一号）、かつ、同条三項にいう「もつぱら交通の取締りに従事する自動車で総理府令で定めたもの」（同法施行規則六条参照）にあたり、当時交通の取締りに従事中であつて、被告人車の法定速度違反を現認し、違反事実を確認するとともに被告人を検挙すべく追尾したものである。このように高速で進行する車両を追尾してその速度を測定するには、パトカーもこれと等速度で走行するほかないことはもちろんであり、また、その速度に見合う車間距離を保持しようとすれば、車間距離を一定に保つこと自体が困難となり、ひいては違反車の速度を正確に測定することも不可能となつて、取り締りの目的をも達しえないことになるのである。しかも、本件の場合、パトカーの警察官らは、道路及び交通の状況に注意を払い、具体的な交通の危険を生じさせないように留意しながら被告人車に追尾し、その速度を測定したのであるから、その行為は正当な職務行為であつて、刑法三五条により、道路交通法二六条違反の違法性は阻却されるものというべきである。（大高　昭五三、六、一〇）

点数

高速自動車国道等車間距離不保持
一　般　二点
酒気帯び（〇・二五未満）　一四点
妨害運転（交通の危険のおそれ）　二五点
妨害運転（著しい交通の危険）　三五点

車間距離不保持
一　般　一点
酒気帯び（〇・二五未満）　一四点
妨害運転（交通の危険のおそれ）　二五点
妨害運転（著しい交通の危険）　三五点

（進路の変更の禁止）

第二六条の二　車両は、みだりにその進路を変更してはならない。

2　車両は、進路を変更した場合にその変更した後の進路と同一の進路を後方から進行してくる車両等の速度又は方向を急に変更させることとなるおそれがあるときは、進路を変更してはならない。

3　車両は、車両通行帯を通行している場合において、その車両通行帯が当該車両通行帯を通行している車両の進路の変更の禁止を表示する道路標示によつて区画されているときは、次に掲げる場合を除き、その道路標示をこえて進路を変更してはならない。

一　第四十条の規定により道路の左側若しくは右側に寄るとき、又は道路の損壊、道路工事その他の障害のためその通行している車両通行帯を通行することができないとき。

二　第四十条の規定に従うため、又は道路の損壊、

規制標示

種類	(1) B A 車両通行帯境界線、車道中央線、道路の左端など　車両通行帯境界線 (2) B A 車両通行帯境界線、車道中央線、道路の左端など　車両通行帯境界線 進路変更禁止
番号	102の2
意味	車の進路変更の禁止 (1)の図は、Aの車両通行帯を通行する車がBへ、Bの車両通行帯を通行する車がAへ進路を変えることを禁止している。 (2)の図は、Bの車両通行帯を通行する車がAへ進路を変えることを禁止している。
色	記号は黄

道路工事その他の障害のため、通行することができなかつた車両通行帯を通行の区分に関する規定に従つて通行しようとするとき。

〔本条追加・昭四五法八六、見出し改正・一・二項追加・旧一項を改正し三項に繰下・付記全改・昭四六法九八、付記改正・令二法四二・令四法三二〕

参照〔車両〕二①8〔進路を変更〕進路を変えるときの合図＝五三〔車両通行帯〕二①7・二〇〔道路標示〕二①16〔通行帯の通行の区分に関する規定〕二〇・三五

〔罰則　第二項については第百十七条の二第一項第四号（五年以下の懲役又は百万円以下の罰金）、第百十七条の二の二第一項第八号（三年以下の懲役又は五十万円以下の罰金）、第百二十条第一項第二号（五万円以下の罰金）　第三項については第百二十条第一項第三号（五万円以下の罰金）、同条第三項（五万円以下の罰金）〕

反則金

進路変更禁止違反

大型	七千円	普通	六千円
二輪	六千円	原付	五千円

点数

進路変更禁止違反

一　　般	一点
酒気帯び（〇・二五未満）	一四点
妨害運転（交通の危険のおそれ）	二五点
妨害運転（著しい交通の危険）	三五点

（他の車両に追いつかれた車両の義務）

第二七条　車両（道路運送法第九条第一項に規定する一般乗合旅客自動車運送事業者による同法第五条第一項第三号に規定する路線定期運行又は同法第三条第二号に掲げる特定旅客自動車運送事業の用に供する自動車（以下「乗合自動車」という。）及びトロリーバスを除く。）は、第二十二条第一項の規定に基づく政令で定める最高速度（以下この条において「最高速度」という。）が高い車両に追いつかれたときは、その追いついた車両が当該車両の追越しを終わるまで速度を増してはならない。最高速度が同じであるか又は低い車両に追いつかれ、かつ、その追いついた車両の速度よりもおそい速度で引き続き進行しようとするときも、同様とする。

2　車両（乗合自動車及びトロリーバスを除く。）は、車両通行帯の設けられた道路を通行する場合を除き、最高速度が高い車両に追いつかれ、かつ、道路の中央（当該道路が一方通行となつているときは、当該道路の右側端。以下この項において同じ。）との間にその追いついた車両が通行するのに十分な余地がない場合においては、第十八条第一項の規定にかかわらず、できる限り道路の左側端に寄つてこれに進路を譲らなければならない。最高速度が同じであるか又は低い車両に追いつかれ、かつ、道路の中央との間にその追いついた車両が通行するのに十分な余地がない場合において、その追いついた車両の速度よりもおそい速度で引き続き進行しようとするときも、同様とする。

〔見出し改正・二項追加・旧一項を改正し二項に繰下・昭三九法

第一一条（最高速度）……八四ページ参照
第一二条（最高速度の特例）……八四ページ参照
第二七条（最高速度）……二九六ページ参照

道路運送法

（種類）

第三条　旅客自動車運送事業の種類は、次に掲げるものとする。

一　一般旅客自動車運送事業（特定旅客自動車運送事業以外の旅客自動車運送事業）

イ　一般乗合旅客自動車運送事業（乗合旅客を運送する一般旅客自動車運送事業）

ロ・ハ〔略〕

二　特定旅客自動車運送事業（特定の者の需要に応じ、一定の範囲の旅客を運送する旅客自動車運送事業）

（許可申請）

第五条　一般旅客自動車運送事業の許可を受けようとする者は、次に掲げる事項を記載した申請書を国土交通大臣に提出しなければならない。

一・二〔略〕

三　路線又は営業区域、営業所の名称及び位置、営業所ごとに配置する事業用自動車の数その他の一般旅客自動車運送事業の種別（一般乗合旅客自動車運送事業にあつては、路線定期運行（路線を定めて定期に運行する自動車による乗合旅客の運送をいう。以下同じ。）その他の国土交通省令で定める運行の態様の別を含む。）ごとに国土交通省令で定める事項に関する事業計画

2・3〔略〕

（一般乗合旅客自動車運送事業の運賃及び料金）

第九条　一般乗合旅客自動車運送事業を経営する者（以下「一般乗合旅客自動車運送事業者」という。）は、旅客の運賃及び料金（旅客の利益に及ぼす影響が比較的小さいものとして国土交通省令で定める運賃及び料金を除く。以下この条、第三十一条第二号、第八十八条の二第一号及び第四号並びに第八十九条第一項第一号において「運賃等」という。）の上限を定め、国土交通大臣の認可を受けなければならない。これを変更しようとするときも同様とする。

2～7〔略〕

法第二七条

判例　**前方を進行する車両に追いついた車両の注意義務**

※　法二七条二項は、速度の速い車両に追いつかれた車両に対し進路を譲るべき義務を課し、狭い道路での交通の円滑を図ることを目的としているが、狭い道路で自動車に追いつかれ道路左側端に

九一、付記改正・昭四五法八六、一・二項改正・昭四六法九八、一項改正・平元法八三・平一八法四〇〕

参照〔車両〕二①8〔旅客自動車の保安基準〕保安基準五〇〔トロリーバス〕二①12〔最高速度〕二二①・②、道交令一一・一二・二七〔追越し〕二①21、方法＝二八、禁止する場合＝二九、禁止場所＝三〇、進路を譲る義務ある他の場合＝四〇①・②、消防二六、水防一八〔道路〕二①1・一七④、道二①、道運二⑦・⑧、道運車二⑥、高速二①、駐車二3、道路の種類＝道三

〔罰則　第百二十条第一項第二号（五万円以下の罰金）〕

反則金

追い付かれた車両の義務違反

大型	七千円	普通	六千円
二輪	六千円	原付	五千円

点数

追い付かれた車両の義務違反

一般	一点
酒気帯び（〇・二五未満）	一四点

（追越しの方法）

第二八条　車両は、他の車両を追い越そうとするときは、その追い越されようとする車両（以下この節において「前車」という。）の右側を通行しなければならない。

2　車両は、他の車両を追い越そうとする場合において、前車が第二十五条第二項又は第三十四条第二項若しくは第四項の規定により道路の中央又は右側端

寄つた自転車運転者としては、追いついた自動車が十分通過し得る余地があると判断して進行することが考えられるから、むしろ、追いついて来た自動車運転者において、注意義務を尽くすべきであつて、法二七条二項の規定は、狭い道路で速度の速い車両がおそい車両に追いついた場合、その動静を無視してそのままの速度で追い抜きにかかり接触事故をおこしてもなんら責任がないという趣旨であるとはとうてい考えられない。このことは法二八条三項により追越しをしようとする車両は前車及び進路並びに道路の状況に応じて、できる限り安全な速度と方法で進行しなければならないとされていること、また、法七〇条により車両等の運転者は、道路、交通及びその車両等の状況に応じ、他人に危害を及ぼさないような速度と方法で運転しなければならないとされている規定から推しても十分うかがわれるところである。（大高　昭四三、四、二六）

法第二八条

判例 ※　幅員が広い直線の市街道路で当時深夜に近いとはいえ、なお若干の通行人のあることを予測し得る場合に前車を追い越そうとするときは前方、左右の交通状況を注視して交通の安全を確認したうえ追い越すよう、事故の発生を未然に防止すべき業務上の注意義務がある。（札高　昭二九、一二、九）

※　自動車が曲り角をカーブする場合には前輪より後輪が一層カーブの内側を通過するものであり、また自動車が自転車に余りに接

に寄つて通行しているときは、前項の規定にかかわらず、その左側を通行しなければならない。

3　車両は、路面電車を追い越そうとするときは、当該車両が追いついた路面電車の左側を通行しなければならない。ただし、軌道が道路の左側端に寄つて設けられているときは、この限りでない。

4　前三項の場合においては、追越しをしようとする車両（次条において「後車」という。）は、反対の方向又は後方からの交通及び前車又は路面電車の前方の交通にも十分に注意し、かつ、前車又は路面電車の速度及び進路並びに道路の状況に応じて、できる限り安全な速度と方法で進行しなければならない。

〔一項・付記改正・昭三九法九一、付記改正・昭四五法八六、一項改正・二項追加・旧二項を三項に繰下・旧三項を改正し四項に繰下・昭四六法九八、付記改正・令二法四二・令四法三二〕

参照〔車両〕二①8〔路面電車〕二①13〔軌道〕軌道一・二〔追越し〕二①21、禁止する場合＝二九、禁止場所＝三〇〔道路〕二①1・一七④、道二①、道運二⑦・⑧、道運車二⑥、高速二①、駐車二3、道路の種類＝道三

〔罰則　第一項及び第四項については第百十七条の二第一項第四号〔五年以下の懲役又は百万円以下の罰金〕、第百十七条の二の二第一項第八号ホ〔三年以下の懲役又は五十万円以下の罰金〕、第百十九条第一項第六号〔三月以下の懲役又は五万円以下の罰金〕、第二項及び第三項については第百十九条第一項第六号〔三月以下の懲役又は五万円以下の罰金〕〕

反則金

追越し違反　大型　一万二千円　普通　九千円

二輪　七千円　原付　六千円

近して追い越す場合には、数学的には必ずしも衝突ないし接触する程接近していなくても、自転車搭乗者が狼狽して操縦を誤り、あるいは衝突、接触、転倒し、ために人の死傷を惹起することがあることは経験則上明らかである。（仙高　昭三〇、一二、一五）

※　自転車に乗つて進行する場合は機械の運行のごとく正確な標準に基いてその運行を律することはできないから、自動車が自転車を追い越す場合には、両者の間隔が多少の余地があるときでも、なお接触する危険のあることを予期しなければならない場合があることは理の当然である。（仙高　昭三〇、一二、一五）

※　原動機付自転車の運転者が前方にある車馬を追い越そうとする場合は、やむを得ない場合のほか前車の右側を通行し交通の安全を確認したうえでなければ追い越してはならない注意義務がある。（和歌山簡　昭三三、一、六）

※　積雪ある道路で先行する自転車を追越そうとする際、自動車運転者としては、自転車の方向転換は自由であり、かつ自転車搭乗者が積雪のため操縦を誤り転倒するおそれのあることを考慮し、自転車搭乗者の動静及び道路の前後左右を注視し、自動車を安全に進出させ得ることを確認したうえ可及的に道路の右側へ避譲するか若しくは自動車を随時停車させ、又は安全な個所に避譲し得るよう適度に減速して徐行する等の措置を講じ、事故の発生を未然に防止すべき業務上の注意義務がある。（名高　昭三三、五、一五）

※　田園地帯の直線道路で、進路を変え他に移行する小路もない場所において、先行する自転車搭乗者が右折の合図もなさず急に右へ方向を転ずることは予測することができない事態であり、追越ししようとした乗合自動車が瞬間これに衝突して生じた事故は、運転者の注意義務懈怠に基くものとは認められない。（行橋簡　昭三三、六、二一）

※　いかなる場合でも自動車運転者が前車を追越すに当つては、相手と完全な間隔を保持し、常に相手の動静に注意して、いかなる場合にもこれを避譲しあるいは停車できるように措置して進行すべき業務上当然の義務があるというものではない。（吉井簡　昭三三、六、二六）

点数

追越し違反

一般　二点

酒気帯び（〇・二五未満）　一四点

妨害運転（交通の危険のおそれ）　二五点

妨害運転（著しい交通の危険）　三五点

（追越しを禁止する場合）

第二九条　後車は、前車が他の自動車又はトロリーバスを追い越そうとしているときは、追越しを始めてはならない。

〔一項削除・旧二項を改正し一項に繰上・付記改正・昭三九法九一、付記改正・昭四五法八六、本条改正・昭四六法九八、付記改正・令四法三二〕

参照　〔後車〕二八④〔前車〕二八①〔自動車〕二①9、自動車の種類＝三、道交規二〔トロリーバス〕二①12〔追越し〕二①21、方法＝二八、禁止する場所＝三〇

（罰則　第百十九条第一項第六号〔三月以下の懲役又は五万円以下の罰金〕）

反則金

追越し違反　大型　一万二千円　普通　九千円

二輪　七千円　原付　六千円

点数

追越し違反

一般　二点

酒気帯び（〇・二五未満）　一四点

（追越しを禁止する場所）

第三〇条　車両は、道路標識等により追越しが禁止されている道路の部分及び次に掲げるその他の道路の部分においては、他の車両（特定小型原動機付自転車等を除く。）を追い越すため、進路を変更し、又は前車の側方を通過してはならない。

一　道路の曲がり角付近、上り坂の頂上付近又は勾配の急な下り坂

二　トンネル（車両通行帯の設けられた道路以外の道路の部分に限る。）

三　交差点（当該車両が第三十六条第二項に規定する優先道路を通行している場合における当該優先道路にある交差点を除く。）、踏切、横断歩道又は自転車横断帯及びこれらの手前の側端から前に三十メートル以内の部分

〔本条全改・昭三九法九一、付記改正・昭四五法八六、本条改正・昭四六法九八・昭五三法五三、本条改正・付記全改・令四法三二〕

参照　〔車両〕二①8〔道路標識等〕二①4〔追越し〕二①21、方法＝二八、禁止する場合＝二九〔道路〕二①1、道二①、道運二⑦・⑧、道運車二⑥、高速二①、駐車二3、道路の種類＝道三〔特定小型原動機付自転車等〕二①10ロ・一八①〔交差点〕二①5、交差点における通行方法等＝三四―三七の二〔踏切〕通過方法＝三三〔優先道路〕三六②〔横断歩道〕二①4、設置＝四①、道交令一の二③、道交規二の二〔自転車横断帯〕二①4の2、設置＝四①、方法＝道交令一の二③、道交規二の二

（罰則　第百十九条第一項第五号（三月以下の懲役又は五万円以下の罰金）、同条第三項（十万円以下の罰金））

反則金

追越し違反	大型	一万二千円	普通	九千円
	二輪	七千円	原付	六千円

規制標識

種類	番号	表示する意味	色
追越し禁止	314の2	車の追越しの禁止（この標識の下に補助標識508の2がある。）	記号は青、斜めの帯とわくは赤、縁と地は白

法第三〇条

判例　**交差点での追い越しを禁ずる法三〇条三号の法意**

※　本件のような交差点での追い越しを禁ずる法意は、交差点が交差道路からの進入車があることはもちろんのこと、交差道路への右折車の存在も当然考慮に入れられているのであつて、これら多方向から多方向へ進行する車両で混雑することが予想される場所での追い越し行為が特に危険性が大きいためであると解するのが相当である。このことは、右折車の側から見ると、より一層明らかである。何故なら右折車の運転者としては、その注意力の大部分を対向車または右側道路からの進入その他横断歩行者等の有無やこれらとの安全の確認に向けるのがむしろ通常であり、後続車に対する安全の確認は、その運転者の側で交通法規を守り、これを無視した無暴な追い越しはしないものと信頼して運転すれば足りるとさえ言えるからである。（福高　昭五五、九、三〇）

点数

追越し違反	
一般	二点
酒気帯び（〇・二五未満）	一四点

（停車中の路面電車がある場合の停止又は徐行）

第三一条 車両は、乗客の乗降のため停車中の路面電車に追いついたときは、当該路面電車の乗客が乗降を終わり、又は当該路面電車から降りた者で当該車両の前方において当該路面電車の左側を横断し、若しくは横断しようとしているものがいなくなるまで、当該路面電車の後方で停止しなければならない。ただし、路面電車に乗降する者の安全を図るため設けられた安全地帯があるとき、又は当該路面電車に乗降する者がいない場合において当該路面電車の左側に当該路面電車から一・五メートル以上の間隔を保つことができるときは、徐行して当該路面電車の左側を通過することができる。

〔付記改正・昭三九法九一・昭四五法八六・令四法三二〕

参照 〔車両〕二①8〔路面電車〕二①13、停止又は一時停止すべき場合の規定の例＝一七②・三三①・三八①・②・四〇①・四一の二①・四三・六一・六三①・六三の四②・六七①・七一2・2の2・一一一②、緊急自動車の停止不要＝三九②、停止の合図＝五三、道交令二一〔安全地帯〕二①6、安全地帯に歩行者がいるときの徐行＝七一3〔徐行〕二①20、他の徐行規定の例＝九・一八②・二五・三四・三五の二・三六③・三七の二②・四二・六三の四②・七一1―3、緊急自動車の徐行＝三九②

〔罰則 第百十九条第一項第六号〔三月以下の懲役又は五万円以下

の罰金）

反則金

路面電車後方不停止

大型　九千円　普通　七千円

二輪　六千円　原付　五千円

点数

路面電車後方不停止

一般　二点

酒気帯び（〇・二五未満）　一四点

（乗合自動車の発進の保護）

第三一条の二　停留所において乗客の乗降のため停車していた乗合自動車が発進するため進路を変更しようとして手又は方向指示器により合図をした場合においては、その後方にある車両は、その速度又は方向を急に変更しなければならないこととなる場合を除き、当該合図をした乗合自動車の進路の変更を妨げてはならない。

〔本条追加・昭四六法九八〕

参照　〔乗合自動車〕二七①〔進路の変更〕進路の変更の禁止＝二六の二、進路を変えるときの合図＝五三、道交令二一〔方向指示器〕保安基準四一〔車両〕二①8

（罰則　第百二十条第一項第二号〔五万円以下の罰金〕）

反則金

乗合自動車発進妨害

大型　七千円　普通　六千円

二輪　六千円　原付　五千円

点数

乗合自動車発進妨害

一　般	一点
酒気帯び（〇・二五未満）	一四点

（割込み等の禁止）

第三二条　車両は、法令の規定若しくは警察官の命令により、又は危険を防止するため、停止し、若しくは停止しようとして徐行している車両等又はこれらに続いて停止し、若しくは徐行している車両等に追いついたときは、その前方にある車両等の側方を通過して当該車両等の前方に割り込み、又はその前方を横切つてはならない。

〔付記改正・昭四五法八六〕

参照〔車両〕二①8〔警察官〕警三四・五五・六二・六三〔車両等〕二①17、停止又は一時停止すべき場合の例＝一七②・三二・三三①・三八①・②・四〇①・四一の二①・四三・六一・六三・六三の四②・六七・七一2・2の2・一一一②、緊急自動車の停止不要＝三九②、停止の合図＝五三、道交令二一〔徐行〕二①20、他の徐行規定の例＝九・一八②・二五・三二・三四・三五の二・三六③・三七の二②・四二・六三の四②・七一1―3、緊急自動車の徐行＝三九②

〔罰則　第百二十条第一項第二号（五万円以下の罰金）〕

反則金

割込み等

大型	七千円	普通	六千円
二輪	六千円	原付	五千円

点数
割込み等　　一　般　　一点
　　　　　　酒気帯び（〇・二五未満）　一四点

第五節　踏切の通過

（踏切の通過）

第三三条　車両等は、踏切を通過しようとするときは、踏切の直前（道路標識等による停止線が設けられているときは、その停止線の直前。以下この項において同じ。）で停止し、かつ、安全であることを確認した後でなければ進行してはならない。ただし、信号機の表示する信号に従うときは、踏切の直前で停止しないで進行することができる。

2　車両等は、踏切を通過しようとする場合において、踏切の遮断機が閉じようとし、若しくは閉じている間又は踏切の警報機が警報している間は、当該踏切に入つてはならない。

3　車両等の運転者は、故障その他の理由により踏切において当該車両等を運転することができなくなつたときは、直ちに非常信号を行う等踏切に故障その他の理由により停止している車両等があることを鉄道若しくは軌道の係員又は警察官に知らせるための措置を講ずるとともに、当該車両等を踏切以外の場所に移動するため必要な措置を講じなければならない。

法第三三条

判例　※　鉄道踏切において遮断機が開放されていたとしても、これをもって〔旧〕法一五条にいわゆる信号機の表示により安全であることを確認した場合に該当し、車馬の一時停車義務を免除されるものということはできない。（大高　昭三〇、一一、一六）

※　自動三輪車とすれ違う際これに注意を奪われ、列車の進行及び危険信号の赤電灯の点滅に気付かず、しかも踏切で一旦停車もせず漫然踏切内に進入して事故を起こしたことは、重大な過失があつたものと認められる。（福高　昭三一、一、二八）

※　本条一項にいう踏切の「直前」とは、踏切から至近の距離で、しかも左右の安全、とくに当該踏切を往来すべき軌道車の進行状況に即応する踏切通過の安全を確認することができる地点でなければならない。（名高　昭三六、一〇、九）

※　本件琴参踏切（原判文参照）のごとく、いわゆる併用軌道が道路を斜に横断し、いわゆる新設軌道に接続しているときは、その道路と交差する部分は、道路交通法第三三条第一項にいう踏切にあたる。（最　昭三七、四、一二）

※　道路交通法第三三条第一項は、車両等が踏切を通過するにあたつては、たとえ踏切附近における見通しが極めて良好であり、かつあらかじめ踏切の直前で左右の安全を確認した場合においても、同項ただし書の場合以外は常に必ず踏切の直前で一時停止しなければならないことを規定したものである。（大高　昭三七、四、一

〔三項追加・付記改正・昭三九法九一、付記改正・昭四五法八六、一項改正・昭四六法九八、三項・付記改正・令四法三二〕

参照 〔車両等〕二①17〔信号機〕二①14、設置＝四①、信号に従う義務＝七、信号の意味等＝道交令二、灯火の配列等＝道交令三、信号の表示＝道交規三の二、構造＝道交規四・別表一、他法に定める踏切の通過方法＝旅自運輸規五〇①6・7、同上の場合の車掌の任務＝旅自運輸規五一2

〔罰則　第一項及び第二項については第百十九条第一項第五号〔三月以下の懲役又は五万円以下の罰金〕、同条第三項〔十万円以下の罰金〕〕

反則金

踏切不停止等	大型	一万二千円	普通	九千円
	二輪	七千円	原付	六千円
遮断踏切立入り	大型	一万五千円	普通	一万二千円
	二輪	九千円	原付	七千円

点数

踏切不停止等・遮断踏切立入り

一　般	二点
酒気帯び（〇・二五未満）	一四点

二〕

※　車両等の運転者が踏切を通過しようとするにあたり、踏切直前で停車をせず、かつ安全であることを確認しないで、その踏切を進行した場合においては、道路交通法第一一九条第一項第二号に該当する同法第三三条第一項違反の一罪が成立する。（名高金沢支部　昭三七、五、一）

※　自動車を運転し踏切の存在を認識してこれを通過しようとした際一時停止をしなかつた以上直ちに道路交通法第三三条第一項に違反する故意犯が成立し、これをもつて過失犯に該当するものとなすことはできない。（東高　昭三七、一〇、一八）

※　踏切直前においては、進行の安全を十分に確認するに足りる程度の停止が要求され、約一秒間に止まる程度の瞬間的停止は、本条一項の「停止」に当たらない。（西淀川簡　昭三八、六、二三）

※　電車の踏切内に入り、警報器が鳴り電車が接近し危険を知らせているとき、自動車の運転者は、自動車の荷締め機に踏切の遮断竿が引っかかっている場合は、折損させてでも踏切の外へ自動車を出すべき業務上の注意義務を負う。（名高　平二、七、一七）

※　JRの踏切内で過積載のダンプカーと電車の衝突事故について、ダンプカー運転者が踏切進入時に衝突事故の発生を未然に防止すべき業務上の注意義務に反していたとして、過失責任を認めた。（千葉地　平五、一一、五）

第六節　交差点における通行方法等

（左折又は右折）

第三四条　車両は、左折するときは、あらかじめその前からできる限り道路の左側端に寄り、かつ、できる限り道路の左側端に沿つて（道路標識等により通行すべき部分が指定されているときは、その指定された部分を通行して）徐行しなければならない。

2　自動車、一般原動機付自転車又はトロリーバスは、右折するときは、あらかじめその前からできる限り道路の中央に寄り、かつ、交差点の中心の直近の内側（道路標識等により通行すべき部分が指定されているときは、その指定された部分）を徐行しなければならない。

3　特定小型原動機付自転車等は、右折するときは、あらかじめその前からできる限り道路の左側端に寄り、かつ、交差点の側端に沿つて徐行しなければならない。

4　自動車、一般原動機付自転車又はトロリーバスは、一方通行となつている道路において右折するときは、第二項の規定にかかわらず、あらかじめその前からできる限り道路の右側端に寄り、かつ、交差点の中心の内側（道路標識等により通行すべき部分が指定されているときは、その指定された部分）を徐行しなければならない。

5　一般原動機付自転車は、第二項及び前項の規定にかかわらず、道路標識等により交通整理の行われて

規制標示

種類	番号	意味	色
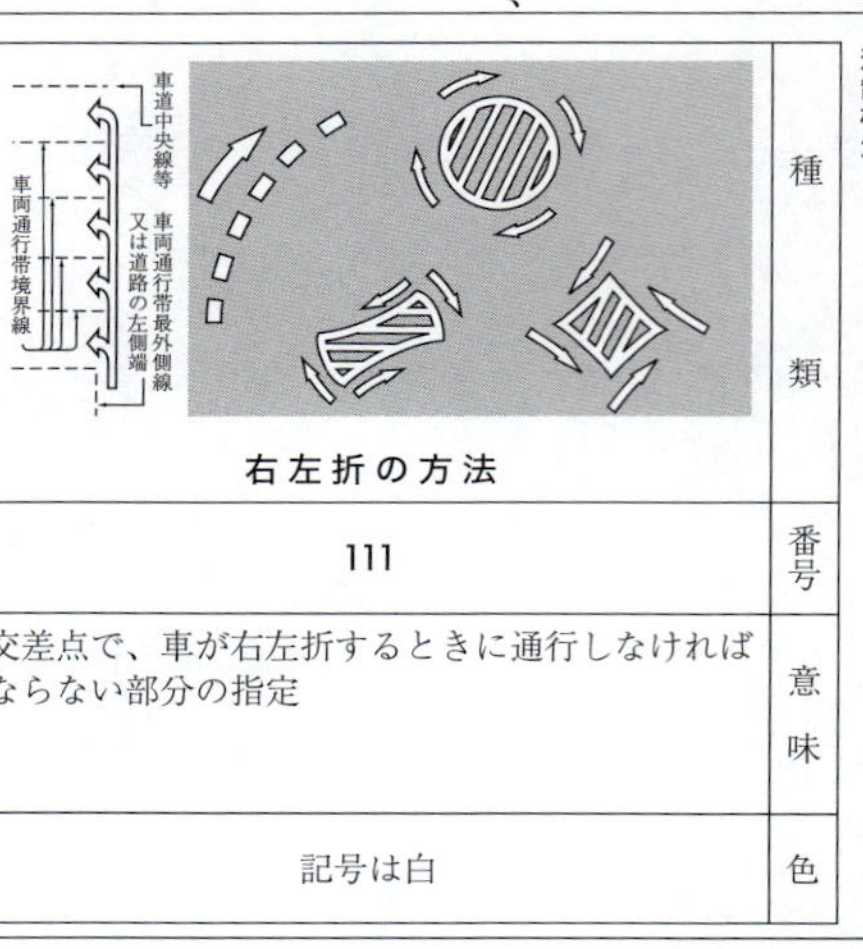右左折の方法	111	交差点で、車が右左折するときに通行しなければならない部分の指定	記号は白

法第三四条

判例　※　本条の「左折」又は「右折」とは、車両がその交差点を形成する各道路に沿つて、左折又は右折することをいう。（名高金沢支部　昭四一、一二、八）

※　技術的に道路左端に寄つて進行することが困難なため、他の車両が自己の車両と道路左端との中間に入りこむおそれがある場合にも、道路交通法規所定の左折の合図をし、かつ、できる限り道路の左側に寄つて徐行をし、更に後写鏡を見て後続車両の有無を確認したうえ左折を開始すれば足り、それ以上に、たとえば、車両の右側にある運転席を離れて車体の左側に寄り、その側窓から首を出す等して左後方のいわゆる死角にある他車両の有無を確認するまでの義務があるとは解せられない。（最　昭四五、三、三一）

※　右折しようとする車両の運転者は、その時の道路および交通の状態その他の具体的状況に応じた適切な右折準備態勢に入つてのちは、特段の事情がない限り、後進車があつても、その運転者において、前掲のごとき交通法規の諸規定に従い、追突等の事故を回避するよう正しい運転をするであろうことを期待して運転すれば足り、それ以上に、違法異常な運転をする者のありうることまでを予想して周到な後方安全確認をなすべき注意義務はない。（最　昭四五、九、二四）

※　交差点で左折しようとする車両の運転者は、交差点の手前約二二メートル付近で左折の合図をした場合であつても、車道左側端から約一・七メートルの間隔をおいて徐行し、進路を左側に変更すると自車の左斜後方を追尾し、その左側を追い抜く可能性のある後進車（自動二輪車）の進路を妨害してこれと接触する危険があるときは、同車の動静に注意を払い安全確認をしたうえ、左折

いる交差点における一般原動機付自転車の右折につき交差点の側端に沿つて通行すべきことが指定されている道路及び道路の左側部分（一方通行となつている道路にあつては、道路）に車両通行帯が三以上設けられているその他の道路（以下この項において「多通行帯道路」という。）において右折するとき（交通整理の行われている交差点において右折する場合に限る。）は、あらかじめその前からできる限り道路の左側端に寄り、かつ、交差点の側端に沿つて徐行しなければならない。ただし、多通行帯道路において、交通整理の行われている交差点における一般原動機付自転車の右折につきあらかじめ道路の中央又は右側端に寄るべきことが道路標識等により指定されているときは、この限りでない。

6　左折又は右折しようとする車両が、前各項の規定により、それぞれ道路の左側端、中央又は右側端に寄ろうとして手又は方向指示器による合図をした場合においては、その後方にある車両は、その速度又は方向を急に変更しなければならないこととなる場合を除き、当該合図をした車両の進路の変更を妨げてはならない。

〔二・三項・付記改正・四項追加・旧四項を改正し五項に繰下・昭三九法九一、一・二・四項・付記改正・昭四五法八六、一―五項改正・昭四六法九八、五項追加・旧五項を六項に繰下・付記改正・昭六〇法八七、二―五項・付記改正・令四法三二〕

参照　〔車両〕二①8〔道路〕二①1・一七④、道二①、道運二⑦・⑧、道運車二⑥、高速二①、駐車二3、道路の種類＝道三〔徐行〕二①20、他の徐行規定の例＝九・一八②・二五・三一・三五の二・三六③・三七の二②・四二・六三の四②・七一1―

規制標識

種類	一般原動機付自転車の右折方法（二段階）	一般原動機付自転車の右折方法（小回り）
番号	327の8	327の9
表示する意味	交差点での一般原動機付自転車の右折につき交差点の側端に沿って通行することの指定	交差点での一般原動機付自転車の右折につきあらかじめ道路の中央又は右側端に寄ることの指定
色	文字、記号と縁は白、地は青	文字と記号は青、斜めの帯とわくは赤、縁と地は白

を開始すべき注意義務がある。（最　昭四九、四、六）

※　道路交通法における「右折」または「左折」とは、車輌が、進行道路から外れて、他の交差道路または右方ないし左方の道路外の場所へ進入することを指称するものであつて、右方向ないし左方向に折れ曲つて進行する場合でも進行道路から外れることなく進行するときは、「右折」または「左折」にあたらない。（福高　昭五一、四、一四）

右折方法の違反がある車両の運転者について、後方安全確認義務違反の過失が認められた事例

※　本件においては、被告人は交差点の手前三〇メートルの地点では右折をする考えはなく、従つて道路をやゝ中央寄りに進み右折の合図をしないまま交差点に近づき、交差点の手前七・五メートルの地点で右折を決意し、その合図をして急に右折を開始しようとしたのであるから、このような右折をする運転者としては、後方の車両が先行車の右折はないものと信じて進行してくるかも知れないことを慮り、後方における車両の有無、走行状況等を注視し、後方の安全を確認した上右折すべき業務上の注意義務を負うに至るものと解される。しかるに被告人は、この後方安全確認義務を怠り、後方のAの車両に気づかず右折を開始したため、これとの衝突を回避すべく右側交差点に進出したAの車と衝突するに至つたものであるから、被告人には業務上の過失が認められ、Aの前記不注意にもかかわらず、過失責任は免れないものといわなければならない。（仙高　昭五四、七、一七）

大型貨物自動車を運転し、交差点を左折しようとしてその直前で一時停止した者の後続車両に対する注意義務

※　ところで、被告人は、ほどなく前車に追尾して発進し、直ちに踏切を横断して左折進行する意思であつたところ、踏切は幅員約一三メートルで歩車道の区別がなく、そのすぐ手前には電車の警報機の台座があつて、被告人車両の左側を並進する自転車等がある場合には、いきおいそれらが自車に接近して運転席からの死角に入り、自車が左折するに伴つてこれと接触するおそれが多分にあり、このことは被告人において、従前から本件道路を通行して、踏切上を足踏式自転車が通過するのを目撃した経験に徴しても十

3、緊急自動車の徐行＝三九②（自動車）二①9、自動車の種類＝三、道交規二、構造装置＝道運車四〇・四一、保安基準＝保安基準二―五八の二、他法に定める自動車の種別＝道運車三、道運車規二（一般原動機付自転車）二①10イ・一八①、道交規一の二（トロリーバス）二①12（交差点）二①5（特定小型原動機付自転車等）二①10ロ・一八①（一方通行）一七⑤1（手又は方向指示器による合図）五三、道交令二一

（罰則　第一項から第五項までについては第百二十一条第一項第八号〔二万円以下の罰金又は科料〕　第六項については第百二十条第一項第二号〔五万円以下の罰金〕）

反則金

交差点右左折方法違反

大型	六千円	普通	四千円
二輪	四千円	原付	三千円

交差点右左折等合図車妨害

大型	七千円	普通	六千円
二輪	六千円	原付	五千円

点数

自動車等交差点右左折方法違反（特定小型原動機付自転車等を除く。）・交差点右左折等合図車妨害

一般	一点
酒気帯び（〇・二五未満）	一四点

分に予見しえたものと認められる。

このような場合、被告人としては、本件交差点の三〇メートル手前から左折の合図をするとともに、一時停止中からつとめて、おそくとも発進直前には、後写鏡により左側歩道上を後方から進行してくる自転車等の有無、動静を注視しそれらが自車の死角内に入る前にこれを把握したうえ、これとの関係で進路の安全を確保しながら進行し、もつて接触・衝突等を未然に防止すべき業務上の注意義務があるといわなければならない。

所論は、原判決が後写鏡によつて自車左側を通行する自転車等の有無・動静に絶えず注意を払うことを要求しているのは運転者に対して不可能を強いるものである旨主張する。もとより運転者は通常の運転方法として、左方のみでなく、前方、右方にも注意を払うべきであるから、原判決のいう絶えず自車左側に注意を払うという表現はやや適切を欠くとしても、その趣旨は、左折する場合には左方に対してとくに入念に注意すべきことを意味しているものであることは自ら明らかである。とくに本件の場合には、一時停止することなく進行してきてそのまま左折する場合であつたから、一時停止後に再発進しかつ踏切を渡つて左折する場合に比較して、前方ならびに右方に対するよりも左後方に対して注意を傾ける度合が多く要求されるのは理の当然というべく、このことは前記に掲げた注意義務においても同様に考えられるのであつて、これが運転者にとつてさほど苛酷な負担を強いるものとは解されない。（東高　昭五六、五、一三）

※　左側が大きな死角となっている大型貨物自動車を業務で運転していた被告人が、交通整理のされている交差点を左折しようと交差点に入った後、交差点の左折方向出口の横断歩道の前で、横断歩道を右から左へ向けて走ってきた自転車が通過するのを一時停止し待ち、その後再発進する時には、左側方の歩行者や自転車等の横断者を確認せずに発進することは許されないばかりか、助手席側に身を乗り出して左側方の死角になっているところの安全確認をする義務もあり、これらをせずに漫然と再発進し、同横断歩道上を左側から右側へ進行中の被害者らを死傷させたことは、業務上過失致死傷罪となる。（東京地　平元、一、二四）

（指定通行区分）

第三五条　車両（特定小型原動機付自転車等及び右折につき一般原動機付自転車が前条第五項本文の規定によることとされる交差点において左折又は右折をする一般原動機付自転車を除く。）は、車両通行帯の設けられた道路において、道路標識等により交差点で進行する方向に関する通行の区分が指定されているときは、同条第一項、第二項及び第四項の規定にかかわらず、当該通行の区分に従い当該車両通行帯を通行しなければならない。ただし、第四十条の規定に従うため、又は道路の損壊、道路工事その他の障害のためやむを得ないときは、この限りでない。

2　前条第六項の規定は、車両が前項の通行の区分に従い通行するため進路を変更しようとして手又は方

規制標識

種類	進行方向別通行区分	進行方向別通行区分	進行方向別通行区分	進行方向別通行区分
番号	327の７－Ａ	327の７－Ｂ	327の７－Ｃ	327の７－Ｄ
表示する意味	交差点で進行する方向別の車の通行区分の指定	同　右	同　右	同　右
色	記号と縁は白、地は青	同　右	同　右	同　右

規制標示

種類	車道中央線など 車両通行帯境界線 車両通行帯最外側線か道路の左端 進行方向別通行区分
番号	110
意味	交差点で進行する方向別の車の通行区分の指定
色	記号は白

向指示器による合図をした場合について準用する。

〔本条追加・昭四五法八六、見出し・付記改正・一項削除・旧二・三項を改正し一・二項に繰上・旧三四条の二を繰下・昭四六法九八、一・二項改正・昭六〇法八七、一項・付記改正・令四法三二〕

参照 〔車両〕二①8〔特定小型原動機付自転車等〕二①10ロ・一八①〔交差点〕二①5〔車両通行帯〕二①7・二〇〔道路標識等〕二①4〔手、方向指示器による合図〕五三、道交令二一

（罰則 第一項については第百二十条第一項第三号〔五万円以下の罰金〕、同条第三項〔五万円以下の罰金〕 第二項については第百二十条第一項第二号〔五万円以下の罰金〕）

反則金

指定通行区分違反

大型	七千円	普通	六千円
二輪	六千円	原付	五千円

交差点右左折等合図車妨害

大型	七千円	普通	六千円
二輪	六千円	原付	五千円

点数

指定通行区分違反・交差点右左折等合図車妨害

一　般	一点
酒気帯び（〇・二五未満）	一四点

（環状交差点における左折等）

第三五条の二 車両は、環状交差点において左折し、又は右折するときは、第三十四条第一項から第五項までの規定にかかわらず、あらかじめその前からできる限り道路の左側端に寄り、かつ、できる限り環

状交差点の側端に沿つて（道路標識等により通行すべき部分が指定されているときは、その指定された部分を通行して）徐行しなければならない。

2　車両は、環状交差点において直進し、又は転回するときは、あらかじめその前からできる限り道路の左側端に寄り、かつ、できる限り環状交差点の側端に沿つて（道路標識等により通行すべき部分が指定されているときは、その指定された部分を通行して）徐行しなければならない。

〔本条追加・平二五法四三、付記改正・令四法三二〕

参照〔車両〕二①8〔環状交差点〕四③〔道路〕二①1・一七④、道二①、道運二⑦⑧、道運車二⑥、高速二①、駐車二3、道路の種類＝道三〔道路標識等〕二①4 15 16・四⑤〔徐行〕二①20、他の徐行規定の例＝九・一八②・二五・三一・三四・三六③・三七の二②・四二・六三の四②・七一1—3、緊急自動車の徐行＝三九②

（罰則　第百二十一条第一項第八号〔二万円以下の罰金又は科料〕）

反則金

環状交差点左折等方法違反

大型	六千円	普通	四千円
二輪	四千円	原付	三千円

点数

環状交差点左折等方法違反

一般	一点
酒気帯び（〇・二五未満）	一四点

規制標示

種類	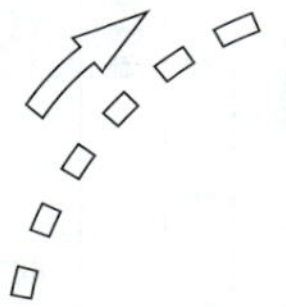 環状交差点における左折等の方法
番号	111の2
意味	車両が環状交差点において左折若しくは右折し、又は直進若しくは転回するときに通行すべき部分を指定
色	白

（交差点における他の車両等との関係等）

第三六条　車両等は、交通整理の行なわれていない交差点においては、次項の規定が適用される場合を除き、次の各号に掲げる区分に従い、当該各号に掲げる車両等の進行妨害をしてはならない。

一　車両である場合　その通行している道路と交差する道路（以下「交差道路」という。）を左方から進行してくる車両及び交差道路を通行する路面電車

二　路面電車である場合　交差道路を左方から進行してくる路面電車

2　車両等は、その通行している道路が優先道路（道路標識等により優先道路として指定されているもの及び当該交差点において当該道路における車両の通行を規制する道路標識等による中央線又は車両通行帯が設けられている道路をいう。以下同じ。）である場合を除き、交差道路が優先道路であるとき、又はその通行している道路の幅員よりも交差道路の幅員が明らかに広いものであるときは、当該交差道路を通行する車両等の進行妨害をしてはならない。

規制標識

種類	番号	表示する意味	色
前方優先道路	329の２－Ａ	この標識のある道路と交差する前方の道路が優先道路であることの指定（この標識の下に補助標識509がある。）	文字は青、わくは赤、縁と地は白
前方優先道路	329の２－Ｂ	同　右	同　右

指示標識

種類	番号	表示する意味	色
優先道路	405	優先道路であること。	記号と縁は白、地は青

法第三六条

判例　※「交通整理の行なわれていない交差点」とは、信号機の表示する信号または警察官の手信号等により、「進め」「注意」「止まれ」等の表示による交通規制の行なわれていない交差点をいい、本件交差点のように、一方の道路からの入口に黄色の灯火による点滅信号が作動しており、他方の道路からの入口に赤色の灯火による点滅信号が作動している交差点も、これにあたるものと解するのが相当である。（最　昭四四、五、二二）

※　原判決が交通整理の行なわれていない本件交差点は、被告人の進路の左方に対する見通しが良好でないから、該交差点に入るに際し、徐行して安全を確認しつつ進行しなければならないことは、法第四二条の規定に照らしても明白なところであるとした判断は、これをただちに是認し難いものと考える。すなわち右のような交差点であっても、その車両の進行している道路が法第三六条により優先道路の指定を受けているとき、またはその幅員が明らかに広いため、同条により優先通行権の認められているときは、ただちに停止できるような速度（法二条二〇号）にまで減速する義務があるとは解し難い。（最　昭四四、一二、五）

※　本条第二項にいう「道路の幅員が明らかに広いもの」とは、交差点の入口で徐行状態になるために必要な制動距離だけ手前の地点において、自動車を運転中の自動車運転者が、その判断により、道路の幅員が客観的にかなり広いと一見して見分けられるものをいうものと解するのが相当である。（最　昭四五、一一、一〇）

※　**「道路の幅員が明らかに広いもの」の意義**

・一〇・〇五メートル対四・八メートル（最　昭四八、九、二七）
・八・九メートル対四・四メートル（東高　昭四一、八、九）
・一五・九メートル対六・五メートル（東高　昭四四、四、二二）
・一一・二メートル対七メートル（東高　昭四五、五、六）
・一一メートル対六メートル（大高　昭四五、九、一七）

※　**道路の幅員が明らかに広いとはいえないとされた事例**

・七・七メートル対七・六メートル（最　昭四三、七、一六）
・七メートル対六・四ないし四・八メートル（最　昭四五、一一、一〇）

3　車両等（優先道路を通行している車両等を除く。）は、交通整理の行なわれていない交差点に入ろうとする場合において、交差道路が優先道路であるとき、又はその通行している道路の幅員よりも交差道路の幅員が明らかに広いものであるときは、徐行しなければならない。

4　車両等は、交差点に入ろうとし、及び交差点内を通行するときは、当該交差点の状況に応じ、交差道路を通行する車両等、反対方向から進行してきて右折する車両等及び当該交差点又はその直近で道路を横断する歩行者に特に注意し、かつ、できる限り安全な速度と方法で進行しなければならない。

〔見出し・付記改正・一項追加・旧一―三項を改正し二―四項に繰下・昭三九法九一、付記改正・昭四五法八六、本条全改・昭四六法九八、付記改正・令四法三二〕

参照　〔車両等〕二①17〔交差点〕二①5〔進行妨害〕二①22〔車両〕二①8〔路面電車〕二①13〔徐行〕二①20、他の徐行規定の例＝九・一八②・二五・三二・三四・三五の二・三七の二②・四二・六三の四②・七一1―3、緊急自動車の徐行＝三九②、横断歩行者保護のための通行方法＝三八・三八の二

指示標示

種類	番号	意味	色
前方優先道路	211	この標示がある道路と交差する前方の道路が優先道路であることの予告	記号は白

・九メートル対七・九ないし五・八メートル（最　昭四七、一、二一）
・七メートル対六・四ないし五・八メートル（東高　昭四四、三、二六）
・五・四ないし六・三メートル対四・八ないし五メートル（東高　昭四四、四、一五）

※　本条二項（昭和四六年法律九八号改正前）において、「その通行している道路（優先道路を除く。）の幅員よりもこれと交差する道路の幅員が明らかに広いものであるとき」という場合の道路とは、歩道と車道の区別がある道路においては車道をいう。（最　昭四七、一、二一）

※　巾員五・六メートルの歩車道の区別のある道路（甲道路）と巾員四・八メートル歩車道の区別のない道路（乙道路）とが交差する交差点であつても、その角にすみ切りがなされていて、各道路を進行する車両が交差点において徐行状態になるために制動を施す交差点への進入直前の地点からは自車の進行道路の巾員が相手方進行道路の巾員より明らかに広いとの判断を下すことが極めて困難な状況にあるときは、甲道路が、乙道路よりも「巾員が明らかに広い」場合にはあたらない。（大阪地　昭四九、五、二四）

※　道路両側に非舗装部分（歩道設置予定）がある場合でも、道路交通法一七条三項、三六条二項、三項の趣旨に徴し、道路の広狭を判断するには舗装部分の幅員を道路幅員とみるのが相当である。（東高　昭五〇、五、二八）

※　道路交通法三六条二項にいう明らかに幅員の広い道路とは交差点を挟む前後を通じて、交差点を挟む左右の交差道路のいずれと比較しても明らかに幅員の広い道路をいい、その一方のみと比較して明らかに幅員の広い道路は含まない。（最　昭五〇、九、一一）

※　直進車の運転者としては、交通整理の行われていない交差点に進入しようとする際に左方道路から交差点に進入し右折しようとする車両を認めても特別の事情のないかぎり、同車が一時停止又は最徐行して自車に進路を譲ることを信頼して運転すれば足り、同車が交通法規に違反して自車の進路に進出して来ることまでを

（罰則　第一項については第百二十条第一項第二号（五万円以下の罰金）　第二項から第四項までについては第百十九条第一項第六号（三月以下の懲役又は五万円以下の罰金））

反則金

交差点優先車妨害			
大型	七千円	普通	六千円
二輪	六千円	原付	五千円
優先道路通行車妨害等			
大型	九千円	普通	七千円
二輪	六千円	原付	五千円
交差点安全進行義務違反			
大型	一万二千円	普通	九千円
二輪	七千円	原付	六千円

点数

交差点優先車妨害	
一　般	一点
酒気帯び（〇・二五未満）	一四点
優先道路通行車妨害等・交差点安全進行義務違反	
一　般	二点
酒気帯び（〇・二五未満）	一四点

第三七条　車両等は、交差点で右折する場合において、当該交差点において直進し、又は左折しようとする車両等があるときは、当該車両等の進行妨害をしてはならない。

〔一項改正・昭三九法九一、付記改正・昭四五法八六、見出し・二項削除・一項改正・昭四六法九八〕

参照　〔車両等〕二①17〔交差点〕二①5、交差点における通行方法等＝三四―三七の二〔進行妨害〕二①22

法第三七条

判例　※　本条一項（昭和四六年法律九八号改正前）にいわゆる「当該交差点において直進しようとする車両等」とは、右折しようとする車両等が右折開始まで進行して来た道路の進行方向、その反対方向及びこれと交差する道路の左右いずれかの方向へ直進する車両等をいうものと解すべきである。（最　昭四六、七、二〇）

※　交差点において青信号に従い右折進行する際に約五三メートル前方を同交差点に青信号に従い直進して来る対向車を認めた場合は、同車が指定速度（時速四〇キロメートル）を時速一〇ないし二〇キロメートル程度超過して走行していることを予測したうえで、右折の際の安全を確認すべき注意義務がある。（最　昭五二、一二、七）

※　直進車が、反対方向から進行してきた車両が交差点内で直進車の通過を待って右折するために停止していることを確認した上、青信号に従って交差点内に進入したところ、右停止車両の後続車がその左横を通過して、直進車の有無、状況の確認を怠って右折進行を続けたため交差点内で直進車と衝突したなど判示の事実関係の下においては、直進車の運転者には、特別の事情のない限り、そのような後続車が自車の進路前方に進入してくることまでも予想して、その有無、動静に注意して交差点を通行すべき注意義務も予想して、徐行するなどの万全の注意を払って進行すべき義務は負わない。（札高　昭五〇、一一、二七）

※　「左右の見通しがきかない交差点」に入ろうとする場合には、当該交差点において交通整理が行われているとき及び優先道路を通行しているときを除き、徐行しなければならないのであって、右車両等の進行している道路がそれと交差する道路に比して幅員が明らかに広いときであっても、徐行義務は免除されない。（最判　昭六三、四、二八）

※　自動車運転者は、自転車横断帯等において自転車の安全確保義務、被害自転車の通行を優先し安全確保をすべき交差点安全進行義務を負うが、自転車を発見し衝突を避けるようにすることが十分に可能であったが、義務を怠り事故を起こしたことにより、累計点数が一五点となり運転免許取消処分を受けたことは適法である。（最　平一八、七、二一）

（罰則　第百二十条第一項第二号（五万円以下の罰金））

反則金

交差点優先車妨害

大型　七千円　普通　六千円

二輪　六千円　原付　五千円

点数

交差点優先車妨害

一　般　一点

酒気帯び（〇・二五未満）　一四点

（環状交差点における他の車両等との関係等）

第三七条の二　車両等は、環状交差点においては、第三十六条第一項及び第二項並びに前条の規定にかかわらず、当該環状交差点内を通行する車両等の進行妨害をしてはならない。

２　車両等は、環状交差点に入ろうとするときは、第三十六条第三項の規定にかかわらず、徐行しなければならない。

３　車両等は、環状交差点に入ろうとし、及び環状交差点内を通行するときは、第三十六条第四項の規定にかかわらず、当該環状交差点の状況に応じ、当該環状交差点に入ろうとする車両等、当該環状交差点内を通行する車両等及び当該環状交差点又はその直近で道路を横断する歩行者に特に注意し、かつ、できる限り安全な速度と方法で進行しなければならな

はない。（最　平三、一一、一九）

※　交通整理の行われている交差点を右折しようとし、対向車両の通過待ちのため、交差点内で一時停止しているうちに対面信号が赤色表示になり、交差道路の信号が青色表示になつた場合は、いつたん後退して対面信号が青色表示になるまで待つか、交差点の信号機の表示に留意しつつ、他の車両との衝突を回避しながら、通行車両の合間を縫つて右折進行すべきである。（東高　平六、五、一九）

※　自動車運転者が時差式信号機のある交差点を右折して進行するときに、時差式信号機との標示がなかった場合でも、自車の対面する信号機の表示を根拠として、対向する自動車の対面信号の表示を判断し、対向する自動車の運転者が対面信号に従って運転するだろうと判断することは許されない。（最　平一六、七、一三）

い。

〔本条追加・平二五法四三、付記改正・令四法三二〕

参照 〔車両等〕二①17〔環状交差点〕四③〔進行妨害〕二①22〔徐行〕二①20、他の徐行規定の例＝九・一八②・二五・三一・三四・三五の二・三六③・四二・六三の四②・七一1―3、緊急自動車の徐行＝三九②〔歩行者〕二③

（罰則　第百十九条第一項第六号〔三月以下の懲役又は五万円以下の罰金〕）

反則金

環状交差点通行車妨害等

大型	九千円	普通	七千円
二輪	六千円	原付	五千円

環状交差点安全進行義務違反

大型	一万二千円	普通	九千円
二輪	七千円	原付	六千円

点数

環状交差点通行車妨害等

一般	二点
酒気帯び（〇・二五未満）	一四点

環状交差点安全進行義務違反

一般	二点
酒気帯び（〇・二五未満）	一四点

第六節の二　横断歩行者等の保護のための通行方法

〔本節追加・昭四二法一二六、節名改正・昭五三法五三〕

（横断歩道等における歩行者等の優先）

第三八条　車両等は、横断歩道又は自転車横断帯（以下この条において「横断歩道等」という。）に接近する場合には、当該横断歩道等を通過する際に当該横断歩道等によりその進路の前方を横断しようとする歩行者又は自転車（以下この条において「歩行者等」という。）がないことが明らかな場合を除き、当該横断歩道等の直前（道路標識等による停止線が設けられているときは、その停止線の直前。以下この項において同じ。）で停止することができるような速度で進行しなければならない。この場合において、横断歩道等によりその進路の前方を横断し、又は横断しようとする歩行者等があるときは、当該横断歩道等の直前で一時停止し、かつ、その通行を妨げないようにしなければならない。

2　車両等は、横断歩道等（当該車両等が通過する際に信号機の表示する信号又は警察官等の手信号等により当該横断歩道等による歩行者等の横断が禁止されているものを除く。次項において同じ。）又はその手前の直前で停止している車両等がある場合において、当該停止している車両等の側方を通過してその前方に出ようとするときは、その前方に出る前に一

指示標識

種類	番号	表示する意味	色
横断歩道	407－A	横断歩道であること。	記号と縁線は白、縁と地は青
横断歩道	407－B	同　　右	同　　右
自転車横断帯	407の2	自転車横断帯であること。	同　　右
横断歩道・自転車横断帯	407の3	横断歩道及び自転車横断帯であること。	同　　右

法第三八条

判例

※　道路交通法三八条二項にいう「横断歩道の直前で停止している車両等」とは、その停止している原因、理由を問わず、ともかく横断歩道の直前で停止している一切の車両を意味するものと解すべきである。（名高　昭四九、三、一六）

※　道路交通法三八条一項にいう「その進路の前方」とは、車両等が当該横断歩道の直前に到着してからその最後尾が横断歩道を通過し終るまでの間において、当該車両等の両側につき歩行者との間に必要な安全間隔をおいた範囲をいうものと解するのが相当である。（福高　昭五二、九、一四）

※　**左方に大きな死角のある大型貨物自動車の運転者の交差点に設置された横断歩道を通行しようとする際の注意義務**

法三八条の規定は歩行者用信号に従い横断歩道付近を横断する歩行者や自転車の安全を確保するための規定であるから、被告人車のごとく、左折の場合左方の死角の大きい大型車は、横断歩道左端の歩道の上を本件横断歩道方向に進行する歩行者や自転車があるかどうかを視認できる地点を通過する際、横断歩道左端及びこれに接する歩道上に歩行者や自転車等が存在するか否かに留意すべきであるが、その存在を視認し得ない場合にも、その後に自車の死角内で歩行者や自転車等が横断する可能性があること並びに横断歩道入口手前で横断歩道左端が死角の外に出、フロントガラス及び左アンダーミラーを通して横断歩道全体の見える地点に至つて横断者を発見し制動しても、空走距離の関係で横断歩道手前では停止できないことがあることに思いをいたし、左側死角を削除し得る手段のある場合（例えば助手が乗つて左側に注意を用

時停止しなければならない。

3 車両等は、横断歩道等及びその手前の側端から前に三十メートル以内の道路の部分においては、第三十条第三号の規定に該当する場合のほか、その前方を進行している他の車両等（特定小型原動機付自転車等を除く。）の側方を通過してその前方に出てはならない。

（本条追加・昭四二法一二六、付記改正・昭四五法八六、一項全改・二・三項・付記改正・昭四六法九八、見出し・一―三項改正・昭五三法五三、三項改正・付記全改・令四法三二）

参照 〔車両等〕二①17〔横断歩道〕二①4〔自転車横断帯〕二①4の2、設置＝四①、方法＝道交令一の二③、道交規二の二〔停止することができるような速度〕二①20〔信号機〕二①14、設置＝四①、信号等に従う義務＝七、信号の意味等＝道交令二、灯火の配列等＝道交令三、構造＝道交規四・別表一、手信号等の意味＝道交令四・五〔警察官等〕六①、警察官＝警三四・五五・六二・六三、交通巡視員＝一一四の四、道交令四四の二〔道路〕二①1・一七④、道二①、道運二⑦・⑧、道運車二⑥、高速二①、駐車二―3、道路の種類＝道三

（罰則 第百十九条第一項第五号（三月以下の懲役又は五万円以下の罰金）、同条第三項（十万円以下の罰金））

反則金

横断歩行者等妨害等
大型 一万二千円 普通 九千円
二輪 七千円 原付 六千円

点数

横断歩行者等妨害等
一般 二点
酒気帯び（〇・二五未満） 一四点

指示標示

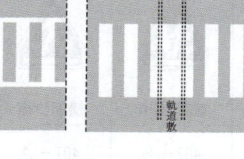

種類	番号	意味	色
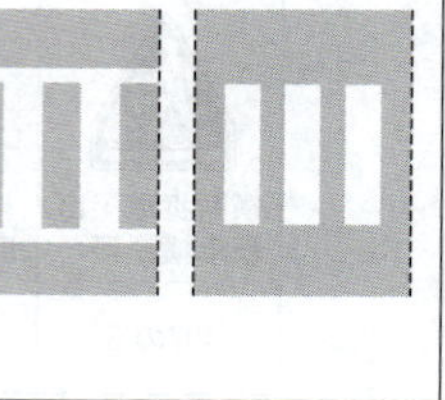 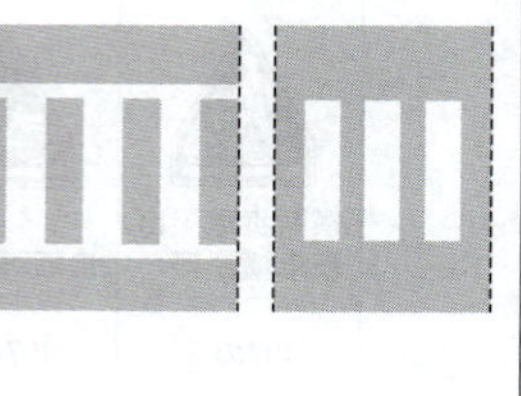   横断歩道	201	横断歩道であること。	記号は白
自転車横断帯	201の3	自転車横断帯であること。	同右

いている車両）は格別、然らざる場合、被告人車でいえば運転台からフロントガラス、運転席左側窓、アンダーミラー及び左アンダーミラーを通し横断歩道全体が見える地点、つまり被告人車の前部左角が横断歩道入口手前約一メートル弱にきた地点（時速一〇キロメートルの場合通常の空走距離は約一・四ないし一・九メートル、制動距離は〇・五ないし〇・六メートルである）で一時停止し、右アンダーミラーと運転席左側窓及びアンダーミラーを通して横断歩道またはその付近を左から右に横断する横断者の有無を確認して発進するのでなければ、左から右に歩行者用信号に従い横断する歩行者や自転車に衝突する可能性を削除することは不可能である。（東高 昭五七、八、二五）

（横断歩道のない交差点における歩行者の優先）

第三八条の二　車両等は、交差点又はその直近で横断歩道の設けられていない場所において歩行者が道路を横断しているときは、その歩行者の通行を妨げてはならない。

〔本条追加・昭四二法一二六、付記改正・昭四五法八六・令四法三二〕

参照〔車両等〕二①17〔交差点〕二①5〔横断歩道〕二①4〔歩行者等の通行方法〕一〇―一五の二

〔罰則　第百十九条第一項第六号（三月以下の懲役又は五万円以下の罰金）〕

反則金

横断歩行者等妨害等

大型	一万二千円	普通	九千円
二輪	七千円	原付	六千円

点数

横断歩行者等妨害等

一般	二点
酒気帯び（〇・二五未満）	一四点

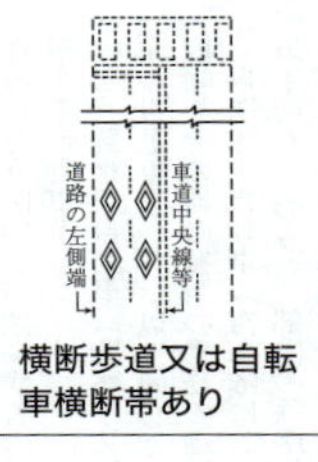

横断歩道又は自転車横断帯あり

210

前方に横断歩道又は自転車横断帯があること。

記号は白

第七節　緊急自動車等

（緊急自動車の通行区分等）

第三九条　緊急自動車（消防用自動車、救急用自動車その他の政令で定める自動車で、当該緊急用務のため、政令で定めるところにより、運転中のものをいう。以下同じ。）は、第十七条第五項に規定する場合のほか、追越しをするためその他やむを得ない必要があるときは、同条第四項の規定にかかわらず、道路の右側部分にその全部又は一部をはみ出して通行することができる。

（緊急自動車）

第一三条　法第三十九条第一項の政令で定める自動車は、次に掲げる自動車で、その自動車を使用する者の申請に基づき公安委員会が指定したもの（第一号又は第一号の二に掲げる自動車についてはその自動車を使用する者が公安委員会に届け出たもの）とする。

一　消防機関その他の者が消防のための出動に使用する消防用自動車のうち、消防のために必要な特別の構造又は装置を有するもの

一の二　国、都道府県、市町村、成田国際空港株式会社、新関西国際空港株式会社又は医療機関が傷病者の緊急搬送のために使用する救急用自動車のうち、傷病者の緊急搬送のために必要な特別の構造又は装置を有するもの

一の三　消防機関が消防のための出動に使用する消防用自動車（第一号に掲げるものを除く。）

一の四　都道府県又は市町村が傷病者の応急手当（当該傷病者が緊急搬送により医師の管理下に置かれるまでの間緊急やむを得ないものとして行われるものに限る。）のための出動に使用する大型自動二輪車又は普通自動二輪車

一の五　医療機関が、傷病者の緊急搬送をしようとする都道府県又は市町村の要請を受けて、当該傷病者が医療機関に緊急搬送をされるまでの間における応急の治療を行う医師を当該傷病者の所在する場所にまで運搬するために使用する自動車

一の六　医療機関（重度の傷病者でその居宅において療養しているものについていつでも必要な往診をすることができる体制を確保しているものとして国家公安委員会が定める基準に該当するものに限る。）が、当該傷病者について必要な緊急の往診を行う医師を当該傷病者の居宅にまで搬送するために使用する自動車

一の七　警察用自動車（警察庁又は都道府県警察において使用する自動車をいう。以下同じ。）のうち、犯罪の捜査、交通の取締りその他の警察の責務の遂行のため使用するもの

二　自衛隊用自動車（自衛隊において使用する自動車をいう。以下同じ。）のうち、部内の秩序維持又は自衛隊の行動若しくは自衛隊の部隊の運用のため使用するもの

消防法

（出動消防車の優先通行、サイレンの使用等）

第二六条　消防車が火災の現場に赴くときは、車馬及び歩行者はこれに道路を譲らなければならない。

②　消防車の優先通行については、道路交通法（昭和三十五年法律第百五号）第四十条、第四十一条の二第一項及び第二項並びに第七十五条の六第二項の定めるところによる。

③　消防車は、火災の現場に出動するとき及び訓練のため特に必要がある場合において一般に公告したときに限り、サイレンを用いることができる。

④　消防車は、消防署等に引き返す途中その他の場合には、鐘又は警笛を用い、一般交通規則に従わなければならない。

道路運送車両の保安基準

（用語の定義）

第一条　この省令における用語の定義は、道路運送車両法（以下「法」という。）第二条に定めるもののほか、次の各号の定めるところによる。

一～十二　〔略〕

十三　「緊急自動車」とは、消防自動車、警察自動車、検察庁において犯罪捜査のため使用する自動車又は防衛省用自動車であつて緊急の出動の用に供するもの、刑務所その他の矯正施設において緊急警備のため使用する自動車、入国者収容所又は地方入国管理局において容疑者の収容又は被収容者の警備のため使用する自動車、保存血液を販売する医薬品販売業者が保存血液の緊急輸送のため使用する自動車、医療機関が臓器の移植に関する法律（平成九年法律第百四号）の規定により死体（脳死した者の身体を含む。）から摘出された臓器、同法の規定により臓器の摘出をしようとする医師又はその摘出に必要な器材の緊急輸送のため使用する自動車、救急自動車、公共用応急作業自動車、不法に開設された無線局の探査のため総務省において使用する自動車及び国土交通大臣が定めるその他の緊急の用に供する自動車をいう。

三　検察庁において使用する自動車のうち、犯罪の捜査のため使用するもの

四　刑務所その他の矯正施設において使用する自動車のうち、逃走者の逮捕若しくは連戻し又は被収容者の警備のため使用するもの

五　入国者収容所又は地方出入国在留管理局において使用する自動車のうち、容疑者の収容又は被収容者の警備のため使用するもの

六　電気事業、ガス事業その他の公益事業において、危険防止のための応急作業に使用する自動車

七　水防機関が水防のための出動に使用する自動車

八　輸血に用いる血液製剤を販売する者が輸血に用いる血液製剤の応急運搬のため使用する自動車

八の二　医療機関が臓器の移植に関する法律（平成九年法律第百四号）の規定により死体（脳死した者の身体を含む。）から摘出された臓器、同法の規定により臓器の摘出をしようとする医師又はその摘出に必要な器材の応急運搬のため使用する自動車

九　道路の管理者が使用する自動車のうち、道路における危険を防止するため必要がある場合において、道路の通行を禁止し、若しくは制限するための応急措置又は障害物を排除するための応急作業に使用するもの

十　総合通信局又は沖縄総合通信事務所において使用する自動車のうち、不法に開設された無線局（電波法（昭和二十五年法律第百三十一号）第百八条の二第一項に規定する無線設備による無線通信を妨害する電波を発射しているものに限る。）の探査のための出動に使用するもの

十一　交通事故調査分析センターにおいて使用する自動車のうち、事故例調査（交通事故があつた場合に直ちに現場において行う必要のあるものに限る。）のための出動に使用するもの

十二　国、都道府県、市町村、国立研究開発法人量子科学技術研究開発機構、国立研究開発法人日本原子力研究開発機構又は原子力災害対策特別措置法（平成十一年法律第百五十六号）第二条第三号に規定する原子力事業者が、同条第一号に規定する原子力災害の発生又は拡大の防止を図るための応急の対策として実施する放射線量の測定、傷病者の搬送、施設若しくは設備の整備、点検若しくは復旧又は放射線による人体の障害を防止するための医薬品の運搬のため使用する自動車
（第一号の二又は第六号に掲げるものを除く。）

2　前項に規定するもののほか、緊急自動車である警察用自動車に誘導されている自動車又は緊急自動車である自衛隊用自動車

十三の二～十八　〔略〕

2　〔略〕

重度の傷病者でその居宅において療養しているものについていつでも必要な往診をすることができる体制を確保しているものとして国家公安委員会が定める基準を定める件

道路交通法施行令（昭和三十五年政令第二百七十号）第十三条第一項第一号の六の規定に基づき、重度の傷病者でその居宅において療養しているものについていつでも必要な往診をすることができる体制を確保しているものとして国家公安委員会が定める基準を次のように定める。

道路交通法施行令第十三条第一項第一号の六の国家公安委員会が定める基準は、次に掲げるとおりとする。

一　重度の傷病者でその居宅において療養している患者（以下単に「患者」という。）の患家からいつでも連絡を受けることができる医師又は看護職員及び当該患家の求めに応じて患者の居宅をいつでも往診することができる医師をあらかじめ指定し、その氏名、連絡先、担当日等を文書により当該患家に提供していること。

二　患者の疼痛等を直ちに緩和することが必要な場合において、自動車による緊急の往診をすることができること。

臓器の移植に関する法律

（平成九年七月一六日法律第一〇四号）

電波法

第一〇八条の二　電気通信業務又は放送の業務の用に供する無線局の無線設備又は人命若しくは財産の保護、治安の維持、気象業務、電気事業に係る電気の供給の業務若しくは鉄道事業に係る列車の運行の業務の用に供する無線設備を損壊し、又はこれに物品を接触し、その他その無線設備の機能に障害を与えて無線通信を妨害した者は、五年以下の懲役又は二百五十万円以下の罰金に処する。

2　〔略〕

に誘導されている自衛隊用自動車は、それぞれ法第三十九条第一項の政令で定める自動車とする。

〔一項改正・昭三七政二三五・昭三八政二〇五・昭四六政三四八・昭五三政三一三・昭五六政四〇・昭六一政三二九・平五政二〇〇・平八政一六〇・平九政三〇〇・平一二政三〇三・平一五政二一三・平一六政五〇・平一七政二〇三・平二〇政一四九・平二一政一二・平二四政五四・平二六政六三・平二七政七四・平二八政一三・平三一政三八〕

（緊急自動車の要件）

第一四条　前条第一項に規定する自動車は、緊急の用務のため運転するときは、道路運送車両法第三章及びこれに基づく命令の

原子力災害対策特別措置法

（定義）

第二条　この法律において、次の各号に掲げる用語の意義は、それぞれ当該各号に定めるところによる。

一・二〔略〕

三　原子力事業者　次に掲げる者（政令で定めるところにより、原子炉の運転等のための施設を長期間にわたって使用する予定がない者であると原子力規制委員会が認めて指定した者を除く。）をいう。

イ　規制法第十三条第一項の規定に基づく加工の事業の許可（規制法第七十六条の規定により読み替えて適用される同項の規定による国に対する承認を含む。）を受けた者

ロ　規制法第二十三条第一項の規定に基づく試験研究用等原子炉の設置の許可（規制法第七十六条の規定により読み替えて適用される同項の規定による国に対する承諾を含み、船舶に設置する試験研究用等原子炉についての許可を除く。）を受けた者

ハ　規制法第四十三条の三の五第一項の規定に基づく発電用原子炉の設置の許可（規制法第七十六条の規定により読み替えて適用される同項の規定による国に対する承認を含む。）を受けた者

ニ　規制法第四十三条の四第一項の規定に基づく貯蔵の事業の許可（規制法第七十六条の規定により読み替えて適用される同項の規定による国に対する承諾を含む。）を受けた者

ホ　規制法第四十四条第一項の規定に基づく再処理の事業の指定（規制法第七十六条の規定により読み替えて適用される同項の規定による国に対する承認を含む。）を受けた者

へ　規制法第五十一条の二第一項の規定に基づく廃棄の事業の許可（規制法第七十六条の規定により読み替えて適用される同項の規定による国に対する承諾を含む。）を受けた者

ト　規制法第五十二条第一項の規定に基づく核燃料物質の使用の許可（規制法第七十六条の規定により読み替えて適用される同項の規定による国に対する承諾を含む。）を受けた者（規制法第五十七条第一項の規定により保安規定を定めなければならないこととされている者に限る。）

四～十二〔略〕

2　緊急自動車は、法令の規定により停止しなければならない場合においても、停止することを要しない。この場合においては、他の交通に注意して徐行しなければならない。

〔二項削除・旧三項を二項に繰上・昭三九法九一、一項改正・昭五三法五三〕

参照　〔緊急自動車〕優先通行＝四〇、消防二六、水防一八、通行に関する特例＝四一、他方の緊急自動車の定め＝保安基準一①13・四九〔政令で定める自動車〕道交令一三・一四〔運転〕二①17〔追越し〕二①21、追越しに関する規定＝二八―三〇〔右側部分〕一七⑤、他の車両が右側部分にはみ出し通行できる場合＝一七⑤〔道路〕二①、道運二⑦・⑧、道運車二⑥、高速二①、駐車二3、道路の種類＝道三〔法令の規定により停止しなければならない場合の例〕やむを得ず歩道に入る場合＝一七②、停車中の路面電車がある場合＝三一、踏切の通過の場合＝三三①、横断歩道を通過する場合＝三八①・②、交差点で緊急自動車が接近した場合＝四〇①、交差点で消防用車両が接近した場合＝四一の二①、指定場所における一時停止＝四三、積載物の重量測定等の場合＝五八の二、警察官の危険防止のための車両等停止命令＝六一、警察官の車両の検査等のための車両停止命令＝六三①、普通自転車の進行が歩行者の通行を妨げることとなる場合＝六三の四②、警察官の無免許運転等に対する危険防止のための車両等停止命令＝六七①、身体障害者用の車が通行している

規定（道路運送車両法の規定が適用されない自衛隊用自動車については、自衛隊法第百十四条第二項の規定による防衛大臣の定め。以下「車両の保安基準に関する規定」という。）により設けられるサイレンを鳴らし、かつ、赤色の警光灯をつけなければならない。ただし、警察用自動車が法第二十二条の規定に違反する車両又は路面電車（以下「車両等」という。）を取り締まる場合において、特に必要があると認めるときは、サイレンを鳴らすことを要しない。

〔本条改正・昭三七政二三五・昭四六政三四八・昭五三政三一三・平一九政三〕

自衛隊の使用する自動車に関する訓令

（昭和四五年一月三〇日　防衛庁訓令第一号）

法第三九条

判例　※　このように高速で進行する車両を追尾してその速度を測定するには、パトカーもこれと等速度で走行するほかないことはもちろんであり、また、その速度に見合う車間距離を保持しようとすれば、車間距離を一定に保つこと自体が困難となり、ひいては違反者の速度を正確に測定することも不可能となって、取締りの目的を達し得ないことになるのである。しかも、本件の場合、パトカーの警察官らは道路及び交通の状況に注意を払い、具体的な交通の危険を生じさせないように留意しながら被告人車に追尾し、その速度を測定したのであるから、その行為は正当な職務行為であって、刑法三五条により、道路交通法二六条違反の違法性は阻却されるものというべきである。（大高　昭五三、六、一〇）

※　Aが運転しBが同乗した自動二輪車とパトカーが衝突しBが死亡した交通事故において、Bの相続人がパトカーの運行供用者に対して損害賠償請求を起こしたとき、過失相殺に際しては、Aの過失をBの過失として考えることができる。（最　平二〇、七、四）

とき、目が見えない者等が白塗りのつえ等を携え、若しくは盲導犬を連れて通行しているとき、又は監護者が付き添わない児童等が歩行しているとき＝七一2、高齢の歩行者、身体の障害のある歩行者その他の歩行者でその通行に支障のあるものが通行しているとき＝七一2の2、警察官が道路の交通に関する調査のため一時停止を求めた場合＝一一一②〔徐行〕二①20、他の徐行規定の例＝九・一八②・二五・三一・三四・三五の二・三六③・三七の二②・四二・六三の四②・七一1―3

（緊急自動車の優先）

第四〇条　交差点又はその附近において、緊急自動車が接近してきたときは、路面電車は交差点を避けて、車両（緊急自動車を除く。以下この条において同じ。）は交差点を避け、かつ、道路の左側（一方通行となつている道路においてその左側に寄ることが緊急自動車の通行を妨げることとなる場合にあつては、道路の右側。次項において同じ。）に寄つて一時停止しなければならない。

2　前項以外の場所において、緊急自動車が接近してきたときは、車両は、道路の左側に寄つて、これに進路を譲らなければならない。

〔二項改正・昭三八法九〇、一項・付記改正・昭四五法八六、二項改正・昭四六法九八、一項改正・昭四七法五一〕

参照　〔交差点〕二①5、交差点における通行方法等＝三四―三七の二〔緊急自動車〕政令の定め＝道交令一三・一四、他法の定め＝保安基準一①13・四九〔路面電車〕二①13〔車両〕二①8〔道路〕二①1・一七④、道二①、道運二⑦・⑧、道運車二⑥、高速二①、駐車二3、道路の種類＝道三〔一方通行〕一七⑤1〔一時停止〕他の一時停止の規定＝一七②・三一・三三①・三八

法第四〇条

判例　※　車両は、交差点に進入する際、交通信号が青色であったとしても、信号に制約されずに通行し得る消防自動車が近くにあることが明らかで、これがいつ交差点に進入してこないとも限らない場合、交差点の左右を十分に注視して安全を確かめる注意義務がある。（東高　昭三八、四、二五）

※　交通違反車両がパトカーに追跡されて起こした事故について、パトカーの追跡行為は、現行犯逮捕という職務目的遂行上必要であり、追跡行為も相当であったことから、過失がなかったことが認められた。（神戸地　昭六〇、九、二五）

①・②・四一の二①・四三・六一・六三①・六三の四②・六七①・七一2・2の2・一一一②、進路を譲るべき規定の例＝二七②、消防二六・水防一八

（罰則　第百二十条第一項第二号（五万円以下の罰金））

反則金

緊急車妨害等　大型　七千円　普通　六千円
　　　　　　　二輪　六千円　原付　五千円

点数

緊急車妨害等
　一　般　一点
　酒気帯び（〇・二五未満）　一四点

（緊急自動車等の特例）

第四一条　緊急自動車については、第八条第一項、第十七条第六項、第十八条、第二十条第一項及び第二項、第二十条の二、第二十五条第一項及び第二項、第二十五条の二第二項、第二十六条の二第三項、第二十九条、第三十条、第三十四条第一項、第二項及び第四項、第三十五条第一項並びに第三十八条第一項前段及び第三項の規定は、適用しない。

2　前項に規定するもののほか、第二十二条の規定に違反する車両等を取り締まる場合における緊急自動車については、同条の規定は、適用しない。

3　もつぱら交通の取締りに従事する自動車で内閣府令で定めるものについては、第十八条第一項、第二十条第一項及び第二項、第二十条の二並びに第二十五条の二第二項の規定は、適用しない。

法第四一条

判例　※　本法三九条・本条及び四一条の二は、適用を排除していない本法上の義務規定について、正当な職務行為を理由として刑法三五条によりその違反の罪の違法性阻却を認めることを否定する趣旨ではない。（大高　昭五三、六、一〇）

※　交通法規等に違反して車両で逃走する者をパトカーで追跡する職務の執行中に、逃走車両の走行により第三者が損害を被った場合において、右追跡行為が違法であるというためには、右追跡が当該職務目的を遂行する上で不必要であるか、又は逃走車両の逃走の態様及び道路交通状況等から予測される被害発生の具体的危険性の有無及び内容に照らし、追跡の開始・継続若しくは追跡の方法が不相当であることを要する。（最判　昭六一、二、二七）

※　パトカーが赤色警光灯をつけずに最高速度を超過して速度違反車両を追尾した場合においても、警察官に速度違反の罪の成立することがあるのは格別、追尾によつて得られた速度測定結果を内容とする証拠の証拠能力の否定に結びつくような性質の違法はない。（最判　昭六三、三、一七）

（通行区分の特例を認められる自動車）

第六条　法第四十一条第三項の内閣府令で定めるものは、都道府県警察において使用する自動車のうち、その車体の全部を白色に塗つた大型自動二輪車若しくは普通自動二輪車又はその車体の全部若しくは上半分を白色に塗つた普通自動車とする。

4　政令で定めるところにより道路の維持、修繕等のための作業に従事している場合における道路維持作業用自動車（専ら道路の維持、修繕等のために使用する自動車で政令で定めるものをいう。以下第七十五条の九において同じ。）については、第十七条第四項及び第六項、第十八条第一項、第二十条第一項及び第二項、第二十条の二、第二十三条並びに第二十五条の二第二項の規定は、適用しない。

〔四項追加・昭三八法九〇、一・三・四項改正・昭三九法九一、一項改正・昭四二法一二六・昭四五法八六、一―四項改正・昭四六法九八、一・四項改正・昭五三法五三、三項改正・平一一法一六〇〕

参照　〔緊急自動車〕通行区分＝三九、優先通行＝四〇、消防二六、水防一八、緊急自動車の政令の定め＝道交令一三・一四、他法の定め＝保安基準一①13・四九〔車両等〕二①17〔内閣府令で定めるもの〕道交規六〔政令で定めるもの〕道交令一四の二〔道路維持作業用自動車〕道交令一四の三、道交規六の二

（消防用車両の優先等）

第四一条の二　交差点又はその付近において、消防用車両（消防用自動車以外の消防の用に供する車両で、消防用務のため、政令で定めるところにより、運転中のものをいう。以下この条及び第七十五条の二十二第二項において同じ。）が接近してきたときは、車両等（車両にあつては、緊急自動車及び消防用車両を除く。）は、交差点を避けて一時停止しなけれ

（道路維持作業用自動車）

第一四条の二　法第四十一条第四項の政令で定める自動車は、次の各号に掲げるものとする。

一　道路を維持し、若しくは修繕し、又は道路標示を設置するため必要な特別の構造又は装置を有する自動車で、その自動車を使用する者が公安委員会に届け出たもの

二　道路の管理者が道路の損傷箇所等を発見するため使用する自動車（内閣府令で定めるところにより、その車体を塗色したものに限る。）で、当該道路の管理者の申請に基づき公安委員会が指定したもの

〔本条追加・昭三八政二〇五、改正・昭五三政三一三・平一二政三〇三〕

第一四条の三　道路維持作業用自動車は、道路の維持、修繕等のための作業に従事するときは、車両の保安基準に関する規定により設けられる黄色の灯火をつけなければならない。

〔本条追加・昭三八政二〇五、改正・昭三九政二八〇〕

（消防用車両の要件）

第一四条の四　消防用自動車以外の消防の用に供する車両は、消防用務のため運転するときは、サイレン又は鐘を鳴らし、かつ、夜間及び第十九条に規定する場合にあつては、内閣府令で定める赤色の灯火をつけなければならない。

〔本条追加・昭三八政二〇五、改正・昭五三政三一三・平一二政三〇三〕

〔本条改正・平八総府令四一・平一二総府令八九〕

（道路維持作業用自動車の塗色）

第六条の二　令第十四条の二第二号の道路の管理者が道路の損傷箇所等を発見するため使用する自動車は、車体の両側面及び後面の幅十五センチメートルの帯状かつ水平の部分を白色に、車体のその他の部分を黄色に、それぞれ塗色したものとする。

〔本条追加・昭三八総府令三三〕

（消防用車両の灯火の要件）

第六条の三　令第十四条の四の内閣府令で定める赤色の灯火は、五十メートルの距離から確認できる光度を有するものとする。

〔本条追加・昭三八総府令三三、旧六条の四を繰上・昭三九総府令三六、本条改正・平一二総府令八九〕

ばならない。

2　前項以外の場所において、消防用車両が接近してきたときは、車両（緊急自動車及び消防用車両を除く。）は、当該消防用車両の通行を妨げてはならない。

3　第三十九条の規定は、消防用車両について準用する。

4　消防用車両については、第八条第一項、第十七条第六項、第十八条、第二十条第一項及び第二項、第二十五条第一項及び第二項、第二十五条の二第二項、第二十六条の二第三項、第二十九条、第三十条、第三十四条第一項から第五項まで、第三十五条第一項、第三十八条第一項前段及び第三項、第四十条第一項、第六十三条の六並びに第六十三条の七の規定は、適用しない。

（本条追加・昭三八法九〇、三・四項改正・昭三九法九一、四項改正・昭四二法一二六、四項・付記改正・昭四五法八六、二・四項改正・昭四六法九八、一・四項改正・昭五三法五三、四項改正・昭六〇法八七、一項改正・令四法三二）

参照（消防用自動車）三九①（消防用務）消防一・二六（政令で定めるところ）消防用車両の要件＝道交令一四の四、道交規六の三（車両等）二①17（緊急自動車）四一、通行区分＝三九、優先通行＝四〇、消防二六、水防一八

（罰則　第一項及び第二項については第百二十条第一項第二号（五万円以下の罰金））

反則金

緊急車妨害等	大型	七千円	普通	六千円
	二輪	六千円	原付	五千円

点数
緊急車妨害等
　一　般　一点
　酒気帯び（〇・二五未満）　一四点

第八節　徐行及び一時停止

（徐行すべき場所）

第四二条　車両等は、道路標識等により徐行すべきことが指定されている道路の部分を通行する場合及び次に掲げるその他の場合においては、徐行しなければならない。

一　左右の見とおしがきかない交差点に入ろうとし、又は交差点内で左右の見とおしがきかない部分を通行しようとするとき（当該交差点において交通整理が行なわれている場合及び優先道路を通行している場合を除く。）。

二　道路のまがりかど附近、上り坂の頂上附近又は勾配の急な下り坂を通行するとき。

〔付記改正・昭三九法九一・昭四五法八六、本条改正・昭四五法一四三、全改・昭四六法九八、付記全改・令四法三二〕

参照　〔車両等〕二①17〔徐行〕二①20〔道路〕二①1・一七④、道二①、道運二⑦・⑧、道運車二⑥、高速二①、駐車二3、道路の種類＝道三〔交差点〕二①5〔優先道路〕三六②

〔罰則　第百十九条第一項第五号〔三月以下の懲役又は五万円以下の罰金〕、同条第三項〔十万円以下の罰金〕〕

規制標識

種類	番号	表示する意味	色
徐　行	329－A	車と路面電車の徐行の指定	文字は青、わくは赤、縁と地は白
徐　行	329－B	同　右	同　右

道路法

第四六条　第一項……四六ページ参照

第四七条　第三項……四六ページ参照

車両制限令

（通行方法の制限）

第一〇条　第三条第一項第三号の規定による指定を受けた道路について、高さが三・八メートルを超え四・一メートル以下の車両に関し、道路管理者が当該道路の構造を保全し、又は交通の危険を防止するため必要と認められる路肩の通行の禁止その他の通行方法を定めたときは、当該道路を通行する当該車両は、当該通行方法によらなければならない。

2　第三条第四項の規定による指定を受けた道路について、国際海上コンテナの運搬用のセミトレーラ連結車に関し、道路管理者が当該道路の構造を保全し、又は交通の危険を防止するため必要と認められる徐行その他の通行方法を定めたときは、当該道路を通行する国際海上コンテナの運搬用のセミトレーラ連結車は、当該通行方法によらなければならない。

3　第七条第二項の規定により車両の総重量、軸重又は輪荷重の限度が定められている道路について、道路管理者が当該道路の構造を保全し、又は交通の危険を防止するため必要と認められる徐行その他の通行方法を定めたときは、当該道路を通行する車両は、当該通行方法によらなければならない。

反則金

徐行場所違反　大型　九千円　普通　七千円
二輪　六千円　原付　五千円

点数

徐行場所違反　一　般　二点
酒気帯び（〇・二五未満）　一四点

法第四二条

判例 ※ 交通幅員は曲角近くで五・五米から六米、曲角地点で八米ないし一〇米、路面は平坦で未舗装であり、道路は右方に約一二〇度の曲角で屈曲し、その曲角に添つて右側に生垣があるため、曲角手前から先方への見透しは極めて困難である状況下において大型四輪貨物自動車を運転すれば、敏速に停車の措置をとり得る徐行の速度は時速十粁以下であると認められる。（東高　昭三三、四、二二）

※ 幅員約七・六メートルのあまり広くない道路で、これと交差する道路の幅員もほぼ等しいようなときには、これと交差する道路の方に、同法四三条による一時停止の標識があつても、同法四二条の徐行義務は免除されないものと解すべきである。（最　昭四三、七、一六）

※ 他方の道路からの入口に一時停止の道路標識および停止線の表示がある交差点に進入しようとする自動車運転者は、徐行して、その停止線付近に車両等が存在しないことを確かめた後、交差点に進入すれば足り、あえて交通法規に違反して、高速度で、交差点を突破しようとする車両のあることまでも予想して、他方の道路に対する安全を確認すべき注意義務はない。（最　昭四三、一二、一七）

※ 徐行といいうるためには、車両等が直ちに停止することができるような速度で進行しなければならないことは、道路交通法二条二〇号によつて明らかであり、それが単なる減速と異なることは、いうまでもない。したがつて、被告人が、時速を約二〇キロメートル程度に減速したままで本件交差点に入ろうとしたのは、この徐行義務に違反したものといわざるを得ない。たとえ、被告人のいうように、被告人が、本件交差点の手前で警音器を鳴らし、また、ブレーキペダルの上に足を乗せていつでも停車措置をとりうるような態勢で進行したとしても、それだけでは、十分な注意義務を尽したことにはならないと考える。（東高　昭四四、五、一五）

※ 自車と対面する信号機が黄色の灯火の点滅を表示し、交差道路上の信号機が赤色の灯火の点滅を表示している場合、当該交差点に進入しようとする自動車運転者としては、特段の事情がない限り、交差道路から交差点に接近してくる車両の運転者において、右信号に従い一時停止及び事故回避のための適切な行動をするものと信頼して運転すれば足りる。（最　昭四八、五、二二）

※ 交通整理が行われておらず、かつ左右の見とおしのきかない交差点で、他の道路からの入口に一時停止の道路標識及び停止線があるものに進入しようとする自動車運転者としては、徐行して、その停止線付近に交差点にはいろうとする車両等が存在しないことを確かめた後、すみやかに交差点に進入する場合はともかく、本件のように、自ら徐行して左右の安全を確認することなく時速約五〇ないし六〇キロメートルで進入する場合にまで過失を否定すべきではない。（東高　昭四八、七、一〇）

※ 徐行とは、車両等が直ちに停止することができるような速度で進行することをいう（法二条一項二〇号）ことはいうまでもないが、見とおし難易等具体的状況に応じ、その制動距離を考慮に入れても事故の発生をさけ得る速度で進行することをいうと解するのが相当である（本件の場合、時速五キロメートル程度が徐行といえる）。（高高　昭四九、一〇、二三）

※ 左右の見とおしがきかない交差点に進入しようとする車両は、左右交差道路に一時停止の標識があり、かつ広路から進入する場合であつても、原則として徐行義務は免除されない。（東高　昭六二、七、二九）

※ 左右の見とおしのきかない交差点に入ろうとする場合には当該交差点において交通整理が行われているとき及び優先道路を通行しているときを除き、徐行しなければならないのであつて、右車両等の進行している道路が、それと交差する道路に比して幅員が明らかに広いときであつても徐行義務は、免除されないものと解するのが相当である。（最　昭六三、四、二八）

※ 黄色点滅信号で交差点に入ったときに、交差点を暴走してきた車両と衝突し、業務上過失致死傷罪に問われた運転者について、衝突を避けられる可能性に疑問があるとして無罪とされた。（最　平一五、一、二四）

（指定場所における一時停止）

第四三条　車両等は、交通整理が行なわれていない交差点又はその手前の直近において、道路標識等により一時停止すべきことが指定されているときは、道路標識等による停止線の直前（道路標識等による停止線が設けられていない場合にあつては、交差点の直前）で一時停止しなければならない。この場合において、当該車両等は、第三十六条第二項の規定に該当する場合のほか、交差道路を通行する車両等の進行妨害をしてはならない。

〔付記改正・昭三九法九一・昭四五法八六、本条全改・昭四六法九八、付記全改・令四法三二〕

参照　〔車両等〕二①17〔交差点〕二①5〔他の一時停止の規定〕一七②・三一・三三①・三八①・②・四〇・六一・六三①・六三の四②・六七①・七一2・2の2・一一一②〔進行妨害〕二①22

（罰則　第百十九条第一項第五号〔三月以下の懲役又は五万円以下の罰金〕、同条第二項〔十万円以下の罰金〕）

反則金

指定場所一時不停止等

大型　九千円　普通　七千円
二輪　六千円　原付　五千円

点数

指定場所一時不停止等

一般　二点
酒気帯び（〇・二五未満）　一四点

規制標識

種類	番号	表示する意味	色
一時停止	330－A	交通整理の行なわれていない交差点のすぐ手前で、車や路面電車が一時停止することの指定	文字と縁線は白、縁と地は赤
一時停止	330－B	同　右	同　右

指示標識

種類	番号	表示する意味	色
停　止　線	406の2	車が停止する場合の位置であること。	文字、記号と縁は白、地は青

法第四三条

判例　※　公安委員会が道路交差点に入ろうとする車両等の一時停止すべき場所を指定して標識を設置した場合においては、たとえその交差点に幾分進入しなければ左右の見通しが困難な地形であつても、その交差点に入ろうとする車両等は、交差点の直前で一時停止をしなければならない。（名高金沢支部　昭三七、一二、八）

第九節　停車及び駐車

（停車及び駐車を禁止する場所）

第四四条　車両は、道路標識等により停車及び駐車が禁止されている道路の部分及び次に掲げるその他の道路の部分においては、法令の規定若しくは警察官の命令により、又は危険を防止するため一時停止する場合のほか、停車し、又は駐車してはならない。

一　交差点、横断歩道、自転車横断帯、踏切、軌道敷内、坂の頂上付近、勾配の急な坂又はトンネル

二　交差点の側端又は道路の曲がり角から五メートル以内の部分

三　横断歩道又は自転車横断帯の前後の側端からそれぞれ前後に五メートル以内の部分

四　安全地帯が設けられている道路の当該安全地帯の左側の部分及び当該部分の前後の側端からそれぞれ前後に十メートル以内の部分

五　乗合自動車の停留所又はトロリーバス若しくは路面電車の停留場を表示する標示柱又は標示板が設けられている位置から十メートル以内の部分（当該停留所又は停留場に係る運行系統に属する乗合自動車、トロリーバス又は路面電車の運行時間中に限る。）

六　踏切の前後の側端からそれぞれ前後に十メートル以内の部分

2　前項の規定は、次に掲げる場合には、適用しない。

一　乗合自動車又はトロリーバスが、その属する運

規制標識

種類	番号	表示する意味	色
駐停車禁止	315	車の駐停車の禁止	斜めの帯とわくは赤、文字と縁は白、地は青

規制標示

種類	番号	意味	色
駐停車禁止	103	車の停車と駐車の禁止	記号は黄

法第四四条

判例　※　自動車運転者は車掌から停車合図があつたときは、たとえ道路のまがりかどで停車禁止区域であつても危険防止のため必要なときは、非常措置として急停車をし、危険を未然に防止すべき義務がある。（広高　昭三一、四、一）

※　まがりかどから五メートル以内のいわゆる停車禁止場所に自動車を停車していたとしても、警察官の指示に従つたものであればもとより適法の行為である。（佐世保簡　昭三三、一、二九）

行系統に係る停留所又は停留場において、乗客の乗降のため停車するとき、又は運行時間を調整するため駐車するとき。

二　旅客の運送の用に供する自動車（乗合自動車を除く。第四十九条の三第一項において同じ。）が、乗合自動車の停留所又はトロリーバス若しくは路面電車の停留場において、乗客の乗降のため停車するとき、又は運行時間を調整するため駐車するとき（当該停留所又は停留場における停車又は駐車であつて、地域住民の生活に必要な旅客輸送を確保するために有用であり、かつ、道路又は交通の状況により支障がないことについて、内閣府令で定めるところにより、道路運送法第九条第一項に規定する一般乗合旅客自動車運送事業者、公安委員会その他の当該停車又は駐車に関係のある者として内閣府令で定める者が合意し、その旨を公安委員会が公示したものをする場合に限る。）。

〔本条改正・昭三九法九一、本条・付記改正・昭四六法九八、本条改正・昭五三法五三、付記改正・平二法七三・平一六法九〇・平一九法九〇、一項・付記改正・二項追加・令二法四二、二項・付記改正・令四法三二〕

参照　〔停車〕二①19、方法＝四七・四八、違法停車に対する措置＝五〇の二〔駐車〕二①18、禁止場所＝四五、方法＝四七・四八、時間制限駐車区間等＝四九、違法駐車に対する措置＝五一〔車両〕二①8〔道路〕二①1、道二①、道運二⑦・⑧、道運車二⑥、高速二①、駐車二3、道路の種類＝道三〔警察官〕六①、警三四・五五・六二・六三〔一時停止の規定の例〕一七②・三一・三三①・三八①・②・四〇①・四一の二①・四三・六一・六三①・六三の四②・六七①・七一2・2の2・一一一②、緊急自動車の停止不要＝三九②〔停車、駐車禁止に関する他の規

（停車又は駐車に関係のある者による合意）

第六条の三の二　法第四十四条第二項第二号の規定による合意は、旅客の運送の用に供する自動車（乗合自動車を除く。以下この条において同じ。）が停車又は駐車をする一又は二以上の乗合自動車の停留所又はトロリーバス若しくは路面電車の停留場ごとに、書面により、停車又は駐車をする旅客の運送の用に供する自動車の範囲を明らかにしてするものとする。

2　前項の書面には、当該旅客の運送の用に供する自動車による当該停留所又は停留場における停車又は駐車が道路又は交通の状況により支障がないものとなるようにするため必要と認める事項があるときは、当該事項を記載するものとする。

〔本条追加・令二内府令七〇、一・二項改正・令四内府令五四〕

（停車又は駐車に関係のある者）

第六条の三の三　法第四十四条第二項第二号の内閣府令で定める者は、次に掲げる者とする。

一　乗合自動車、トロリーバス又は路面電車を使用する者

二　公安委員会

三　都道府県知事又は市町村長（特別区の区長を含む。）

四　地方運輸局長

五　前各号に掲げる者のほか、当該停車又は駐車に関係のあるものとして公安委員会が認める者

〔本条追加・令二内府令七〇〕

定）四六・五〇〔交差点〕二①5、交差点における通行方法等＝三四―三七の二〔横断歩道〕二①4、設置＝四①〔自転車横断帯〕二①4の2、設置＝四①、方法＝道交令一の二③、道交規二の二〔安全地帯〕二①6〔路面電車〕二①13〔運行系統〕路線＝道運規四〔運行〕自賠二②〔乗合自動車〕二七①〔トロリーバス〕二①12

（罰則　第一項については第百十九条の二の四第一項第一号〔十五万円以下の罰金〕、同条第三項〔十五万円以下の罰金〕、第百十九条の三第一項第一号〔十万円以下の罰金〕、同条第三項〔十万円以下の罰金〕）

反則金

放置駐車違反（駐停車禁止場所等（高齢運転者等専用場所等））

大型　二万七千円　重被牽引二万七千円
普通　二万円　二輪　一万二千円
原付　一万二千円

放置駐車違反（駐停車禁止場所等（高齢運転者等専用場所等以外））

大型　二万五千円　重被牽引二万五千円
普通　一万八千円　二輪　一万円
原付　一万円

駐停車違反（駐停車禁止場所等（高齢運転者等専用場所等））

大型　一万七千円　普通　一万四千円
二輪　九千円　原付　九千円

駐停車違反（駐停車禁止場所等（高齢運転者等専用場所等以外））

大型　一万五千円　普通　一万二千円
二輪　七千円　原付　七千円

点数

放置駐車違反（駐停車禁止場所等）　三点
駐停車違反（駐停車禁止場所等）
一　般　二点
酒気帯び（〇・二五未満）　一四点

（駐車を禁止する場所）

第四五条　車両は、道路標識等により駐車が禁止されている道路の部分及び次に掲げるその他の道路の部分においては、駐車してはならない。ただし、公安委員会の定めるところにより警察署長の許可を受けたときは、この限りでない。

一　人の乗降、貨物の積卸し、駐車又は自動車の格納若しくは修理のため道路外に設けられた施設又は場所の道路に接する自動車用の出入口から三メートル以内の部分

二　道路工事が行なわれている場合における当該工事区域の側端から五メートル以内の部分

三　消防用機械器具の置場若しくは消防用防火水槽の側端又はこれらの道路に接する出入口から五メートル以内の部分

四　消火栓、指定消防水利の標識が設けられている位置又は消防用防火水槽の吸水口若しくは吸管投入孔から五メートル以内の部分

五　火災報知機から一メートル以内の部分

2　車両は、第四十七条第二項又は第三項の規定により駐車する場合に当該車両の右側の道路上に三・五メートル（道路標識等により距離が指定されているときは、その距離）以上の余地がないこととなる場所においては、駐車してはならない。ただし、貨物の積卸しを行なう場合で運転者がその車両を離れないとき、若しくは運転者がその車両を離れたが直ちに運転に従事することができる状態にあるとき、又は傷病者の救護のためやむを得ないときは、この限りでない。

3　公安委員会が交通がひんぱんでないと認めて指定

規制標識

種類	番号	表示する意味	色
駐車禁止	316	車の駐車の禁止	斜めの帯とわくは赤、文字と縁は白、地は青

規制標示

種類	番号	意味	色
駐車禁止	104	車の駐車の禁止	記号は黄

規制標識

種類	番号	表示する意味	色
駐車余地	317	車が駐車する場合、その右側に補助標識で表示されている距離以上の余地をあけなければならないことの指定（この標識の下に補助標識504がある。）	斜めの帯とわくは赤、文字と縁は白、地は青

法第四五条

判例　※　駐車禁止場所である病院前道路上に自動車を駐車したとしても、右の行為は、盲腸炎手術のため一刻も早く入院治療を要する患者のために、その生命身体に対する危難を避けるため止むを得ずなされた行為としてその程度を超えないものということができるので緊急避難に該当し、違法性が阻却される。（帯広簡昭三三、一、三一）

※　道路標識で駐車禁止とされている場所で、車を駐車した事案において、駐車車両の周辺の見える範囲内に運転者がいない場合は、「車両を離れて直ちに運転することができない状態」であり、拡声器を使った移動の呼びかけがあったかどうかで、その状態が決まるわけではないとし、被告人の駐車違反を認めた。（京都簡平七、一二、一五）

した区域においては、前項本文の規定は、適用しない。

〔一・二項・付記改正・昭四六法九八、付記改正・平二法七三・平一六法九〇・平一九法九〇・令四法三二〕

参照〔車両〕二①8〔道路〕二①1・一七④、道二①、道運二⑦・⑧、道運車二⑥、高速二①、駐車二3、道路の種類＝道三〔駐車〕二①18、方法＝四七・四八、時間制限駐車区間等＝四九、違法駐車に対する措置＝五一〔公安委員会〕四①、警三八―四六の二〔警察署長〕警五三②・③〔自動車〕二①9、自動車の種類＝三、道交規二〔消防用機械器具等〕消火の設備＝消防一七・二〇〔運転〕二①17〔指定消防水利〕消防二一、消防規三四の二・別表一の四

（罰則　第一項及び第二項については第百十九条の二の四第一項第一号〔十五万円以下の罰金〕、同条第三項〔十五万円以下の罰金〕、第百十九条の三第一項第一号〔十万円以下の罰金〕、同条第三項〔十万円以下の罰金〕）

反則金

放置駐車違反（駐車禁止場所等（高齢運転者等専用場所等））

大型　二万三千円　重被牽（けん）引　二万三千円
普通　一万七千円　二輪　一万千円
原付　一万千円

放置駐車違反（駐車禁止場所等（高齢運転者等専用場所等以外））

大型　二万千円　重被牽（けん）引　二万千円
普通　一万五千円　二輪　九千円
原付　九千円

駐停車違反（駐車禁止場所等（高齢運転者等専用場所等））

大型　一万四千円　普通　一万二千円
二輪　八千円　原付　八千円

消防法第二十一条

消防法施行規則第三十四条の二

別表第一の四（第三十四条の二関係）

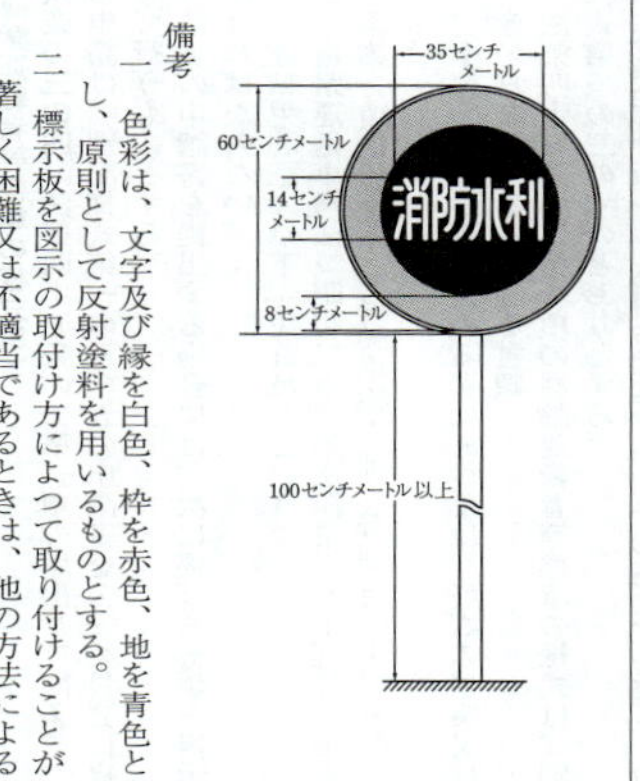

備考

一　色彩は、文字及び縁を白色、枠を赤色、地を青色とし、原則として反射塗料を用いるものとする。

二　標示板を図示の取付け方によつて取り付けることが著しく困難又は不適当であるときは、他の方法によることができる。

駐停車違反（駐車禁止場所等（高齢運転者等専用場所等以外））
大型　一万二千円　重被牽（けん）引一万二千円
普通　一万円　二輪　六千円
原付　六千円

点数

放置駐車違反（駐車禁止場所等）　二点
駐停車違反（駐車禁止場所等）
一　般　一点
酒気帯び（〇・二五未満）　一四点

（高齢運転者等標章自動車の停車又は駐車の特例）

第四五条の二　次の各号のいずれかに該当する者（以下この項及び次項において「高齢運転者等」という。）が運転する普通自動車（当該高齢運転者等が内閣府令で定めるところによりその者の住所地を管轄する公安委員会に届出をしたものに限る。）であつて、当該高齢運転者等が同項の規定により交付を受けた高齢運転者等標章をその停車又は駐車をしている間前面の見やすい箇所に掲示したもの（以下「高齢運転者等標章自動車」という。）は、第四十四条第一項の規定による停車及び駐車を禁止する道路の部分又は前条第一項の規定による駐車を禁止する道路の部分の全部又は一部について、道路標識等により停車又

指示標識

種類	高齢運転者等標章自動車駐車可	高齢運転者等標章自動車停車可
番号	402の 2	403の 2
表示する意味	高齢運転者等標章自動車の駐車ができること。（この標識の下に補助標識503－Dがある。）	高齢運転者等標章自動車の停車ができること。（この標識の下に補助標識503－Dがある。）
色	文字と縁は白、地は青	同　右

（高齢運転者等標章の様式等）

第六条の三の四　法第四十五条の二第一項の届出及び同条第二項の申請は、別記様式第一の三の五の申請書を公安委員会に提出して行うものとする。

2　前項の申請書を提出する場合には、次に掲げる書類を提示しなければならない。

一　運転免許証（以下「免許証」という。）

二　道路運送車両法（昭和二十六年法律第百八十五号）第六十条第一項に規定する自動車検査証（普通自動車のものに限る。）

三　令第十四条の五に定める者にあつては、妊娠の事実又は出産の日を証するに足りる書類

3　法第四十五条の二第一項の高齢運転者等標章の様式は、別記様式第一の三の六のとおりとする。

〔本条追加・平二一内府令七四、旧六条の三の二を繰下・令二内府令七〇、一・三項改正・令四内府令六七〕

は駐車をすることができることとされているときは、これらの規定にかかわらず、停車し、又は駐車することができる。

一　第七十一条の五第三項に規定する普通自動車対応免許（以下この条において単に「普通自動車対応免許」という。）を受けた者で七十歳以上のもの

二　第七十一条の六第二項又は第三項に規定する者

別記様式第一の三の五（第六条の三の四関係）

高齢運転者等標章申請書

年　　月　　日

公安委員会　殿

住所	
ふりがな	
氏名	
生年月日	
電話番号 その他の連絡先	
申請事由	□　70歳以上である。 （法第45条の２第１項第１号に該当） □　聴覚障害又は肢体不自由を理由に普通自動車対応免許に条件が付されている。 （法第45条の２第１項第２号に該当） □　妊娠中又は出産後８週間以内である。 （法第45条の２第１項第３号に該当）
免許証の番号	第　　　　号　　年　月　日 公安委員会交付
免許の種類	大型　中型　準中型　普通　大二　中二　普二
使用する普通自動車の番号標に表示されている番号	
摘要	

備考　1　申請事由欄には、該当する事由の□内にレ印を記入すること。
2　免許の種類欄は、該当する現に受けている免許の種類を表す略語を○で囲むこと。
3　用紙の大きさは、日本産業規格Ａ列４番とする。

〔本様式追加・平21内府令74、改正・平28内府令49・令元内府令12・令２内府令70、旧様式一の三の二を繰下・令４内府令67〕

別記様式第一の三の六（第六条の三の四関係）

（表）

第　　　号
年　月　日

専用場所駐車標章

登録（車両）番号	

道路交通法第45条の２第１項 第１号／第２号／第３号 に該当

（←2→、2）

公安委員会　印

標章車に限り駐車・停車することができる区間・場所に駐車・停車するときは、普通自動車の前面（前面ガラスがある場合は、その内側）の見やすい箇所に、この面に表示された事項が前方から見やすいように掲示してください。

（裏）

（注意事項）
1　この標章を他人に譲り渡し、又は貸与しないこと。
2　この標章は、表面記載の車両以外では使用しないこと。
3　次の場合は、この標章（(2)の場合は発見した標章）を速やかに返納すること。
(1)　普通自動車対応免許が取り消され、又は失効したとき。
(2)　再交付を受けた場合において、亡失した標章を発見し、又は回復したとき。
(3)　妊娠中又は出産後８週以内であることを理由に標章の交付を受けた場合において、当該交付事由に該当しなくなったとき。
4　この標章の記載事項に変更が生じたときは、遅滞なく届け出ること。

（被交付者）

住所

氏名　　　　電話番号その他の連絡先

免許証の番号　第　　　　号

備考　1　記号の色彩は銀色、文字の色彩は黒色、地の色彩は白色とする。
2　記号の部分に、表面の画像が光の反射角度に応じて変化する措置を施すものとする。
3　図示の長さの単位は、センチメートルとする。
4　用紙の大きさは、日本産業規格Ａ列５番とする。

〔本様式追加・平21内府令74、改正・令元内府令12・令２内府令70、旧様式一の三の三を繰下・令４内府令67〕

三　前二号に掲げるもののほか、普通自動車対応免許を受けた者で、妊娠その他の事由により身体の機能に制限があることからその者の運転する普通自動車が停車又は駐車をすることができる場所について特に配慮する必要があるものとして政令で定めるもの

2　公安委員会は、高齢運転者等に対し、その申請により、その者が前項の届出に係る普通自動車の運転をする高齢運転者等であることを示す高齢運転者等標章を交付するものとする。

（停車又は駐車をすることができる場所について特に配慮する必要がある者）

第一四条の五　法第四十五条の二第一項第三号の政令で定める者は、妊娠中又は出産後八週間以内の者とする。

〔本条追加・平二一政二九一〕

（高齢運転者等標章の記載事項の変更の届出）

第六条の三の五　高齢運転者等標章の交付を受けた者は、当該高齢運転者等標章の記載事項に変更が生じたときは、遅滞なく、別記様式第一の三の七の届出書に当該高齢運転者等標章及び当該変更が生じたことを証する書類を添えて、その者の住所地を管轄する公安委員会に届け出なければならない。

〔本条追加・平二一内府令七四、旧六条の三の三を繰下・令二内府令七〇、本条改正・令四内府令六七〕

別記様式第一の三の七（第六条の三の五関係）

高齢運転者等標章記載事項変更届

年　月　日

公安委員会　殿

住所	
ふりがな	
氏名	
生年月日	
電話番号その他の連絡先	
標章番号	
標章交付年月日	年　月　日　公安委員会交付
変更の内容	
変更の理由	
摘要	

備考　用紙の大きさは、日本産業規格A列4番とする。

〔本様式追加・平21内府令74、改正・令元内府令12・令２内府令70、旧様式一の三の四を繰下・令４内府令67〕

3　高齢運転者等標章の交付を受けた者は、当該高齢運転者等標章を亡失し、滅失し、汚損し、又は破損したときは、その者の住所地を管轄する公安委員会に高齢運転者等標章の再交付を申請することができる。

4　高齢運転者等標章の交付を受けた者は、普通自動車対応免許が取り消され、又は失効したとき、第一項第三号に規定する事由がなくなつたときその他内閣府令で定める事由が生じたときは、速やかに、当該高齢運転者等標章をその者の住所地を管轄する公安委員会に返納しなければならない。

5　前三項に定めるもののほか、高齢運転者等標章について必要な事項は、内閣府令で定める。

（高齢運転者等標章の再交付の申請）

第六条の三の六　法第四十五条の二第三項に規定する高齢運転者等標章の再交付の申請は、別記様式第一の三の八の再交付申請書及び当該高齢運転者等標章を提出して行うものとする。ただし、当該高齢運転者等標章を亡失し、又は滅失した場合にあつては、当該高齢運転者等標章を提出することを要しない。

〔本条追加・平二一内府令七四、旧六条の三の四を繰下・令二内府令七〇、本条改正・令四内府令六七〕

別記様式第一の三の八（第六条の三の六関係）

高齢運転者等標章再交付申請書

年　月　日

公安委員会　殿

住所	
ふりがな	
氏名	
生年月日	
電話番号その他の連絡先	
標章番号	
標章交付年月日	年　月　日　公安委員会交付
再交付申請の理由	
摘要	

備考　用紙の大きさは、日本産業規格Ａ列４番とする。

〔本様式追加・平21内府令74、改正・令元内府令12・令２内府令70、旧様式一の三の五を繰下・令４内府令67〕

（高齢運転者等標章の返納）

第六条の三の七　法第四十五条の二第四項の内閣府令で定める事由は、高齢運転者等標章の再交付を受けた後において、亡失した高齢運転者等標章を発見し、又は回復したこととする。

〔本条追加・平二一内府令七四、旧六条の三の五を繰下・令二内府令七〇〕

〔本条追加・平二一法二一、一項改正・平二七法四〇・令二法四二、付記改正・令四法三二〕

参照〔高齢運転者等標章〕届出及び申請＝道交規六の三の四①②・別記様式一の三の五、様式＝道交規六の三の四③・別記様式一の三の六、記載事項の変更の届出＝道交規六の三の五・別記様式一の三の七、再交付の申請＝道交規六の三の六・別記様式一の三の八、返納＝道交規六の三の七〔政令で定めるもの〕道交令一四の五〔停車〕二①19〔駐車〕二①18〔道路〕二①1、道二①、道運二⑦・⑧、道運車二⑥、高速二①、駐車二3、道路の種類＝道三〔公安委員会〕四①、警三八―四六の二

〔罰則　第四項については第百二十一条第一項第十号〔二万円以下の罰金又は科料〕〕

（停車又は駐車を禁止する場所の特例）

第四六条　前条第一項に規定するもののほか、車両は、第四十四条第一項又は第四十五条第一項の規定による停車及び駐車を禁止する道路の部分又は駐車を禁止する道路の部分の一部について、道路標識等により停車又は駐車をすることができることとされているときは、これらの規定にかかわらず、停車し、又は駐車することができる。

〔本条改正・昭三九法九一・昭四六法九八・平二一法二一・令二法四二〕

指示標識

種類	番号	表示する意味	色
駐車可	403	車の駐車ができること。	文字と縁は白、地は青
停車可	404	車の停車ができること。	同右

参照〔車両〕二①8〔道路〕二①1・一七④、道二①、道運二⑧、道運車二⑥、高速二①、駐車二3、道路の種類＝道三〔停車〕二①19、方法＝四七・四八〔駐車〕二①18、方法＝四七・四八、時間制限駐車区間等＝四九、違法駐車に対する措置＝五一、停車、駐車の禁止場所＝四四、駐車の禁止場所＝四五

（停車又は駐車の方法）

第四七条 車両は、人の乗降又は貨物の積卸しのため停車するときは、できる限り道路の左側端に沿い、かつ、他の交通の妨害とならないようにしなければならない。

2 車両は、駐車するときは、道路の左側端に沿い、かつ、他の交通の妨害とならないようにしなければならない。

3 車両は、車道の左側端に接して路側帯（当該路側帯における停車及び駐車を禁止することを表示する道路標示によつて区画されたもの及び政令で定めるものを除く。）が設けられている場所において、停車し、又は駐車するときは、前二項の規定にかかわらず、政令で定めるところにより、当該路側帯に入り、かつ、他の交通の妨害とならないようにしなければならない。

〔見出し・一項改正・二・三項追加・付記改正・昭四六法九八、付記改正・昭六一法六三、全改・平二法七三、改正・平一六法九〇・平一九法九〇・令四法三二〕

参照〔車両〕二①8〔停車〕二①19、違法停車に対する措置＝五〇の二〔駐車〕二①18、違法駐車に対する措置＝五一〔道路〕二①1・一七④、道二①、道運二⑦・⑧、道運車二⑥、高速二①、

（路側帯が設けられている場所における停車及び駐車）

第一四条の六 法第四十七条第三項の政令で定めるものは、歩行者の通行の用に供する路側帯で、幅員が〇・七五メートル以下のものとする。

2 車両は、路側帯に入つて停車し、又は駐車するときは、次の各号に掲げる区分に従い、それぞれ当該各号に定める方法によらなければならない。

一 歩行者の通行の用に供する路側帯に入つて停車し、又は駐車する場合　当該路側帯を区画している道路標示と平行になり、かつ、当該車両の左側に歩行者の通行の用に供するため〇・七五メートルの余地をとること。この場合において、当該路側帯に当該車両の全部が入つた場合においてもその左側に〇・七五メートルをこえる余地をとることができるときは、当該道路標示に沿うこと。

二 歩行者の通行の用に供しない路側帯に入つて停車し、又は駐車する場合　当該路側帯の左側端に沿うこと。

〔本条追加・昭四六政三四八、旧一四条の五を繰下・平二一政二九一〕

法第四七条

判例 ※ 道路交通法第四八条第一項〔現行＝第四七条第二項〕の規定は、歩道と車道の区別のある道路においては、車両は車道の左側端に沿い、かつ他の交通の妨害とならないように駐車すべきことを命じているものと解すべきである。（最　昭三九、八、一三）

※ 歩道と車道の区別のある道路においては、車両は車道の左側端に沿い、かつ交通の妨害とならないよう駐車すべきことを命じたものであつて、歩道上に駐車することを許しているものではない。（最　昭三九、八、一三）

駐車二3、道路の種類＝道三〔路側帯〕二①3の4、政令で定めるもの＝道交令一四の六①〔道路標示〕二①16〔政令で定めるところ〕道交令一四の六②

（罰則　第一項については第百十九条の三第一項第四号〔十万円以下の罰金〕　第二項及び第三項については第百十九条の二の四第一項第二号〔十五万円以下の罰金〕、第百十九条の三第一項第四号〔十万円以下の罰金〕）

反則金

放置駐車違反（駐車禁止場所等（高齢運転者等専用場所等以外））
大型　二万千円　重被牽引　二万千円
普通　一万五千円　二輪　九千円
原付　九千円

駐停車違反（駐車禁止場所等（高齢運転者等専用場所等以外））
大型　一万二千円　重被牽引一万二千円
普通　一万円　二輪　六千円
原付　六千円

点数

放置駐車違反（駐車禁止場所等）　二点
駐停車違反（駐車禁止場所等）
一　般　一点
酒気帯び（〇・二五未満）　一四点

規制標示

種類	番号	意味	色
車両通行帯境界線、車道中央線など 道路の左端 駐停車禁止路側帯	108の2	車の駐車と停車が禁止されている路側帯であること。	記号は白
車両通行帯境界線、車道中央線など 道路の左端 歩行者用路側帯	108の3	車の駐車と停車、特例特定小型原動機付自転車と軽車両の通行が禁止されている路側帯であること。	記号は白

（停車又は駐車の方法の特例）

第四八条　車両は、道路標識等により停車又は駐車の方法が指定されているときは、前条の規定にかかわらず、当該方法によつて停車し、又は駐車しなければならない。

（本条全改・昭四六法九八、付記改正・平二法七三・平一六法九〇・平一九法九〇・令四法三二）

参照　〔停車〕二①19、違法停車に対する措置＝五〇の二〔駐車〕二①18、違法駐車に対する措置＝五一

〔罰則　第百十九条の二の四第一項第一号〔十五万円以下の罰金〕、同条第三項〔十五万円以下の罰金〕、第百十九条の三第一項第一号〔十万円以下の罰金〕、同条第三項〔十万円以下の罰金〕〕

反則金

放置駐車違反（駐車禁止場所等（高齢運転者等専用場所等以外））

大型　二万千円　重被牽引　二万千円
普通　一万五千円　二輪　九千円
原付　九千円

駐停車違反（駐車禁止場所等（高齢運転者等専用場所等以外））

大型　一万二千円　重被牽引　一万二千円
普通　一万円　二輪　六千円
原付　六千円

点数

放置駐車違反（駐車禁止場所等）　二点
駐停車違反（駐車禁止場所等）
一般　一点
酒気帯び（〇・二五未満）　一四点

規制標識

種類	番号	表示する意味	色
平行駐車	327の11	車両が駐車することができる道路の部分を指定し、かつ、車両が道路の側端に対し平行に駐車すべきことを指定	文字と縁は白、地は青
直角駐車	327の12	車両が駐車することができる道路の部分を指定し、かつ、車両が道路の側端に対し直角に駐車すべきことを指定	同　右
斜め駐車	327の13	車両が駐車することができる道路の部分を指定し、かつ、車両が道路の側端に対し斜めに駐車すべきことを指定	同　右

規制標示

種類	番号	意味	色
平行駐車（一台の車両／二台以上の車両）	112	車が駐車するとき、区画された部分に入り、道路の端に平行に止めなければならない場所、かつ、時間制限駐車区間において、車が駐車することができる道路の部分の指定	記号は白

（時間制限駐車区間）

第四九条　公安委員会は、時間を限つて同一の車両が引き続き駐車することができる道路の区間であることが道路標識等により指定されている道路の区間（以下「時間制限駐車区間」という。）について、当該時間制限駐車区間における駐車の適正を確保するため、パーキング・メーター（内閣府令で定める機能を有するものに限る。以下同じ。）又はパーキング・チケット（内閣府令で定める様式の標章であつて、発給を受けた時刻その他内閣府令で定める事項

規制標識

種類	直角駐車	斜め駐車	時間制限駐車区間
番号	113	114	318
表示する意味	車が駐車するとき、区画された部分に入り、道路の端に対し直角に止めなければならない場所、かつ、時間制限駐車区間において、車が駐車することができる道路の部分の指定	車が駐車するとき、区画された部分に入り、道路の端に対し斜めに止めなければならない場所、かつ、時間制限駐車区間において、車が駐車することができる道路の部分の指定	時間を限つて同一の車が引き続き駐車することができる道路の区間である指定、かつ、車が引き続き駐車することができる時間の表示
色	記号は白	記号は白	文字と縁は白、地は青

（パーキング・メーターの機能）

第六条の四　法第四十九条第一項のパーキング・メーターに係る内閣府令で定める機能は、次に掲げるとおりとする。

一　車両を感知した時から当該車両が引き続き駐車している時間を自動的に測定すること。

二　前号に規定する時間又は当該車両が駐車を終了すべき時刻を表示すること。

三　車両が法第四十九条の三第二項又は同条第四項の規定に違反して駐車しているときは、その旨を警報すること。

〔本条追加・昭四六総府令五三、全改・昭六一総府令五〇、改正・平一二総府令八九・平一九内府令六六・平二一内府令七四・平二三内府令七〇〕

を表示するものをいう。以下同じ。）を発給するための設備で内閣府令で定める機能を有するもの（以下「パーキング・チケット発給設備」という。）を設置し、及び管理するものとする。

（パーキング・チケットの様式等）

第六条の五　法第四十九条第一項の内閣府令で定める事項は、次に掲げるとおりとする。

一　パーキング・チケットの発給を受けた年月日

二　駐車を終了すべき時刻

2　法第四十九条第一項の内閣府令で定める様式は、別記様式第一の四のとおりとする。

〔本条追加・昭六一総府令五〇、一・二項改正・平一二総府令八九・平一九内府令六六〕

別記様式第一の四（第六条の五関係）

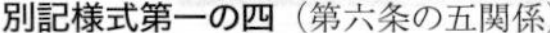

パーキング・チケット

発給年月日・時　刻

19.09.01　15:34

終了時刻

16:34

公安委員会

備考　1　発給年月日・時刻及び終了時刻は、図示の例により、表示すること。

2　用紙の大きさは、縦8.5センチメートル以上、横5.75センチメートル以上とする。

〔本様式追加・昭61総府令50、全改・平19内府令66〕

（パーキング・チケット発給設備の機能）

第六条の六　法第四十九条第一項のパーキング・チケット発給設備に係る内閣府令で定める機能は、パーキング・チケットにパーキング・チケットの発給を受けた時刻及び前条第一項各号に掲げる事項を自動的に印字し、直ちにこれを発給する機能とする。

〔本条追加・昭六一総府令五〇、改正・平一二総府令八九・平一九内府令六六・平二三内府令七〇〕

2　前項に定めるもののほか、公安委員会は、時間制限駐車区間において駐車しようとする車両の運転者に対する情報の提供、時間制限駐車区間において駐車する車両の整理その他時間制限駐車区間における駐車の適正を確保するために必要な措置を講じなければならない。

（時間制限駐車区間における駐車の適正を確保するための措置）

第六条の七　法第四十九条第二項に規定する措置は、時間制限駐車区間が在ることを表示板を用いて示す場合にあつては、別記様式第一の五の表示板を設けて行うものとする。

2　公安委員会は、法第四十九条第一項のパーキング・チケット発給設備を設置するときは、当該パーキング・チケット発給設備に近接した場所に、当該パーキング・チケット発給設備を設置する時間制限駐車区間において駐車しようとする車両がその前方から見やすいように、別記様式第一の六の表示板を設けるものとする。

〔本条追加・昭六一総府令五〇、一・二項改正・平一九内府令六六〕

別記様式第一の五（第六条の七関係）

1　矢印の方向にパーキング・メーターを設置する時間制限駐車区間が在ることを示す表示板

又は

2　矢印の方向にパーキング・チケット発給設備を設置する時間制限駐車区間が在ることを示す表示板

又は

備考　1　図示の「60」、「日曜・休日を除く」及び「8—20」並びに矢印は、例示とする。

2　円形の記号の部分については、文字（数字を含む。以下別記様式第一の六までにおいて同じ。）及び縁の色彩は白色、地の色彩は青色とし、その他の部分については、文字、矢印及び縁の色彩は青色、地の色彩は白色とする。

3　表示板には、反射材料を用い、又は夜間照明装置を備えるものとする。

4　図示の長さの単位は、センチメートルとする。

5　道路及び交通の状況により必要がある場合にあつては、図示の寸法の2倍まで拡大し、又は図示の寸法の2分の1まで縮小することができる。

〔本様式追加・昭61総府令50、改正・平19内府令66〕

3　公安委員会は、第一項のパーキング・メーター及びパーキング・チケット発給設備の管理に関する事務並びに前項に規定する措置に関する事務の全部又は一部を内閣府令で定める者に委託することができる。

〔本条全改・昭四六法九八・昭六一法六三、一・二・四項改正・平一一法一六〇、一項改正・二項削除・旧三・四項を改正し二・三項に繰上・平一九法九〇〕

参照　〔公安委員会〕四①、警三八―四六の二〔車両〕二①8〔駐車〕二①18〔パーキング・メーター〕道交規六の四〔パーキング・チケット〕道交規六の五・六の六・別記様式一の四〔時間制限駐車区間における駐車の適正を確保するための措置〕道交規六の七・別記様式一の五・一の六〔内閣府令で定める者〕道

別記様式第一の六（第六条の七関係）

又は

60分
P
8-20
パーキング・チケット

備考　1　図示の「60」及び「8—20」は、例示とする。
2　長方形の記号の部分については、文字の色彩は白色、地の色彩は青色とし、その他の部分については、文字及び縁の色彩は青色、地の色彩は白色とする。
3　表示板には、反射材料を用い、又は夜間照明装置を備えるものとする。
4　図示の長さの単位は、センチメートルとする。
5　道路及び交通の状況により必要がある場合にあつては、図示の寸法の2倍まで拡大し、又は図示の寸法の2分の1まで縮小することができる。

〔本様式追加・昭61総府令50、改正・平19内府令66〕

（パーキング・メーターの管理等の委託）

第六条の八　法第四十九条第三項の内閣府令で定める者は、同条第一項のパーキング・メーター若しくはパーキング・チケット発給設備の管理に関する事務又は同条第二項に規定する措置に関する事務を行うのに必要かつ適切な組織及び能力を有すると公安委員会が認める法人とする。

〔本条追加・昭六一総府令五〇、改正・平一二総府令八九・平一九内府令一二・内府令六六〕

（高齢運転者等専用時間制限駐車区間）

第四九条の二　公安委員会は、時間制限駐車区間を、時間を限つて同一の高齢運転者等標章自動車に限り引き続き駐車することができる道路の区間として指定することができる。この場合において、公安委員会は、前条第一項の道路標識等にその旨を表示するものとする。

〔本条追加・平二一法二一〕

参照　〔公安委員会〕四①、警三八―四六の二〔高齢運転者等標章自動車〕四五の二〔駐車〕二①18〔道路〕二①1、道二①、道運二⑦・⑧、道運車二⑥、高速二①、駐車二3、道路の種類＝道三

（時間制限駐車区間における駐車の方法等）

第四九条の三　時間制限駐車区間における車両の駐車（第四十四条第二項各号に掲げる場合における当該乗合自動車若しくはトロリーバス又は当該旅客の運送の用に供する自動車の駐車を除く。次条において同じ。）については、第四十四条から第四十八条までの規定にかかわらず、この条から第四十九条の五までに定めるところによる。

2　車両（前条の規定により指定された道路の区間（次条において「高齢運転者等専用時間制限駐車区間」という。）にあつては、高齢運転者等標章自動車に限

る。以下この条、第四十九条の六及び第百十九条の三第一項第二号において同じ。）は、時間制限駐車区間においては、当該駐車につき第四十九条第一項のパーキング・メーターが車両を感知した時又は同項のパーキング・チケット発給設備によりパーキング・チケットの発給を受けた時から、それぞれ道路標識等により表示されている時間を超えて引き続き駐車してはならない。

3　車両は、時間制限駐車区間においては、駐車につき道路標識等により指定されている道路の部分及び方法でなければ、駐車してはならない。

4　車両の運転者は、時間制限駐車区間において車両を駐車したときは、政令で定めるところにより、第四十九条第一項のパーキング・メーターを直ちに作動させ、又は同項のパーキング・チケット発給設備によりパーキング・チケットの発給を直ちに受けて、これを当該車両が駐車している間（当該パーキング・チケットの発給を受けた時から道路標識等により表示されている時間を経過する時までの間に限る。）、当該車両の前面の見やすい箇所に掲示しなければならない。

〔本条追加・昭六一法六三、付記改正・平二法七三・平一六法九〇、二・四項・付記改正・平一九法九〇、一・二・四項・付記改正・五項削除・旧四九条の二を繰下・平二一法二一、一項改正・令二法四二、一項・付記改正・令四法三二〕

参照　〔車両〕二①8〔パーキング・メーター〕道交規六の四〔パーキング・チケット〕道交規六の五・六の六〔駐車〕二①18、違法駐車に対する措置＝五一〔政令で定めるところ〕道交令一四の七

（パーキング・メーターの作動等の方法）

第一四条の七　法第四十九条の三第四項の規定により車両の運転者がパーキング・メーターを作動させるときは、当該パーキング・メーターに表示されている方法によりこれを作動させなければならない。

2　法第四十九条の三第四項の規定により車両の運転者がパーキング・チケット発給設備によりパーキング・チケットの発給を受けてこれを掲示するときは、当該パーキング・チケット発給設備に表示されている方法によりパーキング・チケットの発給を受けて、これを、次の各号に掲げる区分に従い、それぞれ当該各号に定めるところにより掲示しなければならない。

一　前面ガラスのある車両　前面ガラスの内側にパーキング・チケットの表面に表示された事項が前方から見やすいように掲示すること。

二　前面ガラスのない車両　前方から見やすいように掲示すること。

〔本条追加・昭四六政三四八、全改・昭六一政三二九、一・二項改正・旧一四条の六を繰下・平二一政二九一〕

（罰則　第二項については第百十九条の三第一項第一号（十万円以下の罰金）、同条第三項（十万円以下の罰金）　第三項については第百十九条の二の四第一項第一号（十五万円以下の罰金）、同条第三項（十五万円以下の罰金）、第百十九条の三第一項第一号（十万円以下の罰金）、同条第三項（十万円以下の罰金）　第四項については第百十九条の三第一項第三号（十万円以下の罰金）、同条第三項（十万円以下の罰金））

反則金

放置駐車違反（駐停車禁止場所等（高齢運転者等専用場所等以外））
大型　二万五千円　重被牽引二万五千円
普通　一万八千円　二輪　一万円
原付　一万円

放置駐車違反（駐車禁止場所等（高齢運転者等専用場所等以外））
大型　二万千円　重被牽引　二万千円
普通　一万五千円　二輪　九千円
原付　九千円

駐停車違反（駐停車禁止場所等（高齢運転者等専用場所等以外））
大型　一万五千円　普通　一万二千円
二輪　七千円　原付　七千円

駐停車違反（駐車禁止場所等（高齢運転者等専用場所等以外））
大型　一万二千円　重被牽引一万二千円
普通　一万円　二輪　六千円
原付　六千円

点数

放置駐車違反（駐停車禁止場所等）　三点
放置駐車違反（駐車禁止場所等）　二点
駐停車違反（駐停車禁止場所等）
一　般　二点
酒気帯び（〇・二五未満）　一四点

駐停車違反（駐車禁止場所等）
一般　一点
酒気帯び（〇・二五未満）　一四点

（高齢運転者等専用時間制限駐車区間における駐車の禁止）

第四九条の四　高齢運転者等専用時間制限駐車区間においては、高齢運転者等標章自動車以外の車両は、駐車をしてはならない。

〔本条追加・平二二法二一、付記改正・令四法三二〕

参照　〔高齢運転者等標章自動車〕四五の二〔車両〕二①8〔駐車〕二①18

（罰則　第百十九条の二の四第一項第一号〔十五万円以下の罰金〕、同条第三項〔十五万円以下の罰金〕、第百十九条の三第一項第一号〔十万円以下の罰金〕、同条第三項〔十万円以下の罰金〕）

反則金

放置駐車違反（駐停車禁止場所等（高齢運転者等専用場所等））
大型　二万七千円　重被牽引二万七千円
普通　二万円　二輪　一万二千円
原付　一万二千円

放置駐車違反（駐停車禁止場所等（高齢運転者等専用場所等以外））
大型　二万五千円　重被牽引二万五千円
普通　一万八千円　二輪　一万円
原付　一万円

放置駐車違反（駐車禁止場所等（高齢運転者等専用場所等））
大型　二万三千円　重被牽引二万三千円
普通　一万七千円　二輪　一万千円
原付　一万千円
放置駐車違反（駐車禁止場所等（高齢運転者等専用場所等以外））
大型　二万千円　重被牽引　二万千円
普通　一万五千円　二輪　九千円
原付　九千円
駐停車違反（駐停車禁止場所等（高齢運転者等専用場所等））
大型　一万七千円　普通　一万四千円
二輪　九千円　原付　九千円
駐停車違反（駐停車禁止場所等（高齢運転者等専用場所等以外））
大型　一万五千円　普通　一万二千円
二輪　七千円　原付　七千円
駐車違反（駐車禁止場所等（高齢運転者等専用場所等））
大型　一万四千円　普通　一万二千円
二輪　八千円　原付　八千円
駐車違反（駐車禁止場所等（高齢運転者等専用場所等以外））
大型　一万二千円　重被牽引一万二千円
普通　一万円　二輪　六千円
原付　六千円

点数

放置駐車違反（駐停車禁止場所等）　三点
放置駐車違反（駐車禁止場所等）　二点
駐停車違反（駐停車禁止場所等）
一　般　二点
酒気帯び（〇・二五未満）　一四点
駐停車違反（駐車禁止場所等）
一　般　一点
酒気帯び（〇・二五未満）　一四点

（時間制限駐車区間における駐車の特例）

第四九条の五　警察署長が公安委員会の定めるところにより時間制限駐車区間における車両の駐車につき駐車することができる場所及び駐車の方法並びに駐車を開始することができる時刻及び駐車を終了すべき時刻を指定して許可をした場合において、当該許可に係る車両が、指定された場所及び方法で、指定された駐車を開始することができる時刻から駐車を終了すべき時刻までの間において駐車を開始したときは、当該車両及びその運転者については、前二条（第四十九条の三第一項を除く。）の規定は、適用しない。この場合において、当該車両は、当該指定された駐車を終了すべき時刻を過ぎて引き続き駐車してはならない。

〔本条追加・平二一法二一、付記改正・令四法三二〕

参照〔警察署長〕警五三②・③〔公安委員会〕四①、警三八―四六の二〔車両〕二①8〔駐車〕二①18

（罰則　後段については第百十九条の三第一項第一号〔十万円以下の罰金〕、同条第三項〔十万円以下の罰金〕）

反則金

駐停車違反（駐車禁止場所等（高齢運転者等専用場所等以外））

大型　一万二千円　重被牽引一万二千円

普通　一万円　二輪　六千円

原付　六千円

点数

駐停車違反（駐車禁止場所等）

一　般　一点

酒気帯び（〇・二五未満）　一四点

（時間制限駐車区間における停車の特例）

第四九条の六　車両は、第四十九条の三第三項の道路標識等により車両が駐車することができる道路の部分として指定されている時間制限駐車区間の第四十四条第一項各号に掲げる道路の部分においては、同項の規定にかかわらず、停車することができる。

〔本条追加・昭六一法六三、旧四九条の三を改正し繰下・平一二法二二、本条改正・令二法四二〕

参照〔車両〕二①8〔駐車〕二①18〔停車〕二①19

（時間制限駐車区間の路上駐車場に関する特例）

第四九条の七　時間制限駐車区間に駐車場法（昭和三十二年法律第百六号）第五条第一項の規定により同法第二条第一号に規定する路上駐車場（以下この条及び第百十条の二において「路上駐車場」という。）が設置されている場合における当該路上駐車場に係る道路の部分については、第四十九条の規定は適用しない。

2　時間制限駐車区間に設置されている路上駐車場に係る道路の部分のうち、駐車場法第六条第一項に規定する路上駐車場管理者によりパーキング・メーター又はパーキング・チケット発給設備が設置されているものについては、当該パーキング・メーター又はパーキング・チケット発給設備を第四十九条第一項のパーキング・メーター又はパーキング・チケット発給設備とみなして、第四十九条の三の規定を適用する。

駐車場法

（用語の定義）

第二条　この法律において次の各号に掲げる用語の意義は、それぞれ当該各号に定めるところによる。

一　路上駐車場　駐車場整備地区内の道路の路面に一定の区画を限つて設置される自動車の駐車のための施設であつて一般公共の用に供されるものをいう。

二〜五　〔略〕

（路上駐車場の設置）

第五条　第四条第一項の規定により駐車場整備計画（同条第二項第四号に掲げる事項が定められているものに限る。）が定められた場合においては、地方公共団体は、その駐車場整備計画に基づいて路上駐車場を設置するものとする。

2　〔略〕

（路上駐車場の駐車料金及び割増金）

第六条　前条第一項の規定により路上駐車場を設置する地方公共団体（以下「路上駐車場管理者」という。）は、条例で定めるところにより、同項の規定により設置した路上駐車場に自動車を駐車させる者から、駐車料金を徴収することができる。ただし、道路交通法第三十九条第一項に規定する緊急自動車その他政令で定める自動車が駐車する場合においては、この限りでない。

2〜4　〔略〕

3　時間制限駐車区間に設置されている路上駐車場に係る道路の部分のうち、パーキング・メーター又はパーキング・チケット発給設備が設置されていないものについては、第四十九条の三から第四十九条の五までの規定は適用しない。

〔本条追加・昭六一法六三、一・二項改正・平三法六〇、二項改正・平一九法九〇、二・三項改正・旧四九条の四を繰下・平二一法二一〕

参照〔パーキング・メーター〕道交規六の四〔パーキング・チケット〕道交規六の五・六の六・別記様式一の四〔時間制限駐車区間における駐車の方法等〕四九の三

（交差点等への進入禁止）

第五〇条　交通整理の行なわれている交差点に入ろうとする車両等は、その進行しようとする進路の前方の車両等の状況により、交差点（交差点内に道路標識等による停止線が設けられているときは、その停止線をこえた部分。以下この項において同じ。）に入つた場合においては当該交差点内で停止することとなり、よつて交差道路における車両等の通行の妨害となるおそれがあるときは、当該交差点に入つてはならない。

2　車両等は、その進行しようとする進路の前方の車両等の状況により、横断歩道、自転車横断帯、踏切又は道路標示によつて区画された部分に入つた場合においてはその部分で停止することとなるおそれがあるときは、これらの部分に入つてはならない。

規制標示

種類	停止禁止部分
番号	107
意味	交通が混雑していて、そのまま進行するとこの標示の部分で停止してしまうおそれのある場合に、車と路面電車が入ってはならない部分
色	記号は白

〔一項改正・昭三九法九一、本条全改・昭四六法九八、二項改正・昭五三法五三、付記改正・令四法三二〕

（罰則　第百二十条第一項第五号〔五万円以下の罰金〕、同条第三項〔五万円以下の罰金〕）

反則金

交差点等進入禁止違反

大型	七千円	普通	六千円
二輪	六千円	原付	五千円

点数

交差点等進入禁止違反

一般	一点
酒気帯び（〇・二五未満）	一四点

第九節の二　違法停車及び違法駐車に対する措置

〔節名追加・平一六法九〇〕

（違法停車に対する措置）

第五〇条の二　車両（トロリーバスを除く。以下この条、次条及び第五十一条の四において同じ。）が第四十四条第一項、第四十七条第一項若しくは第三項又は第四十八条の規定に違反して停車していると認められるときは、警察官等は、当該車両の運転者に対し、当該車両の停車の方法を変更し、又は当該車両を当該停車が禁止されている場所から移動すべきことを命ずることができる。

〔本条追加・平二法七三、改正・平五法四三・令二法四二、付記改正・令四法三二〕

参照〔車両〕二①8〔トロリーバス〕二①12〔停車〕二①19〔警察官等〕六①、警察官＝警三四・五五・六二・六三、交通巡視員＝一一四の四、道交令四四の二〔停車の方法〕四七・四八〔停車の禁止場所〕四四・四六

〔罰則　第百十九条第一項第七号〔三月以下の懲役又は五万円以下の罰金〕〕

（違法駐車に対する措置）

第五一条　車両が第四十四条第一項、第四十五条第一項若しくは第二項、第四十七条第二項若しくは第三

法第五一条

判例　※　昭和五八年六月九日午後二時頃、千葉市内市道において、原告の普通乗用車を駐車違反（左側端に沿わない駐車）として移

項、第四十八条、第四十九条の三第二項若しくは第三項、第四十九条の四若しくは第四十九条の五後段の規定に違反して駐車していると認められるとき、又は第四十九条第一項のパーキング・チケット発給設備を設置する時間制限駐車区間において駐車している場合において当該車両に当該パーキング・チケット発給設備により発給を受けたパーキング・チケットが掲示されておらず、かつ、第四十九条の三第四項の規定に違反していると認められるとき（第五十一条の四第一項及び第七十五条の二十二第三項において「違法駐車と認められる場合」と総称する。）は、警察官等は、当該車両の運転者その他当該車両の管理について責任がある者（以下この条において「運転者等」という。）に対し、当該車両の駐車の方法を変更し、若しくは当該車両を当該駐車が禁止されている場所から移動すべきこと又は当該車両を当該時間制限駐車区間の当該車両が駐車している場所から移動すべきことを命ずることができる。

2　車両の故障その他の理由により当該車両の運転者等が直ちに前項の規定による命令に従うことが困難であると認められるときは、警察官等は、道路における危険を防止し、その他交通の安全と円滑を図るため必要な限度において、当該車両の駐車の方法を変更し、又は当該車両を移動することができる。

3　第一項の場合において、現場に当該車両の運転者等がいないために、当該運転者等に対して同項の規定による命令をすることができないときは、警察官等は、道路における交通の危険を防止し、又は交通

動措置をとり、原告に対し、移動料金と保管料金（合計八、二〇〇円）の支払い通知をしたところ、原告は駐車違反については認めたが、「車両を移動すべき緊急性必要性がなく、加えて署長自ら行わない違法がある。」として、車両移動保管料金支払い通知処分の取消しを求めたもの。

一　道交法五一条一項（現行三項）は、三項（現行六項）と対比すれば、駐車現場に運転者等がいる場合の規定であることは明らかであり、取締り員の「広報を行つた。」旨の証言から、駐車違反取締りの運用は相当である。

二　道交法五一条三項（現行六項）は、一項（現行三項）と対比すると、具体的な危険または障害の発生までは要件とされていないと解され、一般車両の通行を阻害する状況がある以上、交通の円滑を害する場合にあたるから原告の主張は失当である。また、四七条二項違反の場合にも、駐車方法の変更のみならず車両の移動措置をなしうることは明らかであり、本件車両について適法に駐車方法の変更がなしえなかつたのであるから原告の主張は失当である。

三　道交法五一条五項（現行八項）にいう移動可能な場所とは、法の目的・各規定からみて、物理的に移動可能な空間があるというだけではなく、法的にも駐車可能な場所であることを要すると解すべきであり、本件車両の駐車場所から五〇メートルをこえない地域内には移動可能な場所はなかつたと認められ、原告の主張は失当である。

四　交通二課長は、署長から内部通達に基づいて交通取扱責任者に指定され、署長の命令によつて署長の権限を補助行使したものであり、法律上権限を与えられた行政機関がその名において、指揮命令下にある職員に権限の補助行使させることは、行政機関の当然の機能として認められ、特に法律上の根拠は要しないと解される。本件移動措置は、外部的には署長のなした行為というべきであるから道交法五一条五項（現行八項）に反するものではない。（千葉地　昭六一、三、二八）

※　違法駐車の車両の移動費用に関する警察署長の納付命令は、移動措置とは行政目的も権限の所在も異なる制度であるため、移動

の円滑を図るため必要な限度において、当該車両の駐車の方法の変更その他必要な措置をとり、又は当該車両が駐車している場所からの距離が五十メートルを超えない道路上の場所に当該車両を移動することができる。

4　前項の規定により車両の移動をしようとする場合において、当該車両が駐車している場所からの距離が五十メートルを超えない範囲の地域内の道路上に当該車両を移動する場所がないときは、警察官等は、当該車両が駐車している場所を管轄する警察署長にその旨を報告しなければならない。

5　前項の報告を受けた警察署長は、駐車場、空地、第三項に規定する場所以外の道路上の場所その他の場所に当該車両を移動することができる。

6　警察署長は、前項の規定により車両を移動したときは、当該車両を保管しなければならない。この場合において、警察署長は、車両の保管の場所の形状、管理の態様等に応じ、当該車両に係る盗難等の事故の発生を防止するため、警察署長が当該車両を保管している旨の表示、車輪止め装置の取付けその他の必要な措置を講じなければならない。

（車両を返還する場合の手続）

第一四条の八　警察署長は、法第五十一条第六項の規定により保管した車両を当該車両の使用者又は所有者に返還するときは、返還を受ける者にその氏名及び住所を証するに足りる書類を提示させる等の方法によつてその者が当該車両の返還を受けるべき使用者又は所有者であることを証明させ、かつ、内閣府令で定める様式による受領書と引換えに返還するものとする。

〔本条追加・平一一政三一、改正・平一一政三〇三、全改・平一六政二五七、改正・平一六政三九〇、旧一四条の七を繰下・平二一政二九一〕

に違法事由があるのみの場合は、違法とされることはあっても無効となることはない。（東京地　平四、六、一三）

※　道路交通法に基づく指定車両移動保管機関の車両移動保管事務の負担金の納入通知に関して、国民の権利義務に直接影響を及ぼさない行為であることを理由に処分性が否定された。（東京地　平八、三、二七）

※　違法駐車車両排除費納付命令を受けたことと、その命令が違法であることを主張し、それぞれの処分取消しを求めた事案において、指定機関が行った納入通知は、道路交通法五一条の三（現行五一条の四）第六項に基づく、違法駐車車両等の運転者等または使用者が納付義務を負っている負担金の支払を催促する事実上の行為のため処分性がなく、通知に処分性がない以上、本件命令の審査請求に対しての棄却裁決も処分性がないとされ、訴えを不適法却下とした。（大阪地　平二〇、三、一八）

（受領書の様式）

第七条　令第十四条の八（令第十七条（令第二十七条の五において準用する場合を含む。次条並びに第七条の三第一項及び第二項において同じ。）、第二十六条の四の三（令第二十七条の七において読み替えて準用する場合を含む。次条並びに第七条の三第一項及び第二項において同じ。）及び第二十七条の五において準用する場合を含む。）の内閣府令で定める様式は、保管した車両の返還に係る受領書にあつては別記様式第二のとおりとし、保管した積載物の返還に係る受領書にあつては別記様式第二の二のとおりとし、保管した損壊物等の返還に係る受領書にあつては、損壊物等が、車両であるときは別記様式第二の三、車両の積載物であるときは別記様式第二の四、その他の損壊物等であるときは別記様式第二の五のとおりとする。

〔本条追加・平一一総府令二九、改正・平一二総府令八九・平一六内府令七四・平二一内府令七四・令四内府令六七〕

別記様式第二（第七条関係）

受　領　書

年　月　日

警察署長殿

返還を受けた者
住　所
氏　名

下記のとおり車両（現金）の返還を受けました。

返還を受けた日時		
返還を受けた場所		
返還を受けた車両	整理番号	
	車名	
	型式	
	塗色	
	番号標に表示されている番号	
（返還を受けた金額）		

〔本様式追加・平12総府令29、改正・令2内府令85〕

別記様式第二の二（第七条関係）

受　領　書

年　月　日

警察署長殿

返還を受けた者
住　所
氏　名

下記のとおり積載物（現金）の返還を受けました。

返還を受けた日時		
返還を受けた場所		
返還を受けた積載物	整理番号	
	名称又は種類	
	形状	
	数量	
（返還を受けた金額）		

〔本様式追加・平12総府令29、改正・令2内府令85〕

別記様式第二の三（第七条関係）

受　領　書

年　月　日

警察署長殿

返還を受けた者
住　所
氏　名

下記のとおり損壊物等（現金）の返還を受けました。

返還を受けた日時		
返還を受けた場所		
返還を受けた損壊物等（車両）	整理番号	
	車名	
	型式	
	塗色	
	番号標に表示されている番号	
（返還を受けた金額）		

〔本様式追加・平12総府令29、改正・令２内府令85〕

別記様式第二の四（第七条関係）

受　領　書

年　月　日

警察署長殿

返還を受けた者
住　所
氏　名

下記のとおり損壊物等（現金）の返還を受けました。

返還を受けた日時		
返還を受けた場所		
返還を受けた損壊物等（車両の積載物）	整理番号	
	名称又は種類	
	形状	
	数量	
（返還を受けた金額）		

〔本様式追加・平12総府令29、改正・令２内府令85〕

別記様式第二の五（第七条関係）

受　領　書

年　月　日

警察署長殿

返還を受けた者
住　所
氏　名

下記のとおり損壊物等（現金）の返還を受けました。

返還を受けた日時		
返還を受けた場所		
返還を受けた損壊物等（その他の損壊物等）	整理番号	
	名称又は種類	
	形状	
	数量	
（返還を受けた金額）		

〔本様式追加・平12総府令29、改正・令２内府令85〕

7　警察署長は、前項の規定により車両を保管したときは、当該車両の使用者に対し、保管を始めた日時及び保管の場所並びに当該車両を速やかに引き取るべき旨を告知しなければならない。

8　警察署長は、前項の場合において、当該車両の使用者の氏名及び住所を知ることができないとき、その他当該使用者に当該車両を返還することが困難であると認められるときは、当該車両の所有者に対し、同項に規定する旨を告知しなければならない。

9　警察署長は、前項の場合において、当該車両の所有者の氏名及び住所を知ることができないときは、政令で定めるところにより、当該車両の保管の場所その他の政令で定める事項を公示しなければならない。

（車両を保管した場合の公示事項）

第一五条　法第五十一条第九項の政令で定める事項は、次に掲げるとおりとする。

一　保管した車両の車名、型式、塗色及び番号標に表示されている番号

二　保管した車両が駐車していた場所及びその車両を移動した日時

三　その車両の保管を始めた日時及び保管の場所

四　前各号に掲げるもののほか、保管した車両を返還するため必要と認められる事項

〔本条改正・昭四五政二二七・昭六一政三二九・平二政三〇三・平一六政二五七・政三九〇〕

（車両を保管した場合の公示の方法）

第一六条　法第五十一条第九項の規定による公示は、次に掲げる方法により行わなければならない。

一　前条各号に掲げる事項を、保管を始めた日から起算して五日を経過した日から十四日間、当該警察署の掲示板に掲示すること。

二　内閣府令で定める様式による保管車両一覧簿を当該警察署に備え付け、かつ、これをいつでも関係者に自由に閲覧させること。

〔一項改正・昭四五政二二七・昭六〇政二一九・昭六一政三二九・平二政三〇三、一項改正・二項削除・平一一政三二一、本条改正・平一二政三〇三・平一六政二五七・政三九〇・平二〇政一四九〕

（保管車両一覧簿等の様式）

第七条の二　令第十六条第二号（令第十七条、第二十六条の四の三及び第二十七条の五において準用する場合を含む。）の内閣府令で定める様式は、保管車両一覧簿にあつては別記様式第三の二のとおりとし、保管積載物一覧簿にあつては別記様式第三の二のとおりとし、保管損壊物等一覧簿にあつては、損壊物等が、車両であるときは別記様式第三の三、車両の積載物であるときは別記様式第三の四、その他の損壊物等であるときは別記様式第三の五のとおりとする。

〔一項改正・二項削除・昭六〇総府令三五、本条改正・平一二総

別記様式第三（第七条の二関係）

保管車両一覧簿									
整理番号	保管した車両				保管した車両が駐車していた場所	移動を始めた年月日時	保管を始めた年月日時	保管の場所	備考
	車名	型式	塗色	番号標に表示されている番号					

備考　用紙の大きさは、日本産業規格A列4番とする。

〔本様式改正・昭50総府令10・平6総府令9、旧様式2を改正し繰下・平12総府令29、本様式改正・令元内府令12〕

別記様式第三の二（第七条の二関係）

保管積載物一覧簿										
整理番号	保管した積載物			積載物が積載されていた車両				積載物の保管を始めた年月日時	積載物の保管の場所	備考
	名称又は種類	形状	数量	車名	型式	塗色	番号標に表示されている番号			

備考　用紙の大きさは、日本産業規格A列4番とする。

〔本様式追加・昭60総府令35、改正・平6総府令9、旧様式2の2を改正し繰下・平12総府令29、本様式改正・令元内府令12〕

別記様式第三の三（第七条の二関係）

保管損壊物等一覧簿（車両）									
整理番号	保管した損壊物等				交通事故が発生したと認められる場所	交通事故が発生したと認められる年月日時	保管を始めた年月日時	保管の場所	備考
	車名	型式	塗色	番号標に表示されている番号					

備考　1　交通事故が発生したと認められる年月日時の欄は、その年月日時が明らかでないときは、「不明」と記載すること。
　　　2　用紙の大きさは、日本産業規格A列4番とする。

〔本様式追加・平2総府令51、改正・平6総府令9、旧様式2の3を改正し繰下・平12総府令29、本様式改正・令元内府令12〕

府令五一、旧七条を改正し繰下・平一二総府令二九、本条改正・平一二総府令八九・平二〇内府令三三・平二一内府令七四〕

10　警察署長は、前項の規定による公示をしたときは、内閣府令で定めるところにより、当該公示の日付及び内容をインターネットの利用その他の方法により公表するものとする。

11　第七項から前項までに定めるもののほか、第六項の規定により保管した車両の返還に関し必要な事項は、政令で定める。

別記様式第三の四（第七条の二関係）

保　管　損　壊　物　等　一　覧　簿　（車両の積載物）

整理番号	保管した損壊物等			損壊物等が積載されていた車両				交通事故が発生したと認められる場所	交通事故が発生したと認められる年月日時	保管を始めた年月日時	保管の場所	備考
	名称又は種類	形状	数量	車名	型式	塗色	番号標に表示されている番号					

備考　1　交通事故が発生したと認められる年月日時の欄は、その年月日時が明らかでないときは、「不明」と記載すること。
　　　2　用紙の大きさは、日本産業規格Ａ列４番とする。

〔本様式追加・平２総府令51、改正・平６総府令９、旧様式２の４を改正し繰下・平12総府令29、本様式改正・令元内府令12〕

別記様式第三の五（第七条の二関係）

保　管　損　壊　物　等　一　覧　簿　（その他の損壊物等）

整理番号	保管した損壊物等			交通事故が発生したと認められる場所	交通事故が発生したと認められる年月日時	保管を始めた年月日時	保管の場所	備考
	名称又は種類	形状	数量					

備考　1　交通事故が発生したと認められる年月日時の欄は、その年月日時が明らかでないときは、「不明」と記載すること。
　　　2　用紙の大きさは、日本産業規格Ａ列４番とする。

〔本様式追加・平２総府令51、改正・平６総府令９、旧様式２の５を改正し繰下・平12総府令29、本様式改正・令元内府令12〕

（警察署長による公表）

第七条の二の二　法第五十一条第十項（同条第二十二項並びに法第七十二条の二第三項（法第七十五条の二十三第六項において準用する場合を含む。）及び第七十五条の八第二項において準用する場合を含む。）の規定による公表は、法第五十一条第六項（法第七十五条の八第二項において準用する場合を含む。）の規定により保管した車両の使用者若しくは所有者、法第五十一条第二十二項において準用する同条第六項の規定により保管した積載物の所有者、占有者その他当該積載物について権原を有する者若しくは法第七十二条の二第二項後段（法第七十五条の二十三第六項において準用する場合を含む。）の規定により保管した損壊物等の所有者、占有者その他当該損壊物等について権原を有する者が判明するまでの間又は法第五十一条第九項の規定による公示の日から起算して三月を経過する日までの間、

12　警察署長は、第六項の規定により保管した車両につき、第八項の規定による告知の日又は第九項の規定による公示の日から起算して一月を経過してもなお当該車両を返還することができない場合において、政令で定めるところにより評価した当該車両の価額に比し、その保管に不相当な費用を要するときは、政令で定めるところにより、当該車両を売却し、その売却した代金を保管することができる。

13　警察署長は、前項の規定による車両の売却につき買受人がない場合において、同項に規定する価額が著しく低いときは、当該車両を廃棄することができる。

14　第十二項の規定により売却した代金は、売却に要した費用に充てることができる。

15　第二項、第三項又は第五項から第十一項までの規定による車両の移動、車両の保管、公示その他の措置に要した費用は、当該車両の運転者等又は使用者若しくは所有者（以下この条及び次条において「使用者等」という。）の負担とする。

16　警察署長は、前項の規定により運転者等又は使用者等の負担とされる負担金につき納付すべき金額、納付の期限及び場所を定め、これらの者に対し、文書でその納付を命じなければならない。この場合において、納付すべき金額は、同項に規定する費用につき実費を勘案して都道府県規則でその額を定めたときは、その定めた額とする。

17　警察署長は、前項の規定により納付を命ぜられた

（車両の価額の評価の方法）

第一六条の二　法第五十一条第十二項の規定による車両の価額の評価は、取引の実例価格、当該車両の使用年数、損耗の程度その他当該車両の価額の評価に関する事情を勘案してするものとする。この場合において、警察署長は、必要があると認めるときは、車両の価額の評価に関し専門的知識を有する者の意見を聴くことができる。

〔本条追加・昭六〇政二一九、改正・昭六一政三三九・平二政三〇三・平一六政二五七・政三九〇・平二〇政一四九〕

（保管した車両を売却する場合の手続）

第一六条の三　法第五十一条第十二項の規定による車両の売却は、競争入札に付して行わなければならない。ただし、競争入札に付しても入札者がない車両については、随意契約により売却することができる。

〔本条追加・昭六〇政二一九、改正・昭六一政三三九・平二政三〇三・平一六政二五七・政三九〇・平二〇政一四九〕

第一六条の四　警察署長は、前条本文の規定による競争入札のうち一般競争入札に付そうとするときは、その入札期日の前日から起算して少なくとも五日前までに、その車両の車名、型式、塗色及び番号標に表示されている番号その他内閣府令で定める事項を当該警察署の掲示板に掲示し、又はこれに準ずる適当な方法で公示しなければならない。

2　警察署長は、前条本文の規定による競争入札のうち指名競争入札に付そうとするときは、なるべく三人以上の入札者を指定し、かつ、それらの者にその車両の車名、型式、塗色及び番号標に表示されている番号その他内閣府令で定める事項をあらかじめ通知しなければならない。

3　警察署長は、前条ただし書の規定による随意契約によろうとするときは、なるべく二人以上の者から見積書を徴さなければならない。

4　警察署長は、前三項の規定により車両を売却しようとする場合において、当該車両上に抵当権を有する者で知れているものがあるときは、その者にその車両の車名、型式、塗色及び番号標に表示されている番号、当該売却の日時、場所及び方法その他内閣府令で定める事項をあらかじめ通知しなければならない。

〔本条追加・昭六〇政二一九、一・二・四項改正・平一二政三〇三〕

インターネットの利用により公表することにより行うものとする。

〔本条追加・平二〇内府令三三、改正・令四内府令六七〕

（一般競争入札における掲示事項等）

第七条の三　令第十六条の四第一項及び第二項（令第十七条、第二十六条の四の三及び第二十七条の五において準用する場合を含む。）の内閣府令で定める事項は、次に掲げるとおりとする。

一　当該競争入札の執行を担当する職員の職及び氏名
二　当該競争入札の執行の日時及び場所
三　契約条項の概要
四　その他警察署長が必要と認める事項

2　令第十六条の四第四項（令第十七条、第二十六条の四の三及び第二十七条の五において準用する場合を含む。）の内閣府令で定める事項は、次に掲げるとおりとする。

一　当該競争入札の執行又は当該随意契約による売却を担当する職員の職及び氏名
二　契約条項の概要
三　その他警察署長が必要と認める事項

〔本条追加・昭六〇総府令三五、一・二項改正・平一二総府令五

者が納付の期限を経過しても負担金を納付しないときは、督促状によつて納付すべき期限を指定して督促しなければならない。この場合において、警察署長は、負担金につき年十四・五パーセントの割合により計算した額の範囲内の延滞金及び督促に要した手数料を徴収することができる。

18　前項の規定による督促を受けた者がその指定期限までに負担金並びに同項後段の延滞金及び手数料（以下この条において「負担金等」という。）を納付しないときは、警察署長は、地方税の滞納処分の例により、負担金等を徴収することができる。この場合における負担金等の先取特権の順位は、国税及び地方税に次ぐものとする。

19　納付され、又は徴収された負担金等は、当該警察署の属する都道府県の収入とする。

20　第八項の規定による告知の日又は第九項の規定による公示の日から起算して三月を経過してもなお第六項の規定により保管した車両（第十二項の規定により売却した代金を含む。以下この項において同じ。）を返還することができないときは、当該車両の所有権は、当該警察署の属する都道府県に帰属する。

21　警察署長は、第十二項の規定による車両（道路運送車両法による登録を受けた自動車に限る。以下この項において同じ。）の売却、第十三項の規定による車両の廃棄又は前項の規定による車両の所有権の都道府県への帰属があつたときは、政令で定めるところにより、当該車両について、これらの処分等に係る同法による登録を国土交通大臣又は同法第百五条第一項若しくは第二項の規定により委任を受けた

（登録の嘱託）

第一六条の五　法第五十一条第二十一項の規定による登録の嘱託は、嘱託書に登録の原因を証する書面を添付してするものとする。

〔本条追加・昭六〇政二二九、改正・昭六一政三三九・平一二政三〇三・平一六政二五七・政三九〇・平二〇政一四九〕

一、一一・二項改正・旧七条の二を繰下・平一二総府令一二九、一・二項改正・平一二総府令八九・平二一内府令七四〕

者に嘱託しなければならない。

22　第六項、第七項及び第九項から第二十項までの規定は、第六項の規定により保管した車両に積載物があつた場合における当該積載物について準用する。この場合において、第七項中「使用者」とあるのは「所有者、占有者その他当該積載物について権原を有する者(以下この条において「所有者等」という。)」と、第九項中「前項」とあるのは「第二十二項において読み替えて準用する第七項」と、「知ることができない」とあるのは「知ることができず、かつ、当該積載物の所有者以外の者に当該積載物を返還することが困難であると認められる」と、第十一項中「第七項から前項まで」とあるのは「第二十二項において読み替えて準用する第七項及び前二項」と、第十二項中「第八項の規定による告知の日又は」とあるのは「腐敗し、若しくは変質するおそれがあるとき、又は第二十二項において読み替えて準用する第七項の規定による当該積載物の所有者に対する告知の日若しくは」と、「費用」とあるのは「費用若しくは手数」と、第十五項中「第二項、第三項又は第五項から第十一項までの規定による車両の移動」とあるのは「第二十二項において準用する第六項、第七項又は第九項から第十一項までの規定による」と、「運転者等又は使用者若しくは所有者（以下この条及び次条において「使用者等」という。）」とあるのは「所有者等」と、第十六項中「運転者等又は使用者等」とあるのは「所有者等」と、第二十項中「第八項の規定による」とあるのは「第二十二項において読み替えて準用する第七項の規定による当該積載物の所

（保管した車両に関する規定の準用）

第一七条　第十四条の八から第十六条の四までの規定は、法第五十一条第二十二項において準用する同条第六項の規定により保管した積載物について準用する。この場合において、第十四条の八中「使用者又は所有者」とあるのは「所有者、占有者その他当該積載物について権原を有する者」と、第十五条第一号中「車両」とあるのは「積載物の名称又は種類、形状及び数量並びにその積載物が積載されていた車両」と、同条第二号中「車両」とあるのは「積載物が積載されていた車両」と、第十六条第二号中「保管車両一覧簿」とあるのは「保管積載物一覧簿」と、第十六条の三中「入札者がない車両」とあるのは「入札者がない積載物、速やかに売却しなければ価値が著しく減少するおそれのある積載物その他競争入札に付することが適当でないと認められる積載物」と、第十六条の四第一項、第二項及び第四項中「車両の車名、型式、塗色及び番号標に表示されている番号」とあるのは「積載物の名称又は種類、形状及び数量」と、同項中「抵当権」とあるのは「質権、抵当権、先取特権、留置権その他の権利」と読み替えるものとする。

〔本条追加・昭六〇政二二九、改正・昭六一政三二九・平二政三〇三、旧一七条の二を改正し繰上・平一一政三二一、本条改正・平一六政二五七・政三九〇・平二〇政一四九・平二一政二九一〕

有者に対する」と読み替えるものとする。

〔二項改正・二項追加・旧二—四・六項を改正し三—五・七項に繰下・旧五項を六項に繰下・昭四五法八六、一・三項改正・八項追加・昭四六法九八、八項改正・昭五三法五三、六項改正・旧七項を改正し一〇項に繰下・七—九・一一—一七項追加・八項削除・昭六〇法八七、一項・付記改正・三—五項追加・旧三—七・九・一〇・一二—一七項を改正し六—一〇・一二・一三・一五—二〇項に繰下・旧八・一一項を一一・一四項に繰下・昭六一法六三、一・六・八項改正・九項追加・旧九・一〇・一二・一三・一八—二〇項を改正し一〇・一一・一三・一四・一九—二一項に繰下・旧一一・一四—一七項を一二・一五—一八項に繰下・平二法七三、一・三項改正・平五法四三、一〇項改正・平一一法八七、三・二〇項改正・平一一法一六〇、一・三・四・六・一〇項改正・一一—一三項追加・旧一一・一三—一五・一八—二一項を改正し一四・一六—一八・二一—二四項に繰下・旧一二・一六・一七項を一五・一九・二〇項に繰下・一項・付記改正・三—五項削除・旧六・八・一三・一四・一六・一七・二二—二四項を改正し三・五・一〇・一一・一三・一四・一九—二一項に繰上・旧七・九—一二・一五・一八—二一項を四・六—九・一二・一五—一八項に繰上・平一六法九〇、一項改正・一〇項追加・旧一〇・一三・一四・一九—二一項を改正し一一・一四・一五・二〇—二二項に繰下・旧一一・一二・一五—一八項を一二・一三・一六—一九項に繰下・平一九法九〇、一項改正・平二一法二一、二一項改正・令元法二〇、見出し削除・追加・一・一五・二二項改正・令二法四二、一項・付記改正・令四法三二〕

参照 〔車両〕二①8〔駐車〕二①18〔パーキング・チケット〕道交規六の五・六の六・別記様式一の四〔警察官等〕六①、警察官＝警三四・五五・六二・六三、交通巡視員＝一一四の四、道交令四四の二〔道路〕二①1・一七④、道二①、道運二⑦・⑧、道運車二⑥、高速二①、駐車二3、道路の種類＝道三〔運転者〕二①18〔駐車の禁止場所〕四五・四六〔時間制限駐車区間〕四九〔駐車の方法〕四七・四八〔警察署の管轄〕警五三①・④、都道府県条例〔警察署長〕警五三②・③〔住所〕民二二―二四〔警察署長による公表〕道交規七の二の二〔政令の定め〕車両返還の措置＝道交令一四の八・道交規七・別記様式二―二の五、公示事項＝道交令一五、公示の方法＝道交令一六、保管車両一覧簿＝道交規七の二・別記様式三、保管積載物一覧簿＝道交規七の二・別記様式三の二、保管損壊物等一覧簿＝道交規七の二・別記様式三の三―三の五、車両価額の評価方法＝道交令一六の二、保管車両の売却手続＝道交令一六の三・一六の四、道交規七の三、登録の嘱託＝道交令一六の五

（罰則　第一項については第百十九条第一項第七号〔三月以下の懲役又は五万円以下の罰金〕）

（報告徴収等）

第五一条の二　警察署長は、前条の規定の施行のため必要があると認めるときは、同条第六項の規定により保管した車両の使用者等その他の関係者又は同条第二十二項において準用する同条第六項の規定により保管した積載物の所有者、占有者その他当該積載物について権原を有する者その他の関係者に対し、当該車両又は積載物に関し必要な報告又は資料の提出を求めることができる。

2　警察署長は、前条の規定の施行のため必要があると認めるときは、官庁、公共団体その他の者に照会し、又は協力を求めることができる。

〔本条追加・平一九法九〇、一・二項改正・旧五一条の二の二を繰上・令二法四二〕

参照　〔警察署長〕警五三②・③〔車両〕二①8

（車両移動保管関係事務の委託）

第五一条の三　警察署長は、第五十一条第五項及び第六項（同条第二十二項において準用する場合を含む。）の規定による車両（積載物を含む。以下この項において同じ。）の移動及び保管に関する事務（当該車両の移動、返還、売却及び廃棄の決定、同条第十六項の規定による命令、滞納処分その他の政令で定めるものを除く。）の全部又は一部を内閣府令で定める法人に委託することができる。

2　前項の規定により警察署長から事務の委託を受けた法人の役員若しくは職員又はこれらの職にあつた者は、当該事務に関して知り得た秘密を漏らしてはならない。

〔本条追加・昭六一法六三、一・一〇・一一項改正・一二・一三項追加・旧一二・一三項を一四・一五項に繰下・平二法七三、一・一〇・一一項改正・旧五一条の二を繰下・平五法四三、付記改正・平一三法五一、一・二・六・七・一〇・一一項改正・平一六法九〇、本条全改・平一九法九〇、付記改正・平二五法四三・令四法三二〕

参照〔警察署長〕警五三②・③〔政令で定めるもの〕道交令一七の二〔内閣府令で定める法人〕道交規七の四

〔罰則　第二項については第百十七条の四第一項第一号〔一年以下の懲役又は三十万円以下の罰金〕〕

（委託することのできない事務）

第一七条の二　法第五十一条の三第一項の政令で定めるものは、次に掲げるとおりとする。

一　法第五十一条第五項の規定による車両の移動の決定

二　法第五十一条第六項（同条第二十二項において準用する場合を含む。）の規定により保管した車両（積載物を含む。以下この条において同じ。）の返還の決定

三　法第五十一条第七項（同条第二十二項において読み替えて準用する場合を含む。）又は第八項の規定による告知

四　法第五十一条第九項（同条第二十二項において読み替えて準用する場合を含む。）の規定による公示

五　法第五十一条第十項（同条第二十二項において準用する場合を含む。）の規定による公示の日付及び内容の公表

六　法第五十一条第十二項（同条第二十二項において読み替えて準用する場合を含む。）の規定による車両の売却の決定

七　法第五十一条第十三項（同条第二十二項において準用する場合を含む。）の規定による車両の廃棄の決定

八　法第五十一条第十六項（同条第二十二項において読み替えて準用する場合を含む。）の規定による命令

九　法第五十一条第十七項（同条第二十二項において準用する場合を含む。）の規定による督促

十　法第五十一条第十八項（同条第二十二項において準用する場合を含む。）の規定による徴収

十一　法第五十一条第二十一項の規定による登録の嘱託

〔本条追加・昭六一政三二九、改正・平二政三〇三・平五政三四八、旧一七条の三を改正し繰上・平一一政三二一、本条改正・平一二政三〇三・平一六政二五七・政三九〇、全改・平二〇政一四九〕

（車両移動保管関係事務の委託）

第七条の四　法第五十一条の三第一項の内閣府令で定める法人は、同項に規定する事務を行うのに必要かつ適切な組織及び能力を有すると警察署長が認める法人とする。

〔本条追加・平二〇内府令三三、旧七条の六の二を繰上・令二内府令七〇〕

（放置違反金）

第五一条の四 警察署長は、警察官等に、違法駐車と認められる場合における車両（軽車両にあつては、牽引されるための構造及び装置を有し、かつ、車両総重量（道路運送車両法第四十条第三号の車両総重量をいう。）が七百五十キログラムを超えるもの（以下「重被牽引車」という。）に限る。以下この条において同じ。）であつて、その運転者がこれを離れて直ちに運転することができない状態にあるもの（以下「放置車両」という。）の確認をさせ、内閣府令で定めるところにより、当該確認をした旨及び当該車両に係る違法駐車行為（違法駐車と認められる場合に係る車両の運転者の行為をいう。第四項及び第十六項において同じ。）をした者について第四項ただし書に規定する場合に該当しないときは同項本文の規定により当該車両の使用者が放置違反金の納付を命ぜられることがある旨を告知する標章を当該車両の見やすい箇所に取り付けさせることができる。

2 何人も、前項の規定により車両に取り付けられた標章を破損し、若しくは汚損し、又はこれを取り除いてはならない。ただし、当該車両の使用者、運転者その他当該車両の管理について責任がある者が取り除く場合は、この限りでない。

3 警察署長は、第一項の規定により車両に標章を取り付けさせたときは、当該車両の駐車に関する状況を公安委員会に報告しなければならない。

4 前項の規定による報告を受けた公安委員会は、当該報告に係る車両を放置車両と認めるときは、当該車両の使用者に対し、放置違反金の納付を命ずるこ

（標章の取付け）

第七条の五 法第五十一条の四第一項の規定による標章の取付けは、別記様式第三の六の標章をその記載事項を見やすい方法で取り付けることにより行うものとする。

〔本条追加・平一六内府令九七、旧七条の七を改正し繰上・令二内府令七〇〕

別記様式第三の六（第七条の五関係）

10

放置車両確認標章

（標章番号）

（登録（車両）番号）　　　　号の使用者 殿

駐車違反

速やかに移動してください。

この車は、“放置車両”であることを確認しました。

この車の使用者は、　　　公安委員会から放置違反金の納付を命ぜられることがあります。

なお、この標章が取り付けられた日の翌日から起算して30日以内に、この車を運転し駐車した者がこの違反について反則金の納付をした場合又は公訴を提起され、若しくは家庭裁判所の審判に付された場合は、この限りではありません。

警察署長

取扱者

電話番号

違反状況	日時	
	場所	
	態様	

18

この車の使用者、運転者その他この車の管理責任者以外の者がこの標章を破損・汚損し、又は取り除くと処罰されます。

運転するときは、交通事故防止のため、この標章を取り除いてください。

備考
1 「放置車両確認標章」及び「駐車違反」の文字の書体は、ゴシックとする。
2 記号並びに「放置車両確認標章」及び「放置車両」の文字の色彩は赤色、その他の文字の色彩は紺色又は黒色、地の色彩は黄色とする。
3 図示の長さの単位は、センチメートルとする。
4 前面ガラス及び運転者席の側面ガラス以外の見やすい箇所に取り付ける場合にあつては、図示の縦寸法又は横寸法を3倍まで拡大することができる。

〔本様式追加・平16内府令97、旧様式3の8を改正し繰上・令2内府令70〕

とができる。ただし、第一項の規定により当該車両に標章が取り付けられた日の翌日から起算して三十日以内に、当該車両に係る違法駐車行為をした者が当該違法駐車行為について第百二十八条第一項の規定による反則金の納付をした場合又は当該違法駐車行為に係る事件について公訴を提起され、若しくは家庭裁判所の審判に付された場合は、この限りでない。

5　前項本文の規定による命令（以下「納付命令」という。）は、放置違反金の額並びに納付の期限及び場所を記載した文書により行うものとする。

6　公安委員会は、納付命令をしようとするときは、当該車両の使用者に対し、あらかじめ、次に掲げる事項を書面で通知し、相当の期間を指定して、当該事案について弁明を記載した書面（以下この項及び第九項において「弁明書」という。）及び有利な証拠を提出する機会を与えなければならない。

一　当該納付命令の原因となる事実

二　弁明書の提出先及び提出期限

7　公安委員会は、納付命令を受けるべき者の所在が判明しないときは、前項の規定による通知を、その者の氏名及び同項第二号に掲げる事項並びに公安委員会が同項各号に掲げる事項を記載した書面をいつでもその者に交付する旨を当該公安委員会の掲示板に掲示することによつて行うことができる。この場合においては、掲示を始めた日から二週間を経過したときに、当該通知がその者に到達したものとみなす。

（弁明通知書の記載事項）

第七条の六　法第五十一条の四第六項各号に掲げる事項を通知する書面（以下「弁明通知書」という。）には、弁明通知書の番号及び同条第九項の規定により仮に納付することができる放置違反金に相当する金額を記載するものとする。

〔本条追加・平一六内府令九七、旧七条の八を繰上・令二内府令七〇〕

8　放置違反金の額は、別表第一に定める金額の範囲内において、政令で定める。

9　第六項の規定による通知を受けた者は、弁明書の提出期限までに、政令で定めるところにより、放置違反金に相当する金額を仮に納付することができる。

10　納付命令は、前項の規定による仮納付をした者については、政令で定めるところにより、公示して行うことができる。

11　第九項の規定による仮納付をした者について同項の通知に係る納付命令があつたときは、当該放置違反金に相当する金額の仮納付は、当該納付命令による放置違反金の納付とみなす。

12　公安委員会は、第九項の規定による仮納付をした者について同項の通知に係る納付命令をしないこととしたときは、速やかに、その者に対し、理由を明示してその旨を書面で通知し、当該仮納付に係る金額を返還しなければならない。

13　公安委員会は、納付命令を受けた者が納付の期限を経過しても放置違反金を納付しないときは、督促状によつて納付すべき期限を指定して督促しなければならない。この場合において、公安委員会は、放置違反金につき年十四・五パーセントの割合により計算した額の範囲内の延滞金及び督促に要した手数料を徴収することができる。

14　前項の規定による督促を受けた者がその指定期限までに放置違反金並びに同項後段の延滞金及び手数

（放置違反金の額）

第一七条の三　法第五十一条の四第八項の政令で定める放置違反金の額は、別表第一に定めるとおりとする。

〔本条追加・平一六政三九〇、旧一七条の四を繰上・平二〇政一四九〕

別表第一……………………八八〇ページ参照

（放置違反金の仮納付）

第一七条の四　法第五十一条の四第九項の規定による仮納付は、分割して行うことができない。

〔本条追加・平一六政三九〇、旧一七条の五を繰上・平二〇政一四九〕

（公示による納付命令）

第一七条の五　法第五十一条の四第十項の規定による公示による納付命令は、当該納付命令をしようとする公安委員会の掲示板に内閣府令で定める様式の書面を掲示して行うものとする。

2　前項の納付命令は、氏名以外の事項により納付命令を受ける者を特定して行うものとする。

3　第一項の納付命令は、同項の規定による掲示を始めた日から起算して三日を経過した日に効力を生ずるものとする。

〔本条追加・平一六政三九〇、旧一七条の六を繰上・平二〇政一四九〕

（公示納付命令書の様式）

第七条の七　令第十七条の五第一項の内閣府令で定める様式は、別記様式第三の七のとおりとする。

〔本条追加・平一六内府令九七、改正・平二〇内府令三三、旧七条の九を繰上・令二内府令七〇〕

料（以下この条及び第五十一条の七において「放置違反金等」という。）を納付しないときは、公安委員会は、地方税の滞納処分の例により、放置違反金等を徴収することができる。この場合における放置違反金等の先取特権の順位は、国税及び地方税に次ぐものとする。

15　納付され、又は徴収された放置違反金等は、当該公安委員会が置かれている都道府県の収入とする。

16　公安委員会は、納付命令をした場合において、当該納付命令の原因となつた車両に係る違法駐車行為をした者が当該違法駐車行為について第百二十八条第一項の規定による反則金の納付をしたとき、又は当該違法駐車行為に係る事件について公訴を提起され、若しくは家庭裁判所の審判に付されたときは、当該納付命令を取り消さなければならない。

17　公安委員会は、前項の規定により納付命令を取り消したときは、速やかに、理由を明示してその旨を当該納付命令を受けた者に通知しなければならない。この場合において、既に当該納付命令に係る放置違反金等が納付され、又は徴収されているときは、公安委員会は、当該放置違反金等に相当する金額を還付しなければならない。

18　放置違反金等の徴収又は還付に関する書類の送達及び公示送達については、地方税の例による。

〔本条追加・平二法七三、旧五一条の三を改正し繰下・平五法四三、本条改正・平九法四一、全改・平一六法九〇、一項改正・令二法四二、付記改正・令四法三二〕

参照　〔警察署長〕警五三②・③〔警察官等〕六①、警察官＝警三四・五五・六二・六三、交通巡視員＝一一四の四、道交令四四の二〔違法駐車と認められる場合〕五一①〔車両〕二①8〔軽

別記様式第三の七（第七条の七関係）

放置違反金公示納付命令書

1　納付命令を受ける者

　下記の弁明通知書番号の弁明通知書により通知を受けた者

2　納付命令の内容

　放置違反金に相当する金額として弁明通知書に記載された金額の放置違反金の納付

3　納付命令の理由

　弁明通知書記載の納付命令の原因となる事実

　上記のとおり道路交通法第51条の４第４項及び同条第10項の規定により命令します。

　なお、この納付命令を受けた者は、道路交通法第51条の４第11項の規定に基づき、この命令によつて放置違反金を納付したものとみなされます。

令和　　年　　月　　日

公　安　委　員　会　印

弁明通知書番号	弁明通知書番号

〔本様式追加・平16内府令97、改正・令元内府令５、旧様式３の９を改正し繰上・令２内府令70〕

車両〕二①11〔運転者〕二①18〔運転〕二①17〔内閣府令で定めるところ〕標章の取付け＝道交規七の五・別記様式三の六〔使用者〕七四・七四の二・七五〔公安委員会〕四①、警三八―四六の二〔公訴〕刑訴二四七―二七〇〔家庭裁判所の審判〕少年法三〔弁明通知書の記載事項〕道交規七の六〔政令で定める放置違反金の額〕道交令一七の三・別表一〔政令で定める仮納付〕道交令一七の四〔政令で定める公示による納付命令〕道交令一七の五、公示納付命令書＝道交規七の七・別記様式三の七

（罰則　第二項については第百二十一条第一項第十号〔二万円以下の罰金又は科料〕）

（報告徴収等）

第五一条の五　公安委員会は、前条の規定の施行のため必要があると認めるときは、同条第一項の規定により標章を取り付けられた車両の使用者、所有者その他の関係者に対し、当該車両の使用に関し必要な報告又は資料の提出を求めることができる。

2　公安委員会は、前条の規定の施行のため必要があると認めるときは、官庁、公共団体その他の者に照会し、又は協力を求めることができる。

〔本条追加・平一六法九〇、付記改正・平一九法九〇・令四法三二〕

参照〔公安委員会〕四①、警三八―四六の二〔標章〕五一の四①

（罰則　第一項については第百十九条の三第二項第一号〔十万円以下の罰金〕、第百二十三条〔罰金刑又は科料刑〕）

（国家公安委員会への報告等）

第五一条の六　公安委員会は、納付命令をしたとき、第五十一条の四第十三項の規定による督促をしたとき、又は同条第十六項の規定により納付命令を取り消したときその他当該納付命令の原因となつた車両の使用者について内閣府令で定める事由が生じたときは、その旨、当該使用者の氏名及び住所、当該車両の番号標の番号その他内閣府令で定める事項を国家公安委員会に報告しなければならない。この場合において、国家公安委員会は、放置車両に関する措置の適正を図るため、当該報告に係る事項を各公安委員会に通報するものとする。

（国家公安委員会への報告）

第七条の八　法第五十一条の六第一項の内閣府令で定める事由は、次のとおりとする。

一　法第七十五条第二項（同条第一項第七号に掲げる行為に係る部分に限る。）又は法第七十五条の二第二項の規定による公安委員会の命令（次号及び次条において「放置関係使用制限命令」という。）を受けたこと。

二　放置関係使用制限命令に違反したこと。

〔本条追加・平一六内府令九七、旧七条の一〇を繰上・令二内府令七〇〕

第七条の九　法第五十一条の六第一項の内閣府令で定める事項は、次の表の上欄に掲げる場合の区分に応じ、それぞれ同表の下欄に定める事項とする。

報告する場合	事項
一　納付命令をしたとき。	一　納付命令の年月日 二　納付命令に係る標章が取り付けられた年月日 三　納付命令に係る弁明通知書の番号
二　法第五十一条の四第十三項の規定による督促をしたとき。	一　督促の年月日 二　督促に係る納付命令に係る弁明通知書の番号
三　法第五十一条の四第十六項の規定により納付命令を取り消したとき。	一　納付命令を取り消した年月日 二　取り消された納付命令に係る弁明通知書の番号
四　前条第一号に規定する事由が生じたとき。	一　放置関係使用制限命令の年月日 二　放置関係使用制限命令により車両を運転し、又は運転させてはならないこととなる期間
五　前条第二号に規定する事由が生じたとき。	一　放置関係使用制限命令に違反した年月日 二　違反に係る放置関係使用制限命令の年月日

〔本条追加・平一六内府令九七、旧七条の一一を繰上・令二内府令七〇〕

2　国家公安委員会は、前項前段の規定により、督促をした旨の報告を受けたときは、当該報告に係る事項（内閣府令で定めるものに限る。）を国土交通大臣等（国土交通大臣若しくはその権限の委任を受けた地方運輸局長、運輸監理部長若しくは運輸支局長又は軽自動車検査協会（道路運送車両法第五章の二の規定により設立された軽自動車検査協会をいう。）をいう。次条及び第七十五条の十三第二項第一号において同じ。）に通知するものとする。当該督促に係る納付命令を取り消した旨の報告を受けたときも、同様とする。

〔本条追加・平一六法九〇、二項改正・令四法三二〕

参照　〔納付命令〕五一の四④・⑤〔車両〕二①8〔内閣府令で定める事由〕道交規七の八〔内閣府令で定める事項〕道交規七の九〔国家公安委員会〕警四―一四〔放置車両〕五一の四①〔公安委員会〕四①、警三八―四六の二〔内閣府令で定めるもの〕道交規七の一〇

（放置違反金等の納付等を証する書面の提示）

第五一条の七　自動車検査証の返付（道路運送車両法第六十二条第二項（同法第六十七条第四項において準用する場合を含む。）又は総合特別区域法（平成二十三年法律第八十一号）第二十二条の二第三項の規定による自動車検査証の返付をいう。以下この条において同じ。）を受けようとする者は、その自動車（道路運送車両法第五十八条第一項に規定する自動

（国土交通大臣等への通知）

第七条の一〇　法第五十一条の六第二項前段の内閣府令で定めるものは、次に掲げる事項とする。

一　督促をした旨
二　督促を受けた者の氏名及び住所
三　督促に係る納付命令の原因となつた車両の番号標の番号
四　督促の年月日
五　督促に係る納付命令に係る弁明通知書の番号

2　法第五十一条の六第二項後段の規定により通知する事項は、次に掲げるとおりとする。

一　督促に係る納付命令を取り消した旨
二　取り消された納付命令に係る弁明通知書の番号

〔本条追加・平一六内府令九七、旧七条の一一を繰上・令二内府令七〇〕

道路運送車両法

（継続検査）

第六二条　1　〔略〕

2　国土交通大臣は、継続検査の結果、当該自動車が保安基準に適合すると認めるときは、当該自動車検査証に有効期間を記録して、これを当該自動車の使用者に返付し、当該自動車が保安基準に適合しないと認めるときは、当該自動車検査証を当該自動車の使用者に返付しないものとする。

3～5　〔略〕

車をいう。）が最後に同法第六十条第一項若しくは第七十一条第四項の規定による自動車検査証の交付又は自動車検査証の返付を受けた後に第五十一条の四第十三項の規定による督促（当該自動車が原因となつた納付命令（同条第十六項の規定により取り消されたものを除く。）に係るものに限る。）を受けたことがあるときは、国土交通大臣等に対して、当該督促に係る放置違反金等を納付したこと又はこれを徴収されたことを証する書面を提示しなければならない。

2　国土交通大臣等は、前項の規定により同項の書面を提示しなければならないこととされる者（前条第二項前段の通知に係る者に限る。）による当該書面の提示がないときは、自動車検査証の返付をしないものとする。

〔本条追加・平一六法九〇、一項改正・平二五法五三〕

参照　〔納付命令〕五一の四④・⑤〔国土交通大臣等〕五一の六②〔放置違反金等〕五一の四⑭

（確認事務の委託）

第五一条の八　警察署長は、第五十一条の四第一項に規定する放置車両の確認及び標章の取付け（以下「放置車両の確認等」という。）に関する事務（以下「確認事務」という。）の全部又は一部を、公安委員会の登録を受けた法人に委託することができる。

2　前項の登録（以下この条から第五十一条の十一までにおいて「登録」という。）は、委託を受けて確認事務を行おうとする法人の申請により行う。

3　次の各号のいずれかに該当する法人は、登録を受けることができない。

一　第五十一条の十の規定により登録を取り消され、その取消しの日から起算して二年を経過しない法人

二　役員（業務を執行する社員、取締役、執行役又はこれらに準ずる者をいい、相談役、顧問その他いかなる名称を有する者であるかを問わず、法人に対し業務を執行する社員、取締役、執行役又はこれらに準ずる者と同等以上の支配力を有するものと認められる者を含む。第七十五条の十四において同じ。）のうちに次のいずれかに該当する者のある法人

イ　破産手続開始の決定を受けて復権を得ない者

ロ　禁錮以上の刑に処せられ、又は第百十九条の二の四第二項の罪を犯して刑に処せられ、その執行を終わり、又は執行を受けることがなくなつた日から起算して二年を経過しない者

ハ　集団的に、又は常習的に暴力的不法行為その他の罪に当たる違法な行為で国家公安委員会規則で定めるものを行うおそれがあると認めるに足りる相当な理由がある者

ニ　暴力団員による不当な行為の防止等に関する法律（平成三年法律第七十七号）第十二条若しくは第十二条の六の規定による命令又は同法第十二条の四第二項の規定による指示を受けた者であつて、当該命令又は指示を受けた日から起算して二年を経過しないもの

確認事務の委託の手続等に関する規則

（平成一六年一二月一〇日　国家公安委員会規則第二三号）

暴力団員による不当な行為の防止等に関する法律

（暴力的要求行為等に対する措置）

第一二条　公安委員会は、第十条第一項の規定に違反する行為が行われた場合において、当該行為をした者が更に反復して同項の規定に違反する行為をするおそれがあると認めるときは、当該行為をした者に対し、一年を超えない範囲内で期間を定めて、当該行為に係る指定暴力団員又は当該指定暴力団員の所属する

ホ　アルコール、麻薬、大麻、あへん又は覚醒剤の中毒者

ヘ　心身の障害により確認事務を適正に行うことができない者として国家公安委員会規則で定めるもの

4　公安委員会は、第二項の規定により登録を申請した法人が次に掲げる要件のすべてに適合しているときは、その登録をしなければならない。

一　車両、携帯電話用装置その他の携帯用の無線通話装置、地図、写真機及び電子計算機を用いて確認事務を行うものであること。

二　第五十一条の十二第三項の駐車監視員が放置車両の確認等を行うものであること。

三　当該公安委員会が置かれている都道府県の区域内に事務所を有するものであること。

5　登録は、登録簿に登録を受ける法人の名称、代表者の氏名、主たる事務所の所在地、登録の年月日及び登録番号を記載してするものとする。

6　登録は、三年を下らない政令で定める期間ごとにその更新を受けなければ、その期間の経過によつて、その効力を失う。

7　第二項から第五項までの規定は、前項の登録の更新について準用する。

〔本条追加・平一六法九〇、三項改正・平一九法九〇・令元法三七・令四法三二〕

参照　〔警察署長〕警五三②・③〔放置車両〕五一の四①〔標章〕五一の四①、標章の取付け＝道交規七の五〔確認事務の委託〕手続＝確認事務の委託の手続等に関する規則一・二〔取締役〕会社三四八―三六一〔執行役〕会社四一八―四二二〔復権〕破

（登録の有効期間）

第一七条の六　法第五十一条の八第六項の政令で定める期間は、三年とする。

〔本条追加・平一六政三九〇、旧一七条の七を繰上・平二〇政一四九〕

指定暴力団等の他の指定暴力団員に対して暴力的要求行為をすることを要求し、依頼し、又は唆すことを防止するために必要な事項を命ずることができる。

2　公安委員会は、第十条第二項の規定に違反する行為が行われており、当該違反する行為に係る暴力的要求行為の相手方の生活の平穏又は業務の遂行の平穏が害されていると認める場合には、当該違反する行為をしている者に対し、当該違反する行為を中止することを命じ、又は当該違反する行為が中止されることを確保するために必要な事項を命ずることができる。

（準暴力的要求行為に対する措置）

第一二条の六　公安委員会は、前条の規定に違反する準暴力的要求行為が行われており、その相手方の生活の平穏又は業務の遂行の平穏が害されていると認める場合には、当該準暴力的要求行為をしている者に対し、当該準暴力的要求行為を中止することを命じ、又は当該準暴力的要求行為が中止されることを確保するために必要な事項を命ずることができる。

2　公安委員会は、前条の規定に違反する準暴力的要求行為が行われた場合において、当該準暴力的要求行為をした者が更に反復して当該準暴力的要求行為と類似の準暴力的要求行為をするおそれがあると認めるときは、その者に対し、一年を超えない範囲内で期間を定めて、準暴力的要求行為が行われることを防止するために必要な事項を命ずることができる。

（準暴力的要求行為の要求等に対する措置）

第一二条の四　1〔略〕

2　公安委員会は、前項の規定による命令をする場合において、前条の規定に違反する行為に係る準暴力的要求行為が行われるおそれがあると認めるときは、当該命令に係る同条の規定に違反する行為の相手方に対し、当該準暴力的要求行為をしてはならない旨の指示をするものとする。

産二五五〔禁錮以上の刑〕刑九・一一―一三〔三項二号ハの国家公安委員会規則〕確認事務の委託の手続等に関する規則三〔三項二号への国家公安委員会規則〕確認事務の委託の手続等に関する規則四〔公安委員会〕四①、警三八―四六の二〔政令で定める期間〕道交令一七の六

（適合命令）

第五一条の九　公安委員会は、登録を受けた法人が前条第四項各号のいずれかに適合しなくなつたと認めるときは、その法人に対し、これらの規定に適合するため必要な措置をとるべきことを命ずることができる。

〔本条追加・平一六法九〇〕

参照〔公安委員会〕四①、警三八―四六の二〔登録を受けた法人〕五一の八①

（登録の取消し）

第五一条の一〇　公安委員会は、登録を受けた法人が次の各号のいずれかに該当するときは、その登録を取り消すことができる。

一　第五十一条の八第三項第二号に該当するに至つたとき。

二　前条の規定による命令に違反したとき。

三　次条第一項の規定による報告をせず、若しくは虚偽の報告をし、又は同項の規定による検査を拒み、妨げ、若しくは忌避したとき。

四　第五十一条の十二第二項から第四項までの規定

に違反したとき。

五　偽りその他不正の手段により登録を受けたとき。

〔本条追加・平一六法九〇〕

参照　〔公安委員会〕四①、警三八—四六の二〔登録を受けた法人〕五一の八①

（報告及び検査）

第五一条の一一　公安委員会は、第五十一条の八から前条までの規定の施行に必要な限度において、登録を受けた法人に対し、その業務又は経理の状況に関し報告をさせ、又は警察職員に、登録を受けた法人の事務所に立ち入り、業務の状況若しくは帳簿、書類その他の物件を検査させることができる。

2　前項の規定により立入検査をする警察職員は、その身分を示す証票を携帯し、関係者の請求があるときは、これを提示しなければならない。

3　第一項の規定による立入検査の権限は、犯罪捜査のために認められたものと解してはならない。

〔本条追加・平一六法九〇〕

参照　〔公安委員会〕四①、警三八—四六の二〔登録を受けた法人〕五一の八①〔警察職員〕警三四・五五

（放置車両確認機関）

第五一条の一二　警察署長は、第五十一条の八第一項の規定により確認事務を委託したときは、その受託者（以下「放置車両確認機関」という。）の名称及び

（放置車両確認機関に係る公示事項）

第一七条の七　法第五十一条の十二第一項の政令で定める事項は、放置車両確認機関が確認事務を行う区域及び期間とする。

〔本条追加・平一六政三九〇、旧一七条の八を繰上・平二〇政一四九〕

主たる事務所の所在地その他政令で定める事項を公示しなければならない。

2　放置車両確認機関は、公正に、かつ、第五十一条の八第四項第一号及び第二号に掲げる要件に適合する方法により確認事務を行わなければならない。

3　放置車両確認機関は、次条第一項の駐車監視員資格者証の交付を受けている者のうちから選任した駐車監視員以外の者に放置車両の確認等を行わせてはならない。

4　放置車両確認機関は、駐車監視員に制服を着用させ、又はその他の方法によりその者が駐車監視員であることを表示させ、かつ、国家公安委員会規則でその制式を定める記章を着用させなければ、その者に放置車両の確認等を行わせてはならない。

5　駐車監視員は、放置車両の確認等を行うときは、次条第一項の駐車監視員資格者証を携帯し、警察官等から提示を求められたときは、これを提示しなければならない。

6　放置車両確認機関の役員若しくは職員（駐車監視員を含む。次項において同じ。）又はこれらの職にあつた者は、確認事務に関して知り得た秘密を漏らしてはならない。

7　確認事務に従事する放置車両確認機関の役員又は職員は、刑法（明治四十年法律第四十五号）その他の罰則の適用に関しては、法令により公務に従事する職員とみなす。

8　第五十一条の八第一項の規定により確認事務を委託した場合における第五十一条の四第一項の規定の適用については、同項中「警察官等」とあるのは、

確認事務の委託の手続等に関する規則
（平成一六年一二月一〇日
国家公安委員会規則第二三号）

刑法

（定義）

第七条　この法律において「公務員」とは、国又は地方公共団体の職員その他法令により公務に従事する議員、委員その他の職員をいう。

2　〔略〕

「警察官等又は第五十一条の十二第一項の放置車両確認機関」とする。

〔本条追加・平一六法九〇、七項改正・平一九法九〇、付記改正・平二五法四三・令四法三二〕

参照〔警察署長〕警五三②・③〔政令で定める事項〕道交令一七の七〔確認事務〕五一の八①〔放置車両の確認等〕五一の八①〔四項の国家公安委員会規則〕確認事務の委託の手続等に関する規則五・別図〔警察官等〕六①、警察官＝警三四・五五・六二・六三、交通巡視員＝一一四の四、道交令四四の二〔公務に従事する職員〕刑七

（罰則　第六項については第百十七条の四第一項第一号〔一年以下の懲役又は五十万円以下の罰金〕）

（駐車監視員資格者証）

第五一条の一三　公安委員会は、次の各号のいずれにも該当する者に対し、駐車監視員資格者証を交付する。

一　次のいずれかに該当する者

イ　公安委員会が国家公安委員会規則で定めるところにより放置車両の確認等に関する技能及び知識に関して行う講習を受け、その課程を修了した者

ロ　公安委員会が国家公安委員会規則で定めるところにより放置車両の確認等に関しイに掲げる者と同等以上の技能及び知識を有すると認める者

二　次のいずれにも該当しない者

確認事務の委託の手続等に関する規則

（平成一六年一二月一〇日国家公安委員会規則第二三号）

イ　十八歳未満の者

ロ　第五十一条の八第三項第二号イからへまでのいずれかに該当する者

ハ　次項第二号又は第三号に該当して同項の規定により駐車監視員資格者証の返納を命ぜられ、その返納の日から起算して二年を経過しない者

2　公安委員会は、駐車監視員資格者証の交付を受けた者が次の各号のいずれかに該当すると認めるときは、その者に係る駐車監視員資格者証の返納を命ずることができる。

一　第五十一条の八第三項第二号イからへまでのいずれかに該当するに至つたとき。

二　偽りその他不正の手段により駐車監視員資格者証の交付を受けたとき。

三　前条第五項の規定に違反し、又は放置車両の確認等に関し不正な行為をし、その情状が駐車監視員として不適当であると認められるとき。

〔本条追加・平一六法九〇〕

参照　〔公安委員会〕四①、警三八―四六の二〔一項一号イの国家公安委員会規則〕確認事務の委託の手続等に関する規則六―九〔放置車両の確認等〕五一の八①〔一項一号ロの国家公安委員会規則〕確認事務の委託の手続等に関する規則一〇〔駐車監視員資格者証〕確認事務の委託の手続等に関する規則一一・一二・別記様式三

（国家公安委員会規則への委任）

第五一条の一四　第五十一条の八から前条までに定めるもののほか、確認事務の委託の手続及び駐車監視員資格者証に関し必要な事項は、国家公安委員会規則で定める。

〔本条追加・平一六法九〇〕

参照〔確認事務の委託〕五一の八〔駐車監視員資格者証〕五一の一三〔国家公安委員会規則の定め〕確認事務の委託の手続等に関する規則一三・一四

（放置違反金関係事務の委託）

第五一条の一五　公安委員会は、第五十一条の四に規定する放置違反金に関する事務（確認事務、納付命令、督促及び滞納処分を除く。）の全部又は一部を会社その他の法人に委託することができる。

2　前項の規定により公安委員会から事務の委託を受けた法人の役員若しくは職員又はこれらの職にあつた者は、当該事務に関して知り得た秘密を漏らしてはならない。

〔本条追加・平一六法九〇、付記改正・平二五法四三・令四法三二〕

参照〔公安委員会〕四①、警三八—四六の二〔確認事務〕五一の八①〔納付命令〕五一の四④・⑤

〔罰則　第二項については第百十七条の四第一項第一号〔一年以下の懲役又は三十万円以下の罰金〕〕

確認事務の委託の手続等に関する規則

（平成一六年一二月一〇日国家公安委員会規則第二三号）

第十節　灯火及び合図

（車両等の灯火）

第五二条　車両等は、夜間（日没時から日出時までの時間をいう。以下この条及び第六十三条の九第二項において同じ。）、道路にあるときは、政令で定めるところにより、前照灯、車幅灯、尾灯その他の灯火をつけなければならない。政令で定める場合においては、夜間以外の時間にあつても、同様とする。

（道路にある場合の灯火）

第一八条　車両等は、法第五十二条第一項前段の規定により、夜間、道路を通行するとき（高速自動車国道及び自動車専用道路においては前方二百メートル、その他の道路においては前方五十メートルまで明りように見える程度に照明が行われているトンネルを通行する場合を除く。）は、次の各号に掲げる区分に従い、それぞれ当該各号に定める灯火をつけなければならない。

一　自動車　車両の保安基準に関する規定により設けられる前照灯、車幅灯、尾灯（尾灯が故障している場合においては、これと同等以上の光度を有する赤色の灯火とする。以下この項において同じ。）、番号灯及び室内照明灯（法第二十七条の乗合自動車に限る。）

二　原動機付自転車　車両の保安基準に関する規定により設けられる前照灯及び尾灯

三　トロリーバス　軌道法（大正十年法律第七十六号）第三十一条において準用する同法第十四条の規定に基づく命令の規定（以下「トロリーバスの保安基準に関する規定」という。）により設けられる前照灯、尾灯及び室内照明灯

四　路面電車　軌道法第十四条の規定に基づく命令の規定に定める白色灯及び赤色灯

五　軽車両　公安委員会が定める灯火

2　自動車（大型自動二輪車、普通自動二輪車及び小型特殊自動車を除く。）は、法第五十二条第一項前段の規定により、夜間、道路（歩道又は路側帯と車道の区別のある道路においては、車道）の幅員が五・五メートル以上の道路に停車し、又は駐車しているときは、車両の保安基準に関する規定により設けられる非常点滅表示灯又は尾灯をつけなければならない。ただし、車両の保安基準に関する規定に定める基準に適合する駐車灯をつけて停車し、若しくは駐車しているとき、又は高速自動車国道及び自動車専用道路以外の道路において後方五十メートルの距離から当該自動車が明りように見える程度に照明が行われている場所に停車し、若しくは駐車しているとき、若しくは高速自動車国道及び自動車専用道路以外の道路において第二十七条の六第一号に定める夜間用停止表示器材若しくは車両の保安基準に関する規定に定める基準に適合する警告反射板を後方から進

第九条の一七（夜間用停止表示器材）……三一〇ページ参照

第九条の一八（昼間用停止表示器材）……三一一ページ参照

軌道法

第一四条……八四ページ参照

第三一条……八四ページ参照

道路運送車両の保安基準

第四三条の三（警告反射板）

第三二条（前照灯等）

第三三条（前部霧灯）

第三七条（尾灯）

第三七条の三（駐車灯）

第四一条の三（非常点滅表示灯）

法第五二条

判例　※　自動車運転者が、夜間自動車運転に先立ち、番号灯の点灯を確認すべき注意義務を怠った過失があっても、その過失と、運転中番号灯が消えていることに気づかないで運転した行為との間に消灯を予見し又は予見し得べき特別の事情が存しない限り、因果関係ありとすることはできないから発進の際における被告人

2　車両等が、夜間（前項後段の場合を含む。）、他の車両等と行き違う場合又は他の車両等の直後を進行する場合において、他の車両等の交通を妨げるおそれがあるときは、車両等の運転者は、政令で定めるところにより、灯火を消し、灯火の光度を減ずる等灯火を操作しなければならない。

〔二項改正・昭四六法九八、一項改正・昭五三法五三、付記改正・令二法四二・令四法三二〕

参照〔車両等〕二①17〔道路〕二①1、道二①、道運二⑦・⑧、道運車二⑥、高速二①、駐車二3、道路の種類＝道三〔政令の定め〕道交令一八—二〇〔灯火〕自動車＝道交令一八、灯火装置＝道運車四一①13、前照灯等＝保安基準三二・三三、車幅灯＝保安基準三四、尾灯＝保安基準三七、番号灯＝保安基準三六、駐車灯＝保安基準三七の三、制動灯＝保安基準三九、後退灯＝保安基準四〇、非常点滅表示灯＝保安基準四一の三、灯火の色

行してくる自動車の運転者が見やすい位置に置いて停車し、若しくは駐車しているときは、この限りでない。

3　車両等は、次の各号に掲げる場合においては、第一項の規定にかかわらず、それぞれ当該各号に掲げる灯火をつけることを要しない。

一　他の車両を牽(けん)引する場合　尾灯及び番号灯

二　他の車両に牽(けん)引される場合　前照灯

〔一項改正・昭四〇政二五八、二項改正・昭四六政三四八、見出し・一項改正・二項追加・旧二項を改正し三項に繰下・昭四八政二七、一・二項改正・昭五三政三一三、二項改正・昭六一政三二九・平三政一八三・平八政一六〇・平一一政三二二〕

（夜間以外の時間で灯火をつけなければならない場合）

第一九条　法第五十二条第一項後段の政令で定める場合は、トンネルの中、濃霧がかかつている場所その他の場所で、視界が高速自動車国道及び自動車専用道路においては二百メートル、その他の道路においては五十メートル以下であるような暗い場所を通行する場合及び当該場所に停車し、又は駐車している場合とする。

〔本条改正・昭四八政二七・昭五三政三一三〕

（他の車両等と行き違う場合等の灯火の操作）

第二〇条　法第五十二条第二項の規定による灯火の操作は、次の各号に掲げる区分に従い、それぞれ当該各号に定める方法によつて行うものとする。

一　車両の保安基準に関する規定に定める走行用前照灯で光度が一万カンデラを超えるものをつけ、車両の保安基準に関する規定に定めるすれ違い用前照灯又は前部霧灯を備える自動車　すれ違い用前照灯又は前部霧灯のいずれかをつけて走行用前照灯を消すこと。

二　光度が一万カンデラを超える前照灯をつけている自動車（前号に掲げる自動車を除く。）　前照灯の光度を減じ、又はその照射方向を下向きとすること。

三　光度が一万カンデラを超える前照灯をつけている原動機付自転車　前照灯の光度を減じ、又はその照射方向を下向きとすること。

四　トロリーバス　前照灯の光度を減じ、又はその照射方向を下向きとすること。

〔見出し・本条改正・昭四六政三四八、本条改正・平八政一二二〕

の過失を問題とすることは出来ない。（名高　昭三九、七、一五）

※　右側の前照灯は近目のヒラメントが切れていて遠目しかつかず、前照灯を近目に操作することによりこれと連動していた霧灯が点灯する自動車を、前照灯を近目に切り替え操作したまま、右側は霧灯のみでうかつに運転を継続したときは、右霧灯は、道路運送車両法四一条一三号、道路運送車両の保安基準三二条所定の前照灯の要件に該当せず、法令に定める前照灯をつけなかった場合に該当する。（名高　昭四〇、一一、四）

等の制限＝保安基準四二、原動機付自転車の灯火＝道交令一八①2、道運車四四6、保安基準六二―六二の四、トロリーバスの灯火＝道交令一八①3、無軌条電建規四〇の二―四二、路面電車の灯火＝道交令一八①4、軌道運規八八〔軽車両の灯火〕道交令一八①5

〔罰則　第一項については第百二十条第一項第五号〔五万円以下の罰金〕、同条第三項〔五万円以下の罰金〕　第二項については第百十七条の二第一項第四号〔五年以下の懲役又は百万円以下の罰金〕、第百十七条の二の二第一項第八号へ〔三年以下の懲役又は五十万円以下の罰金〕、第百二十条第一項第六号〔五万円以下の罰金〕、同条第三項〔五万円以下の罰金〕〕

反則金

無灯火	大型	七千円	普通	六千円
	二輪	六千円	原付	五千円
減光等義務違反	大型	七千円	普通	六千円
	二輪	六千円	原付	五千円

点数

無灯火	一　般	一点
	酒気帯び（〇・二五未満）	一四点
減光等義務違反	一　般	一点
	酒気帯び（〇・二五未満）	一四点
	妨害運転（交通の危険のおそれ）	二五点
	妨害運転（著しい交通の危険）	三五点

無軌条電車建設規則

（灯火及び反射器の制限）

第四〇条の二　車両には、前方に向けた赤色の灯火若しくは赤色の反射器又は後方に向けた白色の灯火若しくは白色の反射器を備えてはならない。ただし、後退灯にあつては、この限りでない。

（前照灯）

第四一条　車両は、左の条件を具備した前照灯を備えなければならない。

一　車両の前面の両側に各一個を備えること。
二　灯光は白色とし、五十メートル前方にある交通上の障害物を明らかに認めることができる光度を有すること。
三　照射光線は車両の進行する方向を正射し、その主要光線は前方二十五メートルで地上一・二メートルをこえないこと。
四　減光装置又は照射光線の方向を下向きとする装置を有すること。

（後退灯）

第四一条の二　単独運転車両（車掌を乗務させないで運転することを目的とする車両であつて、けん引車両及び被けん引車両以外のものをいう。以下同じ。）には、左の条件を具備した後退灯を備えなければならない。

一　車両の後面に一個又は二個を備えること。
二　灯光は白色とし、適度の光度を有するものであること。
三　主要光線は、下向きとし、前方二十五メートルで地上一・二メートルをこえず、かつ、七十五メートルからさきの地面を照射しないこと。
四　逆転器を後進の位置に操作した場合の外、点灯しない構造であること。

2　単独運転車両以外の車両に備える後退灯は、前項各号の条件を具備したものでなければならない。

（尾灯及び制動灯）

第四二条　車両の後面には、両側に赤色の尾灯を各一個、中央より右側寄りに主制動装置の操作を表示する橙色の制動灯一個を備えなければならない。

2　尾灯及び制動灯は相当の光度を有し、停電の場合においても光度を減じない装置を備えなければならない。

（旅客用車両）

第五五条　旅客用車両は、この章の前各条の規定によるの外、左

（合図）

第五三条　車両（自転車以外の軽車両を除く。次項及び第四項において同じ。）の運転者は、左折し、右折し、転回し、徐行し、停止し、後退し、又は同一方向に進行しながら進路を変えるときは、手、方向指示器又は灯火により合図をし、かつ、これらの行為が終わるまで当該合図を継続しなければならない。

2　車両の運転者は、環状交差点においては、前項の規定にかかわらず、当該環状交差点を出るとき、又は当該環状交差点において徐行し、停止し、若しくは後退するときは、手、方向指示器又は灯火により合図をし、かつ、これらの行為が終わるまで当該合図を継続しなければならない。

3　前二項の合図を行う時期及び合図の方法について必要な事項は、政令で定める。

4　車両の運転者は、第一項又は第二項に規定する行為を終わつたときは、当該合図をやめなければならないものとし、また、これらの規定に規定する合図に係る行為をしないのにかかわらず、当該合図をしてはならない。

〔付記改正・昭四二法一二六、一項・付記改正・三項追加・昭四六法九八、一項・付記改正・二項追加・旧二・三項を改正し三・四項に繰下・平二五法四三、付記改正・令四法三二〕

参照〔車両〕二①8〔軽車両〕二①11〔車両の左折、右折の方法〕

（合図の時期及び方法）

第二一条　法第五十三条第一項に規定する合図を行う時期及び合図の方法は、次の表に掲げるとおりとする。

合図を行う場合	合図を行う時期	合図の方法
左折するとき。	その行為をしようとする地点（交差点においてその行為をする場合にあつては、当該交差点の手前の側端）から三十メートル手前の地点に達したとき。	左腕を車体の左側の外に出して水平に伸ばし、若しくは右腕を車体の右側の外に出して肘を垂直に上に曲げること、又は左側の方向指示器を操作すること。
同一方向に進行しながら進路を左方に変えるとき。	その行為をしようとする時の三秒前のとき。	
右折し、又は転回するとき。	その行為をしようとする地点（交差点において右折する場合にあつては、当該交差点の手前の側端）から三十メートル手前の地点に達したとき。	右腕を車体の右側の外に出して水平に伸ばし、若しくは左腕を車体の左側の外に出して肘を垂直に上に曲げること、又は右側の方向指示器を操作すること。
同一方向に進行しながら進路を右方に変えるとき。	その行為をしようとする時の三秒前のとき。	

の条件を具備しなければならない。

一　客室には、適当な室内照明装置及び予備照明装置を設けること。

二～十〔略〕

法第五三条

判例　※　丁字路において車馬の進行方向からほぼ直線をなしている道路でも、その中途に設けられたロータリーの位置形状からして、進行する車馬がこのロータリーを直角に近い角度で右に廻らなければならないことになるときは、その車馬は〔旧〕法二一条にいう「右折」に該当し、従つて手、方向指示器、その他の方法で合図すべきである。（東高　昭二八、五、四）

三四〔車両の横断、転回、後退の禁止〕二五の二〔徐行〕二①20〔方向指示器〕道運車四一15、保安基準四一・四一の二〔環状交差点〕四③〔政令の定め〕道交令二一

（罰則　第一項、第二項及び第四項については第百二十条第一項第六号〔五万円以下の罰金〕、同条第三項〔五万円以下の罰金〕）

反則金

合図不履行	大型	七千円	普通	六千円
	二輪	六千円	原付	五千円
合図制限違反	大型	七千円	普通	六千円
	二輪	六千円	原付	五千円

点数

合図不履行・合図制限違反	
一　般	一点
酒気帯び（〇・二五未満）	一四点

徐行し、又は停止するとき。	その行為をしようとするとき。	腕を車体の外に出して斜め下に伸ばすこと、又は車両の保安基準に関する規定若しくはトロリーバスの保安基準に関する規定により設けられる制動灯をつけること。
後退するとき。	その行為をしようとするとき。	腕を車体の外に出して斜め下に伸ばし、かつ、手のひらを後ろに向けてその腕を前後に動かすこと、又は車両の保安基準に関する規定に定める後退灯を備える自動車にあつてはその後退灯を、トロリーバスにあつてはトロリーバスの保安基準に関する規定により設けられる後退灯を、それぞれつけること。

2　法第五十三条第二項に規定する合図を行う時期及び合図の方法は、次の表に掲げるとおりとする。

合図を行う場合	合図を行う時期	合図の方法
環状交差点を出るとき。	その行為をしようとする地点の直前の出口の側方を通過したとき（環状交差点に入つた直後の出口を出る場合にあつては、当該環状交差点に入つたとき）。	左腕を車体の左側の外に出して水平に伸ばし、若しくは右腕を車体の右側の外に出して肘を垂直に上に曲げること、又は左側の方向指示器を操作すること。
環状交差点において徐行し、又は停止するとき。	その行為をしようとするとき。	腕を車体の外に出して斜め下に伸ばすこと、又は車両の保安基準に関する規定若しくはトロリーバ

（警音器の使用等）

第五四条 車両等（自転車以外の軽車両を除く。以下この条において同じ。）の運転者は、次の各号に掲げる場合においては、警音器を鳴らさなければならない。

一 左右の見とおしのきかない交差点、見とおしのきかない道路のまがりかど又は見とおしのきかない上り坂の頂上で道路標識等により指定された場所を通行しようとするとき。

二 山地部の道路その他曲折が多い道路について道路標識等により指定された区間における左右の見とおしのきかない交差点、見とおしのきかない道路のまがりかど又は見とおしのきかない上り坂の頂上を通行しようとするとき。

2 車両等の運転者は、法令の規定により警音器を鳴

		スの保安基準に関する規定により設けられる制動灯をつけること。
環状交差点において後退するとき。	その行為をしようとするとき。	腕を車体の外に出して斜め下に伸ばし、かつ、手のひらを後ろに向けてその腕を前後に動かすこと、又は車両の保安基準に関する規定に定める後退灯を備える自動車にあつてはその後退灯を、トロリーバスにあつてはトロリーバスの保安基準に関する規定により設けられる後退灯を、それぞれつけること。

〔本条改正・昭三八政二〇五・昭四六政三四八、一項改正・二項追加・平二六政六三〕

規制標識

種類	番号	表示する意味	色
警笛鳴らせ	328	車と路面電車が警音器を鳴らさなければならない場所の指定	記号と縁は白、地は青
警笛区間	328の2	車と路面電車が次の場所で警音器を鳴らさなければならない区間であることの指定 (1)左右の見とおしのきかない交差点 (2)見とおしのきかない道路のまがりかど (3)見とおしのきかない上り坂の頂上	同右

法第五四条

判例 ※ 幅員四・二メートルのせまい道路が九〇度近くの角度でまがり、反対方向から来る自動車等を見透し得ない場所を通過する普通乗用自動車の運転者は、警音器を鳴らすはもちろん、いつにても停止し得るよう最徐行する義務がある。（東高　昭三三、一、一八）

「危険を防止するためやむを得ないとき」の意味

※ 警音器を吹鳴すべき場合である「危険を防止するためやむを得ないとき」とは、単に安全確保という消極的な理由にすぎない場合ではなく、危険が現実具体的に認められるような状況下で、その危険を防止するためやむを得ないときというほどの意味である。（いわき簡　昭四三、一、一二）

らさなければならないこととされている場合を除き、警音器を鳴らしてはならない。ただし、危険を防止するためやむを得ないときは、この限りでない。

〔二項改正・昭四六法九八、付記改正・令二法四二、全改・改正・令四法三二〕

参照 〔車両等〕二①17〔軽車両〕二①11〔運転者〕二①18〔車両等の警音器〕自動車＝道運車四一①14、保安基準四三、トロリーバス＝無軌条電建規四三、路面電車＝軌道建規二三、原動機付自転車＝道運車四四7、保安基準六四、軽車両＝道運車四五5、保安基準七二〔交差点〕二①5、交差点における通行方法等＝三四―三七の二〔道路〕二①1、道二①、道運二⑦・⑧、道運車二⑥、高速二①、駐車二3、道路の種類＝道三〔法令の規定により警音器を吹鳴すべき場合〕旅自運輸規五〇②2

〔罰則 第一項については第百二十条第一項第六号（五万円以下の罰金）、同条第三項（五万円以下の罰金）第二項については第百十七条の二第一項第四号（五年以下の懲役又は百万円以下の罰金）、第百十七条の二の二第一項第八号ト（三年以下の懲役又は五十万円以下の罰金）、第百二十一条第一項第九号（二万円以下の罰金又は科料）〕

反則金

警音器吹鳴義務違反
大型　七千円　普通　六千円
二輪　六千円　原付　五千円

警音器使用制限違反
大型　三千円　普通　三千円
二輪　三千円　原付　三千円

点数

警音器吹鳴義務違反
一　般　一点
酒気帯び（〇・二五未満）　一四点

警音器使用制限違反
妨害運転（交通の危険のおそれ）　二五点
妨害運転（著しい交通の危険）　三五点

第十一節　乗車、積載及び牽(けん)引

（乗車又は積載の方法）

第五五条　車両の運転者は、当該車両の乗車のために設備された場所以外の場所に乗車させ、又は乗車若しくは積載のために設備された場所以外の場所に積載して車両を運転してはならない。ただし、もつぱら貨物を運搬する構造の自動車（以下次条及び第五十七条において「貨物自動車」という。）で貨物を積載しているものにあつては、当該貨物を看守するため必要な最小限度の人員をその荷台に乗車させて運転することができる。

2　車両の運転者は、運転者の視野若しくはハンドルその他の装置の操作を妨げ、後写鏡の効用を失わせ、車両の安定を害し、又は外部から当該車両の方向指示器、車両の番号標、制動灯、尾灯若しくは後部反射器を確認することができないこととなるような乗車をさせ、又は積載をして車両を運転してはならない。

3　車両に乗車する者は、当該車両の運転者が前二項の規定に違反することとなるような方法で乗車をしてはならない。

〔付記改正・昭四五法八六・令四法三二〕

参照 〔車両〕二①8〔運転者〕二①18〔乗車の設備場所〕自動車＝道運車四一①9、保安基準二〇―二二の五、一般原動機付自転車＝保安基準六六、軽車両＝保安基準七一②〔積載の設備場所〕自動車＝道運車四一①9、保安基準二七〔運転〕二①17〔八

車両制限令

（車両の幅等の最高限度）

第三条　法第四十七条第一項の車両の幅、重量、高さ、長さ及び最小回転半径の最高限度は、次のとおりとする。

一　幅　二・五メートル

二　重量　次に掲げる値

イ　総重量　高速自動車国道又は道路管理者が道路の構造の保全及び交通の危険の防止上支障がないと認めて指定した道路を通行する車両にあつては二十五トン以下で車両の長さ及び軸距に応じて当該車両の通行により道路に生ずる応力を勘案して国土交通省令で定める値、その他の道路を通行する車両にあつては二十トン

ロ　軸重　十トン

ハ　隣り合う車軸に係る軸重の合計　隣り合う車軸に係る軸距が一・八メートル未満である場合にあつては十八トン（隣り合う車軸に係る軸距が一・三メートル以上であり、かつ、当該隣り合う車軸に係る軸重がいずれも九・五トン以下である場合にあつては、十九トン）、一・八メートル以上である場合にあつては二十トン

ニ　輪荷重　五トン

三　高さ　道路管理者が道路の構造の保全及び交通の危険の防止上支障がないと認めて指定した道路を通行する車両にあつては四・一メートル、その他の道路を通行する車両にあつては三・八メートル

四　長さ　十二メートル

五　最小回転半径　車両の最外側のわだちについて十二メートル

2　バン型のセミトレーラ連結車（自動車と前車軸を有しない被けん引車との結合体であつて、被けん引車の一部が自動車に載せられ、かつ、被けん引車及びその積載物の重量の相当の部分が自動車によつて支えられるものをいう。以下同じ。）、タンク型のセミトレーラ連結車、幌(ほろ)枠型のセミトレーラ連結車及びコンテナ又は自動車の運搬用のセミトレーラ連結車並びにフルトレーラ連結車（自動車と一の被けん引車との結合体であつて、被けん引車及びその積載物の重量が自動車によつて支えられな

ンドルその他の装置）道運車四一、操縦装置＝保安基準一〇・一一〔後写鏡〕自動車＝道運車四一①16、保安基準四四、一般原動機付自転車＝道運車四四10、保安基準六五〔方向指示器〕自動車＝道運車四一①15、保安基準四一・四一の二、一般原動機付自転車＝道運車四四9、保安基準六四の三〔番号標〕道運車一九〔制動灯〕自動車＝道運車四一①13、保安基準三九、一般原動機付自転車＝道運車四四6、保安基準六二の四〔尾灯〕自動車＝道運車四一①13、保安基準三七、一般原動機付自転車＝道運車四四6、保安基準六二の三〔後部反射器〕自動車＝道運車四一①13、保安基準三八、一般原動機付自転車＝道運車四四6、保安基準六三

（罰則　第一項及び第二項については第百二十条第二項第一号（五万円以下の罰金）、第百二十三条（罰金刑又は科料刑）　第三項については第百二十一条第一項第九号（二万円以下の罰金又は科料））

反則金

乗車積載方法違反

大型　七千円　普通　六千円

二輪　六千円　原付　五千円

点数

乗車積載方法違反

一　般　一点

酒気帯び（〇・二五未満）　一四点

法第五五条

判例　乗車設備外乗車の故意

※　貨物自動車の荷台に乗車させることは、本項ただし書の場合または出発地警察署長の許可のあった場合を除き、本項の違反となる。この場合、運転者は、荷台に乗ることを予め承認していることを要しない。もちろん、荷台に乗車していたことについては認識を必要とするが、未必的認識で足りる。たとえば、多勢の人が荷台に乗車していることを認識しながら運転すれば、その多勢の人全員について本条違反の罪が成立し、その荷台に乗車している人たちの氏名、員数を確認することを要しない。（仙高　昭三二、一一、二九）

いものをいう。以下同じ。）で自動車及び被けん引車がバン型の車両、タンク型の車両、幌枠型の車両又はコンテナ若しくは自動車の運搬用の車両であるものの総重量の最高限度は、前項の規定にかかわらず、高速自動車国道を通行するものにあつては三十六トン以下、その他の道路を通行するものにあつては二十七トン以下で、車両の軸距に応じて当該車両の通行により道路に生ずる応力を勘案して国土交通省令で定める値とする。

3　高速自動車国道を通行するセミトレーラ連結車又はフルトレーラ連結車で、その積載する貨物が被けん引車の車体の前方又は後方にはみ出していないものの長さの最高限度は、第一項の規定にかかわらず、セミトレーラ連結車にあつては十六・五メートル、フルトレーラ連結車にあつては十八メートルとする。

4　道路管理者が道路の強度、線形その他の道路の構造を勘案して国際海上コンテナの運搬用のセミトレーラ連結車の通行による道路の構造の保全及び交通の危険の防止上の支障がないと認めて指定した道路を通行する国際海上コンテナの運搬用のセミトレーラ連結車の重量及び長さの最高限度は、第一項及び第二項の規定にかかわらず、次のとおりとする。

一　重量　次に掲げる値

イ　総重量　四十四トン以下で車両の車軸の数及び軸距に応じて当該車両の通行により道路に生ずる応力を勘案して国土交通省令で定める値

ロ　軸重　十一・五トン以下で車両の総重量、車軸の数及び軸距に応じて当該車両の通行により道路に生ずる応力を勘案して国土交通省令で定める値

ハ　輪荷重　五・七五トン以下で車両の総重量、車軸の数及び軸距に応じて当該車両の通行により道路に生ずる応力を勘案して国土交通省令で定める値

二　長さ　十六・五メートル

（乗車又は積載の方法の特例）

第五六条　車両の運転者は、当該車両の出発地を管轄する警察署長（以下第五十八条までにおいて「出発地警察署長」という。）が当該車両の構造又は道路若しくは交通の状況により支障がないと認めて積載の場所を指定して許可をしたときは、前条第一項の規定にかかわらず、当該車両の乗車又は積載のために設備された場所以外の場所で指定された場所に積載して車両を運転することができる。

2　貨物自動車の運転者は、出発地警察署長が道路又は交通の状況により支障がないと認めて人員を限つて許可をしたときは、前条第一項の規定にかかわらず、当該許可に係る人員の範囲内で当該貨物自動車の荷台に乗車させて貨物自動車を運転することができる。

参照〔車両〕二①8〔運転者〕二①18〔管轄する警察署長〕警五三〔貨物自動車〕五五①〔制限外許可証の様式等〕道交規八・別記様式四

（乗車又は積載の制限等）

第五七条　車両（軽車両を除く。以下この項及び第五十八条の二から第五十八条の五までにおいて同じ。）の運転者は、当該車両について政令で定める乗車人員又は積載物の重量、大きさ若しくは積載の方法（以下この条において「積載重量等」という。）の制限を超えて乗車をさせ、又は積載をして車両を運転してはならない。ただし、第五十五条第一項ただし

（自動車の乗車又は積載の制限）

第二二条　自動車の法第五十七条第一項の政令で定める乗車人員又は積載物の重量、大きさ若しくは積載の方法の制限は、次の各号に定めるところによる。

一　乗車人員（運転者を含む。次条において同じ。）は、自動車（普通自動車で内閣府令で定める大きさ以下の原動機を有するもの（以下この条において「ミニカー」という。）、普通自動車（ミニカーを除く。）又は大型特殊自動車で車体の大きさ及び構造を基準として内閣府令で定めるもの（以下この条において「特定普通自動車等」という。）、大型自動二輪車（側車付きのものを除く。以下この号、次号並びに第三号イ及び

（制限外許可証の様式等）

第八条　車両の運転者は、法第五十六条又は第五十七条第三項の規定による許可を受けようとするときは、申請書二通を出発地警察署長に提出しなければならない。

2　前項の申請書及び法第五十八条第一項の許可証の様式は、別記様式第四のとおりとする。

別記様式第四（第八条関係）

制限外積載／設備外積載／荷台乗車　許可申請書

年　月　日

警察署長殿

申請者　住所　氏名

申請者の免許の種類		免許証番号		
車両の種類		番号標に表示されている番号		
車両の諸元	長さ	幅	高さ	最大積載重量
	m	m	m	kg
運搬品名				
制限を超える大きさ又は重量	長さ	幅	高さ	重量
	m	m	m	kg
制限を超える積載の方法	前	後	左	右
	m	m	m	m
設備外積載の場所		荷台に乗せる人員		
運転の期間	年　月　日から　年　月　日まで			
運転経路	出発地	経由地	目的地	
	通行する道路			

第　号

制限外許可証

上記のとおり許可する。ただし、次の条件に従うこと。

条件	

年　月　日

警察署長印

備考　用紙の大きさは、日本産業規格A列4番とする。

〔本様式全改・昭46総府令53、改正・昭50総府令10・平6総府令9・平11総府令2・令元内府令12・令2内府令85〕

（普通自動車の乗車人員又は積載重量を区分する原動機の大きさ）

第七条の一一　令第二十二条第一号の内閣府令で定める大きさは、総排気量については〇・〇五〇リットル、定格出力については〇・六〇キロワットとする。

〔本条追加・昭五九総府令五一、旧七条の二を繰下・昭六〇総府令三五、旧七条の四を繰下・平六総府令一、本条改正・平

書の規定により、又は前条第二項の規定による許可を受けて貨物自動車の荷台に乗車させる場合にあつては、当該制限を超える乗車をさせて運転することができる。

ロにおいて同じ。）、普通自動二輪車（側車付きのものを除く。以下この号、次号並びに第三号イ及びロにおいて同じ。）並びに小型特殊自動車を除く。）にあつては自動車検査証（道路運送車両法第六十条第一項の自動車検査証をいう。以下この条において同じ。）に記録され、又は保安基準適合標章（道路運送車両法第九十四条の五第一項の保安基準適合標章をいう。以下同じ。）若しくは軽自動車届出済証（道路運送車両法第九十七条の三第一項の規定により届け出たことを証する書類をいう。以下同じ。）に記載された乗車定員を、ミニカー、特定普通自動車等、大型自動二輪車、普通自動二輪車及び小型特殊自動車にあつては一人（特定普通自動車等、大型自動二輪車、普通自動二輪車及び小型特殊自動車で運転者以外の者の用に供する乗車装置（以下この条において「乗車装置」という。）を備えるものにあつては二人）をそれぞれ超えないこと。ただし、道路交通に関する条約の実施に伴う道路運送車両法の特例等に関する法律（昭和三十九年法律第百九号）第二条第二項に規定する締約国登録自動車にあつては、車両の保安基準に関する規定により定められる乗車定員を超えてはならないものとする。

一二総府令八九、旧七条の七を繰下・平一六内府令九七、旧七条の一三を繰上・令二内府令七〇〕

（特定普通自動車等）

第七条の一二　令第二十二条第一号の内閣府令で定める普通自動車又は大型特殊自動車は、次に掲げるものとする。

一　三十五キロメートル毎時以上の速度を出すことができない構造の農業用薬剤散布車である普通自動車

二　三十五キロメートル毎時以上の速度を出すことができない構造の農耕作業用自動車である大型特殊自動車

三　車体の大きさが長さ四・七〇メートル以下、幅一・七〇メートル以下、高さ二・八〇メートル以下で、十五キロメートル毎時を超える速度を出すことができない構造の大型特殊自動車（農耕作業用自動車であるものを除く。）

〔本条追加・平八総府令五二、改正・平一二総府令八九、旧七条の八を繰下・平一六内府令九七、旧七条の一四を繰上・令二内府令七〇〕

道路運送車両法

第六〇条　国土交通大臣は、新規検査の結果、当該自動車が保安基準に適合すると認めるときは、自動車検査証を当該自動車の使用者に交付しなければならない。この場合において、検査対象軽自動車及び二輪の小型自動車については車両番号を指定しなければならない。

2　検査対象軽自動車及び二輪の小型自動車以外の自動車に係る前項の規定による自動車検査証の交付は、当該自動車について新規登録をした後にしなければならない。

（保安基準適合証等）

第九四条の五　指定自動車整備事業者は、自動車（検査対象外軽自動車及び小型特殊自動車を除く。）を国土交通省令で定める技術上の基準により点検し、当該自動車の保安基準に適合しなくなるおそれがある部分及び適合しない部分について必要な整備をした場合において、当該自動車が保安基準に適合する旨を自動車検査員が証明したときは、請求により、保安基準適合証及び保安基準適合標章（第十六条第一項の申請に基づく一時抹消登録を受けた自動車並びに第六十九条第四項の規定による自動車検査証返納証明書の交付を受けた検査対象軽自動車及び二輪の小型自動車にあつては、保安基準適合証）を依頼者に交付しなければならない。ただし、第六十三条第二項の規定により臨時検査を受けるべき自動車については、臨時検査を受けていなければ、これらを交付してはならない。

二　積載物の重量は、自動車（ミニカー、特定普通自動車等及び小型特殊自動車を除く。）にあつては自動車検査証に記録され、又は保安基準適合標章若しくは軽自動車届出済証に記載された最大積載重量（大型自動二輪車及び普通自動二輪車で乗車装置又は積載装置を備えるものにあつては六十キログラム、第十二条第一項の内閣府令で定める大きさ以下の原動機を有する普通自動二輪車がリヤカーを牽引する場合におけ

2〜12〔略〕

（自動車の種別）

第三条　この法律に規定する普通自動車、小型自動車、軽自動車、大型特殊自動車及び小型特殊自動車の別は、自動車の大きさ及び構造並びに原動機の種類及び総排気量又は定格出力を基準として国土交通省令で定める。

（検査対象外軽自動車の使用の届出等）

第九七条の三　検査対象外軽自動車は、その使用者が、その使用の本拠の位置を管轄する地方運輸局長に届け出て、車両番号の指定を受けなければ、これを運行の用に供してはならない。

2・3〔略〕

道路交通に関する条約の実施に伴う道路運送車両法の特例等に関する法律

（定義）

第二条　この法律で「自動車」とは、道路運送車両法第二条第二項に規定する自動車をいう。

2　この法律で「締約国登録自動車」とは、締約国（条約の締約国であつて日本国以外のものをいう。以下同じ。）若しくはその下部機構によりその法令に定める方法で登録されている自動車（被牽引自動車を除く。）であつて次の各号の要件に該当するもの又はこれにより牽引される被牽引自動車であつて次の各号の要件に該当するものをいう。

一　自家用自動車の一時輸入に関する通関条約第二条1、自家用自動車の一時輸入に関する通関条約の実施に伴う関税法等の特例に関する法律（昭和三十九年法律第百一号）第十条又は関税定率法（明治四十三年法律第五十四号）第十七条第一項（第十号に係る部分に限る。）の規定の適用を受けて輸入されたものであること。

二　当該自動車を輸入した者の使用に供されるものであること。

三　関税法（昭和二十九年法律第六十一号）第六十七条の輸入の許可を受けた日から一年を経過しないものであること。

（特定普通自動車等に係る積載物の重量の制限）

第七条の一三　令第二十二条第二号の内閣府令で定める重量は、前条第一号に掲げる自動車にあつては千五百キログラムと、同条第三号に掲げる自動車で積載装置を備えるものにあつては千キログラムとする。

〔本条追加・平八総府令五二、改正・平一二総府令八九、旧七条の九を繰下・平一六内府令九七、旧七条の一五を繰上・令

るその牽引されるリヤカーについては百二十キログラム）を、ミニカーで積載装置を備えるものにあつては九十キログラムを、特定普通自動車等で積載装置を備えるものにあつては千五百キログラムを超えない範囲内において内閣府令で定める重量を、小型特殊自動車で積載装置を備えるものにあつては七百キログラムをそれぞれ超えないこと。ただし、前号の締約国登録自動車にあつては、車両の保安基準に関する規定により定められる最大積載重量を超えてはならないものとする。

三　積載物の長さ、幅又は高さは、それぞれ次に掲げる長さ、幅又は高さを超えないこと。

イ　長さ　自動車の長さにその長さの十分の二の長さを加えたもの（大型自動二輪車及び普通自動二輪車にあつては、その乗車装置又は積載装置の長さに〇・三メートルを加えたもの）

ロ　幅　自動車の幅にその幅の十分の二の幅を加えたもの（大型自動二輪車及び普通自動二輪車にあつては、その乗車装置又は積載装置の幅に〇・三メートルを加えたもの）

ハ　高さ　三・八メートル（大型自動二輪車、普通自動二輪車及び小型特殊自動車にあつては二メートル、三輪の普通自動車並びにその他の普通自動車で車体及び原動機の大きさを基準として内閣府令で定めるものにあつては二・五メートル、その他の自動車で公安委員会が道路又は交通の状況により支障がないと認めて定めるものにあつては三・八メートル以上四・一メートルを超えない範囲内において公安委員会が定める高さ）からその自動車の積載をする場所の高さを減じたもの

四　積載物は、次に掲げる制限を超えることとなるような方法で積載しないこと。

イ　自動車の車体の前後から自動車の長さの十分の一の長さ（大型自動二輪車及び普通自動二輪車にあつては、その乗車装置又は積載装置の前後から〇・三メートル）を超えてはみ出さないこと。

ロ　自動車の車体の左右から自動車の幅の十分の一の幅（大型自動二輪車及び普通自動二輪車にあつては、その乗車装置又は積載装置の左右から〇・一五メートル）を超えてはみ出さないこと。

〔本条改正・昭三九政二八〇・昭四〇政二五八・昭四三政二六四・昭四四政三一〇・昭四六政三四八・昭五九政三一〇・平五政三四八・平八政一六〇・政三二二・平一二政三〇三・平一六政二二二・平二〇政一四九・令三政一七二・令四政一六・政一九五〕

二内府令七〇〕

（積載の高さ等について特別の制限を受ける普通自動車）

第七条の一四　令第二十二条第三号ハの内閣府令で定めるものは、車体の大きさが長さ三・四〇メートル以下、幅一・四八メートル以下、高さ二・〇〇メートル以下の普通自動車（内燃機関を原動機とする自動車にあつては、その総排気量が〇・六六〇リツトル以下のものに限る。）とする。

〔本条追加・昭四三総府令四九、改正・昭五〇総府令八〇、旧七条の二を繰下・昭五九総府令五一、旧七条の三を繰下・昭六〇総府令三五、本条改正・平元総府令五、旧七条の五を繰下・平六総府令一、旧七条の八を繰下・平八総府令五二、本条改正・平一〇総府令二・平一二総府令八九、旧七条の一〇を繰下・平一六内府令九七、旧七条の一六を繰上・令二内府令七〇〕

法第五七条

判例　※　重量制限のある木橋にその制限重量をはるかに超えた乗車定員に九名超過する乗客を乗せた乗合自動車が該橋を通過すればいかなる事故が発生するかわからないから、かかる場合は乗客を降車させ、いわゆる空車運転をなし、危害の発生を未然に防止する措置をとるべき業務上の注意義務がある。（宮崎地　昭三三、二、二〇）

※　運輸規則の規定を根拠として、乗合旅客自動車にあつては定員

（原動機付自転車の乗車又は積載の制限）

第二三条　原動機付自転車の法第五十七条第一項の政令で定める乗車人員又は積載物の重量、大きさ若しくは積載の方法の制限は、次の各号に定めるところによる。

一　乗車人員は、一人をこえないこと。

二　積載物の重量は、積載装置を備える原動機付自転車にあつては三十キログラムを、リヤカーを牽引する場合におけるその牽引されるリヤカーについては百二十キログラムを、それぞれこえないこと。

三　積載物の長さ、幅又は高さは、それぞれ次に掲げる長さ、幅又は高さをこえないこと。

イ　長さ　原動機付自転車の積載装置（リヤカーを牽引する場合にあつては、その牽引されるリヤカーの積載装置。以下この条において同じ。）の長さに〇・三メートルを加えたもの

ロ　幅　原動機付自転車の積載装置の幅に〇・三メートルを加えたもの

ハ　高さ　二メートルからその原動機付自転車の積載をする場所の高さを減じたもの

四　積載物は、次に掲げる制限をこえることとなるような方法で積載しないこと。

イ　原動機付自転車の積載装置の前後から〇・三メートルをこえてはみ出さないこと。

ロ　原動機付自転車の積載装置の左右から〇・一五メートルをこえてはみ出さないこと。

〔本条改正・昭四〇政二五八・昭四六政三四八〕

超過の責任は挙げて車掌のみに存し、運転者に対する（旧）令三九条二項に規定する定員遵守義務は存しないという解釈はとるべきでない。（名高　昭三三、五、一五）

※　乗合旅客自動車の乗客中には受験、入院等緊急の用件のための乗客もあり得べく、極めて僅少の定員超過を理由にこれらの者の乗車を拒否することは非常識である。（名高　昭三三、五、一五）

2　公安委員会は、道路における危険を防止し、その他交通の安全を図るため必要があると認めるときは、軽車両の乗車人員又は積載重量等の制限について定めることができる。

3　貨物が分割できないものであるため第一項の政令で定める積載重量等の制限又は前項の規定に基づき公安委員会が定める積載重量等を超えることとなる場合において、出発地警察署長が当該車両の構造又は道路若しくは交通の状況により支障がないと認めて積載重量等を限つて許可をしたときは、車両の運転者は、前二項の規定にかかわらず、当該許可に係る積載重量等の範囲内で当該制限を超える積載をして車両を運転することができる。

〔付記改正・昭四二法一二六・昭四五法八六、一―三項改正・昭四六法九八、一・三項・付記改正・平五法四三、付記改正・平一三法五一、三項・付記改正・令元法二〇、付記改正・令四法三二〕

参照　〔車両〕二①8〔積載重量違反の下命等〕七五①6〔軽車両〕二①11〔政令の定め〕道交令二二、道交規七の一一―七の一四、道交令二三〔運転〕二①17〔運転者〕二①18〔貨物自動車〕五五①〔公安委員会〕四①、警三八―四六の二〔軽車両の乗車人員又は積載重量等の制限〕各都道府県の公安委員会規則〔出発地警察署長〕五六①

〔罰則　第一項については第百十八条第一項第一号〔六月以下の懲役又は十万円以下の罰金〕、第百十九条第二項第一号〔三月以下の懲役又は五万円以下の罰金〕、第百二十条第二項第二号〔五万円以下の罰金〕、第百二十三条〔罰金刑又は科料刑〕　第二項については第百二十一条第二項第一号〔二万円以下の罰金又は科料〕、第百二十三条〔罰金刑又は科料刑〕〕

反則金

積載物重量制限超過（普通等一〇割以上）
　普通　三万五千円
　二輪　三万円　原付　二万五千円
積載物重量制限超過（五割以上一〇割未満）
　大型　四万円　普通　三万円
　二輪　二万五千円　原付　二万円
積載物重量制限超過（五割未満）
　大型　三万円　普通　二万五千円
　二輪　二万円　原付　一万五千円
積載物大きさ制限超過
　大型　九千円　普通　七千円
　二輪　六千円　原付　五千円
積載方法制限超過
　大型　九千円　普通　七千円
　二輪　六千円　原付　五千円
定員外乗車
　大型　七千円　普通　六千円
　二輪　六千円　原付　五千円

点数

積載物重量制限超過（大型等一〇割以上）
　一般　六点
　酒気帯び（〇・二五未満）　一六点
積載物重量制限超過（普通等一〇割以上）
　一般　三点
　酒気帯び（〇・二五未満）　一五点
積載物重量制限超過（大型等五割以上一〇割未満）
　一般　三点
　酒気帯び（〇・二五未満）　一五点
積載物重量制限超過（普通等五割以上一〇割未満）
　一般　二点
　酒気帯び（〇・二五未満）　一四点

積載物重量制限超過（大型等五割未満）
一般　二点
酒気帯び（〇・二五未満）　一四点
積載物重量制限超過（普通等五割未満）
一般　一点
酒気帯び（〇・二五未満）　一四点
積載物大きさ制限超過・積載方法制限超過・定員外乗車
一般　一点
酒気帯び（〇・二五未満）　一四点

（制限外許可証の交付等）

第五八条　出発地警察署長は、第五十六条又は前条第三項の規定による許可（以下この条において「制限外許可」という。）をしたときは、許可証を交付しなければならない。

2　前項の規定により許可証の交付を受けた車両の運転者は、当該許可に係る車両の運転中、当該許可証を携帯していなければならない。

3　制限外許可を与える場合において、必要があると認めるときは、出発地警察署長は、政令で定めるところにより、当該許可に係る危険を防止するため必要な条件を付することができる。

4　第一項の許可証の様式その他制限外許可の手続について必要な事項は、内閣府令で定める。

〔四項改正・平一一法一六〇、付記改正・令四法三二〕

参照〔出発地警察署長〕五六①〔車両〕二①8〔運転者〕二①18〔運転〕二①17〔政令の定め〕道交令二四〔内閣府令の定め〕道交規八・別記様式四

（制限外許可の条件）

第二四条　法第五十八条第三項の規定により出発地警察署長が付することができる条件は、次に掲げるものとする。

一　積載した貨物の長さ又は幅が前二条に規定する制限又は法第五十七条第二項の規定に基づき公安委員会が定める制限を超えるものであるときは、その貨物の見やすい箇所に、昼間にあつては〇・三メートル平方以上の大きさの赤色の布を、夜間にあつては赤色の灯火又は反射器をつけること。

二　車両の前面の見やすい箇所に法第五十八条第一項の許可証（次項及び次条において「制限外許可証」という。）を掲示すること。

三　前二号に掲げるもののほか、道路における危険を防止するため必要と認める事項

2　出発地警察署長は、前項の条件を付したときは、制限外許可証にその条件を記載しなければならない。

〔一・二項改正・平五政三四八〕

第八条（制限外許可証の様式等）……一九六ページ参照

（罰則　第三項については第百二十一条第二項第二号〔二万円以下の罰金又は科料〕、第百二十三条〔罰金刑又は科料刑〕）

反則金

制限外許可条件違反
大型　六千円　普通　四千円
二輪　四千円　原付　三千円

点数

制限外許可条件違反
一　般　一点
酒気帯び（〇・二五未満）　一四点

（積載物の重量の測定等）

第五八条の二　警察官は、第五十七条第一項の積載物の重量の制限を超える積載をしていると認められる車両が運転されているときは、当該車両を停止させ、並びに当該車両の運転者に対し、自動車検査証（道路運送車両法第六十条の自動車検査証をいう。第六十三条第一項において同じ。）その他政令で定める書類の提示を求め、及び当該車両の積載物の重量を測定することができる。

〔本条追加・平五法四三、付記改正・令四法三二〕

参照〔警察官〕警三四・五五・六二・六三〔車両〕五七①〔運転者〕二①18〔政令で定める書類〕道交令二四の二

（罰則　第百十九条第一項第八号〔三月以下の懲役又は五万円以下の罰金〕）

（過積載車両に係る提示書類）

第二四条の二　法第五十八条の二の政令で定める書類は、制限外許可証、法第五十八条の三第二項の通行指示書、保安基準適合標章、軽自動車届出済証又は登録証書（道路交通に関する条約第十八条２に規定する登録証書をいう。第二十五条の二において同じ。）とする。

〔本条追加・平五政三四八、改正・平二〇政一四九〕

（過積載車両に係る措置命令）

第五八条の三　警察官は、過積載（車両に積載をする積載物の重量が第五十七条第一項の制限に係る重量（同条第三項の規定による許可に係る積載物については、当該許可に係る重量）を超える場合における当該積載をいう。以下同じ。）をしている車両の運転者に対し、当該車両に係る積載が過積載とならないようにするため必要な応急の措置をとることを命ずることができる。

2　警察官は、前項の規定による命令によつては車両に係る積載が過積載とならないようにすることができないと認められる場合において、当該車両に係る過積載の程度及び道路又は交通の状況を勘案して当該車両を警察官が指示した事項を遵守して運転させることに支障がないと認めるときは、当該車両の運転者に対し、第五十七条第一項の規定にかかわらず、車両の通行の区間及び経路、道路における危険を防止するためにとるべき必要な措置その他の事項であつて警察官が指示したものを遵守して当該車両を運転し、及び当該車両に係る積載が過積載とならないようにするため必要な措置をとることを命ずることができる。この場合において、警察官は、当該車両の運転者に対し、通行指示書を交付しなければならない。

3　前項の規定により通行指示書の交付を受けた車両の運転者は、同項の規定による命令に係る運転に当たつては、当該通行指示書を携帯していなければならない。

4　第二項の通行指示書の様式その他同項の通行指示

（通行指示書の様式）

第八条の二　法第五十八条の三第二項の通行指示書の様式は、別記様式第四の二のとおりとする。

〔本条追加・平六総府令一〕

別記様式第四の二（第八条の二関係）

<table>
<tr><td colspan="3">通　行　指　示　書（番　号）</td></tr>
<tr><td colspan="3">道路交通法第58条の３第２項の規定により、運転に当たって遵守すべき事項として下記の事項を指示する。</td></tr>
<tr><td rowspan="2">運転者</td><td>住　　所</td><td></td></tr>
<tr><td>氏　　名</td><td>年　月　日生</td></tr>
<tr><td rowspan="3">指示事項</td><td>車両の通行の区間及び経路</td><td></td></tr>
<tr><td>道路における危険を防止するためにとるべき必要な措置</td><td></td></tr>
<tr><td>備　　考</td><td></td></tr>
<tr><td colspan="2">番号標に表示されている番号</td><td></td></tr>
<tr><td colspan="2">車両の種類</td><td></td></tr>
<tr><td colspan="2">積　載　物</td><td></td></tr>
<tr><td rowspan="3">使用者</td><td>氏　　名</td><td></td></tr>
<tr><td>住　　所</td><td></td></tr>
<tr><td>使用の本拠の位置</td><td></td></tr>
<tr><td colspan="2">交付日時</td><td></td></tr>
<tr><td colspan="2">交付場所</td><td></td></tr>
<tr><td>交付者</td><td>所　属
氏　名</td><td></td></tr>
<tr><td colspan="3">道路交通法第58条の３第２項の規定により通行指示書の交付を受けた車両の運転者は、同項の規定による命令に係る運転に当たっては、この通行指示書を携帯していなければなりません。</td></tr>
</table>

備考　1　使用者の氏名は、使用者が法人であるときは、その名称及び代表者の氏名とする。
　　　2　用紙の大きさは、縦25センチメートル、横12センチメートルとする。

〔本様式追加・平６総府令１〕

書に関し必要な事項は、内閣府令で定める。

〔本条追加・平五法四三、四項改正・平一一法一六〇、付記改正・令四法三二〕

参照〔警察官〕警三四・五五・六二・六三〔車両〕五七①〔運転者〕二①18〔過積載車両に係る指示〕五八の四〔危険防止の措置〕六一〔内閣府令の定め〕道交規八の二・別記様式四の二

（罰則　第一項及び第二項については第百十九条第一項第九号〔三月以下の懲役又は五万円以下の罰金〕）

（過積載車両に係る指示）

第五八条の四　前条第一項又は第二項の規定による命令がされた場合において、当該命令に係る車両の使用者（当該車両の運転者であるものを除く。以下この条において同じ。）が当該車両に係る過積載を防止するため必要な運行の管理を行つていると認められないときは、当該車両の使用の本拠の位置を管轄する公安委員会は、当該車両の使用者に対し、車両を運転者に運転させる場合にあらかじめ車両の積載物の重量を確認することを運転者に指導し又は助言することその他車両に係る過積載を防止するため必要な措置をとることを指示することができる。

〔本条追加・平五法四三〕

参照〔車両〕五七①〔運転者〕二①18〔過積載〕五八の三〔公安委員会〕四①、警三八―四六の二〔過積載を防止〕五七①・五八の五・七五①6・七五の二

（過積載車両の運転の要求等の禁止）

第五八条の五　第七十五条第一項に規定する使用者等以外の者は、次に掲げる行為をしてはならない。

一　車両の運転者に対し、過積載をして車両を運転することを要求すること。

二　車両の運転者に対し、当該車両への積載が過積載となるとの情を知りながら、第五十七条第一項の制限に係る重量を超える積載物を当該車両に積載をさせるため売り渡し、又は当該積載物を引き渡すこと。

2　警察署長は、前項の規定に違反する行為が行われた場合において、当該行為をした者が反復して同項の規定に違反する行為をするおそれがあると認めるときは、内閣府令で定めるところにより、当該行為をした者に対し、同項の規定に違反する行為をしてはならない旨を命ずることができる。

〔本条追加・平五法四三、二項改正・平一一法一六〇、付記改正・平一三法五一・令四法三二〕

参照　〔車両〕五七①〔運転者〕二①18〔過積載〕五八の三〔警察署長〕警五三②・③〔内閣府令の定め〕道交規八の三・別記様式四の三

〔罰則　第二項については第百十八条第一項第二号（六月以下の懲役又は十万円以下の罰金）、第百二十三条〔罰金刑又は科料刑〕〕

（再発防止命令の方法）

第八条の三　法第五十八条の五第二項の規定による命令は、別記様式第四の三の命令書を交付して行うものとする。

〔本条追加・平六総府令一〕

別記様式第四の三（第八条の三関係）

再発防止命令書

年　月　日

殿

警察署長　㊞

道路交通法第58条の5第2項の規定により、下記のとおり命令する。

命令を受ける者	住所	
	氏名	年　月　日生
命令の内容		
命令の理由		

備考　1　所定の欄に記載することができないときは、別紙に記載の上、これを添付すること。
2　用紙の大きさは、日本産業規格A列4番とする。

〔本様式追加・平6総府令1、改正・平6総府令9・令元内府令12〕

（自動車の牽引制限）

第五九条　自動車の運転者は、牽引するための構造及び装置を有する自動車によつて牽引されるための構造及び装置を有する車両を牽引する場合を除き、他の車両を牽引してはならない。ただし、故障その他の理由により自動車を牽引することがやむを得ない場合において、政令で定めるところにより当該自動車を牽引するときは、この限りでない。

2　自動車の運転者は、他の車両を牽引する場合においては、大型自動二輪車、普通自動二輪車又は小型特殊自動車によつて牽引するときは一台を超える車両を、その他の自動車によつて牽引するときは二台を超える車両を牽引してはならず、また、牽引する

（故障自動車の牽引）

第二五条　法第五十九条第一項ただし書の規定により自動車を牽引するときは、次の各号に定める方法によらなければならない。

一　牽引される自動車（以下この条において「故障自動車」という。）の前輪又は後輪を上げて牽引する場合にあつては、クレーンその他のつり上げ装置若しくは堅ろうなロープ、鎖等（以下この条において「ロープ等」という。）により故障自動車をつり上げて牽引するか、又は牽引する自動車の後端（牽引する自動車に牽引するための用具で内閣府令で定める基準に適合する構造及び装置を有するものを取り付けた場合における当該用具を含む。）に故障自動車の前部若しくは後部を載せ、かつ、その載せた部分を堅ろうなロープ等で固縛して牽引すること。この場合において、故障自動車のかじ取り車輪以外の車輪を上げるときは、かじ取り車輪がその故障自動車の中心線に平行になつているようにハンドルを固定しておくこと。

二　故障自動車の車輪を上げないで牽引する場合にあつては、次に定めるところにより牽引すること。

イ　牽引する自動車と故障自動車相互を堅ろうなロープ等によつて確実につなぐこと。二台の故障自動車を牽引する場合における故障自動車相互についても、同様とする。

ロ　その故障自動車に係る運転免許を受けた者又は国際運転免許証若しくは外国運転免許証（以下「国際運転免許証等」という。）を所持する者を故障自動車に乗車させてハンドルその他の装置を操作させること。

ハ　牽引する自動車と故障自動車の間の距離又は二台の故障自動車を牽引する場合における故障自動車相互の間の距離は、それぞれ五メートルを超えないこと。

ニ　故障自動車を牽引しているロープ等の見やすい箇所に〇・三メートル平方以上の大きさの白色の布をつけること。

〔本条改正・昭三九政一八〇・昭五三政三一三・平五政三四八・平一二政三〇三〕

（牽引の用具の構造及び装置）

第八条の四　令第二十五条第一号の内閣府令で定める基準は、次の各号に掲げるとおりとする。

一　堅ろうで運行に十分耐えるものであること。

二　牽引する自動車及び牽引される自動車に確実に結合するものであること。

三　走行中、振動、衝撃等により牽引する自動車又は牽引される自動車と分離しないような適当な安全装置を備えるものであること。

〔本条追加・昭五三総府令三七、旧八条の二を繰下・平六総府令一、本条改正・平一二総府令八九〕

（牽引の許可証の様式等）

第八条の五　自動車の運転者は、法第五十九条第二項ただし書の規定による許可を受けようとするときは、申請書二通を公安委員会に提出しなければならない。

2　前項の申請書及び法第五十九条第三項の許可証の様式は、別記様式第五のとおりとする。

〔旧九条を繰上・昭四二総府令四四、旧八条の二を繰下・昭五

自動車の前端から牽引される車両の後端（牽引される車両が二台のときは二台目の車両の後端）までの長さが二十五メートルを超えることとなるときは、牽引をしてはならない。ただし、公安委員会が当該自動車について、道路を指定し、又は時間を限つて牽引の許可をしたときは、この限りでない。

3　前項ただし書の規定による許可をしたときは、公安委員会は、許可証を交付しなければならない。

4　前項の規定により許可証の交付を受けた自動車の運転者は、当該許可に係る牽引中、当該許可証を携帯していなければならない。

5　第三項の許可証の様式その他第二項ただし書の許可の手続について必要な事項は、内閣府令で定める。

〔二項改正・昭三九法九一・昭四〇法九六、付記改正・昭四五法八六、二項改正・平七法七四、五項改正・平一一法一六〇、付記改正・令四法三二〕

参照 〔自動車〕二①9、自動車の種類＝三、道交規二〔車両〕二①8〔公安委員会〕四①、警三八―四六の二〔牽引、被牽引自動車〕二①11・一六②、保安基準一①1・2〔牽引、被牽引自動車の連結装置〕道運車四一①8、保安基準一九〔トロリーバスの牽引制限〕無軌条電運規三五〔政令で定めるところ〕道交

三総府令三七、旧八条の三を繰下・平六総府令一〕

別記様式第五（第八条の五関係）

制限外牽引の許可申請書

年　月　日

公安委員会殿

申請者　住所
氏名

申請者の免許の種類			免許証番号		
牽引する自動車	種類		番号標に表示されている番号		
牽引される車両	種類		台　数		台
牽引の全長	m		運搬品名		
牽引の方法					
牽引の年月日時	年　月　日　時から　年　月　日　時まで				
牽引の経路	出発地		経由地	目的地	
	通行する道路				

第　号

制限外牽引許可証

上記のとおり許可する。ただし、次の条件に従うこと。

条件	

年　月　日

公安委員会 印

備考　用紙の大きさは、日本産業規格Ａ列４番とする。

〔本様式全改・昭46総府令53、改正・昭50総府令10・昭53総府令37・平６総府令１・総府令９・平11総府令２・令元内府令12・令２内府令85〕

法第五九条

判例 ※ 故障した自動車を連結けん引して運転する場合には、通常の自動車運転者としての注意義務を有するほか、進行方向の転換、速力の加減、通行中の人馬等のすれ違いや追越等について、特に事前においてけん引される自動車の運転者等と運転上いかなる事態にも対処し得るよう打合せをしておき、運転中も連結けん引して運転していることの特殊な状況を考慮し、いつにても急停車して危害の発生を未然に防止し得るよう措置すべき義務がある。

（最　昭三〇、一、三）

道路運送車両の保安基準

（用語の定義）

第一条　この省令における用語の定義は、道路運送車両法（以下

令二五・道交規八の四〔内閣府令の定め〕道交規八の五・別記様式五

（罰則　第一項及び第二項については第百二十条第一項第一号（五万円以下の罰金）、第百二十三条（罰金刑又は科料刑））

反則金

牽引違反	大型	七千円	普通	六千円
	二輪	六千円	※原付	五千円

点数

牽引違反	一　般	一点
	酒気帯び（〇・二五未満）	一四点

（自動車以外の車両の牽引制限）

第六〇条　公安委員会は、道路における危険を防止し、その他交通の安全を図るため必要があると認めるときは、自動車以外の車両によつてする牽引の制限について定めることができる。

〔付記改正・令四法三二〕

参照　〔公安委員会〕四①、警三八―四六の二〔自動車以外の車両〕原動機付自転車＝二①10、道交規一の二、軽車両＝二①11、トロリーバス＝二①12〔公安委員会の定め〕各都道府県の公安委員会規則

（罰則　第百二十一条第二項第一号（二万円以下の罰金又は科料）、第百二十三条（罰金刑又は科料刑））

「法」という。）第二条に定めるもののほか、次の各号の定めるところによる。

一　「けん引自動車」とは、専ら被けん引自動車をけん引することを目的とすると否とにかかわらず、被けん引自動車をけん引する目的に適合した構造及び装置を有する自動車をいう。

二　「被けん引自動車」とは、自動車によりけん引されることを目的とし、その目的に適合した構造及び装置を有する自動車をいう。

二の二～十八　〔略〕

2　〔略〕

反則金
原付牽引違反　原付　三千円
点数
原付牽引違反（軽車両を除く。）
一　般　一点
酒気帯び（〇・二五未満）　一四点

（危険防止の措置）

第六一条　警察官は、第五十八条の三第一項及び第二項の規定による場合のほか、車両等の乗車、積載又は牽引について危険を防止するため特に必要があると認めるときは、当該車両等を停止させ、及び当該車両等の運転者に対し、危険を防止するため必要な応急の措置をとることを命ずることができる。

〔本条改正・平五法四三、付記改正・令四法三二〕

参照 〔警察官〕警三四・五五・六二・六三〔車両等〕二①17〔運転者〕二①18〔危険防止の応急措置の他の規定〕六七

〔罰則　第百十九条第一項第十号〔三月以下の懲役又は五万円以下の罰金〕〕

第十二節　整備不良車両の運転の禁止等

（整備不良車両の運転の禁止）

第六二条　車両等の使用者その他車両等の装置の整備について責任を有する者又は運転者は、その装置が道路運送車両法第三章若しくはこれに基づく命令の規定（同法の規定が適用されない自衛隊の使用する自動車については、自衛隊法（昭和二十九年法律第百六十五号）第百十四条第二項の規定による防衛大臣の定め。以下同じ。）又は軌道法第十四条若しくはこれに基づく命令の規定に定めるところに適合しないため交通の危険を生じさせ、又は他人に迷惑を及ぼすおそれがある車両等（次条第一項及び第七十一条の四の二第二項第一号において「整備不良車両」という。）を運転させ、又は運転してはならない。

〔付記改正・昭四五法八六、本条改正・昭四六法九八、付記改正・昭五三法五三、本条改正・昭六〇法八七・平一八法一一八・令元法二〇、付記改正・令四法三二〕

〔参照〕〔車両等〕二①17〔車両等の装置〕自動車＝道運車四一、保安基準二―五八の二、原動機付自転車＝道運車四四、保安基準五九―六七の三、軽車両＝道運車四五、保安基準六八―七三、路面電車＝軌道建規二二―三二〔軌道の車両の構造基準〕トロリーバス＝無軌条電建規三五―五七〔運転者〕二①18〔運転〕二①17〔道運車三章に基づく命令〕保安基準〔防衛大臣の定め〕自衛隊の使用する自動車に関する訓令〔軌道法一四条に基づく命

法第六二条

〔判例〕※　フートブレーキが故障し制動の機能を有しなくなつたことを知りながら修理することなく自動車を運転した行為と、業務上の注意義務を怠り人を死傷に致した行為とは、一所為数法の関係にない。（東高　昭三七、一〇、一九）

※　本条（昭和四六年法律九八号改正前）の「その他車両等の装置の整備について責任を有する者」とは、道路運送車両法五〇条に基づき選任され、同法所定の届出がなされている整備管理者のみならず、会社の内部規定により、又は会社内部の慣行による上司の指示により、整備管理者の代務者と定められた者をも含む。

制動装置の整備不良の車両は、本条（昭四六・法律九八号改正前）の「装置が調整されていないため交通の危険を生じさせるおそれがある車両」に該当し、単に保安基準に適合しているという だけの理由で本条に該当しないということはできない。（神地　昭四一、二、三）

制動装置の機能不良に気づいた場合の運転者の注意義務

※　ブレーキの効きが悪くなつた場合には、職業的自動車運転者としては、停車してまずブレーキオイルを点検するほか、ブレーキドラムに手を触れて異常発熱の有無を点検し、もしブレーキドラムに異常発熱を認めたならば運転を止め、修理の専門家に見てもらうのが通常であり、右程度の点検並びに措置は職業的自動車運転者の一般的常識である。（東高　昭五一、五、二七）

道路運送車両法

第三章　道路運送車両の保安基準

（自動車の構造）

第四〇条　自動車は、その構造が、次に掲げる事項について、国土交通省令で定める保安上又は公害防止その他の環境保全上の技術基準に適合するものでなければ、運行の用に供してはならない。

一　長さ、幅及び高さ
二　最低地上高
三　車両総重量（車両重量、最大積載量及び五十五キログラムに乗車定員を乗じて得た重量の総和をいう。）
四　車輪にかかる荷重
五　車輪にかかる荷重の車両重量（運行に必要な装備をした状態における自動車の重量をいう。）に対する割合
六　車輪にかかる荷重の車両総重量に対する割合
七　最大安定傾斜角度
八　最小回転半径
九　接地部及び接地圧

（自動車の装置）

第四一条　自動車は、次に掲げる装置について、国土交通省令で定める保安上又は公害防止その他の環境保全上の技術基準に適合するものでなければ、運行の用に供してはならない。

一　原動機及び動力伝達装置
二　車輪及び車軸、そりその他の走行装置
三　操縦装置
四　制動装置
五　ばねその他の緩衝装置
六　燃料装置及び電気装置
七　車枠及び車体

令）軌道運規、無軌条電運規、運転の安全の確保に関する省令

（罰則　第百十九条第二項第二号〔三月以下の懲役又は五万円以下の罰金〕、同条第三項〔十万円以下の罰金〕、第百二十条第一項第七号〔五万円以下の罰金〕、同条第三項〔五万円以下の罰金〕、第百二十三条〔罰金刑又は科料刑〕）

反則金

整備不良（制動装置等）
大型　一万二千円　普通　九千円
二輪　七千円　原付　六千円

整備不良（尾灯等）
大型　九千円　普通　七千円
二輪　六千円　原付　五千円

点数

整備不良（制動装置等）
一　般　二点
酒気帯び（〇・二五未満）　一四点

整備不良（尾灯等）
一　般　一点
酒気帯び（〇・二五未満）　一四点

八　連結装置
九　乗車装置及び物品積載装置
十　前面ガラスその他の窓ガラス
十一　消音器その他の騒音防止装置
十二　ばい煙、悪臭のあるガス、有毒なガス等の発散防止装置
十三　前照灯、番号灯、尾灯、制動灯、車幅灯その他の灯火装置及び反射器
十四　警音器その他の警報装置
十五　方向指示器その他の指示装置
十六　後写鏡、窓拭き器その他の視野を確保する装置
十七　速度計、走行距離計その他の計器
十八　消火器その他の防火装置
十九　内圧容器及びその附属装置
二十　自動運行装置
二十一　その他政令で定める特に必要な自動車の装置

2　前項第二十号の「自動運行装置」とは、プログラム（電子計算機（入出力装置を含む。この項及び第九十九条の三第一項第一号を除き、以下同じ。）に対する指令であつて、一の結果を得ることができるように組み合わされたものをいう。以下同じ。）により自動的に自動車を運行させるために必要な、自動車の運行時の状態及び周囲の状況を検知するためのセンサー並びに当該センサーから送信された情報を処理するための電子計算機及びプログラムを主たる構成要素とする装置であつて、当該装置ごとに国土交通大臣が付する条件で使用される場合において、自動車を運行する者の操縦に係る認知、予測、判断及び操作に係る能力の全部を代替する機能を有し、かつ、当該機能の作動状態の確認に必要な情報を記録するための装置を備えるものをいう。

（乗車定員又は最大積載量）

第四十二条　自動車は、乗車定員又は最大積載量について、国土交通省令で定める保安上又は公害防止その他の環境保全上の技術基準に適合するものでなければ、運行の用に供してはならない。

（自動車の保安上の技術基準についての制限の付加）

第四十三条　地方運輸局長は、勾配、曲折、ぬかるみ、積雪、結氷その他の路面の状況等により保安上危険な道路において主として運行する自動車の使用者に対し、当該自動車につき、第四十条の規定による同条各号についての制限、第四十一条第一項の規定による走行装置、制動装置、灯火装置若しくは警報装置についての制限又は前条の規定による乗車定員若しくは最大積載量についての制限を付加することができる。

2　地方運輸局長は、前項の行為をするときは、あらかじめ、国土交通大臣の承認を受けなければならない。

（原動機付自転車の構造及び装置）

第四十四条　原動機付自転車は、次に掲げる事項について、国土交通省令で定める保安上又は公害防止その他の環境保全上の技術基準に適合するものでなければ、運行の用に供してはならない。
一　長さ、幅及び高さ
二　接地部及び接地圧
三　制動装置
四　車体
五　ばい煙、悪臭のあるガス、有毒なガス等の発散防止装置
六　前照灯、番号灯、尾灯、制動灯及び後部反射器
七　警音器
八　消音器
九　方向指示器
十　後写鏡
十一　速度計

（軽車両の構造及び装置）

第四十五条　軽車両は、次に掲げる事項について、国土交通省令で定める保安上の技術基準に適合するものでなければ、運行の用に供してはならない。
一　長さ、幅及び高さ
二　接地部及び接地圧
三　制動装置
四　車体
五　警音器

（保安基準の原則）

第四十六条　第四十条から第四十二条まで、第四十四条及び前条の規定による保安上又は公害防止その他の環境保全上の技術基準（以下「保安基準」という。）は、道路運送車両の構造及び装置が運行に十分堪え、操縦その他の使用のための作業に安全であるとともに、通行人その他に危害を与えないことを確保するものでなければならず、かつ、これにより製作者又は使用者に対し、自動車の製作又は使用について不当な制限を課することとなるものであつてはならない。

自衛隊の使用する自動車に関する訓令

（昭和四五年一月三〇日防衛庁訓令第一号）

（車両の検査等）

第六三条　警察官は、整備不良車両に該当すると認められる車両（軽車両を除く。以下この条において同じ。）が運転されているときは、当該車両を停止させ、並びに当該車両の運転者に対し、自動車検査証その他政令で定める書類及び作動状態記録装置（道路運送車両法第四十一条第二項に規定する作動状態の確認に必要な情報を記録するための装置をいう。第六十三条の二の二において同じ。）により記録された記録の提示を求め、並びに当該車両の装置について検査をすることができる。この場合において、警察官は、当該記録を人の視覚又は聴覚により認識することができる状態にするための措置が必要であると認めるときは、当該車両を製作し、又は輸入した者その他の関係者に対し、当該措置を求めることができる。

2　前項の場合において、警察官は、当該車両の運転者に対し、道路における危険を防止し、その他交通の安全を図り、又は他人に及ぼす迷惑を防止するため必要な応急の措置をとることを命じ、また、応急の措置によつては必要な整備をすることができないと認められる車両（以下この条において「故障車両」という。）については、当該故障車両の運転を継続してはならない旨を命ずることができる。

3　前項の場合において、当該故障車両の整備不良の程度及び道路又は交通の状況により支障がないと認めるときは、警察官は、前条の規定にかかわらず、当該故障車両を整備するため必要な限度において、

（整備不良車両に係る提示書類）

第二五条の二　法第六十三条第一項の政令で定める書類は、臨時運行許可証（道路運送車両法第三十五条第四項（同法第七十三条第二項において準用する場合を含む。）の臨時運行許可証をいう。）、回送運行許可証（道路運送車両法第三十六条の二第五項（同法第七十三条第二項において準用する場合を含む。）の回送運行許可証をいう。）、保安基準適合標章、軽自動車届出済証又は登録証書とする。

〔本条改正・昭三八政二〇五・昭三九政二八〇・昭四四政三一〇・昭四六政三四八、見出し・本条改正・平五政三四八、旧二六条を繰上・平二〇政一四九、本条改正・平二八政二一〕

道路運送車両法

（許可基準等）

第三五条　1～3　〔略〕

4　行政庁は、臨時運行の許可をしたときは、臨時運行許可証を交付し、且つ、臨時運行許可番号標を貸与しなければならない。

5・6　〔略〕

（回送運行の許可）

第三六条の二　自動車の回送を業とする者で地方運輸局長の許可を受けたものが、その業務として回送する自動車（以下「回送自動車」という。）で、次に掲げる要件を満たすものを、当該許可の有効期間内に、当該回送運行許可証に記載された目的に従つて運行の用に供するときは、第四条、第十九条、第五十八条第一項及び第六十六条第一項の規定は、当該自動車について適用しない。

一　回送運行許可番号標を国土交通省令で定める位置に、かつ、被覆しないことその他当該回送運行許可番号標に記載された番号の識別に支障が生じないものとして国土交通省令で定める方法により表示していること。

二　回送運行許可証を備え付けていること。

2～4　〔略〕

5　地方運輸局長は、第一項の許可を受けた者に対し、その申請に基づき、必要と認められる数の回送運行許可証を交付するとともに、これに対応する数の回送運行許可番号標を貸与するものとする。

6～10　〔略〕

第六〇条　国土交通大臣は、新規検査の結果、当該自動車が保安基準に適合すると認めるときは、自動車検査証を当該自動車の使用者に交付しなければならない。この場合において、検査対象軽自動車及び二輪の小型自動車については車両番号を指定しなければならない。

2　検査対象軽自動車及び二輪の小型自動車以外の自動車に係る前項の規定による自動車検査証の交付は、当該自動車について新規登録をした後にしなければならない。

（車両番号標の表示の義務等）

第七三条　1　〔略〕

2　第三十四条から第三十六条の二までの規定は、検査対象軽自動車及び二輪の小型自動車について準用する。この場合において、第三十四条第一項及び第三十六条の二第一項中「第十九条」

区間及び通行の経路を指定し、その他道路における危険又は他人に及ぼす迷惑を防止するため必要な条件を付して当該故障車両を運転することを許可することができる。この場合において、警察官は、許可証を交付しなければならない。

4　警察官は、第二項の規定による措置をとつたときは、当該故障車両の運転者に対し、当該故障車両について整備を要する事項を記載した文書を交付し、かつ、当該故障車両の前面の見やすい箇所に標章を貼り付けなければならない。

5　警察官は、前項の措置をとつたときは、その旨を当該措置をとつた場所を管轄する警察署長に報告しなければならない。

6　警察署長は、前項の報告を受けたときは、当該故障車両の使用の本拠の位置を管轄する地方運輸局長に対し、内閣府令・国土交通省令で定める事項を通知しなければならない。

7　第四項の規定により貼り付けられた標章は、何人も、これを破損し、又は汚損してはならず、また、当該故障車両の必要な整備がされたことについて、内閣府令・国土交通省令で定める手続により、最寄りの警察署の警察署長又は車両の整備に係る事項について権限を有する行政庁の確認を受けた後でなければ、これを取り除いてはならない。

8　第三項の許可証の様式、第四項の規定により故障車両の運転者に対し交付する文書の様式及び同項の標章の様式は、内閣府令・国土交通省令で定める。

〔一項改正・昭三八法九〇、一―三項改正・昭四六法九八、六項改正・昭五九法二五、一項改正・平五法四三、六―八項改正・

とあるのは「第七十三条第一項」と読み替える。

自動車損害賠償保障法

（自動車損害賠償責任保険証明書の備付）

第八条　自動車は、自動車損害賠償責任保険証明書（前条第二項の規定により変更についての記入を受けなければならないものにあつては、その記入を受けた自動車損害賠償責任保険証明書。次条において同じ。）を備え付けなければ、運行の用に供してはならない。

故障車両の整備確認の手続等に関する命令

（故障車両運転許可証の様式）

第一条　道路交通法（昭和三十五年法律第百五号。以下「法」という。）第六十三条第三項の規定により交付する許可証の様式は、別記様式第一のとおりとする。

（整備通告書の様式）

第二条　法第六十三条第四項の規定により故障車両（法第六十三条第二項の故障車両をいう。）の運転者に対し交付する文書（以下「整備通告書」という。）の様式は、別記様式第二のとおりとする。

（標章の様式）

第三条　法第六十三条第四項の規定によりはりつける標章の様式は、別記様式第三のとおりとする。

（通知事項）

第四条　法第六十三条第六項の内閣府令・国土交通省令で定める事項は、次の各号に掲げるものとする。

一　整備を要する事項を認めた年月日
二　車両の使用者の氏名又は名称及び住所又は所在地
三　番号標に表示されている番号
四　整備を要する事項

平一一法一六〇、一・四・七項・付記改正・令元法二〇、付記改正・令四法三二）

参照　〔警察官〕警三四・五五・六二・六三〔車両〕二①8〔軽車両〕二①11〔運転〕二①17〔警察官が車両を停止させうる他の規定〕六一・六七・一一二②〔自動車検査証〕五八の二、備付け義務＝道運車六六〔政令で定める書類〕道交令二五の二〔検査〕道路運送車両の検査＝道運車五八―七六〔内閣府令・国土交通省令〕故障車両の整備確認の手続等に関する命令、通知事項＝整備令四、手続＝整備令五、許可証の様式＝整備令一、整備通告書の様式＝整備令二、標章の様式＝整備令三

〔罰則　第一項前段については第百十九条第一項第十一号（三月以下の懲役又は五万円以下の罰金）　第二項については第百十九条第一項第十二号（三月以下の懲役又は五万円以下の罰金）　第七項については第百二十一条第一項第十号（二万円以下の罰金又は科料）〕

（確認の手続等）

第五条　法第六十三条第七項の規定による確認を受けようとするときは、当該車両及び交付された整備通告書を、もよりの警察署の警察署長又は車両の整備に係る事項について権限を有する行政庁（以下「警察署長又は行政庁」という。）に提示するものとする。

2　警察署長又は行政庁は、当該車両が必要な整備をされていることを確認したときは、当該整備通告書が交付された場所を管轄する警察署長及び当該車両の使用の本拠の位置を管轄する地方運輸局長に対し、その旨を通知するものとする。

別記様式第一

（幅 11、高さ 15）

故障車両運転許可証		
運転者	氏名	
	住所	
番号標に表示されている番号		
道路の区間及び通行の経路		
条件		
交付場所		
交付日時		年　月　日　時　分
交付者	所属 階級 氏名	

備考　図示の長さの単位は、センチメートルとする。

別記様式第二

（表）

（幅 11、高さ 15）

整備通告書		
運転者	氏名	
	住所	
番号標に表示されている番号		
整備を要する事項		
交付場所		
交付日時		年　月　日　時　分
交付者	所属 階級 氏名	

備考　図示の長さの単位は、センチメートルとする。

（裏）

あなたの車両は、ただいま検査したところ、表記のとおり整備を要する箇所がありますから、道路交通法第63条第４項の規定によりこの整備通告書を交付します。

この車両を今後運転しようとするときは、必要な整備を済ませ、最寄りの警察署の署長又は運輸監理部長若しくは運輸支局長に、この車両とこの整備通告書を提示して、整備を済ませたことについての確認を受けなければなりません。

整備した場所及び責任者の氏名		
備考		
確認欄	この車両が整備を済ませたことを確認する。	
	確認年月日	年　月　日
	確認者	

別記様式第三

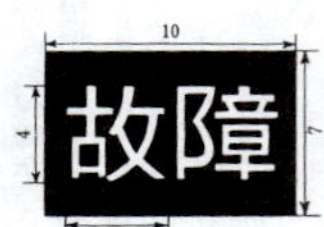

備考　1　文字の書体はゴシツクとし、文字の色彩は白色、地の色彩は赤色とする。
　　　2　図示の長さの単位は、センチメートルとする。

（運行記録計による記録等）

第六三条の二　自動車の使用者その他自動車の装置の整備について責任を有する者又は運転者は、道路運送車両法第三章又はこれに基づく命令の規定により運行記録計を備えなければならないこととされている自動車で、これらの規定により定められた運行記録計を備えていないもの又は当該運行記録計についての調整がされていないためこれらの規定により定められた事項を記録することができないものを運転させ、又は運転してはならない。

2　前項の運行記録計を備えなければならないこととされている自動車の使用者は、運行記録計により記録された当該自動車に係る記録を、内閣府令で定めるところにより一年間保存しなければならない。

〔本条追加・昭四二法一二六、旧六三条の三を繰上・昭四六法九八、二項改正・平一一法一六〇、付記改正・令四法三二〕

参照　〔運転者〕二①18〔運行記録計〕保安基準四八の二、運行記録計による記録＝旅自運輸規二六〔内閣府令で定めるところ〕道交規九

〔罰則　第百二十一条第二項第三号〔二万円以下の罰金又は科料〕、第百二十三条〔罰金刑又は科料刑〕〕

反則金

運行記録計不備　大型　六千円　普通　四千円

（運行記録計による記録の保存）

第九条　法第六十三条の二第二項に規定する運行記録計による記録の保存は、次の各号に掲げる事項を明らかにして行なわなければならない。

一　記録が行なわれた年月日
二　記録に係る自動車の登録番号
三　記録に係る運転者の氏名
四　記録に係る主たる運転区間又は運転区域

〔本条追加・昭四二総府令四四、改正・昭四六総府令五三〕

（作動状態記録装置による記録等）

第六三条の二の二　自動車の使用者その他自動車の装置の整備について責任を有する者又は運転者は、自動運行装置を備えている自動車で、作動状態記録装置により道路運送車両法第四十一条第二項に規定する作動状態の確認に必要な情報を正確に記録することができないものを運転させ、又は運転してはならない。

2　自動運行装置を備えている自動車の使用者は、作動状態記録装置により記録された記録を、内閣府令で定めるところにより保存しなければならない。

〔本条追加・令元法二〇、付記改正・令四法三二〕

参照〔自動車〕二①9、自動車の種類＝三、道交規二〔使用者〕七四～七五の二の二〔運転者〕二①18〔自動運行装置〕二①13の2、道運車四一①20〔運転〕二①17〔作動状態記録装置〕道運車四一②〔内閣府令で定めるところ〕道交規九の二

〔罰則　第百十九条第二項第三号（三月以下の懲役又は五万円以下の罰金）、第百二十三条（罰金刑又は科料刑）〕

反則金

作動状態記録装置不備

大型　一万二千円　普通　九千円
二輪　七千円　※原付　六千円

点数

作動状態記録装置不備

一般　二点
酒気帯び（〇・二五未満）　一四点

（作動状態記録装置による記録の保存）

第九条の二　法第六十三条の二の二第二項に規定する作動状態記録装置による記録は、当該作動状態記録装置において、道路運送車両の保安基準の細目を定める告示（平成十四年国土交通省告示第六百十九号）別添百二十三「作動状態記録装置の技術基準」三．三．一．に規定する期間保存しなければならない。

〔本条追加・令二内府令二九〕

第十三節　自転車の交通方法の特例

〔本節追加・昭五三法五三〕

（自転車道の通行区分）

第六三条の三　車体の大きさ及び構造が内閣府令で定める基準に適合する自転車で、他の車両を牽引していないもの（以下この節において「普通自転車」という。）は、自転車道が設けられている道路においては、自転車道以外の車道を横断する場合及び道路の状況その他の事情によりやむを得ない場合を除き、自転車道を通行しなければならない。

〔本条追加・昭五三法五三、改正・平一一法一六〇・令二法四二、付記改正・令四法三二〕

参照〔内閣府令で定める基準〕道交規九の二の二〔自転車〕二①11の2〔自転車道〕二①3の3、自転道二③、構造＝道構令一〇〔車道〕二①3、道構令二4〔普通自転車の型式認定〕道交規三九の七

（罰則　第百二十一条第一項第八号〔二万円以下の罰金又は科料〕）

規制標識

種類	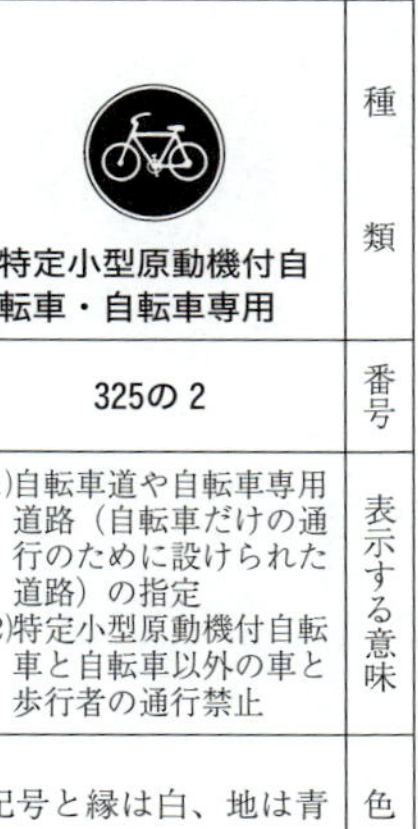 特定小型原動機付自転車・自転車専用
番号	325の2
表示する意味	(1)自転車道や自転車専用道路（自転車だけの通行のために設けられた道路）の指定 (2)特定小型原動機付自転車と自転車以外の車と歩行者の通行禁止
色	記号と縁は白、地は青

第二章の二　自転車に関する基準

〔本章追加・昭五三総府令三七、章名改正・平四総府令三八〕

（普通自転車の大きさ等）

第九条の二の二　法第六十三条の三の内閣府令で定める基準は、次の各号に掲げるとおりとする。

一　車体の大きさは、次に掲げる長さ及び幅を超えないこと。

イ　長さ　百九十センチメートル

ロ　幅　六十センチメートル

二　車体の構造は、次に掲げるものであること。

イ　四輪以下の自転車であること。

ロ　側車を付していないこと。

ハ　一の運転者席以外の乗車装置（幼児用座席を除く。）を備えていないこと。

ニ　制動装置が走行中容易に操作できる位置にあること。

ホ　歩行者に危害を及ぼすおそれがある鋭利な突出部がないこと。

〔本条追加・昭五三総府令三七、改正・平一二総府令八九、旧九条の二を繰下・令二内府令二九、本条改正・令二内府令七〇〕

（原動機を用いる歩行補助車等の型式認定）

第三九条の二　原動機を用いる歩行補助車等の製作又は販売を業とする者は、その製作し、又は販売する原動機を用いる歩行補助車等の型式について国家公安委員会の認定を受けることができる。

2　前項の認定は、原動機を用いる歩行補助車等が第一条第一項に定める基準（令第一条第二号に掲げる歩行補助車等で原動機を用いるものにあつては、第一条第一項第二号、第三項及び第四項に定める基準）に適合するものであるかどうかを判定することによつて行う。

3　第一項の認定を受けようとする者は、次に掲げる事項を記載した申請書を国家公安委員会に提出し、かつ、当該型式の原動機を用いる歩行補助車等を提示しなければならない。

一　申請者の氏名又は名称及び住所並びに法人にあつては、その代表者の氏名

二　原動機を用いる歩行補助車等の名称及び型式

三　製作工場の名称及び所在地

4　前項の申請書には、次に掲げる事項を記載した書類を添付しなければならない。

一　諸元、外観等当該型式の内容に関する事項

二　製作方法、検査方法等当該型式の原動機を用いる歩行補助車等の製作における均一性を明らかにする事項

三　第一項の認定に必要な当該型式についての試験を行うのに必要かつ適切な組織及び能力を有する法人として国家公安委員会が指定したものが行う当該型式についての試験の結果及びその意見

5　国家公安委員会は、第一項の認定をしたときは、当該認定に係る型式認定番号を指定する。

6　第一項の認定を受けた者は、当該型式の原動機を用いる歩行補助車等に前項の規定により指定を受けた型式認定番号を表示するものとする。

7　第一項の認定を受けた者は、次に掲げる場合においては、速やかにその旨を国家公安委員会に届け出るものとする。

一　第三項各号に掲げる事項に変更があつたとき。

二　当該型式の原動機を用いる歩行補助車等の製作又は販売をやめたとき。

三　当該型式の原動機を用いる歩行補助車等の製作における均一性を確保できない事情が生じたとき。

8　国家公安委員会は、次の各号のいずれかに該当する場合は、第一項の認定を取り消すものとする。

一　当該型式の原動機を用いる歩行補助車等の製作における均一性が確保されていないと認められるとき。

二　第一項の認定を受けた者が虚偽の型式認定番号の表示をしたとき。

〔本条追加・平四総府令四五、見出し・一―四・六―八項改正・平七総府令四三、四項改正・平一四内府令三四、二項改正・令元内府令三二〕

（原動機を用いる軽車両の型式認定）

第三九条の二の二　原動機を用いる軽車両の製作又は販売を業とする者は、その製作し、又は販売する原動機を用いる軽車両の型式について国家公安委員会の認定を受けることができる。

2　前項の認定は、原動機を用いる軽車両が第一条の二の三に定めるものに該当するものであるかどうかを判定することによつて行う。

3　前条第三項から第八項までの規定は、第一項の認定について準用する。この場合において、「歩行補助車等」とあるのは、「軽車両」と読み替えるものとする。

〔本条追加・令元内府令三二、二項改正・令五内府令一七〕

（人の力を補うため原動機を用いる自転車の型式認定）

第三九条の三　人の力を補うため原動機を用いる自転車（以下「駆動補助機付自転車」という。）の製作又は販売を業とする者は、その製作し、又は販売する駆動補助機付自転車の型式について国家公安委員会の認定を受けることができる。

2　前項の認定は、駆動補助機付自転車が第一条の三に定める基準に該当するものであるかどうかを判定することによつて行う。

3　第三十九条の二第三項から第八項までの規定は、第一項の認定について準用する。この場合において、「原動機を用いる歩行補助車等」とあるのは、「駆動補助機付自転車」と読み替えるものとする。

〔本条追加・平七総府令四三、三項改正・平一〇総府令二・令元内府令三二〕

（移動用小型車の型式認定）

第三九条の四　移動用小型車の製作又は販売を業とする者は、その製作し、又は販売する移動用小型車の型式について国家公安委員会の認定を受けることができる。

2　前項の認定は、移動用小型車が第一条の四に定める基準に該当するものであるかどうかを判定することによつて行う。

3　第三十九条の二第三項から第八項までの規定は、第一項の認定について準用する。この場合において、「歩行補助車等」とあるのは、「移動用小型車」と読み替えるものとする。

〔本条追加・令四内府令六七〕

（原動機を用いる身体障害者用の車の型式認定）

第三九条の五　原動機を用いる身体障害者用の車の製作又は販売を業とする者は、その製作し、又は販売する原動機を用いる身体障害者用の車の型式について国家公安委員会の認定を受けることができる。

2　前項の認定は、原動機を用いる身体障害者用の車が第一条の五第一項に定める基準に該当するものであるかどうかを判定することによつて行う。

3　第三十九条の二第三項から第八項までの規定は、第一項の認定について準用する。この場合において、「歩行補助車等」とあるのは、「身体障害者用の車」と読み替えるものとする。

〔本条追加・平七総府令四三、見出し・一―三項改正・令元内府令三二、見出し・一―三項改正・旧三九条の四を繰下・令四内府令六七〕

（遠隔操作型小型車の型式認定）

第三九条の六　遠隔操作型小型車の製作又は販売を業とする者は、その製作し、又は販売する遠隔操作型小型車の型式について国家公安委員会の認定を受けることができる。

2　前項の認定は、遠隔操作型小型車が遠隔操作により通行させることができ、かつ、第一条の六に定める基準に該当するものであるかどうか及び遠隔操作型小型車の非常停止装置が第一条の七に定める基準に該当するものであるかどうかを判定することによつて行う。

3　第三十九条の二第三項から第八項までの規定は、第一項の認定について準用する。この場合において、「歩行補助車等」とあるのは、「遠隔操作型小型車」と読み替えるものとする。

〔本条追加・令四内府令六七〕

（普通自転車の型式認定）

第三九条の七　自転車の製作、組立て又は販売を業とする者は、その製作し、組み立て、又は販売する自転車の型式について国家公安委員会の認定を受けることができる。

2　前項の認定は、自転車の大きさ及び構造が第九条の二の二に定める基準に適合し、かつ、当該自転車に備えられた制動装置が第九条の三に定める基準に適合するものであるかどうかを判定することによつて行う。

3　第三十九条の二第三項から第八項までの規定は、第一項の認定について準用する。この場合において、同条第三項第二号及び第六項中「原動機を用いる歩行補助車等」とあるのは「自転車」と、同条第三項第三号中「製作工場」とあるのは「製作工場又は組立て工場」と、同条第四項第二号、第七項第三号及び第八項第一号中「原動機を用いる歩行補助車等の製作」とあるのは「自転車の製作又は組立て」と、同条第七項第二号中「原動機を用いる歩行補助車等の製作」とあるのは「自転車の製作、組立て」と読み替えるものとする。

〔本条追加・昭五三総府令三七、六・八項改正・昭五四総府令四〇、三項全改・四―八項削除・旧三九条の二を繰下・平四総府令四五、三項改正・旧三九条の三を繰下・平七総府令四三、二項改正・令二内府令二九、旧三九条の五を繰下・令四内府令六七〕

（普通自転車の歩道通行）

第六三条の四　普通自転車は、次に掲げるときは、第十七条第一項の規定にかかわらず、歩道を通行することができる。ただし、警察官等が歩行者の安全を確保するため必要があると認めて当該歩道を通行してはならない旨を指示したときは、この限りでない。

一　道路標識等により普通自転車が当該歩道を通行することができることとされているとき。

二　当該普通自転車の運転者が、児童、幼児その他の普通自転車により車道を通行することが危険で

規制標識

種類	普通自転車等及び歩行者等専用
番号	325の3
表示する意味	(1)自転車歩行者専用道路の指定 (2)特定小型原動機付自転車と自転車以外の車の通行止め (3)特例特定小型原動機付自転車と普通自転車が歩道を通行できることの指定
色	記号と縁は白、地は青

規制標示

種類	特例特定小型原動機付自転車・普通自転車歩道通行可	特例特定小型原動機付自転車・普通自転車の歩道通行部分
番号	114の2	114の3
意味	特例特定小型原動機付自転車と普通自転車が歩道を通行することができることを指定	特例特定小型原動機付自転車と普通自転車が歩道を通行することができることとし、かつ、特例特定小型原動機付自転車と普通自転車が歩道を通行する場合において、通行すべき部分を指定
色	記号は白	記号は白

道路端　歩道の側端

（普通自転車により歩道を通行することができる者）

第二六条　法第六十三条の四第一項第二号の政令で定める者は、次に掲げるとおりとする。

あると認められるものとして政令で定める者であるとき。

三　前二号に掲げるもののほか、車道又は交通の状況に照らして当該普通自転車の通行の安全を確保するため当該普通自転車が歩道を通行することがやむを得ないと認められるとき。

2　前項の場合において、普通自転車は、当該歩道の中央から車道寄りの部分（道路標識等により普通自転車が通行すべき部分として指定された部分（以下この項において「普通自転車通行指定部分」という。）があるときは、当該普通自転車通行指定部分）を徐行しなければならず、また、普通自転車の進行が歩行者の通行を妨げることとなるときは、一時停止しなければならない。ただし、普通自転車通行指定部分については、当該普通自転車通行指定部分を通行し、又は通行しようとする歩行者がないときは、歩道の状況に応じた安全な速度と方法で進行することができる。

〔本条追加・昭五三法五三、一項全改・二項改正・平一九法九〇、付記改正・令四法三二〕

参照〔普通自転車〕六三の三、普通自転車の大きさ等＝道交規九の二の二〔歩道〕二①2、道構令二1〔警察官等〕六①、警察官＝警三四・五五・六二・六三、交通巡視員＝一一四の四、道交令四四の二〔道路標識等〕二①4、設置＝四①、種類、様式、設置場所等＝道路標識、区画線及び道路標示に関する命令〔政令で定める者〕道交令二六、道交規九の二の三〔他の一時停止の規定の例〕一七②・三一・三三①・三八①・②・四〇①・四三・六一・六三①・六七①・七一2・2の2・一二一②

〔罰則　第二項については第百二十一条第一項第八号〔二万円以下

一　児童及び幼児
二　七十歳以上の者
三　普通自転車により安全に車道を通行することに支障を生ずる程度の身体の障害として内閣府令で定めるものを有する者

〔本条追加・平二〇政一四九〕

（普通自転車により安全に車道を通行することに支障を生ずる程度の身体の障害）

第九条の二の三　令第二十六条第三号の内閣府令で定める身体の障害は、身体障害者福祉法（昭和二十四年法律第二百八十三号）別表に掲げる障害とする。

〔本条追加・平二〇内府令三三、旧九条の二の二を繰下・令二内府令二九〕

の罰金又は科料）

（普通自転車の並進）

第六三条の五　普通自転車は、道路標識等により並進することができることとされている道路においては、第十九条の規定にかかわらず、他の普通自転車と並進することができる。ただし、普通自転車が三台以上並進することとなる場合においては、この限りでない。

〔本条追加・昭五三法五三〕

参照 〔普通自転車〕六三の三、普通自転車の大きさ等＝道交規九の二の二〔道路標識等〕二①4〔道路〕二①1、道二①、道運二⑦・⑧、道運車二⑥、高速二①、駐車二3、道路の種類＝道三

（自転車の横断の方法）

第六三条の六　自転車は、道路を横断しようとするときは、自転車横断帯がある場所の付近においては、その自転車横断帯によつて道路を横断しなければならない。

〔本条追加・昭五三法五三〕

参照 〔自転車〕二①11の2〔自転車横断帯〕二①4の2、設置＝四①、方法＝道交令一の二③、道交規二の二

指示標識

種類	番号	表示する意味	色
並進可	401	普通自転車が２台並進できること。	記号と縁は白、地は青

指示標識

種類	番号	表示する意味	色
自転車横断帯	407の 2	自転車横断帯であること。	記号と縁線は白、縁と地は青
横断歩道・自転車横断帯	407の 3	横断歩道及び自転車横断帯であること。	同　　右

法第六三条の六

判例 ※　被告人が自転車に乗って道路を横断し、安全確認が不十分のまま対向車線に入り、自転車との衝突を避けようとした自動車が左にハンドルを切ったところ、同車との衝突を避けようとして歩道上に乗り上げた自動車が二名の歩行者に衝突して死亡させた事故について、重過失致死罪の成立が認められた。（大阪地平二三、一一、二八）

（交差点における自転車の通行方法）

第六三条の七　自転車は、前条に規定するもののほか、交差点を通行しようとする場合において、当該交差点又はその付近に自転車横断帯があるときは、第十七条第四項、第三十四条第一項及び第三項並びに第三十五条の二の規定にかかわらず、当該自転車横断帯を進行しなければならない。

2　普通自転車は、交差点又はその手前の直近において、当該交差点への進入の禁止を表示する道路標示があるときは、当該道路標示を越えて当該交差点に入つてはならない。

〔本条追加・昭五三法五三、一項改正・平二五法四三〕

参照〔自転車〕二①11の2〔交差点〕二①5、交差点における通行方法等＝三四―三七の二〔自転車横断帯〕二①4の2〔道路標示〕二①16

（自転車の通行方法の指示）

第六三条の八　警察官等は、第六十三条の六若しくは

指示標示

種類	自転車横断帯
番号	201の3
意味	自転車横断帯であること。
色	記号は白

規制標示

種類	普通自転車の交差点進入禁止
番号	114の4
意味	普通自転車が標示を越え交差点に進入することを禁止
色	実線は黄、矢印と自転車の記号は白

前条第一項の規定に違反して通行している自転車の運転者に対し、これらの規定に定める通行方法により当該自転車を通行させ、又は同条第二項の規定に違反して通行している普通自転車の運転者に対し、当該普通自転車を歩道により通行させるべきことを指示することができる。

〔本条追加・昭五三法五三、付記改正・令四法三二〕

参照 〔警察官等〕六①、警察官＝警三四・五五・六二・六三、交通巡視員＝一一四の四、道交令四四の二〔普通自転車〕六三の三、普通自転車の大きさ等＝道交規九の二の二

〔罰則　第百二十一条第一項第七号〔二万円以下の罰金又は科料〕〕

（自転車の制動装置等）

第六三条の九　自転車の運転者は、内閣府令で定める基準に適合する制動装置を備えていないため交通の危険を生じさせるおそれがある自転車を運転してはならない。

2　自転車の運転者は、夜間（第五十二条第一項後段の場合を含む。）、内閣府令で定める基準に適合する反射器材を備えていない自転車を運転してはならない。ただし、第五十二条第一項前段の規定により尾灯をつけている場合は、この限りでない。

〔本条追加・昭五三法五三、一・二項改正・平一一法一六〇、付記改正・令四法三二〕

（制動装置）

第九条の三　法第六十三条の九第一項の内閣府令で定める基準は、次の各号に掲げるとおりとする。

一　前車輪及び後車輪を制動すること。

二　乾燥した平たんな舗装路面において、制動初速度が十キロメートル毎時のとき、制動装置の操作を開始した場所から三メートル以内の距離で円滑に自転車を停止させる性能を有すること。

〔本条追加・昭五三総府令三七、改正・平一二総府令八九〕

（反射器材）

第九条の四　法第六十三条の九第二項の内閣府令で定める基準は、次に掲げるとおりとする。

一　自転車に備え付けられた場合において、夜間、後方百メートルの距離から道路運送車両の保安基準第三十二条第二項の基準に適合する前照灯（第九条の十七において「前照灯」という。）で照射したときに、その反射光を照射位置から容易に確認できるものであること。

二　反射光の色は、橙色又は赤色であること。

〔本条追加・昭五三総府令三七、改正・平一〇総府令二・平一二総府令八九・令五内府令一七〕

参照（内閣府令で定める基準）制動装置＝道交規九の三、反射器材＝道交規九の四

（罰則　第一項については第百二十条第一項第七号〔五万円以下の罰金〕、同条第三項〔五万円以下の罰金〕）

道路運送車両の保安基準

（前照灯等）

第三二条　自動車（被牽引自動車を除く。第四項において同じ。）の前面には、走行用前照灯を備えなければならない。ただし、当該装置と同等の性能を有する配光可変型前照灯（夜間の走行状態に応じて、自動的に照射光線の光度及びその方向の空間的な分布を調整できる前照灯をいう。以下同じ。）を備える自動車として告示で定めるものにあつては、この限りでない。

2〜13〔略〕

第三九条の七（普通自転車の型式認定）………一二一二ページ参照

（安全器材等の型式認定）

第三九条の八　次に掲げる安全器材等の製作又は販売を業とする者は、その製作し、又は販売する安全器材等の型式について国家公安委員会の認定を受けることができる。

一　牽引の用具

二　自転車に備えられる反射器材

三　夜間用停止表示器材

四　昼間用停止表示器材

2　前項の認定は、同項各号に掲げる安全器材等がそれぞれ次に掲げる基準に適合するものであるかどうかを判定することによつて行う。

一　牽引の用具にあつては、第八条の四の基準

二　自転車に備えられる反射器材にあつては、第九条の四の基準

三　夜間用停止表示器材にあつては、第九条の十七の基準

四　昼間用停止表示器材にあつては、第九条の十八の基準

3　第三十九条の二第三項から第八項までの規定は、第一項の認定について準用する。この場合において、「原動機を用いる歩行補助車等」とあるのは、「安全器材等」と読み替えるものとする。

〔本条追加・昭五三総府令三七、三項改正・昭五四総府令四〇、三項改正・旧三九条の三を繰下・平四総府令四五、一・二項改正・平六総府令一、三項改正・旧三九条の四を繰下・平七総府令四三、旧三九条の六を繰下・令四内府令六七〕

（運転シミュレーターの型式認定）

第三九条の九　模擬運転装置の製作又は販売を業とする者は、その製作し、又は販売する模擬運転装置の型式について国家公安

（自転車の検査等）

第六三条の一〇 警察官は、前条第一項の内閣府令で定める基準に適合する制動装置を備えていないため交通の危険を生じさせるおそれがある自転車と認められる自転車が運転されているときは、当該自転車を停止させ、及び当該自転車の制動装置について検査をすることができる。

2 前項の場合において、警察官は、当該自転車の運転者に対し、道路における危険を防止し、その他交通の安全を図るため必要な応急の措置をとることを命じ、また、応急の措置によつては必要な整備をすることができないと認められる自転車については、当該自転車の運転を継続してはならない旨を命ずることができる。

委員会の認定を受けることができる。

2 前項の認定は、模擬運転装置が第三十三条第五項第一号ホの基準に適合するものであるかどうかを判定することによつて行う。

3 第三十九条の二第三項から第八項までの規定は、第一項の認定について準用する。この場合において、「原動機を用いる歩行補助車等」とあるのは、「模擬運転装置」と読み替えるものとする。

〔本条追加・平六総府令一、三項改正・旧三九条の五を繰下・平七総府令四三、二項改正・平一〇総府令二・平一四内府令三四・平二八内府令四九、旧三九条の七を繰下・令四内府令六七〕

（型式認定の手続等）

第三九条の一〇 第三十九条の二から前条までの規定のほか、型式の認定に必要な事項については、国家公安委員会規則で定める。

〔本条追加・昭五三総府令三七、旧三九条の四を改正し繰下・平四総府令四五、旧三九条の五を改正し繰下・平六総府令一、旧三九条の六を改正し繰下・平七総府令四三、本条改正・平一二総府令八九・令元内府令三一、旧三九条の八を改正し繰下・令四内府令六七〕

原動機を用いる歩行補助車等の型式認定の手続等に関する規則

（平成四年九月一六日 国家公安委員会規則第一九号）

〔本条追加・平二五法四三、付記改正・令四法三二〕

参照〔警察官〕警三四・五五・六二・六三〔内閣府令で定める基準〕道交規九の三〔自転車〕二①11の2

（罰則 第一項については第百二十条第一項第八号（五万円以下の罰金） 第二項については第百二十条第一項第九号（五万円以下の罰金））

（自転車の運転者等の遵守事項）

第六三条の一一 自転車の運転者は、乗車用ヘルメットをかぶるよう努めなければならない。

2 自転車の運転者は、他人を当該自転車に乗車させるときは、当該他人に乗車用ヘルメットをかぶらせるよう努めなければならない。

3 児童又は幼児を保護する責任のある者は、児童又は幼児が自転車を運転するときは、当該児童又は幼児に乗車用ヘルメットをかぶらせるよう努めなければならない。

〔本条追加・平一九法九〇、旧六三条の一〇を繰下・平二五法四三、見出し改正・一・二項追加・旧一項を改正し三項に繰下・令四法三二〕

参照〔自転車〕二①11の2

第四章　車両等の運転者及び使用者の義務

〔章名改正・昭五三法五三・令四法三二〕

第一節　運転者の義務

（無免許運転等の禁止）

第六十四条　何人も、第八十四条第一項の規定による公安委員会の運転免許を受けないで（第九十条第五項、第百三条第一項若しくは第四項、第百三条の二第一項、第百四条の二の三第一項若しくは第三項又は同条第五項において準用する第百三条第四項の規定により運転免許の効力が停止されている場合を含む。）、自動車又は一般原動機付自転車を運転してはならない。

2　何人も、前項の規定に違反して自動車又は一般原動機付自転車を運転することとなるおそれがある者に対し、自動車又は一般原動機付自転車を提供してはならない。

3　何人も、自動車（道路運送法第二条第三項に規定する旅客自動車運送事業（以下単に「旅客自動車運送事業」という。）の用に供する自動車で当該業務に従事中のものその他の政令で定める自動車を除く。以下この項において同じ。）又は一般原動機付自転車の運転者が第八十四条第一項の規定による公安委員会の運転免許を受けていないこと（第九十条第五項、第百三条第一項若しくは第四項、第百三条の二第一項、第百四条の二の三第一項若しくは第三項又は同

法第六四条

判例　※　運転免許を有しない者が自動車の運転をした際、その傍に運転の資格を有する者が同乗していて、その者から運転技術上の指導を受けながら運転したとしても、無免許運転であることに変りはない。（東高　昭三〇、五、九）

※　被告人が「無免許で、かつ酒に酔い正常な運転ができないおそれがあるに拘らず、昭和三〇年五月一九日午後一時ころ玉名市滑石〔道路〕において自動三輪車を運転して無謀操縦をなし」という公訴事実と、同一被告人が「無免許で〔前同日〕午後一時四〇分ころ玉名市寺町道路において自動三輪車を運転して無謀操縦をした」という公訴事実とは、その各運転行為が同一自動三輪車による一連の無謀操縦行為と認められる以上、包括一罪の関係にある。（最　昭三一、一二、一九）

※　自動車運転免許一時停止処分を受けていて法令に定められた運転資格がない場合においても、自動三輪車を運転し自己の不注意により他人を死に致した者は業務上過失致死の罪責を免れない。（最　昭三一、四、一一）

※　自動車の運転とは、自動車の各種装置の操作により、自動車の走行に必要な措置をとることをいうものであるから、自動車の走行に際し、運転免許のある甲がアクセル、ブレーキ、チエンジレバーを操作し、運転免許のない乙がハンドルを把持してこれを操作した場合には、両者はそれぞれ自動車を運転したものといわなければならない。（福高　昭三一、一一、一〇）

※　道路工事のため道路標識をもつて一般の通行が禁止された場所において、工事用の自動車を運転するときも、運転免許を必要とする。（東高　昭四二、五、三一）

※　被告人が本件自動車を運転するに際し、無免許で、かつ、酒に酔つた状態であつたことは、いずれも車両運転者の属性にすぎないから、被告人がこのように無免許で、かつ、酒に酔つた状態で自動車を運転したことは、右の自然的観察のもとにおける社会的見解上明らかに一個の車両運転行為であつて、それが道路交通法一一八条一項一号〔現行＝一一七条の四第二号〕、六四条及び同法一一七条の二第一号、六五条一項各罪に同時に該当するものであるから、右両罪は刑法五四条一項前段の観念的競合の関係にあると解するのが相当である。（最　昭四九、五、二九）

※　被告人が本件自動車を運転するに際し、無免許で、かつ、自動車検査証の有効期間が満了した後であつたことは、車両運転者又は車両の属性にすぎないから、被告人がこのように無免許で、かつ、自動車検査証の有効期間が満了した自動車を運転したことは、右の自然的観察のもとにおける社会的見解上明らかに一個の車両運転行為であつて、それが道路交通法一一八条一項一号〔現行＝一一七条の四第二号〕、六四条及び昭和四四年法律第六八号による改正前の道路運送車両法一〇八条一号、五八条の各罪に同時に該当するものであるから、右両罪は刑法五四条一項前段の観念的競合の関係にあると解するのが相当である。（最　昭四九、五、二九）

条第五項において準用する第百三条第四項の規定により運転免許の効力が停止されていることを含む。）を知りながら、当該運転者に対し、当該自動車又は一般原動機付自転車を運転して自己を運送することを要求し、又は依頼して、当該運転者が第一項の規定に違反して運転する自動車又は一般原動機付自転車に同乗してはならない。

（本条改正・昭三九法九一・昭四二法一二六、付記改正・昭四五法八六、本条改正・平九法四一、本条・付記改正・平一三法五一、付記改正・平一六法九〇、本条改正・平一九法九〇、見出し・一項改正・二項追加・三項追加改正・付記全改・平二五法四三、一―三項・付記改正・令四法三二）

参照 〔公安委員会〕四①、警三八―四六の二〔運転免許〕免許を受ける義務＝八四①、免許の区分＝八四②―⑤、免許の方法＝九二〔自動車〕二①9、自動車の種類＝三、道交規二〔一般原動機付自転車〕二①10イ、道交規一の二〔運転〕二①17〔政令で定める自動車〕道交令二六の二

（罰則　第一項については第百十七条の二の二第一項第一号〔三年以下の懲役又は五十万円以下の罰金〕第二項については第百十七条の二の二第一項第二号〔三年以下の懲役又は五十万円以下の罰金〕第三項については第百十七条の三の二第一号〔二年以下の懲役又は三十万円以下の罰金〕）

点数

無免許運転　二五点

※　他人のおこした交通事故（業務上過失傷害、酒酔い運転、不救護、報告義務違反の各罪が成立する。）について身代り犯人となつた者が、それまでに取得していた運転免許を右事故を理由に取消された場合、右取消処分の瑕疵は、重大な違法に該るが、右の者が自らすすんで虚偽の自認をし、かつ、これを肯定すべき資料があつた以上、その瑕疵は明白とはいえないから、右取消処分は当然無効ということはできないし、また、右取消処分がその後右身代りの事実が判明したためさらに取消されたとしても、右免許取消の原因が前記の虚偽の自認にあり、処分主体である公安委員会に落度が全くないかぎり、既成の法秩序を破壊させることは法の趣旨とするところではないので、免許取消の効力は既往に遡らない。従つて、右免許取消後、右取消の取消があるまでの間にした自動車運転行為は無免許運転罪に該当する。（水戸地　昭四九、六、七）

※　無免許運転の罪と積載制限違反の罪との罪数関係（観念的競合）
（東高　昭四九、一二、一一）

※　無免許運転の罪と一時停止違反の罪との罪数関係（併合罪）
（東高　昭四九、一二、一七）

注　最高裁大法廷昭四九、五、二九「交通事件の罪数」に関する判決参照

※　無免許で自動車を運転中、速度違反の所為をした場合において、速度違反の所為は無免許運転の継続中における一時的局所的な行為にすぎず、前記の自然的観察のもとにおいて、社会的見解上別個のものと評価すべきであつて、これを一個のものとみることはできない。（最　昭五〇、五、二三）

※　犯罪の個数は、社会通念から見た犯罪の行為の回数、法益侵害の回数、犯意の個数等種々の観点から総合的に観察して決すべきところ、自動車の無免許運転罪においては、特定の日に特定の車両を運転したときに、社会通念上一回の犯罪行為がなされ、その都度道路交通の安全と円滑に対する危険が生じられたものと考えられ、特定の日に特定の車両を運転した毎に一罪が成立するものと解するのが相当である。（東高　昭五一、一〇、一八）

※　自動車運転者の所持する国際運転免許証が不正手段で入手されたものであるからといつて、直ちに無免許運転罪の成立を認めることはできないが、適性を有することを実証した上で発給を受けたものでない場合には、無免許運転罪の成立が認められる。（最　昭五三、三、八）

※　無車検かつ無保険の自動車を無免許で酒気帯び運転をして、警察車両に追跡され、追跡から逃れるために、交差点の赤信号を無視して、無灯火で高速度走行し、ハンドル、ブレーキの正確な操作を怠り、歩行者二名に衝突し死亡させた交通事故について、業務上過失致死等の罪に問われたが、被告人の注意義務違反は、認識のある過失とされ、故意に直接隣接しており、未必の故意に限りなく近いとし、法定の処断刑の最上限、懲役五年六月とした。
（横地相模原支部　平一一、七、四）

（十六歳未満の者による特定小型原動機付自転車の運転等の禁止）

第六四条の二　十六歳未満の者は、特定小型原動機付自転車を運転してはならない。

2　何人も、前項の規定に違反して特定小型原動機付自転車を運転することとなるおそれがある者に対し、特定小型原動機付自転車を提供してはならない。

〔本条追加・令四法三二〕

参照〔特定小型原動機付自転車〕二①10ロ・一七③

（罰則　第一項については第百十八条第一項第二号〔六月以下の懲役又は十万円以下の罰金〕　第二項については第百十八条第一項第三号〔六月以下の懲役又は十万円以下の罰金〕）

（酒気帯び運転等の禁止）

第六五条　何人も、酒気を帯びて車両等を運転してはならない。

2　何人も、酒気を帯びている者で、前項の規定に違反して車両等を運転することとなるおそれがあるものに対し、車両等を提供してはならない。

3　何人も、第一項の規定に違反して車両等を運転することとなるおそれがある者に対し、酒類を提供し、又は飲酒をすすめてはならない。

第四章　車両等の運転者及び使用者の義務

〔章名改正・昭四〇政二五八・昭五三政三一三・令四政三九二〕

4　何人も、車両（トロリーバス及び旅客自動車運送事業の用に供する自動車で当該業務に従事中のものその他の政令で定める自動車を除く。以下この項、第百十七条の二の二第一項第六号及び第百十七条の三の二第三号において同じ。）の運転者が酒気を帯びていることを知りながら、当該運転者に対し、当該車両を運転して自己を運送することを要求し、又は依頼して、当該運転者が第一項の規定に違反して運転する車両に同乗してはならない。

〔付記全改・昭三九法九一、見出し・一項・付記改正・二項追加・昭四五法八六、付記改正・平一三法五一・平一六法九〇、二・四項追加・旧二項を改正し三項に繰下・付記全改・平一九法九〇、四項・付記改正・平二五法四三・令四法三二〕

参照　〔車両等〕二①17〔運転〕二①17〔酒類〕酒税法二①、他法に定める酒気帯び禁止の例＝旅自運輸規四九②2、違反運転の下命・容認＝七五①3〔車両〕二①8〔自動車〕二①9、自動車の種類＝三、道交規二〔政令で定める自動車〕道交令二六の二

〔罰則　第一項については第百十七条の二第一項第一号〔五年以下の懲役又は百万円以下の罰金〕、第百十七条の二の二第一項第三号〔三年以下の懲役又は五十万円以下の罰金〕　第二項については第百十七条の二の二第一項第四号〔三年以下の懲役又は五十万円以下の罰金〕、第百十七条の二の二第一項第五号〔三年以下の懲役又は五十万円以下の罰金〕　第三項については第百十七条の二の二第一項第五号〔三年以下の懲役又は五十万円以下の罰金〕、第百十七条の三の二第二号〔二年以下の懲役又は三十万円以下の罰金〕　第四項については第百十七条の二の二第一項第六号〔三年以下の懲役又は五十万円以下の罰金〕、第百十七条の三の二第三号〔二年以下の懲役又は三十万円以下の罰金〕〕

（同乗の禁止の対象とならない自動車）

第二六条の二　法第六十四条第三項及び第六十五条第四項の政令で定める自動車は、次に掲げる自動車とする。

一　道路運送法第二条第三項に規定する旅客自動車運送事業（以下「旅客自動車運送事業」という。）の用に供する自動車で当該業務に従事中のもの

二　自動車運転代行業の業務の適正化に関する法律（平成十三年法律第五十七号）第二条第六項に規定する代行運転自動車

〔本条追加・平一九政二六六、改正・平二五政三一〇・令四政一六〕

自動車運転代行業の業務の適正化に関する法律

（定義）

第二条　1～5〔略〕

6　この法律において「代行運転自動車」とは、自動車運転代行業を営む者による代行運転役務の対象となっている自動車をいう。

7〔略〕

法第六五条

判例　※　自動車を運転するにあたつては酩酊に陥らない程度に飲酒の量を抑制すべき注意義務（第一次）があり、また飲酒して運転を開始してからでもいまだ理性的判断の存するうちに運転を中止して酔いをさまし、正常運転ができるのを待つて運転を開始すべき注意義務（第二次）がある。（名高　昭三二、四、一八）

※　酒酔い鑑識カードの化学判定欄は、司法警察職員が、その職務を行うにあたり検知管を使用して呼気中のアルコールの程度を計った結果を観察したところを記載したもので、その性質において検証調書または実況見分調書と共通なものがあり、しかも当該職員としてその検知の結果を後日までいちいち記憶して証言することは期待しがたいものであることにかんがみれば、右は刑訴法三二一条三項の書面に準じ、作成者においてその作成の真正であることを供述すれば証拠能力を認めるのが相当である。（東高　昭四七、四、二一）

※　酒酔い運転等の罪により身体の拘束を受けている被疑者が呼気中のアルコール含有量の検査を拒否している場合において、同人にアルコール含有量を測定する意図を秘してバケツ内放尿させ、これを採取しても、右放尿行為がその意に反して強制的に行われたものでない限り違法ではない。（東高　昭四八、一二、一〇）

※　酒に酔つた状態で自動車を運転中に過つて人身事故を発生させた場合についてみるに、もともと自動車を運転する行為は、その形態が、通常、時間的継続と場所的移動とを伴うものであるのに対し、その過程において人身事故を発生させる行為は、運転継続中における一時点一場所における事象であつて、前記の自然的観察からするならば、両者は、酒に酔つた状態で運転したことが事故を惹起した過失の内容をなすものかどうかにかかわりなく、社会的見解上別個のものと評価すべきであつて、これを一個のものとみることはできない。（最　昭四九、五、二九）

※　酒気帯び運転罪の事実を認定するについて、被告人の自白のほか、補強証拠として「司法巡査作成の鑑識カード」を挙げるのみで、自動車運転の事実を直接補強する証拠はないが、前記鑑識カードによつて、自動車運転に関する被告人の自白は間接に補強されているものと解されるから訴訟手続の法令に違背はない。（広高　昭四九、一一、五）

※　運転技術が未熟であり、しかも酒酔いのため自動車の運転を避けるべき注意義務があるのにこれを怠り、あえて運転を開始した重大な過失により、運転開始後約一〇〇メートル進行した地点で、酒の酔いと運転技術未熟のため的確なハンドル操作ができず自車を道路右側のブロック塀等に衝突させて、同乗者三名に傷害を負わせたという本件事案について、酒酔い運転の罪と重過失傷害の罪は、刑法四五条前段の併合罪の関係にあるとした原判断は、正当である。（最　昭五〇、五、二七）

※　本法一一九条一項七号の二〔現行＝一一七条の二の二第三号〕

点数

酒酔い運転	三五点
酒気帯び運転（〇・二五以上）	二五点
酒気帯び運転（〇・二五未満）	一三点

に規定する酒気帯び運転の罪の故意が成立するためには、行為者において、アルコールを自己の身体に保有しながら車両等の運転をすることの認識があれば足り、令四四条の三所定のアルコール保有量の数値まで認識している必要はない。（最　昭五二、九、一九）

※　アルコール濃度の検査前に、うがいをさせなかった合理的事情は存在しないと、被告人は主張するが、被告人はあごに重傷を負って口から血を流していたなど、うがいをさせなかった合理的事情は存在した。また、飲酒後検査まで、約一時間を経過しており、口腔内に残るアルコールは飲酒終了後三〇分程度経過後、おう吐などの条件がない限り、北川式飲酒検知器（飲酒検知管ＳＤ型使用）の検査結果に影響を及ぼすことを考慮する必要はなく、このアルコール濃度の検査事案においては、被告人にうがいをさせなかったとしても、適正な手続をしたとして、鑑識カードの証拠能力を認めた。（仙高　昭六二、一二、一二）

※　飲酒検知器により被告人の呼気を測定した結果、呼気一リットルにつき〇・三五ミリグラムのアルコール量を検出し、さらに酒酔い鑑識カードに基づき被告人に質問をした末、酒気帯び運転から約五二分経過した時点において被告人を酒気帯び運転の現行犯人として逮捕した場合、被告人は準現行犯人に当たる。（名高　平元、一、一八）

※　酒酔い運転にて生じた業務上過失致死傷事件において、事故が生じた際に、飲酒のため心神喪失または心神耗弱の状態であることを考慮しても、酒を飲んだ時点で、酒量を抑えるべき義務を認めて、完全責任能力を認めた。（大阪地　平元、五、二九）

※　酒気を帯び、かつ免許証を携帯しないで自動車を運転する所為は、酒気帯び運転については道路交通法一一九条一項七号の二、六五条一項、同法施行令四四条の三に、運転免許証不携帯については同法一二一条一項一〇号、九五条一項にそれぞれ該当するところ、右は一個の行為で数個の罪名に触れる場合であるから、刑法五四条一項前段、一〇条により、重い道路交通法一一九条一項七号の二〔現行＝一一七条の二の二第三号〕の罪の刑で処断することとし、所定刑中罰金刑を選択し、その金額の範囲内で被告人を罰金五万円に処し、換刑処分につき刑法一八条を適用する。（最　平四、一〇、一五）

※　被疑者が警察官による停止の指示を無視して速度違反等を繰り返して逃走した事案において、手錠を掛けたまま行われた飲酒検査にて作成された酒酔い・酒気帯び鑑識カードに証拠能力を認めた。（東高　平一六、八、九）

※　交通違反の前科がある被告人が起こした酒気帯び運転の量刑は、緊急に飲酒運転を行う必要はなく、犯行の動機及び経緯においても考慮する余地もなく、本件の現場が、交通量の多い幹線道路であり、交通の安全を脅かす酒気帯び運転であり危険なものであったこと、酒気帯び運転の常習性が疑われるものであることから、交通法規を遵守する意識が欠如していると感じさせられ、原審で言い渡された判決は、軽く不当であるとして、懲役三月、執行猶予二年に処するのが妥当であると判断された。（福高　平一〇、二、一七）

※　飲酒運転にて、高速道路を逆走中に、二名死亡、二名負傷の事故を起こした事件の求刑が懲役七年であったところ、原判決は懲役五年を言い渡した。しかし、原判決の量刑は、軽すぎるとして、原判決を破棄自判し懲役六年を言い渡した。（東高　平一四、四、二二）

※　自動車で来店した顔見知りの客に対し、酒を提供したとして、居酒屋経営者に対し懲役刑（執行猶予付き）を言い渡した（全国で初めて酒類提供者が処罰された事例）。（さいたま地　平二〇、六、五）

※　飲酒していた運転者に自動車を貸与し、自己の運送を依頼しこれに同乗した飲酒運転への車両等提供及び同乗の事案において、飲酒運転への車両等提供行為及び同乗行為に、独自の当罰性が認められ、それぞれの行為が犯罪とされたものということができる。それぞれの罪に該当する行為があるときは、各罪が成立し、刑法五四条に該当する事情がない場合は、各罪は併合罪となると理解するのが合理的である。（東京地　平二〇、七、一六）

（過労運転等の禁止）

第六六条　何人も、前条第一項に規定する場合のほか、過労、病気、薬物の影響その他の理由により、正常な運転ができないおそれがある状態で車両等を運転してはならない。

〔本条改正・昭四五法八六、付記改正・昭四六法九八・昭五三法五三・平一三法五一・平一六法九〇、全改・平一九法九〇、付記改正・平二五法四三、全改・令四法三二〕

参照 （過労運転等の禁止）下命等＝六六の二・七五①4・七五の二、同旨の規定＝旅自運輸規二一③〔運転〕二①17〔車両等〕二①17

（罰則　第百十七条の二第一項第三号〔五年以下の懲役又は百万円以下の罰金〕、第百十七条の二の二第一項第七号〔三年以下の懲役又は五十万円以下の罰金〕）

点数

麻薬等運転　三五点
過労運転等　二五点

法第六六条

判例 ※　ねむ気をもよおし安全な自動車運転を期し得ない状態になつた場合は直ちに運転を中止して適当な休養をとり、ねむ気のなくなるのをまつて運転を再開し、事故の発生を未然に防止すべき業務上の注意義務がある。（東京地　昭三三、一、一七）

※　一個のいねむり運転行為と、二個の業務上過失致死傷の行為とがそれぞれ想像的競合犯の関係にある場合には、刑法五四条前段一〇条を適用し、一罪としてその最も重い刑に従い処断すべきものである。（最　昭三三、四、一〇）

※　居眠り運転（ハンドル、ブレーキ等の操作ができず、正常な運転ができない状態）により、人を死傷させた場合には、道交法違反と業務上過失致死傷とは一個の行為で数個の罪名に触れる場合であり、観念的競合となる。（最　昭三三、四、一〇）

※　本条の「薬物の影響その他の理由により」とのなかには、身体に政令で定める程度に達しないアルコールを保有することは含まれない。（名高金沢支部　昭四〇、一二、一三）

※　てんかん発作の持病を有するものは、自動車の運転を差し控えるべき注意義務がある。（大高　昭四一、九、一六）

※　専門医から病名が判定されていなかったとしても、意識障害の状況を妻から知らされるなど自覚しており、発作を予見することは可能として、てんかん病の被告人に自動車運転避止義務が認められた。（大阪地　平六、九、二六）

（過労運転に係る車両の使用者に対する指示）

第六六条の二　車両の運転者が前条の規定に違反して過労により正常な運転ができないおそれがある状態で車両を運転する行為（以下この条及び第七十五条の二第一項において「過労運転」という。）を当該車両の使用者（当該車両の運転者であるものを除く。以下この条において同じ。）の業務に関してした場合において、当該過労運転に係る車両の使用者が当該車両につき過労運転を防止するため必要な運行の管理を行つていると認められないときは、当該車両の使用の本拠の位置を管轄する公安委員会は、当該車両の使用者に対し、過労運転が行われることのないよう運転者に指導し又は助言することその他過労運転を防止するため必要な措置をとることを指示することができる。

2　第二十二条の二第二項の規定は、前項の規定による指示について準用する。

〔本条追加・平九法四二〕

参照〔過労運転〕六六、下命等＝七五①4・七五の二、同旨の規定＝旅自運輸規二一③〔車両〕二①8〔運転〕二①17〔使用者〕七四・七四の二・七五〔運転者〕二①18〔公安委員会〕四①、警三八—四六の二

（危険防止の措置）

第六七条　警察官は、車両等の運転者が第六十四条第一項、第六十五条第一項、第六十六条、第七十一条の四第四項から第七項まで又は第八十五条第五項から第七項（第二号を除く。）までの規定に違反して車

法第六七条

判例 ※　本条一項に基づいて運転免許証の提示を求めることは、「検閲」に当たらない。（最　昭四一、三、三〇）

※　警察官は、本条一項及び警察官職務執行法二条一項により自動車運転者に対する検問ないし職務質問の権限を与えられているも

両等を運転していると認めるときは、当該車両等を停止させ、及び当該車両等の運転者に対し、第九十二条第一項の運転免許証又は第百七条の二の国際運転免許証若しくは外国運転免許証の提示を求めることができる。

2　前項に定めるもののほか、警察官は、車両等の運転者が車両等の運転に関しこの法律（第六十四条第一項、第六十五条第一項、第六十六条、第七十一条の四第四項から第七項まで及び第八十五条第五項から第七項（第二号を除く。）までを除く。）若しくはこの法律に基づく命令の規定若しくはこの法律の規定に基づく処分に違反し、又は車両等の交通による人の死傷若しくは物の損壊（以下「交通事故」という。）を起こした場合において、当該車両等の運転者に引き続き当該車両等を運転させることができるかどうかを確認するため必要があると認めるときは、当該車両等の運転者に対し、第九十二条第一項の運転免許証又は第百七条の二の国際運転免許証若しくは外国運転免許証の提示を求めることができる。

3　車両等に乗車し、又は乗車しようとしている者が第六十五条第一項の規定に違反して車両等を運転するおそれがあると認められるときは、警察官は、次項の規定による措置に関し、その者が身体に保有しているアルコールの程度について調査するため、政令で定めるところにより、その者の呼気の検査をすることができる。

4　前三項の場合において、当該車両等の運転者が第六十四条第一項、第六十四条の二第一項、第六十五条第一項、第六十六条、第七十一条の四第四項から

（呼気検査の方法）

第二六条の二の二　法第六十七条第三項の規定による呼気の検査は、検査を受ける者にその呼気を風船又はアルコールを検知する機器に吹き込ませることによりこれを採取して行うものとする。

〔旧二七条を繰上・昭四〇政二五八、本条全改・昭四五政二二七、旧二六条の二を改正し繰下・平一九政二六六、本条改正・平二七政一九〕

のであつて、個々の自動車について検問の合理的必要性があり、かつその方法が適切であつて、自動車運転者に対する自由の制限が最小限度にとどまる場合には、職務質問の要件の存否確認のため自動車の停止を求め、又は停車を指示することもできる。（東高　昭四八、四、二三）

※　酒酔い運転の罪の容疑により身柄を拘束されている被疑者が自ら排尿方を申し出た際、担当看守者が当該尿をアルコール度検定の資料とする意図があることを告知しないで便器に排尿させ、これを保存採取しても、違法無効の証拠収集であるとはいえない。（東高　昭四九、一一、二六）

※　酒酔い運転の合理的疑いがあり、飲酒検知を促す説得にも頑として応じず、しかも高度の酩酊状態の中で、警察署の出入口に向つた被疑者に対し、巡査が同人の左斜前に立ち、両手で同人の左手首をつかんだ行為の程度もさほど強いものであつたとは認められないので、右巡査の行為は、被疑者の飲酒検知拒否に対し翻意を促すためにとつた説得手段として、任意捜査の範囲内の客観的に相当な実力行使と認められる。（名高　昭四九、一二、一九）

※　呼気検査に先立つてうがいをさせるのは、被検者が飲酒直後で、口腔中にアルコール飲料が残存している恐れのある場合、および気分が悪いなどの理由で嘔吐をして、胃の内容物が口腔に戻つた場合などに、口腔中のアルコールの影響で呼気検査の結果が不正確になるのを防止するためであるところ、被検者が飲酒後既に三時間以上を経過している等右のようなおそれを疑わせる事情が全くないときに、うがいをさせなかつたことが検査結果を不正確にしたという疑いは存しない。（東高　昭五一、一二、二三）

※　交通取締り中の警察官が、信号無視の自動車を現認、停車させた際、下車した運転者が酒臭をさせており、酒気帯び運転の疑いが生じたため、酒気の検知をする旨告げたところ、同人が、警察官が提示を受けて持つていた運転免許証を奪い取り、自動車に乗り込んで発進させようとした場合に、警察官が自動車の窓から手を差し入れエンジンキーを回転してスイッチを切り運転を制止した行為は、警職法二条一項及び道交法六七条三項（酒気帯び運転を防止するための応急措置）の規定に基づく職務の執行として適

第七項まで又は第八十五条第五項から第七項（第二号を除く。）までの規定に違反して車両等を運転するおそれがあるときは、警察官は、その者が正常な運転ができる状態になるまで車両等の運転をしてはならない旨を指示する等道路における交通の危険を防止するため必要な応急の措置をとることができる。

（一・二項改正・昭三七法一四七、一項改正・昭三九法九一、一・二項改正・昭四〇法九六・昭四二法一二六、一項・付記改正・二項追加・旧二項を改正し三項に繰下・昭四五法八六、付記改正・昭四六法九八、一項改正・平五法四三、一・三項改正・平九法四一、一・三項・付記改正・平一六法九〇、二項追加・旧二項を三項に繰下・旧三項を改正し四項に繰下・付記改正・平一九法九〇、一・二・四項改正・平二五法四三・平二七法四〇、一・二・四項・付記改正・令四法三二）

参照〔警察官〕警三四・五五・六二・六三〔車両等〕二①17〔運転者〕二①18〔運転免許証〕九二―九五〔国際運転免許証、外国運転免許証〕一〇七の二―一〇七の一〇〔政令で定めるところ〕道交令二六の二の二〔危険防止の応急措置その他の規定〕六一

（罰則　第一項については第百十九条第一項第十三号〔三月以下の懲役又は五万円以下の罰金〕　第三項については第百十八条の二〔三月以下の懲役又は五十万円以下の罰金〕）

法である。（最　昭五三、九、二二）

※ **警察官による交通違反の予防・検挙を目的とする自動車検問の適法性**

警察法二条一項が「交通の取締」を警察の責務として定めていることに照らすと、交通の安全及び交通秩序の維持などに必要な警察の諸活動は、強制力を伴わない任意手段による限り、一般的に許容されるべきものであるが、それが国民の権利・自由の干渉にわたるおそれのある事項にかかわる場合には、任意手段によるからといつて無制限に許されるべきものでないことも同条二項及び警職法一条などの趣旨にかんがみ明らかである。しかしながら、自動車の運転者は、公道において自動車を利用することを許されていることに伴う当然の負担として、合理的に必要な限度で行われる交通取締に協力すべきものであること、その他現時における交通違反、交通事故の状況などをも考慮すると、警察官が、交通取締の一環として交通違反の多発する地域等の適当な場所において、交通違反の予防・検挙のための自動車検問を実施し、同所を通過する自動車に対して走行の外観上の不審な点の有無にかかわりなく短時分の停止を求めて、運転者などに対し必要な事項についての質問などをすることは、それが相手方の任意の協力を求める形で行われ、自動車の利用者の自由を不当に制約することにならない方法、態様で行われる限り、適法なものと解すべきである。（最　昭五五、九、二二）

※ 道路交通法第六七条一項の免許証提示義務が生じるためには、警察官が車両運転手が無免許運転や酒気帯運転をしていると疑うにたる相当な理由の存在を必要とし、警察官が単に主観的に前記無免許運転等の違反運転がなされていると判断しただけでは足りず、その走行状態その他の事情（主として外観）から道路交通法規違反が客観的に認められる場合をいうとされている。（浦地川越支部　平元、一〇、一九）

※ 道路交通法六七条二項（現行＝六七条三項）の規定による警察官の呼気検査を拒んだ者を処罰する同法一二〇条一項一一号の規定は、憲法三八条一項に違反しない。（最　平九、一、三〇）

※ 呼気検査拒否罪が成立するには、道路交通法第六七条第二項（現行＝第六七条第三項）の規定する状況の下で、酒気帯び運転をするおそれがあると認められる者が政令で定める呼気検査拒否の態度を明確に言動で示せば、その段階で成立すると解され、明示的な言動がない場合には、呼気検査に応じるように説得等をしている捜査官に対する犯人の言動をある程度の時間帯で総体的に見て、呼気検査拒否に当たると判断された段階で、呼気検査拒否罪が成立することになる。（東高　平一九、三、二八）

（共同危険行為等の禁止）

第六八条　二人以上の自動車又は原動機付自転車の運転者は、道路において二台以上の自動車又は原動機付自転車を連ねて通行させ、又は並進させる場合において、共同して、著しく道路における交通の危険を生じさせ、又は著しく他人に迷惑を及ぼすこととなる行為をしてはならない。

〔本条全改・昭五三法五三、付記改正・平一三法五一、本条改正・平一六法九〇〕

参照　〔自動車〕二①9、自動車の種類＝三、道交規二〔原動機付自転車〕二①10、道交規一の二〔道路〕二①1、道二①、道運二⑦・⑧、道運車二⑥、高速二①、駐車二③、道路の種類＝道三

（罰則　第百十七条の三〔二年以下の懲役又は五十万円以下の罰金〕）

点数

共同危険行為等禁止違反　二五点

第六九条　削除〔昭五三法五三〕

法第六八条

判例　※　暴走族グループの総長が多数の自動二輪車を率いて低速走行や信号無視をしながら暴走行為をし、一般通行車両に衝突の危険を感じさせるなどしてその通行を妨害する行為は、道路交通法六八条の共同危険行為に当たる。そして、警察の捜査が自己に及んでいると感じるや、自己の頼みを断ることのできない後輩に、身代わりとして出頭を持ちかける行為は、刑法一〇三条の犯人隠避教唆罪に当たる。（仙台地　平一五、五、一八）

（安全運転の義務）

第七〇条　車両等の運転者は、当該車両等のハンドル、ブレーキその他の装置を確実に操作し、かつ、道路、交通及び当該車両等の状況に応じ、他人に危害を及ぼさないような速度と方法で運転しなければならない。

〔付記改正・昭四五法八六・令二法四二、全改・令四法三二〕

参照〔車両等〕二①17〔運転者〕二①18〔ハンドル、ブレーキその他の装置〕自動車＝道運車四一①3、保安基準一〇・一一、原動機付自転車の制動装置＝道運車四四3、保安基準六一、軽車両の制動装置＝道運車四五3、保安基準七〇、路面電車＝軌道の車両の制動機の構造基準〔運転〕二①17

〔罰則　第百十七条の二第一項第四号（五年以下の懲役又は百万円以下の罰金）、第百十七条の二の二第一項第八号チ（三年以下の懲役又は五十万円以下の罰金）、第百十九条第一項第十四号（三月以下の懲役又は五万円以下の罰金）、同条第三項（十万円以下の罰金）〕

反則金

安全運転義務違反

大型　一万二千円　普通　九千円

二輪　七千円　原付　六千円

点数

安全運転義務違反

一　般　二点

酒気帯び（〇・二五未満）　一四点

妨害運転（交通の危険のおそれ）　二五点

妨害運転（著しい交通の危険）　三五点

法第七〇条

判例

※　消防車といえどもその運転者に対して、他の一般自動車のそれに比して事故防止の義務を免除ないし軽減するものではなく、かえつてかかる業務に従事する者にこそその業務行為にともなう危険に対処し得るだけの能力をもつて、当該行為ができるだけ安全になされることが要請されるものである。（札高　昭三二、一〇、一五）

※　通行人がすでに道路中央附近まで進出して来ていることは異常の状態と見るべきであるから、かかる場合には、火災現場に急行中の消防車の運転者といえども速力を低減し、その通行人の挙動に一層の注意を払い、いつにても機宜の措置を執り得べき体勢をととのえ、衝突の危険発生の結果を防止すべき業務上の注意義務がある。（横須賀簡　昭三三、二、九）

※　被害者の少年は橋の欄干に立てかけてあつた「わらたば」の中に隠れていたもので、これを運転者が予知することは困難であつたと認められるから、このような場合に運転者に対していつでも災害予防の措置をとり得る程度に徐行するなどの業務上の注意義務ありとすることは、運転者の一般的遵守事項の範囲を超えるものである。（国東簡　昭三三、四、一一）

※　左右に人家の建ち並ぶ道路上を、宣伝車が拡声器をつけて音楽を奏でつつ人の歩行する程度で進行している事情の下においては、その後部に数人の児童が取りつきまたは附随することが通例であり、その児童が宣伝車と反対方向から進行する自動車の前面にいつ飛び出すかも測り知れないことも経験則上明らかなところである。（最　昭三三、四、一八）

※　路肩の土質が道路中央部より軟弱であることは経験則上明らかであり、超満員の乗合自動車を路肩にまで進行せしめれば、路肩の土砂が崩落することは運転者の予見可能なことであり、その支配可能な範囲に属するものとしなければならない。（名高　昭三三、五、一五）

※　道路交通法七〇条安全運転義務違反と同法各本条に規定する運転者の義務違反とは、法条競合の場合であつて、各本条において一定の行為を義務としており、かつ、その義務違反を処罰している場合には、右一定の所為が、同時に、右七〇条の構成要件に該当することがあつても、各本条の違反罪のみ成立し、右七〇条違反の罪は成立しない。（仙高　昭四〇、一二、一四）

※　車両運転の如く人の生命身体に危険を生ずるおそれある危険業務に従事するものは、具体的状況に照らし危険防止に必要な一切の注意義務を負うものであつて、他の交通関与者が道路交通法規を遵守して行動すべきことを信頼してなした運転行為が是認されるのは右義務を果した上でのことでなければならない。（東高　昭四一、七、四）

※　交通整理の行なわれていない交差点を右折する自動車運転者は、自車の右後方よりくる車両が交通法規に違反し自車の前面を突破するような行動に出ることまで予想して右側方に対する安全を確認し、もつて事故の発生を未然に防止すべき業務上の注意義務を負わないと解すべきである。（最　昭四一、一二、二〇）

※　対向車が、被告人の運転する車両の進路である道路の左側部分を通り容易に右側に転じないような特殊な場合には、被告人が交通法規に従つてそのまま進行すれば対向車と衝突し、死傷の結果を生ずるおそれがあることが予見できるのであるから、自動車運転者としては、まさに警音器を吹鳴して対向車に避譲を促すとともに、すれ違つても安全なように減速して道路左端を進行するか、一時停車して対向車の通過を待つて進行するなど、臨機の措置を講じて危害の発生を未然に防止すべき注意義務があるものといわなければならない。（最　昭四二、三、一六）

※　既に先行車に続いて追抜態勢にある車は、特別の事情がないかぎり、並進する車が交通法規に違反して進路を変えて突然自車の進路に近寄つてくることまでも予想して、それによつて生ずる事故の発生を未然に防止するため徐行その他避譲措置をとるべき業

（運転者の遵守事項）

第七一条　車両等の運転者は、次に掲げる事項を守らなければならない。

一　ぬかるみ又は水たまりを通行するときは、泥よけ器を付け、又は徐行する等して、泥土、汚水等を飛散させて他人に迷惑を及ぼすことがないようにすること。

二　身体障害者用の車が通行しているとき、目が見えない者が第十四条第一項の規定に基づく政令で定めるつえを携え、若しくは同項の規定に基づく政令で定める盲導犬を連れて通行しているとき、耳が聞こえない者若しくは同条第二項の規定に基

第八条（目が見えない者等の保護）……五七ページ参照

務上の注意義務はないものと解するのが相当である。（最　昭四三、九、二四）

※　本件事故現場付近の道路および交通の状況からみて、バスを下車した人がその直後において道路を横断しようとすることがありうるのを予見することが、客観的にみて、不可能ではなかつたものと認められるのであるから、かりに、被告人が右のような交通秩序に従わない者はいないであろうという信頼をもつていたとしても、その信頼は、右の具体的交通事情からみて、客観的に相当であるとはいえないというべきである。（最　昭四五、七、二八）

※　本条のいわゆる安全運転義務は、同法の他の各条に定められている運転者の具体的個別的義務を補充する趣旨で設けられたものであり、本条違反の罪の規定と右各条の義務違反の罪の規定の関係は法条競合に当たるものである。（最　昭四六、五、一三）

※　過失による本条違反の罪が成立するためには、他人に危害を及ぼすような速度と方法で運転したこと自体について過失が存することを要する。（最　昭四六、一〇、一四）

※　法二五条の二第一項違反の過失犯たる内容をもつ被告人の本件後退行為につき、道路交通法七〇条後段の安全運転義務違反の過失犯処罰の規定の適用がないとする理由はなく、かえつて、同法七〇条の安全運転義務が、同法の他の各条に定められている運転者の具体的個別義務を補充する趣旨で設けられていることから考えると、他の各条の義務違反の罪のうち過失犯処罰の規定を欠く罪の過失犯たる内容を有する行為についても、同法七〇条の安全運転義務違反の過失犯の構成要件を充たすかぎり、その処罰規定（同法一一九条二項、一項九号）が適用されるものと解するのが相当である。（最　昭四八、四、一九）

※　転回車の運転者は、対向車及び後続車等他の車両の有無、動静に注意して、これとの衝突を避けることはもとより、これら車両の交通の妨害にならないような方法で転回を行うべき注意義務があるが、対向車が通常予測すべき程度の速度（制限速度を時速三〇キロメートル超過する時速八〇キロメートル程度）を超える異常な高速度である場合、転回車の運転者としては、転回を開始するに当たって、特段の事情がない限り、このような高速度で接近してくる対向車のあることまで予想して、転回の際の安全を確認すべき注意義務はないというべきである。（東地　平六、一、三一）

法第七一条

判例

※　乗合旅客自動車の運転者は、車掌によつて発車の合図がなされたときといえども、乗降口の扉が閉じられ、乗客の転落を防止する安全装置がなされているかどうかを確めた後発車進行すべき義務がある。（広高　昭三二、四、一）

※　道路交通法施行細則（昭和三五年北海道公安委員会規則第四号）第一一条第七号にいう運転操作の妨げとなるようなはきものとは、足に対して固着性をかき、運転操作の過程において離脱等の不安定な状態を作出する虞れのあるはきものを指称するものというべく、このかぎりにおいて、下駄やスリッパとともにサンダルもまたこれに包含されるものといわなければならない。（札高　昭三七、八、二二）

※　勾配のない平坦な道路上においても、普通自動車が停止の状態

づく政令で定める程度の身体の障害のある者が同項の規定に基づく政令で定めるつえを携えて通行しているとき、又は監護者が付き添わない児童若しくは幼児が歩行しているときは、一時停止し、又は徐行して、その通行又は歩行を妨げないようにすること。

二の二　前号に掲げるもののほか、高齢の歩行者、身体の障害のある歩行者その他の歩行者でその通行に支障のあるものが通行しているときは、一時停止し、又は徐行して、その通行を妨げないようにすること。

二の三　児童、幼児等の乗降のため、政令で定めるところにより停車している通学通園バス（専ら小学校、幼稚園等に通う児童、幼児等を運送するために使用する自動車で政令で定めるものをいう。）の側方を通過するときは、徐行して安全を確認すること。

（通学通園バス）

第二六条の三　法第七十一条第二号の三の政令で定める自動車は、車両の保安基準に関する規定で定めるところにより、専ら小学校、中学校、義務教育学校、特別支援学校、幼稚園、幼保連携型認定こども園、保育所又は児童福祉法（昭和二十二年法律第百六十四号）第六条の三第十項に規定する小規模保育事業若しくは同条第十二項に規定する事業所内保育事業を行う施設（次項において「小学校等」という。）に通う児童、生徒又は幼児の運送を目的とする自動車である旨を表示しているものをいう。

道路運送車両の保安基準の細目を定める告示

第一七八条

17　保安基準第十八条第九項に基づき、専ら小学校、中学校、義務教育学校、特別支援学校、幼稚園、幼保連携型認定こども園、保育所又は児童福祉法第六条の三第十項に規定する小規模保育事業若しくは同条第十二項に規定する事業所内保育事業を行う施設に通う児童、生徒又は幼児の運送を目的とする自動車（乗車定員十一人以上のものに限る。）の車体の前面、後面及び両側面に表示する、これらの者の運送を目的とする自動車である旨の表示は、次に定める様式の例によるものとする。

一　形状は、一辺の長さが五十センチメートル以上の正立正三角形とし、縁及び縁線の太さは十二ミリメートル程度とする。ただし、車体の構造により当該寸法を確保することができない自動車（前面ガラス、前照灯、信号灯火類、冷却装置の空気取り入れ口等自動車の機能部品又は自動車登録番号標によ

を保つためには、他の格別の措置を講じない限り、少なくとも原動機を止め、かつ完全にブレーキをかける措置を講ずることが必要であり、単にハンドブレーキをかける措置をとつたのみでは足りない。（札高函館支部　昭三八、七、一二）

※　新潟県道路交通法施行細則第一六条第二号にいう運転操作の妨げとなる下駄等の履物については、個個具体的に当該車両とその際用いられた履物について運転操作の妨げとなるかどうかを判定すべきものであつて、本件三個のぞうりは右にいう下駄等の履物にあたらない。

（注）　本件三個のぞうり

1　爪先が約一センチメートル踵の方が約二センチメートルの厚さで、材質は堅目のスポンジが主となつていて上側がビニール、底が合成樹脂、緒は外側が布、中は麻である。

2　爪先が約一センチメートル、踵の方が約二センチメートルの厚さで、材質はスポンジが主で表と底にゴムが張つてあり、緒は外側がゴム、中は麻である。

3　台は平均に一センチメートル、台、緒とも一体化したゴム製のものである。（東高　昭三九、六、一九）

※　「げた、スリッパその他運転操作を妨げるおそれのあるはき物」とは、結局は、個々具体的なはき物の形状を前記の趣旨に照らして客観的に判断し、げた、スリッパ同様に足に対して固着性を欠き、運転操作の過程において離脱などの不安定な状態を作りだすおそれのあるはき物を指称するものというべきであり、本件かかとを踏みしやいだ状態の布製靴を車両運転時に着用するときは、足に対して固着性が弱い「運転操作を妨げるおそれのあるはき物」に当たる。（福高　昭五二、三、一六）

※　荷台に積まれた砕石から多量の水を路上に滴らせた行為は、道路交通法七一条四号（現七一条四号の二）の運転者の遵守事項（転落・飛散物の速やかな除去）に違反する。（大高　昭六二、七、九）

※　信号待ちで停車中に同乗者が後部左側ドアから降りようとする場合、自動車の運転者は、フェンダーミラー等で左後方の安全を確認してからドアを開けることを指示するなどの適切な措置をと

り規定寸法が確保できない自動車をいう。）にあっては、一辺の長さを三十センチメートル以上とすることができる。

二 色彩は、縁線、文字及び記号を黒色とし、縁及び地を黄色とする。

三 文字は、「スクールバス」、「幼稚園バス」等適宜の文字とする。

様式の例

児童福祉法

（事業）

第六条の三

⑩ この法律で、小規模保育事業とは、次に掲げる事業をいう。

一 保育を必要とする乳児・幼児であつて満三歳未満のものについて、当該保育を必要とする乳児・幼児を保育することを目的とする施設（利用定員が六人以上十九人以下であるものに限る。）において、保育を行う事業

二 満三歳以上の幼児に係る保育の体制の整備の状況その他の地域の事情を勘案して、保育が必要と認められる児童であつて満三歳以上のものについて、前号に規定する施設において、保育を行う事業

⑫ この法律で、事業所内保育事業とは、次に掲げる事業をいう。

一 保育を必要とする乳児・幼児であつて満三歳未満のものについて、次に掲げる施設において、保育を行う事業

イ 事業主がその雇用する労働者の監護する乳児若しくは幼児及びその他の乳児若しくは幼児を保育するために自ら設置する施設又は事業主から委託を受けて当該事業主が雇用する労働者の監護する乳児若しくは幼児及びその他の乳児若しくは幼児の保育を実施する施設

ロ 事業主団体がその構成員である事業主の雇用する労働者の監護する乳児若しくは幼児及びその他の乳児若しくは幼児を保育するために自ら設置する施設又は事業主団体から委託を受けてその構成員である事業主の雇用する労働者の監護する乳児若しくは幼児

る注意義務があり、同乗者に左後方の安全確認をしてドアを開けることを指示しただけでは、運転者の注意義務を果たしたとはいえない。（最　平五、一〇、一二）

三　道路の左側部分に設けられた安全地帯の側方を通過する場合において、当該安全地帯に歩行者がいるときは、徐行すること。

四　乗降口のドアを閉じ、貨物の積載を確実に行う等当該車両等に乗車している者の転落又は積載している物の転落若しくは飛散を防ぐため必要な措置を講ずること。

四の二　車両等に積載している物が道路に転落し、又は飛散したときは、速やかに転落し、又は飛散した物を除去する等道路における危険を防止するため必要な措置を講ずること。

四の三　安全を確認しないで、ドアを開き、又は車両等から降りないようにし、及びその車両等に乗車している他の者がこれらの行為により交通の危険を生じさせないようにするため必要な措置を講ずること。

五　車両等を離れるときは、その原動機を止め、完全にブレーキをかける等当該車両等が停止の状態

の保育を実施する施設

ハ　地方公務員等共済組合法（昭和三十七年法律第百五十二号）の規定に基づく共済組合その他の内閣府令で定める組合（以下ハにおいて「共済組合等」という。）が当該共済組合等の構成員として内閣府令で定める者（以下ハにおいて「共済組合等の構成員」という。）の監護する乳児若しくは幼児及びその他の乳児若しくは幼児を保育するために自ら設置する施設又は共済組合等から委託を受けて当該共済組合等の構成員の監護する乳児若しくは幼児及びその他の乳児若しくは幼児の保育を実施する施設

二　満三歳以上の幼児に係る保育の体制の整備の状況その他の地域の事情を勘案して、保育が必要と認められる児童であつて満三歳以上のものについて、前号に規定する施設において、保育を行う事業

2　通学通園バスは、小学校等の児童、生徒又は幼児の乗降のため停車しているときは、車両の保安基準に関する規定に定める非常点滅表示灯をつけなければならない。

〔本条追加・昭四五政二二七、一項改正・平九政二一五・平一九政五五・平二六政四一二・平二七政四二一〕

道路運送車両の保安基準

（非常点滅表示灯）

第四一条の三　自動車には、非常点滅表示灯を備えなければならない。ただし、二輪自動車、側車付二輪自動車、カタピラ及びそりを有する軽自動車、大型特殊自動車、幅〇・八メートル以下の自動車並びに最高速度四十キロメートル毎時未満の自動車並びにこれらによりけん引される被けん引自動車にあつては、この限りでない。

2　非常点滅表示灯は、非常時等に他の交通に警告することができ、かつ、その照射光線が他の交通を妨げないものとして、灯光の色、明るさ等に関し告示で定める基準に適合するものでなければならない。

3　非常点滅表示灯は、その性能を損なわないように、かつ、取付位置、取付方法等に関し告示で定める基準に適合するように取り付けられなければならない。

を保つため必要な措置を講ずること。

五の二　自動車又は原動機付自転車を離れるときは、その車両の装置に応じ、その車両が他人に無断で運転されることがないようにするため必要な措置を講ずること。

五の三　正当な理由がないのに、著しく他人に迷惑を及ぼすこととなる騒音を生じさせるような方法で、自動車若しくは原動機付自転車を急に発進させ、若しくはその速度を急激に増加させ、又は自動車若しくは原動機付自転車の原動機の動力を車輪に伝達させないで原動機の回転数を増加させないこと。

五の四　自動車を運転する場合において、第七十一条の五第一項から第四項まで若しくは第七十一条の六第一項から第三項までに規定する者又は第八十四条第二項に規定する仮運転免許を受けた者が表示自動車（第七十一条の五第一項、第七十一条の六第一項若しくは第八十七条第三項に規定する標識を付けた準中型自動車又は第七十一条の五第二項から第四項まで、第七十一条の六第二項若しくは第三項若しくは第八十七条第三項に規定する標識を付けた普通自動車をいう。以下この号において同じ。）を運転しているときは、危険防止のためやむを得ない場合を除き、進行している当該表示自動車の側方に幅寄せをし、又は当該自動車が進路を変更した場合にその変更した後の進路と同一の進路を後方から進行してくる表示自動車が当該自動車との間に第二十六条に規定する必要な距離を保つことができないこととなるときは進路を変更しないこと。

五の五　自動車、原動機付自転車又は自転車（以下この号において「自動車等」という。）を運転する場合においては、当該自動車等が停止しているときを除き、携帯電話用装置、自動車電話用装置その他の無線通話装置（その全部又は一部を手で保持しなければ送信及び受信のいずれをも行うことができないものに限る。第百十八条第一項第四号において「無線通話装置」という。）を通話（傷病者の救護又は公共の安全の維持のため当該自動車等の走行中に緊急やむを得ずに行うものを除く。同号において同じ。）のために使用し、又は当該自動車等に取り付けられ若しくは持ち込まれた画像表示用装置（道路運送車両法第四十一条第一項第十六号若しくは第十七号又は第四十四条第十一号に規定する装置であるものを除く。第百十八条第一項第四号において同じ。）に表示された画像を注視しないこと。

六　前各号に掲げるもののほか、道路又は交通の状況により、公安委員会が道路における危険を防止し、その他交通の安全を図るため必要と認めて定めた事項

〔本条改正・昭三七法一四七・昭三八法九〇、付記全改・昭三九法九一、本条改正・昭四〇法九六、本条・付記改正・昭四二法一二六・昭四五法八六・昭四六法九八・昭四七法五一、本条改正・昭五三法五三、本条・付記改正・昭六〇法八七、本条改正・平元法九〇・平二法七三・平四法四三、本条・付記改正・平九法四一・平一一法四〇、本条改正・平一三法五一、本条・付記

道路運送車両法
第四一条……………………二一二ページ参照
第四四条……………………二一三ページ参照

改正・平一六法九〇、本条改正・平一九法九〇・平二七法四〇・令元法一四、本条・付記改正・令元法二〇、本条改正・令二法四二、本条・付記改正・令四法三二、本条改正・令六法三四）

参照〔車両等〕二①17〔運転者〕二①18〔ぬかるみ又は水たまり等通行に関する他法の定めの例〕無軌条電運規三九〔徐行〕二①20、徐行できる場合＝三一、徐行すべき場合＝九・一八②・三四・三五の二・三六③・三七の二②・三九②、徐行すべき場所＝四二〔目が見えない者、幼児等の通行保護〕一四、同旨の規定＝無軌条電運規四〇〔監護者〕保護する責任がある者の例＝民八一八・八二〇・八五七・八七七、児福六〔歩行者等の通行方法〕一〇―一五の二〔政令で定めるつえ〕道交令八①〔政令で定める盲導犬〕道交令八②、道交規五の二〔政令で定める程度〕道交令八④〔政令で定めるところ〕道交令二六の三、保安基準一八⑦、保安基準の細目を定める告示一七八⑭〔道路の左側部分〕一七④〔安全地帯〕二①6〔他法に定める転落防止の措置〕旅自運輸規五一45、無軌条電運規四四、軌道運規六五〔仮運転免許〕八七〔公安委員会の定め〕各都道府県公安委員会規則

（罰則　第一号、第四号から第五号まで、第五号の三、第五号の四及び第六号については第百二十条第一項第十号〔五万円以下の罰金〕　第二号、第二号の三及び第三号については第百十九条第一項第十五号〔三月以下の懲役又は五万円以下の罰金〕　第五号の五については第百十七条の四第一項第二号〔一年以下の懲役又は三十万円以下の罰金〕、第百十八条第一項第四号〔六月以下の懲役又は十万円以下の罰金〕）

反則金

泥はね運転

大型	七千円	普通	六千円
二輪	六千円	原付	五千円

違反	車種	金額	車種	金額
幼児等通行妨害	大型	九千円	普通	七千円
	二輪	六千円	原付	五千円
安全地帯徐行違反	大型	九千円	普通	七千円
	二輪	六千円	原付	五千円
転落等防止措置義務違反	大型	七千円	普通	六千円
	二輪	六千円	原付	五千円
転落積載物等危険防止措置義務違反	大型	七千円	普通	六千円
	二輪	六千円	原付	五千円
安全不確認ドア開放等	大型	七千円	普通	六千円
	二輪	六千円	原付	五千円
停止措置義務違反	大型	七千円	普通	六千円
	二輪	六千円	原付	五千円
騒音運転等	大型	七千円	普通	六千円
	二輪	六千円	原付	五千円
初心運転者等保護義務違反	大型	七千円	普通	六千円
	二輪	六千円	※原付	五千円
携帯電話使用等（保持）	大型	二万五千円	普通	一万八千円
	二輪	一万五千円	原付	一万二千円
公安委員会遵守事項違反	大型	七千円	普通	六千円
	二輪	六千円	原付	五千円

点数

携帯電話使用等（交通の危険）

一　般　六点

酒気帯び（〇・二五未満）　一六点

携帯電話使用等（保持）

一　般　三点

酒気帯び（〇・二五未満）　一五点

幼児等通行妨害・安全地帯徐行違反・騒音運転等

一　般　二点

酒気帯び（〇・二五未満）　一四点

転落等防止措置義務違反・転落積載物等危険防止措置義務違反・安全不確認ドア開放等・停止措置義務違反・初心運転者等保護義務違反

一　般　一点

酒気帯び（〇・二五未満）　一四点

（自動車等の運転者の遵守事項）

第七一条の二 自動車又は原動機付自転車（これらのうち内閣府令で定めるものを除く。以下この条において同じ。）の運転者は、道路運送車両法第四十一条第一項第十一号又は第四十四条第八号に規定する消音器を備えていない自動車又は原動機付自転車（当該消音器を切断したものその他の消音器の機能に著しい支障を及ぼす改造等で内閣府令で定めるものを加えた当該消音器を備えている自動車又は原動機付自転車を含む。）を運転してはならない。

〔本条追加・平四法四三、改正・平一一法一六〇、付記改正・平一六法九〇、本条改正・令元法一四、付記改正・令四法三二〕

参照 （自動車）二①9、自動車の種類＝三、道交規二（原動機付自転車）二①10、道交規一の二（内閣府令で定める自動車又は原動機付自転車）道交規九の四の二（内閣府令で定める改造等）道交規九の四の三

（罰則　第百二十条第一項第十号（五万円以下の罰金））

反則金

消音器不備　大型　七千円　普通　六千円
二輪　六千円　原付　五千円

点数

消音器不備　一　般　二点
酒気帯び（〇・二五未満）　一四点

第二章の三　自動車等の運転者の遵守事項

〔本章追加・平四総府令三八〕

（消音器の備付けに係る規定の適用がない自動車等）

第九条の四の二 法第七十一条の二の内閣府令で定める自動車又は原動機付自転車は、内燃機関を原動機とする自動車及び原動機付自転車以外の自動車又は原動機付自転車とする。

〔本条追加・平四総府令三八、改正・平一二総府令八九〕

（消音器の機能に著しい支障を及ぼす改造等）

第九条の四の三 法第七十一条の二の内閣府令で定める改造等は、次に掲げるとおりとする。

一　消音器を切断すること。
二　消音器の騒音低減機構を除去すること。
三　消音器に排気口以外の開口部を設けること。

〔本条追加・平四総府令三八、改正・平一二総府令八九〕

道路運送車両法

（自動車の装置）

第四一条 自動車は、次に掲げる装置について、国土交通省令で定める保安上又は公害防止その他の環境保全上の技術基準に適合するものでなければ、運行の用に供してはならない。

一〜十　〔略〕
十一　消音器その他の騒音防止装置
十二〜二十一　〔略〕

2　〔略〕

（原動機付自転車の構造及び装置）

第四四条 原動機付自転車は、次に掲げる事項について、国土交通省令で定める保安上又は公害防止その他の環境保全上の技術基準に適合するものでなければ、運行の用に供してはならない。

一〜七　〔略〕
八　消音器
九〜十一　〔略〕

（普通自動車等の運転者の遵守事項）

第七一条の三　自動車（大型自動二輪車及び普通自動二輪車を除く。以下この条において同じ。）の運転者は、道路運送車両法第三章及びこれに基づく命令の規定により当該自動車に備えなければならないこととされている座席ベルト（以下「座席ベルト」という。）を装着しないで自動車を運転してはならない。ただし、疾病のため座席ベルトを装着することが療養上適当でない者が自動車を運転するとき、緊急自動車の運転者が当該緊急自動車を運転するとき、その他政令で定めるやむを得ない理由があるときは、この限りでない。

2　自動車の運転者は、座席ベルトを装着しない者を運転者席以外の乗車装置（当該乗車装置につき座席ベルトを備えなければならないこととされているものに限る。以下この項において同じ。）に乗車させて

（座席ベルト及び幼児用補助装置に係る義務の免除）

第二六条の三の二　法第七十一条の三第一項ただし書の政令で定めるやむを得ない理由があるときは、次に掲げるとおりとする。

一　負傷若しくは障害のため又は妊娠中であることにより座席ベルトを装着することが療養上又は健康保持上適当でない者が自動車を運転するとき。

二　著しく座高が高いか又は低いこと、著しく肥満していることその他の身体の状態により適切に座席ベルトを装着することができない者が自動車を運転するとき。

三　自動車を後退させるため当該自動車を運転するとき。

四　法第四十一条の二第一項に規定する消防用車両（次項第四号において「消防用車両」という。）である自動車の運転者が当該消防用車両である自動車を運転するとき。

五　人の生命若しくは身体に危害を及ぼす行為の発生をその身辺において警戒し、及びその行為を制止する職務又は被疑者を逮捕し、若しくは法令の規定により身体の自由を拘束されている者の逃走を防止する職務に従事する公務員が当該職務のため自動車を運転するとき。

六　郵便物の集配業務その他業務のため自動車を使用する場合において当該業務に従事する者が頻繁に当該自動車に乗降することを必要とする業務として国家公安委員会規則で定める業務に従事する者が、当該業務につき頻繁に自動車に乗降することを必要とする区間において当該業務のために使用される自動車を運転するとき。

七　自動車に乗車している者の警衛若しくは警護を行うため又は車列を組んでパレード等を行う自動車に係る交通の安全と円滑を図るためその前方及び後方等を進行する警察用自動車（緊急自動車である警察用自動車を除く。次項第七号において同じ。）により護衛され、又は誘導されている自動車の運転者が当該自動車を運転するとき。

八　公職選挙法（昭和二十五年法律第百号）の適用を受ける選挙における公職の候補者又は選挙運動に従事する者が同法第百四十一条の規定により選挙運動のために使用される自動車を当該選挙運動のため運転するとき。

2　法第七十一条の三第二項ただし書の政令で定めるやむを得ない理由があるときは、次に掲げるとおりとする。

一　運転者席以外の座席の数を超える数の者を乗車させるためこれらの者のうちに座席ベルトを装着させることができない者がある場合において、当該座席ベルトを装着させることができない者を運転者席以外の乗車装置（運転者席の横の乗車

座席ベルトの装着義務の免除に係る業務を定める規則

道路交通法施行令（昭和三十五年政令第二百七十号）第二十六条の三の二第一項第六号の国家公安委員会規則で定める業務は、次に掲げるとおりとする。

一　民間事業者による信書の送達に関する法律（平成十四年法律第九十九号）第二条第六項に規定する一般信書便事業者又は同条第九項に規定する特定信書便事業者が行う同条第三項に規定する信書便物の取集め又は配達の業務

二　廃棄物の処理及び清掃に関する法律（昭和四十五年法律第百三十七号）の規定に基づき、市町村又は一般廃棄物の収集を市町村から委託された者若しくは一般廃棄物の収集につき市町村長から許可を受けた者が行う一般廃棄物の収集業務

三　貨物自動車運送事業法（平成元年法律第八十三号）の規定に基づき行う貨物自動車運送事業に係る業務、道路運送法（昭和二十六年法律第百八十三号）第七十八条第三号の規定による許可を受けて行う貨物の運送に係る業務又は貨物利用運送事業法（平成元年法律第八十二号）の規定に基づき行う第二種貨物利用運送事業に係る業務のうち、貨物の集貨又は配達を行う業務

四　米穀、酒類、牛乳若しくは清涼飲料の小売業その他物品の小売業（販売の方法として物品の配達（当該物品に係る容器の回収を含む。以下同じ。）を行うものに限る。）又はクリーニング業に係る業務のうち、戸別に当該物品の配達又は洗たく物の受取若しくは引渡しを行う業務

五　清涼飲料、パンその他の飲食料品の製造業（飲食料品を製造し、かつ、製造した飲食料品の配達を行うものに限る。）又は卸売業に係る業務のうち、当該飲食料品の小売業その他当該飲食料品を使用して営む営業に係る店舗その他これに類する施設ごとに当該飲食料品の配達を行う業務

公職選挙法

（自動車、船舶及び拡声機の使用）

第一四一条　次の各号に掲げる選挙においては、主として選挙運動のために使用される自動車（道路交通法（昭和三十五年法律第百五号）第二条第一項第九号に規定する自動車をいう。以下同じ。）又は船舶及び拡声機（携帯用のものを含む。以下同じ。）は、公職の候補者（参議院比例代表選出議員の選挙における候補者たる参議院名簿登載者で第八十六条の三第一項後段の規定

自動車を運転してはならない。ただし、幼児（適切に座席ベルトを装着させるに足りる座高を有するものを除く。以下この条において同じ。）を当該乗車装置に乗車させるとき、疾病のため座席ベルトを装着させることが療養上適当でない者を当該乗車装置に乗車させるとき、その他政令で定めるやむを得ない理由があるときは、この限りでない。

3　自動車の運転者は、幼児用補助装置（幼児を乗車させる際座席ベルトに代わる機能を果たさせるため座席に固定して用いる補助装置であつて、道路運送車両法第三章及びこれに基づく命令の規定に適合し、かつ、幼児の発育の程度に応じた形状を有するものをいう。以下この項において同じ。）を使用しない幼児を乗車させて自動車を運転してはならない。ただ

装置を除く。）に乗車させるとき（法第五十七条第一項本文の規定による乗車人員の制限を超えない場合に限る。）。

二　負傷若しくは障害のため又は妊娠中であることにより座席ベルトを装着させることが療養上又は健康保持上適当でない者を自動車の運転者席以外の乗車装置に乗車させるとき。

三　著しく座高が高いか又は低いこと、著しく肥満していることその他の身体の状態により適切に座席ベルトを装着させることができない者を自動車の運転者席以外の乗車装置に乗車させるとき。

四　緊急自動車に係る緊急用務又は消防用車両に係る消防用務に従事する者を当該緊急自動車又は消防用車両である自動車の運転者席以外の乗車装置に乗車させるとき。

五　人の生命若しくは身体に危害を及ぼす行為の発生をその身辺において警戒し、及びその行為を制止する職務又は被疑者を逮捕し、若しくは法令の規定により身体の自由を拘束されている者の逃走を防止する職務に従事する公務員を当該職務のため自動車の運転者席以外の乗車装置に乗車させるとき。

六　郵便物の集配業務その他前項第六号に規定する業務に従事する者を、当該業務につき頻繁に自動車に乗降させることを必要とする区間において当該業務のために使用される自動車の運転者席以外の乗車装置に乗車させるとき。

七　自動車に乗車している者の警衛若しくは警護を行うため又は車列を組んでパレード等を行う自動車に係る交通の安全と円滑を図るためその前方及び後方等を進行する警察用自動車により護衛され、又は誘導されている自動車の運転者が運転者以外の者を当該自動車の運転者席以外の乗車装置に乗車させるとき。

八　公職選挙法の適用を受ける選挙における公職の候補者又は選挙運動に従事する者を同法第百四十一条の規定により選挙運動のために使用される自動車の運転者席以外の乗車装置に当該選挙運動のため乗車させるとき。

3　法第七十一条の三第三項ただし書の政令で定めるやむを得ない理由があるときは、次に掲げるとおりとする。

一　その構造上幼児用補助装置を固定して用いることができない座席において幼児を乗車させるとき（当該座席以外の座席において当該幼児に幼児用補助装置を使用させることができる場合を除く。）。

二　運転者席以外の座席の数以上の数の者を乗車させるため乗車させる幼児の数に等しい数の幼児用補助装置のすべてを固定して用いることができない場合において、当該固定して用いることができない幼児用補助装置の数の幼児を乗車させる

により優先的に当選人となるべき候補者としてその氏名及び当選人となるべき順位が参議院名簿に記載されているものを除く。次条において同じ。）一人について当該各号に定めるもののほかは、使用することができない。ただし、拡声機については、個人演説会（演説を含む。）の開催中、その会場において別に一そろいを使用することを妨げるものではない。

一　衆議院（小選挙区選出）議員、参議院（選挙区選出）議員並びに地方公共団体の議会の議員及び長の選挙　自動車（その構造上宣伝を主たる目的とするものを除く。以下この号及び次号において同じ。）一台又は船舶一隻及び拡声機一そろい（参議院合同選挙区選挙にあつては、自動車二台又は船舶二隻（両者を使用する場合は通じて二）及び拡声機二そろい）

二　参議院（比例代表選出）議員の選挙　自動車二台又は船舶二隻（両者を使用する場合は通じて二）及び拡声機二そろい

2　前項の規定にかかわらず、衆議院（小選挙区選出）議員の選挙においては、候補者届出政党は、その届け出た候補者に係る選挙区を包括する都道府県ごとに、自動車一台又は船舶一隻及び拡声機一そろいを、当該都道府県における当該候補者届出政党の届出候補者（当該都道府県の区域内の選挙区において当該候補者届出政党が届け出た候補者をいう。以下同じ。）の数が三人を超える場合においては、その超える数が十人を増すごとにこれらに加え自動車一台又は船舶一隻及び拡声機一そろいを、主として選挙運動のために使用することができる。ただし、拡声機については、政党演説会（演説を含む。）の開催中、その会場において別に一そろいを使用することを妨げるものではない。

3　衆議院（比例代表選出）議員の選挙においては、衆議院名簿届出政党等は、その届け出た衆議院名簿に係る選挙区ごとに、自動車一台又は船舶一隻及び拡声機一そろいを、当該選挙区における当該衆議院名簿届出政党等の衆議院名簿登載者の数が五人を超える場合においては、その超える数が十人を増すごとにこれらに加え自動車一台又は船舶一隻及び拡声機一そろいを、主として選挙運動のために使用することができる。ただし、拡声機については、政党等演説会（演説を含む。）の開催中、その会場において別に一そろいを使用することを妨げるものではない。

4　衆議院（比例代表選出）議員の選挙においては、主として選挙運動のために使用される自動車、船舶及び拡声機は、前項の規定により衆議院名簿届出政党等が使用するもののほかは、使用することができない。

5　第一項本文、第二項本文又は第三項本文の規定により選挙運動のために使用される自動車、船舶又は拡声機には、当該選挙に関する事務を管理する選挙管理委員会（衆議院比例代表選出

し、疾病のため幼児用補助装置を使用させることが療養上適当でない幼児を乗車させるとき、その他政令で定めるやむを得ない理由があるときは、この限りでない。

〔本条追加・昭四七法五一、全改・昭六〇法八七、旧七一条の二を繰下・平四法四三、見出し・一―三項改正・四項追加・平一一法四〇、二項改正・三項削除・旧四項を三項に繰上・平一九法九〇〕

参照 〔自動車〕二①9、自動車の種類＝三、道交規二〔政令で定めるやむを得ない理由〕道交令二六の三の二、座席ベルトの装着義務の免除に係る業務を定める規則

点数

座席ベルト装着義務違反・幼児用補助装置使用義務違反

一　般　一点

酒気帯び（〇・二五未満）　一四点

（運転席・助手席以外の座席ベルト装着義務違反は、高速自動車国道等におけるものに限る。）

とき（法第五十七条第一項本文の規定による乗車人員の制限を超えない場合に限る。）。

三　負傷又は障害のため幼児用補助装置を使用させることが療養上又は健康保持上適当でない幼児を乗車させるとき。

四　著しく肥満していることその他の身体の状態により適切に幼児用補助装置を使用させることができない幼児を乗車させるとき。

五　運転者以外の者が授乳その他の日常生活上の世話（幼児用補助装置を使用させたままでは行うことができないものに限る。）を行つている幼児を乗車させるとき。

六　道路運送法第三条第一号に掲げる一般旅客自動車運送事業の用に供される自動車の運転者が当該事業に係る旅客である幼児を乗車させるとき。

七　道路運送法第七十八条第二号又は第三号に掲げる場合に該当して人の運送の用に供される自動車（特定の者の需要に応じて運送の用に供されるものを除く。）の運転者が当該運送のため幼児を乗車させるとき。

八　応急の救護のため医療機関、官公署その他の場所へ緊急に搬送する必要がある幼児を当該搬送のため乗車させるとき。

〔本条追加・昭六〇政二二九、一・二項改正・平四政二三二、見出し・一・二項改正・三・四項追加・平一一政二二九、四項改正・平一八政二七六、一・二項改正・三項削除・旧四項を改正し三項に繰上・平二〇政一四九〕

議員又は参議院比例代表選出議員の選挙については中央選挙管理会、参議院合同選挙区選挙については当該選挙に関する事務を管理する参議院合同選挙区選挙管理委員会）の定めるところの表示（自動車と船舶については、両者に通用する表示）をしなければならない。

6　第一項の自動車は、町村の議会の議員又は長の選挙以外の選挙にあつては政令で定める乗用の自動車に、町村の議会の議員又は長の選挙にあつては政令で定める乗用の自動車又は小型貨物自動車（道路運送車両法（昭和二十六年法律第百八十五号）第三条の規定に基づき定められた小型自動車に該当する貨物自動車をいう。）に限るものとする。

7　衆議院（小選挙区選出）議員又は参議院議員の選挙においては、公職の候補者は、政令で定めるところにより、政令で定める額の範囲内で、第一項の自動車を無料で使用することができる。ただし、衆議院（小選挙区選出）議員又は参議院（選挙区選出）議員の選挙にあつては当該公職の候補者に係る供託物が第九十三条第一項（同条第二項において準用する場合を含む。）の規定により国庫に帰属することとならない場合に、参議院（比例代表選出）議員の選挙にあつては当該公職の候補者たる参議院名簿登載者が当該参議院名簿登載者に係る参議院名簿届出政党等の第九十四条第三項第一号に掲げる数に相当する当選人となるべき順位までにある場合に限る。

8　地方公共団体の議会の議員又は長の選挙については、地方公共団体は、前項の規定（参議院比例代表選出議員の選挙に係る部分を除く。）に準じて、条例で定めるところにより、公職の候補者の第一項の自動車の使用について、無料とすることができる。

道路運送車両の保安基準

第二二条の三（座席ベルト等）　次の表の上欄に掲げる自動車（二輪自動車、側車付二輪自動車及び最高速度二十キロメートル毎時未満の自動車を除く。）には、当該自動車が衝突等による衝撃を受けた場合において、同表の中欄に掲げるその自動車の座席（第二十二条第三項第一号から第三号まで及び第六号に掲げる座席（第二号に掲げる座席にあつては、座席の後面部分のみが折り畳むことができるもの及び通路に設けられるものを除く。）並びに幼児専用車の幼児用座席を除く。）の乗車人員が、座席の前方に移動することを防止し、又は上半身を過度に前傾することを防止するため、それぞれ同表の下欄に掲げる座席ベルト及び当該座席ベル

トの取付装置を備えなければならない。

自動車の種別	座席の種別	座席ベルトの種別
一 専ら乗用の用に供する自動車であつて、次に掲げるもの イ 乗車定員十人未満の自動車 ロ 乗車定員十人以上の自動車であつて、車両総重量が三・五トン以下のもの（第三号に掲げるものを除く。）	運転者席その他の座席であつて、前向きのもの（以下この表において「前向き座席」という。）（容易に折り畳むことができる座席で通路に設けられるものを除く。）	当該座席の乗車人員が、座席の前方に移動することを防止し、かつ、上半身を過度に前傾することを防止するための座席ベルト（以下「第二種座席ベルト」という。）
	前欄に掲げる座席以外の座席	当該座席の乗車人員が、座席の前方に移動することを防止するための座席ベルト（第二種座席ベルトを除く。以下「第一種座席ベルト」という。）又は第二種座席ベルト
二 専ら乗用の用に供する自動車であつて、乗車定員十人以上のもの（前号ロ及び次号に掲げるものを除く。）	前向き座席（告示で定める基準に適合するものを除く。）	第二種座席ベルト
	前欄に掲げる座席以外の座席	第一種座席ベルト又は第二種座席ベルト
三 専ら乗用の用に供する自動車であつて、乗車定員十人以上のもの（高速道路等において運行しないものに限る。）	運転者席及びこれと並列の座席	第一種座席ベルト又は第二種座席ベルト
四 貨物の運送の用に供する自動車であつて、車両総重量が三・五トン以	前向き座席のうち、運転者席及びこれと並列の座席並	第二種座席ベルト

下のもの	びに自動車の側面に隣接する座席（告示で定める基準に適合するものを除く。）	
	前欄に掲げる座席以外の座席	第一種座席ベルト又は第二種座席ベルト
五　貨物の運送の用に供する自動車であつて、車両総重量が三・五トンを超えるもの	前向き座席のうち、運転者席及びこれと並列の座席（告示で定める基準に適合するものを除く。）	第二種座席ベルト
	前欄に掲げる座席以外の座席	第一種座席ベルト又は第二種座席ベルト

2　前項の座席ベルトの取付装置は、座席ベルトから受ける荷重等に十分耐え、かつ、取り付けられる座席ベルトが有効に作用し、かつ、乗降の支障とならないものとして、強度、取付位置等に関し告示で定める基準に適合するものでなければならない。

3　第一項の座席ベルトは、当該自動車が衝突等による衝撃を受けた場合において、当該座席ベルトを装着した者に傷害を与えるおそれが少なく、かつ、容易に操作等を行うことができるものとして、構造、操作性能等に関し告示で定める基準に適合するものでなければならない。

4　前二項の規定は、第一項の表の上欄に掲げる自動車（二輪自動車、側車付二輪自動車及び最高速度二十キロメートル毎時未満の自動車を除く。）が衝突等による衝撃を受けた場合において、同項の規定の適用を受けない座席（第二十二条第三項第一号に掲げる座席及び幼児専用車の幼児用座席を除く。）の乗車人員が座席の前方に移動することを防止し、又は上半身を過度に前傾することを防止するために当該自動車に備える座席ベルト及び当該座席ベルトの取付装置について準用する。この場合において、第二項中「前項」とあるのは「第四項」と、前項中「第一項」とあるのは「次項」と読み替えるものとする。

5　次の表の上欄に掲げる自動車（二輪自動車、側車付二輪自動車及び最高速度二十キロメートル毎時未満の自動車を除く。）には、同表の下欄に掲げるその自動車の座席の座席ベルト（告示で定めるものを除く。）が装着されていない場合に、その旨を運転者席の運転者に警報するものとして、警報性能等に関し告示で定める基準に適合する装置を備えなければならない。

自動車の種別	座席の種別
一　専ら乗用の用に供する自動車であつて乗車定員十人未満のもの及び貨物の運送の用に供する自動車であつて車両総重量が三・五トン以下のもの	運転者席その他の座席
二　専ら乗用の用に供する自動車であつて乗車定員十人以上のもの及び貨物の運送の用に供する自動車であつて車両総重量が三・五トンを超えるもの	運転者席及びこれと並列の座席

（年少者用補助乗車装置等）

第二二条の五　専ら乗用の用に供する自動車（乗車定員十人以上の自動車、運転者席及びこれと並列の座席以外の座席を有しない自動車、二輪自動車、側車付二輪自動車、三輪自動車、カタピラ及びそりを有する軽自動車、被牽引自動車並びに最高速度二十キロメートル毎時未満の自動車を除く。）には、年少者用補助乗車装置取付具を備えなければならない。ただし、高齢者、障害者等（高齢者、障害者等の移動等の円滑化の促進に関する法律（平成十八年法律第九十一号）第二条第一号に規定する高齢者、障害者等をいう。以下この項において同じ。）が移動のための車いすその他の用具を使用したまま車両に乗り込むことが可能な自動車及び運転者席より後方に備えられた座席が回転することにより高齢者、障害者等が円滑に車内に乗り込むことが可能な自動車にあつては、この限りでない。

2　年少者用補助乗車装置取付具は、年少者用補助乗車装置から受ける荷重等に十分耐え、かつ、取り付けられる年少者用補助乗車装置が有効に作用し、かつ、乗降の支障とならないものとして、強度、取付位置等に関し告示で定める基準に適合するものでなければならない。

3　年少者用補助乗車装置は、座席ベルト等を損傷しないものであり、かつ、当該自動車が衝突等による衝撃を受けた場合において、当該年少者用補助乗車装置を装着した者に傷害を与えるおそれが少なく、かつ、容易に着脱することができるものとして、構造、操作性能等に関し告示で定める基準に適合するものでなければならない。

（大型自動二輪車等の運転者の遵守事項）

第七一条の四　大型自動二輪車又は普通自動二輪車の運転者は、乗車用ヘルメットをかぶらないで大型自動二輪車若しくは普通自動二輪車を運転し、又は乗車用ヘルメットをかぶらない者を乗車させて大型自動二輪車若しくは普通自動二輪車を運転してはならない。

2　一般原動機付自転車の運転者は、乗車用ヘルメットをかぶらないで一般原動機付自転車を運転してはならない。

3　特定小型原動機付自転車の運転者は、乗車用ヘルメットをかぶるよう努めなければならない。

4　第八十四条第三項の大型自動二輪車免許を受けた者で、二十歳に満たないもの又は当該大型自動二輪車免許を受けていた期間（当該免許の効力が停止されていた期間を除く。）が通算して三年に達しないもの（同項の普通自動二輪車免許を現に受けており、かつ、当該普通自動二輪車免許を受けていた期間（当該免許の効力が停止されていた期間を除く。）が通算して三年以上である者その他の者で政令で定めるものを除く。）は、高速自動車国道及び自動車専用道路においては、運転者以外の者を乗車させて大型自動二輪車（側車付きのものを除く。以下この条において同じ。）又は普通自動二輪車（側車付きのものを除く。以下この条において同じ。）を運転してはならない。

（運転者以外の者を乗車させて大型自動二輪車等を運転することができる者）

第二六条の三の三　法第七十一条の四第四項の政令で定める者は、次に掲げるとおりとする。

一　現に普通自動二輪車免許を受けており、かつ、当該普通自動二輪車免許を受けていた期間（当該免許の効力が停止されていた期間を除く。）が通算して三年以上である者

二　現に受けている大型自動二輪車免許を受けた日前六月以内に大型自動二輪車免許又は普通自動二輪車免許を受けていたことがある者で、当該受けていたことがある大型自動二輪車免許若しくは普通自動二輪車免許を受けていた期間（これらの免許の効力が停止されていた期間を除く。以下この条において「過去の免許期間」という。）が通算して三年以上であり、又は当該過去の免許期間と当該現に受けている大型自動二輪車免許を受けていた期間（当該免許の効力が停止されていた期間を除く。）とを通算した期間が三年以上であるもの

三　現に受けている大型自動二輪車免許を受けた日前六月以内に普通自動二輪車に相当する種類の自動車の運転に関する本邦の域外にある国又は地域（以下「外国等」という。）の行政庁又は権限のある機関（以下「行政庁等」という。）の運転免許を受けていたことがある者で、当該外国等の行政庁等の運転免許を受けていた期間のうち当該外国等に滞在していた期間（以下この条において「外国免許期間」という。）が通算して三年以上であり、又は当該外国免許期間と当該現に受けて

（乗車用ヘルメット）

第九条の五　法第七十一条の四第一項及び第二項の乗車用ヘルメットの基準は、次の各号に定めるとおりとする。

一　左右、上下の視野が十分とれること。
二　風圧によりひさしが垂れて視野を妨げることのない構造であること。
三　著しく聴力を損ねない構造であること。
四　衝撃吸収性があり、かつ、帽体が耐貫通性を有すること。
五　衝撃により容易に脱げないように固定できるあごひもを有すること。
六　重量が二キログラム以下であること。
七　人体を傷つけるおそれがある構造でないこと。

〔本条追加・昭五三総府令三七、改正・平四総府令三八〕

法第七一条の四

判例　ヘルメットを着用しなかつたことが被害者の落度とされた事例

※　自動二輪車の運転者はヘルメットの着用を法律上強制されていなかつた（昭四四・五・一から施行）が転倒に備えてその着用を心がけるべきであり、本件は頭部外傷による傷害が大きなものであることを考慮すれば損害拡大という面で被害者の一つの落度といいうる。（東高　昭四七、三、八）

5　第八十四条第三項の普通自動二輪車免許を受けた者（同項の大型自動二輪車免許を現に受けている者を除く。）で、二十歳に満たないもの又は当該普通自動二輪車免許を受けていた期間（当該免許の効力が停止されていた期間を除く。）が通算して三年に達しないもの（当該免許を受けた日前六月以内に普通自動二輪車免許を受けていたことがある者その他の者で政令で定めるものを除く。）は、高速自動車国道及び自動車専用道路においては、運転者以外の者を乗車させて普通自動二輪車を運転してはならない。

6　第八十四条第三項の大型自動二輪車免許を受けた者で、当該大型自動二輪車免許を受けていた期間（当該免許の効力が停止されていた期間を除く。）が通算して一年に達しないもの（同項の普通自動二輪車免許を現に受けており、かつ、当該普通自動二輪車免許を受けていた期間（当該免許の効力が停止されていた期間を除く。）が通算して一年以上である者その他の者で政令で定めるものを除く。）は、運転者以外の者を乗車させて大型自動二輪車又は普通自動二輪車を運転してはならない。

7　第八十四条第三項の普通自動二輪車免許を受けた者（同項の大型自動二輪車免許を現に受けている者を除く。）で、当該普通自動二輪車免許を受けていた期間（当該免許の効力が停止されていた期間を除

いる大型自動二輪車免許を受けていた期間（当該免許の効力が停止されていた期間を除く。）とを通算した期間が三年以上であるもの

四　次項各号に掲げる者

2　法第七十一条の四第五項の政令で定める者は、次に掲げるとおりとする。

一　現に受けている普通自動二輪車免許を受けた日前六月以内に大型自動二輪車免許又は普通自動二輪車免許を受けていたことがある者で、当該受けていたことがある大型自動二輪車免許若しくは普通自動二輪車免許に係る過去の免許期間が通算して三年以上であり、又は当該過去の免許期間と当該現に受けている普通自動二輪車免許を受けていた期間（当該免許の効力が停止されていた期間を除く。）とを通算した期間が三年以上であるもの

二　現に受けている普通自動二輪車免許を受けた日前六月以内に普通自動二輪車に相当する種類の自動車の運転に関する外国等の行政庁等の運転免許を受けていたことがある者で、当該外国等の行政庁等の運転免許に係る外国免許期間が通算して三年以上であり、又は当該外国免許期間と当該現に受けている普通自動二輪車免許を受けていた期間（当該免許の効力が停止されていた期間を除く。）とを通算した期間が三年以上であるもの

3　第一項の規定は、法第七十一条の四第六項の政令で定める者について準用する。この場合において、第一項第一号から第三号までの規定中「三年」とあるのは「一年」と、同項第四号中「次項各号」とあるのは「第四項において読み替えて準用する次項各号」と読み替えるものとする。

4　第二項の規定は、法第七十一条の四第七項の政令で定める者について準用する。この場合において、第二項各号中「三年」とあるのは、「一年」と読み替えるものとする。

〔本条追加・昭六〇政二二九、改正・平二政二六・平四政二三一・平六政三〇三、見出し・一項改正・二項追加・平八政一

く。）が通算して一年に達しないもの（当該免許を受けた日前六月以内に普通自動二輪車免許を受けていたことがある者その他の者で政令で定めるものを除く。）は、運転者以外の者を乗車させて普通自動二輪車を運転してはならない。

8　第一項及び第二項の乗車用ヘルメットの基準は、内閣府令で定める。

〔本条追加・昭四〇法九六、二項改正・昭四六法九八、旧七一条の二を繰下・昭四七法五一、見出し・一項改正・二・四項・付記追加・旧二項を改正し三項に繰下・昭五三法五三、二・三項・付記改正・四項追加・旧四項を五項に繰下・昭六〇法八七、旧七一条の三を繰下・平四法四三、見出し・一・三項・付記改正・四項追加・旧四項を改正し五項に繰下・旧五項を六項に繰下・平七法七四、六項改正・平一一法一六〇、三項全改・四項追加・旧四―六項を五―七項に繰下・付記改正・平一六法九〇、付記改正・平一九法九〇、二項改正・三項追加・旧三―七項を四―八項に繰下・付記改正・令四法三二〕

参照〔大型自動二輪車等〕三、道交規二〔原動機付自転車〕二①10、道交規一の二〔高速自動車国道〕道三1・三の二、高速四〔自動車専用道路〕道四八の二―四八の一二〔運転〕二①17〔政令で定めるもの〕道交令二六の三の三〔乗車用ヘルメットの基準〕道交規九の五

〔罰則　第四項から第七項までについては第百十九条の三第一項第五号〔十万円以下の罰金〕〕

反則金

大型自動二輪車等乗車方法違反　二輪　一万二千円

点数

乗車用ヘルメット着用義務違反

一　般　一点

酒気帯び（〇・二五未満）　一四点

六〇、一・二項改正・三・四項追加・平一六政三八一、一・二項改正・平一七政一八三・平一九政二六六、一―四項改正・令五政五四〕

大型自動二輪車等乗車方法違反
一　般　二点
酒気帯び（〇・二五未満）　一四点

（自動運行装置を備えている自動車の運転者の遵守事項等）

第七一条の四の二　自動運行装置を備えている自動車の運転者は、当該自動運行装置に係る使用条件を満たさない場合においては、当該自動運行装置を使用して当該自動車を運転してはならない。

2　自動運行装置を備えている自動車の運転者が当該自動運行装置を使用して当該自動車を運転する場合において、次の各号のいずれにも該当するときは、当該運転者については、第七十一条第五号の五の規定は、適用しない。

一　当該自動車が整備不良車両に該当しないこと。

二　当該自動運行装置に係る使用条件を満たしていること。

三　当該運転者が、前二号のいずれかに該当しなくなつた場合において、直ちに、そのことを認知するとともに、当該自動運行装置以外の当該自動車の装置を確実に操作することができる状態にあること。

〔本条追加・令元法二〇、一項・付記改正・令四法三二〕

参照　〔自動運行装置〕二①13の2・道運車四一①20・使用条件＝道運車四一②〔自動車〕二①9、自動車の種類＝三、道交規二〔使用者〕七四〜七五の二の二〔運転者〕二①18〔整備不良車両〕

六二

(罰則　第一項については第百十九条第一項第十六号（三月以下の懲役又は五万円以下の罰金）、同条第三項（十万円以下の罰金）)

反則金

自動運行装置使用条件違反

大型　一万二千円　普通　九千円

二輪　七千円　※原付　六千円

点数

自動運行装置使用条件違反

一　般　二点

酒気帯び（〇・二五未満）　一四点

（初心運転者標識等の表示義務）

第七十一条の五　第八十四条第三項の準中型自動車免許を受けた者で、当該準中型自動車免許を受けていた期間（当該免許の効力が停止されていた期間を除く。）が通算して一年に達しないもの（当該免許を受けた日前六月以内に準中型自動車免許を受けていたことがある者その他の者で政令で定めるもの及び同項の普通自動車免許を現に受けており、かつ、現に受けている準中型自動車免許を受けた日前に当該普通自動車免許を受けていた期間（当該免許の効力が停止されていた期間を除く。）が通算して二年以上である者を除く。）は、内閣府令で定めるところにより準中型自動車の前面及び後面に内閣府令で定める様式の標識を付けないで準中型自動車を運転してはならない。

2　第八十四条第三項の準中型自動車免許又は普通自動車免許を受けた者で、当該準中型自動車免許又は普通自動車免許を受けていた期間（当該免許の効力が停止されていた期間を除く。）が通算して一年に達しないもの（当該免許を受けた日前六月以内に準中型自動車免許又は普通自動車免許を受けていたことがある者、現に受けている準中型自動車免許又は普通自動車免許を受けた日以後に当該免許に係る上位免許（第八十五条第二項の規定により一の種類の運転免許について同条第一項の表の区分に従い運転することができる自動車等（以下「免許自動車等」という。）を運転することができる他の種類の運転免許（第八十四条第二項の仮運転免許を除く。）をいう。第百条の二第一項第一号及び第三号において

（初心運転者標識の表示義務を免除される者）

第二十六条の四　法第七十一条の五第一項の政令で定める者は、次に掲げるとおりとする。

一　現に受けている準中型自動車免許を受けた日前六月以内に当該免許に係る法第七十一条の五第二項の上位免許（以下この条において「上位免許」という。）を受けていたことがある者

二　現に受けている準中型自動車免許を受けた日前六月以内に受けていたことがある準中型自動車免許（以下この号において「直前準中型免許」という。）を受けていた期間（当該直前準中型免許の効力が停止されていた期間を除く。）が通算して一年以上である者（次に掲げる者を除く。）

イ　法第百四条の二の二第一項、第二項又は第四項の規定により直前準中型免許を取り消された者

ロ　直前準中型免許に係る再試験を受けた後直前準中型免許が失効したため法第百四条の二の二第一項の規定による免許の取消しを受けなかつた者

ハ　法第百条の二第五項の規定に違反して直前準中型免許に係る再試験を受けなかつた者で、同項に規定する期間が通算して一月を超えた日以後に直前準中型免許が失効したため法第百四条の二の二第二項又は第四項の規定による免許の取消しを受けなかつたもの

三　現に受けている準中型自動車免許を受けた日前六月以内に準中型自動車に相当する種類の自動車の運転に関する外国等の行政庁等の運転免許を受けていたことがある者で、当該外国等の行政庁等の運転免許を受けていた期間のうち当該外国等に滞在していた期間が通算して一年以上のもの

四　現に受けている準中型自動車免許を受けた日以後に当該免許に係る上位免許を受けた者

2　法第七十一条の五第二項の政令で定める者は、次に掲げるとおりとする。

一　現に準中型自動車免許を受けている者にあつては、次のイからホまでのいずれかに該当するもの

イ　現に受けている準中型自動車免許を受けた日前六月以内に普通自動車免許に係る上位免許（準中型自動車免許を除く。ホにおいて同じ。）を受けていたことがある者

ロ　前項第二号に掲げる者

ハ　現に受けている準中型自動車免許を受けた日前六月以内に受けていたことがある普通自動車免許（以下このハにおいて「直前普通免許」という。）を受けていた期間（当該直前普通免許の効力が停止されていた期間を除く。）が通算して一年以上である者（次に掲げる者を除く。）

(1)　法第百四条の二の二第一項、第二項又は第四項の規定により直前普通免許を取り消された者

（初心運転者標識等の表示）

第九条の六　法第七十一条の五第一項から第四項まで及び第七十一条の六第一項から第三項までに規定する標識は、地上〇・四メートル以上一・二メートル以下の位置に前方又は後方から見やすいように表示するものとする。

〔本条追加・昭四七総府令五五、旧九条の二を繰下・昭五三総府令三七、本条改正・昭六〇総府令三五・平二総府令一二・平四総府令三八、見出し・本条改正・平九総府令四八、本条改正・平一四内府令三四・平二〇内府令三三・平二八内府令四九〕

（初心運転者標識等の様式）

第九条の七　法第七十一条の五第一項及び第二項の内閣府令で定める様式は、別記様式第五の二のとおりとする。

2　法第七十一条の五第三項及び第四項の内閣府令で定める様式は、別記様式第五の二の二のとおりとする。

3　法第七十一条の六第一項及び第二項の内閣府令で定める様式は、別記様式第五の二の三のとおりとする。

4　法第七十一条の六第三項の内閣府令で定める様式は、別記様式第五の二の四のとおりとする。

〔本条追加・昭四七総府令五五、改正・昭四八総府令一一、旧九条の三を繰下・昭五三総府令三七、本条改正・昭六〇総府令三五・平二総府令一二・平四総府令三八、見出し・一項改正・二項追加・平九総府令四八、一・二項改正・平一二総府令八九、三項追加・平一四内府令三四、二項改正・三項追加・旧三項を改正し四項に繰下・平二〇内府令三三、一―四項改正・平二八内府令四九〕

同じ。）を受けた者その他の者で政令で定めるものを除く。）は、内閣府令で定めるところにより普通自動車の前面及び後面に内閣府令で定める様式の標識を付けないで普通自動車を運転してはならない。

3　第八十五条第一項若しくは第二項又は第八十六条第一項若しくは第二項の規定により普通自動車を運転することができる免許（以下「普通自動車対応免許」という。）を受けた者で七十五歳以上のものは、内閣府令で定めるところにより普通自動車の前面及び後面に内閣府令で定める様式の標識を付けないで普通自動車を運転してはならない。

4　普通自動車対応免許を受けた者で七十歳以上七十五歳未満のものは、加齢に伴つて生ずる身体の機能の低下が自動車の運転に影響を及ぼすおそれがあるときは、内閣府令で定めるところにより普通自動車の前面及び後面に内閣府令で定める様式の標識を付けて普通自動車を運転するように努めなければならない。

〔本条追加・昭六〇法八七、旧七一条の五を繰上・平元法九〇、旧七一条の四を繰下・平四法四三、見出し・付記改正・二項追加・平九法四一、一・二項改正・平一一法一六〇、二項改正・三項追加・平一三法五一、二・三項改正・平一六法九〇、見出し・三項削除・見出し・二項追加・旧二項を改正し三項に繰下・付記改正・平一九法九〇、一項追加・旧一・二項を改正し二・三項に繰下・旧三項を四項に繰下・付記改正・平二七法四〇、二項改正・令二法四二、付記改正・令四法三二〕

参照　〔期間〕民一三八―一四三〔免許〕八四、第一種免許＝八四③・八五、第二種免許＝八四④・八六〔一項の政令で定めるもの〕道交令二六の四①〔二項の政令で定めるもの〕道交令二六

(2)　直前普通免許に係る再試験を受けた後直前普通免許が失効したため法第百四条の二の二第一項の規定による免許の取消しを受けなかつた者

(3)　法第百条の二第五項の規定に違反して直前普通免許に係る再試験を受けなかつた者で、同項に規定する期間が通算して一月を超えた日以後に直前普通免許が失効したため法第百四条の二の二第二項又は第四項の規定による免許の取消しを受けなかつたもの

ニ　現に受けている準中型自動車免許を受けた日前六月以内に普通自動車に相当する種類の自動車の運転に関する外国等の行政庁等の運転免許を受けていたことがある者で、当該外国等の行政庁等の運転免許を受けていた期間のうち当該外国等に滞在していた期間が通算して一年以上のもの

ホ　現に受けている準中型自動車免許を受けた日以後に普通自動車免許に係る上位免許を受けた者

二　現に普通自動車免許を受けている者にあつては、次のイからホまでのいずれかに該当するもの

イ　現に受けている普通自動車免許を受けた日前六月以内に当該免許に係る上位免許（準中型自動車免許を除く。ホにおいて同じ。）を受けていたことがある者

ロ　現に受けている普通自動車免許を受けた日前六月以内に受けていたことがある準中型自動車免許（以下このロにおいて「直前準中型免許」という。）を受けていた期間（当該直前準中型免許の効力が停止されていた期間を除く。）が通算して一年以上である者（次に掲げる者を除く。）

(1)　法第百四条の二の二第一項、第二項又は第四項の規定により直前準中型免許を取り消された者

(2)　直前準中型免許に係る再試験を受けた後直前準中型免許が失効したため法第百四条の二の二第一項の規定による免許の取消しを受けなかつた者

(3)　法第百条の二第五項の規定に違反して直前準中型免許に係る再試験を受けなかつた者で、同項に規定する期間が通算して一月を超えた日以後に直前準中型免許が失効したため法第百四条の二の二第二項又は第四項の規定による免許の取消しを受けなかつたもの

ハ　現に受けている普通自動車免許を受けた日前六月以内に受けていたことがある普通自動車免許（以下このハにおいて「直前普通免許」という。）を受けていた期間（当該直前普通免許の効力が停止されていた期間を除く。）が通算して一年以上である者（次に掲げる者を除く。）

(1)　法第百四条の二の二第一項、第二項又は第四項の規定により直前普通免許を取り消された者

(2)　直前普通免許に係る再試験を受けた後直前普通免許が

別記様式第五の二（第九条の七関係）

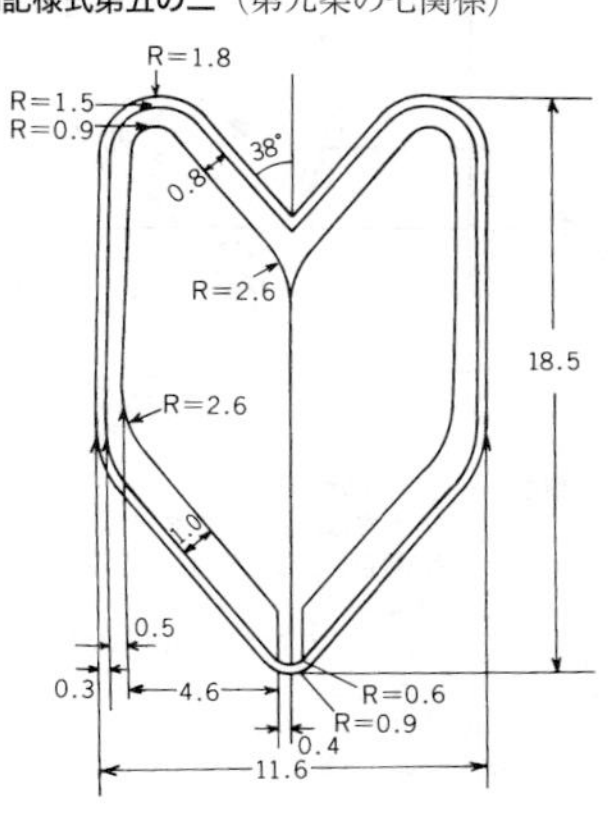

備考　1　縁の色彩は白色、縁線の色彩は黒色、地の左の部分の色彩は黄色、地の右の部分の色彩は緑色とする。
2　地の部分には反射材料を用いるものとする。
3　図示の長さの単位は、センチメートルとする。

〔本様式追加・昭47総府令55、改正・昭50総府令10・昭53総府令37〕

の四②〔内閣府令で定めるところ〕道交規九の六〔内閣府令で定める様式〕道交規九の七①②・別記様式五の二・五の二の二

〔罰則　第一項から第三項までについては第百二十一条第一項第十一号〔二万円以下の罰金又は科料〕、同条第三項〔二万円以下の罰金又は科料〕〕

反則金

初心運転者標識表示義務違反　大型（準中型のみ）　六千円
　　　　　　　　　　　　　　普通　四千円

点数

初心運転者標識表示義務違反
　一　般　一点
　酒気帯び（〇・二五未満）　一四点

失効したため法第百四条の二の二第一項の規定による免許の取消しを受けた者

(3)　法第百条の二第五項の規定に違反して直前普通免許に係る再試験を受けなかつた者で、同項に規定する期間が通算して一月を超えた日以後に直前普通免許が失効したため法第百四条の二の二第二項又は第四項の規定による免許の取消しを受けなかつたもの

ニ　現に受けている普通自動車免許を受けた日前六月以内に普通自動車に相当する種類の自動車の運転に関する外国等の行政庁等の運転免許を受けていたことがある者で、当該外国等の行政庁等の運転免許を受けていた期間のうち当該外国等に滞在していた期間が通算して一年以上のもの

ホ　現に受けている普通自動車免許を受けた日以後に当該免許に係る上位免許を受けた者

〔本条追加・昭四七政三一、見出し・本条改正・昭六〇政二一九、本条改正・平二政二六・平四政二三一・平六政三〇三・平八政一六〇・平九政二一五・平一九政二六六、一項追加・旧一項を改正し二項に繰下・平二八政二五八、二項改正・令二政三三〕

別記様式第五の二の二（第九条の七関係）

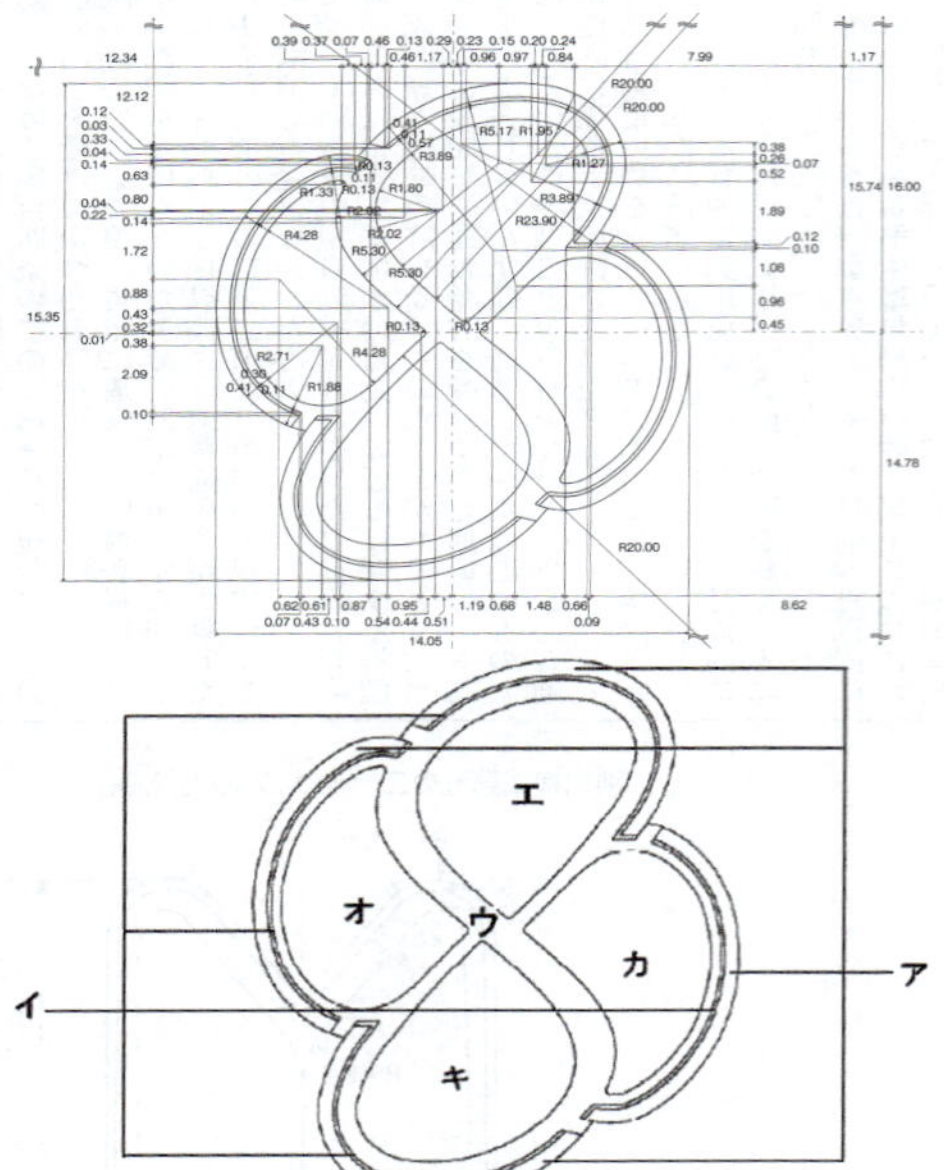

備考　1　アの部分の色彩は黒色、イの部分の色彩は水色、ウの部分の色彩は白色、エの部分の色彩は黄緑色、オの部分の色彩は橙色、カの部分の色彩は緑色、キの部分の色彩は黄色とする。

2　エ、オ、カ及びキの部分には反射材料を用いるものとする。

3　図示の長さの単位は、センチメートルとする。

〔本様式追加・平９総府令48、全改・平22内府令54〕

第七一条の六　第八十五条第一項若しくは第二項又は第八十六条第一項若しくは第二項の規定により準中型自動車を運転することができる免許を受けた者で政令で定める程度の聴覚障害のあることを理由に当該免許に条件を付されているものは、内閣府令で定めるところにより準中型自動車の前面及び後面に内閣府令で定める様式の標識を付けないで準中型自動車を運転してはならない。

2　普通自動車対応免許を受けた者で政令で定める程度の聴覚障害のあることを理由に当該普通自動車対応免許に条件を付されているものは、内閣府令で定めるところにより普通自動車の前面及び後面に内閣府令で定める様式の標識を付けないで普通自動車を

（聴覚障害の程度）

第二六条の四の二　法第七十一条の六第一項及び第二項の政令で定める程度の聴覚障害は、両耳の聴力が補聴器を用いても内閣府令で定める基準に達しない程度の聴覚障害とする。

〔本条追加・平二〇政一四九、改正・平二八政二五八〕

（聴覚障害の基準）

第九条の七の二　令第二十六条の四の二の内閣府令で定める基準は、十メートルの距離で、九十デシベルの警音器の音が聞こえることとする。

〔本条追加・平二〇内府令三三〕

別記様式第五の二の三（第九条の七関係）

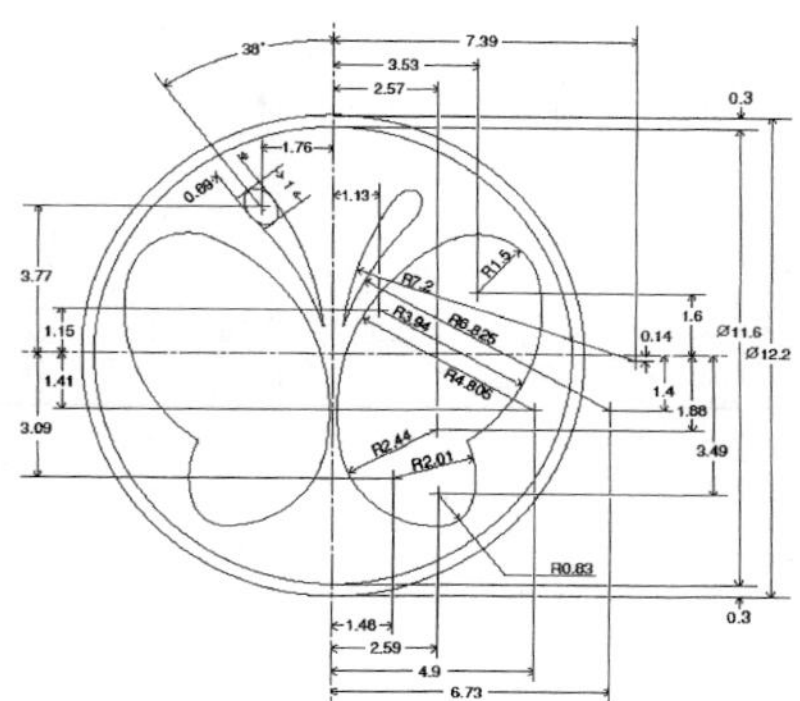

備考　1　縁の色彩は白色、マークの色彩は黄色、地の部分の色彩は緑色とする。
2　地の部分には反射材料を用いるものとする。
3　図示の長さの単位は、センチメートルとする。

〔本様式追加・平20内府令33〕

別記様式第五の二の四（第九条の七関係）

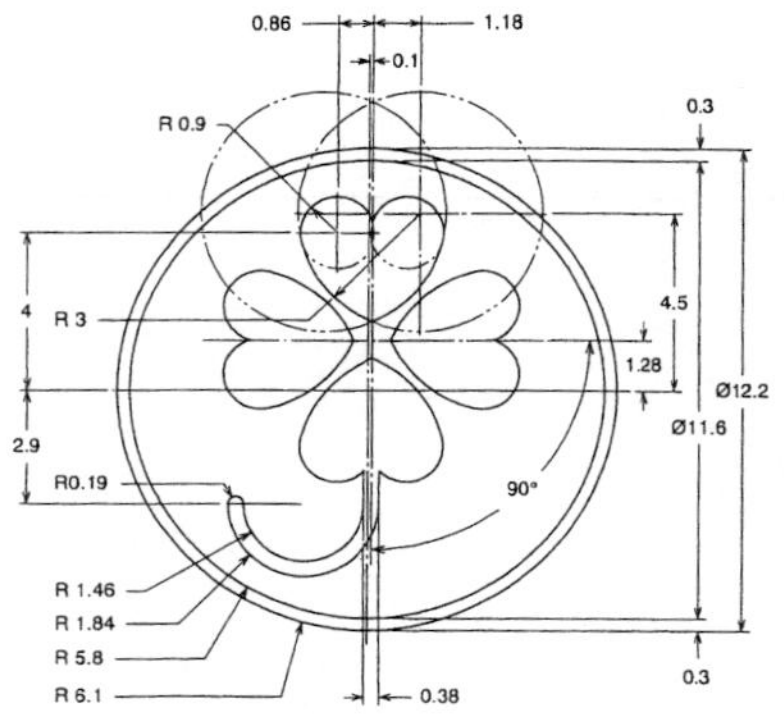

備考　1　縁及びマークの色彩は白色、地の部分の色彩は青色とする。
2　地の部分には反射材料を用いるものとする。
3　図示の長さの単位は、センチメートルとする。

〔本様式追加・平14内府令34、旧様式５の２の３を繰下・平20内府令33〕

運転してはならない。

3 普通自動車対応免許を受けた者で肢体不自由であることを理由に当該普通自動車対応免許に条件を付されているものは、当該肢体不自由が自動車の運転に影響を及ぼすおそれがあるときは、内閣府令で定めるところにより普通自動車の前面及び後面に内閣府令で定める様式の標識を付けて普通自動車を運転するように努めなければならない。

〔本条追加・平一九法九〇、一項追加・旧一・二項を二・三項に繰下・付記改正・平二七法四〇、付記改正・令四法三二〕

参照 〔政令で定める程度〕道交令二六の四の二、聴覚障害の基準＝道交規九の七の二〔内閣府令で定めるところ〕道交規九の六〔内閣府令で定める様式〕道交規九の七③・④・別記様式五の二の三・五の二の四

〔罰則　第一項及び第二項については第百二十一条第一項第十一号〔二万円以下の罰金又は科料〕、同条第三項〔二万円以下の罰金又は科料〕〕

反則金

聴覚障害者標識表示義務違反　大型（準中型のみ）　六千円

普通　四千円

点数

聴覚障害者標識表示義務違反

一　般　一点

酒気帯び（〇・二五未満）　一四点

第二節　交通事故の場合の措置等

（交通事故の場合の措置）

第七二条　交通事故があつたときは、当該交通事故に係る車両等の運転者その他の乗務員（以下この節において「運転者等」という。）は、直ちに車両等の運転を停止して、負傷者を救護し、道路における危険を防止する等必要な措置を講じなければならない。この場合において、当該車両等の運転者（運転者が死亡し、又は負傷したためやむを得ないときは、その他の乗務員。次項において同じ。）は、警察官が現場にいるときは当該警察官に、警察官が現場にいないときは直ちに最寄りの警察署（派出所又は駐在所を含む。同項において同じ。）の警察官に当該交通事故が発生した日時及び場所、当該交通事故における死傷者の数及び負傷者の負傷の程度並びに損壊した物及びその損壊の程度、当該交通事故に係る車両等の積載物並びに当該交通事故について講じた措置（第七十五条の二十三第一項及び第三項において「交通事故発生日時等」という。）を報告しなければならない。

2　前項後段の規定により報告を受けた最寄りの警察署の警察官は、負傷者を救護し、又は道路における危険を防止するため必要があると認めるときは、当該報告をした運転者に対し、警察官が現場に到着するまで現場を去つてはならない旨を命ずることができる。

法第七二条

判例　※　被告人Bは、自己の雇人であり材木の切り出し人夫をしていた被告人Aに自動車を運転させ、みずから助手席に乗つて薪の運搬をしていたのであるから、Bは（旧）法二四条一項にいう「乗務員」に該当する。（東高　昭三一、六、一八）

※　車両の運転者が人の負傷を伴う交通事故を惹起した場合において、直ちにその車両の運転を中止した上事故を確認した結果、負傷が軽微で、社会通念上、ことさら運転者等の助けをかりなくとも負傷者において挙措進退に不自由を来さず、年令、健康状態等に照らし、受傷後の措置をみずから十分にとり得ると認められるため、救護の必要がないと判断して格別の措置をとることなく現場を立ち去つたときは、たとい後刻意想外の傷害のあつたことが判明したとしても、当該運転者は道路交通法第七二条第一項前段所定の救護義務違反の責を問われるべきものではないと解すべきである。（札高　昭三七、七、一七）

※　道路交通法第七二条第一項後段所定の警察官に対する報告義務履行の方法は、他人を介しまたは電話によつても差支えない。（札高　昭三七、七、二二）

※　交通事故を起しながら、道路交通法第七二条第一項前段、後段所定のいずれの義務をも尽さずそのまま逃走した場合、起訴にかかる訴因が両義務違反の罪に該当するものとしているときは、後段違反の罪の訴因については無罪の判断をなすべきものであるが、検察官において前段違反の点については何らふれることなく、それよりも縮減された後段違反の罪のみについて審判を求めているときは、裁判所としては、同訴因についてのみその成否を案ずれば足りる。（札高　昭三七、一一、一）

※　道路交通法第七二条第一項所定の事故報告をなすべき者が負傷等のため、事故又はこれに引き続く必要措置を執つた直後、自ら又は他人を介しても、事故報告をなし得ない場合においては、その後

(1)　負傷者が救護され、且つ交通秩序が完全に回復するまでの間（これを言い換えれば、同条第二項第三項による警察官関与の必要性が客観的に失われるまでの間）に、事故報告の可能状態が生じた直後報告をすれば、その報告が事故又はこれに引続く必要措置と時間的に隔るものがあつても、同条第一項にいわゆる「直ちに」報告をしたものといい得る。

(2)　負傷者が救護され、且つ交通秩序が完全に回復した後に、事故報告の可能状態が生じても、報告義務は生じないものと解すべきである。（名高金沢支　昭三九、七、二二）

※　道路交通取締法二四条一項、同法施行令六七条一項及び二項の規定は、事故発生に関係のある操縦者等に対し、まず応急の措置として救護と物の損壊等に伴い発生すべき道路における危険の防止その他交通安全を図るため適切な措置を執ることを命じ、更に、警察官に対し万全の救護と安全のため適切な措置を執らしめるため報告義務を課したものであり（昭和三八年四月一七日大法廷判決）、操縦者等に対し右救護等の措置義務又は報告義務に違反するものとして刑事責任を負わしめるのは、救護等の措置の対象となるべき被害者の殺傷の事実、危険防止その他交通安全の措置の対象となるべき物の損壊の事実が発生し、しかも操縦者等がこれらの事実を未必的にしろ認識した場合に限られるものと解するのを相当とする。（最　昭四〇、一〇、二七）

※1　交通事故の場合、たとえ第三者が救護等の措置を開始したとしてもこれが完了しない間は本犯が必要な救護または報告の義務をつくすべき余地がある場合であり、これに対する教唆の成立は可能である。

2　本犯が救護等必要な措置を講じかつ警察官に報告をすること

3　前二項の場合において、現場にある警察官は、当該車両等の運転者等に対し、負傷者を救護し、又は道路における危険を防止し、その他交通の安全と円滑を図るため必要な指示をすることができる。

4　緊急自動車若しくは傷病者を運搬中の車両又は乗合自動車、トロリーバス若しくは路面電車で当該業務に従事中のものの運転者は、当該業務のため引き続き当該車両等を運転する必要があるときは、第一項の規定にかかわらず、その他の乗務員に第一項前段に規定する措置を講じさせ、又は同項後段に規定する報告をさせて、当該車両等の運転を継続することができる。

〔付記改正・昭三八法九〇・昭三九法九一・昭四五法八六・昭四六法九八、一項改正・平二法七三、付記改正・平一三法五一、四項改正・平一七法一〇二、一項・付記改正・平一九法九〇、一・二項・付記改正・令四法三二〕

参照〔車両等〕二①17〔運転者〕二①18〔乗務員〕他法の規定＝旅自運輸規四九〔運転〕二①17〔警察官〕警三四・五五・六二・六三〔警察署〕警五三〔道路〕二①1、道二①、道運二⑦・⑧、道運車二⑥、高速二①、駐車二3、道路の種類＝道三〔緊急自動車〕三九①、道交令一三・一四、通行区分等＝三九、優先通行＝四〇〔車両〕二①8〔乗合自動車〕二七〔トロリーバス〕二①12〔路面電車〕二①13

〔罰則　第一項前段については第百十七条第一項〔五年以下の懲役又は五十万円以下の罰金〕、同条第二項〔十年以下の懲役又は百万円以下の罰金〕、第百十七条の五第一項第一号〔一年以下の懲役又は十万円以下の罰金〕　第一項後段については第百十九条第一項第十七号〔三月以下の懲役又は五万円以下の罰金〕　第二項については第百二十条第一項第十一号〔五万円以下の罰金〕〕

ができる状態にあるのに徒らに遅疑逡巡している場合にはなお道路交通法七二条一項違反の犯罪が完成したのちであるとはいい難く、これに対しその場を立去ることを決意させたときは教唆犯の責を負うべきである。（東高　昭四一、五、二七）

※　本条一項後段の「もよりの警察署」とは、事故現場から手近な又は最も便宜な警察署という意味であって、必ずしも事故現場の所轄警察署に限らず、また最短距離の警察署であることを要しない。（大高　昭四一、九、二〇）

※　車を運転中、普通貨物自動車と接触しその車の車幅灯柱を折損（損害約三、〇〇〇円）した場合には道路運送車両の保安基準第三四条により運行の用に供してはならない車両を生じたことになり、その事故車両の爾後の運行等につき警察官の指示等の措置の必要があるものというべく、従って報告の義務が発生したものと解すべきである。（東高　昭四二、四、一九）

※　交通事故の被害の程度が軽微であっても、また、被害者たると加害者たるとを問わず、更に右事故発生につき、運転者の故意、過失若しくは有責違法の有無にかかわらず、運転者各自に報告義務が課せられているものと解すべきである。（仙高　昭四三、五、一七）

※　交通事故を惹起した自動車運転者が、負傷者の員数、受傷の部位、程度等を何ら確認することなく無断で事故現場から離脱した場合には、たとえ医者を呼びに行くためであったとしても本条一項前段の救護義務違反の罪が成立する。（奈良地　昭四四、一一、二七）

※　車両等の運転者が、いわゆる人身事故を発生させたときは、直ちに車両の運転を停止し十分に被害者の受傷の有無程度を確かめ、全く負傷していないことが明らかであるとか、負傷が軽微なため被害者が医師の診療を受けることを拒絶した等の場合を除き、少なくとも被害者をして速やかに医師の診療を受けさせる等の措置は講ずべきであり、この措置をとらずに、運転者自身の判断で、負傷は軽微であるから救護の必要はないとしてその場を立ち去るがごときことは許されないものと解すべきである。（最　昭四五、四、一〇）

※　交通事故を起こした車両等の運転者は、同運転者において負傷者を救護し、交通秩序も回復され、道路上の危険も存在しないため、警察官においてそれ以上の措置をとる必要がないように思われる場合でも、本条一項後段所定の各事項の報告義務を免れない。（最　昭四八、三、一五）

※　暴行の犯意のもとに車両の運転により人を死傷させた場合であっても道路交通法七二条一項所定の「車両等の交通による人の死傷」にあたるとの前提に立つかぎり、報告義務がある。（最　昭五〇、一、二一）

※　警察官が、交通事故発生の直後に現場に来合わせて事故の発生を知り、事故を起した車両の運転者に対しとりあえず待機するよう指示したうえ、負傷者の救護及び交通の危険防止の措置を開始した場合であっても、右運転者は道路交通法七二条一項前・後段の義務を免れない。（最　昭五〇、二、一〇）

※　自動車の運転者が傷害の故意に基づき車両の運転によって人を負傷させてその場から逃走した場合であっても、道路交通法七二条一項前段、一一七条の救護義務違反罪が成立する。（最　昭五〇、四、三）

※　道路交通法七二条一項前段の義務は原則として被害の程度にかかわらずしかも人の負傷又は物の損壊について故意、過失があったか否かを問わず、運転者その他の乗務員がひとしく負うべきものである。したがって、本件の如く、自動車の運転者が傷害の故意に基づき、車両の運転によって相手方を負傷させ、その場から逃走した場合であっても、傷害罪のほかに道路交通法七二条一項前段所定の救護義務違反罪も成立するものといわなければならない。（最　昭五〇、四、三）

※　道路交通法第七二条第一項前段と後段との関係

刑法五四条一項前段（観念的競合）にいう一個の行為とは、法的評価をはなれ構成要件的観念を捨象した自然的観察のもとで行為者の動態が社会的見解上一個のものと評価される場合をいい、不作為もここにいう動態に含まれる。

ところで、道路交通法七二条一項前段、後段の義務及びこれらの義務に違反する不作為についてみると、これらの義務は、いず

点数（付加点数）

運転殺人等・危険運転致死等	六二点（五点）
運転傷害等・危険運転致傷等（治療期間三月以上又は後遺障害）	五五点（五点）
運転傷害等・危険運転致傷等（治療期間三十日以上）	五一点（五点）
運転傷害等・危険運転致傷等（治療期間十五日以上）	四八点（五点）
運転傷害等（治療期間十五日未満又は建造物損壊）・危険運転致傷等（治療期間十五日未満）	四五点（五点）
救護義務違反	三五点
危険防止措置違反（物損事故）	（五点）

れも交通事故の際「直ちに」履行されるべきものと規定されており、運転者等がこれらの義務に違反して逃げ去るなどした場合は、社会生活上、しばしば、ひき逃げというひとつの社会的出来事として認められており、自然的観察、社会的見解のもとでは、これら義務違反の不作為を別個の行為であるとすることは、格別の事情がないかぎり、是認しがたいものである。

　したがつて、車両等の運転者等が、一個の交通事故から生じた七二条一項前段、後段の各義務を負う場合、これをいずれも履行する意思がなく、事故現場から立ち去るなどしたときは、他に特段の事情がないかぎり、各義務違反の不作為は社会的見解上の一個の動態と評価すべきものであり、各義務違反の罪は刑法五四条一項前段の観念的競合の関係にあるものと解するのが、相当である。（最　昭五一、九、二二）

　道路交通法第七二条第一項前段の救護義務違反の罪と同項後段の報告義務違反の罪とは併合罪の関係に立つ。（名高　昭三七、一〇、一〇）

※　道路交通法七二条一項後段一一九条一項一〇号のいわゆる報告義務違反の犯罪事実を認定するにあたっては、交通事故があったことのみならず、「報告をしなかった」という点についても、被告人の自白のほかに、補強証拠が存在することを要するものと解すべきである。（大高　平二、一〇、二四）

※　自動車を運転中の被告人が、前方不注視により歩行者に自車を衝突させ、同人を自車車体下部に巻き込んで引きずり、頭部外傷等の傷害を負わせた後に一度停車して下車し、同人が自車車体下部にいることを認めて怖くなり、その場から逃走する際に発進した自車で再度同人を轢過して同人を死亡させた事案において、当初の衝突等の行為と死亡の結果において因果関係が肯定された。（大阪地　平三、五、二一）

※　事故を起こした運転者は、救護義務を尽くす前提として、一旦停止して負傷者の有無、その救護の要否、道路上の危険の有無を確認すべき義務を負う。自車内から被害車両の進行方向を一瞥しただけでは、道路交通法七二条一項前段の救護義務違反が成立する。（福高　平二、一二、一二）

※　交通事故を起こして人を負傷させたが、事故時に事故等の認識がなかった場合には、救護義務違反の罪は成立しないが、その後に何らかの交通事故の発生を認識した場合には、その旨の報告義務がある。（大津地　平六、四、六）

※　コンビニエンスストア敷地内の駐車場で発生した交通事故に関し、駐車場の通路部分については、不特定の自動車や人が自由に通行することが認められているため「道路」に該当するが、駐車区画部分は「道路」ではないため、救護・報告義務違反罪の適用はない。（東高　平一七、五、二五）

※　被告人が交通事故を起こした後、携帯電話を所持しておらず、逮捕されると車両の管理に困ること、距離の上では最も近い警察署に報告に行くには道路をUターンする必要があったことなどから、運転していた車両を自宅に置いた後、約一時間後にK警察署に事故の報告をしても、道路交通法は、「直ちに最寄りの」警察署の警察官への報告を求めているから、報告義務を尽くしたことにならない。（東高　平一九、六、一一）

道路運送法

（事故の報告）

第二九条　一般旅客自動車運送事業者は、その事業用自動車が転覆し、火災を起こし、その他国土交通省令で定める重大な事故を引き起こしたときは、遅滞なく事故の種類、原因その他国土交通省令で定める事項を国土交通大臣に届け出なければならない。

旅客自動車運送事業運輸規則

（事故の場合の処置）

第一八条　旅客自動車運送事業者は、事業用自動車の運行を中断したときは、当該自動車に乗車している旅客のために、次の各号に掲げる事項に関して適切な処置をしなければならない。

一　旅客の運送を継続すること。

二　旅客を出発地まで送還すること。

三　前各号に掲げるもののほか、旅客を保護すること。

2　一般乗合旅客自動車運送事業者は、前項の場合において、事業用自動車に旅客の運送に附随して運送する貨物を積載しているときは、当該貨物につき、次の各号に掲げる事項に関して適切な処置をしなければならない。

一　貨物の運送を継続すること。

二　貨物を発送地まで送還すること。

三　滅失し、きそんし、又は損害を受けないように貨物を保管すること。

（事故による死傷者に関する処置）

第一九条　旅客自動車運送事業者は、天災その他の事故により、旅客が死亡し、又は負傷したときは、次の各号に掲げる事項を実施しなければならない。

一　死傷者のあるときは、すみやかに応急手当その他の必要な措置を講ずること。

二　死者又は重傷者のあるときは、すみやかに、その旨を家族に通知すること。

三　遺留品を保管すること。

四　前各号に掲げるもののほか、死傷者を保護すること。

第七二条の二　前条第三項の場合において、当該車両等の運転者等が負傷その他の理由により直ちに同項の規定による指示に従うことが困難であると認められるときは、現場にある警察官は、道路における交通の危険を防止し、その他交通の安全と円滑を図るため必要な限度において、当該交通事故において損壊した物及び当該交通事故に係る車両等の積載物（以下この条において「損壊物等」という。）の移動その他応急の措置をとることができる。

2　前項の規定による措置をとつた場合において、当該損壊物等を移動したときは、警察官は、当該損壊物等を当該損壊物等の在つた場所を管轄する警察署長に差し出さなければならない。この場合において、警察署長は、当該損壊物等を保管しなければならない。

3　第五十一条第七項及び第九項から第二十一項まで並びに第五十一条の二の規定は、前二項の規定による措置に係る損壊物等について準用する。この場合において、第五十一条第七項中「使用者」とあるのは「所有者、占有者その他当該損壊物等について権原を有する者（以下この条及び次条において「所有者等」という。）」と、同条第九項中「前項」とあるのは「第七十二条の二第三項において読み替えて準用する第七項」と、「知ることができない」とある

（損壊物等の保管の手続等）

第二六条の四の三　第十四条の八から第十六条の五までの規定は、法第七十二条の二第二項後段の規定により保管した損壊物等について準用する。この場合において、第十四条の八中「使用者又は所有者」とあるのは「所有者、占有者その他当該損壊物等について権原を有する者」と、第十五条中「法第五十一条第九項」とあるのは「法第七十二条の二第三項において読み替えて準用する法第五十一条第九項」と、同条第一号中「車両」とあるのは「損壊物等が、車両である場合にあつてはその車両の車名、型式、塗色及び番号標に表示されている番号、車両の積載物である場合にあつてはその積載物の名称又は種類、形状及び数量並びにその積載物が積載されていた車両」と、「表示されている番号」とあるのは「表示されている番号、その他の損壊物等である場合にあつてはその損壊物等の名称又は種類、形状及び数量」と、同条第二号中「車両が駐車していた場所及びその車両を移動した日時」とあるのは「損壊物等に係る交通事故が発生したと認められる場所及び日時（その日時が明らかでないときは、その損壊物等を移動した日時）」と、第十六条中「法第五十一条第九項」とあるのは「法第七十二条の二第三項において読み替えて準用する法第五十一条第九項」と、同条第二号中「保管車両一覧簿」とあるのは「保管損壊物等一覧簿」と、第十

自動車事故報告規則

（昭和二六年一二月二〇日運輸省令第一〇四号）

のは「知ることができず、かつ、当該損壊物等の所有者以外の者に当該損壊物等を返還することが困難であると認められる」と、同条第十一項中「第七項から前項まで」とあるのは「第七十二条の二第三項において読み替えて準用する第七項及び前二項」と、同条第十二項中「第八項の規定による告知の日又は」とあるのは「腐敗し、若しくは変質するおそれがあるとき、又は第七十二条の二第三項において読み替えて準用する第七項の規定による当該損壊物等の所有者に対する告知の日若しくは」と、「費用」とあるのは「費用若しくは手数」と、同条第十五項中「運転者等又は使用者若しくは所有者（以下この条及び次条において「使用者等」という。）」とあるのは「所有者等」と、同条第十六項中「運転者等又は使用者等」とあるのは「所有者等」と、同条第二十項中「第八項の規定による」とあるのは「第七十二条の二第三項において読み替えて準用する第七項の規定による当該損壊物等の所有者に対する」と、第五十一条の二第一項中「同条第六項の規定により保管した車両の使用者等その他の関係者又は同条第二十二項において準用する同条第六項の規定により保管した積載物の所有者、占有者その他当該積載物について権原を有する者」とあるのは「第七十二条の二第三項後段の規定により保管した損壊物等の所有者等」と読み替えるものとする。

〔本条追加・平二法七三、一―三項改正・平一六法九〇、三項改正・平一九法九〇・令二法四二〕

参照〔車両等〕二①17〔運転者〕二①18〔警察官〕警三四・五

六条の二及び第十六条の三中「法第五十一条第十二項」とあるのは「法第七十二条の二第三項において読み替えて準用する法第五十一条第十二項」と、同条中「入札者がない車両」とあるのは「入札者がない損壊物等、速やかに売却しなければ価値が著しく減少するおそれのある損壊物等その他競争入札に付することが適当でないと認められる損壊物等」と、第十六条の四第一項、第二項及び第四項中「車両の車名、型式、塗色及び番号標に表示されている番号」とあるのは「損壊物等の名称又は種類、形状及び数量（損壊物等が車両である場合にあつては、その車両の車名、型式、塗色及び番号標に表示されている番号）並びに損壊の程度」と、同項中「抵当権」とあるのは「質権、抵当権、先取特権、留置権その他の権利」と、第十六条の五中「法第五十一条第二十一項」とあるのは「法第七十二条の二第三項において準用する法第五十一条第二十一項」と読み替えるものとする。

〔本条追加・平二政三〇三、改正・平一一政三二一・平一六政二五七・政三九〇、旧一六条の四の二を改正し繰下・平二〇政一四九、本条改正・平二一政二九一〕

五・六二・六三〔道路〕二①1、道二①、道運二⑦・⑧、道運車二⑥、高速二①、駐車二③、道路の種類＝道三〔交通事故〕七二①〔警察署長〕警五三②・③

（妨害の禁止）

第七三条 交通事故があつた場合において、当該交通事故に係る車両等の運転者等以外の者で当該車両等に乗車しているものがあるときは、その者は、当該車両等の運転者等が第七十二条第一項前段に規定する措置を講じ、又は同項後段に規定する報告をするのを妨げてはならない。

〔本条改正・平二法七三、付記改正・令四法三二〕

参照 〔交通事故〕七二①〔車両等〕二①17〔運転者等〕七二①

（罰則 第百二十条第一項第十号〔五万円以下の罰金〕）

第三節　使用者の義務

〔節名改正・昭五三法五三〕

（車両等の使用者の義務）

第七四条　車両等の使用者は、その者の業務に関し当該車両等を運転させる場合には、当該車両等の運転者及び安全運転管理者、副安全運転管理者その他当該車両等の運行を直接管理する地位にある者に、この法律又はこの法律に基づく命令に規定する車両等の安全な運転に関する事項を遵守させるように努めなければならない。

2　車両の使用者は、当該車両の運転者に、当該車両を運転するに当たつて車両の速度、駐車及び積載並びに運転者の心身の状態に関しこの法律又はこの法律に基づく命令に規定する事項を遵守させるように努めなければならない。

3　消防用自動車、救急用自動車その他の政令で定める自動車の使用者（第七十四条の三第一項の規定により安全運転管理者を選任したものを除く。）は、当該自動車の運転者に対し、当該自動車の安全な運転を確保するために必要な交通安全教育を行うように努めなければならない。

〔二項改正・昭四六法九八、本条全改・昭五三法五三、二項追加・旧二項を三項に繰下・平二法七三、三項追加・旧三項を四項に繰下・平五法四三、二項追加・旧二項を三項に繰下・三項削除・四項改正・平九法四一、見出し削除・追加・二項改正・三項削除・旧四項を改正し三項に繰上・平一六法九〇〕

（緊急自動車等）

第二六条の五　法第七十四条第三項の政令で定める自動車は、第十三条第一項に規定する自動車及び第十四条の二に規定する自動車とする。

〔本条追加・昭五三政三一三、改正・平二政三〇三・平五政三四八・平一六政三九〇〕

参照〔車両等〕二①17〔使用者〕七四―七五の二の二〔運転〕二①17〔運転者〕二①18〔安全運転管理者〕七四の三①〔副安全運転管理者〕七四の三④〔消防用自動車、救急用自動車その他の政令で定める自動車〕道交令二六の五

第七四条の二　車両の使用者は、当該車両を適正に駐車する場所を確保することその他駐車に関しての車両の適正な使用のために必要な措置を講じなければならない。

〔本条追加・平一六法九〇〕

参照〔車両〕二①8〔駐車〕二①18、禁止場所＝四四・四五、方法＝四七・四八、時間制限駐車区間等＝四九、違法駐車に対する措置＝五一

（安全運転管理者等）

第七四条の三　自動車の使用者（道路運送法の規定による自動車運送事業者（貨物自動車運送事業法（平成元年法律第八十三号）の規定による貨物軽自動車運送事業を経営する者を除く。以下同じ。）、貨物利用運送事業法の規定による第二種貨物利用運送事業を経営する者及び道路運送法第七十九条の規定による登録を受けた者を除く。以下この条において同じ。）は、内閣府令で定める台数以上の自動車の使用の本拠ごとに、年齢、自動車の運転の管理の経験

第二章の四　安全運転管理者等

〔本章追加・昭四〇総府令四一、旧二章の二を繰下・昭四七総府令五五、旧二章の三を改正し繰下・昭五三総府令三七〕

（安全運転管理者等の選任を必要とする自動車の台数）

第九条の八　法第七十四条の三第一項の内閣府令で定める台数は、乗車定員が十一人以上の自動車にあつては一台、その他の自動車にあつては五台とする。

2　法第七十四条の三第四項の内閣府令で定める台数は、二十台とする。

3　前二項及び第九条の十一の台数を計算する場合においては、大型自動二輪車一台又は普通自動二輪車一台は、それぞれ〇・五台として計算するものとする。

〔本条追加・昭四〇総府令四一、一項改正・昭四二総府令一、旧九条の二を繰下・昭四七総府令五五、一項改正・昭五〇総府令八〇、見出し改正・二項追加・旧二項を改正し三項に繰下・旧九条の四を繰下・昭五三総府令三七、三項改正・平八総府令四一、二項改正・平一〇総府令二、三項改正・平一〇

その他について内閣府令で定める要件を備える者のうちから、次項の業務を行う者として、安全運転管理者を選任しなければならない。

総府令五〇、一・二項改正・平一二総府令八九・平一六内府令九七〕

（安全運転管理者等の要件）

第九条の九　法第七十四条の三第一項の内閣府令で定める要件は、次に掲げるものとする。

一　二十歳（副安全運転管理者が置かれることとなる場合にあつては、三十歳）以上の者であること。

二　自動車の運転の管理に関し二年（自動車の運転の管理に関し公安委員会が行う教習を修了した者にあつては、一年）以上実務の経験を有する者又は自動車の運転の管理に関しこれらの者と同等以上の能力を有すると公安委員会が認定した者で、次のいずれにも該当しないものであること。

イ　法第七十四条の三第六項の規定による命令により解任され、解任の日から二年を経過していない者

ロ　法第百十七条、法第百十七条の二、法第百十七条の二の二（第一項第七号及び第九号を除く。）、法第百十七条の三の二、法第百十八条第二項第三号若しくは第四号、法第百十九条第二項第四号若しくは第五号又は法第百十九条の二の四第二項の違反行為をした日から二年を経過していない者

2　法第七十四条の三第四項の内閣府令で定める要件は、次に掲げるものとする。

一　二十歳以上の者であること。

二　自動車の運転の管理に関し一年以上実務の経験を有する者、自動車の運転の経験の期間が三年以上の者又は自動車の運転の管理に関しこれらの者と同等以上の能力を有すると公安委員会が認定した者で、前項第二号イ及びロのいずれにも該当しないものであること。

〔本条追加・昭四〇総府令四一、改正・昭四五総府令二八、旧九条の三を繰下・昭四七総府令五五、見出し・一項改正・二項追加・旧九条の五を繰下・昭五三総府令三七、一項改正・平二総府令五一、一・二項改正・平七総府令四三・平一〇総府令二・平一二総府令八九、一項改正・平一四内府令三四・平一六内府令七四、一・二項改正・平一六内府令九七、一項改正・平一九内府令六六・平二五内府令七二・令二内府令四五・令四内府令五四・内府令六七〕

道路運送法

（定義）

第二条　1……………………………一二ページ参照

2　この法律で「自動車運送事業」とは、旅客自動車運送事業及び貨物自動車運送事業をいう。

2　安全運転管理者は、自動車の安全な運転を確保するために必要な当該使用者の業務に従事する運転者に対して行う交通安全教育その他自動車の安全な運転に必要な業務（自動車の装置の整備に関する業務を除く。第七十五条の二の二第一項において同じ。）で内閣府令で定めるものを行わなければならない。

3　前項の交通安全教育は、第百八条の二十八第一項の交通安全教育指針に従つて行わなければならない。

3　この法律で「旅客自動車運送事業」とは、他人の需要に応じ、有償で、自動車を使用して旅客を運送する事業であつて、次条に掲げるものをいう。

4　この法律で「貨物自動車運送事業」とは、貨物自動車運送事業法による貨物自動車運送事業をいう。

5〜8　〔略〕

第三条……………………………八〇ページ参照

（登録）

第七十九条　自家用有償旅客運送を行おうとする者は、国土交通大臣の行う登録を受けなければならない。

貨物利用運送事業法

（定義）

第二条　この法律において「実運送」とは、船舶運航事業者、航空運送事業者、鉄道運送事業者又は貨物自動車運送事業者（以下「実運送事業者」という。）の行う貨物の運送をいい、「利用運送」とは、運送事業者の行う運送（実運送に係るものに限る。）を利用してする貨物の運送をいう。

2〜7　〔略〕

8　この法律において「第二種貨物利用運送事業」とは、他人の需要に応じ、有償で、船舶運航事業者、航空運送事業者又は鉄道運送事業者の行う運送に係る利用運送と当該利用運送に先行し及び後続する当該利用運送に係る貨物の集貨及び配達のためにする自動車（道路運送車両法（昭和二十六年法律第百八十五号）第二条第二項の自動車（三輪以上の軽自動車及び二輪の自動車を除く。）をいう。以下同じ。）による運送（貨物自動車運送事業者の行う運送に係る利用運送を含む。以下「貨物の集配」という。）とを一貫して行う事業をいう。

（安全運転管理者の業務）

第九条の一〇　法第七十四条の三第二項の内閣府令で定める業務は、次に掲げるとおりとする。

一　自動車の運転に関する運転者の適性、技能及び知識並びに法及び法に基づく命令の規定並びに法の規定に基づく処分の運転者による遵守の状況を把握するための措置を講ずること。

二　法第二十二条の二第一項に規定する最高速度違反行為、法第五十八条の三第一項に規定する過積載をして自動車を運転する行為、法第六十六条の二第一項に規定する過労運転及び法第七十五条第一項第七号に掲げる行為の防止その他安全な運転の確保に留意して、自動車の運行計画を作成すること。

三　運転者が長距離の運転又は夜間の運転に従事する場合であつて、疲労等により安全な運転を継続することができないおそれがあるときは、あらかじめ、交替するための運転者を配置すること。

四　異常な気象、天災その他の理由により、安全な運転の確保に支障が生ずるおそれがあるときは、運転者に対する必要な指示その他安全な運転の確保を図るための措置を講ずること。

五　運転しようとする運転者に対して点呼を行う等により、道路運送車両法第四十七条の二第二項の規定により当該運転者が行わなければならないこととされている自動車の点検の実施及び過労、病気その他の理由により正常な運転をすることができないおそれの有無を確認し、安全な運転を確保するために必要な指示を与えること。

六　運転しようとする運転者及び運転を終了した運転者に対し、酒気帯びの有無について、当該運転者の状態を目視等で確認するほか、アルコール検知器（呼気に含まれるアルコールを検知する機器であつて、国家公安委員会が定めるものをいう。次号において同じ。）を用いて確認を行うこと。

七　前号の規定による確認の内容を記録し、及びその記録を一年間保存し、並びにアルコール検知器を常時有効に保持すること。

八　運転者名、運転の開始及び終了の日時、運転した距離その他自動車の運転の状況を把握するため必要な事項を記録する日誌を備え付け、運転を終了した運転者に記録させること。

九　運転者に対し、自動車の運転に関する技能、知識その他安全な運転を確保するため必要な事項について指導を行うこと（法第七十四条の三第二項に規定する交通安全教育を行うことを除く。）。

〔本条追加・平一〇総府令二、改正・平一二総府令八九・平一六内府令九七・平二一内府令七四・令三内府令六八〕

道路運送車両法

（日常点検整備）

第四七条の二　1　〔略〕

2　次条第一項第一号及び第二号に掲げる自動車の使用者又はこれらの自動車を運行する者は、前項の規定にかかわらず、一日一回、その運行の開始前において、同項の規定による点検をしなければならない。

3　〔略〕

（電磁的方法による記録）

第九条の一〇の二　前条第八号に規定する事項が、電磁的方法

4　自動車の使用者は、安全運転管理者の業務を補助させるため、内閣府令で定める台数以上の自動車を使用する本拠ごとに、年齢、自動車の運転の経験その他について内閣府令で定める要件を備える者のうちから、内閣府令で定めるところにより、副安全運転管理者を選任しなければならない。

5　自動車の使用者は、安全運転管理者又は副安全運転管理者（以下「安全運転管理者等」という。）を選任したときは、選任した日から十五日以内に、内閣府令で定める事項を当該自動車の使用の本拠の位置を管轄する公安委員会に届け出なければならない。これを解任したときも、同様とする。

（電子的方法、磁気的方法その他の人の知覚によつて認識することができない方法をいう。）により記録され、必要に応じ電子計算機その他の機器を用いて直ちに表示されることができるときは、当該記録をもつて同号に規定する当該事項が記載された日誌に代えることができる。

2　前項の規定による記録をする場合には、国家公安委員会が定める基準を確保するよう努めなければならない。

〔本条追加・平一〇総府令五〇、一項改正・令三内府令六八〕

（副安全運転管理者の人数）

第九条の一一　法第七十四条の三第四項の規定による選任は、次の表の上欄に掲げる自動車の台数に応じ、同表の下欄に掲げる人数以上の副安全運転管理者を選任して行うものとする。

自動車の台数	人　　数
二十台以上四十台未満	一人
四十台以上	一人に四十台以上二十台までを超えるごとに一人を加算して得た人数

〔本条追加・昭五三総府令三七、旧九条の一〇を改正し繰下・平一〇総府令二、本条改正・平一六内府令九七〕

（届出事項等）

第九条の一二　法第七十四条の三第五項の内閣府令で定める事項は、次に掲げるものとする。

一　届出者の氏名（法人にあつては、その名称及び代表者の氏名）及び住所

二　自動車の使用の本拠の名称及び位置

三　安全運転管理者又は副安全運転管理者（以下「安全運転管理者等」という。）の選任又は解任の年月日

四　安全運転管理者等の氏名及び生年月日

五　安全運転管理者等の職務上の地位

〔本条追加・昭四〇総府令四一、旧九条の四を繰下・昭四七総府令五五、旧九条の六を改正し繰下・昭五三総府令三七、旧九条の一一を改正し繰下・平一〇総府令二、本条改正・平一二総府令八九・平一六内府令九七〕

第九条の一三　法第七十四条の三第五項の規定による選任の届出は、前条各号に掲げる事項及び自動車の安全な運転の管理に関し参考となる事項を記載した書面を提出して行わなければならない。この場合において、当該書面には、当該届出に係る安全運転管理者等がそれぞれ第九条の九第一項又は第二項に規定する要件を備える者であることを証するに足りる書類を添付する

6　公安委員会は、安全運転管理者等が第一項若しくは第四項の内閣府令で定める要件を備えないこととなつたとき、又は安全運転管理者が第二項の規定を遵守していないため自動車の安全な運転が確保されていないと認めるときは、自動車の使用者に対し、当該安全運転管理者等の解任を命ずることができる。

7　自動車の使用者は、安全運転管理者に対し、第二項の業務を行うため必要な権限を与えるとともに、同項の業務を行うため必要な機材を整備しなければならない。

8　公安委員会は、自動車の使用者が前項の規定を遵守していないため自動車の安全な運転が確保されていないと認めるときは、自動車の使用者に対し、その是正のために必要な措置をとるべきことを命ずることができる。

9　自動車の使用者は、公安委員会からその選任に係る安全運転管理者等について第百八条の二第一項第一号に掲げる講習を行う旨の通知を受けたときは、当該安全運転管理者等に当該講習を受けさせなければならない。

〔本条追加・昭四〇法九六、三項改正・昭四二法一二六、三項・付記改正・昭四五法八六、五—七項追加・付記改正・昭四六法九八、見出し・一項・付記改正・二・九項追加・旧二—四・七項を改正し三—五・八項に繰下・旧五・六項を六・七項に繰下・

ものとする。

2　法第七十四条の三第五項の規定による解任の届出は、前条各号に掲げる事項を記載した書面を提出して行わなければならない。

〔本条追加・昭四〇総府令四一、旧九条の五を繰下・昭四七総府令五五、本条改正・昭五〇総府令一〇、旧九条の七を改正し繰下・昭五三総府令三七、一項改正・二項追加・昭五八総府令二、一・二項改正・旧九条の一二を繰下・平一〇総府令二、一・二項改正・平一六内府令九七〕

昭五三法五三、八項改正・昭六〇法八七、一項改正・平元法八二・法八三、八項改正・平元法九〇、一項改正・九項削除・平二法七三、八項改正・平五法四三、五項削除・旧六―八項を五―七項に繰上・平五法八九、一項・付記改正・二・三項追加・旧二・三・七項を四・五・八項に繰下・旧四・六項を改正し六・七項に繰下・五項削除・平九法四一、一・二・四―六項改正・平一一法一六〇、一項改正・平一四法七七、旧七四条の二を繰下・平一六法九〇、一項改正・平一九法九〇、一・七項・付記改正・八項追加・旧八項を九項に繰下・令四法三二）

参照（内閣府令で定める台数）副安全運転管理者が置かれることとなる場合を除く＝道交規九の八①、副安全運転管理者が置かれることとなる場合＝道交規九の八②（内閣府令で定める要件）安全運転管理者＝道交規九の九①、副安全運転管理者＝道交規九の九②（内閣府令で定めるもの）道交規九の一〇・九の一〇の二（内閣府令で定めるところ）道交規九の一一（内閣府令で定める事項）道交規九の一二・九の一三（公安委員会）四①、警三八―四六の二（自動車）二①9、自動車の種類＝三、道交規二

（罰則　第一項、第四項、第六項及び第八項については第百十九条の二（五十万円以下の罰金）、第百二十三条（罰金刑又は科料刑）
　第五項については第百二十条第二項第三号（五万円以下の罰金）、第百二十三条（罰金刑又は科料刑））

（自動車の使用者の義務等）

第七五条　自動車（重被牽引車を含む。以下この条、次条第一項及び第七十五条の二の二第二項において同じ。）の使用者（安全運転管理者等その他自動車の運行を直接管理する地位にある者を含む。次項において「使用者等」という。）は、その者の業務に関し、

参考 **第七五条**（自動車の使用者の義務）
第一項第一号　無免許運転等の禁止（第六四条第一項）
第一項第二号　最高速度（第二二条第一項）
第一項第三号　酒気帯び運転等の禁止（第六五条第一項）
第一項第四号　過労運転等の禁止（第六六条）
第一項第五号　無資格運転等（第八五条関係）

法第七五条

判例 ※　本条所定の車両等の運行を直接管理する地位にある者が、当該業務に関し、車両等の運転者に対し無免許運転を教唆し被教唆者として無免許運転をするに至らせた場合には、無免許運転教唆罪と本条所定の運転管理義務違反の罪とが成立し、両者は観念的競合の関係にある。（最　昭四六、九、二八）

自動車の運転者に対し、次の各号のいずれかに掲げる行為をすることを命じ、又は自動車の運転者がこれらの行為をすることを容認してはならない。

一　第八十四条第一項の規定による公安委員会の運転免許を受けている者（第百七条の二の規定により国際運転免許証又は外国運転免許証で自動車を運転することができることとされている者を含む。以下この項において同じ。）でなければ運転することができないこととされている自動車を当該運転免許を受けている者以外の者（第九十条第五項、第百三条第一項若しくは第四項、第百三条の二第一項、第百四条の二の三第一項若しくは第三項又は同条第五項において準用する第百三条第四項の規定により当該運転免許の効力が停止されている者を含む。）が運転すること。

二　第二十二条第一項の規定に違反して自動車を運転すること。

三　第六十五条第一項の規定に違反して自動車を運転すること。

四　第六十六条の規定に違反して自動車を運転すること。

五　第八十五条第五項の規定に違反して大型自動車、中型自動車若しくは準中型自動車を運転し、同条第六項の規定に違反して中型自動車若しくは準中型自動車を運転し、同条第七項の規定に違反して準中型自動車若しくは普通自動車を運転し、同条第八項の規定に違反して普通自動車を運転し、同条第九項の規定に違反して大型自動二輪車若しくは普通自動二輪車を運転し、又は同条第十項の規定に違反して普通自動二輪車を運転すること。

六　第五十七条第一項の規定に違反して積載をして

第一項第六号　積載の制限（第五七条第一項）
第一項第七号　停車及び駐車（第四四条第一項他）

「容認」の意義

※　法七五条一項にいう「容認」とは、運行管理者が当該業務に関し、車両等の運転者において、同項各号所定の状態で車両等を運転することを認識しながら、これを禁止せず、その運転を明示的または黙示的に承認することをいうものであり、右容認にかかる運転が現実に行われなかつたときでも、本条違反が成立し得ると解され、また現実の運転行為を運行管理者がその都度認識することを必要とするものではない。（東高　昭四九、五、一三）

自動車を運転すること。

七　自動車を離れて直ちに運転することができない状態にする行為（当該行為により自動車が第四十四条第一項、第四十五条第一項若しくは第二項、第四十七条第二項若しくは第三項、第四十八条、第四十九条の三第三項、第四十九条の四若しくは第七十五条の八第一項の規定に違反して駐車することとなる場合のもの又は自動車がこれらの規定に違反して駐車している場合におけるものに限る。）

2　自動車の使用者等が前項の規定に違反し、当該違反により自動車の運転者が同項各号のいずれかに掲げる行為をした場合において、自動車の使用者がその者の業務に関し自動車を使用することが著しく道路における交通の危険を生じさせ、又は著しく交通の妨害となるおそれがあると認めるときは、当該違反に係る自動車の使用の本拠の位置を管轄する公安委員会は、政令で定める基準に従い、六月を超えない範囲内で期間を定めて、当該自動車の使用者に対し、当該違反に係る自動車を運転し、又は運転させてはならない旨を命ずることができる。

（自動車の使用の制限の基準）

第二十六条の六　法第七十五条第二項の政令で定める基準は、次に掲げるとおりとする。

一　自動車（法第五十一条の四第一項に規定する重被牽引車（以下「重被牽引車」という。）を含む。以下この条及び次条において同じ。）の使用者（安全運転管理者、副安全運転管理者その他自動車の運行を直接管理する地位にある者を含む。以下この条において「使用者等」という。）が次の表の上欄に掲げる違反行為をし、当該違反行為により自動車の運転者が同表の下欄に掲げる違反行為をしたときは、六月を超えない範囲内の期間、当該違反行為に係る自動車を運転し、又は運転させてはならない旨を命ずるものとする。

自動車の使用者等の違反行為	自動車の運転者の違反行為
法第百十七条の二第二項第一号の違反行為	法第百十七条の二第一項第一号の違反行為
法第百十七条の二第二項第二号の違反行為	法第百十七条の二第一項第三号の違反行為
法第百十七条の二の二第二項第一号の違反行為	法第百十七条の二の二第一項第一号の違反行為
法第百十七条の二の二第二項第二号の違反行為	法第百十七条の二第一項第一号又は法第百十七条の二の二第一項第三号の違反行為

法第百十七条の二の二第二項第三号の違反行為	法第百十七条の二の二第一項第七号の違反行為
法第百十八条第二項第三号（法第七十五条第一項第五号に係る部分に限る。）の違反行為	法第百十八条第一項第五号の違反行為

二　自動車の使用者等が次の表の上欄に掲げる違反行為をし、当該違反行為により自動車の運転者が同表の中欄に掲げる違反行為をした場合において、同表の下欄に掲げるいずれかの事情があるときは、三月を超えない範囲内の期間、当該違反行為に係る自動車を運転し、又は運転させてはならない旨を命ずることができる。

自動車の使用者等の違反行為	自動車の運転者の違反行為	事情
法第百十八条第二項第三号（法第七十五条第一項第二号に係る部分に限る。）の違反行為	法第百十八条第一項第一号の違反行為	一　自動車の使用者が、当該自動車の使用の本拠において使用する自動車の運転について、過去一年以内に、法第七十五条第二項又は法第七十五条の二第一項若しくは第二項の規定による公安委員会の命令を受けた者であること。 二　自動車の使用者等が、当該自動車の使用の本拠におけるその者の業務に関し、過去一年以内に、法第百十七条の二第二項第一号若しくは第二号、法第百十七条の二の二第二項若しくは法第百十八条第二項第三号（法第七十五条第一項第五号に係る部分に限る。）の違反行為をし、又は過去一年以内に二回以上、法第百十八条第二項第三号
法第百十八条第二項第四号の違反行為	法第百十八条第二項第一号の違反行為	
法第百十九条第二項第四号の違反行為	法第百十九条第二項第一号の違反行為	
法第百十九条の二の四第二項の違反行為	法第百十九条の二の四第一項の違反行為	

3　公安委員会は、前項の規定による命令をしようとする場合において、当該命令に係る自動車の使用者が道路運送法の規定による自動車運送事業者又は貨物利用運送事業法の規定による第二種貨物利用運送事業を経営する者であるときは、当該事業を監督する行政庁の意見を聴かなければならない。

4　公安委員会は、第二項の規定による命令をしようとするときは、行政手続法（平成五年法律第八十八号）第十三条第一項の規定による意見陳述のための手続の区分にかかわらず、聴聞を行わなければならない。

5　公安委員会は、前項の聴聞を行うに当たつては、その期日の一週間前までに、行政手続法第十五条第一項の規定による通知をし、かつ、聴聞の期日及び場所を公示しなければならない。

（法第七十五条第一項第二号に係る部分に限る。）若しくは第四号、法第百十九条第二項第四号若しくは法第百十九条の二の四第二項の違反行為をした者であること。

三　自動車の運転者が当該違反行為をし、よつて交通事故を起こして人を死亡させ、又は傷つけたこと。

〔本条追加・昭五三政三二三、改正・平二政三〇三・平五政三四八・平九政三九一・平一四政二四・平一六政二五七・政三九〇・平一九政二六六・平二五政三一〇・令四政三〇四・政三九一・令五政五四〕

第二六条の七……二九二ページ参照

道路運送法

第二条……二七六ページ参照
第三条……八〇ページ参照

貨物利用運送事業法

第二条……二七七ページ参照

第二章の五　車両の使用の制限

〔本章追加・昭五三総府令三七、章名改正・平一六内府令九七〕

（聴聞の手続）

第九条の一三の二　法第七十五条第五項（法第七十五条の二第三項において準用する場合を含む。）の規定による聴聞の期日及び場所の公示は、公安委員会の掲示板に掲示して行うものとする。

〔本条追加・平一二総府令一二九、改正・平一六内府令九七〕

6　前項の通知を行政手続法第十五条第三項に規定する方法によつて行う場合においては、同条第一項の規定により聴聞の期日までにおくべき相当な期間は、二週間を下回つてはならない。

7　第四項の聴聞の期日における審理は、公開により行わなければならない。

8　第四項の聴聞の主宰者は、必要があると認めるときは、道路交通に関する事項に関し専門的知識を有する参考人又は当該事案の関係人の出頭を求め、これらの者からその意見又は事情を聴くことができる。

9　公安委員会は、第二項の規定による命令をしたときは、当該命令を受けた自動車の使用者に対し、運

行政手続法

（不利益処分をしようとする場合の手続）

第一三条　行政庁は、不利益処分をしようとする場合には、次の各号の区分に従い、この章の定めるところにより、当該不利益処分の名あて人となるべき者について、当該各号に定める意見陳述のための手続を執らなければならない。

一　次のいずれかに該当するとき　聴聞

イ　許認可等を取り消す不利益処分をしようとするとき。

ロ　イに規定するもののほか、名あて人の資格又は地位を直接にはく奪する不利益処分をしようとするとき。

ハ　名あて人が法人である場合におけるその役員の解任を命ずる不利益処分、名あて人の業務に従事する者の解任を命ずる不利益処分又は名あて人の会員である者の除名を命ずる不利益処分をしようとするとき。

ニ　イからハまでに掲げる場合以外の場合であって行政庁が相当と認めるとき。

二　前号イからニまでのいずれにも該当しないとき　弁明の機会の付与

2　〔略〕

（聴聞の通知の方式）

第一五条　行政庁は、聴聞を行うに当たっては、聴聞を行うべき期日までに相当な期間をおいて、不利益処分の名あて人となるべき者に対し、次に掲げる事項を書面により通知しなければならない。

一　予定される不利益処分の内容及び根拠となる法令の条項

二　不利益処分の原因となる事実

三　聴聞の期日及び場所

四　聴聞に関する事務を所掌する組織の名称及び所在地

2　〔略〕

3　行政庁は、不利益処分の名あて人となるべき者の所在が判明しない場合においては、第一項の規定による通知を、その者の氏名、同項第三号及び第四号に掲げる事項並びに当該行政庁が同項各号に掲げる事項を記載した書面をいつでもその者に交付する旨を当該行政庁の事務所の掲示場に掲示することによって行うことができる。この場合においては、掲示を始めた日から二週間を経過したときに、当該通知がその者に到達したものとみなす。

（車両の使用制限書の記載事項）

第九条の一四　法第七十五条第九項及び法第七十五条の二第三項において準用する法第七十五条第九項の内閣府令で定める事項

転し、又は運転させてはならないこととなる自動車の番号標の番号その他の内閣府令で定める事項を記載した文書を交付し、かつ、当該自動車の前面の見やすい箇所に内閣府令で定める様式の標章をはり付けるものとする。

10　前項の規定により標章をはり付けられた自動車について、当該自動車の使用者から当該自動車を買い受けた者その他当該自動車の使用について権原を有する第三者は、内閣府令で定めるところにより、公安委員会に対し、当該標章を取り除くべきことを申

は、次に掲げるものとする。

一　法第七十五条第二項又は法第七十五条の二第一項若しくは第二項の規定による公安委員会の命令（以下この条及び第九条の十六において「命令」という。）の年月日

二　命令を受けた車両の使用者の氏名（法人にあつては、その名称及び代表者の氏名）及び住所

三　命令に係る車両の使用の本拠の名称及び位置

四　命令に係る車両の番号標の番号

五　命令に係る車両を運転し、又は運転させてはならないこととなる期間及びその理由

〔本条追加・昭五三総府令三七、改正・平二総府令五一・平六総府令一・平一〇総府令二・平一二総府令八九、見出し・本条改正・平一六内府令九七〕

（標章の様式）

第九条の一五　法第七十五条第九項（法第七十五条の二第三項において準用する場合を含む。）の内閣府令で定める様式は、別記様式第五の三のとおりとする。

〔本条追加・昭五三総府令三七、改正・平二総府令五一・平六総府令一・平一〇総府令二・平一二総府令八九・平一六内府令九七〕

別記様式第五の三（第九条の十五関係）

16.0
14.0
1.5
運転
90°
禁止
18.0

番号標の番号	
期　　間	令和　年　月　日から 令和　年　月　日まで

備考　1　色彩は、記号を赤色、文字及びわくを黒色、地を白色とする。
　　　2　図示の長さの単位は、センチメートルとする。

〔本様式追加・昭53総府令37、改正・平元総府令43・令元内府令5〕

（申請の手続）

第九条の一六　法第七十五条第十項（法第七十五条の二第三項において準用する場合を含む。）の規定による申請は、別記様式第五の四の標章除去申請書及び次に掲げる書類を提出（第二号及び第四号に掲げるものについては、提示）して行うものとする。

一　標章の除去を申請しようとする者（以下この条において「標章除去申請者」という。）が住民基本台帳法の適用を受ける者

請することができる。この場合において、公安委員会は、当該標章を取り除かなければならない。

である場合にあつては、住民票の写し

二　標章除去申請者が住民基本台帳法の適用を受けない者（自然人に限る。）である場合にあつては、旅券等

三　標章除去申請者が法人である場合にあつては、登記事項証明書

四　申請に係る車両が自動車である場合にあつては、道路運送車両法第六十条第一項に規定する自動車検査証

五　申請に係る車両が自動車である場合にあつては、自動車の保管場所の確保等に関する法律（昭和三十七年法律第百四十五号）第三条に規定する保管場所が確保されていることを明らかにする書面の写し

六　標章除去申請者が申請に係る車両の使用について権原を有することを証明する書類

七　命令の期間における車両の使用に関し、標章除去申請者と命令を受けた者との法律関係を明らかにする書類（当該期間において命令を受けた者に当該車両を使用させない旨を誓約する標章除去申請者の書面を含む。）

〔本条追加・昭五三総府令三七、改正・平二総府令五一・平三総府令一・平六総府令一・平一〇総府令二・平一六内府令九七・平一七内府令一六・平二四内府令三九・令四内府令六七〕

別記様式第五の四（第九条の十六関係）

<table>
<tr><td colspan="2">標　章　除　去　申　請　書
令和　　年　　月　　日

公 安 委 員 会 殿

申請者　住所
　　　　氏名</td></tr>
<tr><td>標章が付されている車両の番号標の番号</td><td></td></tr>
<tr><td>運 転 の 禁 止 の 期 間</td><td>令和　　年　　月　　日から
令和　　年　　月　　日まで</td></tr>
<tr><td>申　請　の　理　由</td><td></td></tr>
</table>

備考　1　申請者の氏名は、申請者が法人であるときは、その名称及び代表者の氏名とする。
　　　2　用紙の大きさは、日本産業規格Ａ列４番とする。

〔本様式追加・昭53総府令37、改正・平元総府令43・平６総府令９・平11総府令２・平16内府令97・令元内府令５・内府令12・令２内府令85〕

11　何人も、第九項の規定によりはり付けられた標章を破損し、又は汚損してはならず、また、当該自動車に係る運転の禁止の期間を経過した後でなければ、これを取り除いてはならない。

〔三項追加・昭三七法一四七、一項改正・昭三九法九一、一一―三

住民基本台帳法

（本人等の請求による住民票の写し等の交付）

第一二条　市町村が備える住民基本台帳に記録されている者（当該市町村の市町村長がその者が属していた世帯について世帯を単位とする住民票を作成している場合にあつては、当該住民票から除かれた者（その者に係る全部の記載が市町村長の過誤によつてされ、かつ、当該記載が消除された者を除く。）を含む。次条第一項において同じ。）は、当該市町村の市町村長に対し、自己又は自己と同一の世帯に属する者に係る住民票の写し（第六条第三項の規定により磁気ディスクをもつて住民票を調製している市町村にあつては、当該住民票に記録されている事項を記載した書類。以下同じ。）又は住民票に記載をした事項に関する証明書（以下「住民票記載事項証明書」という。）の交付を請求することができる。

2～7　〔略〕

道路運送車両法

第六〇条　国土交通大臣は、新規検査の結果、当該自動車が保安基準に適合すると認めるときは、自動車検査証を当該自動車の使用者に交付しなければならない。この場合において、検査対象軽自動車及び二輪の小型自動車については車両番号を指定しなければならない。

2　〔略〕

自動車の保管場所の確保等に関する法律

（保管場所の確保）

第三条　自動車の保有者は、道路上の場所以外の場所において、当該自動車の保管場所（自動車の使用の本拠の位置との間の距離その他の事項について政令で定める要件を備えるものに限る。第十一条第一項を除き、以下同じ。）を確保しなければならない。

項・付記改正・四項追加・昭四〇法九六、三項・付記改正・四項追加・旧四項改正し五項に繰下・昭四二法一二六、一項・付記全改・二―四項削除・旧五項改正し二項に繰上・昭四五法八六、本条全改・昭五三法五三、三項改正・平元法八二・法八三、一・二項・付記改正・平二法七三、一項・付記改正・平五法四三、四項改正・五項全改・六・七項追加・旧六項を改正し八項に繰下・七・八項削除・平五法八九、一項改正・平七法七四・平九法四一、九・一〇項改正・平一一法一六〇、一項・付記改正・平一三法五一、三項改正・平一四法七七、一項・付記改正・平一六法九〇・平一九法九〇、一項改正・平二一法二一、一項・付記改正・平二五法四三、一項改正・平二七法四〇・令二法四二、付記改正・令四法三二〕

参照〔政令で定める基準〕道交令二六の六〔自動車運送事業〕道運二②、事業の種類＝道運三、貨物自運二①〔第二種貨物利用運送事業〕貨物運送二⑧〔聴聞の期日及び場所の公示〕道交規九の一三の二〔内閣府令で定める事項〕道交規九の一四〔内閣府令で定める様式〕道交規九の一五・別記様式五の三〔内閣府令で定めるところ〕道交規九の一六・別記様式五の四

〔罰則　第一項第一号については第百十七条の二の二第二項第一号〔三年以下の懲役又は五十万円以下の罰金〕、第百二十三条〔罰金刑又は科料刑〕　第一項第二号及び第五号については第百十八条第二項第三号〔六月以下の懲役又は十万円以下の罰金〕、第百二十三条〔罰金刑又は科料刑〕　第一項第三号については第百十七条の二第二項第一号〔五年以下の懲役又は百万円以下の罰金〕、第百十七条の二の二第二項第二号〔三年以下の懲役又は五十万円以下の罰金〕、第百二十三条〔罰金刑又は科料刑〕　第一項第四号については第百十七条の二第二項第二号〔五年以下の懲役又は百万円以下の罰金〕、第百十七条の二の二第二項第三号〔三年以下の懲役又は五十万円以下の罰金〕、第百二十三条〔罰金刑又は科料刑〕　第一項第六号については第百十八条第二項第四号〔六月以下の懲役又は十万円以下の罰金〕、第百十九条第二項第四号〔三月以下の懲

懲役又は五万円以下の罰金〕、第百二十三条〔罰金刑又は科料刑〕

第一項第七号については第百十九条の二の四第二項〔十五万円以下の罰金〕、第百二十三条〔罰金刑又は科料刑〕第二項については第百十九条第二項第五号〔三月以下の懲役又は五万円以下の罰金〕、第百二十三条〔罰金刑又は科料刑〕第十一項については第百二十一条第一項第十号〔二万円以下の罰金又は科料〕

第七五条の二　公安委員会が自動車の使用者に対し次の表の上欄に掲げる指示をした場合において、当該使用者に係る当該自動車につきその指示を受けた後一年以内にその指示の区分ごとに同表の下欄に掲げる違反行為が行われ、かつ、当該使用者が当該自動車を使用することについて著しく交通の危険を生じさせるおそれがあると認めるときは、当該自動車の使用の本拠の位置を管轄する公安委員会は、政令で定める基準に従い、当該使用者に対し、三月を超えない範囲内で期間を定めて、当該自動車を運転し、又は運転させてはならない旨を命ずることができる。

自動車の使用者に対する指示	違反行為
第二十二条の二第一項の規定による指示	最高速度違反行為
第五十八条の四の規定による指示	過積載をして自動車を運転する行為
第六十六条の二第一項の規定による指示	過労運転

第二六条の七　法第七十五条の二第一項の政令で定める基準は、次の表一の上欄に掲げる違反行為が行われた場合において、自動車の使用者がその違反行為の区分ごとに同表の中欄に掲げる指示を受けた後一年以内における当該使用者の使用する当該指示に係る自動車に係る違反行為関係累計点数（当該違反行為及び当該指示を受けた時から当該違反行為が行われた時までの間における当該自動車についての当該違反行為と同一の区分のその他の違反行為（その行為の都度、同表の下欄に掲げる罪に当たる行為として認定されたものに限る。）のそれぞれについて別表第二の定めるところにより付した基礎点数の合計をいう。以下この条において同じ。）が、当該自動車の使用者の次の表二の上欄に掲げる前歴の回数の区分に応じ、それぞれ同表の下欄に定める点数以上の点数に該当することとなつたときは、当該自動車の次の表三の上欄に掲げる種類に応じ、それぞれ同表の下欄に定める期間を超えない範囲内の期間、当該自動車を運転し、又は運転させてはならない旨を命ずることができることとする。

表一

違反行為	自動車の使用者に対する指示	罪
法第二十二条の二第一項に規定する最高速度違反行為	法第二十二条の二第一項の規定による指示	法第百十八条第一項第一号又は第三項の罪
法第五十八条の三第一項に規定する過積載をして自動車を運転する行為	法第五十八条の四の規定による指示	法第百十八条第二項第一号の罪
法第六十六条の二第一項に規定する過労運転	法第六十六条の二第一項の規定による指示	法第百十七条の二の二第一項第七号の罪

表二

前歴の回数	点数
なし	六点
一回	四点
二回以上	二点

2　公安委員会が第五十一条の四第一項の規定により標章が取り付けられた車両の使用者に対し納付命令をした場合において、当該使用者が当該標章が取り付けられた日前六月以内に当該車両が原因となつた納付命令（同条第十六項の規定により取り消されたものを除く。）を受けたことがあり、かつ、当該使用

備考　この表において「前歴の回数」とは、違反行為関係累計点数に係る当該違反行為が行われた日を起算日とする過去一年以内に当該違反行為に係る自動車の使用の本拠において使用する自動車の運転について、法第七十五条第二項又は法第七十五条の二第一項の規定による公安委員会の命令（当該違反行為と同一の区分の違反行為に係るものに限る。次項において「使用制限命令」と総称する。）を受けた回数をいう。

表三

自動車の種類	期間
大型自動車、中型自動車、準中型自動車、大型特殊自動車又は重被牽引車	三月
普通自動車	二月
大型自動二輪車、普通自動二輪車又は小型特殊自動車	一月

2　前項に規定するその他の違反行為には、違反行為関係累計点数に係る当該違反行為が行われた時において、当該違反行為に係る当該自動車につき使用制限命令を受け、かつ、当該使用制限命令に従つて当該使用制限命令に係る運転の禁止の期間を経過した者に係る当該使用制限命令を受ける前の違反行為を含まないものとする。

〔本条追加・平二政三〇三、一・二項改正・平五政三四八、一項改正・平八政一六〇、一・二項改正・平九政三九一、一項改正・平一四政二四・平一六政二五七・政三九〇・平一七政一八三・平一九政二六六・平二五政二二〇・平二八政二五八・令四政三〇四〕

別表第二……………………八八二ページ参照

（車両の使用の制限の基準）

第二六条の八　法第七十五条の二第二項の政令で定める基準は、公安委員会が法第五十一条の四第一項の規定により標章が取り付けられた車両の使用者に対し納付命令をした場合において、当該使用者が、当該標章が取り付けられた日前六月以内に、次の表一の上欄に掲げる前歴の回数の区分に応じそれぞれ同表の下欄に定める納付命令の回数以上、当該車両が原因となつた納付命令（同条第十六項の規定により取り消されたものを除くほ

者が当該車両を使用することについて著しく交通の危険を生じさせ又は著しく交通の妨害となるおそれがあると認めるときは、当該車両の使用の本拠の位置を管轄する公安委員会は、政令で定める基準に従い、当該使用者に対し、三月を超えない範囲内で期間を定めて、当該車両を運転し、又は運転させてはならない旨を命ずることができる。

3　前条第三項から第十一項までの規定は、前二項の規定による命令について準用する。

〔本条追加・平二法七三、一項・付記改正・二項追加・旧二項を改正し三項に繰下・平五法四三、一項・付記改正・二項削除・旧三項を改正し二項に繰上・平九法四一、付記改正・平一三法五一、一項・付記改正・二項追加・旧二項を改正し三項に繰下・平一六法九〇、付記改正・令四法三二〕

参照　〔公安委員会〕四①、警三八―四六の二〔最高速度違反行為〕二二の二〔過積載をして自動車を運転する行為〕五八の四〔過労運転〕六六の二〔政令で定める基準〕道交令二六の七・二六の八〔期間〕民一三八―一四三

〔罰則　第一項及び第二項については第百十九条第二項第五号〔三月以下の懲役又は五万円以下の罰金〕、第百二十三条〔罰金刑又は科料刑〕　第三項については第百二十一条第一項第十号〔二万円以下の罰金又は科料〕〕

か、当該標章が取り付けられた日において、当該使用者が当該車両につき法第七十五条第二項（同条第一項第七号に掲げる行為に係る部分に限る。以下この条において同じ。）又は法第七十五条の二第二項の規定による公安委員会の命令を受け、かつ、当該命令に従つて当該命令に係る運転の禁止の期間を経過したことがある場合には、当該命令を受ける前に取り付けられた標章に係るものを除く。）を受けたことがあるときは、当該車両の次の表二の上欄に掲げる種類に応じ、それぞれ同表の下欄に定める期間の範囲内において、当該車両を運転し、又は運転させてはならない旨を命ずることができることとする。

表一

前歴の回数	納付命令の回数
なし	三回
一回	二回
二回以上	一回

備考　この表において「前歴の回数」とは、公安委員会が法第五十一条の四第一項の規定により標章が取り付けられた車両の使用者に対し納付命令をした場合において、当該使用者が、当該標章が取り付けられた日前一年以内に、当該車両の使用の本拠において使用する車両の運転について、法第七十五条第二項又は法第七十五条の二第二項の規定による公安委員会の命令を受けた回数をいう。

表二

車両の種類	期間
大型自動車、中型自動車、準中型自動車、大型特殊自動車又は重被牽引車	三月
普通自動車	二月
大型自動二輪車、普通自動二輪車、小型特殊自動車又は原動機付自転車	一月

〔本条追加・平一六政三九〇、改正・平一七政一八三・平二八政二五八〕

（報告又は資料の提出）

第七五条の二の二　公安委員会は、安全運転管理者が選任されている自動車の使用の本拠について、自動車の安全な運転を確保するために必要な交通安全教育その他自動車の安全な運転に必要な業務の推進を図るため必要があると認めるときは、当該安全運転管理者を選任している自動車の使用者又は当該安全運転管理者に対し、必要な報告又は資料の提出を求めることができる。

2　公安委員会は、速度、駐車若しくは積載又は運転者の心身の状態に関しての自動車の適正な使用の推進を図るため必要があると認めるときは、自動車の使用者に対し、必要な報告又は資料の提出を求めることができる。

〔本条追加・平二法七三、二項改正・平五法四三、一・二項改正・平九法四一〕

参照　〔公安委員会〕四①、警三八―四六の二〔安全運転管理者〕七四―七五の二

第四章の二　高速自動車国道等における自動車の交通方法等の特例

〔本章追加・昭三八法九〇〕

第一節　通則

〔本節追加・昭三八法九〇〕

（通則）

第七五条の二の三　高速自動車国道及び自動車専用道路における自動車の交通方法等については、前各章に定めるもののほか、この章の定めるところによる。

〔本条追加・昭三八法九〇、旧七五条の二を繰下・平二法七三、本条改正・令四法三二〕

参照　〔高速自動車国道〕道三1・三の二、高速四〔自動車専用道路〕道四八の二―四八の一二〔最高速度〕道交令二七

第四章の二　高速自動車国道等における自動車の交通方法等の特例

〔本章追加・昭三八政二〇五、章名改正・昭四六政三四八〕

（最高速度）

第二七条　最高速度のうち、自動車が高速自動車国道の本線車道又はこれに接する加速車線若しくは減速車線を通行する場合の最高速度は、次の各号に掲げる自動車の区分に従い、それぞれ当該各号に定めるとおりとする。

一　次に掲げる自動車　百キロメートル毎時

イ　大型自動車（三輪のもの並びに牽引するための構造及び装置を有し、かつ、牽引されるための構造及び装置を有する車両を牽引するものを除く。次号において同じ。）のうち専ら人を運搬する構造のもの

ロ　中型自動車（三輪のもの並びに牽引するための構造及び装置を有し、かつ、牽引されるための構造及び装置を有する車両を牽引するものを除く。次号において同じ。）のうち、専ら人を運搬する構造のもの又は車両総重量が八千キログラム未満、最大積載重量が五千キログラム未満及び乗車定員が十人以下のもの

ハ　準中型自動車（三輪のもの並びに牽引するための構造及び装置を有し、かつ、牽引されるための構造及び装置を有する車両を牽引するものを除く。）

ニ　普通自動車（三輪のもの並びに牽引するための構造及び装置を有し、かつ、牽引されるための構造及び装置を有する車両を牽引するものを除く。）

高速自動車国道法

（管理）

第六条　高速自動車国道の新設、改築、維持、修繕、公共土木施設災害復旧事業費国庫負担法（昭和二十六年法律第九十七号）の規定の適用を受ける災害復旧事業（以下「災害復旧」という。）その他の管理は、国土交通大臣が行う。

（出入の制限等）

第一七条　何人もみだりに高速自動車国道に立ち入り、又は高速自動車国道を自動車による以外の方法により通行してはならない。

2　国土交通大臣は、高速自動車国道の入口その他必要な場所に通行の禁止又は制限の対象を明らかにした道路標識を設けなければならない。

道路法

第四八条の二……………五〇ページ参照

（自動車専用道路との連結の制限）

第四八条の四　次に掲げる施設以外の施設は、第四十八条の二第一項又は第二項の規定による指定を受けた道路又は道路の部分（以下「自動車専用道路」という。）と連結させてはならない。

一　道路等（軌道を除く。次条第一項及び第四十八条の十四第二項において同じ。）

二　当該自動車専用道路の通行者の利便に供するための休憩所、給油所その他の施設又は利用者のうち相当数の者が当該自動車専用道路を通行すると見込まれる商業施設、レクリエーション施設その他の施設

三　前号の施設と当該自動車専用道路とを連絡する通路その他の施設であつて、専ら同号の施設の利用者の通行の用に供することを目的として設けられるもの（第一号に掲げる施設を除く。）

四　前三号に掲げるもののほか、当該自動車専用道路の道路管理者である地方公共団体の条例（国道にあつては、政令）で定める施設

（連結許可等）

第四八条の五　前条各号に掲げる施設の管理者は、当該施設を自動車専用道路と連結させようとする場合においては、当該管理

ホ　大型自動二輪車
ヘ　普通自動二輪車
二　大型自動車のうち前号イに掲げるもの以外のもの及び中型自動車のうち同号ロに掲げるもの以外のもの　九十キロメートル毎時
三　前二号に掲げる自動車以外の自動車　八十キロメートル毎時

2　法第三十九条第一項の緊急自動車が高速自動車国道の本線車道又はこれに接する加速車線若しくは減速車線を通行する場合の最高速度は、第十二条第一項及び前項の規定にかかわらず、百キロメートル毎時とする。

〔本条追加・昭三八政二〇五、一項改正・昭四〇政二五八・昭四三政二六四、一・二項改正・旧二七条の三を繰上・昭四六政三四八、一項改正・平四政二三一・平七政二六六、旧二七条の二を繰上・平一一政三二一、一項改正・平一二政三九三・平一七政一八三・平二八政二五八、一・二項改正・令元政一〇九、一項改正・令六政四三〕

者が道路管理者であるときは当該自動車専用道路の道路管理者と協議し、その他の者であるときは国土交通省令で定めるところにより当該自動車専用道路の道路管理者の許可（以下「連結許可」という。）を受けなければならない。自動車専用道路以外の道路等を自動車専用道路と立体交差以外の方式で交差させようとする場合においても、同様とする。

2　自動車専用道路の道路管理者（次項及び第四十八条の七から第四十八条の十までにおいて単に「道路管理者」という。）は、前項前段の場合にあつては当該協議に係る施設又は当該連結許可の申請に係る施設が次の各号に掲げる区分に応じ当該各号に定める基準に適合するときに限り、同項後段の場合にあつては当該交差が第四十八条の三ただし書に規定する場合に該当するときに限り、同項の協議に応じ、又は連結許可をすることができる。

一　前条第一号に掲げる施設　当該連結が当該自動車専用道路の効用を妨げないものであること。
二　前条第二号から第四号までに掲げる施設　政令で定める連結位置に関する基準及び国土交通省令で定める施設の構造に関する技術的基準に適合するものであること。

3　連結許可を受けた前条第二号から第四号までに掲げる施設の管理者は、当該施設の構造について変更（国土交通省令で定める軽微な変更を除く。）を行おうとする場合には、あらかじめ、国土交通省令で定めるところにより、道路管理者の許可を受けなければならない。

4　第二項の規定は、前項の許可について準用する。

（連結許可等に係る施設の管理）

第四八条の六　連結許可及び前条第三項の許可（以下「連結許可等」という。）を受けた第四十八条の四第二号から第四号までに掲げる施設の管理者は、国土交通省令で定める基準に従い、当該施設の維持管理をしなければならない。

（連結料の徴収）

第四八条の七　道路管理者は、第四十八条の四第二号から第四号までに掲げる施設の自動車専用道路との連結につき、連結料を徴収することができる。

2　前項の規定による連結料の額の基準及び徴収方法は、道路管理者である地方公共団体の条例（指定区間内の国道にあつては、政令）で定める。

（連結許可等に基づく地位の承継）

第四八条の八　相続人、合併又は分割により設立される法人その他の連結許可等を受けた者の一般承継人（分割による承継の場合にあつては、連結許可等に係る自動車専用道路と連結する施

（危険防止等の措置）

第七五条の三　警察官は、道路の損壊、交通事故の発生その他の事情により高速自動車国道又は自動車専用道路（以下「高速自動車国道等」という。）において交通の危険が生じ、又は交通の混雑が生ずるおそれがある場合において、当該道路における危険を防止し、その他交通の安全と円滑を図るためやむを得ないと認めるときは、必要な限度において、その現場に進行してくる自動車の通行を禁止し、若しくは制限し、又はその現場にある自動車の運転者に対し、第十七条第一項及び道路法第四十七条第四項の規定に基づく政令の規定にかかわらず路肩又は路側帯を通行すべきことを命じ、若しくは第八条第一項、第三章第一節、同章第六節若しくはこの章に規定する

設を承継する法人に限る。）は、被承継人が有していた当該連結許可等に基づく地位を承継する。

2　前項の規定により連結許可等に基づく地位を承継した者は、その承継の日の翌日から起算して三十日以内に、道路管理者にその旨を届け出なければならない。

第四八条の九　道路管理者の承認を受けて連結許可等に係る自動車専用道路と連結する施設を譲り受けた者は、譲渡人が有していたその連結許可等に基づく地位を承継する。

（連結許可等の条件）

第四八条の一〇　道路管理者は、連結許可等又は前条の承認には、自動車専用道路の管理のため必要な範囲内で条件を付することができる。

（出入の制限等）

第四八条の一一　何人もみだりに自動車専用道路に立ち入り、又は自動車専用道路を自動車による以外の方法により通行してはならない。

2　道路管理者は、自動車専用道路の入口その他必要な場所に通行の禁止又は制限の対象を明らかにした道路標識を設けなければならない。

第七条の一四（積載の高さ等について特別の制限を受ける普通自動車）……………一九九ページ参照

道路法

第四七条　1〜3〔略〕

4　前三項に規定するもののほか、道路の構造を保全し、又は交通の危険を防止するため、道路との関係において必要とされる車両についての制限に関する基準は、政令で定める。

自動車の通行方法と異なる通行方法によるべきことを命ずることができる。

〔本条追加・昭三八法九〇、改正・昭四六法四六・法九八、本条・付記改正・昭五三法五三、付記改正・平一三法五一、全改・令四法三二〕

参照〔警察官〕警三四・五五・六二・六三〔道路〕二①1、道二①、道運二⑦・⑧、道運車二⑥、高速二①、駐車二3、道路の種類＝道三〔交通事故〕七二①〔高速自動車国道〕道三1・三の二〔自動車専用道路〕道四八の二―四八の一二〔道路法第四七条第四項の規定に基づく政令の規定〕車両制限令九〔路肩〕道構令二12〔路側帯〕二①3の4

（罰則　第百十九条第一項第十八号〔三月以下の懲役又は五万円以下の罰金〕）

点数

高速自動車国道等措置命令違反

一　般　二点

酒気帯び（〇・二五未満）　一四点

第二節　自動車の交通方法

〔本節追加・昭三八法九〇〕

（最低速度）

第七五条の四　自動車は、法令の規定によりその速度を減ずる場合及び危険を防止するためやむを得ない場合を除き、高速自動車国道の本線車道（政令で定めるものを除く。）においては、道路標識等により自動車の最低速度が指定されている区間にあつてはそ

（高速自動車国道における交通方法の特例に係る最低速度を定めない本線車道）

第二七条の二　法第七十五条の四の政令で定めるものは、往復の方向にする通行が行われている本線車道で、本線車線が道路の構造上往復の方向別に分離されていないものとする。

〔本条追加・昭四六政三四八、旧二七条の三を改正し繰上・平一一政三一一〕

の最低速度に、その他の区間にあつては政令で定める最低速度に達しない速度で進行してはならない。

〔本条追加・昭三八法九〇、一―三項改正・昭三九法九一・昭四二法一二六、付記改正・昭四五法八六、本条全改・昭四六法九八、改正・昭四七法五一、付記改正・令二法四二・令四法三二〕

参照〔法令の規定によりその速度を減ずる場合の例〕七五の六
〔本線車道〕二①3の2〔政令で定めるもの〕道交令二七の二
〔道路標識等〕二①4〔政令で定める最低速度〕道交令二七の三

（罰則　第百十七条の二第一項第四号〔五年以下の懲役又は百万円以下の罰金〕、第百十七条の二の二第一項第八号リ〔三年以下の懲役又は五十万円以下の罰金〕、第百二十条第一項第十二号〔五万円以下の罰金〕）

反則金

最低速度違反　大型　七千円　普通　六千円
二輪　六千円　※原付　五千円

点数

最低速度違反
一　般　一点
酒気帯び（〇・二五未満）　一四点
妨害運転（交通の危険のおそれ）　二五点
妨害運転（著しい交通の危険）　三五点

（横断等の禁止）

第七五条の五　自動車は、本線車道においては、横断し、転回し、又は後退してはならない。

〔本条追加・昭三八法九〇、付記改正・昭三九法九一・昭四五法八六、旧七五条の六を改正し繰上・昭四六法九八、付記改正・令四法三二〕

（最低速度）

第二七条の三　法第七十五条の四の政令で定める最低速度は、五十キロメートル毎時とする。

〔本条追加・昭三八政二〇五、改正・昭四六政三四八、旧二七条の四を繰上・平一一政三一二〕

参照 〔自動車〕二①9、自動車の種類＝三、道交規二〔本線車道〕二①3の2〔横断〕方法＝二五、横断、転回、後退の禁止＝二五の二

（罰則　第百十九条第一項第六号〔三月以下の懲役又は五万円以下の罰金〕）

反則金

本線車道横断等禁止違反

大型　一万二千円　普通　九千円

二輪　七千円　※原付　六千円

点数

本線車道横断等禁止違反

一　般　二点

酒気帯び（〇・二五未満）　一四点

（本線車道に入る場合等における他の自動車との関係）

第七五条の六　自動車（緊急自動車を除く。）は、本線車道に入ろうとする場合（本線車道から他の本線車道に入ろうとする場合にあつては、道路標識等により指定された本線車道に入ろうとする場合に限る。）において、当該本線車道を通行する自動車があるときは、当該自動車の進行妨害をしてはならない。ただし、当該交差点において、交通整理が行なわれているときは、この限りでない。

2　緊急自動車以外の自動車は、緊急自動車が本線車道に入ろうとしている場合又はその通行している本線車道から出ようとしている場合においては、当該緊急自動車の通行を妨げてはならない。

規制標示

種類	本線　本線 優先本線車道
番号	109の2
意味	この標示がある本線車道と合流する前方の本線車道が優先道路であることの指定
色	記号は白

〔本条追加・昭三八法九〇、付記改正・昭四五法八六、見出し・一・二項改正・旧七五条の七を繰上・昭四六法九八〕

参照 〔自動車〕二①9、自動車の種類＝三、道交規二〔緊急自動車〕三九―四一〔本線車道〕二①3の2〔道路標識等〕二①4〔進行妨害〕二①22

（罰則　第百二十条第一項第二号〔五万円以下の罰金〕）

反則金

本線車道通行車妨害

大型　七千円　普通　六千円

二輪　六千円　※原付　五千円

本線車道緊急車妨害

大型　七千円　普通　六千円

二輪　六千円　※原付　五千円

点数

本線車道通行車妨害・本線車道緊急車妨害

一　般　一点

酒気帯び（〇・二五未満）　一四点

（本線車道の出入の方法）

第七五条の七　自動車は、本線車道に入ろうとする場合において、加速車線が設けられているときは、その加速車線を通行しなければならない。

２　自動車は、その通行している本線車道から出ようとする場合においては、あらかじめその前から出口に接続する車両通行帯を通行しなければならない。この場合において、減速車線が設けられているときは、その減速車線を通行しなければならない。

〔本条追加・昭四六法九八、付記改正・令四法三二〕

参照 〔加速車線、減速車線〕道構令二9

〔罰則　第百二十一条第一項第八号（二万円以下の罰金又は科料）〕

反則金
本線車道出入方法違反
　大型　六千円　普通　四千円
　二輪　四千円　※原付　三千円

点数
本線車道出入方法違反
　一　般　一点
　酒気帯び（〇・二五未満）　一四点

（停車及び駐車の禁止）

第七五条の八　自動車（これにより牽(けん)引されるための構造及び装置を有する車両を含む。以下この条において同じ。）は、高速自動車国道等においては、法令の規定若しくは警察官の命令により、又は危険を防止するため一時停止する場合のほか、停車し、又は駐車してはならない。ただし、次の各号のいずれかに掲げる場合においては、この限りでない。

一　駐車の用に供するため区画された場所において停車し、又は駐車するとき。

二　故障その他の理由により停車し、又は駐車することがやむを得ない場合において、停車又は駐車のため十分な幅員がある路肩又は路側帯に停車し、又は駐車するとき。

三　乗合自動車が、その属する運行系統に係る停留

（路側帯が設けられている場所における停車及び駐車）

第一四条の六　1 〔略〕

2　車両は、路側帯に入つて停車し、又は駐車するときは、次の各号に掲げる区分に従い、それぞれ当該各号に定める方法によらなければならない。

一　〔略〕

二　歩行者の通行の用に供しない路側帯に入つて停車し、又は

法第七五条の八

判例 ※　甲が、乙の運転態度に対して文句を言い謝罪させるために、まだ暗い夜明け前の高速道路の第三通行帯上に自車と乙の自動車を停止させた過失行為は、甲が自車で走り去った七、八分後まで乙が乙車をそのまま停止させ続けたことなどの乙ら他人の行動等が介在した上で乙車に後続車が追突する交通事故が発生したとしても、上記行動等が甲による上記過失行為及び関連する一連の暴行等に誘発されたものであったなど判示の下では、上記交通事故によって生じた死傷に対して因果関係が存在する。（最　平一六、一〇、一九）

所において、乗客の乗降のため停車し、又は運行時間を調整するため駐車するとき。

四　料金支払いのため料金徴収所において停車するとき。

2　第五十条の二から第五十一条の二までの規定は、自動車が前項の規定に違反して停車し、又は駐車していると認められる場合について準用する。この場合において、第五十一条第三項中「当該車両が駐車している場所からの距離が五十メートルを超えない道路上の場所」とあるのは「政令で定める場所」と、同条第四項中「当該車両が駐車している場所からの距離が五十メートルを超えない範囲の地域内の道路上に当該車両を移動する場所がないとき」とあるのは「前項の政令で定める場所に当該車両を移動することができないとき」と、同条第五項中「駐車場、空地、第三項に規定する場所以外の道路上の場所その他の場所」とあるのは「第三項に規定する場所以外の場所」と読み替えるものとする。

3　高速自動車国道等において第一項の規定に違反して駐車していると認められる自動車であつて、その運転者がこれを離れて直ちに運転することができない状態にあるものは、第五十一条の四第一項に規定する放置車両とみなして、同条の規定を適用する。

〔本条追加・昭三八法九〇、一項改正・昭四五法八六、一・二項・付記改正・昭四六法九八、一項改正・昭五三法五三、二項・付記改正・昭六一法六三、一・二項・付記改正・三項追加・平二法七三、三項改正・平五法四三、三項・付記改正・二項・付記改正・三項全改・平一六法九〇、二項・付記改正・平一九法九〇・令二法四二、付記改正・令四法三二〕

駐車する場合　当該路側帯の左側端に沿うこと。

（違法駐車している自動車を移動することができる場所）

第二七条の四　法第七十五条の八第二項において読み替えて準用する法第五十一条第三項の政令で定める場所は、当該車両が駐車している場所の最寄りの自動車の駐車の用に供するため区画された高速自動車国道又は自動車専用道路（以下「高速自動車国道等」という。）内の場所とする。

〔本条追加・昭四六政三四八、改正・昭六一政三二九・平五政三四八、旧二七条の五を繰上・平一一政三二一、本条改正・平一六政三九〇〕

（高速自動車国道等に係る車両の保管の手続等）

第二七条の五　第十四条の八から第十七条までの規定は、法第七十五条の八第二項において準用する法第五十一条第六項（同条第二十二項において準用する場合を含む。）の規定により保管した車両（積載物を含む。）について準用する。

〔本条追加・平二政三〇三、旧二七条の六を改正し繰上・平一一政三二一、本条改正・平一六政二五七・政三九〇・平二〇政一四九・平二一政二九一〕

参照 〔自動車〕二①9、自動車の種類＝三、道交規二〔高速自動車国道等〕七五の三〔法令の規定〕七・六一・六三①・六七①〔停車〕二①19〔駐車〕二①18〔路肩〕道構令二12〔路側帯〕二①3の4、停車・駐車＝道交令一四の五②〔乗合自動車〕二七〔運行系統〕路線＝道運規四〔政令で定める場所〕道交令二七の四〔保管車両の手続等〕道交令二七の五

（罰則　第一項については第百十七条の二第一項第四号〔五年以下の懲役又は百万円以下の罰金〕、第百十七条の二の二第一項第八号ヌ〔三年以下の懲役又は五十万円以下の罰金〕、第百十九条の二の四第一項第二号〔十五万円以下の罰金〕、第百十九条の三第一項第四号〔十万円以下の罰金〕　第二項については第百十九条第一項第七号〔三月以下の懲役又は五万円以下の罰金〕）

反則金

放置駐車違反（駐停車禁止場所等（高齢運転者等専用場所等以外））

大型	二万五千円	重被牽（けん）引	二万五千円
普通	一万八千円	二輪	一万円

駐停車違反（駐停車禁止場所等（高齢運転者等専用場所等以外））

大型	一万五千円	普通	一万二千円
二輪	七千円		

点数

放置駐車違反（駐停車禁止場所等）　三点

妨害運転（交通の危険のおそれ）　二五点

妨害運転（著しい交通の危険）　三五点

駐停車違反（駐停車禁止場所等）

一　般　二点

酒気帯び（〇・二五未満）　一四点

（重被牽引車を牽引する牽引自動車の通行区分）

第七五条の八の二　牽引するための構造及び装置を有する大型自動車、中型自動車、準中型自動車、普通自動車又は大型特殊自動車（以下「牽引自動車」という。）で重被牽引車を牽引しているものが車両通行帯の設けられた自動車専用道路（次項に規定するものに限る。）又は高速自動車国道の本線車道を通行する場合における当該牽引自動車の通行の区分については、第二十条の規定は、適用しない。この場合においては、次項から第四項までの規定に定めるところによる。

2　前項の牽引自動車は、車両通行帯の設けられた自動車専用道路（道路標識等により指定された区間に限る。）の本線車道においては、当該本線車道の左側端から数えて一番目の車両通行帯を通行しなければならない。

3　第一項の牽引自動車は、車両通行帯の設けられた高速自動車国道の本線車道においては、当該本線車道の左側端から数えて一番目の車両通行帯（道路標識等により通行の区分が指定されているときは、当該通行の区分に係る車両通行帯）を通行しなければならない。

4　第一項の牽引自動車は、第二十三条若しくは第七十五条の四の規定による自動車の最低速度に達しない速度で進行している自動車を追い越すとき、第二十六条の二第三項の規定によりその通行している車両通行帯をそのまま通行するとき、第四十条第二項

規制標識

種類	牽引自動車の高速自動車国道通行区分	牽引自動車の自動車専用道路第一通行帯通行指定区間
番号	327の3	327の6
表示する意味	高速自動車国道において、重被牽引車を牽引している牽引自動車の通行区分の指定	自動車専用道路において、重被牽引車を牽引している牽引自動車が第一通行帯を通行しなければならない区間の指定
色	記号と縁は白、地は青	記号と縁は白、地は青

の規定により一時進路を譲るとき、又は道路の状況その他の事情によりやむを得ないときは、前二項の規定によらないことができる。この場合において、追越しをするときは、その通行している車両通行帯の直近の右側の車両通行帯を通行しなければならない。

〔本条追加・平九法四一、一項改正・平一六法九〇・平二七法四〇、付記改正・令四法三二〕

参照 〔重被牽引車〕七五〔牽引〕自動車の牽引制限＝五九〔牽引、被牽引自動車〕二①11・一六②、保安基準一①1・2〔牽引、被牽引自動車の連結装置〕道運車四一①8、保安基準一九〔車両通行帯〕二①7、二〇〔自動車専用道路〕道四八の二―四八の一二〔高速自動車国道〕道三1・三の二、高速四〔本線車道〕二①3の2〔通行の区分〕二〇②〔道路標識〕二①15〔自動車の最低速度〕二三、七五の四〔自動車〕二①9、自動車の種類＝三、道交規二〔進路を譲るとき〕二七②、四〇②、消防二六、水防一八〔道路〕二①1、道二①、道運二⑦・⑧、道運車二⑥、高速二①、駐車二3〔追越し〕二①21

〔罰則　第二項から第四項までについては第百二十条第一項第三号〔五万円以下の罰金〕、同条第三項〔五万円以下の罰金〕〕

反則金
牽引自動車本線車道通行帯違反
大型　七千円　　普通　六千円

点数
牽引自動車本線車道通行帯違反
一　般　一点
酒気帯び（〇・二五未満）　一四点

規制標示

種類	牽引自動車の高速自動車国道通行区分	牽引自動車の自動車専用道路第一通行帯通行指定区間
（図）	けん引　車道中央線等　車両通行帯境界線　道路の左側端又は車両通行帯最外側線　（図示の文字は、通行区分を指定された車両通行帯及び車両の種類を示す。）	けん引　車道中央線等　車両通行帯境界線　道路の左側端又は車両通行帯最外側線
番号	109の5	109の8
意味	高速自動車国道において、重被牽引車を牽引している牽引自動車の通行区分の指定	自動車専用道路において、重被牽引車を牽引している牽引自動車が第一通行帯を通行しなければならない区間の指定
色	文字は白	文字は白

（緊急自動車等の特例）

第七五条の九　緊急自動車又は第四十一条第三項の内閣府令で定める専ら交通の取締りに従事する自動車については、第七十五条の五、第七十五条の七及び前条の規定は、適用しない。

2　政令で定めるところにより道路の維持、修繕等のための作業に従事している場合における道路維持作業用自動車については、第七十五条の四、第七十五条の五及び前条の規定は、適用しない。

〔本条追加・昭三八法九〇、一・二項改正・昭四六法九八・平九法四一、一項改正・平一一法一六〇〕

参照　〔緊急自動車〕三九―四一〔第四十一条第三項の内閣府令で定める〕道交規六〔政令で定めるところ〕道交令一四の三〔道路維持作業用自動車〕四一④、道交令一四の二

第一四条の三……………………………………一二六ページ参照

第三節　運転者の義務

〔本節追加・昭三八法九〇〕

（自動車の運転者の遵守事項）

第七五条の一〇　自動車の運転者は、高速自動車国道等において自動車を運転しようとするときは、あらかじめ、燃料、冷却水若しくは原動機のオイルの量又は貨物の積載の状態を点検し、必要がある場合においては、高速自動車国道等において燃料、冷却水若しくは原動機のオイルの量の不足のため当該自動車を運転することができなくなること又は積載している物を転落させ、若しくは飛散させることを防止するための措置を講じなければならない。

〔本条追加・昭三八法九〇、見出し改正・二項追加・昭四五法八六、一項改正・旧七五条の一一を繰上・昭四六法九八、本条全改・昭五三法五三、二項削除・付記改正・昭六〇法八七、付記改正・平一三法五一、全改・令四法三二〕

参照　〔自動車〕二①9、自動車の種類＝三、道交規二〔運転者〕二①18〔高速自動車国道〕道三1・三の二〔自動車専用道路〕道四八の二―四八の一二

（罰則　第百十九条第一項第十九号〔三月以下の懲役又は五万円以下の罰金〕、同条第三項〔十万円以下の罰金〕）

反則金

高速自動車国道等運転者遵守事項違反

大型	一万二千円	普通	九千円
二輪	七千円	※原付	六千円

点数
高速自動車国道等運転者遵守事項違反
一　般　二点
酒気帯び（〇・二五未満）　一四点

（故障等の場合の措置）

第七五条の一一　自動車の運転者は、故障その他の理由により本線車道若しくはこれに接する加速車線、減速車線若しくは登坂車線（以下「本線車道等」という。）又はこれらに接する路肩若しくは路側帯において当該自動車を運転することができなくなつたときは、政令で定めるところにより、当該自動車が故障その他の理由により停止しているものであることを表示しなければならない。

（自動車を運転することができなくなつた場合における表示の方法）

第二七条の六　法第七十五条の十一第一項の規定による表示は、次の各号に掲げる区分に従い、それぞれ当該各号に定める停止表示器材を、後方から進行してくる自動車の運転者が見やすい位置に置いて行うものとする。

一　夜間　内閣府令で定める基準に適合する夜間用停止表示器材

第二章の六　停止表示器材の基準

〔本章追加・昭五三総府令三七〕

（夜間用停止表示器材）

第九条の一七　令第二十七条の六第一号の内閣府令で定める基準は、次に掲げるとおりとする。

一　板状の停止表示器材（次条において「停止表示板」という。）にあつては、次に該当するものであること。

イ　別記様式第五の五に定める様式の中空の正立正三角形の反射部若しくは蛍光反射部を有するもの又は別記様式第五の六に定める様式の中空の正立正三角形の反射部を有するものであること。

ロ　夜間、二百メートルの距離から前照灯で照射した場合にその反射光を照射位置から容易に確認できるものであること。

ハ　反射光の色は、赤色であること。

ニ　路面上に垂直に設置できるものであること。

二　灯火式の停止表示器材（次条において「停止表示灯」という。）にあつては、次に該当するものであること。

イ　路面上に設置した状態において、長さ十七センチメートル、幅十七センチメートル、高さ十五センチメートルを超えないものであること。

ロ　点滅式のものであること。

ハ　夜間、路面上に設置した場合に二百メートルの距離から点灯を容易に確認できるものであること。

ニ　灯光の色は、紫色であること。

〔本条追加・昭五三総府令三七、改正・昭五四総府令四〇・平一二総府令五一・平一二総府令二九・総府令八九・平二六内府令六五〕

二　夜間以外の時間　内閣府令で定める基準に適合する昼間用停止表示器材（当該自動車が停止している場所がトンネルの中その他視界が二百メートル以下である場所であるときは、前号に定める夜間用停止表示器材）

〔本条追加・昭五三政三二三、旧二七条の六を繰下・平二政三〇三、旧二七条の七を繰上・平一一政三二一、本条改正・平一二政三〇三〕

（道路にある場合の灯火）

第一八条　１　〔略〕

２　自動車（大型自動二輪車、普通自動二輪車及び小型特殊自動車を除く。）は、法第五十二条第一項前段の規定により、夜間、道路（歩道又は路側帯と車道の区別のある道路においては、車道）の幅員が五・五メートル以上の道路に停車し、又は駐車しているときは、車両の保安基準に関する規定により設けられる非常点滅表示灯又は尾灯をつけなければならない。〔ただし書略〕

３　〔略〕

（昼間用停止表示器材）

第九条の一八　令第二十七条の六第二号の内閣府令で定める基準は、次に掲げるとおりとする。

一　停止表示板にあつては、次に該当するものであること。

イ　別記様式第五の五に定める様式の中空の正立正三角形の蛍光反射部を有するもの又は別記様式第五の六に定める様式の中空の正立正三角形の蛍光部及び非蛍光部を有するものであること。

ロ　昼間、二百メートルの距離からその蛍光を容易に確認できるものであること。

ハ　蛍光の色にあつては赤色又は橙（とう）色であり、非蛍光部の色にあつては赤色であること。

ニ　路面上に垂直に設置できるものであること。

二　停止表示灯にあつては、次に該当するものであること。

イ　路面上に設置した状態において、長さ十七センチメートル、幅十七センチメートル、高さ十五センチメートルを超えないものであること。

ロ　点滅式のものであること。

別記様式第五の五（第九条の十七、第九条の十八関係）

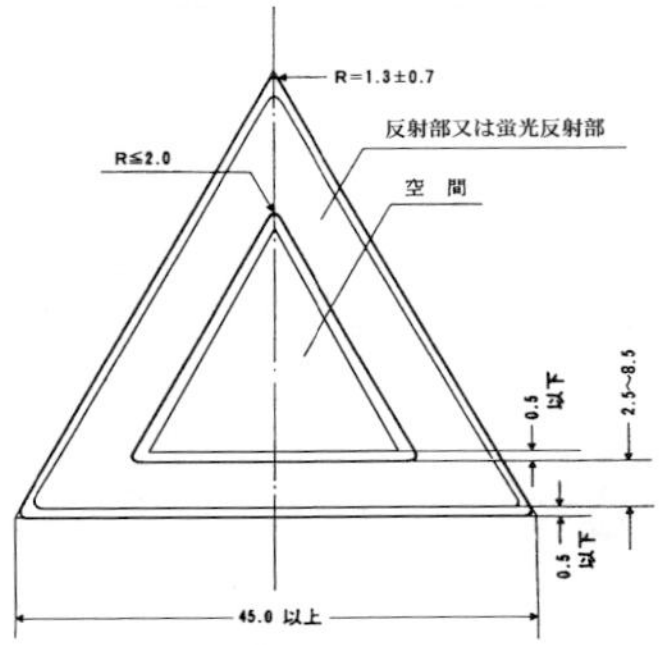

R=1.3±0.7
R≦2.0
反射部又は蛍光反射部
空　間
0.5以下
2.5～8.5
0.5以下
45.0 以上

備考　１　図中の「反射部又は蛍光反射部」は、昼間用停止表示器材にあつては、「蛍光反射部」とする。
　　　２　図示の長さの単位は、センチメートルとする。

〔本様式追加・昭53総府令37、全改・平12総府令18・平26内府令65〕

2　自動車の運転者は、故障その他の理由により本線車道等において運転することができなくなつたときは、速やかに当該自動車を本線車道等以外の場所に移動するため必要な措置を講じなければならない。

〔本条追加・昭四六法九八、全改・昭五三法五三、付記改正・令四法三二〕

参照〔本線車道〕二①3の2〔加速車線・減速車線〕道構令二9〔登坂車線〕道構令二7〔政令で定めるところ〕道交令二七の六、道交規九の一七・九の一八・別記様式五の五・五の六

（罰則　第一項については第百二十条第一項第十三号〔五万円以下の罰金〕）

反則金

故障車両表示義務違反

大型　七千円　普通　六千円

二輪　六千円　※原付　五千円

点数

故障車両表示義務違反

一　般　一点

酒気帯び（〇・二五未満）　一四点

ハ　昼間、路面上に設置した場合に二百メートルの距離から点灯を容易に確認できるものであること。

ニ　灯光の色は、紫色であること。

〔本条追加・昭五三総府令三七、改正・昭五四総府令四〇・平二総府令五一・平一二総府令二九・総府令八九・平二六内府令六五〕

別記様式第五の六（第九条の十七、第九条の十八関係）

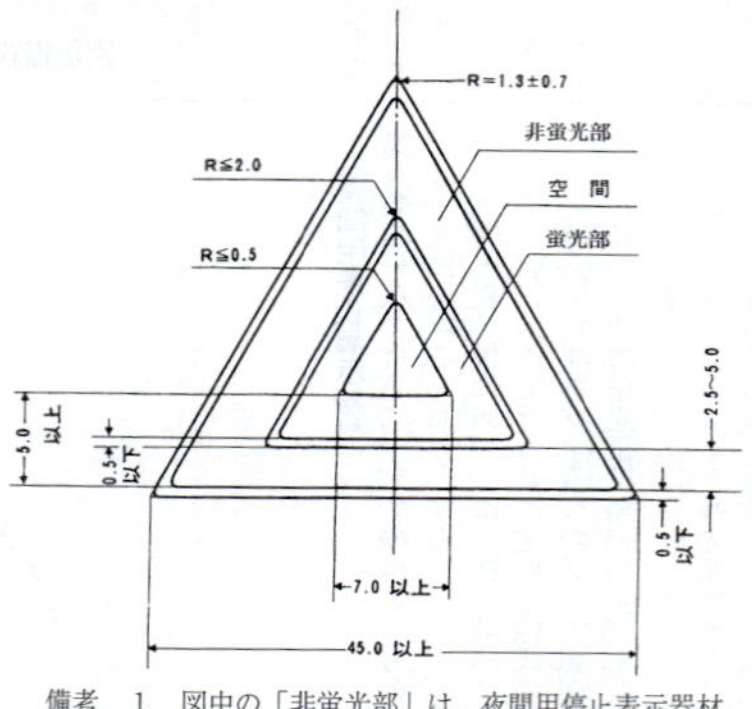

備考　1　図中の「非蛍光部」は、夜間用停止表示器材にあつては、「反射部」とする。

2　蛍光部の面積は、247平方センチメートル以上とする。

3　図示の長さの単位は、センチメートルとする。

〔本様式追加・昭53総府令37、全改・平12総府令18・平26内府令65〕

第四章の三　特定自動運行の許可等

〔本章追加・令四法三二〕

（特定自動運行の許可）

第七五条の一二　特定自動運行を行おうとする者は、特定自動運行を行おうとする場所を管轄する公安委員会の許可を受けなければならない。

2　前項の許可を受けようとする者は、次に掲げる事項を記載した申請書を公安委員会に提出しなければならない。

一　特定自動運行を行う者の氏名又は名称及び住所並びに法人にあつては、その代表者の氏名並びにその役員の氏名及び住所

二　次に掲げる事項を記載した特定自動運行に関する計画（以下「特定自動運行計画」という。）

イ　特定自動運行に使用する自動車（以下「特定自動運行用自動車」という。）の型式、自動車登録番号又は車両番号及び車台番号、自動運行装置に係る使用条件その他の内閣府令で定める特定自動運行用自動車に関する事項

ロ　特定自動運行に関する次に掲げる事項

(1)　特定自動運行の経路

(2)　特定自動運行を行う日及び時間帯

(3)　特定自動運行により運送される人又は物

第二章の七　特定自動運行の許可等

〔本章追加・令四内府令六七〕

（特定自動運行の許可証の交付等）

第九条の一九　公安委員会は、法第七十五条の十二第一項の許可をしたときは、別記様式第五の七の許可証を交付しなければならない。

2　前項の規定による許可証の交付を受けた者は、当該許可証を亡失し、滅失し、汚損し、又は破損したときは、その交付を受けた公安委員会に別記様式第五の八の再交付申請書及び当該許可証を提出して許可証の再交付を申請することができる。ただし、当該許可証を亡失し、又は滅失した場合にあつては、当該許可証を提出することを要しない。

〔本条追加・令四内府令六七〕

別記様式第五の七（第九条の十九、第九条の二十三関係）

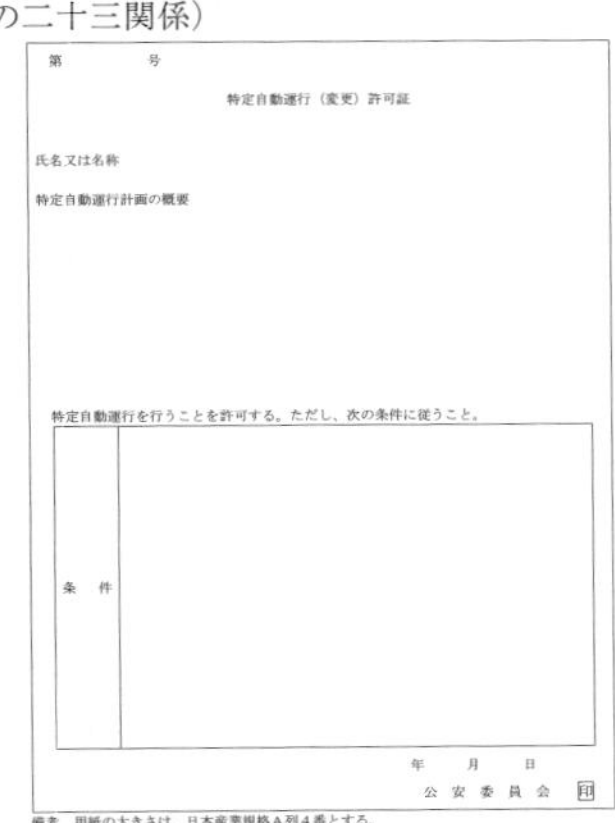

第　　号

特定自動運行（変更）許可証

氏名又は名称

特定自動運行計画の概要

特定自動運行を行うことを許可する。ただし、次の条件に従うこと。

条　件	

年　月　日

公　安　委　員　会　印

備考　用紙の大きさは、日本産業規格Ａ列４番とする。

〔本様式追加・令４内府令67〕

別記様式第五の八（第九条の十九関係）

特定自動運行許可証再交付申請書

年　月　日

公　安　委　員　会　殿

申請者の氏名又は名称及び住所

許可証番号	
許可年月日	
特定自動運行計画の概要	
再交付申請の理由	

備考　1　特定自動運行計画の概要の欄の記述の末尾に「(特定自動運行計画の詳細は別紙による。)」と記載し、道路交通法第七十五条の十二第二項第二号イから二までに掲げる事項を記載した特定自動運行計画を添付すること。

2　所定の欄に記載できないときは、別紙に記載の上、これを添付すること。

3　用紙の大きさは、日本産業規格Ａ列４番とする。

〔本様式追加・令４内府令67〕

（特定自動運行の許可の申請書の様式等）

第九条の二〇　法第七十五条の十二第二項の申請書の様式は、別

(4)　(1)から(3)までに掲げるもののほか、内閣府令で定める事項

ハ　特定自動運行を管理する場所の所在地及び連絡先

ニ　この法律及びこの法律に基づく命令の規定並びにこの法律の規定に基づく処分により特定自動運行実施者（第七十五条の十六第一項に規定する特定自動運行実施者をいう。次条第一項第三号において同じ。）又は特定自動運行業務従事者（第七十五条の十九第一項に規定する特定自動運行業務従事者をいう。次条第一項第三号において同じ。）が実施しなければならない措置に関する次に掲げる事項

(1)　第七十五条の十九第一項に規定する教育の具体的内容及びその実施方法

(2)　第七十五条の十九第二項の規定による特定自動運行主任者の指定及び同条第三項の規定による現場措置業務実施者の指定の方法

(3)　第七十五条の二十第一項に規定する措置の実施方法及び当該措置を講ずるための装置、人員その他の体制

(4)　第七十五条の二十第二項の規定による表示の具体的方法

(5)　第七十五条の二十一、第七十五条の二十二及び第七十五条の二十三第一項から第三項までの規定による措置を講ずるための設備、人員その他の体制及び当該措置の手順

(6)　(1)から(5)までに掲げるもののほか、内閣府令で定める事項

記様式第五の九のとおりとする。

2　法第七十五条の十二第二項第二号イの内閣府令で定める特定自動運行用自動車に関する事項は、次に掲げるものとする。

一　特定自動運行用自動車の車名及び型式

二　自動車登録番号又は車両番号及び車台番号

三　長さ、幅及び高さ

四　自動運行装置に係る使用条件

3　法第七十五条の十二第二項第二号ロ(4)の内閣府令で定める特定自動運行に関する事項は、次に掲げるものとする。

一　特定自動運行を行うための前提となる気象の状況

二　特定自動運行を行うための前提となる道路の構造並びに特定自動運行及び特定自動運行が終了した場合に講じられる措置が他の交通に及ぼす影響の程度

4　法第七十五条の十二第二項第二号ニ(6)の内閣府令で定める特定自動運行実施者又は特定自動運行業務従事者が実施しなければならない措置に関する事項は、次に掲げるものとする。

一　法第七十五条の二十四の規定により読み替えて適用する法第三十三条第三項の規定による措置を講ずるための設備、人員その他の体制及び当該措置の手順

二　法第七十五条の二十四の規定により読み替えて適用する法第七十五条の十一第一項の規定による表示の具体的方法

三　法第七十五条の二十四の規定により読み替えて適用する法第七十五条の十一第二項の規定による措置を講ずるための設備、人員その他の体制及び当該措置の手順

〔本条追加・令四内府令六七〕

別記様式第五の九（第九条の二十関係）

特定自動運行許可申請書

年　月　日

公安委員会　殿

申請者の氏名又は名称及び住所

ふりがな	
氏名又は名称	
住所	電話（　）　—　番
ふりがな 法人にあつては、その役員の氏名	法人にあつては、その役員の住所
代表者	
特定自動運行計画の概要	

備考　1　特定自動運行計画の概要の欄の記述の末尾に「（特定自動運行計画の詳細は別紙による。）」と記載し、道路交通法第七十五条の十二第二項第二号イからニまでに掲げる事項を記載した特定自動運行計画を添付すること。

2　所定の欄に記載できないときは、別紙に記載の上、これを添付すること。

3　用紙の大きさは、日本産業規格A列4番とする。

〔本様式追加・令4内府令67〕

3　前項の申請書には、特定自動運行用自動車の自動車検査証記録事項（道路運送車両法第五十八条第二項に規定する自動車検査証記録事項をいう。）が記載された書面その他の内閣府令で定める書類を添付しなければならない。

〔本条追加・令四法三二〕

参照　〔公安委員会〕四①、警三八～四六の二〔許可証〕道交規九の一九・別記様式5の7〔申請書〕道交規九の二〇①・別記様式5の9〔自動運行装置〕二①13の2・道運車四一①20〔内閣府令で定める事項〕道交規九の二〇②・③・④〔内閣府令で定める書類〕道交規九の二一

（罰則　第一項については第百十七条の二第二項第三号及び第四号〔五年以下の懲役又は百万円以下の罰金〕、第百二十三条〔罰金刑又は科料刑〕）

（特定自動運行の許可の申請書の添付書類等）

第九条の二一　法第七十五条の十二第三項の内閣府令で定める書類は、次に掲げるとおりとする。

一　特定自動運行用自動車の道路運送車両法第六十条第一項に規定する自動車検査証の写し又は同法第五十八条第二項に規定する自動車検査証記録事項が記載された書面

二　許可を受けようとする者（以下この条において「特定自動運行許可申請者」という。）が住民基本台帳法の適用を受ける者である場合にあつては、住民票の写し

三　特定自動運行許可申請者が住民基本台帳法の適用を受けない者（自然人に限る。）である場合にあつては、旅券等の写し

四　特定自動運行許可申請者が法人である場合にあつては、次に掲げる書類

イ　登記事項証明書

ロ　役員の住民票の写し（当該役員が住民基本台帳法の適用を受けない者である場合にあつては、旅券等の写し）

五　特定自動運行用自動車の自動運行装置に係る使用条件が記載された書面

六　法第七十五条の十二第二項第二号ニ(5)に規定する設備の状況を明らかにした図面又は写真

七　法第七十五条の十三第一項第五号の基準に適合することを明らかにする書類

2　公安委員会は、特定自動運行許可申請者に対し、前項に規定する書類のほか、法第七十五条の十二第一項の許可に係る審査に必要な資料の提出を求めることができる。この場合において、公安委員会は、同条第二項の規定により提出を受けた申請書に記載された特定自動運行計画が法第七十五条の十三第一項各号に掲げる基準に適合することを担保するため必要があると認めるときは、当該特定自動運行許可申請者に対し、当該特定自動運行計画に、公安委員会が必要と認める事項を定めることを求めることができる。

〔本条追加・令四内府令六七〕

（意見聴取）

第九条の二二　公安委員会は、法第七十五条の十二第一項の許可をしようとするときは、次に掲げる者の意見を聴くことができる。

一　法第七十五条の十二第二項第二号ロ(1)に規定する経路をその区域に含む都道府県の知事

二　法第七十五条の十二第二項第二号ロ(1)に規定する経路を構成する道路の管理者

（特定自動運行の許可基準等）

第七五条の一三　公安委員会は、前条第一項の許可をしようとするときは、同条第二項の規定により提出を受けた申請書に記載された特定自動運行計画が次に掲げる基準に適合するかどうかを審査して、これをしなければならない。

一　特定自動運行計画に係る特定自動運行用自動車が特定自動運行を行うことができるものであること。

二　特定自動運行計画に従つて行われる特定自動運行が当該特定自動運行用自動車の自動運行装置に係る使用条件を満たすものであること。

三　第七十五条の十九から第七十五条の二十二まで及び第七十五条の二十三第一項から第三項までの規定による措置その他のこの法律及びこの法律に基づく命令の規定並びにこの法律の規定に基づく処分により特定自動運行実施者又は特定自動運行業務従事者が実施しなければならない措置の円滑かつ確実な実施が見込まれるものであること。

四　特定自動運行計画に従つて行われる特定自動運行（道路において当該特定自動運行が終了した場合を含む。）が他の交通に著しく支障を及ぼすおそれがないと認められるものであること。

五　特定自動運行計画に従つて行われる特定自動運行が人又は物の運送を目的とするものであつて、

三　前二号に掲げる者のほか、学識経験を有する者その他の公安委員会が必要と認める者

〔本条追加・令四内府令六七〕

当該運送が地域住民の利便性又は福祉の向上に資すると認められるものであること。

2　公安委員会は、前条第一項の許可をしようとするときは、次の各号に掲げる事項の区分に応じ、当該事項について、当該各号に定める者の意見を聴かなければならない。

一　前項第一号及び第二号に掲げる事項　国土交通大臣等

二　前項第五号に掲げる事項　前条第二項第二号ロ(1)に規定する経路をその区域に含む市町村（特別区を含む。）の長

〔本条追加・令四法三二〕

参照　〔公安委員会〕四①、警三八～四六の二〔特定自動運行用自動車〕七五の一二②〔自動運行装置〕二①13の2・道運車四一①20

（欠格事由）

第七五条の一四　公安委員会は、第七十五条の十二第一項の許可を受けようとする者が次の各号のいずれかに該当する場合には、その許可をしてはならない。

一　第七十五条の二十七第一項の規定により許可を取り消され、その取消しの日から五年を経過していない者（当該許可を取り消された者が法人である場合においては、当該取消しを受けた法人のその処分を受ける原因となつた事項が発生した当時現にその法人の役員として在任した者で当該取消しの日から五年を経過していないものを含む。）

であるとき。

二　法人である場合において、その法人の役員が前号に該当する者であるとき。

〔本条追加・令四法三二〕

参照〔公安委員会〕四①、警三八～四六の二

（許可の条件）

第七五条の一五　公安委員会は、第七十五条の十二第一項の許可をする場合において、必要があると認めるときは、当該許可に道路における危険を防止し、その他交通の安全と円滑を図るため必要な条件を付することができる。

2　公安委員会は、道路における危険を防止し、その他交通の安全と円滑を図るため特別の必要が生じたときは、前項の規定により付した条件を変更し、又は新たに条件を付することができる。

〔本条追加・令四法三二〕

参照〔公安委員会〕四①、警三八～四六の二

（許可事項の変更）

第七五条の一六　第七十五条の十二第一項の許可を受けた者（以下「特定自動運行実施者」という。）は、特定自動運行計画を変更しようとするときは、内閣府令で定めるところにより、公安委員会の許可を受

（変更の許可の申請等）

第九条の二三　法第七十五条の十六第一項の許可の申請は、別記様式第五の十の変更許可申請書を提出して行うものとする。

2　第九条の二十一第二項及び前条の規定は、法第七十五条の十六第一項の許可について準用する。この場合において、第九条の二十一第二項中「前項に規定する書類」とあるのは「申請書に添付された書類」と、「同条第二項」とあるのは「第九条の

けなければならない。ただし、内閣府令で定める軽微な変更については、この限りでない。

2　第七十五条の十三及び前条の規定は、前項の許可について準用する。

3　特定自動運行実施者は、第一項ただし書に規定する内閣府令で定める軽微な変更をしようとするときは、内閣府令で定めるところにより、その旨を公安委員会に届け出なければならない。

4　特定自動運行実施者は、第七十五条の十二第二項第一号に掲げる事項を変更したときは、内閣府令で定めるところにより、変更の日から三十日以内に、公安委員会に届け出なければならない。

〔本条追加・令四法三二〕

参照　〔内閣府令で定め〕道交規九の二三、別記様式五の一〇〔公安委員会〕四①、警三八～四六の二〔内閣府令で定める軽微な変更〕道交規九の二四〔三項の内閣府令定め〕道交規九の二五・別記様式五の一一

〔罰則　第一項については第百十七条の二第二項第四号及び第五号〔五年以下の懲役又は百万円以下の罰金〕、第百二十三条〔罰金刑又は科料刑〕　第三項及び第四項については第百十九条の二の三第二号〔二十万円以下の罰金〕、第百二十三条〔罰金刑又は科料刑〕〕

二十三第一項」と、「記載された」とあるのは「係る」と読み替えるものとする。

3　公安委員会は、法第七十五条の十六第一項の許可をしたときは、特定自動運行実施者に対し、その旨を通知するとともに、当該特定自動運行に係る許可証を返納させた上で、別記様式第五の七の許可証を再交付するものとする。

〔本条追加・令四内府令六七〕

別記様式第五の十（第九条の二十三関係）

特定自動運行計画変更許可申請書

年　月　日

公安委員会　殿

申請者の氏名又は名称及び住所

許可証番号	
許可年月日	
変更の内容	
変更の理由	

備考　1　所定の欄に記載できないときは、別紙に記載の上、これを添付すること。
2　変更の内容及び理由を明らかにするために参考となる資料がある場合には、これを添付すること。
3　用紙の大きさは、日本産業規格A列4番とする。

〔本様式追加・令4内府令67〕

（特定自動運行計画の軽微な変更）

第九条の二四　法第七十五条の十六第一項ただし書の内閣府令で定める軽微な変更は、特定自動運行計画の変更のうち次に掲げるものとする。

一　第九条の二十第二項第二号に掲げる事項の変更であつて、当該特定自動運行計画に係る特定自動運行用自動車の台数の変更を伴わないもの

二　法第七十五条の十二第二項第二号ハに規定する場所の連絡先の変更

〔本条追加・令四内府令六七〕

（軽微な変更等の届出等）

第九条の二五　法第七十五条の十六第三項又は第四項の届出は、別記様式第五の十一の変更届出書及び当該特定自動運行に係る許可証を提出して行うものとする。

2　前項の変更届出書には、次の各号に掲げる変更に係る事項の区分に応じ、当該各号に定める書類を添付しなければならない。

一　前条第一号に掲げる事項　第九条の二十一第一項第一号に掲げる書類及び当該特定自動運行計画に係る特定自動運行用自動車の一覧表

（公示）

第七五条の一七 公安委員会は、第七十五条の十二第一項又は前条第一項の許可をしたときは、内閣府令で定めるところにより、その旨を公示しなければならない。

〔本条追加・令四法三二〕

参照 〔公安委員会〕四①、警三八～四六の二〔内閣府令の定め〕道交規九の二六

二 前条第二号に掲げる事項 当該変更の事実を証する書類

三 法第七十五条の十二第二項第一号に掲げる事項 住民基本台帳法の適用の有無及び個人又は法人の別に応じ、それぞれ第九条の二十一第一項第二号、第三号又は第四号に掲げる書類

3 公安委員会は、法第七十五条の十六第三項又は第四項の届出があつた場合において必要があると認めるときは、当該許可証を書き換えるものとする。

〔本条追加・令四内府令六七〕

別記様式第五の十一（第九条の二十五関係）

特定自動運行許可申請書記載事項変更届出書

年　月　日

公安委員会　殿

届出者の氏名又は名称及び住所

許可証番号	
許可年月日	
変更の内容	

備考 1 所定の欄に記載できないときは、別紙に記載の上、これを添付すること。
2 用紙の大きさは、日本産業規格A列4番とする。

〔本様式追加・令4内府令67〕

（許可の公示の方法）

第九条の二六 法第七十五条の十七の規定による公示は、次に掲げる事項について、インターネットの利用その他の方法により行うものとする。

一 許可をした旨

二 特定自動運行実施者の氏名又は名称及び法人にあつては、その代表者の氏名

三 特定自動運行の経路

四 特定自動運行を行う日及び時間帯

五 第九条の二十第三項各号に掲げる事項

六 許可の年月日

七 前各号に掲げるもののほか、公安委員会が必要と認める事項

〔本条追加・令四内府令六七〕

（特定自動運行計画等の遵守）

第七五条の一八　特定自動運行は、第七十五条の十二第一項の許可を受けた特定自動運行計画（第七十五条の十六第一項又は第三項の規定による変更の許可又は届出があつたときは、その変更後のもの。第七十五条の二十七第一項第二号において同じ。）及び第七十五条の十五第一項（第七十五条の十六第二項において準用する場合を含む。）の規定により付された条件（第七十五条の十五第二項（第七十五条の十六第二項において準用する場合を含む。）の規定により変更され、又は新たに付された条件を含む。）に従わなければならない。

〔本条追加・令四法三二〕

参照〔特定自動運行計画〕七五の一二②

（罰則　第百十七条の四第二項〔一年以下の懲役又は三十万円以下の罰金〕、第百二十三条〔罰金刑又は科料刑〕）

（特定自動運行を行う前の措置）

第七五条の一九　特定自動運行実施者は、次項の規定により指定した特定自動運行主任者、第三項の規定により指定した現場措置業務実施者その他の特定自動運行のために使用する者（以下「特定自動運行業

（教育）

第九条の二七　法第七十五条の十九第一項の規定による特定自動運行業務従事者に対する教育は、次の表の上欄に掲げる特定自動運行業務従事者の区分に応じ、同表の下欄に掲げる教育事項について、それぞれ特定自動運行実施者、特定自動運行用自動車の自動運行装置の製作者その他の当該教育事項について十分な知識経験がある者が行うものとする。

務従事者」という。）に対し、第七十五条の二十一、第七十五条の二十二及び第七十五条の二十三第一項から第三項までの規定による措置その他のこの法律及びこの法律に基づく命令の規定並びにこの法律の規定に基づく処分により特定自動運行業務従事者が実施しなければならない措置を円滑かつ確実に実施させるため、内閣府令で定めるところにより教育を行わなければならない。

2　特定自動運行実施者は、特定自動運行を行うときは、第七十五条の二十一、第七十五条の二十二並びに第七十五条の二十三第一項及び第三項の規定による措置その他のこの法律及びこの法律に基づく命令の規定並びにこの法律の規定に基づく処分により特定自動運行主任者が実施しなければならない措置を講じさせるため、当該措置を講ずるために必要な適性について内閣府令で定める要件を備える者のうちから、特定自動運行主任者を指定しなければならない。

3　特定自動運行実施者は、次条第一項第一号に規定する措置を講じて特定自動運行を行うときは、第七十五条の二十三第一項及び第二項の規定による措置を講じさせるため、現場措置業務実施者を指定しなければならない。

〔本条追加・令四法三二〕

参照〔内閣府令で定め〕道交規九の二七〔内閣府令で定める要件〕道交規九の二八

特定自動運行業務従事者の区分	教育事項
特定自動運行主任者	一　特定自動運行に係る業務の適正な実施に必要な法令に関すること。 二　特定自動運行計画の内容及び特定自動運行用自動車の自動運行装置の仕様に関すること。 三　次に掲げる措置を特定自動運行計画に従って実施するための手順及び当該措置を実施するために必要な設備の使用方法に関すること。 イ　法第七十五条の二十一第一項前段の規定による法第七十五条の二十第一項第一号に規定する装置（次条及び第九条の二十九において「遠隔監視装置」という。）の作動状態の監視 ロ　法第七十五条の二十一第一項後段の規定による特定自動運行を終了させるための措置 ハ　法第七十五条の二十一第二項の規定による確認 ニ　法第七十五条の二十二第一項から第三項までの規定による特定自動運行が終了した場合の措置 ホ　法第七十五条の二十三第一項前段の規定による交通事故の現場の最寄りの消防機関に通報する措置及び現場措置業務実施者を当該交通事故の現場に向かわせる措置並びに同項後段の規定による警察官への交通事故発生日時等の報告 ヘ　法第七十五条の二十三第三項前段の規定による負傷者の救護等の措置及び同項後段の規定による警察官への交通事故発生日時等の報告 ト　法第七十五条の二十四の規定により読み替えて適用する法第三十三条第三項の規定による措置 チ　法第七十五条の二十四の規定により読み替えて適用する法第七十五条の十一第一項の規定による表示

	リ　法第七十五条の二十四の規定により読み替えて適用する法第七十五条の十一第二項の規定による措置 四　その他特定自動運行に係る業務を適正に実施するため必要な知識及び技能に関すること。
現場措置業務実施者	一　特定自動運行に係る業務の適正な実施に必要な法令に関すること。 二　特定自動運行計画の内容に関すること。 三　特定自動運行において特定自動運行用自動車（法第七十五条の二十第一項第一号に規定する措置が講じられたものに限る。）に係る交通事故があつたときに特定自動運行主任者が法第七十五条の二十三第一項前段の規定により講ずる措置に従つて当該交通事故の現場に向かう手順及び同条第二項の規定による措置を特定自動運行計画に従つて実施するための手順に関すること。 四　その他特定自動運行に係る業務を適正に実施するため必要な知識及び技能に関すること。
特定自動運行業務従事者（特定自動運行主任者及び現場措置業務実施者を除く。）	一　特定自動運行に係る業務の適正な実施に必要な法令に関すること。 二　特定自動運行計画の内容に関すること。 三　特定自動運行計画に基づき実施しなければならない措置を特定自動運行計画に従つて実施するための手順及び当該措置を実施するために必要な設備の使用方法に関すること。 四　その他特定自動運行に係る業務を適正に実施するため必要な知識及び技能に関すること。

〔本条追加・令四内府令六七〕

（特定自動運行主任者の要件）

第九条の二八　法第七十五条の十九第二項の内閣府令で定める要件は、次に掲げるとおりとする。

一　両眼の視力又は両耳の聴力を喪失した者でないこと。

二　遠隔監視装置その他の特定自動運行計画に従つて特定自動運行を行うために必要な設備を適切に使用することができる者であること。
三　前二号に定めるもののほか、法及び法に基づく命令の規定並びに法の規定に基づく処分により特定自動運行主任者が実施しなければならない措置を円滑かつ確実に実施する上で支障があると認められる者でないこと。
〔本条追加・令四内府令六七〕

（遠隔監視装置）

第九条の二九　遠隔監視装置は、次に掲げる要件に該当する装置とする。
一　特定自動運行を行う場合（道路において当該特定自動運行が終了した場合を含む。）において、特定自動運行用自動車に取り付けられた装置から送信された当該特定自動運行用自動車の周囲の全方向の道路及び交通の状況並びに当該特定自動運行用自動車の車内の状況に係る鮮明な映像及び明瞭な音声並びに当該特定自動運行用自動車の位置情報を常時かつ即時に受信することができるものであること。
二　ディスプレイその他の特定自動運行主任者が前号の映像及び位置情報を視覚により認識するための機器を有するものであること。
三　スピーカーその他の特定自動運行主任者が第一号の音声を聴覚により認識するための機器を有するものであること。
四　無線通話装置その他の特定自動運行主任者が特定自動運行用自動車の車内にいる者及び車外にいる者との間で音声の送受信により通話をするための機器を有するものであること。
五　第一号の映像若しくは音声若しくは位置情報の受信又は前号の音声の送受信を正常に行うことができないこととなつた場合には、直ちに、特定自動運行主任者にその旨を通知するものであること。
六　第一号の映像及び音声並びに位置情報、第四号の通話の内容並びに前号の通知に係る情報を記録するものであること。
七　サイバーセキュリティ（サイバーセキュリティ基本法（平成二十六年法律第百四号）第二条に規定するサイバーセキュリティをいう。）を確保するために必要な措置が講じられているものであること。
〔本条追加・令四内府令六七〕

（特定自動運行中の遵守事項）

第七五条の二〇　特定自動運行実施者は、特定自動運行中の特定自動運行用自動車について、次の各号のいずれかの措置を講じなければならない。

一　当該特定自動運行用自動車の周囲の道路及び交通の状況並びに当該特定自動運行用自動車の状況を映像及び音声により確認することができる装置で内閣府令で定めるものを第七十五条の十二第二項第二号ハに規定する場所に備え付け、かつ、当該場所に特定自動運行主任者を配置する措置

二　第七十五条の二十三第三項の規定による措置その他の措置を講じさせるため、特定自動運行主任者を当該特定自動運行用自動車に乗車させる措置

2　特定自動運行実施者は、特定自動運行を行つているときは、内閣府令で定めるところにより、当該特定自動運行用自動車の見やすい箇所に特定自動運行中である旨を表示しなければならない。

〔本条追加・令四法三二〕

参照〔特定自動運行実施者〕七五の一九①〔特定自動運行用自動車〕七五の一二②〔内閣府令で定めるもの〕道交規九の二九〔内閣府令で定めるところ〕道交規九の三〇

（特定自動運行主任者の義務）

第七五条の二一　前条第一項第一号の規定により配置された特定自動運行主任者は、当該特定自動運行用自動車が特定自動運行を行つているときは、同号に規定する装置の作動状態を監視していなければなら

（特定自動運行中である旨の表示）

第九条の三〇　法第七十五条の二十第二項の規定による表示は、「自動運行中」の文字を特定自動運行用自動車の自動運行装置の作動状態と連動して見やすく表示する装置を、当該特定自動運行用自動車の前方及び後方から見やすい位置に取り付け、当該装置を作動させる方法により行うものとする。

〔本条追加・令四内府令六七〕

ない。この場合において、当該装置が正常に作動していないことを認めたときは、当該特定自動運行主任者は、直ちに、当該特定自動運行を終了させるための措置を講じなければならない。

2　特定自動運行主任者は、道路において特定自動運行が終了したときは、直ちに、次条又は第七十五条の二十三第一項若しくは第三項の規定による措置その他のこの法律及びこの法律に基づく命令の規定並びにこの法律の規定に基づく処分により特定自動運行主任者が実施しなければならない措置を講ずべき事由の有無を確認しなければならない。

〔本条追加・令四法三二〕

参照〔特定自動運行用自動車〕七五の一二②

（特定自動運行が終了した場合の措置）

第七五条の二二　特定自動運行主任者は、特定自動運行が終了した場合において、当該特定自動運行用自動車又は当該特定自動運行主任者に対し次の各号のいずれかの措置又は命令が行われているときは、直ちに、当該特定自動運行用自動車を当該措置又は命令に従つて通行させるため必要な措置を講じなければならない。

一　第四条第一項後段に規定する警察官の現場における指示

二　第六条第一項の規定による警察官等の交通整理

三　第七十五条の二十四の規定により読み替えて適

用する第六条第二項の規定による警察官の禁止、制限又は命令

四　第七十五条の二十四の規定により読み替えて適用する第六条第三項の規定による警察官の指示

五　第六条第四項の規定による警察官の禁止又は制限

六　第七十五条の二十四の規定により読み替えて適用する第七十五条の三の規定による警察官の禁止、制限又は命令

2　特定自動運行主任者は、特定自動運行が終了した場合において、当該特定自動運行用自動車に緊急自動車若しくは消防用車両が接近し、又は当該特定自動運行用自動車の付近に緊急自動車若しくは消防用車両があるときは、直ちに、当該特定自動運行用自動車が当該緊急自動車又は消防用車両の通行を妨げないようにするため必要な措置を講じなければならない。

3　特定自動運行主任者は、特定自動運行が終了した場合において、当該特定自動運行用自動車が違法駐車と認められる場合は、直ちに、当該特定自動運行用自動車の駐車の方法を変更し、又は当該特定自動運行用自動車を当該場所から移動するため必要な措置を講じなければならない。

〔本条追加・令四法三二〕

参照　〔特定自動運行用自動車〕七五の一二②〔警察官等〕六①、警察官＝警三四・五五・六二・六三、交通巡視員＝一一四の四、道交令四四の二〔消防用自動車〕三九①〔緊急自動車〕三九

（特定自動運行において交通事故があつた場合の措置）

第七五条の二三　特定自動運行（道路において当該特定自動運行が終了した場合を含む。第三項及び第六項並びに第百十七条第三項において同じ。）において特定自動運行用自動車（第七十五条の二十第一項第一号に規定する措置が講じられたものに限る。）に係る交通事故があつたときは、同号の規定により配置された特定自動運行主任者は、直ちに当該交通事故の現場の最寄りの消防機関に通報する措置及び現場措置業務実施者を当該交通事故の現場に向かわせる措置（当該交通事故による人の死傷がないことが明らかな場合にあつては、現場措置業務実施者を当該交通事故の現場に向かわせる措置）を講じなければならない。この場合において、当該特定自動運行用自動車の特定自動運行主任者は、直ちに当該交通事故の現場の最寄りの警察署（派出所又は駐在所を含む。第三項及び第四項において同じ。）の警察官に交通事故発生日時等を報告しなければならない。

2　前項に規定する交通事故の現場に到着した現場措置業務実施者は、当該交通事故の現場において、道路における危険を防止するため必要な措置を講じなければならない。

3　特定自動運行において特定自動運行用自動車（第七十五条の二十第一項第二号に規定する措置が講じられたものに限る。）に係る交通事故があつたときは、当該交通事故に係る特定自動運行用自動車に同号の規定により乗車させられた特定自動運行主任者その他の乗務員（第五項において「特定自動運行主任者等」という。）は、直ちに、負傷者を救護し、道路における危険を防止する等必要な措置を講じなければならない。この場合において、当該特定自動運行用自動車の特定自動運行主任者（特定自動運行主任者が死亡し、又は負傷したためやむを得ないときは、その他の乗務員。次項において同じ。）は、警察官が現場にいるときは当該警察官に、警察官が現場にいないときは直ちに最寄りの警察署の警察官に交通事故発生日時等を報告しなければならない。

4　前項後段の規定により報告を受けた最寄りの警察署の警察官は、負傷者を救護し、又は道路における危険を防止するため必要があると認めるときは、当該報告をした特定自動運行主任者に対し、警察官が現場に到着するまで現場を去つてはならない旨を命ずることができる。

5　前三項の場合において、当該交通事故の現場にある警察官は、当該交通事故の現場にある現場措置業務実施者又は特定自動運行主任者等に対し、負傷者を救護し、又は道路における危険を防止し、その他交通の安全と円滑を図るため必要な指示をすることができる。

6　第七十二条の二及び第七十三条の規定は、特定自動運行において交通事故があつた場合について準用する。この場合において、第七十二条の二第一項中「前条第三項」とあるのは「第七十五条の二十三第五項」と、「の運転者等」とあるのは「に係る現場措置業務実施者（第七十五条の十九第三項に規定する現場措置業務実施者をいう。以下同じ。）又は特定自動運行主任者等（第七十五条の二十三第三項に

第四章の三　特定自動運行の特則

〔本章追加・令四政三九二〕

（特定自動運行において交通事故があつた場合における損壊物等の保管の手続等）

第二十七条の七　第二十六条の四の三の規定は、法第七十五条の二十三第六項において準用する法第七十二条の二第二項後段の規定により保管した損壊物等について準用する。この場合において、第二十六条の四の三中「法第七十二条の二第三項」とあるのは、「法第七十五条の二十三第六項において準用する法第七十二条の二第三項」と読み替えるものとする。

〔本条追加・令四政三九二〕

規定する特定自動運行主任者等をいう。以下同じ。）」と、「同項」とあるのは「同条第五項」と、「現場」とあるのは「当該交通事故の現場」と、第七十三条中「運転者等以外」とあるのは「特定自動運行主任者等以外」と、「の運転者等が第七十二条第一項前段」とあるのは「に係る現場措置業務実施者が第七十五条の二十三第三項に規定する措置を講じ、又は特定自動運行主任者等が同条第三項前段」と、「又は」とあるのは「若しくは」と読み替えるものとする。

〔本条追加・令四法三二〕

（罰則　第一項前段及び第三項前段については第百十七条第三項〔五年以下の懲役又は五十万円以下の罰金〕、第百十七条の五第二項〔一年以下の懲役又は十万円以下の罰金〕、第百二十三条〔罰金刑又は科料刑〕　第一項後段及び第三項後段については第百十九条第二項第六号〔三月以下の懲役又は五万円以下の罰金〕、第百二十三条〔罰金刑又は科料刑〕　第二項については第百十七条の五第二項〔一年以下の懲役又は十万円以下の罰金〕、第百二十三条〔罰金刑又は科料刑〕　第四項については第百二十条第二項第四号〔五万円以下の罰金〕、第百二十三条〔罰金刑又は科料刑〕）

（特定自動運行の特則）

第七五条の二四　特定自動運行実施者による特定自動運行についてのこの法律の規定（第四章第二節を除く。）の適用については、次の表の上欄に掲げる規定中同表の中欄に掲げる字句は、それぞれ同表の下

（特定自動運行が終了した場合における表示の方法）

第二七条の八　法第七十五条の二十四の規定により法第七十五条の十一第一項の規定を読み替えて適用する場合における第二十七条の六の規定の適用については、同条中「とする」とあるのは、「とする。ただし、停止した自動車が法第七十五条の二十第一項第一号に規定する措置が講じられた特定自動運行用自動車（法第七十五条の十二第二項第二号イに規定する特定自動運

（特定自動運行を行う場合における運行記録計の記録の保存）

第九条の三一　法第七十五条の二十四の規定により法第六十三条の二第一項の規定を読み替えて適用する場合における第九条の規定の適用については、同条第三号中「運転者」とあるのは「特定自動運行実施者」と、同条第四号中「運転区間又は運転区域」とあるのは「特定自動運行の経路」とする。

〔本条追加・令四内府令六七〕

欄に掲げる字句とするほか、必要な技術的読替えは、政令で定める。

第六条第二項	運転者	特定自動運行主任者（第七十五条の十九第二項に規定する特定自動運行主任者をいう。以下同じ。）
第六条第三項	おいて、	おいて、特定自動運行主任者又は
第三十三条第三項	運転者は、故障その他の理由により踏切において	特定自動運行主任者は、踏切において特定自動運行が終了した場合において、
	運転することができなくなつた	運転し、又は運転させることができない
	非常信号を行う等踏切に故障その他の理由により	鉄道事業法（昭和六十一年法律第九十二号）の規定による鉄道事業者又は軌道法の規定による軌道経営者への通報（特定自動運行主任者が第七十五条の十二第二項第二号イに規定する特定自動運行用自動車に乗車している場合にあつては、非常信号）を行う等踏切に
第六十三条の二第一項	運転者	特定自動運行実施者（第七十五条の十六第一項に規定する特定自動運行実施者をいう。以下同じ。）

行用自動車をいう。以下この条において同じ。）である場合にあつては、当該特定自動運行用自動車が停止しているものであることを表示する装置で内閣府令で定める基準に適合するもの（当該特定自動運行用自動車の後面その他の後方から進行してくる自動車の運転者が見やすい位置に取り付けられたものに限る。）を作動させる方法により行うものとする」とする。

［本条追加・令四政三九二］

（高速自動車国道等において特定自動運行が終了した場合における表示のための装置）

第九条の三二　令第二十七条の六ただし書の内閣府令で定める基準は、次に掲げるとおりとする。

一　記号を表示する装置にあつては、次に該当するものであること。

イ　外側の一辺の長さがおおむね四十五センチメートル以上、内側の一辺の長さがおおむね十五センチメートル以上三十センチメートル以下の中空の正立正三角形（外側と内側が相似形であり、これらの配置が同心かつ同方向のものに限る。）又はこれに類する形状の記号を表示するものであること。

ロ　二百メートルの距離からイの記号を容易に確認できるものであること。

ハ　イの記号の色は、赤色又は橙色であること。

二　灯火式の装置（前号に該当するものを除く。）にあつては、次に該当するものであること。

イ　点滅式のものであること。

ロ　二百メートルの距離から点灯を容易に確認できるものであること。

ハ　灯光の色は、紫色であること。

［本条追加・令四内府令六七］

	を運転させ、又は運転して	の特定自動運行を行わせ、又は特定自動運行を行つて
第六十三条の二第一項	運転者	特定自動運行実施者
	を運転させ、又は運転して	の特定自動運行を行わせ、又は特定自動運行を行つて
第七十五条の三	運転者	特定自動運行主任者
第七十五条の十一第一項	運転者は、故障その他の理由により	特定自動運行主任者は、
	当該自動車を運転することができなくなつた	特定自動運行が終了した場合において、当該自動車を運転し、又は運転させることができない
	自動車が故障その他の理由により	自動車が
第七十五条の十一第二項	運転者は、故障その他の理由により	特定自動運行主任者は、
	運転することができなくなつた	特定自動運行が終了した場合において、当該自動車を運転し、又は運転させることができない

〔本条追加・令四法三二〕

（報告及び検査等）

第七五条の二五　公安委員会は、この章の規定の施行に必要な限度において、特定自動運行実施者に対し、その特定自動運行に関し報告若しくは資料の提出を求め、又は警察職員に、第七十五条の十二第二項第二号ハに規定する場所その他の特定自動運行実施者の事務所に立ち入り、帳簿、書類その他の物件を検査させ、若しくは関係者に質問させることができる。

2　前項の規定により警察職員が立ち入るときは、その身分を示す証票を携帯し、関係者に提示しなければならない。

3　第一項の規定による立入検査の権限は、犯罪捜査のために認められたものと解してはならない。

4　公安委員会は、この章の規定の施行のため必要があると認めるときは、官庁、公共団体その他の者に照会し、又は協力を求めることができる。

〔本条追加・令四法三二〕

参照〔公安委員会〕四①、警三八～四六の二〔特定自動運行実施者〕七五の一九①〔警察職員〕警三四・五五

（罰則　第一項については第百十九条の二の三第三号〔二十万円以下の罰金〕、第百二十三条〔罰金刑又は科料刑〕）

（特定自動運行実施者に対する指示）

第七五条の二六　公安委員会は、特定自動運行実施者又はその特定自動運行業務従事者が、特定自動運行に関しこの法律若しくはこの法律に基づく命令の規

定若しくはこの法律の規定に基づく処分又は他の法令の規定に違反した場合において、道路における危険を防止し、その他交通の安全と円滑を図るため必要があると認めるときは、特定自動運行実施者に対し、特定自動運行に関し必要な措置をとるべきこと（措置をとるまでの間、特定自動運行を行わないことを含む。）を指示することができる。

2　公安委員会は、前項の規定による指示をしようとする場合において、当該指示に係る特定自動運行実施者による特定自動運行が道路運送法第二条第二項に規定する自動車運送事業（貨物自動車運送事業法第二条第四項に規定する貨物軽自動車運送事業を除く。）又は貨物利用運送事業法第二条第八項に規定する第二種貨物利用運送事業として行われるものであるときは、当該事業を監督する行政庁の意見を聴かなければならない。

〔本条追加・令四法三二〕

参照〔公安委員会〕四①、警三八～四六の二〔特定自動運行実施者〕七五の一九①

〔罰則　第一項については第百十七条の二第二項第六号〔五年以下の懲役又は百万円以下の罰金〕、第百二十三条〔罰金刑又は科料刑〕〕

（許可の取消し等）

第七五条の二七　公安委員会は、次の各号のいずれかに該当するときは、当該特定自動運行実施者に対し、特定自動運行の許可を取り消し、又は六月を超えない範囲内で期間を定めてその効力を停止することができる。

一　特定自動運行実施者又はその特定自動運行業務従事者が、特定自動運行に関し、この法律若しくはこの法律に基づく命令の規定又はこの法律の規定に基づく処分に違反したとき。

二　特定自動運行計画が第七十五条の十三第一項各号に掲げる基準に適合しなくなつたとき。

三　特定自動運行実施者が第七十五条の十四各号のいずれかに該当することとなつたとき。

2　前条第二項の規定は、前項の規定による許可の取消し又はその効力の停止について準用する。

3　公安委員会は、第一項の規定により特定自動運行の許可を取り消したときは、内閣府令で定めるところにより、その旨を公示しなければならない。

〔本条追加・令四法三二〕

参照　〔公安委員会〕四①、警三八～四六の二〔特定自動運行実施者〕七五の一九①〔許可の取り消し〕道交規九の三三・別記様式五の一二〔内閣府令で定めるところ〕道交規九の三四

（許可の取消し等に係る通知）

第九条の三三　公安委員会は、法第七十五条の二十七第一項の規定により特定自動運行の許可を取り消し、又はその効力を停止したときは、別記様式第五の十二の通知書により当該処分を受けた者に通知するものとする。

〔本条追加・令四内府令六七〕

別記様式第五の十二（第九条の三十三関係）

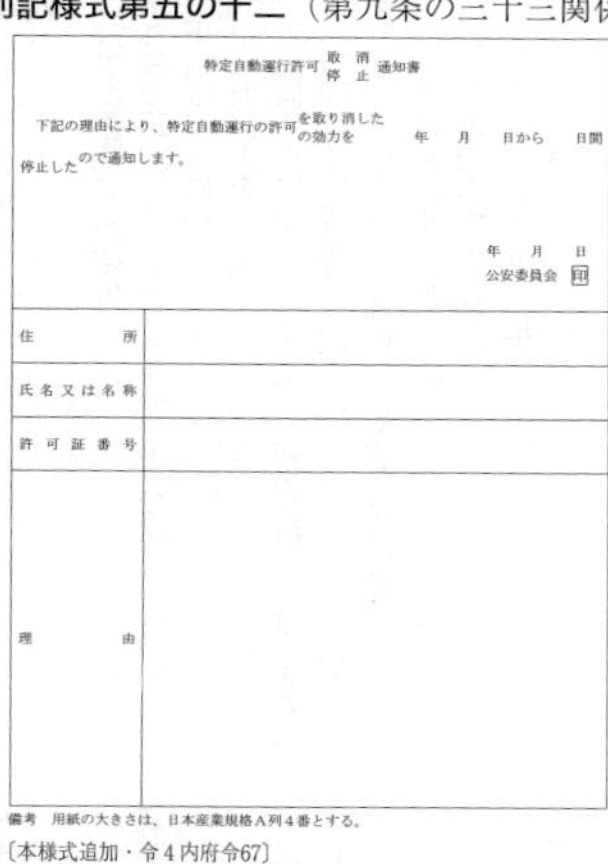

特定自動運行許可 取消／停止 通知書

下記の理由により、特定自動運行の許可を取り消した／の効力を　　年　　月　　日から　　日間停止したので通知します。

年　　月　　日

公安委員会　印

住所	
氏名又は名称	
許可証番号	
理由	

備考　用紙の大きさは、日本産業規格A列4番とする。

〔本様式追加・令4内府令67〕

（許可の取消しの公示の方法）

第九条の三四　法第七十五条の二十七第三項の規定による公示は、次に掲げる事項について、インターネットの利用その他の方法により行うものとする。

一　許可を取り消した旨

二　特定自動運行実施者の氏名又は名称及び法人にあつては、その代表者の氏名

三　特定自動運行の経路

四　特定自動運行を行う日及び時間帯

五　許可を取り消した年月日

六　前各号に掲げるもののほか、公安委員会が必要と認める事項

〔本条追加・令四内府令六七〕

（許可の効力の仮停止）

第七五条の二八　次の各号のいずれかに該当する場合において、道路における危険を防止するため緊急の必要があるときは、その事実があつた場所を管轄する警察署長は、当該特定自動運行実施者に対し、その事実があつた日から起算して三十日を経過する日を終期とする特定自動運行の許可の効力の停止（以下この条において「仮停止」という。）をすることができる。

一　特定自動運行中の特定自動運行用自動車に係る交通事故があつたとき。

二　特定自動運行実施者又はその特定自動運行業務従事者が、特定自動運行に関しこの法律若しくはこの法律に基づく命令の規定若しくはこの法律の規定に基づく処分又は他の法令の規定に違反したとき。

2　警察署長は、仮停止をしたときは、当該処分をした日から起算して五日以内に、当該処分を受けた特定自動運行実施者に対し弁明の機会を与えなければならない。

3　仮停止をした警察署長は、速やかに、内閣府令で定める事項を公安委員会に報告しなければならない。

4　仮停止は、前項の規定により報告を受けた公安委員会が当該仮停止の期間内に当該事案について第七十五条の二十六第一項又は前条第一項の規定による処分をしたときは、その効力を失う。

5　仮停止を受けた者が当該事案について前条第一項の規定による許可の効力の停止を受けたときは、仮停止をされていた期間は、当該許可の効力の停止の

（仮停止に係る通知）

第九条の三五　警察署長は、法第七十五条の二十八第一項の規定による特定自動運行の許可の効力の停止（次条において「仮停止」という。）をしたときは、別記様式第五の十三の通知書により当該処分を受けた者に通知するものとする。

〔本条追加・令四内府令六七〕

別記様式第五の十三（第九条の三十五関係）

仮停止処分通知書

下記の理由により、特定自動運行の許可の効力を　　年　月　日から　年　月　日まで仮停止したので通知します。

なお、この処分については、処分を受けた日から起算して５日以内に、本職に対し、弁明をすることができます。また、弁明は、代理人をもつて行うことができ、弁明の際には有利な証拠を提出することができます。

年　月　日

警察署長　印

住所	
氏名又は名称	
許可証番号	
理由	

備考　用紙の大きさは、日本産業規格Ａ列４番とする。

〔本様式追加・令４内府令67〕

（公安委員会への報告）

第九条の三六　法第七十五条の二十八第三項の内閣府令で定める事項は、次に掲げる事項とする。

一　仮停止をした旨

二　仮停止に係る許可を受けた特定自動運行実施者の氏名又は名称及び住所並びに法人にあつては、その代表者の氏名

三　仮停止を受けた許可に係る許可証の番号

四　仮停止の年月日

五　仮停止の理由

〔本条追加・令四内府令六七〕

期間に通算する。

〔本条追加・令四法三二〕

参照 〔道路〕二①1、道二①、道運二⑦・⑧、道運車二⑥、高速二①、駐車二3、道路の種類＝道三〔警察署長〕警五三②・③〔特定自動運行実施者〕七五の一九①〔許可の効力の停止〕道交規九の三五・別記様式五の一三〔内閣府令で定める事項〕道交規九の三六〔公安委員会〕四①、警三八～四六の二

（特定自動運行の許可の取消し等の報告）

第七五条の二九 公安委員会は、第七十五条の二十六第一項若しくは第七十五条の二十七第一項の規定による処分をしたとき、又は前条第三項の規定による報告を受けたときは、内閣府令で定める事項を国家公安委員会に報告しなければならない。この場合において、国家公安委員会は、当該報告に係る事項を各公安委員会に通報するものとする。

〔本条追加・令四法三二〕

参照 〔公安委員会〕四①、警三八～四六の二〔内閣府令で定める事項〕道交規九の三七〔国家公安委員会〕警四～一四

（国家公安委員会への報告）

第九条の三七 法第七十五条の二十九の内閣府令で定める事項は、次に掲げる事項とする。

一 処分を受けた者の氏名又は名称及び住所並びに法人にあつては、その代表者の氏名並びにその役員の氏名及び住所

二 処分の別及び理由

三 法第七十五条の二十六第一項の規定による処分にあつては、当該処分の内容

四 処分の期日及び処分に係る期間

〔本条追加・令四内府令六七〕

（許可証の返納等）

第九条の三八 特定自動運行実施者は、次の各号のいずれかに該当することとなつたときは、遅滞なく、許可証をその交付を受けた公安委員会に返納しなければならない。

一 特定自動運行を行わないこととしたとき。

二 許可が取り消されたとき。

三 許可証の再交付を受けた場合において、亡失した許可証を発見し、又は回復したとき。

2 前項第一号の規定による許可証の返納があつたときは、許可は、その効力を失う。

3 特定自動運行実施者が次の各号に掲げる場合のいずれかに該当することとなつたときは、当該各号に掲げる者は、遅滞なく、許可証をその交付を受けた公安委員会に返納しなければならない。

一 死亡した場合 同居の親族又は法定代理人

二　法人が合併以外の事由により解散した場合　清算人又は破産管財人

三　法人が合併により消滅した場合　合併後存続し、又は合併により設立された法人の代表者

4　公安委員会は、第一項第一号又は前項の規定による許可証の返納を受けたときは、次に掲げる事項について、インターネットの利用その他の方法により公示しなければならない。

一　許可が失効した旨

二　特定自動運行実施者の氏名又は名称及び法人にあつては、その代表者の氏名

三　特定自動運行の経路

四　特定自動運行を行う日及び時間帯

五　許可が失効した年月日

六　前各号に掲げるもののほか、公安委員会が必要と認める事項

〔本条追加・令四内府令六七〕

第五章　道路の使用等

第一節　道路における禁止行為等

（禁止行為）

第七十六条　何人も、信号機若しくは道路標識等又はこれらに類似する工作物若しくは物件をみだりに設置してはならない。

2　何人も、信号機又は道路標識等の効用を妨げるような工作物又は物件を設置してはならない。

3　何人も、交通の妨害となるような方法で物件をみだりに道路に置いてはならない。

4　何人も、次の各号に掲げる行為は、してはならない。

一　道路において、酒に酔つて交通の妨害となるような程度にふらつくこと。

二　道路において、交通の妨害となるような方法で寝そべり、すわり、しやがみ、又は立ちどまつていること。

三　交通のひんぱんな道路において、球戯をし、ローラー・スケートをし、又はこれらに類する行為をすること。

四　石、ガラスびん、金属片その他道路上の人若しくは車両等を損傷するおそれのある物件を投げ、又は発射すること。

五　前号に掲げるもののほか、道路において進行中の車両等から物件を投げること。

六　道路において進行中の自動車、トロリーバス又は路面電車に飛び乗り、若しくはこれらから飛び降り、又はこれらに外からつかまること。

七　前各号に掲げるもののほか、道路又は交通の状況により、公安委員会が、道路における交通の危険を生じさせ、又は著しく交通の妨害となるおそれがあると認めて定めた行為

〔付記改正・平五法四三・平一三法五一・令四法三二〕

参照　〔信号機〕二①14、設置等＝四①、信号に従う義務＝七、信号の意味等＝道交令二、灯火の配列等＝道交令三、信号の表示＝道交規三の二、構造＝道交規四・別表一〔道路標識等〕二①4〔進行中の車両等から物件を投げる行為の禁止〕同旨の規定＝旅自運輸規五三2〔トロリーバス〕二①12〔路面電車〕二①13〔公安委員会の定め〕各都道府県公安委員会規則

〔罰則　第一項及び第二項については第百十八条第二項第五号〔六月以下の懲役又は十万円以下の罰金〕、第百二十三条〔罰金刑又は科料刑〕　第三項については第百十九条第二項第七号〔三月以下の懲役又は五万円以下の罰金〕、第百二十三条〔罰金刑又は科料刑〕　第四項については第百二十条第一項第十号〔五万円以下の罰金〕〕

（道路の使用の許可）

第七七条　次の各号のいずれかに該当する者は、それぞれ当該各号に掲げる行為について当該行為に係る場所を管轄する警察署長（以下この節において「所轄警察署長」という。）の許可（当該行為に係る場所が同一の公安委員会の管理に属する二以上の警察署長の管轄にわたるときは、そのいずれかの所轄警察

道路法

（道路の占用の許可）

第三二条　道路に次の各号のいずれかに掲げる工作物、物件又は施設を設け、継続して道路を使用しようとする場合においては、道路管理者の許可を受けなければならない。

一　電柱、電線、変圧塔、郵便差出箱、公衆電話所、広告塔その他これらに類する工作物

二　水管、下水道管、ガス管その他これらに類する物件

三　鉄道、軌道、自動運行補助施設その他これらに類する施設

署長の許可。以下この節において同じ。）を受けなければならない。

一　道路において工事若しくは作業をしようとする者又は当該工事若しくは作業の請負人

二　道路に石碑、銅像、広告板、アーチその他これらに類する工作物を設けようとする者

三　場所を移動しないで、道路に露店、屋台店その他これらに類する店を出そうとする者

四　前各号に掲げるもののほか、道路において祭礼行事をし、又はロケーションをする等一般交通に著しい影響を及ぼすような通行の形態若しくは方法により道路を使用する行為又は道路に人が集まり一般交通に著しい影響を及ぼすような行為で、公安委員会が、その土地の道路又は交通の状況により、道路における危険を防止し、その他交通の安全と円滑を図るため必要と認めて定めたものをしようとする者

2　前項の許可の申請があつた場合において、当該申請に係る行為が次の各号のいずれかに該当するときは、所轄警察署長は、許可をしなければならない。

一　当該申請に係る行為が現に交通の妨害となるおそれがないと認められるとき。

二　当該申請に係る行為が許可に付された条件に従つて行なわれることにより交通の妨害となるおそれがなくなると認められるとき。

三　当該申請に係る行為が現に交通の妨害となるおそれはあるが公益上又は社会の慣習上やむを得ないものであると認められるとき。

3　第一項の規定による許可をする場合において、必

四　歩廊、雪よけその他これらに類する施設

五　地下街、地下室、通路、浄化槽その他これらに類する施設

六　露店、商品置場その他これらに類する施設

七　前各号に掲げるもののほか、道路の構造又は交通に支障を及ぼすおそれのある工作物、物件又は施設で政令で定めるもの

2　〔略〕

3　第一項の規定による許可を受けた者（以下「道路占用者」という。）は、前項各号に掲げる事項を変更しようとする場合においては、その変更が道路の構造又は交通に支障を及ぼす虞のないと認められる軽易なもので政令で定めるものである場合を除く外、あらかじめ道路管理者の許可を受けなければならない。

4・5　〔略〕

法第七七条

判例　※　東京都道路交通規則（昭和三五年一二月一三日東京都公安委員会規則九号）一四条八号に「交通のひんぱんな道路において物を交付すること」を要許可事項としているのは、道路交通法七七条一項四号との関連において、公安委員会は「一般交通に著しい影響を及ぼすような方法により」物を交付する場合に限る趣旨において、同規定を設けたものと解される。（東高　昭四一、二、二八）

※　許可を受けないで露店等の営業を継続して行う意思をもつてしたとしても、その使用する場所が異なる以上、それぞれ別個の犯罪が成立し、併合罪の関係にある。（東高　昭四一、一二、一二）

※　本法一一九条一項一三号、本条三項は、許可に際し付与された条件に違反して集団行進が行われることによつて、一般交通に著しい影響を及ぼす抽象的危険があるとして犯罪の構成要件該当性を認め、これに刑事罰をもつて臨むべきものと解するのが相当である。（大高　昭四九、一、二五）

※1　道路における集団行動に対する道路交通秩序維持のための具体的規制が、道路交通法等と条例の双方においても、道路交通法による規制は、条例による規制を否定、排斥する趣旨ではなく、条例の規制の及ばない範囲においてのみ適用されるものであり、右条例が道路交通法に違反するものではない。

2　本条例は、交通秩序の維持に反する集団行動の主催者、指導

要があると認めるときは、所轄警察署長は、当該許可に係る行為が前項第一号に該当する場合を除き、当該許可に道路における危険を防止し、その他交通の安全と円滑を図るため必要な条件を付することができる。

4　所轄警察署長は、道路における危険を防止し、その他交通の安全と円滑を図るため特別の必要が生じたときは、前項の規定により付した条件を変更し、又は新たに条件を付することができる。

5　所轄警察署長は、第一項の規定による許可を受けた者が前二項の規定による条件に違反したとき、又は道路における危険を防止し、その他交通の安全と円滑を図るため特別の必要が生じたときは、その許可を取り消し、又はその許可の効力を停止することができる。

6　所轄警察署長は、第三項又は第四項の規定による条件に違反した者について前項の規定による処分をしようとするときは、当該処分に係る者に対し、あらかじめ、弁明をなすべき日時、場所及び当該処分をしようとする理由を通知して、当該事案について弁明及び有利な証拠の提出の機会を与えなければならない。ただし、交通の危険を防止するため緊急やむを得ないときは、この限りでない。

7　第一項の規定による許可を受けた者は、当該許可の期間が満了したとき、又は第五項の規定により当該許可が取り消されたときは、すみやかに当該工作物の除去その他道路を原状に回復する措置を講じなければならない。

〔付記改正・平五法四三・平一三法五一・令四法三二〕

者、せん動者のみを処罰の対象としているのに対し、道路交通法においては、警察署長の付した道路使用許可条件に違反すること自体が処罰の対象とされているのであつて、両者はその対象を異にするから、法条競合とはならない。（最　昭五〇、九、一〇）

※　**道路における集団行進についての警察署長の許可の基準**

道路法及び長崎県道交法施行細則の右各規定は、「道路における危険を防止し、その他交通の安全と円滑を図り、及び道路の交通に起因する障害の防止に資する」という目的（法一条）のもとに、道路を使用して集団行進をしようとする者に対しあらかじめ所轄警察署長の許可を受けさせることにしたものであるところ、法七七条二項の規定は、道路使用の許可に関する明確かつ合理的な基準を掲げて道路における集団行進が不許可とされる場合を厳格に制限しており、これによれば、道路における集団行進に対し同条一項の規定による許可が与えられない場合は、当該集団行進の予測される規模・態様・コース・時刻などに照らし、これが行われることにより一般交通の用に供せられるべき道路の機能を著しく害するものと認められ、しかも、同条三項の規定に基づき警察署長が条件を付与することによつても、かかる事態の発生を阻止することができないと予測される場合に限られることになるのであつて、右のような場合にあたらない集団行進に対し、警察署長が同条一項の規定による許可を拒むことは許されないものと解される。（最　昭五七、一一、一六）

※　法第七七条一項四号の規定による警察署長の許可を要する行為は、大阪府道路交通規則第一五条がこれを列挙し、同条七号は「人が集まるような方法で車両等に備えた拡声器を用いて通行しながら広告又は宣伝をする」行為を許可を要する行為の一つとして規定している。

大阪市内全域において、マイク・スピーカーを備えた軽自動車一台を使って行われる組合の街頭宣伝活動は、通常その目的からして人通りの多い時間、場所を選んで実施されるものであり、とりわけ人口が密集し、交通の頻繁な大阪市域において右行為を行う場合には、右行為自体において、「人が集まるような方法」に該当するものと解されるから、本件街頭宣伝活動は、同規則第一五条七号に該当する。（大阪地　平六、三、三〇）

参照 〔警察署の管轄〕警五三〔警察署長〕警五三②・③〔公安委員会の定め〕各都道府県公安委員会規則〔原状に回復〕道四〇

（罰則 第一項については第百十九条第二項第七号〔三月以下の懲役又は五万円以下の罰金〕、第百二十三条〔罰金刑又は科料刑〕第三項及び第四項については第百十九条第二項第八号〔三月以下の懲役又は五万円以下の罰金〕、第百二十三条〔罰金刑又は科料刑〕第七項については第百二十条第二項第五号〔五万円以下の罰金〕、第百二十三条〔罰金刑又は科料刑〕）

（許可の手続）

第七八条 前条第一項の規定による許可を受けようとする者は、内閣府令で定める事項を記載した申請書を所轄警察署長に提出しなければならない。

※ あいりん地区においては、些細な出来事がきっかけとなって、労働者が多数集合するい集事案が多発し〔中略〕、本件不許可地域の道路において、午後六時以降、申請にかかる街頭宣伝活動を行うと、一般交通の用に供せられるべき道路の機能を著しく害するおそれが極めて強く、また、法第七七条三項の規定に基づき警察署長が条件を付与することによってもこのような事態の発生を阻止することができないと予測されるので、西成警察署長が法第七七条二項各号に該当しないとして、本件不許可地域内の道路及び午後六時以降の時間帯に限ってその使用を不許可とした本件第一、第二処分は、正当というべきであり、右処分に違法はない。（大阪地 平六、三、三〇）

第三章 道路使用の許可

（道路使用許可証の様式等）

第一〇条 法第七十八条第一項の内閣府令で定める事項は、次に掲げるものとする。

一 申請者の住所及び氏名（法人にあつては、その名称及び代表者の氏名）
二 道路使用の目的
三 道路使用の場所又は区間
四 道路使用の期間
五 道路使用の方法又は形態
六 現場責任者の住所及び氏名

2 法第七十八条第一項の申請書及び法第七十八条第三項の許可証の様式は、別記様式第六のとおりとし、申請書は、二通提出するものとする。

3 前項の申請書には、道路使用の場所又は区間の付近の見取図その他の第一項各号の事項を補足するために公安委員会が必要と認めて定めた書類を添付しなければならない。

4 法第七十七条第一項第四号に掲げる行為について当該都道府県の条例（市町村の条例を含む。）により公安委員会に届出をし、又は許可を受けなければならないこととされている場合におい

2　前条第一項の規定による許可に係る行為が道路法第三十二条第一項又は第三項の規定の適用を受けるものであるときは、前項の規定による申請書の提出は、当該道路の管理者を経由して行なうことができる。この場合において、道路の管理者は、すみやか

て、その届出書又は許可の申請書に第一項に定める事項が記載されているときは、第二項の規定にかかわらず、当該届出書又は許可の申請書を法第七十八条第一項の申請書とみなす。

5　法第七十七条第一項第四号に掲げる行為について当該都道府県の条例（市町村の条例を含む。）により公安委員会の許可を受けなければならないこととされている場合において、その許可書に別記様式第六に定める事項が記載されており、かつ、所轄警察署長が許可の旨及び付すべき条件を併せて記載したときは、第二項の規定にかかわらず、当該許可書を法第七十八条第三項の許可証とみなす。

〔一項改正・昭五三総府令三七、一項改正・三項追加・旧三・四項を改正し四・五項に繰下・平一二総府令二九、一項改正・平一二総府令八九〕

別記様式第六（第十条関係）

道路使用許可申請書

年　月　日

警察署長殿

申請者　住所
　　　　氏名

道路使用の目的			
場所又は区間			
期間	年　月　日　時から　年　月　日　時まで		
方法又は形態			
添付書類			
現場責任者　住所			
現場責任者　氏名		電話	

第　　号

道路使用許可証

上記のとおり許可する。ただし、次の条件に従うこと。

条件	

年　月　日

警察署長㊞

備考　1　申請者が法人であるときは、申請者の欄には、その名称、主たる事務所の所在地及び代表者の氏名を記載すること。

2　方法又は形態の欄には、工事又は作業の方法、使用面積、行事等の参加人員、通行の形態又は方法等使用について必要な事項を記載すること。

3　添付書類の欄には、道路使用の場所、方法等を明らかにした図面その他必要な書類を添付した場合に、その書類名を記載すること。

4　用紙の大きさは、日本産業規格A列４番とする。

〔本様式改正・昭46総府令53・昭50総府令10・平６総府令９・平11総府令２・令元内府令12・令２内府令85〕

に当該申請書を所轄警察署長に送付しなければならない。

3　所轄警察署長は、前条第一項の規定による許可をしたときは、許可証を交付しなければならない。

4　前項の規定による許可証の交付を受けた者は、当該許可証の記載事項に変更を生じたときは、所轄警察署長に届け出て、許可証に変更に係る事項の記載を受けなければならない。

5　第三項の規定による許可証の交付を受けた者は、当該許可証を亡失し、滅失し、汚損し、又は破損したときは、所轄警察署長に許可証の再交付を申請することができる。

（道路使用許可証の記載事項の変更の届出）

第一一条　法第七十八条第四項に規定する許可証の記載事項の変更の届出は、別記様式第七の届出書及び当該許可証を提出して行なうものとする。

別記様式第七（第十一条関係）

道路使用許可証記載事項変更届

年　月　日

警察署長殿

申請者　住所　氏名

許可証番号	
許可年月日	
変更の内容	
変更の理由	
摘要	

〔本様式改正・昭50総府令10・平11総府令2・令2内府令85〕

（道路使用許可証の再交付の申請）

第一二条　法第七十八条第五項に規定する許可証の再交付の申請は、別記様式第八の再交付申請書及び当該許可証を提出して行なうものとする。ただし、当該許可証を亡失し、又は滅失した場合にあつては、当該許可証を提出することを要しない。

6　第一項の申請書の様式、第三項の許可証の様式その他前条第一項の許可の手続について必要な事項は、内閣府令で定める。

〔一・六項改正・平一一法一六〇、付記改正・令四法三二〕

参照〔内閣府令で定める事項〕道交規一〇・別記様式六〔所轄警察署長〕七七①〔道路の管理者〕道一二―一二八の二〔内閣府令の定め〕道交規一一・一二・別記様式七・八

〔罰則　第四項については第百二十一条第一項第十号〔二万円以下の罰金又は科料〕〕

別記様式第八（第十二条関係）

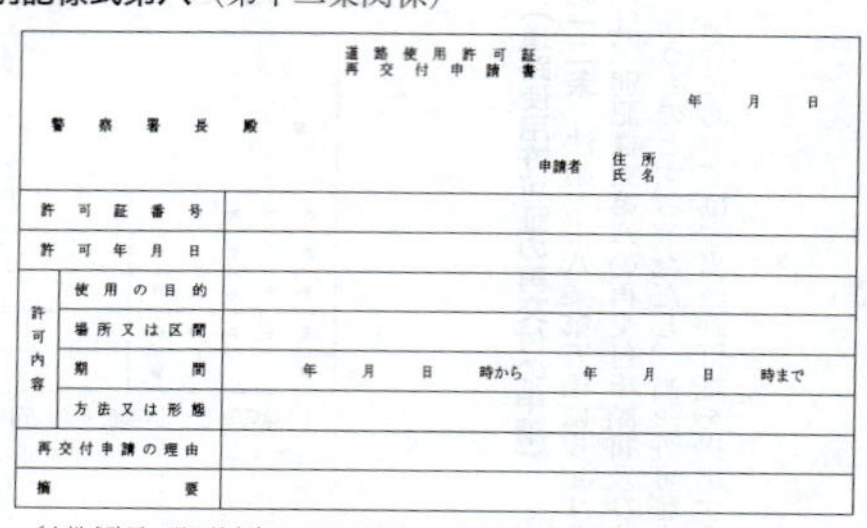

道路使用許可証
再交付申請書

年　月　日

警察署長殿

申請者　住所
氏名

許可証番号		
許可年月日		
許可内容	使用の目的	
	場所又は区間	
	期間	年　月　日　時から　年　月　日　時まで
	方法又は形態	
再交付申請の理由		
摘要		

〔本様式改正・昭50総府令10・平11総府令2・令2内府令85〕

（道路の管理者との協議）

第七十九条　所轄警察署長は、第七十七条第一項の規定による許可をしようとする場合において、当該許可に係る行為が道路法第三十二条第一項又は第三項の規定の適用を受けるものであるときは、あらかじめ、当該道路の管理者に協議しなければならない。

参照　〔所轄警察署長〕七七①〔道路の管理者〕道一二―一八の二

（道路の管理者の特例）

第八〇条　道路法による道路の管理者が道路の維持、修繕その他の管理のため工事又は作業を行なおうとするときは、当該道路の管理者は、第七十七条第一項の規定にかかわらず、所轄警察署長に協議すれば足りる。

2　前項の協議について必要な事項は、内閣府令・国土交通省令で定める。

〔二項改正・平一一法一六〇〕

参照　〔道路の管理者〕道一二―一八の二〔道路の維持、修繕その他の管理〕道一三・一五・一六・四二〔所轄警察署長〕七七①〔内閣府令・国土交通省令〕工事又は作業を行なう場合の道路の管理者と警察署長との協議に関する命令

道路法

（道路の占用の許可）

第三十二条　道路に次の各号のいずれかに掲げる工作物、物件又は施設を設け、継続して道路を使用しようとする場合においては、道路管理者の許可を受けなければならない。

一　電柱、電線、変圧塔、郵便差出箱、公衆電話所、広告塔その他これらに類する工作物
二　水管、下水道管、ガス管その他これらに類する物件
三　鉄道、軌道、自動運行補助施設その他これらに類する施設
四　歩廊、雪よけその他これらに類する施設
五　地下街、地下室、通路、浄化槽その他これらに類する施設
六　露店、商品置場その他これらに類する施設
七　前各号に掲げるもののほか、道路の構造又は交通に支障を及ぼすおそれのある工作物、物件又は施設で政令で定めるもの

2　〔略〕

3　第一項の規定による許可を受けた者（以下「道路占用者」という。）は、前項各号に掲げる事項を変更しようとする場合においては、その変更が道路の構造又は交通に支障を及ぼす虞のないと認められる軽易なもので政令で定めるものである場合を除く外、あらかじめ道路管理者の許可を受けなければならない。

4　第一項又は前項の規定による許可に係る行為が道路交通法第七十七条第一項の規定の適用を受けるものである場合においては、第二項の規定による申請書の提出は、当該地域を管轄する警察署長を経由して行なうことができる。この場合において、当該警察署長は、すみやかに当該申請書を道路管理者に送付しなければならない。

5　道路管理者は、第一項又は第三項の規定による許可を与えようとする場合において、当該許可に係る行為が道路交通法第七十七条第一項の規定の適用を受けるものであるときは、あらかじめ当該地域を管轄する警察署長に協議しなければならない。

第二節　危険防止等の措置

（違法工作物等に対する措置）

第八一条　警察署長は、次の各号のいずれかに該当する者に対し、当該違反行為に係る工作物又は物件（以下この節において「工作物等」という。）の除去、移転又は改修、当該違反行為に係る工事又は作業（以下この節において「工事等」という。）の中止その他当該違反行為に係る工作物等又は工事等について、道路における危険を防止し、又は交通の妨害を排除するため必要な措置をとることを命ずることができる。

一　第七十六条第一項又は第二項の規定に違反して工作物等を設置した者

二　第七十六条第三項の規定に違反して物件を置いた者

三　第七十七条第一項の規定に違反して工作物等を設置し、又は工事等を行なつた者

四　第七十七条第三項又は第四項の規定による所轄警察署長が付した条件に違反した者

五　第七十七条第七項の規定に違反して当該工作物の除去その他道路を原状に回復する措置を講じなかつた者

2　警察署長は、前項第一号、第二号又は第三号に掲げる者の氏名及び住所を知ることができないため、これらの者に対し、前項の規定による措置をとるこ

とを命ずることができないときは、自ら当該措置をとることができる。この場合において、工作物等を除去したときは、警察署長は、当該工作物等を保管しなければならない。

3　警察署長は、前項後段の規定により工作物等を保管したときは、当該工作物等の占有者、所有者その他当該工作物等について権原を有する者（以下この条及び第八十二条において「占有者等」という。）に対し当該工作物等を返還するため、政令で定めるところにより政令で定める事項を公示し、その他政令で定める必要な措置を講じなければならない。

第五章　工作物等の保管の手続等

（工作物等を保管した場合の公示事項）

第二八条　法第八十一条第三項の政令で定める事項は、次に掲げるものとする。

一　保管した工作物又は物件（以下「工作物等」という。）の名称又は種類、形状及び数量

二　保管した工作物等の設けられていた場所及びその工作物等を除去した日時

三　その工作物等の保管を始めた日時及び保管の場所

四　前三号に掲げるもののほか、保管した工作物等を返還するため必要と認められる事項

〔本条改正・平一一政三二一〕

（工作物等を保管した場合の公示の方法）

第二九条　法第八十一条第三項の規定による公示は、次に掲げる方法により行わなければならない。

一　前条各号に掲げる事項を、保管を始めた日から起算して十四日間、当該警察署の掲示板に掲示すること。

二　前号の公示の期間が満了しても、なおその工作物等の占有者、所有者その他工作物等について権原を有する者（次条第一号において「占有者等」という。）の氏名及び住所を知ることができないときは、その公示の要旨を都道府県の公報又は新聞紙に掲載すること。

三　内閣府令で定める様式による保管工作物等一覧簿を当該警察署に備え付け、かつ、これをいつでも関係者に自由に閲覧させること。

〔一項改正・二項削除・平一一政三二一、本条改正・平一二政三〇三〕

第四章　工作物等の保管等

〔章名改正・平一二総府令五二〕

（保管工作物等一覧簿等の様式）

第一三条　令第二十九条第三号（令第三十二条第二項において準用する場合を含む。）の内閣府令で定める様式は、別記様式第九のとおりとし、令第三十二条第一項において準用する同号の内閣府令で定める様式は、別記様式第九の二のとおりとする。

〔見出し・本条改正・平一二総府令五一、本条改正・平一二総府令一二九・総府令八九〕

別記様式第九（第十三条関係）

保　管　工　作　物　等　一　覧　簿								
整理番号	保管した工作物等			保管した工作物等が設置されていた場所	保管した年月日時	保管を始めた年月日時	保管の場所	備考
	名称又は種類	形状	数量					

備考　用紙の大きさは、日本産業規格A列4番とする。

〔本様式改正・昭50総府令10・平6総府令9・令元内府令12〕

（工作物等を返還するための措置）

第二九条の二　法第八十一条第三項の政令で定める必要な措置は、次に掲げるものとする。

一　返還を受ける者にその氏名及び住所を証するに足りる書類を提示させる等の方法によつてその者がその工作物等の返還を受けるべき占有者等であることを証明させること。

二　内閣府令で定める様式による受領書と引換えに返還するものとすること。

〔本条追加・平一一政三一一、改正・平一二政三〇三〕

別記様式第九の二（第十三条関係）

保　管　転　落　積　載　物　等　一　覧　簿								
整理番号	保管した転落積載物等			保管した転落積載物等が在つた場所	転落積載物等を除去した年月日時	保管を始めた年月日時	保管の場所	備考
	名称又は種類	形状	数量					

備考　用紙の大きさは、日本産業規格A列4番とする。

〔本様式追加・平2総府令51・平6総府令9、改正・令元内府令12〕

（受領書の様式）

第一四条　令第二十九条の二第二号（令第三十二条第二項において準用する場合を含む。）の内閣府令で定める様式は、別記様式第十のとおりとし、令第三十二条第一項において準用する同号の内閣府令で定める様式は、別記様式第十の二のとおりとする。

〔本条追加・平一一総府令二九、改正・平一二総府令八九〕

4　警察署長は、第二項の規定により保管した工作物等が滅失し、若しくは破損するおそれがあるとき、又は前項の規定による公示の日から起算して三月を経過してもなお当該工作物等を返還することができない場合において、政令で定めるところにより評価した当該工作物等の価額に比し、その保管に不相当な費用若しくは手数を要するときは、政令で定めるところにより、当該工作物等を売却し、その売却した代金を保管することができる。

5　警察署長は、前項の規定による工作物等の売却につき買受人がない場合において、同項に規定する価

（工作物等の価額の評価の方法）

第二九条の三　法第八十一条第四項の規定による工作物等の価額の評価は、当該工作物等の購入又は製作に要する費用、使用年数、損耗の程度その他当該工作物等の価額の評価に関する事情を勘案してするものとする。この場合において、警察署長は、必要があると認めるときは、工作物等の価額の評価に関し専門的知識を有する者の意見を聴くことができる。

〔本条追加・平二政三〇三、旧二九条の二を改正し繰下・平一一政三一二〕

（保管した工作物等を売却する場合の手続）

第三〇条　法第八十一条第四項の規定による保管した工作物等の売却は、競争入札に付して行わなければならない。ただし、次の各号のいずれかに該当するものについては、随意契約により売却することができる。

一　速やかに売却しなければ価値が著しく減少するおそれのあ

別記様式第十（第十四条関係）

受　　領　　書

年　月　日

警察署長殿

返還を受けた者
住　所
氏　名

下記のとおり工作物等（現金）の返還を受けました。

返還を受けた日時		
返還を受けた場所		
返還を受けた工作物等	整理番号	
	名称又は種類	
	形状	
	数量	
（返還を受けた金額）		

〔本様式改正・昭50総府令10、全改・平２総府令51、改正・平11総府令２・平12総府令29・令２内府令85〕

別記様式第十の二（第十四条関係）

受　　領　　書

年　月　日

警察署長殿

返還を受けた者
住　所
氏　名

下記のとおり転落積載物等（現金）の返還を受けました。

返還を受けた日時		
返還を受けた場所		
返還を受けた転落積載物等	整理番号	
	名称又は種類	
	形状	
	数量	
（返還を受けた金額）		

〔本様式追加・平２総府令51、改正・平11総府令２・平12総府令29・令２内府令85〕

額が著しく低いときは、当該工作物等を廃棄することができる。

6 第四項の規定により売却した代金は、売却に要した費用に充てることができる。

7 第二項から第四項までに規定する工作物等の除去、移転、改修、保管、売却、公示等に要した費用は、当該工作物等の返還を受けるべき占有者等の負担とする。

8 警察署長は、前項の規定により占有者等の負担とされる負担金につき納付すべき金額、納付の期限及び場所を定め、これらの者に対し、文書でその納付を命じなければならない。

9 警察署長は、前項の規定により納付を命ぜられた者が納付の期限を経過しても負担金を納付しないときは、督促状によつて納付すべき期限を指定して督促しなければならない。この場合において、警察署長は、負担金につき年十四・五パーセントの割合により計算した額の範囲内の延滞金及び督促に要した手数料を徴収することができる。

る工作物等

二 競争入札に付しても入札者がない工作物等

三 前二号に掲げるもののほか、競争入札に付することが適当でないと認められる工作物等

〔本条改正・平一二政三〇三〕

第三一条 警察署長は、前条本文の規定による競争入札のうち一般競争入札に付そうとするときは、その入札期日の前日から起算して少なくとも五日前までに、その工作物等の名称又は種類、形状、数量その他内閣府令で定める事項を当該警察署の掲示板に掲示し、又はこれに準ずる適当な方法で公示しなければならない。

2 警察署長は、前条本文の規定による競争入札のうち指名競争入札に付そうとするときは、なるべく三人以上の入札者を指定し、かつ、それらの者に工作物等の名称又は種類、形状、数量その他内閣府令で定める事項をあらかじめ通知しなければならない。

3 警察署長は、前条ただし書の規定による随意契約によろうとするときは、なるべく二人以上の者から見積書を徴さなければならない。

〔一・二項改正・平一二政三〇三〕

（一般競争入札における掲示事項）

第一五条 令第三十一条第一項及び第二項（令第三十二条第一項及び第二項において準用する場合を含む。）の内閣府令で定める事項は、次に掲げるものとする。

一 当該競争入札の執行を担当する職員の職及び氏名

二 当該競争入札の執行の日時及び場所

三 契約条項の概要

四 その他警察署長が必要と認める事項

〔本条改正・平一二総府令五一、旧一四条を改正し繰下・平一二総府令一二九、本条改正・平一二総府令八九〕

10 前項の規定による督促を受けた者がその指定期限までに負担金並びに同項後段の延滞金及び手数料（以下この条において「負担金等」という。）を納付しないときは、警察署長は、地方税の滞納処分の例により、負担金等を徴収することができる。この場合における負担金等の先取特権の順位は、国税及び地方税に次ぐものとする。

11 納付され、又は徴収された負担金等は、当該警察署の属する都道府県の収入とする。

12 第三項に規定する公示の日から起算して六月を経過してもなお第二項の規定により保管した工作物等（第四項の規定により売却した代金を含む。以下この項において同じ。）を返還することができないときは、当該工作物等の所有権は、当該警察署の属する都道府県に帰属する。

〔五項改正・六―九項追加・旧六項を一〇項に繰下・昭六〇法八七、七―九項改正・昭六一法六三、三・四項改正・五・六項追加・旧五項を改正し七項に繰下・旧六―一〇項を八―一二項に繰下・平二法七三、三項改正・平一一法八七、一一項改正・平一六法九〇、付記改正・令四法三二〕

参照 〔警察署長〕警五三②・③〔住所〕民二二―二四〔政令の定め〕工作物等を保管した場合の公示事項＝道交令二八、工作物等を保管した場合の公示の方法＝道交令二九、道交規一三・別記様式九・九の二、工作物等を返還するための措置＝道交令二九の二、道交規一四・別記様式一〇・一〇の二、工作物等の価格の評価の方法＝道交令二九の三、保管した工作物等を売却する場合の手続＝道交令三〇・三一、道交規一五

〔罰則　第一項については第百十九条第二項第九号〔三月以下の懲役又は五万円以下の罰金〕、第百二十三条〔罰金刑又は科料刑〕〕

（転落積載物等に対する措置）

第八一条の二　警察署長は、道路に転落し、又は飛散した車両等の積載物（以下この条及び第八十三条において「転落積載物等」という。）が道路における交通の危険を生じさせ、又は著しく交通の妨害となるおそれがあるときは、当該転落積載物等の占有者、所有者その他当該転落積載物等について権原を有する者（次項において「転落積載物等の占有者等」という。）に対し、当該転落積載物等の除去その他当該転落積載物等について道路における危険を防止し、又は交通の円滑を図るため必要な措置を採るべきことを命ずることができる。

2　前項の場合において、当該転落積載物等の占有者等の氏名及び住所を知ることができないため、これらの者に対し、同項の規定による措置を採ることを命ずることができないときは、警察署長は、自ら当該措置を採ることができる。この場合において、転落積載物等を除去したときは、警察署長は、当該転落積載物等を保管しなければならない。

（保管した工作物等に関する規定の準用）

第三二条　第二十八条から前条までの規定は、法第八十一条の二第二項又は第八十三条第二項の規定により保管した転落積載物等について準用する。この場合において、第二十八条中「法第八十一条第三項」とあるのは「法第八十一条の二第三項又は第八十三条第三項において準用する法第八十一条第三項」と、同条第二号中「設けられていた」とあるのは「在つた」と、第二十九条中「法第八十一条第三項」とあるのは「法第八十一条の二第三項又は第八十三条第三項において準用する法第八十一条第三項」と、同条第二号中「前号」とあるのは「前号の公示に係る転落積載物等のうち特に貴重と認められるものについては、同号」と、「都道府県の公報又は新聞紙」とあるのは「官報」と、同条第三号中「保管工作物等一覧簿」とあるのは「保管転落積載物等一覧簿」と、第二十九条の二中「法第八十一条第三項」とあるのは「法第八十一条の二第三項又は第八十三条第三項において準用する法第八十一条第三項」と、第二十九条の三中「法第八十一条第四項」とあるのは「法第八十一条の二第三項又は

第一五条（一般競争入札における掲示事項）……三五二ページ参照

3　前条第三項から第十二項までの規定は、前項の規定による措置に係る転落積載物等について準用する。

〔本条追加・平二法七三、付記改正・令四法三二〕

参照 〔警察署長〕警五三②・③〔道路〕二①1、道二①、道運二⑦・⑧、道運車二⑥、高速二①、駐車二3、道路の種類＝道三〔占有者等〕八一③、占有＝民一八〇〔住所〕民二二―二四〔保管した工作物等に関する規定の準用〕道交令三二

〔罰則　第一項については第百十九条第二項第九号（三月以下の懲役又は五万円以下の罰金）、第百二十三条〔罰金刑又は科料刑〕〕

（沿道の工作物等の危険防止措置）

第八二条　警察署長は、沿道の土地に設置されている

第八十三条第三項において準用する法第八十一条第四項」と、「当該工作物等の購入又は製作に要する費用、使用年数」とあるのは「取引の実例価格、当該転落積載物等の使用年数」と、第三十条中「法第八十一条第四項」とあるのは「法第八十一条の二第三項又は第八十三条第三項において準用する法第八十一条第四項」と読み替えるものとする。

2　第二十八条から前条までの規定は、法第八十二条第二項又は第八十三条第二項の規定により保管した工作物等について準用する。この場合において、第二十八条から第二十九条の二までの規定中「法第八十一条第三項」とあるのは「法第八十二条第三項又は第八十三条第三項において準用する法第八十一条第三項」と、第二十九条の三及び第三十条中「法第八十一条第四項」とあるのは「法第八十二条第三項又は第八十三条第三項において準用する法第八十一条第四項」と読み替えるものとする。

〔本条追加・平二政三〇三、一項改正・二項追加・旧三二条の二を繰上・平一一政三二一〕

工作物等が道路における交通の危険を生じさせ、又は著しく交通の妨害となるおそれがあるときは、当該工作物等の占有者等に対し、当該工作物等の除去その他当該工作物等について道路における交通の危険を防止し、又は交通の円滑を図るため必要な措置をとることを命ずることができる。

2　前項の場合において、当該工作物等の占有者等の氏名及び住所を知ることができないため、これらの者に対し、前項の規定による措置をとることを命ずることができないときは、警察署長は、自ら当該措置をとることができる。この場合において、工作物等を除去したときは、警察署長は、当該工作物等を保管しなければならない。

3　第八十一条第三項から第十二項までの規定は、前項後段の規定による保管について準用する。

〔三項改正・昭六〇法八七・平二法七三、付記改正・令四法三二〕

参照〔警察署長〕警五三②・③〔工作物等〕八一①〔道路〕二①1、道二①、道運二⑦・⑧、道運車二⑥、高速二①、駐車二3、道路の種類＝道三〔占有者等〕八一③、占有＝民一八〇〔住所〕民二二―二四〔保管した工作物等に関する規定の準用〕道交令三一

〔罰則　第一項については第百十九条第二項第九号（三月以下の懲役又は五万円以下の罰金）、第百二十三条（罰金刑又は科料刑）〕

（工作物等に対する応急措置）

第八三条　警察官は、道路又は沿道の土地に設置されている工作物等又は転落積載物等が著しく道路における交通の危険を生じさせ、又は交通の妨害となるおそれがあり、かつ、急を要すると認めるときは、道路における交通の危険を防止し、又は交通の妨害を排除するため必要な限度において、当該工作物等又は転落積載物等の除去、移転その他応急の措置を採ることができる。

2　前項に規定する措置を採つた場合において、工作物等又は転落積載物等を除去したときは、警察官は、当該工作物等又は転落積載物等を、当該工作物等が設置されていた場所又は当該転落積載物等が在つた場所を管轄する警察署長に差し出さなければならない。この場合において、警察署長は、当該工作物等又は転落積載物等を保管しなければならない。

3　第八十一条第三項から第十二項までの規定は、前項の規定による保管について準用する。

〔三項改正・昭六〇法八七、一―三項改正・平二法七三〕

参照〔警察官〕警二四・五五・六二・六三〔道路〕二①1、道二①、道運二⑦・⑧、道運車二⑥、高速二①、駐車二3、道路の種類＝道三〔工作物等〕八一①〔転落積載物等〕八一の二①〔警察署長〕警五三①・④〔警察署の管轄〕警五三②・③〔保管した工作物等に関する規定の準用〕道交令三二

第三二条（保管した工作物等に関する規定の準用）……三五四ページ参照

第六章　自動車及び一般原動機付自転車の運転免許

〔章名改正・令四法三二〕

第一節　通則

（運転免許）

第八四条　自動車及び一般原動機付自転車（以下「自動車等」という。）を運転しようとする者は、公安委員会の運転免許（以下「免許」という。）を受けなければならない。

2　免許は、第一種運転免許（以下「第一種免許」という。）、第二種運転免許（以下「第二種免許」という。）及び仮運転免許（以下「仮免許」という。）に区分する。

3　第一種免許を分けて、大型自動車免許（以下「大型免許」という。）、中型自動車免許（以下「中型免許」という。）、準中型自動車免許（以下「準中型免許」という。）、普通自動車免許（以下「普通免許」という。）、大型特殊自動車免許（以下「大型特殊免許」という。）、大型自動二輪車免許（以下「大型二輪免許」という。）、普通自動二輪車免許（以下「普通二輪免許」という。）、小型特殊自動車免許（以下「小型特殊免許」という。）、原動機付自転車免許（以下「原付免許」という。）及び牽(けん)引免許の十種類とす

法第八四条

判例　※　偽造公文書行使罪は、公文書の真正に対する公共の信用が具体的に侵害されることを防止しようとするものであるから、同罪にいう行使にあたるためには、文書を真正に成立したものとして他人に交付、提示等してその閲覧に供し、その内容を認識させまたはこれを認識しうる状態におくことを要する。（最高　昭四四、六、一八）

る。

4　第二種免許を分けて、大型自動車第二種免許（以下「大型第二種免許」という。）、中型自動車第二種免許（以下「中型第二種免許」という。）、普通自動車第二種免許（以下「普通第二種免許」という。）、大型特殊自動車第二種免許（以下「大型特殊第二種免許」という。）及び牽（けん）引第二種免許の五種類とする。

5　仮免許を分けて、大型自動車仮免許（以下「大型仮免許」という。）、中型自動車仮免許（以下「中型仮免許」という。）、準中型自動車仮免許（以下「準中型仮免許」という。）及び普通自動車仮免許（以下「普通仮免許」という。）の四種類とする。

〔三・四項改正・昭三九法九一・昭四〇法九六、五項追加・昭四七法五一、一項改正・平元法九〇、三項改正・平七法七四、三—五項改正・平一六法九〇、三・五項改正・平二七法四〇、一項改正・令四法三二〕

参照　〔自動車〕二①9、自動車の種類＝三、道交規二〔一般原動機付自転車〕二①10イ、道交規一の二〔運転〕二①17〔公安委員会〕四①、警三八—四六の二〔免許〕第一種免許＝八五、第二種免許＝八六、仮免許＝八七、自動三輪車免許等に関する経過規定＝昭四〇改正法附則二、大型自動車免許等に関する特例＝昭四〇改正法附則三、牽引免許等に関する特例＝昭四〇改正法附則四、三年経過後における軽自動車免許及び自動三輪車免許に関する経過規定＝昭四〇改正法附則五、無免許運転等の禁止＝六四

（第一種免許）

第八五条　次の表の上欄に掲げる自動車等を運転しようとする者は、当該自動車等の種類に応じ、それぞ

れ同表の下欄に掲げる第一種免許を受けなければならない。

自動車等の種類	第一種免許の種類
大型自動車	大型免許
中型自動車	中型免許
準中型自動車	準中型免許
普通自動車	普通免許
大型特殊自動車	大型特殊免許
大型自動二輪車	大型二輪免許
普通自動二輪車	普通二輪免許
小型特殊自動車	小型特殊免許
一般原動機付自転車	原付免許

2　前項の表の下欄に掲げる第一種免許を受けた者は、同表の区分に従い当該自動車等を運転することができるほか、次の表の上欄に掲げる免許の種類に応じ、それぞれ同表の下欄に掲げる種類の自動車等を運転することができる。

第一種免許の種類	運転することができる自動車等の種類
大型免許	中型自動車、準中型自動車、普通自動車、小型特殊自動車及び一般原動機付自転車
中型免許	準中型自動車、普通自動車、小型特殊自動車及び一般原動機付自転車

法第八五条

判例　※　本件自動車およびスクレーパーに存する右構造および装置（注　自動車の荷台後部には牽引用ピントル、フツク、本件スクレーパーの梶棒先端には牽引用金具が取り付けられ、これらをシヤツクルと称する金具を用いて連結する装置がなされている。）は、運輸省令で定める保安上の技術基準に適合するものとはいえないけれども、前者については牽引するために、後者については牽引されるために、それぞれかねてから設備されていたものであつて、本件自動車およびスクレーパーは、道交法第八五条第三項に規定する牽引自動車および重被牽引車に該当する。（最　昭四四、一〇、三）

準中型免許	普通自動車、小型特殊自動車及び一般原動機付自転車
普通免許	小型特殊自動車及び一般原動機付自転車
大型特殊免許	小型特殊自動車及び一般原動機付自転車
大型二輪免許	普通自動二輪車、小型特殊自動車及び一般原動機付自転車
普通二輪免許	小型特殊自動車及び一般原動機付自転車

3　牽引自動車によつて重被牽引車を牽引して当該牽引自動車を運転しようとする者は、当該牽引自動車に係る免許（仮免許を除く。）のほか、牽引免許を受けなければならない。

4　牽引免許を受けた者で、大型免許、中型免許、準中型免許、普通免許、大型特殊免許、大型第二種免許、中型第二種免許、普通第二種免許又は大型特殊第二種免許を現に受けているものは、これらの免許によつて運転することができる牽引自動車によつて重被牽引車を牽引して当該牽引自動車を運転することができる。

5　大型免許を受けた者で、二十一歳に満たないもの又は大型免許、中型免許、準中型免許、普通免許若しくは大型特殊免許のいずれかを受けていた期間（当該免許の効力が停止されていた期間を除く。）が通算して三年に達しないものは、第二項の規定にかかわらず、政令で定める大型自動車、中型自動車又は準中型自動車を運転することはできない。

第六章　自動車及び一般原動機付自転車の運転免許

〔章名改正・令五政五四〕

（大型免許を受けた二十一歳に満たない者等が運転することができない大型自動車、中型自動車又は準中型自動車）

第三二条の二　法第八十五条第五項の政令で定める大型自動車は、次の各号に掲げる者の区分に応じ、当該各号に定める大型自動車とする。

一　第三十二条の七第一号に掲げる者に該当して大型自動車免許を受けた者で二十一歳に満たないもの又は第三十四条第一項に規定する者に該当して大型自動車免許を受けた者　自衛隊用自動車で自衛官が運転するもの以外の大型自動車

二　前号に掲げる者以外の者　第十三条第一項に規定する自動

第五章　運転免許及び運転免許試験

（緊急自動車の運転資格の審査）

第一五条の二　令第三十二条の二第一項第二号、第二項第二号若しくは第三項、第三十二条の三第二項又は第三十二条の五第一項若しくは第二項に規定する審査は、それぞれ大型自動車、中型自動車、準中型自動車、普通自動車、大型自動二輪車又は普通自動二輪車の緊急用務のための運転に必要な技能について行うものとする。

〔本条追加・昭五三総府令三七、改正・平二総府令五一・平八総府令四一・平一二総府令一九・平一八内府令四・平二八内府令四九・令四内府令七〕

6　中型免許を受けた者（大型免許を現に受けている者を除く。）で、二十一歳に満たないもの又は大型免許、中型免許、準中型免許、普通免許若しくは大型特殊免許のいずれかを受けていた期間（当該免許の効力が停止されていた期間を除く。）が通算して三年に達しないものは、第二項の規定にかかわらず、政令で定める中型自動車又は準中型自動車を運転することはできない。

車で当該緊急用務のため運転するもの（緊急用務のための大型自動車の運転に関し内閣府令で定めるところにより公安委員会が行う審査に合格した者が運転するもの及び自衛隊用自動車で自衛官が運転するものを除く。）に該当する大型自動車

2　法第八十五条第五項の政令で定める中型自動車は、次の各号に掲げる者の区分に応じ、当該各号に定める中型自動車とする。

一　前項第一号に掲げる者であつて二十歳に満たないもの　自衛隊用自動車で自衛官が運転するもの以外の中型自動車

二　前号に掲げる者以外の者　第十三条第一項に規定する自動車で当該緊急用務のため運転するもの（緊急用務のための中型自動車の運転に関し内閣府令で定めるところにより公安委員会が行う審査に合格した者が運転するもの及び自衛隊用自動車で自衛官が運転するものを除く。）に該当する中型自動車

3　法第八十五条第五項の政令で定める準中型自動車は、第十三条第一項に規定する自動車で当該緊急用務のため運転するもの（緊急用務のための準中型自動車の運転に関し内閣府令で定めるところにより公安委員会が行う審査に合格した者が運転するもの及び自衛隊用自動車で自衛官が運転するものを除く。）に該当する準中型自動車とする。

〔本条追加・昭三七政二三五、改正・昭四〇政二五八・昭四六政三四八・昭五三政三一三、旧三二条の二を繰下・平二政三〇三、旧三二条の二の二を改正し繰上・平一一政三二一、本条改正・平一二政三〇三、全改・平一七政一八三、見出し・二項改正・三項追加・平二八政二五八、一・三項改正・二項全改・令四政一六〕

（中型免許を受けた二十一歳に満たない者等が運転することができない中型自動車又は準中型自動車）

第三二条の三　法第八十五条第六項の政令で定める中型自動車は、次の各号に掲げる者の区分に応じ、当該各号に定める中型自動車とする。

一　第三十二条の八第一号に掲げる者又は第三十四条第三項に規定する者に該当して中型自動車免許を受けた者で二十歳に満たないもの　前条第二項第一号に定める中型自動車

二　前号に掲げる者以外の者　前条第二項第二号に定める中型自動車

2　法第八十五条第六項の政令で定める準中型自動車は、前条第

7　準中型免許を受けた者（大型免許又は中型免許を現に受けている者を除く。）で、次の各号に掲げるものは、第二項の規定にかかわらず、それぞれ当該各号に定める自動車を運転することはできない。

一　二十一歳に満たない者又は大型免許、中型免許、準中型免許、普通免許若しくは大型特殊免許の効力が停止されていた期間を除く。）が通算して三年に達しない者　政令で定める準中型自動車

二　大型免許、中型免許、準中型免許、普通免許又は大型特殊免許のいずれかを受けていた期間（当該免許の効力が停止されていた期間を除く。）が通算して二年に達しない者　政令で定める普通自動車

8　普通免許を受けた者（準中型免許を現に受けている者を除く。）で、大型免許、中型免許、準中型免許、普通免許又は大型特殊免許のいずれかを受けていた期間（当該免許の効力が停止されていた期間を除く。）が通算して二年に達しないものは、第二項の規定にかかわらず、政令で定める普通自動車を運転することはできない。

9　大型二輪免許を受けた者で、大型二輪免許又は普通二輪免許のいずれかを受けていた期間（当該免許の効力が停止されていた期間を除く。）が通算して二年に達しないものは、第二項の規定にかかわらず、政令で定める大型自動二輪車又は普通自動二輪車を運転することはできない。

三項に規定する準中型自動車とする。
〔本条追加・昭四二政二八〇、全改・平一七政一八三、見出し改正・二項追加・平二八政二五八、本条全改・令四政一六〕

（準中型免許を受けた二十一歳に満たない者等が運転することができない準中型自動車又は普通自動車）

第三二条の三の二　法第八十五条第七項第一号の政令で定める準中型自動車は、第三十二条の二第三項に規定する準中型自動車とする。

2　法第八十五条第七項第二号の政令で定める普通自動車は、第十三条第一項に規定する自動車で当該緊急用務のため運転するもの（緊急用務のための普通自動車の運転に関し内閣府令で定めるところにより公安委員会が行う審査に合格した者が運転するもの及び自衛隊用自動車で自衛官が運転するものを除く。）に該当する普通自動車とする。
〔本条追加・平二八政二五八、一項改正・令四政一六〕

（普通免許を受けた者が運転することができない普通自動車）

第三二条の四　法第八十五条第八項の政令で定める普通自動車は、前条第二項に規定する普通自動車とする。
〔本条追加・昭五三政三一三、改正・平一二政三〇三・平一七政一八三・平二八政二五八〕

（大型二輪免許等を受けた者が運転することができない大型自動二輪車等）

第三二条の五　法第八十五条第九項の政令で定める大型自動二輪車は、第十三条第一項に規定する自動車で当該緊急用務のため運転するもの（緊急用務のための大型自動二輪車の運転に関し内閣府令で定めるところにより公安委員会が行う審査に合格した者が運転するもの及び自衛隊用自動車で自衛官が運転するものを除く。）に該当する大型自動二輪車とする。

10　普通二輪免許を受けた者（大型二輪免許を現に受けている者を除く。）で、大型二輪免許又は普通二輪免許のいずれかを受けていた期間（当該免許の効力が停止されていた期間を除く。）が通算して二年に達しないものは、第二項の規定にかかわらず、政令で定める普通自動二輪車を運転することはできない。

11　第一種免許を受けた者は、第二項の規定により運転することができる自動車又は第四項の規定により牽引自動車によつて重被牽引車を牽引して当該牽引自動車を運転することができる場合における当該重被牽引車が旅客自動車運送事業の用に供される自動車（以下「旅客自動車」という。）又は旅客自動車運送事業の用に供される重被牽引車（以下「旅客用車両」という。）であるときは、第二項及び第四項の規定にかかわらず、旅客自動車運送事業に係る旅客を運送する目的で、当該旅客自動車を運転し、又は牽引自動車によつて当該旅客用車両を牽引して当該牽引自動車を運転することはできない。

12　大型免許、中型免許、準中型免許又は普通免許を受けた者は、第二項の規定にかかわらず、自動車運転代行業の業務の適正化に関する法律（平成十三年法律第五十七号）第二条第六項に規定する代行運転自動車（普通自動車に限る。以下「代行運転普通自動車」という。）を運転することはできない。

〔三項・付記追加・旧三項を改正し四項に繰下・昭三七法一四七、

2　法第八十五条第九項の政令で定める普通自動二輪車は、第十三条第一項に規定する自動車で当該緊急用務のため運転するもの（緊急用務のための普通自動二輪車の運転に関し内閣府令で定めるところにより公安委員会が行う審査に合格した者が運転するもの及び自衛隊用自動車で自衛官が運転するものを除く。）に該当する普通自動二輪車とする。

3　法第八十五条第十項の政令で定める普通自動二輪車は、前項に規定する普通自動二輪車とする。

〔本条追加・昭五三政三二三、見出し・一項改正・二・三項追加・平八政一六〇、一・二項改正・平一二政三〇三・平一七政一八三、一―三項改正・平二八政二五八〕

自動車運転代行業の業務の適正化に関する法律

（定義）

第二条　1～5　〔略〕

6　この法律において「代行運転自動車」とは、自動車運転代行業を営む者による代行運転役務の対象となっている自動車をいう。

7　〔略〕

一―三項改正・昭三九法九一、一・二項・付記改正・旧三項を改正し五項に繰下・四項削除・三・四・六項追加・昭四〇法九六、五項・付記改正・六項追加・旧六項を七項に繰下・昭四二法一二六、付記改正・昭四五法八六、七項改正・昭四六法九六、五項改正・昭四六法九八、五・七項改正・昭四七法五一、七・八項追加・旧七項を九項に繰下・付記改正・昭五三法五三、九項改正・平元法八三、三項改正・平二法七三、一・二項・付記改正・八項追加・旧八項を改正し九項に繰下・旧九項を一〇項に繰下・平七法七四、三項改正・平九法四一、一〇項改正・平一二法八六、一〇項・付記改正・一一項追加・平一三法五一、一・二・四・五・七・一一項改正・六項全改・平一六法九〇、一〇項改正・平一九法九〇、一・二・四―六項・付記改正・七項追加・旧七・一一項を改正し八・一二項に繰下・旧八―一〇項を九―一一項に繰下・平二七法四〇、一・二項・付記改正・令四法三二〕

参照 〔自動車等〕八四① 〔自動車〕二①9、自動車の種類＝三、道交規二 〔運転〕二①17 〔違反運転の下命等〕七五①5 〔車両〕二①8 〔免許の効力の停止〕一〇三② 〔政令で定める大型自動車、中型自動車又は準中型自動車〕道交令三二の二、審査＝道交規一五の二 〔六項の政令で定める中型自動車又は準中型自動車〕道交令三二の三 〔七項の政令で定める準中型自動車〕道交令三二の三の二① 〔七項の政令で定める普通自動車〕道交令三二の三の二②、審査＝道交規一五の二 〔八項の政令で定める普通自動車〕道交令三二の四 〔九項の政令で定める大型自動二輪車又は普通自動二輪車〕道交令三二の五①②、審査＝道交規一五の二 〔一〇項の政令で定める普通自動二輪車〕道交令三二の五③ 〔旅客自動車の運転者〕要件＝旅自運転者の要件の政令、選任＝旅自運輸規三五、遵守事項等＝旅自運輸規五〇

〔罰則　第五項から第十項までについては第百十八条第一項第五号〔六月以下の懲役又は十万円以下の罰金〕〕

点数
大型自動車等無資格運転
一　般　一二点
酒気帯び（〇・二五未満）　一九点

（第二種免許）

第八六条　次の表の上欄に掲げる自動車で旅客自動車であるものを旅客自動車運送事業に係る旅客を運送する目的で運転しようとする者は、当該自動車の種類に応じ、それぞれ同表の下欄に掲げる第二種免許を受けなければならない。

自動車等の種類	第二種免許の種類
大型自動車	大型第二種免許
中型自動車及び準中型自動車	中型第二種免許
普通自動車	普通第二種免許
大型特殊自動車	大型特殊第二種免許

2　前項の表の下欄に掲げる第二種免許を受けた者は、同表の区分に従い当該自動車を当該目的で運転することができるほか、当該第二種免許に対応する第一種免許を受けた者が前条第二項の規定により運転することができる自動車等を運転すること（大型第二種免許を受けた者にあつては旅客自動車である中型自動車、準中型自動車又は普通自動車を、中型第二種免許を受けた者にあつては旅客自動車である普通自動車を当該目的で運転することを含む。）ができる。

3　牽引自動車によつて旅客用車両を旅客自動車運送

事業に係る旅客を運送する目的で牽引して当該牽引自動車を運転しようとする者は、当該牽引自動車に係る免許（仮免許を除く。）のほか、牽引第二種免許を受けなければならない。

4　牽引第二種免許を受けた者で、大型免許、中型免許、準中型免許、普通免許、大型特殊免許、大型第二種免許、中型第二種免許、普通第二種免許又は大型特殊第二種免許を現に受けているものは、これらの免許によつて運転することができる牽引自動車によつて旅客用車両を旅客自動車運送事業に係る旅客を運送する目的で牽引して当該牽引自動車を運転することができるほか、これらの免許によつて運転することができる牽引自動車によつて重被牽引車を牽引して当該牽引自動車を運転することができる。

5　代行運転普通自動車を運転しようとする者は、普通第二種免許を受けなければならない。

6　大型第二種免許又は中型第二種免許を受けた者は、第二項に規定するもののほか、代行運転普通自動車を運転することができる。

〔一項改正・昭三九法九一、一・二項改正・三・四項追加・昭四〇法九六、一・三・四項改正・昭四七法五一、二項改正・五・六項追加・平一三法五一、一・二・四・六項改正・平一六法九〇、一・二・四項改正・平二七法四〇〕

参照　〔自動車〕二①9、自動車の種類＝三、道交規二〔旅客自動車〕八五⑪〔旅客自動車運送事業〕八五⑪〔運転〕二①17〔旅客自動車の運転者〕要件＝旅自運転者の要件の政令、選任＝旅自運輸規三五、遵守事項等＝旅自運輸規五〇〔第一種免許〕八五、種類＝八四③〔自動車等〕八四①〔牽引自動車〕八五③〔仮免

（仮免許）

第八七条　大型自動車、中型自動車、準中型自動車又は普通自動車を当該自動車を運転することができる第一種免許又は第二種免許を受けないで練習のため又は第九十七条第一項第二号に掲げる事項について行う運転免許試験若しくは第九十九条第一項に規定する指定自動車教習所における自動車の運転に関する技能についての技能検定（次項において「試験等」という。）において運転しようとする者は、その運転しようとする自動車が大型自動車であるときは大型仮免許を、中型自動車であるときは中型仮免許を、準中型自動車であるときは準中型仮免許を、普通自動車であるときは普通仮免許を受けなければならない。

2　大型仮免許を受けた者は大型自動車、中型自動車、準中型自動車又は普通自動車を、中型仮免許を受けた者は中型自動車、準中型自動車又は普通自動車を、準中型仮免許を受けた者は準中型自動車又は普通自動車を、普通仮免許を受けた者は普通自動車を、練習のため又は試験等において運転することができる。この場合において、仮免許を受けた者は、練習のため自動車を運転しようとするときは、その運転者席の横の乗車装置に、当該自動車を運転することができる第一種免許を受けている者（免許の効力が停止されている者を除く。）で当該免許を受けていた期間（当該免許の効力が停止されていた期間を除く。）が

（仮運転免許を受けた者の同乗指導をすることができる者）

第三二条の六　法第八十七条第二項後段の政令で定める者は、法第九十九条の三第一項に規定する教習指導員の業務としての自動車の運転に関する技能の教習（第三十五条及び第四十三条第三項において「技能教習」という。）に従事する場合における教習指導員（運転免許の効力が停止されている者を除く。）とする。

〔本条追加・昭四八政二七、旧三二条の四を繰下・昭五三政三一三、本条改正・平五政三四八・平一一政三一一〕

通算して三年以上のもの、当該自動車を運転することができる第二種免許を受けている者（免許の効力が停止されている者及び二十一歳に満たない者を除く。）その他政令で定める者を同乗させ、かつ、その指導の下に、当該自動車を運転しなければならない。

3　仮免許を受けた者は、練習のため自動車を運転しようとするときは、内閣府令で定めるところにより当該自動車の前面及び後面に内閣府令で定める様式の標識を付けて当該自動車を運転しなければならない。

4　仮免許を受けた者は、第二項の規定にかかわらず、旅客自動車運送事業に係る旅客を運送する目的で旅客自動車を運転することはできない。

5　仮免許を受けた者は、第二項の規定にかかわらず、代行運転普通自動車を運転することはできない。

6　仮免許の有効期間は、当該仮免許に係る第九十七条第一項第一号に掲げる事項について行う運転免許試験（第九十条及び第九十二条の二において「適性試験」という。）を受けた日から起算して六月とする。ただし、当該期間が満了するまでの間に、大型仮免許を受けた者が大型免許若しくは大型第二種免許を受け、中型仮免許を受けた者が大型自動車若しくは中型自動車を運転することができる第一種免許若しくは第二種免許を受け、準中型仮免許を受けた者が大型自動車、中型自動車若しくは準中型自動車を運転することができる第一種免許若しくは第二種免許を受け、又は普通仮免許を受けた者が大型自動車、中型自動車、準中型自動車若しくは普通自動車を運転することができる第一種免許若しくは第二種免許

（練習運転のための標識の表示）

第一五条の三　法第八十七条第三項に規定する標識は、地上〇・四メートル以上一・二メートル以下の位置に前方又は後方から見やすいように表示するものとする。

〔本条追加・昭四八総府令一一、旧一五条の二を繰下・昭五三総府令三七、本条改正・昭六〇総府令三五〕

（練習運転のための標識の様式）

第一六条　法第八十七条第三項の内閣府令で定める様式は、別記様式第十一のとおりとする。

〔本条改正・昭四八総府令一一・平一二総府令八九〕

別記様式第十一（第十六条関係）

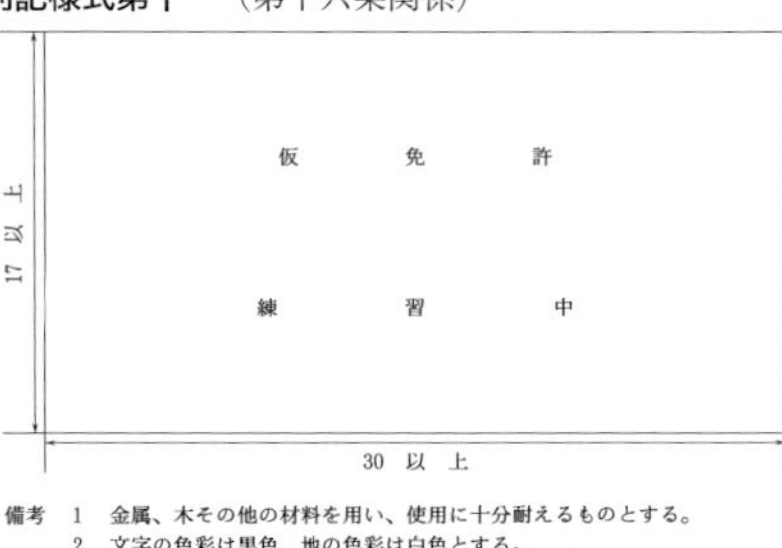

備考　1　金属、木その他の材料を用い、使用に十分耐えるものとする。
2　文字の色彩は黒色、地の色彩は白色とする。
3　「仮免許」のそれぞれの文字の大きさは、縦及び横それぞれ4センチメートル以上、文字の線の太さは0.5センチメートル以上とし、「練習中」のそれぞれの文字の大きさは、縦8センチメートル以上、横7センチメートル以上、文字の線の太さは0.8センチメートル以上とする。
4　図示の長さの単位は、センチメートルとする。

〔本様式改正・昭48総府令11・昭50総府令10、全改・平14内府令34〕

を受けたときは、当該仮免許は、その効力を失う。

6　仮免許の有効期間は、当該仮免許に係る第九十七条第一項第一号に掲げる事項について行う運転免許試験（第九十条第一項及び第九十五条の六第一項において「適性試験」という。）を受けた日から起算して六月とする。ただし、当該期間が満了するまでの間に、大型仮免許を受けた者が大型免許若しくは大型第二種免許を受け、中型仮免許を受けた者が大型自動車若しくは中型自動車を運転することができる第一種免許若しくは第二種免許を受け、準中型仮免許を受けた者が大型自動車、中型自動車若しくは準中型自動車を運転することができる第一種免許若しくは第二種免許を受け、又は普通仮免許を受けた者が大型自動車、中型自動車、準中型自動車若しくは普通自動車を運転することができる第一種免許若しくは第二種免許を受けたときは、当該仮免許は、その効力を失う。

〔一項改正・昭四〇法九六、付記改正・昭四五法八六、本条全改・昭四七法五一、五項改正・昭五三法五三、一項改正・平四法四三・平五法四三、三項改正・平一一法一六〇、一・二項・付記改正・五項追加・旧五項を六項に繰下・平一三法五一、一―三・六項改正・平一六法九〇、一・二・六項改正・平二七法四〇、二項改正・令二法四二、付記改正・令四法三二〕

参照　〔自動車〕二①9、自動車の種類＝三、道交規二〔運転〕二①17〔第一種免許・第二種免許〕八四―八六〔免許の効力の停止〕一〇三①〔期間〕民一三八―一四三〔政令で定める者〕道交令三三の六〔内閣府令の定め〕道交規一五の三〔内閣府令で

定める様式〕道交規一六・別記様式一一〔旅客自動車運送事業・旅客自動車〕八五⑪〔仮免許の様式〕道交規一九②・別記様式一五

〔罰則　第二項後段については第百十八条第一項第六号〔六月以下の懲役又は十万円以下の罰金〕　第三項については第百二十条第一項第十四号〔五万円以下の罰金〕、同条第三項〔五万円以下の罰金〕〕

反則金

仮免許練習標識表示義務違反

大型　七千円　普通　六千円

点数

仮免許運転違反

一般　一二点

酒気帯び（〇・二五未満）　一九点

仮免許練習標識表示義務違反

一般　一点

酒気帯び（〇・二五未満）　一四点

第二節　免許の申請等

（免許の欠格事由）

第八八条　次の各号のいずれかに該当する者に対しては、第一種免許又は第二種免許を与えない。

一　大型免許にあつては二十一歳（政令で定める者にあつては、十九歳）に、中型免許にあつては二十歳（政令で定める者にあつては、十九歳）に、準中型免許、普通免許、大型特殊免許、大型二輪免許及び牽引免許にあつては十八歳に、普通二輪免許、小型特殊免許及び原付免許にあつては十六歳に、それぞれ満たない者

二　第九十条第一項ただし書の規定による免許の拒否（同項第三号又は第七号に該当することを理由とするものを除く。）をされた日から起算して同条第九項の規定により指定された期間を経過していない者若しくは免許を保留されている者若しくは同条第二項の規定による免許の拒否をされた日から起算して同条第十項の規定により指定された期間を経過していない者又は同条第五項の規定により免許を取り消された日から起算して同条第九項の規定により指定された期間を経過していない者若しくは免許の効力を停止されている者若しくは同条第六項の規定により免許を取り消された日から起算して同条第十項の規定により指定された期間を経過していない者

三　第百三条第一項若しくは第四項の規定による免許の取消し（同条第一項（第四号を除く。）に係る

（十九歳から大型免許等を受けることができる者）

第三二条の七　法第八十八条第一項第一号の十九歳から大型自動車免許を受けることができる政令で定める者及び同条第二項の十九歳から大型自動車仮運転免許を受けることができる政令で定める者は、次に掲げる者とする。

一　自衛官

二　大型自動車の運転に必要な適性に関する教習であつて公安委員会が国家公安委員会規則で定めるところにより指定した課程により行うものを修了した者（第三十四条第十一項各号に掲げる者を除く。）

（本条追加・昭四二政二八〇、見出し・本条改正・旧三二条の四を繰下・昭四八政二七、旧三二条の五を繰下・昭五三政三一三、本条改正・平一四政二四、見出し・本条改正・令四政一六）

（十九歳から中型免許等を受けることができる者）

第三二条の八　法第八十八条第一項第一号の十九歳から中型自動車免許を受けることができる政令で定める者及び同条第二項の十九歳から中型自動車仮運転免許を受けることができる政令で定める者は、次に掲げる者とする。

一　自衛官

二　中型自動車の運転に必要な適性に関する教習であつて公安委員会が国家公安委員会規則で定めるところにより指定した課程により行うものを修了した者（第三十四条第十一項各号に掲げる者を除く。）

（本条追加・令四政一六）

大型自動車免許の欠格事由等の特例に係る教習の課程の指定に関する規則

（令和四年二月一〇日国家公安委員会規則第四号）

ものに限る。）をされた日から起算して同条第七項の規定により指定された期間（第百三条の二第一項の規定により免許の効力を停止された者が当該事案について免許を取り消された場合にあつては、当該指定された期間から当該免許の効力が停止されていた期間を除いた期間。以下この号において同じ。）を経過していない者若しくは第百三条第二項若しくは第四項の規定による免許の取消し（同条第四項の規定による免許の取消しにあつては、同条第二項に係るものに限る。）をされた日から起算して同条第八項の規定により指定された期間を経過していない者又は同条第一項若しくは第四項、第百三条の二第一項、第百四条の二の三第一項若しくは第三項若しくは同条第五項において準用する第百三条第四項の規定により免許の効力が停止されている者

四　第百七条の五第一項若しくは第二項、同条第九項において準用する第百三条第四項又は第百七条の五第十項において準用する第百三条の二第一項の規定により自動車等の運転を禁止されている者

2　大型仮免許にあつては二十一歳（政令で定める者にあつては、十九歳）に、中型仮免許にあつては二十歳（政令で定める者にあつては、十九歳）に、準中型仮免許及び普通仮免許にあつては十八歳に、それぞれ満たない者に対しては、仮免許を与えない。

3　免許を現に受けている者は、当該免許と同一の種類の免許を重ねて受けることができない。

〔一項改正・昭三七法一四七・昭三九法九一・昭四〇法九六・昭四二法一二六・昭四五法八六、一項改正・二項追加・旧二項を

三項に繰下・昭四七法五一、一項改正・平七法七四・平九法四一・平一〇法一一〇、一項改正・二項全改・平一三法五一、一・二項改正・平一六法九〇、一項改正・平一九法九〇・平二五法四三、一・二項改正・平二七法四〇〕

参照〔第一種免許又は第二種免許〕八四―八六〔政令で定める者〕道交令三二の七・三二の八〔免許の効力の停止〕一〇三②〔期間〕民一三八―一四三〔自動車等〕八四①

（免許の申請等）

第八九条　免許を受けようとする者は、その者の住所地（仮免許を受けようとする者で現に第九十八条第二項の規定による届出をした自動車教習所において自動車の運転に関する教習を受けているものにあつては、その者の住所地又は当該自動車教習所の所在地）を管轄する公安委員会に、内閣府令で定める様式の免許申請書（次項の規定による質問票の交付を受けた者にあつては、当該免許申請書及び必要な事項を記載した当該質問票）を提出し、かつ、当該公安委員会の行う運転免許試験を受けなければならない。

（免許申請書）

第一七条　法第八十九条第一項の内閣府令で定める様式は、別記様式第十二のとおりとする。

2　前項の様式の免許申請書には、次に掲げる書類及び写真を添付（第三号、第五号又は第九号に掲げるものについては、提示）しなければならない。

一　運転免許（以下「免許」という。）を受けようとする者（以下「免許申請者」という。）が住民基本台帳法の適用を受ける者である場合にあつては、住民票の写し（同法第七条第五号に掲げる事項（外国人にあつては、同法第三十条の四十五に規定する国籍等（以下「国籍等」という。））を記載したものに限る。第二十条第二項第二号及び第三十五条第一号において同じ。）

二　免許申請者が東日本大震災における原子力発電所の事故による災害に対処するための避難住民に係る事務処理の特例及び住所移転者に係る措置に関する法律（平成二十三年法律第九十八号）第二条第三項に規定する避難住民である場合にあつては、同条第一項に規定する指定市町村の長が発行する同法第四条第一項の避難場所を証明する書類

三　免許申請者が住民基本台帳法の適用を受けない者である場合にあつては、旅券等

四　免許申請者が法第八十九条第一項の規定によりその住所地を管轄する公安委員会以外の公安委員会の仮運転免許（以下「仮免許」という。）を受けようとする者である場合にあつては、その者が現に法第九十八条第二項の規定による届出をした自動車教習所において自動車の運転に関する教習を受けている者であることを証明する書類

五　免許申請者が令第三十二条の七第一号又は第三十二条の八

第一号に掲げる者である場合にあつては、当該掲げる者であることを証明する書類

六　免許申請者が令第三十二条の七第二号、第三十二条の八第二号又は第三十四条第二項、第四項、第五項、第七項、第八項若しくは第十項に規定する教習を修了した者である場合にあつては、当該教習を修了した者であることを証明する書類

七　免許申請者が令第三十四条第一項又は第三項の規定に該当する者である場合にあつては、当該規定に該当する者であることを証明する書類

八　免許申請者が令第三十四条第六項各号又は同条第九項各号に掲げる経験を有する者である場合にあつては、当該経験を有する者であることを証明する書類

九　健康保険の被保険者証、行政手続における特定の個人を識別するための番号の利用等に関する法律（平成二十五年法律第二十七号）第二条第七項に規定する個人番号カード、旅券その他の書類で当該免許申請者が本人であることを確認するに足りるもの（前各号に掲げる書類であつてこの項の規定により添付し又は提示するものを除く。）

十　申請前六月以内に撮影した無帽（免許申請者が宗教上又は医療上の理由により顔の輪郭を識別することができる範囲内において頭部を布等で覆う者である場合を除く。以下同じ。）、正面、上三分身、無背景の縦の長さ三・〇センチメートル、横の長さ二・四センチメートルの写真で、その裏面に氏名及び撮影年月日を記入したもの（以下「申請用写真」という。）

3　免許申請者が受けようとする免許の種類と異なる種類の免許を現に受けている者であるときは、現に受けている免許に係る免許証を提示しなければならない。この場合にあつては、前項の規定にかかわらず、同項第一号及び第二号に掲げる書類を添付し又は同項第三号及び第九号に掲げる書類を提示することを要しない。

〔二項改正・昭四〇総府令四一、一・二・四項改正・昭四二総府令一・総府令四四、二・三項改正・昭四二総府令五一、二・四項改正・昭四三総府令八、一項改正・昭四七総府令八、四項改正・昭四七総府令二七、一・二項改正・四項削除・昭四八総府令一一、二項改正・昭五三総府令三七・昭六一総府令七・平四総府令四五、三項全改・平一一総府令一一、一項改正・平一二総府令八九、一・二項改正・平一四内府令三四、二項改正・平一八内府令四、二・三項改正・平一九内府令六六、二項改正・平二一内府令二八、三項改正・平二一内府令七四、二項改正・平二三内府令七〇・平二四内府令三九・平二五内府令二、二・三項改正・平二五内府令七二、二項改正・平二七内府令六八・平三〇内府令五八、二・三項改正・令四内府令七〕

別記様式第十二（第十七条関係）

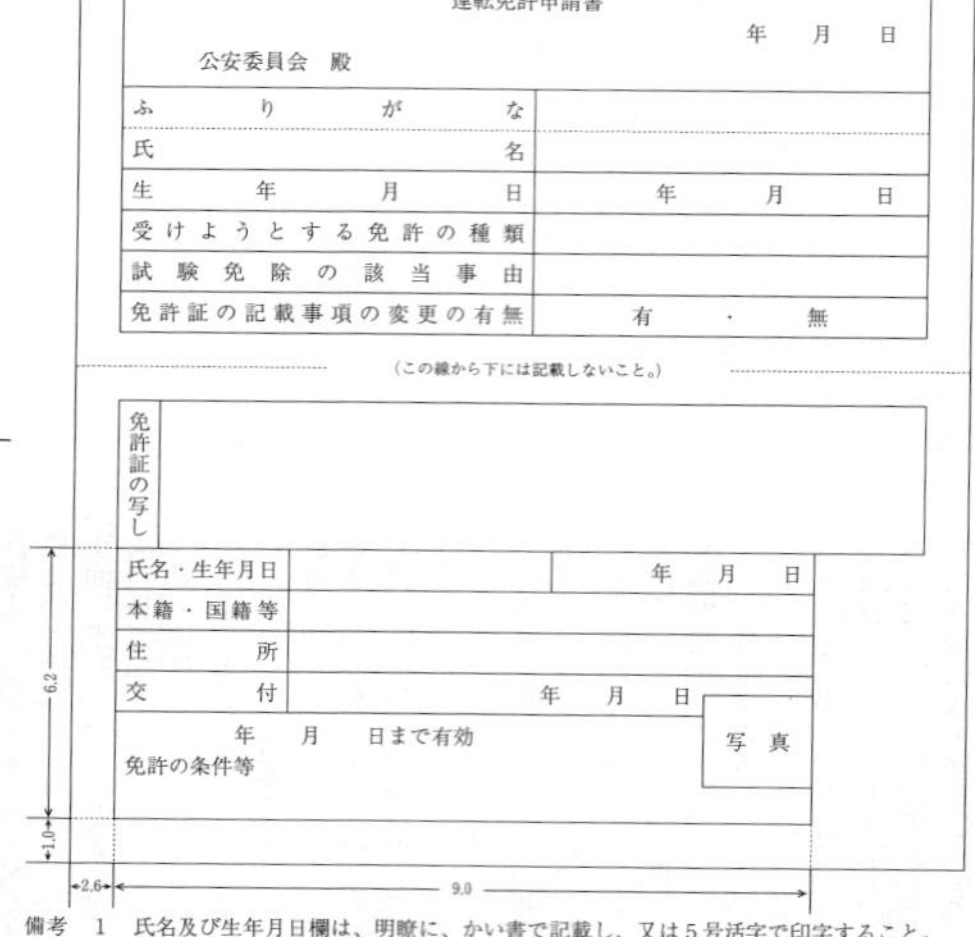

運転免許申請書

年　月　日

公安委員会　殿

ふりがな	
氏名	
生年月日	年　月　日
受けようとする免許の種類	
試験免除の該当事由	
免許証の記載事項の変更の有無	有　・　無

（この線から下には記載しないこと。）

免許証の写し	

氏名・生年月日		年　月　日
本籍・国籍等		
住所		
交付	年　月　日	
年　月　日まで有効 免許の条件等		写真

備考　1　氏名及び生年月日欄は、明瞭に、かい書で記載し、又は５号活字で印字すること。

2　試験免除の該当事由欄には、法第97条の２第１項若しくは第３項又は令第34条の５に規定する免除事由を記載すること。

3　現に受けている免許に係る免許証の記載事項に変更がある場合には免許証の記載事項の変更の有無欄の「有」を、当該免許証の記載事項に変更がない場合には同欄の「無」を、それぞれ○で囲むこと。

4　免許証の写し欄には、現に受けている免許に係る免許証の表側及び裏側を複写すること。

5　用紙の大きさは、日本産業規格Ａ列４番とする。

6　図示の長さの単位は、センチメートルとする。

〔本様式全改・昭41総府令51、改正・昭43総府令49・昭46総府令53・昭47総府令８、全改・昭48総府令11、改正・昭50総府令10・平元総府令43・平４総府令45・平６総府令１・総府令９・平８総府令41・平11総府令11、全改・平14内府令34、改正・平25内府令２、全改・平26内府令17、改正・令元内府令12・令４内府令７〕

第一八条　免許申請者が次の各号のいずれかに該当する者であるときは、免許申請書にそれぞれ当該各号に定める書類を添付（第六号に定める免許証及び旅券については、提示）しなければならない。

一　令第三十三条の六の二に規定するやむを得ない理由（以下この項において「やむを得ない理由」という。）により法第百一条第一項に規定する免許証の有効期間の更新（以下「免許証の更新」という。）を受けることができなかつた者で、法第九十二条の二第一項に規定する優良運転者（以下「優良運転者」という。）又は同項に規定する一般運転者（以下「一般運転者」という。）となるもの　やむを得ない理由を証するに足りる書類

二　かつてやむを得ない理由により法第百一条第一項に規定する免許証の更新を受けることができなかつたことがある者で、当該免許証及びその次に受けた免許について法第九十二条の二第一項の表の備考四の規定の適用を受けることにより優良運転者又は一般運転者となるもの（当該次の免許を受けた際の免許申請書に前号の規定により同号に定める書類を添付した

者を除く。）　やむを得ない理由を証するに足りる書類

三　法第九十七条の二第一項第一号又は令第三十四条の五第三号ロに該当する者　第十八条の二の三第五項の検査合格証明書

四　法第九十七条の二第一項第二号に該当する者　当該卒業証明書又は修了証明書

五　法第九十七条の二第一項第三号に規定する特定失効者（以下「特定失効者」という。）であつて、当該免許が法第百五条第一項の規定により効力を失つた日から起算して六月以内に運転免許試験（以下「免許試験」という。）を受けることができなかつたもの　やむを得ない理由を証するに足りる書類

六　令第三十四条の四第二項の規定に該当する者　同項に規定する外国等の行政庁等の免許に係る運転免許証、日本語による当該運転免許証の翻訳文（当該運転免許証を発給した外国等の行政庁等、本邦の域外にある国（当該運転免許証を発給した国に限る。）の領事機関又は令第三十九条の五第一項第二号若しくは第三号に掲げる者が作成したものであつて、当該免許で運転することができる自動車及び一般原動機付自転車（法第十八条第一項に規定する一般原動機付自転車をいう。以下同じ。）（以下「自動車等」という。）の種類、当該免許又は当該運転免許証の有効期限及び当該免許の条件を明らかにしたものに限る。）及び令第三十四条の四第二項に規定する事実を証するに足りる旅券その他の書類

七　令第三十四条の五第一号ハ、第二号ハ、第三号ハ若しくはニ又は第六号に該当する者（当該免許試験を行つた公安委員会以外の公安委員会の免許を受けようとする者に限る。）　第二十八条の運転免許試験成績証明書

2　免許申請者が特定失効者又は法第九十七条の二第一項第五号に規定する特定取消処分者（以下「特定取消処分者」という。）で、次の各号に掲げる検査、講習又は教育を受けたものであるときは、免許申請書にそれぞれ当該各号に定める書類を添付しなければならない。

一　法第九十七条の二第一項第三号イに規定する認知機能検査（以下「認知機能検査」という。）　第二十六条の三第二項に規定する書類

二　法第百八条の三十二の三第一項の認定を受けた同項に規定する運転免許取得者等検査（同項第三号イに掲げる基準に適合するものに限る。）　当該運転免許取得者等検査を受けた者であることを証明する書類

三　法第九十七条の二第一項第三号イに規定する運転技能検査（以下「運転技能検査」という。）　第二十六条の五第六項に規定する書類

四　法第百八条の三十二の三第一項の認定を受けた同項に規定する運転免許取得者等検査（同項第三号ロに掲げる基準に適合するものに限る。）　当該運転免許取得者等検査の結果を証明する書類

五　法第百八条の二第一項第十二号に掲げる講習（以下「高齢者講習」という。）　第三十八条第十八項に規定する高齢者講習終了証明書

六　法第百八条の二第二項の規定による講習（法第九十七条の二第一項第三号イ又はホの国家公安委員会規則で定める基準に適合するものに限る。）　第三十八条の二の国家公安委員会規則で定める書類

七　法第百八条の三十二の二第一項の認定を受けた同項に規定する運転免許取得者等教育の課程（同項第三号イ又はロに掲げる基準に適合するものに限る。）　当該課程を終了した者であることを証明する書類

〔本条改正・昭三九総府令三六・昭四〇総府令四一・昭四二総府令四四・昭四七総府令八・総府令二七・総府令五五・昭四八総府令一一・平四総府令四五・平六総府令一・総府令四九、一項改正・二項追加・平一一総府令四一、二項改正・平一二総府令二九、一・二項改正・平一四内府令三四・平一八内府令四、一項改正・平一九内府令六六、二項改正・平二一内府令二八、一・二項改正・平二六内府令一七・平二七内府令五、一項改正・平二八内府令四九・令元内府令三一、二項改正・令四内府令七、一・二項改正・令五内府令一七〕

第一八条の二　次の表の上欄に掲げる種類の免許に係る免許申請者が同表の中欄に掲げる種類の講習を終了した者であるときは、免許申請書に、それぞれ同表の下欄に掲げる種類の第三十八条第十八項に規定する証明書（当該講習を終了した日から起算して一年を経過しないものに限る。）を添付しなければならない。

免許の種類	講習の種類	証明書の種類
大型自動車免許（以下「大型免許」という。）	第三十八条第四項第一号の大型車講習	大型車講習終了証明書
	第三十八条第八項第一号の応急救護処置講習（一）	応急救護処置講習（一）終了証明書
中型自動車免許（以下「中型免許」という。）	第三十八条第四項第一号の中型車講習	中型車講習終了証明書
	第三十八条第八項第一号の応急救護処置講習（一）	応急救護処置講習（一）終了証明書

準中型自動車免許（以下「準中型免許」という。）	第三十八条第四項第一号の準中型車講習	準中型車講習終了証明書
	第三十八条第八項第一号の応急救護処置講習（一）	応急救護処置講習（一）終了証明書
普通自動車免許（以下「普通免許」という。）	第三十八条第四項第一号の普通車講習	普通車講習終了証明書
	第三十八条第八項第一号の応急救護処置講習（一）	応急救護処置講習（一）終了証明書
大型自動二輪車免許（以下「大型二輪免許」という。）	第三十八条第五項第一号の大型二輪車講習	大型二輪車講習終了証明書
	第三十八条第八項第一号の応急救護処置講習（一）	応急救護処置講習（一）終了証明書
普通自動二輪車免許（以下「普通二輪免許」という。）	第三十八条第五項第一号の普通二輪車講習	普通二輪車講習終了証明書
	第三十八条第八項第一号の応急救護処置講習（一）	応急救護処置講習（一）終了証明書
原動機付自転車免許（以下「原付免許」という。）	第三十八条第六項の原付講習	原付講習終了証明書
大型自動車第二種免許（以下「大型第二種免許」という。）	第三十八条第七項第二号の大型旅客車講習	大型旅客車講習終了証明書
	第三十八条第八項第一号の応急救護処置講習（二）	応急救護処置講習（二）終了証明書
中型自動車第二種免許（以下「中型第二種免許」という。）	第三十八条第七項第二号の中型旅客車講習	中型旅客車講習終了証明書
	第三十八条第八項第一号の応急救護処置講習（二）	応急救護処置講習（二）終了証明書
普通自動車第	第三十八条第七項第二号	普通旅客車講習

2　前項に規定する公安委員会は、同項の規定により免許申請書を提出しようとする者に対し、その者が次条第一項第一号から第二号までのいずれかに該当するかどうかの判断に必要な質問をするため、内閣府令で定める様式の質問票を交付することができる。

二種免許（以下「普通第二種免許」という。）の普通旅客車講習	終了証明書
第三十八条第八項第一号の応急救護処置講習（二）	応急救護処置講習（二）終了証明書

2　免許申請者が令第三十三条の五の三第一項第一号ハ、第二項第一号ハ又は第四項第一号ハに該当する者であるときは、免許申請書にこれらの規定に該当する者であることを証明する書類を添付しなければならない。

〔本条追加・平四総府令四五、全改・平六総府令一、改正・平八総府令四一、一項改正・二項追加・平一一総府令一一、一項改正・平一二総府令二九、一・二項改正・平一四内府令三四・平一八内府令四、一項改正・平二七内府令五・平二八内府令四九、一・二項改正・令四内府令七、一項改正・令五内府令一七〕

（質問票の様式）

第一八条の二の二　法第八十九条第二項の内閣府令で定める様式は、別記様式第十二の二のとおりとする。

〔本条追加・平二六内府令一七〕

別記様式第十二の二（第十八条の二の二、第二十九条、第二十九条の二関係）

質　問　票

次の事項について、該当する□にV印を付けて回答してください。

1　過去５年以内において、病気（病気の治療に伴う症状を含みます。）を原因として、又は原因は明らかでないが、意識を失ったことがある。	□はい　□いいえ
2　過去５年以内において、病気を原因として、身体の全部又は一部が、一時的に思い通りに動かせなくなったことがある。	□はい　□いいえ
3　過去５年以内において、十分な睡眠時間を取っているにもかかわらず、日中、活動している最中に眠り込んでしまった回数が週３回以上となったことがある。	□はい　□いいえ
4　過去１年以内において、次のいずれかに該当したことがある。 ・飲酒を繰り返し、絶えず体にアルコールが入っている状態を３日以上続けたことが３回以上ある。 ・病気の治療のため、医師から飲酒をやめるよう助言を受けているにもかかわらず、飲酒したことが３回以上ある。	□はい　□いいえ
5　病気を理由として、医師から、運転免許の取得又は運転を控えるよう助言を受けている。	□はい　□いいえ

公安委員会　殿　　　　年　　月　　日

上記のとおり回答します。　　　氏　名

（注意事項）

1　各質問に対して「はい」と回答しても、直ちに運転免許を拒否若しくは保留され、又は既に受けている運転免許を取り消され若しくは停止されることはありません。

（運転免許の可否は、医師の診断を参考に判断されますので、正確に記載してください。）

2　虚偽の記載をして提出した方は、１年以下の懲役又は30万円以下の罰金に処せられます。

3　提出しない場合は手続ができません。

備考　用紙の大きさは、日本産業規格Ａ列４番とする。

〔本様式追加・平26内府令17、改正・平28内府令49・令元内府令12・令２内府令85〕

3　第一項の規定により自動車教習所の所在地を管轄する公安委員会（その者の住所地を管轄する公安委員会を除く。）に仮免許に係る免許申請書を提出し、当該公安委員会の仮免許を受けている者であつて、現に当該自動車教習所において自動車の運転に関する教習を受けているものは、自動車の運転について必要な技能を有するかどうかについて当該公安委員会が内閣府令で定めるところにより行う検査を受けることができる。この場合において、当該公安委員会は、その者が自動車の運転について必要な技能を有すると認めるときは、内閣府令で定めるところにより、その者に対しその旨を証する書面を交付するものとする。

〔本条改正・平四法四三・平一一法一六〇、見出し改正・二項追加・平一三法五一、一項改正・二項・付記追加・旧二項改正し三項に繰下・平二五法四三、付記改正・令四法三二〕

参照〔免許〕八四、第一種免許＝八四③・八五、第二種免許＝八四④・八六、仮免許＝八四⑤・八七〔住所〕民二二―二四〔公安委員会〕四①、警三八―四六の二〔内閣府令で定める様式〕免許申請書＝道交規一七・別記様式一二、道交規一八・一八の二、質問票＝道交規一八の二の二・別記様式一二の二〔運転免許試験〕九六―九七の三〔内閣府令で定める検査・書面〕道交規一八の二の三・別記様式一三・一三の二

〔罰則　第一項については第百十七条の四第一項第三号〔一年以下の懲役又は三十万円以下の罰金〕〕

（技能検査）

第一八条の二の三　法第八十九条第三項の検査（以下「技能検査」という。）は、当該技能検査を受けようとする者が現に受けている仮免許の区分に応じ、大型自動車、中型自動車、準中型自動車又は普通自動車のいずれかの運転について行うものとする。

2　技能検査を受けようとする者は、法第八十九条第三項に規定する公安委員会に、別記様式第十三の技能検査申請書を提出するとともに、現に受けている仮免許に係る免許証を提示しなければならない。

3　前項の技能検査申請書には、技能検査を受けようとする者が法第八十九条第三項前段に規定する者であることを証明する書類及び申請用写真を添付しなければならない。

4　第二十二条及び第二十四条（第二項を除くものとし、第一項、第三項、第五項及び第六項の規定にあつては、大型免許、中型免許、準中型免許及び普通免許に係る部分に限る。）の規定は、公安委員会が行う技能検査について準用する。この場合において、第二十四条第三項中「合格基準」とあるのは「基準」と、同条第五項中「技能試験の合格基準」とあるのは「技能検査において自動車の運転について必要な技能を有すると認める基準」と読み替えるものとする。

4　第二十二条及び第二十四条（第五項を除くものとし、第一項、第四項及び第六項の規定にあつては普通免許に係る部分に限り、第二項及び第七項の規定にあつては大型免許、中型免許及び準中型免許に係る部分に限り、第九項及び第十項の規定にあつては大型免許、中型免許、準中型免許及び普通免許に係る部分に限る。）の規定は、公安委員会が行う技能検査について準用する。この場合において、第二十四条第三項及び第六項中「合格基準」とあるのは「基準」と、同条第九項中「技能試験の合格基準」とあるのは「技能検査において自動車の運転について必要な技能を有すると認める基準」と読み替えるものとする。

5　技能検査を受けた者が自動車の運転について必要な技能を有する旨を証する書面の交付は、その者に対して別記様式第十三の二の検査合格証明書を交付して行うものとする。

〔本条追加・平一四内府令三四、一・四項改正・平一八内府令四、三項改正・平二三内府令七〇、一―三項改正・旧一八条の二の二を繰下・平二六内府令一七、一・四項改正・平二八内府令四九〕

（免許の拒否等）

第九〇条　公安委員会は、前条第一項の運転免許試験に合格した者（当該運転免許試験に係る適性試験を受けた日から起算して、第一種免許又は第二種免許にあつては一年を、仮免許にあつては三月を経過していない者に限る。）に対し、免許を与えなければならない。ただし、次の各号のいずれかに該当する者については、政令で定める基準に従い、免許（仮免許を除く。以下この項から第十二項までにおいて同じ。）を与えず、又は六月を超えない範囲内において免許を保留することができる。

一　次に掲げる病気にかかつている者

イ　幻覚の症状を伴う精神病であつて政令で定めるもの

ロ　発作により意識障害又は運動障害をもたらす

（免許の拒否又は保留の基準）

第三三条　法第九十条第一項第一号から第二号までのいずれかに該当する者についての同項ただし書の政令で定める基準は、次に掲げるとおりとする。

一　法第九十条第一項第一号から第二号までのいずれかに該当する場合（次号の場合を除く。）には、運転免許（以下「免許」という。）を与えないものとする。

二　六月以内に法第九十条第一項第一号から第二号までのいずれにも該当しないこととなる見込みがある場合には、免許を保留するものとする。

2　法第九十条第一項第三号に該当する者についての同項ただし書の政令で定める基準は、次に掲げるとおりとする。

一　法第九十条第一項第三号に該当することを理由として同項ただし書の規定により免許を保留された者が重ねて同号に該当した場合には、同条第八項の規定による命令に違反したことについてやむを得ない理由がある場合を除き、免許を与えないものとする。

二　法第九十条第一項第三号に該当する場合（前号に該当する場合を除く。）には、免許を保留するものとする。

〔本条改正・昭五七政一七三、全改・平一四政二四、二項改正・平一七政一八三、一・二項改正・平二一政一二〕

別記様式第十三（第十八条の二の三関係）

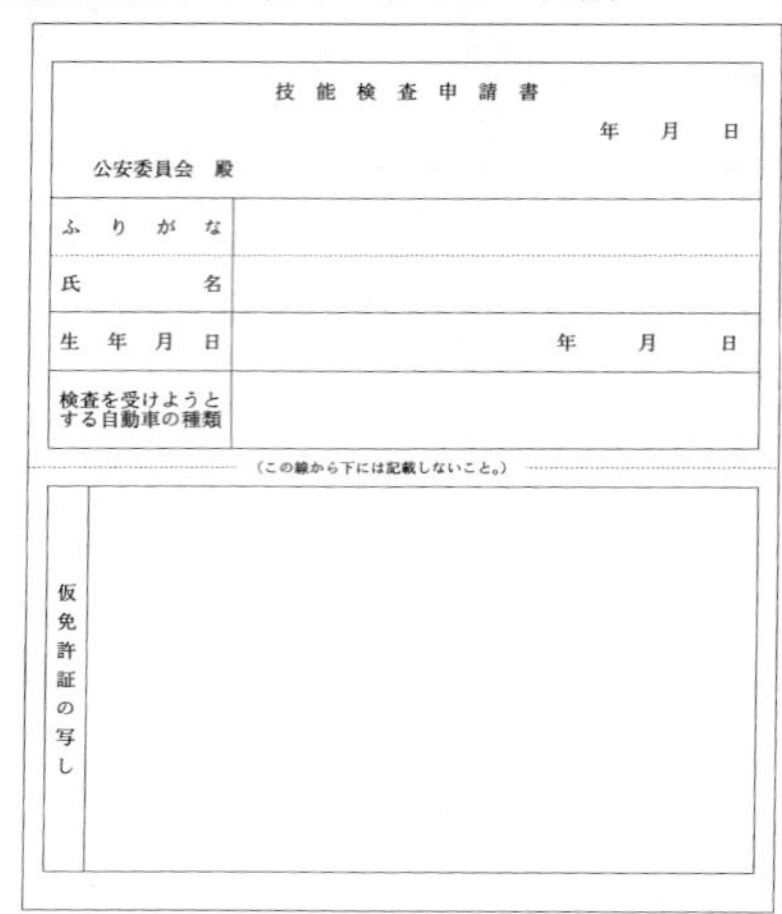

技能検査申請書

年　月　日

公安委員会　殿

ふりがな	
氏名	
生年月日	年　月　日
検査を受けようとする自動車の種類	

（この線から下には記載しないこと。）

仮免許証の写し	

備考　1　免許証の写し欄には、現に受けている仮免許に係る免許証の表側及び裏側を複写すること。

2　用紙の大きさは、日本産業規格Ａ列４番とする。

〔本様式追加・昭47総府令８、改正・昭48総府令11・昭50総府令10・平６総府令９、全改・平14内府令34、改正・平26内府令17・令元内府令12〕

（免許の拒否等に係る通知）

第一八条の三　公安委員会は、法第九十条第一項ただし書の規定により免許を拒否し若しくは免許を保留し又は同条第二項の規定により免許を拒否したときは別記様式第十三の三の通知書により、同条第五項の規定により免許を取り消し若しくは免許の効力を停止し又は同条第六項の規定により免許を取り消したときは別記様式第十三の四の通知書により当該処分を受けた者に通知するものとする。

〔本条追加・平六総府令一、改正・平一〇総府令二・平一四内府令三四・平二一内府令二八〕

別記様式第十三の二（第十八条の二の三関係）

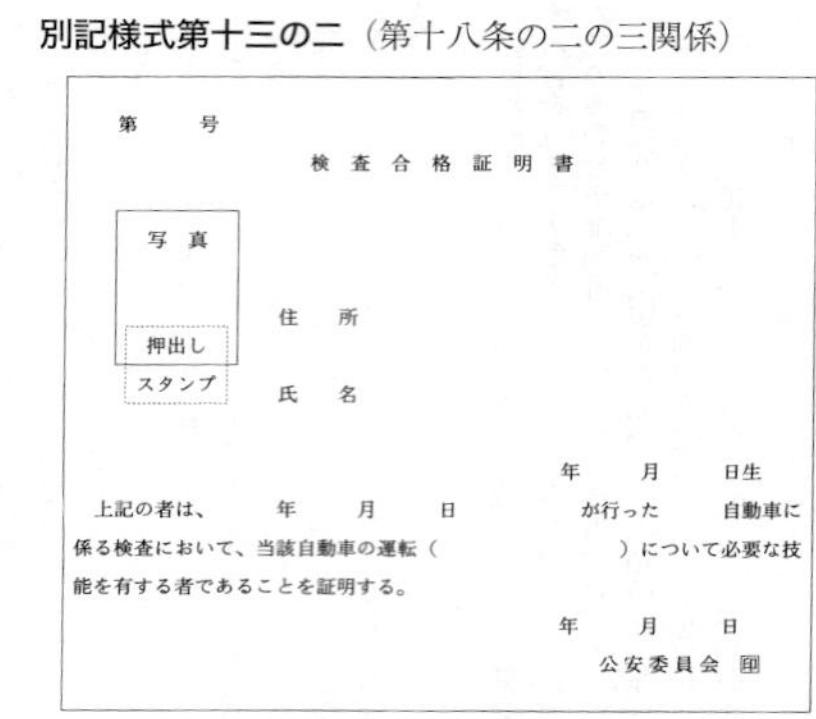

第　　号

検査合格証明書

写真

押出し

スタンプ

住所

氏名

年　月　日生

上記の者は、　年　月　日　が行った　自動車に係る検査において、当該自動車の運転（　　　）について必要な技能を有する者であることを証明する。

年　月　日

公安委員会　印

備考　1　括弧内には、検査において使用した自動車（標準試験車両以外の場合に限る。）及び講じた補助手段を記入する。

2　用紙の大きさは、日本産業規格Ａ列４番とする。

〔本様式追加・平14内府令34、改正・平26内府令17・令元内府令12〕

病気であつて政令で定めるもの

ハ　イ又はロに掲げるもののほか、自動車等の安全な運転に支障を及ぼすおそれがある病気として政令で定めるもの

一の二　介護保険法（平成九年法律第百二十三号）第五条の二第一項に規定する認知症（第百二条第一項及び第百三条第一項第一号の二において単に「認知症」という。）である者

二　アルコール、麻薬、大麻、あへん又は覚醒剤の中毒者

三　第八項の規定による命令に違反した者

四　自動車等の運転に関しこの法律若しくはこの法律に基づく命令の規定又はこの法律の規定に基づく処分に違反する行為（次項第一号から第四号までに規定する行為を除く。）をした者

五　自動車等の運転者を唆してこの法律の規定に違反する行為で重大なものとして政令で定めるもの（以下この号において「重大違反」という。）をさせ、又は自動車等の運転者が重大違反をした場合において当該重大違反を助ける行為（以下「重大違反唆し等」という。）をした者

六　道路以外の場所において自動車等をその本来の用い方に従つて用いることにより人を死傷させる行為（以下「道路外致死傷」という。）で次項第五号に規定する行為以外のものをした者

七　第百二条第一項から第四項までの規定による命令を受け、又は同条第六項の規定による通知を受けた者

第三三条の二　法第九十条第一項第四号から第六号までのいずれかに該当する者についての同項ただし書の政令で定める基準は、次に掲げるとおりとする。

一　運転免許試験（以下「試験」という。）に合格した者（他免許等既得者（当該試験に係る免許以外の免許を現に受けている者及び国際運転免許証等を現に所持している者をいう。以下この条において同じ。）を除く。次号から第六号までにおいて同じ。）が一般違反行為（自動車又は一般原動機付自転車（以下「自動車等」という。）の運転に関し法若しくは法に基づく命令の規定又は法の規定に基づく処分に違反する行為で別表第二の一の表の上欄に掲げるものをいう。以下同じ。）をした者で、次のいずれかに該当するものであるとき（次号に該当する場合を除く。）は、免許を与えないものとする。

イ　当該一般違反行為に係る累積点数が別表第三の一の表の第一欄に掲げる区分に応じそれぞれ同表の第二欄に掲げる点数に該当しており、かつ、当該一般違反行為をした日から起算して五年を経過していない者

ロ　当該一般違反行為に係る累積点数が別表第三の一の表の第一欄に掲げる区分に応じそれぞれ同表の第三欄に掲げる点数に該当しており、かつ、当該一般違反行為をした日から起算して四年を経過していない者

ハ　当該一般違反行為に係る累積点数が別表第三の一の表の第一欄に掲げる区分に応じそれぞれ同表の第四欄に掲げる点数に該当しており、かつ、当該一般違反行為をした日から起算して三年を経過していない者

別記様式第十三の三（第十八条の三関係）

運転免許拒否・保留処分通知書

下記の理由により、　年　月　日付けであなたから申請のあつた免許を与えないこととし、　年　月　日から　年　月　日までの間を　年　月　日から　年　月　日まで保留したので通知します。
免許を受けることができない期間として指定したので通知します。

年　月　日

公安委員会　印

住所	
氏名	
申請に係る免許の種類	
理由	

備考　用紙の大きさは、日本産業規格A列4番又は縦25センチメートル、横12センチメートルとする。

〔本様式追加・平6総府令1、改正・平6総府令9、旧様式13の2を繰下・平14内府令34、本様式改正・令元内府令12〕

ニ　当該一般違反行為に係る累積点数が別表第三の一の表の第一欄に掲げる区分に応じそれぞれ同表の第五欄に掲げる点数に該当しており、かつ、当該一般違反行為をした日から起算して二年を経過していない者

ホ　当該一般違反行為に係る累積点数が別表第三の一の表の第一欄に掲げる区分に応じそれぞれ同表の第六欄に掲げる点数に該当しており、かつ、当該一般違反行為をした日から起算して一年を経過していない者

二　試験に合格した者が法第九十条第一項ただし書若しくは第二項の規定による免許の拒否、同条第五項若しくは第六項若しくは法第百三条第一項、第二項若しくは第四項の規定による免許の取消し又は法第百七条の五第一項若しくは第二項の規定若しくは同条第九項において準用する法第百三条第四項の規定による六月を超える期間の自動車等の運転の禁止を受けたことがある者（法第九十条第一項第一号から第三号まで若しくは第七号、法第百三条第一項第一号から第四号まで又は法第百七条の五第一項第一号に該当することを理由としてこれらの処分を受けた者を除く。以下「免許取消歴等保有者」という。）で、法第九十条第九項若しくは第十項若しくは法第百三条第七項若しくは第八項の規定若しくは法第百七条の五第一項若しくは第二項の規定により指定され若しくは定められた期間内又はこれに引き続く五年の期間内に一般違反行為をし、かつ、次のいずれかに該当するものであるときは、免許を与えないものとする。

イ　当該一般違反行為に係る累積点数が別表第三の一の表の第一欄に掲げる区分に応じそれぞれ同表の第二欄、第三欄又は第四欄に掲げる点数に該当しており、かつ、当該一般違反行為をした日から起算して五年を経過していない者

ロ　当該一般違反行為に係る累積点数が別表第三の一の表の第一欄に掲げる区分に応じそれぞれ同表の第五欄に掲げる点数に該当しており、かつ、当該一般違反行為をした日から起算して四年を経過していない者

ハ　当該一般違反行為に係る累積点数が別表第三の一の表の第一欄に掲げる区分に応じそれぞれ同表の第六欄に掲げる点数に該当しており、かつ、当該一般違反行為をした日から起算して三年を経過していない者

三　試験に合格した者が一般違反行為をした者で、当該一般違反行為に係る累積点数が別表第三の一の表の第一欄に掲げる区分に応じそれぞれ同表の第七欄に掲げる点数に該当しており、かつ、当該一般違反行為をした日から起算して六月を経過していないものであるときは、免許を保留することができ

別記様式第十三の四（第十八条の三関係）

運転免許取消／停止処分通知書

下記の理由により、あなたの免許を取り消し、／の効力を　年　月　日から　年間を免許を受けることができない期間として指定したので通知します。したがって、あ／日間停止した　日間を通算して　年　月　日となります。

なたに対する処分の満了日は、免許の効力の仮停止の期間

年　月　日

公安委員会　印

住所	
氏名	
免許証の番号	第　号　年　月　日　公安委員会交付
免許の種類	
理由	

備考　用紙の大きさは、日本産業規格Ａ列４番又は縦25センチメートル、横12センチメートルとする。

〔本様式追加・平６総府令１、改正・平６総府令９、旧様式13の３を繰下・平14内府令34、本様式改正・令元内府令12〕

るものとする。

四　試験に合格した者が重大違反唆し等（法第九十条第一項第五号に規定する重大違反唆し等をいう。以下同じ。）又は道路外致死傷（同項第六号に規定する道路外致死傷をいう。以下同じ。）で同条第二項第五号に規定する行為以外のものをした者で、次のいずれかに該当するものであるとき（次号に該当する場合を除く。）は、免許を与えないものとする。

イ　当該行為が別表第四第一号に掲げるものであり、かつ、当該行為をした日から起算して三年を経過していない者

ロ　当該行為が別表第四第二号に掲げるものであり、かつ、当該行為をした日から起算して二年を経過していない者

ハ　当該行為が別表第四第三号に掲げるものであり、かつ、当該行為をした日から起算して一年を経過していない者

五　試験に合格した者が免許取消歴等保有者で、第二号に規定する期間内に重大違反唆し等又は道路外致死傷で法第九十条第二項第五号に規定する行為以外のものをし、かつ、次のいずれかに該当するものであるときは、免許を与えないものとする。

イ　当該行為が別表第四第一号に掲げるものであり、かつ、当該行為をした日から起算して五年を経過していない者

ロ　当該行為が別表第四第二号に掲げるものであり、かつ、当該行為をした日から起算して四年を経過していない者

ハ　当該行為が別表第四第三号に掲げるものであり、かつ、当該行為をした日から起算して三年を経過していない者

六　試験に合格した者が重大違反唆し等又は道路外致死傷で法第九十条第二項第五号に規定する行為以外のものをした者で、当該行為が別表第四第四号に掲げるものであり、かつ、当該行為をした日から起算して六月を経過していないものであるときは、免許を保留することができるものとする。

七　試験に合格した者（他免許等既得者に限る。次号において同じ。）が第三十八条第五項第一号イ若しくはロ又は第四十条第一項第二号若しくは第三号の基準に該当する者であるときは、免許を与えないものとする。

八　試験に合格した者が第三十八条第五項第二号イ若しくはロ又は第四十条第一項第四号の基準に該当する者であるときは、免許を保留するものとする。

2　法第九十条第二項各号のいずれかに該当する者についての同項の政令で定める基準は、次に掲げるとおりとする。

一　試験に合格した者（他免許等既得者を除く。次号から第四号までにおいて同じ。）が特定違反行為（別表第二の二の表の上欄に掲げる行為をいう。以下同じ。）をした者で、次のいず

れかに該当するものであるとき（次号に該当する場合を除く。）は、免許を与えないものとする。

イ　当該特定違反行為に係る累積点数が別表第三の二の表の第一欄に掲げる区分に応じそれぞれ同表の第二欄に掲げる点数に該当しており、かつ、当該特定違反行為をした日から起算して十年を経過していない者

ロ　当該特定違反行為に係る累積点数が別表第三の二の表の第一欄に掲げる区分に応じそれぞれ同表の第三欄に掲げる点数に該当しており、かつ、当該特定違反行為をした日から起算して九年を経過していない者

ハ　当該特定違反行為に係る累積点数が別表第三の二の表の第一欄に掲げる区分に応じそれぞれ同表の第四欄に掲げる点数に該当しており、かつ、当該特定違反行為をした日から起算して八年を経過していない者

ニ　当該特定違反行為に係る累積点数が別表第三の二の表の第一欄に掲げる区分に応じそれぞれ同表の第五欄に掲げる点数に該当しており、かつ、当該特定違反行為をした日から起算して七年を経過していない者

ホ　当該特定違反行為に係る累積点数が別表第三の二の表の第一欄に掲げる区分に応じそれぞれ同表の第六欄に掲げる点数に該当しており、かつ、当該特定違反行為をした日から起算して六年を経過していない者

ヘ　当該特定違反行為に係る累積点数が別表第三の二の表の第一欄に掲げる区分に応じそれぞれ同表の第七欄に掲げる点数に該当しており、かつ、当該特定違反行為をした日から起算して五年を経過していない者

ト　当該特定違反行為に係る累積点数が別表第三の二の表の第一欄に掲げる区分に応じそれぞれ同表の第八欄に掲げる点数に該当しており、かつ、当該特定違反行為をした日から起算して四年を経過していない者

チ　当該特定違反行為に係る累積点数が別表第三の二の表前歴がない者の項の第九欄に掲げる点数に該当しており、かつ、当該特定違反行為をした日から起算して三年を経過していない者

二　試験に合格した者が免許取消歴等保有者で、前項第二号に規定する期間内に特定違反行為をし、かつ、次のいずれかに該当するものであるときは、免許を与えないものとする。

イ　当該特定違反行為に係る累積点数が別表第三の二の表の第一欄に掲げる区分に応じそれぞれ同表の第二欄、第三欄又は第四欄に掲げる点数に該当しており、かつ、当該特定違反行為をした日から起算して十年を経過していない者

ロ　当該特定違反行為に係る累積点数が別表第三の二の表の第一欄に掲げる区分に応じそれぞれ同表の第五欄に掲げる点数に該当しており、かつ、当該特定違反行為をした日から起算して九年を経過していない者

ハ　当該特定違反行為に係る累積点数が別表第三の二の表の第一欄に掲げる区分に応じそれぞれ同表の第六欄に掲げる点数に該当しており、かつ、当該特定違反行為をした日から起算して八年を経過していない者

ニ　当該特定違反行為に係る累積点数が別表第三の二の表の第一欄に掲げる区分に応じそれぞれ同表の第七欄に掲げる点数に該当しており、かつ、当該特定違反行為をした日から起算して七年を経過していない者

ホ　当該特定違反行為に係る累積点数が別表第三の二の表の第一欄に掲げる区分に応じそれぞれ同表の第八欄に掲げる点数に該当しており、かつ、当該特定違反行為をした日から起算して六年を経過していない者

ヘ　当該特定違反行為に係る累積点数が別表第三の二の表前歴がない者の項の第九欄に掲げる点数に該当しており、かつ、当該特定違反行為をした日から起算して五年を経過していない者

三　試験に合格した者が法第九十条第二項第五号に規定する行為をした者で、次のいずれかに該当するものであるとき（次号に該当する場合を除く。）は、免許を与えないものとする。

イ　当該行為が別表第五第一号に掲げるものであり、かつ、当該行為をした日から起算して八年を経過していない者

ロ　当該行為が別表第五第二号に掲げるものであり、かつ、当該行為をした日から起算して七年を経過していない者

ハ　当該行為が別表第五第三号に掲げるものであり、かつ、当該行為をした日から起算して六年を経過していない者

ニ　当該行為が別表第五第四号に掲げるものであり、かつ、当該行為をした日から起算して五年を経過していない者

四　試験に合格した者が免許取消歴等保有者で、前項第二号に規定する期間内に法第九十条第二項第五号に規定する行為をし、かつ、次のいずれかに該当するものであるときは、免許を与えないものとする。

イ　当該行為が別表第五第一号に掲げるものであり、かつ、当該行為をした日から起算して十年を経過していない者

ロ　当該行為が別表第五第二号に掲げるものであり、かつ、当該行為をした日から起算して九年を経過していない者

ハ　当該行為が別表第五第三号に掲げるものであり、かつ、当該行為をした日から起算して八年を経過していない者

ニ　当該行為が別表第五第四号に掲げるものであり、かつ、当該行為をした日から起算して七年を経過していない者

五　試験に合格した者（他免許等既得者に限る。）が法第百三条第二項の規定により免許を取り消すことができることとされている者又は法第百七条の五第二項の規定により自動車等の運転を禁止することができることとされている者に該当するものであるときは、免許を与えないものとする。

3　前二項に規定する累積点数とは、これらの規定により行おうとする処分の理由となる違反行為（一般違反行為及び特定違反行為をいう。以下同じ。）及び当該違反行為をした日を起算日とする過去三年以内におけるその他の違反行為（当該違反行為をした時において次の各号のいずれかに該当していた者に係る当該各号に掲げる違反行為を除く。）のそれぞれについて別表第二に定めるところにより付した点数の合計をいう。

一　免許を受けていた期間（免許の効力が停止されていた期間を除く。以下この条及び別表第三において同じ。）が通算して一年となつたことがあり、かつ、当該期間の初日に当たる日から末日に当たる日までの間に違反行為をしたことがない者　当該期間前の違反行為

二　違反行為をしたことを理由として法第百三条第一項若しくは第四項の規定による免許の取消し又は法第百七条の五第一項の規定若しくは同条第九項において準用する法第百三条第四項の規定による六月を超える期間の自動車等の運転の禁止の処分を受けたことがあり、かつ、同条第七項の規定により指定され又は法第百七条の五第一項の規定により定められた期間内に違反行為をしたことがない者　当該処分を受ける前の違反行為

三　違反行為をしたことを理由として法第百三条第一項若しくは第四項の規定による免許の効力の停止又は法第百七条の五第一項の規定若しくは同条第九項において準用する法第百三条第四項の規定による六月を超えない範囲内の期間の自動車等の運転の禁止の処分を受けたことがあり、かつ、当該処分の期間内に違反行為をしたことがない者　当該処分を受ける前の違反行為

四　違反行為に係る累積点数が別表第三の一の表の第一欄に掲げる区分に応じそれぞれ同表の第五欄又は第六欄に掲げる点数に該当したことがあり、かつ、当該違反行為をした後それぞれ二年又は一年の間に違反行為をしたことがない者（第一項第二号ロ若しくはハに該当する者又は第二号に規定する免許の取消し若しくは六月を超える期間の自動車等の運転の禁止の処分を受けた者を除く。）　当該違反行為以前の違反行為

五　違反行為に係る累積点数が別表第三の一の表の第一欄に掲げる区分に応じそれぞれ同表の第七欄に掲げる点数に該当したことがある者で、当該違反行為をした後六月の間に違反行為をしたことがないか、又は当該期間内に免許を受けたことがあるもの（法第九十条第五項の規定により当該免許の効力が停止されている者又は第三号に規定する処分を受けた者を除く。）　当該違反行為以前の違反行為

六　別表第二に定めるところにより付した点数が三点以下となる違反行為（以下この号において「軽微な違反行為」という。）をした者で、当該軽微な違反行為をした日において免許を受けていた期間（過去三年以内のものに限る。）が通算して二年に達しており、かつ、当該二年の期間の初日に当たる日から当該軽微な違反行為をするまでの間に違反行為をしたことがないもののうち、当該軽微な違反行為をした後免許を受けていた期間が通算して三月に達しており、かつ、当該三月に達した日までの間に違反行為をしたことがないもの　当該軽微な違反行為

七　法第百二条の二に規定する講習を受けたことがある者　軽微違反行為（法第百二条の二に規定する軽微違反行為をいう。以下同じ。）で当該講習に係る法第百八条の三の二の規定による通知の理由となつたもの及び当該軽微違反行為をする前の軽微違反行為

4　第一項第一号、第二号イからハまで及び第三号から第六号まで、第二項第一号から第四号まで並びに前項第四号及び第五号の十年、九年、八年、七年、六年、五年、四年、三年、二年、一年及び六月の期間（同項第四号の六月の期間を除く。）は、次の各号に掲げる者については、それぞれ当該各号に定める日から起算するものとする。

一　免許を受けていた間に違反行為又は別表第四若しくは別表第五に掲げる行為をした者で、これらの行為をした後当該免許が失効したためこれらの行為をしたことを理由とする法第百三条第一項、第二項又は第四項の規定による免許の取消し又は効力の停止を受けなかつたもの　当該免許が失効した日

二　免許を受けていた間に違反行為又は別表第四若しくは別表第五に掲げる行為をした者で、これらの行為をした後法第百三条第一項第一号から第四号までに該当することを理由として同項若しくは同条第四項の規定により、又は法第百四条の二の二第一項、第二項若しくは第四項、法第百四条の二の三第三項若しくは同条第五項において準用する法第百三条第四項、法第百四条の二の四第一項、第二項若しくは第四項若しくは法第百四条の四第二項の規定により当該免許を取り消さ

れたためこれらの行為をしたことを理由とする法第百三条第一項、第二項又は第四項の規定による免許の取消し又は効力の停止を受けなかつたもの　当該免許が取り消された日

三　国際運転免許証等を所持していた間に違反行為をした者で、当該違反行為をした後当該国際運転免許証等を所持する者でなくなつたため当該違反行為をしたことを理由とする自動車等の運転の禁止を受けなかつたもの　当該国際運転免許証等を所持する者でなくなつた日

〔本条追加・昭三九政二八〇、改正・昭四〇政二五八、一項改正・二項追加・昭四二政二八〇、全改・昭四三政二九八・昭四五政二二七、一・二項改正・昭四六政三四八、二項改正・昭五三政三一三、一項改正・昭六〇政二一九、二項改正・昭六一政三二九、一・三項改正・平二政二一六、一―三項改正・平五政三四八、三項改正・平六政三〇三、見出し・一―三項改正・四項追加・平九政三九一、見出し・四項削除・一―三項改正・平一四政二四、一―三項改正・平一六政三九〇、一項改正・二項追加・旧二・三項を改正し三・四項に繰下・平二一政一二、四項改正・平二六政六三・令四政一六、一項改正・令五政五四〕

別表第二……八八二ページ参照
別表第三……八九四ページ参照
別表第四……八九六ページ参照
別表第五……八九六ページ参照

第三三条の二の二　法第九十条第一項第七号に該当する者についての同項ただし書の政令で定める基準は、次に掲げるとおりとする。

一　法第九十条第一項第七号に該当することを理由として同項ただし書の規定により免許を保留された者が当該保留の期間内に重ねて同号に該当した場合において、その者が法第百二条第一項から第四項までの規定による命令に違反したと認めるとき又は同条第七項の規定に違反して同条第六項の通知に係る適性検査を受けないと認めるときは、当該命令に応じないこと又は当該適性検査を受けないことについてやむを得ない理由があるときを除き、免許を与えないものとする。

二　法第九十条第一項第七号に該当する場合（前号に該当する場合を除く。）には、免許を保留するものとする。

〔本条追加・平一四政二四、改正・平一七政一八三・平二一政一二・平二八政二五八・令四政一六〕

（免許の拒否又は保留の事由となる病気等）

2　前項本文の規定にかかわらず、公安委員会は、次の各号のいずれかに該当する者については、政令で定める基準に従い、免許を与えないことができる。

第三三条の二の三　法第九十条第一項第一号イの政令で定める精神病は、統合失調症（自動車等の安全な運転に必要な認知、予測、判断又は操作のいずれかに係る能力を欠くこととなるおそれがある症状を呈しないものを除く。）とする。

2　法第九十条第一項第一号ロの政令で定める病気は、次に掲げるとおりとする。

一　てんかん（発作が再発するおそれがないもの、発作が再発しても意識障害及び運動障害がもたらされないもの並びに発作が睡眠中に限り再発するものを除く。）

二　再発性の失神（脳全体の虚血により一過性の意識障害をもたらす病気であつて、発作が再発するおそれがあるものをいう。）

三　無自覚性の低血糖症（人為的に血糖を調節することができるものを除く。）

3　法第九十条第一項第一号ハの政令で定める病気は、次に掲げるとおりとする。

一　そう鬱病（そう病及び鬱病を含み、自動車等の安全な運転に必要な認知、予測、判断又は操作のいずれかに係る能力を欠くこととなるおそれがある症状を呈しないものを除く。）

二　重度の眠気の症状を呈する睡眠障害

三　前二号に掲げるもののほか、自動車等の安全な運転に必要な認知、予測、判断又は操作のいずれかに係る能力を欠くこととなるおそれがある症状を呈する病気

4　法第九十条第一項第五号の政令で定める行為は、次に掲げるとおりとする。

一　法第百十七条の二第一項第一号、第三号又は第四号の罪に当たる行為（自動車等の運転に関し行われたものに限る。）

二　法第百十七条第一項又は第二項の罪に当たる行為（自動車等の運転に関し行われたものに限る。）

三　別表第二の一の表に定める点数が六点以上である一般違反行為

〔本条追加・平一四政三二四、四項改正・平一六政三九〇、一項改正・平一八政一〇、四項全改・平二一政一二、三・四項改正・令二政一八一、四項改正・令四政三〇四・政三九一〕

別表第二……………………八八二ページ参照

一　自動車等の運転により人を死傷させ、又は建造物を損壊させる行為で故意によるものをした者
二　自動車等の運転に関し自動車の運転により人を死傷させる行為等の処罰に関する法律（平成二十五年法律第八十六号）第二条から第四条までの罪に当たる行為をした者
三　自動車等の運転に関し第百十七条の二第一項第一号、第三号又は第四号の違反行為をした者（前二号のいずれかに該当する者を除く。）
四　自動車等の運転に関し第百十七条第一項又は第二項の違反行為をした者
五　道路外致死傷で故意によるもの又は自動車の運転により人を死傷させる行為等の処罰に関する法律第二条から第四条までの罪に当たるものをした者

3　第一項ただし書の規定は、同項第四号に該当する者が第百二条の二（第百七条の四の二において準用する場合を含む。第百八条の二第一項及び第百八条の三の二において同じ。）の規定の適用を受ける者であるときは、その者が第百二条の二に規定する講習を受けないで同条の期間を経過した後でなければ、適用しない。

4　公安委員会は、第一項ただし書の規定により免許を拒否し、若しくは保留しようとするとき又は第二項の規定により免許を拒否しようとするときは、当該運転免許試験に合格した者に対し、あらかじめ、弁明をなすべき日時、場所及び当該事案について弁明及び有利な証拠の提出の機会を与えなければならない。

自動車の運転により人を死傷させる行為等の処罰に関する法律
第二条―第四条……………四八六・四八七ページ参照

5　公安委員会は、免許を与えた後において、当該免許を受けた者が当該免許を受ける前に第一項第四号から第六号までのいずれかに該当していたことが判明したときは、政令で定める基準に従い、その者の免許を取り消し、又は六月を超えない範囲内で期間を定めて免許の効力を停止することができる。

6　公安委員会は、免許を与えた後において、当該免許を受けた者が当該免許を受ける前に第二項各号のいずれかに該当していたことが判明したときは、その者の免許を取り消すことができる。

7　第三項の規定は第五項の規定による処分について、第四項の規定は前二項の規定による処分について、それぞれ準用する。この場合において、第三項中「第一項ただし書」とあるのは「第五項」と、「同項第四号」とあるのは「第一項第四号」と、第四項中「第一項ただし書」とあるのは「次項」と、「第二項」とあるのは「第六項」と読み替えるものとする。

8　公安委員会は、第一項第一号から第三号までのいずれかに該当することを理由として同項ただし書の規定により免許を保留する場合において、必要があると認めるときは、当該処分の際に、その者に対し、公安委員会が指定する期日及び場所において適性検

（免許を与えた後における免許の取消し又は停止の基準）

第三三条の三　法第九十条第五項の政令で定める基準は、次に掲げるとおりとする。

一　免許を受けた者が第三十三条の二（第二項を除く。次号において同じ。）の基準において免許を与えないこととされている者であつたとき（同条第一項第一号、第二号、第四号又は第五号に係る者にあつては、それぞれ引き続き同項第一号、第二号、第四号又は第五号に該当している場合に限る。）は、その者の免許を取り消すものとする。

二　免許を受けた者が第三十三条の二の基準において免許を保留することとされている者又は免許を保留することができることとされている者であつたとき（同条第一項第三号又は第六号に係る者にあつては、それぞれ引き続き同項第三号又は第六号に該当している場合に限る。）は、それぞれその者の免許の効力を停止することができ、又は停止するものとする。

〔本条追加・昭三九政二八〇、改正・昭四三政二九八・昭四五政二二七・平九政三九一・平一四政二四・平二一政一二〕

第三〇条の四（免許の取消し等）……………………五五五ページ参照

（免許の保留に係る適性検査の受検等命令）

第一八条の四　法第九十条第八項の適性検査は、同条第一項第一号から第二号までに規定する免許の保留の要件に関し専門的な知識を有すると公安委員会が認める医師の診断により、行うものとする。

2　法第九十条第八項の内閣府令で定める要件は、免許を保留された者のその理由とされる事由に係る主治の医師（同条第一項

査を受け、又は公安委員会が指定する期限までに内閣府令で定める要件を満たす医師の診断書を提出すべき旨を命ずることができる。

9　公安委員会は、第一項ただし書の規定により免許の拒否（同項第三号又は第七号に該当することを理由とするものを除く。）をし、又は第五項の規定により免許を取り消したときは、政令で定める基準に従い、五年を超えない範囲内で当該処分を受けた者が免許を受けることができない期間を指定するものとする。

10　公安委員会は、第二項の規定により免許の拒否をし、又は第六項の規定により免許を取り消したときは、政令で定める基準に従い、十年を超えない範囲内で当該処分を受けた者が免許を受けることができ

（免許の拒否等の場合の免許の欠格期間の指定の基準）

第三十三条の四　法第九十条第九項の政令で定める基準は、次に掲げるとおりとする。

一　第三十三条第一項第一号に該当して免許を拒否したときは、一年の期間とする。

二　第三十三条の二第一項第一号又は第四号の基準に係るものとして免許を拒否し、又は取り消したときは、当該処分の理由となつた行為をした日から起算して、同項第一号イに該当する者にあつては五年、同号ロに該当する者にあつては四年、同号ハ又は同項第四号イに該当する者にあつては三年、同項第一号ニ又は第四号ロに該当する者にあつては二年、同項第一号ホ又は第四号ハに該当する者にあつては一年を経過するまでの期間とする。

三　第三十三条の二第一項第二号又は第五号の基準に係るものとして免許を拒否し、又は取り消したときは、当該処分の理由となつた行為をした日から起算して、同項第二号イ又は第五号イに該当する者にあつては五年、同項第二号ロ又は第五号ロに該当する者にあつては四年、同項第二号ハ又は第五号ハに該当する者にあつては三年を経過するまでの期間とする。

四　第三十三条の二第一項第七号の基準に係るものとして免許を拒否し、又は取り消したときは、当該処分を受けた者が当該免許以外の免許の取消し又は自動車等の運転の禁止の処分により免許を受けることができないこととされる期間の満了日までの期間とする。

2　法第九十条第十項の政令で定める基準は、次に掲げるとおりとする。

一　第三十三条の二第二項第一号又は第三号の基準に係るものとして免許を拒否し、又は取り消したときは、当該処分の理由となつた行為をした日から起算して、同項第一号イに該当する者にあつては十年、同号ロに該当する者にあつては九年、

第一号の二に該当して免許を保留された者にあつては、介護保険法（平成九年法律第百二十三号）第五条の二第一項に規定する認知症（以下単に「認知症」という。）に関し専門的な知識を有する医師又は当該事由に係る主治の医師）が作成した診断書であつて、法第九十条第一項第一号から第二号までに該当しないと認められるかどうかに関する当該医師の意見（同項第一号の二に該当して免許を保留された者にあつては、診断に係る検査の結果及び認知症に該当しないと認められるかどうかに関する当該医師の意見）が記載されているものであることとする。

〔本条追加・平一四内府令三四、一・二項改正・平二一内府令二八、二項改正・平二八内府令四九・平三〇内府令六〕

ない期間を指定するものとする。

11　第五項の規定により免許を取り消され、若しくは免許の効力の停止を受けた時又は第六項の規定により免許を取り消された時におけるその者の住所が当該処分をした公安委員会以外の公安委員会の管轄区域内にあるときは、当該処分をした公安委員会は、速やかに当該処分をした旨をその者の住所地を管轄する公安委員会に通知しなければならない。

12　公安委員会は、第一項ただし書の規定により免許の保留（同項第四号から第六号までのいずれかに該当することを理由とするものに限る。）をされ、又は

同号ハ又は同項第三号イに該当する者にあつては八年、同項第一号ニ又は第三号ロに該当する者にあつては七年、同項第一号ホ又は第三号ハに該当する者にあつては六年、同項第一号へ又は第三号ニに該当する者にあつては五年、同項第一号トに該当する者にあつては四年、同号チに該当する者にあつては三年を経過するまでの期間とする。

二　第三十三条の二第二項第二号又は第四号の基準に係るものとして免許を拒否し、又は取り消したときは、当該処分の理由となつた行為をした日から起算して、同項第二号イ又は第四号イに該当する者にあつては十年、同項第二号ロ又は第四号ロに該当する者にあつては九年、同項第二号ハ又は第四号ハに該当する者にあつては八年、同項第二号ニ又は第四号ニに該当する者にあつては七年、同項第二号ホに該当する者にあつては六年、同号へに該当する者にあつては五年を経過するまでの期間とする。

三　第三十三条の二第二項第五号の基準に係るものとして免許を拒否し、又は取り消したときは、当該処分を受けた者が当該免許以外の免許の取消し又は自動車等の運転の禁止の処分により免許を受けることができないこととされる期間の満了日までの期間とする。

3　第三十三条の二第四項の規定は、第一項第二号及び第三号並びに前項第一号及び第二号の十年、九年、八年、七年、六年、五年、四年、三年、二年及び一年の期間について準用する。

〔本条追加・昭四五政二二七、一・二項改正・平九政三九一・平一四政二四、一項改正・二項全改・三項追加・平二一政一二〕

（免許の保留等の期間を短縮することができる範囲）

第三三条の五　法第九十条第十二項及び第百三条第十項（法第百七条の五第三項において準用する場合を含む。）の政令で定める範囲は、法第百八条の二第一項第三号に掲げる講習を終了した

第五項の規定により免許の効力の停止を受けた者が第百八条の二第一項第三号に掲げる講習を終了したときは、政令で定める範囲内で、その者の免許の保留の期間又は効力の停止の期間を短縮することができる。

13　公安委員会は、仮免許の運転免許試験に合格した者が第一項第一号から第二号までのいずれかに該当するときは、同項本文の規定にかかわらず、政令で定める基準に従い、仮免許を与えないことができる。

14　第四項の規定は、前項の規定により仮免許を拒否しようとする場合について準用する。この場合において、第四項中「第一項ただし書」とあるのは、「第十三項」と読み替えるものとする。

〔一項改正・三―六項追加・昭三九法九一、四項追加・旧四・六項を改正し五・七項に繰下・旧五項を六項に繰下・昭四五法八六、一・三項改正・七項全改・昭四六法九八、一項改正・昭四七法五一、七項改正・昭六〇法八七、六項削除・旧七項を六項に繰上・昭六一法六三、六項改正・平五法四三、一項改正・二・五項追加・旧二・三項を改正し三・四項に繰下・旧四―六項を改正し六―八項に繰下・平九法四一、一・二・四・五項改正・六・一〇・一一項追加・旧六・八項を改正し七・九項に繰下・旧七項を八項に繰下・平一三法五一、一項改正・二・六・一〇項追加・旧二・三・五・七・八―一一項を改正し三・四・七・九・一一―一四項に繰下・旧四・六項を五・八項に繰下・平一九法九〇、一項改正・平二三法七二、二項改正・平二五法八六、一項改正・平二七法四〇・平二九法五二、一・二項改正・令二法四二、二項改正・令四法三二〕

参照　〔公安委員会〕四①、警三八―四六の二〔運転免許試験〕九六―九七の三、適性試験＝九七、道交規二三〔免許〕八四、第一種免許＝八四③・八五、第二種免許＝八四④・八六、仮免許

日以後における当該講習を終了した者の免許の保留若しくは効力の停止の期間又は自動車等の運転の禁止の期間とする。ただし、その者の免許の保留若しくは効力の停止の期間又は自動車等の運転の禁止の期間が四十日以上の場合には、当該期間の二分の一を超えてはならない。

〔本条追加・昭四六政三四八、改正・昭六〇政二一九・昭六一政三二九・平九政三九一・平一四政二四・平二一政一二〕

（仮運転免許の拒否の基準）

第三三条の五の二　法第九十条第十三項の政令で定める基準は、同条第一項第一号に該当する場合において六月の間自動車等の安全な運転に必要な認知、予測、判断又は操作のいずれかに係る能力を欠くこととなるおそれがある症状を呈しないと認められるときを除き、仮運転免許を与えないものとすることとする。

〔本条追加・平一四政二四、改正・平二一政一二〕

＝八四⑤・八七〔自動車等〕八四①〔運転〕二①17〔政令で定める基準〕道交令三三―三三の二の二・三三の三・三三の四・三三の五の二、拒否等の通知＝道交規一八の三・別記様式一三の三・一三の四〔政令で定めるもの〕道交令三三の二の三〔適性検査〕道交規一八の四①〔内閣府令で定める要件〕道交規一八の四②〔政令で定める範囲〕道交令三三の五〔期間〕民一三八―一四三〔住所〕民二二―二四

（大型免許等を受けようとする者の義務）

第九〇条の二　次の各号に掲げる種類の免許を受けようとする者は、それぞれ当該各号に定める講習を受けなければならない。ただし、当該講習を受ける必要がないものとして政令で定める者は、この限りでない。

一　大型免許、中型免許、準中型免許又は普通免許　第百八条の二第一項第四号及び第八号に掲げる講習

（大型免許等を受けようとする者に対する講習を受ける必要がない者）

第三三条の五の三　法第九十条の二第一項第一号に定める講習を受ける必要がないものとして政令で定める者は、次の各号のいずれかに該当する者とする。

一　次のいずれかに該当する者

イ　次の(1)から(3)までに掲げる受けようとする免許の種類に応じ、当該(1)から(3)までに定める免許を現に受けている者

(1)　大型自動車免許　中型自動車免許、準中型自動車免許、中型自動車第二種免許又は普通自動車第二種免許

(2)　中型自動車免許　準中型自動車免許又は普通自動車第二種免許

(3)　準中型自動車免許　普通自動車第二種免許

ロ　法第九十九条の五第五項に規定する卒業証明書（同項後段に規定する技能検定員の書面による証明が付されている

ものに限る。以下「卒業証明書」という。）であつて受けようとする免許に係るものを有する者で、当該卒業証明書に係る技能検定を受けた日から起算して一年を経過していないもの

ハ　受けようとする免許を申請した日前一年以内に、法第九十八条第二項の規定による届出をした自動車教習所が行う当該免許に係る教習の課程であつて公安委員会が国家公安委員会規則で定めるところにより指定したものを終了した者

ニ　法第九十七条の二第一項第三号に規定する特定失効者（以下「特定失効者」という。）又は同項第五号に規定する特定取消処分者（以下「特定取消処分者」という。）で、次の(1)又は(2)に掲げる受けようとする免許の種類に応じ、当該(1)又は(2)に定める免許を受けていたもの

(1)　大型自動車免許、中型自動車免許又は準中型自動車免許　大型自動車免許、中型自動車免許、準中型自動車免許、大型自動車第二種免許、中型自動車第二種免許又は普通自動車第二種免許

(2)　普通自動車免許　大型自動車免許、中型自動車免許、準中型自動車免許、普通自動車免許、大型自動車第二種免許、中型自動車第二種免許又は普通自動車第二種免許

ホ　受けようとする免許を申請した日前六月以内に、次の(1)又は(2)に掲げる受けようとする免許の種類に応じ、当該(1)又は(2)に定める自動車に相当する種類の自動車の運転に関する外国等の行政庁等の免許を受けていたことがある者で、当該外国等の行政庁等の免許を受けていた期間のうち当該外国等に滞在していた期間が通算して三月以上のもの

(1)　大型自動車免許、中型自動車免許又は準中型自動車免許　準中型自動車

(2)　普通自動車免許　普通自動車

二　次のいずれかに該当する者であつて、受けようとする免許を申請した日前一年以内に、当該免許に係る法第百八条の二第一項第四号に掲げる講習を終了したもの

イ　次の(1)又は(2)に掲げる受けようとする免許の種類に応じ、当該(1)又は(2)に定める免許を現に受けている者

(1)　大型自動車免許、中型自動車免許又は準中型自動車免許　普通自動車免許、大型自動二輪車免許又は普通自動二輪車免許

(2)　普通自動車免許　大型自動二輪車免許又は普通自動二輪車免許

ロ　特定失効者又は特定取消処分者で、次の(1)又は(2)に掲げ

届出自動車教習所が行う教習の課程の指定に関する規則

（平成六年二月二五日国家公安委員会規則第一号）

二　大型二輪免許又は普通二輪免許　第百八条の二第一項第五号及び第八号に掲げる講習

る受けようとする免許の種類に応じ、当該(1)又は(2)に定める免許を受けていたもの

(1)　大型自動車免許、中型自動車免許又は準中型自動車免許　普通自動車免許、大型自動二輪車免許又は普通自動二輪車免許

(2)　普通自動車免許　大型自動二輪車免許又は普通自動二輪車免許

ハ　受けようとする免許を申請した日前六月以内に、次の(1)又は(2)に掲げる受けようとする免許の種類に応じ、当該(1)又は(2)に定める自動車に相当する種類の自動車の運転に関する外国等の行政庁等の免許を受けていたことがある者で、当該外国等の行政庁等の免許を受けていた期間のうち当該外国等に滞在していた期間が通算して三月以上のもの

(1)　大型自動車免許、中型自動車免許又は準中型自動車免許　普通自動車又は普通自動二輪車

(2)　普通自動車免許　普通自動二輪車

ニ　医師である者

ホ　法令の規定による免許（医師免許を除く。）で応急救護処置に関係するものを受けている者その他の応急救護処置に関しニに掲げる者に準ずる能力を有する者であつて、国家公安委員会規則で定めるもの

2　法第九十条の二第一項第二号に定める講習を受ける必要がないものとして政令で定める者は、次の各号のいずれかに該当する者とする。

一　次のいずれかに該当する者

イ　大型自動二輪車免許を受けようとする者で、普通自動二輪車免許を現に受けているもの

ロ　受けようとする免許に係る卒業証明書を有する者で、当該卒業証明書に係る技能検定を受けた日から起算して一年を経過していないもの

ハ　受けようとする免許を申請した日前一年以内に、法第九十八条第二項の規定による届出をした自動車教習所が行う当該免許に係る教習の課程であつて公安委員会が国家公安委員会規則で定めるところにより指定したものを終了した者

ニ　特定失効者又は特定取消処分者で、大型自動二輪車免許又は普通自動二輪車免許を受けていたもの

ホ　受けようとする免許を申請した日前六月以内に普通自動二輪車に相当する種類の自動車の運転に関する外国等の行政庁等の免許を受けていたことがある者で、当該外国等の行政庁等の免許を受けていた期間のうち当該外国等に滞在

応急救護処置に関し医師である者に準ずる能力を有する者を定める規則（平成六年二月二五日国家公安委員会規則第二号）

届出自動車教習所が行う教習の課程の指定に関する規則（平成六年二月二五日国家公安委員会規則第一号）

三　原付免許　第百八条の二第一項第六号に掲げる講習

四　大型第二種免許、中型第二種免許又は普通第二種免許　第百八条の二第一項第七号及び第八号に掲げる講習

していた期間が通算して三月以上のもの

二　次のいずれかに該当する者であつて、受けようとする免許を申請した日前一年以内に、当該免許に係る法第百八条の二第一項第五号に掲げる講習を終了したもの

イ　普通自動車を運転することができる免許を現に受けている者

ロ　特定失効者又は特定取消処分者で、普通自動車を運転することができる免許を受けていたもの

ハ　受けようとする免許を申請した日前六月以内に普通自動車に相当する種類の自動車の運転に関する外国等の行政庁等の免許を受けていたことがある者で、当該外国等の行政庁等の免許を受けていた期間のうち当該外国等に滞在していた期間が通算して三月以上のもの

ニ　前項第二号ニ又はホのいずれかに該当する者

3　法第九十条の二第一項第三号に定める講習を受ける必要がないものとして政令で定める者は、次の各号のいずれかに該当する者とする。

一　特定失効者又は特定取消処分者で、一般原動機付自転車を運転することができる免許を受けていたもの

二　原動機付自転車免許を申請した日前六月以内に一般原動機付自転車に相当する種類の車両の運転に関する外国等の行政庁等の免許を受けていたことがある者で、当該外国等の行政庁等の免許を受けていた期間のうち当該外国等に滞在していた期間が通算して三月以上のもの

三　原動機付自転車免許を申請した日前一年以内に法第百八条の二第一項第二号に掲げる講習を終了した者

4　法第九十条の二第一項第四号に定める講習を受ける必要がないものとして政令で定める者は、次の各号のいずれかに該当する者とする。

一　次のいずれかに該当する者

イ　次の(1)又は(2)に掲げる受けようとする免許の種類に応じ、当該(1)又は(2)に定める免許を現に受けている者

(1)　大型自動車第二種免許　中型自動車第二種免許又は普通自動車第二種免許

(2)　中型自動車第二種免許　普通自動車第二種免許

ロ　受けようとする免許に係る卒業証明書を有する者で、当該卒業証明書に係る技能検定を受けた日から起算して一年を経過していないもの

ハ　受けようとする免許を申請した日前一年以内に、法第九十八条第二項の規定による届出をした自動車教習所が行う当該免許に係る教習の課程であつて公安委員会が国家公安

2　公安委員会は、前項各号に掲げる種類の免許に係る運転免許試験に合格した者（同項ただし書の政令で定める者を除く。）がそれぞれ同項各号に定める講習を受けていないときは、その者に対し、免許を与えないことができる。

〔本条追加・平四法四三、見出し・一・二項改正・平五法四三、一項改正・平七法七四・平一三法五一、見出し・一項改正・平一六法九〇、一項改正・平二七法四〇〕

参照〔政令で定める者〕道交令三三の五の三〔大型免許、中型免許、準中型免許又は普通免許〕八四③〔大型二輪免許又は普通二輪免許〕八四③〔原付免許〕八四③〔大型第二種免許、中型第二種免許又は普通第二種免許〕八四④・八六〔公安委員会〕四①、警三八―四六の二〔運転免許試験〕九六―九七の三

委員会規則で定めるところにより指定したものを終了した者

ニ　特定失効者又は特定取消処分者で、大型自動車第二種免許、中型自動車第二種免許又は普通自動車第二種免許を受けていたもの

二　第一項第二号ニ又はホのいずれかに該当する者で、受けようとする免許を申請した日前一年以内に、当該免許に係る法第百八条の二第一項第七号に掲げる講習を終了したもの

〔本条追加・平四政二三一、全改・平五政三四八、一・二項改正・三項追加・旧三項を改正し四項に繰下・平八政一六〇、一―四項改正・平一一政二二九、一―四項改正・五項追加・平一四政二四、一・二項改正・三項削除・旧四・五項を改正し三・四項に繰上・平一七政一八三、一―三項改正・平一九政二六六、一―四項改正・平二六政六三、一項改正・平二八政二五八、一・四項改正・旧三三条の六を繰上・令四政一六、三項改正・令五政五四〕

（免許の条件）

第九一条　公安委員会は、道路における危険を防止し、その他交通の安全を図るため必要があると認めるときは、必要な限度において、免許に、その免許に係る者の身体の状態又は運転の技能に応じ、その者が運転することができる自動車等の種類を限定し、その他自動車等を運転するについて必要な条件を付し、及びこれを変更することができる。

〔付記改正・昭四五法八六、本条改正・平五法四三、付記改正・令四法三二〕

参照 〔公安委員会〕四①、警三八―四六の二〔免許〕八四、第一種免許＝八四③・八五、第二種免許＝八四④・八六、仮免許＝八四⑤・八七〔道路〕二①1、道二①、道運二⑦・⑧、道運車二⑥、高速二①、駐車二3、道路の種類＝道三〔運転〕二①17〔運転することができる自動車〕八五②・八六②〔自動車等〕八四①〔限定解除審査の申請の手続〕道交規一八の五・別記様式一三の五

〔罰則　第百十九条第一項第二十号〔三月以下の懲役又は五万円以下の罰金〕〕

反則金

免許条件違反	大型	九千円	普通	七千円
	二輪	六千円	原付	五千円

点数

免許条件違反	一　般	二点
	酒気帯び（〇・二五未満）	一四点

（限定解除審査の申請の手続）

第一八条の五　法第九十一条の規定により運転することができる自動車等の種類を限定された者で、その限定の全部又は一部の解除を受けるため、公安委員会の審査を受けようとするものは、その者の住所地を管轄する公安委員会に、現に受けている免許に係る免許証を提示し、かつ、別記様式第十三の五の限定解除審査申請書を提出しなければならない。

〔本条追加・昭四七総府令八、旧一八条の二を繰下・平四総令四五、旧一八条の三を改正し繰下・平六総府令一、旧一八条の四を改正し繰下・平一四内府令三四〕

別記様式第十三の五（第十八条の五関係）

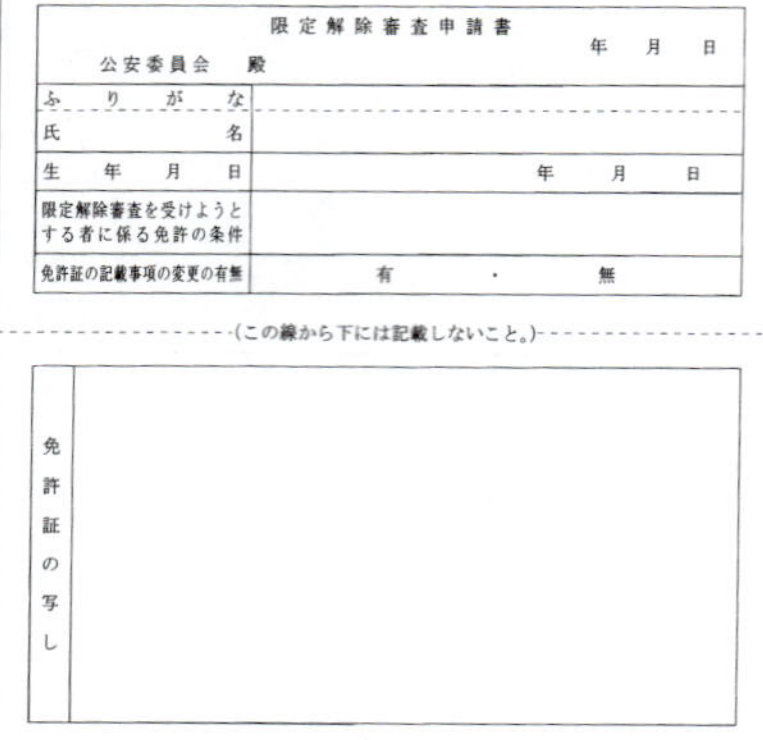

限定解除審査申請書

年　月　日

公安委員会　殿

ふりがな	
氏名	
生年月日	年　月　日
限定解除審査を受けようとする者に係る免許の条件	
免許証の記載事項の変更の有無	有　・　無

（この線から下には記載しないこと。）

免許証の写し

備考　1　現に受けている免許に係る免許証の記載事項に変更がある場合には免許証の記載事項の変更の有無欄の「有」を、当該免許証の記載事項に変更がない場合には同欄の「無」を、それぞれ〇で囲むこと。

2　免許証の写し欄には、現に受けている免許に係る免許証の表側及び裏側を複写すること。

3　用紙の大きさは、日本産業規格A列4番とする。

〔本様式追加・昭47総府令8、全改・昭48総府令11、改正・昭50総府令10・平元総府令43・平4総府令45、旧様式13の2を改正し繰下・平6総府令1、本様式改正・平6総府令9・平8総府令41・平11総府令11、旧様式13の4を改正し繰下・平14内府令34、本様式改正・令元内府令12〕

法第九一条

判例 ※　眼鏡使用を条件として運転免許証を交付された者が、その後眼鏡による視力の矯正を必要としなくなつた場合には、眼鏡を使用しないで自動車を運転しても本条に違反しない。（甲府地昭四四、五、一〇）

（申請による免許の条件の付与等）

第九一条の二　免許を受けた者は、その者の住所地を管轄する公安委員会に対し、免許に、その者が運転することができる自動車等の種類を限定する条件その他の条件であつて、交通事故を防止し、若しくは交通事故による被害を軽減することに資するものとして内閣府令で定めるものを付し、又はこれを変更することを申請することができる。

（申請により付与又は変更する免許の条件等）

第一八条の六　法第九十一条の二第一項の内閣府令で定める条件は、普通免許により運転することができる普通自動車の種類を次の各号のいずれかに該当するものに限定する条件とする。

一　次のイ及びロに掲げる装置（AT機構がとられている自動車以外の自動車にあつては、イに掲げる装置）の性能に関し、先進安全技術の性能認定実施要領（平成三十年国土交通省告示第五百四十四号。以下この号において「実施要領」という。）第三条の認定が行われた普通自動車

イ　実施要領第一条第三号に規定する衝突被害軽減制動制御装置

ロ　実施要領第一条第四号に規定する障害物検知機能付ペダル踏み間違い急発進抑制装置又は同条第五号に規定するペダル踏み間違い急発進抑制装置

二　乗車定員が十人未満の普通自動車であつて当該普通自動車に備える前方障害物との衝突による被害を軽減するために制動装置を作動させる装置が道路運送車両法第三章及びこれに基づく命令の規定に適合するもの

2　法第九十一条の二第一項の規定による免許の条件の付与又は変更の申請は、別記様式第十三の六の運転免許条件申請書を提出して行うものとする。この場合において、当該申請を行おうとする者は、現に受けている免許に係る免許証を提示しなければならない。

〔本条追加・令四内府令七、一項改正・令五内府令一七〕

2　前項の規定による申請を受けた公安委員会は、政令で定めるところにより、当該申請に係る免許に条件を付し、又は当該申請に係る免許に付されている条件を変更するものとする。

（申請による免許の条件の付与等の基準）

第三三条の六　法第九十一条の二第二項の規定による免許の条件の付与及び変更は、同条第一項の規定による申請をした者が次の各号のいずれにも該当しない場合に行うものとする。

一　次の表の上欄に掲げる種類の免許を受けており、かつ、当該免許について当該申請に係る条件を付されていない場合において、当該免許の種類ごとに同表の下欄に定める種類の免許についてのみ条件の付与の申請をしたとき。

受けている免許の種類	条件の付与の申請に係る免許の種類
大型自動車免許	中型自動車免許、準中型自動車免許、普通自動車免許、小型特殊自動車免許又は原動機付自転車免許
中型自動車免許	準中型自動車免許、普通自動車免許、小型特殊自動車免許又は原動機付自転車免許
準中型自動車免許	普通自動車免許、小型特殊自動車免許又は原動機付自転車免許
普通自動車免	小型特殊自動車免許又は原動機付自転車

別記様式第十三の六（第十八条の六関係）

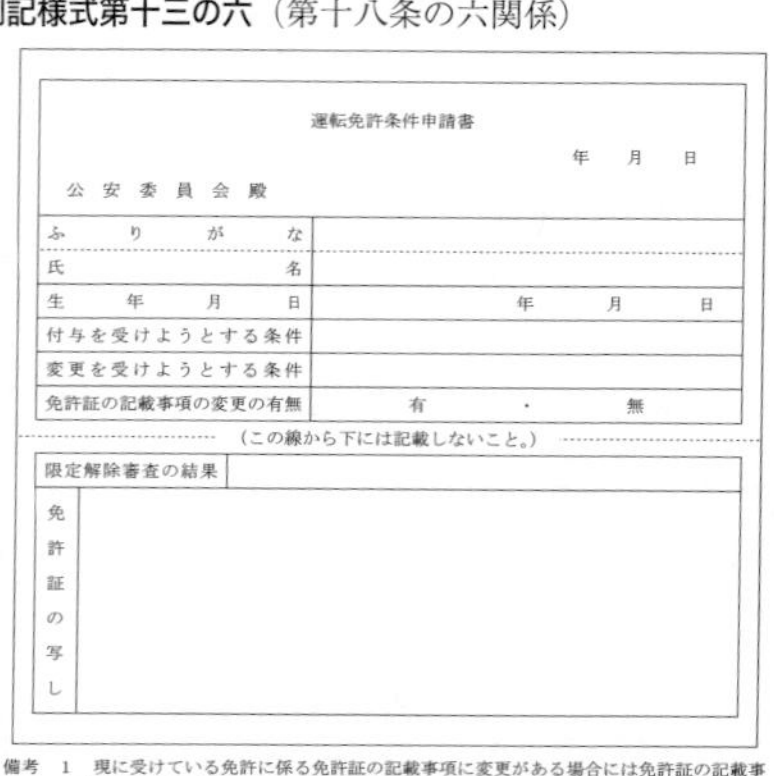

運転免許条件申請書

年　月　日

公安委員会殿

ふりがな	
氏名	
生年月日	年　月　日
付与を受けようとする条件	
変更を受けようとする条件	
免許証の記載事項の変更の有無	有　・　無

（この線から下には記載しないこと。）

限定解除審査の結果	
免許証の写し	

備考　1　現に受けている免許に係る免許証の記載事項に変更がある場合には免許証の記載事項の変更の有無欄の「有」を、当該免許証の記載事項に変更がない場合には同欄の「無」を、それぞれ○で囲むこと。

2　免許証の写し欄には、現に受けている免許に係る免許証の表側及び裏側を複写すること。

3　用紙の大きさは、日本産業規格A列4番とする。

〔本様式追加・令4内府令7〕

3　公安委員会は、第一項の規定による条件の変更の申請があつた場合において、必要があると認めるときは、当該申請をした者に対し、当該変更をすることが適当であるかどうかについて審査を行うことができる。

4　前三項に定めるもののほか、第二項の規定による

許	免許
大型特殊自動車免許	小型特殊自動車免許又は原動機付自転車免許
大型自動二輪車免許	普通自動二輪車免許、小型特殊自動車免許又は原動機付自転車免許
普通自動二輪車免許	小型特殊自動車免許又は原動機付自転車免許
大型自動車第二種免許	大型自動車免許、中型自動車免許、準中型自動車免許、普通自動車免許、小型特殊自動車免許、原動機付自転車免許、中型自動車第二種免許又は普通自動車第二種免許
中型自動車第二種免許	中型自動車免許、準中型自動車免許、普通自動車免許、小型特殊自動車免許、原動機付自転車免許又は普通自動車第二種免許
普通自動車第二種免許	普通自動車免許、小型特殊自動車免許又は原動機付自転車免許
大型特殊自動車第二種免許	大型特殊自動車免許、小型特殊自動車免許又は原動機付自転車免許
牽(けん)引第二種免許	牽(けん)引免許

二　前号に掲げる場合のほか、当該申請に係る免許に条件を付し、又は当該申請に係る免許に付されている条件を変更することによつても、当該申請に係る免許以外の免許を受けていることその他の事情により、運転することができる自動車等の種類その他自動車等を運転することについての条件が実質的に変更されることとならないとき。

三　法第九十一条の二第三項の規定による審査の結果、当該申請に係る免許に付されている条件を変更することが、道路における危険を防止し、その他交通の安全を図る上で適当でないと認められるとき。

〔本条追加・令四政一一六〕

免許の条件の付与及び変更について必要な事項は、内閣府令で定める。

〔本条追加・令二法四二、付記改正・令四法三二〕

参照 〔公安委員会〕四①、警三八～四六の二〔免許〕八四、第一種免許＝八四③・八五、第二種免許＝八四④・八六、仮免許＝八四⑤・八七〔運転することができる自動車〕八五②・八六②〔内閣府令で定めるもの〕道交規一八の六・別記様式一三の六〔政令で定めるところ〕道交令三三の六

〔罰則　第二項については第百十九条第一項第二十号（三月以下の懲役又は五万円以下の罰金）〕

第三節　免許証等

（免許証の交付）

第九二条　免許は、運転免許証（以下「免許証」という。）を交付して行なう。この場合において、同一人に対し、日を同じくして第一種免許又は第二種免許のうち二以上の種類の免許を与えるときは、一の種類の免許に係る免許証に他の種類の免許に係る事項を記載して、当該種類の免許に係る免許証の交付に代えるものとする。

（免許証の記載事項等）

第一九条　法第九十三条第一項の内閣府令で定めるものは、免許を受けた者の本籍（外国人にあつては、国籍等）とする。

2　法第九十二条第一項の免許証の様式は、別記様式第十四（仮免許に係るものにあつては、別記様式第十五）のとおりとする。

3　免許証には、当該免許証を交付した公安委員会（次条において「交付公安委員会」という。）の名称及び公印の印影並びに免許を受けた者の写真を表示するものとする。

4　免許証に記載されている別表第二の上欄に掲げる略語は、それぞれ同表の下欄に掲げる意味を表すものとする。

〔一項追加・昭四一総府令五一、改正・昭四六総府令五三、一項改正・昭四七総府令八、本条全改・平一六内府令九三、一項改正・平二五内府令二〕

別記様式第十四（第十九条関係）

（表）

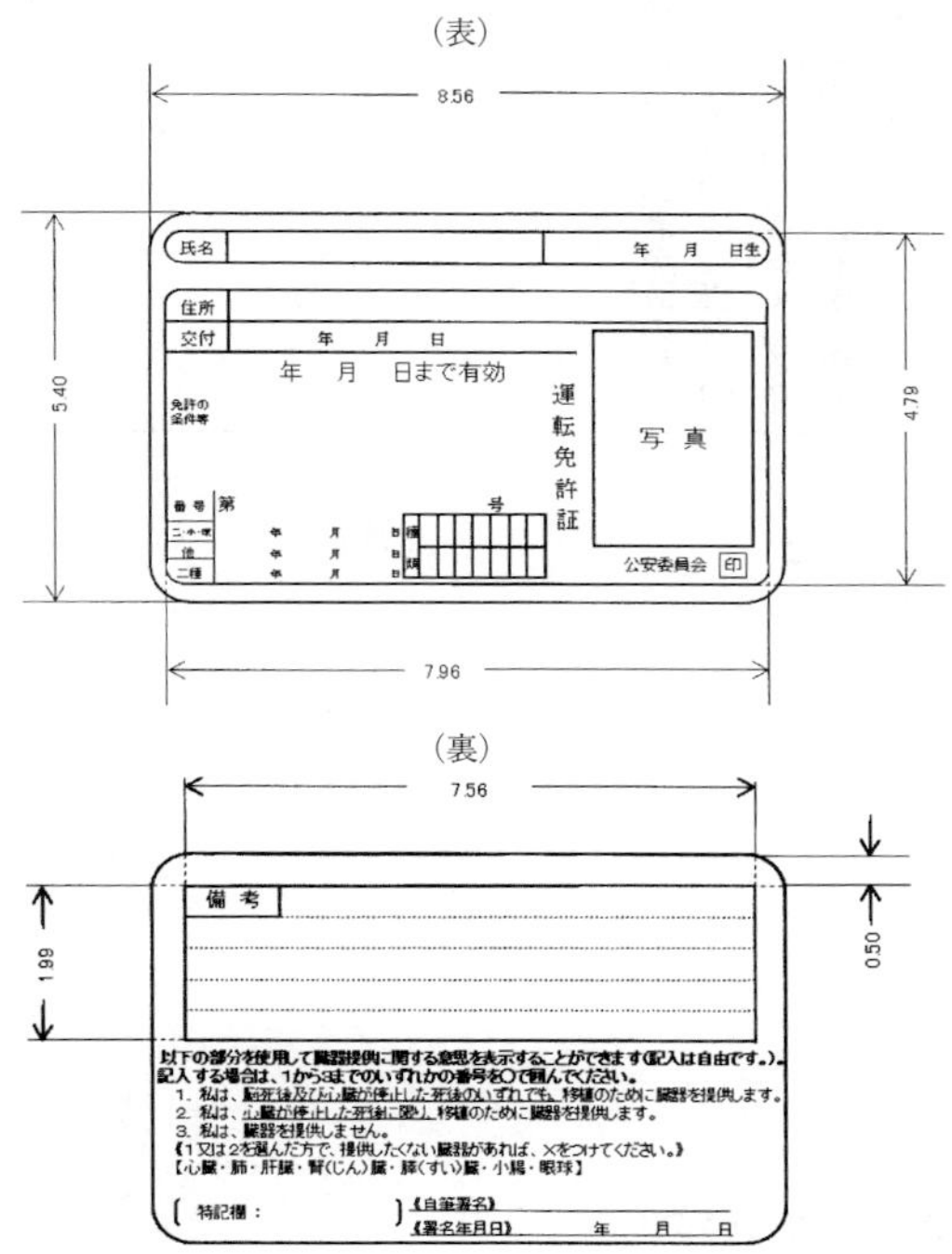

備考　1　表側は白色のプラスチック板を、裏側は薄茶色のプラスチック膜を用い、プラスチック板の裏面にプラスチック膜を貼り付けること。

2　免許証の有効期間の末日の年の部分については、西暦の次に括弧内に元号を用いて記載すること。

3　種類欄には、現に受けている免許及び受けることとなる免許の種類を表す略号を、上欄左端から数えて、大型免許については1番目の項に、中型免許については2番目の項に、準中型免許については3番目の項に、普通免許については4番目の項に、大型特殊免許については5番目の項に、大型二輪免許については6番目の項に、普通二輪免許については7番目の項に、下欄左端から数えて、小型特殊免許については1番目の項に、原付免許については2番目の項に、大型第二種免許については3番目の項に、中型第二種免許については4番目の項に、普通第二種免許については5番目の項に、大型特殊第二種免許については6番目の項に、牽引免許又は牽引第二種免許については7番目の項に、それぞれ記載すること。

4　表側の余白の部分には、免許を受けた者が法第92条の2第1項の表の備考一の2に規定する優良運転者である場合にあつては、その旨を記載すること。

5　備考欄には、法第93条第2項に規定する事項、法第94条第1項の規定による免許証の記載事項の変更に係る事項その他必要な事項を記載すること。

6　図示の長さの単位は、センチメートルとする。

〔本様式改正・昭39総府令36、全改・昭41総府令51、改正・昭43総府令49・昭45総府令28・昭46総府令53・昭47総府令8、全改・昭48総府令11、改正・昭50総府令10・昭63総府令45・平元総府令43、全改・平6総府令1、改正・平8総府令41・平10総府令76・平14内府令34・平16内府令93・平18内府令4・平22内府令31・平28内府令49・平30内府令58〕

2　免許を現に受けている者に対し、当該免許の種類と異なる種類の免許を与えるときは、その異なる種類の免許に係る免許証にその者が現に受けている免許に係る事項を記載して、その者が現に有する免許証と引き換えに交付するものとする。

2　免許を現に受けている者に対し、当該免許の種類と異なる種類の免許を与えるときは、その異なる種類の免許に係る免許証にその者が現に受けている免許に係る事項を記載して、その者が現に有する免許証と引換えに交付するものとする。

〔三項改正・昭三九法九一、削除・昭四七法五一〕

参照〔免許〕八四、第一種免許＝八四③・八五、第二種免許＝八四④・八六、仮免許＝八四⑤・八七〔免許証〕有効期間＝九二の二、記載事項＝九三、様式＝道交規一九・別記様式一四、記載事項変更の届出＝九四①、携帯及び提示義務＝九五、更新等＝一〇一－一〇二の三、道交規二九、返納＝一〇七、譲渡・貸

別表第二（第十九条関係）……九〇三ページ参照

法第九二条

判例　※　たとえ自動車を運転する際に運転免許証を携帯し、一定の場合にこれを提示すべき義務が法令上定められているとしても、自動車を運転する際に偽造にかかる運転免許証を携帯しているに止まる場合には、未だこれを他人の閲覧に供しその内容を認識しうる状態においたものというには足りず、偽造公文書行使罪にあたらないと解すべきである。（最　昭四四、六、一八）

※　本条一項にいう「交付」とは、運転免許証が公安委員会から所轄警察機関を通じ、現実に申請人によって受領されることをいう。（東高　昭四四、九、二五）

別記様式第十五（第十九条関係）

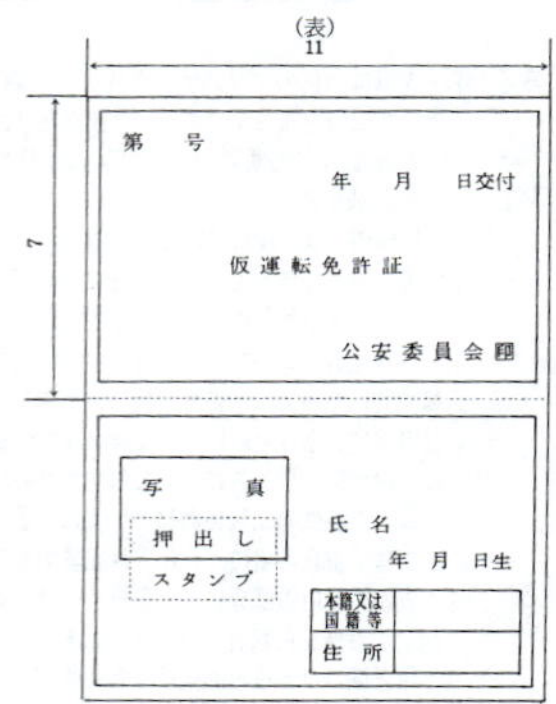

（裏）
有効期限　年　月　日
仮免許の種類
免許の条件
備考
注意事項
1　常に交通法規を守り、安全運転に努めること。
2　運転中は、必ずこの仮免許証を携帯すること。
3　運転は、法令の定める資格を有する者を同乗させ、その指導の下に行うこと。
4　運転中は、自動車の前面と後面に「仮免許練習中」の標識をつけること。
（表）
11
7
第　号
年　月　日交付
仮運転免許証
公安委員会印
写真
押出し
スタンプ
氏名
年　月　日生
本籍又は国籍等
住所

備考　1　用紙は、洋紙とする。
2　備考欄には、法第93条第2項の規定による事項、本籍、国籍等又は住所の変更その他必要な事項を記載する。
3　図示の長さの単位は、センチメートルとする。

〔本様式改正・昭39総府令36・昭48総府令11・昭50総府令10・昭53総府令37・平25内府令2〕

与の禁止＝一二〇①15

（免許証の有効期間）

第九二条の二　第一種免許及び第二種免許に係る免許証（第百七条第二項の規定により交付された免許証を除く。以下この項において同じ。）の有効期間は、次の表の上欄に掲げる区分ごとに、それぞれ、同表の中欄に掲げる年齢に応じ、同表の下欄に定める日が経過するまでの期間とする。

免許証の交付又は更新を受けた者の区分	更新日等における年齢	有効期間の末日
優良運転者及び一般運転者	七十歳未満	満了日等の後のその者の五回目の誕生日から起算して一月を経過する日
	七十歳	満了日等の後のその者の四回目の誕生日から起算して一月を経過する日
	七十一歳以上	満了日等の後のその者の三回目の誕生日から起算して一月を経過する日
違反運転者等		満了日等の後のその者の三回目の誕生日から起算して一月を経過する日

備考

一　この表に掲げる用語の意義は、次に定めるとおりとする。

1　更新日等　第百一条第六項の規定により更新された免許証にあつては当該更新された日、第百一条の二第四項の規定により更新された免許証にあつては同条第三項の規定による適性検査を受けた日、海外旅行、災害その他の政令で定めるやむを得ない理由のため第百一条第一項の免許証の有効期間の更新を受けることができなかつた者（その免許がその結果第百五条第一項の規定により効力を失つた日から起算して六月（当該やむを得ない理由のためその期間内に次の免許を受けることができなかつた者にあつては、当該効力を失つた日から起算して三年を経過しない場合に限り、当該事情がやんだ日から起算して一月）を経過しない者に限る。）に対して前条第一項の規定により交付された免許証及び第百三条第一項又は第四項の規定による免許の取消し（同条第一項第一号から第二号までのいずれかに係るものに限る。）を受けた者（当該取消しを受けた日から起算して三年を経過しない者に限り、同日前の直近においてした第八十九条第一項、第百一条第一項若しくは第百一条の二第一項の規定による質問票の提出又は第百一条の五の規定による報告について第百十七条の四第一項第三号の違反行為をした者を除く。）に対して前条第一項の規定により交付された免許証にあつてはこれらの交付された日の直前のその者の誕生日（当該適性試験を受けた日がその者の誕生日である場合にあ

（免許証の更新を受けることができなかつたやむを得ない理由）

第三三条の六の二　法第九十二条の二第一項の表の備考一の1及び2並びに同表の備考四の政令で定めるやむを得ない理由は、次に掲げる理由とする。

一　海外旅行をしていたこと。

二　災害を受けたこと。

三　病気にかかり、又は負傷したこと。

四　法令の規定により身体の自由を拘束されていたこと。

五　社会の慣習上又は業務の遂行上やむを得ない用務が生じたこと。

六　前各号に掲げるもののほか、公安委員会がやむを得ないと認める事情があつたこと。

〔本条追加・平一四政二四、改正・平二七政一九・令元政一〇八・令四政一六〕

つては、当該適性試験を受けた日）の前日、その他の免許証にあつては当該免許証に係る適性試験を受けた日

2　優良運転者　更新日等（海外旅行、災害その他の政令で定めるやむを得ない理由のため第百一条第一項の免許証の有効期間の更新を受けることができなかつた者（その免許がその結果第百五条第一項の規定により効力を失つた日から起算して六月（当該やむを得ない理由のためその期間内に次の免許を受けることができなかつた者にあつては、当該効力を失つた日から起算して三年を経過しない場合に限り、当該事情がやんだ日から起算して一月）を経過しない者に限る。）に対して前条第一項の規定により交付された免許証にあつては当該効力を失つた免許に係る免許証の有効期間の末日、第百三条第一項又は第四項の規定による免許の取消し（同条第一項第一号から第二号までのいずれかに係るものに限る。）を受けた者（当該取消しを受けた日から起算して三年を経過しない者に限り、同日前の直近においてした第八十九条第一項、第百一条第一項若しくは第百一条の二第一項の規定による質問票の提出又は第百一条の五の規定による報告について第百十七条の四第一項第三号の違反行為をした者を除く。）に対して前条第一項の規定により交付された免許証にあつては当該取消しを受けた日。4において同じ。）までに継続して免許（仮免許を除く。4において同じ。）を受けている期間が五年以上である者であつて、自動車等の運転に関するこの法律及びこの法律に基づく命令の規定並びにこの法律の規定に基づく処分

（優良運転者及び違反運転者等に係る基準）

第三三条の七　法第九十二条の二第一項の表の備考一の2の政令で定める基準は、次の各号に掲げる者の区分に応じ、それぞれ当該各号に定める日前五年間（第三号に掲げる者又は第四号に掲げる者（法第九十二条第一項の規定により交付を受けた運転免許証（以下「免許証」という。）に係る法第九十七条第一項第一号に掲げる事項について行う試験（以下この項において「適性試験」という。）を受けた日の前日が第四号に定める日以後である者に限る。）にあつては、それぞれ第三号又は第四号に定める日前五年間及び同日から法第九十二条第一項の規定により交付を受けた免許証に係る適性試験を受けた日の前日までの間。次項において同じ。）において違反行為又は別表第四若しくは別表第五に掲げる行為をしたことがないこととする。

一　法第百一条第六項の規定により免許証の更新（免許証の有効期間の更新をいう。以下同じ。）を受けた者　更新前の免許証の有効期間が満了する日の直前のその者の誕生日（以下「特定誕生日」という。）の四十日前の日

二　法第百一条の二第四項の規定により免許証の更新を受けた者　同条第三項の規定による適性検査を受けた日（当該日が特定誕生日の四十日前の日以後であるときは、特定誕生日の四十日前の日）

三　前条各号に掲げるやむを得ない理由のため免許証の更新を受けることができなかつた者（その免許がその結果法第百五条第一項の規定により効力を失つた日から起算して六月（当該やむを得ない理由のためその期間内に次の免許を受けることができなかつた者にあつては、当該効力を失つた日から起算して三年を経過しない場合に限り、当該事情がやんだ日から起算して一月）を経過しない者に限る。）で法第九十二条第一項の規定により免許証の交付を受けたもの　更新を受けることができなかつた免許証を更新前の免許証とした場合における特定誕生日の四十日前の日

四　法第百三条第一項又は第四項の規定による免許の取消し（同条第一項第一号から第二号までのいずれかに係るものに限る。）を受けた者（当該取消しを受けた日から起算して三年を経過しない者に限り、同日前の直近においてした法第八十九条第一項、第百一条第一項若しくは第百一条の二第一項の規定による質問票の提出又は法第百一条の五の規定による報告について法第百十七条の四第一項第三号の違反行為をした者を除く。）で法第九十二条第一項の規定により免許証の

並びに重大違反唆し等及び道路外致死傷に係る法律の規定の遵守の状況が優良な者として政令で定める基準に適合するもの

3　一般運転者　優良運転者又は違反運転者等以外の者

4　違反運転者等　更新日等までに継続して免許を受けている期間が五年以上である者であつて自動車等の運転に関するこの法律及びこの法律に基づく命令の規定並びにこの法律の規定に基づく処分並びに重大違反唆し等及び道路外致死傷に係る法律の規定の遵守の状況が不良な者として政令で定める基準に該当するもの又は当該期間が五年未満である者

5　満了日等　第百一条第六項の規定により更新された免許証にあつては更新前の免許証の有効期間が満了した日、第百一条の二第四項の規定により更新された免許証にあつては同条第三項の規定による適性検査を受けた日、その他の免許証にあつては当該免許証に係る適性試験を受けた日

二　更新日等がその者の誕生日である場合におけるこの表の適用については、この表中「更新日等」とあるのは、「更新日等の前日」とする。

三　更新日等が有効期間の末日の直前のその者の誕生日の翌日から当該有効期間の末日までの間である場合におけるこの表の適用については、この表中「更新日等」とあるのは、「更新日等の直前のその者の誕生日の前日」とする。

四　海外旅行、災害その他の政令で定めるやむを得ない理由のため第百一条第一項の免

交付を受けたもの　当該免許証に係る適性試験を受けた日（当該日が取り消された免許に係る免許証を更新前の免許証とした場合における特定誕生日の四十日前の日以後であるときは、当該特定誕生日の四十日前の日）

五　法第九十二条第二項の規定により免許証の交付を受けた者　当該免許証に係る適性試験を受けた日（当該日が当該免許証と引き換えた免許証を更新前の免許証とした場合における特定誕生日の四十日前の日以後であるときは、当該特定誕生日の四十日前の日）

2　法第九十二条の二第一項の表の備考一の4の政令で定める基準は、前項各号に掲げる者の区分に応じ、それぞれ当該各号に定める日前五年間において違反行為又は別表第四若しくは別表第五に掲げる行為をしたことがあること（軽微違反行為一回のほかこれらの行為をしたことがない場合（当該軽微違反行為をし、よつて交通事故を起こした場合にあつては、当該交通事故が建造物以外の物の損壊のみに係るものであり、かつ、法第七十二条第一項前段の規定に違反していないときに限る。）を除く。）とする。

〔本条追加・平五政三四八、改正・平九政三九一・平一一政三二一、見出し・一項改正・二項追加・平一四政二四、一・二項改正・平一六政三九〇・平二一政一二、一項改正・平二六政六三・平二七政一九・令元政一〇八・令四政一六・政三〇四・政三一九〕

別表第四……八九六ページ参照
別表第五……八九六ページ参照

許証の有効期間の更新を受けることができなかつた者（その免許がその結果第百五条第一項の規定により効力を失つた日から起算して六月（当該やむを得ない理由のためその期間内に次の免許を受けることができなかつた者にあつては、当該効力を失つた日から起算して三年を経過しない場合に限り、当該事情がやんだ日から起算して一月）を経過する前に次の免許を受けた者に限る。）に対するこの表の備考一の2及び4の規定の適用については、当該効力を失つた免許を受けていた期間及び当該次の免許を受けていた期間は、継続していたものとみなす。

五　第百三条第一項又は第四項の規定による免許の取消し（同条第一項第一号から第二号までのいずれかに係るものに限る。）を受けた者（当該取消しを受けた日から起算して三年を経過する前に次の免許を受けた者に限り、同日前の直近においてした第八十九条第一項、第百一条第一項若しくは第百一条の二第一項の規定による質問票の提出又は第百一条の五の規定による報告について第百十七条の四第一項第三号の違反行為をした者を除く。）に対するこの表の備考一の2及び4の規定の適用については、当該取り消された免許を受けた日から当該取消しを受けた日までの期間及び当該次の免許を受けていた期間は、継続していたものとみなす。

六　その者の誕生日が二月二十九日である場合におけるこの表の適用については、その者のうるう年以外の年における誕生日は二月二十八日であるものとみなす。

2　第百四条の四第三項の規定により与えられる免許に係る免許証の有効期間は、同条第二項の規定により取り消される免許に係る免許証の有効期間が満了することとされていた日が経過するまでの期間とする。

3　第百七条第二項の規定により交付された免許証（前項に規定するものを除く。）の有効期間は、当該免許証に係る同条第一項の規定により返納された免許証の有効期間が満了することとされていた日が経過するまでの期間とする。

4　前三項に規定する期間の末日が日曜日その他政令で定める日に当たるときは、これらの日の翌日を当該期間の末日とみなす。

第九十二条の二は、削られます。

〔本条追加・昭四七法五一、本条全改・平元法九〇、一項全改・二項追加・旧二項を改正し三項に繰下・平五法四三、一項改正・二項追加・旧二項を三項に繰下・旧三項を改正し四項に繰下・平九法四一、一項改正・平一一法八七、一・三項改正・平一三法五一、一項改正・平二五法四三・令元法二〇・令四法三二〕

参照　〔第一種免許〕八四③・八五〔第二種免許〕八四④・八六〔免許証〕交付＝九二①、記載事項＝九三、様式＝道交規別記様式一四、記載事項の変更届出＝九四①、携帯及び提示義務＝九五、更新等＝一〇一―一〇二の三、道交規二九、返納＝一〇七、譲渡・貸与の禁止＝一二〇①15〔期間〕民一三八―一四三〔適性検査〕一〇一⑤〔政令で定めるやむを得ない理由〕道交令三三の六の二〔適性試験〕九七、道交規二三〔自動車等〕八四①〔運転〕二①17〔政令で定める基準〕道交令三三の七〔政令で定める日〕道交令三三の八

（免許証の有効期間等の特例の適用がある日）

第三三条の八　法第九十二条の二第四項（法第百条の二第五項において準用する場合を含む。）の政令で定める日は、次に掲げるとおりとする。

一　土曜日

二　国民の祝日に関する法律（昭和二十三年法律第百七十八号）に規定する休日

三　十二月二十九日から翌年の一月三日までの日（前号に掲げる日を除く。）

〔本条追加・平二政二六、見出し・本条改正・平二政三〇三、旧三三条の六を改正し繰下・平四政二三一、見出し改正・旧三三条の七を改正し繰下・平五政三四八、本条改正・平九政三九一〕

（免許証の記載事項）

第九三条　免許証には、次に掲げる事項（次条の規定による記録が行われる場合にあつては、内閣府令で定めるものを除く。）を記載するものとする。

一　免許証の番号

二　免許の年月日並びに免許証の交付年月日及び有効期間の末日

三　免許の種類

四　免許を受けた者の本籍、住所、氏名及び生年月日

五　免許を受けた者が前条第一項の表の備考一の2に規定する優良運転者（第百一条第三項及び第百一条の二の二第一項において単に「優良運転者」という。）である場合にあつては、その旨

五　免許を受けた者が第九十五条の六第一項の表の備考一のロに規定する優良運転者（第百一条第三項及び第百一条の二の二第一項において単に「優良運転者」という。）である場合にあつては、その旨

2　公安委員会は、前項に規定するもののほか、免許を受けた者について、第九十一条又は第九十一条の二第二項の規定により、免許に条件を付し、又は免許に付されている条件を変更したときは、その者の免許証に当該条件に係る事項を記載しなければならない。

3　前二項に規定するもののほか、免許証の様式、免許証に表示すべきものその他免許証について必要な事項は、内閣府令で定める。

〔二項改正・昭三九法九一・昭四五法八六・昭四六法九八・昭六

第一九条（免許証の記載事項等）……………四〇七ページ参照

法第九三条

判例　※　条件付運転免許を受けた者がその更新時に行政庁の手違いで無条件の免許を受けたことに対し、その次の更新時に職権をもって当初の条件付免許証を交付したことは違法ではない。（神戸地　平元、九、一一）

一法六三、一・二項改正・平五法四三、三項改正・平一一法一六〇、一－三項改正・平一三法五一、二項改正・令二法四二〕

参照 〔免許証〕交付＝九二①、有効期間＝九二の二、記載事項の変更届出＝九四①、携帯及び提示義務＝九五、更新等＝一〇一－一〇二の三、道交規二九、返納＝一〇七、譲渡・貸与の禁止＝一二〇①15〔免許の種類〕八四③・④〔本籍〕戸六・九〔住所〕民二二－二四〔公安委員会〕四①、警三八－四六の二〔期間〕民一三八－一四三〔内閣府令の定め〕道交規一九

（免許証の電磁的方法による記録）

第九三条の二 公安委員会は、前条第一項各号に掲げる事項又は同条第二項若しくは第三項の規定により記載され若しくは表示されるものの一部を、内閣府令で定めるところにより、免許証に電磁的方法（電子的方法、磁気的方法その他の人の知覚によつて認識することができない方法をいう。）により記録することができる。

第九三条の二 公安委員会は、前条第一項各号に掲げる事項又は同条第二項若しくは第三項の規定により記載され若しくは表示されるものの一部を、内閣府令で定めるところにより、免許証に電磁的方法（電子的方法、磁気的方法その他の人の知覚によつて認識することができない方法をいう。以下同じ。）により記録することができる。

〔本条追加・平一三法五一〕

参照 〔公安委員会〕四①、警三八－四六の二〔内閣府令の定め〕道交規一九の二

（免許証の電磁的方法による記録）

第一九条の二 法第九十三条の二の規定による記録は、法第九十三条第一項各号に掲げる事項、同条第二項の規定により記載されることとなる事項及び前条第三項の規定により表示されることとなるもの（交付公安委員会の公印の印影を除く。）を免許証に組み込んだ半導体集積回路に記録して行うものとする。

〔本条追加・平一六内府令九三〕

（免許証の記載事項の変更届出等）

第九四条　免許を受けた者は、第九十三条第一項各号に掲げる事項に変更を生じたときは、速やかに住所地を管轄する公安委員会（公安委員会の管轄区域を異にして住所を変更したときは、変更した後の住所地を管轄する公安委員会）に届け出て、免許証に変更に係る事項の記載（前条の規定による記録が行われる場合にあつては、同条の規定による記録）を受けなければならない。

（免許証の記載事項の変更の届出の手続）

第二〇条　法第九十四条第一項に規定する免許証の記載事項の変更の届出は、別記様式第十六の届出書を提出して行うものとする。

2　前項の届出をしようとする者が次の各号のいずれかに該当する者であるときは、それぞれ当該各号に定める書類を提示（第二号に該当する者であるときは、前項の届出書に同号に定める書類を添付）しなければならない。

一　住所を変更した者　住民票の写しその他の住所を確かめるに足りる書類

二　本籍（外国人にあつては、国籍等）又は氏名を変更した者（住民基本台帳法の適用を受ける者である場合に限る。）　住民票の写し

三　国籍等又は氏名を変更した者（住民基本台帳法の適用を受けない者に限る。）　旅券等

〔二項改正・昭四二総府令五一、一項改正・昭四七総府令八、二項改正・三項追加・平一〇総府令七六、一項改正・二項全改・平一八内府令四、二項削除・旧三項を改正し二項に繰上・平二一内府令二八、二項改正・平二四内府令三九・平二五内府令二〕

別記様式第十六（第二十条関係）

<table>
<tr><td colspan="23">運転免許証記載事項変更届
年　月　日
公安委員会　殿
届出者氏名</td></tr>
<tr><td rowspan="4">変更した事項</td><td rowspan="2">新</td><td colspan="2">本籍・国籍等</td><td colspan="14"></td><td colspan="2">氏名</td><td colspan="3"></td></tr>
<tr><td colspan="2">住所</td><td colspan="19"></td></tr>
<tr><td rowspan="2">旧</td><td colspan="2">本籍・国籍等</td><td colspan="14"></td><td colspan="2">氏名</td><td colspan="3"></td></tr>
<tr><td colspan="2">住所</td><td colspan="19"></td></tr>
<tr><td rowspan="9">現に受けている免許</td><td colspan="3">交付公安委員会</td><td colspan="19">公安委員会</td></tr>
<tr><td colspan="3">交付年月日・番号</td><td colspan="13">年　月　日</td><td colspan="3">有効期間の末日</td><td colspan="3"></td></tr>
<tr><td colspan="3">免許証番号</td><td colspan="19">第　号</td></tr>
<tr><td rowspan="5">免許年月日・種類</td><td>第一種免許</td><td>二・小・原</td><td colspan="16">年　月　日</td><td>昭和</td><td>平成</td><td>令和</td></tr>
<tr><td colspan="2">免許の種類</td><td>大型</td><td>中型</td><td>準中型</td><td>普通</td><td>大特</td><td>大自二</td><td>普自二</td><td>小特</td><td>原付</td><td>け引</td><td>大二</td><td>中二</td><td>普二</td><td>大特二</td><td>け引二</td><td>大型仮</td><td>中型仮</td><td>準中型仮</td><td>普通仮</td></tr>
<tr><td>第一種免許</td><td>その他</td><td colspan="16">年　月　日</td><td>昭和</td><td>平成</td><td>令和</td></tr>
<tr><td colspan="2">第二種免許</td><td colspan="16">年　月　日</td><td>昭和</td><td>平成</td><td>令和</td></tr>
<tr><td colspan="2">仮免許</td><td colspan="17">年　月　日</td><td>平成</td><td>令和</td></tr>
<tr><td colspan="3">免許の条件</td><td colspan="19"></td></tr>
</table>

備考　1　本籍・国籍等欄には、日本の国籍を有する者は本籍を、その他の者は国籍等を記載すること。

2　免許年月日・種類欄は、年月日を記載するほか、該当する年号及び現に受けている免許の種類を表す略語を○で囲むこと。

3　公安委員会の管轄区域を異にしないで住所を変更した場合は、現に受けている免許欄には交付公安委員会名、交付年月日・番号及び免許証番号のみを記載すること。

4　用紙の大きさは、日本産業規格Ａ列４番とする。

〔本様式全改・昭41総府令51、改正・昭43総府令49・昭46総府令53、全改・昭48総府令11、改正・昭50総府令10・平元総府令43・平６総府令１・総府令９・平８総府令41・平14内府令34・平18内府令４・平25内府令２・平28内府令49・令元内府令５・内府令12〕

2　免許を受けた者は、免許証を亡失し、滅失し、汚損し、若しくは破損したとき、前条の規定による記録を毀損したとき、又は前項の規定による届出をしたとき、その他内閣府令で定めるときは、その者の住所地（仮免許に係る免許証にあつては、その者の住所地又はその者が現に自動車の運転に関する教習を受けている第九十八条第二項の規定による届出をした自動車教習所の所在地）を管轄する公安委員会に免許証の再交付を申請することができる。

（免許証の再交付の申請）

第二一条　法第九十四条第二項の内閣府令で定めるときは、次の各号のいずれかに該当するときとする。

一　法第九十一条又は第九十一条の二第二項の規定により、免許に条件を付され、又はこれを変更されたとき。

二　免許証の備考欄に法第九十三条第二項に規定する事項又は法第九十四条第一項に規定する変更に係る事項の記載を受けているとき。

三　免許証に表示されている写真を変更しようとするとき。

四　前三号に掲げるもののほか、公安委員会が相当と認めるとき。

2　法第九十四条第二項に規定する免許証の再交付の申請は、別記様式第十七の再交付申請書を提出して行うものとする。

3　前項の申請書には、次に掲げる書類及び写真（都道府県公安委員会規則で定める場合にあつては、第一号及び第二号に掲げる書類）を添付しなければならない。

一　当該申請に係る免許証（当該免許証を亡失し、又は滅失した場合にあつては、その事実を証するに足りる書類）

二　法第九十四条第二項の規定により住所地を管轄する公安委員会以外の公安委員会に仮免許に係る免許証の再交付の申請を行おうとする場合にあつては、現に法第九十八条第二項の規定による届出をした自動車教習所において自動車の運転に関する教習を受けている者であることを証明する書類

三　申請用写真

〔本条全改・平四総府令四五、一・二項改正・平一一総府令四一、二項改正・平二三内府令七〇、見出し改正・一項追加・旧一項を二項に繰下・旧二項を改正し三項に繰下・令元内府令三一、一項改正・令四内府令七〕

3　第一項の規定による届出の手続及び前項に規定する免許証の再交付の申請の手続は、内閣府令で定める。

〔三項改正・平四法四三、二項削除・旧三・四項を二・三項に繰上・平一一法四〇、三項改正・平一一法一六〇、一―三項改正・平一三法五一、二項改正・令元法二〇、付記改正・令四法三二〕

参照〔免許〕八四、第一種免許＝八四③・八五、第二種免許＝八四④・八六、仮免許＝八四⑤・八七〔免許証〕交付＝九二①、有効期間＝九二の二、記載事項＝九三、様式＝道交規別記様式一四、変更の届出＝道交規二〇・別記様式一六、再交付の申請＝道交規二一・別記様式一七、携帯及び提示義務＝九五、更新等＝一〇一―一〇二の三、道交規二九、返納＝一〇七、譲渡・貸与の禁止＝一二〇①15〔公安委員会〕四①、警三八―四六の二〔住所〕民二二―二四〔内閣府令の定め〕道交規二一

（罰則　第一項については第百二十一条第一項第十号〔二万円以下の罰金又は科料〕）

別記様式第十七（第二十一条関係）

運転免許証再交付申請書

年　月　日

公安委員会殿

氏名・生年月日			年　月　日
本籍・国籍等			
住所			
再交付を申請する理由			
免許証の記載事項の変更の有無	有　・　無		
現に受けている免許	交付公安委員会		
	交付年月日・番号	平成 令和　年　月　日	有効期間の末日
	免許証番号	第　号	
	免許年月日・種類　第一種免許　二・小・原	年　月　日	昭和　平成　令和
	免許年月日・種類　免許の種類	大型　中型　準中型　普通　大特　大自二　普自二　小特　原付　け引　大二　中二　普二　大特二　け引二　大型仮　中型仮　準中型仮　普通仮	
	免許年月日・種類　第一種免許　その他	年　月　日	昭和　平成　令和
	免許年月日・種類　第二種免許	年　月　日	昭和　平成　令和
	免許年月日・種類　仮免許	年　月　日	平成　令和
	免許の条件		

（この線から下には記載しないこと。）

氏名・生年月日		年　月　日
本籍・国籍等		
住所		
交付	年　月　日	
年　月　日まで有効 免許の条件等		写真

6.2　1.0　2.6　9.0

備考
1　氏名・生年月日、本籍・国籍等及び住所欄は、明瞭に、かい書で記載し、又は5号活字で印字すること。
2　本籍・国籍等欄には、日本の国籍を有する者は本籍を、その他の者は国籍等を記載すること。
3　現に受けている免許に係る免許証の記載事項に変更がある場合には免許証の記載事項の変更の有無欄の「有」を、当該免許証の記載事項に変更がない場合には同欄の「無」を、それぞれ○で囲むこと。
4　免許年月日・種類欄は、年月日を記載するほか、該当する年号及び現に受けている免許の種類を表す略語を○で囲むこと。
5　用紙の大きさは、日本産業規格A列4番とする。
6　図示の長さの単位は、センチメートルとする。

〔本様式全改・昭41総府令51、改正・昭43総府令49・昭46総府令53、全改・昭48総府令11、改正・昭50総府令10・平元総府令43・平6総府令1・総府令9・平8総府令41・平11総府令11・平14内府令34・平18内府令4・平25内府令2・平28内府令49・令元内府令5・内府令12・内府令31〕

（免許証の携帯及び提示義務）

第九五条　免許を受けた者は、自動車等を運転するときは、当該自動車等に係る免許証を携帯していなければならない。

2　免許を受けた者は、自動車等を運転している場合において、警察官から第六十七条第一項又は第二項の規定による免許証の提示を求められたときは、これを提示しなければならない。

〔二項改正・平一九法九〇、付記改正・令四法三二〕

参照　〔免許〕八四、第一種免許＝八四③・八五、第二種免許＝八四④・八六、仮免許＝八四⑤・八七〔自動車等〕八四①〔運転〕二①17〔免許証〕交付＝九二①、有効期間＝九二の二、記載事項＝九三、様式＝道交規別記様式一四、記載事項の変更届出＝九四①、更新等＝一〇一―一〇二の三、道交規二九、返納＝一〇七、譲渡・貸与の禁止＝一二〇①15〔警察官〕警三四・五五・六二・六三

〔罰則　第一項については第百二十一条第一項第十二号（二万円以下の罰金又は科料）、同条第三項（二万円以下の罰金又は科料）第二項については第百二十条第一項第十号（五万円以下の罰金）〕

反則金

免許証不携帯	大型	三千円	普通	三千円
	二輪	三千円	原付	三千円

（特定免許情報の記録等）

第九五条の二　免許（仮免許を除く。以下この条にお

法第九五条

判例　※　改正前の道路交通取締法九条一項にいわゆる「携帯」とは、直ちに呈示し得る状態における所在の認識ある所持をいう。（福高　昭二五、九、二九）

※　道路交通法九五条一項にいわゆる免許証の携帯というためには、その所存を的確に認識していなくても、運転中は常に自己の身辺に所持していて、警察官等から提示を求められた際には、直ちに提示できることが必要であると解すべきであるから、免許証のしまい場所を失念していて、その場で提示できなかった場合には、たとえその後帰宅の途中運転台の右側ドアのポケットに入れてあったことがわかったとしても、過失による免許証不携帯の責を免れることができない。（仙高　昭三七、一一、二六）

※　道路交通法百九条二項に基づき保管証が同法九十五条の規定の適用について免許証とみなされるのは右有効期間内に限られるものと解するのが相当であり、これを別異に解すべき理由はないから、有効期間を経過した保管証を携帯しても免許証を携帯したものとはみなされない。（大高　昭三九、一二、二）

運転免許証の有効期間経過後更新免許証の交付予定日に交付を受けないで自動車を運転した事例

※　免許証の更新申請をして適性検査に合格し、旧免許証の有効期間経過後は旧免許証を携帯することによつて新免許証の交付予定日と指定された日まで車両を運転することができるという行政処分がとられていて、右行政処分満了日でも右指定日に所轄警察署に出頭すれば、新免許証の交付を受けてこれを携帯することができるのに、これを怠つて右指定日の翌日以降に当該免許にかかる自動車を運転したときは、免許証不携帯の罪が成立するものというべきである。（大高　昭四三、一〇、九）

いて同じ。）を現に受けている者のうち、当該免許について免許証のみを有するもの並びに免許証及び第四項に規定する免許情報記録個人番号カードのいずれをも有しないものは、いつでも、その者の住所地を管轄する公安委員会に、その者の個人番号カード（行政手続における特定の個人を識別するための番号の利用等に関する法律（平成二十五年法律第二十七号）第二条第七項に規定する個人番号カードをいう。以下同じ。）の区分部分（同法第十八条に規定するカード記録事項が記録された部分と区分された部分をいう。以下同じ。）に当該免許に係る特定免許情報を記録することを申請することができる。

2　前項の特定免許情報とは、次に掲げる事項をいう。

一　免許情報記録（個人番号カードに記録された特定免許情報に係る記録をいう。以下同じ。）の番号

二　免許の年月日及び免許情報記録の有効期間の末日

三　免許の種類

四　第九十三条第二項に規定する条件に係る事項

五　第九十三条第三項の規定により免許証（仮免許に係るものを除く。以下この条及び第九十五条の四において同じ。）に記載され、又は表示される事項であつて内閣府令で定めるもの

3　第一項の規定による申請を受けた公安委員会は、次の各号のいずれかに該当する場合を除き、前項に規定する特定免許情報（以下「特定免許情報」という。）をその者の個人番号カードの区分部分に電磁的方法により記録するものとする。

一　免許の効力が停止されているとき。

二　当該個人番号カードが行政手続における特定の個人を識別するための番号の利用等に関する法律第十七条第十項の規定により効力を失つていること、当該個人番号カードの区分部分における他の事項が記録されていない領域が特定免許情報を記録するために十分でないことその他の公安委員会が個人番号カードの区分部分に特定免許情報を記録することができない事情として内閣府令で定めるものがあるとき。

4　免許証及び免許情報記録個人番号カード（その者に係る特定免許情報が記録された個人番号カードをいう。以下同じ。）を有する者は、いつでも、免許証をその者の住所地を管轄する公安委員会に返納することができる。

5　第一項の規定による申請は、同項の規定にかかわらず、免許を現に受けていない者が第九十二条第一項の規定による免許証の交付を受けようとする際においてもすることができる。

6　第九十二条第一項の規定による免許証の交付を受けようとする際に第一項の規定による申請をする者は、当該申請に併せて当該免許証の交付を希望しない旨の申出をすることができる。この場合においては、その者が第三項の規定による特定免許情報の記録を受けたことをもつて、当該免許証が同条第一項の規定により交付され、第四項の規定により返納されたものとみなす。

7　免許情報記録個人番号カードは、前条の規定の適用については、免許証とみなす。

8　警察官は、第六十七条第一項又は第二項の規定による免許証の提示を求めた場合において、前項の規定により免許証とみなされた免許情報記録個人番号カードの提示を受けたときは、当該提示をした者に対し、警察官が当該免許情報記録個人番号カードに記録された特定免許情報を確認するために必要な措置を受けることを求めることができる。この場合において、当該求めを受けた者は、これに応じなければならない。

9　行政手続における特定の個人を識別するための番号の利用等に関する法律第十七条第十項の規定による個人番号カードの失効は、免許情報記録の効力に影響を及ぼさないものとする。

10　免許証及び免許情報記録個人番号カードを有する者は、いつでも、免許情報記録個人番号カードをその者の住所地を管轄する公安委員会に提示して免許情報記録の抹消を受けることができる。

11　免許を現に受けている者のうち当該免許について免許情報記録個人番号カードのみを有するものは、いつでも、その者の住所地を管轄する公安委員会に当該免許に係る免許証の交付を申請することができる。

12　第一項及び前項の申請の手続並びに第六項の申出の手続について必要な事項は、内閣府令で定める。

（罰則　第八項については第百二十条第一項第十号〔五万円以下の罰金〕）

（免許情報記録個人番号カードの特則）

第九五条の三　免許情報記録個人番号カードについての第九十二条第二項及び第九十三条第二項の規定の適用については、第九十二条第二項中「その異なる種類の免許に係る免許証にその者が現に受けている免許に係る事項を記載して、その者が現に有する免許証と引換えに交付する」とあるのは「その者の免許情報記録個人番号カード（第九十五条の二第四項に規定する免許情報記録個人番号カードをいう。以下同じ。）に記録された免許情報記録（同条第二項第一号に規定する免許情報記録をいう。）をその異なる種類の免許及びその者が現に受けている免許に係るものに書き換える」と、第九十三条第二項中「免許証に当該条件」とあるのは「免許情報記録個人番号カードの区分部分（第九十五条の二第一項に規定する区分部分をいう。）に当該条件（仮免許に係るものを除く。）」と、「記載しなければ」とあるのは「電磁的方法（次条に規定する電磁的方法をいう。）により記録しなければ」とする。

（免許証及び免許情報記録個人番号カードを有する者の特則）

第九五条の四　公安委員会は、免許証及び免許情報記録個人番号カードを有する者について、第九十二条第二項に規定する異なる種類の免許を与えるときは、同条第一項の規定による当該異なる種類の免許に係る免許証の交付を行うとともに、前条の規定により読み替えて適用する第九十二条第二項の規定による免許情報記録の書換えを行うものとする。

2　公安委員会は、免許証及び免許情報記録個人番号カードを有する者について、第九十一条又は第九十一条の二第二項の規定により、免許（仮免許を除く。以下この項及び次条第一項において同じ。）に条件を付し、又は免許に付されている条件を変更したときは、第九十三条第二項の規定による当該条件に係る事項の記載を行うとともに、前条の規定により読み替えて適用する第九十三条第二項の規定による当該条件に係る事項の記録を行うものとする。

（免許情報記録個人番号カードのみを有する者の特則）

第九五条の五 免許を現に受けている者のうち当該免許について免許情報記録個人番号カードのみを有するものに対し、第九十二条第二項に規定する異なる種類の免許を与えるときは、同条第一項の規定にかかわらず、第九十五条の三の規定により読み替えて適用する第九十二条第二項の規定による免許情報記録の書換えをもつて、当該異なる種類の免許を与えたものとする。

2 免許を現に受けている者のうち免許情報記録個人番号カードのみを有するものについての第九十四条第一項及び第三項の規定の適用については、同条第一項中「届け出て、免許証に変更に係る事項の記載（前条の規定による記録が行われる場合にあつては、同条の規定による記録）を受けなければ」とあるのは「届け出なければ」と、同条第三項中「第一項」とあるのは「第九十五条の五第二項の規定により読み替えて適用する第一項」とする。

3 前項に規定する者のうち次の各号に掲げるものは、同項の規定により読み替えて適用する第九十四条第一項の規定にかかわらず、当該各号に定める事項の変更についての届出をすることを要しない。

一 国家公安委員会に対し、戸籍法（昭和二十二年法律第二百二十四号）第百二十条の三第三項の規定により国家公安委員会が同条第一項に規定する戸籍電子証明書（その者の変更した後の本籍を証明するものに限る。）の提供を受けるための措置として内閣府令で定める措置を講じた者 本籍

二 国家公安委員会に対し、電子署名等に係る地方

公共団体情報システム機構の認証業務に関する法律（平成十四年法律第百五十三号）第十八条第三項の規定により国家公安委員会が同項に規定する特定署名用電子証明書記録情報（その者の個人番号カードに記録された同法第三条第一項に規定する個人番号カード用署名用電子証明書に係るものに限る。）の提供を受けるための措置として内閣府令で定める措置を講じている者　住所、氏名及び生年月日

4　国家公安委員会は、免許に関する事務の適正を図るため、次の各号に掲げる場合の区分に応じ、当該各号に定める事項を各公安委員会に通報するものとする。

一　前項第一号に規定する戸籍電子証明書又は同項第二号に規定する特定署名用電子証明書記録情報の提供を受けたとき　当該戸籍電子証明書又は当該特定署名用電子証明書記録情報に係る内閣府令で定める事項

二　前項第二号に規定する措置が開始され、又は終了したとき　当該措置が開始され、又は終了した旨その他の内閣府令で定める事項

（免許証等の有効期間）

第九五条の六　第一種免許及び第二種免許に係る免許証（第九十五条の二第十一項の規定により交付された免許証（第百七条の規定により読み替えて適用する第百一条の四の二第三項に規定する書面（以下この項において「更新証明書」という。）の交付を受けた者に対して交付されたものを除く。次項において同じ。）及び第百六条の三第二項の規定により交付された免許証を除く。以下この項において同じ。）

並びに免許情報記録（第九十二条第一項の規定による免許証の交付を受けようとする際に第九十五条の二第一項の規定による申請をした者又は更新証明書の交付を受けた者に対して同条第三項の規定により記録された免許情報記録（次項において「免許付与時記録免許情報記録等」という。）、第九十五条の三の規定により読み替えて適用する第九十二条第二項の規定により書き換えられた免許情報記録及び第百一条第六項又は第百一条の二第四項の規定により更新された免許情報記録に限る。以下この項において同じ。）の有効期間は、次の表の上欄に掲げる区分ごとに、それぞれ、同表の中欄に掲げる年齢に応じ、同表の下欄に定める日が経過するまでの期間とする。

免許証の交付又は特定免許情報記録を受けた者の区分	更新日等における年齢	有効期間の末日
優良運転者及び一般運転者	七十歳未満	満了日等の後のその者の五回目の誕生日から起算して一月を経過する日
	七十歳	満了日等の後のその者の四回目の誕生日から起算して一月を経過する日
	七十一歳以上	満了日等の後のその者の三回目の誕生日から起算して一月を経過する日

違反運転者等		満了日等の後のその者の三回目の誕生日から起算して一月を経過する日

備考
一　この表に掲げる用語の意義は、次に定めるとおりとする。
イ　更新日等　次の(1)から(5)までに掲げる免許証及び免許情報記録の区分に応じ、当該(1)から(5)までに定める日
(1)　第百一条第六項の規定により更新された免許証及び免許情報記録　当該更新された日
(2)　更新証明書の交付を受けた者のうち第百一条第六項の規定による免許情報記録の有効期間の更新を受けたものに対して第九十五条の二第十一項の規定により交付された免許証及び同条第三項の規定により記録された免許情報記録　当該更新証明書の交付を受けた日
(3)　第百一条の二第四項の規定により更新された免許証及び免許情報記録並びに更新証明書の交付を受けた者のうち同項の規定による免許情報記録の有効期間の更新を受けたものに対して第九十五条の二第十一項の規定により交付された免許証及び同条第三項の規定により記録された免許情報記録　第百一条の二第三項の規定による適性検査を受けた日
(4)　海外旅行、災害その他の政令で定めるやむを得ない理由のため第百一条第一項の免許証等の更新を受けることができなかつた者（その免許がその結果

第百五条の規定により効力を失つた日から起算して六月（当該やむを得ない理由のためその期間内に次の免許を受けることができなかつた者にあつては、当該効力を失つた日から起算して三年を経過しない場合に限り、当該事情がやんだ日から起算して一月）を経過しない者に限る。以下この表において「特別失効者」という。）又は第百三条第一項若しくは第四項の規定による免許の取消し（同条第一項第一号から第二号までのいずれかに係るものに限る。）を受けた者（当該取消しを受けた日から起算して三年を経過しない者に限り、同日前の直近において した第八十九条第一項、第百一条第一項若しくは第百一条の二第一項の規定による質問票の提出又は第百一条の五の規定による報告について第百十七条の四第一項第三号の違反行為をした者を除く。以下この表において「特別取消処分者」という。）に対して第九十二条第一項の規定により交付された免許証及び第九十五条の二第三項の規定により記録された免許情報記録　当該交付された免許証又は記録された免許情報記録に係る適性試験を受けた日の直前のその者の誕生日（当該適性試験を受けた日がその者の誕生日である場合にあつては、当該適性試験を受けた日）の前日

(5)　その他の免許証及び免許情報記録　当該免許証又は免許情報記録に係る適性試験を受けた日

ロ

優良運転者　更新日等（特別失効者に対して第九十二条第一項の規定により交

付された免許証及び第九十五条の二第三項の規定により記録された免許情報記録にあつては当該効力を失つた免許に係る免許証又は免許情報記録の有効期間の末日、特別取消処分者に対して第九十二条第一項の規定により交付された免許証及び第九十五条の二第三項の規定により記録された免許情報記録にあつては当該取消しを受けた日。ニにおいて同じ。）までに継続して免許（仮免許を除く。ニにおいて同じ。）を受けている期間が五年以上である者であつて、自動車等の運転に関するこの法律及びこの法律に基づく命令の規定並びにこの法律の規定に基づく処分並びに重大違反唆し等及び道路外致死傷に係る法律の規定の遵守の状況が優良な者として政令で定める基準に適合するもの

ハ　一般運転者　優良運転者又は違反運転者等以外の者

ニ　違反運転者等　更新日等までに継続して免許を受けている期間が五年以上である者であつて自動車等の運転に関するこの法律及びこの法律に基づく命令の規定並びにこの法律の規定に基づく処分並びに重大違反唆し等及び道路外致死傷に係る法律の規定の遵守の状況が不良な者として政令で定める基準に該当するもの又は当該期間が五年未満である者

ホ　満了日等　次の(1)から(4)までに掲げる免許証及び免許情報記録の区分に応じ、当該(1)から(4)までに定める日

(1)　イ(1)に掲げる免許証及び免許情報記録　更新前の免許証又は免許情報記録の有効期間が満了した日

(2)　イ(2)に掲げる免許証及び免許情報記

録　その直近において記録された免許情報記録の有効期間が満了することとされていた日

(3)　イ(3)に掲げる免許証及び免許情報記録　第百一条の二第三項の規定による適性検査を受けた日

(4)　その他の免許証及び免許情報記録　当該免許証又は免許情報記録に係る適性試験を受けた日

二　更新日等がその者の誕生日である場合におけるこの表の適用については、この表中「更新日等」とあるのは、「更新日等の前日」とする。

三　更新日等が有効期間の末日の直前のその者の誕生日の翌日から当該有効期間の末日までの間である場合におけるこの表の適用については、この表中「更新日等」とあるのは、「更新日等の直前のその者の誕生日の前日」とする。

四　特別失効者に該当する者として当該効力を失つた免許の次の免許を受けた者に対するこの表の備考一のロ及びニの規定の適用については、当該効力を失つた免許を受けていた期間及び当該次の免許を受けていた期間は、継続していたものとみなす。

五　特別取消処分者に該当する者として当該取り消された免許の次の免許を受けた者に対するこの表の備考一のロ及びニの規定の適用については、当該取り消された免許を受けた日から当該取消しを受けた日までの期間及び当該次の免許を受けていた期間は、継続していたものとみなす。

六　その者の誕生日が二月二十九日である場合におけるこの表の適用については、その者のうるう年以外の年における誕生日は二月二十八日であるものとみなす。

2　次の各号に掲げる者に対して第九十五条の二第十一項の規定により交付された免許証及び第百六条の三第二項の規定により交付された免許証並びに第九十五条の二第三項の規定により記録された免許情報記録（免許付与時記録免許情報記録等を除く。）及び第百六条の四第二項の規定により書き換えられた免許情報記録の有効期間は、当該各号に掲げる者の区分に応じ、当該各号に定める日が経過するまでの期間とする。

一　現に受けている免許（仮免許を除く。以下この項において同じ。）について免許証のみを有していた者　当該免許証の有効期間が満了する日

二　現に受けている免許について免許情報記録個人番号カードのみを有していた者　当該免許情報記録個人番号カードに記録された免許情報記録の有効期間が満了する日

三　現に受けている免許について免許証及び免許情報記録個人番号カードを有していた者　当該免許証の有効期間が満了する日又は当該免許情報記録個人番号カードに記録された免許情報記録の有効期間が満了する日のいずれか遅い日

四　現に受けている免許について免許証及び免許情報記録個人番号カードのいずれをも有していなかつた者　その直近において記録された免許情報記録の有効期間が満了することとされていた日

3　前二項に規定する期間の末日が日曜日その他政令で定める日に当たるときは、これらの日の翌日を当該期間の末日とみなす。

第四節　運転免許試験

（受験資格）

第九六条　第八十八条第一項各号のいずれかに該当する者は第一種免許の運転免許試験を、同条第二項に規定する者は仮免許の運転免許試験を受けることができない。

2　大型免許の運転免許試験を受けようとする者（政令で定める者を除く。）は、中型免許、準中型免許、普通免許又は大型特殊免許を現に受けている者に該当し、かつ、これらの免許のいずれかを受けていた期間（当該免許の効力が停止されていた期間を除く。）が通算して三年（政令で定める教習を修了した者にあつては、一年）以上の者でなければならない。

3　中型免許の運転免許試験を受けようとする者（政令で定める者を除く。）は、準中型免許、普通免許又は大型特殊免許を現に受けている者に該当し、かつ、これらの免許のいずれかを受けていた期間（当該免許の効力が停止されていた期間を除く。）が通算して二年（政令で定める教習を修了した者にあつては、一年）以上の者でなければならない。

4　大型免許、中型免許、準中型免許、普通免許、大型特殊免許、大型第二種免許、中型第二種免許、普通第二種免許又は大型特殊第二種免許を現に受けている者でなければ、牽引免許の運転免許試験を受けることができない。

5　第二種免許の運転免許試験は、次の各号のいずれかに該当する者でなければ、受けることができない。

（受験資格の特例）

第三四条　法第九十六条第二項の政令で定める者は、自衛隊の自動車の運転に関する教習を行う施設において大型自動車の運転に関する教習を修了した自衛官とする。

2　法第九十六条第二項の政令で定める教習は、大型自動車の運転に必要な技能に関する教習であつて公安委員会が国家公安委員会規則で定めるところにより指定した課程により行うものとする。

3　法第九十六条第三項の政令で定める者は、第一項に規定する者及び同項に規定する施設において中型自動車の運転に関する教習を修了した自衛官とする。

4　法第九十六条第三項の政令で定める教習は、中型自動車の運転に必要な技能に関する教習であつて公安委員会が国家公安委員会規則で定めるところにより指定した課程により行うものとする。

5　法第九十六条第五項第一号の十九歳から牽引第二種免許以外の第二種運転免許の試験を受けるための政令で定める教習は、旅客自動車運送事業に係る旅客を運送する目的で行う法第八十

大型自動車免許の欠格事由等の特例に係る教習の課程の指定に関する規則

（令和四年二月一〇日　国家公安委員会規則第四号）

一　牽引第二種免許以外の第二種免許の運転免許試験については、二十一歳（政令で定める教習を修了した者（第百四条の二の四第一項又は第二項の規定により特例取得免許の取消しを受けた者その他の政令で定める者を除く。）にあつては、十九歳）以上の者で、大型免許、中型免許、準中型免許、普通免許又は大型特殊免許を現に受けている者に該当し、かつ、これらの免許のいずれかを受けていた期間（当該免許の効力が停止されていた期間を除く。）が通算して三年（政令で定める経験を有するものにあつては二年、政令で定める教習を修了したものにあつては一年）以上のもの

二　牽引第二種免許の運転免許試験については、二十一歳（政令で定める教習を修了した者（第百四条の二の四第一項又は第二項の規定により特例取得免許の取消しを受けた者その他の政令で定める者を除く。）にあつては、十九歳）以上の者で、大型免許、中型免許、準中型免許、普通免許又は大型特殊免許及び牽引免許を現に受けている者に該当し、かつ、これらの免許のいずれかを受けていた期間（当該免許の効力が停止されていた期間を除く。）が通算して三年（政令で定める経験を有するものにあつては二年、政令で定める教習を修了したものにあつては一年）以上のもの

三　その者が受けようとする第二種免許の種類と異なる種類の第二種免許を現に受けている者

五条第十一項に規定する旅客自動車（以下「旅客自動車」という。）の運転に必要な適性に関する教習であつて公安委員会が国家公安委員会規則で定めるところにより指定した課程により行うものとする。

6　法第九十六条第五項第一号の政令で定める経験は、次に掲げる経験とする。

一　旅客自動車の運転者以外の乗務員として旅客自動車に二年以上乗務した経験

二　大型自動車免許、中型自動車免許、準中型自動車免許、普通自動車免許又は大型特殊自動車免許を受けた日以後において、自衛官として自衛隊用自動車（大型自動車、中型自動車、準中型自動車、普通自動車及び大型特殊自動車に限る。）を二年以上運転した経験

7　法第九十六条第五項第一号の大型自動車免許、中型自動車免許、準中型自動車免許、普通自動車免許又は大型特殊自動車免許のいずれかを受けていた期間が通算して一年以上で牽引第二種免許以外の第二種運転免許の試験を受けるための政令で定める教習は、旅客自動車運送事業に係る旅客を運送する目的で行う旅客自動車の運転に必要な技能に関する教習であつて公安委員会が国家公安委員会規則で定めるところにより指定した課程により行うものとする。

8　法第九十六条第五項第二号の十九歳から牽引第二種免許の試験を受けるための政令で定める教習は、法第七十五条の八の二第一項に規定する牽引自動車（以下「牽引自動車」という。）によつて法第八十五条第十一項に規定する旅客用車両（以下「旅客用車両」という。）を旅客自動車運送事業に係る旅客を運送する目的で牽引して行う当該牽引自動車の運転に必要な適性に関する教習であつて公安委員会が国家公安委員会規則で定めるところにより指定した課程により行うものとする。

9　法第九十六条第五項第二号の政令で定める経験は、次に掲げる経験とする。

一　牽引自動車によつて旅客用車両を牽引する場合における牽引自動車の運転者以外の乗務員として牽引自動車又は旅客用車両に二年以上乗務した経験

二　大型自動車免許、中型自動車免許、準中型自動車免許、普通自動車免許又は大型特殊自動車免許を受けた日以後において、自衛官として当該免許によつて運転することができる自衛隊用自動車で牽引自動車であるものによつて重被牽引車を牽引して牽引自動車を二年以上運転した経験

10　法第九十六条第五項第二号の大型自動車免許、中型自動車免許、準中型自動車免許、普通自動車免許又は大型特殊自動車免

6 第二項から第四項まで及び前項各号に規定する免許を現に受けている者には、第九十条第五項、第百三条第一項若しくは第四項、第百三条の二第一項、第百四条の二の三第一項若しくは第三項又は同条第五項において準用する第百三条第四項の規定により当該免許の効力が停止されている者及びこれに準ずるものとして政令で定める者を含まないものとする。

〔二項改正・昭三七法一四七・昭三九法九一、二・四項追加・旧二項を改正し三項に繰下・昭四〇法九六、二項追加し改正・旧二・三項を三・四項に繰下・旧四項を改正し五項に繰下・昭四二法一二六、二・四項改正・昭四六法九八、一・二・四項改正・昭四七法五一、五項改正・平元法九〇・平九法四一、一・五項改正・平一三法五一、二項改正・三項追加・旧三―五項を改正し四―六項に繰下・平一六法九〇、六項改正・平一九法九〇・平二五法四三、二―五項改正・平二七法四〇、二・三・五項改

許のいずれかを受けていた期間が通算して一年以上で牽引第二種免許の試験を受けるための政令で定める教習は、牽引自動車によつて旅客用車両を旅客自動車運送事業に係る旅客を運送する目的で牽引して行う当該牽引自動車の運転に必要な技能に関する教習であつて公安委員会が国家公安委員会規則で定めるところにより指定した課程により行うものとする。

11 法第九十六条第五項第一号及び第二号の政令で定める者は、次に掲げる者とする。

一 法第百二条の三に規定する基準該当若年運転者（以下「基準該当若年運転者」という。）に該当したことがある者で、法第百八条の二第一項第十四号に掲げる講習（以下「若年運転者講習」という。）を終了していないもの（次号及び第三号に掲げる者を除く。）

二 法第百二条の三に規定する特例取得免許（以下「特例取得免許」という。）の取消し（法第百三条第一項第一号から第二号までのいずれかに係るものを除く。）を受けた者

三 法第百三条第一項又は第四項の規定による免許の取消し（同条第一項第一号から第二号までのいずれかに係るものに限る。）を受けたため、特例取得免許の取消し（同条第一項第一号から第二号までのいずれかに係るものを除く。）を受けなかつた者

12 法第九十六条第六項の政令で定める者は、次に掲げる者とする。

一 準中型自動車免許を現に受けている者のうち、法第百四条の二の二第六項において準用する法第百四条第一項の通知を受けた者で法第百四条の二の二第二項又は第四項の規定による当該準中型自動車免許の取消しを受けていないもの

二 普通自動車免許を現に受けている者のうち、法第百四条の二の二第六項において準用する法第百四条第一項の通知を受けた者で法第百四条の二の二第二項又は第四項の規定による当該普通自動車免許の取消しを受けていないもの

三 特例取得免許を現に受けている者のうち、法第百四条の二の四第六項において準用する法第百四条第一項の通知を受けた者で法第百四条の二の四第一項、第二項又は第四項の規定による当該特例取得免許の取消しを受けていないもの

〔本条改正・昭三七政三三五・昭三九政二八〇、一項改正・二項追加・昭四〇政二五八、見出し改正・一項追加・旧一・二項を改正し二・三項に繰下・昭四二政二八〇、二項改正・昭四六政三四八、二・三項改正・昭四七政一〇〇、見出し改正・昭四八政二一七、二・三項改正・昭五三政三一三、四項追加・平二政二六、三項改正・平二政三〇三、四項改正・平六政三

正・令二法四二〕

参照 〔免許〕八四、第一種免許＝八四③・八五、第二種免許＝八四④・八六、仮免許＝八四⑤・八七〔二・三項の政令で定める者〕道交令三四①③〔二・三項の政令で定める教習〕道交令三四②④〔期間〕民一三八～一四三〔免許の効力の停止〕一〇三①〔五項の政令で定める教習〕道交令三四⑤⑦⑧⑩〔五項の政令で定める者〕道交令三四⑪〔五項の政令で定める経験〕道交令三四⑥⑨〔六項の政令で定める者〕道交令三四⑫

第九六条の二　大型免許、中型免許、準中型免許、普通免許、大型第二種免許、中型第二種免許又は普通第二種免許の運転免許試験を受けようとする者（政令で定める者を除く。）は、仮免許（大型免許又は大型第二種免許の運転免許試験を受けようとする者にあつては大型仮免許、中型免許又は中型第二種免許の運転免許試験を受けようとする者にあつては大型仮免許又は中型仮免許、準中型免許の運転免許試験を受けようとする者にあつては大型仮免許、中型仮免許又は準中型仮免許）を現に受けている者に該当し、かつ、過去三月以内に五日以上、内閣府令で定めるところにより道路において自動車の運転の練習をした者でなければならない。

〔本条追加・昭四七法五一、改正・平一一法一六〇・平一三法五一・平一六法九〇・平二七法四〇〕

参照 〔大型免許、中型免許、準中型免許又は普通免許〕八四③・

〇三、二項改正・平八政一六〇、三項改正・平九政二一五、一項改正・二項追加・旧二―四項を改正し三―五項に繰下・平一七政一八三、三―五項改正・平二八政二五八、二・四・五・七・八・一〇―一二項追加・旧二・三・四項を改正し三・六・九項に繰下・五項削除・令四政一六〕

第三四条の二　法第九十六条の二の政令で定める者は、次に掲げるとおりとする。

一　大型自動車免許、中型自動車免許、準中型自動車免許又は普通自動車免許の試験を受けようとする者で、次のいずれかに該当するもの

イ　法第八十九条第三項後段に規定する書面を有する者で、受けようとする免許の種類に応じそれぞれ大型自動車仮運転免許、中型自動車仮運転免許、準中型自動車仮運転免許又は普通自動車仮運転免許を同項に規定する検査の時に受けており、かつ、当該検査を受けた日から起算して一年を経過していないもの

ロ　受けようとする免許に係る卒業証明書を有する者で、当該卒業証明書に係る技能検定を受けた日から起算して一年を経過していないもの

ハ　特定失効者又は特定取消処分者で、法第九十七条第一項第二号に掲げる事項について行う試験において使用される自動車を運転することができる免許を受けていたもの

ニ　法第九十七条第一項第二号に掲げる事項について行う試験において使用される自動車に相当する種類の自動車の運転に関する外国等の行政庁等の免許を有する者で、当該外国等の行政庁等の免許を受けた後当該外国等に滞在していた期間が通算して三月以上のもの

ホ　受けようとする免許につき法第九十七条第一項第二号に

（仮免許による運転練習）

第二一条の二　法第九十六条の二の内閣府令で定める運転の練習は、高速自動車国道及び自動車専用道路以外の道路（交通の著しい混雑その他の理由により運転の練習を行うことが適当でないと認められる場合における当該道路を除く。）において、次の表の上欄に掲げる練習項目に応じ、それぞれ同表の下欄に掲げる練習細目について、大型免許を受けようとする者にあつては大型自動車、中型免許を受けようとする者にあつては中型自動車、準中型免許を受けようとする者にあつては準中型自動車、普通免許又は普通第二種免許を受けようとする者にあつては普通自動車、大型第二種免許を受けようとする者にあつては乗車定員三十人以上のバス型の大型自動車、中型第二種免許を受けようとする者にあつては乗車定員十一人以上二十九人以下のバス型の中型自動車により行う練習とする。

練習項目	練習細目
運転装置の操作等	一　運転姿勢を正しく保つこと。 二　乗降口のドアを閉じ、後写鏡を調節する等安全を図るため必要な措置を講ずること。 三　道路及び交通の状況に応じ、ハンドル、ブレーキその他の装置を確実に操作すること。

八五〔大型第二種免許、中型第二種免許又は普通第二種免許〕八四④・八六〔政令で定める者〕道交令三四の二、道交規二一の三〔仮免許〕八四⑤・八七〔内閣府令の定め〕道交規二一の二〔道路〕二①1、道二①、道運二⑦・⑧、道運車二⑥、高速二①、駐車二3、道路の種類＝道三〔自動車〕二①9、自動車の種類＝三、道交規二〔運転〕二①17

掲げる事項について行う試験について内閣府令で定める基準に達する成績を得た者で、当該試験を受けた日から起算して六月を経過していないもの

二　大型自動車第二種免許、中型自動車第二種免許又は普通自動車第二種免許の試験を受けようとする者で、次のいずれかに該当するもの

イ　法第九十七条第一項第二号に掲げる事項について行う試験において使用される自動車を運転することができる第一種運転免許を現に受けている者

ロ　受けようとする免許に係る卒業証明書を有する者で、当該卒業証明書に係る技能検定を受けた日から起算して一年を経過していないもの

ハ　特定失効者又は特定取消処分者で、法第九十七条第一項第二号に掲げる事項について行う試験において使用される自動車を運転することができる免許を受けていたもの

ニ　受けようとする免許につき法第九十七条第一項第二号に掲げる事項について行う試験について内閣府令で定める基準に達する成績を得た者で、当該試験を受けた日から起算して六月を経過していないもの

〔本条追加・昭四八政二七、改正・昭五三政三一三・平二政二六・平四政二三一・平五政三四八・平一一政二二九・平一四政二四・平一七政一八三・平一九政二六六・平二六政六三・平二八政二五八〕

交通法規に従い、道路及び交通の状況に応じた運転	一　信号並びに道路標識及び道路標示による交通規制に従うこと。 二　歩行者を保護する等交通の安全を確保すること。 三　通行区分等を守ること。 四　他人に危害を及ぼさないような速度、車間距離及び側方間隔を保つこと。 五　合図の方法を守ること。 六　交差点における通行方法を守ること。 七　その他法第百八条の二十八第四項に規定する教則（以下「教則」という。）の内容となつている事項を守ること。
法第八十五条第十一項の旅客自動車（以下「旅客自動車」という。）の運転（大型第二種免許、中型第二種免許又は普通第二種免許を受けようとする者に限る。）	一　人の乗降のための停車及び発進を安全に行うこと。 二　普通第二種免許を受けようとする者にあつては、転回を安全に行うこと。

〔本条追加・昭四八総府令一一、改正・平一〇総府令二・平一二総府令八九・平一四内府令三四・平一八内府令四・平二八内府令四九〕

（大型免許等に係る受験資格の特例）

第二一条の三　令第三十四条の二第一号ホの内閣府令で定める基準は、第二十四条第五項第二号に定める成績とし、令第三十四条の二第二号ニの内閣府令で定める基準は、第二十四条第五項第一号に定める成績とする。

第二一条の三　令第三十四条の二第一号ホの内閣府令で定める基準は、試験に係る免許の種類に応じ、第二十四条第九項第三号又は第四号に定める成績とし、令第三十四条の二第二号ニの内閣府令で定める基準は、試験に係る免許の種類に応じ、第二十四条第九項第一号又は第二号に定める成績とする。

〔本条追加・平一四内府令三四、見出し改正・平一八内府令四〕

第九六条の三　第九十条第一項ただし書若しくは第二項の規定による免許の拒否、同条第五項若しくは第六項若しくは第百三条第一項、第二項若しくは第四項の規定による免許の取消し又は第百七条の五第一項若しくは第二項の規定若しくは同条第九項において準用する第百三条第四項の規定による六月を超える期間の自動車等の運転の禁止を受けた者（第九十条第一項第一号から第三号まで若しくは第七号、第百三条第一項第一号から第四号まで又は第百七条の五第一項第一号に該当することを理由としてこれらの処分を受けた者を除く。第百八条の二第一項第二号において「取消処分者等」という。）で、運転免許試験（仮免許の運転免許試験を除く。次項において同じ。）を受けようとするものは、過去一年以内に第百八条の二第一項第二号に掲げる講習（当該処分前に行われた講習を除く。）を終了した者でなければならない。ただし、当該処分を受けた後免許（仮免許を除く。）を受けたことがある者は、この限りでない。

2　前項の規定は、免許が失効したため又は第百七条の二の国際運転免許証若しくは外国運転免許証を所持する者でなくなつたため、第九十条第五項若しくは第六項若しくは第百三条第一項、第二項若しくは第四項の規定による免許の取消し又は第百七条の五第一項若しくは第二項の規定若しくは同条第九項において準用する第百三条第四項の規定による六月を超える期間の自動車等の運転の禁止（第百三条第一項第一号から第四号まで又は第百七条の五第一項第一号に該当することを理由とするものを除く。）を受けなかつた者（第百八条の二第一項第二号において

「準取消処分者等」という。）で、運転免許試験を受けようとするものについて準用する。この場合において、前項中「当該処分前に行われた講習」とあるのは「当該免許が失効する前又は当該国際運転免許証若しくは外国運転免許証を所持する者でなくなる前に行われた講習」と、「当該処分を受けた後」とあるのは「当該免許が失効した後又は当該国際運転免許証若しくは外国運転免許証を所持する者でなくなつた後」と読み替えるものとする。

〔本条追加・平元法九〇、改正・平五法四三・平九法四一・平一三法五一・平一九法九〇、一項改正・二項追加・平二五法四三〕

参照 〔免許〕八四、第一種免許＝八四③・八五、第二種免許＝八四④・八六、仮免許＝八四⑤・八七〔期間〕民一三八―一四三〔自動車等〕八四①〔運転〕二①17

（試験の場所等）

第二二条 免許試験は、公安委員会の管理する試験場又は公安委員会の指定する道路若しくは場所において行う。

2 公安委員会は、免許試験の実施の円滑を図るため必要があるときは、免許申請者に対し、受験の日時又は受験の場所を指定することができる。

3 公安委員会は、受験の日時を指定された者が病気その他正当な理由により指定された日時に受験できない旨をその指定された日時までに届け出たときは、新たに受験の日時を指定するものとする。

4 前二項の規定により受験の日時を指定された者が指定された日時に受験しなかつたときは、その者に対しては、当該免許申請に係る免許試験を行わない。

〔一項改正・昭四八総府令一一、一・四項改正・平四総府令四五〕

（運転免許試験の方法）

第九七条　運転免許試験は、免許の種類ごとに次の各号（小型特殊免許及び原付免許の運転免許試験にあつては第一号及び第三号、牽引免許の運転免許試験にあつては第一号及び第二号）に掲げる事項について行う。

一　自動車等の運転について必要な適性

法第九七条

判例　※　原付免許取得の要件とされない技能講習を強要したとは認められないとして、講習料相当額の損害賠償請求が棄却された。（大高　平六、二、一五）

（適性試験）

第二三条　自動車等の運転に必要な適性についての免許試験（以下「適性試験」という。）は、次の表の上欄に掲げる科目について行うものとし、その合格基準は、それぞれ同表の下欄に定めるとおりとする。

科目	合格基準
視力	一　大型免許、中型免許、準中型免許、大型自動車仮免許（以下「大型仮免許」という。）、中型自動車仮免許（以下「中型仮免許」という。）、準中型自動車仮免許（以下「準中型仮免許」という。）、牽引免許及び第二種運転免許（以下「第二種免許」という。）に係る適性試験にあつては、視力（万国式試視力表により検査した視力で、矯正視力を含む。以下同じ。）が両眼で〇・八以上、かつ、一眼でそれぞれ〇・五以上であること。 二　原付免許及び小型特殊自動車免許（以下「小型特殊免許」という。）に係る適性試験にあつては、視力が両眼で〇・五以上であること又は一眼が見えない者については、他眼の視野が左右一五〇度以上で、視力が〇・五以上であること。 三　前二号の免許以外の免許に係る適性試験にあつては、視力が両眼で〇・七以上、かつ、一眼でそれぞれ〇・三以上であること又は一眼の視力が〇・三に満たない者若しくは一眼が見えない者については、他眼の視野が左右一五〇度以上で、視力が〇・七以上であること。
色彩識別能力	赤色、青色及び黄色の識別ができること。

科目	基準
深視力	大型免許、中型免許、準中型免許、大型仮免許、中型仮免許、準中型仮免許、牽引免許及び第二種免許に係る適性試験にあつては、三桿法の奥行知覚検査器により二・五メートルの距離で三回検査し、その平均誤差が二センチメートル以下であること。
聴力	一　大型免許、中型免許、準中型免許、普通免許、大型特殊自動車免許（以下「大型特殊免許」という。）、牽引免許、第二種免許及び仮免許に係る適性試験にあつては、両耳の聴力（補聴器により補われた聴力を含む。）が一〇メートルの距離で、九〇デシベルの警音器の音が聞こえるものであること。 二　一に定めるもののほか、準中型免許、普通免許、準中型仮免許及び普通自動車仮免許（以下「普通仮免許」という。）に係る適性試験にあつては、両耳の聴力が一〇メートルの距離で、九〇デシベルの警音器の音が聞こえるものではないが、法第九十一条の規定により、運転する準中型自動車又は普通自動車の進路と同一の進路及び進路を運転者席の反対側に変更しようとする場合にその変更した後の進路と同一の進路を後方から進行してくる自動車等を運転者席から容易に確認することができることとなる後写鏡その他の装置（以下「特定後写鏡等」という。）を使用すべきこととする条件を付すことにより、当該準中型自動車又は普通自動車の安全な運転に支障を及ぼすおそれがないと認められること。
運動能力	一　令第三十八条の二第四項第一号又は第二号に掲げる身体の障害がないこと。 二　一に定めるもののほか、自動車等の安全な運転に必要な認知又は操作のいずれかに係る能力を欠くこととなる四肢又は体幹の障害があるが、法第九十一条の規定による条件を付すことにより、自動車等の安全な運転に支障を及ぼすおそれがないと認められること。

2　次の各号のいずれかに該当する者に対し行う適性試験にあつては、前項の規定にかかわらず、色彩識別能力の科目については

二　自動車等の運転について必要な技能

の試験は、行わないものとする。

一　受けようとする免許の種類と異なる種類の免許を現に受けている者

二　第一種運転免許（以下「第一種免許」という。）又は第二種免許に係る特定失効者又は特定取消処分者であるもの

三　大型仮免許、中型仮免許、準中型仮免許又は普通仮免許を受けようとする者で、法第九十七条の二第一項第四号に該当するもの

〔本条改正・昭三九総府令三六・昭四〇総府令四一・昭四二総府令四四・昭四七総府令八・昭四八総府令一一・昭五〇総府令一〇・平四総府令四五・平六総府令一、一項改正・二項追加・平一四内府令三四、一・二項改正・平一八内府令四・平二〇内府令三三・平二三内府令五〇、二項改正・平二六内府令一七、一項改正・平二七内府令七二、一・二項改正・平二八内府令四九〕

第二三条の二（道路において行わなくてよい運転免許試験項目）……四五六ページ参照

（技能試験）

第二四条　自動車の運転に必要な技能についての免許試験（以下「技能試験」という。）は、次の表の上欄に掲げる免許の種類に応じ、それぞれ同表の下欄に掲げる項目について行うものとする。

免許の種類	項目
大型免許、中型免許、準中型免許及び普通免許	一　道路（高速自動車国道及び自動車専用道路を除く。以下この表において同じ。）における走行（発進及び停止を含む。） 二　交差点の通行（右折及び左折を含む。以下この表において同じ。） 三　横断歩道の通過 四　方向変換又は縦列駐車
大型特殊免許及び大型特殊自動車第二種免許（以下「大型特殊第二種免許」という。）（カタピラを有する大型特殊自動車（車輪を有するもの	一　幹線コース及び周回コースの走行（これらのコースにおける発進、停止及び指定速度での走行を含む。以下この表において同じ。） 二　交差点の通行 三　横断歩道及び踏切の通過 四　方向変換

を除く。以下同じ。）のみに係る大型特殊免許及び大型特殊第二種免許を除く。）	
カタピラを有する大型特殊自動車のみに係る大型特殊免許及び大型特殊第二種免許	一　幹線コースの走行（発進及び停止を含む。） 二　交差点の通行
大型二輪免許	一　幹線コース及び周回コースの走行 二　交差点の通行 三　横断歩道及び踏切の通過 四　曲線コース、屈折コース及び坂道コースの走行（坂道における一時停止及び発進を含む。以下この表において同じ。） 五　直線狭路コース、連続進路転換コース及び波状路コースの走行
普通二輪免許	一　幹線コース及び周回コースの走行 二　交差点の通行 三　横断歩道及び踏切の通過 四　曲線コース、屈折コース及び坂道コースの走行 五　直線狭路コース及び連続進路転換コースの走行（総排気量については〇・一二五リットル以下、定格出力については一・〇〇キロワット以下の原動機を有する普通自動二輪車（以下「小型二輪車」という。）に限り運転することができる普通二輪免許（以下「小型限定普通二輪免許」という。）については、連続進路転換コースの走行を除く。）
牽引免許及び牽引第二種免許	一　幹線コース及び周回コースの走行 二　交差点の通行 三　横断歩道及び踏切の通過

	四　曲線コースの走行 五　方向変換
大型第二種免許及び中型第二種免許	一　道路における走行（発進及び停止を含む。） 二　交差点の通行 三　横断歩道の通過 四　人の乗降のための停車及び発進 五　方向変換又は縦列駐車 六　鋭角コースの走行
普通第二種免許	一　道路における走行（発進及び停止を含む。） 二　交差点の通行 三　横断歩道の通過 四　人の乗降のための停車及び発進 五　転回 六　方向変換又は縦列駐車 七　鋭角コースの走行
大型仮免許及び中型仮免許	一　幹線コース及び周回コースの走行 二　交差点の通行 三　横断歩道及び踏切の通過 四　曲線コース、屈折コース及び坂道コースの走行 五　路端における停車及び発進 六　隘路への進入
準中型仮免許及び普通仮免許	一　幹線コース及び周回コースの走行 二　交差点の通行 三　横断歩道及び踏切の通過 四　曲線コース、屈折コース及び坂道コースの走行

2　大型仮免許又は中型仮免許の技能試験については、曲線コースに障害物を設けたものを走行させることにより屈折コースの走行の項目において確認すべき技能の有無を確認できると認められる場合には、前項の規定にかかわらず、屈折コースの走行の項目を行わないことができる。

3　技能試験は、次の各号に掲げる免許の種類に応じ、それぞれ当該各号に定める距離を走行させて行うものとする。ただし、技能試験を受ける者が走行の途中において第五項に定める合格基準に達する成績を得ることができないことが明らかになつたときは、当該各号に定める距離の全部を走行させることを要しない。

一　大型第二種免許、中型第二種免許及び普通第二種免許　六千メートル以上
二　大型免許、中型免許及び準中型免許　五千メートル以上
三　普通免許　四千五百メートル以上
四　準中型仮免許及び普通仮免許　二千メートル以上
五　大型二輪免許　千五百メートル以上
六　大型特殊免許（次号に掲げる大型特殊免許を除く。）、大型特殊第二種免許（次号に掲げる大型特殊第二種免許を除く。）、普通二輪免許、牽(けん)引免許、牽(けん)引第二種免許、大型仮免許及び中型仮免許　千二百メートル以上
七　カタピラを有する大型特殊自動車のみに係る大型特殊免許及び大型特殊第二種免許　二百メートル以上

4　技能試験の採点は、次に掲げる能力について減点式採点法により行うものとする。

一　運転装置を操作する能力
二　交通法規に従つて運転する能力
三　前二号に掲げるもののほか運転姿勢その他自動車を安全に運転する能力

5　技能試験の合格基準は、次に定めるとおりとする。

一　第二種免許に係る技能試験にあつては、八十パーセント以上の成績であること。
二　第一種免許、準中型仮免許及び普通仮免許に係る技能試験にあつては、七十パーセント以上の成績であること。
三　大型仮免許及び中型仮免許に係る技能試験にあつては、六十パーセント以上の成績であること。

6　技能試験において使用する自動車は、次の表の上欄に掲げる免許の種類に応じ、それぞれ同表の下欄に掲げる種類の自動車とする。ただし、自動車の安全な運転に必要な認知又は操作のいずれかに係る能力を欠くこととなる四肢又は体幹の障害（令第三十八条の二第四項第一号又は第二号に掲げる身体の障害を除く。第二十六条の五第四項において同じ。）がある者で法第九十一条の規定による条件を付すことにより自動車の安全な運転に支障を及ぼすおそれがないと認められるものについて技能試験を行う場合又は特別の必要がある場合には、次の表に掲げる自動車以外の自動車とすることができる。

免許の種類	自動車の種類
大型免許	最大積載量一〇、〇〇〇キログラム

	以上の大型自動車で長さが一一・〇〇メートル以上、幅が二・四〇メートル以上及び最遠軸距が六・九〇メートル以上のもの（運転することができる大型自動車を自衛隊用自動車（令第十三条第一項第二号に規定する自衛隊用自動車をいう。以下同じ。）に限る大型免許にあつては、最大積載量六、〇〇〇キログラム以上の大型自動車で長さが六・六五メートル以上、幅が二・四〇メートル以上及び最遠軸距が四・四〇メートル以上のもの）
中型免許	最大積載量五、〇〇〇キログラム以上の中型自動車で長さが七・〇〇メートル以上、幅が二・二五メートル以上及び最遠軸距が四・一〇メートル以上のもの
準中型免許及び準中型仮免許	最大積載量二、〇〇〇キログラム以上の準中型自動車で長さが四・四〇メートル以上、幅が一・六九メートル以上、最遠軸距が二・五〇メートル以上及び前軸輪距が一・三〇メートル以上のもの
普通免許、普通第二種免許及び普通仮免許	乗車定員五人以上の専ら人を運搬する構造の普通自動車で長さが四・四〇メートル以上、幅が一・六九メートル以上、最遠軸距が二・五〇メートル以上及び輪距が一・三〇メートル以上のもの
大型特殊免許及び大型特殊第二種免許	車両総重量五、〇〇〇キログラム以上の車輪を有する大型特殊自動車で二〇キロメートル毎時を超える速度を出すことができる構造のもの（カタピラを有する大型特殊自動車のみを運転しようとする者については、車両総重量五、〇〇〇キログラム以上のカタピラを有する大型特殊自動車）
大型二輪免許	総排気量〇・七〇〇リットル以上の大型自動二輪車

免許の種類	自動車
普通二輪免許	総排気量〇・三〇〇リットル以上の普通自動二輪車（小型限定普通二輪免許にあつては総排気量〇・〇九〇リットル以上〇・一二五リットル以下のもの）
牽引免許及び牽引第二種免許	牽引されるための構造及び装置を有する車両（以下「被牽引車」という。）を牽引するための構造及び装置を有し、かつ、専ら牽引のために使用される中型自動車で被牽引車（最大積載量五、〇〇〇キログラム以上のものに限る。）を牽引しているもの（キャンピングトレーラその他の車両総重量二、〇〇〇キログラム未満の被牽引車で、セミトレーラ（前車軸を有しない被牽引車であつて、その一部が牽引自動車に載せられ、かつ、当該被牽引車及びその積載物の重量の相当部分が牽引自動車によつて支えられる構造のものをいう。）に該当しないもの（以下「キャンピングトレーラ等」という。）に係る牽引免許又は牽引第二種免許を受けようとする者については、キャンピングトレーラ等）
大型第二種免許	乗車定員三〇人以上のバス型の大型自動車で長さが一〇・〇〇メートル以上、幅が二・四〇メートル以上及び最遠軸距が五・一五メートル以上のもの
中型第二種免許	乗車定員一一人以上二九人以下のバス型の中型自動車で長さが八・二〇メートル以上、幅が二・二五メートル以上及び最遠軸距が四・二〇メートル以上のもの
大型仮免許	最大積載量一〇、〇〇〇キログラム以上の大型自動車で長さが一一・〇〇メートル以上、幅が二・四〇メートル以上及び最遠軸距が六・九〇

	メートル以上のもの（自衛隊用自動車である大型自動車又は乗車定員三〇人以上のバス型の大型自動車を練習のため若しくは法第八十七条第一項に規定する試験等において運転しようとする者については、それぞれ最大積載量六、〇〇〇キログラム以上の大型自動車で長さが六・六五メートル以上、幅が二・四〇メートル以上及び最遠軸距が四・四〇メートル以上のもの又は乗車定員三〇人以上のバス型の大型自動車で長さが一〇・〇〇メートル以上、幅が二・四〇メートル以上及び最遠軸距が五・一五メートル以上のもの）
中型仮免許	最大積載量五、〇〇〇キログラム以上の中型自動車で長さが七・〇〇メートル以上、幅が二・二五メートル以上及び最遠軸距が四・一〇メートル以上のもの（乗車定員一一人以上二九人以下のバス型の中型自動車を練習のため又は法第八十七条第一項に規定する試験等において運転しようとする者については、乗車定員一一人以上二九人以下のバス型の中型自動車で長さが八・二〇メートル以上、幅が二・二五メートル以上及び最遠軸距が四・二〇メートル以上のもの）

7　技能試験においては、公安委員会が提供し、又は指定した自動車を使用するものとする。ただし、前項ただし書に規定する場合又はキャンピングトレーラ等に係る牽引免許若しくは牽引第二種免許についての技能試験を行う場合は、これらの自動車以外の自動車を使用することができる。

8　技能試験は、公安委員会の指定を受けた警察職員が技能試験を受ける者の運転する自動車に同乗して（大型自動二輪車若しくは普通自動二輪車又はその他の自動車で乗車定員が一人であるものを使用する技能試験にあつては、同乗以外の方法で）行うものとする。

（技能試験）

第二四条　次の表の上欄に掲げる種類の免許に係る自動車の運転

に必要な技能についての免許試験（以下「技能試験」という。）は、当該免許の種類に応じ、それぞれ同表の中欄に掲げる自動車を使用して、同表の下欄に掲げる項目について行うものとする。

免許の種類	使用する自動車	項目
普通免許	AT自動車	一　道路（高速自動車国道及び自動車専用道路を除く。以下この表及び次項の表において同じ。）における走行（発進及び停止を含む。） 二　交差点の通行（右折及び左折を含む。以下この表及び次項の表において同じ。） 三　横断歩道の通過 四　方向変換又は縦列駐車
	AT自動車以外の自動車	一　幹線コース及び周回コースの走行（これらのコースにおける発進、停止及び指定速度での走行を含む。以下この表及び次項の表において同じ。） 二　交差点の通行 三　横断歩道及び踏切の通過 四　曲線コース、屈折コース及び坂道コースの走行（坂道における一時停止及び発進を含む。以下この表及び次項の表において同じ。） 五　方向変換
普通第二種免許	AT自動車	一　道路における走行（発進及び停止を含む。） 二　交差点の通行 三　横断歩道の通過 四　人の乗降のための停車及び発進 五　転回 六　方向変換又は縦列駐車 七　鋭角コースの走行
	AT自動車以外の自動車	一　幹線コース及び周回コースの走行 二　交差点の通行

		三　横断歩道及び踏切の通過 四　曲線コース、屈折コース及び坂道コースの走行 五　方向変換 六　鋭角コースの走行
普通仮免許	AT自動車	一　幹線コース及び周回コースの走行 二　交差点の通行 三　横断歩道及び踏切の通過 四　曲線コース、屈折コース及び坂道コースの走行
	AT自動車以外の自動車	一　幹線コース及び周回コースの走行 二　交差点の通行 三　横断歩道及び踏切の通過 四　曲線コース、屈折コース及び坂道コースの走行

2　次の表の上欄に掲げる種類の免許に係る技能試験は、当該免許の種類に応じ、それぞれ同表の下欄に掲げる項目について行うものとする。

免許の種類	項目
大型免許、中型免許及び準中型免許	一　道路における走行（発進及び停止を含む。） 二　交差点の通行 三　横断歩道の通過 四　方向変換又は縦列駐車
大型特殊免許及び大型特殊自動車第二種免許（以下「大型特殊第二種免許」という。）（カタピラを有する大型特殊自動車（車輪を有するものを除く。以下同じ。）のみに係る大型特殊免許及び大型特殊第二種免許を除く。）	一　幹線コース及び周回コースの走行 二　交差点の通行 三　横断歩道及び踏切の通過 四　方向変換
カタピラを有する大型特殊自動車のみに係る大型特殊免許及び大型特殊第二種免	一　幹線コースの走行（発進及び停止を含む。） 二　交差点の通行

許	
大型二輪免許	一　幹線コース及び周回コースの走行 二　交差点の通行 三　横断歩道及び踏切の通過 四　曲線コース、屈折コース及び坂道コースの走行 五　直線狭路コース、連続進路転換コース及び波状路コースの走行
普通二輪免許	一　幹線コース及び周回コースの走行 二　交差点の通行 三　横断歩道及び踏切の通過 四　曲線コース、屈折コース及び坂道コースの走行 五　直線狭路コース及び連続進路転換コースの走行（総排気量については〇・一二五リットル以下、定格出力については一・〇〇キロワット以下の原動機を有する普通自動二輪車（以下「小型二輪車」という。）に限り運転することができる普通二輪免許（以下「小型限定普通二輪免許」という。）については、連続進路転換コースの走行を除く。）
牽引免許及び牽引第二種免許	一　幹線コース及び周回コースの走行 二　交差点の通行 三　横断歩道及び踏切の通過 四　曲線コースの走行 五　方向変換
大型第二種免許及び中型第二種免許	一　道路における走行（発進及び停止を含む。） 二　交差点の通行 三　横断歩道の通過 四　人の乗降のための停車及び発進 五　方向変換又は縦列駐車 六　鋭角コースの走行
大型仮免許及び中型仮免許	一　幹線コース及び周回コースの走行

	二　交差点の通行 三　横断歩道及び踏切の通過 四　曲線コース、屈折コース及び坂道コースの走行 五　路端における停車及び発進 六　隘路への進入
準中型仮免許	一　幹線コース及び周回コースの走行 二　交差点の通行 三　横断歩道及び踏切の通過 四　曲線コース、屈折コース及び坂道コースの走行

3　第一項の表の上欄に掲げる種類の免許に係る技能試験においては、AT自動車を使用して行う項目をAT自動車以外の自動車を使用して行う項目の前に行うものとし、AT自動車を使用して行う項目について第九項に定める合格基準に達する成績を得ることができなかつた者に対しては、AT自動車以外の自動車を使用して行う項目を行うことを要しない。

4　次の各号に掲げる種類の免許に係る技能試験については、第一項の規定にかかわらず、同項の規定によりAT自動車以外の自動車を使用して行う項目を行うことを要しない。

一　AT普通免許（運転することができる普通自動車をAT機構がとられておりクラッチの操作装置を有しない普通自動車に限る普通免許をいう。以下同じ。）

二　AT普通第二種免許（運転することができる普通自動車をAT機構がとられておりクラッチの操作装置を有しない普通自動車に限る普通第二種免許をいう。以下同じ。）

三　AT普通仮免許（運転することができる普通自動車をAT機構がとられておりクラッチの操作装置を有しない普通自動車に限る普通仮免許をいう。以下この条において同じ。）

5　大型仮免許又は中型仮免許の技能試験については、曲線コースに障害物を設けたものを走行させることにより屈折コースの走行の項目において確認すべき技能の有無を確認できると認められる場合には、第二項の規定にかかわらず、屈折コースの走行の項目を行わないことができる。

6　次の表の上欄に掲げる種類の免許に係る技能試験は、当該免許の種類に応じ、それぞれ同表の中欄に掲げる自動車を使用して、同表の下欄に掲げる距離を走行させて行うものとする。ただし、技能試験を受ける者が走行の途中において第九項に定める合格基準に達する成績を得ることができないことが明らかになつたときは、同表の下欄に掲げる距離の全部を走行させることを要しない。

免許の種類	使用する自動車	距離
普通免許	AT自動車	四千五百メートル以上
	AT自動車以外の自動車	千二百メートル以上
普通第二種免許	AT自動車	六千メートル以上
	AT自動車以外の自動車	千二百メートル以上
普通仮免許	AT自動車	二千メートル以上
	AT自動車以外の自動車	千二百メートル以上

7　次の表の上欄に掲げる種類の免許に係る技能試験は、当該免許の種類に応じ、それぞれ同表の下欄に掲げる距離を走行させて行うものとする。この場合においては、前項ただし書の規定を準用する。

免許の種類	距離
大型免許、中型免許及び準中型免許	五千メートル以上
大型特殊免許（カタピラを有する大型特殊自動車のみに係る大型特殊免許を除く。）、大型特殊第二種免許（カタピラを有する大型特殊自動車のみに係る大型特殊第二種免許を除く。）、普通二輪免許、牽引免許、牽引第二種免許、大型仮免許及び中型仮免許	千二百メートル以上
カタピラを有する大型特殊自動車のみに係る大型特殊免許及び大型特殊第二種免許	二百メートル以上
大型二輪免許	千五百メートル以上
大型第二種免許及び中型第二種免許	六千メートル以上
準中型仮免許	二千メートル以上

8 技能試験の採点は、次に掲げる能力について減点式採点法により行うものとする。

一 運転装置を操作する能力

二 交通法規に従つて運転する能力

三 前二号に掲げるもののほか運転姿勢その他自動車を安全に運転する能力

9 技能試験の合格基準は、次に定めるとおりとする。

一 大型第二種免許、中型第二種免許、大型特殊第二種免許及び牽引第二種免許に係る技能試験にあつては、八十パーセント以上の成績であること。

二 普通第二種免許に係る技能試験にあつては、AT自動車を使用して行う項目及びAT自動車以外の自動車を使用して行う項目のそれぞれについて八十パーセント以上（第四項の規定の適用を受ける場合にあつては、AT自動車を使用して行う項目について八十パーセント以上）の成績であること。

三 大型免許、中型免許、準中型免許、大型特殊免許、大型二輪免許、普通二輪免許、牽引免許及び準中型仮免許に係る技能試験にあつては、七十パーセント以上の成績であること。

四 普通免許に係る技能試験にあつては、AT自動車を使用して行う項目及びAT自動車以外の自動車を使用して行う項目のそれぞれについて七十パーセント以上（第四項の規定の適用を受ける場合にあつては、AT自動車を使用して行う項目について七十パーセント以上）の成績であること。

五 大型仮免許及び中型仮免許に係る技能試験にあつては、六十パーセント以上の成績であること。

六 普通仮免許に係る技能試験にあつては、AT自動車を使用して行う項目について七十パーセント以上、AT自動車以外の自動車を使用して行う項目について六十パーセント以上（第四項の規定の適用を受ける場合にあつては、AT自動車を使用して行う項目について七十パーセント以上）の成績であること。

10 技能試験において使用する自動車は、次の表の上欄に掲げる免許の種類に応じ、それぞれ同表の下欄に掲げる種類の自動車とする。ただし、自動車の安全な運転に必要な認知又は操作のいずれかに係る能力を欠くこととなる四肢又は体幹の障害（令第三十八条の二第四項第一号又は第二号に掲げる身体の障害を除く。第二十六条の五第四項において同じ。）がある者で法第九十一条の規定による条件を付すことにより自動車の安全な運転に支障を及ぼすおそれがないと認められるものについて技能試験を行う場合又は特別の必要がある場合には、次の表に掲げる自動車以外の自動車とすることができる。

免許の種類	自動車の種類
〔略〕	
普通免許、普通第二種免許及び普通仮免許	一　AT自動車を使用して行う技能試験にあつては、乗車定員五人以上の専ら人を運搬する構造の普通自動車（AT自動車に限る。）で長さが四・四〇メートル以上、幅が一・六九メートル以上、最遠軸距が二・五〇メートル以上及び輪距が一・三〇メートル以上のもの 二　AT自動車以外の自動車を使用して行う技能試験にあつては、乗車定員五人以上の専ら人を運搬する構造の普通自動車（AT自動車以外の自動車に限る。）で長さが四・四〇メートル以上、幅が一・六九メートル以上、最遠軸距が二・五〇メートル以上及び輪距が一・三〇メートル以上のもの
〔略〕	

11　技能試験においては、公安委員会が提供し、又は指定した自動車を使用するものとする。ただし、前項ただし書に規定する場合又はキャンピングトレーラ等に係る牽引免許若しくは牽引第二種免許についての技能試験を行う場合は、これらの自動車以外の自動車を使用することができる。

12　技能試験は、公安委員会の指定を受けた警察職員が技能試験を受ける者の運転する自動車に同乗して（大型自動二輪車若しくは普通自動二輪車又はその他の自動車で乗車定員が一人であるものを使用する技能試験にあつては、同乗以外の方法で）行うものとする。

〔二・三・五項改正・昭三九総府令三六、本条全改・昭四〇総府令四一、一項改正・昭四二総府令一、一・二・五項改正・昭四三総府令四九、五項改正・昭四五総府令二八、一―三・五項改正・昭四七総府令八、一・二・四項改正・昭四八総府令一一、四項改正・昭五〇総府令一〇、一―三・五・七項改正・昭五〇総府令五五、一項改正・昭五六総府令三、一―三項改正・平六総府令一、四・五項改正・平七総府令四三、一・二・五・七項改正・平八総府令四一、一項改正・平一〇総府

三　自動車等の運転について必要な知識

2　前項第二号に掲げる事項について行う大型免許、中型免許、準中型免許、普通免許、大型第二種免許、中型第二種免許及び普通第二種免許の運転免許試験は、道路において行うものとする。ただし、道路において行うことが交通の妨害となるおそれがあるものとして内閣府令で定める運転免許試験の項目については、この限りでない。

3　第一項第三号に掲げる事項についての運転免許試験は、第百八条の二十八第四項の規定により国家公安委員会が作成する教則の内容の範囲内で行う。

4　前三項に規定するもののほか、運転免許試験の実施の手続、方法その他運転免許試験について必要な事項は、内閣府令で定める。

〔一項改正・昭三九法九一・昭四〇法九六、一項改正・二項追加・旧二項を改正し三項に繰下・昭四六法九八、二項追加・旧二・三項を改正し三・四項に繰下・昭四七法五一、三項改正・平九法四一、四項改正・平一一法一六〇、二項改正・平一三法五一、一・二項改正・平一六法九〇、二項改正・平二七法四〇〕

令三〇、一項改正・二項追加・旧二・五・六項を改正し三・六・七項に繰下・旧三・四・七項を四・五・八項に繰下・平一四内府令三四、六・八項改正・平一八内府令五二、一―三・五・六項改正・平一八内府令五四、六項改正・平二一内府令二八、一項改正・平二二内府令五〇、一・三・六項改正・平二三内府令五〇、一・二・三・五・六項改正・平二八内府令四九、六項改正・令元内府令三一・令四内府令七〕

（学科試験）

第二五条　自動車等の運転に必要な知識についての免許試験（以下「学科試験」という。）は、択一式又は正誤式の筆記試験又は電子計算機その他の機器を使用して行う試験により行うものとし、その合格基準は、九十パーセント以上の成績であることとする。

〔一項改正・昭三七総府令四四、二項改正・昭四〇総府令四一、一項改正・昭四六総府令五三、本条全改・昭四七総府令八、改正・昭五〇総府令一〇・平二八内府令四九〕

（試験の順序等）

第二六条　免許試験においては、適性試験及び学科試験を技能試験の前に行うものとし、その適性試験又は学科試験のいずれかに合格しなかつた者に対しては、他の免許試験を行わない。

〔一項改正・昭三九総府令三六、一項改正・二項削除・昭四七総府令八、旧二七条を改正し繰上・平四総府令四五〕

（道路において行わなくてよい運転免許試験項目）

第二三条の二　法第九十七条第二項ただし書の内閣府令で定める項目は、方向変換、縦列駐車（縦列に駐車している自動車の間に縦列に駐車することをいう。以下同じ。）及び鋭角コースの走行とする。

第二三条の二　法第九十七条第二項ただし書の内閣府令で定める項目は、次に掲げるものとする。

一　次条第一項の規定によりAT機構がとられておりクラッチの操作装置を有しない自動車（以下「AT自動車」という。）を使用して行う項目のうち方向変換、縦列駐車（縦列に駐車している自動車の間に縦列に駐車することをいう。以下同じ。）及び鋭角コースの走行

二　次条第一項の規定によりAT自動車以外の自動車を使用して行う項目

三　次条第二項の表の下欄に掲げる項目のうち方向変換、縦列駐車及び鋭角コースの走行

〔本条追加・平一四内府令三四〕

参照〔免許〕八四、第一種免許＝八四③・八五、第二種免許＝八四④・八六、仮免許＝八四⑤・八七〔自動車等〕八四①〔運転〕二①17〔道路〕二①1、道二①、道運二⑦・⑧、道運車二⑥、高速二①、駐車二3、道路の種類＝道三〔内閣府令で定める項目〕道交規二三の二〔国家公安委員会〕警四―一四〔教則〕一〇八の二八〔内閣府令の定め〕道交規二二―二六

（運転免許試験の免除）

第九七条の二　次の各号のいずれかに該当する者に対しては、それぞれ当該各号に定める運転免許試験を免除する。

一　第八十九条第三項後段に規定する書面を有する者で同項に規定する検査を受けた日から起算して一年を経過しないもの　その者が当該検査の時に受けていた仮免許の区分に応じ大型免許、中型免許、準中型免許又は普通免許のいずれかに係る前条第一項第二号に掲げる事項についての運転免許試験

二　第九十九条の五第五項に規定する卒業証明書（同項後段に規定する技能検定員の書面による証明が付されているものに限る。）を有する者で当該卒業証明書に係る技能検定を受けた日から起算して一年を経過しないもの又は同項に規定する修了証明書（同項後段に規定する技能検定員の書面による証明が付されているものに限るものとし、政令で定めるものを除く。）を有する者で当該修了証

（試験の免除）

第三四条の三　法第九十七条の二第一項第二号の政令で定める修了証明書は、修了証明書を有する者が仮運転免許を受けた後に第三十九条の三第一項各号の基準に該当して当該仮運転免許を取り消された場合における当該修了証明書とする。

明書に係る技能検定を受けた日から起算して三月を経過しないもの　当該卒業証明書又は修了証明書に係る免許に係る前条第一項第二号に掲げる事項についての運転免許試験

三　第百一条第一項の免許証の有効期間の更新を受けなかつた者（政令で定める者を除く。）で、その者の免許が第百五条第一項の規定により効力を失つた日から起算して六月（海外旅行、災害その他政令で定めるやむを得ない理由のため、その期間内に運転免許試験を受けることができなかつた者にあつては、当該効力を失つた日から起算して三年を経過しない場合に限り、当該事情がやんだ日から起算して一月）を経過しないもの（以下「特定失効者」という。）のうち、次に掲げる区分に応じそれぞれ次に定める検査及び講習又は教育を内閣府令で定めるところにより受けたもの　その者が受けていた免許に係る運転免許試験（前条第一項第一号に掲げる事項についてのものを除く。）

三　第百一条第一項の免許証等の更新を受けなかつた者（政令で定める者を除く。）で、その者の免許が第百五条の規定により効力を失つた日から起算して六月（海外旅行、災害その他政令で定めるやむを得ない理由のため、その期間内に運転免許試験を受けることができなかつた者にあつては、当該効力を失つた日から起算して三年を経過しない場合に限り、当該事情がやんだ日から起算して一月）を経過しないもの（以下「特定失効者」という。）のうち、次に掲げる区分に応じそれぞれ

2　法第九十七条の二第一項第三号の政令で定める者は、次に掲げる者とする。

一　免許証の更新を受けなかつたため、一般違反行為又は別表第四に掲げる行為をしたことを理由とする法第九十条第五項又は第百三条第一項若しくは第四項の規定による免許の取消しを受けなかつた者

二　法第百五条第一項の規定により免許が効力を失つた後に一般違反行為（当該一般違反行為に係る累積点数（第三十三条の二第三項に規定する累積点数をいう。以下同じ。）が別表第三の一の表の第一欄に掲げる区分に応じそれぞれ同表の第五欄又は第六欄に掲げる点数に該当するものに限り、免許取消歴等保有者が第三十三条の二第一項第二号に規定する期間内にしたものを除く。第六項第二号において同じ。）又は別表第四第二号若しくは第三号に掲げる行為（免許取消歴等保有者が第三十三条の二第一項第二号に規定する期間内にしたものを除く。第六項第二号において同じ。）をした者

三　法第百条の二第一項に規定する基準該当初心運転者（以下「基準該当初心運転者」という。）で、再試験の通知（同条第四項の規定による通知をいう。以下同じ。）を受ける前に免許証の更新を受けず、又は再試験の通知を受けた後同条第五項に規定する期間が通算して一月となる日までの間に免許証の更新を受けなかつたため、再試験を受けなかつたもの

四　再試験を受けた後免許証の更新を受けなかつたため法第百四条の二の二第一項の規定による免許の取消しを受けなかつた者

五　法第百条の二第五項の規定に違反して再試験を受けなかつた者で、同項に規定する期間が通算して一月を超えた日以後に免許証の更新を受けなかつたため法第百四条の二の二第二項又は第四項の規定による免許の取消しを受けなかつたもの

六　基準該当若年運転者で、若年運転者講習の通知（法第百八条の三の三の規定による通知をいう。以下同じ。）を受ける前に免許証の更新を受けず、又は若年運転者講習の通知を受けた日の翌日から起算した期間（若年運転者講習の通知を受けたことについて第三十七条の十一各号に掲げるやむを得ない理由がある者にあつては、当該期間から当該事情の存する期間

次に定める検査及び講習又は教育を内閣府令で定めるところにより受けたもの　その者が受けていた免許に係る運転免許試験（前条第一項第一号に掲げる事項についてのものを除く。）

イ　第八十九条第一項の規定により免許申請書を提出した日における年齢が七十五歳以上の者（普通自動車対応免許を受けようとする者であつて大型自動車、中型自動車、準中型自動車又は普通自動車（以下この条及び第百一条の四において「普通自動車等」という。）の運転に関するこの法律及びこの法律に基づく命令の規定並びにこの法律の規定に基づく処分並びに重大違反唆し等及び道路外致死傷に係る法律の規定の遵守の状況を勘案して普通自動車等を運転することが道路における交通の危険を生じさせるおそれがある者として政令で定める基準に該当するものに限り、同日前一年以内に第百二条第一項から第四項までの規定により診断書（同項に規定する診断書にあつては、その者が第百三条第一項第一号の二に該当するかどうかを診断

を除いた期間）が通算して一月となる日までの間に免許証の更新を受けなかつたため、若年運転者講習を受けなかつたもの

七　法第百二条の三の規定に違反して若年運転者講習を受けなかつた者で、前号に規定する期間が通算して一月を超えた日以後に免許証の更新を受けなかつたため、法第百四条の二の四第一項又は第四項の規定による特例取得免許の取消し（同条第四項の規定による特例取得免許の取消しにあつては、同条第一項に係るものに限る。）を受けなかつたもの

八　若年運転者講習を終了した後免許証の更新を受けなかつたため、法第百四条の二の四第二項又は第四項の規定による特例取得免許の取消し（同条第四項の規定による特例取得免許の取消しにあつては、同条第二項に係るものに限る。）を受けなかつたもの

九　法第百五条第二項において準用する法第百四条の四第六項の規定により運転経歴証明書の交付を受けた者

3　法第九十七条の二第一項第三号の政令で定めるやむを得ない理由は、第三十三条の六の二第三号から第六号までに掲げる理由とする。

4　法第九十七条の二第一項第三号イの政令で定める基準は、次の各号に掲げる者の区分に応じ、当該各号に定める日前三年間において基準違反行為（同項第三号イに規定する運転技能検査等（以下「運転技能検査等」という。）の結果が同条第二項の内閣府令で定める基準に該当しない場合において当該運転技能検査等を受けた日以前にしたものを除く。）をしたことがあることとする。

一　特定失効者　法第百五条第一項の規定により効力を失つた免許に係る免許証を更新前の免許証とした場合における特定誕生日の百六十日前の日

二　特定取消処分者　法第百三条第一項又は第四項の規定による免許の取消し（同条第一項第一号から第二号までのいずれかに係るものに限る。）を受けた日（当該日が取り消された免許に係る免許証を更新前の免許証とした場合における特定誕生日の百六十日前の日以後であるときは、当該特定誕生日の百六十日前の日）

5　前項に規定する基準違反行為とは、法第九十七条の二第一項第三号イに規定する普通自動車等の運転に関し行われた次に掲げる行為をいう。

一　法第七条（信号機の信号等に従う義務）の規定に違反する行為

二　法第十七条（通行区分）第一項から第四項まで又は第六項

（特定失効者又は特定取消処分者に係る講習の受講期間等）

第二十六条の二　法第九十七条の二第一項第三号イからハまでに定める検査及び同号イからホまでに定める講習又は教育は、特定失効者又は特定取消処分者が法第八十九条第一項の規定により免許申請書を提出した日前一年以内に受けたものでなければならない。

〔本条追加・平一一総府令四一、改正・平一四内府令三四、見出し・本条改正・平二一内府令二八・平二六内府令一七、本条改正・令四内府令七〕

（認知機能検査）

第二十六条の三　認知機能検査は、次に掲げる方法により行うものとする。

一　認知機能検査を行つている時の年月日、曜日及び時刻を記述させること。

二　十六の物の図面を当該物の名称及び分類とともに示した時点から一定の時間が経過した後に当該物の名称を記述させること。

2　公安委員会は、認知機能検査を受けた者からの申出により、次に掲げる事項を記載した書類を交付するものとする。

一　認知機能検査を受けた者の住所、氏名及び生年月日

二　認知機能検査を受けた年月日

三　認知機能検査を受けた場所

したものに限る。ロ及びハ並びに第百一条の四第二項において同じ。）を提出した者その他公安委員会が内閣府令で定めるところにより行う介護保険法第五条の二第一項に規定する認知機能（以下単に「認知機能」という。）に関する検査（以下「認知機能検査」という。）又は第百八条の三十二の三第一項第三号イに掲げる基準に適合する同項の認定を受けた同項の運転免許取得者等検査（以下「認知機能検査等」という。）を受ける必要がないものとして内閣府令で定める者を除く。）　認知機能検査等、公安委員会が内閣府令で定めるところにより行う普通自動車等の運転について必要な技能に関する検査（同号ロ及び第百十二条第一項第五号の四において「運転技能検査」という。）又は第百八条の三十二の三第一項第三号ロに掲げる基準に適合する同項の認定を受けた同項の運転免許取得者等検査（以下「運転技能検査等」という。）及び第百八条の二第一項第十二号に掲げる講習、同条第二項の規定による講習（同号に掲げる講習と同等の効果がある講習の基準として国家公安委員会規則で定める基準に適合するものに限る。ロからニまでにおいて同じ。）又は第百八条の三十二の二第一項の認定を受けた同項の運転免許取得者等教育の課程（同項第三号ロに掲げる基準に適合するものに限る。ロからニまでにおいて同じ。）

ロ　第八十九条第一項の規定により免許申請書を

の規定に違反する行為

三　法第二十条（車両通行帯）の規定に違反する行為

四　法第二十条の二（路線バス等優先通行帯）第一項の規定に違反する行為

五　法第二十二条（最高速度）第一項の規定に違反する行為

六　法第二十五条の二（横断等の禁止）の規定に違反する行為

七　法第三十三条（踏切の通過）第一項又は第二項の規定に違反する行為

八　法第三十四条（左折又は右折）第一項、第二項又は第四項の規定に違反する行為

九　法第三十五条の二（環状交差点における左折等）の規定に違反する行為

十　法第三十六条（交差点における他の車両等との関係等）の規定に違反する行為

十一　法第三十七条（交差点における他の車両等との関係等）の規定に違反する行為

十二　法第三十七条の二（環状交差点における他の車両等との関係等）の規定に違反する行為

十三　法第三十八条（横断歩道等における歩行者等の優先）の規定に違反する行為

十四　法第三十八条の二（横断歩道のない交差点における歩行者の優先）の規定に違反する行為

十五　法第七十条（安全運転の義務）の規定に違反する行為

十六　法第七十一条（運転者の遵守事項）第五号の五の規定に違反する行為（別表第二の備考の二の16又は23に規定する行為に該当するものに限る。）

四　認知機能検査の結果

〔本条追加・平二一内府令二八、一項改正・二項追加・令四内府令七〕

（認知機能検査等を受ける必要がない者）

第二十六条の四　法第九十七条の二第一項第三号イからハまでの内閣府令で定める者は、次の各号のいずれかに該当する者とする。

一　法第八十九条第一項の規定により免許申請書を提出した日前一年以内に免許を受けた者

二　法第八十九条第一項の規定により免許申請書を提出した日前一年以内に法第百二条第一項から第四項までの規定による適性検査（同項の規定によるものにあつては、当該免許申請書を提出した者が法第九十条第一項第一号の二に該当する者であり、又は法第百三条第一項第一号の二に該当することとなつた疑いがあることを理由としたものに限る。）を受けた者

三　法第八十九条第一項の規定により免許申請書を提出した日前一年以内に医師が作成した診断書その他の書類であつて、当該免許申請書を提出した者が認知症に該当する疑いがないと認められるかどうかに関する当該医師の意見及び当該意見に係る検査の結果が記載されているものを公安委員会に提出した者

〔本条追加・令四内府令七〕

（運転技能検査）

第二十六条の五　運転技能検査は、次に掲げる項目について行うものとする。

一　幹線コース及び周回コースの走行又は道路（高速自動車国道及び自動車専用道路を除く。）における走行（いずれも発進、停止及び指定速度での走行を含む。）

二　交差点の通行（右折及び左折を含む。）

三　段差の乗り上げ（停止を含む。）

2　運転技能検査は、千二百メートル以上の距離を走行させて行うものとする。ただし、運転技能検査を受ける者が走行の途中において次条第一項ロに定める基準に該当することが明らかになつた場合において、運転技能検査の安全かつ円滑な実施が困難と認められるときは、当該距離の全部を走行させることを要しない。

3　運転技能検査の採点は、次に掲げる能力について減点式採点法により行うものとする。

一　運転装置を操作する能力

二　交通法規に従つて運転する能力

三　前二号に掲げるもののほか、他人に危害を及ぼさないよう

提出した日における年齢が七十五歳以上の者（普通自動車対応免許を受けようとする者であつてイの政令で定める基準に該当するもの及び同日前一年以内に第百二条第一項から第四項までの規定により診断書を提出した者その他認知機能検査等を受ける必要がないものとして内閣府令で定める者を除く。）　認知機能検査等及び第百八条の二第一項第十二号に掲げる講習、同条第二項の規定による講習又は第百八条の三十二の二第一項の認定を受けた同項の運転免許取得者等教育の課程

ハ　第八十九条第一項の規定により免許申請書を提出した日における年齢が七十五歳以上の者（普通自動車対応免許を受けようとする者であつてイの政令で定める基準に該当し、かつ、同日前一年以内に第百二条第一項から第四項までの規定により診断書を提出した者その他認知機能検査等を受ける必要がないものとして内閣府令で定める者であるものに限る。）　運転技能検査等及び第百八条の二第一項第十二号に掲げる講習、同条第二項の規定による講習又は第百八条の三十二の二第一項の認定を受けた同項の運転免許取得者等教育の課程

ニ　第八十九条第一項の規定により免許申請書を提出した日における年齢が七十歳以上の者（イからハまでに掲げる者を除く。）　第百八条の二第一項第十二号に掲げる講習、同条第二項の規定による講習又は第百八条の三十二の二第一項の認定を受けた同項の運転免許取得者等教育の

な速度と方法で運転する能力その他の自動車を安全に運転する能力

4　運転技能検査においては、公安委員会が提供した普通自動車を使用するものとする。ただし、自動車の安全な運転に必要な認知又は操作のいずれかに係る能力を欠くこととなる四肢又は体幹の障害がある者で法第九十一条の規定によりその能力の回復に係る条件が付されているものについて運転技能検査を行う場合又は特別の必要がある場合には、当該普通自動車以外の普通自動車を使用することができる。

5　運転技能検査は、運転技能検査の採点を行う者が運転技能検査を受ける者の運転する普通自動車に同乗して行うものとする。ただし、乗車定員が一人である普通自動車を使用して運転技能検査を行う場合には、同乗以外の方法で行うことができる。

6　公安委員会は、運転技能検査を受けた者からの申出により、次に掲げる事項を記載した書類を交付するものとする。

一　運転技能検査を受けた者の住所、氏名及び生年月日
二　運転技能検査を受けた年月日
三　運転技能検査を受けた場所
四　運転技能検査の結果

〔本条追加・令四内府令七〕

介護保険法

（認知症に関する施策の総合的な推進等）

第五条の二　国及び地方公共団体は、認知症（アルツハイマー病その他の神経変性疾患、脳血管疾患その他の疾患により日常生活に支障が生じる程度にまで認知機能が低下した状態として政令で定める状態をいう。以下同じ。）に対する国民の関心及び理解を深め、認知症である者への支援が適切に行われるよう、認知症に関する知識の普及及び啓発に努めなければならない。

2〜4〔略〕

運転免許に係る講習等に関する規則

（平成六年二月二五日
国家公安委員会規則第四号）

課程

ホ　イからニまでに掲げる者以外の者　第百八条の二第一項第十一号に掲げる講習、同条第二項の規定による講習（同号に掲げる講習と同等の効果がある講習の基準として国家公安委員会規則で定める基準に適合するものに限る。）又は第百八条の三十二の二第一項の認定を受けた同項の運転免許取得者等教育の課程（同項第三号イに掲げる基準に適合するものに限る。）

四　大型自動車、中型自動車、準中型自動車又は普通自動車を運転することができる免許について第百一条第一項の免許証の有効期間の更新を受けなかつた者（前号の政令で定める者を除く。）で、その者の免許が第百五条第一項の規定により効力を失つた日から起算して六月を超え一年を経過しないもの　その者が受けていた免許の区分に応じ大型仮免許、中型仮免許、準中型仮免許又は普通仮免許のいずれかに係る前条第一項第二号及び第三号に掲げる事項についての運転免許試験

四　大型自動車、中型自動車、準中型自動車又は普通自動車を運転することができる免許について第百一条第一項の免許証等の更新を受けなかつた者（前号の政令で定める者を除く。）で、その者の免許が第百五条の規定により効力を失つた日から起算して六月を超え一年を経過しないもの　その者が受けていた免許の区分に応じ大型仮免許、中型仮免許、準中型仮免許又は普通仮免許のいずれかに係る前条第一項第二号及び第三号に掲げる事項

についての運転免許試験

五　第百三条第一項又は第四項の規定による免許の取消し（同条第一項第一号から第二号までのいずれかに係るものに限る。）を受けた者（当該取消しを受けた日前の直近においてした第八十九条第一項、第百一条第一項若しくは第百一条の二第一項の規定による質問票の提出又は第百一条の五の規定による報告について第百十七条の四第一項第三号の違反行為をした者その他政令で定める者を除く。）で、その者の免許が取り消された日から起算して三年を経過しないもの（以下「特定取消処分者」という。）のうち、第三号イからホまでに掲げる区分に応じそれぞれ同号イからホまでに定める検査及び講習又は教育を内閣府令で定めるところにより受けたもの　その者が受けていた免許に係る運転免許試験（前条第一項第一号に掲げる事項についてのものを除く。）

6　法第九十七条の二第一項第五号の政令で定める者は、次に掲げる者とする。

一　法第百三条第一項又は第四項の規定による免許の取消し（同条第一項第一号から第二号までのいずれかに係るものに限る。）を受けたため、一般違反行為又は別表第四に掲げる行為をしたことを理由とする法第九十条第五項又は第百三条第一項若しくは第四項の規定による免許の取消しを受けなかつた者

二　法第百三条第一項又は第四項の規定による免許の取消し（同条第一項第一号から第二号までのいずれかに係るものに限る。以下この項において同じ。）を受けた後に一般違反行為又は別表第四第二号若しくは第三号に掲げる行為をした者

三　基準該当初心運転者で、再試験の通知を受ける前に法第百三条第一項若しくは第四項の規定による免許の取消しを受け、又は再試験の通知を受けた後法第百条の二第五項に規定する期間が通算して一月となる日までの間に法第百三条第一項若しくは第四項の規定による免許の取消しを受けたため、再試験を受けなかつたもの

四　再試験を受けた後法第百三条第一項又は第四項の規定による免許の取消しを受けたため法第百四条の二の二第一項の規定による免許の取消しを受けなかつた者

五　法第百条の二第五項の規定に違反して再試験を受けなかつた者で、同項に規定する期間が通算して一月を超えた日以後に法第百三条第一項又は第四項の規定による免許の取消しを受けたため法第百四条の二の二第二項又は第四項の規定による免許の取消しを受けなかつたもの

六　基準該当若年運転者で、若年運転者講習の通知を受ける前に法第百三条第一項若しくは第四項の規定による免許の取消しを受け、又は若年運転者講習の通知を受けた日の翌日から起算した期間（若年運転者講習を受けないことについて第三十七条の十一各号に掲げるやむを得ない理由がある者にあつては、当該期間から当該事情の存する期間を除いた期間）が通算して一月となる日までの間に法第百三条第一項若しくは第四項の規定による免許の取消しを受けたため、若年運転者講習を受けなかつたもの

七　法第百二条の三の規定に違反して若年運転者講習を受けなかつた者で、前号に規定する期間が通算して一月を超えた日以後に法第百三条第一項又は第四項の規定による免許の取消

2　公安委員会は、前項第三号又は第五号の規定により運転技能検査等を受けた者で当該運転技能検査等の結果が普通自動車等を運転することが支障があることを示すものとして内閣府令で定める基準に該当するものに対し、同項の規定にかかわらず、同項第三号又は第五号に定める運転免許試験を免除しないことができる。

しを受けたため、法第百四条の二の四第一項又は第四項の規定による特例取得免許の取消し（同条第四項の規定による特例取得免許の取消しにあつては、同条第一項に係るものに限る。）を受けなかつたもの

八　若年運転者講習を終了した後法第百三条第一項又は第四項の規定による免許の取消しを受けたため、法第百四条の二の四第二項又は第四項の規定による特例取得免許の取消し（同条第四項の規定による特例取得免許の取消しにあつては、同条第二項に係るものに限る。）を受けなかつたもの

〔本条追加・平四政三三二、二項改正・平五政三四八、一・二項改正・平六政三〇三、見出し・二項改正・一・三項全改・平一四政二四、二項改正・四項追加・平二六政六三、三項改正・平二七政一九、二・三項改正・令元政一〇八、二・三項改正・四・五項追加・旧四項を改正し六項に繰下・令四政一六〕

（運転技能検査等の基準）

第二六条の六　法第九十七条の二第二項及び第百一条の四第四項の内閣府令で定める基準は、次の各号に掲げる検査の区分に応じ、当該各号に定める基準とする。

一　運転技能検査　次のイ又はロに掲げる者の区分に応じ、当該イ又はロに定める基準

イ　大型第二種免許、中型第二種免許又は普通第二種免許を受けようとし、又は現に受けている者　八十パーセント未満の成績であること。

ロ　イに掲げる者以外の者　七十パーセント未満の成績であること。

二　法第百八条の三十二の三第一項の認定を受けた同項に規定する運転免許取得者等検査（同項第三号ロに掲げる基準に適合するものに限る。）　前号に定める基準に準ずるものとして国家公安委員会規則で定める基準

〔本条追加・令四内府令七〕

運転免許取得者等検査の認定に関する規則

（令和四年二月一〇日国家公安委員会規則第八号）

3　第一項に定めるもののほか、免許を受けようとする者が自動車等の運転に関する本邦の域外にある国又は地域の行政庁又は権限のある機関の免許を有する者であるときは、公安委員会は、政令で定めるところにより、その者が受けようとする免許に係る自動車等を運転することに支障がないことを確認した上で、運転免許試験の一部を免除することができる。

4　第一項及び前項に定めるもののほか、公安委員会は、政令で定める基準に従い、免許を受けようとする者が当該免許に係る自動車等を運転することが支障がないと認めたときは、運転免許試験の一部を免除することができる。

〔本条追加・平四法四三、一項改正・二項追加・旧二項を改正し三項に繰下・平五法四三、一項改正・平一一法四〇・法一六〇・平一三法五一・平一六法九〇、一・二項改正・平一九法九〇、一項改正・平二三法七二・平二五法四三・平二七法四〇・平二九法五二・令元法二〇、一項改正・二項追加・旧二・三項を改正し三・四項に繰下・令二法四二、一項改正・令二法五二・令四法三二〕

参照　〔政令の定め〕道交令三四の三①〔免許証〕交付＝九二①、有効期間＝九二の二、記載事項＝九三、様式＝道交規別記様式一四、記載事項変更の届出＝九四①、携帯及び提示義務＝九五、更新等＝一〇一～一〇二の三、道交規二九、返納＝一〇七、譲渡・貸与の禁止＝一二〇①⒂〔免許〕八四、第一種免許＝八四③・八五、第二種免許＝八四④・八六、仮免許＝八四⑤・八七〔政令で定める者〕道交令三四の三②〔政令で定めるやむを得ない理由〕道交令三四の三③〔内閣府令で定める検査及び講習又

第三四条の四　法第九十七条の二第三項の規定による確認は、免許を受けようとする者に対し法令で定める道路の交通の方法その他の自動車等の運転について必要な知識若しくはその者の自動車等の運転に関する経歴に関する質問をすること又はその者に自動車等の運転に関する実技をさせることにより行う。

2　免許を受けようとする者が第一種運転免許を受けようとする者であつてその受けようとしている免許に係る自動車等に相当する種類の自動車等の運転に関する外国等の行政庁等の免許を有するもの（当該外国等の行政庁等の免許を受けた後当該外国等に滞在していた期間が通算して三月以上の者に限る。）であるときは、法第九十七条第一項第二号及び第三号に掲げる事項について行う試験を免除する。

〔本条追加・平五政三四八、二項改正・平一九政二六六、一項改正・令四政一六〕

第三四条の五　法第九十七条の二第四項の政令で定める基準は、次に掲げるとおりとする。

一　第一種運転免許を受けようとする者で次のイからハまでに該当するものに対しては、当該イからハまでに定める試験を免除する。

イ　受けようとする免許の種類と異なる種類の第一種運転免許（小型特殊自動車免許及び原動機付自転車免許を除く。以下この条において同じ。）又は第二種運転免許を現に受けている者　法第九十七条第一項第三号に掲げる事項について行う試験

ロ　特定失効者（法第九十七条の二第一項第三号に掲げる者に限り、同号の規定により運転技能検査等を受けた者で当該運転技能検査等の結果が同条第二項の内閣府令で定める基準に該当するものを除く。次号ロにおいて同じ。）又は特定取消処分者（同条第一項第五号に掲げる者に限り、同号の規定により運転技能検査等を受けた者で当該運転技能検査等の結果が同条第二項の内閣府令で定める基準に該当するものを除く。次号ロにおいて同じ。）で、受けようとする免許により運転することができる自動車等を運転することができる他の種類の免許を受けていたもの　法第九十七条第一項第二号及び第三号に掲げる事項について行う試験

ハ　受けようとする免許の種類と異なる種類の第一種運転免許につき法第九十七条第一項第三号に掲げる事項について行う試験について内閣府令で定める基準に達する成績を得た者で、当該試験を受けた日から起算して六月を経過していないもの　法第九十七条第一項第三号に掲げる事項につ

（試験の一部免除の基準）

第二七条　令第三十四条の五第一号ハ、第二号ハ、第三号ハ及びニ並びに第六号の内閣府令で定める基準は、第二十四条第五項各号又は第二十五条に定める成績とする。

は教育〕道交規二六の二・二六の三〔一項の政令で定める基準〕道交令三四の三④〔内閣府令で定める者〕道交規二六の四〔国家公安委員会規則で定める基準〕運転免許に係る講習等に関する規則〔その他政令で定める者〕道交令三四の三⑥〔公安委員会〕四①、警三八～四六の二〔内閣府令で定める基準〕道交規二六の六〔政令で定める確認〕道交令三四の四〔四項の政令で定める基準〕道交令三四の五、道交規二七〔成績証明書〕道交規二八・別記様式一七の二

いて行う試験

二 第二種運転免許を受けようとする者で次のイからハまでに該当するものに対しては、当該イからハまでに定める試験を免除する。

イ 受けようとする免許の種類と異なる種類の第二種運転免許を現に受けている者 法第九十七条第一項第三号に掲げる事項について行う試験

ロ 特定失効者又は特定取消処分者で、受けようとする免許により運転することができる自動車を運転することができる他の種類の第二種運転免許を受けていたもの 法第九十七条第一項第二号及び第三号に掲げる事項について行う試験

ハ 受けようとする免許の種類と異なる種類の第二種運転免許につき法第九十七条第一項第三号に掲げる事項について行う試験について内閣府令で定める基準に達する成績を得た者で、当該試験を受けた日から起算して六月を経過していないもの 法第九十七条第一項第三号に掲げる事項について行う試験

第二七条 令第三十四条の五第一号ハ、第二号ハ、第三号ハ及び二並びに第六号の内閣府令で定める基準は、第二十四条第九項各号又は第二十五条に定める成績とする。

〔見出し削除・本条改正・昭三九総府令三六、見出し追加・昭四〇総府令四一、本条改正・昭四七総府令八・昭四八総府令一一・平二総府令五一、旧二八条を改正し繰上・平四総府令四五、本条改正・平六総府令一・平一二総府令八九・平一四内府令三四・平二八内府令四九〕

（運転免許試験成績証明書）

第二八条 公安委員会は、次の各号に掲げる者の申出により、別記様式第十七の二の運転免許試験成績証明書を交付するものとする。

一 免許試験に合格しなかつた者で、当該免許試験において前条に規定する成績を得たもの

二 法第九十条の二第一項各号に掲げる種類の免許に係る免許試験に合格した者で、当該各号に定める講習を受けていないもの

〔本条追加・平四総府令四五、改正・平一六内府令五二〕

別記様式第十七の二（第二十八条関係）

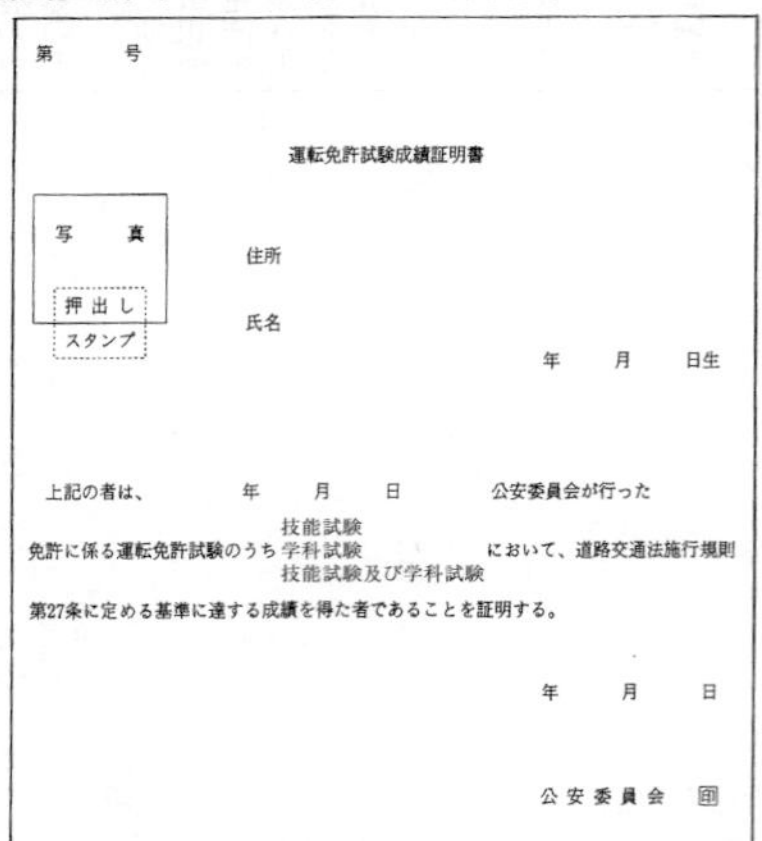

第　　号

運転免許試験成績証明書

写　真

押出し
スタンプ

住所

氏名

年　　月　　日生

上記の者は、　　年　　月　　日　　公安委員会が行った

免許に係る運転免許試験のうち 技能試験 / 学科試験 / 技能試験及び学科試験 において、道路交通法施行規則第27条に定める基準に達する成績を得た者であることを証明する。

年　　月　　日

公安委員会　印

備考　用紙の大きさは、日本産業規格A列4番とする。

〔本様式追加・平4総府令45、全改・平6総府令1、改正・平6総府令9・総府令49・平16内府令52・令元内府令12〕

三　仮運転免許を受けようとする者で次のイからニまでに該当するものに対しては、当該イからニまでに定める試験を免除する。

イ　第一種運転免許又は第二種運転免許を現に受けている者　法第九十七条第一項第三号に掲げる事項について行う試験

ロ　法第八十九条第三項後段に規定する書面を有する者で、同項に規定する検査を受けた日から起算して一年を経過していないもの　当該検査に係る仮運転免許と同一の種類の仮運転免許につき法第九十七条第一項第二号に掲げる事項について行う試験

ハ　受けようとする仮運転免許により運転することができる自動車を運転することができる免許（仮運転免許を除く。）につき法第九十七条第一項第二号に掲げる事項について行う試験について内閣府令で定める基準に達する成績を得た者で、当該試験を受けた日から起算して六月を経過していないもの　法第九十七条第一項第二号に掲げる事項について行う試験

ニ　第一種運転免許につき法第九十七条第一項第三号に掲げる事項について行う試験について内閣府令で定める基準に達する成績を得た者で、当該試験を受けた日から起算して六月を経過していないもの　法第九十七条第一項第三号に掲げる事項について行う試験

四　準中型自動車仮運転免許を受けようとする者が次に掲げる者に該当するときは、イに掲げる者にあつては当該準中型自動車免許を取り消された日から、ロからニまでに掲げる者にあつては当該準中型自動車免許が失効した日から起算して六月の間は、法第九十七条第一項第二号及び第三号に掲げる事項について行う試験を免除する。

イ　法第百四条の二の二第一項、第二項又は第四項の規定により準中型自動車免許を取り消された者

ロ　準中型自動車免許に係る基準該当初心運転者で、再試験の通知を受ける前に準中型自動車免許が失効し、又は再試験の通知を受けた後法第百条の二第五項に規定する期間が通算して一月となる日までの間に準中型自動車免許が失効したため、再試験を受けなかつたもの

ハ　準中型自動車免許に係る再試験を受けた後準中型自動車免許が失効したため法第百四条の二の二第一項の規定による免許の取消しを受けなかつた者

ニ　法第百条の二第五項の規定に違反して準中型自動車免許に係る再試験を受けなかつた者で、同項に規定する期間が

第二八条の二（再試験）……四九四ページ参照
第二八条の三（再試験通知書）……四九六ページ参照
第二八条の四（再試験受験申込書）……四九七ページ参照
第二八条の五（試験移送通知書の様式）……四九九ページ参照
第二九条（免許証の更新の申請等）……五〇〇ページ参照
第二九条の二……五〇四ページ参照
第二九条の二の二……五〇七ページ参照
第二九条の二の三（認知機能検査等を受ける必要がない場合）……五一三ページ参照
第二九条の二の四（報告徴収の方法）……五一九ページ参照
第二九条の二の五（臨時認知機能検査）……五二一ページ参照
第二九条の二の六（臨時高齢者講習）……五二三ページ参照
第二九条の三（臨時適性検査等）……五二五ページ参照
第二九条の四（処分移送通知書の様式）……五三三ページ参照
第二九条の五（免許の効力の停止に係る適性検査の受検等命令）……五三四ページ参照
第三〇条（仮停止）……五四〇ページ参照
第三〇条の二（仮停止通知書の様式）……五四一ページ参照
第三〇条の二の二（聴聞の手続）……五四六ページ参照
第三〇条の三（再試験に係る処分移送通知書の様式）……五四七ページ参照
第三〇条の三の二（若年運転者期間に係る取消しに係る処分移送通知書の様式）……五五三ページ参照
第三〇条の四（免許の取消し等）……五五五ページ参照
第三〇条の五（出頭命令書の交付）……五五六ページ参照
第三〇条の六（免許証の提出）……五五七ページ参照
第三〇条の七（保管証）……五五七ページ参照
第三〇条の八（公安委員会への通知）……五五八ページ参照
第三〇条の九（取消しの申請等）……五六一ページ参照
第三〇条の一〇（運転経歴証明書の交付の申請の手続）……五六四ページ参照
第三〇条の一一（運転経歴証明書の記載事項等）……五六四ページ参照
第三〇条の一二（運転経歴証明書の記載事項の変更の届出）……五六五ページ参照
第三〇条の一三（運転経歴証明書の再交付の申請）……五六五ページ参照
第三〇条の一四（運転経歴証明書の返納）……五六六ページ参照
第三一条（国家公安委員会への報告）……五七〇ページ参照
第三一条の二……五七〇ページ参照
第三一条の二の二……五七〇ページ参照

通算して一月を超えた日以後に準中型自動車免許が失効したため法第百四条の二の二第二項又は第四項の規定による免許の取消しを受けなかつたもの

五　普通自動車仮運転免許を受けようとする者が次に掲げる者に該当するときは、イに掲げる者にあつては当該準中型自動車免許又は普通自動車免許を取り消された日から、ロからニまでに掲げる者にあつては当該準中型自動車免許又は普通自動車免許が失効した日から起算して六月の間は、法第九十七条第一項第二号及び第三号に掲げる事項について行う試験を免除する。

イ　法第百四条の二の二第一項、第二項又は第四項の規定により準中型自動車免許又は普通自動車免許を取り消された者

ロ　準中型自動車免許又は普通自動車免許に係る基準該当初心運転者で、再試験の通知を受ける前に準中型自動車免許若しくは普通自動車免許が失効し、又は再試験の通知を受けた後法第百条の二第五項に規定する期間が通算して一月となる日までの間に準中型自動車免許若しくは普通自動車免許が失効したため、再試験を受けなかつたもの

ハ　準中型自動車免許又は普通自動車免許に係る再試験を受けた後準中型自動車免許又は普通自動車免許が失効したため法第百四条の二の二第一項の規定による免許の取消しを受けなかつた者

ニ　法第百条の二第五項の規定に違反して準中型自動車免許又は普通自動車免許に係る再試験を受けなかつた者で、同項に規定する期間が通算して一月を超えた日以後に準中型自動車免許又は普通自動車免許が失効したため法第百四条の二の二第二項又は第四項の規定による免許の取消しを受けなかつたもの

六　免許を受けようとする者が法第八十九条第一項の規定による試験を受け、当該試験（その者が仮運転免許を受けた後第三十九条の三第一項各号の基準に該当して当該仮運転免許を取り消されたものである場合における当該仮運転免許に係る試験を除く。）において法第九十七条第一項第二号及び第三号に掲げる事項について行う試験のいずれかについて内閣府令で定める基準に達する成績を得た者であるときは、当該試験を受けた日から起算して六月の間は、その成績を得た試験に係る事項について行う試験を免除する。

〔本条追加・平四政二三一、旧三四条の四を改正し繰下・平五政三四八、本条改正・平六政三〇三・平八政一六〇・平九政三九一・平一二政三〇三・平一四政二四・平一七政一八三・

第三一条の三……五七〇ページ参照
第三一条の四（仮免許の取消し）……五七八ページ参照
第三一条の四の二（免許関係事務の委託）……六〇九ページ参照
第三一条の四の三（委託契約書の記載事項）……六〇九ページ参照
第三一条の四の四（公示の方法）……六〇九ページ参照

（運転免許試験の停止等）

第九七条の三　公安委員会は、不正の手段によつて運転免許試験を受け、又は受けようとした者に対しては、その運転免許試験を停止し、又は合格の決定を取り消すことができる。

2　前項の規定により合格の決定を取り消したときは、公安委員会は、その旨を直ちにその者に通知しなければならない。この場合において、当該運転免許試験に係る免許は、その通知を受けた日に効力を失うものとする。

3　公安委員会は、第一項の規定による処分を受けた者に対し、情状により、一年以内の期間を定めて、運転免許試験を受けることができないものとすることができる。

〔本条追加・平四法四三〕

参照〔公安委員会〕四①、警三八―四六の二〔免許〕八四、第一種免許＝八四③・八五、第二種免許＝八四④・八六、仮免許＝八四⑤・八七〔期間〕民一三八―一四三

平二六政六三・平二八政二五八・令四政一六）

第四節の二　自動車教習所

〔本節追加・平四法四三〕

（自動車教習所）

第九八条　自動車教習所（免許を受けようとする者に対し、自動車の運転に関する技能及び知識について教習を行う施設をいう。以下同じ。）を設置し、又は管理する者は、当該自動車教習所において行う自動車の運転に関する教習の水準の維持向上に努めなければならない。

2　自動車教習所を設置し、又は管理する者は、内閣府令で定めるところにより、当該自動車教習所の所在地を管轄する公安委員会に、次に掲げる事項を届け出ることができる。

一　氏名又は名称及び住所並びに法人にあつては、その代表者の氏名

二　自動車教習所の名称及び所在地

三　前二号に掲げるもののほか、内閣府令で定める事項

第六章　自動車教習所

〔章名改正・平四総府令四五〕

（自動車教習所の届出）

第三一条の五　法第九十八条第二項の規定による届出は、別記様式第十九の四の二の届出書を提出して行うものとする。

2　法第九十八条第二項第三号の内閣府令で定める事項は、次のとおりとする。

一　届出者が設置者である場合にあつては、次に掲げる事項

イ　設置者が個人である場合には、その本籍又は国籍等及び生年月日

ロ　設置者が法人である場合には、その役員の氏名、住所、本籍又は国籍等及び生年月日

ハ　管理者の氏名、住所、本籍又は国籍等及び生年月日

二　届出者が管理者である場合にあつては、次に掲げる事項

イ　設置者が個人である場合には、その氏名、住所、本籍又は国籍等及び生年月日

ロ　設置者が法人である場合には、その名称及び住所並びに役員の氏名、住所、本籍又は国籍等及び生年月日

ハ　管理者の本籍又は国籍等及び生年月日

3　法第九十八条第二項の規定による届出をした自動車教習所の設置者又は管理者は、当該自動車教習所が廃止されたとき、又は同項各号に掲げる事項に変更があつたときは、速やかに、廃止又は変更の年月日、変更に係る事項及び廃止又は変更の事由を公安委員会に届け出なければならない。

〔本条追加・平四総府令四五、一項改正・平一二総府令八九・平二五内府令二〕

別記様式第十九の四の二（第三十一条の五関係）

（表）

自動車教習所の届出書

年　月　日

公安委員会　殿

道路交通法第９８条第２項の規定により届出をします。

届出者の氏名又は名称及び住所

（ふりがな）			
自動車教習所の名称			
自動車教習所の所在地			〒（　） （　）　局　番
設置者	（ふりがな）		
	氏名又は名称		
	住　所		〒（　） （　）　局　番
	個人	本籍・国籍等	
		生年月日	年　月　日生
	法人にあっては、その役員	代表者（ふりがな）	
		氏　名	
		住　所	
		本籍・国籍等	
		生年月日	年　月　日生
		（ふりがな）	
		氏　名	
		住　所	
		本籍・国籍等	
		生年月日	年　月　日生

（裏）

設置者	法人にあっては、その役員	（ふりがな）	
		氏　名	
		住　所	
		本籍・国籍等	
		生年月日	年　月　日生
		（ふりがな）	
		氏　名	
		住　所	
		本籍・国籍等	
		生年月日	年　月　日生
		（ふりがな）	
		氏　名	
		住　所	
		本籍・国籍等	
		生年月日	年　月　日生
管理者	（ふりがな）		
	氏　名		
	住　所		〒（　） （　）　局　番
	本籍・国籍等		
	生年月日		年　月　日生

備考　1　本籍・国籍等欄には、日本の国籍を有する者は本籍を、その他の者は国籍等を記載すること。

2　設置者が個人の場合には個人の欄に、法人の場合には法人の欄にそれぞれ記載すること。

3　所定の欄に記載できないときは、別紙に記載の上、これを添付すること。

4　用紙の大きさは、日本産業規格Ａ列４番とする。

〔本様式追加・平４総府令45、改正・平６総府令９・平11総府令２・平25内府令２・令元内府令12・令２内府令85〕

3　公安委員会は、前項の規定による届出をした自動車教習所を設置し、又は管理する者に対し、自動車の運転に関する教習の適正な水準を確保するため、当該自動車教習所における教習の態様に応じて、必要な指導又は助言をするものとする。

4　公安委員会は、前項の指導又は助言をした場合において、必要があると認めるときは、自動車安全運転センターに対し、当該指導又は助言に係る自動車教習所における自動車の運転に関する技能又は知識の教習を行う職員に対する研修その他当該職員の資質の向上を図るための措置について、必要な配慮を加えるよう求めることができる。

5　公安委員会は、内閣府令で定めるところにより、第三項の指導又は助言をするため必要な限度において、第二項の規定による届出をした自動車教習所を設置し、又は管理する者に対し、必要な報告又は資料の提出を求めることができる。

〔本条追加・平四法四三、二・五項改正・平一一法一六〇〕

参照 〔内閣府令で定める届出〕道交規三一の五①・③〔公安委員会〕四①、警三八―四六の二〔内閣府令で定める事項〕道交規三一の五②〔自動車〕二①9、自動車の種類＝三、道交規二〔運転〕二①17〔自動車安全運転センター〕自動車安全運転センター法三〔報告又は資料の提出〕道交規三一の六

（報告等）

第三一条の六　公安委員会は、法第九十八条第二項の規定による届出をした自動車教習所の設置者又は管理者に対し、次に掲げる事項に関し、定期的に報告書の提出を求めることができる。

一　当該自動車教習所において自動車の運転に関する技能又は知識の教習を行う職員に関する事項

二　当該自動車教習所における自動車の運転に関する技能又は知識の教習のための設備に関する事項

三　当該自動車教習所における自動車の運転に関する技能又は知識の教習の科目、時間及び方法に関する事項

2　公安委員会は、法第九十八条第二項の規定による届出をした自動車教習所の設置者又は管理者に対し、前項に規定する報告書によるもののほか、必要な報告又は資料の提出を求めることができる。

〔本条追加・平四総府令四五〕

第三二条（コースの種類、形状及び構造の基準）……四七六ページ参照
第三三条（教習の時間及び方法）……四七七ページ参照
第三四条（技能検定）……四八九ページ参照
第三四条の二（卒業証明書の発行等）……四九〇ページ参照
第三四条の三（指定前における教習の基準）……四八四ページ参照
第三四条の四（指定前における教習を修了した者に対する技能試験）……四八五ページ参照

（指定自動車教習所の指定）

第九九条　公安委員会は、前条第二項の規定による届出をした自動車教習所のうち、一定の種類の免許（政令で定めるものに限る。）を受けようとする者に対し自動車の運転に関する技能及び知識について教習を行うものであつて当該免許に係る教習について職員、設備等に関する次に掲げる基準に適合するものを、当該自動車教習所を設置し、又は管理する者の申請に基づき、指定自動車教習所として指定することができる。

（指定自動車教習所の指定の区分）

第三四条の六　法第九十九条第一項の政令で定める免許は、次に掲げるとおりとする。

一　大型自動車免許
二　中型自動車免許
三　準中型自動車免許
四　普通自動車免許
五　大型特殊自動車免許
六　大型自動二輪車免許
七　普通自動二輪車免許
八　牽引免許
九　大型自動車第二種免許
十　中型自動車第二種免許
十一　普通自動車第二種免許

〔本条追加・平一四政二二四、改正・平一七政一八三・平二八政二五八〕

（申請の手続）

第三五条　法第九十九条第一項の申請は、次に掲げる書類を添付した別記様式第二十の指定申請書を公安委員会に提出して行うものとする。

一　管理者、技能検定員として選任されることとなる職員及び教習指導員として選任されることとなる職員の住民票の写し及び履歴書
二　技能検定員として選任されることとなる職員及び教習指導員として選任されることとなる職員が置かれていることを証するに足りる書類
三　コースの敷地並びにコースの種類、形状及び構造を明らかにした図面
四　建物その他の設備の状況を明らかにした図面
五　備付け自動車、運転シミュレーター、模擬運転装置（運転シミュレーターを除く。）及び無線指導装置一覧表

五　備付け自動車、運転シミュレーター、模擬運転装置及び無線指導装置一覧表

六　教材一覧表
七　教習計画書（教習の科目、教習時間、教習方法等を明らかにしたもの）
八　令第三十五条第三項第二号及び第三号の基準に適合しているものであることを証するに足りる書類

〔本条改正・昭三七総府令四四・昭三九総府令三六・昭四五総府令二八・昭四七総府令八・昭四八総府令一一・昭五八総府令二・平四総府令四五・平六総府令一・平一四内府令三四・平一八内府令四・平二四内府令三九〕

別記様式第二十（第三十五条関係）

指定自動車教習所の指定申請書

年　月　日

公安委員会　殿

住所
申請者
氏名

指定を受けようとする教習所の名称及び所在地		
指定を受けようとする教習に係る免許の種類		
管理者	本籍・国籍等	
	住所	
	氏名	年　月　日生
添付書類		

備考　1　申請者が法人であるときは、申請者の欄には、その名称、主たる事務所の所在地及び代表者の氏名を記載すること。
　　　2　添付書類欄には、添付する書類名を記載すること。

〔本様式改正・昭50総府令10・平８総府令41・平11総府令２・平14内府令34・平18内府令４・平25内府令２・令２内府令85〕

一　政令で定める要件を備えた当該自動車教習所を管理する者が置かれていること。

（指定自動車教習所の指定の基準）

第三五条　法第九十九条第一項第一号の政令で定める要件は、次に掲げるとおりとする。

一　二十五歳以上の者であること。

二　道路の交通に関する業務における管理的又は監督的地位に三年以上あつた者その他自動車教習所の管理について必要な知識及び経験を有する者で、次のいずれにも該当しないものであること。

イ　法第九十九条の二第四項第二号ロに該当する者

ロ　法第百十七条の二第二項第一号若しくは第二号の罪、法第百十七条の二の二第一項第九号若しくは第二項の罪、法第百十八条第二項第三号若しくは第四号の罪、法第百十九条第二項第四号の罪又は法第百十九条の二の四第二項の罪を犯し罰金以上の刑に処せられ、その執行を終わり、又は執行を受けることがなくなつた日から起算して三年を経過していない者

ハ　自動車等の運転に関し自動車の運転により人を死傷させる行為等の処罰に関する法律（平成二十五年法律第八十六号）第二条から第六条までの罪又は法に規定する罪（ロに掲げる罪を除く。）を犯し禁錮以上の刑に処せられ、その執行を終わり、又は執行を受けることがなくなつた日から起算して三年を経過していない者

（変更の届出）

第三六条　指定自動車教習所の設置者又は管理者は、前条の指定申請書（添付書類を含む。）の記載事項に変更を生じたときは、速やかに公安委員会に届け出なければならない。ただし、当該変更に係る事項について、第三十一条の五第三項の規定による届出をするときは、この限りでない。

〔本条改正・平四総府令四五〕

（指定書等）

第三七条　公安委員会は、指定自動車教習所の指定をしたときは別記様式第二十一の指定書を交付し、指定自動車教習所の指定を取り消したときは別記様式第二十一の二の指定取消通知書により通知するものとする。

2　公安委員会は、指定自動車教習所の設置者又は管理者に対し、必要な措置をとることを命じ、又は監督上必要な命令をしたときは、別記様式第二十二の命令書を交付するものとする。

3　公安委員会は、卒業証明書若しくは修了証明書の発行を禁止したとき、又は当該処分に係る期間を延長したときは、別記様式第二十二の二の通知書により通知するものとする。

〔一項改正・二項追加・昭四五総府令二八、二項改正・三項追加・昭四八総府令一一、一―三項改正・平四総府令四五、一項改正・二・三項全改・平六総府令一〕

別記様式第二十一（第三十七条関係）

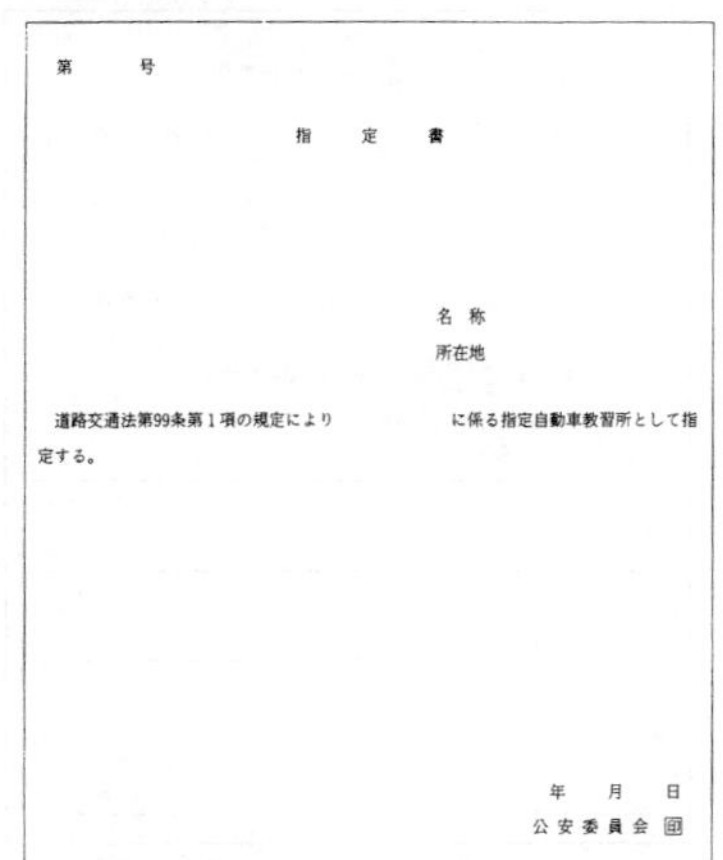
第　　号

指　定　書

名称
所在地

道路交通法第99条第1項の規定により　　　　に係る指定自動車教習所として指定する。

年　月　日
公安委員会 印

備考　用紙の大きさは、日本産業規格A列4番とする。
〔本様式改正・昭50総府令10・平4総府令45・平6総府令9・平8総府令41・令元内府令12〕

別記様式第二十一の二（第三十七条関係）

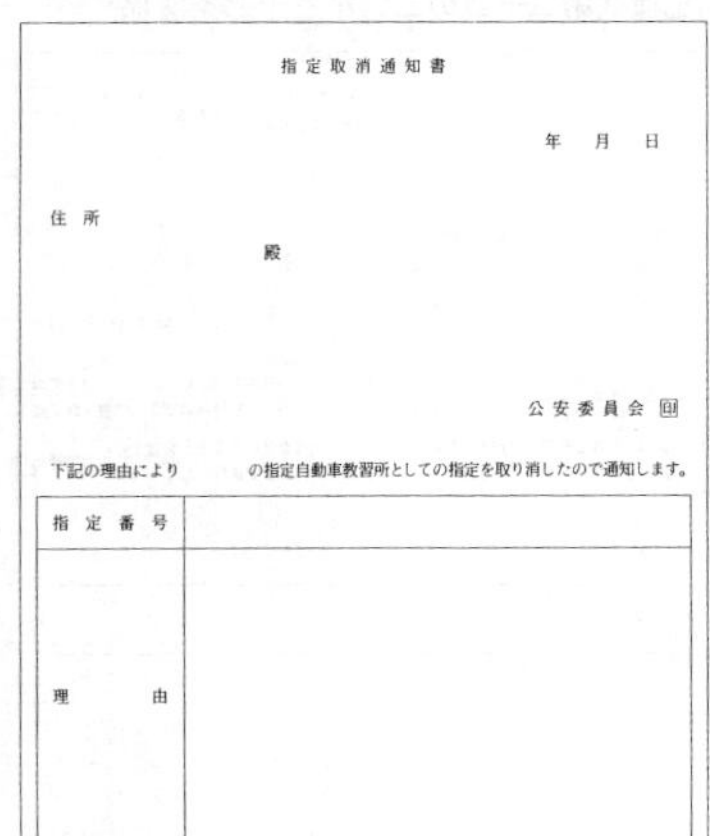
指定取消通知書

年　月　日

住所
殿

公安委員会 印

下記の理由により　　　　の指定自動車教習所としての指定を取り消したので通知します。

指定番号	
理　　由	

備考　用紙の大きさは、日本産業規格A列4番とする。
〔旧様式22を繰上・昭45総府令28、本様式改正・昭48総府令11・昭50総府令10・平6総府令1・総府令9・令元内府令12〕

別記様式第二十二（第三十七条関係）

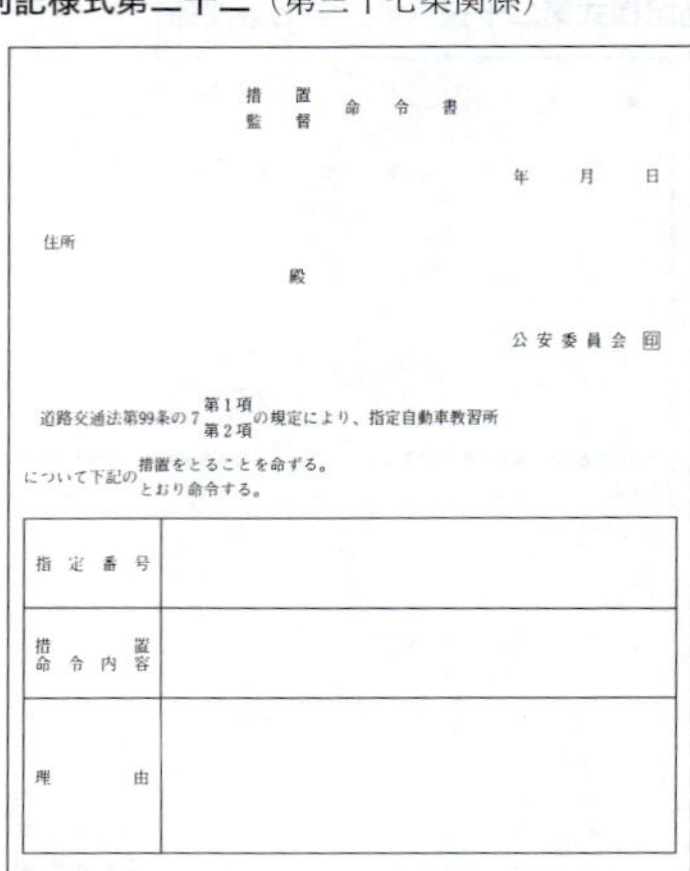

措置
監督　命令書

年　月　日

住所

殿

公安委員会 印

道路交通法第99条の7 第1項／第2項 の規定により、指定自動車教習所について下記の 措置をとることを命ずる。／とおり命令する。

指定番号	
措置／命令内容	
理由	

備考　用紙の大きさは、日本産業規格A列４番とする。
〔本様式追加・昭48総府令11、改正・昭50総府令10・平元総府令43、全改・平６総府令１、改正・平６総府令９・令元内府令12〕

別記様式第二十二の二（第三十七条関係）

卒業証明書・修了証明書 発行禁止／発行禁止延長 処分通知書

年　月　日

住所

殿

公安委員会 印

下記の理由により、　が　年　月　日から　年　月　日までの期間内における教習に基づき卒業証明書・修了証明書を発行することを禁止した／に対する　年　月　日付けの卒業証明書・修了証明書の発行禁止処分に係る期間を　年　月　日まで延長した　ので通知します。

指定番号	
理由	

備考　用紙の大きさは、日本産業規格A列４番とする。
〔本様式追加・昭39総府令36、改正・昭50総府令10、全改・平６総府令１、改正・平６総府令９・令元内府令12〕

二　次条第四項の技能検定員資格者証の交付を受けており、同条第一項の規定により技能検定員として選任されることとなる職員が置かれていること。

三　第九十九条の三第四項の教習指導員資格者証の交付を受けており、同条第一項の規定により教習指導員として選任されることとなる職員が置かれていること。

四　自動車の運転に関する技能及び知識の教習並びに技能検定（自動車の運転に関する技能についての検定で、内閣府令で定めるところにより行われるものをいう。以下同じ。）のための設備が政令で定める基準に適合していること。

2　法第九十九条第一項第四号の政令で定める基準は、次に掲げるとおりとする。

一　次に掲げる要件を備えた技能教習及び技能検定のための設備を有すること。

イ　コース敷地の面積が八千平方メートル（専ら大型自動二輪車免許又は普通自動二輪車免許に係る技能教習及び技能検定を行う自動車教習所にあつては、三千五百平方メートル）以上であること。

ロ　コースの種類、形状及び構造が内閣府令で定める基準に適合していること。

二　技能教習及び技能検定を行うため必要な種類の自動車を備えていること。

第三四条（技能検定）……四八九ページ参照

（コースの種類、形状及び構造の基準）

第三二条　令第三十五条第二項第一号ロに規定するコースの種類に関する基準は、別表第三の一の表のとおりとする。

2　令第三十五条第二項第一号ロに規定するコースの形状及び構

五　当該自動車教習所の運営が政令で定める基準に適合していること。

2　公安委員会は、前項の申請に係る自動車教習所が第百条の規定により指定を取り消され、その取消しの日から三年を経過しないものであるときは、同項の規定による指定をしてはならない。

〔一・三項改正・四・五項追加・昭四五法八六、一・三項改正・六項追加・昭四六法九八、本条全改・昭四七法五一、四項改正・昭六〇法八七、二項改正・昭六一法六三、一・二・四・五・一

三　前号に掲げる自動車（大型自動二輪車、普通自動二輪車及び専ら無線指導装置による教習を行う場合に使用される自動車を除く。）は、教習指導員又は技能検定員が危険を防止するための応急の措置を講ずることができる装置を備えたものであること。

四　技能教習、学科教習（自動車の運転に関する知識の教習をいう。第四十三条第三項において同じ。）及び技能検定を行うため必要な建物その他の設備を備えていること。

3　法第九十九条第一項第五号の政令で定める基準は、次に掲げるとおりとする。

一　法第九十九条第一項の申請に係る免許に係る教習の科目並びに教習の科目ごとの教習時間及び教習方法が内閣府令で定める基準に適合していること。

二　法第九十九条第一項の申請に係る免許に係る教習が、内閣府令で定める基準に適合しており、かつ、同項の申請の日前六月の間引き続き行われていること。

三　法第九十九条第一項の申請の日前六月の間に同項の申請に係る免許に係る教習を終了し、かつ、当該免許につき法第九十七条第一項第二号に掲げる事項について行う試験を受けた者のうちに内閣府令で定める基準に達する成績を得た者の占める割合が、九十五パーセント以上であること。

〔一項改正・昭三九政二八〇・昭四〇政二五八・昭四五政二二七・昭四六政三四八、本条全改・昭四八政二七、一項改正・昭五三政三一三・平二政三〇三、一―五項改正・平四政二三一、見出し・一項改正・二・三項削除・旧四・五項を改正し二・三項に繰上・平五政三四八、二項改正・平八政一六〇・平一一政三二一、二・三項改正・平一二政三〇三、一項改正・平一三政三九九、一―三項改正・平一四政二四、一項改正・平一六政二五七・政三九〇・平一九政一七〇・政二六六・平二五政三一〇・平二六政一六九・令二政一八一・令四政三〇四・政三九一〕

造に関する基準は、別表第三の二の表のとおりとする。

〔見出し改正・昭三九総府令三六、本条改正・昭四〇総府令四一・昭四一総府令五一・昭四六総府令五三、旧三二条を繰下・昭四七総府令八、旧三三条の二を改正し繰下・昭四八総府令一一、旧三三条の三を改正し繰上・平六総府令一、本条改正・平八総府令四一・平一二総府令八九、一項改正・二項追加・平一四内府令三四〕

別表第三（第三十二条関係）……………………九〇七ページ参照

（教習の時間及び方法）

第三三条　令第三十五条第三項第一号に規定する教習の科目及び教習の科目ごとの教習時間の基準は、次の各号に定めるとおりとする。

一　技能教習（自動車の運転に関する技能の教習をいう。以下同じ。）については、別表第四の一の表のとおりとする。

二　学科教習（自動車の運転に関する知識の教習をいう。以下同じ。）については、別表第四の二の表のとおりとする。

2　現に準中型仮免許又は普通仮免許を受けている者に対する準中型免許に係る教習（次項において「準中型教習」という。）又は普通免許に係る教習（次項において「普通教習」という。）については、前項及び別表第四の規定にかかわらず、基本操作及び基本走行並びに学科㈠を行わないことができる。

3　現に準中型教習を受けている者が当該準中型教習に代えて普通教習を受ける場合には、第一項及び別表第四の規定にかかわらず、普通教習の一部を行わないことができる。この場合において、普通教習の一部を行わないこととしたときは、準中型教習を始めた日に普通教習を始めたものとする。

4　現に大型二輪免許に係る教習（以下この項において「大型二輪教習」という。）を受けている者が当該大型二輪教習に代えて普通二輪免許に係る教習（以下この項において「普通二輪教習」という。）を受ける場合には、第一項及び別表第四の規定にかかわらず、普通二輪教習の一部を行わないことができる。この場合において、普通二輪教習の一部を行わないこととしたときは、大型二輪教習を始めた日に普通二輪教習を始めたものとする。

5　令第三十五条第三項第一号に規定する教習の科目ごとの教習方法の基準は、次に定めるとおりとする。

一　技能教習については、次のとおりとする。

イ　あらかじめ教習計画を作成し、これに基づいて教習を行うこと。

ロ　当該教習に係る免許に係る教習指導員（当該教習に用い

〇・一二項改正・旧九八条を繰下・平四法四三、見出し・一項改正・二項全改・三―一二項削除・平五法四三、一項改正・平一一法一六〇・平一三法五一〕

参照〔公安委員会〕四①、警三八―四六の二〔自動車教習所〕九八〔政令で定めるもの〕道交令三四の六〔申請〕道交規三五―三七・別記様式二〇―二二の二〔政令で定める要件〕道交令三五①〔政令で定める基準〕道交令三五②・③〔適合命令等〕九九の七〔内閣府令の定め〕道交規三二―三四の四〔旧法に基づく指定自動車教習所に関する経過規定〕道交令昭三九附則②、道交規昭三九附則⑤

られる自動車を運転することができる免許（仮免許を除く。）を現に受けている者（大型第二種免許、中型第二種免許又は普通第二種免許に係る教習にあつては、それぞれ大型第二種免許、大型第二種免許若しくは中型第二種免許又は大型第二種免許、中型第二種免許若しくは普通第二種免許を現に受けている者に限るものとし、免許の効力を停止されている者を除く。）に限る。以下この号において同じ。）が教習を行うこと。

ハ　自動車（法第八十五条第二項の規定により当該教習に係る免許について同条第一項の表の区分に従い運転することができる自動車又は法第八十六条第二項の規定により当該教習に係る免許について同条第一項の表の区分に従い運転することができる自動車をいう。以下このハ及びヨにおいて同じ。）又は内閣総理大臣の指定する模擬運転装置（以下「模擬運転装置」という。）により教習を行うこと。ただし、大型免許、中型免許、準中型免許、大型第二種免許、中型第二種免許又は普通第二種免許に係る応用走行のうち、自動車又は模擬運転装置以外の方法によりこれらの方法と同等の教習効果をあげることができるものとして国家公安委員会規則で定める教習については、この限りでない。

ニ　自動車（大型自動二輪車及び普通自動二輪車を除く。以下このニにおいて同じ。）による教習（内閣総理大臣が指定する無線指導装置（以下「無線指導装置」という。）による教習を除く。）は、単独教習（自動車による教習のうち、当該自動車に、教習指導員のほか、教習を受ける者一人のみが乗車して行うものをいう。以下この号において同じ。）により行うこと。ただし、大型免許、中型免許、準中型免許、普通免許、大型第二種免許、中型第二種免許又は普通第二種免許に係る応用走行のうち、複数教習（自動車による教習のうち、当該自動車に、教習指導員のほか、教習を受ける者二人又は三人が乗車して行うものをいう。以下この号において同じ。）により単独教習と同等の教習効果をあげることができるものとして国家公安委員会規則で定める教習については、複数教習により行うことができる。

ホ　大型免許、中型免許、準中型免許、普通免許、大型第二種免許、中型第二種免許又は普通第二種免許に係る教習（国家公安委員会規則で定めるものに限る。）は、運転シミュレーター（模擬運転装置であつて、当該模擬運転装置による教習効果が道路における自動車による教習効果と同等であるものとして国家公安委員会が定める基準に適合するものをいう。以下同じ。）を使用して行うことができる。

ヘ　大型二輪免許又は普通二輪免許に係る教習のうち、応用走行については、二時限（大型二輪免許に係る教習を受ける者が現に普通二輪免許を受けている者である場合にあつては、一時限）、運転シミュレーターを使用すること。

ト　へに定めるもののほか、運転シミュレーターによる教習は、基本操作及び基本走行並びに応用走行について行い、かつ、その教習時間は、基本操作及び基本走行については一時限を、応用走行については三時限を超えないこと。ただし、大型二輪免許に係る教習を受ける者が現に普通二輪免許を受けている者である場合にあつては、運転シミュレーターによる教習は、応用走行についてのみ行い、かつ、その教習時間は三時限を超えないこと。

チ　大型免許、中型免許、準中型免許又は普通免許に係る教習のうち、模擬運転装置（運転シミュレーターを除く。）による教習は、基本操作及び基本走行についてのみ行い、かつ、その教習時間は、大型免許、中型免許又は準中型免許に係る教習（準中型免許に係る教習にあつては、現に普通免許又は普通第二種免許を受けている者に対するものに限る。）にあつては一時限を、準中型免許に係る教習（現に普通免許又は普通第二種免許を受けている者に対するものを除く。）にあつては三時限を、普通免許に係る教習にあつては二時限（運転することができる普通自動車をAT機構がとられておりクラッチの操作装置を有しない普通自動車に限る普通免許に係る教習にあつては、一時限）を超えないこと。

チ　大型免許、中型免許、準中型免許又は普通免許に係る教習のうち、模擬運転装置（運転シミュレーターを除く。第三十五条第五号において同じ。）による教習は、次の表の上欄に掲げる教習の区分に応じ、それぞれ同表の中欄に掲げる教習の科目について行い、かつ、その教習時間は、それぞれ同表の下欄に掲げる時間を超えないこと。

教習の区分	教習の科目	教習時間
大型免許、中型免許又は準中型免許に係る教習（準中型免許に係る教習にあつては、現に普通免許又は普通第二種免許を受けている者に対するものに限る。）	基本操作及び基本走行	一時限
準中型免許に係る教習（現に普通免許又は普通第二種免許を受けている者に対するもの	基本操作及び基本走行	三時限

を除く。）		
普通免許（AT普通免許を除く。）に係る教習	基本操作及び基本走行	一時限
	応用走行	一時限
AT普通免許に係る教習	基本操作及び基本走行	一時限

リ　中型免許、準中型免許又は普通免許に係る教習のうち、無線指導装置による教習は、基本操作及び基本走行についてのみ行い、かつ、その教習時間は、中型免許に係る教習にあつては一時限を、準中型免許に係る教習にあつては四時限（現に普通免許又は普通第二種免許を受けている者に対する教習にあつては、一時限）を、普通免許に係る教習にあつては三時限を超えないこと。

ヌ　大型免許又は大型第二種免許に係る教習のうち、中型自動車を使用して行うことにより大型自動車を使用する教習と同等の教習効果をあげることができるものとして国家公安委員会規則で定める教習については、中型自動車を使用することができる。

ル　大型免許若しくは大型第二種免許又は中型免許若しくは中型第二種免許に係る教習のうち、準中型自動車を使用することによりそれぞれ大型自動車又は中型自動車を使用する教習と同等の教習効果をあげることができるものとして国家公安委員会規則で定める教習については、準中型自動車を使用することができる。

ヲ　大型免許若しくは大型第二種免許、中型免許若しくは中型第二種免許又は準中型免許に係る教習のうち、普通自動車を使用して行うことによりそれぞれ大型自動車、中型自動車又は準中型自動車を使用する教習と同等の教習効果をあげることができるものとして国家公安委員会規則で定める教習については、普通自動車を使用することができる。

ワ　準中型免許に係る教習のうち、普通自動車を使用しなければ教習効果をあげることができないものとして国家公安委員会規則で定める教習については、普通自動車を使用して行うこと。

カ　大型二輪免許又は普通二輪免許に係る教習の一部については、大型二輪免許に係る教習にあつては普通自動二輪車又は一般原動機付自転車を、普通二輪免許（小型限定普通二輪免許を除く。）に係る教習にあつては小型二輪車又は一般原動機付自転車を、小型限定普通二輪免許に係る教習にあつては一般原動機付自転車を使用することができる。

ヨ　教習を受ける者一人に対する一日の教習時間は、大型第二種免許、中型第二種免許又は普通第二種免許に係る教習を受ける者であつて当該教習に用いられる自動車を運転することができる第一種免許を現に受けているものに対する教習にあつては四時限を、その他の者に対する教習にあつては三時限（基本操作及び基本走行にあつては、二時限）を超えないこと（第一種免許に係る教習を受ける者に対して一日に三時限の教習を行う場合は、連続して三時限の教習を行わないこと。ただし、複数教習又は運転シミュレーターによる教習を二時限行う場合には、この限りでない。）。

タ　ヨの規定にかかわらず、運転することができる普通自動二輪車をAT機構がとられておりクラッチの操作装置を有しない小型二輪車に限る普通二輪免許（別表第四において「AT小型限定普通二輪免許」という。）に係る教習を受ける者（大型免許、中型免許、準中型免許、普通免許、大型特殊免許（カタピラを有する大型特殊自動車のみに係る大型特殊免許を除く。）、大型第二種免許、中型第二種免許、普通第二種免許又は大型特殊第二種免許（カタピラを有する大型特殊自動車のみに係る大型特殊第二種免許を除く。）を現に受けている者に限る。）一人に対する一日の教習時間は、四時限（基本操作及び基本走行にあつては、三時限）を超えないこと（一日に三時限以上の教習を行う場合は、連続して三時限の教習を行わないこと。ただし、運転シミュレーターによる教習を二時限行う場合には、この限りでない。）。この場合において、一日に四時限の教習を行うときは、二時限目以降の教習のうちのいずれかの教習の前に一時限に相当する時間以上の休息時間を置くこと。

レ　大型免許、中型免許、準中型免許、普通免許、大型第二種免許、中型第二種免許又は普通第二種免許に係る応用走行は、運転シミュレーターによる教習その他道路において行うことが交通の妨害となるおそれがあるか、又は自動車教習所のコースその他の設備において行うことにより道路において行う教習と同等の教習効果をあげることができるものとして国家公安委員会規則で定める教習を行う場合を除き、道路において行うこと。

ソ　レの規定により道路において行う場合を除き、自動車教習所のコースその他の設備において行うこと。

ツ　基本操作及び基本走行の最後の教習時限においてその教習効果の確認を行い、その成績が良好な者についてのみ応用走行を行うこと。この場合において、大型免許、中型免許、準中型免許又は普通免許に係る応用走行は、当該確認を行つた日の翌日以後の日に行うこと。

ネ　応用走行の最後の教習時限において基本操作及び基本走行並びに応用走行の教習効果の確認を行い、その成績が良好な者についてのみ教習を修了すること。

ネ　応用走行の最後において基本操作及び基本走行並びに応用走行の教習効果の確認を行い、その成績が良好な者についてのみ教習を修了すること。

ナ　大型免許、中型免許、準中型免許、普通免許、大型特殊免許（カタピラを有する大型特殊自動車のみに係る大型特殊免許を除く。）、大型二輪免許、普通二輪免許、大型第二種免許、中型第二種免許又は普通第二種免許に係る応用走行は、学科(一)を修了した者についてのみ行うこと。

ラ　大型免許、中型免許、準中型免許、普通免許、大型二輪免許、普通二輪免許、大型第二種免許、中型第二種免許又は普通第二種免許に係る教習にあつては九月以内に、その他の自動車についての教習にあつては三月以内に修了すること。

ム　同時にコースにおいて使用する自動車一台当たりのコース面積が二百平方メートル（専ら大型二輪免許又は普通二輪免許に係る教習を行う自動車教習所にあつては、百平方メートル）以下にならないようにして教習を行うこと。

二　学科教習については、次のとおりとする。

イ　あらかじめ教習計画を作成し、これに基づいて教習を行うこと。

ロ　第一種免許に係る教習は第一種免許に係る教習指導員（準中型自動車を運転することができる免許（仮免許を除く。）及び普通自動二輪車を運転することができる免許を現に受けている者（免許の効力を停止されている者を除く。）に限る。）が、第二種免許に係る教習は第二種免許に係る教習指導員（大型第二種免許、中型第二種免許又は普通第二種免許を現に受けている者（免許の効力を停止されている者を除く。）に限る。）が行うこと。

ハ　教本、視聴覚教材、模型等教習に必要な教材を使用すること。

ニ　応急救護処置に必要な知識の教習（以下「応急救護処置教習」という。）は、ロに定める者であつて公安委員会が応急救護処置の指導に必要な能力を有すると認めるものが行うこととし、かつ、模擬人体装置（人体に類似した形状を有する装置であつて、気道確保、人工呼吸、心臓マッサージその他の応急救護処置に関する実技を行うために必要な機能を有するものをいう。以下同じ。）による応急救護処置に関する実技訓練を含むものであること。

ホ　自動車教習所の建物その他の設備において行うこと。

ヘ　大型免許、中型免許、準中型免許、普通免許、大型特殊免許（カタピラを有する大型特殊自動車のみに係る大型特殊免許を除く。）、大型二輪免許、普通二輪免許、大型第二種免許、中型第二種免許又は普通第二種免許に係る学科(二)は、技能教習の基本操作及び基本走行を修了した者についてのみ行うこと。

ト　前号ラに定める期間内に修了すること。

6　前各項に定める教習の科目並びに教習の科目ごとの教習時間及び教習方法の基準についての細目は、国家公安委員会規則で定める。

〔四項改正・昭三七総府令四四、一・二・四項改正・昭三九総府令三六・昭四〇総府令四一・昭四二総府令一・昭四三総府令四九、一・四項改正・二項全改・昭四五総府令二八、一・二項改正・三項削除・旧四項を改正し三項に繰上・昭四七総府令八、一・三項改正・昭四八総府令一一、一―三項改正・昭五〇総府令五五、一・二項改正・昭五六総府令三、三項改正・昭五八総府令二二、一・二項改正・昭六一総府令七、二・四項追加・旧二・三項を改正し三・五項に繰下・平二総府令一二、一・三・五項改正・平三総府令三〇、一―三項改正・五項追加・旧五項を改正し六項に繰下・平六総府令一、一・三・四項改正・六項追加・旧六項を改正し七項に繰下・平八総府令四一、一―四・七項改正・八項追加・平一〇総府令三〇、七項改正・平一〇総府令五〇、一・二項全改・三―五項削除・旧六―八項を改正し三―五項に繰上・平一四内府令三四、四項改正・平一八内府令四・平二六内府令一七、二項改正・三項追加・旧三・五項を四・六項に繰下・旧四項を改正し五項に繰下・平二八内府令四九、五項改正・平三〇内府令三〇・令元内府令三一・令四内府令七・令五内府令一七・令六内府令五九〕

指定自動車教習所等の教習の基準の細目に関する規則

（平成一〇年八月一一日国家公安委員会規則第一三号）

別表第四（第三十三条関係）……九一五ページ参照
第三四条（技能検定）……四八九ページ参照
第三四条の二（卒業証明書の発行等）……四九〇ページ参照

（指定前における教習の基準）

第三四条の三　令第三十五条第三項第二号の内閣府令で定める基準は、次に掲げるとおりとする。

一　教習の科目及び教習の科目ごとの教習時間の基準は、第三十三条第一項から第四項までに定めるとおりとする。

二　技能教習の方法については、第三十三条第五項第一号の規定を準用する。この場合において、同号ロ中「当該教習に係る免許に係る教習指導員」とあるのは「指定前技能教習指導員」と、「それぞれ大型第二種免許」とあるのは「それぞれ大型免許、中型免許、準中型免許又は普通免許に係る教習指導員資格者証の交付を受け、かつ、大型第二種免許」と、「に限る。」とあるのは「のうちから技能教習を行う者として選任された者をいう。」と、同号ニ中「教習指導員」とあるのは「指定前技能教習指導員」と読み替えるものとする。

三　学科教習の方法については、第三十三条第五項第二号の規定を準用する。この場合において、同号ロ中「第一種免許に係る教習は第一種免許に係る教習指導員（準中型自動車を運転することができる免許（仮免許を除く。）及び普通自動二輪車を運転することができる免許を現に受けている者（免許の効力を停止されている者を除く。）に限る。）が、第二種免許に係る教習は第二種免許に係る教習指導員」とあるのは「大型第二種免許、中型第二種免許又は普通第二種免許に係る教習は、大型免許、中型免許、準中型免許又は普通免許に係る教習指導員資格者証の交付を受けた者」と、同号ニ中「ロに定める者」とあるのは「大型免許、中型免許、準中型免許、普通免許、大型二輪免許又は普通二輪免許に係る教習指導員資格者証の交付を受けた者（大型第二種免許、中型第二種免許又は普通第二種免許に係る教習にあつては、第三十四条の三第一項第三号において読み替えて準用するロに定める者に限る。）」と、同号ト中「前号ラ」とあるのは「第三十四条の三第一項第二号において読み替えて準用する第三十三条第五項第一号ラ」と読み替えるものとする。

2　前項に定める教習の科目並びに教習の科目ごとの教習時間及び教習方法の基準についての細目は、国家公安委員会規則で定める。

〔本条追加・昭三九総府令三六、改正・昭四〇総府令四一・昭四二総府令一・昭四三総府令四九・昭四五総府令二八・昭四七総府令八、旧三四条の二を改正し繰下・昭四八総府令一一、本条改正・昭五八総府令二二・平二総府令一二・平三総府令三〇・平六総府令一・平八総府令四二、一項改正・二項追加・平一〇総府令三〇、一項改正・平一二総府令八九、一・二項

（技能検定員）

第九九条の二 指定自動車教習所を管理する者は、技能検定を行わせるため、技能検定員を選任しなければならない。

2 第四項の技能検定員資格者証の交付を受けていない者は、技能検定員となることができない。

3 技能検定員は、刑法その他の罰則の適用については、法令により公務に従事する職員とみなす。

4 公安委員会は、次の各号のいずれにも該当する者に対し、技能検定員資格者証を交付する。

一 次のいずれかに該当する者

イ 公安委員会が国家公安委員会規則で定めるところにより技能検定に関する技能及び知識に関

改正・平一四内府令三四、一項改正・平一八内府令四・平二八内府令四九・平三〇内府令三〇〕

指定自動車教習所等の教習の基準の細目に関する規則

（平成一〇年八月一一日国家公安委員会規則第一三号）

（指定前における教習を修了した者に対する技能試験）

第三四条の四 令第三十五条第三項第三号の内閣府令で定める基準は、試験に係る免許の種類に応じ、第二十四条第五項第一号又は第二号（第一種免許に係るものに限る。）に定める成績とする。

第三四条の四 令第三十五条第三項第三号の内閣府令で定める基準は、試験に係る免許の種類に応じ、第二十四条第九項第一号、第二号、第三号（準中型仮免許に係るものを除く。）又は第四号に定める成績とする。

〔本条追加・平一四内府令三四〕

技能検定員審査等に関する規則

（平成六年二月二五日国家公安委員会規則第三号）

して行う審査に合格した者

ロ　自動車安全運転センターが行う自動車の運転に関する研修の課程であつて国家公安委員会が指定するものを修了した者

ハ　公安委員会が国家公安委員会規則で定めるところにより技能検定に関しイ又はロに掲げる者と同等以上の技能及び知識を有すると認める者

二　次のいずれにも該当しない者

イ　二十五歳未満の者

ロ　過去三年以内に第九十九条の五第五項に規定する卒業証明書又は修了証明書の発行に関し不正な行為をした者

ハ　第百十七条の二の二第一項第九号の罪を犯し罰金以上の刑に処せられ、その執行を終わり、又は執行を受けることがなくなつた日から起算して三年を経過していない者

ニ　自動車等の運転に関し自動車の運転により人を死傷させる行為等の処罰に関する法律第二条から第六条までの罪又はこの法律に規定する罪（第百十七条の二の二第一項第九号の罪を除く。）を犯し禁錮以上の刑に処せられ、その執行を終わり、又は執行を受けることがなくなつた日から起算して三年を経過していない者

ホ　次項第二号又は第三号に該当して同項の規定により技能検定員資格者証の返納を命ぜられ、その返納の日から起算して三年を経過していない者

5　公安委員会は、前項の技能検定員資格者証の交付を受けた者が次の各号のいずれかに該当すると認め

自動車の運転により人を死傷させる行為等の処罰に関する法律

（危険運転致死傷）

第二条　次に掲げる行為を行い、よって、人を負傷させた者は十五年以下の懲役に処し、人を死亡させた者は一年以上の有期懲役に処する。

一　アルコール又は薬物の影響により正常な運転が困難な状態で自動車を走行させる行為

二　その進行を制御することが困難な高速度で自動車を走行させる行為

三　その進行を制御する技能を有しないで自動車を走行させる行為

四　人又は車の通行を妨害する目的で、走行中の自動車の直前に進入し、その他通行中の人又は車に著しく接近し、かつ、重大な交通の危険を生じさせる速度で自動車を運転する行為

五　車の通行を妨害する目的で、走行中の車（重大な交通の危険が生じることとなる速度で走行中のものに限る。）の前方で停止し、その他これに著しく接近することとなる方法で自動車を運転する行為

六　高速自動車国道（高速自動車国道法（昭和三十二年法律第七十九号）第四条第一項に規定する道路をいう。）又は自動車専用道路（道路法（昭和二十七年法律第百八十号）第四十八条の四に規定する自動車専用道路をいう。）において、自動車の通行を妨害する目的で、走行中の自動車の前方で停止し、その他これに著しく接近することとなる方法で自動車を運転することにより、走行中の自動車に停止又は徐行（自動車が直ちに停止することができるような速度で進行することをいう。）をさせる行為

七　赤色信号又はこれに相当する信号を殊更に無視し、かつ、重大な交通の危険を生じさせる速度で自動車を運転する行為

八　通行禁止道路（道路標識若しくは道路標示により、又はその他法令の規定により自動車の通行が禁止されている道路又はその部分であって、これを通行することが人又は車に交通の危険を生じさせるものとして政令で定めるものをいう。）を進行し、かつ、重大な交通の危険を生じさせる速度で自動車を運転する行為

るときは、国家公安委員会規則で定めるところにより、その者に係る技能検定員資格者証の返納を命ずることができる。

一　前項第二号ロからニまでに掲げる者のいずれかに該当するに至つたとき。

二　偽りその他不正の手段により技能検定員資格者証の交付を受けたとき。

三　技能検定員の業務に関し不正な行為をし、その情状が技能検定員として不適当であると認められるとき。

6　前二項に定めるもののほか、第四項の技能検定員資格者証に関し必要な事項は、国家公安委員会規則で定める。

〔本条追加・平五法四三、四項改正・平一三法五一・法一三八・平一六法九〇・平一九法五四・法九〇・平二五法四三・法八六・令二法四二・令四法三二〕

参照　〔指定自動車教習所〕九九〔技能検定〕九九①4〔刑法の規定〕刑七〔公安委員会〕四①、警三八—四六の二〔国家公安委員会規則〕技能検定員審査等に関する規則〔自動車安全運転センター〕自動車安全運転センター法三〔自動車〕二①9、自動車の種類＝三、道交規二〔運転〕二①17〔自動車等〕八四①

第三条　アルコール又は薬物の影響により、その走行中に正常な運転に支障が生じるおそれがある状態で、自動車を運転し、よって、そのアルコール又は薬物の影響により正常な運転が困難な状態に陥り、人を負傷させた者は十二年以下の懲役に処し、人を死亡させた者は十五年以下の懲役に処する。

2　自動車の運転に支障を及ぼすおそれがある病気として政令で定めるものの影響により、その走行中に正常な運転に支障が生じるおそれがある状態で、自動車を運転し、よって、その病気の影響により正常な運転が困難な状態に陥り、人を死傷させた者も、前項と同様とする。

（過失運転致死傷アルコール等影響発覚免脱）

第四条　アルコール又は薬物の影響によりその走行中に正常な運転に支障が生じるおそれがある状態で自動車を運転した者が、運転上必要な注意を怠り、よって人を死傷させた場合において、その運転の時のアルコール又は薬物の影響の有無又は程度が発覚することを免れる目的で、更にアルコール又は薬物を摂取すること、その場を離れて身体に保有するアルコール又は薬物の濃度を減少させることその他その影響の有無又は程度が発覚することを免れるべき行為をしたときは、十二年以下の懲役に処する。

（過失運転致死傷）

第五条　自動車の運転上必要な注意を怠り、よって人を死傷させた者は、七年以下の懲役若しくは禁錮又は百万円以下の罰金に処する。ただし、その傷害が軽いときは、情状により、その刑を免除することができる。

（無免許運転による加重）

第六条　第二条（第三号を除く。）の罪を犯した者（人を負傷させた者に限る。）が、その罪を犯した時に無免許運転をしたものであるときは、六月以上の有期懲役に処する。

2　第三条の罪を犯した者が、その罪を犯した時に無免許運転をしたものであるときは、人を負傷させた者は十五年以下の懲役に処し、人を死亡させた者は六月以上の有期懲役に処する。

3　第四条の罪を犯した者が、その罪を犯した時に無免許運転をしたものであるときは、十五年以下の懲役に処する。

4　前条の罪を犯した者が、その罪を犯した時に無免許運転をしたものであるときは、十年以下の懲役に処する。

（教習指導員）

第九九条の三 指定自動車教習所を管理する者は、自動車の運転に関する技能及び知識の教習を行わせるため、教習指導員を選任しなければならない。

2 第四項の教習指導員資格者証の交付を受けていない者は、教習指導員となることができない。

3 指定自動車教習所を管理する者は、自動車の運転に関する技能又は知識の教習を、教習指導員以外の者に行わせてはならない。

4 公安委員会は、次の各号のいずれにも該当する者に対し、教習指導員資格者証を交付する。

一 次のいずれかに該当する者

イ 公安委員会が国家公安委員会規則で定めるところにより自動車の運転に関する技能及び知識の教習に関する技能及び知識に関して行う審査に合格した者

ロ 自動車安全運転センターが行う自動車の運転に関する研修の課程であつて国家公安委員会が指定するものを修了した者

ハ 公安委員会が国家公安委員会規則で定めるところにより自動車の運転に関する技能及び知識の教習に関しイ又はロに掲げる者と同等以上の技能及び知識があると認める者

二 次のいずれにも該当しない者

イ 二十一歳未満の者

ロ 次項において準用する前条第五項第二号又は第三号に該当して次項において準用する同条第五項の規定により教習指導員資格者証の返納を命ぜられ、その返納の日から起算して三年を経

技能検定員審査等に関する規則

（平成六年二月二五日 国家公安委員会規則第三号）

過していない者

ハ　前条第四項第二号ロから二までのいずれかに該当する者

5　前条第五項及び第六項の規定は、教習指導員資格者証について準用する。この場合において、同条第五項第三号中「技能検定員」とあるのは、「教習指導員」と読み替えるものとする。

〔本条追加・平五法四三〕

参照　〔指定自動車教習所〕九九〔自動車〕二①9、自動車の種類＝三、道交規二〔運転〕二①17〔自動車安全運転センター〕自動車安全運転センター法三〔国家公安委員会規則〕技能検定員審査等に関する規則〔公安委員会〕四①、警三八—四六の二

（職員に対する講習）

第九九条の四　指定自動車教習所を管理する者は、公安委員会から当該指定自動車教習所の職員について第百八条の二第一項第九号に掲げる講習を行う旨の通知を受けたときは、当該職員に当該講習を受けさせなければならない。

〔本条追加・平五法四三、改正・平七法七四〕

参照　〔指定自動車教習所〕九九〔公安委員会〕四①、警三八—四六の二

（技能検定）

第九九条の五　指定自動車教習所を管理する者は、第九十九条第一項に規定する免許の種類ごとに、技能検定員に、内閣府令で定めるところにより自動車の

（技能検定）

第三四条　技能検定は、卒業検定及び修了検定に区分して、当該技能検定に係る免許に係る技能検定員（当該技能検定に用いられる自動車を運転することができる免許（仮免許を除く。）を現に受けている者（大型第二種免許、中型第二種免許又は普通第

運転に関する技能及び知識の教習を終了した者に対し技能検定を行わせなければならない。

2 指定自動車教習所を管理する者は、技能検定員に、前項に規定する教習を終了した者以外の者に対し技能検定を行わせてはならない。

3 指定自動車教習所を管理する者は、技能検定員以外の者に技能検定を行わせてはならない。

4 技能検定員は、技能検定に合格した者について、その者が技能検定に合格した旨の証明をしなければならない。

5 指定自動車教習所は、技能検定員が前項の証明をしたときは、当該証明に係る者に対し、内閣府令で定めるところにより、内閣府令で定める様式の卒業

二種免許に係る技能検定にあつては、それぞれ大型第二種免許、大型第二種免許若しくは中型第二種免許又は大型第二種免許、中型第二種免許若しくは普通第二種免許を現に受けている者に限るものとし、免許の効力を停止されている者を除く。）に限る。）が行う。

2 卒業検定は、次に定めるところにより行うものとする。

一 前条第五項第一号ラに定める期間内に技能教習及び学科教習を修了した者で、これらの教習を修了した日から起算して三月を経過していないものに限り行うこと。

二 卒業検定の実施の方法及び合格の基準は、当該卒業検定に係る免許に係る技能試験の例に準ずるものであること。

三 卒業検定に合格しなかつた者に対しては、その者が更に一時限以上の技能教習を受けた後でなければ次の卒業検定を行わないこと。

3 修了検定は、次に定めるところにより行うものとする。

一 前条第五項第一号ラに定める期間内において、基本操作及び基本走行の技能教習並びに学科(一)の学科教習を修了した者に限り行うこと。

二 修了検定の実施の方法及び合格の基準は、仮免許に係る技能試験の例に準ずるものであること。

三 修了検定に合格しなかつた者に対しては、その者が更に一時限以上の技能教習を受けた後でなければ次の修了検定を行わないこと。

四 修了証明書を有する者が仮免許を受けた後に令第三十九条の三第二号から第四号までの基準に該当して当該仮免許を取り消された場合については、その者が更に前条第五項第一号ラに定める期間内に、その者の自動車の運転に関する技能又は知識の修得状況に応じた三時限以上の技能教習及び一時限以上の学科教習を受けた後でなければ次の修了検定を行わないこと。

〔本条改正・昭三九総府令三六・昭四〇総府令四一・昭四五総府令二八・昭四七総府令八、全改・昭四八総府令一一、二・三項改正・平二総府令一二、一―三項改正・平六総府令一、二・三項改正・平六総府令四九・平八総府令四一、二・三項改正・平一〇総府令三〇、一―三項改正・平一四内府令三四・平一八内府令四、二・三項改正・平二八内府令四九・平三〇内府令三〇〕

（卒業証明書の発行等）

第三四条の二 法第九十九条の五第五項前段に規定する卒業証明書又は修了証明書の発行は、卒業証明書にあつては卒業検定に合格した者に、修了証明書にあつては修了検定に合格した者に

証明書（指定自動車教習所において教習を終了した旨を証明する証明書をいう。以下同じ。）又は修了証明書（指定自動車教習所において教習を受け、仮免許を受けて運転することができる程度の技能及び知識の水準に達した旨を証明する証明書をいう。以下同じ。）を発行することができる。この場合において、当該卒業証明書又は修了証明書には、内閣府令で定めるところにより、当該卒業証明書又は修了証明書に係る者が技能検定に合格した旨の技能検定員の書面による証明を付さなければならない。

〔本条追加・平五法四三、一・五項改正・平一一法一六〇、一項改正・平一三法五一〕

参照 〔指定自動車教習所〕九九〔技能検定員〕九九の二〔内閣府令で定める技能検定〕道交規三四〔内閣府令で定める卒業証明書の発行等〕道交規三四の二・別記様式一九の五・一九の六〔自動車〕二①9、自動車の種類＝三、道交規二〔運転〕二①17

対してそれぞれ行うものとする。

2 法第九十九条の五第五項前段の内閣府令で定める様式は、卒業証明書にあつては別記様式第十九の五、修了証明書にあつては別記様式第十九の六のとおりとする。

3 法第九十九条の五第五項後段に規定する技能検定に合格した旨の証明は、次に掲げる事項を記載した書面に当該技能検定を行つた技能検定員が署名又は記名押印をして行うものとする。

一 技能検定に係る免許の種類
二 技能検定の種別
三 技能検定に合格した者の住所、氏名及び生年月日
四 技能検定の年月日
五 技能検定に用いた自動車の種類
六 証明を行つた年月日

〔本条追加・昭四八総府令一一、一―三項改正・平四総府令四五・平六総府令一、二項改正・平一二総府令八九、三項改正・平一四内府令三四・令六内府令六〇〕

別記様式第十九の五（第三十四条の二関係）

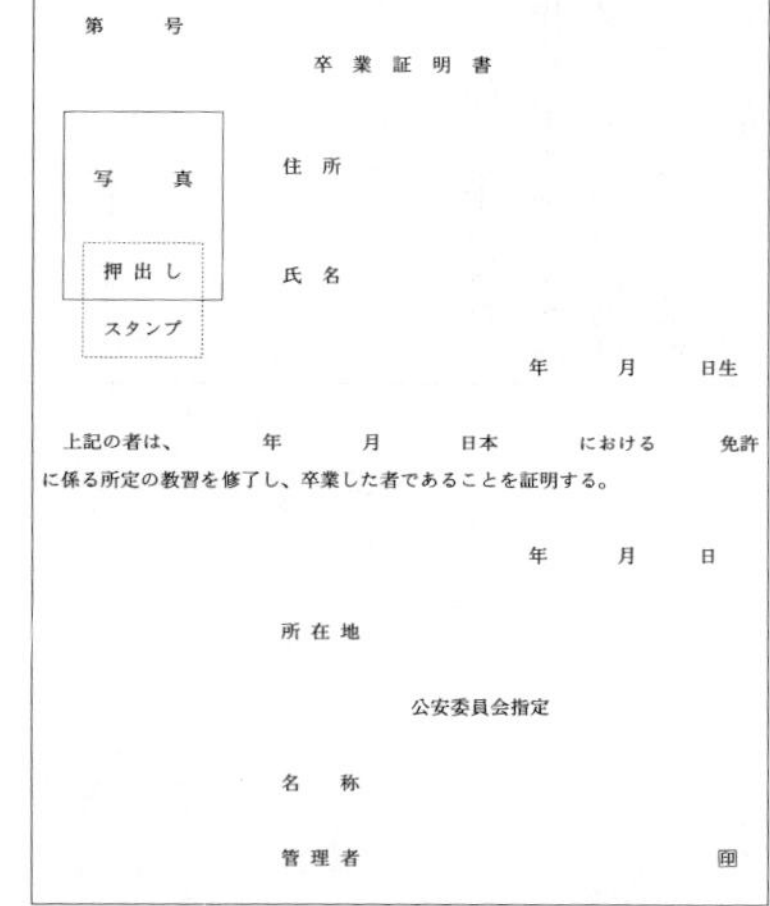

第　　号

卒業証明書

写　真

押出し

スタンプ

住所

氏名

年　月　日生

上記の者は、　年　月　日本　における　免許に係る所定の教習を修了し、卒業した者であることを証明する。

年　月　日

所在地

公安委員会指定

名称

管理者　㊞

備考 1 写真は、卒業前6月以内に撮影した無帽、正面、上三分身、無背景の縦の長さ3.0センチメートル、横の長さ2.4センチメートルのものとする。
2 用紙の大きさは、日本産業規格A列4番とする。

〔本様式追加・昭39総府令36、旧様式19の2を繰下・昭42総府令44、旧様式19の4を改正し繰下・昭48総府令11、本様式改正・昭50総府令10・平6総府令9・平14内府令34、全改・平18内府令4、改正・令元内府令12〕

別記様式第十九の六（第三十四条の二関係）

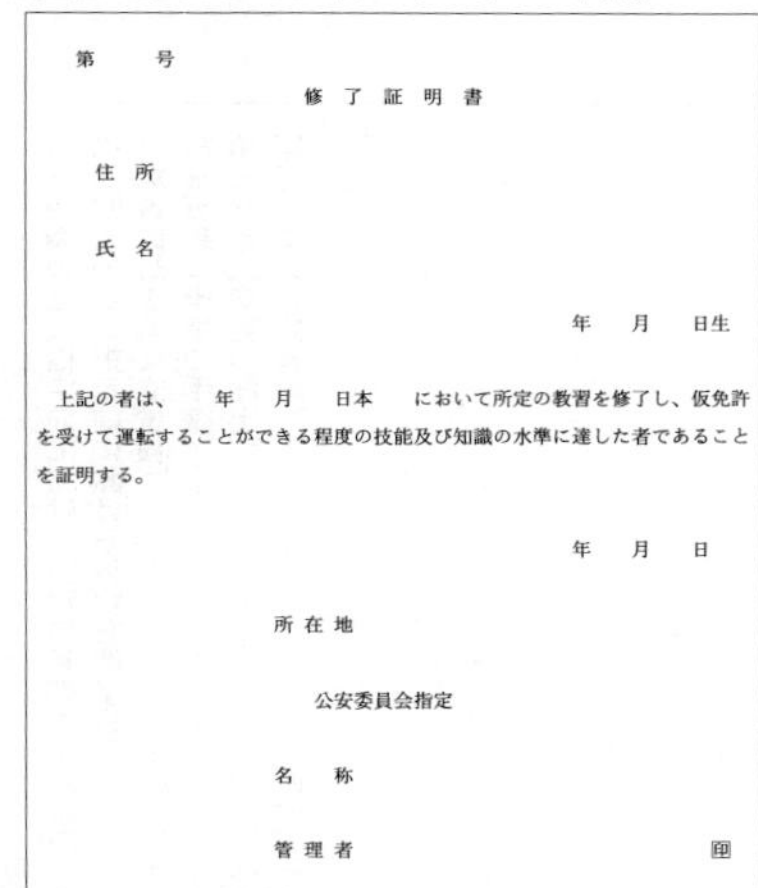

第　　号

修了証明書

住所

氏名

年　月　日生

上記の者は、　年　月　日本　において所定の教習を修了し、仮免許を受けて運転することができる程度の技能及び知識の水準に達した者であることを証明する。

年　月　日

所在地

公安委員会指定

名称

管理者　㊞

備考 用紙の大きさは、日本産業規格A列4番とする。

〔本様式追加・昭48総府令11、改正・昭50総府令10・平元総府令43・平6総府令9、全改・平14内府令34、改正・令元内府令12〕

（報告及び検査）

第九九条の六　公安委員会は、この節の規定を施行するため必要な限度において、指定自動車教習所を設置し、若しくは管理する者に対し、当該指定自動車教習所の業務に関し報告若しくは資料の提出を求め、又は警察職員に当該指定自動車教習所に立ち入り、書類その他の物件を検査させ、若しくは関係者に質問させることができる。

2　前項の規定により立入検査をする警察職員は、その身分を示す証票を携帯し、関係者の請求があるときは、これを提示しなければならない。

3　第一項の規定による立入検査の権限は、犯罪捜査のために認められたものと解してはならない。

〔本条追加・平五法四三〕

参照　〔公安委員会〕四①、警三八―四六の二〔指定自動車教習所〕九九〔警察職員〕警三四・五五

（適合命令等）

第九九条の七　公安委員会は、指定自動車教習所が第九十九条第一項各号に掲げる基準に適合しなくなつたと認めるときは、当該指定自動車教習所を設置し、

第三四条の三（指定前における教習の基準）…四八四ページ参照
第三四条の四（指定前における教習を修了した者に対する技能試験）…四八五ページ参照
第三五条（申請の手続）…四七三ページ参照
第三六条（変更の届出）…四七五ページ参照
第三七条（指定書等）…四七五ページ参照

又は管理する者に対し、当該指定自動車教習所を同項各号に掲げる基準に適合させるため必要な措置をとることを命ずることができる。

2　前項に定めるもののほか、公安委員会は、この節の規定を施行するため必要な限度において、指定自動車教習所を設置し、又は管理する者に対し、当該指定自動車教習所の業務に関し監督上必要な命令をすることができる。

〔本条追加・平五法四三〕

参照〔公安委員会〕四①、警三八―四六の二〔指定自動車教習所〕九九

（指定自動車教習所の指定の取消し等）

第一〇〇条　公安委員会は、指定自動車教習所を管理する者が第九十九条の三第三項、第九十九条の四若しくは第九十九条の五第二項若しくは第三項の規定に違反したとき、指定自動車教習所が同条第五項の規定に違反して卒業証明書若しくは修了証明書を発行したとき、又は指定自動車教習所を設置し、若しくは管理する者が前条の規定による命令に違反したときは、当該指定自動車教習所に対し、その指定を取り消し、又は六月を超えない範囲内で期間を定めて当該指定自動車教習所が当該期間内における教習に基づき卒業証明書若しくは修了証明書を発行することを禁止することができる。

2　公安委員会は、前項の規定による卒業証明書又は修了証明書の発行の禁止の処分を受けた指定自動車

教習所が当該処分に違反して卒業証明書又は修了証明書を発行したときは、その指定を取り消し、又は六月を超えない範囲内で卒業証明書若しくは修了証明書を発行することを禁止する期間を延長することができる。

〔本条追加・昭四七法五一、旧九八条の二を繰下・平四法四三、本条全改・平五法四三〕

参照 〔公安委員会〕四①、警三八―四六の二〔指定自動車教習所〕九九〔卒業証明書又は修了証明書〕九九の五⑤〔期間〕民一三八―一四三

第四節の三　再試験

〔本節追加・平元法九〇、旧四節の二を繰下・平四法四三〕

（再試験）

第一〇〇条の二　公安委員会は、準中型免許、普通免許、大型二輪免許、普通二輪免許又は原付免許を受けた者で、当該免許を受けた日から当該免許を受けていた期間（当該免許の効力が停止されていた期間を除く。）が通算して一年に達することとなる日までの間（以下「初心運転者期間」という。）に当該免許に係る免許自動車等の運転に関しこの法律若しくはこの法律に基づく命令の規定又はこの法律の規定に基づく処分に違反する行為をし、当該行為が当該免許について政令で定める基準に該当することとなつたもの（以下「基準該当初心運転者」という。）に対

（再試験の基準）

第三六条　法第百条の二第一項本文の政令で定める基準は、次のいずれかに該当することとなることとする。

一　当該行為に係る合計点数（当該行為及び当該行為をする前においてした違反行為（当該免許による法第七十一条の五第二項の免許自動車等（以下「免許自動車等」という。）の運転に関してした違反行為に限る。以下この条において同じ。）のそれぞれについて別表第二に定めるところにより付した点数の合計をいう。以下この条において同じ。）が三点以上（当該行為について別表第二に定めるところにより付した点数が三点であることによつて三点となる場合を除く。）であつて、当該行為をする前においてした直近の違反行為に係る合計点数が二点以下であり、又は当該行為をする前において違反行為をしたことがないこと。

二　当該行為に係る合計点数が四点以上であつて、当該行為をする前においてした違反行為の回数が一回であり、かつ、当該違反行為について別表第二に定めるところにより付した点

（再試験）

第二八条の二　第二十二条、第二十三条の二、第二十四条（第二項を除くものとし、第一項、第三項、第五項及び第六項の規定にあつては、準中型免許、普通免許、大型二輪免許及び普通二輪免許に係る部分に限る。）、第二十五条及び第二十六条の規定は、公安委員会が行う再試験（法第百条の二第一項の再試験をいう。以下同じ。）について準用する。この場合において、第二十四条第一項中「免許試験（以下「技能試験」とあるのは「再試験（以下「技能再試験」と、同条第三項中「技能試験」とあるのは「技能再試験」と、「合格基準」とあるのは「基準」と、同条第四項中「技能試験」とあるのは「技能再試験」と、同条第五項中「技能試験の合格基準」とあるのは「技能再試験において免許自動車等（法第七十一条の五第二項の免許自動車等をいう。以下同じ。）を安全に運転するために必要な能力を現に有すると認める基準」と、同項第二号中「技能試験」とあるのは「技能再試験」と、同条第六項から第八項までの規定中「技能試験」とあるのは「技能再試験」と、第二十五条中「免許試験（以下

し、その者が当該免許に係る免許自動車等を安全に運転するために必要な能力を現に有するかどうかを確認するための試験（以下「再試験」という。）を行うものとする。ただし、次に掲げる者については、この限りでない。

一　当該免許を受けた日前六月以内に当該免許に係る上位免許を受けていたことがある者

二　当該免許を受けた日前六月以内に当該免許と同一の種類の免許（当該免許と同等の免許として政令で定めるものを含み、第百四条の二の二第一項、第二項又は第四項の規定により取り消された免許及びこれに準ずるものとして政令で定める免許を除く。）を受けていたことがあり、かつ、その免許を受けていた期間（その免許の効力が停止されていた期間を除く。）が通算して一年以上である者

三　当該免許を受けた日以後に当該免許に係る上位免許を受けた者

数が三点であること。

〔本条追加・平二政二六、旧三七条の二を繰上・平四政二三一、本条改正・平一六政三九〇・平二八政二五八〕

別表第二……………………………………八八二ページ参照

（同等の免許）

第三七条　法第百条の二第一項第二号の当該免許と同等の免許として政令で定めるものは、当該免許に係る免許自動車等に相当する種類の自動車等の運転に関する外国等の行政庁等の免許（外国等の行政庁等の免許を受けていた期間のうち当該外国等に滞在していた期間が通算して一年以上である者の当該外国等の行政庁等の免許に限る。）とする。

〔本条追加・平二政二六、旧三七条の三を繰上・平四政二三一、本条改正・平一九政二六六〕

（再試験により取り消された免許に準ずるもの）

第三七条の二　法第百条の二第一項第二号の政令で定める免許は、当該免許を受けた日前六月以内に当該免許と同一の種類の免許（以下この条において「同種免許」という。）を受けていたことがある者で次のいずれかに該当するものに係る当該同種免許とする。

一　当該同種免許に係る再試験を受けた後当該同種免許が失効したため法第百四条の二の二第一項の規定による免許の取消しを受けなかつた者

二　法第百条の二第五項の規定に違反して当該同種免許に係る再試験を受けなかつた者で、同項に規定する期間が通算して一月を超えた日以後に当該同種免許が失効したため法第百四条の二の二第二項又は第四項の規定による免許の取消しを受けなかつたもの

〔本条追加・平二政二六、旧三七条の四を繰上・平四政二三一、本条改正・平六政三〇三〕

「学科試験」とあるのは「再試験（以下「学科再試験」と、「その合格基準」とあるのは「学科再試験において免許自動車等を安全に運転するために必要な能力を現に有すると認める基準」と、第二十六条中「適性試験及び学科試験」とあるのは「学科再試験」と、「技能試験」とあるのは「技能再試験」と、「適性試験又は学科試験のいずれかに合格しなかつた者」とあるのは「学科再試験において免許自動車等を安全に運転するために必要な能力を現に有すると認められなかつた者」と、「他の免許試験」とあるのは「技能再試験」と読み替えるものとする。

第二八条の二　第二十二条、第二十三条の二、第二十四条（第五項を除くものとし、第一項、第四項及び第六項の規定にあつては普通免許に係る部分に限り、第二項及び第七項の規定にあつては準中型免許、大型二輪免許及び普通二輪免許に係る部分に限り、第九項及び第十項の規定にあつては準中型免許、普通免許、大型二輪免許及び普通二輪免許に係る部分に限る。）、第二十五条及び第二十六条の規定は、公安委員会が行う再試験（法第百条の二第一項の再試験をいう。以下同じ。）について準用する。この場合において、第二十四条第一項中「免許試験（以下「技能試験」とあるのは「再試験（以下「技能再試験」と、同条第二項中「技能試験」とあるのは「技能再試験」と、同条第三項中「技能試験」とあるのは「技能再試験」と、「合格基準」とあるのは「基準」と、同条第四項中「技能試験」とあるのは「技能再試験」と、同条第六項中「技能試験」とあるのは「技能再試験」と、「合格基準」とあるのは「基準」と、同条第七項及び第八項中「技能試験」とあるのは「技能再試験」と、同条第九項中「技能試験の合格基準」とあるのは「技能再試験において免許自動車等（法第七十一条の五第二項の免許自動車等をいう。以下同じ。）を安全に運転するために必要な能力を現に有すると認める基準」と、同項第三号及び第四号中「技能試験」とあるのは「技能再試験」と、同条第十項から第十二項までの規定中「技能試験」とあるのは「技能再試験」と、第二十五条中「免許試験（以下「学科試験」とあるのは「再試験（以下「学科再試験」と、「その合格基準」とあるのは「学科再試験において免許自動車等を安全に運転するために必要な能力を現に有すると認める基準」と、第二十六条中「適性試験及び学科試験」とあるのは「学科再試験」と、「技能試験」とあるのは「技能再試験」と、「適性試験又は学科試験のいずれかに合格しなかつた者」とあるのは「学科再試験において免許自動車等を安全に運転するために必要な能力を現に有すると認められなかつた者」と、「他の免許試験」とあるのは「技能再試験」

四　第百八条の二第一項第十号に掲げる講習を終了した者（当該講習を終了した後初心運転者期間が経過することとなるまでの間に当該免許に係る免許自動車等の運転に関しこの法律若しくはこの法律に基づく命令の規定又はこの法律の規定に基づく処分に違反する行為をし、当該行為が当該講習に係る免許について政令で定める基準に該当することとなる者を除く。）

五　当該免許が準中型免許である場合において、普通免許を現に受けており、かつ、当該準中型免許を受けた日前に当該普通免許を受けていた期間（当該免許の効力が停止されていた期間を除く。）が通算して二年以上である者

2　再試験は、基準該当初心運転者の当該免許に係る初心運転者期間が経過した時におけるその者の住所地を管轄する公安委員会が、当該期間が経過した後、免許の種類ごとに自動車等の運転について必要な技能及び知識（原付免許にあつては必要な知識に限る。）について行う。

3　第九十七条第二項から第四項までの規定は、公安委員会が行う再試験について準用する。

4　公安委員会は、第一項の規定に基づき再試験を行おうとする場合には、内閣府令で定めるところにより、基準該当初心運転者の当該免許に係る初心運転

（初心運転者講習終了者に係る再試験の基準）

第三七条の三　法第百条の二第一項第四号の政令で定める基準は、次のいずれかに該当することとなることとする。

一　当該行為に係る合計点数（当該行為及び当該行為をする前においてした違反行為（当該講習を終了した後に当該免許による免許自動車等の運転に関してした違反行為に限る。以下この条において同じ。）のそれぞれについて別表第二に定めるところにより付した点数の合計をいう。以下この条において同じ。）が三点以上（当該行為について別表第二に定めるところにより付した点数が三点であることによつて三点となる場合を除く。）であつて、当該行為をする前においてした直近の違反行為に係る合計点数が二点以下であり、又は当該行為をする前において違反行為をしたことがないこと。

二　当該行為に係る合計点数が四点以上であつて、当該行為をする前においてした違反行為の回数が一回であり、かつ、当該違反行為について別表第二に定めるところにより付した点数が三点であること。

〔本条追加・平二政二二六、旧三七条の五を繰上・平四政二三一、本条改正・平一六政三九〇〕

別表第二……八八二ページ参照

と読み替えるものとする。

〔本条追加・平二総府令一二、改正・平四総府令四五・平八総府令四一・平一四内府令三四・平一八内府令四・平二八内府令四九〕

（再試験通知書）

第二八条の三　法第百条の二第四項に規定する書面（以下「再試験通知書」という。）の様式は、別記様式第十七の二の二のとおりとする。

者期間が経過した後速やかに、再試験を行う旨及びその理由その他必要な事項を基準該当初心運転者に書面で通知しなければならない。

5 基準該当初心運転者は、公安委員会から再試験の通知（前項の規定による通知をいう。以下同じ。）を受けたときは、当該通知を受けた日の翌日から起算した期間（再試験を受けないことについて政令で定めるやむを得ない理由のある者にあつては、当該期間から当該事情の存する期間を除いた期間）が通算して一月を超えることとなるまでに、当該公安委員会に内閣府令で定める再試験受験申込書を提出して、再試験を受けなければならない。第九十二条の二第

（再試験の受験期間の特例）

第三十七条の四 法第百条の二第五項の政令で定めるやむを得ない理由は、次に掲げるとおりとする。

一 海外旅行をしていること。

二 災害を受けていること。

三 病気にかかり、又は負傷していること。

四 法令の規定により身体の自由を拘束されていること。

五 社会の慣習上又は業務の遂行上やむを得ない緊急の用務が生じていること。

六 免許の効力が停止されていること（当該再試験が準中型自動車免許又は普通自動車免許について行われる場合に限る。）。

七 前各号に掲げるもののほか、公安委員会がやむを得ないと

2 再試験通知書を送付するときは、配達証明郵便又は民間事業者による信書の送達に関する法律（平成十四年法律第九十九号）第二条第六項に規定する一般信書便事業者若しくは同条第九項に規定する特定信書便事業者の提供する同条第二項に規定する信書便の役務のうち配達証明郵便に準ずるものとして国家公安委員会規則で定めるもの（以下「配達証明郵便等」という。）に付して行うものとする。

〔本条追加・平二総府令一二、一項改正・平四総府令四五、二項改正・平一五内府令九〕

別記様式第十七の二の二（第二十八条の三関係）

再 試 験 通 知 書

年　月　日

住所

殿

公安委員会 印

道路交通法第100条の2第1項に規定する再試験を下記のとおり実施いたしますので通知します。

なお、この通知を受けてから1か月以内に、やむを得ない理由なく再試験を受けない場合は、再試験に係る免許が取り消されることとなります。

再試験を行う理由	
再試験に係る免許の種類	
再試験の場所	
備　　考	

備考　用紙の大きさは、日本産業規格Ａ列４番又はおおむね縦10センチメートル、横21センチメートルとすること。

〔本様式追加・平２総府令12、旧様式17の２を繰下・平４総府令45、本様式改正・平６総府令９・令元内府令12〕

（再試験受験申込書）

第二十八条の四 法第百条の二第五項の内閣府令で定める再試験受験申込書の様式は、別記様式第十七の三のとおりとする。

2 前項の様式の再試験受験申込書には、次の各号（再試験を受けようとする者が免許の効力を停止されている者である場合にあつては、第二号）に掲げる書類を添付（第一号に掲げるものについては、提示）しなければならない。

一 再試験を受けようとする者が現に受けている免許に係る免許証

二 再試験通知書

3 法第百条の二第四項の規定による通知を受けた者で、当該通知を受けた日の翌日から起算した期間が一月となる日（以下こ

四項の規定は、この場合について準用する。

5　基準該当初心運転者は、公安委員会から再試験の通知（前項の規定による通知をいう。以下同じ。）を受けたときは、当該通知を受けた日の翌日から起算した期間（再試験を受けないことについて政令で定めるやむを得ない理由のある者にあつては、当該期間から当該事情の存する期間を除いた期間）が通算して一月を超えることとなるまでに、当該公安委員会に内閣府令で定める再試験受験申込書を提出して、再試験を受けなければならない。第九十五条の六第三項の規定は、この場合について準用する。

〔本条追加・平元法九〇、一項改正・平四法四三、一・五項改正・平五法四三、一項改正・平五法八九・平七法七四、五項改正・平九法四一、四・五項改正・平一一法一六〇、一項改正・平二七法四〇〕

参照　〔公安委員会〕四①、警三八―四六の二〔期間〕民一三八―一四三〔政令で定める基準に該当することとなつたもの〕道交令三六〔政令で定めるもの〕道交令三七〔政令で定める免許〕道交令三七の二〔政令で定める基準に該当することとなる者〕道交令三七の三〔書面〕道交規二八の三・別記様式一七の二の二〔政令で定めるやむを得ない理由〕道交令三七の四〔内閣府令の定め〕道交規二八の四・別記様式一七の三

認める事情があること。

〔本条追加・平二政二六、旧三七条の六を繰上・平四政二三一、本条改正・平二八政二五八〕

の項において「特定日」という。）までに再試験を受けないことについて令第三十七条の四各号に掲げるやむを得ない理由のあるものは、特定日後に再試験を受けようとするときは、前項各号に掲げるもののほか、当該やむを得ない理由のあることを証するに足る書類を第一項の再試験受験申込書に添付しなければならない。

〔本条追加・平二総府令一二、三項改正・平四総府令四五、一項改正・平一二総府令八九〕

別記様式第十七の三（第二十八条の四関係）

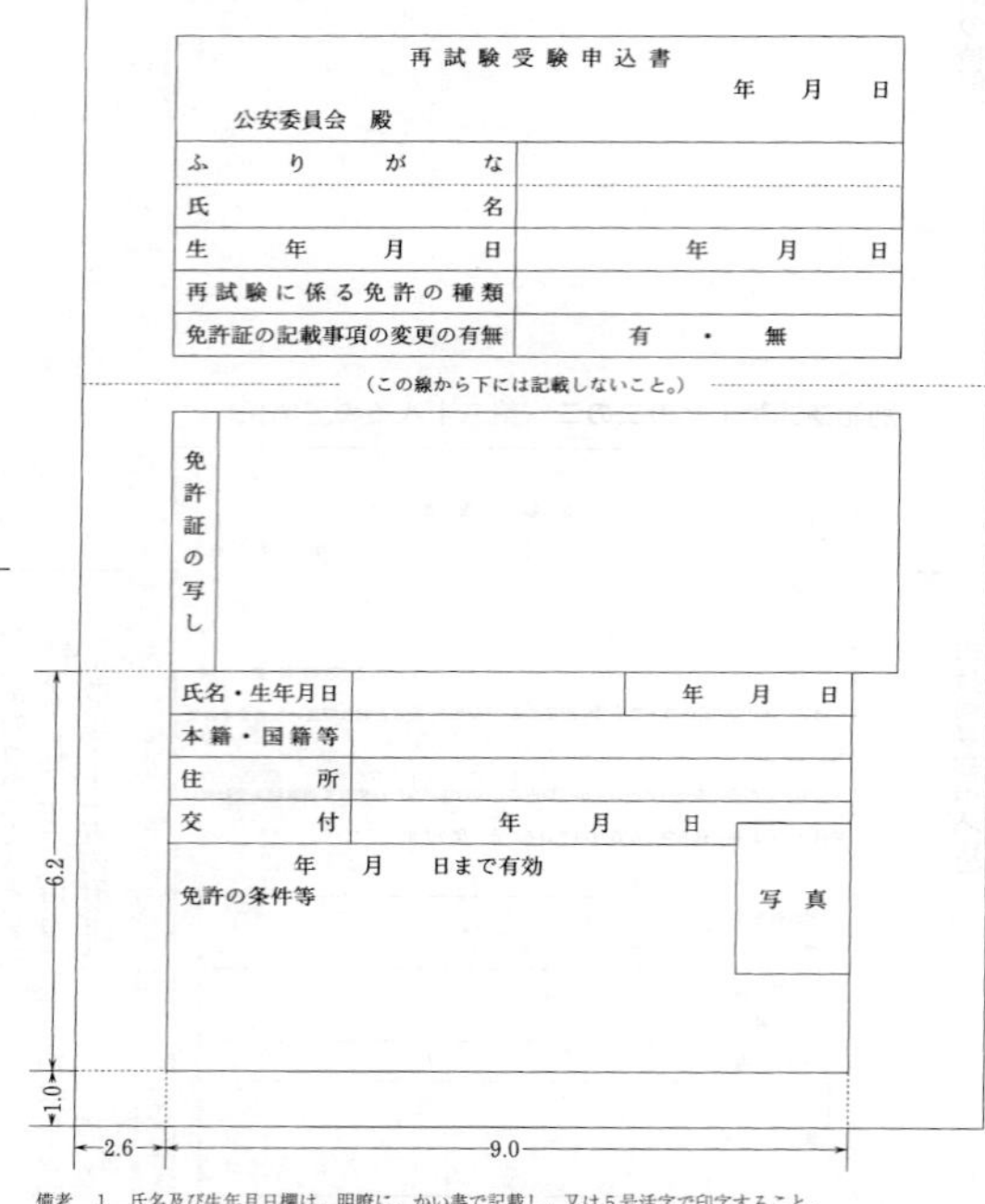

再試験受験申込書

年　月　日

公安委員会　殿

ふりがな	
氏名	
生年月日	年　月　日
再試験に係る免許の種類	
免許証の記載事項の変更の有無	有　・　無

（この線から下には記載しないこと。）

免許証の写し

氏名・生年月日		年　月　日
本籍・国籍等		
住所		
交付	年　月　日	

年　月　日まで有効

免許の条件等

写真

6.2　1.0　2.6　9.0

備考　1　氏名及び生年月日欄は、明瞭に、かい書で記載し、又は５号活字で印字すること。

2　現に受けている免許に係る免許証の記載事項に変更がある場合には免許証の記載事項の変更の有無欄の「有」を、当該免許証の記載事項に変更がない場合には同欄の「無」を、それぞれ○で囲むこと。

3　免許証の写し欄には、現に受けている免許に係る免許証の表側及び裏側を複写すること。

4　用紙の大きさは、日本産業規格Ａ列４番とすること。

5　図示の長さの単位は、センチメートルとする。

〔本様式追加・平２総府令12、改正・平６総府令１・総府令９・平８総府令41・平11総府令11・平14内府令34・平25内府令２・令元内府令12〕

第一〇〇条の三　公安委員会は、再試験を行おうとする場合において、基準該当初心運転者がその住所を他の公安委員会の管轄区域内に変更していたときは、速やかに現にその者の住所地を管轄する公安委員会に内閣府令で定める試験移送通知書を送付しなければならない。

2　前項の試験移送通知書が当該公安委員会に送付されたときは、当該公安委員会は、当該試験移送通知書に係る基準該当初心運転者に対し、再試験を行うものとする。この場合において、前項の試験移送通知書を送付した公安委員会は、当該基準該当初心運転者に対し、再試験を行うことができない。

3　前条第四項及び第一項の規定は、公安委員会が前項の規定により再試験を行おうとする場合について準用する。この場合において、同条第四項中「基準該当初心運転者の当該免許に係る初心運転者期間が経過した後」とあるのは、「試験移送通知書の送付を受けた後」と読み替えるものとする。

4　公安委員会が第二項の規定により再試験を行おうとする場合において、第一項の試験移送通知書を送付した公安委員会が当該試験移送通知書に係る基準該当初心運転者に再試験の通知をしているときは、当該通知は、第二項の規定により再試験を行おうとする公安委員会がした再試験の通知とみなす。

〔本条追加・平元法九〇、一項改正・平一一法一六〇〕

参照　〔公安委員会〕四①、警三八—四六の二〔基準該当初心運転者〕一〇〇の二①〔住所〕民二二—二四〔内閣府令の定め〕道交規二八の五・別記様式一七の四

（試験移送通知書の様式）

第二八条の五　法第百条の三第一項の内閣府令で定める試験移送通知書の様式は、別記様式第十七の四のとおりとする。

〔本条追加・平二総府令一二、改正・平一二総府令八九〕

別記様式第十七の四（第二十八条の五関係）

試 験 移 送 通 知 書

年　月　日

公 安 委 員 会 殿

公 安 委 員 会　印

道路交通法第100条の3第1項の規定により、下記の者について試験移送通知書を送付する。

初心運転者期間の経過時における住所	
氏　　名	
免許証の番号	第　　号　年　月　日　公安委員会交付
再試験に係る免許の種類	
再試験を行う理由	
備　　考	

備考　用紙の大きさは、日本産業規格A列4番とすること。

〔本様式追加・平2総府令12、改正・平6総府令9・令元内府令12〕

第五節　免許証の更新等

第五節　免許証等の更新等

（免許証の更新及び定期検査）

第一〇一条　免許証の有効期間の更新（以下「免許証の更新」という。）を受けようとする者は、当該免許証の有効期間が満了する日の直前のその者の誕生日の一月前から当該免許証の有効期間が満了する日までの間（以下「更新期間」という。）に、その者の住所地を管轄する公安委員会に内閣府令で定める様式の更新申請書（第四項の規定による質問票の交付を受けた者にあつては、当該更新申請書及び必要な事項を記載した当該質問票。第五項及び第百一条の二の二第一項から第三項までにおいて同じ。）を提出しなければならない。

2　前項の規定により免許証の更新を受けようとする者の誕生日が二月二十九日である場合における同項の規定の適用については、その者のうるう年以外の年における誕生日は二月二十八日であるものとみなす。

3　公安委員会は、免許を現に受けている者に対し、更新期間その他免許証の更新の申請に係る事務の円滑な実施を図るため必要な事項（その者が更新を受ける日において優良運転者（第九十一条の規定によ

（免許証の更新の申請等）

第二九条　法第百一条第一項の更新申請書（以下この条及び第二十九条の二の二において「更新申請書」という。）の様式は、別記様式第十八のとおりとする。

2　法第百一条第一項に規定する免許証の更新を受けようとする者（以下「更新申請者」という。）は、現に受けている免許に係る免許証を提示しなければならない。ただし、更新申請者が免許の効力を停止されている者である場合にあつては、現に受けている免許に係る免許証を提示することを要しない。

3　更新申請書には、都道府県公安委員会規則で定める場合を除き、申請用写真を添付しなければならない。

4　更新申請者が次の各号のいずれかに該当する者であるときは、更新申請書にそれぞれ当該各号に定める書類を添付しなければならない。

一　令第三十七条の六第一号に掲げる者　第三十八条第十八項に規定する高齢者講習終了証明書

二　令第三十七条の六第二号に掲げる者　第三十八条の二の国家公安委員会規則で定める書類

三　令第三十七条の六第三号に掲げる者　同号に掲げる者であることを証明する書類

四　令第三十七条の六の二第一号に掲げる者　第三十八条の二の国家公安委員会規則で定める書類

五　令第三十七条の六の二第二号に掲げる者　同号に掲げる者であることを証明する書類

六　法第百一条の四第二項の規定により認知機能検査を受けた者　第二十六条の三第二項に規定する書類

七　法第百一条の四第二項の規定により法第百八条の三十二の三第一項の認定を受けた同項に規定する運転免許取得者等検査（同項第三号イに掲げる基準に適合するものに限る。）を

り免許に条件を付されている者のうち内閣府令で定めるもの及び第九十二条の二第一項の表の備考四の規定の適用を受けて優良運転者となる者を除く。）に該当することとなる場合には、その旨を含む。）を記載した書面を送付するものとする。

（免許証等の更新の申請及び定期検査）

第一〇一条　免許証又は免許情報記録（以下「免許証等」という。）の有効期間の更新（以下「免許証等の更新」という。）を受けようとする者は、当該免許証等の有効期間が満了する日の直前のその者の誕生日の一月前から当該免許証等の有効期間が満了する日までの間（以下「更新期間」という。）に、その者の住所地を管轄する公安委員会に内閣府令で定める様式の更新申請書（第四項の規定による質問票の交付を受けた者にあつては、当該更新申請書及び必要な事項を記載した当該質問票。第五項及び第百一条の二の二第一項から第五項までにおいて同じ。）を提出しなければならない。

2　前項の規定により免許証等の更新を受けようとする者の誕生日が二月二十九日である場合における同項の規定の適用については、その者のうるう年以外の年における誕生日は二月二十八日であるものとみなす。

3　公安委員会は、免許を現に受けている者に対し、更新期間その他免許証等の更新の申請に係る事務の円滑な実施を図るため必要な事項（その者が更新を受ける日において優良運転者又は一般運転者（第九十二条の二第一項の表の備考一のハに規定する一般運転者をいう。第百一条の二の二第一項において同

受けた者　当該運転免許取得者等検査を受けた者であることを証明する書類

八　法第百一条の四第三項の規定により運転技能検査を受けた者　第二十六条の五第六項に規定する書類

九　法第百一条の四第三項の規定により法第百八条の三十二の三第一項の認定を受けた同項に規定する運転免許取得者等検査（同項第三号ロに掲げる基準に適合するものに限る。）を受けた者　当該運転免許取得者等検査の結果を証明する書類

5　前項に定めるもののほか、更新申請者が第十八条第一項第二号に該当する者であるときは、更新申請書に同号に掲げる書類を添付しなければならない。

6　法第百一条第三項の内閣府令で定める者は、法第九十一条の規定により免許に身体の状態に応じた条件（眼鏡等、補聴器又は特定後写鏡等を使用すべきこととするものを除く。）が付されている者とする。

7　法第百一条第四項の内閣府令で定める様式は、別記様式第十二の二のとおりとする。

8　第二十三条第一項の規定（色彩識別能力に係る部分を除く。）は、法第百一条第五項に規定する適性検査について準用する。この場合において、第二十三条第一項の表運動能力の項中「付す」とあるのは「付し、又はこれを変更する」と読み替えるものとする。

9　法第百一条第一項に規定する免許証の更新は、更新申請者が現に有する免許証と引換えに新たな免許証を交付して行うものとする。

〔一項改正・昭四二総府令一・昭四三総府令八、二項改正・昭四七総府令八、一項改正・昭四八総府令一一、一項改正・二項追加・旧二項を三項に繰下・旧三項を改正し四項に繰下・平六総府令一、二項改正・平六総府令四九・平一〇総府令二、一項改正・平一一総府令一、二項改正・平一二総府令二九、一項改正・二項追加・旧二項を改正し三項に繰下・旧三・四項を四・五項に繰下・平一二総府令八七、一・四―六項追加・旧一・二・四・五項を改正し二・三・七・八項に繰下・三項削除・平一四内府令三四、四項改正・平一八内府令四、六項改正・平二〇内府令三三、三項改正・平二三内府令七〇、七項追加・旧七項を改正し八項に繰下・旧八項を九項に繰下・平二六内府令一七、四項改正・平二七内府令五、六項改正・平二八内府令四九、四項改正・令四内府令七・令五内府令一七〕

じ。）（第九十一条の規定により免許に条件を付されている者のうち内閣府令で定めるもの及び同表の備考四の規定の適用を受けなければ同表の備考一の二に規定する違反運転者等となる者を除く。）に該当することとなる場合には、その旨を含む。）を記載した書面を送付するものとする。

4　第一項に規定する公安委員会（同項の規定による更新申請書の提出が第百一条の二の二第一項に規定する経由地公安委員会を経由して行われる場合にあつては、当該経由地公安委員会）は、第一項の規定により更新申請書を提出しようとする者に対し、その者が第百三条第一項第一号、第一号の二又は第三号のいずれかに該当するかどうかの判断に必要な質問をするため、内閣府令で定める様式の質問票を交付することができる。

5　第一項の規定による更新申請書の提出があつたときは、当該公安委員会は、その者について、速やかに自動車等の運転について必要な適性検査（以下「適性検査」という。）を行わなければならない。

6　前項の規定による適性検査の結果又は第百一条の二の二第三項に規定する書面の内容（同条第五項の規定による適性検査を行つた場合には、当該書面の内容及び当該適性検査の結果）から判断して、当該免許証の更新を受けようとする者が自動車等を運転することが支障がないと認めたときは、当該公安委員会は、当該免許証の更新をしなければならない。

7　前各項に定めるもののほか、免許証の更新の申請及び適性検査について必要な事項は、内閣府令で定める。

6　前項の規定による適性検査の結果又は第百一条の二の二第五項の規定により通知された適性検査の結果（同条第七項の規定による適性検査を行つた場合には、当該通知された適性検査の結果及び同項の規定による適性検査の結果）から判断して、当該免許証等の更新を受けようとする者が自動車等を運転することが支障がないと認めたときは、当該公安委員会は、当該免許証等の更新をしなければならない。この場合において、当該公安委員会は、その者が同条第三項の規定による申出をしていたときは、同条第七項の規定による適性検査を行つた場合その他内閣府令で定める場合を除き、当該申出に係る経由地公安委員会（同条第一項に規定する経由地公安委員会をいう。）に当該免許情報記録の有効期間の更新をすべき旨を通知して、当該経由地公安委員会に第百一条の四の二第三項の規定による免許情報記録の書換えを行わせるものとする。

7　免許証（仮免許に係るものを除く。次条第五項において同じ。）及び免許情報記録個人番号カードを有する者は、前項の規定による免許証の有効期間の更新若しくは免許情報記録の有効期間の更新又はその双方を受けることができる。ただし、その双方を受けようとする者は、その双方を同時に申請しなければならない。

8　前各項に定めるもののほか、免許証等の更新の申請及び適性検査について必要な事項は、内閣府令で定める。

〔一項改正・昭三九法九一、付記改正・昭四五法八六、一項改

正・平元法九〇、二項追加・旧二・三項を改正し三・四項に繰下・付記削除・平五法四三、三項追加・旧三項を四項に繰下・旧四項を改正し五項に繰下・平一一法八七、五項改正・平一一法一六〇、一・三項改正・四項追加・旧四項を改正し五項に繰下・旧五項を六項に繰下・平一三法五一、一項改正・四項・付記追加・旧四―六項を五―七項に繰下・平二五法四三、付記改正・令四法三二〕

参照〔免許証〕交付＝九二①、有効期間＝九二の二、記載事項＝九三、様式＝道交規別記様式一四、記載事項変更の届出＝九四①、携帯及び提示義務＝九五、返納＝一〇七、譲渡・貸与の禁止＝一二〇①15〔期間〕民一三八―一四三〔住所〕民二二―二四〔公安委員会〕四①、警三八―四六の二〔内閣府令で定める様式〕更新申請書＝道交規二九①・別記様式一八、質問票＝道交規二九⑦・別記様式一二の二〔内閣府令で定めるもの〕道交規二九⑥〔自動車等〕八四①〔運転〕二①17〔内閣府令の定め〕道交規二九

〔罰則　第一項については第百十七条の四第一項第三号〔一年以下の懲役又は三十万円以下の罰金〕〕

（免許証の更新の特例）

第百一条の二　海外旅行その他政令で定めるやむを得ない理由のため更新期間内に適性検査を受けることが困難であると予想される者は、その者の住所地を管轄する公安委員会に当該更新期間前における免許証の更新を申請することができる。この場合においては、当該公安委員会に内閣府令で定める様式の特例更新申請書（次項の規定による質問票の交付を受けた者にあつては、当該特例更新申請書及び必要

（免許証の更新の特例）

第三七条の五　法第百一条の二第一項の政令で定めるやむを得ない理由は、次の各号に掲げるとおりとする。

一　病気又は負傷について療養していること。

二　法令の規定により身体の自由を拘束されていること。

三　社会の慣習上又は業務の遂行上やむを得ない用務が生じていること。

四　積雪、高波その他の自然現象により交通が困難となつていること。

〔本条追加・昭三九政二八〇、旧三七条の二を繰下・平二政二六、旧三七条の七を繰上・平四政二三一、見出し改正・平五政三四八〕

第二九条の二　法第百一条の二第一項の内閣府令で定める様式は、別記様式第十八の二のとおりとする。

2　法第百一条の二第一項に規定する更新期間前における免許証の更新を受けようとする者（以下「特例更新申請者」という。）は、前項の様式の特例更新申請書に海外旅行又は令第三十七条の五各号に掲げる事実を証するに足りる書類を添えて、その者の住所地を管轄する公安委員会に提出するとともに、現に受けている免許に係る免許証を提示しなければならない。ただし、特例更新申請者が免許の効力を停止されている者である場合にあつては、現に受けている免許に係る免許証を提示することを要しない。

3　前条第三項の規定は、前項の特例更新申請書について準用する

別記様式第十八（第二十九条関係）

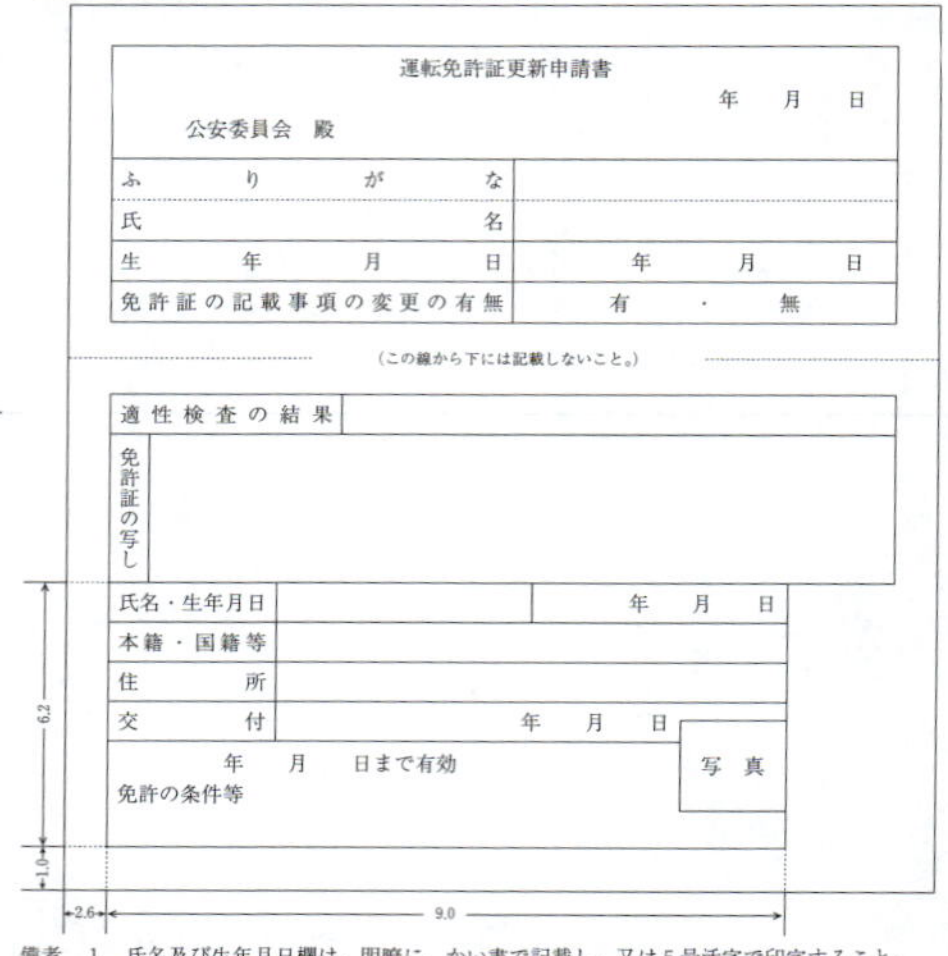

運転免許証更新申請書

年　月　日

公安委員会　殿

ふりがな	
氏名	
生年月日	年　月　日
免許証の記載事項の変更の有無	有・無

（この線から下には記載しないこと。）

適性検査の結果	
免許証の写し	

氏名・生年月日		年　月　日
本籍・国籍等		
住所		
交付		年　月　日
年　月　日まで有効 免許の条件等		写真

6.2　1.0　2.6　9.0

備考　1　氏名及び生年月日欄は、明瞭に、かい書で記載し、又は5号活字で印字すること。

2　現に受けている免許に係る免許証の記載事項に変更がある場合には免許証の記載事項の変更の有無欄の「有」を、当該免許証の記載事項に変更がない場合には同欄の「無」を、それぞれ○で囲むこと。

3　免許証の写し欄には、現に受けている免許に係る免許証の表側及び裏側を複写すること。

4　用紙の大きさは、日本産業規格A列4番とする。

5　図示の長さの単位は、センチメートルとする。

〔本様式全改・昭41総府令51、改正・昭43総府令49・昭46総府令53、全改・昭48総府令11、改正・昭50総府令10・平元総府令43・平6総府令1・総府令9・平8総府令41・平11総府令11、全改・平14内府令34、改正・平25内府令2、全改・平26内府令17、改正・令元内府令12〕

な事項を記載した当該質問票）を提出しなければならない。

（更新期間前における免許証等の更新の申請及び適性検査）

第一〇一条の二　海外旅行その他政令で定めるやむを得ない理由のため更新期間内に適性検査を受けることが困難であると予想される者は、その者の住所地を管轄する公安委員会に当該更新期間前における免許証等の更新を申請することができる。この場合において、当該公安委員会に内閣府令で定める様式の特例更新申請書（次項の規定による質問票の交付を受けた者にあつては、当該特例更新申請書及び必要な事項を記載した当該質問票）を提出しなければならない。

2　前項に規定する公安委員会は、同項後段の規定により特例更新申請書を提出しようとする者に対し、その者が第百三条第一項第一号、第一号の二又は第三号のいずれかに該当するかどうかの判断に必要な質問をするため、内閣府令で定める様式の質問票を交付することができる。

3　第一項の規定による申請があつたときは、当該公安委員会は、その者について、速やかに適性検査を行わなければならない。

4　前項の規定による適性検査の結果から判断して、当該免許証の更新を受けようとする者が自動車等を運転することが支障がないと認めたときは、当該公安委員会は、速やかに当該免許証の更新をしなければならない。

る。

4　前条第四項及び第五項の規定は、特例更新申請者について準用する。

5　法第百一条の二第二項の内閣府令で定める様式は、別記様式第十二の二のとおりとする。

6　第二十三条第一項の規定（色彩識別能力に係る部分を除く。）は、法第百一条の二第三項に規定する適性検査について準用する。この場合において、第二十三条第一項の表運動能力の項中「付す」とあるのは「付し、又はこれを変更する」と読み替えるものとする。

7　前条第九項の規定は、第二項の免許証の更新について準用する。

〔本条追加・昭三九総府令三六、一項改正・二項追加・旧二項を三項に繰下・昭四二総府令一、一項改正・昭四三総府令八、二項改正・昭四七総府令八、一項改正・昭四八総府令一一、一・三項改正・平四総府令四五、一項改正・二項追加・旧二項を三項に繰下・旧三項削除・四項追加・平六総府令一、一項改正・平一一総府令一一、一項改正・二項追加・旧二・四項を改正し三・五項に繰下・旧三項を四項に繰下・平一二総府令八七、二―五項改正・平一四内府令三四、三項改正・平一六内府令五二、一・五項追加・旧一・二・四・五項を改正し二・三・六・七項に繰下・旧三項を四項に繰下・平二六内府令一七〕

5　前各項に定めるもののほか、更新期間前における免許証の更新の申請及び適性検査について必要な事項は、内閣府令で定める。

4　前項の規定による適性検査の結果から判断して、当該免許証等の更新を受けようとする者が自動車等を運転することが支障がないと認めたときは、当該公安委員会は、速やかに当該免許証等の更新をしなければならない。

5　免許証及び免許情報記録個人番号カードを有する者は、前項の規定による免許証の有効期間の更新若しくは免許情報記録の有効期間の更新又はその双方を受けることができる。ただし、その双方を受けようとする者は、その双方を同時に申請しなければならない。

6　前各項に定めるもののほか、更新期間前における免許証等の更新の申請及び適性検査について必要な事項は、内閣府令で定める。

〔本条追加・昭三九法九一、付記改正・昭四五法八六、二・三項改正・付記削除・平五法四三、四項改正・平一一法一六〇、三項改正・平一三法五一、一項改正・二項・付記追加・旧二・四項を改正し三・五項に繰下・旧三項を四項に繰下・平二五法四三、付記改正・令四法三二〕

参照　〔政令で定めるやむを得ない理由〕道交令三七の五〔更新期間〕一〇一①〔適性検査〕一〇一⑤〔内閣府令で定める様式〕特例更新申請書＝道交規二九の二①・別記様式一八の二、質問票＝道交規二九の二⑤・別記様式一二の二〔住所〕民二二―二四〔公安委員会〕四①、警三八―四六の二〔免許証〕交付＝九二①、有効期間＝九二の二、記載事項＝九三、様式＝道交規別記様式

別記様式第一二の二……………………三八〇ページ参照

別記様式第十八の二（第二十九条の二関係）

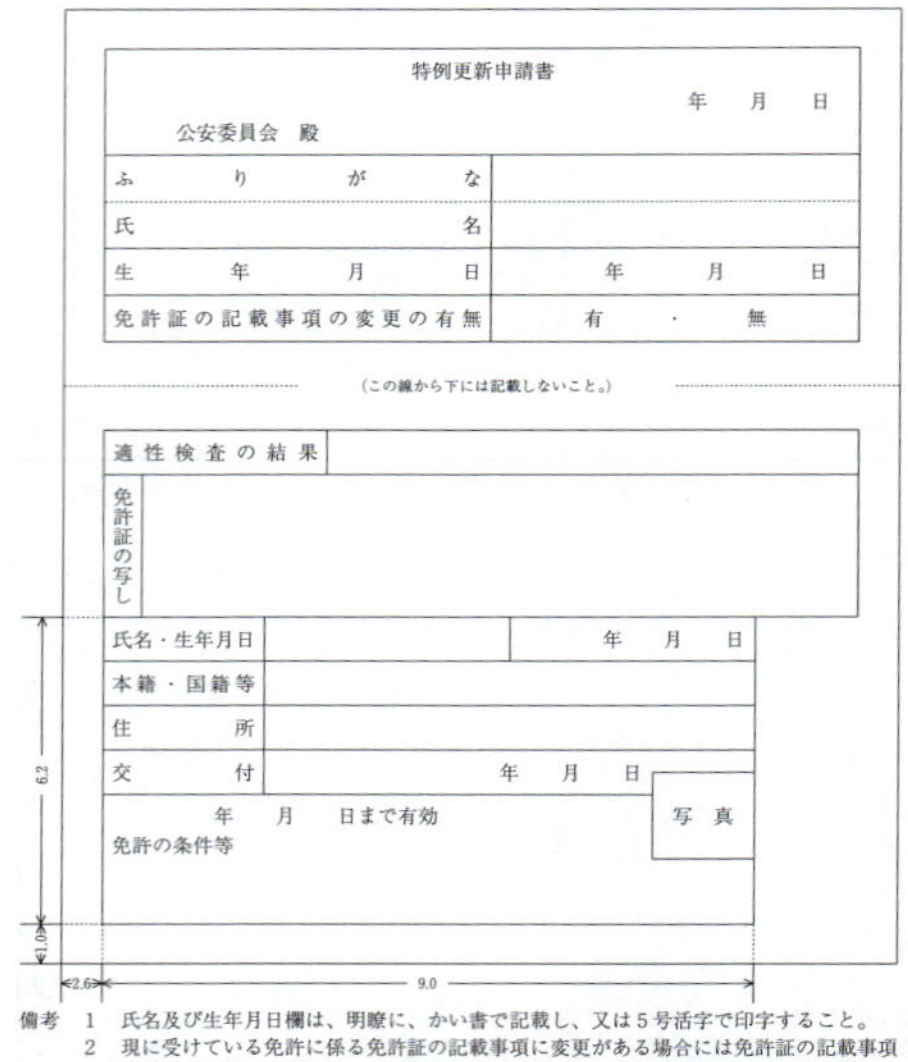

特例更新申請書

年　月　日

公安委員会　殿

ふりがな	
氏名	
生年月日	年　月　日
免許証の記載事項の変更の有無	有・無

（この線から下には記載しないこと。）

適性検査の結果	
免許証の写し	

氏名・生年月日		年　月　日
本籍・国籍等		
住所		
交付	年　月　日	
年　月　日まで有効 免許の条件等		写真

備考　1　氏名及び生年月日欄は、明瞭に、かい書で記載し、又は5号活字で印字すること。
2　現に受けている免許に係る免許証の記載事項に変更がある場合には免許証の記載事項の変更の有無欄の「有」を、当該免許証の記載事項に変更がない場合には同欄の「無」を、それぞれ○で囲むこと。
3　免許証の写し欄には、現に受けている免許に係る免許証の表側及び裏側を複写すること。
4　用紙の大きさは、日本産業規格A列4番とする。
5　図示の長さの単位は、センチメートルとする。

〔本様式追加・昭39総府令36、全改・昭41総府令51、改正・昭43総府令49・昭46総府令53、全改・昭48総府令11、改正・昭50総府令10・平元総府令43・平6総府令1・総府令9・平8総府令41・平11総府令11、全改・平14内府令34、改正・平25内府令2、全改・平26内府令17、改正・令元内府令12〕

一四、記載事項変更の届出＝九四①、携帯及び提示義務＝九五、返納＝一〇七、譲渡・貸与の禁止＝一二〇①15〔自動車等〕八四①〔運転〕二①17〔内閣府令の定め〕道交規二九の二

（罰則　第一項については第百十七条の四第一項第三号〔一年以下の懲役又は三十万円以下の罰金〕）

（更新の申請の特例）

第一〇一条の二の二　免許証の更新を受けようとする者のうち当該更新を受ける日において優良運転者に該当するもの（第百一条第三項の規定により当該更新を受ける日において優良運転者に該当することとなる旨を記載した書面の送付を受けた者に限る。）は、当該免許証の有効期間が満了する日の直前のその者の誕生日までに免許証の更新の申請をする場合には、同条第一項の規定による更新申請書の提出を、その者の住所地を管轄する公安委員会以外の公安委員会（以下この条及び次条において「経由地公安委員会」という。）を経由して行うことができる。

2　前項の規定により更新申請書を受理した経由地公安委員会は、その者について、速やかに適性検査を行わなければならない。

3　経由地公安委員会は、前項の規定による適性検査の結果を記載した書面を、第一項の規定により受理した更新申請書とともに、その者の住所地を管轄する公安委員会に送付しなければならない。この場合において、その者の住所地を管轄する公安委員会は、第百一条第五項の規定による適性検査を行わないも

第二九条の二の二　法第百一条の二の二第一項の規定により更新申請書の提出を同項に規定する経由地公安委員会を経由して行おうとする者は、第二十九条第三項から第五項までに規定するもののほか、別記様式第十八の三の経由申請書を当該経由地公安委員会に提出しなければならない。この場合において、同条第二項に規定するもののほか、法第百一条第三項に規定する書面（その者が更新を受ける日において優良運転者に該当することとなる旨を記載したものに限る。）又は当該書面の送付を受けた者であることを証するに足りる書類を提示しなければならない。

2　法第百一条の二の二第三項に規定する書面の様式は、別記様式第十八の四のとおりとする。

のとする。

4　経由地公安委員会は、当該免許証の更新を受けようとする者が次条第一項の規定により経由地公安委員会が行う第百八条の二第一項第十一号に掲げる講習を受けたときは、その旨をその者の住所地を管轄する公安委員会に通知するものとする。

5　第三項の規定による書面の送付を受けた公安委員会は、当該書面の内容のみによつては当該免許証の更新を受けようとする者が自動車等を運転することが支障がないかどうかを判断できないときは、その者について適性検査を行うものとする。この場合において、当該公安委員会は、その者に適性検査を受けるべき旨を通知しなければならない。

（免許証等の更新に係る申請先の特例）

第一〇一条の二の二　免許証等の更新を受けようとする者のうち当該更新を受ける日において優良運転者又は一般運転者に該当するもの（第百一条第三項の規定により当該更新を受ける日において優良運転者又は一般運転者に該当することとなる旨を記載した書面の送付を受けた者に限る。）は、同条第一項の規定による更新申請書の提出を、その者の住所地を管轄する公安委員会以外の公安委員会（以下「経由地公安委員会」という。）を経由して行うことができる。

2　前項の規定による経由地公安委員会を経由して行う更新申請書の提出は、次項の規定による申出をする場合を除き、当該免許証等の有効期間が満了する日の直前のその者の誕生日までに行わなければなら

3　第二十三条第一項の規定（色彩識別能力に係る部分を除く。）は、法第百一条の二の二第五項に規定する適性検査について準用する。この場合において、第二十三条第一項の表運動能力の項中「付す」とあるのは「付し、又はこれを変更する」と読み替えるものとする。

〔本条追加・平一四内府令三四〕

ない。

3　免許情報記録の有効期間の更新を受けようとする者は、第一項の規定による経由地公安委員会を経由して行う更新申請書の提出に併せて第百一条の四の二第三項の規定による免許情報記録の書換えを当該経由地公安委員会において受けたい旨を申し出ることができる。

4　第一項の規定により更新申請書を受理した経由地公安委員会は、その者について、速やかに適性検査を行わなければならない。

5　経由地公安委員会は、第一項の規定により受理した更新申請書の内容（第三項の規定による申出があつた場合には、その旨を含む。）及び前項の規定による適性検査の結果をその者の住所地を管轄する公安委員会に通知しなければならない。この場合において、その者の住所地を管轄する公安委員会は、第百一条第五項の規定による適性検査を行わないものとする。

6　経由地公安委員会は、当該免許証等の更新を受けようとする者が次条第一項の規定により経由地公安委員会が行う第百八条の二第一項第十一号に掲げる講習を受けたときは、その旨をその者の住所地を管轄する公安委員会に通知するものとする。

7　第五項の規定による通知を受けた公安委員会は、当該通知に係る適性検査の結果のみによつては当該免許証等の更新を受けようとする者が自動車等を運転することが支障がないかどうかを判断できないときは、その者について適性検査を行うものとする。この場合において、当該公安委員会は、その者に適性検査を受けるべき旨を通知しなければならない。

8　第三項の申出の手続について必要な事項は、内閣府令で定める。

〔本条追加・平一三法五一、三項改正・平二五法四三〕

参照〔免許証〕交付＝九二①、有効期間＝九二の二、記載事項＝九三、様式＝道交規別記様式一四、記載事項変更の届出＝九四①、携帯及び提示義務＝九五、返納＝一〇七、譲渡・貸与の禁止＝一二〇①15〔優良運転者〕九二の二①〔住所〕民二二―二四〔公安委員会〕四①、警三八―四六の二〔更新申請書の提出〕道交規二九の二の二・別記様式一八の三〔適性検査〕一〇一⑤〔書面〕道交規二九の二の二②・別記様式一八の四〔自動車等〕八四①〔運転〕二①17

別記様式第十八の三（第二十九条の二の二関係）

経　由　申　請　書

年　月　日

公安委員会　殿

ふりがな	
氏名	
生年月日	年　月　日

（この線から下には記載しないこと。）

適性検査の結果	
免許証の写し	

備考　1　氏名及び生年月日欄は、明瞭に、かい書で記載し、又は5号活字で印字すること。
2　免許証の写し欄には、現に受けている免許に係る免許証の表側及び裏側を複写すること。
3　用紙の大きさは、日本産業規格A列4番とする。

〔本様式追加・平14内府令34、改正・令元内府令12〕

別記様式第十八の四（第二十九条の二の二関係）

適　性　検　査　結　果　通　知　書

年　月　日

公安委員会　殿

公安委員会　印

下記の者について、道路交通法第101条の2の2第2項の規定により適性検査を実施したので、その結果を通知する。

ふりがな	
氏名	
生年月日	年　月　日

（この線から下には記載しないこと。）

適性検査の結果	視力	左眼		矯正	有・無
		右眼		矯正	有・無
		両眼		矯正	有・無
	その他の科目・特記事項				
免許証の写し					

備考　用紙の大きさは、日本産業規格A列4番とする。

〔本様式追加・平14内府令34、改正・令元内府令12〕

（更新を受けようとする者の義務）

第一〇一条の三　免許証の更新を受けようとする者は、その者の住所地を管轄する公安委員会（前条第一項の場合にあつては、その者の住所地を管轄する公安委員会又は経由地公安委員会。次条第一項から第三項までにおいて同じ。）が行う第百八条の二第一項第十一号に掲げる講習を受けなければならない。ただし、更新期間が満了する日（第百一条の二第一項の規定による免許証の更新の申請をしようとする者にあつては、当該申請をする日。次条第一項から第三項まで及び第百八条の二第一項第十二号において同じ。）前六月以内に同項第十二号に掲げる講習を受けた者その他の同項第十一号に掲げる講習を受ける必要がないものとして政令で定める者は、この限りでない。

2　公安委員会は、第百一条第五項若しくは第百一条の二第三項の規定による適性検査の結果又は前条第三項に規定する書面の内容（同条第五項の規定による適性検査を行つた場合には、当該書面の内容及び当該適性検査の結果）から判断して自動車等を運転することが支障がないと認めた者（前項ただし書の政令で定める者を除く。）が第百八条の二第一項第十一号に掲げる講習を受けていないときは、第百一条第六項又は第百一条の二第四項の規定にかかわらず、その者に対し、免許証の更新をしないことができる。

第一〇一条の三　免許証等の更新を受けようとする者は、その者の住所地を管轄する公安委員会（前条第一項の場合にあつては、その者の住所地を管轄する公安委員会又は経由地公安委員会。次条第一項から

（免許証の更新を受けようとする者に対する講習を受ける必要がない者）

第三七条の六　法第百一条の三第一項ただし書の政令で定める者は、次に掲げる者とする。

一　法第百一条第一項に規定する更新期間（次条において「更新期間」という。）が満了する日（法第百一条の二第一項の規定による免許証の更新の申請をしようとする者にあつては、当該申請をする日。次条において同じ。）前六月以内に法第百八条の二第一項第十二号に掲げる講習を受けた者

二　免許証の更新を申請する日前六月以内に法第百八条の二第二項の規定による講習（法第九十七条の二第一項第三号イ又はホの国家公安委員会規則で定める基準に適合するものに限る。）を終了した者

三　免許証の更新を申請する日前六月以内に法第百八条の三十二の二第一項の認定を受けた同項に規定する運転免許取得者等教育の課程（同項第三号イ又はロに掲げる基準に適合するものに限る。）を終了した者

〔本条追加・平五政三四八、改正・平九政三九一、全改・平一四政二四、改正・平二一政一二・令四政一六〕

第三八条の二　公安委員会は、法第九十七条の二第一項第三号イ又はホの国家公安委員会規則で定める基準に適合する法第百八条の二第二項の規定による講習を行つたときは、当該講習を終了した者からの申出により、当該講習を終了した者であることを証明する書類として国家公安委員会規則で定める書類を交付するものとする。

〔本条追加・平六総府令一、改正・平六総府令四九・平八総府令四一・平一〇総府令二・平一一総府令四一・平一四内府令三四・平二一内府令二八・令四内府令七〕

運転免許に係る講習等に関する規則

（平成六年二月二五日
国家公安委員会規則第四号）

第三項までにおいて同じ。）が行う第百八条の二第一項第十一号に掲げる講習を受けなければならない。ただし、更新期間が満了する日（第百一条の二第一項の規定による免許証等の更新の申請をしようとする者にあつては、当該申請をする日。次条第一項から第三項まで及び第百八条の二第一項第十二号において同じ。）前六月以内に同項第十二号に掲げる講習を受けた者その他の同項第十一号に掲げる講習を受ける必要がないものとして政令で定める者は、この限りでない。

2　公安委員会は、第百一条第五項若しくは第百一条の二第三項の規定による適性検査の結果又は前条第五項の規定により通知された適性検査の結果（同条第七項の規定による適性検査を行つた場合には、当該通知された適性検査の結果及び同項の規定による適性検査の結果）から判断して自動車等を運転することが支障がないと認めた者（前項ただし書の政令で定める者を除く。）が第百八条の二第一項第十一号に掲げる講習を受けていないときは、第百一条第六項又は第百一条の二第四項の規定にかかわらず、その者に対し、免許証等の更新をしないことができる。

（本条追加・昭四六法九八、改正・昭六〇法八七・平元法九〇・平四法四三、全改・平五法四三、一項改正・平七法七四、一・二項改正・平九法四一、二項改正・平一一法八七、一・二項改正・平一三法五一、一項改正・平一九法九〇、二項改正・平二五法四三、一項改正・平二七法四〇・令二法四二）

参照　〔免許証〕交付＝九二①、有効期間＝九二の二、記載事項＝九三、様式＝道交規別記様式一四、記載事項変更の届出＝九四

①、携帯及び提示義務＝九五、返納＝一〇七、譲渡・貸与の禁止＝一二〇①15〔政令で定める者〕道交令三七の六〔公安委員会〕四①、警三八―四六の二〔経由地公安委員会〕一〇一の二の二〔適性検査〕一〇一⑤〔自動車等〕八四①〔運転〕二①17

（七十歳以上の者の特例）

第一〇一条の四　免許証の更新を受けようとする者で更新期間が満了する日における年齢が七十歳以上のものは、更新期間が満了する日前六月以内にその者の住所地を管轄する公安委員会が行つた第百八条の二第一項第十二号に掲げる講習を受けていなければならない。ただし、当該講習を受ける必要がないものとして政令で定める者は、この限りでない。

2　前項に定めるもののほか、免許証の更新を受けようとする者で更新期間が満了する日における年齢が七十五歳以上のものは、更新期間が満了する日前六月以内に第百二条第一項から第四項までの規定により診断書を提出した場合その他認知機能検査等を受ける必要がないものとして内閣府令で定める場合を除き、当該期間内にその者の住所地を管轄する公安委員会又は第百八条の三十二の三第一項の認定を受けて同項の運転免許取得者等検査を行う者が行つた認知機能検査等を受けていなければならない。

第三七条の六の二　法第百一条の四第一項ただし書の政令で定める者は、次に掲げる者とする。

一　更新期間が満了する日前六月以内に法第百八条の二第二項の規定による講習（法第九十七条の二第一項第三号イの国家公安委員会規則で定める基準に適合するものに限る。）を終了した者

二　更新期間が満了する日前六月以内に法第百八条の三十二の二第一項の認定を受けた同項に規定する運転免許取得者等教育の課程（同項第三号ロに掲げる基準に適合するものに限る。）を終了した者

〔本条追加・平一四政二四、改正・平二一政一二・令四政一六〕

運転免許に係る講習等に関する規則

（平成六年二月二五日国家公安委員会規則第四号）

（認知機能検査等を受ける必要がない場合）

第二九条の二の三　法第百一条の四第二項の内閣府令で定める場合は、次の各号のいずれかに該当する場合とする。

一　法第百一条第一項に規定する更新期間が満了する日（特例更新申請者にあつては、法第百一条の二第一項の規定による免許証の更新の申請をする日。以下この条において同じ。）前六月以内に免許を受けた場合

二　法第百一条第一項に規定する更新期間が満了する日前六月以内に法第百二条第一項から第四項までの規定による適性検査（同項の規定によるものにあつては、当該免許証の更新を受けようとする者が法第百三条第一項第一号の二に該当することとなつた疑いがあることを理由としたものに限る。）を受けた場合

三　法第百一条第一項に規定する更新期間が満了する日前六月以内に医師が作成した診断書その他の書類であつて、当該免許証の更新を受けようとする者が認知症に該当する疑いがないと認められるかどうかに関する当該医師の意見及び当該意

3　前二項に定めるもののほか、免許証の更新を受けようとする者で更新期間が満了する日における年齢が七十五歳以上のもの（普通自動車対応免許を現に受けている者であつて、普通自動車等の運転に関するこの法律及びこの法律に基づく命令の規定並びにこの法律の規定に基づく処分並びに重大違反唆し等及び道路外致死傷に係る法律の規定の遵守の状況を勘案して普通自動車等を運転することが道路における交通の危険を生じさせるおそれがある者として政令で定める基準に該当するものに限る。）は、更新期間が満了する日前六月以内にその者の住所地を管轄する公安委員会又は第百八条の三十二の三第一項の認定を受けて同項の運転免許取得者等検査を行う者が行つた運転技能検査等を受けていなければならない。

4　公安委員会は、前項の規定により運転技能検査等を受けた者で当該運転技能検査等の結果が普通自動車等を運転することが支障があることを示すものとして内閣府令で定める基準に該当するものに対し、第百一条第六項又は第百一条の二第四項の規定にかかわらず、免許証の更新をしないことができる。

5　公安委員会は、次の各号に掲げる者に対し、当該各号に定める事項を記載した書面を送付するものとする。

一　免許を現に受けている者で更新期間が満了する日における年齢が七十歳以上七十五歳未満のもの　免許証の更新を受けようとするときは更新期間が満了する日前六月以内に第一項の規定により講

第三七条の六の三（**運転技能検査等の基準**）　法第百一条の四第三項の政令で定める基準は、次の各号に掲げる者の区分に応じ、当該各号に定める日前三年間において第三十四条の三第五項に規定する基準違反行為（運転技能検査等の結果が法第百一条の四第四項の内閣府令で定める基準に該当しない場合において当該運転技能検査等を受けた日以前にしたものを除く。）をしたことがあることとする。

一　免許証の更新を受けようとする者（次号に掲げる者を除く。）　特定誕生日の百六十日前の日

二　法第百一条の二第一項の規定による免許証の更新を受けようとする者　当該更新の申請をする日（当該日が特定誕生日の百六十日前の日以後であるときは、特定誕生日の百六十日前の日）

〔本条追加・令四政一六〕

見に係る検査の結果が記載されているものを公安委員会に提出した場合

〔本条追加・令四内府令七〕

習を受けていなければならない旨、当該講習を受けることができる日時及び場所その他当該講習に係る事務の円滑な実施を図るため必要な事項

二　免許を現に受けている者で更新期間が満了する日における年齢が七十五歳以上のもの（普通自動車対応免許を現に受けている者であつて第三項の政令で定める基準に該当するものを除く。）　前号に定める事項並びに免許証の更新を受けようとするときは更新期間が満了する日前六月以内に第二項の規定により認知機能検査等を受けていなければならない旨、当該認知機能検査等を受けることができる日時及び場所その他当該認知機能検査等に係る事務の円滑な実施を図るため必要な事項

三　免許を現に受けている者で更新期間が満了する日における年齢が七十五歳以上のもの（普通自動車対応免許を現に受けている者であつて第三項の政令で定める基準に該当するものに限る。）　前号に定める事項並びに免許証の更新を受けようとするときは更新期間が満了する日前六月以内に同項の規定により運転技能検査等を受けていなければならない旨、当該運転技能検査等を受けることができる日時及び場所その他当該運転技能検査等に係る事務の円滑な実施を図るため必要な事項

第一〇一条の四　免許証等の更新を受けようとする者で更新期間が満了する日における年齢が七十歳以上のものは、更新期間が満了する日前六月以内にその者の住所地を管轄する公安委員会が行つた第百八条の二第一項第十二号に掲げる講習を受けていなければならない。ただし、当該講習を受ける必要がないものとして政令で定める者は、この限りでない。

2　前項に定めるもののほか、免許証等の更新を受けようとする者で更新期間が満了する日における年齢が七十五歳以上のものは、更新期間が満了する日前六月以内に第百二条第一項から第四項までの規定により診断書を提出した場合その他認知機能検査等を受ける必要がないものとして内閣府令で定める場合を除き、当該期間内にその者の住所地を管轄する公安委員会又は第百八条の三十二の三第一項の認定を受けて同項の運転免許取得者等検査を行う者が行つた認知機能検査等を受けていなければならない。

3　前二項に定めるもののほか、免許証等の更新を受けようとする者で更新期間が満了する日における年齢が七十五歳以上のもの（普通自動車対応免許を現に受けている者であつて、普通自動車等の運転に関するこの法律及びこの法律に基づく命令の規定並びにこの法律の規定に基づく処分並びに重大違反唆し等及び道路外致死傷に係る法律の規定の遵守の状況を勘案して普通自動車等を運転することが道路における交通の危険を生じさせるおそれがある者として政令で定める基準に該当するものに限る。）は、更新期間が満了する日前六月以内にその者の住所地を管轄する公安委員会又は第百八条の三十二の三第一項の認定を受けて同項の運転免許取得者等検査を行う者が行つた運転技能検査等を受けていなければならない。

4　公安委員会は、前項の規定により運転技能検査等を受けた者で当該運転技能検査等の結果が普通自動車等を運転することが支障があることを示すものとして内閣府令で定める基準に該当するものに対し、第百一条第六項又は第百一条の二第四項の規定にかかわらず、免許証等の更新をしないことができる。

5　公安委員会は、次の各号に掲げる者に対し、当該各号に定める事項を記載した書面を送付するものとする。

一　免許を現に受けている者で更新期間が満了する日における年齢が七十歳以上七十五歳未満のもの　免許証等の更新を受けようとするときは更新期間が満了する日前六月以内に第一項の規定により講習を受けていなければならない旨、当該講習を受けることができる日時及び場所その他当該講習に係る事務の円滑な実施を図るため必要な事項

二　免許を現に受けている者で更新期間が満了する日における年齢が七十五歳以上のもの（普通自動車対応免許を現に受けている者であつて第三項の政令で定める基準に該当するものを除く。）　前号に定める事項並びに免許証等の更新を受けようとするときは更新期間が満了する日前六月以内に第二項の規定により認知機能検査等を受けていなければならない旨、当該認知機能検査等を受けることができる日時及び場所その他当該認知機能検査等に係る事務の円滑な実施を図るため必要な事項

三　免許を現に受けている者で更新期間が満了する日における年齢が七十五歳以上のもの（普通自動車対応免許を現に受けている者であつて第三項の政令で定める基準に該当するものに限る。）　前号に定める事項並びに免許証等の更新を受けようとするときは更新期間が満了する日前六月以内に同項の規定により運転技能検査等を受けていなければならない旨、当該運転技能検査等を受けることができる日時及び場所その他当該運転技能検査等に係る事務の円滑な実施を図るため必要な事項

〔本条追加・平九法四一、二項追加・平一一法八七、見出し・一・二項改正・平一三法五一、一項改正・二項全改・三項追加・平一九法九〇、二項改正・三・四項追加・旧三項を改正し五項に繰下・令二法四二〕

参照〔免許証〕交付＝九二①、有効期間＝九二の二、記載事項＝九三、様式＝道交規別記様式一四、記載事項変更の届出＝九四①、携帯及び提示義務＝九五、返納＝一〇七、譲渡・貸与の禁止＝一二〇①⒂〔更新期間〕一〇一①〔一項の政令で定める者〕道交令三七の六の二〔二項の内閣府令で定める場合〕道交規二九の二の三〔三項の政令で定める基準〕道交令三七の六の三〔四項の内閣府令で定める基準〕道交規二六の六

（更新された免許証の交付等）

第一〇一条の四の二　免許証の有効期間の更新は、当該更新を受けようとする者が現に有する免許証（仮免許に係るものを除く。以下この条において同じ。）と引換えに更新された免許証を交付して行う。

２　前項の規定による免許証の交付を受けようとする際に第九十五条の二第一項の規定による申請をする者は、当該申請に併せて当該免許証の交付を希望しない旨の申出をすることができる。この場合においては、その者が同条第三項の規定による更新された特定免許情報の記録を受けたことをもつて、当該免許証が前項の規定により交付され、同条第四項の規定により返納されたものとみなす。

３　免許情報記録の有効期間の更新は、当該更新を受けようとする者が現に有する免許情報記録個人番号カードに記録された免許情報記録を書き換えて行う。

4　前項の規定による免許情報記録の書換えを経由地公安委員会において受けた者は、第九十五条の二第四項の規定にかかわらず、免許証を当該経由地公安委員会に返納することができる。

5　第二項の申出の手続について必要な事項は、内閣府令で定める。

（免許を受けた者に対する報告徴収）

第一〇一条の五　公安委員会は、免許を受けた者が第百三条第一項第一号、第一号の二又は第三号のいずれかに該当するかどうかを調査するため必要があると認めるときは、内閣府令で定めるところにより、その者に対し、必要な報告を求めることができる。

〔本条追加・平二五法四三、付記改正・令四法三二〕

参照〔公安委員会〕四①、警三八―四六の二〔免許〕八四、第一種免許＝八四③・八五、第二種免許＝八四④・八六〔内閣府令の定め〕道交規二九の二の四・別記様式一八の五

（罰則　第百十七条の四第一項第三号〔一年以下の懲役又は三十万円以下の罰金〕）

（報告徴収の方法）

第二九条の二の四　法第百一条の五の規定による報告徴収は、別記様式第十八の五の報告書の提出を求めることにより行うものとする。

〔本条追加・平二六内府令一七、旧二九条の二の三を繰下・令四内府令七〕

別記様式第十八の五（第二十九条の二の四、第三十七条の二関係）

報　告　書	
1　過去５年以内において、病気（病気の治療に伴う症状を含みます。）を原因として、又は原因は明らかでないが、意識を失ったことがある。	□はい　□いいえ
2　過去５年以内において、病気を原因として、身体の全部又は一部が、一時的に思い通りに動かせなくなったことがある。	□はい　□いいえ
3　過去５年以内において、十分な睡眠時間を取っているにもかかわらず、日中、活動している最中に眠り込んでしまった回数が週３回以上となったことがある。	□はい　□いいえ
4　過去１年以内において、次のいずれかに該当したことがある。 ・飲酒を繰り返し、絶えず体にアルコールが入っている状態を３日以上続けたことが３回以上ある。 ・病気の治療のため、医師から飲酒をやめるよう助言を受けているにもかかわらず、飲酒したことが３回以上ある。	□はい　□いいえ
5　病気を理由として、医師から、運転免許の取得又は運転を控えるよう助言を受けている。	□はい　□いいえ
公安委員会　殿 上記のとおり報告します。　　氏名	年　月　日
（注意事項） 1　各質問について、該当する□にＶ印を付けて報告してください。 2　各質問に対して「はい」と報告しても、直ちに運転免許を拒否若しくは保留され、又は既に受けている運転免許を取り消され若しくは停止されることはありません。 （運転免許の可否は、医師の診断を参考に判断されますので、正確に報告してください。） 3　虚偽の報告をした方は、１年以下の懲役又は30万円以下の罰金に処せられます。	

備考　用紙の大きさは、日本産業規格Ａ列４番とする。

〔本様式追加・平26内府令17、改正・令元内府令12・令２内府令85・令4内府令７〕

（医師の届出）

第一〇一条の六 医師は、その診察を受けた者が第百三条第一項第一号、第一号の二又は第三号のいずれかに該当すると認めた場合において、その者が免許を受けた者又は第百七条の二の国際運転免許証若しくは外国運転免許証を所持する者（本邦に上陸（同条に規定する上陸をいう。）をした日から起算して滞在期間が一年を超えている者を除く。）であることを知つたときは、当該診察の結果を公安委員会に届け出ることができる。

2　前項に規定する場合において、公安委員会は、医師からその診察を受けた者が免許を受けた者であるかどうかについての確認を求められたときは、これに回答するものとする。

3　刑法の秘密漏示罪の規定その他の守秘義務に関する法律の規定は、第一項の規定による届出をすることを妨げるものと解釈してはならない。

4　公安委員会は、その管轄する都道府県の区域外に居住する者について第一項の規定による届出を受けたときは、当該届出の内容を、その者の居住地を管轄する公安委員会に通知しなければならない。

〔本条追加・平二五法四三〕

参照 〔免許〕八四、第一種免許＝八四③・八五、第二種免許＝八四④・八六〔公安委員会〕四①、警三八―四六の二〔都道府県〕自治一の三②

（臨時認知機能検査等）

第一〇一条の七　公安委員会は、七十五歳以上の者（免許を現に受けている者に限る。）が、自動車等の運転に関しこの法律若しくはこの法律の規定に基づく命令の規定又はこの法律の規定に基づく処分に違反する行為のうち認知機能が低下した場合に行われやすいものとして政令で定める行為をしたときは、その者が当該行為をした日の三月前の日以後に第九十七条の二第一項第三号若しくは第五号、第百一条の四第二項又はこの条第三項の規定により認知機能検査等を受けた場合その他臨時に認知機能検査を受ける必要がないものとして内閣府令で定める場合を除き、その者に対し、臨時に認知機能検査を行うものとする。

２　公安委員会は、前項の規定により認知機能検査を行おうとするときは、内閣府令で定めるところにより、認知機能検査を行う旨を当該認知機能検査に係

（認知機能が低下した場合に行われやすい違反行為）

第三七条の六の四　法第百一条の七第一項の政令で定める行為は、自動車等の運転に関し行われた次に掲げる行為とする。

一　法第七条（信号機の信号等に従う義務）の規定に違反する行為
二　法第八条（通行の禁止等）第一項の規定に違反する行為
三　法第十七条（通行区分）第一項から第四項まで又は第六項の規定に違反する行為
四　法第二十五条の二（横断等の禁止）の規定に違反する行為
五　法第二十六条の二（進路の変更の禁止）第二項又は第三項の規定に違反する行為
六　法第三十三条（踏切の通過）第一項又は第二項の規定に違反する行為
七　法第三十四条（左折又は右折）第一項、第二項、第四項又は第五項の規定に違反する行為
八　法第三十五条（指定通行区分）第一項の規定に違反する行為
九　法第三十五条の二（環状交差点における左折等）の規定に違反する行為
十　法第三十六条（交差点における他の車両等との関係等）の規定に違反する行為
十一　法第三十七条（交差点における他の車両等との関係等）の規定に違反する行為
十二　法第三十七条の二（環状交差点における他の車両等との関係等）の規定に違反する行為
十三　法第三十八条（横断歩道等における歩行者等の優先）の規定に違反する行為
十四　法第三十八条の二（横断歩道のない交差点における歩行者の優先）の規定に違反する行為
十五　法第四十二条（徐行すべき場所）の規定に違反する行為
十六　法第四十三条（指定場所における一時停止）の規定に違反する行為
十七　法第五十三条（合図）第一項又は第二項の規定に違反する行為
十八　法第七十条（安全運転の義務）の規定に違反する行為

〔本条追加・平二八政二五八、旧三七条の六の三を繰下・令四政一六〕

（臨時認知機能検査）

第二九条の二の五　法第百一条の七第一項の内閣府令で定める場合は、次の各号のいずれかに該当する場合とする。

一　法第百一条の七第一項に規定する政令で定める行為（以下この項において「基準行為」という。）をした日の三月前の日以後に免許を受けた場合
二　基準行為をした日の三月前の日以後に法第百二条第一項から第四項までの規定による適性検査（同項の規定によるものにあつては、当該行為をした者が法第百三条第一項第一号の二に該当することとなつた疑いがあることを理由としたものに限る。次号において同じ。）を受け、又は法第百二条第一項から第四項までの規定により診断書（同項の規定により提出するものにあつては、その者が法第百三条第一項第一号の二に該当するかどうかを診断したものに限る。次号において同じ。）を提出した場合
三　法第百二条第一項から第四項までの規定による適性検査を受け、又はこれらの規定により診断書を提出することとされている場合
四　基準行為をした日の三月前の日以後に医師が作成した診断書その他の書類であつて、当該行為をした者が認知症に該当する疑いがないと認められるかどうかに関する当該医師の意見及び当該意見に係る検査の結果が記載されているものを公安委員会に提出した場合

２　法第百一条の七第二項に規定する書面（次項において「臨時認知機能検査通知書」という。）の様式は、別記様式第十八の六のとおりとする。

３　臨時認知機能検査通知書を送付するときは、配達証明郵便等

る者に書面で通知しなければならない。

3　前項の規定による通知を受けた者は、当該通知を受けた日の翌日から起算した期間（認知機能検査等を受けないことについて政令で定めるやむを得ない

に付して行うものとする。

4　法第百一条の七第二項の規定による通知を受けた者で、当該通知を受けた日の翌日から起算した期間が一月となる日（以下この項において「特定日」という。）までに法第九十七条の二第一項第三号イに規定する認知機能検査等（次条において「認知機能検査等」という。）を受けないことについて令第三十七条の六の五各号に掲げるやむを得ない理由のあるものは、特定日後に認知機能検査を受けようとするときは、当該やむを得ない理由のあることを証するに足る書類を公安委員会に提出しなければならない。

〔本条追加・平二八内府令四九、一・四項改正・旧二九条の二の四を繰下・令四内府令七〕

（臨時認知機能検査の受検期間等の特例）

第三七条の六の五　法第百一条の七第三項及び第六項の政令で定めるやむを得ない理由は、次に掲げる理由とする。

一　海外旅行をしていること。

別記様式第十八の六（第二十九条の二の五関係）

臨時認知機能検査通知書

年　月　日

住所

殿

公安委員会　印

道路交通法第101条の7第1項の規定による臨時認知機能検査を下記のとおり実施いたしますので通知します。

なお、この通知を受けてから1か月以内に、やむを得ない理由なく臨時認知機能検査を受けない場合は、運転免許が取り消される／の効力が停止されることとなります。

臨時認知機能検査を行う理由	
臨時認知機能検査の場所	
備　考	

備考　用紙の大きさは、日本産業規格A列4番又はおおむね縦10センチメートル、横21センチメートルとすること。

〔本様式追加・平28内府令49、改正・令元内府令12・令4内府令7〕

理由のある者にあつては、当該期間から当該事情の存する期間を除いた期間）が通算して一月を超えることとなるまでに、認知機能検査等を受けなければならない。

4　公安委員会は、前項の規定により認知機能検査等を受けた者が、当該認知機能検査等の結果、その者が当該認知機能検査等を受けた日前の直近において受けた認知機能検査等の結果その他の事情を勘案して、認知機能の低下が自動車等の運転に影響を及ぼす可能性があるものとして内閣府令で定める基準に該当するときは、その者に対し、第百八条の二第一項第十二号に掲げる講習を行うものとする。

5　公安委員会は、前項の規定により第百八条の二第一項第十二号に掲げる講習を行おうとするときは、内閣府令で定めるところにより、同号に掲げる講習

二　災害を受けていること。

三　病気にかかり、又は負傷していること。

四　法令の規定により身体の自由を拘束されていること。

五　社会の慣習上又は業務の遂行上やむを得ない緊急の用務が生じていること。

六　前各号に掲げるもののほか、公安委員会がやむを得ないと認める事情があること。

〔本条追加・平二八政二五八、旧三七条の六の四を改正し繰下・令四政一六〕

（臨時高齢者講習）

第二九条の二の六　法第百一条の七第四項の内閣府令で定める基準は、次の各号のいずれにも該当することとする。

一　法第百一条の七第三項の規定により受けた認知機能検査等（以下この項において「臨時認知機能検査等」という。）の結果が次条第一項に定める基準に該当すること（当該臨時認知機能検査等を受けた日前の直近において受けた認知機能検査等（当該臨時認知機能検査等を受けた日前三年以内に受けたものに限る。）の結果が当該基準に該当していた場合（当該認知機能検査等を受けた日以後に当該日において受けていた免許の種類と異なる種類の免許を受けた場合を除く。）を除く。）。

二　次のいずれにも該当しないこと。

イ　臨時認知機能検査等を受けた日以後に当該日において受けていた免許の種類と異なる種類の免許を受けたこと。

ロ　現に受けている免許に係る免許証の有効期間が満了する日の一年前の日（ハにおいて「特定日」という。）以後に臨時認知機能検査等を受けたこと。

ハ　特定日前一月以内に臨時認知機能検査等を受けたこと。

ニ　臨時認知機能検査等を受けた日以後に高齢者講習を受け、又は令第三十七条の六の二第一号に規定する講習若しくは同条第二号に規定する課程を終了したこと。

ホ　臨時認知機能検査等を受けた日前一年以内に高齢者講習を受け、又は令第三十七条の六の二第一号に規定する講習若しくは同条第二号に規定する課程を終了したこと。

ヘ　臨時認知機能検査等を受けた日以後に認知機能検査等を受け、当該認知機能検査等の結果が次条第一項に定める基準に該当しなかつたこと。

2　法第百一条の七第五項に規定する書面（次項において「臨時高齢者講習通知書」という。）の様式は、別記様式第十八の七のとおりとする。

3　臨時高齢者講習通知書を送付するときは、配達証明郵便等に

を行う旨を当該講習に係る者に書面で通知しなければならない。

6　前項の規定による通知を受けた者は、当該通知を受けた日の翌日から起算した期間（講習を受けないことについて政令で定めるやむを得ない理由のある者にあつては、当該期間から当該事情の存する期間を除いた期間）が通算して一月を超えることとなるまでに、第百八条の二第一項第十二号に掲げる講習を受けなければならない。

〔本条追加・平二七法四〇、一・三・四項改正・令二法四二〕

参照　〔公安委員会〕四①、警三八―四六の二〔免許〕八四、第一種免許＝八四③・八五、第二種免許＝八四④・八六〔自動車等〕八四①〔運転〕二①17〔政令で定める行為〕道交令三七の六の四〔内閣府令で定める場合〕道交規二九の二の五①〔二項の内閣府令で定めるところ〕道交規二九の二の五②―④、別記様式一八の六〔政令で定めるやむを得ない理由〕道交令三七の六の五〔内閣府令で定める基準〕道交規二九の二の六①〔五項の内閣府令で定めるところ〕道交規二九の二の六②―④〔期間〕民一三八―一四三

付して行うものとする。

4　法第百一条の七第五項の規定による通知を受けた者で、当該通知を受けた日の翌日から起算した期間が一月となる日（以下この項において「特定日」という。）までに高齢者講習を受けないことについて令第三十七条の六の五各号に掲げるやむを得ない理由のあるものは、特定日後に高齢者講習を受けようとするときは、当該やむを得ない理由のあることを証するに足る書類を公安委員会に提出しなければならない。

〔本条追加・平二八内府令四九、一・四項改正・旧二九条の五を繰下・令四内府令七〕

別記様式第十八の七（第二十九条の二の六関係）

臨時高齢者講習通知書

年　月　日

住所

殿

公安委員会 印

道路交通法第101条の7第4項の規定による臨時高齢者講習を下記のとおり実施いたしますので通知します。

なお、この通知を受けてから1か月以内に、やむを得ない理由なく臨時高齢者講習を受けない場合は、運転免許 が取り消される / の効力が停止される こととなります。

臨時高齢者講習を行う理由	
臨時高齢者講習の場所	
備考	

備考　用紙の大きさは、日本産業規格A列4番又はおおむね縦10センチメートル、横21センチメートルとすること。

〔本様式追加・平28内府令49、改正・令元内府令12・令4内府令7〕

（臨時適性検査等）

第一〇二条　公安委員会は、第九十七条の二第一項第三号又は第五号の規定により認知機能検査等を受けた者で当該認知機能検査等の結果が認知症のおそれがあることを示すものとして内閣府令で定める基準に該当するもの（以下この条において「基準該当者」という。）が第八十九条第一項の免許申請書を提出したときは、その者が当該認知機能検査等を受けた日以後に次の各号のいずれかに該当することとなつたときを除き、その者が第九十条第一項第一号の二に該当する者であるかどうかにつき、臨時に適性検査を行い、又はその者に対し公安委員会が指定する期限までに内閣府令で定める要件を満たす医師の診断書を提出すべき旨を命ずるものとする。

一　この条（第五項を除く。）の規定による適性検査（第四項の規定によるものにあつては、その者が第百三条第一項第一号の二に該当することとなつた疑いがあることを理由としたものに限る。）を受け、又はこの項から第四項までの規定により診断書（同項に規定する診断書にあつては、その者が同号に該当するかどうかを診断したものに限る。）を提出したとき。

二　認知機能検査等を受け、基準該当者に該当しないこととなつたとき。

2　公安委員会は、第百一条の四第二項の規定により認知機能検査等を受けた者が基準該当者に該当したときは、その者が次の各号のいずれかに該当するときを除き、その者が第百三条第一項第一号の二に該当することとなつたかどうかにつき、臨時に適性検

（臨時適性検査等）

第二九条の三　法第百二条第一項の内閣府令で定める基準は、次の各号に掲げる検査の区分に応じ、当該各号に定める基準とする。

一　認知機能検査　次の式により算出した数値が三十六未満であること。

1.336×A＋2.499×B

この式において、A及びBは、それぞれ次の数値を表すものとする。

A　第二十六条の三第一項第一号に掲げる方法により記述された事項についての次に掲げる数値の総和

一　認知機能検査を行つた時の年が記述されている場合には、五

二　認知機能検査を行つた時の月が記述されている場合には、四

三　認知機能検査を行つた時の日が記述されている場合には、三

四　認知機能検査を行つた時の曜日が記述されている場合には、二

五　記述された時刻と認知機能検査を行つた時の時刻との差に相当する分数が三十未満の場合には、一

B　第二十六条の三第一項第二号に掲げる方法により名称が記述された物について、次に定めるところにより算出した数値の総和

一　一定の時間が経過した後において分類を再び示す前に名称が正しく記述された物の数に二を乗じて得た数値

二　一定の時間が経過した後において分類を再び示す前に名称が正しく記述されなかつた物のうち、分類を再び示した後に名称が正しく記述されたものの数に一を乗じて得た数値

二　法第百八条の三十二の三第一項の認定を受けた同項に規定する運転免許取得者等検査（同項第三号イに掲げる基準に適合するものに限る。）前号に定める基準に準ずるものとして国家公安委員会規則で定める基準

査を行い、又はその者に対し公安委員会が指定する期限までに内閣府令で定める要件を満たす医師の診断書を提出すべき旨を命ずるものとする。

一　当該認知機能検査等を受けた日以後に前項各号のいずれかに該当することとなつたとき。

二　次項の規定による適性検査を受け、又は同項の規定により診断書を提出することとされているとき。

3　公安委員会は、前条第三項の規定により認知機能検査等を受けた者が基準該当者に該当したときは、その者が当該認知機能検査等を受けた日以後に第一項各号のいずれかに該当することとなつたときを除き、その者が第百三条第一項第一号の二に該当することとなつたかどうかにつき、臨時に適性検査を行い、又はその者に対し公安委員会が指定する期限までに内閣府令で定める要件を満たす医師の診断書を提出すべき旨を命ずるものとする。

4　前三項に定めるもののほか、公安委員会は、運転免許試験に合格した者が第九十条第一項第一号から第二号までのいずれかに該当する者であり、又は免許を受けた者が第百三条第一項第一号から第三号までのいずれかに該当することとなつたと疑う理由があるときは、当該運転免許試験に合格した者又は免許を受けた者につき、臨時に適性検査を行い、又はその者に対し公安委員会が指定する期限までに内閣府令で定める要件を満たす医師の診断書を提出すべき旨を命ずることができる。この場合において、公安委員会は、第八十九条第一項、第百一条第一項又は第百一条の二第一項の規定により提出された質問

運転免許取得者等検査の認定に関する規則

（令和四年二月一〇日国家公安委員会規則第八号）

2　免許試験に合格した者が法第九十条第一項第一号から第二号までのいずれかに該当する者であり、又は免許を受けた者が法第百三条第一項第一号から第三号までのいずれかに該当することとなつたと疑う理由がある場合における法第百二条第一項から第四項までに規定する適性検査は、これらの規定に規定する処分の要件に関し専門的な知識を有すると公安委員会が認める医師の診断により、行うものとする。

3　法第百二条第一項から第三項までの内閣府令で定める要件は、認知症に関し専門的な知識を有する医師又は同条第一項から第三項までの規定による命令を受けた者のその理由とされる事由に係る主治の医師が作成した診断書であつて、診断に係る検査の結果及び当該命令を受けた者が認知症に該当しないと認められるかどうかに関する当該医師の意見が記載されているものであることとする。

4　法第百二条第四項の内閣府令で定める要件は、同項の規定による命令を受けた者のその理由とされる事由に係る主治の医師（法第九十条第一項第一号の二に該当する者であり、又は法第百三条第一項第一号の二に該当することとなつたと疑う理由があるとして法第百二条第四項の規定による命令を受けた者にあつては、認知症に関し専門的な知識を有する医師又は当該事由に係る主治の医師）が作成した診断書であつて、免許試験に合格した者が法第九十条第一項第一号から第二号までに該当する者でなく、又は免許を受けた者が法第百三条第一項第一号から第三号までに該当しないと認められるかどうかに関する当該医師の意見（法第九十条第一項第一号の二に該当する者であり、又は法第百三条第一項第一号の二に該当することとなつたと疑う理由があるとして法第百二条第四項の規定による命令を受けた者にあつては、診断に係る検査の結果及び当該命令を受けた者が認知症に該当しないと認められるかどうかに関する当該医師の意見）が記載されているものであることとする。

票の記載内容、第百一条の五の規定による報告の内容その他の事情を考慮するものとする。

5　第一項から前項までに定めるもののほか、公安委員会は、道路における危険を防止し、その他交通の安全と円滑を図るため必要があると認めるときは、政令で定めるところにより、免許を受けた者について、臨時に適性検査を行うことができる。

6　公安委員会は、第一項から前項までの規定により適性検査を行おうとするときは、あらかじめ、適性検査を行う期日、場所その他必要な事項を当該適性検査に係る者に通知しなければならない。

7　前項の規定により通知を受けた者は、通知された期日に通知された場所に出頭して適性検査を受けなければならない。

8　前各項に定めるもののほか、第一項から第五項までの規定による適性検査について必要な事項は、内閣府令で定める。

〔三項改正・昭三九法九一、四項追加・昭四二法一二六、付記改正・昭四五法八六、一項改正・二・三項全改・四項追加・旧四項を改正し五項に繰下・付記削除・平五法四三、一項改正・平九法四一、五項改正・平一一法一六〇、一項改正・平一三法五一、一―三項追加・旧一―五項を改正し四―八項に繰下・平一九法九〇、一―四項改正・平二五法四三、見出し改正・一―三項全改・七項改正・平二七法四〇、一―四・七項改正・令二法四二〕

参照〔公安委員会〕四①、警三八―四六の二〔内閣府令で定める基準〕道交規二九の三①〔一項から三項までの内閣府令で定める要件〕道交規二九の三③〔免許〕八四、第一種免許＝八四③・八五、第二種免許＝八四④・八六〔政令で定めるところ〕道交令三七の七〔四項の内閣府令で定める要件〕道交規二九の三④

（臨時適性検査）

第三七条の七　法第百二条第五項に規定する適性検査は、次に掲げる場合に行うものとする。

一　免許を受けた者から適性検査を受けたい旨の申出があつた場合において、その申出に理由があると認められるとき。

二　免許を受けた者が違反行為をし、又は自動車等の運転により交通事故を起こした場合において、その者が自動車等の運転について必要な適性を備えていないおそれがあると認められるとき。

三　免許を受けた者の身体の状態に照らして、その者が自動車等の安全な運転に必要な認知又は操作のいずれかに係る能力を欠いているおそれがあると認められるとき（その者が法第百三条第一項第二号に該当することとなつたと疑う理由があるときを除く。）。

〔本条追加・平五政三四八、一項追加・旧一項を改正し二項に繰下・平二一政一二、一項改正・平二六政六三、一項削除・旧二項を本条に改正・平二八政二五八、本条改正・令四政一六〕

5　第二十三条の規定は、法第百二条第五項に規定する適性検査について準用する。この場合において、第二十三条第一項の表聴力の項中「準中型免許、普通免許、準中型仮免許及び普通自動車仮免許（以下「普通仮免許」という。）」とあるのは「普通自動車対応免許（法第七十一条の五第三項の普通自動車対応免許をいう。）」と、同表運動能力の項中「付す」とあるのは「付し、又はこれを変更する」と読み替えるものとする。

〔本条追加・昭四二総府令四四、一項改正・昭六三総府令三六、二項改正・平六総府令一、一項改正・平七総府令三三・平一〇総府令七六、旧二九条の四を繰上・平一二総府令二九、一項全改・二項改正・平一四内府令三四、二項改正・平二〇内府令三三、一・四項追加・旧一・二項を改正し二・三項に繰下・平二一内府令二八、一項全改・平二五内府令二、見出し改正・三項追加・旧三・四項を改正し四・五項に繰下・平二八内府令四九、一項全改・四項追加・旧四項を五項に繰下・五項削除・令四内府令七〕

第二九条の四（処分移送通知書の様式）………五三三ページ参照

〔内閣府令の定め〕道交規二九の三

（軽微違反行為をした者の受講義務）

第一〇二条の二　免許を受けた者は、自動車等の運転に関しこの法律若しくはこの法律に基づく命令の規定又はこの法律の規定に基づく処分に違反する行為（政令で定める軽微なものに限る。以下「軽微違反行為」という。）をし、当該行為が政令で定める基準に該当することとなつた場合において、第百八条の三の二の規定による通知を受けたときは、当該通知を受けた日の翌日から起算した期間（講習を受けないことについて政令で定めるやむを得ない理由がある者にあつては、当該期間から当該事情の存する期間を除いた期間）が通算して一月を超えることとなるまでの間に第百八条の二第一項第十三号に掲げる講習を受けなければならない。

〔本条追加・平九法四一〕

参照　〔政令で定める軽微なもの〕道交令三七の八①〔政令で定める基準〕道交令三七の八②〔政令で定めるやむを得ない理由〕道交令三七の八③

（軽微違反行為等）

第三十七条の八　法第百二条の二の政令で定める軽微な行為は、別表第二の一の表に定める点数が三点以下である一般違反行為とする。

2　法第百二条の二の政令で定める基準は、次のいずれにも該当することとなることとする。

一　軽微違反行為に該当する当該一般違反行為に係る累積点数が六点であること。

二　軽微違反行為に該当する当該一般違反行為をした時において、当該一般違反行為をした者に別表第三に規定する前歴（次号において「前歴」という。）がないこと。

三　軽微違反行為に該当する当該一般違反行為をした日を起算日とする過去三年以内においてその他の違反行為（当該その他の違反行為に係る累積点数が次の表の上欄に掲げる区分に応じそれぞれ同表の下欄に定める点数に該当するものに限る。）をしたことがないこと。

当該その他の違反行為をした時における前歴の回数	点数
なし	六点以上
一回	四点以上
二回以上	二点以上

四　軽微違反行為に該当する当該一般違反行為をした日を起算日とする過去三年以内において別表第四又は別表第五に掲げる行為をしたことがないこと。

3　法第百二条の二の政令で定めるやむを得ない理由は、第三十七条の六の五各号に掲げるものとする。

〔本条追加・平九政三九一、一・二項改正・平一六政三九〇・平二一政一二、三項改正・平二八政二五八、二・三項改正・令四政一六〕

別表第二……八八二ページ参照
別表第三……八九四ページ参照
別表第四……八九六ページ参照
別表第五……八九六ページ参照

（基準該当若年運転者の受講義務）

第一〇二条の三　特例取得免許（第八十八条第一項第一号の規定により十九歳から大型免許を受けることができる者に該当して受けた大型免許若しくは十九歳から中型免許を受けることができる者に該当して受けた中型免許又は第九十六条第五項第一号若しくは第二号の規定により十九歳から第二種免許の運転免許試験を受けることができる者に該当して受けた第二種免許をいい、政令で定めるものを除く。以下同じ。）を現に受けている者であつて、特例取得免許を最初に受けた日から二十一歳に達するまでの間（特例取得免許を受けていない期間及び二十歳に達した日以後特例取得免許のうち中型免許のみを受けている期間を除く。以下「若年運転者期間」という。）に自動車等の運転に関しこの法律若しくはこの法律に基づく命令の規定又はこの法律の規定に基づく処分に違反する行為をし、当該行為が政令で定める基準に該当することとなつたもの（第百八条の二第一項第十四号に掲げる講習を終了した後若年運転者期間が経過することとなるまでの間に自動車等の運転に関しこの法律若しくはこの法律に基づく命令の規定又はこの法律の規定に基づく処分に違反する行為をし、当該行為が第百四条の二の四第二項の政令で定める基準に該当することとなつた者を除く。以下「基準該当若年運転者」という。）が、第百八条の三の三の規定による通知を受けたときは、当該

（特例取得免許から除かれる免許）

第三七条の九　法第百二条の三の政令で定めるものは、第三十二条の七第一号に掲げる者に該当して受けた大型自動車免許又は第三十二条の八第一号に掲げる者に該当して受けた中型自動車免許とする。

〔本条追加・令四政一六〕

（若年運転者講習の受講の基準）

第三七条の一〇　法第百二条の三の政令で定める基準は、同条に規定する若年運転者期間（以下「若年運転者期間」という。）にした自動車等の運転に関し法若しくは法に基づく命令の規定又は法の規定に基づく処分に違反する行為（以下この条において「若年違反行為」という。）が一般違反行為である場合（第三十八条第五項第一号イに該当する場合を除く。）において、次のいずれかに該当することとなることとする。

一　当該若年違反行為及び当該若年違反行為をする前においてした若年違反行為（特例取得免許を受けていた期間（免許の効力が停止されていた期間を除く。）が通算して一年となつたことがあり、かつ、当該期間の初日に当たる日から末日に当たる日までの間に違反行為をしたことがない場合にあつては、当該期間前の若年違反行為を除く。以下この条において「先行若年違反行為」という。）のそれぞれについて別表第二に定めるところにより付した点数の合計（以下この条において「若年違反合計点数」という。）が三点以上（当該若年違反行為について別表第二に定めるところにより付した点数が三点であることによつて三点となる場合を除く。）であつて、当該若年違反行為の直近の先行若年違反行為に係る若年違反合計点数が二点以下であり、又は先行若年違反行為をしたことがないこと。

二　若年違反合計点数が四点以上であつて、先行若年違反行為の回数が一回であり、かつ、当該先行若年違反行為について別表第二に定めるところにより付した点数が三点であること。

〔本条追加・令四政一六〕

（若年運転者講習の受講期間の特例）

第三七条の一一　法第百二条の三の政令で定めるやむを得ない理由は、次に掲げる理由とする。

一　海外旅行をしていること。

二　災害を受けていること。

三　病気にかかり、又は負傷していること。

通知を受けた日の翌日から起算した期間（講習を受けないことについて政令で定めるやむを得ない理由がある者にあつては、当該期間から当該事情の存する期間を除いた期間）が通算して一月を超えることとなるまでの間に同号に掲げる講習を受けなければならない。

〔本条追加・令二法四二〕

参照〔政令で定めるもの〕道交令三七の九〔政令で定める基準〕道交令三七の一〇〔政令で定めるやむを得ない理由〕道交令三七の一一

四　法令の規定により身体の自由を拘束されていること。
五　社会の慣習上又は業務の遂行上やむを得ない緊急の用務が生じていること。
六　免許の効力が停止されていること。
七　前各号に掲げるもののほか、公安委員会がやむを得ないと認める事情があること。

〔本条追加・令四政一六〕

第六節　免許の取消し、停止等

（免許の取消し、停止等）

第一〇三条　免許（仮免許を除く。以下第百六条までにおいて同じ。）を受けた者が次の各号のいずれかに該当することとなつたときは、その者が当該各号のいずれかに該当することとなつた時におけるその者の住所地を管轄する公安委員会は、政令で定める基準に従い、その者の免許を取り消し、又は六月を超えない範囲内で期間を定めて免許の効力を停止することができる。ただし、第五号に該当する者が第百二条の二の規定の適用を受ける者であるときは、当該処分は、その者が同条に規定する講習を受けないで同条の期間を経過した後でなければ、することができない。

一　次に掲げる病気にかかつている者であることが判明したとき。

イ　幻覚の症状を伴う精神病であつて政令で定めるもの

ロ　発作により意識障害又は運動障害をもたらす病気であつて政令で定めるもの

ハ　イ及びロに掲げるもののほか、自動車等の安全な運転に支障を及ぼすおそれがある病気として政令で定めるもの

一の二　認知症であることが判明したとき。

二　目が見えないことその他自動車等の安全な運転に支障を及ぼすおそれがある身体の障害として政令で定めるものが生じている者であることが判明

（免許の取消し又は停止及び免許の欠格期間の指定の基準）

第三八条　免許を受けた者が法第百三条第一項第一号又は第一号の二に該当することとなつた場合についての同項の政令で定める基準は、次に掲げるとおりとする。

一　法第百三条第一項第一号又は第一号の二に該当することとなつた場合（次号の場合を除く。）には、免許を取り消すものとする。

二　六月以内に法第百三条第一項第一号イからハまでに掲げる病気にかかつている者又は同項第一号の二に規定する認知症である者に該当しないこととなる見込みがある場合には、免許の効力を停止するものとする。

2　免許を受けた者が法第百三条第一項第二号に該当することとなつた場合についての同項の政令で定める基準は、次に掲げるとおりとする。

一　法第百三条第一項第二号に該当することとなつた場合（次

したとき。

三　アルコール、麻薬、大麻、あへん又は覚醒剤の中毒者であることが判明したとき。

四　第六項の規定による命令に違反したとき。

五　自動車等の運転に関しこの法律若しくはこの法律に基づく命令の規定又はこの法律の規定に基づく処分に違反したとき（次項第一号から第四号までのいずれかに該当する場合を除く。）。

六　重大違反唆し等をしたとき。

七　道路外致死傷をしたとき（次項第五号に該当する場合を除く。）。

八　前各号に掲げるもののほか、免許を受けた者が自動車等を運転することが著しく道路における交通の危険を生じさせるおそれがあるとき。

号の場合を除く。）には、免許を取り消すものとする。

二　次条第四項第三号に掲げる身体の障害が生じているが、法第九十一条の規定により条件を付し、又はこれを変更することにより、六月以内に当該障害が自動車等の安全な運転に支障を及ぼすおそれがなくなる見込みがある場合には、免許の効力を停止するものとする。

3　免許を受けた者が法第百三条第一項第三号に該当することとなつた場合についての同項の政令で定める基準は、次に掲げるとおりとする。

一　法第百三条第一項第三号に該当することとなつた場合（次号の場合を除く。）には、免許を取り消すものとする。

二　六月以内に法第百三条第一項第三号の中毒者に該当しないこととなる見込みがある場合には、免許の効力を停止するものとする。

4　免許を受けた者が法第百三条第一項第四号に該当することとなつた場合についての同項の政令で定める基準は、次に掲げるとおりとする。

一　法第百三条第一項第四号に該当することを理由として同項本文の規定により免許の効力を停止された者が重ねて同号に該当した場合には、同条第六項の規定による命令に違反したことについてやむを得ない理由がある場合を除き、免許を取り消すものとする。

二　法第百三条第一項第四号に該当する場合（前号に該当する場合を除く。）には、免許の効力を停止するものとする。

5　免許を受けた者が法第百三条第一項第五号から第八号までのいずれかに該当することとなつた場合についての同項の政令で定める基準は、次に掲げるとおりとする。

一　次のいずれかに該当するときは、免許を取り消すものとする。

イ　一般違反行為をした場合において、当該一般違反行為に係る累積点数が、別表第三の一の表の第一欄に掲げる区分に応じそれぞれ同表の第二欄、第三欄、第四欄、第五欄又は第六欄に掲げる点数に該当したとき。

ロ　別表第四第一号から第三号までに掲げる行為をしたとき。

二　次のいずれかに該当するときは、免許の効力を停止するものとする。

イ　一般違反行為をした場合において、当該一般違反行為に係る累積点数が、別表第三の一の表の第一欄に掲げる区分に応じそれぞれ同表の第七欄に掲げる点数に該当したとき。

ロ　別表第四第四号に掲げる行為をしたとき。

ハ　法第百三条第一項第八号に該当することとなつたとき。

2　免許を受けた者が次の各号のいずれかに該当することとなつたときは、その者が当該各号のいずれかに該当することとなつた時におけるその者の住所地を管轄する公安委員会は、その者の免許を取り消すことができる。

一　自動車等の運転により人を死傷させ、又は建造物を損壊させる行為で故意によるものをしたとき。

二　自動車等の運転に関し自動車の運転により人を死傷させる行為等の処罰に関する法律第二条から第四条までの罪に当たる行為をしたとき。

三　自動車等の運転に関し第百十七条の二第一項第一号、第三号又は第四号の違反行為をしたとき（前二号のいずれかに該当する場合を除く。）。

四　自動車等の運転に関し第百十七条第一項又は第二項の違反行為をしたとき。

五　道路外致死傷で故意によるもの又は自動車の運転により人を死傷させる行為等の処罰に関する法律第二条から第四条までの罪に当たるものをしたとき。

3　公安委員会は、第一項の規定により免許を取り消し、若しくは免許の効力を九十日（公安委員会が九十日を超えない範囲内で期間を定めたときは、その期間）以上停止しようとする場合又は前項の規定により免許を取り消そうとする場合において、当該処分に係る者がその住所を他の公安委員会の管轄区域内に変更していたときは、当該処分に係る事案に関する第百四条第一項の意見の聴取又は聴聞を終了している場合を除き、速やかに現にその者の住所地を管轄する公安委員会に内閣府令で定める処分移送通

自動車の運転により人を死傷させる行為等の処罰に関する法律
第二条―第四条……………………四八六・四八七ページ参照

（処分移送通知書の様式）

第二九条の四　法第百三条第三項（法第百四条の二の三第五項及び第八項において準用する場合を含む。）の内閣府令で定める処分移送通知書の様式は、別記様式第十九のとおりとする。

〔本条追加・昭三九総府令三六、旧二九条の四を繰下・昭四二総府令四四、本条改正・平六総府令一、旧二九条の五を繰上・平一二総府令二九、本条改正・平一二総府令八九・平一四内府令三四・平二一内府令二八・平二六内府令一七〕

知書を送付しなければならない。

4　前項の処分移送通知書が当該公安委員会に送付されたときは、当該公安委員会は、その者が第一項各号のいずれかに該当する場合（同項第五号に該当する者が第百二条の二の規定の適用を受ける者であるときは、その者が同条に規定する講習を受けないで同条の期間を経過した後に限る。）には、同項の政令で定める基準に従い、その者の免許を取り消し、又は六月を超えない範囲内において期間を定めて免許の効力を停止することができるものとし、その者が第二項各号のいずれかに該当する場合には、その者の免許を取り消すことができるものとし、処分移送通知書を送付した公安委員会は、第一項又は第二項の規定にかかわらず、当該事案について、その者の免許を取り消し、又は免許の効力を停止することができないものとする。

5　第三項の規定は、公安委員会が前項の規定により免許を取り消し、又は免許の効力を停止しようとする場合について準用する。

6　公安委員会は、第一項第一号から第四号までのいずれかに該当することを理由として同項又は第四項の規定により免許の効力を停止する場合において、必要があると認めるときは、当該処分の際に、その者に対し、公安委員会が指定する期日及び場所において適性検査を受け、又は公安委員会が指定する期限までに内閣府令で定める要件を満たす医師の診断書を提出すべき旨を命ずることができる。

別記様式第十九（第二十九条の四関係）

処分移送通知書

年　　月　　日

公安委員会　殿

公安委員会 印

道路交通法第103条第3項
道路交通法第104条の2の3第5項において準用する第103条第3項の規定に
道路交通法第104条の2の3第8項において準用する第103条第3項

より、下記の者について処分移送通知書を送付する。

住所	
氏名	
免許証の番号	第　　号　年　月　日　公安委員会交付
免許の種類	
理由	
備考	

備考　用紙の大きさは、日本産業規格A列4番又は縦25センチメートル、横12センチメートルとする。

〔本様式全改・昭42総府令44・昭44総府令31・昭45総府令28、改正・昭50総府令10、全改・平2総府令12・平6総府令1、改正・平6総府令9・平12総府令29・平14内府令34・平21内府令28・平26内府令17・令元内府令12〕

（免許の効力の停止に係る適性検査の受検等命令）

第二九条の五　法第百三条第六項の適性検査は、同条第一項第一号から第三号までに規定する免許の効力の停止の要件に関し専門的な知識を有すると公安委員会が認める医師の診断により、行うものとする。

2　法第百三条第六項の内閣府令で定める要件は、免許の効力の停止を受けた者のその理由とされる事由に係る主治の医師（同条第一項第一号の二に該当して免許の効力の停止を受けた者にあつては、認知症に関し専門的な知識を有する医師又は当該事由に係る主治の医師）が作成した診断書であつて、法第百三条第一項第一号から第三号までに該当しないと認められるかどうかに関する当該医師の意見（同項第一号の二に該当して免許の効力の停止を受けた者にあつては、診断に係る検査の結果及び認知症に該当しないと認められるかどうかに関する当該医師の

7　公安委員会は、第一項各号（第四号を除く。）のいずれかに該当することを理由として同項又は第四項の規定により免許を取り消したときは、政令で定める基準に従い、一年以上五年を超えない範囲内で当該処分を受けた者が免許を受けることができない期間を指定するものとする。

6　法第百三条第七項の政令で定める基準は、次に掲げるとおりとする。
一　第一項第一号、第二項第一号又は第三項第一号に該当して免許を取り消したときは、一年の期間とする。
二　一般違反行為をしたことを理由として免許を取り消したとき（次号に該当する場合を除く。）は、次に掲げる区分に応じ、それぞれ次に定める期間とする。
イ　当該一般違反行為に係る累積点数が別表第三の一の表の第一欄に掲げる区分に応じそれぞれ同表の第二欄に掲げる点数に該当した場合　五年
ロ　当該一般違反行為に係る累積点数が別表第三の一の表の第一欄に掲げる区分に応じそれぞれ同表の第三欄に掲げる点数に該当した場合　四年
ハ　当該一般違反行為に係る累積点数が別表第三の一の表の第一欄に掲げる区分に応じそれぞれ同表の第四欄に掲げる点数に該当した場合　三年
ニ　当該一般違反行為に係る累積点数が別表第三の一の表の第一欄に掲げる区分に応じそれぞれ同表の第五欄に掲げる点数に該当した場合　二年
ホ　当該一般違反行為に係る累積点数が別表第三の一の表の第一欄に掲げる区分に応じそれぞれ同表の第六欄に掲げる点数に該当した場合　一年
三　一般違反行為をしたことを理由として免許を取り消された者が免許取消歴等保有者であり、かつ、当該一般違反行為が法第九十条第九項若しくは第十項若しくは法第百三条第七項若しくは第八項の規定又は法第百七条の五第一項若しくは第二項の規定により指定され又は定められた期間が満了した日から五年を経過する日までの間（以下この項及び次項において「特定期間」という。）にされたものであるときは、次に掲げる区分に応じ、それぞれ次に定める期間とする。
イ　当該一般違反行為に係る累積点数が別表第三の一の表の第一欄に掲げる区分に応じそれぞれ同表の第二欄、第三欄又は第四欄に掲げる点数に該当した場合　五年
ロ　当該一般違反行為に係る累積点数が別表第三の一の表の第一欄に掲げる区分に応じそれぞれ同表の第五欄に掲げる点数に該当した場合　四年
ハ　当該一般違反行為に係る累積点数が別表第三の一の表の第一欄に掲げる区分に応じそれぞれ同表の第六欄に掲げる

意見）が記載されているものであることとする。

〔本条追加・平一四内府令三四、一・二項改正・平二一内府令二八、二項改正・平二八内府令四九〕

法第一〇三条

判例
※　本法九二条二項所定のいわゆる併記免許を受けた者に、その一の種類の免許にかかる自動車の運転に関し本条二項二号に掲げる法令違反行為があり、当該種類の免許の取消し等の事由が生じたときは、他の種類の免許についてもその取消し等をすることができる。（東地　昭四四、七、一九）

※　A公安委員会の取消処分手続には、聴聞手続に瑕疵がある（旧住所地に聴聞通知）が、手続の進め方自体には非違がなかった（返戻されなかったので、受領を推認した）ものであり、その後、取消処分の執行を転出先のB公安委員会に依頼して執行した際、被処分者から何ら不服・異議申立もなされずに経過したことにより A公安委員会の右取消処分は有効に成立したものというべきである。（東高　昭五一、一〇、一九）

※　普通自動車の運転に関する違反行為に基づき、大型、普通、二輪の各免許を取り消した処分は、適法である。（大地　昭五四、一、一八）

※　自動車運転免許の効力停止処分を受けた者は、免許の効力停止期間を経過し、かつ、右処分の日から無違反・無処分で一年を経過したときは、右処分の取消しによつて回復すべき法律上の利益を有しない。（最　昭五五、一一、二五）

運転免許停止処分後三年を経過した場合は処分取消によつて回復すべき法律上の利益はないとされた事例

※　原審が適法に確定したところによれば、被上告人は、昭和四九年一月二九日上告人に対し上告人の運転免許の効力を一八〇日間停止するとの処分（以下「本件処分」という。）をしたが、右処分の日から三年の期間を経過した、というのである。右事実によれば、本件処分の効果は、右処分の日から一八〇日間を経過したことによりなくなつたものであり、また、本件処分の日から三年の期間を経過した日の翌日以降、上告人が本件処分を理由に道路交通法上不利益を受ける虞れがなくなつたことはもとより、他に本

8　公安委員会は、第二項各号のいずれかに該当することを理由として同項又は第四項の規定により免許を取り消したときは、政令で定める基準に従い、三年以上十年を超えない範囲内で当該処分を受けた者が免許を受けることができない期間を指定するものとする。

点数に該当した場合　三年

四　重大違反唆し等又は道路外致死傷で法第百三条第二項第五号に規定する行為以外のものをしたことを理由として免許を取り消したとき（次号に該当する場合を除く。）は、次に掲げる区分に応じ、それぞれ次に定める期間とする。

イ　当該行為が別表第四第一号に掲げるものである場合　三年

ロ　当該行為が別表第四第二号に掲げるものである場合　二年

ハ　当該行為が別表第四第三号に掲げるものである場合　一年

五　重大違反唆し等又は道路外致死傷で法第百三条第二項第五号に規定する行為以外のものをしたことを理由として免許を取り消された者が免許取消歴等保有者であり、かつ、当該行為が特定期間内にされたものであるときは、次に掲げる区分に応じ、それぞれ次に定める期間とする。

イ　当該行為が別表第四第一号に掲げるものである場合　五年

ロ　当該行為が別表第四第二号に掲げるものである場合　四年

ハ　当該行為が別表第四第三号に掲げるものである場合　三年

7　法第百三条第八項の政令で定める基準は、次に掲げるとおりとする。

一　特定違反行為をしたことを理由として免許を取り消したとき（次号に該当する場合を除く。）は、次に掲げる区分に応じ、それぞれ次に定める期間とする。

イ　当該特定違反行為に係る累積点数が別表第三の二の表の第一欄に掲げる区分に応じそれぞれ同表の第二欄に掲げる点数に該当した場合　十年

ロ　当該特定違反行為に係る累積点数が別表第三の二の表の第一欄に掲げる区分に応じそれぞれ同表の第三欄に掲げる点数に該当した場合　九年

ハ　当該特定違反行為に係る累積点数が別表第三の二の表の第一欄に掲げる区分に応じそれぞれ同表の第四欄に掲げる点数に該当した場合　八年

ニ　当該特定違反行為に係る累積点数が別表第三の二の表の第一欄に掲げる区分に応じそれぞれ同表の第五欄に掲げる点数に該当した場合　七年

ホ　当該特定違反行為に係る累積点数が別表第三の二の表の第一欄に掲げる区分に応じそれぞれ同表の第六欄に掲げる

件処分を理由に上告人を不利益に取り扱いうることを認めた法令の規定はないから、行政事件訴訟法九条の規定の適用上、上告人は本件処分の取消によつて回復すべき法律上の利益を有しないというべきである。所論の点は、いずれも、本件処分がもたらす事実上の効果にすぎないものであり、これをもつて上告人が本件処分取消の訴えによつて回復すべき法律上の利益を有することの根拠とするのは相当でない。（最　昭五七、七、一〇）

※　交通違反をした者の累積点数が一定の基準点に達したときは適法に運転免許取消処分を行うことができ、それ以上に右の者が右違反をした当時、精神状態が正常であるなど責任能力を有するものであったとの要件を要するものでないというべきである。（山地　平四、七、三〇）

※　本件運転免許停止処分の運転記録への記載は、違法な本件処分に基づく処分であるから、違法であるとしてその記録の抹消を求めているが、取消訴訟の対象となる行政庁の処分とは、公権力の行使としての行為であって、直接国民の権利義務を形成し又はその範囲を確定することが法律上認められているものと解すべきである。

法第一〇三条二項所定のいずれかに該当することとなったときは、政令で定める基準に従い、その者の免許の取消又は停止処分がされるが、そのときは行政庁である公安委員会の内部の事務処理として運転免許記録へその旨の記載がなされるのであり、当該処分そのものが取り消されれば当然それに従った経過が記載される。したがって、運転免許停止処分の運転記録への記載は、停止処分という一個の行政処分の付随的効果としてされる事実上の行為であり、当該免許を受けている者の権利義務に直接の影響を与えるものではないから、取消訴訟の対象となる独立の行政処分に当たるということはできない。（神戸地　平五、七、一九）

※　道路交通法に定められた運転免許の取消事由「重大違反唆し等」とは、酒気帯び運転等の「重大違反」をさせること、または自動車等の運転者の重大違反を助ける行為をいうため、重大違反唆し等に当たるとされるには、酒気帯び運転をする気のない者を唆して酒気帯び運転をさせる気を起こさせる必要はなく、既に酒気帯

点数に該当した場合　六年

ヘ　当該特定違反行為に係る累積点数が別表第三の二の表の第一欄に掲げる区分に応じそれぞれ同表の第七欄に掲げる点数に該当した場合　五年

ト　当該特定違反行為に係る累積点数が別表第三の二の表の第一欄に掲げる区分に応じそれぞれ同表の第八欄に掲げる点数に該当した場合　四年

チ　当該特定違反行為に係る累積点数が別表第三の二の表前歴がない者の項の第九欄に掲げる点数に該当した場合　三年

二　特定違反行為をしたことを理由として免許を取り消された者が免許取消歴等保有者であり、かつ、当該特定違反行為が特定期間内にされたものであるときは、次に掲げる区分に応じ、それぞれ次に定める期間とする。

イ　当該特定違反行為に係る累積点数が別表第三の二の表の第一欄に掲げる区分に応じそれぞれ同表の第二欄、第三欄又は第四欄に掲げる点数に該当した場合　十年

ロ　当該特定違反行為に係る累積点数が別表第三の二の表の第一欄に掲げる区分に応じそれぞれ同表の第五欄に掲げる点数に該当した場合　九年

ハ　当該特定違反行為に係る累積点数が別表第三の二の表の第一欄に掲げる区分に応じそれぞれ同表の第六欄に掲げる点数に該当した場合　八年

ニ　当該特定違反行為に係る累積点数が別表第三の二の表の第一欄に掲げる区分に応じそれぞれ同表の第七欄に掲げる点数に該当した場合　七年

ホ　当該特定違反行為に係る累積点数が別表第三の二の表の第一欄に掲げる区分に応じそれぞれ同表の第八欄に掲げる点数に該当した場合　六年

ヘ　当該特定違反行為に係る累積点数が別表第三の二の表前歴がない者の項の第九欄に掲げる点数に該当した場合　五年

三　法第百三条第二項第五号に規定する行為をしたことを理由として免許を取り消したとき（次号に該当する場合を除く。）は、次に掲げる区分に応じ、それぞれ次に定める期間とする。

イ　当該行為が別表第五第一号に掲げるものである場合　八年

ロ　当該行為が別表第五第二号に掲げるものである場合　七年

ハ　当該行為が別表第五第三号に掲げるものである場合　六年

び運転をする気のある者に対して物理的、心理的に酒気帯び運転を容易にさせる行為で足りる。ただし、酒気帯び運転であることを知りつつ自動車等に同乗するだけでは、運転者の行為を何も助けてはいないため、重大違反唆し等にはならない。（東高　平二三、七、二五）

ニ　当該行為が別表第五第四号に掲げるものである場合　五年

四　法第百三条第二項第五号に規定する行為をしたことを理由として免許を取り消された者が免許取消歴等保有者であり、かつ、当該行為が特定期間内にされたものであるときは、次に掲げる区分に応じ、それぞれ次に定める期間とする。

イ　当該行為が別表第五第一号に掲げるものである場合　十年

ロ　当該行為が別表第五第二号に掲げるものである場合　九年

ハ　当該行為が別表第五第三号に掲げるものである場合　八年

ニ　当該行為が別表第五第四号に掲げるものである場合　七年

〔本条改正・昭三七政二三五・政三二九、全改・昭三九政二八〇、改正・昭四〇政二五八・昭四二政二八〇、全改・昭四三政二九八、見出し・一項改正・二項追加・昭四五政二二七、一項改正・平五政三四八、一・二項改正・平九政三九一、一項全改・二―五項追加・旧二項を改正し六項に繰下・平一四政二四、五・六項改正・平一六政三九〇、四項改正・平一七政一八三、一項改正・平一七政二三一、四―六項改正・七項追加・平二一政一二〕

別表第三……………………………………八九四ページ参照
別表第四……………………………………八九六ページ参照
別表第五……………………………………八九六ページ参照

（免許の取消し又は停止の事由となる病気等）

第三八条の二　法第百三条第一項第一号イの政令で定める精神病は、第三十三条の二の三第一項に規定するものとする。

2　法第百三条第一項第一号ロの政令で定める病気は、第三十三条の二の三第二項各号に掲げるものとする。

3　法第百三条第一項第一号ハの政令で定める病気は、第三十三条の二の三第三項各号に掲げるものとする。

4　法第百三条第一項第二号の政令で定める身体の障害は、次に掲げるとおりとする。

一　体幹の機能に障害があつて腰をかけていることができないもの

二　四肢の全部を失つたもの又は四肢の用を全廃したもの

三　前二号に掲げるもののほか、自動車等の安全な運転に必要な認知又は操作のいずれかに係る能力を欠くこととなるもの

9　第一項、第二項又は第四項の規定により免許を取り消され、又は免許の効力の停止を受けた時における その者の住所が当該処分をした公安委員会以外の公安委員会の管轄区域内にあるときは、当該処分をした公安委員会は、速やかに当該処分をした旨をその者の住所地を管轄する公安委員会に通知しなければならない。

10　公安委員会は、第一項又は第四項の規定による免許の効力の停止（第一項第一号から第四号までのいずれかに該当することを理由とするものを除く。）を受けた者が第百八条の二第一項第三号に掲げる講習を終了したときは、政令で定める範囲内で、その者の免許の効力の停止の期間を短縮することができる。

〔一・二項改正・三―七項追加・旧三項を改正し八項に繰下・昭三九法九一、三項改正・昭四二法一二六、六項追加・旧六―八項を七―九項に繰下・昭四五法八六、九項全改・昭四六法九八、一・四項改正・昭四七法五一、九項改正・昭六〇法八七、八項削除・旧九項を八項に繰上・昭六一法六三、八項改正・平五法四三、三項改正・平五法八九、二・四・六項改正・平九法四一、三項改正・平一一法一六〇、一項削除・旧二―五項を改正し一―四項に繰上・五項追加・六―八項改正・平一三法五一、一項改正・平一七法七七、一項改正・二・八項追加・旧二―六・七・八項を改正し三―七・九・一〇項に繰下・平一九法九〇、二項改正・平二五法八六、一・二・四項改正・令二法四二、二項改正・令四法三二〕

参照　〔免許〕八四、第一種免許＝八四③・八五、第二種免許＝八

（法第九十一条の規定により条件を付し、又はこれを変更することにより、その能力が回復することが明らかであるものを除く。）

〔本条追加・平一四政二四、三項改正・平一七政二三二〕

第三三条の五（免許の保留等の期間を短縮することができる範囲）……三九五ページ参照

四④・八六〔住所〕民二二―二四〔公安委員会〕四①、警三八―四六の二〔政令で定める基準〕道交令三八〔政令で定めるもの〕道交令三八の二〔自動車等〕八四①〔運転〕二①17〔道路〕二①1、道二①、道運二⑦・⑧、道運車二⑥、高速二①、駐車二3、道路の種類＝道三〔期間〕民一三八―一四三〔内閣府令で定める処分移送通知書〕道交規二九の四・別記様式一九〔適性検査〕道交規二九の五①〔内閣府令で定める要件〕道交規二九の五②〔政令で定める範囲〕道交令三三の五

（免許の効力の仮停止）

第一〇三条の二　免許を受けた者が自動車等の運転に関し次の各号のいずれかに該当することとなつたときは、その者が当該交通事故を起こした場所を管轄する警察署長は、その者に対し、当該交通事故を起こした日から起算して三十日を経過する日を終期とする免許の効力の停止（以下この条において「仮停止」という。）をすることができる。

一　交通事故を起こして人を死亡させ、又は傷つけた場合において、第百十七条第一項又は第二項の違反行為をしたとき。

二　第百十七条の二第一項第一号、第三号若しくは第四号、第百十七条の二の二第一項第一号、第三号若しくは第七号、第百十七条の四第一項第二号又は第百十八条第一項第五号の違反行為をし、よつて交通事故を起こして人を死亡させ、又は傷つけたとき。

三　第百十八条第一項第一号若しくは第二項第一号

（仮停止）

第三〇条　警察署長は、法第百三条の二第一項の規定による免許の効力の停止をしたときは、当該処分を受けた者に別記様式第十九の二の通知書により通知するものとする。

〔本条追加・昭四二総府令四四、旧三〇条の二を改正し繰上・平六総府令二〕

別記様式第十九の二（第三十条、第三十七条の五関係）

仮{停止／禁止}処分通知書

下記の理由により、あなたの{免許の効力／自動車等の運転}を　年　月　日から　年　月　日まで仮{停止／禁止}したので通知します。

なお、この処分については、処分を受けた日から起算して５日以内に、本職に対し、弁明をすることができます。また、弁明は、代理人をもつて行うことができ、弁明の際には有利な証拠を提出することができます。

年　月　日

警察署長　㊞

住所 本邦における住所	
氏名	
免許証 国際運転免許証等の番号	第　号　年　月　日　公安委員会交付
免許 運転することができる自動車等の種類	
理由	

備考　用紙の大きさは、日本産業規格Ａ列４番又は縦25センチメートル、横12センチメートルとする。

〔本様式追加・昭42総府令44、全改・昭44総府令31、改正・昭50総府令10・平６総府令１・総府令９・令元内府令12〕

又は第百十九条第一項第一号から第六号まで、第十五号若しくは第二十号若しくは第二項第一号若しくは第二号の違反行為をし、よつて交通事故を起こして人を死亡させたとき。

2　警察署長は、仮停止をしたときは、当該処分をした日から起算して五日以内に、当該処分を受けた者に対し弁明の機会を与えなければならない。

3　仮停止を受けた者は、免許証を当該処分をした警察署長に提出しなければならない。

4　仮停止をした警察署長は、速やかに、当該処分を受けた者が第一項各号のいずれかに該当することとなつた時におけるその者の住所地を管轄する公安委員会に対し、内閣府令で定める仮停止通知書及び前項の規定により提出を受けた免許証を送付しなければならない。

5　前項の仮停止通知書及び免許証の送付を受けた公安委員会は、当該事案について前条第三項（同条第五項において準用する場合を含む。）の規定により処分移送通知書を送付するときは、併せて当該送付を受けた仮停止通知書及び免許証を送付しなければならない。

6　仮停止は、前二項の規定により仮停止通知書及び免許証の送付を受けた公安委員会が当該仮停止の期間内に当該事案について前条第一項、第二項又は第四項の規定による処分をしたときは、その効力を失う。

7　仮停止を受けた者が当該事案について前条第一項又は第四項の規定により免許の効力の停止を受けたときは、仮停止をされていた期間は、当該免許の効

（仮停止通知書の様式）

第三〇条の二　法第百三条の二第四項の内閣府令で定める仮停止通知書の様式は、別記様式第十九の三のとおりとする。

〔本条追加・昭四二総府令四四、旧三〇条の三を繰上・平六総府令一、本条改正・平一二総府令八九〕

別記様式第十九の三（第三十条の二、第三十七条の五関係）

仮停止/禁止通知書

年　月　日

公安委員会殿

警察署長㊞

道路交通法第103条の2第4項/第107条の5第10項において準用する第103条の2第4項の規定により、

下記の者について仮停止/禁止通知書を送付する。

住所/本邦における住所	
氏名	
免許証/国際運転免許証等の番号	第　号　年　月　日　公安委員会交付
免許/運転することができる自動車等の種類	
仮停止/禁止の理由	
備考	

備考　用紙の大きさは、日本産業規格A列4番又は縦25センチメートル、横12センチメートルとする。

〔本様式追加・昭42総府令44、全改・昭44総府令31、改正・昭50総府令10・平6総府令1・総府令9・平21内府令28・令元内府令12〕

力の停止の期間に通算する。

3　免許証を有する者が仮停止を受けたときは、免許証を当該処分をした警察署長に提出しなければならない。

4　免許情報記録個人番号カードを有する者が仮停止を受けたときは、免許情報記録個人番号カードを当該処分をした警察署長に提示して免許情報記録の抹消を受けなければならない。

5　仮停止をした警察署長は、速やかに、当該処分を受けた者が第一項各号のいずれかに該当することとなつた時におけるその者の住所地を管轄する公安委員会に対し、内閣府令で定める仮停止通知書（第三項の規定により免許証の提出を受けた場合にあつては、当該仮停止通知書及び当該免許証。次項及び第七項において同じ。）を送付しなければならない。

6　前項の仮停止通知書の送付を受けた公安委員会は、当該事案について前条第三項（同条第五項において準用する場合を含む。）の規定により処分移送通知書を送付するときは、併せて当該送付を受けた仮停止通知書を送付しなければならない。

7　仮停止は、前二項の規定により仮停止通知書の送付を受けた公安委員会が当該仮停止の期間内に当該事案について前条第一項、第二項又は第四項の規定による処分をしたときは、その効力を失う。

8　仮停止を受けた者が当該事案について前条第一項又は第四項の規定により免許の効力の停止を受けたときは、仮停止をされていた期間は、当該免許の効力の停止の期間に通算する。

〔本条追加・昭四二法一二六、一項改正・昭四五法八六・昭五三法五三、五項削除・旧六項を改正し五項に繰上・旧七・八項を六・七項に繰上・昭六一法六三、一・四項改正・平五法四三、四項改正・平一一法一六〇、一・五―七項改正・平一三法五一、一項改正・平一六法九〇、一・五―七項改正・平一九法九〇、一項改正・平二五法四三・平二七法四〇、一・六項改正・令元法二〇、一項改正・令二法四二、一項・付記改正・令四法三二〕

参照〔免許〕八四、第一種免許＝八四③・八五、第二種免許＝八四④・八六〔自動車等〕八四①〔運転〕二①17〔交通事故〕七二①〔警察署長〕警五三②・③〔仮停止〕道交規三〇・別記様式一九の二〔免許証〕交付＝九二①、有効期間＝九二の二、記載事項＝九三、様式＝道交規別記様式一四、記載事項変更の届出＝九四①、携帯及び提示義務＝九五、更新等＝一〇一―一〇二の三、道交規二九、返納＝一〇七、譲渡・貸与の禁止＝一二〇①15〔住所〕民二二―二四〔公安委員会〕四①、警三八―四六の二〔内閣府令で定める仮停止通知書〕道交規三〇の二・別記様式一九の三〔期間〕民一三八―一四三

（罰則　第三項については第百二十一条第一項第十号〔二万円以下の罰金又は科料〕）

（罰則　第三項及び第四項については第百二十一条第一項第十号〔二万円以下の罰金又は科料〕）

（意見の聴取）

第一〇四条　公安委員会は、第百三条第一項第五号の規定により免許を取り消し、若しくは免許の効力を九十日（公安委員会が九十日を超えない範囲内においてこれと異なる期間を定めたときは、その期間。次条第一項において同じ。）以上停止しようとするとき、第百三条第二項第一号から第四号までのいずれかの規定により免許を取り消そうとするとき、又は同条第三項（同条第五項において準用する場合を含む。）の処分移送通知書（同条第一項第五号又は第二項第一号から第四号までのいずれかに係るものに限る。）の送付を受けたときは、公開による意見の聴取を行わなければならない。この場合において、公安委員会は、意見の聴取の期日の一週間前までに、当該処分に係る者に対し、処分をしようとする理由並びに意見の聴取の期日及び場所を通知し、かつ、意見の聴取の期日及び場所を公示しなければならない。

2　意見の聴取に際しては、当該処分に係る者又はその代理人は、当該事案について意見を述べ、かつ、有利な証拠を提出することができる。

3　意見の聴取を行う場合において、必要があると認めるときは、公安委員会は、道路交通に関する事項に関し専門的知識を有する参考人又は当該事案の関係人の出頭を求め、これらの者からその意見又は事情を聴くことができる。

4　公安委員会は、当該処分に係る者又はその代理人が正当な理由がなくて出頭しないとき、又は当該処分に係る者の所在が不明であるため第一項の通知をすることができず、かつ、同項後段の規定による公

（意見の聴取の手続）

第三九条　法第百四条第一項（法第百四条の二の二第六項、第百四条の二の四第六項及び第百七条の五第四項において準用する場合を含む。次項及び第四十四条第二項において同じ。）の規定による意見の聴取を行う場合における処分をしようとする理由並びに意見の聴取の期日及び場所の通知は、文書によつて行うものとする。

2　法第百四条第一項の規定による意見の聴取の期日及び場所の公示は、公安委員会の掲示板に掲示して行うものとする。

〔一項改正・昭三九政二八〇、二項改正・昭四二政二八〇、旧四〇条を繰上・昭四六政三四八、一・二項改正・平二政二六、見出し・一・二項改正・平六政三〇三、一項改正・平二一政一二・令四政一六〕

法第一〇四条

判例　※　免許停止処分の当時、処分行政庁は相当な根拠のある関係資料に基づき被害者が傷害を負ったと認めたのであるから、その後刑事裁判において傷害の事実の証明がないとして被告人が無罪とされたからといって右処分が無効となるものではない。（最判　昭六三、一〇、二八）

示をした日から三十日を経過してもその者の所在が判明しないときは、同項の規定にかかわらず、意見の聴取を行わないで第百三条第一項若しくは第四項の規定による免許の取消し若しくは効力の停止（同条第一項第五号に係るものに限る。）又は同条第二項若しくは第四項の規定による免許の取消し（同条第二項第一号から第四号までのいずれかに係るものに限る。）をすることができる。

5　前各項に定めるもののほか、意見の聴取の実施について必要な事項は、政令で定める。

〔一・四項改正・昭三九法九一、一項改正・四項追加・旧四項を改正し五項に繰下・旧五項を六項に繰下・昭四二法一二六、見出し・一―三項改正・四項削除・旧五・六項を改正し四・五項に繰上・平五法八九、一・四項改正・平一三法五一・平一九法九〇〕

参照 〔公安委員会〕四①、警三八―四六の二〔免許〕八四、第一種免許＝八四③・八五、第二種免許＝八四④・八六〔期間〕民一三八―一四三〔公示〕道交令三九〔代理〕民九九―一一八

（聴聞の特例）

第一〇四条の二　公安委員会は、第百三条第一項又は第四項の規定により免許の効力を九十日以上停止しようとするとき（同条第一項第五号に係る場合を除く。）は、行政手続法第十三条第一項の規定による意見陳述のための手続の区分にかかわらず、聴聞を行わなければならない。

2　公安委員会は、前項の聴聞又は第百三条第一項若しくは第四項の規定による免許の取消し（同条第一項各号（第五号を除く。）に係るものに限る。）若しくは同条第二項若しくは第四項の規定による免許の取消し（同条第二項第五号に係るものに限る。）に係る聴聞を行うに当たつては、その期日の一週間前までに、行政手続法第十五条第一項の規定による通知をし、かつ、聴聞の期日及び場所を公示しなければならない。

3　前項の通知を行政手続法第十五条第三項に規定する方法によつて行う場合においては、同条第一項の規定により聴聞の期日までにおくべき相当な期間は、二週間を下回つてはならない。

4　第二項の聴聞の期日における審理は、公開により行わなければならない。

5　第二項の聴聞の主宰者は、聴聞の期日において必要があると認めるときは、道路交通に関する事項に関し専門的知識を有する参考人又は当該事案の関係人の出頭を求め、これらの者からその意見又は事情を聴くことができる。

行政手続法

第一三条……………………………二八六ページ参照
第一五条……………………………二八六ページ参照

（聴聞の手続）

第三〇条の二の二　法第百四条の二第二項（法第百四条の二の三第七項及び法第百七条の五第四項において準用する場合を含む。）の規定による聴聞の期日及び場所の公示は、公安委員会の掲示板に掲示して行うものとする。

〔本条追加・平一二総府令二九、改正・平一四内府令三四・平二一内府令二八・平二六内府令一七〕

〔本条追加・平五法八九、一・二項改正・平一三法五一・平一九法九〇〕

参照〔公安委員会〕四①、警三八―四六の二〔免許〕八四、第一種免許＝八四③・八五、第二種免許＝八四④・八六、仮免許＝八四⑤・八七、他法の規定による聴聞＝質屋二六、古物二五、風営四一、銃刀所持一一、火薬五四、旅館九、公浴七②〔公示〕道交規三〇の二の二

（再試験に係る取消し）

第一〇四条の二の二 再試験を行った公安委員会は、再試験の結果、再試験を受けた者が当該免許に係る免許自動車等を安全に運転するために必要な能力を現に有しないと認めるときは、その者の当該免許を取り消さなければならない。

2 再試験の通知を受けた者が第百条の二第五項の規定に違反して再試験を受けないと認めるときは、その者の住所地を管轄する公安委員会は、その者の当該免許を取り消さなければならない。

3 公安委員会は、前項の規定により当該免許を取り消そうとする場合において、当該処分に係る者がその住所を他の公安委員会の管轄区域内に変更していたときは、当該処分に関する第六項において準用する第百四条の意見の聴取を終了している場合を除き、速やかに現にその者の住所地を管轄する公安委員会に内閣府令で定める処分移送通知書を送付しなければならない。

4 前項の処分移送通知書の送付を受けた公安委員会

（再試験に係る処分移送通知書の様式）

第三〇条の三 法第百四条の二の二第三項の内閣府令で定める処分移送通知書の様式は、別記様式第十九の三の二のとおりとする。

〔本条追加・平二総府令一二、旧三〇条の四を繰上・平六総府令一、本条改正・平六総府令四九・平一二総府令八九〕

は、その者が第百条の二第五項の規定に違反して当該再試験を受けないと認めるときは、その者の当該免許を取り消さなければならない。この場合において、処分移送通知書を送付した公安委員会は、第二項の規定にかかわらず、その者の当該免許を取り消すことができない。

5　第三項の規定は、公安委員会が前項の規定により免許を取り消そうとする場合について準用する。

6　第百四条（第三項を除く。）の規定は、第二項又は第四項の規定により免許を取り消す場合について準用する。

7　第一項、第二項又は第四項の規定により当該免許を取り消された時におけるその者の住所が当該処分をした公安委員会以外の公安委員会の管轄区域内にあるときは、当該処分をした公安委員会は、速やかに当該処分をした旨をその者の住所地を管轄する公安委員会に通知しなければならない。

〔本条追加・平元法九〇、三項改正・六項全改・旧七項削除・旧八項を七項に繰上・旧一〇四条の二を繰下・平五法八九、三項改正・平一一法一六〇、一項改正・平一七法四〇〕

参照　〔再試験〕一〇〇の二・一〇〇の三〔公安委員会〕四①、警三八―四六の二〔住所〕民二二―二四〔意見の聴取〕一〇四〔内閣府令で定める処分移送通知書〕道交規三〇の三・別記様式一九の三の二

（臨時適性検査に係る取消し等）

第一〇四条の二の三　公安委員会は、第百二条第一項から第四項までの規定により適性検査を行い、又は

（臨時適性検査に係る免許の効力の停止をする場合等）

第三九条の二　法第百四条の二の三第一項の政令で定めるときは、医師の診断に基づき、同項に規定する適性検査を受けるべき者又は同項に規定する命令を受け診断書を提出することとされて

別記様式第十九の三の二（第三十条の三関係）

処分移送通知書

年　月　日

公安委員会 殿

公安委員会 印

道路交通法第104条の2の2第3項の規定により、下記の者について処分移送通知書を送付する。

住所	
氏名	
免許証の番号	第　号　年　月　日　公安委員会交付
処分に係る免許の種類	
理由	
備考	

備考　用紙の大きさは、日本産業規格A列4番とすること。
〔本様式追加・平2総府令12、改正・平6総府令1・総府令9・総府令49・令元内府令12〕

これらの規定による命令をする場合において、当該適性検査を受けるべき者（免許を受けた者に限る。）又は当該命令を受け診断書を提出することとされている者（免許を受けた者に限る。）が、自動車等の運転により交通事故を起こし、かつ、当該交通事故の状況から判断して、第百三条第一項第一号、第一号の二又は第三号のいずれかに該当する疑いがあると認められるときその他これに準ずるものとして政令で定めるときは、三月を超えない範囲内で期間を定めてその者の免許の効力を停止することができる。この場合において、当該処分を受けた者がこれらの規定に該当しないことが明らかとなつたときは、速やかに当該処分を解除しなければならない。

2　公安委員会は、前項前段の規定により免許の効力を停止したときは、当該処分をした日から起算して五日以内に、当該処分を受けた者に対し弁明の機会を与えなければならない。

3　第百一条の七第二項の規定による通知を受けた者（免許を受けた者に限る。）が同条第三項の規定に違反して当該通知に係る認知機能検査等を受けないと認めるとき、同条第五項の規定による通知を受けた者（免許を受けた者に限る。）が同条第六項の規定に違反して当該通知に係る講習を受けないと認めるとき、第百二条第一項から第四項までの規定による命令を受けた者（免許を受けた者に限る。）が当該命令に違反したと認めるとき（第一項前段の規定による免許の効力の停止を受けた者にあつては、当該停止の期間が満了するまでの間に命令に応じないと認めるとき）又は同条第六項の規定による通知を受け

いる者が法第百三条第一項第一号、第一号の二又は第三号のいずれかに該当する疑いがあると認められるときとする。

2　法第百四条の二の三第三項の政令で定める基準は、次に掲げるとおりとする。

一　次号イからハまでのいずれかに該当することを理由として法第百四条の二の三第三項の規定により免許の効力を停止された者が当該停止の期間内に重ねてそれぞれ当該イからハまでに該当した場合は、免許を取り消すものとする。

二　次のいずれかに該当する場合（前号に該当する場合を除く。）には、免許の効力を停止するものとする。

イ　法第百一条の七第二項の規定による通知を受け、同条第三項の規定に違反して当該通知に係る法第九十七条の二第一項第三号イに規定する認知機能検査等を受けないと認める場合

ロ　法第百一条の七第五項の規定による通知を受け、同条第六項の規定に違反して当該通知に係る講習を受けないと認める場合

ハ　法第百二条第一項から第四項までの規定による命令を受け、当該命令に違反したと認める場合又は同条第六項の規定による通知を受け、同条第七項の規定に違反して当該通知に係る適性検査を受けないと認める場合

〔本条追加・平一四政二四、改正・平二一政一二、見出し改正・一項追加・旧一項を改正し二項に繰下・平二六政六三、一・二項改正・平二八政二五八、二項改正・令四政一六〕

た者（免許を受けた者に限る。）が同条第七項の規定に違反して当該通知に係る適性検査を受けないと認めるとき（第一項前段の規定による免許の効力の停止を受けた者にあつては、当該停止の期間が満了するまでの間に適性検査を受けないと認めるとき）は、第百一条の七第三項若しくは第六項に規定する期間が通算して一月となる日、第百二条第一項から第四項までに規定する期限の満了の日又は同条第七項の通知された期日におけるその者の住所地を管轄する公安委員会は、政令で定める基準に従い、その者の免許を取り消し、又は六月を超えない範囲内で期間を定めて免許の効力を停止することができる。ただし、当該認知機能検査等を受けないこと、当該講習を受けないこと、当該命令に応じないこと又は当該適性検査を受けないことについてやむを得ない理由がある場合は、この限りでない。

4　前項の規定による免許の効力の停止は、その者が当該認知機能検査等を受けたとき、当該講習を受けたとき、当該命令に応じたとき又は当該適性検査を受けたときは、その効力を失う。

5　第百三条第三項、第四項及び第九項の規定は、第三項の規定により免許を取り消し、又は免許の効力を九十日（公安委員会が九十日を超えない範囲内においてこれと異なる期間を定めたときは、その期間。第七項において同じ。）以上停止しようとする場合について準用する。この場合において、同条第三項中「第百四条第一項の意見の聴取又は聴聞」とあるのは「聴聞」と、同条第四項中「第一項各号のいずれかに該当する場合（同項第五号に該当する者が第百二条の二の規定の適用を受ける者であるときは、その者が同条に規定する講習を受けないで同条の期間を経過した後に限る。）には、同項」とあるのは「第百一条の七第三項の規定に違反して当該通知に係る認知機能検査等を受けないと認めるとき、同条第六項の規定に違反して当該通知に係る講習を受けないと認めるとき、第百二条第一項から第四項までの規定による命令に違反したと認めるとき又は同条第七項の規定に違反して当該通知に係る適性検査を受けないと認めるときは、第百四条の二の三第三項」と、「停止することができるものとし、その者が第二項各号のいずれかに該当する場合には、その者の免許を取り消すことができるものとし」とあるのは「停止することができるものとし」と、「第一項又は第二項」とあるのは「同項」と、同条第九項中「第一項、第二項又は第四項」とあるのは「第百四条の二の三第三項又は同条第五項において準用する第四項」と読み替えるものとする。

6　第四項の規定は、前項において準用する第百三条第四項の規定により免許の効力を停止した場合について準用する。

7　第百四条の二（第五項を除く。）の規定は、公安委員会が第三項の規定又は第五項において準用する第百三条第四項の規定により免許を取り消し、又は免許の効力を九十日以上停止しようとする場合について準用する。

8　第百三条第三項の規定は、第五項において準用する同条第四項の規定により免許を取り消し、又は免許の効力を停止しようとする場合について準用する。

この場合において、同条第三項中「第百四条第一項の意見の聴取又は聴聞」とあるのは、「聴聞」と読み替えるものとする。

〔本条追加・平一三法五一、一・三―六項改正・平一九法九〇、一・二項追加・旧一・三―六項を改正し三・五―八項に繰下・旧二項を四項に繰下・平二五法四三、一・三―五項改正・平二七法四〇・令二法四二〕

参照 〔政令で定めるとき〕道交令三九の二①〔政令で定める基準〕道交令三九の二②

（若年運転者期間に係る取消し）

第一〇四条の二の四　第百八条の三の三の規定による通知を受けた者が第百二条の三の規定に違反して講習を受けないと認めるときは、その者の住所地を管轄する公安委員会は、その者が受けている特例取得免許（自動車等の運転に関しこの法律若しくはこの法律に基づく命令の規定又はこの法律の規定に基づく処分に違反する行為をし、当該行為が同条の政令で定める基準に該当することとなつた時点において二十歳に達している者にあつては、中型免許を除く。）を取り消さなければならない。

2　第百八条の二第一項第十四号に掲げる講習を終了した者が当該講習を終了した後若年運転者期間が経過することとなるまでの間に自動車等の運転に関しこの法律若しくはこの法律に基づく命令の規定又はこの法律の規定に基づく処分に違反する行為をし、当該行為が政令で定める基準に該当することとなつたときは、その者の住所地を管轄する公安委員会は、

（若年運転者講習終了者に係る免許の取消しの基準）

第三九条の二の二　法第百四条の二の四第二項の政令で定める基準は、若年運転者講習を終了した後若年運転者期間が経過することとなるまでの間にした自動車等の運転に関し法若しくは法に基づく命令の規定又は法の規定に基づく処分に違反する行為（以下この条において「講習後若年違反行為」という。）が一般違反行為である場合（第三十八条第五項第一号イに該当する場合を除く。）において、次のいずれかに該当することとなることとする。

一　当該講習後若年違反行為及び当該講習後若年違反行為をす

その者が受けている特例取得免許（当該行為が当該基準に該当することとなつた時点において二十歳に達している者にあつては、中型免許を除く。）を取り消さなければならない。

3　公安委員会は、前二項の規定により特例取得免許を取り消そうとする場合において、当該処分に係る者がその住所を他の公安委員会の管轄区域内に変更していたときは、当該処分に関する第六項本文において準用する第百四条の意見の聴取を終了している場合を除き、速やかに現にその者の住所地を管轄する公安委員会に内閣府令で定める処分移送通知書を送付しなければならない。

4　前項の処分移送通知書の送付を受けた公安委員会は、第百八条の三の三の規定による通知を受けた者が第百二条の三の三の規定に違反して講習を受けないと認めるとき又は第百八条の二第一項第十四号に掲げる講習を終了した者が当該講習を終了した後若年運転者期間が経過することとなるまでの間に自動車等の運転に関しこの法律若しくはこの法律に基づく命令の規定若しくはこの法律の規定に基づく処分に違

る前においてした講習後若年違反行為（特例取得免許を受けていた期間（免許の効力が停止されていた期間を除く。）が通算して一年となつたことがあり、かつ、当該期間の初日に当たる日から末日に当たる日までの間に違反行為をしたことがない場合にあつては、当該期間前の講習後若年違反行為を除く。以下この条において「先行講習後若年違反行為」という。）のそれぞれについて別表第二に定めるところにより付した点数の合計（以下この条において「講習後若年違反合計点数」という。）が三点以上（当該講習後若年違反行為について別表第二に定めるところにより付した点数が三点であることによつて三点となる場合を除く。）であつて、当該講習後若年違反行為の直近の先行講習後若年違反行為に係る講習後若年違反合計点数が二点以下であり、又は先行講習後若年違反行為をしたことがないこと。

二　講習後若年違反合計点数が四点以上であつて、先行講習後若年違反行為の回数が一回であり、かつ、当該先行講習後若年違反行為について別表第二に定めるところにより付した点数が三点であること。

〔本条追加・令四政一六〕

（若年運転者期間に係る取消しに係る処分移送通知書の様式）

第三〇条の三の二　法第百四条の二の四第三項の内閣府令で定める処分移送通知書の様式は、別記様式第十九の三の二の二のとおりとする。

〔本条追加・令四内府令七〕

反する行為をし、当該行為が第二項の政令で定める基準に該当することとなつたときは、その者が受けている特例取得免許（第一項又は第二項に規定する時点において二十歳に達している者にあつては、中型免許を除く。）を取り消さなければならない。この場合において、処分移送通知書を送付した公安委員会は、第一項又は第二項の規定にかかわらず、その者の特例取得免許を取り消すことができない。

5　第三項の規定は、公安委員会が前項の規定により特例取得免許を取り消そうとする場合について準用する。

6　第百四条の規定は、第一項、第二項又は第四項の規定により特例取得免許を取り消す場合について準用する。ただし、第一項又は第四項（第百八条の三の三の規定による通知を受けた者が第百二条の三の規定に違反して講習を受けないと認めるときに係る部分に限る。）の規定により特例取得免許を取り消す場合においては、第百四条第三項の規定は、準用しない。

7　第一項、第二項又は第四項の規定により特例取得免許を取り消された時におけるその者の住所が当該処分をした公安委員会以外の公安委員会の管轄区域内にあるときは、当該処分をした公安委員会は、速やかに当該処分をした旨をその者の住所地を管轄する公安委員会に通知しなければならない。

〔本条追加・令二法四二〕

参照〔政令で定める基準〕道交令三九の二の二〔内閣府令で定める処分移送通知書〕道交規三〇の三の二・別記様式一九の三の

別記様式第十九の三の二の二（第三十条の三の二関係）

処分移送通知書

年　月　日

公安委員会　殿

公安委員会　印

道路交通法第104条の2の4第3項の規定により、下記の者について処分移送通知書を送付する。

住所	
氏名	
免許証の番号	第　号　年　月　日　公安委員会交付
処分に係る免許の種類	
理由	
備考	

備考　用紙の大きさは、日本産業規格A列4番とすること。
〔本様式追加・令4内府令7〕

（免許の取消し又は効力の停止に係る書面の交付等）

第一〇四条の三　第百三条第一項、第二項若しくは第四項、第百四条の二の二第一項、第二項若しくは第四項、第百四条の二の三第一項若しくは第三項、同条第五項において準用する第百三条第四項又は前条第一項、第二項若しくは第四項の規定による免許の取消し又は効力の停止は、内閣府令で定めるところにより、当該取消し又は効力の停止に係る者に対し当該取消し又は効力の停止の内容及び理由を記載した書面を交付して行うものとする。

（免許の取消し等）

第三〇条の四　法第百四条の三第一項の規定による書面の交付は、免許の取消し又は効力の停止に係る者に対し、当該処分の内容を口頭で告知した上、法第百三条第一項若しくは第三項若しくは同条第五項において準用する法第百三条第四項の規定による免許の取消し若しくは効力の停止又は法第百三条第二項の規定による免許の取消しにあつては別記様式第十九の三の三の処分書を、法第百四条の二の二第一項、第二項又は第四項の規定による免許の取消しにあつては別記様式第十九の三の四の処分書を、法第百四条の二の四第一項、第二項又は第四項の規定による免許の取消しにあつては別記様式第十九の三の四の二の処分書を交付することにより行うものとする。

〔本条追加・平六総府令一、改正・平六総府令四九・平一四内府令三四・平二一内府令二八・平二六内府令一七・令四内府令七〕

別記様式第十九の三の三（第三十条の四関係）

運転免許（取消 / 停止）処分書

下記の理由により、あなたの免許（を取り消し、 / の効力を）　　年　　月　　日から　　（年 / 日）間（を免許を受けることができない期間として指定し / 停止し）ます。

したがって、あなたに対する処分の満了日は、免許の効力の仮停止の期間　　日間を通算して　　年　　月　　日となります。

年　　月　　日

公安委員会　㊞

住　所	
氏　名	
免許証の番号	第　　号　　年　　月　　日 公安委員会交付
免許の種類	
理　由	

備考　用紙の大きさは、日本産業規格A列４番又は縦25センチメートル、横12センチメートルとする。

〔本様式追加・平６総府令１、改正・平６総府令９・令元内府令12〕

別記様式第十九の三の四（第三十条の四関係）

運転免許取消処分書

道路交通法（第104条の２の２第１項 / 第104条の２の２第２項（第４項））の規定により、下記のとおりあなたの免許を取り消します。

年　　月　　日

公安委員会　㊞

住　所	
氏　名	
免許証の番号	第　　号　　年　　月　　日 公安委員会交付
再試験に係る免許の種類	
理　由	

備考　用紙の大きさは、日本産業規格A列４番とする。

〔本様式追加・平６総府令１・改正・平６総府令９・総府令49・令元内府令12〕

2　公安委員会がその者の所在が不明であることその他の理由により前項の規定による書面の交付をすることができなかつた場合において、警察官が当該書面の交付を受けていない者の所在を知つたときは、警察官は、内閣府令で定めるところにより、その者に対し、日時及び場所を指定して当該書面の交付を受けるために出頭すべき旨を命ずることができる。

（出頭命令書の交付）

第三〇条の五　法第百四条の三第二項の規定による命令は、別記様式第十九の三の五の出頭命令書を交付して行うものとする。

〔本条追加・平六総府令二〕

別記様式第十九の三の四の二（第三十条の四関係）

運　転　免　許　取　消　処　分　書

道路交通法 第104条の２の４第１項（第４項）／第104条の２の４第２項（第４項） の規定により、下記のとおりあなたの免許を取り消します。

年　　月　　日

公安委員会　印

住　　所	
氏　　名	
免許証の番号	第　　号　　年　月　日 公安委員会交付
取消しに係る免許の種類	
理　　由	

備考　用紙の大きさは、日本産業規格Ａ列４番とする。

〔本様式追加・令４内府令７〕

3　警察官は、前項の規定による命令をするときは、内閣府令で定めるところにより、当該命令に係る者に対し、当該命令に係る取消し又は効力の停止に係る免許証の提出を求め、これを保管することができる。この場合において、警察官は、当該命令に係る者に対し、保管証を交付しなければならない。

第三項は、削られます。

別記様式第十九の三の五（第三十条の五関係）

出頭命令書			
道路交通法第104条の3第2項の規定により、あなたに下記のとおり出頭を命じます。			
命令日時		年　月　日　午前後　時　分	
出頭日時		年　月　日　午前後　時　分	
出頭場所			
命令者の所属、階級及び氏名		㊞	
氏名	生年月日	年　月　日生（　歳）	職業
	本籍		
	住所		
	免許証	第　号	
		平・令　年　月　日　公安委員会交付	

備考　本籍欄には、日本の国籍を有する者は本籍を、その他の者は国籍等を記載すること。

〔本様式追加・平６総府令１、全改・平６総府令49、改正・平14内府令83・平18内府令４・平25内府令２・令元内府令５〕

（免許証の提出）

第三〇条の六　法第百四条の三第三項の規定により免許証の提出を求め、これを保管するときは、前条の命令に係る者に対し、同項の規定の趣旨を説明するものとする。

〔本条追加・平六総府令一〕

（保管証）

第三〇条の七　法第百四条の三第三項の保管証（以下この条において「保管証」という。）には、次に掲げる事項を記載するものとする。

一　保管証の有効期限

二　免許証の番号、免許の年月日及び免許証の交付年月日並びにその免許証を交付した公安委員会

三　免許の種類及びその免許に付されている条件

四　免許を受けた者の住所、氏名及び生年月日

五　保管証を交付した日時並びに交付した警察官の所属、階級及び氏名

2　保管証の様式は、別記様式第十九の三の六のとおりとする。

〔本条追加・平六総府令一〕

4　警察官は、第二項の規定による命令をしたときは、内閣府令で定めるところにより、速やかに、当該命令に係る者の氏名及び住所、当該命令に係る出頭すべき日時及び場所その他必要な事項を当該命令に係る者の住所地を管轄する公安委員会（その者に対し第一項に規定する免許の取消し又は効力の停止をした公安委員会とその者の住所地を管轄する公安委員会が異なる場合にあつては、それぞれの公安委員会）に通知しなければならない。この場合において、警察官は、前項の規定により免許証を保管したときは、当該保管した免許証をその者の住所地を管轄する公安委員会に送付しなければならない。

3　警察官は、前項の規定による命令をしたときは、内閣府令で定めるところにより、速やかに、当該命令に係る者の氏名及び住所、当該命令に係る出頭す

別記様式第十九の三の六（第三十条の七関係）

免許証保管証（番号）

交付日時	年　月　日　午前/後　時　分		
出頭日時	年　月　日　午前/後　時　分		
出頭場所			
交付者の所属、階級及び氏名	㊞		
氏名	生年月日	年　月　日生（　歳）	職業
	本籍		
	住所		
	免許証	第　号 平・令　年　月　日　公安委員会交付	
免許年月日	第一種	二・小・原	昭・平・令　年　月　日
	免許	その他	昭・平・令　年　月　日
	第二種免許		昭・平・令　年　月　日
免許の種類	有無/種類　大型　中型　準中型　普通　大特　大自二　普自二　小特　原付　け引　大二　中二　普二　大特二　け引二		
免許の条件			

備考
1　この保管証の有効期間は、あなたが出頭日時として指定された日時（あなたが指定された日時までに指定された場所に出頭したときは、その出頭した時）までの間となります。
2　この保管証は、有効期間中は運転免許証とみなされるものですから、運転するときは、必ず携帯していなければなりません。
3　この保管証の有効期間が満了したときは、直ちに警察官に返納しなければなりません。

備考　1　本籍欄には、日本の国籍を有する者は本籍を、その他の者は国籍等を記載すること。
2　免許の種類欄の略語の意味は、別表第2に定めるとおりとする。
3　免許の種類欄の有無の欄には、現に受けている免許の種類を表す略語の上部に「1」を、その他の略語の上部に「0」をそれぞれ記載すること。
4　用紙の大きさは、縦25センチメートル、横12センチメートルとする。

〔本様式追加・平6総府令1、全改・平6総府令49、改正・平8総府令41・平14内府令83・平18内府令4・平25内府令2・平28内府令49・令元内府令5〕

（公安委員会への通知）

第三〇条の八　法第百四条の三第四項の規定による通知は、別記様式第十九の三の七の通知書を送付して行うものとする。

〔本条追加・平六総府令一〕

別記様式第十九の三の七（第三十条の八関係）

出頭命令通知書

年　月　日

公安委員会　殿

所属
階級　　氏名　㊞

道路交通法第104条の3第4項の規定により、下記のとおり通知します。

住所	
氏名	
免許証の番号	第　号　年　月　日　公安委員会交付
出頭日時	年　月　日　午前/後　時　分
出頭場所	
免許証保管の有無	有　無

備考　用紙の大きさは、縦25センチメートル、横12センチメートルとする。

〔本様式追加・平6総府令1〕

べき日時及び場所その他必要な事項を当該命令に係る者の住所地を管轄する公安委員会（その者に対し第一項に規定する免許の取消し又は効力の停止をした公安委員会とその者の住所地を管轄する公安委員会が異なる場合にあつては、それぞれの公安委員会）に通知しなければならない。

5　前項の規定による免許証の送付を受けた公安委員会は、当該免許証に係る免許の効力の停止の期間が満了した場合において、第三項の規定により当該免許証を提出した者から返還の請求があつたときは、直ちに当該免許証を返還しなければならない。

6　第三項の保管証は、第九十五条の規定の適用については、免許証とみなす。

7　第三項の保管証の有効期間は、当該保管証を交付した時から、当該保管証の交付を受けた者が第二項の規定により指定された日時（その日時までにその者が同項の規定により指定された場所に出頭したときは、その出頭した時）までの間とする。

8　第三項の規定により保管証の交付を受けた者は、当該保管証の有効期間が満了したときは、直ちに当該保管証を警察官に返納しなければならない。

9　第三項の保管証の記載事項その他同項の保管証に関し必要な事項は、内閣府令で定める。

第五―九項は、削られます。

〔本条追加・平五法四三、一―四・九項改正・平一一法一六〇、一項改正・平一三法五一・平一九法九〇・平二五法四三・令二

法四二）

参照〔免許〕八四、第一種免許＝八四③・八五、第二種免許＝八四④・八六〔内閣府令の定め〕道交規三〇の四―三〇の八・別記様式一九の三の三―一九の三の七〔公安委員会〕四①、警三八―四六の二〔警察官〕警三四・五五・六二・六三〔免許証〕交付＝九二①、有効期間＝九二の二、記載事項＝九三、様式＝道交規別記様式一四、記載事項変更の届出＝九四①、携帯及び提示義務＝九五、更新等＝一〇一―一〇二の三、道交規二九、返納＝一〇七、譲渡・貸与の禁止＝一二〇①15

〔罰則　第二項については第百二十三条の二第一号〔十万円以下の過料〕〕

（申請による取消し）

第一〇四条の四　免許を受けた者は、その者の住所地を管轄する公安委員会に免許の取消しを申請することができる。この場合において、その者は、第八十九条第一項及び第九十条の二第一項の規定にかかわらず、併せて、当該免許が取り消された場合には他の種類の免許（取消しに係る免許の種類ごとに政令で定める種類のものに限る。）を受けたい旨の申出をすることができる。

（申請による取消しの際に受けることができる免許の種類）

第三九条の二の三　法第百四条の四第一項の政令で定める種類の免許は、次の表の上欄に掲げる取消しに係る免許の種類ごとに同表の下欄に定めるものとする。

取消しに係る免許の種類	受けたい旨の申出をすることができる免許の種類
大型自動車免許	中型自動車免許、準中型自動車免許、普通自動車免許、小型特殊自動車免許又は原動機付自転車免許
中型自動車免許	準中型自動車免許、普通自動車免許、小型特殊自動車免許又は原動機付自転車免許
準中型自動車免許	普通自動車免許、小型特殊自動車免許又は原動機付自転車免許
普通自動車免許	小型特殊自動車免許又は原動機付自転車免許
大型特殊自動車免許	小型特殊自動車免許又は原動機付自転車免許
大型自動二輪車免許	普通自動二輪車免許、小型特殊自動車免許又は原動機付自転車免許
普通自動二輪車免許	小型特殊自動車免許又は原動機付自転車免許
大型自動車第二種免許	大型自動車免許、中型自動車免許、準中型自動車免許、普通自動車免許、小型特殊自動車免許、原動機付自転車免許、中型自動車第二種免許又は普通自動車第二種免許
中型自動車第二種免許	中型自動車免許、準中型自動車免許、普通自動車免許、小型特殊自動車免許、原動機付自転車免許又は普通自動車第二種免許
普通自動車第二種免許	普通自動車免許、小型特殊自動車免許又は原動機付自転車免許
大型特殊自動車第二種免許	大型特殊自動車免許、小型特殊自動車免許又は原動機付自転車免許

（取消しの申請等）

第三〇条の九　法第百四条の四第一項の規定による免許の取消しの申請は、別記様式第十九の三の八の申請書を提出して行うものとする。この場合において、当該申請を行おうとする者は、現に受けている免許に係る免許証を提示しなければならない。

2　法第百四条の四第一項後段の申出は、前項の申請書に受けたい他の免許の種類を記載して行うものとする。

3　前項の申出をする場合においては、都道府県公安委員会規則で定める場合を除き、第一項の申請書に申請用写真を添付しなければならない。

4　公安委員会は、法第百四条の四第二項の規定により免許を取り消したときは、当該処分を受けた者に別記様式第十九の三の九の通知書により通知するものとする。

〔本条追加・平一〇総府令二一、一項改正・平一一総府令一一、三項改正・平一二総府令八七・平一三内府令七〇〕

2　前項の規定による申請を受けた公安委員会は、政令で定めるところにより、当該申請に係る免許を取り消すものとする。

牽引第二種免許	牽引免許

〔本条追加・平九政三九一、旧三九条の二の二を繰上・平一一政三二一、旧三九条の二を繰下・平一四政二一四、本条改正・平一七政一八三・平二八政二五八、旧三九条の二の二を繰下・令四政一六〕

（申請による取消しの基準）

第三九条の二の四　法第百四条の四第二項の規定による免許の取消しは、同条第一項の規定による申請をした者が次の各号のいずれにも該当しない場合に行うものとする。

一　前条の表の上欄に掲げる種類の免許を受けていること（当該免許の種類ごとに同表の下欄に定める種類の免許のみの取消しを申請した場合に限る。）。

二　法第九十条第五項、法第百三条第一項若しくは第四項（法第百四条の二の三第五項において準用する場合を含む。）若しくは法第百四条の二の三第三項の規定による免許の取消しの基準又は法第九十条第六項若しくは法第百三条第二項の規定による免許の取消しの要件に該当していること。

別記様式第十九の三の八（第三十条の九関係）

運転免許取消申請書	
年　月　日	
公安委員会　殿	
ふりがな	
氏名	
生年月日	年　月　日
取消しを申請する免許の種類	
※受けたい他の免許の種類	
免許証の記載事項の変更の有無	有　・　無

（この線から下には記載しないこと。）

免許証の写し		
氏名・生年月日		年　月　日
本籍・国籍等		
住所		
交付	年　月　日	
年　月　日まで有効 免許の条件等		写真

（図示の寸法：6.2、1.0、2.6、9.0）

備考　1　氏名及び生年月日欄は、明瞭に、かい書で記載し、又は5号活字で印字すること。
2　※印の欄には、受けたい他の免許の種類がある場合に、その免許の種類を記載すること。
3　現に受けている免許に係る免許証の記載事項に変更がある場合には免許証の記載事項の変更の有無欄の「有」を、当該免許証の記載事項に変更がない場合には同欄の「無」を、それぞれ○で囲むこと。
4　免許証の写し欄には、現に受けている免許に係る免許証の表側及び裏側を複写すること。
5　用紙の大きさは、日本産業規格A列4番とする。
6　図示の長さの単位は、センチメートルとする。

〔本様式追加・平10総府令2、改正・平11総府令11・平14内府令34・平25内府令2・令元内府令12〕

別記様式第十九の三の九（第三十条の九関係）

申請による運転免許の取消通知書

あなたの申請に基づき、道路交通法第104条の4第2項の規定により、　　年　月　日付けであなたの免許を取り消したので通知します。

年　月　日

公安委員会　印

住所	
氏名	
免許証の番号	第　　号　年　月　日 公安委員会交付
免許の種類	
備考	

備考　用紙の大きさは、日本産業規格A列4番とする。

〔本様式追加・平10総府令2、改正・令元内府令12〕

3　前項の規定により免許を取り消した公安委員会は、第一項の申出をした者から第百七条第一項第一号の規定による当該免許に係る免許証の返納を受けたときは、その者に対し、当該申出に係る免許を与えることができる。

3　前項の規定により免許を取り消した公安委員会は、第一項の申出をした者から第百六条の三第一項第一号の規定による当該免許に係る免許証の返納を受け、又は第一項の申出をした者に係る第百六条の四第一項第一号の規定による免許情報記録の抹消を行つたとき（第一項の申出をした者が免許証（仮免許に係るものを除く。次条において同じ。）及び免許情報記録個人番号カードを有する者である場合にあつて

三　法第九十条第五項、法第百三条第一項若しくは第四項（法第百四条の二の三第五項において準用する場合を含む。）若しくは法第百四条の二の三第一項若しくは第三項の規定により免許の効力が停止され、又はこれらの規定による免許の効力の停止の基準に該当していること。

四　当該申請に係る免許について基準該当初心運転者（法第百条の二第一項各号のいずれかに該当する者及び同項の再試験に合格した者を除く。第三十九条の二の六第一項第三号において同じ。）に該当していること。

五　当該申請に係る免許（基準該当若年運転者に該当することとなつた時点において二十歳に達している者にあつては、特例取得免許である中型自動車免許を除く。）について、基準該当若年運転者（若年運転者講習を終了した者を除く。第三十九条の二の六第一項第三号において同じ。）に該当していること又は法第百四条の二の四第二項の規定による特例取得免許の取消しの基準に該当していること。

〔本条追加・平九政三九一、旧三九条の二の三を繰上・平一一政三二一、旧三九条の二の二を改正し繰下・平一四政二四、本条改正・平二一政一二・平二六政六三、旧三九条の二の三を改正し繰下・令四政一六〕

は、当該免許証の返納を受け、かつ、当該免許情報記録の抹消を行つたとき）は、その者に対し、当該申出に係る免許を与えることができる。

4　前項の規定により与えられる免許は、第二項の規定により取り消された免許を受けた日に受けたものとみなす。

5　第二項の規定により免許を取り消された者（第三項の規定により免許を受けた者を除く。）は、その者の住所地を管轄する公安委員会に対し、当該取消しを受けた日前五年間の自動車等の運転に関する経歴について、第九十二条の二第一項の表の上欄に規定する優良運転者、一般運転者又は違反運転者等の区分に準じた区分により表示する書面（次項及び第百六条において「運転経歴証明書」という。）の交付を申請することができる。

第五項は、削られます。

（運転経歴証明書の交付の申請の手続）

第三〇条の一〇　法第百四条の四第五項（法第百五条第二項において読み替えて準用する場合を含む。）に規定する運転経歴証明書の交付の申請は、都道府県公安委員会規則で定める運転経歴証明書交付申請書を提出して行うものとする。

2　前項の運転経歴証明書交付申請書には、都道府県公安委員会規則で定める場合を除き、申請用写真を添付しなければならない。

3　第一項の申請をしようとする者は、住民票の写しその他の住所、氏名及び生年月日を確かめるに足りる書類を提示しなければならない。ただし、前条第一項の規定による免許の取消しの申請と日を同じくして第一項の申請をしようとする場合にあつては、当該書類を提示することを要しない。

〔本条追加・平一三内府令七〇、一項改正・令元内府令三二〕

（運転経歴証明書の記載事項等）

第三〇条の一一　運転経歴証明書には、次に掲げる事項を記載するものとする。

一　運転経歴証明書の番号

二　運転経歴証明書の交付を受けた者が法第百四条の四第二項の規定により取り消された日又は免許証の有効期間が満了する日において受けていた免許の年月日及び種類

三　運転経歴証明書の交付年月日

四　運転経歴証明書の交付を受けた者の住所、氏名及び生年月日

五　運転経歴証明書の交付を受けた者の法第百四条の四第二項の規定により取り消された日又は免許が失効した日前五年間の自動車等の運転に関する経歴

2　運転経歴証明書の様式は、別記様式第十九の三の十のとおりとする。

3　運転経歴証明書には、当該運転経歴証明書を交付した公安委員会の名称及び公印の印影並びに当該運転経歴証明書の交付を

受けた者の写真を表示するものとする。

4　運転経歴証明書に記載されている別表第二の二の上欄に掲げる略語は、それぞれ同表の下欄に掲げる意味を表すものとする。

〔本条追加・平二三内府令七〇、一項改正・令元内府令三二〕

別表第二の二（第三十条の十一関係）…………九〇六ページ参照

（運転経歴証明書の記載事項の変更の届出）

第三〇条の一二　運転経歴証明書の交付を受けた者は、前条第一項第四号に掲げる事項に変更を生じたときは、速やかに住所地を管轄する公安委員会（公安委員会の管轄区域を異にして住所を変更したときは、変更した後の住所地を管轄する公安委員会）に届け出て、運転経歴証明書に変更に係る事項の記載を受けなければならない。

2　前項の届出は、都道府県公安委員会規則で定める届出書を提出して行うものとする。

3　第一項の届出をしようとする者は、次の各号の区分に応じ、当該各号に定める書類を提示しなければならない。

一　住所を変更した者　住民票の写しその他の住所を確かめるに足りる書類

二　氏名を変更した者　住民票の写し（住民基本台帳法の適用を受けない者である場合にあつては、旅券等）

〔本条追加・平二三内府令七〇、三項改正・平二四内府令三九〕

（運転経歴証明書の再交付の申請）

第三〇条の一三　運転経歴証明書の交付を受けた者は、次の各号のいずれかに該当するときは、その者の住所地を管轄する公安委員会に都道府県公安委員会規則で定める運転経歴証明書再交付申請書を提出して運転経歴証明書の再交付を申請することができる。

一　運転経歴証明書を亡失し、滅失し、汚損し、又は破損したとき。

二　前条第一項の規定による届出をしたとき。

三　運転経歴証明書の備考欄に前条第一項に規定する変更に係る事項の記載を受けているとき。

四　運転経歴証明書に表示されている写真を変更しようとするとき。

五　前各号に掲げるもののほか、公安委員会が相当と認めるとき。

2　前項の申請をしようとする者は、次に掲げる書類及び写真（都道府県公安委員会規則で定める場合にあつては、第一号に掲げる書類）を同項の運転経歴証明書再交付申請書に添付しなければならない。

一　当該申請に係る運転経歴証明書（当該運転経歴証明書を亡失し、又は滅失した場合にあつては、その事実を証するに足りる書類）

二　申請用写真

〔本条追加・平二三内府令七〇、一・二項改正・令元内府令三一〕

（運転経歴証明書の返納）

第三〇条の一四　運転経歴証明書の交付を受けた者は、次の各号のいずれかに該当することとなつたときは、速やかに、運転経歴証明書（第二号の場合にあつては、発見し、又は回復した運転経歴証明書）をその者の住所地を管轄する公安委員会に返納しなければならない。

一　免許を受けたとき。

二　運転経歴証明書の再交付を受けた後において亡失した運転経歴証明書を発見し、又は回復したとき。

〔本条追加・平二三内府令七〇〕

別記様式第十九の三の十（第三十条の十一関係）

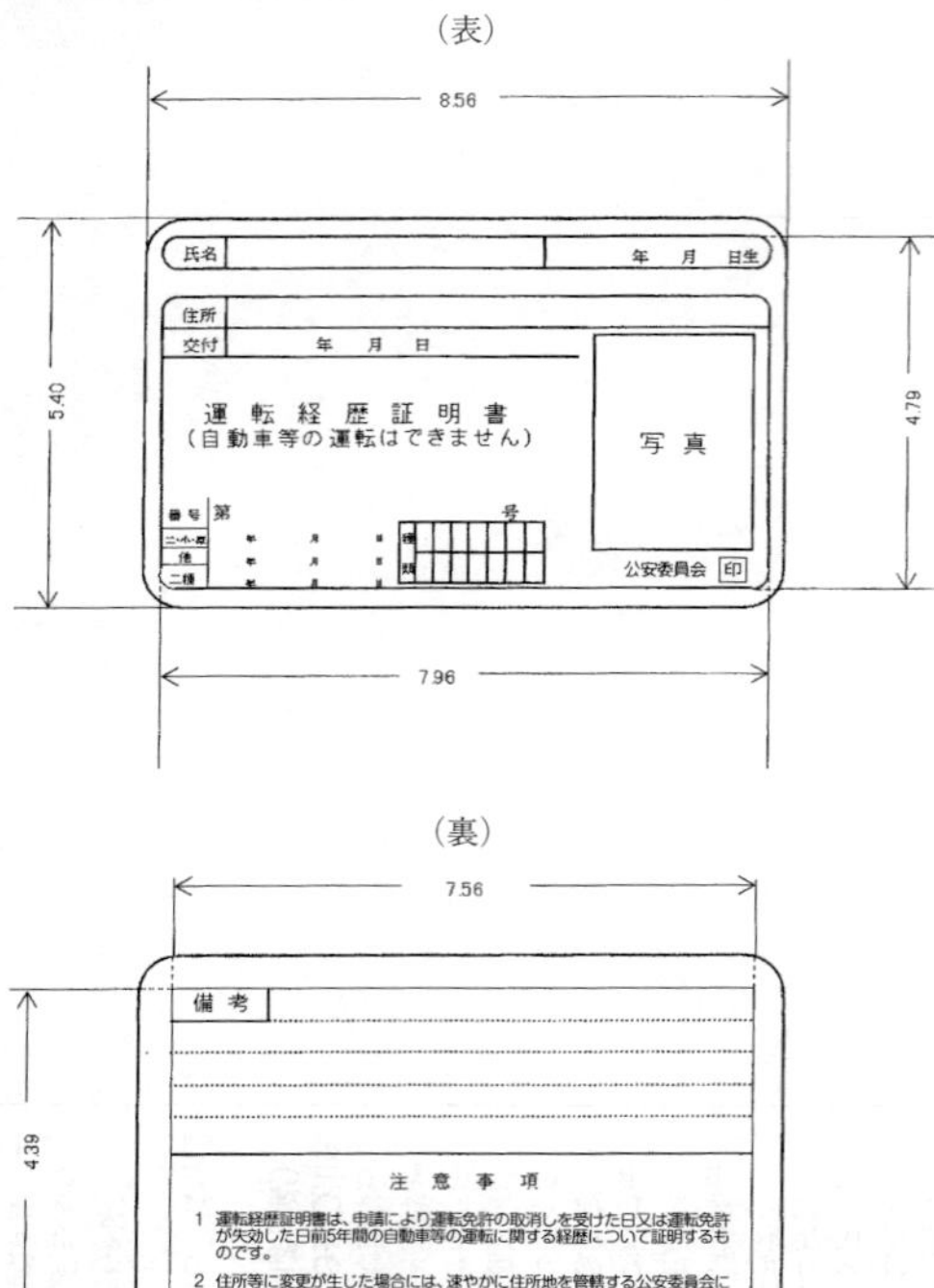

備考　1　表側は白色のプラスチック板を、裏側は薄茶色のプラスチック膜を用い、プラスチック板の裏面にプラスチック膜を貼り付けること。

2　種類欄には、運転経歴証明書の交付を受けた者が取消しを受けた免許又はその者の失効した免許の種類を表す略号を、上欄左端から数えて、大型免許については1番目の項に、中型免許については2番目の項に、準中型免許については3番目の項に、普通免許については4番目の項に、大型特殊免許については5番目の項に、大型二輪免許については6番目の項に、普通二輪免許については7番目の項に、下欄左端から数えて、小型特殊免許については1番目の項に、原付免許については2番目の項に、大型第二種免許については3番目の項に、中型第二種免許については4番目の項に、普通第二種免許については5番目の項に、大型特殊第二種免許については6番目の項に、牽引免許又は牽引第二種免許については7番目の項に、それぞれ記載すること。

3　備考欄には、運転経歴証明書の記載事項の変更に係る事項その他必要な事項を記載すること。

4　図示の長さの単位は、センチメートルとする。

〔本様式追加・平23内府令70、改正・平28内府令49・令元内府令31〕

6　前項の規定による申請を受けた公安委員会は、政令で定めるところにより、運転経歴証明書を交付するものとする。この場合において、運転経歴証明書は、免許証と紛らわしい外観を有するものであつてはならない。

7　前各項に定めるもののほか、第二項の規定による免許の取消しについて必要な事項は、内閣府令で定める。

第六項は削られ、第七項は第五項に繰上られます。

〔本条追加・平九法四一、五項改正・平一一法一六〇、一項改正・五・六項追加・旧五項を七項に繰下・平一三法五一、五項改正・令元法二〇〕

参照〔免許〕八四、第一種免許＝八四③・八五、第二種免許＝八四④・八六〔公安委員会〕四①、警三八―四六の二〔免許の取消しの申請〕道交規三〇の九①―③・別記様式一九の三の八〔政令で定める種類〕道交令三九の二の三〔政令で定めるところ〕道交令三九の二の四〔政令で定める運転経歴証明書交付〕道交令三九の二の五〔運転経歴証明書〕交付申請手続＝道交規三〇の一〇、記載事項等＝道交規三〇の一一、記載事項の変更届出＝道交規三〇の一二、再交付の申請＝道交規三〇の一三、返納＝道交規三〇の一四、様式＝別記様式一九の三の一〇〔内閣府令の定め〕道交規三〇の九④・別記様式一九の三の九

（免許の失効）

第一〇五条　免許は、免許を受けた者が免許証の更新を受けなかつたときは、その効力を失う。

（運転経歴証明書の交付）

第三九条の二の五　法第百四条の四第六項の規定による運転経歴証明書の交付は、同条第五項の規定による申請をした日前五年以内に同条第二項の規定により免許を取り消され、かつ、現に受けている免許がない者に対して行うものとする。

〔本条追加・平一四政二四、改正・平二三政四一一、見出し削除・追加・令元政一〇八、見出し削除・追加・旧三九条の二の四を繰下・令四政一六〕

第一〇五条　免許は、免許を受けた者が免許証等の更新を受けなかつたとき（免許証及び免許情報記録個人番号カードを有する者にあつては、免許証の有効期間の更新及び免許情報記録の有効期間の更新のいずれをも受けなかつたとき）は、その効力を失う。

2　前条第五項から第七項までの規定は、免許証の更新を受けなかつた者について準用する。この場合において、同条第五項中「第三項の規定により免許を受けた者」とあるのは「当該免許証の有効期間が満了する日において第九十条第五項の規定による免許の取消しの基準に該当する者その他の政令で定める者」と、「当該取消しを受けた日」とあるのは「当該免許証に係る免許が失効した日」と、「次項」とあるのは「以下この条」と、同条第七項中「前各項」とあるのは「前二項」と、「第二項の規定による免許の取消し」とあるのは「運転経歴証明書」と読み替えるものとする。

第二項は、削られます。

〔二項追加・令元法二〇〕

参照　〔免許〕八四、第一種免許＝八四③・八五、第二種免許＝八四④・八六〔免許証〕交付＝九二①、有効期間＝九二の二、記載事項＝九三、様式＝道交規別記様式一四、記載事項変更の届出＝九四①、携帯及び提示義務＝九五、更新等＝一〇一―一〇二の三、道交規二九、返納＝一〇七、譲渡・貸与の禁止＝一二〇①15

第三九条の二の六　法第百五条第二項において読み替えて準用する法第百四条の四第五項の政令で定める者は、法第百五条第一項の規定により効力を失つた免許に係る免許証の有効期間が満了する日において次の各号のいずれかに該当する者とする。

一　法第九十条第五項、法第百三条第一項若しくは第四項（法第百四条の二の三第五項において準用する場合を含む。）若しくは法第百四条の二の三第三項の規定による免許の取消しの基準又は法第九十条第六項若しくは法第百三条第二項の規定による免許の取消しの要件に該当している者

二　法第九十条第五項、法第百三条第一項若しくは第四項（法第百四条の二の三第五項において準用する場合を含む。）若しくは法第百四条の二の三第一項若しくは第三項の規定により免許の効力が停止され、又はこれらの規定による免許の効力の停止の基準に該当している者

三　法第百五条第一項の規定により効力を失つた免許の全てについて、基準該当初心運転者に該当している者、基準該当若年運転者に該当している者（特例取得免許である中型自動車免許については、基準該当若年運転者に該当することとなつた時点において二十歳に達している者を除く。）又は法第百四条の二の四第二項の規定による特例取得免許の取消しの基準に該当している者

2　前条の規定は、法第百五条第二項において準用する法第百四条の四第六項の規定による運転経歴証明書の交付について準用する。この場合において、前条中「同条第五項」とあるのは「法第百五条第二項において読み替えて準用する法第百四条の四第五項」と、「同条第二項」とあるのは「法第百五条第一項」と、「を取り消され」とあるのは「が効力を失い」と読み替えるものとする。

〔本条追加・令元政一〇八、一項改正・旧三九条の二の五を繰下・令四政一六〕

（運転経歴証明書及び運転経歴情報の記録）

第一〇五条の二　第百四条の四第二項の規定により免許を取り消された者（同条第三項の規定により免許を受けた者を除く。）及び前条の規定により免許が失効した者（当該免許が失効した日の前日において第九十条第五項の規定による免許の取消しの基準に該当する者その他の政令で定める者を除く。）は、その者の住所地を管轄する公安委員会に対し、運転経歴証明書（当該取消しを受けた日又は当該免許が失効した日前五年間の自動車等の運転に関する経歴について、第九十五条の六第一項の表の上欄に規定する優良運転者、一般運転者又は違反運転者等の区分に準じた区分（第三項において「運転経歴区分」という。）により表示する書面をいう。以下この条及び次条において同じ。）の交付を申請することができる。

2　前項の規定による申請を受けた公安委員会は、政令で定めるところにより、運転経歴証明書を交付するものとする。この場合において、運転経歴証明書は、免許証と紛らわしい外観を有するものであつてはならない。

3　第一項に規定する者は、その者の住所地を管轄する公安委員会に対し、運転経歴情報（第百四条の四第二項の規定による免許の取消しを受けた日又は免許が前条の規定により効力を失つた日前五年間の自動車等の運転に関する経歴について、運転経歴区分により示した情報をいう。以下この条及び次条において同じ。）をその者の個人番号カードの区分部分に記録することを申請することができる。

4　前項の規定による申請を受けた公安委員会は、政令で定めるところにより、運転経歴情報をその者の個人番号カードの区分部分に電磁的方法により記録するものとする。

5　前各項に定めるもののほか、運転経歴証明書及び運転経歴情報の記録について必要な事項は、内閣府令で定める。

（国家公安委員会への報告）

第一〇六条　公安委員会は、第九十条第一項本文若しくは第百四条の四第三項の規定により免許を与え、第九十一条若しくは第九十一条の二第二項の規定により条件を付し、若しくはこれを変更し、第九十四条第一項の規定による届出を受け、同条第二項の規定による免許証の再交付をし、第百一条第六項若しくは第百一条の二第四項の規定により免許証の更新をし、第百二条第六項の規定による通知をし、第百四条の四第六項（前条第二項において準用する場合を含む。）の規定により運転経歴証明書を交付し、第九十条第一項ただし書、第二項、第五項、第六項、第九項、第十項若しくは第十二項、第九十七条の三第三項、第百三条第一項、第二項、第四項、第七項、第八項若しくは第十項、第百四条の二の二第一項、第二項若しくは第四項、第百四条の二の三第一項若

（国家公安委員会への報告）

第三一条　法第百六条の内閣府令で定める場合は、自動車等の運転者が自動車等の運転に関し、令別表第二の一の表若しくは二の表の上欄に掲げる違反行為又は法第百十七条の五第一項第一号の罪に当たる行為（第三十一条の三の表において「違反行為等」という。）をした場合とする。

〔本条全改・昭四〇総府令四一・昭四五総府令二八、改正・平一一総府令四一・平一二総府令八九・平一六内府令九七・平二一内府令二八・令四内府令六七〕

第三一条の二　法第百六条の内閣府令で定めるものは、令別表第四又は別表第五に掲げる行為（第三十一条の三の表において「特定行為」という。）とする。

〔本条追加・平一〇総府令二、改正・平一二総府令八九・平一六内府令九七・平二一内府令二八・内府令七四〕

第三一条の二の二　法第百六条の内閣府令で定める事由は、自動車等の運転者が人の死傷又は建造物の損壊に係る交通事故を起こしたこととする。

〔本条追加・昭四〇総府令四一、改正・昭四五総府令二八、旧三一条の二を繰下・平一〇総府令二、本条改正・平一二総府令八九〕

第三一条の三　法第百六条の内閣府令で定める事項は、次の表の上欄に掲げる場合の区分に応じ、それぞれ同表の下欄に定める事項とする。

しくは第三項、同条第五項において準用する第百三条第四項、第百四条の二の四第一項、第二項若しくは第四項若しくは第百四条の四第二項の規定による処分をし、若しくは第九十条第八項、第百三条第一項から第四項まで若しくは第百三条第六項の規定による命令をしたとき、警察署長が第百三条の二第一項の規定による処分をしたとき、又は自動車等の運転者が自動車等の運転に関しこの法律若しくはこの法律に基づく命令の規定若しくはこの法律の規定に基づく処分に違反したとき（内閣府令で定める場合に限る。）、重大違反唆し等若しくは道路外致死傷（内閣府令で定めるものに限る。）をしたとき、認知機能検査を受けたとき、第百条の二第一項の規定による再試験を受けたとき、若しくは第百八条の二第一項第二号、第十号、第十三号若しくは第十四号に掲げる講習を受けたとき、その他自動車等の運転者について自動車等の運転に関し内閣府令で定める事由が生じたときは、内閣府令で定める事項を国家公安委員会に報告しなければならない。この場合において、国家公安委員会は、免許に関する事務の適正を図るため、当該報告に係る事項を各公安委員会に通報するものとする。

第一〇六条　公安委員会は、第九十条第一項本文若しくは第百四条の四第三項の規定により免許を与え、第九十一条若しくは第九十一条の二第二項の規定により条件を付し、若しくはこれを変更し、第九十四条第一項（第九十五条の五第二項の規定により読み替えて適用する場合を含む。）の規定による届出を

報告する場合	事項
法第九十条第一項本文の規定により免許を与えたとき（免許を現に受けている者に対し、当該免許の種類と異なる種類の免許を与えたときを除く。）。	一　免許を受けた者の本籍又は国籍等、住所、氏名、生年月日及び性別 二　免許の種類 三　免許証の交付年月日及び免許証番号 四　免許の条件 五　過去三年以内において令別表第三の備考の一の3又は4に該当したことがある者にあつては、その旨及び年月日 六　第十八条第一項第一号又は第二号に該当する者にあつては、その旨
免許を現に受けている者に対し、当該免許の種類と異なる種類の免許を与えたとき。	一　免許を受けた者の生年月日及び性別 二　免許の種類 三　免許証の交付年月日及び免許証番号 四　免許の条件 五　適性試験を受けた日 六　第十八条第一項第二号に該当する者にあつては、その旨
法第百四条の四第三項の規定により免許を与えたとき。	一　免許を受けた者の生年月日及び性別 二　免許の種類 三　免許証の交付年月日及び免許証番号 四　免許の条件
法第九十一条又は第九十一条の二第二項の規定により条件を付し、又はこれを変更したとき（法第九十条第一項本文の規定により免許を与えた場合及び法第百四条の四第三項の規定により免許を与えた	一　免許に条件を付され、又はこれを変更された者の生年月日及び性別 二　免許証番号 三　免許の条件 四　免許に条件を付し、又はこれを変更した年月日

受け、第九十四条第二項の規定による免許証の再交付をし、第九十五条の二第三項の規定により特定免許情報の記録をし、同条第四項の規定による免許証の返納を受け、同条第十項の規定により免許情報記録の抹消をし、同条第十一項の規定により免許証の交付をし、第百一条第六項若しくは第百一条の二第四項の規定により免許証等の更新をし、第百二条第六項の規定による通知をし、前条第二項の規定により運転経歴証明書を交付し、同条第四項の規定により運転経歴情報の記録をし、第九十条第一項ただし書、第二項、第五項、第六項、第九項、第十項若しくは第十二項、第九十七条の三第三項、第百三条第一項、第二項、第四項、第七項、第八項若しくは第十項、第百四条の二の二第一項、第二項若しくは第四項、第百四条の二の三第一項若しくは第三項、同条第五項において準用する第百三条第四項、第百四条の二の四第一項、第二項若しくは第四項若しくは第百四条の四第二項の規定による処分をし、若しくは第九十条第八項、第百二条第一項から第四項まで若しくは第百三条第六項の規定による命令をしたとき、警察署長が第百三条の二第一項の規定による処分をしたとき、又は自動車等の運転者が自動車等の運転に関しこの法律若しくはこの法律に基づく命令の規定若しくはこの法律の規定に基づく処分に違反したとき（内閣府令で定める場合に限る。）、重大違反唆し等若しくは道路外致死傷（内閣府令で定めるものに限る。）をしたとき、認知機能検査を受けたとき、第百条の二第一項の規定による再試験を受けたとき、若しくは第百八条の二第一項第二号、第十

場合において行つたときを除く。）	
法第九十四条第一項の規定による届出を受けたとき。	一　免許証の記載事項の変更の届出をした者の生年月日及び性別 二　免許証番号 三　変更に係る事項 四　届出を受けた年月日
法第九十四条第二項の規定による免許証の再交付をしたとき。	一　免許証の再交付を受けた者の生年月日及び性別 二　免許証の再交付年月日及び免許証番号
法第百一条第六項又は第百一条の二第四項の規定により免許証の更新をしたとき。	一　免許証の更新を受けた者の生年月日及び性別 二　免許証の交付年月日及び免許証番号 三　法第百一条の二第四項の規定により免許証の更新を受けた者にあつては、同条第三項の規定による適性検査を受けた日 四　第十八条第一項第二号に該当する者にあつては、その旨
法第百二条第六項の規定による通知をしたとき。	一　通知を受けた者の本籍又は国籍等、氏名、生年月日及び性別（免許を受けたことがある者にあつては、生年月日及び性別） 二　免許を現に受けている者にあつては、免許証番号 三　免許を受けていたことがある者にあつては、その者が当該通知を受けた日前の直近に受けていた免許に係る免許証番号 四　通知をした年月日
法第百四条の四第六項（法第百五条第二項において準用する場合を含む。）の規定により運転経歴証明書を交付したとき。	一　運転経歴証明書の交付を受けた者の生年月日及び性別 二　運転経歴証明書の交付を受けた日前の直近に受けていた免許に係る免許証番号 三　運転経歴証明書の交付年月日

号、第十三号若しくは第十四号に掲げる講習を受けたとき、その他自動車等の運転者について自動車等の運転に関し内閣府令で定める事由が生じたときは、内閣府令で定める事項を国家公安委員会に報告しなければならない。この場合において、国家公安委員会は、免許に関する事務の適正を図るため、当該報告に係る事項を各公安委員会に通報するものとする。

〔本条改正・昭三九法九一、見出し・本条改正・昭四〇法九六、本条改正・昭四二法一二六・昭四五法八六・昭五三法五三・昭六一法六三・平元法九〇・平四法四三・平五法四三・法八九・平七法七四・平九法四一・平一一法四〇・法八七・法一六〇・平一三法五一・平一九法九〇・平二五法四三・平二七法四〇・令元法二〇・令二法四二〕

参照　〔公安委員会〕四①、警三八―四六の二〔免許〕八四、第一種免許＝八四③・八五、第二種免許＝八四④・八六〔警察署長〕警五三②・③〔自動車等〕八四①〔運転〕二①17〔内閣府令で定める場合〕道交規三一〔内閣府令で定めるもの〕道交規三一の二・道交令別表四・別表五〔内閣府令で定める事由〕道交規三一の二の二〔内閣府令で定める事項〕道交規三一の三〔国家公安委員会〕警四―一四

法第九十条第一項ただし書、第二項、第五項、第六項、第九項、第十項若しくは第十二項、第九十七条の三第三項、第百三条第一項、第二項、第四項、第七項、第八項若しくは第十項、第百三条の二第一項、第百四条の二の二第一項、第二項若しくは第四項、第百四条の二の三第一項若しくは第三項、同条第五項において準用する法第百三条第四項又は法第百四条の二の四第一項、第二項若しくは第四項の規定による処分をしたとき。	一　処分を受けた者の本籍又は国籍等、氏名、生年月日及び性別（免許を受けたことがある者にあつては、生年月日及び性別） 二　法第百四条の二の二第一項、第二項若しくは第四項又は第百四条の二の四第一項、第二項若しくは第四項の規定による処分を受けた者にあつては、当該処分に係る免許の種類 三　免許を現に受けている者にあつては、免許証番号 四　免許を受けていたことがある者にあつては、その者が当該処分を受けた日前の直近に受けていた免許に係る免許証番号 五　処分の別及び理由 六　処分の期日及び処分に係る期間 七　処分の事由が発生した地の都道府県名
法第百四条の四第二項の規定による処分をしたとき。	一　処分を受けた者の生年月日及び性別 二　処分に係る免許の種類及び免許証番号 三　処分の期日
法第九十条第八項又は第百三条第六項の規定による命令をしたとき。	一　命令を受けた者の生年月日及び性別 二　命令に係る免許の種類及び免許を現に受けている者にあつては、免許証番号 三　命令の内容
法第百二条第一項から第四項までの規定による命令をしたとき。	一　命令を受けた者の本籍又は国籍等、氏名、生年月日及び性別（免許を受けたことがある者にあつては、生年月日及び性別） 二　免許を現に受けている者にあつては、免許証番号 三　免許を受けていたことがある

	者にあつては、その者が当該命令を受けた日前の直近に受けていた免許に係る免許証番号 四　命令をした年月日
認知機能検査を受けたとき。	一　認知機能検査を受けた者の本籍又は国籍等、氏名、生年月日及び性別（免許を受けたことがある者にあつては、生年月日及び性別） 二　免許を現に受けている者にあつては、免許証番号 三　免許を受けていたことがある者にあつては、その者が当該認知機能検査を受けた日前の直近に受けていた免許に係る免許証番号 四　認知機能検査を受けた年月日 五　認知機能検査の結果
法第百条の二第一項の規定による再試験を受けたとき。	一　再試験を受けた者の生年月日及び性別 二　再試験に係る免許の種類及び免許証番号 三　再試験を受けた年月日
法第百八条の二第一項第二号に掲げる講習（以下「取消処分者講習」という。）を受けたとき。	一　取消処分者講習を受けた者の本籍又は国籍等、氏名、生年月日及び性別（免許を受けたことがある者にあつては、生年月日及び性別） 二　法第九十条第一項ただし書又は第二項の規定による免許の拒否を受けた者（免許を受けていたことがある者に限る。）にあつては、その者が当該処分を受けた日前の直近に受けていた免許に係る免許証番号 三　法第九十条第五項若しくは第六項若しくは第百三条第一項、第二項若しくは第四項の規定による免許の取消しを受けた者又は免許が失効したためこれらの

	規定による免許の取消し（同条第一項第一号から第四号までのいずれかに該当することを理由とするものを除く。）を受けなかつた者にあつては、取り消され、又は失効した免許に係る免許証番号 四　取消処分者講習を受けた年月日
法第百八条の二第一項第十号に掲げる講習（以下「初心運転者講習」という。）を受けたとき。	一　初心運転者講習を受けた者の生年月日及び性別 二　初心運転者講習に係る免許の種類及び免許証番号 三　初心運転者講習を受けた年月日
法第百八条の二第一項第十三号に掲げる講習（以下「違反者講習」という。）を受けたとき。	一　違反者講習を受けた者の本籍又は国籍等、氏名、生年月日及び性別（免許を受けたことがある者にあつては、生年月日及び性別） 二　免許を現に受けている者にあつては、免許証番号 三　免許を受けていたことがある者にあつては、その者が当該違反者講習を受けた日前の直近に受けていた免許に係る免許証番号 四　違反者講習を受けた年月日
法第百八条の二第一項第十四号に掲げる講習（以下「若年運転者講習」という。）を受けたとき。	一　若年運転者講習を受けた者の生年月日及び性別 二　免許証番号 三　若年運転者講習を受けた年月日
第三十一条に規定する場合	一　違反行為等をした者の本籍又は国籍等、住所、氏名、生年月日及び性別 二　免許を現に受けている者にあつては、その免許の種類及び免許証番号

	第三十一条の二に規定する行為をしたとき。	前条に規定する事由が生じたとき。
三　免許を受けていたことがある者にあつては、その者が当該違反行為等をした日前の直近に受けていた免許に係る免許証番号 四　違反行為等が当該違反行為等をした者が受けた免許によつて運転することができる自動車等の運転に関するものであるときは、当該自動車等の種類 五　違反行為等の種別 六　違反行為等をした地の都道府県名及び違反行為等をした年月日	一　特定行為をした者の本籍又は国籍等、住所、氏名、生年月日及び性別 二　免許を現に受けている者にあつては、免許証番号 三　免許を受けていたことがある者にあつては、その者が当該特定行為をした日前の直近に受けていた免許に係る免許証番号 四　特定行為の種別 五　特定行為をした地の都道府県名及び特定行為をした年月日	一　交通事故を起こした者の本籍又は国籍等、住所、氏名、生年月日及び性別 二　免許を現に受けている者にあつては、免許証番号 三　免許を受けていたことがある者にあつては、その者が当該交通事故を起こした日前の直近に受けていた免許に係る免許証番号 四　交通事故の状況及び違反行為等の種別 五　交通事故を起こした地の都道府県名及び交通事故を起こした年月日

（仮免許の取消し）

第一〇六条の二　仮免許を受けた者が第百三条第一項各号（第四号及び第八号を除く。）又は第二項各号のいずれかに該当することとなつたときは、その者が当該各号のいずれかに該当することとなつた時におけるその者の住所地を管轄する公安委員会は、政令で定める基準に従い、その者の仮免許を取り消すことができる。

（仮運転免許の取消しの基準）

第三九条の三　法第百六条の二第一項の政令で定める基準は、次に掲げるとおりとする。

一　仮運転免許を受けた者が法第百三条第一項第一号から第三号までのいずれかに該当することとなつたとき（同項第一号に該当することとなつた場合において、六月の間自動車等の安全な運転に必要な認知、予測、判断又は操作のいずれかに係る能力を欠くこととなるおそれがある症状を呈しないと認められるときを除く。）。

二　仮運転免許を受けた者が違反行為をし、よつて交通事故を起こして人を死亡させ、若しくは傷つけ、又は建造物を損壊したとき。

三　仮運転免許を受けた者が法第百十七条第一項若しくは第二項、法第百十七条の二第一項第一号、第三号若しくは第四号、法第百十七条の二の二第一項第一号、第三号、第七号若しくは第八号、法第百十七条の三、法第百十七条の四第一項第二号若しくは法第百十八条第一項第一号、第五号（法第八十五条第六項から第十項までに係る部分に限る。）若しくは第六号若しくは第二項第一号に係る違反行為（法第百十八条第一項第一号に係る違反行為にあつては法第二十二条の規定によりこれを超える速度で進行してはならないこととされている最高速度を三十キロメートル毎時（高速自動車国道等においては四十キロメートル毎時）以上超える速度で運転する行為に、法第百十八条第二項第一号に係る違反行為にあつては車両について法第五十七条第一項の規定により積載物の重量の制限として定められた数値の二倍以上の重量の積載をして大型自動車、中型自動車、準中型自動車又は大型特殊自動車を運転する行為に限る。）又は道路運送車両法第五十八条第一項若しくは自動車損害賠償保障法（昭和三十年法律第九十七号）第五条の規定に違反する行為をしたとき。

四　仮運転免許を受けた者が別表第四又は別表第五に掲げる行為をしたとき。

〔本条追加・昭四〇総府令四一、改正・昭四二総府令四四・昭四五総府令二八・昭五三総府令三七・昭六一総府令五〇・平二総府令一二・平四総府令四五・平六総府令一・総府令四九・平八総府令四一・平一〇総府令二・平一一総府令四一・平一二総府令二九・総府令八九・平一四内府令三四・平一六内府令九七・平二一内府令二八・平二五内府令二・平二六内府令一七・平二七内府令五・平二八内府令四九・令元内府令三一・令四内府令七〕

道路運送車両法

第五八条第一項……………………六七一ページ参照

自動車損害賠償保障法

第五条……………………………六七一ページ参照

2　第百一条の七第二項の規定による通知を受けた者（仮免許を受けた者に限る。）が同条第三項の規定に違反して当該通知に係る認知機能検査等を受けないと認めるとき、同条第五項の規定による通知を受けた者（仮免許を受けた者に限る。）が同条第六項の規定に違反して当該通知に係る講習を受けないと認めるとき、第百二条第一項から第四項までの規定による命令を受けた者（仮免許を受けた者に限る。）が当該命令に違反したと認めるとき又は同条第六項の規定による通知を受けた者（仮免許を受けた者に限る。）が同条第七項の規定に違反して当該通知に係る適性検査を受けないと認めるときは、第百一条の七第三項若しくは第六項に規定する期間が通算して一月となる日、第百二条第一項から第四項までに規定する期限の満了の日又は同条第七項の通知された期日におけるその者の住所地を管轄する公安委員会は、政令で定める基準に従い、その者の仮免許を取り消すことができる。ただし、当該認知機能検査等を受けないこと、当該講習を受けないこと、当該命令に応じないこと又は当該適性検査等を受けないことについてやむを得ない理由がある場合は、この限りでない。

〔本条追加・昭四七法五一、二項改正・平九法四一、一項削除・二項追加・旧二項を改正し一項に繰上・平一三法五一、一・二項改正・平一九法九〇、二項改正・平二七法四〇・令二法四二〕

参照　〔仮免許〕八四⑤・八七、免許＝八四、第一種免許＝八四③・八五、第二種免許＝八四④・八六〔住所〕民二二―二四〔公

2　法第百六条の二第二項の政令で定める基準は、第三十七条の七第一号に掲げる場合を除き、仮運転免許を取り消すものとすることとする。

〔本条追加・昭四八政二七、改正・昭五三政三一三・昭六一政三二九・平五政三四八、旧三九条の二を繰下・平六政三〇三、本条改正・平八政一六〇・平九政三九一、一項改正・二項追加・平一四政二〇四、一項改正・平一六政三九〇・平一七政一八三・平一九政二六六、一・二項改正・平二一政一二、一項改正・平二五政三一〇、一・二項改正・平二八政二五八、一項改正・令二政一八一・令四政三〇四・政三九一・令五政五四〕

別表第四……………………八九六ページ参照
別表第五……………………八九六ページ参照

（仮免許の取消し）

第三十一条の四　公安委員会は、仮免許を取り消したときは、当該処分を受けた者に別記様式第十九の四の通知書により通知するものとする。

〔本条追加・昭四八総府令一一〕

別記様式第十九の四（第三十一条の四関係）

仮運転免許取消し処分通知書

下記の理由により、あなたの免許を取り消したので通知します。

令和　年　月　日

公安委員会㊞

住所	
氏名	
免許証の番号	第　号 平・令　年　月　日 公安委員会交付
免許の種類	
理由	

備考　用紙の大きさは、日本産業規格A列4番又は縦25センチメートル、横12センチメートルとする。

〔本様式追加・昭48総府令11、改正・昭50総府令10・平元総府令43・平6総府令9・令元内府令5・内府令12〕

安委員会）四①、警三八―四六の二〔政令で定める基準〕道交令三九の三

（免許証の返納等）

第一〇七条　免許を受けた者は、次の各号のいずれかに該当することとなつたときは、すみやかに、免許証（第三号の場合にあつては、発見し、又は回復した免許証）をその者の住所地を管轄する公安委員会に返納しなければならない。

一　免許が取り消されたとき。

二　免許が失効したとき。

三　免許証の再交付を受けた後において亡失した免許証を発見し、又は回復したとき。

2　第百四条の二の二第一項、第二項若しくは第四項、第百四条の二の四第一項、第二項若しくは第四項又は第百四条の四第二項の規定により免許を取り消された者がなお他の種類の免許を受けている場合において、前項の規定により免許証を返納したときは、公安委員会は、当該他の種類の免許に係る免許証を交付するものとする。

3　免許を受けた者は、第九十条第五項、第百三条第一項若しくは第四項、第百四条の二の三第一項若しくは第三項又は同条第五項において準用する第百三条第四項の規定により免許の効力が停止されたときは、速やかに、免許証をその者の住所地を管轄する公安委員会に提出しなければならない。

4　前項の規定により免許証の提出を受けた公安委員

会又は第百三条の二第四項若しくは第五項の規定により免許証の送付を受けた公安委員会は、当該免許証に係る免許の効力の停止の期間が満了した場合又は当該免許証に係る免許の効力の停止が解除された場合においてその提出者から返還の請求があつたときは、直ちに当該免許証を返還しなければならない。

第一〇六条の三　免許証を有する者は、次の各号のいずれかに該当することとなつたときは、速やかに、免許証（第三号の場合にあつては、発見し、又は回復した免許証）をその者の住所地を管轄する公安委員会に返納しなければならない。

一～三〔略〕

四　免許証の有効期間が満了したとき（第二号に該当する場合を除く。）。

2　第百四条の二の二第一項、第二項若しくは第四項、第百四条の二の四第一項、第二項若しくは第四項又は第百四条の四第二項の規定により免許を取り消された者がなお他の種類の免許を受けている場合（同条第三項の規定により免許が与えられる場合を含む。次条第二項において同じ。）において、前項の規定により免許証を返納したときは、公安委員会は、当該他の種類の免許に係る免許証を交付するものとする。

3　第九十五条の二第五項及び第六項の規定は、前項の規定による免許証の交付について準用する。

4　免許証を有する者は、第九十条第五項、第百三条第一項若しくは第四項、第百四条の二の三第一項若しくは第三項又は同条第五項において準用する第百三条第四項の規定により免許の効力が停止されたときは、速やかに、免許証をその者の住所地を管轄する公安委員会に提出しなければならない。

5　前項の規定により免許証の提出を受けた公安委員会又は第百三条の二第五項若しくは第六項の規定により免許証の送付を受けた公安委員会は、当該免許証に係る免許の効力の停止の期間が満了した場合又は当該免許証に係る免許の効力の停止が解除された場合においてその提出者から返還の請求があつたときは、直ちに当該免許証を返還しなければならない。

6　第三項において準用する第九十五条の二第六項の申出の手続について必要な事項は、内閣府令で定める。

〔二項全改・三項追加・付記改正・昭三九法九一、二・三項改正・昭四二法一二六、二項追加・旧二・三項を三・四項に繰下・付記改正・平元法九〇、二項改正・平五法八九、二・三項改正・平九法四一、三・四項改正・平一三法五一、三項改正・平一九法九〇、三・四項改正・平二五法四三、二項改正・令二法四二、付記改正・令四法三二〕

参照〔免許〕八四、第一種免許＝八四③・八五、第二種免許＝八四④・八六、仮免許＝八四⑤・八七〔免許証〕交付＝九二①、有効期間＝九二の二、記載事項＝九三、様式＝道交規別記様式一四、記載事項変更の届出＝九四①、携帯及び提示義務＝九五、更新等＝一〇一―一〇二の三、道交規二九、譲渡・貸与の禁止＝一二〇①15〔住所〕民二二―二四〔公安委員会〕四①、警三八―四六の二〔期間〕民一三八―一四三

（罰則　第一項及び第三項については第百二十一条第一項第十号〔二万円以下の罰金又は科料〕）

（罰則　第一項及び第四項については第百二十一条第一項第十号〔二万円以下の罰金又は科料〕）

（免許情報記録の抹消等）

第一〇六条の四　免許情報記録個人番号カードを有する者は、次の各号のいずれかに該当することとなつたときは、速やかに、免許情報記録個人番号カードをその者の住所地を管轄する公安委員会に提示して免許情報記録の抹消を受けなければならない。ただし、当該免許情報記録個人番号カードを行政手続における特定の個人を識別するための番号の利用等に関する法律第十七条第八項に規定する住所地市町村長に返納した場合は、この限りでない。

一　前条第一項第一号又は第二号に該当することとなつたとき。

二　第九十条第五項、第百三条第一項若しくは第四項、第百四条の二の三第一項若しくは第三項又は同条第五項において準用する第百三条第四項の規定により免許の効力が停止されたとき。

三　免許情報記録の有効期間が満了したとき（第一号に該当する場合を除く。）。

2　第百四条の二の二第一項、第二項若しくは第四項、第百四条の二の四第一項、第二項若しくは第四項又は第百四条の四第二項の規定により免許を取り消された者がなお他の種類の免許を受けている場合において、その者の住所地を管轄する公安委員会に対して前項の規定により免許情報記録個人番号カードを提示したときは、当該公安委員会は、同項の規定にかかわらず、当該免許情報記録個人番号カードに記録された免許情報記録を当該他の種類の免許に係る免許情報記録に書き換えるものとする。

（罰則　第一項については第百二十一条第一項第十号〔二万円以下の罰金又は科料〕）

（免許証及び免許情報記録個人番号カードを有する者の特則）

第一〇六条の五　公安委員会は、免許証（仮免許に係るものを除く。第百七条において同じ。）及び免許情報記録個人番号カードを有する者について、第百四条の二の二第一項、第二項若しくは第四項、第百四条の二の四第一項、第二項若しくは第四項又は第百四条の四第二項の規定により免許を取り消したときは、その者が第百六条の三第一項の規定により免許証を返納し、かつ、前条第一項の規定により免許情報記録個人番号カードを提示した場合に限り、第百六条の三第二項の規定による免許証の交付及び前条第二項の規定による免許情報記録の書換えを行うものとする。

（免許情報記録個人番号カードのみを有していた者の特則）

第一〇六条の六　第百四条の四第二項の規定により取り消された免許について免許情報記録個人番号カードのみを有していた者に対し、同条第三項の規定により免許を与えるときは、第九十二条第一項の規定にかかわらず、第百六条の四第二項の規定による免許情報記録の書換えをもつて、当該免許を与えたものとする。

（免許証及び免許情報記録個人番号カードのいずれをも有しない者の特則）

第一〇七条　現に受けている免許（仮免許を除く。）について免許情報記録個人番号カードを有していた者であつて、第百三条の二第四項又は第百六条の四第一項第二号の規定による免許情報記録の抹消を受けたことその他の事情により免許証及び免許情報記録個人番号カードのいずれをも有しない者となつたものについては、その直近において有していた免許情報記録個人番号カードを引き続き有している者とみなして、第九十五条の二第十一項、第九十五条の五第二項及び第三項、第百一条から第百一条の四まで（第百一条の二の二第三項を除く。）、第百一条の四の二第三項並びに第百五条の規定を適用する。この場合において、第百一条の四の二第三項中「が現に有する免許情報記録個人番号カードに記録された免許情報記録を書き換えて」とあるのは、「に対し、当該更新をした旨を証する書面を交付して」とする。

第七節　国際運転免許証及び外国運転免許証並びに国外運転免許証

〔本節追加・昭三九法九一、改正・平五法四三〕

（国際運転免許証又は外国運転免許証を所持する者の自動車等の運転）

第一〇七条の二　道路交通に関する条約（以下「条約」という。）第二十四条第一項の運転免許証（第百七条の七第一項の国外運転免許証を除く。）で条約附属書九若しくは条約附属書十に定める様式に合致したもの（以下この条において「国際運転免許証」という。）又は自動車等の運転に関する本邦の域外にある国若しくは地域（国際運転免許証を発給していない国又は地域であつて、道路における危険を防止し、その他交通の安全と円滑を図る上で我が国と同等の水準にあると認められる運転免許の制度を有している国又は地域として政令で定めるものに限る。）の行政庁若しくは権限のある機関の免許に係る運転免許証（日本語による翻訳文で政令で定める者が作成したものが添付されているものに限る。以下この条において「外国運転免許証」という。）を所持する者（第八十八条第一項第二号から第四号までのいずれかに該当する者を除く。）は、第六十四条第一項の規定にかかわらず、本邦に上陸（住民基本台帳法（昭和四十二年法律第八十一号）に基づき住民基本台帳に記録されている者が出入国管理及び難民認定法（昭和

（我が国と同等の水準の運転免許制度を有する国又は地域）

第三九条の四　法第百七条の二の政令で定める国又は地域は、次に掲げる国又は地域とする。

一　スイス連邦
二　ドイツ連邦共和国
三　フランス共和国
四　ベルギー王国
五　モナコ公国
六　台湾

〔本条追加・平五政三四八、改正・平六政二七三、旧三九条の三を繰下・平六政三〇三、見出し・本条改正・平一九政二六六、本条改正・平二五政三一〇・平三〇政一・令元政一〇八・令四政一六〕

（日本語による翻訳文を作成する者）

第三九条の五　法第百七条の二の政令で定める者は、次に掲げるとおりとする。

一　自動車等の運転に関する免許に係る運転免許証を発給する権限を有する外国等（法第百七条の二に規定する国又は地域に限る。次号において同じ。）の行政庁等又は同条に規定する国の領事機関

二　法（自動車等の運転に関する免許に係る部分に限る。）に相当する法令を所掌する外国等の行政庁等が、国家公安委員会に対し、自動車等の運転に関する外国等の行政庁等の免許に係る運転免許証の日本語による翻訳文を作成する能力を有するものとして通知した外国等の法人その他の者であつて、国家公安委員会が相当と認めたもの

三　自動車等の運転に関する外国等の行政庁等の免許に係る運転免許証の日本語による翻訳文を適切かつ確実に作成することができると認められる法人として国家公安委員会が指定したもの

2　前項第三号の規定による指定の手続その他同号の規定による

道路交通に関する条約（昭和三九年八月七日条約第一七号）

法第一〇七条の二

判例 ※　国際運転免許証が不正手段で入手されたものであるからといつて、直ちに無免許運転罪の成立を認めることはできないが、本件の国際運転免許証は、適性を有することを実証した上で発給を受けたものでない以上、道路交通に関する条約（昭三九条約第一七号）二四条一項の運転免許証ということはできず、これを所持する自動車運転者については無免許運転罪が成立する。（最昭五三、三、八）

不正に入手した国際運転免許証を供与した行為が無免許運転の幇助罪にあたるとされた事例

※　被告人は、被告人が判示A及びBに供与した国際運転免許証は日本で通用する有効なものと思つていた旨主張し、弁護人も被告人には違法性の認識がなかつた旨主張するが、《証拠略》によれば、被告人が本件国際運転免許証が日本で通用する有効なものではないことを認識していたことは明らかであり、被告人及び弁護人の前記主張は採用できない。

更に、弁護人は、前記A及びBの運転行為は同人らの意思のみに基づいてなされたものであり、被告人の行為とは無関係である

二十六年政令第三百十九号）第六十条第一項の規定による出国の確認、同法第二十六条第一項の規定による再入国の許可（同法第二十六条の二第一項（日本国との平和条約に基づき日本の国籍を離脱した者等の出入国管理に関する特例法（平成三年法律第七十一号）第二十三条第二項において準用する場合を含む。）の規定により出入国管理及び難民認定法第二十六条第一項の規定による再入国の許可を受けたものとみなされる場合を含む。）又は出入国管理及び難民認定法第六十一条の二の十五第一項の規定による難民旅行証明書の交付を受けて出国し、当該出国の日から三月に満たない期間内に再び本邦に上陸した場合における当該上陸を除く。第百十七条の二の二第一項第一号において同じ。）をした日から起算して一年間、当該国際運転免許証又は外国運転免許証（以下「国際運転免許証等」という。）で運転することができることとされている自動車等を運転することができる。ただし、旅客自動車運送事業に係る旅客を運送する目的で、旅客自動車を運転し若しくは牽引自動車によつて旅客用車両を牽引して当該牽引自動車を運転する場合、又は代行運転普通自動車を運転する場合は、この限りでない。

〔本条追加・昭三九法九一、改正・昭四〇法九六・昭四二法一二六・昭四六法一三〇・昭五三法五三、見出し・本条改正・平五法四三、本条改正・平一三法五一・平一六法七三・法九〇・平一九法九〇・平二一法七九・平二五法四三・令四法三二・令五法五六〕

参照〔自動車等〕八四①〔運転〕二①17〔政令で定める国〕道交令三九の四〔政令で定める者〕道交令三九の五〔旅客自動車運

指定に関し必要な事項は、国家公安委員会規則で定める。

〔本条追加・平五政三四八、旧三九条の四を繰下・平六政三〇三、一項改正・平一四政二四・平一九政二六六〕

から幇助罪は成立しない旨主張するが、幇助罪が成立するためには、幇助者において正犯の犯罪行為を認識しこれを認容してそれを助けその実現を容易ならしめることが必要であるが、正犯の行為の日時、場所等具体的事実のすべてについてこれを認識するまで必要でなく、無免許の者に対し、不正に入手した国際運転免許証を供与する行為は被幇助者の無免許運転行為を容易にさせる行為であり、かつ、被告人において、前記A及びBが無免許運転することを認識・認容していたことは前掲各証拠により認められるので、無免許運転の幇助罪が成立することは明らかである。（大地　昭五六、六、四）

※　正規の国際運転免許証に酷似する文書を発給権限のない団体A名義で作成する行為は、一般人をして、その文書の発給権限がある団体Aにより作成された正規の文書であることを信用させるものであると判示された事実関係の下では、実際には団体Aにそうした権限が与えられていないのであるから、団体Aから本件文書の作成を委託されていた場合も、名義人と作成者との間の人格の同一性を偽るものであるから、私文書偽造罪となる。（最　平一五、一〇、六）

外国等の行政庁等の免許に係る運転免許証の日本語による翻訳文を作成する能力を有する法人の指定に関する規則

（平成六年二月二五日
国家公安委員会規則第五号）

出入国管理及び難民認定法

（再入国の許可）

第二六条　出入国在留管理庁長官は、本邦に在留する外国人（仮上陸の許可を受けている者及び第十四条から第十八条までに規定する上陸の許可を受けている者を除く。）がその在留期間（在留期間の定めのない者にあつては、本邦に在留し得る期間）の満了の日以前に本邦に再び入国する意図をもつて出国しようとするときは、法務省令で定める手続により、その者の申請に

送事業・旅客自動車〕八五⑪〔牽引自動車〕八五③

（国際運転免許証等の携帯及び提示義務）

第一〇七条の三　国際運転免許証等を所持する者は、自動車等を運転するときは、当該自動車等に係る国際運転免許証等を携帯していなければならない。第九十五条第二項の規定は、この場合について準用する。

〔本条追加・昭三九法九一、見出し・本条改正・平五法四三、付記改正・令四法三二〕

参照　〔国際運転免許証等〕一〇七の二〔自動車等〕八四①〔運転〕二①17

〔罰則　前段については第百二十一条第一項第十二号（二万円以下の罰金又は科料）、同条第三項（二万円以下の罰金又は科料）　後段については第百二十条第一項第十号（五万円以下の罰金）〕

基づき、再入国の許可を与えることができる。この場合において、出入国在留管理庁長官は、その者の申請に基づき、相当と認めるときは、当該許可を数次再入国の許可とすることができる。

2〜8　〔略〕

（日本人の出国）

第六〇条　本邦外の地域に赴く意図をもつて出国する日本人（乗員を除く。）は、有効な旅券を所持し、その者が出国する出入国港において、法務省令で定める手続により、入国審査官から出国の確認を受けなければならない。

2　〔略〕

（難民旅行証明書）

第六一条の二の一二　出入国在留管理庁長官は、本邦に在留する外国人で難民の認定を受けているものが出国しようとするときは、法務省令で定める手続により、その者の申請に基づき、難民旅行証明書を交付するものとする。ただし、出入国在留管理庁長官においてその者が日本国の利益又は公安を害する行為を行うおそれがあると認める場合は、この限りでない。

2〜9　〔略〕

反則金

免許証不携帯　大型　三千円　普通　三千円
二輪　三千円　原付　三千円

（国際運転免許証等を所持する者に対する報告徴収）

第一〇七条の三の二　公安委員会は、国際運転免許証等を所持する者が当該国際運転免許証等に係る発給の条件を満たしているかどうかを調査するため必要があると認めるとき（その者が第百三条第一項第一号、第一号の二又は第三号のいずれかに該当するかどうかを調査するため必要があると認めるときに限る。）は、内閣府令で定めるところにより、その者に対し、必要な報告を求めることができる。

〔本条追加・平二五法四三、付記改正・令四法三二〕

参照　〔公安委員会〕四①、警三八―四六の二〔国際運転免許証等〕一〇七の二〔内閣府令の定め〕道交規三七の二・別記様式一八の五

（罰則　第百十七条の四第一項第三号〔一年以下の懲役又は三十万円以下の罰金〕）

第七章　国際運転免許証及び外国運転免許証並びに国外運転免許証

〔本章追加・昭三九総府令三六、改正・平六総府令一〕

（報告徴収の方法）

第三十七条の二　法第百七条の三の二の規定による報告徴収は、別記様式第十八の五の報告書の提出を求めることにより行うものとする。

〔本条追加・平二六内府令一七〕

別記様式第一八の五……………………五一九ページ参照

（臨時適性検査）

第一〇七条の四　公安委員会は、国際運転免許証等を所持する者について、当該国際運転免許証等に係る発給の条件が満たされなくなつたと疑う理由があるとき（その者が第百三条第一項第一号から第三号までのいずれかに該当することとなつたと疑う理由があるときに限る。）は、臨時に適性検査を行うことができる。この場合において、公安委員会は、前条の規定による報告の内容その他の事情を考慮するとともに、あらかじめ、適性検査を行う期日、場所その他必要な事項をその者に通知しなければならない。

2　前項後段の規定による通知を受けた者は、通知された期日に通知された場所に出頭して適性検査を受けなければならない。

3　公安委員会は、道路における危険を防止し、その他交通の安全を図るため必要があると認めるときは、第一項の適性検査を受けた者に対し、運転をするに当たつてその者の身体の状態に応じた必要な措置をとることを命ずることができる。

4　前三項に定めるもののほか、第一項の規定による適性検査について必要な事項は、内閣府令で定める。

〔本条追加・昭三九法九一、四項追加・昭四二法一二六、付記改正・昭四五法八六、一項改正・三項全改・平五法四三、四項改正・平一一法一六〇、一項改正・平一三法五一・平二五法四三、付記改正・令四法三二〕

（臨時適性検査）

第三十七条の二の二　第二十九条の三第二項の規定は、法第百七条の四第一項に規定する適性検査について準用する。

2　公安委員会は、国際運転免許証又は外国運転免許証（以下「国際運転免許証等」という。）を所持する者について臨時に適性検査を行つた結果、必要な措置をとることを命じたときは、別記様式第二十二の三の命令書を交付するものとする。

〔本条追加・昭三九総府令三六、見出し改正・一項追加・旧一項を二項に繰下・昭四二総府令四四、二項全改・平六総府令一、一項改正・平一二総府令二九・平一四内府令三四・平二一内府令二八、旧三七条の二を繰下・平二六内府令一七〕

別記様式第二十二の三（第三十七条の二の二関係）

措置命令書

年　月　日

殿

公安委員会 印

道路交通法第107条の4第3項の規定により、あなたの自動車等の運転に関し下記の措置をとることを命ずる。

措　置	

備考　用紙の大きさは、日本産業規格A列4番とする。

〔本様式追加・昭39総府令36、改正・昭50総府令10、全改・平6総府令1、改正・平6総府令9・平26内府令17・令元内府令12〕

第三十七条の三（処分移送通知書の様式）……五九七ページ参照

参照〔公安委員会〕四①、警三八―四六の二〔国際運転免許証等〕一〇七の二〔適性検査〕一〇一⑤、道交規三七の二の二・別記様式二二の三

（罰則 第三項については第百十九条第一項第二十号〔三月以下の懲役又は五万円以下の罰金〕）

反則金

免許条件違反　大型　九千円　普通　七千円
　　　　　　　二輪　六千円　原付　五千円

点数

免許条件違反
　一　般　二点
　酒気帯び（〇・二五未満）　一四点

（軽微違反行為をした者の受講義務）

第一〇七条の四の二　第百二条の二の規定は、国際運転免許証等を所持する者が軽微違反行為をし、当該行為が同条の政令で定める基準に該当することとなつた場合について準用する。

〔本条追加・平九法四一〕

参照〔国際運転免許証等〕一〇七の二〔軽微違反行為〕一〇二の二、道交令三七の八・別表二の一〔政令で定める基準〕道交令三七の八②

（自動車等の運転禁止等）

第一〇七条の五　国際運転免許証等を所持する者が次の各号のいずれかに該当することとなつたときは、その者が当該各号のいずれかに該当することとなつた時におけるその者の住所地を管轄する公安委員会は、政令で定める基準に従い、五年を超えない範囲内で期間を定めてその者に対し、当該国際運転免許証等に係る自動車等の運転を禁止することができる。ただし、第二号に該当する者が前条において準用する第百二条の二の規定の適用を受ける者であるときは、当該処分は、その者が前条において準用する第百二条の二に規定する講習を受けないで同条の期間を経過した後でなければ、することができない。

一　国際運転免許証等の発給の条件が満たされなくなつたことが明らかになつたとき（その者が第百三条第一項第一号から第三号までのいずれかに該当することとなつたときに限る。）。

二　自動車等の運転に関しこの法律若しくはこの法律に基づく命令の規定又はこの法律の規定に基づく処分に違反したとき（次項各号のいずれかに該当する場合を除く。）。

（自動車等の運転の禁止の基準）

第四〇条　法第百七条の五第一項の政令で定める基準は、次に掲げるとおりとする。

一　国際運転免許証等を所持する者が法第百七条の五第一項第一号に該当したとき（法第百七条の四第三項の規定により、その者の身体の状態に応じた必要な措置をとることを命じても、なお自動車等の運転に支障を及ぼすおそれがある場合に限る。）は、一年を超えない範囲内の期間、その者が自動車等を運転することを禁止するものとする。

二　国際運転免許証等を所持する者が一般違反行為をしたとき（次号に該当する場合を除く。）は、次に掲げる区分に応じ、それぞれ次に定める期間、その者が自動車等を運転することを禁止するものとする。

イ　当該一般違反行為に係る累積点数が別表第三の一の表の第一欄に掲げる区分に応じそれぞれ同表の第二欄に掲げる点数に該当した場合　五年

ロ　当該一般違反行為に係る累積点数が別表第三の一の表の第一欄に掲げる区分に応じそれぞれ同表の第三欄に掲げる点数に該当した場合　四年

ハ　当該一般違反行為に係る累積点数が別表第三の一の表の第一欄に掲げる区分に応じそれぞれ同表の第四欄に掲げる点数に該当した場合　三年

ニ　当該一般違反行為に係る累積点数が別表第三の一の表の第一欄に掲げる区分に応じそれぞれ同表の第五欄に掲げる点数に該当した場合　二年

ホ　当該一般違反行為に係る累積点数が別表第三の一の表の第一欄に掲げる区分に応じそれぞれ同表の第六欄に掲げる点数に該当した場合　一年

三　国際運転免許証等を所持する者で免許取消歴等保有者であるものが第三十三条の二第一項第二号に規定する期間内に一般違反行為をしたときは、次に掲げる区分に応じ、それぞれ次に定める期間、その者が自動車等を運転することを禁止するものとする。

イ　当該一般違反行為に係る累積点数が別表第三の一の表の第一欄に掲げる区分に応じそれぞれ同表の第二欄、第三欄又は第四欄に掲げる点数に該当した場合　五年

ロ　当該一般違反行為に係る累積点数が別表第三の一の表の第一欄に掲げる区分に応じそれぞれ同表の第五欄に掲げる点数に該当した場合　四年

ハ　当該一般違反行為に係る累積点数が別表第三の一の表の第一欄に掲げる区分に応じそれぞれ同表の第六欄に掲げる

2　国際運転免許証等を所持する者が次の各号のいずれかに該当することとなつたときは、その者が当該各号のいずれかに該当することとなつた時におけるその者の住所地を管轄する公安委員会は、政令で定める基準に従い、三年以上十年を超えない範囲内で期間を定めてその者に対し、当該国際運転免許証等に係る自動車等の運転を禁止することができる。

一　自動車等の運転により人を死傷させ、又は建造物を損壊させる行為で故意によるものをしたとき。

二　自動車等の運転に関し自動車の運転により人を死傷させる行為等の処罰に関する法律第二条から第四条までの罪に当たる行為をしたとき。

三　自動車等の運転に関し第百十七条の二第一項第一号、第三号又は第四号の違反行為をしたとき（前二号のいずれかに該当する場合を除く。）。

四　自動車等の運転に関し第百十七条第一項又は第二項の違反行為をしたとき。

点数に該当した場合　三年

四　国際運転免許証等を所持する者が一般違反行為をした場合において、当該一般違反行為に係る累積点数が別表第三の一の表の第一欄に掲げる区分に応じそれぞれ同表の第七欄に掲げる点数に該当したときは、六月を超えない範囲内の期間、その者が自動車等を運転することを禁止するものとする。

2　法第百七条の五第二項の政令で定める基準は、次に掲げるとおりとする。

一　国際運転免許証等を所持する者が特定違反行為をしたとき（次号に該当する場合を除く。）は、次に掲げる区分に応じ、それぞれ次に定める期間、その者が自動車等を運転することを禁止するものとする。

イ　当該特定違反行為に係る累積点数が別表第三の二の表の第一欄に掲げる区分に応じそれぞれ同表の第二欄に掲げる点数に該当した場合　十年

ロ　当該特定違反行為に係る累積点数が別表第三の二の表の第一欄に掲げる区分に応じそれぞれ同表の第三欄に掲げる点数に該当した場合　九年

ハ　当該特定違反行為に係る累積点数が別表第三の二の表の第一欄に掲げる区分に応じそれぞれ同表の第四欄に掲げる点数に該当した場合　八年

ニ　当該特定違反行為に係る累積点数が別表第三の二の表の第一欄に掲げる区分に応じそれぞれ同表の第五欄に掲げる点数に該当した場合　七年

ホ　当該特定違反行為に係る累積点数が別表第三の二の表の第一欄に掲げる区分に応じそれぞれ同表の第六欄に掲げる点数に該当した場合　六年

ヘ　当該特定違反行為に係る累積点数が別表第三の二の表の第一欄に掲げる区分に応じそれぞれ同表の第七欄に掲げる点数に該当した場合　五年

ト　当該特定違反行為に係る累積点数が別表第三の二の表の第一欄に掲げる区分に応じそれぞれ同表の第八欄に掲げる点数に該当した場合　四年

チ　当該特定違反行為に係る累積点数が別表第三の二の表前歴がない者の項の第九欄に掲げる点数に該当した場合　三年

二　国際運転免許証等を所持する者で免許取消歴等保有者であるものが第三十三条の二第一項第二号に規定する期間内に特定違反行為をしたときは、次に掲げる区分に応じ、それぞれ次に定める期間、その者が自動車等を運転することを禁止するものとする。

3　第百三条第十項の規定は、第一項の規定又は第九項において準用する同条第四項の規定による自動車等の運転の禁止を受けた者について準用する。この場合において、同条第十項中「その者の免許の効力の停止の期間」とあるのは、「その者の自動車等の運転の禁止の期間」と読み替えるものとする。

4　第百四条の規定は公安委員会が第一項第二号又は第二項各号に該当してこれらの規定により自動車等の運転を九十日（公安委員会が九十日を超えない範囲内においてこれと異なる期間を定めたときは、その期間。以下この項において同じ。）以上禁止しようとする場合及び第九項において準用する第百三条第三項（同条第五項において準用する場合を含む。以

イ　当該特定違反行為に係る累積点数が別表第三の二の表の第一欄に掲げる区分に応じそれぞれ同表の第二欄、第三欄又は第四欄に掲げる点数に該当した場合　十年

ロ　当該特定違反行為に係る累積点数が別表第三の二の表の第一欄に掲げる区分に応じそれぞれ同表の第五欄に掲げる点数に該当した場合　九年

ハ　当該特定違反行為に係る累積点数が別表第三の二の表の第一欄に掲げる区分に応じそれぞれ同表の第六欄に掲げる点数に該当した場合　八年

ニ　当該特定違反行為に係る累積点数が別表第三の二の表の第一欄に掲げる区分に応じそれぞれ同表の第七欄に掲げる点数に該当した場合　七年

ホ　当該特定違反行為に係る累積点数が別表第三の二の表の第一欄に掲げる区分に応じそれぞれ同表の第八欄に掲げる点数に該当した場合　六年

ヘ　当該特定違反行為に係る累積点数が別表第三の二の表前歴がない者の項の第九欄に掲げる点数に該当した場合　五年

（本条追加・昭三九政二八〇、改正・昭四〇政二五八・昭四三政二九八・昭四五政二二七、旧四〇条の二を繰上・昭四六政三四八、本条改正・平五政三四八・平九政三九一・平一四政二四・平一六政三九〇、一項改正・二項追加・平二二政一二）

別表第三……………………八九四ページ参照

下この項において同じ。）の処分移送通知書（第一項第二号及び第二項各号に係るものに限る。）の送付を受けた場合について、第百四条の二の規定は公安委員会が第一項第一号に該当して同項の規定により自動車等の運転を九十日以上禁止しようとする場合及び第九項において準用する第百三条第三項の処分移送通知書（第一項第一号に係るものに限る。）の送付を受けた場合について準用する。この場合において、第百四条第四項中「第百三条第一項若しくは第四項の規定による免許の取消し若しくは効力の停止（同条第一項第五号に係るものに限る。）又は同条第二項若しくは第四項の規定による免許の取消し（同条第二項第一号から第四号までのいずれかに係るものに限る。）をする」とあるのは「第百七条の五第一項若しくは第二項又は同条第九項において準用する第百三条第四項の規定による自動車等の運転の禁止（第百七条の五第一項第二号及び第二項各号に係るものに限る。）をする」と、第百四条の二第二項中「前項の聴聞又は第百三条第一項若しくは第四項の規定による免許の取消し（同条第一項各号（第五号を除く。）に係るものに限る。）若しくは同条第二項若しくは第四項の規定による免許の取消し（同条第二項第五号に係るものに限る。）に係る聴聞」とあるのは「前項の聴聞」と読み替えるものとする。

5　国際運転免許証等を所持する者は、第一項若しくは第二項の規定により、又は第九項において準用する第百三条第四項の規定により自動車等の運転を禁止されたときは、速やかに、国際運転免許証等をその者の住所地を管轄する公安委員会に提出しなければならない。

6　前項の規定により国際運転免許証等の提出を受けた公安委員会又は第十項において準用する第百三条

の二第四項若しくは第五項の規定により国際運転免許証等の送付を受けた公安委員会は、当該処分の期間が満了する時又は当該処分に係る者が本邦から出国する時のいずれか早い時においてその提出者から返還の請求があつたときは、直ちに当該国際運転免許証等を返還しなければならない。

6　前項の規定により国際運転免許証等の提出を受けた公安委員会又は第十項において準用する第百三条の二第五項若しくは第六項の規定により国際運転免許証等の送付を受けた公安委員会は、当該処分の期間が満了する時又は当該処分に係る者が本邦から出国する時のいずれか早い時においてその提出者から返還の請求があつたときは、直ちに当該国際運転免許証等を返還しなければならない。

7　第一項若しくは第二項の規定により、若しくは第九項において準用する第百三条第四項の規定により、又は第十項において準用する第百三条の二第一項の規定により自動車等の運転を禁止された者は、当該処分の期間中に本邦から出国した後に再び本邦に上陸したときは、速やかに、国際運転免許証等をその者の住所地を管轄する公安委員会に提出しなければならない。前項の規定は、この場合について準用する。

8　公安委員会は、第一項若しくは第二項の規定により、若しくは次項において準用する第百三条第四項の規定により自動車等の運転を禁止し、又は第三項において準用する同条第十項の規定により期間を短縮したときは、内閣府令で定めるところにより、当該処分に係る者の国際運転免許証等に当該処分に係る事項を記載しなければならない。

（自動車等の運転禁止処分に係る事項等の記載方法）

第三七条の四　法第百七条の五第八項の規定による自動車等の運転禁止処分に係る事項の記載は、次の各号に掲げる区分に従い、それぞれ当該各号に定める方法により行わなければならない。

一　国際運転免許証で道路交通に関する条約（以下「条約」という。）附属書九の様式に合致したもの（以下「附属書九の国際運転免許証」という。）　附属書九の国際運転免許証の外側のページ中欄に、別記様式第二十二の五の運転禁止処分票をはり付けて、当該処分票に当該処分票の記載事項を記載すること。

二　国際運転免許証で条約附属書十の様式に合致したもの（以下「附属書十の国際運転免許証」という。）　附属書十の国際運転免許証の除外欄に当該欄の記載事項を記載するほか当該欄の理由を記載する部分の第二行目に自動車等の運転の禁止の期間を記載すること。

三　外国運転免許証　外国運転免許証に、別記様式第二十二の五の運転禁止処分票をはり付けて、当該処分票に当該処分票の記載事項を記載すること。

2　法第百七条の五第八項の規定による自動車等の運転禁止の期間を短縮したときの当該処分に係る事項の記載は、次の各号に掲げる区分に従い、それぞれ当該各号に定める方法により行わなければならない。

一　附属書九の国際運転免許証　附属書九の国際運転免許証にはり付けられている運転禁止処分票の期間の欄の下部に短縮後における自動車等の運転の禁止の期間を記載すること。

二　附属書十の国際運転免許証　附属書十の国際運転免許証の理由を記載する部分の第二行目の末尾に短縮後における自動車等の運転の禁止の期間を記載すること。

三　外国運転免許証　外国運転免許証にはり付けられている運転禁止処分票の期間の欄の下部に短縮後における自動車等の運転の禁止の期間を記載すること。

〔本条追加・昭三九総府令三六、一項改正・昭四二総府令四四・昭六一総府令五〇、一・二項改正・旧三七条の五を繰上・平六総府令一、一・二項改正・平一二内府令二八〕

別記様式第二十二の五（第三十七条の四関係）

5

7

運　転　禁　止　処　分　票

この 国際運転免許証／外国運転免許証 の所持者は、日本国における自動車等の運転を次の期間次の理由により禁止された。

期　　間	
理　　由	

年　　月　　日

公安委員会　㊞

備考　図示の長さの単位は、センチメートルとする。

〔本様式追加・昭39総府令36、改正・昭50総府令10、旧様式22の6を改正し繰上・平6総府令1〕

9 第百三条第三項から第五項まで及び第九項の規定は、第一項又は第二項の規定により自動車等の運転を禁止する場合について準用する。この場合において、同条第四項中「第一項各号のいずれかに該当する場合（同項第五号に該当する者が第百二条の二の規定の適用を受ける者であるときは、その者が同条に規定する講習を受けないで同条の期間を経過した後に限る。）には、同項の政令で定める基準に従い、その者の免許を取り消し、又は六月を超えない範囲内において期間を定めて免許の効力を停止することができるものとし、その者が第二項各号のいずれかに該当する場合には、その者の免許を取り消すことができる」とあるのは、「第百七条の五第一項各号のいずれかに該当するものであるとき（同項第二号に該当する者が第百七条の四の二において準用する第百二条の二の規定の適用を受ける者であるときは、その者が第百七条の四の二において準用する第百二条の二に規定する講習を受けないで同条の期間を経過した後に限る。）は、同項の政令で定める基準に従い、五年を超えない範囲内で期間を定めて、その者が第百七条の五第二項各号のいずれかに該当するものであるときは、同項の政令で定める基準に従い、三年以上十年を超えない範囲内で期間を定めて、その者に対し、当該国際運転免許証等に係る自動車等の運転を禁止することができる」と読み替えるものとする。

10 第百三条の二の規定は、国際運転免許証等を所持する者が自動車等の運転に関し同条第一項各号のいずれかに該当することとなつた場合について準用す

（処分移送通知書の様式）

第三十七条の三 法第百七条の五第九項において準用する法第百三条第三項の内閣府令で定める処分移送通知書の様式は、別記様式第二十二の四のとおりとする。

〔本条追加・昭三九総府令三六、改正・平一二総府令八九・平一四内府令三四・平二一内府令二八〕

別記様式第二十二の四（第三十七条の三関係）

処 分 移 送 通 知 書

年　月　日

公安委員会 殿

公安委員会 印

道路交通法第107条の5第9項において準用する第103条第3項の規定により、下記の者について処分移送通知書を送付する。

本邦における住所	
氏名	
国際運転免許証等の番号	第　号　年　月　日
運転することができる自動車等の種類	
理由	
備考	

備考 用紙の大きさは、日本産業規格A列4番又は縦25センチメートル、横12センチメートルとする。

〔本様式追加・昭39総府令36、全改・昭44総府令31、改正・昭50総府令10・平6総府令1・総府令9・平14内府令34・平21内府令28・令元内府令12〕

第三十七条の四（自動車等の運転禁止処分に係る事項等の記載方法）……五九五ページ参照

（自動車等の運転の仮禁止の通知等）

第三十七条の五 警察署長は、法第百七条の五第十項において準用する法第百三条の二第一項の規定による自動車等の運転の禁止をしたときは、当該処分を受けた者に別記様式第十九の二の通

る。この場合において、同条中「免許の効力の停止」とあるのは「自動車等の運転の禁止」と、「仮停止」とあるのは「仮禁止」と、「免許証」とあるのは「国際運転免許証等」と、「仮停止通知書」とあるのは「仮禁止通知書」と、同条第五項中「前条第三項」とあるのは「第百七条の五第九項において準用する前条第三項」と、同条第六項中「前条第一項、第二項又は第四項の規定」とあるのは「第百七条の五第一項若しくは第二項の規定又は同条第九項において準用する前条第四項の規定」と、同条第七項中「前条第一項又は第四項の規定」とあるのは「第百七条の五第一項若しくは第二項の規定又は同条第九項において準用する前条第四項の規定」と読み替えるものとする。

11 第百四条の三の規定は、第一項若しくは第二項の規定又は第九項において準用する第百三条第四項の規定により自動車等の運転の禁止をした場合について準用する。この場合において、第百四条の三中「免許証」とあるのは「国際運転免許証等」と、同条第五項中「免許の効力の停止の期間が満了した場合」とあるのは「自動車等の運転の禁止の期間が満了した場合又は当該禁止に係る者が本邦から出国する場合」と、同条第六項中「第九十五条」とあるのは「第百七条の三前段の規定及び同条後段において準用する第九十五条第二項」と読み替えるものとする。

10 第百三条の二（第四項を除く。）の規定は、国際運転免許証等を所持する者が自動車等の運転に関し同条第一項各号のいずれかに該当することとなつた

知書により通知するものとする。

2 法第百七条の五第十項において準用する法第百三条の二第四項の内閣府令で定める仮禁止通知書の様式は、別記様式第十九の三のとおりとする。

〔本条追加・平六総府令一、二項改正・平一二総府令八九、一・二項改正・平二一内府令二八〕

別記様式第一九の二……五四〇ページ参照
別記様式第一九の三……五四一ページ参照

（自動車等の運転の禁止等）

第三七条の五の二 法第百七条の五第十一項において準用する法第百四条の三第一項の規定による書面の交付は、自動車等の運転の禁止に係る者に対し、当該処分の内容を口頭で告知した上、別記様式第二十二の六の処分書を交付することにより行うものとする。

2 法第百七条の五第十一項において準用する法第百四条の三第二項の規定による命令は、別記様式第二十二の六の二の出頭命令書を交付して行うものとする。

3 第三十条の六の規定は、法第百七条の五第十一項において準用する法第百四条の三第三項の規定による国際運転免許証等の提出及び保管について準用する。この場合において、「前条」とあるのは、「前項」と読み替えるものとする。

4 法第百七条の五第十一項において準用する法第百四条の三第三項の保管証（以下この条において「保管証」という。）には、次に掲げる事項を記載するものとする。

一 保管証の有効期限

二 国際運転免許証等の番号、発給年月日、発給地及び発給機関

三 国際運転免許証等で運転することができる自動車等の種類

四 国際運転免許証等を所持する者の本邦における住所、氏名

場合について準用する。この場合において、同条中「免許の効力の停止」とあるのは「自動車等の運転の禁止」と、「仮停止」とあるのは「仮禁止」と、「免許証」とあるのは「国際運転免許証等」と、「仮停止通知書」とあるのは「仮禁止通知書」と、同条第三項中「有する」とあるのは「所持する」と、同条第六項中「前条第三項」とあるのは「第百七条の五第九項において準用する前条第三項」と、同条第七項中「前条第一項、第二項又は第四項の規定」とあるのは「第百七条の五第一項若しくは第二項の規定又は同条第九項において準用する前条第四項の規定」と、同条第八項中「前条第一項又は第四項の規定」とあるのは「第百七条の五第一項若しくは第二項の規定又は同条第九項において準用する前条第四項の規定」と読み替えるものとする。

11　第百四条の三の規定は、第一項若しくは第二項の規定又は第九項において準用する第百三条第四項の規定により自動車等の運転の禁止をした場合について準用する。

〔本条追加・昭三九法九一、三・五・六項・付記改正・九項追加・昭四二法一二六、一・二・七・八項改正・昭四五法八六、二項改正・昭四六法九八、二・五・七―九項改正・昭六一法六三、一・三―九項改正・一〇項追加・平五法四三、三項改正・平五法八九、一・八項改正・平九法四一、七項改正・平一一法一六〇、一―四・六―一〇項改正・平一三法五一、一項・付記改正・二項追加・旧二―一〇項を改正し三―一一項に繰下・平一九法九〇、二項改正・平二五法八六、二・九項改正・令二法四二、二項・付記改正・令四法三二〕

及び生年月日

五　保管証を交付した日時並びに交付した警察官の所属、階級及び氏名

5　保管証の様式は、国際運転免許証の保管に係るものについては別記様式第二十二の六の三とし、外国運転免許証の保管に係るものについては別記様式第二十二の六の四のとおりとする。

6　法第百七条の五第十一項において準用する法第百四条の三第四項の規定による通知は、別記様式第二十二の六の五の通知書を送付して行うものとする。

〔本条追加・平六総府令一、一―四・六項改正・平二一内府令二八〕

参照〔国際運転免許証等〕一〇七の二〔住所〕民二二―二四〔公安委員会〕四①、警三八―四六の二〔政令で定める基準〕道交令四〇〔期間〕民一三八―一四三〔自動車等〕八四①〔運転〕二①17〔内閣府令の定め〕道交規三七の三―三七の五の二・別記様式二二の四―二二の六の五

〔罰則　第五項、第七項及び第十項については第百二十一条第一項第十号〔二万円以下の罰金又は科料〕〕

〔罰則　第五項、第七項及び第十項については第百二十一条第一項第十号〔二万円以下の罰金又は科料〕　第十一項については第百二十三条の二第一号〔十万円以下の過料〕〕

別記様式第二十二の六（第三十七条の五の二関係）

自動車等の運転禁止処分書

下記の理由により、あなたの自動車等の運転を　　年　　月　　日から　　年　　月　　日まで（　　日間）、ただし、自動車等の運転の仮禁止の期間　　日間を前記処分の期間に通算し、　　年　　月　　日まで（　　日間）禁止します。

年　月　日

公安委員会 印

本邦における住所	
氏　　名	
国際運転免許証等の番号	第　　号　　年　　月　　日
運転することができる自動車等の種類	
理　　由	

備考　用紙の大きさは、日本産業規格Ａ列４番又は縦25センチメートル、横12センチメートルとする。

〔本様式追加・平６総府令１、改正・平６総府令９・令元内府令12〕

別記様式第二十二の六の二（第三十七条の五の二関係）

出頭命令書

SUMMONS

年 year　月 month　日 day

住所
Address in Japan

氏名
(Surname)　(First name)　(Middle name)

交付者の所属・階級及び氏名
This summons is Issued by　　印

In accordance with the provision of paragraph 2, Article 104-3 and paragraph 11, Article 107-5 of the Road Traffic Law,

出頭場所
you shall appear at

出頭日時
on　　年 year　月 month　日 day　時 hours.

備考　用紙の大きさは、縦25センチメートル、横12センチメートルとする。

〔本様式追加・平６総府令１、改正・平21内府令28〕

別記様式第二十二の六の三（第三十七条の五の二関係）

（表）

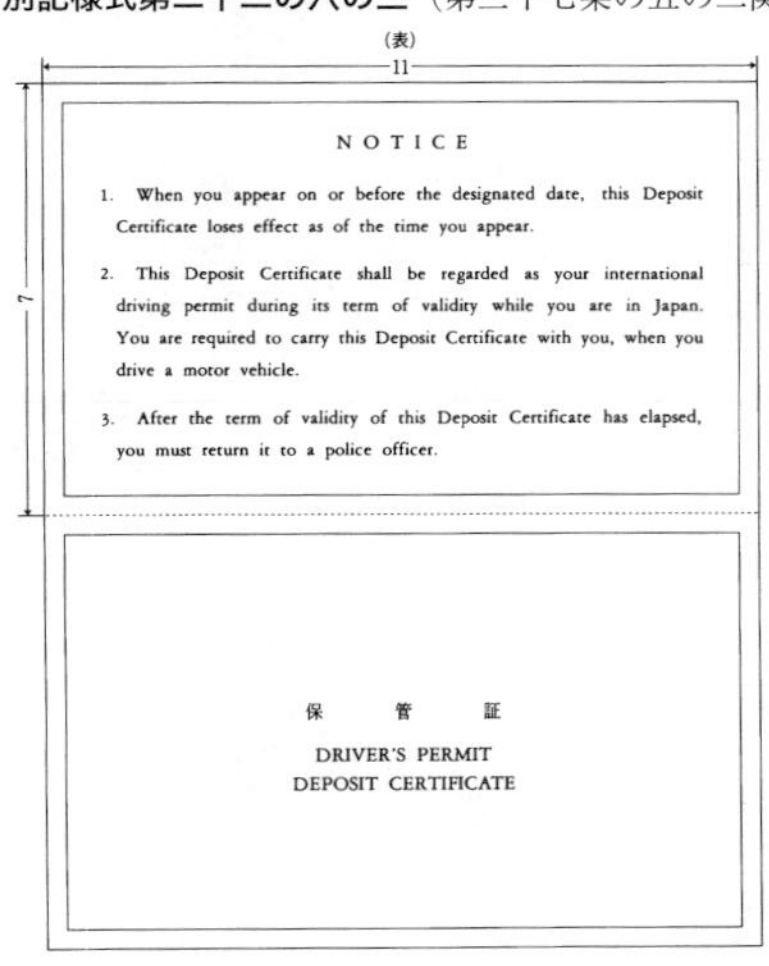

11

7

NOTICE

1. When you appear on or before the designated date, this Deposit Certificate loses effect as of the time you appear.

2. This Deposit Certificate shall be regarded as your international driving permit during its term of validity while you are in Japan. You are required to carry this Deposit Certificate with you, when you drive a motor vehicle.

3. After the term of validity of this Deposit Certificate has elapsed, you must return it to a police officer.

保　管　証

DRIVER'S PERMIT

DEPOSIT CERTIFICATE

（裏）

国際運転免許証の番号 International Driving Permit Number	第　　号
発給機関 Issued by	
発給地 Issued at	
発給年月日 Issued on	年 year　月 month　日 day
本邦における住所 Address in Japan	
氏名	(Surname) (First name) (Middle name)
生年月日 Date of Birth	年 year　月 month　日 day

運転することができる自動車等の種類 Type of Vehicles for which the Permit is valid				
A	B	C	D	E

交付者の所属・階級及び氏名 This Deposit Certificate is Issued by	㊞
交付日時 Issued on	年 year　月 month　日 day　時 hours　分
出頭場所 You shall appear at	
有効期限（出頭日時） This Deposit Certificate is valid through	年 year　月 month　日 day　時 hours.

備考　1　図示の長さの単位は、センチメートルとする。

2　運転することができる自動車等の種類欄には、運転することができない自動車等の種類に×印を記載すること。

〔本様式追加・平6総府令1〕

別記様式第二十二の六の四（第三十七条の五の二関係）

（表）

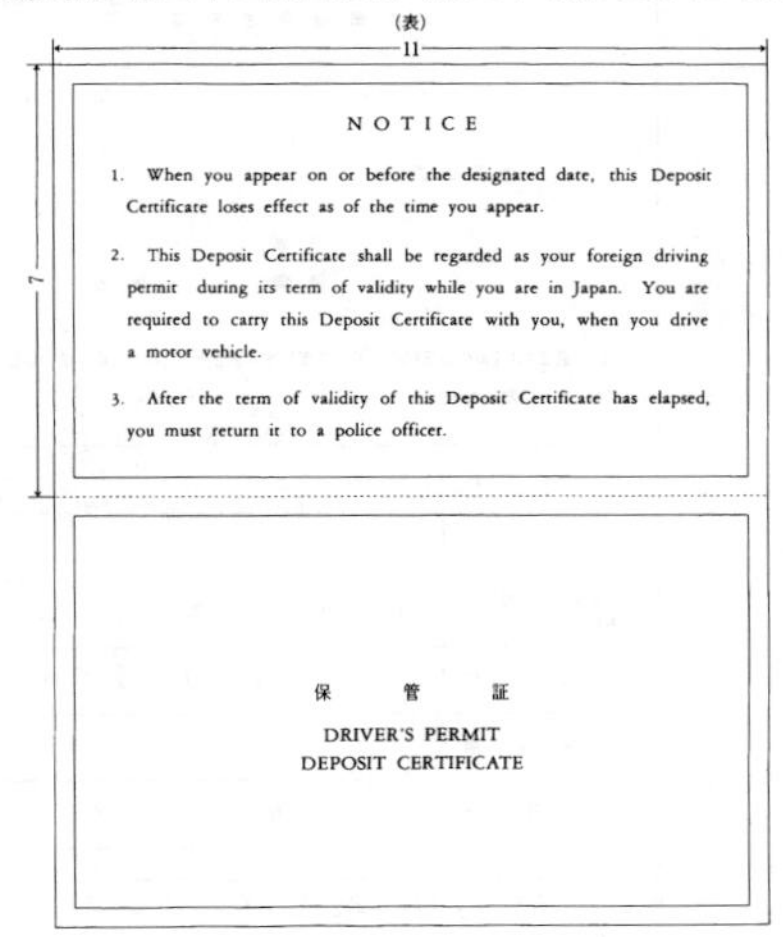

11

7

NOTICE

1. When you appear on or before the designated date, this Deposit Certificate loses effect as of the time you appear.

2. This Deposit Certificate shall be regarded as your foreign driving permit during its term of validity while you are in Japan. You are required to carry this Deposit Certificate with you, when you drive a motor vehicle.

3. After the term of validity of this Deposit Certificate has elapsed, you must return it to a police officer.

保　管　証

DRIVER'S PERMIT

DEPOSIT CERTIFICATE

（裏）

外国運転免許証の番号 Foreign Driving Permit Number	第　　号
発給機関 Issued by	
発給地 Issued at	
発給年月日 Issued on	年 year　月 month　日 day
本邦における住所 Address in Japan	
氏名	(Surname) (First name) (Middle name)
生年月日 Date of Birth	年 year　月 month　日 day

運転することができる自動車等の種類 Type of Vehicles for which the Permit is valid

交付者の所属・階級及び氏名 This Deposit Certificate is Issued by	㊞
交付日時 Issued on	年 year　月 month　日 day　時 hours　分
出頭場所 You shall appear at	
有効期限（出頭日時） This Deposit Certificate is valid through	年 year　月 month　日 day　時 hours.

備考　図示の長さの単位は、センチメートルとする。

〔本様式追加・平6総府令1〕

（自動車等の運転禁止等の報告）

第一〇七条の六　公安委員会は、第百七条の四第一項後段の規定による通知をしたとき、前条第一項若しくは第二項若しくは同条第九項において準用する第百三条第四項の規定により自動車等の運転を禁止し、若しくは前条第三項において準用する第百三条第十項の規定により期間を短縮したとき、又は警察署長が前条第十項において準用する第百三条の二第一項の規定により自動車等の運転を禁止したときは、内閣府令で定める事項を国家公安委員会に報告しなければならない。この場合において、国家公安委員会は、免許に関する事務の適正を図るため、当該報告

（運転禁止処分等についての報告事項）

第三七条の六　法第百七条の六の内閣府令で定める事項は、次の表の上欄に掲げる場合の区分に応じ、それぞれ同表の下欄に定める事項とする。

報告する場合	事項
法第百七条の四第一項後段の規定による通知をしたとき。	一　通知を受けた者の本籍又は国籍等、氏名、生年月日及び性別 二　通知をした年月日
法第百七条の五第一項若しくは第二項若しくは同条第九項において準用する法第百三条第四項の規定により自動車等の運転を禁止し、若しくは法第百七条の	一　処分を受けた者の本籍又は国籍等、氏名、生年月日及び性別 二　処分に係る附属書九の国際運転免許証、附属書十の国際運転免許証又は外国運転免許証の別、番号、発給年月日、発給地及び発給機関

別記様式第二十二の六の五（第三十七条の五の二関係）

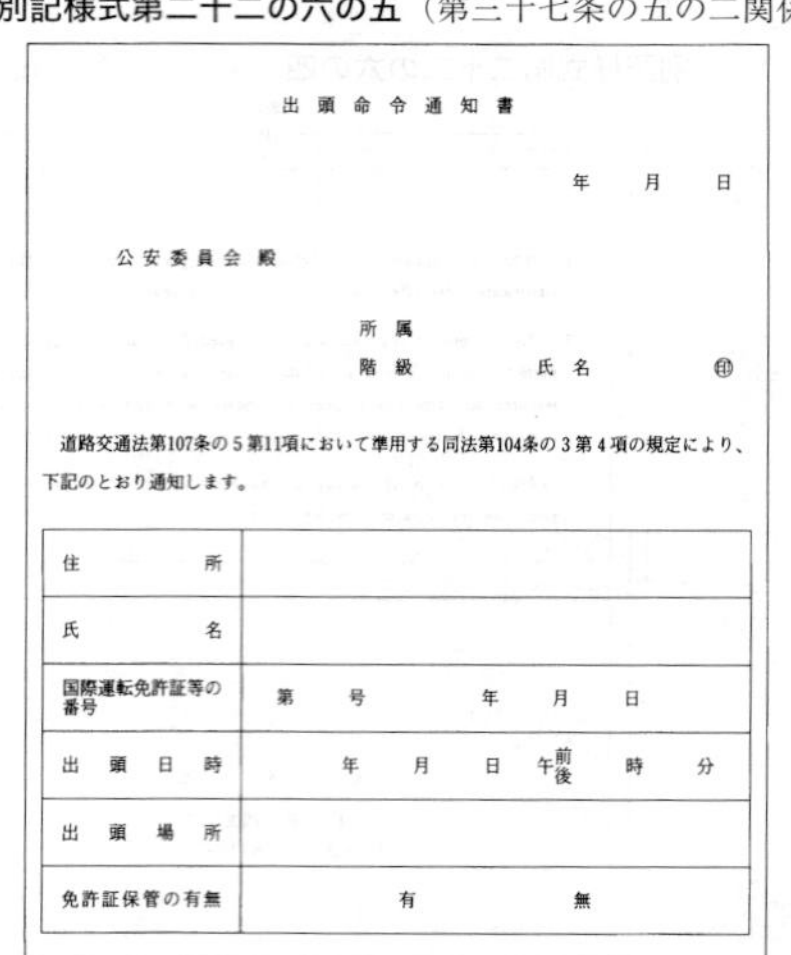

出頭命令通知書

年　月　日

公安委員会殿

所属
階級　　氏名　㊞

道路交通法第107条の5第11項において準用する同法第104条の3第4項の規定により、下記のとおり通知します。

住所	
氏名	
国際運転免許証等の番号	第　号　年　月　日
出頭日時	年　月　日　午前/後　時　分
出頭場所	
免許証保管の有無	有　　無

備考　用紙の大きさは、縦25センチメートル、横12センチメートルとする。

〔本様式追加・平6総府令1、改正・平21内府令28〕

に係る事項を各公安委員会に通報するものとする。

〔本条追加・昭三九法九一、改正・昭四二法一二六、見出し・本条改正・昭四五法八六、本条改正・昭六一法六三・平一一法一六〇・平一三法五一・平一九法九〇・平二五法四三・法四四〕

参照 〔公安委員会〕四①、警三八―四六の二〔自動車等〕八四①〔運転〕二①17〔期間〕民一三八―一四三〔警察署長〕警五三②・③〔内閣府令で定める事項〕道交規三七の六〔国家公安委員会〕警四―一四

（国外運転免許証の交付）

第一〇七条の七 免許（小型特殊免許、原付免許及び仮免許を除く。）を現に受けている者（第九十条第五項、第百三条第一項若しくは第四項、第百三条の二第一項、第百四条の二の三第一項若しくは第三項又は同条第五項において準用する第百三条第四項の規定により免許の効力が停止されている者を除く。）は、内閣府令で定める区分に従い、当該免許で運転することができることとされている自動車等に対応する条約附属書十に規定する自動車等に係る条約第二十四条第一項の運転免許証で公安委員会が発給するもの（以下「国外運転免許証」という。）の交付を受けることができる。

五第三項において準用する法第百三条第十項の規定により期間を短縮したとき、又は警察署長が法第百七条の五第十項において準用する法第百三条の二第一項の規定により自動車等の運転を禁止したとき。	三 処分に係る国際運転免許証等で運転することができる自動車等の種類 四 処分の理由 五 処分の期日及び処分に係る期間

〔本条追加・昭三九総府令三六、改正・昭四五総府令二八・平六総府令一・平一一総府令四一・平一二総府令八九・平二五内府令二、見出し・本条改正・平二七内府令五〕

（国外運転免許証の様式）

第三七条の七 法第百七条の七第一項の国外運転免許証の様式は、別記様式第二十二の七のとおりとする。

〔本条追加・昭三九総府令三六〕

別記様式第二十二の七（第三十七条の七関係）

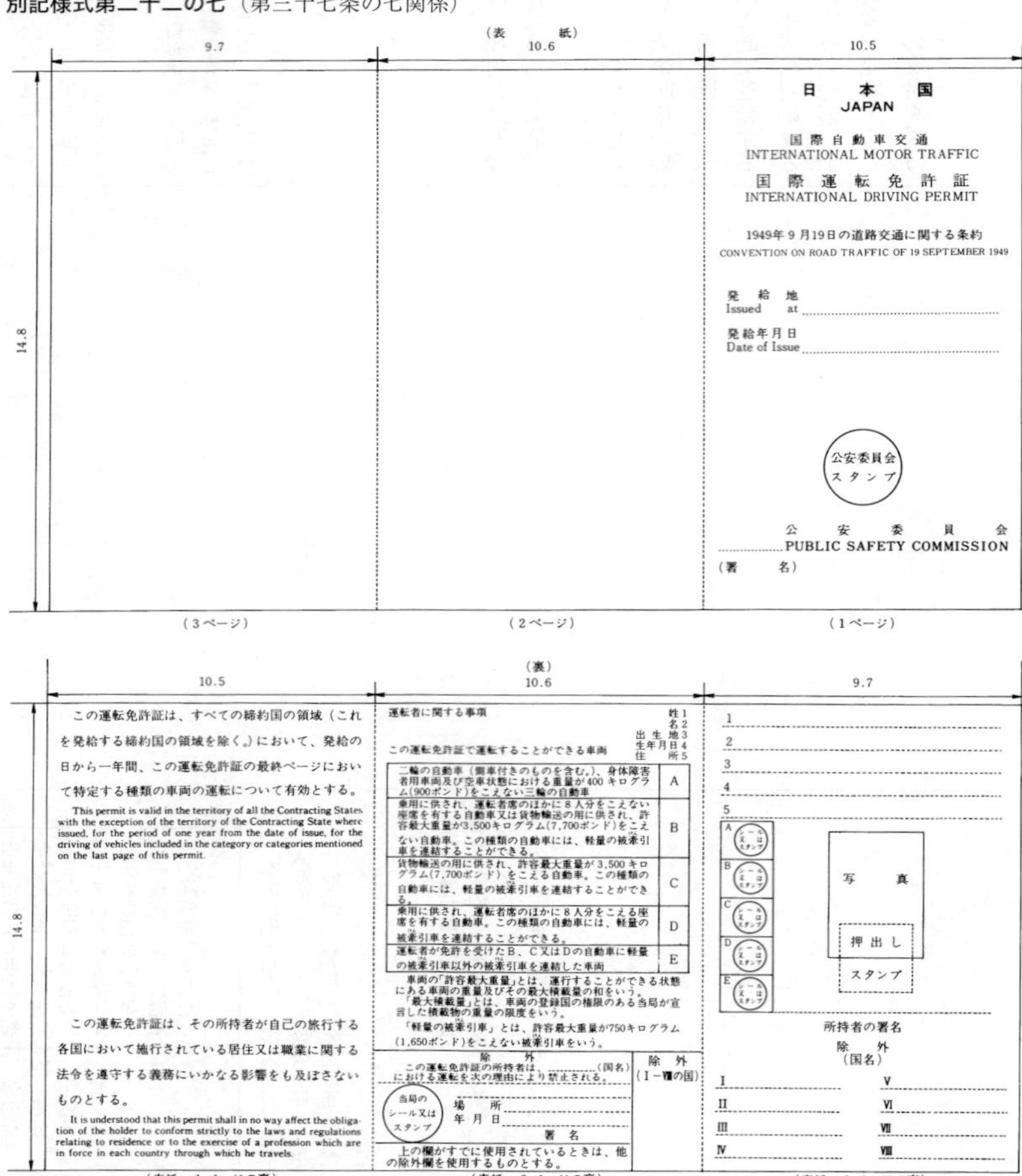

（表　紙）

9.7　10.6　10.5

14.8

日　本　国
JAPAN

国際自動車交通
INTERNATIONAL MOTOR TRAFFIC

国際運転免許証
INTERNATIONAL DRIVING PERMIT

1949年9月19日の道路交通に関する条約
CONVENTION ON ROAD TRAFFIC OF 19 SEPTEMBER 1949

発給地
Issued at ……………

発給年月日
Date of Issue ……………

公安委員会
スタンプ

公安委員会
……………PUBLIC SAFETY COMMISSION
（署　名）

（3ページ）　（2ページ）　（1ページ）

（裏）

10.5　10.6　9.7

14.8

この運転免許証は、すべての締約国の領域（これを発給する締約国の領域を除く。）において、発給の日から一年間、この運転免許証の最終ページにおいて特定する種類の車両の運転について有効とする。

This permit is valid in the territory of all the Contracting States with the exception of the territory of the Contracting State where issued, for the period of one year from the date of issue, for the driving of vehicles included in the category or categories mentioned on the last page of this permit.

この運転免許証は、その所持者が自己の旅行する各国において施行されている居住又は職業に関する法令を遵守する義務にいかなる影響をも及ぼさないものとする。

It is understood that this permit shall in no way affect the obligation of the holder to conform strictly to the laws and regulations relating to residence or to the exercise of a profession which are in force in each country through which he travels.

（表紙　1ページの裏）

運転者に関する事項

姓1
名2
出生地3
生年月日4
住所5

この運転免許証で運転することができる車両

二輪の自動車（側車付きのものを含む。）、身体障害者用車両及び空車状態における重量が400キログラム(900ポンド)をこえない三輪の自動車	A
乗用に供され、運転者席のほかに8人分をこえない座席を有する自動車又は貨物輸送の用に供され、許容最大重量が3,500キログラム(7,700ポンド)をこえない自動車。この種類の自動車には、軽量の被牽引車を連結することができる。	B
貨物輸送の用に供され、許容最大重量が3,500キログラム(7,700ポンド)をこえる自動車。この種類の自動車には、軽量の被牽引車を連結することができる。	C
乗用に供され、運転者席のほかに8人分をこえる座席を有する自動車。この種類の自動車には、軽量の被牽引車を連結することができる。	D
運転者が免許を受けたB、C又はDの自動車に軽量の被牽引車以外の被牽引車を連結した車両	E

車両の「許容最大重量」とは、運行することができる状態にある車両の重量及びその最大積載量の和をいう。

「最大積載量」とは、車両の登録国の権限のある当局が宣言した積載物の重量の限度をいう。

「軽量の被牽引車」とは、許容最大重量が750キログラム(1,650ポンド)をこえない被牽引車をいう。

除　外

この運転免許証の所持者は、……………（国名）における運転を次の理由により禁止される。

当局のシール又はスタンプ

場　所……………
年月日……………
署　名

上の欄がすでに使用されているときは、他の除外欄を使用するものとする。

除　外
（Ⅰ－Ⅷの国）

（表紙　2ページの裏）

1……………
2……………
3……………
4……………
5……………

A シール又はスタンプ
B シール又はスタンプ
C シール又はスタンプ
D シール又はスタンプ
E シール又はスタンプ

写　真

押出し
スタンプ

所持者の署名

除　外
（国名）

Ⅰ……………　Ⅴ……………
Ⅱ……………　Ⅵ……………
Ⅲ……………　Ⅶ……………
Ⅳ……………　Ⅷ……………

（表紙　3ページの裏）

備考　1　表紙は灰色の厚紙とし、追補ページは白色の洋紙とする。
2　表紙2ページの裏及び表紙3ページの裏は、フランス語で作成する。
3　表紙2ページの裏の本文を日本語、英語、スペイン語、ロシア語、中国語及びアラビア語で作成した追補ページを表紙1ページの裏と表紙2ページの裏との内側の折目と一致するようにつづり込む。
4　記入事項は、ローマ字つづり又は英語で記載する。
5　図示の長さの単位は、センチメートルとする。

〔本様式追加・昭39総府令36、改正・昭50総府令10・昭63総府令45・平28内府令49〕

2　国外運転免許証の交付を受けようとする者は、その者の住所地を管轄する公安委員会に、その者が外国に渡航するものであることを証する書面を添えて、内閣府令で定める様式の交付申請書を提出しなければならない。

（国外運転免許証の交付）

第三十七条の八　法第百七条の七第一項の内閣府令で定める区分は、次の表に掲げるとおりとする。

国外運転免許証の申請者が現に受けている免許の種類	国外運転免許証で運転することができる自動車等の種類
大型免許、中型免許、準中型免許、大型第二種免許又は中型第二種免許及び牽引免許又は牽引第二種免許	国外運転免許証の表紙二ページの裏（以下「二ページ裏」という。）のB、C、D及びEの各欄に掲げる種類の自動車
大型免許、中型免許、準中型免許、大型第二種免許又は中型第二種免許	二ページ裏のB、C及びDの各欄に掲げる種類の自動車
普通免許又は普通第二種免許及び牽引免許又は牽引第二種免許	二ページ裏のB及びEの各欄に掲げる種類の自動車
普通免許又は普通第二種免許	二ページ裏のB欄に掲げる種類の自動車
大型二輪免許又は普通二輪免許	二ページ裏のA欄に掲げる自動車等

〔本条追加・昭三九総府令三六、改正・昭四〇総府令四一・平八総府令四一・平一二総府令八九・平一八内府令四・平二八内府令四九〕

（国外運転免許証交付申請書）

第三十七条の九　法第百七条の七第二項の内閣府令で定める様式は、別記様式第二十二の八のとおりとする。

2　前項の様式の国外運転免許証交付申請書には、次の各号に掲げる書類及び写真を添付（第一号に掲げるものについては、提示）しなければならない。

一　国外運転免許証の交付を受けようとする者が現に受けている免許に係る免許証

二　申請前六月以内に撮影した無帽、正面、無背景の縦の長さ四・五センチメートル、横の長さ三・五センチメートルの顔写真で、その裏面に氏名及び撮影年月日を記入したもの

〔本条追加・昭三九総府令三六、二項改正・昭四八総府令一一、一項改正・平一二総府令八九、二項改正・令四内府令七〕

3　公安委員会は、前項の申請があつたときは、運転することができる自動車等の種類を指定し、かつ、その旨を記載して当該国外運転免許証を交付するものとする。

4　前三項に規定するもののほか、国外運転免許証の様式その他国外運転免許証の交付について必要な事項は、内閣府令で定める。

〔本条追加・昭三九法九一、一項改正・昭四〇法九六・昭四二法一二六・平九法四一、一・二・四項改正・平一一法一六〇、一項改正・平一三法五一・平一九法九〇・平二五法四三〕

参照　〔免許〕八四、第一種免許＝八四③・八五、第二種免許＝八四④・八六、仮免許＝八四⑤・八七〔内閣府令で定める区分〕道交規三七の八〔運転〕二①17〔自動車等〕八四①〔公安委員会〕四①、警三八―四六の二〔内閣府令で定める様式〕道交規

別記様式第二十二の八（第三十七条の九関係）

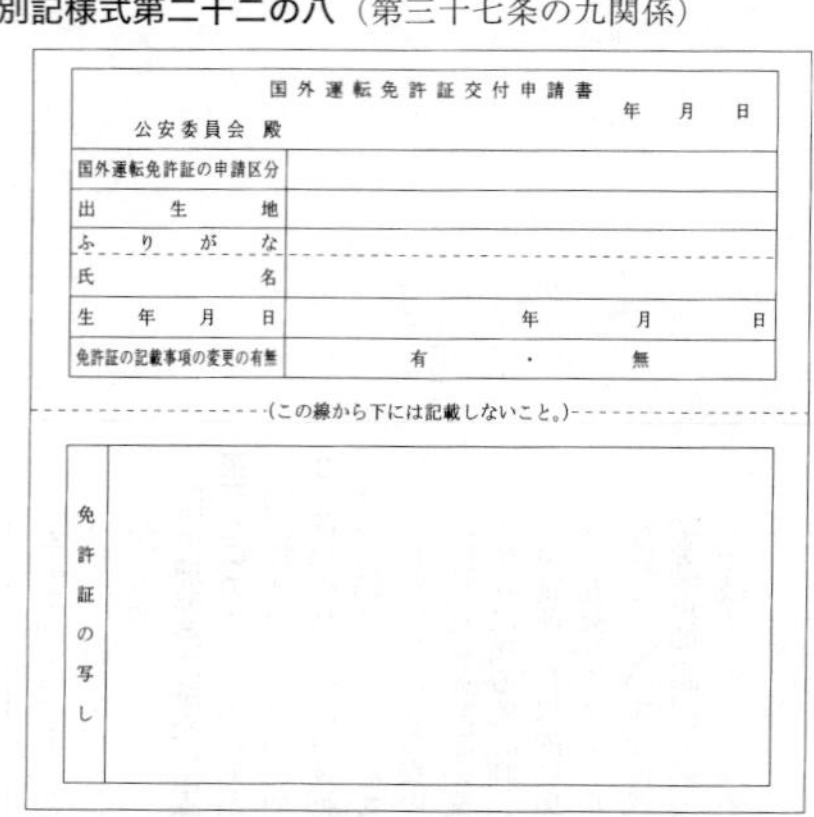

国外運転免許証交付申請書

年　月　日

公安委員会　殿

国外運転免許証の申請区分	
出生地	
ふりがな	
氏名	
生年月日	年　月　日
免許証の記載事項の変更の有無	有　・　無

（この線から下には記載しないこと。）

免許証の写し

備考　1　国外運転免許証の申請区分欄には、別記様式第二十二の七の表紙２ページの裏の表の区分に従い、A、B、C、D又はEを記載する。

2　現に受けている免許に係る免許証の記載事項に変更がある場合には免許証の記載事項の変更の有無欄の「有」を、当該免許証の記載事項に変更がない場合には同欄の「無」を、それぞれ○で囲むこと。

3　免許証の写し欄には、現に受けている免許に係る免許証の表側及び裏側を複写すること。

4　用紙の大きさは、日本産業規格A列４番とする。

〔本様式追加・昭39総府令36、全改・昭45総府令28、改正・昭46総府令53・昭50総府令10・平６総府令１・総府令９・平８総府令41・平11総府令11・令元内府令12〕

（国外運転免許証で運転することができる自動車等の指定）

第三十七条の一〇　法第百七条の七第三項の指定は、国外運転免許証の表紙三ページの裏のA、B、C、D又はEの欄に、第三十七条の八の区分に従い、公安委員会のスタンプを押印して行なうものとする。

〔本条追加・昭三九総府令三六〕

三七の九・別記様式二二の八〔内閣府令の定め〕道交規三七の七・三七の一〇・別記様式二二の七

（国外運転免許証の有効期間）

第一〇七条の八　国外運転免許証の有効期間は、当該国外運転免許証の発給の日から起算して一年とする。

〔本条追加・昭三九法九一〕

参照〔国外運転免許証〕一〇七の七、失効＝一〇七の九〔期間〕民一三八―一四三

（国外運転免許証の失効）

第一〇七条の九　国外運転免許証は、当該国外運転免許証に係る免許が失効し、又は取り消されたときは、その効力を失う。

2　国外運転免許証は、当該国外運転免許証に係る免許の効力が停止されたときは、当該停止の期間、その効力が停止されるものとする。

〔本条追加・昭三九法九一〕

参照〔国外運転免許証〕一〇七の七、有効期間＝一〇七の八〔免許〕八四、第一種免許＝八四③・八五、第二種免許＝八四④・八六、仮免許＝八四⑤・八七〔期間〕民一三八―一四三

（国外運転免許証の返納等）

第一〇七条の一〇　国外運転免許証の交付を受けた者は、当該国外運転免許証の有効期間が満了し、又は当該国外運転免許証が失効したとき（当該国外運転

免許証の有効期間が満了した時又は当該国外運転免許証が失効した時に本邦外の地域にある者については、本邦に帰国したとき。）は、すみやかに、当該国外運転免許証をその住所地を管轄する公安委員会に返納しなければならない。

2　国外運転免許証の交付を受けた者は、当該国外運転免許証の効力が停止されたとき（当該国外運転免許証の効力が停止された時に本邦外の地域にあり、かつ、当該国外運転免許証の効力の停止の期間中に本邦に帰国した者については、帰国したとき。）は、すみやかに、当該国外運転免許証をその者の住所地を管轄する公安委員会に提出しなければならない。

3　前項の規定により国外運転免許証の提出を受けた公安委員会は、当該国外運転免許証の効力の停止の期間が満了した場合においてその提出者から返還の請求があつたときは、直ちに当該国外運転免許証を返還しなければならない。

〔本条追加・昭三九法九一、付記改正・令四法三二〕

参照（国外運転免許証）一〇七の七、有効期間＝一〇七の八、失効＝一〇七の九（住所）民二二—二四（公安委員会）四①、警三八—四六の二（期間）民一三八—一四三

（罰則　第一項及び第二項については第百二十一条第一項第十号〔二万円以下の罰金又は科料〕）

第八節　免許関係事務の委託

〔本節追加・平五法四三〕

（免許関係事務の委託）

第一〇八条　公安委員会は、政令で定めるところにより、この章に規定する免許に関する事務（免許の拒否及び保留、免許の条件の付与及び変更、運転免許試験及び適性検査の結果の判定並びに免許の取消し及び効力の停止に係る事務その他の政令で定める事務を除く。次項において「免許関係事務」という。）の全部又は一部を内閣府令で定める法人に委託することができる。

（委託の方法）

第四〇条の二　法第百八条第一項の規定による委託は、次に定めるところにより行うものとする。

一　次に掲げる事項についての条項を含む委託契約書を作成すること。

イ　委託に係る免許関係事務の内容に関する事項

ロ　委託に係る免許関係事務を処理する場所及び方法に関する事項

ハ　委託契約の期間及びその解除に関する事項

ニ　その他内閣府令で定める事項

二　委託をしたときは、内閣府令で定めるところにより、その旨を公示すること。

〔本条追加・平五政三四八、改正・平九政三九一・平一二政三〇三〕

（委託することのできない事務）

第四〇条の三　法第百八条第一項の政令で定める事務は、次に掲

（免許関係事務の委託）

第三一条の四の二　法第百八条第一項の内閣府令で定める法人は、免許関係事務を行うのに必要かつ適切な組織及び能力を有すると公安委員会が認める法人とする。ただし、国家公安委員会規則で定める免許関係事務については、当該免許関係事務の実施に必要な能力を有する者として国家公安委員会規則で定めるものが当該免許関係事務の業務を行うために必要な数以上置かれている法人に限るものとする。

〔本条追加・平六総府令一、改正・平一〇総府令二・平一二総府令八九・平一二内府令二八〕

> 運転免許に係る講習等に関する規則
> （平成六年二月二五日
> 国家公安委員会規則第四号）

（委託契約書の記載事項）

第三一条の四の三　令第四十条の二第一号ニの内閣府令で定める事項は、次に掲げるとおりとする。

一　委託契約金額

二　委託契約代金の支払の時期及び方法

三　受託法人の公安委員会への報告に関する事項

四　その他公安委員会が必要と認める事項

〔本条追加・平六総府令一、改正・平一二総府令八九〕

（公示の方法）

第三一条の四の四　令第四十条の二第二号の規定による公示は、次に掲げる事項について、インターネットの利用その他の方法により行うものとする。

一　受託法人の名称及び住所並びに代表者の氏名

二　委託に係る免許関係事務の内容

三　委託に係る免許関係事務を処理する場所

〔本条追加・平六総府令一、改正・令六内府令六一〕

げる事務とする。
一　法第八十九条第三項の規定による検査の結果の判定に係る事務
二　法第九十条第一項ただし書の規定による免許の拒否及び保留、同条第二項の規定による免許の拒否、同条第四項（同条第七項及び第十四項において準用する場合を含む。）の規定による弁明の聴取り及び証拠の受取り、同条第五項の規定による免許の取消し及び効力の停止、同条第六項の規定による免許の取消し、同条第八項の規定による適性検査の結果の判定又は診断書の受取り、同条第九項又は第十項の規定による免許を受けることができない期間の指定、同条第十二項の規定による免許の保留の期間及び効力の停止の期間の短縮並びに同条第十三項の規定による仮免許の拒否に係る事務
三　法第九十条の二第二項の規定による免許の拒否に係る事務
四　法第九十一条の規定による免許の条件の付与及び変更に係る事務
五　法第九十一条の二第二項の規定による免許の条件の付与及び変更並びに同条第三項の規定による審査に係る事務
六　法第九十七条第一項の規定による試験の結果の判定に係る事務
七　法第九十七条の二第一項第三号イ又はロの規定による認知機能検査の結果の判定、同号イ又はハの規定による運転技能検査の結果の判定、同条第二項の規定による試験の一部の免除の拒否及び同条第三項又は第四項の規定による試験の一部の免除に係る事務
八　法第九十七条の三第一項の規定による試験の停止及び合格の決定の取消し並びに同条第三項の規定による試験を受けることができないものとする措置に係る事務
九　法第百条の二第一項の規定による再試験の結果の判定に係る事務
十　法第百条の三第二項の規定による再試験の結果の判定に係る事務
十一　法第百一条第五項の規定による適性検査の結果の判定に係る事務
十二　法第百一条の二第三項の規定による適性検査の結果の判定に係る事務
十三　法第百一条の二の二第五項の規定による書面の内容の判定及び同項の規定による適性検査の結果の判定に係る事務
十四　法第百一条の三第二項の規定による免許証の更新の拒否に係る事務
十五　法第百一条の四第二項の規定による認知機能検査の結果

の判定、同条第三項の規定による運転技能検査の結果の判定及び同条第四項の規定による免許証の更新の拒否に係る事務

十六　法第百一条の七第一項の規定による認知機能検査の結果の判定に係る事務

十七　法第百二条第一項から第五項までの規定による適性検査の結果の判定及び同条第一項から第四項までの規定により提出された診断書の受取りに係る事務

十八　法第百三条第一項又は第四項の規定による免許の取消し及び効力の停止、同条第二項の規定による免許の取消し、同条第六項の規定による適性検査の結果の判定又は診断書の受取り、同条第七項又は第八項の規定による免許を受けることができない期間の指定並びに同条第十項の規定による免許の効力の停止の期間の短縮に係る事務

十九　法第百四条第二項（法第百七条の五第四項において準用する場合を含む。）の規定による意見の聴取り及び証拠の受取り並びに法第百四条第三項（法第百七条の五第四項において準用する場合を含む。）の規定による参考人又は関係人の出頭の要求及びその意見又は事情の聴取りに係る事務

二十　法第百四条の二第五項（法第百七条の五第四項において準用する場合を含む。）の規定による参考人又は関係人の出頭の要求及びその意見又は事情の聴取りに係る事務

二十一　法第百四条の二の二第一項、第二項又は第四項の規定による免許の取消し並びに同条第六項において準用する法第百四条第二項の規定による意見の聴取り及び証拠の受取りに係る事務

二十二　法第百四条の二の三第一項若しくは第三項の規定又は同条第五項において準用する法第百三条第四項の規定による免許の取消し及び効力の停止に係る事務

二十三　法第百四条の二の四第一項、第二項又は第四項の規定による特例取得免許の取消し並びに同条第六項において準用する法第百四条第二項の規定による意見の聴取り及び証拠の受取り並びに同条第三項の規定による参考人又は関係人の出頭の要求及びその意見又は事情の聴取りに係る事務

二十四　法第百四条の四第二項の規定による免許の取消しに係る事務

二十五　法第百六条の二の規定による仮免許の取消しに係る事務

二十六　法第百七条の四第一項の規定による適性検査の結果の判定及び同条第三項の規定による命令に係る事務

二十七　法第百七条の五第一項若しくは第二項の規定又は同条第九項において準用する法第百三条第四項の規定による自動

2　前項の規定により免許関係事務の委託を受けた法人の役員若しくは職員又はこれらの職にあつた者は、当該委託に係る免許関係事務に関して知り得た秘密を漏らしてはならない。

〔本条追加・平五法四三、旧一〇七条の一一を繰下・平九法四一、一項改正・平一一法一六〇、付記改正・平一三法五一・平一九法九〇・平二五法四三・令四法三二〕

参照〔公安委員会〕四①、警三八―四六の二〔政令で定める委託〕道交令四〇の二、道交規三一の四の三・三一の四の四〔免許〕八四、第一種免許＝八四③・八五、第二種免許＝八四④・八六、仮免許＝八四⑤・八七〔適性検査〕一〇一⑤〔政令で定める事務〕道交令四〇の三〔内閣府令で定める法人〕道交規三一の四の二

〔罰則　第二項については第百十七条の四第一項第一号（一年以下の懲役又は三十万円以下の罰金）〕

車等の運転の禁止及び法第百七条の五第三項において準用する法第百三条第十項の規定による自動車等の運転の禁止の期間の短縮に係る事務

〔本条追加・平五政三四八、改正・平六政三〇三・平九政三九一・平一四政二四・平二一政一二・平二六政六三・平二八政二五八・令四政一六〕

第六章の二　講習

〔章名追加・平元法九〇、改正・平九法四一〕

（講習）

第一〇八条の二　公安委員会は、内閣府令で定めるところにより、次に掲げる講習を行うものとする。

一　安全運転管理者等に対する講習

二　取消処分者等又は準取消処分者等に対する講習

第八章　講習

〔旧七章を繰下・昭三九総府令三六、章名改正・平一〇総府令二一〕

（講習）

第三八条　法第百八条の二第一項第一号に掲げる講習（第十七項において「安全運転管理者等講習」という。）は、次に定めるところにより行うものとする。

一　自動車及び道路の交通に関する法令の知識その他自動車の安全な運転に必要な知識、自動車の運転者に対する交通安全教育に必要な知識及び技能、安全運転管理に必要な知識及び技能等に関し行うこと。

二　あらかじめ講習計画を作成し、これに基づいて行い、かつ、その方法は、教本、視聴覚教材等必要な教材を用いて行うこと。

三　講習時間は、一回につき、その講習を受けようとする者に係る自動車の使用の本拠の規模、運転の管理の経験等に応じ、安全運転管理者に対しては六時間以上十時間以下、副安全運転管理者に対しては四時間以上八時間以下とすること。

2　取消処分者講習は、次に定めるところにより行うものとする。

一　法第百八条の二第一項第二号に規定する者からの申出により行うこと。

二　運転者としての資質の向上に関すること及び自動車等の運転について必要な適性について行うこと。

三　あらかじめ講習計画を作成し、これに基づいて行い、かつ、その方法は、教本、自動車等、運転シミュレーター、運転適性検査器材、視聴覚教材等必要な教材を用いて行うこと。

四　コース若しくは道路における自動車等の運転又は運転シミュレーターの操作をさせることにより行う検査、運転適性検査器材を用いた検査、筆記又は口頭による検査その他の自動車等の運転について必要な適性に関する調査に基づく個別的指導を含むものであること。

五　講習時間は、十三時間とすること。

三　第九十条第一項ただし書の規定による免許の保留、同条第五項若しくは第百三条第一項若しくは第四項の規定による免許の効力の停止又は第百七条の五第一項の規定若しくは同条第九項において準用する第百三条第四項の規定による六月を超えない範囲内の自動車等の運転の禁止を受けた者（第九十条第一項第一号から第三号まで若しくは第七号、第百三条第一項第一号から第四号まで又は第百七条の五第一項第一号に該当することを理由としてこれらの処分を受けた者及び第百二条の二の期間内に同条に規定する講習を受けなかつた者を除く。）に対する講習

四　大型免許、中型免許、準中型免許又は普通免許を受けようとする者に対するその受けようとする免許に係る自動車の運転に関する講習

3　法第百八条の二第一項第三号に掲げる講習は、次に定めるところにより行うものとする。

一　法第百八条の二第一項第三号に規定する者からの申出により行うこと。

二　運転者としての資質の向上に関すること、自動車等の運転について必要な適性並びに道路交通の現状及び交通事故の実態その他の自動車等の運転について必要な知識について行うこと。

三　あらかじめ講習計画を作成し、これに基づいて行い、かつ、その方法は、教本、自動車等、運転シミュレーター、運転適性検査器材、視聴覚教材等必要な教材を用いて行うこと。

四　自動車等の運転について必要な適性に関する調査でコースにおける自動車等の運転若しくは運転シミュレーターの操作をさせることにより行う検査、運転適性検査器材を用いた検査又は筆記による検査によるものに基づく指導を含むものであること。

五　講習を受けようとする者の免許の保留若しくは効力の停止の期間又は自動車等の運転の禁止の期間（以下この項において「免許の保留等の期間」という。）に応じ、次の表の上欄に掲げる区分により、それぞれ同表の下欄に掲げる時間行うこと。

免許の保留等の期間	時間
四十日未満	六時間
四十日以上九十日未満	十時間
九十日以上	十二時間

六　講習を受けようとする者が免許を保留され、若しくは免許の効力の停止を受けた日又は自動車等の運転を禁止された日から起算してその免許の保留等の期間の二分の一の期間を経過しない間において終了するように行うこと。

4　法第百八条の二第一項第四号に掲げる講習は、次に定めるところにより行うものとする。

一　次の表の第一欄に掲げる受けようとする免許の種類に応じ、同表の第二欄に掲げる講習に区分して行うこととし、それぞれ、同表の第三欄に掲げる講習事項について、同表の第四欄に掲げる講習方法により行うこと。ただし、講習を受けようとする者が準中型免許を受けようとする者であつて、現に普通免許を受けているものであるときは、その者の講習は、同表の準中型免許の項第三欄第一号から第三号までに掲げる講

習事項（同欄第一号に掲げる講習事項にあつては、貨物自動車（専ら貨物を運搬する構造の自動車をいう。以下この項において同じ。）に係るものに限る。）について、同項第四欄に掲げる講習方法により行うこと。

第一欄（種類）	第二欄（講習）	第三欄（講習事項）	第四欄（講習方法）
大型免許	大型車講習	一　貨物自動車の運転に係る危険の予測その他の貨物自動車の安全な運転に必要な技能及び知識 二　夜間における貨物自動車の安全な運転に必要な技能 三　路面が凍結の状態にある場合その他の悪条件下にある場合における運転の危険性に応じた貨物自動車の安全な運転に必要な技能	教本、大型自動車（貨物自動車に限る。）、運転シミュレーター、視聴覚教材等必要な教材を用いて行うこと。
中型免許	中型車講習	一　貨物自動車の運転に係る危険の予測その他の貨物自動車の安全な運転に必要な技能及び知識 二　夜間における貨物自動車の安全な運転に必要な技能 三　路面が凍結の状態にある場合その他の悪条件下にある場合における運転の危険性に応じた貨物自動車の安全な運転に必要な技能	教本、中型自動車（貨物自動車に限る。）、運転シミュレーター、視聴覚教材等必要な教材を用いて行うこと。
準中型免許	準中型車講習	一　貨物自動車及び普通自動車（貨物自動車を除く。）の運転に係る危険の予測その他の貨物自動車及び普通自動車（貨物自動車を除く。）	教本、準中型自動車（貨物自動車に限る。）、運転シミュレーター、

		の安全な運転に必要な技能及び知識 二　夜間における貨物自動車の安全な運転に必要な技能 三　路面が凍結の状態にある場合その他の悪条件下にある場合における運転の危険性に応じた貨物自動車の安全な運転に必要な技能 四　高速自動車国道及び自動車専用道路における普通自動車の安全な運転に必要な技能及び知識	視聴覚教材等必要な教材を用いて行うこと。
普通免許	普通車講習	一　普通自動車の運転に係る危険の予測その他の安全な運転に必要な技能及び知識 二　高速自動車国道及び自動車専用道路における普通自動車の安全な運転に必要な技能及び知識	教本、普通自動車、運転シミュレーター、視聴覚教材等必要な教材を用いて行うこと。

二　あらかじめ講習計画を作成し、これに基づいて行うこと。

三　第一号の表の準中型免許の項の第三欄第一号及び第四号に掲げる講習事項（同欄第一号に掲げる講習事項にあつては、貨物自動車に係るものを除く。）については、同項第四欄に掲げる講習方法にかかわらず、普通自動車（同項第三欄第一号に掲げる講習事項にあつては、貨物自動車を除く。）を用いて行うこと。

四　第一号の表の第二欄に掲げる講習の区分に応じ、道路における大型自動車（貨物自動車に限る。）、中型自動車（貨物自動車に限る。次号において同じ。）、準中型自動車（貨物自動車に限る。この号及び次号において同じ。）及び普通自動車（現に普通免許を受けている者に対する準中型車講習にあつては、準中型自動車）又は普通自動車の運転の実習その他のこれらの自動車の運転に関する実技訓練を含むものであること。

五　次に掲げる第一号の表の第三欄に掲げる講習事項について

五　大型二輪免許又は普通二輪免許を受けようとする者に対するその受けようとする免許に係る自動車の運転に関する講習

は、同表第四欄に掲げる講習方法にかかわらず、それぞれ次に定める自動車を用いて行うことができる。

イ　大型免許の項の第三欄第一号に掲げる講習事項（荷重が貨物自動車の運転操作に与える影響を理解するための走行に限る。）　中型自動車又は準中型自動車

ロ　大型免許の項の第三欄第三号に掲げる講習事項　中型自動車、準中型自動車又は普通自動車

ハ　中型免許の項の第三欄第一号に掲げる講習事項（荷重が貨物自動車の運転操作に与える影響を理解するための走行に限る。）　準中型自動車

ニ　中型免許の項の第三欄第三号に掲げる講習事項　準中型自動車又は普通自動車

ホ　準中型免許の項の第三欄第三号に掲げる講習事項　普通自動車

六　講習時間は、大型車講習、中型車講習又は普通車講習にあつては四時間、準中型車講習にあつては八時間（現に普通免許を受けている者に対する当該講習にあつては、四時間）とすること。

5　法第百八条の二第一項第五号に掲げる講習は、次に定めるところにより行うものとする。

一　次の表の第一欄に掲げる受けようとする免許の種類に応じ、同表の第二欄に掲げる講習に区分して行うこととし、それぞれ、同表の第三欄に掲げる講習事項について、同表の第四欄に掲げる講習方法により行うこと。

第一欄（種類）	第二欄（講習）	第三欄（講習事項）	第四欄（講習方法）
大型二輪免許	大型二輪車講習	一　大型自動二輪車の運転に係る危険の予測その他の安全な運転に必要な技能及び知識 二　大型自動二輪車の二人乗り運転に関する知識	教本、大型自動二輪車、運転シミュレーター、視聴覚教材等必要な教材を用いて行うこと。
普通二輪免許	普通二輪車講習	一　普通自動二輪車の運転に係る危険の予測その他の安全な運転に必要な技能及び知識 二　普通自動二輪車の二	教本、普通自動二輪車、運転シミュレーター、視聴覚教材

六　原付免許を受けようとする者に対する一般原動機付自転車の運転に関する講習

七　大型第二種免許、中型第二種免許又は普通第二種免許を受けようとする者に対するその受けようとする免許に係る自動車の運転に関する講習

		人乗り運転に関する知識	等必要な教材を用いて行うこと。

二　あらかじめ講習計画を作成し、これに基づいて行うこと。
三　第一号の表の第二欄に掲げる講習の区分に応じ、大型自動二輪車又は普通自動二輪車の運転に関する実技訓練を含むものであること。
四　講習時間は、三時間とすること。

6　法第百八条の二第一項第六号に掲げる講習（第十八項において「原付講習」という。）は、次に定めるところにより行うものとする。
一　一般原動機付自転車の操作方法及び走行方法並びに安全運転に必要な知識等について行うこと。
二　あらかじめ講習計画を作成し、これに基づいて行い、かつ、その方法は、一般原動機付自転車、視聴覚教材等必要な教材を用いて行うこと。
三　一般原動機付自転車の運転に関する実技訓練を含むものであること。
四　講習時間は、三時間とすること。

7　法第百八条の二第一項第七号に掲げる講習は、次に定めるところにより行うものとする。
一　次に掲げる事項について行うこと。
イ　旅客自動車の運転に係る危険の予測その他の旅客自動車の安全な運転に必要な技能及び知識
ロ　夜間における旅客自動車の安全な運転に必要な技能
ハ　路面が凍結の状態にある場合その他の悪条件下にある場合における運転の危険性に応じた旅客自動車の安全な運転に必要な技能
ニ　身体障害者、高齢者等が旅客である場合における旅客自動車の安全な運転その他の交通の安全の確保について必要な知識
二　次の表の第一欄に掲げる受けようとする免許の種類に応じ、同表の第二欄に掲げる講習に区分して行うこととし、それぞれ同表の第三欄に掲げる講習方法により行うこと。

第一欄（種類）	第二欄（講習）	第三欄（講習方法）
大型第二種免許	大型旅客車講習	教本、乗車定員三〇人以上のバス型の大型自動車、運転シミュレーター、視聴覚教材等必要な教材を用いて行うこと。

八　大型免許、中型免許、準中型免許、普通免許、大型二輪免許、普通二輪免許、大型第二種免許、中型第二種免許又は普通第二種免許を受けようとする者に対する応急救護処置（交通事故の現場においてその負傷者を救護するため必要な応急の処置をいう。）に関する講習

中型第二種免許	中型旅客車講習	教本、乗車定員一一人以上二九人以下のバス型の中型自動車、運転シミュレーター、視聴覚教材等必要な教材を用いて行うこと。
普通第二種免許	普通旅客車講習	教本、普通自動車、運転シミュレーター、視聴覚教材等必要な教材を用いて行うこと。

三　あらかじめ講習計画を作成し、これに基づいて行うこと。

四　第二号の表の第二欄に掲げる講習の区分に応じ、道路における乗車定員三十人以上のバス型の大型自動車、乗車定員十一人以上二十九人以下のバス型の中型自動車又は普通自動車の旅客を運送する目的での運転の実習その他のこれらの自動車の運転に関する実技訓練を含むものであること。

五　大型旅客車講習又は中型旅客車講習に係る第一号ハに掲げる講習事項については、第二号の表第三欄に掲げる講習方法にかかわらず、それぞれ中型自動車若しくは普通自動車又は普通自動車を用いて行うことができるものとする。

六　講習時間は、六時間とすること。

七　講習を受ける者一人に対し自動車の運転又は運転シミュレーターの使用による講習を行う時間は、一日に三時間を超えないこと。

8　法第百八条の二第一項第八号に掲げる講習は、次に定めるところにより行うものとする。

一　次の表の第一欄に掲げる受けようとする免許の種類に応じ、同表の第二欄に掲げる講習に区分して行うこととし、それぞれ、同表の第三欄に掲げる講習事項について、同表の第四欄に掲げる時間行うこと。

第一欄（種類）	第二欄（講習）	第三欄（講習事項）	第四欄（時間）
大型免許、中型免許、準中型免許、普通免許、大型二輪免許又	応急救護処置講習（一）	一　気道確保、人工呼吸、心臓マッサージ及び止血に必要な知識 二　前号に掲げるもののほか、応急救護処置に必要な知識	三時間

九　指定自動車教習所の政令で定める職員に対する講習

第七章　雑則

（公安委員会の講習の対象となる指定自動車教習所の職員）

第四一条　法第百八条の二第一項第九号の政令で定める職員は、教習指導員及び技能検定員並びに卒業証明書又は修了証明書の発行に関し監督的な地位にあり、かつ、管理者を直接に補佐する職員とする。

〔本条追加・昭四六政三四八、改正・昭四八政二七・昭六〇政二一九・平四政三三一・平五政三四八・平八政一六〇〕

は普通二輪免許			
大型第二種免許、中型第二種免許又は普通第二種免許	応急救護処置講習（二）	一　気道確保、人工呼吸、心臓マッサージ、止血、被覆及び固定に必要な知識 二　外傷、熱傷その他の交通事故に係る傷病者の負傷等の状態に応じた対応に必要な知識 三　前二号に掲げるもののほか、応急救護処置に必要な知識	六時間

二　公安委員会が応急救護処置の指導に必要な能力を有すると認める者の指導により行うこと。

三　あらかじめ講習計画を作成し、これに基づいて行い、かつ、その方法は、教本、模擬人体装置、視聴覚教材等必要な教材を用いて行うこと。

四　模擬人体装置による応急救護処置に関する実技訓練を含むものであること。

9　法第百八条の二第一項第九号に掲げる講習（第十七項において「指定自動車教習所職員講習」という。）は、次に定めるところにより行うものとする。

一　各々の指定自動車教習所職員（令第四十一条に規定する教習指導員及び技能検定員並びに卒業証明書又は修了証明書の発行に関し監督的な地位にあり、かつ、管理者を直接に補佐する職員（次号において「管理者を直接に補佐する職員」という。）をいう。次号において同じ。）に対して、おおむね一年ごとに一回行うこと。

二　次の表の第一欄に掲げる区分に応じ、それぞれ同表の第二欄に掲げる講習事項について、同表の第三欄に掲げる講習方法により、あらかじめ講習計画を作成し、これに基づいて同表の第四欄に掲げる時間行うこと。この場合において、当該指定自動車教習所職員が教習指導員であり、かつ、技能検定員であるときは、教習指導員又は技能検定員のいずれかに対する講習を行うことをもつて足りる。

第一欄（種類）	第二欄（講習事項）	第三欄（講習方法）	第四欄（時間）
教習指導	一　教則の内容とな	教本、自動車	九時間

員	つている事項その他自動車の運転に関する知識 二　自動車教習所に関する法令等についての知識 三　教習指導員として必要な教育についての知識 四　教習指導員として必要な自動車の運転技能 五　技能教習に必要な教習の技能 六　学科教習に必要な教習の技能	等、運転シミュレーター、視聴覚教材等必要な教材を用いて行うこと。	以上十一時間以下
技能検定員	一　教則の内容となつている事項 二　自動車教習所に関する法令等についての知識 三　技能検定の実施に関する知識 四　自動車の運転技能の評価方法に関する知識 五　技能検定員として必要な自動車の運転技能 六　自動車の運転技能に関する観察及び採点の技能	教本、自動車、視聴覚教材等必要な教材を用いて行うこと。	十時間以上十二時間以下
管理者を直接に補佐する職員	自動車教習所に関する法令についての知識その他自動車教習所の管理に関する知識	教本、視聴覚教材等必要な教材を用いて行うこと。	六時間以上七時間以下

三　教習指導員又は技能検定員に対する講習は、これらの者の教習又は技能検定に係る免許の種類及び教習又は技能検定の

十　基準該当初心運転者（免許の効力が停止されている者を除く。）に対する免許の種類ごとに行う当該免許自動車等の運転について必要な技能及び知識に関する講習

十一　免許証の更新を受けようとする者、特定失効者又は特定取消処分者に対する第九十二条の二第一項の表の上欄に規定する優良運転者、一般運転者又は違反運転者等の区分に応じた講習

十一　免許証等の更新を受けようとする者、特定失効者又は特定取消処分者に対する第九十五条の六第一項の表の上欄に規定する優良運転者、一般運転者又は違反運転者等の区分に応じた講習

経験の別に応じ、学級を編成して行うよう努めること。

10　初心運転者講習は、次に定めるところにより行うものとする。

一　法第百八条の二第一項第十号に規定する者からの申出により行うこと。

二　運転者としての資質の向上に関すること並びに自動車等の運転について必要な技能及び知識について行うこと。

三　あらかじめ講習計画を作成し、これに基づいて行い、かつ、その方法は、教本、自動車等、運転シミュレーター、視聴覚教材等必要な教材を用いて行うこと。

四　道路における自動車等の運転の実習その他の自動車等の運転に関する実技訓練を含むものであること。

五　講習時間は、七時間（原付免許に係る初心運転者講習にあつては、四時間）とすること。

11　法第百八条の二第一項第十一号に掲げる講習は、次に定めるところにより行うものとする。

一　次の表の第一欄に掲げる区分に応じ、それぞれ同表の第二欄に定める講習事項について、同表の第三欄に定める講習方法により、同表の第四欄に定める時間行うこと。ただし、講習を受けようとする者が法第九十二条の二第一項に規定する違反運転者等（以下この号において「違反運転者等」という。）のうち同項の表の備考一の4に規定する当該期間が五年未満である者に該当するもの（国家公安委員会規則で定める者に限る。）であるときは、その者からの申出により、その者の講習は、次の表の二の項第二欄に掲げる講習事項について、同項第三欄に掲げる講習方法により、同項第四欄に掲げる時間行うこと。

第一欄（区分）	第二欄（講習事項）	第三欄（講習方法）	第四欄（時間）
一　優良運転者に対する講習	一　道路交通の現状及び交通事故の実態 二　運転者としての資質の向上に関すること。 三　自動車等の安全な運転に必要な知識	教本、視聴覚教材等必要な教材を用いて行うこと。	三十分
二　一般運転者	一　道路交通の現状及び交通	一　教本、視聴覚教材等必要な教	一時間

に対する講習	事故の実態 二　運転者としての資質の向上に関すること。 三　自動車等の安全な運転に必要な知識 四　自動車等の運転について必要な適性	材を用いて行うこと。 二　自動車等の運転について必要な適性に関する調査で筆記による検査によるものに基づく指導を含むものであること。	
三　違反運転者等（令第三十三条の七第二項の基準に該当する者及び国家公安委員会規則で定める者に限る。）に対する講習	一　道路交通の現状及び交通事故の実態 二　運転者としての資質の向上に関すること。 三　自動車等の安全な運転に必要な知識 四　自動車等の運転について必要な適性及び技能	一　教本、視聴覚教材等必要な教材を用いて行うこと。 二　自動車等の運転について必要な知識に関する討議及び指導を含むものであること。 三　自動車等の運転について必要な適性に関する調査で筆記による検査によるものに基づく指導を含むものであること。	二時間
四　三の項に規定する違反運転者等以外の違反運転者等に対する講習	一　道路交通の現状及び交通事故の実態 二　運転者としての資質の向上に関すること。 三　自動車等の運転に関する基礎的な知識 四　自動車等の運転について必要な適性及び技能	一　教本、視聴覚教材等必要な教材を用いて行うこと。 二　自動車等の運転に関する基礎的な知識に習熟させるための演習を含むものであること。 三　自動車等の運転について必要な適性に関する調査で筆記によ	二時間

十二　更新期間が満了する日における年齢が七十歳以上の者、第八十九条第一項の規定により免許申請書を提出した日における年齢が七十歳以上の特定失効者若しくは特定取消処分者又は第百一条の七第五項の規定による通知を受けた者に、加齢に伴つて生ずるその者の身体の機能の低下が自動車等の運転に影響を及ぼす可能性があることを理解させるための講習

十三　免許を受けた者又は国際運転免許証等を所持する者で軽微違反行為をし、当該行為が第百二条の二の政令で定める基準に該当することとなつたものに対する講習

る検査によるものに基づく指導を含むものであること。		

二　講習を受けようとする者の年齢及びその者が現に受けている免許の種類の別に応じ、学級を編成して行うように努めること。

12　高齢者講習は、次に定めるところにより行うものとする。

一　運転者としての資質の向上に関すること、身体の機能の状況その他の自動車等の運転について必要な適性並びに道路交通の現状及び交通事故の実態その他の自動車等の運転について必要な知識について行うこと。

二　あらかじめ講習計画を作成し、これに基づいて行い、かつ、その方法は、教本、普通自動車、運転適性検査器材、視聴覚教材等必要な教材を用いて行うこと。

三　自動車等の運転について必要な適性に関する調査でコース又は道路における普通自動車の運転をさせることにより行う検査及び運転適性検査器材を用いた検査（法第七十一条の五第三項に規定する普通自動車対応免許（次号において「普通自動車対応免許」という。）以外の免許のみを受けている者及び令第三十四条の三第四項又は第三十七条の六の三の基準に該当する者に対する講習にあつては、自動車等の運転について必要な適性に関する調査で運転適性検査器材を用いた検査）によるものに基づく指導を含むものであること。

四　講習時間は、二時間（普通自動車対応免許以外の免許のみを受けている者及び令第三十四条の三第四項又は第三十七条の六の三の基準に該当する者に対する講習にあつては、一時間）とすること。

13　違反者講習は、次に定めるところにより行うものとする。

一　運転者としての資質の向上に関すること、自動車等の運転について必要な適性並びに道路交通の現状及び交通事故の実態その他の自動車等の運転について必要な知識について行うこと。

二　あらかじめ講習計画を作成し、これに基づいて行い、かつ、次の表の上欄に掲げる場合に応じ、それぞれ同表の下欄の方法によること。

一　違反者講習を受けようとする者の選択により、運転者の資質の向上に	一　教本、運転適性検査器材、視聴覚教材等必要な教材を用いて行うこと。 二　活動を体験させること。

十四　基準該当若年運転者（免許の効力が停止されている者を除く。）に対する特例取得免許に係る自動車の運転に関する講習

十五　特定小型原動機付自転車の運転による交通の

資するものとして国家公安委員会規則で定める活動（以下この項において「活動」という。）を体験させる場合	三　自動車等の運転について必要な適性に関する調査で運転適性検査器材を用いた検査又は筆記による検査によるものに基づく指導を含むものであること。
二　一以外の場合	一　教本、自動車等、運転シミュレーター、運転適性検査器材、視聴覚教材等必要な教材を用いて行うこと。 二　自動車等の運転について必要な適性に関する調査でコース若しくは道路における自動車等の運転若しくは運転シミュレーターの操作をさせることにより行う検査、運転適性検査器材を用いた検査又は筆記による検査によるものに基づく指導を含むものであること。

三　講習時間は、六時間とすること。

運転免許に係る講習等に関する規則

（平成六年二月二五日国家公安委員会規則第四号）

14　若年運転者講習は、次に定めるところにより行うものとする。

一　運転者としての資質の向上に関すること及び自動車の運転について必要な適性について行うこと。

二　あらかじめ講習計画を作成し、これに基づいて行い、かつ、その方法は、普通自動車、視聴覚教材等必要な教材を用いて行うこと。

三　コース又は道路における普通自動車の運転をさせることにより行う検査、筆記又は口頭による検査その他の自動車の運転について必要な適性に関する調査に基づく個別的指導を含むものであること。

四　講習時間は、九時間とすること。

15　法第百八条の二第一項第十五号に掲げる講習（以下「特定小型原動機付自転車運転者講習」という。）は、次に定めるところ

危険を防止するための講習

十六　自転車の運転による交通の危険を防止するための講習

ろにより行うものとする。

一　運転者としての資質の向上に関すること、特定小型原動機付自転車の運転について必要な適性並びに道路交通の現状及び交通事故の実態その他の特定小型原動機付自転車の運転について必要な知識について行うこと。

二　あらかじめ講習計画を作成し、これに基づいて行い、かつ、その方法は、教本、視聴覚教材等必要な教材を用いて行うこと。

三　特定小型原動機付自転車の運転について必要な適性に関する調査に基づく個別的指導を含むものであること。

四　講習時間は、三時間とすること。

16　法第百八条の二第一項第十六号に掲げる講習（以下「自転車運転者講習」という。）は、次に定めるところにより行うものとする。

一　運転者としての資質の向上に関すること、自転車の運転について必要な適性並びに道路交通の現状及び交通事故の実態その他の自転車の運転について必要な知識について行うこと。

二　あらかじめ講習計画を作成し、これに基づいて行い、かつ、その方法は、教本、視聴覚教材等必要な教材を用いて行うこと。

三　自転車の運転について必要な適性に関する調査に基づく個別的指導を含むものであること。

四　講習時間は、三時間とすること。

17　安全運転管理者等講習又は指定自動車教習所職員講習を行う旨の通知は、それぞれ別記様式第二十二の九又は別記様式第二十二の十の通知書を送付して行うものとする。

18　公安委員会は、第四項第一号の表の第二欄に掲げる大型車講習、中型車講習、準中型車講習若しくは普通車講習、第五項第一号の表の第二欄に掲げる大型二輪車講習若しくは普通二輪車講習、原付講習、第七項第二号の表の第二欄に掲げる大型旅客車講習、中型旅客車講習若しくは普通旅客車講習、第八項第一号の表の第二欄に掲げる応急救護処置講習（一）若しくは応急救護処置講習（二）又は高齢者講習を終了した者からの申出により、それぞれ別記様式第二十二の十の二の大型車講習終了証明書、別記様式第二十二の十の二の中型車講習終了証明書、別記様式第二十二の十の二の三の準中型車講習終了証明書若しくは別記様式第二十二の十の二の四の普通車講習終了証明書、別記様式第二十二の十の三の大型二輪車講習終了証明書若しくは別記様式第二十二の十の三の二の普通二輪車講習終了証明書、別記様式第二十二の十の四の原付講習終了証明書、別記様式第二十二の十の五の大型旅客車講習終了証明書、別記様式第二十二の十の五の二の中型旅客車講習終了証明書若しくは別記様式第二十二の十の五の三の普通旅客車講習終了証明書、別記様式第二十二の十の六の応急救護処置講習（一）終了証明書若しくは別記様式第二十二の十の六の二の応急救護処置講習（二）終了証明書又は別記様式第二十二の十の七の高齢者講習終了証明書を交付するものとする。

〔本条追加・昭四六総府令五三、全改・昭四七総府令八、三項改正・昭四八総府令一一、一・五項改正・昭五三総府令三七、二項改正・昭五八総府令二、一項追加・旧一―六項を改正し二―七項に繰下・昭六〇総府令三五、一項削除・旧二項を改正し一項に繰上・二・五項追加・三項改正・旧五―七項を改正し六―八項に繰下・平二総府令一二、四項追加・旧四―六項を改正し五―七項に繰下・旧七項を八項に繰下・九項追加・旧八項を改正し一〇項に繰下・平四総府令四五、一―三項改正・四―六・一〇・一二項追加・旧四項を七項に繰下・旧五・六・八・一〇項を改正し八・九・一一・一三項に繰下・旧七・九項削除・平六総府令一、五項改正・六項追加・旧六・七・一一項を七・八・一二項に繰下・旧八―一〇・一二・一三項を改正し九―一一・一三・一四項に繰下・平八総府令四一、一―三項改正・一二・一三・一五項追加・旧一二項を一四項に繰下・旧一三・一四項を改正し一六・一七項に繰下・平一〇総府令二、九項改正・一一項全改・一七項削除・平一〇総府令七六、二・一一・一二項改正・九項全改・平一一総府令四一、九項改正・一五項削除・旧一六項を一五項に繰上・平一二総府令二九、一一項改正・平一二総府令八九、七項改正・九項追加・旧九・一一・一二・一五項を改正し一〇・一二・一三・一六項に繰下・旧一〇・一三・一四項を一一・一四・一五項に繰下・平一四内府令三四、五・六項改正・平一六内府令九三、一―三項改正・四・五項全改・六・七項削除・旧八・九項を改正し六・七項に繰上・八項追加・旧一〇―一四項を改正し九―一三項に繰上・旧一五項を一四項に繰上・旧一六項を全改し一五項に繰上・平一八内府令四、一二項改正・平二一内府令二八、一・六・九項改正・一四項追加・旧一四・一五項を一五・一六項に繰下・平二七内府令五、三・四・八―一〇・一二・一三・一六項改正・平二八内府令四九、一・六・九・一二項改正・一四項追加・旧一四項を改正し一五項に繰下・旧一五・一六項を一六・一七項に繰下・令四内府令七、一・六・九項改正・一五項追加・旧一五項を改正し一六項に繰下・旧一六・一七項を一七・一八項に繰下・令五内府令一七〕

別記様式第二十二の九（第三十八条関係）

安全運転管理者
副安全運転管理者 講習通知書

年　月　日

殿

(安全運転管理者
副安全運転管理者名　　　)

公安委員会 印

道路交通法第108条の2第1項第1号に掲げる安全運転管理者
副安全運転管理者に対する講習を下記のとおり実施いたしますので通知します。

日　時	
場　所	
備　考	

備考　用紙の大きさは、日本産業規格A列4番とする。
〔本様式追加・昭47総府令8、改正・昭50総府令10、全改・昭53総府令37、旧様式22の9を改正し繰下・昭60総府令35、本様式改正・平元総府令43、旧様式22の10を改正し繰上・平2総府令12、本様式改正・平6総府令1・総府令9・令元内府令12〕

別記様式第二十二の十（第三十八条関係）

指定自動車教習所職員講習通知書

年　月　日

名　称
管理者　　　　殿

公安委員会 印

道路交通法第108条の2第1項第9号に掲げる指定自動車教習所の職員に対する講習を下記のとおり実施いたしますので通知します。

日　時	
場　所	
講習を受ける職員	

備考　用紙の大きさは、日本産業規格A列4番とする。
〔本様式追加・昭47総府令8、改正・昭50総府令10、旧様式22の10を改正し繰下・昭60総府令35、旧様式22の11を繰上・平2総府令12、本様式改正・平4総府令45・平6総府令1・総府令9・平8総府令41・令元内府令12〕

別記様式第二十二の十の二（第三十八条関係）

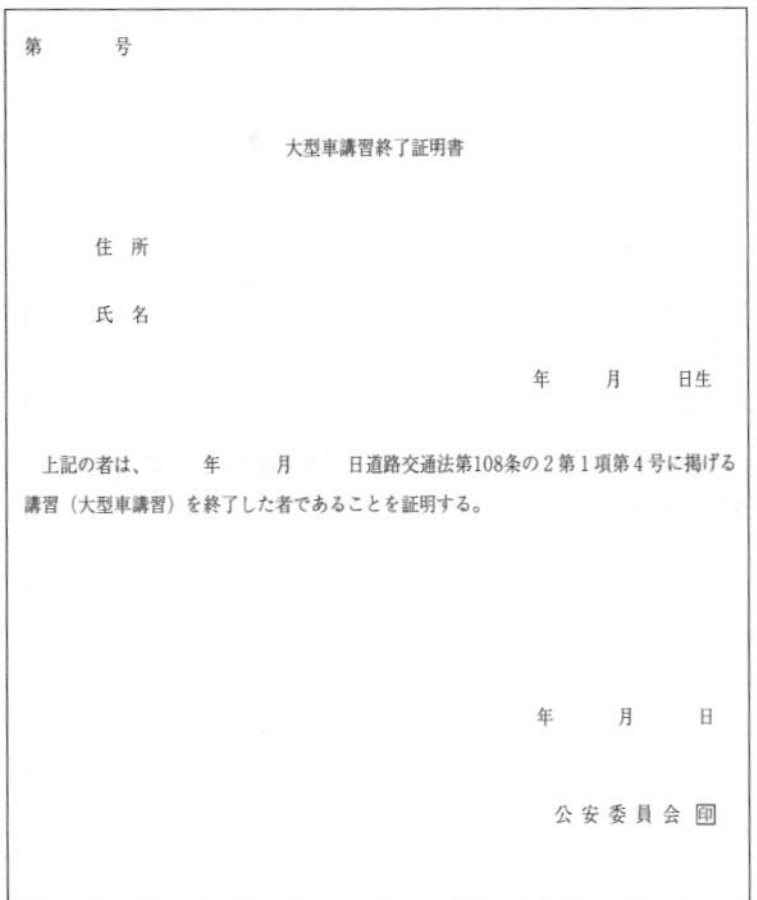

第　　号

大型車講習終了証明書

住所

氏名

年　月　日生

上記の者は、　年　月　日道路交通法第108条の２第１項第４号に掲げる講習（大型車講習）を終了した者であることを証明する。

年　月　日

公安委員会 印

備考　用紙の大きさは、日本産業規格Ａ列４番とする。
〔本様式追加・平６総府令１、改正・平６総府令９・平18内府令４・令元内府令12〕

別記様式第二十二の十の二の二（第三十八条関係）

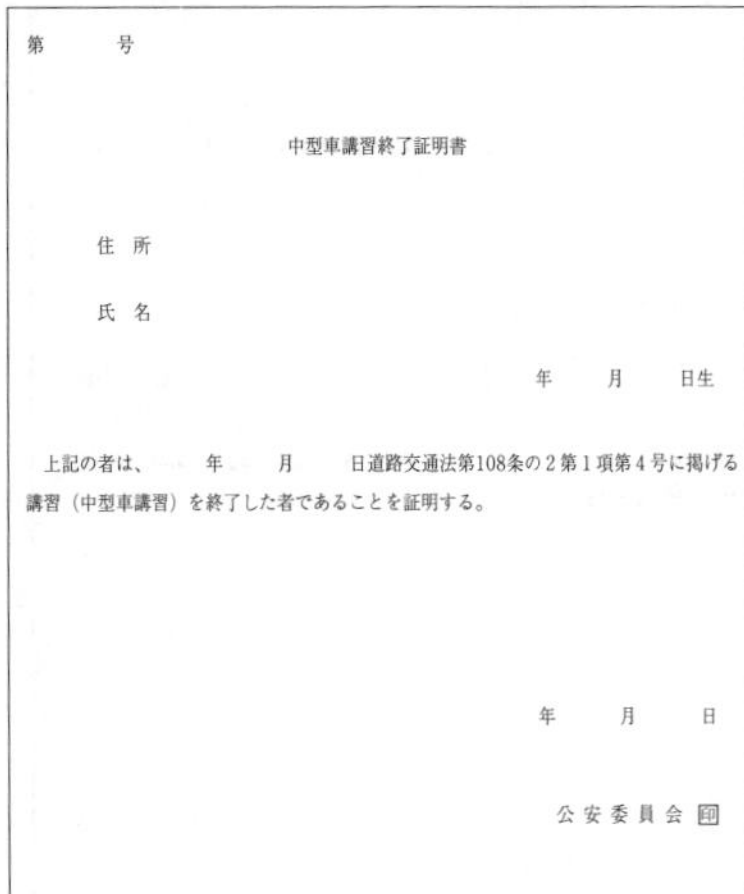

第　　号

中型車講習終了証明書

住所

氏名

年　月　日生

上記の者は、　年　月　日道路交通法第108条の２第１項第４号に掲げる講習（中型車講習）を終了した者であることを証明する。

年　月　日

公安委員会 印

備考　用紙の大きさは、日本産業規格Ａ列４番とする。
〔本様式追加・平18内府令４、改正・令元内府令12〕

別記様式第二十二の十の二の三（第三十八条関係）

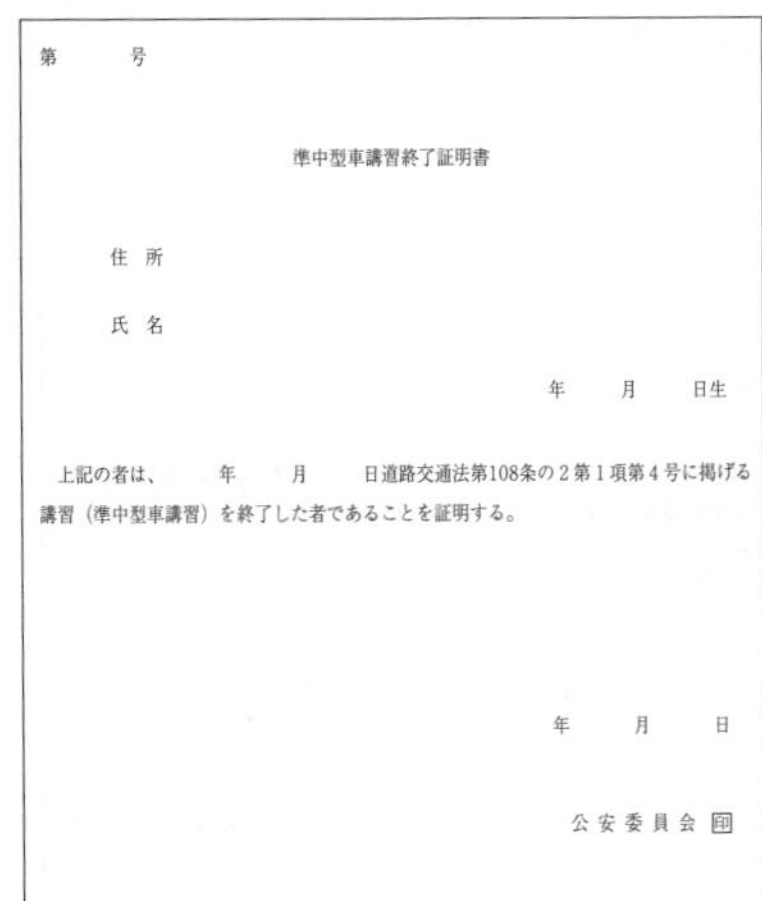

第　　号

準中型車講習終了証明書

住所

氏名

年　月　日生

上記の者は、　年　月　日道路交通法第108条の２第１項第４号に掲げる講習（準中型車講習）を終了した者であることを証明する。

年　月　日

公安委員会 印

備考　用紙の大きさは、日本産業規格Ａ列４番とする。
〔本様式追加・平28内府令49、改正・令元内府令12〕

別記様式第二十二の十の二の四（第三十八条関係）

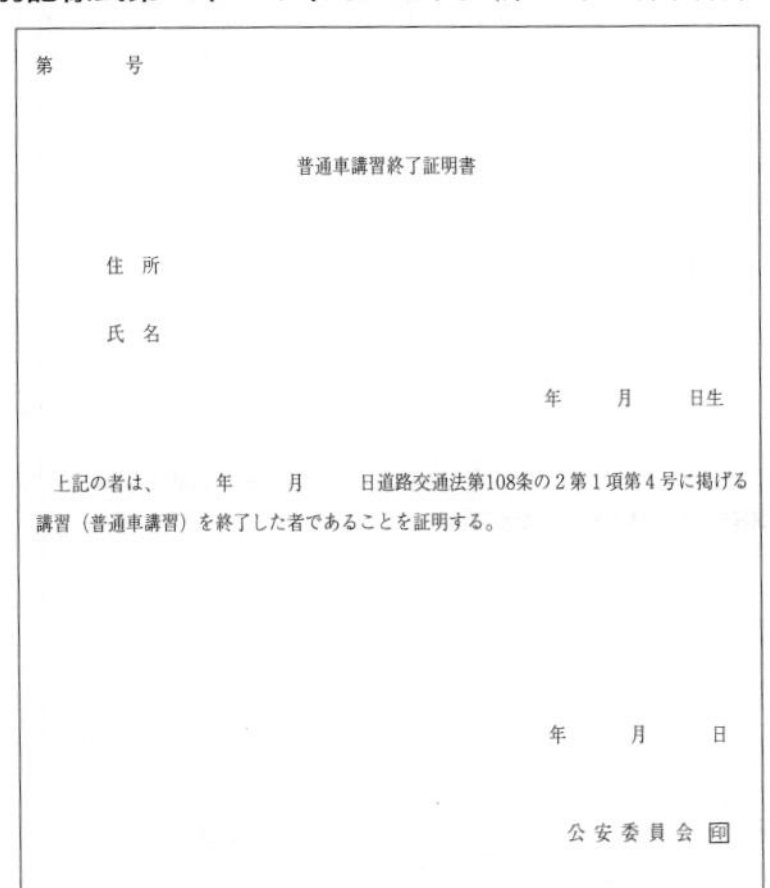

第　　号

普通車講習終了証明書

住所

氏名

年　月　日生

上記の者は、　年　月　日道路交通法第108条の２第１項第４号に掲げる講習（普通車講習）を終了した者であることを証明する。

年　月　日

公安委員会 印

備考　用紙の大きさは、日本産業規格Ａ列４番とする。
〔本様式追加・平18内府令４、旧様式22の10の２の３を繰下・平28内府令49、本様式改正・令元内府令12〕

別記様式第二十二の十の三（第三十八条関係）

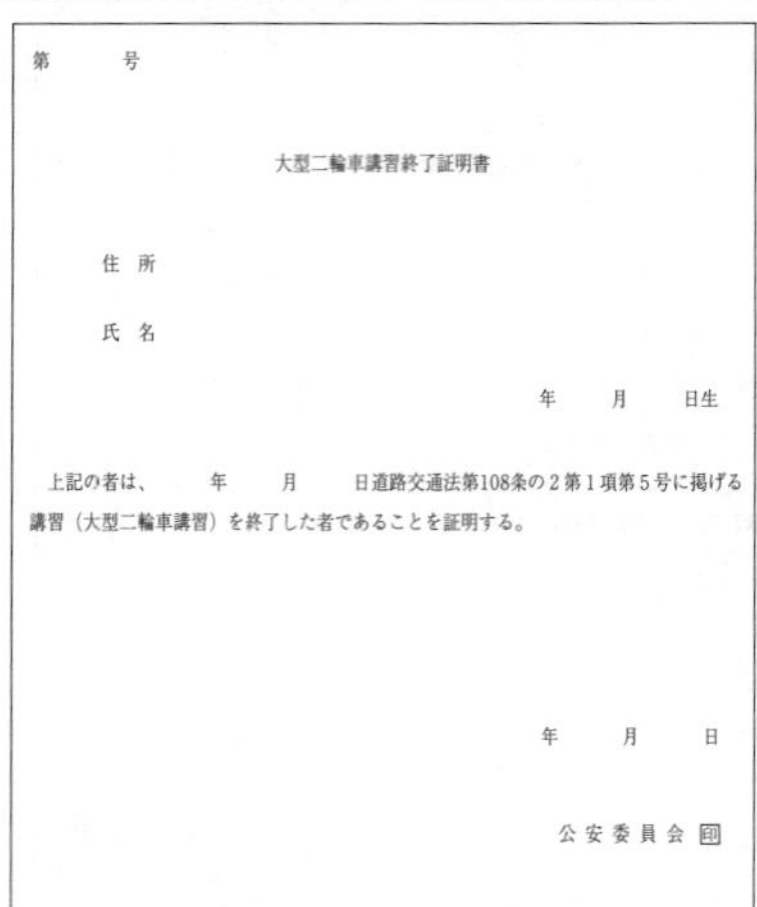
第　　号

大型二輪車講習終了証明書

住 所

氏 名

年　　月　　日生

上記の者は、　　年　　月　　日道路交通法第108条の2第1項第5号に掲げる講習（大型二輪車講習）を終了した者であることを証明する。

年　　月　　日

公安委員会 印

備考　用紙の大きさは、日本産業規格A列4番とする。
〔本様式追加・平6総府令1、改正・平6総府令9・平8総府令41・平18内府令4・令元内府令12〕

別記様式第二十二の十の三の二（第三十八条関係）

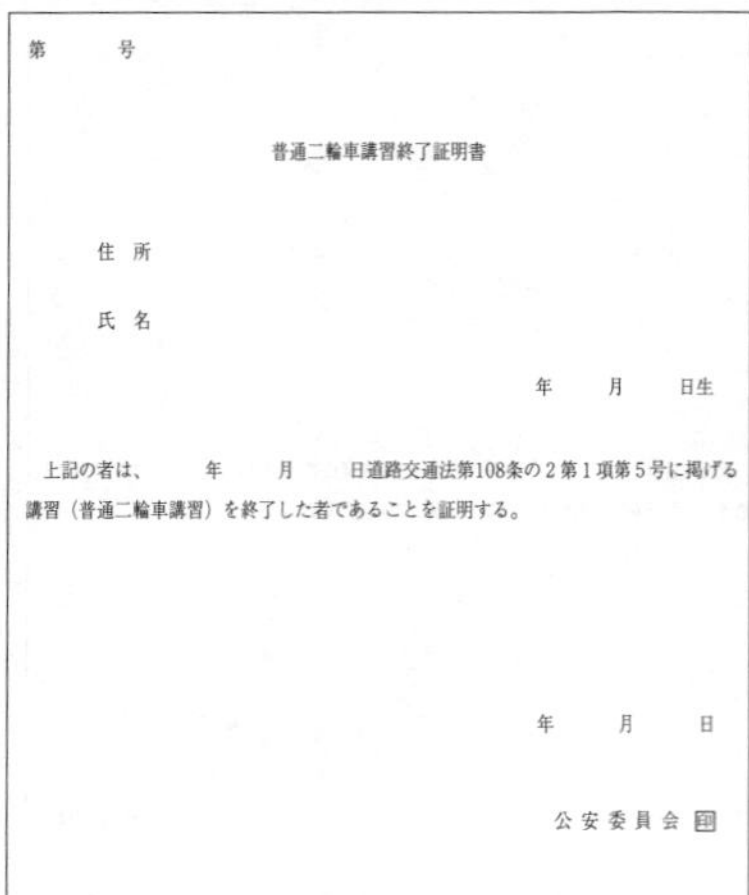
第　　号

普通二輪車講習終了証明書

住 所

氏 名

年　　月　　日生

上記の者は、　　年　　月　　日道路交通法第108条の2第1項第5号に掲げる講習（普通二輪車講習）を終了した者であることを証明する。

年　　月　　日

公安委員会 印

備考　用紙の大きさは、日本産業規格A列4番とする。
〔本様式追加・平18内府令4、改正・令元内府令12〕

別記様式第二十二の十の四（第三十八条関係）

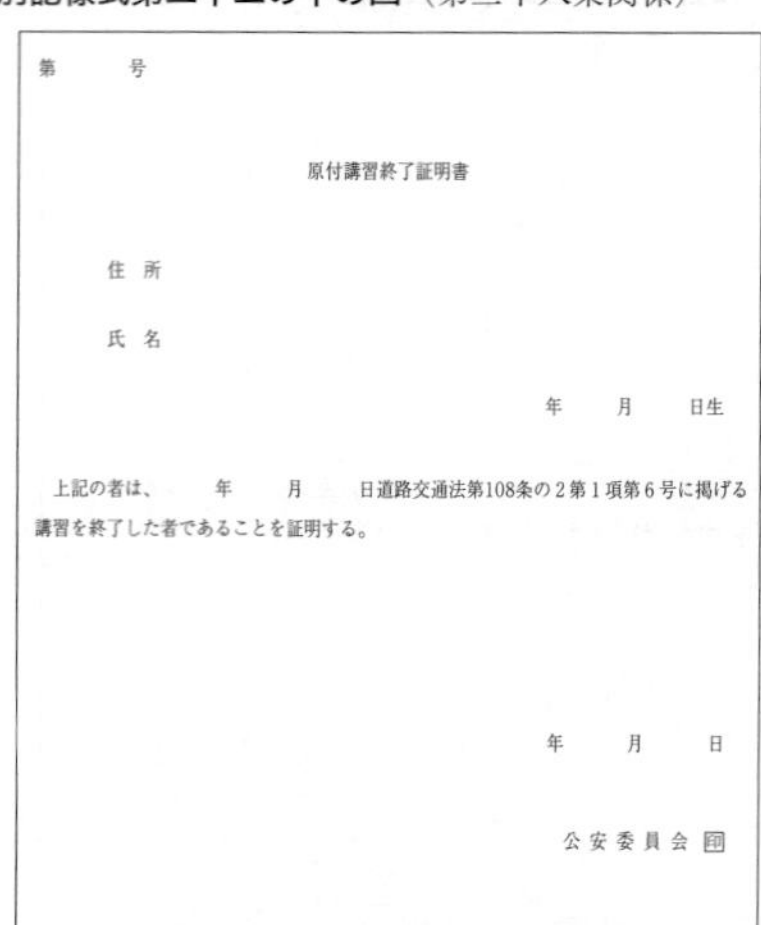
第　　号

原付講習終了証明書

住 所

氏 名

年　　月　　日生

上記の者は、　　年　　月　　日道路交通法第108条の2第1項第6号に掲げる講習を終了した者であることを証明する。

年　　月　　日

公安委員会 印

備考　用紙の大きさは、日本産業規格A列4番とする。
〔本様式追加・平8総府令41、改正・平18内府令4・令元内府令12〕

別記様式第二十二の十の五（第三十八条関係）

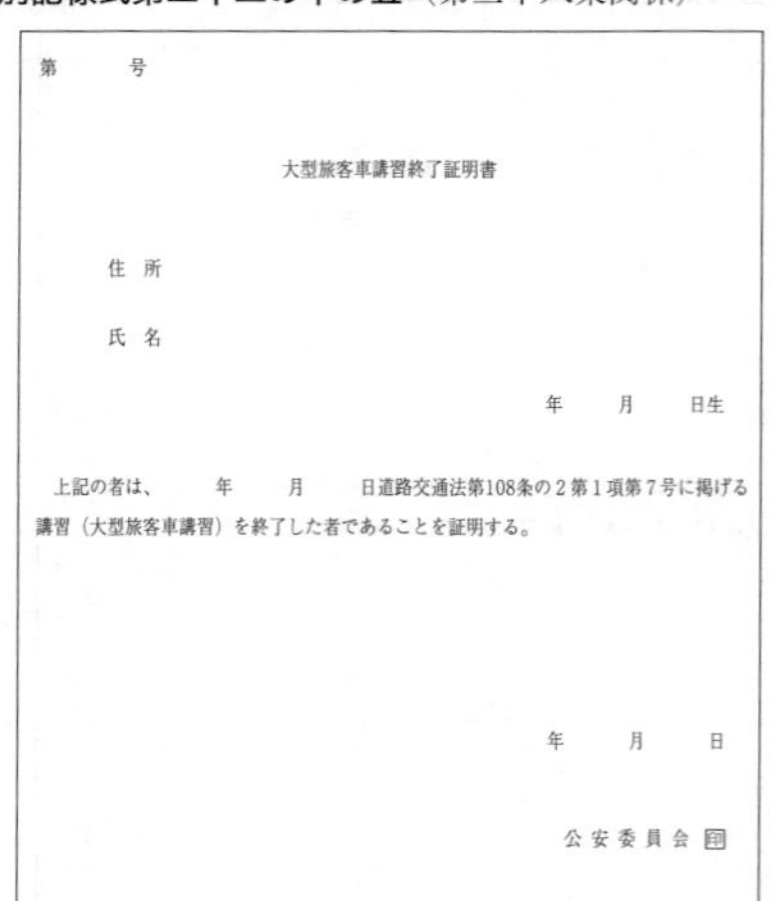
第　　号

大型旅客車講習終了証明書

住 所

氏 名

年　　月　　日生

上記の者は、　　年　　月　　日道路交通法第108条の2第1項第7号に掲げる講習（大型旅客車講習）を終了した者であることを証明する。

年　　月　　日

公安委員会 印

備考　用紙の大きさは、日本産業規格A列4番とする。
〔本様式追加・平6総府令1、改正・平6総府令9、旧様式22の10の4を改正し繰下・平8総府令41、本様式改正・平14内府令34・平18内府令4・令元内府令12〕

別記様式第二十二の十の五の二（第三十八条関係）

第　　号

中型旅客車講習終了証明書

住所

氏名

年　月　日生

上記の者は、　年　月　日道路交通法第108条の2第1項第7号に掲げる講習（中型旅客車講習）を終了した者であることを証明する。

年　月　日

公安委員会 印

備考　用紙の大きさは、日本産業規格Ａ列４番とする。
〔本様式追加・平14内府令34、改正・平18内府令４・令元内府令12〕

別記様式第二十二の十の五の三（第三十八条関係）

第　　号

普通旅客車講習終了証明書

住所

氏名

年　月　日生

上記の者は、　年　月　日道路交通法第108条の2第1項第7号に掲げる講習（普通旅客車講習）を終了した者であることを証明する。

年　月　日

公安委員会 印

備考　用紙の大きさは、日本産業規格Ａ列４番とする。
〔本様式追加・平18内府令４、改正・令元内府令12〕

別記様式第二十二の十の六（第三十八条関係）

第　　号

応急救護処置講習㈠終了証明書

住所

氏名

年　月　日生

上記の者は、　年　月　日道路交通法第108条の2第1項第8号に掲げる講習（応急救護処置講習㈠）を終了した者であることを証明する。

年　月　日

公安委員会 印

備考　用紙の大きさは、日本産業規格Ａ列４番とする。
〔本様式追加・平４総府令45、旧様式22の10の２を改正し繰下・平６総府令１、本様式改正・平６総府令９、旧様式22の10の５を改正し繰下・平８総府令41、本様式改正・平18内府令４・令元内府令12〕

別記様式第二十二の十の六の二（第三十八条関係）

第　　号

応急救護処置講習㈡終了証明書

住所

氏名

年　月　日生

上記の者は、　年　月　日道路交通法第108条の2第1項第8号に掲げる講習（応急救護処置講習㈡）を終了した者であることを証明する。

年　月　日

公安委員会 印

備考　用紙の大きさは、日本産業規格Ａ列４番とする。
〔本様式追加・平14内府令34、改正・平18内府令４・令元内府令12〕

2　公安委員会は、前項各号に掲げるもののほか、車両の運転に関する技能及び知識の向上を図るため車両の運転者に対する講習を行うように努めなければならない。

3　公安委員会は、内閣府令で定める者に第一項第一号、第三号から第九号まで、第十一号から第十三号まで、第十五号若しくは第十六号に掲げる講習又は前項に規定する講習の実施を委託することができる。

〔本条追加・昭四六法九八、一項改正・二項追加・旧二項を改正し三項に繰下・昭五三法五三、一項改正・昭六〇法八七、一・三項改正・平元法九〇・平四法四三・平五法四三・平七法七四・平九法四一、一項改正・平一一法四〇、一・三項改正・平一一法一六〇、一項改正・平一三法五一・平一六法九〇、一項改正・四項・付記追加・平一九法九〇、一・三項・付記改正・平二五法四三、一・四項改正・平二七法四〇、一・三項改正・四項・

別記様式第二十二の十の七（第三十八条関係）

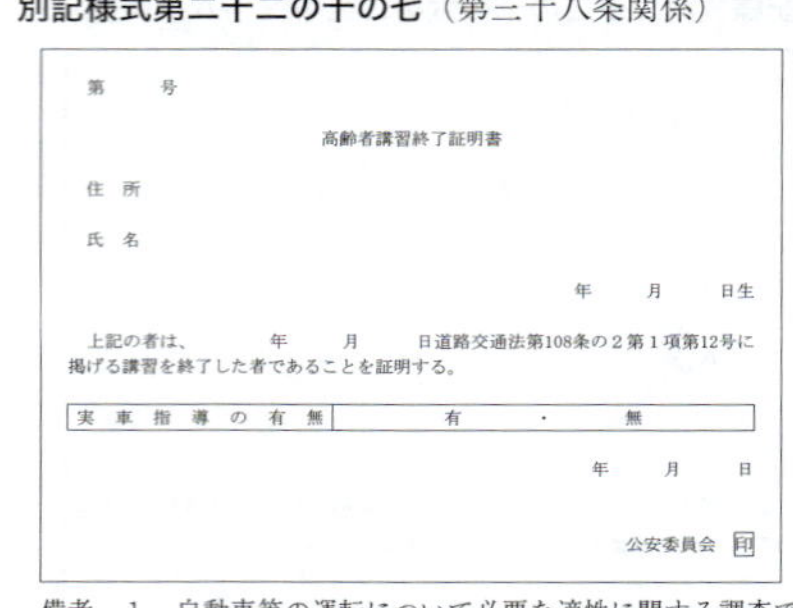
第　　号

高齢者講習終了証明書

住　所

氏　名

年　　月　　日生

上記の者は、　　年　　月　　日道路交通法第108条の２第１項第12号に掲げる講習を終了した者であることを証明する。

実車指導の有無	有　・　無

年　　月　　日

公安委員会 印

備考　1　自動車等の運転について必要な適性に関する調査でコース又は道路における普通自動車の運転をさせることにより行う検査によるものに基づく指導を含む講習を受講した場合には実車指導の有無欄の「有」を、当該指導を含まない講習を受講した場合には実車指導の有無欄の「無」を、それぞれ○で囲むこと。

2　用紙の大きさは、日本産業規格Ａ列４番とする。

〔本様式追加・平10総府令２、改正・平21内府令28・平28内府令49・令元内府令12、全改・令４内府令７〕

第三八条の二……………………五一一ページ参照

（講習の委託）

第三八条の三　法第百八条の二第三項の内閣府令で定める者は、道路における交通の安全に寄与することを目的とする一般社団法人又は一般財団法人その他の者で、講習を行うのに必要かつ適切な組織、設備及び能力を有すると公安委員会が認めるものとする。ただし、国家公安委員会規則で定める講習については、当該講習における指導に必要な能力を有する者として国家公安委員会規則で定めるものが当該講習の業務を行うために必要な数以上置かれている者に限るものとする。

〔本条追加・昭四六総府令五三、改正・昭五三総府令三七、旧三八条の二を改正し繰下・平六総府令一、本条改正・平一〇総府令二・平一二総府令八九・平一九内府令一二・平二〇内府令三三〕

付記削除・令二法四二、一・三項改正・令四法三二）

参照〔公安委員会〕四①、警三八—四六の二〔内閣府令の定め〕道交規三八・別記様式二二の九—二二の一〇の七・三八の二〔安全運転管理者等〕七四の三〔取消処分者等〕九六の三①〔準取消処分者等〕九六の三②〔自動車等〕八四①〔運転〕二①17〔大型免許、中型免許、準中型免許又は普通免許〕八四③〔大型二輪免許又は普通二輪免許〕八四③〔原付免許〕八四③〔大型第二種免許、中型第二種免許又は普通第二種免許〕八四④・八六①〔指定自動車教習所〕九九〔政令で定める職員〕道交令四一〔基準該当初心運転者〕一〇〇の二①〔免許自動車等〕一〇〇の二①〔免許証〕交付＝九二①、有効期間＝九二の二、記載事項＝九三、様式＝道交規別記様式一四、記載事項変更の届出＝九四①、携帯及び提示義務＝九五、更新等＝一〇一—一〇二の三、道交規二九、返納＝一〇七、譲渡・貸与の禁止＝一二〇①15〔特定失効者〕九七の二①3〔特定取消処分者〕九七の二①5〔国際運転免許証等〕一〇七の二〔軽微違反行為〕一〇二の二、道交令三七の八・別表二の一〔政令で定める基準〕道交令三七の八②〔内閣府令で定める者〕道交規三八の三

（初心運転者講習の手続）

第一〇八条の三　公安委員会は、内閣府令で定めるところにより、基準該当初心運転者に対し、その者が第百条の二第一項に規定する行為をし、当該行為が同項本文の政令で定める基準に該当することとなつた後速やかに、前条第一項第十号に掲げる講習（以下「初心運転者講習」という。）を受けることができる旨を書面で通知するものとする。

運転免許に係る講習等に関する規則
（平成六年二月二五日）
（国家公安委員会規則第四号）

（初心運転者講習通知書）

第三八条の四　法第百八条の三第一項に規定する書面（次項において「初心運転者講習通知書」という。）の様式は、別記様式第二十二の十一のとおりとする。

2　初心運転者講習通知書を送付するときは、配達証明郵便等に付して行うものとする。

3　法第百八条の三第一項の規定による通知を受けた者で、当該通知を受けた日の翌日から起算した期間が一月となる日（以下この項において「特定日」という。）までに初心運転者講習を受けないことについて令第四十一条の二に規定するやむを得ない理由のあるものは、特定日後に初心運転者講習を受けようとするときは、当該やむを得ない理由のあることを証するに足る書類を公安委員会（指定講習機関（法第百八条の四第一項に規定する指定講習機関をいう。以下この項及び次条第三項におい

2　前項の通知を受けた者は、当該通知を受けた日の翌日から起算した期間（講習を受けないことについて政令で定めるやむを得ない理由がある者にあつては、当該期間から当該事情の存する期間を除いた期間）が通算して一月を超えることとなるまでの間に限り、初心運転者講習を受けることができる。

〔本条追加・平元法九〇、一項改正・平四法四三・平五法四三・平七法七四・平一一法一六〇〕

参照〔公安委員会〕四①、警三八―四六の二〔内閣府令の定め〕道交規三八の四・別記様式二二の一一〔基準該当初心運転者〕

（初心運転者講習の受講期間の特例）

第四一条の二　法第百八条の三第二項の政令で定めるやむを得ない理由は、第三十七条の十一各号に掲げる理由とする。

〔本条追加・平二政二一六、改正・令四政一六〕

て同じ。）が行う初心運転者講習を受けようとする者にあつては、指定講習機関）に提出しなければならない。

〔本条追加・平二総府令一二、旧三八条の二の二を繰下・平六総府令一、二項改正・平一五内府令九、三項改正・令四内府令七〕

別記様式第二十二の十一（第三十八条の四関係）

初心運転者講習通知書

年　月　日

住所

殿

公安委員会　印

道路交通法第108条の2第1項第10号に掲げる初心運転者講習を下記のとおり実施いたしますので通知します。

なお、初心運転者講習は、この通知を受けてから1か月以内に限って受けることができます。やむを得ない理由なく初心運転者講習を受けない場合は、再試験を受けなければならないこととなります。

初心運転者講習を行う理由	
初心運転者講習に係る免許の種類	
初心運転者講習の場所	
備　考	

備考　用紙の大きさは、日本産業規格A列4番又はおおむね縦10センチメートル横21センチメートルとする。

〔本様式追加・平2総府令12、改正・平4総府令45・平6総府令1・総府令9・平8総府令41・令元内府令12〕

一〇〇の二①〔期間〕民一三八―一四三〔政令で定めるやむを得ない理由〕道交令四一の二

（軽微違反行為をした者に対する講習の手続）

第一〇八条の三の二　公安委員会は、免許を受けた者又は国際運転免許証等を所持する者が軽微違反行為をし、当該行為が第百二条の二の政令で定める基準に該当することとなつたときは、内閣府令で定めるところにより、速やかに、その者に対し、第百八条の二第一項第十三号に掲げる講習を行う旨を書面で通知しなければならない。

〔本条追加・平九法四一、改正・平一一法一六〇〕

参照〔公安委員会〕四①、警三八―四六の二〔免許〕八四、第一種免許＝八四③・八五、第二種免許＝八四④・八六、仮免許＝八四⑤・八七〔国際運転免許証等〕一〇七の二〔軽微違反行為〕一〇二の二、道交令三七の八・別表二の一〔政令で定める基準〕道交令三七の八②〔内閣府令の定め〕道交規三八の四の二・別記様式二二の一一の四

（違反者講習通知書）

第三八条の四の二　法第百八条の三の二に規定する書面（次項において「違反者講習通知書」という。）の様式は、別記様式第二十二の十一の二のとおりとする。

2　違反者講習通知書を送付するときは、配達証明郵便等に付して行うものとする。

3　法第百八条の三の二の規定による通知を受けた者で、当該通知を受けた日の翌日から起算した期間が一月となる日（以下この項において「特定日」という。）までに違反者講習を受けないことについて令第三十七条の八第三項に規定するやむを得ない理由のあるものは、特定日後に違反者講習を受けようとするときは、当該やむを得ない理由のあることを証するに足る書類を公安委員会に提出しなければならない。

〔本条追加・平一〇総府令二、二項改正・平一五内府令九、三項改正・平二八内府令四九〕

別記様式第二十二の十一の二（第三十八条の四の二関係）

違反者講習通知書

年　　月　　日

住　所

殿

公安委員会　㊞

道路交通法第１０８条の２第１項第１３号に掲げる違反者講習を下記のとおり実施いたしますので通知します。

なお、違反者講習は、この通知を受けてから１か月以内に限って受けることができます。やむを得ない理由なく違反者講習を受けない場合は、運転免許の効力の停止を受けることとなります。

違反者講習を行う理由	
違反者講習の日時、場所	
備　　考	

備考　用紙の大きさは、日本産業規格A列４番又はおおむね縦10センチメートル横21センチメートルとする。

〔本様式追加・平10総府令２、改正・令元内府令12〕

（若年運転者講習の手続）

第一〇八条の三の三　公安委員会は、内閣府令で定めるところにより、基準該当若年運転者に対し、その者が自動車等の運転に関しこの法律若しくはこの法律に基づく命令の規定又はこの法律の規定に基づく処分に違反する行為をし、当該行為が第百二条の三の政令で定める基準に該当することとなつた後速やかに、第百八条の二第一項第十四号に掲げる講習（以下「若年運転者講習」という。）を行う旨を書面で通知しなければならない。

〔本条追加・令二法四二〕

参照　〔内閣府令で定めるところ〕道交規三八の四の二の二・別記様式二二の一一の二の二

（講習通知事務の委託）

第一〇八条の三の四　公安委員会は、第百八条の三の三第一項又は前二条の規定による通知の実施に係る事務

（若年運転者講習通知書）

第三八条の四の二の二　法第百八条の三の三に規定する書面（次項において「若年運転者講習通知書」という。）の様式は、別記様式第二十二の十一の二の二のとおりとする。

2　若年運転者講習通知書を送付するときは、配達証明郵便等に付して行うものとする。

3　法第百八条の三の三の規定による通知を受けた者で、当該通知を受けた日の翌日から起算した期間が一月となる日（以下この項において「特定日」という。）までに若年運転者講習を受けないことについて令第三十七条の十一各号に掲げるやむを得ない理由のあるものは、特定日後に若年運転者講習を受けようとするときは、当該やむを得ない理由のあることを証するに足る書類を公安委員会（指定講習機関が行う若年運転者講習を受けようとする者にあつては、指定講習機関）に提出しなければならない。

〔本条追加・令四内府令七〕

別記様式第二十二の十一の二の二（第三十八条の四の二の二関係）

若年運転者講習通知書

年　月　日

住所

殿

公安委員会　㊞

道路交通法第108条の2第1項第14号に掲げる若年運転者講習を下記のとおり実施いたしますので通知します。

なお、若年運転者講習は、この通知を受けてから1か月以内に限って受けることができます。やむを得ない理由なく若年運転者講習を受けない場合は、道路交通法第102条の3に規定する特例取得免許が取り消されることとなります。

若年運転者講習を行う理由	
若年運転者講習の場所	
備考	

備考　用紙の大きさは、日本産業規格A列4番又はおおむね縦10センチメートル横21センチメートルとする。

〔本様式追加・令4内府令7〕

（講習通知事務の委託）

第三八条の四の三　法第百八条の三の四第一項の内閣府令で定める法人は、講習通知事務を行うのに必要かつ適切な組織及び能力を有すると公安委員会が認める法人とする。

（次項において「講習通知事務」という。）の全部又は一部を内閣府令で定める法人に委託することができる。

2　前項の規定により講習通知事務の委託を受けた法人の役員若しくは職員又はこれらの職にあつた者は、当該委託に係る講習通知事務に関して知り得た秘密を漏らしてはならない。

〔本条追加・平一一法四〇、一項改正・平一一法一六〇、付記改正・平一三法五一、一項・付記改正・旧一〇八条の三の三を繰下・令二法四二、付記改正・令四法三二〕

参照　〔公安委員会〕四①、警三八―四六の二〔内閣府令で定める法人〕道交規三八の四の三

〔罰則　第二項については第百十七条の五第一項第二号〔一年以下の懲役又は十万円以下の罰金〕〕

（特定小型原動機付自転車運転者講習等の受講命令）

第一〇八条の三の五　公安委員会は、特定小型原動機付自転車の運転に関しこの法律若しくはこの法律に基づく命令の規定又はこの法律の規定に基づく処分に違反する行為であつて道路における交通の危険を生じさせるおそれのあるものとして政令で定めるもの（次条において「特定小型原動機付自転車危険行為」という。）を反復してした者が、更に特定小型原動機付自転車を運転することが道路における交通の危険を生じさせるおそれがあると認めるときは、

（特定小型原動機付自転車危険行為等）

第四一条の三　法第百八条の三の五第一項の政令で定める行為は、特定小型原動機付自転車の運転に関し行われた次に掲げる行為とする。

一　法第七条（信号機の信号等に従う義務）の規定に違反する行為

二　法第八条（通行の禁止等）第一項の規定に違反する行為

三　法第九条（歩行者用道路を通行する車両の義務）の規定に違反する行為

四　法第十七条（通行区分）第一項、第四項又は第六項の規定に違反する行為

五　法第十七条の二（特例特定小型原動機付自転車の歩道通行）第二項の規定に違反する行為

六　法第十七条の三（特例特定小型原動機付自転車等の路側帯

〔本条追加・平一一総府令四一、改正・平一二総府令八九・令四内府令七〕

（特定小型原動機付自転車運転者講習等の受講命令の方法）

第三八条の四の四　法第百八条の三の五第一項の規定による命令は、別記様式第二十二の十一の三の命令書を交付して行うものとする。

内閣府令で定めるところにより、その者に対し、三月を超えない範囲内で期間を定めて、当該期間内に行われる第百八条の二第一項第十五号に掲げる講習（次条において「特定小型原動機付自転車運転者講習」という。）を受けるべき旨を命ずることができる。

2　公安委員会は、自転車の運転に関しこの法律若しくはこの法律に基づく命令の規定又はこの法律の規定に基づく処分に違反する行為であつて道路における交通の危険を生じさせるおそれのあるものとして政令で定めるもの（次条において「自転車危険行為」という。）を反復してした者が、更に自転車を運転することが道路における交通の危険を生じさせるおそれがあると認めるときは、内閣府令で定めるところにより、その者に対し、三月を超えない範囲内で期間を定めて、当該期間内に行われる第百八条の二第一項第十六号に掲げる講習（次条において「自転車運転者講習」という。）を受けるべき旨を命ずることができる。

通行）第二項の規定に違反する行為

七　法第三十三条（踏切の通過）第二項の規定に違反する行為

八　法第三十六条（交差点における他の車両等との関係等）の規定に違反する行為

九　法第三十七条（交差点における他の車両等との関係等）の規定に違反する行為

十　法第三十七条の二（環状交差点における他の車両等との関係等）の規定に違反する行為

十一　法第四十三条（指定場所における一時停止）の規定に違反する行為

十二　法第六十二条（整備不良車両の運転の禁止）の規定に違反する行為

十三　法第六十五条（酒気帯び運転等の禁止）第一項の規定に違反する行為

十四　法第六十八条（共同危険行為等の禁止）の規定に違反する行為

十五　法第七十条（安全運転の義務）の規定に違反する行為

十六　法第七十一条（運転者の遵守事項）第五号の五の規定に違反する行為（別表第二の備考の二の16又は23に規定する行為に該当するものに限る。）

十七　法第百十七条の二第一項第四号又は法第百十七条の二の二第一項第八号の罪に当たる行為

2　法第百八条の三の五第二項の政令で定める行為は、自転車の運転に関し行われた次に掲げる行為とする。

一　法第七条（信号機の信号等に従う義務）の規定に違反する行為

二　法第八条（通行の禁止等）第一項の規定に違反する行為

三　法第九条（歩行者用道路を通行する車両の義務）の規定に違反する行為

四　法第十七条（通行区分）第一項、第四項又は第六項の規定に違反する行為

五　法第十七条の三（特例特定小型原動機付自転車等の路側帯通行）第二項の規定に違反する行為

六　法第三十三条（踏切の通過）第二項の規定に違反する行為

七　法第三十六条（交差点における他の車両等との関係等）の規定に違反する行為

八　法第三十七条（交差点における他の車両等との関係等）の規定に違反する行為

九　法第三十七条の二（環状交差点における他の車両等との関係等）の規定に違反する行為

十　法第四十三条（指定場所における一時停止）の規定に違反

2　法第百八条の三の五第二項の規定による命令は、別記様式第二十二の十一の四の命令書を交付して行うものとする。

（本条追加・平二七内府令五、改正・令四内府令七、見出し改正・一項追加・旧一項を改正し二項に繰下・令五内府令一七）

〔本条追加・平二五法四三、旧一〇八条の三の四を改正し繰下・令二法四二、見出し全改・一項追加・旧一項を改正し二項に繰下・令四法三二〕

参照　〔公安委員会〕四①、警三八―四六の二〔政令で定める危険行為〕道交令四一の三〔内閣府令の定め〕道交規三八の四の四・別記様式二二の一一の四

〔罰則　第百二十条第一項第十七号〔五万円以下の罰金〕〕

する行為

十一　法第六十三条の四（普通自転車の歩道通行）第二項の規定に違反する行為

十二　法第六十三条の九（自転車の制動装置等）第一項の規定に違反する行為

十三　法第六十五条（酒気帯び運転等の禁止）第一項の規定に違反する行為（法第百十七条の二第一項第一号に規定する酒に酔つた状態でするものに限る。）

十四　法第七十条（安全運転の義務）の規定に違反する行為

十五　法第百十七条の二第一項第四号又は法第百十七条の二の二第一項第八号の罪に当たる行為

〔本条追加・平二七政一九、改正・令二政一八一・令四政一六・政三〇四、見出し改正・一項追加・旧一項を改正し二項に繰下・令五政五四〕

別記様式第二十二の十一の三（第三十八条の四の四関係）

特定小型原動機付自転車運転者講習受講命令書

年　月　日

殿

公安委員会 印

道路交通法第108条の３の５第１項の規定により、下記の期間内に特定小型原動機付自転車運転者講習を受けるべきことを命令する。

命令を受ける者	住所	
	氏名	年　月　日生
期間	年　月　日から　年　月　日まで	
命令の理由		
備考		

備考　用紙の大きさは、日本産業規格Ａ列４番とする。
〔本様式追加・令５内府令17〕

別記様式第二十二の十一の四（第三十八条の四の四関係）

自転車運転者講習受講命令書

年　月　日

殿

公安委員会 印

道路交通法第108条の3の5第2項の規定により、下記の期間内に自転車運転者講習を受けるべきことを命令する。

命令を受ける者	住所	
	氏名	年　月　日生
期間	年　月　日から　年　月　日まで	
命令の理由		
備考		

備考　用紙の大きさは、日本産業規格Ａ列４番とする。
〔本様式追加・平27内府令５、改正・令元内府令12・令４内府令７、旧様式22の11の３を改正し繰下・令５内府令17〕

（特定小型原動機付自転車運転者講習等の受講命令等の報告）

第一〇八条の三の六　公安委員会は、前条の規定による命令をしたとき、特定小型原動機付自転車の運転者が特定小型原動機付自転車危険行為をしたとき若しくは特定小型原動機付自転車運転者講習を受けたとき又は自転車の運転者が自転車危険行為をしたとき若しくは自転車運転者講習を受けたときは、内閣府令で定める事項を国家公安委員会に報告しなければならない。この場合において、国家公安委員会は、特定小型原動機付自転車運転者講習及び自転車運転者講習に関する事務の適正を図るため、当該報告に係る事項を各公安委員会に通報するものとする。

〔本条追加・平二五法四三、旧一〇八条の三の五を繰下・令二法四二、見出し全改・本条改正・令四法三二〕

参照　〔公安委員会〕四①、警三八―四六の二〔内閣府令で定める事項〕道交規三八の四の五〔国家公安委員会〕警四―一四

（指定講習機関）

第一〇八条の四　公安委員会は、次の各号に掲げる講習を、それぞれ当該各号に定める要件に該当すると

（特定小型原動機付自転車運転者講習等の受講命令等についての報告事項）

第三八条の四の五　法第百八条の三の六の内閣府令で定める事項は、次の表の上欄に掲げる場合の区分に応じ、それぞれ同表の下欄に定める事項とする。

報告する場合	事項
法第百八条の三の五第一項又は第二項の規定による命令をしたとき。	一　命令を受けた者の本籍又は国籍等、住所、氏名、生年月日及び性別 二　命令の理由 三　命令をした年月日 四　命令に係る期間
特定小型原動機付自転車危険行為（法第百八条の三の五第一項に規定する特定小型原動機付自転車危険行為をいう。以下この表において同じ。）又は自転車危険行為（同条第二項に規定する自転車危険行為をいう。以下この表において同じ。）をしたとき。	一　特定小型原動機付自転車危険行為又は自転車危険行為をした者の本籍又は国籍等、住所、氏名、生年月日及び性別 二　特定小型原動機付自転車危険行為又は自転車危険行為の種別 三　特定小型原動機付自転車危険行為又は自転車危険行為をした地の都道府県名及び特定小型原動機付自転車危険行為又は自転車危険行為をした年月日
特定小型原動機付自転車運転者講習又は自転車運転者講習を受けたとき。	一　特定小型原動機付自転車運転者講習又は自転車運転者講習を受けた者の本籍又は国籍等、住所、氏名、生年月日及び性別 二　特定小型原動機付自転車運転者講習又は自転車運転者講習を受けた年月日

〔本条追加・平二七内府令五、改正・令四内府令七、見出し・本条改正・令五内府令一七〕

認められるものとして指定する者（第三号及び以下「指定講習機関」という。）に行わせることができる。

一　第百八条の二第一項第二号に掲げる講習（以下この条及び次条第一項において「取消処分者講習」という。）　自動車等の運転に必要な適性に関する調査及びこれに基づく指導（以下「運転適性指導」という。）について専門的知識を有する者として国家公安委員会規則で定める者（第三号及び次条において「運転適性指導員」という。）が置かれていることその他取消処分者講習を適正かつ確実に行うために必要なものとして国家公安委員会規則で定める基準に適合すること。

二　初心運転者講習　自動車等の運転に必要な技能及び知識に関する指導（次条において「運転習熟指導」という。）について高度の能力を有する者として国家公安委員会規則で定める者（同条において「運転習熟指導員」という。）が置かれていることその他初心運転者講習を適正かつ確実に行うために必要なものとして国家公安委員会規則で定める基準に適合すること。

三　若年運転者講習　運転適性指導員が置かれていることその他若年運転者講習を適正かつ確実に行うために必要なものとして国家公安委員会規則で定める基準に適合すること。

2　前項の規定による指定は、取消処分者講習、初心運転者講習又は若年運転者講習（以下「特定講習」という。）を行おうとする者の申請により行う。

3　次の各号のいずれかに該当する者は、第一項の規定による指定を受けることができない。

一　一般社団法人若しくは一般財団法人又は指定自

指定講習機関に関する規則

（平成二年五月一六日国家公安委員会規則第一号）

動車教習所として指定された者以外の者

二　第百八条の十一第一項又は第二項の規定により指定を取り消され、その取消しの日から起算して二年を経過しない者

三　自動車等の運転に関し自動車の運転により人を死傷させる行為等の処罰に関する法律第二条から第六条までの罪又はこの法律に規定する罪を犯し禁錮以上の刑に処せられ、その執行を終わり、又はその執行を受けることがなくなつた日から起算して二年を経過しない者

四　法人で、その役員のうちに前号に該当する者があるもの

4　公安委員会は、第一項の規定による指定をしたときは、当該指定に係る特定講習を行わないことができる。

〔本条追加・平元法九〇、一項改正・平五法四三・平九法四一、三項改正・平一三法一三八・平一八法五〇・平一九法五四・法九〇・平二五法八六、一・二項改正・令二法四二〕

参照　〔公安委員会〕四①、警三八～四六の二〔国家公安委員会規則で定める運転適性指導員〕指定講習機関規則五〔一項一号の国家公安委員会規則で定める基準〕指定講習機関規則六〔国家公安委員会規則で定める運転習熟指導員〕指定講習機関規則七〔一項二号の国家公安委員会規則で定める基準〕指定講習機関規則八〔一項三号の国家公安委員会規則で定める基準〕指定講習機関規則八の二

（運転適性指導員等）

第一〇八条の五　取消処分者講習又は若年運転者講習

自動車の運転により人を死傷させる行為等の処罰に関する法律
第二条―第六条……………………四八六・四八七ページ参照

を行う指定講習機関は、運転適性指導には、運転適性指導員以外の者を従事させてはならない。

2　初心運転者講習を行う指定講習機関は、運転習熟指導には、運転習熟指導員以外の者を従事させてはならない。

3　公安委員会は、運転適性指導員又は運転習熟指導員が運転適性指導又は運転習熟指導について不正な行為をしたときは、当該指定講習機関に対し、その選任に係る当該運転適性指導員又は運転習熟指導員の解任を命ずることができる。

〔本条追加・平元法九〇、四項削除・平五法八九、一項改正・令二法四二〕

参照〔取消処分者講習〕一〇八の四①1〔指定講習機関〕一〇八の四①〔運転適性指導〕一〇八の四①1〔運転適性指導員〕指定講習機関規則五〔公安委員会〕四①、警三八―四六の二〔運転習熟指導員〕指定講習機関規則七

（講習業務規程）

第一〇八条の六　指定講習機関は、特定講習の開始前に、特定講習の業務に関する規程（次項において「講習業務規程」という。）を定め、公安委員会の認可を受けなければならない。これを変更しようとするときも、同様とする。

2　講習業務規程で定めるべき事項は、国家公安委員会規則で定める。

〔本条追加・平元法九〇〕

参照〔指定講習機関〕一〇八の四①〔特定講習〕一〇八の四②、

指定講習機関に関する規則

（講習業務規程で定めるべき事項）

第一〇条　法第百八条の六第二項の講習業務規程で定めるべき事項は、次のとおりとする。

一　特定講習を行う時間及び休日に関する事項

二　特定講習を行う場所に関する事項

三　手数料の収納に関する事項

指定講習機関規則一一〔公安委員会〕四①、警三八―四六の二
〔講習業務規程の認可・変更の認可の申請〕指定講習機関規則九
〔国家公安委員会規則の定め〕指定講習機関規則一〇

（秘密保持義務等）

第一〇八条の七　指定講習機関の役員（法人でない指定自動車教習所にあつては当該施設を設置する者。次項において同じ。）若しくは職員又はこれらの職にあつた者は、特定講習の業務に関して知り得た秘密を漏らしてはならない。

2　特定講習の業務に従事する指定講習機関の役員又は職員は、刑法その他の罰則の適用については、法令により公務に従事する職員とみなす。

〔本条追加・平元法九〇、付記改正・平一三法五一・令二法四二・令四法三二〕

参照〔指定講習機関〕一〇八の四①〔特定講習〕一〇八の四②、指定講習機関規則一二

〔罰則　第一項については第百十七条の五第一項第二号（一年以下の懲役又は十万円以下の罰金）〕

（適合命令等）

第一〇八条の八　公安委員会は、指定講習機関が第百八条の四第一項各号に規定する基準に適合しなくなつたと認めるときは、当該指定講習機関に対し、同項各号に規定する基準に適合するため必要な措置を採るべきことを命ずることができる。

四　講習終了証明書の発行に関する事項
五　特定講習指導員の選任及び解任に関する事項
六　特定講習の実施の方法に関する事項
七　特定講習の業務に関する帳簿及び書類の管理に関する事項
八　その他特定講習の実施に関し必要な事項

2　公安委員会は、前項に定めるもののほか、特定講習を適正かつ確実に行うことを確保するため必要があると認めるときは、指定講習機関に対し、特定講習の業務に関し監督上必要な命令をすることができる。

〔本条追加・平元法九〇〕

参照 〔公安委員会〕四①、警三八—四六の二〔指定講習機関〕一〇八の四①〔特定講習〕一〇八の四②、指定講習機関規則一一

（検査等）

第一〇八条の九　公安委員会は、指定講習機関について、第百八条の四第一項各号に規定する基準に適合しているかどうか、又は第百八条の五第一項若しくは第二項の規定に従い運営されているかどうかを検査し、及び指定講習機関に対し、必要な報告又は資料の提出を求めることができる。

〔本条追加・平元法九〇〕

参照 〔公安委員会〕四①、警三八—四六の二〔指定講習機関〕一〇八の四①

（講習の休廃止）

第一〇八条の一〇　指定講習機関は、公安委員会の許可を受けなければ、特定講習の全部又は一部を休止し、又は廃止してはならない。

〔本条追加・平元法九〇〕

参照〔指定講習機関〕一〇八の四①〔公安委員会〕四①、警三八―四六の二〔許可〕指定講習機関規則一四〔特定講習〕一〇八の四②、指定講習機関規則一一

（指定の取消し）

第一〇八条の一一　公安委員会は、指定講習機関が第百八条の四第三項第一号、第三号又は第四号のいずれかに該当する者になつたときは、その指定を取り消さなければならない。

2　公安委員会は、指定講習機関が次の各号のいずれかに該当することとなつたときは、その指定を取り消すことができる。

一　第百八条の五第一項若しくは第二項、第百八条の六第一項又は前条の規定に違反したとき。

二　第百八条の五第三項又は第百八条の八第一項若しくは第二項の規定による命令に違反したとき。

〔本条追加・平元法九〇、三項削除・平五法八九〕

参照〔公安委員会〕四①、警三八―四六の二〔指定講習機関〕一〇八の四①、取消しの公示＝指定講習機関規則一五

（国家公安委員会規則への委任）

第一〇八条の一二　第百八条の四から前条までに規定するもののほか、指定講習機関に関し必要な事項は、国家公安委員会規則で定める。

〔本条追加・平元法九〇〕

参照〔国家公安委員会規則の定め〕指定講習機関規則

指定講習機関に関する規則

（平成二年五月一六日 国家公安委員会規則第一号）

第六章の三　交通事故調査分析センター

〔本章追加・平四法四三〕

（指定等）

第一〇八条の一三　国家公安委員会は、交通事故の防止及び交通事故による被害の軽減に資するための調査研究等を行うことにより道路における交通の安全と円滑に寄与することを目的とする一般社団法人又は一般財団法人であつて、次条に規定する事業を適正かつ確実に行うことができると認められるものを、その申出により、全国に一を限つて、交通事故調査分析センター（以下この章において「分析センター」という。）として指定することができる。

2　国家公安委員会は、前項の規定による指定をしたときは、分析センターの名称、住所及び事務所の所在地を公示しなければならない。

3　分析センターは、その名称、住所又は事務所の所在地を変更しようとするときは、あらかじめ、その旨を国家公安委員会に届け出なければならない。

4　国家公安委員会は、前項の規定による届出があつたときは、その旨を公示しなければならない。

〔本条追加・平四法四三、一項改正・平一八法五〇〕

参照　〔国家公安委員会〕警四―一四〔道路〕二①1、道二①、道運二⑦・⑧、道運車二⑥、高速二①、駐車二3、道路の種類＝

（事業）
第一〇八条の一四　分析センターは、次に掲げる事業を行うものとする。
一　交通事故の実例に即して、道路交通の状況、運転者の状況その他の交通事故に関係する事項について、その原因等に関する科学的な研究に資するための調査を行うこと。
二　交通事故の原因等に関する科学的な研究を目的として、前号に規定する調査（以下この章において「事故例調査」という。）に係る情報又は資料その他の個別の交通事故に係る情報又は資料を分析すること。
三　交通事故一般に関する情報又は資料を収集し、及び分析し、その他交通事故に関する科学的な調査研究を行うこと。
四　公安委員会が第百八条の二十六の規定により講ずる措置に対して協力するため、第二号の規定による分析の結果又は前号の規定による分析の結果若しくは調査研究の成果を提供すること。
五　前号に掲げるもののほか、交通事故に関する知識の普及及び交通事故防止に関する意識の啓発を図るため、第二号の規定による分析の結果又は第三号の規定による分析の結果若しくは調査研究の成果を、定期的に又は時宜に応じて提供すること。
六　外国における交通事故に関する調査研究機関と

の間において情報交換を行うこと。

七　前各号に掲げる事業に附帯する事業を行うこと。

〔本条追加・平四法四三、改正・平九法四一〕

参照〔分析センター〕一〇八の一三①〔公安委員会〕四①、警三八―四六の二

（事故例調査に従事する者の遵守事項）

第一〇八条の一五　事故例調査に従事する分析センターの職員は、事故例調査を行うために関係者に協力を求めるに当たつては、その生活又は業務の平穏に支障を及ぼさないように配慮しなければならない。

2　事故例調査に従事する分析センターの職員は、その身分を示す証票を携帯し、関係者の請求があつたときは、これを提示しなければならない。

〔本条追加・平四法四三〕

参照〔事故例調査〕一〇八の一四2〔分析センター〕一〇八の一三①、身分を示す証票＝交通事故調査分析センター規則三

（分析センターへの協力）

第一〇八条の一六　警察署長は、分析センターの求めに応じ、分析センターが事故例調査を行うために必要な限度において、分析センターに対し、交通事故の発生に関する情報その他の必要な情報又は資料で国家公安委員会規則で定めるものを提供することができる。

2　警察庁及び都道府県警察は、分析センターの求めに応じ、分析センターが第百八条の十四第三号に掲げる事業を行うために必要な情報又は資料で国家公安委員会規則で定めるものを分析センターに対し提供することができる。

〔本条追加・平四法四三〕

参照　〔警察署長〕警五三②・③〔分析センター〕一〇八の一三①〔事故例調査〕一〇八の一四2〔国家公安委員会規則の定め〕交通事故調査分析センター規則四

（特定情報管理規程）

第一〇八条の一七　分析センターは、交通事故に関するデータベース（事故例調査に係る情報及び前条第二項の規定による提供に係る情報（以下この条及び第百八条の十九において「特定情報」という。）の集合物であつて、特定情報を電子計算機を用いて検索することができるように体系的に構成したものをいう。）の構成及び運用その他の特定情報の管理及び使用に関する事項についての規程（以下この条及び第百八条の十九において「特定情報管理規程」という。）を作成し、国家公安委員会の認可を受けなければならない。これを変更しようとするときも、同様とする。

2　国家公安委員会は、前項の認可をした特定情報管理規程が特定情報の適正な管理又は使用を図る上で不適当となつたと認めるときは、分析センターに対し、当該特定情報管理規程を変更すべきことを命ず

交通事故調査分析センターに関する規則

（平成四年五月六日　国家公安委員会規則第九号）

ることができる。

3　特定情報管理規程に記載すべき事項は、国家公安委員会規則で定める。

〔本条追加・平四法四三〕

参照〔分析センター〕一〇八の一三①〔事故例調査〕一〇八の一四2〔国家公安委員会〕警四―一四〔国家公安委員会の認可〕交通事故調査分析センター規則五〔国家公安委員会規則の定め〕交通事故調査分析センター規則六

（秘密保持義務）

第一〇八条の一八　分析センターの役員若しくは職員又はこれらの職にあつた者は、第百八条の十四第一号から第三号までに掲げる事業に関して知り得た秘密を漏らしてはならない。

〔本条追加・平四法四三、付記改正・平一三法五一・令二法四二・令四法三二〕

参照〔分析センター〕一〇八の一三①

〔罰則　第百十七条の五第一項第二号〔一年以下の懲役又は十万円以下の罰金〕〕

（解任命令）

第一〇八条の一九　国家公安委員会は、分析センターの役員又は職員が特定情報管理規程によらないで特定情報の管理若しくは使用を行つたとき、又は前条の規定に違反したときは、分析センターに対し、当

交通事故調査分析センターに関する規則

（平成四年五月六日国家公安委員会規則第九号）

該役員又は職員を解任すべきことを命ずることができる。

〔本条追加・平四法四三〕

参照〔国家公安委員会〕警四―一四〔特定情報管理規程〕一〇八の一七①〔特定情報〕一〇八の一七①〔分析センター〕一〇八の一三①

（事業計画等の提出）

第一〇八条の二〇　分析センターは、毎事業年度の事業計画及び収支予算を作成し、当該事業年度の開始前に国家公安委員会に提出しなければならない。これを変更しようとするときも、同様とする。

2　分析センターは、毎事業年度の事業報告書、収支決算書、貸借対照表及び財産目録を作成し、当該事業年度経過後三月以内に国家公安委員会に提出しなければならない。

〔本条追加・平四法四三〕

参照〔分析センター〕一〇八の一三①〔国家公安委員会〕警四―一四

（報告及び検査）

第一〇八条の二一　国家公安委員会は、分析センターの事業の運営に関し必要があると認めるときは、分析センターに対し、その事業に関し必要な報告をさせ、又は警察庁の職員に分析センターの事務所に立ち入り、事業の状況若しくは帳簿、書類その他の物件を検査させることができる。

2　前項の規定により立入検査をする職員は、その身分を示す証票を携帯し、関係者の請求があるときは、これを提示しなければならない。

3　第一項の規定による立入検査の権限は、犯罪捜査のために認められたものと解してはならない。

〔本条追加・平四法四三〕

参照　〔国家公安委員会〕警四―一四〔分析センター〕一〇八の一三①〔立入検査をする職員の身分を示す証票〕交通事故調査分析センター規則七

（監督命令）

第一〇八条の二二　国家公安委員会は、この章の規定を施行するため必要な限度において、分析センターに対し、その事業に関し監督上必要な命令をすることができる。

〔本条追加・平四法四三〕

参照　〔国家公安委員会〕警四―一四〔分析センター〕一〇八の一三①

（指定の取消し等）

第一〇八条の二三　国家公安委員会は、分析センターがこの章の規定に違反したとき、又は第百八条の十七第二項、第百八条の十九若しくは前条の規定による命令に違反したときは、その指定を取り消すことができる。

2　国家公安委員会は、前項の規定により指定を取り消したときは、その旨を公示しなければならない。

〔本条追加・平四法四三〕

参照 〔国家公安委員会〕警四―一四〔分析センター〕一〇八の一三①

（分析センターの運営に対する配慮）

第一〇八条の二四　警察庁及び都道府県警察は、分析センターに対し、国家公安委員会規則で定めるところにより、その事業の円滑な運営が図られるように必要な配慮を加えるものとする。

〔本条追加・平四法四三〕

参照 〔分析センター〕一〇八の一三①〔国家公安委員会規則の定め〕交通事故調査分析センター規則八

（国家公安委員会規則への委任）

第一〇八条の二五　第百八条の十三から前条までに規定するもののほか、分析センターに関し必要な事項は、国家公安委員会規則で定める。

〔本条追加・平四法四三〕

参照 〔国家公安委員会規則〕交通事故調査分析センター規則

交通事故調査分析センターに関する規則

（平成四年五月六日国家公安委員会規則第九号）

第六章の四　交通の安全と円滑に資するための民間の組織活動等の促進

〔本章追加・平九法四二〕

（民間の組織活動等の促進を図るための措置）

第一〇八条の二六　公安委員会は、道路における交通の安全と円滑に資するための次に掲げる活動で民間の自主的な組織活動として行われるものの促進を図るため、関係する機関及び団体の活動との調和及び連携を図りつつ、情報の提供、助言、指導その他必要な措置を講ずるものとする。

一　道路を通行する者に対する交通安全教育

二　歩行者の誘導その他の道路を通行する者の通行の安全を確保するための活動

三　適正な交通の方法又は交通事故防止についての広報活動その他道路における交通の安全と円滑に資するための広報活動

四　道路における適正な車両の駐車又は道路の使用についての啓発活動、特定小型原動機付自転車又は自転車の適正な通行についての啓発活動その他道路における交通の安全と円滑に資するための啓発活動

五　前各号に掲げるもののほか、道路における交通の安全と円滑に資するための活動

2　公安委員会は、地方公共団体が行う交通安全対策（公安委員会が行うものを除く。）の的確かつ円滑な実施が図られるよう、関係地方公共団体の長に対し、当該関係地方公共団体の区域における交通事故の発生の状況に関する情報の提供、職員の研修に係る協力その他必要な措置を講ずるものとする。

〔本条追加・平九法四一、一・二項改正・平一九法九〇、一項改正・令四法三二〕

参照〔公安委員会〕四①、警三八―四六の二〔道路〕二①1、道二①、道運二⑦・⑧、道運車二⑥、高速二①、駐車二3、道路の種類＝道三〔車両〕二①8〔駐車〕二①18

（公安委員会による交通安全教育）

第一〇八条の二七　公安委員会は、適正な交通の方法及び交通事故防止について住民の理解を深めるため、住民に対する交通安全教育を行うように努めなければならない。

〔本条追加・平九法四一、見出し全改・令四法三二〕

参照〔公安委員会〕四①、警三八―四六の二

（交通安全教育指針及び交通の方法に関する教則の作成）

第一〇八条の二八　国家公安委員会は、道路を通行する者に対する交通安全教育を行う者（公安委員会を除く。）が効果的かつ適切な交通安全教育を行うことができるようにし、及び公安委員会が行う前条の交

通安全教育の基準とするため、次に掲げる事項を内容とする交通安全教育に関する指針（以下「交通安全教育指針」という。）を作成し、これを公表するものとする。

一　自動車及び原動機付自転車の安全な運転に必要な技能及び知識その他の適正な交通の方法に関する技能及び知識を習得する機会を提供するための交通安全教育の内容及び方法

二　交通事故防止に関する知識を習得する機会を提供するための交通安全教育の内容及び方法

三　前二号に掲げるもののほか、道路を通行する者に対する交通安全教育を効果的かつ適切に行うために必要な事項

2　交通安全教育指針は、道路を通行する者が、交通安全教育に係る学習の機会を通じて、適正な交通の方法及び交通事故防止に関する技能及び知識を自主的に習得する意欲を高めるとともに、その年齢若しくは通行の態様又は業務に関し通行する場合にあつてはその業務の態様に応じたこれらの技能及び知識を段階的かつ体系的に習得することができるように配慮して作成されなければならない。

3　国家公安委員会は、第一項の規定により交通安全教育指針を作成しようとする場合には、関係行政機関の長と緊密な協力を図るよう努めなければならない。

4　国家公安委員会は、道路を通行する者が適正な交通の方法を容易に理解することができるようにするため、次に掲げる事項を内容とする教則を作成し、これを公表するものとする。

一　法令で定める道路の交通の方法
二　道路における危険を防止し、その他交通の安全と円滑を図り、又は道路の交通に起因する障害を防止するため、道路を通行する者が励行することが望ましい事項
三　前二号に掲げるもののほか、自動車の構造その他自動車及び原動機付自転車の運転に必要な知識
〔本条追加・平九法四一、一・四項改正・令四法三二〕

参照〔国家公安委員会〕警四―一四〔道路〕二①1、道二①、道運二⑦・⑧、道運車二⑥、高速二①、駐車二3、道路の種類＝道三〔自動車等〕八四①〔自動車〕二①9、自動車の種類＝三、道交規二〔原動機付自転車〕二①10

（地域交通安全活動推進委員）

第一〇八条の二九　公安委員会は、地域における交通の状況について知識を有する者であつて次に掲げる要件を満たしているもののうちから、地域交通安全活動推進委員を委嘱することができる。
一　人格及び行動について、社会的信望を有すること。
二　職務の遂行に必要な熱意及び時間的余裕を有すること。
三　生活が安定していること。
四　健康で活動力を有すること。
2　地域交通安全活動推進委員は、次に掲げる活動を行う。
一　適正な交通の方法及び交通事故防止について住民の理解を深めるための住民に対する交通安全教

育

二　高齢者、障害者その他その通行に支障のある者の通行の安全を確保するための方法について住民の理解を深めるための運動の推進

三　道路における適正な車両の駐車及び道路の使用の方法について住民の理解を深めるための運動の推進

四　特定小型原動機付自転車又は自転車の適正な通行の方法について住民の理解を深めるための運動の推進

五　前各号に掲げるもののほか、地域における交通の安全と円滑に資するための活動で国家公安委員会規則で定めるもの

3　前項第一号の交通安全教育は、交通安全教育指針に従つて行わなければならない。

4　地域交通安全活動推進委員は、名誉職とする。

5　公安委員会は、地域交通安全活動推進委員が次のいずれかに該当するときは、これを解嘱することができる。

一　第一項各号のいずれかの要件を欠くに至つたとき。

二　職務上の義務に違反し、又はその職務を怠つたとき。

三　地域交通安全活動推進委員たるにふさわしくない非行のあつたとき。

6　前各項に定めるもののほか、地域交通安全活動推進委員に関し必要な事項は、国家公安委員会規則で定める。

〔本条追加・平九法四一、二項改正・平一九法九〇・平二一法二

地域交通安全活動推進委員及び地域交通安全活動推進委員協議会に関する規則

（平成二年一〇月一九日国家公安委員会規則第七号）

一・令四法三二〕

参照 〔公安委員会〕四①、警三八―四六の二〔道路〕二①1、道二①、道運二⑦・⑧、道運車二⑥、高速二①、駐車二3、道路の種類＝道三〔車両〕二①8〔駐車〕二①18〔国家公安委員会規則で定める活動〕地域交安活動推進委員規則四〔交通安全教育指針〕一〇八の二八①

（地域交通安全活動推進委員協議会）

第一〇八条の三〇　地域交通安全活動推進委員は、公安委員会が定める区域ごとに、地域交通安全活動推進委員協議会を組織するものとする。

2　地域交通安全活動推進委員協議会は、地域交通安全活動推進委員が前条第二項の活動を行う場合においてその活動の方針を定め、並びに地域交通安全活動推進委員相互の連絡及び調整を行うことその他地域交通安全活動推進委員が能率的にその任務を遂行するために必要な事項で国家公安委員会規則で定めるものを行う。

3　地域交通安全活動推進委員協議会は、地域交通安全活動推進委員の活動に関し必要と認める意見を、公安委員会及び当該地域交通安全活動推進委員協議会に係る区域を管轄する警察署長に申し出ることができる。

4　前三項に定めるもののほか、地域交通安全活動推進委員協議会に関し必要な事項は、国家公安委員会規則で定める。

〔本条追加・平九法四一〕

地域交通安全活動推進委員及び地域交通安全活動推進委員協議会に関する規則

（平成二年一〇月一九日国家公安委員会規則第七号）

参照 〔地域交通安全活動推進委員〕一〇八の二九〔公安委員会〕四①、警三八—四六の二〔国家公安委員会規則で定める事項〕地域交安活動推進委員規則一二〔警察署長〕警五三②・③〔意見の申出の方法〕地域交安活動推進委員規則一三

（都道府県交通安全活動推進センター）

第一〇八条の三一　公安委員会は、道路における交通の安全と円滑に寄与することを目的とする一般社団法人又は一般財団法人であつて、次項に規定する事業を適正かつ確実に行うことができると認められるものを、その申出により、都道府県に一を限つて、都道府県交通安全活動推進センター（以下「都道府県センター」という。）として指定することができる。

2　都道府県センターは、当該都道府県の区域において、次に掲げる事業を行うものとする。

一　適正な交通の方法、交通事故防止その他道路における交通の安全に関する事項について広報活動を行うこと。

二　適正な交通の方法、交通事故防止その他道路における交通の安全についての啓発活動を行うこと。

三　交通事故に関する相談に応ずること。

四　道路における車両の駐車及び交通の規制並びに道路の使用に関する事項について照会及び相談に応ずること。

五　道路における車両の駐車及び交通の規制並びに道路の使用に関する事項について広報活動を行うこと（第一号に該当するものを除く。）。

六　道路における適正な車両の駐車及び道路の使用

についての啓発活動を行うこと（第二号に該当するものを除く。）。

七　警察署長の委託を受けて第五十六条、第五十七条第三項及び第七十七条第一項の規定による許可に関し、道路又は交通の状況について調査すること。

八　警察署長の委託を受けて道路における工作物又は物件の設置の状況について調査すること（前号の許可に係るものを除く。）。

九　運転適性指導（道路運送法第二条第二項に規定する自動車運送事業（貨物利用運送事業法第二条第八項に規定する第二種貨物利用運送事業を含む。）の用に供する自動車の運転者に対するものを除く。）を行うこと。

十　道路における交通の安全と円滑に資するための民間の自主的な組織活動を助けること。

十一　地域交通安全活動推進委員に対する研修を行うこと。

十二　地域交通安全活動推進委員協議会の事務について連絡調整を行う等その任務の遂行を助けること。

十三　前各号の事業に附帯する事業

3　公安委員会は、都道府県センターの財産の状況又はその事業の運営に関し改善が必要であると認めるときは、都道府県センターに対し、その改善に必要な措置を採るべきことを命ずることができる。

4　公安委員会は、都道府県センターが前項の規定による命令に違反したときは、第一項の指定を取り消すことができる。

道路運送法
第二条……………………………二七六ページ参照

貨物利用運送事業法
第二条……………………………二七七ページ参照

5　都道府県センターの役員若しくは職員又はこれらの職にあつた者は、第二項第三号又は第七号から第九号までに掲げる業務に関して知り得た秘密を漏らしてはならない。

6　第二項第七号又は第八号に掲げる業務に従事する都道府県センターの役員又は職員は、刑法その他の罰則の適用に関しては、法令により公務に従事する職員とみなす。

7　都道府県センターは、第二項各号に掲げる事業の遂行に当たつては、関係する機関及び団体の活動の円滑な遂行に配慮して、これらの活動との調和及び連携を図らなければならない。

8　第一項の指定の手続その他都道府県センターに関し必要な事項は、国家公安委員会規則で定める。

〔本条追加・平九法四一、付記改正・平一三法五一、二項改正・平一四法七七、一項改正・平一八法五〇、付記改正・令二法四二・令四法三二〕

参照　〔公安委員会〕四①、警三八―四六の二〔駐車〕二①18〔交通の規制〕四―六〔道路の使用等〕七六―八三〔警察署長〕警五三②・③〔地域交通安全活動推進委員〕一〇八の二九、地域交通安全活動推進委員規則一章〔地域交通安全活動推進委員協議会〕一〇八の三〇、地域交安活動推進委員規則二章〔国家公安委員会規則〕交通安全活動推進センターに関する規則

〔罰則　第五項については第百十七条の五第一項第二号〔一年以下の懲役又は十万円以下の罰金〕〕

交通安全活動推進センターに関する規則

（平成一〇年三月六日
国家公安委員会規則第三号）

（全国交通安全活動推進センター）

第一〇八条の三二　国家公安委員会は、道路における交通の安全と円滑に寄与することを目的とする一般社団法人又は一般財団法人であつて、次項に規定する事業を適正かつ確実に行うことができると認められるものを、その申出により、全国に一を限つて、全国交通安全活動推進センター（以下「全国センター」という。）として指定することができる。

2　全国センターは、次に掲げる事業を行うものとする。

一　交通事故に関する相談に応ずる業務を担当する者、道路における車両の駐車及び交通の規制並びに道路の使用に関する事項について照会及び相談に応ずる業務を担当する者、運転適性指導の業務を担当する者その他都道府県センターの業務を行う者に対する研修を行うこと。

二　適正な交通の方法、交通事故防止その他道路における交通の安全に関する事項について二以上の都道府県の区域における広報活動を行うこと。

三　適正な交通の方法、交通事故防止その他道路における交通の安全についての二以上の都道府県の区域における啓発活動を行うこと。

四　道路における適正な車両の駐車及び道路の使用についての二以上の都道府県の区域における啓発活動を行うこと（前号に該当するものを除く。）。

五　道路における車両の駐車及び交通の規制並びに道路の使用並びに運転適性指導に関する調査研究を行うこと。

六　道路を通行する者に対する交通安全教育を行う

者の資質の向上に必要とされる技能及び知識に関する研修（道路運送法及び貨物自動車運送事業法に規定する運行管理者に対するものその他国家公安委員会規則で定めるものを除く。）を行うこと。

七　都道府県センターの事業について、連絡調整を行うこと。

八　前各号の事業に附帯する事業

3　前条第三項、第四項、第七項及び第八項の規定は、全国センターについて準用する。この場合において、同条第三項中「公安委員会」とあるのは「国家公安委員会」と、同条第四項中「公安委員会」とあるのは「国家公安委員会」と、「第一項」とあるのは「次条第一項」と、同条第七項中「第二項各号」とあるのは「次条第二項各号」と、同条第八項中「第一項」とあるのは「次条第一項」と読み替えるものとする。

〔本条追加・平九法四一、一項改正・平一八法五〇、二項改正・平一九法九〇〕

参照　〔国家公安委員会〕警四―一四〔道路〕二①1、道二①、道運二⑦・⑧、道運車二⑥、高速二①、駐車二3、道路の種類＝道三〔駐車〕二①18〔交通の規制〕四―六〔道路の使用等〕七六―八三〔国家公安委員会規則〕交通安全活動推進センターに関する規則

交通安全活動推進センターに関する規則

（平成一〇年三月六日国家公安委員会規則第三号）

（運転免許取得者等教育の認定）

第一〇八条の三二の二　免許（仮免許を除く。）を現に受けている者又は特定失効者若しくは特定取消処分者に対しその運転技能を向上させるとともに道路交通に関する知識を深めさせるための教育（以下「運転免許取得者等教育」という。）を、自動車教習所である施設その他の施設を用いて行う者は、国家公安委員会規則で定めるその課程の区分ごとに、当該施設の所在地を管轄する公安委員会に申請して、当該施設において当該課程により行う運転免許取得者等教育が次の各号のいずれにも適合している旨の認定を受けることができる。

一　教習指導員資格者証の交付を受けた者その他の運転免許取得者等教育を効果的かつ適切に行うことができる者として国家公安委員会規則で定める者により行われるものであること。

二　第九十九条第一項第四号の政令で定める基準に適合した設備その他の運転免許取得者等教育を効果的かつ適切に行うための設備として国家公安委員会規則で定める設備を用いて行われるものであること。

三　当該課程が、交通安全教育指針に従つて行われるものであり、かつ、次に掲げる基準のいずれかに適合するものであること。

イ　第百八条の二第一項第十一号に掲げる講習と

第八章の二　雑則

〔章名追加・平一〇総府令二〕

（運転免許取得者等教育に係る報告等）

第三八条の四の六　公安委員会は、法第百八条の三十二の二第一項の認定を受けて同項に規定する運転免許取得者等教育を行う者に対し、次に掲げる事項に関し、定期的に報告書の提出を求めることができる。

一　当該運転免許取得者等教育の課程において指導を行う者に関する事項

二　当該運転免許取得者等教育の課程に関する事項として国家公安委員会規則で定めるもの

2　公安委員会は、法第百八条の三十二の二第一項の認定を受けて同項に規定する運転免許取得者等教育を行う者に対し、前項に規定する報告書によるもののほか、必要な報告又は資料の提出を求めることができる。

〔本条追加・平一二総府令四、旧三八条の四の四を繰下・平二七内府令五、見出し・一・二項改正・令四内府令七〕

（運転免許取得者等検査に係る報告等）

第三八条の四の七　前条の規定は、法第百八条の三十二の三第一項の認定を受けて同項に規定する運転免許取得者等検査を行う者について準用する。この場合において、前条第一項第一号中「運転免許取得者等教育の課程において指導を行う」とあるのは「運転免許取得者等検査に従事する」と、同項第二号中「運転免許取得者等教育の課程」とあるのは「運転免許取得者等検査の方法」と読み替えるものとする。

〔本条追加・令四内府令七〕

運転免許取得者等教育の認定に関する規則

（平成一二年一月二六日
国家公安委員会規則第四号）

同等の効果がある課程の基準として国家公安委員会規則で定める基準

ロ　第百八条の二第一項第十二号に掲げる講習と同等の効果がある課程の基準として国家公安委員会規則で定める基準

ハ　イ及びロに掲げるもののほか、運転技能を向上させるとともに道路交通に関する知識を深めさせる効果がある課程の基準として国家公安委員会規則で定める基準

2　公安委員会は、前項の認定をしたときは、国家公安委員会規則で定めるところにより、その旨を公示しなければならない。

3　運転免許取得者等教育を行う者は、当該運転免許取得者等教育の課程について、第一項の認定を受けないで、公安委員会認定という文字を冠した名称を用いてはならない。

4　第九十八条第三項から第五項までの規定は、第一項の認定を受けて運転免許取得者等教育を行う者について準用する。この場合において、同条第三項中「自動車の運転に関する教習」とあるのは「第百八条の三十二の二第一項の認定を受けた同項の運転免許取得者等教育」と、「自動車教習所における教習」とあるのは「運転免許取得者等教育」と、同条第四項中「自動車教習所における自動車の運転に関する技能又は知識の教習」とあるのは「第百八条の三十二の二第一項の運転免許取得者等教育」と読み替えるものとする。

5　公安委員会は、第一項の認定を受けた運転免許取得者等教育が同項各号のいずれかに適合しなくなつ

たと認めるときは、その認定を取り消すことができる。

6　前各項に定めるもののほか、第一項の認定の申請その他同項の認定に関し必要な事項は、国家公安委員会規則で定める。

〔本条追加・平一一法四〇、見出し・一・三―五項改正・令二法四二〕

参照〔運転免許取得者等教育に係る報告等〕道交規三八の四の六〔国家公安委員会規則〕運転免許取得者等教育の認定に関する規則〔公安委員会〕四①、警三八―四六の二〔交通安全教育指針〕一〇八の二八

（罰則　第三項については第百二十三条の二〔十万円以下の過料〕）

（罰則　第三項については第百二十三条の二第二号〔十万円以下の過料〕）

（運転免許取得者等検査の認定）

第一〇八条の三二の三　免許を現に受けている者又は特定失効者若しくは特定取消処分者に対し加齢に伴つて生ずるその者の身体の機能又は運転の技能の低下が自動車等の運転に及ぼす影響を確認するための検査（以下「運転免許取得者等検査」という。）を、自動車教習所である施設その他の施設を用いて行う者は、国家公安委員会規則で定めるその方法の区分ごとに、当該施設の所在地を管轄する公安委員会に申請して、当該施設において当該方法により行う運

運転免許取得者等検査の認定に関する規則（令和四年二月一〇日国家公安委員会規則第八号）

転免許取得者等検査が次の各号のいずれにも適合している旨の認定を受けることができる。
一　公安委員会が運転免許取得者等検査に関する技能及び知識に関して行う審査に合格した者その他の運転免許取得者等検査を効果的かつ適切に行うことができる者として国家公安委員会規則で定める者により行われるものであること。
二　第九十九条第一項第四号の政令で定める基準に適合した設備その他の運転免許取得者等検査を効果的かつ適切に行うための設備として国家公安委員会規則で定める設備を用いて行われるものであること。
三　当該方法が次に掲げる基準のいずれかに適合するものであること。
イ　認知機能検査と同等の効果がある方法の基準として国家公安委員会規則で定める基準
ロ　運転技能検査と同等の効果がある方法の基準として国家公安委員会規則で定める基準
ハ　イ及びロに掲げるもののほか、加齢に伴つて生ずる身体の機能又は運転の技能の低下が自動車等の運転に及ぼす影響を確認する効果がある方法の基準として国家公安委員会規則で定める基準

2　前条第二項から第六項までの規定は、運転免許取得者等検査について準用する。この場合において、同条第二項中「前項」とあるのは「次条第一項」と、同条第三項中「課程」とあるのは「方法」と、「第一項」とあるのは「次条第一項」と、同条第四項中「、第一項」とあるのは「、次条第一項」と、「第百八条の三十二の二第一項」とあるのは「第百八条の

三十二の三第一項」と、同条第五項中「第一項」とあるのは「次条第一項」と、同条第六項中「前各項」とあるのは「第二項から前項まで及び次条第一項」と、「第一項」とあるのは「同項」と読み替えるものとする。

〔本条追加・令二法四二〕

参照 〔運転免許取得者等検査に係る報告等〕道交規三八の四の七〔国家公安委員会規則〕運転免許取得者等検査の認定に関する規則〔公安委員会〕四①、警三八～四六の二

〔罰則　第二項については第百二十三条の二〔十万円以下の過料〕〕

〔罰則　第二項については第百二十三条の二第二号〔十万円以下の過料〕〕

（特定小型原動機付自転車の販売者等による交通安全教育）

第一〇八条の三二の四　特定小型原動機付自転車を販売し、又は貸し渡すことを業とする者は、当該特定小型原動機付自転車の購入者又は利用者に対し、交通安全教育指針に従つて特定小型原動機付自転車の安全な運転を確保するために必要な交通安全教育を行うように努めなければならない。

〔本条追加・令四法三二〕

参照 〔特定小型原動機付自転車〕二①10ロ〔交通安全教育指針〕一〇八の二八①

第七章　雑則

〔章名追加・平元法九〇〕

（免許の拒否等に関する規定の適用の特例）

第一〇八条の三三　道路運送車両法第十九条、第五十八条第一項若しくは第七十三条第一項（同法第九十七条の三第二項において準用する場合を含む。）、自動車損害賠償保障法（昭和三十年法律第九十七号）第五条又は自動車の保管場所の確保等に関する法律（昭和三十七年法律第百四十五号）第十一条第一項若しくは第二項の規定は、第六十七条第二項、第九十条第一項第四号若しくは第五号、第九十二条の二第一項、第九十七条の二第一項第三号イ、第百条の二第一項本文若しくは同項第四号、第百一条の四第三項、第百二条の二、第百二条の三、第百三条第一項第五号、第百四条の二の四第一項、第二項若しくは第四項、第百六条、第百七条の五第一項第二号、第百八条の三の三又は次条の規定の適用については、この法律の規定とみなす。

第一〇八条の三三　道路運送車両法第十九条、第五十八条第一項若しくは第七十三条第一項（同法第九十七条の三第二項において準用する場合を含む。）、自動車損害賠償保障法（昭和三十年法律第九十七号）第五条又は自動車の保管場所の確保等に関する法律（昭和三十七年法律第百四十五号）第十一条第一項若しくは第二項の規定は、第六十七条第二項、第九十条第一項第四号若しくは第五号、第九十五条の六

道路運送車両法

（自動車登録番号標の表示の義務）

第一九条　自動車は、第十一条第一項（同条第二項及び第十四条第二項において準用する場合を含む。）の規定により国土交通大臣又は第二十五条の自動車登録番号標交付代行者から交付を受けた自動車登録番号標を国土交通省令で定める位置に、かつ、被覆しないことその他当該自動車登録番号標に記載された自動車登録番号の識別に支障が生じないものとして国土交通省令で定める方法により表示しなければ、運行の用に供してはならない。

（自動車の検査及び自動車検査証）

第五八条　自動車（国土交通省令で定める軽自動車（以下「検査対象外軽自動車」という。）及び小型特殊自動車を除く。以下この章において同じ。）は、この章に定めるところにより、国土交通大臣の行う検査を受け、有効な自動車検査証の交付を受けているものでなければ、これを運行の用に供してはならない。

2・3　〔略〕

（車両番号標の表示の義務等）

第七三条　検査対象軽自動車及び二輪の小型自動車は、第六十条第一項後段の規定により指定を受けた車両番号を記載した車両番号標を国土交通省令で定める位置に、かつ、被覆しないことその他当該車両番号の識別に支障が生じないものとして国土交通省令で定める方法により表示しなければ、これを運行の用に供してはならない。

2　〔略〕

（検査対象外軽自動車の使用の届出等）

第九七条の三　1　〔略〕

2　第七十三条第一項の規定は、検査対象外軽自動車について準用する。

3　〔略〕

自動車損害賠償保障法

（責任保険又は責任共済の契約の締結強制）

第五条　自動車は、これについてこの法律で定める自動車損害賠

第一項、第九十七条の二第一項第三号イ、第百条の二第一項本文若しくは同項第四号、第百一条の四第三項、第百二条の二、第百二条の三、第百三条第一項第五号、第百四条の二の四第一項、第二項若しくは第四項、第百六条、第百七条の五第一項第二号、第百八条の三の三又は次条の規定の適用については、この法律の規定とみなす。

（本条追加・昭五三法五三、旧一〇八条の三を改正し繰下・平元法九〇、本条改正・平二法七四、旧一〇八条の一三を改正し繰下・平四法四三、本条改正・平五法四三、旧一〇八条の二六を改正し繰下・平九法四一、本条改正・平一三法五一・平一九法九〇・令二法四二）

点数

無車検運行・無保険運行
一　般　六点
酒気帯び（〇・二五未満）　一六点
保管場所法違反（道路使用）　三点
保管場所法違反（長時間駐車）　二点
番号標表示義務違反
一　般　二点
酒気帯び（〇・二五未満）　一四点

償責任保険（以下「責任保険」という。）又は自動車損害賠償責任共済（以下「責任共済」という。）の契約が締結されているものでなければ、運行の用に供してはならない。

自動車の保管場所の確保等に関する法律

（保管場所としての道路の使用の禁止等）

第一一条　何人も、道路上の場所を自動車の保管場所として使用してはならない。

2　何人も、次の各号に掲げる行為は、してはならない。

一　自動車が道路上の同一の場所に引き続き十二時間以上駐車することとなるような行為

二　自動車が夜間（日没時から日出時までの時間をいう。）に道路上の同一の場所に引き続き八時間以上駐車することとなるような行為

3　〔略〕

（使用者に対する通知）

第一〇八条の三四　車両等の運転者がこの法律若しくはこの法律に基づく命令の規定又はこの法律の規定に基づく処分に違反した場合において、当該違反が当該違反に係る車両等の使用者の業務に関してなされたものであると認めるときは、公安委員会は、内閣府令で定めるところにより、当該車両等の使用者が道路運送法の規定による自動車運送事業者、貨物利用運送事業法の規定による第二種貨物利用運送事業を経営する者又は軌道法の規定による軌道の事業者であるときは当該事業者及び当該事業を監督する行政庁に対し、当該車両等の使用者がこれらの事業者以外の者であるときは当該車両等の使用者に対し、当該違反の内容を通知するものとする。

〔本条改正・昭四〇法九六、旧一〇八条を繰下・昭四六法九八、見出し改正・旧一〇八条の三を改正し繰下・昭五三法五三、本条改正・平元法八二、旧一〇八条の四を繰下・平元法九〇、旧一〇八条の一四を繰下・平四法四三、本条改正・平五法四三、旧一〇八条の二七を繰下・平九法四一、本条改正・平一一法一六〇・平一四法七七〕

参照　〔車両等〕二①17〔運転者〕二①18〔公安委員会〕四①、警三八―四六の二〔内閣府令の定め〕道交規三八の五・別記様式二二の一二・二二の一三〔自動車運送事業〕道運二②、種類＝道運三〔第二種貨物利用運送事業〕貨物運送二⑧〔軌道の事業者〕軌道四

（使用者に対する通知）

第三八条の五　法第百八条の三十四の規定による通知は、車両等の使用者に対し別記様式第二十二の十二の通知書を、同条に規定する行政庁に対し別記様式第二十二の十三の通知書を送付して行うものとする。

〔本条追加・平六総府令一、改正・平一〇総府令二〕

別記様式第二十二の十二（第三十八条の五関係）

道路交通法令違反通知書

年　月　日

殿

公安委員会　印

次の運転者に係る道路交通法令違反は、車両等の使用者の業務に関してなされたものであると認められるので、道路交通法第108条の34の規定により通知します。

運転者	住所	
	氏名	年　月　日生
番号標に表示されている番号		
違反内容	違反・事故の種別	
	日時	
	場所	
備考		
取扱所属		

備考　用紙の大きさは、日本産業規格A列4番とする。

〔本様式追加・平6総府令1、改正・平6総府令9・平10総府令2・令元内府令12〕

（免許証又は国際運転免許証等の保管）

第一〇九条　警察官は、自動車又は一般原動機付自転車の運転者が自動車又は一般原動機付自転車の運転に関しこの法律の罰則に触れる行為をしたと認めるときは、その現場において、免許証又は国際運転免許証等の提出を求めこれを保管することができる。この場合において、警察官は、保管証を交付しなければならない。

（出頭命令）

第一〇九条　警察官は、自動車又は一般原動機付自転車の運転者が自動車又は一般原動機付自転車の運転に関しこの法律の罰則に触れる行為をしたと認める

（保管証）

第四一条の四　法第百九条第一項の保管証（以下この条において「保管証」という。）の有効期間は、保管証を交付した日から起算して四十日とする。

2　保管証のうち免許証の保管に係る保管証には、次に掲げる事項を記載するものとする。

一　保管証の有効期限

二　免許証の番号、免許の年月日及び免許証の交付年月日並びにその免許証を交付した公安委員会名

三　免許の種類及びその免許に付されている条件

四　免許を受けた者の住所、氏名及び生年月日

五　保管証を交付した日時並びに交付した警察官の所属、階級及び氏名

3　保管証のうち国際運転免許証等の保管に係る保管証には、次に掲げる事項を記載するものとする。

一　保管証の有効期限

二　国際運転免許証等の番号、発給年月日、発給地及び発給機関名

（保管証の様式）

第三八条の六　法第百九条第一項の保管証の様式は、免許証の保管に係る保管証については別記様式第二十三とし、国際運転免許証の保管に係る保管証については別記様式第二十四とし、外国運転免許証の保管に係る保管証については別記様式第二十四の二のとおりとする。

〔本条改正・昭三七総府令四四、全改・昭三九総府令三六、改正・総府令二七、旧三八条を繰下・昭四六総府令五三、旧三八条の三を改正し繰下・平六総府令一〕

別記様式第二十二の十三（第三十八条の五関係）

道路交通法令違反通知書

年　　月　　日

殿

公安委員会　㊞

次の運転者に係る道路交通法令違反は、車両等の使用者の業務に関してなされたものであると認められるので、道路交通法第108条の34の規定により通知します。

運転者	住所	
	氏名	年　月　日生
番号標に表示されている番号		
使用者	住所	
	氏名	
違反内容	違反・事故の種別	
	日時	
	場所	
備考		
取扱所属		

備考　用紙の大きさは、日本産業規格A列4番とする。

〔本様式追加・平6総府令1、改正・平6総府令9・平10総府令2・令元内府令12〕

ときは、その現場において、内閣府令で定めるところにより、その者に対し、日時及び場所を指定して、第百三条第一項第五号に掲げる事由に係る事実の確認その他の必要な措置を受けるために出頭すべき旨を命ずることができる。

三　国際運転免許証等で運転することができる自動車等の種類

四　国際運転免許証等を所持する者の本邦における住所、氏名及び生年月日

五　保管証を交付した日時並びに交付した警察官の所属、階級及び氏名

4　保管証の様式は、内閣府令で定める。

〔一・二項改正・旧三項を四項に繰下・三項追加・昭三九政二八〇、旧四一条を繰下・昭四六政三四八、一項改正・昭五三政三一三、旧四一条の二を繰下・平一政二六、一・三項改正・平五政三四八、四項改正・平一二政三〇三、一項改正・平一四政二四、旧四一条の三を繰下・平二七政一九〕

別記様式第二十三（第三十八条の六関係）

免許証保管証（番号）				
交付日時		令和　年　月　日午前後　時　分		
交付者の所属、階級及び氏名		㊞		
氏名	生年月日	年　月　日生（　歳）　職業	出頭	
	本籍		日時	場所
	住所			
	免許証	第　号		
		平・令　年　月　日　公安委員会交付		

																		備考
有効期限		令和　年　月　日																1　この保管証は、有効期間中は運転免許証とみなされるものですから、運転するときは、必ず携帯していなければなりません。 2　運転免許証は、あなたが指定された日時及び場所に出頭したときに、この保管証と引換えに返還します。
免許年月日	第一種免許　二・小・原	昭・平・令　年　月　日																
	第一種免許　その他	昭・平・令　年　月　日																
	第二種免許	昭・平・令　年　月　日																
免許の種類		有無																
		種類	大型	中型	準中型	普通	大特	大自二	普自二	小特	原付	け引	大二	中二	普二	大特二	け引二	
免許の条件																		

備考　1　本籍欄には、日本の国籍を有する者は本籍を、その他の者は国籍等を記載すること。

2　免許の種類欄の略語の意味は、別表第2に定めるとおりとする。

3　免許の種類欄の有無の欄には、現に受けている免許の種類を表す略語の上部に「1」を、その他の略語の上部に「0」をそれぞれ記載すること。

〔本様式全改・昭43総府令27、改正・昭43総府令49・昭46総府令53・昭50総府令10・平元総府令43、全改・平6総府令1、改正・平8総府令41・平14内府令83・平18内府令4・平25内府令2・平28内府令49・令元内府令5〕

別記様式第二十四（第三十八条の六関係）

（表）

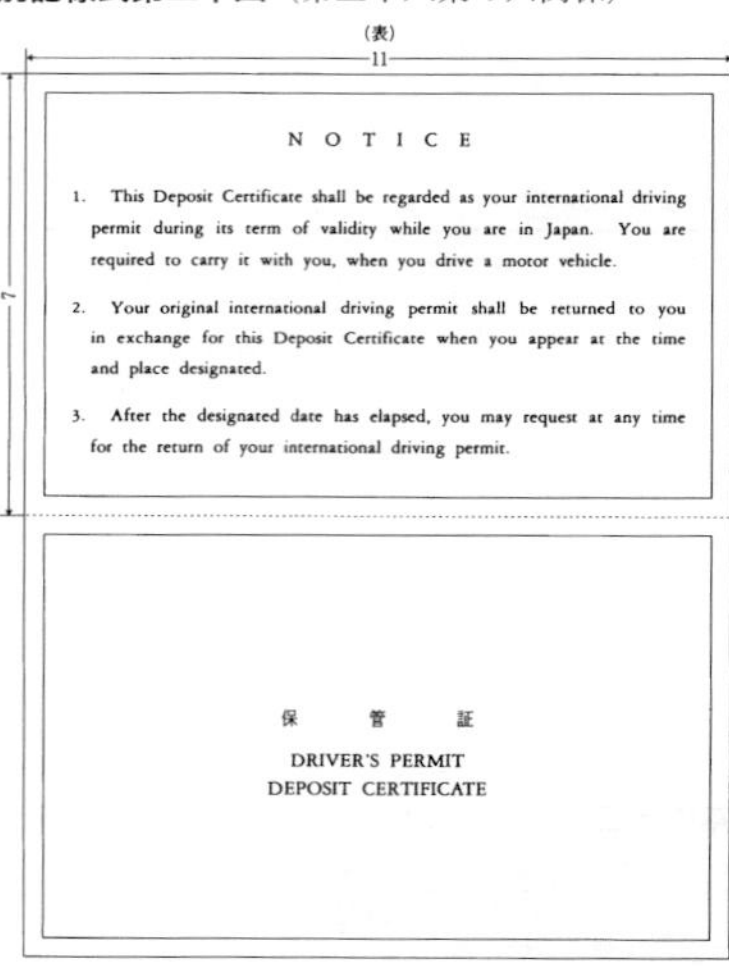

11

7

N O T I C E

1. This Deposit Certificate shall be regarded as your international driving permit during its term of validity while you are in Japan. You are required to carry it with you, when you drive a motor vehicle.

2. Your original international driving permit shall be returned to you in exchange for this Deposit Certificate when you appear at the time and place designated.

3. After the designated date has elapsed, you may request at any time for the return of your international driving permit.

保　管　証

DRIVER'S PERMIT
DEPOSIT CERTIFICATE

（裏）

有効期間 This Deposit Certificate is valid through	年 year　月 month　日 day
国際運転免許証の番号 International Driving Permit Number 発給機関 Issued by 発給地 Issued at 発給年月日 Issued on	第　号 年 year　月 month　日 day
本邦における住所 Address in Japan	
氏名 生年月日 Date of Birth	(Surname)　(First name)　(Middle name) 年 year　月 month　日 day

運転することができる自動車等の種類 Type of Vehicles for which the Permit is valid				
A	B	C	D	E

交付者の所属・階級及び氏名 This Deposit Certificate is Issued by 交付日時 Issued on	㊞ 年 year　月 month　日 day　時 hours　分
出頭場所 You shall appear at 日時 on	年 year　月 month　日 day　時 hours.

備考　1　図示の長さの単位は、センチメートルとする。
　　　2　運転することができる自動車等の種類欄には、運転することができない自動車等の種類に×印を記載すること。

〔本様式追加・昭39総府令36、旧様式23の２を繰下・昭43総府令27、本様式改正・昭50総府令10、全改・平６総府令１〕

別記様式第二十四の二（第三十八条の六関係）

（表）

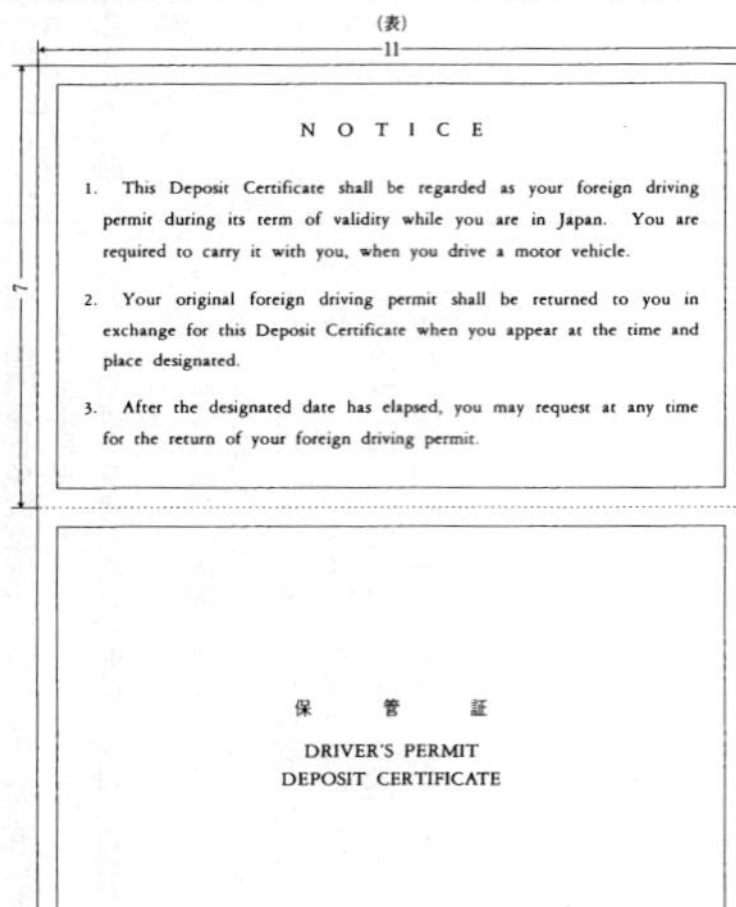

11

7

N O T I C E

1. This Deposit Certificate shall be regarded as your foreign driving permit during its term of validity while you are in Japan. You are required to carry it with you, when you drive a motor vehicle.

2. Your original foreign driving permit shall be returned to you in exchange for this Deposit Certificate when you appear at the time and place designated.

3. After the designated date has elapsed, you may request at any time for the return of your foreign driving permit.

保　管　証

DRIVER'S PERMIT
DEPOSIT CERTIFICATE

（裏）

有効期間 This Deposit Certificate is valid through	年 year　月 month　日 day
外国運転免許証の番号 Foreign Driving Permit Number 発給機関 Issued by 発給地 Issued at 発給年月日 Issued on	第　号 年 year　月 month　日 day
本邦における住所 Address in Japan	
氏名 生年月日 Date of Birth	(Surname)　(First name)　(Middle name) 年 year　月 month　日 day

運転することができる自動車等の種類 Type of Vehicles for which the Permit is valid	

交付者の所属・階級及び氏名 This Deposit Certificate is Issued by 交付日時 Issued on	㊞ 年 year　月 month　日 day　時 hours　分
出頭場所 You shall appear at 日時 on	年 year　月 month　日 day　時 hours.

備考　図示の長さの単位は、センチメートルとする。

〔本様式追加・平６総府令１〕

2　前項の保管証は、第九十五条（第百七条の三後段において準用する場合を含む。）及び第百七条の三前段の規定の適用については、免許証又は国際運転免許証等とみなす。

3　当該警察官は、第一項の規定により保管した免許証又は国際運転免許証等の提出者が当該警察官の指定した日時及び場所に出頭したとき、又は当該日時が経過した後においてその提出者から返還の請求があつたときは、当該免許証又は国際運転免許証等を返還しなければならない。

4　前項の規定により免許証又は国際運転免許証等の返還を受ける者は、当該免許証又は国際運転免許証等と引き換えに保管証を返納しなければならない。

5　警察官は、第一項の規定により免許証又は国際運転免許証等の提出を求めるときは、出頭の日時及び場所を告げ、かつ、前三項の規定の趣旨を説明しなければならない。

6　第一項の保管証の有効期間、記載事項その他保管証について必要な事項は、政令で定める。

第二—六項は、削られます。

〔見出し・一—五項改正・昭三九法九一・平五法四三、一項改正・令四法三二〕

参照　〔警察官〕警三四・五五・六二・六三〔自動車〕二①9、自動車の種類＝三、道交規二〔原動機付自転車〕二①10、道交規一の二〔運転〕二①17〔免許証〕交付＝九二①、有効期間＝九二の二、記載事項＝九三、様式＝道交規別記様式一四、記載事項変更の届出＝九四①、携帯及び提示義務＝九五、更新等＝一〇一—一〇二の三、道交規二九、返納＝一〇七、譲渡・貸与の禁止＝一二〇①15〔国際運転免許証等〕一〇七の二〔政令の定め〕道交令四一の四、保管証の様式＝道交規三八の六・別記様式二三

一二四の二

（罰則　第百二十三条の二第一号〔十万円以下の過料〕）

（交通情報の提供）

第一〇九条の二　公安委員会は、内閣府令で定めるところにより、車両の運転者に対し、車両の通行に必要な情報（以下この条及び次条において「交通情報」という。）を提供するように努めなければならない。

2　公安委員会は、内閣府令で定める者に交通情報の提供に係る事務を委託することができる。

3　国家公安委員会は、交通情報を提供する事業を行う者が正確かつ適切に交通情報を提供することができるようにするため、交通情報の提供に関する指針を作成し、これを公表するものとする。

4　交通情報を提供する事業（公安委員会及び第二項の規定による委託を受けた者が行うもの並びに道路法による道路の管理者が道路の維持、修繕その他の管理のため行うものを除く。次条第一項において同じ。）を行う者は、前項の交通情報の提供に関する指針に従い正確かつ適切に交通情報を提供することにより、道路における危険の防止その他交通の安全と円滑に資するように配慮しなければならない。

〔本条追加・昭四六法九八、見出し・一・二項改正・三項追加・平九法四一、一・二項改正・平一一法一六〇、一項改正・三項追加・旧三項を改正し四項に繰下・平一三法五一〕

参照　〔公安委員会〕四①、警三八―四六の二〔内閣府令の定め〕道交規三八の七①〔車両〕二①8〔運転〕二①17〔内閣府令で定める者〕道交規三八の七②

（交通情報の提供）

第三八条の七　法第百九条の二第一項の規定による交通情報の提供は、次に定めるところにより行うものとする。

一　ラジオ、テレビジョン、新聞紙、インターネット等により、交通情報を提供すること。

二　電話による照会に応じ、交通情報を提供すること。

三　交通情報板、路側通信設備、光ビーコン（赤外線により双方向通信を行うための設備で交通情報を提供するものをいう。）その他の交通情報提供施設を用いて、交通情報を提供すること。

2　法第百九条の二第二項の内閣府令で定める者は、道路の交通に関する情報を提供することにより道路における交通の安全と円滑に寄与することを目的とする一般社団法人又は一般財団法人で、同条第一項に規定する交通情報の提供に係る事務を行うのに必要かつ適切な組織、設備及び能力を有すると公安委員会が認めるものとする。

〔本条追加・昭四六総府令五三、一項改正・昭六一総府令七・平元総府令五、二項改正・旧三八条の四を繰下・平六総府令一、見出し・一・二項改正・平一〇総府令七六、二項改正・平一二総府令八九、一項改正・平一八内府令四、二項改正・平二〇内府令三三〕

第一〇九条の三　交通情報を提供する事業であつて次の各号のいずれかに該当するもの（以下この条において「特定交通情報提供事業」という。）を行おうとする者は、内閣府令で定めるところにより、氏名及び住所（法人にあつては、その名称、代表者の氏名及び主たる事務所の所在地）、交通情報の収集及び提供の方法その他内閣府令で定める事項を国家公安委員会に届け出なければならない。その者が届出をした事項を変更するときも、同様とする。

一　道路における交通の混雑の状態を予測する事業

二　目的地に到達するまでに要する時間を予測する事業

2　国家公安委員会は、特定交通情報提供事業を行う者が正確かつ適切でない交通情報を提供することにより道路における交通の危険又は混雑を生じさせたと認めるときは、その者に対し、前項各号に掲げる事業に係る技術水準その他の事情を勘案して、相当な期間を定めて、正確かつ適切な交通情報の提供の実施のために必要な措置をとるべきことを勧告することができる。

3　国家公安委員会は、前項の規定による勧告をした場合において、当該勧告を受けた特定交通情報提供事業を行う者が当該勧告に従わないときは、その旨及び当該勧告の内容を公表することができる。

4　国家公安委員会は、前二項の規定を施行するため必要な限度において、特定交通情報提供事業を行う者に対し、必要な事項を報告させることができる。

〔本条追加・平一三法五一、付記改正・平一六法九〇・平一九法九〇・令四法三二〕

（特定交通情報提供事業の届出）

第三八条の八　法第百九条の三第一項前段の規定による届出は、事業を開始しようとする日の十日前までに、別記様式第二十四の三の届出書を提出して行うものとする。

2　法第百九条の三第一項の内閣府令で定める事項は、次のとおりとする。

一　事業の開始年月日

二　交通情報を提供する道路

三　予測の方法

四　提供する交通情報の種類及び内容

五　交通情報の提供先がこれを用いて交通情報を提供する事業を行う場合には、その氏名及び住所（法人にあつては、その名称、代表者の氏名及び主たる事務所の所在地）、交通情報の提供の方法並びに第二号及び前号に掲げる事項

3　第一項の規定は、法第百九条の三第一項後段の規定による変更の届出について準用する。この場合において、「事業を開始しようとする日の十日前までに」とあるのは、「変更の日の十日前までに」と読み替えるものとする。

〔本条追加・平一四内府令三四〕

別記様式第二十四の三（第三十八条の八関係）

特定交通情報提供事業届出書（新規・変更）

年　月　日

国家公安委員会　殿

届出者

道路交通法第109条の3第1項の規定により次のとおり届出をします。

届出者	〒　－ （　　）　局　番
事業の開始年月日	年　月　日
交通情報を提供する道路	
交通情報の収集の方法	
予測の方法	
交通情報の提供の方法	
提供する交通情報の種類及び内容	道路における交通の混雑の状態 目的地に到達するまでに要する時間　を予測するもの
第三者提供の概要	

備考　1　届出者の欄には、個人にあつては氏名及び住所を、法人にあつては名称、代表者の氏名及び主たる事務所の所在地を記載すること。

2　第三者提供の概要の欄には、提供先が届出者により提供された交通情報を用いて交通情報を提供する事業を行う場合に、当該提供先の氏名及び住所（法人にあつては、その名称、代表者の氏名及び主たる事務所の所在地）、交通情報を提供する道路、交通情報の提供の方法並びに提供する交通情報の種類及び内容を記載すること。

3　所定の欄に記載できないときは、別紙に記載の上、これを添付すること。

4　届出をした事項を変更するときは、変更があつた事項に関してのみ記載すること。

5　不要の文字は、横線で消すこと。

6　用紙の大きさは、日本産業規格A列4番とする。

〔本様式追加・平14内府令34、改正・令元内府令12〕

参照〔内閣府令の定め〕道交規三八の八①・③・別記様式二四の三〔内閣府令で定める事項〕道交規三八の八②〔国家公安委員会〕警四―一四

〔罰則　第一項については第百十九条の三第二項第二号〔十万円以下の罰金〕、第百二十三条〔罰金刑又は科料刑〕　第四項については第百十九条の三第二項第三号〔十万円以下の罰金〕、第百二十三条〔罰金刑又は科料刑〕〕

（国家公安委員会の指示権）

第一一〇条　国家公安委員会は、全国的な幹線道路（高速自動車国道及び政令で定める基準に従い国家公安委員会が指定する自動車専用道路を除く。）における交通の規制の斉一を図るため必要があると認めるときは、政令で定めるところにより、公安委員会に対し、この法律の規定により公安委員会の権限に属する事務のうち、車両等の最高速度その他政令で定める事項に係るものの処理について指示することができる。

（国家公安委員会の指示）

第四二条　法第百十条第一項の政令で定める基準は、次のいずれにも該当する自動車専用道路を指定することとする。

一　高速自動車国道又は法第百十条第一項の規定により指定された他の自動車専用道路に接続しているものであること。

二　本線車線が往復の方向別に相当の方法で明確に分離されているものであること。

2　法第百十条第一項の規定による国家公安委員会の指示は、全国的な幹線道路のうち内閣府令で定めるものについて、交通の規制が斉一に行われていないか、又は斉一でない交通の規制が行われようとしているため、その道路における交通の円滑を欠き、又は欠くおそれがあるときに行うものとする。

3　法第百十条第一項の政令で定める事項は、信号機の設置及び管理による交通整理並びに法第二条第一項第七号、第四条第三項、第八条第一項、第十七条第四項、第二十条第一項ただし書及び第二項、第二十条の二第一項、第二十一条第二項第三号、第二十三条、第二十五条の二第二項、第二十六条の二第三項、第三十条、第三十四条第一項、第二項、第四項及び第五項、第三十五条第一項、第三十五条の二、第三十六条第二項、第四十四条第一項、第四十五条第一項、第七十五条の六第一項並びに第七十五条の八の二第二項の道路標識等による交通の規制に関することとする。

〔一・二項改正・昭三八政二〇五、二項改正・昭三九政二八〇、一・二項改正・昭四〇政二五八、二項改正・昭四五政二一七・昭四六政三四八、一項追加・旧一・二項を二・三項に繰下・昭四七政三二二、一項改正・昭四八政二七・政三三三・昭五

（国家公安委員会が指示を行う全国的な幹線道路）

第三九条　令第四十二条第二項の内閣府令で定めるものは、道路法（昭和二十七年法律第百八十号）第三条第二号の一般国道とする。

〔本条改正・昭三八総府令一一・総府令三三、全改・昭四〇総府令四一、改正・昭四六総府令五三・昭四八総府令一一、見出し・本条改正・昭五三総府令三七、本条改正・平一二総府令八九、旧三九条を繰上・平二八内府令四九、旧三八条の九を繰下・令四内府令七〕

2　国家公安委員会は、高速自動車国道及び前項の規定により国家公安委員会が指定する自動車専用道路における危険を防止し、その他交通の安全と円滑を図るため特に必要があると認めるときは、公安委員会に対し、当該道路におけるこの法律の実施に関する事項について指示することができる。

〔一項改正・二項追加・昭四〇法九六、一・二項改正・昭四七法五一・平一一法四〇〕

参照〔国家公安委員会〕警四—一四〔高速自動車国道〕高速四①〔政令で定める基準〕道交令四二①〔自動車専用道路〕道四八の二①・②〔政令で定めるところ〕道交令四二②、道交規三九〔政令で定める事項〕道交令四二③〔公安委員会〕四①、警三八—四六の二〔車両等〕二①17〔最高速度〕道交令一一・一二

（特定の交通の規制等の手続）

第一一〇条の二　公安委員会は、大気汚染防止法（昭和四十三年法律第九十七号）第二十一条第一項若しくは第二十三条第二項、騒音規制法（昭和四十三年法律第九十八号）第十七条第一項又は振動規制法（昭和五十一年法律第六十四号）第十六条第一項の要請があつた場合その他交通公害が発生したことを知つた場合において、必要があると認めるときは、当該交通公害の防止に関し第四条第一項の規定によりそ

二政三三三、一・三項改正・昭五三政三一三、三項改正・昭六〇政二一九、一項改正・昭六三政九〇・政二四三・平四政二三一・平八政三二一、三項改正・平九政二一五、一項改正・平九政三九一・平一〇政一九一、全改・平一一政二二九、二項改正・平一二政三〇三、三項改正・平一四政二四・平二六政六三、一・二項改正・令二政三三二〕

大気汚染防止法

（許容限度）

第一九条　環境大臣は、自動車が一定の条件で運行する場合に発生し、大気中に排出される排出物に含まれる自動車排出ガスの量の許容限度を定めなければならない。

2　自動車排出ガスによる大気の汚染の防止を図るため、国土交通大臣は、道路運送車両法に基づく命令で、自動車排出ガスの排出に係る規制に関し必要な事項を定める場合には、前項の許容限度が確保されるとともに次条第一項の許容限度の確保に資することとなるように考慮しなければならない。

3　環境大臣は、特定特殊自動車（特定特殊自動車排出ガスの規

の権限に属する事務を行なうものとする。この場合において、必要があると認めるときは、都道府県知事その他関係地方公共団体の長に対し、当該交通公害に関する資料の提供を求めることができる。

2　公安委員会は、第四条第一項の規定に基づき第八条第一項の道路標識等により自動車の通行を禁止しようとする場合において、その禁止を行なうことにより、広域にわたり道路における交通に著しい影響が及ぶおそれがあるときは、都道府県知事及び関係地方行政機関の長その他政令で定める者の意見をきかなければならない。

3　公安委員会（第五条第一項の規定により権限を委任された警察署長を含む。以下この条において同じ。）は、第四条第一項の規定に基づき、第二条第一項第三号、第三号の四、第四号、第四号の二若しくは第七号、第四条第三項、第八条第一項、第十三条第二項、第十七条第四項、第五項第五号若しくは第六項、第十七条の二第一項、第二十二条第一項、第二十三条、第三十四条第五項、第四十九条第一項、第六十三条の四第一項第一号又は第六十三条の七第二項の道路標識等（第十七条第六項の道路標識等にあつては内閣府令・国土交通省令で定めるものに限り、第二十二条第一項の道路標識等にあつては同項の政令で定める最高速度を超える最高速度に係るものに限る。以下この条において同じ。）により交通の規制を行おうとするときは、当該規制の適用される道路（第二十二条第一項及び第六十三条の四第一項第一号の道路標識等以外の道路標識等に係る場合にあつては、道路法による道路に限る。）の管理者の意

（特定の交通の規制に関する意見の聴取）

第四二条の二　法第百十条の二第二項の政令で定める者は、地方自治法（昭和二十二年法律第六十七号）第二百五十二条の十九第一項の規定により指定する市の市長とする。

［本条追加・昭四六政一九五］

制等に関する法律（平成十七年法律第五十一号）第二条第一項に規定する特定特殊自動車をいう。）が一定の条件で使用される場合に発生し、大気中に排出される排出物に含まれる特定特殊自動車排出ガス（同条第三項に規定する特定特殊自動車排出ガスをいう。次項において同じ。）の量の許容限度を定めなければならない。

4　特定特殊自動車排出ガスによる大気の汚染の防止を図るため、特定特殊自動車排出ガスの規制等に関する法律第五条に規定する主務大臣は、同条の技術上の基準を定める場合には、前項の許容限度が確保されるように考慮しなければならない。

第一九条の二　環境大臣は、前条第一項の許容限度を定めるに当たつて自動車排出ガスによる大気の汚染の防止を図るため必要があると認めるときは、自動車の燃料の性状に関する許容限度又は自動車の燃料に含まれる物質の量の許容限度を定めなければならない。

2　自動車排出ガスによる大気の汚染の防止を図るため、経済産業大臣は、揮発油等の品質の確保等に関する法律（昭和五十一年法律第八十八号）に基づく命令で自動車の燃料に係る規制に関し必要な事項を定める場合には、前項の許容限度が確保されるように考慮しなければならない。

（自動車排出ガスの濃度の測定）

第二〇条　都道府県知事は、交差点等があるため自動車の交通が渋滞することにより自動車排出ガスによる大気の著しい汚染が生じ、又は生ずるおそれがある道路の部分及びその周辺の区域について、大気中の自動車排出ガスの濃度の測定を行なうものとする。

（測定に基づく要請等）

第二一条　都道府県知事は、前条の測定を行なつた場合において、自動車排出ガスにより道路の部分及びその周辺の区域に係る大気の汚染が環境省令で定める限度をこえていると認められるときは、都道府県公安委員会に対し、道路交通法（昭和三十五年法律第百五号）の規定による措置をとるべきことを要請するものとする。

2　環境大臣は、前項の環境省令を定めようとするときは、あらかじめ、国家公安委員会に協議しなければならない。

3　都道府県知事は、第一項の規定により要請する場合を除くほか、前条の測定を行つた場合において特に必要があると認めるときは、当該道路の部分の構造の改善その他自動車排出ガスの濃度の減少に資する事項に関し、道路管理者又は関係行政機関の長に意見を述べることができる。

（国民の努力）

見を聴かなければならない。ただし、第八条第一項の道路標識等による交通の規制を行う場合において、緊急を要するためやむを得ないと認められるときは、この限りでないものとし、この場合には、事後において、速やかに当該交通の規制に係る事項を通知しなければならない。

4　公安委員会は、高速自動車国道等について、第四条第一項の規定に基づき、前項本文に規定する道路標識等又は第十七条第五項第四号、第三十条、第四十二条若しくは第七十五条の四の道路標識等により交通の規制を行おうとするときは、前項本文の規定にかかわらず、当該道路の管理者に協議しなければならない。同項ただし書の規定は、当該協議について準用する。

5　公安委員会は、第四条第一項の規定に基づき、第四十四条第一項又は第四十五条第一項の道路標識等により路上駐車場が設けられている道路の部分における停車及び駐車又は駐車を禁止しようとするときは、その禁止しようとする旨及び禁止の期間について当該路上駐車場を設置した地方公共団体の意見を聴いた上で、期間を定めて行わなければならない。この場合において、緊急を要するためやむを得ないと認められるときは、当該地方公共団体の意見を聴かないで当該禁止をすることができるものとし、当該禁止をしたときは、速やかに当該禁止をした旨及び禁止の期間を通知しなければならない。

6　公安委員会は、路上駐車場が設けられている道路の部分について、第四条第一項の規定に基づき第四十九条第一項の道路標識等により時間制限駐車区間

第二一条の二　何人も、自動車を運転し、若しくは使用し、又は交通機関を利用するに当たつては、自動車排出ガスの排出が抑制されるように努めなければならない。

（常時監視）

第二二条　都道府県知事は、環境省令で定めるところにより、大気の汚染（放射性物質によるものを除く。第二十四条第一項において同じ。）の状況を常時監視しなければならない。

2　都道府県知事は、環境省令で定めるところにより、前項の常時監視の結果を環境大臣に報告しなければならない。

3　環境大臣は、環境省令で定めるところにより、放射性物質（環境省令で定めるものに限る。第二十四条第二項において同じ。）による大気の汚染の状況を常時監視しなければならない。

（緊急時の措置）

第二三条　都道府県知事は、大気の汚染が著しくなり、人の健康又は生活環境に係る被害が生ずるおそれがある場合として政令で定める場合に該当する事態が発生したときは、その事態を一般に周知させるとともに、ばい煙を排出する者、揮発性有機化合物を排出し、若しくは飛散させる者又は自動車の使用者若しくは運転者であつて、当該大気の汚染をさらに著しくするおそれがあると認められるものに対し、ばい煙の排出量若しくは揮発性有機化合物の排出量若しくは飛散の量の減少又は自動車の運行の自主的制限について協力を求めなければならない。

2　都道府県知事は、気象状況の影響により大気の汚染が急激に著しくなり、人の健康又は生活環境に重大な被害が生ずる場合として政令で定める場合に該当する事態が発生したときは、当該事態がばい煙又は揮発性有機化合物に起因する場合にあつては、環境省令で定めるところにより、ばい煙排出者又は揮発性有機化合物排出者に対し、ばい煙量若しくはばい煙濃度又は揮発性有機化合物濃度の減少、ばい煙発生施設又は揮発性有機化合物排出施設の使用の制限その他必要な措置をとるべきことを命じ、当該事態が自動車排出ガスに起因する場合にあつては、都道府県公安委員会に対し、道路交通法の規定による措置をとるべきことを要請するものとする。

（公表）

第二四条　都道府県知事は、環境省令で定めるところにより、当該都道府県の区域に係る大気の汚染の状況を公表しなければならない。

2　環境大臣は、環境省令で定めるところにより、放射性物質による大気の汚染の状況を公表しなければならない。

として指定しようとするときは、当該路上駐車場を設置した地方公共団体の意見を聴かなければならない。

7　公安委員会は、駐車場法第三条第一項に規定する駐車場整備地区内において、第四条第一項の規定に基づき第四十九条第一項の道路標識等により時間制限駐車区間を指定しようとする場合において、同法第四条第一項の規定により駐車場整備計画（同条第二項第四号に掲げる事項が定められているものに限る。）が定められているときは、当該計画を定めた市町村の意見を聴かなければならない。

〔本条追加・昭四五法一四三、見出し・一・二項改正・三―七項追加・昭四六法九八、一項改正・昭五一法六四、三・四項改正・昭五三法五三、三項改正・昭六〇法八七、三・六・七項改正・昭六一法六三、七項改正・平三法六〇、一項改正・平八法三二、三項改正・平一一法一六〇・平一九法九〇・平二五法四三、五項改正・令二法四二、三項改正・令四法三二〕

参照　〔公安委員会〕四①、警三八―四六の二〔交通公害〕二①23〔道路標識等〕二①4〔自動車〕二①9、自動車の種類＝三、道交規二〔道路〕二①1、道二①、道運二⑦・⑧、道運車二⑥、高速二①、駐車二3、道路の種類＝道三〔政令で定める者〕道交令四二の二〔警察署長〕警五三②・③〔内閣府令・国土交通省令〕道路標識、区画線及び道路標示に関する命令〔道路の管理者〕道一二―二八の二〔高速自動車国道等〕七五の三〔路上駐車場〕駐車二1〔期間〕民一三八―一四三

騒音規制法

（許容限度）

第一六条　環境大臣は、自動車が一定の条件で運行する場合に発生する自動車騒音の大きさの許容限度を定めなければならない。

2　自動車騒音の防止を図るため、国土交通大臣は、道路運送車両法に基づく命令で、自動車騒音に係る規制に関し必要な事項を定める場合には、前項の許容限度が確保されるように考慮しなければならない。

（測定に基づく要請及び意見）

第一七条　市町村長は、第二十一条の二の測定を行つた場合において、指定地域内における自動車騒音が環境省令で定める限度を超えていることにより道路の周辺の生活環境が著しく損なわれると認めるときは、都道府県公安委員会に対し、道路交通法（昭和三十五年法律第百五号）の規定による措置を執るべきことを要請するものとする。

2　環境大臣は、前項の環境省令を定めようとするときは、あらかじめ、国家公安委員会に協議しなければならない。

3　市町村長は、第一項の規定により要請する場合を除くほか、第二十一条の二の測定を行つた場合において必要があると認めるときは、当該道路の部分の構造の改善その他自動車騒音の大きさの減少に資する事項に関し、道路管理者又は関係行政機関の長に意見を述べることができる。

振動規制法

（測定に基づく要請）

第一六条　市町村長は、第十九条の測定を行つた場合において、指定地域内における道路交通振動が環境省令で定める限度を超えていることにより道路の周辺の生活環境が著しく損なわれていると認めるときは、道路管理者に対し当該道路の部分につき道路交通振動の防止のための舗装、維持又は修繕の措置を執るべきことを要請し、又は都道府県公安委員会に対し道路交通法（昭和三十五年法律第百五号）の規定による措置を執るべきことを要請するものとする。

2　環境大臣は、前項の環境省令を定めようとするときは、あらかじめ、国家公安委員会に協議しなければならない。

3　道路管理者は、第一項の要請があつた場合において、道路交通振動の防止のため必要があると認めるときは、当該道路の部分の舗装、維持又は修繕の措置を執るものとする。

（道路の交通に関する調査）

第一一一条　公安委員会は、この法律の規定により行なう道路における交通の規制の適正を図るため、道路における交通量、車両等の通行の経路その他道路

駐車場法

（駐車場整備地区）

第三条　都市計画法（昭和四十三年法律第百号）第八条第一項第一号の商業地域（以下「商業地域」という。）、同号の近隣商業地域（以下「近隣商業地域」という。）、同号の第一種住居地域、同号の第二種住居地域、同号の準住居地域若しくは同号の準工業地域（同号の第一種住居地域、同号の第二種住居地域、同号の準住居地域又は同号の準工業地域にあつては、同項第二号の特別用途地区で政令で定めるものの区域内に限る。）内において自動車交通が著しくふくそうする地区又は当該地区の周辺の地域内において自動車交通が著しくふくそうする地区で、道路の効用を保持し、円滑な道路交通を確保する必要があると認められる区域については、都市計画に駐車場整備地区を定めることができる。

2　駐車場整備地区に関する都市計画を定め、又はこれに同意しようとする場合においては、あらかじめ、都道府県知事にあつては都道府県公安委員会の、国土交通大臣にあつては国家公安委員会の意見を聴かなければならない。

（駐車場整備計画）

第四条　駐車場整備地区に関する都市計画が定められた場合においては、市町村は、その駐車場整備地区における路上駐車場及び路外駐車場の需要及び供給の現況及び将来の見通しを勘案して、その地区における路上駐車場及び路外駐車場の整備に関する計画（以下「駐車場整備計画」という。）を定めることができる。

2　駐車場整備計画においては、おおむね次に掲げる事項を定めるものとする。

一～三　〔略〕

四　地方公共団体の設置する路上駐車場で駐車場整備地区内にある路外駐車場によつては満たされない自動車の駐車需要に応ずるため必要なものの配置及び規模並びに設置主体

五　〔略〕

3～5　〔略〕

の交通に関し必要な事項の調査をその管理に属する都道府県警察の警察官に行なわせることができる。

2　前項の規定による道路の交通に関する調査をするため特に必要があると認めるときは、当該警察官は、道路を通行する車両等の運転者に対し、当該調査をするため必要な限度において、一時当該車両等を停止することを求め、及び当該車両等の通行の経路について質問することができる。

3　公安委員会は、第一項の規定による調査を行なつた場合において、必要があると認めるときは、その道路の管理者又は関係行政庁に対し、意見を付してその調査の結果を通知するものとする。

参照　〔公安委員会〕四①、警三八—四六の二〔道路〕二①1、道二①、道運二⑦・⑧、道運車二⑥、高速二①、駐車二3、道路の種類＝道三〔車両等〕二①17〔都道府県警察〕警三六〔警察官〕警三四・五五・六二・六三〔停止〕警察官の車両等の停止を求める権限＝六一・六三①・六三の一〇①・六七他、法の規定による質問＝警官職務二、質屋二四①、古物二二①、火薬四三、高圧ガス六二①—⑤、銃刀所持一三〔道路の管理者〕道一二—二八の二

（免許等に関する手数料）

第一一二条　都道府県は、第六章（第百四条の四第六項（第百五条第二項において準用する場合を含む。）を除く。）及び第六章の二の規定により公安委員会が行うものとされている事務に係る手数料の徴収については、次の各号に掲げる者から、それぞれ当該

（法第百十二条第一項の政令で定める区分及び額）

第四三条　法第百十二条第一項の政令で定める区分は、次の表の第一欄に掲げる手数料の種別ごとにそれぞれ同表の第二欄に定める区分とし、同項の物件費及び施設費に対応する部分として政令で定める額は、当該区分に応じてそれぞれ同表の第三欄に定める額とし、同項の人件費に対応する部分として政令で定める額は、当該区分に応じてそれぞれ同表の第四欄に定める額とする。

各号に定める手数料の種別ごとに政令で定める区分に応じて、物件費及び施設費に対応する部分として政令で定める額に人件費に対応する部分として政令で定める額を標準とする額を加えた額を徴収することを標準として条例を定めなければならない。

第一一二条　都道府県は、第六章（第百五条の二第二項及び第四項を除く。）及び第六章の二の規定により公安委員会が行うものとされている事務に係る手数料の徴収については、次の各号に掲げる者から、それぞれ当該各号に定める手数料の種別ごとに政令で定める区分に応じて、物件費及び施設費に対応する部分として政令で定める額に人件費に対応する部分として政令で定める額を標準とする額を加えた額を徴収することを標準として条例を定めなければならない。

一　第八十九条第一項の規定による運転免許試験を受けようとする者　運転免許試験手数料

一の二　第八十九条第三項の規定による検査を受けようとする者　検査手数料

二　第百条の二第一項の規定による再試験を受けようとする者　再試験手数料

三　第九十二条第一項の規定による免許証の交付を受けようとする者　免許証交付手数料

三　第九十二条第一項又は第九十五条の二第十一項の規定による免許証の交付を受けようとする者

免許証交付手数料

手数料の種別	区分		物件費及び施設費に対応する額	人件費に対応する額
運転免許試験手数料	大型自動車免許、中型自動車免許又は準中型自動車免許に係る試験	法第九十七条の二第一項第一号又は第二号に該当して同項の規定の適用を受ける場合	五百円	千五十円
		法第九十七条の二第一項第三号又は第五号に該当して同項の規定の適用を受ける場合	五百円（第三十三条の六の二第六号に掲げるやむを得ない理由のため免許証の更新を受けることができなかつた者に対する試験にあつては、四百円）	千四百円（第三十三条の六の二第六号に掲げるやむを得ない理由のため免許証の更新を受けることができなかつた者に対する試験にあつては、四百円）
		法第九十七条の二第一項の規定の適用を受けない場合	六百五十円（法第九十七条第一項第二号に掲げる事項について行う試験を公安委員会が提供する自動車を使用して受ける場合にあつては、二千九百五十円）	三千四百五十円（法第九十七条第一項第二号に掲げる事項について行う試験を公安委員会が提供する自動車を使用して受ける場合にあつては、三千六百五十円）
	普通自動車免許に係る試験	法第九十七条の二第一項第一号又は第二号に	五百円	千二百五十円

四　第九十四条第二項の規定による免許証の再交付を受けようとする者　免許証再交付手数料

四の二　第九十五条の二第三項の規定による特定免許情報の記録又は第九十五条の三の規定により読み替えて適用する第九十二条第二項の規定若しくは第百六条の四第二項の規定による免許情報記録の書換えを受けようとする者（免許の効力の停止の期間が満了した場合又は免許の効力の停止が解除された場合に第九十五条の二第一項の規定による申請をした者その他の政令で定める者を除く。）　特定免許情報記録手数料

五　第百一条第一項又は第百一条の二第一項の規定による免許証の更新を受けようとする者　免許証更新手数料

五の二　第百一条の二の二第一項の規定により免許証の更新の申請をしようとする者　経由手数料

五　第百一条第一項又は第百一条の二第一項の規定による免許証等の更新を受けようとする者　免許証等更新手数料

五の二　第百一条の二の二第一項の規定により免許証等の更新の申請をしようとする者　経由手数料

五の三　認知機能検査を受けようとする者　認知機能検査手数料

五の四　運転技能検査を受けようとする者　運転技能検査手数料

	該当して同項の規定の適用を受ける場合		
	法第九十七条の二第一項第三号又は第五号に該当して同項の規定の適用を受ける場合	五百円（第三十三条の六の二第六号に掲げるやむを得ない理由のため免許証の更新を受けることができなかつた者に対する試験にあつては、四百円）	千四百円（第三十三条の六の二第六号に掲げるやむを得ない理由のため免許証の更新を受けることができなかつた者に対する試験にあつては、四百円）
	法第九十七条の二第一項の規定の適用を受けない場合	六百五十円（法第九十七条第一項第二号に掲げる事項について行う試験を公安委員会が提供する自動車を使用して受ける場合にあつては、千二百五十円）	千九百円（法第九十七条第一項第二号に掲げる事項について行う試験を公安委員会が提供する自動車を使用して受ける場合にあつては、二千百円）
特定第一種運転免許（大型特殊自動車免許、大型自動二輪車免許、普通自動二輪車免許又は牽引免許をいう。以下同	法第九十七条の二第一項第二号に該当して同項の規定の適用を受ける場合	五百円	千二百五十円
	法第九十七条の二第一項第三号又は	五百円（第三十三条の六の二第六号に掲げるやむを得	千四百円（第三十三条の六の二第六号に掲げるやむを得

六　第九十一条又は第九十一条の二第二項の規定により運転することができる自動車等の種類を限定された者で、その限定の全部又は一部の解除を受けるため、公安委員会の審査を受けようとするもの　審査手数料
七　第九十九条の二第四項の規定による技能検定員資格者証の交付を受けようとする者　技能検定員資格者証交付手数料
八　第九十九条の二第四項第一号イの規定による審査を受けようとする者　技能検定員審査手数料
九　第九十九条の三第四項の規定による教習指導員資格者証の交付を受けようとする者　教習指導員資格者証交付手数料
十　第九十九条の三第四項第一号イの規定による審査を受けようとする者　教習指導員審査手数料
十一　第百七条の七第一項の規定による国外運転免許証の交付を受けようとする者　国外運転免許証交付手数料
十二　第百八条の二第一項各号に掲げる講習を受けようとする者　講習手数料
十三　初心運転者講習、第百八条の二第一項第十三号に掲げる講習又は若年運転者講習を受けようとする者　通知手数料

2　前項の場合においては、都道府県は、条例で定めるところにより、指定講習機関が行う特定講習に係る同項第十二号の講習手数料を当該指定講習機関へ納めさせ、その収入とすることができる。

〔見出し・一項改正・二項追加・旧二項を改正し三項に繰下・昭三九法九一、三項追加・旧三項を改正し四項に繰下・昭四〇法

じ。）又は大型特殊自動車第二種免許若しくは牽引第二種免許に係る試験	第五号に該当して同項の規定の適用を受ける場合	ない理由のため免許証の更新を受けることができなかつた者に対する試験にあつては、四百円）	得ない理由のため免許証の更新を受けることができなかつた者に対する試験にあつては、四百円）
	法第九十七条の二第一項の規定の適用を受けない場合	六百五十円（法第九十七条第一項第二号に掲げる事項について行う試験を公安委員会が提供する自動車を使用して受ける場合にあつては、千九百五十円）	千九百五十円（法第九十七条第一項第二号に掲げる事項について行う試験を公安委員会が提供する自動車を使用して受ける場合にあつては、二千百円）
小型特殊自動車免許又は原動機付自転車免許に係る試験	法第九十七条の二第一項の規定の適用を受ける場合	五百円（第三十三条の六の二第六号に掲げるやむを得ない理由のため免許証の更新を受けることができなかつた者に対する試験にあつては、四百円）	千四百円（第三十三条の六の二第六号に掲げるやむを得ない理由のため免許証の更新を受けることができなかつた者に対する試験にあつては、四百円）
	法第九十七条の二第一項の規定の適用を受けない場合	五百円	千円
大型自動車第二種免許、中型自動車第二種免許又は普通自動車	法第九十七条の二第一項第二号に該当して同項の規定の適用を	五百円	千二百円

九六、三項改正・昭四五法八六、二項追加・旧二項を三項に繰下・旧三・四項を改正し四・五項に繰下・昭四六法九八、五項改正・昭四七法五一・昭五三法五三、四・五項改正・昭六〇法八七、一・四項改正・五・六項追加・旧五項を改正し七項に繰下・平元法九〇、四項改正・平四法四三、二項改正・三項追加・旧三・五項を四・六項に繰下・旧四・六・七項を改正し五・七・八項に繰下・平五法四三、六項改正・平九法四一、一項改正・平一一法四〇、本条全改・平一一法八七、一項改正・平一三法五一・平一九法九〇・平二五法四三・令元法二〇・令二法四二）

参照〔都道府県〕自治一の三②〔公安委員会〕四①、警三八―四六の二〔運転〕二①17〔政令の定める区分及び額〕道交令四三〔自動車等〕八四①〔初心運転者講習〕一〇八の三〔講習〕一〇八の三の二〔指定講習機関〕一〇八の四

第二種免許に係る試験	受ける場合		
	法第九十七条の二第一項第三号又は第五号に該当して同項の規定の適用を受ける場合	五百円（第三十三条の六の二第六号に掲げるやむを得ない理由のため免許証の更新を受けることができなかつた者に対する試験にあつては、四百円）	千四百円（第三十三条の六の二第六号に掲げるやむを得ない理由のため免許証の更新を受けることができなかつた者に対する試験にあつては、四百円）
	法第九十七条の二第一項の規定の適用を受けない場合	六百五十円（法第九十七条第一項第二号に掲げる事項について行う試験を公安委員会が提供する自動車を使用して受ける場合にあつては、三千三百円）	四千百五十円（法第九十七条第一項第二号に掲げる事項について行う試験を公安委員会が提供する自動車を使用して受ける場合にあつては、四千三百五十円）
仮運転免許に係る試験	法第九十七条の二第一項第二号に該当して同項の規定の適用を受ける場合	五百円	千二百円
	法第九十七条の二第一項第四号に該当して同項の規定の適用を受ける場合	五百円	千五十円

	法第九十七条の二第一項の規定の適用を受けない場合	六百五十円（法第九十七条第一項第二号に掲げる事項について行う試験を公安委員会が提供する自動車を使用して受ける場合にあつては、千九百五十円）	二千二百五十円（法第九十七条第一項第二号に掲げる事項について行う試験を公安委員会が提供する自動車を使用して受ける場合にあつては、二千四百円）
検査手数料	大型自動車仮運転免許、中型自動車仮運転免許又は準中型自動車仮運転免許を受けている者に対する法第八十九条第三項の規定による検査（以下「検査」という。）	三百円（公安委員会が提供する自動車を使用して受ける場合にあつては、二千六百円）	三千六百円（公安委員会が提供する自動車を使用して受ける場合にあつては、三千八百円）
	普通自動車仮運転免許を受けている者に対する検査	三百円（公安委員会が提供する自動車を使用して受ける場合にあつては、九百円）	三千四百五十円（公安委員会が提供する自動車を使用して受ける場合にあつては、三千六百五十円）
再試験手数料	準中型自動車免許に係る再試験	六百円（法第百条の二第二項に規定する準中型自動車の運転について必要な技能について行う試験を公安委員会が提供する自動車を使	千三百円（法第百条の二第二項に規定する準中型自動車の運転について必要な技能について行う試験を公安委員会が提供する自動車を

		用して受ける場合にあつては、二千九百円）	使用して受ける場合にあつては、千五百円）
	普通自動車免許に係る再試験	六百円（法第百条の二第二項に規定する普通自動車の運転について必要な技能について行う試験を公安委員会が提供する自動車を使用して受ける場合にあつては、千二百円）	千百五十円（法第百条の二第二項に規定する普通自動車の運転について必要な技能について行う試験を公安委員会が提供する自動車を使用して受ける場合にあつては、千三百五十円）
	大型自動二輪車免許又は普通自動二輪車免許に係る再試験	六百円（法第百条の二第二項に規定する大型自動二輪車又は普通自動二輪車の運転について必要な技能について行う試験を公安委員会が提供する自動車を使用して受ける場合にあつては、千九百円）	千五十円（法第百条の二第二項に規定する大型自動二輪車又は普通自動二輪車の運転について必要な技能について行う試験を公安委員会が提供する自動車を使用して受ける場合にあつては、千二百円）
	原動機付自転車免許に係る再試験	四百五十円	五百五十円
免許証交付手数料	第一種運転免許又は第二種運転免許に係る免許証	千百五十円（第三十三条の六の二第六号に掲げるや	九百円（法第九十二条第一項後段の規定により、一の

		むを得ない理由のため免許証の更新を受けることができなかつた者であつて、法第九十七条の二第一項第三号に該当して同項の規定の適用を受けたものに対する交付にあつては、八百円）	種類の免許に係る免許証に他の種類の免許に係る事項を記載してその種類の免許に係る免許証の交付に代える場合にあつては、九百円に、当該他の種類の免許に係る事項を記載するごとに二百円を加えた額）
	仮運転免許に係る免許証	四百円	七百五十円
免許証再交付手数料	第一種運転免許又は第二種運転免許に係る免許証	千百五十円	千百円
	仮運転免許に係る免許証	四百円	七百五十円
免許証更新手数料	免許証の更新（法第百一条の二の二第一項の規定により免許証の更新の申請をする場合を除く。）	千三百円	千二百円
	免許証の更新（法第百一条の二の二第一項の規定により免許証の更新の申請をする場合）	千二百五十円	千三百円
経由手数料		二百円	三百五十円
認知機能検査手数料		四百円	六百五十円

料			
運転技能検査手数料		千五十円	二千五百円
審査手数料		七百円（公安委員会が提供する自動車を使用して受ける場合にあつては、二千円）	七百円（公安委員会が提供する自動車を使用して受ける場合にあつては、八百五十円）
技能検定員資格者証交付手数料		二百円	九百五十円
技能検定員審査手数料	大型自動車免許、中型自動車免許又は準中型自動車免許に係る法第九十九条の二第四項第一号イの規定による審査（以下「技能検定員審査」という。）	二千九百五十円	二万四百五十円
	普通自動車免許に係る技能検定員審査	千百円	一万八千四百円
	特定第一種運転免許に係る技能検定員審査	千二百円	一万三千五百円
	大型自動車第二種免許、中型自動車第二種免許又は普通自動車第二種免許に係る技能検定員審査で、これらの免許に対応する第一種運転免許に	三千百五十円	一万八千三百五十円

	係る技能検定員資格者証の交付を受けているもの（以下「大型自動車第二種免許等に係る技能検定員審査」という。）		
教習指導員資格者証交付手数料		二百円	九百五十円
教習指導員審査手数料	大型自動車免許、中型自動車免許又は準中型自動車免許に係る法第九十九条の三第四項第一号イの規定による審査（以下「教習指導員審査」という。）	二千七百円	一万千八百五十円
	普通自動車免許に係る教習指導員審査	千円	一万八百五十円
	特定第一種運転免許に係る教習指導員審査	千二百円	八千四百五十円
	大型自動車第二種免許、中型自動車第二種免許又は普通自動車第二種免許に係る教習指導員審査で、これらの免許に対応する第一種運転免許に係る教習指導員資格者証の交付を受けているもの（以下「大型自動車第二種免許	三千五十円	九千四百円

等に係る教習指導員審査」という。）			
国外運転免許証交付手数料		九百円	千四百五十円
講習手数料	法第百八条の二第一項第一号に掲げる講習	講習一時間について四百五十円	講習一時間について三百円
	法第百八条の二第一項第二号に掲げる講習	講習一時間について千五十円	講習一時間について千三百円
	法第百八条の二第一項第三号に掲げる講習	講習一時間について七百円	講習一時間について千二百五十円
	法第百八条の二第一項第四号に掲げる講習　大型自動車免許、中型自動車免許又は準中型自動車免許に係る講習（準中型自動車免許に係る講習にあつては、普通自動車免許を受けている者に対するものに限る。）	講習一時間について二千四百五十円	講習一時間について二千円
	準中型自動車免許に係る講習（普通自動車免	講習一時間について千八百五十円	講習一時間について千六百五十円

	許を受けている者に対するものを除く。）		
	普通自動車免許に係る講習	講習一時間について千四百五十円	講習一時間について千三百五十円
法第百八条の二第一項第五号に掲げる講習	大型自動二輪車免許に係る講習	講習一時間について二千八百円	講習一時間について千三百五十円
	普通自動二輪車免許に係る講習	講習一時間について二千六百五十円	講習一時間について千三百五十円
法第百八条の二第一項第六号に掲げる講習		講習一時間について五百円	講習一時間について千円
法第百八条の二第一項第七号に掲げる講習		講習一時間について千五百五十円	講習一時間について千五百五十円
法第百八条の二第一項第八号に掲げる講習		講習一時間について千円	講習一時間について四百円
法第百八条の二第一項第九号に掲げる講習		講習一時間について四百五十円	講習一時間について三百円
法第百八条の二第一項第十号に掲げる講習	準中型自動車免許に係る講習	講習一時間について六百円	講習一時間について千五百五十円
	普通自動車免許に係る講習	講習一時間について五百円	講習一時間について千五百五十円
	大型自動二輪車免	講習一時間について千百五	講習一時間について千五百

	許に係る講習	十円	五十円
	普通自動二輪車免許に係る講習	講習一時間について千円	講習一時間について千五百五十円
	原動機付自転車免許に係る講習	講習一時間について八百五十円	講習一時間について千六百円
法第百八条の二第一項第十一号に掲げる講習	法第九十二条の二第一項の表の備考一の2に規定する優良運転者に対する講習	二百円	三百円
	法第九十二条の二第一項の表の備考一の3に規定する一般運転者に対する講習	三百円	五百円
	法第九十二条の二第一項の表の備考一の4に規定する違反運転者等に対する講習	六百円（国家公安委員会規則で定める第三十三条の七第二項の基準に該当しない者に対する講習にあつては、三百円）	七百五十円（国家公安委員会規則で定める第三十三条の七第二項の基準に該当しない者に対する講習にあつては、五百円）
法第百八	法第七十	二千五十円	四千四百円

運転免許に係る講習等に関する規則

（平成六年二月二五日国家公安委員会規則第四号）

条の二第一項第十二号に掲げる講習			
	一条の五第三項に規定する普通自動車対応免許（以下この表において「普通自動車対応免許」という。）を受けている者（法第九十七条の二第一項第三号イ及びハに掲げる者並びに法第百一条の四第三項の規定の適用を受ける者を除く。）に対する講習		
	普通自動車対応免許を受けている者（法第九十七条の二第一項第三号イ若しくはハに掲げる者又は法第百一条の四第三項の規定の適用を受ける	六百五十円	二千二百五十円

	者に限る。）又は第一種運転免許若しくは第二種運転免許であつて普通自動車対応免許以外のもののみを受けている者に対する講習		
	法第百八条の二第一項第十三号に掲げる講習	四千八百円（当該講習が国家公安委員会規則で定めるものである場合にあつては、三千五百五十円）	七千七百円（当該講習が国家公安委員会規則で定めるものである場合にあつては、五千五百円）
	若年運転者講習	講習一時間について九百円	講習一時間について千三百五十円
	法第百八条の二第一項第十五号又は第十六号に掲げる講習	講習一時間について五百五十円	講習一時間について千四百五十円
通知手数料		八百五十円	五十円

備考　一の種類の免許に係る免許証に他の種類の免許に係る事項を記載した免許証の再交付は、一の免許証の再交付とする。

2　技能検定員審査を受けようとする者が次の表の第一欄に掲げる審査細目についての審査を免除される者である場合にあつては、法第百十二条第一項の物件費及び施設費に対応する部分として政令で定める額又は人件費に対応する部分として政令で定める額は、前項の表技能検定員審査手数料の項の第三欄又は第四欄の規定にかかわらず、次の表の第二欄に掲げる区分に応じて、それぞれ前項の表技能検定員審査手数料の項の第三欄又は第四欄に定める額から、次の表の第三欄又は第四欄に定める額を減じた額とする。

審査細目	区分	物件費及び施設費に対応する額から減ずる額	人件費に対応する額から減ずる額
一　技能検定員として必要な自動車の運転技能	大型自動車免許、中型自動車免許又は準中型自動車免許に係る技能検定員審査	三百円	三千七百円
	普通自動車免許に係る技能検定員審査	百円	三千四百五十円
	特定第一種運転免許に係る技能検定員審査	五十円	千二百円
	大型自動車第二種免許等に係る技能検定員審査	百五十円	四千百円
二　自動車の運転技能に関する観察及び採点の技能	大型自動車免許、中型自動車免許又は準中型自動車免許に係る技能検定員審査	三百円	六千四百円
	普通自動車免許に係る技能検定員審査	百円	六千円
	特定第一種運転免許に係る技能検定員審査	五十円	二千五十円
	大型自動車第二種免許等に係る技能検定員審査	百五十円	七千二百五十円
三　法第百八条の二十八第四	大型自動車免許、中型自動車免許、		二千五百円

項に規定する教則の内容となつている事項	又は準中型自動車免許に係る技能検定員審査		
	普通自動車免許に係る技能検定員審査		二千円
	特定第一種運転免許に係る技能検定員審査		二千円
四　自動車教習所に関する法令についての知識	大型自動車免許、中型自動車免許又は準中型自動車免許に係る技能検定員審査		二千五百円
	普通自動車免許に係る技能検定員審査		二千円
	特定第一種運転免許に係る技能検定員審査		二千円
五　技能検定の実施に関する知識	大型自動車免許、中型自動車免許又は準中型自動車免許に係る技能検定員審査		二千三百五十円
	普通自動車免許に係る技能検定員審査		千九百円
	特定第一種運転免許に係る技能検定員審査		二千六百五十円
六　自動車の運転技能の評価方法に関する知識	大型自動車免許、中型自動車免許又は準中型自動車免許に係る技能検定員審査		千八百円
	普通自動車免許に係る技能検定員審査		二千五十円

	特定第一種運転免許に係る技能検定員審査		二千五百五十円
	大型自動車第二種免許等に係る技能検定員審査		三千七百円
七　旅客自動車運送事業及び自動車運転代行業の業務の適正化に関する法律第二条第一項に規定する自動車運転代行業に関する法令についての知識	大型自動車第二種免許等に係る技能検定員審査		二千五百五十円

備考

一　技能検定員審査を受けようとする者が一の項及び二の項の第一欄に掲げる審査細目についての審査のいずれをも免除される者である場合にあつては、一の項及び二の項の第三欄及び第四欄に定めるところによるほか、前項の表技能検定員審査手数料の項の第三欄に定める額から更に大型自動車免許、中型自動車免許又は準中型自動車免許に係る技能検定員審査については二千百五十円を、普通自動車免許に係る技能検定員審査については七百円を、特定第一種運転免許に係る技能検定員審査については九百円を、大型自動車第二種免許等に係る技能検定員審査については二千七百円を減ずるものとし、前項の表技能検定員審査手数料の項の第四欄に定める額から更に大型自動車免許、中型自動車免許又は準中型自動車免許に係る技能検定員審査については二百円を、普通自動車免許に係る技能検定員審査については二百円を、特定第一種運転免許に係る技能検定員審査については二百円を、大型自動車第二種免許等に係る技能検定員審査については二百円を減ずるものとする。

二　技能検定員審査を受けようとする者が三の項及び四の項の第一欄に掲げる審査細目についての審査のいずれをも免除される者である場合にあつては、三の項及び四の項の第三欄及び第四欄に定めるところによるほか、前項の表技能検定員審査手数料の項の第四欄に定める額から更に大型自動車免許、中型自動車免許又は準中型自動車免許に係る技能検定員審査については五百円を、普通自動車免許に係る技能検定員審査については三百円を、特定第一種運転免許に係る技能検定員審査については三百円を減ずるものとする。

3 教習指導員審査を受けようとする者が次の表の第一欄に掲げる審査細目についての審査を免除される者である場合にあつては、法第百十二条第一項の物件費及び施設費に対応する部分として政令で定める額又は人件費に対応する部分として政令で定める額は、第一項の表教習指導員審査手数料の項の第三欄又は第四欄の規定にかかわらず、次の表の第二欄に掲げる区分に応じて、それぞれ第一項の表教習指導員審査手数料の項の第三欄又は第四欄に定める額から、次の表の第三欄又は第四欄に定める額を減じた額とする。

審査細目	区分	物件費及び施設費に対応する額から減ずる額	人件費に対応する額から減ずる額
一　教習指導員として必要な自動車の運転技能	大型自動車免許、中型自動車免許又は準中型自動車免許に係る教習指導員審査	三百円	三千七百円
	普通自動車免許に係る教習指導員審査	百円	三千四百五十円
	特定第一種運転免許に係る教習指導員審査	五十円	千二百円
	大型自動車第二種免許等に係る教習指導員審査	百五十円	四千百円
二　技能教習に必要な教習の技能	大型自動車免許、中型自動車免許又は準中型自動車免許に係る教習指導員審査	五十円	千三百五十円
	普通自動車免許に係る教習指導		千三百円

	員審査		
	特定第一種運転免許に係る教習指導員審査	五十円	千三百円
	大型自動車第二種免許等に係る教習指導員審査	五十円	二千円
三　学科教習に必要な教習の技能	大型自動車免許、中型自動車免許又は準中型自動車免許に係る教習指導員審査		千三百円
	普通自動車免許に係る教習指導員審査		千二百五十円
	特定第一種運転免許に係る教習指導員審査		千二百五十円
四　法第百八条の二十八第四項に規定する教則の内容となつている事項その他自動車の運転に関する知識	大型自動車免許、中型自動車免許又は準中型自動車免許に係る教習指導員審査		千六百円
	普通自動車免許に係る教習指導員審査		千三百五十円
	特定第一種運転免許に係る教習指導員審査		千三百円
五　自動車教習所に関する法令についての知識	大型自動車免許、中型自動車免許又は準中型自動車免許に係る教習指導員審査		千六百円
	普通自動車免許に係る教習指導員審査		千三百五十円
	特定第一種運転		千三百円

	免許に係る教習指導員審査		
六　教習指導員として必要な教育についての知識	大型自動車免許、中型自動車免許又は準中型自動車免許に係る教習指導員審査		千五百円
	普通自動車免許に係る教習指導員審査		千三百円
	特定第一種運転免許に係る教習指導員審査		千二百五十円
七　旅客自動車運送事業及び自動車運転代行業の業務の適正化に関する法律第二条第一項に規定する自動車運転代行業に関する法令についての知識	大型自動車第二種免許等に係る教習指導員審査		二千五百五十円

備考

一　教習指導員審査を受けようとする者が一の項及び二の項の第一欄に掲げる審査細目についての審査のいずれをも免除される者である場合にあつては、一の項及び二の項の第三欄及び第四欄に定めるところによるほか、第一項の表教習指導員審査手数料の項の第三欄に定める額から更に大型自動車免許、中型自動車免許又は準中型自動車免許に係る教習指導員審査については二千二百円を、普通自動車免許に係る教習指導員審査については七百円を、特定第一種運転免許に係る教習指導員審査については九百円を、大型自動車第二種免許等に係る教習指導員審査については二千六百五十円を減ずるものとし、第一項の表教習指導員審査手数料の項の第四欄に定める額から更に大型自動車免許、中型自動車免許又は準中型自動車免許に係る教習指導員審査については二百円を、普通自動車免許に係る教習指導員審査については二百円を、特定第一種運転免許に係る教習指導員審査については二百円を、大型自動車第二種免許等に係る教習指導員審査については二百円を減ずるものとする。

二　教習指導員審査を受けようとする者が四の項及び五の項の第一欄に掲げる審査細目についての審査のいずれをも免除される者である場合にあつては、四の項及び五の項の第三欄及び第四欄に定めるところによるほか、第一項の表教習指導員審査手数料の項の第四欄に定める額から更に大型自動車免許、中型自動車免許又は準中型自動車免許に係る教習指導員審査については百五十円を、普通自動車免許に係る教習指導員審査については百五十円を、特定第一種運転免許に係る教習指導員審査については百五十円を減ずるものとする。

〔本条改正・昭三九政二八〇、見出し改正・旧四四条を改正し繰上・昭四〇政二五八、一・二項改正・昭四六政三四八、一項改正・昭四八政二七、一・二項改正・昭五〇政三八・昭五三政三八一、一項改正・昭五五政三二八、一・二項改正・昭六一政三七一、一項改正・二項削除・平二政二六、本条改正・平四政二三一・平五政二〇〇・政三四八・平八政一二・政一六〇・平九政三九一・平一一政一九、全改・平一一政三二一、一―三項改正・平一四政二四、一項改正・平一六政三八一、一―三項改正・平一八政三五二、二・三項改正・平一九政二六六、一項改正・平二一政一二、一―三項改正・平二三政四一、一項改正・平二六政六三、一―三項改正・平二七政三一、一項改正・平二七政一九、一―三項改正・平二八政二五八・平三〇政一、一項改正・令元政一〇八、一―三項改正・令四政一六、一項改正・令五政五四〕

第一一三条　削除　〔平一一法八七〕

（行政手続法の適用除外）

第一一三条の二　第七十五条の十五第二項（第七十五条の十六第二項において準用する場合を含む。）の規定による条件の変更及び新たな条件の付加、第七十七条第四項の規定による条件の変更及び新たな条件の付加並びに同条第五項の規定による許可の取消し及び効力の停止、第九十条第五項の規定による免許の取消し及び効力の停止、同条第六項の規定による免許の取消し並びに同条第九項又は第十項の規定による免許を受けることができない期間の指定、第

行政手続法

（平成五年一一月一二日法律第八八号）

九十七条の三第三項の規定による運転免許試験を受けることができないものとする措置（同条第一項の合格の決定の取消しに係るものに限る。）、第百三条第一項又は第四項の規定による免許の取消し及び効力の停止（同条第一項第五号に係るものに限る。）、同条第二項又は第四項の規定による免許の取消し（同条第二項第一号から第四号までのいずれかに係るものに限る。）並びに同条第七項又は第八項の規定による免許を受けることができない期間の指定、第百四条の二の二第二項若しくは第四項又は第百四条の二の四第一項、第二項若しくは第四項の規定による免許の取消し、第百六条の二の規定による仮免許の取消し並びに第百七条の五第一項又は同条第九項において準用する第百三条第四項の規定による自動車等の運転の禁止（第百七条の五第一項第二号に係るものに限る。）及び第百七条の五第二項又は同条第九項において準用する第百三条第四項の規定による自動車等の運転の禁止（第百七条の五第九項において準用する第百三条第四項の規定による自動車等の運転の禁止にあつては、第百七条の五第二項に係るものに限る。）については、行政手続法第三章（第十二条及び第十四条を除く。）の規定は、適用しない。

〔本条追加・平五法八九、改正・平九法四一・平一三法五一・平一九法九〇・令二法四二・令四法三二〕

参照 〔免許〕八四、第一種免許＝八四③・八五、第二種免許＝八四④・八六、仮免許＝八四⑤・八七〔自動車等〕八四①〔運転〕二①17

（審査請求の制限）

第一一三条の三　この法律の規定に基づき警察官等が現場においてした処分については、審査請求をすることができない。

〔本条追加・昭三七法一六一、改正・昭四五法八六・昭六一法六三、旧一一三条の二を繰下・平五法八九、本条改正・平一九法九〇、見出し・本条改正・平二六法六九〕

参照〔警察官等〕六①、警察官＝警三四・五五・六二・六三、交通巡視員＝一一四の四、道交令四四の二

（警察庁長官への権限の委任）

第一一三条の四　この法律又はこの法律に基づく命令の規定により国家公安委員会の権限に属する事務（第百十条第一項の規定による指定に係るものを除く。）は、政令で定めるところにより、警察庁長官に委任することができる。

〔本条追加・平一一法四〇〕

参照〔国家公安委員会〕警四―一四〔政令の定め〕道交令四三の二

（方面公安委員会への権限の委任）

第一一四条　この法律の規定により道公安委員会の権限に属する事務は、政令で定めるところにより、方面公安委員会に行なわせることができる。

参照〔道公安委員会〕警三八―四五〔政令の定め〕道交令四四〔方面公安委員会〕警四六、他法の規定による方面公安委員会への権限の委任＝質屋二九、古物二八、風営四六、銃刀所持三〇

（警察庁長官への権限の委任）

第四三条の二　法第五十一条の六第一項の規定による報告の受理及び通報、同条第二項の規定による通知並びに法第七十五条の二十九、第百六条、第百七条の六及び第百八条の三の六の規定による報告の受理及び通報に関する事務は、警察庁長官が行う。

〔本条追加・平一一政三二九、改正・平一六政三九〇・平二五政一七九・平二七政一九・令四政一六・政三九一〕

（権限の委任）

第四四条　法の規定により道公安委員会の権限に属する事務は、次に掲げるものを除き、道警察本部の所在地を包括する方面を除く方面については、当該方面公安委員会が行う。

一　法第四十五条第一項ただし書、第四十九条の五、第五十七条第二項、第六十条、第七十一条第六号、第七十六条第四項第七号、第七十七条第一項第四号、第百三条第三項（第百四条の二の三第五項及び第八項並びに第百七条の五第九項において準用する場合を含む。）、第百四条第一項、第百七条の五第四項、第百八条の三十第一項及び第百十四条の三の規定による公安委員会の定めに関する事務

（公安委員会の事務の委任）

第一一四条の二　公安委員会は、免許の保留及び免許の効力の停止に関する事務（これらの処分の際の弁明の機会の付与、聴聞及び意見の聴取に関する事務を含む。）並びに仮免許を与えること及び仮免許の取消しに関する事務を警視総監又は道府県警察本部長（以下「警察本部長」という。）に行わせることができる。

2　方面公安委員会は、前条の規定により道公安委員会から委任された事務のうち、前項の事務を方面本部長に行なわせることができる。

二　全国的な幹線道路における交通の規制で、信号機の設置及び管理によるもの並びに法第二条第一項第七号、第四条第三項、第八条第一項、第十七条第四項及び第五項第四号、第二十条第一項ただし書及び第二項、第二十条の二第一項、第二十一条第二項第三号、第二十二条、第二十三条、第二十五条の二第二項、第二十六条の二第三項、第三十条、第三十四条第一項、第二項、第四項及び第五項、第三十五条第一項、第三十五条の二、第三十六条第二項、第四十四条第一項、第四十五条第一項、第七十五条の四、第七十五条の六第一項並びに第七十五条の八の二第二項及び第三項の道路標識等によるものに関する事務

三　法第五十一条の八第一項の登録、同条第六項の更新、法第五十一条の九の命令、法第五十一条の十の取消し並びに法第五十一条の十一の報告及び検査に関する事務

四　法第百八条の三十一第一項の指定、同条第三項の命令及び同条第四項の取消しに関する事務

2　方面公安委員会は、前項の規定により方面公安委員会が行う処分に係る聴聞を行い、又は同項の規定により法第百四条第一項の規定による意見の聴取を行うに当たつては、道公安委員会が定める手続に従うものとする。

〔本条改正・昭三九政二八〇、旧四五条を改正し繰上・昭四〇政二五八、本条改正・昭四三政一七・昭四五政二二七・昭四六政三四八・昭四八政二七・昭五三政三一三・昭六〇政二九・平元政二五五・平二政三〇三・平五政三四八、二項追加・平六政三〇三、一項改正・平九政二一五・平九政三九一・平一四政二四・平一六政三九〇・平二〇政一四九・平二一政二九一・平二六政六三・令二政三二三〕

〔本条追加・昭四二法一二六、一項改正・昭四五法八六・昭四七法五一・平五法八九〕

参照 〔公安委員会〕四①、警三八―四六の二〔免許の保留〕九〇①〔免許の効力の停止〕九〇⑤・一〇三①〔警察本部長〕警四八〔方面本部長〕警五一

（高速自動車国道等における権限）

第一一四条の三 この法律の規定により警察署長の権限に属する事務のうち、高速自動車国道等に係るものは、公安委員会の定めるところにより、当該高速自動車国道等における交通警察に関する事務を処理する警視以上の警察官に行わせることができる。

〔本条追加・昭四六法九八、改正・昭五三法五三〕

参照 〔警察署長〕警五三②・③〔高速自動車国道等〕七五の三〔公安委員会〕警三八―四六の二〔警視〕警察官の階級＝警六二〔警察官〕警三四・五五・六二・六三

（交通巡視員）

第一一四条の四 都道府県警察に、歩行者又は自転車の通行の安全の確保、停車又は駐車の規制の励行及び道路における交通の安全と円滑に係るその他の指導に関する事務を行わせるため、交通巡視員を置く。

2 交通巡視員は、前項に規定する事務のほか、自動車の保管場所の確保等に関する法律の規定による自動車の保管場所の確保の励行に関する事務を行うものとする。

3 交通巡視員は、警察法（昭和二十九年法律第百六十二号）第五十五条第一項に規定する職員（警察官を除く。）で政令で定める要件を備えるもののうちか

（交通巡視員の要件等）

第四四条の二 法第百十四条の四第三項の政令で定める要件は、十八歳以上の者で、道路の交通に関する法令その他交通巡視員としての職務に必要な事項に関する教育訓練を受けたものであ

警察法

（職員）

第五五条 都道府県警察に、警察官その他所要の職員を置く。

2〜4 〔略〕

ら、警察本部長が命ずる。

4 都道府県は、政令で定める基準に従い条例で定めるところにより、交通巡視員に対し、その職務遂行上必要な被服を支給し、及び装備品を貸与するものとする。

〔本条追加・昭四五法八六、旧一一四条の三を繰下・昭四六法九八、一項改正・昭五三法五三、二項追加・旧二・三項を三・四項に繰下・平二法七三〕

参照〔都道府県警察〕警三六〔停車又は駐車の規制〕四四―五一〔道路〕二①1、道二①、道運二⑦・⑧、道運車二⑥、高速二①、駐車二3、道路の種類＝道三〔政令で定める要件〕道交令四四の二①〔警察本部長〕警四八〔都道府県〕自治一の三②〔政令で定める基準〕道交令四四の二②

（自衛隊の防衛出動時における交通の規制等）

第一一四条の五 公安委員会は、自衛隊法第七十六条第一項の規定による防衛出動命令が発せられた場合において、自衛隊又は武力攻撃事態等及び存立危機事態におけるアメリカ合衆国等の軍隊の行動に伴い我が国が実施する措置に関する法律（平成十六年法律第百十三号）第二条第六号に規定する特定合衆国軍隊（以下「自衛隊等」という。）による我が国に対する外部からの武力攻撃を排除するための行動が的確かつ円滑に実施されるようにするため緊急の必要があると認めるときは、武力攻撃事態等における国民の保護のための措置に関する法律（平成十六年法律第百十二号）第百五十五条第一項の規定の例により、自衛隊等の使用する車両以外の車両の道路にお

ることとする。

2 法第百十四条の四第四項の政令で定める基準は、警察官に対して支給し、又は貸与する被服又は装備品について定めるところに準ずるものとする。ただし、装備品については、階級章に代えて交通巡視員章を貸与するものとし、手錠、警棒、けん銃及びけん銃つりひもは貸与しないものとする。

〔本条追加・昭四五政二二七、一・二項改正・昭四六政三四八・平二政三〇三、二項改正・平五政三八六〕

武力攻撃事態等及び存立危機事態におけるアメリカ合衆国等の軍隊の行動に伴い我が国が実施する措置に関する法律

（定義）

第二条 この法律において、次の各号に掲げる用語の意義は、それぞれ当該各号に定めるところによる。

一～五 〔略〕

六 特定合衆国軍隊 武力攻撃事態等において、日米安保条約に従って武力攻撃を排除するために必要な行動を実施しているアメリカ合衆国の軍隊をいう。

七・八 〔略〕

武力攻撃事態等における国民の保護のための措置に関する法律

（交通の規制等）

第一五五条 都道府県公安委員会は、住民の避難、緊急物資の運送その他の国民の保護のための措置が的確かつ迅速に実施され

ける通行を禁止し、又は制限することができる。

2　災害対策基本法（昭和三十六年法律第二百二十三号）第七十六条第二項、第七十六条の二、第七十六条の三（第四項を除く。）、第七十六条の五及び第八十二条第一項の規定は、前項の規定による通行の禁止又は制限について準用する。この場合において、同法第七十六条の二第一項及び第二項並びに第七十六条の三第一項中「緊急通行車両」とあるのは「自衛隊等の使用する車両」と、同法第七十六条の二第五項中「前条第一項」とあり、及び同法第七十六条の三第五項中「第七十六条第一項」とあるのは「道路交通法第百十四条の五第一項」と、同条第一項及び同法第七十六条の五中「災害応急対策」とあるのは「我が国に対する外部からの武力攻撃を排除するための行動」と、同法第七十六条の三第三項前段及び第六項中「災害派遣を命ぜられた部隊等」とあるのは「自衛隊法第七十六条第一項の規定により防衛出動を命ぜられた自衛隊」と、同条第三項後段中「第一項」とあるのは「道路交通法第百十四条の五第二項において読み替えて準用する第一項」と、「緊急通行車両」とあるのは「自衛隊等の使用する車両」と、「自衛隊用緊急通行車両（自衛隊の使用する緊急通行車両で災害応急対策の実施のため運転中のものをいう。以下この項において同じ。）の」とあり、及び「自衛隊用緊急通行車両の」とあるのは「自衛隊の使用する車両の」と、同条第六項中「直ちに」とあるのは「遅滞なく」と読み替えるものとする。

〔本条追加・平一六法一一三、一・二項改正・平一六法一一三、付記改正・平一九法九〇、二項改正・平二六法一一四、一項改

（自衛隊の防衛出動時における交通の規制に関する国家公安委員会の指示）

第四四条の二の二　災害対策基本法施行令（昭和三十七年政令第二百八十八号）第三十三条の二の規定は、法第百十四条の五第二項において準用する災害対策基本法（昭和三十六年法律第二百二十三号）第七十六条の五の規定による国家公安委員会の指示について準用する。この場合において、同令第三十三条の二中「法第七十六条第一項に規定する通行禁止等」とあるのは「道路交通法第百十四条の五第一項の規定による通行の禁止又は制限」と、「災害応急対策」とあるのは「我が国に対する外部からの武力攻撃を排除するための行動」と読み替えるものとする。

〔本条追加・平一六政二七五、改正・平二六政三六六・令二政三三三〕

るようにするため緊急の必要があると認めるときは、政令で定めるところにより、区域又は道路の区間を指定して、緊急通行車両（道路交通法（昭和三十五年法律第百五号）第三十九条第一項の緊急自動車その他の車両で国民の保護のための措置の的確かつ迅速な実施のためその通行を確保することが特に必要なものとして政令で定めるものをいう。）以外の車両の道路における通行を禁止し、又は制限することができる。

2　〔略〕

正・平二七法七六）

（罰則　第一項については第百十八条の三〔三月以下の懲役又は三十万円以下の罰金〕）

（経過措置）

第一一四条の六　この法律の規定に基づき政令、内閣府令、国家公安委員会規則又は都道府県公安委員会規則を制定し、又は改廃する場合においては、それぞれ政令、内閣府令、国家公安委員会規則又は都道府県公安委員会規則で、その制定又は改廃に伴い合理的に必要と判断される範囲内において、所要の経過措置（罰則に関する経過措置を含む。）を定めることができる。

〔本条追加・昭四五法八六、旧一一四条の四を繰下・昭四六法九八、旧一一四条の五を繰下・平二法七三、旧一一四条の七を繰上・平九法四一、本条改正・平一一法一六〇、旧一一四条の五を繰下・平一六法一一二〕

参照　〔国家公安委員会規則〕警一二〔都道府県公安委員会規則〕警三八⑤

（内閣府令への委任）

第一一四条の七　この法律に定めるもののほか、この法律の実施のための手続その他この法律の施行に関し必要な事項は、内閣府令で定める。

〔本条追加・平一一法八七、見出し・本条改正・平一一法一六〇、旧一一四条の六を繰下・平一六法一一二〕

第八章　罰則

第一一五条　みだりに信号機を操作し、若しくは公安委員会が設置した道路標識若しくは道路標示を移転し、又は信号機若しくは公安委員会が設置した道路標識若しくは道路標示を損壊して道路における交通の危険を生じさせた者は、五年以下の懲役又は二十万円以下の罰金に処する。

〔本条改正・昭六一法六三〕

参照 〔信号機〕二①14、類似する工作物等の設置禁止＝七六①、効用を妨げる工作物等の設置禁止＝七六②〔公安委員会〕警三八―四六の二〔道路標識〕二①15〔道路標示〕二①16〔道路〕二①1、道二①、道運二⑦・⑧、道運車二⑥、高速二①、駐車二3、道路の種類＝道三〔懲役〕刑九・一二〔罰金〕刑九・一五

第一一六条　車両等の運転者が業務上必要な注意を怠り、又は重大な過失により他人の建造物を損壊したときは、六月以下の禁錮又は十万円以下の罰金に処する。

2　特定自動運行を行う者又は特定自動運行のために使用される者が業務上必要な注意を怠り、又は重大な過失により、特定自動運行によつて他人の建造物

法第一一六条

判例 ※　同一の業務上の過失により人身事故と家屋損壊事故を惹起したときは一個の行為で刑法第二一一条と道路交通法第一一六条の二個の罪名に触れる場合に該当する。（東高　昭三七、一〇、二二）

※　道路交通法一一六条に所謂損壊とは自動車の突入ないしは自動車事故に伴う物理的衝撃力により建造物が損壊した場合のみならず、自動車が建造物に衝突しこれに接触停止したが、その際当該

を損壊したときは、六月以下の禁錮又は十万円以下の罰金に処する。

〔本条改正・昭六一法六三、二項追加・令四法三二〕

参照〔車両等〕二①17〔運転者〕二①18〔過失〕刑三八、民七〇九、業務上過失＝刑二一一、他法の規定による重大な過失＝刑二一一、民九五・五二〇の一〇、失火、国賠一②〔他人の建造物損壊〕刑二六〇〔禁錮〕刑九・一三〔罰金〕刑九・一五

第一一七条 車両等（軽車両を除く。以下この項において同じ。）の運転者が、当該車両等の交通による人の死傷があつた場合において、第七十二条（交通事故の場合の措置）第一項前段の規定に違反したときは、五年以下の懲役又は五十万円以下の罰金に処する。

2 前項の場合において、同項の人の死傷が当該運転者の運転に起因するものであるときは、十年以下の懲役又は百万円以下の罰金に処する。

3 特定自動運行において特定自動運行用自動車の交通による人の死傷があつた場合において、第七十五条の二十三（特定自動運行において交通事故があつた場合の措置）第一項前段又は第三項前段の規定に違反したとき（特定自動運行主任者が違反した場合に限る。）は、当該違反行為をした者は、五年以下の懲役又は五十万円以下の罰金に処する。

〔本条改正・昭三九法九一・昭六一法六三・平一三法五一、一項改正・二項追加・平一九法九〇、三項追加・令四法三二〕

参照〔車両等〕二①17〔軽車両〕二①11〔運転者〕二①18〔懲役〕

建造物に接着して付設されていたプロパンガスボンベに衝突した結果引火し建造物に燃え移りこれを焼燬するに至らしめた場合などもまたこれに含まれるものと解するのが相当である。（名高昭四九、三、二六）

法第一一七条

判例 ※ 原判決は、被告人が本件赤色信号に気付いて急ブレーキをかけても停止線の手前で停止することができたかどうか疑わしいこと、被告人が、本件事故以外の場面では、信号を無視したことがないこと、本件事故の際にも、停止線手前で余裕を持って停止できる地点で本件赤色信号を発見していれば、赤色信号を無視することなく、自動車を停止させていた旨述べていることを根拠に、被告人におよそ赤色信号に従う意思がなかったものとはいえないとしたが、本件状況下における被告人の行為は、赤色信号であることを確定的に認識し、特段の支障がなかったにもかかわらず、この信号に従わず、しかもその際、赤色信号による交通規制が確保しようとする、規制されない側の交通の安全に対する配慮もなかったと認められるのであり、このような場合、被告人には、およそ赤色信号に従う意思がなかったと認めることができる。（高高 平一八、一〇、二四）

第一一七条の二　次の各号のいずれかに該当する者は、五年以下の懲役又は百万円以下の罰金に処する。

一　第六十五条（酒気帯び運転等の禁止）第一項の規定に違反して車両等を運転した者で、その運転をした場合において酒に酔つた状態（アルコールの影響により正常な運転ができないおそれがある状態をいう。以下同じ。）にあつたもの

二　第六十五条（酒気帯び運転等の禁止）第二項の規定に違反した者（当該違反により当該車両等の提供を受けた者が酒に酔つた状態で当該車両等を運転した場合に限る。）

三　第六十六条（過労運転等の禁止）の規定に違反した者（麻薬、大麻、あへん、覚醒剤又は毒物及び劇物取締法（昭和二十五年法律第三百三号）第三条の三の規定に基づく政令で定める物の影響により正常な運転ができないおそれがある状態で車両等を運転した者に限る。）

四　次条第一項第八号の罪を犯し、よつて高速自動車国道等において他の自動車を停止させ、その他道路における著しい交通の危険を生じさせた者

2　次の各号のいずれかに該当する場合には、当該違反行為をした者は、五年以下の懲役又は百万円以下の罰金に処する。

一　第七十五条（自動車の使用者の義務等）第一項第三号の規定に違反して、酒に酔つた状態で自動車を運転することを命じ、又は容認したとき。

二　第七十五条（自動車の使用者の義務等）第一項

法第一一七条の二

判例　※　酒酔い運転と免許証不携帯の罪数関係（観念的競合）（札高　昭四九、九、一〇）

毒物及び劇物取締法

（禁止規定）

第三条の三　興奮、幻覚又は麻酔の作用を有する毒物又は劇物（これらを含有する物を含む。）であつて政令で定めるものは、みだりに摂取し、若しくは吸入し、又はこれらの目的で所持してはならない。

毒物及び劇物取締法施行令

（興奮、幻覚又は麻酔の作用を有する物）

第三二条の二　法第三条の三に規定する政令で定める物は、トルエン並びに酢酸エチル、トルエン又はメタノールを含有するシンナー（塗料の粘度を減少させるために使用される有機溶剤をいう。）、接着剤、塗料及び閉そく用又はシーリング用の充てん料とする。

第四号の規定に違反して、前項第三号に規定する状態で自動車を運転することを命じ、又は容認したとき。

三　第七十五条の十二（特定自動運行の許可）第一項の許可を受けないで（第七十五条の二十七（許可の取消し等）第一項又は第七十五条の二十八（許可の効力の仮停止）第一項の規定により当該許可の効力が停止されている場合を含む。）特定自動運行を行つたとき。

四　偽りその他不正の手段により第七十五条の十二（特定自動運行の許可）第一項又は第七十五条の十六（許可事項の変更）第一項の許可を受けたとき。

五　第七十五条の十六（許可事項の変更）第一項の規定に違反して特定自動運行計画を変更したとき。

六　第七十五条の二十六（特定自動運行実施者に対する指示）第一項の規定による公安委員会の指示に従わなかつたとき。

〔本条追加・昭四五法八六、改正・昭五三法五三・昭六一法六三・平一三法五一・平一九法九〇・令二法四二、一項改正・二項追加・改正・令四法三二〕

参照 〔懲役〕刑九・一二〔罰金〕刑九・一五〔車両等〕二①17〔運転〕二①17〔麻薬〕麻薬二1・別表1〔大麻〕大麻一〔あへん〕あへん三2〔覚醒剤〕覚醒剤二①〔政令で定める物〕毒劇令三二の二

第一一七条の二の二　次の各号のいずれかに該当する者は、三年以下の懲役又は五十万円以下の罰金に処

法第一一七条の二の二

判例 ※道路交通法一一九条一項七号の二〔現行＝一一七条の二の

する。

一　法令の規定による運転の免許を受けている者（第百七条の二の規定により国際運転免許証等で自動車等を運転することができることとされている者を含む。）でなければ運転し、又は操縦することができないこととされている車両等を当該免許を受けないで（法令の規定により当該免許の効力が停止されている場合を含む。）又は国際運転免許証等を所持しないで（第八十八条第一項第二号から第四号までのいずれかに該当している場合又は本邦に上陸をした日から起算して滞在期間が一年を超えている場合を含む。）運転した者

二　第六十四条（無免許運転等の禁止）第二項の規定に違反した者（当該違反により当該自動車又は一般原動機付自転車の提供を受けた者が同条第一項の規定に違反して当該自動車又は一般原動機付自転車を運転した場合に限る。）

三　第六十五条（酒気帯び運転等の禁止）第一項の規定に違反して車両等（自転車以外の軽車両を除く。次号において同じ。）を運転した者で、その運転をした場合において身体に政令で定める程度以上にアルコールを保有する状態にあつたもの

四　第六十五条（酒気帯び運転等の禁止）第二項の規定に違反した者（当該違反により当該車両等の提供を受けた者が身体に前号の政令で定める程度以上にアルコールを保有する状態で当該車両等を運転した場合に限るものとし、前条第一項第二号に該当する場合を除く。）

五　第六十五条（酒気帯び運転等の禁止）第三項の

（アルコールの程度）

第四四条の三　法第百十七条の二の二第一項第三号の政令で定める身体に保有するアルコールの程度は、血液一ミリリットルにつき〇・三ミリグラム又は呼気一リットルにつき〇・一五ミリグラムとする。

〔本条追加・昭四五政二二七、改正・平一四政二四・平一六政三九〇・平一九政二六六・平二五政三一〇・令四政三〇四〕

二第三号」に規定する酒気帯び運転の罪の故意が成立するためには、行為者において、アルコールを自己の身体に保有しながら車両等の運転をすることの認識があれば足り、同法施行令四四条の三所定のアルコール保有量の数値まで認識している必要はない。（最　昭五二、九、一九）

規定に違反して酒類を提供した者（当該違反により当該酒類の提供を受けた者が酒に酔つた状態で車両等を運転した場合に限る。）
六　第六十五条（酒気帯び運転等の禁止）第四項の規定に違反した者（その者が当該同乗した車両の運転者が酒に酔つた状態にあることを知りながら同項の規定に違反した場合であつて、当該運転者が酒に酔つた状態で当該車両を運転したときに限る。）
七　第六十六条（過労運転等の禁止）の規定に違反した者（前条第一項第三号の規定に該当する者を除く。）
八　他の車両等の通行を妨害する目的で、次のいずれかに掲げる行為であつて、当該他の車両等に道路における交通の危険を生じさせるおそれのある方法によるものをした者
イ　第十七条（通行区分）第四項の規定の違反となるような行為
ロ　第二十四条（急ブレーキの禁止）の規定に違反する行為
ハ　第二十六条（車間距離の保持）の規定の違反となるような行為
ニ　第二十六条の二（進路の変更の禁止）第二項の規定の違反となるような行為
ホ　第二十八条（追越しの方法）第一項又は第四項の規定の違反となるような行為
ヘ　第五十二条（車両等の灯火）第二項の規定に違反する行為
ト　第五十四条（警音器の使用等）第二項の規定

に違反する行為

チ　第七十条（安全運転の義務）の規定に違反する行為

リ　第七十五条の四（最低速度）の規定の違反となるような行為

ヌ　第七十五条の八（停車及び駐車の禁止）第一項の規定の違反となるような行為

九　偽りその他不正の手段により免許証又は国外運転免許証の交付を受けた者

九　偽りその他不正の手段により免許証若しくは国外運転免許証の交付又は特定免許情報の記録を受けた者

2　次の各号のいずれかに該当する場合には、当該違反行為をした者は、三年以下の懲役又は五十万円以下の罰金に処する。

一　第七十五条（自動車の使用者の義務等）第一項第一号の規定に違反したとき。

二　第七十五条（自動車の使用者の義務等）第一項第三号の規定に違反したとき（当該違反により運転者が酒に酔つた状態で自動車を運転し、又は身体に前項第三号の政令で定める程度以上にアルコールを保有する状態で自動車を運転した場合に限るものとし、前条第二項第一号に該当する場合を除く。）。

三　第七十五条（自動車の使用者の義務等）第一項第四号の規定に違反したとき（前条第二項第二号に該当する場合を除く。）。

〔本条追加・平一九法九〇、改正・平二五法四三・令二法四二、一項改正・二項追加・令四法三二、一項改正・令六法三四〕

参照〔懲役〕刑九・一二〔罰金〕刑九・一五〔国際運転免許証等〕一〇七の二〔自動車等〕八四①〔車両等〕二①17〔軽車両〕二①11〔運転者〕二①18〔運転〕二①17〔政令で定める程度〕道交令四四の三〔自動車〕二①9〔免許証〕交付＝九二①〔国外運転免許証〕一〇七の七

第一一七条の三　第六十八条（共同危険行為等の禁止）の規定に違反した者は、二年以下の懲役又は五十万円以下の罰金に処する。

〔本条追加・平一三法五一〕

参照〔懲役〕刑九・一二〔罰金〕刑九・一五

第一一七条の三の二　次の各号のいずれかに該当する者は、三年以下の懲役又は五十万円以下の罰金に処する。

一　第六十四条（無免許運転等の禁止）第三項の規定に違反した者

二　第六十五条（酒気帯び運転等の禁止）第三項の規定に違反して酒類を提供した者（当該違反により当該酒類の提供を受けた者が身体に第百十七条の二の二第一項第三号の政令で定める程度以上にアルコールを保有する状態で車両等（自転車以外の軽車両を除く。）を運転した場合に限るものとし、同項第五号に該当する場合を除く。）

三　第六十五条（酒気帯び運転等の禁止）第四項の規定に違反した者（当該同乗した車両（自転車以外の軽車両を除く。以下この号において同じ。）の運転者が酒に酔つた状態で当該車両を運転し、又は身体に第百十七条の二の二第一項第三号の政令で定める程度以上にアルコールを保有する状態で当該車両を運転した場合に限るものとし、同項第六号に該当する場合を除く。）

〔本条追加・平一九法九〇、改正・平二五法四三・令四法三二・令六法三四〕

参照　〔懲役〕刑九・一二〔罰金〕刑九・一五〔車両等〕二①17〔軽車両〕二①11〔運転〕二①17〔運転者〕二①18

第一一七条の四　次の各号のいずれかに該当する者は、一年以下の懲役又は三十万円以下の罰金に処する。

一　第五十一条の三（車両移動保管関係事務の委託）第二項、第五十一条の十二（放置車両確認機関）第六項、第五十一条の十五（放置違反金関係事務の委託）第二項又は第百八条（免許関係事務の委託）第二項の規定に違反した者

二　第七十一条（運転者の遵守事項）第五号の五の規定に違反し、よつて道路における交通の危険を生じさせた者

三　第八十九条（免許の申請等）第一項、第百一条（免許証の更新及び定期検査）第一項若しくは第百一条の二（免許証の更新の特例）第一項の質問票に虚偽の記載をして提出し、又は第百一条の五（免許を受けた者に対する報告徴収）若しくは第百

法第一一七条の四

実例　自動車運転免許証を遺失しないにも拘らず、遺失した旨の証明書を添付して申請し、免許証の交付を受けた場合には偽りの手段によつて交付を受けたものであるから、道路交通法第一二〇条第一項第一五号〔現行＝一一七条の二の二第一二号〕に該当する。（刑事局報一二巻四号）

※　公務員に対し虚偽の申立をなし、公文書を作成させるいわゆる間接無形偽造の形態における偽造については、わが刑法は第一五七条の構成要件を充足する場合のみ処罰されるにすぎない。

　したがつて再交付の場合、申請書に虚偽の記載をしても、免許証に便宜上の措置として(再)の印を押印しているのは、本条の保護法益からみて、その記載事項は保護の対象とはならないものと解する。（刑事局報一二巻四号）

判例　免許を有する者が先に公安委員会から交付を受けた免許証を遺失したことがないのにかかわらず、これを遺失したと偽つて、免許証の再交付申請をして免許証の再交付を受ける行為と、替玉試験等の不正手続によつて新たな免許の交付を受ける行為とは、

七条の三の二（国際運転免許証等を所持する者に対する報告徴収）の規定による公安委員会の求めがあつた場合において虚偽の報告をした者

三　第八十九条（免許の申請等）第一項、第百一条（免許証等の更新の申請及び定期検査）第一項若しくは第百一条の二（更新期間前における免許証等の更新の申請及び適性検査）第一項の質問票に虚偽の記載をして提出し、又は第百一条の五（免許を受けた者に対する報告徴収）若しくは第百七条の三の二（国際運転免許証等を所持する者に対する報告徴収）の規定による公安委員会の求めがあつた場合において虚偽の報告をした者

2　第七十五条の十八（特定自動運行計画等の遵守）の規定に違反したときは、当該違反行為をした者は、一年以下の懲役又は三十万円以下の罰金に処する。

〔本条追加・平一三法五一、改正・平一六法九〇・平一九法九〇、全改・平二五法四三、改正・令元法二〇・令二法四二、一項改正・二項追加・令四法三二〕

参照〔懲役〕刑九・一二〔罰金〕刑九・一五〔国際運転免許証等〕一〇七の二〔自動車等〕八四①〔車両等〕二①17〔政令で定める程度〕道交令四四の三〔免許証〕交付＝九二①〔国外運転免許証〕一〇七の七、有効期間＝一〇七の八、失効＝一〇七の九

第一一七条の五　次の各号のいずれかに該当する者は、一年以下の懲役又は十万円以下の罰金に処する。

一　第七十二条（交通事故の場合の措置）第一項前

再交付と交付という点で文言上の相違はあるにしても、行為の態様には何ら差違がないことを考慮すると、被告人の本件所為は、本条二号〔現行＝一一七条の二の二第一二号〕にいう「不正な手段により免許証の交付を受けた」場合に該当すると解するを妨げないというべきである。（東高　昭五二、一一、九）

※　本条二号〔現行＝一一七条の二の二第一二号〕の規定は、運転免許を受けている者であると否とを問わず、不正の手段により公安委員会から運転免許証又は国外運転免許証を取得した者を処罰する趣旨のものであり、不正の手段により運転免許証の再交付を受けた者も同号に掲げる者に該当する。（最　昭五三、一一、二四）

段の規定に違反した者（第百十七条第一項又は第二項に該当する者を除く。）

二　第百八条の三の四（講習通知事務の委託）第二項、第百八条の七（秘密保持義務等）第一項、第百八条の十八（秘密保持義務）又は第百八条の三十一（都道府県交通安全活動推進センター）第五項の規定に違反した者

2　第七十五条の二十三（特定自動運行において交通事故があつた場合の措置）第一項前段、第二項又は第三項前段の規定に違反したとき（第百十七条第三項の違反行為に該当する場合を除く。）は、当該違反行為をした者は、一年以下の懲役又は十万円以下の罰金に処する。

〔本条追加・昭三九法九一、旧一一七条の二を改正し繰下・昭四五法八六、本条改正・昭六一法六三・平元法九〇・平二法七三・平四法四三・平五法四三・平九法四一・平一一法四〇、旧一一七条の三を改正し繰下・平一三法五一、本条改正・平一六法九〇・平一九法九〇・令二法四二、一項改正・二項追加・令四法三二〕

参照　〔懲役〕刑九・一二〔罰金〕刑九・一五

第一一八条　次の各号のいずれかに該当する者は、六月以下の懲役又は十万円以下の罰金に処する。

一　第二十二条（最高速度）の規定の違反となるような行為をした者

二　第六十四条の二（十六歳未満の者による特定小型原動機付自転車の運転等の禁止）第一項の規定に違反した者

法第一一八条

判例　※　道路交通法における速度違反の罪の規定の趣旨は、当該道路の具体的状況に応じて、その個々の道路における危険を防止することなどにあり、速度違反の罪は運転行為の継続中における一時的・局所的な行為をその対象としているものと解せられ、速度違反の罪はその最初の違法状態が一旦解消されない限りいかにそれが長くても継続的な一個の行為と評価すべきものであるとするのは誤りであって、二個の道路地点における継続した速度違反

三　第六十四条の二（十六歳未満の者による特定小型原動機付自転車の運転等の禁止）第二項の規定に違反した者（当該違反により当該特定小型原動機付自転車の提供を受けた者が同条第一項の規定に違反して当該特定小型原動機付自転車を運転した場合に限る。）

四　第七十一条（運転者の遵守事項）第五号の五の規定に違反して無線通話装置を通話のために使用し、又は自動車、原動機付自転車若しくは自転車に持ち込まれた画像表示用装置を手で保持してこれに表示された画像を注視した者（第百十七条の四第一項第二号に該当する者を除く。）

五　第八十五条（第一種免許）第五項から第十項までの規定に違反した者

六　第八十七条（仮免許）第二項後段の規定に違反して自動車を運転した者

2　次の各号のいずれかに該当する場合には、当該違反行為をした者は、六月以下の懲役又は十万円以下の罰金に処する。

一　第五十七条（乗車又は積載の制限等）第一項の規定に違反して積載物の重量の制限を超える積載をして車両を運転したとき。

二　第五十八条の五（過積載車両の運転の要求等の禁止）第二項の規定による警察署長の命令に従わなかつたとき。

三　第七十五条（自動車の使用者の義務等）第一項第二号又は第五号の規定に違反したとき。

四　第七十五条（自動車の使用者の義務等）第一項第六号の規定に違反して、第一号に規定する積載

であっても、両地点の道路が社会通念上単一の地点と評価し得る範囲を超える場合には、二個の速度違反の罪が別個独立に成立すると解するのが相当である。（大高　平三、一、二九）

をして自動車を運転することを命じ、又は容認したとき。

五　第七十六条（禁止行為）第一項又は第二項の規定に違反したとき。

3　過失により第一項第一号の罪を犯した者は、三月以下の禁錮又は十万円以下の罰金に処する。

〔一項改正・昭三七法一四七・昭三九法九一・昭四〇法九六・昭四二法一二六・昭四五法八六、一・二項改正・昭四六法九八、一項改正・昭四七法五一・昭五三法五三、一・二項改正・昭六一法六三、一項改正・平五法四三・平七法七四、一・二項改正・平一三法五一、一項改正・平一七法四〇、一・二項改正・令元法二〇、一項改正・二項追加・旧二項を改正し三項に繰下・令四法三二、一項改正・令六法三四〕

参照　〔懲役〕刑九・一二〔罰金〕刑九・一五〔運転〕二①17〔警察署長〕警五三②・③〔過失〕刑三八、民七〇九〔禁錮〕刑九・一三

第一一八条の二　第六十七条（危険防止の措置）第三項の規定による警察官の検査を拒み、又は妨げた者は、三月以下の懲役又は五十万円以下の罰金に処する。

〔本条追加・平一九法九〇〕

参照　〔警察官〕警三四・五五・六二・六三〔懲役〕刑九・一二〔罰金〕刑九・一五

第一一八条の三　第百十四条の五（自衛隊の防衛出動時における交通の規制等）第一項の規定による公安

委員会の禁止又は制限に従わなかつた者は、三月以下の懲役又は五十万円以下の罰金に処する。
〔本条追加・平一六法一一二、旧一一八条の二を繰下・平一九法九〇、本条改正・令四法三二〕

参照〔公安委員会〕四①、警三八―四六の二〔運転者〕二①18〔懲役〕刑九・一二〔罰金〕刑九・一五

第一一九条 次の各号のいずれかに該当する者は、三月以下の懲役又は五万円以下の罰金に処する。

一 第四条（公安委員会の交通規制）第一項後段に規定する警察官の現場における指示又は第六条（警察官等の交通規制）第四項の規定による警察官の禁止若しくは制限に従わなかつた者（当該行為が車両等の通行に関して行われた場合に限る。）

二 第七条（信号機の信号等に従う義務）、第八条（通行の禁止等）第一項又は第九条（歩行者用道路を通行する車両の義務）の規定の違反となるような行為をした者（当該行為が車両等の通行に関して行われた場合に限る。）

三 第二十四条（急ブレーキの禁止）の規定に違反した者

四 第二十六条（車間距離の保持）の規定の違反となるような行為（高速自動車国道等におけるものに限る。）をした者

五 第三十条（追越しを禁止する場所）、第三十三条（踏切の通過）第一項若しくは第二項、第三十八条（横断歩道等における歩行者等の優先）、第四十二条（徐行すべき場所）又は第四十三条（指

法第一一九条

判例 ※ 車両等の運転者が踏切を通過しようとするにあたり、踏切直前で停車をせず、かつ安全であることを確認しないで、その踏切を進行した場合においては、道路交通法第一一九条第一項第二号に該当する同法第三三条第一項違反の一罪が成立する。（名高金沢支部 昭三七、五、一）

※ 道路交通法第七二条第一項前段の救護義務違反の罪と同項後段の報告義務違反の罪とは観念的競合の関係に立つ。（最 昭五一、九、二二）

※ **無免許・酒気帯び運転の所為とその運転中に行われた追越しのためのはみ出し禁止違反、信号無視の各所為が併合罪の関係にあるとした事例**

無免許で酒気を帯びて自動車を運転する行為は、その形態が、通常、時間的継続と場所的移動とを伴うものであるのに対し、その過程において、前者を追い越すにあたり、道路の右側部分にはみ出して通行する行為や、信号機の表示する赤色の灯火信号に従わないで通行する行為は、運転継続中における一時点一場所における事象であつて、両者は社会的見解上別個のものと評価すべきものであるから、刑法五四条一項前段にいう一個の行為にはならないものというべきである。従つて、原判示第一の無免許、酒気帯び運転の罪と、原判示第二の追越しのためのはみ出し禁止違反の罪、原判示第三、第四の信号無視の罪とを併合罪とした原判決は相当であつて、所論のような法令適用の誤りは認められない。（東高 昭五五、一、三一）

定場所における一時停止）の規定の違反となるような行為をした者

六　第十七条（通行区分）第一項から第四項まで若しくは第六項、第十八条（左側寄り通行等）第二項、第二十五条の二（横断等の禁止）第一項、第二十八条（追越しの方法）、第二十九条（追越しを禁止する場合）、第三十一条（停車中の路面電車がある場合の停止又は徐行）、第三十六条（交差点における他の車両等との関係等）第二項から第四項まで、第三十七条の二（環状交差点における他の車両等との関係等）、第三十八条の二（横断歩道のない交差点における歩行者の優先）又は第七十五条の五（横断等の禁止）の規定の違反となるような行為をした者

七　第五十条の二（違法停車に対する措置）（第七十五条の八（停車及び駐車の禁止）第二項において準用する場合を含む。）又は第五十一条（違法駐車に対する措置）第一項（第七十五条の八（停車及び駐車の禁止）第二項において準用する場合を含む。）の規定による警察官等の命令に従わなかつた者

八　第五十八条の二（積載物の重量の測定等）の規定による警察官の停止に従わず、提示の要求を拒み、又は測定を拒み、若しくは妨げた者

九　第五十八条の三（過積載車両に係る措置命令）第一項又は第二項の規定による警察官の命令に従わなかつた者

十　第六十一条（危険防止の措置）の規定による警察官の停止又は命令に従わなかつた者

十一　第六十三条（車両の検査等）第一項前段の規定による警察官の停止に従わず、提示の要求を拒み、又は検査を拒み、若しくは妨げた者

十二　第六十三条（車両の検査等）第二項の規定による警察官の命令に従わなかつた者

十三　第六十七条（危険防止の措置）第一項の規定による警察官の停止に従わなかつた者

十四　第七十条（安全運転の義務）の規定に違反した者

十五　第七十一条（運転者の遵守事項）第二号、第二号の三又は第三号の規定に違反した者

十六　第七十一条の四の二（自動運行装置を備えている自動車の運転者の遵守事項等）第一項の規定に違反した者

十七　第七十二条（交通事故の場合の措置）第一項後段に規定する報告をしなかつた者

十八　第七十五条の三（危険防止等の措置）（第七十五条の二十四（特定自動運行の特則）の規定により読み替えて適用する場合を含む。）の規定による警察官の禁止、制限又は命令に従わなかつた者

十九　第七十五条の十（自動車の運転者の遵守事項）の規定に違反し、本線車道等において当該自動車を運転することができなくなつた者又は当該自動車に積載している物を当該高速自動車国道等に転落させ、若しくは飛散させた者

二十　第九十一条（免許の条件）若しくは第九十一条の二（申請による免許の条件の付与等）第二項の規定により公安委員会が付し、若しくは変更し

た条件に違反し、又は第百七条の四（臨時適性検査）第三項の規定による公安委員会の命令に違反して自動車又は一般原動機付自転車を運転した者

2 次の各号のいずれかに該当する場合には、当該違反行為をした者は、三月以下の懲役又は五万円以下の罰金に処する。

一 第五十七条（乗車又は積載の制限等）第一項の規定に違反して積載をして車両を運転したとき（第百十八条第二項第一号に該当する場合を除く。）。

二 第六十二条（整備不良車両の運転の禁止）の規定に違反して車両等（軽車両を除く。）を運転させ、又は運転したとき。

三 第六十三条の二の二（作動状態記録装置による記録等）第一項（第七十五条の二十四（特定自動運行の特則）の規定により読み替えて適用する場合を含む。）又は第二項の規定に違反したとき。

四 第七十五条（自動車の使用者の義務等）第一項第六号の規定に違反したとき（第百十八条第二項第四号に該当する場合を除く。）。

五 第七十五条（自動車の使用者の義務等）第二項又は第七十五条の二（自動車の使用者の義務等）第一項若しくは第二項の規定による公安委員会の命令に従わなかつたとき。

六 第七十五条の二十三（特定自動運行において交通事故があつた場合の措置）第一項後段又は第三項後段に規定する報告をしなかつたとき。

七 第七十六条（禁止行為）第三項又は第七十七条（道路の使用の許可）第一項の規定に違反したと

き。

八　第七十七条（道路の使用の許可）第三項の規定により警察署長が付し、又は同条第四項の規定により警察署長が変更し、若しくは付した条件に違反したとき。

九　第八十一条（違法工作物等に対する措置）第一項、第八十一条の二（転落積載物等に対する措置）第一項又は第八十二条（沿道の工作物等の危険防止措置）第一項の規定による警察署長の命令に従わなかつたとき。

3　過失により第一項第二号、第五号（第四十三条後段に係る部分を除く。）、第十四号、第十六号若しくは第十九号又は前項第二号の罪を犯した者は、十万円以下の罰金に処する。

〔一項改正・昭三八法九〇・昭三九法九一・昭四〇法九六・昭四二法一二六・昭四五法八六、一・二項改正・昭四六法九八、二項改正・昭四七法五一、一・二項改正・昭五三法五三、一項改正・昭六〇法八七、一・二項改正・昭六一法六三、一項改正・平二法七三・平五法四三・平九法四一・平一一法四〇、一・二項改正・平一三法五一、一項改正・平一六法九〇・平一七法七七・平二一法二一・平二五法四三、一・二項改正・令元法二〇、一項改正・令二法四二、一項改正・二項追加・旧二項を改正し三項に繰下・令四法三二〕

参照〔懲役〕刑九・一二〔罰金〕刑九・一五〔警察官〕警三四・五五・六二・六三〔車両等〕二①17〔運転者〕二①18〔警察官等〕六①、警察官＝警三四・五五・六二・六三、交通巡視員＝一一四の四、道交令四四の二〔車両〕二①8〔公安委員会〕四①、警三八—四六の二〔軽車両〕二①11〔自動車〕二①9、自動車の種類＝三、道交規二〔高速自動車国道等〕七五の三〔一般原動機付自転車〕二①10イ、道交規一の二〔過失〕刑三八、民

第一一九条の二　第七十四条の三（安全運転管理者等）第一項若しくは第四項の規定に違反し、又は同条第六項若しくは第八項の規定による公安委員会の命令に従わなかつたときは、当該違反行為をした者は、五十万円以下の罰金に処する。

〔本条追加・令四法三二〕

参照　〔公安委員会〕四①、警三八～四六の二〔罰金〕刑九・一五

第一一九条の二の二　次の各号のいずれかに該当する場合には、当該違反行為をした者は、三十万円以下の罰金に処する。

一　第十五条の三（遠隔操作による通行の届出）第一項の規定による届出をしないで、又は虚偽の届出をして、道路において通行させるため遠隔操作型小型車の遠隔操作を行つたとき。

二　第十五条の六（遠隔操作型小型車の使用者に対する指示）の規定による公安委員会の指示に従わなかつたとき。

〔本条追加・令四法三二〕

参照　〔罰金〕刑九・一五〔遠隔操作型小型車〕二①11の5〔公安委員会〕四①、警三八～四六の二

第一一九条の二の三　次の各号のいずれかに該当する場合には、当該違反行為をした者は、二十万円以下の罰金に処する。

一　第十五条の五（報告及び検査）第一項の規定による報告若しくは資料の提出をせず、若しくは虚偽の報告若しくは資料の提出をし、又は同項の規定による検査を拒み、妨げ、若しくは忌避し、若しくは質問に対して陳述せず、若しくは虚偽の陳述をしたとき。

二　第七十五条の十六（許可事項の変更）第三項の規定による届出をしないで、若しくは虚偽の届出をして、同条第一項ただし書に規定する変更をし、又は同条第四項の規定による届出をせず、若しくは虚偽の届出をしたとき。

三　第七十五条の二十五（報告及び検査等）第一項の規定による報告若しくは資料の提出をせず、若しくは虚偽の報告若しくは資料の提出をし、又は同項の規定による検査を拒み、妨げ、若しくは忌避し、若しくは質問に対して陳述せず、若しくは虚偽の陳述をしたとき。

〔本条追加・令四法三二〕

参照　〔罰金〕刑九・一五

第一一九条の二の四　次の各号のいずれかに該当する行為（その行為が車両を離れて直ちに運転することができない状態にする行為に該当するとき又はその行為をした場合において車両を離れて直ちに運転す

法第一一九条の二の二

判例　※　道路交通法一一九条の二〔現行＝一一九の二の二〕の「車両を離れて直ちに運転することができない状態」とは、駐車違反の現場に運転者がいない状態、より具体的には、駐車車両の周辺の視認可能な場所に運転者がいない状態をいうものであると

ることができない状態にする行為をしたときに限る。）をした者は、十五万円以下の罰金に処する。

一　第四十四条（停車及び駐車を禁止する場所）第一項、第四十五条（駐車を禁止する場所）第一項若しくは第二項、第四十八条（停車又は駐車の方法の特例）、第四十九条の三（時間制限駐車区間における駐車の方法等）第三項又は第四十九条の四（高齢運転者等専用時間制限駐車区間における駐車の禁止）の規定の違反となるような行為

二　第四十七条（停車又は駐車の方法）第二項若しくは第三項又は第七十五条の八（停車及び駐車の禁止）第一項の規定の違反となるような行為

2　第七十五条（自動車の使用者の義務等）第一項第七号の規定に違反したときは、当該違反行為をした者は、十五万円以下の罰金に処する。

3　過失により第一項第一号の罪を犯した者は、十五万円以下の罰金に処する。

〔本条追加・平二法七三、旧一一九条の二を繰下・平一六法九〇、旧一一九条の三を繰上・平一九法九〇、一項改正・平二一法二一・令二法四二、一項改正・二項追加・旧二項を改正し三項に繰下・旧一一九条の二を繰下・旧一一九条の二の二を繰下・令四法三二〕

参照〔車両〕二①8〔運転〕二①17〔罰金〕刑九・一五〔過失〕刑三八、民七〇九

第一一九条の三　次の各号のいずれかに該当する者（第一号から第四号までに掲げる者にあつては、前条第一項の規定に該当する者を除く。）は、十万円以

解されるところ、同法条が、同法一一九条の三の現場に運転者がいる場合の駐車違反と比べて重い刑を定めているのは、駐車違反の現場に運転者がいない場合には、警察官等が同法五一条一項による移動を命ずることができないため違法な駐車状態の解消が困難であり、あるいは緊急自動車に対する避譲義務の履行ができにくくなるなど、交通に与える障害の程度が大きく、さらには社会的な非難の程度も高いと考えられるからである。

仮に、拡声器による移動の呼びかけ広報があったときに、それに気づいてこれに応ずることが可能な場所に運転者がいたとしても、その場所が駐車車両の周辺の視認可能な場所でない場合には、「車両を離れて直ちに運転することができない状態」にあるとするのを妨げないというべきである。（京簡　平七、一二、一五）

下の罰金に処する。

一　第四十四条（停車及び駐車を禁止する場所）第一項、第四十五条（駐車を禁止する場所）第一項若しくは第二項、第四十八条（停車又は駐車の方法の特例）、第四十九条の三（時間制限駐車区間における駐車の方法等）第二項若しくは第三項、第四十九条の四（高齢運転者等専用時間制限駐車区間における駐車の禁止）又は第四十九条の五（時間制限駐車区間における駐車の特例）後段の規定の違反となるような行為をした者（第四十九条の三第二項の規定の違反となるような行為をした者にあつては、次号に該当する者を除く。）

二　第四十九条第一項のパーキング・チケット発給設備を設置する時間制限駐車区間において、車両を駐車した時から第四十九条の三第二項の道路標識等により表示されている時間を超えて引き続き駐車した者（車両を駐車した時から当該表示されている時間を経過する時までの間に当該パーキング・チケット発給設備によりパーキング・チケットの発給を受けた者を除く。）

三　第四十九条の三（時間制限駐車区間における駐車の方法等）第四項の規定に違反した者

四　第四十七条（停車又は駐車の方法）又は第七十五条の八（停車及び駐車の禁止）第一項の規定の違反となるような行為をした者

五　第七十一条の四（大型自動二輪車等の運転者の遵守事項）第四項から第七項までの規定に違反した者

2　次の各号のいずれかに該当する場合には、当該違反行為をした者は、十万円以下の罰金に処する。

一　第五十一条の五（報告徴収等）第一項の規定による報告をせず、若しくは資料の提出をせず、又は虚偽の報告をし、若しくは虚偽の資料を提出したとき。

二　第百九条の三（交通情報の提供）第一項の規定による届出をせず、又は虚偽の届出をしたとき。

三　第百九条の三（交通情報の提供）第四項の規定による報告をせず、又は虚偽の報告をしたとき。

3　過失により第一項第一号から第三号までの罪を犯した者は、十万円以下の罰金に処する。

〔本条追加・昭四六法九八、一・二項改正・昭六一法六三、一項改正・旧一一九条の二を繰下・平二法七三、一項改正・平一三法五一、旧一一九条の三を繰下・一項改正・平一六法九〇、一項改正・旧一一九条の四を繰上・平一九法九〇、一項改正・平二一法二一・令二法四二、一項改正・二項追加・旧二項を改正し三項に繰下・令四法三二〕

参照　〔罰金〕刑九・一五〔過失〕刑三八、民七〇九

第一二〇条　次の各号のいずれかに該当する者は、五万円以下の罰金に処する。

一　第六条（警察官等の交通規制）第二項（第七十五条の二十四（特定自動運行の特則）の規定により読み替えて適用する場合を含む。）の規定による警察官の禁止、制限又は命令に従わなかつた者

二　第二十五条（道路外に出る場合の方法）第三項、第二十六条（車間距離の保持）、第二十六条の二（進路の変更の禁止）第二項、第二十七条（他の

車両に追いつかれた車両の義務）、第三十一条の二（乗合自動車の発進の保護）、第三十二条（割込み等の禁止）、第三十四条（左折又は右折）第六項（第三十五条（指定通行区分）第二項において準用する場合を含む。）、第三十六条（交差点における他の車両等との関係等）第一項、第三十七条（交差点における他の車両等との関係等）、第四十条（緊急自動車の優先）、第四十一条の二（消防用車両の優先等）第一項若しくは第二項又は第七十五条の六（本線車道に入る場合等における他の自動車との関係）の規定の違反となるような行為をした者（第二十六条の規定の違反となるような行為をした者にあつては、第百十九条第一項第四号に該当する者を除く。）

三　第二十条（車両通行帯）、第二十条の二（路線バス等優先通行帯）第一項、第二十六条の二（進路の変更の禁止）第三項、第三十五条（指定通行区分）第一項又は第七十五条の八の二（重被牽引車を牽引する牽引自動車の通行区分）第二項から第四項までの規定の違反となるような行為をした者

四　第二十五条の二（横断等の禁止）第二項の規定の違反となるような行為をした者

五　第五十条（交差点等への進入禁止）又は第五十二条（車両等の灯火）第一項の規定の違反となるような行為をした者

六　第五十二条（車両等の灯火）第二項、第五十三条（合図）第一項、第二項若しくは第四項又は第五十四条（警音器の使用等）第一項の規定に違反した者

七　第六十二条（整備不良車両の運転の禁止）の規定に違反して軽車両を運転させ、若しくは運転した者又は第六十三条の九（自転車の制動装置等）第一項の規定に違反した者

八　第六十三条の十（自転車の検査等）第一項の規定による警察官の停止に従わず、又は検査を拒み、若しくは妨げた者

九　第六十三条の十（自転車の検査等）第二項の規定による警察官の命令に従わなかつた者

十　第七十一条（運転者の遵守事項）第一号、第四号から第五号まで、第五号の三、第五号の四若しくは第六号、第七十一条の二（自動車等の運転者の遵守事項）、第七十三条（妨害の禁止）（第七十五条の二十三（特定自動運行において交通事故があつた場合の措置）第六項において読み替えて準用する場合を含む。）、第七十六条（禁止行為）第四項又は第九十五条（免許証の携帯及び提示義務）第二項（第百七条の三（国際運転免許証等の携帯及び提示義務）後段において準用する場合を含む。）の規定に違反した者

十　第七十一条（運転者の遵守事項）第一号、第四号から第五号まで、第五号の三、第五号の四若しくは第六号、第七十一条の二（自動車等の運転者の遵守事項）、第七十三条（妨害の禁止）（第七十五条の二十三（特定自動運行において交通事故があつた場合の措置）第六項において読み替えて準用する場合を含む。）、第七十六条（禁止行為）第四項、第九十五条（免許証の携帯及び提示義務）

第二項（第百七条の三（国際運転免許証等の携帯及び提示義務）後段において準用する場合を含む。）又は第九十五条の二（特定免許情報の記録等）第八項の規定に違反した者

十一　第七十二条（交通事故の場合の措置）第二項の規定による警察官の命令に従わなかつた者

十二　第七十五条の四（最低速度）の規定の違反となるような行為をした者

十三　第七十五条の十一（故障等の場合の措置）第一項（第七十五条の二十四（特定自動運行の特則）の規定により読み替えて適用する場合を含む。）の規定に違反した者

十四　第八十七条（仮免許）第三項の規定に違反した者

十五　免許証、国外運転免許証又は国際運転免許証等を他人に譲り渡し、又は貸与した者

十五　免許証、免許情報記録個人番号カード、国外運転免許証又は国際運転免許証等を他人に譲り渡し、又は貸与した者

十六　高齢運転者等標章を他人に譲り渡し、又は貸与した者

十七　第百八条の三の五（特定小型原動機付自転車運転者講習等の受講命令）の規定による公安委員会の命令に従わなかつた者

2　次の各号のいずれかに該当する場合には、当該違反行為をした者は、五万円以下の罰金に処する。

一　第五十五条（乗車又は積載の方法）第一項若しくは第二項又は第五十九条（自動車の牽引制限）第一項若しくは第二項の規定に違反したとき。

二　第五十七条（乗車又は積載の制限等）第一項の規定に違反したとき（第百十八条第二項第一号及び第百十九条第二項第一号に該当する場合を除く。）。

三　第七十四条の三（安全運転管理者等）第五項の規定に違反したとき。

四　第七十五条の二十三（特定自動運行において交通事故があつた場合の措置）第四項の規定による警察官の命令に従わなかつたとき。

五　第七十七条（道路の使用の許可）第七項の規定に違反したとき。

3　過失により第一項第三号から第七号まで又は第十四号の罪を犯した者は、五万円以下の罰金に処する。

〔一・二項改正・昭三八法九〇、一項改正・昭三九法九一・昭四〇法九六・昭四二法一二六・昭四五法八六、一・二項改正・昭四六法九八・昭四七法五一・昭五三法五三、一項改正・昭六〇法八七、一・二項改正・昭六一法六三、一項改正・平二法七三・平四法四三・平五法四三・平七法七四・平九法四一・平一三法五一・平一六法九〇・平二一法二一・平二五法四三、一・二項改正・令元法二〇、一項改正・令二法四二、一項改正・二項追加・改正・旧二項を改正し三項に繰下・令四法三二〕

参照〔罰金〕刑九・一五〔警察官〕警三四・五五・六二・六三〔車両等〕二①17〔運転〕二①17〔公安委員会〕四①、警三八―四六の二〔免許証〕交付＝九二①、有効期間＝九二の二、記載事項＝九三、様式＝道交規別記様式一四、記載事項変更の届出＝九四①、携帯及び提示義務＝九五、更新等＝一〇一―一〇二の三、道交規二九、返納＝一〇七〔国外運転免許証〕一〇七の

七、有効期間＝一〇七の八、失効＝一〇七の九（国際運転免許証等）一〇七の二（過失）刑三八、民七〇九

第一二一条 次の各号のいずれかに該当する者は、二万円以下の罰金又は科料に処する。

一 第四条（公安委員会の交通規制）第一項後段に規定する警察官の現場における指示若しくは第六条（警察官等の交通規制）第四項の規定による警察官の禁止若しくは制限に従わず、又は第七条（信号機の信号等に従う義務）若しくは第八条（通行の禁止等）第一項の規定に違反した者（第百十九条第一項第一号及び第二号並びに次号に該当する者を除く。）

二 第四条（公安委員会の交通規制）第一項後段に規定する警察官の現場における指示若しくは第六条（警察官等の交通規制）第四項の規定による警察官の禁止若しくは制限に従わず、又は第七条（信号機の信号等に従う義務）若しくは第八条（通行の禁止等）第一項の規定の違反となるような行為をした者（当該行為が遠隔操作型小型車の遠隔操作による通行に関して行われた場合に限る。）

三 第八条（通行の禁止等）第五項の規定により警察署長が付した条件に違反した者

四 第十一条（行列等の通行）第一項の規定に違反した者（行列にあつては、その指揮者）

五 第十一条（行列等の通行）第二項後段の規定に違反し、又は同条第三項の規定による警察官の命

令に従わなかつた行列の指揮者

六　第十四条の四（移動用小型車等を通行させる者の義務）の規定に違反した者

七　第十五条（通行方法の指示）又は第六十三条の八（自転車の通行方法の指示）の規定による警察官等の指示に従わなかつた者

八　第十七条の二（特例特定小型原動機付自転車の歩道通行）第二項、第十七条の三（特例特定小型原動機付自転車等の路側帯通行）第二項、第十九条（軽車両の並進の禁止）、第二十一条（軌道敷内の通行）第一項、第二項後段若しくは第三項、第二十五条（道路外に出る場合の方法）第一項若しくは第二項、第三十四条（左折又は右折）第一項から第五項まで、第三十五条の二（環状交差点における左折等）、第六十三条の三（自転車道の通行区分）、第六十三条の四（普通自転車の歩道通行）第二項又は第七十五条の七（本線車道の出入の方法）の規定の違反となるような行為をした者

九　第五十四条（警音器の使用等）第二項又は第五十五条（乗車又は積載の方法）第三項の規定に違反した者

十　第四十五条の二（高齢運転者等標章自動車の停車又は駐車の特例）第四項、第五十一条の四（放置違反金）第二項、第六十三条（車両の検査等）第七項、第七十五条（自動車の使用者の義務等）第十一項（第七十五条の二（自動車の使用者の義務等）第三項において準用する場合を含む。）、第七十八条（許可の手続）第四項、第九十四条（免

許証の記載事項の変更届出等）第一項、第百三条の二（免許の効力の仮停止）第三項（第百七条の五（自動車等の運転禁止等）第十項において準用する場合を含む。）、第百七条（免許証の返納等）第一項若しくは第三項、第百七条の五（自動車等の運転禁止等）第五項若しくは第七項又は第百七条の十（国外運転免許証の返納等）第一項若しくは第二項の規定に違反した者

十　第四十五条の二（高齢運転者等標章自動車の停車又は駐車の特例）第四項、第五十一条の四（放置違反金）第二項、第六十三条（車両の検査等）第七項、第七十五条（自動車の使用者の義務等）第十一項（第七十五条の二（自動車の使用者の義務等）第三項において準用する場合を含む。）、第七十八条（許可の手続）第四項、第九十四条（免許証の記載事項の変更届出等）第一項（第九十五条の五（免許情報記録個人番号カードのみを有する者の特則）第二項の規定により読み替えて適用する場合を含む。）、第百三条の二（免許の効力の仮停止）第三項（第百七条の五（自動車等の運転禁止等）第十項において準用する場合を含む。）若しくは第四項、第百六条の三（免許証の返納等）第一項若しくは第四項、第百六条の四（免許情報記録の抹消等）第一項、第百七条の五（自動車等の運転禁止等）第五項若しくは第七項又は第百七条の十（国外運転免許証の返納等）第一項若しくは第二項の規定に違反した者

十一　第七十一条の五（初心運転者標識等の表示義務）第一項から第三項まで又は第七十一条の六（初心運転者標識等の表示義務）第一項若しくは第二項の規定に違反した者

十二　第九十五条（免許証の携帯及び提示義務）第一項又は第百七条の三（国際運転免許証等の携帯及び提示義務）前段の規定に違反した者

2　次の各号のいずれかに該当する場合には、当該違反行為をした者は、二万円以下の罰金又は科料に処する。

一　第五十七条（乗車又は積載の制限等）第二項又は第六十条（自動車以外の車両の牽引制限）の規定に基づく公安委員会の定めに違反したとき。

二　第五十八条（制限外許可証の交付等）第三項の規定により警察署長が付した条件に違反したとき。

三　第六十三条の二（運行記録計による記録等）第一項（第七十五条の二十四（特定自動運行の特則）の規定により読み替えて適用する場合を含む。）又は第二項の規定に違反したとき。

3　過失により第一項第十一号又は第十二号の罪を犯した者は、二万円以下の罰金又は科料に処する。

〔一項改正・昭三八法九〇・昭三九法九一・昭四〇法九六・昭四二法一二六・昭四五法八六・昭四六法九八、一・二項改正・昭四七法五一、一項改正・昭五三法五三・昭六〇法八七、一・二項改正・昭六一法六三、一項改正・平元法九〇・平二法七三・平四法四三・平五法四三・平九法四一・平一三法五一・平一六法九〇・平一九法九〇・平二一法二一・平二五法四三・平二七法四〇・令二法四二、一項改正・二項追加・旧二項を改正し三項に繰下・一―三項改正・令四法三二〕

参照〔罰金〕刑九・一五〔科料〕刑九・一七〔警察官〕警三四・五五・六二・六三〔警察署長〕警五三②・③〔公安委員会〕四①、警三八―四六の二〔過失〕刑三八、民七〇九

第一二二条　削除〔昭四五法八六〕

第一二三条　法人の代表者又は法人若しくは人の代理人、使用人その他の従業者が、その法人又は人の業務に関し、第百十七条第三項、第百十七条の二第二項、第百十七条の二の二第二項、第百十七条の四第二項、第百十七条の五第二項、第百十八条第二項、第百十九条第二項、第百十九条の二から第百十九条の二の三まで、第百十九条の二の四第二項、第百十九条の三第二項、第百二十条第二項又は第百二十一条第二項の違反行為をしたときは、行為者を罰するほか、その法人又は人に対しても、各本条の罰金刑又は科料刑を科する。

〔本条改正・昭三八法九〇・昭四〇法九六・昭四二法一二六・昭四五法八六・昭四六法九八・昭五三法五三・平二法七三・平五法四三・平一三法五一・平一六法九〇・平一九法九〇・平二五法四三・令元法二〇、全改・改正・令四法三二〕

参照〔法人〕民三三―三七、会社三〔法人の代表者〕一般社団法人及び一般財団法人に関する法律七七・一六二、会社三四九・五九九〔代理〕民九九―一一八〔使用人〕会社の使用人＝会社一〇―一五〔罰金〕刑九・一五〔科料〕刑九・一七

第一二三条の二　第百八条の三十二の二（運転免許取得者等教育の認定）第三項（第百八条の三十二の三

（運転免許取得者等検査の認定）第二項において準用する場合を含む。）の規定に違反した者は、十万円以下の過料に処する。

第一二三条の二　次の各号のいずれかに該当する者は、十万円以下の過料に処する。

一　第百四条の三（免許の取消し又は効力の停止に係る書面の交付等）第二項（第百七条の五（自動車等の運転禁止等）第十一項において準用する場合を含む。）又は第百九条（出頭命令）の規定による警察官の命令に従わなかつた者

二　第百八条の三十二の二（運転免許取得者等教育の認定）第三項（第百八条の三十二の三（運転免許取得者等検査の認定）第二項において準用する場合を含む。）の規定に違反した者

〔本条追加・平一一法四〇、改正・令二法四二〕

第一二四条　この章の規定の適用については、この法律の規定中公安委員会とあるのは、第百十四条の規定により権限の委任を受けた方面公安委員会を含むものとする。

参照〔公安委員会〕四①、警三八―四六の二〔方面公安委員会〕警四六

第九章　反則行為に関する処理手続の特例

〔本章追加・昭四二法一二六〕

第一節　通則

〔本節追加・昭四二法一二六〕

（通則）

第一二五条　この章において「反則行為」とは、前章の罪に当たる行為のうち別表第二の上欄に掲げるものであつて、車両等（重被牽（けん）引車以外の軽車両を除く。次項において同じ。）の運転者がしたものをいい、その種別は、政令で定める。

2　この章において「反則者」とは、反則行為をした者であつて、次の各号のいずれかに該当する者以外のものをいう。

一　当該反則行為に係る車両等（特定小型原動機付自転車を除く。）に関し法令の規定による運転の免許を受けていない者（法令の規定により当該免許の効力が停止されている者を含み、第百七条の二の規定により国際運転免許証等で当該車両等を運転することができることとされている者を除く。）、第六十四条の二第一項の規定により当該反則行為に係る特定小型原動機付自転車を運転することができないこととされている者又は第八十五条第五項から第十項までの規定により当該反則行為に係る自動車を運転することができないこととされている者

第八章　反則行為に関する処理手続の特例

〔本章追加・昭四三政一七〕

（反則行為の種別及び反則金の額）

第四五条　法第百二十五条第一項の政令で定める反則行為の種別及び同条第三項の政令で定める反則金の額は、別表第六に定めるとおりとする。

〔本条追加・昭四三政一七、改正・昭四三政二九八・平一六政三九〇・平二一政一二〕

別表第六……………………………………八九七ページ参照

法第一二五条

判例　※　定員外乗車と本件業務上過失傷害との間には因果関係がなく、定員外乗車についての通告処分は本件業務上過失傷害事件の公訴提起について何らかの訴訟障害事由となるものではない。かりに因果関係があつたとしても、前者の罪に対する通告処分は後者の罪の公訴提起の障害とはならない。（福高　昭五一、三、一五）

二　当該反則行為をした場合において、酒に酔つた状態、第百十七条の二第一項第三号に規定する状態又は身体に第百十七条の二の二第一項第三号の政令で定める程度以上にアルコールを保有する状態で車両等を運転していた者

三　当該反則行為をし、よつて交通事故を起こした者

3　この章において「反則金」とは、反則者がこの章の規定の適用を受けようとする場合に国に納付すべき金銭をいい、その額は、別表第二に定める金額の範囲内において、反則行為の種別に応じ政令で定める。

〔本条追加・昭四二法一二六、二項改正・昭四五法八六・昭五三法五三・昭六一法六三、一項改正・平二法七三、二項改正・平五法四三・平七法七四・平一三法五一、一―三項改正・平一六法九〇、二項改正・平一九法九〇・平二五法四三・平二七法四〇・令四法三二〕

参照〔車両等〕二①17〔軽車両〕二①11〔運転〕二①17〔政令の定め〕反則行為の種別・反則金の額＝道交令四五・別表六〔免許〕八四、第一種免許＝八四③・八五、第二種免許＝八四④・八六、仮免許＝八四⑤・八七〔免許の効力の停止〕九〇⑤・一〇三②〔国際運転免許証等〕一〇七の二〔政令で定める程度〕道交令四四の三〔交通事故〕七二①

第三九条の二（原動機を用いる歩行補助車等の型式認定）……………………二一九ページ参照
第三九条の二の二（原動機を用いる軽車両の型式認定）……………………二二〇ページ参照
第三九条の三（人の力を補うため原動機を用いる自転車の型式認定）……………………二二一ページ参照
第三九条の四（移動用小型車の型式認定）……………………二二一ページ参照
第三九条の五（原動機を用いる身体障害者用の車の型式認定）……………………二二一ページ参照
第三九条の六（遠隔操作型小型車の型式認定）……二二一ページ参照
第三九条の七（普通自転車の型式認定）……………二二二ページ参照
第三九条の八（安全器材等の型式認定）……………二一八ページ参照
第三九条の九（運転シミュレーターの型式認定）……………………二一八ページ参照
第三九条の一〇（型式認定の手続等）……………二一九ページ参照

第二節　告知及び通告

〔本節追加・昭四二法一二六〕

（告知）

第一二六条　警察官は、反則者があると認めるときは、次に掲げる場合を除き、その者に対し、速やかに、反則行為となるべき事実の要旨及び当該反則行為が属する反則行為の種別並びにその者が次条第一項前段の規定による通告を受けるための出頭の期日及び場所を書面で告知するものとする。ただし、出頭の期日及び場所の告知は、その必要がないと認めるときは、この限りでない。

一　その者の居所又は氏名が明らかでないとき。

二　その者が逃亡するおそれがあるとき。

（告知書）

第四六条　法第百二十六条第一項に規定する書面（以下「告知書」という。）には、次に掲げる事項を記載するものとする。

一　告知書の番号

二　告知の年月日

三　告知をする警察官等の所属、階級（交通巡視員にあつては、その旨）及び氏名

四　告知を受ける者の住所、氏名及び生年月日

五　通告を受けるための出頭の期日及び場所並びに法第百二十九条第二項の規定による通告が行なわれる場所

六　反則行為が行なわれた日時及び場所、反則行為に係る車両等その他反則行為となるべき事実

七　反則行為の種別

八　反則金に相当する金額並びに仮納付の期限、場所及び方法

九　法第九章に定める手続を理解させるため必要な事項

2　告知書の様式は、内閣府令で定める。

〔本条追加・昭四三政一七、一項改正・昭四五政二二七、二項改正・平一二政三〇三〕

第九章　告知書等の様式等

〔本章追加・昭四三総府令六、章名改正・令三内府令四一〕

（告知書の様式）

第四〇条　法第百二十六条第一項に規定する書面の様式は、別記様式第二十五のとおりとする。

〔本条追加・昭四三総府令六〕

別記様式第二十五（第四十条関係）

<table>
<tr><td colspan="6">交通反則告知書　（番号）</td></tr>
<tr><td colspan="2">告知日時</td><td colspan="4">令和　年　月　日午前/後　時　分</td></tr>
<tr><td colspan="2">告知者の所属、階級等及び氏名</td><td colspan="4">㊞</td></tr>
<tr><td rowspan="9">(1)
反則者氏名</td><td>生年月日</td><td>年　月　日生（　歳）</td><td>職業</td><td colspan="2">(8)　出頭</td></tr>
<tr><td>本籍</td><td colspan="2"></td><td>日時</td><td>場所</td></tr>
<tr><td>住所</td><td colspan="2"></td><td rowspan="7">月　日午前後　時</td><td rowspan="7">裏面記載のとおり。</td></tr>
<tr><td rowspan="2">免許証</td><td colspan="2">第　号</td></tr>
<tr><td colspan="2">平・令　年　月　日　公安委員会交付</td></tr>
<tr><td rowspan="2">保護者又は勤務先</td><td colspan="2">住所　電</td></tr>
<tr><td>氏名　（　歳）</td><td>職業　続柄</td></tr>
<tr><td rowspan="2">(2)
反則車両</td><td colspan="2"></td></tr>
<tr><td colspan="2">登録（車両）番号　号</td></tr>
<tr><td></td><td>(3)
反則日時</td><td colspan="2">令和　年　月　日午前/後　時　分ごろ</td><td colspan="2" rowspan="2">免許証保管　有・無</td></tr>
<tr><td>少
男・女</td><td>(4)
反則場所</td><td colspan="2"></td></tr>
<tr><td>(5)
反則事項・罰条</td><td colspan="5"></td></tr>
<tr><td colspan="2" rowspan="2">(6)
反則行為の種別</td><td>車両等の種類（○印のもの）</td><td>反則行為の種類</td><td colspan="2">(7)　反則金相当額</td></tr>
<tr><td>大型車　普通車　二輪車　原付車　重被牽引車</td><td></td><td colspan="2">円</td></tr>
<tr><td colspan="6">道路交通法第126条の規定により上記のとおり告知します。</td></tr>
</table>

備考　1　下部の空白の部分には、別記様式第23の下部を記載する。

　　　2　用紙の大きさは、縦25センチメートル、横12センチメートルとする。

（裏）

交通反則通告制度に関する説明
仮納付の期限、場所、方法及び公示通告の場所
出頭場所

〔本様式追加・昭43総府令６、改正・昭43総府令27・昭45総府令28・昭50総府令10・平元総府令43・平２総府令51・平10総府令２・平14内府令83・令元内府令５〕

2　前項の書面には、この章に定める手続を理解させるため必要な事項を記載するものとする。

3　警察官は、第一項の規定による告知をしたときは、当該告知に係る反則行為が行われた地を管轄する都道府県警察の警察本部長に速やかにその旨を報告しなければならない。ただし、警察法第六十条の二又は第六十六条第二項の規定に基づいて、当該警察官の所属する都道府県警察の管轄区域以外の区域において反則行為をしたと認めた者に対し告知をしたときは、当該警察官の所属する都道府県警察の警察本部長に報告しなければならない。

4　第百十四条の四第一項に規定する交通巡視員は、第百十九条の二の四第一項若しくは第三項又は第百十九条の三第一項第一号から第四号まで若しくは第三項の罪に当たる行為をした反則者があると認めるときは、第一項の例により告知するものとし、当該告知をしたときは、前項の例により報告しなければならない。

〔本条追加・昭四二法一二六、一・三項改正・四項追加・昭四五法八六、四項改正・昭四六法九八・平二法七三、一・三・四項改正・平一六法九〇、四項改正・平一九法九〇・令四法三二〕

参照　〔警察官〕警三四・五五・六二・六三〔反則者〕一二五②〔反則行為〕一二五①、種別＝道交令四五・別表六〔書面〕道交令四六、様式＝道交規四〇・別記様式二五〔都道府県警察〕警三六〔警察本部長〕一一四の二、警四八

法第一二六条

判例　※　反則行為（速度違反）を現認した警察官が、反則者に対し道路交通法一二六条一項の告知をなすについて、住居などの確認の必要上しばらく現場付近に止まるよう説得したにもかかわらず、右説得を無視し自車を運転進行するような行動を繰返えしたため、逃亡のおそれがあると認められた場合には、以後そのおそれがなくなつても、同項二号により同人に対しあらためて告知する要はない。（仙高　昭五〇、一二、一〇）

※　いわゆる反則金不納付事件においても具体的事案に則した形を量定すべきものであつて、その結果当該反則金額を超える額の罰金を科するのが相当な場合もあるが、その審理において当該違反行為についての通常の犯情のほかに、特に被告人に不利益に斟酌すべき情状が認められない場合にまで反則金を超える額の罰金を科することは相当でないものといわなければならない。（福高　昭五二、一二、一）

（通告）

第一二七条　警察本部長は、前条第三項又は第四項の報告を受けた場合において、当該報告に係る告知を受けた者が当該告知に係る種別に属する反則行為をした反則者であると認めるときは、その者に対し、理由を明示して当該反則行為が属する種別に係る反則金の納付を書面で通告するものとする。この場合においては、その者が当該告知に係る出頭の期日及び場所に出頭した場合並びにその者が第百二十九条第一項の規定による仮納付をしている場合を除き、当該通告書の送付に要する費用の納付をあわせて通告するものとする。

2　警察本部長は、前条第三項又は第四項の報告を受けた場合において、当該報告に係る告知を受けた者が当該告知に係る種別に属する反則行為をした反則者でないと認めるときは、その者に対し、すみやかに理由を明示してその旨を書面で通知するものとする。この場合において、その者が当該告知に係る種別以外の種別に属する反則行為をした反則者であると認めるときは、その者に対し、理由を明示して当該反則行為が属する種別に係る反則金の納付を書面で通告するものとする。

（通告書）

第四七条　法第百二十七条第一項又は第二項後段に規定する書面（以下「通告書」という。）には、次に掲げる事項を記載するものとする。

一　通告の年月日
二　通告に係る告知書の番号及び告知の年月日
三　通告を受ける者の住所、氏名及び生年月日
四　反則行為が行なわれた日時及び場所、反則行為に係る車両等その他反則行為となるべき事実
五　反則行為の種別
六　反則金（法第百二十七条第一項後段の規定による通告を受ける者にあつては、反則金及び通告書の送付に要する費用。以下同じ。）の額
七　反則金の納付の期限、場所及び方法

2　通告書を送付するときは、前項第一号の通告の年月日については、通告書が通常到達すべき日を考慮して記載するものとし、同項第七号の反則金の納付の期限については、当該通告書に記載された通告の日の翌日から起算して十日を経過する日を記載するものとする。

3　通告書を送付するときは、配達証明郵便又は民間事業者による信書の送達に関する法律（平成十四年法律第九十九号）第二条第六項に規定する一般信書便事業者若しくは同条第九項に規定する特定信書便事業者の提供する同条第二項に規定する信書便の役務のうち配達証明郵便に準ずるものとして国家公安委員会規則で定めるものに付して行うものとする。

4　通告書の様式は、内閣府令で定める。

〔本条追加・昭四三政一七、四項改正・平一二政三〇三、三項改正・平一四政三八六〕

（送付による通告の効力発生時期）

第四八条　通告書を送付した場合における法第百二十七条第一項又は第二項後段の規定による通告は、前条第二項の規定により記載された通告の日前に通告書の送付を受けた者については、当該記載された通告の日に効力を生ずるものとし、同日後に通告書の送付を受けた者については、その送付を受けた日に効力を生ずるものとする。

〔本条追加・昭四三政一七〕

（通告書の送付費用）

第四九条　法第百二十七条第一項後段に規定する通告書の送付に要する費用は、配達証明郵便に付して送付する場合にあつては第一種郵便物の料金、書留の料金及び配達証明の料金とし、第四十七条第三項の国家公安委員会規則で定める役務に付して送

（通告書の様式）

第四一条　法第百二十七条第一項又は第二項後段に規定する書面の様式は、別記様式第二十六のとおりとする。

〔本条追加・昭四三総府令六〕

付する場合にあつては当該送付の料金とする。
〔本条追加・昭四三政一七、改正・平一四政三八六〕

（通知書）

第五〇条　法第百二十七条第二項前段に規定する書面（以下「通知書」という。）には、次に掲げる事項を記載するものとする。

一　通知の年月日

二　通知に係る告知書の番号及び告知の年月日

三　通知を受ける者の住所、氏名及び生年月日

四　告知に係る種別に属する反則行為をした反則者でないと認めた旨及びその理由

2　通知書の様式は、内閣府令で定める。

〔本条追加・昭四三政一七、二項改正・平一二政三〇三〕

別記様式第二十六（第四十一条関係）

交通反則通告書（告知書番号）				
告知年月日		令和　年　月　日		
告知者の所属、階級等及び氏名				
(1) 反則者氏名	生年月日	年　月　日生（　歳）　職業	(8) 納付 方法	場所
	本籍		別添納付書によること。	別添納付書記載のとおり。
	住所			
	免許証	第　号 平・令　年　月　日　公安委員会交付		
	保護者又は勤務先	住所　電 氏名（　歳）　職業　続柄		
	(2) 反則車両	 登録（車両）番号　号		
	(3) 反則日時	令和　年　月　日午前後　時　分ごろ		
少 男・女	(4) 反則場所			
(5) 反則・罰則事項条				
(6) 反則行為の種別	車両等の種類（○印のもの） 大型車　普通車　二輪車　原付車　重被牽引車	反則行為の種類	(7) 反則金額 円	
(9) 納付すべき金額		円		
(10) 納付期限		令和　年　月　日		
(11) 通告年月日		令和　年　月　日		
上記(2)(3)(4)(5)(6)の理由により道路交通法第127条第1項（第2項後段）の規定に基づき(9)の金額の納付を通告します。 警察本部長（警視総監）（方面本部長）　印				

備考　用紙の大きさは、縦25センチメートル、横12センチメートルとする。

〔本様式追加・昭43総府令6、改正・昭45総府令28・昭50総府令10・平元総府令43・平2総府令51・平10総府令2・平14内府令83・令元内府令5〕

（通知書の様式）

第四二条　法第百二十七条第二項前段に規定する書面の様式は、別記様式第二十七のとおりとする。

〔本条追加・昭四三総府令六〕

3　第一項の規定による通告は、第百二十九条第一項に規定する期間を経過した日以後において、すみやかに行なうものとする。

〔本条追加・昭四二法一二六、一・二項改正・昭四五法八六〕

参照〔警察本部長〕一一四の二、警四八〔告知〕一二六①〔反則行為〕一二五①〔反則者〕一二五②〔反則金〕一二五③、反則行為の種別・反則金の額＝道交令四五・別表六〔一項の書面〕道交令四七、様式＝道交規四一・別記様式二六〔通告〕道交令四八・五二①・⑤、様式＝道交規四三・別記様式二八〔通告書の送付に要する費用〕道交令四九〔二項の書面〕道交令五〇、様式＝道交規四二・別記様式二七〔期間〕民一三八―一四三

別記様式第二十七（第四十二条関係）

交通反則告知是正通知書	
(1) 氏　名	
(2) 生年月日及び住所	
(3) 告知書の番号及び告知年月日	
(4) 通知内容	
(5) 通知理由	
上記のとおり道路交通法第127条第2項前段の規定により通知します。 令和　年　月　日 警察本部長 （警視総監）　印 （方面本部長）	

備考　用紙の大きさは、縦17センチメートル、横12センチメートルとする。
〔本様式追加・昭43総府令6、改正・昭50総府令10・平元総府令43・令元内府令5〕

法第一二七条

判例　※（無免許運転を免許証不携帯と偽って反則告知を受けた）被疑者の所為に対し、道路交通法一二七条二項前段所定の通知をなすことが公訴提起の要件であるとしても、その通知は、被疑者の申立てた正当な住所にあてて発送されたにもかかわらず、転居先不明（当時、一時止宿先があつたが、正当な住所ではなかつた）の理由により返戻されたのであるから、同法一三〇条二号の規定に照らし、公訴を提起できるようになつたものと解して差しつかえない。（東高　昭四八、八、一五）

※　この反則金は、もとより強制されるわけではなく、任意に納付すれば刑事訴追（公訴提起）ができなくなるだけであり、その性質は行政上の一種の制裁金と解され、あくまで違反事実を争つて処分に服したくない者は、通告どおりに反則金を納付しないでい

第三節　反則金の納付及び仮納付

〔本節追加・昭四二法一二六〕

（反則金の納付）

第一二八条　前条第一項又は第二項後段の規定による通告に係る反則金（同条第一項後段の規定による通告を受けた者にあつては、反則金及び通告書の送付に要する費用。以下この条において同じ。）の納付は、当該通告を受けた日の翌日から起算して十日以内（政令で定めるやむを得ない理由のため当該期間内に反則金を納付することができなかつた者にあつては、当該事情がやんだ日の翌日から起算して十日以内）に、政令で定めるところにより、国に対してしなければならない。

（納付期間の特例）

第五一条　法第百二十八条第一項の政令で定めるやむを得ない理由は、災害により納付の場所への交通が途絶していたことその他これに準ずる理由で法第百二十七条第一項又は第二項後段の規定により通告を受けた者の住所地を管轄する警視総監又は道府県警察本部長（以下「警察本部長」という。）がやむを得ないと認める事情があつたこととする。

〔本条追加・昭四三政一七〕

（反則金の納付及び仮納付）

第五二条　法第百二十七条第一項又は第二項後段の規定により通告をするときは、内閣府令で定める様式の納付書を交付するものとする。

2　次に掲げる者は、その者の住所地を管轄する警察本部長から内閣府令で定める様式の納付書の交付を受けなければならない。

一　第四十七条第二項の規定により記載された通告の日後に通

れば、原則に戻つて刑事手続が開始されることになる。そうすると本条一項による警察本部長の通告処分は、通告を受けた者に対し反則金を納付する機会を与え、当該違反行為について交通反則通告制度による簡易迅速な事件処理を受ける機会を与えるだけの一種の行政的措置に過ぎず、これに何らかの効果が付与される行政処分とは認められない。（大高　昭五五、八、一七）

※1　道路交通法一二八条一項に基づく反則金の納付については同法一二七条一項の納付の通告が存在すれば法律上の原因が認められるというべきであるから、右反則金を納付した者が国に対し不当利得としてその返還を求めるには、反則行為の不存在を主張するだけでは足りず、右通告が無効であることを主張・立証すべきである。

2　道路交通法一二七条一項に定める反則金納付の通告は、反則金の納付等を通知する準法律行為的行政行為と解されるから、これが無効となるのは、通告に内在する瑕疵が重大でかつ明白な場合に限られる。（広地　平二、四、二五）

（納付書の様式）

第四三条　令第五十二条第一項（同条第六項において準用する場合を含む。）若しくは第二項（令第五十二条の二第二項において準用する場合を含む。）又は令第五十二条の二第一項に規定する納付書の様式は、別記様式第二十八のとおりとする。

〔本条追加・昭四三総府令六、改正・昭四五総府令二八・令三内府令四一〕

2　前項の規定により反則金を納付した者は、当該通告の理由となつた行為に係る事件について、公訴を提起されず、又は家庭裁判所の審判に付されない。

〔本条追加・昭四二法一二六、二項改正・昭四五法八六〕

参照　〔反則金〕一二五③〔政令の定め〕やむを得ない理由＝道交令五一、反則金の納付＝道交令五二③・④〔公訴〕刑訴二四七—二七〇〔家庭裁判所の審判〕少年法三

告書の送付を受けたことにより、当該通告書に記載された反則金の納付の期限後に反則金を納付しようとする者

二　前条に規定するやむを得ない理由のため通告を受けた日の翌日から起算して十日以内に反則金を納付することができなかつた者で、反則金を納付しようとするもの

3　法第百二十八条第一項の規定による反則金の納付は、次の各号に掲げる方法のいずれかの方法により、当該各号に定める者に対して行わなければならない。

一　第一項の納付書（前項各号に掲げる者にあつては、同項の納付書）による方法　日本銀行（国の歳入金の受入れを取り扱う代理店を含む。）

二　第一項の通告に係る反則行為が行われた地を管轄する都道府県警察（当該通告が法第百二十六条第三項ただし書に規定する告知に係るものである場合にあつては、同項ただし書に規定する都道府県警察）の職員のうち会計法（昭和二十二年法律第三十五号）第四十八条第一項の規定により反則金の収納に関する事務を行うこととされたものの預金又は貯金の口座であつて、当該事務のために管理するものとして当該都道府県警察の警察本部長が公示したものへの振込み（当該反則行為をした者の氏名その他内閣府令で定める事項を明らかにして行うものに限る。）の方法　当該職員

4　反則金の納付は、分割して行うことができない。

5　第一項の規定により納付書の交付を受けた者は、納付書を亡失し、滅失し、汚損し、又は破損したときは、その者の住所地を管轄する警察本部長に納付書の再交付を申請することができる。

6　第一項、第三項及び第四項の規定は、法第百二十九条第一項の規定による仮納付について準用する。この場合において、第一項中「法第百二十七条第一項又は第二項後段の規定により通告」とあるのは「法第百二十六条第一項又は第四項の規定により告知」と、第三項第一号中「納付書（前項各号に掲げる者にあつては、同項の納付書）」とあるのは「納付書」と、同項第二号中「通告」とあるのは「告知」と、「告知に係るもの」とあるのは「もの」と読み替えるものとする。

〔本条追加・昭四三政一七、六項改正・昭四五政二二七、一・三項改正・平一二政三〇三、二項改正・平一四政三八五、二項削除・旧三項を改正し二項に繰上・三項追加・四・六項改正・令三政一七二〕

（振込みによる反則金の納付等において明らかにすべき事項）

第四四条　令第五十二条第三項第二号（同条第六項及び令第五十二条の二第二項において準用する場合を含む。）の内閣府令で定める事項は、前条の様式の納付書の各片の右最上欄の番号とする。

〔本条追加・令三内府令四一〕

別記様式第二十八（第四十三条関係）

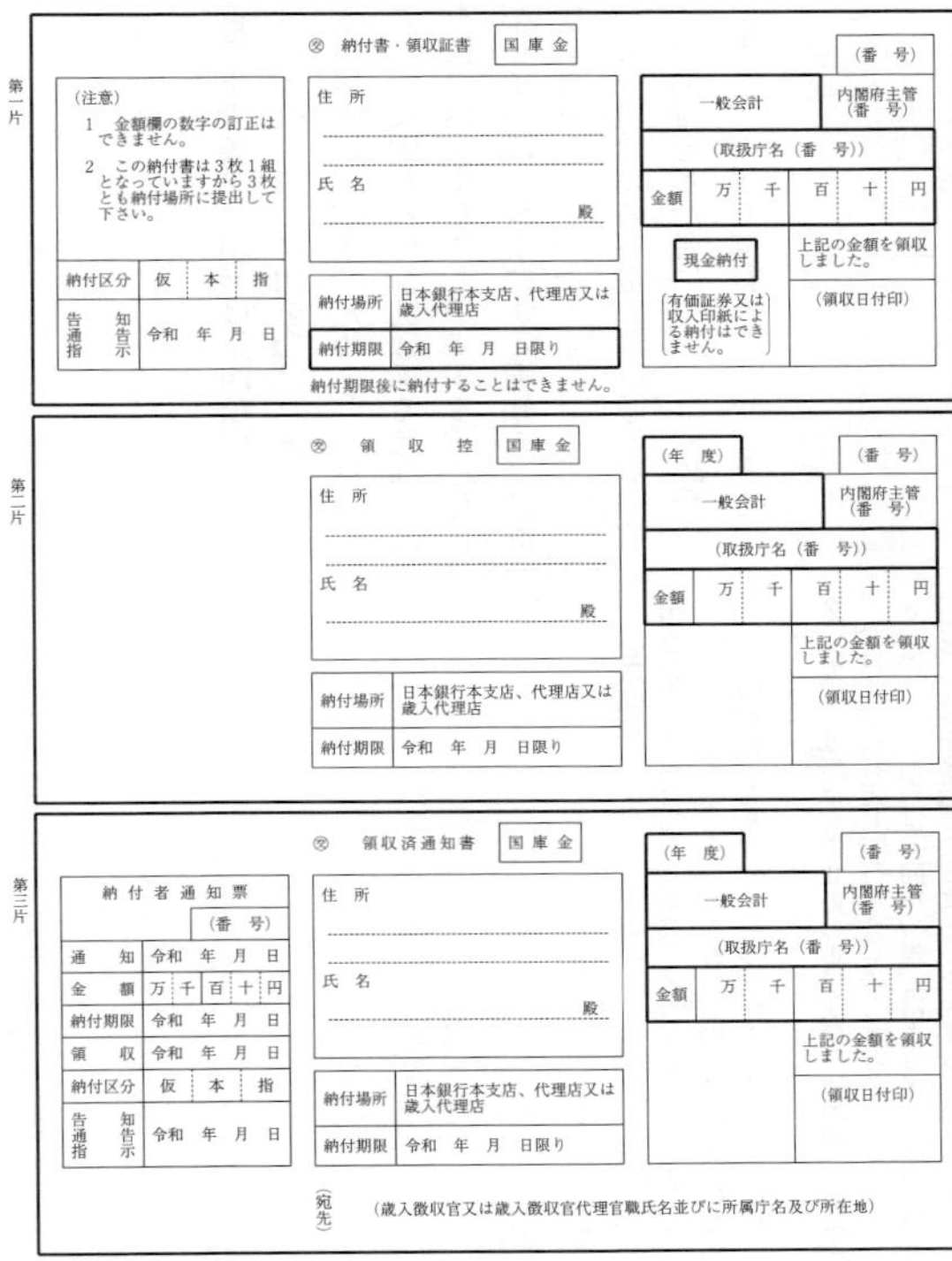

第一片

㊂ 納付書・領収証書　国庫金

(番号)

(注意)
1 金額欄の数字の訂正はできません。
2 この納付書は3枚1組となっていますから3枚とも納付場所に提出して下さい。

納付区分　仮　本　指

告知 通告 指示　令和　年　月　日

住所

氏名　殿

納付場所　日本銀行本支店、代理店又は歳入代理店

納付期限　令和　年　月　日限り

納付期限後に納付することはできません。

一般会計　内閣府主管(番号)

(取扱庁名(番号))

金額　万　千　百　十　円

現金納付

有価証券又は収入印紙による納付はできません。

上記の金額を領収しました。

(領収日付印)

第二片

㊂ 領収控　国庫金

(年度)　(番号)

住所

氏名　殿

納付場所　日本銀行本支店、代理店又は歳入代理店

納付期限　令和　年　月　日限り

一般会計　内閣府主管(番号)

(取扱庁名(番号))

金額　万　千　百　十　円

上記の金額を領収しました。

(領収日付印)

第三片

㊂ 領収済通知書　国庫金

(年度)　(番号)

納付者通知票

(番号)

通知	令和　年　月　日
金額	万 千 百 十 円
納付期限	令和　年　月　日
領収	令和　年　月　日
納付区分	仮　本　指
告知 通告 指示	令和　年　月　日

住所

氏名　殿

納付場所　日本銀行本支店、代理店又は歳入代理店

納付期限　令和　年　月　日限り

一般会計　内閣府主管(番号)

(取扱庁名(番号))

金額　万　千　百　十　円

上記の金額を領収しました。

(領収日付印)

(宛先)　(歳入徴収官又は歳入徴収官代理官職氏名並びに所属庁名及び所在地)

備考
1 各片は、左端をのり付けその他の方法により接続するものとする。
2 各片に共通する事項（あらかじめ印刷する事項を除く。）は、複写により記入するものとする。
3 第1片の「㊂」を赤色とし、「納付期限」欄及び「現金納付」を赤枠で囲み、「現金納付」を太字体とする。
4 「納付区分」欄の「仮」は告知する場合に、「本」は通告する場合に、「指」は家庭裁判所の指示を受けた者に交付する場合にそれぞれ○で囲むものとする。
5 納付書を再発行するときは、各片上欄左肩に 再○○ （○○は警察署名等）を押印するものとする。
6 各片の右最上欄の番号及び第3片の納付者通知票の番号は、告知書の番号（指示に係る納付の場合にあつては指示書の番号）と同一とする。
7 用紙の大きさは、各片とも、おおむね縦9センチメートル、横21センチメートルとする。
8 日本産業規格X0012（情報処理用語（データ媒体、記憶装置及び関連装置））に規定する非衝撃式印字装置により印字するときは、1及び2にかかわらず、左から納付書・領収証書、領収控及び領収済通知書の順に連続して接続した各片に共通する事項を印字する方法によることができる。この場合には、7にかかわらず、3片を連続して接続した用紙の大きさは、おおむね縦11センチメートル、横23センチメートルとする。
9 上記各号に掲げるもののほか、歳入徴収官事務規程（昭和27年大蔵省令第141号）別紙第4号書式の備考によるものとする。

〔本様式追加・昭43総府令6、改正・昭45総府令28・昭47総府令55・昭50総府令10・昭58総府令18・昭60総府令35・昭61総府令50・平元総府令43・平12総府令89、全改・平15内府令9・平26内府令21、改正・平27内府令5・令元内府令5・内府令12〕

（仮納付）

第一二九条　第百二十六条第一項又は第四項の規定による告知を受けた者は、当該告知を受けた日の翌日から起算して七日以内に、政令で定めるところにより、当該告知された反則行為の種別に係る反則金に相当する金額を仮に納付することができる。ただし、第百二十七条第二項前段の規定による通知を受けた後は、この限りでない。

2　第百二十七条第一項前段の規定による通告は、前項の規定による仮納付をした者については、政令で定めるところにより、公示して行うことができる。

（公示通告）

第五四条　法第百二十九条第二項の規定による通告は、告知書に記載された当該通告が行なわれる場所に設けられた都道府県警察の掲示板に内閣府令で定める様式の書面を掲示して行なうものとする。

2　前項の通告は、告知書の番号及び告知の年月日により通告を受ける者を特定して行なうものとする。

3　第一項の通告は、同項の規定による掲示を始めた日から起算して三日を経過した日に効力を生ずるものとする。

〔本条追加・昭四三政一七、一項改正・平一二政三〇二〕

法第一二八条

判例　※　自動車の運転免許の効力を停止されている者のした反則行為につき、誤つて反則行為に関する処理手続がなされ反則金が納付されたとしても、本条二項の適用がなく、その者に対してなされた公訴の提起は適法であると解するのが相当である。（大高　昭四七、八、三）

※　運転の免許を受けていない者を運転の免許を受けている者と誤認してした交通反則通告は無効であり、反則金が納付されたとしても、本条二項に定める効力は発生しない。（最　昭五四、六、二九）

（公示通告書の様式）

第四五条　令第五十四条第一項の様式は、別記様式第二十九のとおりとする。

〔本条追加・昭四三総府令六、旧四四条を繰下・令三内府令四一〕

3　第一項の規定による仮納付をした者について当該告知に係る第百二十七条第一項前段の規定による通告があつたときは、当該仮納付をした者は、前条第一項の規定により当該通告に係る反則金を納付した者とみなし、当該反則金に相当する金額の仮納付は、同項の規定による反則金の納付とみなす。

4　警察本部長は、第一項の規定による仮納付をした者に対し、第百二十七条第二項前段の規定による通知をしたときは、当該仮納付に係る金額を速やかにその者に返還しなければならない。

〔本条追加・昭四三法一二六、一項改正・昭四五法八六、一一・一二・四項改正・平一六法九〇〕

別記様式第二十九（第四十五条関係）

交　通　反　則　公　示　通　告　書

1　反則者

下記の告知年月日に下記の告知書番号の告知書により告知を受けた者

2　通告内容

告知書(7)記載の金額の反則金の納付

3　通告理由

(1)　反則行為となるべき事実

告知書(2)(3)(4)(5)記載のとおり。

(2)　反則行為の種別

告知書(6)記載のとおり。

上記のとおり道路交通法第127条第1項前段及び第129条第2項の規定により通告します。

なお、この通告を受けた者は、道路交通法第129条第3項の規定に基づき、この通告によつて反則金を納付した者とみなされます。

令和　　年　　月　　日

警察本部長
（警視総監）　印
（方面本部長）

告知年月日	告知書番号	告知年月日	告知書番号

〔本様式追加・昭43総府令6、改正・昭50総府令10・平元総府令43・令元内府令5・令3内府令41〕

参照〔反則行為〕一二五①〔反則金〕一二五③、反則行為の種別・反則金の額＝道交令四五・別表六〔政令の定め〕仮納付＝道交令五二⑥、公示通告＝道交令五四、道交規四四・別記様式二九〔警察本部長〕一一四の二、警四八

（期間の特例）

第一二九条の二　第百二十八条第一項及び前条第一項に規定する期間の末日が日曜日その他政令で定める日に当たるときは、これらの日の翌日を当該期間の末日とみなす。

〔本条追加・昭六〇法八七〕

参照〔政令で定める日〕道交令五四の二

第四節　反則者に係る刑事事件等

〔本節追加・昭四二法一二六、改正・昭四五法八六〕

（反則者に係る刑事事件）

第一三〇条　反則者は、当該反則行為についてその者が第百二十七条第一項又は第二項後段の規定により当該反則行為が属する種別に係る反則金の納付の通告を受け、かつ、第百二十八条第一項に規定する期間が経過した後でなければ、当該反則行為に係る事件について、公訴を提起されず、又は家庭裁判所の審判に付されない。ただし、次の各号に掲げる場合においては、この限りでない。

一　第百二十六条第一項各号のいずれかに掲げる場

（期間の特例の適用がある日）

第五四条の二　法第百二十九条の二の政令で定める日は、次に掲げるとおりとする。

一　国民の祝日に関する法律に規定する休日

二　十二月三十一日から翌年の一月三日までの日（前号に掲げる日を除く。）

三　土曜日

〔本条追加・昭六〇政二一九、改正・昭六一政九二・昭六三政三〇九・平二政二六・平五政二八八〕

法第一三〇条

判例　※　本条二号にいわゆる「書面の受領を拒む」というのは、反則者において、正当な理由がないのに交通反則告知書等の書面を受領しないことであり、交通反則通告制度により処理されることの利益を放棄する意思を表明することを要しないと解すべきである。（高高　昭四六、九、二一）

※　非反則行為として通告手続を経ないで起訴された事実が、公判審理の結果反則行為に該当するものと判明した場合には、刑事訴訟法三三八条四号により公訴を棄却すべきである。（最　昭四八、三、一五）

※　道路交通法一二七条一項の規定に基づき反則金の納付通告を受

合に該当するため、同項又は同条第四項の規定による告知をしなかつたとき。

二　その者が書面の受領を拒んだため、又はその者の居所が明らかでないため、第百二十六条第一項若しくは第四項の規定による告知又は第百二十七条第一項若しくは第二項後段の規定による通告をすることができなかつたとき。

〔本条追加・昭四二法一二六、改正・昭四五法八六〕

参照 〔反則者〕一二五② 〔反則行為〕一二五① 〔反則金〕一二五③、反則行為の種別・反則金の額＝道交令四五・別表六 〔公訴〕刑訴二四七―二七〇 〔家庭裁判所の審判〕少年法三

（反則者に係る保護事件）

第一三〇条の二　家庭裁判所は、前条本文に規定する通告があつた事件について審判を開始した場合において、相当と認めるときは、期限を定めて反則金の納付を指示することができる。この場合において、その反則金の額は、第百二十五条第三項の規定にかかわらず、別表第二に定める金額の範囲内において家庭裁判所が定める額とする。

2　前項の規定による指示の告知は、書面で行うものとし、この書面には、同項の規定によつて定めた期限及び反則金の額を記載するものとする。

3　第百二十八条の規定は、第一項の規定による指示に係る反則金の納付について準用する。この場合において、同条第一項中「当該通告を受けた日の翌日から起算して十日以内」とあるのは、「第百三十条の

（家庭裁判所の指示に係る反則金の納付）

第五二条の二　法第百三十条の二第一項の規定による家庭裁判所の指示に係る反則金の納付をしようとする者は、同条第二項の書面を提示して、その指示をした家庭裁判所又はその支部の所在地を管轄する警察本部長から内閣府令で定める様式の納付書の交付を受けなければならない。ただし、当該警察本部長からその交付を受けることが困難であるときは、その者の住所地を管轄する警察本部長からその交付を受けることができる。

2　第五十一条並びに前条第二項第二号及び第三項から第五項までの規定は、法第百三十条の二第三項において準用する法第百二十八条第一項の規定による反則金の納付について準用する。この場合において、前条第二項第二号中「通告を受けた日の翌日から起算して十日以内」とあるのは「法第百三十条の二第一項の規定により定められた期限まで」と、同条第三項第一号中「第一項」とあるのは「次条第一項」と、「前項各号」とあるのは「同条第二項において読み替えて準用する前項第二号」と、同項第二号中「第一項の通告に係る反則行為が行われた地」とあるのは「法第百三十条の二第一項の規定による指示をした家庭裁判所又はその支部の所在地」と、「（当該通告が法第百二十六条第三項ただし書に規定する告知に係るものである場合にあつては、同項ただし書に規定する都道府県警察）の職員」とあ

け、通告の理由となった反則行為の不成立を争う場合、反則金を納付せず公訴の提起を待って刑事手続で争うことになるため、反則金を納付し本事案について争わないことを選んだにもかかわらず、納付通告の理由となった反則行為の不成立を主張して通告処分を取り消す抗告訴訟を起こすことは、刑事手続によって審判対象となっている事項を行政訴訟手続で審判することになり、両者の関係についても複雑な問題が生じることとなるため、通告に対する不服申立てができない道路交通法の現行法制は、憲法一三条、三二条に違反していない。（最　昭六一、九、一一）

二第一項の規定により定められた期限まで」と読み替えるものとする。

〔本条追加・昭四五法八六、一・二項改正・平一六法九〇〕

参照〔家庭裁判所〕裁判所法三一の二―三一の五、審判＝少年法三〔反則金〕一二五③、家庭裁判所の指示に係る反則金の納付＝道交令五三の二

第五節　雑則

〔本節追加・昭四二法一二六〕

（方面本部長への権限の委任）

第一三一条　この章の規定により道警察本部長の権限に属する事務は、政令で定めるところにより、方面本部長に行なわせることができる。

〔本条追加・昭四二法一二六〕

参照〔警察本部長〕一一四の二、警四八〔政令の定め〕道交令五五〔方面本部長〕警五一

（政令への委任）

第一三二条　この章に定めるもののほか、第百二十六条第一項又は第百二十七条第一項若しくは第二項に規定する書面の記載事項その他この章の規定の実施に関し必要な事項は、政令で定める。

〔本条追加・昭四二法一二六〕

参照〔政令の定め〕道交令四五―五五

るのは「の職員」と、「反則行為を」とあるのは「指示に係る反則行為を」と、同条第五項中「第一項」とあるのは「次条第一項」と読み替えるものとする。

〔本条追加・昭四五政二二七、一項改正・平一二政三〇三、二項改正・令三政一七二〕

第五三条　削除〔昭五八政一〇四〕

第五四条（公示通告）……七五八ページ参照
第五四条の二（期間の特例の適用がある日）……七六〇ページ参照

（方面本部長への権限の委任）

第五五条　法第九章の規定により道警察本部長の権限に属する事務は、道警察本部の所在地を包括する方面を除く方面については、当該方面本部長が行なう。ただし、警察官等がその所属する方面本部の管轄する方面（当該警察官等が方面本部に所属しない場合にあつては、道警察本部の所在地を包括する方面）以外の区域において反則行為をしたと認めた者に対し告知をした事案で、道警察本部長が定めたものについては、当該警察官等の所属する方面本部の方面本部長（当該警察官等が方面本部に所属しない場合にあつては、道警察本部長）が行なうものとする。

〔本条追加・昭四三政一七、改正・昭四五政二二七〕

附　則

（施行期日）

第一条　この法律（以下「新法」という。）は、公布の日から起算して六月をこえない範囲内において政令で定める日から施行する。

〔昭三五政二六九により、昭三五・一二・二〇から施行〕

参照〔公布〕憲七1、国会法六五・六六

（道路交通取締法等の廃止）

第二条　道路交通取締法（昭和二十二年法律第百三十号。以下「旧法」という。）及び道路交通取締法施行令（昭和二十八年政令第二百六十一号。以下「旧令」という。）は、廃止する。

（経過規定）

第三条　新法の施行の際、現に旧法及び旧令の規定により運転免許（小型自動四輪車免許及び旧令第五十条の二第一項の規定による仮運転免許を除く。）又は運転許可を受けている者は、それぞれ次の各号に定める区分により、新法の相当規定による免許を受けたものとみなし、その者が旧法及び旧令の規定により交付を受けた運転免許証又は運転許可証は、それぞれ免許の区分に従い、新法の相当規定により交付を受けた免許証とみなす。この場合において、当該免許証の新法第九十二条第三項に規定する有効期間は、当該運転免許証又は運転許可証に記載されている旧令第五十七条第一項（旧令第六十六条において準用する場合を含む。）の規定による検査の期限まで

附　則

この政令は、法施行の日（昭和三十五年十二月二十日）から施行する。

〔一項改正・二・三項削除・平一七政一八三〕

附　則

1　この府令は、法施行の日（昭和三十五年十二月二十日）から施行する。

2　道路交通取締法施行規則（昭和二十八年総理府令第五十四号）及び運転免許等の取消、停止又は必要な処分を行う場合における基準等を定める総理府令（昭和二十八年総理府令第七十五号）は、廃止する。

3　令附則第二項第二号の総理府令で定める基準は、次の表のとおりとする。

コースの種類	コースの形状
周回コース	六〇メートル以上の距離を直線走行することができる部分を有すること。
幹線コース	おおむね直線で、周回コースと連絡する部分を有すること。
坂道コース	一　二以上の坂道コースを有すること。 二　勾配の起点から頂上までの高さは、一メートル以上であること。
屈折コース	クランク型となつている部分を有すること。
曲線コース	蛇行形となつている部分を有すること。
方向変換コース	ハンドルの切り返し操作を必要とする部分を有すること。

4　第三十三条第四項各号の規定は、令附則第二項第三号に規定する技能教習の教習方法の基準について準用する。この場合において、同条同項第一号ホ中「二百平方メートル」とあるのは「百六十平方メートル」と読み替えるものとする。

5　法施行の際、現に存する道路交通取締法施行令（昭和二十八年政令第二百六十一号）第五十三条第一項第一号に掲げる公安委員会の指定した自動車練習所その他これに類する施設で、当該施設の技能教習のためのコース敷地の面積が八千平方メートル以上のものに係るコースの種類及び形状の基準については、昭和三十七年十二月三十一日までの間は、第三十二条の規定にかかわらず、なお従前の例による。

〔六項追加・令四内府令五四、六項削除・令五内府令六二〕

とする。
一　大型自動車免許については、大型免許
二　普通自動車免許については、普通免許
三　けん引自動車免許については、普通免許及び特殊免許
四　特殊作業用自動車免許又は特種自動車免許については、特殊免許
五　自動三輪車免許については、三輪免許
六　側車付自動二輪車免許又は自動二輪車免許については、二輪免許
七　軽自動車免許については、軽免許
八　旧令第五十条の二第二項の規定による仮運転免許については、仮免許
九　第一種運転許可については、第一種原付免許
十　第二種運転許可については、第二種原付免許
十一　大型自動車第二種免許については、大型第二種免許
十二　普通自動車第二種免許又は小型自動四輪車第二種免許については、普通第二種免許
十三　けん引自動車第二種免許については、普通第二種免許及び特殊第二種免許
十四　自動三輪車第二種免許については、三輪第二種免許

2　新法の施行の際、現に旧法及び旧令の規定により小型自動四輪車免許を受けている者は、新法の規定による普通免許を受けたものとみなし、その者が旧法及び旧令の規定により交付を受けた運転免許証は、新法の相当規定により交付を受けた免許証とみなす。

前項後段の規定は、この場合について準用する。

〔三・四項削除・平一六法九〇〕

第四条 前条第一項又は第二項の場合において、旧令の規定により公安委員会が運転免許についてした自動車の種類その他の限定又は運転免許若しくは運転許可について付した条件で現にその効力を有するものは、それぞれ新法の相当規定により公安委員会が当該免許について付した条件とみなす。

第五条 削除〔平一六法九〇〕

第六条 新法の施行の際、現に旧令第五十三条第一項第一号に掲げる公安委員会の指定した自動車練習所その他これに類する施設の発行する卒業証明書を有する者で卒業後一年を経過しないものは、新法第九十九条第一項の適用については、当該施設を卒業して一年を経過しない間は、同条同項第一号に掲げる指定自動車教習所の発行する卒業証明書を有する者で当該指定自動車教習所を卒業した日から起算して一年を経過しないものとみなす。

第七条 附則第三条に規定するもののほか、新法の施行の際、旧法の規定により公安委員会がした道路の通行の禁止若しくは制限又は旧法若しくは旧令の規定により公安委員会がした運転免許若しくは運転許可の取消し若しくは停止その他の処分で現にその効力を有するものは、それぞれ新法の相当規定により公安委員会がした処分とみなす。この場合において、当該処分に期間が定められているときは、その期間は、旧法又は旧令の規定により当該処分がされた日から起算するものとする。

第八条　新法の施行の際、現に旧法又は旧令の規定により公安委員会に対してされている運転免許の申請（十八歳未満の者がした小型自動四輪車免許に係る申請を除く。以下この条において同じ。）、届出その他の手続は、それぞれ新法の相当規定により公安委員会に対してされた手続とみなす。この場合において、運転免許の申請、運転免許証若しくは運転許可証の再交付の申請又は運転免許証若しくは運転許可証の記載事項の変更に係る届出を受理した公安委員会が当該手続をした者の住所地を管轄するものでないときは、当該公安委員会は、新法の施行後すみやかに当該手続に係る書類をその者の住所地を管轄する公安委員会に引き継がなければならない。

第九条　新法の施行の際、旧法第九条第六項（第九条の二第四項において準用する場合を含む。）の規定により公安委員会がした聴聞又は聴聞の手続については、これを新法第百四条の規定により公安委員会がした聴聞又は聴聞の手続とみなし、当該聴聞又は聴聞の手続をした公安委員会は、当該聴聞に係る事案について新法第百三条の規定による処分をすることができる。この場合において、当該処分をした公安委員会が当該処分に係る者の住所地を管轄するものでないときは、当該公安委員会は、すみやかに当該処分をした旨をその者の住所地を管轄する公安委員会に通知しなければならない。

〔本条改正・平一六法九〇〕

第一〇条　新法第九十条第一項及び第百三条第二項（同項第二号に係る部分に限る。）の規定の適用については、自動車及び原動機付自転車の運転に関し旧法若しくは旧令の規定又はこれらの規定に基づく処分に違反した者は、新法の相当規定又はこれに基づく処分にそれぞれ違反した者とみなす。

第一一条　新法の施行の際、旧法又は旧令の規定により警察署長がした許可その他の処分で現にその効力を有するものは、それぞれ新法の相当規定により警察署長がした処分とみなし、当該許可に係る許可証は、新法の相当規定による許可証とみなす。この場合において、当該処分に期間が定められているときは、その期間は、旧法又は旧令の規定により当該処分がされた日から起算するものとする。

第一二条　新法の施行の際、現に旧法又は旧令の規定により警察署長に対してされている許可の申請その他の手続は、それぞれ新法の相当規定により警察署長に対してされた手続とみなす。

第一三条　新法の施行の際、現に旧法第二十三条の三第一項の規定により交付されている保管証は、新法第百九条第一項の規定により交付された保管証とみなす。この場合において、当該保管証の新法第百九条第六項に規定する有効期間は、旧法第二十三条の三第一項の規定により当該保管証が交付された日から起算するものとする。

第一四条　新法の施行前にした行為に対する罰則の適用については、なお従前の例による。

第一五条　〔他の法令改正に付き略〕

〔旧一八条を繰上・昭五八法三六〕

（交通安全対策特別交付金）

第一六条 国は、当分の間、交通安全対策の一環として、道路交通安全施設の設置及び管理に要する費用で政令で定めるものに充てるため、都道府県及び市町村（特別区を含む。以下同じ。）に対し、交通安全対策特別交付金（以下「交付金」という。）を交付する。

2 交付金の額は、第百二十八条第一項（第百三十条の二第三項において準用する場合を含む。以下この項において同じ。）の規定により納付された反則金（第百二十九条第三項の規定により反則金の納付とみなされる同条第一項の規定による仮納付に係るものを含む。以下この条及び附則第十八条第一項において「反則金等」という。）に係る収入額に相当する金額に当該金額に係る余裕金の運用により生じた利子に相当する金額を加えた額（次項第一号及び附則第十八条第一項において「反則金収入相当額等」という。）から次の各号に掲げる額の合算額を控除した額とする。

一 第百二十九条第四項の規定による返還金に相当する額

二 第百二十七条第一項後段に規定する通告書の送付に要する費用（次項第二号ロ及び附則第十九条において「通告書送付費」という。）に係る収入額に相当する額として政令で定めるところにより算定した額（以下「通告書送付費支出金相当額」という。）

三 過誤納に係る反則金等の返還金に相当する額

3　毎年度分として交付すべき交付金の総額は、第一号に掲げる額（第二号に掲げる額を限度とする。）に当該年度の前年度以前の年度において交付すべきであつた交付金の額でまだ交付していない額を加算した額とする。

一　前年度の二月から当該年度の一月までの期間の収納に係る反則金収入相当額等からイからハまでに掲げる額の合算額を控除した額

イ　前年度の二月から当該年度の一月までの期間に係る第百二十九条第四項の規定による返還金に相当する額

ロ　前年度の二月から当該年度の一月までの期間に係る通告書送付費支出金相当額

ハ　前年度の二月から当該年度の一月までの期間に係る過誤納に係る反則金等の返還金に相当する額

二　前年度の二月から当該年度の一月までの期間の収納に係る反則金等の収入見込額に当該額に係る余裕金の運用により生じた利子に相当する金額を加えた額からイからハまでに掲げる額の合算額を控除した額

イ　前年度の二月から当該年度の一月までの期間に係る第百二十九条第四項の規定による返還金の見込額

ロ　前年度の二月から当該年度の一月までの期間に係る通告書送付費に係る支出見込額

ハ　前年度の二月から当該年度の一月までの期間

に係る過誤納に係る反則金等の返還金の見込額

〔本条追加・昭五八法三六、二項改正・平一四法九八・平一六法九〇、二項改正・三項追加・平二五法七六〕

（交付の基準）

第一七条　都道府県及び市町村ごとの交付金の額は、当該都道府県及び市町村の区域における交通事故の発生件数、人口の集中度その他の事情を考慮して政令で定めるところにより算定した額とする。

〔本条追加・昭五八法三六〕

（交付の時期及び交付時期ごとの交付額）

第一八条　交付金は、毎年度、次の表の上欄に掲げる時期に、それぞれ同表の下欄に定める額を交付する。

交付時期	交付時期ごとに交付すべき額
九月	前年度の二月から当該年度の七月までの期間の収納に係る反則金収入相当額等に当該年度の前年度以前の年度において交付すべきであつた交付金の額でまだ交付していない額を加算した額から当該期間に係る第百二十九条第四項の規定による返還金に相当する額、通告書送付費支出金相当額及び過誤納に係る反則金等の返還金に相当する額の合算額を控除した額に相当する額（附則第十六条第三項第二号に掲げる額に当該年度の前年度以前の年度において交付すべきであつた交付金の額でまだ交付していない額を加算した額（以下この表において「交付金見込額」という。）を限度とする。）を基礎として政令で定める額
三月	当該年度の八月から一月までの期間

の収納に係る反則金収入相当額等から当該期間に係る第百二十九条第四項の規定による返還金に相当する額、通告書送付費支出金相当額及び過誤納に係る反則金等の返還金に相当する額の合算額を控除した額に相当する額（交付金見込額から九月に交付した額を控除した額を限度とする。）を基礎として政令で定める額

2　前項に規定する各交付時期ごとに交付することができなかつた金額があるとき、又は各交付時期において交付すべき金額を超えて交付した金額があるときは、それぞれ当該金額を、次の交付時期に交付すべき額に加算し、又はこれから減額するものとする。

〔本条追加・昭五八法三六、一項改正・平一四法九八・平二五法七六〕

（通告書送付費支出金の支出）

第一九条　国は、通告書送付費支出金として、各都道府県ごとの通告書送付費に係る支出額を考慮して政令で定めるところにより、通告書送付費支出金相当額を都道府県に支出する。

〔本条追加・昭五八法三六、旧二一条を繰上・平一六法九〇、本条改正・平二五法七六〕

（主務大臣等）

第二〇条　附則第十六条から第十八条までの規定による交付金に関する事務は総務大臣が、前条の規定による通告書送付費支出金に関する事務は内閣総理大臣が行う。

2　前項の規定により内閣総理大臣が行うものとされる事務は、政令で定めるところにより、警察庁長官

に委任することができる。

〔本条追加・昭五八法三六、一項改正・平一一法一六〇、一項改正・旧二二条を繰上・平一六法九〇〕

（地方財政審議会の意見の聴取）

第二一条　総務大臣は、次に掲げる場合には、地方財政審議会の意見を聴かなければならない。

一　附則第十七条の政令の制定又は改廃の立案をしようとするとき。

二　都道府県及び市町村に対して交付すべき交付金を交付しようとするとき。

〔本条追加・平一一法一六〇、旧二三条を改正し繰上・平一六法九〇〕

（高齢運転者標識表示義務に関する当面の措置）

第二二条　第七十一条の五第三項の規定は、当分の間、適用しない。この場合において、同条第四項中「七十歳以上七十五歳未満」とあるのは、「七十歳以上」とする。

〔本条追加・平二一法二一、改正・平二七法四〇〕

附　則〔平元・一二・一九法八二抄〕

（施行期日）

第一条　この法律は、公布の日から起算して一年を超えない範囲内において政令で定める日から施行する。

〔平二政二〇九により、平二・一二・一から施行〕

（検討）

第五二条　政府は、この法律の施行後三年を経過した場合において、この法律の施行の状況について検討を加え、その結果に基づいて必要な措置を講ずるものとする。

附　則〔平二・三・六政二六〕

（施行期日）

1　この政令は、道路交通法の一部を改正する法律（以下「改正法」という。）の施行の日（平成二年九月一日）から施行する。ただし、第四十三条第一項の改正規定（同項の表再試験手数料の項に係る部分、同表講習手数料の項中法第百八条の二第一項第二号に掲げる講習に係る講習手数料に係る部分及び法第百八条の二第一項第五号に掲げる講習に係る講習手数料に係る部分並びに同表初心運転者講習に係る通知手数料の項に係る部分を除く。）及び第四十三条第二項を削る改正規定並びに附則第六項の規定は、平成二年四月一日から施行する。

（運転者以外の者を乗車させて自動二輪車を運転することができる者に関する経過措置）

2　改正後の道路交通法施行令（以下「新令」という。）第二十六

附　則〔平二・五・一六総府令一二〕

1　この府令は、道路交通法の一部を改正する法律（附則第三項において「改正法」という。）の施行の日（平成二年九月一日）から施行する。

2　この府令の施行の際現に第一種運転免許を受けている者で、当該第一種運転免許を受けていた期間（当該第一種運転免許の効力を停止されていた期間を除く。）が通算して一年に達しないものについては、改正前の道路交通法施行規則第三十八条第一項の規定は、なおその効力を有する。

3　改正法附則第三項の規定によりなおその効力を有するものとされる改正法による改正前の道路交通法第百八条の二第一項第一号に規定する講習（次項において「旧初心運転者講習」という。）を行う旨の通知書の様式は、次のとおりとする。

附　則〔平元・一二・一九法八三抄〕

（施行期日）

第一条　この法律は、公布の日から起算して一年を超えない範囲内において政令で定める日から施行する。

〔平二政二二により、平二・一二・一から施行〕

附　則〔平元・一二・二二法九〇〕

1　この法律は、公布の日から起算して一年を超えない範囲内において政令で定める日から施行する。

〔平二政二五により、平二・九・一から施行〕

2　改正後の道路交通法第百条の二、第百条の三、第百四条の二、第百八条の二第一項第五号及び第百八条の三の規定は、この法律の施行の日（次項において「施行日」という。）以後に運転免許を受けた者について適用する。

3　この法律の施行の際現に道路交通法第八十四条第二項の第一種運転免許を受けている者で、当該第一種運転免許を受けていた期間（当該免許の効力が停止されていた期間を除く。）が通算して一年に達しないものについては、改正前の道路交通法第七十一条の四、第百八条の二第一項第一号及び同条第三項並びに第百十二条第四項の規定は、なおその効力を有する。この場合において、改正前の道路交通法第七十一条の四に規定する行為には、施行日以後に受けた運転免許に係る道路交通法第八十五条第二項の規定により当該免許について同条第一項の表の区分に従い運転することができる当該自動車等の運転に関し行われた行為は含まないものとする。

4　この法律の施行の際現に道路交通法第八十九条の

条の三の三の規定は、この政令の施行の日（以下「施行日」という。）以後に自動二輪車免許を受けた者について適用し、この政令の施行の際現に自動二輪車免許を受けている者については、なお従前の例による。

（初心運転者標識の表示義務を免除される者に関する経過措置）

3　新令第二十六条の四の規定は、施行日以後に普通自動車免許を受けた者及びこの政令の施行の際現に普通自動車免許を受けている者（以下「施行時普通免許保有者」という。）のうち次に掲げるものについて適用し、施行時普通免許保有者のうち次に掲げるもの以外のものについては、なお従前の例による。

一　当該普通自動車免許を受けた日前六月以内に道路交通法（以下「法」という。）第百条の二第一項第一号の上位免許（以下「上位免許」という。）を受けていたことがある者

二　当該普通自動車免許を受けた日以後施行日の前日までの間に上位免許を受けた者

4　前項の規定によりなお従前の例によることとされる者で次に掲げるものが上位免許を受けたときは、その者は、同項の規定にかかわらず、法第七十一条の四の政令で定める者とする。

一　現に受けている普通自動車免許を受けていた期間（当該普通自動車免許の効力が停止されていた期間を除く。次号及び第三号において同じ。）が通算して一年に達しない者（次号又は第三号に掲げる者を除く。）

二　現に受けている普通自動車免許を受けた日前六月以内に普通自動車免許を受けていたことがある者で、当該現に受けている普通自動車免許を受けた日前六月以内に受けていたことがある普通自動車免許を受けていた期間（当該普通自動車免許の効力が停止されていた期間を除く。）と現に受けている普通自動車免許を受けていた期間とを通算した期間が一年に達しないもの

三　現に受けている普通自動車免許を受けた日前六月以内に普通自動車に相当する種類の自動車の運転に関する外国の行政庁の運転免許を有していたことがある者で、当該外国の行政庁の運転免許を受けていた期間のうち当該外国に滞在していた期間と現に受けている普通自動車免許を受けていた期間とを通算した期間が一年に達しないもの

（罰則等に関する経過措置）

5　施行日前にした行為並びに附則第二項及び第三項の規定によりなお従前の例によることとされる場合における施行日以後にした行為に対する罰則の適用、法第九章（これに基づく命令を含む。）及び別表の規定の適用並びにこれらの行為に係る点数に

4　旧初心運転者講習について必要な事項は、都道府県公安委員会が定める。

初心運転者講習通知書

年　　月　　日

住　所

殿

公安委員会 ㊞

あなたの累積点数は、　年　　月　　日の交通違反（事故）で　　点となりました。

つきましては、道路交通法の一部を改正する法律（平成元年法律第90号）附則第３項の規定によりなおその効力を有するものとされる改正前の道路交通法（以下「旧法」という。）第108条の２第１項第１号に規定する初心者運転に対する講習を下記のとおり実施いたしますので通知します。

なお、この講習は、旧法第71条の４の規定によって受講することが義務付けられています。

日　時	
場　所	
備　考	

備考　用紙の大きさは、日本工業規格Ｂ列５番、おおむね縦25センチメートル、横12センチメートル又はおおむね縦10センチメートル、横21センチメートルとする。

規定により運転免許の申請をしている者の当該申請に係る運転免許試験の受験資格については、改正後の道路交通法第九十六条の三の規定にかかわらず、なお従前の例による。

附　則〔平二・七・三法七三〕

（施行期日）

1　この法律は、公布の日から起算して六月を超えな

ついては、なお従前の例による。

（講習手数料に関する経過措置）

6　平成二年八月三十一日までの間は、新令第四十三条の表以外の部分中「第五項」とあるのは「第四項」と、同条の表の講習手数料の項中「第百八条の二第一項第一号」とあるのは「第百八条の二第一項第一号、第二号」とする。

（旧法による初心運転者講習に関する旧令の規定の暫定的効力等）

7　この政令の施行の際現に第一種運転免許を受けている者で、当該第一種運転免許を受けていた期間（当該第一種運転免許の効力が停止されていた期間を除く。）が通算して一年に達しないものについては、改正前の道路交通法施行令第二十六条の三の四及び第二十六条の三の五第一項の規定は、なおその効力を有する。

8　改正法附則第三項の規定によりなおその効力を有するものとされる改正法による改正前の道路交通法（以下「旧法」という。）第七十一条の四の政令で定める基準は、当該行為に係る道路交通法施行令（以下「令」という。）第三十三条の二の規定による累積点数（当該第一種運転免許を受けた日前においてした違反行為及び施行日以後に受けた運転免許に係る法第八十五条第二項の規定により当該運転免許について同条第一項の表の区分に従い運転することができる当該自動車又は当該原動機付自転車の運転に関し行われた違反行為に係るものを除く。）が、三点、四点（当該行為につき令別表第一に定めるところにより付した点数が一点であることによって四点となる場合を除く。）又は五点（当該行為につき令別表第一に定めるところにより付した点数が一点又は二点であることによって五点となる場合を除く。）であり、かつ、当該行為をしたことにより令第三十八条第一項第二号イの基準に該当することとならないこととする。

9　改正法附則第三項の規定によりなおその効力を有するものとされる旧法第百十二条第四項の手数料（改正法附則第三項の規定によりなおその効力を有するものとされる旧法第百八条の二第一項第一号に掲げる講習に係る手数料に限る。）の額は、講習一時間について六百円とする。

附　則〔平二・七・一〇政二一四〕

この政令は、貨物自動車運送事業法の施行の日（平成二年十二月一日）から施行する。

附　則〔平二・一〇・五政三〇三抄〕

（施行期日）

1　この政令は、道路交通法の一部を改正する法律の施行の日（平成三年一月一日）から施行する。

附　則〔平二・一〇・一九総府令五一〕

1　この府令は、道路交通法の一部を改正する法律の施行の日（平成三年一月一日）から施行する。

2　告知書及び通知書の様式については、改正後の道路交通法施

い範囲内において政令で定める日から施行する。

〔平二政三〇二により、平三・一・一から施行〕

（経過措置）

2　改正後の道路交通法第五十一条の二第十二項及び第十三項の規定は、この法律の施行後に同条第一項の指定車両移動保管機関が同項の規定により移動した車両に係る同条第八項の負担金等の請求権について適用する。

3　この法律の施行前にした反則行為については、改正後の道路交通法第百二十五条及び別表の規定にかかわらず、なお従前の例による。

附　則〔平二・七・三法七四抄〕

（施行期日）

第一条　この法律は、公布の日から起算して一年を超えない範囲内において政令で定める日から施行する。

〔平三政一一により、平三・七・一から施行〕

附　則〔平三・五・二法六〇抄〕

（施行期日）

第一条　この法律は、公布の日から起算して六月を超えない範囲内において政令で定める日から施行する。

〔平三政二一六により、平三・一一・一から施行〕

（道路交通法の一部改正に伴う経過措置）

第六条　附則第二条の規定により従前の例によることとされた路上駐車場に関しては、前条の規定による改正後の道路交通法第四十九条の四第一項及び第二項の規定にかかわらず、なお従前の例による。

附　則〔平四・五・六法四三抄〕

（施行期日）

（経過措置）

2　この政令の施行前にした違反行為に付する点数については、なお従前の例による。

3　この政令の施行前にした反則行為の種別及び当該反則行為に係る反則金の額については、それぞれなお従前の例による。

附　則〔平三・一・三一政一二抄〕

（施行期日）

1　この政令は、自動車の保管場所の確保等に関する法律の一部を改正する法律の施行の日（平成三年七月一日）から施行する。

（経過措置）

2　この政令の施行前にした違反行為に付する点数については、なお従前の例による。

附　則〔平三・五・二四政一八三〕

1　この政令は、平成三年六月一日から施行する。ただし、第十八条第二項の改正規定は、公布の日から施行する。

2　この政令の施行前にした反則行為の種別及び当該反則行為に係る反則金の額については、なお従前の例による。

附　則〔平四・六・二六政二三一〕

（施行期日）

1　この政令は、道路交通法の一部を改正する法律（平成四年法

行規則別記様式第二十五及び別記様式第二十六の様式にかかわらず、当分の間、なお従前の例によることができる。

附　則〔平三・一・三一総府令一〕

この府令は、平成三年七月一日から施行する。

附　則〔平三・四・一〇総府令九〕

この府令は、公布の日から施行する。

附　則〔平三・六・二六総府令三〇〕

この府令は、平成三年十一月一日から施行する。

附　則〔平四・七・二総府令三八〕

この府令は、平成四年八月一日から施行する。

附　則〔平四・八・三一総府令四五〕

1　この法律は、公布の日から起算して六月を超えない範囲内において政令で定める日から施行する。ただし、目次の改正規定中第七章に係る部分、第百八条の十四を第百八条の二十七とする改正規定、第百八条の十三を第百八条の二十六とする改正規定、第六章の二の次に一章を加える改正規定及び第百十七条の三第三号の改正規定は、公布の日から施行する。

〔平四政二三〇により、平四・一一・一から施行。ただし、目次の改正規定（「第七十一条の四」を「第七十一条の五」に改める部分に限る。）、同法第七十一条第五号の四の改正規定、同法第四章第一節中第七十一条の四を第七十一条の五とし、第七十一条の三を第七十一条の四とし、第七十一条の二を第七十一条の三とし、第七十一条の次に一条を加える改正規定、同法第百八条の十三の改正規定、同法第百二十条第一項第九号の改正規定並びに同法第百二十一条第一項第六号及び第九号の三の改正規定は、平四・八・一から施行〕

（経過措置）

2　この法律の施行の際現に原付免許に係る運転免許試験に合格している者については、改正後の道路交通法（以下「新法」という。）第九十条の二の規定にかかわらず、なお従前の例による。

3　この法律の施行の際現に改正前の道路交通法第九十八条第一項の規定による指定を受けている指定自動車教習所は、新法第九十八条第二項の規定による届出をし、かつ、新法第九十九条第一項の規定による指定を受けた指定自動車教習所とみなす。

4　新法第九十七条の二第一項第二号の規定は、この法律の施行の日以後に道路交通法第百五条の規定によりその免許が効力を失った者について適用し、そ

律第四十三号）の施行の日（平成四年十一月一日）から施行する。ただし、第二十六条の三の二第一項及び第二項の改正規定、第二十六条の三の三の改正規定、第二十六条の四の改正規定、第三十三条の六第一号の改正規定、別表第一の一の表の改正規定、別表第一の備考の二の改正規定並びに別表第三の改正規定は、平成四年八月一日から施行する。

（経過措置）

2　この政令の施行前にした違反行為に付する点数については、なお従前の例による。

3　この政令の施行前にした行為に対する罰則の適用については、なお従前の例による。

4　この政令の施行前にした反則行為の種別及び当該反則行為に係る反則金の額については、なお従前の例による。

この府令は、道路交通法の一部を改正する法律（平成四年法律第四十三号）の施行の日（平成四年十一月一日）から施行する。

の他の者については、なお従前の例による。

附　則〔平五・五・一二法四三抄〕

（施行期日）

第一条　この法律は、公布の日から起算して一年を超えない範囲内において政令で定める日から施行する。

〔平五政三四七により、平六・五・一〇から施行〕

（免許等に関する経過措置）

第二条　この法律の施行の際現に普通免許又は二輪免許に係る運転免許試験に合格している者については、改正後の道路交通法（以下「新法」という。）第九十条の二の規定にかかわらず、なお従前の例による。

第三条　この法律の施行の際現に交付されている免許証及びこの法律の施行の日（以下「施行日」という。）以後に更新された免許証であって当該更新に係る道路交通法第百一条第一項に規定する更新期間の初日が施行日前であるものの有効期間については、なお従前の例による。

2　施行日から二年間は、新法第九十二条の二第一項の表の備考一の2中「継続して免許（仮免許を除く。）を受けている期間が五年以上である者であつて、自動車等の運転に関しこの法律及びこの法律に基づく命令の規定並びにこの法律の規定に基づく処分の遵守の状況が優良な者として政令で定める基準に適合するもの」とあるのは、「継続して免許（仮免許を除く。）を受けている期間が政令で定める期間以上である者であつて、自動車等の運転に関しこの法律及び

附　則〔平五・六・一六政二〇〇〕

この政令は、平成五年七月一日から施行する。

附　則〔平五・九・一〇政二八八〕

この政令は、公布の日から施行する。

附　則〔平五・一〇・二七政三四八抄〕

（施行期日）

1　この政令は、道路交通法の一部を改正する法律（以下「改正法」という。）の施行の日（平成六年五月十日。以下「施行日」という。）から施行する。

（優良運転者に係る基準の特例等）

2　改正法附則第三条第二項の政令で定める期間は、八年（現に受けている免許に係る免許証の有効期間が満了する日（次項において「満了日」という。）が施行日から二年を経過した日以後に到来することとなる者であって、次項第一号に掲げるもの又は当該満了日の四十日前の日以後の日において適性検査若しくは適性試験を受けた同項第二号若しくは第三号に掲げるもの（次項において「期間の特例の適用のない者」という。）にあっては、五年）とする。

3　改正法附則第三条第二項の政令で定める基準は、次の各号に掲げる者の区分に応じ、それぞれ当該各号に定める日前三年間（期間の特例の適用のない者にあっては、五年間）において違反行為をしたことがないこととする。

一　改正法による改正後の道路交通法（次号において「新法」という。）第百一条第三項の規定により免許証の更新（免許証の有効期間の更新をいう。次号において同じ。）を受けた者　更新前の免許証の満了日の四十日前の日

二　新法第百一条の二第三項の規定により免許証の更新を受けた者　同条第二項の規定による適性検査を受けた日（当該適性検査を受けた日が更新前の免許証の満了日の四十日前の日以後であるときは、当該満了日の四十日前の日）

三　前二号に掲げる者以外の者で免許証の交付を受けたもの　当該免許証に係る適性試験を受けた日（当該免許証に係る適性試験を受けた日がその者の現に受けている免許に係る免許証の満了日の四十日前の日以後であるときは、当該満了日の四十日前の日）

（経過措置）

4　この政令の施行前にした違反行為に付する点数については、なお従前の例による。

5　この政令の施行前にした反則行為の種別及び当該反則行為に係る反則金の額については、なお従前の例による。

附　則〔平六・一・二〇総府令一〕

1　この府令は、道路交通法の一部を改正する法律（平成五年法律第四十三号。以下「改正法」という。）の施行の日（平成六年五月十日）から施行する。

2　この府令の施行の際現に普通自動車免許（次項において「普通免許」という。）の申請をしている者の当該申請に係る道路交通法第九十七条第一項第二号に掲げる事項について行う運転免許試験（次項において「技能試験」という。）については、改正後の道路交通法施行規則（以下「新府令」という。）第二十四条の規定にかかわらず、なお従前の例による。

3　この府令の施行の際現に改正前の道路交通法施行規則（以下「旧府令」という。）第二十四条の規定による普通免許に係る技能試験に合格している者は、新府令第二十四条の規定による普通免許に係る技能試験に合格した者とみなす。

4　この府令の施行の際現に改正法附則第六条第一項に規定する旧法指定自動車教習所（以下「旧法指定自動車教習所」という。）における大型自動車又は普通自動車についての教習を受けている者で、旧府令第三十三条第一項に規定する技能教習（以下この項において「旧技能教習」という。）の基本走行を修了したものについては新府令第三十三条第一項に規定する技能教習（以下この項において「新技能教習」という。）の基本操作を、旧技能教習の応用走行㈠を修了したものについては新技能教習の基本走行を、旧技能教習の応用走行㈡を修了したものについては新技能教習の応用走行㈠をそれぞれ修了した者とみなす。

5　この府令の施行の際現に旧法指定自動車教習所における大型自動車又は普通自動車についての教習を受けている者で、旧府令第三十三条第一項に規定する学科教習㈠を修了したものについては、新府令第三十三条第一項に規定する学科教習㈠を修了した者とみなす。

6　この府令の施行の際現に旧法指定自動車教習所における普通自動車についての教習を終了している者に対して行う技能検定については、新府令第三十四条第二項の規定にかかわらず、なお従前の例による。

7　運転免許証（仮運転免許証を除く。次項において「免許証」という。）の様式については、新府令別記様式第十四の様式にかかわらず、平成十一年五月九日までの間、なお従前の例による

この法律に基づく命令の規定並びにこの法律の規定に基づく処分の遵守の状況が優良な者として政令で定める基準に適合するもの」とする。

第四条　この法律の施行の際現に改正前の道路交通法（以下「旧法」という。）第百一条第二項後段（旧法第百一条の二第三項後段、第百二条第三項及び第百七条の四第三項において準用する場合を含む。）の規定により付されている条件は、新法第九十一条の規定により付された条件又は新法第百七条の四第三項の規定によりされた命令とみなす。

（指定自動車教習所等に関する経過措置）

第五条　この法律の施行の際現に旧法第九十九条第一項の規定による指定を受けている指定自動車教習所は、新法第九十九条第一項の規定による指定を受けた指定自動車教習所とみなす。

第六条　この法律の施行の際現に前条の規定により新法第九十九条第一項の規定による指定を受けた指定自動車教習所とみなされる自動車教習所（以下「旧法指定自動車教習所」という。）において旧法第九十九条第二項の規定による選任をされている技能検定員は、当該旧法指定自動車教習所において新法第九十九条の五第一項、第四項及び第五項に規定する技能検定員の業務に従事する場合には、新法第九十九条の二第一項の規定による選任をされた技能検定員とみなす。

2　前項の規定により新法第九十九条の二第一項の規定による選任をされた技能検定員とみなされる者（次項において「旧法技能検定員」という。）につい

ことができる。

8　前項に規定する日までに交付された従前の様式による免許証の様式については、新府令別記様式第十四の様式にかかわらず、平成十一年五月十日以後においてもなお従前の例による。

9　この府令の施行前に交付された運転免許試験成績証明書の様式については、新府令別記様式第十七の二の様式にかかわらず、なお従前の例による。

10　この府令の施行前にはり付けられた運転禁止処分票の様式については、新府令別記様式第二十二の五の様式にかかわらず、なお従前の例による。

11　この府令の施行前に交付された原付講習終了証明書及び保管証の様式については、別記様式第二十二の十の五及び別記様式第二十三の様式にかかわらず、なお従前の例による。

ては、その者が同条第四項の規定により技能検定員資格者証の交付を受けるまでの間は、同条第二項の規定は、適用しない。

3　旧法技能検定員に関しては、前項に規定する期間が経過するまでの間は、旧法第九十九条第八項及び第九項の規定は、なおその効力を有する。

第七条　この法律の施行の際現に旧法指定自動車教習所において旧法第九十九条第一項第三号の規定による選任をされている技能指導員又は学科指導員は、当該旧法指定自動車教習所において新法第九十九条の三第一項に規定する教習指導員の業務に従事する場合には、同項の規定による選任をされた教習指導員とみなす。

2　前項の規定により新法第九十九条の三第一項の規定による選任をされた教習指導員とみなされる者（以下この条において「みなし教習指導員」という。）については、その者が同条第四項の規定により教習指導員資格者証の交付を受けるまでの間は、同条第二項の規定は、適用しない。

3　旧法指定自動車教習所を管理する者は、前項に規定する期間が経過するまでの間は、みなし教習指導員のうちこの法律の施行の際現に旧法第九十九条第一項第三号の技能指導員でなかった者に自動車の運転に関する技能の教習を行わせてはならず、又はみなし教習指導員のうちこの法律の施行の際現に同号の学科指導員でなかった者に自動車の運転に関する知識の教習を行わせてはならない。

4　みなし教習指導員に関しては、第二項に規定する期間が経過するまでの間は、旧法第九十九条第八項及び第九項の規定は、なおその効力を有する。この場合において、同条第八項中「技能指導員若しくは学科指導員」とあるのは「道路交通法の一部を改正する法律（平成五年法律第四十三号）附則第七条第二項のみなし教習指導員」と、同条第九項中「技能指導員若しくは学科指導員」とあるのは「道路交通法の一部を改正する法律附則第七条第二項のみなし教習指導員」と読み替えるものとする。

第八条　旧法指定自動車教習所に関する新法第九十九条の六第一項の規定の適用については、同項中「この節の規定」とあるのは、「この節の規定、道路交通法の一部を改正する法律（平成五年法律第四十三号）附則第七条第三項の規定並びに同法附則第六条第三項及び第七条第四項の規定によりなおその効力を有するものとされる同法による改正前の第九十九条第八項の規定」とする。

2　旧法指定自動車教習所に関する新法第九十九条の七第一項の規定の適用については、同項中「指定自動車教習所が第九十九条第一項各号に掲げる基準に適合しなくなつたと認めるとき」とあるのは「指定自動車教習所が第九十九条第一項第一号、第四号若しくは第五号に掲げる基準に適合しなくなつたと認めるとき又は指定自動車教習所に同項第二号に規定する職員（道路交通法の一部を改正する法律附則第六条第二項の旧法技能検定員を含む。）若しくは第九十九条第一項第三号に規定する職員（同法附則第七条第二項のみなし教習指導員を含む。）が置かれなくなつたと認めるとき」と、「当該指定自動車教習所を同項各号に掲げる基準に適合させるため」とあるのは「当該指定自動車教習所を同項第一号、第四号若しくは第五号に掲げる基準に適合させるため又は当該指定自動車教習所にこれらの職員を置くため」とする。

3　旧法指定自動車教習所に関する新法第九十九条の七第二項の規定の適用については、同項中「この節の規定」とあるのは、「この節の規定及び道路交通法の一部を改正する法律附則第七条第三項の規定」とする。

4　旧法指定自動車教習所に関する新法第百条第一項の規定の適用については、同項中「第九十九条の三第三項」とあるのは「第九十九条の三第三項若しくは道路交通法の一部を改正する法律附則第七条第三項」と、「前条の規定による命令」とあるのは「前条の規定による命令若しくは同法附則第六条第三項若しくは第七条第四項の規定によりなおその効力を有するものとされる同法による改正前の第九十九条第八項の規定による命令」とする。

第九条　旧法第九十九条第五項に規定する自動車の運転に関する技能及び知識の教習を終了した者は、新法第九十九条の五第一項に規定する自動車の運転に関する技能及び知識の教習を終了した者とみなす。

2　旧法第九十九条第五項の技能検定は、新法第九十九条の五第一項の技能検定とみなす。

3　旧法第九十九条第六項の規定により発行された卒業証明書又は修了証明書は、新法第九十九条の五第五項の規定により発行された卒業証明書又は修了証明書とみなす。

第一〇条　附則第五条から前条までに規定するもののほか、旧法第九十九条又はこれに基づく命令の規定によりした処分、手続その他の行為は、新法中相当する規定がある場合には、新法の相当規定によりしたものとみなす。

（罰則等に関する経過措置）

第一一条　この法律の施行前にした行為に対する罰則の適用については、なお従前の例による。

第一二条　この法律の施行前にした行為については、新法第百二十五条及び別表の規定にかかわらず、なお従前の例による。

附　則〔平五・一一・一二法八九抄〕

（施行期日）

第一条　この法律は、行政手続法（平成五年法律第八

附　則〔平五・一二・一〇政三八六抄〕

1　この政令は、平成六年四月一日から施行する。

附　則〔平六・八・一七政二七三〕

（施行期日）

1　この政令は、平成六年十月一日から施行する。

（経過措置）

2　この政令の施行前にした違反行為に付する点数については、なお従前の例による。

3　この政令の施行前にした行為に対する罰則の適用については、なお従前の例による。

附　則〔平六・九・一九政三〇三抄〕

（施行期日）

第一条　この政令は、行政手続法の施行の日（平成六年十月一日）から施行する。

附　則〔平六・三・四総府令九〕

1　この府令は、平成六年〔中略〕五月十日から施行する。

2　この府令による改正前の〔中略〕道路交通法施行規則〔中略〕に規定する様式による書面については、当分の間、それぞれ改正後のこれらの府令に規定する様式による書面とみなす。

附　則〔平六・九・二〇総府令四九抄〕

（施行期日）

1　この府令は、行政手続法の施行の日（平成六年十月一日）から施行する。

（道路交通法施行規則の一部改正に伴う経過措置）

十八号）の施行の日〔平六・一〇・一〕から施行する。

（諮問等がされた不利益処分に関する経過措置）

第二条　この法律の施行前に法令に基づき審議会その他の合議制の機関に対し行政手続法第十三条に規定する聴聞又は弁明の機会の付与の手続その他の意見陳述のための手続に相当する手続を執るべきことの諮問その他の求めがされた場合においては、当該諮問その他の求めに係る不利益処分の手続に関しては、この法律による改正後の関係法律の規定にかかわらず、なお従前の例による。

（罰則に関する経過措置）

第一三条　この法律の施行前にした行為に対する罰則の適用については、なお従前の例による。

（聴聞に関する規定の整理に伴う経過措置）

第一四条　この法律の施行前に法律の規定により行われた聴聞、聴問若しくは聴聞会（不利益処分に係るものを除く。）又はこれらのための手続は、この法律による改正後の関係法律の相当規定により行われたものとみなす。

（政令への委任）

第一五条　附則第二条から前条までに定めるもののほか、この法律の施行に関して必要な経過措置は、政令で定める。

附　則〔平七・四・二一法七四抄〕

（施行期日）

第一条　この法律は、公布の日から起算して一年六月

附　則〔平七・六・二六政二六六〕

この政令は、道路交通法の一部を改正する法律（平成七年法律第七十四号）の一部の施行の日（平成七年十月一日）から施行する。

2　第二条の規定の施行前に交付された運転免許試験成績証明書、出頭命令書及び保管証の様式については、同条の規定による改正後の道路交通法施行規則（次項において「新府令」という。）別記様式第十七の二、別記様式第十九の三の五及び別記様式第十九の三の六の様式にかかわらず、なお従前の例による。

3　第二条の規定の施行前に交付された特定講習終了証明書は、新府令により交付された特定任意講習終了証明書とみなす。

附　則〔平七・六・二三総府令三三〕

この府令は、平成七年七月一日から施行する。

附　則〔平七・九・二二総府令四三〕

この府令は、道路交通法の一部を改正する法律（平成七年法律第七十四号）の一部の施行の日（平成七年十月一日）から施行する。

を超えない範囲内において政令で定める日から施行する。ただし、第二条第一項及び第三項第一号の改正規定は、公布の日から起算して六月を超えない範囲内において政令で定める日から施行する。

（平八政一五九により、平八・九・一から施行。ただし書の規定は、平七政二六五により、平七・一〇・一から施行）

（免許等に関する経過措置）

第二条　改正前の道路交通法（以下「旧法」という。）第八十四条第三項の自動二輪車免許（以下「旧法二輪免許」という。）は、次の各号に掲げる区分に従い、それぞれ当該各号に定める改正後の道路交通法（以下「新法」という。）第八十四条第三項の大型自動二輪車免許（以下「大型自動二輪車免許」という。）又は同項の普通自動二輪車免許（以下「普通自動二輪車免許」という。）とみなす。

一　次号及び第三号に掲げるもの以外のもの　大型自動二輪車免許

二　旧法第九十一条の規定により、運転することができる旧法第三条の自動二輪車（以下「旧法自動二輪車」という。）が新法第三条の普通自動二輪車（以下「普通自動二輪車」という。）に相当するものに限る旨の限定が付されているもの　普通自動二輪車免許

三　道路交通法の一部を改正する法律（昭和四十年法律第九十六号。次条第二項において「昭和四十年改正法」という。）附則第二条第一項の規定により旧法二輪免許とみなされるもので、附則第十一条の規定による改正前の同法附則第二条第四項に規定する審査に合格しなかった者に係るもの　普

附　則〔平八・一・二六政一二〕

（施行期日）

1　この政令は、平成八年四月一日から施行する。ただし、第二十条の改正規定及び次項から附則第四項までの規定は、同年二月一日から施行する。

（経過措置）

2　前項ただし書に規定する改正規定の施行前にした違反行為に付する点数については、なお従前の例による。

3　附則第一項ただし書に規定する改正規定の施行前にした行為に対する罰則の適用については、なお従前の例による。

4　附則第一項ただし書に規定する改正規定の施行前にした反則行為の種別及び当該反則行為に係る反則金の額については、なお従前の例による。

附　則〔平八・五・二九政一六〇抄〕

（施行期日）

1　この政令は、道路交通法の一部を改正する法律の施行の日（平成八年九月一日）から施行する。

（経過措置）

2　この政令の施行前にした違反行為に付する点数については、なお従前の例による。

3　この政令の施行前にした行為に対する罰則の適用については、なお従前の例による。

4　この政令の施行前にした反則行為の種別及び当該反則行為に係る反則金の額については、なお従前の例による。

附　則〔平八・八・六総府令四二〕

改正　平三〇・六・一一内府令三〇

（施行期日）

1　この府令は、道路交通法の一部を改正する法律（平成七年法律第七十四号）の施行の日（平成八年九月一日）から施行する。

（経過措置）

2　この府令の施行の際現に道路交通法の一部を改正する法律附則第二条第二号に規定する旧法自動二輪車（以下「旧法自動二輪車」という。）で普通自動二輪車に相当するものに係る指定を受けている指定自動車教習所は、普通自動二輪車に係る指定を受けた指定自動車教習所とみなす。

3　この府令の施行の際現に指定自動車教習所において改正前の道路交通法施行規則（以下「旧府令」という。）第三十三条第一項に規定する旧法自動二輪車についての教習（以下「旧教習」という。）を受けている者及びこの府令の施行の際現に指定自動車教習所における旧教習を終了している者（当該旧教習に係る卒業検定に合格した者を除く。）の当該旧教習は、次の各号に掲げる区分に従い、改正後の道路交通法施行規則（以下「新府令」という。）第三十三条第一項に規定する普通自動二輪車についての教習とみなす。

一　旧府令第三十三条第一項に規定する小型二輪車についての教習　新府令第三十三条第一項に規定する小型二輪車についての教習

二　旧府令第三十三条第一項に規定する中型二輪車についての教習　新府令第三十三条第一項に規定する小型二輪車以外の普通自動二輪車についての教習

4　この府令の施行の際現に指定自動車教習所において旧府令第三十三条第一項に規定する大型自動車又は普通自動車に係る教習を受けている者及び当該教習を終了している者に係る技能教習及び学科教習の教習方法の基準並びに技能検定の方法については、新府令第三十三条第七項第一号レ及び同項第二号ト並びに第三十四条第二項第一号並びに同条第三項第一号及び第四号の規定にかかわらず、なお従前の例による。

5　この府令の施行の際現に指定自動車教習所における旧教習を終了している者に係る卒業検定の実施の方法及び合格の基準については、新府令第三十四条第二項の規定にかかわらず、次の各号に定めるところにより行うことができる。

一　三月以内に旧教習を終了した者で、当該旧教習を終了した日から起算して三月を経過していないものに限り行うこと。

二　卒業検定の実施の方法及び合格の基準は、旧府令第二十四条の二輪免許に係る技能試験の例に準ずるものであること。

通自動二輪車免許

2　旧法二輪免許が前項第二号に規定する限定の解除を受けたことにより同項の規定により大型自動二輪車免許とみなされることとなる場合における当該大型自動二輪車免許は、当該旧法二輪免許を受けた日に受けたものとする。

第三条　旧法第九十一条の規定により旧法二輪免許について付された自動車等の運転に係る限定又は条件でこの法律の施行の際現にその効力を有するもの（前条第一項第二号に規定する限定であって、新法第三条の規定による大型自動二輪車と普通自動二輪車との区分に係るものを除く。）は、新法第九十一条の規定により大型自動二輪車免許又は普通自動二輪車免許について付された自動車等の運転に係る限定又は条件とみなす。

2　前条第一項の規定により普通自動二輪車免許とみなされる同項第三号に掲げる運転免許は、新法第九十一条の規定により運転することができる普通自動二輪車が第二種原動機付自転車（昭和四十年改正法第一条の規定による改正前の道路交通法第三条第二項の第二種原動機付自転車をいう。）に相当するものに限る旨の限定が付されているものとみなす。

第四条　この法律の施行の際現にされている旧法二輪免許の申請は、当該旧法二輪免許により運転することができる旧法自動二輪車を普通自動二輪車に相当するものに限定してされたものについては普通自動二輪車免許の申請と、それ以外のものについては大型自動二輪車免許の申請とみなす。

第五条　前二条に規定するもののほか、この法律の施

三　当該卒業検定に合格しなかった者に対してはその者が更に一時限以上の技能教習を受けた後でなければ次の卒業検定を行わないこと。

6　この府令の施行前に交付された運転免許証（仮運転免許に係るものを除く。次項及び第九項において「免許証」という。）の様式については、新府令別記様式第十四の様式にかかわらず、なお従前の例による。

7　免許証（この府令の施行前に交付された免許証を除く。）の様式については、新府令別記様式第十四の様式にかかわらず、平成十一年五月九日までの間、次の様式によることができる。

（表）

9.7

氏名・生年月日　　年　月　日
本籍・国籍
住　所
交　付　平成　年　月　日
平成　年の誕生日まで有効
免許の条件等
運転免許証
写真
公安委員会印
免許証番号　第　号
免許年月日
第一種免許　二・小・原　年　月　日
その他　年　月　日
第二種免許　年　月　日
有無
免許の種類　大型　普通　大特　大自二　普自二　小特　原付　けん引　大型二　普通二　大特二　けん引二

6.9　6.2　9.0

（裏）

8.6

備　考

免許証の更新は、有効期間の満了する誕生日の１箇月前から受けることができます。手続に必要なものは、免許証、写真１枚（縦3.0cm、横2.4cm）及び手数料です。

5.6

備考　1　表側は白色の紙又はプラスチック板を、裏側は薄茶色の紙を用いること。
2　表側に白色の紙を用いる場合には、その表面及び裏面に無色透明の薄板を接着させ、当該裏面に接着した薄板に裏側の用紙をはり付けること。
3　表側に白色のプラスチック板を用いる場合には、その裏面に裏側の用紙をはり付けること。
4　有無欄には、現に受けている免許及び受けることとなる免許の種類を表す免許の種類欄の略語を対応する部分に「１」を、その他の部分に「０」をそれぞれ記載すること。
5　表側の余白部分には、免許を受けた者が法第92条の２第１項の表の備考一に規定する優良運転者である場合にあつては、その旨を記載すること。
6　備考欄には、法第93条第２項に規定する事項、法第94条第１項の規定による免許証の記載事項の変更に係る事項その他必要な事項を記載すること。
7　図示の長さの単位は、センチメートルとする。

行前にされた旧法二輪免許に係る処分又は手続は、附則第二条第一項の規定による運転免許の区分に応じ、それぞれ、大型自動二輪車免許又は普通自動二輪車免許に係る処分又は手続としてされたものとみなす。

第六条　この法律の施行の際現に旧法二輪免許に係る運転免許試験に合格して旧法二輪免許を受けていない者は、当該旧法二輪免許により運転することができる旧法自動二輪車を普通自動二輪車に相当するものに限定して行われた当該運転免許試験に合格した者については普通自動二輪車免許に係る運転免許試験に合格した者と、それ以外の旧法二輪免許に係る運転免許試験に合格した者については大型自動二輪車免許に係る運転免許試験に合格した者とみなす。

第七条　この法律の施行の際現に附則第二条第一項の規定により大型自動二輪車免許とみなされる旧法二輪免許を受けている者及び前条の規定により大型自動二輪車免許に係る運転免許試験に合格した者とみなされる者に対する新法第八十八条第一項第一号の規定の適用については、同号中「、大型二輪免許及び牽引免許にあつては十八歳に」とあるのは、「及び牽引免許にあつては十八歳に、大型二輪免許」とする。

第八条　この法律の施行の際現に附則第二条第一項の規定により大型自動二輪車免許とみなされる旧法二輪免許を受けている者に関する新法第百条の二第一項の規定の適用については、同項中「（以下「免許自動車等」という。）」とあるのは「（道路交通法の一部を改正する法律（平成七年法律第七十四号。以下こ

8　前項に規定する日までに交付された免許証で同項に規定する様式によるものの様式については、新府令別記様式第十四の様式にかかわらず、平成十一年五月十日以後においてもなお従前の例による。

9　この府令の施行前に交付された免許証保管証、応急救護処置講習終了証明書、原付講習終了証明書及び免許証保管証の様式については、新府令別記様式第十九の三の六、別記様式第二十二の十の五、別記様式第二十二の十の六、別記様式第二十二の十一及び別記様式第二十三の様式にかかわらず、なお従前の例による。

の項において「改正法」という。）附則第二条第一項の規定により大型自動二輪車免許とみなされる免許については、大型自動二輪車及び普通自動二輪車。以下「免許自動車等」という。）」とし、同項第二号中「政令で定めるものを含み」とあるのは「政令で定めるものを含み、かつ、改正法附則第二条第一項の規定により大型自動二輪車免許とみなされる免許については同項の規定により普通自動二輪車免許とみなされる免許を含み」とする。

（罰則等に関する経過措置）

第九条　この法律の施行前にした行為に対する罰則の適用については、なお従前の例による。

第一〇条　この法律の施行前にした行為に対する反則行為の取扱いに関しては、なお従前の例による。

附　則〔平八・五・九法三三抄〕

（施行期日）

1　この法律は、公布の日から起算して一年を超えない範囲内において政令で定める日から施行する。

〔平九政五により、平九・四・一から施行〕

附　則〔平九・五・一法四一〕

（施行期日）

第一条　この法律は、公布の日から起算して一年を超

附　則〔平八・一一・二二政三三二〕

（施行期日）

1　この政令は、平成九年一月一日から施行する。

（経過措置）

2　この政令の施行前にした違反行為に付する点数については、なお従前の例による。

3　この政令の施行前にした行為に対する罰則の適用については、なお従前の例による。

4　この政令の施行前にした反則行為の種別及び当該反則行為に係る反則金の額については、なお従前の例による。

附　則〔平九・六・二四政二一五〕

（施行期日）

1　この政令は、道路交通法の一部を改正する法律附則第一条第一号に掲げる規定の施行の日（平成九年十月三十日）から施行

附　則〔平八・一一・二九総府令五二〕

この府令は、道路交通法施行令の一部を改正する政令（平成八年政令第三百二十二号）の施行の日（平成九年一月一日）から施行する。

附　則〔平九・八・二〇総府令四八〕

この府令は、道路交通法の一部を改正する法律附則第一条第一号に掲げる規定の施行の日（平成九年十月三十日）から施行する。

附　則〔平一〇・三・六総府令二〕

えない範囲内において政令で定める日から施行する。ただし、次の各号に掲げる規定は、当該各号に定める日から施行する。

〔平九政三九〇により、平一〇・四・一から施行〕

一　第十四条の改正規定、第七十一条の改正規定、第七十一条の五の改正規定、第七十五条の八の次に一条を加える改正規定、第七十五条の九の改正規定、第八十五条第三項の改正規定、第百九条の二の改正規定、第百十九条第一項第九号の二の改正規定、第百二十条第一項第三号の改正規定及び第百二十一条第一項第九号の三の改正規定並びに附則第六条及び第七条の規定　この法律の公布の日から起算して六月を超えない範囲内において政令で定める日

〔平九政二一四により、平九・一〇・三〇から施行〕

二　目次の改正規定（「第百二条」を改める部分に限る。）、第六十四条の改正規定、第七十五条第一項の改正規定、第八十八条第一項第五号の改正規定、第九十条の改正規定（同条第一項ただし書を改める部分、同条第四項の改正規定中「三年をこえない」を改める部分及び同条第三項の改正規定中「自動車等の運転に関しこの法律若しくはこの法律に基づく命令の規定又はこの法律の規定に基づく処分に違反した」を改める部分を除く。）、第九十条第五項の改正規定（「第九十条第三項」を改める部分に限る。）、第九十六条の三の改正規定、第九十六条の三の改正規定、同条の次に一条を加える改正規定、第百二条第一項の改正規定、同条の次に一条を加える改正規定、第百三条第二項の改正規

する。

2　**（経過措置）**　この政令の施行前にした違反行為に付する点数については、なお従前の例による。

附　則〔平九・九・二五政三〇〇〕

（施行期日）

1　この政令は、平成九年十月十六日から施行する。

（経過措置）

2　この政令の施行の際現に改正前の道路交通法施行令第十三条第一項第八号の二に掲げる自動車として同項の規定による指定を受けている自動車は、平成九年十一月十五日までの間は、改正後の道路交通法施行令（以下「新令」という。）第十三条第一項第八号の二に掲げる自動車として同項の規定による指定を受けた自動車とみなす。

3　新令第十三条第一項第八号の二に掲げる自動車で同項の規定による指定を受けたもの（前項の規定により同号に掲げる自動車として同条第一項の規定による指定を受けたとみなされるものを含む。）が、臓器の移植に関する法律（平成九年法律第百四号）附則第三条の規定による廃止前の角膜及び腎臓の移植に関する法律（昭和五十四年法律第六十三号）第三条の規定によりこの政令の施行前に死体から摘出された眼球若しくは腎臓又は臓器の移植に関する法律附則第五条の規定によりなおその例によることとされる同法附則第三条の規定による廃止前の角膜及び腎臓の移植に関する法律第三条の規定によりこの政令の施行後に死体から摘出された眼球若しくは腎臓、同条の規定によりこの政令の施行後に眼球若しくは腎臓の摘出をしようとする医師若しくはその摘出に必要な器材の応急の運搬のため使用される場合にあっては、同号中「臓器の移植に関する法律（平成九年法律第百四号）の規定により死体（脳死した者の身体を含む。）」とあるのは「臓器の移植に関する法律（平成九年法律第百四号）の規定により死体（脳死した者の身体を含む。）から摘出された臓器若しくは同法附則第三条の規定による廃止前の角膜及び腎臓の移植に関する法律（昭和五十四年法律第六十三号）第三条（臓器の移植に関する法律附則第五条の規定によりなおその例によることとされる場合を含む。）の規定により死体」と、「、同法」とあるのは「又はこれらの法律」と、「又は」とあるのは「若しくは」とする。

4　この政令の施行前にした違反行為に付する点数については、なお従前の例による。

5　この政令の施行前にした行為に対する罰則の適用については、なお従前の例による。

（施行期日）

1　この府令は、道路交通法の一部を改正する法律（平成九年法律第四十一号）の施行の日（平成十年四月一日）から施行する。ただし、目次の改正規定、第二十九条第二項の改正規定、第七条の十の改正規定、第十八条の三の改正規定、第三十一条の三の改正規定（同条の表中「第三項若しくは第四項」を改める部分及び法第百八条の二第一項第十三号に掲げる講習に係る部分に限る。）、第八章の章名の改正規定、第三十八条の改正規定（同条第一項第一号の改正規定中「運転に必要な知識」の下に「、自動車の運転者に対する交通安全教育に必要な知識及び技能」を加える部分を除く。）、第三十八条の二の改正規定、第三十八条の三の改正規定、第三十八条の四の次に一条及び章名を加える改正規定、別記様式第二十二の十の七を別記様式第二十二の十の八とし、別記様式第二十二の十の六の次に一様式を加える改正規定、別記様式第二十二の十一の次に一様式を加える改正規定並びに別表第二の改正規定並びに次項及び附則第三項の規定は、道路交通法の一部を改正する法律附則第一条第二号に掲げる規定の施行の日（平成十年十月一日）から施行する。

（経過措置）

2　前項ただし書に規定する改正規定の施行前に製作された普通自動車については、改正後の道路交通法施行規則（以下「新府令」という。）第七条の十の規定にかかわらず、なお従前の例による。

3　附則第一項ただし書に規定する改正規定の施行前に改正前の道路交通法施行規則第三十八条第二項に規定する取消処分者講習を終了した者は、新府令第三十八条第二項に規定する取消処分者講習を終了した者とみなす。

4　告知書及び通告書の様式については、新府令別記様式第二十五及び別記様式第二十六の様式にかかわらず、当分の間、なお従前の例によることができる。

附　則〔平一〇・五・一九総府令三〇〕

（施行期日）

1　この府令は、平成十年十二月一日から施行する。

（経過措置）

2　この府令の施行の際現に普通自動車仮免許（以下「普通仮免許」という。）の申請をしている者の当該申請に係る道路交通法第九十七条第一項第二号に掲げる事項について行う運転免許試験（以下「技能試験」という。）については、改正後の道路交通法施行規則（以下「新府令」という。）第二十四条の規定にかかわらず、なお従前の例による。

3　この府令の施行の際現に普通仮免許を受けている者、この府

定（ただし書を加える部分に限る。）、同条第四項の改正規定（「第三項若しくは第四項」を改める部分及び「第百八条の二第一項第十号」の下に「若しくは第十三号」を加える部分に限る。）、第百七条第三項の改正規定、第百七条の四の次に一条を加える改正規定、第百七条の五第一項の改正規定（ただし書を加える部分に限る。）、同条第八項の改正規定（「三年」を改める部分を除く。）、第百七条の七第一項の改正規定、第百八条の二の改正規定、第百八条の三の次に一条を加える改正規定、第百八条の二十六の改正規定（「同項第四号」の下に「、第百二条の二」を加える部分に限る。）、第百十二条第六項の改正規定及び第百十三条の二の改正規定並びに附則第三条の規定　この法律の公布の日から起算して一年六月を超えない範囲内において政令で定める日

〔平九政三九〇により、平一〇・一〇・一から施行〕

（免許等に関する経過措置）

第二条　この法律の施行の日（以下「施行日」という。）前に改正前の道路交通法（以下「旧法」という。）第九十条第一項ただし書の規定による免許の拒否の基準、同条第三項の規定による免許の取消しの基準又は旧法第百三条第二項若しくは第四項の規定による免許の取消しの基準に該当したことを理由としてこれらの処分を受けた者に対するその者が免許を受けることができない期間の指定については、なお従前の例による。

2　施行日前にした行為については、改正後の道路交通法（次項及び次条を除き、以下「新法」という。）

6　この政令の施行前にした行為に対する反則行為の取扱いに関しては、なお従前の例による。

附　則〔平九・一二・二五政三九一抄〕

（施行期日）

1　この政令は、道路交通法の一部を改正する法律の施行の日（平成十年四月一日）から施行する。ただし、次の各号に掲げる規定は、当該各号に定める日から施行する。

一　第四十二条第一項第一号の改正規定　平成十年一月一日

二　第三十三条の二第二項の改正規定、第三十三条の三の改正規定（「第九十条第三項」を改める部分に限る。）、第三十三条の四第一項の改正規定（「第九十条第四項」を改める部分に限る。）、第三十三条の五の改正規定、第三十七条の六の改正規定、第三十七条の七の次に一条を加える改正規定、第四十条の三第一号の改正規定、第四十三条の表の改正規定及び別表第二の備考第二号の改正規定　道路交通法の一部を改正する法律附則第一条第二号に掲げる規定の施行の日（平成十年十月一日）

（経過措置）

2　平成十年九月三十日までの間は、改正後の道路交通法施行令（以下「新令」という。）第三十三条の二第一項第二号中「同条第四項」とあるのは「同条第三項」と、「第九十条第六項」とあるのは「第九十条第四項」と、新令第三十八条第二項第二号中「第九十条第六項」とあるのは「第九十条第四項」と、新令第三十九条の二の三第二号及び第三号中「第九十条第四項」とあるのは「第九十条第三項」と、新令第四十条第三号中「第九十条第六項」とあるのは「第九十条第四項」とする。

3　この政令の施行前に違反行為をしたことを理由とする運転免許の拒否、保留、取消し若しくは効力の停止若しくは運転免許を受けることができない期間の指定又は運転の禁止の基準については、新令別表第二の規定にかかわらず、なお従前の例による。

附　則〔平一〇・五・二九政一九二〕

この政令は、平成十年六月一日から施行する。

令の施行の際現に普通仮免許に係る技能試験若しくは普通自動車の修了検定に合格している者でこの府令の施行の日以後に当該技能試験若しくは修了検定に係る普通仮免許を受けたもの又は前項の規定によりなお従前の例によることとされた技能試験に合格し、普通仮免許を受けた者が当該普通仮免許により普通自動車を運転して受ける普通自動車免許（以下「普通免許」という。）の技能試験については、新府令第二十四条の規定にかかわらず、なお従前の例による。

4　この府令の施行の際現に改正前の道路交通法施行規則（以下「旧府令」という。）第二十四条の普通免許に係る技能試験に合格している者は、新府令第二十四条の普通免許に係る技能試験に合格した者とみなす。

5　この府令の施行の際現に指定自動車教習所における教習を受けている者で、旧府令第三十三条第一項に規定する技能教習（以下「旧技能教習」という。）の基本走行を修了しているものについては新府令第三十三条第一項に規定する技能教習（以下「新技能教習」という。）の基本操作及び基本走行を、旧技能教習を修了しているものについては新技能教習をそれぞれ修了した者とみなす。

6　この府令の施行の際現に指定自動車教習所における大型自動車又は普通自動車についての教習を受けている者で旧技能教習の基本走行を修了しているもの（次項及び附則第八項に規定する者を除く。）に対する新技能教習の応用走行の教習時間の基準は、新府令第三十三条第一項の規定にかかわらず、大型自動車についての教習を受けている者にあっては二十一時限、普通自動車についての教習を受けている者にあっては十七時限とする。

7　この府令の施行の際現に指定自動車教習所における大型自動車についての教習を受けている者で旧技能教習の基本走行を修了しているもの（現に普通免許、普通第二種免許、大型特殊免許若しくは大型特殊第二種免許（カタピラを有する大型特殊自動車のみに係る大型特殊免許及び大型特殊第二種免許を除く。次項において同じ。）、大型二輪免許又は普通二輪免許を受けている者に限る。）に対する新技能教習の応用走行の教習時間の基準は、新府令第三十三条第三項の規定にかかわらず、同項に規定する時限数から二時限を減じた時限数とする。

8　この府令の施行の際現に指定自動車教習所における普通自動車についての教習を受けている者で旧技能教習の基本走行を修了しているもの（現に大型特殊免許若しくは大型特殊第二種免許、大型二輪免許又は普通二輪免許を受けている者に限る。）に対する新技能教習の応用走行の教習時間の基準は、新府令第三十三条第三項の規定にかかわらず、同項に規定する時限数から

第九十条第一項第二号及び第三号、同条第四項（同条第一項第二号及び第三号に係る部分に限る。）、新法第百三条第二項第三号及び第四号、同条第四項（同条第二項第三号及び第四号に係る部分に限る。）並びに新法第百六条の二第二項（新法第百三条第二項第三号及び第四号に係る部分に限る。）の規定は、適用しない。

3　この法律の施行の際現に交付されている免許証及び施行日以後に更新された免許証であって当該更新に係る道路交通法第百一条第一項に規定する更新期間の初日が施行日前であるものの有効期間については、なお従前の例による。

4　施行日前に旧法第百七条の五第一項の規定又は同条第八項において準用する旧法第百三条第四項の規定による自動車等の運転の禁止の基準に該当したことを理由として自動車等の運転の禁止をする場合における当該禁止の期間については、なお従前の例による。

（講習に関する経過措置）

第三条　附則第一条第二号に掲げる改正規定による改正後の道路交通法（次項において「新法」という。）第百一条の四の規定は、更新期間が満了する日（道路交通法第百一条の二第一項の規定による免許証の更新の申請をしようとする者にあっては、当該申請をする日とする。）が附則第一条第二号に定める日から二月を経過した日以後である免許証の更新を受けようとする者について適用する。

2　新法第百二条の二（新法第百七条の四の二において準用する場合を含む。以下この項において同じ。）、

二時限を減じた時限数とする。

9　この府令の施行の際現に指定自動車教習所における教習を受けている者で、旧府令第三十三条第一項に規定する学科教習㈠（次項において「旧学科教習㈠」という。）を修了しているものについては新府令第三十三条第一項に規定する学科教習（以下「新学科教習」という。）の学科㈠を、旧府令第三十三条第一項に規定する学科教習（附則第十一項において「旧学科教習」という。）を修了しているものについては新学科教習をそれぞれ修了した者とみなす。

10　この府令の施行の際現に指定自動車教習所における大型自動車、普通自動車、大型自動二輪車又は普通自動二輪車についての教習を受けている者で旧学科教習㈠を修了している者に対する新学科教習の学科㈡の教習時間の基準は、新府令第三十三条第一項の規定にかかわらず、十四時限とする。

11　この府令の施行の際現に指定自動車教習所における旧技能教習及び旧学科教習を修了している者は、これらの教習を修了した日に新技能教習及び新学科教習を修了したものとみなす。

12　この府令の施行の際現に普通仮免許を受けている者、この府令の施行の際現に普通自動車の修了検定若しくは普通仮免許に係る技能試験に合格している者でこの府令の施行の日以後に当該修了検定若しくは技能試験に係る普通仮免許を受けたもの又は附則第二項の規定によりなお従前の例によることとされた技能試験に合格し、普通仮免許を受けた者が当該普通仮免許により普通自動車を運転して受ける卒業検定の実施の方法及び合格の基準は、新府令第三十四条第二項第二号の規定にかかわらず、旧府令第二十四条の普通免許に係る技能試験の例に準ずるものとする。

新法第百八条の二第一項第十三号及び新法第百八条の三の二の規定は、附則第一条第二号に定める日以後にした行為が新法第百二条の二の政令で定める基準に該当した者について適用する。

（都道府県交通安全活動推進センターに関する経過措置）

第四条 この法律の施行の際現に旧法第百十四条の八第一項の規定による指定を受けている都道府県道路使用適正化センターは、施行日に新法第百八条の三十一第一項の規定により都道府県交通安全活動推進センターとしての指定を受けたものとみなす。

2 施行日前に旧法第百十四条の八第三項の規定によりされた命令は、施行日に新法第百八条の三十一第三項の規定によりされた命令とみなす。

3 都道府県道路使用適正化センターの役員又は職員であった者が旧法第百十四条の八第二項第四号又は第五号の規定による調査の業務に関して知り得た秘密を漏らしてはならない義務については、この法律の施行後も、なお従前の例による。

（全国交通安全活動推進センターに関する経過措置）

第五条 この法律の施行の際現に旧法第百十四条の九第一項の規定による指定を受けている全国道路使用適正化センターは、施行日に新法第百八条の三十二第一項の規定により全国交通安全活動推進センターとしての指定を受けたものとみなす。

2 施行日前に旧法第百十四条の九第三項において準用する旧法第百十四条の八第三項の規定によりされた命令は、施行日に新法第百八条の三十二第三項において準用する新法第百八条の三十一第三項の規定

により された命令とみなす。

（罰則等に関する経過措置）

第六条　この法律（附則第一条第一号に掲げる改正規定については、当該改正規定）の施行前にした行為及び附則第四条第三項の規定によりなお従前の例によることとされる事項に係るこの法律の施行後にした行為に対する罰則の適用については、なお従前の例による。

第七条　附則第一条第一号に掲げる改正規定の施行前にした行為に対する反則行為の取扱いに関しては、なお従前の例による。

附　則〔平一〇・九・二八法一一〇〕

この法律は、平成十一年四月一日から施行する。

附　則〔平一〇・七・二九総府令五〇抄〕

1　この府令は、平成十年八月一日から施行する。

附　則〔平一〇・一二・一〇総府令七六〕

1　この府令は、平成十一年四月一日から施行する。ただし、次の各号に掲げる規定は、当該各号に定める日から施行する。

一　第三十八条の七の改正規定　公布の日

二　別記様式第十四の改正規定並びに次項及び附則第三項の改正規定　平成十一年一月十日

2　運転免許証（仮運転免許に係るものを除く。次項において同じ。）の様式については、改正後の道路交通法施行規則別記様式第十四の様式にかかわらず、当分の間、なお従前の例によることができる。

3　前項の規定により運転免許証の様式についてなお従前の例による場合においては、従前の様式による運転免許証の裏側の「免許証の更新は、有効期間の満了する誕生日の1箇月前から受けることができます。手続に必要なものは、免許証、写真1枚（縦3.0cm,横2.4cm）及び手数料です。」の欄に、国家公安委員会の定める書面をはり付けることができる。

附　則〔平一一・一・一一総府令二〕

（施行期日）

1　この府令は、公布の日から施行する。

（経過措置）

2　この府令による改正前の〔中略〕道路交通法施行規則〔中略〕に規定する様式による書面については、改正後の〔中略〕道路交通法施行規則〔中略〕に規定する様式にかかわらず、当分の

附　則〔平一一・五・一〇法四〇〕

この法律は、公布の日から起算して一年を超えない範囲内において政令で定める日から施行する。ただし、第七十一条、第九十四条、第九十七条の二第一項第二号、第百六条及び第百八条の二第一項の改正規定、第百八条の三の二の次に一条を加える改正規定、第百十条及び第百十二条第一項の改正規定、第百十三条の三の次に一条を加える改正規定並びに第百十七条の三第三号、第百十九条第一項及び別表の改正規定は、公布の日から起算して六月を超えない範囲内において政令で定める日から施行する。

〔平一二政二二八により、平一二・四・一から施行。ただし書の規定は、平一一・一一・一から施行〕

附　則〔平一一・七・一六法八七抄〕

（施行期日）

第一条　この法律は、平成十二年四月一日から施行する。ただし、次の各号に掲げる規定は、当該各号に定める日から施行する。

一　〔前略〕附則〔中略〕第百六十条、第百六十三条、第百六十四条〔中略〕の規定　公布の日

附　則〔平一一・二・三政一九〕

この政令は、平成十一年四月一日から施行する。

附　則〔平一一・七・一六政二二九抄〕

（施行期日）

1　この政令は、道路交通法の一部を改正する法律の施行の日（平成十二年四月一日）から施行する。ただし、第三十三条の六、第三十四条の二第一号及び第四十二条第一項の改正規定、第四十三条の次に一条を加える改正規定、別表第一の一の表の改正規定（「騒音運転等」の下に「、携帯電話使用等」を加える部分に限る。）、別表第一の備考の二の改正規定（26の3を26の4とし、26の2の次に26の3を加える部分に限る。）、別表第三の十二の項の改正規定並びに次項及び附則第三項の規定は、平成十一年十一月一日から施行する。

附　則〔平一一・一〇・一四政三二一〕

この政令は、地方分権の推進を図るための関係法律の整備等に関する法律の施行の日（平成十二年四月一日）から施行する。

間、なおこれを使用することができる。この場合には、氏名を記載し及び押印することに代えて、署名することができる。

附　則〔平一一・三・一五総府令一二〕

1　この府令は、平成十一年四月一日から施行する。

2　運転免許申請書、運転免許証更新申請書、限定解除審査申請書、再試験受験申込書、運転免許証の更新期間前における免許証更新申請書、運転免許取消申請書及び国外運転免許証交付申請書の様式については、改正後の道路交通法施行規則別記様式第十二、別記様式第十三の四、別記様式第十七の三、別記様式第十八、別記様式第十八の二、別記様式第十九の三の八及び別記様式第二十二の八の様式にかかわらず、当分の間、なお従前の例によることができる。

附　則〔平一一・八・一九総府令四一抄〕

（施行期日）

1　この府令は、道路交通法の一部を改正する法律附則ただし書に規定する規定の施行の日（平成十一年十一月一日）から施行する。ただし、第三十八条第九項の改正規定は、平成十二年四月一日から施行する。

附　則〔平一二・一・二六総府令四〕

この府令は、道路交通法の一部を改正する法律（平成十一年法律第四十号）の施行の日（平成十二年四月一日）から施行する。

附　則〔平一二・三・七総府令一八〕

この府令は、平成十二年三月三十一日から施行する。

附　則〔平一二・三・三〇総府令二九〕

この府令は、地方分権の推進を図るための関係法律の整備等に関する法律の施行の日（平成十二年四月一日）から施行する。

二～六　〔略〕

（国等の事務）

第一五九条　この法律による改正前のそれぞれの法律に規定するもののほか、この法律の施行前において、地方公共団体の機関が法律又はこれに基づく政令により管理し又は執行する国、他の地方公共団体その他公共団体の事務（附則第百六十一条において「国等の事務」という。）は、この法律の施行後は、地方公共団体が法律又はこれに基づく政令により当該地方公共団体の事務として処理するものとする。

（処分、申請等に関する経過措置）

第一六〇条　この法律（附則第一条各号に掲げる規定については、当該各規定。以下この条及び附則第百六十三条において同じ。）の施行前に改正前のそれぞれの法律の規定によりされた許可等の処分その他の行為（以下この条において「処分等の行為」という。）又はこの法律の施行の際現に改正前のそれぞれの法律の規定によりされている許可等の申請その他の行為（以下この条において「申請等の行為」という。）で、この法律の施行の日においてこれらの行為に係る行政事務を行うべき者が異なることとなるものは、附則第二条から前条までの規定又は改正後のそれぞれの法律（これに基づく命令を含む。）の経過措置に関する規定に定めるものを除き、この法律の施行の日以後における改正後のそれぞれの法律の適用については、改正後のそれぞれの法律の相当規定によりされた処分等の行為又は申請等の行為とみなす。

2　この法律の施行前に改正前のそれぞれの法律の規定により国又は地方公共団体の機関に対し報告、届出、提出その他の手続をしなければならない事項で、この法律の施行の日前にその手続がされていないものについては、この法律及びこれに基づく政令に別段の定めがあるもののほか、これを、改正後のそれぞれの法律の相当規定により国又は地方公共団体の相当の機関に対して報告、届出、提出その他の手続をしなければならない事項についてその手続がされていないものとみなして、この法律による改正後のそれぞれの法律の規定を適用する。

（不服申立てに関する経過措置）

第一六一条　施行日前にされた国等の事務に係る処分であって、当該処分をした行政庁（以下この条において「処分庁」という。）に施行日前に行政不服審査法に規定する上級行政庁（以下この条において「上級行政庁」という。）があったものについての同法による不服申立てについては、施行日以後においても、当該処分庁に引き続き上級行政庁があるものとみなして、行政不服審査法の規定を適用する。この場合において、当該処分庁の上級行政庁とみなされる行政庁は、施行日前に当該処分庁の上級行政庁であった行政庁とする。

2　前項の場合において、上級行政庁とみなされる行政庁が地方公共団体の機関であるときは、当該機関が行政不服審査法の規定により処理することとされる事務は、新地方自治法第二条第九項第一号に規定する第一号法定受託事務とする。

（手数料に関する経過措置）

第一六二条　施行日前においてこの法律による改正前のそれぞれの法律（これに基づく命令を含む。）の規定により納付すべきであった手数料については、この法律及びこれに基づく政令に別段の定めがあるもののほか、なお従前の例による。

（罰則に関する経過措置）

第一六三条　この法律の施行前にした行為に対する罰則の適用については、なお従前の例による。

（その他の経過措置の政令への委任）

第一六四条　この附則に規定するもののほか、この法律の施行に伴い必要な経過措置（罰則に関する経過措置を含む。）は、政令で定める。

2　〔略〕

附　則〔平一一・一二・二二法一六〇抄〕

（施行期日）

第一条　この法律〔中略〕は、平成十三年一月六日から施行する。〔以下略〕

附　則〔平一二・五・二六法八六抄〕

（施行期日）

第一条　この法律は、平成十四年三月三十一日までの間において政令で定める日から施行する。

〔平一二政五三三により、平一四・二・一から施行〕

附　則〔平一三・六・二〇法五一抄〕

（施行期日）

第一条　この法律は、公布の日から起算して一年を超えない範囲内において政令で定める日から施行する。ただし、第八十五条に一項を加える改正規定、第八

附　則〔平一二・六・七政三〇三抄〕

（施行期日）

第一条　この政令は、内閣法の一部を改正する法律の施行の日（平成十三年一月六日）から施行する。〔以下略〕

附　則〔平一二・六・七政三三四〕

この政令は、公布の日から施行する。

附　則〔平一二・七・二四政三九三〕

（施行期日）

1　この政令は、平成十二年十月一日から施行する。

（経過措置）

2　この政令の施行前にした違反行為に付する点数については、なお従前の例による。

3　この政令の施行前にした行為に対する罰則の適用については、なお従前の例による。

4　この政令の施行前にした行為に対する反則行為の取扱いに関しては、なお従前の例による。

附　則〔平一二・八・一〇総府令八七〕

この府令は、平成十三年四月一日から施行する。

附　則〔平一二・八・一四総府令八九〕

（施行期日）

1　この府令は、内閣法の一部を改正する法律（平成十一年法律第八十八号）の施行の日（平成十三年一月六日）から施行する。

（経過措置）

2　道路交通法施行規則第四十三条に規定する納付書〔中略〕の様式については、改正後の道路交通法施行規則別記様式第二十八〔中略〕の様式にかかわらず、当分の間、なお従前の例によることができる。

十六条に二項を加える改正規定、第八十七条第四項の次に一項を加える改正規定及び第百七条の二の改正規定（「、又は」を「若しくは」に改め、「運転する場合」の下に「、又は代行運転普通自動車を運転する場合」を加える部分に限る。）は、公布の日から起算して三年を超えない範囲内において政令で定める日から施行する。

〔平一四政二三により、平一四・六・一から施行。ただし書の規定は、平一五政三〇一により、平一六・六・一から施行〕

（免許等に関する経過措置）

第二条 この法律の施行の際現に交付されている免許証の有効期間については、改正後の道路交通法（以下「新法」という。）第九十二条の二の規定にかかわらず、なお従前の例による。

2 前項に規定する免許証のうち改正前の道路交通法（以下「旧法」という。）第百一条第一項の規定による更新期間の初日がこの法律の施行の日（以下「施行日」という。）以後となるものの有効期間の末日は、前項の規定にかかわらず、同項の規定によりなお従前の例によることとされる有効期間の末日（その日が当該免許証に係る免許を受けている者の誕生日でないときは、その日の直前のその者の誕生日）から起算して一月を経過する日（その日が道路交通法第九十二条の二第四項に規定する日に当たるときは、その日の翌日）とする。

3 この法律の施行の際現に交付されている免許証で当該免許証に係る旧法第百一条第一項の規定による更新期間の初日が施行日前であるもの（以下「特定免許証」という。）について施行日以後にされた更新に係る免許証（次項において「特定更新免許証」という。）の有効期間については、新法第九十二条の二の規定にかかわらず、なお従前の例による。

4　特定更新免許証の有効期間の末日は、前項の規定にかかわらず、同項の規定によりなお従前の例によることとされる有効期間の末日（その日が当該免許証に係る免許を受けている者の誕生日でないときは、その日の直前のその者の誕生日）から起算して一月を経過する日（その日が道路交通法第九十二条の二第四項に規定する日に当たるときは、その日の翌日）とする。

5　特定免許証の更新を施行日以後に受けようとする場合における新法第百一条第一項に規定する更新期間の初日は、同項の規定にかかわらず、旧法第百一条第一項に規定する更新期間の初日とする。

6　特定免許証の更新を施行日以後に受けようとする者については、新法第百一条の二の二及び第百十二条第一項第五号の二の規定は、適用しない。

7　特定免許証の更新を施行日以後に受けようとする際にその者が受けるべき講習については、新法第百一条の三及び第百八条の二第一項第十一号の規定にかかわらず、なお従前の例による。

8　新法第百一条の四の規定は、更新期間が満了する日（新法第百一条の二第一項の規定による免許証の更新の申請をしようとする者にあっては、当該申請をする日とする。）が施行日から起算して三月を経過した日以後である免許証の更新を受けようとする者について適用する。

第三条　この法律の施行の際現に大型自動車第二種免

許又は普通自動車第二種免許に係る運転免許試験に合格している者については、新法第九十条の二の規定にかかわらず、なお従前の例による。

2　この法律の施行の際現に旧法の規定により大型自動車第二種免許又は普通自動車第二種免許の申請をしている者の当該申請に係る運転免許試験の受験資格（旧法第九十六条第一項に係るものを除く。）及びその者に対して新法第九十七条第一項第二号に掲げる事項について行う当該免許の運転免許試験の方法については、新法第九十六条の二及び第九十七条第二項の規定にかかわらず、なお従前の例による。

第四条　旧法第九十七条の二第一項第二号に規定する特定失効者に該当する者であってその運転免許試験を受けることができなかった事情がこの法律の公布の日前に生じたものに対する新法第九十七条の二第一項第三号の規定の適用については、同号中「当該効力を失つた日から起算して三年を経過しない場合に限り、当該事情」とあるのは、「当該事情」とする。

第五条　施行日前に道路交通法第百二条第三項又は第百七条の四第一項の規定による通知を受けた者については、新法第九十条第一項第七号、第百四条の二の三及び第百六条の二第二項の規定は、適用しない。

第六条　施行日前にした行為に係る免許を受けた者（国際運転免許証又は外国運転免許証を所持する者を含む。）に対する警察署長による免許の効力の停止（自動車等の運転の禁止を含む。）については、新法第百三条の二第一項（新法第百七条の五第九項において準用する場合を含む。）の規定にかかわらず、なお従前の例による。

第七条　この法律の施行の際現に国際運転免許証又は外国運転免許証を所持する者に対する新法第百七条の二の規定の適用については、同条中「出国し」とあるのは、「道路交通法の一部を改正する法律（平成十三年法律第五十一号）の施行の日以後に出国し」とする。

（特定交通情報提供事業の届出に関する経過措置）

第八条　この法律の施行の際現に新法第百九条の三第一項の特定交通情報提供事業に該当する事業を行っている者の当該事業に対する同項の規定の適用については、同項中「、内閣府令」とあるのは、「、道路交通法の一部を改正する法律（平成十三年法律第五十一号）の施行の日から起算して三月を経過する日までに、内閣府令」とする。

（罰則に関する経過措置）

第九条　この法律の施行前にした行為に対する罰則の適用については、なお従前の例による。

（その他の経過措置の政令への委任）

第一〇条　附則第二条から前条までに規定するもののほか、この法律の施行に伴い必要な経過措置（罰則に関する経過措置を含む。）は、政令で定める。

附　則〔平一三・一二・五法一三八抄〕

（施行期日）

第一条　この法律は、公布の日から起算して二十日を経過した日から施行する。

（経過措置）

第二条　この法律の施行前にした行為の処罰については、なお従前の例による。

附　則〔平一三・一二・一四政三九九〕

この政令は、刑法の一部を改正する法律の施行の日（平成十三年十二月二十五日）から施行する。

附　則〔平一四・二・六政二四〕

（施行期日）

第一条　この政令は、道路交通法の一部を改正する法律（以下「改正法」という。）の施行の日（平成十四年六月一日。以下「施行日」という。）から施行する。ただし、第四十三条第一項の表技能検定員審査手数料の項及び同表教習指導員審査手数料の項の改正規定、同条第二項の表の改正規定並びに同条第三項の表の改正規定は、平成十四年五月一日から施行する。

附　則〔平一四・四・一九内府令三四抄〕

（施行期日）

1　この府令は、平成十四年六月一日から施行する。

（経過措置）

2　この府令の施行前に交付された運転免許証（仮運転免許証を除く。）の様式については、改正後の道路交通法施行規則（以下「新府令」という。）別記様式第十四の様式にかかわらず、なお従前の例による。

（経過措置）

第二条　施行日前に改正前の道路交通法（以下「旧法」という。）の規定によりした処分、手続その他の行為であって、改正後の道路交通法（以下「新法」という。）の規定に相当の規定があるものは、改正法附則又はこの政令に別段の定めがあるものを除き、新法の相当の規定によりしたものとみなす。

第三条　新法第九十三条の規定は、施行日以後に交付する運転免許証（以下「免許証」という。）について適用するものとし、施行日前に交付された免許証については、なお従前の例による。

第四条　改正法附則第四条に規定する者のうち、その者の運転免許（以下「免許」という。）が旧法第百五条の規定により効力を失った日から起算して三年を経過したものに対する改正法附則第四条の規定による読替え後の新法第九十七条の二第一項第三号の規定の適用については、同号中「前条第一項第一号」とあるのは、「前条第一項第一号及び第三号」とする。

第五条　旧法第百一条第三項に規定する書面の送付を受けた新法第百一条第三項に規定する優良運転者に対する新法第百一条の二の二第一項の規定の適用については、当該書面の送付は、同項の書面の送付とみなす。

第六条　改正法附則第二条第八項に規定する免許証以外の免許証の有効期間の更新を受けようとする者で、更新期間が満了する日（道路交通法第百一条の二第一項の規定による免許証の更新の申請をしようとする者にあっては、当該申請をする日）における年齢が七十五歳以上のものに対する講習については、なお従前の例による。

第七条　施行日前にした行為については、新法第百二十五条及び別表の規定にかかわらず、なお従前の例による。

第八条　施行日前に自動車の使用者等がした違反行為（改正前の道路交通法施行令（以下「旧令」という。）第二十六条の六各号の表の上欄に掲げる違反行為をいう。）に係る道路交通法第七十五条第二項の政令で定める基準については、改正後の道路交通法施行令（以下「新令」という。）第二十六条の六の規定にかかわらず、なお従前の例による。

第九条　施行日前に違反行為、重大違反唆し等又は道路外致死傷をしたことを理由とする免許の拒否、保留、取消し若しくは効力の停止若しくは免許を受けることができない期間の指定、運転の禁止又は仮運転免許の取消しの基準については、なお従前の例による。

2　前項の規定によりなお従前の例によることとされる場合のほか、施行日前にした違反行為、重大違反唆し等又は道路外致死傷については、新令第三十三条の二第二項、別表第一及び別表

3　道路交通法の一部を改正する法律附則第四条に規定する者に対する道路交通法（以下「法」という。）第九十七条第一項第一号に掲げる事項について行う運転免許試験については、新府令第二十三条第二項の規定にかかわらず、なお従前の例による。

4　この府令の施行の際現に改正前の道路交通法施行規則（以下「旧府令」という。）第二十四条に規定する技能試験に合格している者は、新府令第二十四条に規定する技能試験に合格した者とみなす。

5　この府令の施行の際現に指定自動車教習所において旧府令第三十三条第一項に規定する教習（以下「旧教習」という。）を受けている者に対する教習の科目並びに教習の科目ごとの教習時間及び教習方法の基準は、新府令第三十三条の規定にかかわらず、なお従前の例による。

6　この府令の施行の際現に指定自動車教習所における旧教習を修了している者及び前項の規定による教習を修了した者は、新府令第三十三条第一項に規定する当該教習に係る第一種免許に係る教習を修了した者とみなす。

7　この府令の施行の際現に指定自動車教習所における旧教習を修了している者及び附則第五項の規定による教習を修了した者に対する新府令第三十四条の技能検定の方法については、新府令第二十四条の規定にかかわらず、なお従前の例による。

8　この府令の施行の際現に旧府令第三十四条の技能検定に合格している者は、新府令第三十四条の技能検定に合格した者とみなす。

9　この府令の施行前に旧府令第三十四条の二第一項及び第二項の規定により発行された卒業証明書又は同条第三項の規定により行われた証明は、それぞれ当該卒業証明書に係る教習に係る第一種免許又は当該証明に係る技能検定に係る第一種免許につき新府令第三十四条の二第一項及び第二項の規定により発行された卒業証明書又は同条第三項の規定により行われた証明とみなす。

10　この府令の施行の日から起算して六月を経過する日までに法第九十九条第一項の規定による申請をした者に対する同項の規定による指定の基準については、新府令第三十三条及び第三十四条の三の規定にかかわらず、なお従前の例による。

11　この府令の施行前に旧府令第三十八条第十五項の規定により交付された応急救護処置講習終了証明書は、新府令第三十八条第十六項の規定により交付された応急救護処置講習㈠終了証明書とみなす。

12　この府令の施行前に旧府令第三十八条の二の規定により交付された特定任意講習終了証明書は、新府令第三十八条の二の規

第二の二の規定にかかわらず、なお従前の例による。

第一〇条　旧法第百一条第一項の規定による更新期間の初日が施行日前である免許証の有効期間の更新を受けなかった者であってその免許が道路交通法第百五条の規定により効力を失った日から起算して六月を経過しないものに対する新令第三十三条の七第一項第三号の規定の適用については、同号中「免許証を更新前の免許証とした場合における特定誕生日」とあるのは、「免許証の有効期間が満了した日」とする。

2　改正法附則第二条第三項に規定する特定免許証の交付を受けている者に対する新令第三十三条の七第一項第四号の規定の適用については、同号中「免許証を更新前の免許証とした場合における特定誕生日」とあるのは「免許証の有効期間が満了する日」と、「当該特定誕生日」とあるのは「当該有効期間が満了する日」とする。

第一一条　施行日前に旧令第三十九条の三の基準に該当して仮運転免許を取り消された者に対する運転免許試験の免除については、新令第三十四条の三第一項及び第三十四条の五第五号の規定にかかわらず、なお従前の例による。

第一二条　施行日前に旧令第三十七条の六に規定する道路交通法第百八条の二第二項の規定による講習を終了した者に対する新令第三十七条の六第二号の規定の適用については、同号中「六月」とあるのは、「一年」とする。

第一三条　この政令の施行の際現に道路交通法第百四条の四第一項前段の規定による申請をしている者の当該申請に係る免許の取消しについては、新令第三十九条の二の三の規定にかかわらず、なお従前の例による。

第一四条　この政令の施行の際現に旧令第三十九条の五第一項第三号の規定による指定を受けている法人は、施行日に新令第三十九条の五第一項第三号の規定による指定を受けたものとみなす。

2　施行日前に旧令第三十九条の五第一項第三号の規定による指定を受けた法人が作成した旧法第百七条の二の翻訳文は、新令第三十九条の五第一項第三号の規定による指定を受けた法人が作成した新法第百七条の二の翻訳文とみなす。

第一五条　施行日前に交付された道路交通法第百九条第一項の保管証の有効期間については、新令第四十一条の三第一項の規定にかかわらず、なお従前の例による。

第一六条　改正法附則第二条第七項の規定によりなお従前の例によることとされる講習に係る講習手数料については、新令第四十三条第一項の規定にかかわらず、なお従前の例による。

第一七条　施行日前において新令別表第二の備考の一の1又は3

定により交付された国家公安委員会規則で定める書類とみなす。

13　この府令の施行の際現に旧府令第三十九条の二第四項第三号（旧府令第三十九条の三第三項、第三十九条の四第三項、第三十九条の五第三項、第三十九条の六第三項又は第三十九条の七第三項において準用する場合を含む。次項において同じ。）の規定による指定を受けている法人は、この府令の施行の日に新府令第三十九条の二第四項第三号（新府令第三十九条の三第三項、第三十九条の四第三項、第三十九条の五第三項、第三十九条の六第三項又は第三十九条の七第三項において準用する場合を含む。次項において同じ。）の規定による指定を受けたものとみなす。

14　この府令の施行前に旧府令第三十九条の二第四項第三号の規定による指定を受けた法人が行った旧府令第三十九条の二第四項第三号の試験の結果及びその意見を記載した書類は、新府令第三十九条の二第四項第三号の規定による指定を受けた法人が行った新府令第三十九条の二第四項第三号の試験の結果及びその意見を記載した書類とみなす。

附　則〔平一四・六・一九法七七抄〕

（施行期日）

第一条　この法律は、公布の日から起算して一年を超えない範囲内において政令で定める日から施行する。

〔平一四政三二〇により、平一五・四・一から施行〕

（罰則に関する経過措置）

第九条　この法律の施行前にした行為及び附則第二条の規定によりなお従前の例によることとされる場合におけるこの法律の施行後にした行為に対する罰則の適用については、なお従前の例による。

（政令への委任）

第一〇条　附則第二条から前条までに定めるもののほか、この法律の施行に関し必要となる経過措置（罰則に関する経過措置を含む。）は、政令で定める。

附　則〔平一四・七・三一法九八抄〕

（施行期日）

第一条　この法律は、公社法（日本郵政公社法）の施行の日〔平一五・四・一〕から施行する。ただし、次の各号に掲げる規定は、当該各号に定める日から施行する。

一　〔前略〕附則〔中略〕第三十九条の規定　公布の日

二　〔略〕

（罰則に関する経過措置）

に該当したことは、同表の備考の規定にかかわらず、同表に規定する前歴としないものとする。

2　施行日前において新令別表第二の備考の一の2又は4に該当したことは、その後一年間に、違反行為をしたことがなく、かつ、免許の効力の停止又は六月を超えない範囲内の期間の自動車等の運転の禁止の処分のいずれをも受けたことがない場合には、同表の備考の規定にかかわらず、同表に規定する前歴としないものとする。

第三八条　施行日前にした行為並びにこの法律の規定によりなお従前の例によることとされる場合及びこの附則の規定によりなおその効力を有することとされる場合における施行日以後にした行為に対する罰則の適用については、なお従前の例による。

（その他の経過措置の政令への委任）

第三九条　この法律に規定するもののほか、公社法及びこの法律の施行に関し必要な経過措置（罰則に関する経過措置を含む。）は、政令で定める。

附　則〔平一四・一二・一八政三八五抄〕

（施行期日）

第一条　この政令は、平成十五年四月一日から施行する。

附　則〔平一四・一二・一八政三八六抄〕

（施行期日）

第一条　この政令は、平成十五年四月一日から施行する。

附　則〔平一五・四・二三政二一三抄〕

1　この政令は、薬事法及び採血及び供血あつせん業取締法の一部を改正する法律附則第一条第一号に掲げる規定の施行の日（平成十五年七月三十日）から施行する。

附　則〔平一六・二・一六政二二〕

この政令は、平成十六年三月一日から施行する。

附　則〔平一六・三・一九政五〇抄〕

（施行期日）

第一条　この政令（中略）は、平成十六年四月一日から施行する。

附　則〔平一四・一二・一一内府令八三〕

（施行期日）

1　この府令は、平成十五年一月一日から施行する。

（経過措置）

2　出頭命令書、免許証保管証、交通反則告知書及び交通反則通告書の様式については、改正後の道路交通法施行規則別記様式第十九の三の五、別記様式第十九の三の六、別記様式第二十三、別記様式第二十五及び別記様式第二十六の様式にかかわらず、当分の間、なお従前の例によることができる。

附　則〔平一五・三・五内府令九〕

（施行期日）

1　この府令は、平成十五年四月一日から施行する。

（経過措置）

2　納付書の様式については、改正後の道路交通法施行規則別記様式第二十八の様式にかかわらず、当分の間、なお従前の例によることができる。

附　則〔平一六・六・二法七三抄〕

（施行期日）

第一条　この法律〔中略〕は、当該各号に定める日〔公布の日から起算して一年を超えない範囲内において政令で定める日〕から施行する。

〔平一七政一六一により、平一七・五・一六から施行〕

附　則〔平一六・六・九法九〇抄〕

（施行期日）

第一条　この法律の規定は、次の各号に掲げる区分に従い、当該各号に定める日から施行する。

一　第一条中附則第十六条第二項の改正規定、附則第十九条及び第二十条を削る改正規定、附則第二十一条を附則第十九条とする改正規定、附則第二

（道路交通法施行令の一部改正に伴う経過措置）

第二五条　前条の規定の施行前に同条の規定による改正前の道路交通法施行令第十三条第一項の規定により公団が都道府県公安委員会に対して届け出た同項第一号の二に掲げる自動車は、前条の規定による改正後の道路交通法施行令第十三条第一項の規定により会社が都道府県公安委員会に対して届け出た自動車とみなす。

附　則〔平一六・八・二七政二五七抄〕

（施行期日）

第一条　この政令は、道路交通法の一部を改正する法律（平成十六年法律第九十号）附則第一条第二号に掲げる規定の施行の日（平成十六年十一月一日）から施行する。

（経過措置）

第二条　この政令の施行前にした違反行為に付する点数については、なお従前の例による。

第三条　この政令の施行前にした行為に対する反則行為の取扱いに関しては、なお従前の例による。

附　則〔平一六・五・二八内府令五二〕

（施行期日）

1　この府令は、平成十六年七月一日から施行する。ただし、第二十四条第六項及び別表第四の一の表の改正規定は、平成十七年六月一日から施行する。

（経過措置）

2　運転免許試験成績証明書の様式については、改正後の道路交通法施行規則別記様式第十七の二の様式にかかわらず、当分の間、なお従前の例によることができる。

3　この府令の施行前にした違反行為に付する点数については、なお従前の例による。

4　この府令の施行前にした行為に対する罰則の適用については、なお従前の例による。

5　この府令の施行前にした行為に対する反則行為の取扱いに関しては、なお従前の例による。

附　則〔平一六・八・二七内府令七四抄〕

（施行期日）

1　この府令は、道路交通法の一部を改正する法律（平成十六年法律第九十号）附則第一条第二号に掲げる規定の施行の日（平成十六年十一月一日）から施行する。

十二条の改正規定、同条を附則第二十条とする改正規定、附則第二十三条第三号を削る改正規定並びに同条を附則第二十一条とする改正規定並びに附則第三条及び第二十五条の規定　公布の日

二　第一条の規定（前号に掲げる改正規定を除く。）並びに附則第四条及び第十九条の規定　公布の日から起算して六月を超えない範囲内において政令で定める日

〔平一六政三五六により、平一六・一二・一から施行〕

三　第二条並びに次条、附則第二十三条及び第二十四条の規定　公布の日から起算して一年を超えない範囲内において政令で定める日

〔平一六政三八〇により、平一七・四・一から施行〕

四　第三条並びに附則第五条、第十六条及び第二十条から第二十二条までの規定　公布の日から起算して二年を超えない範囲内において政令で定める日

〔平一七政三七三により、平一八・六・一から施行〕

五　第四条並びに附則第六条から第十五条まで、第十七条及び第十八条の規定　公布の日から起算して三年を超えない範囲内において政令で定める日

〔平一八政三五一により、平一九・六・二から施行〕

（準備行為）

第二条　第三条の規定による改正後の道路交通法第五十一条の八第一項の登録、同法第五十一条の十三第一項の駐車監視員資格者証の交付その他確認事務の委託に関し必要な手続その他の行為は、第三条の規定の施行前においても行うことができる。

（交通安全対策特別交付金に関する経過措置）

〔平一六・一二・三政三八一の附則（八一五頁）参照〕
〔平一六・一二・一〇政三九〇の附則（八一五頁）参照〕
〔平一七・五・二七政一八三の附則（八一五頁）参照〕
〔平一八・一一・一〇政三五二の附則（八二三頁）参照〕

〔平一六・一二・三内府令九三の附則（八一五頁）参照〕
〔平一六・一二・一〇内府令九七の附則（八一五頁）参照〕
〔平一八・二・二〇内府令四の附則（八一五頁）参照〕

第三条 平成十五年度以前に交付された交通安全対策特別交付金については、なお従前の例による。

（保管車両等に関する経過措置）

第四条 附則第一条第二号に掲げる規定の施行の際現に第一条の規定による改正前の道路交通法第五十一条第九項（同条第二十一項及び同法第七十五条の八第二項において準用する場合を含む。）、同法第五十一条の三第一項又は同法第七十二条の二第二項後段の規定により保管されている車両、積載物又は損壊物等（次項において「保管車両等」という。）に関する第一条の規定による改正後の道路交通法第五十一条第十項（同条第二十四項並びに同法第五十一条の三第十項、第七十二条の二第三項及び第七十五条の八第二項において準用する場合を含む。）の規定の適用については、附則第一条第二号に掲げる規定の施行の日に同法第五十一条第九項（同条第二十四項及び同法第七十五条の八第二項において準用する場合を含む。）、同法第五十一条の三第一項又は同法第七十二条の二第二項後段の規定により保管されたものとみなす。

2 前項の規定にかかわらず、附則第一条第二号に掲げる規定の施行前に第一条の規定による改正前の道路交通法第五十一条第十項後段（同条第二十一項並びに同法第五十一条の三第十項、第七十二条の二第三項及び第七十五条の八第二項において準用する場合を含む。）の規定による公示がされている場合における保管車両等については、なお従前の例による。

（放置車両に関する経過措置）

第五条 第三条の規定の施行前に同条の規定による改正前の道路交通法第五十一条第三項の規定により車

両に取り付けられた標章については、なお従前の例による。

2　第三条の規定の施行前に、同条の規定による改正前の道路交通法第五十一条の四（同法第七十五条の八第三項において準用する場合を含む。）の規定によりされた指示に係る車両につき同法第七十五条第一項第七号に掲げる行為が行われた場合については、第三条の規定による改正後の道路交通法第七十五条の二第一項の規定にかかわらず、なお従前の例による。

（免許等に関する経過措置）

第六条　第四条の規定による改正前の道路交通法（以下「旧法」という。）第八十四条第三項の大型自動車免許（以下「旧法大型免許」という。）、同項の普通自動車免許（以下「旧法普通免許」という。）、同条第四項の大型自動車第二種免許（以下「旧法大型第二種免許」という。）、同項の普通自動車第二種免許（以下「旧法普通第二種免許」という。）、同条第五項の大型自動車仮免許（以下「旧法大型仮免許」という。）及び同項の普通自動車仮免許（以下「旧法普通仮免許」という。）は、次の各号に掲げる区分に応じ、それぞれ当該各号に定める第四条の規定による改正後の道路交通法（以下「新法」という。）第八十四条第三項の大型自動車免許（以下「大型免許」という。）、同項の中型自動車免許（以下「中型免許」という。）、同項の普通自動車免許（以下「普通免許」という。）、同条第四項の大型自動車第二種免許（以下「大型第二種免許」という。）、同項の中型自動車第二種免許（以下「中型第二種免許」という。）、同項の普通自動車第二種免許（以下「普通第二種免許」という。）、同条第五項の大型自動車仮免許（以下「大型仮免許」という。）及び同項の普通自動車仮免許（以下「普通仮免許」という。）とみなす。

一　旧法大型免許　大型免許

二　旧法普通免許で、次号及び第九号から第十一号までに掲げるもの以外のもの　新法第九十一条の規定により、運転することができる新法第三条の中型自動車（以下「中型自動車」という。）が旧法第三条の普通自動車（以下「旧法普通自動車」という。）に相当するものに限定されている中型免許

三　旧法普通免許で、旧法第九十一条の規定により、運転することができる旧法普通自動車が新法第三条の普通自動車（以下「普通自動車」という。）に相当するものに限定されているもの　新法第九十一条の規定により、運転することができる普通自動車について当該限定に相当する限定がされている普通免許

四　旧法大型第二種免許　大型第二種免許

五　旧法普通第二種免許で、次号及び第十二号に掲げるもの以外のもの　新法第九十一条の規定により、運転することができる中型自動車が旧法普通自動車に相当するものに限定されている中型第二種免許

六　旧法普通第二種免許で、旧法第九十一条の規定により、運転することができる旧法普通自動車が普通自動車に相当するものに限定されているもの　新法第九十一条の規定により、運転することができる普通自動車について当該限定に相当する限定がされている普通第二種免許

七　旧法大型仮免許　大型仮免許

八　旧法普通仮免許　普通仮免許

九　旧法附則第三条第二項の規定により同項に規定する者（同条第三項に規定する審査に合格しなかった者に限る。）が受けたものとみなされる旧法普通免許又は旧法附則第五条第一項前段の規定により同項前段に規定する者（同条第二項に規定する審査に合格しなかった者に限る。）が受けた旧法普通免許　新法第九十一条の規定により、運転することができる普通自動車が旧法附則第二条の規定による廃止前の道路交通取締法施行令（昭和二十八年政令第二百六十一号）の規定による小型自動四輪車に相当するものに限定されている普通免許

十　道路交通法の一部を改正する法律（昭和四十年法律第九十六号。以下この条及び附則第十五条において「昭和四十年改正法」という。）附則第二条第三項の規定により、運転することができる普通自動車が昭和四十年改正法による改正前の道路交通法の規定による自動三輪車に限られている旧法普通免許　新法第九十一条の規定により、運転することができる普通自動車が昭和四十年改正法による改正前の道路交通法の規定による自動三輪車及び軽自動車に限定されている普通免許

十一　昭和四十年改正法附則第五条第三項の規定により、運転することができる普通自動車が昭和四十年改正法による改正前の道路交通法の規定による軽自動車に限られている旧法普通免許　新法第九十一条の規定により、運転することができる普通自動車が昭和四十年改正法による改正前の道路

交通法の規定による軽自動車に限定されている普通免許

十二　昭和四十年改正法附則第二条第三項の規定により、運転することができる普通自動車が昭和四十年改正法による改正前の道路交通法の規定による自動三輪車に限られている旧法普通第二種免許　新法第九十一条の規定により、運転することができる普通自動車が昭和四十年改正法による改正前の道路交通法の規定による自動三輪車及び軽自動車に限定されている普通第二種免許

第七条　第四条の規定の施行の際現にされている次の各号に掲げる運転免許の申請は、当該各号に定める運転免許の申請とみなす。

一　旧法大型免許　大型免許

二　旧法普通免許　普通免許

三　旧法大型第二種免許　大型第二種免許

四　旧法普通第二種免許　普通第二種免許

五　旧法大型仮免許　大型仮免許

六　旧法普通仮免許　普通仮免許

第八条　前二条に規定するもののほか、旧法の規定により旧法大型免許、旧法普通免許、旧法大型第二種免許、旧法普通第二種免許、旧法大型仮免許又は旧法普通仮免許についてした処分、手続その他の行為は、新法の相当する規定によりした処分、手続その他の行為とみなす。

第九条　第四条の規定の施行の際現に附則第六条の規定により中型免許とみなされる旧法普通免許を受けている者及び次条の規定により中型免許に係る運転免許試験に合格した者とみなされて中型免許を受けた者は、新法第七十一条の五第一項及び第八十五条

第七項の規定の適用については、普通免許を受けた者とみなす。

第一〇条 第四条の規定の施行の際現に旧法大型免許、旧法普通免許、旧法大型第二種免許、旧法普通第二種免許、旧法大型仮免許又は旧法普通仮免許に係る運転免許試験に合格して旧法の規定による運転免許を受けていない者は、附則第六条第一号から第八号までに掲げる区分に応じ、当該各号に定める運転免許に係る運転免許試験に合格した者とみなす。

第一一条 附則第六条の規定により大型免許とみなされる旧法大型免許を受けている者及び前条の規定により大型免許に係る運転免許試験に合格した者とみなされる者に対する新法第八十八条第一項第一号及び第九十六条第二項の規定の適用については、新法第八十八条第一項第一号中「二十一歳」とあるのは「二十歳」と、新法第九十六条第二項中「三年」とあるのは「二年」とする。

2 附則第六条の規定により中型免許とみなされる旧法普通免許を受けている者及び前条の規定により中型免許に係る運転免許試験に合格した者とみなされる者に対する新法第八十八条第一項第一号の規定の適用については、同号中「中型免許にあつては二十歳（政令で定める者にあつては、十九歳）に」とあるのは、「中型免許」とする。

3 前項に規定する者については、新法第九十六条第三項の規定は、適用しない。

4 附則第六条の規定により大型仮免許とみなされる旧法大型仮免許を受けている者及び前条の規定により大型仮免許に係る運転免許試験に合格した者とみなされる者に対する新法第八十八条第二項の規定の

適用については、同項中「二十一歳」とあるのは、「二十歳」とする。

第一二条 附則第十条の規定により大型免許に係る運転免許試験に合格した者とみなされる者については、新法第九十条の二の規定にかかわらず、なお従前の例による。

2 附則第十条の規定により中型免許に係る運転免許試験に合格した者とみなされる者は、新法第九十条の二の規定の適用については、普通免許を受けようとする者とみなす。

3 附則第十条の規定により中型第二種免許に係る運転免許試験に合格した者とみなされる者は、新法第九十条の二の規定の適用については、普通第二種免許を受けようとする者とみなす。

第一三条 附則第七条の規定により大型免許の申請とみなされる旧法大型免許の申請をしている者については、新法第九十六条の二及び第九十七条第二項の規定にかかわらず、なお従前の例による。

第一四条 附則第六条の規定により中型免許とみなされる旧法普通免許を受けている者及び附則第十条の規定により中型免許に係る運転免許試験に合格した者とみなされて中型免許を受けた者に対する新法第百条の二第一項の規定の適用については、同項中「普通免許」とあるのは「中型免許、普通免許」と、「以下「免許自動車等」」とあるのは「中型免許にあつては、道路交通法の一部を改正する法律（平成十六年法律第九十号）第四条の規定による改正前の道路交通法の規定による普通自動車。以下「免許自動車等」」と、同項第二号中「当該免許と同一の種類の免許」とあるのは「同法の規定による普通免許」と、同項第三号中「受けた者」とあるのは「受けた者又は道路交通法の一部を改正する法律附則第六条第二号に規定する限定が解除された者」とする。

（罰則等に関する経過措置）

第二三条　第二条から第四条までの規定の施行前にした行為並びに附則第五条及び第二十一条第三項の規定によりなお従前の例によることとされる場合並びに附則第二十一条第二項の規定によりなおその効力を有することとされる場合におけるこの法律の施行後にした行為に対する罰則の適用については、それぞれなお従前の例による。

第二四条　第二条から第四条までの規定の施行前にした行為に対する反則行為の取扱いに関しては、それぞれなお従前の例による。

（その他の経過措置の政令への委任）

第二五条　附則第三条から第十四条まで、第二十一条、第二十三条及び前条に規定するもののほか、この法律の施行に伴い必要な経過措置（罰則に関する経過措置を含む。）は、政令で定める。

附　則〔平一六・六・一八法一一二抄〕

（施行期日）

第一条　この法律は、公布の日から起算して三月を超えない範囲内において政令で定める日から施行する。

〔平一六政二七四により、平一六・九・一七から施行〕

附　則〔平一六・六・一八法一一三抄〕

（施行期日）

第一条　この法律（中略）は、公布の日から起算して三月を超えない範囲内において政令で定める日から施行する。

〔平一六政二七七により、平一六・九・一七から施行〕

附　則〔平一六・九・一五政二七五抄〕

（施行期日）

第一条　この政令は、法の施行の日（平成十六年九月十七日）から施行する。

附　則〔平一七・六・二九法七七抄〕

（施行期日）

第一条　この法律は、平成十八年四月一日から施行す

附　則〔平一六・一二・三政三八一〕

（施行期日）

第一条　この政令は、道路交通法の一部を改正する法律（平成十六年法律第九十号）附則第一条第三号に掲げる規定の施行の日（平成十七年四月一日）から施行する。

（経過措置）

第二条　この政令の施行前にした違反行為に付する点数については、なお従前の例による。

附　則〔平一六・一二・一〇政三九〇抄〕

（施行期日）

第一条　この政令は、道路交通法の一部を改正する法律（平成十六年法律第九十号。以下「改正法」という。）附則第一条第四号に掲げる規定の施行の日〔平一八・六・一〕から施行する。

（経過措置）

第二条　改正法第三条の規定による改正前の道路交通法（以下「旧道路交通法」という。）第七十五条の二第一項（旧道路交通法第五十一条の四（旧道路交通法第七十五条の八第三項において準用する場合を含む。）の規定による指示に係る部分に限る。）の規定による命令を受けた車両の使用者に対するこの政令による改正後の道路交通法施行令第二十六条の八の規定の適用については、同条中「又は法第七十五条の二第二項」とあるのは、「若しくは法第七十五条の二第二項又は道路交通法の一部を改正する法律（平成十六年法律第九十号）第三条の規定による改正前の道路交通法第七十五条の二第一項（同法第五十一条の四（同法第七十五条の八第三項において準用する場合を含む。）の規定による指示に係る部分に限る。）」とする。

附　則〔平一七・五・二七政一八三抄〕

（施行期日）

第一条　この政令は、道路交通法の一部を改正する法律（以下「改正法」という。）附則第一条第五号に掲げる規定の施行の日〔平

附　則〔平一六・一二・三内府令九三〕

（施行期日）

1　この府令は、平成十七年三月一日から施行する。ただし、第十九条の改正規定、同条の次に一条を加える改正規定及び別記様式第十四の改正規定並びに次項の規定は、平成十七年四月一日から施行する。

（経過措置）

2　道路交通法第九十三条の二の規定による記録については、改正後の道路交通法施行規則（以下「新府令」という。）第十九条の二の規定にかかわらず、当分の間、運転免許を受けた者の住所を除いて行うことができる。

3　この府令の施行前に改正前の道路交通法施行規則（次項において「旧府令」という。）第三十八条第五項に規定する大型二輪車講習を終了した者は、新府令第三十八条第五項に規定する大型二輪車講習を終了したものとみなす。

4　この府令の施行前に旧府令第三十八条第六項に規定する普通二輪車講習を終了した者は、新府令第三十八条第六項に規定する普通二輪車講習を終了したものとみなす。

附　則〔平一六・一二・一〇内府令九七抄〕

（施行期日）

1　この府令は、道路交通法の一部を改正する法律（平成十六年法律第九十号）附則第一条第四号に掲げる規定の施行の日〔平一八・六・一〕から施行する。

（経過措置）

2　標章除去申請書の様式については、改正後の道路交通法施行規則別記様式第五の四の様式にかかわらず、当分の間、なお従前の例によることができる。

附　則〔平一七・三・四内府令一六〕

この府令は、不動産登記法の施行の日（平成十七年三月七日）から施行する。

附　則〔平一八・一一・二〇内府令四〕

改正　平二八・七・一五内府令四九

（施行期日）

1　この府令は、道路交通法の一部を改正する法律（平成十六年

る。ただし、次の各号に掲げる規定は、それぞれ当該各号に定める日から施行する。

一　〔前略〕附則〔中略〕第三十九条〔中略〕の規定　公布の日

二・三　〔略〕

（罰則に関する経過措置）

第五五条　この法律の施行前にした行為及び附則第九条の規定によりなお従前の例によることとされる場合におけるこの法律の施行後にした行為に対する罰則の適用については、なお従前の例による。

（その他の経過措置の政令への委任）

第五六条　附則第三条から第二十七条まで、第三十六条及び第三十七条に定めるもののほか、この法律の施行に関し必要な経過措置（罰則に関する経過措置を含む。）は、政令で定める。

一九・六・二）（以下「施行日」という。）から施行する。ただし、附則第三条第一項ただし書、第四条第一項ただし書及び第五条第一項の規定は、平成十八年四月一日から施行する。

（経過措置）

第二条　次の各号のいずれかに該当する者で、二十歳に満たないもの又は改正法第四条の規定による改正後の道路交通法（以下「新法」という。）第八十四条第三項の中型自動車免許（以下「中型免許」という。）、同項の普通自動車免許（以下「普通免許」という。）若しくは同項の大型特殊自動車免許（以下「大型特殊免許」という。）のいずれかを受けていた期間（当該免許の効力が停止されていた期間を除く。）が通算して二年に達しないものは、改正法附則第六条第二号の規定による限定について、新法第百十二条第一項第六号に規定する都道府県公安委員会の審査を受けることができない。

一　改正法附則第六条の規定により中型免許とみなされる改正法第四条の規定による改正前の道路交通法（以下「旧法」という。）第八十四条第三項の普通自動車免許（以下「旧法普通免許」という。）を受けている者

二　改正法附則第十条の規定により中型免許に係る運転免許試験に合格した者とみなされて中型免許を受けた者

第三条　施行日において現に旧法第九十九条第一項の規定により旧法第八十四条第三項の大型自動車免許（以下「旧法大型免許」という。）又は同条第四項の大型自動車第二種免許（以下「旧法大型第二種免許」という。）に係る指定自動車教習所として指定されている自動車教習所は、それぞれ新法第九十九条第一項の規定により新法第八十四条第三項の大型自動車免許（以下「大型免許」という。）及び中型免許又は同条第四項の大型自動車第二種免許（以下「大型第二種免許」という。）及び同項の中型自動車第二種免許（以下「中型第二種免許」という。）に係る指定自動車教習所として指定されたものとみなす。ただし、当該自動車教習所が、施行日の前日までに、国家公安委員会規則で定めるところにより別段の申出をしたときは、この限りでない。

2　施行日において現に旧法第九十九条第一項の規定により旧法普通免許又は旧法第八十四条第四項の普通自動車第二種免許（以下「旧法普通第二種免許」という。）に係る指定自動車教習所として指定されている自動車教習所は、それぞれ新法第九十九条第一項の規定により普通免許又は新法第八十四条第四項の普通自動車第二種免許（以下「普通第二種免許」という。）に係る指定自動車教習所として指定されたものとみなす。

第四条　施行日において現に旧法第九十九条の二第四項又は第九十九条の三第四項の規定により交付されている旧法大型免許又

法律第九十号。以下「改正法」という。）附則第一条第五号に掲げる規定の施行の日〔平一九・六・二〕から施行する。ただし、次の各号に掲げる規定は、当該各号に定める日から施行する。

一　第十二条の二、第二十条第一項及び第二項、第三十五条第一号、第三十八条の七第一項第一号、別記様式第十九の三の五、別記様式第十九の五並びに別記様式第二十の改正規定並びに附則第十九項の規定　公布の日

二　附則第十六項の規定　平成十九年一月一日

（経過措置）

2　この府令の施行の際現に改正前の道路交通法施行規則（以下「旧府令」という。）第十八条の二の二の技能検査において改正法第四条の規定による改正前の道路交通法（以下「旧法」という。）第三条の大型自動車（以下「旧法大型自動車」という。）又は同条の普通自動車（以下「旧法普通自動車」という。）の運転について旧府令第十八条の二の二第四項の規定により読み替えられた旧府令第二十四条第五項に定める基準に達する成績を得ている者については、それぞれ改正後の道路交通法施行規則（以下「新府令」という。）第十八条の二の二の技能検査において改正法第四条の規定による改正後の道路交通法（以下「新法」という。）第三条の中型自動車（以下「中型自動車」という。）又は同条の普通自動車（以下「普通自動車」という。）の運転について新府令第十八条の二の二第四項の規定により読み替えられた新府令第二十四条第五項に定める基準に達する成績を得た者とみなす。

3　この府令の施行前に旧法大型自動車又は旧法普通自動車の運転に係る旧府令第十八条の二の二第五項の規定により交付された検査合格証明書は、それぞれ中型自動車又は普通自動車の運転に係る新府令第十八条の二の二第五項の規定により交付された検査合格証明書とみなす。

4　新法第九十七条第一項第一号に掲げる事項について行う運転免許試験を受けようとする者が次の各号のいずれかに該当する者である場合には、新府令第二十三条の規定の適用については、新法第八十四条第三項の普通自動車免許（以下「普通免許」という。）を受けようとする者とみなす。

一　新法第九十七条の二第一項第三号に規定する特定失効者（以下「特定失効者」という。）又は道路交通法の一部を改正する法律（平成二十七年法律第四十号）による改正後の道路交通法第九十七条の二第一項第五号に規定する特定取消処分者（次号において「特定取消処分者」という。）で、改正法附則第六条の規定により新法第八十四条第三項の中型自動車免許（以下「中型免許」という。）とみなされる旧法第八十四条

は旧法大型第二種免許に係る技能検定員資格者証又は教習指導員資格者証は、それぞれ新法第九十九条の二第四項又は第九十九条の三第四項の規定により交付された大型免許及び中型免許又は大型第二種免許及び中型第二種免許に係る技能検定員資格者証又は教習指導員資格者証とみなす。ただし、当該技能検定員資格者証又は教習指導員資格者証の交付を受けている者が、施行日の前日までに、国家公安委員会規則で定めるところにより別段の申出をしたときは、この限りでない。

2　施行日において現に旧法第九十九条の二第四項又は第九十九条の三第四項の規定により交付されている旧法普通免許又は旧法普通第二種免許に係る技能検定員資格者証又は教習指導員資格者証は、それぞれ新法第九十九条の二第四項又は第九十九条の三第四項の規定により交付された普通免許又は普通第二種免許に係る技能検定員資格者証又は教習指導員資格者証とみなす。

第五条　前条第一項の規定により大型免許及び中型免許又は大型第二種免許及び中型第二種免許に係る技能検定員資格者証又は教習指導員資格者証とみなされる技能検定員資格者証又は教習指導員資格者証の交付を受けている者を技能検定員又は教習指導員として選任している指定自動車教習所を管理する者は、これらの者に大型免許又は大型第二種免許に係る教習又は技能検定を行わせようとするときは、国家公安委員会規則で定めるところにより、都道府県公安委員会が指定する研修を受けさせなければならない。

2　新法第百条の規定は、前項に規定する指定自動車教習所を管理する者が同項の規定に違反して同項の研修を受けさせないで大型免許又は大型第二種免許に係る教習又は技能検定を行わせた場合について準用する。

第六条　次の各号のいずれかに該当する者で、二十一歳に満たないもの又は大型免許、中型免許、普通免許若しくは大型特殊免許のいずれかを受けていた期間（当該免許の効力が停止されていた期間を除く。）が通算して三年に達しないものに対する改正後の道路交通法施行令（以下「新令」という。）第三十二条の二第二項の規定の適用については、同項中「（自衛隊用自動車」とあるのは「（道路交通法施行令の一部を改正する政令（平成十七年政令第百八十三号）による改正前の第三十二条の二第四号の審査に合格した者が運転するもの及び自衛隊用自動車」と、「に該当する」とあるのは「又は同令による改正前の第三十二条の二第二号又は第三号に掲げるもの（自衛隊用自動車で自衛官が運転するものを除く。）に該当する」と、「中型自動車）」とあるのは「中型自動車）のうち、道路交通法の一部を改正する法律（平成十六年法律第九十号）第四条の規定による改正前の法第三第三項の普通自動車免許（以下「旧法普通免許」という。）を受けていたもの

二　特定失効者又は特定取消処分者で、改正法附則第十条の規定により中型免許に係る運転免許試験に合格したとみなされて中型免許を受けていたもの

5　この府令の施行の際現に次の各号に掲げる免許に係る旧府令第二十五条に規定する学科試験（以下「旧学科試験」という。）に合格している者は、それぞれ当該各号に定める免許に係る新府令第二十五条に規定する学科試験（以下「学科試験」という。）に合格している者とみなす。

一　旧法第八十四条第三項の大型自動車免許（以下「旧法大型免許」という。）　新法第八十四条第三項の大型自動車免許（以下「大型免許」という。）

二　旧法普通免許　普通免許

三　旧法第八十四条第四項の大型自動車第二種免許（以下「旧法大型第二種免許」という。）　新法第八十四条第四項の大型自動車第二種免許（以下「大型第二種免許」という。）

四　旧法第八十四条第四項の普通自動車第二種免許（以下「旧法普通第二種免許」という。）　新法第八十四条第四項の普通自動車第二種免許（以下「普通第二種免許」という。）

6　この府令の施行前に旧法大型免許、旧法普通免許、旧法大型第二種免許又は旧法普通第二種免許に係る旧学科試験について旧府令第二十八条第一項の規定により交付された運転免許試験成績証明書は、前項各号に掲げる区分に応じ、それぞれ当該各号に定める免許に係る学科試験について新府令第二十八条の規定により交付された運転免許試験成績証明書とみなす。

7　新府令第二十二条、第二十三条の二、第二十四条（第二項を除くものとし、第一項、第三項、第五項及び第六項の規定にあっては、普通免許に係る部分に限る。）、第二十五条及び第二十六条の規定は、新府令第二十八条の二の規定にかかわらず、改正法附則第六条の規定により中型免許とみなされる旧法普通免許を受けている者及び改正法附則第十条の規定により中型免許に係る運転免許試験に合格したとみなされて中型免許を受けた者に対して都道府県公安委員会が行う再試験（改正法附則第十四条の規定により読み替えて適用される新法第百条の二第一項の再試験をいう。以下この項において同じ。）について準用する。この場合において、第二十四条第一項中「免許試験（以下「技能試験」という。）」とあるのは「再試験（以下「技能再試験」という。）」と、「普通免許」とあるのは「中型免許」と、同条第三項中「技能試験」とあるのは「技能再試験」と、「合格基準」とあるのは「基準」と、同項第三号中「普通免許」とあるのは

条の大型自動車に該当するもの」とする。

一　改正法附則第六条の規定により大型免許とみなされる旧法大型免許を受けている者

二　改正法附則第十条の規定により大型免許に係る運転免許試験に合格した者とみなされて大型免許を受けた者

2　附則第二条各号のいずれかに該当する者で、二十一歳に満たないもの又は大型免許、中型免許、普通免許若しくは大型特殊免許のいずれかを受けていた期間（当該免許の効力が停止されていた期間を除く。）が通算して三年に達しないものに対する新令第三十二条の三の規定の適用については、同条中「（緊急用務」とあるのは「（大型自動車免許、中型自動車免許、普通自動車免許又は大型特殊自動車免許のいずれかを受けていた期間（当該免許の効力が停止されていた期間を除く。）が通算して二年に達しない者が運転するものに限り、道路交通法施行令の一部を改正する政令（平成十七年政令第百八十三号）による改正前の第三十二条の四の審査又は緊急用務」と、「（中型自動車（二十歳に満たない者にあつては、自衛隊用自動車で自衛官が運転するもの以外の中型自動車）」とあるのは「（中型自動車のうち、道路交通法の一部を改正する法律（平成十六年法律第九十号）第四条の規定による改正前の法第三条の普通自動車に該当するもの」とする。

第七条　附則第二条各号のいずれかに該当する者に対する新令第三十四条の五第四号、第三十七条の二及び第三十七条の四第六号の規定の適用については、新令第三十四条の五第四号中「普通自動車免許」とあるのは「中型自動車免許」と、新令第三十七条の二中「以下この条」とあるのは「中型自動車免許にあつては、道路交通法の一部を改正する法律（平成十六年法律第九十号）第四条の規定による改正前の法の規定による普通自動車免許。以下この条」と、新令第三十七条の四第六号中「普通自動車免許」とあるのは「中型自動車免許」とする。

第八条　施行日から起算して六月を経過する日までの間に、新法第九十九条第一項の規定により次の各号に掲げる免許に係る指定自動車教習所としての指定の申請が行われた自動車教習所については、それぞれ当該各号に定める免許を当該申請に係る免許とみなして、新令第三十五条第三項第二号及び第三号の規定を適用する。この場合において、同号中「割合」とあるのは、「割合として内閣府令で定めるところにより算出した数値」とする。

一　大型免許　旧法大型免許

二　中型免許　旧法大型免許

三　普通免許　旧法普通免許

「中型免許」と、同条第四項中「技能試験」とあるのは「技能再試験」と、同条第五項中「技能試験の合格基準」とあるのは「技能再試験において道路交通法の一部を改正する法律（平成十六年法律第九十号）第四条の規定による改正前の道路交通法（以下「旧法」という。）の規定による普通自動車を安全に運転するために必要な能力を現に有すると認める基準」と、同項第二号中「技能試験」とあるのは「技能再試験」と、同条第六項中「技能試験」とあるのは「技能再試験」と、「普通免許」とあるのは「中型免許」と、同条第七項及び第八項中「技能試験」とあるのは「技能再試験」と、第二十五条中「免許試験（以下「学科試験」という。）」とあるのは「再試験（以下「学科再試験」という。）」と、「その合格基準」とあるのは「学科再試験において旧法の規定による普通自動車を安全に運転するために必要な能力を現に有すると認める基準」と、第二十六条中「適性試験及び学科試験」とあるのは「学科再試験」と、「技能試験」とあるのは「技能再試験」と、「適性試験又は学科試験のいずれかに合格しなかった者」とあるのは「学科再試験において旧法の規定による普通自動車を安全に運転するために必要な能力を現に有すると認められなかつた者」と、「他の免許試験」とあるのは「技能再試験」と読み替えるものとする。

7　道路交通法施行規則第二十二条、第二十三条の二、第二十四条（第二項、第五項及び第七項を除くものとし、第一項、第四項、第六項、第九項及び第十項の規定にあつては、普通免許に係る部分に限る。）、第二十五条及び第二十六条の規定は、同規則第二十八条の二の規定にかかわらず、改正法附則第六条の規定により中型免許とみなされる旧法普通免許を受けている者及び改正法附則第十条の規定により中型免許に係る運転免許試験に合格したとみなされて中型免許を受けた者に対して都道府県公安委員会が行う再試験（改正法附則第十四条の規定により読み替えて適用される新法第百条の二第一項の再試験をいう。以下この項において同じ。）について準用する。この場合において、同規則第二十四条第一項中「免許試験（以下「技能試験」という。）」とあるのは「再試験（以下「技能再試験」という。）」と、「普通免許」とあるのは「中型免許」と、同条第三項中「技能試験」とあるのは「技能再試験」と、「合格基準」とあるのは「基準」と、同条第四項中「技能試験」とあるのは「技能再試験」と、同項第一号中「AT普通免許」とあるのは「AT中型免許」と、「普通自動車」とあるのは「中型自動車、準中型自動車及び普通自動車」と、同条第六項中「技能試験」とあ

四　大型第二種免許　旧法大型第二種免許
五　中型第二種免許　旧法大型第二種免許
六　普通第二種免許　旧法普通第二種免許

第九条　施行日前にした違反行為に付する点数については、なお従前の例による。

附　則〔平一七・六・一政二〇三〕

この政令は、施行日（平成十七年十月一日）から施行する。〔以下略〕

附　則〔平一七・六・二九政二三二〕

この政令は、公布の日から施行する。

附　則〔平一八・一・二五政一〇抄〕

（施行期日）

第一条　この政令〔中略〕は、公布の日から施行する。

るのは「技能再試験」と、「合格基準」とあるのは「基準」と、「普通免許」とあるのは「中型免許」と、同条第八項中「技能試験」とあるのは「技能再試験」と、同条第九項中「技能試験の合格基準」とあるのは「技能再試験において道路交通法の一部を改正する法律（平成十六年法律第九十号）第四条の規定による改正前の道路交通法（以下「旧法」という。）の規定による普通自動車を安全に運転するために必要な能力を現に有すると認める基準」と、同項第四号中「普通免許」とあるのは「中型免許」と、「技能試験」とあるのは「技能再試験」と、同条第十項中「技能試験」とあるのは「技能再試験」と、「普通免許」とあるのは「中型免許」と、同条第十一項及び第十二項中「技能試験」とあるのは「技能再試験」と、同規則第二十五条中「免許試験（以下「学科試験」という。）」とあるのは「再試験（以下「学科再試験」という。）」と、「その合格基準」とあるのは「学科再試験において旧法の規定による普通自動車を安全に運転するために必要な能力を現に有すると認める基準」と、同規則第二十六条中「適性試験及び学科試験」とあるのは「学科再試験」と、「技能試験」とあるのは「技能再試験」と、「適性試験又は学科試験のいずれかに合格しなかった者」とあるのは「学科再試験において旧法の規定による普通自動車を安全に運転するために必要な能力を現に有すると認められなかった者」と、「他の免許試験」とあるのは「技能再試験」と読み替えるものとする。

8　前項に規定する者に対する新府令第二十八条の四第三項の規定の適用については、同項中「令第三十七条の四各号」とあるのは「道路交通法施行令の一部を改正する政令（平成十七年政令第百八十三号）附則第七条の規定により読み替えられた同令による改正後の道路交通法施行令第三十七条の四各号」とする。

9　新法第百一条第四項、第百一条の二第二項又は第百二条第二項に規定する適性検査を受けようとする者が、新法第九十一条の規定により運転することができる中型自動車が旧法普通自動車に相当するものに限定されている中型免許（以下「限定中型免許」という。）を受けている者である場合には、新府令第二十九条第七項、第二十九条の二第四項又は第二十九条の三第二項において読み替えて準用する新府令第二十三条第一項の適用については、普通免許を受けている者とみなす。

10　この府令の施行の際現に指定自動車教習所における次の各号に掲げる免許に係る旧府令第三十三条第一項に規定する教習（以下「旧教習」という。）を受けている者は、それぞれ当該各号に定める免許に係る新府令第三十三条第一項に規定する教習を受けている者とみなす。

一　旧法大型免許　中型免許

二　旧法普通免許　普通免許

三　旧法大型第二種免許（次号に掲げる場合を除く。）　大型第二種免許

四　旧法大型第二種免許（全長十メートル未満又は軸距五・一五メートル未満である自動車を使用して旧法大型第二種免許に係る教習を受けている場合に限る。）　新法第八十四条第四項の中型自動車第二種免許（以下「中型第二種免許」という。）

五　旧法普通第二種免許　普通第二種免許

11　この府令の施行の際現に指定自動車教習所における旧法大型免許、旧法普通免許、旧法大型第二種免許若しくは旧法普通第二種免許に係る旧教習又は旧府令第三十三条の基本操作及び基本走行並びに学科㈠を修了している者に対する新府令第三十四条の技能検定の方法については、同条第二項第二号又は第三項第二号の規定によりその例に準ずるものとされる新府令第二十四条の規定にかかわらず、なお従前の例による。

12　この府令の施行の際現に旧法大型免許、旧法普通免許、旧法大型第二種免許又は旧法普通第二種免許に係る旧府令第三十四条の技能検定に合格している者及びこの府令の施行後に前項の規定により行われる従前の例による技能検定に合格した者は、附則第十項各号に掲げる区分に応じ、それぞれ当該各号に定める免許に係る新府令第三十四条の技能検定に合格した者とみなす。

13　この府令の施行前に旧法大型免許、旧法普通免許、旧法大型第二種免許又は旧法普通第二種免許に係る旧府令第三十四条の二第一項及び第二項の規定により発行された卒業証明書若しくは修了証明書又は同条第三項の規定により行われた証明は、附則第十項各号に掲げる区分に応じ、それぞれ当該各号に定める免許に係る新府令第三十四条の二第一項及び第二項の規定により発行された卒業証明書若しくは修了証明書又は同条第三項の規定により行われた証明とみなす。

14　道路交通法施行令の一部を改正する政令（平成十七年政令第百八十三号。以下「改正政令」という。）附則第八条の規定により読み替えられた改正政令による改正後の道路交通法施行令（以下この項において「新令」という。）第三十五条第三項第三号の内閣府令で定めるところにより算出した数値は、次に掲げる式により算出したものとする。

$$\frac{A+B+C}{D+B+E}$$

（この式において、A、B、C、D及びEは、それぞれ）

次の数値を表すものとする。

A　この府令の施行の日前に新法第九十九条第一項の申請に係る免許の種類に応じ、当該申請の日前六月の間に改正政令附則第八条各号に定める免許に係る教習を修了し、かつ、当該免許につき旧法第九十七条第一項第二号に掲げる事項について行う試験を受けた者であって、旧府令第三十四条の四に規定する成績を得たものの人数

B　新法第九十九条第一項の申請に係る自動車教習所が、この府令の施行の日前に当該申請に係る免許の種類に応じて改正政令附則第八条各号に定める免許に係る指定自動車教習所として指定されたものである場合には、当該申請に係る免許の種類に応じ、当該申請の日の六月前からこの府令の施行の日の前日までの間に同条各号に定める免許に係る旧府令第三十四条の卒業検定に合格した者及びこの府令の施行の日以後に附則第十一項の規定により行われる従前の例による技能検定（卒業検定に限る。）に合格した者の人数

C　この府令の施行の日以後に新法第九十九条第一項の申請に係る免許に係る教習を修了し、かつ、当該免許につき新法第九十七条第一項第二号に掲げる事項について行う試験を受けた者であって、新府令第三十四条の四に規定する成績を得たものの人数

D　この府令の施行の日前に新法第九十九条第一項の申請に係る免許の種類に応じ、当該申請の日前六月の間に改正政令附則第八条各号に定める免許に係る教習を修了し、かつ、当該免許につき旧法第九十七条第一項第二号に掲げる事項について行う試験を受けた者の人数

E　この府令の施行の日以後に新法第九十九条第一項の申請に係る免許に係る教習を修了し、かつ、当該免許につき新法第九十七条第一項第二号に掲げる事項について行う試験を受けた者の人数

15　新法第百七条の七第一項の国外運転免許証の申請者が現に受けている免許の種類が、限定中型免許又は新法第九十一条の規定により運転することができる中型自動車が旧法普通自動車に相当するものに限定されている中型第二種免許を受けている者である場合には、新府令第三十七条の八の適用については、当該免許は、それぞれ普通免許又は普通第二種免許とみなす。

16　運転免許証（仮運転免許に係るものを除く。次項において「免

附　則〔平一七・一〇・二一法一〇二抄〕

（施行期日）

第一条　この法律は、郵政民営化法の施行の日〔平一九・一〇・一〕から施行する。〔以下略〕

（罰則に関する経過措置）

第一一七条　この法律の施行前にした行為、この附則の規定によりなお従前の例によることとされる場合におけるこの法律の施行後にした行為、この法律の施行後附則第九条第一項の規定によりなおその効力を有するものとされる旧郵便為替法第三十八条の八（第二号及び第三号に係る部分に限る。）の規定の失効前にした行為、この法律の施行後附則第十三条第一項の規定によりなおその効力を有するものとされる旧郵便振替法第七十条（第二号及び第三号に係る

許証」という。）の様式については、この府令の施行の日前においても、新府令別記様式第十四の様式によることができる。この場合において、同様式の備考の規定については、旧府令別記様式第十四の備考の規定を適用するものとする。

17　この府令の施行前に交付された免許証の様式については、新府令別記様式第十四の様式にかかわらず、なお従前の例による。

18　この府令の施行前に交付又は発行された出頭命令書、免許証保管証、卒業証明書、普通車講習終了証明書、大型二輪車講習終了証明書、普通二輪車講習終了証明書、原付講習終了証明書、大型旅客車講習終了証明書、普通旅客車講習終了証明書、応急救護処置講習㈠終了証明書、応急救護処置講習㈡終了証明書及び免許証保管証の様式については、新府令別記様式第十九の三の五、別記様式第十九の三の六、別記様式第十九の五、別記様式第二十二の十の二の三、別記様式第二十二の十の三、別記様式第二十二の十の三の二、別記様式第二十二の十の四、別記様式第二十二の十の五、別記様式第二十二の十の五の三、別記様式第二十二の十の六、別記様式第二十二の十の六の二及び別記様式第二十三の様式にかかわらず、なお従前の例による。

19　卒業証明書の様式については、新府令別記様式第十九の五の様式にかかわらず、当分の間、なお従前の例によることができる。

部分に限る。）の規定の失効前にした行為、この法律の施行後附則第二十七条第一項の規定によりなおその効力を有するものとされる旧郵便振替預り金寄附委託法第八条（第二号に係る部分に限る。）の規定の失効前にした行為、この法律の施行後附則第三十九条第二項の規定によりなおその効力を有するものとされる旧公社法第七十条（第二号に係る部分に限る。）の規定の失効前にした行為、この法律の施行後附則第四十二条第一項の規定によりなおその効力を有するものとされる旧公社法第七十一条及び第七十二条（第十五号に係る部分に限る。）の規定の失効前にした行為並びに附則第二条第二項の規定の適用がある場合における郵政民営化法第百四条に規定する郵便貯金銀行に係る特定日前にした行為に対する罰則の適用については、なお従前の例による。

附　則〔平一八・五・一九法四〇抄〕

（施行期日）

第一条　この法律は、公布の日から起算して十月を超えない範囲内において政令で定める日から施行する。

〔以下略〕

〔平一八政二七五により、平一八・一〇・一から施行〕

附　則〔平一八・八・一八政二七六〕

この政令は、道路運送法等の一部を改正する法律の施行の日（平成十八年十月一日）から施行する。

附　則〔平一八・一一・一〇政三五二〕

（施行期日）

1　この政令は、道路交通法の一部を改正する法律（次項において「改正法」という。）附則第一条第五号に掲げる規定の施行の日（平成十九年六月二日）から施行する。

（経過措置）

2　改正法附則第十四条に規定する者に対する改正後の道路交通法施行令第四十三条第一項の規定の適用については、同項の表再試験手数料の項中「普通自動車免許」とあるのは「中型自動車免許又は普通自動車免許」と、「規定する普通自動車」とあるのは「規定する道路交通法の一部を改正する法律（平成十六年法律第九十号）第四条の規定による改正前の道路交通法の規定による普通自動車又は普通自動車」と、同項の表講習手数料の項（法第百八条の二第一項第十号に掲げる講習に係る部分に限る。）中「普通自動車免許」とあるのは「中型自動車免許又は普通自動車免許」とする。

附　則〔平一九・一・四政三抄〕

（施行期日）

附　則〔平一九・一・一七内府令一二〕

この府令は、公布の日から施行する。

附　則〔平一八・六・二法五〇〕

改正　平二三・六・二四法七四

この法律は、一般社団・財団法人法の施行の日〔平二〇・一二・一〕から施行する。〔以下略〕

一般社団法人及び一般財団法人に関する法律及び公益社団法人及び公益財団法人の認定等に関する法律の施行に伴う関係法律の整備等に関する法律〔抄〕

（罰則に関する経過措置）

第四五七条　施行日前にした行為及びこの法律の規定によりなお従前の例によることとされる場合における施行日以後にした行為に対する罰則の適用については、なお従前の例による。

（政令への委任）

第四五八条　この法律に定めるもののほか、この法律の規定による法律の廃止又は改正に伴い必要な経過措置は、政令で定める。

附　則〔平一八・一二・二二法一一八抄〕

（施行期日）

第一条　この法律は、公布の日から起算して三月を超えない範囲内において政令で定める日から施行する。〔以下略〕

〔平一九政一により、平一九・一・九から施行〕

附　則〔平一九・五・二三法五四抄〕

改正　平二五・一一・二七法八六

（施行期日）

第一条　この法律は、公布の日から起算して二十日を経過した日から施行する。〔以下略〕

第一条　この政令は、防衛庁設置法等の一部を改正する法律の施行の日（平成十九年一月九日）から施行する。

附　則〔平一九・三・二二政三九〕

この政令は、一般社団法人及び一般財団法人に関する法律の施行の日〔平二〇・一二・一〕から施行する。

附　則〔平一九・三・二二政五五抄〕

（施行期日）

第一条　この政令は、平成十九年四月一日から施行する。

（罰則の適用に関する経過措置）

第三条　この政令の施行前にした行為に対する罰則の適用については、なお従前の例による。

附　則〔平一九・五・三〇政一七〇〕

改正　平二六・四・二五政一六九

（施行期日）

1　この政令は、刑法の一部を改正する法律の施行の日（平成十九年六月十二日）から施行する。

（経過措置）

2　この政令の施行前に道路交通法第八十四条第一項に規定する

（道路交通法の一部改正に伴う経過措置）

第五条　この法律の施行前に道路交通法第八十四条第一項に規定する自動車等の運転に関しこの法律による改正前の刑法第二百十一条第一項（附則第二条の規定によりなお従前の例によることとされる場合における当該規定を含む。）の罪を犯した者に対する自動車の運転により人を死傷させる行為等の処罰に関する法律（平成二十五年法律第八十六号）附則第六条の規定による改正後の道路交通法第九十九条の二第四項第二号ニ及び第百八条の四第三項第三号の規定の適用については、これらの規定中「第六条まで」とあるのは、「第六条までの罪、同法附則第二条の規定による改正前の刑法第二百八条の二若しくは第二百十一条第二項（自動車の運転により人を死傷させる行為等の処罰に関する法律附則第十四条の規定によりなお従前の例によることとされる場合におけるこれらの規定を含む。）の罪、刑法の一部を改正する法律（平成十九年法律第五十四号）による改正前の刑法第二百十一条第一項（刑法の一部を改正する法律附則第二条の規定によりなお従前の例によることとされる場合における当該規定を含む。）」とする。

附　則〔平一九・六・二〇法九〇抄〕

（施行期日）

第一条　この法律は、公布の日から起算して三月を超えない範囲内において政令で定める日から施行する。ただし、次の各号に掲げる規定は、当該各号に定める日から施行する。

〔平一九政二六五により、平一九・九・一九から施行〕

自動車等の運転に関し刑法の一部を改正する法律による改正前の刑法（明治四十年法律第四十五号）第二百十一条第一項（刑法の一部を改正する法律附則第二条の規定によりなお従前の例によることとされる場合における当該規定を含む。）の罪を犯した者に対する警察法施行令及び道路交通法施行令の一部を改正する政令（平成二十六年政令第百六十九号）第二条の規定による改正後の道路交通法施行令第三十五条第一項第二号ハの規定の適用については、同号ハ中「第六条まで」とあるのは、「第六条までの罪、同法附則第二条の規定による改正前の刑法（明治四十年法律第四十五号）第二百八条の二若しくは第二百十一条第二項（自動車の運転により人を死傷させる行為等の処罰に関する法律附則第十四条の規定によりなお従前の例によることとされる場合におけるこれらの規定を含む。）の罪、刑法の一部を改正する法律（平成十九年法律第五十四号）による改正前の刑法第二百十一条第一項（刑法の一部を改正する法律附則第二条の規定によりなお従前の例によることとされる場合における当該規定を含む。）」とする。

附　則〔平一九・八・二〇政二六六〕

（施行期日）

1　この政令は、道路交通法の一部を改正する法律の施行の日（平成十九年九月十九日。以下「施行日」という。）から施行する。

（経過措置）

2　施行日前にした違反行為に付する点数については、なお従前の例による。

3　施行日前にした行為に対する罰則の適用については、なお従前の例による。

附　則〔平一九・八・二〇内府令六六〕

（施行期日）

第一条　この府令は、道路交通法の一部を改正する法律（以下「改正法」という。）の施行の日（平成十九年九月十九日）から施行する。

（経過措置）

第二条　この府令の施行の際現に改正法による改正前の道路交通法第七十四条の三第一項の規定により選任されている安全運転管理者又は同条第四項の規定により選任されている副安全運転管理者がこの府令の施行前にした違反行為に係る改正法による改正後の道路交通法第七十四条の三第一項、第四項及び第六項の規定の適用については、この府令による改正後の道路交通法施行規則第九条の九の規定にかかわらず、なお従前の例による。

一　目次の改正規定、第十条の改正規定、第十五条の改正規定、第五十一条の改正規定（同条第一項中「第四十九条第二項」を「第四十九条第一項」に改める部分を除く。）、第五十一条の二の次に一条を加える改正規定、第五十一条の三の改正規定、第五十一条の十二第七項の改正規定、第六十三条の四の改正規定、第六十三条の九の次に一条を加える改正規定、第七十一条第五号の四の改正規定、第七十一条の三の改正規定、第七十一条の五の改正規定、同条の次に一条を加える改正規定、第七十二条の二第三項の改正規定、第七十四条の三第一項の改正規定、第七十五条の八第二項の改正規定、第百八条の四第三項第一号の改正規定、第百八条の二十六の改正規定、第百八条の二十九第二項の改正規定、第百八条の三十二第二項第六号の改正規定、第百十条の二第三項の改正規定、第百十三条の三の改正規定、第百十七条の四第一号の改正規定（同号中「第五十一条の十二」を「第五十一条の三（車両移動保管関係事務の委託）第二項、第五十一条の十二」に改める部分に限る。）、第百十七条の五第三号の改正規定（「第五十一条の三（指定車両移動保管機関）第四項、」を削る部分に限る。）及び第百二十一条第一項第九号の三の改正規定並びに次条、附則第三条及び第十一条の規定　公布の日から起算して一年を超えない範囲内において政令で定める日

〔平二〇政一四八により、平二〇・六・一から施行〕

二　第六十四条の改正規定、第七十五条第一項第一号の改正規定、第八十八条第一項の改正規定、第

附　則〔平二〇・四・二五政一四九〕

この政令は、道路交通法の一部を改正する法律附則第一条第一号に掲げる規定の施行の日（平成二十年六月一日）から施行する。ただし、第十三条第一項の改正規定は、公布の日から施行する。

附　則〔平二一・一・三〇政一二〕

（施行期日）

第一条　この政令は、道路交通法の一部を改正する法律附則第一

附　則〔平二〇・五・二〇内府令三三〕

この府令は、道路交通法の一部を改正する法律附則第一条第一号に掲げる規定の施行の日（平成二十年六月一日）から施行する。ただし、第三十八条の三及び第三十八条の七第二項の改正規定は、一般社団法人及び一般財団法人に関する法律（平成十八年法律第四十八号）の施行の日（平成二十年十二月一日）から施行する。

附　則〔平二〇・一〇・九内府令六〇〕

この府令は、平成二十年十二月一日から施行する。

附　則〔平二一・五・一一内府令二八抄〕

（施行期日）

1　この府令は、道路交通法の一部を改正する法律（平成十九年

九十条の改正規定、第九十六条第六項の改正規定、第九十六条の三の改正規定、第九十七条の二第一項の改正規定、第百一条の三第一項の改正規定、第百一条の四の改正規定、第百二条の改正規定、第百三条の改正規定、第百三条の二の改正規定（同条第一項に係る部分を除く。）、第百四条の改正規定、第百四条の二の改正規定、第百四条の二の三の改正規定、第百四条の三第一項の改正規定、第百六条の改正規定、第百六条の二の改正規定、第百七条第三項の改正規定、第百七条の五の改正規定、第百七条の六の改正規定、第百七条の七第一項の改正規定、第百八条の付記の改正規定、第百八条の二の改正規定、第百十二条第一項の改正規定、第百十三条の二の改正規定、第百十七条の四第一号の改正規定（同号中「第五十一条の十二」を「第五十一条の三（車両移動保管関係事務の委託）第二項、第五十一条の十二」に改める部分を除く。）、第百十七条の五第三号の改正規定（「第百八条（免許関係事務の委託）第二項、」を削る部分に限る。）及び第百二十一条第一項第九号の改正規定並びに附則第四条から第六条まで及び第十条の規定　公布の日から起算して二年を超えない範囲内において政令で定める日

〔平二二政一一により、平二二・六・一から施行〕

（保管車両等に関する経過措置）

第二条　前条第一号に掲げる規定の施行の際現にこの法律による改正前の道路交通法（以下「旧法」という。）第五十一条第六項（同条第二十一項及び旧法第七十五条の八第二項において準用する場合を含む。）

条第二号に掲げる規定の施行の日（平成二十一年六月一日。以下「施行日」という。）から施行する。ただし、第十三条第一項の改正規定は、平成二十一年四月一日から施行する。

（経過措置）

第二条　道路交通法の一部を改正する法律による改正後の道路交通法第百二条第一項及び第二項に規定する基準行為には、施行日前にした行為は、含まれないものとする。

第三条　施行日前にした行為を理由とする運転免許の拒否、保留、取消し若しくは効力の停止若しくは運転免許を受けることができない期間の指定、運転の禁止又は仮運転免許の取消しの基準については、なお従前の例による。

2　前項の規定によりなお従前の例によることとされる場合のほか、施行日前にした行為に付する点数については、なお従前の例による。

第四条　施行日前に改正前の道路交通法施行令第三十七条の六の二第一号に規定する講習又は同条第二号に規定する運転免許取得者教育の課程を終了した者に対する改正後の道路交通法施行令第三十七条の六の二の規定の適用については、同条各号中「法第百一条第一項の更新期間が満了する日」とあるのは、「免許証の更新を申請する日」とする。

法律第九十号）附則第一条第二号に掲げる規定の施行の日（平成二十一年六月一日）から施行する。ただし、第二十条及び第二十四条第六項の改正規定は、公布の日から施行する。

（経過措置）

2　この府令の施行前に交付された出頭命令書及び高齢者講習終了証明書の様式については、改正後の道路交通法施行規則別記様式第二十二の六の二及び別記様式第二十二の十の七の様式にかかわらず、なお従前の例による。

又は旧法第七十二条の二第二項後段の規定により保管されている車両、積載物又は損壊物等（旧法第五十一条第十一項（同条第二十一項並びに旧法第七十二条の二第三項及び第七十五条の八第二項において準用する場合を含む。）の規定によりこれらを売却した場合におけるその代金を含む。）については、この法律による改正後の道路交通法（以下「新法」という。）第五十一条第十項及び第二十項（同条第二十二項並びに新法第七十二条の二第三項及び第七十五条の八第二項において準用する場合を含む。）の規定にかかわらず、なお従前の例による。

（車両移動保管事務に係る経過措置）

第三条　附則第一条第一号に掲げる規定の施行の際現に旧法第五十一条の三第一項に規定する指定車両移動保管機関（以下この条において単に「指定車両移動保管機関」という。）が同項の規定により保管している車両又は積載物（旧法第五十一条第十一項において準用する旧法第五十一条の三第十項において準用する場合を含む。）の規定によりこれらを売却した場合におけるその代金を含む。）に係る旧法第五十一条の三第一項に規定する車両移動保管事務（以下この条において単に「車両移動保管事務」という。）については、なお従前の例による。

2　前項に定めるもののほか、附則第一条第一号に掲げる規定の施行前に指定車両移動保管機関が行った車両移動保管事務に係る旧法第五十一条の三第八項に規定する負担金等の納付、督促、徴収及び滞納処分並びに当該負担金等の請求権の消滅時効については、なお従前の例による。

3　第一項に定めるもののほか、附則第一条第一号に掲げる規定の施行前に指定車両移動保管機関が行った車両移動保管事務に係る処分に関する行政不服審査法（昭和三十七年法律第百六十号）による審査請求については、なお従前の例による。

4　指定車両移動保管機関の役員又は職員であった者に係る車両移動保管事務（第一項及び第二項の規定によりなお従前の例によることとされる場合におけるものを含む。）に関して知り得た秘密を漏らしてはならない義務については、附則第一条第一号に掲げる規定の施行の日以後も、なお従前の例による。

（免許等に関する経過措置）

第四条　附則第一条第二号に掲げる規定の施行の日（以下「第二号施行日」という。）前に旧法第九十条第一項ただし書の規定による運転免許（以下「免許」という。）の拒否若しくは保留の基準、同条第四項の規定による免許の取消し若しくは効力の停止の基準又は旧法第百三条第一項若しくは第三項の規定による免許の取消し若しくは効力の停止の基準に該当したことを理由とする免許の拒否、保留、取消し又は効力の停止については、なお従前の例による。

2　前項の規定によりなお従前の例によることとされる免許の拒否又は取消しを受けた者に対するその者が免許を受けることができない期間の指定については、なお従前の例による。

3　第二号施行日前に旧法第百七条の五第一項の規定又は同条第八項において準用する旧法第百三条第三項の規定による自動車等の運転の禁止の基準に該当したことを理由として自動車等の運転の禁止をする

場合における当該禁止の期間については、なお従前の例による。

第五条　新法第九十七条の二第一項第三号イの規定は、第二号施行日から起算して六月を経過した日の翌日以後に免許が失効した者について適用する。

2　新法第百一条の四第二項の規定は、新法第百一条第一項の更新期間が満了する日（新法第百一条の二第一項の規定による免許証の更新を申請しようとする者にあっては、当該申請をする日）が第二号施行日から起算して六月を経過した日以後である免許証の更新を受けようとする者について適用する。

第六条　旧法第百二条第三項の規定により通知を受けた者は、新法第百二条第六項の規定により通知を受けた者とみなす。

（罰則に関する経過措置）

第一二条　この法律（附則第一条第一号に掲げる改正規定については、当該改正規定）の施行前にした行為並びに附則第三条第一項及び第四項の規定によりなお従前の例によることとされる場合における同号に掲げる規定の施行後にした行為に対する罰則の適用については、なお従前の例による。

（その他の経過措置の政令への委任）

第一三条　附則第二条から第六条まで及び前条に定めるもののほか、この法律の施行に関し必要な経過措置（罰則に関する経過措置を含む。）は、政令で定める。

附　則〔平二一・四・二四法二一抄〕

（施行期日）

第一条　この法律は、公布の日から起算して一年を超

附　則〔平二一・四・二四政一二七〕

（施行期日）

1　この政令は、公布の日から施行する。

（経過措置）

えない範囲内において政令で定める日から施行する。ただし、次の各号に掲げる規定は、当該各号に定める日から施行する。

〔平二二政二九〇により、平二三・四・一九から施行〕

一　附則に一条を加える改正規定並びに次条から附則第四条までの規定〔中略〕　公布の日

二　第二十六条の付記の改正規定、第百八条の二十九第二項の改正規定、第百十九条第一項第一号の三の次に一号を加える改正規定及び第百二十条第一項第二号の改正規定　公布の日から起算して六月を超えない範囲内において政令で定める日

〔平二二政二二五により、平二二・一〇・一から施行〕

（運転免許の拒否等に関する経過措置）

第二条　前条第一号に掲げる改正規定の施行前にした行為を理由とする運転免許の拒否、保留、取消し若しくは効力の停止又は自動車等の運転の禁止については、なお従前の例による。

2　前条第一号に掲げる改正規定の施行前にした行為に対する罰則の適用については、なお従前の例による。

第三条　附則第一条各号に掲げる改正規定の施行前にした行為に対する反則行為の取扱いに関しては、それぞれなお従前の例による。

（その他の経過措置の政令への委任）

第四条　前三条に定めるもののほか、この法律の施行に関し必要な経過措置（罰則に関する経過措置を含む。）は、政令で定める。

2　この政令の施行前にした違反行為に付する点数については、なお従前の例による。

附　則〔平二一・八・二八政二一六〕

（施行期日）

1　この政令は、道路交通法の一部を改正する法律（平成二十一年法律第二十一号）附則第一条第二号に掲げる規定の施行の日（平成二十一年十月一日）から施行する。

（経過措置）

2　この政令の施行前にした違反行為に付する点数については、なお従前の例による。

附　則〔平二一・六・二二内府令三三〕

（施行期日）

1　この府令は、平成二十一年九月一日から施行する。

（経過措置）

2　この府令の施行の際現に普通自動車対応免許（道路交通法（以下「法」という。）第七十一条の五第二項の普通自動車対応免許をいう。以下同じ。）を受けており、かつ、改正後の道路交通法施行規則（以下「新府令」という。）第二条の表備考の規定によって二輪の自動車とみなされることにより大型自動二輪車に区分されることとなる三輪の自動車（以下「特定大型自動二輪車」という。）の運転に従事している者（この府令の施行の日（以下「施行日」という。）前に特定大型自動二輪車の運転に従事していた者で、この府令の施行の際現に当該免許の効力を停止されているため特定大型自動二輪車の運転に従事することができないものを含む。以下同じ。）に係る当該免許については、施行日から起算して一年を経過する日（その日以前に大型自動二輪車免許（以下「大型二輪免許」という。）を受けた者（附則第六項の規定による大型二輪免許を受けた者を含む。）については、その免許を受けた日）までの間は、特定大型自動二輪車の運転に従事する場合に限り、大型二輪免許とみなす。

3　この府令の施行の際現に普通自動車対応免許を受けており、かつ、新府令第二条の表備考の規定によって二輪の自動車とみなされることにより普通自動二輪車に区分されることとなる三輪の自動車（以下「特定普通自動二輪車」という。）の運転に従事している者（施行日前に特定普通自動二輪車の運転に従事していた者で、この府令の施行の際現に当該免許の効力を停止されているため特定普通自動二輪車の運転に従事することができないものを含む。以下同じ。）に係る当該免許については、施行日から起算して一年を経過する日（その日以前に大型二輪免許又は普通自動二輪車免許（以下「普通二輪免許」という。）を受けた者（附則第六項の規定による大型二輪免許又は普通二輪免許を受けた者を含む。）については、その免許を受けた日）までの間は、特定普通自動二輪車の運転に従事する場合に限り、普通二輪免許とみなす。

4　都道府県公安委員会（以下「公安委員会」という。）は、この府令の施行の際現に普通自動車対応免許を受けており、かつ、特定大型自動二輪車の運転に従事している者に対しては、施行日から起算して一年を経過する日までの間は、新府令第二十四条第六項の規定にかかわらず、法第九十七条第一項第二号に掲げる事項について行う運転免許試験（次項において「技能試験」という。）において特定大型自動二輪車を使用して大型二輪免許の運転免許試験を行うことができる。この場合においては、新府令第二十四条第一項の規定にかかわらず、直線狭路コース及び波状路コースの走行の項目を行わないものとする。

5　公安委員会は、この府令の施行の際現に普通自動車対応免許を受けており、かつ、特定普通自動二輪車の運転に従事している者に対しては、施行日から起算して一年を経過する日までの間は、新府令第二十四条第六項の規定にかかわらず、技能試験において特定普通自動二輪車を使用して普通二輪免許の運転免許試験を行うことができる。この場合においては、同条第一項の規定にかかわらず、直線狭路コースの走行の項目を行わないものとする。

6　公安委員会は、附則第四項の規定による運転免許試験に合格した者に対し大型二輪免許を与えるときにあってはその者が運転することができる自動車の種類を特定大型自動二輪車及び特定普通自動二輪車に、前項の規定による運転免許試験に合格した者に対し普通二輪免許を与えるときにあってはその者が運転することができる自動車の種類を特定普通自動二輪車に、それぞれ限定しなければならない。

7　前項の規定による限定は、法の規定（罰則を含む。）の適用については、法第九十一条の規定による限定とみなす。

8　附則第四項の規定により大型二輪免許の運転免許試験を受けようとする者にあってはこの府令の施行の際現に特定大型自動二輪車の運転に従事している者に該当する者であることを証明する書類を、附則第五項の規定により普通二輪免許の運転免許試験を受けようとする者にあってはこの府令の施行の際現に特定普通自動二輪車の運転に従事している者に該当する者であることを証明する書類を、それぞれ新府令別記様式第十二の運転免許申請書に添付しなければならない。

9　附則第二項又は第三項の規定により大型二輪免許又は普通二輪免許とみなされる普通自動車対応免許を受けている者は、法第七十一条の四第三項から第六項までの規定にかかわらず、運転者以外の者を乗車させて特定大型自動二輪車又は特定普通自動二輪車を運転することができる。

10　次の各号に掲げる者で、当該各号に規定する大型二輪免許又は普通二輪免許を受けた日前に特定大型自動二輪車又は特定普通自動二輪車の運転に従事していた期間（免許の効力が停止されていたためこれらの自動車の運転に従事することができなかった期間を含む。以下「運転従事期間」という。）についてその者の住所地を管轄する公安委員会の確認を受けたものについては、それぞれ運転に従事していた自動車の種類に応じ、当該運転従事期間（大型二輪免許又は普通二輪免許を受けていた期間を除く。）において大型二輪免許又は普通二輪免許を受けていた者とみなして、法第七十一条の四第三項から第六項まで及び道路交通法施行令（昭和三十五年政令第二百七十号。附則第十

附　則〔平二一・一二・一八政二九一〕

この政令は、道路交通法の一部を改正する法律の施行の日（平成二十二年四月十九日）から施行する。

二項において「令」という。）第二十六条の三の三の規定を適用する。

一　附則第六項の規定による大型二輪免許又は普通二輪免許を受けた者

二　施行日から一年六月以内に大型二輪免許又は普通二輪免許（附則第六項の規定による大型二輪免許及び普通二輪免許を除く。）を受けた者で、これらの免許を受けた日前六月以内に附則第二項又は第三項の規定により大型二輪免許又は普通二輪免許とみなされる普通自動車対応免許を受けていたもの

三　特定大型自動二輪車又は特定普通自動二輪車の運転に従事していた者で、施行日前に大型二輪免許又は普通二輪免許を受けたもの

11　前項の確認を受けようとする者は、運転従事期間を証明する書類を当該公安委員会に提示しなければならない。

12　附則第六項の規定による大型二輪免許を受けようとする者であって、この府令の施行の際現に普通自動車対応免許を受けており、かつ、特定大型自動二輪車の運転に従事しているもの及び同項の規定による普通二輪免許を受けようとする者であって、この府令の施行の際現に普通自動車対応免許を受けており、かつ、特定普通自動二輪車の運転に従事しているものに対する法第九十条の二第一項の規定の適用については、それぞれ令第三十三条の六第二項第二号イに該当する者であって、受けようとする免許を申請した日前一年以内に、当該免許に係る法第百八条の二第一項第五号に掲げる講習を終了したものとみなす。

13　この府令の施行前にした違法駐車行為に係る放置違反金の取扱いに関しては、なお従前の例による。

14　この府令の施行前にした違反行為に付する点数については、なお従前の例による。

15　この府令の施行前にした行為に対する罰則の適用については、なお従前の例による。

16　この府令の施行前にした行為に対する反則行為の取扱いに関しては、なお従前の例による。

附　則〔平二一・一二・一八内府令七四〕

この府令は、道路交通法の一部を改正する法律の施行の日（平成二十二年四月十九日）から施行する。ただし、第七条の改正規定（「第二十六条の四の二」を「第二十六条の四の三」に改める部分に限る。）並びに第七条の二、第七条の三及び第三十一条の二の改正規定は、公布の日から施行する。

附　則〔平二二・六・一一内府令三一〕

1　この府令は、平成二十二年七月十七日から施行する。

2　運転免許証（仮運転免許証に係るものを除く。）の様式について

附　則〔平二一・七・一五法七九抄〕

（施行期日）

第一条　この法律は、公布の日から起算して三年を超えない範囲内において政令で定める日から施行する。

〔以下略〕

〔平二三政四一九により、平二四・七・九から施行〕

附　則〔平二三・六・二二法七二抄〕

（施行期日）

第一条　この法律は、平成二十四年四月一日から施行する。ただし、次の各号に掲げる規定は、当該各号に定める日から施行する。

一　〔前略〕附則〔中略〕第五十条から第五十二条までの規定　公布の日

二　〔略〕

（罰則に関する経過措置）

第五一条　この法律（附則第一条第一号に掲げる規定にあっては、当該規定）の施行前にした行為に対する罰則の適用については、なお従前の例による。

（政令への委任）

第五二条　この附則に定めるもののほか、この法律の施行に関し必要な経過措置（罰則に関する経過措置を含む。）は、政令で定める。

附　則〔平二三・六・二四法七四抄〕

は、改正後の道路交通法施行規則別記様式第十四の様式にかかわらず、当分の間、なお従前の例によることができる。

附　則〔平二一・一二・一七内府令五四〕

1　この府令は、公布の日から施行する。ただし、別記様式第五の二の二の改正規定は、平成二十三年二月一日から施行する。

2　高齢運転者標識の様式については、改正後の道路交通法施行規則別記様式第五の二の二の様式にかかわらず、当分の間、なお従前の例によることができる。

（施行期日）

第一条 この法律は、公布の日から起算して二十日を経過した日から施行する。〔以下略〕

附　則〔平二三・一二・二六政四一一〕

この政令は、平成二十四年四月一日から施行する。

附　則〔平二三・九・一二内府令五〇〕

（施行期日）

1　この府令は、平成二十四年四月一日から施行する。ただし、別記様式第一の二の改正規定は、公布の日から施行する。

（経過措置）

2　この府令の施行の際現に道路交通法第九十一条の規定により運転免許に付されている条件のうち、運転することができる自動車等の種類を専ら人を運搬する構造の普通自動車に限定し、かつ、当該普通自動車の進路と同一の進路及び進路を運転者席の反対側に変更しようとする場合にその変更した後の進路と同一の進路を後方から進行してくる自動車等を確認することができることとなる後写鏡を車室内において使用すべきこととするものは、運転する普通自動車の進路と同一の進路及び進路を運転者席の反対側に変更しようとする場合にその変更した後の進路と同一の進路を後方から進行してくる自動車等を運転者席から容易に確認することができることとなる後写鏡を使用すべきこととするものとみなす。

3　この府令の施行前にした違反行為に付する点数については、なお従前の例による。

4　この府令の施行前にした行為に対する罰則の適用については、なお従前の例による。

5　この府令の施行前にした行為に対する反則行為の取扱いに関しては、なお従前の例による。

附　則〔平二三・一二・二六内府令七〇〕

（施行期日）

1　この府令は、平成二十四年四月一日から施行する。ただし、第六条の四及び第六条の六の改正規定は、公布の日から施行する。

（経過措置）

2　この府令の施行前に運転経歴証明書の交付を受けた者に対するこの府令による改正後の道路交通法施行規則（以下「新府令」という。）第三十条の十三の規定の適用については、同条第一項中「運転経歴証明書を亡失し、滅失し、汚損し、又は破損したときは、その者」とあるのは「その者」と、「できる。」とあるのは「できる。ただし、法第百四条の四第二項の規定によりその者の免許が取り消された日から五年を経過している場合にあつては、その記載事項が判読できる運転経歴証明書をその者が

附　則〔平二四・八・二二法六七〕

この法律は、子ども・子育て支援法〔平成二四年法律第六五号〕の施行の日〔平二七・四・一〕から施行する。〔以下略〕

附　則〔平二四・三・二二政五四抄〕

（施行期日）

第一条　この政令は、法の施行の日（平成二十四年七月一日）から施行する。〔以下略〕

（道路交通法施行令の一部改正に伴う経過措置）

第二〇条　この政令の施行前に前条の規定による改正前の道路交通法施行令第十三条第一項の規定により関西空港会社が都道府県公安委員会に対して届け出た同項第一号の二に掲げる自動車は、前条の規定による改正後の道路交通法施行令第十三条第一項の規定により会社が都道府県公安委員会に対して届け出た同項第一号の二に掲げる自動車とみなす。

（罰則の適用に関する経過措置）

第三二条　この政令の施行前にした行為に対する罰則の適用については、なお従前の例による。

所持しているときに限る。」とする。

3　前項の規定により読み替えて適用される新府令第三十条の十三第一項の規定による運転経歴証明書の再交付を受けた者については、この府令の施行後に新たに運転経歴証明書の交付を受けた者とみなして新府令第三十条の十二から第三十条の十四までの規定を適用し、前項の規定は適用しない。

4　この府令の施行前に運転経歴証明書の交付を受けた者（前項に規定する再交付を受けた者を除く。）については、新府令第三十条の十二及び第三十条の十四（第一号に係る部分に限る。）の規定は、適用しない。

附　則〔平二四・六・一八内府令三九抄〕

（施行期日）

第一条　この府令は、出入国管理及び難民認定法及び日本国との平和条約に基づき日本の国籍を離脱した者等の出入国管理に関する特例法の一部を改正する等の法律（平成二十一年法律第七十九号。以下「改正法」という。）の施行の日（平成二十四年七月九日）から施行する。

（経過措置）

第四条　この府令の施行の日前にした行為に対する罰則の適用については、なお従前の例による。

附　則〔平二五・一・二九内府令二〕

附　則〔平二五・六・一四法四三抄〕

（施行期日）

第一条　この法律は、公布の日から起算して一年を超えない範囲内において政令で定める日から施行する。ただし、次の各号に掲げる規定は、当該各号に定める日から施行する。

〔平二六政六二により、平二六・六・一から施行〕

一　第一条及び附則第六条から第八条までの規定　公布の日から起算して六月を超えない範囲内において政令で定める日

〔平二五政三〇九により、平二五・一二・一から施行〕

二　第二条中目次の改正規定（「第三十七条」を「第三十七条の二」に改める部分に限る。）、第四条第三項の改正規定、第二十条第三項の改正規定、第三十五条の次に一条を加える改正規定、第三章第六節中第三十七条の次に一条を加える改正規定、第五十三条の改正規定、第六十三条の七第一項の

〔平二六・三・一四政六三の附則（八四一頁）参照〕

〔平二五・一一・一三政三一〇の附則（八四一頁）参照〕

（施行期日）

1　この府令は、平成二十五年九月一日から施行する。

（経過措置）

2　この府令の施行前に受けた道路交通法第九十七条の二第一項第三号イに規定する認知機能検査の結果について、この府令による改正前の道路交通法施行規則（以下「旧府令」という。）第二十九条の三第一項の式により算出した数値が三十六以上である者は、この府令による改正後の道路交通法施行規則（以下「新府令」という。）第二十九条の三第一項の式により算出した数値が四十九未満である者とみなし、旧府令第二十九条の三第一項の式により算出した数値が三十六未満である者は、新府令第二十九条の三第一項の式により算出した数値が四十九以上である者とみなす。

3　この府令の施行前に交付された仮運転免許証、出頭命令書及び免許証保管証の様式については、新府令別記様式第十五、別記様式第十九の三の五、別記様式第十九の三の六及び別記様式第二十三の様式にかかわらず、なお従前の例による。

〔平二六・三・一四内府令一七の附則（八四一頁）参照〕

〔平二五・一一・一三内府令七二の附則（八四一頁）参照〕

改正規定、第百十条の二第三項の改正規定、第百十九条第一項第二号の二の改正規定、第百二十条第一項第八号の改正規定及び第百二十一条第一項第五号の改正規定　公布の日から起算して一年六月を超えない範囲内において政令で定める日

〔平二六政六二により、平二六・九・一から施行〕

三　第二条中第九十二条の二第一項の表の改正規定（同表の備考一の1中「第百一条第五項」を「第百一条第六項」に、「第百一条の二第三項」を「第百一条の二第四項」に、「同条第二項」を「同条第三項」に改める部分及び同表の備考一の5に係る部分を除く。）、第百六条の改正規定（「更新をし」の下に「、第百二条第六項の規定による通知をし」を加える部分に限る。）、第百七条の六の改正規定、第百八条の二第一項に一号を加える改正規定、同条第三項の改正規定、第百八条の三の三の次に二条を加える改正規定及び第百二十条第一項に一号を加える改正規定並びに次条並びに附則第四条及び第五条の規定　公布の日から起算して二年を超えない範囲内において政令で定める日

〔平二七政一八により、平二七・六・一から施行〕

（免許等に関する経過措置）

第二条　前条第三号に掲げる規定の施行の際現に交付されている免許証の有効期間については、第二条の規定による改正後の道路交通法（以下「新法」という。）第九十二条の二第一項の規定にかかわらず、なお従前の例による。

第三条　新法第九十六条の三第二項の規定は、この法律の施行の際現に第二条の規定による改正前の道路

〔平二七・一・二三政一九の附則（八四五頁）参照〕

〔平二七・一・二三内府令五の附則（八四五頁）参照〕

交通法第八十九条第一項の規定により免許の申請をしている者については、適用しない。

（国家公安委員会への報告に関する経過措置）

第四条　新法第百六条及び第百七条の六の規定は、附則第一条第三号に掲げる規定の施行の日以後にされた新法第百二条第六項及び第百七条の四第一項後段の規定による通知について適用する。

（自転車運転者講習の受講命令に関する経過措置）

第五条　新法第百八条の三の四の規定は、附則第一条第三号に掲げる規定の施行の日以後に自転車の運転に関し新法第百八条の三の四に規定する危険行為を反復してした者について適用する。

（政令への委任）

第六条　附則第二条から前条までに定めるもののほか、この法律の施行に関し必要な経過措置は、政令で定める。

附　則〔平二五・六・一四法四四抄〕

（施行期日）

第一条　この法律は、公布の日から施行する。〔以下略〕

（罰則に関する経過措置）

第一〇条　この法律（附則第一条各号に掲げる規定にあっては、当該規定）の施行前にした行為に対する罰則の適用については、なお従前の例による。

（政令への委任）

第一一条　この附則に規定するもののほか、この法律の施行に関し必要な経過措置（罰則に関する経過措置を含む。）は、政令で定める。

附　則〔平二五・六・二一法五三抄〕

附　則〔平二五・六・一四政一七九〕

この政令は、公布の日から施行する。

（施行期日）

第一条　この法律〔中略〕は、当該各号に定める日〔平二六・三・三一〕から施行する。

附　則〔平二五・一一・二二法七六抄〕

（施行期日）

第一条　この法律は、平成二十六年四月一日から施行

附　則〔平二五・一一・一三政三一〇〕

（施行期日）

1　この政令は、道路交通法の一部を改正する法律附則第一条第一号に掲げる規定の施行の日（平成二十五年十二月一日）から施行する。

（経過措置）

2　この政令の施行前にした行為に対する罰則の適用については、なお従前の例による。

3　この政令の施行前にした違反行為に付する点数については、なお従前の例による。

4　この政令の施行前にした行為に対する道路交通法施行令別表第四の規定の適用については、なお従前の例による。

附　則〔平二六・三・一四政六三〕

（施行期日）

1　この政令は、道路交通法の一部を改正する法律の施行の日（平成二十六年六月一日）から施行する。ただし、次の各号に掲げる規定は、当該各号に定める日から施行する。

一　第十三条第一項の改正規定　公布の日

二　第二十一条の改正規定、第三十七条の七第一項の改正規定、第四十二条第三項の改正規定、第四十四条第一項第二号の改正規定、別表第二の改正規定及び別表第六の改正規定　道路交通法の一部を改正する法律附則第一条第二号に掲げる規定の施行の日（平成二十六年九月一日）

（経過措置）

2　この政令による改正後の第三十四条の三第二項第一号の規定は、この政令の施行の日以後に運転免許が失効したため、一般違反行為（道路交通法施行令第三十三条の二第一項第一号に規定する一般違反行為をいう。）又は同令別表第四に掲げる行為をしたことを理由とする道路交通法第九十条第五項又は第百三条第一項若しくは第四項の規定による運転免許の取消しを受けなかった者について適用する。

附　則〔平二五・一一・一三内府令七二〕

この府令は、道路交通法の一部を改正する法律附則第一条第一号に掲げる規定の施行の日（平成二十五年十二月一日）から施行する。

附　則〔平二六・三・一四内府令一七〕

この府令は、道路交通法の一部を改正する法律の施行の日（平成二十六年六月一日）から施行する。

附　則〔平二六・三・二八内府令二一〕

（施行期日）

1　この府令は、平成二十六年四月一日から施行する。

（経過措置）

〔中略〕する。

（道路交通法の一部改正に伴う経過措置）

第二六条　平成二十六年度の交通安全対策特別交付金に限り、前条の規定による改正後の道路交通法附則第十六条第三項中「限度とする。）に当該年度の前年度以前の年度において交付すべきであつた交付金の額でまだ交付していない額を加算した額」とあるのは「限度とする。）」と、「二月」とあるのは「三月」と、同法附則第十八条第一項の表九月の項中「二月から当該年度の七月までの期間の収納に係る反則金収入相当額等に当該年度の前年度以前の年度において交付すべきであつた交付金の額でまだ交付していない額を加算した額」とあるのは「三月から当該年度の七月までの期間の収納に係る反則金収入相当額等」と、「掲げる額に当該年度の前年度以前の年度において交付すべきであつた交付金の額でまだ交付していない額を加算した額」とあるのは「掲げる額」とする。

附　則〔平二五・一一・二七法八六抄〕

（施行期日）

第一条　この法律は、公布の日から起算して六月を超えない範囲内において政令で定める日から施行する。

〔平二六政一六五により、平二六・五・二〇から施行〕

（罰則の適用等に関する経過措置）

第一四条　この法律の施行前にした行為に対する罰則の適用については、なお従前の例による。

第一七条　この法律の施行前にした行為を理由とする附則第六条の規定による改正後の道路交通法第九十条第一項ただし書、第二項、第五項若しくは第六項

附　則〔平二六・四・二五政一六九抄〕

（施行期日）

第一条　この政令は、自動車の運転により人を死傷させる行為等の処罰に関する法律の施行の日（平成二十六年五月二十日）から施行する。

（経過措置）

第二条　この政令の施行前に道路交通法第八十四条第一項に規定する自動車等の運転に関し自動車の運転により人を死傷させる行為等の処罰に関する法律附則第二条の規定による改正前の刑法（明治四十年法律第四十五号）第二百八条の二又は第二百十一条第二項（自動車の運転により人を死傷させる行為等の処罰に関する法律附則第十四条の規定によりなお従前の例によることとされる場合におけるこれらの規定を含む。）の罪を犯した者（次条の規定による改正後の警察法施行令及び道路交通法施行令の一部を改正する政令（平成十九年政令第百七十号）附則第二項に規定する者を除く。）に対する第二条の規定による改正後

2　納付書の様式については、改正後の道路交通法施行規則別記様式第二十八の様式にかかわらず、当分の間、なお従前の例によることができる。

若しくは第百三条第一項、第二項若しくは第四項又は第百七条の五第一項若しくは第二項若しくは同条第九項において準用する同法第百三条第四項の規定による運転免許の拒否、保留、取消し若しくは効力の停止又は自動車等の運転の禁止については、なお従前の例による。

2　この法律の施行前に道路交通法第八十四条第一項に規定する自動車等の運転に関し附則第二条の規定による改正前の刑法第二百八条の二又は第二百十一条第二項（附則第十四条の規定によりなお従前の例によることとされる場合におけるこれらの規定を含む。）の罪を犯した者（附則第七条の規定による改正後の刑法の一部を改正する法律附則第五条に規定する者を除く。）に対する附則第六条の規定による改正後の道路交通法第九十九条の二第四項第二号ニ及び第百八条の四第三項第三号の規定の適用については、これらの規定中「第六条まで」とあるのは、「第六条までの罪、同法附則第二条の規定による改正前の刑法第二百八条の二若しくは第二百十一条第二項（自動車の運転により人を死傷させる行為等の処罰に関する法律附則第十四条の規定によりなお従前の例によることとされる場合におけるこれらの規定を含む。）」とする。

附　則〔平二六・六・一三法六九抄〕

（施行期日）

第一条　この法律は、行政不服審査法（平成二十六年法律第六十八号）の施行の日〔平二八・四・一〕から施行する。

（経過措置の原則）

の道路交通法施行令第三十五条第一項第二号ハの規定の適用については、同号ハ中「第六条まで」とあるのは、「第六条までの罪、同法附則第二条の規定による改正前の刑法（明治四十年法律第四十五号）第二百八条の二若しくは第二百十一条第二項（自動車の運転により人を死傷させる行為等の処罰に関する法律附則第十四条の規定によりなお従前の例によることとされる場合におけるこれらの規定を含む。）」とする。

2　この政令の施行前にした違反行為に付する点数については、なお従前の例による。

3　この政令の施行前にした行為に対する道路交通法施行令別表第五の規定の適用については、なお従前の例による。

第五条　行政庁の処分その他の行為又は不作為についての不服申立てであってこの法律の施行前にされた行政庁の処分その他の行為又はこの法律の施行前にされた申請に係る行政庁の不作為に係るものについては、この附則に特別の定めがある場合を除き、なお従前の例による。

（訴訟に関する経過措置）

第六条　この法律による改正前の法律の規定により不服申立てに対する行政庁の裁決、決定その他の行為を経た後でなければ訴えを提起できないこととされる事項であって、当該不服申立てを提起しないでこの法律の施行前にこれを提起すべき期間を経過したもの（当該不服申立てが他の不服申立てに対する行政庁の裁決、決定その他の行為を経た後でなければ提起できないとされる場合にあっては、当該他の不服申立てを提起しないでこの法律の施行前にこれを提起すべき期間を経過したものを含む。）の訴えの提起については、なお従前の例による。

2　この法律の規定による改正前の法律の規定（前条の規定によりなお従前の例によることとされる場合を含む。）により異議申立てが提起された処分その他の行為であって、この法律の規定による改正後の法律の規定により審査請求に対する裁決を経た後でなければ取消しの訴えを提起することができないこととされるものの取消しの訴えの提起については、なお従前の例による。

3　不服申立てに対する行政庁の裁決、決定その他の行為の取消しの訴えであって、この法律の施行前に提起されたものについては、なお従前の例による。

（罰則に関する経過措置）

第九条　この法律の施行前にした行為並びに附則第五条及び前二条の規定によりなお従前の例によることとされる場合におけるこの法律の施行後にした行為に対する罰則の適用については、なお従前の例による。

（その他の経過措置の政令への委任）

第一〇条　附則第五条から前条までに定めるもののほか、この法律の施行に関し必要な経過措置（罰則に関する経過措置を含む。）は、政令で定める。

附　則〔平二六・一一・二二法一一四抄〕

（施行期日）

第一条　この法律は、公布の日から施行する。

附　則〔平二六・一一・二一政三六六〕

この政令は、公布の日から施行する。

附　則〔平二六・一二・二四政四一二抄〕

（施行期日）

1　この政令は、子ども・子育て支援法の施行の日（平二七・四・一）から施行する。

附　則〔平二七・一・二三政一九〕

この政令は、道路交通法の一部を改正する法律（平成二十五年法律第四十三号）附則第一条第三号に掲げる規定の施行の日（平成二十七年六月一日）から施行する。

附　則〔平二七・一・三〇政三一抄〕

（施行期日）

1　この政令は、平成二十七年四月一日から施行する。

附　則〔平二七・三・一八政七四〕

この政令は、平成二十七年四月一日から施行する。〔以下略〕

附　則〔平二六・一〇・八内府令六五〕

この府令は、平成二十六年十月九日から施行する。

附　則〔平二七・一・二三内府令五〕

（施行期日）

1　この府令は、道路交通法の一部を改正する法律（平成二十五年法律第四十三号）附則第一条第三号に掲げる規定の施行の日（平成二十七年六月一日）から施行する。

（経過措置）

2　納付書の様式については、改正後の道路交通法施行規則別記様式第二十八の様式にかかわらず、当分の間、なお従前の例によることができる。

附　則〔平二七・一一・二七内府令六八抄〕

（施行期日）

附　則〔平二七・六・一七法四〇抄〕

（施行期日）

第一条　この法律は、公布の日から起算して二年を超えない範囲内において政令で定める日から施行する。ただし、第百三条の二第一項の改正規定並びに附則第十条及び第十四条から第十六条までの規定は、公布の日から施行する。

〔平二八政二五七により、平二九・三・一二から施行〕

（免許等に関する経過措置）

第二条　この法律による改正前の道路交通法（以下「旧法」という。）第八十四条第三項の中型自動車免許（以下「旧法中型免許」という。）、同項の普通自動車免許（以下「旧法普通免許」という。）、同条第四項の中型自動車第二種免許（以下「旧法中型第二種免

附　則〔平二七・一二・一六政四二一〕

この政令は、平成二十八年四月一日から施行する。

附　則〔平二八・一・二二政一三抄〕

（施行期日）

1　この政令は、平成二十八年四月一日から施行する。〔以下略〕

附　則〔平二八・一・二六政二一抄〕

（施行期日）

1　この政令は、平成二十八年四月一日から施行する。〔以下略〕

附　則〔平二八・七・一五政二五八〕

（施行期日）

第一条　この政令は、道路交通法の一部を改正する法律（以下「改正法」という。）の施行の日（平成二十九年三月十二日。以下「改正法施行日」という。）から施行する。ただし、次条第一項ただし書並びに附則第三条第一項ただし書及び第四条第一項の規定は、公布の日から施行する。

（経過措置）

第二条　改正法施行日において現に改正法による改正前の道路交通法（以下「旧法」という。）第九十九条第一項の規定により旧法第八十四条第三項の中型自動車免許（以下「旧法中型免許」という。）に係る指定自動車教習所として指定されている自動車教習所は、改正法による改正後の道路交通法（以下「新法」という。）第九十九条第一項の規定により新法第八十四条第三項の中型自動車免許（以下「中型免許」という。）及び同項の準中型自動車免許（以下「準中型免許」という。）に係る指定自動車教習所として指定されたものとみなす。ただし、当該自動車教習所が、改正法施行日の前日までに、国家公安委員会規則で定めるところにより別段の申出をしたときは、この限りでない。

1　この府令は、行政手続における特定の個人を識別するための番号の利用等に関する法律の施行に伴う関係法律の整備等に関する法律（以下「番号利用法整備法」という。）附則第三号に掲げる規定の施行の日（平成二十八年一月一日）から施行する。

（道路交通法施行規則の一部改正に伴う経過措置）

3　第二条による改正後の道路交通法施行規則第十七条第二項第八号の規定の適用については、旧住民基本台帳法第三十条の四十四第三項の規定により交付された住民基本台帳カードは、番号利用法整備法第二十条第一項の規定によりなお従前の例によることとされた旧住民基本台帳法第三十条の四十四第九項の規定によりその効力を失う時又は当該住民基本台帳カードの交付を受けた者が番号利用法第十七条第一項の規定により個人番号カードの交付を受ける時のいずれか早い時までの間は、個人番号カードとみなす。

附　則〔平二七・一二・一七内府令七二〕

この府令は、平成二十八年四月一日から施行する。

附　則〔平二八・七・一五内府令四九抄〕

（施行期日）

第一条　この府令は、道路交通法の一部を改正する法律（平成二十七年法律第四十号。以下「改正法」という。）の施行の日（平成二十九年三月十二日。以下「改正法施行日」という。）から施行する。

（免許等に関する経過措置）

第二条　改正法施行日において現に改正前の道路交通法施行規則（以下「旧府令」という。）第十八条の二の三の技能検査において改正法による改正前の道路交通法（以下「旧法」という。）第三条の中型自動車（次条において「旧法中型自動車」という。）又は同条の普通自動車（以下「旧法普通自動車」という。）の運転について旧府令第十八条の二の三第四項の規定により読み替えられた旧府令第二十四条第五項に定める基準に達する成績を得ている者については、それぞれ改正後の道路交通法施行規則（以下「新府令」という。）第十八条の二の三の技能検査において改正法による改正後の道路交通法（以下「新法」という。）第三条の中型自動車（以下「中型自動車」という。）又は同条の普通自動車（以下「普通自動車」という。）の運転について新府令

許」という。）、同項の普通自動車第二種免許（以下「旧法普通第二種免許」という。）、同条第五項の中型自動車仮免許（以下「旧法中型仮免許」という。）及び同項の普通自動車仮免許（以下「旧法普通仮免許」という。）は、次の各号に掲げる区分に応じ、それぞれ当該各号に定めるこの法律による改正後の道路交通法（以下「新法」という。）第八十四条第三項の中型自動車免許（以下「中型免許」という。）、同項の準中型自動車免許（以下「準中型免許」という。）、同項の普通自動車免許（以下「普通免許」という。）、同条第四項の中型自動車第二種免許（以下「中型第二種免許」という。）、同項の普通自動車第二種免許（以下「普通第二種免許」という。）、同条第五項の中型自動車仮免許（以下「中型仮免許」という。）及び同項の普通自動車仮免許（以下「普通仮免許」という。）とみなす。

一　旧法中型免許　中型免許

二　旧法普通免許で、次号に掲げるもの以外のもの　新法第九十一条の規定により、運転することができる新法第三条の準中型自動車（第五号において「準中型自動車」という。）が旧法第三条の普通自動車（以下「旧法普通自動車」という。）に相当するものに限定されている準中型免許

三　旧法普通免許で、旧法第九十一条の規定により、運転することができる旧法普通自動車が新法第三条の普通自動車（第六号において「普通自動車」という。）に相当するものに限定されているもの　普通免許

四　旧法中型第二種免許　中型第二種免許

2　改正法施行日において現に旧法第九十九条第一項の規定により旧法第八十四条第三項の普通自動車免許（以下「旧法普通免許」という。）、同条第四項の中型自動車第二種免許（以下「旧法中型第二種免許」という。）又は同項の普通自動車第二種免許（以下「旧法普通第二種免許」という。）に係る指定自動車教習所として指定されている自動車教習所は、それぞれ新法第九十九条第一項の規定により新法第八十四条第三項の普通自動車免許（以下「普通免許」という。）、同条第四項の中型自動車第二種免許（以下「中型第二種免許」という。）又は同項の普通自動車第二種免許（以下「普通第二種免許」という。）に係る指定自動車教習所として指定されたものとみなす。

第三条　改正法施行日において現に旧法第九十九条の二第四項又は第九十九条の三第四項の規定により交付されている旧法中型免許に係る技能検定員資格者証又は教習指導員資格者証は、それぞれ新法第九十九条の二第四項又は第九十九条の三第四項の規定により交付された中型免許及び準中型免許に係る技能検定員資格者証又は教習指導員資格者証とみなす。ただし、当該技能検定員資格者証又は教習指導員資格者証の交付を受けている者が、改正法施行日の前日までに、国家公安委員会規則で定めるところにより別段の申出をしたときは、この限りでない。

2　改正法施行日において現に旧法第九十九条の二第四項又は第九十九条の三第四項の規定により交付されている旧法普通免許、旧法中型第二種免許又は旧法普通第二種免許に係る技能検定員資格者証又は教習指導員資格者証は、それぞれ新法第九十九条の二第四項又は第九十九条の三第四項の規定により交付された普通免許、中型第二種免許又は普通第二種免許に係る技能検定員資格者証又は教習指導員資格者証とみなす。

第四条　前条第一項の規定により中型免許及び準中型免許に係る技能検定員資格者証又は教習指導員資格者証とみなされる技能検定員資格者証又は教習指導員資格者証の交付を受けている者を技能検定員又は教習指導員として選任している指定自動車教習所を管理する者は、これらの者に準中型免許に係る教習又は技能検定を行わせようとするときは、国家公安委員会規則で定めるところにより、都道府県公安委員会が指定する研修を受けさせなければならない。

2　新法第百条の規定は、前項に規定する指定自動車教習所を管理する者が同項の規定に違反して同項の研修を受けさせないで準中型免許に係る教習又は技能検定を行わせた場合について準用する。

第五条　改正法附則第五条の規定により準中型免許に係る運転免許試験に合格した者とみなされて準中型免許を受けている者

第十八条の二の三第四項の規定により読み替えられた新府令第二十四条第五項に定める基準に達する成績を得た者とみなす。

第三条　改正法施行日前に旧府令第十八条の二の三第五項の規定により交付された検査合格証明書は、それぞれ中型自動車又は普通自動車の運転に係る新府令第十八条の二の三第五項の規定により交付された検査合格証明書とみなす。

第四条　新法第九十七条第一項第一号に掲げる事項について行う運転免許試験を受けようとする者が次の各号のいずれかに該当する者（改正法附則第二条第二号に規定する限定が解除されていた者を除く。）である場合には、新府令第二十三条の規定の適用については、新法第八十四条第三項の普通自動車免許（以下「普通免許」という。）を受けようとする者とみなす。

一　新法第九十七条の二第一項第三号に規定する特定失効者（次号において「特定失効者」という。）又は同項第五号に規定する特定取消処分者（次号において「特定取消処分者」という。）で、改正法附則第二条の規定により新法第八十四条第三項の準中型自動車免許（以下「準中型免許」という。）とみなされる旧法第八十四条第三項の普通自動車免許（以下「旧法普通免許」という。）を受けていたもの

二　特定失効者又は特定取消処分者で、改正法附則第五条の規定により準中型免許に係る運転免許試験に合格したとみなされて準中型免許を受けていたもの

第五条　改正法施行日前に旧法第九十一条の規定により付された条件のうち、旧法普通自動車を運転中は、当該旧法普通自動車の進路と同一の進路及び進路を運転者席の反対側に変更しようとする場合にその変更した後の進路と同一の進路を後方から進行してくる自動車又は原動機付自転車を運転者席から容易に確認することができることとなる後写鏡を使用すべきこととするものは、新法第三条の準中型自動車（以下「準中型自動車」という。）又は普通自動車を運転中は、当該準中型自動車又は普通自動車の進路と同一の進路及び進路を運転者席の反対側に変更しようとする場合にその変更した後の進路と同一の進路を後方から進行してくる自動車又は原動機付自転車を運転者席から容易に確認することができることとなる後写鏡その他の装置を使用すべきこととする新法第九十一条の規定により付された条件とみなす。この場合において、新府令別表第二の規定の適用については、同表の特定後写鏡等の項の上欄中「特定後写鏡等」とあるのは、「特定後写鏡」とする。

第六条　改正法施行日において現に次の各号に掲げる免許に係る旧府令第二十五条に規定する学科試験（次条において「旧学科

五　旧法普通第二種免許で、次号に掲げるもの以外のもの　新法第九十一条の規定により、運転することができる新法第三条の中型自動車がなく、かつ、運転することができる準中型自動車が旧法普通自動車に相当するものに限定されている中型第二種免許

六　旧法普通第二種免許で、旧法第九十一条の規定により、運転することができる旧法普通自動車が普通自動車に相当するものに限定されているもの　普通第二種免許

七　旧法中型仮免許　中型仮免許

八　旧法普通仮免許　普通仮免許

第三条　この法律の施行の際現にされている次の各号に掲げる運転免許の申請は、それぞれ当該各号に定める運転免許の申請とみなす。

一　旧法中型免許　中型免許

二　旧法普通免許　普通免許

三　旧法中型第二種免許　中型第二種免許

四　旧法普通第二種免許　普通第二種免許

五　旧法中型仮免許　中型仮免許

六　旧法普通仮免許　普通仮免許

第四条　前二条に規定するもののほか、旧法の規定により旧法中型免許、旧法普通免許、旧法中型第二種免許、旧法普通第二種免許、旧法中型仮免許又は旧法普通仮免許についてした処分、手続その他の行為は、新法の相当する規定により附則第二条各号に掲げる区分に応じ、それぞれ当該各号に定める運転免許についてした処分、手続その他の行為とみなす。

第五条　この法律の施行の際現に旧法中型免許、旧法

（改正法附則第二条第二号に規定する限定が解除された者を除く。）に対する改正法附則第七条第一項の規定の適用については、同項中「受けている者（」とあるのは、「受けている者及び附則第五条の規定により準中型免許に係る運転免許試験に合格した者とみなされて準中型免許を受けている者（いずれも」とする。

第六条　次の各号のいずれかに該当する者（改正法附則第二条第二号に規定する限定が解除された者を除く。）に対するこの政令による改正後の道路交通法施行令（以下「新令」という。）第二十六条の四第一項、第三十六条第一号、第三十七条の二及び第四十三条第一項の規定の適用については、新令第二十六条の四第一項第二号中「ある準中型自動車免許」とあるのは「ある道路交通法の一部を改正する法律（平成二十七年法律第四十号）による改正前の法（以下「旧法」という。）の規定による普通自動車免許」と、「直前準中型免許」とあるのは「直前旧法普通免許」と、同項第三号中「に準中型自動車」とあるのは「に旧法の規定による普通自動車」と、新令第三十六条第一号中「（以下」とあるのは「（準中型免許にあつては、旧法の規定による普通自動車に相当する自動車。以下」と、新令第三十七条の二中「当該免許と同一の種類の免許」とあるのは「旧法の規定による普通免許」と、「同種免許」とあるのは「旧法普通免許」と、新令第四十三条第一項の表再試験手数料の項中「準中型自動車の」とあるのは「旧法の規定による普通自動車に相当する自動車の」と、「三千百円」とあるのは「千三百五十円」と、「千三百五十円（」とあるのは「千三百円（」と、「千五百五十円」とあるのは「千五百円」と、同表講習手数料の項中「ついて六百円」とあるのは「ついて五百円」とする。

一　改正法附則第二条の規定により準中型免許とみなされる旧法普通免許を受けている者

二　改正法附則第五条の規定により準中型免許に係る運転免許試験に合格した者とみなされて準中型免許を受けている者

2　次の各号のいずれかに該当する者に対する新令第三十二条の二第三項の規定の適用については、同項中「該当する準中型自動車」とあるのは、「該当する準中型自動車のうち、道路交通法の一部を改正する法律（平成二十七年法律第四十号）による改正前の法の規定による中型自動車に相当するもの」とする。

一　改正法施行日において旧法第八十四条第三項の大型自動車免許を受けている者（当該免許を現に受けている者に限る。）

二　改正法施行日前に旧法第八十四条第三項の大型自動車免許に係る運転免許試験に合格したことにより改正法施行日以後に新法第八十四条第三項の大型自動車免許を受けた者（当該免許を現に受けている者に限る。）

試験」という。）に合格している者は、それぞれ当該各号に定める免許に係る新府令第二十五条に規定する学科試験（次条において「学科試験」という。）に合格している者とみなす。

一　旧法第八十四条第三項の中型自動車免許（以下「旧法中型免許」という。）　新法第八十四条第三項の中型自動車免許

二　旧法普通免許　普通免許

三　旧法第八十四条第四項の中型自動車第二種免許（以下「旧法中型第二種免許」という。）　新法第八十四条第四項の中型自動車第二種免許（附則第十六条において「中型第二種免許」という。）

四　旧法第八十四条第四項の普通自動車第二種免許（以下「旧法普通第二種免許」という。）　新法第八十四条第四項の普通自動車第二種免許（附則第十六条において「普通第二種免許」という。）

第七条　改正法施行日前に旧法中型免許、旧法普通免許、旧法中型第二種免許又は旧法普通第二種免許に係る旧学科試験について旧府令第二十八条の規定により交付された運転免許試験成績証明書は、前条各号に掲げる区分に応じ、それぞれ当該各号に定める免許に係る学科試験について新府令第二十八条の規定により交付された運転免許試験成績証明書とみなす。

第八条　改正法附則第二条の規定により準中型免許とみなされる旧法普通免許を受けている者（同条第二号に規定する限定が解除された者を除く。）及び改正法附則第五条の規定により準中型免許に係る運転免許試験に合格したとみなされて準中型免許を受けている者（同法附則第二条第二号に規定する限定が解除された者を除く。）は、新府令第二十八条の二の適用については、普通免許を受けている者とみなす。この場合において、同条中「免許自動車等（法第七十一条の五第二項の免許自動車等をいう。以下同じ。）」とあるのは「道路交通法の一部を改正する法律（平成二十七年法律第四十号）の規定による改正前の道路交通法（以下「旧法」という。）の規定による普通自動車に相当する自動車」と、「において免許自動車等を」とあるのは「において旧法の規定による普通自動車に相当する自動車を」とする。

第九条　新法第百一条第五項、第百一条の二第三項、第百一条の二の二第五項又は第百二条第五項に規定する適性検査を受けようとする者が、新法第九十一条の規定により運転することができる準中型自動車が旧法普通自動車に相当するものに限定されている準中型免許（附則第十六条において「限定準中型免許」という。）を受けている者である場合には、新府令第二十九条第八項、第二十九条の二第六項、第二十九条の二の二第三項又は第二十九条の三第四項において読み替えて準用する新府令第二

普通免許、旧法中型第二種免許、旧法普通第二種免許、旧法中型仮免許又は旧法普通仮免許に係る運転免許試験に合格して旧法の規定による運転免許を受けていない者は、附則第二条各号に掲げる区分に応じ、それぞれ当該各号に定める運転免許に係る運転免許試験に合格した者とみなす。

第六条　前条の規定により附則第二条第二号に定める運転免許に係る運転免許試験に合格した者とみなされる者は、新法第九十条の二の規定の適用については、普通免許を受けようとする者とみなす。

２　前条の規定により附則第二条第五号に定める運転免許に係る運転免許試験に合格した者とみなされる者は、新法第九十条の二の規定の適用については、普通第二種免許を受けようとする者とみなす。

第七条　附則第二条の規定により準中型免許とみなされる旧法普通免許を受けている者（次項に規定する者を除く。）に対する新法第七十一条第五号の四、第七十一条の五第一項及び第百条の二第一項の規定の適用については、新法第七十一条第五号の四中「第七十一条の五第二項」とあるのは「第七十一条の五第一項」と、新法第七十一条の五第一項中「に準中型自動車免許」とあるのは「に道路交通法の一部を改正する法律（平成二十七年法律第四十号）による改正前の道路交通法（以下この項及び第百条の二第一項において「旧法」という。）の規定による普通自動車免許」と、「及び同項の普通自動車免許を現に受けており、かつ、現に受けている準中型自動車免許を受けた日前に当該普通自動車免許を受けていた期間（当該免許の効力が停止されていた期間を除く。）

3　次の各号のいずれかに該当する者に対する新令第三十二条の三第二項の規定の適用については、同項中「（緊急用務」とあるのは「（道路交通法施行令の一部を改正する政令（平成二十八年政令第二百五十八号）による改正前の第三十二条の三の審査に合格した者又は緊急用務」と、「該当する準中型自動車」とあるのは「該当する準中型自動車のうち、道路交通法の一部を改正する法律（平成二十七年法律第四十号）による改正前の法の規定による中型自動車に相当するもの」とする。

一　改正法附則第二条の規定により中型免許とみなされる旧法中型免許を受けている者

二　改正法附則第五条の規定により中型免許に係る運転免許試験に合格した者とみなされて中型免許を受けている者

4　第一項各号のいずれかに該当する者に対する新令第三十二条の三の二第一項及び第三十三条の六第一項第一号イの規定の適用については、新令第三十二条の三の二第一項中「前条第二項に規定する」とあるのは「第十三条第一項に規定する自動車で当該緊急用務のため運転するもの（道路交通法施行令の一部を改正する政令（平成二十八年政令第二百五十八号）による改正前の第三十二条の四の審査に合格した者が運転するもののうち道路交通法の一部を改正する法律（平成二十七年法律第四十号）による改正前の法の規定による普通自動車に相当するもの、緊急用務のための準中型自動車の運転に関し内閣府令で定めるところにより公安委員会が行う審査に合格した者が運転するもの及び自衛隊用自動車で自衛官が運転するものを除く。）に該当する」と、新令第三十三条の六第一項第一号イ(1)中「準中型自動車免許」とあるのは「準中型自動車免許（道路交通法の一部を改正する法律附則第二条第二号に定める準中型自動車免許を除く。(2)において同じ。）」とする。

5　新法第九十七条の二第一項第三号に規定する特定失効者又は同項第五号に規定する特定取消処分者で、次の各号のいずれかに該当する者に対する新令第三十三条の六第一項第一号ニ(1)の規定の適用については、同号ニ(1)中「、準中型自動車免許」とあるのは、「、準中型自動車免許（当該受けようとする免許が大型自動車免許又は中型自動車免許である場合にあつては、道路交通法の一部を改正する法律（平成二十七年法律第四十号）附則第二条第二号に定める準中型自動車免許を除く。）」とする。

一　改正法附則第二条の規定により準中型免許とみなされる旧法普通免許を受けていた者

二　改正法附則第五条の規定により準中型免許に係る運転免許試験に合格した者とみなされて準中型免許を受けていた者

第七条　改正法施行日から起算して六月を経過する日までの間に、

十三条第一項の適用については、普通免許を受けている者とみなす。

第一〇条　改正法施行日において現に指定自動車教習所における旧法中型免許、旧法普通免許、旧法中型第二種免許又は旧法普通第二種免許に係る旧府令第三十三条第一項に規定する教習（次条において「旧教習」という。）を受けている者は、附則第六条各号に掲げる区分に応じ、それぞれ当該各号に定める免許に係る新府令第三十三条第一項に規定する教習（次条において「教習」という。）を受けている者とみなす。

第一一条　改正法施行日において現に指定自動車教習所における旧法中型免許、旧法普通免許、旧法中型第二種免許若しくは旧法普通第二種免許に係る旧教習又は旧府令第三十三条の基本操作及び基本走行並びに学科㈠を修了している者は、附則第六条各号に掲げる区分に応じ、それぞれ当該各号に定める免許に係る教習又は新府令第三十三条の基本操作及び基本走行並びに学科㈠を修了した者とみなす。

第一二条　改正法施行日において現に旧法中型免許、旧法普通免許、旧法中型第二種免許又は旧法普通第二種免許に係る旧府令第三十四条の技能検定に合格している者は、附則第六条各号に掲げる区分に応じ、それぞれ当該各号に定める免許に係る新府令第三十四条の技能検定に合格した者とみなす。

第一三条　改正法施行日前に旧法中型免許、旧法普通免許、旧法中型第二種免許又は旧法普通第二種免許に係る旧府令第三十四条の二第一項及び第二項の規定により発行された卒業証明書若しくは修了証明書又は同条第三項の規定により行われた証明は、附則第六条各号に掲げる区分に応じ、それぞれ当該各号に定める免許に係る新府令第三十四条の二第一項及び第二項の規定により発行された卒業証明書若しくは修了証明書又は同条第三項の規定により行われた証明とみなす。

第一四条　改正政令附則第六条第四項の規定により読み替えられた改正政令による改正後の道路交通法施行令（以下「新令」という。）第三十二条の三の二第一項の内閣府令で定めるところにより都道府県公安委員会が行う審査は、準中型自動車の緊急用務のための運転に必要な技能について行うものとする。

第一五条　改正政令附則第七条の規定により読み替えられた新令第三十五条第三項第三号の内閣府令で定めるところにより算出した数値は、次に掲げる式により算出したものとする。

$$\frac{A+B+C}{D+B+E}$$

（この式において、A、B、C、D及びEは、それぞれ次の数値を表すものとする。）

が通算して二年以上である者を除く」とあるのは「を除く」と、「準中型自動車の」とあるのは「旧法の規定による普通自動車に相当する自動車の」と、「準中型自動車を」とあるのは「当該自動車を」と、新法第百条の二第一項中「いう。）に当該免許に係る免許自動車等」とあるのは「いう。）に当該免許に係る免許自動車等（準中型免許にあつては、旧法の規定による普通自動車に相当する自動車。以下同じ。）」と、同項第二号中「当該免許と同一の種類の免許」とあるのは「旧法の規定による普通免許」とする。

2　附則第二条第二号に規定する限定が解除された者に対する新法第七十一条の五第一項及び第百条の二第一項の規定の適用については、新法第七十一条の五第一項中「者で、」とあるのは「者で、道路交通法の一部を改正する法律（平成二十七年法律第四十号。以下この項において「平成二十七年改正法」という。）附則第二条第二号に規定する限定が解除された日（以下この項及び第百条の二第一項において「限定解除日」という。）から」と、「当該免許を受けた日前六月以内に準中型自動車免許を受けていたことがある者その他の者で政令で定めるもの及び同項の普通自動車免許を現に受けており、かつ、現に受けている準中型自動車免許を受けた日前に当該普通自動車免許を受けていた期間（」とあるのは「限定解除日前に当該免許を受けていた期間（平成二十七年改正法の施行の日前に平成二十七年改正法による改正前の道路交通法の規定による普通自動車免許を受けていた期間及び同日以後に当該準中型自動車免許を受けていた期間（いずれも」と、「が通算して二年以上

新法第九十九条第一項の規定により次の各号に掲げる免許に係る指定自動車教習所としての指定の申請が行われた自動車教習所については、それぞれ当該各号に定める免許を当該申請に係る免許とみなして、新令第三十五条第三項第二号及び第三号の規定を適用する。この場合において、同号中「割合」とあるのは、「割合として内閣府令で定めるところにより算出した数値」とする。

一　中型免許　旧法中型免許
二　準中型免許　旧法中型免許
三　普通免許　旧法普通免許
四　中型第二種免許　旧法中型第二種免許
五　普通第二種免許　旧法普通第二種免許

第八条　改正法施行日前にした違反行為に付する点数については、なお従前の例による。

第九条　改正法附則第七条第二項の規定により読み替えて適用する新法第七十一条の五第一項の政令で定める者は、次に掲げるとおりとする。

一　現に受けている準中型免許に係る改正法附則第二条第二号に規定する限定が解除された日（以下「限定解除日」という。）前六月以内に当該免許に係る新法第七十一条の五第二項の上位免許（第三号において「上位免許」という。）を受けていたことがある者
二　現に受けている準中型免許に係る限定解除日前六月以内に準中型自動車に相当する種類の自動車の運転に関する本邦の域外にある国又は地域（以下この号において「外国等」という。）の行政庁又は権限のある機関の運転免許を受けていたことがある者で、当該外国等の行政庁又は権限のある機関の運転免許を受けていた期間のうち当該外国等に滞在していた期間が通算して一年以上のもの
三　現に受けている準中型免許に係る限定解除日以後に当該免許に係る上位免許を受けた者

A　改正法施行日前に新法第九十九条第一項の申請に係る免許の種類に応じ、当該申請の日前六月の間に改正政令附則第七条各号に定める免許に係る教習を修了し、かつ、当該免許につき旧法第九十七条第一項第二号に掲げる事項について行う試験を受けた者であつて、旧府令第三十四条の四に規定する成績を得たものの人数

B　新法第九十九条第一項の申請に係る自動車教習所が、改正法施行日前に当該申請に係る免許の種類に応じて改正政令附則第七条各号に定める免許に係る指定自動車教習所として指定されたものである場合には、当該申請に係る免許の種類に応じ、当該申請の日の六月前の日以後に同条各号に定める免許に係る旧府令第三十四条の卒業検定に合格した者の人数

C　改正法施行日以後に新法第九十九条第一項の申請に係る免許に係る教習を修了し、かつ、当該免許につき新法第九十七条第一項第二号に掲げる事項について行う試験を受けた者であつて、新府令第三十四条の四に規定する成績を得たものの人数

D　改正法施行日前に新法第九十九条第一項の申請に係る免許の種類に応じ、当該申請の日前六月の間に改正政令附則第七条各号に定める免許に係る教習を修了し、かつ、当該免許につき旧法第九十七条第一項第二号に掲げる事項について行う試験を受けた者の人数

E　改正法施行日以後に新法第九十九条第一項の申請に係る免許に係る教習を修了し、かつ、当該免許につき新法第九十七条第一項第二号に掲げる事項について行う試験を受けた者の人数

第一六条　新法第百七条の七第一項の国外運転免許証の申請者が現に受けている免許の種類が、限定準中型免許又は新法第九十一条の規定により、運転することができる中型自動車がなく、かつ、運転することができる準中型自動車が旧法普通自動車に相当するものに限定されている中型第二種免許である場合には、新府令第三十七条の八の適用については、当該免許は、それぞれ普通免許又は普通第二種免許とみなす。

（高齢者講習に関する経過措置）

第一七条　新法第百一条第一項の更新期間が満了する日（新法第百一条の二第一項の規定による運転免許証（次条において「免許証」という。）の有効期間の更新の申請をしようとする者にあつては、当該申請をする日）における年齢が七十歳以上の者であつて、当該日が改正法施行日から起算して六月を経過した日前であるものに対する新法第百一条の四第一項の規定により

である」とあるのは「をいう。第百条の二第一項第五号において同じ。）が通算して二年以上である者その他政令で定める」と、新法第百条の二第一項中「当該免許を受けた日」とあるのは「限定解除日」と、同項第五号中「普通免許を現に受けており、かつ、当該準中型免許を受けた日前に当該普通免許」とあるのは「限定解除日前に当該免許」と、「期間（当該免許の効力が停止されていた期間を除く。）」とあるのは「期間」とする。

（臨時認知機能検査に関する経過措置）

第八条　新法第百一条の七第一項の規定は、この法律の施行の日（次条において「施行日」という。）以後にされた同項に規定する政令で定める行為（次条に規定する者が旧法第百二条第一項に規定する政令で定める行為をして次条の規定によりなお従前の例によることとされる場合における当該行為を除く。）について適用する。

（臨時適性検査に関する経過措置）

第九条　施行日前に旧法第九十七条の二第一項第三号若しくは第五号又は第百一条の四第二項の規定により認知機能検査（施行日前の直近において受けたものに限る。）を受けた者（旧法第百二条第一項に規定する基準該当者である者に限る。）に対する当該認知機能検査に係る臨時適性検査については、なお従前の例による。

（免許の効力の仮停止等に関する経過措置）

第一〇条　附則第一条ただし書に規定する規定の施行前にした行為に係る免許を受けた者（国際運転免許証又は外国運転免許証を所持する者を含む。）に対す

行われる講習及び高齢者講習終了証明書の様式については、新府令第三十八条第十二項の規定及び別記様式第二十二の十の七の様式にかかわらず、なお従前の例による。

2　前項の規定によりなお従前の例によることとされる講習に係る講習手数料については、新令第四十三条第一項の規定にかかわらず、なお従前の例による。

（様式に関する経過措置）

第一八条　改正法施行日前に交付された免許証、免許証保管証、高齢者講習終了証明書及び免許証保管証の様式については、新府令別記様式第十四、別記様式第十九の三の六、別記様式第二十二の十の七及び別記様式第二十三の様式にかかわらず、なお従前の例による。

る警察署長による免許の効力の停止（自動車等の運転の禁止を含む。）については、新法第百三条の二第一項（新法第百七条の五第十項において準用する場合を含む。）の規定にかかわらず、なお従前の例による。

（罰則等に関する経過措置）

第一一条　この法律の施行前にした行為に対する罰則の適用については、なお従前の例による。

第一二条　この法律の施行前にした行為に係る放置違反金の取扱いに関しては、なお従前の例による。

第一三条　この法律の施行前にした行為に対する反則行為の取扱いに関しては、なお従前の例による。

（政令への委任）

第一四条　この附則に規定するもののほか、この法律の施行に関し必要な経過措置（罰則に関する経過措置を含む。）は、政令で定める。

附　則〔平二七・九・三〇法七六抄〕

（施行期日）

第一条　この法律は、公布の日から起算して六月を超えない範囲内において政令で定める日から施行する。

〔平二八政八三により、平二八・三・二九から施行〕

附　則〔平二九・六・二法五二抄〕

（施行期日）

第一条　この法律は、平成三十年四月一日から施行する。ただし、次の各号に掲げる規定は、当該各号に定める日から施行する。

一〔前略〕附則〔中略〕第四十七条から第四十九条までの規定　公布の日

二・三〔略〕

（罰則の適用に関する経過措置）

第四八条　この法律（附則第一条各号に掲げる規定については、当該各規定。以下この条において同じ。）の施行前にした行為及びこの附則の規定によりなお従前の例によることとされる場合におけるこの法律の施行後にした行為に対する罰則の適用については、なお従前の例による。

（その他の経過措置の政令への委任）

第四九条　この附則に規定するもののほか、この法律の施行に伴い必要な経過措置（罰則に関する経過措置を含む。）は、政令で定める。

附　則〔平三〇・一・四政一〕

（施行期日）

1　この政令は、平成三十年四月一日から施行する。

（経過措置）

2　この政令の施行前にした違反行為に付する点数については、なお従前の例による。

3　この政令の施行前にした行為に対する罰則の適用については、なお従前の例による。

附　則〔平二九・一〇・三〇内府令四八抄〕

（施行期日）

1　この府令は、公布の日から施行する。

附　則〔平三〇・三・二三内府令六〕

この府令は、地域包括ケアシステムの強化のための介護保険法等の一部を改正する法律の施行の日〔平三〇・四・一〕から施行する。

附　則〔平三〇・六・一一内府令三〇抄〕

（施行期日）

1　この府令は、公布の日から起算して三十日を経過した日から施行する。ただし、次の各号に掲げる規定は、当該各号に定める日から施行する。

一　第三条の二の改正規定、別記様式第一の二の改正規定及び別記様式第一の二の次に一様式を加える改正規定　公布の日

二　次項及び第三項の規定　公布の日から起算して三年を経過した日

（経過措置）

附　則〔令元・五・二四法一四抄〕

（施行期日）

第一条　この法律は、公布の日から起算して一年を超えない範囲内において政令で定める日から施行する。〔以下略〕

〔令二政二〇により、令二・四・一から施行〕

附　則〔令元・六・五法二〇抄〕

（施行期日）

第一条　この法律は、道路運送車両法の一部を改正する法律（令和元年法律第十四号）の施行の日（令二・四・一）から施行する。ただし、次の各号に掲げる規定は、当該各号に定める日から施行する。

附　則〔平三一・三・一五政三八抄〕

（施行期日）

1　この政令は、平成三十一年四月一日から施行する。

〔令元・九・二六政一〇九の附則（八五六頁）参照〕

附　則〔令元・九・一九政一〇八〕

（施行期日）

1　この政令は、道路交通法の一部を改正する法律附則第一条第二号に掲げる規定の施行の日（令和元年十二月一日）から施行する。ただし、第三十九条の四の改正規定は、公布の日から施行する。

（経過措置）

2　この政令の施行の日から令和三年三月三十一日までの間は、

3　前項の規定の施行の際現に道路交通法施行規則の一部を改正する総理府令附則第二項の規定により普通自動二輪車に係る指定を受けた指定自動車教習所とみなされる自動車教習所が行う普通自動二輪車に係る教習を受けている者に対する当該教習については、道路交通法施行規則第三十三条第五項第一号への規定にかかわらず、運転シミュレーターを使用しないことができるものとする。

附　則〔平三〇・一二・二八内府令五八〕

（施行期日）

1　この府令は、公布の日から施行する。

（経過措置）

2　運転免許証（仮運転免許に係るものを除く。）の様式については、改正後の道路交通法施行規則別記様式第十四の様式にかかわらず、当分の間、なお従前の例によることができる。

附　則〔令元・五・二四内府令五〕

この府令は、公布の日から施行する。

附　則〔令元・六・二一内府令一二〕

（施行期日）

1　この府令は、令和元年七月一日から施行する。

（経過措置）

2　この府令による改正前の〔中略〕道路交通法施行規則〔中略〕に規定する様式による書面については、この府令による改正後の〔中略〕道路交通法施行規則〔中略〕に規定する様式にかかわらず、当分の間、なおこれを使用することができる。

附　則〔令元・九・一九内府令三二〕

（施行期日）

1　この府令は、道路交通法の一部を改正する法律附則第一条第二号に掲げる規定の施行の日（令和元年十二月一日）から施行する。

（大型自動二輪車等に関する経過措置）

2　この府令の施行の際現に普通自動二輪車免許（以下「普通二輪免許」という。）を受けており、かつ、定格出力が二〇・〇

一　附則第五条の規定　公布の日

二　第一条並びに次条から附則第四条まで及び附則第六条から第八条までの規定　公布の日から起算して六月を超えない範囲内において政令で定める日

〔令元政一〇七により、令元・一二・一から施行〕

（免許の効力の仮停止等に関する経過措置）

第二条　前条第二号に掲げる規定の施行前にした行為に係る免許を受けた者（国際運転免許証又は外国運転免許証を所持する者を含む。）に対する警察署長による免許の効力の停止（自動車等の運転の禁止を含む。）については、第一条の規定による改正後の道路交通法（以下この条及び次条において「新法」という。）第百三条の二第一項（新法第百七条の五第十項において準用する場合を含む。）の規定にかかわらず、なお従前の例による。

（運転経歴証明書の交付の申請に関する経過措置）

第三条　附則第一条第二号に掲げる規定の施行の際現に第一条の規定による改正前の道路交通法第百四条の四第二項の規定により免許を取り消した公安委員会に対してされている同条第五項の規定による運転経歴証明書の交付の申請については、新法第百四条の四第五項から第七項までの規定にかかわらず、なお従前の例による。

（反則行為に関する経過措置）

第四条　附則第一条第二号に掲げる規定の施行前にした行為に対する反則行為の取扱いに関しては、なお従前の例による。

（政令への委任）

この政令による改正後の道路交通法施行令第三十九条の二の五第二項の規定の適用については、同項中「同条第五項」とあるのは「同条第五項の規定による申請をした日前五年以内」と、「法第百五条第二項において読み替えて準用する法第百四条の四第五項」とあるのは「平成二十八年四月一日以後」とする。

3　この政令の施行前にした違反行為に付する点数については、なお従前の例による。

〇キロワットを超える原動機を有する大型自動二輪車（以下「電動大型自動二輪車」という。）の運転に従事している者（この府令の施行の日（以下「施行日」という。）前に電動大型自動二輪車の運転に従事していた者で、この府令の施行の際現に当該免許の効力を停止されているため電動大型自動二輪車の運転に従事することができないものを含む。以下同じ。）に係る当該免許については、施行日から起算して一年を経過する日（その日以前に大型自動二輪車免許（以下「大型二輪免許」という。）を受けた者（附則第四項の規定による大型二輪免許を受けた者を含む。）については、その運転免許を受けた日）までの間は、電動大型自動二輪車の運転に従事する場合に限り、大型二輪免許とみなす。

3　都道府県公安委員会（以下「公安委員会」という。）は、この府令の施行の際現に普通二輪免許を受けており、かつ、電動大型自動二輪車の運転に従事している者に対しては、施行日から起算して一年を経過する日までの間は、この府令による改正後の道路交通法施行規則（以下「新府令」という。）第二十四条第六項の規定にかかわらず、道路交通法（以下「法」という。）第九十七条第一項第二号に掲げる事項について行う運転免許試験において電動大型自動二輪車を使用して大型二輪免許の運転免許試験を行うことができる。

4　公安委員会は、前項の規定による運転免許試験に合格した者に対し大型二輪免許を与えるときは、その者が運転することができる大型自動二輪車の種類を電動大型自動二輪車に限定しなければならない。

5　前項の規定による限定は、法の規定（罰則を含む。）の適用については、法第九十一条の規定による限定とみなす。

6　この府令の施行の際現に普通二輪免許を受けており、かつ、電動大型自動二輪車の運転に従事している者で、法第八十八条第一項第一号及び第九十六条第一項の規定により大型二輪免許を与えないこととされ、及び大型二輪免許の運転免許試験を受けることができないこととされているものは、これらの規定にかかわらず、附則第三項の規定による大型二輪免許の運転免許試験を受け、かつ、附則第四項の規定による限定が付された大型二輪免許を受けることができる。

7　附則第三項の規定により大型二輪免許の運転免許試験を受けようとする者は、この府令の施行の際現に電動大型自動二輪車の運転に従事している者に該当する者であることを証明する書類を新府令別記様式第十二の運転免許申請書に添付しなければならない。

8　この府令の施行の際現に法第九十一条の規定により運転免許

第五条　前三条及び附則第七条に規定するもののほか、この法律の施行に関し必要な経過措置（罰則に関する経過措置を含む。）は、政令で定める。

附　則〔令元・九・二六政一〇九〕

（施行期日）

1　この政令は、道路交通法の一部を改正する法律（令和元年法律第二十号）の施行の日〔令二・四・一〕から施行する。

（経過措置）

2　この政令の施行前にした違反行為に付する点数については、なお従前の例による。

に付されている条件のうち、運転することができる大型自動二輪車及び普通自動二輪車をオートマチック・トランスミッションその他のクラッチの操作を要しない機構（以下「AT機構」という。）がとられておりクラッチの操作装置を有しない大型自動二輪車（総排気量〇・六五〇リットル以下のものに限る。）及び普通自動二輪車に限ることとするものは、運転することができる大型自動二輪車及び普通自動二輪車をAT機構がとられておりクラッチの操作装置を有しない大型自動二輪車及び普通自動二輪車に限ることとするものとみなす。

9　当分の間、新府令第二十四条第六項の表大型二輪免許の項中「大型自動二輪車」とあるのは、「大型自動二輪車（運転することができる大型自動二輪車及び普通自動二輪車をオートマチック・トランスミッションその他のクラッチの操作を要しない機構がとられておりクラッチの操作装置を有しない大型自動二輪車及び普通自動二輪車に限る大型二輪免許にあつては、総排気量〇・六〇〇リットル以上のもの）」とする。

9　当分の間、道路交通法施行規則第二十四条第十項の表大型二輪免許の項中「大型自動二輪車」とあるのは、「大型自動二輪車（運転することができる大型自動二輪車及び普通自動二輪車をオートマチック・トランスミッションその他のクラッチの操作を要しない機構がとられておりクラッチの操作装置を有しない大型自動二輪車及び普通自動二輪車に限る大型二輪免許にあつては、総排気量〇・六〇〇リットル以上のもの）」とする。

10　この府令の施行前にした違反行為に付する点数については、なお従前の例による。

11　この府令の施行前にした行為に対する罰則の適用については、なお従前の例による。

12　この府令の施行前にした行為に対する反則行為の取扱いに関しては、なお従前の例による。

（様式に関する経過措置）

13　運転免許証再交付申請書及び運転経歴証明書の様式については、新府令別記様式第十七及び別記様式第十九の三の十の様式にかかわらず、当分の間、なお従前の例によることができる。

附　則〔令二・三・三一内府令二九〕

この府令は、道路交通法の一部を改正する法律の施行の日（令和二年四月一日）から施行する。

附　則〔令元・六・一四法三七抄〕

（施行期日）

第一条　この法律は、公布の日から起算して三月を経過した日から施行する。ただし、次の各号に掲げる規定は、当該各号に定める日から施行する。

一　〔前略〕次条並びに附則第三条及び第六条の規定　公布の日

二　〔前略〕第二章第二節〔中略〕の規定　公布の日から起算して六月を経過した日

三・四　〔略〕

（行政庁の行為等に関する経過措置）

第二条　この法律（前条各号に掲げる規定にあっては、当該規定。以下この条及び次条において同じ。）の施行の日前に、この法律による改正前の法律又はこれに基づく命令の規定（欠格条項その他の権利の制限に係る措置を定めるものに限る。）に基づき行われた行政庁の処分その他の行為及び当該規定により生じた失職の効力については、なお従前の例による。

（罰則に関する経過措置）

第三条　この法律の施行前にした行為に対する罰則の適用については、なお従前の例による。

（検討）

第七条　政府は、会社法（平成十七年法律第八十六号）及び一般社団法人及び一般財団法人に関する法律（平成十八年法律第四十八号）における法人の役員の資格を成年被後見人又は被保佐人であることを理由に制限する旨の規定について、この法律の公布

3　この政令の施行前にした行為に対する罰則の適用については、なお従前の例による。

4　この政令の施行前にした行為に対する反則行為の取扱いに関しては、なお従前の例による。

後一年以内を目途として検討を加え、その結果に基づき、当該規定の削除その他の必要な法制上の措置を講ずるものとする。

附　則〔令二・六・一〇法四二抄〕

（施行期日）

第一条　この法律は、公布の日から起算して二年を超えない範囲内において政令で定める日から施行する。ただし、次の各号に掲げる規定は、当該各号に定める日から施行する。

〔令四政一五により、令四・五・一三から施行〕

一　第十七条の付記の改正規定、第二十四条の付記の改正規定、第二十六条の付記の改正規定、第二十六条の二の付記の改正規定、第二十八条の付記の改正規定、第五十二条の付記の改正規定、第五十四条の付記の改正規定、第七十条の付記の改正規定、第七十五条の四の付記の改正規定、第七十五条の八の付記の改正規定、第九十条第二項第三号の改正規定、第九十九条の二第四項第二号ハ及びニの改正規定、第百三条第二項第三号の改正規定、第百三条の二第一項第二号の改正規定、第百七条の五第二項第三号の改正規定、第百十七条の二の改正規定並びに第百十七条の二の二の改正規定並びに附則第三条及び第八条から第十一条までの規定　公布の日から起算して二十日を経過した日

二　第二条第三項第二号の改正規定、第十七条第三項の改正規定、第四十四条の改正規定、第四十五条の二第一項及び第四十六条の改正規定、第四十九条の三第一項の改正規定、第四十九条の六の改正規定、第五十条の二の改正規定、第五十一条の

〔令四・一・六政一六の附則（八六二頁）参照〕

附　則〔令二・六・一二政一八一〕

（施行期日）

1　この政令は、道路交通法の一部を改正する法律附則第一条第一号に掲げる規定の施行の日〔令二・六・三〇〕から施行する。

（経過措置）

2　この政令の施行前にした行為を理由とする仮運転免許の取消しの基準については、なお従前の例による。

3　この政令の施行前にした違反行為に付する点数については、なお従前の例による。

附　則〔令二・一一・一三政三三一抄〕

（施行期日）

第一条　この政令は、道路交通法の一部を改正する法律（次条において「改正法」という。）附則第一条第二号に掲げる規定の施行の日（令和二年十二月一日）から施行する。

（初心運転者標識の表示義務に関する経過措置）

第二条　改正法による改正後の道路交通法第七十一条の五第二項

〔令四・二・一〇内府令七の附則（八六二頁）参照〕

附　則〔令二・六・一二内府令四五〕

この府令は、道路交通法の一部を改正する法律附則第一条第一号に掲げる規定の施行の日（令和二年六月三十日）から施行する。

附　則〔令二・一一・一三内府令七〇〕

この府令は、道路交通法の一部を改正する法律附則第一条第二号に掲げる規定の施行の日（令和二年十二月一日）から施行する。

前の見出しを削り、同条に見出しを付する改正規定、同条の改正規定、第五十一条の二を削る改正規定、第五十一条の二の二の改正規定、同条を第五十一条の二とする改正規定、第五十一条の四第一項の改正規定、第六十三条の三の改正規定、第七十一条第五号の四の改正規定、第七十一条の五第二項の改正規定、第七十二条の二第三項の改正規定、第七十五条第一項第七号の改正規定、第七十五条の八第二項の改正規定、第百八条の三の三の付記の改正規定、第百八条の七の付記、第百八条の十八の付記及び第百八条の三十一の付記の改正規定、第百十条の二第五項の改正規定、第百十七条の五の改正規定、第百十九条の二第一項第一号及び第百十九条の三第一項第一号の改正規定、第百二十一条第一項第九号の改正規定並びに別表第一の改正規定並びに次条並びに附則第六条、第七条、第十二条及び第十三条の規定　公布の日から起算して六月を超えない範囲内において政令で定める日

〔令二政三三二により、令二・一二・一から施行〕

（調整規定）

第二条　前条第二号に掲げる規定の施行の日からこの法律の施行の日の前日までの間における同号に掲げる改正規定による改正後の道路交通法第百十七条の五の規定の適用については、同条第二号中「第百八条の三の四」とあるのは、「第百八条の三の三」とする。

（免許等に関する経過措置）

第三条　附則第一条各号に掲げる規定の施行前にした行為を理由とする免許（道路交通法第八十四条第一

（準中型自動車免許を受けた者に係る部分に限る。）及びこの政令による改正後の道路交通法施行令第二十六条の四第二項（第一号に係る部分に限る。）の規定は、この政令の施行後に準中型自動車免許を受けた者について適用する。

附　則〔令二・一二・二八内府令八五〕

（施行期日）

第一条　この府令は、公布の日から施行する。

（経過措置）

第二条　この府令による改正前の様式（次項において「旧様式」という。）により使用されている書類は、当分の間、この府令による改正後の様式によるものとみなす。

2　旧様式による用紙については、当分の間、これを取り繕って使用することができる。

項に規定する免許をいう。次条第一項において同じ。）の拒否、保留、取消し若しくは効力の停止又は自動車等（同法第八十四条第一項に規定する自動車等をいう。）の運転の禁止については、なお従前の例による。

第四条　この法律による改正後の道路交通法（以下「新法」という。）第九十七条の二第一項第三号イから二までの規定は、この法律の施行の日から起算して六月を経過した日（以下この条において「基準日」という。）の翌日以後に免許が失効した者について適用し、基準日以前に免許が失効した者については、なお従前の例による。

2　新法第百一条の四第二項の規定は、道路交通法第百一条第一項の更新期間が満了する日（同法第百一条の二第一項の規定による免許証の更新を申請しようとする者にあっては、当該申請をする日。以下この条において同じ。）が基準日以後である免許証の更新を受けようとする者について適用し、同法第百一条第一項の更新期間が満了する日が基準日の前日以前である免許証の更新を受けようとする者については、なお従前の例による。

3　新法第百一条の四第三項の規定は、道路交通法第百一条第一項の更新期間が満了する日が基準日以後である免許証の更新を受けようとする者について適用する。

（秘密保持義務に関する経過措置）

第五条　この法律による改正前の道路交通法（以下この条において「旧法」という。）第百八条の二第三項の規定により道路交通法第百八条の二第一項第十二号に掲げる講習（旧法第九十七条の二第一項第三号イ、第百一条の四第二項又は第百一条の七第四項の規定により認知機能検査の結果に基づいて行うものに限る。）の実施の委託を受けた者若しくは新法第百八条の二第三項の規定により道路交通法第百八条の二第一項第十二号に掲げる講習（前条第一項又は第二項の規定によりなお従前の例によることとされる場合における旧法第九十七条の二第一項第三号イ又は第百一条の四第二項の規定により認知機能検査の結果に基づいて行うものに限る。）の実施の委託を受けた者（これらの者が法人である場合にあっては、その役員）若しくはこれらの職員又はこれらの者であった者については、旧法第百八条の二第四項の規定は、この法律の施行後も、なおその効力を有する。

（自転車運転者講習の受講命令に関する経過措置）

第六条　附則第一条第二号に掲げる規定の施行前にした行為を理由とする自転車運転者講習の受講命令については、なお従前の例による。

（罰則等に関する経過措置）

第七条　この法律（附則第一条第二号に掲げる規定については、当該規定）の施行前にした行為及び附則第五条の規定によりなおその効力を有することとされる場合におけるこの法律の施行後にした行為に対する罰則の適用については、なお従前の例による。

第八条　附則第一条各号に掲げる規定の施行前にした行為に対する反則行為の取扱いに関しては、なお従前の例による。

（政令への委任）

第九条　附則第三条から前条まで及び附則第十一条に規定するもののほか、この法律の施行に関し必要な経過措置（罰則に関する経過措置を含む。）は、政令で定める。

附　則〔令二・六・一二法五二抄〕

（施行期日）

第一条　この法律は、令和三年四月一日から施行する。ただし、次の各号に掲げる規定は、当該各号に定める日から施行する。

一　〔前略〕附則第八条及び第九条の規定　公布の日

二　〔略〕

（政令への委任）

第九条　この法律の施行に関し必要な経過措置は、政令で定める。

附　則〔令三・六・一八政一七二抄〕

（施行期日）

第一条　この政令は、令和三年六月二十八日から施行する。

（経過措置）

第二条　この政令の施行前にした違反行為に付する点数については、なお従前の例による。

2　この政令の施行前にした行為に対する罰則の適用については、なお従前の例による。

3　この政令の施行前にした反則行為の種別及び当該反則行為に係る反則金の額については、なお従前の例による。

附　則〔令四・一・六政一六〕

（施行期日）

第一条　この政令は、道路交通法の一部を改正する法律（以下「改正法」という。）の施行の日（令和四年五月十三日。以下「施行日」という。）から施行する。ただし、第三十九条の四の改正規定は、公布の日から施行する。

（第二種運転免許の試験の受験資格の特例に関する経過措置）

第二条　この政令の施行の際現にこの政令による改正前の道路交通法施行令（以下「旧令」という。）第三十四条第三項第二号に掲げる者に該当している者は、改正法による改正後の道路交通法（以下「新法」という。）第九十六条第五項第一号の適用

附　則〔令三・六・一八内府令四一〕

この府令は、道路交通法施行令及び予算決算及び会計令の一部を改正する政令の施行の日（令和三年六月二十八日）から施行する。

附　則〔令三・一一・一〇内府令六八〕

この府令は、令和四年四月一日から施行する。ただし、第二条の規定は、同年十月一日から施行する。

附　則〔令四・二・一〇内府令七〕

改正　令五・三・一七内府令一七

（施行期日）

第一条　この府令は、道路交通法の一部を改正する法律（以下「改正法」という。）の施行の日（令和四年五月十三日。以下「施行日」という。）から施行する。

（免許申請書等の添付書類に関する経過措置）

第二条　運転免許を受けようとする者が次の各号に該当する者であるときは、道路交通法施行規則第十七条第一項の様式の免許申請書（附則第五条において「免許申請書」という。）には、当該各号に定める書類を添付しなければならない。

については、同号に規定する政令で定める経験を有するものとみなす。この政令の施行の際現に旧令第三十四条第三項第二号に規定する教習を受けている者であって施行日以後に同号に掲げる者に該当することとなったものについても、同様とする。

2　この政令の施行の際現に旧令第三十四条第四項第二号に掲げる者に該当している者は、新法第九十六条第五項第二号の適用については、同号に規定する政令で定める経験を有するものとみなす。この政令の施行の際現に旧令第三十四条第四項第二号に規定する教習を受けている者であって施行日以後に同号に掲げる者に該当することとなったものについても、同様とする。

（試験の免除に関する経過措置）

第三条　この政令による改正後の道路交通法施行令第三十四条の三第二項第二号及び第六項第二号の規定の適用については、同条第二項第二号に規定する一般違反行為及び同号に規定する行為には、施行日前にした当該一般違反行為及び当該行為は、含まれないものとする。

（罰則等に関する経過措置）

第四条　この政令の施行前にした行為に対する罰則の適用については、なお従前の例による。

2　この政令の施行前にした違反行為に付する点数については、なお従前の例による。

3　この政令の施行前にした反則行為の種別及び当該反則行為に係る反則金の額については、なお従前の例による。

一　施行日前に改正法による改正前の道路交通法（次号において「旧法」という。）第百八条の二第一項第十二号に掲げる講習（以下「旧法高齢者講習」という。）を受けた者　この府令による改正前の道路交通法施行規則（以下「旧府令」という。）別記様式第二十二の十の七の高齢者講習終了証明書

二　施行日以後に旧法第九十七条の二第一項第三号イに規定する認知機能検査（以下「旧法認知機能検査」という。）を受けた者　附則第五条において準用するこの府令による改正後の道路交通法施行規則（以下「新府令」という。）第二十六条の三第二項に規定する書類

三　施行日以後に旧法高齢者講習を受けた者　附則第七条において準用する道路交通法施行規則の一部を改正する内閣府令（令和五年内閣府令第十七号。附則第七条において「令和五年改正府令」という。）による改正後の道路交通法施行規則第三十八条第十八項に規定する高齢者講習終了証明書

四　道路交通法施行令の一部を改正する政令（以下この号において「改正令」という。）附則第二条第一項の規定により改正法による改正後の道路交通法（以下この号において「新法」という。）第九十六条第五項第一号の適用について同号に規定する政令で定める経験を有するものとみなされる者又は改正令附則第二条第二項の規定により新法第九十六条第五項第二号の適用について同号に規定する政令で定める経験を有するものとみなされる者　当該者であることを証明する書類

第三条　道路交通法第百一条第一項に規定する免許証の更新を受けようとする者が次の各号に該当する者であるときは、道路交通法施行規則第二十九条第一項の様式の更新申請書には、当該各号に定める書類を添付しなければならない。

一　施行日前に旧法高齢者講習を受けた者　旧府令別記様式第二十二の十の七の高齢者講習終了証明書

二　施行日以後に旧法認知機能検査を受けた者　附則第五条において準用する新府令第二十六条の三第二項に規定する書類

三　施行日以後に旧法高齢者講習を受けた者　附則第七条において準用する新府令第三十八条第十七項に規定する高齢者講習終了証明書

（認知機能検査に関する経過措置）

第四条　施行日前に受けた旧法認知機能検査の結果について、旧府令第二十九条の三第一項の式により算出した数値が四十九以上である者は、新府令第二十九条の三第一項第一号の式により算出した数値が三十六以上である者とみなし、旧府令第二十九条の三第一項の式により算出した数値が四十九未満である者は、

附　則〔令四・四・二七法三二抄〕

（施行期日）

第一条　この法律は、公布の日から起算して一年を超えない範囲内において政令で定める日から施行する。ただし、次の各号に掲げる規定は、当該各号に定める日から施行する。

〔令四政三九〇により、令五・四・一から施行〕

一　附則第九条の規定　公布の日

二　第一条並びに附則第六条〔中略〕の規定　公布の日から起算して六月を超えない範囲内において

附　則〔令四・五・二〇政一九五〕

この政令は、道路運送車両法の一部を改正する法律附則第一条第六号に掲げる規定の施行の日（令和五年一月一日）から施行する。

附　則〔令四・九・一四政三〇四〕

この政令は、道路交通法の一部を改正する法律附則第一条第二号に掲げる規定の施行の日（令和四年十月一日）から施行する。

附　則〔令四・一二・二三政三九一〕

（施行期日）

1　この政令は、道路交通法の一部を改正する法律の施行の日（令和五年四月一日）から施行する。

（道路交通法施行令の一部改正に伴う経過措置）

2　この政令の施行前にした違反行為に付する点数については、なお従前の例による。

附　則〔令五・三・一七政五四抄〕

（施行期日）

第一条　この政令は、道路交通法の一部を改正する法律附則第一

新府令第二十九条の三第一項第一号の式により算出した数値が三十六未満である者とみなす。

第五条　改正法附則第四条第一項の規定によりなお従前の例によることとされる者（道路交通法第八十九条第一項の規定により免許申請書を提出した日における年齢が七十五歳以上の者に限る。）及び改正法附則第四条第二項の規定によりなお従前の例によることとされる者に対して施行日以後に行う旧法認知機能検査については、旧府令第二十六条の三、第二十九条の二の五第一項及び第二十九条の三第一項の規定にかかわらず、新府令第二十六条の三、第二十九条の二の六第一項及び第二十九条の三第一項第一号の規定を準用する。

（高齢者講習に関する経過措置）

第六条　新府令第二十九条の二の六第一項第二号ホの規定は、施行日から起算して一年間は、適用しない。

第七条　改正法附則第四条第一項又は第二項の規定によりなお従前の例によることとされる者に対して施行日以後に行う旧法高齢者講習については、旧府令第三十八条第十二項及び第十六項の規定にかかわらず、令和五年改正府令による改正後の道路交通法施行規則第三十八条第十二項及び第十八項の規定を準用する。この場合において、同条第十二項第三号及び第四号の規定中「者及び令第三十四条の三第四項又は第三十七条の六の三の基準に該当する者」とあるのは「者」と、同項第三号中「ものに」とあるのは「もの並びに認知機能検査の結果に」と読み替えるものとする。

附　則〔令四・九・一四内府令五四〕

この府令は、道路交通法の一部を改正する法律附則第一条第二号に掲げる規定の施行の日（令和四年十月一日）から施行する。

附　則〔令四・一二・二三内府令六七〕

この府令は、道路交通法の一部を改正する法律の施行の日（令和五年四月一日）から施行する。

附　則〔令五・三・一七内府令一七抄〕

（施行期日）

1　この府令は、道路交通法の一部を改正する法律附則第一条第

政令で定める日

〔令四政三〇三により、令四・一〇・一から施行〕

三　第三条並びに附則第四条〔中略〕の規定　公布の日から起算して二年を超えない範囲内において政令で定める日

〔令五政五三により、令五・七・一から施行〕

四　第四条並びに附則第五条〔中略〕の規定　公布の日から起算して三年を超えない範囲内において政令で定める日

（調整規定）

第二条　道路運送車両法の一部を改正する法律（令和元年法律第十四号）附則第一条第六号に掲げる規定の施行の日がこの法律の施行の日後となる場合には、同号に掲げる規定の施行の日の前日までの間における第二条の規定による改正後の道路交通法第七十五条の十二第三項の規定の適用については、同項中「自動車検査証記録事項」とあるのは「自動車検査証」と、「第五十八条第二項」とあるのは「第六十条第一項」と、「が記載された書面」とあるのは「の写し」とする。

（免許の拒否等に関する経過措置）

第三条　この法律（附則第一条第三号に掲げる規定については、当該規定）の施行前にした行為を理由とする免許の拒否、保留、取消し若しくは効力の停止又は自動車等の運転の禁止については、なお従前の例による。

（特定小型原動機付自転車運転者講習の受講命令に関する経過措置）

第四条　第三条の規定による改正後の道路交通法第百

条第三号に掲げる規定の施行の日（令和五年七月一日）から施行する。

（優良運転者及び違反運転者の区分に関する経過措置）

第二条　この政令の施行の日（以下「施行日」という。）前に道路交通法の一部を改正する法律第三条の規定による改正前の道路交通法（以下「旧法」という。）第八十四条第一項に規定する自動車等の運転に関し道路交通法施行令（以下「令」という。）第三十三条の二第三項に規定する違反行為又は令別表第四若しくは別表第五に掲げる行為をした者に対する道路交通法（以下「法」という。）第九十二条の二第一項の表の備考一の2及び4の規定の適用については、同表の備考一の2中「自動車等」とあるのは「自動車等又は道路交通法の一部を改正する法律（令和四年法律第三十二号）第三条の規定による改正前の第八十四条第一項に規定する自動車等」と、同表の備考一の4中「自動車等」とあるのは「自動車等若しくは道路交通法の一部を改正する法律第三条の規定による改正前の第八十四条第一項に規定する自動車等」とする。

（運転技能検査等に関する経過措置）

第三条　施行日前に旧法第三条に規定する大型自動車、中型自動車、準中型自動車又は普通自動車の運転に関し令第三十四条の三第五項に規定する基準違反行為をした者に対する法第九十七条の二第一項第三号イの規定の適用については、同号イ中「大型自動車、中型自動車、準中型自動車又は普通自動車」とあるのは、「大型自動車、中型自動車、準中型自動車若しくは普通自動車又は道路交通法の一部を改正する法律（令和四年法律第三十二号）第三条の規定による改正前の第三条に規定する大型自動車、中型自動車、準中型自動車若しくは普通自動車」とする。

（技能検定員資格者証等の交付の拒否等に関する経過措置）

第四条　施行日前にした行為を理由とする法第九十九条の二第四項の技能検定員資格者証及び法第九十九条の三第四項の教習指導員資格者証の交付の拒否又は返納、法第百条の二第五項の規定による再試験の受験義務、法第百一条の七第三項の規定による認知機能検査等の受検義務、法第百二条第七項の規定による適性検査の受検義務、法第百二条の二又は第百二条の三の規定による講習の受講義務並びに法第百六条の規定による都道府県公安委員会から国家公安委員会への報告については、なお従前の例による。

（指定講習機関の指定等に関する経過措置）

第五条　施行日前に旧法第八十四条第一項に規定する自動車等の運転に関し自動車の運転により人を死傷させる行為等の処罰に

三号に掲げる規定の施行の日（令和五年七月一日）から施行する。

（経過措置）

2　この府令の施行の日前に製作された道路運送車両の保安基準（昭和二十六年運輸省令第六十七号）第一条第一項第十三号の六に規定する特定小型原動機付自転車に対するこの府令による改正後の道路交通法施行規則第一条の二の二の規定の適用については、令和六年十二月二十二日までの間、同条第二号ホ中「こと」とあるのは、「こと又は道路運送車両法施行規則（昭和二十六年運輸省令第七十四号）第六十二条の三第一項の認定を受けた者が同条第五項の規定により道路運送車両の保安基準第三章第二節（第六十六条の十七を除く。）の基準に適合するものとして特定小型原動機付自転車に表示しなければならないこととされている型式認定番号標（これに準ずるものとして国家公安委員会が定めるものを含む。）若しくは市町村（特別区を含む。）の条例で定めるところにより特定小型原動機付自転車に取り付けることとされている標識（地方税法（昭和二十五年法律第二百二十六号）第四百六十三条の十八第三項（同法第一条第二項において準用する場合を含む。）に規定する標識をいう。）を見やすいように表示していること」とする。

八条の三の五第一項の規定は、附則第一条第三号に掲げる規定の施行の日以後に特定小型原動機付自転車の運転に関し同項に規定する特定小型原動機付自転車危険行為を反復してした者について適用する。

（免許証の保管等に関する経過措置）

第五条 附則第一条第四号に掲げる規定の施行の際現に第四条の規定による改正前の道路交通法（以下この条において「旧法」という。）第百四条の三第三項（旧法第百七条の五第十一項において読み替えて準用する場合を含む。）又は第百九条第一項の規定により保管されている免許証又は国際運転免許証若しくは外国運転免許証の保管及び返還並びにこれらの規定により交付されている保管証については、なお従前の例による。

2 第四条の規定による改正後の道路交通法第百二十三条の二（第一号に係る部分に限る。）の規定は、附則第一条第四号に掲げる規定の施行前にされた旧法第百四条の三第二項（旧法第百七条の五第十一項において準用する場合を含む。）の規定による命令に係る違反行為については、適用しない。

（罰則等に関する経過措置）

第六条 この法律（附則第一条第二号及び第三号に掲げる規定については、当該各規定）の施行前にした行為に対する罰則の適用については、なお従前の例による。

第七条 この法律（附則第一条第三号に掲げる規定については、当該規定。次条において同じ。）の施行前にした行為に係る放置違反金の取扱いに関しては、なお従前の例による。

関する法律（平成二十五年法律第八十六号）第二条から第六条までの罪又は旧法に規定する罪を犯した者に対する法第百八条の四第三項第三号及び令第三十五条第一項第二号ハの規定の適用については、法第百八条の四第三項第三号中「自動車等」とあるのは「自動車等又は道路交通法の一部を改正する法律（令和四年法律第三十二号）第三条の規定による改正前の第八十四条第一項に規定する自動車等」と、令第三十五条第一項第二号ハ中「自動車等」とあるのは「自動車等又は道路交通法の一部を改正する法律（令和四年法律第三十二号）第三条の規定による改正前の法第八十四条第一項に規定する自動車等」とする。

（点数に関する経過措置）

第六条 施行日前にした違反行為に付する点数については、なお従前の例による。

第八条　この法律の施行前にした行為に対する反則行為の取扱いに関しては、なお従前の例による。

（政令への委任）

第九条　附則第三条から前条までに定めるもののほか、この法律の施行に関し必要な経過措置（罰則に関する経過措置を含む。）は、政令で定める。

附　則〔令五・五・八法一九抄〕

（施行期日）

第一条　この法律は、令和六年四月一日から施行する。

〔以下略〕

附　則〔令五・六・一六法五六抄〕

（施行期日）

第一条　この法律は、公布の日から起算して一年を超えない範囲内において政令で定める日から施行する。

〔以下略〕

〔令六政一六六により、令六・六・一〇から施行〕

附　則〔令六・五・二四法三四〕

（施行期日）

1　この法律は、公布の日から起算して二年を超えない範囲内において政令で定める日から施行する。ただし、次の各号に掲げる規定は、当該各号に定める

附　則〔令六・一・一九政一二抄〕

（施行期日）

第一条　この政令は、令和六年四月一日から施行する。

附　則〔令六・三・一政四三〕

（施行期日）

1　この政令は、令和六年四月一日から施行する。

（経過措置）

2　この政令の施行前にした違反行為に付する点数については、なお従前の例による。

3　この政令の施行前にした行為に対する罰則の適用については、なお従前の例による。

4　この政令の施行前にした行為に対する反則行為の取扱いに関しては、なお従前の例による。

附　則〔令五・八・一五内府令六二〕

この府令は、令和五年十二月一日から施行する。

附　則〔令六・六・一九内府令五九〕

この府令は、公布の日から起算して十日を経過した日から施行する。

日から施行する。

一　附則第三項の規定　公布の日

二　第二条第一項の改正規定、第七十一条第五号の五の改正規定、第百十七条の二の二第一項第三号の改正規定、第百十七条の三の二の改正規定及び第百十八条第一項第四号の改正規定　公布の日から起算して六月を超えない範囲内において政令で定める日

（経過措置）

2　この法律の施行前にした行為に対する反則行為の取扱いに関しては、なお従前の例による。

（政令への委任）

3　前項に定めるもののほか、この法律の施行に関し必要な経過措置（罰則に関する経過措置を含む。）は、政令で定める。

附　則〔令六・六・二六内府令六〇抄〕

（施行期日）

第一条　この府令は、令和七年四月一日から施行する。ただし、次の各号に掲げる規定は、当該各号に定める日から施行する。

一　第一条中道路交通法施行規則第三十四条の二第三項の改正規定　公布の日

二　第二条並びに附則第三条、第七条及び第十条の規定　令和八年四月一日

三　第三条並びに附則第四条及び第八条の規定　令和九年四月一日

四　第四条及び附則第五条の規定　令和九年十月一日

（普通免許等に関する経過措置）

第二条　普通自動車免許（以下「普通免許」という。）（運転することができる普通自動車をオートマチック・トランスミッションその他のクラッチの操作を要しない機構（以下「AT機構」という。）がとられておりクラッチの操作装置を有しない普通自動車に限る普通免許（以下「AT普通免許」という。）を除く。）に係る道路交通法（昭和三十五年法律第百五号。以下「法」という。）第八十九条第三項の検査（以下「技能検査」という。）、法第九十七条第一項第二号に掲げる事項について行う運転免許試験（以下「技能試験」という。）及び法第百条の二

第一項の再試験（以下「再試験」という。）については、第一条の規定による改正後の道路交通法施行規則（以下この条及び次条において「第一条新府令」という。）第二十四条（第一条新府令第十八条の二の三第四項及び第二十八条の二において準用する場合を含む。）の規定にかかわらず、当分の間、なお従前の例によることができる。

2　普通自動車第二種免許（以下「普通第二種免許」という。）（運転することができる普通自動車をAT機構がとられておりクラッチの操作装置を有しない普通自動車に限る普通第二種免許（以下「AT普通第二種免許」という。）を除く。）及び普通自動車仮免許（以下「普通仮免許」という。）（運転することができる普通自動車をAT機構がとられておりクラッチの操作装置を有しない普通自動車に限る普通仮免許に係る技能試験については、第一条新府令第二十四条の規定にかかわらず、当分の間、なお従前の例によることができる。

3　この府令の施行の際現に第一条の規定による改正前の道路交通法施行規則（以下「旧府令」という。）第十八条の二の三の技能検査において同条第四項の規定により読み替えられた旧府令第二十四条第五項に定める基準に達する成績を得ている者については、第一条新府令第十八条の二の三の技能検査において同条第四項の規定により読み替えられた第一条新府令第二十四条第九項に定める基準に達する成績を得た者とみなす。

4　この府令の施行前に旧府令第十八条の二の三第五項の規定により交付された検査合格証明書は、第一条新府令第十八条の二の三第五項の規定により交付された検査合格証明書とみなす。

5　この府令の施行の際現に旧府令第二十四条に規定する技能試験に合格している者は、第一条新府令第二十四条に規定する技能試験に合格した者とみなす。

6　この府令の施行前に技能試験について旧府令第二十八条の規定により交付された運転免許試験成績証明書は、技能試験について第一条新府令第二十八条の規定により交付された運転免許試験成績証明書とみなす。

7　この府令の施行の際現に法第九十一条の規定により運転することができる中型自動車（車両総重量八千キログラム未満、最大積載量五千キログラム未満、乗車定員十人以下のものに限る。以下この項において同じ。）、準中型自動車及び普通自動車をAT機構がとられておりクラッチの操作装置を有しない中型自動車、準中型自動車及び普通自動車並びにAT機構がとられておりクラッチの操作装置を有しない自動車（以下「AT自動車」という。）以外の普通自動車であって、長さが三・〇〇メートル以下、幅が一・三〇メートル以下、高さが二・〇〇メートル以下のもの（内燃機関を原動機とする自動車にあっては、総排気量が〇・三六〇リットル以下のものに限る。）（次項及び第九項において「AT自動車以外の軽車（三六〇）」という。）に限ることとする条件が付されている中型自動車免許は、当該条件が付されていないものとみなす。

8　この府令の施行の際現に法第九十一条の規定により運転することができる準中型自動車（車両総重量五千キログラム未満、最大積載量三千キログラム未満のものに限る。以下この項において同じ。）及び普通自動車をAT機構がとられておりクラッチの操作装置を有しない準中型自動車及び普通自動車並びにAT自動車以外の軽車（三六〇）に限ることとする条件が付されている準中型自動車免許は、当該条件が付されていないものとみなす。

9　この府令の施行の際現に法第九十一条の規定により運転することができる普通自動車をAT機構がとられておりクラッチの操作装置を有しない普通自動車及びAT自動車以外の軽車（三六〇）に限ることとする条件が付されている普通免許は、当該条件が付されていないものとみなす。

10　指定自動車教習所における普通免許（AT普通免許を除く。）に係る技能教習の科目ごとの教習時間及び教習方法の基準並びに技能検定の実施の方法及び合格の基準は、第一条新府令第三十三条第五項第一号チ又は第三十四条第二項第二号若しくは第三項第二号の規定によりその例に準ずるものとされる第一条新府令第二十四条及び別表第四の一の規定にかかわらず、当分の間、なお従前の例によることができる。

11　指定自動車教習所における普通第二種免許（AT普通第二種免許を除く。）に係る技能教習の科目ごとの教習時間並びに技能検定の実施の方法及び合格の基準は、第一条新府令第三十四条第二項第二号又は第三項第二号の規定によりその例に準ずるものとされる第一条新府令第二十四条及び別表第四の一の規定にかかわらず、当分の間、なお従前の例によることができる。

12　この府令の施行の際現に指定自動車教習所において普通免許（AT普通免許を除く。）に係る教習を受けている者に対する技能教習の科目ごとの教習時間及び教習方法の基準並びに技能検定の実施の方法及び合格の基準は、第一条新府令第三十三条第五項第一号チ又は第三十四条第二項第二号若しくは第三項第二号の規定によりその例に準ずるものとされる第一条新府令第二十四条及び別表第四の一の規定にかかわらず、なお従前の例による。

13　この府令の施行の際現に指定自動車教習所において普通第二種免許（AT普通第二種免許を除く。）に係る教習を受けている者に対する技能教習の科目ごとの教習時間並びに技能検定の実施の方法及び合格の基準は、第一条新府令第三十四条第二項第二号又は第三項第二号の規定によりその例に準ずるものとされる第一条新府令第二十四条及び別表第四の一の規定にかかわらず、なお従前の例による。

14　この府令の施行の際現に旧府令第三十四条の技能検定に合格している者は、第一条新府令第三十四条の技能検定に合格した者とみなす。

15　この府令の施行前に旧府令第三十四条の二第一項及び第二項の規定により発行された卒業証明書若しくは修了証明書又は同条第三項の規定により行われた証明は、第一条新府令第三十四条の二第一項及び第二項の規定により発行された卒業証明書若しくは修了証明書又は同条第三項の規定により行われた証明とみなす。

16　この府令の施行の日から起算して六月を経過する日までに普通免許（AT普通免許を除く。）に係る法第九十九条第一項の規定による申請をした者に対する同項の規定による指定の基準については、第一条新府令第三十三条第五項第一号チ及び別表第四の一の規定にかかわらず、なお従前の例によることができる。

17　この府令の施行の日から起算して六月を経過する日までに普通第二種免許（AT普通第二種免許を除く。）に係る法第九十九条第一項の規定による申請をした者に対する同項の規定による指定の基準については、第一条新府令別表第四の一の規定にかかわらず、なお従前の例によることができる。

（中型免許等に関する経過措置）

第三条　中型自動車免許（以下「中型免許」という。）（運転することができる中型自動車、準中型自動車及び普通自動車をAT機構がとられておりクラッチの操作装置を有しない中型自動車、準中型自動車及び普通自動車に限る中型免許（以下「AT中型免許」という。）を除く。）に係る技能検査及び技能試験については、第二条の規定による改正後の道路交通法施行規則（以下この条及び次条において「第二条新府令」という。）第二十四条（第二条新府令第十八条の二の三第四項において準用する場合を含む。）の規定にかかわらず、当分の間、なお従前の例によることができる。

2　準中型自動車免許（以下「準中型免許」という。）（運転することができる準中型自動車及び普通自動車をAT機構がとられておりクラッチの操作装置を有しない準中型自動車及び普通自動車に限る準中型免許（以下「AT準中型免許」という。）を除く。）に係る技能検査、技能試験及び再試験については、第二条新府令第二十四条（第二条新府令第十八条の二の三第四項及び第二十八条の二において準用する場合を含む。）の規定にかかわらず、当分の間、なお従前の例によることができる。

3　中型自動車第二種免許（以下「中型第二種免許」という。）（運転することができる中型自動車、準中型自動車及び普通自動車をAT機構がとられておりクラッチの操作装置を有しない中型自動車、準中型自動車及び普通自動車に限る中型第二種免許（以下「AT中型第二種免許」という。）を除く。）、中型自動車仮免許（以下「中型仮免許」という。）（運転することができる中型自動車、準中型自動車及び普通自動車をAT機構がとられておりクラッチの操作装置を有しない中型自動車、準中型自動車及び普通自動車に限る中型仮免許（以下「AT中型仮免許」という。）を除く。）及び準中型自動車仮免許（以下「準中型仮免許」という。）（運転することができる準中型自動車及び普通自動車をAT機構がとられておりクラッチの操作装置を有しない準中型自動車及び普通自動車に限る準中型仮免許（以下「AT準中型仮免許」という。）を除く。）に係る技能試験については、第二条新府令第二十四条の規定にかかわらず、当分の間、なお従前の例によることができる。

4　AT自動車以外の自動車を使用して行う中型免許（AT中型免許を除く。）に係る技能検査及び技能試験は、第二条新府令第二十四条第十一項（第二条新府令第十八条の二の三第四項において準用する場合を含む。）の規定にかかわらず、当分の間、最大積載量五千キログラム以上の中型自動車（AT自動車以外の自動車に限る。）で長さが七・〇〇メートル以上、幅が二・二五メートル以上、最遠軸距が四・一〇メートル以上のものを使用して行うことができる。

5　AT自動車以外の自動車を使用して行う準中型免許（AT準中型免許を除く。）に係る技能検査、技能試験及び再試験並びに準中型仮免許（AT準中型仮免許を除く。）に係る技能試験は、第二条新府令第二十四条第十一項（第二条新府令第十八条の二の三第四項及び第二十八条の二において準用する場合を含む。）の規定にかかわらず、当分の間、最大積載量二千キログラム以上の準中型自動車（AT自動車以外の自動車に限る。）で長さが四・四〇メートル以上、幅が一・六九メートル以上、最遠軸距が二・五〇メートル以上、前軸輪距が一・三〇メートル以上のものを使用して行うことができる。

6　AT自動車以外の自動車を使用して行う中型第二種免許（AT中型第二種免許を除く。）に係る技能試験は、第二条新府令第二十四条第十一項の規定にかかわらず、当分の間、乗車定員十一人以上二十九人以下のバス型の中型自動車（AT自動車以外の自動車に限る。）で長さが八・二〇メートル以上、幅が二・二五メートル以上、最遠軸距が四・二〇メートル以上のものを使用して行うことができる。

7　AT自動車以外の自動車を使用して行う中型仮免許（AT中

型仮免許を除く。）に係る技能試験は、第二条新府令第二十四条第十一項の規定にかかわらず、当分の間、最大積載量五千キログラム以上の中型自動車（AT自動車以外の自動車に限る。）で長さが七・〇〇メートル以上、幅が二・二五メートル以上、最遠軸距が四・一〇メートル以上のもの（乗車定員十一人以上二十九人以下のバス型の中型自動車を練習のため又は法第八十七条第一項に規定する試験等（以下単に「試験等」という。）において運転しようとする者については、乗車定員十一人以上二十九人以下のバス型の中型自動車（AT自動車以外の自動車に限る。）で長さが八・二〇メートル以上、幅が二・二五メートル以上、最遠軸距が四・二〇メートル以上のもの）を使用して行うことができる。

8　附則第一条第二号に掲げる規定の施行の際現に第一条新府令第十八条の二の三の技能検査において同条第四項の規定により読み替えられた第一条新府令第二十四条第九項に定める基準に達する成績を得ている者については、第二条新府令第十八条の二の三の技能検査において同条第四項の規定により読み替えられた第二条新府令第二十四条第十項に定める基準に達する成績を得た者とみなす。

9　附則第一条第二号に掲げる規定の施行前に第一条新府令第十八条の二の三第五項の規定により交付された検査合格証明書は、第二条新府令第十八条の二の三第五項の規定により交付された検査合格証明書とみなす。

10　附則第一条第二号に掲げる規定の施行の際現に第一条新府令第二十四条に規定する技能試験に合格している者は、第二条新府令第二十四条に規定する技能試験に合格した者とみなす。

11　附則第一条第二号に掲げる規定の施行前に技能試験について第一条新府令第二十八条の規定により交付された運転免許試験成績証明書は、技能試験について第二条新府令第二十八条の規定により交付された運転免許試験成績証明書とみなす。

12　指定自動車教習所における中型免許（AT中型免許を除く。）及び準中型免許（AT準中型免許を除く。）に係る技能教習の科目ごとの教習時間及び教習方法の基準並びに技能検定の実施の方法及び合格の基準は、第二条新府令第三十三条第五項第一号チ又は第三十四条第二項第二号若しくは第三項第二号の規定によりその例に準ずるものとされる第二条新府令第二十四条及び別表第四の一の規定にかかわらず、当分の間、なお従前の例によることができる。

13　指定自動車教習所における中型第二種免許（AT中型第二種免許を除く。）に係るコースの形状及び構造に関する基準、技能教習の科目ごとの教習時間並びに技能検定の実施の方法及び合格の基準は、第二条新府令第三十四条第二項第二号又は第三項第二号の規定によりその例に準ずるものとされる第二条新府令第二十四条、別表第三の二及び別表第四の一の規定にかかわらず、当分の間、なお従前の例によることができる。

14　附則第一条第二号に掲げる規定の施行の際現に指定自動車教習所において中型免許（AT中型免許を除く。）又は準中型免許（AT準中型免許を除く。）に係る教習を受けている者に対する技能教習の科目ごとの教習時間及び教習方法の基準並びに技能検定の実施の方法及び合格の基準は、第二条新府令第三十三条第五項第一号チ又は第三十四条第二項第二号若しくは第三項第二号の規定によりその例に準ずるものとされる第二条新府令第二十四条及び別表第四の一の規定にかかわらず、なお従前の例による。

15　附則第一条第二号に掲げる規定の施行の際現に指定自動車教習所において中型第二種免許（AT中型第二種免許を除く。）に係る教習を受けている者に対するコースの形状及び構造に関する基準、技能教習の科目ごとの教習時間並びに技能検定の実施の方法及び合格の基準は、第二条新府令第三十四条第二項第二号又は第三項第二号の規定によりその例に準ずるものとされる第二条新府令第二十四条、別表第三の二及び別表第四の一の規定にかかわらず、なお従前の例による。

16　指定自動車教習所におけるAT自動車以外の自動車を使用して行う中型免許（AT中型免許を除く。）に係る技能検定は、第二条新府令第三十四条第二項第二号又は第三項第二号の規定によりその例に準ずるものとされる第二条新府令第二十四条第十一項の規定にかかわらず、当分の間、最大積載量五千キログラム以上の中型自動車（AT自動車以外の自動車に限る。）で長さが七・〇〇メートル以上、幅が二・二五メートル以上、最遠軸距が四・一〇メートル以上のものを使用して行うことができる。

17　指定自動車教習所におけるAT自動車以外の自動車を使用して行う準中型免許（AT準中型免許を除く。）に係る技能検定は、第二条新府令第三十四条第二項第二号又は第三項第二号の規定によりその例に準ずるものとされる第二条新府令第二十四条第十一項の規定にかかわらず、当分の間、最大積載量二千キログラム以上の準中型自動車（AT自動車以外の自動車に限る。）で長さが四・四〇メートル以上、幅が一・六九メートル以上、最遠軸距が二・五〇メートル以上、前軸輪距が一・三〇メートル以上のものを使用して行うことができる。

18　指定自動車教習所におけるAT自動車以外の自動車を使用して行う中型第二種免許（AT中型第二種免許を除く。）に係る技能検定は、第二条新府令第三十四条第二項第二号又は第三項第二号の規定によりその例に準ずるものとされる第二条新府令

第二十四条第十一項の規定にかかわらず、当分の間、乗車定員十一人以上二十九人以下のバス型の中型自動車（AT自動車以外の自動車に限る。）で長さが八・二〇メートル以上、幅が二・二五メートル以上、最遠軸距が四・二〇メートル以上のものを使用して行うことができる。

19　前項の規定により同項に規定する中型自動車を使用して中型第二種免許（AT中型第二種免許を除く。）に係る技能検定を行う場合及び当該技能検定に係る技能教習を行う場合におけるコースの形状及び構造に関する基準は、第二条新府令別表第三の二の規定にかかわらず、なお従前の例による。

20　附則第一条第二号に掲げる規定の施行の際現に第一条新府令第三十四条の技能検定に合格している者は、第二条新府令第三十四条の技能検定に合格した者とみなす。

21　附則第一条第二号に掲げる規定の施行前に第一条新府令第三十四条の二第一項及び第二項の規定により発行された卒業証明書若しくは修了証明書又は同条第三項の規定により行われた証明は、第二条新府令第三十四条の二第一項及び第二項の規定により発行された卒業証明書若しくは修了証明書又は同条第三項の規定により行われた証明とみなす。

22　附則第一条第二号に掲げる規定の施行の日から起算して六月を経過する日までに中型免許（AT中型免許を除く。）又は準中型免許（AT準中型免許を除く。）に係る法第九十九条第一項の規定による申請をした者に対する同項の規定による指定の基準については、第二条新府令第三十三条第五項第一号チ及び別表第四の一の規定にかかわらず、なお従前の例によることができる。

23　附則第一条第二号に掲げる規定の施行の日から起算して六月を経過する日までに中型第二種免許（AT中型第二種免許を除く。）に係る法第九十九条第一項の規定による申請をした者に対する同項の規定による指定の基準については、第二条新府令別表第四の一の規定にかかわらず、なお従前の例によることができる。

（大型免許等に関する経過措置）

第四条　大型自動車免許（以下「大型免許」という。）（運転することができる大型自動車、中型自動車、準中型自動車及び普通自動車をAT機構がとられておりクラッチの操作装置を有しない大型自動車、中型自動車、準中型自動車及び普通自動車に限る大型免許（以下「AT大型免許」という。）を除く。）に係る技能検査及び技能試験については、第三条の規定による改正後の道路交通法施行規則（以下この条及び次条において「第三条新府令」という。）第二十四条（第三条新府令第十八条の二の三第四項において準用する場合を含む。）の規定にかかわらず、当分の間、なお従前の例によることができる。

2　大型自動車仮免許（以下「大型仮免許」という。）（運転することができる大型自動車、中型自動車、準中型自動車及び普通自動車をAT機構がとられておりクラッチの操作装置を有しない大型自動車、中型自動車、準中型自動車及び普通自動車に限る大型仮免許（以下「AT大型仮免許」という。）を除く。）に係る技能試験（乗車定員三十人以上のバス型の大型自動車を練習のため又は試験等において運転しようとする者に対するものを除く。）については、第三条新府令第二十四条の規定にかかわらず、当分の間、なお従前の例によることができる。

3　AT自動車以外の自動車を使用して行う大型免許（AT大型免許を除く。）に係る技能検査及び技能試験は、第三条新府令第二十四条第十一項（第三条新府令第十八条の二の三第四項において準用する場合を含む。）の規定にかかわらず、当分の間、最大積載量一万キログラム以上の大型自動車（AT自動車以外の自動車に限る。）で長さが一一・〇〇メートル以上、幅が二・四〇メートル以上、最遠軸距が六・九〇メートル以上のもの（運転することができる大型自動車を自衛隊用自動車（道路交通法施行令（昭和三十五年政令第二百七十号）第十三条第一項第二号に規定する自衛隊用自動車をいう。以下同じ。）に限る大型免許にあつては、最大積載量六千キログラム以上の大型自動車（AT自動車以外の自動車に限る。）で長さが六・六五メートル以上、幅が二・四〇メートル以上、最遠軸距が四・四〇メートル以上のもの）を使用して行うことができる。

4　AT自動車以外の自動車を使用して行う大型仮免許（AT大型仮免許を除く。）に係る技能試験（乗車定員三十人以上のバス型の大型自動車を練習のため又は試験等において運転しようとする者に対するものを除く。）は、第三条新府令第二十四条第十一項の規定にかかわらず、当分の間、最大積載量一万キログラム以上の大型自動車（AT自動車以外の自動車に限る。）で長さが一一・〇〇メートル以上、幅が二・四〇メートル以上、最遠軸距が六・九〇メートル以上のもの（自衛隊用自動車である大型自動車を練習のため若しくは試験等において運転しようとする者については、最大積載量六千キログラム以上の大型自動車（AT自動車以外の自動車に限る。）で長さが六・六五メートル以上、幅が二・四〇メートル以上、最遠軸距が四・四〇メートル以上のもの）を使用して行うことができる。

5　附則第一条第三号に掲げる規定の施行の際現に第二条新府令第十八条の二の三の技能検査において同条第四項の規定により読み替えられた第二条新府令第二十四条第十項に定める基準に達する成績を得ている者については、第三条新府令第十八条の二の三の技能検査において同条第四項の規定により読み替えられた第三条新府令第二十四条第十項に定める基準に達する成績を得た者とみなす。

6　附則第一条第三号に掲げる規定の施行前に第二条新府令第十八条の二の三第五項の規定により交付された検査合格証明書は、第三条新府令第十八条の二の三第五項の規定により交付された検査合格証明書とみなす。

7　附則第一条第三号に掲げる規定の施行の際現に第二条新府令第二十四条に規定する技能試験に合格している者は、第三条新府令第二十四条に規定する技能試験に合格した者とみなす。

8　附則第一条第三号に掲げる規定の施行前に技能試験について第二条新府令第二十八条の規定により交付された運転免許試験成績証明書は、技能試験について第三条新府令第二十八条の規定により交付された運転免許試験成績証明書とみなす。

9　指定自動車教習所における大型免許（AT大型免許を除く。）に係る技能教習の科目ごとの教習時間及び教習方法の基準並びに技能検定の実施の方法及び合格の基準は、第三条新府令第三十三条第五項第一号チ又は第三十四条第二項第二号若しくは第三項第二号の規定によりその例に準ずるものとされる第三条新府令第二十四条及び別表第四の一の規定にかかわらず、当分の間、なお従前の例によることができる。

10　附則第一条第三号に掲げる規定の施行の際現に指定自動車教習所において大型免許（AT大型免許を除く。）に係る教習を受けている者に対する技能教習の科目ごとの教習時間及び教習方法の基準並びに技能検定の実施の方法及び合格の基準は、第三条新府令第三十三条第五項第一号チ又は第三十四条第二項第二号若しくは第三項第二号の規定によりその例に準ずるものとされる第三条新府令第二十四条及び別表第四の一の規定にかかわらず、なお従前の例による。

11　指定自動車教習所におけるAT自動車以外の自動車を使用して行う大型免許（AT大型免許を除く。）に係る技能検定は、第三条新府令第三十四条第二項第二号又は第三項第二号の規定によりその例に準ずるものとされる第三条新府令第二十四条第十一項の規定にかかわらず、当分の間、最大積載量一万キログラム以上の大型自動車（AT自動車以外の自動車に限る。）で長さが一一・〇〇メートル以上、幅が二・四〇メートル以上、最遠軸距が六・九〇メートル以上のもの（運転することができる大型自動車を自衛隊用自動車に限る大型免許にあつては、最大積載量六千キログラム以上の大型自動車（AT自動車以外の自動車に限る。）で長さが六・六五メートル以上、幅が二・四〇メートル以上、最遠軸距が四・四〇メートル以上のもの）を使用して行うことができる。

12　附則第一条第三号に掲げる規定の施行の際現に第二条新府令

第三十四条の技能検定に合格している者は、第三条新府令第三十四条の技能検定に合格した者とみなす。

13　附則第一条第三号に掲げる規定の施行前に第二条新府令第三十四条の二第一項及び第二項の規定により発行された卒業証明書若しくは修了証明書又は同条第三項の規定により行われた証明は、第三条新府令第三十四条の二第一項及び第二項の規定により発行された卒業証明書若しくは修了証明書又は同条第三項の規定により行われた証明とみなす。

14　附則第一条第三号に掲げる規定の施行の日から起算して六月を経過する日までに大型免許（AT大型免許を除く。）に係る法第九十九条第一項の規定による申請をした者に対する同項の規定による指定の基準については、第三条新府令第三十三条第五項第一号チ及び別表第四の一の規定にかかわらず、なお従前の例によることができる。

（大型第二種免許等に関する経過措置）

第五条　大型自動車第二種免許（以下「大型第二種免許」という。）（運転することができる大型自動車、中型自動車、準中型自動車及び普通自動車をAT機構がとられておりクラッチの操作装置を有しない大型自動車、中型自動車、準中型自動車及び普通自動車に限る大型第二種免許（以下「AT大型第二種免許」という。）を除く。）及び大型仮免許（AT大型仮免許を除く。）に係る技能試験（大型仮免許に係る技能試験にあつては、乗車定員三十人以上のバス型の大型自動車を練習のため又は試験等において運転しようとする者に対するものに限る。）については、第四条の規定による改正後の道路交通法施行規則（以下この条において「第四条新府令」という。）第二十四条の規定にかかわらず、当分の間、なお従前の例によることができる。

2　AT自動車以外の自動車を使用して行う大型第二種免許（AT大型第二種免許を除く。）及び大型仮免許（AT大型仮免許を除く。）に係る技能試験（大型仮免許に係る技能試験にあつては、乗車定員三十人以上のバス型の大型自動車を練習のため又は試験等において運転しようとする者に対するものに限る。）は、第四条新府令第二十四条第十一項の規定にかかわらず、当分の間、乗車定員三十人以上のバス型の大型自動車（AT自動車以外の自動車に限る。）で長さが一〇・〇〇メートル以上、幅が二・四〇メートル以上、最遠軸距が五・一五メートル以上のものを使用して行うことができる。

3　附則第一条第四号に掲げる規定の施行の際現に第三条新府令第二十四条に規定する技能試験に合格している者は、第四条新府令第二十四条に規定する技能試験に合格した者とみなす。

4　附則第一条第四号に掲げる規定の施行前に技能試験について第三条新府令第二十八条の規定により交付された運転免許試験

成績証明書は、技能試験について第四条新府令第二十八条の規定により交付された運転免許試験成績証明書とみなす。

5　指定自動車教習所における大型第二種免許（AT大型第二種免許を除く。）に係る技能教習の科目ごとの教習時間並びに技能検定の実施の方法及び合格の基準は、第四条新府令第三十四条第二項第二号又は第三項第二号の規定によりその例に準ずるものとされる第四条新府令第二十四条及び別表第四の一の規定にかかわらず、当分の間、なお従前の例によることができる。

6　附則第一条第四号に掲げる規定の施行の際現に指定自動車教習所において大型第二種免許（AT大型第二種免許を除く。）に係る教習を受けている者に対する技能教習の科目ごとの教習時間並びに技能検定の実施の方法及び合格の基準は、第四条新府令第三十四条第二項第二号又は第三項第二号の規定によりその例に準ずるものとされる第四条新府令第二十四条及び別表第四の一の規定にかかわらず、なお従前の例による。

7　指定自動車教習所におけるAT自動車以外の自動車を使用して行う大型第二種免許（AT大型第二種免許を除く。）に係る技能検定は、第四条新府令第三十四条第二項第二号又は第三項第二号の規定によりその例に準ずるものとされる第四条新府令第二十四条第十一項の規定にかかわらず、当分の間、乗車定員三十人以上のバス型の大型自動車（AT自動車以外の自動車に限る。）で長さが一〇・〇〇メートル以上、幅が二・四〇メートル以上、最遠軸距が五・一五メートル以上のものを使用して行うことができる。

8　附則第一条第四号に掲げる規定の施行の際現に第三条新府令第三十四条の技能検定に合格している者は、第四条新府令第三十四条の技能検定に合格した者とみなす。

9　附則第一条第四号に掲げる規定の施行前に第三条新府令第三十四条の二第一項及び第二項の規定により発行された卒業証明書若しくは修了証明書又は同条第三項の規定により行われた証明は、第四条新府令第三十四条の二第一項及び第二項の規定により発行された卒業証明書若しくは修了証明書又は同条第三項の規定により行われた証明とみなす。

10　附則第一条第四号に掲げる規定の施行の日から起算して六月を経過する日までに大型第二種免許（AT大型第二種免許を除く。）に係る法第九十九条第一項の規定による申請をした者に対する同項の規定による指定の基準については、第四条新府令別表第四の一の規定にかかわらず、なお従前の例によることができる。

附　則〔令六・六・二七内府令六一抄〕

（施行期日）

第一条　この府令は、公布の日から施行する。

別表第一（第五十一条の四関係）

放置車両の態様の区分	放置車両の種類	放置違反金の限度額
第四十四条第一項、第四十五条第一項若しくは第二項、第四十七条第二項若しくは第三項、第四十八条、第四十九条の三第三項、第四十九条の四又は第七十五条の八第一項の規定に違反して駐車しているもの	大型自動車、中型自動車、準中型自動車、大型特殊自動車及び重被牽引車	三万五千円
	普通自動車、大型自動二輪車及び普通自動二輪車（以下「普通自動車等」という。）	二万五千円
	小型特殊自動車及び原動機付自転車（以下「小型特殊自動車等」という。）	一万五千円
第四十九条の三第二項若しくは第四十九条の五後段の規定に違反して駐車しているもの又は第四十九条第一項のパーキング・チケット発給設備を設置する時間制限駐車区間におい	大型自動車、中型自動車、準中型自動車、大型特殊自動車及び重被牽引車	二万五千円
	普通自動車等	二万円

別表第一（第十七条の三関係）

放置車両の態様の区分	放置車両の種類	放置違反金の額
一　法第四十四条第一項又は第四十九条の四の規定に違反して駐車しているもの（同項の規定に違反して駐車しているものについては高齢運転者等専用場所（法第四十五条の二第一項の道路標識等により同項の高齢運転者等標章自動車が停車又は駐車をすることができることとされている道路の部分をいう。以下同じ。）において駐車しているものに限り、法第四十九条の四の規定に違反して駐車しているものについては法定駐停車禁止場所（法第四十四条第一項各号に掲げる道路の部分をいう。以下同じ。）にある指定駐車場所（法第四十九条の三第三項の道路標識等により指定されている道路の部分をいう。以下同じ。）において駐車しているものに限る。）	大型車	二万七千円
	普通車	二万円
	二輪車又は原付車	一万二千円
二　法第四十四条第一項、第四十九条の三第三項、第四十九条の四又は第七十五条の八第一項の規定に違反して駐車しているもの（法第四十四条第一項の規定に違反して駐車しているものについては一の項に規定するものを除き、法第四十九条の三第三項又は第四十九条の四の規定に違反して駐車しているものについては法定駐停車禁止場所（指定駐車場所を除く。）において駐車しているものに限る。）	大型車	二万五千円
	普通車	一万八千円
	二輪車又は原付車	一万円
三　法第四十五条第一項又は第四十九条の四の規定に違反して駐車しているもの（法第四十五条第一項の規定に違反して駐車しているものについては高齢運転者等専用場所において駐車しているものに限り、法第四十九条の四の規定に違反して駐車しているものについては指定駐車場所（法定駐停車禁止場所にあるものを除く。）において駐車しているものに限る。）	大型車	二万三千円
	普通車	一万七千円
	二輪車又は原付車	一万千円
四　法第四十五条第一項若しくは第二項、第四十七条第二項若しくは第三項、第四十八条、第四十九条の三第三項又は第四十九条の四の規定に違反して駐車しているもの（法第四十五条第一項の規定に違反して駐車しているものについては三の項に規定するものを除き、法第四十九条の三第三項の規定に違反して駐車しているものについては二の項に規定するものを除き、法第四十九条の四の規定に違反して駐車しているものについては一の項から三の項までに規定するものを除く。）	大型車	二万千円
	普通車	一万五千円
	二輪車又は原付車	九千円

て駐車している場合において当該車両に当該パーキング・チケット発給設備により発給を受けたパーキング・チケットが掲示されておらず、かつ、第四十九条の三第四項の規定に違反しているもの		
	小型特殊自動車等	一万二千円

備考

放置違反金の限度額は、この表の上欄に掲げる放置車両の態様の区分及びこの表の中欄に掲げる放置車両の種類に応じ、この表の下欄に掲げる金額とする。

〔本表追加・改正・平一六法九〇、本表改正・平一九法九〇・平二二法二二・平二七法四〇・令二法四二〕

五　法第四十九条の三第二項若しくは第四十九条の五後段の規定に違反して駐車しているもの又は法第四十九条第一項のパーキング・チケット発給設備を設置する時間制限駐車区間において駐車している場合において当該車両に当該パーキング・チケット発給設備により発給を受けたパーキング・チケットが掲示されておらず、かつ、法第四十九条の三第四項の規定に違反しているもの	大型車	一万二千円
	普通車	一万円
	二輪車又は原付車	六千円

備考

一　放置違反金の額は、この表の上欄に掲げる放置車両の態様の区分及びこの表の中欄に掲げる放置車両の種類に応じ、この表の下欄に掲げる金額とする。

二　この表の放置車両の種類の欄に掲げる用語の意義は、それぞれ次に定めるところによる。

1　「大型車」とは、大型自動車、中型自動車、準中型自動車、大型特殊自動車及び重被牽引車をいう。

2　「普通車」とは、普通自動車をいう。

3　「二輪車」とは、大型自動二輪車及び普通自動二輪車をいう。

4　「原付車」とは、小型特殊自動車及び原動機付自転車をいう。

〔本表追加・平一六政三九〇、改正・平一七政一八三・平一九政二六六・平二〇政一四九・平二二政二九一・平二八政二五八・令二政三三二〕

別表第二（第百二十五条、第百三十条の二関係）

反則行為の区分	反則行為に係る車両等の種類	反則金の限度額
第百十八条第一項第一号又は第三項の罪に当たる行為（第二十二条の規定によりこれを超える速度で進行してはならないこととされている最高速度を三十キロメートル毎時（高速自動車国道等においては四十キロメートル毎時）以上超える速度で運転する行為を除く。）	大型自動車、中型自動車、準中型自動車、大型特殊自動車、トロリーバス及び路面電車（以下「大型自動車等」という。）	五万円
	普通自動車等	四万円
	小型特殊自動車等	三万円
第百十八条第一項第四号の罪に当たる行為	大型自動車等	五万円
	普通自動車等	四万円
	小型特殊自動車等	三万円
第百十八条第二項第一号の罪に当たる行為（車両について第五十七条第一項の規定により積載物の重量の制限として定められ	大型自動車等	五万円
	普通自動車等	四万円

別表第二（第二十六条の七、第三十三条の二、第三十三条の二の三、第三十四条の三、第三十六条、第三十七条の三、第三十七条の八、第三十七条の十、第三十九条の二の二、第四十一条の三関係）

一　一般違反行為に付する基礎点数

一般違反行為の種別	点数
無免許運転、酒気帯び運転（〇・二五以上）、過労運転等、妨害運転（交通の危険のおそれ）又は共同危険行為等禁止違反	二十五点
酒気帯び（〇・二五未満）速度超過（五十以上）等	十九点
酒気帯び（〇・二五未満）速度超過（三十（高速四十）以上五十未満）等	十六点
酒気帯び（〇・二五未満）速度超過（二十五以上三十（高速四十）未満）等	十五点
酒気帯び（〇・二五未満）速度超過（二十五未満）等	十四点
酒気帯び運転（〇・二五未満）	十三点
大型自動車等無資格運転、仮免許運転違反又は速度超過（五十以上）	十二点
速度超過（三十（高速四十）以上五十未満）、積載物重量制限超過（大型等十割以上）、携帯電話使用等（交通の危険）、無車検運行又は無保険運行	六点
速度超過（二十五以上三十（高速四十）未満）、放置駐車違反（駐停車禁止場所等）、積載物重量制限超過（大型等五割以上十割未満）、積載物重量制限超過（普通等十割以上）、携帯電話使用等（保持）又は保管場所法違反（道路使用）	三点
警察官現場指示違反、警察官通行禁止制限違反、信号無視、通行禁止違反、歩行者用道路徐行違反、通行区分違反、歩行者側方安全間隔不保持等、速度超過（二十以上二十五未満）、急ブレーキ禁止違反、法定横断等禁止違反、高速自動車国道等車間距離不保持、追越し違反、路面電車後方不停止、踏切不停止等、遮断踏切立入り、優先道路通行車妨害等、交差点安全進行義務違反、環状交差点通行車妨害等、環状交差点安全進行義務違反、横断歩行者等妨害等、徐行場所違反、指定場所一時不停止等、駐停車違反（駐停車禁止場所等）、放置駐車違反（駐車禁止場所等）、積載物重量制限超過（大型等五割未満）、積載物重量制限超過（普通等五割以上十割未満）、整備不良（制動装置等）、作動状態記録装置不備、安全運転義務違反、幼児等通行妨害、安全地帯徐行違反、騒音運転等、消音器不備、大型自動二輪車等乗車方法違反、自動運行装	二点

た数値の二倍以上の重量の積載をして大型自動車等を運転する行為を除く。）	小型特殊自動車等	三万円
第百十九条第一項第二号から第六号まで、第十四号から第十六号まで、第十九号若しくは第二十号、第二項第一号から第三号まで又は第三項の罪に当たる行為	大型自動車等	二万円
	普通自動車等	一万五千円
	小型特殊自動車等	一万円
第百十九条の二の四第一項又は第三項の罪に当たる行為	大型自動車等及び重被牽引車	三万五千円
	普通自動車等	二万五千円
	小型特殊自動車等	一万五千円
第百十九条の三第一項又は第三項の罪に当たる行為	大型自動車等及び重被牽引車	二万五千円
	普通自動車等	二万円
	小型特殊自動車等	一万二千円
第百二十条第一項	大型自動車等	一万円

置使用条件違反、高速自動車国道等措置命令違反、本線車道横断等禁止違反、高速自動車国道等運転者遵守事項違反、免許条件違反、番号標表示義務違反又は保管場所法違反（長時間駐車）	
混雑緩和措置命令違反、通行許可条件違反、通行帯違反、路線バス等優先通行帯違反、軌道敷内違反、速度超過（二十未満）、道路外出右左折方法違反、道路外出右左折合図車妨害、指定横断等禁止違反、車間距離不保持、進路変更禁止違反、追い付かれた車両の義務違反、乗合自動車発進妨害、割込み等、自動車等交差点右左折方法違反、交差点右左折等合図車妨害、指定通行区分違反、環状交差点左折等方法違反、交差点優先車妨害、緊急車妨害等、駐停車違反（駐車禁止場所等）、交差点等進入禁止違反、無灯火、減光等義務違反、合図不履行、合図制限違反、警音器吹鳴義務違反、乗車積載方法違反、定員外乗車、積載物重量制限超過（普通等五割未満）、積載物大きさ制限超過、積載方法制限超過、制限外許可条件違反、牽引違反、原付牽引違反、整備不良（尾灯等）、転落等防止措置義務違反、転落積載物等危険防止措置義務違反、安全不確認ドア開放等、停止措置義務違反、初心運転者等保護義務違反、座席ベルト装着義務違反、幼児用補助装置使用義務違反、乗車用ヘルメット着用義務違反、初心運転者標識表示義務違反、聴覚障害者標識表示義務違反、最低速度違反、本線車道通行車妨害、本線車道緊急車妨害、本線車道出入方法違反、牽引自動車本線車道通行帯違反、故障車両表示義務違反又は仮免許練習標識表示義務違反	一点

二　特定違反行為に付する基礎点数

特定違反行為の種別	点数
運転殺人等又は危険運転致死等	六十二点
運転傷害等（治療期間三月以上又は後遺障害）又は危険運転致傷等（治療期間三月以上又は後遺障害）	五十五点
運転傷害等（治療期間三十日以上）又は危険運転致傷等（治療期間三十日以上）	五十一点
運転傷害等（治療期間十五日以上）又は危険運転致傷等（治療期間十五日以上）	四十八点
運転傷害等（治療期間十五日未満又は建造物損壊）又は危険運転致傷等（治療期間十五日未満）	四十五点
酒酔い運転、麻薬等運転、妨害運転（著しい交通の危険）又は救護義務違反	三十五点

第二号から第六号まで、第十号（第七十一条第一号、第四号から第五号まで、第五号の三、第五号の四若しくは第六号又は第七十一条の二に係る部分に限る。）若しくは第十二号から第十四号まで、第二項第一号若しくは第二号又は第三項の罪に当たる行為	普通自動車等	八千円
	小型特殊自動車等	六千円
第百二十一条第一項第三号、第八号、第九号、第十一号若しくは第十二号、第二項又は第三項の罪に当たる行為	大型自動車等	八千円
	普通自動車等	六千円
	小型特殊自動車等	四千円

備考

反則金の限度額は、この表の上欄に掲げる反則行為の区分及びこの表の中欄に掲げる反則行為に係る車両等の種類に応じ、この表の下欄に掲げる金額と

三　違反行為に付する付加点数（交通事故の場合）

交通事故の種別	交通事故が専ら当該違反行為をした者の不注意によつて発生したものである場合における点数	中欄に規定する場合以外の場合における点数
人の死亡に係る交通事故	二十点	十三点
人の傷害に係る交通事故（他人を傷つけたものに限る。以下この表において「傷害事故」という。）のうち、当該傷害事故に係る負傷者の負傷の治療に要する期間（当該傷害事故の負傷者の数が二人以上である場合にあつては、これらの者のうち最も負傷の程度が重い者の負傷の治療に要する期間とする。以下この表において「治療期間」という。）が三月以上であるもの又は後遺障害（当該負傷者の負傷が治つたとき（その症状が固定したときを含む。）における身体の障害で国家公安委員会規則で定める程度のものをいう。以下この表において同じ。）が存するもの	十三点	九点
傷害事故のうち、治療期間が三十日以上三月未満であるもの（後遺障害が存するものを除く。）	九点	六点
傷害事故のうち、治療期間が十五日以上三十日未満であるもの（後遺障害が存するものを除く。）	六点	四点
傷害事故のうち治療期間が十五日未満であるもの（後遺障害が存するものを除く。）又は建造物の損壊に係る交通事故	三点	二点

備考

一　違反行為に付する点数は、次に定めるところによる。

1　一の表又は二の表の上欄に掲げる違反行為の種別に応じ、これらの表の下欄に掲げる点数とする。この場合において、同時に二以上の種別の違反行為に当たるときは、これらの違反行為の点数のうち最も高い点数（同じ点数のときは、その点数）によるものとする。

2　当該違反行為をし、よつて交通事故を起こした場合（二の119から128までに規定する行為をした場合を除く。）には、次に定めるところによる。

する。

〔本表追加し改正・昭四二法一二六、改正・昭四六法九八・昭四七法五一・昭五三法五三・昭六〇法八七・昭六一法六三・平二法七三・平五法四三・平七法七四・平一一法四〇・平一三法五一、改正・旧別表を改正し繰下・改正・平一六法九〇、本表改正・平一九法九〇・平二七法四〇・令元法二〇・令四法三二〕

(イ)　1による点数に、三の表の区分に応じ同表の中欄又は下欄に掲げる点数を加えた点数とする。ただし、当該交通事故が建造物以外の物の損壊のみに係るものであるときは、1による点数とする。

(ロ)　法第百十七条の五第一項第一号の罪に当たる行為をしたときは、(イ)による点数に、五点を加えた点数とする。

3　二の119から128までに規定する行為をした場合において、法第百十七条の五第一項第一号の罪に当たる行為をしたときは、1による点数に、五点を加えた点数とする。

二　一の表及び二の表の上欄に掲げる用語の意味は、それぞれ次に定めるところによる。

1　「無免許運転」とは、法第六十四条第一項の規定に違反する行為をいう。

2　「酒気帯び運転（〇・二五以上）」とは、法第六十五条第一項の規定に違反する行為のうち身体に血液一ミリリットルにつき〇・五ミリグラム以上又は呼気一リットルにつき〇・二五ミリグラム以上のアルコールを保有する状態で運転する行為をいう。

3　「過労運転等」とは、法第六十六条の規定に違反する行為（130に規定する行為を除く。）をいう。

4　「妨害運転（交通の危険のおそれ）」とは、法第百十七条の二の二第一項第八号の罪に当たる行為をいう。

5　「共同危険行為等禁止違反」とは、法第六十八条の規定に違反する行為をいう。

6　「酒気帯び（〇・二五未満）速度超過（五十以上）等」とは、身体に第四十四条の三に定める程度以上のアルコールを保有する状態（2に規定する状態を除く。）で運転している場合における11から13までに規定する行為をいう。

7　「酒気帯び（〇・二五未満）速度超過（三十（高速四十）以上五十未満）等」とは、6に規定する状態で運転している場合における14から18までに規定する行為をいう。

8　「酒気帯び（〇・二五未満）速度超過（二十五以上三十（高速四十）未満）等」とは、6に規定する状態で運転している場合における19又は21から23までに規定する行為をいう。

9　「酒気帯び（〇・二五未満）速度超過（二十五未満）等」とは、6に規定する状態で運転している場合における25から47まで、49から64まで又は66から118までに規定する行為をいう。

10　「酒気帯び運転（〇・二五未満）」とは、法第六十五条第一項の規定に違反する行為のうち6に規定する状態で運転する行為（6から9までに規定する行為を除く。）をいう。

11　「大型自動車等無資格運転」とは、法第八十五条第五項から第十項までの規定に違反する行為をいう。

12　「仮免許運転違反」とは、法第八十七条第二項後段の規定に違反する行為をいう。

13　「速度超過（五十以上）」とは、法第二十二条の規定によりこれを超える速度で進行してはならないこととされている最高速度を超える速度で運転する行為（以下「速度超過」という。）のうち、その超える速度が五十キロメートル毎時以上のものをいう。

14　「速度超過（三十（高速四十）以上五十未満）」とは、速度超過のうち、その超える速度が三十キロメートル毎時（高速自動車国道等においては四十キロメートル毎時）以上五十キロメートル毎時未満のものをいう。

15　「積載物重量制限超過（大型等十割以上）」とは、法第五十七条第一項の規定に違反して積載物の重量の制限を超える積載をして運転する行為（以下「積載物重量制限超過」という。）のうち、その超える積載の割合が百パーセント以上のもの（大型自動車等（法別表第二に規定する大型自動車等をいう。以下同じ。）を運転する場合におけるものに限る。）をいう。

16　「携帯電話使用等（交通の危険）」とは、法第七十一条第五号の五の規定に違反する行為（同号の規定に違反し、よつて道路における交通の危険を生じさせた場合に限る。）をいう。

17　「無車検運行」とは、道路運送車両法第五十八条第一項の規定に違反する行為をいう。

18　「無保険運行」とは、自動車損害賠償保障法第五条の規定に違反する行為をいう。

19　「速度超過（二十五以上三十（高速四十）未満）」とは、速度超過のうち、その超える速度が二十五キロメートル毎時以上三十キロメートル毎時（高速自動車国道等においては四十キロメートル毎時）未満のものをいう。

20　「放置駐車違反（駐停車禁止場所等）」とは、法第四十四条第一項、第四十九条の三第三項、第四十九条の四又は第七十五条の八第一項の規定の違反となるような行為（法第四十九条の三第三項の規定の違反となるような行為については法定駐停車禁止場所（指定駐車場所を除く。）における行為に限り、法第四十九条の四の規定の違反となるような行為については法定駐停車禁止場所における行為に限る。以下「駐停車禁止場所等違反行為」という。）のうち、その行為が車両を離れて直ちに運転することができない状態にする行為（以下「放置行為」という。）に該当するときのもの又はその行為をした場合において放置行為をしたときのものをいう。

21　「積載物重量制限超過（大型等五割以上十割未満）」とは、積載物重量制限超過のうち、その超える積載の割合が五十パーセント以上百パーセント未満のもの（大型自動車等を運転する場合におけるものに限る。）をいう。

22　「積載物重量制限超過（普通等十割以上）」とは、積載物重量制限超過のうち、その超える積載の割合が百パーセント以上のもの（15に規定する行為を除く。）をいう。

23　「携帯電話使用等（保持）」とは、法第七十一条第五号の五の規定に違反して同号の無線通話装置を同号の通話のために使用し、又は自動車若しくは原動機付自転車に持ち込まれた同号の画像表示用装置を手で保持してこれに表示された画像を注視する行為（16に規定する場合を除く。）をいう。

24 「保管場所法違反（道路使用）」とは、自動車の保管場所の確保等に関する法律（昭和三十七年法律第百四十五号）第十一条第一項の規定に違反する行為をいう。

25 「警察官現場指示違反」とは、法第四条第一項後段に規定する警察官の現場における指示に従わない行為をいう。

26 「警察官通行禁止制限違反」とは、法第六条第四項の規定による警察官の禁止又は制限に従わない行為をいう。

27 「信号無視」とは、法第七条の規定の違反となるような行為をいう。

28 「通行禁止違反」とは、法第八条第一項の規定の違反となるような行為をいう。

29 「歩行者用道路徐行違反」とは、法第九条の規定の違反となるような行為をいう。

30 「通行区分違反」とは、法第十七条第一項から第四項まで又は第六項の規定の違反となるような行為をいう。

31 「歩行者側方安全間隔不保持等」とは、法第十八条第二項の規定の違反となるような行為をいう。

32 「速度超過（二十以上二十五未満）」とは、速度超過のうち、その超える速度が二十キロメートル毎時以上二十五キロメートル毎時未満のものをいう。

33 「急ブレーキ禁止違反」とは、法第二十四条の規定に違反する行為をいう。

34 「法定横断等禁止違反」とは、法第二十五条の二第一項の規定の違反となるような行為をいう。

35 「高速自動車国道等車間距離不保持」とは、法第二十六条の規定の違反となるような行為（高速自動車国道等におけるものに限る。）をいう。

36 「追越し違反」とは、法第二十八条から第三十条までの規定の違反となるような行為をいう。

37 「路面電車後方不停止」とは、法第三十一条の規定の違反となるような行為をいう。

38 「踏切不停止等」とは、法第三十三条第一項の規定の違反となるような行為をいう。

39 「遮断踏切立入り」とは、法第三十三条第二項の規定の違反となるような行為をいう。

40 「優先道路通行車妨害等」とは、法第三十六条第二項又は第三項の規定の違反となるような行為をいう。

41 「交差点安全進行義務違反」とは、法第三十六条第四項の規定の違反となるような行為をいう。

42 「環状交差点通行車妨害等」とは、法第三十七条の二第一項又は第二項の規定の違反となるような行為をいう。

43 「環状交差点安全進行義務違反」とは、法第三十七条の二第三項の規定の違反となるような行為をいう。

44　「横断歩行者等妨害等」とは、法第三十八条又は第三十八条の二の規定の違反となるような行為をいう。

45　「徐行場所違反」とは、法第四十二条の規定の違反となるような行為をいう。

46　「指定場所一時不停止等」とは、法第四十三条の規定の違反となるような行為をいう。

47　「駐停車違反（駐停車禁止場所等）」とは、駐停車禁止場所等違反行為のうち、20に規定する行為以外のものをいう。

48　「放置駐車違反（駐車禁止場所等）」とは、法第四十五条第一項若しくは第二項、第四十七条第二項若しくは第三項、第四十八条、第四十九条の三第三項又は第四十九条の四の規定の違反となるような行為（法第四十九条の三第三項又は第四十九条の四の規定の違反となるような行為については、駐停車禁止場所等違反行為に該当するものを除く。）のうち、その行為が放置行為に該当するときのもの又はその行為をした場合において放置行為をしたときのものをいう。

49　「積載物重量制限超過（大型等五割未満）」とは、積載物重量制限超過のうち、その超える積載の割合が五十パーセント未満のもの（大型自動車等を運転する場合におけるものに限る。）をいう。

50　「積載物重量制限超過（普通等五割以上十割未満）」とは、積載物重量制限超過のうち、その超える積載の割合が五十パーセント以上百パーセント未満のもの（21に規定する行為を除く。）をいう。

51　「整備不良（制動装置等）」とは、法第六十二条の規定に違反する行為（制動装置、かじ取装置、走行装置、自動運行装置又は騒音防止装置に係るものに限る。）をいう。

52　「作動状態記録装置不備」とは、法第六十三条の二の二第一項の規定に違反する行為をいう。

53　「安全運転義務違反」とは、法第七十条の規定に違反する行為をいう。

54　「幼児等通行妨害」とは、法第七十一条第二号又は第二号の三の規定に違反する行為をいう。

55　「安全地帯徐行違反」とは、法第七十一条第三号の規定に違反する行為をいう。

56　「騒音運転等」とは、法第七十一条第五号の三の規定に違反する行為をいう。

57　「消音器不備」とは、法第七十一条の二の規定に違反する行為をいう。

58　「大型自動二輪車等乗車方法違反」とは、法第七十一条の四第四項から第七項までの規定に違反する行為をいう。

59　「自動運行装置使用条件違反」とは、法第七十一条の四の二第一項の規定に違反する行為をいう。

60　「高速自動車国道等措置命令違反」とは、法第七十五条の三の規定による警察官の禁止、制限又は命令に従わない行為をいう。

61　「本線車道横断等禁止違反」とは、法第七十五条の五の規定の違反となるような行為をいう。

62 「高速自動車国道等運転者遵守事項違反」とは、法第七十五条の十の規定に違反する行為（本線車道若しくはこれに接する加速車線、減速車線若しくは登坂車線において当該自動車を運転することができなくなつた場合又は当該自動車に積載している物を当該高速自動車国道等に転落させ、若しくは飛散させた場合に限る。）をいう。

63 「免許条件違反」とは、法第九十一条若しくは第九十一条の二第二項の規定により公安委員会が付し、若しくは変更した条件に違反し、又は法第百七条の四第三項の規定による公安委員会の命令に違反して運転する行為をいう。

64 「番号標表示義務違反」とは、道路運送車両法第十九条又は第七十三条第一項（同法第九十七条の三第二項において準用する場合を含む。）の規定に違反する行為をいう。

65 「保管場所法違反（長時間駐車）」とは、自動車の保管場所の確保等に関する法律第十一条第二項の規定に違反する行為をいう。

66 「混雑緩和措置命令違反」とは、法第六条第二項の規定による警察官の禁止、制限又は命令に従わない行為をいう。

67 「通行許可条件違反」とは、法第八条第五項の規定により警察署長が付した条件に違反する行為をいう。

68 「通行帯違反」とは、法第二十条の規定の違反となるような行為をいう。

69 「路線バス等優先通行帯違反」とは、法第二十条の二第一項の規定の違反となるような行為をいう。

70 「軌道敷内違反」とは、法第二十一条の規定の違反となるような行為をいう。

71 「速度超過（二十未満）」とは、速度超過のうち、その超える速度が二十キロメートル毎時未満のものをいう。

72 「道路外出右左折方法違反」とは、法第二十五条第一項又は第二項の規定の違反となるような行為をいう。

73 「道路外出右左折合図車妨害」とは、法第二十五条第三項の規定の違反となるような行為をいう。

74 「指定横断等禁止違反」とは、法第二十五条の二第二項の規定の違反となるような行為をいう。

75 「車間距離不保持」とは、法第二十六条の規定の違反となるような行為（35に規定する行為を除く。）をいう。

76 「進路変更禁止違反」とは、法第二十六条の二第二項又は第三項の規定の違反となるような行為をいう。

77 「追い付かれた車両の義務違反」とは、法第二十七条の規定の違反となるような行為をいう。

78 「乗合自動車発進妨害」とは、法第三十一条の二の規定の違反となるような行為をいう。

79 「割込み等」とは、法第三十二条の規定の違反となるような行為をいう。

80 「自動車等交差点右左折方法違反」とは、法第三十四条第一項、第二項、第四項又は第五項の規定の違反となるような行為をいう。

81 「交差点右左折等合図車妨害」とは、法第三十四条第六項（法第三十五条第二項において準用する場合を含む。）の規定の違反となるような行為をいう。
82 「指定通行区分違反」とは、法第三十五条第一項の規定の違反となるような行為をいう。
83 「環状交差点左折等方法違反」とは、法第三十五条の二の規定の違反となるような行為をいう。
84 「交差点優先車妨害」とは、法第三十六条第一項又は第三十七条の規定の違反となるような行為をいう。
85 「緊急車妨害等」とは、法第四十条又は第四十一条の二第一項若しくは第二項の規定の違反となるような行為をいう。
86 「駐停車違反（駐車禁止場所等）」とは、法第四十五条第一項若しくは第二項、第四十七条、第四十八条、第四十九条の三第二項から第四項まで、第四十九条の四又は第四十九条の五後段の規定の違反となるような行為（法第四十九条の三第三項又は第四十九条の四の規定の違反となるような行為については、駐停車禁止場所等違反行為に該当するものを除く。）のうち、48に規定する行為以外のものをいう。
87 「交差点等進入禁止違反」とは、法第五十条の規定の違反となるような行為をいう。
88 「無灯火」とは、法第五十二条第一項の規定の違反となるような行為をいう。
89 「減光等義務違反」とは、法第五十二条第二項の規定に違反する行為をいう。
90 「合図不履行」とは、法第五十三条第一項又は第二項の規定に違反する行為をいう。
91 「合図制限違反」とは、法第五十三条第四項の規定に違反する行為をいう。
92 「警音器吹鳴義務違反」とは、法第五十四条第一項の規定に違反する行為をいう。
93 「乗車積載方法違反」とは、法第五十五条第一項又は第二項の規定に違反する行為をいう。
94 「定員外乗車」とは、法第五十七条第一項の規定に違反して乗車をさせて運転する行為をいう。
95 「積載物重量制限超過（普通等五割未満）」とは、積載物重量制限超過のうち、その超える積載の割合が五十パーセント未満のもの（49に規定する行為を除く。）をいう。
96 「積載物大きさ制限超過」とは、法第五十七条第一項の規定に違反して積載物の大きさの制限を超える積載をして運転する行為をいう。
97 「積載方法制限超過」とは、法第五十七条第一項の規定に違反して積載物の積載の方法の制限を超える積載をして運転する行為をいう。
98 「制限外許可条件違反」とは、法第五十八条第三項の規定により警察署長が付した条件に違反する行為をいう。
99 「牽引違反」とは、法第五十九条第一項又は第二項の規定に違反する行為をいう。

100 「原付牽引違反」とは、法第六十条の規定に基づく公安委員会の定めに違反する行為をいう。

101 「整備不良（尾灯等）」とは、法第六十二条の規定に違反する行為（51に規定する行為を除く。）をいう。

102 「転落等防止措置義務違反」とは、法第七十一条第四号の規定に違反する行為をいう。

103 「転落積載物等危険防止措置義務違反」とは、法第七十一条第四号の二の規定に違反する行為をいう。

104 「安全不確認ドア開放等」とは、法第七十一条第四号の三の規定に違反する行為をいう。

105 「停止措置義務違反」とは、法第七十一条第五号の規定に違反する行為をいう。

106 「初心運転者等保護義務違反」とは、法第七十一条第五号の四の規定に違反する行為をいう。

107 「座席ベルト装着義務違反」とは、法第七十一条の三第一項の規定に違反する行為又は同条第二項の規定に違反する行為（座席ベルトを装着しない者を運転者席の横の乗車装置以外の乗車装置に乗車させて自動車を運転する行為については、高速自動車国道等におけるものに限る。）をいう。

108 「幼児用補助装置使用義務違反」とは、法第七十一条の三第三項の規定に違反する行為をいう。

109 「乗車用ヘルメット着用義務違反」とは、法第七十一条の四第一項又は第二項の規定に違反する行為をいう。

110 「初心運転者標識表示義務違反」とは、法第七十一条の五第一項又は第二項の規定に違反する行為をいう。

111 「聴覚障害者標識表示義務違反」とは、法第七十一条の六第一項又は第二項の規定に違反する行為をいう。

112 「最低速度違反」とは、法第七十五条の四の規定の違反となるような行為をいう。

113 「本線車道通行車妨害」とは、法第七十五条の六第一項の規定の違反となるような行為をいう。

114 「本線車道緊急車妨害」とは、法第七十五条の六第二項の規定の違反となるような行為をいう。

115 「本線車道出入方法違反」とは、法第七十五条の七の規定の違反となるような行為をいう。

116 「牽引自動車本線車道通行帯違反」とは、法第七十五条の八の二第二項から第四項までの規定の違反となるような行為をいう。

117 「故障車両表示義務違反」とは、法第七十五条の十一第一項の規定に違反する行為をいう。

118 「仮免許練習標識表示義務違反」とは、法第八十七条第三項の規定に違反する行為をいう。

119　「運転殺人等」とは、自動車等の運転により人を死亡させ又は建造物を損壊させる行為で故意（人の傷害に係るものを含む。）によるもの（建造物を損壊させる行為にあつては、当該行為によつて人が死亡した場合に限る。）をいう。

120　「危険運転致死等」とは、人の死亡に係る自動車の運転により人を死傷させる行為等の処罰に関する法律第二条から第四条までの罪に当たる行為（自動車等の運転に関し行われたものに限る。以下この表において同じ。）をいう。

121　「運転傷害等（治療期間三月以上又は後遺障害）」とは、自動車等の運転により人を負傷させ又は建造物を損壊させる行為で故意（人の殺害に係るものを含む。以下この表において同じ。）によるもの（建造物を損壊させる行為にあつては、当該行為によつて人が負傷した場合に限る。123及び125において同じ。）のうち、負傷者の治療期間（負傷の治療に要する期間（負傷者の数が二人以上である場合にあつては、これらの者のうち最も負傷の程度が重い者の負傷の治療に要する期間）をいう。以下同じ。）が三月以上であるもの又は負傷者に後遺障害（負傷が治つたとき（その症状が固定したときを含む。）における身体の障害で国家公安委員会規則で定める程度のものをいう。以下同じ。）が存するものをいう。

122　「危険運転致傷等（治療期間三月以上又は後遺障害）」とは、人の傷害（治療期間が三月以上であるもの又は後遺障害が存するものに限る。）に係る自動車の運転により人を死傷させる行為等の処罰に関する法律第二条から第四条までの罪に当たる行為をいう。

123　「運転傷害等（治療期間三十日以上）」とは、自動車等の運転により人を負傷させ又は建造物を損壊させる行為で故意によるもののうち、負傷者の治療期間が三十日以上三月未満であるもの（負傷者に後遺障害が存するものを除く。）をいう。

124　「危険運転致傷等（治療期間三十日以上）」とは、人の傷害（治療期間が三十日以上三月未満であるもの（後遺障害が存するものを除く。）に限る。）に係る自動車の運転により人を死傷させる行為等の処罰に関する法律第二条から第四条までの罪に当たる行為をいう。

125　「運転傷害等（治療期間十五日以上）」とは、自動車等の運転により人を負傷させ又は建造物を損壊させる行為で故意によるもののうち、負傷者の治療期間が十五日以上三十日未満であるもの（負傷者に後遺障害が存するものを除く。）をいう。

126　「危険運転致傷等（治療期間十五日以上）」とは、人の傷害（治療期間が十五日以上三十日未満であるもの（後遺障害が存するものを除く。）に限る。）に係る自動車の運転により人を死傷させる行為等の処罰に関する法律第二条から第四条までの罪に当たる行為をいう。

127　「運転傷害等（治療期間十五日未満又は建造物損壊）」とは、自動車等の運転により人を負傷させ又は建造物を損壊させる行為で故意によるもののうち、121、123及び125に規定する行為以外のものをいう。

128　「危険運転致傷等（治療期間十五日未満）」とは、人の傷害（治療期間が十五日未満であるもの（後遺障害が存するものを除く。）に限る。）に係る自動車の運転により人を死傷させる行為等の処罰に関する法律第二条から第四条までの罪に当たる行為をいう。

129 「酒酔い運転」とは、法第百十七条の二第一項第一号の罪に当たる行為（自動車等の運転に関し行われたものに限る。）をいう。

130 「麻薬等運転」とは、法第百十七条の二第一項第三号の罪に当たる行為（自動車等の運転に関し行われたものに限る。）をいう。

131 「妨害運転（著しい交通の危険）」とは、法第百十七条の二第一項第四号の罪に当たる行為（自動車等の運転に関し行われたものに限る。）をいう。

132 「救護義務違反」とは、法第百十七条第一項又は第二項の罪に当たる行為（自動車等の運転に関し行われたものに限る。）をいう。

〔本表追加・昭四三政二九八、改正・昭四五政二二七・昭四六政三四八・昭四七政三二二・昭四八政二七・昭五〇政三八・昭五三政三一三・昭五五政三二八・昭六〇政二一九・昭六一政三二九・平元政二五五・平二政二六・政三〇三・平三政一二・平四政二三一・平五政三四八・平八政一六〇・平九政二一五・政三九一・平一一政二二九・平一四政二四・平一六政二五七・政三八一、旧別表一を改正し繰下・平一六政三九〇、本表改正・平二〇政一四九・平二一政一二七・政一二・政二二六・政二九一・平二五政三一〇・平二六政六三・政一六九・平二八政二五八・令元政一〇八・政一〇九・令二政一八一・政三三三・令四政一六・政三〇四・政三九一・令五政五四〕

別表第三（第三十三条の二、第三十四条の三、第三十七条の八、第三十八条、第四十条関係）

一　一般違反行為をしたことを理由として処分を行おうとする場合における当該一般違反行為に係る累積点数の区分

第一欄	第二欄	第三欄	第四欄	第五欄	第六欄	第七欄
前歴がない者	四十五点以上	四十点から四十四点まで	三十五点から三十九点まで	二十五点から三十四点まで	十五点から二十四点まで	六点から十四点まで
前歴が一回である者	四十点以上	三十五点から三十九点まで	三十点から三十四点まで	二十点から二十九点まで	十点から十九点まで	四点から九点まで
前歴が二回である者	三十五点以上	三十点から三十四点まで	二十五点から二十九点まで	十五点から二十四点まで	五点から十四点まで	二点から四点まで
前歴が三回以上である者	三十点以上	二十五点から二十九点まで	二十点から二十四点まで	十点から十九点まで	四点から九点まで	二点又は三点

二　特定違反行為をしたことを理由として処分を行おうとする場合における当該特定違反行為に係る累積点数の区分

第一欄	第二欄	第三欄	第四欄	第五欄	第六欄	第七欄	第八欄	第九欄
前歴がない者	七十点以上	六十五点から六十九点まで	六十点から六十四点まで	五十五点から五十九点まで	五十点から五十四点まで	四十五点から四十九点まで	四十点から四十四点まで	三十五点から三十九点まで
前歴が一回である者	六十五点以上	六十点から六十四点まで	五十五点から五十九点まで	五十点から五十四点まで	四十五点から四十九点まで	四十点から四十四点まで	三十五点から三十九点まで	
前歴が二回である者	六十点以上	五十五点から五十九点まで	五十点から五十四点まで	四十五点から四十九点まで	四十点から四十四点まで	三十五点から三十九点まで		
前歴が三回以上である者	五十五点以上	五十点から五十四点まで	四十五点から四十九点まで	四十点から四十四点まで	三十五点から三十九点まで			

備考

一　一の表及び二の表に規定する前歴とは、累積点数に係る当該違反行為をした日を起算日とする過去三年以内において次の1から4までのいずれかに該当したことをいう。ただし、免許を受けていた期間が通算して一年となつたことがある場合において、当該期間の初日に当たる日から末日に当たる日までの間に、違反行為をしたことがなく、かつ、第三十三条の二第三項第二号に規定する免許の取消し若しくは六月を超える期間の自動車等の運転の禁止の処分又は同項第三号に規定する処分のいずれをも受けたことがないときにあつては、当該初日に当たる日前のものを除き、次の1又は3に該当した場合にあつては、その前のものを除く。

1　違反行為をしたことを理由として法第百三条第一項若しくは第四項の規定による免許の取消し又は法第百七条の五第一項の規定若しくは同条第九項において準用する法第百三条第四項の規定による六月を超える期間の自動車等の運転の禁止の処分を受けたこと（同条第七項の規定により指定され又は法第百七条の五第一項の規定により定められた期間内に違反行為をしたことがない場合に限る。）

2　違反行為をしたことを理由として法第百三条第一項若しくは第四項の規定による免許の効力の停止又は法第百七条の五第一項の規定若しくは同条第九項において準用する法第百三条第四項の規定による六月を超えない範囲内の期間の自動車等の運転の禁止の処分を受けたこと（当該処分の期間内に違反行為をしたことがない場合に限る。）

3　違反行為に係る累積点数が一の表の第一欄に掲げる区分に応じそれぞれ同表の第五欄又は第六欄に掲げる点数に該当したこと（当該違反行為をした後それぞれ二年又は一年の間に違反行為をしたことがない場合に限り、1に該当する場合及び第三十三条の二第一項第二号ロ又はハに該当して同号の適用を受けることとなる場合を除く。）

4　違反行為に係る累積点数が一の表の第一欄に掲げる区分に応じそれぞれ同表の第七欄に掲げる点数に該当したこと（当該違反行為をした後六月の間に違反行為をしたことがないか、又は当該期間内に免許を受けたことがある場合（法第九十条第五項の規定により当該免許の効力が停止されている場合を除く。）に限り、2に該当する場合及び法第百二条の二に規定する講習（当該違反行為が法第百八条の三の二の規定による通知の理由となつたものに限る。）を受けた場合を除く。）

二　第三十三条の二第四項の規定は、一の3又は4の二年、一年及び六月の期間について準用する。

〔本表追加・昭四三政二九八、全改・昭四五政二二七、改正・昭五〇政三八・平九政三九一、全改・平一四政二四、旧別表二を繰下・平一六政三九〇、本表改正・平二一政一二・令四政一六〕

別表第四（第三十三条の二、第三十三条の七、第三十四条の三、第三十七条の八、第三十八条、第三十九条の三関係）

一　重大違反唆し等で第三十三条の二の三第四項第一号又は第二号に掲げる行為に係るもの

二　重大違反唆し等で別表第二の一の表に定める点数が二十五点である一般違反行為に係るもの

三　重大違反唆し等で別表第二の一の表に定める点数が十五点から十九点までである一般違反行為に係るもの、人の死亡に係る道路外致死傷（別表第五第一号に掲げるものを除く。）又は人の傷害に係る道路外致死傷（治療期間が三月以上であるもの又は後遺障害が存するものに限る。）で専ら当該行為をした者の不注意によるもの

四　重大違反唆し等で別表第二の一の表に定める点数が六点から十四点までである一般違反行為に係るもの又は人の傷害（治療期間が十五日以上であるもの又は後遺障害が存するものに限る。）に係る道路外致死傷（前号及び別表第五第二号から第四号までに掲げるものを除く。）

〔本表追加・平九政三九一、改正・平一四政二四、旧別表二の二を改正し繰下・平一六政三九〇、本表改正・平二一政一二・平二五政三一〇・平二六政六三〕

別表第五（第三十三条の二、第三十三条の七、第三十七条の八、第三十八条、第三十九条の三関係）

一　人の死亡に係る道路外致死傷で故意（人の傷害に係るものを含む。）によるもの又は自動車の運転により人を死傷させる行為等の処罰に関する法律第二条から第四条までの罪に当たるもの

二　人の傷害（治療期間が三月以上であるもの又は後遺障害が存するものに限る。）に係る道路外致死傷で故意（人の殺害に係るものを含む。以下この表において同じ。）によるもの又は自動車の運転により人を死傷させる行為等の処罰に関する法律第二条から第四条までの罪に当たるもの

三　人の傷害（治療期間が三十日以上三月未満であるものに限り、後遺障害が存するものを除く。）に係る道路外致死傷で故意によるもの又は自動車の運転により人を死傷させる行為等の処罰に関する法律第二条から第四条までの罪に当たるもの

四　人の傷害（治療期間が三十日未満であるものに限り、後遺障害が存するものを除く。）に係る道路外致死傷で故意によるもの又は自動車の運転により人を死傷させる行為等の処罰に関する法律第二条から第四条までの罪に当たるもの

〔本表追加・平二一政一二、改正・平二六政一六九〕

別表第六（第四十五条関係）

反則行為の種別		反則金の額
反則行為の種類	車両等の種類	
一　積載物重量制限超過（普通等十割以上）	普通車	三万五千円
	二輪車	三万円
	原付車	二万五千円
二　速度超過（高速三十五以上四十未満）	大型車	四万円
	普通車	三万五千円
	二輪車	三万円
	原付車	二万円
三　積載物重量制限超過（五割以上十割未満）	大型車	四万円
	普通車	三万円
	二輪車	二万五千円
	原付車	二万円
四　速度超過（高速三十以上三十五未満）又は積載物重量制限超過（五割未満）	大型車	三万円
	普通車	二万五千円
	二輪車	二万円
	原付車	一万五千円
五　放置駐車違反（駐停車禁止場所等（高齢運転者等専用場所等））	大型車又は重被牽引車	二万七千円
	普通車	二万円
	二輪車又は原付車	一万二千円
六　速度超過（二十五以上三十未満）又は携帯電話使用等（保持）	大型車	二万五千円
	普通車	一万八千円
	二輪車	一万五千円
	原付車	一万二千円

七　放置駐車違反（駐停車禁止場所等（高齢運転者等専用場所等以外））	大型車又は重被牽引車	二万五千円
	普通車	一万八千円
	二輪車又は原付車	一万円
八　放置駐車違反（駐車禁止場所等（高齢運転者等専用場所等））	大型車又は重被牽引車	二万三千円
	普通車	一万七千円
	二輪車又は原付車	一万千円
九　放置駐車違反（駐車禁止場所等（高齢運転者等専用場所等以外））	大型車又は重被牽引車	二万千円
	普通車	一万五千円
	二輪車又は原付車	九千円
十　速度超過（二十以上二十五未満）又は大型自動二輪車等乗車方法違反	大型車	二万円
	普通車	一万五千円
	二輪車	一万二千円
	原付車	一万円
十一　駐停車違反（駐停車禁止場所等（高齢運転者等専用場所等））	大型車	一万七千円
	普通車	一万四千円
	二輪車又は原付車	九千円
十二　速度超過（十五以上二十未満）又は遮断踏切立入り	大型車	一万五千円
	普通車	一万二千円
	二輪車	九千円
	原付車	七千円
十三　駐停車違反（駐停車禁止場所等（高齢運転者等専用場所等以外））	大型車	一万五千円
	普通車	一万二千円

	二輪車又は原付車	七千円
十四　駐停車違反（駐車禁止場所等（高齢運転者等専用場所等））	大型車	一万四千円
	普通車	一万二千円
	二輪車又は原付車	八千円
十五　駐停車違反（駐車禁止場所等（高齢運転者等専用場所等以外））	大型車又は重被牽引車	一万二千円
	普通車	一万円
	二輪車又は原付車	六千円
十六　速度超過（十五未満）、信号無視（赤色等）、通行区分違反、高速自動車国道等車間距離不保持、追越し違反、踏切不停止等、交差点安全進行義務違反、横断歩行者等妨害等、整備不良（制動装置等）、作動状態記録装置不備、安全運転義務違反、自動運行装置使用条件違反、本線車道横断等禁止違反又は高速自動車国道等運転者遵守事項違反	大型車	一万二千円
	普通車	九千円
	二輪車	七千円
	原付車	六千円
十七　信号無視（点滅）、通行禁止違反、歩行者用道路徐行違反、歩行者側方安全間隔不保持等、急ブレーキ禁止違反、法定横断等禁止違反、路面電車後方不停止、優先道路通行車妨害等、環状交差点通行車妨害等、徐行場所違反、指定場所一時不停止等、積載物大きさ制限超過、積載方法制限超過、整備不良（尾灯等）、幼児等通行妨害、安全地帯徐行違反又は免許条件違反	大型車	九千円
	普通車	七千円
	二輪車	六千円
	原付車	五千円
十八　通行帯違反、路線バス等優先通行帯違反、道路外出右左折合図車妨害、指定横断等禁止違反、車間距離不保持、進路変更禁止違反、追い付かれた車両の義務違反、乗合自動車発進妨害、割込み等、交差点右左折等合図車妨害、指定通行区分違反、交差点優先車妨害、緊急車妨害等、交差点等進入禁止違反、無灯	大型車	七千円

火、減光等義務違反、合図不履行、合図制限違反、警音器吹鳴義務違反、乗車積載方法違反、定員外乗車、牽引違反、泥はね運転、転落等防止措置義務違反、転落積載物等危険防止措置義務違反、安全不確認ドア開放等、停止措置義務違反、騒音運転等、初心運転者等保護義務違反、公安委員会遵守事項違反、消音器不備、最低速度違反、本線車道通行車妨害、本線車道緊急車妨害、牽引自動車本線車道通行帯違反、故障車両表示義務違反又は仮免許練習標識表示義務違反	普通車又は二輪車	六千円
	原付車	五千円
十九　通行許可条件違反、歩道徐行等義務違反、路側帯進行方法違反、軌道敷内違反、道路外出右左折方法違反、交差点右左折方法違反、環状交差点左折等方法違反、制限外許可条件違反、原付牽引違反、運行記録計不備、初心運転者標識表示義務違反、聴覚障害者標識表示義務違反又は本線車道出入方法違反	大型車	六千円
	普通車又は二輪車	四千円
	原付車	三千円
二十　警音器使用制限違反又は免許証不携帯	大型車、普通車、二輪車又は原付車	三千円

備考

一　反則行為の種別は、この表の上欄に掲げる反則行為の種類と反則行為に係る車両等の種類に応じ区分したものとし、反則金の額は、当該区分に応じ、この表の下欄に掲げる金額とする。

二　この表の反則行為の種類の欄に掲げる用語の意味は、それぞれ別表第二の備考の二に定めるところによるほか、次に定めるところによる。

1　「速度超過（高速三十五以上四十未満）」とは、速度超過のうち、その超える速度が三十五キロメートル毎時以上四十キロメートル毎時未満のもの（高速自動車国道等における行為に限る。）をいう。

2　「積載物重量制限超過（五割以上十割未満）」とは、積載物重量制限超過のうち、その超える積載の割合が五十パーセント以上百パーセント未満のものをいう。

3　「速度超過（高速三十以上三十五未満）」とは、速度超過のうち、その超える速度が三十キロメートル毎時以上三十五キロメートル毎時未満のもの（高速自動車国道等における行為に限る。）をいう。

4　「積載物重量制限超過（五割未満）」とは、積載物重量制限超過のうち、その超える積載の割合が五十パーセント未満のものをいう。

5　「放置駐車違反（駐停車禁止場所等（高齢運転者等専用場所等））」とは、法

第四十四条第一項又は第四十九条の四の規定の違反となるような行為（同項の規定の違反となるような行為については高齢運転者等専用場所における行為に限り、同条の規定の違反となるような行為については法定駐停車禁止場所にある指定駐車場所における行為に限る。10において同じ。）のうち、その行為が放置行為に該当するときのもの又はその行為をした場合において放置行為をしたときのものをいう。

6　「速度超過（二十五以上三十未満）」とは、速度超過のうち、その超える速度が二十五キロメートル毎時以上三十キロメートル毎時未満のものをいう。

7　「放置駐車違反（駐停車禁止場所等（高齢運転者等専用場所等以外））」とは、別表第二の備考の二の20に規定する行為のうち、5に規定する行為以外のものをいう。

8　「放置駐車違反（駐車禁止場所等（高齢運転者等専用場所等））」とは、法第四十五条第一項又は第四十九条の四の規定の違反となるような行為（法第四十五条第一項の規定の違反となるような行為については高齢運転者等専用場所における行為に限り、法第四十九条の四の規定の違反となるような行為については指定駐車場所（法定駐停車禁止場所にあるものを除く。）における行為に限る。13において同じ。）のうち、その行為が放置行為に該当するときのもの又はその行為をした場合において放置行為をしたときのものをいう。

9　「放置駐車違反（駐車禁止場所等（高齢運転者等専用場所等以外））」とは、別表第二の備考の二の48に規定する行為のうち、8に規定する行為以外のものをいう。

10　「駐停車違反（駐停車禁止場所等（高齢運転者等専用場所等））」とは、法第四十四条第一項又は第四十九条の四の規定の違反となるような行為のうち、5に規定する行為以外のものをいう。

11　「速度超過（十五以上二十未満）」とは、速度超過のうち、その超える速度が十五キロメートル毎時以上二十キロメートル毎時未満のものをいう。

12　「駐停車違反（駐停車禁止場所等（高齢運転者等専用場所等以外））」とは、別表第二の備考の二の47に規定する行為のうち、10に規定する行為以外のものをいう。

13　「駐停車違反（駐車禁止場所等（高齢運転者等専用場所等））」とは、法第四十五条第一項又は第四十九条の四の規定の違反となるような行為のうち、8に規定する行為以外のものをいう。

14　「駐停車違反（駐車禁止場所等（高齢運転者等専用場所等以外））」とは、別表第二の備考の二の86に規定する行為のうち、13に規定する行為以外のものをいう。

15　「速度超過（十五未満）」とは、速度超過のうち、その超える速度が十五キロメートル毎時未満のものをいう。

16　「信号無視（赤色等）」とは、法第七条の規定の違反となるような行為（赤色の灯火若しくは黄色の灯火又はこれらの信号の意味と同じ意味の信号に係る行為に限る。）をいう。

17　「信号無視（点滅）」とは、法第七条の規定に違反する行為（16に規定する行為を除く。）をいう。

18 「泥はね運転」とは、法第七十一条第一号の規定に違反する行為をいう。

19 「公安委員会遵守事項違反」とは、法第七十一条第六号の規定に違反する行為をいう。

20 「歩道徐行等義務違反」とは、法第十七条の二第二項の規定の違反となるような行為をいう。

21 「路側帯進行方法違反」とは、法第十七条の三第二項の規定の違反となるような行為をいう。

22 「交差点右左折方法違反」とは、法第三十四条第一項から第五項までの規定の違反となるような行為をいう。

23 「運行記録計不備」とは、法第六十三条の二第一項の規定に違反する行為をいう。

24 「警音器使用制限違反」とは、法第五十四条第二項の規定に違反する行為をいう。

25 「免許証不携帯」とは、法第九十五条第一項又は第百七条の三前段の規定に違反する行為をいう。

三 この表の車両等の種類の欄に掲げる用語の意義は、それぞれ次に定めるところによる。

1 「大型車」とは、大型自動車、中型自動車、準中型自動車、大型特殊自動車、トロリーバス及び路面電車をいう。

2 「普通車」とは、普通自動車をいう。

3 「二輪車」とは、大型自動二輪車及び普通自動二輪車をいう。

4 「原付車」とは、小型特殊自動車及び原動機付自転車をいう。

〔本表追加・昭四三政一七、改正・昭四三政二六四、旧別表を改正し別表三に繰下・政二九八、本表改正・昭四五政二二七・昭四六政三四八・昭四七政二四六・政三二二・昭四八政二七・昭五〇政三八・昭五三政三一三・昭六〇政二一九・昭六一政三二九・平二政三〇三・平三政一八三・平四政二三一・平五政三四八・平八政一六〇・平九政二一五・平一一政二二九・平一六政二五七・政三八一、旧別表三を改正し繰下・平一六政三九〇、本表改正・平一七政一八三・平二〇政一四九・平二一政一二七、旧別表五を繰下・平二一政一二、本表改正・平二一政二二六・政二九一・平二五政三一〇・平二六政六三・平二八政二五八・令元政一〇八・政一〇九・令二政一八一・政三三三・令五政五四〕

別表第一（第四条関係）……三七ページ参照

別表第一の二（第四条関係）……三八ページ参照

別表第二（第十九条関係）

略語	意味
大型	大型自動車免許
中型	中型自動車免許
準中型	準中型自動車免許
普通	普通自動車免許
大特	大型特殊自動車免許
大自二	大型自動二輪車免許
普自二	普通自動二輪車免許
小特	小型特殊自動車免許
原付	原動機付自転車免許
大二	大型自動車第二種免許
中二	中型自動車第二種免許
普二	普通自動車第二種免許
大特二	大型特殊自動車第二種免許
け引	牽引免許
け引二	牽引第二種免許
引・引二	牽引免許及び牽引第二種免許
二・小・原	大型自動二輪車免許、普通自動二輪車免許、小型特殊自動車免許又は原動機付自転車免許
大型車	大型自動車
マイクロバス	乗車定員が一一人以上二九人以下の専ら人を運搬する構造の大型自動車

中型車	中型自動車
中型車（8t）	中型自動車（車両総重量八、〇〇〇キログラム未満、最大積載量五、〇〇〇キログラム未満及び乗車定員一〇人以下のものに限る。）
準中型車	準中型自動車
準中型車（5t）	準中型自動車（車両総重量五、〇〇〇キログラム未満及び最大積載量三、〇〇〇キログラム未満のものに限る。）
普通車	普通自動車
大特車	大型特殊自動車
大型二輪	大型自動二輪車
普通二輪	普通自動二輪車
小型二輪	総排気量については〇・一二五リットル以下、定格出力については一・〇〇キロワット以下の原動機を有する普通自動二輪車
二輪車	大型自動二輪車及び普通自動二輪車
軽車（六六〇）	長さが三・四〇メートル以下、幅が一・四八メートル以下、高さが二・〇〇メートル以下の普通自動車（内燃機関を原動機とする自動車にあつては、総排気量が〇・六六〇リットル以下のものに限る。）
軽車（五五〇）	長さが三・二〇メートル以下、幅が一・四〇メートル以下、高さが二・〇〇メートル以下の普通自動車（内燃機関を原動機とする自動車にあつては、総排気量が〇・五五〇リットル以下のものに限る。）
軽車（三六〇）	長さが三・〇〇メートル以下、幅が一・三〇メートル以下、高さが二・〇〇メートル以下の普通自動車（内燃機関を原動機とする自動車にあつては、総排気量が〇・三六〇リットル以下のものに限る。）
ミニカー	総排気量については〇・〇五〇リットル以下、定格出力については〇・六〇キロワット以下の原動機を有する普通自動車
小特車	小型特殊自動車
原付車	一般原動機付自転車
自三車	前一輪により操向する三輪の普通自動車

小四車	長さが四・七〇メートル以下、幅が一・七〇メートル以下、高さが二・〇〇メートル以下の普通自動車（内燃機関を原動機とする自動車にあつては総排気量が二・〇〇リットル以下のもの、内燃機関以外を原動機とする自動車にあつては定格出力が七・五〇キロワット以下のものに限る。）
乗用車	専ら人を運搬する構造の自動車
貨物車	専ら貨物を運搬する構造の自動車
ＡＴ車	ＡＴ機構がとられており、クラッチの操作装置を有しない自動車等
サポートカー	第十八条の六第一項各号のいずれかに該当する普通自動車
カタピラ車	カタピラを有する自動車（車輪を有するものを除く。）
農耕車	農耕作業用自動車
旅客車	旅客自動車
総重量	車両総重量
積載量	最大積載量
排気量	総排気量
定員	乗車定員
m	メートル
t	トン
l	リットル
眼鏡等	視力（深視力を含む。）を第二十三条第一項の表の視力の項に定める基準以上に矯正する眼鏡等を使用すること。
補聴器	大型自動車、中型自動車、準中型自動車、普通自動車又は大型特殊自動車を運転中は、聴力を第二十三条第一項の表の聴力の項第一号に定める基準以上に補う補聴器を使用すること。
特定後写鏡等	準中型自動車又は普通自動車を運転中は、特定後写鏡等を使用すること。
義手	自動車等を運転中は、運転操作上有効な義手を使用すること。
義足	自動車等を運転中は、運転操作上有効な義足を使用すること。
優良	優良運転者

〔本表追加・昭四一総府令五一、改正・昭四三総府令四九・昭四五総府令二八、旧別表三を改正し繰上・昭四六総府令五三、本表改正・昭四七総府令八・昭五〇総府令一〇・総府令五五・総府令八〇・昭五九総府令四六・平元総府令五・平三総府令三〇・平四総府令四五・平六総府令一・平七総府令四三・平八総府令四一・平一〇総府令二・平一四内府令三四・平一六内府令五二・平一八内府令四・平二〇内府令三三・平二二内府令五四・平二三内府令五〇・平二八内府令四九・令四内府令七・令五内府令一七〕

別表第二の二（第三十条の十一関係）

略語	意味
大型	大型自動車免許
中型	中型自動車免許
準中型	準中型自動車免許
普通	普通自動車免許
大特	大型特殊自動車免許
大自二	大型自動二輪車免許
普自二	普通自動二輪車免許
小特	小型特殊自動車免許
原付	原動機付自転車免許
大二	大型自動車第二種免許
中二	中型自動車第二種免許
普二	普通自動車第二種免許
大特二	大型特殊自動車第二種免許
け引	牽引免許
け引二	牽引第二種免許
引・引二	牽引免許及び牽引第二種免許
二・小・原	大型自動二輪車免許、普通自動二輪車免許、小型特殊自動車免許又は原動機付自転車免許

〔本表追加・平一三内府令七〇、改正・平一八内府令四九〕

別表第三（第三十二条関係）

一　コースの種類に関する基準

教習に係る免許の種類	基準
大型免許	周回コース、幹線コース、坂道コース、屈折コース、曲線コース及び方向変換コースを有すること。
中型免許	大型免許の項に規定するコースを有すること。
準中型免許	大型免許の項に規定するコースを有すること。
普通免許	大型免許の項に規定するコースを有すること。
大型特殊免許	大型特殊自動車コースを有すること。
大型二輪免許	大型免許の項に規定するコース（方向変換コースを除く。）、直線狭路コース、連続進路転換コース及び波状路コースを有すること。
普通二輪免許	大型免許の項に規定するコース（方向変換コースを除く。）、直線狭路コース及び連続進路転換コース（小型限定普通二輪免許については、連続進路転換コースを除く。）を有すること。
牽引免許	牽引コースを有すること。
大型第二種免許	大型免許の項に規定するコース及び鋭角コースを有すること。
中型第二種免許	大型免許の項に規定するコース及び鋭角コースを有すること。

普通第二種免許	大型免許の項に規定するコース及び鋭角コースを有すること。

備考　大型免許、中型免許、大型第二種免許又は中型第二種免許に係る教習については、曲線コース（中型免許に係る教習に用いる曲線コースにあつては、大型免許又は大型第二種免許に係る教習に用いる曲線コースの形状及び構造に関する基準（以下「コースの基準」という。）を満たしている曲線コースであつて、二の表の備考の二の規定により中型免許に係る教習に用いることができるものに限り、中型第二種免許に係る教習に用いる曲線コースにあつては、大型免許又は大型第二種免許に係る教習に用いるコースの基準を満たしている曲線コースであつて、二の表の備考の三の規定により中型第二種免許に係る教習に用いることができるものに限る。）に障害物を設けたものを走行することにより屈折コースを走行するのと同等の教習効果があると公安委員会が認める場合には、屈折コースを設けないことができる。

二　コースの形状及び構造に関する基準

コースの種類	基準
周回コース	一　おおむね長円形で、八〇メートル（大型二輪免許又は普通二輪免許に係る教習に用いるコースにあつては、六〇メートル）以上の距離を直線走行することができる部分を有し、幅八メートル（大型二輪免許又は普通二輪免許に係る教習に用いるコースにあつては、七メートル）以上であること。 二　総延長の二分の一以上に相当する部分が舗装されていること。
幹線コース	一　おおむね直線で、周回コースと連絡し、幅七メートル以上であるコースが相互に十字形に交差するものであること。 二　一以上のコースが舗装されていること。
坂道コース	一　二以上の坂道を有すること。 二　幅は、七メートル以上であること。 三　こう配の起点から頂上までの高さは、一・五メートル（大型二輪免許又は普通二輪免許に係る教習に用いるコースにあつては、一メートル）以上であること。 四　こう配は、緩坂路において六・五パーセントから九・〇パーセントまで、急坂路において一〇・〇パーセントから一二・五パーセントまでであること。 五　頂上平たん部の長さは、四メートル（大型二輪免許又は普通二輪免許に係る教習に用いるコースにあつては、三メートル）以上であること。 六　舗装されていること。

屈折コース	一　教習に係る免許の種類に応じ、次の表に掲げる基準を満たしているものであること。 （下表のとおり） 二　舗装されていること。
曲線コース	一　教習に係る免許の種類に応じ、次の表に掲げる基準を満たしているものであること。

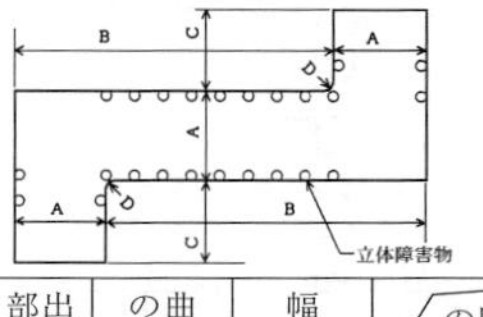

教習に係る免許の種類／図示の記号		大型免許	大型第二種免許	中型免許及び中型第二種免許	準中型免許、普通免許及び普通第二種免許	大型二輪免許及び普通二輪免許
幅	A	五メートル	四・五メートル	四・五メートル	三・五メートル	二メートル
曲角間の長さ	B	二〇メートル	一五メートル	一五メートル	一二メートル	一〇メートル
出入口部の長さ	C	六メートル以上	六メートル以上	六メートル以上	四メートル以上	三メートル以上
すみ切り半径	D	二・五メートル	二・五メートル	一・五メートル	一メートル	一メートル

備考　一　すみ切り半径とは、曲角部の内側を円形に切つた場合の、その円の半径をいう。
二　大型二輪免許又は普通二輪免許に係る教習に用いるコースにあつては、立体障害物をコースの内側に接して一メートル間隔に二十四個設けているものであること。
三　立体障害物は、高さがおおむね〇・四五メートルの円すい形のものであること。

二　舗装されていること。

教習に係る免許の種類＼図示の記号	幅	半径	弧の長さ
	A	B	C
大型免許及び大型第二種免許	五メートル	一二・二五メートル	円周の八分の三
中型免許及び中型第二種免許	四メートル	一〇メートル	円周の八分の三
準中型免許、普通免許及び普通第二種免許	三・五メートル	七・五メートル	円周の八分の三
大型二輪免許及び普通二輪免許	二メートル	五・五メートル	円周の八分の三

備考　半径は、図示のCを円周の一部とする円の半径をいい、弧の長さは、その円の円周の八分の三の長さとする。

方向変換コース

一　教習に係る免許の種類に応じ、次の表に掲げる基準を満たしているものであること。

教習に係る免許の種類＼図示の記号	幅		奥行	出入口部の長さ	すみ切り半径
	A	B	C	D	E
大型免許	六メートル	五メートル	一〇メートル	一〇メートル以上	二・五メートル
大型第二種免許	五メートル	五メートル	一〇メートル	一〇メートル以上	二・五メートル
中型免許及び中型第二種免許	五メートル	五メートル	八メートル	八メートル以上	一・五メートル
準中型免許、普通免許及び普通第二種免許	三・五メートル	三・五メートル	五メートル	五メートル以上	一メートル

備考 一 すみ切り半径とは、曲角部を円形に切つた場合の、その円の半径をいう。
二 図の上側及び下側のいずれの出入口部からも進入することができるものであること。ただし、上側の出入口部からだけ進入することができるコースと下側の出入口部からだけ進入することができるコースの双方を設けることにより、これに代えることができる。
三 大型免許に係る教習に用いるコースにあつては、図示のAを五メートルとすることができる。この場合において、図示のEは、四・〇メートルとする。

二 舗装されていること。

直線狭路コース

次の表に掲げる基準を満たしているものであること。

正面図

側面図

区分	図示の記号	寸法
幅	A	〇・三メートル以上〇・四メートル以下
高さ	B	〇・〇三メートル以上〇・〇五メートル以下
平たん部分の長さ	C	一三メートル以上一五メートル以下
傾斜部の長さ	D	〇・三メートル以上〇・四メートル以下

連続進路転換コース

一 次の表に掲げる基準を満たしているものであること。

区分	図示の記号	寸法
入口及び出口の幅	A	二メートル以上三メートル以下
立体障害物間の距離	B	四メートル以上六メートル以下
	C	二六メートル以上二八メートル以下

備考　コース中央に高さがおおむね○・七メートルの立体障害物を五個設け、コースの入口及び出口に高さがおおむね○・四五メートルの立体障害物をそれぞれ二個設けているものであること。

二　舗装されていること。

波状路コース

一　次の表に掲げる基準を満たしているものであること。

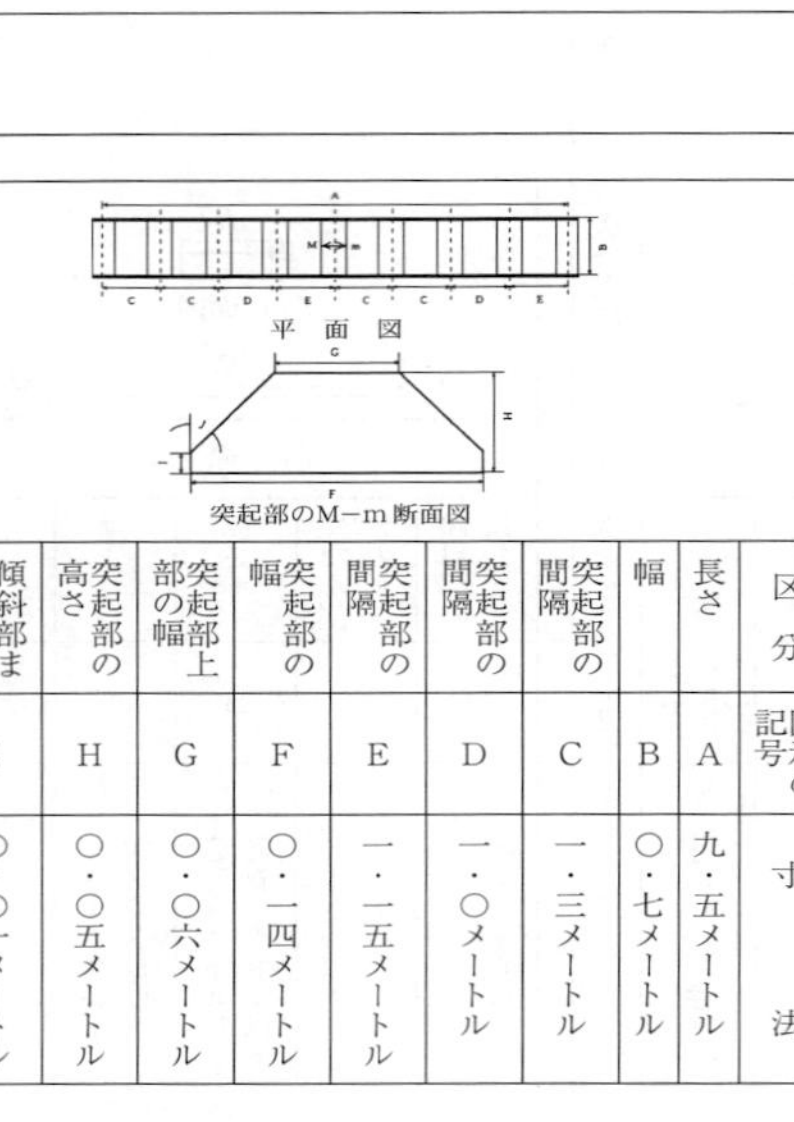

平面図

突起部のM－m断面図

区分	図示の記号	寸法
長さ	A	九・五メートル
幅	B	○・七メートル
突起部の間隔	C	一・三メートル
突起部の間隔	D	一・○メートル
突起部の間隔	E	一・五メートル
突起部の幅	F	○・一四メートル
突起部上部の幅	G	○・○六メートル
突起部の高さ	H	○・○五メートル
傾斜部までの高さ	I	○・○一メートル
傾斜部の角度	J	四十五度

備考　コースの側端は、白色の線又は金属製の枠により表示されているものであること。

二　舗装されていること。

鋭角コース	一　教習に係る免許の種類に応じ、次の表に掲げる基準を満たしているものであること。 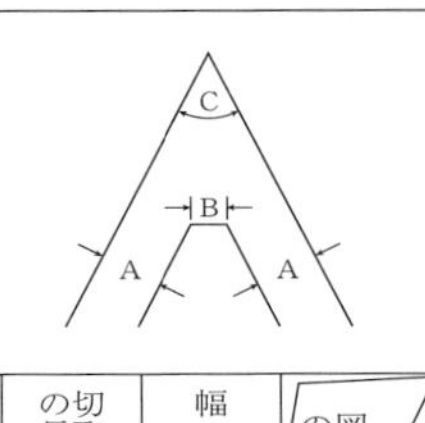 （表は下記） 備考　一　切取線の長さとは、コースの内側の曲角部を直線に切つた時に生じる切取線の長さをいう。 二　コースの外側の曲角部については、教習に使用する自動車の構造及び性能に応じ、コースの内側の曲角部の切取線と平行に切ることができる。 二　舗装されていること。
大型特殊自動車コース	教習に使用する大型特殊自動車の構造及び性能に応じた形状を有すること。
牽引コース	教習に使用する牽引自動車（法第五十一条の四第一項の重被牽引車を牽引しているものに限る。）の構造及び性能に応じた形状を有すること。

教習に係る免許の種類／図示の記号	幅	切取線の長さ	角度
	A	B	C
大型第二種免許	五メートル	一メートル	六十度
中型第二種免許	五メートル	〇・五メートル	六十度
普通第二種免許	三・五メートル	〇・一メートル	六十度

備考　一　大型第二種免許に係る教習を行う場合におけるコースの基準については、障害物の設置その他これに類する措置を講じたコースを走行することにより当該コースの基準を満たすコースを走行することによるのと同等の教習効果があると公安委員会が認める場合には、方向変換コースに係るコースの基準は、大型免許に係る教習のコースの基準によるものとする。

二　一の規定は、中型免許に係る教習のコースの基準について準用する。この場合において「大型第二種免許」とあるのは「中型免許」と、「方向変換コース」とあるのは「屈折コース又は曲線コース若しくは方向変換コース」と、「大型免許」とあるのは「それぞれ大型第二種免許又は大型免許若しくは大型第二種免許」と読み替えるものとする。

三　一の規定は、中型第二種免許に係る教習のコースの基準について準用する。この場合において「大型第二種免許」とあるのは「中型第二種免許」と、「方向変換コース」とあるのは「屈折コース若しくは鋭角コース又は曲線コース若しくは方向変換コース」と、「大型免許」とあるのは「それぞれ大型第二種免許又は大型免許若しくは大型第二種免許」と読み替えるものとする。

四　運転することができる大型自動車を自衛隊用自動車に限る大型免許に係る教習を行う場合におけるコースの基準については、中型免許に係る教習のコースの基準によるものとする。

〔本表全改・昭三九総府令三六、改正・昭四〇総府令四一、旧別表三を繰下・昭四一総府令五一、旧別表四を繰上・昭四六総府令五三、本表改正・昭四七総府令八・昭四八総府令一一・昭五〇総府令一〇・昭五六総府令三・平六総府令一・平八総府令四一、全改・平一四内府令三四、改正・平一六内府令九七・平一八内府令四・平二八内府令四九〕

別表第四（第三十三条関係）

一　技能教習の教習時間の基準

教習に係る免許の種類	現に受けている免許の有無及び種類		教習時間（時限数）		
			基本操作及び基本走行	応用走行	計
大型免許	なし		26	27	53
	中型免許		5	9	14
		中型車（８ｔ）限定中型免許	8	12	20
		ＡＴ中型車（８ｔ）限定中型免許	12	12	24
	準中型免許		10	13	23
		準中型車（５ｔ）限定準中型免許	11	15	26
		ＡＴ準中型車（５ｔ）限定準中型免許	15	15	30
	普通免許		12	18	30
		ＡＴ限定普通免許	16	18	34
	大型特殊免許又は大型特殊第二種免許		18	27	45
		カタピラ限定大型特殊免許又はカタピラ限定大型特殊第二種免許	26	27	53
	大型二輪免許又は普通二輪免許		24	27	51
	中型第二種免許		5	9	14
		中型車（８ｔ）限定中型第二種免許	8	12	20
		ＡＴ中型車（８ｔ）限定中型第二種免許	12	12	24
		準中型車（５ｔ）限定中型第二種免許	12	14	26
		ＡＴ準中型車（５ｔ）限定中型第二種免許	16	14	30
	普通第二種免許		12	14	26
		ＡＴ限定普通第二種免許	16	14	30
中型免許	なし		21	18	39
	準中型免許		5	4	9
		準中型車（５ｔ）限定準中型免許	5	6	11

	└ＡＴ準中型車（５ｔ）限定準中型免許	9	6	15
	普通免許	7	8	15
	└ＡＴ限定普通免許	11	8	19
	大型特殊免許又は大型特殊第二種免許	13	18	31
	└カタピラ限定大型特殊免許又はカタピラ限定大型特殊第二種免許	21	18	39
	大型二輪免許又は普通二輪免許	19	18	37
	普通第二種免許	7	4	11
	└ＡＴ限定普通第二種免許	11	4	15
準中型免許	なし	18	23	41
	普通免許	4	9	13
	└ＡＴ限定普通免許	8	9	17
	大型特殊免許又は大型特殊第二種免許	13	18	31
	└カタピラ限定大型特殊免許又はカタピラ限定大型特殊第二種免許	18	23	41
	大型二輪免許又は普通二輪免許	16	23	39
	普通第二種免許	4	5	9
	└ＡＴ限定普通第二種免許	8	5	13
普通免許（ＡＴ限定普通免許を除く。）	なし	15	19	34
	大型特殊免許又は大型特殊第二種免許	11	15	26
	└カタピラ限定大型特殊免許又はカタピラ限定大型特殊第二種免許	15	19	34
	大型二輪免許又は普通二輪免許	13	19	32
ＡＴ限定普通免許	なし	12	19	31
	大型特殊免許又は大型特殊第二種免許	8	15	23
	└カタピラ限定大型特殊免許又はカタピラ限定大型特殊第二種免許	12	19	31
	大型二輪免許又は普通二輪免許	10	19	29
大型特殊免許（カタピラ限定大型特殊免許を除く。）	なし	6	6	12
	大型免許、中型免許、準中型免許、普通免許、大型第二種免許、中型第二種免許又は普通第二種免許	3	3	6

	大型二輪免許又は普通二輪免許	5	5	10
カタピラ限定大型特殊免許	なし	10		10
	大型免許、中型免許、準中型免許、普通免許、大型第二種免許、中型第二種免許又は普通第二種免許	5		5
	大型二輪免許又は普通二輪免許	8		8
大型二輪免許（ＡＴ限定大型二輪免許を除く。）	なし	16	20	36
	大型免許、中型免許、準中型免許、普通免許、大型第二種免許、中型第二種免許又は普通第二種免許	14	17	31
	大型特殊免許又は大型特殊第二種免許	14	17	31
	カタピラ限定大型特殊免許又はカタピラ限定大型特殊第二種免許	16	20	36
	普通二輪免許	5	7	12
	ＡＴ限定普通二輪免許（ＡＴ小型限定普通二輪免許を除く。以下この表において同じ。）	9	7	16
	小型限定普通二輪免許（ＡＴ小型限定普通二輪免許を除く。以下この表において同じ。）	9	11	20
	ＡＴ小型限定普通二輪免許	13	11	24
ＡＴ限定大型二輪免許	なし	9	20	29
	大型免許、中型免許、準中型免許、普通免許、大型第二種免許、中型第二種免許又は普通第二種免許	7	17	24
	大型特殊免許又は大型特殊第二種免許	7	17	24
	カタピラ限定大型特殊免許又はカタピラ限定大型特殊第二種免許	9	20	29
	普通二輪免許	3	6	9
	ＡＴ限定普通二輪免許	4	6	10
	小型限定普通二輪免許	6	11	17
	ＡＴ小型限定普通二輪免許	7	11	18
普通二輪免許（ＡＴ限定普通二輪免許、小型限定普通二	なし	9	10	19
	大型免許、中型免許、準中型免許、普通免許、大型第二種免許、中型第二種免許又は普通第二種免許	9	8	17

輪免許及びＡＴ小型限定普通二輪免許を除く。）	大型特殊免許又は大型特殊第二種免許		9	8	17
		カタピラ限定大型特殊免許又はカタピラ限定大型特殊第二種免許	9	10	19
ＡＴ限定普通二輪免許	なし		5	10	15
	大型免許、中型免許、準中型免許、普通免許、大型第二種免許、中型第二種免許又は普通第二種免許		5	8	13
	大型特殊免許又は大型特殊第二種免許		5	8	13
		カタピラ限定大型特殊免許又はカタピラ限定大型特殊第二種免許	5	10	15
小型限定普通二輪免許	なし		6	6	12
	大型免許、中型免許、準中型免許、普通免許、大型第二種免許、中型第二種免許又は普通第二種免許		5	5	10
	大型特殊免許又は大型特殊第二種免許		5	5	10
		カタピラ限定大型特殊免許又はカタピラ限定大型特殊第二種免許	6	6	12
ＡＴ小型限定普通二輪免許	なし		3	6	9
	大型免許、中型免許、準中型免許、普通免許、大型第二種免許、中型第二種免許又は普通第二種免許		3	5	8
	大型特殊免許又は大型特殊第二種免許		3	5	8
		カタピラ限定大型特殊免許又はカタピラ限定大型特殊第二種免許	3	6	9
牽引免許	大型免許、中型免許、準中型免許、普通免許、大型特殊免許、大型第二種免許、中型第二種免許、普通第二種免許又は大型特殊第二種免許		5	7	12
大型第二種免許	大型免許		8	10	18
		マイクロバス限定大型免許	10	14	24
	中型免許		10	14	24
		中型車（８ｔ）限定中型免許	12	17	29
		ＡＴ中型車（８ｔ）限定中型免許	16	17	33
	準中型免許		13	17	30
		準中型車（５ｔ）限定準中型免許	15	19	34

		ＡＴ準中型車（５ｔ）限定準中型免許	19	19	38
	普通免許		15	19	34
		ＡＴ限定普通免許	19	19	38
	大型特殊免許又は大型特殊第二種免許		23	29	52
		カタピラ限定大型特殊免許又はカタピラ限定大型特殊第二種免許	31	29	60
	中型第二種免許		5	9	14
		中型車（８ｔ）限定中型第二種免許	8	12	20
		ＡＴ中型車（８ｔ）限定中型第二種免許	12	12	24
		準中型車（５ｔ）限定中型第二種免許	12	14	26
		ＡＴ準中型車（５ｔ）限定中型第二種免許	16	14	30
	普通第二種免許		15	14	29
		ＡＴ限定普通第二種免許	19	14	33
中型第二種免許	大型免許		8	10	18
	中型免許		8	10	18
		中型車（８ｔ）限定中型免許	10	13	23
		ＡＴ中型車（８ｔ）限定中型免許	14	13	27
	準中型免許		11	13	24
		準中型車（５ｔ）限定準中型免許	12	16	28
		ＡＴ準中型車（５ｔ）限定準中型免許	16	16	32
	普通免許		12	16	28
		ＡＴ限定普通免許	16	16	32
	大型特殊免許又は大型特殊第二種免許		22	26	48
		カタピラ限定大型特殊免許又はカタピラ限定大型特殊第二種免許	30	26	56
	普通第二種免許		7	4	11
		ＡＴ限定普通第二種免許	11	4	15

普通第二種免許（ＡＴ限定普通第二種免許を除く。）	大型免許		8	10	18
	中型免許		8	10	18
		中型車（８ｔ）限定中型免許	8	10	18
		ＡＴ中型車（８ｔ）限定中型免許	12	10	22
	準中型免許		8	10	18
		準中型車（５ｔ）限定準中型免許	8	10	18
		ＡＴ準中型車（５ｔ）限定準中型免許	12	10	22
	普通免許		8	13	21
		ＡＴ限定普通免許	12	13	25
	大型特殊免許又は大型特殊第二種免許		20	26	46
		カタピラ限定大型特殊免許又はカタピラ限定大型特殊第二種免許	24	30	54
ＡＴ限定普通第二種免許	大型免許		8	10	18
	中型免許		8	10	18
		中型車（８ｔ）限定中型免許又はＡＴ中型車（８ｔ）限定中型免許	8	10	18
	準中型免許		8	10	18
		準中型車（５ｔ）限定準中型免許	8	10	18
		ＡＴ準中型車（５ｔ）限定準中型免許	8	10	18
	普通免許		8	13	21
		ＡＴ限定普通免許	8	13	21
	大型特殊免許又は大型特殊第二種免許		17	26	43
		カタピラ限定大型特殊免許又はカタピラ限定大型特殊第二種免許	21	30	51

備考

1　この表において、教習時間は、１教習時限につき50分とする。

2　この表に定める教習時間の時限数は、教習を受ける者の技能の修得状況に応じ延長するものとする。

3　この表において、なしとは、教習に係る免許の種類に応じ現に受けている免許の有無及び種類の項に掲げる免許のいずれをも現に受けていないことをいう。

4　この表において、中型車（８ｔ）限定中型免許又は中型車（８ｔ）限定中型第二種免許とは、それぞれ運転することができる中型自動車を車両総重量8,000キログラム未満、最大積載量5,000キログラム未満及び乗車定員10人以下の中型自動車に限る中型免許又は中型第二種免許をいう。

5　この表において、ＡＴ中型車（８ｔ）限定中型免許又はＡＴ中型車（８ｔ）限定中型第二種免許とは、それぞれ運転することができる中型自動車並びに準中型自動車及び普通自動車を、ＡＴ機構がとられておりクラッチの操作装置を有しない車両総重量8,000キログラム未満、最大積載量5,000キログラム未満及び乗車定員10人以下の中型自動車並びにＡＴ機構がとられておりクラッチの操作装置を有しない準中型自動車及び普通自動車に限る中型免許又は中型第二種免許をいう。

6　この表において、準中型車（５ｔ）限定準中型免許とは、運転することができる準中型自動車を車両総重量5,000キログラム未満及び最大積載量3,000キログラム未満の準中型自動車に限る準中型免許をいう。

7　この表において、ＡＴ準中型車（５ｔ）限定準中型免許とは、運転することができる準中型自動車及び普通自動車を、ＡＴ機構がとられておりクラッチの操作装置を有しない車両総重量5,000キログラム未満及び最大積載量3,000キログラム未満の準中型自動車並びにＡＴ機構がとられておりクラッチの操作装置を有しない普通自動車に限る準中型免許をいう。

8　この表において、準中型車（５ｔ）限定中型第二種免許とは、運転することができる中型自動車がなく、かつ、運転することができる準中型自動車を車両総重量5,000キログラム未満及び最大積載量3,000キログラム未満の準中型自動車に限る中型第二種免許をいう。

9　この表において、ＡＴ準中型車（５ｔ）限定中型第二種免許とは、運転することができる中型自動車がなく、かつ、運転することができる準中型自動車及び普通自動車を、ＡＴ機構がとられておりクラッチの操作装置を有しない車両総重量5,000キログラム未満及び最大積載量3,000キログラム未満の準中型自動車並びにＡＴ機構がとられておりクラッチの操作装置を有しない普通自動車に限る中型第二種免許をいう。

10　この表において、ＡＴ限定普通免許又はＡＴ限定普通第二種免許とは、それぞれ運転することができる普通自動車をＡＴ機構がとられておりクラッチの操作装置を有しない普通自動車に限る普通免許又は普通第二種免許をいう。

11　この表において、カタピラ限定大型特殊免許又はカタピラ限定大型特殊第二種免許とは、それぞれ運転することができる大型特殊自動車をカタピラを有する大型特殊自動車に限る大型特殊免許又は大型特殊第二種免許をいう。

12　この表において、ＡＴ限定大型二輪免許とは、運転することができる大型自動二輪車及び普通自動二輪車をＡＴ機構がとられておりクラッチの操作装置を有しない大型自動二輪車及び普通自動二輪車に限る大型二輪免許をいう。

13　この表において、ＡＴ限定普通二輪免許とは、運転することができる普通自動二輪車をＡＴ機構がとられておりクラッチの操作装置を有しない普通自動二輪車に限る普通二輪免許をいう。

14　この表において、マイクロバス限定大型免許とは、運転することができる大型自動車を乗車定員11人以上29人以下の大型乗用自動車に限る大型免許をいう。

15　教習を受けようとする者が現に２以上の免許を受けている場合には、そのそれぞれについて規定する教習時間の時限数のうち最も短いものをその者の教習時間の時限数とする。ただし、大型免許、中型免許又は準中型免許を受け、かつ、中型第二種免許又は普通第二種免許のいずれかを受けている者（マイクロバス限定大型免許、中型免許又は準中型免許を受け、かつ、中型第二種免許（準中型車（５ｔ）限定中型第二種免許を除く。）を受けている者、ＡＴ中型車（８ｔ）限定中型免許又は準中型車（５ｔ）限定準中型免許を受け、かつ、準中型車（５ｔ）限定中型第二種免許（ＡＴ準中型車（５ｔ）限定中型第二種免許を除く。）を受けている者及びＡＴ準中型車（５ｔ）限定準中型免許を受け、かつ、ＡＴ準中型車（５ｔ）限定中型第二種免許又は普通第二種免許（ＡＴ限定普通第二種免許を除く。）を受けている者を除く。）に対する大型第二種免許に係る教習の教習時間については、大型免許、中型免許又は準中型免許を受けている者について規定する応用走行の時限数から、現に受けている当該免許の種類に応じ、それぞれ５時限を減じた時限数とする。

一　技能教習の教習時間の基準

教習に係る免許の種類	現に受けている免許の有無及び種類	教習時間（時限数）		
		基本操作及び基本走行	応用走行	計
大型免許	〔略〕			
	普通免許	12	18	30
	ＡＴ普通免許	16	18	34
	〔略〕			
	普通第二種免許	12	14	26
	ＡＴ普通第二種免許	16	14	30
中型免許	〔略〕			
	普通免許	7	8	15
	ＡＴ普通免許	11	8	19
	〔略〕			

	普通第二種免許	7	4	11
	AT普通第二種免許	11	4	15
準中型免許	なし	18	23	41
	普通免許	4	9	13
	AT普通免許	8	9	17
	〔略〕			
	普通第二種免許	4	5	9
	AT普通第二種免許	8	5	13
普通免許（AT普通免許を除く。）	なし	12	23	35
	大型特殊免許又は大型特殊第二種免許	8	19	27
	カタピラ限定大型特殊免許又はカタピラ限定大型特殊第二種免許	12	23	35
	大型二輪免許又は普通二輪免許	10	23	33
AT普通免許	なし	12	19	31
	大型特殊免許又は大型特殊第二種免許	8	15	23
	カタピラ限定大型特殊免許又はカタピラ限定大型特殊第二種免許	12	19	31
	大型二輪免許又は普通二輪免許	10	19	29
〔略〕				
大型二輪免許（AT大型二輪免許を除く。）	〔略〕			
	普通二輪免許	5	7	12
	AT普通二輪免許（AT小型限定普通二輪免許を除く。以下この表において同じ。）	9	7	16
	小型限定普通二輪免許（AT小型限定普通二輪免許を除く。以下この表において同じ。）	9	11	20
	AT小型限定普通二輪免許	13	11	24
AT大型二輪免許	〔略〕			
	普通二輪免許	3	6	9
	AT普通二輪免許	4	6	10

	小型限定普通二輪免許	6	11	17
	ＡＴ小型限定普通二輪免許	7	11	18
普通二輪免許（ＡＴ普通二輪免許、小型限定普通二輪免許及びＡＴ小型限定普通二輪免許を除く。）	なし	9	10	19
	大型免許、中型免許、準中型免許、普通免許、大型第二種免許、中型第二種免許又は普通第二種免許	9	8	17
	大型特殊免許又は大型特殊第二種免許	9	8	17
	カタピラ限定大型特殊免許又はカタピラ限定大型特殊第二種免許	9	10	19
ＡＴ普通二輪免許	なし	5	10	15
	大型免許、中型免許、準中型免許、普通免許、大型第二種免許、中型第二種免許又は普通第二種免許	5	8	13
	大型特殊免許又は大型特殊第二種免許	5	8	13
	カタピラ限定大型特殊免許又はカタピラ限定大型特殊第二種免許	5	10	15
〔略〕				
大型第二種免許	〔略〕			
	普通免許	15	19	34
	ＡＴ普通免許	19	19	38
	〔略〕			
	普通第二種免許	15	14	29
	ＡＴ普通第二種免許	19	14	33
中型第二種免許	〔略〕			
	普通免許	12	16	28
	ＡＴ普通免許	16	16	32
	大型特殊免許又は大型特殊第二種免許	22	26	48
	カタピラ限定大型特殊免許又はカタピラ限定大型特殊第二種免許	30	26	56
	普通第二種免許	7	4	11
	ＡＴ普通第二種免許	11	4	15

普通第二種免許（AT普通第二種免許を除く。）	大型免許	8	10	18
	中型免許	8	10	18
	中型車（8t）限定中型免許	8	10	18
	AT中型車（8t）限定中型免許	8	14	22
	準中型免許	8	10	18
	準中型車（5t）限定準中型免許	8	10	18
	AT準中型車（5t）限定準中型免許	8	14	22
	普通免許	8	13	21
	AT普通免許	8	17	25
	大型特殊免許又は大型特殊第二種免許	17	30	47
	カタピラ限定大型特殊免許又はカタピラ限定大型特殊第二種免許	21	34	55
AT普通第二種免許	〔略〕			
	普通免許	8	13	21
	AT普通免許	8	13	21
	〔略〕			

備考　1～9〔略〕

10　この表において、カタピラ限定大型特殊免許又はカタピラ限定大型特殊第二種免許とは、それぞれ運転することができる大型特殊自動車をカタピラを有する大型特殊自動車に限る大型特殊免許又は大型特殊第二種免許をいう。

11　この表において、AT大型二輪免許とは、運転することができる大型自動二輪車及び普通自動二輪車をAT機構がとられておりクラッチの操作装置を有しない大型自動二輪車及び普通自動二輪車に限る大型二輪免許をいう。

12　この表において、AT普通二輪免許とは、運転することができる普通自動二輪車をAT機構がとられておりクラッチの操作装置を有しない普通自動二輪車に限る普通二輪免許をいう。

13　この表において、マイクロバス限定大型免許とは、運転することができる大型自動車を乗車定員11人以上29人以下の大型乗用自動車に限る大型免許をいう。

14　教習を受けようとする者が現に2以上の免許を受けている場合には、そのそれぞれについて規定する教習時間の時限数のうち最も短いものをその者の教習時間の時限数とする。ただし、大型免許、中型免許又は準中型免許を受け、かつ、中型第二種免許又は普通第二種免許のいずれかを受けている者（マイクロバス限定大型免許、中型免許又は準中型免許を受け、かつ、中型第二種免許（準中型車（５ｔ）限定中型第二種免許を除く。）を受けている者、ＡＴ中型車（８ｔ）限定中型免許又は準中型車（５ｔ）限定準中型免許を受け、かつ、準中型車（５ｔ）限定中型第二種免許（ＡＴ準中型車（５ｔ）限定中型第二種免許を除く。）を受けている者及びＡＴ準中型車（５ｔ）限定準中型免許を受け、かつ、ＡＴ準中型車（５ｔ）限定中型第二種免許又は普通第二種免許（ＡＴ普通第二種免許を除く。）を受けている者を除く。）に対する大型第二種免許に係る教習の教習時間については、大型免許、中型免許又は準中型免許を受けている者について規定する応用走行の時限数から、現に受けている当該免許の種類に応じ、それぞれ５時限を減じた時限数とする。

二　学科教習の教習時間の基準

教習に係る免許の種類	現に受けている免許の有無及び種類	教習時間（時限数）		
		学科(一)	学科(二)	計
大型免許	なし	10	16	26
	中型免許、準中型免許（準中型車（５ｔ）限定準中型免許及びＡＴ準中型車（５ｔ）限定準中型免許を除く。）、中型第二種免許又は普通第二種免許	0		0
	準中型車（５ｔ）限定準中型免許、ＡＴ準中型車（５ｔ）限定準中型免許、普通免許、大型二輪免許又は普通二輪免許	0	1	1
	大型特殊免許、大型特殊第二種免許又は牽引第二種免許	0	4	4
中型免許	なし	10	16	26
	準中型免許（準中型車（５ｔ）限定準中型免許及びＡＴ準中型車（５ｔ）限定準中型免許を除く。）又は普通第二種免許	0		0
	準中型車（５ｔ）限定準中型免許、ＡＴ準中型車（５ｔ）限定準中型免許、普通免許、大型二輪免許又は普通二輪免許	0	1	1
	大型特殊免許、大型特殊第二種免許又は牽引第二種免許	0	4	4

準中型免許	なし	10	17	27
	普通免許	0	1	1
	大型特殊免許、大型特殊第二種免許又は牽引第二種免許	0	5	5
	大型二輪免許又は普通二輪免許	0	3	3
	普通第二種免許	0		0
普通免許	なし	10	16	26
	大型特殊免許、大型特殊第二種免許又は牽引第二種免許	0	5	5
	大型二輪免許又は普通二輪免許	0	2	2
大型特殊免許	なし	10	12	22
	カタピラ限定大型特殊免許に係る教習の場合	22		22
	大型免許、中型免許、準中型免許、普通免許、大型二輪免許、普通二輪免許、大型第二種免許、中型第二種免許、普通第二種免許又は牽引第二種免許	0		0
大型二輪免許	なし	10	16	26
	大型免許、中型免許、準中型免許、普通免許、大型第二種免許、中型第二種免許又は普通第二種免許	0	1	1
	大型特殊免許、大型特殊第二種免許又は牽引第二種免許	0	4	4
	普通二輪免許	0		0
普通二輪免許	なし	10	16	26
	大型免許、中型免許、準中型免許、普通免許、大型第二種免許、中型第二種免許又は普通第二種免許	0	1	1
	大型特殊免許、大型特殊第二種免許又は牽引第二種免許	0	4	4
牽引免許	大型免許、中型免許、準中型免許、普通免許、大型特殊免許、大型第二種免許、中型第二種免許、普通第二種免許又は大型特殊第二種免許	0		0

大型第二種免許	大型免許、中型免許、準中型免許又は普通免許	7	12	19
	大型特殊免許	7	13	20
	中型第二種免許又は普通第二種免許	0		0
	大型特殊第二種免許又は牽引第二種免許	1	8	9
中型第二種免許	大型免許、中型免許、準中型免許又は普通免許	7	12	19
	大型特殊免許	7	13	20
	普通第二種免許	0		0
	大型特殊第二種免許又は牽引第二種免許	1	8	9
普通第二種免許	大型免許、中型免許、準中型免許又は普通免許	7	12	19
	大型特殊免許	7	13	20
	大型特殊第二種免許又は牽引第二種免許	1	8	9

備考　1　この表において、教習時間は、１教習時限につき50分とする。

2　この表において、なしとは、教習に係る免許の種類に応じ現に受けている免許の有無及び種類の項に掲げる免許のいずれをも現に受けていないことをいう。

3　学科㈠は、応用走行を行うために必要な知識の教習とし、学科㈡は、自動車の運転に必要な知識の教習のうち学科㈠の内容を除いたものについての教習とする。

4　教習を受けようとする者が現に２以上の免許を受けている場合には、そのそれぞれについて規定する教習時間の時限数のうち最も短いものをその者の教習時間の時限数とする。ただし、大型免許、中型免許、準中型免許又は普通免許のいずれかを受け、かつ、大型特殊第二種免許又は牽引第二種免許のいずれかを受けている者に対する大型第二種免許、中型第二種免許又は普通第二種免許に係る教習の教習時間については、大型特殊第二種免許又は牽引第二種免許の別に応じ、現に当該免許を受けている者について規定する学科㈡の時限数からそれぞれ１時限を減じた時限数とする。

5　大型免許、中型免許、準中型免許、普通免許、大型二輪免許若しくは普通二輪免許に係る学科㈡（現に普通自動車又は普通自動二輪車を運転することができる免許を受けている場合を除く。）又は大型第二種免許、中型第二種免許若しくは普通第二種免許に係る学科㈡（大型第二種免許又は中型第二種免許に係る教習にあつては、それぞれ現に中型第二種免許若しくは普通第二種免許又は普通第二種免許を受けている場合を除く。）においては、応急救護処置教習をそれぞれ3時限又は6時限行うものとする。

6　5の規定にかかわらず、令第三十三条の五の三第一項第二号ニ又はホに該当する者に対しては、応急救護処置教習を行わないものとする。この場合において、大型免許、中型免許、準中型免許、普通免許、大型二輪免許若しくは普通二輪免許に係る学科㈡の教習時間又は大型第二種免許、中型第二種免許若しくは普通第二種免許に係る学科㈡の教習時間は、この表に規定する時限数からそれぞれ3時限又は6時限を減じた時限数とする。

〔本表追加・昭40総府令41、旧別表四を繰下・昭41総府令51、旧別表五を繰上・昭46総府令53、本表改正・昭47総府令8・昭48総府令11・昭50総府令10・昭56総府令3・平6総府令1・平8総府令41、全改・平14内府令34、改正・平16内府令52、全改・平18内府令4・平28内府令49、改正・平30内府令30・令元内府令31・令4内府令7〕

別図（第五条の二関係）……………………………………………………五七ページ参照

（参考）【令和八年一月一日以降施行】

○道路交通法〔抄〕〔昭和三五・六・二五 法律一〇五〕

最終改正　令和六・六法五九

編注＝道路交通法の次の改正は、施行までに期間があるため、三段対照には改正を加えず、改正条文のみを登載いたしました。

・令和六年五月二四日法律第三四号の改正の一部〔自転車等の交通事故防止のための規定の整備〕、〔準中型及び普通仮免許の欠格事由を一七歳六か月に、準中型及び普通免許の運転免許試験を受けることができる年齢を一七歳六か月に引き下げ〕等の改正は、令和八年五月二三日までに施行

・令和五年六月一六日法律第六三号の改正〔放置違反金の弁明の機会の付与の通知の閲覧方法の整備〕の改正は、令和八年六月一五日までに施行

・令和六年六月二一日法律第五九号の改正〔出入国管理及び難民認定法の一部改正〕の改正は、令和八年六月二〇日までに施行

（左側寄り通行等）

第一八条　車両（トロリーバスを除く。）は、車両通行帯の設けられた道路を通行する場合を除き、自動車及び一般原動機付自転車（原動機付自転車のうち第二条第一項第十号イに該当するものをいう。以下同じ。）にあつては道路の左側に寄つて、特定小型原動機付自転車及び軽車両（以下「特定小型原動機付自転車等」という。）にあつては道路の左側端に寄つて、それぞれ当該道路を通行しなければならない。ただし、追越しをするとき、第二十五条第二項若しくは第三十四条第二項若しくは第四項の規定により道路の中央若しくは右側端に寄るとき、又は道路の状況その他の事情によりやむを得ないときは、この限りでない。

2　車両は、前項の規定により歩道と車道の区別のない道路を通行する場合その他の場合において、歩行者の側方を通過するときは、これとの間に安全な間隔を保ち、又は徐行しなければならない。

3　車両（特定小型原動機付自転車等を除く。）は、当該車両と同一の方向に進行している特定小型原動機付自転車等（歩道又は自転車道を通行しているものを除く。）の右側を通過する場合（当該特定小型原動機付自転車等を追い越す場合を除く。）において、当該車両と当該特定小型原動機付自転車等との間に十分な間隔がないときは、当該特定小型原動機付自転車等との間隔に応じた安全な速度で進行しなければならない。

4　前項に規定する場合においては、当該特定小型原動機付自転車等は、できる限り道路の左側端に寄つて通行しなければならない。

（罰則　第二項については第百十九条第一項第六号〔三月以下の拘禁刑又は五万円以下の罰金〕　第三項については第百十七条の二第一項第四号〔五年以下の拘禁刑又は百万円以下の罰金〕、第百十七条の二の二第一項第八号ロ〔三年以下の拘禁刑又は五十万円以下の罰金〕、第百十九条第一項第六号〔三月以下の拘禁刑又は五万円以下の罰金〕　第四項については第百二十条第一項第二号〔五万円以下の罰金〕）

（車両通行帯）

第二〇条　車両は、車両通行帯の設けられた道路においては、道路の左側端から数えて一番目の車両通行帯を通行しなければならない。ただし、自動車（小型特殊自動車及び道路標識等によつて指定された自動車を除く。）は、当該道路の左側部分（当該道路が一方通行となつているときは、当該道路）に三以上の車両通行帯が設けられているときは、政令で定めるところにより、その速度に応じ、その最も右側の車両通行帯以外の車両通行帯を通行することができる。

2　車両は、車両通行帯の設けられた道路において、道路標識等により前項に規定する通行の区分と異なる通行の区分が指定されているときは、当該通行の区分に従い、当該車両通行帯を通行しなければならない。

3　車両は、追越しをするとき、第十八条第四項、第二十五条第一項若しくは第二項、第三十四条第一項から第五項まで若しくは第三十五条の二の規定により道路の左側端、中央若しくは右側端に寄るとき、第三十五条第一項の規定に従い通行するとき、第二十六条の二第三項の規定によりその通行している車両通行帯をそのまま通行するとき、第四十条第二項の規定により一時進路を譲るとき、又は道路の状況その他の事情によりやむを得ないときは、前二項の規定によらないことができる。この場合において、追越しをするときは、その通行している車両通行帯の直近の右側の車両通行帯を通行しなければならない。

（罰則　第百二十条第一項第三号〔五万円以下の罰金〕、同条第三項〔五万円以下の罰金〕）

（急ブレーキの禁止）

第二四条　車両等の運転者は、危険を防止するためやむを得ない場合を除き、その車両等を急に停止させ、又はその速度を急激に減ずることとなるような急ブレーキをかけてはならない。

（罰則　第百十七条の二第一項第四号〔五年以下の拘禁刑又は百万円以下の罰金〕、第百十七条の二の二第一項第八号ハ〔三年以下の拘禁刑又は五十万円以下の罰金〕、第百十九条第一項第三号〔三月以下の拘禁刑又は五万円以下の罰金〕）

（車間距離の保持）

第二六条　車両等は、同一の進路を進行している他の車両等の直後を進行するときは、その直前の車両等が急に停止したときにおいてもこれに追突するのを避けることができるため必要な距離を、これから保たなければならない。

（罰則　第百十七条の二第一項第四号〔五年以下の拘禁刑又は百万円以下の罰金〕、第百十七条の二の二第一項第八号ニ〔三年以下の拘禁刑又は五十万円以下の罰金〕、第百十九条第一項第四号〔三月以下の拘禁刑又は五万円以下の罰金〕、第百二十条第一項第二号〔五万円以下の罰金〕）

（進路の変更の禁止）

第二六条の二　車両は、みだりにその進路を変更してはならない。

2　車両は、進路を変更した場合にその変更した後の進路と同一の進路を後方から進行してくる車両等の速度又は方向を急に変更させることとなるおそれがあるときは、進路を変更してはならない。

3　車両は、車両通行帯を通行している場合において、その車両通行帯が当該車両通行帯を通行している車両の進路の変更の禁止を表示する道路標示によつて区画されているときは、次に掲げる場合を除き、その道路標示をこえて進路を変更してはならない。

一　第四十条の規定により道路の左側若しくは右側に寄るとき、又は道路の損壊、道路工事その他の障害のためその通行している車両通行帯を通行することができないとき。

二　第四十条の規定に従うため、又は道路の損壊、道路工事その他の障害のため、通行することができなかつた車両通行帯を通行の区分に関する規定に従つて通行しようとするとき。

（罰則　第二項については第百十七条の二第一項第四号〔五年以下の拘禁刑又は百万円以下の罰金〕、第百十七条の二の二第一項第八号ホ〔三年以下の拘禁刑又は五十万円以下の罰金〕、第百二十条第一項第二号〔五万円以下の罰

金）第三項については第百二十条第一項第三号〔五万円以下の罰金〕、同条第三項〔五万円以下の罰金〕）

（追越しの方法）

第二八条　車両は、他の車両を追い越そうとするときは、その追い越されようとする車両（以下この節において「前車」という。）の右側を通行しなければならない。

2　車両は、他の車両を追い越そうとする場合において、前車が第二十五条第二項又は第三十四条第二項若しくは第四項の規定により道路の中央又は右側端に寄つて通行しているときは、前項の規定にかかわらず、その左側を通行しなければならない。

3　車両は、路面電車を追い越そうとするときは、当該車両が追いついた路面電車の左側を通行しなければならない。ただし、軌道が道路の左側端に寄つて設けられているときは、この限りでない。

4　前三項の場合においては、追越しをしようとする車両（次条において「後車」という。）は、反対の方向又は後方からの交通及び前車又は路面電車の前方の交通にも十分に注意し、かつ、前車又は路面電車の速度及び進路並びに道路の状況に応じて、できる限り安全な速度と方法で進行しなければならない。

（罰則　第一項及び第四項については第百十七条の二の二第一項第四号〔五年以下の拘禁刑又は百万円以下の罰金〕、第百十七条の二の二第一項第八号へ〔三年以下の拘禁刑又は五十万円以下の罰金〕、第百十九条第一項第六号〔三月以下の拘禁刑又は五万円以下の罰金〕　第二項及び第三項については第百十九条第一項第六号〔三月以下の拘禁刑又は五万円以下の罰金〕）

（緊急自動車等の特例）

第四一条　緊急自動車については、第八条第一項、第十七条第六項、第十八条第一項から第三項まで、第二十条第一項及び第二項、第二十条の二、第二十五条第一項及び第二項、第二十五条の二第二項、第二十六条の二第三項、第二十九条、第三十条、第三十四条第一項、第二項及び第四項、第三十五条第一項並びに第三十八条第一項前段及び第三項の規定は、適用しない。

2　前項に規定するもののほか、第二十二条の規定に違反する車両等を取り締まる場合における緊急自動車については、同条の規定は、適用しない。

3　もつぱら交通の取締りに従事する自動車で内閣府令で定めるものについては、第十八条第一項、第二十条第一項及び第二項、第二十条の二並びに第二十五条の二第二項の規定は、適用しない。

4　政令で定めるところにより道路の維持、修繕等のための作業に従事している場合における道路維持作業用自動車（専ら道路の維持、修繕等のために使用する自動車で政令で定めるものをいう。以下第七十五条の九において同じ。）については、第十七条第四項及び第六項、第十八条第一項、第二十条第一項及び第二項、第二十条の二、第二十三条並びに第二十五条の二第二項の規定は、適用しない。

（放置違反金）

第五一条の四　警察署長は、警察官等に、違法駐車と認められる場合における車両（軽車両にあつては、牽引されるための構造及び装置を有し、かつ、車両総重量（道路運送車両法第四十条第三号の車両総重量をいう。）が七百五十キログラムを超えるもの（以下「重被牽引車」という。）に限る。以下この条において同じ。）であつて、その運転者がこれを離れて直ちに運転することができない状態にあるもの（以下「放置車両」という。）の確認をさせ、内閣府令で定めるところにより、当該確認をした旨及び当該車両に係る違法駐車行為（違法駐車と認められる場合に係る車両の運転者の行為をいう。第四項及び第十六項において同じ。）をした者について第四項ただし書に規定する場合に該当しないときは同項本文の規定により当該車両の使用者が放置違反金の納付を命ぜられることがある旨を告知する標章を当該車両の見やすい箇所に取り付けさせることができる。

2　何人も、前項の規定により車両に取り付けられた標章を破損し、若しくは汚損し、又はこれを取り除いてはならない。ただし、当該車両の使用者、運転者その他当該車両の管理について責任がある者が取り除く場合は、この限りでない。

3　警察署長は、第一項の規定により車両に標章を取り付けさせたときは、当該車両の駐車に関する状況を公安委員会に報告しなければならない。

4　前項の規定による報告を受けた公安委員会は、当該報告に係る車両を放置車両と認めるときは、当該車両の使用者に対し、放置違反金の納付を命ずることができる。ただし、第一項の規定により当該車両に標章が取り付けられた日の翌日から起算して三十日以内に、当該車両に係る違法駐車行為をした者が当該違法駐車行為について第百二十八条第一項の規定による反則金の納付をした場合又は当該違法駐車行為に係る事件について公訴を提起され、若しくは家庭裁判所の審判に付された場合は、この限りでない。

5　前項本文の規定による命令（以下「納付命令」という。）は、放置違反金の額並びに納付の期限及び場所を記載した文書により行うものとする。

6　公安委員会は、納付命令をしようとするときは、当該車両の使用者に対し、あらかじめ、次に掲げる事項を書面で通知し、相当の期間を指定して、当該事案について弁明を記載した書面（以下この項及び第九項において「弁明書」という。）及び有利な証拠を提出する機会を与えなければならない。

一　当該納付命令の原因となる事実

二　弁明書の提出先及び提出期限

7　公安委員会は、納付命令を受けるべき者の所在が判明しないときは、前項の規定による通知を、その者の氏名及び同項第二号に掲げる事項並びに公安委員会が同項各号に掲げる事項を記載した書面をいつでもその者に交付する旨（以下この項において「公示事項」という。）を内閣府令で定める方法により不特定多数の者が閲覧することができる状態に置くとともに、公示事項が記載された書面を当該公安委員会の掲示板に掲示し、又は公示事項を当該公安委員会の庁舎に設置した電子計算機の映像面に表示したものの閲覧をすることができる状態に置く措置をとることによつて行うことができる。この場合においては、当該措置を開始した日から二週間を経過したときに、当該通知がその者に到達したものとみなす。

8　放置違反金の額は、別表第一に定める金額の範囲内において、政令で定める。

9　第六項の規定による通知を受けた者は、弁明書の提出期限までに、政令で定めるところにより、放置違反金に相当する金額を仮に納付することができる。

10　納付命令は、前項の規定による仮納付をした者についても、政令で定めるところにより、公示して行うことができる。

11　第九項の規定による仮納付をした者について同項の通知に係る納付命令があつたときは、当該放置違反金に相当する金額の仮納付は、当該納付命令による放置違反金の納付とみなす。

12　公安委員会は、第九項の規定による仮納付をした者について同項の通知に係る納付命令をしないこととしたときは、速やかに、その者に対し、理由を明示してその旨を書面で通知し、当該仮納付に係る金額を返還しなければならない。

13　公安委員会は、納付命令を受けた者が納付の期限を経過しても放置違反金を納付しないときは、督促状によつて納付すべき期限を指定して督促しなければならない。この場合において、公安委員会は、放置違反金につき年十四・五パーセントの割合により計算した額の範囲内の延滞金及び督促に要した手数料を徴収することができる。

14　前項の規定による督促を受けた者がその指定期限までに放置違反金並びに同項後段の延滞金及び手数料（以下この条及び第

五十一条の七において「放置違反金等」という。）を納付しないときは、公安委員会は、地方税の滞納処分の例により、放置違反金等を徴収することができる。この場合における放置違反金等の先取特権の順位は、国税及び地方税に次ぐものとする。

15　納付され、又は徴収された放置違反金等は、当該公安委員会が置かれている都道府県の収入とする。

16　公安委員会は、納付命令をした場合において、当該納付命令の原因となつた車両に係る違法駐車行為をした者が当該違法駐車行為について第百二十八条第一項の規定による反則金の納付をしたとき、又は当該違法駐車行為に係る事件について公訴を提起され、若しくは家庭裁判所の審判に付されたときは、当該納付命令を取り消さなければならない。

17　公安委員会は、前項の規定により納付命令を取り消したときは、速やかに、理由を明示してその旨を当該納付命令を受けた者に通知しなければならない。この場合において、既に当該納付命令に係る放置違反金等が納付され、又は徴収されているときは、公安委員会は、当該放置違反金等に相当する金額を還付しなければならない。

18　放置違反金等の徴収又は還付に関する書類の送達及び公示送達については、地方税の例による。

〔罰則　第二項については第百二十一条第一項第十号〔二万円以下の罰金又は科料〕〕

（車両等の灯火）

第五二条　車両等は、夜間（日没時から日出時までの時間をいう。以下この条及び第六十三条の九第二項において同じ。）、道路にあるときは、政令で定めるところにより、前照灯、車幅灯、尾灯その他の灯火をつけなければならない。政令で定める場合においては、夜間以外の時間にあつても、同様とする。

2　車両等が、夜間（前項後段の場合を含む。）、他の車両等と行き違う場合又は他の車両等の直後を進行する場合において、他の車両等の交通を妨げるおそれがあるときは、車両等の運転者は、政令で定めるところにより、灯火を消し、灯火の光度を減ずる等灯火を操作しなければならない。

〔罰則　第一項については第百二十条第一項第五号〔五万円以下の罰金〕、同条第三項〔五万円以下の罰金〕　第二項については第百十七条の二第一項第四号〔五年以下の拘禁刑又は百万円以下の罰金〕、第百十七条の二の二第一項第八号ト〔三年以下の拘禁刑又は五十万円以下の罰金〕、第百二十条第一項第六号〔五万円以下の罰金〕、同条第三項〔五万円以下の罰金〕〕

（警音器の使用等）

第五四条　車両等（自転車以外の軽車両を除く。以下この条において同じ。）の運転者は、次の各号に掲げる場合においては、警音器を鳴らさなければならない。

一　左右の見とおしのきかない交差点、見とおしのきかない道路のまがりかど又は見とおしのきかない上り坂の頂上で道路標識等により指定された場所を通行しようとするとき。

二　山地部の道路その他曲折が多い道路について道路標識等により指定された区間における左右の見とおしのきかない交差点、見とおしのきかない道路のまがりかど又は見とおしのきかない上り坂の頂上を通行しようとするとき。

2　車両等の運転者は、法令の規定により警音器を鳴らさなければならないこととされている場合を除き、警音器を鳴らしてはならない。ただし、危険を防止するためやむを得ないときは、この限りでない。

〔罰則　第一項については第百二十条第一項第六号〔五万円以下の罰金〕、同条第三項〔五万円以下の罰金〕　第二項については第百十七条の二第一項第四号〔五年以下の拘禁刑又は百万円以下の罰金〕、第百十七条の二の二第一項第八号チ〔三年以下の拘禁刑又は五十万円以下の罰金〕、第百二十一条第一項第九号〔二万円以下の罰金又は科料〕〕

（安全運転の義務）

第七〇条　車両等の運転者は、当該車両等のハンドル、ブレーキその他の装置を確実に操作し、かつ、道路、交通及び当該車両等の状況に応じ、他人に危害を及ぼさないような速度と方法で運転しなければならない。

〔罰則　第百十七条の二第一項第四号〔五年以下の拘禁刑又は百万円以下の罰金〕、第百十七条の二の二第一項第八号リ〔三年以下の拘禁刑又は五十万円以下の罰金〕、第百十九条第一項第十四号〔三月以下の拘禁刑又は五万円以下の罰金〕、同条第三項〔十万円以下の罰金〕〕

（最低速度）

第七五条の四　自動車は、法令の規定によりその速度を減ずる場合及び危険を防止するためやむを得ない場合を除き、高速自動車国道の本線車道（政令で定めるものを除く。）においては、道路標識等により自動車の最低速度が指定されている区間にあつてはその最低速度に、その他の区間にあつては政令で定める最低速度に達しない速度で進行してはならない。

〔罰則　第百十七条の二第一項第四号〔五年以下の拘禁刑又は百万円以下の罰金〕、第百十七条の二の二第一項第八号ヌ〔三年以下の拘禁刑又は五十万円以下の罰金〕、第百二十条第一項第十二号〔五万円以下の罰金〕〕

（停車及び駐車の禁止）

第七五条の八　自動車（これにより牽引されるための構造及び装置を有する車両を含む。以下この条において同じ。）は、高速自動車国道等においては、法令の規定若しくは警察官の命令により、又は危険を防止するため一時停止する場合のほか、停車し、又は駐車してはならない。ただし、次の各号のいずれかに掲げる場合においては、この限りでない。

一　駐車の用に供するため区画された場所において停車し、又は駐車するとき。

二　故障その他の理由により停車し、又は駐車することがやむを得ない場合において、停車又は駐車のため十分な幅員がある路肩又は路側帯に停車し、又は駐車するとき。

三　乗合自動車が、その属する運行系統に係る停留所において、乗客の乗降のため停車し、又は運行時間を調整するため駐車するとき。

四　料金支払いのため料金徴収所において停車するとき。

2　第五十条の二から第五十一条の二までの規定は、自動車が前項の規定に違反して停車し、又は駐車していると認められる場合について準用する。この場合において、第五十一条第三項中「当該車両が駐車している場所からの距離が五十メートルを超えない道路上の場所」とあるのは「政令で定める場所」と、同条第四項中「当該車両が駐車している場所からの距離が五十メートルを超えない範囲の地域内の道路上に当該車両を移動する場所がないとき」とあるのは「前項の政令で定める場所に当該車両を移動することができないとき」と、同条第五項中「駐車場、空地、第三項に規定する場所以外の道路上の場所その他の場所」とあるのは「第三項に規定する場所以外の場所」と読み替えるものとする。

3　高速自動車国道等において第一項の規定に違反して駐車していると認められる自動車であつて、その運転者がこれを離れて直ちに運転することができない状態にあるものは、第五十一条の四第一項に規定する放置車両とみなして、同条の規定を適用する。

〔罰則　第一項については第百十七条の二第一項第四号〔五年以下の拘禁刑又は百万円以下の罰金〕、第百十七条の二の二第一項第八号ル〔三年以下の拘禁刑又は五十万円以下の罰金〕、第百十九条の二の四第一項第二号〔十五万円以下の罰金〕、第百十九条の三第一項第四号〔十万円以下の罰金〕　第二項については第百十九条第一項第七号〔三月以下の拘禁刑又は五万円以下の罰金〕〕

（特定自動運行の許可基準等）

第七五条の一三　公安委員会は、前条第一項の許可をしようとするときは、同条第二項の規定により提出を受けた申請書に記載された特定自動運行計画が次に掲げる基準に適合するかどうかを審査して、これをしなければならない。

一　特定自動運行計画に係る特定自動運行用自動車が特定自動運行を行うことができるものであること。

二　特定自動運行計画に従つて行われる特定自動運行が当該特定自動運行用自動車の自動運行装置に係る使用条件を満たすものであること。

三　第七十五条の十九から第七十五条の二十二まで及び第七十五条の二十三第一項から第三項までの規定による措置その他のこの法律及びこの法律に基づく命令の規定並びにこの法律の規定に基づく処分により特定自動運行実施者又は特定自動運行業務従事者が実施しなければならない措置の円滑かつ確実な実施が見込まれるものであること。

四　特定自動運行計画に従つて行われる特定自動運行（道路において当該特定自動運行が終了した場合を含む。）が他の交通に著しく支障を及ぼすおそれがないと認められるものであること。

五　特定自動運行計画に従つて行われる特定自動運行が人又は物の運送を目的とするものであつて、当該運送が地域住民の利便性又は福祉の向上に資すると認められるものであること。

2　公安委員会は、前条第一項の許可をしようとするときは、次の各号に掲げる事項の区分に応じ、当該事項について、当該各号に定める者の意見を聴かなければならない。

一　前項第一号及び第二号に掲げる事項　国土交通大臣等

二　前項第五号に掲げる事項　前条第二項第二号ロ(1)に規定する経路をその区域に含む市町村（特別区を含む。第百六条の四第一項において同じ。）の長

（免許の欠格事由）

第八八条　次の各号のいずれかに該当する者に対しては、第一種免許又は第二種免許を与えない。

一　大型免許にあつては二十一歳（政令で定める者にあつては、十九歳）に、中型免許にあつては二十歳（政令で定める者にあつては、十九歳）に、準中型免許、普通免許、大型特殊免許、大型二輪免許及び牽引免許にあつては十八歳に、普通二輪免許、小型特殊免許及び原付免許にあつては十六歳に、それぞれ満たない者

二　第九十条第一項ただし書の規定による免許の拒否（同項第三号又は第七号に該当することを理由とするものを除く。）をされた日から起算して同条第九項の規定により指定された期間を経過していない者若しくは免許を保留されている者若しくは同条第二項の規定による免許の拒否をされた日から起算して同条第十項の規定により指定された期間を経過していない者又は同条第五項の規定により免許を取り消された日から起算して同条第九項の規定により指定された期間を経過していない者若しくは免許の効力を停止されている者若しくは同条第六項の規定により免許を取り消された日から起算して同条第十項の規定により指定された期間を経過していない者

三　第百三条第一項若しくは第四項の規定による免許の取消し（同条第一項（第四号を除く。）に係るものに限る。）をされた日から起算して同条第七項の規定により指定された期間（第百三条の二第一項の規定により免許の効力を停止された者が当該事案について免許を取り消された場合にあつては、当該指定された期間から当該免許の効力が停止されていた期間を除いた期間。以下この号において同じ。）を経過していない者若しくは第百三条第二項若しくは第四項の規定による免許の取消し（同条第四項の規定による免許の取消しにあつては、同条第二項に係るものに限る。）をされた日から起算して同条第八項の規定により指定された期間を経過していない者又は同条第一項若しくは第四項、第百三条の二第一項、第百四条の二の三第一項若しくは第三項若しくは同条第五項において準用する第百三条第四項の規定により免許の効力が停止されている者

四　第百七条の五第一項若しくは第二項、同条第九項において準用する第百三条第四項又は第百七条の五第十項において準用する第百三条の二第一項の規定により自動車等の運転を禁止されている者

2　大型仮免許にあつては二十一歳（政令で定める者にあつては、十九歳）に、中型仮免許にあつては二十歳（政令で定める者にあつては、十九歳）に、準中型仮免許及び普通仮免許にあつては十七歳六か月に、それぞれ満たない者に対しては、仮免許を与えない。

3　免許を現に受けている者は、当該免許と同一の種類の免許を重ねて受けることができない。

（免許の拒否等）

第九〇条　公安委員会は、前条第一項の運転免許試験に合格した者（当該運転免許試験に係る適性試験を受けた日から起算して、第一種免許又は第二種免許にあつては一年を、仮免許にあつては三月を経過していない者に限り、かつ、第九十六条第一項ただし書の規定の適用を受けて当該運転免許試験を受けた場合にあつてはその年齢が十八歳に達した者に限る。）に対し、免許を与えなければならない。ただし、次の各号のいずれかに該当する者については、政令で定める基準に従い、免許（仮免許を除く。以下この項から第十二項までにおいて同じ。）を与えず、又は六月を超えない範囲内において免許を保留することができる。

一　次に掲げる病気にかかつている者

イ　幻覚の症状を伴う精神病であつて政令で定めるもの

ロ　発作により意識障害又は運動障害をもたらす病気であつて政令で定めるもの

ハ　イ又はロに掲げるもののほか、自動車等の安全な運転に支障を及ぼすおそれがある病気として政令で定めるもの

一の二　介護保険法（平成九年法律第百二十三号）第五条の二第一項に規定する認知症（第百二条第一項及び第百三条第一項第一号の二において単に「認知症」という。）である者

二　アルコール、麻薬、大麻、あへん又は覚醒剤の中毒者

三　第八項の規定による命令に違反した者

四　自動車等の運転に関しこの法律若しくはこの法律に基づく命令の規定又はこの法律の規定に基づく処分に違反する行為（次項第一号から第四号までに規定する行為を除く。）をした者

五　自動車等の運転者を唆してこの法律の規定に違反する行為で重大なものとして政令で定めるもの（以下この号において「重大違反」という。）をさせ、又は自動車等の運転者が重大違反をした場合において当該重大違反を助ける行為（以下「重大違反唆し等」という。）をした者

六　道路以外の場所において自動車等をその本来の用い方に従つて用いることにより人を死傷させる行為（以下「道路外致死傷」という。）で次項第五号に規定する行為以外のものをした者

七　第百二条第一項から第四項までの規定による通知を受け、又は同条第六項の規定による命令を受けた者

2　前項本文の規定にかかわらず、公安委員会は、次の各号のいずれかに該当する者については、政令で定める基準に従い、免許を与えないことができる。

一　自動車等の運転により人を死傷させ、又は建造物を損壊させる行為で故意によるものをした者

二　自動車等の運転に関し自動車の運転により人を死傷させる行為等の処罰に関する法律（平成二十五年法律第八十六号）第二条から第四条までの罪に当たる行為をした者

三　自動車等の運転に関し第百十七条の二第一項第一号、第三号又は第四号の違反行為をした者（前二号のいずれかに該当

する者を除く。）

四　自動車等の運転に関し第百十七条第一項又は第二項の違反行為をした者

五　道路外致死傷で故意によるもの又は自動車の運転により人を死傷させる行為等の処罰に関する法律第二条から第四条までの罪に当たるものをした者

3　第一項ただし書の規定は、同項第四号に該当する者が第百二条の二（第百七条の四の二において準用する場合を含む。第百八条の二第一項及び第百八条の三の二において同じ。）の規定の適用を受ける者であるときは、その者が第百二条の二に規定する講習を受けないで同条の期間を経過した後でなければ、適用しない。

4　公安委員会は、第一項ただし書の規定により免許を拒否し、若しくは保留しようとするとき又は第二項の規定により免許を拒否しようとするときは、当該運転免許試験に合格した者に対し、あらかじめ、弁明をなすべき日時、場所及び当該処分をしようとする理由を通知して、当該事案について弁明及び有利な証拠の提出の機会を与えなければならない。

5　公安委員会は、免許を与えた後において、当該免許を受けた者が当該免許を受ける前に第一項第四号から第六号までのいずれかに該当していたことが判明したときは、政令で定める基準に従い、その者の免許を取り消し、又は六月を超えない範囲内で期間を定めて免許の効力を停止することができる。

6　公安委員会は、免許を与えた後において、当該免許を受けた者が当該免許を受ける前に第二項各号のいずれかに該当していたことが判明したときは、その者の免許を取り消すことができる。

7　第三項の規定は第五項の規定による処分について、第四項の規定は前二項の規定による処分について、それぞれ準用する。この場合において、第三項中「第一項ただし書」とあるのは「第五項」と、「同項第四号」とあるのは「第一項第四号」と、第四項中「第一項ただし書」とあるのは「次項」と、「第二項」とあるのは「第六項」と読み替えるものとする。

8　公安委員会は、第一項第一号から第三号までのいずれかに該当することを理由として同項ただし書の規定により免許を保留する場合において、必要があると認めるときは、当該処分の際に、その者に対し、公安委員会が指定する期日及び場所において適性検査を受け、又は公安委員会が指定する期限までに内閣府令で定める要件を満たす医師の診断書を提出すべき旨を命ずることができる。

9　公安委員会は、第一項ただし書の規定により免許の拒否（同項第三号又は第七号に該当することを理由とするものを除く。）をし、又は第五項の規定により免許を取り消したときは、政令で定める基準に従い、五年を超えない範囲内で当該処分を受けた者が免許を受けることができない期間を指定するものとする。

10　公安委員会は、第二項の規定により免許の拒否をし、又は第六項の規定により免許を取り消したときは、政令で定める基準に従い、十年を超えない範囲内で当該処分を受けた者が免許を受けることができない期間を指定するものとする。

11　第五項の規定により免許を取り消され、若しくは免許の効力の停止を受けた時又は第六項の規定により免許を取り消された時におけるその者の住所が当該処分をした公安委員会以外の公安委員会の管轄区域内にあるときは、当該処分をした公安委員会は、速やかに当該処分をした旨をその者の住所地を管轄する公安委員会に通知しなければならない。

12　公安委員会は、第一項ただし書の規定により免許の保留（同項第四号から第六号までのいずれかに該当することを理由とするものに限る。）をされ、又は第五項の規定により免許の効力の停止を受けた者が第百八条の二第一項第三号に掲げる講習を終了したときは、政令で定める範囲内で、その者の免許の保留の期間又は効力の停止の期間を短縮することができる。

13　公安委員会は、仮免許の運転免許試験に合格した者が第一項第一号から第二号までのいずれかに該当するときは、同項本文の規定にかかわらず、政令で定める基準に従い、仮免許を与えないことができる。

14　第四項の規定は、前項の規定により仮免許を拒否しようとする場合について準用する。この場合において、第四項中「第一項ただし書」とあるのは、「第十三項」と読み替えるものとする。

（特定免許情報の記録等）

第九五条の二　免許（仮免許を除く。以下この条において同じ。）を現に受けている者のうち、当該免許について免許証のみを有するもの並びに免許証及び第四項に規定する免許情報記録個人番号カードのいずれをも有しないものは、いつでも、その者の住所地を管轄する公安委員会に、その者の個人番号カード（行政手続における特定の個人を識別するための番号の利用等に関する法律（平成二十五年法律第二十七号）第二条第七項に規定する個人番号カードをいう。以下同じ。）の区分部分（同法第十八条に規定するカード記録事項が記録された部分と区分された部分をいう。以下同じ。）に当該免許に係る特定免許情報を記録することを申請することができる。

2　前項の特定免許情報とは、次に掲げる事項をいう。

一　免許情報記録（個人番号カードに記録された特定免許情報に係る記録をいう。以下同じ。）の番号

二　免許の年月日及び免許情報記録の有効期間の末日

三　免許の種類

四　第九十三条第二項に規定する条件に係る事項

五　第九十三条第三項の規定により免許証（仮免許に係るものを除く。以下この条及び第九十五条の四において同じ。）に記載され、又は表示される事項であつて内閣府令で定めるもの

3　第一項の規定による申請を受けた公安委員会は、次の各号のいずれかに該当する場合を除き、前項に規定する特定免許情報（以下「特定免許情報」という。）をその者の個人番号カードの区分部分に電磁的方法により記録するものとする。

一　免許の効力が停止されているとき。

二　当該個人番号カードが行政手続における特定の個人を識別するための番号の利用等に関する法律の規定により効力を失つていること、当該個人番号カードの区分部分における他の事項が記録されていない領域が特定免許情報を記録するために十分でないことその他の公安委員会が個人番号カードの区分部分に特定免許情報を記録することができない事情として内閣府令で定めるものがあるとき。

4　免許証及び免許情報記録個人番号カード（その者に係る特定免許情報が記録された個人番号カードをいう。以下同じ。）を有する者は、いつでも、免許証をその者の住所地を管轄する公安委員会に返納することができる。

5　第一項の規定による申請は、同項の規定にかかわらず、免許を現に受けていない者が第九十二条第一項の規定による免許証の交付を受けようとする際においてもすることができる。

6　第九十二条第一項の規定による免許証の交付を受けようとする際に第一項の規定による申請をする者は、当該申請に併せて当該免許証の交付を希望しない旨の申出をすることができる。この場合においては、その者が第三項の規定による特定免許情報の記録を受けたことをもつて、当該免許証が同条第一項の規定により交付され、第四項の規定により返納されたものとみなす。

7　免許情報記録個人番号カードは、前条の規定の適用については、免許証とみなす。

8　警察官は、第六十七条第一項又は第二項の規定による免許証の提示を求めた場合において、前項の規定により免許証とみなされた免許情報記録個人番号カードの提示を受けたときは、当該提示をした者に対し、警察官が当該免許情報記録個人番号

カードに記録された特定免許情報を確認するために必要な措置を受けることを求めることができる。この場合において、当該求めを受けた者は、これに応じなければならない。

9　行政手続における特定の個人を識別するための番号の利用等に関する法律の規定による個人番号カードの失効は、免許情報記録の効力に影響を及ぼさないものとする。

10　免許証及び免許情報記録個人番号カードを有する者は、いつでも、免許情報記録個人番号カードをその者の住所地を管轄する公安委員会に提示して免許情報記録の抹消を受けることができる。

11　免許を現に受けている者のうち当該免許について免許情報記録個人番号カードのみを有するものは、いつでも、その者の住所地を管轄する公安委員会に当該免許に係る免許証の交付を申請することができる。

12　第一項及び前項の申請の手続並びに第六項の申出の手続について必要な事項は、内閣府令で定める。

（罰則　第八項については第百二十条第一項第十号（五万円以下の罰金））

（免許証等の有効期間）

第九五条の六　第一種免許及び第二種免許に係る免許証（第九十五条の二第十一項の規定により交付された免許証（第百七条の規定により読み替えて適用する第百一条の四の二第三項に規定する書面（以下この項において「更新証明書」という。）の交付を受けた者に対して交付されたものを除く。次項において同じ。）及び第百六条の三第二項の規定により交付された免許証を除く。以下この項において同じ。）並びに免許情報記録（第九十二条第一項の規定による免許証の交付を受けようとする際に第九十五条の二第一項の規定による申請をした者又は更新証明書の交付を受けた者に対して同条第三項の規定により記録された免許情報記録（次項において「免許付与時記録免許情報記録等」という。）、第九十五条の三の規定により読み替えて適用する第九十二条第二項の規定により書き換えられた免許情報記録及び第百一条第六項又は第百一条の二第四項の規定により更新された免許情報記録に限る。以下この項において同じ。）の有効期間は、次の表の上欄に掲げる区分ごとに、それぞれ、同表の中欄に掲げる年齢に応じ、同表の下欄に定める日が経過するまでの期間とする。

免許証の交付又は特定免許情報の記録を受けた者の区分	更新日等における年齢	有効期間の末日
優良運転者及び一般運転者	七十歳未満	満了日等の後のその者の五回目の誕生日から起算して一月を経過する日
	七十歳	満了日等の後のその者の四回目の誕生日から起算して一月を経過する日
	七十一歳以上	満了日等の後のその者の三回目の誕生日から起算して一月を経過する日
違反運転者等		満了日等の後のその者の三回目の誕生日から起算して一月を経過する日

備考

一　この表に掲げる用語の意義は、次に定めるとおりとする。

イ　更新日等　次の(1)から(5)までに掲げる免許証及び免許情報記録の区分に応じ、当該(1)から(5)までに定める日

(1)　第百一条第六項の規定により更新された免許証及び免許情報記録　当該更新された日

(2)　更新証明書の交付を受けた者のうち第百一条第六項の規定による免許情報記録の有効期間の更新を受けたものに対して第九十五条の二第十一項の規定により交付された免許証及び同条第三項の規定により記録された免許情報記録　当該更新証明書の交付を受けた日

(3)　第百一条の二第四項の規定により更新された免許証及び免許情報記録並びに更新証明書の交付を受けた者のうち同項の規定による免許情報記録の有効期間の更新を受けたものに対して第九十五条の二第十一項の規定により交付された免許証及び同条第三項の規定により記録された免許情報記録　第百一条の二第三項の規定による適性検査を受けた日

(4)　海外旅行、災害その他の政令で定めるやむを得ない理由のため第百一条第一項の免許証等の更新を受けることができなかつた者（その免許がその結果第百五条の規定により効力を失つた日から起算して六月（当該やむを得ない理由のためその期間内に次の免許を受けることができなかつた者にあつては、当該効力を失つた日から起算して三年を経過しない場合に限り、当該事情がやんだ日から起算して一月）を経過しない者に限る。以下この表において「特別失効者」という。）又は第百三条第一項若しくは第四項の規定による免許の取消し（同条第一項第一号から第二号までのいずれかに係るものに限る。）を受けた者（当該取消しを受けた日から起算して三年を経過しない者に限り、同日前の直近においてした第八十九条第一項、第百一条第一項若しくは第百一条の二第一項の規定による質問票の提出又は第百一条の五の規定による報告について第百十七条の四第一項第三号の違反行為をした者を除く。以下この表において「特別取消処分者」という。）に対して第九十二条第一項の規定により交付された免許証及び第九十五条の二第三項の規定により記録された免許情報記録　当該交付された免許証又は記録された免許情報記録に係る適性試験を受けた日の直前のその者の誕生日（当該適性試験を受けた日がその者の誕生日である場合にあつては、当該適性試験を受けた日）の前日

(5)　その他の免許証及び免許情報記録　当該免許証又は免許情報記録に係る適性試験を受けた日

ロ　優良運転者　更新日等（特別失効者に対して第九十二条第一項の規定により交付された免許証及び第九十五条の二第三項の規定により記録された免許情報記録にあつては当該効力を失つた免許に係る免許証又は免許情報記録の有効期間の末日、特別取消処分者に対して第九十二条第一項の規定により交付された免許証及び第九十五条の二第三項の規定により記録された免許情報記録にあつては当該取消しを受けた日。ニにおいて同じ。）までに継続して免許（仮免許を除く。ニにおいて同じ。）を受けている期間が五年以上である者であつて、自動車等の運転に関するこの法律及びこの法律に基づく命令の規定並びにこの法律の規定に基づく処分並びに重大違反唆し等及び道路外致死傷に係る法律の規定の遵守の状況が優良な者として政令で定める基準に適合するもの

ハ　一般運転者　優良運転者又は違反運転者等以外の

者

二　違反運転者等　更新日等までに継続して免許を受けている期間が五年以上である者であつて自動車等の運転に関するこの法律及びこの法律に基づく命令の規定並びにこの法律の規定に基づく処分並びに重大違反唆し等及び道路外致死傷に係る法律の規定の遵守の状況が不良な者として政令で定める基準に該当するもの又は当該期間が五年未満である者

ホ　満了日等　次の(1)から(5)までに掲げる免許証及び免許情報記録の区分に応じ、当該(1)から(5)までに定める日

(1)　イ(1)に掲げる免許証及び免許情報記録　更新前の免許証又は免許情報記録の有効期間が満了した日

(2)　イ(2)に掲げる免許証及び免許情報記録　その直近において記録された免許情報記録の有効期間が満了することとされていた日

(3)　イ(3)に掲げる免許証及び免許情報記録　第百一条の二第三項の規定による適性検査を受けた日

(4)　十八歳に達するまでの間に準中型免許又は普通免許に係る運転免許試験に合格した者に対して第九十二条第一項の規定により交付された免許証並びに第九十五条の二第三項の規定により記録された免許情報記録及び第九十五条の三の規定により読み替えて適用する第九十二条第二項の規定により書き換えられた免許情報記録　その者の十八歳の誕生日

(5)　その他の免許証及び免許情報記録　当該免許証又は免許情報記録に係る適性試験を受けた日

二　更新日等がその者の誕生日である場合におけるこの表の適用については、この表中「更新日等」とあるのは、「更新日等の前日」とする。

三　更新日等が有効期間の末日の直前のその者の誕生日の翌日から当該有効期間の末日までの間である場合におけるこの表の適用については、この表中「更新日等」とあるのは、「更新日等の直前のその者の誕生日の前日」とする。

四　特別失効者に該当する者として当該効力を失つた免許の次の免許を受けた者に対するこの表の備考一のロ及びニの規定の適用については、当該効力を失つた免許を受けていた期間及び当該次の免許を受けていた期間は、継続していたものとみなす。

五　特別取消処分者に該当する者として当該取り消された免許の次の免許を受けた者に対するこの表の備考一のロ及びニの規定の適用については、当該取り消された免許を受けた日から当該取消しを受けた日までの期間及び当該次の免許を受けていた期間は、継続していたものとみなす。

六　その者の誕生日が二月二十九日である場合におけるこの表の適用については、その者のうるう年以外の年における誕生日は二月二十八日であるものとみなす。

2　次の各号に掲げる者に対して第九十五条の二第十一項の規定により交付された免許証及び第百六条の三第二項の規定により交付された免許証並びに第九十五条の二第三項の規定により記録された免許情報記録（免許付与時記録免許情報記録等を除く。）及び第百六条の四第二項の規定により書き換えられた免許情報記録の有効期間は、当該各号に掲げる者の区分に応じ、当該各号に定める日が経過するまでの期間とする。

一　現に受けている免許（仮免許を除く。以下この項において同じ。）について免許証のみを有していた者　当該免許証の有効期間が満了する日

二　現に受けている免許について免許情報記録個人番号カードのみを有していた者　当該免許情報記録個人番号カードに記録された免許情報記録の有効期間が満了する日

三　現に受けている免許について免許証及び免許情報記録個人番号カードを有していた者　当該免許証の有効期間が満了する日又は当該免許情報記録個人番号カードに記録された免許情報記録の有効期間が満了する日のいずれか遅い日

四　現に受けている免許について免許証及び免許情報記録個人番号カードのいずれをも有していなかつた者　その直近において記録された免許情報記録の有効期間が満了することとされていた日

3　前二項に規定する期間の末日が日曜日その他政令で定める日に当たるときは、これらの日の翌日を当該期間の末日とみなす。

（受験資格）

第九六条　第八十八条第一項各号のいずれかに該当する者は、第一種免許の運転免許試験を受けることができない。ただし、準中型免許及び普通免許の運転免許試験にあつては、十七歳六か月以上の者（同項第二号から第四号までのいずれかに該当する者を除く。）も受けることができる。

2　大型免許の運転免許試験を受けようとする者（政令で定める者を除く。）は、中型免許、準中型免許、普通免許又は大型特殊免許を現に受けている者に該当し、かつ、これらの免許のいずれかを受けていた期間（当該免許の効力が停止されていた期間を除く。）が通算して三年（政令で定める教習を修了した者にあつては、一年）以上の者でなければならない。

3　中型免許の運転免許試験を受けようとする者（政令で定める者を除く。）は、準中型免許、普通免許又は大型特殊免許を現に受けている者に該当し、かつ、これらの免許のいずれかを受けていた期間（当該免許の効力が停止されていた期間を除く。）が通算して二年（政令で定める教習を修了した者にあつては、一年）以上の者でなければならない。

4　大型免許、中型免許、準中型免許、普通免許、大型特殊免許、大型第二種免許、中型第二種免許、普通第二種免許又は大型特殊第二種免許を現に受けている者でなければ、牽引免許の運転免許試験を受けることができない。

5　第二種免許の運転免許試験は、次の各号のいずれかに該当する者でなければ、受けることができない。

一　牽引第二種免許以外の第二種免許の運転免許試験については、二十一歳（政令で定める教習を修了した者（第百四条の二の四第一項又は第二項の規定により特例取得免許の取消しを受けた者その他の政令で定める者を除く。）にあつては、十九歳）以上の者で、大型免許、中型免許、準中型免許、普通免許又は大型特殊免許を現に受けている者に該当し、かつ、これらの免許のいずれかを受けていた期間（当該免許の効力が停止されていた期間を除く。）が通算して三年（政令で定める経験を有するものにあつては二年、政令で定める教習を修了したものにあつては一年）以上のもの

二　牽引第二種免許の運転免許試験については、二十一歳（政令で定める教習を修了した者（第百四条の二の四第一項又は第二項の規定により特例取得免許の取消しを受けた者その他の政令で定める者を除く。）にあつては、十九歳）以上の者で、大型免許、中型免許、準中型免許、普通免許又は大型特殊免許及び牽引免許を現に受けている者に該当し、かつ、これらの免許のいずれかを受けていた期間（当該免許の効力が停止されていた期間を除く。）が通算して三年（政令で定める経験を有するものにあつては二年、政令で定める教習を修了したものにあつては一年）以上のもの

三　その者が受けようとする第二種免許の種類と異なる種類の第二種免許を現に受けている者

6　第二項から第四項まで及び前項各号に規定する免許を現に受けている者には、第九十条第五項、第百三条第一項若しくは第

四項、第百三条の二第一項、第百四条の二の三第一項若しくは第三項又は同条第五項において準用する第百三条第四項の規定により当該免許の効力が停止されている者及びこれに準ずるものとして政令で定める者を含まないものとする。

7　第八十八条第二項に規定する者は、仮免許の運転免許試験を受けることができない。

（免許情報記録の抹消等）

第一〇六条の四　免許情報記録個人番号カードを有する者は、次の各号のいずれかに該当することとなつたときは、速やかに、免許情報記録個人番号カードをその者の住所地を管轄する公安委員会に提示して免許情報記録の抹消を受けなければならない。ただし、当該免許情報記録個人番号カードを行政手続における特定の個人を識別するための番号の利用等に関する法律その他の法令の規定により市町村の長（同法第十八条の五第一項に規定する特定在留カード等であるものにあつては、出入国在留管理庁長官）に返納した場合は、この限りでない。

一　前条第一項第一号又は第二号に該当することとなつたとき。

二　第九十条第五項、第百三条第一項若しくは第四項、第百四条の二の三第一項若しくは第三項又は同条第五項において準用する第百三条第四項の規定により免許の効力が停止されたとき。

三　免許情報記録の有効期間が満了したとき（第一号に該当する場合を除く。）。

2　第百四条の二の二第一項、第二項若しくは第四項、第百四条の二の四第一項、第二項若しくは第四項又は第百四条の四第二項の規定により免許を取り消された者がなお他の種類の免許を受けている場合において、その者の住所地を管轄する公安委員会に対して前項の規定により免許情報記録個人番号カードを提示したときは、当該公安委員会は、同項の規定にかかわらず、当該免許情報記録個人番号カードに記録された免許情報記録を当該他の種類の免許に係る免許情報記録に書き換えるものとする。

（罰則　第一項については第百二十一条第一項第十号（二万円以下の罰金又は科料））

第一一七条の二の二　次の各号のいずれかに該当する者は、三年以下の懲役又は五十万円以下の罰金に処する。

一　法令の規定による運転の免許を受けている者（第百七条の二の規定により国際運転免許証等で自動車等を運転することができることとされている者を含む。）でなければ運転し、又は操縦することができないこととされている車両等を当該免許を受けないで（法令の規定により当該免許の効力が停止されている場合を含む。）又は国際運転免許証等を所持しないで（第八十八条第一項第二号から第四号までのいずれかに該当している場合又は本邦に上陸をした日から起算して滞在期間が一年を超えている場合を含む。）運転した者

二　第六十四条（無免許運転等の禁止）第二項の規定に違反した者（当該違反により当該自動車又は一般原動機付自転車の提供を受けた者が同条第一項の規定に違反して当該自動車又は一般原動機付自転車を運転した場合に限る。）

三　第六十五条（酒気帯び運転等の禁止）第一項の規定に違反して車両等（自転車以外の軽車両を除く。次号において同じ。）を運転した者で、その運転をした場合において身体に政令で定める程度以上にアルコールを保有する状態にあつたもの

四　第六十五条（酒気帯び運転等の禁止）第二項の規定に違反した者（当該違反により当該車両等の提供を受けた者が身体に前号の政令で定める程度以上にアルコールを保有する状態で当該車両等を運転した場合に限るものとし、前条第一項第二号に該当する場合を除く。）

五　第六十五条（酒気帯び運転等の禁止）第三項の規定に違反して酒類を提供した者（当該違反により当該酒類の提供を受けた者が酒に酔つた状態で車両等を運転した場合に限る。）

六　第六十五条（酒気帯び運転等の禁止）第四項の規定に違反した者（その者が当該同乗した車両の運転者が酒に酔つた状態にあることを知りながら同項の規定に違反した場合であつて、当該運転者が酒に酔つた状態で当該車両を運転したときに限る。）

七　第六十六条（過労運転等の禁止）の規定に違反した者（前条第一項第三号の規定に該当する者を除く。）

八　他の車両等の通行を妨害する目的で、次のいずれかに掲げる行為であつて、当該他の車両等に道路における交通の危険を生じさせるおそれのある方法によるものをした者

イ　第十七条（通行区分）第四項の規定の違反となるような行為

ロ　第十八条（左側寄り通行等）第三項の規定の違反となるような行為

ハ　第二十四条（急ブレーキの禁止）の規定に違反する行為

ニ　第二十六条（車間距離の保持）の規定の違反となるような行為

ホ　第二十六条の二（進路の変更の禁止）第二項の規定の違反となるような行為

ヘ　第二十八条（追越しの方法）第一項又は第四項の規定の違反となるような行為

ト　第五十二条（車両等の灯火）第二項の規定に違反する行為

チ　第五十四条（警音器の使用等）第二項の規定に違反する行為

リ　第七十条（安全運転の義務）の規定に違反する行為

ヌ　第七十五条の四（最低速度）の規定の違反となるような行為

ル　第七十五条の八（停車及び駐車の禁止）第一項の規定の違反となるような行為

九　偽りその他不正の手段により免許証若しくは国外運転免許証の交付又は特定免許情報の記録を受けた者

2　次の各号のいずれかに該当する場合には、当該違反行為をした者は、三年以下の懲役又は五十万円以下の罰金に処する。

一　第七十五条（自動車の使用者の義務等）第一項第一号の規定に違反したとき。

二　第七十五条（自動車の使用者の義務等）第一項第三号の規定に違反したとき（当該違反により運転者が酒に酔つた状態で自動車を運転し、又は身体に前項第三号の政令で定める程度以上にアルコールを保有する状態で自動車を運転した場合に限るものとし、前条第二項第一号に該当する場合を除く。）。

三　第七十五条（自動車の使用者の義務等）第一項第四号の規定に違反したとき（前条第二項第二号に該当する場合を除く。）。

第一一九条　次の各号のいずれかに該当する者は、三月以下の懲役又は五万円以下の罰金に処する。

一　第四条（公安委員会の交通規制）第一項後段に規定する警察官の現場における指示又は第六条（警察官等の交通規制）第四項の規定による警察官の禁止若しくは制限に従わなかつた者（当該行為が車両等の通行に関して行われた場合に限る。）

二　第七条（信号機の信号等に従う義務）、第八条（通行の禁止等）第一項又は第九条（歩行者用道路を通行する車両の義務）の規定の違反となるような行為をした者（当該行為が車両等の通行に関して行われた場合に限る。）

三　第二十四条（急ブレーキの禁止）の規定に違反した者

四　第二十六条（車間距離の保持）の規定の違反となるような行為（高速自動車国道等におけるものに限る。）をした者

五　第三十条（追越しを禁止する場所）第一項若しくは第二項、第三十三条（踏切の通過）第一項若しくは第二項、第三十八条（横断歩道等における歩行者等の優先）、第四十二条（徐行すべき場所）又は

第四十三条（指定場所における一時停止）の規定の違反となるような行為をした者

六　第十七条（通行区分）第一項から第四項まで若しくは第六項、第十八条（左側寄り通行等）第二項若しくは第三項、第二十五条の二（横断等の禁止）第一項、第二十八条（追越しの方法）、第二十九条（追越しを禁止する場合）、第三十一条（停車中の路面電車がある場合の停止又は徐行）、第三十六条（交差点における他の車両等との関係等）第二項から第四項まで、第三十七条の二（環状交差点における他の車両等との関係等）、第三十八条の二（横断歩道のない交差点における歩行者の優先）又は第七十五条の五（横断等の禁止）の規定の違反となるような行為をした者

七　第五十条の二（違法停車に対する措置）（第七十五条の八（停車及び駐車の禁止）第二項において準用する場合を含む。）又は第五十一条（違法駐車に対する措置）第一項（第七十五条の八（停車及び駐車の禁止）第二項において準用する場合を含む。）の規定による警察官等の命令に従わなかつた者

八　第五十八条の二（積載物の重量の測定等）の規定による警察官の停止に従わず、提示の要求を拒み、又は測定を拒み、若しくは妨げた者

九　第五十八条の三（過積載車両に係る措置命令）第一項又は第二項の規定による警察官の命令に従わなかつた者

十　第六十一条（危険防止の措置）の規定による警察官の停止又は命令に従わなかつた者

十一　第六十三条（車両の検査等）第一項前段の規定による警察官の停止に従わず、提示の要求を拒み、又は検査を拒み、若しくは妨げた者

十二　第六十三条（車両の検査等）第二項の規定による警察官の命令に従わなかつた者

十三　第六十七条（危険防止の措置）第一項の規定による警察官の停止に従わなかつた者

十四　第七十条（安全運転の義務）の規定に違反した者

十五　第七十一条（運転者の遵守事項）第二号、第二号の三又は第三号の規定に違反した者

十六　第七十一条の四の二（自動運行装置を備えている自動車の運転者の遵守事項等）第一項の規定に違反した者

十七　第七十二条（交通事故の場合の措置）第一項後段に規定する報告をしなかつた者

十八　第七十五条の三（危険防止等の措置）（第七十五条の二十四（特定自動運行の特則）の規定により読み替えて適用する場合を含む。）の規定による警察官の禁止、制限又は命令に従わなかつた者

十九　第七十五条の十（自動車の運転者の遵守事項）の規定に違反し、本線車道等において当該自動車を運転することができなくなつた者又は当該自動車に積載している物を当該高速自動車国道等に転落させ、若しくは飛散させた者

二十　第九十一条（免許の条件）若しくは第九十一条の二（申請による免許の条件の付与等）第二項の規定により公安委員会が付し、若しくは変更した条件に違反し、又は第百七条の四（臨時適性検査）第三項の規定による公安委員会の命令に違反して自動車又は一般原動機付自転車を運転した者

2　次の各号のいずれかに該当する場合には、当該違反行為をした者は、三月以下の懲役又は五万円以下の罰金に処する。

一　第五十七条（乗車又は積載の制限等）第一項の規定に違反して積載をして車両を運転したとき（第百十八条第二項第一号に該当する場合を除く。）。

二　第六十二条（整備不良車両の運転の禁止）の規定に違反して車両等（軽車両を除く。）を運転させ、又は運転したとき。

三　第六十三条の二の二（作動状態記録装置による記録等）第一項（第七十五条の二十四（特定自動運行の特則）の規定により読み替えて適用する場合を含む。）又は第二項の規定に違反したとき。

四　第七十五条（自動車の使用者の義務等）第一項第六号の規定に違反したとき（第百十八条第二項第四号に該当する場合を除く。）。

五　第七十五条（自動車の使用者の義務等）第二項又は第七十五条の二（自動車の使用者の義務等）第一項若しくは第二項の規定による公安委員会の命令に従わなかつたとき。

六　第七十五条の二十三（特定自動運行において交通事故があつた場合の措置）第一項後段又は第三項後段に規定する報告をしなかつたとき。

七　第七十六条（禁止行為）第三項又は第七十七条（道路の使用の許可）第一項の規定に違反したとき。

八　第七十七条（道路の使用の許可）第三項の規定により警察署長が付し、又は同条第四項の規定により警察署長が変更し、若しくは付した条件に違反したとき。

九　第八十一条（違法工作物等に対する措置）第一項、第八十一条の二（転落積載物等に対する措置）第一項又は第八十二条（沿道の工作物等の危険防止措置）第一項の規定による警察署長の命令に従わなかつたとき。

3　過失により第一項第二号、第五号（第四十三条後段に係る部分を除く。）、第十四号、第十六号若しくは第十九号又は前項第二号の罪を犯した者は、十万円以下の罰金に処する。

第一二〇条　次の各号のいずれかに該当する者は、五万円以下の罰金に処する。

一　第六条（警察官等の交通規制）第二項（第七十五条の二十四（特定自動運行の特則）の規定により読み替えて適用する場合を含む。）の規定による警察官の禁止、制限又は命令に従わなかつた者

二　第十八条（左側寄り通行等）第四項、第二十五条（道路外に出る場合の方法）第三項、第二十六条（車間距離の保持）、第二十六条の二（進路の変更の禁止）第二項、第二十七条（他の車両に追いつかれた車両の義務）、第三十一条の二（乗合自動車の発進の保護）、第三十二条（割込み等の禁止）、第三十四条（左折又は右折）第六項（第三十五条（指定通行区分）第二項において準用する場合を含む。）、第三十六条（交差点における他の車両等との関係等）第一項、第三十七条（交差点における他の車両等との関係等）、第四十条（緊急自動車の優先）、第四十一条の二（消防用車両の優先等）第一項若しくは第二項又は第七十五条の六（本線車道に入る場合等における他の自動車との関係）の規定の違反となるような行為をした者（第二十六条の規定の違反となるような行為をした者にあつては、第百十九条第一項第四号に該当する者を除く。）

三　第二十条（車両通行帯）、第二十条の二（路線バス等優先通行帯）第一項、第二十六条の二（進路の変更の禁止）第三項、第三十五条（指定通行区分）第一項又は第七十五条の八の二（重被牽引車を牽引する牽引自動車の通行区分）第二項から第四項までの規定の違反となるような行為をした者

四　第二十五条の二（横断等の禁止）第二項の規定の違反となるような行為をした者

五　第五十条（交差点等への進入禁止）又は第五十二条（車両等の灯火）第一項の規定の違反となるような行為をした者

六　第五十二条（車両等の灯火）第二項、第五十三条（合図）第一項、第二項若しくは第四項又は第五十四条（警音器の使用等）第一項の規定に違反した者

七　第六十二条（整備不良車両の運転の禁止）の規定に違反して軽車両を運転させ、若しくは運転した者又は第六十三条の九（自転車の制動装置等）第一項の規定に違反した者

八　第六十三条の十（自転車の検査等）第一項の規定による警察官の停止に従わず、又は検査を拒み、若しくは妨げた者

九　第六十三条の十（自転車の検査等）第二項の規定による警察官の命令に従わなかつた者

十　第七十一条（運転者の遵守事項）第一号、第四号から第五号まで、第五号の三、第五号の四若しくは第六号、第七十一条の二（自動車等の運転者の遵守事項）、第七十三条（妨害の禁止）（第七十五条の二十三（特定自動運行において交通事故があつた場合の措置）第六項において読み替えて準用する場合を含む。）、第七十六条（禁止行為）第四項、第九十五条（免許証の携帯及び提示義務）第二項（第百七条の三（国際運転免許証等の携帯及び提示義務）後段において準用する場合を含む。）又は第九十五条の二（特定免許情報の記録等）第八項の規定に違反した者

十一　第七十二条（交通事故の場合の措置）第二項の規定による警察官の命令に従わなかつた者

十二　第七十五条の四（最低速度）の規定の違反となるような行為をした者

十三　第七十五条の十一（故障等の場合の措置）第一項（第七十五条の二十四（特定自動運行の特則）の規定により読み替えて適用する場合を含む。）の規定に違反した者

十四　第八十七条（仮免許）第三項の規定に違反した者

十五　免許証、免許情報記録個人番号カード、国外運転免許証又は国際運転免許証等を他人に譲り渡し、又は貸与した者

十六　高齢運転者等標章を他人に譲り渡し、又は貸与した者

十七　第百八条の三の五（特定小型原動機付自転車運転者講習等の受講命令）の規定による公安委員会の命令に従わなかつた者

2　次の各号のいずれかに該当する場合には、当該違反行為をした者は、五万円以下の罰金に処する。

一　第五十五条（乗車又は積載の方法）第一項若しくは第二項又は第五十九条（自動車の牽引制限）第一項若しくは第二項の規定に違反したとき。

二　第五十七条（乗車又は積載の制限等）第一項の規定に違反したとき（第百十八条第二項第一号及び第百十九条第二項第一号に該当する場合を除く。）。

三　第七十四条の三（安全運転管理者等）第五項の規定に違反したとき。

四　第七十五条の二十三（特定自動運行において交通事故があつた場合の措置）第四項の規定による警察官の命令に従わなかつたとき。

五　第七十七条（道路の使用の許可）第七項の規定に違反したとき。

3　過失により第一項第三号から第七号まで又は第十四号の罪を犯した者は、五万円以下の罰金に処する。

（通則）

第一二五条　この章において「反則行為」とは、前章の罪に当たる行為のうち別表第二の上欄に掲げるものであつて、車両等の運転者がしたものをいい、その種別は、政令で定める。

2　この章において「反則者」とは、反則行為をした者であつて、次の各号のいずれかに該当する者以外のものをいう。

一　当該反則行為に係る車両等（特定小型原動機付自転車等を除く。）に関し法令の規定による運転の免許を受けていない者（法令の規定により当該免許の効力が停止されている者を含み、第百七条の二の規定により国際運転免許証等で当該車両等を運転することができることとされている者を除く。）又は第八十五条第五項から第十項までの規定により当該反則行為に係る自動車を運転することができないこととされている者

二　当該反則行為をした場合において、酒に酔つた状態若しくは第百十七条の二第一項第三号に規定する状態で車両等を運転していた者又は身体に第百十七条の二の二第一項第三号の政令で定める程度以上にアルコールを保有する状態で車両等（自転車以外の軽車両を除く。）を運転していた者

三　当該反則行為をし、よつて交通事故を起こした者

四　十六歳未満の者

3　この章において「反則金」とは、反則者がこの章の規定の適用を受けようとする場合に国に納付すべき金銭をいい、その額は、別表第二に定める金額の範囲内において、反則行為の種別に応じ政令で定める。

別表第一（第五十一条の四関係）

放置車両の態様の区分	放置車両の種類	放置違反金の限度額
第四十四条第一項、第四十五条第一項若しくは第二項、第四十七条第二項若しくは第三項、第四十八条、第四十九条の三第三項、第四十九条の四又は第七十五条の八第一項の規定に違反して駐車しているもの	大型自動車、中型自動車、準中型自動車、大型特殊自動車及び重被牽引車	三万五千円
	普通自動車、大型自動二輪車及び普通自動二輪車（以下「普通自動車等」という。）	二万五千円
	小型特殊自動車及び原動機付自転車（以下この表において「小型特殊自動車等」という。）	一万五千円
第四十九条の三第二項若しくは第四十九条の五後段の規定に違反して駐車しているもの又は第四十九条第一項のパーキング・チケット発給設備を設置する時間制限駐車区間において当該車両に当該パーキング・チケット発給設備により発給を受けたパーキング・チケットが掲示されておらず、かつ、第四十九条の三第四項の規定に違反しているもの	大型自動車、中型自動車、準中型自動車、大型特殊自動車及び重被牽引車	二万五千円
	普通自動車等	二万円
	小型特殊自動車等	一万二千円

備考
　放置違反金の限度額は、この表の上欄に掲げる放置車両の態様の区分及びこの表の中欄に掲げる放置車両の種類に応じ、この表の下欄に掲げる金額とする。

別表第二（第百二十五条、第百三十条の二関係）

反則行為の区分	反則行為に係る車両等の種類	反則金の限度額
第百十八条第一項第一号又は第三項の罪に当たる行為（第二十二条の規定によりこれを超える速度で進行してはならないこととされている最高速度を三十キロメートル毎時（高速自動車国道等においては四十キロメートル毎時）以上超える速度で運転する行為を除く。）	大型自動車、中型自動車、準中型自動車、大型特殊自動車、トロリーバス及び路面電車（以下「大型自動車等」という。）	五万円
	普通自動車	四万円
	小型特殊自動車、原動機付自転車及び重被牽引車以外の軽車両（以下この表において「小型特殊自動車等」という。）	三万円
第百十八条第一項第四号の罪に当たる行為	大型自動車等	五万円
	普通自動車等	四万円
	小型特殊自動車等	三万円
第百十八条第二項第一号の罪に当たる行為（車両について第五十七条第一項の規定により積載物の重量の制限として定められた数値の二倍以上の重量の積載をして大型自動車等を運転する行為を除く。）	大型自動車等	五万円
	普通自動車等	四万円
	小型特殊自動車及び原動機付自転車	三万円
第百十九条第一項第二号から第六号まで、第十四号から第十六号まで、第十九号若しくは第二十号、第二項第一号から第三号まで又は第三項の罪に当たる行為	大型自動車等	二万円
	普通自動車等	一万五千円
	小型特殊自動車等	一万円
第百十九条の二の四第一項又は第三項の罪に当たる行為	大型自動車等及び重被牽引車	三万五千円
	普通自動車等	二万五千円
	小型特殊自動車等	一万五千円
第百十九条の三第一項又は第三項の罪に当たる行為	大型自動車等及び重被牽引車	二万五千円
	普通自動車等	二万円
	小型特殊自動車等	一万二千円

第百二十条第一項第二号から第七号まで、第十号（第七十一条第一号、第四号から第五号まで、第五号の三、第五号の四若しくは第六号又は第七十一条の二に係る部分に限る。）若しくは第十二号から第十四号まで、第二項第一号若しくは第二号又は第三項の罪に当たる行為	大型自動車等	一万円
	普通自動車等	八千円
	小型特殊自動車等	六千円
第百二十一条第一項第三号、第八号、第九号、第十一号若しくは第十二号、第二項又は第三項の罪に当たる行為	大型自動車等	八千円
	普通自動車等	六千円
	小型特殊自動車等	四千円

備考

反則金の限度額は、この表の上欄に掲げる反則行為の区分及びこの表の中欄に掲げる反則行為に係る車両等の種類に応じ、この表の下欄に掲げる金額とする。

○盲導犬の訓練を目的とする法人の指定に関する規則

〔平成四・九・一六 国家公安委員会規則一七〕

改正 平成六・九国公委規二五、平成一一・三国公委規七、平成一七・三国公委規二、平成二〇・八国公委規一六、令和元・六国公委規三、令和五・一二国公委規一五

（指定の基準等）

第一条 道路交通法施行令第八条第二項の規定による指定（以下「指定」という。）は、指定を受けようとする法人の申請に基づき行うものとする。

2 指定の基準は、次のとおりとする。

一 盲導犬として必要な訓練をする業務又は盲導犬として必要な訓練を受けていることを認定する業務（以下「盲導犬訓練業務等」という。）の実施に関し、適切な計画が定められていること。

二 盲導犬訓練業務等を行うための施設が次のいずれにも該当するものであること。

イ 盲導犬訓練業務等を行う者（以下「訓練士等」という。）として盲導犬訓練業務等を適正に行うため必要な知識及び技能を有する者が置かれていること。

ロ 盲導犬訓練業務等を適正に行うため必要な設備を備えていること。

三 盲導犬訓練業務等を適正かつ確実に行うため必要な経理的基礎を有すること。

四 盲導犬訓練業務等以外の業務を行っているときは、当該業務を行うことにより盲導犬訓練業務等が不公正になるおそれがないこと。

（指定の申請）

第二条 指定を受けようとする法人は、次に掲げる事項を記載した申請書を国家公安委員会に提出しなければならない。

一 名称及び住所並びに代表者の氏名

二 事務所の名称及び所在地

2 前項の申請書には、次に掲げる書類を添付しなければならない。

一 定款

二 登記事項証明書

三 役員の氏名、住所及び略歴を記載した書面

四 盲導犬訓練業務等の実施の基本的な計画を記載した書面

五 訓練士等の氏名、住所並びに盲導犬訓練業務等に関する資格及び略歴を記載した書面

六 盲導犬訓練業務等を行うための施設の名称、所在地及び設備の概要を記載した書面並びに当該施設の見取図

七 資産の総額及び種類を記載した書面並びにこれを証する書面

（名称等の公示）

第三条 国家公安委員会は、指定をしたときは、当該指定を受けた法人（以下「指定法人」という。）の名称、住所及び事務所の所在地を公示するものとする。

（名称等の変更）

第四条 指定法人は、前条の規定による公示に係る事項を変更しようとするときは、あらかじめその旨を国家公安委員会に届け出なければならない。

2 国家公安委員会は、前項の規定による届出があったときは、その旨を公示しなければならない。

3 指定法人は、第二条第二項に掲げる書類の記載事項に変更があったときは、速やかにその旨を国家公安委員会に届け出なければならない。

（国家公安委員会への報告等）

第五条 指定法人は、毎事業年度の事業計画及び収支予算を作成し、当該事業年度の開始前に国家公安委員会に提出しなければならない。これを変更しようとするときも、同様とする。

2 指定法人は、毎事業年度の事業報告書、収支決算書、貸借対照表及び財産目録を作成し、当該事業年度経過後三月以内に国家公安委員会に提出しなければならない。

3 国家公安委員会は、指定法人の盲導犬訓練業務等に係る事業の適正な運営を図るため必要があると認めるときは、当該指定法人に対し、その財産の状況又は事業の運営に関し報告又は資料の提出を求めることができる。

（解任の勧告）

第六条 国家公安委員会は、指定法人の役員又は訓練士等が盲導犬訓練業務等に関し不正な行為をしたときは、当該指定法人に対し、当該役員又は訓練士等の解任を勧告することができる。

（改善の勧告）

第七条 国家公安委員会は、指定法人の財産の状況又はその盲導犬訓練業務等に係る事業の運営に関し改善が必要であると認めるときは、当該指定法人に対し、その改善に必要な措置を採るべきことを勧告することができる。

（指定の取消し等）

第八条 国家公安委員会は、指定法人が、この規則の規定に違反したとき、又は前二条の規定による勧告があったにもかかわらず、当該勧告に係る措置を講じていないと認められるときは、その指定を取り消すことができる。

2 国家公安委員会は、前項の規定により指定を取り消したときは、その旨を公示するものとする。

（電磁的記録媒体による手続）

第九条 次の各号に掲げる書類の当該各号に定める規定による提出については、当該書類の提出に代えて当該書類に記載すべきこととされている事項を記録した電磁的記録媒体（電子的方式、磁気的方式その他人の知覚によっては認識することができない方式で作られる記録であって電子計算機による情報処理の用に供されるものに係る記録媒体をいう。）及び別記様式の電磁的記録媒体提出票を提出することにより行うことができる。

一 申請書 第二条第一項

二 定款 第二条第二項

三 役員の氏名、住所及び略歴を記載した書面 第二条第二項

四 盲導犬訓練業務等の実施の基本的な計画を記載した書面 第二条第二項

五 訓練士等の氏名、住所並びに盲導犬訓練業務等に関する資格及び略歴を記載した書面 第二条第二項

六 盲導犬訓練業務等を行うための施設の名称、所在地及び設備の概要を記載した書面 第二条第二項

七 資産の総額及び種類を記載した書面 第二条第二項

八 事業計画及び収支予算 第五条第一項

九 事業報告書、収支決算書、貸借対照表及び財産目録 第五条第二項

附 則

（施行期日）

1 この規則は、平成四年十一月一日から施行する。

（現に存する指定法人に関する特例）

2 この規則の施行の際現に存する指定法人は、平成五年四月一日までに、第二条第一項に掲げる事項を記載した書面及び同条第二項に掲げる書類を国家公安委員会に提出しなければならない。

3 国家公安委員会は、前項の規定による提出があったときは、当該指定法人の名称、住所及び事務所の所在地並びに指定を受

けた年月日を公示するものとする。

4　前二項に規定するもののほか、この規則の施行の際現に存する指定法人に対するこの規則の適用については、第四条第一項中「前条の規定による公示に係る事項」とあるのは「附則第三項の規定による公示に係る事項（指定を受けた年月日を除く。）」と、同条第三項中「第二条第二項に掲げる書類」とあるのは「附則第二項の規定により提出された第二条第二項に掲げる書類」と、第五条第一項中「毎事業年度」とあるのは「平成五年四月一日が属する事業年度以後の毎事業年度」と、同条第二項中「毎事業年度」とあるのは「平成五年三月三十一日が属する事業年度以後の毎事業年度」とする。

附　則〔令和元・六・二一国家公安委員会規則三〕

（施行期日）

1　この規則は、令和元年七月一日から施行する。

（経過措置）

2　この規則による改正前の〔中略〕盲導犬の訓練を目的とする法人の指定に関する規則〔中略〕に規定する様式による書面については、この規則による改正後のこれらの規則に規定する様式にかかわらず、当分の間、なおこれを使用することができる。

附　則〔令和五・一二・二五国家公安委員会規則一五〕

（施行期日）

第一条　この規則は、公布の日から施行する。

（経過措置）

第二条　この規則による改正前の様式（次項において「旧様式」という。）により使用されている書類は、当分の間、この規則による改正後の様式によるものとみなす。

2　旧様式による用紙については、当分の間、これを取り繕って使用することができる。

別記様式（第９条関係）

電磁的記録媒体提出票

国家公安委員会　殿

年　　月　　日
提出者の名称
住　　　　所

盲導犬の訓練を目的とする法人の指定に関する規則 第２条第１項／第２条第２項／第５条第１項／第５条第２項 の規定により提出すべき書類に記載することとされている事項を記録した電磁的記録媒体を以下のとおり提出します。

本票に添付されている電磁的記録媒体に記録された事項は、事実に相違ありません。

1　電磁的記録媒体に記録された事項

2　電磁的記録媒体と併せて提出される書類

備考　1　「電磁的記録媒体に記録された事項」の欄には、電磁的記録媒体に記録されている事項を記載するとともに、２以上の電磁的記録媒体を提出するときは、電磁的記録媒体ごとに整理番号を付し、その番号ごとに記録されている事項を記載すること。

2　「電磁的記録媒体と併せて提出される書類」の欄には、本票に添付されている電磁的記録媒体に記録されている事項以外の事項を記載した書類を併せて提出する場合にあっては、その書類名を記載すること。

3　不要の文字は、横線で消すこと。

4　該当事項がない欄は、省略すること。

5　用紙の大きさは、日本産業規格Ａ列４番とする。

○盲導犬の訓練を目的とする法人の指定に関する規則附則第三項の規定に基づき告示

（平成五・七・五 国家公安委員会告示五）

改正　前略…平成一五・七国公委告二二、平成一六・七国公委告二〇、国公委告二一、一二国公委告三七、平成一七・五国公委告一九、平成二〇・九国公委告二四、平成二一・六国公委告一五、平成二二・一国公委告四、六国公委告一九、七国公委告二三、国公委告二四、一〇国公委告二九、一二国公委告三三、平成二三・二国公委告四、平成二四・五国公委告一六、平成二五・九国公委告三三、国公委告三四、平成二六・四国公委告一七、平成二七・七国公委告二一、平成三〇・六国公委告二九、令和四・八国公委告三九

盲導犬の訓練を目的とする法人の指定に関する規則（平成四年国家公安委員会規則第十七号）附則第二項の規定による提出があったので、同規則附則第三項の規定に基づき、次のとおり告示する。

名称	住所	事務所の所在地	指定を受けた年月日
公益財団法人日本盲導犬協会	神奈川県横浜市港北区新吉田町六千一番九	神奈川県横浜市港北区新吉田町六千一番九	昭和五十三年十二月一日
公益財団法人アイメイト協会	東京都練馬区関町北五丁目八番七号	東京都練馬区関町北五丁目八番七号	昭和五十三年十二月一日
公益財団法人北海道盲導犬協会	北海道札幌市南区南三十条西八丁目一番一号	北海道札幌市南区南三十条西八丁目一番一号	昭和五十三年十二月一日
公益財団法人東日本盲導犬協会	栃木県宇都宮市福岡町千二百八十五番地	栃木県宇都宮市福岡町千二百八十五番地	昭和五十三年十二月一日
社会福祉法人中部盲導犬協会	愛知県名古屋市港区寛政町三丁目四十一番地一	愛知県名古屋市港区寛政町三丁目四十一番地一	平成二十五年八月二十二日
社会福祉法人日本ライトハウス	大阪府大阪市鶴見区今津中二丁目四番三十七号	大阪府大阪市鶴見区今津中二丁目四番三十七号	昭和五十三年十二月一日
社会福祉法人兵庫盲導犬協会	兵庫県神戸市西区押部谷町押部二十四番地	兵庫県神戸市西区押部谷町押部二十四番地	平成十六年七月八日
公益財団法人関西盲導犬協会	京都府亀岡市曽我部町犬飼末ヶ谷十八番地二号	京都府亀岡市曽我部町犬飼末ヶ谷十八番地二号	昭和五十八年八月二十五日
公益財団法人九州盲導犬協会	福岡県糸島市東七百二番地一	福岡県糸島市東七百二番地一	平成元年一月三十一日
公益財団法人日本補助犬協会	神奈川県横浜市旭区矢指町千九百五十四番地の一	神奈川県横浜市旭区矢指町千九百五十四番地の一	平成二十二年六月十日
一般財団法人いばらき盲導犬協会	茨城県ひたちなか市東石川三千六百十番地十	茨城県ひたちなか市東石川三千六百十番地十	平成二十六年三月二十七日

○確認事務の委託の手続等に関する規則

〔平成一六・一二・一〇
国家公安委員会規則二三〕

改正　平成一六・一二国公委規二五、平成一七・三国公委規二、七国公委規一四、九国公委規一六、平成一八・三国公委規九、四国公委規一四、国公委規一六、七国公委規二一、八国公委規二二、平成一九・一国公委規二、八国公委規一八、九国公委規二二、一二国公委規二五、国公委規二六、平成二〇・三国公委規二、七国公委規一五、八国公委規一六、一一国公委規二五、平成二一・五国公委規五、平成二二・三国公委規一、平成二三・三国公委規三、六国公委規一〇、七国公委規一一、平成二四・六国公委規七、九国公委規一〇、一〇国公委規一二、平成二五・七国公委規九、一二国公委規一五、平成二六・四国公委規七、七国公委規八、平成二七・九国公委規一四、国公委規一五、一一国公委規二〇、平成二八・二国公委規三、平成二九・三国公委規二、七国公委規七、国公委規八、一一国公委規一〇、平成三〇・三国公委規四、国公委規五、令和元・六国公委規三、一〇国公委規八、令和二・三国公委規五、四国公委規六、令和三・三国公委規三、国公委規四、一一国公委規一一、令和四・一国公委規三、三国公委規一〇、九国公委規一七、一二国公委規二〇、令和五・四国公委規八、五国公委規一一、七国公委規一二、令和六・二国公委規三、六国公委規一〇

（委託の方法）

第一条　道路交通法（以下「法」という。）第五十一条の八第一項の規定による委託をするときは、次に掲げる事項についての条項を含む委託契約書を作成するものとする。

一　委託に係る確認事務の内容に関する事項
二　委託に係る確認事務を行う区域及び方法に関する事項
三　委託契約の期間及びその解除に関する事項
四　委託契約金額
五　委託契約代金の支払の時期及び方法
六　放置車両確認機関の警察署長への報告に関する事項
七　その他警察署長が必要と認める事項

（登録の申請等）

第二条　法第五十一条の八第一項の登録を受けようとする法人は、名称、代表者の氏名及び主たる事務所の所在地を記載した登録申請書を都道府県公安委員会（以下「公安委員会」という。）に提出しなければならない。

2　前項の登録申請書には、次に掲げる書類を添付しなければならない。

一　定款及び登記事項証明書又はこれらに準ずるもの
二　法第五十一条の八第三項第二号に規定する役員（次号において単に「役員」という。）の氏名及び住所を記載した名簿
三　役員に係る次に掲げる書類
イ　住民票の写し（住民基本台帳法（昭和四十二年法律第八十一号）第七条第五号に掲げる事項（外国人にあっては、同法第三十条の四十五に規定する国籍等）が記載されたものに限る。）
ロ　法第五十一条の八第三項第二号ホに掲げる者に該当しない旨の医師の診断書
ハ　精神機能の障害に関する医師の診断書（法第五十一条の八第三項第二号へに掲げる者に該当しないことが明らかであるかどうかの別を記載したものに限る。）
四　法第五十一条の八第三項各号に掲げる法人のいずれにも該当しないことを誓約する書面
五　法第五十一条の八第四項各号に掲げる要件のすべてに適合することを説明した書類

3　前二項の規定は、法第五十一条の八第六項の登録の更新について準用する。

（暴力的不法行為その他の罪に当たる行為）

第三条　法第五十一条の八第三項第二号ハの国家公安委員会規則で定める行為は、次の各号に掲げる罪のいずれかに当たる行為とする。

一　爆発物取締罰則（明治十七年太政官布告第三十二号）第一条から第三条までに規定する罪
二　刑法（明治四十年法律第四十五号）第九十五条、第九十六条の二から第九十六条の四まで、第九十六条の五（第九十六条の二から第九十六条の四までに係る部分に限る。）、第九十六条の六第一項、第百三条、第百四条、第百五条の二、第百七十五条、第百七十七条第一項若しくは第三項、第百七十九条第二項、第百八十条（第百七十七条第一項及び第三項並びに第百七十九条第二項に係る部分に限る。以下この号において同じ。）、第百八十一条第二項（第百七十七条第一項及び第三項、第百七十九条第二項並びに第百八十条に係る部分に限る。）、第百八十二条第三項、第百八十五条から第百八十七条まで、第百九十九条、第二百一条、第二百三条（第百九十九条に係る部分に限る。）、第二百四条、第二百五条、第二百八条、第二百八条の二、第二百二十条から第二百二十三条まで、第二百二十五条から第二百二十六条の三まで、第二百二十七条第一項（第二百二十五条及び第二百二十六条から第二百二十六条の三までに係る部分に限る。以下この号において同じ。）から第四項まで、第二百二十八条（第二百二十五条、第二百二十五条の二第一項、第二百二十六条から第二百二十六条の三まで並びに第二百二十七条第一項から第三項まで及び第四項前段に係る部分に限る。）、第二百二十八条の三、第二百三十四条、第二百三十五条の二から第二百三十七条まで、第二百四十条（第二百三十六条に係る部分に限る。以下この号において同じ。）、第二百四十一条第一項（第二百三十六条に係る部分に限る。）若しくは第三項（第二百三十六条に係る部分に限る。以下この号において同じ。）、第二百四十三条（第二百三十五条の二、第二百三十六条、第二百四十条及び第二百四十一条第三項に係る部分に限る。）、第二百四十六条（第六十条の規定が適用される場合に限る。以下この号において同じ。）、第二百四十六条の二（第六十条の規定が適用される場合に限る。以下この号において同じ。）、第二百四十九条、第二百五十条（第二百四十六条、第二百四十六条の二及び第二百四十九条に係る部分に限る。）又は第二百五十八条から第二百六十一条までに規定する罪
三　暴力行為等処罰に関する法律（大正十五年法律第六十号）に規定する罪
四　盗犯等の防止及び処分に関する法律（昭和五年法律第九号）第二条（刑法第二百三十六条及び第二百四十三条（第二百三十六条に係る部分に限る。以下この号において同じ。）に係る部分に限る。）、第三条（刑法第二百三十六条及び第二百四十三条に係る部分に限る。）又は第四条（刑法第二百三十六条に係る部分に限る。）に規定する罪
五　労働基準法（昭和二十二年法律第四十九号）第百十七条又は第百十八条第一項（第六条及び第五十六条に係る部分に限る。）に規定する罪
六　職業安定法（昭和二十二年法律第百四十一号）第六十三条、第六十四条第一号、第一号の二（第三十条第一項、第三十二条の六第二項（第三十三条第四項において準用する場合を含む。）及び第三十三条第一項に係る部分に限る。）、第四号、第五号若しくは第十号又は第六十六条第一号若しくは第三号に規定する罪

七　児童福祉法（昭和二十二年法律第百六十四号）第六十条第一項又は第二項（第三十四条第一項第四号の二、第五号、第七号及び第九号に係る部分に限る。）に規定する罪

八　金融商品取引法（昭和二十三年法律第二十五号）第百九十七条の二第十号の四、第十号の五若しくは第十号の八から第十号の十まで、第百九十八条第一号、第三号、第三号の三、第四号、第四号の二若しくは第六号から第七号まで、第百九十八条の四、第百九十八条の五第二号の二（第五十七条の二十第一項に係る部分に限る。）、第百九十八条の六第一号（第二十九条の二第一項から第三項まで、第五十九条の二第一項及び第三項、第六十条の二第一項及び第三項、第六十六条の二、第六十六条の二十八、第六十六条の五十一、第八十一条、第百二条の十五、第百六条の十一、第百五十五条の二、第百五十六条の二十三、第百五十六条の二十四第二項から第四項まで並びに第百五十六条の四十に係る部分に限る。）若しくは第十一号の五、第二百条第十三号若しくは第十七号（第百六条の三第一項及び第四項、第百六条の十七第一項及び第三項並びに第百五十六条の五の五第一項及び第四項に係る部分に限る。）、第二百五条第九号、第十三号（第百六条の三第三項（第百六条の十第四項及び第百六条の十七第四項において準用する場合を含む。）及び第百五十六条の五の五第三項に係る部分に限る。）若しくは第十六号、第二百五条の二の三第一号（第三十一条第一項、第五十七条の十四、第六十条の五第一項、第六十三条第八項（第六十三条の三第二項において準用する場合を含む。）、第六十三条の九第七項（第六十三条の十一第二項において準用する場合を含む。）、第六十六条の五第一項、第六十六条の三十一第一項、第六十六条の五十四第一項及び第百五十六条の五十五第一項に係る部分に限る。）、第二号（第三十一条の三及び第六十六条の六に係る部分に限る。）若しくは第四号（第三十六条の二第二項及び第六十六条の八第二項に係る部分に限る。）又は第二百六条第二号（第百四十九条第二項前段（第百五十三条の四において準用する場合を含む。）及び第百五十五条の七に係る部分に限る。）、第八号（第百五十六条の十三に係る部分に限る。）、第九号の二（第百五十六条の二十の十一及び第百五十六条の二十の二十一第二項に係る部分に限る。）若しくは第十号（第百五十六条の二十八第三項に係る部分に限る。）に規定する罪

九　風俗営業等の規制及び業務の適正化等に関する法律（昭和二十三年法律第百二十二号）第四十九条第五号若しくは第六号、第五十条第一項第四号（第二十二条第一項第三号及び第四号（第三十一条の二十三及び第三十二条第三項において準用する場合を含む。）に係る部分に限る。）、第五号（第二十八条第十二項第三号及び第四号に係る部分に限る。）、第六号、第八号（第三十一条の十三第二項第三号及び第四号に係る部分に限る。）、第九号若しくは第十号又は第五十二条第一号に規定する罪

十　大麻取締法（昭和二十三年法律第百二十四号）第二十四条、第二十四条の二、第二十四条の四、第二十四条の六又は第二十四条の七に規定する罪

十一　船員職業安定法（昭和二十三年法律第百三十号）第百十二条第一号、第二号（第三十四条第一項、第五十五条第一項及び第六十条第二項に係る部分に限る。）若しくは第五号又は第百十四条第二号若しくは第三号（第六十一条第一項に係る部分に限る。）に規定する罪

十二　競馬法（昭和二十三年法律第百五十八号）第三十条第三号又は第三十四条に規定する罪

十三　自転車競技法（昭和二十三年法律第二百九号）第五十六条第二号又は第五十八条第三号に規定する罪

十四　建設業法（昭和二十四年法律第百号）第四十七条第一項第一号若しくは第三号又は第五十条第一項第一号、第二号（第十一条第一項及び第三項（第十七条において準用する場合を含む。）に係る部分に限る。）若しくは第三号に規定する罪

十五　弁護士法（昭和二十四年法律第二百五号）第七十七条第三号又は第四号に規定する罪

十六　火薬類取締法（昭和二十五年法律第百四十九号）第五十八条第一号から第四号まで又は第五十九条第二号（第二十一条に係る部分に限る。）、第四号若しくは第五号に規定する罪

十七　小型自動車競走法（昭和二十五年法律第二百八号）第六十一条第二号又は第六十三条第三号に規定する罪

十八　毒物及び劇物取締法（昭和二十五年法律第三百三号）第二十四条第一号（第三条に係る部分に限る。）に規定する罪

十九　港湾運送事業法（昭和二十六年法律第百六十一号）第三十四条第一号に規定する罪

二十　投資信託及び投資法人に関する法律（昭和二十六年法律第百九十八号）第二百四十五条第三号又は第二百四十六条第一号（第百九十一条第一項に係る部分に限る。）若しくは第八号に規定する罪

二十一　モーターボート競走法（昭和二十六年法律第二百四十二号）第六十五条第二号又は第六十八条第三号に規定する罪

二十二　覚醒剤取締法（昭和二十六年法律第二百五十二号）第四十一条、第四十一条の二、第四十一条の三第一項第一号、第三号若しくは第四号、第二項（同条第一項第一号、第三号及び第四号に係る部分に限る。）若しくは第三項（同条第一項第一号、第三号及び第四号並びに第二項に係る部分に限る。）、第四十一条の四第一項第三号から第五号まで、第二項（同条第一項第三号から第五号までに係る部分に限る。）若しくは第三項（同条第一項第三号から第五号まで及び第二項（同条第一項第三号から第五号までに係る部分に限る。）に係る部分に限る。）、第四十一条の六、第四十一条の七、第四十一条の九から第四十一条の十一まで又は第四十一条の十三に規定する罪

二十三　旅券法（昭和二十六年法律第二百六十七号）第二十三条第一項第一号、第二項（同条第一項第一号に係る部分に限る。以下この号において同じ。）又は第三項（同条第一項第一号及び第二項に係る部分に限る。）に規定する罪

二十四　出入国管理及び難民認定法（昭和二十六年政令第三百十九号）第七十四条から第七十四条の六まで、第七十四条の六の二第一項第一号若しくは第二号若しくは第二項、第七十四条の六の三（第七十四条の六の二第一項第一号及び第二号並びに第二項に係る部分に限る。）又は第七十四条の八に規定する罪

二十五　宅地建物取引業法（昭和二十七年法律第百七十六号）第七十九条第一号若しくは第二号、第八十二条第一号、第二号（第十二条第二項に係る部分に限る。）若しくは第三号又は第八十三条第一項第一号（第九条及び第五十三条（第六十三条の三第二項において準用する場合を含む。）に係る部分に限る。）に規定する罪

二十六　酒税法（昭和二十八年法律第六号）第五十四条第一項若しくは第二項又は第五十六条第一項第一号、第五号若しくは第七号に規定する罪

二十七　麻薬及び向精神薬取締法（昭和二十八年法律第十四号）第六十四条から第六十五条まで、第六十六条（小分け、譲渡し、譲受け及び所持に係る部分に限る。）又は第六十七条から第六十八条の二までに規定する罪

二十八　武器等製造法（昭和二十八年法律第百四十五号）第三十一条、第三十一条の二又は第三十一条の三第一号若しくは第四号に規定する罪

二十九　出資の受入れ、預り金及び金利等の取締りに関する法律（昭和二十九年法律第百九十五号）第五条に規定する罪

三十　売春防止法（昭和三十一年法律第百十八号）第六条、第

七条第二項若しくは第三項（同条第二項に係る部分に限る。）、第八条第一項（第七条第二項に係る部分に限る。）又は第十条から第十三条までに規定する罪

三十一　銃砲刀剣類所持等取締法（昭和三十三年法律第六号）第三十一条から第三十一条の四まで、第三十一条の七から第三十一条の九まで、第三十一条の十一第一項第一号若しくは第二号若しくは第二項、第三十一条の十二、第三十一条の十三、第三十一条の十五、第三十一条の十六第一項第一号から第三号まで若しくは第二項、第三十一条の十七、第三十一条の十八第一項若しくは第二項第二号、第三十二条第一号、第三号、第四号若しくは第七号又は第三十五条第二号（第二十二条の二第一項及び第二十二条の四に係る部分に限る。）に規定する罪

三十二　割賦販売法（昭和三十六年法律第百五十九号）第四十九条第二号、第三号若しくは第六号又は第五十三条の二第一号（第三十三条の三第一項、第三十五条の二の十三第一項、第三十五条の三の二十八第一項及び第三十五条の十七の六第一項に係る部分に限る。）に規定する罪

三十三　著作権法（昭和四十五年法律第四十八号）第百十九条第二項第三号に規定する罪

三十四　廃棄物の処理及び清掃に関する法律（昭和四十五年法律第百三十七号）第二十五条第一項第一号、第二号、第八号、第九号、第十三号若しくは第十四号若しくは第二項（同条第一項第十四号に係る部分に限る。）、第二十六条第三号、第四号若しくは第六号（第二十五条第一項第十四号に係る部分に限る。）、第二十九条第一号（第七条の二第四項（第十四条の二第三項及び第十四条の五第三項において読み替えて準用する場合を含む。）及び第九条第六項（第十五条の二の六第三項において読み替えて準用する場合を含む。）に係る部分に限る。）又は第三十条第二号（第七条の二第三項（第十四条の二第三項及び第十四条の五第三項において準用する場合を含む。）、第九条第三項（第十五条の二の六第三項において準用する場合を含む。）及び第九条の七第二項（第十五条の四において準用する場合を含む。）に係る部分に限る。）に規定する罪

三十五　火炎びんの使用等の処罰に関する法律（昭和四十七年法律第十七号）第二条又は第三条に規定する罪

三十六　建設労働者の雇用の改善等に関する法律（昭和五十一年法律第三十三号）第四十九条第一号又は第五十一条第四号若しくは第六号に規定する罪

三十七　銀行法（昭和五十六年法律第五十九号）第六十一条第一号、第六十二条の二第一号又は第六十三条の三第二号（第五十二条の七十八第一項に係る部分に限る。）に規定する罪

三十八　貸金業法（昭和五十八年法律第三十二号）第四十七条第一号若しくは第二号、第四十七条の三第一項第一号、第二号（第十一条第二項に係る部分に限る。）若しくは第三号、第四十八条第一項第一号の三（第二十四条第二項、第二十四条の二第二項、第二十四条の三第二項、第二十四条の四第二項及び第二十四条の五第二項において準用する第十二条の七に係る部分に限る。）、第三号の三（第二十四条第二項、第二十四条の二第二項、第二十四条の三第二項、第二十四条の四第二項及び第二十四条の五第二項において準用する第十六条の三第一項に係る部分に限る。）、第四号の二、第五号（第二十四条第二項、第二十四条の二第二項、第二十四条の三第二項、第二十四条の四第二項及び第二十四条の五第二項において準用する第二十条第三項に係る部分に限る。）、第五号の二、第五号の三若しくは第九号の八、第四十九条第七号、第五十条第一項第一号（第八条第一項に係る部分に限る。）若しくは第二号又は第五十条の二第六号（第四十一条の五十五第一項に係る部分に限る。）に規定する罪

三十九　労働者派遣事業の適正な運営の確保及び派遣労働者の保護等に関する法律（昭和六十年法律第八十八号）第五十九条第一号（第四条第一項に係る部分に限る。）から第三号まで又は第六十一条第一号若しくは第二号（第十一条第一項に係る部分に限る。）に規定する罪

四十　港湾労働法（昭和六十三年法律第四十号）第四十八条第一号又は第五十一条第二号（第十八条第二項において準用する第十二条第二項に規定する申請書及び第十八条第二項において準用する第十二条第三項に規定する書類に係る部分を除く。）若しくは第三号（第十九条第一項に係る部分に限る。）に規定する罪

四十一　国際的な協力の下に規制薬物に係る不正行為を助長する行為等の防止を図るための麻薬及び向精神薬取締法等の特例等に関する法律（平成三年法律第九十四号。以下この号及び第四十七号において「麻薬特例法」という。）第三章に規定する罪のうち、次に掲げる罪

イ　麻薬特例法第五条に規定する罪のうち、次に掲げる行為に係る罪

(1)　大麻取締法第二十四条又は第二十四条の二に規定する罪に当たる行為をすること。

(2)　覚醒剤取締法第四十一条又は第四十一条の二に規定する罪に当たる行為をすること。

(3)　麻薬及び向精神薬取締法第六十四条、第六十四条の二若しくは第六十五条又は第六十六条（小分け、譲渡し及び譲受けに係る部分に限る。）に規定する罪に当たる行為をすること。

ロ　麻薬特例法第六条又は第七条に規定する罪

ハ　麻薬特例法第八条第一項に規定する罪のうち、次に掲げる罪に係る罪

(1)　イ又はホに掲げる罪

(2)　大麻取締法第二十四条に規定する罪

(3)　覚醒剤取締法第四十一条に規定する罪

(4)　麻薬及び向精神薬取締法第六十四条又は第六十五条に規定する罪

ニ　麻薬特例法第八条第二項に規定する罪のうち、次に掲げる罪に係る罪

(1)　イ又はホに掲げる罪

(2)　大麻取締法第二十四条の二に規定する罪

(3)　覚醒剤取締法第四十一条の二に規定する罪

(4)　麻薬及び向精神薬取締法第六十四条の二又は第六十六条に規定する罪

ホ　麻薬特例法第九条に規定する罪のうち、次に掲げる罪に係る罪

(1)　イ又はロに掲げる罪

(2)　大麻取締法第二十四条、第二十四条の二、第二十四条の四、第二十四条の六又は第二十四条の七に規定する罪

(3)　覚醒剤取締法第四十一条、第四十一条の二、第四十一条の六、第四十一条の九又は第四十一条の十一に規定する罪

(4)　麻薬及び向精神薬取締法第六十四条、第六十四条の二、第六十五条、第六十六条（小分け、譲渡し、譲受け及び所持に係る部分に限る。）又は第六十七条から第六十八条の二までに規定する罪

四十二　不動産特定共同事業法（平成六年法律第七十七号）第七十七条第一号、第二号若しくは第五号から第七号まで、第八十二条第一号若しくは第五号又は第八十四条第一号（第五十八条第四項に係る部分を除く。）若しくは第三号に規定する罪

四十三　保険業法（平成七年法律第百五号）第三百十五条第六号、第三百十五条の二第四号から第六号（第二百七十二条の三十五第五項に係る部分に限る。）まで、第三百十六条の三第一号、第三百十七条の二第三号、第三百十九条第九号又は第三百二十条第九号（第三百八条の十八第一項に係る部分に

限る。）に規定する罪

四十四　資産の流動化に関する法律（平成十年法律第百五号）第二百九十四条第一号（第四条第一項に係る部分に限る。）、第三号若しくは第十二号（第四条第二項から第四項まで（これらの規定を第十一条第五項において準用する場合を除く。）及び第九条第二項（第二百二十七条第二項において準用する場合を除く。）に係る部分に限る。）又は第二百九十五条第二号（第二百九条第二項（第二百八十六条第一項において準用する場合を含む。）において準用する第二百十九条の規定による命令に係る部分を除く。）に規定する罪

四十五　債権管理回収業に関する特別措置法（平成十年法律第百二十六号）第三十三条第一号若しくは第二号、第三十四条第一号若しくは第三号又は第三十五条第一号、第二号、第五号、第六号若しくは第八号に規定する罪

四十六　児童買春、児童ポルノに係る行為等の規制及び処罰並びに児童の保護等に関する法律（平成十一年法律第五十二号）第五条、第六条、第七条第二項から第八項まで又は第八条に規定する罪

四十七　組織的な犯罪の処罰及び犯罪収益の規制等に関する法律（平成十一年法律第百三十六号。以下この号において「組織的犯罪処罰法」という。）第二章に規定する罪のうち、次に掲げる罪

イ　組織的犯罪処罰法第三条第一項に規定する罪のうち、同項第二号から第十号まで又は第十二号から第十五号までに規定する罪に当たる行為に係る罪

ロ　組織的犯罪処罰法第三条第二項に規定する罪のうち、同条第一項第二号から第四号まで、第七号から第十号まで、第十二号、第十四号又は第十五号に規定する罪に係る罪

ハ　組織的犯罪処罰法第四条に規定する罪のうち、組織的犯罪処罰法第三条第一項第七号、第九号、第十号（刑法第二百二十五条の二第一項に係る部分に限る。）、第十三号又は第十四号に規定する罪に係る罪

ニ　組織的犯罪処罰法第六条に規定する罪

ホ　組織的犯罪処罰法第六条の二第一項又は第二項に規定する罪のうち、次に掲げる罪に当たる行為に係る罪

(1)　爆発物取締罰則第三条に規定する罪

(2)　刑法第百七十七条第一項若しくは第三項、第二百四条、第二百二十五条、第二百二十六条、第二百二十六条の二第一項、第四項若しくは第五項、第二百二十六条の三、第二百二十七条第一項（第二百二十五条及び第二百二十六条から第二百二十六条の三までに係る部分に限る。）、第三項若しくは第四項、第二百三十五条の二、第二百三十六条又は第二百四十六条の二に規定する罪

(3)　労働基準法第百十七条に規定する罪

(4)　職業安定法第六十三条に規定する罪

(5)　児童福祉法第六十条第一項に規定する罪

(6)　金融商品取引法第百九十七条の二第十号の四、第十号の五若しくは第十号の八から第十号の十までに規定する罪

(7)　大麻取締法第二十四条第一項又は第二十四条の二第一項に規定する罪

(8)　競馬法第三十条第三号に規定する罪

(9)　自転車競技法第五十六条第二号に規定する罪

(10)　小型自動車競走法第六十一条第二号に規定する罪

(11)　モーターボート競走法第六十五条第二号に規定する罪

(12)　覚醒剤取締法第四十一条第一項、第四十一条の二第一項若しくは第二項、第四十一条の三第一項第一号、第三号若しくは第四号若しくは第二項（同条第一項第一号、第三号及び第四号に係る部分に限る。）又は第四十一条の四第一項第三号から第五号までに規定する罪

(13)　旅券法第二十三条第一項第一号に規定する罪

(14)　出入国管理及び難民認定法第七十四条第一項、第七十四条の二第二項、第七十四条の四第一項、第七十四条の六の二第二項又は第七十四条の八第二項に規定する罪

(15)　麻薬及び向精神薬取締法第六十四条第一項、第六十四条の二第一項若しくは第二項、第六十五条第一項若しくは第二項又は第六十六条第一項（小分け、譲渡し、譲受け及び所持に係る部分に限る。）に規定する罪

(16)　武器等製造法第三十一条第一項、第三十一条の二第一項又は第三十一条の三第四号（猟銃の製造に係る部分に限る。）に規定する罪

(17)　出資の受入れ、預り金及び金利等の取締りに関する法律第五条に規定する罪

(18)　売春防止法第八条第一項（第七条第二項に係る部分に限る。）、第十一条第二項、第十二条又は第十三条に規定する罪

(19)　銃砲刀剣類所持等取締法第三十一条第一項（拳銃等の発射に係るものを除く。）、第二項若しくは第三項、第三十一条の二第一項、第三十一条の三第一項（拳銃等の所持に係るものを除く。）、第二項（拳銃等の所持に係るものを除く。）、第三項若しくは第四項、第三十一条の四第一項若しくは第二項、第三十一条の七第一項、第三十一条の八、第三十一条の九第一項、第三十一条の十一第一項第一号若しくは第二号又は第三十一条の十三に規定する罪

(20)　著作権法第百十九条第二項第三号に規定する罪

(21)　廃棄物の処理及び清掃に関する法律第二十五条第一項第一号、第二号、第八号、第九号、第十三号又は第十四号に規定する罪

(22)　火炎びんの使用等の処罰に関する法律第二条第一項に規定する罪

(23)　貸金業法第四十七条第一号又は第二号に規定する罪

(24)　麻薬特例法第六条第一項又は第七条に規定する罪

(25)　児童買春、児童ポルノに係る行為等の規制及び処罰並びに児童の保護等に関する法律第五条第一項、第六条第一項又は第七条第六項から第八項までに規定する罪

(26)　組織的犯罪処罰法第三条第一項（同項第二号から第十号まで及び第十二号から第十五号までに係る部分に限る。）若しくは第二項（同条第一項第二号から第四号まで、第七号から第十号まで、第十二号、第十四号及び第十五号に係る部分に限る。）、第七条（同条第一項第一号から第三号までに係る部分に限る。）、第七条の二第二項、第九条第一項から第三項まで、第十条第一項又は第十一条に規定する罪

(27)　会社法（平成十七年法律第八十六号）第九百七十条第四項に規定する罪

(28)　性的な姿態を撮影する行為等の処罰及び押収物に記録された性的な姿態の影像に係る電磁的記録の消去等に関する法律（令和五年法律第六十七号）第三条第二項又は第五条第一項若しくは第二項に規定する罪

へ　組織的犯罪処罰法第七条、第七条の二又は第九条から第十一条までに規定する罪

四十八　金融サービスの提供及び利用環境の整備等に関する法律（平成十二年法律第百一号）第百四十条第一号、第百四十一条第一号、第百四十二条第一号、第百四十八条第五号、第百四十九条第一号（第十六条第三項第一号に係る部分に限る。）又は第百五十一条第一号、第三号若しくは第六号（第六十七条第一項に係る部分に限る。）に規定する罪

四十九　著作権等管理事業法（平成十二年法律第百三十一号）第二十九条第一号若しくは第二号又は第三十二条第一号に規定する罪

五十　高齢者の居住の安定確保に関する法律（平成十三年法律

第二十六号）第八十条第一号、第二号（第九条第一項及び第十一条第三項に係る部分に限る。）又は第三号（第十四条に係る部分に限る。）に規定する罪

五十一　使用済自動車の再資源化等に関する法律（平成十四年法律第八十七号）第百三十八条第四号若しくは第五号又は第百四十条第二号（第六十三条第一項及び第七十一条第一項に係る部分に限る。）に規定する罪

五十二　インターネット異性紹介事業を利用して児童を誘引する行為の規制等に関する法律（平成十五年法律第八十三号）第三十一条（第十四条第二項に係る部分に限る。）、第三十二条第一号又は第三十四条第一号若しくは第二号に規定する罪

五十三　裁判外紛争解決手続の利用の促進に関する法律（平成十六年法律第百五十一号）第三十二条第一項（第五条に係る部分に限る。）又は第三項第一号（第八条に係る部分に限る。）若しくは第二号に規定する罪

五十四　信託業法（平成十六年法律第百五十四号）第九十一条第一号から第三号まで若しくは第七号から第九号まで、第九十三条第一号、第二号、第九号から第十二号まで、第二十二号、第二十三号、第二十七号若しくは第三十二号、第九十四条第五号、第九十六条第二号又は第九十七条第一号、第三号、第六号、第九号（第七十一条第一項に係る部分に限る。）、第十一号若しくは第十四号に規定する罪

五十五　会社法第九百七十条第二項から第四項までに規定する罪

五十六　探偵業の業務の適正化に関する法律（平成十八年法律第六十号）第十七条（第十五条第二項に係る部分に限る。）、第十八条第一号又は第十九条第一号若しくは第二号に規定する罪

五十七　犯罪による収益の移転防止に関する法律（平成十九年法律第二十二号）第二十八条に規定する罪

五十八　電子記録債権法（平成十九年法律第百二号）第九十五条第一号又は第九十七条第二号に規定する罪

五十九　資金決済に関する法律（平成二十一年法律第五十九号）第百七条第二号（第三十七条、第四十一条第一項、第六十二条の三、第六十二条の七第一項及び第六十三条の二に係る部分に限る。）、第六号、第八号、第九号、第十二号、第十四号、第十五号若しくは第十七号から第十九号まで、第百九条第十一号若しくは第十二号、第百十二条第二号（第三十八条第一項（第四十一条第二項において準用する場合を含む。）及び第二項（第四十一条第二項において準用する場合を含む。）、第六十二条の四第一項（第六十二条の七第二項において準用する場合を含む。）及び第二項（第六十二条の七第二項において準用する場合を含む。）並びに第六十三条の三第一項及び第二項に係る部分に限る。）又は第百十四条第一項（第四十一条第三項及び第四項、第六十二条の七第三項及び第四項並びに第六十三条の六第一項及び第二項に係る部分に限る。）若しくは第七号（第六十三条の三十三第二項及び第七十七条に係る部分に限る。）に規定する罪

六十　性的な姿態を撮影する行為等の処罰及び押収物に記録された性的な姿態の影像に係る電磁的記録の消去等に関する法律第二条から第六条までに規定する罪

（心身の障害により事務を適正に行うことができない者）

第四条　法第五十一条の八第三項第二号への国家公安委員会規則で定める者は、精神機能の障害により確認事務を適正に行うに当たって必要な認知、判断及び意思疎通を適切に行うことができない者とする。

（駐車監視員の着用する記章の制式）

第五条　法第五十一条の十二第四項の国家公安委員会規則で定める記章の制式は、別図のとおりとする。

（駐車監視員資格者講習の公示）

第六条　公安委員会は、法第五十一条の十三第一項第一号イに規定する講習（以下「駐車監視員資格者講習」という。）を行おうとするときは、当該駐車監視員資格者講習の期日の三十日前までに、次に掲げる事項を公示するものとする。

一　駐車監視員資格者講習の期日及び場所

二　受講手続に関する事項

三　その他駐車監視員資格者講習の実施に関し必要な事項

（受講の申込み）

第七条　駐車監視員資格者講習を受けようとする者は、次に掲げる事項を記載した受講申込書を公安委員会に提出しなければならない。

一　本籍（外国人にあっては、国籍。以下同じ。）、住所、氏名及び生年月日

二　受講を希望する年月日

2　前項の受講申込書には、受講の申込み前六月以内に撮影した無帽、正面、上三分身、無背景の写真をはり付けなければならない。

（駐車監視員資格者講習の講習事項等）

第八条　駐車監視員資格者講習は、次に定めるところにより行うものとする。

一　駐車監視員資格者講習は、道路の交通に関する法令の知識その他放置車両の確認及び標章の取付けを適正に行うため必要な技能及び知識について行うこと。

二　駐車監視員資格者講習は、あらかじめ講習計画を作成し、これに基づいて行い、かつ、その方法は、教本、視聴覚教材等必要な教材を用いて行うこと。

三　駐車監視員資格者講習においては、筆記による修了考査を行うこと。

四　駐車監視員資格者講習の講習時間は、十五時間とすること。

（駐車監視員資格者講習修了証明書）

第九条　公安委員会は、駐車監視員資格者講習の課程を修了した者に対し、別記様式第一号の駐車監視員資格者講習修了証明書（以下「修了証明書」という。）を交付するものとする。

2　修了証明書の交付を受けた者は、当該修了証明書を亡失し、又は当該修了証明書が滅失したときは、次に掲げる事項を記載した再交付申請書を当該修了証明書を交付した公安委員会に提出して、その再交付を受けることができる。

一　本籍、住所、氏名及び生年月日

二　修了証明書の番号及び交付年月日

三　再交付を申請する事由

（法第五十一条の十三第一項第一号ロの規定による公安委員会の認定）

第一〇条　法第五十一条の十三第一項第一号ロの規定により公安委員会が放置車両の確認等に関し駐車監視員資格者講習の課程を修了した者と同等以上の技能及び知識を有すると認める者として認定する場合における当該認定は、次の各号のいずれかに該当する者について、その技能及び知識を審査して行うものとする。

一　道路交通関係法令の規定の違反の取締りに関する事務に従事した期間が通算して三年以上である者

二　確認事務における管理的又は監督的地位にあった期間が通算して五年以上である者

三　前二号に掲げる者と同等の経歴を有する者

2　前項の認定を受けようとする者は、本籍、住所、氏名及び生年月日を記載した認定申請書を公安委員会に提出しなければならない。

3　前項の認定申請書には、第一項各号のいずれかに該当する者であることを証する書面を添付しなければならない。

4　公安委員会は、第一項の規定により認定したときは、その者に対し、別記様式第二号の認定書を交付するものとする。

5　前条第二項の規定は、前項の認定書の交付を受けた者について準用する。

（駐車監視員資格者証の交付の申請）

第一一条　法第五十一条の十三第一項の規定による駐車監視員資格者証の交付を受けようとする者は、本籍、住所、氏名及び生年月日を記載した交付申請書を公安委員会に提出しなければならない。

2　前項の交付申請書には、次に掲げる書類及び写真を添付しなければならない。

一　修了証明書又は前条第四項の認定書

二　第二条第二項第三号イからハまでに掲げる書類

三　法第五十一条の十三第一項第二号イからハまでに掲げる者のいずれにも該当しないことを誓約する書面

四　申請前六月以内に撮影した無帽、正面、上三分身、無背景の縦の長さ三・〇センチメートル、横の長さ二・四センチメートルの写真で、その裏面に氏名及び撮影年月日を記入したもの（第十三条第三項において「資格者証用写真」という。）一葉

（駐車監視員資格者証の様式）

第一二条　法第五十一条の十三第一項の駐車監視員資格者証の様式は、別記様式第三号のとおりとする。

（駐車監視員資格者証の書換え交付及び再交付）

第一三条　駐車監視員資格者証の交付を受けた者は、当該駐車監視員資格者証の記載事項に変更があつたときは、次に掲げる事項を記載した書換え交付申請書及び当該駐車監視員資格者証を、当該駐車監視員資格者証を交付した公安委員会に提出して、その書換え交付を申請しなければならない。この場合において、当該公安委員会は、当該書換え交付に係る駐車監視員資格者証の記載事項について、その事実を確認するに足りる資料の提示又は提出を求めることができる。

一　本籍、住所、氏名及び生年月日

二　駐車監視員資格者証の番号及び交付年月日

三　書換え交付を申請する事由

2　駐車監視員資格者証の交付を受けた者は、当該駐車監視員資格者証を亡失し、又は当該駐車監視員資格者証が滅失したときは、次に掲げる事項を記載した再交付申請書を、当該駐車監視員資格者証を交付した公安委員会に提出して、その再交付を受けることができる。

一　本籍、住所、氏名及び生年月日

二　駐車監視員資格者証の番号及び交付年月日

三　再交付を申請する事由

3　第一項の書換え交付申請書及び前項の再交付申請書には、資格者証用写真二葉を添付しなければならない。

（駐車監視員資格者証の返納の命令等）

第一四条　法第五十一条の十三第二項の規定による駐車監視員資格者証の返納の命令は、理由を付した返納命令書を交付して行うものとする。

2　前項の規定による返納命令書の交付を受けた者は、その交付の日から十日以内に、当該駐車監視員資格者証を当該返納命令書を交付した公安委員会に返納しなければならない。

附　則

この規則は、道路交通法の一部を改正する法律（平成十六年法律第九十号）附則第一条第四号に掲げる規定の施行の日〔平成一八・六・一〕から施行する。

附　則〔平成二四・六・一八国家公安委員会規則七〕

（施行期日）

第一条　この規則は、出入国管理及び難民認定法及び日本国との平和条約に基づき日本の国籍を離脱した者等の出入国管理に関する特例法の一部を改正する等の法律（平成二十一年法律第七十九号）の施行の日（平成二十四年七月九日）から施行する。

（経過措置）

第二条　この規則の施行の日前にした行為に対する罰則の適用については、なお従前の例による。

附　則〔平成二四・一〇・一七国家公安委員会規則一二〕

（施行期日）

1　この規則は、平成二十四年十月三十日から施行する。

（経過措置）

2　この規則の施行の日から犯罪による収益の移転防止に関する法律の一部を改正する法律（平成二十三年法律第三十一号）の施行の日の前日までの間は、改正後の〔中略〕確認事務の委託の手続等に関する規則中「犯罪による収益の移転防止に関する法律（平成十九年法律第二十二号）第二十七条に規定する罪」とあるのは、「犯罪による収益の移転防止に関する法律（平成十九年法律第二十二号）第二十六条に規定する罪」とする。

附　則〔平成二七・九・二九国家公安委員会規則一五抄〕

（施行期日）

1　この規則は、労働者派遣事業の適正な運営の確保及び派遣労働者の保護等に関する法律等の一部を改正する法律の施行の日（平成二十七年九月三十日）から施行する。

（経過措置）

2　当分の間、この規則による改正後の次に掲げる国家公安委員会規則の規定中「又は」とあるのは「若しくは」と、「に規定する」とあるのは「又は労働者派遣事業の適正な運営の確保及び派遣労働者の保護等に関する法律等の一部を改正する法律（平成二十七年法律第七十三号）附則第六条第六項（同条第四項に係る部分に限る。）に規定する」とする。

一～五　〔略〕

六　確認事務の委託の手続等に関する規則第三条第三十九号

附　則〔令和元・六・二一国家公安委員会規則三〕

（施行期日）

1　この規則は、令和元年七月一日から施行する。

（経過措置）

2　この規則による改正前の〔中略〕確認事務の委託の手続等に関する規則〔中略〕に規定する様式による書面については、この規則による改正後のこれらの規則に規定する様式にかかわらず、当分の間、なおこれを使用することができる。

附　則〔令和元・一〇・二四国家公安委員会規則八抄〕

（施行期日）

1　この規則は、成年被後見人等の権利の制限に係る措置の適正化等を図るための関係法律の整備に関する法律附則第一条第二号に掲げる規定の施行の日（令和元年十二月十四日）から施行する。〔以下略〕

（経過措置）

3　この規則の施行前にした行為に対する罰則の適用については、なお従前の例による。

附　則〔令和四・九・二八国家公安委員会規則一七〕

この規則は、令和四年十月一日から施行する。

附　則〔令和四・一二・二三国家公安委員会規則二〇〕

この規則は、令和四年十二月二十九日から施行する。

附　則〔令和五・四・二八国家公安委員会規則八〕

この規則は、競馬法の一部を改正する法律附則第一条第二号に掲げる規定の施行の日（令和五年五月一日）から施行する。

附　則〔令和五・五・三一国家公安委員会規則一一〕

この規則は、安定的かつ効率的な資金決済制度の構築を図るための資金決済に関する法律等の一部を改正する法律（令和四年法律第六十一号）の施行の日（令和五年六月一日）から施行する。

附　則〔令和五・七・一〇国家公安委員会規則一二抄〕

（施行期日）

第一条　この規則は、令和五年七月十三日から施行する。

附　則〔令和六・二・一国家公安委員会規則三〕

（施行期日）

この規則は、金融商品取引法等の一部を改正する法律附則第一条第二号に掲げる規定の施行の日（令和六年二月一日）から施行する。

附　則〔令和六・六・二八国家公安委員会規則一〇〕

この規則は、銃砲刀剣類所持等取締法の一部を改正する法律附則第一条第二号に掲げる規定の施行の日（令和六年七月十四日）から施行する。

別図（第5条関係）

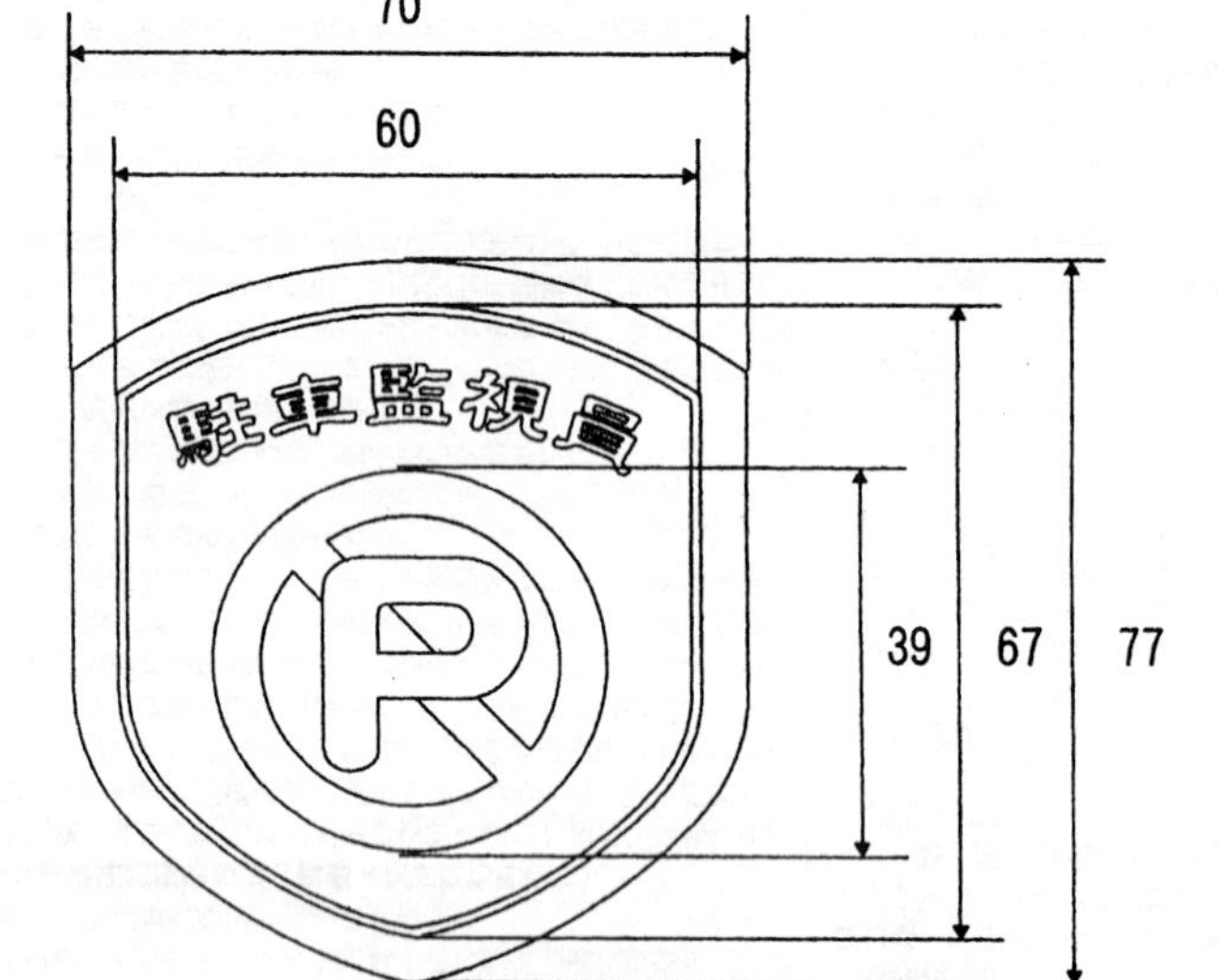

備考　1　円形の記号の部分については、文字の色彩は白色、斜めの帯及び枠の色彩は赤色、地の色彩は紺色とし、その他の部分については、文字及び縁線の色彩は白色、縁の色彩は黒色、地の色彩は紺色とする。
2　図示の長さの単位は、ミリメートルとする。
3　着用部位により必要がある場合にあっては、図示の寸法の2倍まで拡大し、又は図示の寸法の2分の1まで縮小することができる。

別記様式第1号（第9条関係）

第　　　号

駐車監視員資格者講習修了証明書

住　所

氏　名

年　　月　　日生

上記の者は、　　　年　　月　　日道路交通法第51条の13第1項第1号イの駐車監視員資格者講習の課程を修了した者であることを証明する。

年　　月　　日

公　安　委　員　会 印

備考　用紙の大きさは、日本産業規格A列4番とする。

別記様式第２号（第10条関係）

第　　　号

認　定　書

住　所

氏　名

年　　月　　日生

上記の者は、放置車両の確認等に関し道路交通法第５１条の１３第１項第１号イに掲げる者と同等以上の技能及び知識を有する者と認定する。

年　　月　　日

公　安　委　員　会 印

備考　用紙の大きさは、日本産業規格Ａ列４番とする。

別記様式第３号（第12条関係）

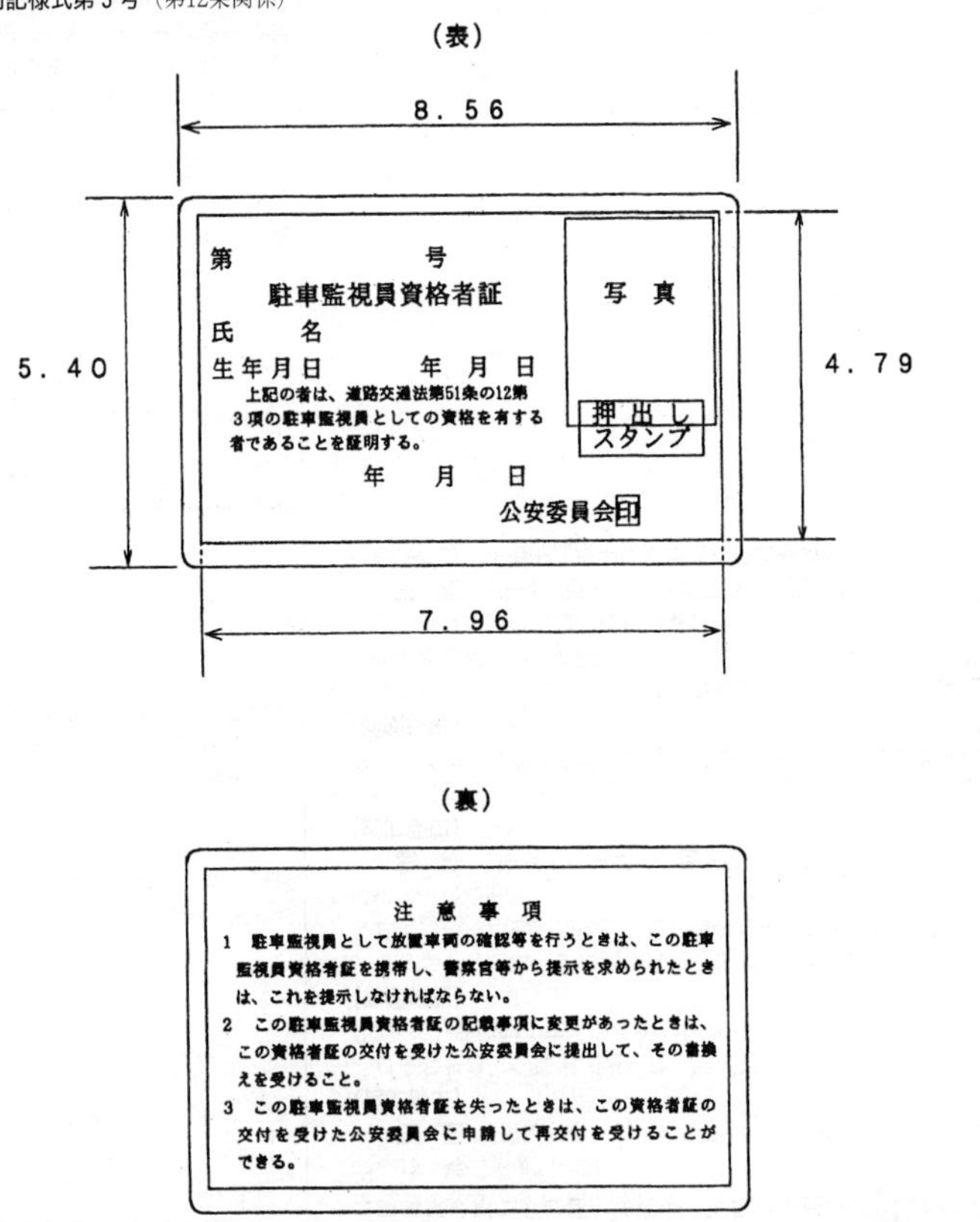

（表）

（裏）

注　意　事　項

1　駐車監視員として放置車両の確認等を行うときは、この駐車監視員資格者証を携帯し、警察官等から提示を求められたときは、これを提示しなければならない。

2　この駐車監視員資格者証の記載事項に変更があったときは、この資格者証の交付を受けた公安委員会に提出して、その書換えを受けること。

3　この駐車監視員資格者証を失ったときは、この資格者証の交付を受けた公安委員会に申請して再交付を受けることができる。

備考　1　用紙の両面に無色透明の薄板を接着させること。
2　図示の長さの単位は、センチメートルとする。

○道路交通法施行規則の規定に基づき、道路交通の管理に関する技術開発に寄与することを目的とする公益法人を指定する等の件

〔令和五・五・一九　国家公安委員会告示二二〕

道路交通法施行規則（昭和三十五年総理府令第六十号）第三十九条の二第四項第三号（同令第三十九条の二の二第三項、第三十九条の三第三項、第三十九条の四第三項、第三十九条の五第三項、第三十九条の六第三項、第三十九条の七第三項、第三十九条の八第三項及び第三十九条の九第三項において準用する場合を含む。）の規定により、令和五年四月二十七日付けで次の法人を指定したので、原動機を用いる歩行補助車等の型式認定の手続等に関する規則（平成四年国家公安委員会規則第十九号）第四条の規定に基づき、告示する。

なお、令和元年国家公安委員会告示第四十六号（道路交通法施行規則の規定に基づき、道路交通の管理に関する技術開発に寄与することを目的とする公益法人を指定する等の件）は、廃止する。

一　名称　公益財団法人日本交通管理技術協会
二　住所　東京都新宿区市谷田町二丁目六番
三　事務所の所在地　東京都新宿区市谷田町二丁目六番

○故障車両の整備確認の手続等に関する命令

〔昭和三五・一二・三　総理府 運輸省 令一〕

改正　前略…昭和六〇・二総・運令一、平成一二・八総・運令一、平成一四・六内府・国交令三

（故障車両運転許可証の様式）
第一条　道路交通法（昭和三十五年法律第百五号。以下「法」という。）第六十三条第三項の規定により交付する許可証の様式は、別記様式第一のとおりとする。

（整備通告書の様式）
第二条　法第六十三条第四項の規定により故障車両（法第六十三条第二項の故障車両をいう。）の運転者に対し交付する文書（以下「整備通告書」という。）の様式は、別記様式第二のとおりとする。

（標章の様式）
第三条　法第六十三条第四項の規定によりはりつける標章の様式は、別記様式第三のとおりとする。

（通知事項）
第四条　法第六十三条第六項の内閣府令・国土交通省令で定める事項は、次の各号に掲げるものとする。
一　整備を要する事項を認めた年月日
二　車両の使用者の氏名又は名称及び住所又は所在地
三　番号標に表示されている番号
四　整備を要する事項

（確認の手続等）
第五条　法第六十三条第七項の規定による確認を受けようとするときは、当該車両及び交付された整備通告書を、もよりの警察署の警察署長又は車両の整備に係る事項について権限を有する行政庁（以下「警察署長又は行政庁」という。）に提示するものとする。
2　警察署長又は行政庁は、当該車両が必要な整備をされていることを確認したときは、当該整備通告書が交付された場所を管轄する警察署長及び当該車両の使用の本拠の位置を管轄する地方運輸局長に対し、その旨を通知するものとする。

附　則
1　この命令は、法施行の日（昭和三十五年十二月二十日）から施行する。
2　道路を通行する諸車若しくは軌道車の構造及び装置の調整又は警告書の交付等に関する命令（昭和二十四年総理府運輸省令第一号）は、廃止する。

附　則〔昭和六〇・二・五総理府・運輸省令一〕
（施行期日）
1　この命令は、道路運送法等の一部を改正する法律の施行の日（昭和六十年四月一日）から施行する。
（経過措置）
2　この命令の施行前に道路交通法の規定により交付された従前の様式による整備通告書は、この命令による改正後の様式によるものとみなす。

附　則〔平成一二・八・一四総理府・運輸省令一〕
（施行期日）
1　この命令は、内閣法の一部を改正する法律（平成十一年法律第八十八号）の施行の日（平成十三年一月六日）から施行する。
（経過措置）
2　整備通告書の様式については、改正後の故障車両の整備確認の手続等に関する命令別記様式第二の様式にかかわらず、当分の間、なお従前の例によることができる。

附　則〔平成一四・六・二八内閣府・国土交通省令三〕
この命令は、平成十四年七月一日から施行する。

別記様式第一

故障車両運転許可証		
運転者	氏名	
	住所	
番号標に表示されている番号		
道路の区間及び通行の経路		
条件		
交付場所		
交付日時		年　月　日　時　分
交付者	所属階級氏名	

11　15

備考　図示の長さの単位は、センチメートルとする。

別記様式第二

(表)

整備通告書		
運転者	氏名	
	住所	
番号標に表示されている番号		
整備を要する事項		
交付場所		
交付日時		年　月　日　時　分
交付者	所属階級氏名	

11　15

備考　図示の長さの単位は、センチメートルとする。

(裏)

あなたの車両は、ただいま検査したところ、表記のとおり整備を要する箇所がありますから、道路交通法第63条第4項の規定によりこの整備通告書を交付します。

この車両を今後運転しようとするときは、必要な整備を済ませ、最寄りの警察署の署長又は運輸監理部長若しくは運輸支局長に、この車両とこの整備通告書を提示して、整備を済ませたことについての確認を受けなければなりません。

整備した場所及び責任者の氏名		
備考		
確認欄	この車両が整備を済ませたことを確認する。	
	確認年月日	年　月　日
	確認者	

別記様式第三

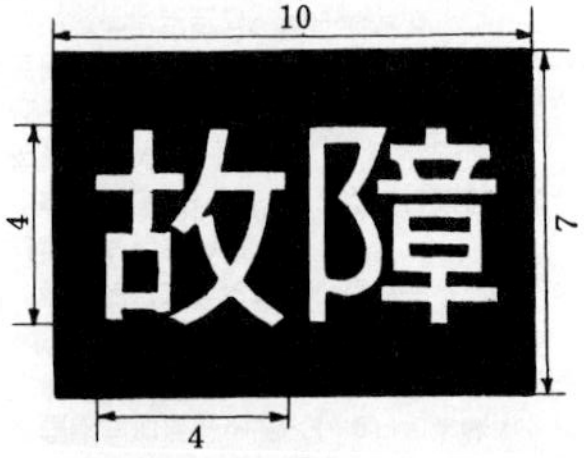

故障

10　7　4　4

備考　1　文字の書体はゴシックとし、文字の色彩は白色、地の色彩は赤色とする。

2　図示の長さの単位は、センチメートルとする。

○道路交通法施行規則の一部を改正する内閣府令附則第二項の規定に基づき、型式認定番号に準ずるものとして国家公安委員会が定めるものを定める件

〔令和五・三・一七
国家公安委員会告示一四〕

道路交通法施行規則の一部を改正する内閣府令（令和五年内閣府令第十七号）附則第二項の規定に基づき、型式認定番号標に準ずるものとして国家公安委員会が定めるものを次のように定める。

特定小型原動機付自転車の性能等確認制度に関する告示（令和四年国土交通省告示第千二百九十四号）第六条第二項に規定する表示

附　則

この告示は、道路交通法の一部を改正する法律（令和四年法律第三十二号）附則第一条第三号に掲げる規定の施行の日（令和五年七月一日）から施行する。

○特定小型原動機付自転車の性能等確認制度に関する告示

〔令和四・一二・二三
国土交通省告示一二九四〕

（目的）

第一条　この告示は、国土交通大臣の認定を受けて特定小型原動機付自転車の道路運送車両の保安基準（昭和二十六年運輸省令第六十七号。以下「保安基準」という。）への適合性及び品質管理に係る体制の確認（以下「性能等確認」という。）を実施しようとする者（以下「性能等確認実施機関」という。）による特定小型原動機付自転車に係る性能等確認並びに当該確認がされた旨の特定小型原動機付自転車への表示の適正な実施に関し必要な事項を定めることにより、運行の用に供される特定小型原動機付自転車の保安基準適合性を確保するとともに、特定小型原動機付自転車が安全に利用される環境の整備を促進することを目的とする。

（定義）

第二条　この告示における用語の定義は、保安基準第一条に定めるところによる。

（性能等確認実施機関の認定）

第三条　性能等確認を実施しようとする者は、次に掲げる事項を定めた性能等確認の実施に関する規程（以下「性能等確認実施規程」という。）を策定し、国土交通大臣の認定を受けることができる。

一　性能等確認の実施方法
二　性能等確認の用に供する設備、機器又は装置
三　性能等確認の実施体制
四　その他性能等確認を適切に実施するために必要な事項

2　国土交通大臣は、前項の認定（以下単に「認定」という。）の申請があった場合において、その申請者が次の各号に掲げる基準に適合すると認めるときは、その認定をすることができる。

一　特定小型原動機付自転車について、性能等確認実施規程に基づき次に掲げる事項を適切に確認できる能力を有すること。
イ　保安基準に適合するものであること。
ロ　均一性を有するものであること。
ハ　設計又は製作の過程に起因する不具合が生じた場合において、特定小型原動機付自転車の製作を業とする者又は外国において本邦に輸出される特定小型原動機付自転車を製作することを業とする者から当該特定小型原動機付自転車を購入する契約を締結している者であって当該特定小型原動機付自転車を輸入することを業とするもの（以下「製作者等」という。）により必要な改善措置が講じられるものであること。
二　前号イに掲げる事項を確認するために必要な設備、機器又は装置を有すること。
三　性能等確認を公平かつ適正に実施するために必要な体制を有すること。

3　国土交通大臣は、認定をしたときは、遅滞なく、当該性能等確認実施機関に係る情報を公表するものとする。

4　認定の有効期間は、五年とする。

5　性能等確認実施機関は、性能等確認実施規程の変更（軽微な変更（当該変更が性能等確認の結果に影響を及ぼさないことが明白なものをいう。次項において同じ。）を除く。）をしようとするときは、前項の規定にかかわらず、あらかじめ、認定を受けなければならない。

6　性能等確認実施機関は、性能等確認実施規程の変更（軽微な変更に限る。）をしたときは、遅滞なく、その旨を国土交通大臣に届け出なければならない。

7　性能等確認実施機関は、性能等確認に係る業務を休止又は廃止しようとするときは、あらかじめ、国土交通大臣に届け出なければならない。

8　第二項から第四項までの規定は、第五項の認定について準用する。

（性能等確認実施要領の届出）

第四条　性能等確認実施機関は、次に掲げる事項を定めた性能等確認の実施手続等に関する要領（以下「性能等確認実施要領」という。）を策定し、性能等確認を実施する前に、国土交通大臣に届け出なければならない。これを変更しようとするときも、同様とする。

一　性能等確認の申請に関する事項
二　性能等確認の実施に関する事項
三　性能等確認の結果の通知に関する事項
四　性能等確認の結果の活用に関する事項
五　その他性能等確認を実施するために必要な事項

（性能等確認の実施）

第五条　性能等確認は、製作者等の申請により行う。

2　性能等確認実施機関は、性能等確認実施規程及び性能等確認

実施要領に基づき、申請に係る特定小型原動機付自転車の型式ごとに性能等確認を実施するものとする。
3　性能等確認実施機関は、性能等確認を実施したときは、遅滞なく、当該確認の結果を第一項の申請者及び国土交通大臣に通知しなければならない。

（性能等確認の結果の活用）

第六条　国土交通大臣は、前条第三項の規定により第三条第二項第一号イからハまでに掲げる事項に適合する旨の通知（以下「適合通知」という。）を受けたときは、遅滞なく、当該通知に係る情報を公表するものとする。
2　適合通知を受けた製作者等は、当該適合通知に係る型式の特定小型原動機付自転車には、特別な表示（次項において単に「表示」という。）を付するものとする。
3　表示は、シールとし、特定小型原動機付自転車がその型式について適合通知を受けたことを示す用途にのみ用いるものとする。
4　性能等確認実施機関は、適合通知を受けた製作者等に対し、少なくとも事業年度ごとに、第二項に係る事項の報告を求めるものとする。

（報告の徴収）

第七条　国土交通大臣は、性能等確認及び当該確認に係る結果の活用の適正な実施を確保するため必要があると認めるときは、性能等確認実施機関に対し、必要な報告を求めることができる。

（認定の取消し等）

第八条　国土交通大臣は、性能等確認実施機関がこの告示の規定に違反していると認めるときは、当該性能等確認実施機関に対し、性能等確認の適正な実施のために必要な措置をとるべきことを命ずることができる。
2　国土交通大臣は、性能等確認実施機関が次の各号のいずれかに該当するときは、認定を取り消すことができる。
一　この告示の規定又は前項の規定による命令に違反したとき。
二　前条の規定による報告を求められて、報告をせず、又は虚偽の報告をしたとき。
三　不正の手段により認定を受けたとき。
3　国土交通大臣は、前項の規定により認定を取り消したときは、速やかに、その旨を公表するものとする。
4　国土交通大臣は、次の各号のいずれかに該当するときは、性能等確認に係る結果の公表を取りやめることができる。
一　当該確認に係る型式の特定小型原動機付自転車が第三条第二項第一号イからハまでに掲げる事項に適合しないと認めるとき。
二　製作者等が不正の手段により適合通知を受けたとき。
三　第二項の規定により認定を取り消した場合において、必要と認めるとき。

附　則

この告示は、公布の日から施行する。

○届出自動車教習所が行う教習の課程の指定に関する規則

〔平成六・二・二五
国家公安委員会規則二〕

改正 平成八・八国公委規八、平成一〇・七国公委規一二、平成一一・一国公委規一、平成一三・一二国公委規一六、平成一四・四国公委規一三、平成一六・一二国公委規二〇、国公委規二二、平成一八・二国公委規二、平成一九・六国公委規一三、八国公委規一九、平成二〇・五国公委規八、平成二四・六国公委規七、平成二五・一国公委規一、一一国公委規一四、平成二六・四国公委規七、一〇国公委規一〇、平成二八・七国公委規一四、令和元・六国公委規三、令和二・六国公委規八、一二国公委規一三、令和四・二国公委規九、九国公委規一六、令和五・三国公委規五

（指定の基準等）

第一条 道路交通法施行令（以下この条及び次条において「令」という。）第三十三条の五の三第一項第一号ハ、第二項第一号ハ又は第四項第一号ハの規定による指定は、道路交通法（昭和三十五年法律第百五号。以下この条、次条及び第八条において「法」という。）第九十八条第二項の規定による届出をした自動車教習所（以下「届出自動車教習所」という。）が運転免許（以下「免許」という。）を受けようとする者に対し行う教習の課程（法第九十九条第一項に規定する指定自動車教習所が当該指定に係る免許を受けようとする者に対し行う教習の課程を除く。）について、当該自動車教習所を設置し、又は管理する者の申請に基づき行うものとする。

2 令第三十三条の五の三第一項第一号ハの規定による指定の基準（大型自動車免許（以下「大型免許」という。）に係る教習の課程（以下「教習課程（大型）」という。）に係るものに限る。）は、次に掲げるとおりとする。

一 届出自動車教習所において自動車の運転に関する技能及び知識の教習に従事する職員で次のいずれかに該当するもの（大型自動車を運転することができる免許（仮運転免許（以下「仮免許」という。）を除く。）を現に受けている者（当該免許の効力を停止されている者を除く。）に限る。以下「大型免許に係る届出自動車教習所指導員」という。）により行われるものであること。

イ 大型免許に係る教習指導員資格者証の交付を受けた者

ロ 法第九十九条の三第四項第一号に該当する者（大型免許に係る者に限る。）又は届出自動車教習所指導員研修課程（自動車安全運転センターが行う届出自動車教習所の職員に対する自動車の運転に関する研修の課程で国家公安委員会が指定するものをいう。以下同じ。）で大型免許に係るものを修了した者であって、次のいずれにも該当しないもの

(1) 二十一歳未満の者

(2) 過去三年以内に法第九十九条の五第五項に規定する卒業証明書若しくは修了証明書又は第五条に規定する終了証明書の発行に関し不正な行為をした者

(3) 法第百十七条の二の二第一項第九号の罪を犯し罰金以上の刑に処せられ、その執行を終わり、又は執行を受けることがなくなった日から起算して三年を経過していない者

(4) 自動車及び一般原動機付自転車（法第十八条第一項に規定する一般原動機付自転車をいう。）の運転に関し自動車の運転により人を死傷させる行為等の処罰に関する法律（平成二十五年法律第八十六号）第二条から第六条までの罪又は法に規定する罪（法第百十七条の二の二第一項第九号の罪を除く。）を犯し禁錮以上の刑に処せられ、その執行を終わり、又は執行を受けることがなくなった日から起算して三年を経過していない者

(5) 法第九十九条の三第五項において準用する法第九十九条の二第五項第二号又は第三号に該当して法第九十九条の三第五項において準用する法第九十九条の二第五項の規定により教習指導員資格者証の返納を命ぜられ、その返納の日から起算して三年を経過していない者

二 次に掲げる設備を使用して行われるものであること。

イ 教習課程（大型）に係る教習を行うために必要な数の大型自動車（専ら貨物を運搬する構造の自動車（以下「貨物自動車」という。）に限る。以下この項において同じ。）、中型自動車（貨物自動車に限る。以下この項及び次項において同じ。）、準中型自動車（貨物自動車に限る。以下同じ。）若しくは普通自動車（これらの自動車のうち、大型免許に係る届出自動車教習所指導員が危険を防止するための応急の措置を講ずることができる装置を備えたものに限る。以下この項において同じ。）又は道路交通法施行規則（昭和三十五年総理府令第六十号。次号において「府令」という。）第三十三条第五項第一号ホの運転シミュレーター（以下「運転シミュレーター」という。）

ロ イに掲げるもののほか、教習課程（大型）に係る教習を行うために必要な建物その他の設備

三 次の表の第一欄に掲げる教習事項の区分に応じ、それぞれ同表の第二欄に掲げる教習方法により、あらかじめ教習計画を作成し、これに基づいて同表の第三欄に掲げる教習時間行われるものであること。

第一欄（教習事項の区分）	第二欄（教習方法）	第三欄（教習時間）
貨物自動車の運転に係る危険の予測その他の貨物自動車の安全な運転に必要な技能	大型自動車又は運転シミュレーターを用い、大型自動車を用いる場合にあっては道路において、運転シミュレーターを用いる場合にあっては届出自動車教習所の建物において行うこと。	二時限以上
貨物自動車の運転に係る危険の予測その他の貨物自動車の安全な運転に必要な知識	教本、視聴覚教材等必要な教材を用い、討論の方式により、届出自動車教習所の建物において行うこと。	一時限以上
夜間における貨物自動車の安全な運転に必要な技能	大型自動車又は運転シミュレーターを用い、大型自動車を用いる場合にあっては道路において、運転シミュレーターを用いる場合にあっては届出自動車教習所の建物において行うこと。	一時限以上
路面が凍結の状態にある場合その他の悪	一 大型自動車、中型自動車、準中型自動車、普通自動車又は運転シミュレーターを用いて	

条件下にある場合における運転の危険性に応じた貨物自動車の安全な運転に必要な技能	行うこと。ただし、大型自動車、中型自動車、準中型自動車又は普通自動車を用いる場合にあっては、凍結の状態にある路面での走行に係る教習（以下「凍結路面教習」という。）を行うことができる設備を併せ用いて行うこと（教習を行う路面の状態により当該設備を用いなくても凍結路面教習を行うことができると認められる場合を除く。）。 二　大型自動車、中型自動車、準中型自動車又は普通自動車を用いる場合にあっては道路又は届出自動車教習所のコースその他の設備において、運転シミュレーターを用いる場合にあっては届出自動車教習所の建物において行うこと。	
気道確保、人工呼吸、心臓マッサージ、止血その他の応急救護処置に必要な知識	一　教本、府令第三十三条第五項第二号ニの模擬人体装置（以下「模擬人体装置」という。）、視聴覚教材等必要な教材を用い、届出自動車教習所の建物その他の設備において行うこと。 二　大型免許に係る届出自動車教習所指導員（都道府県公安委員会（以下「公安委員会」という。）が応急救護処置の指導に必要な能力を有すると認める者に限る。）が行うこと。 三　模擬人体装置による応急救護処置に関する実技訓練を含むものであること。	三時限以上

備考

一　この表において、教習時間は、一教習時限につき五十分とする。

二　教習は、大型自動車仮免許を現に受けている者に対し行うものとする。

三　運転シミュレーターによる教習は、届出自動車教習所の建物以外の設備において行うことにより届出自動車教習所の建物において行ったのと同等の教習効果があると認められる場合にあっては、当該届出自動車教習所の建物以外の設備において行うことができる。

四　貨物自動車の運転に係る危険の予測その他の貨物自動車の安全な運転に必要な技能に係る教習のうち、運転シミュレーターを用いて行うものについては、大型自動車を用いて行うものと併せて行うものとする。

五　貨物自動車の運転に係る危険の予測その他の貨物自動車の安全な運転に必要な技能に係る教習のうち、貨物自動車の運転に係る危険を予測した運転（以下「貨物自動車の危険予測運転」という。）に必要な技能に基づく走行に係る教習を除いたものについては、届出自動車教習所のコースその他の設備において行うことにより道路において行ったのと同等の教習効果があると認められる場合にあっては、当該届出自動車教習所のコースその他の設備において行うことができる。

六　貨物自動車の運転に係る危険の予測その他の貨物自動車の安全な運転に必要な技能に係る教習の一部として行う荷重が貨物自動車の運転操作に与える影響を理解するための走行に係る教習（次項において「荷重教習」という。）については、中型自動車又は準中型自動車を用いて行うことができる。

七　夜間における貨物自動車の安全な運転に必要な技能に係る教習については、夜間における道路での教習が困難と認められる場合には、日没時に近接した時間に届出自動車教習所のコースその他の設備において公安委員会が適当と認める方法により行うことができる。

八　夜間における貨物自動車の安全な運転に必要な技能に係る教習の一部であって、夜間対向車の灯火により眩惑されることとその他交通の状況を視覚により認知することが困難になることを体験すること（以下「眩惑等体験」という。）によるものについては、大型自動車及び運転シミュレーターを用いず、又は大型自動車を用いて行う場合に届出自動車教習所のコースその他の設備において行うことができる。

九　路面が凍結の状態にある場合その他の悪条件下にある場合における運転の危険性に応じた貨物自動車の安全な運転に必要な技能に係る教習のうち、大型自動車、中型自動車、準中型自動車又は普通自動車及び凍結路面教習を行うことができる設備を用いて行うものについては、届出自動車教習所のコースその他の設備において行うことにより届出自動車教習所のコースその他の設備以外の設備において行ったのと同等の教習効果があると認められる場合にあっては、当該届出自動車教習所のコースその他の設備以外の設備において行うことができる。

十　現に普通自動車免許（以下「普通免許」という。）、大型自動二輪車免許（以下「大型二輪免許」という。）若しくは普通自動二輪車免許（以下「普通二輪免許」という。）を受けている者又は令第三十三条の五の三第一項第二号ニ若しくはホに該当する者に対しては、気道確保、人工呼吸、心臓マッサージ、止血その他の応急救護処置に必要な知識に係る教習を行わないことができる。

3　令第三十三条の五の三第一項第一号ハの規定による指定の基準（中型自動車免許（以下「中型免許」という。）に係る教習の課程（以下「教習課程（中型）」という。）に係るものに限る。）は、次に掲げるとおりとする。

一　届出自動車教習所において自動車の運転に関する技能及び知識の教習に従事する職員で次のいずれかに該当するもの（中型自動車を運転することができる免許（仮免許を除く。）を現に受けている者（当該免許の効力を停止されている者を除く。）に限る。以下「中型免許に係る届出自動車教習所指導員」という。）により行われるものであること。

イ　中型免許に係る教習指導員資格者証の交付を受けた者

ロ　法第九十九条の三第四項第一号に該当する者（中型免許に係る者に限る。）又は届出自動車教習所指導員研修課程で中型免許に係るものを修了した者であって、前項第一号ロ(1)から(5)までのいずれにも該当しないものであること。

二　次に掲げる設備を使用して行われるものであること。

イ　教習課程（中型）に係る教習を行うために必要な数の中型自動車、準中型自動車若しくは普通自動車（これらの自動車のうち、中型免許に係る届出自動車教習所指導員が危険を防止するための応急の措置を講ずることができる装置を備えたものに限る。以下この項において同じ。）又は運

転シミュレーター

ロ　イに掲げるもののほか、教習課程（中型）に係る教習を行うために必要な建物その他の設備

三　次の表の第一欄に掲げる教習事項の区分に応じ、それぞれ同表の第二欄に掲げる教習方法により、あらかじめ教習計画を作成し、これに基づいて同表の第三欄に掲げる教習時間行われるものであること。

第一欄（教習事項の区分）	第二欄（教習方法）	第三欄（教習時間）
貨物自動車の運転に係る危険の予測その他の貨物自動車の安全な運転に必要な技能	中型自動車又は運転シミュレーターを用い、中型自動車を用いる場合にあっては道路において、運転シミュレーターを用いる場合にあっては届出自動車教習所の建物において行うこと。	二時限以上
貨物自動車の運転に係る危険の予測その他の貨物自動車の安全な運転に必要な知識	教本、視聴覚教材等必要な教材を用い、討論の方式により、届出自動車教習所の建物において行うこと。	一時限以上
夜間における貨物自動車の安全な運転に必要な技能	中型自動車又は運転シミュレーターを用い、中型自動車を用いる場合にあっては道路において、運転シミュレーターを用いる場合にあっては届出自動車教習所の建物において行うこと。	一時限以上
路面が凍結の状態にある場合その他の悪条件下にある場合における運転の危険性に応じた貨物自動車の安全な運転に必要な技能	一　中型自動車、準中型自動車、普通自動車又は運転シミュレーターを用いて行うこと。ただし、中型自動車、準中型自動車又は普通自動車を用いる場合にあっては、凍結路面教習を行うことができる設備を併せ用いて行うこと（教習を行う路面の状態により当該設備を用いなくても凍結路面教習を行うことができると認められる場合を除く。）。 二　中型自動車、準中型自動車又は普通自動車を用いる場合にあっては道路又は届出自動車教習所のコースその他の設備において、運転シミュレーターを用いる場合にあっては届出自動車教習所の建物において行うこと。	
気道確保、人工呼吸、心臓マッサージ、止血その他の応急救護処置に必要な知識	一　教本、模擬人体装置、視聴覚教材等必要な教材を用い、届出自動車教習所の建物その他の設備において行うこと。 二　中型免許に係る届出自動車教習所指導員（公安委員会が応急救護処置の指導に必要な能力を有すると認める者に限る。）が行うこと。 三　模擬人体装置による応急救護処置に関する実技訓練を含むものであること。	三時限以上

備考

一　この表において、教習時間は、一教習時限につき五十分とする。

二　教習は、大型自動車仮免許又は中型自動車仮免許を現に受けている者に対し行うものとする。

三　運転シミュレーターによる教習は、届出自動車教習所の建物以外の設備において行うことにより届出自動車教習所の建物において行ったのと同等の教習効果があると認められる場合にあっては、当該届出自動車教習所の建物以外の設備において行うことができる。

四　貨物自動車の運転に係る危険の予測その他の貨物自動車の安全な運転に必要な技能に係る教習のうち、運転シミュレーターを用いて行うものについては、中型自動車を用いて行うものと併せて行うものとする。

五　貨物自動車の運転に係る危険の予測その他の貨物自動車の安全な運転に必要な技能に係る教習のうち、貨物自動車の危険予測運転に必要な技能に基づく走行に係る教習を除いたものについては、届出自動車教習所のコースその他の設備において行うことにより道路において行ったのと同等の教習効果があると認められる場合にあっては、当該届出自動車教習所のコースその他の設備において行うことができる。

六　貨物自動車の運転に係る危険の予測その他の貨物自動車の安全な運転に必要な技能に係る教習の一部として行う荷重教習については、準中型自動車を用いて行うことができる。

七　夜間における貨物自動車の安全な運転に必要な技能に係る教習については、夜間における道路での教習が困難と認められる場合には、日没時に近接した時間に届出自動車教習所のコースその他の設備において公安委員会が適当と認める方法により行うことができる。

八　夜間における貨物自動車の安全な運転に必要な技能に係る教習の一部であって、眩惑等体験によるものについては、中型自動車及び運転シミュレーターを用いず、又は中型自動車を用いて行う場合に届出自動車教習所のコースその他の設備において行うことができる。

九　路面が凍結の状態にある場合その他の悪条件下にある場合における運転の危険性に応じた貨物自動車の安全な運転に必要な技能に係る教習のうち、中型自動車、準中型自動車又は普通自動車及び凍結路面教習を行うことができる設備を用いて行うものについては、届出自動車教習所のコースその他の設備以外の設備において行うことにより届出自動車教習所のコースその他の設備において行ったのと同等の教習効果があると認められる場合にあっては、当該届出自動車教習所のコースその他の設備以外の設備において行

うことができる。

十　現に普通免許、大型二輪免許若しくは普通二輪免許を受けている者又は令第三十三条の五の三第一項第二号ニ若しくはホに該当する者に対しては、気道確保、人工呼吸、心臓マッサージ、止血その他の応急救護処置に必要な知識に係る教習を行わないことができる。

4　令第三十三条の五の三第一項第一号ハの規定による指定の基準（準中型自動車免許（以下「準中型免許」という。）に係る教習の課程（以下「教習課程（準中型）」という。）に係るものに限る。）は、次に掲げるとおりとする。

一　届出自動車教習所において自動車の運転に関する技能及び知識の教習に従事する職員で次のいずれかに該当するもの（準中型自動車を運転することができる免許（仮免許を除く。）を現に受けている者（当該免許の効力を停止されている者を除く。）に限る。以下「準中型免許に係る届出自動車教習所指導員」という。）により行われるものであること。

イ　準中型免許に係る教習指導員資格者証の交付を受けた者

ロ　法第九十九条の三第四項第一号に該当する者（準中型免許に係る者に限る。）又は届出自動車教習所指導員研修課程で準中型免許に係るものを修了した者であって、第二項第一号ロ(1)から(5)までのいずれにも該当しないもの

二　次に掲げる設備を使用して行われるものであること。

イ　教習課程（準中型）に係る教習を行うために必要な数の準中型自動車若しくは普通自動車（これらの自動車のうち、準中型免許に係る届出自動車教習所指導員が危険を防止するための応急の措置を講ずることができる装置を備えたものに限る。以下この項において同じ。）又は運転シミュレーター

ロ　イに掲げるもののほか、教習課程（準中型）に係る教習を行うために必要な建物その他の設備

三　次の表の第一欄に掲げる教習事項の区分に応じ、それぞれ同表の第二欄に掲げる教習方法により、あらかじめ教習計画を作成し、これに基づいて同表の第三欄に掲げる教習時間行われるものであること。

第一欄（教習事項の区分）	第二欄（教習方法）	第三欄（教習時間）
貨物自動車の運転に係る危険の予測その他の貨物自動車の安全な運転に必要な技能	準中型自動車又は運転シミュレーターを用い、準中型自動車を用いる場合にあっては道路において、運転シミュレーターを用いる場合にあっては届出自動車教習所の建物において行うこと。ただし、交通の状況を聴覚により認知することができない状態で行う運転に係る危険を予測した運転に必要な技能に基づく走行に係る教習については、準中型自動車を用い、届出自動車教習所のコースにおいて行うこと。	二時限以上
普通乗用自動車（普通自動車のうち、貨物自動車を除いたものをいう。以下この表において同じ。）の運転に係る危険の予測その他の普通乗用自動車の安全な運転に必要な技能	普通乗用自動車又は運転シミュレーターを用い、普通乗用自動車を用いる場合にあっては道路において、運転シミュレーターを用いる場合にあっては届出自動車教習所の建物において行うこと。ただし、交通の状況を聴覚により認知することができない状態で行う運転に係る危険を予測した運転に必要な技能に基づく走行に係る教習については、普通乗用自動車を用い、届出自動車教習所のコースにおいて行うこと。	一時限以上
貨物自動車及び普通乗用自動車の運転に係る危険の予測その他の貨物自動車及び普通乗用自動車の安全な運転に必要な知識	教本、視聴覚教材等必要な教材を用い、討論の方式により、届出自動車教習所の建物において行うこと。	二時限以上
夜間における貨物自動車の安全な運転に必要な技能	準中型自動車又は運転シミュレーターを用い、準中型自動車を用いる場合にあっては道路において、運転シミュレーターを用いる場合にあっては届出自動車教習所の建物において行うこと。	一時限以上
路面が凍結の状態にある場合その他の悪条件下にある場合における運転の危険性に応じた貨物自動車の安全な運転に必要な技能	一　準中型自動車、普通自動車又は運転シミュレーターを用いて行うこと。ただし、準中型自動車又は普通自動車を用いる場合にあっては、凍結路面教習を行うことができる設備を併せ用いて行うこと（教習を行う路面の状態により当該設備を用いなくても凍結路面教習を行うことができると認められる場合を除く。）。 二　準中型自動車又は普通自動車を用いる場合にあっては道路又は届出自動車教習所のコースその他の設備において、運転シミュレーターを用いる場合にあっては届出自動車教習所の建物において行うこと。	
高速自動車国道及び自動車専用道路（以	普通自動車又は運転シミュレーターを用い、普通自動車を用いる場合にあっては高速自動車国	一時限以上

下「高速自動車国道等」という。）における普通自動車の安全な運転に必要な技能	道等において、運転シミュレーターを用いる場合にあっては届出自動車教習所の建物において行うこと。	
高速自動車国道等における普通自動車の安全な運転に必要な知識	教本、視聴覚教材等必要な教材を用い、届出自動車教習所の建物において行うこと。	一時限以上
気道確保、人工呼吸、心臓マッサージ、止血その他の応急救護処置に必要な知識	一　教本、模擬人体装置、視聴覚教材等必要な教材を用い、届出自動車教習所の建物その他の設備において行うこと。 二　準中型免許に係る届出自動車教習所指導員（公安委員会が応急救護処置の指導に必要な能力を有すると認める者に限る。）が行うこと。 三　模擬人体装置による応急救護処置に関する実技訓練を含むものであること。	三時限以上

備考

一　この表において、教習時間は、一教習時限につき五十分とする。

二　教習は、大型自動車仮免許、中型自動車仮免許又は準中型自動車仮免許を現に受けている者に対し行うものとする。

三　現に普通免許を受けている者に対しては、普通乗用自動車の運転に係る危険の予測その他の普通乗用自動車の安全な運転に必要な技能、貨物自動車及び普通乗用自動車の運転に係る危険の予測その他の貨物自動車及び普通乗用自動車の安全な運転に必要な知識（普通乗用自動車に係るものに限る。）、高速自動車国道等における普通自動車の安全な運転に必要な技能並びに高速自動車国道等における普通自動車の安全な運転に必要な知識に係る教習を行わないこととする。

四　現に普通免許を受けている者に対する教習のうち、貨物自動車及び普通乗用自動車の運転に係る危険の予測その他の貨物自動車及び普通乗用自動車の安全な運転に必要な知識（貨物自動車に係るものに限る。）に係る教習の教習時間は一時限以上とする。

五　運転シミュレーターによる教習は、届出自動車教習所の建物以外の設備において行うことにより届出自動車教習所の建物において行ったのと同等の教習効果があると認められる場合にあっては、当該届出自動車教習所の建物以外の設備において行うことができる。

六　貨物自動車の運転に係る危険の予測その他の貨物自動車の安全な運転に必要な技能に係る教習のうち、運転シミュレーターを用いて行うものについては、準中型自動車を用いて行うものと併せて行うものとする。

七　普通乗用自動車の運転に係る危険の予測その他の普通乗用自動車の安全な運転に必要な技能に係る教習のうち、運転シミュレーターを用いて行うものについては、普通乗用自動車を用いて行うものと併せて行うものとする。

八　貨物自動車の運転に係る危険の予測その他の貨物自動車の安全な運転に必要な技能に係る教習のうち、貨物自動車の危険予測運転に必要な技能に基づく走行に係る教習を除いたものについては、届出自動車教習所のコースその他の設備において行うことにより道路において行ったのと同等の教習効果があると認められる場合にあっては、当該届出自動車教習所のコースその他の設備において行うことができる。

九　夜間における貨物自動車の安全な運転に必要な技能に係る教習については、夜間における道路での教習が困難と認められる場合には、日没時に近接した時間に届出自動車教習所のコースその他の設備において公安委員会が適当と認める方法により行うことができる。

十　夜間における貨物自動車の安全な運転に必要な技能に係る教習の一部であって、眩惑等体験によるものについては、準中型自動車及び運転シミュレーターを用いず、又は準中型自動車を用いて行う場合に届出自動車教習所のコースその他の設備において行うことができる。

十一　路面が凍結の状態にある場合その他の悪条件下にある場合における運転の危険性に応じた貨物自動車の安全な運転に必要な技能に係る教習のうち、準中型自動車又は普通自動車及び凍結路面教習を行うことができる設備を用いて行うものについては、届出自動車教習所のコースその他の設備以外の設備において行うことにより届出自動車教習所のコースその他の設備において行ったのと同等の教習効果があると認められる場合にあっては、当該届出自動車教習所のコースその他の設備以外の設備において行うことができる。

十二　現に普通免許、大型二輪免許若しくは普通二輪免許を受けている者又は令第三十三条の五の三第一項第二号ニ若しくはホに該当する者に対しては、気道確保、人工呼吸、心臓マッサージ、止血その他の応急救護処置に必要な知識に係る教習を行わないことができる。

5　令第三十三条の五の三第一項第一号ハの規定による指定の基準（普通免許に係る教習の課程（以下「教習課程（普通）」という。）に係るものに限る。）は、次に掲げるとおりとする。

一　届出自動車教習所において自動車の運転に関する技能及び知識の教習に従事する職員で次のいずれかに該当するもの（普通自動車を運転することができる免許（仮免許を除く。）を現に受けている者（当該免許の効力を停止されている者を除く。）に限る。以下「普通免許に係る届出自動車教習所指導員」という。）により行われるものであること。

イ　普通免許に係る教習指導員資格者証の交付を受けた者

ロ　法第九十九条の三第四項第一号に該当する者（普通免許に係る者に限る。）又は届出自動車教習所指導員研修課程で普通免許に係るものを修了した者であって、第二項第一号ロ(1)から(5)までのいずれにも該当しないもの

二　次に掲げる設備を使用して行われるものであること。

イ　教習課程（普通）に係る教習を行うために必要な数の普通自動車（普通免許に係る届出自動車教習所指導員が危険を防止するための応急の措置を講ずることができる装置を備えたものに限る。以下この項において同じ。）又は運転シミュレーター

ロ　イに掲げるもののほか、教習課程（普通）に係る教習を

行うために必要な建物その他の設備

三　次の表の第一欄に掲げる教習事項の区分に応じ、それぞれ同表の第二欄に掲げる教習方法により、あらかじめ教習計画を作成し、これに基づいて同表の第三欄に掲げる教習時間行われるものであること。

第一欄（教習事項の区分）	第二欄（教習方法）	第三欄（教習時間）
普通自動車の運転に係る危険の予測その他の安全な運転に必要な技能	普通自動車又は運転シミュレーターを用い、普通自動車を用いる場合にあっては道路において、運転シミュレーターを用いる場合にあっては届出自動車教習所の建物において行うこと。ただし、交通の状況を聴覚により認知することができない状態で行う運転に係る危険を予測した運転に必要な技能に基づく走行に係る教習については、普通自動車を用い、届出自動車教習所のコースにおいて行うこと。	一時限以上
普通自動車の運転に係る危険の予測その他の安全な運転に必要な知識	教本、視聴覚教材等必要な教材を用い、討論の方式により、届出自動車教習所の建物において行うこと。	一時限以上
高速自動車国道等における普通自動車の安全な運転に必要な技能	普通自動車又は運転シミュレーターを用い、普通自動車を用いる場合にあっては高速自動車国道等において、運転シミュレーターを用いる場合にあっては届出自動車教習所の建物において行うこと。	一時限以上
高速自動車国道等における普通自動車の安全な運転に必要な知識	教本、視聴覚教材等必要な教材を用い、届出自動車教習所の建物において行うこと。	一時限以上
気道確保、人工呼吸、心臓マッサージ、止血その他の応急救護処置に必要な知識	一　教本、模擬人体装置、視聴覚教材等必要な教材を用い、届出自動車教習所の建物その他の設備において行うこと。 二　普通免許に係る届出自動車教習所指導員（公安委員会が応急救護処置の指導に必要な能力を有すると認める者に限る。）が行うこと。 三　模擬人体装置による応急救護処置に関する実技訓練を含むものであること。	三時限以上

備考

一　この表において、教習時間は、一教習時限につき五十分とする。

二　教習は、仮免許を現に受けている者に対し行うものとする。

三　運転シミュレーターによる教習は、届出自動車教習所の建物以外の設備において行うことにより届出自動車教習所の建物において行ったのと同等の教習効果があると認められる場合にあっては、当該届出自動車教習所の建物以外の設備において行うことができる。

四　普通自動車の運転に係る危険の予測その他の安全な運転に必要な技能に係る教習のうち、運転シミュレーターを用いて行うものについては、普通自動車を用いて行うものと併せて行うものとする。

五　現に大型二輪免許若しくは普通二輪免許を受けている者又は令第三十三条の五の三第一項第二号ニ若しくはホに該当する者に対しては、気道確保、人工呼吸、心臓マッサージ、止血その他の応急救護処置に必要な知識に係る教習を行わないことができる。

6　令第三十三条の五の三第二項第一号ハの規定による指定の基準（大型二輪免許に係る教習の課程（以下「教習課程（大自二）」という。）に係るものに限る。）は、次に掲げるとおりとする。

一　届出自動車教習所において自動車の運転に関する技能及び知識の教習に従事する職員で次のいずれかに該当するもの（大型二輪免許を現に受けている者（当該免許の効力を停止されている者を除く。）に限る。以下「大型二輪免許に係る届出自動車教習所指導員」という。）により行われるものであること。

イ　大型二輪免許に係る教習指導員資格者証の交付を受けた者

ロ　法第九十九条の三第四項第一号に該当する者（大型二輪免許に係る者に限る。）又は届出自動車教習所指導員研修課程で大型二輪免許に係るものを修了した者であって、第二項第一号ロ⑴から⑸までのいずれにも該当しないもの

二　次に掲げる設備を使用して行われるものであること。

イ　教習課程（大自二）に係る教習を行うために必要な数の大型自動二輪車及び運転シミュレーター

ロ　おおむね長円形で、五十メートル以上の距離を直線走行することができる部分を有する周回コース

ハ　おおむね直線で、周回コースと連絡し、コースが相互に十字形に交差する幹線コース

ニ　イからハまでに掲げるもののほか、教習課程（大自二）に係る教習を行うために必要な建物その他の設備

三　次の表の第一欄に掲げる教習事項の区分に応じ、それぞれ同表の第二欄に掲げる教習方法により、あらかじめ教習計画を作成し、これに基づいて同表の第三欄に掲げる教習時間行われるものであること。

第一欄（教習事項の区分）	第二欄（教習方法）	第三欄（教習時間）
大型自動二輪車の運転に係る危険の予測その他の安全な運転に必要な技能	大型自動二輪車及び運転シミュレーターを用い、大型自動二輪車を用いる場合にあってはコースにおいて、運転シミュレーターを用いる場合にあっては届出自動車教習所の建物において行うこと。	二時限以上
大型自動二輪車の運転に係る危険の予測その他の安全な運転に必要な知識及び大型自動二輪車	教本、視聴覚教材等必要な教材を用い、届出自動車教習所の建物において行うこと。	一時限以上

の二人乗り運転に関する知識		
気道確保、人工呼吸、心臓マッサージ、止血その他の応急救護処置に必要な知識	一　教本、模擬人体装置、視聴覚教材等必要な教材を用い、届出自動車教習所の建物その他の設備において行うこと。 二　大型二輪免許に係る届出自動車教習所指導員（公安委員会が応急救護処置の指導に必要な能力を有すると認める者に限る。）が行うこと。 三　模擬人体装置による応急救護処置に関する実技訓練を含むものであること。	三時限以上

備考
一　この表において、教習時間は、一教習時限につき五十分とする。
二　運転シミュレーターによる教習は、届出自動車教習所の建物以外の設備において行うことにより届出自動車教習所の建物において行ったのと同等の教習効果があると認められる場合にあっては、当該届出自動車教習所の建物以外の設備において行うことができる。
三　現に普通自動車を運転することができる免許を受けている者又は令第三十三条の五の三第一項第二号ニ若しくはホに該当する者に対しては、気道確保、人工呼吸、心臓マッサージ、止血その他の応急救護処置に必要な知識に係る教習を行わないことができる。

7　令第三十三条の五の三第二項第一号ハの規定による指定の基準（普通二輪免許に係る教習の課程（以下「教習課程（普自二）」という。）に限る。）は、次に掲げるとおりとする。

一　届出自動車教習所において自動車の運転に関する技能及び知識の教習に従事する職員で次のいずれかに該当するもの（大型二輪免許又は普通二輪免許を現に受けている者（当該免許の効力を停止されている者を除く。）に限る。以下「普通二輪免許に係る届出自動車教習所指導員」という。）により行われるものであること。

イ　普通二輪免許に係る教習指導員資格者証の交付を受けた者

ロ　法第九十九条の三第四項第一号に該当する者（普通二輪免許に係る者に限る。）又は届出自動車教習所指導員研修課程で普通二輪免許に係るものを修了した者であって、第二項第一号ロ(1)から(5)までのいずれにも該当しないものであること。

二　次に掲げる設備を使用して行われるものであること。

イ　教習課程（普自二）に係る教習を行うために必要な数の普通自動二輪車及び運転シミュレーター

ロ　おおむね長円形で、五十メートル以上の距離を直線走行することができる部分を有する周回コース

ハ　おおむね直線で、周回コースと連絡し、コースが相互に十字形に交差する幹線コース

ニ　イからハまでに掲げるもののほか、教習課程（普自二）に係る教習を行うために必要な建物その他の設備

三　次の表の第一欄に掲げる教習事項の区分に応じ、それぞれ同表の第二欄に掲げる教習方法により、あらかじめ教習計画を作成し、これに基づいて同表の第三欄に掲げる教習時間行われるものであること。

第一欄（教習事項の区分）	第二欄（教習方法）	第三欄（教習時間）
普通自動二輪車の運転に係る危険の予測その他の安全な運転に必要な技能	普通自動二輪車及び運転シミュレーターを用い、普通自動二輪車を用いる場合にあっては届出自動車教習所のコースにおいて、運転シミュレーターを用いる場合にあっては届出自動車教習所の建物において行うこと。	二時限以上
普通自動二輪車の運転に係る危険の予測その他の安全な運転に必要な知識及び普通自動二輪車の二人乗り運転に関する知識	教本、視聴覚教材等必要な教材を用い、届出自動車教習所の建物において行うこと。	一時限以上
気道確保、人工呼吸、心臓マッサージ、止血その他の応急救護処置に必要な知識	一　教本、模擬人体装置、視聴覚教材等必要な教材を用い、届出自動車教習所の建物その他の設備において行うこと。 二　普通二輪免許に係る届出自動車教習所指導員（公安委員会が応急救護処置の指導に必要な能力を有すると認める者に限る。）が行うこと。 三　模擬人体装置による応急救護処置に関する実技訓練を含むものであること。	三時限以上

備考
一　この表において、教習時間は、一教習時限につき五十分とする。
二　運転シミュレーターによる教習は、届出自動車教習所の建物以外の設備において行うことにより届出自動車教習所の建物において行ったのと同等の教習効果があると認められる場合にあっては、当該届出自動車教習所の建物以外の設備において行うことができる。
三　現に普通自動車を運転することができる免許を受けている者又は令第三十三条の五の三第一項第二号ニ若しくはホに該当する者に対しては、気道確保、人工呼吸、心臓マッサージ、止血その他の応急救護処置に必要な知識に係る教習を行わないことができる。

8　令第三十三条の五の三第四項第一号ハの規定による指定の基準（大型自動車第二種免許（以下「大型第二種免許」という。）に係る教習の課程（以下「教習課程（大型二種）」という。）に係るものに限る。）は、次に掲げるとおりとする。

一　届出自動車教習所において自動車の運転に関する技能及び知識の教習に従事する職員で次のいずれかに該当するもの（大型第二種免許を現に受けている者（当該免許の効力を停止されている者を除く。）に限る。以下「大型第二種免許に係る届出自動車教習所指導員」という。）により行われるものであること。

イ　大型第二種免許に係る教習指導員資格者証の交付を受けた者

ロ　法第九十九条の三第四項第一号に該当する者（大型第二種免許に係る者に限る。）又は届出自動車教習所指導員研修課程で大型第二種免許に係るものを修了した者であって、第二項第一号ロ(1)から(5)までのいずれにも該当しないもの

二　次に掲げる設備を使用して行われるものであること。

イ　教習課程（大型二種）に係る教習を行うために必要な数の乗車定員三十人以上のバス型の大型自動車（以下この項において「バス型の大型自動車」という。）、乗車定員十一人以上二十九人以下のバス型の中型自動車（以下「バス型の中型自動車」という。）若しくは普通自動車（これらの自動車のうち、大型第二種免許に係る届出自動車教習所指導員が危険を防止するための応急の措置を講ずることができる装置を備えたものに限る。以下この項において同じ。）又は運転シミュレーター

ロ　イに掲げるもののほか、教習課程（大型二種）に係る教習を行うために必要な建物その他の設備

三　次の表の第一欄に掲げる教習事項の区分に応じ、それぞれ同表の第二欄に掲げる教習方法により、あらかじめ教習計画を作成し、これに基づいて同表の第三欄に掲げる教習時間行われるものであること。

第一欄（教習事項の区分）	第二欄（教習方法）	第三欄（教習時間）
旅客自動車の運転に係る危険の予測その他の旅客自動車の安全な運転に必要な技能	バス型の大型自動車又は運転シミュレーターを用い、バス型の大型自動車を用いる場合にあっては道路において、運転シミュレーターを用いる場合にあっては届出自動車教習所の建物において行うこと。	二時限以上
旅客自動車の運転に係る危険の予測その他の旅客自動車の安全な運転に必要な知識	教本、視聴覚教材等必要な教材を用い、討論の方式により、届出自動車教習所の建物において行うこと。	一時限以上
夜間における旅客自動車の安全な運転に必要な技能	バス型の大型自動車又は運転シミュレーターを用い、バス型の大型自動車を用いる場合にあっては道路において、運転シミュレーターを用いる場合にあっては届出自動車教習所の建物において行うこと。	一時限以上
路面が凍結の状態にある場合その他の悪条件下にある場合における運転の危険性に応じた旅客自動車の安全な運転に必要な技能	一　バス型の大型自動車、普通自動車又は運転シミュレーターを用いて行うこと。ただし、バス型の大型自動車、バス型の中型自動車又は普通自動車を用いる場合にあっては、凍結路面教習を行うことができる設備を併せ用いて行うこと（教習を行う路面の状態により当該設備を用いなくても凍結路面教習を行うことができると認められる場合を除く。）。 二　バス型の大型自動車、バス型の中型自動車又は普通自動車を用いる場合にあっては道路又は届出自動車教習所のコースその他の設備において、運転シミュレーターを用いる場合にあっては届出自動車教習所の建物において行うこと。	一時限以上
身体障害者、高齢者等が旅客である場合における旅客自動車の安全な運転その他の交通の安全の確保について必要な知識	バス型の大型自動車を用い、届出自動車教習所のコースその他の設備において行うこと。	一時限以上
気道確保、人工呼吸、心臓マッサージ、止血、被覆、固定、交通事故に係る傷病者の負傷等の状態に応じた対応その他の応急救護処置に必要な知識	一　教本、模擬人体装置、視聴覚教材等必要な教材を用い、届出自動車教習所の建物その他の設備において行うこと。 二　大型第二種免許に係る届出自動車教習所指導員（公安委員会が応急救護処置の指導に必要な能力を有すると認める者に限る。）が行うこと。 三　模擬人体装置による応急救護処置に関する実技訓練を含むものであること。	六時限以上

備考

一　この表において、教習時間は、一教習時限につき五十分とする。

二　教習は、バス型の大型自動車を運転することができる免許を現に受けている者に対し行うものとする。

三　運転シミュレーターによる教習は、届出自動車教習所の建物以外の設備において行うことにより届出自動車教習所の建物において行ったのと同等の教習効果があると認められる場合にあっては、当該届出自動車教習所の建物以外の設備において行うことができる。

四　旅客自動車の運転に係る危険の予測その他の旅客自動車の安全な運転に必要な技能に係る教習のうち、運転シミュレーターを用いて行うものについては、バス型の大型自動車を用いて行うものと併せて行うものとする。

五　夜間における旅客自動車の安全な運転に必要な技能に係る教習については、夜間における道路での教習が困難と認められる場合には、日没時に近接した時間に届出自動車教習所のコースその他の設備において公安委員会が適当と認める方法により行うことができる。

六　夜間における旅客自動車の安全な運転に必要な技能に係る教習の一部であって、眩惑等体験によるものについては、バス型の大型自動車及び運転シミュレーターを用いず、又はバス型の大型自動車を用いて行う場合に届出自動車教習所のコースその他の設備において行うことができる。

七　路面が凍結の状態にある場合その他の悪条件下にある場合における運転の危険性に応じた旅客自動車の安全な運転に必要な技能に係る教習のうち、バス型の大

型自動車、バス型の中型自動車又は普通自動車及び凍結路面教習を行うことができる設備を用いて行うものについては、届出自動車教習所のコースその他の設備以外の設備において行うことにより届出自動車教習所のコースその他の設備において行ったのと同等の教習効果があると認められる場合にあっては、当該届出自動車教習所のコースその他の設備以外の設備において行うことができる。

八　身体障害者、高齢者等が旅客である場合における旅客自動車の安全な運転その他の交通の安全の確保について必要な知識に係る教習の一部については、バス型の中型自動車若しくは普通自動車を用いて届出自動車教習所のコースその他の設備において行うこと又は教本、視聴覚教材等必要な教材を用いて届出自動車教習所の建物において行うことができる。

九　令第三十三条の五の三第一項第二号ニ又はホに該当する者に対しては、気道確保、人工呼吸、心臓マッサージ、止血、被覆、固定、交通事故に係る傷病者の負傷等の状態に応じた対応その他の応急救護処置に必要な知識に係る教習を行わないことができる。

9　令第三十三条の五の三第四項第一号ハの規定による指定の基準（中型自動車第二種免許（以下「中型第二種免許」という。）に係る教習の課程（以下「教習課程（中型二種）」という。）に係るものに限る。）は、次に掲げるとおりとする。

一　届出自動車教習所において自動車の運転に関する技能及び知識の教習に従事する職員で次のいずれかに該当するもの（大型第二種免許又は中型第二種免許を現に受けている者（当該免許の効力を停止されている者を除く。）に限る。以下「中型第二種免許に係る届出自動車教習所指導員」という。）により行われるものであること。

イ　中型第二種免許に係る教習指導員資格者証の交付を受けた者

ロ　法第九十九条の三第四項第一号に該当する者（中型第二種免許に係る者に限る。）又は届出自動車教習所指導員研修課程で中型第二種免許に係るものを修了した者であって、第二項第一号ロ(1)から(5)までのいずれにも該当しないもの

二　次に掲げる設備を使用して行われるものであること。

イ　教習課程（中型二種）に係る教習を行うために必要な数のバス型の中型自動車若しくは普通自動車（これらの自動車のうち、中型第二種免許に係る届出自動車教習所指導員が危険を防止するための応急の措置を講ずることができる装置を備えたものに限る。以下この項において同じ。）又は運転シミュレーター

ロ　イに掲げるもののほか、教習課程（中型二種）に係る教習を行うために必要な建物その他の設備

三　次の表の第一欄に掲げる教習事項の区分に応じ、それぞれ同表の第二欄に掲げる教習方法により、あらかじめ教習計画を作成し、これに基づいて同表の第三欄に掲げる教習時間行われるものであること。

第一欄（教習事項の区分）	第二欄（教習方法）	第三欄（教習時間）
旅客自動車の運転に係る危険の予測その他の旅客自動車の安全な運転に必要な技能	バス型の中型自動車又は運転シミュレーターを用い、バス型の中型自動車を用いる場合にあっては道路において、運転シミュレーターを用いる場合にあっては届出自動車教習所の建物において行うこと。	二時限以上
旅客自動車の運転に係る危険の予測その他の旅客自動車の安全な運転に必要な知識	教本、視聴覚教材等必要な教材を用い、討論の方式により、届出自動車教習所の建物において行うこと。	一時限以上
夜間における旅客自動車の安全な運転に必要な技能	バス型の中型自動車又は運転シミュレーターを用い、バス型の中型自動車を用いる場合にあっては道路において、運転シミュレーターを用いる場合にあっては届出自動車教習所の建物において行うこと。	一時限以上
路面が凍結の状態にある場合その他の悪条件下にある場合における運転の危険性に応じた旅客自動車の安全な運転に必要な技能	一　バス型の中型自動車、普通自動車又は運転シミュレーターを用いて行うこと。ただし、バス型の中型自動車又は普通自動車を用いる場合にあっては、凍結路面教習を行うことができる設備を併せ用いて行うこと（教習を行う路面の状態により当該設備を用いなくても凍結路面教習を行うことができると認められる場合を除く。）。 二　バス型の中型自動車又は普通自動車を用いる場合にあっては道路又は届出自動車教習所のコースその他の設備において、運転シミュレーターを用いる場合にあっては届出自動車教習所の建物において行うこと。	一時限以上
身体障害者、高齢者等が旅客である場合における旅客自動車の安全な運転その他の交通の安全の確保について必要な知識	バス型の中型自動車を用い、届出自動車教習所のコースその他の設備において行うこと。	一時限以上
気道確保、人工呼吸、心臓マッサージ、止血、被覆、固定、交通事故に係る傷病者の負傷等の状態に応じた対応その他の応	一　教本、模擬人体装置、視聴覚教材等必要な教材を用い、届出自動車教習所の建物その他の設備において行うこと。 二　中型第二種免許に係る届出自動車教習所指導員（公安委員会が応急救護処置の指導に必要な能力を有すると認める者に限る。）が行う	六時限以上

急救護処置に必要な知識	こと。 三　模擬人体装置による応急救護処置に関する実技訓練を含むものであること。	

備考

一　この表において、教習時間は、一教習時限につき五十分とする。

二　教習は、バス型の中型自動車を運転することができる免許を現に受けている者に対し行うものとする。

三　運転シミュレーターによる教習は、届出自動車教習所の建物以外の設備において行うことにより届出自動車教習所の建物において行ったのと同等の教習効果があると認められる場合にあっては、当該届出自動車教習所の建物以外の設備において行うことができる。

四　旅客自動車の運転に係る危険の予測その他の旅客自動車の安全な運転に必要な技能に係る教習のうち、運転シミュレーターを用いて行うものについては、バス型の中型自動車を用いて行うものと併せて行うものとする。

五　夜間における旅客自動車の安全な運転に必要な技能に係る教習については、夜間における道路での教習が困難と認められる場合には、日没時に近接した時間に届出自動車教習所のコースその他の設備において公安委員会が適当と認める方法により行うことができる。

六　夜間における旅客自動車の安全な運転に必要な技能に係る教習の一部であって、眩惑等体験によるものについては、バス型の中型自動車及び運転シミュレーターを用いず、又はバス型の中型自動車を用いて行う場合に届出自動車教習所のコースその他の設備において行うことができる。

七　路面が凍結の状態にある場合その他の悪条件下にある場合における運転の危険性に応じた旅客自動車の安全な運転に必要な技能に係る教習のうち、バス型の中型自動車又は普通自動車及び凍結路面教習を行うことができる設備を用いて行うものについては、届出自動車教習所のコースその他の設備以外の設備において行うことにより届出自動車教習所のコースその他の設備において行ったのと同等の教習効果があると認められる場合にあっては、当該届出自動車教習所のコースその他の設備以外の設備において行うことができる。

八　身体障害者、高齢者等が旅客である場合における旅客自動車の安全な運転その他の交通の安全の確保について必要な知識に係る教習の一部については、バス型の大型自動車若しくは普通自動車を用いて届出自動車教習所のコースその他の設備において行うこと又は教本、視聴覚教材等必要な教材を用いて届出自動車教習所の建物において行うことができる。

九　令第三十三条の五の三第一項第二号ニ又はホに該当する者に対しては、気道確保、人工呼吸、心臓マッサージ、止血、被覆、固定、交通事故に係る傷病者の負傷等の状態に応じた対応その他の応急救護処置に必要な知識に係る教習を行わないことができる。

10　令第三十三条の五の三第四項第一号ハの規定による指定の基準（普通自動車第二種免許（以下「普通第二種免許」という。）に係る教習の課程（以下「教習課程（普通二種）」という。）に係るものに限る。）は、次に掲げるとおりとする。

一　届出自動車教習所において自動車の運転に関する技能及び知識の教習に従事する職員で次のいずれかに該当するもの（大型第二種免許、中型第二種免許又は普通第二種免許を現に受けている者（当該免許の効力を停止されている者を除く。）に限る。以下「普通第二種免許に係る届出自動車教習所指導員」という。）により行われるものであること。

イ　普通第二種免許に係る教習指導員資格者証の交付を受けた者

ロ　法第九十九条の三第四項第一号に該当する者（普通第二種免許に係る者に限る。）又は届出自動車教習所指導員研修課程で普通第二種免許に係るものを修了した者であって、第二項第一号ロ(1)から(5)までのいずれにも該当しないもの

二　次に掲げる設備を使用して行われるものであること。

イ　教習課程（普通二種）に係る教習を行うために必要な数の普通自動車（普通第二種免許に係る届出自動車教習所指導員が危険を防止するための応急の措置を講ずることができる装置を備えたものに限る。以下この項において同じ。）又は運転シミュレーター

ロ　イに掲げるもののほか、教習課程（普通二種）に係る教習を行うために必要な建物その他の設備

三　次の表の第一欄に掲げる教習事項の区分に応じ、それぞれ同表の第二欄に掲げる教習方法により、あらかじめ教習計画を作成し、これに基づいて同表の第三欄に掲げる教習時間行われるものであること。

第一欄（教習事項の区分）	第二欄（教習方法）	第三欄（教習時間）
旅客自動車の運転に係る危険の予測その他の旅客自動車の安全な運転に必要な技能	普通自動車又は運転シミュレーターを用い、普通自動車を用いる場合にあっては道路において、運転シミュレーターを用いる場合にあっては届出自動車教習所の建物において行うこと。	二時限以上
旅客自動車の運転に係る危険の予測その他の旅客自動車の安全な運転に必要な知識	教本、視聴覚教材等必要な教材を用い、討論の方式により、届出自動車教習所の建物において行うこと。	一時限以上
夜間における旅客自動車の安全な運転に必要な技能	普通自動車又は運転シミュレーターを用い、普通自動車を用いる場合にあっては道路において、運転シミュレーターを用いる場合にあっては届出自動車教習所の建物において行うこと。	一時限以上
路面が凍結の状態にある場合その他の悪条件下にある場合における運転の危険性	一　普通自動車又は運転シミュレーターを用いて行うこと。ただし、普通自動車を用いる場合にあっては、凍結路面教習を行うことができる設備を併せ用いて行	一時限以上

に応じた旅客自動車の安全な運転に必要な技能	うこと（教習を行う路面の状態により当該設備を用いなくても凍結路面教習を行うことができると認められる場合を除く。）。 二　普通自動車を用いる場合にあっては道路又は届出自動車教習所のコースその他の設備において、運転シミュレーターを用いる場合にあっては届出自動車教習所の建物において行うこと。	
身体障害者、高齢者等が旅客である場合における旅客自動車の安全な運転その他の交通の安全の確保について必要な知識	普通自動車を用い、届出自動車教習所のコースその他の設備において行うこと。	一時限以上
気道確保、人工呼吸、心臓マッサージ、止血、被覆、固定、交通事故に係る傷病者の負傷等の状態に応じた対応その他の応急救護処置に必要な知識	一　教本、模擬人体装置、視聴覚教材等必要な教材を用い、届出自動車教習所の建物その他の設備において行うこと。 二　普通第二種免許に係る届出自動車教習所指導員（公安委員会が応急救護処置の指導に必要な能力を有すると認める者に限る。）が行うこと。 三　模擬人体装置による応急救護処置に関する実技訓練を含むものであること。	六時限以上

備考
一　この表において、教習時間は、一教習時限につき五十分とする。
二　教習は、普通自動車を運転することができる免許を現に受けている者に対し行うものとする。
三　運転シミュレーターによる教習は、届出自動車教習所の建物以外の設備において行ったのと同等の教習効果があると認められる場合にあっては、当該届出自動車教習所の建物以外の設備において行うことができる。
四　旅客自動車の運転に係る危険の予測その他の旅客自動車の安全な運転に必要な技能に係る教習のうち、運転シミュレーターを用いて行うものについては、普通自動車を用いて行うものと併せて行うものとする。
五　夜間における旅客自動車の安全な運転に必要な技能に係る教習については、夜間における道路での教習が困難と認められる場合には、日没時に近接した時間に届出自動車教習所のコースその他の設備において公安委員会が適当と認める方法により行うことができる。
六　夜間における旅客自動車の安全な運転に必要な技能に係る教習の一部であって、眩惑等体験によるものについては、普通自動車及び運転シミュレーターを用いず、又は普通自動車を用いて行う場合に届出自動車教習所のコースその他の設備において行うことができる。
七　路面が凍結の状態にある場合その他の悪条件下にある場合における運転の危険性に応じた旅客自動車の安全な運転に必要な技能に係る教習のうち、普通自動車及び凍結路面教習を行うことができる設備を用いて行うものについては、届出自動車教習所のコースその他の設備以外の設備において行うことにより届出自動車教習所のコースその他の設備において行ったのと同等の教習効果があると認められる場合にあっては、当該届出自動車教習所のコースその他の設備以外の設備において行うことができる。
八　身体障害者、高齢者等が旅客である場合における旅客自動車の安全な運転その他の交通の安全の確保について必要な知識に係る教習の一部については、バス型の大型自動車若しくはバス型の中型自動車を用いて届出自動車教習所のコースその他の設備において行うこと又は教本、視聴覚教材等必要な教材を用いて届出自動車教習所の建物において行うことができる。
九　令第三十三条の五の三第一項第二号ニ又はホに該当する者に対しては、気道確保、人工呼吸、心臓マッサージ、止血、被覆、固定、交通事故に係る傷病者の負傷等の状態に応じた対応その他の応急救護処置に必要な知識に係る教習を行わないことができる。

（指定の申請）

第二条　届出自動車教習所を設置し、又は管理する者は、令第三十三条の五の三第一項第一号ハ、第二項第一号ハ又は第四項第一号ハの規定による指定（以下この条、次条及び第四条において「指定」という。）を受けようとするときは、別記様式第一号の申請書を当該届出自動車教習所の所在地を管轄する公安委員会に提出しなければならない。

2　前項の申請書には、次に掲げる書類を添付しなければならない。
一　届出自動車教習所を管理する者及び指定を受けようとする免許に係る届出自動車教習所指導員（大型免許に係る届出自動車教習所指導員、中型免許に係る届出自動車教習所指導員、準中型免許に係る届出自動車教習所指導員、普通免許に係る届出自動車教習所指導員、大型二輪免許に係る届出自動車教習所指導員、普通二輪免許に係る届出自動車教習所指導員、大型第二種免許に係る届出自動車教習所指導員、中型第二種免許に係る届出自動車教習所指導員又は普通第二種免許に係る届出自動車教習所指導員をいう。以下同じ。）の住民票の写し（住民基本台帳法（昭和四十二年法律第八十一号）第七条第五号に掲げる事項（外国人にあっては、同法第三十条の四十五に規定する国籍等）を記載したものに限る。）及び履歴書
二　指定を受けようとする免許に係る教習指導員資格者証の交付を受けた届出自動車教習所指導員にあっては教習指導員資格者証の写し、その他の当該免許に係る届出自動車教習所指導員にあっては当該免許に係る法第九十九条の三第四項第一号に該当する者又は届出自動車教習所指導員研修課程を修了した者であることを証する書面及び前条第二項第一号ロ(1)から(5)までのいずれにも該当しない者であることを誓約する書面
三　コースにおいて教習を行う場合にあっては、コースの敷地並びにコースの種類、形状及び構造を明らかにした図面
四　建物その他の設備の状況を明らかにした図面
五　自動車及び運転シミュレーター一覧表
六　教材一覧表
七　教習事項、教習方法、教習時間等を定めた教習計画書

（指定書の交付）

第三条　公安委員会は、指定をしたときは、別記様式第二号の指定書を交付するものとする。

（変更の届出）

第四条　指定を受けた教習の課程（以下「指定教習課程」という。）に係る教習を行う届出自動車教習所（以下「特定届出自動車教習所」という。）を設置し、又は管理する者は、第二条第二項各号に掲げる書類の記載事項に変更があったときは、速やかにその旨を当該指定をした公安委員会に届け出なければならない。

（終了証明書の発行）

第五条　特定届出自動車教習所は、指定教習課程を終了した者に対し、別記様式第三号の終了証明書を発行することができる。

（帳簿）

第六条　特定届出自動車教習所は、帳簿を備え、次に掲げる事項を記載しなければならない。

一　指定教習課程に係る教習を受けた者の住所、氏名、生年月日及び性別並びに当該指定教習課程の種別

二　指定教習課程に係る教習事項及び当該教習事項について教習を行った年月日

三　指定教習課程に係る教習に従事した届出自動車教習所指導員の氏名

四　指定教習課程に係る教習を受けた者が当該指定教習課程を終了した年月日

2　特定届出自動車教習所は、前項の帳簿を当該指定教習課程に係る教習を行った日から五年間保存しなければならない。

（電磁的方法による保存）

第六条の二　前条第一項各号に掲げる事項が電磁的方法（電子的方法、磁気的方法その他の人の知覚によって認識することができない方法をいう。）により記録され、当該記録が必要に応じ電子計算機その他の機器を用いて直ちに表示されることができるようにして保存されるときは、当該記録の保存をもって同条第二項に規定する当該事項が記載された帳簿の保存に代えることができる。

2　前項の規定による保存をする場合には、国家公安委員会が定める基準を確保するよう努めなければならない。

（報告又は資料の提出）

第七条　公安委員会は、この規則を施行するため必要な限度において、特定届出自動車教習所を設置し、又は管理する者に対し、当該特定届出自動車教習所の業務に関し報告又は資料の提出を求めることができる。

（指定の取消し等）

第八条　公安委員会は、特定届出自動車教習所について指定教習課程に係る免許に係る法第九十九条第一項の指定をしたとき、指定教習課程が第一条第二項から第十項までの基準（当該指定教習課程に係る免許に係るものに限る。）に適合しなくなったと認めるとき、特定届出自動車教習所を設置し若しくは管理する者が第四条の規定に違反したとき、特定届出自動車教習所が第五条の規定に違反して終了証明書を発行し若しくは第六条の規定に違反したとき、又は特定届出自動車教習所を設置し若しくは管理する者が前条の規定による報告若しくは資料の提出をせず若しくは虚偽の報告若しくは資料の提出をしたときは、その指定教習課程に係る指定を取り消すことができる。

2　公安委員会は、前項の規定により指定を取り消したときは、別記様式第四号の指定取消通知書により通知するものとする。

附　則

この規則は、平成六年五月十日から施行する。

附　則〔平成八・八・六国家公安委員会規則八〕

（施行期日）

1　この規則は、道路交通法の一部を改正する法律（平成七年法律第七十四号）の施行の日（平成八年九月一日）から施行する。

（経過措置）

2　この規則の施行の際現に改正前の届出自動車教習所が行う教習の課程の指定に関する規則第一条第三項各号に掲げる基準に適合して指定を受けている二輪車教習課程は、改正後の届出自動車教習所が行う教習の課程の指定に関する規則（以下「新規則」という。）第一条第四項各号に掲げる基準に適合して指定を受けた普通二輪車教習課程（次項において「指定普通二輪車教習課程」という。）とみなす。

3　当分の間、前項の規定により指定普通二輪車教習課程とみなされる二輪車教習課程を行う届出自動車教習所については、新規則第一条第四項第二号イ及び第三号の規定にかかわらず、運転シミュレーターを使用しないで、教習を行うことができるものとする。

附　則〔平成一一・一・一二国家公安委員会規則一〕

（施行期日）

1　この規則は、公布の日から施行する。〔以下略〕

（経過措置）

2　この規則による改正前の〔中略〕届出自動車教習所が行う教習の課程の指定に関する規則〔中略〕に規定する様式による書面については、改正後の〔中略〕届出自動車教習所が行う教習の課程の指定に関する規則〔中略〕に規定する様式にかかわらず、当分の間、なおこれを使用することができる。この場合には、氏名を記載し及び押印することに代えて、署名することができる。

附　則〔平成一四・四・二六国家公安委員会規則一三〕

（施行期日）

1　この規則は、平成十四年六月一日から施行する。

（経過措置）

2　この規則の施行の際現に届出自動車教習所が行う教習の課程の指定に関する規則第四条に規定する特定届出自動車教習所において同条に規定する指定教習課程を受けている者に係る教習において使用する設備及び教習方法に関する基準は、改正後の届出自動車教習所が行う教習の課程の指定に関する規則（次項において「新規則」という。）第一条第二項第二号及び第三号の規定にかかわらず、なお従前の例による。

3　改正後の大型第二種免許又は普通第二種免許に係る路面が凍結の状態にあることその他の悪条件下における運転の危険性を踏まえた旅客自動車の安全な運転に必要な技能についての教習の教習方法に関する基準は、この規則の施行の日から起算して二年を経過する日までの間は、新規則第一条第五項第三号又は同条第六項第三号の規定にかかわらず、これらの規定に規定する方法に準じるものとして都道府県公安委員会が適当と認めるものとすることができる。

附　則〔平成一六・一二・三国家公安委員会規則二〇〕

（施行期日）

1　この規則は、平成十七年三月一日から施行する。

（経過措置）

2　この規則の施行の際現に改正前の届出自動車教習所が行う教習の課程の指定に関する規則（次項において「旧規則」という。）第一条第三項各号に掲げる基準に適合して指定を受けた大型自動二輪車免許に係る教習の課程を修了している者は、改正後の届出自動車教習所が行う教習の課程の指定に関する規則（次項において「新規則」という。）第一条第三項各号に掲げる基準に適合して指定を受けた大型自動二輪車免許に係る教習の課程を修了した者とみなす。

3　この規則の施行の際現に旧規則第一条第四項各号に掲げる基準に適合して指定を受けた普通自動二輪車免許に係る教習の課程を修了している者は、新規則第一条第四項各号に掲げる基準に適合して指定を受けた普通自動二輪車免許に係る教習の課程を修了した者とみなす。

附　則〔平成一八・二・二〇国家公安委員会規則二〕

（施行期日）

1　この規則は、道路交通法の一部を改正する法律（平成十六年法律第九十号）附則第一条第五号に掲げる規定の施行の日（平成一九・六・二）から施行する。ただし、第二条第二項第一号

の改正規定（「住民票」の下に「（府令第九条の十六第二号の登録証明書等を含む。）」を加える部分に限る。）は、公布の日から施行する。

【経過措置】

2　この規則の施行の際現に改正前の届出自動車教習所が行う教習の課程の指定に関する規則（以下「旧規則」という。）第一条第二項各号に掲げる基準に適合して指定を受けている普通自動車免許に係る教習の課程は、改正後の届出自動車教習所が行う教習の課程の指定に関する規則（以下「新規則」という。）第一条第四項各号に掲げる基準に適合して指定を受けた普通自動車免許に係る教習の課程とみなす。

3　この規則の施行の際現に旧規則第一条第五項各号に掲げる基準に適合して指定を受けている大型自動車第二種免許に係る教習の課程は、新規則第一条第七項各号に掲げる基準に適合して指定を受けた大型自動車第二種免許に係る教習の課程とみなす。

4　この規則の施行の際現に旧規則第一条第六項各号に掲げる基準に適合して指定を受けている普通自動車第二種免許に係る教習の課程は、新規則第一条第九項各号に掲げる基準に適合して指定を受けた普通自動車第二種免許に係る教習の課程とみなす。

附　則（平成一九・六・四国家公安委員会規則一三）

改正　平成二六・四国公委規七

【施行期日】

1　この規則は、刑法の一部を改正する法律の施行の日（平成十九年六月十二日）から施行する。

【経過措置】

2　この規則の施行前に道路交通法第八十四条第一項に規定する自動車等の運転に関し刑法の一部を改正する法律による改正前の刑法（明治四十年法律第四十五号）第二百十一条第一項（刑法の一部を改正する法律附則第二条の規定によりなお従前の例によることとされる場合における当該規定を含む。）の罪を犯した者に対する自動車の運転により人を死傷させる行為等の処罰に関する法律の施行に伴う関係国家公安委員会規則の整備に関する規則（平成二十六年国家公安委員会規則第七号）による改正後の（中略）届出自動車教習所が行う教習の課程の指定に関する規則第一条第二項第一号ロ⑷（中略）の規定の適用については、これらの規定中「第六条まで」とあるのは、「第六条までの罪、同法附則第二条の規定による改正前の刑法（明治四十年法律第四十五号）第二百八条の二若しくは第二百十一条第二項（自動車の運転により人を死傷させる行為等の処罰に関する法律附則第十四条の規定によりなお従前の例によることとされる場合におけるこれらの規定を含む。）の罪、刑法の一部を改正する法律（平成十九年法律第五十四号）による改正前の刑法第二百十一条第一項（刑法の一部を改正する法律附則第二条の規定によりなお従前の例によることとされる場合における当該規定を含む。）」とする。

附　則（平成二四・六・一八国家公安委員会規則七）

【施行期日】

第一条　この規則は、出入国管理及び難民認定法及び日本国との平和条約に基づき日本の国籍を離脱した者等の出入国管理に関する特例法の一部を改正する等の法律（平成二十一年法律第七十九号）の施行の日（平成二十四年七月九日）から施行する。

【経過措置】

第二条　この規則の施行の日前にした行為に対する罰則の適用については、なお従前の例による。

附　則（平成二六・四・二五国家公安委員会規則七抄）

【施行期日】

1　この規則は、自動車の運転により人を死傷させる行為等の処罰に関する法律の施行の日（平成二十六年五月二十日）から施行する。

【経過措置】

3　この規則の施行前に道路交通法第八十四条第一項に規定する自動車等の運転に関し自動車の運転により人を死傷させる行為等の処罰に関する法律附則第二条の規定による改正前の刑法（明治四十年法律第四十五号）第二百八条の二又は第二百十一条第二項（自動車の運転により人を死傷させる行為等の処罰に関する法律附則第十四条の規定によりなお従前の例によることとされる場合におけるこれらの規定を含む。）の罪を犯した者（次項の規定による改正後の刑法の一部を改正する法律の施行に伴う関係国家公安委員会規則の整備に関する規則（平成十九年国家公安委員会規則第十三号）附則第二項に規定する者を除く。）に対するこの規則による改正後の（中略）届出自動車教習所が行う教習の課程の指定に関する規則第一条第二項第一号ロ⑷（中略）の規定の適用については、これらの規定中「第六条まで」とあるのは、「第六条までの罪、同法附則第二条の規定による改正前の刑法（明治四十年法律第四十五号）第二百八条の二若しくは第二百十一条第二項（自動車の運転により人を死傷させる行為等の処罰に関する法律附則第十四条の規定によりなお従前の例によることとされる場合におけるこれらの規定を含む。）」とする。

附　則（平成二八・七・一五国家公安委員会規則一四）

【施行期日】

1　この規則は、道路交通法の一部を改正する法律（平成二十七年法律第四十号。附則第十一項第三号において「改正法」という。）の施行の日（平成二十九年三月十二日。以下「改正法施行日」という。）から施行する。ただし、附則第十一項の規定は、公布の日から施行する。

【経過措置】

2　道路交通法施行令の一部を改正する政令（平成二十八年政令第二百五十八号）附則第六条第一項に規定する者に対する改正後の届出自動車教習所が行う教習の課程の指定に関する規則（以下「新規則」という。）第一条第二項第三号の表の備考第十号及び同条第三項第三号の表の備考第十号の規定の適用については、これらの規定中「現に」とあるのは「現に準中型自動車免許、」とする。

3　改正法施行日において現に改正前の届出自動車教習所が行う教習の課程の指定に関する規則（以下「旧規則」という。）第一条第三項各号に掲げる基準に適合して指定を受けている中型自動車免許に係る教習の課程は、新規則第一条第三項各号に掲げる基準に適合して指定を受けた中型自動車免許に係る教習の課程とみなす。

4　改正法施行日において現に旧規則第一条第四項各号に掲げる基準に適合して指定を受けている普通自動車免許に係る教習の課程は、新規則第一条第五項各号に掲げる基準に適合して指定を受けた普通自動車免許に係る教習の課程とみなす。

5　改正法施行日において現に旧規則第一条第八項各号に掲げる基準に適合して指定を受けている中型自動車第二種免許に係る教習の課程は、新規則第一条第九項各号に掲げる基準に適合して指定を受けた中型自動車第二種免許に係る教習の課程とみなす。

6　改正法施行日において現に旧規則第一条第九項各号に掲げる基準に適合して指定を受けている普通自動車第二種免許に係る教習の課程は、新規則第一条第十項各号に掲げる基準に適合して指定を受けた普通自動車第二種免許に係る教習の課程とみなす。

7　改正法施行日において現に旧規則第一条第三項第一号ロに規定する届出自動車教習所指導員研修課程で中型自動車免許に係るものを修了している者は、新規則第一条第三項第一号ロに規定する届出自動車教習所指導員研修課程で中型自動車免許に係るもの及び同条第四項第一号ロに規定する届出自動車教習所指導員研修課程で準中型自動車免許に係るものを修了した者とみなす。

8　改正法施行日において現に旧規則第一条第四項第一号ロに規定する届出自動車教習所指導員研修課程で普通自動車免許に係

るものを修了している者は、新規則第一条第五項第一号ロに規定する届出自動車教習所指導員研修課程で普通自動車免許に係るものを修了した者とみなす。

9　改正法施行日において現に旧規則第一条第八項第一号ロに規定する届出自動車教習所指導員研修課程で中型自動車第二種免許に係るものを修了している者は、新規則第一条第九項第一号ロに規定する届出自動車教習所指導員研修課程で中型自動車第二種免許に係るものを修了した者とみなす。

10　改正法施行日において現に旧規則第一条第九項第一号ロに規定する届出自動車教習所指導員研修課程で普通自動車第二種免許に係るものを修了している者は、新規則第一条第十項第一号ロに規定する届出自動車教習所指導員研修課程で普通自動車第二種免許に係るものを修了した者とみなす。

11　附則第七項の規定により新規則第一条第三項第一号ロに規定する届出自動車教習所指導員研修課程で中型自動車免許に係るもの及び同条第四項第一号ロに規定する届出自動車教習所指導員研修課程で準中型自動車免許に係るものを修了した者とみなされる者を届出自動車教習所指導員として選任している届出自動車教習所を管理する者は、これらの者に準中型自動車免許に係る教習の課程に従事させようとするときは、次の各号のいずれにも該当するものであって、都道府県公安委員会が指定する研修を受けさせなければならない。

一　研修を行うのに必要かつ適切な組織及び能力を有すると都道府県公安委員会が認める者が行う研修であること。

二　正当な理由なく受講を制限する研修でないこと。

三　改正法による改正後の道路交通法（昭和三十五年法律第百五号）第八十四条第三項の準中型自動車に係る教習について必要な技能及び知識を習得することができる研修として都道府県公安委員会が認める研修であること。

附　則〔令和元・六・二二国家公安委員会規則三〕

（施行期日）

1　この規則は、令和元年七月一日から施行する。

（経過措置）

2　この規則による改正前の〔中略〕届出自動車教習所が行う教習の課程の指定に関する規則〔中略〕に規定する様式による書面については、この規則による改正後のこれらの規則に規定する様式にかかわらず、当分の間、なおこれを使用することができる。

附　則〔令和二・一二・二八国家公安委員会規則一三〕

（施行期日）

第一条　この規則は、公布の日から施行する。

（経過措置）

第二条　この規則による改正前の様式（次項において「旧様式」という。）により使用されている書類は、当分の間、この規則による改正後の様式によるものとみなす。

2　旧様式による用紙については、当分の間、これを取り繕って使用することができる。

附　則〔令和四・二・一〇国家公安委員会規則九〕

（施行期日）

1　この規則は、道路交通法施行令の一部を改正する政令の施行の日（令和四年五月十三日。次項において「施行日」という。）から施行する。

（経過措置）

2　施行日前に交付された次の各号に掲げる書類は、当該各号に定める書類とみなす。

一　第一条の規定による改正前の届出自動車教習所が行う教習の課程の指定に関する規則（次号において「旧規則」という。）別記様式第二号の指定書　第一条の規定による改正後の届出自動車教習所が行う教習の課程の指定に関する規則（次号において「新規則」という。）別記様式第二号の指定書

二　旧規則別記様式第三号の終了証明書　新規則別記様式第三号の終了証明書

附　則〔令和四・九・一四国家公安委員会規則一六〕

この規則は、道路交通法の一部を改正する法律附則第一条第二号に掲げる規定の施行の日（令和四年十月一日）から施行する。

附　則〔令和五・三・一七国家公安委員会規則五〕

（施行期日）

1　この規則は、道路交通法の一部を改正する法律（令和四年法律第三十二号）附則第一条第三号に掲げる規定の施行の日（令和五年七月一日）から施行する。

（経過措置）

2　この規則の施行の日前に道路交通法の一部を改正する法律第三条の規定による改正前の道路交通法（昭和三十五年法律第百五号。以下この項において「旧法」という。）第八十四条第一項に規定する自動車等の運転に関し自動車の運転により人を死傷させる行為等の処罰に関する法律（平成二十五年法律第八十六号）第二条から第六条までの罪又は旧法に規定する罪を犯した者に対する次の表の上欄に掲げる規定の適用については、これらの規定中同表の中欄に掲げる字句は、それぞれ同表の下欄に掲げる字句とする。

指定講習機関に関する規則第五条第三号ハ及び運転免許取得者等教育の認定に関する規則第二条第一号ロ(3)	自動車等	自動車等及び道路交通法の一部を改正する法律（令和四年法律第三十二号）第三条の規定による改正前の法第八十四条第一項に規定する自動車等
届出自動車教習所が行う教習の課程の指定に関する規則第一条第二項第一号ロ(4)及び運転免許取得者等検査の認定に関する規則第二条第二号ロ(2)	及び一般原動機付自転車（法第十八条第一項に規定する一般原動機付自転車をいう。）	、一般原動機付自転車（法第十八条第一項に規定する一般原動機付自転車をいう。）及び道路交通法の一部を改正する法律（令和四年法律第三十二号）第三条の規定による改正前の法第八十四条第一項に規定する自動車等
交通安全活動推進センターに関する規則第六条第一項第二号	及び一般原動機付自転車（法第十八条第一項に規定する一般原動機付自転車をいう。第四号において同じ。）	、一般原動機付自転車（法第十八条第一項に規定する一般原動機付自転車をいう。第四号において同じ。）及び道路交通法の一部を改正する法律（令和四年法律第三十二号）第三条の規定による改正前の法第八十四条第一項に規定する自動車等

別記様式第1号（第2条関係）

教習課程の指定申請書

年　月　日

公安委員会　殿

申請者　住所
　　　　氏名

指定を受けようとする教習の課程に係る届出自動車教習所の名称及び所在地		
指定を受けようとする教習の課程		
添付書類		

備考
1　申請者が法人であるときは、申請者の欄には、その名称、主たる事務所の所在地及び代表者の氏名を記載すること。
2　添付書類欄には、添付する書類名を記載すること。
3　用紙の大きさは、日本産業規格A列4番とする。

別記様式第2号（第3条関係）

第　　号

指　　定　　書

名称
所在地

道路交通法施行令第33条の5の3（第1項第1号ハ／第2項第1号ハ／第4項第1号ハ）の規定により、上記の届出自動車教習所が行う教習の

課程（教習課程（大型）／教習課程（中型）／教習課程（準中型）／教習課程（普通）／教習課程（大自二）／教習課程（普自二）／教習課程（大型二種）／教習課程（中型二種）／教習課程（普通二種））を指定する。

年　月　日

公安委員会　印

備考　用紙の大きさは、日本産業規格A列4番とする。

別記様式第3号（第5条関係）

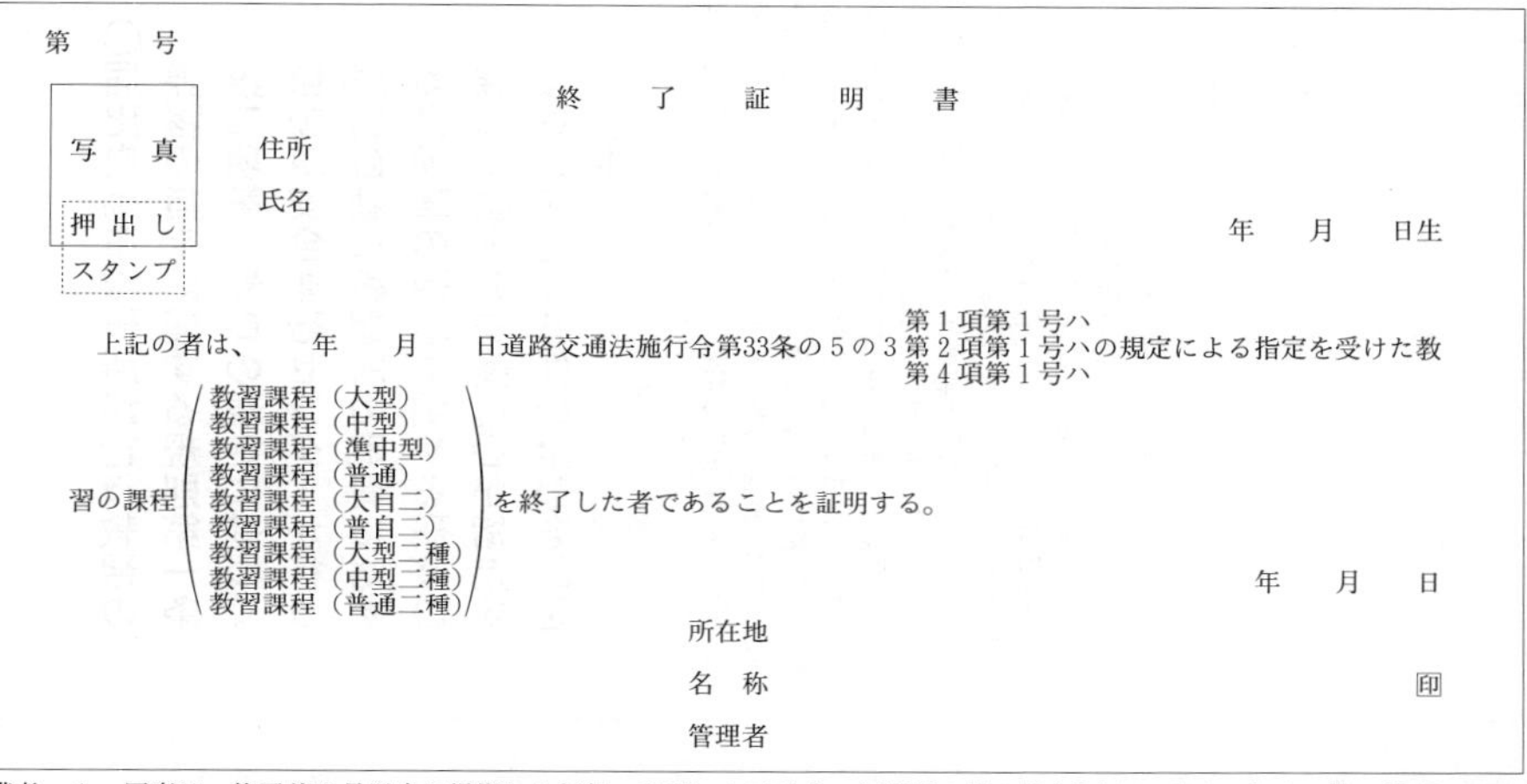

第　　号

終　了　証　明　書

写　真

押出し

スタンプ

住所

氏名

年　月　日生

上記の者は、　年　月　日道路交通法施行令第33条の5の3 第1項第1号ハ／第2項第1号ハ／第4項第1号ハ の規定による指定を受けた教習の課程（教習課程（大型）／教習課程（中型）／教習課程（準中型）／教習課程（普通）／教習課程（大自二）／教習課程（普自二）／教習課程（大型二種）／教習課程（中型二種）／教習課程（普通二種））を終了した者であることを証明する。

年　月　日

所在地

名　称　　　　印

管理者

備考　1　写真は、終了前6月以内に撮影した無帽、正面、上三分身、無背景の縦の長さ3.0センチメートル、横の長さ2.4センチメートルのものとする。

2　用紙の大きさは、日本産業規格A列4番とする。

別記様式第4号（第8条関係）

指　定　取　消　通　知　書

年　月　日

住所

殿

公安委員会　印

下記の理由により、　　　の行う教習の課程（教習課程（大型）／教習課程（中型）／教習課程（準中型）／教習課程（普通）／教習課程（大自二）／教習課程（普自二）／教習課程（大型二種）／教習課程（中型二種）／教習課程（普通二種））の指定を取り消したので通知します。

指定番号	
理　由	

備考　用紙の大きさは、日本産業規格A列4番とする。

○届出自動車教習所が行う教習の課程の指定に関する規則第一条第二項第一号ロの規定に基づく自動車安全運転センターが行う届出自動車教習所の職員に対する研修の課程で国家公安委員会が指定するものを定める件の全部を改正する件

〔平成二八・七・一五
国家公安委員会告示三二〕

届出自動車教習所が行う教習の課程の指定に関する規則（平成六年国家公安委員会規則第一号）第一条第二項第一号ロの規定に基づき、届出自動車教習所が行う教習の課程の指定に関する規則第一条第二項第一号ロの規定に基づき、自動車安全運転センターが行う届出自動車教習所の職員に対する自動車の運転に関する研修の課程で国家公安委員会が指定するものを定める件（平成十九年国家公安委員会告示第八号）の全部を次のように改正する。

届出教習所指導員（大型）課程、届出教習所指導員（中型）課程、届出教習所指導員（準中型）課程、届出教習所指導員（普通）課程、届出教習所指導員（大自二）課程、届出教習所指導員（普自二）課程、届出教習所指導員（大型二種）課程、届出教習所指導員（中型二種）課程及び届出教習所指導員（普通二種）課程

附　則

この告示は、道路交通法の一部を改正する法律（平成二十七年法律第四十号）の施行の日（平成二十九年三月十二日）から施行する。

○応急救護処置に関し医師である者に準ずる能力を有する者を定める規則

〔平成六・二・二五
国家公安委員会規則二〕

改正　平成六・四国公委規一一、平成七・六国公委規八、平成一四・二国公委規二、平成一六・七国公委規一四、令和四・二国公委規九

道路交通法施行令第三十三条の五の三第一項第二号ホの国家公安委員会規則で定める者は、次に掲げるとおりとする。

一　歯科医師若しくは保健師、助産師、看護師若しくは准看護師又は救急救命士である者

二　消防法施行令（昭和三十六年政令第三十七号）第四十四条第一項又は第四十四条の二第一項の救急隊員である者

三　日本赤十字社が定める資格のうち、応急救護処置に必要な知識の指導に必要な能力を有すると認められる者に対して与えられるものとして国家公安委員会が指定するものを有する者

四　都道府県公安委員会が応急救護処置に必要な知識の指導に関し前号に掲げる者と同等以上の能力を有すると認める者

附　則

この規則は、平成六年五月十日から施行する。

附　則〔平成七・六・二八国家公安委員会規則八〕

1　この規則は、公布の日から施行する。

2　この規則の施行の際現に改正前の応急救護処置に関し医師である者に準ずる能力を有する者を定める規則第三号に該当する者で、改正後の応急救護処置に関し医師である者に準ずる能力を有する者を定める規則第三号に該当しないこととなるものについては、平成九年三月三十一日までの間、道路交通法施行令第三十三条の六第一項第二号ホの国家公安委員会規則で定める者とする。

附　則〔令和四・二・一〇国家公安委員会規則九抄〕

（施行期日）

1　この規則は、道路交通法施行令の一部を改正する政令の施行の日（令和四年五月十三日。次項において「施行日」という。）から施行する。

○応急救護処置に関し医師である者に準ずる能力を有する者を定める規則の規定に基づき、日本赤十字社が定める資格のうち、応急救護処置に必要な知識の指導に必要な能力を有すると認められる者に対して与えられるものとして国家公安委員会が指定するものを定める件

〔平成七・六・二八
国家公安委員会告示五〕

応急救護処置に関し医師である者に準ずる能力を有する者を定める規則（平成六年国家公安委員会規則第二号）第三号の規定に基づき、日本赤十字社が定める資格のうち、応急救護処置に必要な知識の指導に必要な能力を有すると認められる者に対して与えられるものとして国家公安委員会が指定するものを次のように定める。

日本赤十字社救急法指導員

附　則

1　この告示は、公布の日から施行する。

2　平成六年国家公安委員会告示第八号（応急救護処置に関し医師である者に準ずる能力を有する者を定める規則の規定に基づき、日本赤十字社が行う応急救護処置に関係する講習の課程のうち、応急救護処置に必要な知識の指導に必要な能力を有する者を養成するものとして国家公安委員会が指定するものを定める件）は、廃止する。

○技能検定員審査等に関する規則

〔平成六・二・二五
国家公安委員会規則三〕

改正 平成八・二国公委規一、八国公委規九、平成一一・二国公委規三、平成一二・三国公委規八、平成一四・四国公委規八、平成一八・二国公委規三、平成二八・七国公委規一五、令和元・六国公委規三

第一章　技能検定員審査及び技能検定員資格者証

（技能検定員審査）

第一条　道路交通法（以下「法」という。）第九十九条の二第四項第一号イの規定による都道府県公安委員会（以下「公安委員会」という。）が技能検定に関する技能及び知識に関して行う審査（以下「技能検定員審査」という。）は、次の各号に掲げる運転免許（以下「免許」という。）に係る技能検定について、それぞれ当該各号に掲げる技能検定員審査を行うものとする。

一　大型自動車免許　技能検定員審査（大型）
二　中型自動車免許　技能検定員審査（中型）
三　準中型自動車免許　技能検定員審査（準中型）
四　普通自動車免許　技能検定員審査（普通）
五　大型特殊自動車免許　技能検定員審査（大特）
六　大型自動二輪車免許　技能検定員審査（大自二）
七　普通自動二輪車免許　技能検定員審査（普自二）
八　牽引免許　技能検定員審査（牽引）
九　大型自動車第二種免許　技能検定員審査（大型二種）
十　中型自動車第二種免許　技能検定員審査（中型二種）
十一　普通自動車第二種免許　技能検定員審査（普通二種）

（技能検定員審査の公示）

第二条　公安委員会は、技能検定員審査を行おうとするときは、当該技能検定員審査の期日の三十日前までに、次に掲げる事項を公示するものとする。

一　技能検定員審査の種類、期日及び場所
二　技能検定員審査の申請手続に関する事項
三　その他技能検定員審査の実施に関し必要な事項

（技能検定員審査の申請）

第三条　技能検定員審査を受けようとする者は、公安委員会に、別記様式第一号の審査申請書を提出し、及び次の各号に掲げる技能検定員審査の種類に応じ、それぞれ当該各号に定める書類を提示しなければならない。

一　第一条第一号から第八号までに掲げる技能検定員審査　当該審査に用いられる自動車を運転することができる免許（仮運転免許を除く。第十一条第一項第一号において同じ。）に係る運転免許証（以下「免許証」という。）
二　技能検定員審査（大型二種）　大型自動車第二種免許に係る免許証及び第七条第一項の表に規定する技能検定員資格者証（大型）
三　技能検定員審査（中型二種）　大型自動車第二種免許又は中型自動車第二種免許に係る免許証及び第七条第一項の表に規定する技能検定員資格者証（中型）
四　技能検定員審査（普通二種）　大型自動車第二種免許、中型自動車第二種免許又は普通自動車第二種免許に係る免許証及び第七条第一項の表に規定する技能検定員資格者証（普通）

2　技能検定員審査を受けようとする者が第十七条第一項各号、第二項各号又は第三項各号のいずれかに該当する者であるときは、前項の審査申請書に、それぞれ当該各号に該当する者であることを証する書面を添付しなければならない。

（技能検定員審査の審査方法等）

第四条　第一条第一号から第八号までに掲げる技能検定員審査は、次の表の上欄に掲げる審査項目に応じ、それぞれ同表の中欄に掲げる審査細目について、同表の下欄に掲げる審査方法等（審査方法及びその合格基準をいう。次項及び第十二条において同じ。）により行うものとする。

審査項目	審査細目	審査方法等
技能検定に関する技能	技能検定員として必要な自動車の運転技能	技能試験（自動車の運転に必要な技能についての運転免許試験をいう。以下同じ。）の方法に準じて行うものとし、その合格基準は、九十パーセント以上の成績であること。
	自動車の運転技能に関する観察及び採点の技能	実技試験により行うものとし、その合格基準は、九十五パーセント以上の成績であること。
技能検定に関する知識	法第百八条の二十八第四項に規定する教則（以下「教則」という。）の内容となっている事項	論文式、択一式、補完式又は正誤式の筆記試験により行うものとし、その合格基準は、論文式のものにあっては八十五パーセント以上、その他のものにあっては九十五パーセント以上の成績であること。
	自動車教習所に関する法令についての知識	
	技能検定の実施に関する知識	面接試験又は論文式の筆記試験により行うものとし、その合格基準は、それぞれ九十五パーセント以上の成績であること。
	自動車の運転技能の評価方法に関する知識	

2　第一条第九号から第十一号までに掲げる技能検定員審査は、次の表の上欄に掲げる審査項目に応じ、それぞれ同表の中欄に掲げる審査細目について、同表の下欄に掲げる審査方法等により行うものとする。

審査項目	審査細目	審査方法等
技能検定に関する技能	技能検定員として必要な自動車の運転技能	技能試験の方法に準じて行うものとし、その合格基準は、九十パーセント以上の成績であること。
	自動車の運転技能に関する観察及び採点の技能	実技試験により行うものとし、その合格基準は、九十五パーセント以上の成績であること。
技能検定に関する知識	道路運送法（昭和二十六年法律第百八十三号）第二条第三項に規定する旅客自動車運送事業及	論文式、択一式、補完式又は正誤式の筆記試験により行うものとし、その合格基準は、論文式のものにあっては八十五パーセント以上、その他のものにあっては九

び自動車運転代行業の業務の適正化に関する法律（平成十三年法律第五十七号）第二条第一項に規定する自動車運転代行業に関する法令についての知識	十五パーセント以上の成績であること。
自動車の運転技能の評価方法に関する知識	論文式の筆記試験により行うものとし、その合格基準は、九十五パーセント以上の成績であること。

（技能検定員審査合格証明書）

第五条　公安委員会は、技能検定員審査に合格した者に対し、別記様式第二号の技能検定員審査合格証明書を交付するものとする。

2　技能検定員審査合格証明書の交付を受けた者は、当該技能検定員審査合格証明書を亡失し、又は当該技能検定員審査合格証明書が滅失したときは、別記様式第三号の再交付申請書を、当該技能検定員審査合格証明書を交付した公安委員会に提出して、その再交付を受けることができる。

（技能検定員審査に合格した者等と同等以上の技能及び知識を有すると認める者としての認定）

第六条　法第九十九条の二第四項第一号ハの規定により公安委員会が技能検定に関し同号イ又はロに掲げる者と同等以上の技能及び知識を有すると認める者として認定する場合における当該認定は、次の各号のいずれかに該当する者について、それぞれ第一条各号に掲げる免許の種類ごとに行うものとする。

一　技能試験に関する事務に三年以上従事した者

二　技能検定に関し、前号に掲げる者に準ずる技能及び知識を有すると認められる者

（技能検定員資格者証の交付等）

第七条　法第九十九条の二第四項の規定による技能検定員資格者証の交付は、次の表の上欄に掲げる免許に係る技能検定ごとに、それぞれ同表の中欄に掲げる技能検定員資格者証の交付を受けようとする者に対し、同表の下欄に掲げる種類の技能検定員資格者証を交付することにより行うものとする。

免許の種類	技能検定員資格者証の交付を受けようとする者	技能検定員資格者証の種類
大型自動車免許	技能検定員審査（大型）に合格した者、大型自動車免許に係る技能検定員研修課程（法第九十九条の二第四項第一号ロに規定する自動車安全運転センターが行う自動車の運転に関する研修の課程をいう。以下同じ。）を修了した者又は大型自動車免許に係る技能認定（前条の認定をいう。以下同じ。）を受けた者	技能検定員資格者証（大型）
中型自動車免許	技能検定員審査（中型）に合格した者、中型自動車免許に係る技能検定員研修課程を修了した者又は中型自動車免許に係る技能認定を受けた者	技能検定員資格者証（中型）
準中型自動車免許	技能検定員審査（準中型）に合格した者、準中型自動車免許に係る技能検定員研修課程を修了した者又は準中型自動車免許に係る技能認定を受けた者	技能検定員資格者証（準中型）
普通自動車免許	技能検定員審査（普通）に合格した者、普通自動車免許に係る技能検定員研修課程を修了した者又は普通自動車免許に係る技能認定を受けた者	技能検定員資格者証（普通）
大型特殊自動車免許	技能検定員審査（大特）に合格した者、大型特殊自動車免許に係る技能検定員研修課程を修了した者又は大型特殊自動車免許に係る技能認定を受けた者	技能検定員資格者証（大特）
大型自動二輪車免許	技能検定員審査（大自二）に合格した者、大型自動二輪車免許に係る技能検定員研修課程を修了した者又は大型自動二輪車免許に係る技能認定を受けた者	技能検定員資格者証（大自二）
普通自動二輪車免許	技能検定員審査（普自二）に合格した者、普通自動二輪車免許に係る技能検定員研修課程を修了した者又は普通自動二輪車免許に係る技能認定を受けた者	技能検定員資格者証（普自二）
牽引免許	技能検定員審査（牽引）に合格した者、牽引免許に係る技能検定員研修課程を修了した者又は牽引免許に係る技能認定を受けた者	技能検定員資格者証（牽引）
大型自動車第二種免許	技能検定員審査（大型二種）に合格した者、大型自動車第二種免許に係る技能検定員研修課程を修了した者又は大型自動車第二種免許に係る技能認定を受けた者	技能検定員資格者証（大型二種）
中型自動車第二種免許	技能検定員審査（中型二種）に合格した者、中型自動車第二種免許に係る技能検定員研修課程を修了した者又は中型自動車第二種免許に係る技能認定を受けた者	技能検定員資格者証（中型二種）
普通自動車第二種免許	技能検定員審査（普通二種）に合格した者、普通自動車第二種免許に係る技能検定員研修課程を修了した者又は普通自動車第二種免許に係る技能認定を受けた者	技能検定員資格者証（普通二種）

2　前項の技能検定員資格者証の交付を受けようとする者は、公安委員会に、別記様式第四号の交付申請書を提出しなければならない。

3　前項の交付申請書には、次に掲げる書類を添付しなければならない。

一　技能検定員審査合格証明書、法第九十九条の二第四項第一号ロに掲げる者に該当することを証する書面又は技能認定につき前条各号のいずれかに該当する者であることを証する書面

二　法第九十九条の二第四項第二号イからホまでのいずれにも該当しない者であることを誓約する書面

4　第一項の技能検定員資格者証の様式は、別記様式第五号のとおりとする。

（技能検定員資格者証の再交付等）

第八条　技能検定員資格者証の交付を受けた者は、当該技能検定員資格者証を亡失し、又は当該技能検定員資格者証が滅失した

ときは、別記様式第六号の再交付申請書を、当該技能検定員資格者証を交付した公安委員会に提出して、その再交付を受けることができる。

2　技能検定員資格者証の交付を受けた者は、当該技能検定員資格者証の記載事項に変更があったときは、別記様式第六号の書換え申請書及び当該技能検定員資格者証を、当該技能検定員資格者証を交付した公安委員会に提出して、その書換えを申請しなければならない。

（技能検定員資格者証の返納の命令等）

第九条　法第九十九条の二第五項の規定による技能検定員資格者証の返納の命令は、別記様式第七号の返納命令書を交付して行うものとする。

2　前項の規定による返納命令書の交付を受けた者は、その交付の日から十日以内に、技能検定員資格者証を当該返納命令書を交付した公安委員会に返納しなければならない。

第二章　教習指導員審査及び教習指導員資格者証

（教習指導員審査等）

第一〇条　法第九十九条の三第四項第一号イの規定による公安委員会が自動車の運転に関する技能及び知識の教習に関する技能及び知識に関して行う審査（以下「教習指導員審査」という。）は、次の各号に掲げる免許に係る自動車の運転に関する技能及び知識の教習について、それぞれ当該各号に掲げる教習指導員審査を行うものとする。

一　大型自動車免許　教習指導員審査（大型）
二　中型自動車免許　教習指導員審査（中型）
三　準中型自動車免許　教習指導員審査（準中型）
四　普通自動車免許　教習指導員審査（普通）
五　大型特殊自動車免許　教習指導員審査（大特）
六　大型自動二輪車免許　教習指導員審査（大自二）
七　普通自動二輪車免許　教習指導員審査（普自二）
八　牽引免許　教習指導員審査（牽引）
九　大型自動車第二種免許　教習指導員審査（大型二種）
十　中型自動車第二種免許　教習指導員審査（中型二種）
十一　普通自動車第二種免許　教習指導員審査（普通二種）

2　第二条の規定は、公安委員会が教習指導員審査を行おうとする場合について準用する。

（教習指導員審査の申請）

第一一条　教習指導員審査を受けようとする者は、公安委員会に、別記様式第一号の審査申請書を提出し、及び次の各号に掲げる教習指導員審査の種類に応じ、それぞれ当該各号に定める書類を提示しなければならない。

一　前条第一項第一号から第八号までに掲げる教習指導員審査　当該審査に用いられる自動車を運転することができる免許に係る免許証
二　教習指導員審査（大型二種）　大型自動車第二種免許に係る免許証及び第十五条第一項の表に規定する教習指導員資格者証（大型）
三　教習指導員審査（中型二種）　大型自動車第二種免許又は中型自動車第二種免許に係る免許証及び第十五条第一項の表に規定する教習指導員資格者証（中型）
四　教習指導員審査（普通二種）　大型自動車第二種免許、中型自動車第二種免許又は普通自動車第二種免許に係る免許証及び第十五条第一項の表に規定する教習指導員資格者証（普通）

2　教習指導員審査を受けようとする者が第十七条第一項各号、第四項各号又は第五項各号のいずれかに該当する者であるときは、前項の審査申請書に、それぞれ当該各号に該当する者であることを証する書面を添付しなければならない。

（教習指導員審査の審査方法等）

第一二条　第十条第一項第一号から第八号までに掲げる教習指導員審査は、次の表の上欄に掲げる審査項目に応じ、それぞれ同表の中欄に掲げる審査細目について、同表の下欄に掲げる審査方法等により行うものとする。

審査項目	審査細目	審査方法等
教習に関する技能	教習指導員として必要な自動車の運転技能	技能試験の方法に準じて行うものとし、その合格基準は、八十五パーセント以上の成績であること。
	技能教習（自動車の運転に関する技能の教習をいう。以下同じ。）に必要な教習の技能	実技試験又は面接試験により行うものとし、その合格基準は、それぞれ八十パーセント以上の成績であること。
	学科教習（自動車の運転に関する知識の教習をいう。以下同じ。）に必要な教習の技能	
教習に関する知識	教則の内容となっている事項その他自動車の運転に関する知識	論文式、択一式、補完式又は正誤式の筆記試験により行うものとし、その合格基準は、論文式のものにあっては八十五パーセント以上、その他のものにあっては九十五パーセント以上の成績であること。
	自動車教習所に関する法令についての知識	
	教習指導員として必要な教育についての知識	面接試験又は論文式の筆記試験により行うものとし、その合格基準は、それぞれ八十パーセント以上の成績であること。

2　第十条第一項第九号から第十一号までに掲げる教習指導員審査は、次の表の上欄に掲げる審査項目に応じ、それぞれ同表の中欄に掲げる審査細目について、同表の下欄に掲げる審査方法等により行うものとする。

審査項目	審査細目	審査方法等
教習に関する技能	教習指導員として必要な自動車の運転技能	技能試験の方法に準じて行うものとし、その合格基準は、八十五パーセント以上の成績であること。
	技能教習に必要な教習の技能	実技試験により行うものとし、その合格基準は、八十パーセント以上の成績であること。
教習に関する知識	道路運送法第二条第三項に規定する旅客自動車運送事業及び自動車運転代行業の業務の適正化に関する法律第	論文式、択一式、補完式又は正誤式の筆記試験により行うものとし、その合格基準は、論文式のものにあっては八十五パーセント以上、その他のものにあっては九十五パーセント以上の成績

二条第一項に規定する自動車運転代行業に関する法令についての知識	であること。

（教習指導員審査合格証明書）

第一三条 公安委員会は、教習指導員審査に合格した者に対し、別記様式第八号の教習指導員審査合格証明書を交付するものとする。

2 第五条第二項の規定は、教習指導員審査合格証明書の交付を受けた者について準用する。

（教習指導員審査に合格した者等と同等以上の技能及び知識がある者と認める者としての認定）

第一四条 法第九十九条の三第四項第一号ハの規定により公安委員会が自動車の運転に関する技能及び知識の教習に関し同号イ又はロに掲げる者と同等以上の技能及び知識がある者と認める者として認定する場合における当該認定は、次の各号のいずれかに該当する者について、それぞれ第十条第一項各号に掲げる免許の種類ごとに行うものとする。

一 技能試験に関する事務に一年以上従事し、かつ、当該免許に係る教習についての指定を受けた指定自動車教習所の指導及び監督に関する事務に三年以上従事した者

二 自動車の運転に関する技能及び知識の教習に関し、前号に掲げる者に準ずる技能及び知識があると認められる者

（教習指導員資格者証の交付等）

第一五条 法第九十九条の三第四項の規定による教習指導員資格者証の交付は、次の表の上欄に掲げる免許に係る自動車の運転に関する技能及び知識の教習ごとに、それぞれ同表の中欄に掲げる教習指導員資格者証の交付を受けようとする者に対し、同表の下欄に掲げる種類の教習指導員資格者証を交付することにより行うものとする。

免許の種類	教習指導員資格者証の交付を受けようとする者	教習指導員資格者証の種類
大型自動車免許	教習指導員審査（大型）に合格した者、大型自動車免許に係る教習指導員研修課程（法第九十九条の三第四項第一号ロに規定する自動車安全運転センターが行う自動車の運転に関する研修の課程をいう。以下同じ。）を修了した者又は大型自動車免許に係る教習認定（前条の認定をいう。以下同じ。）を受けた者	教習指導員資格者証（大型）
中型自動車免許	教習指導員審査（中型）に合格した者、中型自動車免許に係る教習指導員研修課程を修了した者又は中型自動車免許に係る教習認定を受けた者	教習指導員資格者証（中型）
準中型自動車免許	教習指導員審査（準中型）に合格した者、準中型自動車免許に係る教習指導員研修課程を修了した者又は準中型自動車免許に係る教習認定を受けた者	教習指導員資格者証（準中型）
普通自動車免許	教習指導員審査（普通）に合格した者、普通自動車免許に係る教習指導員研修課程を修了した者又は普通自動車免許に係る教習認定を受けた者	教習指導員資格者証（普通）
大型特殊自動車免許	教習指導員審査（大特）に合格した者、大型特殊自動車免許に係る教習指導員研修課程を修了した者又は大型特殊自動車免許に係る教習認定を受けた者	教習指導員資格者証（大特）
大型自動二輪車免許	教習指導員審査（大自二）に合格した者、大型自動二輪車免許に係る教習指導員研修課程を修了した者又は大型自動二輪車免許に係る教習認定を受けた者	教習指導員資格者証（大自二）
普通自動二輪車免許	教習指導員審査（普自二）に合格した者、普通自動二輪車免許に係る教習指導員研修課程を修了した者又は普通自動二輪車免許に係る教習認定を受けた者	教習指導員資格者証（普自二）
牽引免許	教習指導員審査（牽引）に合格した者、牽引免許に係る教習指導員研修課程を修了した者又は牽引免許に係る教習認定を受けた者	教習指導員資格者証（牽引）
大型自動車第二種免許	教習指導員審査（大型二種）に合格した者、大型自動車第二種免許に係る教習指導員研修課程を修了した者又は大型自動車第二種免許に係る教習認定を受けた者	教習指導員資格者証（大型二種）
中型自動車第二種免許	教習指導員審査（中型二種）に合格した者、中型自動車第二種免許に係る教習指導員研修課程を修了した者又は中型自動車第二種免許に係る教習認定を受けた者	教習指導員資格者証（中型二種）
普通自動車第二種免許	教習指導員審査（普通二種）に合格した者、普通自動車第二種免許に係る教習指導員研修課程を修了した者又は普通自動車第二種免許に係る教習認定を受けた者	教習指導員資格者証（普通二種）

2 前項の教習指導員資格者証の交付を受けようとする者は、公安委員会に、別記様式第四号の交付申請書を提出しなければならない。

3 前項の交付申請書には、次に掲げる書類を添付しなければならない。

一 教習指導員審査合格証明書、法第九十九条の三第四項第一号ロに掲げる者に該当することを証する書面又は教習認定につき前条各号のいずれかに該当する者であることを証する書面

二 法第九十九条の三第四項第二号イからハまでのいずれにも該当しない者であることを誓約する書面

4 第一項の教習指導員資格者証の様式は、別記様式第九号のとおりとする。

（準用規定）

第一六条 第八条の規定は、教習指導員資格者証の交付を受けた者について準用する。

2 第九条の規定は、法第九十九条の三第五項において準用する法第九十九条の二第五項の規定による教習指導員資格者証の返納の命令について準用する。

第三章 雑則

（技能検定員審査等の審査細目の免除）

第一七条　技能検定員審査又は教習指導員審査を受けようとする者のうち、次の各号に掲げるものに対しては、それぞれ当該各号に定める審査細目についての審査を免除するものとする。

一　過去一年以内に技能検定員審査又は教習指導員審査を受け、当該審査において、審査細目のいずれかについて第四条又は第十二条に定める合格基準に達する成績を得た者　合格基準に達する成績を得た審査細目

二　過去一年以内に技能検定、技能教習又は学科教習についての技能又は知識に関する講習であって国家公安委員会が指定するものを修了した者　国家公安委員会が指定する審査細目

2　第一条第一号から第八号までのいずれかに掲げる技能検定員審査を受けようとする者のうち、次の各号に掲げるものに対しては、それぞれ当該各号に定める審査細目についての審査を免除するものとする。

一　教習指導員資格者証の交付を受けた者　次の審査細目

イ　教則の内容となっている事項

ロ　自動車教習所に関する法令についての知識

二　他の種類の免許に係る技能検定員資格者証の交付を受けた者（次号又は第四号に掲げる者を除く。）　前号に定める審査細目及び次の審査細目

イ　技能検定の実施に関する知識

ロ　自動車の運転技能の評価方法に関する知識

三　第一条第一号から第五号まで又は第八号に掲げる免許のいずれかに係る技能検定員資格者証の交付を受けた者で、これらの免許のうち当該免許以外のものについての技能検定員審査を受けようとするもの　前号に定める審査細目並びに自動車の運転技能に関する観察及び採点の技能

四　技能検定員資格者証（大自二）の交付を受けた者で技能検定員審査（普自二）を受けようとするもの　前号に定める審査細目及び技能検定員として必要な自動車の運転技能

3　第一条第九号から第十一号までのいずれかに掲げる技能検定員審査を受けようとする者のうち、次の各号に掲げるものに対しては、それぞれ当該各号に定める審査細目についての審査を免除するものとする。

一　第十条第一項第九号から第十一号までに掲げる免許のいずれかに係る教習指導員資格者証の交付を受けた者　道路運送法第二条第三項に規定する旅客自動車運送事業及び自動車運転代行業の業務の適正化に関する法律第二条第一項に規定する自動車運転代行業に関する法令についての知識

二　第一条第九号から第十一号までに掲げる免許のいずれかに係る技能検定員資格者証の交付を受けた者で、これらの免許のうち当該免許以外のものについての技能検定員審査を受けようとするもの　前号に定める審査細目及び自動車の運転技能の評価方法に関する知識

4　第十条第一項第一号から第八号までのいずれかに掲げる教習指導員審査を受けようとする者のうち、次の各号に掲げるものに対しては、それぞれ当該各号に定める審査細目についての審査を免除するものとする。

一　技能検定員資格者証の交付を受けた者（次号に掲げる者を除く。）　自動車教習所に関する法令についての知識

二　次に掲げる者　前号に定める審査細目及び教習指導員として必要な自動車の運転技能

イ　技能検定員資格者証の交付を受けた者で当該技能検定員資格者証に係る免許に係る教習指導員審査を受けようとするもの

ロ　技能検定員資格者証（大自二）の交付を受けた者で教習指導員審査（普自二）を受けようとするもの

三　他の種類の免許に係る教習指導員資格者証の交付を受けた者（次号又は第五号に掲げる者を除く。）　第一号に定める審査細目及び次の審査細目

イ　学科教習に必要な教習の技能

ロ　教則の内容となっている事項その他自動車の運転に関する知識

ハ　教習指導員として必要な教育についての知識

四　第十条第一項第一号から第五号まで又は第八号に掲げる免許のいずれかに係る教習指導員資格者証の交付を受けた者で、これらの免許のうち当該免許以外のものについての教習指導員審査を受けようとするもの　前号に定める審査細目及び技能教習に必要な教習の技能

五　教習指導員資格者証（大自二）の交付を受けた者で教習指導員審査（普自二）を受けようとするもの　前号に定める審査細目及び教習指導員として必要な自動車の運転技能

5　第十条第一項第九号から第十一号までのいずれかに掲げる教習指導員審査を受けようとする者のうち、次の各号に掲げるものに対しては、それぞれ当該各号に定める審査細目についての審査を免除するものとする。

一　第十条第一項第九号から第十一号までに掲げる免許のいずれかに係る教習指導員資格者証の交付を受けた者で、これらの免許のうち当該免許以外のものについての教習指導員審査を受けようとするもの　道路運送法第二条第三項に規定する旅客自動車運送事業及び自動車運転代行業の業務の適正化に関する法律第二条第一項に規定する自動車運転代行業に関する法令についての知識

二　第一条第九号から第十一号までに掲げる免許のいずれかに係る技能検定員資格者証の交付を受けた者　前号に定める審査細目及び教習指導員として必要な自動車の運転技能（当該技能検定員資格者証に係る免許に係るものに限る。）

附　則

（施行期日）

第一条　この規則は、平成六年五月十日から施行する。

（みなし教習指導員に係る認定等の特例）

第二条　当分の間、法第九十九条の三第四項第一号ハの規定により公安委員会が自動車の運転に関する技能及び知識の教習に関し同号イ又はロに掲げる者と同等以上の技能及び知識があると認める者として認定する場合における当該認定は、第十四条の規定によるほか、道路交通法の一部を改正する法律（平成五年法律第四十三号。以下「改正法」という。）附則第七条第二項に規定するみなし教習指導員（次条において「みなし教習指導員」という。）であって同法附則第六条第一項に規定する旧法指定自動車教習所の廃止その他のその者の責めに帰することのできない事由により当該旧法指定自動車教習所において教習指導員の業務に従事することができないと公安委員会が認めたものについて、技能教習及び学科教習の区分ごとに行うことができる。

2　前項の認定（以下この項及び次項において「暫定教習認定」という。）を受けた者についての法第九十九条の三第四項の規定による教習指導員資格者証の交付は、第十五条第一項の規定にかかわらず、次の表の上欄に掲げる教習の区分に応じ、それぞれ同表の中欄に掲げる教習指導員資格者証の交付を受けようとする者に対し、同表の下欄に掲げる種類の教習指導員資格者証を交付することにより行うものとする。

教習の区分	教習指導員資格者証の交付を受けようとする者	教習指導員資格者証の種類
技能教習	技能教習に係る暫定教習認定を受けた者	教習指導員資格者証（技能）
学科教習	学科教習に係る暫定教習認定を受けた者	教習指導員資格者証（学科）

3　前項の教習指導員資格者証（以下この条において「暫定教習指導員資格者証」という。）の有効期間は、当該暫定教習指導員資格者証の交付を受けた日から三年を経過する日（その日までに暫定教習指導員資格者証以外の教習指導員資格者証の交付

を受けたときは、その交付を受けた日）までの間とする。

4　暫定教習指導員資格者証の交付を受けた者は、当該暫定教習指導員資格者証の有効期間が満了したときは、速やかに（暫定教習指導員資格者証以外の教習指導員資格者証の交付を受けたときは、当該教習指導員資格者証と引換えに）、当該暫定教習指導員資格者証を公安委員会に返納しなければならない。

5　第十五条（同条第一項を除く。）及び第十六条の規定は、暫定教習指導員資格者証について適用する。この場合において、第十五条第三項第一号中「教習認定につき前条各号のいずれかに該当する者」とあるのは、「教習認定につき前条各号のいずれかに該当する者若しくは附則第二条第二項の暫定教習認定につき同条第一項の規定により公安委員会が認めた者」とする。

（技能検定員審査等の審査細目の免除等の特例）

第三条　技能検定員審査又は教習指導員審査を受けようとする者のうち、次の各号に掲げるものに対しては、第十七条の規定にかかわらず、それぞれ当該各号に定める審査細目についての審査を免除するものとする。

一　みなし教習指導員のうち改正法の施行の際現に道路交通法施行令の一部を改正する政令（昭和四十八年政令第二十七号。第三号において「改正令」という。）附則第三項に規定する専ら構造教習に従事する者（次号及び第五号において「構造教習従事者」という。）又は同項に規定する専ら法令教習及び構造教習を除く学科教習に従事する者（次号及び第五号において「学科教習（法令教習及び構造教習を除く。）従事者」という。）で技能検定員審査を受けようとするもの　教則の内容となっている事項

二　みなし教習指導員（構造教習従事者及び学科教習（法令教習及び構造教習を除く。）従事者を除く。）で技能検定員審査を受けようとするもの　教則の内容となっている事項及び自動車教習所に関する法令についての知識

三　みなし教習指導員のうち改正法の施行の際現に改正令附則第三項に規定する専ら法令教習に従事する者（第五号において「法令教習従事者」という。）で教習指導員審査を受けようとするもの　自動車教習所に関する法令についての知識

四　道路交通法施行規則の一部を改正する総理府令（平成六年総理府令第一号）による改正前の道路交通法施行規則（次号において「旧府令」という。）第三十二条第一項に規定する技能指導員に係る審査に合格した者で教習指導員審査を受けようとするもの　教習指導員として必要な自動車の運転技能、技能教習に必要な教習の技能及び自動車教習所に関する法令についての知識

五　旧府令第三十二条第二項に規定する学科指導員に係る審査に合格した者（法令教習従事者、構造教習従事者及び学科教習（法令教習及び構造教習を除く。）従事者を除く。）で教習指導員審査を受けようとするもの　学科教習に必要な教習の技能、教則の内容となっている事項その他自動車の運転に関する知識及び自動車教習所に関する法令についての知識

2　技能検定員審査又は教習指導員審査を受けようとする者が前項各号のいずれかに該当する者であるときは、第三条第一項又は第十一条第一項の審査申請書に、それぞれ当該各号に該当する者であることを証する書面を添付しなければならない。

附　則〔平成八・八・六国家公安委員会規則九〕

（施行期日）

1　この規則は、道路交通法の一部を改正する法律（平成七年法律第七十四号）の施行の日（平成八年九月一日）から施行する。

（経過措置）

2　この規則の施行の際現に改正前の技能検定員審査等に関する規則（以下「旧規則」という。）第四条の規定による技能検定員審査（自二）に合格している者は、改正後の技能検定員審査等に関する規則（以下「新規則」という。）第四条の規定による技能検定員審査（普自二）に合格した者とみなす。

3　この規則の施行前に旧規則第五条の規定により交付された自動二輪車に係る技能検定員審査合格証明書は、新規則第五条の規定により交付された普通自動二輪車に係る技能検定員審査合格証明書とみなす。

4　この規則の施行の際現に旧規則第六条の規定による自動二輪車に係る認定を受けている者は、新規則第六条による普通自動二輪車に係る認定を受けた者とみなす。

5　この規則の施行前に旧規則第七条又は第八条の規定により交付された技能検定員資格者証（自二）は、新規則第七条又は第八条の規定により交付された技能検定員資格者証（普自二）とみなす。

6　この規則の施行の際現に旧規則第十二条の規定による教習指導員審査（自二）に合格している者は、新規則第十二条の規定による教習指導員審査（普自二）に合格した者とみなす。

7　この規則の施行前に旧規則第十三条の規定により交付された自動二輪車に係る教習指導員審査合格証明書は、新規則第十三条の規定により交付された普通自動二輪車に係る教習指導員審査合格証明書とみなす。

8　この規則の施行の際現に旧規則第十四条の規定による自動二輪車に係る認定を受けている者は、新規則第十四条の規定による普通自動二輪車に係る認定を受けた者とみなす。

9　この規則の施行前に旧規則第十五条又は第十六条第一項の規定により交付された教習指導員資格者証（自二）は、新規則第十五条又は第十六条第一項の規定により交付された教習指導員資格者証（普自二）とみなす。

10　この規則の施行の際現に教習指導員審査（自二）又は技能検定員審査（自二）の審査細目のいずれかについて旧規則第四条又は第十二条に定める合格基準に達する成績を得ている者は、当該審査細目に相当する教習指導員審査（普自二）又は技能検定員審査（普自二）の審査細目において新規則第四条又は第十二条に定める合格基準に達する成績を得たものとみなす。

附　則〔平成一四・四・一九国家公安委員会規則八〕

（施行期日）

1　この規則は、平成十四年五月一日から施行する。

（経過措置）

2　改正後の技能検定員審査等に関する規則（以下「新規則」という。）第一条に規定する技能検定員審査（大型二種）及び技能検定員審査（普通二種）に係る新規則第二条の規定による公示並びに新規則第十条第一項に規定する教習指導員審査（大型二種）及び教習指導員審査（普通二種）に係る新規則第十条第二項において準用する新規則第二条の規定による公示は、この規則の施行前においても行うことができる。

3　平成十四年五月三十一日までの間は、新規則第四条第二項の表の技能検定に関する技能の項中「技能試験」とあるのは「道路交通法の一部を改正する法律（平成十三年法律第五十一号。第十二条第二項において「改正法」という。）及び道路交通法施行規則及び自動車安全運転センター法施行規則の一部を改正する内閣府令（平成十四年内閣府令第三十四号。第十二条第二項において「改正府令」という。）の施行後の技能試験」と、新規則第十二条第二項の表の教習に関する技能の項中「技能試験」とあるのは「改正法及び改正府令の施行後の技能試験」とする。

4　この規則の施行の際現に改正前の技能検定員審査等に関する規則（以下「旧規則」という。）第一条に定める種類の技能検定員審査に合格し、若しくは旧規則第十条第一項に定める種類の教習指導員審査に合格し、若しくはそれぞれの審査細目についてそれぞれ旧規則第四条若しくは第十二条に定める合格基準に達する成績を得ている者又は旧規則第六条若しくは第十四条の規定による認定を受けている者は、それぞれ新規則の相当規定に定める種類の技能検定員審査若しくは教習指導員審査に合格し、若しくはそれぞれの審査細目について新規則の相当規定に定める合格基準に達する成績を得ている者又は新規則の相当規定による認定を受けている者とみなす。この場合において、旧規則に規

定する大型自動車又は普通自動車に係るものは、それぞれ新規則に規定する大型自動車免許又は普通自動車免許に係るものとする。

5　この規則の施行前に旧規則第五条の規定により交付された技能検定員審査合格証明書、旧規則第七条若しくは第八条の規定により交付された技能検定員資格者証、旧規則第十三条の規定により交付された教習指導員審査合格証明書又は旧規則第十五条若しくは第十六条の規定により交付された教習指導員資格者証は、それぞれ新規則の相当規定により交付されたものとみなす。この場合において、旧規則に規定する大型自動車又は普通自動車に係るものは、それぞれ新規則に規定する大型自動車免許又は普通自動車免許に係るものとする。

附　則〔平成一八・二・二〇国家公安委員会規則三〕

（施行期日）

1　この規則は、道路交通法の一部を改正する法律（平成十六年法律第九十号。以下「改正法」という。）附則第一条第五号に掲げる規定の施行の日〔平成一九・六・二〕から施行する。ただし、次の各号に掲げる規定は、当該各号に定める日から施行する。

一　別記様式第三号、別記様式第四号及び別記様式第六号の改正規定並びに附則第十三項の規定　公布の日

二　附則第十項及び第十一項の規定　平成十八年四月一日

（経過措置）

2　この規則の施行の際現に次の各号に掲げる技能検定員審査に合格している者は、当該各号に定める技能検定員審査に合格した者とみなす。

一　改正前の技能検定員審査等に関する規則（以下「旧規則」という。）第一条第一号の技能検定員審査（大型）　改正後の技能検定員審査等に関する規則（以下「新規則」という。）第一条第二号の技能検定員審査（中型）

二　旧規則第一条第二号の技能検定員審査（普通）　新規則第一条第三号の技能検定員審査（普通）

三　旧規則第一条第七号の技能検定員審査（大型二種）　新規則第一条第九号の技能検定員審査（中型二種）

四　旧規則第一条第八号の技能検定員審査（普通二種）　新規則第一条第十号の技能検定員審査（普通二種）

3　この規則の施行前に次の各号に掲げる免許に係る旧規則第五条の規定により交付された技能検定員審査合格証明書は、当該各号に定める免許に係る新規則第五条の規定により交付された技能検定員審査合格証明書とみなす。

一　改正法第四条の規定による改正前の道路交通法（以下「旧法」という。）第八十四条第三項の大型自動車免許（以下「旧法大型免許」という。）　改正法第四条の規定による改正後の道路交通法（以下「新法」という。）第八十四条第三項の中型自動車免許（以下「中型免許」という。）

二　旧法第八十四条第三項の普通自動車免許（以下「旧法普通免許」という。）　新法第八十四条第三項の普通自動車免許（以下「普通免許」という。）

三　旧法第八十四条第四項の大型自動車第二種免許（以下「旧法大型第二種免許」という。）　新法第八十四条第四項の中型自動車第二種免許（以下「中型第二種免許」という。）

四　旧法第八十四条第四項の普通自動車第二種免許（以下「旧法普通第二種免許」という。）　新法第八十四条第四項の普通自動車第二種免許（以下「普通第二種免許」という。）

4　この規則の施行の際現に旧法大型免許、旧法普通免許、旧法大型第二種免許又は旧法普通第二種免許に係る旧規則第六条の規定による認定を受けている者は、前項各号に掲げる区分に応じ、それぞれ当該各号に定める免許に係る新規則第六条の規定による認定を受けた者とみなす。

5　この規則の施行の際現に次の各号に掲げる教習指導員審査に合格している者は、当該各号に定める教習指導員審査に合格した者とみなす。

一　旧規則第十条第一項第一号の教習指導員審査（大型）　新規則第十条第一項第二号の教習指導員審査（中型）

二　旧規則第十条第一項第二号の教習指導員審査（普通）　新規則第十条第一項第三号の教習指導員審査（普通）

三　旧規則第十条第一項第七号の教習指導員審査（大型二種）　新規則第十条第一項第九号の教習指導員審査（中型二種）

四　旧規則第十条第一項第八号の教習指導員審査（普通二種）　新規則第十条第一項第十号の教習指導員審査（普通二種）

6　この規則の施行前に旧法大型免許、旧法普通免許、旧法大型第二種免許又は旧法普通第二種免許に係る旧規則第十三条の規定により交付された教習指導員審査合格証明書は、附則第三項各号に掲げる区分に応じ、それぞれ当該各号に定める免許に係る新規則第十三条の規定により交付された教習指導員審査合格証明書とみなす。

7　この規則の施行の際現に旧法大型免許、旧法普通免許、旧法大型第二種免許又は旧法普通第二種免許に係る旧規則第十四条の規定による認定を受けている者は、附則第三項各号に掲げる区分に応じ、それぞれ当該各号に定める免許に係る新規則第十四条の規定による認定を受けた者とみなす。

8　この規則の施行の際現に技能検定員審査（大型）、技能検定員審査（普通）、技能検定員審査（大型二種）又は技能検定員審査（普通二種）の審査細目のいずれかについて旧規則第四条に定める合格基準に達する成績を得ている者は、附則第二項各号に掲げる区分に応じ、それぞれ当該各号に定める技能検定員審査の審査細目において新規則第四条に定める合格基準に達する成績を得た者とみなす。

9　この規則の施行の際現に教習指導員審査（大型）、教習指導員審査（普通）、教習指導員審査（大型二種）又は教習指導員審査（普通二種）の審査細目のいずれかについて旧規則第十二条に定める合格基準に達する成績を得ている者は、附則第五項各号に掲げる区分に応じ、それぞれ当該各号に定める教習指導員審査の審査細目において新規則第十二条に定める合格基準に達する成績を得た者とみなす。

10　道路交通法施行令の一部を改正する政令（以下「改正政令」という。）附則第四条第一項ただし書の規定による別段の申出は、次の事項を記載した申出書を技能検定員資格者証又は教習指導員資格者証を交付した都道府県公安委員会に提出して行うものとする。

一　当該申出をする者の住所、氏名及び生年月日並びに当該申出に係る技能検定員資格者証又は教習指導員資格者証の番号及び交付年月日

二　当該申出に係る新法第八十四条第三項又は第四項の免許の種類

三　前号に係る免許の種類について改正政令附則第四条第一項本文に係る技能検定員資格者証又は教習指導員資格者証の交付を受けたとみなされることを希望しない旨

11　改正政令附則第五条第一項の規定により都道府県公安委員会が指定する研修は、次のすべてに該当するものでなければならない。

一　研修を行うのに必要かつ適切な組織及び能力を有すると都道府県公安委員会が認める者が行う研修であること。

二　正当な理由なく受講を制限する研修でないこと。

三　新法第八十四条第三項の大型自動車免許又は同条第四項の大型自動車第二種免許に係る教習又は技能検定を行うために必要な技能及び知識を習得することができる研修として都道府県公安委員会が認める研修であること。

12　改正政令附則第五条第一項に規定する指定自動車教習所を管理する者は、同項に規定する者に前項に規定する研修を受けさせたときには、速やかに、当該自動車教習所を指定自動車教習所として指定した都道府県公安委員会に対して、その旨を文書で通知しなければならない。

13　技能検定員審査合格証明書再交付申請書及び教習指導員審査合格証明書再交付申請書、技能検定員資格者証交付申請書及び教習指導員資格者証交付申請書並びに技能検定員資格者証再交付申請書、技能検定員資格者証書換え申請書、教習指導員資格者証再交付申請書及び教習指導員資格者証書換え申請書の様式については、新規則別記様式第三号、別記様式第四号及び別記様式第六号の様式にかかわらず、当分の間、なお従前の例によることができる。

附　則〔平成二八・七・一五国家公安委員会規則一五〕

（施行期日）

1　この規則は、道路交通法の一部を改正する法律（平成二十七年法律第四十号。附則第三項において「改正法」という。）の施行の日（平成二十九年三月十二日。以下「改正法施行日」という。）から施行する。ただし、附則第十項から第十二項までの規定は、公布の日から施行する。

（経過措置）

2　改正法施行日において現に次の各号に掲げる技能検定員審査に合格している者は、それぞれ当該各号に定める技能検定員審査に合格した者とみなす。

一　改正前の技能検定員審査等に関する規則（以下「旧規則」という。）第一条第二号の技能検定員審査（中型）　改正後の技能検定員審査等に関する規則（以下「新規則」という。）第一条第二号の技能検定員審査（中型）

二　旧規則第一条第三号の技能検定員審査（普通）　新規則第一条第四号の技能検定員審査（普通）

三　旧規則第一条第九号の技能検定員審査（中型二種）　新規則第一条第十号の技能検定員審査（中型二種）

四　旧規則第一条第十号の技能検定員審査（普通二種）　新規則第一条第十一号の技能検定員審査（普通二種）

3　改正法施行日前に次の各号に掲げる運転免許（以下「免許」という。）に係る旧規則第五条の規定により交付された技能検定員審査合格証明書は、それぞれ当該各号に定める免許に係る新規則第五条の規定により交付された技能検定員審査合格証明書とみなす。

一　改正法による改正前の道路交通法（以下「旧法」という。）第八十四条第三項の中型自動車免許（以下「旧法中型免許」という。）　改正法による改正後の道路交通法（以下「新法」という。）第八十四条第三項の中型自動車免許

二　旧法第八十四条第三項の普通自動車免許（以下「旧法普通免許」という。）　新法第八十四条第三項の普通自動車免許

三　旧法第八十四条第四項の中型自動車第二種免許（以下「旧法中型第二種免許」という。）　新法第八十四条第四項の中型自動車第二種免許

四　旧法第八十四条第四項の普通自動車第二種免許（以下「旧法普通第二種免許」という。）　新法第八十四条第四項の普通自動車第二種免許

4　改正法施行日において現に旧法中型免許、旧法普通免許、旧法中型第二種免許又は旧法普通第二種免許に係る旧規則第六条の規定による認定を受けている者は、前項各号に掲げる区分に応じ、それぞれ当該各号に定める免許に係る新規則第六条の規定による認定を受けた者とみなす。

5　改正法施行日において現に次の各号に掲げる教習指導員審査に合格している者は、それぞれ当該各号に定める教習指導員審査に合格した者とみなす。

一　旧規則第十条第一項第二号の教習指導員審査（中型）　新規則第十条第一項第二号の教習指導員審査（中型）

二　旧規則第十条第一項第三号の教習指導員審査（普通）　新規則第十条第一項第四号の教習指導員審査（普通）

三　旧規則第十条第一項第九号の教習指導員審査（中型二種）　新規則第十条第一項第十号の教習指導員審査（中型二種）

四　旧規則第十条第一項第十号の教習指導員審査（普通二種）　新規則第十条第一項第十一号の教習指導員審査（普通二種）

6　改正法施行日前に旧法中型免許、旧法普通免許、旧法中型第二種免許又は旧法普通第二種免許に係る旧規則第十三条の規定により交付された教習指導員審査合格証明書は、附則第三項各号に掲げる区分に応じ、それぞれ当該各号に定める免許に係る新規則第十三条の規定により交付された教習指導員審査合格証明書とみなす。

7　改正法施行日において現に旧法中型免許、旧法普通免許、旧法中型第二種免許又は旧法普通第二種免許に係る旧規則第十四条の規定による認定を受けている者は、附則第三項各号に掲げる区分に応じ、それぞれ当該各号に定める免許に係る新規則第十四条の規定による認定を受けた者とみなす。

8　改正法施行日において現に附則第二項各号に掲げる技能検定員審査の審査細目のいずれかについて旧規則第四条に定める合格基準に達する成績を得ている者は、それぞれ当該各号に定める技能検定員審査の審査細目において新規則第四条に定める合格基準に達する成績を得た者とみなす。

9　改正法施行日において現に附則第五項各号に掲げる教習指導員審査の審査細目のいずれかについて旧規則第十二条に定める合格基準に達する成績を得ている者は、それぞれ当該各号に定める教習指導員審査の審査細目において新規則第十二条に定める合格基準に達する成績を得た者とみなす。

10　道路交通法施行令の一部を改正する政令（以下「改正政令」という。）附則第三条第一項ただし書の規定による別段の申出は、次の事項を記載した申出書を技能検定員資格者証又は教習指導員資格者証を交付した都道府県公安委員会に提出して行うものとする。

一　当該申出をする者の住所、氏名及び生年月日並びに当該申出に係る技能検定員資格者証又は教習指導員資格者証の番号及び交付年月日

二　当該申出に係る新法第八十四条第三項の免許の種類

三　第一号に係る者が前号に係る免許の種類について改正政令附則第三条第一項本文の規定の適用を受けることを希望しない旨

11　改正政令附則第四条第一項の規定により都道府県公安委員会が指定する研修は、次の各号のいずれにも該当するものでなければならない。

一　研修を行うのに必要かつ適切な組織及び能力を有すると都道府県公安委員会が認める者が行う研修であること。

二　正当な理由なく受講を制限する研修でないこと。

三　新法第八十四条第三項の準中型自動車免許に係る教習又は技能検定を行うために必要な技能及び知識を習得することができる研修として都道府県公安委員会が認める研修であること。

12　改正政令附則第四条第一項に規定する指定自動車教習所を管理する者は、改正政令附則第三条第一項の規定により中型免許及び準中型免許に係る技能検定員資格者証又は教習指導員資格者証とみなされる技能検定員資格者証又は教習指導員資格者証の交付を受けている者に前項に規定する研修を受けさせたときには、速やかに、当該自動車教習所を指定自動車教習所として指定した都道府県公安委員会に対して、その旨を文書で通知しなければならない。

附　則〔令和元・六・二一国家公安委員会規則三〕

（施行期日）

1　この規則は、令和元年七月一日から施行する。

（経過措置）

2　この規則による改正前の〔中略〕技能検定員審査等に関する規則〔中略〕に規定する様式による書面については、この規則による改正後のこれらの規則に規定する様式にかかわらず、当分の間、なおこれを使用することができる。

別記様式第１号（第３条及び第11条関係）

※受理年月日	年　月　日
※受理番号	

技能検定員
教習指導員 審査申請書

年　月　日

公安委員会　殿

技能検定員 教習指導員 審査の種類		大型・中型・準中型・普通・大特・大自二・普自二・けん引・大型二種・中型二種・普通二種		
申請者	本籍・国籍			写真
	住所			
	ふりがな			
	氏名 生年月日	年　月　日生		
現に受けている免許	交付公安委員会	公安委員会		
	交付年月日・番号	年　月　日	有効期間の末日	年　月　日
	免許証番号	第　　号		
	免許年月日・種類	大自二　普自二	年　月　日	
		その他	年　月　日	
		免許の種類	大型　中型　準中型　普通　大特　大自二　普自二　け引　大二　中二　普二	
	免許の条件			

備考　1　※印欄には、記載しないこと。
2　写真は、申請前６月以内に撮影した無帽、正面、上三分身、無背景の縦の長さ3.0センチメートル、横の長さ2.4センチメートルのものとする。
3　免許年月日・種類欄は、年号及び年月日を記載するほか、現に受けている免許の種類を表す略語を○で囲むこと。
4　用紙の大きさは、日本産業規格Ａ列４番とする。

別記様式第２号（第５条関係）

第　　号

技能検定員審査合格証明書

住　所

氏　名

年　月　日生

上記の者は、　年　月　日　　公安委員会が行った免許に係る道路交通法第99条の２第４項第１号イの規定による技能検定員審査に合格した者であることを証明する。

年　月　日

公安委員会印

備考　用紙の大きさは、日本産業規格Ａ列４番とする。

別記様式第３号（第５条及び第13条関係）

※受理年月日	年　月　日
※受理番号	
※再発行年月日	年　月　日

技能検定員審査合格証明書
教習指導員審査合格証明書 再交付申請書

技能検定員審査等に関する規則第５条第２項（第13条第２項において準用する場合を含む。）の規定により、技能検定員審査合格証明書
教習指導員審査合格証明書 の再交付を申請します。

年　月　日

公安委員会　殿

申請者	本籍・国籍	
	住所	
	氏名	
	生年月日	年　月　日生
証明書	番号	第　　号
	交付年月日	年　月　日
	審査年月日	年　月　日
再交付申請の事由		
（亡失又は滅失の状況）		

備考　1　※印欄には、記載しないこと。
2　用紙の大きさは、日本産業規格Ａ列４番とする。

別記様式第４号（第７条及び第15条関係）

※受理年月日	年　月　日
※受理番号	
※資格者証番号	

技能検定員資格者証
教習指導員資格者証 交付申請書

技能検定員審査等に関する規則 第７条
第15条 第２項の規定により、技能検定員資格者証
教習指導員資格者証 の交付を申請します。

年　月　日

公安委員会　殿

交付を受けようとする技能検定員資格者証 教習指導員資格者証の種類		
申請者	本籍・国籍	
	住所	
	氏名	
	生年月日	年　月　日生
合格証明書等	番号	第　　号
	交付年月日	年　月　日
	合格等年月日	年　月　日

備考　1　※印欄には、記載しないこと。
2　用紙の大きさは、日本産業規格Ａ列４番とする。

別記様式第5号（第7条関係）

第　　号

技能検定員資格者証

住　所

氏　名

年　月　日生

道路交通法第99条の2第1項に規定する技能検定員としての資格を有する者であることを証明する。

技能検定員資格者証の種類	

年　月　日

公　安　委　員　会㊞

備考　1　技能検定員資格者証の種類欄には、技能検定員資格者証に係る技能検定に係る免許の種類を記載する。
　　　2　用紙の大きさは、日本産業規格A列4番とする。
　　　3　中央部に日章の地模様を入れる。

別記様式第6号（第8条及び第16条関係）

※受理年月日	年　月　日
※受理番号	
※再交付／書換え年月日	年　月　日

技能検定員資格者証／教習指導員資格者証 の 再交付／書換え 申請書

技能検定員審査等に関する規則第8条第1項／第2項（第16条第1項において準用する場合を含む。）の規定により、技能検定員資格者証／教習指導員資格者証の再交付／書換えを申請します。

年　月　日

公安委員会　殿

申請者	本籍・国籍	
	住　　所	
	氏　　名	
	生年月日	年　　月　　日生
資格者証	番　　号	第　　　　号
	交付年月日	年　　月　　日
再交付又は書換えを申請する事由		

備考　1　※印欄には、記載しないこと。
　　　2　用紙の大きさは、日本産業規格A列4番とする。

別記様式第7号（第9条及び第16条関係）

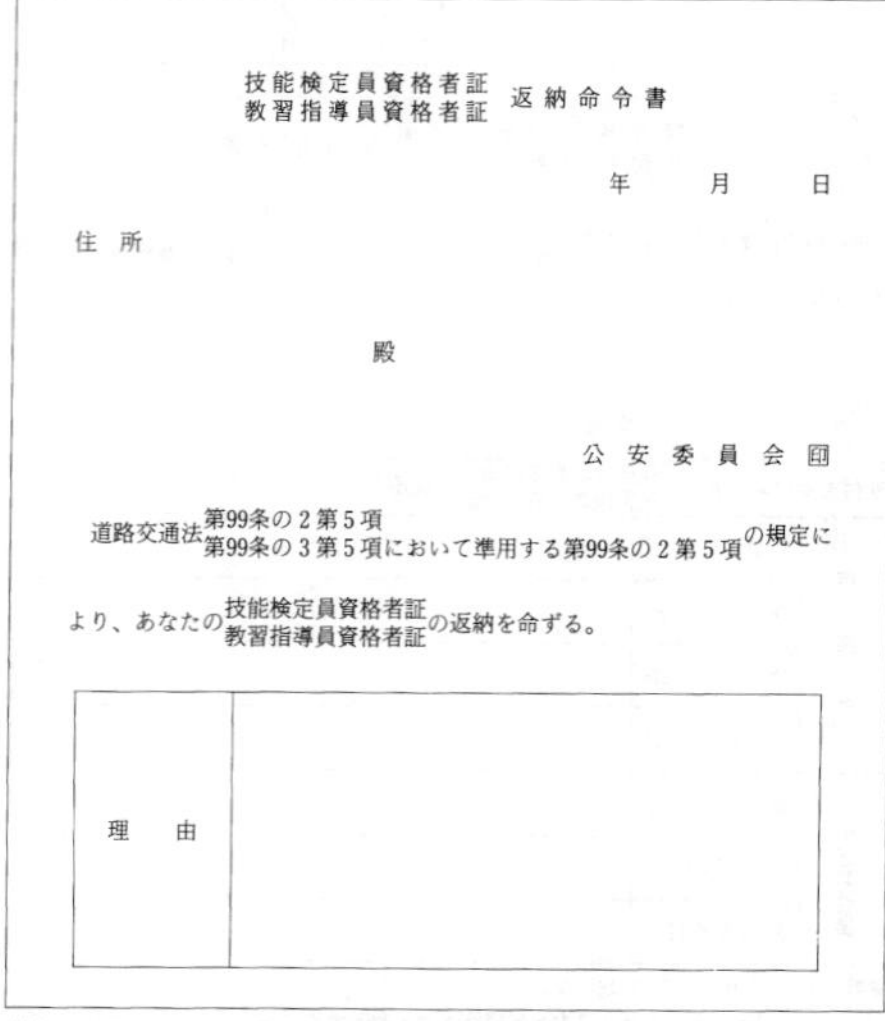

技能検定員資格者証／教習指導員資格者証 返納命令書

年　月　日

住所

殿

公　安　委　員　会㊞

道路交通法第99条の2第5項／第99条の3第5項において準用する第99条の2第5項の規定により、あなたの技能検定員資格者証／教習指導員資格者証の返納を命ずる。

理　由	

備考　用紙の大きさは、日本産業規格A列4番とする。

別記様式第8号（第13条関係）

第　　号

教習指導員審査合格証明書

住　所

氏　名

年　月　日生

上記の者は、　年　月　日　　公安委員会が行った　　免許に係る道路交通法第99条の3第4項第1号イの規定による教習指導員審査に合格した者であることを証明する。

年　月　日

公　安　委　員　会㊞

備考　用紙の大きさは、日本産業規格A列4番とする。

別記様式第９号（第15条関係）

第　　号

教習指導員資格者証

住　所

氏　名

年　月　日生

道路交通法第99条の３第１項に規定する教習指導員としての資格を有する者であることを証明する。

教習指導員資格者証の種類	

年　月　日

公安委員会㊞

備考　１　教習指導員資格者証の種類欄には、教習指導員資格者証に係る教習に係る免許の種類を記載する。
２　用紙の大きさは、日本産業規格Ａ列４番とする。
３　中央部に日章の地模様を入れる。

○技能検定員審査等に関する規則の規定に基づき、技能教習又は学科教習についての技能又は知識に関する教習であって国家公安委員会が指定するもの及び国家公安委員会が指定する審査細目を定める件

〔令和元・一二・二七
国家公安委員会告示五二〕

技能検定員審査等に関する規則（平成六年国家公安委員会規則第三号）第十七条第一項第二号の規定に基づき、技能検定、技能教習又は学科教習についての技能又は知識に関する講習であって当該講習を修了した者が技能検定員審査又は教習指導員審査において一定の審査細目について審査を免除されることとなる講習及び当該免除される審査細目を次のように定める。

一　技能検定についての技能又は知識に関する講習

講習	免除される審査細目
自動車安全運転センターが行う新任技能検定員（大型）課程	技能検定員審査（大型）の審査細目のうち、技能検定員として必要な自動車の運転技能並びに自動車の運転技能に関する観察及び採点の技能
自動車安全運転センターが行う新任技能検定員（中型）課程	技能検定員審査（中型）の審査細目のうち、技能検定員として必要な自動車の運転技能並びに自動車の運転技能に関する観察及び採点の技能
自動車安全運転センターが行う新任技能検定員（準中型）課程	技能検定員審査（準中型）の審査細目のうち、技能検定員として必要な自動車の運転技能並びに自動車の運転技能に関する観察及び採点の技能
自動車安全運転センターが行う新任技能検定員（普通）課程	技能検定員審査（普通）の審査細目のうち、技能検定員として必要な自動車の運転技能並びに自動車の運転技能に関する観察及び採点の技能
自動車安全運転センターが行う新任技能検定員（大自二）課程	技能検定員審査（大自二）の審査細目のうち、技能検定員として必要な自動車の運転技能並びに自動車の運転技能に関する観察及び採点の技能
自動車安全運転センターが行う新任技能検定員（普自二）課程	技能検定員審査（普自二）の審査細目のうち、技能検定員として必要な自動車の運転技能並びに自動車の運転技能に関する観察及び採点の技能
自動車安全運転センターが行う新任技能検定員（大型二種）課程	技能検定員審査（大型二種）の審査細目のうち、技能検定員として必要な自動車の運転技能並びに自動車の運転技能に関する観察及び採点の技能
自動車安全運転センターが行う新任技能検定員（中型二種）課程	技能検定員審査（中型二種）の審査細目のうち、技能検定員として必要な自動車の運転技能並びに自動車の運転技能に関する観察及び採点の技能
自動車安全運転センターが行う新任技能検定員（普通二種）課程	技能検定員審査（普通二種）の審査細目のうち、技能検定員として必要な自動車の運転技能並びに自動車の運転技能に関する観察及び採点の技能

二　技能教習又は学科教習の技能又は知識に関する講習

講習	免除される審査細目
自動車安全運転センターが行う新任教習指導員（大型）課程	教習指導員審査（大型）の審査細目のうち、教習指導員として必要な自動車の運転技能、技能教習に必要な教習の技能及び教習指導員として必要な教育についての知識
自動車安全運転センターが行う新任教習指導員（中型）課程	教習指導員審査（中型）の審査細目のうち、教習指導員として必要な自動車の運転技能、技能教習に必要な教習の技能及び教習指導員として必要な教育についての知識
自動車安全運転センターが行う新任教習指導員（準中型）課程	教習指導員審査（準中型）の審査細目のうち、教習指導員として必要な自動車の運転技能、技能教習に必要な教習の技能及び教習指導員として必要な教育についての知識
自動車安全運転センターが行う新任教習指導員（大自二）課程	教習指導員審査（大自二）の審査細目のうち、教習指導員として必要な自動車の運転技能、技能教習に必要な教習の技能及び教習指導員として必要な教育についての知識
自動車安全運転センターが行う新任教習指導員（普自二）課程	教習指導員審査（普自二）の審査細目のうち、教習指導員として必要な自動車の運転技能、技能教習に必要な教習の技能及び教習指導員として必要な教育についての知識
自動車安全運転センターが行う新任教習指導員（大型二種）課程	教習指導員審査（大型二種）の審査細目のうち、教習指導員として必要な自動車の運転技能及び技能教習に必要な教習の技能
自動車安全運転センターが行う新任教習指導員（中型二種）課程	教習指導員審査（中型二種）の審査細目のうち、教習指導員として必要な自動車の運転技能及び技能教習に必要な教習の技能
自動車安全運転センター	教習指導員審査（普通二種）の

が行う新任教習指導員（普通二種）課程	審査細目のうち、教習指導員として必要な自動車の運転技能及び技能教習に必要な教習の技能

附　則

1　この告示は、令和二年四月一日から施行する。

2　平成二十八年国家公安委員会告示第三十一号（技能検定員審査等に関する規則第十七条第一項第二号の規定に基づき、技能検定、技能教習又は学科教習についての技能又は知識に関する講習であって当該講習を修了した者が技能検定員審査又は教習指導員審査において一定の審査細目について審査を免除されることとなる講習及び当該免除される審査細目を定める件）は、廃止する。

3　この告示の施行前に自動車安全運転センターが行った新任教習指導員（普通）課程については、この告示の規定にかかわらず、なお従前の例による。

○道路交通法施行規則第三十三条第五項第一号ハの規定により内閣総理大臣が指定する模擬運転装置及び同号ニの規定により内閣総理大臣が指定する無線指導装置に関する件

〔平成一六・一二・八　内閣府告示二八七〕

改正　平成一八・二内府告三一、平成二八・七内府告一三〇

道路交通法施行規則（昭和三十五年総理府令第六十号）第三十三条第五項第一号ハの規定により内閣総理大臣が指定する模擬運転装置及び同号ニの規定により内閣総理大臣が指定する無線指導装置は、それぞれ次のとおりとする。

（模擬運転装置）

第一条　道路交通法施行規則第三十三条第五項第一号ハの規定により内閣総理大臣が指定する模擬運転装置は次のとおりとする。

一　大型自動車免許、中型自動車免許、準中型自動車免許、普通自動車免許、大型自動車第二種免許、中型自動車第二種免許又は普通自動車第二種免許に係る教習を行うための模擬運転装置にあっては、次のいずれにも該当するもの

イ　第一表の上欄に掲げる装置（オートマチック車（オートマチック・トランスミッションその他のクラッチの操作を要しない機構が採られておりクラッチの操作装置を有しない普通自動車をいう。以下同じ。）に対応する模擬運転装置（以下「オートマチック車用装置」という。）にあってはクラッチ・ペダルを除く。）からなる運転装置及び第二表の上欄に掲げる装置からなる運転状況表示装置を備えていること。

ロ　運転装置については、第一表の上欄に掲げる装置が同表の下欄に掲げる基準に適合すること。

ハ　運転状況表示装置については、第二表の上欄に掲げる装置が同表の下欄に掲げる基準に適合すること。

第一表　運転装置

ハンドル	形状、最大の操作力（操作に要する力をいう。以下この表及び二の第一表において同じ。）、最大の回転角及び復元力が教習用自動車（以下この表及び二の第一表において「実車」という。）に類似しているものであること。
アクセル・ペダル、ブレーキ・ペダル及びクラッチ・ペダル	(一)　操作する場合において、他の装置の操作の妨げとならず、かつ、各ペダルの配置が実車に類似しているものであること。 (二)　各ペダルの操作力、行程（踏み始めた位置から踏み込んだ位置までの移動量をいう。二の第一表ブレーキ・ペダルの項において同じ。）、床板からの高さ、遊び（踏み始めた位置から作動を始める位置までの移動量をいう。二の第一表ブレーキ・ペダルの項において同じ。）及びすき間（踏み込んだ場合における床板との距離をいう。）が実車に類似し、かつ、確実に操作できるものであること。
手ブレーキ	形状及び操作方法が実車に類似し、かつ、確実に操作できるものであること。
チェンジ・レバー	レバーの操作方法及び各ギヤ（オートマチック車用装置にあっては、レンジ）の位置の関係が実車に類似し、かつ、確実に操作できるものであること。
エンジン・スイッチ及びスター夕・スイッチ	形状及び操作方法が実車に類似し、かつ、確実に操作できるものであること。
方向指示レバー	操作方法、自動戻りの機構及び作動表示用ランプが実車に類似し、かつ、確実に操作できるものであること。
運転者席	座席及び背当てを備え、かつ、座席の位置が運転者の体格に応じ前後に調

	節できるものであること。

第二表　運転状況表示装置

映写装置	映写幕、ビデオモニターその他これらに類する装置を有し、かつ、これらの装置に映写される画面が鮮明なものであること。
エンジン音発生装置	アクセル・ペダルの踏み込み量に連動したエンジン音が発生するものであること。
速度指示装置	運転者から見やすい位置に配置され、指示される速度がアクセル・ペダルの踏み込み量、チェンジ・レバーのギヤ位置、ブレーキ・ペダルの踏み込み量及びクラッチ・ペダルの操作（オートマチック車用装置にあっては、アクセル・ペダルの踏み込み量、チェンジ・レバーのレンジ位置及びブレーキ・ペダルの踏み込み量）に連動したものであること。
運転操作表示装置	運転者がアクセル・ペダル、クラッチ・ペダル、ブレーキ・ペダル、チェンジ・レバー又はエンジン・スイッチ（オートマチック車用装置にあっては、アクセル・ペダル、ブレーキ・ペダル、チェンジ・レバー又はエンジン・スイッチ）を操作した場合において、指導員がランプ表示装置その他の装置によりこれらの操作をそれぞれ認知できるものであること。

二　大型自動二輪車免許又は普通自動二輪車免許に係る教習を行うための模擬運転装置にあっては、次のいずれにも該当するもの

イ　第一表の上欄に掲げる装置（オートマチック二輪車（オートマチック・トランスミッションその他のクラッチの操作を要しない機構が採られておりクラッチの操作装置を有しない普通自動二輪車をいう。以下同じ。）に対応する模擬運転装置（以下「オートマチック二輪車用装置」という。）にあってはクラッチ・レバー及びチェンジ・ペダルを除き、ブレーキ・ペダルを有しないオートマチック二輪車に対応する模擬運転装置（以下「ブレーキ・ペダルを有しないオートマチック二輪車用装置」という。）にあってはブレーキ・ペダルを除く。）からなる運転装置及び第二表の上欄に掲げる装置からなる運転状況表示装置を備えていること。

ロ　運転装置については、第一表の上欄に掲げる装置が同表の下欄に掲げる基準に適合すること。

ハ　運転状況表示装置については、第二表の上欄に掲げる装置が同表の下欄に掲げる基準に適合すること。

第一表　運転装置

ハンドル	形状、最大の操作力、最大の回転角及び復元力が実車に類似しているものであること。
スロットル・グリップ	形状及び操作方法が実車に類似し、かつ、確実に操作できるものであること。
ブレーキ・ペダル	(一) ペダルの配置が実車に類似しているものであること。 (二) ペダルの操作力、行程及び遊びが実車に類似し、かつ、確実に操作できるものであること。
ブレーキ・レバー及びクラッチ・レバー	(一) 各レバーの配置が実車に類似しているものであること。 (二) 各レバーの操作力、行程（握り始めた位置から握り締めた位置までの移動量をいう。）及び遊び（握り始めた位置から作動を始める位置までの移動量をいう。）が実車に類似し、かつ、確実に操作できるものであること。
チェンジ・ペダル	(一) ペダルの配置が実車に類似しているものであること。 (二) ペダルの操作方法及び各ギヤの位置の関係が実車に類似し、かつ、確実に操作できるものであること。
エンジン・スイッチ及びスタータ・スイッチ	形状及び操作方法が実車に類似し、かつ、確実に操作できるものであること。
方向指示スイッチ	操作方法及び作動表示用ランプが実車に類似し、かつ、確実に操作できるものであること。
運転者席	形状が実車に類似した座席を備えていること。

第二表　運転状況表示装置

映写装置	映写幕、ビデオモニターその他これらに類する装置を有し、かつ、これらの装置に映写される画面が鮮明なものであること。
エンジン音発生装置	スロットル・グリップの回転量に連動したエンジン音が発生するものであること。
速度指示装置	運転者から見やすい位置に配置され、指示される速度がスロットル・グリップの回転量、チェンジ・ペダルのギヤ位置、ブレーキ・ペダルの踏み込み量、ブレーキ・レバーの操作量及びクラッチ・レバーの操作（ブレーキ・ペダルを有しないオートマチック二輪車用装置にあってはスロットル・グリップの回転量及びブレーキ・レバーの操作量、ブレーキ・ペダルを有するオートマチック二輪車に対応する模擬運転装置（以下「オートマチック二輪車用装置」という。）にあってはスロットル・グリップの回転量、ブレーキ・ペダルの踏み込み量及びブレーキ・レバーの操作量）に連動したものであること。
運転操作表示装置	運転者がスロットル・グリップ、ブレーキ・ペダル、ブレーキ・レバー、クラッチ・レバー、チェンジ・ペダル又はエンジン・スイッチ（ブレーキ・ペダルを有しないオートマチック二輪車用装置にあってはスロットル・グリップ、ブレーキ・レバー又はエンジ

	ンスイッチ、ブレーキ・ペダルを有するオートマチック二輪車用装置にあってはスロットル・グリップ、ブレーキ・ペダル、ブレーキ・レバー又はエンジンスイッチ）を操作した場合において、指導員がランプ表示装置その他の装置によりこれらの操作をそれぞれ認知できるものであること。

（無線指導装置）

第二条 道路交通法施行規則第三十三条第五項第一号ニの規定により内閣総理大臣が指定する無線指導装置は、次のいずれにも該当するものとする。

一 次の表の上欄に掲げる施設及び装置を備えていること。

二 前号の施設及び装置については、次の表の下欄に掲げる基準に適合すること。

無線指導室	(一) 自動車教習所のコースの全域を見通すことができる場所に設置されているものであること。 (二) 専ら無線指導に使用されるものであること。
送信装置	(一) 無線指導室に設置されているものであること。 (二) 誘導通信方式又は無線通信方式により、音声を受信装置に送信することが可能な機能を有するものであること。 (三) 音声送信の可能な範囲が自動車教習所のコースの全域に及ぶ機能を有するものであること。 (四) 同時に無線指導を行う複数の受信装置に対し、一斉呼出し及び個別呼出しが可能な機能を有するものであること。 (五) 自動車教習所の施設外の通信送受信装置に対し、妨害とならないものであること。
受信装置	(一) 教習用自動車に設置されているものであること。 (二) 電源スイッチを操作すること及び音量を調節すること以外の操作を必要としないものであること。 (三) 音声を明瞭に聴取することができ、かつ、雑音が少ないものであること。 (四) 受信中であることを表示するランプを有するものであること。
ランプ表示装置	(一) 教習用自動車の屋根の上に設置されているものであること。 (二) 無線指導室の指導員が点灯を認知できるものであること。 (三) 次に掲げる場合において、それぞれの色のランプが点灯するものであること。ただし、教習用自動車がオートマチック車である場合にあっては、受信中であるときに黄色のランプが点灯するものであれば足りる。 ア 受信中である場合 黄 イ クラッチ・ペダルを踏んでいる場合 茶 ウ チェンジ・レバーをセカンド・ギヤに入れている場合 青

附 則

1 この告示は、平成十七年六月一日から施行する。

2 平成八年総理府告示第二十六号（道路交通法施行規則第三十三条第七項第一号ハの規定により内閣総理大臣が指定する模擬運転装置及び同号ニの規定により内閣総理大臣が指定する無線指導装置）は、廃止する。

附 則〔平成二八・七・一五内閣府告示二三〇〕

この告示は、道路交通法の一部を改正する法律（平成二十七年法律第四十号）の施行の日（平成二十九年三月十二日）から施行する。

〇道路交通法施行規則の規定に基づき、運転シミュレーターに係る国家公安委員会が定める基準を定める件

〔平成六・四・二八 国家公安委員会告示四〕

改正 平成八・八国公委告一四、平成一四・四国公委告一七、平成二八・七国公委告三〇

道路交通法施行規則（昭和三十五年総理府令第六十号）第三十三条第六項第一号ホ〔第三十三条第五項第一号ホ〕の規定に基づき、運転シミュレーターに係る国家公安委員会が定める基準を次のように定める。

道路交通法施行規則第三十三条第五項第一号ホの国家公安委員会が定める基準は、次に掲げるとおりとする。

一 専用電子計算機（専ら模擬運転装置の制御を行う電子計算機をいう。以下この号及び次号において同じ。）及び入力装置（技能教習に必要な道路及び交通の状況（以下「道路交通状況」という。）に係る擬似視界の画面を映写幕等（平成十六年内閣府告示第二百八十七号（道路交通法施行規則の規定により内閣総理大臣が指定する模擬運転装置及び無線指導装置に関する件。次号において「告示」という。）第一条第一号の第二表映写装置の項の下欄の映写幕、ビデオモニターその他これらに類する装置をいう。以下同じ。）に映写するため必要な情報を専用電子計算機に入力するための装置をいう。次号において同じ。）を有するものであること。

二 専用電子計算機により発信される制御指令信号（第四号において「制御指令信号」という。）に基づき入力装置によりあらかじめ入力した情報及び告示第一条第一号の第一表の上欄又は同条第二号の第一表の上欄に掲げる装置の操作（第四号において「運転操作」という。）に従い三次元座標を変換することにより道路交通状況に係る擬似視界の画面を連続的かつ自動的に映写幕等に映写することができるものであること。

三 映写幕等に映写する画面が次に掲げる要件を備えたもので

あること。

イ　当該画面に同時に表示することができる有彩色が五百十二色以上であること。

ロ　当該画面の更新回数が毎秒二十五回以上であること。

四　制御指令信号に基づき運転操作及び擬似視界の画面に係る道路交通状況に連動した風切りの音又はスリップにより生じる音その他の教習用自動車を運転したときに生じる音が発生するものであること。

附　則

この告示は、平成六年五月十日から施行する。

○運転免許に係る講習等に関する規則

（平成六・二・二五　国家公安委員会規則四）

改正　平成八・八国公委規一一、平成一〇・三国公委規四、平成一一・八国公委規九、平成一二・三国公委規八、平成一四・四国公委規九、平成一八・二国公委規四、平成二一・五国公委規四、平成二五・一国公委規一、平成二八・七国公委規一六、令和元・六国公委規三、九国公委規七、令和四・二国公委規五、令和五・三国公委規五

（講習の基準）

第一条　道路交通法（昭和三十五年法律第百五号。以下「法」という。）第九十七条の二第一項第三号イの国家公安委員会規則で定める基準は、次に掲げるとおりとする。

一　運転者としての資質の向上に関すること、身体の機能の状況その他の自動車及び一般原動機付自転車（法第十八条第一項に規定する一般原動機付自転車をいう。）（以下「自動車等」という。）の運転について必要な適性並びに道路交通の現状及び交通事故の実態その他の自動車等の運転について必要な知識について行うものであること。

二　あらかじめ講習計画を作成し、これに基づいて行い、かつ、その方法は、教本、普通自動車、運転適性検査器材、視聴覚教材等必要な教材を用いて行うものであること。

三　自動車等の運転について必要な適性に関する調査でコース又は道路における普通自動車の運転をさせることにより行う検査及び運転適性検査器材を用いた検査（法第七十一条の五第三項に規定する普通自動車対応免許（次号及び第四条第二項第二号ロにおいて「普通自動車対応免許」という。）以外の運転免許（以下「免許」という。）のみを受けようとし、又は受けている者及び道路交通法施行令（以下「令」という。）第三十四条の三第四項又は第三十七条の六の三の基準に該当する者に対する講習にあっては、自動車等の運転について必要な適性に関する調査で運転適性検査器材を用いた検査）によるものに基づく指導を含むものであること。

四　二時間（普通自動車対応免許以外の免許のみを受けようとし、又は受けている者及び令第三十四条の三第四項又は第三十七条の六の三の基準に該当する者に対する講習にあっては、一時間）以上行うものであること。

第二条　法第九十七条の二第一項第三号ホの国家公安委員会規則で定める基準は、次に掲げるとおりとする。

一　道路交通の現状及び交通事故の実態、運転者としての資質の向上に関すること、自動車等の安全な運転に必要な知識並びに自動車等の運転について必要な適性及び技能について行うものであること。

二　教本、視聴覚教材等必要な教材を用いて行うものであること。

三　自動車等の運転について必要な知識に関する討議及び指導を含むものであること。

四　自動車等の運転について必要な適性に関する調査で筆記による検査によるものに基づく指導を含むものであること。

五　二時間以上行うものであること。

第三条　道路交通法施行規則（以下「府令」という。）第三十八条の二の国家公安委員会規則で定める書類は、次の各号に掲げる者に対しては、それぞれ当該各号に定める書類とする。

一　第一条に定める基準に適合する講習を終了した者　別記様式第一号の特定任意高齢者講習終了証明書

二　前条に定める基準に適合する講習を終了した者　別記様式第二号の特定任意講習終了証明書

（免許関係事務の委託）

第四条　府令第三十一条の四の二ただし書の国家公安委員会規則で定める免許関係事務は、認知機能検査（法第九十七条の二第一項第三号イに規定する認知機能検査をいう。次項第一号において同じ。）及び運転技能検査（法第九十七条の二第一項第三号イに規定する運転技能検査をいう。次項第二号において同じ。）とする。

2　府令第三十一条の四の二ただし書の国家公安委員会規則で定める者は、次の各号に掲げる検査の区分に応じ、当該各号に定める者とする。

一　認知機能検査　次のいずれにも該当する者

イ　二十一歳以上の者

ロ　都道府県公安委員会（以下「公安委員会」という。）が行う認知機能検査の実施に必要な技能及び知識に関する審査に合格し、又は公安委員会が行う認知機能検査の実施に必要な技能及び知識に関する講習を終了した者

二　運転技能検査　次のいずれにも該当する者

イ　二十一歳以上の者

ロ　普通自動車対応免許を現に受けている者（免許の効力を

停止されている者を除く。）

ハ　運転適性指導（法第百八条の四第一項第一号に規定する運転適性指導をいう。第七条第二項第三号において同じ。）に従事した経験の期間がおおむね一年以上の者

ニ　公安委員会が行う運転技能検査の実施に必要な技能及び知識に関する審査に合格し、又は運転技能検査の実施に必要な技能及び知識に関する国家公安委員会が指定する講習を終了した者

（府令第三十八条第十一項の国家公安委員会規則で定める者）

第五条　府令第三十八条第十一項第一号ただし書の国家公安委員会規則で定める者は、法第九十七条の二第一項第三号に規定する特定失効者（その者の免許が法第百五条の規定により効力を失った日から起算して六月を経過しない者に限り、府令第十八条第一項第一号に規定するやむを得ない理由により運転免許証（以下「免許証」という。）の有効期間の更新を受けることができなかった者を除く。）のうち当該免許に係る免許証の有効期間の末日までに継続して免許（仮運転免許（以下「仮免許」という。）を除く。）を受けていた期間が五年以上である者であって、当該有効期間が満了する日の直前のその者の誕生日の四十日前の日を令第三十三条の七第二項の当該各号に定める日とみなして同項の規定を適用しても同項の基準に該当することとならないもの（以下この項において「特別特定失効者」という。）又は特別特定失効者として受けた免許に係る免許証の有効期間の更新を受けようとする者であって、当該有効期間が満了する日の直前のその者の誕生日の四十日前の日を同項の当該各号に定める日とみなして同項の規定を適用しても同項の基準に該当することとならないものとする。

2　府令第三十八条第十一項第一号の表の三の項の国家公安委員会規則で定める者は、法第九十七条の二第一項第三号に規定する特定失効者（法第九十二条の二第一項の表の備考一の1に規定する免許証の有効期間の更新を受けることができなかった者を除く。）であって、当該免許に係る免許証の有効期間が満了する日の直前のその者の誕生日の四十日前の日を令第三十三条の七第二項の当該各号に定める日とみなして同項の規定を適用すると同項の基準に該当することとなるものとする。

（運転者の資質の向上に資する活動）

第六条　府令第三十八条第十三項第二号の国家公安委員会規則で定める活動は、次の各号のいずれかに該当する活動とする。

一　道路を通行する者に対する交通安全教育

二　歩行者の誘導その他の道路を通行する者の通行の安全を確保するための活動

三　適正な交通の方法又は交通事故防止についての広報活動その他道路における交通の安全と円滑に資するための広報活動

四　前各号に掲げるもののほか、道路における交通の安全と円滑に資する活動

（講習の委託）

第七条　府令第三十八条の三ただし書の国家公安委員会規則で定める講習は、次に掲げるとおりとする。

一　停止処分者講習（法第百八条の二第一項第三号に掲げる講習をいう。）

二　高齢者講習（同項第十二号に掲げる講習をいう。次項第一号において同じ。）

三　違反者講習（同項第十三号に掲げる講習をいう。次条において同じ。）

2　府令第三十八条の三ただし書の国家公安委員会規則で定める者は、次の各号のいずれにも該当する者とする。

一　二十五歳（高齢者講習にあっては、二十一歳）以上の者

二　講習における指導に用いる自動車等を運転することができる免許（仮免許を除く。）を現に受けている者（免許の効力を停止されている者を除く。）

三　運転適性指導に従事した経験の期間がおおむね一年以上の者

四　公安委員会が行う講習における指導に必要な技能及び知識に関する審査に合格し、又は講習における指導に必要な技能及び知識に関する国家公安委員会が指定する講習を終了した者

（令第四十三条第一項の国家公安委員会規則で定める講習）

第八条　令第四十三条第一項の表講習手数料の項の国家公安委員会規則で定める講習は、令第三十三条の七第二項の基準に該当しない者に対する講習は、府令第三十八条第十一項第一号ただし書の規定により行われる法第百八条の二第一項第十一号に掲げる講習とする。

2　令第四十三条第一項の表講習手数料の項の国家公安委員会規則で定める違反者講習は、府令第三十八条第十三項第二号の表第一号下欄に定める講習方法に係る違反者講習とする。

附　則

この規則は、平成六年五月十日から施行する。

附　則〔平成一四・四・一九国家公安委員会規則九〕

1　この規則は、平成十四年六月一日から施行する。

2　道路交通法の一部を改正する法律による改正前の道路交通法第百一条第一項の規定による更新期間の初日が道路交通法の一部を改正する法律の施行の日前である運転免許証の更新を受けなかった者に対する改正後の運転免許に係る講習に関する規則第四条の規定の適用については、同条中「有効期間が満了する日の直前のその者の誕生日」とあるのは、「有効期間が満了した日」とする。

附　則〔平成二一・五・一一国家公安委員会規則四抄〕

（施行期日）

1　この規則は、道路交通法の一部を改正する法律（平成十九年法律第九十号）附則第一条第二号に掲げる規定の施行の日（平成二十一年六月一日。以下「施行日」という。）から施行する。

（経過措置）

2　道路交通法の一部を改正する法律による改正後の道路交通法（以下「新法」という。）第百一条の三第一項の更新期間が満了する日における年齢が七十五歳以上の者であって当該日が施行日から起算して六月を経過した日前であるものは、改正後の運転免許に係る講習等に関する規則（以下「新講習規則」という。）第二条及び第三条第二号の規定の適用については、新講習規則第二条第一項第一号に掲げる者とみなす。

3　施行日前に改正前の運転免許に係る講習に関する規則（以下「旧講習規則」という。）第二条第一項第一号の表の一の項の確認を受けた者（新法第百一条の三第一項の更新期間が満了する日における年齢が七十五歳以上の者であって当該日が施行日から起算して六月を経過した日以後であるものに限る。）に対する新講習規則第二条第一項第二号の表の一の項の規定の適用については、同項中「法第百一条の四第二項の規定により受けた認知機能検査（法第九十七条の二第一項第三号イに規定する認知機能検査をいう。以下同じ。）の結果について道路交通法施行規則（以下「府令」という。）第二十九条の三第一項の式により算出した数値が零以下である者であって、当該認知機能検査を受けた後コース」とあるのは「コース」と、「受けたもの」とあるのは「受けた者（当該確認を受けた日から起算して六月を経過しない者に限る。）」と、「認知機能検査の」とあるのは「法第九十七条の二第一項第三号イに規定する認知機能検査の」とする。

4　施行日前に都道府県公安委員会が行った講習（新講習規則第四条第二項第二号の講習と同等以上の内容を有すると都道府県公安委員会が認めるものに限る。）を終了した者は、同号の講習を終了した者とみなす。

5　旧講習規則第六条第一項第二号に掲げる講習について同条第二項第四号に規定する審査に合格し、又は国家公安委員会が指定する講習を終了した者であって、都道府県公安委員会が指定する研修（施行日前に行われたものを含む。）を受けたものは、

新講習規則第七条第一項第二号に掲げる講習について同条第二項第四号に規定する審査に合格し、又は国家公安委員会が指定する講習を終了した者とみなす。

7　この規則の施行前に交付されたチャレンジ講習受講結果確認書、特定任意講習終了証明書及び特定任意高齢者講習終了証明書並びに運転免許取得者教育（更新時講習同等）終了証明書及び運転免許取得者教育（高齢者講習同等）終了証明書の様式については、新講習規則別記様式第一号、別記様式第二号及び別記様式第三号並びに新認定規則別記様式第一号及び別記様式第二号の様式にかかわらず、なお従前の例による。

附　則〔平成二五・一一・二九国家公安委員会規則一二〕

（施行期日）

1　この規則は、平成二十五年九月一日から施行する。

（経過措置）

2　この規則による改正後の運転免許に係る講習等に関する規則第二条第一項第二号の規定の適用については、この規則の施行前に受けた道路交通法第九十七条の二第一項第三号イに規定する認知機能検査の結果について、道路交通法施行規則の一部を改正する内閣府令（平成二十五年内閣府令第二号。以下「改正府令」という。）による改正前の道路交通法施行規則（昭和三十五年総理府令第六十号）（以下「旧府令」という。）第二十九条の三第一項の式により算出した数値が零以下である者は、改正府令による改正後の道路交通法施行規則（以下「新府令」という。）第二十九条の三第一項の式により算出した数値が七十六以上である者とみなし、旧府令第二十九条の三第一項の式により算出した数値が零を超える者は、新府令第二十九条の三第一項の式により算出した数値が七十六未満である者とみなす。

附　則〔平成二八・七・一五国家公安委員会規則一六〕

（施行期日）

1　この規則は、道路交通法の一部を改正する法律（平成二十七年法律第四十号。次項において「改正法」という。）の施行の日（平成二十九年三月十二日。以下「改正法施行日」という。）から施行する。

（経過措置）

2　改正法による改正後の道路交通法（昭和三十五年法律第百五号。以下この項において「新法」という。）第百一条第一項の更新期間が満了する日（新法第百一条の二第一項の規定による運転免許証の有効期間の更新の申請をしようとする者にあっては、当該申請をする日）における年齢が七十歳以上の者であって、当該日が改正法施行日から起算して六月を経過した日前であるものに係る講習の基準及び特定任意高齢者講習終了証明書の様式については、改正後の運転免許に係る講習等に関する規則（次項において「新講習規則」という。）第二条の規定及び別記様式第三号の様式にかかわらず、なお従前の例による。

3　改正法施行日前に交付された特定任意高齢者講習終了証明書の様式については、新講習規則別記様式第三号の様式にかかわらず、なお従前の例による。

附　則〔令和元・六・二一国家公安委員会規則三〕

（施行期日）

1　この規則は、令和元年七月一日から施行する。

（経過措置）

2　この規則による改正前の〔中略〕運転免許に係る講習等に関する規則〔中略〕に規定する様式による書面については、この規則による改正後のこれらの規則に規定する様式にかかわらず、当分の間、なおこれを使用することができる。

附　則〔令和四・一一・一〇国家公安委員会規則五〕

（施行期日）

第一条　この規則は、道路交通法の一部を改正する法律（附則第三条及び第四条において「改正法」という。）の施行の日（令和四年五月十三日。以下「施行日」という。）から施行する。

（特定任意高齢者講習に関する経過措置）

第二条　施行日前にこの規則による改正前の運転免許に係る講習等に関する規則（以下「旧規則」という。）第二条第二項に定める基準に適合する道路交通法（次条及び附則第四条において「法」という。）第百八条の二第二項の規定による講習を終了した者は、この規則による改正後の運転免許に係る講習等に関する規則（以下「新規則」という。）第一条に定める基準に適合する同項の規定による講習を終了した者とみなす。

第三条　法第百一条第一項の更新期間が満了する日（法第百一条の二第一項の規定による運転免許証の更新を申請しようとする者にあっては、当該申請をする日）が改正法附則第四条第一項に規定する基準日の前日以前である運転免許証の更新を受けようとする者に対して施行日以後に行う法第百八条の二第二項の規定による講習に係る新規則第一条第三号及び第四号の規定の適用については、同条第三号中「者及び道路交通法施行令（以下「令」という。）第三十四条の三第四項又は第三十七条の六の三の基準に該当する者」とあるのは「者」と、「ものに」とあるのは「もの並びに法第九十七条の二第一項第三号イに規定する認知機能検査の結果に」と、同条第四号中「者及び令第三十四条の三第四項又は第三十七条の六の三の基準に該当する者」とあるのは「者」とする。

（免許関係事務等の委託に関する経過措置）

第四条　旧規則第七条第一項第二号に掲げる講習について同条第二項第四号に規定する審査に合格し、又は同号に規定する国家公安委員会が指定する講習を終了した者であって、改正法による改正後の法第九十七条の二第一項第三号イに規定する運転技能検査の実施に必要な技能及び知識に関するものとして都道府県公安委員会が指定する研修（施行日前に行われたものを含む。）を受けたものは、新規則第四条第二項第二号ニに規定する審査に合格し、又は同号ニに規定する国家公安委員会が指定する講習を終了した者とみなす。

第五条　旧規則第七条第一項第二号に掲げる講習について同条第二項第四号に規定する審査に合格し、又は同号に規定する国家公安委員会が指定する講習を終了した者であって、新規則第七条第一項第二号に掲げる講習における指導に必要な技能及び知識に関するものとして都道府県公安委員会が指定する研修（施行日前に行われたものを含む。）を受けたものは、同号に掲げる講習について同条第二項第四号に規定する審査に合格し、又は同号に規定する国家公安委員会が指定する講習を終了した者とみなす。

（様式に関する経過措置）

第六条　施行日前に交付された次の各号に掲げる書類は、当該各号に定める書類とみなす。

一　旧規則別記様式第二号の特定任意講習終了証明書　新規則別記様式第二号の特定任意講習終了証明書

二　旧規則別記様式第三号の特定任意高齢者講習終了証明書　新規則別記様式第一号の特定任意高齢者講習終了証明書

附　則〔令和五・三・一七国家公安委員会規則五抄〕

（施行期日）

1　この規則は、道路交通法の一部を改正する法律（令和四年法律第三十二号）附則第一条第三号に掲げる規定の施行の日（令和五年七月一日）から施行する。

別記様式第１号（第３条関係）

第　　　号

特定任意高齢者講習終了証明書

住　所

氏　名

年　　月　　日生

上記の者は、　　　年　　　月　　　日運転免許に係る講習等に関する規則第１条に定める基準に適合する講習を終了した者であることを証明する。

実　車　指　導　の　有　無	有　　・　　無

年　　月　　日

公安委員会　印

備考　１　自動車等の運転について必要な適性に関する調査でコース又は道路における普通自動車の運転をさせることにより行う検査によるものに基づく指導を含む講習を受講した場合には実車指導の有無欄の「有」を、当該指導を含まない講習を受講した場合には実車指導の有無欄の「無」を、それぞれ○で囲むこと。

２　用紙の大きさは、日本産業規格Ａ列４番とする。

別記様式第２号（第３条関係）

第　　　号

特定任意講習終了証明書

住　所

氏　名

年　　月　　日生

上記の者は、　　年　　月　　日運転免許に係る講習等に関する規則第２条に定める基準に適合する講習を終了した者であることを証明する。

年　　月　　日

公安委員会　印

備考　用紙の大きさは、日本産業規格Ａ列４番とする。

○運転免許に係る講習等に関する規則第四条第二項第二号ニ及び第七条第二項第四号の規定に基づき、国家公安委員会が指定する講習を定める件

〔令和四・二・一〇
国家公安委員会告示一〇〕

運転免許に係る講習等に関する規則（平成六年国家公安委員会規則第四号）第四条第二項第二号ニ及び第七条第二項第四号の規定に基づき、国家公安委員会が指定する講習を次のように定める。

国家公安委員会が指定する講習は、次の表の上欄に掲げる区分に応じ、それぞれ同表の下欄に掲げるものとする。

区　分	国家公安委員会が指定する講習
道路交通法（昭和三十五年法律第百五号）第九十七条の二第一項第三号イに規定する運転技能検査又は同法第百八条の二第一項第十二号に掲げる講習	自動車安全運転センター（以下「センター」という。）が実施する新任運転適性指導員研修、運転適性講習指導員研修又は運転技能検査員・高齢者講習指導員研修
道路交通法第百八条の二第一項第三号又は第十三号に掲げる講習	センターが実施する新任運転適性指導員研修、運転適性講習指導員研修又は違反者・停止処分者講習指導員研修

附　則

1　この告示は、道路交通法の一部を改正する法律（令和二年法律第四十二号）の施行の日（令和四年五月十三日）から施行する。

2　平成十年国家公安委員会告示第三号（運転免許に係る講習に関する規則第四条第二項第四号の規定に基づき、国家公安委員会が指定する講習を定める件）は、廃止する。

○道路交通法施行規則第九条の十第六号の規定に基づき、国家公安委員会が定めるアルコール検知器を定める件

〔令和三・一一・一〇
国家公安委員会告示六三〕

道路交通法施行規則（昭和三十五年総理府令第六十号）第九条の十第六号の規定に基づき、国家公安委員会が定めるアルコール検知器を次のように定める。

呼気中のアルコールを検知し、その有無又はその濃度を警告音、警告灯、数値等により示す機能を有する機器

附　則

この告示は、道路交通法施行規則の一部を改正する内閣府令（令和三年内閣府令第六十八号）附則ただし書に規定する規定の施行の日（令和四年十月一日）から施行する。

○大型自動車免許の欠格事由等の特例に係る教習の課程の指定に関する規則

〔令和四・二・一〇　国家公安委員会規則四〕

道路交通法施行令（昭和三十五年政令第二百七十号）第三十二条の七第二号、第三十二条の八第二号並びに第三十四条第三項、第四項、第五項、第七項、第八項及び第十項の規定に基づき、大型自動車免許の欠格事由等の特例に係る教習の課程の指定に関する規則を次のように定める。

（指定の基準等）

第一条　道路交通法施行令（以下この条及び次条において「令」という。）第三十二条の七第二号、第三十二条の八第二号又は第三十四条第三項、第四項、第五項、第七項、第八項若しくは第十項の規定による指定は、道路交通法（昭和三十五年法律第百五号。以下この条において「法」という。）第九十八条第二項の規定による届出をした自動車教習所（以下この条、次条及び第四条において「届出自動車教習所」という。）が行う教習の課程について、当該届出自動車教習所を設置し、又は管理する者の申請に基づき行うものとする。

2　令第三十二条の七第二号の規定による指定の基準は、次に掲げるとおりとする。

一　令第三十五条第一項各号に掲げる要件を備えた当該届出自動車教習所を管理する者が置かれている届出自動車教習所において行われるものであること。

二　届出自動車教習所において自動車の運転に関する技能及び知識の教習に従事する職員であって、次のいずれにも該当するものにより行われるものであること。

イ　普通自動車対応免許（法第七十一条の五第三項に規定する普通自動車対応免許をいう。第四項第二号イ（第五項、第七項及び第九項において準用する場合を含む。）において同じ。）を現に受けている者（運転免許の効力を停止されている者を除く。）であること。

ロ　普通自動車免許に係る教習指導員資格者証の交付を受けた者であること。

ハ　運転適性指導員（法第百八条の四第一項第一号に規定する運転適性指導員をいう。次条第二項第三号において同じ。）であること。

三　次に掲げる設備を使用して行われるものであること。

イ　敷地の面積が八千平方メートル以上であり、かつ、種類、形状及び構造が道路交通法施行規則（昭和三十五年総理府令第六十号。以下この条において「府令」という。）別表第三に定める基準に適合するコース

ロ　当該教習を行うために必要な数の普通自動車（前号に規定する職員が危険を防止するための応急の措置を講ずることができる装置を備えたものに限る。以下この項（次項、第六項及び第八項において準用する場合を含む。）において同じ。）

ハ　イ及びロに掲げるもののほか、当該教習を行うために必要な建物その他の設備

四　次に定めるところにより行われるものであること。

イ　運転者としての資質の向上に関すること及び大型自動車の運転について必要な適性について行うこと。

ロ　あらかじめ教習計画を作成し、これに基づいて行い、かつ、その方法は、普通自動車、視聴覚教材等必要な教材を用いて行うこと。

ハ　届出自動車教習所のコース又は道路における普通自動車の運転をさせることにより行う検査、筆記又は口頭による検査その他の大型自動車の運転について必要な適性に関する調査に基づく個別的指導を含むものであること。

ニ　教習時間は、一教習時限につき五十分とし、七時限以上行うこと。

ホ　教習を受ける者一人に対する一日の教習時間（普通自動車による教習の教習時間に限る。）は、三時限を超えないこと（一日に三時限の教習を行う場合には、連続して三時限の教習を行わないこと。）。

ヘ　同時にコースにおいて使用する自動車一台当たりのコース面積が二百平方メートル以下にならないようにして教習を行うこと。

3　令第三十二条の八第二号の規定による指定の基準については、前項の規定を準用する。この場合において、同項第四号イ及びハ中「大型自動車」とあるのは、「中型自動車」と読み替えるものとする。

4　令第三十四条第三項の規定による指定の基準は、次に掲げるとおりとする。

一　令第三十五条第一項各号に掲げる要件を備えた当該届出自動車教習所を管理する者が置かれている届出自動車教習所において行われるものであること。

二　届出自動車教習所において自動車の運転に関する技能及び知識の教習に従事する職員であって、次のいずれにも該当するものにより行われるものであること。

イ　普通自動車対応免許を現に受けている者（運転免許の効力を停止されている者を除き、第四号の表の一の項第一欄ロに掲げる事項（鋭角コースの通過及び転回に限る。）、同欄ハに掲げる事項（転回に限る。）及び同欄ホに掲げる事項並びに同項第二欄第六号及び第七号に規定する教習効果の確認に係る教習にあっては、大型自動車第二種免許、中型自動車第二種免許又は普通自動車第二種免許を現に受けている者に限る。）であること。

ロ　普通自動車免許に係る教習指導員資格者証の交付を受けた者であること。

三　次に掲げる設備を使用して行われるものであること。

イ　敷地の面積が八千平方メートル以上であり、かつ、種類、形状及び構造が府令別表第三に定める基準に適合するコース

ロ　当該教習を行うために必要な数の普通自動車（前号に規定する職員が危険を防止するための応急の措置を講ずることができる装置を備えたものに限る。以下この項（次項、第七項及び第九項において準用する場合を含む。）において同じ。）及び運転シミュレーター（府令第三十三条第五項第一号ホに規定する運転シミュレーターをいう。次号（次項、第七項及び第九項において読み替えて準用する場合を含む。）において同じ。）

ハ　イ及びロに掲げるもののほか、当該教習を行うために必要な建物その他の設備

四　次の表の第一欄に掲げる教習事項の区分に応じ、同表の第二欄に掲げる教習方法により、あらかじめ教習計画を作成し、これに基づいて同表の第三欄に掲げる教習時間行われるものであること。

第一欄（教習事項の区分）	第二欄（教習方法）	第三欄（教習時間）
一　大型自動車の運転に必要な技能に関する次に掲げる事項	一　普通自動車を用いて行うこと。ただし、この項第一欄ホ及びヘに掲げる事項に係る教習（同欄ヘに掲げる事項に係る教習にあっては、当該教習の一部として行う	二十七時限以上

イ　自動車の構造を踏まえた各装置の操作その他自動車の運転に係る操作 ロ　交差点の通行、横断歩道及び踏切の通過、坂道における走行（坂道における一時停止及び発進を含む。）、鋭角コースの通過、方向変換、縦列駐車、転回その他の自動車の運転に係る走行（ハからへまでに掲げる事項を除く。） ハ　府令第二十一条の二の表に規定する交通法規に従い、道路及び交通の状況に応じた運転に係る走行（転回を含み、ニからへまでに掲げる事項を除く。） ニ　運転者が交通法規に従い、道路及び交通の状況に応じて設定した経路による走行 ホ　時間的余裕がない場合における安全な運転に係る走行 へ　危険の予測その他の安全な運転に必要な技能に基づく走行	他人の運転を観察させることによる教習（次号において「観察教習」という。）は、運転シミュレーターを用いて行うことができる。 二　普通自動車による教習は、府令第三十三条第五項第一号ニに規定する単独教習により行うこと。ただし、この項第一欄ニ及びへに掲げる事項に係る教習（同欄へに掲げる事項に係る教習にあっては、当該教習を二時限連続して行った後に引き続き二の項第一欄に掲げる事項に係る教習を行う場合におけるもの又はこの項第一欄へに掲げる事項に係る教習の一部として行う観察教習に限る。）は、同号ニに規定する複数教習（次号において「複数教習」という。）により行うことができる。 三　教習を受ける者一人に対する一日の教習時間は、三時限を超えないこと（一日に三時限の教習を行う場合には、連続して三時限の教習を行わないこと。ただし、複数教習又は運転シミュレーターによる教習を二時限行う場合は、この限りでない。）。 四　この項第一欄イ、ロ及びホに掲げる事項に係る教習は、届出自動車教習所のコースにおいて行うこと。ただし、同欄ホに掲げる事項に係る教習について、運転シミュレーターを用いて行う場合には、届出自動車教習所の建物その他の設備において行うこと。 五　この項第一欄ハ、ニ及びへに掲げる事項に係る教習は、道路において行うこと。ただし、同欄へに掲げる事項に係る教習について、運転シミュレーターを用いて行う場合には、届出自動車教習所の建物その他の設備において行うこと。 六　この項第一欄イ及びロに掲げる事項に係る教習の最後の教習時限においてその教習効果の確認を行い、その成績が良好な者についてのみ同欄ハからへまでに掲げる事項に係る教習を行うこと。 七　この項第一欄ハからへまでに掲げる事項に係る教習の最後の教習時限において同欄イからへまでに掲げる事項に係る教習の教習効果の確認を行い、その成績が良好な者についてのみ教習を修了すること。 八　同時にコースにおいて使用する自動車一台当たりのコース面積が二百平方メートル以下にならないようにして教習を行うこと。	
二　危険の予測その他の安全な運転に必要な知識	教本、視聴覚教材等教習に必要な教材を用い、届出自動車教習所の建物その他の設備において行うこと。	二時限以上

備考　この表において、教習時間は、一教習時限につき五十分とする。

5　令第三十四条第四項の規定による指定の基準については、前項の規定を準用する。この場合において、同項第四号の表一の項第一欄中「大型自動車」とあるのは、「中型自動車」と読み替えるものとする。

6　令第三十四条第五項の規定による指定の基準については、第二項の規定を準用する。この場合において、同項第四号イ中「大型自動車」とあるのは「道路運送法（昭和二十六年法律第百八十三号）第二条第三項に規定する旅客自動車運送事業（以下「旅客自動車運送事業」という。）に係る旅客を運送する目的で行う法第八十五条第十一項に規定する旅客自動車（以下「旅客自動車」という。）」と、同号ハ中「大型自動車」とあるのは「旅客自動車運送事業に係る旅客を運送する目的で行う旅客自動車」と読み替えるものとする。

7　令第三十四条第七項の規定による指定の基準については、第四項の規定を準用する。この場合において、同項第四号の表一の項第一欄中「大型自動車」とあるのは、「道路運送法（昭和二十六年法律第百八十三号）第二条第三項に規定する旅客自動車運送事業に係る旅客を運送する目的で行う法第八十五条第十一項に規定する旅客自動車」と読み替えるものとする。

8　令第三十四条第八項の規定による指定の基準については、第二項の規定を準用する。この場合において、同項第四号イ中「大型自動車」とあるのは「法第七十五条の八の二第一項に規定する牽引自動車（以下「牽引自動車」という。）によって法第八十五条第十一項に規定する旅客用車両（以下「旅客用車両」という。）を道路運送法（昭和二十六年法律第百八十三号）第二条第三項に規定する旅客自動車運送事業（以下「旅客自動車運送事業」という。）に係る旅客を運送する目的で牽引して行う当該牽引自動車」と、同号ハ中「大型自動車」とあるのは「牽引自動車によって旅客用車両を旅客自動車運送事業に係る旅客を運送する目的で牽引して行う当該牽引自動車」と読み替えるものとする。

9　令第三十四条第十項の規定による指定の基準については、第四項の規定を準用する。この場合において、同項第四号の表一の項第一欄中「大型自動車」とあるのは、「法第七十五条の八の二第一項に規定する牽引自動車によって法第八十五条第十一項に規定する旅客用車両を道路運送法（昭和二十六年法律第百八十三号）第二条第三項に規定する旅客自動車運送事業に係る旅客を運送する目的で牽引して行う当該牽引自動車」と読み替えるものとする。

（指定の申請）

第二条　届出自動車教習所を設置し、又は管理する者は、令第三十二条の七第二号、第三十二条の八第二号又は第三十四条第二項、第四項、第五項、第七項、第八項若しくは第十項の規定による指定（以下「指定」という。）を受けようとするときは、別記様式第一号の申請書を当該届出自動車教習所の所在地を管轄する都道府県公安委員会（以下「公安委員会」という。）に提出しなければならない。

2　前項の申請書には、次に掲げる書類を添付しなければならない。

一　当該届出自動車教習所を管理する者及び指定を受けようとする課程に係る教習に従事する職員の住民票の写し（住民基本台帳法（昭和四十二年法律第八十一号）第七条第五号に掲げる事項（外国人にあっては、同法第三十条の四十五に規定する国籍等）を記載したものに限る。）及び履歴書

二　指定を受けようとする課程に係る教習に従事する職員が交付を受けた教習指導員資格者証及び運転免許証の写し

三　令第三十二条の七第二号、第三十二条の八第二号並びに第三十四条第五項及び第八項に規定する教習にあっては、指定を受けようとする課程に係る教習に従事する職員が運転適性指導員であることを証する書面

四　コースの敷地並びにコースの種類、形状及び構造を明らかにした図面

五　建物その他の設備の状況を明らかにした図面

六　普通自動車及び運転シミュレーター一覧表

七　教材一覧表

八　教習事項、教習方法、教習時間等を定めた教習計画書

（指定書の交付）

第三条　公安委員会は、指定をしたときは、別記様式第二号の指定書を交付するものとする。

（変更の届出）

第四条　指定を受けた教習の課程（以下「特例教習課程」という。）に係る教習を行う届出自動車教習所（以下「特例教習実施施設」という。）を設置し、又は管理する者は、第二条第二項の規定により申請書に添付した書類の記載事項に変更があったときは、速やかにその旨を当該指定をした公安委員会に届け出なければならない。

（修了証明書の発行）

第五条　特例教習実施施設は、特例教習課程を修了した者に対し、別記様式第三号の修了証明書を発行することができる。

（帳簿）

第六条　特例教習実施施設は、帳簿を備え、次に掲げる事項を記載しなければならない。

一　特例教習課程に係る教習を受けた者の住所、氏名、生年月日、性別及び運転免許証の番号並びに当該特例教習課程の種別

二　特例教習課程に係る教習事項及び当該教習事項について教習を行った年月日

三　特例教習課程に係る教習に従事した職員の氏名

四　特例教習課程に係る教習を受けた者が当該特例教習課程を修了した年月日

2　特例教習実施施設は、前項の帳簿を当該特例教習課程に係る教習を行った日から三年間保存しなければならない。

（電磁的方法による保存）

第七条　前条第一項各号に掲げる事項が電磁的方法（電子的方法、磁気的方法その他の人の知覚によって認識することができない方法をいう。）により記録され、当該記録が必要に応じ電子計算機その他の機器を用いて直ちに表示されることができるようにして保存されるときは、当該記録の保存をもって同条第二項に規定する当該事項が記載された帳簿の保存に代えることができる。

2　前項の規定による保存をする場合には、国家公安委員会が定める基準を確保するよう努めなければならない。

（報告又は資料の提出）

第八条　公安委員会は、この規則を施行するため必要な限度において、特例教習実施施設を設置し、又は管理する者に対し、当該特例教習実施施設の業務に関し報告又は資料の提出を求めることができる。

（指定の取消し等）

第九条　公安委員会は、特例教習課程が第一条第二項（同条第三項、第六項及び第八項において読み替えて準用する場合を含む。）又は第四項（同条第五項、第七項及び第九項において読み替えて準用する場合を含む。）の基準（当該特例教習課程に係るものに限る。）に適合しなくなったと認めるとき、特例教習実施施設を設置し若しくは管理する者が第四条の規定に違反したとき、特例教習実施施設が第五条の規定に違反して修了証明書を発行し若しくは第六条の規定に違反したとき、又は特例教習実施施設を設置し若しくは管理する者が前条の規定による報告若しくは資料の提出をせず若しくは虚偽の報告若しくは資料の提出をしたときは、その特例教習課程に係る指定を取り消すことができる。

2　公安委員会は、前項の規定により指定を取り消したときは、別記様式第四号の指定取消通知書により通知するものとする。

附　則

この規則は、道路交通法施行令の一部を改正する政令（令和四年政令第十六号）の施行の日（令和四年五月十三日）から施行する。

別記様式第1号（第2条関係）

教習課程の指定申請書

年　月　日

公安委員会　殿

申請者　住　所
　　　　氏　名

指定を受けようとする教習の課程に係る届出自動車教習所の名称及び所在地	
指定を受けようとする教習の課程	道路交通法施行令（第32条の7第2号／第32条の8第2項／第34条第4項／第34条第5項／第34条第7項／第34条第8項／第34条第10項）に規定する教習の課程
添付書類	

備考　1　申請者が法人であるときは、申請者の欄には、その名称、主たる事務所の所在地及び代表者の氏名を記載すること。
2　添付書類欄には、添付する書類名を記載すること。
3　用紙の大きさは、日本産業規格A列4番とする。

別記様式第2号（第3条関係）

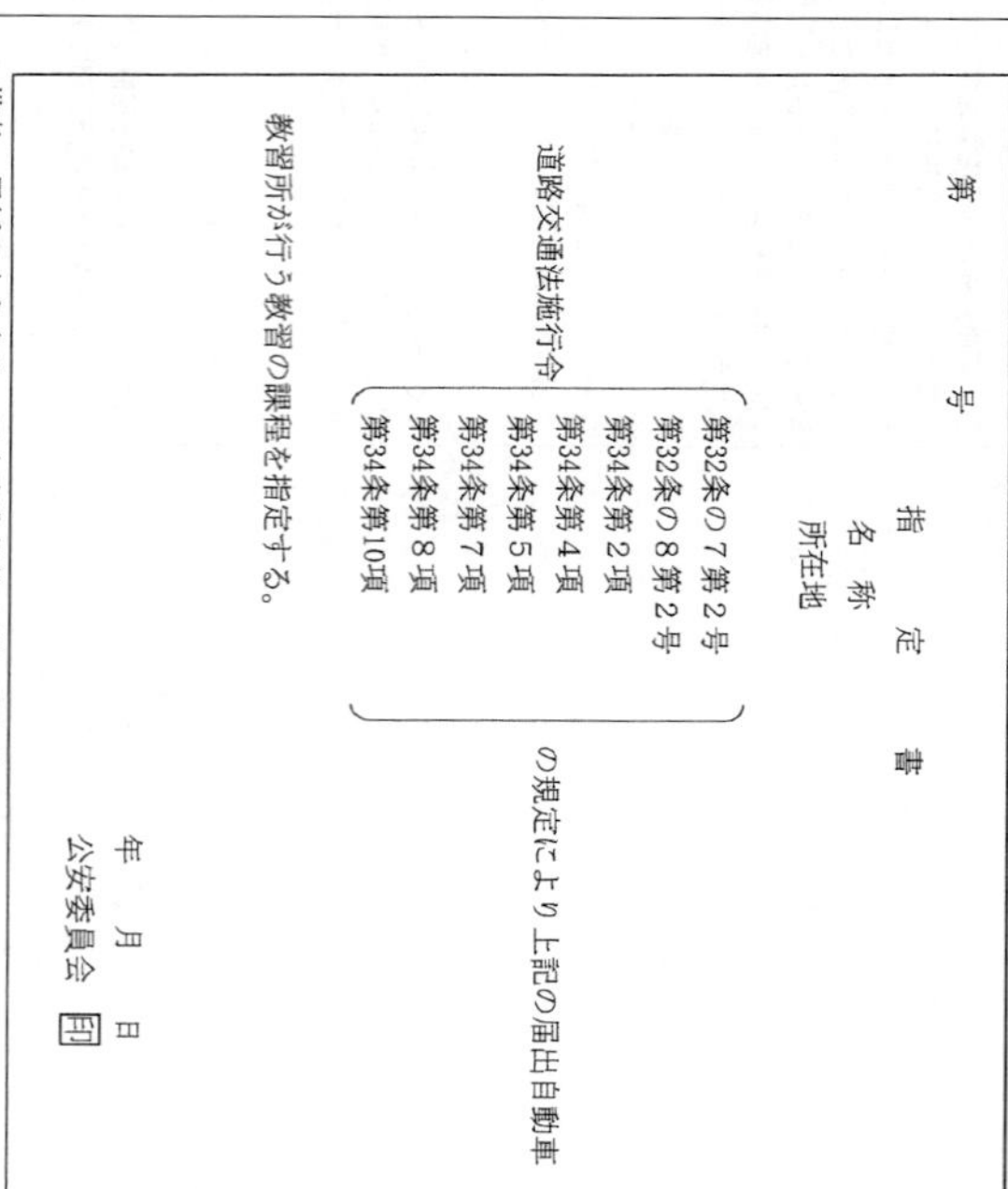

第　　号

指　定　書

名　称
所在地

道路交通法施行令（第32条の7第2号／第32条の8第2項／第34条第4項／第34条第5項／第34条第7項／第34条第8項／第34条第10項）の規定により上記の届出自動車教習所が行う教習の課程を指定する。

年　月　日
公安委員会　印

備考　用紙の大きさは、日本産業規格A列4番とする。

別記様式第３号（第５条関係）

第　　　号

修　了　証　明　書

住　所

氏　名

年　　月　　日生

上記の者は、　　年　　月　　日道路交通法施行令（第32条の７第２号／第32条の８第２号／第34条第２項／第34条第４項／第34条第５項／第34条第７項／第34条第８項／第34条第10項）の規定による指定を受けた教習の課程を修了した者であることを証明する。

年　　月　　日

所 在 地

名　　称

管 理 者　　　　印

備考　用紙の大きさは、日本産業規格Ａ列４番とする。

別記様式第４号（第９条関係）

指　定　取　消　通　知　書

年　　月　　日

住　所

殿

公安委員会　印

下記の理由により、　　の行う道路交通法施行令（第32条の７第２号／第32条の８第２号／第34条第２項／第34条第４項／第34条第５項／第34条第７項／第34条第８項／第34条第10項）の規定による指定を受けた教習の課程について、当該指定を取り消したので通知します。

指　定　番　号	
理　　　　由	

備考　用紙の大きさは、日本産業規格Ａ列４番とする。

○道路交通法の規定に基づき、自動車安全運転センターが行う自動車の運転に関する研修の課程であって国家公安委員会が指定するものを定める件

（令和元・一二・二七　国家公安委員会告示五二）

道路交通法（昭和三十五年法律第百五号）第九十九条の三第四項第一号ロの規定に基づき、自動車安全運転センターが行う自動車の運転に関する研修の課程であって国家公安委員会が指定するものを次のように定める。

教習指導員（普通）課程

○外国等の行政庁等の免許に係る運転免許証の日本語による翻訳文を作成する能力を有する法人の指定に関する規則

（平成六・二・二五　国家公安委員会規則五）

改正　平成六・九国公委規二五、平成一一・三国公委規七、平成一七・三国公委規二、平成一九・八国公委規一九、平成二〇・八国公委規一六、国公委規一七、令和元・六国公委規三、令和五・三国公委規五、一二国交委規一五

（指定の基準等）

第一条　道路交通法施行令（次項において「令」という。）第三十九条の五第一項第三号の規定による指定（以下「指定」という。）は、指定を受けようとする法人の申請に基づき行うものとする。

2　指定の基準は、次に掲げるとおりとする。

一　自動車及び一般原動機付自転車（道路交通法（昭和三十五年法律第百五号）第十八条第一項に規定する一般原動機付自転車をいう。）の運転に関する外国等（令第二十六条の三第一項第三号に規定する外国等をいう。）の行政庁等（同号に規定する行政庁等をいう。）の免許に係る運転免許証の日本語による翻訳文を作成する業務（以下「翻訳文作成業務」という。）を行う者として翻訳文作成業務を適正に行うため必要な能力を有する者が置かれていること。

二　翻訳文作成業務を適正かつ確実に行うため必要な組織及び経理的基礎を有すること。

三　翻訳文作成業務以外の業務を行っているときは、当該業務を行うことにより翻訳文作成業務が不公正になるおそれがないこと。

（指定の申請）

第二条　指定を受けようとする法人は、次に掲げる事項を記載した申請書を国家公安委員会に提出しなければならない。

一　名称及び住所並びに代表者の氏名

二　事務所の名称及び所在地

2　前項の申請書には、次に掲げる書類を添付しなければならない。

一　定款

二　登記事項証明書

三　役員の氏名、住所及び略歴を記載した書面

四　翻訳文作成業務を行う者の氏名及び住所を記載した書面並びにその者が翻訳文作成業務を適正に行うため必要な能力を有することを証するに足りる書面

五　翻訳文作成業務に係る事業に関する組織を記載した書面

六　資産の総額及び種類を記載した書面並びにこれを証する書面

（名称等の公示）

第三条　国家公安委員会は、指定をしたときは、当該指定を受けた法人（以下「指定法人」という。）の名称、住所及び事務所の所在地を公示するものとする。

（名称等の変更）

第四条　指定法人は、前条の規定による公示に係る事項を変更しようとするときは、あらかじめその旨を国家公安委員会に届け出なければならない。

2　国家公安委員会は、前項の規定による届出があったときは、その旨を公示するものとする。

3　指定法人は、第二条第二項各号に掲げる書類の記載事項に変更があったときは、速やかにその旨を国家公安委員会に届け出なければならない。

（国家公安委員会への報告等）

第五条　指定法人は、毎事業年度の事業計画及び収支予算を作成し、当該事業年度の開始前に国家公安委員会に提出しなければならない。これを変更しようとするときも、同様とする。

2　指定法人は、毎事業年度の事業報告書、収支決算書、貸借対照表及び財産目録を作成し、当該事業年度経過後三月以内に国家公安委員会に提出しなければならない。

3　国家公安委員会は、指定法人の翻訳文作成業務に係る事業の適正な運営を図るため必要があると認めるときは、当該指定法人に対し、その財産の状況又は事業の運営に関し報告又は資料の提出を求めることができる。

（改善の勧告）

第六条　国家公安委員会は、指定法人の財産の状況又はその翻訳文作成業務に係る事業の運営に関し改善が必要であると認めるときは、当該指定法人に対し、その改善に必要な措置をとることを勧告することができる。

（指定の取消し等）

第七条　国家公安委員会は、指定法人が、この規則の規定に違反したとき、又は前条の規定による勧告があったにもかかわらず当該勧告に係る措置を講じていないと認められるときは、その指定を取り消すことができる。

２　国家公安委員会は、前項の規定により指定を取り消したときは、その旨を公示するものとする。

（電磁的記録媒体による手続）

第八条　次の各号に掲げる書類の当該各号に定める規定による提出については、当該書類の提出に代えて当該書類に記載すべきこととされている事項を記録した電磁的記録媒体（電子的方式、磁気的方式その他人の知覚によっては認識することができない方式で作られる記録であって電子計算機による情報処理の用に供されるものに係る記録媒体をいう。）及び別記様式の電磁的記録媒体提出票を提出することにより行うことができる。

一　申請書　第二条第一項

二　定款　第二条第二項

三　役員の氏名、住所及び略歴を記載した書面　第二条第二項

四　翻訳文作成業務を行う者の氏名及び住所を記載した書面　第二条第二項

五　翻訳文作成業務に係る事業に関する組織を記載した書面　第二条第二項

六　資産の総額及び種類を記載した書面　第二条第二項

七　事業計画及び収支予算　第五条第一項

八　事業報告書、収支決算書、貸借対照表及び財産目録　第五条第二項

附　則

この規則は、平成六年五月十日から施行する。

附　則〔平成二〇・八・一国家公安委員会規則一七〕

この規則は、公布の日から施行する。

風俗営業等の規制及び業務の適正化等に関する法律施行規則等の一部を改正する規則〔抄〕

〔平成二〇・八・一　国家公安委員会規則一七〕

（外国等の行政庁等の免許に係る運転免許証の日本語による翻訳文を作成する能力を有する法人の指定に関する規則の一部改正に伴う経過措置）

第九条　この規則の施行の際現に道路交通法施行令第三十九条の五第一項第三号の規定による指定を受けている法人（以下この条において「指定法人」という。）に対するこの規則による改正後の外国等の行政庁等の免許に係る運転免許証の日本語による翻訳文を作成する能力を有する法人の指定に関する規則（以下この条において「新規則」という。）の適用については、新規則第五条第一項中「毎事業年度」とあるのは「平成二十一年四月一日が属する事業年度以後の毎事業年度」と、同条第二項中「毎事業年度」とあるのは「平成二十一年三月三十一日が属する事業年度以後の毎事業年度」とする。

附　則〔令和元・六・二一国家公安委員会規則三〕

（施行期日）

１　この規則は、令和元年七月一日から施行する。

（経過措置）

２　この規則による改正前の（中略）外国等の行政庁等の免許に係る運転免許証の日本語による翻訳文を作成する能力を有する法人の指定に関する規則（中略）に規定する様式による書面については、この規則による改正後のこれらの規則に規定する様式にかかわらず、当分の間、なおこれを使用することができる。

附　則〔令和五・三・一七国家公安委員会規則五抄〕

（施行期日）

１　この規則は、道路交通法の一部を改正する法律（令和四年法律第三十二号）附則第一条第三号に掲げる規定の施行の日（令和五年七月一日）から施行する。

附　則〔令和五・一二・一五国家公安委員会規則一五〕

（施行期日）

第一条　この規則は、公布の日から施行する。

（経過措置）

第二条　この規則による改正前の様式（次項において「旧様式」という。）により使用されている書類は、当分の間、この規則による改正後の様式によるものとみなす。

２　旧様式による用紙については、当分の間、これを取り繕って使用することができる。

別記様式（第８条関係）

電磁的記録媒体提出票

国家公安委員会　殿

年　月　日
提出者の名称
住　　所

外国等の行政庁等の免許に係る運転免許証の日本語による翻訳文を作成する能力を有する法人の指定に関する規則 第２条第１項／第２条第２項／第５条第１項／第５条第２項 の規定により提出すべき書類に記載することとされている事項を記録した電磁的記録媒体を以下のとおり提出します。

本票に添付されている電磁的記録媒体に記録された事項は、事実に相違ありません。

１　電磁的記録媒体に記録された事項

２　電磁的記録媒体と併せて提出される書類

備考　１　「電磁的記録媒体に記録された事項」の欄には、電磁的記録媒体に記録されている事項を記載するとともに、２以上の電磁的記録媒体を提出するときは、電磁的記録媒体ごとに整理番号を付し、その番号ごとに記録されている事項を記載すること。
２　「電磁的記録媒体と併せて提出される書類」の欄には、本票に添付されている電磁的記録媒体に記録されている事項以外の事項を記載した書類を併せて提出する場合にあっては、その書類名を記載すること。
３　不要の文字は、横線で消すこと。
４　該当事項がない欄は、省略すること。
５　用紙の大きさは、日本産業規格Ａ列４番とする。

○自動車等の運転に関する外国の行政庁の免許に係る運転免許証の日本語による翻訳文を作成する能力を有する公益法人を指定する件

〔平成六・五・一二　国家公安委員会告示一〇〕

改正　平成八・七国公委告一二、平成一六・五国公委告一三、一一国公委告三二、平成一七・九国公委告二五、平成二三・四国公委告一二

道路交通法施行令（昭和三十五年政令第二百七十号）第三十九条の四第一項第三号の規定により、平成六年五月十日付けで次の法人を指定したので、外国の行政庁の免許に係る運転免許証の日本語による翻訳文を作成する能力を有する法人の指定に関する規則（平成六年国家公安委員会規則第五号）第三条の規定に基づき、告示する。

一　名称　一般社団法人日本自動車連盟
二　住所　東京都港区芝大門一丁目一番三十号
三　事務所の所在地
東京都港区芝大門一丁目一番三十号
北海道札幌市豊平区月寒東一条十五丁目八番一号
宮城県仙台市若林区卸町三丁目八番地の百五
東京都港区芝二丁目二番十七号
愛知県名古屋市昭和区福江三丁目七番五十六号
大阪府茨木市中穂積二丁目一番五号
広島県広島市西区庚午北二丁目九番三号
香川県高松市松縄町五百九十一番地
福岡県福岡市早良区室見五丁目十二番十九号

○自動車等の運転に関する外国等の行政庁等の免許に係る運転免許証の日本語による翻訳文を作成する能力を有する法人を指定する件

〔令和三・四・二　国家公安委員会告示一〇〕

道路交通法施行令（昭和三十五年政令第二百七十号）第三十九条の五第一項第三号の規定により、令和三年四月一日付けで次の法人を指定したので、外国等の行政庁等の免許に係る運転免許証の日本語による翻訳文を作成する能力を有する法人の指定に関する規則（平成六年国家公安委員会規則第五号）第三条の規定に基づき、告示する。

一　名称　ジップラス株式会社
二　住所　東京都渋谷区神泉町九番五号
三　事務所の所在地　東京都渋谷区神泉町九番五号

○指定講習機関に関する規則

〔平成二・五・一六　国家公安委員会規則一〕

改正　平成四・九国公委規一六、平成八・八国公委規一〇、平成一〇・三国公委規六、七国公委規一二、平成一三・一二国公委規一六、平成一四・四国公委規一五、平成一六・一二国公委規一三、平成一七・三国公委規二、平成一八・二国公委規一、平成一九・六国公委規一三、八国公委規一九、平成二〇・八国公委規一六、平成二四・六国公委規七、平成二五・一国公委規一、一一国公委規一四、平成二六・四国公委規七、一〇国公委規一〇、平成二八・七国公委規一三、令和二・六国公委規八、令和四・二国公委規六、九国公委規一六、一二国公委規二一、令和五・三国公委規五

（指定講習機関の指定）

第一条　道路交通法（以下「法」という。）第百八条の四第一項の規定による指定（以下「指定」という。）は、取消処分者講習（法第百八条の二第一項第二号に規定する講習をいう。以下同じ。）、初心運転者講習（同項第十号に規定する講習をいう。以下同じ。）又は若年運転者講習（同項第十四号に規定する講習をいう。以下同じ。）ごとに、その全部又は一部について行うものとする。

（指定の申請）

第二条　指定を受けようとする者は、都道府県公安委員会（以下「公安委員会」という。）に、次に掲げる事項を記載した申請書を提出しなければならない。

一　氏名又は名称及び住所並びに法人にあっては、その代表者の氏名
二　特定講習（法第百八条の四第二項の特定講習をいう。以下同じ。）の業務を行う事務所の名称及び所在地
三　特定講習の種別
四　特定講習を開始しようとする年月日

2　前項の申請書には、次に掲げる書類を添付しなければならない。

一　次の申請者の区分に応じ、それぞれ次に定める書類

イ　一般社団法人又は一般財団法人（指定自動車教習所として指定された法人を除く。第三号において同じ。）　定款及び登記事項証明書

ロ　指定自動車教習所として指定された者　道路交通法施行規則（昭和三十五年総理府令第六十号。以下「府令」という。）第三十七条第一項の指定書の写し

二　資産の総額及び資産の種類を記載した書面並びにこれを証する書面

三　次の申請者の区分に応じ、それぞれ次に定める者の住民票の写し（住民基本台帳法（昭和四十二年法律第八十一号）第七条第五号に掲げる事項（外国人にあっては、同法第三十条の四十五に規定する国籍等）を記載したものに限る。第五号において同じ。）及び履歴書

イ　一般社団法人又は一般財団法人　役員

ロ　指定自動車教習所として指定された者　設置者及び管理者

四　運転適性指導員（法第百八条の四第一項第一号の運転適性指導員をいう。以下同じ。）又は運転習熟指導員（同項第二号の運転習熟指導員をいう。以下同じ。）で特定講習の業務に従事する者（以下「特定講習指導員」という。）の数を記載した書面

五　特定講習指導員の住民票の写し及び履歴書

六　特定講習指導員が申請者によって選任された者であることを証するに足りる書面

七　特定講習に使用するコース敷地の面積並びにコースの種類、形状及び構造を明らかにした図面

八　特定講習に使用する建物その他の設備の状況を明らかにした図面

九　特定講習に使用する自動車又は一般原動機付自転車（法第十八条第一項に規定する一般原動機付自転車をいう。以下同じ。）（以下「自動車等」という。）の種類及び数を記載した書面

十　特定講習の細目、時間、方法等を定めた講習計画書

十一　その他参考となる事項を記載した書面

（指定の公示）

第三条　公安委員会は、指定を行ったときは、前条第一項第一号から第三号までに掲げる事項及び当該指定を行った年月日を公示しなければならない。

（名称等の変更の届出等）

第四条　指定講習機関は、第二条第一項第一号及び第二号に掲げる事項を変更しようとするときは、あらかじめその旨を公安委員会に届け出なければならない。

2　公安委員会は、前項の規定による届出があったときは、当該変更に係る事項を公示しなければならない。

3　指定講習機関は、第二条第二項各号に掲げる書類の内容に変更があったときは、その旨を公安委員会に届け出なければならない。

（運転適性指導員）

第五条　法第百八条の四第一項第一号の国家公安委員会規則で定める者は、次に掲げる要件に該当する者とする。

一　二十五歳以上の者であること。

二　運転適性指導（法第百八条の四第一項第一号の運転適性指導をいう。以下同じ。）に使用する自動車等を運転することができる運転免許（仮運転免許を除く。）を現に受けている者（運転免許の効力を停止されている者を除く。）であること。

三　次のいずれにも該当しない者であること。

イ　運転適性指導について不正な行為をしたため運転適性指導員の職を解任された日から起算して二年を経過していない者

ロ　法第百十七条の二の二第一項第九号又は法第百十七条の五第一項第二号（法第百八条の七第一項に係る部分に限る。）の罪を犯し罰金以上の刑に処せられ、その執行を終わり、又はその執行を受けることがなくなった日から起算して二年を経過していない者

ハ　自動車等の運転に関し自動車の運転により人を死傷させる行為等の処罰に関する法律（平成二十五年法律第八十六号）第二条から第六条までの罪又は法に規定する罪（ロに規定する罪を除く。）を犯し禁錮以上の刑に処せられ、その執行を終わり、又はその執行を受けることがなくなった日から起算して二年を経過していない者

四　運転適性指導に従事した経験の期間が三年以上の者であること。

五　公安委員会が行う運転適性指導についての技能及び知識に関する審査に合格し、又は国家公安委員会が指定する運転適性指導についての技能及び知識に関する講習を終了した者であること。

（取消処分者講習を行う指定講習機関の基準）

第六条　法第百八条の四第一項第一号の国家公安委員会規則で定める基準は、次のとおりとする。

一　運転適性指導員の数が取消処分者講習の業務を行うために必要な数以上であること。

二　次に掲げる設備を有すること。

イ　敷地の面積が八千平方メートル以上であり、かつ、種類、形状及び構造が府令別表第三に定める基準に適合するコース

ロ　取消処分者講習を行うために必要な種類及び数の自動車等（準中型自動車及び普通自動車にあっては、運転適性指導員が危険を防止するための応急の措置を講ずることができる装置を備えたものに限る。）、府令第三十三条第五項第一号ホの運転シミュレーター及び府令第三十八条第二項第三号の運転適性検査器材

ハ　イ及びロに掲げるもののほか、取消処分者講習を行うために必要な建物その他の設備

三　取消処分者講習を適正かつ確実に行うために必要な経理的基礎を有すること。

四　その者が取消処分者講習の業務以外の業務を行っているときは、当該業務を行うことにより取消処分者講習が不公正になるおそれがないこと。

五　その指定を行うことによって、取消処分者講習の適正かつ確実な実施を阻害することとならないこと。

（運転習熟指導員）

第七条　法第百八条の四第一項第二号の国家公安委員会規則で定める者は、次に掲げる要件に該当する者とする。

一　二十五歳以上の者であること。

二　次のイからニまでに掲げる場合の区分に応じ、当該イからニまでに定める運転免許を現に受けている者（運転免許の効力を停止されている者を除く。）であること。

イ　準中型自動車に係る運転習熟指導（法第百八条の四第一項第二号の運転習熟指導をいう。以下同じ。）に従事する場合　準中型自動車を運転することができる運転免許（仮運転免許を除く。）

ロ　普通自動車に係る運転習熟指導に従事する場合　普通自動車を運転することができる運転免許（仮運転免許を除く。）

ハ　大型自動二輪車に係る運転習熟指導に従事する場合　大型自動二輪車免許

ニ　普通自動二輪車又は一般原動機付自転車に係る運転習熟指導に従事する場合　大型自動二輪車免許又は普通自動二輪車免許

三　次のいずれにも該当しない者であること。

イ　運転習熟指導について不正な行為をしたため運転習熟指導員の職を解任された日から起算して二年を経過していな

い者

ロ　第五条第三号ロ又はハに該当する者

四　次のイからニまでに掲げる場合の区分に応じ、当該イからニまでに定める自動車の運転に関する技能及び知識の教習に法第九十九条の三第一項の規定により選任された教習指導員として従事した経験の期間が三年以上の者であること。

イ　準中型自動車に係る運転習熟指導に従事する場合　大型自動車、中型自動車又は準中型自動車

ロ　普通自動車に係る運転習熟指導に従事する場合　大型自動車、中型自動車、準中型自動車又は普通自動車

ハ　大型自動二輪車に係る運転習熟指導に従事する場合　大型自動二輪車

ニ　普通自動二輪車又は一般原動機付自転車に係る運転習熟指導に従事する場合　大型自動二輪車又は普通自動二輪車

五　公安委員会が行う運転習熟指導についての技能及び知識に関する審査に合格し、又は国家公安委員会が指定する運転習熟指導についての技能及び知識に関する講習を終了した者であること。

（初心運転者講習を行う指定講習機関の基準）

第八条　法第百八条の四第一項第二号の国家公安委員会規則で定める基準は、次のとおりとする。

一　運転習熟指導員の数が初心運転者講習の業務を行うために必要な数以上であること。

二　次に掲げる設備を有すること。

イ　敷地の面積が八千平方メートル（専ら大型自動二輪車、普通自動二輪車又は一般原動機付自転車に係る初心運転者講習を行う者にあっては、三千五百平方メートル）以上であり、かつ、種類、形状及び構造が府令別表第三に定める基準に適合するコース

ロ　初心運転者講習を行うために必要な種類及び数の自動車等（準中型自動車及び普通自動車にあっては、運転習熟指導員が危険を防止するための応急の措置を講ずることができる装置を備えたものに限る。）

ハ　イ及びロに掲げるもののほか、初心運転者講習を行うために必要な建物その他の設備

三　初心運転者講習を適正かつ確実に行うために必要な経理的基礎を有すること。

四　その者が初心運転者講習の業務以外の業務を行っているときは、当該業務を行うことにより初心運転者講習が不公正になるおそれがないこと。

五　その指定を行うことによって、初心運転者講習の適正かつ確実な実施を阻害することとならないこと。

（若年運転者講習を行う指定講習機関の基準）

第八条の二　法第百八条の四第一項第三号の国家公安委員会規則で定める基準は、次のとおりとする。

一　運転適性指導員の数が若年運転者講習の業務を行うために必要な数以上であること。

二　次に掲げる設備を有すること。

イ　敷地の面積が八千平方メートル以上であり、かつ、種類、形状及び構造が府令別表第三に定める基準に適合するコース

ロ　若年運転者講習を行うために必要な数の普通自動車（運転適性指導員が危険を防止するための応急の措置を講ずることができる装置を備えたものに限る。）

ハ　イ及びロに掲げるもののほか、若年運転者講習を行うために必要な建物その他の設備

三　若年運転者講習を適正かつ確実に行うために必要な経理的基礎を有すること。

四　その者が若年運転者講習の業務以外の業務を行っているときは、当該業務を行うことにより若年運転者講習が不公正になるおそれがないこと。

五　その指定を行うことによって、若年運転者講習の適正かつ確実な実施を阻害することとならないこと。

（講習業務規程の認可の申請等）

第九条　指定講習機関は、法第百八条の六第一項前段の規定により講習業務規程（同項の講習業務規程をいう。以下同じ。）の認可を受けようとするときは、その旨を記載した申請書に当該講習業務規程を添えて、これを公安委員会に提出しなければならない。

2　指定講習機関は、法第百八条の六第一項後段の規定により講習業務規程の変更の認可を受けようとするときは、次に掲げる事項を記載した申請書を公安委員会に提出しなければならない。

一　変更しようとする事項

二　変更しようとする年月日

三　変更の理由

（講習業務規程で定めるべき事項）

第一〇条　法第百八条の六第二項の講習業務規程で定めるべき事項は、次のとおりとする。

一　特定講習を行う時間及び休日に関する事項

二　特定講習を行う場所に関する事項

三　手数料の収納に関する事項

四　講習終了証明書の発行に関する事項

五　特定講習指導員の選任及び解任に関する事項

六　特定講習の実施の方法に関する事項

七　特定講習の業務に関する帳簿及び書類の管理に関する事項

八　その他特定講習の実施に関し必要な事項

（講習結果報告書）

第一一条　指定講習機関は、特定講習を行ったときは、速やかに講習結果報告書を公安委員会に提出しなければならない。

（帳簿）

第一二条　指定講習機関は、帳簿を備え、次に掲げる事項を記載しなければならない。

一　特定講習を終了した者の住所、氏名、生年月日及び性別並びに終了した特定講習の種別

二　初心運転者講習又は若年運転者講習を行う指定講習機関にあっては、それぞれの講習を終了した者の有する運転免許証の番号

三　特定講習を行った年月日

四　特定講習に従事した特定講習指導員の氏名

五　その他特定講習に関し必要な事項

2　指定講習機関は、前項の帳簿を特定講習を行った日から五年間保存しなければならない。

（電磁的方法による保存）

第一二条の二　前条第一項各号に掲げる事項が電磁的方法（電子的方法、磁気的方法その他の人の知覚によって認識することができない方法をいう。）により記録され、当該記録が必要に応じ電子計算機その他の機器を用いて直ちに表示されることができるようにして保存されるときは、当該記録の保存をもって同条第二項に規定する当該事項が記載された帳簿の保存に代えることができる。

2　前項の規定による保存をする場合には、国家公安委員会が定める基準を確保するよう努めなければならない。

（事業報告書等）

第一三条　指定講習機関は、毎事業年度終了後三月以内に、事業報告書及び収支決算書を公安委員会に提出しなければならない。

（講習の休廃止の許可等）

第一四条　指定講習機関は、法第百八条の十の規定により特定講習の全部又は一部の休止又は廃止の許可を受けようとするときは、公安委員会に、次に掲げる事項を記載した申請書を提出しなければならない。

一　休止し、又は廃止しようとする特定講習の種別

二　休止し、又は廃止しようとする年月日

三　休止しようとする場合にあっては、その期間

四　休止し、又は廃止しようとする理由

2　公安委員会は、前項の許可をしたときは、同項第一号から第三号までに掲げる事項を公示しなければならない。

（指定の取消しの公示）

第一五条　公安委員会は、法第百八条の十一第一項又は第二項の規定により指定講習機関の指定を取り消したときは、その旨を公示しなければならない。

（特定講習の業務の引継ぎ等）

第一六条　指定講習機関は、法第百八条の十の許可を受けて特定講習の全部若しくは一部を休止し、若しくは廃止しようとする場合又は法第百八条の十一第一項若しくは第二項の規定によりその指定を取り消された場合には、次に掲げる措置を講じなければならない。

一　特定講習の業務を公安委員会に引き継ぐこと。

二　特定講習の業務に関する帳簿及び書類を公安委員会に引き継ぐこと。

三　その他特定講習を適正かつ確実に行うために公安委員会が必要と認める措置

（特定講習指導員に対する講習）

第一七条　指定講習機関は、公安委員会が指名する特定講習指導員に運転適性指導又は運転習熟指導についての技能及び知識の向上に資するものとして国家公安委員会が指定する講習を受けさせなければならない。

（連絡等）

第一八条　指定講習機関は、特定講習の実施について、公安委員会と密接に連絡するものとする。

2　公安委員会は、指定講習機関に対し、特定講習の適正かつ確実な実施が図られるように、必要な配慮を加えるものとする。

附　則

この規則は、道路交通法の一部を改正する法律（平成元年法律第九十号）の施行の日（平成二年九月一日）から施行する。

附　則〔平成八・八・六国家公安委員会規則一〇〕

（施行期日）

1　この規則は、道路交通法の一部を改正する法律（平成七年法律第七十四号）の施行の日（平成八年九月一日）から施行する。

（経過措置）

2　この規則の施行の際現に改正前の指定講習機関に関する規則（以下「旧規則」という。）第七条各号に掲げる要件に該当して自動二輪車に係る運転習熟指導員として選任されている者は、改正後の指定講習機関に関する規則（以下「新規則」という。）第七条各号に掲げる要件に該当して普通自動二輪車に係る運転習熟指導員として選任された者とみなす。

3　この規則の施行前に旧規則第七条第四号の技能指導員又は学科指導員として自動二輪車に係る教習に従事した経験の期間及び教習指導員として自動二輪車に係る教習に従事した経験の期間は、普通自動二輪車に係る教習に従事した経験の期間とみなす。

4　当分の間、この規則の施行前に旧規則第七条第四号の技能指導員又は学科指導員として自動二輪車に係る教習に従事した経験の期間及び教習指導員として自動二輪車に係る教習に従事した経験の期間は、大型自動二輪車に係る教習に従事した経験の期間とみなす。

5　この規則の施行の際現に旧規則第七条第五号の規定による自動二輪車に係る審査に合格している者は新規則第七条の規定による普通自動二輪車に係る審査に合格した者と、旧規則第七条第五号の規定による自動二輪車に係る講習を終了している者は新規則第七条第五号の規定による普通自動二輪車に係る講習を終了した者とみなす。

6　この規則の施行の際現に旧規則第八条各号に掲げる基準に適合して自動二輪車に係る初心運転者講習を行う指定講習機関として指定されている者は、新規則第八条各号に掲げる基準に適合して普通自動二輪車に係る初心運転者講習を行う指定講習機関として指定された者とみなす。

附　則〔平成一九・六・四国家公安委員会規則一三〕

改正　平成二六・四国公委規七

（施行期日）

1　この規則は、刑法の一部を改正する法律の施行の日（平成十九年六月十二日）から施行する。

（経過措置）

2　この規則の施行前に道路交通法第八十四条第一項に規定する自動車等の運転に関し刑法の一部を改正する法律による改正前の刑法（明治四十年法律第四十五号）第二百十一条第一項（刑法の一部を改正する法律附則第二条の規定によりなお従前の例によることとされる場合における当該規定を含む。）の罪を犯した者に対する自動車の運転により人を死傷させる行為等の処罰に関する法律の施行に伴う関係国家公安委員会規則の整備に関する規則（平成二十六年国家公安委員会規則第七号）による改正後の指定講習機関に関する規則第五条第三号ハ〔中略〕の規定の適用については、これらの規定中「第六条まで」とあるのは、「第六条までの罪、同法附則第二条の規定による改正前の刑法（明治四十年法律第四十五号）第二百八条の二若しくは第二百十一条第二項（自動車の運転により人を死傷させる行為等の処罰に関する法律附則第十四条の規定によりなお従前の例によることとされる場合におけるこれらの規定を含む。）」の罪、刑法の一部を改正する法律（平成十九年法律第五十四号）による改正前の刑法第二百十一条第一項（刑法の一部を改正する法律附則第二条の規定によりなお従前の例によることとされる場合における当該規定を含む。）」とする。

附　則〔平成二四・六・一八国家公安委員会規則七〕

（施行期日）

第一条　この規則は、出入国管理及び難民認定法及び日本国との平和条約に基づき日本の国籍を離脱した者等の出入国管理に関する特例法の一部を改正する等の法律（平成二十一年法律第七十九号）の施行の日（平成二十四年七月九日）から施行する。

（経過措置）

第二条　この規則の施行の日前にした行為に対する罰則の適用については、なお従前の例による。

附　則〔平成二六・四・二五国家公安委員会規則七抄〕

（施行期日）

1　この規則は、自動車の運転により人を死傷させる行為等の処罰に関する法律の施行の日（平成二十六年五月二十日）から施行する。

（経過措置）

3　この規則の施行前に道路交通法第八十四条第一項に規定する自動車等の運転に関し自動車の運転により人を死傷させる行為等の処罰に関する法律附則第二条の規定による改正前の刑法（明治四十年法律第四十五号）第二百八条の二又は第二百十一条第二項（自動車の運転により人を死傷させる行為等の処罰に関する法律附則第十四条の規定によりなお従前の例によることとされる場合におけるこれらの規定を含む。）の罪を犯した者（次項の規定による改正後の刑法の一部を改正する法律の施行に伴う関係国家公安委員会規則の整備に関する規則（平成十九年国家公安委員会規則第十三号）附則第二項に規定する者を除く。）に対するこの規則による改正後の指定講習機関に関する規則第五条第三号ハ〔中略〕の規定の適用については、これらの規定中「第六条まで」とあるのは、「第六条までの罪、同法附則第二条の規定による改正前の刑法（明治四十年法律第四十五号）第二百八条の二若しくは第二百十一条第二項（自動車の運転により人を死傷させる行為等の処罰に関する法律附則第十四条の規定によりなお従前の例によることとされる場合におけるこれらの規定を含む。）」とする。

附　則〔平成二八・七・一五国家公安委員会規則一三〕

（施行期日）

1　この規則は、道路交通法の一部を改正する法律（平成二十七年法律第四十号）の施行の日（平成二十九年三月十二日。以下「改正法施行日」という。）から施行する。

（経過措置）

2　改正法施行日において現に改正前の指定講習機関に関する規則（以下「旧規則」という。）第七条各号に掲げる要件に該当して普通自動車に係る運転習熟指導員として選任されている者は、改正後の指定講習機関に関する規則（以下「新規則」という。）第七条各号に掲げる要件に該当して普通自動車に係る運転習熟指導員として選任された者とみなす。

3　改正法施行日前に旧規則第七条第四号の教習指導員として中型自動車又は普通自動車に係る教習に従事した経験の期間は、それぞれ新規則第七条第四号の教習指導員として中型自動車又は普通自動車に係る教習に従事した経験の期間とみなす。

4　改正法施行日において現に旧規則第七条第五号の規定による普通自動車に係る審査に合格している者は新規則第七条第五号の規定による普通自動車に係る審査に合格した者と、旧規則第七条第五号の規定による普通自動車に係る講習を終了している者は新規則第七条第五号の規定による普通自動車に係る講習を終了した者とみなす。

5　改正法施行日において現に旧規則第八条各号に掲げる基準に適合して普通自動車に係る初心運転者講習を行う指定講習機関として指定されている者は、新規則第八条各号に掲げる基準に適合して普通自動車に係る初心運転者講習を行う指定講習機関として指定された者とみなす。

附　則〔令和四・二・一〇国家公安委員会規則六〕

この規則は、道路交通法の一部を改正する法律（令和二年法律第四十二号）の施行の日（令和四年五月十三日）から施行する。ただし、第五条第三号ロの改正規定は、公布の日から施行する。

附　則〔令和四・九・一四国家公安委員会規則一六〕

この規則は、道路交通法の一部を改正する法律附則第一条第二号に掲げる規定の施行の日（令和四年十月一日）から施行する。

附　則〔令和四・一二・二三国家公安委員会規則二一抄〕

（施行期日）

第一条　この規則は、道路交通法の一部を改正する法律の施行の日（令和五年四月一日）から施行する。

附　則〔令和五・三・一七国家公安委員会規則五〕

（施行期日）

1　この規則は、道路交通法の一部を改正する法律（令和四年法律第三十二号）附則第一条第三号に掲げる規定の施行の日（令和五年七月一日）から施行する。

（経過措置）

2　この規則の施行の日前に道路交通法の一部を改正する法律第三条の規定による改正前の道路交通法（昭和三十五年法律第百五号。以下この項において「旧法」という。）第八十四条第一項に規定する自動車等の運転に関し自動車の運転により人を死傷させる行為等の処罰に関する法律（平成二十五年法律第八十六号）第二条から第六条までの罪又は旧法に規定する罪を犯した者に対する次の表の上欄に掲げる規定の適用については、これらの規定中同表の中欄に掲げる字句は、それぞれ同表の下欄に掲げる字句とする。

指定講習機関に関する規則第五条第三号ハ及び運転免許取得者等教育の認定に関する規則第二条第一号ロ(3)	自動車等	自動車等及び道路交通法の一部を改正する法律（令和四年法律第三十二号）第三条の規定による改正前の法第八十四条第一項に規定する自動車等
届出自動車教習所が行う教習の課程の指定に関する規則第一条第二項第一号ロ(4)及び運転免許取得者等検査の認定に関する規則第二条第二号ロ(2)	及び一般原動機付自転車（法第十八条第一項に規定する一般原動機付自転車をいう。）	、一般原動機付自転車（法第十八条第一項に規定する一般原動機付自転車をいう。）及び道路交通法の一部を改正する法律（令和四年法律第三十二号）第三条の規定による改正前の法第八十四条第一項に規定する自動車等
交通安全活動推進センターに関する規則第六条第一項第二号	及び一般原動機付自転車（法第十八条第一項に規定する一般原動機付自転車をいう。第四号において同じ。）	、一般原動機付自転車（法第十八条第一項に規定する一般原動機付自転車をいう。第四号において同じ。）及び道路交通法の一部を改正する法律（令和四年法律第三十二号）第三条の規定による改正前の法第八十四条第一項に規定する自動車等

○指定講習機関に関する規則第五条第五号の規定に基づき、国家公安委員会が指定する講習を定める件

〔平成一四・一一・二八　国家公安委員会告示三六〕

改正　平成二四・九国公委告三〇

指定講習機関に関する規則（平成二年国家公安委員会規則第一号）第五条第五号の規定に基づき、国家公安委員会が指定する講習を次のように定める。

自動車安全運転センターが実施する新任運転適性指導員研修又は取消処分者講習指導員（一般）研修

附　則〔平成二四・九・一〇国家公安委員会告示三〇〕

この告示は、公布の日から施行する。

○国家公安委員会が指定する講習を定める件

〔平成三・四・一一　国家公安委員会告示二〕

指定講習機関に関する規則（平成二年国家公安委員会規則第一号）第七条第五号の規定に基づき、国家公安委員会が指定する講習を次のように定める。

自動車安全運転センターが実施する新任運転習熟指導員研修

○運転適性指導又は運転習熟指導についての技能及び知識の向上に資するものとして国家公安委員会が指定する講習を定める件

〔平成一九・四・二〇
国家公安委員会告示一〇〕

指定講習機関に関する規則（平成二年国家公安委員会規則第一号）第十七条の規定に基づき、運転適性指導又は運転習熟指導についての技能及び知識の向上に資するものとして国家公安委員会が指定する講習を次のように定める。

一 運転適性指導についての技能及び知識の向上に資する講習
自動車安全運転センターが行う現任運転適性指導員課程

二 運転習熟指導についての技能及び知識の向上に資する講習
自動車安全運転センターが行う現任運転習熟指導員課程

附 則

1 この告示は、公布の日から施行する。

2 平成三年国家公安委員会告示第三号（運転習熟指導についての技能及び知識の向上に資するものとして国家公安委員会が指定する講習を定める件）は、廃止する。

○交通事故調査分析センターに関する規則

〔平成四・五・六
国家公安委員会規則九〕

改正 前略…平成一〇・三国公委規五、平成一一・三国公委規七、平成一七・三国公委規二、平成二〇・八国公委規一六、国公委規一七、令和元・六国公委規三、令和四・一二国公委規二一、令和五・一二国交委規一五

（指定の申請）

第一条 道路交通法（以下「法」という。）第百八条の十三第一項の規定により交通事故調査分析センター（以下「分析センター」という。）の指定を受けようとする法人は、次に掲げる事項を記載した申請書を国家公安委員会に提出しなければならない。

一 名称及び住所並びに代表者の氏名

二 事務所の名称及び所在地

2 前項の申請書には、次に掲げる書類を添付しなければならない。

一 定款

二 登記事項証明書

三 役員の氏名、住所及び略歴を記載した書面

四 法第百八条の十四各号に掲げる事業の実施に関する基本的な計画を記載した書面

五 資産の総額及び資産の種類を記載した書面並びにこれを証する書面

（指定の基準）

第一条の二 法第百八条の十三第一項の規定による指定の基準は、次に掲げるとおりとする。

一 法第百八条の十四各号に掲げる事業（以下この条において「分析センターの事業」という。）の実施に関し、適切な計画が定められていること。

二 分析センターの事業を適正かつ確実に行うため必要な経理的基礎を有すること。

三 分析センターの事業以外の事業を行っているときは、当該事業を行うことにより分析センターの事業が不公正になるおそれがないこと。

（欠格事由）

第二条 分析センターは、次の各号のいずれかに該当する者を法第百八条の十四第二号に規定する事故例調査（以下「事故例調査」という。）に従事させてはならない。

一 未成年者

二 法第百八条の十九の規定による命令により役員又は職員を解任され、解任の日から起算して二年を経過していない者

三 禁錮以上の刑に処せられ、又は法第百八条の十八の規定に違反して罰金の刑に処せられ、その執行を終わり、又は執行を受けることがなくなった日から起算して二年を経過していない者

（事故例調査に従事する職員の身分を示す証票）

第三条 法第百八条の十五第二項の証票の様式は、分析センターが定める。

2 分析センターは、前項の様式を定めたときは、速やかに、これを国家公安委員会に届け出なければならない。これを変更したときも、同様とする。

3 国家公安委員会は、前項の規定による届出があったときは、当該様式を公示するものとする。

（警察署長等が提供することができる情報等）

第四条 法第百八条の十六第一項の国家公安委員会規則で定める情報又は資料は、次のとおりとする。

一 法第七十二条第一項後段若しくは同条第三項後段又は法第七十五条の二十三第一項後段の規定による報告に係る情報又は資料

二 法第七十二条第三項又は法第七十五条の二十三第五項の規定による指示に係る情報又は資料

三 法第七十二条の二第一項（法第七十五条の二十三第六項において読み替えて準用する場合を含む。）の規定による措置及び法第七十二条の二第二項（法第七十五条の二十三第六項において準用する場合を含む。）の規定による保管に係る情報又は資料

2 法第百八条の十六第二項の国家公安委員会規則で定める情報又は資料は、次の各号の区分に従い、それぞれ当該各号に定めるとおりとする。

一 警察庁 次に掲げる情報又は資料

ア 交通事故に関する統計を作成するために集められた情報又は資料

イ 法第七十五条の二十九、法第百六条又は法第百七条の六の規定による報告に係る情報又は資料

ウ その他交通事故又は交通事故の防止に係る情報又は資料

で警察庁の所掌事務に関して集められたもの

二　都道府県警察　次に掲げる統計を作成するために集められた情報

ア　交通事故に関する統計を作成するために集められた情報又は資料

イ　法第百八条の二第一項又は第二項に規定する講習その他交通安全教育に関する情報又は資料

ウ　法第百十一条第一項の規定による調査に係る情報又は資料

エ　その他交通規制又は交通安全施設に関する情報又は資料

（特定情報管理規程の認可の申請等）

第五条　分析センターは、法第百八条の十七第一項前段の規定により特定情報管理規程の認可を受けようとするときは、その旨を記載した申請書に当該特定情報管理規程を添えて、これを国家公安委員会に提出しなければならない。

2　分析センターは、法第百八条の十七第一項後段の規定により特定情報管理規程の変更の認可を受けようとするときは、次に掲げる事項を記載した申請書を国家公安委員会に提出しなければならない。

一　変更しようとする事項

二　変更を必要とする理由

（特定情報管理規程の記載事項）

第六条　法第百八条の十七第三項の特定情報管理規程に記載すべき事項は、次のとおりとする。

一　特定情報（法第百八条の十七第一項に規定する特定情報をいう。以下この条において同じ。）の適正な管理及び使用に関する職員の意識の啓発及び教育に関する事項

二　特定情報の適正な管理及び使用に係る事務を統括管理する者の指定に関する事項

三　特定情報に係る電子計算機及び端末装置を設置する場所の入出場の管理その他これらの施設への不正なアクセスを予防するための措置に関する事項

四　特定情報の記録された物の紛失、盗難及びき損を防止するための措置に関する事項

五　特定情報の使用及びその制限に関する事項

六　その他特定情報の適正な管理又は使用を図るため必要な措置に関する事項

（立入検査をする職員の身分を示す証票）

第七条　法第百八条の二十一第二項の証票は、別記様式第一号のとおりとする。

（分析センターの運営に対する配慮）

第八条　警察庁は、分析センターに対し、次に掲げる事項について、必要な配慮を加えるものとする。

一　事故例調査の円滑な実施を図るため必要な都道府県警察との連絡調整に関すること。

二　法第百八条の十四第二号の規定による分析又は同条第三号の規定による分析若しくは調査研究の円滑な実施を図るため必要な技術又は知識の提供に関すること。

三　法第百八条の十四第四号から第六号までの事業の円滑な実施を図るため必要な関係機関との連絡に関すること。

四　前三号に掲げるもののほか、分析センターの事業の円滑な運営を図るため必要な便宜の供与に関すること。

2　都道府県警察は、分析センターに対し、次に掲げる事項について、必要な配慮を加えるものとする。

一　事故例調査の円滑な実施を図るため必要な関係機関との連絡に関すること。

二　法第百八条の十四第二号の規定による分析又は同条第三号の規定による分析若しくは調査研究の円滑な実施を図るため必要な技術又は知識の提供に関すること。

三　前二号に掲げるもののほか、分析センターの事業の円滑な運営を図るため必要な便宜の供与に関すること。

（電磁的記録媒体による手続）

第九条　次の各号に掲げる書類の当該各号に定める規定による提出については、当該書類の提出に代えて当該書類に記載すべきこととされている事項を記録した電磁的記録媒体（電子的方式、磁気的方式その他人の知覚によっては認識することができない方式で作られる記録であって電子計算機による情報処理の用に供されるものに係る記録媒体をいう。）及び別記様式第二号の電磁的記録媒体提出票を提出することにより行うことができる。

一　申請書　第一条第一項並びに第五条第一項及び第二項

二　定款　第一条第二項

三　役員の氏名、住所及び略歴を記載した書面　第一条第二項

四　事業の実施に関する基本的な計画を記載した書面　第一条第二項

五　資産の総額及び資産の種類を記載した書面　第一条第二項

六　特定情報管理規程　第五条第一項

七　事業計画及び収支予算　法第百八条の二十第一項

八　事業報告書、収支決算書、貸借対照表及び財産目録　法第百八条の二十第二項

附　則

この規則は、公布の日から施行する。

附　則〔令和元・六・二一国家公安委員会規則三〕

（施行期日）

1　この規則は、令和元年七月一日から施行する。

（経過措置）

2　この規則による改正前の〔中略〕交通安全活動推進センターに関する規則〔中略〕に規定する様式による書面については、この規則による改正後のこれらの規則に規定する様式にかかわらず、当分の間、なおこれを使用することができる。

附　則〔令和四・一二・二三国家公安委員会規則二一抄〕

（施行期日）

第一条　この規則は、道路交通法の一部を改正する法律の施行の日（令和五年四月一日）から施行する。

附　則〔令和五・一二・二五国家公安委員会規則一五〕

（施行期日）

第一条　この規則は、公布の日から施行する。

（経過措置）

第二条　この規則による改正前の様式（次項において「旧様式」という。）により使用されている書類は、当分の間、この規則による改正後の様式によるものとみなす。

2　旧様式による用紙については、当分の間、これを取り繕って使用することができる。

別記様式第1号（第7条関係）

（表　面）

第　　　号

検査員証

写真　　（押出スタンプ）

官職

氏名

年　月　日生

上記の者は、道路交通法第108条の21第1項の規定による立入検査に従事する職員であることを証明する。

年　月　日

国家公安委員会　印

（裏　面）

道路交通法（抜粋）

（報告及び検査）

第108条の21　国家公安委員会は、分析センターの事業の運営に関し必要があると認めるときは、分析センターに対し、その事業に関し必要な報告をさせ、又は警察庁の職員に分析センターの事業所に立ち入り、事業の状況若しくは帳簿、書類その他の物件を検査させることができる。

2　前項の規定により立入検査をする職員は、その身分を示す証票を携帯し、関係者の請求があるときは、これを提示しなければならない。

3　第1項の規定による立入検査の権限は、犯罪捜査のために認められたものと解してはならない。

備考　用紙の大きさは、日本産業規格B列8番とする。

別記様式第2号（第9条関係）

電磁的記録媒体提出票

年　月　日

国家公安委員会　殿

提出者の名称

住　　所

道路交通法第108条の20第1項
道路交通法第108条の20第2項
交通事故調査分析センターに関する規則第1条第1項
交通事故調査分析センターに関する規則第1条第2項
交通事故調査分析センターに関する規則第5条第1項
交通事故調査分析センターに関する規則第5条第2項
の規定により提出すべき書類に記載することとされている事項を記録した電磁的記録媒体を以下のとおり提出します。

本票に添付されている電磁的記録媒体に記録された事項は、事実に相違ありません。

1　電磁的記録媒体に記録された事項

2　電磁的記録媒体と併せて提出される書類

備考　1　「電磁的記録媒体に記録された事項」の欄には、電磁的記録媒体に記録されている事項を記載するとともに、2以上の電磁的記録媒体を提出するときは、電磁的記録媒体ごとに整理番号を付し、その番号ごとに記録されている事項を記載すること。

2　「電磁的記録媒体と併せて提出される書類」の欄には、本票に添付されている電磁的記録媒体に記録されている事項以外の事項を記載した書類を併せて提出する場合にあっては、その書類名を記載すること。

3　不要の文字は、横線で消すこと。

4　該当事項がない欄は、省略すること。

5　用紙の大きさは、日本産業規格A列4番とする。

○交通事故調査分析センターに関する規則第三条第二項前段の規定に基づき届出があった事故例調査に従事する職員の身分を示す証票の様式を告示

〔平成五・四・九〕
〔国家公安委員会告示二〕

改正　平成二四・四国公委告一四、令和元・七国公委告二三

交通事故調査分析センターに関する規則（平成四年国家公安委員会規則第九号）第三条第二項前段の規定に基づき、交通事故調査分析センターから事故例調査に従事する職員の身分を示す証票の様式について次のとおり届出があったので、同条第三項の規定に基づき公示する。

別記様式

（表）

第　□□－　　　号

身分証明書

写真

所属　○○○○○○○○

氏名

生年月日　　　年　月　日生

上記の者は、道路交通法第108条の14第2号に規定する事故例調査の業務に従事する者であることを証明する。

年　月　日

国家公安委員会指定　交通事故調査分析センター

公益財団法人　交通事故総合分析センター　印

（裏）

道路交通法（抜粋）

第108条の15　事故例調査に従事する分析センターの職員は、事故例調査を行うために関係者に協力を求めるに当たっては、その生活又は業務の平穏に支障を及ぼさないように配慮しなければならない。

2　事故例調査に従事する分析センターの職員は、その身分を示す証票を携帯し、関係者の請求があったときは、これを提示しなければならない。

備考　用紙の大きさは、日本産業規格Ｂ列８番とする。

○原動機を用いる歩行補助車等の型式認定の手続等に関する規則

〔平成四・九・一六
国家公安委員会規則一九〕

改正 前略…平成一一・一国公委規一、三国公委規七、平成一四・四国公委規一五、平成二〇・八国公委規一六、国公委規一七、令和元・六国公委規三、九国公委規五、令和二・一二国公委規一三、令和四・一二国公委規二一

(申請書の様式)

第一条 道路交通法施行規則（以下「府令」という。）第三十九条の二第三項（府令第三十九条の二の二第三項、第三十九条の三第三項、第三十九条の四第三項、第三十九条の五第三項、第三十九条の六第三項、第三十九条の七第三項、第三十九条の八第三項及び第三十九条の九第三項において準用する場合を含む。第十六条第一号において同じ。）に規定する申請書の様式は、別記様式第一のとおりとする。

(指定の基準等)

第二条 府令第三十九条の二第四項第三号（府令第三十九条の二の二第三項、第三十九条の三第三項、第三十九条の四第三項、第三十九条の五第三項、第三十九条の六第三項、第三十九条の七第三項、第三十九条の八第三項及び第三十九条の九第三項において準用する場合を含む。以下この条において同じ。）の規定による指定（以下単に「指定」という。）は、指定を受けようとする法人の申請に基づき行うものとする。

2 国家公安委員会は、前項の規定により申請をした法人（以下この項において「指定申請法人」という。）が次に掲げる要件の全てに適合しているときは、その指定をしなければならない。

一 府令第三十九条の二第四項第三号の試験（以下「型式認定試験」という。）を適正に行うため必要な知識及び技能を有する者が試験を行うこと。

二 型式認定試験を適正に行うため必要な施設及び設備を使用して試験を行うものであること。

三 型式認定試験を適正かつ確実に行うため必要な経理的基礎を有するものであること。

四 型式認定試験以外の業務を行っているときは、当該業務を行うことにより型式認定試験が不公正になるおそれがないこと。

五 指定申請法人が、原動機を用いる歩行補助車等、原動機を用いる軽車両、駆動補助機付自転車、移動用小型車、原動機を用いる身体障害者用の車、遠隔操作型小型車、自転車、安全器材等又は模擬運転装置（以下「車等」という。）の製作、組立て又は販売を業とする者（以下「製作事業者等」という。）に支配されているものとして次のいずれかに該当するものでないこと。

イ 指定申請法人が株式会社である場合にあっては、製作事業者等がその親法人（会社法（平成十七年法律第八十六号）第八百七十九条第一項に規定する親法人をいう。）であること。

ロ 指定申請法人の役員（持分会社（会社法第五百七十五条第一項に規定する持分会社をいう。）にあっては、業務を執行する社員）に占める製作事業者等の役員又は職員（過去二年間に当該製作事業者等の役員又は職員であった者を含む。）の割合が二分の一を超えていること。

ハ 指定申請法人の代表権を有する役員が、製作事業者等の役員又は職員（過去二年間に当該製作事業者等の役員又は職員であった者を含む。）であること。

(指定の申請)

第三条 指定を受けようとする法人は、次に掲げる事項を記載した申請書を国家公安委員会に提出しなければならない。

一 名称及び住所並びに代表者の氏名

二 事務所の名称及び所在地

2 前項の申請書には、次に掲げる書類を添付しなければならない。

一 定款

二 登記事項証明書

三 役員の氏名、住所及び略歴を記載した書面

四 型式認定試験を行う者の氏名、住所並びに型式認定試験に関する資格及び略歴を記載した書面

五 型式認定試験を行うための施設及び設備の概要を記載した書面

六 資産の総額及び種類を記載した書面並びにこれを証する書面

(名称等の公示)

第四条 国家公安委員会は、指定をしたときは、当該指定を受けた法人（以下「指定試験機関」という。）の名称、住所及び事務所の所在地を公示するものとする。

(名称等の変更)

第五条 指定試験機関は、前条の規定により公示された事項を変更しようとするときは、あらかじめその旨を国家公安委員会に届け出なければならない。

2 国家公安委員会は、前項の規定による届出があったときは、その旨を公示するものとする。

3 指定試験機関は、第三条第二項各号に掲げる書類の記載事項に変更があったときは、速やかにその旨を国家公安委員会に届け出なければならない。

(国家公安委員会への報告等)

第六条 指定試験機関は、毎事業年度の事業計画及び収支予算を作成し、当該事業年度の開始前に国家公安委員会に提出しなければならない。これを変更しようとするときも、同様とする。

2 指定試験機関は、毎事業年度の事業報告書、収支決算書、貸借対照表及び財産目録を作成し、当該事業年度経過後三月以内に国家公安委員会に提出しなければならない。

3 国家公安委員会は、指定試験機関の型式認定試験に係る事業の適正な運営を図るため必要があると認めるときは、当該指定試験機関に対し、その財産の状況又は事業の運営に関し報告又は資料の提出を求めることができる。

(解任の勧告)

第七条 国家公安委員会は、指定試験機関の役員又は型式認定試験を行う者が型式認定試験に関し不正な行為をしたときは、当該指定試験機関に対し、当該役員又は当該型式認定試験を行う者の解任を勧告することができる。

(改善の勧告)

第八条 国家公安委員会は、指定試験機関が第二条第二項各号のいずれかに適合しなくなったと認めるとき又は指定試験機関の財産の状況若しくはその型式認定試験に係る事業の運営に関し改善が必要であると認めるときは、当該指定試験機関に対し、その改善に必要な措置をとるべきことを勧告することができる。

(指定の取消し等)

第九条 国家公安委員会は、指定試験機関が、この規則の規定に違反したとき、又は前二条の規定による勧告があったにもかかわらず、当該勧告に係る措置を講じていないと認められるときは、その指定を取り消すことができる。

2 国家公安委員会は、前項の規定により指定を取り消したときは、その旨を公示するものとする。

(型式認定番号の指定の通知等)

第一〇条 国家公安委員会は、府令第三十九条の二第五項（府令第三十九条の二の二第三項、第三十九条の三第三項、第三十九条の四第三項、第三十九条の五第三項、第三十九条の六第三項、第三十九条の七第三項、第三十九条の八第三項及び第三十九条の九第三項において準用する場合を含む。）の規定により型式

認定番号を指定したときは、その旨を申請者に通知するとともに、当該型式認定番号、認定（府令第三十九条の二第一項、第三十九条の二の二第一項、第三十九条の三第一項、第三十九条の四第一項、第三十九条の五第一項、第三十九条の六第一項、第三十九条の七第一項、第三十九条の八第一項又は第三十九条の九第一項の規定による認定をいう。以下同じ。）に係る車等の名称及び型式並びに当該認定を受けた者の氏名（法人にあっては、その名称。以下同じ。）及び住所を公示するものとする。

（表示）

第十一条　認定を受けた者は、当該認定に係る型式の車等に次の事項を表示するものとする。

一　車等の製作等の時期又はその時期を表す略号

二　認定を受けた者の氏名又はその氏名を表す略号

（変更等の届出）

第十二条　府令第三十九条の二第七項（府令第三十九条の二の二第三項、第三十九条の三第三項、第三十九条の四第三項、第三十九条の五第三項、第三十九条の六第三項、第三十九条の七第三項、第三十九条の八第三項及び第三十九条の九第三項において準用する場合を含む。）の規定による届出は、別記様式第二の届出書を提出して行うものとする。

（認定の取消しの手続等）

第十三条　国家公安委員会は、府令第三十九条の二第八項（府令第三十九条の二の二第三項、第三十九条の三第三項、第三十九条の四第三項、第三十九条の五第三項、第三十九条の六第三項、第三十九条の七第三項、第三十九条の八第三項及び第三十九条の九第三項において準用する場合を含む。次項において同じ。）の規定により認定を取り消そうとするときは、当該認定を受けた者に対し、あらかじめ、書面により、弁明をなすべき日時及び場所並びに取消しの理由を通知して、弁明及び有利な証拠の提出の機会を与えなければならない。

2　国家公安委員会は、府令第三十九条の二第八項の規定により認定を取り消したときは、当該取消しを受けた者にその旨を通知するとともに、当該取消しに係る型式認定番号、車等の名称及び型式並びに当該取消しを受けた者の氏名及び住所を公示するものとする。

（標章）

第十四条　認定を受けている者は、当該認定に係る型式の車等に別記様式第三の標章をはり付けることができる。

（表示の届出等）

第十五条　第十一条の規定により略号を表示した者又は前条の規定により標章をはり付けた者は、速やかにその旨を国家公安委員会に届け出るものとする。

2　前項の規定による届出は、別記様式第四の届出書により行うものとする。

（電磁的記録媒体による手続）

第十六条　次の各号に掲げる書類の当該各号に定める規定による提出については、当該書類の提出に代えて当該書類に記載すべきこととされている事項を記録した電磁的記録媒体（電子的方式、磁気的方式その他人の知覚によっては認識することができない方式で作られる記録であって電子計算機による情報処理の用に供されるものに係る記録媒体をいう。）及び別記様式第五の電磁的記録媒体提出票を提出することにより行うことができる。

一　申請書　府令第三十九条の二第三項

二　製作における均一性を明らかにする事項を記載した書類　府令第三十九条の二第四項（府令第三十九条の二の二第三項、第三十九条の三第三項、第三十九条の四第三項、第三十九条の五第三項、第三十九条の六第三項、第三十九条の七第三項、第三十九条の八第三項及び第三十九条の九第三項において準用する場合を含む。）

三　申請書　第三条第一項

四　定款　第三条第二項

五　登記事項証明書　第三条第二項

六　役員の氏名、住所及び略歴を記載した書面　第三条第二項

七　型式認定試験を行う者の氏名、住所並びに型式認定試験に関する資格及び略歴を記載した書面　第三条第二項

八　型式認定試験を行うための施設及び設備の概要を記載した書面　第三条第二項

九　資産の総額及び種類を記載した書面並びにこれを証する書面　第三条第二項

十　事業計画及び収支予算　第六条第一項

十一　事業報告書、収支決算書、貸借対照表及び財産目録　第六条第二項

十二　届出書　第十二条及び前条第二項

附　則

この規則は、平成四年十一月一日から施行する。

附　則〔平成一一・一・一二国家公安委員会規則一〕

（施行期日）

1　この規則は、公布の日から施行する。〔以下略〕

（経過措置）

2　この規則による改正前の〔中略〕原動機を用いる歩行補助車等の型式認定の手続等に関する規則〔中略〕に規定する様式による書面については、改正後の〔中略〕原動機を用いる歩行補助車等の型式認定の手続等に関する規則〔中略〕に規定する様式にかかわらず、当分の間、なおこれを使用することができる。この場合には、氏名を記載し及び押印することに代えて、署名することができる。

附　則〔平成二〇・八・一国家公安委員会規則一七〕

この規則は、公布の日から施行する。

風俗営業等の規制及び業務の適正化等に関する法律施行規則等の一部を改正する規則〔抄〕

〔平成二〇・八・一
国家公安委員会規則一七〕

（原動機を用いる歩行補助車等の型式認定の手続等に関する規則の一部改正に伴う経過措置）

第七条　この規則の施行の際現に道路交通法施行規則第三十九条の二第四項第三号（同府令第三十九条の三第三項、第三十九条の四第三項、第三十九条の五第三項、第三十九条の六第三項及び第三十九条の七第三項において準用する場合を含む。）の規定による指定（以下この条において単に「指定」という。）を受けている法人（以下この条において「指定試験機関」という。）は、平成二十年十二月三十一日までに、前条の規定による改正後の原動機を用いる歩行補助車等の型式認定の手続等に関する規則（以下この条において「新規則」という。）第三条第一項各号に掲げる事項を記載した書面及び同条第二項各号に掲げる書類を国家公安委員会に提出しなければならない。

2　国家公安委員会は、前項の規定による提出があったときは、当該指定試験機関の名称、住所及び事務所の所在地並びに指定を受けた年月日を公示するものとする。

3　前二項に規定するもののほか、この規則の施行の際現に指定を受けている指定試験機関に対する新規則の適用については、新規則第五条第一項中「前条の規定により公示された事項」とあるのは「風俗営業等の規制及び業務の適正化等に関する法律施行規則等の一部を改正する規則（平成二十年国家公安委員会規則第十七号）第七条第二項の規定により公示された事項（指定を受けた年月日を除く。）」と、同条第三項中「第三条第二項各号に掲げる書類」とあるのは「風俗営業等の規制及び業務の適正化等に関する法律施行規則等の一部を改正する規則第七条第一項の規定により提出された書類」と、第六条第一項中「毎事業年度」とあるのは「平成二十一年四月一日が属する事業年度以後の毎事業年度」と、同条第二項中「毎事業年度」とあるのは「平成二十一年三月三十一日が属する事業年度以後の毎事業年度」とする。

附　則〔令和元・六・二一国家公安委員会規則三〕

（施行期日）

1　この規則は、令和元年七月一日から施行する。

（経過措置）

2　この規則による改正前の〔中略〕原動機を用いる歩行補助車等の型式認定の手続等に関する規則〔中略〕に規定する様式による書面については、この規則による改正後のこれらの規則に規定する様式にかかわらず、当分の間、なおこれを使用することができる。

附　則〔令和元・九・一九国家公安委員会規則五〕

（施行期日）

1　この規則は、道路交通法の一部を改正する法律（令和元年法律第二十号）附則第一条第二号に掲げる規定の施行の日（令和元年十二月一日）から施行する。ただし、第一条の改正規定（「第九条第一項」を「第十六条第一号」に改める部分に限る。）、第十六条の改正規定（「第三十九条の三第三項」を「第三十九条の二の二第三項」に改める部分を除く。）及び別記様式第五の改正規定並びに次項の規定は、公布の日から施行する。

（経過措置）

2　この規則による改正前の原動機を用いる歩行補助車等の型式認定の手続等に関する規則に規定する様式については、この規則による改正後の原動機を用いる歩行補助車等の型式認定の手続等に関する規則に規定する様式にかかわらず、当分の間、なおこれを使用することができる。

附　則〔令和二・一二・二八国家公安委員会規則一三〕

（施行期日）

第一条　この規則は、公布の日から施行する。

（経過措置）

第二条　この規則による改正前の様式（次項において「旧様式」という。）により使用されている書類は、当分の間、この規則による改正後の様式によるものとみなす。

2　旧様式による用紙については、当分の間、これを取り繕って使用することができる。

附　則〔令和四・一二・二三国家公安委員会規則一一〕

（施行期日）

第一条　この規則は、道路交通法の一部を改正する法律の施行の日（令和五年四月一日）から施行する。

（原動機を用いる歩行補助車等の型式認定の手続等に関する規則の一部改正に伴う経過措置）

第二条　この規則による改正前の様式（次項において「旧様式」という。）により使用されている書類は、当分の間、この規則による改正後の様式によるものとみなす。

2　旧様式による用紙については、当分の間、これを取り繕って使用することができる。

別記様式第１（第１条関係）

原動機を用いる歩行補助車等 原動機を用いる軽車両 駆動補助機付自転車 移動用小型車 原動機を用いる身体障害者用の車 遠隔操作型小型車 普通自転車 安全器材等 運転シミュレーター　型式認定申請書 年　月　日 国家公安委員会　殿 申請者　住所 氏名	
製品の名称	
型式	
製作工場又は組立工場の名称及び所在地	
備考	

備考　1　申請者の氏名は、申請者が法人であるときは、その名称及び代表者の氏名とする。

2　用紙の大きさは、日本産業規格Ａ列４番とする。

別記様式第２（第12条関係）

原動機を用いる歩行補助車等 原動機を用いる軽車両 駆動補助機付自転車 移動用小型車 原動機を用いる身体障害者用の車 遠隔操作型小型車 普通自転車 安全器材等 運転シミュレーター　型式認定変更届 年　月　日 国家公安委員会　殿 届出者　住所 氏名	
製品の名称	
型式	
変更を必要とする事項及び理由	

備考　1　届出者の氏名は、届出者が法人であるときは、その名称及び代表者の氏名とする。

2　用紙の大きさは、日本産業規格Ａ列４番とする。

別記様式第３（第14条関係）

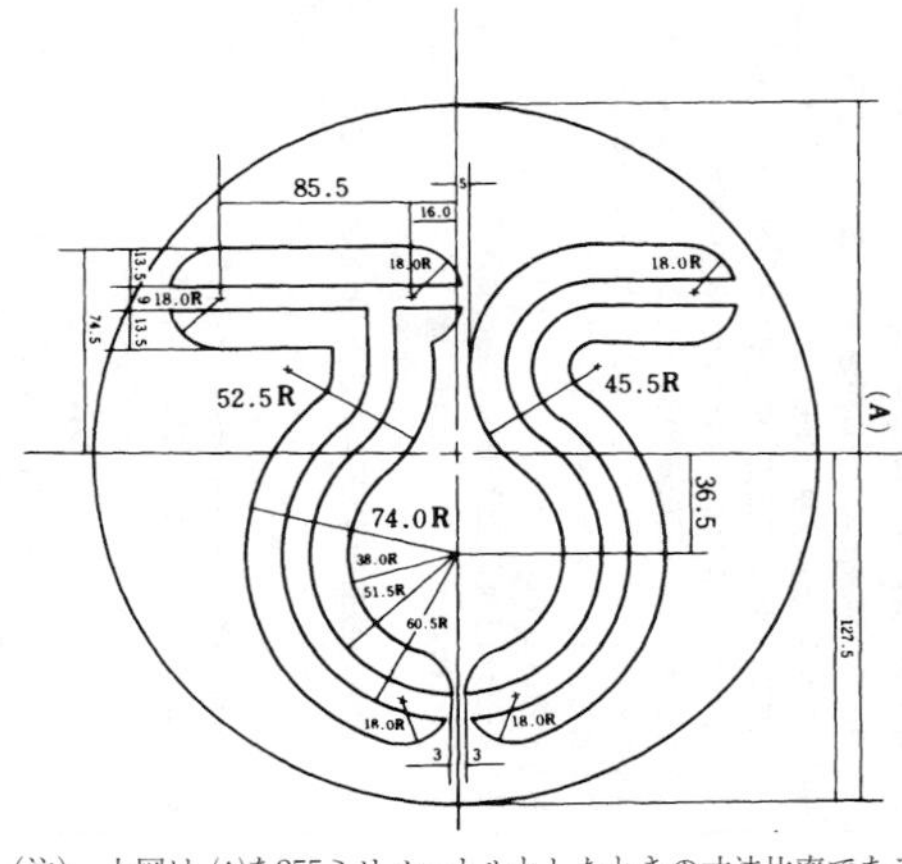

（注）　上図は、(A)を255ミリメートルとしたときの寸法比率である。

別記様式第４（第15条関係）

<table>
<tr><td colspan="2">略号表示
標章貼付　届

年　月　日

国家公安委員会　殿

届出者　住所
　　　　氏名</td></tr>
<tr><td>製品の名称</td><td></td></tr>
<tr><td>型式</td><td></td></tr>
<tr><td>開始の時期</td><td></td></tr>
<tr><td>略号及びその表示方法又は標章をはり付ける位置</td><td></td></tr>
</table>

備考　１　届出者の氏名は、届出者が法人であるときは、その名称及び代表者の氏名とする。
　　　２　用紙の大きさは、日本産業規格Ａ列４番とする。

別記様式第５（第16条関係）

電磁的記録媒体提出票

年　月　日

国家公安委員会　殿

提出者の名称等
住　所

道路交通法施行規則第39条の２第３項（準用する場合を含む。）
道路交通法施行規則第39条の２第４項（準用する場合を含む。）
原動機を用いる歩行補助車等の型式認定の手続等に関する規則第３条第１項
原動機を用いる歩行補助車等の型式認定の手続等に関する規則第３条第２項
原動機を用いる歩行補助車等の型式認定の手続等に関する規則第６条第１項
原動機を用いる歩行補助車等の型式認定の手続等に関する規則第６条第２項
原動機を用いる歩行補助車等の型式認定の手続等に関する規則第12条
原動機を用いる歩行補助車等の型式認定の手続等に関する規則第15条第２項
の規定により提出すべきこととされている事項を記録した電磁的記録媒体を以下のとおり提出します。

本票に添付されている電磁的記録媒体に記録された事項は、事実に相違ありません。

１　電磁的記録媒体に記録された事項

２　電磁的記録媒体と併せて提出される書類

備考　１　「電磁的記録媒体に記録された事項」の欄には、電磁的記録媒体に記録されている事項を記載するとともに、２以上の電磁的記録媒体を提出するときは、電磁的記録媒体ごとに整理番号を付し、その番号ごとに記録されている事項を記載すること。
　　　２　「電磁的記録媒体と併せて提出される書類」の欄には、本票に添付されている電磁的記録媒体に記録されている事項以外の事項を記載した書類を併せて提出する場合にあっては、その書類名を記載すること。
　　　３　不要の文字は、横線で消すこと。
　　　４　該当事項がない欄は、省略すること。
　　　５　用紙の大きさは、日本産業規格Ａ列４番とする。

○道路交通法の規定に基づく意見の聴取及び弁明の機会の付与に関する規則

〔平成六・九・二六 国家公安委員会規則二七〕

改正 平成一二・三国公委規九、平成一四・四国公委規一五、平成一六・一二国公委規二二、平成二一・五国公委規四、平成二六・三国公委規二、令和四・一二国公委規二一、令和五・三国公委規五

第一章 総則

（目的）

第一条 この規則は、都道府県公安委員会及び警察署長並びに道路交通法（昭和三十五年法律第百五号。以下「法」という。）第百十四条、第百十四条の二又は第百十四条の三の規定によりこれらの者の権限に属する事務を委任された者（以下「行政庁」という。）が法の規定により行う意見の聴取及び弁明の機会の付与に関する手続に関し、必要な事項を定めることを目的とする。

（定義）

第二条 この規則において、次の各号に掲げる用語の意義は、それぞれ当該各号に定めるところによる。

一 当事者 法第五十一条の四第六項、第七十七条第六項、第九十条第四項（同条第七項及び第十四項において準用する場合を含む。次号において同じ。）若しくは第百四条第一項（法第百四条の二の二第六項及び第百七条の五第四項において準用する場合を含む。次号において同じ。）の通知を受けた者（法第五十一条の四第七項の規定により、同条第六項の規定による通知が到達したものとみなされる者を含む。）又は法第七十五条の二十八第一項の規定による特定自動運行の許可の効力の停止若しくは法第百三条の二第一項若しくは第百四条の二の三第一項の規定による運転免許の効力の停止（第十四条第三項において「仮停止等」と総称する。）若しくは法第百七条の五第十項において準用する法第百三条の二第一項の規定による自動車及び一般原動機付自転車（法第十八条第一項に規定する一般原動機付自転車をいう。）の運転の禁止（第十四条第三項において「仮禁止」という。）を受けた者をいう。

二 代理人 当事者の委任を受け当事者のために法第百四条第一項の意見の聴取（以下「意見の聴取」という。）又は法第五十一条の四第六項、第七十五条の二十八第二項、第七十七条第六項、第九十条第四項、第百三条の二第二項（法第百七条の五第十項において準用する場合を含む。）若しくは第百四条の二の三第二項の弁明（以下「弁明」という。）に関する一切の手続をすることができる者をいう。

三 補佐人 意見の聴取又は弁明において当事者又はその代理人が意見を述べ、かつ、有利な証拠を提出することについて当事者又はその代理人を補佐する者をいう。

第二章 意見の聴取

第一節 主宰者

（主宰者）

第三条 意見の聴取は、意見の聴取を主宰するについて必要な法律に関する知識経験を有し、かつ、公正な判断をすることができると認められる警察職員であって、行政庁が指名するものが主宰する。

（除斥事由）

第四条 次の各号のいずれかに該当する者は、意見の聴取を主宰することができない。

一 当該意見の聴取の当事者

二 前号に規定する者の配偶者、四親等内の親族又は同居の親族

三 第一号に規定する者の代理人又は補佐人

四 前三号に規定する者であったことのある者

五 第一号に規定する者の後見人、後見監督人、保佐人、保佐監督人、補助人又は補助監督人

六 関係人（法第百四条第三項の関係人をいう。第十二条第一項第四号及び第七号において同じ。）

2 前条の規定により意見の聴取を主宰する者（以下「主宰者」という。）が前項各号のいずれかに該当するに至ったときは、行政庁は、速やかに、新たな主宰者を指名しなければならない。

第二節 代理人、補佐人

（代理人）

第五条 行政庁は、当事者が意見の聴取の期日に代理人を出頭させようとするときは、意見の聴取の期日までに、代理人の氏名及び住所並びに当事者が代理人に対して当事者のために意見の聴取に関する一切の行為をすることを委任する旨を記載した書面を提出させるものとする。

2 行政庁は、代理人がその資格を失ったときは、当該代理人を選任した当事者に、書面でその旨を届け出させるものとする。

（補佐人）

第六条 行政庁は、当事者又はその代理人が意見の聴取の期日に補佐人を出頭させようとするときは、意見の聴取の期日までに、補佐人の氏名、住所、当事者又はその代理人との関係及び補佐する事項を記載した書面を提出させるものとする。ただし、当事者又はその代理人が第十一条第二項の規定により告知された意見の聴取の期日に次項の規定により既に許可を受けている補佐人であって、当該許可に係る事項につき補佐するものを出頭させようとするときは、この限りでない。

2 行政庁は、前項の書面の提出があった場合において、意見の聴取の期日に補佐人を出頭させる必要があると認めるときは、当該補佐人の出頭を許可するものとする。

3 行政庁は、前項の許可をしたときは、速やかに、その旨を第一項の書面を提出した当事者又はその代理人に対し通知するものとする。

4 補佐人の陳述は、当事者又はその代理人が直ちに取り消さないときは、当該当事者又はその代理人が自ら陳述したものとみなす。

第三節 意見の聴取の進行

（意見の聴取の通知）

第七条 道路交通法施行令（昭和三十五年政令第二百七十号。以下「令」という。）第三十九条第一項の文書には、次に掲げる事項を記載して教示するものとする。

一 意見の聴取に出頭しなかった場合の措置

二 代理人を選任することができる旨

三 意見の聴取において事案について意見を述べ、かつ、有利

な証拠を提出することができる旨

（意見の聴取の期日及び場所の変更）

第八条　行政庁は、当事者又はその代理人の申出により又は職権で、意見の聴取の期日又は場所を変更することができる。

2　前項の申出は、意見の聴取の期日又は場所の変更を求めるやむを得ない理由を記載した書面を行政庁に提出することにより行うものとする。

3　行政庁は、第一項の規定により意見の聴取の期日又は場所を変更したときは、速やかに、その旨を書面により当事者又はその代理人に通知するとともに、公示しなければならない。

4　前項の規定による公示は、令第三十九条第二項の掲示板に提示して行うものとする。

（冒頭手続）

第九条　主宰者は、最初の意見の聴取の期日の冒頭において、行政庁の職員に、予定される処分の内容及び根拠となる法令の条項並びにその原因となる事実を意見の聴取の期日に出頭した者に対し説明させなければならない。

（意見の聴取における陳述の制限等）

第一〇条　主宰者は、意見の聴取の期日に出頭した者が意見の聴取に係る事案の範囲を超えて発言するとき、その他意見の聴取の期日における審理の適正な進行を図るためやむを得ないと認めるときは、その発言を制限することができる。

2　主宰者は、前項に規定する場合のほか、意見の聴取の期日における審理の秩序を維持するために必要があると認めるときは、秩序を乱した者に対し退場を命じ、その他意見の聴取の期日における審理の秩序を維持するため国家公安委員会が別に定める措置をとることができる。

（意見の聴取の続行）

第一一条　主宰者は、意見の聴取の期日における審理の結果、なお意見の聴取を続行する必要があると認めるときは、さらに新たな期日を定めることができる。

2　前項の場合においては、意見の聴取の期日に出頭した当事者又はその代理人に対し次回の意見の聴取の期日及び場所を告知するとともに、これらの事項を公示するものとする。

3　前項の規定による公示は、令第三十九条第二項の掲示板に掲示して行うものとする。

（意見の聴取調書の作成）

第一二条　主宰者は、意見の聴取の期日における審理（前条第一項の規定によりさらに新たな期日を定めた場合にあっては、それぞれの期日における審理をいう。次条第一項において同じ。）の終了後、次に掲げる事項を記載した意見の聴取調書を作成し、これに記名押印しなければならない。

一　意見の聴取の件名
二　意見の聴取の期日及び場所
三　主宰者の職名及び氏名
四　意見の聴取の期日に出頭した当事者若しくはその代理人、補佐人又は参考人（法第百四条第三項の参考人をいう。第七号において同じ。）若しくは関係人の氏名及び住所
五　当事者又はその代理人の意見の陳述の要旨
六　提出された証拠の標目
七　参考人又は関係人の陳述の要旨
八　その他参考となるべき事項

2　意見の聴取調書には、書面、図画、写真その他主宰者が適当と認めるものを添付して調書の一部とすることができる。

（意見の聴取の状況の報告）

第一三条　主宰者は、意見の聴取の期日における審理の終了後速やかに、前条の規定により作成した意見の聴取調書を行政庁に提出し、意見の聴取の状況を報告しなければならない。

第三章　弁明の機会の付与

（弁明の方式）

第一四条　弁明は、法の規定により弁明を記載した書面（以下「弁明書」という。）を提出してすることとされているとき及び行政庁が弁明書をあらかじめ定める提出期限までに提出してすることを認めたときを除き、口頭でするものとする。

2　行政庁は、当事者又はその代理人が口頭による弁明をするときは、その指名する警察職員に弁明を録取させなければならない。

3　前項の規定により弁明を録取する者（次条において「弁明録取者」という。）は、弁明の日時の冒頭において、予定される処分又は仮停止の内容及び根拠となる法令の条項並びにその原因となる事実を当事者又はその代理人に対し説明しなければならない。

（弁明調書）

第一五条　弁明録取者は、当事者又はその代理人が口頭による弁明をしたときは、次に掲げる事項を記載した弁明調書を作成し、これに記名押印しなければならない。

一　弁明の件名
二　弁明の日時及び場所
三　弁明録取者の職名及び氏名
四　弁明の日時に出頭した当事者若しくはその代理人又は補佐人の氏名及び住所
五　当事者又はその代理人の弁明の要旨
六　提出された証拠の標目
七　その他参考となるべき事項

2　第十二条第二項の規定は、前項の弁明調書について準用する。

3　弁明録取者は、口頭による弁明の終結後速やかに、第一項の弁明調書を行政庁に提出しなければならない。

（当事者の不出頭等の場合における措置）

第一六条　行政庁は、弁明の日時に当事者若しくはその代理人が出頭しない場合又は弁明書の提出期限までに弁明書が提出されない場合には、改めて弁明の機会の付与を行うことを要しない。

（準用規定）

第一七条　第五条の規定は、弁明の機会の付与について準用する。この場合において、「意見の聴取の期日」とあるのは「弁明の日時」と読み替えるものとする。

2　第六条（第一項ただし書きを除く。）及び第八条第一項の規定は、口頭による弁明の機会の付与について準用する。この場合において、「意見の聴取の期日」とあるのは「弁明の日時」と読み替えるものとする。

附　則

この規則は、行政手続法の施行に伴う関係法律の整備に関する法律（平成五年法律第八十九号）の施行の日（平成六年十月一日）から施行する。

附　則〔平成一二・三・三〇国家公安委員会規則九抄〕

（施行期日）

1　この規則は、平成十二年四月一日から施行する。

（経過措置）

2　民法の一部を改正する法律附則第三条第三項の規定により従前の例によることとされる準禁治産者及びその保佐人に関するこの規則による改正規定の適用については〔中略〕、なお従前の例による。

附　則〔令和四・一二・二三国家公安委員会規則二一抄〕

（施行期日）

第一条　この規則は、道路交通法の一部を改正する法律の施行の日（令和五年四月一日）から施行する。

附　則〔令和五・三・一七国家公安委員会規則五抄〕

（施行期日）

1　この規則は、道路交通法の一部を改正する法律（令和四年法律第三十二号）附則第一条第三号に掲げる規定の施行の日（令和五年七月一日）から施行する。

○地域交通安全活動推進委員及び地域交通安全活動推進委員協議会に関する規則

（平成二・一〇・一九 国家公安委員会規則七）

改正 平成一〇・三国公委規五、平成一二・三国公委規八、平成二〇・五国公委規七、八国公委規一六、平成二一・八国公委規七、令和元・六国公委規三

第一章 地域交通安全活動推進委員

（委嘱）

第一条 道路交通法（以下「法」という。）第百八条の二十九第一項の規定による地域交通安全活動推進委員（以下「推進委員」という。）の委嘱は、法第百八条の三十第一項の規定により都道府県公安委員会（以下「公安委員会」という。）が定める区域ごとに、当該区域を管轄する警察署長が推薦した者のうちから行うものとする。

2 公安委員会は、推進委員の委嘱をしたときは、当該推進委員の氏名及び連絡先を関係地域の住民に周知させるよう、適当な措置を採らなければならない。

（任期）

第二条 推進委員の任期は、二年とする。ただし、再任を妨げない。

（活動区域）

第三条 推進委員は、その委嘱に係る第一条第一項の区域内の地域につき、活動を行うものとする。

（活動内容）

第四条 法第百八条の二十九第二項第五号の国家公安委員会規則で定める活動は、次のとおりとする。

一 地域における交通の安全と円滑に資する事項について広報及び啓発をする活動（同項第二号から第四号までに掲げるものを除く。）

二 地域において活動する団体又は個人に対し、地域における交通の安全と円滑に資するための協力を要請する活動

三 地域における交通の安全と円滑に関する事項について、住民からの相談に応じ、必要な助言その他の援助を行う活動

四 地域における交通の安全と円滑に資するための活動に協力し、又はその活動を援助する活動

五 前各号又は法第百八条の二十九第二項第一号から第四号までに掲げる活動を行うため必要な範囲において、地域における交通の状況について実地に調査する活動

（活動上の注意等）

第五条 推進委員は、その活動を行うに当たっては、関係地域の住民の要望と意見を十分に尊重するよう努めるとともに、関係者の正当な権利及び自由を害することのないように留意しなければならない。

2 推進委員は、その地位を政党又は政治的目的のために利用してはならない。

（身分証明書）

第六条 推進委員は、その活動を行うに当たっては、その身分を示す証明書を携帯し、関係者から請求があったときは、これを提示しなければならない。

2 前項の証明書の様式は、別記様式第一号のとおりとする。

（標章）

第七条 推進委員は、その活動を行うに当たっては、別記様式第二号の標章を用いるものとする。

（講習）

第八条 公安委員会は、推進委員を委嘱したときは、速やかに、当該推進委員に対し、講習を行うように努めなければならない。

2 公安委員会は、道路における交通の安全と円滑に寄与することを目的とする一般社団法人又は一般財団法人その他の者で前項に規定する講習を行うのに必要かつ適切な組織及び能力を有すると認められるものに同項に規定する講習の実施を委託することができる。

（指導）

第九条 推進委員は、その職務に関して、公安委員会の指導を受けるものとする。

（解嘱）

第一〇条 公安委員会は、法第百八条の二十九第五項の規定により推進委員を解嘱しようとするときは、当該推進委員に対し、あらかじめ、その理由を通知して、弁明の機会を与えなければならない。ただし、当該推進委員の所在が不明であるため通知をすることができないときは、この限りでない。

第二章 地域交通安全活動推進委員協議会

（役員）

第一一条 地域交通安全活動推進委員協議会（以下「協議会」という。）に、会長一名及び幹事若干名を置く。

2 会長は、協議会の会務を取りまとめ、協議会を代表する。

3 幹事は、会長を助け、会長が欠けたとき又は会長に事故があるときは、あらかじめ会長が定める順位に従い、その職務を代行する。

4 会長及び幹事は、推進委員の互選とする。

5 会長及び幹事の任期は、一年とする。ただし、再任を妨げない。

（国家公安委員会規則で定める協議会の事務）

第一二条 法第百八条の三十第二項の国家公安委員会規則で定める事項は、次のとおりとする。

一 推進委員の活動に関し、警察機関その他の関係行政機関、都道府県交通安全活動推進センターその他の関係団体及び他の協議会との連絡又は調整に当たること。

二 推進委員の活動に必要な資料及び情報を集めること。

三 推進委員の活動について広報宣伝をすること。

四 推進委員がその活動を行うに当たって使用する資器材を管理すること。

（意見の申出の方法）

第一三条 法第百八条の三十第三項の規定による意見の申出は、文書をもってするものとする。

2 法第百八条の三十第三項の規定により公安委員会に意見を申し出る場合には、当該協議会に係る第一条第一項の区域を管轄する警察署長を経由してしなければならない。

（報告又は資料の提出）

第一四条 公安委員会は、協議会の適正な運営を確保するため必要があると認めるときは、当該協議会に対し、必要な報告又は資料の提出を求めることができる。

（勧告）

第一五条 公安委員会は、協議会の運営に関し改善が必要であると認めるときは、当該協議会に対し、その改善に必要な措置を採るべきことを勧告することができる。

附　則

この規則は、道路交通法の一部を改正する法律（平成二年法律第七十三号）の施行の日（平成三年一月一日）から施行する。

附　則〔平成二〇・五・二〇国家公安委員会規則七〕

この規則は、道路交通法の一部を改正する法律附則第一条第一号に掲げる規定の施行の日（平成二十年六月一日）から施行する。

附　則〔平成二〇・八・一国家公安委員会規則一六〕

この規則は、一般社団法人及び一般財団法人に関する法律の施行の日（平成二十年十二月一日）から施行する。

附　則〔平成二一・八・二八国家公安委員会規則七〕

この規則は、道路交通法の一部を改正する法律附則第一条第二号に掲げる規定の施行の日（平成二十一年十月一日）から施行する。

附　則〔令和元・六・二一国家公安委員会規則三〕

（施行期日）

1　この規則は、令和元年七月一日から施行する。

（経過措置）

2　この規則による改正前の〔中略〕地域交通安全活動推進委員及び地域交通安全活動推進委員協議会に関する規則〔中略〕に規定する様式による書面については、この規則による改正後のこれらの規則に規定する様式にかかわらず、当分の間、なおこれを使用することができる。

別記様式第１号（第６条関係）

（表）

No.

写　真

地域交通安全活動推進委員証

活動区域

氏　名

（　年　月　日生）

年　月　日

公安委員会印

（裏）

地域交通安全活動推進委員及び地域交通安全活動推進委員協議会に関する規則（抜粋）

第６条　推進委員は、その活動を行うに当たっては、その身分を示す証明書を携帯し、関係者から請求があったときは、これを提示しなければならない。

２　略

備考　用紙の大きさは、日本産業規格Ｂ列８番とする。

別記様式第２号（第７条関係）

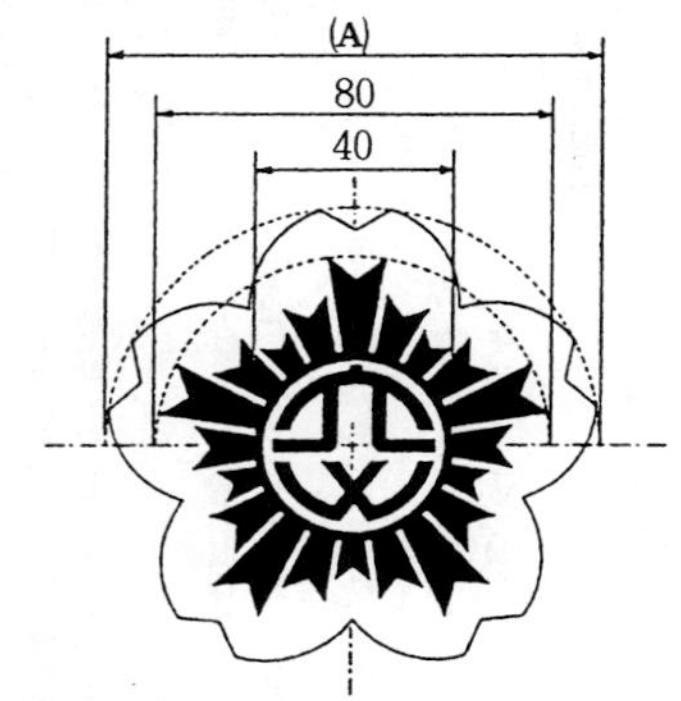

備考　上図は、(A)を100ミリメートルとしたときの寸法比率である。

○交通安全活動推進センターに関する規則

（平成一〇・三・六 国家公安委員会規則三）

改正 平成一一・三国公委規七、平成一二・三国公委規九、平成一三・一二国公委規一六、平成一七・三国公委規二、平成一九・六国公委規一三、平成二〇・八国公委規一六、平成二六・四国公委規七、令和元・六国公委規三、一〇国公委規八、令和五・三国公委規五、一二国交委規一五

（指定の申請）

第一条 道路交通法（以下「法」という。）第百八条の三十一第一項の規定による都道府県交通安全活動推進センター（以下「都道府県センター」という。）の指定を受けようとする法人は、次に掲げる事項を記載した申請書を都道府県公安委員会（以下「公安委員会」という。）に提出しなければならない。

一 名称及び住所並びに代表者の氏名

二 事務所の名称及び所在地

2 前項の申請書には、次に掲げる書類を添付しなければならない。

一 定款

二 登記事項証明書

三 役員の氏名、住所及び略歴を記載した書面

四 法第百八条の三十一第二項各号に掲げる事業の実施に関する基本的な計画を記載した書面

五 資産の総額及び種類を記載した書面並びにこれを証する書面

（指定の基準）

第一条の二 法第百八条の三十一第一項の規定による指定の基準は、次に掲げるとおりとする。

一 法第百八条の三十一第二項各号に掲げる事業（以下この条において「都道府県センターの事業」という。）の実施に関し、適切な計画が定められていること。

二 都道府県センターの事業を適正かつ確実に行うため必要な経理的基礎を有すること。

三 都道府県センターが都道府県センターの事業以外の事業を行っているときは、当該事業を行うことにより都道府県センターの事業が不公正になるおそれがないこと。

（名称等の公示）

第二条 公安委員会は、法第百八条の三十一第一項の規定による指定を行ったときは、前条第一項各号に掲げる事項を公示しなければならない。

（名称等の変更）

第三条 都道府県センターは、第一条第一項各号に掲げる事項を変更しようとするときは、あらかじめその旨を公安委員会に届け出なければならない。

2 公安委員会は、前項の届出があったときは、その旨を公示しなければならない。

3 都道府県センターは、第一条第二項各号に掲げる書類の内容に変更があったときは、その旨を公安委員会に届け出なければならない。

（交通事故相談員）

第四条 都道府県センターは、次の各号のいずれかに該当する者を法第百八条の三十一第二項第三号の規定による交通事故に関する相談に応ずる業務（以下この条において「相談業務」という。）に従事させてはならない。

一 二十五歳未満の者

二 破産手続開始の決定を受けて復権を得ない者

三 禁錮以上の刑に処せられ、その執行を終わり、又は執行を受けることがなくなった日から起算して二年を経過していない者（次号に該当する者を除く。）

四 法第百八条の三十一第五項（同条第二項第三号に係る部分に限る。）の規定に違反して罰金以上の刑に処せられ、その執行を終わり、又はその執行を受けることがなくなった日から起算して二年を経過していない者

五 次のいずれにも該当しない者

イ 交通事故に関する相談に従事した経験の期間がおおむね三年以上の者

ロ 国家公安委員会が指定する交通事故に関する相談についての研修を修了した者

ハ イ又はロに掲げる者と同等以上の交通事故に関する相談に関する技能及び知識を有すると認められる者

六 精神機能の障害により相談業務を適正に行うに当たって必要な認知、判断及び意思疎通を適切に行うことができない者

2 都道府県センターは、相談業務に従事する者（以下「交通事故相談員」という。）に対し、別記様式第一号の交通事故相談員証を交付しなければならない。

3 交通事故相談員は、相談業務に従事するに当たっては、前項の交通事故相談員証を携帯し、関係者の請求があったときは、これを提示しなければならない。

（調査員）

第五条 都道府県センターは、次の各号のいずれかに該当する者を法第百八条の三十一第二項第七号又は第八号の規定による調査の業務（以下この条において「調査業務」という。）に従事させてはならない。

一 禁錮以上の刑に処せられ、その執行を終わり、又は執行を受けることがなくなった日から起算して二年を経過していない者（次号に該当する者を除く。）

二 法第百八条の三十一第五項（同条第二項第七号又は第八号に係る部分に限る。）の規定に違反して罰金以上の刑に処せられ、その執行を終わり、又は執行を受けることがなくなった日から起算して二年を経過していない者

三 精神機能の障害により調査業務を適正に行うに当たって必要な認知、判断及び意思疎通を適切に行うことができない者

2 前条第二項及び第三項の規定は、調査業務に従事する者（第八条において「調査員」という。）について準用する。この場合において、同条第二項中「別記様式第一号の交通事故相談員証」とあるのは「別記様式第二号の調査員証」と、同条第三項中「交通事故相談員証」とあるのは「調査員証」と読み替えるものとする。

（運転適性指導者）

第六条 都道府県センターは、次の各号のいずれかに該当する者を法第百八条の三十一第二項第九号の規定による運転適性指導の業務（以下この条において「指導業務」という。）に従事させてはならない。

一 二十五歳未満の者

二 自動車及び一般原動機付自転車（法第十八条第一項に規定する一般原動機付自転車をいう。第四号において同じ。）の運転に関し自動車の運転により人を死傷させる行為等の処罰に関する法律（平成二十五年法律第八十六号）第二条から第六条までの罪又は法に規定する罪を犯し禁錮以上の刑に処せられ、その執行を終わり、又はその執行を受けることがなくなった日から起算して二年を経過していない者（次号に該当する者を除く。）

三 法第百八条の三十一第五項（同条第二項第九号に係る部分に限る。）の規定に違反して罰金以上の刑に処せられ、その執行を終わり、又はその執行を受けることがなくなった日から起算して二年を経過していない者

四　指導業務に使用する自動車及び一般原動機付自転車を運転することができる運転免許（仮運転免許を除く。）を現に受けている者（運転免許の効力を停止されているものを除く。）でない者
五　次のいずれにも該当しない者
イ　運転適性指導に従事した経験の期間がおおむね三年以上の者
ロ　国家公安委員会が指定する運転適性指導についての研修を修了した者
ハ　イ又はロに掲げる者と同等以上の運転適性指導に関する技能及び知識を有すると認められる者

2　第四条第二項及び第三項の規定は、指導業務に従事する者（第八条において「運転適性指導者」という。）について準用する。この場合において、第四条第二項中「別記様式第一号の交通事故相談員証」とあるのは「別記様式第三号の運転適性指導者証」と、同条第三項中「交通事故相談員証」とあるのは「運転適性指導者証」と読み替えるものとする。

（公安委員会への報告等）

第七条　都道府県センターは、毎事業年度開始前に、事業計画書及び収支予算書を公安委員会に提出しなければならない。ただし、最初の事業年度においては、法第百八条の三十一第一項の規定により都道府県センターとしての指定を受けた日以後遅滞なく提出するものとする。

2　都道府県センターは、毎事業年度終了後三月以内に、事業報告書及び収支決算書を公安委員会に提出しなければならない。

3　公安委員会は、都道府県センターの事業の適正な運営を図るため必要があると認めるときは、都道府県センターに対し、その財産の状況又は事業の運営に関し報告又は資料の提出を求めることができる。

（解任の勧告）

第八条　公安委員会は、都道府県センターの交通事故相談員、調査員又は運転適性指導者（以下この条において「交通事故相談員等」という。）が、心身の故障のため職務の遂行に堪えないと認める場合又はその職務に関し不正な行為をした場合は、都道府県センターに対し、当該交通事故相談員等の解任を勧告することができる。

（指定の取消しの公示）

第九条　公安委員会は、法第百八条の三十一第四項の規定により都道府県センターの指定を取り消したときは、その旨を公示しなければならない。

（連絡等）

第一〇条　都道府県センターは、その事業の運営について、公安委員会と密接に連絡するものとする。

2　公安委員会は、都道府県センターに対し、その事業の円滑な運営が図られるように、必要な配慮を加えるものとする。

（国家公安委員会規則で定める研修）

第一一条　法第百八条の三十二第二項第六号の国家公安委員会規則で定める研修は、道路運送車両法（昭和二十六年法律第百八十五号）に規定する整備管理者に対する研修とする。

（全国交通安全活動推進センターへの準用規定）

第一二条　第一条及び第一条の二の規定は法第百八条の三十二第一項の規定による全国交通安全活動推進センターの指定を受けようとする法人について、第二条の規定は法第百八条の三十二第一項の規定による指定を行った場合について、第三条、第七条、第九条及び第十条の規定は全国交通安全活動推進センターについて準用する。この場合において、第一条第一項中「都道府県公安委員会（以下「公安委員会」という。）」とあるのは「国家公安委員会」と、同条第二項第四号中「法第百八条の三十一第二項各号」とあるのは「法第百八条の三十二第二項各号」と、第一条の二中「法第百八条の三十一第一項」とあるのは「法第百八条の三十二第一項」と、同条第一号中「法第百八条の三十一第二項各号」とあるのは「法第百八条の三十二第二項各号」と、第二条及び第三条中「公安委員会」とあるのは「国家公安委員会」と、第七条第一項中「公安委員会」とあるのは「国家公安委員会」と、「法第百八条の三十一第一項」とあるのは「法第百八条の三十二第一項」と、同条第二項及び第三項中「公安委員会」とあるのは「国家公安委員会」と、第九条中「公安委員会」とあるのは「国家公安委員会」と、「法第百八条の三十一第四項」とあるのは「法第百八条の三十二第三項」と、第十条中「公安委員会」とあるのは「国家公安委員会」と読み替えるものとする。

（電磁的記録媒体による手続）

第一三条　次の各号に掲げる書類の当該各号に定める規定による提出については、当該書類の提出に代えて当該書類に記載すべきこととされている事項を記録した電磁的記録媒体（電子的方式、磁気的方式その他人の知覚によっては認識することができない方式で作られる記録であって電子計算機による情報処理の用に供されるものに係る記録媒体をいう。）及び別記様式第四号の電磁的記録媒体提出票を提出することにより行うことができる。

一　申請書　前条において準用する第一条第一項
二　定款　前条において準用する第一条第二項
三　役員の氏名、住所及び略歴を記載した書面　前条において準用する第一条第二項
四　事業の実施に関する基本的な計画を記載した書面　前条において準用する第一条第二項
五　資産の総額及び種類を記載した書面　前条において準用する第一条第二項
六　事業計画書及び収支予算書　前条において準用する第七条第一項
七　事業報告書及び収支決算書　前条において準用する第七条第二項

附　則

（施行期日）

1　この規則は、道路交通法の一部を改正する法律（平成九年法律第四十一号。附則第四項において「改正法」という。）の施行の日（平成十年四月一日）から施行する。

（道路使用適正化センターに関する規則の廃止）

2　道路使用適正化センターに関する規則（昭和六十一年国家公安委員会規則第八号）は、廃止する。

（経過措置）

3　都道府県道路使用適正化センター及び全国道路使用適正化センターの最後の事業年度の事業報告書及び収支決算書については、なお従前の例による。

4　公安委員会は改正法附則第四条第一項の規定により都道府県交通安全活動推進センターとしての指定を受けたものとみなされる当該都道府県センターに関し、国家公安委員会は改正法附則第五条第一項の規定により全国交通安全活動推進センターとしての指定を受けたものとみなされる当該全国交通安全活動推進センターに関し、それぞれ第一条第一項各号に掲げる事項を公示しなければならない。

附　則〔平成一二・三・三〇国家公安委員会規則九抄〕

（施行期日）

1　この規則は、平成十二年四月一日から施行する。

（経過措置）

2　民法の一部を改正する法律附則第三条第三項の規定により従前の例によることとされる準禁治産者及びその保佐人に関するこの規則による改正規定の適用については、〔中略〕、なお従前の例による。

附　則〔平成一九・六・四国家公安委員会規則一三〕

改正　平成二六・四国公委規七

（施行期日）

1　この規則は、刑法の一部を改正する法律の施行の日（平成十九年六月十二日）から施行する。

（経過措置）

2　この規則の施行前に道路交通法第八十四条第一項に規定する自動車等の運転に関し刑法の一部を改正する法律による改正前の刑法（明治四十年法律第四十五号）第二百十一条第一項（刑法の一部を改正する法律附則第二条の規定によりなお従前の例によることとされる場合における当該規定を含む。）の罪を犯した者に対する自動車の運転により人を死傷させる行為等の処罰に関する法律の施行に伴う関係国家公安委員会規則の整備に関する規則（平成二十六年国家公安委員会規則第七号）による改正後の〔中略〕交通安全活動推進センターに関する規則第六条第一項第二号〔中略〕の規定の適用については、これらの規定中「第六条まで」とあるのは、「第六条までの罪、同法附則第二条の規定による改正前の刑法（明治四十年法律第四十五号）第二百八条の二若しくは第二百十一条第二項（自動車の運転により人を死傷させる行為等の処罰に関する法律附則第十四条の規定によりなお従前の例によることとされる場合におけるこれらの規定を含む。）の罪、刑法の一部を改正する法律（平成十九年法律第五十四号）による改正前の刑法第二百十一条第一項（刑法の一部を改正する法律附則第二条の規定によりなお従前の例によることとされる場合における当該規定を含む。）」とする。

附　則〔平成二六・四・二五国家公安委員会規則七抄〕

（施行期日）

1　この規則は、自動車の運転により人を死傷させる行為等の処罰に関する法律の施行の日（平成二十六年五月二十日）から施行する。

（経過措置）

3　この規則の施行前に道路交通法第八十四条第一項に規定する自動車等の運転に関し自動車の運転により人を死傷させる行為等の処罰に関する法律附則第二条の規定による改正前の刑法（明治四十年法律第四十五号）第二百八条の二又は第二百十一条第二項（自動車の運転により人を死傷させる行為等の処罰に関する法律附則第十四条の規定によりなお従前の例によることとされる場合におけるこれらの規定を含む。）の罪を犯した者（次項の規定による改正後の刑法の一部を改正する法律の施行に伴う関係国家公安委員会規則の整備に関する規則（平成十九年国家公安委員会規則第十三号）附則第二項に規定する者を除く。）に対するこの規則による改正後の〔中略〕交通安全活動推進センターに関する規則第六条第一項第二号〔中略〕の規定の適用については、これらの規定中「第六条まで」とあるのは、「第六条までの罪、同法附則第二条の規定による改正前の刑法（明治四十年法律第四十五号）第二百十一条第二項（自動車の運転により人を死傷させる行為等の処罰に関する法律附則第十四条の規定によりなお従前の例によることとされる場合におけるこれらの規定を含む。）」とする。

附　則〔令和元・六・二一国家公安委員会規則三〕

（施行期日）

1　この規則は、令和元年七月一日から施行する。

（経過措置）

2　この規則による改正前の〔中略〕交通安全活動推進センターに関する規則〔中略〕に規定する様式による書面については、この規則による改正後のこれらの規則に規定する様式にかかわらず、当分の間、なおこれを使用することができる。

附　則〔令和元・一〇・二四国家公安委員会規則八抄〕

（施行期日）

1　この規則は、成年被後見人等の権利の制限に係る措置の適正化等を図るための関係法律の整備に関する法律附則第一条第二号に掲げる規定の施行の日（令和元年十二月十四日）から施行する。〔以下略〕

（経過措置）

3　この規則の施行前にした行為に対する罰則の適用については、なお従前の例による。

附　則〔令和五・三・一七国家公安委員会規則五〕

（施行期日）

1　この規則は、道路交通法の一部を改正する法律（令和四年法律第三十二号）附則第一条第三号に掲げる規定の施行の日（令和五年七月一日）から施行する。

（経過措置）

2　この規則の施行の日前に道路交通法の一部を改正する法律第三条の規定による改正前の道路交通法（昭和三十五年法律第百五号。以下この項において「旧法」という。）第八十四条第一項に規定する自動車等の運転に関し自動車の運転により人を死傷させる行為等の処罰に関する法律（平成二十五年法律第八十六号）第二条から第六条までの罪又は旧法に規定する罪を犯した者に対する次の表の上欄に掲げる規定の適用については、これらの規定中同表の中欄に掲げる字句は、それぞれ同表の下欄に掲げる字句とする。

指定講習機関に関する規則第五条第三号ハ及び運転免許取得者等教育の認定に関する規則第二条第一号ロ(3)	自動車等	自動車等及び道路交通法の一部を改正する法律（令和四年法律第三十二号）第三条の規定による改正前の法第八十四条第一項に規定する自動車等
届出自動車教習所が行う教習の課程の指定に関する規則第一条第二項第一号ロ(4)及び運転免許取得者等検査の認定に関する規則第二条第二号ロ(2)	及び一般原動機付自転車（法第十八条第一項に規定する一般原動機付自転車をいう。）	、一般原動機付自転車（法第十八条第一項に規定する一般原動機付自転車をいう。）及び道路交通法の一部を改正する法律（令和四年法律第三十二号）第三条の規定による改正前の法第八十四条第一項に規定する自動車等
交通安全活動推進センターに関する規則第六条第一項第二号	及び一般原動機付自転車（法第十八条第一項に規定する一般原動機付自転車をいう。第四号において同じ。）	、一般原動機付自転車（法第十八条第一項に規定する一般原動機付自転車をいう。第四号において同じ。）及び道路交通法の一部を改正する法律（令和四年法律第三十二号）第三条の規定による改正前の法第八十四条第一項に規定する自動車等

附　則〔令和五・一二・二五国家公安委員会規則一五〕

（施行期日）

第一条　この規則は、公布の日から施行する。

（経過措置）

第二条　この規則による改正前の様式（次項において「旧様式」という。）により使用されている書類は、当分の間、この規則による改正後の様式によるものとみなす。

2　旧様式による用紙については、当分の間、これを取り繕って使用することができる。

別記様式第１号（第４条関係）

（表）

第　　　号

交通事故相談員証

写　　真	氏　　名 生年月日

上記の者は、道路交通法第108条の31第２項第３号の規定による交通事故に関する相談に応ずる業務に従事する者であることを証明する。

年　　月　　日

都道府県交通安全活動推進センター　　印

（裏）

交通事故相談員は、相談業務に従事するに当たっては、交通事故相談員証を携帯し、関係者の請求があったときは、これを提示しなければならない。（交通安全活動推進センターに関する規則第４条第３項）

備考　用紙の大きさは、日本産業規格Ｂ列８番とする。

別記様式第２号（第５条関係）

（表）

第　　　号

調　　査　　員　　証

写　　真	氏　　名 生年月日

上記の者は、道路交通法第108条の31第２項第７号又は第８号の規定による調査の業務に従事する者であることを証明する。

年　　月　　日

都道府県交通安全活動推進センター　　印

（裏）

調査員は、調査業務に従事するに当たっては、調査員証を携帯し、関係者の請求があったときは、これを提示しなければならない。（交通安全活動推進センターに関する規則第４条第３項及び第５条第２項）

備考　用紙の大きさは、日本産業規格Ｂ列８番とする。

別記様式第3号（第6条関係）

（表）

第　　　号

運　転　適　性　指　導　者　証

写　　真	氏　　名 生年月日

上記の者は、道路交通法第108条の31第2項第9号の規定による運転適性指導の業務に従事する者であることを証明する。

年　　月　　日

都道府県交通安全活動推進センター　　印

（裏）

運転適性指導者は、指導業務に従事するに当たっては、運転適性指導者証を携帯し、関係者の請求があったときは、これを提示しなければならない。（交通安全活動推進センターに関する規則第4条第3項及び第6条第2項）

備考　用紙の大きさは、日本産業規格B列8番とする。

別記様式第4号（第13条関係）

電磁的記録媒体提出票

国家公安委員会　殿

年　月　日
提出者の名称
住　　所

交通安全活動推進センターに関する規則第12条において準用する第1条第1項／第1条第2項／第7条第1項／第7条第2項の規定により提出すべき書類に記載することとされている事項を記録した電磁的記録媒体を以下のとおり提出します。

本票に添付されている電磁的記録媒体に記録された事項は、事実に相違ありません。

1　電磁的記録媒体に記録された事項

2　電磁的記録媒体と併せて提出される書類

備考
1　「電磁的記録媒体に記録された事項」の欄には、電磁的記録媒体に記録されている事項を記載するとともに、2以上の電磁的記録媒体を提出するときは、電磁的記録媒体ごとに整理番号を付し、その番号ごとに記録されている事項を記載すること。
2　「電磁的記録媒体と併せて提出される書類」の欄には、本票に添付されている電磁的記録媒体に記録されている事項以外の事項を記載した書類を併せて提出する場合にあっては、その書類名を記載すること。
3　不要の文字は、横線で消すこと。
4　該当事項がない欄は、省略すること。
5　用紙の大きさは、日本産業規格A列4番とする。

○運転免許取得者等教育の認定に関する規則

〔平成一二・一・二六 国家公安委員会規則四〕

改正 平成一三・一二国公委規一六、平成一四・四国公委規一〇、平成一六・一二国公委規二一、国公委規二二、平成一七・三国公委規二、平成一八・二国公委規六、平成一九・六国公委規一三、八国公委規一九、平成二〇・八国公委規一六、平成二一・五国公委規四、平成二四・六国公委規七、平成二五・一国公委規一、一一国公委規一四、平成二六・四国公委規七、一〇国公委規一〇、平成二七・一国公委規二、平成二八・七国公委規一八、令和元・六国公委規三、令和二・六国公委規八、令和四・二国公委規七、九国公委規一六、令和五・三国公委規五

（課程の区分）

第一条 道路交通法（以下「法」という。）第百八条の三十二の二第一項の国家公安委員会規則で定める運転免許取得者等教育の課程の区分は、次に掲げるとおりとする。

一 大型自動車、中型自動車、準中型自動車又は普通自動車（第四条第三項第一号において「普通自動車等」という。）の運転の経験が少ない者に対するもの

二 大型自動二輪車、普通自動二輪車又は一般原動機付自転車（法第十八条第一項に規定する一般原動機付自転車をいう。以下同じ。）（以下「二輪車」という。）の運転の経験が少ない者に対するもの

三 法第百八条の二第一項第十二号に掲げる講習と同等の効果を生じさせるために行うもの

四 高齢者に対するもの（前号に掲げるものを除く。）

五 気候、地形その他の地域の特性に応じた運転に関する技能及び知識を習得しようとする者に対するもの

六 法第百八条の二第一項第十一号に掲げる講習（道路交通法施行規則（以下「府令」という。）第三十八条第十一項第一号の表の三の項に掲げる講習を除く。）と同等の効果を生じさせるために行うもの

七 大型自動二輪車又は普通自動二輪車（以下「大型自動二輪車等」という。）の二人乗り運転に関する技能及び知識に習熟しようとする者（第二号に規定する者を除く。）に対するもの

八 運転に関する技能及び知識に習熟しようとする者（第一号及び第二号に規定する者を除く。）に対するもの（前二号に掲げるものを除く。）

（運転免許取得者等教育指導員）

第二条 法第百八条の三十二の二第一項第一号の国家公安委員会規則で定める者は、同項の認定を受けて運転免許取得者等教育を行う者又はその代理人、使用人その他の従業者であって、次の各号に掲げる課程の区分に応じ、当該各号に定めるもの（以下「運転免許取得者等教育指導員」という。）とする。

一 前条第三号に掲げる課程以外の課程 教習指導員資格者証の交付を受けた者（当該認定に係る運転免許取得者等教育の課程における指導に用いる自動車の種類（一般原動機付自転車を用いる場合にあっては、大型自動二輪車等。イ(1)及び(2)において同じ。）に係るものに限る。）又は次のいずれにも該当する者であり、かつ、当該認定に係る運転免許取得者等教育の課程における指導に用いる自動車又は一般原動機付自転車（以下「自動車等」という。）を運転することができる運転免許（仮運転免許を除く。以下「免許」という。）を現に受けている者（免許の効力を停止されている者を除く。）

イ 次のいずれかに該当する者

(1) 法第九十九条の三第四項第一号に該当する者（当該認定に係る運転免許取得者等教育の課程における指導に用いる自動車の種類に係るものに限る。）

(2) 自動車安全運転センターが行う自動車の運転に関する研修の課程であって国家公安委員会が指定するものを修了した者（当該認定に係る運転免許取得者等教育の課程における指導に用いる自動車の種類に係るものに限る。）

(3) 当該認定に係る運転免許取得者等教育の課程における指導に用いる自動車等の種類に係る運転免許取得者等教育に従事した経験の期間が三年以上の者で、都道府県公安委員会（以下「公安委員会」という。）が当該自動車等の種類に係る運転免許取得者等教育に関し(1)又は(2)に掲げる者と同等以上の技能及び知識を有すると認めるもの

(4) 応急救護処置の指導又は運転適性指導（法第百八条の四第一項第一号に規定する運転適性指導をいう。以下この(4)において同じ。）を行う場合において、公安委員会が応急救護処置の指導又は運転適性指導に必要な能力を有すると認める者

ロ 次のいずれにも該当しない者

(1) 二十一歳未満の者

(2) 法第百十七条の二の二第一項第九号の罪を犯し罰金以上の刑に処せられ、その執行を終わり、又は執行を受けることがなくなった日から起算して三年を経過していない者

(3) 自動車等の運転に関し自動車の運転により人を死傷させる行為等の処罰に関する法律（平成二十五年法律第八十六号）第二条から第六条までの罪又は法に規定する罪（法第百十七条の二の二第一項第九号の罪を除く。）を犯し禁錮以上の刑に処せられ、その執行を終わり、又は執行を受けることがなくなった日から起算して三年を経過していない者

二 前条第三号に掲げる課程 次のいずれにも該当する者

イ 運転免許に係る講習等に関する規則（平成六年国家公安委員会規則第四号）第七条第二項第二号から第四号までのいずれにも該当する者

ロ 前号ロ(1)から(3)までのいずれにも該当しない者

（設備）

第三条 法第百八条の三十二の二第一項第二号の国家公安委員会規則で定める設備は、次に掲げるとおりとする。

一 次に掲げるコース

イ 第一条第五号に掲げる課程以外の課程に係る運転免許取得者等教育にあっては、おおむね長円形で、六十メートル（大型自動二輪車等を用いて行う運転免許取得者等教育にあっては五十メートル、一般原動機付自転車を用いて行う運転免許取得者等教育にあっては二十メートル）以上の距離を直線走行することができる部分を有する周回コース

ロ 二輪車に係る運転免許取得者等教育（第一条第五号に掲げる課程以外の課程に係るものに限る。）にあっては、おおむね直線で、周回コースと連絡し、コースが相互に十字形に交差する幹線コース

ハ 第一条第三号に掲げる課程に係る運転免許取得者等教育にあっては、おおむね直線で、周回コースと連絡する幹線コース

ニ イからハまでに掲げるもののほか、法第百八条の三十二の二第一項の認定に係る運転免許取得者等教育に適する形状及び構造を有する坂道コース、屈折コース、曲線コースその他の種類のコース

二 前号に掲げるもののほか、当該認定に係る運転免許取得者等教育を行うために必要な建物その他の設備

（課程の基準）

第四条　第一条第六号に掲げる課程に係る第百八条の三十二の二第一項第三号イの国家公安委員会規則で定める基準は、次に掲げるとおりとする。

一　法第八十九条第一項の規定により免許申請書を提出する日又は法第百一条の三第一項に規定する更新期間が満了する日における年齢が七十歳未満の者に対して行われるものであること。

二　次の表の上欄に掲げる教育事項について、同表の下欄に掲げる教育方法により、あらかじめ教育計画を作成し、これに基づいて行われるものであること。

教育事項	教育方法
一　道路交通の現状及び交通事故の実態 二　運転者としての資質の向上に関すること。 三　自動車等の安全な運転に必要な知識 四　自動車等の運転について必要な適性及び技能	一　自動車等、教本、視聴覚教材、自動車等の運転について必要な適性を検査する用具その他必要な教材を用いて行うこと。 二　自動車等の運転について必要な知識に関する討議及び指導を含むものであること。 三　自動車等の運転について必要な適性に関する調査でコース若しくは道路における自動車等の運転若しくは運転シミュレーターの操作をさせることにより行う検査、運転適性検査器材を用いた検査又は筆記による検査によるものに基づく個別的指導を含むものであること。 四　運転免許取得者等教育を受けようとする者の数が、運転免許取得者等教育指導員一人当たりおおむね十人以下であること。

三　教育時間が二時間以上であり、コース又は道路における自動車等の運転の実習に係る教育時間が一時間以上であること。

四　この規則の規定を遵守し、その他第一条第六号に掲げる課程に係る業務の適正な運営の下に、行われるものであること。

2　第一条第三号に掲げる課程に係る法第百八条の三十二の二第一項第三号ロの国家公安委員会規則で定める基準は、次に掲げるとおりとする。

一　法第八十九条第一項の規定により免許申請書を提出する日又は法第百一条の三第一項に規定する更新期間が満了する日における年齢が七十歳以上の者に対して行われるものであること。

二　次の表の上欄に掲げる教育事項について、同表の下欄に掲げる教育方法により、あらかじめ教育計画を作成し、これに基づいて行われるものであること。

教育事項	教育方法
一　運転者としての資質の向上に関すること。 二　身体の機能の状況その他の自動車等の運転について必要な適性 三　道路交通の現状及び交通事故の実態その他の自動車等の運転について必要な知識	一　普通自動車、教本、視聴覚教材、運転適性検査器材その他必要な教材を用いて行うこと。 二　自動車等の運転について必要な適性に関する調査でコース又は道路における普通自動車の運転をさせることにより行う検査及び運転適性検査器材を用いた検査（普通自動車対応免許（法第七十一条の五第三項に規定する普通自動車対応免許をいう。以下この条において同じ。）以外の免許のみを受けようとし、又は受けている者及び道路交通法施行令（昭和三十五年政令第二百七十号。以下この条において「令」という。）第三十四条の三第四項又は第三十七条の六の三の基準に該当する者に対する課程にあっては、自動車等の運転について必要な適性に関する調査で運転適性検査器材を用いた検査）によるものに基づく指導を含むものであること。 三　この表の下欄第二号に規定する指導にあっては、運転免許取得者等教育を受けようとする者の数が、運転免許取得者等教育指導員一人当たり五人以下であること。

三　教育時間が二時間以上（普通自動車対応免許以外の免許のみを受けようとし、又は受けている者及び令第三十四条の三第四項又は第三十七条の六の三の基準に該当する者に対する課程にあっては、一時間以上）であること。

四　この規則の規定を遵守し、その他第一条第三号に掲げる課程に係る業務を適正かつ確実に行うことができる者として公安委員会が指定する者の運営の下に、行われるものであること。

3　第一条各号（第三号及び第六号を除く。）に掲げる課程に係る法第百八条の三十二の二第一項第三号ハの国家公安委員会規則で定める基準は、次に掲げるとおりとする。

一　次の表の上欄に掲げる課程の区分に応じ、それぞれ同表の中欄に掲げる教育事項について、同表の下欄に掲げる教育方法により、あらかじめ教育計画を作成し、これに基づいて行われるものであること。

課程の区分	教育事項	教育方法
一　第一条第一号に掲げる課程	イ　普通自動車等の運転について必要な技能及び知識 ロ　普通自動車等の運転について必要な適性 ハ　運転者としての資質の向上に関すること。	普通自動車等、教本、視聴覚教材等必要な教材を用いて行うこと。
二　第一条第二号に掲げる課程	イ　二輪車の運転について必要な技能及び知識 ロ　二輪車の運転について必要な適性 ハ　運転者としての資質の向上に関すること。	二輪車、教本、視聴覚教材等必要な教材を用いて行うこと。

三　第一条第四号に掲げる課程	イ　自動車等の運転について必要な技能及び知識 ロ　身体の機能の状況その他の自動車等の運転について必要な適性 ハ　運転者としての資質の向上に関すること。	自動車等、教本、視聴覚教材、運転適性検査器材等必要な教材を用いて行うこと。
四　第一条第五号に掲げる課程	イ　気候、地形その他の地域の特性に応じた自動車等の運転について必要な技能及び知識 ロ　運転者としての資質の向上に関すること。	自動車等、運転シミュレーター、教本、視聴覚教材等必要な教材を用いて行うこと。
五　第一条第七号に掲げる課程	イ　大型自動二輪車等の運転について必要な技能及び知識 ロ　大型自動二輪車等の二人乗り運転について必要な技能及び知識 ハ　大型自動二輪車等の運転について必要な適性 ニ　運転者としての資質の向上に関すること。	大型自動二輪車等、教本、視聴覚教材等必要な教材を用いて行うこと。
六　第一条第八号に掲げる課程	イ　自動車等の運転について必要な技能及び知識 ロ　自動車等の運転について必要な適性 ハ　運転者としての資質の向上に関すること。	自動車等、教本、視聴覚教材等必要な教材を用いて行うこと。

備考　この表の中欄に掲げる教育事項のうち、同表の一の項ロ及びハ、二の項ロ及びハ、三の項ハ、四の項ロ、五の項ハ及びニ並びに六の項ロ及びハに掲げる教育事項についての運転免許取得者等教育は、行わなくてもよい。

二　各々の運転免許取得者等教育の課程に係る教育時間が二時間以上であり、コース又は道路における自動車等の運転の実習に係る教育時間が一時間以上（同表の一の項の上欄に掲げる課程又は同表の二の項の上欄に掲げる課程（一般原動機付自転車に係るものを除く。）にあっては、二時間以上）であること。

三　この規則の規定を遵守し、その他各々の運転免許取得者等教育の課程に係る業務の適正な運営の下に、行われるものであること。

（認定の申請）

第五条　法第百八条の三十二の二第一項の認定を受けようとする者は、公安委員会に、次に掲げる事項を記載した申請書を提出しなければならない。

一　氏名又は名称及び住所並びに法人にあっては、その代表者の氏名
二　運転免許取得者等教育に使用する施設の名称
三　運転免許取得者等教育に使用する施設の所在地
四　運転免許取得者等教育の課程の区分
五　運転免許取得者等教育の課程の名称

2　前項の申請書には、次に掲げる書類を添付しなければならない。

一　申請者が個人である場合はその住民票の写し、法人である場合はその定款及び登記事項証明書
二　運転免許取得者等教育指導員の名簿
三　次のイ又はロに掲げる課程の区分に応じ、当該イ又はロに定める書類
イ　第一条第三号に掲げる課程以外の課程　教習指導員資格者証の交付を受けた運転免許取得者等教育指導員にあっては教習指導員資格者証及び運転免許証の写し、その他の運転免許取得者等教育指導員にあっては次に掲げるいずれかの書面、第二条第一号ロ(1)に該当しない者であることを証する書面、同号ロ(2)及び(3)に該当しない者であることを誓約する書面並びに運転免許証の写し
(1)　第二条第一号イ(1)又は(2)に該当する者であることを証する書面
(2)　運転免許取得者等教育に従事した経験を証する書面及び第二条第一号イ(3)の規定による認定をするために必要な資料となるべき書面
(3)　第二条第一号イ(4)の規定による認定をするために必要な資料となるべき書面
ロ　第一条第三号に掲げる課程　第二条第二号イに該当する者であること並びに同条第一号ロ(1)に該当しない者であることを証する書面並びに同号ロ(2)及び(3)に該当しない者であることを誓約する書面
四　運転免許取得者等教育の課程における指導に用いるコースの種類、形状及び構造を明らかにした図面
五　運転免許取得者等教育の課程における指導に用いる建物その他の設備の状況を明らかにした図面
六　運転免許取得者等教育の課程における指導に用いる自動車等、教本、視聴覚教材その他の教材の一覧表
七　運転免許取得者等教育の課程に係る教育事項、教育方法、教育時間、年間の実施回数等を定めた教育計画書

3　法第九十八条第二項の規定による届出をした自動車教習所を設置し、若しくは管理する者又は法第百八条の三十二の二第一項若しくは第百八条の三十二の三第一項の認定を現に受けている者が、当該届出をし、又は当該認定を受けた公安委員会から法第百八条の三十二の二第一項の認定を受けようとする場合の申請書には、前項の規定にかかわらず、同項第一号に掲げる書類を添付することを要しない。

（認定の公示）

第六条　法第百八条の三十二の二第二項の規定による公示は、次に掲げる事項について行うものとする。

一　認定をした旨
二　前条第一項各号に掲げる事項
三　認定をした年月日

（変更の届出等）

第七条　法第百八条の三十二の二第一項の認定を受けて運転免許取得者等教育を行う者（第三項において「認定教育実施者」という。）は、第五条第一項第一号、第二号又は第五号に掲げる事項を変更しようとするときは、あらかじめその旨を公安委員会に届け出なければならない。

2　公安委員会は、前項の規定による届出があったときは、当該変更に係る事項を公示しなければならない。

3　認定教育実施者は、第五条第二項各号に掲げる書類の内容に変更があったときは、その旨を公安委員会に届け出なければならない。

（終了証明書の交付）

第八条　第一条第三号又は第六号に掲げる課程により行う運転免許取得者等教育で法第百八条の三十二の二第一項の認定を受けたもの（以下この条及び次条において「特定教育」という。）を行う者は、特定教育を終了した者に対し、次の各号に掲げる者の区分に応じ、当該各号に定める書類を交付するものとする。

一　第一条第六号に掲げる課程を終了した者　別記様式第一号の運転免許取得者等教育（更新時講習同等）終了証明書

二　第一条第三号に掲げる課程を終了した者　別記様式第二号の運転免許取得者等教育（高齢者講習同等）終了証明書

（帳簿）

第九条　特定教育を行う者は、帳簿を備え、次に掲げる事項を記載しなければならない。

一　特定教育を受けた者の住所、氏名、生年月日及び性別並びに当該特定教育の種別

二　特定教育の教育事項及び当該教育事項について教育を行った年月日

三　特定教育に従事した運転免許取得者等教育指導員の氏名

四　特定教育を受けた者が当該特定教育を終了した年月日

2　特定教育を行う者は、前項の帳簿を当該特定教育を行った日から一年間保存しなければならない。

（電磁的方法による記録）

第一〇条　前条第一項各号に掲げる事項が電磁的方法（電子的方法、磁気的方法その他の人の知覚によって認識することができない方法をいう。第十三条において同じ。）により記録され、当該記録が必要に応じ電子計算機その他の機器を用いて直ちに表示されることができるようにして保存されるときは、当該記録の保存をもって前条第二項に規定する当該事項が記載された帳簿の保存に代えることができる。

2　前項の規定による保存をする場合には、国家公安委員会が定める基準を確保するよう努めなければならない。

（報告事項）

第一一条　府令第三十八条の四の六第一項第二号の国家公安委員会規則で定める事項は、運転免許取得者等教育の課程に係る教育事項、教育方法、教育時間及び年間の実施回数に関するものとする。

（認定の取消しの公示）

第一二条　公安委員会は、法第百八条の三十二の二第五項の規定による認定の取消しを行ったときは、その旨を公示しなければならない。

（電磁的記録媒体による手続）

第一三条　次の各号に掲げる書類の当該各号に定める規定による提出については、公安委員会が定めるところにより、当該書類の提出に代えて当該書類に記載すべきこととされている事項を記録した電磁的記録媒体（電磁的記録（電磁的方法で作られる記録であって、電子計算機による情報処理の用に供されるものをいう。）に係る記録媒体をいう。）及び別記様式第三号の電磁的記録媒体提出票を提出することにより行うことができる。

一　申請書　第五条第一項

二　定款　第五条第二項

三　名簿　第五条第二項

四　教材の一覧表　第五条第二項

五　教育計画書　第五条第二項

附　則

この規則は、道路交通法の一部を改正する法律（平成十一年法律第四十号）の施行の日（平成十二年四月一日）から施行する。

附　則〔平成一九・六・四国家公安委員会規則一三〕

改正　平成二六・四国公委規七

（施行期日）

1　この規則は、刑法の一部を改正する法律の施行の日（平成十九年六月十二日）から施行する。

（経過措置）

2　この規則の施行前に道路交通法第八十四条第一項に規定する自動車等の運転に関し刑法の一部を改正する法律による改正前の刑法（明治四十年法律第四十五号）第二百十一条第一項（刑法の一部を改正する法律附則第二条の規定によりなお従前の例によることとされる場合における当該規定を含む。）の罪を犯した者に対する自動車の運転により人を死傷させる行為等の処罰に関する法律の施行に伴う関係国家公安委員会規則の整備に関する規則（平成二十六年国家公安委員会規則第七号）による改正後の〔中略〕運転免許取得者教育の認定に関する規則第二条第二号ハの規定の適用については、これらの規定中「第六条まで」とあるのは、「第六条までの罪、同法附則第二条の規定による改正前の刑法（明治四十年法律第四十五号）第二百八条の二若しくは第二百十一条第二項（自動車の運転により人を死傷させる行為等の処罰に関する法律附則第十四条の規定によりなお従前の例によることとされる場合におけるこれらの規定を含む。）の罪、刑法の一部を改正する法律（平成十九年法律第五十四号）による改正前の刑法第二百十一条第一項（刑法の一部を改正する法律附則第二条の規定によりなお従前の例によることとされる場合における当該規定を含む。）」とする。

附　則〔平成二一・五・一二国家公安委員会規則四抄〕

（施行期日）

1　この規則は、道路交通法の一部を改正する法律（平成十九年法律第九十号）附則第一条第二号に掲げる規定の施行の日（平成二十一年六月一日。以下「施行日」という。）から施行する。

（経過措置）

6　新法第百一条の三第一項の更新期間が満了する日における年齢が七十五歳以上の者であって当該日が施行日から起算して六月を経過した日前であるものは、改正後の運転免許取得者教育の認定に関する規則（以下「新認定規則」という。）第四条第一号及び第二号、第八条第二号並びに第九条第一項の規定の適用については、新認定規則第四条第一号の表の三の項の上欄に規定する者とみなす。

7　この規則の施行前に交付されたチャレンジ講習受講結果確認書、特定任意講習終了証明書及び特定任意高齢者講習終了証明書並びに運転免許取得者教育（更新時講習同等）終了証明書及び運転免許取得者教育（高齢者講習同等）終了証明書の様式については、新講習規則別記様式第一号、別記様式第二号及び別記様式第三号並びに新認定規則別記様式第一号及び別記様式第二号の様式にかかわらず、なお従前の例による。

附　則〔平成二四・六・一八国家公安委員会規則七〕

（施行期日）

第一条　この規則は、出入国管理及び難民認定法及び日本国との平和条約に基づき日本の国籍を離脱した者等の出入国管理に関する特例法の一部を改正する等の法律（平成二十一年法律第七十九号）の施行の日（平成二十四年七月九日）から施行する。

（経過措置）

第二条　この規則の施行の日前にした行為に対する罰則の適用については、なお従前の例による。

附　則〔平成二六・四・二五国家公安委員会規則七抄〕

（施行期日）

1　この規則は、自動車の運転により人を死傷させる行為等の処罰に関する法律の施行の日（平成二十六年五月二十日）から施行する。

（経過措置）

3　この規則の施行前に道路交通法第八十四条第一項に規定する自動車等の運転に関し自動車の運転により人を死傷させる行為等の処罰に関する法律附則第二条の規定による改正前の刑法（明治四十年法律第四十五号）第二百八条の二又は第二百十一条第二項（自動車の運転により人を死傷させる行為等の処罰に関する法律附則第十四条の規定によりなお従前の例によることとされる場合におけるこれらの規定を含む。）の罪を犯した者（次項の規定による改正後の刑法の一部を改正する法律の施行に伴う関係国家公安委員会規則の整備に関する規則（平成十九年国家公安委員会規則第十三号）附則第二項に規定する者を除く。）に対するこの規則による改正後の〔中略〕運転免許取得者教育の認定に関する規則第二条第二号ハの規定の適用については、これらの規定中「第六条まで」とあるのは、「第六条までの罪、同法附則第二条の規定による改正前の刑法（明治四十年法律第四十五号）第二百十一条第二

項（自動車の運転により人を死傷させる行為等の処罰に関する法律附則第十四条の規定によりなお従前の例によることとされる場合におけるこれらの規定を含む。）」とする。

附　則〔平成二八・七・一五国家公安委員会規則一八〕

（施行期日）

1　この規則は、道路交通法の一部を改正する法律（平成二十七年法律第四十号。次項において「改正法」という。）の施行の日（平成二十九年三月十二日。以下「改正法施行日」という。）から施行する。

（経過措置）

2　改正法による改正後の道路交通法（以下この項において「新法」という。）第百一条第一項の更新期間が満了する日（新法第百一条の二第一項の規定による運転免許証の有効期間の更新の申請をしようとする者にあっては、当該申請をする日）における年齢が七十歳以上の者であって、当該日が改正法施行日から起算して六月を経過した日前であるものに係る課程の基準並びにその者に対する終了証明書の交付及び運転免許取得者教育（高齢者講習同等）終了証明書の様式については、改正後の運転免許取得者教育の認定に関する規則（次項において「新認定規則」という。）第四条第一号及び第二号並びに第八条第二号の規定並びに別記様式第二号の様式にかかわらず、なお従前の例による。

3　改正法施行日前に交付された運転免許取得者教育（更新時講習同等）終了証明書及び運転免許取得者教育（高齢者講習同等）終了証明書の様式については、新認定規則別記様式第一号及び別記様式第二号の様式にかかわらず、なお従前の例による。

附　則〔令和元・六・二一国家公安委員会規則三〕

（施行期日）

1　この規則は、令和元年七月一日から施行する。

（経過措置）

2　この規則による改正前の〔中略〕運転免許取得者教育の認定に関する規則〔中略〕に規定する様式による書面については、この規則による改正後のこれらの規則に規定する様式にかかわらず、当分の間、なおこれを使用することができる。

附　則〔令和四・二・一〇国家公安委員会規則七〕

（施行期日）

第一条　この規則は、道路交通法の一部を改正する法律（令和二年法律第四十二号。次条及び附則第三条において「改正法」という。）の施行の日（令和四年五月十三日。以下「施行日」という。）から施行する。

（運転免許取得者教育等に関する経過措置）

第二条　施行日前にこの規則による改正前の運転免許取得者教育の認定に関する規則（附則第四条において「旧規則」という。）第一条第三号に掲げる課程により行う運転免許取得者教育で改正法による改正前の道路交通法第百八条の三十二の二第一項の認定を受けたものを終了した者は、この規則による改正後の運転免許取得者等教育の認定に関する規則（次条及び附則第四条において「新規則」という。）第一条第三号に掲げる課程により行う運転免許取得者等教育で改正法による改正後の道路交通法（次条において「新法」という。）第百八条の三十二の二第一項の認定を受けたものを終了した者とみなす。

第三条　道路交通法第百一条第一項の更新期間が満了する日（同法第百一条の二第一項の規定による運転免許証の更新を申請しようとする者にあっては、当該申請をする日）が改正法附則第四条第一項に規定する基準日の前日以前である運転免許証の更新を受けようとする者に対して施行日以後に行う新法第百八条の三十二の二第一項の運転免許取得者等教育に係る新規則第四条第二項第二号及び第三号の規定の適用については、同項第二号の表中「者及び道路交通法施行令（昭和三十五年政令第二百七十号。以下この条において「令」という。）第三十四条の三第四項又は第三十七条の六の三の基準に該当する者」とあるのは「者」と、「ものに」とあるのは「もの並びに法第九十七条の二第一項第三号イに規定する認知機能検査の結果に」と、同項第三号中「者及び令第三十四条の三第四項又は第三十七条の六の三の基準に該当する者」とあるのは「者」とする。

（様式に関する経過措置）

第四条　施行日前に交付された次の各号に掲げる書類は、当該各号に定める書類とみなす。

一　旧規則別記様式第一号の運転免許取得者教育（更新時講習同等）終了証明書　新規則別記様式第一号の運転免許取得者等教育（更新時講習同等）終了証明書

二　旧規則別記様式第二号の運転免許取得者教育（高齢者講習同等）終了証明書　新規則別記様式第二号の運転免許取得者等教育（高齢者講習同等）終了証明書

附　則〔令和四・九・一四国家公安委員会規則一六〕

この規則は、道路交通法の一部を改正する法律附則第一条第二号に掲げる規定の施行の日（令和四年十月一日）から施行する。

附　則〔令和五・三・一七国家公安委員会規則五〕

（施行期日）

1　この規則は、道路交通法の一部を改正する法律（令和四年法律第三十二号）附則第一条第三号に掲げる規定の施行の日（令和五年七月一日）から施行する。

（経過措置）

2　この規則の施行の日前に道路交通法の一部を改正する法律第三条の規定による改正前の道路交通法（昭和三十五年法律第百五号。以下この項において「旧法」という。）第八十四条第一項に規定する自動車等の運転に関し自動車の運転により人を死傷させる行為等の処罰に関する法律（平成二十五年法律第八十六号）第二条から第六条までの罪又は旧法に規定する罪を犯した者に対する次の表の上欄に掲げる規定の適用については、これらの規定中同表の中欄に掲げる字句は、それぞれ同表の下欄に掲げる字句とする。

上欄	中欄	下欄
指定講習機関に関する規則第五条第三号ハ及び運転免許取得者等教育の認定に関する規則第二条第一号ロ(3)	自動車等	自動車等及び道路交通法の一部を改正する法律（令和四年法律第三十二号）第三条の規定による改正前の法第八十四条第一項に規定する自動車等
届出自動車教習所が行う教習の課程の指定に関する規則第一条第二項第一号ロ(4)及び運転免許取得者等検査の認定に関する規則第二条第二号ロ(2)	及び一般原動機付自転車（法第十八条第一項に規定する一般原動機付自転車をいう。）	、一般原動機付自転車（法第十八条第一項に規定する一般原動機付自転車をいう。）及び道路交通法の一部を改正する法律（令和四年法律第三十二号）第三条の規定による改正前の法第八十四条第一項に規定する自動車等
交通安全活動推進センターに関する規則第六条第一項第二号	及び一般原動機付自転車（法第十八条第一項に規定する一般原動機付自転車をいう。第四号において同じ。）	、一般原動機付自転車（法第十八条第一項に規定する一般原動機付自転車をいう。第四号において同じ。）及び道路交通法の一部を改正する法律（令和四年法律第三十二号）第三条の規定による改正前の法第八十四条第一項に規定する自動車等

別記様式第１号（第８条関係）

第　　　号

運転免許取得者等教育（更新時講習同等）終了証明書

住所

氏名

年　　月　　日生

上記の者は、　　年　　月　　日道路交通法第108条の32の２第１項第３号イに掲げる基準に適合するものとして同項の認定を受けた同項の運転免許取得者等教育の課程を終了した者であることを証明する。

年　　月　　日

所在地

名　称

管理者　　　　　　　　印

備考　用紙の大きさは、日本産業規格Ａ列４番とする。

別記様式第２号（第８条関係）

第　　　号

運転免許取得者等教育（高齢者講習同等）終了証明書

住　所

氏　名

年　　月　　日生

上記の者は、　　年　　月　　日道路交通法第108条の32の２第１項第３号ロに掲げる基準に適合するものとして同項の認定を受けた同項の運転免許取得者等教育の課程を終了した者であることを証明する。

実車指導の有無	有　・　無

年　　月　　日

所在地

名　称

管理者　　　　　　　　印

備考　１　自動車等の運転について必要な適性に関する調査でコース又は道路における普通自動車の運転をさせることにより行う検査によるものに基づく指導を含む教育を受けた場合には実車指導の有無欄の「有」を、当該指導を含まない教育を受けた場合には実車指導の有無欄の「無」を、それぞれ○で囲むこと。

２　用紙の大きさは、日本産業規格Ａ列４番とする。

別記様式第３号（第13条関係）

電磁的記録媒体提出票

公安委員会　殿

年　月　日
提出者の名称
住　所

運転免許取得者等教育の認定に関する規則第５条第１項／第５条第２項の規定により提出すべき書類に記載することとされている事項を記録した電磁的記録媒体を以下のとおり提出します。

本票に添付されている電磁的記録媒体に記録された事項は、事実に相違ありません。

1　電磁的記録媒体に記録された事項

2　電磁的記録媒体と併せて提出される書類

備考　1　「電磁的記録媒体に記録された事項」の欄には、電磁的記録媒体に記録されている事項を記載するとともに、２以上の電磁的記録媒体を提出するときは、電磁的記録媒体ごとに整理番号を付し、その番号ごとに記録されている事項を記載すること。

2　「電磁的記録媒体と併せて提出される書類」の欄には、本票に添付されている電磁的記録媒体に記録されている事項以外の事項を記載した書類を併せて提出する場合にあっては、その書類名を記載すること。

3　不要の文字は、横線で消すこと。

4　該当事項がない欄は、省略すること。

5　用紙の大きさは、日本産業規格Ａ列４番とする。

○運転免許取得者等教育の認定に関する規則第二条第一号イ(2)の規定に基づき、自動車安全運転センターが行う自動車の運転に関する研修の課程であって国家公安委員会が指定するものを定める件

〔令和四・二・一〇　国家公安委員会告示一二〕

運転免許取得者等教育の認定に関する規則（平成十二年国家公安委員会規則第四号）第二条第一号イ(2)の規定に基づき、自動車安全運転センターが行う自動車の運転に関する研修の課程であって国家公安委員会が指定するものを次のように定める。

新任教習指導員（大型）課程、新任教習指導員（中型）課程、新任教習指導員（準中型）課程、新任教習指導員（大自二）課程、新任教習指導員（普自二）課程、届出教習所指導員（大型）課程、届出教習所指導員（中型）課程、届出教習所指導員（準中型）課程、届出教習所指導員（普通）課程、届出教習所指導員（大自二）課程、届出教習所指導員（普自二）課程、届出教習所指導員（大型二種）課程、届出教習所指導員（中型二種）課程及び届出教習所指導員（普通二種）課程

附　則

1　この告示は、運転免許取得者教育の認定に関する規則の一部を改正する規則（令和四年国家公安委員会規則第七号）の施行の日（令和四年五月十三日）から施行する。

2　平成二十八年国家公安委員会告示第三十三号（運転免許取得者教育の認定に関する規則第二条第一号ロの規定に基づき、自動車安全運転センターが行う自動車の運転に関する研修の課程であって国家公安委員会が指定するものを定める件）は、廃止する。

○道路交通法第百十条第一項の規定に基づき自動車専用道路を指定する件

〔平成一一・一〇・一三　国家公安委員会告示一六〕

改正　前略…平成三〇・三国公委告八、国公委告一一、四国公委告一五、平成三一・二国公委告四、三国公委告六、国公委告九、国公委告一〇、国公委告一二、令和元・五国公委告一、六国公委告一二、一一国公委告四四、一二国公委告四七、国公委告五〇、令和二・三国公委告一〇、七国公委告二五、国公委告三二、一一国公委告四九、一二国公委告五四、令和三・二国公委告六、三国公委告七、国公委告八、四国公委告一五、国公委告一八、七国公委告三六、八国公委告四八、一二国公委告六九、令和四・五国公委告二四、令和五・三国公委告一三、一〇国公委告四七、令和六・二国公委告六、三国公委告一二、四国公委告一五

道路交通法（昭和三十五年法律第百五号）第百十条第一項の規定に基づき、国家公安委員会が指定する自動車専用道路を次のように定める。

国家公安委員会が指定する自動車専用道路は、次に掲げるものとする。

一　次の表の上欄に掲げる一般国道（道路法（昭和二十七年法律第百八十号）第三条第二号に規定する一般国道をいう。）のうち、同表の下欄に掲げる区間内の自動車専用道路である部分

路線名	区間
一号	藤沢市から茅ヶ崎市まで
	田方郡函南町から沼津市まで
	藤枝市仮宿から同市岡部町入野まで
	大津市から京都府久世郡久御山町まで
	京都市から門真市まで
二号	神戸市垂水区から同市西区まで
	神戸市から兵庫県揖保郡太子町まで
	福山市から三原市まで
	広島市から廿日市市まで
	廿日市市から大竹市まで
	山口市大字鋳銭司から同市大字江崎まで
三号	北九州市八幡東区から同市八幡西区まで
	八代市から水俣市まで
	薩摩川内市から鹿児島市まで
五号	北海道寿都郡黒松内町字東川から同町字白井川まで
六号	水戸市からひたちなか市まで
	宮城県亘理郡亘理町から仙台市まで
七号	にかほ市から由利本荘市まで
	秋田市上新城中から同市金足岩瀬まで
	秋田県山本郡琴丘町から能代市まで
	北秋田市から大館市まで
九号	鳥取市から鳥取県東伯郡湯梨浜町まで
	鳥取県東伯郡北栄町から島根県八束郡玉湯町まで
	江津市から浜田市後野町まで
	浜田市下府町から同市三隅町まで
十号	福岡県京都郡みやこ町から同県築上郡築上町まで
	宇佐市から大分県速見郡日出町まで
	宮崎県東臼杵郡門川町から延岡市まで
	鹿児島県姶良郡隼人町から同郡加治木町まで
十三号	米沢市から山形県東置賜郡高畠町まで
	尾花沢市から新庄市まで
	湯沢市から横手市まで

号	区間
十四号	東京都江戸川区から千葉市まで
十六号	横浜市から町田市まで
	千葉市若葉区から同市中央区まで
	横須賀市から横浜市まで
二十四号	城陽市から木津川市まで
	天理市から橿原市小槻町まで
	橿原市東坊城町から和歌山市まで
二十五号	亀山市から天理市まで
二十六号	堺市翁橋町から同市浜寺船尾町東まで
二十八号	神戸市から鳴門市まで
二十九号	姫路市太市中から同市石倉まで
三十号	岡山県都窪郡早島町から坂出市まで
三十三号	松山市北井門から同市余戸南まで
三十四号	長崎県西彼杵郡多良見町から長崎市まで
三十九号	北見市北上から同市端野町まで
四十一号	高山市上切町から同市国府町まで
四十二号	尾鷲市から熊野市まで
	御坊市から和歌山県有田郡吉備町まで
四十五号	仙台市から宮城県宮城郡利府町まで
	宮城県宮城郡松島町から八戸市大字坂牛まで
	八戸市大字市川町から青森県上北郡おいらせ町まで
	青森県上北郡六戸町から同郡七戸町まで
四十七号	宮城県宮城郡利府町から富谷市まで
	新庄市大字鳥越から同市大字本合海まで
四十八号	仙台市青葉区大町から同区郷六まで
五十五号	南国市から高知市まで
五十六号	須崎市神田から同市下分まで
	宇和島市高串から同市津島町まで
	大洲市北只から同市東大洲まで
	松山市余戸南から同市南吉田町まで
百五号	大仙市内小友から同市和合まで
百六号	宮古市藤原から同市根市まで
百十五号	相馬市から福島県伊達郡桑折町まで
百十六号	新潟市曽和から同市山田まで
百十九号	日光市から宇都宮市まで
百二十六号	千葉県匝瑳郡光町から千葉市まで
百二十七号	千葉県安房郡富浦町から富津市まで
百三十八号	富士吉田市から御殿場市まで
百三十九号	富士市から富士宮市まで
百五十八号	福井市から大野市貝皿まで
	大野市東市布から郡上市まで
	高山市清見町から同市上切町まで
百六十三号	東大阪市から奈良市まで
百六十五号	堺市から葛城市まで
百九十六号	今治市から愛媛県周桑郡小松町まで
二百十二号	中津市大字犬丸から同市本耶馬渓町まで
二百十三号	大分県速見郡日出町から杵築市まで
二百十八号	延岡市高野町から同市北方町まで
二百三十三号	深川市から留萌町まで
二百三十五号	苫小牧市から北海道沙流郡日高町まで
二百三十六号	北海道河西郡芽室町から北海道中川郡幕別町まで
二百四十七号	東海市から知多市まで
二百七十一号	平塚市から厚木市まで
二百八十三号	釜石市から遠野市まで
三百二号	東海市から愛知県海部郡飛島村まで
三百十二号	宮津市から京丹後市まで
	兵庫県朝来郡和田山町から姫路市まで
三百十七号	今治市から尾道市まで
三百二十四号	長崎市新地町から同市早坂町まで
三百七十三号	岡山県英田郡西粟倉村大字影石から同村大字坂根まで
	鳥取県八頭郡智頭町駒帰から同町市瀬まで
三百七十四号	美作市から岡山県勝田郡勝央町まで
三百七十五号	呉市から東広島市まで
四百九号	川崎市から木更津市まで
四百二十三号	箕面市坊島から同市下止々呂美まで
四百五十号	北海道上川郡比布町から同道紋別郡遠軽町まで
四百六十六号	東京都世田谷区から横浜市まで
四百六十八号	茅ヶ崎市から海老名市門沢橋まで
	海老名市中新田から成田市まで
	東金市から木更津市まで
四百七十号	七尾市から小矢部市まで
四百七十四号	飯田市山本から同市上久堅まで
	新城市から浜松市まで
四百七十五号	豊田市から山県市まで
	岐阜県安八郡神戸町から同県養老郡養老町まで
	いなべ市から四日市市まで
四百七十八号	宮津市から京都府久世郡久御山町まで
四百八十一号	泉佐野市りんくう往来北から同市泉州空港北まで
四百八十三号	豊岡市から丹波市まで
四百八十五号	松江市下東川津町から同市矢田町まで
四百九十号	美祢市美東町綾木から同町赤まで

四百九十七号	福岡市から前原市まで 長崎県北松浦郡佐々町から武雄市まで
五百六号	豊見城市から沖縄県中頭郡西原町まで

二　次の表の上欄に掲げる都道府県道（道路法第三条第三号に規定する都道府県道をいう。）のうち、同表の下欄に掲げる区間内の自動車専用道路である部分

路線名	区間
県道青森東インター線	青森市大字諏訪沢から同市大字三本木まで
県道八戸野辺地線	青森県上北郡おいらせ町から同郡六戸町まで
県道仙台松島線	宮城県宮城郡利府町から同郡松島町まで
県道大衡落合線	宮城県黒川郡大衡村松の平から同村奥田まで
県道矢吹小野線	福島県西白河郡矢吹町から同県田村郡小野町まで
県道小野富岡線	福島県田村郡小野町から田村市まで
県道常陸那珂港南線	ひたちなか市阿字ケ浦から同市部田野まで
県道横須賀三崎	横須賀市衣笠町から同市林まで
県道本町山中線	横須賀市汐入町から同市山中町まで
県道山脇大谷線	静岡市葵区下から同区豊地まで
県道半田南知多公園線	半田市から愛知県知多郡南知多町まで
県道下府江津線	江津市敬川町三百五十二番一から同町八十八番まで
県道名古屋半田線	名古屋市から半田市まで
県道碧南半田常滑線	半田市から常滑市まで
県道日進瀬戸線	日進市から愛知県愛知郡長久手町まで
県道中部国際空港線	常滑市セントレアから同市多屋まで
府道勧修寺今熊野線	京都市山科区から同市伏見区まで
県道加古川小野線	加古川市野口町から同市八幡町まで
県道出雲インター線	出雲市知井宮町から同市東神西町まで
県道山口宇部線	山口市から宇部市まで
県道長崎インター線	長崎市早坂町千八十六番一地先から同町千百十七番二地先まで
県道諫早外環状線	諫早市長野町から同市貝津町まで
県道糸原杵築線	大分県東国東郡安岐町から杵築市まで
県道中津港線	中津市大字定留から中津市大字犬丸まで
県道指宿鹿児島インター線	鹿児島市山田町から同市西別府町まで
県道鹿屋環状線	鹿屋市笠之原町から同市東原町まで
県道鹿屋串良インター線	鹿屋市東原町から同市串良町まで

三　次の表の上欄に掲げる市町村道（道路法第三条第四号に規定する市町村道をいう。）のうち、同表の下欄に掲げる区間内の自動車専用道路である部分

市道安瀬戸畑一号線	北九州市若松区から同市戸畑区まで
市道広島南道路	広島市西区観音新町から同区商工センターまで

四　独立行政法人日本高速道路保有・債務返済機構法（平成十六年法律第百号）第十二条第一項第四号に規定する首都高速道路及び阪神高速道路並びに道路整備特別措置法（昭和三十一年法律第七号）第十二条第一項に規定する指定都市高速道路で高速自動車国道に接続しているもの

附　則

この告示は、道路交通法の一部を改正する法律（平成十一年法律第四十号）附則ただし書に規定する規定の施行の日（平成十一年十一月一日）から施行する。

附　則〔令和四・五・二〇国家公安委員会告示二四〕

この告示は、令和四年五月二十一日から施行する。

附　則〔令和五・三・一七国家公安委員会告示一三〕

この告示は、令和五年三月十九日から施行する。

附　則〔令和五・一〇・二七国家公安委員会告示四七〕

この告示は、令和五年十月二十八日から施行する。

附　則〔令和六・二・二三国家公安委員会告示六〕

この告示は、令和六年二月二十四日から施行する。

附　則〔令和六・三・二二国家公安委員会告示一二〕

この告示は、令和六年三月二十四日から施行する。

附　則〔令和六・四・一二国家公安委員会告示一五〕

この告示は、令和六年四月十三日から施行する。

○工事又は作業を行なう場合の道路の管理者と警察署長との協議に関する命令

（昭和三五・一二・三　総理府・建設省令二）

1　道路法（昭和二十七年法律第百八十号）による道路の管理者は、道路の維持、修繕その他の管理のため道路において工事又は作業（以下「工事等」という。）を行なおうとするときは、あらかじめ、当該工事等に係る場所を管轄する警察署長（以下「所轄警察署長」といい、当該工事等に係る場所が同一の都道府県公安委員会の管理に属する二以上の警察署長の管轄にわたるときは、そのいずれかの所轄警察署長。以下同じ。）に対し、次の各号に掲げる事項を記載した文書を送付するものとする。

一　工事等の時期

二　工事等の方法の概要

三　工事等を行なう場合における道路交通に対する措置

2　所轄警察署長は、前項の規定による文書の送付を受けたときは、すみやかに文書により回答するものとする。

3　緊急を要し、かつ、あらかじめ文書により協議するいとまがないときは、文書による協議に要する期間内に終了する工事等又は工事等の一部であつて文書による協議に要する期間内に行なわれるものに限り、前二項の規定にかかわらず、口頭により協議することができる。

附　則

この命令は、道路交通法の施行の日（昭和三十五年十二月二十日）から施行する。

○道路交通法施行規則第一条の二の規定により、原動機を用い、かつ、レール又は架線によらないで運転する車のうち、道路交通法第二条第一項第十号の内閣府令で定める大きさが総排気量については〇・〇五〇リットル、定格出力については〇・六〇キロワットとされることとなる三輪以上のものを指定する件

（平成二・一二・六　総理府告示四八）

道路交通法施行規則（昭和三十五年総理府令第六十号）第一条（現行＝第一条の二）の規定により、原動機を用い、かつ、レール又は架線によらないで運転する車のうち、道路交通法（昭和三十五年法律第百五号）第二条第一項第十号の総理府令で定める大きさが総排気量については〇・〇五〇リットル、定格出力については〇・六〇キロワットとされることとなる三輪以上のものを次のとおり指定し、平成三年一月一日から施行する。なお、昭和六十年二月八日総理府告示第二号は、平成二年十二月三十一日限り廃止する。

車室を備えず、かつ、輪距（二以上の輪距を有する車にあっては、その輪距のうち最大のもの）が〇・五〇メートル以下である三輪以上の車及び側面が構造上開放されている車室を備え、かつ、輪距が〇・五〇メートル以下である三輪の車

○内閣総理大臣が指定するカタピラを有する自動車を定める件

（平成一六・五・二八　内閣府告示一二六）

道路交通法施行規則（昭和三十五年総理府令第六十号）第二条の表大型特殊自動車の項の規定に基づき、内閣総理大臣が指定するカタピラを有する自動車を次のように定める。

スキー及びカタピラを有する雪上車

附　則

1　この告示は、平成十六年七月一日から施行する。

2　昭和四十三年総理府告示第二十八号（カタピラを有する自動車のうち、大型特殊自動車とならないものを指定する件）は、廃止する。

○車体の構造上その運転に係る走行の特性が二輪の自動車の運転に係る走行の特性に類似するものとして内閣総理大臣が指定する三輪の自動車を定める件

〔平成二一・六・二二
内閣府告示二四九〕

道路交通法施行規則（昭和三十五年総理府令第六十号）第二条の表備考の規定に基づき、車体の構造上その運転に係る走行の特性が二輪の自動車の運転に係る走行の特性に類似するものとして内閣総理大臣が指定する三輪の自動車を次のように定める。

道路交通法施行規則第二条の表備考の内閣総理大臣が指定する三輪の自動車は、次に掲げるすべての要件を満たすものとする。

一　三個の車輪を備えていること。

二　車輪が車両中心線に対して左右対称の位置に配置されていること。

三　同一線上の車軸における車輪の接地部中心点を通る直線の距離が四百六十ミリメートル未満であること。

四　車輪及び車体の一部又は全部を傾斜して旋回する構造を有すること。

附　則

この告示は、道路交通法施行規則の一部を改正する内閣府令（平成二十一年内閣府令第三十三号）の施行の日（平成二十一年九月一日）から施行する。

○内閣総理大臣が指定する特殊な構造を有する自動車を定める件

〔平成二二・一・一九
内閣府告示三〕

改正　平成二七・七内府告三二三、令和三・六内府告七五

道路交通法施行規則（昭和三十五年総理府令第六十号）第二条の表大型特殊自動車の項の規定に基づき、内閣総理大臣が指定する特殊な構造を有する自動車を次のように定める。

一　ホイール・キャリヤ

二　道路交通法（昭和三十五年法律第百五号）第七十七条第一項の規定による許可を受けて行う搭乗型移動支援ロボットを使用する作業（国家戦略特別区域法（平成二十五年法律第百七号）第二条第一項に規定する国家戦略特別区域内において行われるものに限る。）又は搭乗型移動支援ロボットの公道実証実験において使用される自動車（車体の大きさが長さおおむね百五十センチメートル、幅おおむね七十センチメートルを超えないものに限る。以下この号及び次号において「特定自動車」という。）のうち、道路運送車両法（昭和二十六年法律第百八十五号）第二条第三項に規定する原動機付自転車に該当するもの以外のものであって、道路運送車両の保安基準（昭和二十六年運輸省令第六十七号。次号において「保安基準」という。）及び道路運送車両の保安基準の細目を定める告示（平成十四年国土交通省告示第六百十九号。次号において「細目告示」という。）の規定のうち、次に掲げる規定に適合しないもの

イ　昼間に限り運転する特定自動車にあっては、道路運送車両の保安基準第五十五条第一項、第五十六条第一項及び第五十七条第一項に規定する国土交通大臣が告示で定めるものを定める告示（平成十五年国土交通省告示第千三百二十号。ロ及びハにおいて「基準緩和告示」という。）第一条第八号に規定する規定

ロ　二輪の特定自動車にあっては、基準緩和告示第一条第九号に規定する規定

ハ　イ及びロに掲げる特定自動車以外のものにあっては、基準緩和告示第一条第七号に規定する規定

三　特定自動車のうち、前号に規定する原動機付自転車に該当するものであって、保安基準及び細目告示のうち、次に掲げる規定に適合しないもの

イ　昼間に限り運転する特定自動車にあっては、道路運送車両の保安基準第六十七条第一項の規定により準用する同令第五十五条第一項に規定する国土交通大臣が告示で定めるものを定める告示（平成二十七年国土交通省告示第八百五十七号。ロにおいて「原動機付自転車に係る基準緩和告示」という。）第三号に規定する規定

ロ　イに掲げる特定自動車以外のものにあっては、原動機付自転車に係る基準緩和告示第一号及び第二号に規定する規定

附　則

この告示は、公布の日から施行する。

附　則〔平成二七・七・一〇内閣府告示三二三〕

1　この告示は、公布の日から施行する。

2　内閣府関係構造改革特別区域法第二条第三項に規定する告示の特例に関する措置及びその適用を受ける特定事業について定める件（平成二十三年内閣府告示第十二号）は、廃止する。

附　則〔令和三・六・一七内閣府告示七五〕

この告示は、公布の日から施行する。

○運転免許取得者等検査の認定に関する規則

〔令和四・二・一〇
国家公安委員会規則八〕

改正 令和四・九国公委規一六、令和五・三国公委規五

道路交通法（昭和三十五年法律第百五号）第百八条の三十二の三第一項並びに同条第二項において準用する同法第百八条の三十二の二第二項及び第六項並びに道路交通法施行規則（昭和三十五年総理府令第六十号）第二十六条の六第二号及び第二十九条の三第一項第二号並びに同令第三十八条の四の七において準用する同令第三十八条の四の六第一項第二号の規定に基づき、運転免許取得者等検査の認定に関する規則を次のように定める。

（方法の区分）

第一条 道路交通法（以下「法」という。）第百八条の三十二の三第一項の国家公安委員会規則で定める運転免許取得者等検査の方法の区分は、次に掲げるとおりとする。

一 介護保険法（平成九年法律第百二十三号）第五条の二第一項に規定する認知機能に関する検査を行う方法

二 大型自動車、中型自動車、準中型自動車又は普通自動車の運転について必要な技能に関する検査を行う方法

（運転免許取得者等検査員）

第二条 法第百八条の三十二の三第一項第一号の国家公安委員会規則で定める者は、同項の認定を受けて運転免許取得者等検査を行う者又はその代理人、使用人その他の従業者であって、次の各号に掲げる方法の区分に応じ、当該各号に定めるもの（以下「運転免許取得者等検査員」という。）とする。

一 前条第一号に掲げる方法 運転免許に係る講習等に関する規則（平成六年国家公安委員会規則第四号。以下「講習規則」という。）第四条第二項第一号に定める者

二 前条第二号に掲げる方法 次のいずれにも該当する者

イ 講習規則第四条第二項第二号に定める者

ロ 次のいずれにも該当しない者

(1) 法第百十七条の二の二第一項第九号の罪を犯し罰金以上の刑に処せられ、その執行を終わり、又は執行を受けることがなくなった日から起算して三年を経過していない者

(2) 自動車及び一般原動機付自転車（法第十八条第一項に規定する一般原動機付自転車をいう。）の運転に関し自動車の運転により人を死傷させる行為等の処罰に関する法律（平成二十五年法律第八十六号）第二条から第六条までの罪又は法に規定する罪（法第百十七条の二の二第一項第九号の罪を除く。）を犯し禁錮以上の刑に処せられ、その執行を終わり、又は執行を受けることがなくなった日から起算して三年を経過していない者

（設備）

第三条 法第百八条の三十二の三第一項第二号の国家公安委員会規則で定める設備は、次に掲げるとおりとする。

一 第一条第二号に掲げる方法により行う運転免許取得者等検査にあっては、おおむね長円形で、六十メートル以上の距離を直線走行することができる部分を有する周回コース及びおおむね直線で、周回コースと連絡する幹線コース

二 前号に掲げるもののほか、当該認定に係る運転免許取得者等検査を行うために必要な建物その他の設備

（方法の基準）

第四条 第一条第一号に掲げる方法に係る法第百八条の三十二の三第一項第三号イの国家公安委員会規則で定める基準は、次に掲げるとおりとする。

一 法第八十九条第一項の規定により免許申請書を提出する日又は法第百一条の三第一項に規定する更新期間が満了する日における年齢が七十五歳以上の者に対して行われるものであること。

二 道路交通法施行規則（以下「府令」という。）第二十六条の三第一項に規定する方法により行われるものであり、かつ、府令第二十九条の三第一項第一号の式により数値を算出することにより採点が行われるものであること。

三 あらかじめ検査計画を作成し、これに基づいて行われるものであること。

四 この規則の規定を遵守し、その他第一条第一号に掲げる方法により行う運転免許取得者等検査に係る業務を適正かつ確実に行うことができる者として都道府県公安委員会（以下「公安委員会」という。）が指定する者の運営の下に、行われるものであること。

2 第一条第二号に掲げる方法に係る法第百八条の三十二の三第一項第三号ロの国家公安委員会規則で定める基準は、次に掲げるとおりとする。

一 前項第一号に規定する者（法第七十一条の五第三項に規定する普通自動車対応免許を受けようとし、又は現に受けている者であって、道路交通法施行令（昭和三十五年政令第二百七十号）第三十四条の三第四項又は第三十七条の六の三の基準に該当するものに限る。）に対して行われるものであること。

二 府令第二十六条の五第一項各号に掲げる項目を含む項目について、同条第二項及び第五項に規定する方法により、普通自動車を使用して行われるものであり、かつ、同条第三項に規定する方法により採点が行われるものであること。

三 あらかじめ検査計画を作成し、これに基づいて行われるものであること。

四 この規則の規定を遵守し、その他第一条第二号に掲げる方法により行う運転免許取得者等検査に係る業務を適正かつ確実に行うことができる者として公安委員会が指定する者の運営の下に、行われるものであること。

（運転免許取得者等検査の基準）

第五条 府令第二十六条の六第二号の国家公安委員会規則で定める基準は、次の各号に掲げる者の区分に応じ、当該各号に定める基準とする。

一 大型第二種免許、中型第二種免許又は普通第二種免許を受けようとし、又は現に受けている者 八十パーセント未満の成績であること。

二 前号に掲げる者以外の者 七十パーセント未満の成績であること。

2 府令第二十九条の三第一項第二号の国家公安委員会規則で定める基準は、同項第一号の式により算出した数値が三十六未満であることとする。

（認定の申請）

第六条 法第百八条の三十二の三第一項の認定を受けようとする者は、公安委員会に、次に掲げる事項を記載した申請書を提出しなければならない。

一 氏名又は名称及び住所並びに法人にあっては、その代表者の氏名

二 運転免許取得者等検査に使用する施設の名称

三 運転免許取得者等検査に使用する施設の所在地

四 運転免許取得者等検査の方法の区分

五 運転免許取得者等検査の方法の名称

2 前項の申請書には、次に掲げる書類を添付しなければならない。

一 申請者が個人である場合はその住民票の写し、法人である場合はその定款及び登記事項証明書

二 運転免許取得者等検査員の名簿

三　次のイ又はロに掲げる者の区分に応じ、当該イ又はロに定める書面
イ　第二条第一号に定める運転免許取得者等検査員　同号に定める者であることを証する書面
ロ　第二条第二号に定める運転免許取得者等検査員　同号イに該当する者であることを証する書面及び同号ロに該当する者であることを誓約する書面
四　第一条第二号に掲げる方法により行う運転免許取得者等検査にあっては、当該運転免許取得者等検査に用いるコースの種類、形状及び構造を明らかにした図面
五　運転免許取得者等検査に用いる建物その他の設備の状況を明らかにした図面
六　運転免許取得者等検査に用いる普通自動車その他の器材の一覧表
七　運転免許取得者等検査に係る検査方法、年間の実施回数等を定めた検査計画書

3　法第九十八条第二項の規定による届出をした自動車教習所を設置し、若しくは管理する者又は法第百八条の三十二の二第一項若しくは第百八条の三十二の三第一項の認定を現に受けている者が、当該届出をし、又は当該認定を受けた公安委員会から同項の認定を受けようとする場合の申請書には、前項の規定にかかわらず、同項第一号に掲げる書類を添付することを要しない。

（認定の公示）
第七条　法第百八条の三十二の三第二項において読み替えて準用する法第百八条の三十二の二第二項の規定による公示は、次に掲げる事項について行うものとする。
一　認定をした旨
二　前条第一項各号に掲げる事項
三　認定をした年月日

（変更の届出等）
第八条　法第百八条の三十二の三第一項の認定を受けて運転免許取得者等検査を行う者（第三項において「認定検査実施者」という。）は、第六条第一項第一号、第二号又は第五号に掲げる事項を変更しようとするときは、あらかじめその旨を公安委員会に届け出なければならない。
2　公安委員会は、前項の規定による届出があったときは、当該変更に係る事項を公示しなければならない。
3　認定検査実施者は、第六条第二項各号に掲げる書類の内容に変更があったときは、その旨を公安委員会に届け出なければならない。

（書類の交付）
第九条　第一条第一号に掲げる方法により行う運転免許取得者等検査で法第百八条の三十二の三第一項の認定を受けたもの（以下この条において「認定認知機能検査」という。）又は第一条第二号に掲げる方法により行う運転免許取得者等検査で同項の認定を受けたもの（以下この条において「認定運転技能検査」という。）（以下この条及び次条において「特定検査」という。）を行う者は、特定検査を受けた者からの申出により、次の各号に掲げる者の区分に応じ、当該各号に定める書類を交付するものとする。
一　認定認知機能検査を受けた者　次に掲げる事項を記載した書類
イ　認定認知機能検査を受けた者の住所、氏名及び生年月日
ロ　認定認知機能検査を受けた年月日
ハ　認定認知機能検査を受けた場所
ニ　認定認知機能検査の結果
二　認定運転技能検査を受けた者　次に掲げる事項を記載した書類
イ　認定運転技能検査を受けた者の住所、氏名及び生年月日
ロ　認定運転技能検査を受けた年月日
ハ　認定運転技能検査を受けた場所
ニ　認定運転技能検査の結果

（帳簿）
第一〇条　特定検査を行う者は、帳簿を備え、次に掲げる事項を記載しなければならない。
一　特定検査を受けた者の住所、氏名、生年月日及び性別並びに当該特定検査の種別
二　特定検査の結果及び当該特定検査を行った年月日
三　特定検査に従事した運転免許取得者等検査員の氏名
2　特定検査を行う者は、前項の帳簿を当該特定検査を行った日から一年間保存しなければならない。

（電磁的方法による記録）
第一一条　前条第一項各号に掲げる事項が電磁的方法（電子的方法、磁気的方法その他の人の知覚によって認識することができない方法をいう。第十四条において同じ。）により記録され、当該記録が必要に応じ電子計算機その他の機器を用いて直ちに表示されることができるようにして保存されるときは、当該記録の保存をもって前条第二項に規定する当該事項が記載された帳簿の保存に代えることができる。
2　前項の規定による保存をする場合には、国家公安委員会が定める基準を確保するよう努めなければならない。

（報告事項）
第一二条　府令第三十八条の四の七において読み替えて準用する同令第三十八条の四の六第一項第二号の国家公安委員会規則で定める事項は、運転免許取得者等検査に係る検査方法、検査結果及び年間の実施回数に関するものとする。

（認定の取消しの公示）
第一三条　公安委員会は、法第百八条の三十二の三第二項において読み替えて準用する法第百八条の三十二の二第五項の規定による認定の取消しを行ったときは、その旨を公示しなければならない。

（電磁的記録媒体による手続）
第一四条　次の各号に掲げる書類の当該各号に定める規定による提出については、公安委員会が定めるところにより、当該書類の提出に代えて当該書類に記載すべきこととされている事項を記録した電磁的記録媒体（電磁的記録（電磁的方法で作られる記録であって、電子計算機による情報処理の用に供されるものをいう。）に係る記録媒体をいう。）及び別記様式の電磁的記録媒体提出票を提出することにより行うことができる。
一　申請書　第六条第一項
二　定款　第六条第二項
三　名簿　第六条第二項
四　器材の一覧表　第六条第二項
五　検査計画書　第六条第二項

附　則

この規則は、道路交通法の一部を改正する法律（令和二年法律第四十二号）の施行の日（令和四年五月十三日）から施行する。

附　則〔令和四・九・一四国家公安委員会規則一六〕

この規則は、道路交通法の一部を改正する法律附則第一条第二号に掲げる規定の施行の日（令和四年十月一日）から施行する。

附　則〔令和五・三・一七国家公安委員会規則五〕

（施行期日）
1　この規則は、道路交通法の一部を改正する法律（令和四年法律第三十二号）附則第一条第三号に掲げる規定の施行の日（令和五年七月一日）から施行する。

（経過措置）
2　この規則の施行の日前に道路交通法の一部を改正する法律第三条の規定による改正前の道路交通法（昭和三十五年法律第百五号。以下この項において「旧法」という。）第八十四条第一項に規定する自動車等の運転に関し自動車の運転により人を死傷させる行為等の処罰に関する法律（平成二十五年法律第八十六号）第二条から第六条までの罪又は旧法に規定する罪を犯し

た者に対する次の表の上欄に掲げる規定の適用については、これらの規定中同表の中欄に掲げる字句は、それぞれ同表の下欄に掲げる字句とする。

上欄	中欄	下欄
指定講習機関に関する規則第五条第三号ハ及び運転免許取得者等教育の認定に関する規則第二条第一号ロ(3)	自動車等	自動車等及び道路交通法の一部を改正する法律（令和四年法律第三十二号）第三条の規定による改正前の法第八十四条第一項に規定する自動車等
届出自動車教習所が行う教習の課程の指定に関する規則第一条第二項第一号ロ(4)及び運転免許取得者等検査の認定に関する規則第二条第二号ロ(2)	及び一般原動機付自転車（法第十八条第一項に規定する一般原動機付自転車をいう。）	、一般原動機付自転車（法第十八条第一項に規定する一般原動機付自転車をいう。）及び道路交通法の一部を改正する法律（令和四年法律第三十二号）第三条の規定による改正前の法第八十四条第一項に規定する自動車等
交通安全活動推進センターに関する規則第六条第一項第二号	及び一般原動機付自転車（法第十八条第一項に規定する一般原動機付自転車をいう。第四号において同じ。）	、一般原動機付自転車（法第十八条第一項に規定する一般原動機付自転車をいう。第四号において同じ。）及び道路交通法の一部を改正する法律（令和四年法律第三十二号）第三条の規定による改正前の法第八十四条第一項に規定する自動車等

別記様式（第14条関係）

電磁的記録媒体提出票

年　月　日

提出者の名称

住　　所

公安委員会　殿

運転免許取得者等検査の認定に関する規則 第6条第1項／第6条第2項 の規定により提出すべき書類に記載することとされている事項を記録した電磁的記録媒体を以下のとおり提出します。

本票に添付されている電磁的記録媒体に記録された事項は、事実に相違ありません。

1　電磁的記録媒体に記録された事項

2　電磁的記録媒体と併せて提出される書類

備考
1　「電磁的記録媒体に記録された事項」の欄には、電磁的記録媒体に記録されている事項を記載するとともに、2以上の電磁的記録媒体を提出するときは、電磁的記録媒体ごとに整理番号を付し、その番号ごとに記録されている事項を記載すること。
2　「電磁的記録媒体と併せて提出される書類」の欄には、本票に添付されている電磁的記録媒体に記録されている事項以外の事項を記載した書類を併せて提出する場合にあっては、その書類名を記載すること。
3　不要の文字は、横線で消すこと。
4　該当事項がない欄は、省略すること。
5　用紙の大きさは、日本産業規格A列4番とする。

○重度の傷病者でその居宅において療養しているものについていつでも必要な往診をすることができる体制を確保しているものとして国家公安委員会が定める基準を定める件

〔平成二二・三・三〇
国家公安委員会告示八〕

道路交通法施行令（昭和三十五年政令第二百七十号）第十三条第一項第一号の六の規定に基づき、重度の傷病者でその居宅において療養しているものについていつでも必要な往診をすることができる体制を確保しているものとして国家公安委員会が定める基準を次のように定める。

道路交通法施行令第十三条第一項第一号の六の国家公安委員会が定める基準は、次に掲げるとおりとする。

一　重度の傷病者でその居宅において療養している患者（以下単に「患者」という。）の患家からいつでも連絡を受けることができる医師又は看護職員及び当該患家の求めに応じて患者の居宅をいつでも往診することができる医師をあらかじめ指定し、その氏名、連絡先、担当日等を文書により当該患家に提供していること。

二　患者の疼痛等を直ちに緩和することが必要な場合において、自動車による緊急の往診をすることができること。

附　則

この告示は、道路交通法施行令の一部を改正する政令（平成二十一年政令第十二号）附則第一条ただし書に規定する規定の施行の日（平成二十一年四月一日）から施行する。

○交通の方法に関する教則

〔昭和53.10.30
国家公安委員会告示3〕

改正　前略…平成21.4国公委告11、12国公委告29、平成22.12国公委告34、平成23.9国公委告23、平成24.3国公委告8、平成25.11国公委告41、平成26.5国公委告21、平成28.10国公委告54、平成29.6国公委告31、10国公委告63、平成30.12国公委告59、令和元.9国公委告36、令和2.3国公委告15、11国公委告48、国公委告50、令和3.4国公委告17、6国公委告29、9国公委告52、令和4.2国公委告13、3国公委告18、12国公委告53、令和5.3国公委告15、8国交委告35、令和6.3国交委告10

第1章　歩行者と運転者に共通の心得

車は、私たちの生活から切り離せない身近な文明の利器になつています。しかし、その反面、使い方を誤まると悲惨な交通事故を起こす凶器になつたり、騒音、振動などにより沿道住民に大きな被害を及ぼす原因になつたりします。また、自分勝手な通行の仕方がもとで争いが生じ、人間関係を険悪化させる場面も日常よく見受けられます。

くるま社会においては、歩行者も運転者もそれぞれの責任を自覚して、周りの人に迷惑を掛けず、安全、快適に通行することができるような交通環境をつくりあげるよう努めなければなりません。そのためには、あらかじめ、車と交通について正しい知識を持ち、正しい交通の方法を身に付けておくとともに、実際の交通の場においても、自分本位でなく相手に対する思いやりの気持ちを持つて、判断し、行動することが必要です。

この教則は、歩行者と運転者が、それぞれの責任を自覚して、安全、快適なくるま社会を築いていくための手引きとして作られたものです。繰り返し読んで、正しい交通の方法を理解し、身に付けるとともに、友人や家族、特に子供たちにも折に触れて教えてあげるようにして下さい。

第1節　基本的な心構え

1　交通規則を守ること

道路は、多数の人や車が通行するところです。運転者や歩行者が一人でも自分勝手に通行すると、交通が混乱したり、交通事故が起きたりします。また、自分だけはよくても、ほかの人に迷惑を掛けたりすることがあります。

交通規則は、このようなことから、みんなが道路を安全、円滑に通行する上で守るべき共通の約束事として決められているものです。言い換えれば、交通規則を守ることは、社会人としての基本的な責務なのです。

交通規則の内容は、この教則で述べられていますが、具体的には、信号機や標識などによつて個々に示されていますので、それらの意味をよく理解し、決められた交通規則をお互いに守るようにしましよう。

2　道路を通行するときの心構え

道路を通行するときは、決められた交通規則を守ることはもちろん、それ以外にも、道路や交通の状況に応じて、個々に細かい配慮をしなければなりません。ほかの人々が安全に通行できるように配慮することは、運転者や歩行者としての社会的責任でもあります。道路を通行するときには、次のような心構えを忘れないようにしましよう。

(1)　周りの歩行者や車の動きに注意し、相手の立場について思いやりの気持ちを持つて通行すること。

(2)　自分の通行の利便だけを考えるのではなく、沿道で生活している人々に対して、不愉快な騒音などの迷惑を掛けないように配慮すること。

(3)　万一の場合に備えて、自動車保険に加入したり、応急救護処置（交通事故の現場においてその負傷者を救護するため必要な応急の処置をいいます。）に必要な知識を身に付けたり、救急用具を車に備え付けたりするなど平素から十分な用意をしておくこと。

(4)　交通事故や、故障で困つている人を見たら、連絡や救護に当たるなど、お互いに協力しあうこと。

(5)　自動車の運転者はもちろん、歩行者、特定小型原動機付自転車（第3章第1節2の特定小型原動機付自転車をいいます。）や自転車に乗る人も、自動車の死角、内輪差など自動車の特性をよく知つておくこと。

(6)　自動運転車（第5章第9節3の自動運転車をいいます。）については、運転者が前方を見ないで使われることもあることをよく知つておくこと。また、特定自動運行（自動運転車が整備不良車両に該当することとなつたとき又は搭載されている自動運行装置の使用が使用条件を満たさないこととなつたときに、直ちに自動的に安全な方法で当該自動運転車を停止させることができる自動運行装置を使用条件内で使用して当該自動運転車を運行することをいいます。）中の自動運転車については、運転者がいないことや道路上で突然停止することがあることをよく知つておくこと。

(7) 遠隔操作型小型車（第２章第１節３の遠隔操作型小型車をいいます。）については、通行させている人が近くにいないこともあることや道路上で突然停止することがあることをよく知つておくこと。

(8) 道路に物を投げ捨てたり、勝手に物を置いたり、その他周りの人の通行の妨害や迷惑になるようなことをしないこと。

第２節　信号、標識・標示に従うこと

1　信号の意味

(1) 信号機の信号に従つて通行しなければなりません。信号機の信号の種類とその意味は、付表１(1)、(2)のとおりです。

(2) 信号機の信号は、前方の信号を見るようにしましよう。横の信号が赤であつても、前方の信号が青であるとは限りません。例えば、全方向が一時的に赤になる信号や、時差式信号機のように特定方向の信号が赤に変わる時間をずらせているものもあります。

(3) 人の形の記号のある信号は、歩行者及び遠隔操作型小型車（遠隔操作により道路を通行しているものに限ります。以下この(3)において同じです。）と横断歩道を進行する特例特定小型原動機付自転車（第３章第３節１(3)の特例特定小型原動機付自転車をいいます。）及び普通自転車（第３章第２節３の普通自転車をいいます。）に対するものですが、特定小型原動機付自転車及びその他の自転車もその信号機に「歩行者・自転車専用」と表示されている（付表２(1)）場合は、その信号機の信号に従わなければなりません。この場合の信号機の信号の意味は付表１(2)のとおりです。また、「バス専用」などの標示板（付表２(1)）のある信号機の信号は、その示されている車（注１）を対象としています。このように車や歩行者及び遠隔操作型小型車に対して信号が特定されているときは、その特定された信号に従わなければなりません。

(4) 道路の左端や信号機に、白地に青の左向きの矢印の標示板（付表２(2)）のあるときは、車は、前方の信号が赤や黄であつても、歩行者など周りの交通に注意しながら左折できます。この場合、信号機の信号に従つて横断している歩行者、特定小型原動機付自転車や自転車の通行を妨げてはいけません。

2　標識の意味

(1) 標識とは、交通規制などを示す標示板のことをいい、本標識と補助標識があります。本標識には、規制標識、指示標識、警戒標識、案内標識の４種類があります。標識の種類とその意味は付表３(1)のとおりです。

(2) 規制標識は、特定の交通方法を禁止したり、特定の方法に従つて通行するよう指定したりするものです。例えば、自動車の通行を禁止する標識（付表３(1)４）、最高速度を指定する標識（付表３(1)25）などがあります。

(3) 指示標識は、特定の交通方法ができることや道路交通上決められた場所などを指示するものです。例えば、駐車することができることを示す標識（付表３(1)53）、横断歩道や安全地帯の場所を示す標識（付表３(1)57、59）などがあります。

(4) 警戒標識は、道路上の危険や注意すべき状況などを前もつて道路利用者に知らせて注意を促すものです。例えば、前方に踏切があることを示す標識（付表３(1)181）、道路工事中であることを示す標識（付表３(1)193）などがあります。

(5) 案内標識は、地点の名称、方面、距離などを示して、通行の便宜を図ろうとするものです。

(6) 規制標識など本標識の意味を補足するものとして補助標識が用いられることがあります。補助標識は、普通、本標識の下に取り付けられており、規制の理由を示したり、規制が適用される時間、曜日、自動車の種類などを特定しています。なお、車の種類を特定する場合などには、付表４のような略称を用いることがあります。

3　標示の意味

(1) 標示とは、ペイントや道路びようなどによつて路面に示された線、記号や文字のことをいい、規制標示と指示標示の２種類があります。標示の種類とその意味は付表３(2)のとおりです。

(2) 規制標示とは、特定の交通方法を禁止又は指定するもので、例えば、駐車を禁止する標示（付表３(2)５）やバスの専用通行帯を指示する標示（付表３(2)15）などがあります。指示標示とは特定の交通方法ができることや道路交通上決められた場所などを指示するもので、斜め横断ができることを示す標示（付表３(2)26）や車両の停止位置を示す標示（付表３(2)29、30）などがあります。

第３節　警察官などの指示に従うこと

1　警察官や交通巡視員が手信号や灯火による信号（付表１(3)）により交通整理を行つている場合は、この手信号や信号に従わなければなりません。この場合、手信号や灯火による信号が信号機の信号と違つていても、その警察官や交通巡視員の信号の方が優先します。

2　警察官や交通巡視員が通行の方法などについて必要な指示をすることがありますが、その場合は、警察官や交通巡視員の指示に従つて行動しなければなりません。警察官が行う指示が標識・標示によつて示された交通の規制と違つていても、指示の方が優先します。

第４節　道路でしてはいけないことなど

1　道路上で次のような危険なことをしてはいけません。

(1) 酒に酔つてふらついたり、立ち話をしたり、座つたり、寝そべつたりなどして交通の妨げとなること。

(2) 交通量の多いところでキャッチボールやローラースケートなどをすること。

(3) 道路に向けて物を投げたり、発射したりすること。

(4) 道路を壊したり、汚水、ごみ、くぎ、ガラス片などをまいたり、捨てたりすること。

(5) 車からたばこの吸い殻、紙くず、空きかんなどを投げ捨てたり、体や物を外に出したりすること。

(6) 走つている車や路面電車に外からつかまること。

(7) 運転者の目をくらませるような光を道路に向けること。

(8) 凍り付くおそれのあるときに水をまくこと。

2　道路上に商品などを陳列したり、土砂、材木など交通の妨げになる物を置いたりしてはいけません。

3　信号や標識・標示がよく見えないと非常に危険です。信号機の近くに信号と似た色のネオンサインを設けたり、標識の近くに広告看板を設けたり、また、信号機や標識・標示を勝手に操作したり、移したり、壊したりしてはいけません。

4　免許を持たない人や酒気を帯びた人に運転を頼んだりしてはいけません。また、運転者に先を急がせたり、運転の邪魔になる行為をしないようにしましよう。

5　これから車を運転しようとする人に酒を出したり、勧めたりしてはいけません。

6　運転者に、過積載（積載物の重量の制限を超えて物を積むこ

とをいいます。）をして車を運転することを求めたり、過積載となるような物を売り渡したり、引き渡したりしてはいけません。
注1　車……自動車、原動機付自転車、自転車や荷車などの軽車両、トロリーバスをいいます。

第２章　歩行者の心得

歩行者は、この章に書かれている事柄を守りましよう。

第１節　歩行者と同じ交通規則となる人

次の人の交通規則は、歩行者と同じです。

1　移動用小型車を通行させている人
　移動用小型車は、人の移動の用に供するための原動機を用いる小型の車（遠隔操作により通行させることができるものを除きます。）であつて、次の基準を満たすもののうち、身体障害者用の車以外のものをいいます。移動用小型車は、努めてこれらの基準を満たしているＴＳマークの付いたものを使いましよう。
　なお、移動用小型車を道路において通行させる人は、移動用小型車マーク（付表５⑴）を付けなければなりません。
⑴　長さは120センチメートル、幅は70センチメートル、高さはヘッドサポートを除いた部分の高さが120センチメートルをそれぞれ超えないこと。
⑵　原動機として、電動機を用いること。
⑶　時速６キロメートルを超える速度を出すことができないこと。
⑷　鋭い突出部のないこと。

2　身体障害者用の車を通行させている人
　原動機を用いる身体障害者用の車は、次の基準を満たすものに限られ、遠隔操作により通行させることができるものは除かれます。原動機を用いる身体障害者用の車は、努めてこれらの基準を満たしているＴＳマークの付いたものを使いましよう。
⑴　原則として、長さは120センチメートル、幅は70センチメートル、高さはヘッドサポートを除いた部分の高さが120センチメートルをそれぞれ超えないこと。
⑵　原動機として、電動機を用いること。
⑶　時速６キロメートルを超える速度を出すことができないこと。
⑷　鋭い突出部のないこと。
⑸　自動車や原動機付自転車（一般原動機付自転車（注２）と特定小型原動機付自転車をいいます。）と紛らわしくない外観であること。

3　遠隔操作を行わないで遠隔操作型小型車を通行させている人
　遠隔操作型小型車は、人又は物の運送の用に供するための原動機を用いる小型の車であつて、遠隔操作により通行させることができるもののうち、車体の大きさ及び構造が⑴の基準を満たすものであり、かつ、⑵の基準を満たす非常停止装置を備えているものをいいます。遠隔操作型小型車は、努めてこれらの基準を満たしているＴＳマークの付いたものを使いましよう。

　なお、遠隔操作型小型車を道路において通行させる人は、遠隔操作型小型車マーク（付表５⑵）を付けなければなりません。

⑴　車体の大きさ及び構造
　ア　長さは120センチメートル、幅は70センチメートル、高さはセンサー、カメラその他の通行時の周囲の状況を検知するための装置やヘッドサポートを除いた部分の高さが120センチメートルをそれぞれ超えないこと。
　イ　原動機として、電動機を用いること。
　ウ　時速６キロメートルを超える速度を出すことができないこと。
　エ　鋭い突出部のないこと。
⑵　非常停止装置
　ア　押しボタン（車体の前方及び後方から容易に操作できるものに限ります。）の操作により作動するものであること。
　イ　アの押しボタンとその周囲の部分との色の明度などの差が大きいことにより当該押しボタンを容易に識別できるものであること。
　ウ　作動時に直ちに原動機を停止させるものであること。

4　三輪車などの小児用の車を通行させている人

5　歩行補助車、乳母車やショッピング・カート（台車など）を通行させている人
　原動機を用いる歩行補助車、乳母車又はショッピング・カートについては、次の基準を満たすものに限られます。原動機を用いる歩行補助車、乳母車又はショッピング・カートは、努めてこれらの基準を満たしているＴＳマークの付いたものを使いましよう。
⑴　原則として、長さは120センチメートル、幅は70センチメートル、高さは120センチメートルをそれぞれ超えないこと。
⑵　原動機として、電動機を用いること。
⑶　時速６キロメートルを超える速度を出すことができないこと。
⑷　鋭い突出部のないこと。
⑸　通行させている人が車から離れた場合には、原動機が停止すること。

6　歩きながら用いるための車（普通自転車のサドルを垂直にして使用することができないようにした車など）を通行させている人
　歩きながら用いるための車は、次の基準（原動機を用いないものにあつては⑴の基準）を満たすものに限られます。
⑴　長さは190センチメートル、幅は60センチメートルをそれぞれ超えないこと。
⑵　原動機として、電動機を用いること。
⑶　時速６キロメートルを超える速度を出すことができないこと。
⑷　鋭い突出部のないこと。
⑸　通行させている人が車から離れた場合には、原動機が停止すること。

7　大型自動二輪車、普通自動二輪車、二輪の一般原動機付自転車、特定小型原動機付自転車や自転車を押して歩いている人

第２節　歩行者などの通るところ

1　歩道や幅の十分な路側帯（注３）がある道路では、道路工事などで通行できない場合を除き、その歩道や路側帯を通らなければなりません。
2　歩道に白線と自転車の標示（付表３⑵22）がある場合は、それによつて指定された部分をできるだけ避けて通りましよう。また、道路工事などで歩道や幅の十分な路側帯を通行できない場合を除き、自転車道に入つてはいけません。
3　歩道も幅の十分な路側帯もない道路では、歩行者及び遠隔操作型小型車（遠隔操作により道路を通行しているものに限ります。以下この節において同じです。）は道路の右端を通らなければなりません。しかし、右端を通ると横断を繰り返すことになつてかえつて危険な場合などは左端を通ることができます。
4　歩行者用道路（注４）では、歩行者及び遠隔操作型小型車は道路の中央部を通ることができますが、通行の認められた車が通ることがありますから、注意しましよう。
5　標識によつて歩行者及び遠隔操作型小型車の通行が禁止されている道路や高速自動車国道や自動車専用道路に入つてはいけません。

第3節　横断の仕方

1　横断の場所
横断歩道や信号機のある交差点が近くにあるところでは、その横断歩道や交差点で横断しなければなりません。また、横断歩道橋や横断用地下道が近くにあるところでは、できるだけその施設を利用しましょう。

なお、「歩行者等横断禁止」の標識（付表3(1)42）のあるところでは、横断をしてはいけません。ガードレールのあるところで横断するのも極めて危険です。また、自転車横断帯には入らないようにしましょう。

2　信号機のある場所で横断しようとするとき
(1)　信号が青になってから横断しましょう。歩行者用の信号機のあるところでは、その信号に従いましょう。
(2)　信号が青になっても、右左の車や路面電車が止まったのを確かめてから横断しましょう。信号の変わりそうなときは、無理をしないで、次の青信号を待ちましょう。
(3)　歩行者用の信号の青の点滅は、黄信号と同じ意味です。青の点滅になったら横断を始めてはいけません。
(4)　押ボタン式の歩行者用信号機のあるところでは、ボタンを押して青信号に変わるのを待ちましょう。
(5)　道路を斜めに横断してはいけません。しかし、交差点で車に対する信号を全部赤にして車を止め、歩行者の自由な通行が認められているところ（スクランブル交差点）では、歩行者用の信号に従って斜め横断もできます。

3　信号機のない場所で横断しようとするとき
(1)　近くに横断歩道橋や横断用地下道など安全に横断できる施設がないときは、道路がよく見渡せる場所を探しましょう。
(2)　歩道の縁や道路の端に立ち止まって、右左をよく見て、車が近づいて来ないかどうか確かめましょう。特に、左方向から進行してくる車は、遠くにあるように見えても、横断中に近づいて来ますので、注意しましょう。
(3)　車が近づいているときは、通り過ぎるまで待ちます。そして、もう一度右左をよく見て、車が近づいて来ないか確かめましょう。
(4)　車が近づいていないときは、速やかに横断を始めましょう。車が止まってくれたときは、ほかの車の動きに注意し、安全を確認してから横断を始めましょう。この場合、道路を斜めに横断したり走ったりしてはいけません。
(5)　横断するときは、手を上げるなどして運転者に対して横断する意思を明確に伝えるようにしましょう。
(6)　横断中も車が近づいて来ないかどうか周りに気を付けましょう。止まっている車の陰から別の車が突然出てくることがありますから注意しましょう。

第4節　踏切の通り方

1　踏切の手前では、必ず立ち止まって、右左の安全を確かめましょう。一方からの列車が通り過ぎても、すぐ反対方向から別の列車が来ることがありますから注意しましょう。
2　警報機が鳴っているときや、遮断機が降り始めてからは、踏切に入ってはいけません。腕木が半分になっている半遮断式の遮断機の間を縫って渡ることもいけません。
3　警報機が鳴っていないときや、遮断機が降りていないときでも、機械が故障している場合がありますから、必ず安全を確かめてから渡るようにしましょう。

第5節　夜間歩くとき

1　夜間は、歩行者から自動車のライトが見えても、運転者から歩行者がよく見えないことがあります。特に雨などでアスファルトの路面がぬれているときは、歩行者が見えにくくなりますから注意しましょう。
2　夜になると、運転者も疲れてきて、注意力や視力が低下したり、居眠り運転などの危険な運転が多くなったりします。また、歩行者も自動車のスピードやその遠近がよく分からなくなります。横断するときや自動車と擦れ違う場合は、昼間に比べて一層注意しましょう。
3　夜間は、道路の中央付近にいる歩行者は、両方から来る自動車のライトで運転者から瞬間的に見えなくなることがあるので、道路の中央付近で立ち止まることのないよう横断する前に十分気を付けましょう。
4　信号機のない場所で横断するときは、運転者から横断していることがよく分かるよう、道路照明のあるところなどできるだけ明るい場所を選びましょう。
5　夜間歩くときは、運転者から見やすいように、明るい目立つ色の衣服を着用したり、靴、衣服、カバン、つえなどに反射材を付けたりするようにしましょう。

第6節　雨の日などに歩くとき

1　雨の日などは、視界が悪くなりますから、レインコートなどの服装は、運転者から見やすいように、明るい目立つ色のものにしましょう。また、前が見えにくくなるような傘の差し方は、危険ですからやめましょう。
2　雨の日などは、路面が滑るために、自動車の停止距離が長くなったり、歩行者も転びやすくなったりして危険ですから、無理な横断や飛び出しをしないように注意しましょう。

第7節　車に乗るときなど

1　車や路面電車が動いているときに、飛び乗ったり、飛び降りたりしてはいけません。
2　自動車に乗り降りするときは、前後の安全を確かめてからドアを開け、左側から乗り降りしましょう。
3　車や路面電車から降りた後、道路の反対側に渡ろうとするときは、そのすぐ前や、すぐ後ろを横切ってはいけません。

第8節　身体の不自由な人の安全

1　目の見えない人や目の不自由な人は、白か黄のつえを持つか、又は盲導犬を連れて歩かなければなりません。身体が不自由で歩行が困難な人も白か黄のつえを持つか、盲導犬を連れて歩くことができますが、その他の人は紛らわしいのでそのような行為をしてはいけません。
2　身体障害者用の車とは、身体が不自由で歩行が困難な人が移動するための車のことですから、その他の人は道路では使わないようにしましょう。
3　目の見えない人や身体の不自由な人が道路を安全に通行することができるように、点字ブロックの上に物を置かないようにしたり、障害物を取り除いたりしておきましょう。
また、目の見えない人や身体の不自由な人が道路を通行している場合は、そばにいる人は、道路を空けたり、交差点や踏切など危険な場所で困っているのを見たときは、手を貸したり、合図をしたりして安全に通行することができるようにしてあげたりしましょう。

第９節　子供の安全

1　子供の交通事故のほとんどは、道路を横断しているときや横断しようとして道路に飛び出したときに起こつています。

父母などの保護者は、子供特に幼児に、右左をよく見て安全を確かめてから横断を始め、横断中も車に気を付けるという正しい横断の仕方を身に付けさせるように繰り返し教えましよう。そのためには、保護者自ら交通規則を守り、手本を示すようにしましよう。

2　保護者は、交通量の多い道路や踏切の付近で子供を遊ばせたり、幼児を独り歩きさせたりしてはいけません。子供がこれらの場所で遊んでいるときは、その場に居合わせた人は、声を掛けてすぐにやめさせるようにしましよう。

3　子供を連れて道路を歩くときは、保護者が車の通る側を歩きましよう。

4　幼児は、興味のあるものや知つている人を見掛けると、いきなり道路に飛び出すことがありますから、しつかり手をつなぎ幼児から目を離さないようにしましよう。

5　保護者が買い物や立ち話に夢中になつているときなどが大変危険です。また、幼児が道路の向こう側にいるときは呼び掛けないなどの細かい心遣いが必要です。

6　車や路面電車などに乗るときは、子供を先に乗せ、降りるときは、保護者が先に降りるようにしましよう。また、車から子供だけを降ろすときは、子供が道路を横断しなくてもすむような位置に止めるようにしましよう。

7　子供が遊びに出るときは、保護者に行き先を告げる習慣をつけさせましよう。あまり遠くへ行つたり、暗くなるまで遊んだりしないように保護者がよく注意しましよう。

8　子供の服や履物は、できるだけ活動しやすいものにし、また、なるべく明るい目立つ色のものにしましよう。

9　子供が幼稚園や学校に行くときは早めに送り出し、また、忘れ物をさせないように気を付けましよう。時間ぎりぎりに家を出て先を急いだり、忘れ物をしてあわてて戻つたりするときに事故を起こしがちです。

10　子供が道路や踏切などを横断しようとしているときは、そばにいる人は、安全に横断できるようにしてあげましよう。

第10節　高齢者の安全

1　高齢者は、加齢に伴う身体の機能の変化により、個人差があるものの、一般的に歩行が遅くなり、道路の横断に時間がかかるようになります。つえを持つて歩いていたり、歩行補助車を使つていたり、その通行に支障のある高齢者が、道路を横断している場合や横断しようとしている場合には、そばにいる人は、手を貸したり、合図をしたりして安全に横断できるようにしてあげましよう。

2　高齢者の歩行中の交通事故の多くは、夜間に起こつています。家族などは、高齢者に対して、夜間歩くときは、運転者から見やすいように、明るい目立つ色の衣服を着用したり、靴、衣服、カバン、つえなどに反射材を付けたりするように助言しましよう。

第11節　遠隔操作型小型車の通行

1　通行に当たつての注意

(1)　遠隔操作型小型車を道路において通行させる前には、必ずその遠隔操作型小型車の見やすい箇所に遠隔操作型小型車マーク（付表5(2)）を付けていることを確かめましよう。

(2)　道路における遠隔操作による通行を開始しようとする一週間前までに、都道府県公安委員会（以下「公安委員会」といいます。）に届け出なければなりません。

2　遠隔操作型小型車の通行方法

(1)　遠隔操作により道路を通行する遠隔操作型小型車の通行方法は、原則として歩行者と同じです。ただし、歩行者の通行を妨げることとなるときは、歩行者に進路を譲らなければなりません。

(2)　遠隔操作型小型車の遠隔操作を行う人は、遠隔操作のための装置を確実に操作し、他人に危害を及ぼさないような速度と方法で通行させなければなりません。

注２　一般原動機付自転車……二輪のもの及び内閣総理大臣が指定する三輪以上のものにあつては、総排気量については50cc以下、定格出力については0.60キロワット以下、その他のものにあつては、総排気量については20cc以下、定格出力については0.25キロワット以下の総排気量又は定格出力を有する原動機付自転車であつて、特定小型原動機付自転車に該当するもの以外のものをいいます。

注３　路側帯……歩道のない道路で、歩行者の通行のためや車道の効用を保つための白の線によつて区分された道路の端の帯状の部分をいいます。

注４　歩行者用道路……歩行者の安全のために標識（付表3(1)30）によつて自動車などの通行を禁止している道路をいいます。

第３章　特定小型原動機付自転車や自転車に乗る人の心得

特定小型原動機付自転車や自転車の通行方法は、特別の場合のほかは自動車と同じです。特定小型原動機付自転車や自転車に乗るときは、特にこの章に書かれている事柄に注意しましよう。

第１節　特定小型原動機付自転車の正しい乗り方

1　特定小型原動機付自転車に乗るに当たつての心得

(1)　酒を飲んだときや疲れが激しいときは、乗つてはいけません。

(2)　ハンドル、ブレーキ、灯火装置その他の各装置が整備されていないため、交通の危険を生じさせたり、ほかの人に迷惑を及ぼしたりするおそれのある特定小型原動機付自転車を運転してはいけません。

(3)　二人乗りをしてはいけません。

(4)　16歳未満の人に、特定小型原動機付自転車を貸してはいけません。

(5)　傘を差したり、物を手やハンドルに提げたりして乗るのはやめましよう。犬などの動物を引きながら特定小型原動機付自転車に乗るのも危険です。

(6)　げたやハイヒールを履いて乗らないようにしましよう。

(7)　特定小型原動機付自転車に荷物を積むときは、運転の妨げになつたり、不安定となつたりするなどして、危険な場合があるので、そのような積み方をしてはいけません。傘を特定小型原動機付自転車に固定して運転するときも、不安定となつたり、視野が妨げられたり、傘が歩行者やほかの車に接触したりするなどして、危険な場合があります。

(8)　特定小型原動機付自転車に乗るときは、乗車用ヘルメットをかぶりましよう。乗車用ヘルメットは、努めてＳＧマークなどの安全性を示すマークの付いたものを使い、あごひもを確実に締めるなど正しく着用しましょう。

(9) 特定小型原動機付自転車に乗るときは、運転者から見やすいように、明るい目立つ色の衣服を着用するようにしましょう。夜間は、反射材用品等を着用するようにしましょう。

(10) 特定小型原動機付自転車は、クラッチ操作がいらない分、スロットルを急に回転させると急発進する危険がありますので注意しましょう。

(11) 特定小型原動機付自転車は、必ず自動車損害賠償責任保険（自賠責保険）か責任共済に加入しなければなりません。また、なるべく一般の任意保険にも加入するようにしましょう。

2 特定小型原動機付自転車の大きさ等の基準

特定小型原動機付自転車は、車体の大きさ及び構造が自転車道における他の車両の通行を妨げないものであり、かつ、その運転に高い技能を要しないものである車として、次の基準を満たす原動機付自転車をいいます。

(1) 長さは190センチメートル、幅は60センチメートルをそれぞれ超えないこと。

(2) 原動機として、定格出力が0.60キロワット以下の電動機を用いること。

(3) 時速20キロメートルを超える速度を出すことができないこと。

(4) 構造上出すことができる最高の速度を複数設定することができるものにあつては、走行中に当該最高の速度の設定を変更することができないこと。

(5) オートマチック車であること。

(6) 最高速度表示灯を備えていること。

3 特定小型原動機付自転車の点検

特定小型原動機付自転車に乗る前には、次の要領で点検をし、悪い箇所があつたら整備に出しましょう。また、定期的に販売店などへ行つて点検や整備をしてもらいましょう。特定小型原動機付自転車は、努めて特定小型原動機付自転車の安全性を示すマークである性能等確認済シールや型式認定番号標の付いたものを使いましょう。

(1) ブレーキの遊びや効きは十分か。

(2) 車輪にガタやゆがみはないか。

(3) タイヤの空気圧は適正か。

(4) ハンドルが重くないか。ワイヤーが引つ掛かつていないか。ガタはないか。

(5) 灯火はすべて正常に働くか。

4 特定小型原動機付自転車の正しい乗り方

(1) 特定小型原動機付自転車に乗るときは、見通しのきく道路の左端で、後方と前方の安全を確かめてから発進しましょう。

(2) 右折、左折する場合は、できるだけ早めに合図をしましょう。

(3) 両手でハンドルを確実に握つて運転しましょう。片手運転をしてはいけません。

(4) 停止するときは、安全を確かめた後、早めに停止の合図を行い、まず静かに後輪ブレーキを掛けて十分速度を落としながら道路の左端に沿つて停止し、左側に降りましょう。

第2節　自転車の正しい乗り方

1 自転車に乗るに当たつての心得

(1) 酒を飲んだときや疲れが激しいときは、乗つてはいけません。

(2) ブレーキが故障している自転車には乗つてはいけません。また、尾灯、反射器材のない自転車には、夜間乗つてはいけません。なお、反射器材は努めてＪＩＳマークの付いたものを使いましょう。

(3) サドルにまたがつたときに、足先が地面に着かないような、体に合わない自転車には乗らないようにしましょう。

(4) 交通量の少ない場所でも二人乗りは危険ですからやめましょう。ただし、幼児用の座席に幼児を乗せているときは別です。

(5) 傘を差したり、物を手やハンドルに提げたりして乗るのはやめましょう。犬などの動物を引きながら自転車に乗るのも危険です。

(6) げたやハイヒールを履いて乗らないようにしましょう。

(7) 自転車に荷物を積むときは、運転の妨げになつたり、不安定となつたりするなどして、危険な場合があるので、そのような積み方をしてはいけません。傘を自転車に固定して運転するときも、不安定となつたり、視野が妨げられたり、傘が歩行者やほかの車に接触したりするなどして、危険な場合があります。

(8) 自転車に乗るときは、乗車用ヘルメットをかぶりましょう。乗車用ヘルメットは、努めてＳＧマークなどの安全性を示すマークの付いたものを使い、あごひもを確実に締めるなど正しく着用しましょう。

(9) 子供の保護者は、子供が自転車を運転するときや、幼児を幼児用座席に乗せるときは、子供に乗車用ヘルメットをかぶらせるようにしましょう。また、シートベルトを備えている幼児用座席に幼児を乗せるときは、シートベルトを着用させましょう。

(10) 自転車に乗るときは、運転者から見やすいように、明るい目立つ色の衣服を着用するようにしましょう。夜間は、反射材用品等を着用するようにしましょう。

(11) 自転車による交通事故でも、自転車の運転者に多額の損害賠償責任が生じるおそれがありますので、生じた損害を賠償するための保険等に加入するようにしましょう。

2 自転車の点検

自転車に乗る前には、次の要領で点検をし、悪い箇所があつたら整備に出しましょう。また、定期的に自転車安全整備店などへ行つて点検や整備をしてもらいましょう。自転車は、努めてＴＳマーク、ＪＩＳマーク、ＢＡＡマーク、ＳＧマークなどの自転車の車体の安全性を示すマークの付いたものを使いましょう。

(1) サドルは固定されているか。また、またがつたとき、両足先が地面に着く程度に調節されているか。

(2) サドルにまたがつてハンドルを握つたとき、上体が少し前に傾くように調節されているか。

(3) ハンドルは、前の車輪と直角に固定されているか。

(4) ペダルが曲がつているなどのために、足が滑るおそれはないか。

(5) チエーンは、緩み過ぎていないか。

(6) ブレーキは、前・後輪ともよく効くか（時速10キロメートルのとき、ブレーキを掛けてから3メートル以内で止まれるか。）。

(7) 警音器は、よく鳴るか。

(8) 前照灯は、明るいか（10メートル前方がよく見えるか。）。

(9) 方向指示器や変速機のある場合は、よく作動するか。

(10) 尾灯や反射器材（後部反射器材と側面反射器材）は付いているか。また、後方や側方からよく見えるか。

(11) タイヤには十分空気が入つているか。また、すり減つていないか。

(12) 自転車の各部品は、確実に取り付けられているか。

3 普通自転車の確認

車体の大きさと構造が、次の要件に合つた自転車で、他の車両をけん引していない自転車を普通自転車といいます。ＴＳマークの付いた自転車は、これらの要件を満たしています。なお、使用する自転車がＴＳマークの付いていない自転車であるときには、普通自転車であるか否かを自転車安全整備店で確認してもらいましょう。

(1) 四輪以下の自転車であること。
(2) 長さは190センチメートル、幅は60センチメートルをそれぞれ超えないこと。
(3) 側車を付けていないこと（補助車輪は、側車には含まれません。）。
(4) 乗車装置（幼児用座席を除きます。）は、一つであること。
(5) ブレーキは、走行中容易に操作できる位置にあること。
(6) 鋭い突出部のないこと。

4 自転車の正しい乗り方

(1) 自転車に乗るときは、見通しのきく道路の左端で、後方と前方の安全を確かめてから発進しましょう。
(2) 右折、左折する場合は、できるだけ早めに合図をしましょう。
(3) サドルにまたがって、両手でハンドルを握ったときに、上半身が少し前に傾き、ひじが軽く曲がるようにするのが疲れない姿勢です。
(4) 両手でハンドルを確実に握って運転しましょう。合図をする場合のほかは、片手運転をしてはいけません。
(5) 停止するときは、安全を確かめた後、早めに停止の合図（右腕を斜め下にのばすこと。）を行い、まず静かに後輪ブレーキを掛けて十分速度を落としながら道路の左端に沿って停止し、左側に降りましょう。

第3節　安全な通行

1 特定小型原動機付自転車や自転車の通るところ

(1) 特定小型原動機付自転車や自転車は、歩道と車道の区別のある道路では、車道を通るのが原則です。また、普通自転車は、自転車道のあるところでは、道路工事などの場合を除き、自転車道を通らなければなりません。

なお、特定小型原動機付自転車や自転車は、高速自動車国道や自動車専用道路に入ってはいけません。

(2) 特定小型原動機付自転車や自転車は、車道や自転車道を通るときは、その中央（中央線があるときは、その中央線）から左の部分を、その左端に沿って通行しなければなりません。ただし、標識（付表3(1)32、32の2、33、33の2）や標示（付表3(2)14、14の2、15）によって通行区分が示されているときは、それに従わなければなりません。しかし、道路工事などでやむを得ない場合は別です。

(3) 特定小型原動機付自転車のうち、次の要件を満たしており、かつ、他の車両を牽引していない特定小型原動機付自転車を特例特定小型原動機付自転車といいます。

ア 最高速度表示灯を点滅させることにより、歩道や路側帯を通行することができるものであることを表示していること。

イ 時速6キロメートルを超える速度を出すことができないこと。

ウ 次の構造の基準を満たしていること。

(ア) 側車を付していないこと。

(イ) ブレーキは、走行中容易に操作できる位置にあること。

(ウ) 鋭い突出部のないこと。

特例特定小型原動機付自転車と自転車は、道路の中央から左の部分に設けられた路側帯を通ることができます。しかし、歩行者の通行に大きな妨げとなるところや、白の二本線の標示（付表3(2)11）のあるところは通れません。

(4) 特例特定小型原動機付自転車は、歩道に特例特定小型原動機付自転車・普通自転車歩道通行可の標識（付表3(1)29）や標示（付表3(2)21の2、22）がある場合に限り、歩道の車道寄りの部分（歩道に白線と自転車の標示（付表3(2)22）がある場合は、それによって指定された部分）を通ることができます。ただし、警察官や交通巡視員が歩行者の安全を確保するため歩道を通ってはならない旨を指示したときは、その指示に従わなければなりません。

(5) 普通自転車は、次の場合に限り、歩道の車道寄りの部分（歩道に白線と自転車の標示（付表3(2)22）がある場合は、それによって指定された部分）を通ることができます。ただし、警察官や交通巡視員が歩行者の安全を確保するため歩道を通ってはならない旨を指示したときは、その指示に従わなければなりません。

ア 歩道に特例特定小型原動機付自転車・普通自転車歩道通行可の標識（付表3(1)29）や標示（付表3(2)21の2、22）があるとき。

イ 13歳未満の子供や70歳以上の高齢者や身体の不自由な人が普通自転車を運転しているとき。

ウ 道路工事や連続した駐車車両などのために車道の左側部分を通行することが困難な場所を通行する場合や、著しく自動車などの交通量が多く、かつ、車道の幅が狭いなどのために、追越しをしようとする自動車などとの接触事故の危険がある場合など、普通自転車の通行の安全を確保するためやむを得ないと認められるとき。

(6) 自転車は、道路を横断しようとするとき、近くに自転車横断帯があれば、その自転車横断帯を通行しなければなりません。また、横断歩道は歩行者の横断のための場所ですので、横断中の歩行者がいないなど歩行者の通行を妨げるおそれのない場合を除き、特定小型原動機付自転車や自転車に乗ったまま通行してはいけません。

2 走行上の注意

特定小型原動機付自転車や自転車に乗る場合は、危険な走り方を避けるとともに、側方や後方の車の動きにも十分注意しましょう。

(1) 特定小型原動機付自転車や自転車は急ブレーキを掛けると転倒しやすく、また、速度を出し過ぎると周囲の状況の確認や、特定小型原動機付自転車や自転車の制御が困難となるので、天候、時間帯、交通の状況などに応じた安全な速度で走らなければなりません。

(2) 車や路面電車のすぐ後ろに続いたり、また、それにつかまって走ったりしてはいけません。

(3) 横断や転回をしようとする場合に、近くに自転車横断帯や横断歩道がない場合には、右左の見通しのきくところを選んで車の途切れたときに渡りましょう。また、道路を斜めに横断しないようにしましょう。

(4) 交差点や踏切の手前などで、停止している車やゆっくり進んでいる車があるときは、その前に割り込んだり、これらの車の間を縫って前へ出たりしてはいけません。

(5) ほかの自転車と並んで走ったり、ジグザグ運転をしたり、競走したりしてはいけません。特定小型原動機付自転車を運転して集団で走行する場合は、ジグザグ運転や巻き込み運転など、ほかの車に危険を生じさせたり、迷惑を及ぼすこととなるような行為をしたりしてはいけません。

(6) 踏切では、一時停止をし、安全を確かめなければなりません。踏切では、特定小型原動機付自転車や自転車を押して渡るようにしましょう。

(7) 路側帯を通るときは、歩行者の通行を妨げてはいけません。

(8) 歩道を通るときは、特例特定小型原動機付自転車や普通自転車は、歩行者優先で通行しなければなりません。この場合、次の方法により通行しなければなりません。

ア すぐ停止できるような速度で徐行すること。ただし、白線と自転車の標示（付表3(2)22）によって指定された部分がある歩道において、その部分を通行し、又は通行しようとする歩行者がいないときは、歩道の状況に応じた安全な速度（すぐ徐行に移ることができるような速度）と方法でその部分を通行することができます。

イ 歩行者の通行を妨げるおそれのある場合は、一時停止すること。

(9) 歩道から車道へ及び車道から歩道への乗り入れは、車道や歩道の状況について安全を確かめてから行いましょう。また、特定小型原動機付自転車で歩道に乗り入れる場合には必ず最高速度の設定を時速6キロメートル以下に切り替えましょう。特に、ひんぱんな乗り入れの連続や交差点の付近での歩道から車道への乗り入れは危険です。また、歩道から車道に乗り入れる場合には、右側通行をすることとならないようにしなければなりません。

(10) 歩道でほかの特例特定小型原動機付自転車や普通自転車と行き違うときは、速度を落としながら安全な間隔を保ち、歩行者に十分注意して、対向する特例特定小型原動機付自転車や普通自転車を右に見ながらよけるようにしましょう。

(11) スマートフォンなどの携帯電話の通話や操作をしたり、傘を差したり、物を担いだりすることによる片手での運転や、ヘッドホンの使用などによる周囲の音が十分聞こえないような状態での運転は、不安定になったり、周囲の交通の状況に対する注意が不十分になるのでやめましょう。

(12) 警音器は、「警笛区間」の標識（付表3(1)37）がある区間内の見通しのきかない交差点などを通行するときや、危険を避けるためやむを得ないときだけ使用し、歩道などでみだりに警音器を鳴らしてはいけません。

(13) 夜間はもちろん、昼間でもトンネルや濃霧の中などでは、ライトをつけなければなりません。また、前から来る車のライトで目がくらんだときは、道路の左端に止まって対向車が通り過ぎるのを待ちましょう。

(14) 走行中、ブレーキやライトなどが故障したときは、特定小型原動機付自転車や自転車を押して歩きましょう。

(15) 路面が凍り付いているところや風雨が強いときは、特定小型原動機付自転車や自転車を押して通りましょう。

3 交差点の通り方

(1) 信号が青になってから横断しましょう。

なお、「歩行者・自転車専用」と表示されている歩行者用信号機がある場合や横断歩道を進行する場合は、歩行者用信号機の信号に従わなければなりません。

(2) 信号機などによる交通整理の行われていない交差点に入るときは、次のことに注意しましょう。

ア 「一時停止」の標識（付表3(1)40）のあるところでは、一時停止をして、安全を確かめなければなりません。

イ 交差点（環状交差点（車の通行の用に供する部分が環状の交差点であつて、「環状の交差点における右回り通行」の標識（付表3(1)ア35の4）によつて車がその部分を右回りに通行すべきことが指定されているものをいいます。）を除きます。）に入るときは、交通量の少ないところでもいきなり飛び出さないで、安全を十分確かめ、速度を落として通りましょう。また、狭い道路から広い道路に出るときは、特に危険ですから一時停止をして安全を確かめましょう。

ウ 環状交差点に入るときは、環状交差点内を通行している車などの方が優先ですから、安全を十分確かめ、十分速度を落として通りましょう。

(3) 交差点（環状交差点を除きます。）での右左折は、次の方法でしなければなりません。

ア 左折するときは、後方の安全を確かめ、その交差点の手前の側端から30メートルの地点に達したときに左折の合図（特定小型原動機付自転車の運転者にあつては左側の方向指示器を操作し、自転車の運転者にあつては右腕の肘を垂直に上に曲げるか左側の方向指示器を操作すること。）を行い、できるだけ道路の左端に沿つて十分速度を落とし、横断中の歩行者の通行を妨げないように注意して曲がらなければなりません。

イ 右折は、次の方法でしなければなりません。

(ア) 信号機などにより交通整理の行われている交差点では、青信号で交差点の向こう側までまっすぐに進み、その地点で止まって右に向きを変え、前方の信号が青になってから進むようにしなければなりません。なお、赤信号や黄信号であっても自動車や一般原動機付自転車は青の矢印の信号によって右折できる場合がありますが、この場合でも特定小型原動機付自転車や自転車は進むことはできません。

(イ) 交通整理の行われていない交差点では、後方の安全を確かめ、その交差点の手前の側端から30メートルの地点に達したときに右折の合図（特定小型原動機付自転車の運転者にあつては右側の方向指示器を操作し、自転車の運転者にあつては手のひらを下にして右腕を横に水平に出すか右側の方向指示器を操作すること。）を行い、できるだけ道路の左端に寄つて交差点の向こう側までまっすぐに進み、十分速度を落として曲がらなければなりません。

(4) 環状交差点で左折、右折、直進、転回するときは、あらかじめできるだけ道路の左端に寄り、環状交差点の側端に沿つて十分速度を落として通行しなければなりません。環状交差点に入るときは、後方の安全を確かめ、環状交差点に入った直後の出口を出る場合はその環状交差点に入ったときに、それ以外の場合は出ようとする地点の直前の出口の側方を通過したときに合図（右腕の肘を垂直に上に曲げるか左側の方向指示器を操作すること。）を行い、横断中の歩行者の通行を妨げないように注意して進まなければなりません。

また、左折、右折、直進、転回の場合、矢印などの標示（付表3(2)18の2）で通行方法を指定されているときは、それに従わなければなりません。

(5) 自転車は、交差点やその近くに自転車横断帯があるときは、その自転車横断帯を通らなければなりません。

(6) 普通自転車は、交差点やその手前に交差点への進入を禁止する標示（付表3(2)23）があるときは、その交差点へ進入することはできません。この場合は、その左側の歩道に乗り入れ、自転車横断帯によって交差点を渡りましょう。

4 歩行者などに対する注意

(1) 歩道を通るときは、すぐ停止できるような速度で徐行（白線と自転車の標示（付表3(2)22）によって指定された部分がある歩道において、その部分を通行し、又は通行しようとする歩行者がいないときは、すぐ徐行に移ることができるような速度で進行）しなければなりません。また、歩行者の通行を妨げそうになるときは一時停止しなければなりません。

(2) 路側帯や、特定小型原動機付自転車や自転車が通行することができる歩行者用道路を通る場合は、歩行者の通行を妨げないよう注意し、特に歩行者用道路では、十分速度を落とさなければなりません。

(3) 停車中の自動車のそばを通るときは、急にドアが開いたり、自動車の陰から歩行者が飛び出したりすることがありますから、注意して十分速度を落としましょう。

(4) 車道を通行する特定小型原動機付自転車や自転車が横断歩道に近づいたときは、横断する人がいないことが明らかな場合のほかは、その手前で停止できるように速度を落として進まなければなりません。また、歩行者が横断しているときや横断しようとしているときは、横断歩道の手前（停止線があるときは、その手前）で一時停止をして歩行者に道を譲らなければなりません。

(5) 子供が独り歩きしているとき、身体の不自由な人が歩いているとき、つえを持って歩いていたり、歩行補助車を使っていたり、その通行に支障のある高齢者が歩いているときは、危険のないように一時停止するか十分速度を落とさなければなりません。

(6) 特定小型原動機付自転車や自転車を駐車するときは、歩行者や車の通行の妨げにならないようにしなければなりません。また、点字ブロックの上や近くには駐車しないようにしましょう。

近くに自転車等駐車場がある場合は、特定小型原動機付自転車や自転車をそこに置くようにしましょう。

第4章　自動車や一般原動機付自転車を運転する前の心得

第1節　運転に当たっての注意

1 運転免許証などを確かめるなどすること

(1) 自動車を運転する前には、必ず次のことを確かめましょう。

ア 運転しようとする自動車に応じた運転免許証を持っていること。

イ 有効な自動車検査証と自動車損害賠償責任保険証明書又は責任共済証明書を自動車に備えていること。

ウ 運転免許証に記載されている条件（眼鏡等使用など）を守っていること。

エ 準中型免許を受けて1年を経過していない初心運転者が準中型自動車を運転するときは、その車の前と後ろの定められた位置に初心者マーク（付表5(3)）を付けていること。

オ 準中型免許又は普通免許を受けて1年を経過していない初心運転者が普通自動車を運転するときは、その車の前と後ろの定められた位置に初心者マーク（付表5(3)）を付けていること。

カ 両耳の聴力が補聴器を用いても10メートルの距離で90デシベルの警音器の音が聞こえない程度の聴覚障害のあることを理由に免許に条件を付されている運転者が準中型自動車又は普通自動車を運転するときは、その車の前と後ろの定められた位置に聴覚障害者マーク（付表5(5)）を付けていること。

キ 非常信号用具や停止表示器材（停止表示板又は停止表示灯をいいます。）などを車に積んでいること。

(2) 70歳以上の高齢運転者が普通自動車を運転するときは、その車の前と後ろの定められた位置に高齢者マーク（付表5(4)）を付けるようにしましょう。

(3) 肢体不自由であることを理由に免許に条件を付されている身体の不自由な運転者が普通自動車を運転するときは、その車の前と後ろの定められた位置に身体障害者マーク（付表5(6)）を付けるようにしましょう。

2 運転計画を立てること

長距離運転のときはもちろん、短区間を運転するときにも、自分の運転技能と車の性能に合った運転計画を立てることが必要です。あらかじめ、運転コース、所要時間、休息場所、駐車場所などについて計画を立てておきましょう。長時間にわたって運転するときは、2時間に1回は休息をとりましょう。また、眠気を感じたら、速やかに休息をとって眠気を覚ましてから運転しましょう。

3 体調を整えること

疲れているとき、病気のとき、心配ごとのあるときなどは、注意力が散漫になったり、判断力が衰えたりするため、思い掛けない事故を引き起こすことがあります。このようなときは、運転を控えるか、体の調子を整えてから運転するようにしましょう。また、睡眠作用のある風邪薬や頭痛薬などを服用したときは、運転をしないようにしましょう。過労のときは、運転してはいけません。

4 酒気を帯びた状態などで運転をしないこと

酒気を帯びているときや麻薬、覚せい剤、シンナーなどの影響を受けているときは、運転してはいけません。また、酒を飲んだのが前夜であっても、翌朝の運転時まで酒の影響を受けていることがあることに注意しましょう。

第2節　運転免許の仕組み

道路で自動車や一般原動機付自転車を運転するときは、その車種や牽引などの状態に応じた免許を受け、その免許証を携帯しなければなりません。

また、違反行為をしたり、交通事故を起こしたりした際に警察官から提示を求められた場合には、免許証を提示しなければなりません。

なお、免許を受けていても免許の停止処分中の者はその期間運転することはできません。

1 運転免許の区分

運転免許には、次の三種のものがあります。

(1) 第一種運転免許

自動車や一般原動機付自転車を運転しようとする場合（(2)の場合を除きます。）の免許をいいます。

(2) 第二種運転免許

乗合バス、タクシーなどの旅客自動車を旅客運送のため運転しようとする場合や代行運転自動車（自動車運転代行業（注5）に従事する運転者が客に代わって運転する自動車をいいます。）である普通自動車を運転しようとする場合の免許をいいます。

(3) 仮運転免許

第一種免許を受けようとする者が、練習などのために大型自動車、中型自動車、準中型自動車又は普通自動車を運転しようとする場合の免許をいいます。仮運転免許を受けた者が練習のため大型自動車、中型自動車、準中型自動車又は普通自動車を運転するときは、その車を運転することのできる第一種免許を3年以上受けている者や第二種免許を受けている者などを横に乗せ、その指導を受けながら運転しなければなりません。この場合、車の前と後ろに仮免許練習標識（付表5(7)）を定められた位置に付けなければなりません。

2 運転免許の種類に応じて運転できる自動車、一般原動機付自転車は次表のとおりです。

免許の種類	運転できる自動車、一般原動機付自転車
大型免許	大型自動車、中型自動車、準中型自動車、普通自動車、小型特殊自動車、一般原動機付自転車
中型免許	中型自動車、準中型自動車、普通自動車、小型特殊自動車、一般原動機付自転車
準中型免許	準中型自動車、普通自動車、小型特殊自動車、一般原動機付自転車
普通免許	普通自動車、小型特殊自動車、一般原動機付自転車
大型特殊免許	大型特殊自動車、小型特殊自動車、一般原動機付自転車
大型二輪免許	大型自動二輪車、普通自動二輪車、小型特殊自動車、一般原動機付自転車
普通二輪免許	普通自動二輪車、小型特殊自動車、一般原動機付自転車
小型特殊免許	小型特殊自動車
原付免許	一般原動機付自転車

3 けん引免許
　大型自動車、中型自動車、準中型自動車、普通自動車、大型特殊自動車のいずれかで他の車をけん引するときは、けん引する自動車の種類に応じた免許のほか、けん引免許が必要です。しかし、車の総重量（人や荷物をのせた状態での車全体の重さ）が750キログラム以下の車をけん引するときや故障車をロープ、クレーンなどでけん引するときは、けん引免許はいりません。
4 緊急自動車の運転資格
　緊急自動車を運転する場合には、その自動車の運転に必要な運転免許のほかに、運転経験年数や年齢について特別の資格が必要です。

第3節　自動車の点検

　自動車については、日常点検、定期点検を行うほか、燃料、冷却水、エンジンオイル、タイヤの溝の深さなどについては適宜点検し、少しでも悪い箇所があつたら、整備しましよう。

　ハンドル、ブレーキ、マフラーその他の各装置が整備されていないため、交通の危険を生じさせたり、有害なガスや騒音を出して ほかの人に迷惑を及ぼしたりするおそれのある車を運転してはいけません。

1 日常点検

　日常点検は、自動車の使用者や自動車を運行しようとする者が、日頃自動車を使用していく中で、自分自身の責任において行う点検です。自動車の使用者は、自動車の走行距離や運行時の状態などから判断した適切な時期に、この点検を行わなければなりません。なお、タクシー、ハイヤーなどの事業用の自動車や自家用の大型自動車及び中型自動車、準中型貨物自動車、普通貨物自動車、大型特殊自動車、レンタカーなどの使用者又はこれらの自動車を運行しようとする者は、1日1回、運行する前にこの点検を行わなければなりません。標準的な点検の実施の方法は、次の表のとおりです。

	点検箇所	点検項目	点検の実施方法
運行中の異常箇所		当該箇所の異常	前日又は前回の運行中に異常を認めた箇所について、運行に支障がないかを点検します。
運転席での点検	ブレーキペダル	踏みしろ、ブレーキの効き	ペダルをいつぱいに踏み込んだとき、床板とのすき間（踏み残りしろ）や踏みごたえが適当であるかを点検します。 なお、床板とのすき間が少なくなつているときや、踏みごたえが柔らかく感じるときは、ブレーキ液の液漏れ、空気の混入によるブレーキの効き不良のおそれがあります。
	駐車ブレーキレバー（パーキング・ブレーキレバー）	引きしろ（踏みしろ）	レバーをいつぱいに引いた（踏んだ）とき、引きしろ（踏みしろ）が多すぎたり、少なすぎたりしないかを点検します。
	原動機（エンジン）	※掛かり具合、異音	エンジンが速やかに始動し、スムーズに回転するかを点検します。また、エンジン始動時及びアイドリング状態で、異音がないかを点検します。
		※低速、加速の状態	(1) エンジンを暖機させた状態で、アイドリング時の回転がスムーズに続くかを点検します。 (2) エンジンを徐々に加速したとき、アクセルペダルに引つ掛かりがないか、また、エンスト、ノッキングなどを起こすことなくスムーズに回転するかを、走行するなどして点検します。
	ウインドウ・ウォッシャ	※噴射状態	ウインドウ・ウォッシャ液の噴射の向き及び高さが適当かを点検します。
	ワイパー	※ふき取りの状態	(1) ワイパーを作動させ、低速及び高速の作動が不良でないかを点検します。 (2) きれいにふき取れるかを点検します。
	◎空気圧力計	空気圧力の上がり具合	エンジンを掛けて、空気圧力の上がり具合が極端に遅くないかを点検します。また、空気圧力が空気圧力計の表示に示された範囲内にあるかを点検します。
	◎ブレーキバルブ	排気音	ブレーキペダルを踏み込んで放した場合に、ブレーキバルブからの排気音が正常であるかを点検します。
エンジンルームの点検	ウインドウ・ウォッシャ・タンク	※液量	ウインドウ・ウォッシャ液の量が適当かを点検します。
	ブレーキのリザーバ・タンク	液量	リザーバ・タンク内の液量が規定の範囲内にあるかを点検します。
	バッテリー	※液量	バッテリー各槽の液量が規定の範囲内にあるかを車両を揺らすなどして点検します。
	ラジエータなどの冷却装置	※水量	リザーバ・タンク内の冷却水の量が規定の範囲内にあるかを点検します。 なお、冷却水の量が著しく減少しているときは、ラジエータ、ラジエータホースなどからの水漏れのおそれがあります。
	潤滑装置	※エンジンオイルの量	オイルの量がオイルレベル・ゲージ（油量計）で示された範囲内にあるかを点検します。

	点検箇所	点検項目	点検の方法
検	△ファンベルト	※張り具合、損傷	(1)　ベルトの中央部を手で押し、ベルトが少したわむ程度であるかを点検します。 (2)　ベルトに損傷がないかを点検します。
車の周りからの点検	灯火装置、方向指示器	点灯・点滅具合、汚れ、損傷	(1)　エンジンスイッチを入れ、前照灯、制動灯などの灯火装置の点灯具合や方向指示器の点滅具合が不良でないかを点検します。 (2)　レンズなどに汚れや損傷がないかを点検します。
	タイヤ	空気圧	タイヤの接地部のたわみの状態により、空気圧が不足していないかを点検します。
		□取付けの状態	(1)　ディスク・ホイールの取付状態について目視により次の点検を行います。 ア　ホイール・ナットの脱落、ホイール・ボルトの折損などの異常はないか。 イ　ホイール・ボルト付近にさび汁が出たこん跡はないか。 ウ　ホイール・ナットから突出しているホイール・ボルトの長さに不ぞろいはないか。 (2)　ディスク・ホイールの取付状態について、ホイール・ナットの緩みなどがないかを点検ハンマなどを使用して点検します。
		亀裂、損傷	タイヤの全周に著しい亀裂や損傷がないかを点検します。また、タイヤの全周にわたり、くぎ、石、その他の異物が刺さつたり、かみ込んだりしていないかを点検します。
		異常な摩耗	タイヤの接地面に、極端にすり減つている箇所がないかを点検します。
		※溝の深さ	溝の深さが十分であるかをウェア・インジケータ（スリップ・サイン）などにより点検します。
	◎エア・タンク	タンク内のたまり水	ドレン・コックを開いて、タンクに水がたまつていないかを点検します。

備考
1　※の点検項目は、事業用の自動車や自家用の大型自動車及び中型自動車、準中型貨物自動車、普通貨物自動車、大型特殊自動車、レンタカーなどについても、自動車の走行距離、運行時の状態等から判断した適切な時期に行えばよいものです。
2　◎の点検箇所は、エアブレーキが装着されている場合に点検しなければなりません。
3　△の点検箇所は、自家用の普通乗用自動車などにあつては、定期点検等の際に点検してください。
4　□の点検項目は、車両総重量８トン以上又は乗車定員30人以上の自動車の場合に点検してください。

2　装備品などの点検
発炎筒、赤ランプなどの非常信号用具を備えなければなりません。また、高速道路（高速自動車国道又は自動車専用道路）を通行するときは、故障などで停止していることを示すための停止表示器材を備え付けるようにしましよう。

3　定期点検
事業用の自動車、自家用の大型自動車及び中型自動車や準中型貨物自動車、普通貨物自動車などのレンタカーについては３箇月ごとに、自家用の準中型貨物自動車及び普通貨物自動車や普通乗用自動車などのレンタカーなどについては６箇月ごとに、自家用の普通乗用自動車などについては１年ごとに点検し、必要な整備をしなければなりません。

第４節　乗車と積載

1　座席でないところに人を乗せたり、荷台や座席でないところに荷物を積んだりしてはいけません。
また、定められた乗車定員（運転者を含みます。）や積載の制限を超えて、人を乗車させたり、物を積んだりしてはいけません。次の表は、大型自動車、中型自動車、準中型自動車、普通自動車、大型自動二輪車、普通自動二輪車、一般原動機付自転車について、それぞれの乗車定員と積載の制限を示しています。

車の種類	乗車定員	積載物の重量	積載物の大きさ	積載の方法
大型自動車 中型自動車 準中型自動車 普通自動車	自動車検査証か軽自動車届出済証に記載されている乗車定員（ミニカー（注６）と特定の構造の農業用薬剤散布車(注７）にあつては１人（特定の構造の農業用薬剤散布車で運転者用以外の	自動車検査証か軽自動車届出済証に記載されている最大積載量（ミニカーにあつては90キログラム、特定の構造の農業用薬剤散布車にあつては1,500キログラム）	長さ…自動車の長さ×1.2 幅　…自動車の幅×1.2 高さ…地上3.8メートル（三輪の普通自動車と総排気量660cc以下の普通自動車にあつては2.5メートル、その他の自動車で公安委員会が定めるものにあつては	前後…車体の前後から自動車の長さの$\frac{1}{10}$の長さを超えてはみ出さないこと。 左右…車体の左右から自動車の幅の$\frac{1}{10}$の幅を超えてはみ出さないこと。

	座席があるものは2人））		3.8メートル以上4.1メートルを超えない範囲内において公安委員会が定める高さ）	
大型自動二輪車（側車付大型自動二輪車を除く。）	1人（運転者用以外の座席があるものは2人）	60キログラム	長さ…乗車装置や積載装置の長さ+0.3メートル 幅…乗車装置や積載装置の幅+0.3メートル 高さ…地上2メートル	前後…乗車装置の前後から0.3メートルを超えてはみ出さないこと。 左右…乗車装置や積載装置の左右から0.15メートルを超えてはみ出さないこと。
普通自動二輪車（側車付普通自動二輪車を除く。）				
一般原動機付自転車	1人	30キログラム	長さ…積載装置の長さ+0.3メートル 幅…積載装置の幅+0.3メートル 高さ…地上2メートル	前後…積載装置の前後から0.3メートルを超えてはみ出さないこと。 左右…積載装置の左右から0.15メートルを超えてはみ出さないこと。
備考　12歳未満の子供は、3人を2人として計算します。				

2　1の場合であっても、荷物の見張りのため必要最少限度の人を乗せるときや出発地の警察署長の許可を受けたときは別です。

3　自動車に人や荷物をのせるときには、運転の妨げになったり、自動車の安定が悪くなったり、外から方向指示器、ナンバープレート、ブレーキ灯、尾灯などが見えにくくなったりするようなのせ方をしてはいけません。

4　運転者は、人が転落したり、荷物が転落、飛散したりしないようにドアを確実に閉め、ロープやシートを使って荷物を確実に積まなければなりません。また、荷物が転落、飛散してしまったときは、速やかにその物を除去するなど必要な措置を採らなければなりません。その場合には後続車などに十分注意しましょう。

5　危険物を運搬するときは、包装、積載などを確実にし、危険物を運搬中であることを示す標示板などを掲げるようにし、また、駐車するときは、危険な場所を避け、危険物を見張りましょう。

第5節　安全運転に必要な知識など

1　視覚の特性

人間の感覚のうち視覚は、安全な運転のために最も大切です。運転中は、特に次のような点に注意しましょう。

(1)　一点だけを注視したり、ぼんやり見ているだけでなく、絶えず前方に注意するとともに、ルームミラーやサイドミラーなどによって周囲の交通の状況に目を配りましょう。また、高速になると視力が低下し、特に近くのものが見えにくくなるので、注意しましょう。

(2)　疲労の影響は、目に最も強く現われます。疲労の度が高まるにつれて、見落としや見間違いが多くなるので気を付けましょう。

(3)　明るさが急に変わると、視力は、一時急激に低下します。トンネルに入る前やトンネルから出るときは速度を落としましょう。また、夜間は対向車のライトを直視しないようにしましょう。

2　自動車に働く自然の力

安全な運転をするためには、走行中車に働く自然の力とその運転に与える影響について、正しい知識を身に付けることが必要です。

(1)　摩擦の力

走行中の車は、クラッチを切っても走り続けようとする性質があるため、すぐには止まりません。この車を止めるためには、ブレーキを掛けて車輪の回転を止め、タイヤと路面の間の摩擦抵抗を利用します。ぬれたアスファルト路面を走るときなどは、摩擦抵抗が小さくなり制動距離が長くなります。また、高速運転中に急ブレーキを掛けると、車輪がロックし路上を滑るので特に注意しましょう。

(2)　遠心力

自動車がカーブを回ろうとするときには、自動車の重心に遠心力が働き、自動車はカーブの外側に滑り出そうとします。このため、荷物の積み方が悪く重心の位置が高くなったり、片寄ったりすると自動車は倒れやすくなります。

遠心力の大きさは、カーブの半径が小さいほど大きくなり、速度の2乗に比例して大きくなります。安全にカーブを回るためには、カーブに入る前の直線部分で早目にブレーキを掛け、十分速度を落としておく必要があります。

(3)　衝撃力

交通事故の大きさは、車が衝突したときに相手に与えたり、自分が受けたりする衝撃力の大きさに関係します。衝撃力は速度と重量に応じて大きくなり、また、固い物にぶつかるときのように、衝撃の作用が短時間に行われるほどその力は大きくなります。例えば、時速60キロメートルでコンクリートの壁に激突した場合は、約14メートルの高さ（ビルの5階程度）から落ちた場合と同じ程度の衝撃力を受けます。高速運転するときには、特に注意しましょう。

(4)　速度の影響

制動距離、遠心力、衝撃力などは、いずれも速度の2乗に比例して大きくなります。速度が2倍になれば、制動距離、カーブで車の横滑りや転倒をさせようとする力、交通事故の大きさに関係する衝撃力は、2倍になるのではなく、4倍になります。

3　交通公害、地球温暖化の防止など

(1)　自動車の排出ガスや騒音、振動によって、被害を受けている住民は少なくありません。道路を通行するときは、最高速度や積載制限などの規制を守り、不必要な急発進や急ブレーキ、空ぶかしを避けるなど交通公害を少なくするよう努めましょう。

(2)　自動車の排出ガスの中には、一酸化炭素、炭化水素、窒素酸化物など人体に有害な物質が含まれており、これらの排出ガスが大気を汚染する原因のひとつとなっています。大気汚染により、光化学スモッグが発生したときや発生するおそれのあるときは、自動車の使用を控えましょう。

(3) 地球温暖化の一因となっている二酸化炭素や人体に有害な物質である窒素酸化物等の排出削減のために、やさしい発進、加速度の少ない運転、駐停車時のアイドリングストップなどの環境負荷の軽減に配慮した自動車の使用（エコドライブ）に努めましょう。

4 運転適性

運転についての適性を自覚することは、安全な運転のために大切なことです。運転適性についての指導は、各都道府県の交通安全活動推進センターなどで行っていますので、利用しましょう。

注5 自動車運転代行業……他人に代わつて自動車を運転するサービスを提供する営業で、次のいずれにも当たるものをいいます。

(1) 主として、夜間に、飲食店などで飲酒をして酒気を帯びている客に代わつて自動車を運転するサービスを提供するものであること。

(2) 酒気を帯びている客などを乗車させるものであること。

(3) 通常の営業形態として、客に代わつて運転する自動車に、業務用の自動車（随伴用自動車といいます。）が随伴するものであること。

注6 ミニカー……総排気量については50cc以下、定格出力については0.60キロワット以下の原動機を有する普通自動車をいいます。

注7 特定の構造の農業用薬剤散布車……時速35キロメートル以上の速度を出すことができない構造の農業用薬剤を散布するための普通自動車をいいます。

第5章 自動車や一般原動機付自転車の運転の方法

第1節 安全な発進

1 車の乗り降り

(1) 乗り降りするときは、周囲の状況、特に後方からの車の有無を確かめ、交通量の多いところでは左側のドアから乗り降りしましょう。乗つてからドアを閉めるときは、少し手前で一度止め、力を入れて閉めるようにしましょう。また、降りるためにドアを開けるときは、まず少し開けて一度止め、安全を確かめてから降りましょう。降りるときの最初に少し開ける動作は、他の交通への合図にもなります。

(2) ドアを開けるときや、車から降りるときには、運転者は後方の安全を確認しなければなりません。また、ドアをロックし、同乗者がドアを不用意に開けたりしないように注意しなければなりません。

2 運転姿勢など

(1) ゆとりのある正しい運転姿勢は、安全運転の第一歩です。シートの前後の位置は、クラッチを踏み込んだとき、ひざがわずかに曲がる状態に合わせ、シートの背は、ハンドルに両手を掛けたとき、ひじがわずかに曲がる状態に合わせることが大切です。体を斜めにして運転するのはやめましょう。

(2) 運転するときは、活動しやすいような服装をしましょう。また、げたやハイヒールなどを履いて運転したりしてはいけません。

(3) ひじを窓わくに載せて運転するのはやめましょう。

(4) 走行中にスマートフォンなどの携帯電話などを使用したり、カーナビゲーション装置などに表示された画像を注視したりすることにより、周囲の交通の状況などに対する注意が不十分になると大変危険です。自動運転車において自動運行装置を適切に使つている場合を除き、走行中はスマートフォンなどの携帯電話などを使用したり、カーナビゲーション装置などに表示された画像を注視したりしてはいけません。また、スマートフォンなどの携帯電話などについては、運転する前に電源を切つたり、ドライブモードに設定したりするなどして呼出音が鳴らないようにしましょう。

3 シートベルトの着用

(1) シートベルトは、交通事故に遭つた場合の被害を大幅に軽減するとともに、正しい運転姿勢を保たせることにより疲労を軽減するなど、さまざまな効果があります。シートベルトを備えている自動車を運転するときは、運転者自身がこれを着用するとともに、助手席や後部座席の同乗者にもこれを着用させなければなりません（その自動車がエアバッグを備えている場合も同じです。）。しかし、病気などやむを得ない理由がある場合は別です。

(2) シートベルトは、正しく着用しましょう。正しい着用の方法は次のとおりです。

ア シートの背は倒さずに、シートに深く腰掛けましょう。

イ 腰ベルトは骨盤を巻くように、しつかり締めましょう。

ウ 肩ベルト（三点式ベルトの場合）は、首にかからないようにしましょう。また、肩ベルトがたるんでいると事故の際危険ですので注意しましょう。

エ バックルの金具は確実に差し込み、シートベルトが外れないようにしましょう。

オ ベルトがねじれていないかどうか確認しましょう。

(3) 妊娠中のシートベルトの着用

妊娠中であつても、シートベルトを正しく着用することにより、交通事故に遭つた際の被害から母体と胎児を守ることができます。ただし、妊娠の状態は個人により異なりますので、シートベルトを着用することが健康保持上適当かどうか、医師に確認するようにしましょう。

妊娠中は、事故などの際の胎児への影響を少なくするために、腰ベルトのみの着用は行わず、腰ベルトと肩ベルトを共に着用するとともに、大きくなつた腹部をベルトが横切らないようにするなど、正しくシートベルトを着用することが必要です。

4 チャイルドシートの使用

(1) チャイルドシートは、交通事故に遭つた場合の被害を大幅に軽減するとともに、子供が運転操作の支障となることを防止する効果もありますので、シートベルトを適切に着用させることができない子供にはチャイルドシートを使用させましょう。

特に、幼児を自動車に乗せるときは、その幼児に発育の程度に応じた形状のチャイルドシートを使用させなければなりません。しかし、病気などやむを得ない理由がある場合は別です。

(2) チャイルドシートは、使用の方法を誤ると、効果がなくなりますので、子供の体格に合い、座席に確実に固定できるチャイルドシートを選んだ上で、取扱説明書などに従つて座席に確実に固定し、正しく使用させましょう。

5　発進に当たつての安全確認

(1)　車に乗る前に、車の前後に人がいないか、車の下に子供がいないかを確かめましよう。

(2)　方向指示器などによつて発進の合図をし、もう一度バックミラーなどで前後左右の安全を確かめてから発進しましよう。

(3)　バックで発進することは危険ですから、車庫などに入れるときは、あらかじめ発進しやすいようにバックで入れておきましよう。やむを得ずバックで発進する場合で、後方の見通しがよくない場合や狭い道路から広い道路に出るときは、同乗者などに後方の確認を手伝つてもらいましよう。

6　路端からの発進

大型自動車、中型自動車及び準中型自動車は、普通自動車に比べ、車軸の前後に車体が長く、タイヤの軌跡の外側を車体が通るので、路端に駐停車している状態から発進するときには、車体の前後部が車や歩行者などにぶつからないよう注意しましよう。

7　走行に当たつての安全確認

自動車の運転席から見える範囲には、その自動車自体の構造により差があるものの、車や歩行者などが見えなくなる範囲があります。特に、大型自動車、中型自動車及び準中型自動車は、普通自動車に比べ、運転席から車や歩行者が見えなくなる範囲が広いので注意しましよう。

第2節　自動車の通行するところ

1　道路の左側を走ること

道路の中央（中央線があるときは、その中央線）から左の部分を通行しなければなりません。しかし、次の場合には、道路の中央から右の部分にはみ出して通行することができますが、この場合でも、(1)の場合のほかは、はみ出し方ができるだけ少なくなるようにしなければなりません。

(1)　一方通行となつているとき。

(2)　工事などのため左側部分だけでは、通行するのに十分な幅がないとき。

(3)　左側部分の幅が6メートル未満の見通しのよい道路でほかの車を追い越そうとするとき（標識（付表3(1)15）や標示（付表3(2)2）で、追越しのため右側の部分にはみ出して通行することが禁止されている場合を除きます。）。

(4)　こう配の急な道路の曲がり角付近で、「右側通行」の標示（付表3(2)28）があるとき。

2　道路の左寄りに走ること

(1)　車両通行帯（車線やレーンともいいます。）のない道路では、追越しなどでやむを得ない場合のほかは、道路の左に寄つて通行しなければなりません。

(2)　同一の方向に二つの車両通行帯があるときは、左側の車両通行帯を通行しなければなりません。また、三つ以上の車両通行帯があるときは、最も右側の車両通行帯は追越しのために空けておき、それ以外の車両通行帯を通行することができます。この場合には、速度の遅い車が左側、速度が速くなるにつれて順次右側寄りの車両通行帯を通行しましよう。しかし、標識（付表3(1)32、32の2、32の3、33、33の2、34の2）や標示（付表3(2)14、14の2、14の3、15、16の2）によつて通行区分が示されているときは、それに従わなければなりません。

(3)　追越しのため最も右側の車両通行帯を通行する場合であつても、前の車を追い越し終わつたときは、速やかにそれ以外の車両通行帯に戻らなければなりません。

3　車線を変えずに走ること

車両通行帯のある道路では、追越しなどでやむを得ない場合のほかは、車両通行帯からはみ出したり、二つの車両通行帯にまたがつたりして通行してはいけません。また、車両通行帯をみだりに変えて通行すると、後続車の迷惑となり、ひいては事故の原因ともなりますから、同一の車両通行帯を通行しなければなりません。

4　高さに制限のある場所の通行

大型自動車、中型自動車及び準中型自動車は、普通自動車に比べ、車体の高さが高いことから、通行できる自動車の高さに制限のある場所を通過する場合には、その高さの制限以下であることを確認しましよう。特に、荷台の積載物の高さが通行できる自動車の高さの制限を超えてしまう場合があるので注意しましよう。

5　緊急自動車の優先

緊急自動車が近づいてきたときは、交差点の付近では、交差点を避けて、道路の左側に寄つて一時停止をし、その他のところでは、道路の左側に寄つて進路を譲らなければなりません。しかし、一方通行の道路で左側に寄ると、かえつて緊急自動車の妨げとなるようなときは、右側に寄らなければなりません。

6　路線バスなどの優先

(1)　停留所で止まつている路線バスなどが方向指示器などで発進の合図をしたときは、後方の車はその発進を妨げてはいけません。しかし、急ブレーキや急ハンドルで避けなければならないような場合は別です。

(2)　標識（付表3(1)33）や標示（付表3(2)15）によつて路線バスなどの専用通行帯が指定されている道路では、小型特殊自動車、原動機付自転車、軽車両を除くほかの車は、その車両通行帯を通行してはいけません。ただし、標識（付表3(1)33、33の2）や標示（付表3(2)15）によつて普通自転車の専用通行帯が指定されている道路では、特定小型原動機付自転車、軽車両を除くほかの車は、その車両通行帯を通行してはいけません。しかし、右左折をするため道路の右端、中央や左端に寄る場合などや工事などでやむを得ない場合は別です。

(3)　標識（付表3(1)34）や標示（付表3(2)16）によつて路線バスなどの優先通行帯が指定されている道路では、優先通行帯を通行している自動車は、路線バスなどが近づいてきたときは、速やかにそこから出なければなりません。また、交通が混雑していて、路線バスなどが近づいてきてもそこから出られなくなるおそれがあるときは、はじめからその通行帯を通行してはいけません。しかし、右左折をするため道路の右端、中央や左端に寄る場合などや工事などでやむを得ない場合は別です。

7　通行してはいけないところ

(1)　「通行止め」、「車両通行止め」、「普通自転車等及び歩行者等専用」、「歩行者等専用」などの標識（付表3(1)1、2、29、30）によつて通行が禁止されている道路を通行してはいけません。

(2)　歩道や路側帯や自転車道などを通行してはいけません。しかし、道路に面した場所に出入りするために横切る場合などは別です。

(3)　安全地帯や「立入り禁止部分」の標示（付表3(2)7）によつて車の通行が禁止されている場所に入つてはいけません。

(4)　歩道や路側帯のない道路を通行するときは、路肩（路端から0.5メートルの部分）にはみ出して通行してはいけません。

(5)　軌道敷内を通行してはいけません。しかし、「軌道敷内通行可」の標識（付表3(1)52）によつて認められた車が通行する場合や右折する場合などは別です。

(6)　軌道敷内を通行している車は、後方から路面電車が近づいてきたときは、路面電車の進行を妨げないように速やかに軌道敷外に出るか、十分な距離を保たなければなりません。

第3節　歩行者の保護など

1　歩行者のそばを通るとき

(1)　歩行者のそばを通るときは、歩行者との間に安全な間隔を空けるか、徐行しなければなりません。

(2)　歩行者がいる安全地帯のそばを通るときは、徐行しなければなりません。

(3)　停留所で止まつている路面電車の後方では停止し、乗り降りする人や道路を横断する人がいなくなるまで待たなければなりません。しかし、乗り降りする人がいないときで路面電車との間に1.5メートル以上あるときや安全地帯があるときは、徐行して進むことができます。

(4)　ぬかるみや水たまりのあるところでは、泥や水をはねて他人に迷惑を掛けないように徐行するなど注意して通らなければなりません。

(5)　止まつている車のそばを通るときは、急にドアが開いたり、車の陰から人が飛び出したりする場合があるので注意しましよう。

2　歩行者が横断しているときなど

(1)　横断歩道のない交差点やその近くを歩行者が横断しているときは、その通行を妨げてはいけません。

(2)　横断歩道や自転車横断帯に近づいたときは、横断する人や自転車がいないことが明らかな場合のほかは、その手前で停止できるように速度を落として進まなければなりません。また、歩行者や自転車が横断しているときや横断しようとしているときは、横断歩道や自転車横断帯の手前（停止線があるときは、その手前）で一時停止をして歩行者や自転車に道を譲らなければなりません。

(3)　横断歩道や自転車横断帯やその手前で止まつている車があるときは、そのそばを通つて前方に出る前に一時停止をしなければなりません。

(4)　横断歩道や自転車横断帯とその手前から30メートル以内の場所では、ほかの車を追い越したり、追い抜いたりしてはいけません。

(5)　横断歩道や自転車横断帯のない場所でも、歩行者が横断することがありますので、注意しましよう。

3　身体の不自由な人の保護

身体障害者用の車で通行している人がいる場合や白や黄のつえを持つた人や盲導犬を連れた人が歩いている場合には、一時停止か徐行をして、これらの人が安全に通れるようにしなければなりません。

4　子供の保護

(1)　子供が独りで歩いている場合には、一時停止か徐行をして、安全に通れるようにしなければなりません。子供は、興味をひくものに夢中になり、突然路上に飛び出したり、判断力が未熟なために、無理に道路を横断しようとしたりすることがあるので、特に注意しましよう。

(2)　止まつている通学通園バスのそばを通るときは、徐行して安全を確かめなければなりません。

(3)　学校、幼稚園、遊園地などの付近や通学路の標識（付表3(1)182）のあるところでは、子供が突然飛び出してくることがあるので、特に注意しましよう。

5　高齢者の保護

つえを持つて歩いていたり、歩行補助車を使つていたり、その通行に支障のある高齢者が通行している場合には、一時停止か徐行をして、これらの人が安全に通れるようにしなければなりません。高齢者は、加齢に伴う身体の機能の変化により、個人差があるものの、一般的に歩行が遅くなつたり、危険を回避するためにとつさの行動をとることが困難となつたり、危険の発見や回避が遅れがちになつたり、歩行が不安定になつたりするので、特に注意しましよう。また、高齢の歩行者の事故は、高齢者が車の直前又は直後を横断しているときに多く起こつていますので、注意しましよう。

6　歩行者用道路を通行するとき

(1)　歩行者用道路では、沿道に車庫を持つ車などで特に通行を認められた車だけが通行できます。この場合は、特に歩行者に注意して徐行しなければなりません。

(2)　道路に面した場所に出入りするため歩道や路側帯を横切る場合には、その直前で一時停止をするとともに、歩行者の通行を妨げないようにしなければなりません。

7　特定小型原動機付自転車や自転車の保護

(1)　特定小型原動機付自転車や自転車は車両の一種であり、原則として車道を通行することとされています。特定小型原動機付自転車や自転車は、不安定であり、運転者の身体を防護する機能がないという構造上の特性を持つているので、車道を通行する特定小型原動機付自転車や自転車の安全に十分配慮しましよう。

(2)　追越しなどのため特定小型原動機付自転車や自転車のそばを通るときは、特定小型原動機付自転車や自転車のふらつきなどを予想し、特定小型原動機付自転車や自転車との間に安全な間隔を空けるか、徐行しなければなりません。

(3)　道路に面した場所に出入りするため歩道や路側帯や自転車道を横切る場合には、その直前で一時停止をし、特定小型原動機付自転車や自転車がいないかを確かめるようにしましよう。

(4)　交差点を通行するときは、交差する道路や交差点内を通行する特定小型原動機付自転車や自転車との衝突や、左側を通行している特定小型原動機付自転車や自転車の巻き込みなどに十分注意するとともに、特定小型原動機付自転車や自転車の運転者が自動車の存在を認識しているかどうか確認しながら通行するようにしましよう。

8　初心運転者などの保護

(1)　危険を避けるためやむを得ない場合のほか、次の車の側方に幅寄せをしたり、前方に無理に割り込んではいけません。

ア　準中型免許を受けて1年を経過していない初心運転者が運転している初心者マークを付けた準中型自動車

イ　準中型免許又は普通免許を受けて1年を経過していない初心運転者が運転している初心者マークを付けた普通自動車

ウ　70歳以上の高齢者が運転している高齢者マークを付けた普通自動車

エ　聴覚障害のある運転者が運転している聴覚障害者マークを付けた準中型自動車又は普通自動車

オ　身体の不自由な運転者が運転している身体障害者マークを付けた普通自動車

カ　仮免許で練習中の者が運転している自動車

(2)　聴覚障害者マークを付けた準中型自動車又は普通自動車の運転者は警音器の音が聞こえないことがあるので、安全に通行できるように配慮しましよう。

9　暴走行為の禁止

車を運転して集団で走行する場合は、ジグザグ運転や巻き込み運転など、ほかの車に危険を生じさせたり、迷惑を及ぼすこととなるような行為をしてはいけません。

10　騒音運転などの禁止

著しく他人に迷惑を及ぼす騒音を生じさせるような急発進、急加速や空ぶかしをしてはいけません。

第４節　安全な速度と車間距離

1　安全な速度

(1)　自動車を運転する場合は、標識（付表3(1)25、25の2）や標示（付表3(2)6）によつて示されている最高速度を超えて運転してはいけません。標識や標示で指定されていないときは、時速60キロメートルを超えて運転してはいけません（高速自動車国道については、第7章第2節2を参照）。

(2)　一般原動機付自転車を運転する場合は、時速30キロメートルを超えて運転してはいけません。標識（付表3(1)25、25の2）や標示（付表3(2)6）によつて時速30キロメートル以下の最高速度が示されているときは、その最高速度を超えて運転してはいけません。

(3)　決められた速度の範囲内であつても、道路や交通の状況、天候や視界などをよく考えて、安全な速度で走りましよう。

2　停止距離と車間距離

(1) 車は、急には止まれません。停止するまでには、運転者が危険を感じてからブレーキを踏み、ブレーキが実際に効き始めるまでの間に車が走る距離（空走距離）と、ブレーキが効き始めてから車が停止するまでの距離（制動距離）とを合わせた距離（停止距離）を必要とします。この停止距離を考えて、危険が発生した場合でも、安全に停止できるような速度で運転しましょう。
(2) 運転者が疲れているときは、危険を認知して判断するまでに時間がかかるので、空走距離は長くなります。また雨にぬれた道路を走る場合や重い荷物を積んでいる場合などは制動距離が長くなります。
(3) 路面が雨にぬれ、タイヤがすり減っている場合の停止距離は、乾燥した路面でタイヤの状態が良い場合に比べて2倍程度に延びることがあります。
(4) 天候、路面やタイヤの状態、荷物の重さなどを考えに入れ、前の車が急に止まっても、これに追突しないような安全な車間距離をとらなければなりません。特に、大型自動車、中型自動車及び準中型自動車は、普通自動車に比べ、運転席の位置が高く、見下ろす形になり、車間距離が短くなりやすいので注意しましょう。

3 ブレーキの掛け方
ブレーキは、次の注意に従つて上手に掛けましょう。
(1) 最初はできるだけ軽く踏み込みましょう。それから必要な強さまで徐々に踏み込んでいきます。
(2) ブレーキは数回に分けて使いましょう。この方法は、道路が滑りやすい状態のときには、とりわけ効果的です。また、数回に分けて使えば、ブレーキ灯が点滅し、後車への合図となつて追突事故防止に役立ちます。
(3) 危険を避けるためにやむを得ない場合のほかは、急ブレーキを掛けてはいけません。なお、アンチロックブレーキシステム（走行中の自動車の制御に著しい支障を及ぼす車輪の回転運動の停止を有効に防止できる装置をいいます。）を備えた自動車で急ブレーキを掛ける場合には、システムを作動させるために、一気に強く踏み込み、そのまま踏み込み続けることが必要です。
(4) むやみにブレーキを使わず、なるべくアクセルの操作で徐々に速度を落としてから止まるようにしましょう。

4 徐行
次の場所を通行するときは、徐行しなければなりません。徐行とは、車がすぐ停止できるような速度で進むことをいいます。
(1) 「徐行」の標識（付表3(1)38）があるところ
(2) 左右の見通しがきかない交差点（信号機などによる交通整理が行われている場合や優先道路を通行している場合を除きます。）
(3) 道路の曲がり角付近
(4) 上り坂の頂上付近やこう配の急な下り坂

第5節　進路変更など

1 安全の確認と合図
(1) 進路変更、転回、後退などをしようとするとき（環状交差点でこれらの行為をしようとするときを除きます。）は、あらかじめバックミラーなどで安全を確かめてから合図をしなければなりません。合図の仕方は次表のとおりです。

合図を行う場合	合図を行う場所	合図の方法
左折するとき。	左折しようとする地点（交差点で左折する場合は、その交差点）から30メートル手前の地点に達したとき。	左側の方向指示器を操作するか、右腕を車の右側の外に出して肘を垂直に上に曲げるか、左腕を車の左側の外に出して水平に伸ばす。
同一方向に進行しながら進路を左方に変えるとき。	進路を変えようとする時の約3秒前。	
右折か転回をするとき。	右折か転回をしようとする地点（交差点で右折する場合は、その交差点）から30メートル手前の地点に達したとき。	右側の方向指示器を操作するか、右腕を車の右側の外に出して水平に伸ばすか、左腕を車の左側の外に出して肘を垂直に上に曲げる。
同一方向に進行しながら進路を右方に変えるとき。	進路を変えようとする時の約3秒前。	
徐行か停止をするとき。	徐行か停止をしようとするとき。	ブレーキ灯をつけるか、腕を車の外に出して斜め下に伸ばす。
後退するとき。	後退しようとするとき。	後退灯をつけるか、腕を車の外に出して斜め下に伸ばし、手のひらを後ろに向けてその腕を前後に動かす。

(2) 環状交差点を出ようとするときや環状交差点で後退などをしようとするときは、あらかじめバックミラーなどで安全を確かめてから合図をしなければなりません。合図の仕方は次表のとおりです。

合図を行う場合	合図を行う場所	合図の方法
環状交差点を出るとき。	出ようとする地点の直前の出口の側方を通過したとき（環状交差点に入つた直後の出口を出る場合は、その環状交差点に入つたとき）。	左側の方向指示器を操作するか、右腕を車の右側の外に出して肘を垂直に上に曲げるか、左腕を車の左側の外に出して水平に伸ばす。
環状交差点において徐行か停止するとき。	徐行か停止をしようとするとき。	ブレーキ灯をつけるか、腕を車の外に出して斜め下に伸ばす。
環状交差点において後退するとき。	後退しようとするとき。	後退灯をつけるか、腕を車の外に出して斜め下に伸ばし、手のひらを後ろに向けてその腕を前後に動かす。

(3)　これらの行為を終わつたときは、速やかに合図をやめなければなりません。また、必要がないのに合図をしてはいけません。

(4)　夕日の反射などによつて方向指示器が見えにくい場合には、方向指示器の操作と併せて、手による合図を行うようにしましよう。

(5)　警音器は「警笛鳴らせ」の標識（付表3(1)36）がある場所を通るときや、「警笛区間」の標識（付表3(1)37）がある区間内で見通しのきかない交差点、曲がり角、上り坂の頂上を通るときには、鳴らさなければなりません。また、危険を避けるためやむを得ない場合は、鳴らすことができますが、これらの場合以外は鳴らしてはいけません。

2　進路変更

(1)　みだりに進路を変更してはいけません。また、進路を変更すると、後から来る車が急ブレーキや急ハンドルで避けなければならないような場合には、進路を変えてはいけません。やむを得ず進路を変更するときは、バックミラーや目視で安全を確認してから変更しましよう。

(2)　車両通行帯が黄の線で区画されている場合は、この黄の線を越えて進路を変更してはいけません。また、白の線で区画されている場合でも、自分が通行している車両通行帯の側に平行して黄の線が引かれているときは同じです。

3　横断など

(1)　歩行者の通行やほかの車などの正常な通行を妨げるおそれがあるときは、横断や転回や後退をしたり、道路に面した場所に出入りするために右左折や横断をしたりしてはいけません。

(2)　標識（付表3(1)13、14）や標示（付表3(2)1）によつて横断や転回が禁止されているところでは、横断や転回をしてはいけません。

(3)　道路外に出るため、左折しようとするときは道路の左端に、右折しようとするときは道路の中央（一方通行の道路では、右端）に、あらかじめできるだけ寄つて徐行しなければなりません。

(4)　前の車が道路外に出るため道路の左端や中央や右端に寄ろうとして合図をしている場合は、その進路の変更を妨げてはいけません。しかし、急ブレーキや急ハンドルで避けなければならないような場合は別です。

第6節　追越しなど

1　追越しの禁止

(1)　追越しとは、車が進路を変えて、進行中の前の車の前方に出ることをいいます。追越しは、進路を変え、加速した上で再び進路を戻すという複雑な運転操作を必要とします。

(2)　次の場合は危険ですから追越しをしてはいけません。

ア　前の車が自動車を追い越そうとしているとき（二重追越し）。

イ　前の車が右折などのため右側に進路を変えようとしているとき。

ウ　道路の右側部分に入つて追越しをしようとする場合に、反対方向からの車や路面電車の進行を妨げるようなときや前の車の進行を妨げなければ道路の左側部分に戻ることができないようなとき。

エ　後ろの車が自分の車を追い越そうとしているとき。

(3)　次の場所では、自動車や一般原動機付自転車を追い越すため、進路を変えたり、その横を通り過ぎたりしてはいけません。

ア　標識（付表3(1)16）により追越しが禁止されている場所

イ　道路の曲がり角付近

ウ　上り坂の頂上付近やこう配の急な下り坂

エ　トンネル（車両通行帯がある場合を除きます。）

オ　交差点とその手前から30メートル以内の場所（優先道路を通行している場合を除きます。）

カ　踏切、横断歩道、自転車横断帯とその手前から30メートル以内の場所

(4)　標識（付表3(1)15）や標示（付表3(2)2）で示されているときは、追越しのために道路の右側部分にはみ出して通行してはいけません。

2　追越しの方法

(1)　ほかの車を追い越すときは、その右側を通行しなければなりません。しかし、ほかの車が右折するため、道路の中央（一方通行の道路では、右端）に寄つて通行しているときや、路面電車を追い越そうとするときは、その左側を通行しなければなりません。

(2)　追越し中は、追い越す車との間に、安全な間隔を保つようにしなければなりません。

(3)　車両通行帯のある道路で、最も右側の車両通行帯を通行して追越しをする場合は、追越しが終わつたときは、速やかにそれ以外の車両通行帯に戻らなければなりません。最も右側の車両通行帯を通行し続けると、速度超過になつたり、車間距離が短くなつたりして危険です。また、ほかの車の追越しを妨害し、交通の流れを阻害するなど、迷惑にもなります。

(4)　追い越されるときは、追越しが終わるまで速度を上げてはいけません。また、追越しに十分な余地のない場合は、できるだけ左に寄り進路を譲らなければなりません。

3　追越しの運転手順

追越しは、次の順序でしましよう。

(1)　追越し禁止の場所でないことを確かめる。

(2)　前方の安全を確かめるとともに、バックミラーなどで右側や右斜め後方の安全を確かめる。道路の右側部分にはみ出した追越しをする場合には反対方向の安全を必ず確かめる。

(3)　右側の方向指示器を出す。

(4)　約3秒後、最高速度の制限内で加速しながら進路を緩やかに右にとり、前の車の右側を安全な間隔を保ちながら通過する。

(5)　左側の方向指示器を出す。

(6)　追い越した車がルームミラーで見えるくらいの距離までそのまま進み、進路を緩やかに左にとる。

(7)　合図をやめる。

4　割込みなど

前の車が交差点や踏切などで停止や徐行しているときは、その前に割り込んだり、その前を横切つたりしてはいけません。また、そのほかの場合でも、ほかの車の前方に急に割り込んだり、並進している車に幅寄せをしたりしてはいけません。

5　行き違い

(1)　対向車と行き違うときは、安全な間隔を保つようにしましよう。

(2)　進路の前方に障害物があるときは、あらかじめ一時停止か減速をして、反対方向からの車に道を譲りましよう。

第7節　交差点の通り方

1　交差点を通行するときの注意

(1)　交差点とその付近は、最も事故が多い場所です。交差点（環状交差点を除きます。）に入ろうとするときや、交差点内（環状交差点内を除きます。）を通行するときは、右折車、歩行者などに気を配りながら、交差点の状況に応じてできる限り安全な速度と方法で進行しなければなりません。特に右折しようとするときは、対向車線を直進する二輪車が見えにく

くなることがあるので、十分注意しましよう。

(2) 環状交差点に入ろうとするときや、環状交差点内を通行するときは、環状交差点内を通行する車、環状交差点に入ろうとする車、歩行者などに気を配りながら、環状交差点の状況に応じてできる限り安全な速度と方法で進行しなければなりません。

(3) 車が右左折するときは、内輪差（曲がるとき後輪が前輪より内側を通ることによる前後輪の軌跡の差をいいます。）が生じます。特に大型車は内輪差が大きく、左後方が見えにくいので左側を通行している歩行者、特定小型原動機付自転車や自転車などを巻き込まないよう注意しましよう。

2 交差点（環状交差点を除きます。）の通行方法

(1) 左折しようとするときは、あらかじめできるだけ道路の左端に寄り、交差点の側端に沿つて徐行しながら通行しなければなりません。

(2) 右折しようとするときは、あらかじめできるだけ道路の中央に寄り、交差点の中心のすぐ内側を徐行しながら通行しなければなりません。ただし、一般原動機付自転車が二段階の右折方法により右折しようとするときは別です。

(3) 一方通行の道路から右折するときは、道路の右端に寄り、交差点の中心の内側を徐行しながら通行しなければなりません。ただし、一般原動機付自転車が二段階の右折方法により右折しようとするときは別です。

(4) 右左折の場合、矢印などの標示（付表3(2)18）で通行方法を指定されているときは、それに従わねばなりません。

(5) 右折しようとする場合に、その交差点で直進か左折をする車や路面電車があるときは、自分の車が先に交差点に入つていても、その進行を妨げてはいけません。

(6) 車両通行帯のある道路で、標識（付表3(1)35）や標示（付表3(2)17）によつて交差点で進行する方向ごとに通行区分が指定されているときは、緊急自動車が近づいて来た場合や道路工事などでやむを得ない場合のほかは、指定された区分に従つて通行しなければなりません。ただし、右折につき二段階の右折方法によらなければならない交差点において右左折しようとする一般原動機付自転車は、道路の左端に寄つて通行しなければなりません。

(7) 標識（付表3(1)12）によつて直進や左折など進行方向が指定されている交差点では、その指定された方向にしか進行してはいけません。

(8) 前の車が、右左折するためや標識（付表3(1)35）や標示（付表3(2)17）により指定された車両通行帯を通行するためなどで進路を変えようとして合図をしたときは、その車の進路の変更を妨げてはいけません。しかし、急ブレーキや急ハンドルで避けなければならないような場合は別です。

(9) 前方の交通が混雑しているため交差点内で止まつてしまい交差方向の車の通行を妨げるおそれがあるときは、信号が青でも交差点に入つてはいけません。また、警察署や消防署の前などで「停止禁止部分」の標示（付表3(2)8）のある場所や横断歩道や踏切で動きがとれなくなるおそれがあるときも同じです。

3 交通整理の行われていない交差点（環状交差点を除きます。）の通行方法

(1) 交差する道路が優先道路であるときやその幅が広いときは、徐行するとともに、交差する道路を通行する車や路面電車の進行を妨げてはいけません。

(2) 道幅が同じような道路の交差点では、路面電車や左方から来る車があるときは、その路面電車や車の進行を妨げてはいけません。

(3) 「一時停止」の標識（付表3(1)40）があるときは、停止線の直前（停止線がないときは、交差点の直前）で一時停止をするとともに、交差する道路を通行する車や路面電車の進行を妨げてはいけません。また、進行方向に赤の点滅信号があるときも同じです。

(4) 進行方向に黄の点滅信号があるときは、他の交通に注意して進行することができます。

4 環状交差点の通行方法

(1) 左折、右折、直進、転回しようとするときは、あらかじめできるだけ道路の左端に寄り、環状交差点の側端に沿つて徐行しながら通行しなければなりません。

(2) 左折、右折、直進、転回の場合、矢印などの標示（付表3(2)18の2）で通行方法を指定されているときは、それに従わなければなりません。

(3) 環状交差点に入ろうとするときは、徐行するとともに、環状交差点内を通行する車や路面電車の進行を妨げてはいけません。

第8節　駐車と停車

1 駐車と停車の意味

駐車とは、車が継続的に停止することや運転者が車から離れていてすぐに運転できない状態で停止することをいいます。人の乗り降りや、5分以内の荷物の積卸しのための停止の場合は駐車になりません。

停車とは、駐車にあたらない短時間の車の停止をいいます。

2 駐車、停車の禁止

(1) 違法な駐停車は付近の交通を混雑させるとともに、道路の見通しを悪くするため、飛び出し事故などの原因となります。また、パトカー、消防車など緊急自動車の通行を妨げるおそれもあります。駐停車しようとする場合には必ず駐停車できる場所であることを確認しましよう。

(2) 次の場所では、駐車や停車もしてはいけません。ただし、赤信号や危険防止のために一時停止する場合などは別です。

ア 「駐停車禁止」の標識（付表3(1)17）や標示（付表3(2)4）のある場所
イ 軌道敷内
ウ 坂の頂上付近やこう配の急な坂
エ トンネル
オ 交差点とその端から5メートル以内の場所
カ 道路の曲がり角から5メートル以内の場所
キ 横断歩道、自転車横断帯とその端から前後に5メートル以内の場所
ク 踏切とその端から前後10メートル以内の場所
ケ 安全地帯の左側とその前後10メートル以内の場所
コ バス、路面電車の停留所の標示板（標示柱）から10メートル以内の場所（運行時間中に限ります。）

(3) 次の場所では駐車してはいけません。しかし、警察署長の許可を受けたときは別です。

ア 標識（付表3(1)18）や標示（付表3(2)5）によつて駐車が禁止されている場所
イ 火災報知機から1メートル以内の場所
ウ 駐車場、車庫などの自動車用の出入口から3メートル以内の場所
エ 道路工事の区域の端から5メートル以内の場所
オ 消防用機械器具の置場、消防用防火水そう、これらの道路に接する出入口から5メートル以内の場所
カ 消火せん、指定消防水利の標識（付表2(5)）が設けられている位置や消防用防火水そうの取り入れ口から5メートル以内の場所

(4) 駐車した場合、車の右側の道路上に3.5メートル以上の余地がなくなる場所では駐車してはいけません。また、標識（付表3(1)19）により余地が指定されているときには、その余地がとれない場所では駐車してはいけません。しかし、荷物の積卸しで運転者がすぐ運転できるときや傷病者の救護の

ためやむを得ないときは、駐車できます。

(5) 駐停車や駐車が禁止されている場所であっても標識（付表3(1)53、54）により特に認められている場合は駐車や停車ができます。

3 駐車、停車の方法

駐車や停車は次の方法でしなければなりません。

(1) 歩道や路側帯のない道路では、道路の左端に沿うこと。

(2) 歩道や路側帯のある一般道路では、車道の左端に沿うこと。

(3) 路側帯の幅が広い場合には、路側帯に入れますが、このときは0.75メートル以上の余地を空けておかなければなりません。ただし、路側帯の幅が広い場合でも、白の実線と破線の標示（付表3(2)10）や、白の2本線の標示（付表3(2)11）のあるところでは、路側帯に入れません。

(4) 高速道路では歩行者の通行が禁止されているので、路側帯に入って、道路の左端に沿うこと。

(5) 道路に平行して駐停車している車と並んで駐停車しないこと。

(6) 標識（付表3(1)35の5、35の6、35の7）や標示（付表3(2)19、20、21）により駐停車の方法が指定されているときはその方法に従うこと。

4 時間制限駐車区間での駐車

都市部においては、多くの場合、駐車が禁止されていますから、パーキング・メーターやパーキング・チケット発給設備の在る場所で手数料を支払って駐車する場合のほかは、道路上での駐車は原則としてできません。

パーキング・メーター等が在る場所で駐車するときは、次のようにしなければなりません。

(1) パーキング・メーターが在る時間制限駐車区間で駐車するときは、パーキング・メーターを直ちに作動させること。

(2) パーキング・チケット発給設備が在る時間制限駐車区間で駐車するときは、パーキング・チケット発給設備からパーキング・チケットの発給を直ちに受け、駐車している間、これを車の前面の見やすい場所（フロントガラスのある車では、その内側）に前方から見やすいように掲示すること。

(3) 時間制限駐車区間では、パーキング・メーターが車を感知した時又はパーキング・チケットの発給を受けた時から、標識（付表3(1)20）によって表示されている時間を超えて駐車しないこと。

5 高齢運転者等専用場所等での駐車、停車

(1) 駐停車や駐車が禁止されている場所であっても、標識（付表3(1)52の2、53の2）により標章車に限り駐車や停車が認められている場所（高齢運転者等専用場所）では、専用場所駐車標章（付表5(6)）に登録（車両）番号が記載されている普通自動車のみが駐車や停車ができます。

(2) 標識（付表3(1)20の下に付表3(1)73の4があるもの）により標章車に限り駐車が認められている時間制限駐車区間（高齢運転者等専用時間制限駐車区間）では、専用場所駐車標章に登録（車両）番号が記載されている普通自動車のみが駐車できます。

(3) 専用場所駐車標章は、普通自動車を運転することができる免許を受けた者で次に当たるものに限り、公安委員会に申請して、交付を受けることができます。

ア 70歳以上の高齢運転者

イ 両耳の聴力が補聴器を用いても10メートルの距離で90デシベルの警音器の音が聞こえない程度の聴覚障害のあることを理由に免許に条件を付されている運転者

ウ 肢体不自由であることを理由に免許に条件を付されている運転者

エ 妊娠中又は出産後8週間以内の運転者

(4) 高齢運転者等専用場所又は高齢運転者等専用時間制限駐車区間で駐車や停車をするときは、駐車や停車をしている間、専用場所駐車標章を普通自動車の前面の見やすい場所（フロントガラスのある普通自動車では、その内側）に掲示しなければなりません。

(5) 高齢運転者等専用場所又は高齢運転者等専用時間制限駐車区間では、公安委員会から専用場所駐車標章の交付を受けていない者は、駐車や停車をしてはいけません。

6 車の移動など

(1) 違法に駐車している車の運転者やその車の管理について責任がある者は、現場で警察官や交通巡視員からその車を移動するように命じられたときは、直ちにその車を移動しなければなりません。

(2) 違法に駐車している車については、現場に運転者やその車の管理について責任がある者がいないために、警察官や交通巡視員がその車を移動すべきことを命令することができないときは、レッカー車により移動されることがあります。

(3) 車の移動、保管などに要した費用は、車の運転者、使用者、所有者などの負担となります。

7 放置車両確認標章

(1) 違法に駐車している車に対しては、放置車両確認標章（付表5(9)）が取り付けられることがあります。放置車両確認標章を取り付けられた車の使用者は、公安委員会から、放置違反金の納付を命ぜられることがあります。

(2) 放置車両確認標章は、破ったり、汚したり、取り除いたりしてはいけません。

(3) 放置車両確認標章を取り付けられた車の使用者、運転者やその車の管理について責任がある者は、これを取り除くことができます。運転するときは、交通事故防止のため、放置車両確認標章を取り除きましょう。

8 駐車についての相談など

各都道府県の交通安全活動推進センターは、駐車や交通規制などについての照会や相談に応じていますので、利用しましょう。

9 自動車の保管場所

(1) 自動車の保有者は、住所など自動車の使用の本拠の位置から2キロメートル以内の、道路以外の場所に保管場所を確保しなければなりません。

(2) 道路を車庫がわりに使用してはいけません。道路上に駐車する場合、同じ場所に引き続き12時間（夜間は8時間）以上駐車してはいけません（特定の村の区域内の道路を除きます。）。

10 車から離れるときの義務

(1) 危険防止のための措置

車から離れるときは、車が暴走しないように次の措置を執らなければなりません。

ア エンジンを止め、ハンドブレーキを掛けること。

イ ギアは、平地や下り坂ではバック、上り坂ではローに入れておくこと。オートマチック車では、チェンジレバーをPに入れておくこと。

ウ 坂道では、輪止めをすること。

(2) 盗難防止のための措置

盗難車が犯罪に使用される例が多くみられます。そのような犯罪を防止するためにも、車から離れるときは、車を盗まれないように次の措置を執らなければなりません。

ア エンジンを止め、エンジンキーを携帯すること。

イ 窓を確実に閉めドアをロックすること。

ウ ハンドルの施錠装置など盗難防止装置があるときは、それを作動させること。

エ 貴重品などを持ち出さない場合は、トランクに入れて施錠すること。

第9節　オートマチック車などの運転

1　オートマチック車の運転

オートマチック車は、マニュアル車と運転の方法が異なるところがあり、それを知らないと思い掛けない事故を起こすことがあるので注意しましょう。

(1)　運転に当たつての心構え

オートマチック車の運転には、クラッチ操作がいらないので、その分操作の負担が軽減され、運転が楽になりますが、安易な気持ちで取り扱つてはいけません。オートマチック車の運転の基本を理解し、正確に操作することが安全運転のために必要です。

(2)　エンジンの始動

ア　エンジンを始動する前に、ブレーキペダルを踏んでその位置を確認し、アクセルペダルの位置を目で見て確認しましよう。

イ　ハンドブレーキが掛かつており、チェンジレバーがＰの位置にあることを確認した上で、ブレーキペダルを踏み、エンジンを始動しましよう。

(3)　発進

ブレーキペダルをしつかりと踏んだまま、チェンジレバーを前進のときはＤに、後退のときはＲに入れ、その位置が間違つていないことを目で見て確認した上で、ハンドブレーキを戻して、ブレーキペダルを徐々に放し、アクセルペダルを静かに踏んで発進しましよう。

ブレーキペダルをしつかり踏んでチェンジレバーを操作しないと、急発進したり、突然後退したりすることがあります。

なお、エンジン始動直後やエアコン作動時は、エンジンの回転数が高くなり、急発進する危険がありますので、ブレーキペダルを特にしつかりと踏みましよう。

(4)　交差点などで停止したとき

停止中は、必ずブレーキペダルをしつかり踏んでおき、念のためハンドブレーキも掛けておきましよう。停止時間が長くなりそうなときは、チェンジレバーをＮに入れておきましよう。

ブレーキペダルをしつかり踏んでおかないと、アクセルペダルを踏まなくても自動車がゆつくり動き出し（クリープ現象）、追突などの思わぬ事故を起こすことがありますので注意しましよう。

(5)　駐車

駐車の際には、ブレーキペダルを踏んだままハンドブレーキを確実に掛けてから、チェンジレバーをＰに入れましよう。自動車が完全に停止しないうちにチェンジレバーをＰに入れるのはやめましよう。

2　先進安全自動車（ＡＳＶ）の運転

先進安全自動車（ＡＳＶ）（注８）は、先進技術を利用して運転者の安全運転を支援するシステムが搭載された自動車ですが、このシステムは、例えば、一定以上の速度で走行している場合には、適切に作動しない場合があるなどの限界があります。自動運行装置とは異なり、運転者が絶えず周囲の状況を確認しながら必要な運転操作を行うことを前提とした運転支援技術ですので、その限界や注意点を正しく理解し、その技術を過信せずに運転しましよう。

注８　先進安全自動車（ＡＳＶ）……先進技術を利用して運転者の安全運転を支援するシステムを搭載した自動車であり、衝突被害軽減ブレーキ、ＡＣＣ（定速走行・車間距離制御システム）等の技術を搭載した車両が既に実用化されています。

3　自動運転車

自動運転車は、自動運行装置（使用条件内では運転者の操縦に必要な認知、予測、判断及び操作の能力を全て代替する機能を有する装置をいいます。）が搭載された自動車をいいます。

(1)　運転に当たつての心構え

自動運行装置を使つて運転する場合であつても、運転者として責任を持つて安全運転をしなければなりません。自動運行装置を使つて運転する際には、その自動運行装置の使用条件の内容、性能及び使用方法を正しく理解し、過信せずに適切に使つて運転しましよう。

(2)　使用条件外での自動運行装置を使つた運転の禁止

使用条件外では、自動運行装置を使つて運転してはいけません。

(3)　自動運行装置を使つて運転する場合の遵守事項

自動運行装置を使つて自動車を運転しているときは、自動運行装置から発せられる運転操作の引継ぎ要請や自動運転車の異常を直ちに認知し、かつ、運転操作を引き継ぐことができる状態でいなければなりません。

(4)　運転操作の引継ぎ

自動運行装置から発せられる運転操作の引継ぎ要請や自動運転車の異常を認知したときは、直ちに周囲の状況を確認して必要な運転操作を始めなければなりません。

(5)　安全運転を支援するシステムを使つた運転

自動運転車は、自動運行装置のほかに運転者の安全運転を支援するシステムを搭載している場合があります。自動運行装置と運転者の安全運転を支援するシステムでは、それぞれ性能、使用方法などが異なります。自動運転車を運転する場合には、作動している装置・システムを常に把握し、過信することなく、適切に運転しましよう。

第6章　危険な場所などでの運転

第1節　踏切

1　一時停止と安全確認

(1)　踏切では、死亡・重傷事故のような大きな事故が起こりがちです。踏切を通過しようとするときは、その直前（停止線があるときは、その直前）で一時停止をし、窓を開けるなどして自分の目と耳で左右の安全を確かめなければなりません。なお、踏切に信号機のある場合は、信号に従つて通過することができます。

(2)　安全を確認する場合、一方からの列車が通過しても、その直後に反対の方向からの列車が近づいて来ることがありますから十分注意しましよう。

(3)　警報機が鳴つているときや、しや断機が降りていたり、降り始めているときは、踏切に入つてはいけません。

(4)　前の車に続いて通過するときでも、一時停止をし、安全を確かめなければなりません。また、踏切の向こう側が混雑しているため、そのまま進むと踏切内で動きがとれなくなるおそれがあるときは、入つてはいけません。

(5)　踏切内では、エンストを防止するため、変速しないで、発進したときの低速ギアのまま一気に通過しましよう。また、歩行者や対向車に注意しながら、落輪しないようにやや中央寄りを通りましよう。

2　踏切で故障したとき

踏切で動かなくなつたときは、次の要領で一刻も早く列車の運転士などに知らせるとともに、車を踏切の外に移動させなければなりません。

(1) 警報機のある踏切では、警報機の柱などに取り付けられている押しボタン式の踏切支障報知装置を活用する。
(2) 踏切支障報知装置のないところでは、携帯している発炎筒などを使い列車に分かるようにできるだけ早く合図をする。
(3) 発炎筒などがなかつたり、使い切つてしまつたりしたときは、煙の出やすいものを付近で燃やすなどして合図をする。

第2節　坂道・カーブ

1　坂道・山道

(1) 上り坂で前の車に続いて停車するときは、余り接近し過ぎないようにしましよう。前の車が後退して衝突することがあります。
(2) 上り坂で発進するときは、できるだけハンドブレーキを利用しましよう。クラッチ操作だけで発進しようとすると、失敗して車が後退し、後ろの車と衝突することがあります。
(3) 上り坂の頂上付近は見通しが悪いので、徐行しましよう。また、そこでは追越しをしてはいけません。
(4) 下り坂では、低速のギアを用い（オートマチック車ではチェンジレバーを2か L（又は1）に入れ）、エンジンブレーキを活用しましよう。長い下り坂で、フットブレーキをひんぱんに使い過ぎると、急にブレーキが効かなくなることがあり危険です。
(5) 下り坂では、車間距離を広くとりましよう。加速がつき、停止距離が長くなるので危険です。
(6) 坂道では、上り坂での発進がむずかしいため、下りの車が、上りの車に道を譲りましよう。しかし、近くに待避所があるときは、上りの車でも、その待避所に入つて待ちましよう。
(7) こう配の急な下り坂では追越しをしてはいけません。
(8) 片側が転落のおそれのあるがけになつている道路で、安全な行き違いができないときは、がけ側の車は一時停止をして道を譲りましよう。
(9) 山道では、路肩が崩れやすくなつていることがあります。このような場合の行き違いでは、路肩に寄り過ぎないよう注意しましよう。

2　曲がり角・カーブ

(1) 曲がり角やカーブに近づくときは、その手前の直線部分で十分スピードを落としましよう。高速のままハンドルを切つたり、ハンドルを切りながらブレーキを掛けたりすると、横転や横滑りを起こしやすくなります。
(2) ハンドルは急ハンドルにならないよう緩やかに操作しましよう。
(3) 曲がり角やカーブでは道路の中央からはみ出さないようにしましよう。また、対向車が道路の中央からはみ出して来ることがありますから注意しましよう。
(4) 道路の曲がり角やカーブを通行するときには、車の内輪差のため、内側にいる歩行者、特定小型原動機付自転車や自転車などを巻き込んだり、後車輪が路肩からはみ出したりするおそれがありますから注意しましよう。
(5) 曲がり角やカーブでは前の車を追い越してはいけません。

第3節　夜間

1　夜間の走行

(1) 夜間は視界が悪くなるため、歩行者、特定小型原動機付自転車や自転車などの発見が遅れます。また、速度感が鈍り、速度超過になりがちです。その上、夜間は、過労運転や酒酔い運転をする者や、酔つて歩く者などがいたりするので、昼間より速度を落として慎重に運転しましよう。少しでも危ないと感じたときは、まず速度を落とすことが大切です。
(2) 走行中には、自分の車と対向車のライトで、道路の中央付近の歩行者が見えなくなることがあるので、十分注意しましよう。
(3) 視線は、できるだけ先の方へ向け、少しでも早く前方の障害物を発見するようにしましよう。
(4) 前の車に続いて走るときは、その車のブレーキ灯に注意しましよう。
(5) 幹線道路などで長時間単調な運転を続けると眠くなります。眠気を防ぐために窓を開けて新鮮な空気を入れ、少しでも眠くなつたら、安全な場所に車を止めて、休息をとるようにしましよう。
(6) 薄暮時には事故が多く発生しますので、早めにライトを点灯し、自分の車の存在を知らせるようにしましよう。

2　灯火

(1) 夜間、道路を通行するときは、前照灯、車幅灯、尾灯などをつけなければなりません。昼間でも、トンネルの中や濃い霧の中などで50メートル（高速道路では200メートル）先が見えないような場所を通行するときも同じです。
(2) 前照灯は、交通量の多い市街地などを通行しているときを除き、上向きにして、歩行者などを少しでも早く発見するようにしましよう。ただし、対向車と行き違うときや、ほかの車の直後を通行しているときは、前照灯を減光するか、下向きに切り替えなければなりません。
(3) 交通量の多い市街地の道路などでは、前照灯を下向きに切り替えて運転しましよう。また、対向車のライトがまぶしいときは、視点をやや左前方に移して、目がくらまないようにしましよう。
(4) 見通しの悪い交差点やカーブなどの手前では、前照灯を上向きにするか点滅させて、ほかの車や歩行者に交差点への接近を知らせましよう。
(5) 室内灯は、バスのほかは、走行中につけないようにしましよう。
(6) 夜間、道路に駐停車するときは、非常点滅表示灯、駐車灯又は尾灯をつけなければなりません。昼間でも、トンネルの中や濃い霧の中などで50メートル先が見えないような場所に駐停車するときも同じです。しかし、道路照明などにより、50メートル後方から見える場所に駐停車しているときや、停止表示器材を置いて駐停車しているときは別です。夜間、高速道路でやむを得ず駐停車する場合には、非常点滅表示灯、駐車灯又は尾灯をつけるほか、停止表示器材を置かなければなりません。

第4節　悪天候など

悪天候で道路の状態が悪いと思われるときや交通が混雑しそうな道路を通行するときなどは、まずラジオを聞いたり、日本道路交通情報センターに電話を掛けたりして、道路や交通の状況を確認しましよう。

1　雨の日の運転

(1) 雨の日は視界が悪くなるうえ、窓ガラスが曇つたり、路面が滑りやすくなるなど悪条件が重なり、危険度が高くなります。
(2) 雨の日は、晴れの日よりも速度を落とし、車間距離を十分とつて慎重に運転しましよう。急発進、急ハンドル、急ブレーキなどは横転、横滑りなどの原因となり、特に危険です。
(3) 地盤が緩んでいることがあるので、山道などでは路肩に寄り過ぎないようにしましよう。
(4) 雨の降り始めの舗装道路はスリップしやすいので気を付けましよう。また、工事現場の鉄板、路面電車のレールなども滑りやすいので危険です。
(5) 歩行者のそばや店先などを通るときは、速度を落として、泥や水をはねないようにしなければなりません。
(6) 深い水たまりを通ると、ブレーキドラムに水が入るため、ブレーキが効かなくなつたり、効きが悪くなつたりすることがあるので、避けて通りましよう。
(7) ワイパーは、常に整備しておきましよう。雨の降り始めにワイパーを使つて、油膜などで前面ガラスが見にくくなつたときは、洗浄液できれいにしましよう。また、車内のガラスが曇ることが多いので、デフロスターを使つたり、側面ガラスを開けるなどして、曇りを防ぎましよう。

2 雪道などの運転
(1) 雪道や凍り付いた道は大変滑りやすく危険です。タイヤにタイヤチェーンなどの滑り止め装置を着けるか、スノータイヤ、スタッドレスタイヤなどの雪路用タイヤを着けましよう。ただし、標識（付表3(1)11の2）によつてタイヤチェーンを着けていない車の通行が禁止されている道路では、タイヤにタイヤチェーンを着けないで通行してはいけません。
(2) 速度を十分落とし、車間距離を十分とつて運転しましよう。横滑りを起こすことが多いので、ハンドルやブレーキの操作は特に慎重にしましよう。急発進、急ブレーキ、急ハンドルは絶対にやめましよう。
(3) できるだけ車の通つた跡を選んで走るようにしましよう。
(4) スパイクタイヤは、雪道や凍り付いた道以外の道では、路面の損傷や粉じんの発生の原因となるので、使用しないようにしましよう。

3 霧などのときの運転
(1) 霧や吹雪などは、視界を極めて狭くします。霧灯（淡黄色などの補助前照灯）のあるときは霧灯を、ないときは前照灯を早めにつけましよう。中心線やガードレールや前の車の尾灯を目安にし、速度を落として運転しましよう。
(2) 危険を防止するため、必要に応じ警音器を使いましよう。

第５節　緊急時の措置

(1) 踏切や交差点の中でエンストしたときは、気が焦れば焦るほどエンジンが掛からないものです。このようなときは、非常手段としてギアをローかセコンドに入れ、セルモーター（始動電動機）を使つて車を動かすこともできます。（ただし、オートマチック車やクラッチペダルを踏まないとエンジンが始動しない装置を備えている車には、この方法は使えません。）
(2) ぬかるみなどで車輪が空回りするときは、古毛布、砂利などがあれば、それを滑り止めに使うと効果的です。
(3) 走行中にエンジンの回転数が上がつた後、故障等により、下がらなくなつたときは、四輪車の場合はギアをニュートラルにして車輪にエンジンの力を掛けないようにしながら路肩など安全な場所に行き、そこで停止した後にエンジンスイッチを切ること、二輪車の場合は点火スイッチを切つてエンジンの回転を止めることが大切です。
(4) 走行中にタイヤがパンクしたときは、ハンドルをしつかりと握り、車の方向を直すことに全力を傾けます。急ブレーキを避け、断続的にブレーキを踏んで止めます。
(5) 後輪の横滑りは、スピードの出し過ぎ、急ハンドル又は急加速が原因で生じます。後輪が横滑りを始めたときは、ブレーキを掛けてはいけません。まずアクセルを緩め、同時にハンドルで車の向きを立て直すようにします。この場合、後輪が右（左）に滑つたときは、車は左（右）に向くので、ハンドルを右（左）に切ります。
(6) 下り坂などでブレーキが効かなくなつたときは、手早く減速チェンジをし、ハンドブレーキを引きます。それでも停止しないようなときは、山側のみぞに車輪を落としたり、ガードレールに車体をすり寄せたり、道路わきの砂利などに突つ込んだりして止めます。
(7) 対向車と正面衝突のおそれが生じたときは、警音器とブレーキを同時に使い、できる限り左側によけます。衝突の寸前まであきらめないで、少しでもブレーキとハンドルでかわすようにします。もし道路外が危険な場所でないときは、道路外に出ることをためらつてはいけません。

第７章　高速道路での走行

高速道路とは、高速自動車国道と自動車専用道路をいいます。高速道路では、ミニカー、小型二輪車（注９）、一般原動機付自転車は通行できません。また、農耕用作業車のように構造上毎時50キロメートル以上の速度の出ない自動車やほかの車を牽(けん)引しているため毎時50キロメートル以上の速度で走ることのできない自動車も、高速自動車国道を通行することはできません。

第１節　高速道路に入る前の心得

(1) 車を点検すること
高速道路を通行する場合は、特に次の点検をしなければなりません。高速道路で、燃料、冷却水、エンジンオイルの不足により、停止することのないようにしなければなりません。
ア　燃料の量が十分であるか。
イ　冷却水の量が規定の範囲内にあるか。
ウ　ラジエータキャップが確実に締まつているか。
エ　エンジンオイルの量が適当であるか。
オ　ファンベルトの張り具合が適当であるか、また、損傷がないか。
カ　タイヤの空気圧が適当であるか（高速道路を走行するときは、空気圧をやや高めにする。）。
キ　タイヤの溝の深さが十分であるか。
(2) 積荷の状態を調べること
高速で走行すると、荷物が転落、飛散しやすくなるので、高速道路を通行するときは、前もつて、荷物が転落、飛散しないように点検し、荷物を積み直すなど必要な措置を採らなければなりません。
(3) 停止表示器材を用意すること
高速道路上で故障などによつて停止するときは、停止していることを表示する停止表示器材を置かなければなりませんので、前もつて準備しておきましよう。停止表示器材は、努めてＴＳマークの付いたものを使いましよう。
(4) 無理のない運転計画を立てること
長時間連続して高速運転をすることは危険です。適当な休息時間を織り込んだゆとりのある運転計画を立てましよう。
(5) 高速道路に入る前には、ラジオを聞いたり、日本道路交通情報センターに問い合わせるなどして、道路や交通の状況を確認しましよう。

第２節　走行上の注意

1 本線車道へ入るときの注意
本線車道とは、高速道路で通常高速走行をする部分（加速車線、減速車線、登坂車線、路側帯、路肩を除いた部分）をいいます。
(1) 本線車道へ入ろうとする場合で、加速車線があるときは、加速車線を通行して、十分加速しなければなりません。
(2) 本線車道へ入ろうとするときは、本線車道を通行している車の進行を妨げてはいけません。また、本線車道と本線車道が合流するところで、標示により前方の本線車道の優先が指定されているときは、その本線車道を通行している車の進行を妨げてはいけません。

2 速度

(1) 標識や標示で最高速度や最低速度が指定されているところでは、その最高速度を超えたり、最低速度に達しない速度で運転してはいけません。

(2) 悪天候のときは、その状況に応じた速度で走らなければなりません。長い時間高速で走つたり、夜間高速で走つたりしていると速度感が鈍り、速度を出し過ぎがちです。速度計で確かめましよう。

(3) 標識や標示で最高速度や最低速度が指定されていない高速自動車国道の本線車道では、次の最高速度を超えたり、最低速度に達しない速度で運転してはいけません。

自動車の種類	最高速度（キロメートル毎時）	最低速度（キロメートル毎時）
大型乗用自動車、特定中型貨物自動車以外の中型自動車、準中型自動車、普通自動車（三輪のものを除く。）、大型自動二輪車、普通自動二輪車	100	50
大型貨物自動車、特定中型貨物自動車（三輪のものを除く。）	90	
上記以外の自動車	80	
他の車をけん引するとき		

備考
1 本線車道が道路の構造上往復の方向別に分離されていない区間では、この表の適用はなく、一般道路と同じです。
2 高速自動車国道でほかの車をけん引して走ることができるのは、けん引するための構造と装置のある車が、けん引されるための構造と装置のある車をけん引する場合に限ります。

(4) 車間距離を十分とつて走りましよう。路面が乾燥していて、タイヤが新しい場合は、時速100キロメートルでは約100メートル、時速80キロメートルでは約80メートルの車間距離をとる必要があります。また、路面が雨にぬれ、タイヤが減つている場合は、この約2倍程度の車間距離が必要となることがあります。

(5) 雨や雪や霧など悪天候下での高速走行は特に危険です。雨の中を高速で走行すると、スリップを起こしたり、タイヤが浮いて、ハンドルやブレーキが効かなくなることがあります（ハイドロプレーニング現象）。また雪の日は路面が滑りやすく、視界も悪くなるので、高速での走行は避けましよう。これらの悪天候下ではインターチェンジが閉鎖され通行止めになることがありますので、交通情報に特に注意しましよう。

3 走行方法

(1) 走行中は、左側の白の線を目安にして車両通行帯のやや左寄りを通行するようにしましよう。後方の車が追い越す場合に十分な間隔がとれて、接触事故の防止に役立ちます。

(2) 高速道路の路側帯や路肩を通行してはいけません。

(3) 登坂車線のある道路では、荷物を積んだトラックなど速度の遅い車は、登坂車線を利用しましよう。

(4) 本線車道では、転回したり、後退したり、中央分離帯を横切つたりしてはいけません。

(5) 追越しをする場合は、早目に合図をし、追越し車線の車の動きなどに注意してから行いましよう。特に、進路を戻すときは、追い越した車全体がルームミラーに映つたことを確認してから行いましよう。

(6) 緊急自動車が本線車道へ入ろうとしているときや本線車道から出ようとしているときは、その通行を妨げてはいけません。

(7) 車の総重量が750キログラムを超える車を牽引している車で牽引するための構造と装置のあるものは、車両通行帯が設けられた自動車専用道路（標識（付表3(1)34の2）や標示（付表3(2)16の2）により指定された区間に限ります。）や高速自動車国道の本線車道では、その最も左側の車両通行帯を通行しなければなりません。しかし、高速自動車国道では、標識（付表3(1)32の3）や標示（付表3(2)14の3）によつて通行区分が示されているときは、それに従わなければなりません。

(8) 高速で走行中に急ブレーキを掛けることは、たいへん危険です。ブレーキを掛けるときは、一段低いギアに落としエンジンブレーキを使うとともに、フットブレーキを数回に分けて踏むようにしましよう。

(9) 高速走行中の急ハンドルは避けましよう。

(10) 強風のときは、ハンドルを取られやすいので速度を落とし、注意して運転しましよう。特に、トンネルや切り通しの出口などでは、横風のためにハンドルを取られることがあるので注意しましよう。

(11) 高速でトンネルに入ると、視力が急激に低下するので、あらかじめ手前で速度を落としましよう。

(12) 夜間は、対向車と行き違うときやほかの車の直後を通行しているときを除き、前照灯を上向きにして、落下物や交通事故などにより停止した車を少しでも早く発見するようにしましよう。

(13) 誤つて本線車道などに進入し、反対方向から進行してくる車や、歩行者がいることがありますので、高速道路上に設置された道路情報板などの情報に注意して走行しましよう。

4 駐車、停車の禁止など

(1) 高速道路では、次の場合のほかは、駐車や停車をしてはいけません。
ア 危険防止などのため一時停止をするとき。
イ 故障などのため十分な幅のある路肩や路側帯にやむを得ず駐停車するとき。
ウ パーキングエリアで駐停車したり、料金の支払いなどのため停車するとき。

(2) 高速道路で故障、燃料切れ、交通事故などにより運転することができなくなつたときは自動車の後方の路上に停止表示器材を置き（歩行が困難で自動車の後方の路上に停止表示器材を置くことができない場合には、停止表示灯については自動車の側方の路上などの後方から見やすい場所に置くこともできます。）、後続車の運転者に停止していることが分かるようにしなければなりません。これと併せて夜間（昼間においても視界が200メートル以下の場合も同じです。）は、非常点滅表示灯、駐車灯や尾灯をつけなければなりません。停止表示器材を置くときには、発炎筒を使つて合図をするなど後続車に十分注意しましよう。また、風の強いときなどに停止表示板を用いる場合には、倒れたりすることのないよう必要な措置を講じましよう。特に車体の後部に連結して補強措置を講ずる場合には、きちんと連結しましよう。なお、修理などが終わり現場を立ち去るときは、停止表示器材を置き忘れないようにしましよう。

(3) 故障、燃料切れ、交通事故などの理由により運転することができなくなつたときは、110番通報で警察に連絡するとともに、近くの非常電話でレッカー車を呼ぶなどして、速やかに安全な場所へ移動させなければなりません。また可能であれば、ギアをローかセコンドに入れ、セルモーターを使つて路側帯や路肩へ移動させましよう（ただし、オートマチック車やクラッチペダルを踏まないとエンジンが始動しない装置を備えている車には、この方法は使えません。）。

(4) 高速道路上で運転することができなくなった車にとどまることは、後続車が衝突する交通事故が発生するおそれが大きく、大変危険です。必要な危険防止措置をとった後は、車に残らず、ガードレールの外側などの安全な場所に避難しましょう。

(5) 高速道路上は危険ですから、荷物が転落、飛散したため、その物を除去するなど必要な措置を採るときには、110番通報で警察に連絡するとともに、非常電話を利用して、荷物の除去の依頼などをしましょう。

5 本線車道から出るとき

(1) あらかじめ、目的地への方向と出口を予告する案内標識（付表3(1)116～123）に注意しましょう。

(2) 出口に近づいたときは、あらかじめ出口に接続する車両通行帯を通行しなければなりません。この場合、減速車線があるときは、その車線を通り、感覚に頼らずに速度計で確かめながら速度を落とさなければなりません。

(3) 一般道路へ出たときは、速やかに一般道路に見合った運転方法をとりましょう。特に、高速運転に慣れた後は速度を出し過ぎになりがちですから、速度には十分注意しましょう。

注9　小型二輪車……総排気量については125cc以下、定格出力については1.00キロワット以下の原動機を有する普通自動二輪車

第8章　二輪車の運転の方法

この章は、二輪車を運転する人に特に知っていただきたい運転の方法を掲げていますので、運転する前の心得や一般的な運転の方法などについては、自動車と一般原動機付自転車のところ（第4章～第7章）を参照して下さい。なお二輪車とは、大型自動二輪車、普通自動二輪車及び一般原動機付自転車のことをいいます。

第1節　二輪車の運転者の心得

二輪車は、体で安定を保ちながら走り、停止すれば安定を失うという構造上の特性を持っているため、四輪車とは違った運転技術を必要とします。また、二輪車の動きが四輪車からは見えないことがあるので、周りの交通の動きについて一層の注意が必要となります。手軽な乗り物であると気を許さないで、常に慎重に運転しましょう。

1 車種の選定

(1) 体格に合った車種を選ぶようにしましょう。体力に自信があってもいきなり大型車に乗るのは危険です。最初は小型の車種から始め、熟練度に応じて大型の車種に乗るようにしましょう。

車種の選定に当たっては、次のことができるかどうかを確かめましょう。

ア 平地でセンタースタンドを立てることが楽にできること。

イ 二輪車にまたがったとき、両足のつま先が地面に届くこと。

ウ 8の字型に押して歩くことが完全にできること。

(2) 大型自動二輪車や普通自動二輪車の二人乗りをする場合には、後部座席にゆとりがある車種を選ぶようにしましょう。

2 乗車用ヘルメットの着用

乗車用ヘルメットをかぶらないで大型自動二輪車や普通自動二輪車や一般原動機付自転車を運転してはいけません。また、乗車用ヘルメットをかぶらない者を乗せて大型自動二輪車や普通自動二輪車を運転してはいけません。乗車用ヘルメットは、PS（c）マークかJISマークの付いたものを使い、あごひもを確実に締めるなど正しく着用しましょう。工事用安全帽は乗車用ヘルメットではありません。

3 服装など

二輪車に乗るときは、体の露出がなるべく少なくなるような服装をし、できるだけプロテクターを着用しましょう。大型自動二輪車や普通自動二輪車の同乗者についても同様です。また、ほかの運転者から見て、よく目に付きやすいものを着用するようにしましょう。夜間は、反射性の衣服又は反射材の付いた乗車用ヘルメットを着用するようにしましょう。

4 二人乗りの禁止

次の場合には、二人乗りをしてはいけません。

(1) 大型自動二輪車や普通自動二輪車で後部座席がないものや一般原動機付自転車を運転するとき。

(2) 大型二輪免許を受けて1年を経過していない者が大型自動二輪車や普通自動二輪車を運転するとき。ただし、普通二輪免許を受けて1年を経過している場合は二人乗りをすることができます。

(3) 普通二輪免許を受けて1年を経過していない者が普通自動二輪車を運転するとき。

(4) 大型二輪免許を受けた者で、20歳未満のもの又は大型二輪免許を受けていた期間が3年未満のものが、高速道路で大型自動二輪車や普通自動二輪車を運転するとき。ただし、20歳以上で、かつ、普通二輪免許を受けて3年を経過している場合は二人乗りをすることができます。

(5) 普通二輪免許を受けた者で、20歳未満のもの又は普通二輪免許を受けていた期間が3年未満のものが、高速道路で普通自動二輪車を運転するとき。

5 二人乗りをするときの心得

大型自動二輪車や普通自動二輪車の二人乗りは、一人乗りと比べて運転特性に違いがみられる面があります。二人乗りが禁止されていない場合であっても、二人乗りは一人乗りでの運転に習熟してからするようにしましょう。また、二人乗りに関する講習を受講するようにしましょう。

6 二輪車の点検

点検に当たっては次の事柄を確かめましょう。

(1) ブレーキの遊びや効きは十分か。

(2) 車輪にガタやゆがみはないか。

(3) タイヤの空気圧は適正か。

(4) チェーンが緩み過ぎていたり、張り過ぎていたりしないか（緩みは、チェーンの中央部を指で押してみて調べる。）。適当な注油がなされているか。

(5) ハンドルが重くないか。ワイヤーが引っ掛かっていないか。ガタはないか。

(6) 灯火はすべて正常に働くか。

(7) バックミラーは、よく調整されているか。

(8) マフラーは、完全に取り付けられているか。破損していないか。

第2節　正しい乗り方

次の点に注意し、運転しやすい正しい乗車姿勢をとりましょう。

(1) ステップに土踏まずを載せて、足の裏がほぼ水平になるようにする。また、足先がまっすぐ前方を向くようにして、タンクを両ひざでしめる。

(2) 手首を下げて、ハンドルを前に押すような気持ちでグリップを軽く持つ。

(3) 肩の力を抜き、ひじをわずかに曲げる。

(4) 背筋を伸ばし、視線は先の方へ向ける。

第3節　安全な運転の方法

二輪車は機動性に富んでいますが、車の間を縫って走ったり、ジグザグ運転、無理な追越しや割込みをしたりしてはいけません。そのような運転方法は極めて危険であるばかりでなく、周囲の運転者にも不安を与えます。車間距離や側方間隔を十分に保ちましよう。交通渋滞のときなどには、前の車に乗っている人が急にドアを開けたり、歩行者が車の間から飛び出したりすることがあるので注意しましよう。また、げたやサンダルなど運転の妨げになる履物を履いて運転してはいけません。

1　カーブでの運転方法

(1)　カーブの手前の直線部分で、あらかじめ十分速度を落としましよう。また、カーブでは右側部分にはみ出さないように注意しましよう。

(2)　曲がるときは、ハンドルを切るのではなく、車体を傾けることによつて自然に曲がるような要領で行いましよう。

(3)　カーブの途中では、スロットルで速度を加減しましよう。クラッチを切らないで常に車輪にエンジンの力を掛けておき、カーブの後半で前方の安全を確かめてから、やや加速するようにしましよう。

2　ぬかるみ、砂利道などでの運転方法

(1)　ぬかるみや砂利道などでは、低速ギアなどを使つて速度を落として通行しましよう。

(2)　ブレーキを掛けたり、急に加速したり、大きなハンドル操作をしたりしないようにしましよう。スロットルで速度を一定に保ち、バランスをとりながら通行しましよう。

3　右折するときの運転

(1)　大型自動二輪車や普通自動二輪車の右折

交差点（環状交差点を除きます。）で右折しようとするときは、あらかじめできるだけ道路の中央に寄り、交差点の中心のすぐ内側を徐行しながら進行しなければなりません。

幅の広い道路で右折しようとするとき（環状交差点で右折しようとするときを除きます。）は、十分手前のところから徐々に右折の車線に移るようにしましよう。急に左側の車線から右側の車線に移動すると極めて危険です。

(2)　一般原動機付自転車の右折

交差点（環状交差点を除きます。）での右折は、次の方法でしなければなりません。

ア　二段階の右折方法

「一般原動機付自転車の右折方法（二段階）」の標識（付表3(1)35の2）のある道路や車両通行帯（交差点の付近に設けられた右左折のための車両通行帯を含みます。）が3以上ある道路（「原動機付自転車の右折方法（小回り）」の標識（付表3(1)35の3）のある道路を除きます。）の信号機などにより交通整理の行われている交差点では、あらかじめできるだけ道路の左端に寄つて、その交差点の手前の側端から30メートルの地点に達したときに右折の合図を行い、青信号で徐行しながら交差点の向こう側までまつすぐに進み、その地点で止まつて右に向きを変え、ここで合図をやめ、前方の信号が青になつてから進むようにしなければなりません。なお、このような場合は、青の矢印の信号によつて右折することはできません。

イ　小回りの右折方法

「一般原動機付自転車の右折方法（小回り）」の標識のある道路の交差点などア以外の交差点では、あらかじめできるだけ道路の中央に寄り、交差点の中心のすぐ内側を徐行しながら進行しなければなりません。

幅の広い道路で右折しようとするときは、十分手前のところから徐々に右折の車線に移るようにしましよう。急に左側の車線から右側の車線に移動すると極めて危険です。なお、このような場合は、青の矢印の信号に従つて右折することができます。

第4節　ブレーキの掛け方

1　方法

ブレーキの掛け方には次の三つがあります。

(1)　ブレーキレバーを使う前輪ブレーキ

(2)　ブレーキペダル又はブレーキレバーを使う後輪ブレーキ

(3)　スロットル（アクセル）の戻し又はシフトダウン（低速ギアに入れること。）によるエンジンブレーキ

2　ブレーキを掛けるときの注意

(1)　ブレーキを掛けるときは、車体を垂直に保ち、ハンドルを切らない状態で、エンジンブレーキを効かせながら前後輪のブレーキを同時に掛けましよう。このとき乗車姿勢を正しく保たないと前のめりになります。

(2)　乾燥した路面でブレーキを掛けるときは、前輪ブレーキをやや強く、路面が滑りやすいときは、後輪ブレーキをやや強く掛けましよう。

(3)　エンジンブレーキは、低速ギアになるほど制動力が大きくなります。しかし、ギアをいきなり高速からローに入れるとエンジンを傷めたり、転倒したりするおそれがありますので、順序よくシフトダウンしましよう。

(4)　急ブレーキを掛けると、車輪の回転が止まり、横滑りを起こす原因になります。ブレーキは数回に分けて使いましよう。

第5節　オートマチック二輪車の運転

オートマチック二輪車は、マニュアル二輪車と運転の方法が異なるところがあり、それを知らないと思い掛けない事故を起こすことがあるので注意しましよう。

1　運転に当たつての心構え

オートマチック二輪車の運転には、クラッチ操作がいらないので、その分操作の負担が軽減され、運転が楽になりますが、安易な気持ちで取り扱つてはいけません。オートマチック二輪車の運転の基本を理解し、正確に操作することが安全運転のために必要です。

2　発進

クラッチ操作がいらない分、スロットルを急に回転させると急発進する危険がありますので注意しましよう。

3　低速で走行するとき

オートマチック二輪車に無段変速装置が採用されている場合、エンジンの回転数が低い時には、車輪にエンジンの力が伝わりにくい特性があります。このため、低速で走行している際にスロットルを完全に戻すと車輪にエンジンの力が伝わらなくなり、安定を失うことがあるので注意しましよう。

第6節　その他注意しなければならないこと

1　改造の禁止

変形ハンドルは運転の妨げとなり、また、マフラーを取り外したり、切断したり、マフラーのしんを抜いたり、マフラーに穴を開けたりすると騒音が大きくなるので、このような改造をしてはいけません。

2　ペダル付き原動機付自転車

ペダル付き原動機付自転車（ペダルが備えられている原動機付自転車をいいます。）を原動機を作動させずにペダルを用いて運転する場合であつても、原動機付自転車として扱われます。

3　押して歩くとき

二輪車を押して歩くときは、歩行者として扱われます。しかし、エンジンを掛けているものやほかの車をけん引しているも

りや側車付きのものを押しているときは、歩行者としては扱われません。

第9章　旅客自動車や代行運転自動車の運転者などの心得

1　旅客など利用客の保護

(1)　旅客自動車（バス、タクシー、ハイヤー）や代行運転自動車の運転者は、常に旅客など利用客の安全を考え、ほかの車や歩行者が危険な行動に出ても交通事故を避けることができるよう慎重に運転しましょう。また、利用客にショックを与えないよう急ブレーキや急発進を避けるとともに、悪路で揺れるような場合などには、事前に利用客に声を掛け注意を促しましょう。

(2)　旅客自動車を運転する場合は、特に次の事柄を守りましょう。

ア　病気や疲れなどの理由により安全運転ができないおそれがあるときは、その旨を事業者に申し出ること。

イ　運転中重大な故障を発見したときや重大な事故が発生するおそれがあるときは、直ちに運転を中止すること。

ウ　坂道で車から離れるときや危険な場所を通過するときは、旅客を降ろすこと。

エ　故障などのため踏切内で動かなくなつたときは、速やかに旅客を誘導して退避させるとともに、発炎筒などで列車に合図をすること。

オ　業務を交代するときは、道路や車の状況について申し継ぎをすること。申し継ぎを受けた運転者は、ハンドル、ブレーキなどの機能について点検すること。

カ　乗降口のドアは、停車を確認したあとで開き、また確実に閉めてから発車すること。

キ　事故が起きたときは、応急救護処置や遺留品の保管など負傷者の保護に当たること。

ク　運転操作が円滑に行えなくなるおそれがある服装をしないこと。

ケ　バスの運転者は、発車するに当たり、その直前に安全が確認できた場合を除き、警音器を吹鳴すること。

コ　バスに車掌が乗務している場合は、発車は、車掌の合図によつて行い、警報装置の設備や踏切警手の配置のない踏切を通過するときやバスを後退させるときは車掌の誘導を受けること。

2　その他の心得

このほか、旅客自動車などの運転者その他の乗務員や事業者は、次の事柄を守りましょう。

(1)　路線バスは、夜間、道路を通行するときは、室内灯をつけること。

(2)　バスの運転者は、旅客のいるバスの走行中は、職務に必要のない話はしないようにすること。

(3)　タクシーの運転者は、食事や休憩、回送のため旅客を乗せることができないときは、回送板を掲示すること。

(4)　乗務距離の最高限度が定められているタクシーの運転者は、その最高限度を守ること。

(5)　旅客自動車の乗務員は、旅客のいる車内では喫煙しないこと。

(6)　旅客自動車の事業者は、ガソリン、灯油、塩酸などで危険な状態のものを持つている者を乗車させないこと。

(7)　バスの乗務員は、旅客が車内で法令の規定などに反する行為をするときは、これを制止するなど必要な措置をとること。

(8)　旅客自動車の事業者は、旅客自動車が踏切を通行するときは、赤色旗、赤ランプなどの非常信号用具を備え付けること。

(9)　旅客自動車の運転者は、一日一回、運行の開始前に日常点検を実施し、又はその確認をし、事業者にその結果を報告すること。

(10)　代行運転自動車の運転者は、代行運転自動車標識（付表5(10)）を表示しなければならないこと。

第10章　交通事故、故障、災害などのとき

第1節　交通事故のとき

1　運転者などの義務

交通事故が起きたときは、運転者や乗務員は次のような措置を採らなければなりません。

(1)　事故の続発を防ぐため、他の交通の妨げにならないような安全な場所（路肩、空地など）に車を止め、エンジンを切る。

(2)　負傷者がいる場合は、医師、救急車などが到着するまでの間、ガーゼや清潔なハンカチなどで止血するなど、可能な応急救護処置を行う。この場合、むやみに負傷者を動かさない（特に頭部に傷を受けているときは動かさない）ようにする。ただし、後続事故のおそれがある場合は、早く負傷者を救出して安全な場所に移動させる。

(3)　事故が発生した場所、負傷者数や負傷の程度、物の損壊の程度、事故にあつた車の積載物などを警察官に報告し、指示を受ける。

なお、緊急自動車、けが人や病人を運搬中の車や、乗合バスなどの運転者は、業務のために引き続きその車を運転する必要があるときは、他の乗務員に負傷者の救護や警察官への報告など必要な措置を行わせて、運転を続けることができる。

2　医師の診断を受けること

軽いけがでも、必ず警察官に届け、外傷がなくても頭部などに強い衝撃を受けたときは、医師の診断を受けましょう。後になつて後遺症が起きて困ることがあります。

3　現場に居合わせた人の協力

(1)　交通事故の現場に居合わせた人は、負傷者の救護、事故車両の移動などについて進んで協力しましょう。

(2)　ひき逃げを見かけたときは、負傷者を救護するとともに、その車のナンバー、車種、色など車の特徴を110番通報などで警察官に届け出ましょう。

(3)　事故現場には、ガソリンが流れたり、積荷に危険物があつたりするので、たばこを吸つたり、マッチを捨てたりしないようにしましょう。

4　交通事故についての相談

各都道府県の交通安全活動推進センターは、交通事故についての相談に応じていますので、利用しましょう。

第2節　故障などのとき

1　車が故障したときや、燃料、冷却水などが切れたときは、他の交通の妨げにならない場所に駐車し、速やかに修理又は補給の措置を採りましょう。高速道路でやむを得ず駐車する場合には、他の車の走行の妨害にならないよう路肩又は路側帯に車を駐車させなければなりません。

2　夜間やむを得ず一般道路で駐車する場合には、非常点滅表示灯などをつけるか、停止表示器材を置くなど、他の車に停止していることが分かるようにしなければなりません。昼間、一般道路で駐車する場合にも、停止表示器材を置いたり、トランクをあけたりして駐車していることを表示するようにしましょう。

3　高速道路でやむを得ず駐車する場合には、時間帯に応じて、昼間用又は夜間用の停止表示器材を車の後方に置かなければなりません（歩行が困難で自動車の後方の路上に停止表示器材を置くことができない場合には、停止表示灯については自動車の

側方の路上などの後方から見やすい場所に置くこともできます。）。夜間の場合、非常点滅表示灯、駐車灯又は尾灯を併せてつけなければなりません。停止表示器材を置くときには、発炎筒を使つて合図をするなど後続車に十分注意しましよう。

4　道路に故障車両を放置することは、追突事故などの原因となり非常に危険です。停止表示器材を置くなど、一次措置を終えるとすぐに、近くの電話などでＪＡＦ（日本自動車連盟）や修理業者などの車を呼んで、速やかに道路外へ移動させるようにしましよう。やむを得ず一般車両でけん引するときは、けん引する車と故障車の間に安全な間隔（5メートル以内）を保ちながら丈夫なロープなどで確実につなぎ、ロープに白い布（30センチメートル平方以上）を付けなければなりません。

第３節　災害などのとき

1　地震災害に関する警戒宣言が発せられたとき

大規模地震対策特別措置法により、大規模な地震災害が生じるおそれのある地域が強化地域（地震防災対策強化地域をいいます。）として指定されます。現在のところ、東海地震に関して静岡県の全域と東京、神奈川、山梨、長野、岐阜、愛知、三重の７都県の一部が指定されています。

この強化地域において、大規模な地震の発生するおそれが迫つており、かつ、地震防災応急対策を実施することが緊急に必要であるときは、内閣総理大臣が警戒宣言を発することになつています。

警戒宣言が発せられた場合、強化地域内での一般車両の通行は禁止され、又は制限されます。強化地域内の運転者は次のような措置を採るようにしましよう。

(1)　車を運転中に警戒宣言が発せられたとき

ア　警戒宣言が発せられたことを知つたときは、地震の発生に備えて、あわてることなく、低速で走行するとともに、カーラジオ等により継続して地震情報や交通情報を聞き、その情報に応じて行動すること。

イ　車を置いて避難するときは、できるだけ道路外の場所に移動しておくこと。やむを得ず道路上に置いて避難するときは、道路の左側に寄せて駐車し、エンジンを止め、エンジンキーは付けたままとするか運転席などの車内の分かりやすい場所に置いておくこととし、窓を閉め、ドアはロックしないこと。駐車するときは、避難する人の通行や地震防災応急対策の実施の妨げとなるような場所には駐車しないこと。

(2)　車を運転中以外の場合に警戒宣言が発せられたとき

津波から避難するためやむを得ない場合を除き、避難のために車を使用しないこと。

2　緊急地震速報が発表されたとき

緊急地震速報は、気象庁が、予想される地震動の大きさがおおむね震度５弱以上である場合などに、震度４以上を予想した区域などを、その揺れが来る前に発表するものです。

車を運転中に緊急地震速報が発表されたことを知つたときは、運転者は、周囲の状況に応じて、あわてることなく、非常点滅表示灯をつけるなどして周囲の車に注意を促した後、急ブレーキを避け、緩やかに速度を落としましよう。

3　大地震が発生したとき

大地震が発生した場合、運転者は次のような措置を採るようにしましよう。

(1)　車を運転中に大地震が発生したとき

ア　急ハンドル、急ブレーキを避けるなど、できるだけ安全な方法により道路の左側に停止させること。

イ　停止後は、カーラジオ等により地震情報や交通情報を聞き、その情報や周囲の状況に応じて行動すること。

ウ　引き続き車を運転するときは、道路の損壊、信号機の作動停止、道路上の障害物などに十分注意すること。

エ　車を置いて避難するときは、できるだけ道路外の場所に移動しておくこと。やむを得ず道路上に置いて避難するときは、道路の左側に寄せて駐車し、エンジンを止め、エンジンキーは付けたままとするか運転席などの車内の分かりやすい場所に置いておくこととし、窓を閉め、ドアはロックしないこと。駐車するときは、避難する人の通行や災害応急対策の実施の妨げとなるような場所には駐車しないこと。

(2)　車を運転中以外の場合に大地震が発生したとき

ア　津波から避難するためやむを得ない場合を除き、避難のために車を使用しないこと。

イ　津波から避難するためやむを得ず車を使用するときは、道路の損壊、信号機の作動停止、道路上の障害物などに十分注意しながら運転すること。

4　災害が発生したときなどに災害対策基本法による交通の規制が行われたときなど

災害対策基本法により、災害が発生し、又はまさに発生しようとしている都道府県（これに隣接し又は近接する都道府県を含む。）において、災害応急対策が的確かつ円滑に行われるようにするため緊急の必要があるときは、緊急通行車両以外の車両の通行が禁止され、又は制限されます。

また、原子力災害対策特別措置法により、原子力緊急事態宣言があつたときから原子力緊急事態解除宣言があるまでの間についても同様です。

この交通の規制が行われた場合、通行禁止区域等（交通の規制が行われている区域又は道路の区間をいいます。）内の一般車両の運転者は次の措置をとらなければなりません。

(1)　速やかに、車を次の場所へ移動させること。

ア　道路の区間を指定して交通の規制が行われたときは、規制が行われている道路の区間以外の場所

イ　区域を指定して交通の規制が行われたときは、道路外の場所

(2)　速やかな移動が困難なときは、車をできるだけ道路の左端に沿つて駐車するなど、緊急通行車両の通行の妨害とならない方法により駐車すること。

(3)　警察官の指示を受けたときは、その指示に従つて車を移動又は駐車すること。

なお、警察官は、通行禁止区域等において車などが緊急通行車両の通行の妨害となつているときは、その車の運転者などに対して必要な措置をとることを命じることがあります。運転者などが命令された措置をとらなかつたり、現場にいないために措置をとることを命じることができないときは、警察官が、自らその措置をとることがあります。この場合、やむを得ない限度において、車などを破損することがあります。また、これらの警察官の命令等の職務については、警察官がその場にいない場合に限り、災害派遣に従事する自衛官や消防吏員が行うことがあります。

5　武力攻撃事態等における国民の保護のための措置に関する法律などによる交通の規制が行われたとき

武力攻撃事態等における国民の保護のための措置に関する法律により、国民の保護のための措置が的確かつ迅速に行われるようにするため緊急の必要があるときは、緊急通行車両以外の車両の通行が禁止され、又は制限されます。

また、道路交通法により、自衛隊等による我が国に対する外部からの武力攻撃を排除するための行動が的確かつ円滑に実施されるようにするため緊急の必要があるときは、自衛隊等の使用する車両以外の車両の通行が禁止され、又は制限されます。

これらの交通の規制が行われた場合、通行禁止区域等内の一般車両の運転者は、災害対策基本法による交通規制が行われた場合の通行禁止区域等内の一般車両の運転者と同様の措置をとらなければなりません。

第11章　自動車所有者、使用者、安全運転管理者、自動車運転代行業者などの心得

第1節　自動車所有者などの義務

自動車を所有する人や使用、管理する人は次のことを守らなければなりません。

1　自動車の保管場所の確保など

(1)　住所など自動車の使用の本拠の位置から2キロメートル以内の、道路以外の場所に自動車の保管場所を確保しなければなりません。

(2)　自動車を運行の用に供しようとするときなどは、警察署長の交付する保管場所標章を自動車の後面ガラスなどにはり付けて表示しなければなりません。

2　自動車の登録（届け出）等

自動車は登録を受け（軽自動車は届け出）て、番号標（ナンバープレート）を付けなければなりません。また、原動機付自転車は申告をして、標識（ナンバープレート）を付けなければなりません。

3　自動車の検査

自動車は、一定の時期に検査を受けなければなりません。前面ガラスにはられた検査標章の数字は、次の検査の時期（年月）を示します。

4　強制保険などの加入

自賠責保険か責任共済に加入しなければなりません。原動機付自転車も必ず自賠責保険か責任共済に加入しなければなりません。また、なるべく一般の任意保険にも加入するようにしましょう。

5　自動車の管理

無免許の人や酒を飲んだ人に車を貸してはいけません。また、車を勝手に持ち出されないように、車のかぎの保管に十分注意しましょう。

第2節　使用者、安全運転管理者、自動車運転代行業者などの義務

1　使用者の義務など

(1)　車の使用者は、運転者に交通規則を守らせ、安全運転管理者などに安全運転の管理をさせるように努めなければなりません。自動車運転代行業者が、その業務に従事する運転者に代行運転自動車を運転させる場合も同様です。

(2)　消防用自動車などの緊急自動車や道路維持作業用自動車の使用者は、安全運転管理者を置いている場合を除き、運転者に対し、安全運転に必要な交通安全教育を行うよう努めなければなりません。

(3)　車の使用者は、車の適正な駐車のために必要な措置を講じなければなりません。

(4)　運転者が次のようなことをしたときには、公安委員会から、その車の使用者に対して、再発を防止するために必要な措置をとることを指示されることがあります。それでも、なおこのようなことが繰り返された場合には、使用者は、一定期間その自動車を運転したり、運転させたりすることができなくなる処分を受けることがあります。

ア　最高速度違反行為（最高速度を超える速度で車を運転する行為をいいます。）

イ　過積載運転行為（過積載をして車を運転する行為をいいます。）

ウ　過労運転（過労により正常な運転ができないおそれがある状態で車を運転する行為をいいます。）

なお、自動車運転代行業者は、代行運転自動車や随伴用自動車の運転者がア、ウの行為や駐停車違反行為（違法に駐車又は停車をする行為をいいます。）をしたときにも、公安委員会から、再発を防止するために必要な措置をとることを指示されたり、その営業を停止する処分を受けたりすることがあります。

(5)　公安委員会から放置違反金の納付を命ぜられた車の使用者は、それ以前に放置違反金の納付を命ぜられたことがあるときは、一定期間その車を運転したり、運転させたりすることができなくなる処分を受けることがあります。

(6)　放置違反金を納付の期限までに納付せず、公安委員会から督促を受けた自動車の使用者は、その放置違反金、延滞金及び手数料を納付したことなどを証する書面を提示しなければ、新たに自動車検査証を受けることができません。

2　安全運転管理者など

(1)　自動車の使用者は、自動車の安全な運転に必要な業務を行わせるため、乗車定員が11人以上の自動車にあつては1台、その他の自動車にあつては5台（大型自動二輪車と普通自動二輪車はそれぞれ0.5台として計算します。）以上の車を使用する事業所ごとに、安全運転管理者を置かなければなりません。また、自動車運転代行業者は、その営業所ごとに安全運転管理者を置かなければなりません。

(2)　20台以上の自動車（大型自動二輪車と普通自動二輪車はそれぞれ0.5台として計算します。）を使用する事業所（自動車運転代行業者にあつては、10台以上の随伴用自動車を使用する営業所）には、それぞれ使用する台数に応じて所定の数の副安全運転管理者を置かなければなりません。

(3)　安全運転管理者は、次のことを確実に行つて、運転者に安全な運転をさせるようにしなければなりません。また、副安全運転管理者は、これらの業務について安全運転管理者を補助しなければなりません。

ア　交通安全教育を行うこと。

イ　自動車の運転についての運転者の適性、技能、知識や運転者が交通規則を守つているかを把握するための措置をとること。

ウ　最高速度違反行為、過積載運転行為、過労運転、違法な駐車をした場合において、運転者が車を離れて直ちに運転することができない状態にする行為（代行運転自動車及び随伴用自動車については駐停車違反行為）の防止などに十分気を配つて運行計画を作成すること。

エ　長距離運転などの場合は、交代運転者を配置すること。

オ　異常な気象や天災などの場合は、必要な指示をするなど安全運転をさせるための措置をとること。

カ　日常点検の実施や運転者の健康状態などを確認し、安全運転に必要な指示をすること。

キ　運転しようとする運転者及び運転を終了した運転者に対し、酒気帯びの有無について、当該運転者の状態を目視等で確認するほか、アルコール検知器を用いて確認し、その記録を一年間保存するとともに、アルコール検知器を常時有効に保持すること。

ク　運転日誌をつけさせること。

ケ　自動車の運転についての技能、知識など安全運転に必要な事項について指導すること。

(4)　自動車の使用者は、安全運転管理者に対し、その業務を行うため必要な権限を与えるとともに、その業務を行うため必

要な機材を整備しなければなりません。

(5) 自動車の使用者や安全運転管理者など自動車の運行を直接管理する者は、運転者に次のようなことをさせたり、黙認したりしてはいけません。このような場合は、一定期間その自動車を運転したり、運転させたりすることができなくなる処分を受けることがあります。

ア 無免許運転（免許停止中の運転を含みます。）や無資格運転

イ 最高速度違反行為

ウ 酒酔い運転や酒気帯び運転

エ 麻薬、覚せい剤、シンナー等の服用運転や過労運転等

オ 積載の制限に違反して自動車を運転する行為

カ 違法な駐車をした場合において、運転者が車を離れて直ちに運転することができない状態にする行為

また、自動車運転代行業者やその安全運転管理者などは、代行運転自動車の運転者に対しては、アからエの行為又は駐停車違反行為を、随伴用自動車に対してはアからオの行為又は駐停車違反行為をさせたり、黙認したりしてはいけません。

用語のまとめ

注１ 車……自動車、原動機付自転車、自転車や荷車などの軽車両、トロリーバスをいいます。

注２ 一般原動機付自転車……二輪のもの及び内閣総理大臣が指定する三輪以上のものにあつては、総排気量については50cc以下、定格出力については0.60キロワット以下、その他のものにあつては、総排気量については20cc以下、定格出力については0.25キロワット以下の総排気量又は定格出力を有する原動機付自転車であつて、特定小型原動機付自転車に該当するもの以外のものをいいます。

注３ 路側帯……歩道のない道路で、歩行者の通行のためや車道の効用を保つための白の線によつて区分された道路の端の帯状の部分をいいます。

注４ 歩行者用道路……歩行者の安全のために標識（付表３(1)30）によつて自動車などの通行を禁止している道路をいいます。

注５ 自動車運転代行業……他人に代わつて自動車を運転するサービスを提供する営業で、次のいずれにも当たるものをいいます。

(1) 主として、夜間に、飲食店などで飲酒をして酒気を帯びている客に代わつて自動車を運転するサービスを提供するものであること。

(2) 酒気を帯びている客などを乗車させるものであること。

(3) 通常の営業形態として、客に代わつて運転する自動車に、業務用の自動車（随伴用自動車といいます。）が随伴するものであること。

注６ ミニカー……総排気量については50cc以下、定格出力については0.60キロワット以下の原動機を有する普通自動車をいいます。

注７ 特定の構造の農業用薬剤散布車……時速35キロメートル以上の速度を出すことができない構造の農業用薬剤を散布するための普通自動車をいいます。

注８ 先進安全自動車（ＡＳＶ）……先進技術を利用して運転者の安全運転を支援するシステムを搭載した自動車であり、衝突被害軽減ブレーキ、ＡＣＣ（定速走行・車間距離制御システム）等の技術を搭載した車両が既に実用化されています。

注９ 小型二輪車……総排気量については125cc以下、定格出力については1.00キロワット以下の原動機を有する普通自動二輪車

付表1　信号の種類と意味

(1)　信号機の信号

信号の種類	信号の意味
青色の灯火	(1) 歩行者及び遠隔操作型小型車（遠隔操作により道路を通行しているものに限ります。以下同じです。）は、進むことができます。 (2) 特定小型原動機付自転車と軽車両以外の車や路面電車は直進し、左折し、右折することができます。ただし、二段階の右折方法により右折する一般原動機付自転車は、右折する地点まで直進し、その地点で向きを変えることまでできます。 (3) 特定小型原動機付自転車と軽車両（自転車、荷車など）は、直進し、左折することができます。右折するときは、右折する地点まで直進し、その地点で向きを変えることまでできます。
黄色の灯火	(1) 歩行者及び遠隔操作型小型車は、横断を始めてはいけません。横断中の歩行者及び遠隔操作型小型車は、速やかに横断を終わるか、横断をやめて引き返さなければなりません。 (2) 車や路面電車は、停止位置から先へ進んではいけません。しかし、黄色の灯火に変わったときに停止位置に近づいていて、安全に停止することができない場合は、そのまま進むことができます。
赤色の灯火	(1) 歩行者及び遠隔操作型小型車は、横断してはいけません。 (2) 車や路面電車は、停止位置を越えて進んではいけません。 (3) 交差点で既に左折している車や路面電車は、左折方向の信号が赤でもそのまま進むことができます。 (4) 交差点で既に右折している車や路面電車は、右折方向の信号が赤でもそのまま進むことができます。この場合、その車や路面電車は、青色の灯火に従って進んで来る車や路面電車の進行を妨げてはいけません。ただし、特定小型原動機付自転車、軽車両や二段階の右折方法により右折する一般原動機付自転車は、右折方向の信号が赤のときは、その右折している地点で停止していなければなりません。
人の形の記号がある青色の灯火	(1) 歩行者及び遠隔操作型小型車は進むことができます。 (2) 横断歩道を進行する特例特定小型原動機付自転車と普通自転車は、直進し、左折することができます。右折するときは、右折する地点まで直進し、その地点で向きを変えることまでできます。
人の形の記号がある青色の灯火の点滅	(1) 歩行者及び遠隔操作型小型車は、横断を始めてはいけません。横断中の歩行者及び遠隔操作型小型車は、速やかに横断を終わるか、横断をやめて引き返さなければなりません。 (2) 横断歩道を進行しようとする特例特定小型原動機付自転車と普通自転車は、横断を始めてはいけません。
人の形の記号がある赤色の灯火	(1) 歩行者及び遠隔操作型小型車は、横断してはいけません。 (2) 横断歩道を進行しようとする特例特定小型原動機付自転車と普通自転車は、横断を始めてはいけません。
青色の灯火の矢印	車は、黄色の灯火や赤色の灯火の信号であっても矢印の方向に進むことができます（右向きの矢印の場合には、転回することもできます。）。しかし、右向きの矢印の場合には、特定小型原動機付自転車、軽車両や二段階の右折方法により右折する一般原動機付自転車は進むことができません。
黄色の灯火の矢印	路面電車は、黄色の灯火や赤色の灯火の信号であっても矢印の方向に進むことができますが、歩行者及び遠隔操作型小型車や車は、進んではいけません。
黄色の灯火の点滅	歩行者及び遠隔操作型小型車や車や路面電車は、他の交通に注意して進むことができます。
赤色の灯火の点滅	(1) 歩行者及び遠隔操作型小型車は、ほかの交通に注意して進むことができます。 (2) 車や路面電車は、停止位置で一時停止しなければなりません。

備考　この表で停止位置とは停止線があるところでは、停止線の直前をいい、ないところでは、次の位置をいいます。
(1) 交差点では、その直前（交差点のすぐ近くに横断歩道や自転車横断帯があるところでは、横断歩道や自転車横断帯の直前）
(2) 交差点以外で、横断歩道や自転車横断帯や踏切があるところでは、その直前
(3) 交差点以外で、横断歩道も自転車横断帯も踏切もないところに信号機があるときは、信号機の直前

(2)　歩行者用の信号機に「歩行者・自転車専用」と表示されている場合の信号

信号の種類	信号の意味
人の形の記号がある青色の灯火	(1) 歩行者及び遠隔操作型小型車は、進むことができます。 (2) 特定小型原動機付自転車と自転車は、直進し、左折することができます。右折するときは、右折する地点まで直進し、その地点で向きを変えることまでできます。
人の形の記号がある青色の灯火の点滅	(1) 歩行者及び遠隔操作型小型車は、横断を始めてはいけません。横断中の歩行者及び遠隔操作型小型車は、速やかに横断を終わるか、横断をやめて引き返さなければなりません。 (2) 特定小型原動機付自転車と自転車は、横断を始めてはいけません。しかし、青色の灯火の点滅に変わったときに停止位置に近づいていて、安全に停止することができない場合は、そのまま進むことができます。
人の形の記号がある赤色の灯火	(1) 歩行者及び遠隔操作型小型車は、横断してはいけません。 (2) 特定小型原動機付自転車と自転車は、横断を始め、又は停止位置を越

	えて進んではいけません。 (3) 交差点で既に左折している特定小型原動機付自転車と自転車は、左折方向の信号が赤でもそのまま進むことができます。 (4) 交差点で既に右折している特定小型原動機付自転車と自転車は、右折方向の信号が赤のときはその右折している地点で停止していなければなりません。
備考　この表で停止位置とは、前表（(1)信号機の信号）の備考の停止位置と同じです。	

(3) 警察官、交通巡視員による信号

ア　手信号

手信号の種類	手信号の意味
腕を横に水平に上げているとき（身体の方向を変えないで腕を下ろしているときも同じです。）。	(1) 警察官、交通巡視員の身体の正面に平行する交通については、信号機の青色の灯火の信号と同じ意味です。 (2) (1)の交通と交差する交通については、信号機の赤色の灯火の信号と同じ意味です。
腕を垂直に上げているとき（横に水平に上げた腕を垂直に上げるまでの間と垂直に上げた腕を横に水平に戻すまでの間も同じです。）。	(1) 警察官、交通巡視員の身体の正面に平行する交通については、信号機の黄色の灯火の信号と同じ意味です。 (2) (1)の交通と交差する交通については、信号機の赤色の灯火の信号と同じ意味です。
備考　交差点以外で、横断歩道も自転車横断帯も踏切もないところで手信号をしているときの停止位置は、その警察官、交通巡視員の1メートル手前です。そのほかの場所で手信号をしているときの停止位置は、信号機の場合と同じです。	

イ　灯火による信号

灯火による信号の種類	灯火による信号の意味
灯火を横に振っているとき。	(1) 灯火が振られている方向に進行する交通については、信号機の青色の灯火の信号と同じ意味です。 (2) (1)の交通と交差する交通については、信号機の赤色の灯火の信号と同じ意味です。
灯火を頭上に上げているとき。	(1) 頭上に上げる前の灯火が振られていた方向に進行する交通については、信号機の黄色の灯火の信号と同じ意味です。 (2) (1)の交通と交差する交通については、信号機の赤色の灯火の信号と同じ意味です。
備考　交差点以外で、横断歩道も自転車横断帯も踏切もないところで灯火による信号をしているときの停止位置は、その警察官、交通巡視員の1メートル手前です。そのほかの場所で灯火による信号をしているときの停止位置は、信号機の場合と同じです。	

付表2　標示板等〔略〕

付表3　標識・標示の種類と意味〔略〕

付表4　車両の種類と略称

略称	車両の種類
大型	大型自動車
大型等	大型自動車、特定中型自動車及び大型特殊自動車
中型	中型自動車
特定中型	特定中型自動車
準中型	準中型自動車
普通	普通自動車
大特	大型特殊自動車
自二輪	大型自動二輪車及び普通自動二輪車
軽	長さが3.40メートル以下、幅が1.48メートル以下、高さが2.0メートル以下の普通自動車（内燃機関を原動機とする自動車にあつては、総排気量が660cc以下のものに限る。）
小特	小型特殊自動車
原付	一般原動機付自転車
特定原付	特定小型原動機付自転車
特例特定原付	特例特定小型原動機付自転車
二輪	二輪の自動車及び一般原動機付自転車
小二輪	小型二輪車（総排気量については125cc以下、定格出力については1.00キロワット以下の原動機を有する普通自動二輪車）及び一般原動機付自転車
自転車	普通自転車

トロリー	トロリーバス
乗　　用	専ら人を運搬する構造の自動車
大　　乗	大型乗用自動車
中　　乗	中型乗用自動車
特定中乗	特定中型乗用自動車
準 中 乗	準中型乗用自動車
バ　　ス	大型乗用自動車及び特定中型乗用自動車
大型バス	乗車定員が30人以上の大型乗用自動車
マイクロ	大型バス以外の大型乗用自動車及び特定中型乗用自動車
路線バス	一般乗合旅客自動車運送事業者による路線定期運行の用に供する自動車
普　　乗	普通乗用自動車
タクシー	一般旅客自動車運送事業の用に供する自動車
貨　　物	貨物自動車
大　　貨	大型乗用自動車以外の大型自動車
大 貨 等	大型貨物自動車、特定中型貨物自動車及び大型特殊自動車
中　　貨	中型乗用自動車以外の中型自動車
特定中貨	特定中型乗用自動車以外の特定中型自動車
準 中 貨	準中型乗用自動車以外の準中型自動車
普　　貨	普通乗用自動車以外の普通自動車
け ん 引	車の総重量が750キログラムを超える車を牽引している牽引自動車
標 章 車	高齢運転者等標章自動車
備考　このほか、補助標識板に遠隔操作型小型車を表示するときは、「遠隔小型」という略称を用いることがあります。	

付表５　移動用小型車標識など〔略〕

附　則

この告示は、昭和53年12月１日から施行する。ただし、第４章第２節の規定のうち、緊急自動車の運転資格に係る部分については、昭和54年４月１日から施行する。

附　則〔令和４．２．10国家公安委員会告示13〕

この告示は、道路交通法施行令の一部を改正する政令（令和４年政令第16号）の施行の日（令和４年５月13日）から施行する。

附　則〔令和４．３．25国家公安委員会告示18〕

この告示は、道路交通法施行規則の一部を改正する内閣府令（令和３年内閣府令第68号）の施行の日（令和４年４月１日）から施行する。

附　則〔令和４．12．23国家公安委員会告示53〕

この告示は、道路交通法の一部を改正する法律（令和４年法律第32号）の施行の日（令和５年４月１日）から施行する。

附　則〔令和５．３．17国家公安委員会告示15〕

この告示は、道路交通法の一部を改正する法律（令和４年法律第32号）附則第１条第３号に掲げる規定の施行の日（令和５年７月１日）から施行する。

附　則〔令和５．８．15国家公安委員会告示35〕

この告示は、令和５年12月１日から施行する。

附　則〔令和６．３．１国家公安委員会告示10〕

この告示は、道路交通法施行令の一部を改正する政令（令和６年政令第43号）の施行の日（令和６年４月１日）から施行する。

○交通安全教育指針

〔平成10．9．22
国家公安委員会告示15〕

改正 平成11．10国公委告17、平成14．4国公委告15、平成16．12国公委告35、平成20．5国公委告7、平成21．4国公委告11、12国公委告29、平成25．11国公委告41、平成26．5国公委告21、平成28．10国公委告54、令和2．3国公委告15、令和3．4国公委告17、令和4．3国公委告18、12国公委告53、令和5．3国公委告15

第1章　交通安全教育を行う者の基本的な心構え

交通安全教育を行う者は、これを効果的かつ適切に行うため、以下の事項に留意する必要がある。

1　交通安全教育の意義についての理解
　交通安全教育の指導を行う者（以下「指導者」という。）は、交通安全教育が道路交通の安全を確保するための重要な手段であること及び交通安全に関する施策全体における交通安全教育の役割を理解するとともに、担当部分の交通安全教育の体系における位置付け、達成目標等を十分に把握した上で、交通安全教育を実施することが必要である。

2　受講者の特性等に応じた教育の内容及び方法の選択
　交通安全教育のカリキュラムを策定したり、指導事項を選定したりするに当たっては、年齢、主な通行の態様、業務の態様等の交通安全教育を受ける者（以下「受講者」という。）の特性に応じたものにするとともに、地域の道路及び交通の状況、実施時期、天候等に配慮することが必要である。

　なお、交通安全教育のカリキュラムを策定して交通安全教育を行う場合は、カリキュラムに従ってその内容及び方法を設定することとし、また、カリキュラムを策定せずに交通安全教育を行う場合は、指導の時点において適当と考えられる事項を選定して指導することとする。

3　受講者の理解を深める交通安全教育の実施
　受講者が自ら進んで交通ルール（道路交通に関して法令に定められた決まり事をいう。以下同じ。）を遵守し、交通マナー（道路及び交通の状況に応じて、配慮しなければならない事項（交通ルールを除く。）をいう。以下同じ。）を実践できるようにするためには、単に受講者に交通ルール等（交通ルール及び交通マナーをいう。以下同じ。）を覚えさせ、これらを遵守し、実践するよう指導するだけではなく、交通ルール等が交通の秩序を維持し、交通事故を防止するため果たす役割を理解させる必要がある。

　そこで、指導者は、交通安全教育の実施に当たっては、それぞれの交通ルール等が定められている理由を示し、これらを守らない場合の危険及び周囲の人への迷惑について具体的に説明するなど、受講者の理解を深めるよう努めることが必要である。また、指導者は、交通安全教育を進めるに当たっては、受講者と共に交通安全について考え、必要により受講者間で話合いをさせるなど、受講者が自ら考えることにより教育の内容を理解できるように教育手法を工夫するとともに、適宜質問を発するなど常に受講者の習得の程度を把握しながら交通安全教育を進めるよう配慮する必要がある。

4　参加・体験・実践型の教育手法の活用
　受講者が、安全に道路を通行するために必要な技能及び知識を体験に基づいて習得し、その必要性を理解できるようにするため、参加・体験・実践型の教育手法を積極的に活用することが必要である。例えば、実際に道路外のコースで自動車、原動機付自転車若しくは自転車を運転させ、又は歩行者としてコースを通行させることにより、技能及び知識の習得の程度を認識させたり、実験により自動車の死角、内輪差（右左折する場合又はカーブを通行する場合に後輪が前輪より内側を通ることによる前後輪の軌跡の差をいう。以下同じ。）、制動距離、シートベルトの効果等を確認させたり、ビデオ等の視聴覚教材又は運転シミュレーターを用いて交通事故の発生する状況等を間接的又は擬似的に体験させたりするなど、様々な工夫をすることが望ましい。

5　交通安全教育の効果の測定
　交通安全教育は、常にその効果を測定しながら実施することが必要である。受講者に対して、実施前及び実施後にアンケート等を行って技能及び知識に関する習得の程度を把握したり、交通安全教育の受講者の交通事故発生状況と未受講者のそれとを比較したりすることにより、交通安全教育の効果を確認し、必要に応じて教育の方法、利用する教材等を見直すなど、常に効果的な交通安全教育が実施できるようにする必要がある。

6　社会情勢等に応じた交通安全教育の内容の見直し
　交通安全教育の具体的な内容は、社会情勢等の変化に対応したものでなければならない。このため、指導者は、交通事故の発生状況の推移、道路交通に関する制度改正の動向等について情報収集を常に行い、必要に応じて教育の内容を見直すことが必要である。

7　受講者のプライバシーへの配慮
　受講者が安心して交通安全教育を受けられるようにするため、交通安全教育の実施に関して知り得た受講者の自動車の運転に関する経歴等の取扱いについては、プライバシー保護の観点から十分な注意を払う必要がある。

8　関係機関・団体相互の連携
　交通安全教育を行う機関・団体は、交通安全教育に関する情報を交換し、他の関係機関・団体の求めに応じて交通安全教育に用いる資機材を貸与するなど、相互に連携を図りながら交通安全教育を行う必要がある。

　特に、都道府県警察及び都道府県交通安全活動推進センターに対しては、必要に応じて交通事故の発生状況に関する情報の提供、施設及び資機材の提供、講師の派遣等の支援を求めることが望ましい。

第2章　交通安全教育の内容及び方法

第1節　幼児に対する交通安全教育

幼児に対する交通安全教育は、1に定める目的を達成するため、2に定める事項を内容として実施する。

なお、この場合において、配慮すべき事項は3に定めるとおりとし、また、4に定めるところにより幼児の保護者に対して交通安全教育を実施する。

1　幼児に対する交通安全教育の目的
　幼児（6歳未満の者をいう。以下同じ。）に対して交通安全教育を行うことは、幼児が道路を通行する場合における安全を確保するためのみならず、将来、様々な態様で道路を通行するときに必要な安全に道路を通行しようとする意識を養うためにも必要不可欠である。

　そこで、幼児に対する交通安全教育においては、心身の発達段階に応じて、基本的な交通ルールを遵守し、交通マナーを実践する態度を習得させるとともに、日常生活において安全に道路を通行するために必要な基本的な技能及び知識を習得させることを目的とする。

2　幼児に対する交通安全教育の内容

(1)　歩行者の心得

ア　目標

基本的な交通ルール等を習得させることにより、歩行者として安全に道路を通行することができるようにする。

イ　内容

(ア)　基本的な心構え

道路を通行する者が一人でも交通ルールの遵守及び交通マナーの実践を怠ったりすると、交通が混乱したり、交通事故が起きたりすることを説明し、交通ルール等の必要性を理解させる。また、道路では、保護者又はこれに代わる監護者から離れて独り歩きしてはならないことを理解させる。

(イ)　標識・標示の種類及び意味

歩行者として安全に道路を通行するために必要な知識である、歩行者用道路（歩行者の安全のために標識によって車両の通行を禁止している道路をいう。以下同じ。）、歩行者横断禁止、横断歩道等を示す標識・標示の種類及びその表示する意味を理解させる。

(ウ)　交通事故の原因となる危険な行動

幼児が当事者である交通事故の主な原因である道路への飛び出し、車両（自動車、原動機付自転車、軽車両及びトロリーバスをいう。以下同じ。）又は路面電車（以下「車両等」という。）の直前又は直後の横断等の危険性を、交通事故の実例を挙げるなどして説明し、これらの行動をとってはならないことを理解させる。

(エ)　歩行者の通る所

歩行者は、原則として歩道又は幅の十分な路側帯（歩道のない道路で、歩行者の通行のため及び車道の効用を保つための白の線によって区分された道路の端の帯状の部分をいう。以下同じ。）を通行しなければならないこと、歩道に普通自転車通行指定部分がある場合はその部分を避けて通行しなければならないこと、歩道又は幅の十分な路側帯のない道路では道路の右端を通行しなければならないこと及び歩行者用道路では道路の中央部を通行することができることを理解させる。

(オ)　横断の仕方

a　横断する所

横断歩道又は信号機のある交差点が近くにある場合は、その横断歩道又は交差点で横断しなければならないことを理解させる。また、横断歩道橋、横断用地下道等の安全に横断することができる施設が近くにある場合は、できる限りその施設を利用するように指導する。

b　信号機のある所で横断しようとする場合

信号機の信号の種類及び意味並びに信号機の信号（歩行者用の信号機がある所においてはその信号）に従って通行しなければならないことを理解させる。

また、信号が青になってから横断しなければならないことを理解させるとともに、青になっても右左の安全を確認してから横断すること及び信号が変わりそうな場合は次の青信号を待って横断することを指導する。

c　信号機のない所で横断しようとする場合

横断歩道橋、横断用地下道等の安全に横断することができる施設又は横断歩道が近くにない場合は、道路がよく見渡せる所を探し、歩道の縁又は道路の端に立ち止まって右左の安全を十分に確認するとともに、走行中の車両が歩行者の横断のために停止した場合は、他の車両の動きに注意し、安全を確認してから横断を始めるように指導する。また、手を上げるなどして運転者に対して横断する意思を明確に伝えるようにすること、横断中も車両が近づいてこないかどうか周囲の状況に注意すること及び停車又は駐車中の車両の陰から別の車両が突然出てくることがあるので注意することを指導する。特に、横断時には、左方向から進行してくる車両と衝突する交通事故が多いことを理解させ、道路の横断を始める前や横断中には、これらの車両の動きに十分に注意するように指導する。

(カ)　踏切の通り方

踏切の手前では、必ず立ち止まって右左の安全を確認するように指導する。また、警報機が鳴っている場合及び遮断機が降り始めて以後は踏切に入ってはならないことを理解させるとともに、警報機が鳴っておらず、かつ、遮断機が降りていない場合でも必ず安全を確認してから通るように指導する。

(キ)　雨天時に歩く場合

雨天時には、前が見えにくくなるような傘の差し方をしないようにすること、無理な横断又は飛び出しをしないようにすること等を指導する。

(2)　自動車に乗車する場合の心得

ア　目標

基本的な交通ルール等を理解させることにより、安全に自動車に乗車することができるようにする。

イ　内容

自動車に乗車する場合は、チャイルドシートを使用し、後部座席に乗車するように指導する。また、車内ではみだりに動き回ったり、ハンドルに触れるなど運転操作の支障になるような行動をとったりしないように指導する。

自動車から降りた後に道路を横断する場合は、自動車の直前又は直後を横切ってはならないことを理解させる。

(3)　自転車に乗車する場合の心得

ア　目標

基本的な交通ルール等を理解させることにより、安全に自転車に乗車することができるようにする。

イ　内容

自転車に乗車する場合は、乗車用ヘルメットを着用し、シートベルトを備えている幼児用座席ではシートベルトを着用するように指導する。また、幼児用座席ではみだりに動いたり、ハンドルに触れるなど運転操作の支障になるような行動をとったりしないように指導する。

(4)　自動車及び原動機付自転車に関して知っておくべき事項

ア　目標

自動車及び原動機付自転車の基本的な特性及び合図を習得することにより、自動車及び原動機付自転車の動きを予測し、危険を回避して歩行者として安全に道路を通行することができるようにする。

イ　内容

(ア)　自動車及び原動機付自転車に関する基本的な事項

自動車及び原動機付自転車は重量が重く、歩行者に比べ道路を通行する速度も速いことから、歩行者と自動車及び原動機付自転車との間で交通事故が起きると、歩行者が大きな被害を受けやすいことを理解させ、道路を通行する場合は自動車及び原動機付自転車の動きに十分に注意するように指導する。

(イ)　合図

自動車及び原動機付自転車の方向指示器及び後退灯による合図の意味を理解させる。

(ウ)　制動距離

自動車及び原動機付自転車は急には停止できないこと

並びに自動車及び原動機付自転車の速度が速い場合、路面がぬれている場合等には制動距離が長くなることを理解させる。

(エ) 死角及び内輪差の危険

自動車及び原動機付自転車の近くで遊んでいたり、立ち止まっていたりすると、自動車及び原動機付自転車の運転者から見えなかったり、自動車及び原動機付自転車に巻き込まれたりする危険があることを理解させる。

(5) 交通事故の場合の措置

ア 目標

交通事故に遭った場合に救護されるために必要な措置をとることができるようにする。

イ 内容

交通事故に遭った場合は、現場に居合わせた人に助けを求めること、交通事故に遭ったことを保護者又は警察に知らせること等の交通事故の場合の基本的な措置を指導する。

3 幼児に対する交通安全教育を実施するに当たって配慮すべき事項

(1) 指導者の基本的な心構え

幼児に対する交通安全教育を効果的かつ適切に行うためには、「幼児交通安全教本」(昭和48年5月5日中央交通安全対策会議決定)を参考にするなどして幼児の特性を理解するとともに、受講者の年齢及び交通の状況等の地域の実情を踏まえて、教育の内容及び方法を選択し、適切な教材を用いるなどして指導を行う必要がある。また、幼児の心身の発達には個人差があり、幼児の道路交通との関係も生活環境によって様々である。

そこで、交通安全教育を始める前に簡単な体操、ゲーム、交通ルールに関する質問等を行うことにより、教育の対象となる幼児の心身の発達段階及び交通安全に関する理解の程度を把握し、これらに合わせて教育の目標及び内容を設定する。

(2) 適切な時間数及び教育の内容の設定

幼児には、長時間にわたって集中力を持続させること及び抽象的な言葉による説明を理解させることが困難であるため、短時間で効果的に交通安全教育を実施するよう配慮するとともに、幼児の経験に即した身近な実例を平易な言葉を用いて説明するなど分かりやすい指導を心掛ける。また、指導事項を数点に絞り、幼児が各事項を十分に理解できるようにする。

(3) 適切な教育手法の選定

教育効果を高めるためには、紙芝居、人形劇、腹話術等の視聴覚に訴える教育手法を取り入れることが望ましい。

4 幼児の保護者に対する交通安全教育の実施

幼児が交通ルール等を理解することができず常に保護を必要とする段階はもちろん、基本的な交通ルール等を理解できる段階にあっても、幼児に対する父母等の保護者の影響力は極めて大きいことから、保護者に対する交通安全教育に重点を置く必要がある。このため、幼児の保護者が日頃から交通ルールを遵守し、交通マナーを実践することにより、幼児に手本を示すとともに、安全に道路を通行するために必要な技能及び知識について指導し、これを実践させることが不可欠である。

そこで、指導者は、保護者に対して交通安全教育を実施する機会を設けるほか、幼児に対する交通安全教育を実施する場合は、できる限り保護者の同伴を求め、また、保護者が参加できない場合は、幼児に対する交通安全教育において保護者が果たすべき役割、幼児に指導すべき事項等について記載した資料を幼児に持ち帰らせるなどにより保護者に対する交通安全教育を行う。

なお、具体的には、以下の内容を指導する。

(1) 基本的な事項

保護者は交通の頻繁な道路又は踏切若しくはその付近の道路において幼児を遊ばせたり、独り歩きをさせたりしてはならないこと及び幼児を自転車に乗せる場合は乗車用ヘルメットを着用させるよう努めなければならないことが道路交通法で定められていることを説明し、保護者の責任を自覚させるとともに、幼児にとって最も身近な存在である保護者が日常生活の中で繰り返し交通ルール等を教えることの重要性を理解させる。また、幼児に対して適切な交通安全教育を行うことができるようにするため、普段から交通ルール等に関する理解を深め、常に幼児の手本となって道路を通行するように指導する。

(2) 幼児が歩行者として安全に道路を通行するために必要な事項

幼児が当事者である交通事故の主な原因である道路への飛び出し、車両等の直前又は直後の横断等の危険性を理解させ、幼児に対し、これらの行動をとってはならないことを繰り返し教えるよう指導する。

幼児を連れて道路を歩く場合は、手をしっかりつなぎ、幼児から目を離さないようにするとともに、保護者が車の通る側を歩くなどして幼児の安全を確保するように指導する。また、外出する場合は、幼児に目立つ色の活動しやすい服装をさせたり、反射材を身に付けさせたりするように指導する。

(3) 幼児が安全に自動車に乗車するために必要な事項

自動車に乗り降りする場合は、保護者が周囲の安全を確認してから幼児を乗り降りさせるようにするとともに、自動車から降りる場合は、幼児が急に道路に飛び出さないように注意するよう指導する。また、幼児を自動車に乗車させる場合は、体格に合ったチャイルドシートを使用させ、後部座席に乗車させるようにすること及び幼児が車内でみだりに動き回ったり、ハンドルに触れるなど運転操作の支障になるような行動をとったりしないように注意することを指導する。

(4) 幼児が安全に自転車に乗車するために必要な事項

自転車は駐停車時でも転倒の危険があるので、自転車に乗り降りする場合は、平坦な場所においてスタンドを使用するなど、保護者が十分な注意を払い、周囲の安全を確認してから幼児を乗り降りさせるようにするとともに、自転車から降りる場合は、幼児が急に道路に飛び出さないように注意するよう指導する。また、幼児を自転車に乗車させる場合は、乗車用ヘルメットを着用させるだけでなく、シートベルトを備えている幼児用座席ではシートベルトを着用させるようにすること及び幼児が幼児用座席でみだりに動いたり、ハンドルに触れるなど運転操作の支障になるような行動をとったりしないように注意することを指導する。

(5) 幼児が交通事故に遭った場合に関する措置

幼児が交通事故に遭った場合は必ず警察に知らせること、外傷がなくても頭部等に強い衝撃を受けた場合は、医師の診断を受けさせること及び幼児が事故に遭った場合に備えて幼児の持ち物に氏名、連絡先、血液型等を記入することを指導する。

第2節　児童に対する交通安全教育

児童に対する交通安全教育は、1に定める目的を達成するため、2に定める事項を内容として実施する。

なお、この場合において、配慮すべき事項は3に定めるとおりとし、また、4に定めるところにより児童の保護者に対しての交通安全教育を実施する。

1 児童に対する交通安全教育の目的

児童(6歳以上13歳未満の者をいう。以下同じ。)は、小学校での活動、自転車の利用等を通じ、幼児期に比べ行動範囲が著しく広がり、また、高学年の時期になると、保護者から離れて道路において単独又は複数で行動する機会が増加する。

そこで、児童に対する交通安全教育においては、歩行者及び自転車の利用者(以下「歩行者等」という。)として必要な技能及び知識を習得させるとともに、道路及び交通の状況に応じて、安全に道路を通行するために、道路における危険を予測し、これを回避して安全に通行する意識及び能力を高めることを目的とする。

2　児童に対する交通安全教育の内容

(1)　基本的な心得

ア　目標

基本的な交通ルール等を習得させることにより、歩行者等として安全に道路を通行することができるようにする。

イ　内容

(ア)　交通ルール等の必要性

第2章第1節2(1)イ(ア)の交通ルール等の必要性に関する事項を再確認させる。

(イ)　信号の種類及び意味

第2章第1節2(1)イ(オ)bの信号に関する事項を再確認させるとともに、自転車の利用者は、「歩行者・自転車専用」と表示されている歩行者用信号機がある所又は横断歩道では、歩行者用信号機の信号に従って通行しなければならないことを理解させる。

(ウ)　標識・標示の種類及び意味

第2章第1節2(1)イ(イ)の事項を再確認させるとともに、自転車の利用者として安全に道路を通行するために必要な知識である、一時停止、自転車横断帯、自転車歩道通行可等を示す標識・標示の種類及びその表示する意味を理解させる。

(エ)　警察官等の指示等に従うこと

警察官又は交通巡視員が示す手信号等の意味並びに手信号等により交通整理が行われた場合及び通行の方法等について必要な指示がされた場合は、手信号等及び指示に従わなければならないことを理解させる。

(オ)　道路でしてはならないこと

交通の頻繁な道路で遊ぶこと等の道路においてしてはならない行為のうち、児童の行動と密接に関連するものを理解させる。

(カ)　登下校時等の外出時の安全

児童が登下校に利用する道路について、交通量の多い交差点等の危険箇所を把握し、これらの箇所を安全に通行するために留意すべき事項を指導するとともに、登校する場合は時間に余裕を持って早めに家を出るように指導する。また、遊びに出る場合は、保護者に行き先を告げ、余り遠くへ行ったり、暗くなるまで遊んだりしないように指導する。

(2)　歩行者の心得

ア　目標

保護者から離れた場合においても、単独又は複数で歩行者として安全に道路を通行することができるようにする。あわせて、高学年の児童に対しては、幼児、低学年の児童、高齢者、目の見えない人又は身体の不自由な人が道路を通行している場合に、これらの人が安全に道路を通行することができるよう適切な措置がとれるようにする。

イ　内容

(ア)　基本的な心得

歩行者として安全に道路を通行するために習得する必要のある以下の事項について、第2章第1節2(1)イ(エ)、(オ)及び(カ)の事項を再確認させる。この場合、これらの事項に関する児童の理解を深めるため、交通事故の実例を挙げてその発生原因を話し合わせるなどして交通ルール等が定められている理由及び交通ルールを遵守し、交通マナーを実践する必要性を自ら考えさせる内容を適宜盛り込む。

a　歩行者の通る所

b　横断の仕方

c　踏切の通り方

(イ)　雨天時に歩く場合

第2章第1節2(1)イ(キ)の事項を再確認させるとともに、雨天時には、視界が悪くなるため、運転者から見えやすいように目立つ色の服装をするように指導する。

(ウ)　夜間に歩く場合

夜間は、自動車及び原動機付自転車の運転者から歩行者がよく見えない場合があること等を説明し、道路を横断する場合並びに自動車及び原動機付自転車と擦れ違う場合には、昼間に比べて一層注意する必要があることを理解させる。また、運転者から見えやすいように目立つ色の服装をしたり、反射材を身に付けたりすること及び夜間に信号機のない所で横断する場合は、運転者から横断していることが分かるように、道路照明のある所等のできる限り明るい所を選ぶことを指導する。

(エ)　幼児、低学年の児童、高齢者及び身体の不自由な人の安全

幼児、低学年の児童及び高齢者の行動の特色、目の見えない人及び身体の不自由な人で歩行が困難な人が持つ白色又は黄色のつえ、盲導犬の意味等を理解させるとともに、これらの者が交差点、踏切等の危険な所で困っているのを見た場合は、手を貸すなどするように指導する。また、目の見えない人が安全に通行することができるようにするため、点字ブロックの上に物を置かないように指導する。

(3)　自動車に乗車する場合の心得

ア　目標

基本的な交通ルール等を習得することにより、安全に自動車に乗車することができるようにする。

イ　内容

自動車に乗車する場合は、正しい方法により、シートベルトを着用し、又はチャイルドシートを使用して後部座席に乗車するように指導するとともに、第2章第1節2(2)イの事項（チャイルドシートを使用して乗車することに関する事項を除く。）を再確認させる。

また、自動車が道路において進行している場合は、飛び乗ったり、飛び降りたりしてはならないことを理解させ、自動車に乗り降りする場合には周囲の安全を確かめてからドアを開け、左側から乗り降りするように指導する。

(4)　自転車の利用者の心得

ア　目標

基本的な交通ルール等を習得することにより、安全に自転車を利用して道路を通行することができるようにする。

イ　内容

(ア)　自転車に関する基本的な事項

道路交通法上、自転車は車両の一種であり、道路を通行する場合は車両として交通ルールを遵守し、交通マナーを実践しなければならないことを理解させる。また、自転車に乗る練習をするときは道路外の安全な場所を利用するとともに、自転車に関する交通ルール等を理解し、安全に乗れるようになるまでは道路を通行しないように指導する。

(イ)　自転車に乗るに当たっての心得

ブレーキが故障している場合、夜間に尾灯及び反射器材が付いていない場合等の自転車に乗ってはならない場合があることを理解させる。また、体格に合わない自転車に乗らないようにすること、二人乗り等の危険な乗り方をしないようにすること、自転車に荷物を積む場合は、視野が妨げられたり、自転車の安定が悪くなったりするような積み方をしないようにすること、目立つ色の服装をすること及び乗車用ヘルメット、反射材用品等を着用

することを指導する。

(ウ) 自転車の点検整備

サドル、ハンドル、ペダル、チェーン、ブレーキ、警音器、前照灯、尾灯又は反射器材（後部反射器材及び側面反射器材）、タイヤ等の点検の要領及び具合が悪い場合には整備に出すようにすることを指導する。

(エ) 自転車の正しい乗り方

安全な発進及び停止の方法、正しい乗車姿勢、右左折する場合は早めに合図をすること並びに両手でハンドルを確実に握ることを指導する。また、合図をする場合以外は片手運転をしてはならないことを理解させる。

(オ) 自転車の通る所

自転車の通る所に関して以下の事項を理解させる。

a 自転車は原則として車道又は自転車道の左端に沿って通行しなければならないこと。

b 道路の中央から左の部分に設けられた路側帯を通行することができること。

c 児童が普通自転車（道路交通法第63条の3に規定する普通自転車をいう。以下同じ。）を利用する場合は歩道を通行することができるが、警察官又は交通巡視員が歩道を通行してはならない旨を指示した場合はその指示に従わなければならないこと。

d 道路を横断しようとする場合は、近くに自転車横断帯があれば、その自転車横断帯で通行しなければならないこと。

e 横断中の歩行者がいないなど歩行者の通行を妨げるおそれのない場合を除き、横断歩道を自転車に乗ったまま通行してはならないこと。

(カ) 走行上の注意

a 理解させるべき事項

走行上の注意として以下の事項を理解させる。

(a) 天候、時間帯、交通の状況等に応じた安全な速度で走行しなければならないこと。

(b) 交差点、踏切の手前等で車両等の前に割り込んだり、これらの間を縫って前に出たりしてはならないこと。

(c) 並進、ジグザグ運転、競争等をしてはならないこと。

(d) 路側帯を通行する場合は歩行者の通行を妨げてはならないこと。

(e) 普通自転車で歩道を通行する場合は、原則として直ちに停止できるような速度で徐行し、歩行者の通行を妨げるおそれのある場合は一時停止をしなければならず、歩道は歩行者優先であること。

(f) 歩道等でみだりに警音器を鳴らしてはならないこと。

(g) 夜間等には前照灯をつけなければならないこと。

b 指導すべき事項

走行上の注意として以下の事項を指導する。

(a) 側方や後方の車両等の動きに十分注意しながら通行すること。

(b) 近くに自転車横断帯又は横断歩道がない場合で横断又は転回をしようとするときは、道路がよく見渡せる所を探して、安全を確認してから横断又は転回を始めること。

(c) 道路を斜めに横断しないようにすること。

(d) 歩道から車道へ及び車道から歩道への乗り入れは、車道又は歩道の状況について安全を確かめてから行うこと。

(e) 歩道で他の特例特定小型原動機付自転車（道路交通法第17条の2第1項に規定する特例特定小型原動機付自転車をいう。以下同じ。）及び普通自転車と行き違う場合は、速度を落としながら安全な間隔を保ち、歩行者に十分注意して、対向する特例特定小型原動機付自転車及び普通自転車を右に見ながらよけること。

(f) 携帯電話の通話又は操作をしたり、傘を差したり、物を担いだりすることによる片手での走行及びヘッドホンの使用等による周囲の音が十分聞こえないような状態での走行をしないようにすること。

(g) 走行中にブレーキ、前照灯等が故障した場合、凍り付いた道路を通行する場合及び風雨の強い場合は、自転車を押して通行すること。

(キ) 交差点の通行の仕方

a 基本的事項

信号機のある交差点においては、信号機の信号に従って通行しなければならないこと並びに「歩行者・自転車専用」と表示されている歩行者用信号機がある場合及び横断歩道を進行する場合は、歩行者用信号機の信号に従わなければならないことを理解させる。

信号機のない交差点において、一時停止を示す標識がある場合は、一時停止をして安全を確認しなければならないことを理解させる。また、このような場合以外でも、交差点（環状交差点（車両の通行の用に供する部分が環状の交差点であって、道路標識等により車両が当該部分を右回りに通行すべきことが指定されているものをいう。以下同じ。）を除く。）においては、交通量の少ない場所でも飛び出しをせずに、安全を十分に確認し、速度を落として通行するように指導するとともに、環状交差点においては、環状交差点を通行する車両等が優先することから、環状交差点に入るときは、安全を十分に確認し、徐行するように指導する。

b 右左折等の仕方

右左折並びに環状交差点における直進及び転回の方法並びに合図について理解させる。

c 通行する場所

交差点又はその付近に自転車横断帯がある場合は、その自転車横断帯を通行しなければならないこと並びに普通自転車は交差点及びその手前に交差点への進入を禁止する標示がある場合は、その交差点に進入することができないことを理解させる。

(ク) 歩行者及び他の車両に対する注意

a 理解させるべき事項

歩行者及び他の車両に対する注意として以下の事項を理解させる。

(a) 歩道を通る場合は直ちに停止できるような速度で徐行（普通自転車通行指定部分がある歩道において、その部分を通行し、又は通行しようとする歩行者がいない場合は直ちに徐行に移ることができるような速度で進行）し、歩行者の通行を妨げることとなる場合は一時停止をしなければならないこと。

(b) 路側帯及び自転車が通行することができる歩行者用道路を通る場合は歩行者の通行を妨げないよう注意し、特に歩行者用道路では直ちに停止できるような速度で徐行しなければならないこと。

(c) 車道を通行する自転車が横断歩道に近づいた場合は、横断する人がいないことが明らかな場合のほかは、その手前で停止できるように速度を落として進行しなければならないこと。

(d) 歩行者が横断している場合又は横断しようとしている場合は、横断歩道の手前（停止線がある場合は、その手前）で一時停止をして歩行者に道を譲らなければならないこと。

(e) 幼児若しくは児童が独り歩きしている場合又は高齢者若しくは身体の不自由な人が歩いている場合は、危険のないように一時停止し、又は直ちに停止できるような速度で徐行しなければならないこと。

b 指導すべき事項

停車又は駐車中の自動車の側方を通行する場合は、急なドアの開放、自動車の陰からの歩行者の飛び出し等に十分に注意することを指導する。

(ケ) 自転車を駐車する場合の注意

自転車を駐車する場合は、自転車等駐車場に置くようにするなどして、歩行者及び他の車両等の通行を妨げないように指導する。

(5) 自動車及び原動機付自転車に関して知っておくべき事項

ア 目標

自動車及び原動機付自転車の基本的な特性及び合図を習得することにより、自動車及び原動機付自転車の動きを予測し、危険を回避して歩行者等として安全に道路を通行することができるようにする。

イ 内容

第2章第1節2(3)イの事項を再確認させるとともに、自動車及び原動機付自転車による交通事故の際の衝撃力の大きさ、自動車及び原動機付自転車の速度が速い場合等に制動距離が長くなる理由、自動車及び原動機付自転車の死角及び内輪差が発生する理由等を具体的に説明し、自動車及び原動機付自転車の特性について児童の理解を深めさせる。

(6) 交通事故の場合の措置

ア 目標

交通事故に遭った場合は適切に対処することができるようにするとともに、交通事故の現場に居合わせた場合は基本的な措置をとることができるようにする。

イ 内容

第2章第1節2(4)イの内容を再確認させるとともに、交通事故に遭った場合は、自分の氏名及び連絡先を現場に居合わせた人に伝えること、外傷がなくても頭部等に強い衝撃を受けた場合は、医師の診断を受けるようにすること等の基本的な措置を指導する。また、交通事故の現場に居合わせた場合に基本的な措置がとることができるようにするため、警察に110番通報をする要領等を指導する。

3 児童に対する交通安全教育を実施するに当たって配慮すべき事項

(1) 指導者の基本的な心構え

児童に対する交通安全教育を効果的かつ適切に行うためには、児童の学年に応じて、教育の内容及び方法を設定する必要がある。低学年の児童に対しては、安全に道路を通行するために必要な技能及び知識が十分に備わっていないおそれがあることから、歩行者の心得について重点的に指導する。また、高学年の児童に対しては、交通ルール等が定められている理由及び交通ルールを遵守し、交通マナーを実践することの必要性について自ら考えさせる内容にする。

自転車の正しい乗り方について指導する場合は、自転車の利用に関する小学校の指導方針を踏まえて行うことが必要である。

(2) 計画的な教育の実施及び教育の内容の設定

児童に対しては、計画的かつ継続的に交通安全教育を実施するよう配慮することが望ましい。また、交通ルール等を単に覚えさせるだけでなく、小学校周辺の道路の危険箇所等を取り上げて、具体的に指導することにより、児童が関心を持って習得することができるように留意するとともに、一回の指導事項を数点に絞り、児童が各事項を十分に理解できるようにする。

(3) 適切な教育手法の選定

教育効果を高めるためには、自転車を用いた死角及び内輪差の実験、ダミー人形を用いた衝突実験等の視聴覚に訴える教育手法を取り入れることが望ましい。

4 児童の保護者に対する交通安全教育の実施

児童が安全に道路を通行することができるようにするためには、児童の父母等の保護者が日常生活の中で、児童に対して交通安全教育を行うことが効果的である。特に、低学年の児童に対しては、安全に道路を通行するために必要な技能及び知識が十分に備わっていないおそれがあることから、保護者による交通安全教育が重要である。

そこで、指導者は、保護者に対して交通安全教育を実施する機会を設けるほか、児童に対する交通安全教育を実施する場合は、必要に応じて保護者の同伴を求め、また、保護者が参加できない場合は、児童に対する交通安全教育において保護者が果たすべき役割、児童に指導すべき事項等について記載した資料を児童に持ち帰らせるなどにより保護者に対する交通安全教育を行う。

なお、具体的には、以下の内容について指導する。

(1) 基本的な事項

保護者は交通の頻繁な道路又は踏切若しくはその付近の道路において児童を遊ばせてはならないことが道路交通法で定められていることを説明し、保護者の責任を自覚させるとともに、児童にとって最も身近な存在である保護者が日常生活の中で繰り返し交通ルール等を教えることの重要性を理解させる。また、児童に対して適切な交通安全教育を行うことができるようにするため、普段から交通ルール等に関する理解を深めるように指導する。

(2) 児童が安全に道路を通行するために必要な一般的な事項

児童が、道路において危険な行動をした場合は、その行動の危険性を説明し、そのような行動をしないように指導するとともに、登校する場合は時間に余裕を持って早めに家から送り出し、忘れ物をしないように気を付けること、外出するときは保護者に行き先を告げる習慣を付けさせること及び余り遠くへ行ったり、暗くなるまで遊んだりしないように注意することを指導する。

(3) 児童が歩行者として安全に道路を通行するために必要な事項

低学年の児童が歩行者として安全に道路を通行することができるようにするため、横断の仕方等の歩行者の心得を児童が実践できるようになるまで教えるように指導する。

また、特に低学年の児童の保護者に対しては、通学路等の児童が頻繁に利用する道路における交通量の多い交差点等の危険箇所を把握し、これらの場所を安全に通行するために留意すべき事項を児童に対して教えるように指導する。

(4) 児童が安全に自転車を利用するために必要な事項

児童が自転車に乗車する場合は、児童が乗車用ヘルメットを着用するよう努めなければならないこと及び保護者が児童に乗車用ヘルメットを着用させるよう努めなければならないことを理解させる。また、児童の体格に合った自転車を選び、交通ルールの遵守及び交通マナーの実践を怠って自転車を利用すると危険であることを児童に理解させるように指導する。さらに、道路外の安全な所で児童に自転車の正しい乗り方を指導するとともに、正しい乗り方を習得するまでは、児童に自転車を利用して道路を通行させたり、保護者の目の届かない所で練習させたりしないように指導する。

児童と共に、「交通の方法に関する教則」(昭和53年国家公安委員会告示第3号。以下「教則」という。)第3章第1節2を参照して自転車を点検するように指導するとともに、夜間等には前照灯をつけなければならないこと等の通行に関して注意すべき事項及び歩行者等に対して注意すべき事項を教えるように指導する。

(5) 児童が安全に自動車に乗車するために必要な事項

児童を自動車に乗車させる場合は、シートベルトを着用し、又は身体の大きさに合ったチャイルドシートを使用して後部座席に乗車させるように指導するとともに、第2章第1節4(3)の事項（チャイルドシートを使用させて乗車させることに関する事項を除く。）を再確認させる。また、児童が自動車から降りる場合は、周囲の安全を十分に確認してからドアを開けさせ、道路に飛び出させないように指導する。

(6) 児童が交通事故に遭った場合に関する措置

第2章第1節4(4)の事項を再確認させるとともに、警察に110番通報をする要領等を習得させるように指導する。

第3節　中学生に対する交通安全教育

中学生に対する交通安全教育は、1に定める目的を達成するため、2に定める事項を内容として実施する。

なお、この場合において、配慮すべき事項は3に定めるとおりとする。

1 中学生に対する交通安全教育の目的

中学生は、通学等の手段として自転車を利用する機会が多く、自転車乗用中に交通事故に遭うことが多い。また、自動車及び原動機付自転車に対する関心が高まり、道路交通についての理解も深まるなど社会人として本格的に交通社会に参加していくための準備段階にある。

そこで、中学生に対する交通安全教育においては、自転車で安全に道路を通行するために必要な技能及び知識を十分に習得させるとともに、道路を通行する場合は、思いやりを持って、自己の安全のみならず他の人々の安全にも配慮できるようにすることを目的とする。

2 中学生に対する交通安全教育の内容

(1) 基本的な心得

ア 目標

交通安全に対する意識を高めさせるとともに、道路を通行する場合は、思いやりを持って、自己の安全のみならず他の人々の安全にも配慮することの重要性を理解させる。

イ 内容

(ア) 交通事故の発生状況

交通事故の発生状況を、中学生が当事者である交通事故の発生状況を中心に説明する。特に、中学生については、自転車乗用中の事故が多いことを示し、自転車の正しい乗り方を習得し、実践することの重要性を理解させる。

(イ) 交通安全対策の概要

交通安全対策の概要を説明し、交通事故を防止するために様々な施策が講じられていることを理解させる。

(ウ) 交通社会の一員としての自覚

標識・標示の種類及び意味、道路でしてはならないこと等の第2章第2節2(1)イの事項について、交通ルール等が定められている理由及び交通ルールを遵守し、交通マナーを実践することの重要性を話合い等を通じて考えさせることにより、道路交通の安全を確保するためには、道路を通行する者一人一人が、交通ルールを遵守し交通マナーを実践する必要があることを理解させる。

さらに、道路を通行する場合は、思いやりを持って、自己の安全のみならず他の人々の安全にも配慮することが道路交通の安全を確保するために重要であることを指導する。

(エ) 交通事故の責任

交通事故の加害者の民事上、刑事上及び行政上の責任に関する基本的な事項を理解させる。

さらに、交通事故によって当事者の家族、友人等が受ける影響の重大さを理解させることにより、交通事故が当事者だけの問題ではないことを理解させる。

(オ) 交通安全活動への参加

道路交通の安全を確保するために行われている活動の実例を紹介し、これらの活動において中学生の果たし得る役割を考えさせるとともに、このような活動への積極的な参加を促す。

(2) 歩行者の心得

ア 目標

歩行者として遵守すべき交通ルールを再確認させるとともに、思いやりを持ち、自己の安全のみならず周囲の人への迷惑にならないことにも配慮して安全に道路を通行することができるようにする。さらに、道路及び交通の状況に応じて、道路における危険を予測し、これを回避して安全に道路を通行することができるようにする。

イ 内容

(ア) 交通ルールの遵守及び交通マナーの実践

横断の仕方等の第2章第2節2(2)イの事項を再確認させるとともに、周囲の人への迷惑となり、交通の妨げともなるような歩き方について話合い等を通じて考えさせることにより、歩行者として遵守すべき交通ルール及び実践すべき交通マナーを再確認させる。

(イ) 道路の状況に応じた危険の予測と回避

狭い道路、勾配の急な坂道、急なカーブ、見通しの利かない交差点等の様々な道路において、危険を予測し、これを回避して安全に道路を通行することができるように指導する。

(ウ) 幼児、児童、高齢者及び身体の不自由な人の安全

幼児、児童、高齢者、目の見えない人又は身体の不自由な人が、交差点、踏切等の危険な所で困っているのを見た場合は、安全に通行することができるように手を貸すなど、自ら進んで保護するように指導する。

(3) 自転車の利用者の心得

ア 目標

中学生は、通学等の手段として自転車を利用する機会が多く、安全に自転車を利用することが求められるが、自転車乗用中の事故も多いことから、自転車を安全に利用することの必要性を自覚させ、正しい乗り方を確実に実践することができるようにする。

イ 内容

(ア) 自転車の正しい乗り方の実践

13歳以上の者は、道路標識等により普通自転車が歩道を通行できることとされている場合及び安全を確保するため普通自転車が歩道を通行することがやむを得ない場合のほかは、車道又は自転車道の左端を通行しなければならないことを理解させる。あわせて、普通自転車で歩道を通行する場合は、原則として直ちに停止できるような速度で徐行し、歩行者の通行を妨げるおそれがある場合は一時停止をしなければならず、歩道は歩行者優先であることを理解させる。また、自転車乗用中の中学生が当事者である交通事故の発生原因を、交通事故の実例を挙げるなどして説明し、交通ルールを遵守しなかった場合の危険性について理解させるとともに、自転車の正しい乗り方について、交差点の通行の仕方等の第2章第2節2(4)イの事項を再確認させ、実際に道路を通行する場合には確実に実践することができるように指導する。特に、体格に合わない自転車に乗ること、傘を差したり、携帯電話の通話又は操作をしたりしながら走行すること、二人乗りで走行すること、ヘッドホンの使用等による周囲の音が十分聞こえないような状態で走行すること等の危険性を考えさせ、これらの行為が交通事故の発生原因となることを理解させる。さらに、交通事故が発生した場合の乗車用ヘルメットの被害軽減効果を理解させると

ともに、自転車に乗車する場合は乗車用ヘルメットを着用するよう努めなければならないことを理解させ、乗車用ヘルメットを着用するように指導する。

(イ) 自転車の点検整備

点検整備を怠った自転車に乗ることの危険性を説明し、教則第3章第2節2を参照して確実に自転車を点検することができるように指導する。

(4) 自動車及び原動機付自転車に関して知っておくべき事項

ア 目標

自動車及び原動機付自転車の特性に関し、理解を深めさせることにより、自動車及び原動機付自転車の動きを予測し、危険を回避して歩行者又は自転車の利用者として安全に道路を通行することができるようにするとともに、自動車に安全に乗車することができるように指導する。また、16歳になると普通二輪免許等の取得が可能になることを踏まえ、運転免許制度等についても理解させる。

イ 内容

(ア) 自動車及び原動機付自転車の特性

自動車及び原動機付自転車の速度と制動距離の関係、死角、内輪差等の特性について理解を深めさせるとともに、自動車及び原動機付自転車のこれらの特性に起因する交通事故の実例等を用いて、安全な歩き方及び自転車の安全な乗り方を話合い等を通じて考えさせ、実践することができるように指導する。

(イ) シートベルトの着用

交通事故が発生した場合のシートベルトの被害軽減効果を理解させ、シートベルトを備えている自動車に乗車する場合にはこれを必ず正しく着用するように指導する。

(ウ) 将来の運転者としての心得

運転免許制度の意義、運転免許（以下「免許」という。）の区分、取得年齢、取得方法等の基本的な知識及び特定小型原動機付自転車（道路交通法第17条第3項に規定する特定小型原動機付自転車をいう。以下同じ。）を運転することが可能となる年齢を理解させるとともに、暴走行為（集団で走行する場合に行われるジグザグ運転、巻き込み運転等の他の車両に危険を生じさせたり、迷惑を及ぼしたりする行為をいう。以下同じ。）、騒音運転等（著しく他人に迷惑を及ぼす騒音を生じさせるような急発進、急加速及び空吹かしをいう。以下同じ。）、無免許運転等の反社会性、危険性、罰則等について説明し、将来の自動車及び原動機付自転車の運転者としての自覚を持たせるように指導する。

(5) 交通事故の場合の措置

ア 目標

交通事故に遭った場合に適切に対処することができるように、応急救護処置等の必要な措置を習得させる。

イ 内容

(ア) 交通事故に遭った場合の対応

第2章第2節2(6)イの内容を再確認させるとともに、交通事故が更に発生することを防止するために車両を安全な場所に移動させること等の措置をとるように指導する。

(イ) 応急救護処置の必要性とその手順

交通事故が発生した場合、その交通事故の当事者である運転者及び乗務員は、負傷者に対してガーゼ、清潔なハンカチ等で止血するなど、可能な応急救護処置を行わなければならないことを理解させ、処置の基本的な手順を習得させる。

3 中学生に対する交通安全教育を実施するに当たって配慮すべき事項

(1) 指導者の基本的な心構え

中学生は、幼少の時期から本格的な青年期に移行する過渡期にあり、なお成長の途上にあることを考慮し、教育の内容及び方法を中学生の関心及び理解力を踏まえた適切なものとする必要がある。

また、交通安全教育の効果を高めるためには、例えば、受講者となる中学生に、地域の交通の状況の実態調査等を事前に行わせ、交通安全教育を行う際に調査結果の発表をさせるなど、受講者が自主的に技能及び知識を習得し、道路交通の安全を確保しようとする意識を高めることができるように配慮することが望ましい。

(2) 計画的な教育の実施

中学生に対しては、計画的かつ継続的に交通安全教育を実施することが望ましい。

(3) 適切な教育手法の選定

受講者の問題意識を高め、学習目標を明確に理解させるためには、中学生の道路の通行の態様に関連した交通事故統計、身近な交通事故の実例等を用いるなどの工夫をすることが重要である。

(4) 保護者との連携

中学生は自転車乗用中に交通事故に遭うことが多く、また、自動車及び原動機付自転車に対する関心が高まる時期にあることを踏まえ、日常接する機会の多い父母等の保護者が、中学生の道路交通の安全を確保するため、適切な助言及び指導を行うことが重要である。

そこで、指導者は、保護者に対する啓発用の資料を配布し、日常生活において交通安全教育を実施するように働き掛けるなど、連携を図るように努めることが必要である。

第4節　高校生に対する交通安全教育

高校生に対する交通安全教育は、1に定める目的を達成するため、2に定める事項を内容として実施する。

なお、この場合において、配慮すべき事項は3に定めるとおりとする。

1 高校生に対する交通安全教育の目的

高校生は、自動車等（自動車及び一般原動機付自転車（道路交通法第18条第1項に規定する一般原動機付自転車をいう。以下同じ。）をいう。以下同じ。）の免許を取得したり、特定小型原動機付自転車を運転したりすることが可能な年齢に達し、自動車及び原動機付自転車の運転者として交通社会に参加することができるようになり、それぞれの通行の態様に応じて、社会的な責任を持ち、交通ルールを遵守し、交通マナーを実践して道路を通行することが求められる。また、高校生の二輪車事故（大型自動二輪車、普通自動二輪車又は一般原動機付自転車乗車中の交通事故をいう。以下同じ。）及び自転車乗用中の交通事故が多く発生しており、このような交通事故を防止する必要がある。

そこで、高校生に対する交通安全教育においては、二輪車（大型自動二輪車、普通自動二輪車及び一般原動機付自転車をいう。以下同じ。）及び特定小型原動機付自転車の運転者並びに自転車の利用者として安全に道路を通行するために必要な技能及び知識を習得させるとともに、交通社会の一員として責任を持って行動することができるような健全な社会人を育成することを目的とする。

2 高校生に対する交通安全教育の内容

(1) 基本的な心得

ア 目標

高校生が当事者である交通事故の発生状況を説明し、交通安全に対する意識を高めさせるとともに、自動車及び原動機付自転車の運転者として交通社会に参加することができる年齢に達することを踏まえ、社会的な責任を持って行動するために必要となる基本的な心得を習得させる。

イ　内容

(ア)　交通事故の発生状況
　交通事故の発生状況を、高校生が当事者である交通事故の発生状況を中心に説明する。特に、高校生については、二輪車事故が多いことを示し、二輪車の正しい運転方法を習得し、実践することの重要性を理解させる。

(イ)　交通安全対策の概要
　交通安全対策の概要を説明し、交通事故を防止するために様々な施策が講じられていることを理解させる。

(ウ)　交通社会の一員としての自覚
　道路を通行する者一人一人が交通ルールを遵守し、交通マナーを実践する必要があることを再確認させるとともに、これまでに習得した道路でしてはならない行為、周囲の人の迷惑になる行為等の反社会性についての理解を深めさせる。

(エ)　運転者の責任
　自動車等を運転するためには必要な技能及び知識を習得しなければならず、また、運転中は常に危険を予測し、これを回避しなければならないことから、自動車等を運転するには免許という資格を要すること、自動車及び原動機付自転車の運転には高度の注意義務を伴うものであることと並びに注意義務を怠るなど交通ルールを遵守しないことにより交通事故を起こすと民事上、刑事上及び行政上の責任を負わなければならないことを理解させる。また、騒音運転等、暴走行為等の反社会的行為をしないこと等の運転者となった場合に遵守しなければならない事項を理解させる。

(オ)　交通安全活動への参加
　道路交通の安全を確保するために行われている活動の実例を紹介し、これらの活動において高校生の果たし得る役割を考えさせるとともに、このような活動への積極的な参加を促す。

(2)　歩行者の心得

ア　目標
　歩行者として交通ルールを遵守し、交通マナーを実践する必要があることを再確認させることにより、交通安全意識の高揚を図る。また、免許を受けた者に対しては、歩行者の立場で交通安全教育を受けることにより、自動車等を運転する場合に歩行者の特性を踏まえて安全に運転ができるようにする。

イ　内容
　歩行者に対する交通安全教育においては、以下の事項を説明するなどして、交通ルールを遵守し、交通マナーを実践することの必要性を再確認させる。また、免許を受けていない、交通安全教育の受講経験がない等の理由から、交通ルール等に関する理解が十分でない者に対しては、歩行者として安全に道路を通行するために習得する必要のある事項を教則第２章の内容に沿って指導する。

(ア)　横断中の事故等の歩行者が当事者である事故の発生原因等

(イ)　道路の横断等における幼児、児童、高齢者、目の見えない人及び身体の不自由な人の保護

(3)　自転車の利用者の心得

ア　目標
　高校生の自転車乗用中の交通事故が多く発生していることを踏まえ、これまでに習得した安全に自転車を利用するために必要な技能及び知識を再確認させることにより、道路及び交通の状況に応じて、安全に走行することができるようにする。

イ　内容
　自転車乗用中の高校生が当事者である交通事故の発生原因を、交通事故の実例を挙げるなどして説明し、交通ルールを遵守しなかった場合の危険性を理解させるとともに、道路における危険を予測し、これを回避して安全に通行することができるように指導する。また、必要に応じて自転車を用いて実技訓練を実施するなどして、点検及び正しい乗り方を確実に実践することができるように指導する。さらに、交通事故が発生した場合の乗車用ヘルメットの被害軽減効果を理解させるとともに、自転車に乗車する場合は乗車用ヘルメットを着用するよう努めなければならないことを理解させ、乗車用ヘルメットを着用するように指導する。

(4)　特定小型原動機付自転車の運転者の心得

ア　目標
　基本的な交通ルール等を習得することにより、安全に特定小型原動機付自転車を利用して道路を通行することができるようにする。

イ　内容

(ア)　特定小型原動機付自転車に関する基本的な事項
　道路交通法上、特定小型原動機付自転車は車両の一種であり、道路を通行する場合は車両として交通ルールを遵守し、交通マナーを実践しなければならないことを理解させる。また、特定小型原動機付自転車に乗る練習をするときは道路外の安全な場所を利用するとともに、特定小型原動機付自転車に関する交通ルール等を理解し、安全に乗れるようになるまでは道路を通行しないように指導する。

(イ)　特定小型原動機付自転車に乗るに当たっての心得
　二人乗り等の危険な乗り方をしないこと、16歳未満の人に特定小型原動機付自転車を貸さないこと、特定小型原動機付自転車に荷物を積む場合は、積載するための場所以外の場所に積載物を積まないようにすること、目立つ色の服装をすること及び乗車用ヘルメット、反射材用品等を着用することを指導する。

(ウ)　特定小型原動機付自転車の点検整備
　ハンドル、ブレーキ、警音器、灯火装置、後部反射器、タイヤ等の点検の要領及び具合が悪い場合には整備に出すようにすることを指導する。

(エ)　特定小型原動機付自転車の正しい乗り方
　安全な発進及び停止の方法、正しい乗車姿勢、右左折する場合は早めに合図をすること並びに両手でハンドルを確実に握ることを指導する。また、片手運転をしてはならないことを理解させる。

(オ)　特定小型原動機付自転車の通る所
　特定小型原動機付自転車の通る所に関して以下の事項を理解させる。

a　特定小型原動機付自転車は原則として車道又は自転車道の左端に沿って通行しなければならないこと。

b　特例特定小型原動機付自転車は、道路の中央から左の部分に設けられた路側帯を通行することができること。

c　道路標識等により特例特定小型原動機付自転車が歩道を通行することができることとされているときは、特例特定小型原動機付自転車は歩道を通行することができるが、警察官又は交通巡視員が歩道を通行してはならない旨を指示した場合はその指示に従わなければならないこと。

d　横断中の歩行者がいないなど歩行者の通行を妨げるおそれのない場合を除き、横断歩道を特例特定小型原動機付自転車に乗ったまま通行してはならないこと。

(カ)　走行上の注意

a　理解させるべき事項
　走行上の注意として以下の事項を理解させる。

(a) 天候、時間帯、交通の状況等に応じた安全な速度で走行しなければならないこと。

(b) 交差点、踏切の手前等で車両等の前に割り込んだり、これらの間を縫って前に出たりしてはならないこと。

(c) 特例特定小型原動機付自転車で路側帯を通行する場合は歩行者の通行を妨げてはならないこと。

(d) 特例特定小型原動機付自転車で歩道を通行する場合は、原則として直ちに停止できるような速度で徐行し、歩行者の通行を妨げるおそれのある場合は一時停止をしなければならず、歩道は歩行者優先であること。

(e) 歩道等でみだりに警音器を鳴らしてはならないこと。

(f) 夜間等には前照灯をつけなければならないこと。

b 指導すべき事項

走行上の注意として以下の事項を指導する。

(a) 側方や後方の車両等の動きに十分注意しながら通行すること。

(b) 近くに横断歩道等がない場合で横断又は転回をしようとするときは、道路がよく見渡せる所を探して、安全を確認してから横断又は転回を始めること。

(c) 道路を斜めに横断しないようにすること。

(d) 歩道から車道へ及び車道から歩道への乗り入れは、車道又は歩道の状況について安全を確かめ、最高速度の設定を切り替えてから行うこと。

(e) 歩道で他の特例特定小型原動機付自転車や普通自転車と行き違う場合は、速度を落としながら安全な間隔を保ち、歩行者に十分注意して、対向する特例特定小型原動機付自転車や普通自転車を右に見ながらよけること。

(f) 携帯電話の通話又は操作をしたり、傘を差したり、物を担いだりすることによる片手での走行及びヘッドホンの使用等による周囲の音が十分聞こえないような状態での走行をしないようにすること。

(g) 走行中にブレーキ、前照灯等が故障した場合、凍り付いた道路を通行する場合及び風雨の強い場合は、特定小型原動機付自転車を押して通行すること。

(キ) 交差点の通行の仕方

a 基本的事項

信号機のある交差点においては、信号機の信号に従って通行しなければならないこと並びに「歩行者・自転車専用」と表示されている歩行者用信号機がある場合及び特例特定小型原動機付自転車で横断歩道を進行する場合は、歩行者用信号機の信号に従わなければならないことを理解させる。

信号機のない交差点において、一時停止を示す標識がある場合は、一時停止をして安全を確認しなければならないことを理解させる。また、このような場合以外でも、交差点（環状交差点を除く。）においては、交通量の少ない場所でも飛び出しをせずに、安全を十分に確認し、速度を落として通行するように指導するとともに、環状交差点においては、環状交差点を通行する車両等が優先することから、環状交差点に入るときは、安全を十分に確認し、徐行するように指導する。

b 右左折等の仕方

右左折並びに環状交差点における直進及び転回の方法並びに合図について理解させる。

(ク) 歩行者及び他の車両に対する注意

a 理解させるべき事項

歩行者及び他の車両に対する注意として以下の事項を理解させる。

(a) 特例特定小型原動機付自転車で歩道を通る場合は直ちに停止できるような速度で徐行（普通自転車通行指定部分がある歩道において、その部分を通行し、又は通行しようとする歩行者がいない場合は直ちに徐行に移ることができるような速度で進行）し、歩行者の通行を妨げることとなる場合は一時停止をしなければならないこと。

(b) 特例特定小型原動機付自転車で路側帯を通る場合及び特定小型原動機付自転車が通行することができる歩行者用道路を通る場合は歩行者の通行を妨げないよう注意し、特に歩行者用道路では直ちに停止できるような速度で徐行しなければならないこと。

(c) 車道を通行する特定小型原動機付自転車が横断歩道に近づいた場合は、横断する歩行者がいないことが明らかな場合のほかは、その手前で停止できるように速度を落として進行しなければならないこと。

(d) 歩行者が横断している場合又は横断しようとしている場合は、横断歩道の手前（停止線がある場合は、その手前）で一時停止をして歩行者に道を譲らなければならないこと。

(e) 幼児若しくは児童が独り歩きしている場合又は高齢者若しくは身体の不自由な人が歩いている場合は、危険のないように一時停止し、又は直ちに停止できるような速度で徐行しなければならないこと。

b 指導すべき事項

停車又は駐車中の自動車の側方を通行する場合は、急なドアの開放、自動車の陰からの歩行者の飛び出し等に十分に注意することを指導する。

(ケ) 特定小型原動機付自転車を駐車する場合の注意

特定小型原動機付自転車を駐車する場合は、自転車等駐車場に置くようにするなどして、歩行者及び他の車両等の通行を妨げないように指導する。

(5) 二輪車の運転者の心得

ア 目標

高校生は二輪車の免許を取得することが可能な年齢に達し、また、高校生の二輪車事故が多く発生していることを踏まえ、二輪車に関する基本的な事項を理解させる。

この場合、二輪車の免許を受けた者に対しては、二輪車の運転に関する基本的な事項を再確認させ、また、二輪車の免許を受けていない者に対しては、将来の運転者としての基本的な知識を習得させることができるように配慮して指導する。

イ 内容

(ア) 一般的に指導すべき事項

a 二輪車事故の特徴

高校生の二輪車事故の実例を挙げ、その発生原因等を分析して、二輪車事故の発生原因等の特徴を理解させる。

b 二輪車の運転者の基本的な心得

運転の熟練度に応じて、適切な車種を選択することが重要であることを説明し、ブレーキ、タイヤ等を関係法令に従い、教則第4章第3節1を参照にして点検しなければならないことを理解させる。また、乗車用ヘルメットを必ず着用すること、初心運転者の二人乗りが禁止されていること等の交通ルールについても理解させる。

(イ) 二輪車の免許を受けた者に対して指導すべき事項

二輪車の免許を受けた者に対する交通安全教育は、第2章第5節2(2)イの内容に沿って実施する。

この場合、受講者が高校生であることを踏まえて、運転姿勢、カーブにおける運転方法、ブレーキの掛け方等の二輪車の運転に必要な基本的な事項が完全に習得されていることを確認し、不十分な場合は問題点を指摘することを中心に実施する。

(6) 交通事故の場合の措置

ア 目標

交通事故に遭った場合に適切に対処することができるように、応急救護処置等の必要な措置を習得させるとともに、交通事故の当事者としての責任について理解させる。

イ 内容

第２章第３節２(5)イの事項を再確認させるとともに、高校生は、自動車等の免許を取得すること及び特定小型原動機付自転車を運転することが可能な年齢に達することから、運転者として交通事故の当事者となった場合は、負傷者の救護、事故車両の移動等の現場で必要な措置をとり、警察官に報告する義務があることについて、その趣旨及び必要な措置の具体的な実施要領を重点的に指導する。

3 高校生に対する交通安全教育を実施するに当たって配慮すべき事項

(1) 指導者の基本的な心構え

高校生は、自動車等の免許を取得すること及び特定小型原動機付自転車を運転することが可能な年齢に達することから、指導者は、あらかじめ免許の取得状況を把握するなどして受講者の通行の態様に応じた交通安全教育を実施する必要がある。

(2) 計画的な教育の実施

高校生に対しては、計画的かつ継続的に交通安全教育を実施するよう配慮することが望ましい。

(3) 適切な場所及び人数の設定

二輪車又は特定小型原動機付自転車を用いて実技訓練を行う場合は、事故を防止するために必要な広さの場所を確保するとともに、事前に指導者が実技訓練を行おうとする場所において使用する二輪車又は特定小型原動機付自転車を運転して安全を確認したり、使用する二輪車又は特定小型原動機付自転車の点検を行ったりするなど、安全を確保するために十分な対策を講ずる必要がある。また、実技訓練に用いる二輪車又は特定小型原動機付自転車の数に限りがあっても、受講者全員が教育に参加することができるよう、適切な人数を設定することが必要である。

(4) 適切な教育手法の選定

受講者の問題意識を高め、学習目標を明確に理解させるため、高校生の道路の通行の態様に関連した交通事故統計、身近な交通事故の実例等を用いるなど工夫することが重要である。

(5) 保護者との連携

父母等の保護者が、高校生は自動車等の免許を取得すること及び特定小型原動機付自転車を運転することが可能な年齢に達することを踏まえ、二輪車及び特定小型原動機付自転車の運転等についての学校の指導方針を理解し、免許取得時、二輪車又は特定小型原動機付自転車の購入時等に適切な助言及び指導を行うことが重要である。

そこで、指導者は、保護者に対する啓発用の資料を配付し、高校生の免許取得時、二輪車又は特定小型原動機付自転車の購入時等に、保護者として必要な交通安全教育を実施するように働き掛けるなど、連携を図るように努めることが必要である。

第５節　成人に対する交通安全教育

1 免許取得時の交通安全教育

免許取得時の交通安全教育は、(1)に定める目的を達成するため、(2)に定める事項を内容として実施する。

なお、この場合において、配慮すべき事項は(3)に定めるとおりとする。

(1) 免許取得時の交通安全教育の目的

免許を取得しようとする者は、免許取得時の交通安全教育の場において、運転者として必要となる基本的な技能及び知識を体系的に習得することが期待される。

そこで、免許取得時の交通安全教育においては、運転免許試験に合格するために備えていなければならない技能及び知識に加えて、道路及び交通の状況に応じて危険を予測し、これを回避する意識及び能力を高めるとともに、運転者としての責任を自覚し、他の人々に対する思いやりを持った運転者を育成することを目的とする。

(2) 免許取得時の交通安全教育の内容

免許取得時の交通安全教育は、運転者として必要となる基本的な技能及び知識を習得させることを目標として、教則に示された事項を習得させるほか、道路及び交通の状況に応じて危険を予測し、これを回避する意識及び能力を高めるための基本的な教育を行う。

(3) 免許取得時の交通安全教育を実施するに当たって配慮すべき事項

免許取得時の交通安全教育は、そのほとんどが自動車教習所によって担われている。ここで行われる教育においては、基本的な運転操作並びに交通ルールを遵守した走行をするための技能及び知識のみならず、運転者として交通マナーを実践する意識及び態度を習得させることが重要である。このため、指導者は、運転者としての責任の自覚及び生命の尊さを学ばせること並びに道路及び交通の状況に応じて危険を予測し、これを回避する意識及び能力を高めるために、受講者の習得の程度を十分に考慮しながら、自ら学ぶ機会を与えることの重要性を認識する必要がある。

2 免許取得後の交通安全教育

免許取得後の交通安全教育は、(1)に定める目的を達成するため、(2)に定める事項を内容として実施する。

なお、この場合において、配慮すべき事項は(3)に定めるとおりとする。

(1) 免許取得後の交通安全教育の目的

自動車教習所においては、免許取得時に、自動車等の運転に関する基本的な交通安全教育が行われているが、初心運転者については、正しい運転の技能及び知識が定着しているとは限らず、また、それ以外の運転者についても、自動車教習所等で習得した技能及び知識から逸脱した運転方法が身に付いてしまうことがある。さらに、自動車教習所における教育を受けないで免許を取得する者もいる。

このため、既に免許を受けた者に対しても、機会をとらえて運転適性指導（自動車等の運転に必要な適性に関する調査及びこれに基づく指導をいう。以下同じ。）及び運転技能指導（自動車等の運転に必要な技能に関する指導をいう。以下同じ。）を実施することにより、運転適性及び運転技能を客観的に把握させるなどして、安全運転に必要な技能及び知識を定着させる必要がある。

また、急ブレーキ、横滑り等により自動車を制御することが難しくなることを理解させるなどにより、道路における危険を予測し、これを回避する意識及び能力を向上させる必要がある。

さらに、運転者は、交通情勢の変化並びに加齢に伴う身体の機能及び運転技能の変化に対応して必要な技能及び知識を生涯を通じて習得することが求められることから、生涯学習の一環として、免許取得後の交通安全教育が行われる必要がある。

そこで、免許取得後の交通安全教育は、運転者に安全運転に必要な技能及び知識の理解を深めさせるとともに、交通社会の一員として自己の安全のみならず他の人々及び社会の安全に自主的に貢献することができる運転者へと育成することを目的とする。

(2) 免許取得後の交通安全教育の内容

ア　四輪車の運転者に対する交通安全教育

(ア) 運転に関する基本的事項の再教育

a　目標

自動車を安全に運転するために必要な基本的事項を再確認させ、技能及び知識の定着を図る。

b　内容

(a) 自動車の点検

日常点検及び定期点検の重要性を認識させるとともに、確実に点検することができるようにするため、以下の事項について、点検させるなどにより体験的に習得させる。

①　点検要領

教則第4章第3節1に示された点検箇所、点検事項及び点検の実施方法を参照して実施すること。

②　装備品等の取扱い

発煙筒、赤ランプ、停止表示器材（停止表示板及び停止表示灯をいう。以下同じ。）等の取扱い

(b) 運転姿勢、装置の操作等

安全運転は基本的な事項を実践することから始まることを理解させ、以下の事項を確実に実践することができるように指導する。

①　運転姿勢等

正しい運転姿勢をとることにより、運転席からの視界が広がり、装置の確実な操作を可能とすること。また、周囲の交通の状況等に対する注意が不十分になるため、自動運転車において自動運行装置を適切に使っている場合を除き、走行中に携帯電話等を使用したり、カーナビゲーション装置等に表示された画像を注視したりしないこと。

②　装置の操作

ハンドル、アクセル、ブレーキ、クラッチ等の正しい操作の方法

③　シートベルトの着用及びチャイルドシートの使用

シートベルトの着用及びチャイルドシートの使用の重要性並びに正しい着用及び利用の方法

(c) ブレーキの掛け方

できる限り短い距離及び安定した状態で停止するためのブレーキの操作方法を指導する。

(d) 運転方法の基本

正しい運転の技能及び知識を定着させ、自動車教習所等で習得した技能及び知識から逸脱した運転方法を正しい運転方法に修正するため、実際に自動車を運転させたり、運転シミュレーターを用いたりするなどして、進路変更、右左折、交差点の通行等について観察し、問題点を指摘して、交通ルールを遵守し、交通マナーを実践した正しい運転方法を指導する。

(e) 交通事故及び故障の場合の措置

交通事故が起きた場合及び自動車が故障した場合に、交通事故が更に発生することを防止するための措置、負傷者に対する応急救護処置等を速やかにとることができるようにするため、以下の事項を指導する。

①　交通事故の場合の措置

交通事故が更に発生することを防止するための措置、応急救護処置、警察官への報告等

②　自動車が故障した場合の措置

自動車の安全な所への移動、停止表示器材等による表示、故障車両の牽（けん）引等

(f) 交通事故の発生状況等

交通ルールを遵守し、交通マナーを実践することの重要性を、交通事故の実例を挙げ、その発生原因について話合いをさせるなどして理解させる。あわせて、道路交通法等の法令の改正、交通事故の発生状況、先進技術の実情等の自動車の運転者に必要な情報を提供する。

(イ) 危険の予測と回避

a　目標

自動車を安全に運転するために必要な、道路における危険を予測し、これを回避する意識及び能力を向上させる。また、歩行者、自転車の利用者、特定小型原動機付自転車の運転者、二輪車の運転者、自動運行装置を使っている運転者等の特性を理解させ、交通事故を防止するため必要な事項を習得させる。

b　内容

(a) 具体的な場面を設定して行う危険の予測と回避

走行中の自動車は、走行速度に応じ一定の範囲の危険空間を生じさせること及び安全に自動車を運転するためには、その危険空間を的確に管理することが重要であることを理解させた上で、以下のような場面を設定して、実際に自動車を運転させたり、運転シミュレーターを用いたりして、道路における危険を予測し、これを回避する意識及び能力を向上させる。

①　死角からの歩行者又は車両の飛び出し

②　交差点の通行

③　追越し

④　カーブの通行

⑤　その他地域の実情により注意すべき場面

(b) 道路を通行する他の者の特性

歩行者、自転車の利用者、特定小型原動機付自転車の運転者、二輪車の運転者、自動運行装置を使っている運転者等の特性を、これらの者が当事者である以下のような典型的な交通事故の実例等を挙げて説明し、理解させる。

①　歩行者

交差点における右左折時の事故、信号無視又は走行中の車両の直前若しくは直後の横断による事故、飛び出しによる事故、道路の右側から横断してくる歩行者との事故等

②　自転車の利用者及び特定小型原動機付自転車の運転者

交差点における出会い頭事故等

③　二輪車の運転者

カーブにおけるはみ出し事故、交差点（環状交差点を除く。）における右折時の直進車との事故及び直進時の右折車との事故等

④　自動運行装置を使っている運転者

運転者が前方・周囲を確認していない状態での運転等

(c) 急ブレーキ

高速で走行している場合又はぬれた路面を走行している場合に急ブレーキを掛けると、自動車を制御することが難しいこと、このような場合は、制動距離が極端に長くなること等を体験させるなどにより、急ブレーキを掛ける必要のない運転の重要性を理解させる。

さらに、アンチロックブレーキシステム（走行中の自動車の制動に著しい支障を及ぼす車輪の回転運

動の停止を有効に防止できる装置をいう。）を備えた自動車を用いて指導する場合には、その機能を説明し、緊急時におけるブレーキの掛け方を指導する。

(d) 横滑りの危険性

ぬれた路面等の滑りやすい路面において急ブレーキを掛けたり、急なハンドル操作をしたりするなどしてタイヤが横滑りを起こした場合は、自動車を制御することが難しくなることを実際に体験させるなどして理解させ、滑りやすい路面では細心の注意を払って自動車を運転する必要があることを指導する。

(ウ) 状況に応じた運転能力の向上

a 目標

夜間の運転、雨、雪、霧等の悪天候時の運転、高速道路での運転等の様々な状況下における運転に必要な能力を向上させる。

b 内容

(a) 夜間の運転

① 夜間における道路及び交通の状況

夜間においては、視界が悪くなり、暗い色の服装をした人が見えにくくなったり、対向車の後方を横断している歩行者に気付きにくくなったりするなど状況把握が困難になること、速度感覚が鈍り速度超過になりがちなこと及び過労運転又は酒酔い運転をする者、酔って歩く者等がいること等のため、昼間より慎重な運転が必要であることを指導する。

② 蒸発現象

自分が運転する自動車と対向車の前照灯で道路の中央付近の歩行者が見えにくくなる蒸発現象を実際に体験させるなどしてその危険性を理解させ、横断中の歩行者に十分に注意した運転が必要であることを指導する。

③ 眩惑

対向車の前照灯のまぶしさのため、一時的に視力が低下する眩惑を実際に体験させるなどしてその危険性を理解させ、対向車の前照灯がまぶしいときは、視点をやや左前方に移して目がくらまないようにすることが必要なことを指導する。

(b) 雨天時の運転

雨天時は視界が悪くなるため、ワイパーを作動させるなどして視界を確保する必要があること、道路が滑りやすくなることにより、ブレーキを掛けた場合に制動距離が晴天時に比べて長くなったり、急ブレーキ、急なハンドル操作等が横滑り等の原因になったりすること、高速で走行する場合に、ハイドロプレーニング現象（タイヤが浮いて、ハンドル及びブレーキが効かなくなる現象をいう。以下同じ。）が起こるおそれがあること等を理解させ、晴天時より慎重な運転が必要であることを指導する。

(c) 雪道等の運転

雪道及び凍り付いた道路（以下「雪道等」という。）は大変滑りやすいことから、タイヤにタイヤチェーン等の滑り止め装置を着け、又はスノータイヤ、スタッドレスタイヤ等の雪路用タイヤを着けて運転すること及びブレーキを掛けた場合に自動車を制御することが難しくなるなど雪道等における運転が危険であることを理解させ、雪道等で運転する場合の事前準備、速度を十分に落として車間距離を十分にとった運転の必要性、轍のある道路及び坂道での運転方法等を指導する。

(d) 霧等の場合の運転

霧、吹雪等（以下「霧等」という。）が発生すると視界が狭くなることを理解させ、霧等の場合に運転するときは、霧灯（淡黄色等の補助前照灯をいう。以下同じ。）があるときは霧灯を、ないときは前照灯を早めにつけること、速度を落として運転すること、危険防止のために必要に応じて警音器を使用すること等の霧等の場合に運転者がとるべき必要な措置を指導する。

(e) 高速道路での運転

自動車の点検等の高速道路を通行する前の心得について確認するとともに、本線車道への進入、一定速度での走行、十分な車間距離の確保、車線変更、追越し、強風時における運転等の走行に関する事項を指導する。

(f) 先進技術を使った運転等

先進技術の過信や誤信に基づく事故が発生していることを説明し、先進技術の機能、限界、使用方法等について正しく理解する必要があることを指導する。

また、自動運行装置を使って運転している場合には、自動運行装置から発せられる引継ぎ要請があった場合等に、運転者が直ちにそのことを認知し運転操作を適切に引き継ぐことができる状態でいなければならないことを指導する。

(エ) 安全運転に必要な科学的知識の習得

a 目標

自動車等を安全に運転するために必要な科学的知識について理解を深めさせる。

b 内容

(a) 性格と運転の関係

運転者の性格と運転の関係を説明し、運転適性指導の結果を踏まえて運転することの重要性を理解させる。

(b) 人間の生理と運転の関係

視力、深視力等の強弱及び明順応、暗順応、錯覚等の視覚の特性が運転に及ぼす影響を理解させるとともに、飲酒時等の身体の機能の検査を実施するなどして飲酒等が運転に及ぼす影響を理解させ、計画的に運転すること及び体調を整えて運転することを指導する。

特に、アルコールには、中枢神経を麻痺させる作用があり、飲酒により体内にアルコールを保有した状態では、理性、平衡感覚及び視力が低下し、視野が狭くなるなど、安全運転に必要な情報処理能力、注意力、判断力等が低下した状態になることを説明し、飲酒運転は重大な事故に直結する危険な行為であることを理解させる。

(c) 自動車に働く自然の力

以下の事項について、実際に自動車を運転させるなどして指導する。

① 摩擦力

タイヤの状態、制動距離と摩擦力の関係、ハイドロプレーニング現象等

② 遠心力

積載物の積み方と遠心力の関係、カーブにおける安全な速度等

③ 衝撃力

速度と衝撃力の関係、エアバッグ、シートベルト及びチャイルドシートの機能等

(d) 交通事故の発生原因等

具体的な実例を挙げて交通事故の発生原因等を説明し、あわせて交通事故を防止するために様々な施

策が講じられていることを説明することにより、交通事故を起こさないような運転の方法を指導する。

(オ) 運転適性指導及び運転技能指導

a 目標

運転者に運転適性及び運転技能を客観的に把握させるとともに、運転適性の類型ごとに特徴的な交通事故について理解させ、運転態度及び技能の改善を図る。

b 内容

(a) 運転適性指導

受講者に自動車を運転させたり、運転適性検査器材を用いたりして、運転適性を検査し、運転適性指導を行う。

(b) 運転技能指導

受講者に道路又は道路外のコースを走行させたり、運転シミュレーターを用いたりして運転技能指導を行う。

イ 二輪車の運転者に対する交通安全教育

二輪車は、体で安定を保ちながら走り、停止すれば安定を失うという構造上の特性を持っている。また、二人乗りと一人乗りとでは運転特性に違いがみられる面がある。さらに、二輪車の動きは他の自動車等の運転者から見えにくい場合がある。

そこで、二輪車の運転者に対する交通安全教育においては、これらの二輪車の特徴を踏まえ、アの四輪車の運転者に対する交通安全教育の内容のうち二輪車の運転に必要なものに加え、以下の事項を指導する。

(ア) 運転に関する基本的事項の再教育

a 目標

二輪車を安全に運転するための基本的事項を再確認させ、技能及び知識の定着を図る。

b 内容

(a) 服装の点検

運転に適した服装、プロテクター及び乗車用ヘルメットについて説明し、実際に受講者に着用させるなどして、服装を点検することの必要性及び着用方法を理解させる。

(b) 車種の選定

適切な車種を選択することの重要性及び免許取得後、小型の車種から乗り始め、運転の熟練度に応じて大型の車種に乗ることを指導する。

(c) 運転姿勢

視線、肩及びひじのゆとり、グリップの握り方、両ひざの締め付け、足の位置等を指導する。

(d) カーブにおける運転方法

カーブの手前で十分に速度を落とすこと、カーブでは右側部分にはみ出さないように注意すること、ハンドルを切るのではなく車体を傾けることによって自然に曲がるようにすること等のカーブにおける運転方法を指導する。

(e) ブレーキの掛け方

ブレーキを掛ける場合は車体を垂直に保ち、ハンドルを切らない状態で、エンジンブレーキを効かせながら前後輪のブレーキを同時に掛けること及び乗車姿勢を正しく保つことを指導する。

(f) バランス走行

二輪車は、低速走行する場合に体重移動、ハンドル、アクセル、ブレーキ、クラッチ等の操作によって不安定になることを理解させ、直線狭路及び波状路の走行、連続して進路を転換する走行等をさせるなどして、車体のバランスを保持して走行する技能を向上させる。

(g) 二人乗りでの運転

二人乗りと一人乗りとでは運転特性に違いがみられる面があることを理解させる。また、同乗者に対して正しい同乗の方法を説明することの重要性を理解させるとともに、同乗者に配慮した運転方法を指導する。

(h) 二輪車の運転に関する道路交通法等の法令の規定

一般原動機付自転車の右折方法、二人乗りの禁止に関すること等の二輪車の運転に関する道路交通法等の法令の規定について習得の程度を確認し、必要に応じて指導する。

(イ) 危険の予測と回避

a 目標

二輪車を安全に運転するために必要な、道路における危険を予測し、これを回避する意識及び能力を向上させる。また、歩行者、自転車の利用者、特定小型原動機付自転車の運転者、四輪車の運転者等の特性について理解させ、交通事故を防止するために必要な事項を習得させる。

b 内容

(a) 具体的な場合を設定して行う危険の予測と回避

二輪車は、その動きが他の自動車等から見えにくいことがあり、周囲の交通の状況について一層の注意が必要となることを踏まえ、第2章第5節2(2)ア(イ)の内容を、二輪車の運転に即して指導する。特に、交差点（環状交差点を除く。）の通行については以下のような交通事故、環状交差点の通行については四輪車の巻込み事故のような交通事故がそれぞれ発生する状況を設定したり、運転シミュレーターを用いたりして、道路における危険を予測し、これを回避する意識及び能力を向上させる。

① 右折時の直進車との事故

② 直進時の右折車との事故

③ 四輪車の左折巻込み事故

(b) 四輪車についての理解

二輪車については、その動きが他の自動車等の運転者から見えにくいことがあることから、四輪車の運転者からの二輪車の見え方等を理解させる。

(3) 免許取得後の交通安全教育を実施するに当たって配慮すべき事項

ア 適切な教育の内容及び方法の設定

受講者の年齢、免許種別、運転経歴、自動車等の利用の態様、居住する地域の実情等が様々であることから、効果的かつ適切に交通安全教育を行うためには、アンケート等を行うなどしてこれらの事項を把握し、最適と思われる教育の内容及び方法を設定することが必要である。

イ 適切な場所及び人数の設定

自動車等を用いて実技訓練を行う場合には、事故を防止するために必要な広さの場所を確保するとともに、事前に指導者が実技訓練を行おうとする場所において使用する自動車等を運転して安全を確認したり、使用する自動車等の点検を行ったりするなど、安全を確保するために十分な対策を講ずる必要がある。また、実技訓練等に用いる自動車、運転シミュレーター等の数に限りがあっても、受講者全員が教育に参加することができるよう、適切な人数を設定することが必要である。

ウ 運転適性指導及び運転技能指導を実施するに当たって配慮すべき事項

運転適性指導及び運転技能指導は、受講者の運転適性及び運転技能を把握して、教育をより効果的に実施するために行うものであって、教育としての優劣を判断するためのものでないことに留意し、指導に当たっては、あくまで受講者に安全運転上の問題点を自覚させることに重点を置く必要がある。

3　業務用自動車運転者に対する交通安全教育

業務用自動車（業務に関して用いられている自動車をいい、自動車運転代行業（注）を営む者による代行運転役務の対象となっている自動車（⑵において「代行運転自動車」という。）を含む。以下同じ。）の運転者（以下「業務用自動車運転者」という。）に対しては、第２章第５節２の内容として実施するもののほか、⑴に定める目的を達成するため、⑵に定める事項を内容として実施する。

なお、この場合において、配慮すべき事項は⑶に定めるとおりとする。

⑴　業務用自動車運転者に対する交通安全教育の目的

業務用自動車運転者は、大型自動車を運転したり、人員又は貨物を運送したり、様々な地理的・気象的状況下で運転したりするなど、他の運転者よりも運転に関して高度な運転能力が要求される。そのため、業務用自動車運転者に対する教育は、業務用自動車の安全な通行に必要となる高度な運転の技能及び知識を習得させ、他の運転者の模範となるべき運転者を育成することを目的とする。

⑵　業務用自動車運転者に対する交通安全教育の内容

アの事項については教育を実施するほか、貨物の運送の用に供されている自動車（以下「貨物自動車」という。）の運転者についてはイの事項、人員の運送の用に供されている自動車（代行運転自動車を含む。以下「乗用自動車」という。）の運転者についてはウの事項をそれぞれ実施する。

ア　業務用自動車運転者についての一般的な事項

(ア)　目標

業務用自動車を安全に運転するために必要な技能及び知識を習得させる。

(イ)　内容

a　業務用自動車を運転する場合に留意すべき事項

業務用自動車の運転においては、多忙、長時間の運転等による集中力の欠如、時間的な制約による焦燥等が生じやすいこと等の業務用自動車を運転する場合に留意すべき事項を理解させる。

b　運転計画及び運行に関する計画の作成及び活用

長時間の運転、夜間の運転等により過労、居眠り等を起こしやすくなることを理解させ、運転計画を作成し、活用することの重要性を理解させる。また、運転計画の作成及び活用に関して参考となる交通情報の利用の仕方、異常気象時の対応の仕方等を指導する。

なお、受講者が勤務する事業所に安全運転管理者、副安全運転管理者等の自動車の運行を直接管理する地位にある者（以下「安全運転管理者等」という。）が置かれている場合は、安全運転管理者等が作成する運行に関する計画に従った運行を行うことの重要性を理解させる。

c　安全運転管理者等の役割の理解等

安全運転管理者等の役割について理解させる。また、安全運転管理者等が適切な運行に関する計画を作成したり、運転者に対して必要な指示を与えたりすることができるよう、運転者が自らの健康状態、運転する自動車の点検の実施状況等について報告したり、運転日誌に運転の状況を記録したりすることが必要であることを理解させる。

イ　貨物自動車の運転者に対する交通安全教育

(ア)　目標

貨物自動車を安全に運転するために必要な技能及び知識を習得させる。

(イ)　内容

a　貨物自動車を運転する場合に留意すべき事項

貨物運送の社会経済活動における重要性、業務用自動車運転者の運転が他の運転者の運転に与える影響の大きさ、他の運転者の模範となるべきこと等の貨物自動車を運転する場合に留意すべき事項を理解させる。

b　死角、内輪差等の確認等

車高、視野、死角、内輪差等を確認させるとともに、これらを把握していなかったことに起因する交通事故の実例を説明すること等により、これらを把握することの必要性を理解させる。

c　正しい積み方

積載物の重量が異なる自動車を運転させ、比較させるなどして、積載物の重量の差異による運転への影響を理解させる。また、正しい積み方をした自動車と片寄りのある積み方をした自動車を運転させ、比較させるなどして、積み方の差異による運転特性の変化を理解させるとともに、片寄りのある積み方をした場合、ブレーキを掛けたときに、安定した姿勢で停止できないおそれがあること及び遠心力により自動車の傾き等が大きくなるおそれがあることを、交通事故の実例を挙げるなどして理解させ、正しい積み方を指導する。

d　過積載の危険性

過積載が制動距離、自動車の安定等に与える影響を説明したり、過積載に起因する交通事故の実例を説明したりするなどして、過積載の危険性を理解させる。

e　下り坂での留意事項

長い下り坂でフットブレーキを頻繁に使い過ぎた場合に、急にブレーキが効かなくなることがあることを説明し、長い下り坂を荷物を積載して運転する場合にエンジンブレーキを使用するなど留意すべき事項を指導する。

f　危険の予測と回避

自動車を運転させたり、話合いをさせたりするなどして、積載物がカーブでの走行に与える影響、強風が運転に与える影響、右左折時における内輪差、直前、後方及び左側方の視界の制約、ジャックナイフ現象（ブレーキを掛けたときにトラクタとトレーラが連結部分で折れ曲がり、安定を失う現象をいう。）等により貨物自動車の運転に関して生ずる様々な危険を予測し、これを回避する意識及び能力を習得させる。

ウ　乗用自動車の運転者に対する交通安全教育

(ア)　目標

乗用自動車を安全に運転するために必要な技能及び知識を習得させる。

(イ)　内容

a　乗用自動車を運転する場合に留意すべき事項

人員運送の社会経済活動における重要性、業務用自動車運転者の運転が他の自動車等の運転者の運転に与える影響の大きさ、他の運転者の模範となるべきこと等の乗用自動車を運転する場合に留意すべき事項を理解させる。

b　死角、内輪差等の確認等

車高、視野、死角、内輪差等を確認することや、これらを把握していなかったことに起因する交通事故の実例を説明すること等により、これらを把握することの必要性を理解させる。

c　乗車人員の安全の確保

急ブレーキ、急発進及び急なハンドル操作を避けることの必要性並びにシートベルトを着用させること、走行中に立ち上がらせないこと等の乗車人員に対する指導事項を理解させる。

d　安全な乗降場所の選択及びドア開閉時の周囲への配

慮

自動車を運転させるなどして、安全な乗降場所の選択及びドア開閉時の周囲への配慮について指導する。

e　地理への精通等

地理への精通等の必要性を理解させる。

f　危険の予測と回避

自動車を運転させたり、話合いをさせるなどして、乗用自動車の運転に関して生じる乗車人員の不注意による車内での事故、乗車人員の乗降時の事故、急発進、急停車等による車内での事故、ドア開閉による事故、方向変換に起因する事故並びに後方及び左側方の視界の制約に起因する事故、乗車人員の指示による急な進路変更又は停車による事故、人員を乗車させようとする際の急な進路変更又は停車による事故等の様々な危険を予測し、これを回避する意識及び能力を習得させる。

(3)　業務用自動車運転者に対する交通安全教育を実施するに当たって配慮すべき事項

ア　運転の態様に応じた教育の実施

業務用自動車の運転者については、業務の態様に応じて、大型自動車、緊急自動車等を運転したり、人員又は貨物を輸送したり、長時間の運転を行ったりすることから、これらの態様に応じた交通安全教育を実施する必要がある。

イ　運転者の特性に応じた教育の実施

業務用自動車の運転者に対しては、年齢、運転経歴等の運転者の特性を的確に把握した上で、これらの特性に応じた交通安全教育を実施する必要がある。

ウ　安全運転管理者等によるきめ細かな教育の実施

安全運転管理者等が運転者に対し交通安全教育を実施する場合は、ドライブレコーダーの記録映像等により、運転者に自身の運転行動を客観的に振り返らせるなどして運転者の日常の運転について十分に把握し、運転適性指導又は運転技能指導を受けさせるなどして、きめ細かな交通安全教育を実施することが望ましい。

4　歩行者並びに自転車の利用者及び特定小型原動機付自転車の運転者に対する交通安全教育

歩行者並びに自転車の利用者及び特定小型原動機付自転車の運転者（以下「自転車の利用者等」という。）に対する交通安全教育は、(1)に定める目的を達成するため、(2)に定める事項を内容として実施する。

なお、この場合において、配慮すべき事項は(3)に定めるとおりとする。

(1)　歩行者及び自転車の利用者等に対する交通安全教育の目的

歩行者及び自転車の利用者等に対する交通安全教育は、交通安全意識の高揚を図るため、道路を通行する者一人一人が交通ルールを遵守し、交通マナーを実践する必要があることを再確認させるとともに、周囲の幼児、児童、高齢者等に対して適切に交通安全教育ができるようにすることを目的とする。また、免許を受けた者に対しては、歩行者及び自転車の利用者等の立場で交通安全教育を受けることにより、自動車等を運転する場合に歩行者及び自転車の利用者等の特性を踏まえて安全に運転ができるようにすることを目的とする。

(2)　歩行者及び自転車の利用者等に対する交通安全教育の内容

歩行者及び自転車の利用者等に対する交通安全教育においては、以下の事項を説明するなどして、交通ルールを遵守し、交通マナーを実践することの必要性を再確認させる。また、免許を受けていない、交通安全教育の受講経験がない等の理由から、交通ルール等に関する理解が十分でない者に対しては、歩行者及び自転車の利用者等として安全に道路を通行するために習得する必要のある事項を教則第２章及び第３章の内容に沿って指導する。

ア　歩行者の心得

(ア)　横断中の事故等の歩行者が当事者である事故の発生原因等

(イ)　反射材の効果

(ウ)　道路の横断等における幼児、児童、高齢者、目の見えない人及び身体の不自由な人の保護

イ　自転車の利用者等の心得

(ア)　出会い頭事故、左折巻き込み事故等の自転車の利用者が当事者である事故の発生原因等

(イ)　反射材の効果

(ウ)　歩道、路側帯等を通行する場合の歩行者に対する配慮

(エ)　正しい駐車方法

(オ)　交通事故により生じた損害を賠償するための保険等への加入の必要性

(カ)　交通事故が発生した場合の乗車用ヘルメットの被害軽減効果及び乗車用ヘルメットの着用に関する努力義務

ウ　自動車等に関して知っておくべき事項

(ア)　自動車等の特性及び合図

(イ)　交通事故が発生した場合のシートベルトの被害軽減効果

(3)　歩行者及び自転車の利用者等に対する交通安全教育を実施するに当たって配慮すべき事項

受講者の年齢、免許の取得状況、運転経歴、自動車及び原動機付自転車の利用の態様、通行の態様等が様々であることから、効果的かつ適切に交通安全教育を行うためには、アンケート等を行ってこれらの事項を把握し、最適と思われる教育の内容及び方法を設定することが必要である。

第６節　高齢者に対する交通安全教育

高齢者に対する交通安全教育は、１に定める目的を達成するため、２に定める事項を内容として実施する。

なお、この場合において、配慮すべき事項は３に定めるとおりとし、また、４に定めるところにより高齢者の家族等に対しての交通安全教育を実施する。

1　高齢者に対する交通安全教育の目的

高齢者は、加齢に伴い身体の機能が変化し、歩行者としても、また、運転者としても、道路を通行する際に十全の行動をとることができない場合がある。また、免許を受けていない、交通安全教育の受講経験がない等の高齢者も多い。

そこで、高齢者に対する交通安全教育においては、加齢に伴う身体の機能の変化が道路における行動に及ぼす影響を理解させるとともに、免許を受けていない、交通安全教育の受講経験がない等の理由から、交通ルール等に関する理解が十分でない者に対しては、歩行者の心得、自転車の利用者の心得等について理解を深めさせることにより、安全に道路を通行することができるようにすることを目的とする。

2　高齢者に対する交通安全教育の内容

(1)　基本的な心得

ア　目標

加齢に伴う身体の機能の変化が行動に及ぼす影響及び交通ルールを遵守し、交通マナーを実践することの必要性を理解させるとともに、交通安全活動への参加を促すことにより交通安全意識の高揚を図る。

イ　内容

(ア)　高齢者の交通事故の特徴

高齢者が当事者である交通事故の特徴を中心に最近の交通事故の発生状況及び高齢者が事故に遭った場合には、死亡等の重大な結果に至る危険性が高いことを説明し、正しい道路の通行方法を実践することの重要性を理解させる。

(イ)　加齢に伴う身体の機能の変化が行動に及ぼす影響

加齢に伴い、個人差があるものの、一般的に歩行が遅くなること、危険を回避するためにとっさの行動をとることが困難となること、危険の発見及び回避が遅れがちになること、歩行並びに自転車、特定小型原動機付自転車及び二輪車での走行が不安定になること等の身体の機能の変化が行動に及ぼす影響を理解させ、健康診断を受けるなどして、身体の機能の変化を客観的に把握するとともに、道路を通行する場合には無理をせず、また、安全確認を十分に行うよう指導する。

(ウ) 高齢者の安全を確保するために設けられている交通安全施設の現状

弱者感応信号機（歩行者の携帯する無線発信器等を感知して歩行者用信号の青の時間を延長する信号機をいう。）、歩行者感応信号機（歩行者をセンサーにより感知し歩行者用信号の青の時間を調整する信号機をいう。）、音響信号機（信号の変化を音で認識できる信号機をいう。）等の高齢者の安全を確保するために設けられている交通安全施設の現状並びにその機能及び利用方法を理解させる。

(エ) 交通安全活動への参加

道路交通の安全を確保するために行われている活動の実例を紹介し、これらの活動において高齢者の果たし得る役割を考えさせるとともに、このような活動への積極的な参加を促す。

(2) 歩行者の心得

ア 目標

加齢に伴う身体の機能の変化が歩行に及ぼす影響を踏まえ、体力等に応じて無理をしないで道路を通行すること等の歩行者として安全に道路を通行するために必要な事項を理解させる。

イ 内容

(ア) 加齢に伴う身体の機能の変化が歩行に及ぼす影響

加齢に伴い、一般的に歩行が遅くなったり、道路の横断に時間がかかるようになったりすること及び車両の直前又は直後を横断するなどの歩行者の法令違反に起因する死亡事故が多く発生していることについて、交通事故の実例等を用いて具体的に説明して理解させる。また、これらの事項を踏まえ、信号機のある所で広い道路を横断しようとする場合は、信号が青であっても、次の青信号を待って横断すること、信号機のないところを横断しようとする場合は、歩行速度を考慮し、道路を通行する車両等との距離を十分にとること等を指導するとともに、斜め横断を行わないように指導する。さらに、特に横断時には、左方向から進行してくる車両と衝突する交通事故が多いことを理解させ、道路の横断を始める前や横断中には、これらの車両の動きに十分に注意するように指導する。

(イ) 電動車椅子等を用いる場合に注意すべき事項

電動車椅子等（道路交通法第2条第1項第11号の4に規定する身体障害者用の車であって原動機を用いるものをいう。以下同じ。）を通行させている者は、道路交通法上歩行者とされていることから、電動車椅子等を通行させている場合は、歩行者として交通ルールを遵守し、交通マナーを実践しなければならないことを理解させる。また、電動車椅子等は、機種ごとに、操作方法、走行性能等の特性が異なることから、それらを十分に把握し、道路外の安全な場所で操作方法を習得した上で道路を通行するように指導する。

(ウ) 安全に道路を通行するために習得する必要のある事項

免許を受けていない、交通安全教育の受講経験がない等の理由から、交通ルール等に関する理解が十分でない者に対しては、歩行者として安全に道路を通行するために習得する必要のある事項を、教則第2章の内容に沿って指導する。

特に、夜間において高齢者が当事者である事故が多く発生していることから、夜間においては、自動車及び原動機付自転車の運転者から暗い色の服装をした歩行者がよく見えない場合があること等を説明し、外出する場合は、目立つ色の服装をしたり、反射材を身に付けたりするように指導する。

(3) 自動車に乗車する場合の心得

ア 目標

自動車に乗車する場合に注意すべき事項を理解させ、安全に自動車に乗車することができるようにする。

イ 内容

自動車から降りた後に道路を横断する場合は、自動車の直前又は直後を横切ってはならないことを理解させる。また、自動車に乗り降りする場合は、周囲の安全を確認してからドアを開け、左側から乗り降りするように指導するとともに、シートベルトを備えている自動車に乗車する場合は、これを正しく着用するように指導する。

(4) 自転車の利用者の心得

ア 目標

加齢に伴う身体の機能の変化が自転車の乗り方に及ぼす影響を理解させるとともに、自転車を安全に利用するためには交通ルールを遵守し、交通マナーを実践しなければならないことを理解させ、正しい乗り方を習得させることにより、安全に道路を通行することができるようにする。

イ 内容

(ア) 加齢に伴う身体の機能の変化が自転車の走行に及ぼす影響

加齢に伴い、自転車での走行が不安定になったり、交差点を通行する場合に安全確認が不十分になったりすることについて、交通事故の実例等を用いて具体的に説明して理解させる。

(イ) 乗ってはならない場合

酒を飲んだ場合又は疲れが激しい場合に自転車に乗ること等の危険性を説明し、これらの行為が禁止されていることを理解させる。

(ウ) 安全に自転車に乗るために習得する必要のある事項

免許を受けていない、交通安全教育の受講経験がない等の理由から、交通ルール等に関する理解が十分でない者に対しては、安全に自転車に乗るために習得する必要のある事項を、教則第3章の内容に沿って指導する。特に、70歳以上の者が普通自転車を利用する場合は歩道を通行することができるが、歩道では原則として直ちに停止できるような速度で徐行し、歩道は歩行者優先であること、また、警察官又は交通巡視員が歩道を通行してはならない旨を指示した場合はその指示に従わなければならないことを理解させる。また、交通事故が発生した場合の乗車用ヘルメットの被害軽減効果を理解させるとともに、乗車用ヘルメットを着用するよう努めなければならないことを理解させ、乗車用ヘルメットを着用するように指導する。

(5) 自動車及び原動機付自転車に関して知っておくべき事項

ア 目標

自動車及び原動機付自転車の基本的な特性及び合図を習得することにより、歩行者等として自動車及び原動機付自転車の動きを予測し、危険を回避して安全に道路を通行することができるようにする。

イ 内容

自動車及び原動機付自転車の速度と制動距離の関係、死角、内輪差等の自動車及び原動機付自転車の特性並びに自動車及び原動機付自転車の右左折、後退時等の合図を理解させるとともに、自動車及び原動機付自転車と歩行者等の間で発生した交通事故の実例を挙げて、安全に道路を通行するためにこれらの特性及び合図を理解することの必要性について考えさせ、これらの特性及び合図を踏まえて安全に道路を通行することができるように指導する。

(6) 自動車及び原動機付自転車の運転者の心得

ア 目標

高齢の運転者が、加齢に伴う身体の機能の変化を客観的に把握し、これに応じて自動車を安全に運転するために必要な技能及び知識を習得させる。

イ 内容

高齢の運転者に対する交通安全教育は、第2章第5節2及び4（特定小型原動機付自転車の運転者に係る部分に限る。）の内容に沿って実施する。

この場合、受講者が高齢者であることを踏まえて、運転適性指導及び運転技能指導を中心に実施することとし、加齢に伴う身体の機能及び運転技能の変化を客観的に把握させ、安全に運転することができるように指導するとともに、高齢の運転者に対する運転免許制度の特例、高齢運転者標識、高齢運転者等専用場所等における駐車の方法等を理解させる。

(7) 交通事故の場合の措置

ア 目標

交通事故に遭った場合に、適切に対処することができるようにするとともに、交通事故の当事者としての責任についても理解させる。

イ 内容

交通事故に遭った場合には、必ず警察に知らせること、外傷がなくても頭部等に強い衝撃を受けた場合は、医師の診断を受けるようにすること等の措置を指導する。特に、車両等の運転者又は乗務員として事故に遭った場合は、事故が更に発生することを防止するための措置をとらなければならないこと及び事故が発生した状況を警察に報告しなければならないことを理解させる。また、この場合、負傷者に対してガーゼ、清潔なハンカチ等で止血するなど、可能な応急救護処置を行わなければならないことを理解させ、処置の基本的な手順を習得させる。

3 高齢者に対する交通安全教育を実施するに当たって配慮すべき事項

(1) 指導者の基本的な心構え

高齢者に対する交通安全教育を効果的かつ適切に行うためには、「高齢者交通安全教育指導指針」（平成2年2月13日高齢者交通安全対策推進会議決定）を参考にするなどして高齢者の特性を理解するとともに、交通の状況等の地域の実情を踏まえて、教育の内容及び方法を設定し、適切な教材を用いるなどして指導を行う必要がある。あわせて、受講者の居住する地域における交通事故等の身近な実例を挙げて、道路における安全の確保を高齢者が自らの問題としてとらえることができるように配慮することが望ましい。

(2) 適切な時間数並びに教育の内容及び方法の設定

高齢者にとって体力的な負担とならないように、指導事項を数点に絞り、短時間で効果的に教育を実施するようにする。また、高齢者は、それまでの通行の態様が様々であることから、アンケート等を行って免許の取得状況、自動車及び原動機付自転車の利用の態様、交通安全教育の受講状況、交通ルール等に関する習得の程度等を把握し、これらを踏まえて、交通安全教育の内容及び方法を設定する。

(3) 高齢の運転者の運転適性及び運転技能の把握

高齢者の身体の機能の変化には個人差があるため、交通安全教育を実施する場合は、必要に応じて、運転適性指導及び運転技能指導を行う。

4 家族等に対する交通安全教育の実施

高齢者が加齢に伴う身体の機能の変化を自覚し、安全に道路を通行するためには、家族等の理解と協力が必要である。

そこで、高齢者に対する交通安全教育を実施する場合は、指導者は、可能であれば家族等の同伴を求め、家族等が参加できない場合は、高齢者に対する交通安全教育において家族等が果たすべき役割、高齢者に指導すべき事項等について記載した資料を高齢者に持ち帰らせるなどにより、家族等に対する交通安全教育を行う。

なお、具体的には以下の内容について指導する。

(1) 基本的な事項

加齢に伴う身体の機能の変化が行動に及ぼす様々な影響を理解させ、家族等が普段から高齢者の交通安全意識を高めるような話題を提供したり、高齢者が外出する場合に安全に道路を通行することができるように助言したりすることが重要であることを理解させる。

(2) 高齢者が歩行者として安全に道路を通行するために必要な事項

高齢者の加齢に伴う身体の機能の変化に気付いたときは、道路を通行する場合に、無理をしないように高齢者に助言するように指導する。夜間及び雨、雪、霧等の悪天候時に高齢者が外出する場合は、目立ちやすい服装をさせたり、反射材を身に付けさせたりするように指導する。

(3) 高齢者が安全に自転車を利用するために必要な事項

自転車乗用中の高齢者が当事者である交通事故の主な原因が、無理な道路の横断、交差点での一時不停止等であることを理解させ、これらの行動をとらないように指導する。また、交通事故が発生した場合の乗車用ヘルメットの被害軽減効果を理解させるとともに、自転車に乗車する場合は乗車用ヘルメットを着用するよう努めなければならないことを理解させ、乗車用ヘルメットを着用させるように指導する。

(4) 高齢者が安全に自動車に乗車するために必要な事項

高齢者をシートベルトを備えている自動車に乗車させる場合は、シートベルトを着用することの重要性を説明し、シートベルトの正しい着用方法を理解させるように指導する。

(5) 高齢の運転者の安全を確保するために必要な事項

高齢の運転者に対して、積極的に運転適性指導及び運転技能指導を受けるように助言するなど、家族等が高齢の運転者に対して身体の機能及び運転技能の変化を客観的に把握することの重要性を理解させるように指導する。また、70歳以上の運転者に対しては、高齢運転者標識を表示して運転することの重要性を理解させるように指導する。

(6) 高齢者が交通事故に遭った場合に関する措置

高齢者が交通事故に遭った場合は、一般的に死亡等の重大な結果に至る危険性が高いことを説明し、外傷がなくても頭部等に強い衝撃を受けた場合は、医師の診断を受けさせるように指導する。

注 自動車運転代行業……他人に代わって自動車を運転する役務を提供する営業であって、次のいずれにも該当するものをいう。

(1) 主として、夜間に、飲食店等で飲酒をして酒気を帯びている客に代わって自動車を運転する役務を提供するものであること。

(2) 酒気を帯びている客等を乗車させるものであること。

(3) 通常の営業形態として、客に代わって運転する自動車に、業務用の自動車が随伴するものであること。

○座席ベルトの装着義務の免除に係る業務を定める規則

〔昭和六〇・八・五 国家公安委員会規則一二〕

改正 平成二・一二国公委規一一、平成一四・一一国公委規二三、平成一五・三国公委規一、平成一八・九国公委規二五

道路交通法施行令（昭和三十五年政令第二百七十号）第二十六条の三の二第一項第六号の国家公安委員会規則で定める業務は、次に掲げるとおりとする。

一 民間事業者による信書の送達に関する法律（平成十四年法律第九十九号）第二条第六項に規定する一般信書便事業者又は同条第九項に規定する特定信書便事業者が行う同条第三項に規定する信書便物の取集め又は配達の業務

二 廃棄物の処理及び清掃に関する法律（昭和四十五年法律第百三十七号）の規定に基づき、市町村又は一般廃棄物の収集を市町村から委託された者若しくは一般廃棄物の収集につき市町村長から許可を受けた者が行う一般廃棄物の収集業務

三 貨物自動車運送事業法（平成元年法律第八十三号）の規定に基づき行う貨物自動車運送事業に係る業務、道路運送法（昭和二十六年法律第百八十三号）第七十八条第三号の規定による許可を受けて行う貨物の運送に係る業務又は貨物利用運送事業法（平成元年法律第八十二号）の規定に基づき行う第二種貨物利用運送事業に係る業務のうち、貨物の集貨又は配達を行う業務

四 米穀、酒類、牛乳若しくは清涼飲料の小売業その他物品の小売業（販売の方法として物品の配達（当該物品に係る容器の回収を含む。以下同じ。）を行うものに限る。）又はクリーニング業に係る業務のうち、戸別に当該物品の配達又は洗たく物の受取若しくは引渡しを行う業務

五 清涼飲料、パンその他の飲食料品の製造業（飲食料品を製造し、かつ、製造した飲食料品の配達を行うものに限る。）又は卸売業に係る業務のうち、当該飲食料品の小売業その他当該飲食料品を使用して営む店舗その他これに類する施設ごとに当該飲食料品の配達を行う業務

附 則

この規則は、昭和六十年九月一日から施行する。

附 則〔平成一八・九・一五国家公安委員会規則二五〕

この規則は、道路運送法等の一部を改正する法律（平成十八年法律第四十号）の施行の日（平成十八年十月一日）から施行する。

○交通事件即決裁判手続法

〔昭和二九・五・一八 法律一一三〕

改正 昭和二九・六法一六三、昭和三五・六法一〇五、平成三・四法三一

注 令和五年五月一七日法律第二八号の改正は、公布の日から起算して二年を超えない範囲内において政令で定める日から施行のため、附則の次に（参考）として改正文を掲載いたしました。

（この法律の趣旨）

第一条 この法律は、交通に関する刑事事件の迅速適正な処理を図るため、その即決裁判に関する手続を定めるものとする。

（定義）

第二条 この法律において「交通に関する刑事事件」とは、道路交通法（昭和三十五年法律第百五号）第八章の罪にあたる事件をいう。

（即決裁判）

第三条 簡易裁判所は、交通に関する刑事事件について、検察官の請求により、公判前、即決裁判で、五十万円以下の罰金又は科料を科することができる。この場合には、刑の執行を猶予し、没収を科し、その他付随の処分をすることができる。

2 即決裁判は、即決裁判手続によることについて、被告人に異議があるときは、することができない。

（即決裁判の請求）

第四条 即決裁判の請求は、刑事訴訟法（昭和二十三年法律第百三十一号）による公訴の提起と同時に、書面でしなければならない。

2 検察官は、即決裁判の請求に際し、被疑者に対し、あらかじめ、即決裁判手続を理解させるために必要な事項を説明し、刑事訴訟法の定める手続に従い裁判を受けることができる旨を告げた上、即決裁判手続によることについて異議がないかどうかを確かめなければならない。

（書類等の差出）

第五条 検察官は、即決裁判の請求と同時に、即決裁判をするた

めに必要があると思料する書類及び証拠物を裁判所に差し出さなければならない。

（通常の審判）

第六条　裁判所は、即決裁判の請求があつた場合において、その事件が即決裁判をすることができないものであり、又はこれをすることが相当でないものであると思料するときは、刑事訴訟法の定める通常の規定に従い、審判しなければならない。

2　裁判所は、前項の規定により通常の規定に従い審判するときは、直ちに、検察官にその旨を通知しなければならない。

3　第一項の場合には、刑事訴訟法第二百七十一条及び第二百七十二条の規定の適用があるものとする。但し、同法第二百七十一条第二項に定める期間は、前項の通知のあつた日から二箇月とする。

（審判）

第七条　即決裁判の請求があつたときは、裁判所は、前条第一項の場合を除き、即日期日を開いて審判するものとする。

（開廷）

第八条　即決裁判期日における取調及び裁判の宣告は、公開の法廷で行う。

2　法廷は、裁判官及び裁判所書記官が列席して開く。

3　検察官は、法廷に出席することができる。

（被告人及び弁護人の出頭）

第九条　被告人が期日に出頭しないときは、開廷することができない。

2　被告人が法人であるときは、代理人を出頭させることができる。

3　弁護人は、期日に出頭することができる。

（期日における取調）

第一〇条　期日においては、裁判長は、まず、被告人に対し、被告事件の要旨及び自己の意思に反して供述する必要がない旨を告げなければならない。

2　前項の手続が終つた後、裁判長は、被告人に対し、被告事件について陳述する機会を与えなければならない。

3　裁判所は、必要と認めるときは、適当と認める方法により被告人又は参考人の陳述を聴き、書類及び証拠物を取り調べ、その他事実の取調をすることができる。

4　検察官及び弁護人は、意見を述べることができる。

（証拠）

第一一条　即決裁判手続においては、被告人の憲法上の権利を侵さない限り、検察官が差し出した書類及び証拠物並びに期日において取調をしたすべての資料に基いて、裁判することができる。

（裁判の宣告）

第一二条　即決裁判の宣告をする場合には、罪となるべき事実、適用した法令、科すべき刑及び附随の処分並びに宣告があつた日から十四日以内に刑事訴訟法の定める通常の規定による審判（以下「正式裁判」という。）の請求ができる旨を告げなければならない。

2　即決裁判の宣告をしたときは、その内容を記録に明らかにしておかなければならない。

（正式裁判の請求）

第一三条　即決裁判の宣告があつたときは、被告人又は検察官は、その宣告があつた日から十四日以内に、正式裁判の請求をすることができる。

2　正式裁判の請求は、即決裁判をした裁判所に、書面でしなければならない。

3　正式裁判の請求があつたときは、裁判所は、すみやかに、その旨を検察官又は被告人に通知しなければならない。

4　刑事訴訟法第四百六十六条から第四百六十八条までの規定は、正式裁判の請求又はその取下について準用する。この場合において、同法第四百六十八条第三項中「略式命令」とあるのは、「即決裁判」と読み替えるものとする。

（即決裁判の効力）

第一四条　即決裁判は、正式裁判の請求による判決があつたときは、その効力を失う。

2　即決裁判は、正式裁判の請求期間の経過又はその請求の取下により、確定判決と同一の効力を生ずる。正式裁判の請求を棄却する裁判が確定したときも、同様である。

（仮納付）

第一五条　裁判所は、即決裁判の宣告をする場合において相当と認めるときは、附随の処分として、被告人に対し、仮に罰金又は科料に相当する金額を納付すべきことを命ずることができる。

2　前項の仮納付の裁判は、直ちに執行することができる。但し、正式裁判の請求があつたときは、この限りでない。

3　刑事訴訟法第四百九十条、第四百九十三条及び第四百九十四条の規定は、第一項の仮納付の裁判の執行について準用する。この場合において、同法第四百九十三条中「第一審」とあるのは「即決裁判手続」と、「第二審」とあるのは「第一審又は第二審」と読み替えるものとする。

（裁判官の除斥）

第一六条　裁判官は、事件について前に即決裁判をしたときは、職務の執行から除斥される。

（刑事訴訟法との関係）

第一七条　交通に関する刑事事件の即決裁判手続については、この法律に特別の規定があるものの外、その性質に反しない限り、刑事訴訟法による。

附　則

1　この法律の施行期日は、公布の日から起算して六箇月をこえない範囲内で、政令で定める。

〔昭和二九政二七四により、昭和二九・一一・一から施行〕

2　〔他の法令改正に付き略〕

附　則〔令和五・五・一七法律二八抄〕

（施行期日）

第一条　この法律（中略）は、当該各号に定める日から施行する。

一～五　〔略〕

六　〔前略〕附則第十八条の規定（中略）　公布の日から起算して二年を超えない範囲内において政令で定める日

七～十一　〔略〕

（参考）

○刑事訴訟法等の一部を改正する法律〔抄〕

〔令和五・五・一七　法律二八〕

附　則

（施行期日）

第一条　この法律（中略）は、当該各号に定める日（公布の日から起算して二年を超えない範囲内において政令で定める日）から施行する。

（交通事件即決裁判手続法の一部改正）

第一八条　交通事件即決裁判手続法（昭和二十九年法律第百十三号）の一部を次のように改正する。

第十四条第二項中「取下」を「取下げ」に改め、同項を同条第三項とし、同条第一項の次に次の一項を加える。

2　即決裁判が効力を失つたときは、刑事訴訟法第三百四十五条の二の規定による決定及び同法第三百四十五条の三において読み替えて準用する同法第三百四十二条の八第一項（第一号に係る部分に限る。）の規定による決定に係る勾留状は、その効力を失う。

第十五条第一項中「附随」を「付随」に改め、同条第二項ただし書中「但し」を「ただし」に改め、同条第三項中「第四百九十条」の下に「、第四百九十二条の二」を加える。

○交通事件即決裁判手続規則

〔昭和二九・九・一五
最高裁判所規則一四〕

（手続の基準）

第一条　交通事件即決裁判手続法（昭和二十九年法律第百十三号。以下法という。）による即決裁判の手続については、法及びこの規則に定めるもののほか、その性質に反しない限り、刑事訴訟規則（昭和二十三年最高裁判所規則第三十二号）の定めるところによる。

（手続の説明等をしたことの明示・法第四条）

第二条　検察官は、即決裁判の請求に際し、法第四条第二項に定める手続をしたことを書面で明らかにしなければならない。

（検察官の意見の附記・法第四条）

第三条　即決裁判の請求書には、科すべき刑及び附随の処分に関する検察官の意見を附記することができる。

（起訴状謄本の差出・法第六条）

第四条　検察官は、法第六条第二項の規定による通知を受けたときは、すみやかに、被告人の数に応ずる起訴状の謄本を裁判所に差し出さなければならない。

2　前項の場合には、刑事訴訟規則第百七十六条の規定の適用があるものとする。

（異議のないことの確認・法第三条）

第五条　裁判所は、即決裁判期日における取調に先だち、即決裁判手続によることについて被告人に異議がないことを確かめなければならない。

（参考人の旅費等・法第十条）

第六条　参考人は、旅費、日当及び宿泊料を請求することができる。

2　参考人の旅費、日当及び宿泊料の額については、刑事訴訟における証人の旅費、日当及び宿泊料の例による。

（調書・法第十二条）

第七条　即決裁判の宣告があつたときは、裁判所書記官は、調書を作らなければならない。

2　調書には、次に掲げる事項を記載しなければならない。

一　被告事件名

二　被告人の氏名、年齢、職業及び住居（被告人が法人であるときは、その名称及び事務所）

三　即決裁判をした裁判所及び年月日

四　裁判官及び裁判所書記官の官氏名

五　宣告した即決裁判

3　調書には、起訴状に記載された事項のうち裁判所が適当と認めるものを引用することができる。

4　調書には、裁判所書記官が記名押印し、裁判官が認印しなければならない。

（証拠書類等の返還）

第八条　法第六条第二項又は第十三条第三項の規定による通知をしたときは、証拠書類及び証拠物は、直ちに、これを裁判所に差し出した者に返還しなければならない。

（起訴状謄本の交付請求・法第十三条）

第九条　被告人は、正式裁判の請求をしたとき又は正式裁判の請求があつた旨の通知を受けたときは、裁判所に起訴状の謄本の交付を請求することができる。

（準用規定）

第一〇条　正式裁判の請求、その取下又は正式裁判請求権回復の請求については、刑事訴訟規則第二百二十四条から第二百二十八条まで及び第二百三十条の規定を準用する。

附　則

この規則は、法施行の日から施行する。

○交通安全対策特別交付金等に関する政令

〔昭和五八・五・一六
政令一〇四〕

改正　前略…平成一一・一〇政三二四、平成一二・六政三〇四、平成一四・一二政三八五、平成一五・三政一六三、平成一六・六政一九五、一一政三四四、平成一九・八政二三六、平成二三・一一政三六一、平成二六・三政九二、平成二八・一二政三七九

（法附則第十六条第一項の政令で定める費用）

第一条　道路交通法（以下「法」という。）附則第十六条第一項に規定する道路交通安全施設の設置及び管理に要する費用で政令で定めるものは、次に掲げる費用（当該費用につき国の補助を受けた場合にあつては、当該補助に係る費用を除く。）とする。

一　都道府県公安委員会（法第百十四条の規定により道公安委員会の権限の委任を受けた方面公安委員会を含む。第五号において同じ。）による次に掲げる施設の設置に要する費用

イ　信号機、道路標識又は道路標示

ロ　交通管制センター（交通安全施設等整備事業の推進に関する法律（昭和四十一年法律第四十五号）第二条第三項第一号ロに規定する交通管制センターをいう。）

二　地方公共団体による次に掲げる施設の設置でその管理する道路（道路法（昭和二十七年法律第百八十号）第二条第一項に規定する道路及び法第二条第一項第一号に規定する道路（道路法第二条第一項に規定する道路を除く。）で総務大臣が関係行政機関の長と協議して定める基準に該当するものをいう。以下この条において同じ。）に係るものに要する費用

イ　横断歩道橋（地下横断歩道を含む。）

ロ　歩道、自転車道、自転車歩行者道、自転車専用道路、自転車歩行者専用道路、歩行者専用道路、他の車両の速度よりも遅い速度で進行している車両を分離して通行させることを目的とする車線（登坂車線を含む。）、中央帯、主として車両の停車の用に供することを目的とする道路の部分、待避所、路肩の改良若しくは視距を延長するための道路の改築により設けられる施設、道路標示若しくは区画線によつて区画された歩行者の用に供する道路の部分の路肩の整

備により設けられる施設又は歩道、自転車道若しくは自転車歩行者道を有しない道路において自動車を減速させて歩行者若しくは自転車の安全な通行を確保するために行う路面の凸部の設置若しくは自動車の通行の用に供する部分の幅員の縮小により設けられる施設で、緊急に交通の安全を確保する必要がある小区間において設置されるもの

ハ　交差点又はその付近における突角の切取り若しくは車道の拡幅により設けられる施設又は交通島

ニ　道路が鉄道（新設軌道を含む。）と交差する場合におけるその交差している道路の部分の舗装、拡幅又は勾配若しくは交差角の改良により設けられる施設

ホ　道路標識、柵、街灯、道路情報提供装置、道路上の若しくは道路に接する自動車駐車場、視線誘導標、他の車両若しくは歩行者を確認するための鏡（第六号において「道路反射鏡」という。）、地点標、区画線又は道路に接する自転車駐車場で、安全な交通を確保するためのもの

三　消防法施行令（昭和三十六年政令第三十七号）第四十四条第一項及び第二項の救急自動車の設置に要する費用

四　地方公共団体による交通安全教育の用に供する施設の設置に要する費用

五　都道府県公安委員会による道路標示の補修に要する費用

六　地方公共団体による道路反射鏡又は区画線の補修でその管理する道路に係るものに要する費用

（通告書送付費支出金相当額）

第二条　法附則第十六条第二項第二号に規定する通告書送付費支出金相当額（以下「通告書送付費支出金相当額」という。）は、当該年度の前年度の二月から当該年度の一月までの期間に各都道府県が法第百二十七条第一項後段に規定する通告書の送付に要する費用（第十条において「通告書送付費」という。）として支出した金額の合算額に、当該年度の前々年度における各都道府県ごとの法第百二十八条第一項の規定による反則金（法第百二十七条第一項後段の規定による通告に係るものに限る。）の納付の件数の合計数の当該前々年度における各都道府県ごとの法第百二十七条第一項後段の規定による通告の件数の合計数に対する割合を乗じて得た額とする。

第三条　削除

（交付金の額）

第四条　毎年度、法附則第十八条第一項の交付時期（以下「交付時期」という。）ごとに各都道府県に交付すべき交通安全対策特別交付金（以下「交付金」という。）の額は、当該都道府県の都道府県基準額から当該都道府県の区域内の市（特別区を含む。以下同じ。）町村について次項から第五項までの規定により算定した額（第六項の規定により交付金を交付しないこととされる市町村に係る額を除く。）の合算額を控除した額とする。

2　毎年度、交付時期ごとに各指定都市に交付すべき交付金の額は、当該指定都市の指定都市基準額に四分の三を乗じて得た額（その額に千円未満の端数があるときは、これを切り捨てた額）とする。

3　毎年度、交付時期ごとに指定都市以外の各市町村に交付すべき交付金の額は、次の式によつて算定した額（その額に千円未満の端数があるときは、これを切り捨てた額）とする。

$$（\text{関係都道府県の都道府県基準額}-\text{関係都道府県の区域内の指定都市の指定都市基準額の合算額}）\times\frac{1}{3}\times\left(\frac{\text{当該市町村における交通事故の発生件数}}{\text{関係都道府県の指定都市以外の市町村における交通事故の発生件数の合計数}}\times\frac{2}{4}+\frac{\text{当該市町村の人口集中地区人口}}{\text{関係都道府県の指定都市以外の市町村の人口集中地区人口の合計数}}\times\frac{1}{4}+\frac{\text{当該市町村が管理する市町村道に係る改良済道路の延長}}{\text{関係都道府県の指定都市以外の市町村が管理する市町村道に係る改良済道路の延長の合計}}\times\frac{1}{4}\right)$$

4　前項の規定にかかわらず、道路法第十七条第二項（同法第十二条ただし書に係る部分を除く。以下この項において同じ。）の規定により一般国道（同法第十三条第一項に規定する指定区間外の一般国道に限る。以下この項において同じ。）若しくは都道府県道の管理を行う市又は同法第十七条第三項の規定により都道府県道の管理を行う町村に毎年度交付時期ごとに交付すべき交付金の額は、当該市町村について前項の規定により算定した額に次の式によつて算定した額（その額に千円未満の端数があるときは、これを切り捨てた額）を加算した額とする。

$$（\text{関係都道府県の都道府県基準額}-\text{関係都道府県の区域内の指定都市の指定都市基準額の合算額}）\times\frac{5}{12}\times\left(\frac{\text{当該市町村における交通事故の発生件数}}{\text{関係都道府県の指定都市以外の市町村における交通事故の発生件数の合計数}}\times\frac{2}{4}+\frac{\text{当該市町村の人口集中地区人口}}{\text{関係都道府県の指定都市以外の市町村の人口集中地区人口の合計数}}\times\frac{1}{4}+\frac{\text{当該市町村の区域内の一般国道及び都道府県道に係る改良済道路の延長}}{\text{関係都道府県の指定都市以外の市町村の区域内の一般国道及び都道府県道に係る改良済道路の延長の合計}}\times\frac{1}{4}\right)\times\frac{\text{当該市が道路法第17条第2項の規定により管理する一般国道及び都道府県道に係る改良済道路の延長又は当該町村が同条第3項の規定により管理する都道府県道に係る改良済道路の延長}}{\text{当該市町村の区域内の一般国道及び都道府県道に係る改良済道路の延長}}$$

5　前各項において、次の各号に掲げる額は、当該各号に定めるところによる。

一　都道府県基準額　各都道府県ごとに次の式によつて算定するものとする。この場合において、千円未満の端数があるときは、その端数金額は切り捨てるものとし、当該切り捨てた端数金額の合算額は、その算定された都道府県基準額が最も少額である都道府県の都道府県基準額に加算する。

$$\text{交付時期ごとの交付金の総額}\times\left(\frac{\text{当該都道府県における交通事故の発生件数}}{\text{全国の交通事故の発生件数}}\times\frac{2}{4}+\frac{\text{当該都道府県の人口集中地区人口}}{\text{全国の人口集中地区人口}}\times\frac{1}{4}+\frac{\text{当該都道府県の区域内の改良済道路の延長}}{\text{全国の改良済道路の延長}}\times\frac{1}{4}\right)$$

二　指定都市基準額　各指定都市ごとに次の式によつて算定するものとする。

$$\text{関係都道府県の都道府県基準額}\times\left(\frac{\text{当該指定都市における交通事故の発生件数}}{\text{関係都道府県における交通事故の発生件数}}\times\frac{2}{4}+\frac{\text{当該指定都市の人口集中地区人口}}{\text{関係都道府県の人口集中地区人口}}\times\frac{1}{4}+\frac{\text{当該指定都市の区域内の改良済道路の延長}}{\text{関係都道府県の区域内の改良済道路の延長}}\times\frac{1}{4}\right)$$

6　第二項から前項までの規定により市町村に交付すべき交付金の額を算定する場合において、当該年度の九月に交付すべき交付金の額が二十五万円に満たないこととなる市町村があるときは、当該年度においては、当該市町村に対しては、交付金を交付しない。

7　この条において、次の各号に掲げる用語の意義は、当該各号に定めるところによる。

一　指定都市　地方自治法（昭和二十二年法律第六十七号）第二百五十二条の十九第一項の指定都市をいう。

二　関係都道府県　当該市町村を包括する都道府県をいう。

三　交通事故の発生件数　当該年度の初日の属する年の前年及び前々年に発生した法第二条第一項第十七号に規定する車両等の交通により人の死傷が生じた交通事故の件数を合算したものの二分の一に相当する数値をいう。

四　人口集中地区人口　最近の国勢調査の結果による人口集中地区人口をいう。

五　改良済道路　当該年度の初日の属する年の前年の四月一日以前において道路法第十八条第二項の規定による供用の開始があつた道路（総務省令で定めるものを除く。）のうち、道路構造令（昭和四十五年政令第三百二十号）の規定による基準に適合するもの又はこれに準ずるものをいう。

8　第三項から第五項までの改良済道路の延長は、総務省令で定めるところにより算定するものとする。

（交付時期ごとの交付金の額）

第五条　毎年度九月に交付すべき法附則第十八条第一項に規定する政令で定める額は、第一号及び第二号に掲げる額の合算額から、第三号から第五号までに掲げる額の合算額を控除した額（同項の表九月の項に規定する交付金見込額（次項において「交付金見込額」という。）を限度とする。）とする。

一　前年度の二月から当該年度の七月までの期間の収納に係る反則金収入相当額等（法附則第十六条第二項に規定する反則金収入相当額等をいう。次項第一号において同じ。）

二　前年度以前の年度において交付すべきであつた交付金の額でまだ交付していない額

三　前年度の二月から当該年度の七月までの期間に係る法第百二十九条第四項の規定による返還金に相当する額

四　通告書送付費支出金相当額のうち第十一条の規定により当該年度の九月に支出される額に相当する額

五　前年度の二月から当該年度の七月までの期間に係る過誤納に係る反則金等（法附則第十六条第二項に規定する反則金等をいう。次項第四号において同じ。）の返還金に相当する額

2　毎年度三月に交付すべき法附則第十八条第一項に規定する政令で定める額は、第一号に掲げる額から、第二号から第四号までに掲げる額の合算額を控除した額（交付金見込額から九月に交付した額を控除した額を限度とする。）とする。

一　当該年度の八月から一月までの期間の収納に係る反則金収入相当額等

二　当該年度の八月から一月までの期間に係る法第百二十九条第四項の規定による返還金に相当する額

三　通告書送付費支出金相当額のうち第十一条の規定により当該年度の三月に支出される額に相当する額

四　当該年度の八月から一月までの期間に係る過誤納に係る反則金等の返還金に相当する額

3　前二項の規定により算定した各交付時期に交付すべき交付金の額に千円未満の端数があるときは、その端数金額は切り捨てるものとし、当該切り捨てた端数金額は、次の交付時期に交付すべき交付金の額に加算する。

（交付金の額の算定に用いる資料の提出）

第六条　総務大臣は、必要があると認めるときは、都道府県知事に対し、交付金の額の算定に用いる資料の提出を求めることができる。

（交付金の額の通知）

第七条　総務大臣は、交付時期ごとに各都道府県及び市町村に交付すべき交付金の額を、毎年度、九月中及び三月中に決定し、当該都道府県及び市町村に通知しなければならない。

（交付金の額の算定に錯誤があつた場合の措置）

第八条　総務大臣は、交付金を都道府県又は市町村に交付した後において、その交付した交付金の額の算定に錯誤があつたため、その交付した交付金の額を増加し又は減少する必要が生じたときは、総務省令で定めるところにより、当該錯誤があつたことを発見した日以後最初に到来する交付時期において、当該増加し又は減少すべき額をその交付すべき交付金の額に加算し、又はその交付すべき交付金の額から減額するものとする。ただし、当該交付時期において交付すべき交付金の額から減額することができない額があるときは、当該額を当該交付時期後の交付時期において加算し、又は減額することができる。

（廃置分合又は境界変更があつた場合の措置）

第九条　市町村の廃置分合又は境界変更（都道府県の境界にわたつて市町村の設置又は境界の変更があつたための都道府県の境界変更を含む。以下この条において同じ。）があつた場合においては、第四条第七項第三号に規定する交通事故の発生件数の算定の基礎として用いる交通事故の発生した年又は同項第四号に規定する人口集中地区人口の算定の基礎として用いる国勢調査の行われた年のいずれか早い年において既に当該市町村の廃置分合又は境界変更があつたものとみなして、同条第一項から第六項までの規定により算定した交付金の額を当該都道府県又は市町村に交付する。

（支出金の支出の基準）

第一〇条　法附則第十九条の規定による通告書送付費支出金（以下「支出金」という。）の各都道府県ごとの額は、通告書送付費支出金相当額に、当該都道府県が当該年度の前年度の二月から当該年度の一月までの期間に通告書送付費として支出した金額の各都道府県が当該期間に通告書送付費として支出した金額の合算額に対する割合を乗じて得た額とする。

（支出金の支出時期及び支出時期ごとの支出額）

第一一条　支出金は、毎年度、次の表の上欄に掲げる時期に、それぞれ同表の下欄に定める額を支出する。

支出時期	支出時期ごとに支出すべき額
九　月	前年度の二月から当該年度の七月までの期間に係る通告書送付費支出金相当額
三　月	当該年度の八月から一月までの期間に係る通告書送付費支出金相当額

2　前項に規定する各支出時期ごとに支出することができなかつた金額があるとき、又は各支出時期において支出すべき額を超えて支出した金額があるときは、それぞれ当該金額を、次の支出時期に支出すべき額に加算し、又はこれから減額するものとする。

（支出金の額の算定に用いる資料の提出）

第一二条　内閣総理大臣は、必要があると認めるときは、都道府県知事に対し、支出金の額の算定に用いる資料の提出を求めることができる。

（支出金の額の算定に錯誤があつた場合の措置）

第一三条　内閣総理大臣は、支出金を都道府県に支出した後において、その支出した支出金の額の算定に錯誤があつたため、その支出した支出金の額を増加し又は減少する必要が生じたときは、当該錯誤があつたことを発見した日以後最初に到来する支出時期において、当該増加し又は減少すべき額をその支出すべき支出金の額に加算し、又はその支出すべき支出金の額から減額するものとする。

（支出金に関する事務の委任）

第一四条　法附則第二十条第一項の規定により内閣総理大臣が行うものとされる事務は、警察庁長官に委任する。

附　則

（施行期日等）

第一条　この政令は、公布の日から施行し、昭和五十八年度分の交付金及び支出金から適用する。

（交通安全対策特別交付金に関する政令の廃止）

第二条　交通安全対策特別交付金に関する政令（昭和四十三年政令第六十六号）は、廃止する。

（経過措置）

第三条　昭和五十八年度に限り、第二条及び第十一条中「当該年

度の前年度の三月及び当該年度」とあり、並びに第十二条第一項の表九月の項中「前年度の三月及び当該年度」とあるのは、「当該年度」とする。

第四条～第六条　〔他の法令改正に付き略〕

附　則〔平成一六・六・九政令一九五〕

（施行期日）

1　この政令は、公布の日から施行する。

（経過措置）

2　道路交通法の一部を改正する法律附則第三条の規定によりなお従前の例によることとされる交通安全対策特別交付金については、改正前の交通安全対策特別交付金等に関する政令第十条の規定は、なおその効力を有する。

附　則〔平成二三・一一・二八政令三六一抄〕

（施行期日）

第一条　この政令は、地域の自主性及び自立性を高めるための改革の推進を図るための関係法律の整備に関する法律附則第一条第一号に掲げる規定の施行の日（平成二十三年十一月三十日）から施行する。〔以下略〕

（交通安全対策特別交付金等に関する政令の一部改正に伴う経過措置）

第二条　第四条の規定による改正後の交通安全対策特別交付金等に関する政令第四条の規定は、平成二十四年三月以後の交付時期に係る交通安全対策特別交付金について適用し、平成二十三年九月までの交付時期に係る交通安全対策特別交付金については、なお従前の例による。

附　則〔平成二六・三・二八政令九二抄〕

（施行期日）

第一条　この政令は、平成二十六年四月一日から施行する。

（交通安全対策特別交付金等に関する政令の一部改正に伴う経過措置）

第五条　平成二十六年度の交通安全対策特別交付金に限り、第九条の規定による改正後の交通安全対策特別交付金等に関する政令第二条中「二月」とあるのは「三月」と、同令第五条第一項中「及び第二号に掲げる額の合算額」とあるのは「に掲げる額」と、「同項」とあるのは「特別会計に関する法律等の一部を改正する等の法律（平成二十五年法律第七十六号）附則第二十六条の規定により読み替えられた同項」と、「二月」とあるのは「三月」と、同令第十条及び第十一条第一項の表九月の項中「二月」とあるのは「三月」とする。

附　則〔平成二八・一二・一六政令三七九抄〕

（施行期日）

1　この政令は、平成二十九年四月一日から施行する。

○自動車安全運転センター法

〔昭和五〇・七・一〇　法律五七〕

改正　平成一一・一二法一六〇、平成一五・五法五一、平成一八・六法五〇、平成一九・六法九〇、令和四・四法三二

注　令和四年六月一七日法律第六八号の改正は、令和七年六月一日から施行のため、附則の次に（参考）として改正文を掲載いたしました。

第一章　総則

（目的）

第一条　自動車安全運転センターは、自動車の運転に関する研修及び運転免許を受けていない者に対する交通の安全に関する研修の実施、運転免許を受けた者の自動車の運転に関する経歴に係る資料及び交通事故に関する資料の提供並びに交通事故等に関する調査研究を行うことにより、道路の交通に起因する障害の防止及び運転免許を受けた者等の利便の増進に資することを目的とする。

（定義）

第二条　この法律において、次の各号に掲げる用語の意義は、それぞれ当該各号に定めるところによる。

一　自動車　道路交通法（昭和三十五年法律第百五号）第二条第一項第九号に規定する自動車及び同法第十八条第一項に規定する一般原動機付自転車をいう。

二　交通事故　道路交通法第六十七条第二項に規定する交通事故をいう。

三　運転免許　道路交通法第八十四条第二項の第一種運転免許及び第二種運転免許をいう。

（法人格）

第三条　自動車安全運転センター（以下「センター」という。）は、法人とする。

（数）

第四条　センターは、一を限り、設立されるものとする。

第五条　削除

（名称）

第六条　センターは、その名称中に自動車安全運転センターという文字を用いなければならない。

2　センターでない者は、その名称中に自動車安全運転センターという文字を用いてはならない。

（登記）

第七条　センターは、政令で定めるところにより、登記しなければならない。

2　前項の規定により登記しなければならない事項は、登記の後でなければ、これをもつて第三者に対抗することができない。

（一般社団法人及び一般財団法人に関する法律の準用）

第八条　一般社団法人及び一般財団法人に関する法律（平成十八年法律第四十八号）第四条及び第七十八条の規定は、センターについて準用する。

第二章　設立

（発起人）

第九条　センターを設立するには、道路の交通に起因する障害の防止について識見を有する者七人以上が発起人となることを必要とする。

（設立の認可等）

第一〇条　発起人は、定款及び事業計画書を国家公安委員会に提出して、設立の認可を申請しなければならない。

2　設立当初の役員は、定款で定めなければならない。

3　第一項の事業計画書に記載すべき事項は、内閣府令で定める。

第一一条　国家公安委員会は、設立の認可をしようとするときは、前条第一項の規定による認可の申請が次の各号に適合するかどうかを審査しなければならない。

一　設立の手続並びに定款及び事業計画書の内容が法令の規定に適合するものであること。

二　定款又は事業計画書に虚偽の記載がないこと。

三　事業の運営が健全に行われ、道路の交通に起因する障害の防止及び運転免許を受けた者等の利便の増進に資することが確実であると認められること。

第一二条　削除

（事務の引継ぎ）

第一三条　設立の認可があつたときは、発起人は、遅滞なく、その事務を理事長となるべき者に引き継がなければならない。

（設立の登記）

第一四条　理事長となるべき者は、前条の規定による事務の引継ぎを受けたときは、遅滞なく、政令で定めるところにより、設立の登記をしなければならない。

2　センターは、設立の登記をすることによつて成立する。

第三章　管理

（定款）

第一五条　センターは、定款をもつて、次の事項を規定しなければならない。

一　目的
二　名称
三　事務所の所在地
四　役員の定数、任期、選任方法その他役員に関する事項
五　評議員会に関する事項
六　業務及びその執行に関する事項
七　財務及び会計に関する事項
八　定款の変更に関する事項
九　公告の方法

2　定款の変更は、国家公安委員会の認可を受けなければ、その効力を生じない。

（役員）

第一六条　センターに、役員として、理事長、理事及び監事を置く。

（役員の職務及び権限）

第一七条　理事長は、センターを代表し、その業務を総理する。

2　理事は、定款で定めるところにより、理事長を補佐してセンターの業務を掌理し、理事長に事故があるときはその職務を代理し、理事長が欠員のときはその職務を行う。

3　監事は、センターの業務を監査する。

4　監事は、監査の結果に基づき、必要があると認めるときは、理事長又は国家公安委員会に意見を提出することができる。

（役員の欠格条項）

第一八条　政府又は地方公共団体の職員（非常勤の者を除く。）は、役員となることができない。

第一九条　センターは、役員が前条の規定により役員となることができない者に該当するに至つたときは、その役員を解任しなければならない。

（役員の選任及び解任）

第二〇条　役員の選任及び解任は、国家公安委員会の認可を受けなければ、その効力を生じない。

第二一条　国家公安委員会は、役員が、この法律、この法律に基づく命令若しくは処分、定款若しくは業務方法書に違反する行為をしたとき、又はセンターの業務に関し著しく不適当な行為をしたときは、センターに対し、期間を指定して、その役員を解任すべきことを命ずることができる。

2　国家公安委員会は、役員が第十八条の規定により役員となることができない者に該当するに至つた場合においてセンターがその役員を解任しないとき、又はセンターが前項の規定による命令に従わなかつたときは、当該役員を解任することができる。

（役員の兼職禁止）

第二二条　役員は、営利を目的とする団体の役員となり、又は自ら営利事業に従事してはならない。ただし、国家公安委員会の承認を受けたときは、この限りでない。

（代表権の制限）

第二三条　センターと理事長との利益が相反する事項については、理事長は、代表権を有しない。この場合には、監事がセンターを代表する。

（代理人の選任）

第二四条　理事長は、理事又はセンターの職員のうちから、センターの業務の一部に関し一切の裁判上又は裁判外の行為をする権限を有する代理人を選任することができる。

（評議員会）

第二五条　センターに、定款の変更、業務方法書の変更、毎事業年度の予算及び事業計画その他センターの運営に関する重要事項を審議する機関として、評議員会を置く。

2　評議員会は、評議員二十人以内で組織する。

3　評議員は、道路の交通に起因する障害の防止について識見を有する者のうちから、国家公安委員会の認可を受けて、理事長が任命する。

（職員の任命）

第二六条　センターの職員は、理事長が任命する。

（役員及び職員の秘密保持義務）

第二七条　センターの役員若しくは職員又はこれらの職にあつた者は、その職務に関して知り得た秘密を漏らしてはならない。

（役員及び職員の公務員たる性質）

第二八条　センターの役員及び職員は、刑法（明治四十年法律第四十五号）その他の罰則の適用については、法令により公務に従事する職員とみなす。

第四章　業務

（業務）

第二九条　センターは、第一条の目的を達成するため、次の業務を行う。

一　運転免許を受けた者で自動車の運転に関し高度の技能及び知識を必要とする業務に従事するもの又は運転免許を受けた青少年に対し、その業務の態様に応じて必要とされ、又はその資質の向上を図るために必要とされる自動車の運転に関する研修を実施すること。
二　運転免許を受けていない者のうち十六歳に満たないものに対し、道路における交通の安全に関する研修を実施すること。
三　運転免許を受けた者が自動車の運転に関し道路交通法若しくは同法に基づく命令の規定又は同法の規定に基づく処分に違反したことにより内閣府令で定める場合に該当したときに、当該違反をした者に対し、その旨を書面で通知すること。
四　運転免許を受けた者の自動車の運転に関する経歴に係る内閣府令で定める事項を記載した書面を、当該運転免許を受けた者の求めに応じて交付すること。
五　交通事故に関し、その発生した日時、場所その他内閣府令で定める事項を記載した書面を、当該事故における加害者、被害者その他当該書面の交付を受けることについて正当な利益を有すると認められる者の求めに応じて交付すること。
六　自動車の安全な運転に必要な技能に関する調査研究その他道路の交通に起因する障害の防止に資するための調査研究を行うこと。
七　第一号、第二号及び前号に掲げる業務に係る成果の普及を行うこと。
八　前各号に掲げる業務に附帯する業務
九　前各号に掲げるもののほか、第一条の目的を達成するために必要な業務

2　センターは、前項第九号に掲げる業務を行おうとするときは、国家公安委員会の認可を受けなければならない。

3　第一項第三号から第五号までに規定する書面の様式は、内閣府令で定める。

（業務方法書）
第三〇条　センターは、業務の開始前に、業務方法書を作成し、国家公安委員会の認可を受けなければならない。これを変更しようとするときも、同様とする。
２　前項の業務方法書に記載すべき事項は、内閣府令で定める。
（照会）
第三一条　センターは、第二十九条第一項第三号から第五号までに掲げる業務を行うため必要な事項について、警察庁又は都道府県警察に照会することができる。この場合において、警察庁又は都道府県警察は、照会に係る事項をセンターに通知するものとする。

第五章　財務及び会計

（事業年度）
第三二条　センターの事業年度は、毎年四月一日に始まり、翌年三月三十一日に終わる。
（予算等の認可）
第三三条　センターは、毎事業年度、予算及び事業計画を作成し、当該事業年度の開始前に、国家公安委員会の認可を受けなければならない。これを変更しようとするときも、同様とする。
（財務諸表）
第三四条　センターは、毎事業年度、財産目録、貸借対照表及び損益計算書（以下「財務諸表」という。）を作成し、当該事業年度の終了後三月以内に国家公安委員会に提出しなければならない。
２　センターは、前項の規定により財務諸表を国家公安委員会に提出するときは、これに、予算の区分に従い作成した当該事業年度の決算報告書並びに財務諸表及び決算報告書に関する監事の意見書を添付しなければならない。
（財産の処分等の制限）
第三五条　センターは、内閣府令で定める重要な財産を譲渡し、交換し、又は担保に供しようとするときは、国家公安委員会の認可を受けなければならない。
（内閣府令への委任）
第三六条　この法律に規定するもののほか、センターの財務及び会計に関し必要な事項は、内閣府令で定める。

第六章　監督

（監督）
第三七条　センターは、国家公安委員会が監督する。
２　国家公安委員会は、この法律を施行するため必要があると認めるときは、センターに対し、その業務に関し監督上必要な命令をすることができる。
（報告及び検査）
第三八条　国家公安委員会は、この法律を施行するため必要があると認めるときは、センターに対しその業務に関し報告をさせ、又は警察庁の職員にセンターの事務所その他の事業場に立ち入り、業務の状況若しくは帳簿、書類その他の物件を検査させることができる。
２　前項の規定により立入検査をする職員は、その身分を示す証票を携帯し、関係者に提示しなければならない。
３　第一項の規定による立入検査の権限は、犯罪捜査のために認められたものと解してはならない。

第七章　雑則

（連絡等）
第三九条　センターは、その業務の運営について、都道府県警察と密接に連絡するものとする。
２　都道府県警察は、センターに対し、その業務の円滑な運営が図られるように、必要な配慮を加えるものとする。
（解散）
第四〇条　センターの解散については、別に法律で定める。
２　センターが解散した場合において、残余財産があるときは、当該残余財産は、国に帰属する。
（財務大臣との協議）
第四一条　内閣総理大臣は、第三十五条の規定による内閣府令を定めようとするときは、財務大臣に協議しなければならない。
２　国家公安委員会は、第三十三条又は第三十五条の規定による認可をしようとするときは、財務大臣に協議しなければならない。

第八章　罰則

第四二条　第二十七条の規定に違反した者は、一年以下の懲役又は百万円以下の罰金に処する。
第四三条　第三十八条第一項の規定による報告をせず、若しくは虚偽の報告をし、又は同項の規定による検査を拒み、妨げ、若しくは忌避した場合には、その違反行為をしたセンターの役員又は職員は、三十万円以下の罰金に処する。
第四四条　次の各号のいずれかに該当する場合には、その違反行為をしたセンターの役員は、二十万円以下の過料に処する。
一　この法律の規定により国家公安委員会の認可又は承認を受けなければならない場合において、その認可又は承認を受けなかつたとき。
二　第七条第一項の規定に違反して登記することを怠つたとき。
三　第二十九条第一項に規定する業務以外の業務を行つたとき。
四　第三十七条第二項の規定による国家公安委員会の命令に違反したとき。
第四五条　第六条第二項の規定に違反した者は、十万円以下の過料に処する。

附　則

（施行期日）
第一条　この法律は、公布の日から起算して三月を超えない範囲内において政令で定める日から施行する。
〔昭和五〇政二四九により、昭和五〇・九・一から施行〕
（経過措置）
第二条　この法律の施行の際現にその名称中に自動車安全運転センターという文字を用いている者については、第六条第二項の規定は、この法律の施行後六月間は、適用しない。
第三条　センターの最初の事業年度は、第三十二条の規定にかかわらず、その成立の日に始まり、昭和五十一年三月三十一日に終わるものとする。
第四条　センターの最初の事業年度の予算、事業計画及び資金計画については、第三十三条中「当該事業年度の開始前に」とあるのは、「センターの成立後遅滞なく」とする。
第五条～第九条　〔他の法令改正に付き略〕

附　則〔平成一五・五・三〇法律五一抄〕

（施行期日）
第一条　この法律は、平成十五年十月一日（以下「施行日」という。）から施行する。ただし、附則第三条の規定は、公布の日から施行する。

（センターに対する政府の出資の取扱い）

第二条 自動車安全運転センター（以下「センター」という。）は、改正前の自動車安全運転センター法（以下「旧法」という。）第五条第一項の規定により政府がセンターに出資した額に相当する金額を、施行日において、国庫に納付しなければならない。

2 旧法第五条第二項の規定により政府がセンターに出資した額は、施行日において、払い戻されたものとし、その払い戻されたものとされた金額に相当する金額が、施行日において、政府からセンターに対し拠出されたものとする。

（センターの定款の変更）

第三条 センターは、施行日までに、その定款を改正後の自動車安全運転センター法（次条第一項において「新法」という。）第十五条第一項の規定に適合するように変更し、国家公安委員会の認可を受けるものとする。この場合において、その認可の効力は、施行日から生ずるものとする。

（センターの役員に関する経過措置）

第四条 この法律の施行の際現に在職するセンターの理事長、理事又は監事は、それぞれ新法第二十条の規定によりその選任について国家公安委員会の認可を受けた理事長、理事又は監事とみなす。

2 前項の規定によりその選任について国家公安委員会の認可を受けたものとみなされるセンターの役員の任期は、旧法第十九条第一項の規定により任期が終了すべき日に終了するものとする。

（罰則に関する経過措置）

第五条 この法律の施行前にした行為に対する罰則の適用については、なお従前の例による。

（経過措置の政令への委任）

第六条 附則第二条から前条までに規定するもののほか、この法律の施行に関し必要な経過措置は、政令で定める。

附 則〔平成一八・六・二法律五〇〕

改正 平成二三・六法七四

この法律は、一般社団・財団法人法の施行の日〔平成二〇・一二・一〕から施行する。〔以下略〕

一般社団法人及び一般財団法人に関する法律及び公益社団法人及び公益財団法人の認定等に関する法律の施行に伴う関係法律の整備等に関する法律〔抄〕

〔平成一八・六・二法律五〇〕

（罰則に関する経過措置）

第四五七条 施行日前にした行為及びこの法律の規定によりなお従前の例によることとされる場合における施行日以後にした行為に対する罰則の適用については、なお従前の例による。

（政令への委任）

第四五八条 この法律に定めるもののほか、この法律の規定による法律の廃止又は改正に伴い必要な経過措置は、政令で定める。

附 則〔平成一九・六・二〇法律九〇抄〕

（施行期日）

第一条 この法律は、公布の日から起算して三月を超えない範囲内において政令で定める日から施行する。〔以下略〕

〔平成一九政二六五により、平成一九・九・一九から施行〕

（罰則に関する経過措置）

第一二条 この法律（附則第一条第一号に掲げる改正規定については、当該改正規定）の施行前にした行為並びに附則第三条第一項及び第四項の規定によりなお従前の例によることとされる場合における同号に掲げる規定の施行後にした行為に対する罰則の適用については、なお従前の例による。

（その他の経過措置の政令への委任）

第一三条 附則第二条から第六条まで及び前条に定めるもののほか、この法律の施行に関し必要な経過措置（罰則に関する経過措置を含む。）は、政令で定める。

附 則〔令和四・四・二七法律三二抄〕

（施行期日）

第一条 この法律〔中略〕は、当該各号に定める日から施行する。

一・二〔略〕

三〔前略〕附則〔中略〕第十四条の規定　公布の日から起算して二年を超えない範囲内において政令で定める日

四〔略〕

〔令和五政五三により、令和五・七・一から施行〕

附 則〔令和四・六・一七法律六八抄〕

（施行期日）

1 この法律は、刑法等一部改正法〔令和四年法律第六十七号〕施行日〔令和七・六・一〕から施行する。ただし、次の各号に掲げる規定は、当該各号に定める日から施行する。

一 第五百九条の規定　公布の日

二〔略〕

刑法等の一部を改正する法律の施行に伴う関係法律の整理等に関する法律〔抄〕

〔令和四・六・一七法律六八〕

（罰則の適用等に関する経過措置）

第四四一条 刑法等の一部を改正する法律（令和四年法律第六十七号。以下「刑法等一部改正法」という。）及びこの法律（以下「刑法等一部改正法等」という。）の施行前にした行為の処罰については、次章に別段の定めがあるもののほか、なお従前の例による。

2 刑法等一部改正法等の施行後にした行為に対して、他の法律の規定によりなお従前の例によることとされ、なお効力を有することとされ又は改正前若しくは廃止前の法律の規定の例によることとされる罰則を適用する場合において、当該罰則に定める刑（刑法施行法第十九条第一項の規定又は第八十二条の規定による改正後の沖縄の復帰に伴う特別措置に関する法律第二十五条第四項の規定の適用後のものを含む。）に刑法等一部改正法第二条の規定による改正前の刑法（明治四十年法律第四十五号。以下この項において「旧刑法」という。）第十二条に規定する懲役（以下「懲役」という。）、旧刑法第十三条に規定する禁錮（以下「禁錮」という。）又は旧刑法第十六条に規定する拘留（以下「旧拘留」という。）が含まれるときは、当該刑のうち無期の懲役又は禁錮はそれぞれ無期拘禁刑と、有期の懲役又は禁錮はそれぞれその刑と長期及び短期（刑法施行法第二十条の規定の適用後のものを含む。）を同じくする有期拘禁刑と、旧拘留は長期及び短期（刑法施行法第二十条の規定の適用後のものを含む。）を同じくする拘留とする。

（裁判の効力とその執行に関する経過措置）

第四四二条 懲役、禁錮及び旧拘留の確定裁判の効力並びにその執行については、次章に別段の定めがあるもののほか、なお従前の例による。

（人の資格に関する経過措置）

第四四三条 懲役、禁錮又は旧拘留に処せられた者に係る人の資格に関する法令の規定の適用については、無期の懲役又は禁錮に処せられた者はそれぞれ無期拘禁刑に処せられた者と、有期の懲役又は禁錮に処せられた者はそれぞれ刑期を同じくする有期拘禁刑に処せられた者と、旧拘留に処せられた者は拘留に処せられた者とみなす。

2 拘禁刑又は拘留に処せられた者に係る他の法律の規定によりなお従前の例によることとされ、なお効力を有することとされ又は改正前若しくは廃止前の法律の規定の例によることとされる人の資格に関する法令の規定の適用については、無期拘禁刑に処せられた者は無期禁錮に処せられた者と、有期拘禁刑に処せられた者は刑期を同じくする有期禁錮に処せられた者と、拘留に処せられた者は刑期を同じくする旧拘留に処せられた者とみなす。

（経過措置の政令への委任）

第五〇九条　この編に定めるもののほか、刑法等一部改正法等の施行に伴い必要な経過措置は、政令で定める。

（参考）

○刑法等の一部を改正する法律の施行に伴う関係法律の整理等に関する法律〔抄〕

〔令和四・六・一七　法律六八〕

（自動車の保管場所の確保等に関する法律等の一部改正）

第一〇三条　次に掲げる法律の規定中「懲役」を「拘禁刑」に改める。

一　〔略〕

二　自動車安全運転センター法（昭和五十年法律第五十七号）第四十二条

三～十二　〔略〕

附　則

（施行期日）

1　この法律は、刑法等一部改正法〔令和四年法律第六十七号〕施行日〔令和七・六・一〕から施行する。〔以下略〕

○自動車安全運転センター法施行規則〔抄〕

〔昭和五〇・八・二五　総理府令五三〕

改正　前略…平成一一・一二総府令六八、平成一二・八総府令八九、平成一四・四内府令三四、平成一五・七内府令七七、平成一六・一二内府令九七、平成一八・二内府令五、平成二一・五内府令二八、平成二八・七内府令五〇、令和元・五内府令五、六内府令一二

（設立の認可の申請）

第一条　自動車安全運転センター法（以下「法」という。）第十条第一項の認可を受けようとする者は、次の事項を記載した申請書に、定款及び事業計画書を添えて国家公安委員会に提出しなければならない。

一　発起人の氏名、住所及び経歴

二　自動車安全運転センター（以下「センター」という。）を設立しようとする時期

三　設立しようとするセンターの名称

四　役員となるべき者の氏名、住所及び経歴

五　設立の認可を申請するまでの経過の概要

（通知業務）

第八条　法第二十九条第一項第三号の内閣府令で定める場合は、運転免許を受けた者が違反行為（道路交通法施行令（昭和三十五年政令第二百七十号。以下「道交法施行令」という。）第三十三条の二第三項に規定する違反行為をいう。以下同じ。）をしたことにより、当該違反行為に係る累積点数（道交法施行令第三十三条の二第三項に規定する累積点数をいう。以下同じ。）が次の表の上欄に掲げる区分に応じ、それぞれ同表の下欄に掲げる点数に該当した場合とし、法第二十九条第一項第三号の書面の様式は、別記様式第一のとおりとする。

区分	点数
前歴がない者	四点又は五点
前歴が一回である者	二点又は三点
備考　前歴とは、道交法施行令別表第三の備考に規定する前歴をいう。	

（経歴証明業務）

第九条　法第二十九条第一項第四号の内閣府令で定める事項は、無事故・無違反の証明に関する事項、運転記録（累積点数、証明日を起算日とする過去五年以内における違反行為及び道交法施行令別表第三の備考に規定する前歴（以下この条において「前歴」という。）に関する記録をいう。）の証明に関する事項、累積点数等（累積点数、累積点数に係る違反行為及び前歴に関する記録をいう。）の証明に関する事項又は運転免許に係る経歴の証明に関する事項とし、これらの事項を記載する同号の書面の様式は、それぞれ別記様式第二、第三、第三の二又は第四のとおりとする。

（交通事故証明業務）

第一〇条　法第二十九条第一項第五号の内閣府令で定める事項は、交通事故の当事者の住所及び氏名、事故類型その他当該交通事故に関する事実を証するため必要と認められる事項とし、同号の書面の様式は、別記様式第五のとおりとする。

（立入検査をする職員の身分を示す証票）

第一四条　法第三十八条第二項の証票は、別記様式第六のとおりとする。

別記様式第一（第八条関係）

殿

年　月　日

印

整理番号	

累　積　点　数　通　知　書

あなたの累積点数は、　　　年　　月　　日の交通違反（事故）で　　点（行政処分の前歴　　回）になりました。

今後、速度超過、信号無視などの交通違反をしたり、交通事故を起こしたりして基準に該当しますと、違反者講習を受けなければならないこととなるか、運転免許の効力の停止又は取消しを受けることとなります。

なお、この違反の日から運転免許を受けている期間（運転免許の効力が停止されている期間を除きます。）が通算して１年となり、その期間の初日から末日までの間を無事故無違反で経過しますと、今までの点数は計算されないことになっておりますので、今後、交通違反（事故）をしないよう注意して運転してください。

別記様式第二（第九条関係）

	整理番号	
殿		

無事故・無違反証明書

申請者	氏名	
	生年月日	年　月　日生
	免許証番号	

証明事項	年　月　日　以降 年　月　日　まで 交通事故及び交通違反について記録されておりません。
	備考

年　月　日現在、上記のとおりであることを証明します。

年　月　日

印

備考　用紙の大きさは、日本産業規格Ａ列４番とする。

別記様式第三（第九条関係）

	整理番号	
殿		

運転記録証明書

申請者	氏名	
	生年月日	年　月　日生
	免許証番号	

証明事項	行政処分の前歴	回	累積点数	点
	年月日	内容		点数
	備考			

年　月　日現在の過去　間の記録は、上記のとおりであることを証明します。

年　月　日

印

備考　用紙の大きさは、日本産業規格A列４番とする。

別記様式第三の二（第九条関係）

	整理番号	
殿		

累積点数等証明書

申請者	氏名	
	生年月日	年　月　日生
	免許証番号	

証明事項	行政処分の前歴	回	累積点数	点
	年月日	内容		点数
	備考			

年　月　日現在の記録は、上記のとおりであることを証明します。

年　月　日

印

備考　用紙の大きさは、日本産業規格A列４番とする。

別記様式第四（第九条関係）

	整理番号	
殿		

運転免許経歴証明書

申請者	氏名	
	生年月日	年　月　日生
	免許証番号	
申請内容		

証明事項		第一種免許										第二種免許				
免許の種類	種類	大型	中型	準中型	普通	大特	大自二	普自二	小特	原付	けん引	大型	中型	普通	大特	けん引
	有無															
免許年月日	年　月　日				年　月　日							年　月　日				
免許の条件																
免許証の有効期限	年　月　日															
免許の取消し年月日	年　月　日															
備考																

年　月　日現在の記録は、上記のとおりであることを証明します。

年　月　日

印

備考　用紙の大きさは、日本産業規格A列4番とする。

別記様式第五（第十条関係）

交通事故証明書

申請者
住所
氏名　　　　殿

事故照会番号		甲・乙　　との続柄

発生日時					
発生場所					
甲	住所				備考
	フリガナ / 氏名		生年月日	明大昭平令　年　月　日（　歳）	甲・乙以外の当事者の有無
	車種	自事	車両番号		（有（別紙記載のとおり）／無）
	自賠責保険関係	有無　契約先	証明書番号		
	事故時の状態	運転・同乗（運転者氏名　）・歩行・その他			
乙	住所				
	フリガナ / 氏名		生年月日	明大昭平令　年　月　日（　歳）	
	車種	自事	車両番号		
	自賠責保険関係	有無　契約先	証明書番号		
	事故時の状態	運転・同乗（運転者氏名　）・歩行・その他			

事故類型	人対車両	車両相互						車両単独				踏切	不明（調査中）
		正面衝突	側面衝突	出合い頭衝突	接触	追突	その他	転倒	路外逸脱	衝突	その他		

上記の事項を確認したことを証明します。

なお、この証明は、損害の種別とその程度、事故の原因、過失の有無とその程度を明らかにするものではありません。

年　月　日

印

備考　用紙の大きさは、日本産業規格A列4番とする。

別紙

住所			
フリガナ 氏名		生年月日	明大昭平令　年　月　日（　歳）
車種	自 事	車両番号	
自賠責保険関係	有無　契約先	証明書番号	
事故時の状態	運転・同乗（運転者氏名　）・歩行・その他		
住所			
フリガナ 氏名		生年月日	明大昭平令　年　月　日（　歳）
車種	自 事	車両番号	
自賠責保険関係	有無　契約先	証明書番号	
事故時の状態	運転・同乗（運転者氏名　）・歩行・その他		
住所			
フリガナ 氏名		生年月日	明大昭平令　年　月　日（　歳）
車種	自 事	車両番号	
自賠責保険関係	有無　契約先	証明書番号	
事故時の状態	運転・同乗（運転者氏名　）・歩行・その他		
住所			
フリガナ 氏名		生年月日	明大昭平令　年　月　日（　歳）
車種	自 事	車両番号	
自賠責保険関係	有無　契約先	証明書番号	
事故時の状態	運転・同乗（運転者氏名　）・歩行・その他		

備考　用紙の大きさは、日本産業規格A列4番とする。

別記様式第六（第十四条関係）

（表面）

第　　　号

検査員証

年　月　日生

官職
氏名

写真　（押出スタンプ）

上記の者は、自動車安全運転センター法第38条第1項の規定による立入検査に従事する職員であることを証明する。

年　月　日

国家公安委員会　印

（裏面）

自動車安全運転センター法（抜粋）

（報告及び検査）

第38条　国家公安委員会は、この法律を施行するため必要があると認めるときは、センターに対しその業務に関し報告をさせ、又は警察庁の職員にセンターの事務所その他の事業場に立ち入り、業務の状況若しくは帳簿、書類その他の物件を検査させることができる。

2　前項の規定により立入検査をする職員は、その身分を示す証票を携帯し、関係者に提示しなければならない。

3　第1項の規定による立入検査の権限は、犯罪捜査のために認められたものと解してはならない。

第43条　第38条第1項の規定による報告をせず、若しくは虚偽の報告をし、又は同項の規定による検査を拒み、妨げ、若しくは忌避した場合には、その違反行為をしたセンターの役員又は職員は、30万円以下の罰金に処する。

備考　用紙の大きさは、日本産業規格B列8番とする。

○自動車の保管場所の確保等に関する法律

（昭和三七・六・一 法律一四五）

改正 前略…平成二・七法七四、平成五・一一法八九、平成七・四法七三、平成一一・七法八七、平成一四・六法七七、平成一六・五法五五

注1 令和四年六月一七日法律第六八号の改正は、令和七年六月一日から施行のため、附則の次に（参考）として改正文を掲載いたしました。

注2 令和六年五月二四日法律第三五号の改正は、公布の日から起算して一年を超えない範囲内において政令で定める日から施行のため、附則の次に（参考）として改正文を掲載いたしました。

（目的）

第一条 この法律は、自動車の保有者等に自動車の保管場所を確保し、道路を自動車の保管場所として使用しないよう義務づけるとともに、自動車の駐車に関する規制を強化することにより、道路使用の適正化、道路における危険の防止及び道路交通の円滑化を図ることを目的とする。

（定義）

第二条 この法律において、次の各号に掲げる用語の意義は、それぞれ当該各号に定めるところによる。

一 自動車 道路運送車両法（昭和二十六年法律第百八十五号）第二条第二項に規定する自動車（二輪の小型自動車、二輪の軽自動車及び二輪の小型特殊自動車を除く。）をいう。

二 保有者 自動車損害賠償保障法（昭和三十年法律第九十七号）第二条第三項に規定する保有者をいう。

三 保管場所 車庫、空地その他自動車を通常保管するための場所をいう。

四 道路 道路法（昭和二十七年法律第百八十号）第二条第一項に規定する道路及び一般交通の用に供するその他の場所をいう。

五 駐車 道路交通法（昭和三十五年法律第百五号）第二条第一項第十八号に規定する駐車をいう。

（保管場所の確保）

第三条 自動車の保有者は、道路上の場所以外の場所において、当該自動車の保管場所（自動車の使用の本拠の位置との間の距離その他の事項について政令で定める要件を備えるものに限る。第十一条第一項を除き、以下同じ。）を確保しなければならない。

（保管場所の確保を証する書面の提出等）

第四条 道路運送車両法第四条に規定する処分、同法第十二条に規定する処分（使用の本拠の位置の変更に係るものに限る。以下同じ。）又は同法第十三条に規定する処分（使用の本拠の位置の変更を伴う場合に限る。以下同じ。）を受けようとする者は、当該行政庁に対して、警察署長の交付する道路上の場所以外の場所に当該自動車の保管場所を確保していることを証する書面で政令で定めるものを提出しなければならない。ただし、その者が、警察署長に対して、当該書面に相当するものとして政令で定める通知を当該行政庁に対して行うべきことを申請したときは、この限りでない。

2 当該行政庁は、前項の政令で定める書面の提出又は同項ただし書の政令で定める通知がないときは、同項の処分をしないものとする。

第五条 軽自動車である自動車を新規に運行の用に供しようとするときは、当該自動車の保有者は、当該自動車の保管場所の位置を管轄する警察署長に、当該自動車の使用の本拠の位置、保管場所の位置その他政令で定める事項を届け出なければならない。

（保管場所標章）

第六条 警察署長は、第四条第一項の政令で定める書面を交付したとき、同項ただし書の政令で定める通知を行つたとき、又は前条の規定による届出を受理したときは、当該自動車の保有者に対し、当該自動車の保管場所の位置等について表示する国家公安委員会規則で定める様式の保管場所標章を交付しなければならない。

2 前項の規定により保管場所標章の交付を受けた者は、国家公安委員会規則で定めるところにより、当該自動車に保管場所標章を表示しなければならない。この場合において、道路運送車両法第十二条に規定する処分又は同法第十三条に規定する処分についての第四条第一項の政令で定める書面の交付又は同項ただし書の政令で定める通知に係る保管場所標章を表示するときは、既に表示されている保管場所標章を取り除かなければならない。

3 自動車の保有者は、前項前段の保管場所標章が滅失し、損傷し、又はその識別が困難となつた場合その他国家公安委員会規則で定める場合には、当該自動車の保管場所の位置を管轄する警察署長に、その再交付を求めることができる。

（保管場所の変更届出等）

第七条 自動車の保有者は、第四条第一項の政令で定める書面若しくは同項ただし書の政令で定める通知（以下この項において「書面等」という。）において証された保管場所の位置を変更したとき（道路運送車両法第十二条に規定する処分又は同法第十三条に規定する処分を受けようとする場合において、書面等において証された保管場所の位置を変更したときを除く。）又は第五条の規定による届出に係る保管場所の位置を変更したときは、変更した日から十五日以内に、変更後の保管場所の位置を管轄する警察署長に、当該自動車の使用の本拠の位置、変更後の保管場所の位置その他政令で定める事項を届け出なければならない。変更後の保管場所の位置を変更したとき（同法第十二条に規定する処分又は同法第十三条に規定する処分を受けようとする場合において、書面等において証された保管場所の位置を変更したときを除く。）も、同様とする。

2 前条第一項の規定は前項の規定による届出を受理した場合について、同条第二項及び第三項の規定はこの項において準用する同条第一項の規定により交付された保管場所標章について準用する。この場合において、同条第二項中「道路運送車両法第十二条に規定する処分又は同法第十三条に規定する処分についての第四条第一項の政令で定める書面の交付又は同項ただし書の政令で定める通知に係る」とあるのは、「次条第一項の規定による届出に係る」と読み替えるものとする。

（通知）

第八条 警察署長は、自動車について、保管場所標章が表示されていないことその他の理由により、道路上の場所以外の場所に保管場所が確保されていないおそれがあるものと認めたときは、当該自動車の使用の本拠の位置を管轄する都道府県公安委員会（以下「公安委員会」という。）に対し、その旨を通知するものとする。

（自動車の運行供用の制限）

第九条 自動車の使用の本拠の位置を管轄する公安委員会は、道路上の場所以外の場所に自動車の保管場所が確保されていると認められないときは、当該自動車の保有者に対し、当該自動車の保管場所が確保されたことについて公安委員会の確認を受けるまでの間当該自動車を運行の用に供してはならない旨を命ずることができる。

2 公安委員会は、前項の規定による命令をしたときは、当該命令を受けた自動車の保有者に対し、運行の用に供してはならな

いこととなる自動車の番号標の番号その他の国家公安委員会規則で定める事項を記載した文書を交付し、かつ、当該自動車の前面の見やすい箇所に国家公安委員会規則で定める様式の標章をはり付けるものとする。

3　前項の規定により標章をはり付けられた自動車の保有者が道路上の場所以外の場所に当該自動車の保管場所を確保したときは、その旨を第一項の規定による命令をした公安委員会に申告するものとする。

4　公安委員会は、前項の申告を受けたときは、速やかに当該申告に係る保管場所の位置に当該自動車の保管場所が確保されているかどうかを確認しなければならない。

5　公安委員会は、当該申告に係る保管場所の位置に当該自動車の保管場所が確保されていることを確認したときは、当該自動車の保有者に対し、文書で確認した旨を通知し、かつ、第二項の規定によりはり付けられた標章を取り除かなければならない。

6　何人も、第二項の規定によりはり付けられた標章を破損し、又は汚損してはならず、また、前項の規定による場合を除き、これを取り除いてはならない。

（聴聞の特例）

第一〇条　公安委員会は、前条第一項の規定による命令をしようとするときは、行政手続法（平成五年法律第八十八号）第十三条第一項の規定による意見陳述のための手続の区分にかかわらず、聴聞を行わなければならない。

2　前項の聴聞を行うに当たつては、その期日の一週間前までに、行政手続法第十五条第一項の規定による通知をし、かつ、聴聞の期日及び場所を公示しなければならない。

3　前項の通知を行政手続法第十五条第三項に規定する方法によつて行う場合においては、同条第一項の規定により聴聞の期日までにおくべき相当な期間は、二週間を下回つてはならない。

4　第一項の聴聞の期日における審理は、公開により行わなければならない。

（保管場所としての道路の使用の禁止等）

第一一条　何人も、道路上の場所を自動車の保管場所として使用してはならない。

2　何人も、次の各号に掲げる行為は、してはならない。

一　自動車が道路上の同一の場所に引き続き十二時間以上駐車することとなるような行為

二　自動車が夜間（日没時から日出時までの時間をいう。）に道路上の同一の場所に引き続き八時間以上駐車することとなるような行為

3　前二項の規定は、政令で定める特別の用務を遂行するため必要がある場合その他政令で定める場合については、適用しない。

（報告又は資料の提出）

第一二条　公安委員会は、この法律の施行に必要な限度において、使用の本拠の位置がその管轄に属する自動車の保有者又は当該自動車の保管場所を管理する者に対し、当該自動車の保管場所に関し報告又は資料の提出を求めることができる。

（適用除外等）

第一三条　道路運送法（昭和二十六年法律第百八十三号）第二条第二項に規定する自動車運送事業（以下「自動車運送事業」という。）又は貨物利用運送事業法（平成元年法律第八十二号）第二条第八項に規定する第二種貨物利用運送事業（自動車を使用して貨物の集配を行うものに限る。以下「第二種貨物利用運送事業」という。）の用に供する自動車については、第四条から第七条まで、第九条、第十条及び第十一条の規定を適用せず、その保管場所の確保に関しては、この法律に定めるもののほか、道路運送法、貨物自動車運送事業法（平成元年法律第八十三号）若しくは貨物利用運送事業法又はこれらの法律に基づく命令の定めるところによる。

2　自動車運送事業又は第二種貨物利用運送事業の用に供する自動車（以下「運送事業用自動車」という。）の使用の本拠の位置を管轄する公安委員会は、運送事業用自動車の保有者が道路上の場所以外の場所に当該自動車の保管場所を確保していないおそれがあると認めるときは、当該事業を監督する行政庁に対し、その旨を通知するものとする。

3　運送事業用自動車である自動車が運送事業用自動車でなくなつた場合において引き続き当該自動車を運行の用に供しようとするとき（道路運送車両法第十二条に規定する処分又は同法第十三条に規定する処分を受けようとするときを除く。）の当該自動車の保有者は、当該自動車が運送事業用自動車でなくなつた日から十五日以内に、当該自動車の保管場所の位置を管轄する警察署長に、当該自動車の使用の本拠の位置、保管場所の位置その他政令で定める事項を届け出なければならない。

4　第六条第一項の規定は前項の規定による届出を受理した場合について、同条第二項前段及び第三項の規定はこの項において準用する同条第一項の規定により交付された保管場所標章について、第七条の規定は前項の規定による届出に係る保管場所の位置を変更した場合について準用する。

（方面公安委員会への権限の委任）

第一四条　この法律又はこの法律に基づく政令の規定により道公安委員会の権限に属する事務は、政令で定めるところにより、方面公安委員会に委任することができる。

（経過措置）

第一五条　この法律の規定に基づき政令又は国家公安委員会規則を制定し、又は改廃する場合においては、それぞれ政令又は国家公安委員会規則でその制定又は改廃に伴い合理的に必要と判断される範囲内において、所要の経過措置（罰則に関する経過措置を含む。）を定めることができる。

（国家公安委員会規則への委任）

第一六条　この法律に定めるもののほか、この法律の実施のための手続その他この法律の施行に関し必要な事項は、国家公安委員会規則で定める。

（罰則）

第一七条　次の各号のいずれかに該当する者は、三月以下の懲役又は二十万円以下の罰金に処する。

一　第九条第一項の規定による公安委員会の命令に違反した者

二　第十一条第一項の規定に違反して道路上の場所を使用した者

2　次の各号のいずれかに該当する者は、二十万円以下の罰金に処する。

一　自動車の保管場所に関する虚偽の書面を提出し、又は警察署長に自動車の保管場所に関する虚偽の通知を行わせて、第四条第一項の規定による処分を受けた者

二　第十一条第二項の規定に違反した者

3　次の各号のいずれかに該当する者は、十万円以下の罰金に処する。

一　第五条、第七条第一項（第十三条第四項において準用する場合を含む。）又は第十三条第三項の規定による届出をせず、又は虚偽の届出をした者

二　第九条第六項の規定に違反した者

三　第十二条の規定による報告をせず、若しくは資料の提出をせず、又は虚偽の報告をし、若しくは虚偽の資料を提出した者

第一八条　法人の代表者又は法人若しくは人の代理人、使用人その他の従業者が、その法人又は人の業務に関し、前条の違反行為をしたときは、行為者を罰するほか、その法人又は人に対しても、同条の罰金刑を科する。

附　則

（施行期日）

1　この法律は、公布の日から起算して三月を経過した日から施行する。ただし、第五条の規定は公布の日から起算して一年を経過した日から施行し、第六条第三項中道路交通法第百十三条の二の規定を準用する部分は行政不服審査法（昭和三十七年法

律第百六十号）の施行の日から施行する。

（適用地域等に関する経過措置）

2　第四条から第七条（第十三条第四項において準用する場合を含む。）まで及び第十三条第三項の規定は、当分の間、第四条第一項の処分に係る自動車又は軽自動車である自動車の区分に従いそれぞれ政令で定める地域以外の地域に使用の本拠の位置が在る自動車の保有者については、適用しない。

3　第十一条の規定は、当分の間、政令で定める地域以外の地域において行われた行為については、適用しない。

4　第八条から第十条までの規定は、当分の間、前項の政令で定める地域以外の地域に使用の本拠の位置が在る自動車及び当該自動車の保有者については、適用しない。

5　保管場所標章が表示されている自動車の保有者は、当該自動車の使用の本拠の位置を附則第二項の政令で定める地域からそれ以外の地域に変更した場合には、速やかに、当該表示されている保管場所標章を取り除かなければならない。

6　自動車の使用の本拠の位置を附則第二項の政令で定める地域からそれ以外の地域に変更した自動車の保有者については、第七条（第十三条第四項及び附則第八項において準用する場合を含む。）の規定は、適用しない。

7　次に掲げる軽自動車である自動車の保有者は、当該自動車の保管場所の位置（保管場所の位置を変更した場合にあつては、変更後の保管場所の位置）を管轄する警察署長に、当該自動車の使用の本拠の位置（使用の本拠の位置を変更した場合にあつては、変更後の使用の本拠の位置）、保管場所の位置（保管場所の位置を変更した場合にあつては、変更後の保管場所の位置）その他政令で定める事項を届け出なければならない。この場合において、第一号に掲げる保有者に係る届出は、当該保管場所の位置を変更した日から十五日以内にしなければならない。

一　軽自動車である自動車の使用の本拠の位置を軽自動車である自動車についての附則第二項の政令で定める地域（以下「軽自動車適用地域」という。）以外の地域から軽自動車適用地域に変更した当該自動車の保有者であつて、当該自動車の保管場所の位置を変更したもの

二　一の地域が軽自動車適用地域となつた際現に当該一の地域に使用の本拠の位置を有して運行の用に供されている軽自動車である自動車について当該一の地域が軽自動車適用地域となつた日（以下「適用日」という。）以後に適用日における保有者の変更があつた場合における新保有者であつて、軽自動車適用地域にその使用の本拠の位置を有して当該自動車を運用の用に供しようとするもの

8　第六条第一項の規定は前項の規定による届出を受理した場合について、同条第二項前段及び第三項の規定はこの項において準用する同条第一項の規定により交付された保管場所標章について、第七条の規定は前項の規定による届出に係る保管場所の位置を変更した場合について準用する。

9　附則第七項の規定又は前項において準用する第七条第一項の規定による届出をせず、又は虚偽の届出をした者は、十万円以下の罰金に処する。

附　則〔昭和四六・六・二法律九八抄〕

（施行期日）

第一条　この法律は、公布の日から起算して六月をこえない範囲内において政令で定める日から施行する。〔以下略〕

〔昭和四六政三四七により、昭和四六・一二・一から施行〕

（自動車の保管場所の確保等に関する法律の一部改正に伴う経過措置）

第四条　改正前の自動車の保管場所の確保等に関する法律（次項において「旧法」という。）第六条第一項又は第二項の規定に基づく指定又は制限で、この法律の施行の際現にその効力を有するものは、改正後の道路交通法第四条第一項の規定に基づく交通の規制とみなす。

2　旧法第六条の規定又はこれに基づく処分に違反した行為に関しては、旧法第六条、第七条、第十条第二項及び第十一条の規定は、なおその効力を有する。この場合において、旧法第七条中「第百八条」とあるのは、「第百八条の三」とする。

（罰則に係る経過措置）

第五条　この法律の施行前にした行為に対する罰則の適用については、なお従前の例による。

附　則〔平成二・七・三法律七四抄〕

改正　平成七・四法七三

（施行期日）

第一条　この法律は、公布の日から起算して一年を超えない範囲内において政令で定める日から施行する。

〔平成三政一一により、平成三・七・一から施行〕

（経過措置）

第二条　この法律の施行の際現に改正前の自動車の保管場所の確保等に関する法律第三条の規定により自動車の保有者が確保している当該自動車の保管場所は、改正後の自動車の保管場所の確保等に関する法律（以下「新法」という。）の規定の適用については、新法第三条の規定により確保している自動車の保管場所とみなす。

2　新法第六条の規定は、この法律の施行の日（以下「施行日」という。）前にされた申請に基づき施行日以後に第四条第一項の政令で定める書面を交付した場合については、適用しない。

3　新法第九条及び第十条の規定は、この法律の施行の際現に運行の用に供されている自動車の保有者が施行日以後も引き続き当該自動車を運行の用に供している場合（施行日以後に当該自動車につき道路運送車両法（昭和二十六年法律第百八十五号）第十二条に規定する処分（使用の本拠の位置の変更に係るものに限る。）又は同法第十三条に規定する処分（使用の本拠の位置の変更を伴う場合に限る。）に係る新法第四条第一項の政令で定める書面の交付があつた場合及び新法第七条第一項の規定による届出をした場合を除く。）における当該保有者及び当該自動車については、適用しない。

附　則〔平成七・四・二一法律七三抄〕

（施行期日）

1　この法律は、平成八年一月一日から施行する。

（経過措置）

2　この法律の施行前にした行為に対する罰則の適用については、なお従前の例による。

附　則〔平成一六・五・二六法律五五抄〕

（施行期日）

第一条　この法律は、平成十七年十二月三十一日までの間において政令で定める日から施行する。〔以下略〕

〔平成一七政一八六により、平成一七・一二・二六から施行〕

（政令への委任）

第八条　附則第二条から前条までに定めるもののほか、この法律の施行に関して必要となる経過措置（罰則に関する経過措置を含む。）は、政令で定める。

附　則〔令和四・六・一七法律六八抄〕

（施行期日）

1　この法律は、刑法等一部改正法〔令和四年法律第六十七号〕施行日〔令和七・六・一〕から施行する。ただし、次の各号に掲げる規定は、当該各号に定める日から施行する。

一　第五百九条の規定　公布の日

二　〔略〕

刑法等の一部を改正する法律の施行に伴う関係法律の整理等に関する法律〔抄〕

〔令和四・六・一七
法律六八〕

（罰則の適用等に関する経過措置）

第四四一条　刑法等の一部を改正する法律（令和四年法律第六十七号。以下「刑法等一部改正法」という。）及びこの法律（以

下「刑法等一部改正法等」という。）の施行前にした行為の処罰については、次章に別段の定めがあるもののほか、なお従前の例による。

2　刑法等一部改正法等の施行後にした行為に対して、他の法律の規定によりなお従前の例によることとされ、なお効力を有することとされ又は改正前若しくは廃止前の法律の規定の例によることとされる罰則を適用する場合において、当該罰則に定める刑（刑法施行法第十九条第一項の規定又は第八十二条の規定による改正後の沖縄の復帰に伴う特別措置に関する法律第二十五条第四項の規定の適用後のものを含む。）に刑法等一部改正法第二条の規定による改正前の刑法（明治四十年法律第四十五号。以下この項において「旧刑法」という。）第十二条に規定する懲役（以下「懲役」という。）、旧刑法第十三条に規定する禁錮（以下「禁錮」という。）又は旧刑法第十六条に規定する拘留（以下「旧拘留」という。）が含まれるときは、当該刑のうち無期の懲役又は禁錮はそれぞれ無期拘禁刑と、有期の懲役又は禁錮はそれぞれその刑と長期及び短期（刑法施行法第二十条の規定の適用後のものを含む。）を同じくする有期拘禁刑と、旧拘留は長期及び短期（刑法施行法第二十条の規定の適用後のものを含む。）を同じくする拘留とする。

（裁判の効力とその執行に関する経過措置）

第四四二条　懲役、禁錮及び旧拘留の確定裁判の効力並びにその執行については、次章に別段の定めがあるもののほか、なお従前の例による。

（人の資格に関する経過措置）

第四四三条　懲役、禁錮又は旧拘留に処せられた者に係る人の資格に関する法令の規定の適用については、無期の懲役又は禁錮に処せられた者はそれぞれ無期拘禁刑に処せられた者と、有期の懲役又は禁錮に処せられた者はそれぞれ刑期を同じくする有期拘禁刑に処せられた者と、旧拘留に処せられた者は拘留に処せられた者とみなす。

2　拘禁刑又は拘留に処せられた者に係る他の法律の規定によりなお従前の例によることとされ、なお効力を有することとされ又は改正前若しくは廃止前の法律の規定の例によることとされる人の資格に関する法令の規定の適用については、無期拘禁刑に処せられた者は無期禁錮に処せられた者と、有期拘禁刑に処せられた者は刑期を同じくする有期禁錮に処せられた者と、拘留に処せられた者は刑期を同じくする旧拘留に処せられた者とみなす。

（経過措置の政令への委任）

第五〇九条　この編に定めるもののほか、刑法等一部改正法等の施行に伴い必要な経過措置は、政令で定める。

附　則〔令和六・五・二四法律三五〕

この法律は、公布の日から起算して一年を超えない範囲内において政令で定める日から施行する。

（参考1）

○刑法等の一部を改正する法律の施行に伴う関係法律の整理等に関する法律〔抄〕

〔令和四・六・一七
法律六八〕

（自動車の保管場所の確保等に関する法律等の一部改正）

第一〇三条　次に掲げる法律の規定中「懲役」を「拘禁刑」に改める。

一　自動車の保管場所の確保等に関する法律（昭和三十七年法律第百四十五号）第十七条第一項

二～十二〔略〕

附　則

（施行期日）

1　この法律は、刑法等一部改正法〔令和四年法律第六十七号〕施行日〔令和七・六・一〕から施行する。〔以下略〕

（参考2）

○自動車の保管場所の確保等に関する法律の一部を改正する法律

〔令和六・五・二四
法律三五〕

第六条を次のように改める。

第六条　削除

第七条第一項中「この項」を「この条」に改め、同条第二項を削る。

第八条中「、保管場所標章が表示されていないことその他の理由により」を削る。

第十三条第一項中「から第七条まで」を「、第五条、第七条」に、「第十二条」を「前条」に改め、同条第四項中「第六条第一項の規定は前項の規定による届出を受理した場合について、同条第二項前段及び第三項の規定はこの項において準用する同条第一項の規定により交付された保管場所標章について、第七条の規定は」を「第七条の規定は、」に改める。

第十七条第一項中「者は」を「場合には、当該違反行為をした者は」に改め、同項各号中「者」を「とき。」に改め、同条第二項中「者は」を「場合には、当該違反行為をした者は」に改め、同項各号中「者」を「とき。」に改め、同条第三項中「者は」を「場合には、当該違反行為をした者は」に改め、同項第一号中「第七条第一項」を「第七条」に、「者」を「とき。」に改め、同項第二号及び第三号中「者」を「とき。」に改める。

附則第二項中「から」を「、第五条、」に改め、「まで」を削る。

附則第五項を削る。

附則第六項中「附則第八項」を「附則第七項」に改め、同項を附則第五項とし、附則第七項を附則第六項とする。

附則第八項中「第六条第一項の規定は前項の規定による届出を受理した場合について、同条第二項前段及び第三項の規定はこの項において準用する同条第一項の規定により交付された保管場所標章について、第七条の規定は」を「第七条の規定は、」に改め、同項を附則第七項とする。

附則第九項中「附則第七項」を「附則第六項」に、「第七条第一項」を「第七条」に、「者」を「ときは、当該違反行為をした者」に改め、同項を附則第八項とする。

附則に次の一項を加える。

9　法人の代表者又は法人若しくは人の代理人、使用人その他の従業者が、その法人又は人の業務に関し、前項の違反行為をしたときは、行為者を罰するほか、その法人又は人に対しても、同項の刑を科する。

附　則

この法律は、公布の日から起算して一年を超えない範囲内において政令で定める日から施行する。

○自動車の保管場所の確保等に関する法律施行令

〔昭和三七・八・二〇 政令三二九〕

改正 前略…平成一〇・六政二二四、平成一二・六政三〇三、政三五九、平成一四・一政四、一〇政三二一、平成一六・三政五九、平成一七・五政一八七、平成二八・三政一〇三、令和三・七政一九五

（保管場所の要件）

第一条 自動車の保管場所の確保等に関する法律（以下「法」という。）第三条の政令で定める要件は、次の各号のすべてに該当することとする。

一 当該自動車の使用の本拠の位置との間の距離が、二キロメートル（法第十三条第二項の運送事業用自動車である自動車にあつては、国土交通大臣が運送事業（同条第一項の自動車運送事業又は第二種貨物利用運送事業をいう。）に関し土地の利用状況等を勘案して定める地域に当該自動車の使用の本拠の位置が在るときは、当該地域につき国土交通大臣が定める距離）を超えないものであること。

二 当該自動車が法令の規定により通行することができないこととされる道路以外の道路から当該自動車を支障なく出入させ、かつ、その全体を収容することができるものであること。

三 当該自動車の保有者が当該自動車の保管場所として使用する権原を有するものであること。

（保管場所の確保を証する書面等）

第二条 法第四条第一項の政令で定める書面は、自動車の保有者の申請により、当該申請に係る場所の位置を管轄する警察署長が、当該場所が当該申請に係る自動車につき法第三条に規定する保管場所として確保されていることを証明した書面とする。

2 法第四条第一項ただし書の政令で定める通知は、当該申請に係る場所の位置を管轄する警察署長が、当該場所が当該申請に係る自動車につき法第三条に規定する保管場所として確保されていることを証明する旨の通知であつて、当該警察署長の使用に係る電子計算機（入出力装置を含む。以下この項において同じ。）から電気通信回線を通じて法第四条第一項に規定する当該行政庁の使用に係る電子計算機に送信することによつて行われるものとする。

（届出事項）

第三条 法第五条、第七条第一項（法第十三条第四項において準用する場合を含む。）及び第十三条第三項の政令で定める事項は、当該自動車に関する次に掲げるものとする。

一 車名

二 型式

三 車台番号

四 車体の長さ、幅及び高さ

（法第十一条第一項及び第二項の規定の適用除外に係る用務等）

第四条 法第十一条第三項の政令で定める特別の用務は、次の各号に掲げる用務とする。

一 災害対策基本法（昭和三十六年法律第二百二十三号）第五十条第二項の規定による災害応急対策の実施

二 自衛隊法（昭和二十九年法律第百六十五号）第七十六条第一項、第七十八条第一項、第八十一条第二項又は第八十三条第二項の規定による自衛隊の行動

2 法第十一条第三項の政令で定める場合は、次の各号に掲げる場合とする。

一 自動車が、工作物の損壊、危険物の爆発、火事その他の事故による危害を防止し、又は軽減する用務が行われている間、当該用務の遂行のため駐車することがやむを得ない場合

二 自動車が、自衛隊法第七十七条の規定による防衛出動待機命令又は同法第七十九条第一項の規定による治安出動待機命令に基づく待機が行われている間、当該待機のため駐車することがやむを得ない場合

三 自動車が、医師若しくは歯科医師の往診又は助産師の出張による業務が行われている間、当該業務の遂行のため駐車することがやむを得ない場合

四 自動車が、生命が危険な状態にある傷病者を看護する用務が行われている間、当該用務のため駐車することがやむを得ない場合

五 自動車が、報道機関による報道の取材が行われている間、当該報道の取材のため駐車することがやむを得ない場合

六 自動車が、土地収用法（昭和二十六年法律第二百十九号）第三条各号のいずれかに掲げるもの並びに電気通信事業法（昭和五十九年法律第八十六号）第百二十八条第一項の規定の適用がある線路及び空中線並びにこれらの附属設備に係る工事が行われている間、当該工事の実施のため駐車することがやむを得ない場合

七 自動車が、道路法（昭和二十七年法律第百八十号）第七十七条第一項の規定による道路の構造に関する調査が行われている間、当該調査の実施のため駐車することがやむを得ない場合

八 自動車が、犯罪の予防、鎮圧又は捜査が行われている間、当該用務のため駐車することがやむを得ない場合

九 自動車が、出入国管理及び難民認定法（昭和二十六年政令第三百十九号）第五章の規定による退去強制手続を執行する用務が行われている間、当該用務の遂行のため駐車することがやむを得ない場合

十 自動車が、総務省設置法（平成十一年法律第九十一号）第二十八条第一項に規定する事務（同法第四条第一項第六十四号及び第六十五号に掲げる事務に係るものに限る。）が行われている間、当該事務の遂行のため駐車することがやむを得ない場合

十一 火事、出水等の事故その他自己の責めに帰することのできない理由により自動車の保管場所を使用することができないため道路上の場所を当該自動車の保管場所として使用し、又は道路において法第十一条第二項各号のいずれかに掲げる行為をすることがやむを得ない場合において、新たに自動車の保管場所を確保するため通常必要と認められる間、当該道路上の場所を管轄する警察署長に届け出て当該行為をするとき。

（方面公安委員会への権限の委任）

第五条 法第八条、第九条第一項から第五項まで、第十条第一項、第十二条及び第十三条第二項の規定により道公安委員会の権限に属する事務は、道警察本部の所在地を包括する方面を除く方面については、当該方面公安委員会が行う。

2 前項の規定により方面公安委員会が法第十条第一項の規定による聴聞を行うに当たつては、道公安委員会が定める手続に従うものとする。

附　則

（施行期日）

1 この政令は、昭和三十七年九月一日から施行する。

（保管場所の確保を証する書面の提出等、保管場所標章等の規定の適用地域）

2 法附則第二項の政令で定める地域は、次の各号に掲げる自動車の区分に応じ、それぞれ当該各号に定める特別区及び市町村の区域とし、その区域は、平成十二年六月一日における区域とする。

一 法第四条第一項の処分に係る自動車　特別区並びに市、町及び別表第一に掲げる村の区域

二　軽自動車である自動車　特別区及び別表第二に掲げる市の区域

（保管場所としての道路の使用の禁止等の規定の適用地域）

3　法附則第三項の政令で定める地域は、前項第一号に定める区域とする。

（届出事項）

4　法附則第七項の政令で定める事項は、同項の規定による届出に係る自動車に関する第三条各号に掲げる事項とする。

附　則〔昭和四六・一一・二四政令三四八抄〕

1　この政令は、道路交通法の一部を改正する法律（昭和四十六年法律第九十八号。以下「改正法」という。）の施行の日（昭和四十六年十二月一日）から施行する。〔以下略〕

12　この政令の施行前にした行為に対する罰則の適用については、なお従前の例による。

13　この政令の施行前にした反則行為の種別及び当該反則行為に係る反則金の額については、なお従前の例による。

附　則〔昭和四八・三・三一政令四二〕

1　この政令は、昭和四十八年六月一日から施行する。

2　昭和四十八年十一月三十日までの間は、この政令による改正後の自動車の保管場所の確保等に関する法律施行令第二条中「東京都の特別区の存する区域並びに市、町及び別表に掲げる村の区域」とあるのは、「東京都の特別区の存する区域及び市の区域」とする。

附　則〔平成三・一・三一政令一二抄〕

（施行期日）

1　この政令は、自動車の保管場所の確保等に関する法律の一部を改正する法律の施行の日（平成三年七月一日）から施行する。

（経過措置）

2　この政令の施行前にした違反行為に付する点数については、なお従前の例による。

附　則〔平成一〇・六・一二政令二一四〕

（施行期日）

1　この政令は、平成十一年一月一日から施行する。

（経過措置）

2　この政令の施行前にした行為に対する罰則の適用については、なお従前の例による。

附　則〔平成一二・六・二三政令三五九〕

（施行期日）

1　この政令は、平成十三年一月一日から施行する。

（経過措置）

2　この政令の施行前にした行為に対する罰則の適用については、なお従前の例による。

附　則〔令和三・七・二政令一九五抄〕

（施行期日）

1　この政令は、令和三年九月一日から施行する。〔以下略〕

別表第一（附則第二項関係）

都道府県名	郡名	村名
青森県	南津軽郡	田舎館村
岩手県	岩手郡	滝沢村
宮城県	黒川郡	大衡村
福島県	北会津郡 河沼郡	北会津村 湯川村
茨城県	那珂郡 新治郡 筑波郡	東海村 新治村 谷和原村
埼玉県	大里郡 北埼玉郡	大里村 南河原村　川里村
千葉県	印旛郡	印旛村　本埜村
富山県	中新川郡 射水郡	舟橋村 下村
静岡県	磐田郡	豊岡村
愛知県	海部郡	十四山村　飛島村　立田村　八開村
大阪府	南河内郡	千早赤阪村
奈良県	山辺郡 高市郡	都祁村 明日香村
鳥取県	西伯郡	日吉津村
岡山県	都窪郡	山手村　清音村
愛媛県	越智郡	朝倉村
沖縄県	中頭郡 島尻郡	北中城村　中城村 豊見城村　大里村

別表第二（附則第二項関係）

都道府県名	市名
北海道	札幌市　函館市　小樽市　旭川市　室蘭市　釧路市　帯広市　北見市　苫小牧市　江別市
青森県	青森市　弘前市　八戸市
岩手県	盛岡市
宮城県	仙台市　石巻市
秋田県	秋田市
山形県	山形市　鶴岡市　酒田市
福島県	福島市　会津若松市　郡山市　いわき市
茨城県	水戸市　日立市　土浦市　つくば市　ひたちなか市
栃木県	宇都宮市　足利市　小山市
群馬県	前橋市　高崎市　桐生市　伊勢崎市　太田市
埼玉県	川越市　熊谷市　川口市　浦和市　大宮市　所沢市　岩槻市　春日部市　狭山市　深谷市　上尾市　与野市　草加市　越谷市　蕨市　戸田市　入間市　鳩ケ谷市　朝霞市　志木市　和光市　新座市　八潮市　富士見市　上福岡市　三郷市
千葉県	千葉市　市川市　船橋市　木更津市　松戸市　野田市　佐倉市　習志野市　柏市　市原市　流山市　八千代市　我孫子市　鎌ケ谷市　浦安市
東京都	八王子市　立川市　武蔵野市　三鷹市　青梅市　府中市　昭島市　調布市　町田市　小金井市　小平市　日野市　東村山市　国分寺市　国立市　田無市　保谷市　狛江市　東大和市　清瀬市　東久留米市　多摩市　稲城市
神奈川県	横浜市　川崎市　横須賀市　平塚市　鎌倉市　藤沢市　小田原市　茅ヶ崎市　相模原市　秦野市　厚木市　大和市　海老名市　座間市
新潟県	新潟市　長岡市　上越市
富山県	富山市　高岡市
石川県	金沢市　小松市
福井県	福井市
山梨県	甲府市
長野県	長野市　松本市　上田市　飯田市
岐阜県	岐阜市　大垣市　多治見市　各務原市
静岡県	静岡市　浜松市　沼津市　清水市　三島市　富士宮市　富士市　焼津市　藤枝市
愛知県	名古屋市　豊橋市　岡崎市　一宮市　瀬戸市　半田市　春日井市　豊川市　刈谷市　豊田市　安城市　小牧市
三重県	津市　四日市市　伊勢市　松阪市　桑名市　鈴鹿市
滋賀県	大津市　彦根市　草津市
京都府	京都市　宇治市　長岡京市
大阪府	大阪市　堺市　岸和田市　豊中市　池田市　吹田市　泉大津市　高槻市　守口市　枚方市　茨木市　八尾市　富田林市　寝屋川市　河内長野市　松原市　大東市　和泉市　箕面市　柏原市　羽曳野市　門真市　摂津市　高石市　藤井寺市　東大阪市　四條畷市　交野市　大阪狭山市
兵庫県	神戸市　姫路市　尼崎市　明石市　西宮市　芦屋市　伊丹市　加古川市　宝塚市　川西市
奈良県	奈良市　大和高田市　橿原市　生駒市
和歌山県	和歌山市
鳥取県	鳥取市　米子市
島根県	松江市
岡山県	岡山市　倉敷市
広島県	広島市　呉市　福山市　東広島市
山口県	下関市　宇部市　山口市　徳山市　防府市　岩国市
徳島県	徳島市
香川県	高松市
愛媛県	松山市　今治市　新居浜市
高知県	高知市
福岡県	北九州市　福岡市　大牟田市　久留米市
佐賀県	佐賀市
長崎県	長崎市　佐世保市
熊本県	熊本市　八代市
大分県	大分市　別府市
宮崎県	宮崎市　都城市　延岡市
鹿児島県	鹿児島市
沖縄県	那覇市　沖縄市

○自動車の保管場所の確保等に関する法律施行規則

〔平成三・一・三一　国家公安委員会規則一〕

改正　平成六・三国公委規九、九国公委規二五、平成七・八国公委規九、平成一一・一国公委規一、平成一二・三国公委規六、平成一三・一二国公委規一五、平成一七・一二国公委規二一、平成二二・一一国公委規六、令和元・六国公委規三、一二国公委規一〇、令和二・一二国公委規一三

（保管場所の確保を証する書面の交付の申請の手続等）

第一条　自動車の保管場所の確保等に関する法律施行令（昭和三十七年政令第三百二十九号）第二条第一項の規定により自動車の保有者が行う自動車の保管場所の確保等に関する法律（以下「法」という。）第四条第一項の書面の交付の申請は、申請書二通（都道府県公安委員会規則で別段の定めをしたときは、一通。第四条第一項及び第八条第二項において同じ。）を当該申請に係る場所の位置を管轄する警察署長に提出して行うものとする。

2　前項の申請を行う場合において、申請書二通のうち一通（同項の規定による別段の定めにより申請書一通を提出することとされる場合にあっては、当該申請書）には、次に掲げる書面を添付しなければならない。

一　自動車の保有者が当該申請に係る場所を保管場所として使用する権原を有することを疎明する書面

二　当該申請に係る使用の本拠の位置並びに当該申請に係る場所の付近の道路及び目標となる地物を表示した当該申請に係る場所の所在図

三　当該申請に係る場所並びに当該申請に係る場所の周囲の建物、空地及び道路を表示した配置図（当該申請に係る場所にあってはその平面の寸法、道路にあってはその幅員を明記すること。）

3　前項の規定にかかわらず、次に掲げる場合には、前項第二号に掲げる書面の添付を省略することができる。ただし、警察署長は、当該申請に係る場所の付近の目標となる地物及びその位置を知るため特に必要があると認めるときは、同号に掲げる書面の提出を求めることができる。

一　当該申請に係る使用の本拠の位置が旧自動車（当該申請者が保有者である自動車であって当該申請に係るもの以外のものをいう。以下この号及び次項において同じ。）に係る使用の本拠の位置と同一であり、かつ、当該申請に係る場所が当該旧自動車の保管場所とされているとき。

二　当該申請に係る使用の本拠の位置が当該申請に係る場所の位置と同一であるとき（前号に掲げる場合を除く。）。

4　前項第一号の規定により第二項第二号に掲げる書面の添付を省略する場合には、当該申請に係る申請書に当該旧自動車に表示されている保管場所標章に係る保管場所標章番号を記載しなければならない。

5　第一項の申請書及び法第四条第一項の書面の様式は、別記様式第一号のとおりとする。

（保管場所の確保を証する通知の申請の手続等）

第二条　法第四条第一項ただし書の申請は、当該申請に係る場所の位置を管轄する警察署長の使用に係る電子計算機（入出力装置を含む。以下この条において同じ。）と当該申請を行う者の使用に係る電子計算機とを電気通信回線で接続した電子情報処理組織を使用して行うものとする。

2　前項の申請を行おうとする者は、前条第一項の申請書に記載すべき事項並びに同条第二項第一号に掲げる書面に記載されている事項又はこれに記載すべき事項並びに同項第二号及び第三号に掲げる書面に記載すべき事項を、当該申請を行う者の使用に係る電子計算機であって次の各号に掲げる機能のすべてを備えたものから入力して、当該申請を行わなければならない。

一　警察署長が交付する電子計算機用ソフトウェアを用いてこの項各号列記以外の部分に規定する事項のすべてを当該警察署長が提供する様式に入力できる機能

二　警察署長が交付する電子計算機用ソフトウェアを用いて当該警察署長の使用に係る電子計算機と通信できる機能

3　前条第三項及び第四項の規定並びに国家公安委員会の所管する法令に係る情報通信技術を活用した行政の推進等に関する法律施行規則（平成十五年国家公安委員会規則第六号。以下この項及び第五条第二項において「規則」という。）第四条第三項及び第四項の規定は第一項の申請について、情報通信技術を活用した行政の推進等に関する法律（平成十四年法律第百五十一号。第五条第二項において「情報通信技術活用法」という。）第六条第三項の規定は第一項の規定により行われた申請の到達時期について、それぞれ準用する。この場合において、前条第三項中「前項の」とあるのは「第二条第二項の」と、「前項第二号に掲げる書面の添付」とあるのは「第一条第二項第二号に掲げる書面に記載すべき事項の入力」と、「の提出」とあるのは「の入力」と、前条第四項中「第二項第二号に掲げる書面の添付」とあるのは「第一条第二項第二号に掲げる書面に記載すべき事項の入力」と、「に係る申請書に」とあるのは「を行う者の使用に係る電子計算機から」と、「記載」とあるのは「入力」と、規則第四条第四項中「国家公安委員会が情報通信技術活用法第六条第一項」とあるのは「自動車の保管場所の確保等に関する法律第四条第一項ただし書の申請に係る場所の位置を管轄する警察署長が自動車の保管場所の確保等に関する法律施行規則第二条第一項」と、「国家公安委員会の」とあるのは「当該警察署長の」と読み替えるものとする。

（届出の手続）

第三条　法第五条、第七条第一項（法第十三条第四項及び附則第八項において準用する場合を含む。）、第十三条第三項又は附則第七項の規定による届出は、別記様式第二号の届出書を提出して行うものとする。

2　第一条第二項から第四項まで（第三項ただし書を除く。）の規定は、前項の届出について準用する。この場合において、同条第三項第一号中「ある」とあるのは「あり、又は保有者であった」と、「いる」とあるのは「おり、又は当該届出の日前十五日以内に保管場所とされていた」と、同条第四項中「いる」とあるのは「おり、又は当該届出の日前十五日以内に表示されていた」と読み替えるものとする。

（保管場所標章の交付の手続）

第四条　法第六条第一項（法第七条第二項（法第十三条第四項及び附則第八項において準用する場合を含む。）、第十三条第四項及び附則第八項において準用する場合を含む。第六条において同じ。）の規定により保管場所標章を交付しようとする警察署長は、当該保管場所標章の交付を受けようとする者（法第四条第一項ただし書の申請を行う者を除く。）に対し、申請書二通の提出を求めなければならない。

2　前項の申請書の提出を受けた警察署長は、当該自動車の保有者に対し、当該自動車に係る保管場所標章の交付に併せて、通知書を交付しなければならない。

3　第一項の申請書及び前項の通知書の様式は、別記様式第三号のとおりとする。

第五条　法第四条第一項ただし書の申請に係る場所の位置を管轄する警察署長は、当該申請を行う者に対し、当該申請に併せて法第六条第一項の保管場所標章の交付の申請を求めなければな

らない。

2　第二条第一項及び第二項並びに規則第四条第三項及び第四項の規定は前項の申請について、情報通信技術活用法第六条第三項の規定は前項の規定により求められた申請の到達時期について、それぞれ準用する。この場合において、第二条第一項中「に係る場所の位置を管轄する」とあるのは「を求めた」と、同条第二項中「前条第一項の申請書に記載すべき事項並びに同条第二項第一号に掲げる書面に記載されている事項又はこれに記載すべき事項並びに同項第二号及び第三号に掲げる書面」とあるのは「第四条第一項の申請書」と、規則第四条第四項中「国家公安委員会が情報通信技術活用法第六条第一項」とあるのは「自動車の保管場所の確保等に関する法律施行規則（以下この項において「施行規則」という。）第五条第一項の申請を求めた警察署長が同条第二項において読み替えて準用する施行規則第二条第一項」と、「国家公安委員会の」とあるのは「当該警察署長の」と読み替えるものとする。

3　第一項の申請を求めた警察署長は、法第四条第一項ただし書に規定する通知に係る自動車の保有者に対し、当該自動車に係る保管場所標章の交付に併せて、通知書を交付しなければならない。

4　前項の通知書の様式は、別記様式第四号のとおりとする。

（保管場所標章の様式）

第六条　法第六条第一項の国家公安委員会規則で定める様式は、別記様式第五号のとおりとする。

（保管場所標章の表示の方法）

第七条　法第六条第二項（法第七条第二項（法第十三条第四項及び附則第八項において準用する場合を含む。）、第十三条第四項及び附則第八項において準用する場合を含む。）の規定による保管場所標章の表示は、当該保管場所標章を当該自動車の後面ガラスに、当該保管場所標章に表示された事項が後方から見やすいようにはり付けることにより行わなければならない。ただし、当該自動車に後面ガラスがない場合、当該自動車の後面ガラスにはり付けた場合において保管場所標章に表示された事項を後方から見ることが困難であるときその他保管場所標章を当該自動車の後面ガラスにはり付けることが適当と認められない場合にあっては、当該自動車の車体の左側面に保管場所標章に表示された事項が見やすいようにはり付けることにより行わなければならない。

（保管場所標章の再交付）

第八条　法第六条第三項（法第七条第二項（法第十三条第四項及び附則第八項において準用する場合を含む。）、第十三条第四項及び附則第八項において準用する場合を含む。以下この条において同じ。）の国家公安委員会規則で定める場合は、次のとおりとする。

一　当該自動車の保管場所標章がはり付けられた後面ガラス又は車体の左側面の部分が取り除かれた場合

二　保管場所標章のはり付けが不完全になった場合

三　前二号に掲げるもののほか、再交付を受けることについて正当な理由があると認められる場合

2　法第六条第三項の規定による保管場所標章の再交付の申請は、申請書二通を提出して行うものとする。

3　第四条第二項の規定は、前項の規定により保管場所標章の再交付の申請を受けた警察署長について準用する。この場合において、第四条第二項中「当該自動車の」とあるのは「当該保管場所標章の再交付を受けることとなる者が当該申請に係る自動車の保有者であることを確認した上、当該自動車の」と読み替えるものとする。

4　第二項の申請書及び前項において準用する第四条第二項の通知書の様式は、別記様式第六号のとおりとする。

（運行供用制限命令に係る文書の記載事項）

第九条　法第九条第二項の国家公安委員会規則で定める事項は、次のとおりとする。

一　法第九条第一項の規定による都道府県公安委員会（以下「公安委員会」という。）の命令（以下この条において「運行供用制限命令」という。）の年月日

二　運行供用制限命令を受けた自動車の保有者の氏名（法人にあっては、その名称及び代表者の氏名）及び住所

三　運行供用制限命令に係る自動車の使用の本拠の位置

四　運行供用制限命令に係る自動車の番号標の番号

五　運行供用制限命令の理由

（運行供用制限命令に係る標章の様式）

第一〇条　法第九条第二項の国家公安委員会規則で定める様式は、別記様式第七号のとおりとする。

（運行供用制限命令に係る自動車の保管場所確保の申告の手続）

第一一条　法第九条第三項の規定による申告は、別記様式第八号の申告書を提出して行うものとする。

（聴聞の手続）

第一二条　法第十条第二項の規定による公示は、公安委員会の掲示板に掲示して行うものとする。

附　則

この規則は、自動車の保管場所の確保等に関する法律の一部を改正する法律（平成二年法律第七十四号）の施行の日（平成三年七月一日）から施行する。

附　則〔平成六・三・四国家公安委員会規則九〕

1　この規則は、平成六年四月一日から施行する。〔以下略〕

2　この規則による改正前の〔中略〕自動車の保管場所の確保等に関する法律施行規則〔中略〕に規定する様式による書面については、当分の間、それぞれ改正後のこれらの規則に規定する様式による書面とみなす。

附　則〔平成一一・一・一二国家公安委員会規則一〕

（施行期日）

1　この規則は、公布の日から施行する。〔以下略〕

（経過措置）

2　この規則による改正前の〔中略〕自動車の保管場所の確保等に関する法律施行規則〔中略〕に規定する様式による書面については、改正後の〔中略〕自動車の保管場所の確保等に関する法律施行規則〔中略〕に規定する様式にかかわらず、当分の間、なおこれを使用することができる。この場合には、氏名を記載し及び押印することに代えて、署名することができる。

附　則〔平成二三・一一・五国家公安委員会規則六〕

（施行期日）

1　この規則は、平成二十三年七月十九日から施行する。

（経過措置）

2　自動車保管場所証明申請書及び自動車保管場所届出書の様式については、改正後の自動車の保管場所の確保等に関する法律施行規則別記様式第一号及び別記様式第二号の様式にかかわらず、当分の間、なお従前の例によることができる。

附　則〔令和元・六・二一国家公安委員会規則三〕

（施行期日）

1　この規則は、令和元年七月一日から施行する。

（経過措置）

2　この規則による改正前の〔中略〕自動車の保管場所の確保等に関する法律施行規則〔中略〕に規定する様式による書面については、この規則による改正後のこれらの規則に規定する様式にかかわらず、当分の間、なおこれを使用することができる。

附　則〔令和二・一二・二八国家公安委員会規則一三〕

（施行期日）

第一条　この規則は、公布の日から施行する。

（経過措置）

第二条　この規則による改正前の様式（次項において「旧様式」という。）により使用されている書類は、当分の間、この規則による改正後の様式によるものとみなす。

2　旧様式による用紙については、当分の間、これを取り繕って使用することができる。

別記様式第1号（第1条関係）

自 動 車 保 管 場 所 証 明 申 請 書				
車　名	型　式	車台番号	自動車の大きさ	
			長さ 幅 高さ	センチメートル センチメートル センチメートル
自動車の使用の本拠の位置				
自動車の保管場所の位置				
※保管場所標章番号				

自動車の保管場所の位置欄記載の場所は、申請に係る自動車の保管場所として確保されていることを証明願います。

年　月　日

警察署長　殿

〒（　）

住　所

申請者

（　）　局　番

氏　名

第　号

自 動 車 保 管 場 所 証 明 書

自動車の保管場所の位置欄記載の場所は、上記申請に係る自動車の保管場所として確保されていることを証明する。

年　月　日

警察署長　印

備考　1　次に掲げる場合は、所在図の添付を省略することができる。ただし、警察署長は、保管場所の付近の目標となる地物及びその位置を知るため特に必要があると認めるときは、所在図の提出を求めることができる。

(1)　自動車の使用の本拠の位置が、旧自動車（申請者が保有者である自動車であって申請に係るもの以外のものをいう。以下同じ。）に係る使用の本拠の位置と同一であり、かつ、申請に係る場所が旧自動車の保管場所とされているとき。

(2)　自動車の使用の本拠の位置が、保管場所の位置と同一であるとき（(1)に該当する場合を除く。）。

2　1(1)に該当することにより所在図の添付を省略する場合は、※印の欄に旧自動車に表示されている保管場所標章に係る保管場所標章番号を記載すること。

3　用紙の大きさは、日本産業規格A列4番とする。

別記様式第2号（第3条関係）

自 動 車 保 管 場 所 届 出 書（新規・変更）			自動車の区分	登録・軽
車　名	型　式	車台番号	自動車の大きさ	
			長さ 幅 高さ	センチメートル センチメートル センチメートル
自動車の使用の本拠の位置				
自動車の保管場所の位置	（変更前　）			
※保管場所標章番号				

上記の事項について届出をします。

年　月　日

警察署長　殿

〒（　）

住　所

届出者

（　）　局　番

氏　名

備考　1　法第5条、第13条第3項及び附則第7項の規定による届出にあっては「新規」の文字を、法第7条第1項（第13条第4項及び附則第8項において準用する場合を含む。）の規定による届出（以下「変更届出」という。）にあっては「変更」の文字を○で囲むこと。

2　自動車の区分の欄は、法第4条第1項の処分に係る自動車の届出にあっては「登録」の文字を、軽自動車である自動車の届出にあっては「軽」の文字を○で囲むこと。

3　変更届出をする場合において、自動車の保管場所の位置欄には変更後の自動車の保管場所の位置を記入するほか、同欄括弧内に変更前の自動車の保管場所の位置を記入すること。

4　次に掲げる場合は、所在図の添付を省略することができる。

(1)　自動車の使用の本拠の位置が、旧自動車（届出者が保有者であり、又は保有者であった自動車であって届出に係るもの以外のものをいう。以下同じ。）に係る使用の本拠の位置と同一であり、かつ、届出に係る場所が旧自動車の保管場所とされており、又は当該届出の日前15日以内に保管場所とされていたとき。

(2)　自動車の使用の本拠の位置が、保管場所の位置と同一であるとき（(1)に該当する場合を除く。）。

5　4(1)に該当することにより所在図の添付を省略する場合は、※印の欄に旧自動車に表示され、又は当該届出の日前15日以内に表示されていた保管場所標章に係る保管場所標章番号を記載すること。

6　用紙の大きさは、日本産業規格A列4番とする。

別記様式第３号（第４条関係）

<table>
<tr><th colspan="4">保管場所標章交付申請書</th></tr>
<tr><td>車名</td><td>型式</td><td>車台番号</td><td>自動車の大きさ</td></tr>
<tr><td></td><td></td><td></td><td>長さ　センチメートル
幅　センチメートル
高さ　センチメートル</td></tr>
<tr><td>自動車の使用の本拠の位置</td><td colspan="3"></td></tr>
<tr><td>自動車の保管場所の位置</td><td colspan="3"></td></tr>
<tr><td colspan="4">私は上記の自動車の保有者であるので、保管場所標章の交付を申請します。
年　月　日
警察署長　殿
〒（　）
申請者　住所
（　）　局　番
氏名</td></tr>
<tr><td colspan="4">第　号
保管場所標章番号通知書
上記に記載された自動車に係る保管場所標章番号を通知します。
保管場所標章番号｜　
年　月　日
警察署長　印</td></tr>
</table>

備考　用紙の大きさは、日本産業規格Ａ列４番とする。

別記様式第４号（第５条関係）

<table>
<tr><th colspan="4">保管場所標章番号通知書</th></tr>
<tr><td>車名</td><td>型式</td><td>車台番号</td><td>自動車の大きさ</td></tr>
<tr><td></td><td></td><td></td><td>長さ　センチメートル
幅　センチメートル
高さ　センチメートル</td></tr>
<tr><td>自動車の使用の本拠の位置</td><td colspan="3"></td></tr>
<tr><td>自動車の保管場所の位置</td><td colspan="3"></td></tr>
<tr><td colspan="4">〒（　）
申請者　住所
（　）　局　番
氏名</td></tr>
<tr><td colspan="4">第　号
上記に記載された自動車に係る保管場所標章番号を通知します。
保管場所標章番号｜　
年　月　日
警察署長　印</td></tr>
</table>

備考　用紙の大きさは、日本産業規格Ａ列４番とする。

別記様式第５号（第６条関係）

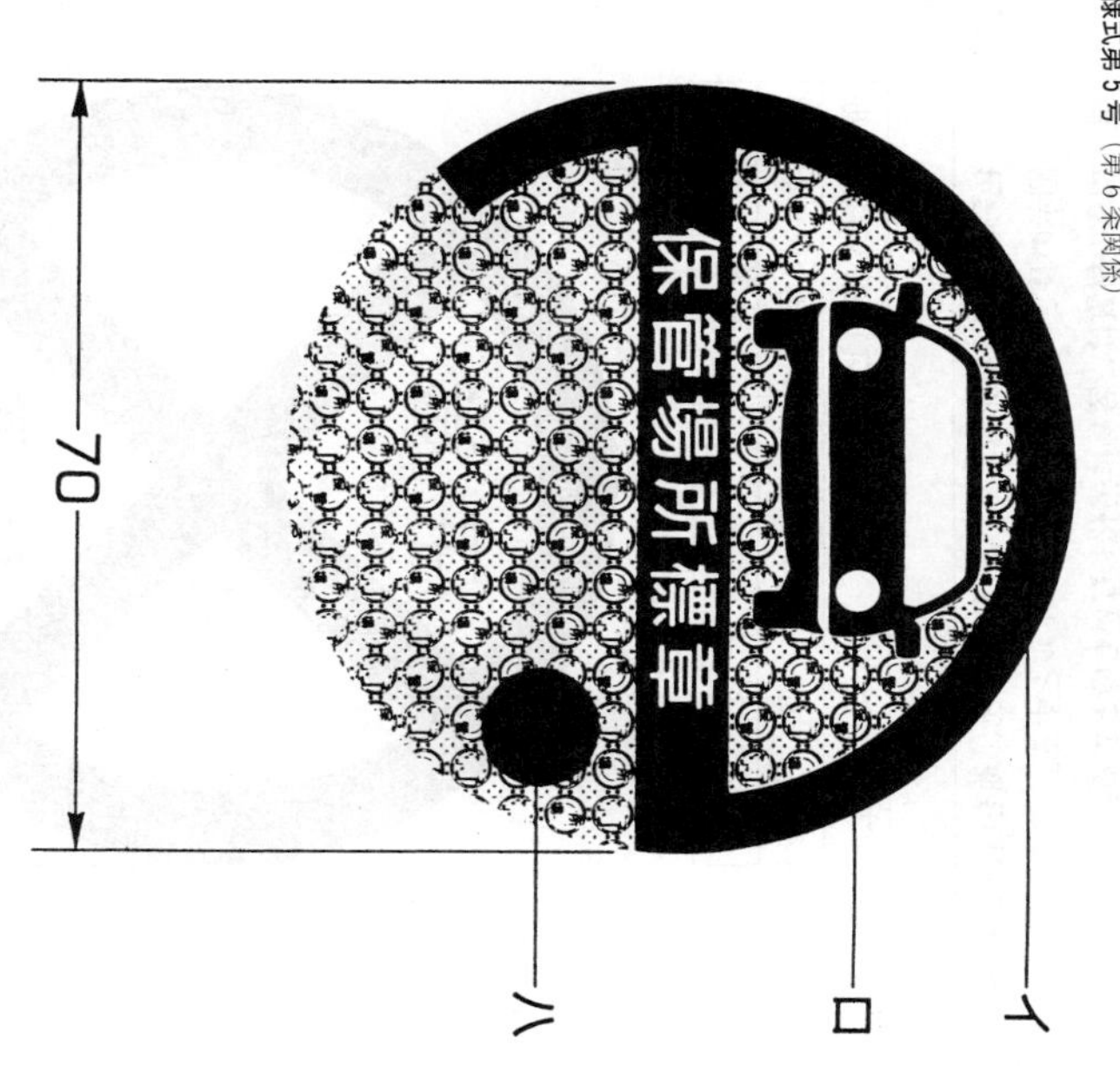

備考
1 色彩は、イの部分を青色、ロの部分を黄茶色、地の模様を黄茶色及び紫色、「保管場所標章」の文字及び地を白色とする。
2 ハの部分には、ホログラムシールをはり付ける。
3 保管場所標章には、保管場所標章番号、保管場所の位置及び保管場所標章を交付する警察署長を印字する。
4 保管場所の位置については、都道府県及び市（特別区を含む。）町村名を表示する。
5 図示の長さの単位は、ミリメートルとする。
6 保管場所標章の材質は、容易に劣化しないものとする。

別記様式第６号（第８条関係）

保管場所標章再交付申請書			
車名	型式	車台番号	自動車の大きさ
			長さ　　センチメートル 幅　　センチメートル 高さ　　センチメートル
自動車の使用の本拠の位置			
自動車の保管場所の位置			
再交付申請の理由			

私は上記の自動車の保有者であるので、保管場所標章の再交付を申請します。

年　月　日

警察署長　殿

〒（　　）

申請者　住所

（　）　局　番

氏名

第　　号

保管場所標章番号通知書

上記に記載された自動車に係る保管場所標章番号を通知します。

保管場所標章番号	

年　月　日

警察署長　印

備考　用紙の大きさは、日本産業規格Ａ列４番とする。

別記様式第７号（第10条関係）

番号標の番号	
命令をした年月日	年　月　日
命令をした公安委員会	公安委員会

備考　1　色彩は、記号を赤色、文字及び枠を黒色、地を白色とする。
2　図示の長さの単位は、ミリメートルとする。
3　標章の材質は、容易に劣化しないものとする。

別記様式第８号（第11条関係）

自動車保管場所確保申告書

下記の自動車の保管場所の位置欄記載の場所に下記の自動車の保管場所を確保した旨を申告します。

年　月　日

公安委員会　殿

〒（　　）
住所

申告者　（　）　局　番

氏名

標章が付されている自動車の番号標の番号	
自動車の使用の本拠の位置	
自動車の保管場所の位置	

備考　1　申告者の氏名は、申告者が法人であるときは、その名称及び代表者の氏名とすること。
2　用紙の大きさは、日本産業規格Ａ列４番とする。

○道路標識、区画線及び道路標示に関する命令

（昭和三五・一二・一七 総理府 建設省 令三）

改正 前略…平成八・八総府・建令一、平成九・八総府・建令一、平成一〇・三総府・建令一、平成一二・一一総府・建令四、一二総府・建令一〇、平成一六・三内府・国交令二、一二内府・国交令五、平成一七・九内府・国交令五、平成一八・二内府・国交令一、平成二〇・六内府・国交令二、平成二一・一二内府・国交令三、平成二二・一二内府・国交令三、平成二三・九内府・国交令二、平成二四・二内府・国交令一、平成二六・三内府・国交令二、五内府・国交令四、平成二八・七内府・国交令二、平成二九・二内府・国交令一、四内府・国交令三、平成三〇・一二内府・国交令五、令和二・三内府・国交令一、一一内府・国交令四、内府・国交令五、令和三・六内府・国交令二、九内府・国交令四、令和四・一二内府・国交令七、令和五・三内府・国交令一、令和六・六内府・国交令三

第一章　道路標識

（分類）

第一条 道路標識は、本標識及び補助標識とする。

2 本標識は、案内標識、警戒標識、規制標識及び指示標識とする。

（種類等）

第二条 道路標識の種類、設置場所等は、別表第一のとおりとする。

（様式）

第三条 道路標識の様式は、別表第二のとおりとする。

（条例で寸法を定める道路標識）

第三条の二 道路法（昭和二十七年法律第百八十号）第四十五条第三項の内閣府令・国土交通省令で定める道路標識は、案内標識及び警戒標識並びにこれらに附置される補助標識（これらの道路標識の柱の部分を除く。）とする。

（設置者の区分）

第四条 道路標識のうち、次に掲げるものは、道路法による道路管理者（以下「道路管理者」という。）が設置するものとする。

一　案内標識

二　警戒標識

三　規制標識のうち、「危険物積載車両通行止め」、「最大幅」、「重量制限」、「高さ制限」、「自動車専用」、「許可車両専用」、「許可車両（組合せ）専用」及び「広域災害応急対策車両専用」を表示するもの

2 道路標識のうち、次に掲げるものは、都道府県公安委員会（以下「公安委員会」という。）が設置するものとする。

一　規制標識のうち、「大型貨物自動車等通行止め」、「特定の最大積載量以上の貨物自動車等通行止め」、「大型乗用自動車等通行止め」、「二輪の自動車・一般原動機付自転車通行止め」、「特定小型原動機付自転車・自転車通行止め」、「自転車以外の軽車両通行止め」、「大型自動二輪車及び普通自動二輪車二人乗り通行禁止」、「車両横断禁止」、「転回禁止」、「追越しのための右側部分はみ出し通行禁止」、「追越し禁止」、「駐停車禁止」、「駐車禁止」、「駐車余地」、「時間制限駐車区間」、「最高速度」、「特定の種類の車両の最高速度」、「最低速度」、「車両通行区分」、「特定の種類の車両の通行区分」、「牽引自動車の高速自動車国道通行区分」、「専用通行帯」、「普通自転車専用通行帯」、「路線バス等優先通行帯」、「牽引自動車の自動車専用道路第一通行帯通行指定区間」、「進行方向別通行区分」、「一般原動機付自転車の右折方法（二段階）」、「一般原動機付自転車の右折方法（小回り）」、「環状の交差点における右回り通行」、「平行駐車」、「直角駐車」、「斜め駐車」、「警笛鳴らせ」、「警笛区間」、「前方優先道路」、「一時停止」、「歩行者等通行止め」及び「歩行者等横断禁止」を表示するもの並びに道路法の道路以外の道路に設置する「重量制限」及び「高さ制限」を表示するもの

二　指示標識のうち、「並進可」、「軌道敷内通行可」、「高齢運転者等標章自動車駐車可」、「高齢運転者等標章自動車停車可」、「停車可」、「優先道路」、「中央線」、「停止線」、「横断歩道」、「自転車横断帯」、「横断歩道・自転車横断帯」及び「安全地帯」を表示するもの

3 道路標識のうち、前二項各号に掲げるもの以外のものは、道路管理者又は公安委員会が設置するものとする。

第二章　区画線

（種類及び設置場所）

第五条 区画線の種類及び設置場所は、別表第三のとおりとする。

（様式）

第六条 区画線の様式は、別表第四のとおりとする。

（道路標示とみなす区画線）

第七条 次の表の上欄に掲げる種類の区画線は、道路交通法（昭和三十五年法律第百五号。以下「交通法」という。）の規定の適用については、それぞれ同表の下欄に掲げる種類の道路標示とみなす。

区画線	道路標示
「車道中央線」を表示するもの	「中央線」を表示するもの
「車道外側線」を表示するもの（歩道の設けられていない道路又は道路の歩道の設けられていない側の路端寄りに設けられ、かつ、実線で表示されるものに限る。）	「路側帯」を表示するもの

第三章　道路標示

（分類）

第八条　道路標示の分類は、規制標示及び指示標示とする。

（種類等）

第九条　道路標示の種類、設置場所等は、別表第五のとおりとする。

（様式）

第一〇条　道路標示の様式は、別表第六のとおりとする。

附　則

1　この命令は、道路交通法の施行の日（昭和三十五年十二月二十日）から施行する。

2　道路標識令（昭和二十五年総理府令建設省令第一号。以下「旧令」という。）は、廃止する。

3　この命令施行の際、現に設置されている旧令の道路標識のうち、次の各号に掲げるものは、それぞれ当該各号に掲げるこの命令の道路標識とみなす。

一　旧令の案内標識　この命令の案内標識

二　旧令の警戒標識のうち、「学校あり」及び「危険」を表示するもの以外のもの　この命令の警戒標識

三　旧令の禁止標識のうち、「諸車通行止め」、「自動車通行止め」、「荷車通行止め」、「歩行者通行止め」、「右（又は左）折及び直進禁止」を表示するもののうちの「左折及び直進禁止」、「追抜禁止」及び「停車禁止」を表示するもの以外のもの　この命令の規制標識

四　旧令の指導標識のうち、「速度制限」、「速度制限解除」、「重量制限」、「高さ制限」、「静かに」、「車馬通行区分」、「軌道敷内通行終り」、「一時停止」、「屈折方向（一方向）」及び「屈折方向（二方向）」を表示するもの以外のもの　この命令の規制標識

五　旧令の指示標識のうち、「屈折方向（一方向）」及び「屈折方向（二方向）」を表示するもの　この命令の指示標識

六　旧令の指示標識のうち、「停止線」及び「まわり道」を表示するもの以外のもの　この命令の指示標識

4　この命令施行の際、現に設置されている旧令の道路標識のうち、次の各号に掲げるものは、当分の間、それぞれ当該各号に掲げるこの命令の道路標識とみなす。

一　旧令の警戒標識のうち、「学校あり」を表示するもの　この命令の警戒標識のうち、「学校、幼稚園、保育所等あり」を表示するもの

二　旧令の禁止標識のうち、「荷車通行止め」及び「歩行者通行止め」を表示するもの　この命令の規制標識のうち、「荷車通行止め」及び「歩行者通行止め」を表示するもの

三　旧令の指導標識のうち、「速度制限」、「重量制限」、「高さ制限」及び「一時停止」を表示するもの　この命令の規制標識のうち、「最高速度」、「重量制限」、「高さ制限」及び「一時停止」を表示するもの

四　旧令の指示標識のうち、「まわり道」を表示するもの　この命令の指示標識のうち、「まわり道」を表示するもの

5　この命令施行の際、現に設置されている旧令の道路標識のうち、次の各号に掲げるものに関しては、旧令の規定は、この命令施行の日から一年間、なおその効力を有する。

一　旧令の禁止標識のうち、「自動車通行止め」及び「停車禁止」を表示するもの

二　旧令の指導標識のうち、「速度制限解除」及び「軌道敷内通行終り」を表示するもの

6　令和三年九月三十日までの間は、規制標識の種類、設置場所等は、別表第一に規定するもののほか、次の表のとおりとし、同表に規定する規制標識は、公安委員会が設置するものとする。

種類	番号	表示する意味	設置場所
大会関係車両等専用通行帯	（1－A）	交通法第二十条第二項の道路標識により、車両通行帯の設けられた道路において、令和三年に開催される東京オリンピック競技大会又は東京パラリンピック競技大会に関し人又は貨物を輸送する事業の用に供する自動車として公安委員会が指定するものであつて、前方又は後方から見やすいように、当該自動車の前面及び後面にその旨を示す標章（公安委員会又は令和三年東京オリンピック競技大会・東京パラリンピック競技大会特別措置法（平成二十七年法律第三十三号）第八条第一項に規定する組織委員会が交付したものに限る。）を付けたもの（以下「大会関係車両」という。）その他公安委員会が指定する自動車が通行しなければならない車両通行帯（以下この項において「大会関係車両等専用通行帯」という。）を指定し、かつ、他の車両（小型特殊自動車、原動機付自転車及び軽車両を除く。）が通行しなければならない車両通行帯以外の車両通行帯を指定すること。	大会関係車両等専用通行帯の前面及び大会関係車両等専用通行帯内の必要な地点
	（1－B）	右に同じ。	大会関係車両等専用通行帯の前面及び大会関係車両等専用通行帯内の必要な地点における左側の路端（歩道、自転車道又は自転車歩行者道を有する道路にあつては、歩道、自転車道又は自転車歩行者道の車道側）
	（2－A）	交通法第二十条の二第一項の道路標識により、路線バス等の優先通行帯（公安委員会が道路交通法施行令（昭和三十五年政令第二百七十号）第十条の規定により大会関係車両を	路線バス等の優先通行帯の前面及び路線バス等の優先通行帯内の必要な地点

種類	番号	表示する意味	設置場所
大会関係車両等優先通行帯		指定した場合に限る。以下この項において同じ。）であることを表示すること。	
	（2−B）	右に同じ。	路線バス等の優先通行帯の前面及び路線バス等の優先通行帯内の必要な地点における左側の路端（歩道、自転車道又は自転車歩行者道を有する道路にあつては、歩道、自転車道又は自転車歩行者道の車道側）

備考

一　別表第一備考二の規定は、この表の設置場所の欄について準用する。

二　大会関係車両等専用通行帯の項に規定する標章の様式は、国家公安委員会が定める。

7　令和三年九月三十日までの間は、規制標識の様式は、別表第二に規定するもののほか、次の表のとおりとし、同表に規定する規制標識の柱の規格については、別表第二規制標識の部分本標識板及び柱の規格の項の規定を準用する。

種類	様式
大会関係車両等専用通行帯（1−A）	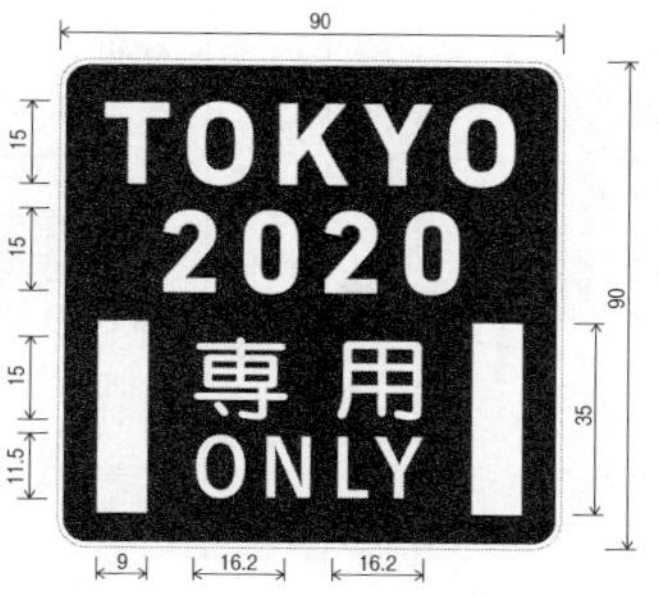 TOKYO 2020 専用 ONLY
大会関係車両等専用通行帯（1−B）	TOKYO 2020 専用 ONLY
大会関係車両等優先通行帯（2−A）	TOKYO 2020 優先 Priority
大会関係車両等優先通行帯（2−B）	TOKYO 2020 優先 Priority

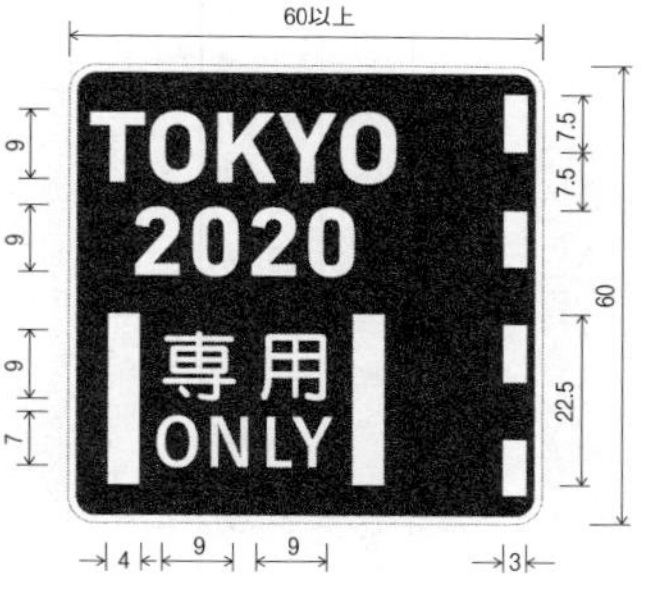

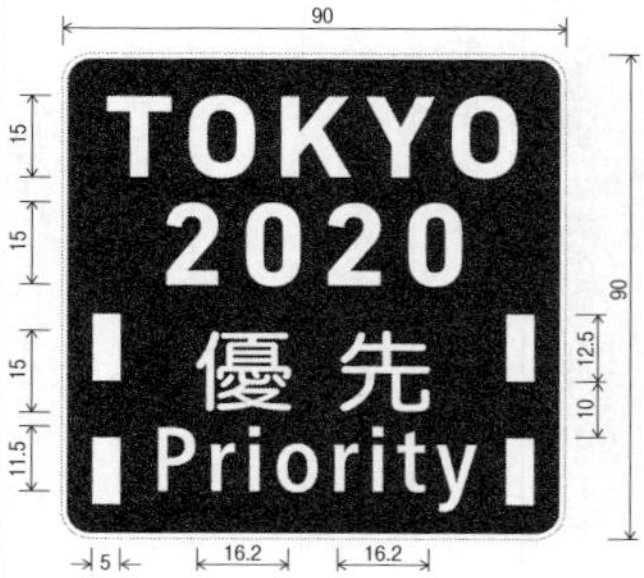

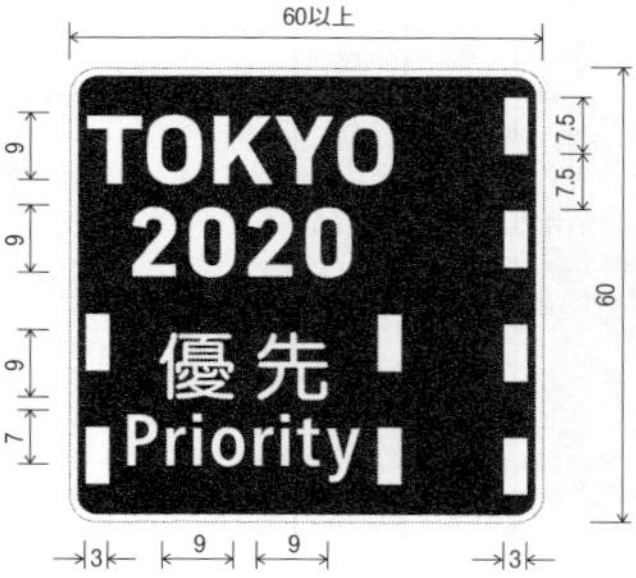

備考　別表第二備考一の㈠の1の規定は「大会関係車両等専用通行帯（1−B）」及び「大会関係車両等優先通行帯（2−B）」を表示する規制標識に係る図示の記号について、同表備考一の㈡の1及び9、同表備考一の㈢の3の(3)、同表備考一の㈤の1及び8の(3)、同表備考三、同表備考四の㈠の1、2、4及び7並びに同表備考四の㈡の規定は図示の様式について、それぞれ準用する。

8　令和三年九月三十日までの間は、規制標示の種類、設置場所等は、別表第五に規定するもののほか、次の表のとおりとする。

種類	番号	表示する意味	設置場所
大会関係車両等専用通行帯	（1）	交通法第二十条第二項の道路標示により、車両通行帯の設けられた道路において、大会関係車両その他公安委員会が指定する自動車が通行しなければならない車両通行帯（以下この項において「大会関係車両等専用通行帯」という。）を指定し、かつ、他の車両（小型特殊自動車、原動機付自転車及び軽車両を除く。）が通行しなければならない車両通行帯として大会関係車両等専用通行帯以外の車両通行帯を指定すること。	大会関係車両等専用通行帯の前面及び大会関係車両等専用通行帯内の必要な地点

大会関係車両等優先通行帯	（２）	交通法第二十条の二第一項の道路標示により、路線バス等の優先通行帯（公安委員会が道路交通法施行令第十条の規定により大会関係車両を指定した場合に限る。以下この項において同じ。）であることを表示すること。	路線バス等の優先通行帯の前面及び路線バス等の優先通行帯内の必要な地点

9 令和三年九月三十日までの間は、規制標示の様式は、別表第六に規定するもののほか、次の表のとおりとする。

大会関係車両等専用通行帯（１）		大会関係車両等優先通行帯（２）	
文字	専用 ONLY 7-9 TOKYO 2020（2〜4、0.6〜1.0、2〜4、車道中央線等、車両通行帯境界線、道路の左側端又は車両通行帯最外側線）	文字	優先 Priority 7-9 TOKYO 2020（2〜4、0.6〜1.0、2〜4、車道中央線等、車両通行帯境界線、道路の左側端又は車両通行帯最外側線）
色彩	白	色彩	白

備考 別表第六備考一の㈠及び㈡、同表備考二並びに同表備考五の規定は、図示の様式について準用する。

附 則（昭和三八・三・二九総理府・建設省令一）

1 この命令は、昭和三十八年五月一日から施行する。

2 この命令の施行の際、現に改正前の道路標識、区画線及び道路標示に関する命令（以下「旧令」という。）の規定により設置されている道路標識のうち、次の表の上欄に掲げる種類のものは、当分の間は、それぞれ同表の下欄に掲げる改正後の道路標識、区画線及び道路標示に関する命令（以下「新令」という。）の相当規定による種類の道路標識とみなす。

旧令の道路標識の種類	新令の道路標識の種類
「通行止め」を表示するもの（301）	「通行止め（301）」
「車両通行止め」を表示するもの（302）	「車両通行止め（302）」
「二輪の自動車以外の自動車通行止め」を表示するもの（303）	「二輪の自動車以外の自動車通行止め（304）」
「自動車・原動機付自転車通行止め」を表示するもの（305）	「車両（組合せ）通行止め（310）」
「自転車通行止め」を表示するもの（307）	「自転車通行止め（309）」
「歩行者通行止め」を表示するもの（308）	「歩行者通行止め（331）」
「右（又は左）折禁止」を表示するもの（309―A）	「指定方向外進行禁止（311―A）」
「右折及び直進禁止」を表示するもの（309―B）	「指定方向外進行禁止（311―B）」
「屈折禁止」を表示するもの（309―C）	「指定方向外進行禁止（311―C）」
「歩行者横断禁止」を表示するもの（310）	「歩行者横断禁止（332）」
「車両横断禁止」を表示するもの（311）	「車両右横断禁止（312）」
「転回禁止」を表示するもの（312）	「転回禁止（313）」
「追越し禁止」を表示するもの（314）	「追越し禁止（314）」
「駐車禁止」を表示するもの（315）	「駐車禁止（316）」
「駐停車禁止」を表示するもの（316）	「駐停車禁止（315）」

「危険物積載車両通行止め」を表示するもの（317）	「危険物積載車両通行止め（319）」
「最大幅」を表示するもの（317の２）	「最大幅（322）」
「重量制限」を表示するもの（318）	「重量制限（320）」
「高さ制限」を表示するもの（319）	「高さ制限（321）」
「最高速度」を表示するもの（320）	「最高速度（323）」
「最低速度」を表示するもの（321）	「最低速度（324）」
「自動車専用」を表示するもの（322）	「自動車専用（325）」
「一方通行」を表示するもの（323）	「一方通行（326）」
「車両通行区分」を表示するもの（325）	「車両通行区分（327）」
「軌道敷内通行可」を表示するもの（326）	「軌道敷内通行可（401）」
「警笛鳴らせ」を表示するもの（334）	「警笛鳴らせ（328）」
「一時停止」を表示するもの（336）	「一時停止（330）」
「徐行」を表示するもの（328）	「徐行（329）」
「停車可」を表示するもの（329）	「停車可（404）」
「駐車可」を表示するもの（330）	「駐車可（403）」
「駐車場」を表示するもの（401）	「駐車場（402）」
「工事中」を表示するもの（402）	「工事中（407）」
「横断歩道」を表示するもの（403）	「横断歩道（405—A・B）」
「安全地帯」を表示するもの（404）	「安全地帯（406）」

附　則〔昭和三八・七・一三総理府・建設省令二〕

1　この命令は、昭和三十八年七月十四日から施行する。

2　この命令の施行の際現に設置されている道路標識のうち、この命令による改正前の道路標識、区画線又は道路標示に関する命令（以下「旧令」という。）の規定による次の各号に掲げるものは、当分の間、それぞれ当該各号に掲げるこの命令による改正後の道路標識、区画線又は道路標示に関する命令（以下「新令」という。）の規定による道路標識とみなす。

一　旧令の警戒標識のうち、「学校、幼稚園、保育所等あり」を表示するもの　新令の警戒標識のうち、「学校、幼稚園、保育所等あり」を表示するもの

二　旧令の指示標識のうち、「駐車場」及び「まわり道」を表示するもの　新令の案内標識のうち、「駐車場」及び「まわり道」を表示するもの

三　旧令の指示標識のうち、「工事中」を表示するもの　新令の警戒標識のうち、「工事中」を表示するもの

附　則〔昭和四〇・八・二七総理府・建設省令一〕

1　この命令は、昭和四十年九月一日から施行する。

2　この命令の施行の際現に設置されている道路標示のうち、この命令による改正前の道路標識、区画線及び道路標示に関する命令の規定による「横断歩道」を表示する指示標示は、当分の間は、この命令の規定による「横断歩道」を表示する指示標示とみなす。

附　則〔昭和四一・一一・九総理府・建設省令二〕

1　この命令は、公布の日から施行する。

2　この命令の施行の際、現に改正前の道路標識、区画線及び道路標示に関する命令（以下「旧令」という。）の規定により設置されている道路標識のうち、次の表の上欄に掲げる種類のものは、当分の間、それぞれ同表の下欄に掲げる改正後の道路標識、区画線及び道路標示に関する命令（以下「新令」という。）の相当規定による種類の道路標識とみなす。

旧令の道路標識の種類	新令の道路標識の種類
「入口の方向」を表示するもの（103）	「入口の方向（103—A）」
「入口の予告」を表示するもの（104）	「入口の予告（104）」

「方面及び車線」を表示するもの（107―A）	「方面及び車線（107―A）」
「方面及び車線」を表示するもの（107―B）	「方面及び車線（107―B）」
「方面及び車線」を表示するもの（107―C）	「方面及び車線（107―C）」
「方面及び方向」を表示するもの（108―C）	「方面及び方向（108―C）」
「方面、車線及び出口の予告」を表示するもの（111―B）	「方面、車線及び出口の予告（111―B）」
「方面及び出口」を表示するもの（112―C）	「方面及び出口（112―C）」
「出口」を表示するもの（113）	「出口（113―A）」

3　この命令の施行の際、現に旧令の規定により設置されている道路標識のうち、「非常電話あり」及び「待避所あり」を表示する案内標識は、新令の規定による「非常電話」及び「待避所」を表示する案内標識とみなす。

附　則〔昭和四六・一一・三〇総理府・建設省令二〕

1　この命令は、昭和四十六年十二月一日から施行する。

2　この命令の施行の際現に改正前の道路標識、区画線及び道路標示に関する命令（以下「旧令」という。）の規定により設置されている道路標識のうち、次の表の上欄に掲げる種類のものは、当分の間、それぞれ同表の下欄に掲げる改正後の道路標識、区画線及び道路標示に関する命令（以下「新令」という。）の相当規定による種類の道路標識とみなす。

旧令の道路標識の種類	新令の道路標識の種類
「市町村」を表示するもの（101）	「市町村（101）」
「都府県」を表示するもの（102）	「都府県（102）」
「方面、方向及び距離」を表示するもの（105―A）	「方面、方向及び距離（105―A）」
「方面、方向及び距離」を表示するもの（105―B）	「方面、方向及び距離（105―B）」
「方面、方向及び距離」を表示するもの（105―C）	「方面、方向及び距離（105―C）」
「方面及び距離」を表示するもの（106―A）	「方面及び距離（106―A）」
「方面及び方向」を表示するもの（108―A）	「方面及び方向（108の2―A）」
「方面及び方向」を表示するもの（108―B）	「方面及び方向（108の2―C）」
「方面及び方向」を表示するもの（108―C）	「方面及び方向（108の2―D）」
「方面及び方向」を表示するもの（108―D）	「方面及び方向（108の2―E）」
「著名地点」を表示するもの（114―A）	「著名地点（114―A）」

「主要地点」を表示するもの（114の2—A）	「主要地点（114の2—A）」
「主要地点」を表示するもの（114の2—B）	「主要地点（114の2—B）」
「サービス・エリア」を表示するもの（116）	「サービス・エリア（116—A・B）」
「工事中」を表示するもの（213）	「道路工事中（213）」
「作業中」を表示するもの（214）	「道路工事中（213）」
「注意」を表示するもの（215）	「その他の危険（215）」
「車両通行区分」を表示するもの（327）	「車両通行区分（327）」

3　この命令の施行の際現に旧令の規定により設置されている道路標示のうち、次の表の上欄に掲げる種類のものは、当分の間、それぞれ同表の下欄に掲げる新令の相当規定による種類の道路標示とみなす。

旧令の道路標示の種類	新令の道路標示の種類
「転回禁止」を表示するもの（101）	「転回禁止（101）」
「最高速度」を表示するもの（105）	「最高速度（105）」
「高速車の最高速度」を表示するもの（106）	「高速車の最高速度（106）」
「中速車の最高速度」を表示するもの（107）	「中速車の最高速度（107）」
「低速車の最高速度」を表示するもの（108）	「低速車の最高速度（108）」
「車両通行区分」を表示するもの（109の2）	「車両通行区分（109の3）」
「進行方向別通行区分」を表示するもの（110）	「進行方向別通行区分（110）」
「右左折の方法」を表示するもの（111）	「右左折の方法（111）」
「直角駐車」を表示するもの（113）	「直角駐車（113）」
「斜め駐車」を表示するもの（114）	「斜め駐車（114）」
「終り」を表示するもの（115）	「終り（115）」
「右側通行」を表示するもの（202）	「右側通行（202）」
「進行方向」を表示するもの（204）	「進行方向（204）」
「安全地帯又は路上障害物に接近」を表示するもの（208）	「安全地帯又は路上障害物に接近（208）」
「路面電車停留場」を表示するもの（209）	「路面電車停留場（209）」

4　「駐車時間制限」を表示する規制標識の様式については、新令別表第二の規定による「駐車時間制限」を表示する規制標識の様式にかかわらず、昭和四十七年五月三十一日までの間、なお従前の例によることができる。

5　「歩行者専用」を表示する規制標識で道路交通法第八条第一項及び第九条の道路標識による交通の規制に係るものの様式については、新令別表第二の規定による「歩行者専用」を表示する規制標識の様式にかかわらず、当分の間、「車両通行止め」を表示する規制標識に「歩行者用道路」を表示する補助標識を附置したものを用いることができる。

附　則〔昭和六〇・一〇・二八総理府・建設省令一〕

1　この命令は、公布の日から施行する。ただし、第四条第二項第一号の改正規定（㈡「進行方向別通行区分」の下に「、「原動機付自転車の右折方法（二段階）」、「原動機付自転車の右折方法（小回り）」」を加える部分に限る。）、別表第一規制標識の部分進行方向別通行区分の項の次に原動機付自転車の右折方法（二段階）の項及び原動機付自転車の右折方法（小回り）の項を加える改正規定、別表第二規制標識の部分の改正規定（進行方向別通行区分（327の4—D）に係る部分に限る。）、同表の備考一の㈢の3の⑴本文の改正規定（「「最低速度」」の下に「、「原動機付自転車の右折方法（小回り）」」を加える部分に限る。）及び同表の備考一の㈢の3の⑶の改正規定は、昭和六十一年一月一日から施行する。

2　この命令の施行の際現に改正前の道路標識、区画線及び道路標示に関する命令（以下「旧令」という。）の規定により設置されている「最高速度」を表示する規制標識については、当分の間、「車両の種類」を表示する補助標識を附置したものにあつては改正後の道路標識、区画線及び道路標示に関する命令（以下「新令」という。）の規定による「特定の種類の車両の最高速度」を表示する規制標識と、その他のものにあつては新令の規定による「最高速度」を表示する規制標識とみなす。

3　この命令の施行の際現に旧令の規定により設置されている道路標示のうち、次の表の上欄に掲げる種類のものは、当分の間、それぞれ同表の下欄に掲げる新令の相当規定による種類の道路標示とみなす。

旧令の道路標示の種類	新令の道路標示の種類
「追越しのための右側部分はみ出し通行禁止」を表示するもの（102）	「追越しのための右側部分はみ出し通行禁止（102）」
「最高速度」を表示するもの（105）	「最高速度（105）」
「高速車の最高速度」を表示するもの（106）	「高速車の最高速度（106）」
「中速車の最高速度」を表示するもの（107）	「中速車の最高速度（107）」

附　則（昭和六一・一〇・二五総理府・建設省令二）

1　この命令は、公布の日から施行する。

2　この命令の施行の際現に改正前の道路標識、区画線及び道路標示に関する命令（以下「旧令」という。）の規定により設置されている道路標識のうち、次の表の上欄に掲げる種類のものは、当分の間、それぞれ同表の下欄に掲げる改正後の道路標識、区画線及び道路標示に関する命令（以下「新令」という。）の相当規定による種類の道路標識とみなす。

旧令の道路標識の種類	新令の道路標識の種類
「市町村」を表示するもの（101）	「市町村（101）」
「都府県」を表示するもの（102—A）	「都府県（102—A）」
「都府県」を表示するもの（102—B）	「都府県（102—B）」
「方面、方向及び距離」を表示するもの（105—A）	「方面、方向及び距離（105—A）」
「方面、方向及び距離」を表示するもの（105—B）	「方面、方向及び距離（105—B）」
「方面、方向及び距離」を表示するもの（105—C）	「方面、方向及び距離（105—C）」
「方面及び距離」を表示するもの（106—A）	「方面及び距離（106—A）」
「方面及び距離」を表示するもの（106—B）	「方面及び距離（106—B）」
「方面及び車線」を表示するもの（107—B）	「方面及び車線（107—A）」
「方面及び方向の予告」を表示するもの（108—A）	「方面及び方向の予告（108—A）」
「方面及び方向の予告」を表示するもの（108—B）	「方面及び方向の予告（108—B）」

「方面及び方向」を表示するもの（108の2―A）	「方面及び方向（108の2―A）」
「方面及び方向」を表示するもの（108の2―B）	「方面及び方向（108の2―B）」
「方面、方向及び経由路線」を表示するもの（108の3）	「方面及び方向（108の2―A）」
「方面及び出口の予告」を表示するもの（110―A）	「方面及び出口の予告（110―A）」
「方面及び出口の予告」を表示するもの（110―B）	「方面及び出口の予告（110―B）」
「方面、車線及び出口の予告」を表示するもの（111―A）	「方面、車線及び出口の予告（111―A）」
「方面、車線及び出口の予告」を表示するもの（111―B）	「方面、車線及び出口の予告（111―B）」
「方面及び出口」を表示するもの（112―A）	「方面及び出口（112―A）」
「方面及び出口」を表示するもの（112―B）	「方面及び出口（112―A）」

「方面及び出口」を表示するもの（112―C）	「方面及び出口（112―B）」
「出口」を表示するもの（113―A）	「出口（113―A）」
「出口」を表示するもの（113―B）	「出口（113―B）」
「著名地点」を表示するもの（114―A）	「著名地点（114―A）」
「著名地点」を表示するもの（114―B）	「著名地点（114―C）」
「主要地点」を表示するもの（114の2―A）	「主要地点（114の2―A）」
「料金徴収所」を表示するもの（115）	「料金徴収所（115）」
「サービス・エリア」を表示するもの（116―A）	「サービス・エリア（116―A）」
「サービス・エリア」を表示するもの（116―B）	「サービス・エリア（116―B）」
「待避所」を表示するもの（116の3）	「待避所（116の3）」
「街路の名称」を表示するもの（119―A）	「道路の通称名（119―A）」

「街路の名称」を表示するもの（119―B）	「道路の通称名（119―B）」
「まわり道」を表示するもの（120―B）	「まわり道（120―B）」

附　則〔昭和六一・一二・一五総理府・建設省令二〕

1　この命令は、昭和六十二年四月一日から施行する。
2　この命令の施行の際現に改正前の道路標識、区画線及び道路標示に関する命令（以下「旧令」という。）の規定により設置されている「進行方向別通行区分」を表示する規制標識は、当分の間、改正後の道路標識、区画線及び道路標示に関する命令（以下「新令」という。）の規定による「進行方向別通行区分」を表示する規制標識とみなす。
3　この命令の施行の際現に旧令の規定により設置されている道路標示のうち、次の表の上欄に掲げる種類のものは、当分の間、それぞれ同表の下欄に掲げる新令の相当規定による種類の道路標示とみなす。

旧令の道路標示の種類	新令の道路標示の種類
「進行方向別通行区分」を表示するもの（110）	「進行方向別通行区分（110）」
「右左折の方法」を表示するもの（111）	「右左折の方法（111）」
「平行駐車」を表示するもの（112）	「平行駐車（112）」
「直角駐車」を表示するもの（113）	「直角駐車（113）」
「斜め駐車」を表示するもの（114）	「斜め駐車（114）」

附　則〔平成四・六・八総理府・建設省令二〕

1　この命令は、平成四年十一月一日から施行する。
2　この命令の施行の際現に改正前の道路標識、区画線及び道路標示に関する命令（以下「旧令」という。）の規定により設置されている「車両の種類」を表示する補助標識の車両の種類の略称のうち、次の表の上欄に掲げるものは、当分の間、それぞれ同表の下欄に掲げる改正後の道路標識、区画線及び道路標示に関する命令（以下「新令」という。）の規定による車両の種類の略称が意味する「車両の種類」を表示するものとみなす。

旧令の車両の種類の略称	新令の車両の種類の略称
マイクロバス	マイクロ
普通乗用	普乗
大型貨物	大貨
大型貨物等	大貨等
普通貨物	普貨

3　この命令の施行の際現に旧令の規定により設置されている道路標示のうち、「横断歩道」を表示する指示標示は、当分の間、新令の規定による「横断歩道」を表示する指示標示とみなす。

附　則〔平成七・一〇・一九総理府・建設省令二〕

1　この命令は、平成七年十一月一日から施行する。
2　この命令の施行の際現に改正前の道路標識、区画線及び道路標示に関する命令（以下「旧令」という。）の規定により高速自動車国道以外の高速道路等（都市高速道路等を除く。）に設置されている案内標識のうち、次の表の上欄に掲げる種類のものは、当分の間、それぞれ同表の下欄に掲げる改正後の道路標識、区画線及び道路標示に関する命令（以下「新令」という。）の相当規定による種類の案内標識とみなす。

旧令の案内標識の種類	新令の案内標識の種類
「方面及び出口の予告」を表示するもの（110―B）	「方面及び出口の予告（110―A）」
「方面、車線及び出口の予告」を表示するもの（111―B）	「方面、車線及び出口の予告（111―A）」
「方面及び出口」を表示するもの（112―B）	「方面及び出口（112―A）」

3　この命令の施行の際現に旧令の規定により高速自動車国道以外の高速道路等に設置されている案内標識で「駐車場」を表示するもの（117―A）については、当分の間、新令の相当規定による「駐車場（117―B）」とみなす。

附　則〔平成二〇・六・三〇内閣府・国土交通省令二〕

1　この命令は、平成二十年八月一日から施行する。

2　この命令の施行の際現に改正前の道路標識、区画線及び道路標示に関する命令（以下「旧令」という。）の規定により設置されている道路標識のうち、次の表の上欄に掲げる種類のものは、当分の間、それぞれ同表の下欄に掲げる改正後の道路標識、区画線及び道路標示に関する命令（以下「新令」という。）の相当規定による種類の道路標識とみなす。

旧令の道路標識の種類	新令の道路標識の種類
「方面、方向及び距離」を表示するもの（105―A）	「方面、方向及び距離（105―A）」
「方面、方向及び距離」を表示するもの（105―B）	「方面、方向及び距離（105―B）」
「方面、方向及び距離」を表示するもの（105―C）	「方面、方向及び距離（105―C）」
「方面及び距離」を表示するもの（106―A）	「方面及び距離（106―A）」
「著名地点」を表示するもの（114―A）	「著名地点（114―A）」
「自転車及び歩行者専用」を表示するもの（325の3）	「自転車及び歩行者専用（325の3）」
「専用通行帯」を表示するもの（327の4）	「専用通行帯（327の4）」
「前方優先道路・一時停止」を表示するもの（330の2）	「一時停止（330）」

3　この命令の施行の際現に旧令の規定により設置されている道路標示のうち、次の表の上欄に掲げる種類のものは、当分の間、それぞれ同表の下欄に掲げる新令の相当規定による種類の道路標示とみなす。

旧令の道路標示の種類	新令の道路標示の種類
「専用通行帯」を表示するもの（109の6）	「専用通行帯（109の6）」
「平行駐車」を表示するもの（112）	「平行駐車（112）」
「直角駐車」を表示するもの（113）	「直角駐車（113）」
「斜め駐車」を表示するもの（114）	「斜め駐車（114）」
「普通自転車の歩道通行部分」を表示するもの（114の2）	「普通自転車の歩道通行部分（114の3）」
「斜め横断可」を表示するもの（201の2）	「斜め横断可（201の2）」

附　則（平成二六・三・二五内閣府・国土交通省令二）

1　この命令は、平成二十六年四月一日から施行する。

2　この命令の施行の際現に改正前の道路標識、区画線及び道路標示に関する命令の規定により設置されている案内標識は、当分の間、改正後の道路標識、区画線及び道路標示に関する命令の相当規定による種類の案内標識とみなす。

附　則（令和三・六・二内閣府・国土交通省令二）

この命令は、令和三年七月一日から施行する。

附　則（令和三・九・二四内閣府・国土交通省令四）

この命令は、踏切道改良促進法等の一部を改正する法律（令和三年法律第九号）附則第一条第二号に掲げる規定の施行の日（令和三年九月二十五日）から施行する。

附　則（令和四・一二・二三内閣府・国土交通省令七）

1　この命令は、道路交通法の一部を改正する法律（令和四年法律第三十二号）の施行の日（令和五年四月一日）から施行する。

2　この命令の施行の際現に改正前の道路標識、区画線及び道路標示に関する命令（以下「旧令」という。）の規定により設置されている道路標識のうち、次の表の上欄に掲げる種類のものは、当分の間、それぞれ同表の下欄に掲げる改正後の道路標識、区画線及び道路標示に関する命令（以下「新令」という。）の相当規定による種類の道路標識とみなす。

旧令の道路標識の種類	新令の道路標識の種類
「通行止め」を表示するもの（301）	「通行止め（301）」
「自転車専用」を表示するもの（325の2）	「自転車専用（325の2）」
「歩行者通行止め」を表示するもの（331）	「歩行者等通行止め（331）」
「歩行者横断禁止」を表示するもの（332）	「歩行者等横断禁止（332）」

3　この命令の施行の際現に旧令の規定により設置されている道路標示のうち、「斜め横断可」を表示する指示標示（201の2）は、当分の間、新令の規定による「斜め横断可（201の2）」を表示する指示標示とみなす。

附　則〔令和五・三・一七内閣府・国土交通省令一抄〕

（施行期日）

1　この命令は、道路交通法の一部を改正する法律（令和四年法律第三十二号）附則第一条第三号に掲げる規定の施行の日（令和五年七月一日）から施行する。

（道路標識に関する経過措置）

2　この命令の施行の際現に改正前の道路標識、区画線及び道路標示に関する命令（以下「旧令」という。）の規定により設置されている道路標識のうち、次の表の上欄に掲げる種類のものは、当分の間、それぞれ同表の下欄に掲げる改正後の道路標識、区画線及び道路標示に関する命令（以下「新令」という。）の相当規定による種類の道路標識とみなす。

旧令の道路標識の種類	新令の道路標識の種類
「二輪の自動車・原動機付自転車通行止め」を表示するもの（307）	「二輪の自動車・一般原動機付自転車通行止め（307）」
「自転車通行止め」を表示するもの（309）	「特定小型原動機付自転車・自転車通行止め（309）」
「自転車専用」を表示するもの（325の2）	「特定小型原動機付自転車・自転車専用（325の2）」
「自転車及び歩行者等専用」を表示するもの（325の3）	「普通自転車等及び歩行者等専用（325の3）」
「自転車一方通行」を表示するもの（326の2―A・B）	「特定小型原動機付自転車・自転車一方通行（326の2―A・B）」
「専用通行帯」を表示するもの（327の4）	「専用通行帯（327の4）」
「普通自転車専用通行帯」を表示するもの（327の4の2）	「普通自転車専用通行帯（327の4の2）」
「進行方向別通行区分」を表示するもの（327の7―A～D）	「進行方向別通行区分（327の7―A～D）」
「原動機付自転車の右折方法（二段階）」を表示するもの（327の8）	「一般原動機付自転車の右折方法（二段階）（327の8）」
「原動機付自転車の右折方法（小回り）」を表示するもの（327の9）	「一般原動機付自転車の右折方法（小回り）（327の9）」

（道路標示に関する経過措置）

3　この命令の施行の際現に旧令の規定により設置されている道路標示のうち、次の表の上欄に掲げる種類のものは、当分の間、それぞれ同表の下欄に掲げる新令の相当規定による種類の道路標示とみなす。

旧令の道路標示の種類	新令の道路標示の種類
「歩行者用路側帯」を表示するもの（108の3）	「歩行者用路側帯（108の3）」
「専用通行帯」を表示するもの（109の6）	「専用通行帯（109の6）」
「進行方向別通行区分」を表示するもの（110）	「進行方向別通行区分（110）」
「右左折の方法」を表示するもの（111）	「右左折の方法（111）」
「普通自転車歩道通行可」を表示するもの（114の2）	「特例特定小型原動機付自転車・普通自転車歩道通行可（114の2）」
「普通自転車の歩道通行部分」を表示するもの（114の3）	「特例特定小型原動機付自転車・普通自転車の歩道通行部分（114の3）」

附　則〔令和六・六・二六内閣府・国土交通省令三〕

この命令は、令和七年四月一日から施行する。

別表第一（第二条関係）

案内標識

種類	番号	設置場所
市町村	（101）	市町村境界の道路（高速自動車国道法（昭和三十二年法律第七十九号）第四条第一項に規定する高速自動車国道及び道路法第四十八条の四に規定する自動車専用道路で当該自動車専用道路と同法第四十八条の三に規定する道路等との交差の方式が立体交差であるもの（以下「高速道路等」という。）を除く。）の左側の路端（歩道、自転車道又は自転車歩行者道を有する道路にあつては、歩道、自転車道又は自転車歩行者道の車道側。以下同じ。）、車道の上方又は中央分離帯
都府県	（102—A）	都府県境界の道路（高速道路等を除く。）の左側の路端、車道の上方又は中央分離帯
	（102—B）	都府県境界の高速道路等の左側の路端又は中央分離帯
入口の方向	（103—A・B）	高速道路等の入口の方向を示す必要がある地点における左側の路端又は交差点における進行方向の正面の路端
入口の予告	（104）	高速道路等の入口を予告する必要がある地点における左側の路端
方面、方向及び距離	（105—A～C）	高速道路等以外の道路の交差点の手前三十メートル以内の地点における左側の路端、車道の上方、中央分離帯若しくは交通島又は交差点における進行方向の正面の路端
方面及び距離	（106—A）	高速道路等以外の道路において設置を必要とする地点における左側の路端、車道の上方、中央分離帯又は交通島
	（106—B）	高速道路等において設置を必要とする地点における左側の路端、車道の上方又は中央分離帯
	（106—C）	高速道路等の入口付近において設置を必要とする地点における左側の路端、車道の上方又は中央分離帯
方面及び車線	（107—A・B）	高速道路等の入口、出口又は分岐点の付近において標示板に表示される方面への車線を特に示す必要がある地点における当該車線の上方

方面及び方向の予告	（108—A・B）	高速道路等以外の道路の交差点の手前三百メートル以内の地点における左側の路端、車道の上方又は中央分離帯
方面及び方向	（108の２—A・B）	高速道路等以外の道路の交差点の手前百五十メートル以内の地点における左側の路端、車道の上方、中央分離帯若しくは交通島又は交差点における進行方向の正面の路端
	（108の２—C～E）	高速道路等の入口、出口又は分岐点の手前三百メートル以内の地点における路端、車道の上方又は中央分離帯
方面、方向及び道路の通称名の予告	（108の３）	高速道路等以外の道路の交差点の手前三百メートル以内の地点における左側の路端、車道の上方又は中央分離帯
方面、方向及び道路の通称名	（108の４）	高速道路等以外の道路の交差点の手前百五十メートル以内の地点における左側の路端、車道の上方、中央分離帯若しくは交通島又は交差点における進行方向の正面の路端
出口の予告	（109）	高速道路等の出口の手前一・五キロメートルから二・五キロメートルまでの地点における左側の路端、車道の上方又は中央分離帯
方面及び出口の予告	（110—A）	高速道路等（独立行政法人日本高速道路保有・債務返済機構法（平成十六年法律第百号）第十二条第一項第四号に規定する首都高速道路又は阪神高速道路、道路整備特別措置法（昭和三十一年法律第七号）第十二条第一項に規定する指定都市高速道路その他これらに準ずる都市内の自動車専用道路（以下「都市高速道路等」という。）を除く。）の出口の手前五百メートルから一・五キロメートルまでの地点における左側の路端、車道の上方又は中央分離帯
	（110—B）	都市高速道路等の出口の手前百メートルから六百メートルまでの地点における左端の路端、車道の上方又は中央分離帯
方面、車線及び出口の予告	（111—A）	高速道路等（都市高速道路等を除く。）の出口又は分岐点の手前二百メートルから一キロメートルまでの地点で標示板に表示される方面への車線を特に示す必要がある地点における当該車線の上方
	（111—B）	都市高速道路等の出口又は分岐点の手前百メートルから五百メートルまでの地点で標示板に表示される方面への車線を特に示す必要がある地点における当該車線の上方

方面及び出口	（112—A）	高速道路等（都市高速道路等を除く。）の出口の手前三百メートル以内の地点における左側の路端又は中央分離帯
	（112—B）	都市高速道路等の出口の手前三百メートル以内の地点における車道の上方
出口	（113—A・B）	高速道路等の出口附近の地点における左側の路端
著名地点	（114—A）	高速道路等以外の道路において設置を必要とする地点における左側の路端、車道の上方又は中央分離帯
	（114—B）	高速道路等以外の道路において設置を必要とする地点における路端
	（114—C）	高速道路等において設置を必要とする地点における左側の路端、車道の上方又は中央分離帯
主要地点	（114の２—A・B）	高速道路等以外の道路において設置を必要とする地点における左側の路端、車道の上方、中央分離帯又は交差点における進行方向の正面の路端
料金徴収所	（115）	料金徴収所を示す必要がある地点の左側の路端又は中央分離帯
サービス・エリア、道の駅及び距離	（116）	高速道路等において設置を必要とする地点における左側の路端、車道の上方又は中央分離帯
サービス・エリア、道の駅の予告	（116の２—A）	高速道路等（都市高速道路等を除く。）に接して設置されている高速道路等の通行者又は利用者の利便に供するための休憩所、給油所、駐車場その他の施設（以下「利便施設」という。）への出入道路の入口の手前二キロメートル以内の地点における左側の路端、車道の上方又は中央分離帯
	（116の２—B）	都市高速道路等に接して設置されている利便施設への出入道路の入口の手前八百メートル以内の地点における左側の路端、車道の上方又は中央分離帯
	（116の２—C）	高速道路等の出口の手前一・五キロメートル以内において、高速道路等以外の道路に接して設置されている利便施設を予告する必要がある地点における左側の路端、車道の上方又は中央分離帯

標示	番号	設置場所
サービス・エリア	（116の3—A）	高速道路等（都市高速道路等を除く。）に接して設置されている利便施設への出入道路の入口における左側の路端、車道の上方、中央分離帯又は交通島
	（116の3—B）	都市高速道路等に接して設置されている利便施設への出入道路の入口における左側の路端、車道の上方、中央分離帯又は交通島
非常電話	（116の4）	非常電話が設置されている場所を示す必要がある地点における左側の路端
待避所	（116の5）	待避所を示す必要がある地点の路端
非常駐車帯	（116の6）	非常駐車帯を示す必要のある地点における左側の路端又は中央分離帯
駐車場	（117—A）	高速道路等以外の道路に設置されている駐車場を示す必要がある場所
	（117—B）	高速道路等に設置されている駐車場を示す必要がある地点における左側の路端又は中央分離帯
サービス・エリア又は駐車場から本線への入口	（117の2）	高速道路等に接して設置されている利便施設への出入道路又は高速道路等に設置されている駐車場において設置を必要とする地点における路端
登坂車線	（117の3—A）	高速道路等以外の道路において登坂車線を示す必要のある地点における左側の路端、車道の上方又は中央分離帯
	（117の3—B）	高速道路等において登坂車線を示す必要のある地点における左側の路端、車道の上方又は中央分離帯
国道番号	（118—A）	設置を必要とする地点における左側の路端、車道の上方、中央分離帯又は交通島
	（118—B・C）	設置を必要とする地点における左側の路端又は交差点における進行方向の正面の路端
都道府県道番号	（118の2—A）	設置を必要とする地点における左側の路端、車道の上方、中央分離帯又は交通島
	（118の2—B・C）	設置を必要とする地点における左側の路端又は交差点における進行方向の正面の路端
高速道路番号	（118の3）	設置を必要とする地点における左側の路端、車道の上方又は中央分離帯
総重量限度緩和指定道路	（118の4—A）	車両制限令（昭和三十六年政令第二百六十五号）第三条第一項第二号イに規定する道路管理者が指定した道路において設置を必要とする地点における左側の路端、車道の上方、中央分離帯又は交通島
	（118の4—B）	車両制限令第三条第一項第二号イに規定する道路管理者が指定した道路において設置を必要とする地点における左側の路端、車道の上方又は交差点における進行方向の正面の路端
高さ限度緩和指定道路	（118の5—A）	高速道路等以外の道路のうち車両制限令第三条第一項第三号に規定する道路管理者が指定した道路において設置を必要とする地点における左側の路端、車道の上方、中央分離帯又は交通島
	（118の5—B）	高速道路等以外の道路のうち車両制限令第三条第一項第三号に規定する道路管理者が指定した道路において設置を必要とする地点における左側の路端、車道の上方又は交差点における進行方向の正面の路端
	（118の5—C・D）	高速道路等のうち車両制限令第三条第一項第三号に規定する道路管理者が指定した道路において設置を必要とする地点における左側の路端、車道の上方、中央分離帯又は交通島
道路の通称名	（119—A・B）	高速道路等以外の道路において設置を必要とする地点における左側の路端又は交差点における進行方向の正面の路端
	（119—C）	高速道路等以外の道路において設置を必要とする地点における左側の路端又は中央分離帯
	（119—D）	都市高速道路等において設置を必要とする地点における路端、車道の上方、中央分離帯又は交通島
まわり道	（120—A・B）	まわり道を示す必要がある交差点の手前の左側の路端
エレベーター	（121—A〜C）	エレベーターが設置されている場所を示す必要がある地点

種類	番号	設置場所
エスカレーター	（122―A～C）	エスカレーターが設置されている場所を示す必要がある地点
傾斜路	（123―A～C）	傾斜路が設置されている場所を示す必要がある地点
乗合自動車停留所	（124―A～C）	乗合自動車停留所が設置されている場所を示す必要がある地点
路面電車停留場	（125―A～C）	路面電車停留場が設置されている場所を示す必要がある地点
便所	（126―A～C）	便所が設置されている場所を示す必要がある地点

警戒標識

種類	番号	設置場所
十形道路交差点あり	（201―A）	交差点の手前三十メートルから百二十メートルまでの地点における左側の路端
├形（又は┤形）道路交差点あり	（201―B）	右に同じ。
┬形道路交差点あり	（201―C）	右に同じ。
Y形道路交差点あり	（201―D）	右に同じ。
ロータリーあり	（201の2）	ロータリーの手前三十メートルから百二十メートルまでの地点における左側の路端
右（又は左）方屈曲あり	（202）	屈曲始点の手前三十メートルから二百メートルまでの地点における左側の路端
右（又は左）方屈折あり	（203）	屈折始点の手前三十メートルから二百メートルまでの地点における左側の路端
右（又は左）背向屈曲あり	（204）	最初の屈曲始点の手前三十メートルから二百メートルまでの地点における左側の路端
右（又は左）背向屈折あり	（205）	最初の屈折始点の手前三十メートルから二百メートルまでの地点における左側の路端
右（又は左）つづら折りあり	（206）	最初の屈曲又は屈折始点の手前三十メートルから二百メートルまでの地点における左側の路端
踏切あり	（207―A・B）	鉄道又は軌道（併用軌道を除く。）との交差地点の手前五十メートルから百二十メートルまでの地点における左側の路端
学校、幼稚園、保育所等あり	（208）	学校、幼稚園、保育所等があるため道路交通上注意の必要があると認められる地点の手前五十メートルから二百メートルまでの地点における左側の路端又は児童若しくは幼児が小学校、幼稚園、保育所等に通うため通行する道路の区間で小学校、幼稚園、保育所等の敷地の出入口から一キロメートル以内の地点における左側の路端
信号機あり	（208の2）	信号機があるため道路交通上注意の必要があると認められる地点の手前五十メートルから二百メートルまでの地点における左側の路端
すべりやすい	（209）	路面がすべりやすいため車両の運転上注意の必要があると認められる箇所の手前三十メートルから二百メートルまでの地点における左側の路端
落石のおそれあり	（209の2）	落石のおそれがあるため道路交通上注意の必要があると認められる地点の手前三十メートルから二百メートルまでの地点における左側の路端
路面凹凸あり	（209の3）	路面に凹凸があるため車両の運転上注意の必要があると認められる箇所の手前三十メートルから二百メートルまでの地点における左側の路端
合流交通あり	（210）	合流地点の手前五十メートルから二百メートルまでの地点における左側の路端
車線数減少	（211）	車線数の減少始点の手前五十メートルから二百メートルまでの地点における左側の路端
幅員減少	（212）	幅員の減少始点の手前五十メートルから二百メートルまでの地点における左側の路端
二方向交通	（212の2）	二方向交通となる地点の手前五十メートルから二百メートルまでの地点における左側の路端

上り急勾配あり	（212の3）	勾配の急な上り坂の始点の手前三十メートルから二百メートルまでの地点における左側の路端
下り急勾配あり	（212の4）	勾配の急な下り坂の始点の手前三十メートルから二百メートルまでの地点における左側の路端
道路工事中	（213）	道路における工事中又は作業中である区間の両面及びその手前五十メートルから一キロメートルまでの地点における左側の路端
横風注意	（214）	強い横風のおそれがあるため道路交通上注意の必要があると認められる地点の手前五十メートルから二百メートルまでの地点における左側の路端
動物が飛び出すおそれあり	（214の2）	動物が飛び出すおそれがあるため道路交通上注意の必要があると認められる地点の手前三十メートルから二百メートルまでの地点における左側の路端
その他の危険	（215）	車両又は路面電車の運転上注意の必要があると認められる箇所の手前三十メートルから二百メートルまでの地点における左側の路端

規制標識

種類	番号	表示する意味	設置場所
通行止め	（301）	道路法第四十六条第一項の規定に基づき、又は交通法第八条第一項の道路標識により、歩行者及び遠隔操作型小型車（遠隔操作により道路を通行しているものに限る。以下同じ。）（以下「歩行者等」という。）、車両並びに路面電車の通行を禁止すること。	歩行者等、車両及び路面電車の通行を禁止する区域、道路の区間若しくは場所の前面又は区域、道路の区間若しくは場所内の必要な地点における道路の中央又は左側の路端
車両通行止め	（302）	道路法第四十六条第一項の規定に基づき、又は交通法第八条第一項の道路標識により、車両の通行を禁止すること。	車両の通行を禁止する区域、道路の区間若しくは場所の前面又は区域、道路の区間若しくは場所内の必要な地点における道路の中央又は左側の路端
車両進入禁止	（303）	道路法第四十六条第一項の規定に基づき、又は交通法第八条第一項の道路標識により、道路における車両の通行につき一定の方向にする通行が禁止される道路において、車両がその禁止される方向に向かつて進入することを禁止すること。	車両の進入を禁止する地点における左側の路端
二輪の自動車以外の自動車通行止め	（304）	道路法第四十六条第一項の規定に基づき、又は交通法第八条第一項の道路標識により、二輪の自動車（道路交通法施行規則（昭和三十五年総理府令第六十号）第二条の表備考の規定により二輪の自動車とみなされ、かつ、同表の大型自動二輪車又は普通自動二輪車に区分される三輪の自動車を含む。以下同じ。）以外の自動車の通行を禁止すること。	二輪の自動車以外の自動車の通行を禁止する区域、道路の区間若しくは場所の前面又は区域、道路の区間若しくは場所内の必要な地点における道路の中央又は左側の路端
大型貨物自動車等通行止め	（305）	交通法第八条第一項の道路標識により、専ら人を運搬する構造の大型自動車（以下「大型乗用自動車」という。）以外の大型自動車、車両総重量が八千キログラム以上、最大積載量が五千キログラム以上又は乗車定員が十一人以上の中型自動車（以下「特定中型自動車」という。）で専ら人を運搬する構造のもの（以下「特定中型乗用自動車」という。）以外のもの及び大型特殊自動車（以下この項において「大型貨物自動車等」という。）の通行を禁止すること。	大型貨物自動車等の通行を禁止する区域、道路の区間若しくは場所の前面又は区域、道路の区間若しくは場所内の必要な地点における道路の中央又は左側の路端
特定の最大積載量以上の貨物自動車等通行止め	（305の2）	交通法第八条第一項の道路標識により、特定の最大積載量以上の専ら人を運搬する構造の普通自動車（以下「普通乗用自動車」という。）以外の普通自動車、専ら人を運搬する構造の準中型自動車（以下「準中型乗用自動車」という。）以外の準中型自動車及び専ら人を運搬する構造の中型自動車（以下「中型乗用自動車」という。）以外の中型自動車（特定中型自動車を除く。）、特定中型乗用自動車以外の特定中型自動車、大型乗用自動車以外の大型自動車並びに大型特殊自動車	特定の最大積載量以上の貨物自動車等の通行を禁止する区域、道路の区間若しくは場所の前面又は区域、道路の区間若しくは場所内の必要な地点における道路の中央又は左側の路端

		（以下この項において「特定の最大積載量以上の貨物自動車等」という。）の通行を禁止すること。	
大型乗用自動車等通行止め	(306)	交通法第八条第一項の道路標識により、大型乗用自動車及び特定中型乗用自動車の通行を禁止すること。	大型乗用自動車及び特定中型乗用自動車の通行を禁止する区域、道路の区間若しくは場所の前面又は区域、道路の区間若しくは場所内の必要な地点における道路の中央又は左側の路端
二輪の自動車・一般原動機付自転車通行止め	(307)	交通法第八条第一項の道路標識により、二輪の自動車及び一般原動機付自転車（交通法第十八条第一項に規定する一般原動機付自転車をいう。以下同じ。）の通行を禁止すること。	二輪の自動車及び一般原動機付自転車の通行を禁止する区域、道路の区間若しくは場所の前面又は区域、道路の区間若しくは場所内の必要な地点における左側の路端
自転車以外の軽車両通行止め	(308)	交通法第八条第一項の道路標識により、自転車以外の軽車両の通行を禁止すること。	自転車以外の軽車両の通行を禁止する道路の区間若しくは場所の前面又は道路の区間若しくは場所内の必要な地点における左側の路端
特定小型原動機付自転車・自転車通行止め	(309)	交通法第八条第一項の道路標識により、特定小型原動機付自転車（交通法第十七条第三項に規定する特定小型原動機付自転車をいう。以下同じ。）及び自転車の通行を禁止すること。	特定小型原動機付自転車及び自転車の通行を禁止する道路の区間若しくは場所の前面又は道路の区間若しくは場所内の必要な地点における左側の路端
車両（組合せ）通行止め	(310)	道路法第四十六条第一項の規定に基づき、又は交通法第八条第一項の道路標識により、標示板の記号によつて表示される車両の通行を禁止すること。	標示板の記号によつて表示される車両の通行を禁止する区域、道路の区間若しくは場所の前面又は区域、道路の区間若しくは場所内の必要な地点における道路の中央又は左側の路端
大型自動二輪車及び普通自動二輪車二人乗り通行禁止	(310の２)	交通法第八条第一項の道路標識により、大型自動二輪車（道路交通法施行規則第二条の表備考の規定により二輪の自動車とみなされ、かつ、同表の大型自動二輪車に区分される三輪の自動車を含み、側車付きのものを除く。以下この項において同じ。）及び普通自動二輪車（道路交通法施行規則第二条の表備考の規定により二輪の自動車とみなされ、かつ、同表の普通自動二輪車に区分される三輪の自動車を含み、側車付きのものを除く。以下この項において同じ。）の通行につき、運転者以外の者を乗車させて行うことを禁止すること。	大型自動二輪車及び普通自動二輪車の通行につき、運転者以外の者を乗車させて行うことを禁止する区域、道路の区間若しくは場所の前面又は区域、道路の区間若しくは場所内の必要な地点における左側の路端
タイヤチェーンを取り付けていない車両通行止め	(310の３)	道路法第四十六条第一項の規定に基づき、又は交通法第八条第一項の道路標識により、タイヤチェーンを取り付けていない車両の通行を禁止すること。	タイヤチェーンを取り付けていない車両の通行を禁止する区域、道路の区間若しくは場所の前面又は区域、道路の区間若しくは場所内の必要な地点における道路の中央又は左側の路端
指定方向外進行禁止	(311―Ａ～Ｆ)	道路法第四十六条第一項の規定に基づき、又は交通法第八条第一項の道路標識により、標示板の矢印の示す方向以外の方向への車両の進行を禁止すること。	車両の進行を禁止する交差点の手前における左側の路端若しくは中央分離帯若しくは当該交差点に係る信号機（車両に対面するものに限る。）の設置場所又は車両の進行を禁止する場所の前面
車両横断禁止	(312)	交通法第二十五条の二第二項の道路標識により、車両の横断（道路外の施設又は場所に出入するための左折を伴う横断を除く。以下この項において同じ。）を禁止すること。	車両の横断を禁止する道路の区間又は場所の前面及び道路の区間又は場所内の必要な地点における左側の路端又は中央分離帯
転回禁止	(313)	交通法第二十五条の二第二項の道路標識により、車両の転回を禁止すること。	車両の転回を禁止する道路の区間又は場所の前面及び道路の区間又は場所内の必要な地点における左側の路端又は中央分離帯
追越しのための右側部分はみ出し通行禁止	(314)	交通法第十七条第五項第四号の道路標識により、車両が追越しのため右側部分にはみ出して通行することを禁止すること。	車両が追越しのため右側部分にはみ出して通行することを禁止する道路の区間の前面及び道路の区間内の必要な地点における左側の路端

種類	番号	意味	設置場所
追越し禁止	(314の2)	交通法第三十条の道路標識により、車両の追越しを禁止すること。	車両の追越しを禁止する道路の区間の前面及び道路の区間内の必要な地点における左側の路端
駐停車禁止	(315)	交通法第四十四条第一項の道路標識により、車両の駐車及び停車を禁止すること。	車両の駐車及び停車を禁止する区域又は道路の区間の前面及び区域又は道路の区間内の必要な地点における左側の路端
駐車禁止	(316)	交通法第四十五条第一項の道路標識により、車両の駐車を禁止すること。	車両の駐車を禁止する区域又は道路の区間の前面及び区域又は道路の区間内の必要な地点における左側の路端
駐車余地	(317)	交通法第四十五条第二項の道路標識により、車両が駐車する場合に当該車両の右側の道路上にとらなければならない距離（以下この項において「駐車余地」という。）を指定すること。	駐車余地を指定する区域又は道路の区間の前面及び区域又は道路の区間内の必要な地点における左側の路端
時間制限駐車区間	(318)	交通法第四十九条第一項の道路標識により、時間を限つて同一の車両が引き続き駐車することができる道路の区間であることを指定し、かつ、交通法第四十九条の三第二項の道路標識により、車両が引き続き駐車することができる時間を表示すること。	時間を限つて同一の車両が引き続き駐車することができる道路の区間であることを指定する道路の区間の前面及び道路の区間内の必要な地点における路端
危険物積載車両通行止め	(319)	道路法第四十六条第三項の規定に基づき、道路法施行令（昭和二十七年政令第四百七十九号）第十九条の十三第一項各号に掲げる危険物で道路法施行規則（昭和二十七年建設省令第二十五号）第四条の十の規定により公示されたものを積載する車両の通行を禁止すること。	危険物を積載する車両の通行を禁止する道路の区間の前面における左側の路端
重量制限	(320)	道路法第四十六条第一項若しくは第四十七条第三項若しくは車両制限令第七条第一項若しくは第二項の規定に基づき、又は交通法第八条第一項の道路標識により、標示板に表示される重量を超える総重量の車両の通行を禁止すること。	標示板に表示される重量を超える総重量の車両の通行を禁止する道路の区間又は場所の前面における左側の路端
高さ制限	(321)	道路法第四十六条第一項若しくは第四十七条第三項の規定に基づき、又は交通法第八条第一項の道路標識により、標示板に表示される高さをこえる高さ（積載した貨物の高さを含む。）の車両の通行を禁止すること。	標示板に表示される高さをこえる高さ（積載した貨物の高さを含む。）の車両の通行を禁止する道路の区間の前面における左側の路端
最大幅	(322)	車両制限令第五条又は第六条の規定により定まる車両の幅（積載した貨物の幅を含む。以下この項において「最大幅」という。）をこえる幅の車両の通行が禁止されていることを示すこと。	最大幅をこえる幅の車両の通行が禁止されていることを特に明示する必要があると認められる道路の区間の前面及び道路の区間内の必要な地点における左側の路端
最高速度	(323)	交通法第二十二条の道路標識により、車両（原動機付自転車、自動車（緊急自動車を除く。以下この項において同じ。）が他の車両を牽引している場合（牽引するための構造及び装置を有する自動車（道路交通法施行令（昭和三十五年政令第二百七十号。以下「交通法施行令」という。）第十二条第一項に規定する普通自動二輪車を除く。）によつて牽引されるための構造及び装置を有する車両を牽引する場合を除く。）における当該自動車（以下「他の車両を牽引している自動車」という。）及び緊急自動車を除く。）及び路面電車の最高速度を指定し、原動機付自転車及び他の車両を牽引している自動車の最高速度につき交通法施行令に規定する最高速度以下の速度とする場合における当該最高速度を指定し、並びに緊急自動車	車両（原動機付自転車、他の車両を牽引している自動車及び緊急自動車を除く。）及び路面電車の最高速度を指定し、原動機付自転車及び他の車両を牽引している自動車の最高速度につき交通法施行令に規定する最高速度以下の速度とする場合における当該最高速度を指定し、並びに緊急自動車の最高速度につき交通法施行令に規定する最高速度以上の速度とする場合における当該最高速度を指定する区域又は道路の区間の前面及び区域又は道路の区間内の必要な地点における左側の路端

		の最高速度につき交通法施行令に規定する最高速度以上の速度とする場合における当該最高速度を指定すること。	
特定の種類の車両の最高速度	（323の２）	交通法第二十二条の道路標識により、車両の種類を特定して最高速度を指定すること。	車両の種類を特定して最高速度を指定する区域又は道路の区間の前面及び区域又は道路の区間内の必要な地点における左側の路端
最低速度	（324）	交通法第二十三条又は第七十五条の四の道路標識により、自動車の最低速度を指定すること。	自動車の最低速度を指定する道路の区間の前面及び道路の区間内の必要な地点における左側の路端
自動車専用	（325）	高速自動車国道又は自動車専用道路であること。	高速自動車国道又は自動車専用道路の入口その他必要な場所における路端
特定小型原動機付自転車・自転車専用	（325の２）	自転車道であること。	自転車道の前面又は自転車道内の必要な地点
		道路法第四十八条の十四第二項に規定する自転車専用道路であること。	自転車専用道路の入口その他必要な場所の路端
		交通法第八条第一項の道路標識により、特定小型原動機付自転車及び自転車（これらの車両で交通法第十七条第三項の規定により自転車道を通行してはならないものを除く。以下この項及び次項において同じ。）以外の車両及び歩行者等の通行を禁止すること。	特定小型原動機付自転車及び自転車以外の車両及び歩行者等の通行を禁止する道路の区間若しくは場所の前面又は道路の区間若しくは場所内の必要な地点
普通自転車等及び歩行者等専用	（325の３）	道路法第四十八条の十四第二項に規定する自転車歩行者専用道路であること。	自転車歩行者専用道路の入口その他必要な場所の路端
		交通法第八条第一項の道路標識により、特定小型原動機付自転車及び自転車以外の車両の通行を禁止すること。	特定小型原動機付自転車及び自転車以外の車両の通行を禁止する道路の区間若しくは場所の前面又は道路の区間若しくは場所内の必要な地点
		交通法第十七条の二第一項及び第六十三条の四第一項第一号の道路	特例特定小型原動機付自転車及び普通自転車が歩道を通行すること

		標識により、特例特定小型原動機付自転車（交通法第十七条の二第一項に規定する特例特定小型原動機付自転車をいう。以下同じ。）及び普通自転車（交通法第六十三条の三に規定する普通自転車をいう。以下同じ。）が歩道を通行することができることとすること。	ができることとする道路の区間の前面又は道路の区間内の必要な地点
歩行者等専用	（325の４）	道路法第四十八条の十四第二項に規定する歩行者専用道路であること。	歩行者専用道路の入口その他必要な場所の路端
		交通法第八条第一項及び第九条の道路標識により、歩行者の通行の安全と円滑を図るため車両の通行を禁止すること。	歩行者の通行の安全と円滑を図るため車両の通行を禁止する区域、道路の区間又は場所の前面及び区域、道路の区間又は場所内の必要な地点
許可車両専用	（325の５―Ａ）	特定車両停留施設（道路法第二条第二項第八号に規定する特定車両停留施設をいう。以下同じ。）であつて、同法第四十八条の三十二第一項又は第三項の規定による許可に係る車両（道路法施行規則第一条第一号又は第二号に掲げる車両に限る。）を停留させることができるものであること。	特定車両停留施設の入口及び特定車両停留施設内の必要な地点
	（325の５―Ｂ）	特定車両停留施設であつて、同法第四十八条の三十二第一項又は第三項の規定による許可に係る車両（道路法施行規則第一条第三号に掲げる車両に限る。）を停留させることができるものであること。	特定車両停留施設の入口及び特定車両停留施設内の必要な地点
	（325の５―Ｃ）	特定車両停留施設であつて、同法第四十八条の三十二第一項又は第三項の規定による許可に係る車両（道路法施行規則第一条第四号に掲げる車両に限る。）を停留させることができるものであること。	特定車両停留施設の入口及び特定車両停留施設内の必要な地点

許可車両（組合せ）専用	（325の６）	特定車両停留施設であつて、同法第四十八条の三十二第一項又は第三項の規定による許可に係る車両（標示板の記号によつて表示される車両に限る。）を停留させることができるものであること。	特定車両停留施設の入口及び特定車両停留施設内の必要な地点
広域災害応急対策車両専用	（325の７）	緊急通行車両（災害対策基本法（昭和三十六年法律第二百二十三号）第七十六条第一項に規定する緊急通行車両をいう。）その他の車両であつて、広域災害応急対策（道路法第四十八条の二十九の二第一項に規定する広域災害応急対策をいう。以下この項において同じ。）の実施に関し道路管理者が必要と認めるもの（以下この項において「広域災害応急対策車両」という。）以外のもの及び広域災害応急対策車両に係る広域災害応急対策の実施に従事する者その他の者であつて、広域災害応急対策の実施に関し道路管理者が必要と認める者以外の者の利用を禁止すること。	防災拠点自動車駐車場（道路法第四十八条の二十九の二第一項に規定する防災拠点自動車駐車場をいう。以下この項において同じ。）の入口及び防災拠点自動車駐車場内の必要な地点
一方通行	（326—Ａ・Ｂ）	道路法第四十六条第一項の規定に基づき、又は交通法第八条第一項の道路標識により、標示板の矢印が示す方向の反対方向にする車両の通行を禁止すること。	一定の方向にする車両の通行を禁止する道路の区間の入口及び道路の区間内の必要な地点における路端
特定小型原動機付自転車・自転車一方通行	（326の２—Ａ・Ｂ）	道路法第四十六条第一項の規定に基づき、標示板の矢印が示す方向の反対方向にする特定小型原動機付自転車及び自転車の通行を禁止すること。	一定の方向にする特定小型原動機付自転車及び自転車の通行を禁止する歩道、自転車道又は自転車歩行者道の区間の入口及び歩道、自転車道又は自転車歩行者道の区間内の必要な地点における路端
		交通法第八条第一項の道路標識により、標示板の矢印が示す方向の反対方向にする特定小型原動機付自転車及び自転車の通行を禁止すること。	一定の方向にする特定小型原動機付自転車及び自転車の通行を禁止する歩道又は自転車道の区間の入口及び歩道又は自転車道の区間内の必要な地点における路端

車両通行区分	（327）	交通法第二十条第二項の道路標識により、車両通行帯の設けられた道路において、同条第一項に規定する通行の区分と異なる通行の区分を指定すること。	車両の通行の区分を指定する道路の区間の前面及び道路の区間内の必要な地点
特定の種類の車両の通行区分	（327の２）	交通法第二十条第二項の道路標識により、車両通行帯の設けられた道路において、車両の種類を特定して同条第一項に規定する通行の区分と異なる通行の区分を指定すること。	車両の種類を特定して通行の区分を指定する道路の区間の前面及び道路の区間内の必要な地点
牽（けん）引自動車の高速自動車国道通行区分	（327の３）	交通法第七十五条の八の二第三項の道路標識により、車両通行帯の設けられた高速自動車国道の本線車道において、同条第一項の牽引自動車で重被牽引車を牽引しているもの（以下「重被牽引車を牽引している牽引自動車」という。）の通行の区分を指定すること。	重被牽引車を牽引している牽引自動車の通行の区分を指定する高速自動車国道の区間の前面及び高速自動車国道の区間内の必要な地点
専用通行帯	（327の４）	交通法第二十条第二項の道路標識により、車両通行帯の設けられた道路において、特定の車両が通行しなければならない車両通行帯（以下この項において「専用通行帯」という。）を指定し、かつ、他の車両（当該特定の車両が普通自転車である場合にあつては特定小型原動機付自転車及び軽車両を除き、当該特定の車両が普通自転車以外の車両である場合にあつては小型特殊自動車、原動機付自転車及び軽車両を除く。）が通行しなければならない車両通行帯として専用通行帯以外の車両通行帯を指定すること。	専用通行帯の前面及び専用通行帯内の必要な地点
		交通法第二十条第二項の道路標識により、車両通行帯の設けられた道路において、普通自転車が通行しなければならない車両通行帯	普通自転車専用通行帯の前面及び普通自転車専用通行帯内の必要な地点における左側の路端

普通自転車専用通行帯	（327の4の2）	（以下この項において「普通自転車専用通行帯」という。）を指定し、かつ、特定小型原動機付自転車及び軽車両以外の車両が通行しなければならない車両通行帯として普通自転車専用通行帯以外の車両通行帯を指定すること。	
路線バス等優先通行帯	（327の5）	交通法第二十条の二第一項の道路標識により、路線バス等の優先通行帯であることを表示すること。	路線バス等の優先通行帯の前面及び路線バス等の優先通行帯内の必要な地点
牽引自動車の自動車専用道路第一通行帯通行指定区間	（327の6）	交通法第七十五条の八の二第二項の道路標識により、車両通行帯の設けられた自動車専用道路の本線車道において、重被牽引車を牽引している牽引自動車が当該本線車道の左側端から数えて一番目の車両通行帯（以下「第一通行帯」という。）を通行しなければならない自動車専用道路の区間を指定すること。	重被牽引車を牽引している牽引自動車が第一通行帯を通行しなければならない区間として指定する自動車専用道路の区間に係る第一通行帯の前面及び当該第一通行帯内の必要な地点
進行方向別通行区分	（327の7—A～D）	交通法第三十五条第一項の道路標識により、車両通行帯の設けられた道路において、車両（特定小型原動機付自転車、軽車両及び右折につき一般原動機付自転車が交通法第三十四条第五項本文の規定によることとされる交差点において左折又は右折をする一般原動機付自転車を除く。以下この項において同じ。）が交差点で進行する方向に関する通行の区分を指定すること。	車両が交差点で進行する方向に関する通行の区分を指定する道路の区間の前面及び道路の区間内の必要な地点
一般原動機付自転車の右折方法（二段階）	（327の8）	交通法第三十四条第五項本文の道路標識により、交通整理の行われている交差点における一般原動機付自転車の右折につき交差点の側端に沿つて通行すべきことを指定すること。	交通整理の行われている交差点における一般原動機付自転車の右折につき交差点の側端に沿つて通行すべきことを指定する道路の区間又は場所内の必要な地点における左側の路端
一般原動機付自転車の右折方法（小回り）	（327の9）	交通法第三十四条第五項ただし書の道路標識により、交通整理の行われている交差点における一般原動機付自転車の右折につきあらかじめ道路の中央又は右側端に寄るべきことを指定すること。	交通整理の行われている交差点における一般原動機付自転車の右折につきあらかじめ道路の中央又は右側端に寄るべきことを指定する道路の区間又は場所内の必要な地点における左側の路端
環状の交差点における右回り通行	（327の10）	交通法第四条第三項の道路標識により、車両の通行の用に供する部分が環状の交差点（以下この項において「環状の交差点」という。）において、車両が右回りに通行すべきことを指定すること。	車両が右回りに通行すべきことを指定する環状の交差点の手前の必要な地点における左側の路端
平行駐車	（327の11）	交通法第四十八条の道路標識により、車両が道路の側端（分離帯の側端を含む。以下斜め駐車の項までにおいて同じ。）に対し平行に駐車すべきこと（交通法第四十九条第一項に規定する時間制限駐車区間（以下「時間制限駐車区間」という。）にあつては、交通法第四十九条の三第三項の道路標識により、車両が駐車することができる道路の部分を指定し、かつ、車両が道路の側端に対し平行に駐車すべきこと）を指定すること。	車両が道路の側端に対し平行に駐車すべきこと（時間制限駐車区間にあつては、車両が駐車することができる道路の部分として指定し、かつ、車両が道路の側端に対し平行に駐車すべきこと）を指定する道路の区間の前面及び道路の区間内の必要な地点における路端
直角駐車	（327の12）	交通法第四十八条の道路標識により、車両が道路の側端に対し直角に駐車すべきこと（時間制限駐車区間にあつては、交通法第四十九条の三第三項の道路標識により、車両が駐車することができる道路の部分を指定し、かつ、車両が道路の側端に対し直角に駐車すべきこと）を指定すること。	車両が道路の側端に対し直角に駐車すべきこと（時間制限駐車区間にあつては、車両が駐車することができる道路の部分として指定し、かつ、車両が道路の側端に対し直角に駐車すべきこと）を指定する道路の区間の前面及び道路の区間内の必要な地点における路端

種類	番号	表示する意味	設置場所
斜め駐車	（327の13）	交通法第四十八条の道路標識により、車両が道路の側端に対し斜めに駐車すべきこと（時間制限駐車区間にあつては、交通法第四十九条の三第三項の道路標識により、車両が駐車することができる道路の部分を指定し、かつ、車両が道路の側端に対し斜めに駐車すべきこと）を指定すること。	車両が道路の側端に対し斜めに駐車すべきこと（時間制限駐車区間にあつては、車両が駐車することができる道路の部分として指定し、かつ、車両が道路の側端に対し斜めに駐車すべきこと）を指定する道路の区間の前面及び道路の区間内の必要な地点における路端
警笛鳴らせ	（328）	交通法第五十四条第一項第一号の道路標識により、車両（自転車以外の軽車両を除く。以下この項及び次項において同じ。）及び路面電車が警音器を鳴らさなければならない場所を指定すること。	車両及び路面電車が警音器を鳴らさなければならない場所として指定する場所の前面における左側の路端
警笛区間	（328の２）	交通法第五十四条第一項第二号の道路標識により、車両及び路面電車が左右の見とおしのきかない交差点、見とおしのきかない道路のまがりかど又は見とおしのきかない上り坂の頂上を通行しようとするときに警音器を鳴らさなければならない道路の区間（以下この項において「警音器を鳴らさなければならない区間」という。）を指定すること。	車両及び路面電車が警音器を鳴らさなければならない区間として指定する道路の区間の前面及び道路の区間内の必要な地点における左側の路端
徐行	（329—Ａ・Ｂ）	道路法第四十六条第一項若しくは第四十七条第三項若しくは車両制限令第十条の規定に基づき、又は交通法第四十二条の道路標識により、車両及び路面電車が徐行すべきことを指定すること。	車両及び路面電車が徐行すべきことを指定する道路の区間又は場所内の前面及び道路の区間又は場所内の必要な地点における左側の路端
前方優先道路	（329の２—Ａ・Ｂ）	交通法第三十六条第二項の道路標識により、当該道路と交差する前方の道路を優先道路として指定すること。	優先道路と交差する道路の手前の必要な地点における左側の路端
一時停止	（330—Ａ・Ｂ）	交通法第四十三条の道路標識により、交通整理が行なわれていない交差点又はその手前の直近において、車両及び路面電車が一時停止すべきことを指定すること。	車両及び路面電車が一時停止すべきことを指定する交差点又はその手前の直近の必要な地点における路端
歩行者等通行止め	（331）	交通法第八条第一項の道路標識により、歩行者等の通行を禁止すること。	歩行者等の通行を禁止する道路の区間又は場所の前面における路端又は歩道の中央
歩行者等横断禁止	（332）	交通法第十三条第二項の道路標識により、歩行者等の横断を禁止すること。	歩行者等の横断を禁止する道路の区間又は場所の前面及び道路の区間又は場所内の必要な地点における両側の路端又は中央分離帯

指示標識

種類	番号	表示する意味	設置場所
並進可	（401）	交通法第六十三条の五の道路標識により、普通自転車が他の普通自転車と並進（三台以上並進することとなる場合を除く。以下この項において同じ。）することができることとすること。	普通自転車が他の普通自転車と並進することができることとする道路の区間の前面及び道路の区間内の必要な地点における左側の路端
軌道敷内通行可	（402）	交通法第二十一条第二項第三号の道路標識により、自動車が軌道敷内を通行することができることとすること。	自動車が軌道敷内を通行することができることとする道路の区間の前面及び道路の区間内の必要な地点における左側の路端
高齢運転者等標章自動車駐車可	（402の２）	交通法第四十五条の二第一項の道路標識により、同項に規定する高齢運転者等標章自動車（以下「高齢運転者等標章自動車」という。）が駐車することができることとすること。	高齢運転者等標章自動車が駐車することができることとする道路の区間又は場所の前面及び道路の区間又は場所内の必要な地点における路端
駐車可	（403）	交通法第四十六条又は第四十八条の道路標識により、車両が駐車することができることとすること。	車両が駐車することができることとする道路の区間又は場所の前面及び道路の区間又は場所内の必要な地点における路端

高齢運転者等標章自動車停車可	（403の２）	交通法第四十五条の二第一項の道路標識により、高齢運転者等標章自動車が停車することができることとすること。	高齢運転者等標章自動車が停車することができることとする道路の区間又は場所の前面及び道路の区間又は場所内の必要な地点における路端
停車可	（404）	交通法第四十六条又は第四十八条の道路標識により、車両が停車することができることとすること。	車両が停車することができることとする道路の区間又は場所の前面及び道路の区間又は場所内の必要な地点における路端
優先道路	（405）	交通法第三十六条第二項の道路標識により、優先道路として指定すること。	優先道路として指定する道路の区間の前面及び道路の区間内の必要な地点における左側の路端
中央線	（406）	道路の中央であること又は交通法第十七条第四項の道路標識による中央線であること。	道路の中央を示す必要がある道路の区間の前面及び道路の区間内の必要な地点
停止線	（406の２）	車両が停止する場合の位置であること。	車両の停止位置を示す必要がある地点における路端
横断歩道	（407—A・B）	交通法第二条第一項第四号に規定する横断歩道であること。	横断歩道を設ける場所の必要な地点における路端
自転車横断帯	（407の２）	交通法第二条第一項第四号の二に規定する自転車横断帯であること。	自転車横断帯を設ける場所の必要な地点における路端
横断歩道・自転車横断帯	（407の３）	近接して設けられた交通法第二条第一項第四号に規定する横断歩道及び同項第四号の二に規定する自転車横断帯であること。	横断歩道及び自転車横断帯を近接して設ける場所の必要な地点における路端
安全地帯	（408）	交通法第二条第一項第六号に規定する安全地帯であること。	安全地帯を設ける場所
規制予告	（409—A・B）	標示板に表示される交通の規制が当該道路の前方の場所において行なわれていることをあらかじめ示すこと。	標示板に表示される交通の規制が当該道路の前方の場所において行なわれていることをあらかじめ示す必要がある場所内の必要な地点

補助標識

種類	番号	表示する意味	補助標識が附置される本標識
距離・区域	（501）	本標識が表示する施設若しくは場所までの距離、本標識が表示する交通の規制が行なわれている区間若しくは場所についての必要な距離又は本標識が表示する交通の規制が行なわれている区域を示すこと。	案内標識 警戒標識 規制標識 指示標識
日・時間	（502）	本標識が表示する交通の規制が行なわれている日又は時間を示すこと。	規制標識 指示標識
車両の種類	（503—A）	本標識が表示する交通の規制の対象となる車両を特定するため必要な事項を示すこと。	規制標識 指示標識
	（503—B）	標示板の記号によつて表示される車両が本標識が表示する交通の規制の対象となる車両であることを示すこと。	規制標識 指示標識
	（503—C）	普通乗用自動車以外の普通自動車、準中型乗用自動車以外の準中型自動車及び中型乗用自動車以外の中型自動車（特定中型自動車を除く。）であつてその最大積載量が標示板に表示される重量以上のもの、特定中型乗用自動車、大型乗用自動車以外の大型自動車、大型乗用自動車並びに大型特殊自動車が本標識が表示する交通の規制の対象となる車両であることを示すこと。	規制標識のうち、「特定の最大積載量以上の貨物自動車等通行止め」、「指定方向外進行禁止」及び「特定の種類の車両の通行区分」を表示するもの

	(503―D)	高齢運転者等標章自動車に限り本標識が表示する交通の規制の対象となることを示すこと。	規制標識のうち、「時間制限駐車区間」を表示するもの 指示標識のうち、「高齢運転者等標章自動車駐車可」及び「高齢運転者等標章自動車停車可」を表示するもの
遠隔操作型小型車	(503の2)	遠隔操作型小型車に限り本標識が表示する交通の規制の対象となること又は本標識が表示する交通の規制の対象とならないことを示すこと。	規制標識
駐車余地	(504)	車両が駐車する場合に、当該車両の右側の道路上に置かなければならない余地を示すこと。	規制標識のうち、「駐車余地」を表示するもの
駐車時間制限	(504の２)	車両が引き続き駐車することができる時間がパーキング・メーター又はパーキング・チケットに表示された時刻までの時間であることを示すこと。	規制標識のうち、「時間制限駐車区間」を表示するもの
始まり	(505―A・B)	本標識が表示する交通の規制が行われている区間の始まりを示すこと。	規制標識 指示標識
	(505―C)	本標識が表示する交通の規制が行われている区域の始まりを示すこと。	規制標識
区間内	(506)	本標識が表示する交通の規制が行なわれている区間内であることを示すこと。	規制標識 指示標識
区域内	(506の２)	本標識が表示する交通の規制が行われている区域内であることを示すこと。	規制標識
終わり	(507―A～C)	本標識が表示する交通の規制が行われている区間の終わりを示すこと。	規制標識 指示標識
	(507―D)	本標識が表示する交通の規制が行われている区域の終わりを示すこと。	規制標識

通学路	(508)	児童又は幼児が小学校、幼稚園、保育所等に通うため通行する道路の区間であることを示すこと。	警戒標識のうち、「学校、幼稚園、保育所等あり」を表示するもの
追越し禁止	(508の２)	車両の追越しが禁止されることを示すこと。	規制標識のうち、「追越し禁止」を表示するもの
前方優先道路	(509)	当該道路と交差する前方の道路が優先道路であることを示すこと。	規制標識のうち、「前方優先道路」を表示するもの
踏切注意	(509の２)	踏切があるため道路交通上注意の必要があることを示すこと。	警戒標識のうち、「踏切あり」を表示するもの
横風注意	(509の３)	強い横風のおそれがあるため道路交通上注意の必要があることを示すこと。	警戒標識のうち、「横風注意」を表示するもの
動物注意	(509の４)	動物が飛び出すおそれがあるため道路交通上注意の必要があることを示すこと。	警戒標識のうち、「動物が飛び出すおそれあり」を表示するもの
注意	(509の５)	車両又は路面電車の運転上注意の必要があることを示すこと。	警戒標識のうち、「その他の危険」を表示するもの
注意事項	(510)	本標識が表示する意味を補足するため必要な事項を示すこと。	案内標識のうち、「高さ限度緩和指定道路」を表示するもの 警戒標識
規制理由	(510の２)	本標識が表示する交通の規制の理由を示すこと。	規制標識 指示標識のうち、「規制予告」を表示するもの
方向	(511)	本標識が表示する路線、施設又は場所の方向を示すこと。	案内標識
地名	(512)	本標識が設置されている地名を示すこと。	案内標識
始点	(513)	本標識が表示する道路の始点を示すこと。	案内標識のうち、「総重量限度緩和指定道路」及び「高さ限度緩和指定道路」を表示するもの

終点	(514)	本標識が表示する道路の終点を示すこと。	案内標識のうち、「総重量限度緩和指定道路」及び「高さ限度緩和指定道路」を表示するもの

備考

一　警戒標識を高速道路等に設置する場合においては、この表の設置場所の欄に定める位置のほか、当該警戒標識を設置する必要がある地点における右側の路端又は中央分離帯に設置することができる。

二　道路の形状その他の理由により、道路標識（高速道路等に設置する警戒標識を除く。以下この号において同じ。）をこの表の設置場所の欄に定める位置に設置することができない場合又はこれらの位置に設置することにより道路標識が著しく見にくくなるおそれがある場合においては、これらの位置以外の位置に設置することができる。

三　「車両の種類（503—A）」を表示する補助標識の意味については、当該補助標識のうち、普通自転車が本標識が表示する交通の規制の対象となる車両であることを示しているものについては特定小型原動機付自転車も当該本標識が表示する交通の規制の対象となる車両であることを示すものとし、普通自転車が本標識が表示する交通の規制の対象となる車両でないことを示しているものについては特定小型原動機付自転車も当該本標識が表示する交通の規制の対象となる車両でないことを示すものとする。ただし、特定小型原動機付自転車が本標識が表示する交通の規制の対象となるかどうかを別に示しているものについては、この限りでない。

別表第二（第三条関係）

案内標識

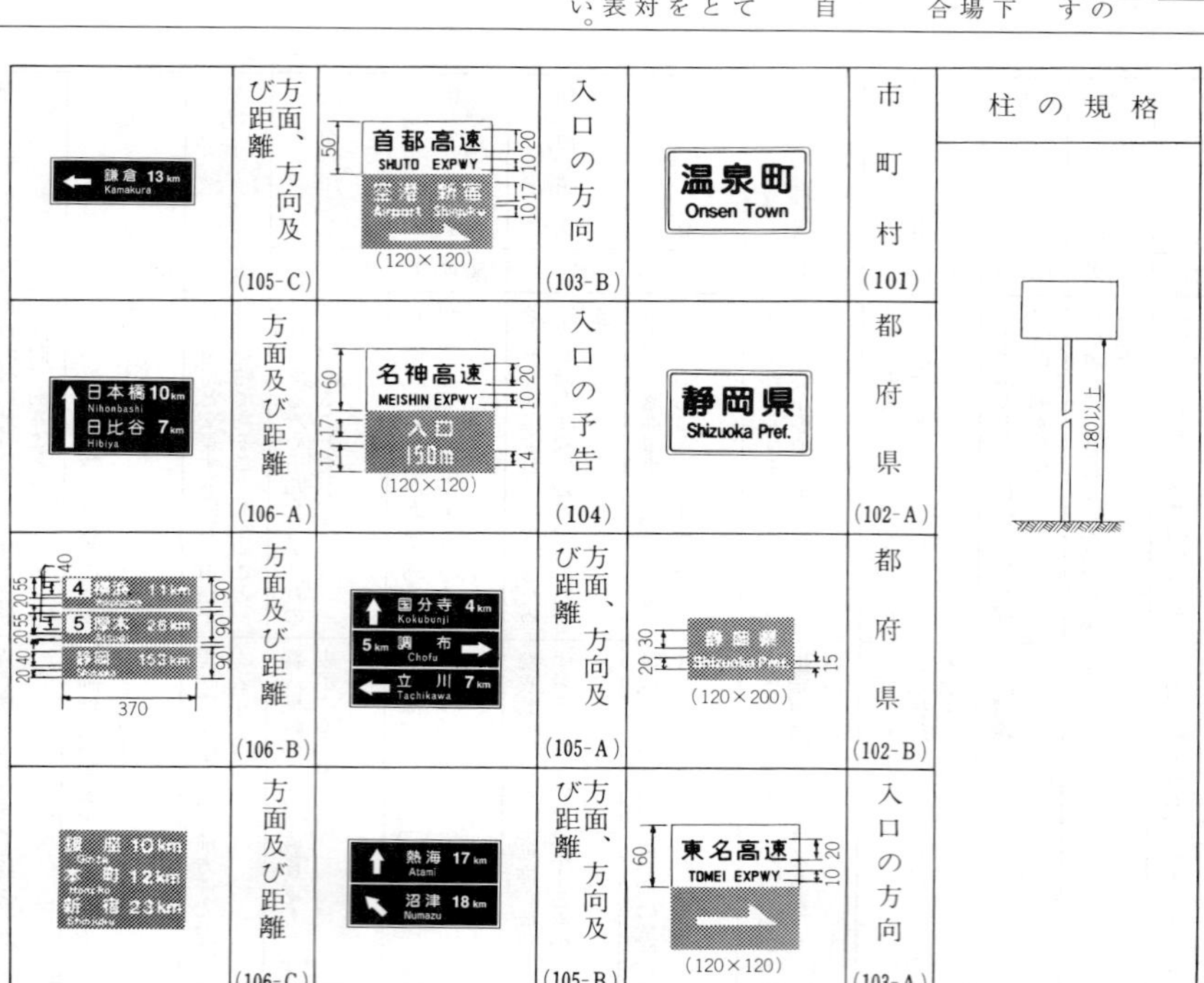

大阪 Osaka　25 50　(180×210)	方面及び車線 (107-A)
本線 THRU TRAFFIC　20 50　(140×250)	方面及び車線 (107-B)
日本橋 Nihonbashi　上馬 Kamiuma　大森 Omori　300m	方面及び方向 (108-A)
上馬 Kamiuma　日本橋 Nihonbashi　大森 Omori　300m　300m	方面及び方向
上馬 Kamiuma 300m　日本橋 Nihonbashi　大森 Omori 300m	の予告 (108-B)
日本橋 Nihonbashi　上馬 Kamiuma　大森 Omori	方面及び方向 (108の2-A)
上馬 Kamiuma　日本橋 Nihonbashi　大森 Omori 上馬 Kamiuma　日本橋 Nihonbashi　大森 Omori	方面及び方向 (108の2-B)
名古屋 Nagoya　大阪 Osaka　30m	方面及び方向 (108の2-C)
本線 THRU TRAFFIC　25 50　(140×320)	方面及び方向 (108の2-D)
大阪 Osaka　20 30　15　(120×200)	方面及び方向 (108の2-E)
市ケ谷 Ichigaya　池袋 Ikebukuro　渋谷 Shibuya　明治通り　300m	方面、方向及び道路の通称名の予告 (108の3)
市ケ谷 Ichigaya　池袋 Ikebukuro　渋谷 Shibuya　明治通り	方面、方向及び道路の通称名 (108の4)
4 横浜 2km Yokohama　50　35 70　40　(150×450)	出口の予告 (109)
16 横浜 町田 Yokohama Machida　4 出口 1km EXIT　170 25 50 50　90 50　17.5 35　135　(270×350)	方面及び出口の予告 (110-A)
西神田 Nishikanda 出口 400m　501　25　15 30 25 50　(200×320)	方面及び出口の予告 (110-B)

京都 宇治 Kyoto Uji　5B 出口 EXIT 1km　125 25 50　110 50　25　120　12.5　35　(245×350)	方面、車線及び出口の予告 (111-A)
江戸橋 Edobashi　303 出口 400m EXIT　25 25 50　12.5 25　(180×320)	方面、車線及び出口の予告 (111-B)
16 横浜 町田 Yokohama Machida　4 出口 EXIT　170 25 50 50　90 50　17.5 35　135　(270×350)	方面及び出口 (112-A)
西神田 Nishikanda 出口 EXIT　501　25　15 30 25 50　(200×320)	方面及び出口 (112-B)
出口 EXIT　4 横浜 Yokohama　120　65 30　90　25 50　15 30　(195×240)	出口 (113-A)
出口 EXIT　4 横浜 Yokohama　220　65 30　50　25 50　15 30　(295×150)	出口 (113-B)
錦ガ浦 Nishikigaura 東京駅 Tokyo Sta. 2km	著名地点 (114-A)
日比谷公園 Hibiya Park 500m	著名地点 (114-B)
富士川 Fujigawa Riv.	著名地点 (114-C)
虎ノ門 Toranomon	主要地点 (114の2-A)
赤坂見附	主要地点 (114の2-B)
料金所 1km TOLL GATE	料金徴収所 (115)
宮原 Miyahara 3km　緑川 Midorikawa 26km　道の駅 清流茶屋かわはら Seiryuchaya Kawahara 5km　P 用瀬 Mochigase 9km	サービス・エリア、道の駅及び距離 (116)
350　120 P　90 1km 富士川 Fujigawa　135 215 210　90 P　75 1km 中井 Nakai　90 120	サービス・エリア、道の駅の予告 (116の2-A)

標識	名称	標識	名称	標識	名称	標識	名称
P 大黒 300m (150 / 150)	サービス・エリア、道の駅の予告 (116の2-B)	P 大黒 (120 / 180)	サービス・エリア (116の3-B)	P (60×60)	駐車場 (117-A)	登坂車線 SLOWER TRAFFIC (90×240)	登坂車線 (117の3-B)
P 道の駅 清流茶屋かわはら Seiryuchaya Kawahara IC出口より 300m	サービス・エリア、道の駅の予告 (116の2-C)	非常電話 (90×60)	非常電話 (116の4)	P (90×60)	駐車場 (117-B)	142 ROUTE	国道番号 (118-A)
P 富士川 Fujigawa (135 / 215)	サービス・エリア (116の3-A)	待避所 (90×60)	待避所 (116の5)	本線 EXPWY / 名古屋 Nagoya	サービス・エリア又は駐車場から本線への入口 (117の2)	142	国道番号 (118-B)
P 中井 Nakai (90 / 120)		非常駐車帯 (90×60)	非常駐車帯 (116の6)	登坂車線 SLOWER TRAFFIC (60×160)	登坂車線 (117の3-A)	142	国道番号 (118-C)

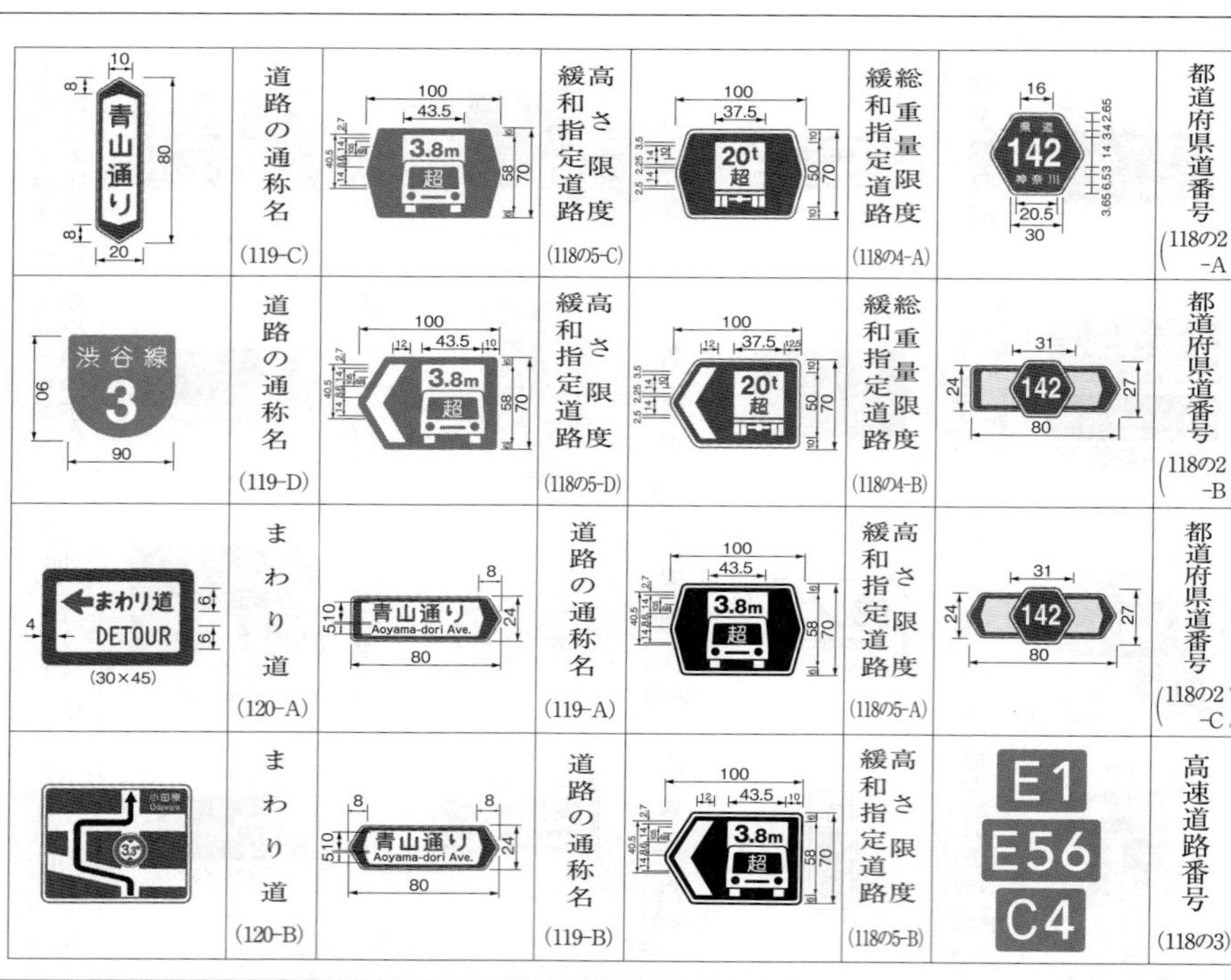

エレベーター	(121-A)
 エレベーター	(121-B)
 エレベーター	(121-C)
 エスカレーター	(122-A)
 エスカレーター	(122-B)
 エスカレーター	(122-C)
 傾斜路	(123-A)
 傾斜路	(123-B)
 傾斜路	(123-C)
乗合自動車停留所	(124-A)
乗合自動車停留所	(124-B)
乗合自動車停留所	(124-C)
路面電車停留場	(125-A)
路面電車停留場	(125-B)
路面電車停留場	(125-C)
 便所	(126-A)

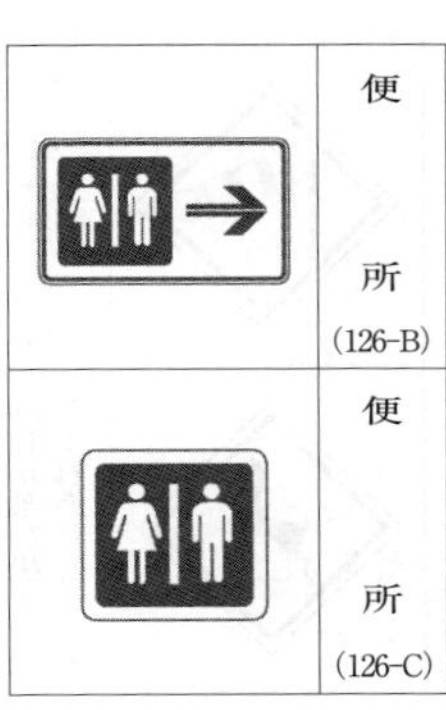

警戒標識

本標識板及び柱の規格

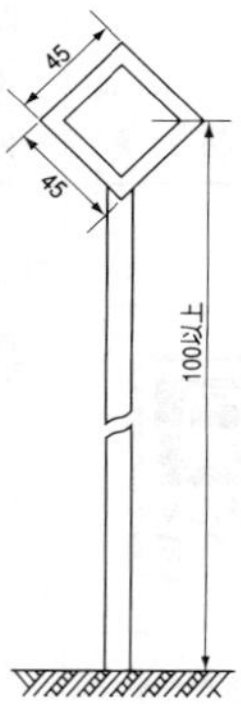

十形道路交差点あり (201-A)

┣形（又は┳形）道路交差点あり (201-B)

┳形道路交差点あり (201-C)

Y形道路交差点あり (201-D)

ロータリーあり (201の2)

右（又は左）方屈曲あり (202)

右（又は左）方屈折あり (203)

右（又は左）背向屈曲あり (204)

右（又は左）背向屈折あり (205)

右（又は左）つづら折りあり (206)

踏切あり (207-A)

踏切あり (207-B)

学校、幼稚園、保育所等あり (208)

信号機あり (208の2)

すべりやすい (209)

落石のおそれあり (209の2)

路面凹凸あり (209の3)

合流交通あり (210)

車線数減少 (211)

幅員減少 (212)

二方向交通 (212の2)

上り急勾（こう）配あり (212の3)

下り急勾（こう）配あり (212の4)

道路工事中 (213)

横風注意 (214)

動物が飛び出すおそれあり (214の2)

その他の危険 (215)

規制標識

本標識板及び柱の規格

番号	名称
(301)	通行止め
(302)	車両通行止め
(303)	車両進入禁止
(304)	二輪の自動車以外の自動車通行止め
(305)	大型貨物自動車等通行止め
(305の2)	特定の最大積載量以上の貨物自動車等通行止め
(306)	大型乗用自動車等通行止め
(307)	二輪の自動車・一般原動機付自転車通行止め
(308)	自転車以外の軽車両通行止め
(309)	特定小型原動機付自転車・自転車通行止め
(310)	車両(組合せ)通行止め
(310の2)	大型自動二輪車及び普通自動二輪車二人乗り通行禁止
(310の3)	タイヤチェーンを取り付けていない車両通行止め

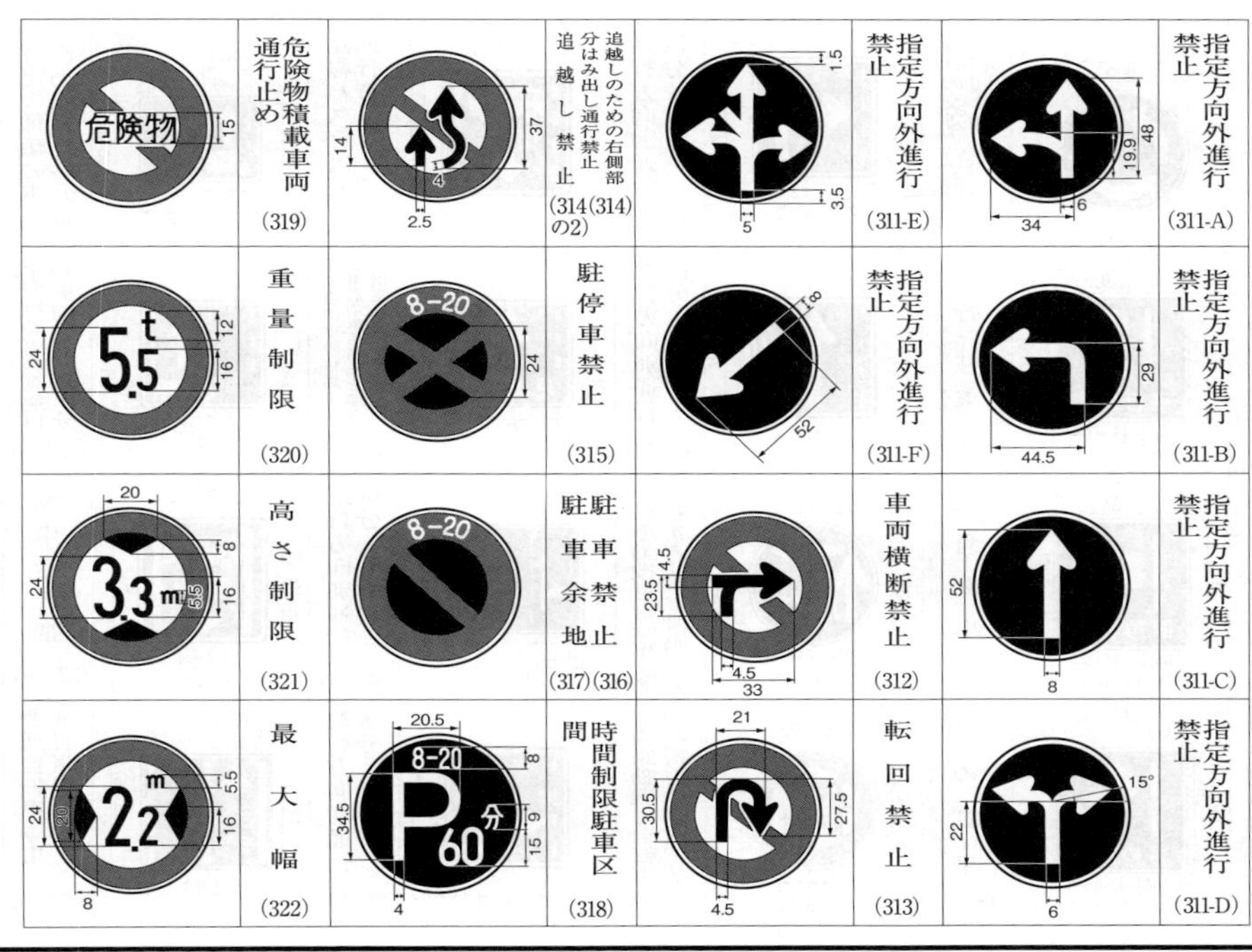

最高速度（323）

特定の種類の車両の最高速度（323の2）

普通自転車等及び歩行者等専用（325の3）

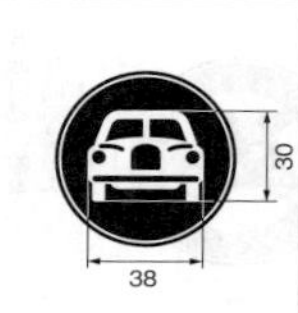

許可車両専用（325の5-C）

一方通行（326-B）

最低速度（324）

歩行者等専用（325の4）

許可車両（組合せ）専用（325の6）

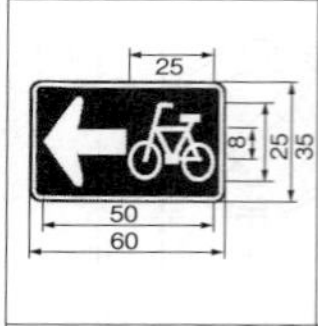

特定小型原動機付自転車・自転車一方通行（326の2-A）

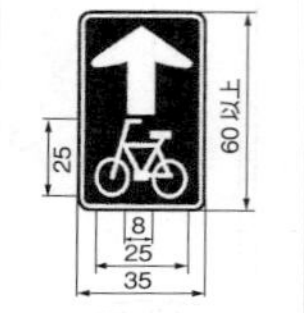

自動車専用（325）

許可車両専用（325の5-A）

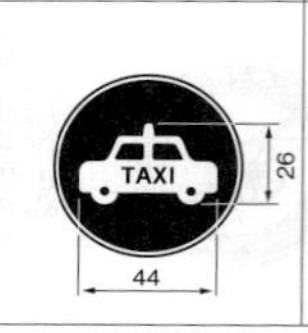

広域災害応急対策車両専用（325の7）

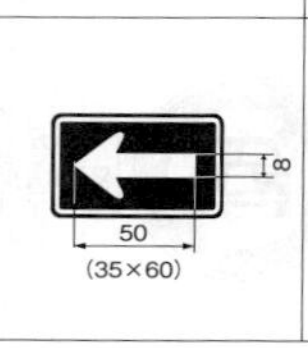

特定小型原動機付自転車・自転車一方通行（326の2-B）

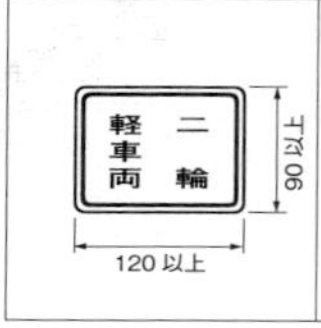

特定小型原動機付自転車・自転車専用（325の2）

許可車両専用（325の5-B）

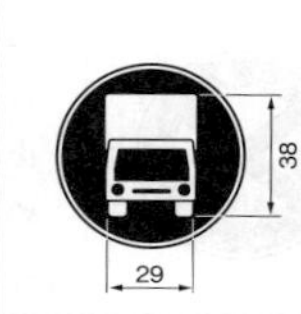

一方通行（326-A）

車両通行区分（327）

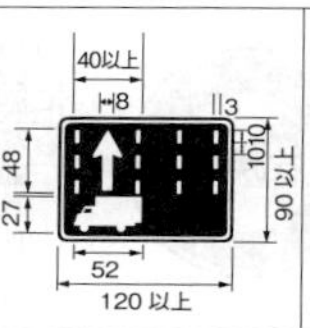

特定の種類の車両の通行区分（327の2）

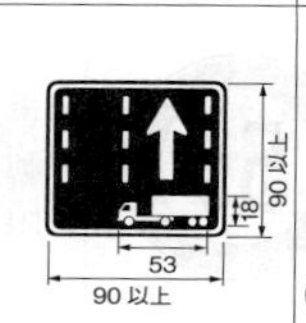

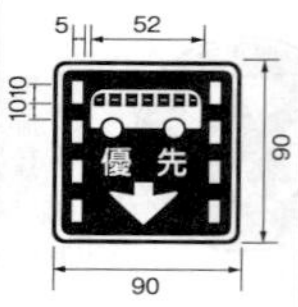

路線バス等優先通行帯（327の5）

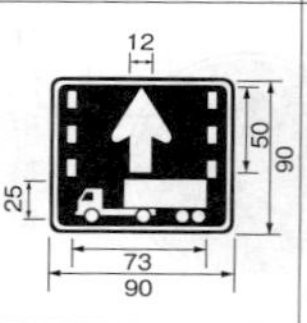

進行方向別通行区分（327の7-C）

環状の交差点における右回り通行（327の10）

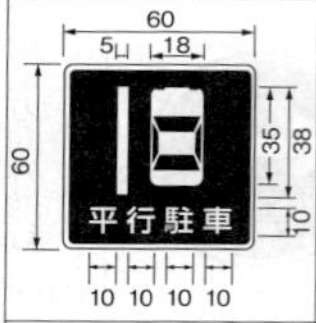

牽引自動車の高速自動車国道通行区分（327の3）

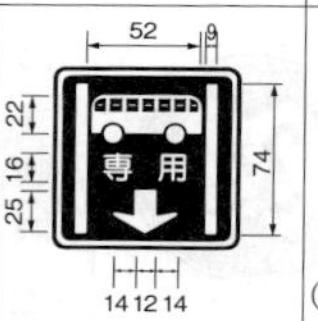

牽引自動車の自動車専用道路第一通行帯通行指定区間（327の6）

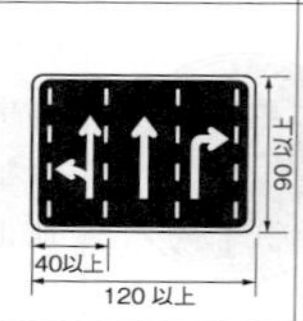

進行方向別通行区分（327の7-D）

平行駐車（327の11）

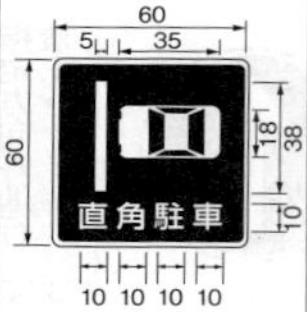

専用通行帯（327の4）

進行方向別通行区分（327の7-A）

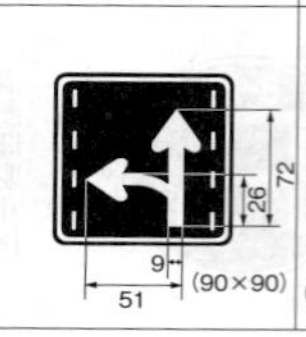

一般原動機付自転車の右折方法（二段階）（327の8）

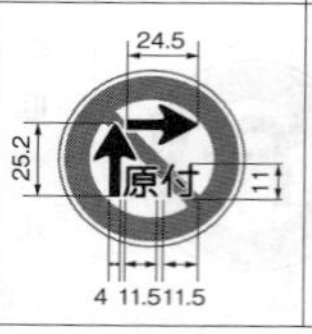

直角駐車（327の12）

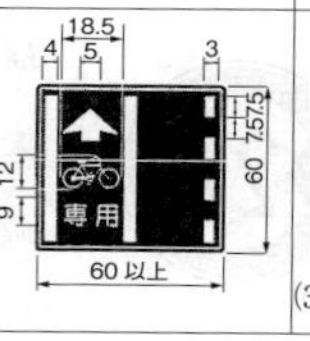

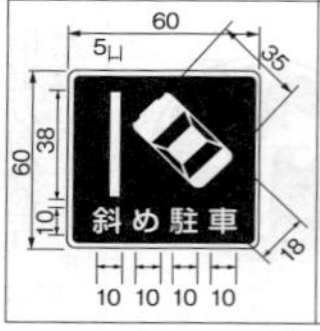

普通自転車専用通行帯（327の4の2）

進行方向別通行区分（327の7-B）

一般原動機付自転車の右折方法（小回り）（327の9）

斜め駐車（327の13）

名称	様式	名称	様式
警笛鳴らせ (328) 警笛区間 (328の2)	43 / 41 / 11	一時停止 (330-B)	止まれ / 80 / R=5 / 13
徐行 (329-A) 前方優先道路 (329の2-A)	徐行 SLOW / 80 / R=5 / 13 / 10 / 5	歩行者等通行止め (331)	通行止 / 8 / 29 / 7 / 4
徐行 (329-B) 前方優先道路 (329の2-B)	徐行 / 80 / R=5 / 13 / 8	歩行者等横断禁止 (332)	横断禁止 / 26.5 / 7
一時停止 (330-A)	止まれ STOP / 80 / R=5 / 13 / 10		

指示標識

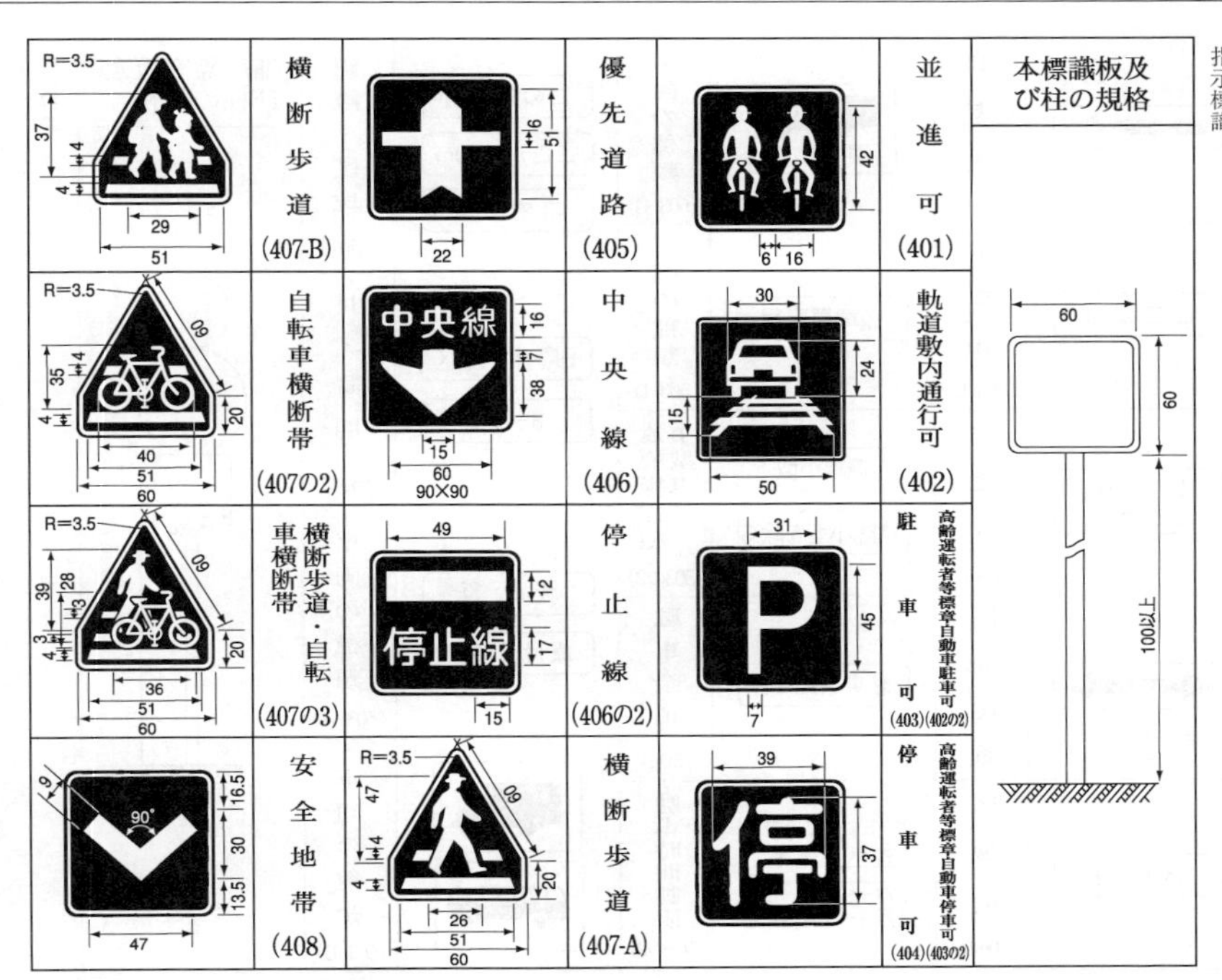

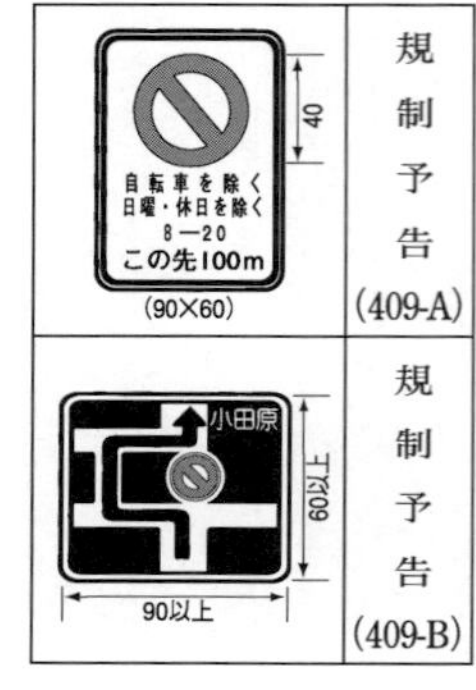

補助標識

種類	番号	様式
補助標識板及び柱の規格		10以上 40〜60 100以上
距離・区域	(501)	この先100m ここから50m 市内全域
日・時間	(502)	日曜・休日を除く 8—20
車両の種類	(503-A)	大　貨 原付を除く
車両の種類	(503-B)	
車両の種類	(503-C)	積３ｔ
車両の種類	(503-D)	標章車専用
遠隔操作型小型車	(503の2)	遠隔小型 遠隔小型を除く
駐車余地	(504)	駐車余地6m
駐車時間制限	(504の2)	パーキング・メーター表示時刻まで パーキング・チケット表示時刻まで
始まり	(505-A)	
始まり	(505-B)	ここから
始まり	(505-C)	区域ここから
区間内	(506)	
区域内	(506の2)	区域内

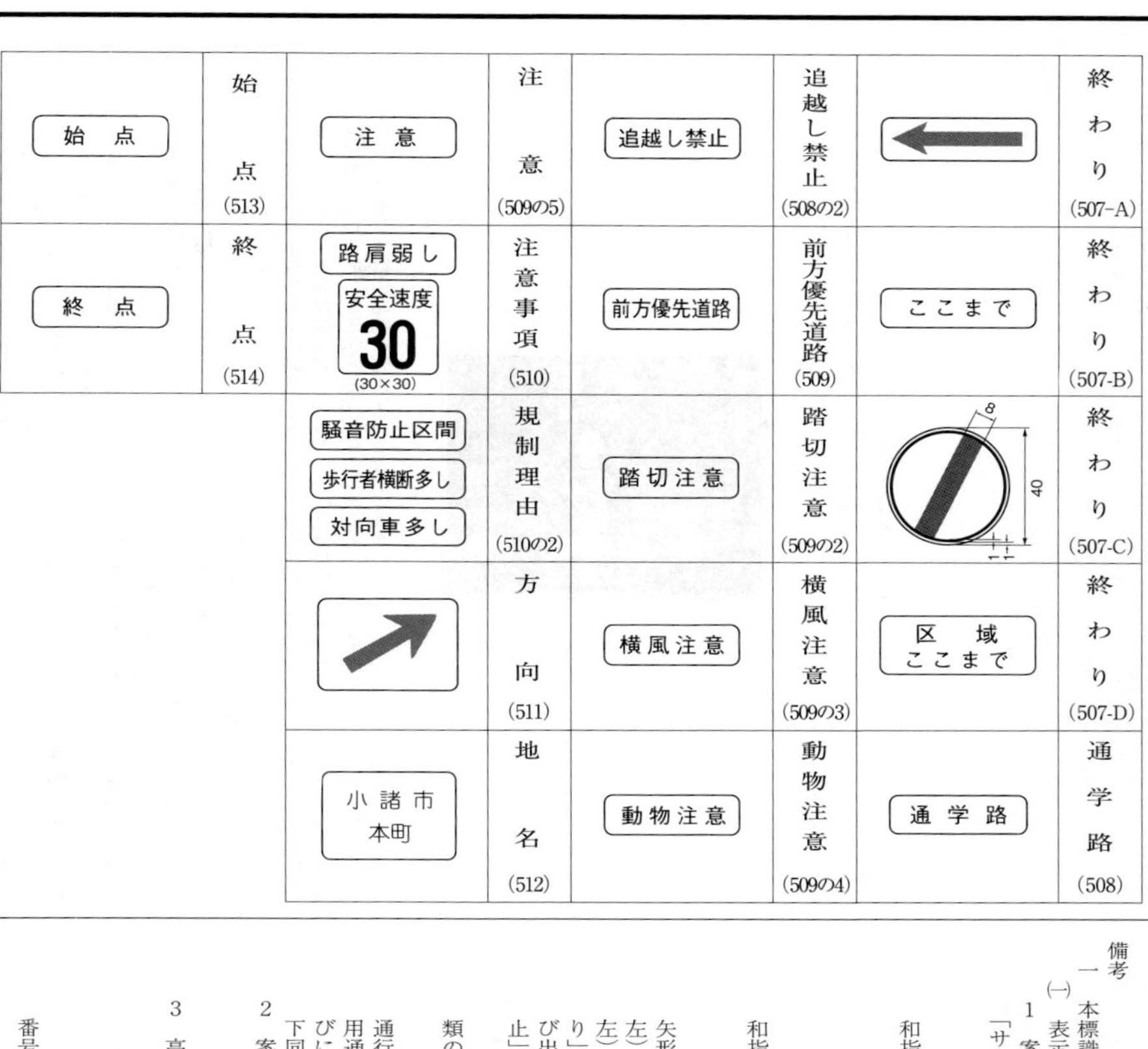

終わり (507-A)
追越し禁止 (508の2)
追越し禁止
注意 (509の5)
注意
始点 (513)
始点
終わり (507-B)
ここまで
前方優先道路 (509)
前方優先道路
注意事項 (510)
路肩弱し
安全速度
30
(30×30)
終点 (514)
終点
終わり (507-C)
8
40
踏切注意 (509の2)
踏切注意
規制理由 (510の2)
騒音防止区間
歩行者横断多し
対向車多し
終わり (507-D)
区域
ここまで
横風注意 (509の3)
横風注意
方向 (511)
通学路 (508)
通学路
動物注意 (509の4)
動物注意
地名 (512)
小諸市
本町

備考

一 本標識板（本標識の標示板をいう。）

(一) 表示

1 案内標識（「サービス・エリア、道の駅及び距離」、「サービス・エリア、道の駅の予告」、「サービス・エリア」、「非常電話」、「非常駐車帯」、「駐車場」、「登坂車線」、「総重量限度緩和指定道路」（総重量限度緩和指定道路「(118の4—B)」にあつては、矢形を除く。）及び「高さ限度緩和指定道路」（高さ限度緩和指定道路「(118の5—B)」及び 高さ限度緩和指定道路「(118の5—D)」にあつては、矢形を除く。）、「┣形（又は┫形）道路交差点あり」、「右（又は左）方屈曲あり」、「右（又は左）方屈折あり」、「右（又は左）背向屈曲あり」、「右（又は左）背向屈折あり」、「右（又は左）つづら折りあり」、「落石のおそれあり」、「合流交通あり」、「車線数減少」、「幅員減少」、「上り急勾配あり」、「下り急勾配あり」及び「動物が飛び出すおそれあり」を表示する警戒標識、「車両（組合せ）通行止め」、「指定方向外進行禁止」、「時間制限駐車区間」、「重量制限」、「高さ制限」、「最大幅」、「最高速度」、「特定の種類の車両の最高速度」、「最低速度」、「許可車両（組合せ）専用」、一方通行「(326—A)」、「車両通行区分」、「特定の種類の車両の通行区分」、「牽引自動車の高速自動車国道通行区分」、「専用通行帯」、「普通自転車専用通行帯」及び「進行方向別通行区分」を表示する規制標識並びに「規制予告」を表示する指示標識に係る図示の文字（数字を含む。(五)の2を除き、以下同じ。）及び記号（「時間制限駐車区間」にあつては、「60」に限る。）は、例示とする。

2 案内標識の英語による表示は、国土交通大臣が定めるところによるものとする。

3 高速道路等以外の道路に設置する案内標識（著名地点「(114—A・B)」、登坂車線「(117の3—A)」、国道番号「(118—A)」、道路の通称名「(119—A・B)」及び まわり道「(120—A)」を表示するものを除く。）については、英語による表示は、特に必要がない場合は、省略することができる。

4　「市町村」を表示する案内標識の標示板には、必要がある場合は、日本字の左に市町村章を表す記号を表示することができる。

5　「都府県」を表示する案内標識の標示板には、必要がある場合は、日本字の左に都府県章を表す記号を表示することができる。

6　高速道路等以外の道路に設置する「方面、方向及び距離」、「方面及び距離」、「方面及び方向の予告」、「方面及び方向」、「方面、方向及び道路の通称名の予告」及び「方面、方向及び道路の通称名」を表示する案内標識の標示板の文字には、地名、路線番号、道路の通称名又は公共施設等の名称のいずれかを用いることができ、当該標示板の文字に公共施設等の名称を用いた場合において必要があるときは、当該標示板に公共施設等の形状等を表す記号を表示することができる。

7　高速道路等以外の道路に設置する「方面、方向及び距離」、「方面及び距離」、「方面及び方向の予告」、「方面及び方向」、「方面、方向及び道路の通称名の予告」及び「方面、方向及び道路の通称名」を表示する案内標識の標示板には、必要がある場合には、次に図示したものに準じて経由路線を表示することができる。

8　高速道路等以外の道路に設置する「方面及び方向の予告」及び「方面、方向及び道路の通称名の予告」を表示する案内標識の標示板は、交差点までの距離について、必要がある場合は、次に図示したものに準ずるものとすることができる。

9　高速道路等に設置する「方面及び車線」、「方面及び出口」、「方面及び出口の予告」、「方面、車線及び出口の予告」及び「方面及び方向」を表示する案内標識の標示板の文字には、地名、路線番号、道路の通称名又は公共施設等の名称のいずれかを用いることができ、当該標示板の文字に公共施設等の名称を用いた場合において必要があるときは、当該標示板に公共施設等の形状等を表す記号を表示することができる。

10　「入口の方向」及び「入口の予告」を表示する案内標識には、必要がある場合は、次に図示したものに準じて、無料区間又は有料区間を表す旨を表示することができる。

11　「入口の方向」及び「入口の予告」を表示する案内標識の標示板には、必要がある場合は、次に図示したものに準じて、専らＥＴＣ通行車（道路整備特別措置法施行規則（昭和三十一年建設省令第十八号）第十三条第二項第三号イに規定するＥＴＣ通行車をいう。以下同じ。）の通行の用に供することを目的とする入口（以下「ＥＴＣ通行車専用入口」という。）を表す旨を表示することができる。

12 「入口の方向」及び「入口の予告」を表示する案内標識の標示板の文字には、路線番号、入口番号及び入口の名称を用いることができる。

東名高速
TOMEI EXPWY
ETC専用
ONLY
9-1 富士川SA
Fujigawa

13 都市高速道路等に設置する「方面及び方向」を表示する案内標識の標示板には、必要がある場合は、次に図示したものに準じて経由路線又は方面としての路線を表示することができる。

14 「方面及び距離」を表示する案内標識については、距離に関する部分は、特に必要がない場合は、省略することができる。

15 「出口の予告」、「方面及び出口の予告」、「方面、車線及び出口の予告」、「方面及び出口」及び「出口」を表示する案内標識には、必要がある場合は、次に図示したものに準じて、専らＥＴＣ通行車の通行の用に供することを目的とする出口（以下「ＥＴＣ通行車専用出口」という。）を表示する旨を表示することができる。

16 「方面及び出口の予告」、「方面、車線及び出口の予告」及び「方面及び出口」を表示する案内標識の標示板は、方面について、必要がある場合は、次に図示したものに準ずるものとすることができる。

17 「出口」を表示する案内標識については、出口番号及び出口の名称に関する部分は、特に必要がない場合は、省略することができる。

18 「著名地点」を表示する案内標識の標示板には、必要がある場合は、日本字の左又は右に公共施設等の形状等を表す記号を表示することができる。

19 「著名地点」を表示する案内標識の標示板には、必要がある場合は、次に図示したものに準じて、日本字の左又は右に車いすを使用している者その他の高齢者、身体障害者等の円滑な通行に適する道路を経由する旨を表す記号を表示することができる。

20　「著名地点」を表示する案内標識には、必要がある場合は、当該案内標識の位置、当該案内標識が表示する著名地点の位置及び表示する必要のある立体横断施設その他の施設の位置を表示する地図（その略図を含む。）を附置することができる。

21　「サービス・エリア、道の駅及び距離」、「サービス・エリアの予告」及び「サービス・エリア」を表示する案内標識の標示板の記号は、当該サービス・エリア及び道の駅に設置されている利便施設を表示するものとし、標示板の配列及び文字は、例示とする。また、当該標示板の文字に道の駅の名称を用いた場合において必要があるときは、当該標示板に道の駅を表す記号を表示することができる。

22　「サービス・エリア、道の駅の予告」及び「サービス・エリア」を表示する案内標識には、必要がある場合は、次に図示したものに準じて、ETC通行車専用出口及び出口番号を表示することができる。

23　高速道路等以外の道路に設置する「駐車場」を表示する案内標識の標示板には、必要がある場合は、次に図示したものに準じて便所を表す記号を表示することができる。

24　「駐車場」、「エレベーター」、「傾斜路」及び「便所」を表示する案内標識の標示板には、必要がある場合は、次に図示したものに準じて車いすを使用している者その他の高齢者、身体障害者等の円滑な利用に適する施設である旨を表す記号を表示することができる。

25　「総重量限度緩和指定道路（118の4―A・B）」及び「高さ限度緩和指定道路（118の5―A・B）」を表示する案内標識の標示板を設置する地点が同一であって必要がある場合は、次に図示したものに準じて総重量限度緩和指定道路及び高さ限度緩和指定道路を表す旨を表示することができる。

26　「まわり道（120―B）」を表示する案内標識の標示板の記号のうち、交通の規制を表示する記号は、規制標識に係る様式を用いるものとし、当該規制標識が表示する交通の規制が、当該道路の前方の場所において行われていることを示す。

27 「エレベーター」、「エスカレーター」、「傾斜路」、「乗合自動車停留所」、「路面電車停留場」及び「便所」を表示する案内標識の標示板には、必要がある場合は、次に図示したものに準じて当該施設の設置場所までの距離を表示することができる。

28 「エスカレーター」を表示する案内標識の標示板には、必要がある場合は、次に図示したものに準じて昇降方向を表す矢印を表示することができる。

29 「乗合自動車停留所」及び「路面電車停留場」を表示する案内標識の標示板には、必要がある場合は、次に図示したものに準じて当該停車所の名称を表示することができる。

30 児童又は幼児が小学校、幼稚園、保育所等に通うため通行する道路の区間で小学校、幼稚園、保育所等の敷地の出入口から一キロメートル以内の地点に設置する「学校、幼稚園、保育所等あり」を表示する警戒標識には、「通学路」を表示する補助標識を附置するものとする。

31 「信号機あり」を表示する警戒標識の標示板の記号は、特に必要がある場合においては、縦にすることができる。

32 「上り急勾配あり」及び「下り急勾配あり」に係る図示の数字は、当該上り急勾配又は下り急勾配の勾配の値を示す。

33 「車両（組合せ）通行止め」を表示する規制標識の標示板の記号は、「二輪の自動車以外の自動車通行止め」、「大型貨物自動車等通行止め」、「大型乗用自動車等通行止め」、「二輪の自動車・一般原動機付自転車通行止め」、「自転車以外の軽車両通行止め」、「自転車通行止め」及び「特定小型原動機付自転車・自転車通行止め」を表示する規制標識に係る図示の記号を用いるものとし、その記号は当該規制標識が表示する通行の禁止に係る種類の車両を表示するものとする。

34 「特定の最大積載量以上の貨物自動車等通行止め」を表示する本標識には「車両の種類（503—C）」を表示する補助標識を、「駐車余地」を表示する本標識には「駐車余地」を表示する補助標識を、「特定の種類の車両の最高速度」を表示する本標識には「車両の種類（503—A）」を表示する補助標識を、「警笛区間」を表示する本標識には「始まり（505—A・B）」、「区間内」又は「終わり（507—B・C）」を表示する補助標識を、「追越し禁止」を表示する本標識には「追越し禁止」を表示する補助標識を、「前方優先道路」を表示する本標識には「前方優先道路」を表示する補助標識を、「高齢運転者等標章自動車駐車可」及び「高齢運転者等標章自動車停車可」を表示する本標識には「車両の種類（503—D）」を表示する補助標識を、それぞれ附置するものとする。

35 「駐停車禁止」、「駐車禁止」、「駐車余地」及び「時間制限駐車区間」に係る図示の数字（「時間制限駐車区間」にあつては、「8—20」に限る。）は、当該交通の規制が行われている時間を示す必要がある場合における当該時間の例示とし、図示の「8—20」は、八時から二十時までであることを示す。

36　「時間制限駐車区間」、「高さ制限」、「最大幅」、「重量制限」、「最高速度」、「特定の種類の車両の最高速度」及び「最低速度」を表示する規制標識の標示板に示される時間（35に規定するものを除く。）、高さ及び幅、重量又は速度の単位は、それぞれ分、メートル、トン又はキロメートル毎時とする。

37　「普通自転車等及び歩行者等専用」、「特定小型原動機付自転車・自転車一方通行（326の2—A）」、「平行駐車」、「直角駐車」及び「斜め駐車」を表示する規制標識並びに「横断歩道」、「自転車横断帯」及び「横断歩道・自転車横断帯」を表示する指示標識の標示板については、特に必要がある場合においては、当該標示板の記号の鏡像である記号を用いることができる。

38　「許可車両（組合せ）専用」を表示する規制標識の標示板の記号は、「許可車両専用」を表示する規制標識に係る図示の記号を用いるものとし、その記号は当該規制標識が表示する許可に係る種類の車両を表示するものとする。

39　「専用通行帯」を表示する規制標識の標示板については、必要がある場合においては、次に図示したものに準じて、記号に代えて文字を用いることができる。

40　「歩行者等横断禁止」を表示する規制標識の標示板の文字には、図示の「横断禁止」に代えて「わたるな」を用いることができる。

41　「規制予告」を表示する指示標識の標示板の記号は、規制標識又は指示標識に係る様式を用いるものとし、当該規制標識又は指示標識が表示する交通の規制が、当該道路の前方の場所において行われていることを示す。

42　「規制予告」を表示する指示標識の標示板の文字は、標示板が表示する交通の規制の対象となる車両の種類を特定し、若しくは遠隔操作型小型車が標示板が表示する交通の規制の対象となるかどうかを示すため必要な事項、交通の規制が行われている日（国民の祝日に関する法律（昭和二十三年法律第百七十八号）に規定する休日にあつては、「休日」と表示する。）又は時間及び交通の規制が行われている場所までの距離を示す。

㈡　寸法

1　寸法が図示されているものについては、図示の寸法（その単位はセンチメートルとする。以下この備考において同じ。）を基準とする。

2　高速道路等に設置する案内標識で、地名が表示されているものについては、地名を表示する文字の字数の多少により図示の横寸法を拡大し、又は縮小することができる。

3　高速道路等に設置する案内標識については、図示の寸法の三倍まで拡大することができる。

4　高速道路等に設置する警戒標識については、設計速度が六十キロメートル毎時以上の高速道路等に設置する場合にあつては図示の寸法の二倍まで、設計速度が百キロメートル毎時以上の高速道路等に設置する場合にあつては図示の寸法の二・五倍まで、それぞれ拡大することができる。

5　高速道路等以外の道路に設置する「駐車場」を表示する案内標識については、便所を表す記号を表示する場合にあつては、図示の横寸法を図示の寸法の二・五倍まで拡大することができる。

6　高速道路等以外の道路に設置する「駐車場」、「国道番号（118—A）」、「都道府県道番号（118の2—A）」、「総重量限度緩和指定道路（118の4—A・B）」、「高さ限度緩和指定道路（118の5—A・B）」及び「まわり道（120—A）」を表示する案内標識並びに警戒標識については、道路の形状又は交通の状況により特別の必要がある場合にあつては図示の寸法（5に規定するところにより図示の横寸法を拡大する場合にあつては、当該拡大後の図示の寸法）の一・三倍、一・六倍又は二倍に、それぞれ拡大することができる。

7　高速道路等以外の道路に設置する「登坂車線」、「国道番号（118—B・C）」、「都道府県道番号（118の2—B・C）」及び「道路の通称名」を表示する案内標識については、道路の形状又は交通の状況により特別の必要がある場合にあつては、図示の寸法の一・五倍又は二倍に、それぞれ拡大することができる。

8　高速道路等以外の道路に設置する「道路の通称名」を表示する案内標識については、表示する文字の字数により図示の横寸法（「道路の通称名（119—C）」を表示するものについては、縦寸法）を拡大することができる。

9　規制標識及び指示標識については、道路の設計速度、道路の形状又は交通の状況により特別の必要がある場合にあつては、図示の寸法の二倍まで拡大し、又は図示の寸法の二分の一まで縮小することができる。

10 「車両進入禁止」を表示する規制標識の標示板については、横の直径が縦の直径の一・五倍以下である長円形の曲板を用いることができる。

㈢ 色彩

1 案内標識

(1) 高速道路等に設置するもので、「入口の方向」、「入口の予告」、「サービス・エリア、道の駅の予告(116の2—C)」、「非常電話」、「待避所」、「非常駐車帯」、「国道番号(118—A)」、「高さ限度緩和指定道路(118の5—C・D)」及び「まわり道」を表示するもの以外のものについては、文字、記号、矢印及び区分線を白色、地を緑色とする。ただし、「方面及び距離(116—B)」、「出口の予告」、「方面及び出口の予告」、「方面、車線及び出口の予告」、「方面及び出口」及び「出口」を表示するものの出口番号を表示する部分並びに「サービス・エリア、道の駅の予告(116の2—A・B)」及び「サービス・エリア」を表示するものの施設名を表示する部分については、文字を緑色、地を白色とし、「出口の予告」、「方面及び出口の予告」、「方面、車線及び出口の予告」、「方面及び出口」及び「出口」を表示するものについて、別表第二備考一の㈠の15の規定によりETC通行車専用出口を表す旨を表示する場合には当該ETC通行車専用出口を表す旨を表示する部分の文字を白色、地を紫色とし、同表備考一の㈠の16の規定により方面を表示する場合には当該方面を表示する部分の文字を白色、地を青色とし、「サービス・エリア、道の駅及び距離(116)」を表示するものの道の駅を表示する部分並びに「方面及び出口の予告(110—A)」及び「方面及び出口(112—A)」を表示するものの国道番号(118—A)を表示する部分については、文字を白色、地を青色とし、「サービス・エリア、道の駅の予告」及び「サービス・エリア」を表示するものについて、同表備考一の㈠の22の規定によりETC通行車専用出口及び出口番号を表示する場合には当該ETC通行車専用出口を表示する部分の文字を白色、地を紫色とし、出口番号を表示する部分の文字を紫色、地を白色とする。

(2) 「入口の方向」及び「入口の予告」を表示するものについては、上部の文字を緑色、地を白色とし、下部の文字及び矢印を白色、地を緑色とする。ただし、別表第二備考一の㈠の10の規定により無料区間を表す旨を表示する場合には当該無料区間を表す旨を表示する部分の文字を緑色、地を白色とし、有料区間を表す旨を表示する場合には当該有料区間を表す旨を表示する部分の文字を白色、地を緑色とし、同表備考一の㈠の11の規定によりETC通行車専用入口を表す旨を表示する場合には当該ETC通行車専用入口を表す旨を表示する部分を白色の区分線で囲むとともに、当該部分の文字を白色、地を紫色とする。

(3) 「非常電話」を表示するものについては、文字及び地を白色、記号を黒色、わくを緑色とする。

(4) 「待避所」及び「国道番号(118—A)」を表示するものについては、文字、記号及び縁を白色、地を青色とする。

(5) 「非常駐車帯」を表示するものについては、文字及び記号を白色、地を緑色とする。

(6) 高速道路等のうち車両制限令第三条第一項第三号に規定する道路管理者が指定した道路に設置する「高さ限度緩和指定道路(118の5—C)」を表示するものについては、記号中の文字及び地を緑色、記号外の文字及び記号を白色とする。

(7) 高速道路等のうち車両制限令第三条第一項第三号に規定する道路管理者が指定した道

路に設置する「高さ限度緩和指定道路(118の5―D)」を表示するものについては、記号中の文字及び地を緑色、記号外の文字、記号及び矢形を白色とする。

(8) 「まわり道(120―A)」を表示するものについては、文字及びわくを青色、矢印を赤色、地を白色とする。

(9) 「まわり道(120―B)」を表示するものについては、通行の禁止、制限又は指定を表示する記号は、標示板に表示する当該規制標識の種類に応じて別表第二備考一の㈢の3に規定するところによるものとし、文字、道路を表示する記号及び縁を白色、矢印を黒色、地を青色とする。

(10) 高速道路等以外の道路に設置する「市町村」、「都府県」、「著名地点」及び「主要地点」を表示するものについては、文字、記号、矢印及び縁線を青色、縁及び地を白色とする。

(11) 「方面、方向及び距離」を表示するものについては、文字、記号、矢印及び縁を白色、地を青色とする。ただし、方面として高速道路等の通称名を表示する部分については、文字、矢印及び縁を白色、地を緑色とする。

(12) 高速道路等以外の道路に設置する「方面及び距離」、「駐車場」、「登坂車線」、「都道府県道番号(118の2―A)」、「エレベーター(121―C)」、「エスカレーター(122―C)」、「傾斜路(123―C)」及び「便所(126―C)」を表示するものについては、文字、記号、矢印及び縁を白色、地を青色とする。

(13) 高速道路等以外の道路に設置する「方面及び方向の予告」及び「方面及び方向」を表示するものについては、文字、記号、矢印及び縁を白色、地を青色とする。ただし、方面として高速道路番号又は高速道路等の通称名を表示する場合には、次に図示したものに準じて、当該高速道路番号又は当該通称名を表示する部分を白色の区分線で囲むとともに、当該部分の文字を白色、地を緑色とする。

(14) 「方面、方向及び道路の通称名の予告」及び「方面、方向及び道路の通称名」を表示するものについては、記号、矢印、縁及び矢印外の文字を白色、矢印中の文字、区分線及び地を青色とする。

(15) 「サービス・エリア、道の駅の予告(116の2―C)」を表示するものについては、文字、記号及び区分線を白色、地を青色とする。ただし、施設名を表示する部分については、文字を青色、地を白色とする。

(16) 高速道路等以外の道路に設置する「国道番号(118―B・C)」を表示するものについては、文字、縁及び区分線を白色、地を青色、矢形を淡い赤色とする。

(17) 高速道路等以外の道路に設置する「都道府県道番号(118の2―B・C)」を表示するものについては、文字、縁及び区分線を白色、地を青色、矢形を淡い黄色（道路法第五十六条の規定に基づき国土交通大臣が指定した主要な都道府県道に係るものにあつては、淡い緑色）とする。

(18) 車両制限令第三条第一項第二号イに規定する道路管理者が指定した道路に設置する「総重量限度緩和指定道路（118の4—A）」を表示するものについては、文字、縁及び地を青色、記号及び縁線を白色とする。

(19) 車両制限令第三条第一項第二号イに規定する道路管理者が指定した道路に設置する「総重量限度緩和指定道路（118の4—B）」を表示するものについては、文字、縁及び地を青色、記号、矢形及び縁線を白色とする。

(20) 高速道路等以外の道路のうち車両制限令第三条第一項第三号に規定する道路管理者が指定した道路に設置する「高さ限度緩和指定道路（118の5—A）」を表示するものについては、記号中の文字、縁及び地を青色、記号外の文字、記号及び縁線を白色とする。

(21) 高速道路等以外の道路のうち車両制限令第三条第一項第三号に規定する道路管理者が指定した道路に設置する「高さ限度緩和指定道路（118の5—B）」を表示するものについては、記号中の文字、縁及び地を青色、記号外の文字、記号、矢形及び縁線を白色とする。

(22) 高速道路等以外の道路に設置する「道路の通称名」を表示するものについては、文字及び地を青色、矢形及び縁を白色とする。

(23) 「エレベーター（121—A・B）」、「エスカレーター（122—A・B）」、「傾斜路（123—A・B）」及び「便所（126—A・B）」を表示するものについては、記号を青色の地に白色、矢印及び縁線を青色、縁及び地を白色とする。

(24) 「乗合自動車停留所」及び「路面電車停留場」を表示するものについては、文字、矢印及び縁線を青色、記号を青色の地に白色、縁及び地を白色とする。

(25) (1)本文、(2)本文、(11)本文、(12)、(13)本文及び(14)の規定にかかわらず、「入口の方向」、「方面、方向及び距離」、「方面及び距離（106—A）」、「方面及び車線」、「方面及び方向の予告」、「方面及び方向」、「方面、方向及び道路の通称名の予告」、「方面、方向及び道路の通称名」、「方面及び出口の予告（110—B）」、「方面、車線及び出口の予告」、「方面及び出口」、「出口」、「サービス・エリア、道の駅の予告（116の2—B）」及び「サービス・エリア」を表示するものについては、必要がある場合は、矢印を白色以外の色とすることができる。

2 警戒標識

縁線、文字及び記号を黒色、縁及び地を黄色とする。ただし、「信号機あり」を表示するものについては記号の地を黒色、円形の記号を右から赤色、黄色、青色（別表第二備考一の(一)の27の規定により記号を縦にする場合においては、円形の記号を上から赤色、黄色、青色）とし、「上り急勾配あり」及び「下り急勾配あり」を表示するものについては矢印を白色とする。

3 規制標識

(1) 「通行止め」、「車両通行止め」、「二輪の自動車以外の自動車通行止め」、「大型貨物自動車等通行止め」、「特定の最大積載量以上の貨物自動車等通行止め」、「大型乗用自動車等通行止め」、「二輪の自動車・一般原動機付自転車通行止め」、「自転車以外の軽車両通行止め」、「特定小型原動機付自転車・自転車通行止め」、「車両（組合せ）通行止め」、「大型自動二輪車及び普通自動二輪車二人乗り通行禁止」、「車両横断禁止」、「転回禁止」、「追越しのための右側部分はみ出し通行禁止」、「追越し禁止」、「危険物積載車両通行止め」、「重量制限」、「高さ制限」、「最大幅」、「最高速度」、「特定の種類の車両の最高速度」、「最低速度」、「一般原動機付自転車の右折方法（小回り）」、「歩行者等通行止め」及び「歩行者等横断禁止」を表示するものについては、文字及び記号を青色、斜めの帯及び枠を赤色、縁及び地を白色とする。ただし、「最高速度」、「特定の種類の車両の最高速度」及び「最低速度」を表示するものについては、これを灯火により表示する場合においては、文字及び記号を白色又は黄色、地を黒色とすることができる。

(2) 「車両進入禁止」を表示するものについては、帯及び縁を白色、地を赤色とする。

(3) 「タイヤチェーンを取り付けていない車両通行止め」、「指定方向外進行禁止」、「時間制限駐車区間」、「自動車専用」、「特定小型原動機付自転車・自転車専用」、「普通自転車等及び歩行者等専用」、「歩行者等専用」、「許可車両専用」、「許可車両（組合せ）専用」、「広域災害応急対策車両専用」、「特定の種類の車両の通行区分」、「牽引自動車の高速自動車国道通行区分」、「専用通行帯」、「普通自転車専用通行帯」、「路線バス等優先通行帯」、「牽引自動車の自動車専用道路第一通行帯通行指定区間」、「進行方向別通行区分」、「一般原動機付自転車の右折方法（二段階）」、「環状の交差点における右回り通行」、「平行駐車」、

「直角駐車」、「斜め駐車」、「警笛鳴らせ」及び「警笛区間」を表示するものについては、文字、記号及び縁を白色、地を青色とする。

(4) 「一方通行」及び「特定小型原動機付自転車・自転車一方通行」を表示するものについては、記号及び縁線を白色、縁及び地を青色とする。

(5) 「駐停車禁止」、「駐車禁止」及び「駐車余地」を表示するものについては、斜めの帯及び枠を赤色、文字及び縁を白色、地を青色とする。

(6) 「車両通行区分」を表示するものについては、文字及び縁線を青色、縁及び地を白色とする。

(7) 「徐行」及び「前方優先道路」を表示するものについては、文字を青色、枠を赤色、縁及び地を白色とする。

(8) 「一時停止」を表示するものについては、文字及び縁線を白色、縁及び地を赤色とする。

4 指示標識

(1) 「並進可」、「軌道敷内通行可」、「高齢運転者等標章自動車駐車可」、「駐車可」、「高齢運転者等標章自動車停車可」、「停車可」、「優先道路」、「中央線」、「停止線」及び「安全地帯」を表示するものについては、文字、記号及び縁を白色、地を青色とする。

(2) 「横断歩道」、「自転車横断帯」及び「横断歩道・自転車横断帯」を表示するものについては、記号及び縁線を白色、縁及び地を青色とする。

(3) 「規制予告」を表示するものについては、記号は、標示板に表示する当該規制標識又は指示標識の種類に応じて別表第二備考一の(三)の3並びに4の(1)及び(2)に規定するところによるものとし、「規制予告(409—A)」を表示するものについては、文字及び縁線を青色、地を白色とし、「規制予告(409—B)」を表示するものについては、文字、道路を表示する記号及び縁を白色、矢印を黒色、地を青色とする。

(四) 文字の形

文字の形は、次に図示したものを基準とする。

ABCDEFGHIJK
LMNOPQRSTU
VWXYZ. 12
34567890 道

(五) 文字等の大きさ等

1 寸法が図示されている文字及び記号の大きさは、図示の寸法を基準とする。

2 高速道路等以外の道路に設置する案内標識で、「入口の方向」、「入口の予告」、「方面、方向及び道路の通称名の予告」、「方面、方向及び道路の通称名」、「著名地点(114—B)」、「非常電話」、「待避所」、「非常駐車帯」、「駐車場」、「登坂車線」、「国道番号」、「都道府県道番号」、「総重量限度緩和指定道路」、「高さ限度緩和指定道路(118の5—A・B)」、「道路の通称名」及び「まわり道」を表示するもの以外のものの文字の大きさは、道路の設計速度に応じ、次の表の下欄に掲げる値(ローマ字にあつては、その二分の一の値)を基準とする。ただし、必要がある場合にあつては、これを一・五倍、二倍、二・五倍又は三倍に、それぞれ拡大することができる。

設計速度(単位 キロメートル毎時)	文字の大きさ(単位 センチメートル)
七〇以上	三〇
四〇、五〇又は六〇	二〇
三〇以下	一〇

3 「方面、方向及び道路の通称名の予告」及び「方面、方向及び道路の通称名」を表示する案内標識については、矢印外の文字の大きさは、2の規定によるものとし、矢印中の文字の大きさは、矢印外の文字の大きさの〇・六倍の大きさとする。

4 「著名地点(114—B)」を表示する案内標識の文字の大きさは、十センチメートルを標準とする。

5 「市町村」、「都府県」並びに「方面、方向及び距離」、「方面及び距離」、「方面及び車線」、「方面及び方向の予告」、「方面及び方向」、「方面、方向及び道路の通称名の予告」、「方面、方向及び道路の通称名」、「方面及び出口の予告」、「方面、車線及び出口の予告」、「方面及び出口」及び「著名地点」を表示する案内標識に、それぞれ市町村章、都府県章及び公共施設等の形状等を表す記号を表示する場合の当該記号の大きさは、日本字の大きさの一・七倍以下の大きさとする。

6 都市高速道路等に設置する「方面及び方向」を表示する案内標識に路線を表す記号を表示する場合の当該記号の大きさは、経由路線を表す記号については日本字の大きさの一・六倍以下、方面としての路線を表す記号については日本字の大きさの〇・九倍以下の大きさとする。

7 高速道路等以外の道路に設置する「駐車場」を表示する案内標識に便所を表す記号を表示する場合の当該記号の大きさは、駐車場を表示する記号の〇・七倍以下の大きさとする。
8 縁、縁線及び区分線の太さは、次の寸法を基準とする。
(1) 案内標識
縁は、高速道路等以外の道路に設置するもので、「待避所」、「駐車場」及び「まわり道(120—B)」を表示するものについては九ミリメートル、「国道番号(118—A)」、「都道府県道番号(118の2—A)」、「総重量限度緩和指定道路(118の4—A・B)」及び「高さ限度緩和指定道路(118の5—A・B)」を表示するものについては十六ミリメートル、「登坂車線」を表示するものについては十ミリメートル、「国道番号(118—B・C)」、「都道府県道番号(118の2—B・C)」及び「道路の通称名」を表示するものについては八ミリメートル、その他のものについては日本字の大きさの二十分の一以上の太さとし、縁線及び区分線は、日本字の大きさの二十分の一以上の太さとする。
(2) 警戒標識
縁及び縁線は、十二ミリメートルとする。
(3) 規制標識
縁は十五ミリメートルとし、縁線は「一時停止」及び「車両通行区分」を表示するものについては十五ミリメートル、「一方通行」及び「特定小型原動機付自転車・自転車一方通行」を表示するものについては十二ミリメートルとする。
(4) 指示標識
縁は、「横断歩道」、「自転車横断帯」及び「横断歩道・自転車横断帯」を表示するものについては十二ミリメートル、「規制予告(409—B)」を表示するものについては九ミリメートル、その他のものについては十五ミリメートルとし、縁線は十二ミリメートル、「規制予告(409—B)」を表示するものについては九ミリメートルとする。

(六) 車両の種類の略称
規制標識に車両の種類を記載するときは、次の表の上欄に掲げる車両について、それぞれ同表の下欄に掲げる略称を用いることができる。

車両の種類	略称
大型自動車	大型
大型自動車、特定中型自動車及び大型特殊自動車	大型等
中型自動車	中型
特定中型自動車	特定中型
準中型自動車	準中型
普通自動車	普通
大型特殊自動車	大特
大型自動二輪車及び普通自動二輪車（道路交通法施行規則第二条の表備考の規定により二輪の自動車とみなされ、かつ、同表の大型自動二輪車又は普通自動二輪車に区分される三輪の自動車を含む。）	自二輪
長さが三・四〇メートル以下、幅が一・四八メートル以下、高さが二・〇〇メートル以下の普通自動車（内燃機関を原動機とする自動車にあつては、総排気量が〇・六六〇リットル以下のものに限る。）	軽
小型特殊自動車	小特
一般原動機付自転車	原付
特定小型原動機付自転車	特定原付
特例特定小型原動機付自転車	特例特定原付
二輪の自動車及び一般原動機付自転車	二輪
道路交通法施行規則第二十四条第二項に規定する小型二輪車及び一般原動機付自転車	小二輪
普通自転車	自転車
トロリーバス	トロリー

専ら人を運搬する構造の自動車	乗用
大型乗用自動車	大乗
中型乗用自動車	中乗
特定中型乗用自動車	特定中乗
準中型乗用自動車	準中乗
大型乗用自動車及び特定中型乗用自動車	バス
乗車定員が三〇人以上の大型乗用自動車	大型バス
大型バス以外の大型乗用自動車及び特定中型乗用自動車	マイクロ
道路運送法（昭和二十六年法律第百八十三号）第九条第一項に規定する一般乗合旅客自動車運送事業者による同法第五条第一項第三号に規定する路線定期運行の用に供する自動車	路線バス
普通乗用自動車	普乗
道路運送法第三条第一号ハに規定する一般乗用旅客自動車運送事業の用に供する自動車	タクシー
大型乗用自動車以外の大型自動車、中型乗用自動車以外の中型自動車、準中型乗用自動車以外の準中型自動車及び普通乗用自動車以外の普通自動車	貨物
大型乗用自動車以外の大型自動車	大貨
大型乗用自動車以外の大型自動車、特定中型乗用自動車以外の特定中型自動車及び大型特殊自動車	大貨等
中型乗用自動車以外の中型自動車	中貨
特定中型乗用自動車以外の特定中型自動車	特定中貨
準中型乗用自動車以外の準中型自動車	準中貨
普通乗用自動車以外の普通自動車	普貨
重被牽引車を牽引している牽引自動車	けん引
高齢運転者等標章自動車	標章車

二　補助標識板（補助標識の標示板をいう。）

(一)　表示

1　補助標識（「車両の種類（503―D）」、「駐車時間制限」、「始まり（505―B・C）」、「区域内」、「終わり（507―B～D）」、「通学路」、「追越し禁止」、「前方優先道路」、「踏切注意」、「横風注意」、「動物注意」、「注意」、「始点」及び「終点」を表示するものを除く。）に係る図示の文字及び記号（「車両の種類（503―C）」にあつては、「3」に限る。）は、例示とする。

2　「日・時間」を表示する補助標識において国民の祝日に関する法律に規定する休日を示す場合にあつては、「休日」と表示する。

3　「日・時間」に係る図示の「8―20」は、八時から二十時までであることを示す。

4　「車両の種類（503―B）」を表示する補助標識の標示板の記号は、「二輪の自動車以外の自動車通行止め」、「大型貨物自動車等通行止め」、「大型乗用自動車等通行止め」、「二輪の自動車・一般原動機付自転車通行止め」、「自転車以外の軽車両通行止め」及び「特定小型原動機付自転車・自転車通行止め」を表示する規制標識に係る図示の記号（当該記号の鏡像である記号を含む。）を用いるものとし、その記号は当該規制標識が表示する通行の禁止に係る種類の車両を表示するものとする。

5　「車両の種類（503―C）」を表示する補助標識の標示板に示される重量の単位は、トンとする。

(二)　寸法

1　図示の寸法を基準とする。

2　補助標識は、その附置される本標識板の拡大率又は縮少率と同じ比率で拡大し、又は縮少することができる。

(三)　色彩

1　地を白色、矢印を用いるときはこれを赤色又は黒色、文字又は矢印以外の記号を用いるときはこれを黒色とする。ただし、「車両の種類（503―D）」を表示する補助標識については地を淡い黄色、文字を黒色とし、「終わり（507―C）」を表示する補助標識については、斜めの帯及び枠を青色、縁及び地を白色とする。

2　高速道路等に設置する案内標識に附置する場合にあつては、1の本文の規定にかかわらず、文字及び矢印を緑色、地を白色とする。

3　灯火により表示する場合において、別表第二備考一の(三)の3の(1)のただし書の規定による色彩を用いた規制標識に附置するときにあつては、1の本文の規定にかかわらず、文字及び記号を白色又は黄色、地を黒色とすることができる。

(四)　文字の形

一の(四)を準用する。

(五)　車両の種類の略称

車両の種類を表示するときは、一の(六)の規定に準じて略称を用いることができる。

(六)　遠隔操作型小型車の略称

遠隔操作型小型車を表示するときは、「遠隔小型」という略称を用いることができる。

三　柱

(一)　寸法

図示の寸法を基準とする。ただし、著名地点「(114—B)」を表示する案内標識を設置する場合には、必要があるときは、路面から標示板の下端までの高さを百センチメートルまで低くすることができる。

(二)　色彩

原則として、灰色又は白色とする。

四　その他

(一)　取付け方等

1　本標識板及び補助標識板の取付け方は、図示の取付け方を基準とする。ただし、必要があり、かつ、適当と認められる場合においては、次の図の例によることができる。

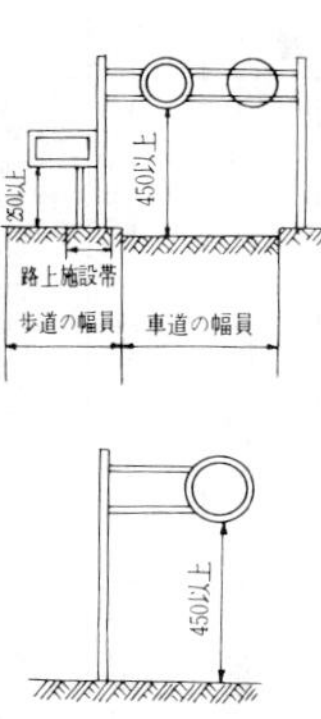

2　同一場所に二以上の道路標識を設置する場合においては、その本標識板及び補助標識板を一の柱に取り付けることができる。

3　2により一の柱に二以上の本標識板が上下に取り付けられる場合で、それぞれの本標識が表示する禁止、制限又は指定の区間の終わりを「終わり (507—C)」を表示する補助標識によつて示す必要があるときは、下方の本標識に係る補助標識は省略するものとする。

4　道路標識を設置する場合において、1から3までの規定によつて設置することが適当でないと認められるときは、標示板を信号機、電柱その他工作物に取り付けることができる。

5　区域を定めて行う交通の規制を表示する道路標識（以下「区域規制標識」という。）を設置する場合には、当該区域規制標識に白色又は灰色の長方形の背板を設けることができる。この場合において、当該背板に文字又は記号を表示してはならない。

6　5により一の背板を設けて二以上の区域規制標識を上下に設置する場合で、それぞれの区域規制標識に係る本標識が表示する禁止、制限又は指定の区域の始まり、区域内又は区域の終わりを「始まり (505—C)」、「区域内」又は「終わり (507—D)」を表示する補助標識によつて示す必要があるときは、当該本標識のうち上方のものに係る補助標識は省略するものとする。

7　可変式の道路標識を設置する場合には、当該道路標識に白色又は灰色（画像表示用装置に表示される道路標識にあつては、白色、灰色又は黒色）の正方形又は長方形の背板を設けることができる。この場合において、当該背板に文字又は記号を表示してはならない。

(二)　反射材料等

道路標識には原則として反射材料を用い、又は反射装置若しくは夜間照明装置を施すものとする。

別表第三（第五条関係）

種類	番号	設置場所
車道中央線	(101)	車道（軌道敷である部分を除く。以下この表及び別表第四において同じ。）の幅員が五・五メートル以上の区間内の中央を示す必要がある車道の中央
車線境界線	(102)	四車線以上の車道の区間内の車線の境界線を示す必要がある区間の車線の境界
車道外側線	(103)	車道の外側の縁線を示す必要がある区間の車道の外側
歩行者横断指導線	(104)	歩行者の車道の横断を指導する必要がある場所
車道幅員の変更	(105)	異なる幅員の車道の接続点で、車道の幅員の変更を示す必要がある場所
路上障害物の接近	(106)	車道における路上障害物の接近を示す必要がある場所
導流帯	(107)	車両の安全かつ円滑な走行を誘導する必要がある場所
路上駐車場	(108)	路上駐車場の外縁（歩道に接するものを除く。）

別表第四（第六条関係）

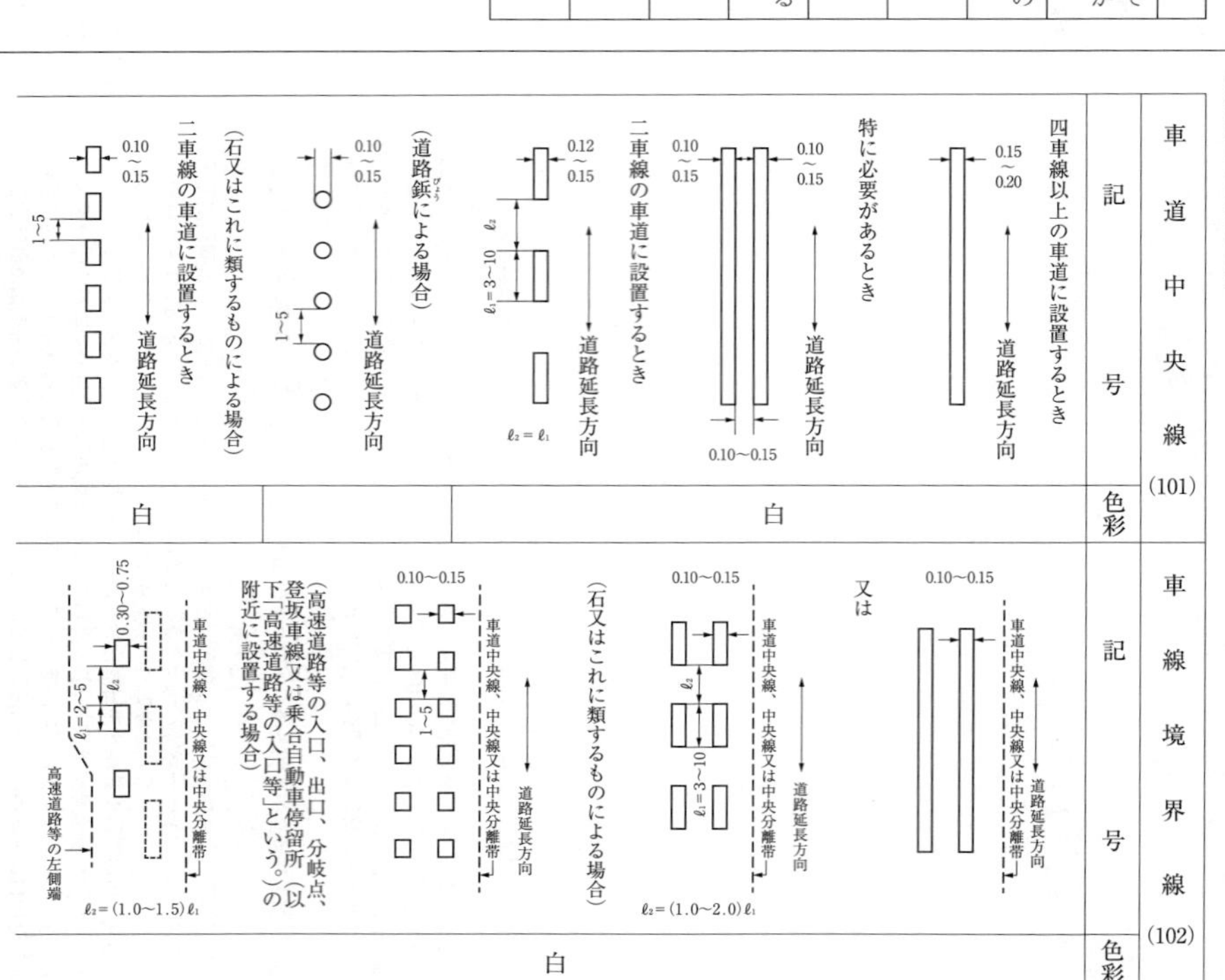

名称	記号	色彩
車道外側線 (103)	0.15～0.20 道路延長方向 （道路鋲<ruby>による場合） 0.10～0.15 0～10 道路延長方向 $\ell_1=\ell_2$	白
車道幅員の変更 (105)	d 路端 0.15 ℓ ℓ＞15d 路端 道路延長方向	白
歩行者横断指導線 (104)	路端 0.15～0.30 道路延長方向 （道路鋲による場合） 路端 0～0.50 0.10～0.15 ℓ_1 ℓ_2 道路延長方向 $\ell_1=\ell_2$ （石又はこれに類するものによる場合） 路端 0～0.50 ℓ_1 ℓ_2 0.15～0.20 道路延長方向 $\ell_1=\ell_2$	白

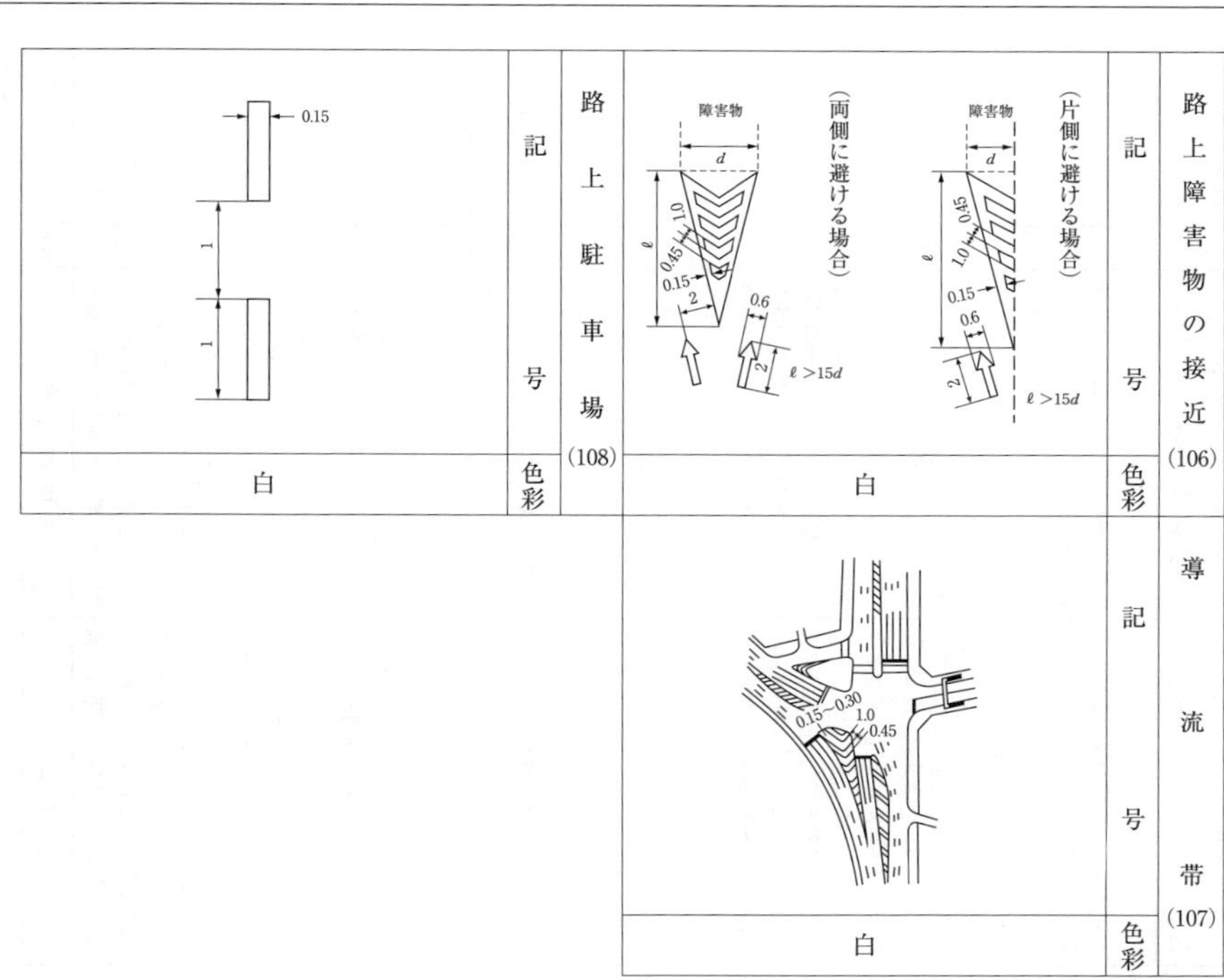

備考
一　表示
㈠　道路鋲による場合及び石又はこれに類するものによる場合の様式以外の図示の様式は、「車道中央線」、「車線境界線」及び「車道外側線」を実線で表示するものについては、ペイント又は石若しくはこれに類するものによる場合の様式とし、その他のものについては、ペイントによる場合の様式とする。
㈡　「車道中央線」を表示するものは、二車線の車道の区間に設ける場合においても、特に必要があるときは、四車線の車道の区間に設けるものと同じ様式のものを設置することができる。
㈢　「導流帯」を表示するものに係る図示の記号は、例示とする。
二　寸法
図示の寸法（その単位はメートルとする。）を基準とする。
三　反射材料等
区画線には、必要に応じ、反射材料を用い、又は反射装置を施すものとする。

別表第五（第九条関係）

規制標示

種類	番号	表示する意味	設置場所
転回禁止	（101）	交通法第二十五条の二第二項の道路標示により、車両の転回を禁止すること。	車両の転回を禁止する道路の区間又は場所の前面及び道路の区間又は場所内の必要な地点
追越しのための右側部分はみ出し通行禁止	（102）	交通法第十七条第五項第四号の道路標示により、車両が追越しのため右側部分にはみ出して通行することを禁止すること。	車両が追越しのため右側部分にはみ出して通行することを禁止する道路の区間
進路変更禁止	（102の２）	交通法第二十六条の二第三項の道路標示により、車両通行帯を通行している車両の進路の変更を禁止すること。	車両の進路の変更を禁止する道路の区間
駐停車禁止	（103）	交通法第四十四条第一項の道路標示により、車両の駐車及び停車を禁止すること。	車両の駐車及び停車を禁止する道路の区間の左側の歩道
駐車禁止	（104）	交通法第四十五条第一項の道路標示により、車両の駐車を禁止すること。	車両の駐車を禁止する道路の区間の左側の歩道
最高速度	（105）	交通法第二十二条の道路標示により、車両（原動機付自転車、他の車両を牽引している自動車及び緊急自動車を除く。）及び路面電車の最高速度を指定し、原動機付自転車及び他の車両を牽引している自動車の最高速度につき交通法施行令に規定する最高速度以下の速度とする場合における当該最高速度を指定し、並びに緊急自動車の最高速度につき交通法施行令に規定する最高速度以上の速度とする場合における当該最高速度を指定すること。	車両（原動機付自転車、他の車両を牽引している自動車及び緊急自動車を除く。）及び路面電車の最高速度を指定し、原動機付自転車及び他の車両を牽引している自動車の最高速度につき交通法施行令に規定する最高速度以下の速度とする場合における当該最高速度を指定し、並びに緊急自動車の最高速度につき交通法施行令に規定する最高速度以上の速度とする場合における当該最高速度を指定する区域内又は道路の区間内の必要な地点
立入り禁止部分	（106）	交通法第十七条第六項の道路標示により、車両の通行の用に供しない部分であることを表示すること。	車両の通行の用に供しない部分であることを表示する場所

停止禁止部分	（107）	交通法第五十条第二項の道路標示により、車両及び路面電車がその進行しようとする進路の前方の車両及び路面電車の状況により停止することとなるおそれがあるときは入つてはならない部分（以下この項において「停止禁止部分」という。）を区画すること。	停止禁止部分を区画する場所
路側帯	（108）	交通法第二条第一項第三号の四に規定する路側帯であること。	路側帯を設ける道路の区間
駐停車禁止路側帯	（108の２）	交通法第二条第一項第三号の四及び第四十七条第三項の道路標示により、路側帯における車両の駐車及び停車を禁止すること。	路側帯における車両の駐車及び停車を禁止する道路の区間
歩行者用路側帯	（108の３）	交通法第二条第一項第三号の四、第十七条の三第一項及び第四十七条第三項の道路標示により、路側帯における特例特定小型原動機付自転車及び軽車両の通行並びに車両の駐車及び停車を禁止すること。	路側帯における特例特定小型原動機付自転車及び軽車両の通行並びに車両の駐車及び停車を禁止する道路の区間
車両通行帯	（109）	交通法第二条第一項第七号に規定する車両通行帯であること。	車両通行帯を設ける道路の区間
優先本線車道	（109の２）	交通法第七十五条の六第一項の道路標示により、自動車（緊急自動車を除く。）が他の本線車道に入ろうとする場合において、当該本線車道を通行する自動車があるときは当該自動車の進行妨害をしてはならないこととする場合の当該本線車道（以下この項において「優先本線車道」という。）を指定すること。	優先本線車道であることを指定する必要がある場所
車両通行区分	（109の３）	交通法第二十条第二項の道路標示により、車両通行帯の設けられた道路において、同条第一項に規定する通行の区分と異なる通行の区分を指定すること。	車両の通行の区分を指定する道路の区間の前面及び道路の区間内の必要な地点

特定の種類の車両の通行区分	（109の４）	交通法第二十条第二項の道路標示により、車両通行帯の設けられた道路において、車両の種類を特定して同条第一項に規定する通行の区分と異なる通行の区分を指定すること。	車両の種類を特定して通行の区分を指定する道路の区間の前面及び道路の区間内の必要な地点
牽引自動車の高速自動車国道通行区分	（109の５）	交通法第七十五条の八の二第三項の道路標示により、車両通行帯の設けられた高速自動車国道の本線車道において、重被牽引車を牽引している牽引自動車の通行の区分を指定すること。	重被牽引車を牽引している牽引自動車の通行の区分を指定する高速自動車国道の区間の前面及び高速自動車国道の区間内の必要な地点
専用通行帯	（109の６）	交通法第二十条第二項の道路標示により、車両通行帯の設けられた道路において、特定の車両が通行しなければならない車両通行帯（以下この項において「専用通行帯」という。）を指定し、かつ、他の車両（当該特定の車両が普通自転車である場合にあつては特定小型原動機付自転車及び軽車両を除き、当該特定の車両が普通自転車以外の車両である場合にあつては小型特殊自動車、原動機付自転車及び軽車両を除く。）が通行しなければならない車両通行帯として専用通行帯以外の車両通行帯を指定すること。	専用通行帯の前面及び専用通行帯内の必要な地点
路線バス等優先通行帯	（109の７）	交通法第二十条の二第一項の道路標示により、路線バス等の優先通行帯であることを表示すること。	路線バス等の優先通行帯の前面及び路線バス等の優先通行帯内の必要な地点
牽引自動車の自動車専用道路第一通行帯通行指定区間	（109の８）	交通法第七十五条の八の二第二項の道路標示により、車両通行帯の設けられた自動車専用道路の本線車道において、重被牽引車を牽引している牽引自動車が第一通行帯を通行しなければならない自動車専用道路の区間を指定すること。	重被牽引車を牽引している牽引自動車が第一通行帯を通行しなければならない区間として指定する自動車専用道路の区間に係る第一通行帯の前面及び当該第一通行帯内の必要な地点

進行方向別通行区分	(110)	交通法第三十五条第一項の道路標示により、車両通行帯の設けられた道路において、車両（特定小型原動機付自転車、軽車両及び右折につき一般原動機付自転車が交通法第三十四条第五項本文の規定によることとされる交差点において左折又は右折をする一般原動機付自転車を除く。以下この項において同じ。）が交差点で進行する方向に関する通行の区分を指定すること。	車両が交差点で進行する方向に関する通行の区分を指定する道路の区間の前面及び道路の区間内の必要な地点
右左折の方法	(111)	交通法第三十四条第一項、第二項又は第四項の道路標示により、車両（特定小型原動機付自転車、軽車両及び右折につき一般原動機付自転車が交通法第三十四条第五項本文の規定によることとされる交差点において右折をする一般原動機付自転車を除く。以下この項において同じ。）が交差点において右折又は左折するときに通行すべき部分を指定すること。	車両が交差点において右折又は左折するときに通行すべき部分を指定する交差点又はその直近の必要な地点
環状交差点における左折等の方法	(111の2)	交通法第三十五条の二第一項又は第二項の道路標示により、車両が環状交差点において左折若しくは右折し、又は直進若しくは転回するときに通行すべき部分を指定すること。	車両が環状交差点において左折若しくは右折し、又は直進若しくは転回するときに通行すべき部分を指定する環状交差点又はその直近の必要な地点
平行駐車	(112)	交通法第四十八条の道路標示により、車両が道路標示によつて区画された部分に入つて道路の側端（分離帯の側端を含む。以下斜め駐車の項までにおいて同じ。）に対し平行に駐車すべきこと（時間制限駐車区間にあつては、交通法第四十九条の三第三項の道路標示により、車両が駐車することができる道路の部分を指定し、かつ、車両が道路標示によつて区画された部分に入つて道路の側端に対し平行に駐車すべきこと）を指定すること。	車両が道路標示によつて区画された部分に入つて道路の側端に対し平行に駐車すべきこと（時間制限駐車区間にあつては、車両が駐車することができる道路の部分として指定し、かつ、車両が道路標示によつて区画された部分に入つて道路の側端に対し平行に駐車すべきこと）を指定する場所
直角駐車	(113)	交通法第四十八条の道路標示により、車両が道路標示によつて区画された部分に入つて道路の側端に対し直角に駐車すべきこと（時間制限駐車区間にあつては、交通法第四十九条の三第三項の道路標示により、車両が駐車することができる道路の部分を指定し、かつ、車両が道路標示によつて区画された部分に入つて道路の側端に対し直角に駐車すべきこと）を指定すること。	車両が道路標示によつて区画された部分に入つて道路の側端に対し直角に駐車すべきこと（時間制限駐車区間にあつては、車両が駐車することができる道路の部分として指定し、かつ、車両が道路標示によつて区画された部分に入つて道路の側端に対し直角に駐車すべきこと）を指定する場所
斜め駐車	(114)	交通法第四十八条の道路標示により、車両が道路標示によつて区画された部分に入つて道路の側端に対し斜めに駐車すべきこと（時間制限駐車区間にあつては、交通法第四十九条の三第三項の道路標示により、車両が駐車することができる道路の部分を指定し、かつ、車両が道路標示によつて区画された部分に入つて道路の側端に対し斜めに駐車すべきこと）を指定すること。	車両が道路標示によつて区画された部分に入つて道路の側端に対し斜めに駐車すべきこと（時間制限駐車区間にあつては、車両が駐車することができる道路の部分として指定し、かつ、車両が道路標示によつて区画された部分に入つて道路の側端に対し斜めに駐車すべきこと）を指定する場所
特例特定小型原動機付自転車・普通自転車歩道通行可	(114の２)	交通法第十七条の二第一項及び第六十三条の四第一項第一号の道路標示により、特例特定小型原動機付自転車及び普通自転車が歩道を通行することができることとすること。	特例特定小型原動機付自転車及び普通自転車が歩道を通行することができることとする道路の区間内の必要な地点
特例特定小型原動機付自転車・普通自転車の歩道通行部分	(114の３)	交通法第十七条の二第一項及び第六十三条の四第一項第一号の道路標示により、特例特定小型原動機付自転車及び普通自転車が歩道を通行することができることとし、かつ、交通法第十七条の二第二項	特例特定小型原動機付自転車及び普通自転車が歩道を通行することができることとし、かつ、通行すべき部分として指定する歩道の区間又は場所

種類	番号	表示する意味	設置場所
		及び第六十三条の四第二項の道路標示により、特例特定小型原動機付自転車及び普通自転車が歩道を通行する場合において、通行すべき歩道の部分を指定すること。	
普通自転車の交差点進入禁止	（114の４）	交通法第六十三条の七第二項の道路標示により、普通自転車が当該道路標示を越えて交差点に進入することを禁止すること。	普通自転車が交差点又はその手前の直近において当該交差点に入つてはならないことを示す必要がある場所
終わり	（115）	「転回禁止」、「最高速度」、「車両通行区分」、「専用通行帯」又は「路線バス等優先通行帯」を表示する規制標示が表示する交通の規制が行われている道路の区間の終わりを示すこと。	「転回禁止」、「最高速度」、「車両通行区分」、「専用通行帯」又は「路線バス等優先通行帯」を表示する規制標示が表示する交通の規制が行われている道路の区間の終わりの地点

指示標示

種類	番号	表示する意味	設置場所
横断歩道	（201）	交通法第二条第一項第四号に規定する横断歩道であること。	横断歩道を設ける場所
斜め横断可	（201の２）	交通法第十二条第二項の道路標示により、歩行者等が交差点において斜めに道路を横断することができることとすること。	歩行者等が斜めに道路を横断することができることとする交差点の必要な地点
自転車横断帯	（201の3）	交通法第二条第一項第四号の二に規定する自転車横断帯であること。	自転車横断帯を設ける場所
右側通行	（202）	交通法第十七条第五項第五号の道路標示により、勾配の急な道路のまがりかど附近について、車両が道路の中央から右の部分を通行することができることとすること。	勾配の急な道路のまがりかど附近について車両が道路の中央から右の部分を通行することができることとする場所
停止線	（203）	車両が停止する場合の位置であること。	車両の停止位置を示す必要がある地点

種類	番号	表示する意味	設置場所
二段停止線	（203の２）	二輪の自動車、原動機付自転車及び軽車両（以下この項において「二輪」という。）が停止する場合の位置及び二輪以外の車両が停止する場合の位置が、それぞれ二本の線のうちより前方の線の位置及びより後方の線の位置であること。	二輪及び二輪以外の車両について、それぞれ異なる停止位置を示す必要がある地点
進行方向	（204）	車両が進行することができる方向であること。	車両が進行することができる方向を示す必要がある地点
中央線	（205）	道路の中央であること又は交通法第十七条第四項の道路標示による中央線であること。	道路の中央を示す必要がある道路の区間
車線境界線	（206）	四車線以上の道路の区間内の車線の境界であること。	車線の境界を示す必要がある道路の区間
安全地帯	（207）	交通法第二条第一項第六号に規定する安全地帯（島状の施設のものを除く。以下この項において同じ。）であること。	安全地帯を設ける場所
安全地帯又は路上障害物に接近	（208）	安全地帯又は路上障害物に接近しつつあること。	安全地帯又は路上障害物に接近しつつあることを示す必要がある場所
導流帯	（208の２）	車両の安全かつ円滑な走行を誘導するために設けられた場所であること。	車両の走行を誘導する必要がある場所
路面電車停留場	（209）	路面電車の停留場であること。	路面電車の停留場を示す必要がある場所
横断歩道又は自転車横断帯あり	（210）	前方に横断歩道又は自転車横断帯があること。	前方に横断歩道又は自転車横断帯があることをあらかじめ示す必要がある地点
前方優先道路	（211）	当該道路と交差する前方の道路が交通法第三十六条第二項に規定する優先道路であること。	当該道路と交差する前方の道路が優先道路であることをあらかじめ示す必要がある地点

備考
「特例特定小型原動機付自転車・普通自転車歩道通行可」及び「特例特定小型原動機付自転車・普通自転車の歩道通行部分」を表示する規制標示のうち、「特例特定原付を除く」の文字が表示されているものの意味については、特例特定小型原動機付自転車が当該規制標示が表示する交通の規制の対象となる車両でないことを示すものとする。

別表第六（第十条関係）

規制標示

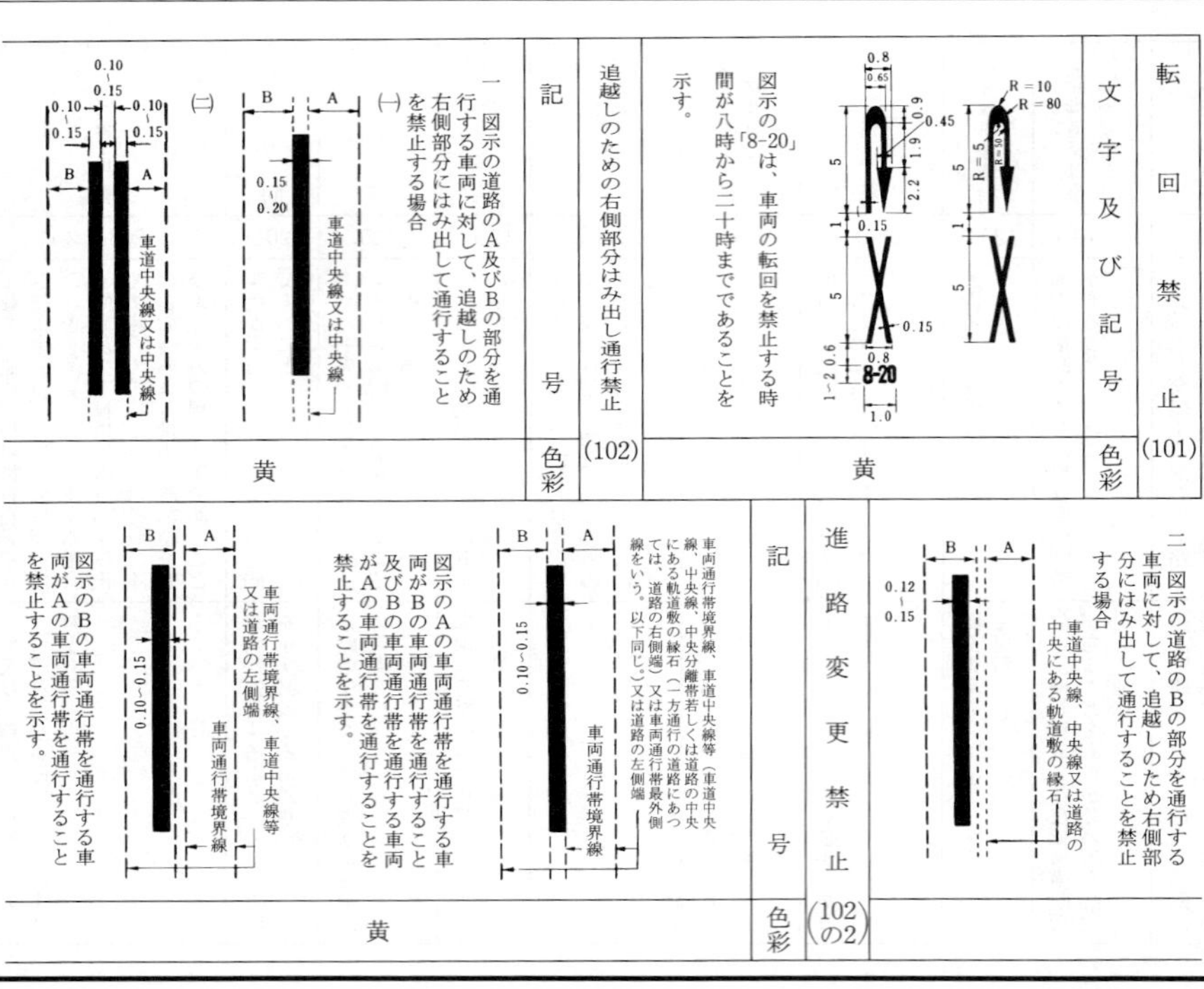

(101) 転回禁止

文字及び記号：図示の「8-20」は、車両の転回を禁止する時間が八時から二十時までであることを示す。

色彩：黄

(102) 追越しのための右側部分はみ出し通行禁止

記号：

一　図示の道路のA及びBの部分を通行する車両に対して、追越しのため右側部分にはみ出して通行することを禁止する場合

㈠ 車道中央線又は中央線

㈡ 車道中央線又は中央線

二　図示の道路のBの部分を通行する車両に対して、追越しのため右側部分にはみ出して通行することを禁止する場合

車道中央線、中央線又は道路の中央にある軌道敷の縁石

色彩：黄

(102の2) 進路変更禁止

記号：

車両通行帯境界線、車道中央線等（車道中央線、中央線、中央分離帯若しくは道路の中央にある軌道敷の縁石（一方通行の道路にあっては、道路の右側端）又は車両通行帯最外側線をいう。以下同じ。）又は道路の左側端

車両通行帯境界線

図示のAの車両通行帯を通行する車両がBの車両通行帯を通行すること及びBの車両通行帯を通行する車両がAの車両通行帯を通行することを禁止することを示す。

車両通行帯境界線、車道中央線等又は道路の左側端

車両通行帯境界線

図示のBの車両通行帯を通行する車両がAの車両通行帯を通行することを禁止することを示す。

色彩：黄

番号	名称	記号	色彩
(103)	駐停車禁止		黄
(104)	駐車禁止	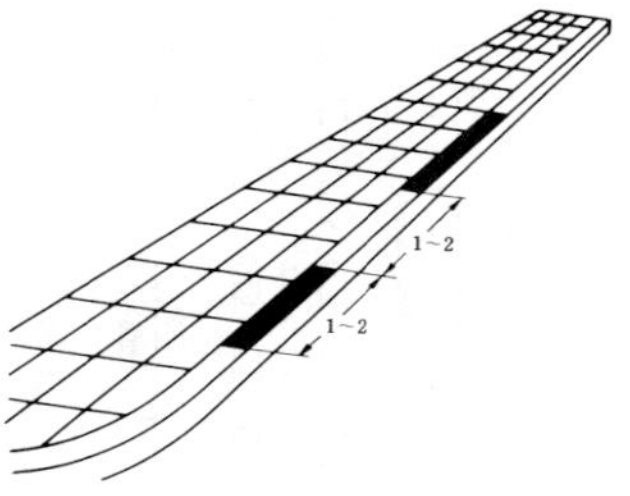 1～2　1～2	黄

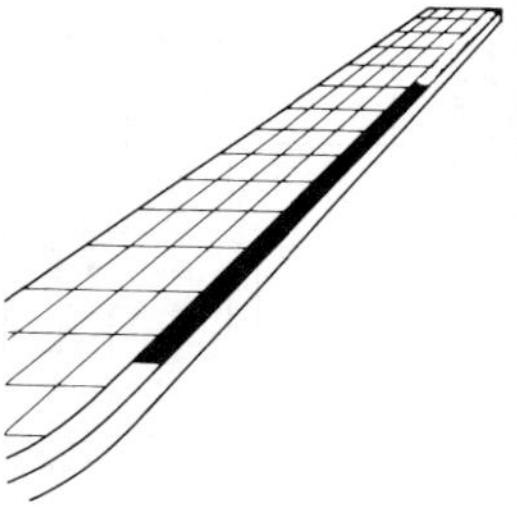

番号	名称	文字・記号	色彩
(105)	最高速度	文字：30（1.2　5　0.5　0.2　0.5）	黄
(106)	立入り禁止部分	記号：0.15～0.30　0.3～0.45　1.0～1.5	黄（縁線） 白（斜線）
(107)	停止禁止部分	記号：0.15　1～1.5　0.10　1～2　1～2	白

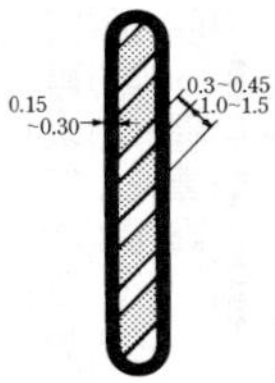

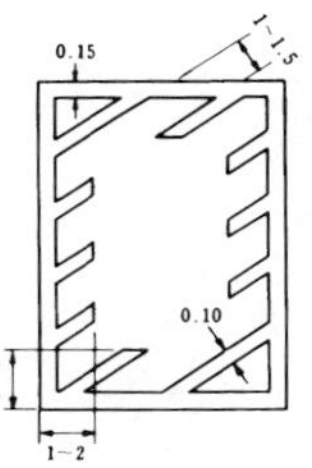

番号	名称	記号	色彩
(108)	路側帯	道路の左側端　0.15～0.20　車両通行帯境界線、車道中央線等	白
(108の2)	駐停車禁止路側帯	道路の左側端　0.10～0.15　0.10　0.15～0.20　ℓ_1　ℓ_2　車両通行帯境界線、車道中央線等　$\ell_1 = \ell_2 = 1.0 \sim 5.0$	白
(108の3)	歩行者用路側帯	道路の左側端　0.10～0.15　0.10　0.15～0.20　車両通行帯境界線、車道中央線等	白

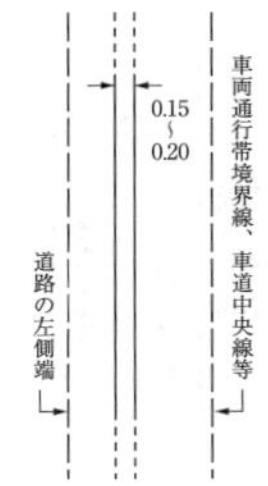

番号	名称	記号	色彩
(109)	車両通行帯	一　高速自動車国道の本線車道以外の道路の区間に設けられる車両通行帯 ㈠　ペイント又はこれに類するものによるとき 車両通行帯境界線（分離帯がある場合にあつてはこれを省略することができる。以下同じ。）　0.10～0.15　車道中央線等 車両通行帯最外側線（歩道と車道の区別のある道路その他当該車両通行帯最外側線を表示する必要がないと認められる道路にあつてはこれを省略することができる。以下同じ。）　0.10～0.20　道路の左側端 又は 0.10～0.15　ℓ_2　$\ell_1 = 3 \sim 10$　車両通行帯境界線　車道中央線等　0.10～0.20　車両通行帯最外側線　道路の左側端　$\ell_2 = (1.0 \sim 2.0)\ell_1$	白

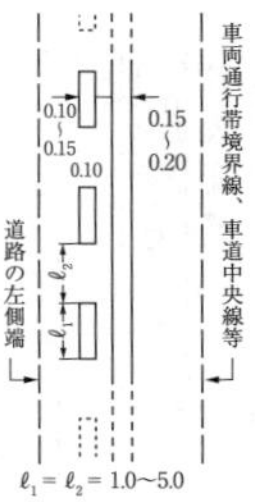

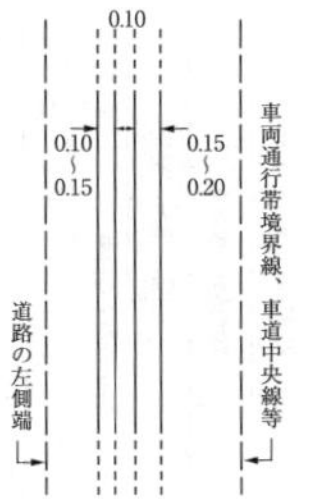

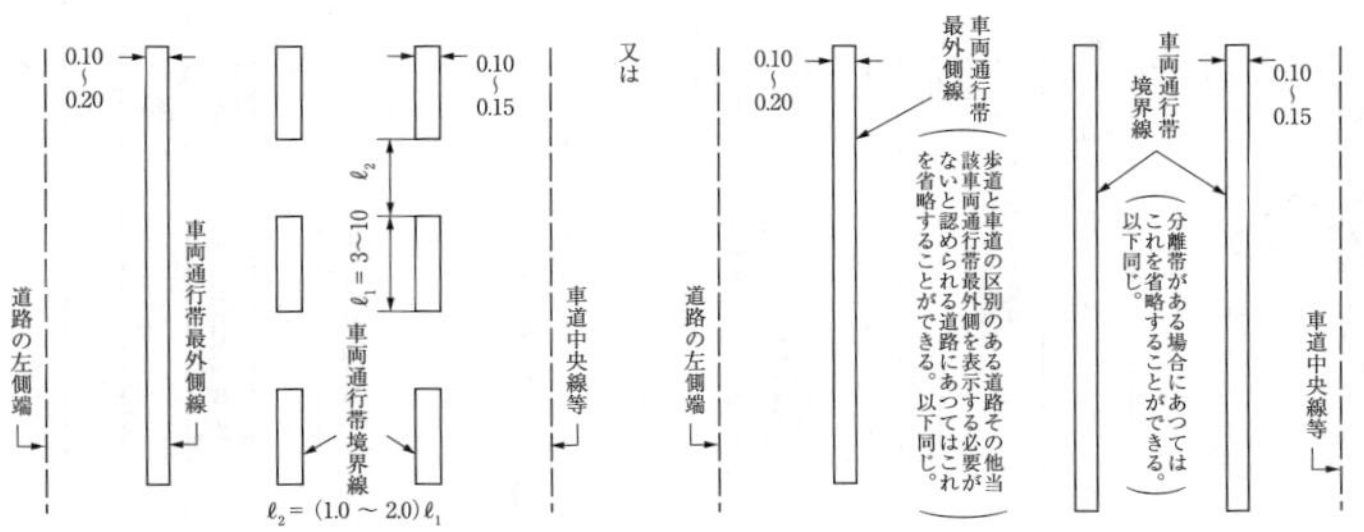

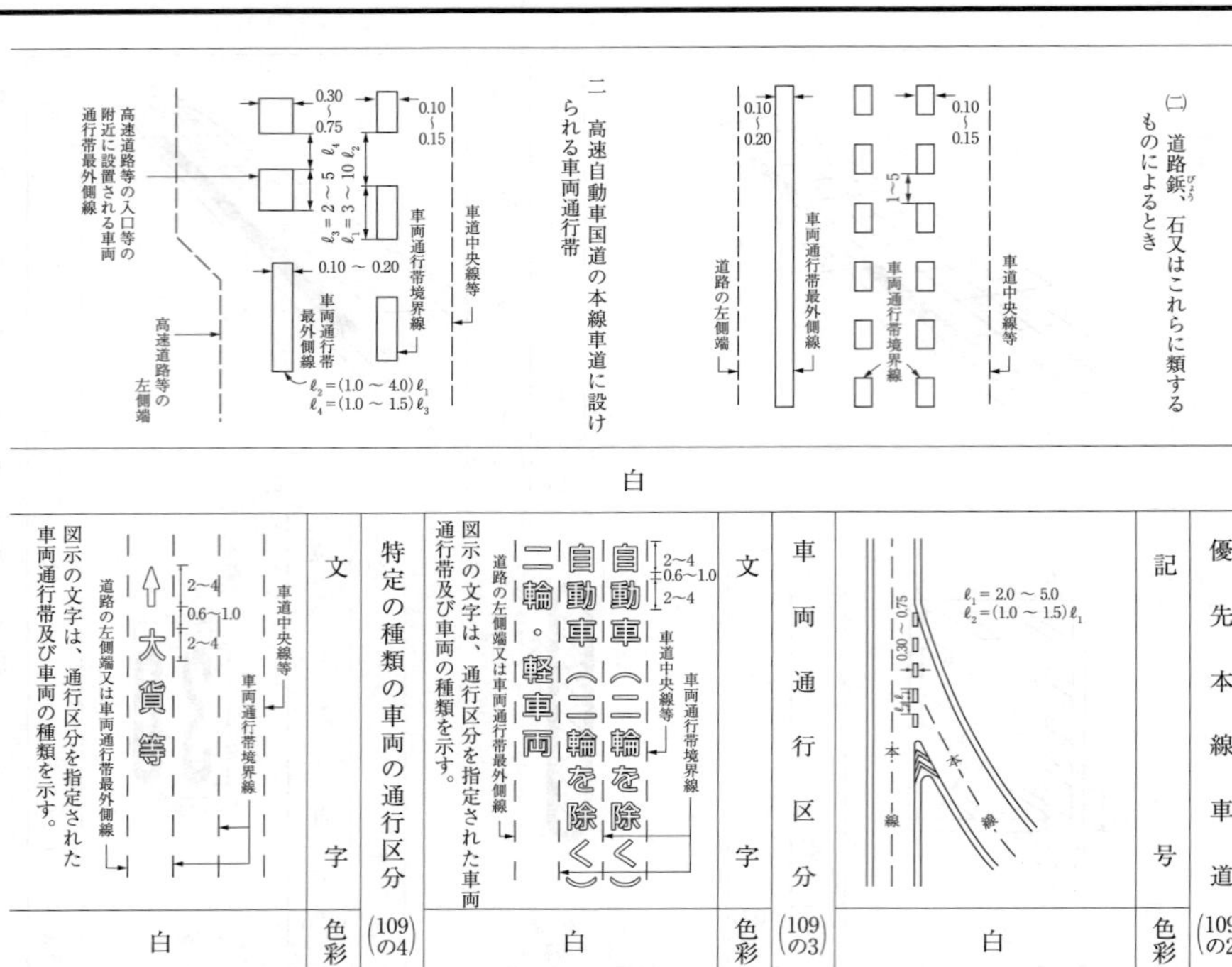

番号	種類		表示	色彩
(109の5)	牽引自動車の高速自動車国道通行区分	文字	けん引（2〜4 0.6〜1.0 2〜4）車道中央線等 車両通行帯境界線 道路の左側端又は車両通行帯最外側線 図示の文字は、通行区分を指定された車両通行帯及び車両の種類を示す。	白
(109の6)	専用通行帯	文字	バス専用 7-9（2〜4 0.6〜1.0 2〜4）車道中央線等 車両通行帯境界線 道路の左側端又は車両通行帯最外側線 図示の文字は、専用通行帯を通行しなければならない車両の種類を示す。	白
(109の7)	路線バス等優先通行帯	文字	バス優先 7-9（2〜4 0.6〜1.0 2〜4）車道中央線等 車両通行帯境界線 道路の左側端又は車両通行帯最外側線	白
(109の8)	牽引自動車の自動車専用道路第一通行帯通行指定区間	文字	けん引（2〜4 0.6〜1.0 2〜4）車道中央線等 車両通行帯境界線 道路の左側端又は車両通行帯最外側線	白
(110)	進行方向別通行区分	記号	車道中央線等 車両通行帯境界線 車両通行帯最外側線又は道路の左側端 2.2 5 2.5 0.45 0.15 0.15 0.15	白
(111)	右左折の方法	記号	0.15 0.5〜1.0 0.45 0.15〜0.20 0.15〜0.20 0.30〜0.40	白

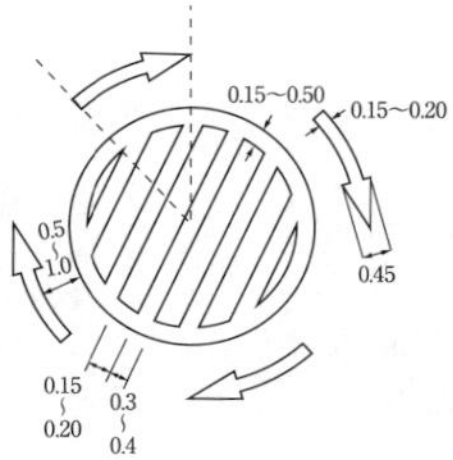

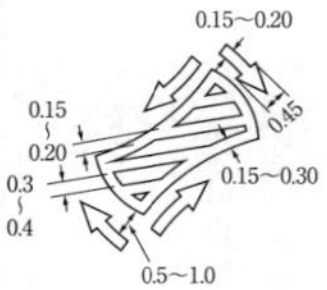

(111の2)	環状交差点における左折等の方法
記号	右折するときに矢印の示す方向により中央の標示に沿つた部分を通行しなければならないことを示す。 左折若しくは右折し、又は直進若しくは転回するときに矢印の示す方向により破線に沿つた部分を通行しなければならないことを示す。
色彩	白

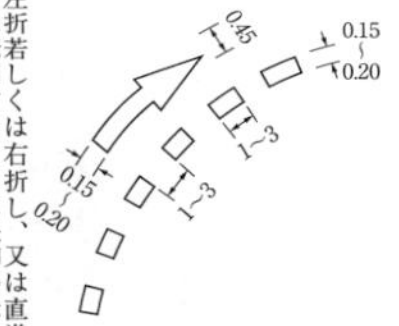

(112)	平行駐車
記号	左折又は右折をするときに矢印の示す方向により破線に沿つた部分を通行しなければならないことを示す。 左折又は右折をした後に通行する車両通行帯に入るように左折又は右折することを示す。（車道中央線等、車両通行帯最外側線又は道路の左側端、車両通行帯境界線） 一　一台の車両の駐車すべき道路の部分であることを示す場合 二　二台以上の車両の駐車すべき道路の部分であることを示す場合
色彩	白

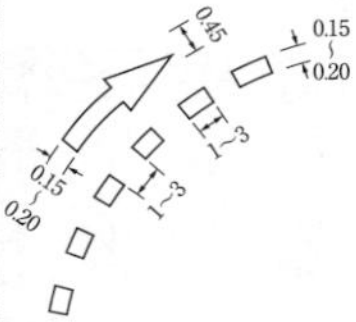

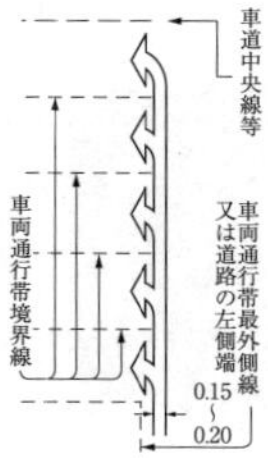

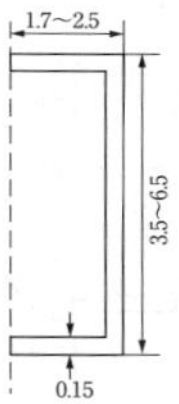

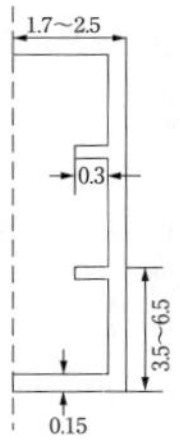

(113)	直角駐車
記号	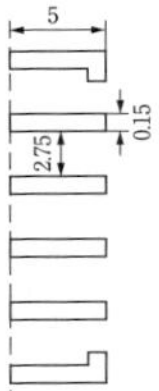
色彩	白

(114)	斜め駐車
記号	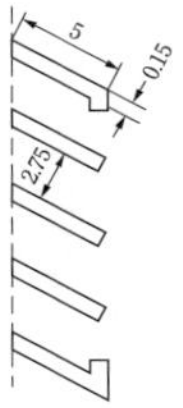
色彩	白

(114の2)	特例特定小型原動機付自転車・普通自転車歩道通行可
記号	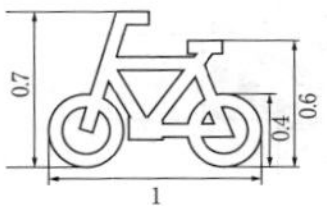
色彩	白

(114の3)	特例特定小型原動機付自転車・普通自転車の歩道通行部分
記号	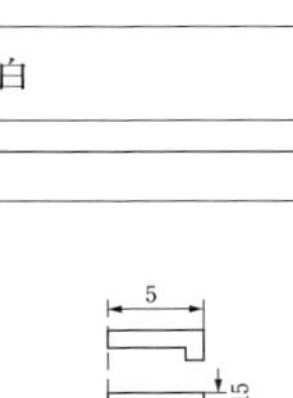 （道路端、歩道の側端）
色彩	白

(114の4)	普通自転車の交差点進入禁止
記号	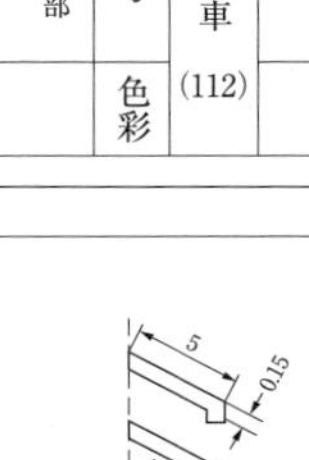 （車道の側端、車両通行帯境界線・車道中央線等）
色彩	黄（実線） 白（矢印及び自転車の記号）

(115)	終わり
文字及び記号	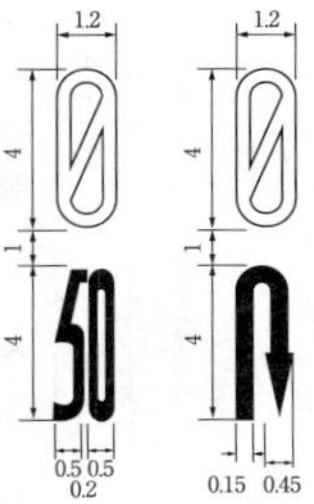
色彩	黄（下）白（上）

指示標示

横断歩道（201）

記号

0.15～0.30
ℓ_1 ℓ_2
軌道敷
$\ell_1 = \ell_2$ =0.45～0.50

色彩　白

斜め横断可（201の2）

記号

一　時間を限定して行う場合

又は

L1= L2=0.45～0.5

二

㈠　終日行う場合

又は

L1= L2=0.45～0.5

色彩　白

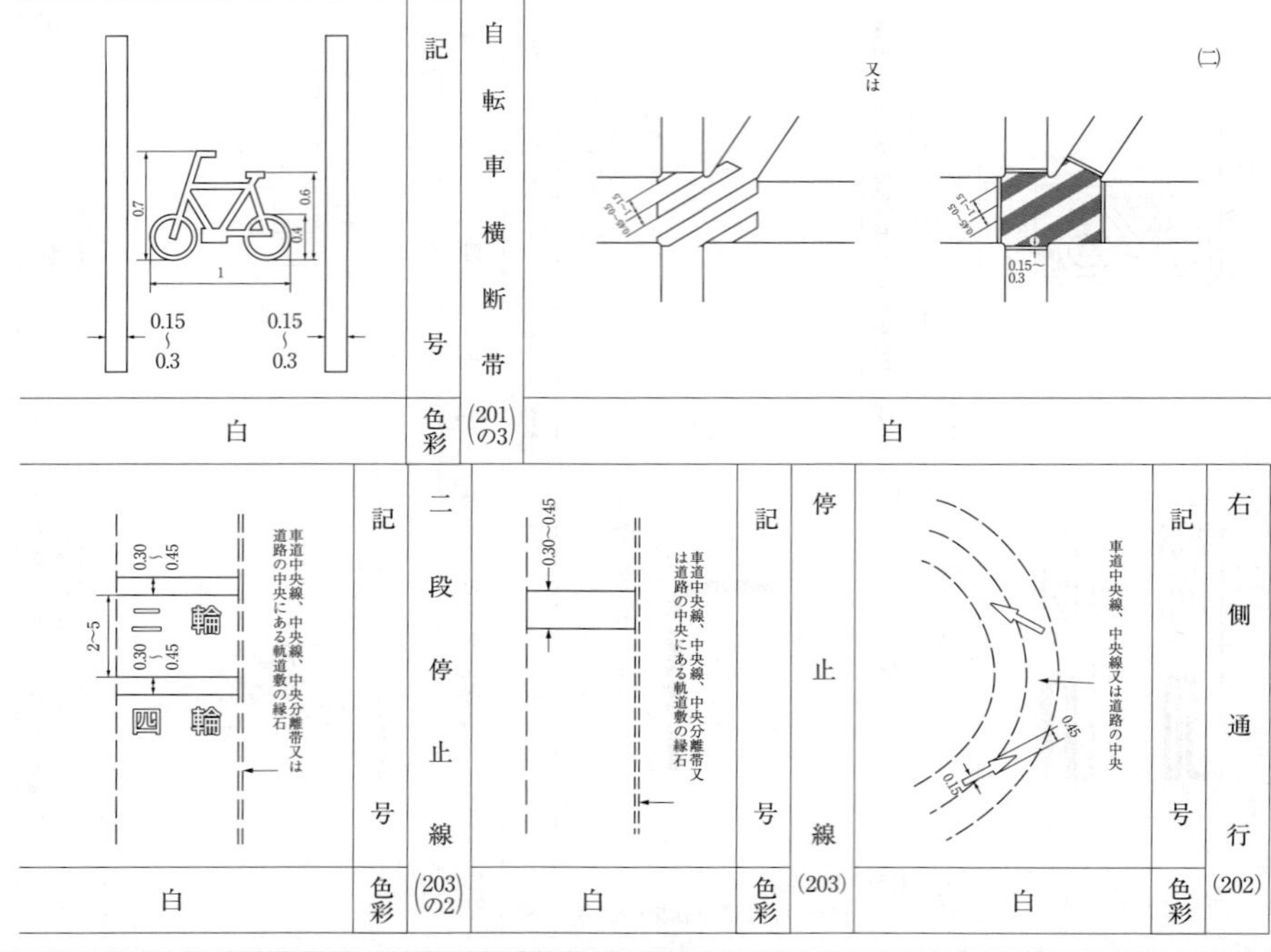

色彩　白

自転車横断帯（201の3）

記号

色彩　白

右側通行（202）

記号

色彩　白

停止線（203）

記号

色彩　白

二段停止線（203の2）

記号

色彩　白

		記号	色彩
(204)	進行方向		白
(205)	中央線	一　道路の右側部分にはみ出して通行してはならないことを特に示す必要がある道路に設置する場合	白
		二　一以外の場所に設置する場合 (一)　ペイント又はこれに類するものによるとき $\ell_1 = 3\sim10$　$\ell_2 = \ell_1$	白
		(二)　道路鋲、石又はこれらに類するものによるとき	
		三　道路の中央以外の部分を道路の中央として指定する場合 (一)　常時指定するとき	白
		(二)　日又は時間を限って指定するとき 標示筒、標示さく又は黄色の灯火のついている道路鋲	
		四　一及び三の(一)の場合で特に必要があるとき	白
(206)	車線境界線	一　ペイント又はこれに類するものによるとき 車道中央線等 又は $\ell_1 = 3\sim10$　$\ell_2 = (1.0\sim2.0)\ell_1$	白
		二　道路鋲、石又はこれらに類するものによるとき 車道中央線等	
(207)	安全地帯	軌道敷の縁石	黄(外わく) 白(内わく)
(208)	安全地帯又は路上障害物に接近	一　片側に避ける場合 安全地帯又は障害物 $\ell > 15d$ 二　両側に避ける場合 安全地帯又は障害物 $\ell > 15d$	白
(208の2)	導流帯		白
(209)	路面電車停留場	軌道敷の縁石	白

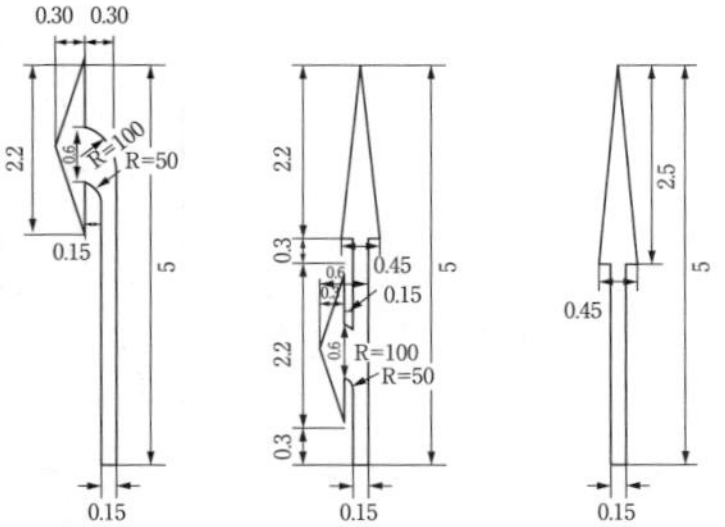

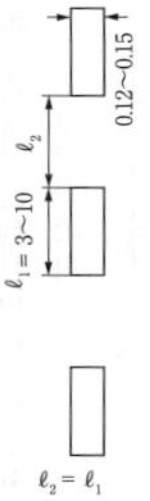

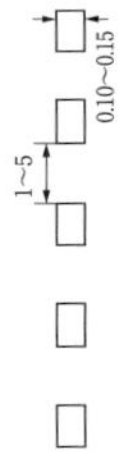

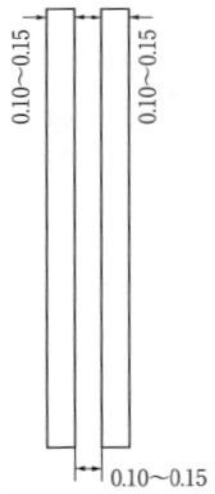

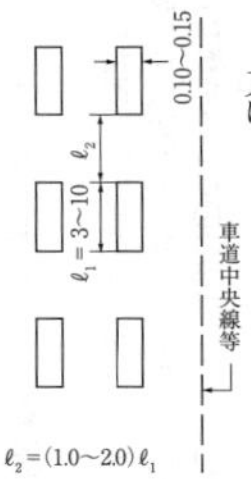

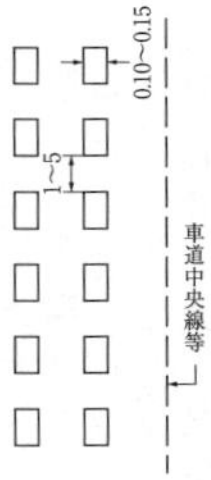

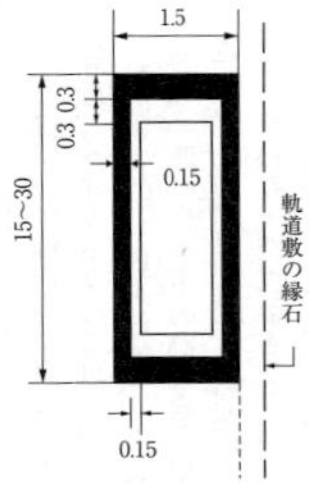

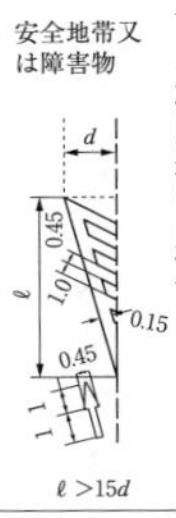

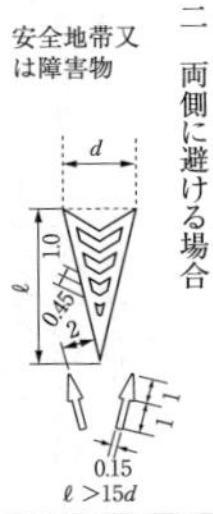

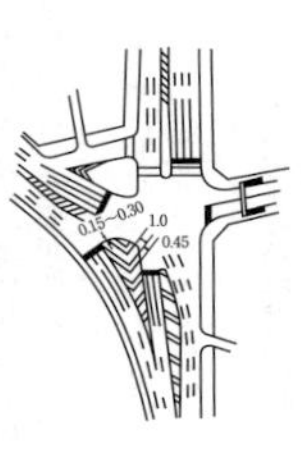

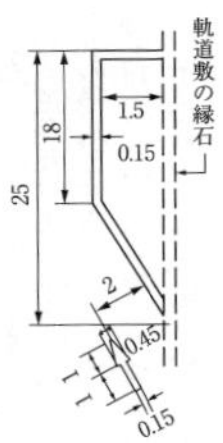

横断歩道又は自転車横断帯あり (210)	
記号	色彩
	白

前方優先道路 (211)	
記号	色彩
	白

備考

一 表示

㈠ ペイント又はこれに類するものによる場合、道路鋲、石又はこれらに類するものによる場合及び標示筒、標示さく又は黄色の灯火のついている道路鋲による場合の様式以外の図示の様式は、ペイント又はこれに類するものによる場合の様式とする。

㈡ 「転回禁止」、「最高速度」、「立入り禁止部分」、「車両通行区分」、「特定の種類の車両の通行区分」、「牽引自動車の高速自動車国道通行区分」、「専用通行帯」、「路線バス等優先通行帯」、「進行方向別通行区分」、「右左折の方法」、「環状交差点における左折等の方法」、「斜め駐車」及び「終わり」を表示する規制標示並びに「進行方向」及び「導流帯」を表示する指示標示に係る図示の文字又は記号は、例示とする。

㈢ 「停止禁止部分」を表示する規制標示には、必要がある場合は、「消防車出入口」、「救急車出入口」等の文字を表示することができる。

㈣ 「特例特定小型原動機付自転車・普通自転車歩道通行可」及び「特例特定小型原動機付自転車・普通自転車の歩道通行部分」を表示する規制標示には、必要がある場合は、「特例特定原付を除く」の文字を表示することができる。

㈤ 「特例特定小型原動機付自転車・普通自転車の歩道通行部分」を表示する規制標示及び「自転車横断帯」を表示する指示標示に係る図示の自転車の記号は、当該道路標示に係る道路の区間又は場所の状況に応じ必要と認める箇所に表示するものとする。

㈥ 「自転車横断帯」を表示する指示標示を「横断歩道」を表示する指示標示に接して設置する場合は、当該「横断歩道」を表示する指示標示に接する側の側線の表示を省略することができる。

㈦ 「追越しのための右側部分はみ出し通行禁止」を表示する規制標示で一の㈠又は㈡の様式のものは、「中央線」を表示する指示標示を兼ねるものとする。

二 寸法

道路標示の大きさは、図示の寸法（その単位はメートルとする。）を基準とする。ただし、設計速度が六十キロメートル毎時以上の道路に設置する場合又は道路の形状、交通の状況若しくは駐車する車両の態様により特別の必要がある場合には、図示の寸法を拡大し、又は縮小することができる。

三 文字の形

文字の形の基準は、縦及び横の寸法を図示したもの以外は、別表第二備考一の㈣に掲げる図の縦を三倍にしたものとする。

四 車両の種類の略称

車両の種類を表示するときは、別表第二備考一の㈥の規定に準じて略称を用いることができる。

五 反射材料等

道路標示には、必要に応じ、反射材料を用い又は反射装置を施すものとする。

○交通安全施設等整備事業の推進に関する法律

〔昭和四一・四・一 法律四五〕

改正 前略…平成一一・七法八七、一二法一六〇、平成一四・二法一、平成一五・三法二一、平成二二・三法二〇、平成二三・八法一〇五

（この法律の目的）

第一条 この法律は、交通事故が多発している道路その他特に交通の安全を確保する必要がある道路について、総合的な計画の下に交通安全施設等整備事業を実施することにより、これらの道路における交通環境の改善を行い、もつて交通事故の防止を図り、あわせて交通の円滑化に資することを目的とする。

（定義）

第二条 この法律において「道路」とは、道路法（昭和二十七年法律第百八十号）による道路をいう。

2 この法律において「道路管理者」とは、道路法第十八条第一項に規定する道路管理者（同法第八十八条第二項の規定により国土交通大臣が維持を行う道路にあつては、国土交通大臣）をいう。

3 この法律において「交通安全施設等整備事業」とは、前条の目的を達成するため、この法律で定めるところに従つて行われる次に掲げる事業をいう。ただし、第二号に掲げる事業にあつては道路の改築（同号イに規定する道路の改築を除く。）に伴つて行われるものを除く。

一 都道府県公安委員会（道路交通法（昭和三十五年法律第百五号）第百十四条の規定により権限の委任を受けた方面公安委員会を含む。以下同じ。）が行う次に掲げる事業

イ 信号機、道路標識又は道路標示の設置に関する事業

ロ 交通管制センター（信号機、道路標識及び道路標示の操作その他道路における交通の規制を広域にわたつて総合的に行うため必要な施設で政令で定めるものをいう。）の設置に関する事業

二 道路管理者が行う次に掲げる事業

イ 横断歩道橋（地下横断歩道を含む。）の設置に関する事業又は特に交通の安全を確保する必要がある小区間について応急措置として行う歩道若しくは自転車道の設置その他の道路の改築で政令で定めるものに関する事業

ロ 道路標識、さく、街灯その他政令で定める道路の附属物で安全な交通を確保するためのもの又は区画線の設置に関する事業

（特定交通安全施設等整備事業を実施すべき道路の指定）

第三条 国家公安委員会及び国土交通大臣は、道路における交通事故の発生状況、交通量その他の事情を考慮して内閣府令・国土交通省令で定める基準に従い、特に交通の安全を確保する必要があると認められる道路を、交通安全施設等整備事業でこれに要する費用の全部又は一部を国が負担し、又は補助するもの（以下「特定交通安全施設等整備事業」という。）を実施すべき道路として指定するものとする。

2 国家公安委員会及び国土交通大臣は、前項の規定による指定をしようとするときは、あらかじめ、関係都道府県公安委員会及び当該道路の道路管理者の意見をきかなければならない。

3 国家公安委員会及び国土交通大臣は、第一項の規定による指定をしたときは、内閣府令・国土交通省令で定めるところにより、その旨を公示しなければならない。

（特定交通安全施設等整備事業の実施）

第四条 都道府県公安委員会及び道路管理者は、前条第一項の規定により指定された道路について、社会資本整備重点計画法（平成十五年法律第二十号）第二条第一項に規定する社会資本整備重点計画（以下「重点計画」という。）に即して、特定交通安全施設等整備事業を実施しなければならない。

（特定交通安全施設等整備事業の実施計画）

第五条 前条の場合において、都道府県公安委員会及び道路管理者は、内閣府令・国土交通省令で定めるところにより、協議により重点計画の計画期間における特定交通安全施設等整備事業の実施計画（以下「実施計画」という。）を作成し、それぞれ国家公安委員会又は国土交通大臣に提出することができる。

2 実施計画は、交通事故の態様、交通及び道路の状況等を考慮して、効果的に交通事故を防止することができるように定めるものとする。

3 前二項の規定は、実施計画の変更について準用する。

（費用の負担又は補助の特例）

第六条 道路管理者が道路法第十三条第一項に規定する指定区間（以下「指定区間」という。）内の一般国道について実施する特定交通安全施設等整備事業のうち、第二条第三項第二号ロに掲げる事業に要する費用については、政令で定めるところにより、国及び都道府県又は同法第七条第三項に規定する指定市が、それぞれその二分の一を負担するものとする。ただし、道の区域内の指定区間内の一般国道に係る国の負担割合については、政令で、二分の一をこえる特別の割合を定めることができる。

2 道路管理者が指定区間外の一般国道について実施する特定交通安全施設等整備事業のうち、第二条第三項第二号ロに掲げる事業で政令で定めるもの（前条第一項の規定により提出された実施計画に係るものに限る。）に要する費用については、政令で定めるところにより、国及び当該道路の道路管理者である地方公共団体が、それぞれその二分の一を負担するものとする。

3 国は、道路管理者が都道府県道及び市町村道について実施する特定交通安全施設等整備事業のうち、第二条第三項第二号イに掲げる事業及び同号ロに掲げる事業で政令で定めるもの（前条第一項の規定により提出された実施計画に係るものに限る。）に要する費用については、予算の範囲内において、政令で定めるところにより、その二分の一（道路管理者が政令で定める通学路に該当する市町村道について実施する同号イに掲げる事業に要する費用については、その十分の五・五）をその費用を負担する地方公共団体に対して補助する。

4 前二項の規定は、当該各項に規定する事業に要する費用を、道路法第八十八条第一項の規定により国が負担し、又は補助する道路については、適用しない。

5 第一項から第三項までに規定する費用については、道路法第五十条第二項、第五十六条及び第八十五条第三項の規定は、適用しない。

（国の財政上の措置）

第七条 国は、都道府県公安委員会又は道路管理者が実施する特定交通安全施設等整備事業以外の交通安全施設等整備事業に要する費用について、必要な財政上の措置を講ずるように努めなければならない。

（権限の委任）

第八条 第五条第一項（同条第三項において準用する場合を含む。）に規定する道路管理者である国土交通大臣の権限は、政令で定めるところにより、地方整備局長又は北海道開発局長に委任することができる。

附 則

（施行期日）

1 この法律は、公布の日から施行する。

（昭和六十年度の特例）

2 第十条第三項の規定の昭和六十年度における適用については、同項中「三分の二」とあるのは、「十分の六」とする。

（昭和六十一年度から平成四年度までの特例）

3　第十条第三項の規定の昭和六十一年度から平成四年度までの各年度における適用については、同項中「三分の二」とあるのは、「十分の五・五」とする。

4　道路管理者が指定区間内の一般国道について実施する交通安全施設等整備事業のうち、第二条第三項第二号イに掲げる事業についての道路法附則第三項の規定の適用については、同項中「十分の五・五」とあるのは「十分の六」と、「十分の四・五」とあるのは「十分の四」とする。

（国の無利子貸付け等）

5　国は、当分の間、道路管理者に対し、第六条第二項又は第三項の規定により国がその費用について負担し、又は補助する事業で日本電信電話株式会社の株式の売払収入の活用による社会資本の整備の促進に関する特別措置法（昭和六十二年法律第八十六号）第二条第一項第二号に該当するものに要する費用に充てる資金について、予算の範囲内において、第六条第二項又は第三項の規定（これらの規定による国の負担又は補助の割合について、これらの規定と異なる定めをした法令の規定がある場合には、当該異なる定めをした法令の規定を含む。以下同じ。）により国が負担し、又は補助する金額に相当する金額を無利子で貸し付けることができる。

6　前項の国の貸付金の償還期間は、五年（二年以内の据置期間を含む。）以内で政令で定める期間とする。

7　前項に定めるもののほか、附則第五項の規定による貸付金の償還方法、償還期限の繰上げその他償還に関し必要な事項は、政令で定める。

8　国は、附則第五項の規定により、道路管理者に対し貸付けを行つた場合には、当該貸付けの対象である事業に係る第六条第二項又は第三項の規定による国の負担又は補助については、当該貸付金の償還時において、当該貸付金の償還金に相当する金額を交付することにより行うものとする。

9　道路管理者が、附則第五項の規定による貸付けを受けた無利子貸付金について、附則第六項及び第七項の規定に基づき定められる償還期限を繰り上げて償還を行つた場合（政令で定める場合を除く。）における前項の規定の適用については、当該償還は、当該償還期限の到来時に行われたものとみなす。

附　則〔昭和五一・三・三一法律一三抄〕

（施行期日）

1　この法律は、昭和五十一年四月一日から施行する。

（経過措置）

2　昭和五十年度以前の年度の予算に係る国の負担金又は補助金で昭和五十一年度以降に繰り越されたものに係る交通安全施設等整備事業の実施並びに当該事業に要する費用についての国及び地方公共団体の負担並びに国の補助については、なお従前の例による。

附　則〔昭和五六・三・三一法律七抄〕

（施行期日）

1　この法律は、昭和五十六年四月一日から施行する。

（経過措置）

2　昭和五十五年度以前の年度の予算に係る国の負担金又は補助金で昭和五十六年度以降に繰り越されたものに係る交通安全施設等整備事業の実施並びに当該事業に要する費用についての国及び地方公共団体の負担並びに国の補助については、なお従前の例による。

附　則〔昭和六〇・五・一八法律三七抄〕

（施行期日等）

1　この法律は、公布の日から施行する。

3　この法律による改正後の法律の昭和六十年度の特例に係る規定は、同年度の予算に係る国の負担又は補助（昭和五十九年度以前の年度における事務又は事業の実施により昭和六十年度に支出される国の負担又は補助及び昭和五十九年度以前の年度の国庫債務負担行為に基づき昭和六十年度に支出すべきものとされた国の負担又は補助を除く。）並びに同年度における事務又は事業の実施により昭和六十一年度以降の年度に支出される国の負担又は補助、昭和六十年度の国庫債務負担行為に基づき昭和六十一年度以降の年度に支出すべきものとされる国の負担又は補助及び昭和六十年度の歳出予算に係る国の負担又は補助で昭和六十一年度以降の年度に繰り越されるものについて適用し、昭和五十九年度以前の年度における事務又は事業の実施により昭和六十年度に支出される国の負担又は補助、昭和五十九年度以前の年度の国庫債務負担行為に基づき昭和六十年度に支出すべきものとされた国の負担又は補助及び昭和五十九年度以前の年度の歳出予算に係る国の負担又は補助で昭和六十年度に繰り越されたものについては、なお従前の例による。

附　則〔昭和六一・三・三一法律一一〕

1　この法律は、昭和六十一年四月一日から施行する。

2　昭和六十年度以前の年度の予算に係る国の負担金又は補助金で昭和六十一年度以降に繰り越されたものに係る交通安全施設等整備事業の実施並びに当該事業に要する費用についての国及び地方公共団体の負担並びに国の補助については、なお従前の例による。

附　則〔昭和六一・五・八法律四六抄〕

1　この法律は、公布の日から施行する。

2　この法律（中略）による改正後の法律の昭和六十一年度から昭和六十三年度までの各年度の特例に係る規定並びに昭和六十一年度及び昭和六十二年度の特例に係る規定は、昭和六十一年度から昭和六十三年度までの各年度（昭和六十一年度及び昭和六十二年度の特例に係るものにあつては、昭和六十一年度及び昭和六十二年度。以下この項において同じ。）の予算に係る国の負担（当該国の負担に係る都道府県又は市町村の負担を含む。以下この項において同じ。）又は補助（昭和六十年度以前の年度における事務又は事業の実施により昭和六十一年度以降の年度に支出される国の負担又は補助及び昭和六十年度以前の年度の国庫債務負担行為に基づき昭和六十一年度以降の年度に支出すべきものとされた国の負担又は補助を除く。）並びに昭和六十一年度から昭和六十三年度までの各年度における事務又は事業の実施により昭和六十四年度（昭和六十一年度及び昭和六十二年度の特例に係るものにあつては、昭和六十三年度。以下この項において同じ。）以降の年度に支出される国の負担又は補助、昭和六十一年度から昭和六十三年度までの各年度の国庫債務負担行為に基づき昭和六十四年度以降の年度に支出すべきものとされる国の負担又は補助及び昭和六十一年度から昭和六十三年度までの各年度の歳出予算に係る国の負担又は補助で昭和六十四年度以降の年度に繰り越されるものについて適用し、昭和六十年度以前の年度における事務又は事業の実施により昭和六十一年度以降の年度に支出される国の負担又は補助、昭和六十年度以前の年度の国庫債務負担行為に基づき昭和六十一年度以降の年度に支出すべきものとされた国の負担又は補助及び昭和六十年度以前の年度の歳出予算に係る国の負担又は補助で昭和六十一年度以降の年度に繰り越されたものについては、なお従前の例による。

附　則〔平成元・四・一〇法律二二抄〕

（施行期日等）

1　この法律は、公布の日から施行する。

2　この法律（中略）による改正後の法律の平成元年度及び平成二年度の特例に係る規定並びに平成元年度の特例に係る規定は、平成元年度及び平成二年度（平成元年度の特例に係るものにあつては、平成元年度。以下この項において同じ。）の予算に係る国の負担（当該国の負担に係る都道府県又は市町村の負担を含む。以下この項及び次項において同じ。）又は補助（昭和六十三年度以前の年度における事務又は事業の実施により平成元年度以降の年度に支出される国の負担又は補助及び昭和六十三年度以前の年度の国庫債務負担行為に基づき平成元年度以降の年度に支出すべきものとされた国の負担又は補助を除く。）並びに平成元年度及び平成二年度における事務又は事業の実施により平成三年度（平成元年度の特例に係るものにあっては、平成二年度。以下この項において同じ。）以降の年度に支出される国の負担、平成元年度及び平成二年度の国庫債務負担行為に基づき平成三年度以降の年度に支出すべきものとされる国の負担又は補助並びに平成元年度及び平成二年度の歳出予算に係る国の負担又は補助で平成三年度以降の年度に繰り越されるものについて適用し、昭和六十三年度以前の年度における事務又は事業の実施により平成元年度以降の年度に支出される国の負担、昭和六十三年度以前の年度の国庫債務負担行為に基づき平成元年度以降の年度に支出すべきものとされた国の負担又は補助及び昭和六十三年度以前の年度の歳出予算に係る国の負担又は補助で平成元年度以降の年度に繰り越されたものについては、なお従前の例による。

国の補助金等の整理及び合理化並びに臨時特例等に関する法律〔抄〕

〔平成元・四・一〇 法律二二〕

第九章 地方公共団体に対する財政金融上の措置

（地方公共団体に対する財政金融上の措置）

第四八条 国は、この法律の規定〔中略〕による改正後の法律の規定により平成元年度及び平成二年度の予算に係る国の負担又は補助の割合の引下げ措置の対象となる地方公共団体に対し、その事務又は事業の執行及び財政運営に支障を生ずることのないよう財政金融上の措置を講ずるものとする。

附 則〔平成三・三・一五法律四〕

1 この法律は、平成三年四月一日から施行する。

2 平成二年度以前の年度の予算に係る国の負担金、補助金又は貸付金で平成三年度以降に繰り越されたものに係る交通安全施設等整備事業の実施並びに当該事業に要する費用についての国及び地方公共団体の負担並びに国の補助及び貸付けについては、なお従前の例による。

附 則〔平成三・三・三〇法律一五〕

改正 平成五・三法八

1 この法律は、平成三年四月一日から施行する。

2 この法律〔中略〕による改正後の法律の平成三年度及び平成四年度の特例に係る規定並びに平成三年度の特例に係る規定は、平成三年度及び平成四年度（平成三年度の特例に係るものにあっては平成三年度とする。以下この項において同じ。）の予算に係る国の負担（当該国の負担に係る都道府県又は市町村の負担を含む。以下この項において同じ。）又は補助（平成二年度以前の年度における事務又は事業の実施により平成三年度以降の年度に支出される国の負担及び平成二年度以前の年度の国庫債務負担行為に基づき平成三年度以降の年度に支出すべきものとされた国の負担又は補助を除く。）並びに平成三年度及び平成四年度における事務又は事業の実施により平成五年度（平成三年度の特例に係るものにあっては平成四年度とする。以下この項において同じ。）以降の年度に支出される国の負担、平成三年度及び平成四年度の国庫債務負担行為に基づき平成五年度以降の年度に支出すべきものとされる国の負担又は補助並びに平成三年度及び平成四年度の歳出予算に係る国の負担又は補助で平成五年度以降の年度に繰り越されるものについて適用し、平成二年度以前の年度における事務又は事業の実施により平成三年度以降の年度に支出される国の負担、平成二年度以前の年度の国庫債務負担行為に基づき平成三年度以降の年度に支出すべきものとされた国の負担又は補助及び平成二年度以前の年度の歳出予算に係る国の負担又は補助で平成三年度以降の年度に繰り越されたものについては、なお従前の例による。

国の補助金等の臨時特例等に関する法律〔抄〕

〔平成三・三・三〇 法律一五〕

改正 平成五・三法八

第八章 地方公共団体に対する財政金融上の措置

（地方公共団体に対する財政金融上の措置）

第三四条 国は、この法律の規定による改正後の法律の規定により平成三年度及び平成四年度の予算に係る国の負担又は補助の割合の引下げ措置の対象となる地方公共団体に対し、その事務又は事業の執行及び財政運営に支障を生ずることのないよう財政金融上の措置を講ずるものとする。

附 則〔平成五・三・三一法律八抄〕

（施行期日等）

1 この法律は、平成五年四月一日から施行する。

2 この法律〔中略〕による改正後の法律の規定は、平成五年度以降の年度の予算に係る国の負担（当該国の負担に係る都道府県又は市町村の負担を含む。以下この項において同じ。）又は補助（平成四年度以前の年度における事務又は事業の実施により平成五年度以降の年度に支出される国の負担及び平成四年度以前の年度の国庫債務負担行為に基づき平成五年度以降の年度に支出すべきものとされた国の負担又は補助を除く。）について適用し、平成四年度以前の年度における事務又は事業の実施により平成五年度以降の年度に支出される国の負担、平成四年度以前の年度の国庫債務負担行為に基づき平成五年度以降の年度に支出すべきものとされた国の負担又は補助及び平成四年度以前の年度の歳出予算に係る国の負担又は補助で平成五年度以降の年度に繰り越されたものについては、なお従前の例による。

附 則〔平成八・三・三一法律一五〕

1 この法律は、平成八年四月一日から施行する。

2 平成七年度以前の年度の予算に係る国の負担金、補助金又は貸付金で平成八年度以降に繰り越されたものに係る交通安全施設等整備事業の実施並びに当該事業に要する費用についての国及び地方公共団体の負担並びに国の補助及び貸付けについては、なお従前の例による。

附 則〔平成九・一二・五法律一〇九抄〕

（施行期日）

第一条 この法律は、公布の日から施行する。

財政構造改革の推進に関する特別措置法〔抄〕

〔平成九・一二・五 法律一〇九〕

（交通安全施設等整備事業に関する緊急措置法の一部改正に伴う経過措置）

第一三条 前条の規定による改正後の交通安全施設等整備事業に関する緊急措置法（以下この条において「新交通安全施設整備法」という。）第四条の総合交通安全施設等整備事業七箇年計画（以下この条において「新総合計画」という。）が作成されるまでの間は、この法律の施行の際現に存する前条の規定による改正前の交通安全施設等整備事業に関する緊急措置法（以下この条において「旧交通安全施設整備法」という。）第四条の総合交通安全施設等整備事業五箇年計画（以下この条において「旧総合計画」という。）を新総合計画とみなして、新交通安全施設整備法第九条第二項及び第十一条の規定を適用する。この場合において、旧総合計画に定められている五箇年間に実施すべき交通安全施設等整備事業に関する事項は、新総合計画において七箇年間に実施すべき交通安全施設等整備事業に関する事項として定められたものとみなす。

2 新交通安全施設整備法第七条第一項の特定交通安全施設等整備事業七箇年計画（以下この条において「新特定計画」という。）が定められるまでの間は、この法律の施行の際現に存する旧交通安全施設整備法第七条第一項の特定交通安全施設等整備事業五箇年計画（以下この条において「旧特定計画」という。）を新特定計画と、旧交通安全施設整備法第八条第一項の実施計画を新交通安全施設整備法第八条第一項の実施計画とみなして、新交通安全施設整備法第七条第五項、第八条から第十条まで及び第十二条の規定を適用する。この場合において、旧特定計画に定められている五箇年間に行うべき特定交通安全施設等整備事業の実施の目標及び特定交通安全施設等整備事業の量は、それぞれ新特定計画において七箇年間に行うべき特定交通安全施設等整備事業の実施の目標及び特定交通安全施設等整備事業の量として定められたものとみなす。

3 前項の規定により新交通安全施設整備法第七条第五項の規定を適用する場合においては、旧総合計画を新総合計画と、この法律の施行の際現に存する旧交通安全施設整備法第六条第一項の道路の指定を新交通安全施設整備法第六条第一項の道路の指定とみなす。この場合において、旧総合計画に定められている五箇年間に実施すべき交通安全施設等整備事業に関する事項は、新総合計画において七箇年間に実施すべき交通安全施設等整備事業に関する事項として定められたものとみなす。

4 旧総合計画に係る交通安全施設等整備事業又は旧特定計画に係る特定交通安全施設等整備事業で既に実施したものについては、それぞれ新総合計画に係る交通安全施設等整備事業又は新特定計画に係る特定交通安全施設等整備事業で既に実施したものとみなす。

附　則〔平成一五・三・三一法律二一抄〕

（施行期日）

第一条　この法律は、平成十五年四月一日から施行する。

（交通安全施設等整備事業に関する緊急措置法の一部改正に伴う経過措置）

第三条　平成十四年度以前の年度の予算に係る国の負担金、補助金又は貸付金で平成十五年度以降に繰り越されたものに係る交通安全施設等整備事業の実施並びに当該事業に要する費用についての国及び地方公共団体の負担並びに国の補助及び貸付けについては、なお従前の例による。

（政令への委任）

第四条　前二条に規定するもののほか、この法律の施行に伴い必要な経過措置は、政令で定める。

附　則〔平成二二・三・三一法律二〇抄〕

（施行期日）

第一条　この法律は、平成二十二年四月一日から施行する。

附　則〔平成二三・八・三〇法律一〇五抄〕

（施行期日）

第一条　この法律は、公布の日から施行する。ただし、次の各号に掲げる規定は、当該各号に定める日から施行する。

一　〔前略〕第百十四条〔中略〕の規定　公布の日から起算して三月を経過した日

二～六　〔略〕

（政令への委任）

第八二条　この附則に規定するもののほか、この法律の施行に関し必要な経過措置（罰則に関する経過措置を含む。）は、政令で定める。

○交通安全施設等整備事業の推進に関する法律施行令

〔昭和四一・四・一
政令一〇三〕

改正　前略…平成八・三政八八、平成一一・一一政三五二、平成一二・六政三一二、平成一四・二政二七、平成一五・三政一六三、平成一七・六政二〇三、平成一九・三政五五、九政三〇四、平成二三・一一政三六三、一二政四二四、平成二六・一二政四一二、平成二七・一二政四二一、令和二・一一政三二九

（交通管制センター並びに道路の改築及び道路の附属物）

第一条　交通安全施設等整備事業の推進に関する法律（以下「法」という。）第二条第三項第一号ロに規定する政令で定める施設は、専ら道路交通に関する情報の収集、分析及び伝達、信号機、道路標識及び道路標示の操作並びに警察官及び交通巡視員に対する交通の規制に関する指令を一体的かつ有機的に行うためのもの（車両又は航空機に設置されるものを除く。）とする。

2 法第二条第三項第二号イに規定する道路の改築で政令で定めるものは、次に掲げるものとする。

一　歩道、自転車道、自転車歩行者道、他の車両の速度よりも遅い速度で進行している車両を分離して通行させることを目的とする車線（登坂車線を含む。）、中央帯、自転車専用道路、自転車歩行者専用道路若しくは歩行者専用道路の設置、路肩の改良又は視距を延長するための道路の改築のうち、道路構造令（昭和四十五年政令第三百二十号）第三十八条第二項の規定により同項に規定する規定による基準によらないことができる一般国道の改築又は道路法（昭和二十七年法律第百八十号）第三十条第三項の政令で定める基準を適用した場合に同令第三十八条第二項の規定により同項に規定する規定による基準によらないことができることとなる都道府県道若しくは市町村道の改築（次号において「都道府県道等交通安全小区間改築」という。）

二　交差点又はその付近における道路の改築のうち、突角の切取り、車道の拡幅（道路構造令第三十八条第二項の規定によ

り同項に規定する規定による基準によらないことができる一般国道の改築又は都道府県道等交通安全小区間改築に限る。）又は交通島の設置

三　主として車両の停車の用に供することを目的とする道路の部分の設置

四　歩道、自転車道又は自転車歩行者道を有しない道路において自動車を減速させて歩行者又は自転車の安全な通行を確保するために行う路面の凸部の設置又は自動車の通行の用に供する部分の幅員の縮小

３　法第二条第三項第二号ロに規定する政令で定める道路の附属物は、道路情報提供装置、道路法第二条第二項第七号に掲げるもの及び道路法施行令（昭和二十七年政令第四百七十九号）第三十四条の三第三号から第五号までに掲げるものとする。

（都道府県等の負担）

第二条　都道府県又は道路法第七条第三項に規定する指定市（以下「都道府県等」という。）が法第六条第一項の規定により負担する負担金の額は、同項に規定する費用の額（道路法第五十八条から第六十二条まで又は地方道路公社法（昭和四十五年法律第八十二号）第二十九条の規定による負担金（以下「収入金」という。）があるときは、当該費用の額から収入金の額を控除した額。以下「都道府県等負担基本額」という。）に、法第六条第一項に定める都道府県等の負担割合を乗じて得た額（以下「都道府県等負担額」という。）とする。

２　国土交通大臣は、法第六条第一項に規定する事業を実施する場合においては、当該事業を実施する一般国道の所在する都道府県等に対して、都道府県等負担基本額及び都道府県等負担額を通知しなければならない。都道府県等負担基本額又は都道府県等負担額を変更した場合も、同様とする。

３　都道府県等は、前項の通知を受けたときは、国土交通大臣が指定する期日までに、第一項の負担金を国庫に納付しなければならない。

（道の区域内の指定区間内の一般国道に係る国の負担割合の特例）

第二条の二　道の区域内の指定区間内の一般国道について実施する特定交通安全施設等整備事業のうち法第二条第三項第二号ロに掲げる事業に要する費用についての国の負担割合は、三分の二とする。

（法第六条第二項及び第三項に規定する政令で定める事業）

第二条の三　法第六条第二項及び第三項に規定する政令で定める事業は、道路標識、柵、街灯、道路情報提供装置、道路法第二条第二項第七号に掲げるもの又は道路法施行令第三十四条の三第三号に掲げるもので安全な交通を確保するためのものの設置に関する事業とする。

（国の負担）

第二条の四　国が法第六条第二項の規定により負担する負担金の額は、同項に規定する費用の額（収入金があるときは、当該費用の額から収入金の額を控除した額）に、同項に定める国の負担割合を乗じて得た額とする。

２　国は、道路管理者が法第六条第二項に規定する特定交通安全施設等整備事業を実施する場合においては、前項の負担金を当該道路管理者である地方公共団体に対して支出しなければならない。

（国の補助）

第三条　法第六条第三項の規定による国の補助は、同項に規定する費用の額（収入金があるときは、当該費用の額から収入金の額を控除した額）について行うものとする。

（法第六条第三項の政令で定める通学路）

第四条　法第六条第三項の政令で定める通学路は、次に掲げるものとする。

一　児童又は幼児が小学校（義務教育学校の前期課程及び特別支援学校の小学部を含む。）若しくは幼稚園、幼保連携型認定こども園又は保育所（以下これらを「小学校等」という。）に通うため一日につきおおむね四十人以上通行する道路の区間

二　前号に掲げるもののほか、児童又は幼児が小学校等に通うため通行する道路の区間で、小学校等の敷地の出入口から一キロメートル以内の区域に存し、かつ、児童又は幼児の通行の安全を特に確保する必要があるもの

（権限の委任）

第五条　法第五条第一項（同条第三項において準用する場合を含む。）に規定する道路管理者である国土交通大臣の権限は、地方整備局長及び北海道開発局長に委任する。

附　則

１　この政令は、公布の日から施行する。

２　昭和五十七年度から昭和五十九年度までの間においては、第二条の二の規定の適用については、同条中「十分の七」とあるのは、「三分の二」とする。

３　第二条の二の規定の昭和六十年度から平成四年度までの各年度における適用については、同条中「十分の七」とあるのは、「十分の六・五」とする。

４　法附則第六項に規定する政令で定める期間は、五年（二年の据置期間を含む。）とする。

５　前項に規定する期間は、日本電信電話株式会社の株式の売払収入の活用による社会資本の整備の促進に関する特別措置法（昭和六十二年法律第八十六号）第五条第一項の規定により読み替えて準用される補助金等に係る予算の執行の適正化に関する法律（昭和三十年法律第百七十九号）第六条第一項の規定による貸付けの決定（以下「貸付決定」という。）ごとに、当該貸付決定に係る法附則第五項の規定による貸付金（以下「国の貸付金」という。）の交付を完了した日（その日が当該貸付決定があった日の属する年度の末日の前日以後の日である場合には、当該年度の末日の前々日）の翌日から起算する。

６　国の貸付金の償還は、均等年賦償還の方法によるものとする。

７　国は、国の財政状況を勘案し、相当と認めるときは、国の貸付金の全部又は一部について、前三項の規定により定められた償還期限を繰り上げて償還させることができる。

８　法附則第九項に規定する政令で定める場合は、前項の規定により償還期限を繰り上げて償還を行った場合とする。

附　則〔昭和五六・三・三一政令六三〕

（施行期日）

１　この政令は、昭和五十六年四月一日から施行する。

（経過措置）

２　昭和五十五年度の予算に係る道の区域内の一般国道又は開発道路の管理について、その管理又はその管理に係る負担金に係る経費の金額が昭和五十六年度以降に繰り越された場合においては、当該管理に要する費用についての国及び地方公共団体の負担割合は、改正後の道路法施行令の規定にかかわらず、なお従前の例による。

附　則〔昭和五七・三・三〇政令五八〕

１　この政令は、昭和五十七年四月一日から施行する。

２　改正後の〔中略〕交通安全施設等整備事業に関する緊急措置法施行令附則第二項〔中略〕の規定は、昭和五十七年度から昭和五十九年度までの間（以下この項において「特例適用期間」という。）における各年度の予算に係る国の負担又は補助（昭和五十六年度以前の年度の国庫債務負担行為に基づき昭和五十七年度以降の年度に支出すべきものとされた国の負担又は補助を除く。）並びに特例適用期間における各年度の国庫債務負担行為に基づき昭和六十年度以降の年度に支出すべきものとされる国の負担又は補助及び昭和五十九年度以前の年度の歳出予算に係る国の負担又は補助で昭和六十年度以降の年度に繰り越されるものにより実施される管理について適用し、昭和五十六年度以前の年度の国庫債務負担行為に基づき昭和五十七年度以降の年度に支出すべきものとされた国の負担又は補助及び昭和五十六年度以前の年度の歳出予算に係る国の負担又は補助で昭和五十

七年度以降の年度に繰り越されたものにより実施される管理については、なお従前の例による。

附　則〔昭和六〇・五・一八政令一三三〕

（施行期日）

1　この政令は、公布の日から施行する。

（経過措置）

2　改正後の〔中略〕交通安全施設等整備事業に関する緊急措置法施行令附則第三項の規定は、昭和六十年度の予算に係る国の負担又は補助（昭和五十九年度以前の年度の国庫債務負担行為に基づき昭和六十年度に支出すべきものとされた国の負担又は補助を除く。）並びに同年度の国庫債務負担行為に基づき昭和六十一年度以降の年度に支出すべきものとされる国の負担又は補助及び昭和六十年度の歳出予算に係る国の負担又は補助で昭和六十一年度以降の年度に繰り越されるものについて適用し、昭和五十九年度以前の年度の国庫債務負担行為に基づき昭和六十年度に支出すべきものとされた国の負担又は補助及び昭和五十九年度以前の年度の歳出予算に係る国の負担又は補助で昭和六十年度に繰り越されたものについては、なお従前の例による。

附　則〔昭和六一・五・八政令一五四抄〕

（施行期日）

1　この政令は、公布の日から施行する。

（経過措置）

2　改正後〔中略〕の規定は、昭和六十一年度から昭和六十三年度までの各年度（昭和六十一年度及び昭和六十二年度の特例に係るものにあつては、昭和六十一年度及び昭和六十二年度。以下この項において同じ。）の予算に係る国の負担又は補助（昭和六十年度以前の年度の国庫債務負担行為に基づき昭和六十一年度以降の年度に支出すべきものとされた国の負担又は補助を除く。）並びに昭和六十一年度から昭和六十三年度までの各年度の国庫債務負担行為に基づき昭和六十四年度（昭和六十一年度及び昭和六十二年度の特例に係るものにあつては、昭和六十三年度。以下この項において同じ。）以降の年度に支出すべきものとされる国の負担又は補助及び昭和六十一年度から昭和六十三年度までの各年度の歳出予算に係る国の負担又は補助で昭和六十四年度以降の年度に繰り越されるものについて適用し、昭和六十年度以前の年度の国庫債務負担行為に基づき昭和六十一年度以降の年度に支出すべきものとされた国の負担又は補助及び昭和六十年度以前の年度の歳出予算に係る国の負担又は補助で昭和六十一年度以降の年度に繰り越されたものについては、なお従前の例による。

附　則〔平成元・四・一〇政令一〇八〕

（施行期日）

1　この政令は、公布の日から施行する。

（経過措置）

2　改正後〔中略〕の規定は、平成元年度及び平成二年度（平成元年度の特例に係るものにあっては、平成元年度。以下この項において同じ。）の予算に係る国の負担又は補助（昭和六十三年度以前の年度の国庫債務負担行為に基づき平成元年度以降の年度に支出すべきものとされた国の負担又は補助を除く。）、平成元年度及び平成二年度の国庫債務負担行為に基づき平成三年度（平成元年度の特例に係るものにあっては、平成二年度。以下この項において同じ。）以降の年度に支出すべきものとされる国の負担又は補助並びに平成元年度及び平成二年度の歳出予算に係る国の負担又は補助で平成三年度以降の年度に繰り越されるものについて適用し、昭和六十三年度以前の年度の国庫債務負担行為に基づき平成元年度以降の年度に支出すべきものとされた国の負担又は補助及び昭和六十三年度以前の年度の歳出予算に係る国の負担又は補助で平成元年度以降の年度に繰り越されたものについては、なお従前の例による。

附　則〔平成三・三・三〇政令九八〕

（施行期日）

1　この政令は、平成三年四月一日から施行する。

（経過措置）

2　改正後〔中略〕の規定は、平成三年度及び平成四年度の予算に係る国の負担又は補助（平成二年度以前の年度の国庫債務負担行為に基づき平成三年度以降の年度に支出すべきものとされた国の負担又は補助を除く。）、平成三年度及び平成四年度の国庫債務負担行為に基づき平成五年度以降の年度に支出すべきものとされる国の負担又は補助並びに平成三年度及び平成四年度の歳出予算に係る国の負担又は補助で平成五年度以降の年度に繰り越されるものについて適用し、平成二年度以前の年度の国庫債務負担行為に基づき平成三年度以降の年度に支出すべきものとされた国の負担又は補助及び平成二年度以前の年度の歳出予算に係る国の負担又は補助で平成三年度以降の年度に繰り越されたものについては、なお従前の例による。

附　則〔平成五・三・三一政令九四抄〕

（施行期日）

1　この政令は、平成五年四月一日から施行する。

（経過措置）

2　改正後〔中略〕の規定は、平成五年度以降の年度の予算に係る国の負担又は補助（平成四年度以前の年度の国庫債務負担行為に基づき平成五年度以降の年度に支出すべきものとされた国の負担又は補助を除く。）について適用し、平成四年度以前の年度の国庫債務負担行為に基づき平成五年度以降の年度に支出すべきものとされた国の負担又は補助及び平成四年度以前の年度の歳出予算に係る国の負担又は補助で平成五年度以降の年度に繰り越されたものについては、なお従前の例による。

附　則〔平成二六・一一・二四政令四一二抄〕

（施行期日）

1　この政令は、子ども・子育て支援法の施行の日（平成二七・四・一）から施行する。

附　則〔平成二七・一二・一六政令四二一〕

この政令は、平成二十八年四月一日から施行する。

附　則〔令和二・一一・二〇政令三二九抄〕

（施行期日）

第一条　この政令は、道路法等の一部を改正する法律の施行の日（令和二年十一月二十五日）から施行する。

○交通安全施設等整備事業の推進に関する法律施行規則

（昭和四一・四・一 総理府 建設省 令一）

改正 前略…昭和五一・四総府・建令一、平成三・五総府・建令一、平成一二・一二総府・建令一〇、平成一五・三内府・国交令二、平成二〇・四内府・国交令一、平成二三・一一内府・国交令三、平成二七・三内府・国交令二、平成二八・三内府・国交令一

（特定交通安全施設等整備事業を実施すべき道路の指定の基準）

第一条 交通安全施設等整備事業の推進に関する法律（以下「法」という。）第三条第一項の規定による指定は、次の各号のいずれかに該当する道路の区間について行うものとする。ただし、当該道路の区間について特定交通安全施設等整備事業を実施すること以外の方法により、効果的に交通事故を防止することができると認められるときは、この限りでない。

一 当該道路の区間における一日当たりの自動車及び原動機付自転車（道路運送車両法（昭和二十六年法律第百八十五号）第二条第二項に規定する自動車及び同条第三項に規定する原動機付自転車をいう。以下同じ。）の交通量が次の表の上欄に掲げる交通量に該当し、かつ、当該道路の区間における交通事故死傷率が、当該交通量に応じ、それぞれ同表の下欄に掲げる数値以上であるもの

交通量	交通事故死傷率
五〇〇台以上 一、〇〇〇台未満	三〇〇
一、〇〇〇台以上 三、〇〇〇台未満	二五〇
三、〇〇〇台以上 五、〇〇〇台未満	二〇〇
五、〇〇〇台以上 七、五〇〇台未満	一五〇
七、五〇〇台以上 一〇、〇〇〇台未満	一〇〇
一〇、〇〇〇台以上	五〇

二 前号に掲げるものを除くほか、単位面積当たりの人の死傷に係る交通事故の発生件数が特に多いと認められる地区（市街地を形成している地域内にあるものに限る。）に含まれるもの

三 前二号に掲げるものを除くほか、付近に保育所、幼保連携型認定こども園、幼稚園、小学校（義務教育学校の前期課程を含む。）又は児童公園があること、市街地を形成している地域内にあり、かつ、交通が著しくふくそうしていることその他特殊の事情により交通事故が多発するおそれが大きいと認められるもの

四 前三号に掲げるものを除くほか、交差点における交通量が特に多く、かつ、その周辺の道路において自動車交通の渋滞を来していること又は沿道の土地利用の状況に照らし、かつ、交差点における交通量が特に多くなることが見込まれ、かつ、その周辺の道路において自動車交通の渋滞を来すおそれがあることその他の事情により交通環境の改善を行う必要性が高いと認められる地区であって、効果的に交通事故を防止するために、交通の円滑を図ることが特に必要であると認められる地区に含まれるもの

2 前項第一号の交通事故死傷率は、次の式により算出するものとする。

$$\frac{\text{当該道路の区間における1年間の交通事故による死傷者数}}{\text{当該道路の区間における1日当たりの自動車及び原動機付自転車の交通量} \times 365 \times \text{当該道路の区間の延長（単位キロメートル）}} \times 1\text{億}$$

（特定交通安全施設等整備事業を実施すべき道路の指定の公示）

第二条 法第三条第三項の規定による公示は、次に掲げる道路の区間の区分に応じ、それぞれ当該各号に定める事項を官報に掲載して行うものとする。

一 前条第一項第一号又は第三号に該当する道路の区間 道路の種類、路線名及び区間

二 前条第一項第二号又は第四号に該当する道路の区間 当該各号に規定する地区を表示する法第三条第一項の規定に基づく道路の指定の日における行政区画その他の区域又は道路、河川、鉄道その他のもの

（特定交通安全施設等整備事業の実施計画の内容）

第三条 法第五条第一項の実施計画は、書類及び図面により、少なくとも次に掲げる事項を明らかにしたものでなければならない。

一 特定交通安全施設等整備事業の概要及びその実施者別内訳

二 交通事故の態様並びに交通及び道路の状況

（特定交通安全施設等整備事業の実施計画の提出）

第四条 法第五条第一項の実施計画を提出しようとする都道府県公安委員会及び道路管理者は、当該実施計画を国家公安委員会及び国土交通大臣が指定する期日までに提出しなければならない。

（特定交通安全施設等整備事業の実施計画の変更）

第五条 前二条の規定は、法第五条第一項の実施計画の変更について準用する。

附 則

この命令は、公布の日から施行する。

附 則（平成二七・三・一六内閣府・国土交通省令二）

この命令は、子ども・子育て支援法（平成二十四年法律第六十五号）の施行の日（平成二十七年四月一日）から施行する。

附 則（平成二八・三・二九内閣府・国土交通省令一）

この命令は、学校教育法等の一部を改正する法律（平成二十七年法律第四十六号）の施行の日（平成二十八年四月一日）から施行する。

○指定自動車教習所等の教習の基準の細目に関する規則

〔平成一〇・八・一一
国家公安委員会規則一三〕

改正 平成一四・四国公委規一二、平成一六・五国公委規一二、一二国公委規一九、平成一八・二国公委規五、平成二〇・五国公委規九、平成二六・三国公委規二、平成二八・七国公委規一七、平成三〇・六国公委規一二、令和六・六国公委規八

注 令和六年六月二六日国家公安委員会規則第八号の改正の一部は、施行までに期間があるため、令和八年四月一日施行以降の改正は、加えてありません。

（教習の科目の基準の細目）

第一条 道路交通法施行規則（以下「府令」という。）第三十三条第一項第一号に規定する技能教習（以下「技能教習」という。）は、次の各号に掲げる区分に応じ、それぞれ当該各号に定める事項について行う教習とする。

一 大型自動車免許（以下「大型免許」という。）及び中型自動車免許（以下「中型免許」という。）に係る基本操作及び基本走行 別表第一第一号から第三号までに掲げる事項

二 大型免許及び中型免許に係る応用走行 別表第一第四号から第十号までに掲げる事項

三 準中型自動車免許（以下「準中型免許」という。）に係る基本操作及び基本走行 別表第一第一号及び第二号（路端における停車及び発進並びに隘路への進入を除く。）並びに別表第二第一号から第三号までに掲げる事項（同表第一号及び第二号に掲げる事項にあっては、専ら貨物を運搬する構造の自動車（以下「貨物自動車」という。）に係る教習事項を除く。）

四 準中型免許に係る応用走行 別表第一第三号から第十号まで並びに別表第二第四号、第五号（急ブレーキによる停止を行うための走行を除く。この号において同じ。）、第七号及び第八号に掲げる事項（同表第四号、第五号及び第七号に掲げる事項にあっては、貨物自動車に係る教習事項を除く。）

五 普通自動車免許（以下「普通免許」という。）に係る基本操作及び基本走行 別表第二第一号から第三号までに掲げる事項

六 普通免許（府令第二十四条第四項第一号に規定するAT普通免許（以下「AT普通免許」という。）を除く。）に係る応用走行 別表第二第一号、第二号及び第四号から第九号までに掲げる事項

七 AT普通免許に係る応用走行 別表第二第四号から第九号までに掲げる事項

八 大型自動二輪車免許（以下「大型二輪免許」という。）及び普通自動二輪車免許（以下「普通二輪免許」という。）に係る基本操作及び基本走行 別表第三第一号から第三号までに掲げる事項

九 大型二輪免許及び普通二輪免許に係る応用走行 別表第三第四号から第七号までに掲げる事項

十 大型自動車第二種免許（以下「大型第二種免許」という。）、中型自動車第二種免許（以下「中型第二種免許」という。）及び普通自動車第二種免許（以下「普通第二種免許」という。）に係る基本操作及び基本走行 別表第四第一号、第二号（大型第二種免許及び中型第二種免許に係る教習にあっては、転回を除く。）及び第三号に掲げる事項

十一 大型第二種免許及び中型第二種免許に係る応用走行 別表第四第四号（転回を除く。）及び第五号から第十号までに掲げる事項

十二 普通第二種免許（府令第二十四条第四項第二号に規定するAT普通第二種免許（以下「AT普通第二種免許」という。）を除く。）に係る応用走行 別表第四第一号、第二号（転回並びに人の乗降のための停車及び発進を除く。）及び第四号から第十号までに掲げる事項

十三 AT普通第二種免許に係る応用走行 別表第四第四号から第十号までに掲げる事項

2 前項の規定にかかわらず、次の各号に掲げる技能教習は、それぞれ当該各号に定める事項について行う教習とする。

一 現に中型免許、準中型免許、中型第二種免許又は普通第二種免許を受けている者に対する大型免許に係る技能教習 別表第一第一号から第五号まで及び第十号に掲げる事項

二 現に準中型免許又は普通第二種免許を受けている者に対する中型免許に係る技能教習 別表第一第一号から第五号まで及び第十号に掲げる事項

三 現に普通免許を受けている者（次号に該当する者を除く。）に対する準中型免許に係る技能教習 別表第一第一号、第二号（路端における停車及び発進並びに隘路への進入を除く。）及び第三号から第十号までに掲げる事項

四 現に普通第二種免許を受けている者に対する準中型免許に係る技能教習 別表第一第一号、第二号（路端における停車及び発進並びに隘路への進入を除く。）、第三号から第五号まで及び第十号に掲げる事項

五 現に普通二輪免許を受けている者に対する大型二輪免許に係る技能教習 別表第三第一号から第六号までに掲げる事項（普通二輪免許を受けるために修得することとされている技能に係る事項を除く。）及び同表第七号に掲げる事項

六 現に中型第二種免許又は普通第二種免許を受けている者に対する大型第二種免許に係る技能教習 別表第四第一号、第二号（転回を除く。）、第三号、第四号（転回を除く。）、第六号及び第十号に掲げる事項

七 現に普通第二種免許を受けている者に対する中型第二種免許に係る技能教習 別表第四第一号、第二号（転回を除く。）、第三号、第四号（転回を除く。）、第六号及び第十号に掲げる事項

3 府令第三十三条第一項第二号に規定する学科教習（以下「学科教習」という。）は、次の各号に掲げる区分に応じ、それぞれ当該各号に定める事項について行う教習とする。

一 大型免許、中型免許、準中型免許、普通免許、大型二輪免許及び普通二輪免許に係る学科(一) 別表第五第一号に掲げる事項

二 大型免許、中型免許、準中型免許、普通免許、大型二輪免許及び普通二輪免許に係る学科(二) 別表第五第二号から第四号までに掲げる事項

三 大型特殊自動車免許（以下「大型特殊免許」という。）に係る学科(一) 別表第五第一号に掲げる事項

四 大型特殊免許に係る学科(二) 別表第五第四号に掲げる事項

五 大型第二種免許、中型第二種免許及び普通第二種免許に係る学科(一) 別表第六第一号及び第二号に掲げる事項

六 大型第二種免許、中型第二種免許及び普通第二種免許に係る学科(二) 別表第六第三号から第五号までに掲げる事項

4 前項の規定にかかわらず、次の各号に掲げる学科教習は、それぞれ当該各号に定める事項について行う教習とする。

一 現に普通免許、大型二輪免許又は普通二輪免許を受けている者に対する大型免許又は中型免許に係る学科教習 別表第五第二号に掲げる事項

二 現に大型特殊免許を受けている者（前号に該当する者を除く。）に対する大型免許又は中型免許に係る学科教習 別表

第五第二号及び第三号に掲げる事項

三　現に普通免許を受けている者に対する準中型免許に係る学科教習　別表第五第二号に掲げる事項

四　現に大型特殊免許を受けている者（前号又は次号に該当する者を除く。）に対する準中型免許又は普通免許に係る学科教習　別表第五第二号及び第三号に掲げる事項並びに高速自動車国道及び自動車専用道路における普通自動車の安全な運転（以下「普通自動車の高速運転」という。）に必要な知識

五　現に大型二輪免許又は普通二輪免許を受けている者（第三号に該当する者を除く。）に対する準中型免許又は普通免許に係る学科教習　別表第五第二号に掲げる事項及び普通自動車の高速運転に必要な知識

六　現に普通自動車を運転することができる免許を受けている者に対する大型二輪免許又は普通二輪免許に係る学科教習　別表第五第二号に掲げる事項及び大型自動二輪車又は普通自動二輪車の二人乗り運転に関する知識

七　現に大型特殊免許を受けている者（前号に該当する者を除く。）に対する大型二輪免許又は普通二輪免許に係る学科教習　別表第五第二号及び第三号に掲げる事項並びに大型自動二輪車又は普通自動二輪車の二人乗り運転に関する知識

八　現に大型免許、中型免許、準中型免許又は普通免許を受けている者（次号に該当する者を除く。）に対する大型第二種免許、中型第二種免許又は普通第二種免許に係る学科教習　別表第六第一号から第四号までに掲げる事項及び同表第五号に掲げる事項（高速自動車国道及び自動車専用道路における道路交通法（昭和三十五年法律第百五号。以下「法」という。）第八十五条第十一項の旅客自動車（以下「旅客自動車」という。）の安全な運転（以下「旅客自動車の高速運転」という。）に必要な知識並びに運転者が交通法規に従い、道路及び交通の状況に応じて設定した経路における旅客自動車の運転（以下「経路の設定による旅客自動車の運転」という。）に必要な知識を除く。）

九　現に大型免許、中型免許、準中型免許又は普通免許のいずれかを受け、かつ、大型特殊自動車第二種免許（以下「大型特殊第二種免許」という。）又は牽引自動車第二種免許（以下「牽引第二種免許」という。）のいずれかを受けている者に対する大型第二種免許、中型第二種免許又は普通第二種免許に係る学科教習　別表第六第二号から第四号までに掲げる事項

十　現に大型特殊第二種免許又は牽引第二種免許を受けている者（前号に該当する者を除く。）に対する大型第二種免許、中型第二種免許又は普通第二種免許に係る学科教習　別表第六第二号から第四号までに掲げる事項、旅客自動車の高速運転に必要な知識及び経路の設定による旅客自動車の運転に必要な知識

（教習時間の基準の細目）

第二条　府令第三十三条第一項に規定する技能教習及び学科教習の教習時間は、次の各号に掲げる区分に応じ、それぞれ当該各号に定めるとおりとする。

一　大型免許又は中型免許に係る応用走行（現に中型免許、準中型免許、中型第二種免許又は普通第二種免許を受けている者に対する教習を除く。）　別表第一第七号に掲げる事項に係る教習を二時限並びに同表第八号及び第九号に掲げる事項に係る教習を一時限行うこと。

二　大型免許又は中型免許に係る学科㈡（現に中型免許、準中型免許、中型第二種免許又は普通第二種免許を受けている者に対する教習を除く。）　別表第五第二号に掲げる事項に係る教習を一時限行うこと。

三　準中型免許に係る基本操作及び基本走行（現に普通免許又は普通第二種免許を受けている者に対する教習を除く。）　別表第一第一号及び第二号（路端における停車及び発進並びに隘路への進入を除く。）に掲げる事項に係る教習を三時限行うこと。

四　準中型免許に係る応用走行（現に普通免許を受けている者（現に普通第二種免許を受けている者を除く。）に対する教習に限る。）　別表第一第七号に掲げる事項に係る教習を二時限並びに同表第八号及び第九号に掲げる事項に係る教習を一時限行うこと。

五　準中型免許に係る応用走行（現に普通免許又は普通第二種免許を受けている者に対する教習を除く。）　別表第一第三号から第六号まで及び第十号に掲げる事項に係る教習を五時限、六時限又は七時限、同表第七号に掲げる事項に係る教習を二時限、同表第八号及び第九号に掲げる事項に係る教習を一時限並びに別表第二第七号及び第八号に掲げる事項に係る教習をそれぞれ一時限行うこと。

六　準中型免許に係る学科㈡（現に普通免許を受けている者（現に普通第二種免許を受けている者を除く。）に対する教習に限る。）　別表第五第二号に掲げる事項に係る教習を一時限行うこと。

七　準中型免許に係る学科㈡（現に大型特殊免許、大型特殊第二種免許又は牽引第二種免許を受けている者（現に普通免許又は普通第二種免許を受けている者を除く。）に対する教習に限る。）　別表第五第二号に掲げる事項及び普通自動車の高速運転に必要な知識に係る教習をそれぞれ一時限行うこと。

八　準中型免許に係る学科㈡（現に普通免許、大型特殊免許、普通第二種免許、大型特殊第二種免許又は牽引第二種免許を受けている者に対する教習を除く。）　別表第五第二号に掲げる事項に係る教習を二時限及び普通自動車の高速運転に必要な知識に係る教習を一時限行うこと。

九　普通免許に係る応用走行　別表第二第七号及び第八号に掲げる事項に係る教習をそれぞれ一時限行うこと。

十　普通免許に係る学科㈡　別表第五第二号に掲げる事項及び普通自動車の高速運転に必要な知識に係る教習をそれぞれ一時限行うこと。

十一　大型二輪免許又は普通二輪免許に係る応用走行（現に普通二輪免許を受けている者に対する教習を除く。）　別表第三第六号に掲げる事項に係る教習を二時限行うこと。

十二　大型二輪免許又は普通二輪免許に係る学科㈡（現に普通二輪免許を受けている者に対する教習を除く。）　別表第五第二号に掲げる事項及び大型自動二輪車又は普通自動二輪車の二人乗り運転に関する知識に係る教習を一時限行うこと。

十三　大型第二種免許、中型第二種免許又は普通第二種免許に係る応用走行（現に中型第二種免許又は普通第二種免許を受けている者に対する教習を除く。）　別表第四第七号に掲げる事項に係る教習を二時限並びに同表第八号及び第九号に掲げる事項に係る教習をそれぞれ一時限行うこと。

十四　大型第二種免許、中型第二種免許又は普通第二種免許に係る学科㈠（現に中型第二種免許又は普通第二種免許を受けている者に対する教習を除く。）　別表第六第二号に掲げる事項に係る教習を一時限行うこと。

十五　大型第二種免許、中型第二種免許又は普通第二種免許に係る学科㈡（現に中型第二種免許又は普通第二種免許を受けている者に対する教習を除く。）　別表第六第三号に掲げる事項に係る教習を一時限行うこと。

（教習方法の基準の細目）

第三条　府令第三十三条第五項第一号ハ（府令第三十四条の三第一項第二号において準用する場合を含む。）の国家公安委員会規則で定める教習は、次の各号に掲げる区分に応じ、それぞれ当該各号に定めるものとする。

一　大型免許、中型免許又は準中型免許に係る技能教習（現に中型免許、準中型免許、中型第二種免許又は普通第二種免許を受けている者に対する技能教習を除く。）　別表第一第八号に掲げる事項の一部について行う教習であって、夜間対向車の灯火により眩惑されることその他交通の状況を視覚により

認知することが困難になることを体験することによるもの（以下「眩惑等体験教習」という。）

二　大型第二種免許、中型第二種免許又は普通第二種免許に係る技能教習（現に中型第二種免許又は普通第二種免許を受けている者に対する技能教習を除く。）　別表第四第八号に掲げる事項の一部について行う眩惑等体験教習

2　府令第三十三条第五項第一号ニ（府令第三十四条の三第一項第二号において読み替えて準用する場合を含む。）の国家公安委員会規則で定める教習は、次の各号に掲げる区分に応じ、それぞれ当該各号に定めるものとする。

一　大型免許、中型免許又は準中型免許に係る技能教習（現に中型免許、準中型免許、中型第二種免許又は普通第二種免許を受けている者に対する技能教習に限る。）　別表第一第十号に掲げる事項に係る教習

二　大型免許又は中型免許に係る技能教習（現に中型免許、準中型免許、中型第二種免許又は普通第二種免許を受けている者に対する技能教習を除く。）　別表第一第六号、第七号及び第十号に掲げる事項に係る教習（同表第七号に掲げる事項に係る教習にあっては、当該教習の一部として行う他人の運転を観察させることによる教習（以下「観察教習」という。）に限る。）

三　準中型免許に係る技能教習（現に普通免許を受けている者（現に普通第二種免許を受けている者を除く。）に対する技能教習に限る。）　別表第一第六号、第七号及び第十号に掲げる事項に係る教習（同表第七号に掲げる事項に係る教習にあっては、当該教習の一部として行う観察教習に限る。）

四　準中型免許に係る技能教習（現に普通免許又は普通第二種免許を受けている者に対する技能教習を除く。）　別表第一第六号、第七号及び第十号に掲げる事項、別表第二第四号に掲げる事項（駐車又は停車を行うための走行に限る。）並びに同表第七号及び第八号に掲げる事項に係る教習（別表第一第七号に掲げる事項に係る教習にあっては、当該教習の一部として行う観察教習に限る。）

五　普通免許に係る技能教習　別表第二第四号に掲げる事項（駐車又は停車を行うための走行に限る。）、同表第五号に掲げる事項（急ブレーキによる停止を行うための走行に限る。）及び同表第六号から第九号までに掲げる事項に係る教習

六　大型第二種免許又は中型第二種免許に係る技能教習（現に中型第二種免許又は普通第二種免許を受けている者に対する技能教習に限る。）　別表第四第十号に掲げる事項に係る教習

七　大型第二種免許、中型第二種免許又は普通第二種免許に係る技能教習（現に中型第二種免許又は普通第二種免許を受けている者に対する技能教習を除く。）　別表第四第五号、第七号及び第十号に掲げる事項に係る教習（同表第七号に掲げる事項に係る教習にあっては、当該教習を二時限連続して行った後に引き続き別表第六第三号に掲げる事項に係る教習を行う場合におけるもの又は別表第四第七号に掲げる事項に係る教習の一部として行う観察教習に限る。）

3　府令第三十三条第五項第一号ホ（府令第三十四条の三第一項第二号において準用する場合を含む。）の国家公安委員会規則で定める教習は、次の各号に掲げる区分に応じ、それぞれ当該各号に定めるものとする。

一　大型免許、中型免許又は準中型免許に係る技能教習（現に中型免許、準中型免許、中型第二種免許又は普通第二種免許を受けている者に対する技能教習に限る。）　別表第一第三号に掲げる事項に係る教習

二　大型免許又は中型免許に係る技能教習（現に中型免許、準中型免許、中型第二種免許又は普通第二種免許を受けている者に対する技能教習を除く。）　別表第一第三号及び第七号から第九号までに掲げる事項に係る教習（同表第七号に掲げる事項に係る教習にあっては、当該教習の一部として行う観察教習に限る。）

三　準中型免許に係る技能教習（現に普通免許を受けている者（現に普通第二種免許を受けている者を除く。）に対する技能教習に限る。）　別表第一第三号及び第七号から第九号まで並びに別表第二第七号及び別表第二第八号に掲げる事項に係る教習（同表第七号に掲げる事項に係る教習にあっては、当該教習の一部として行う観察教習に限る。）

四　準中型免許に係る技能教習（現に普通免許又は普通第二種免許を受けている者に対する技能教習を除く。）　別表第一第三号及び第七号から第九号まで並びに別表第二第七号及び第八号に掲げる事項に係る教習（別表第一第七号及び別表第二第七号に掲げる事項に係る教習にあっては、当該教習の一部として行う観察教習に限る。）

五　普通免許に係る技能教習　別表第二第五号に掲げる事項（急ブレーキによる停止を行うための走行に限る。）及び同表第七号から第九号までに掲げる事項に係る教習（同表第七号に掲げる事項に係る教習にあっては、当該教習の一部として行う観察教習に限る。）

六　大型第二種免許又は中型第二種免許に係る技能教習（現に中型第二種免許又は普通第二種免許を受けている者に対する技能教習に限る。）　別表第四第三号及び第六号に掲げる事項に係る教習

七　大型第二種免許、中型第二種免許又は普通第二種免許に係る技能教習（現に中型第二種免許又は普通第二種免許を受けている者に対する技能教習を除く。）　別表第四第三号及び第六号から第九号までに掲げる事項に係る教習（同表第七号に掲げる事項に係る教習にあっては、当該教習の一部として行う観察教習に限る。）

4　府令第三十三条第五項第一号ヌ（府令第三十四条の三第一項第二号において準用する場合を含む。）の国家公安委員会規則で定める教習は、次の各号に掲げる区分に応じ、それぞれ当該各号に定めるものとする。

一　大型免許に係る技能教習（現に中型免許、準中型免許、中型第二種免許又は普通第二種免許を受けている者に対する技能教習に限る。）　別表第一第三号に掲げる事項に係る教習

二　大型免許に係る技能教習（現に中型免許、準中型免許、中型第二種免許又は普通第二種免許を受けている者に対する技能教習を除く。）　別表第一第三号、第六号、第七号及び第九号に掲げる事項に係る教習（同表第七号に掲げる事項に係る教習にあっては、当該教習の一部として行う荷重が貨物自動車の運転操作に与える影響を理解するための走行に係る教習（次項において「荷重教習」という。）に限る。）

三　大型第二種免許に係る技能教習（現に中型第二種免許又は普通第二種免許を受けている者に対する技能教習に限る。）　別表第四第三号及び第六号に掲げる事項に係る教習

四　大型第二種免許に係る技能教習（現に中型第二種免許又は普通第二種免許を受けている者に対する技能教習を除く。）　別表第四第三号、第五号、第六号及び第九号に掲げる事項に係る教習

5　府令第三十三条第五項第一号ル（府令第三十四条の三第一項第二号において準用する場合を含む。）の国家公安委員会規則で定める教習は、次の各号に掲げる区分に応じ、それぞれ当該各号に定めるものとする。

一　大型免許又は中型免許に係る技能教習（現に中型免許、準中型免許、中型第二種免許又は普通第二種免許を受けている者に対する技能教習を除く。）　別表第一第七号及び第九号に掲げる事項に係る教習（同表第七号に掲げる事項に係る教習にあっては、当該教習の一部として行う荷重教習に限る。）

二　大型第二種免許又は中型第二種免許に係る技能教習（現に中型第二種免許又は普通第二種免許を受けている者に対する技能教習に限る。）　別表第四第三号及び第六号に掲げる事項に係る教習

三　大型第二種免許又は中型第二種免許に係る技能教習（現に

中型第二種免許又は普通第二種免許を受けている者に対する技能教習を除く。）　別表第四第三号、第五号、第六号及び第九号に掲げる事項に係る教習

6　府令第三十三条第五項第一号ヲ（府令第三十四条の三第一項第二号において準用する場合を含む。）の国家公安委員会規則で定める教習は、次の各号に掲げる区分に応じ、それぞれ当該各号に定めるものとする。

一　大型免許又は中型免許に係る技能教習（現に中型免許、準中型免許、中型第二種免許又は普通第二種免許を受けている者に対する技能教習を除く。）　別表第一第九号に掲げる事項に係る教習

二　準中型免許に係る技能教習（現に普通免許を受けている者（現に普通第二種免許を受けている者を除く。）に対する技能教習に限る。）　別表第一第九号に掲げる事項に係る教習

三　準中型免許に係る技能教習（現に普通免許又は普通第二種免許を受けている者に対する技能教習を除く。）　別表第一第六号及び第九号並びに別表第二第三号に掲げる事項に係る教習（別表第一第六号に掲げる事項に係る教習にあっては、別表第二第八号に掲げる事項に係る教習と連続して行う場合に限る。）

四　大型第二種免許又は中型第二種免許に係る技能教習（現に中型第二種免許又は普通第二種免許を受けている者に対する技能教習に限る。）　別表第四第三号及び第六号に掲げる事項に係る教習

五　大型第二種免許又は中型第二種免許に係る技能教習（現に中型第二種免許又は普通第二種免許を受けている者に対する技能教習を除く。）　別表第四第三号、第五号、第六号及び第九号に掲げる事項に係る教習

7　府令第三十三条第五項第一号ワ（府令第三十四条の三第一項第二号において準用する場合を含む。）の国家公安委員会規則で定める教習（現に普通免許又は普通第二種免許を受けている者に対する教習を除く。）は、別表第二第一号、第二号、第四号、第五号、第七号及び第八号に掲げる事項に係る教習とする。

8　府令第三十三条第五項第一号レ（府令第三十四条の三第一項第二号において準用する場合を含む。）の国家公安委員会規則で定める教習は、次の各号に掲げる区分に応じ、それぞれ当該各号に定めるものとする。

一　大型免許又は中型免許に係る技能教習（現に中型免許、準中型免許、中型第二種免許又は普通第二種免許を受けている者に対する技能教習に限る。）　別表第一第五号に掲げる事項に係る教習

二　大型免許又は中型免許に係る技能教習（現に中型免許、準中型免許、中型第二種免許又は普通第二種免許を受けている者に対する技能教習を除く。）　別表第一第五号に掲げる事項、同表第七号に掲げる事項（貨物自動車の運転に係る危険を予測した運転（以下この項において「貨物自動車の危険予測運転」という。）に必要な技能に基づく走行を除く。）並びに同表第八号及び第九号に掲げる事項に係る教習（同表第八号に掲げる事項に係る教習にあっては夜間における道路での教習が困難である場合において日没時に近接した時間に自動車教習所のコースその他の設備を用いて都道府県公安委員会が適当と認める方法により行う教習（以下この項において「日没時教習」という。）又は同号に掲げる事項の一部について行う眩惑等体験教習に限り、同表第九号に掲げる事項に係る教習にあっては自動車教習所のコースその他の設備において凍結の状態にある路面での走行に係る教習（以下この項において「凍結路面教習」という。）を行う場合に限る。第四号において同じ。）

三　準中型免許に係る技能教習（現に普通第二種免許を受けている者に対する技能教習に限る。）　別表第一第三号及び第五号に掲げる事項に係る教習

四　準中型免許に係る技能教習（現に普通免許を受けている者（現に普通第二種免許を受けている者を除く。）に対する技能教習に限る。）　別表第一第三号及び第五号に掲げる事項、同表第七号に掲げる事項（貨物自動車の危険予測運転に必要な技能に基づく走行（交通の状況を聴覚により認知することができない状態で行う運転に係る危険を予測した運転に必要な技能に基づく走行を除く。）を除く。）並びに同表第八号及び第九号に掲げる事項に係る教習

五　準中型免許に係る技能教習（現に普通免許又は普通第二種免許を受けている者に対する技能教習を除く。）　別表第一第三号及び第五号に掲げる事項、同表第七号に掲げる事項（貨物自動車の危険予測運転に必要な技能に基づく走行（交通の状況を聴覚により認知することができない状態で行う運転に係る危険を予測した運転に必要な技能に基づく走行を除く。）を除く。）並びに同表第八号及び第九号並びに別表第二第四号に掲げる事項、同表第五号に掲げる事項（方向変換及び縦列駐車を行うための走行に限る。）及び同表第七号に掲げる事項に係る教習（別表第一第八号に掲げる事項に係る教習にあっては日没時教習又は同号に掲げる事項の一部について行う眩惑等体験教習に限り、同表第九号に掲げる事項に係る教習にあっては凍結路面教習を行う場合に限り、別表第二第四号に掲げる事項に係る教習にあってはコースにおいて教習を行うことにより道路において行う教習と同等の教習効果をあげることができると認められるものに限り、同表第七号に掲げる事項に係る教習にあっては交通の状況を聴覚により認知することができない状態で行う運転に係る危険を予測した運転に必要な技能に基づく走行に係る教習を行う場合に限る。）

六　普通免許（AT普通免許を除く。）に係る技能教習　別表第二第一号、第二号、第四号、第五号、第七号及び第九号に掲げる事項に係る教習（同表第四号に掲げる事項に係る教習にあってはコースにおいて教習を行うことにより道路において行う教習と同等の教習効果をあげることができると認められるものに限り、同表第七号に掲げる事項に係る教習にあっては交通の状況を聴覚により認知することができない状態で行う運転に係る危険を予測した運転に必要な技能に基づく走行に係る教習を行う場合に限る。次号において同じ。）

七　AT普通免許に係る技能教習　別表第二第四号、第五号、第七号及び第九号に掲げる事項に係る教習

八　大型第二種免許又は中型第二種免許に係る技能教習（現に中型第二種免許又は普通第二種免許を受けている者に対する技能教習に限る。）　別表第四第六号に掲げる事項に係る教習

九　大型第二種免許又は中型第二種免許に係る技能教習（現に中型第二種免許又は普通第二種免許を受けている者に対する技能教習を除く。）　別表第四第六号、第八号及び第九号に掲げる事項に係る教習（同表第八号に掲げる事項に係る教習にあっては日没時教習又は同号に掲げる事項の一部について行う眩惑等体験教習に限り、同表第九号に掲げる事項に係る教習にあっては凍結路面教習を行う場合に限る。次号及び第十一号において同じ。）

十　普通第二種免許（AT普通第二種免許を除く。）に係る技能教習　別表第四第一号、第二号（転回並びに人の乗降のための停車及び発進を除く。）、第六号、第八号及び第九号に掲げる事項に係る教習

十一　AT普通第二種免許に係る技能教習　別表第四第六号、第八号及び第九号に掲げる事項に係る教習

第四条　前条に規定するもののほか、大型免許に係る技能教習は、次に掲げるところにより行うものとする。

一　府令第三十三条第五項第一号ニに規定する複数教習の教習時間は、四時限を超えないこと。ただし、現に中型免許、準中型免許、中型第二種免許若しくは普通第二種免許又は普通免許を受けている者に対する教習にあっては、それぞれ一時限又は三時限を超えないこと。

二　府令第三十三条第五項第一号ホに規定する運転シミュレーターによる教習の教習時間は、基本操作及び基本走行にあっては一時限、応用走行にあっては二時限を超えないこと。

三　府令第三十三条第五項第一号チに規定する模擬運転装置（運転シミュレーターを除く。）による教習は、別表第一第一号に掲げる事項についてのみ行うこと。

四　府令第三十三条第五項第一号ヌに規定する中型自動車を使用して行う教習の教習時間は、基本操作及び基本走行にあっては一時限、応用走行にあっては三時限を超えないこと。

五　府令第三十三条第五項第一号ルに規定する準中型自動車を使用して行う教習の教習時間は、二時限を超えないこと。

六　府令第三十三条第五項第一号ヲに規定する普通自動車を使用して行う教習の教習時間は、一時限を超えないこと。

七　府令第三十三条第五項第一号レの規定により道路において行うこととされる教習は、府令別表第四の一の表において現に受けている免許の有無及び種類に応じ規定する応用走行の教習時間から三時限（運転シミュレーターによる教習を行う場合にあっては、三時限に当該教習に係る時限数を加えた時限数）を減じた時限数（現に中型免許、準中型免許、中型第二種免許又は普通第二種免許を受けている者に対する教習にあっては、一時限（運転シミュレーターによる教習を行う場合にあっては、一時限に当該教習に係る時限数を加えた時限数）を減じた時限数）以上行うこと。

2　前項の規定（第四号を除く。）は、中型免許に係る技能教習について準用する。この場合において、次の表の上欄に掲げる規定中同表の中欄に掲げる字句は、それぞれ同表の下欄に掲げる字句に読み替えるものとする。

前項第一号	中型免許、準中型免許、中型第二種免許若しくは普通第二種免許	準中型免許若しくは普通第二種免許
前項第七号	中型免許、準中型免許、中型第二種免許又は普通第二種免許	準中型免許又は普通第二種免許

3　前項の規定により読み替えて準用する第一項に規定するもののほか、中型免許に係る技能教習については、府令第三十三条第五項第一号リに規定する無線指導装置による教習は、別表第一第二号に掲げる事項であって、交差点の通行（左折及び右折を含む。以下同じ。）その他の無線指導装置を用いて教習を行うことにより教習指導員が自動車に同乗して行う教習と同等の教習効果をあげることができると認められるものについてのみ行うものとする。

4　第一項の規定（第四号及び第五号を除く。）及び前項の規定は、準中型免許に係る技能教習について準用する。この場合において、次の表の上欄に掲げる規定中同表の中欄に掲げる字句は、それぞれ同表の下欄に掲げる字句に読み替えるものとする。

第一項第一号	四時限	別表第一に掲げる事項にあっては五時限、別表第二に掲げる事項にあっては三時限
	中型免許、準中型免許、中型第二種免許若しくは普通第二種免許	普通第二種免許
第一項第二号	基本操作及び基本走行にあっては一時限、応用走行にあっては二時限	別表第一に掲げる事項にあっては三時限、別表第二に掲げる事項にあっては二時限を超えないこと。ただし、現に普通免許又は普通第二種免許を受けている者に対する教習にあっては、それぞれ三時限又は一時限
第一項第三号	別表第一第一号	別表第一第一号及び別表第二第一号
	行うこと	行うこと。ただし、現に普通免許又は普通第二種免許を受けている者に対する教習にあっては、別表第一第一号に掲げる事項についてのみ行うこと
第一項第六号	一時限	四時限（現に普通免許を受けている者（現に普通第二種免許を受けている者を除く。）に対する教習にあっては、一時限）
第一項第七号	三時限	七時限
	中型免許、準中型免許、中型第二種免許又は普通第二種免許を受けている者	普通免許を受けている者（現に普通第二種免許を受けている者を除く。）
	教習にあっては、一時限	教習にあっては四時限
	一時限に	四時限に
	を減じた時限数）	を減じた時限数、現に普通第二種免許を受けている者に対する教習にあっては二時限（運転シミュレーターによる教習を行う場合にあっては、二時限に当該教習に係る時限数を加えた時限数）を減じた時限数）
前項	前項	次項
	別表第一第二号	別表第一第二号又は別表第二第二号若しくは第三号
	行うものとする	行うものとし、当該無線指導装置による教習の教習時間は、別表第一第二号に掲げる事項に係る教習にあっては一時限、別表第二第二号又は第三号に掲げる事項に係る教習にあっては三時限（現に普通免許又は普通第二種免許を受けている者に対する教習にあっては、一時限）を超えないこと

5　前項の規定により読み替えて準用する第一項及び第三項に規定するもののほか、準中型免許に係る技能教習については、府令第三十三条第五項第一号ワに規定する普通自動車を使用しなければ教習効果をあげることができない教習の教習時間は、基本操作及び基本走行にあっては十二時限（現に大型特殊免許若しくは大型特殊第二種免許（カタピラを有する大型特殊自動車のみに係る大型特殊免許又は大型特殊第二種免許を除く。以下この項において同じ。）又は大型二輪免許若しくは普通二輪免許を受けている者に対する教習にあっては、それぞれ七時限又は十時限）以上、応用走行にあっては十二時限（現に大型特殊免許又は大型特殊第二種免許を受けている者に対する教習にあっては、七時限）以上行うものとする。

6　第一項の規定（第一号ただし書及び第四号から第六号までを除く。）及び第三項の規定は、普通免許（AT普通免許を除く。）に係る技能教習について準用する。この場合において、次の表の上欄に掲げる規定中同表の中欄に掲げる字句は、それぞれ同表の下欄に掲げる字句に読み替えるものとする。

第一項第一号	四時限	六時限
第一項第二号	基本操作及び基本走行にあっては一時限、応用走行にあっては二時限	四時限
第一項第三号	別表第一第一号	別表第二第一号
第一項第七号	三時限	八時限
	時限数（現に中型免許、準中型免許、中型第二種免許又は普通第二種免許を受けている者に対する教習にあっては、一時限（運転シミュレーターによる教習を行う場合にあっては、一時限に当該教習に係る時限数を加えた時限数）を減じた時限数）	時限数
第三項	前項	第六項
	別表第一第二号	別表第二第二号又は第三号

7　第一項の規定（第一号ただし書及び第四号から第六号までを除く。）及び第三項の規定は、AT普通免許に係る技能教習について準用する。この場合において、次の表の上欄に掲げる規定中同表の中欄に掲げる字句は、それぞれ同表の下欄に掲げる字句に読み替えるものとする。

第一項第一号	四時限	六時限
第一項第二号	基本操作及び基本走行にあっては一時限、応用走行にあっては二時限	四時限
第一項第三号	別表第一第一号	別表第二第一号
第一項第七号	三時限	四時限
	時限数（現に中型免許、準中型免許、中型第二種免許又は普通第二種免許を受けている者に対する教習にあっては、一時限（運転シミュレーターによる教習を行う場合にあっては、一時限に当該教習に係る時限数を加えた時限数）を減じた時限数）	時限数
第三項	前項	第七項
	別表第一第二号	別表第二第二号又は第三号

8　大型二輪免許及び普通二輪免許に係る技能教習は、次に掲げるところにより行うものとする。

一　府令第三十三条第五項第一号への規定により行う教習は、別表第三第四号又は第六号に掲げる事項に係る教習であって、自動車による教習を行うことが困難であると認められるものとすること。

二　府令第三十三条第五項第一号トの規定により行う教習は、別表第三第二号、第四号、第五号又は第六号に掲げる事項に係る教習であって、カーブにおける安全な速度での走行その他の運転シミュレーターにより行うことにより自動車による教習と同等の教習効果をあげることができると認められるものについてのみ行うこと。

9　前条に規定するもののほか、大型第二種免許に係る技能教習は、次に掲げるところにより行うものとする。

一　府令第三十三条第五項第一号ニに規定する複数教習の教習時間は、四時限（別表第四第七号に掲げる事項に係る教習を二時限連続して行った後に引き続き別表第六第三号に掲げる事項に係る教習を行う場合にあっては、当該二時限連続して行った教習を含め五時限）を超えないこと。ただし、現に中型第二種免許若しくは普通第二種免許を受けている者に対する教習又は現に大型免許、中型免許、準中型免許若しくは普通免許を受けている者（現に中型第二種免許又は普通第二種免許を受けている者を除く。）に対する教習にあっては、それぞれ一時限又は三時限（別表第四第七号に掲げる事項に係る教習を二時限連続して行った後に引き続き別表第六第三号に掲げる事項に係る教習を行う場合にあっては、当該二時限連続して行った教習を含め四時限）を超えないこと。

二　府令第三十三条第五項第一号ホに規定する運転シミュレーターによる教習の教習時間は、基本操作及び基本走行にあっては一時限、応用走行にあっては四時限（現に中型第二種免許又は普通第二種免許を受けている者に対する教習にあっては、一時限）を超えないこと。

三　府令第三十三条第五項第一号ヌに規定する中型自動車を使用して行う教習の教習時間は、基本操作及び基本走行にあっては一時限、応用走行にあっては三時限（現に中型第二種免許又は普通第二種免許を受けている者に対する教習にあっては、一時限）を超えないこと。

四　府令第三十三条第五項第一号ルに規定する準中型自動車を使用して行う教習の教習時間は、基本操作及び基本走行にあっては一時限、応用走行にあっては三時限（現に中型第二種免許又は普通第二種免許を受けている者に対する教習にあっては、一時限）を超えないこと。

五　府令第三十三条第五項第一号ヲに規定する普通自動車を使用して行う教習の教習時間は、基本操作及び基本走行にあっては一時限、応用走行にあっては三時限（現に中型第二種免許又は普通第二種免許を受けている者に対する教習にあっては、一時限）を超えないこと。

六　府令第三十三条第五項第一号レの規定により道路において行うこととされる教習は、府令別表第四の一の表において現に受けている免許の種類に応じ規定する応用走行の教習時間から三時限（運転シミュレーターによる教習を行う場合にあっては、三時限に当該教習に係る時限数を加えた時限数）を減じた時限数（現に中型第二種免許又は普通第二種免許を受けている者に対する教習にあっては、一時限（運転シミュレーターによる教習を行う場合にあっては、一時限に当該教習に係る時限数を加えた時限数）を減じた時限数）以上行うこと。

10　前項の規定（第三号を除く。）は、中型第二種免許に係る教習について準用する。この場合において、次の表の上欄に掲げる規定中同表の中欄に掲げる字句は、それぞれ同表の下欄に掲げる字句に読み替えるものとする。

上欄	中欄	下欄
前項第一号	中型第二種免許若しくは普通第二種免許	普通第二種免許
	中型第二種免許又は普通第二種免許	普通第二種免許
前項第二号及び第四号から第六号まで	中型第二種免許又は普通第二種免許	普通第二種免許

11　第九項の規定（第三号から第五号までを除く。）は、普通第二種免許（AT普通第二種免許を除く。）に係る技能教習について準用する。この場合において、次の表の上欄に掲げる規定中同表の中欄に掲げる字句は、それぞれ同表の下欄に掲げる字句に読み替えるものとする。

上欄	中欄	下欄
第九項第一号	現に中型第二種免許若しくは普通第二種免許を受けている者に対する教習又は現に	現に
	若しくは普通免許	又は普通免許
	者（現に中型第二種免許又は普通第二種免許を受けている者を除く。）	者
	それぞれ一時限又は三時限	三時限
第九項第二号	四時限（現に中型第二種免許又は普通第二種免許を受けている者に対する教習にあっては、一時限）	四時限
第九項第六号	三時限	七時限
	中型第二種免許又は普通第二種免許	大型免許、中型免許、準中型免許又は普通免許（AT普通免許を除く。）
	一時限	三時限

12　第九項の規定（第三号から第五号までを除く。）は、AT普通第二種免許に係る技能教習について準用する。この場合において、次の表の上欄に掲げる規定中同表の中欄に掲げる字句は、それぞれ同表の下欄に掲げる字句に読み替えるものとする。

上欄	中欄	下欄
第九項第一号	現に中型第二種免許若しくは普通第二種免許を受けている者に対する教習又は現に	現に
	若しくは普通免許	又は普通免許
	者（現に中型第二種免許又は普通第二種免許を受けている者を除く。）	者
	それぞれ一時限又は三時限	三時限
第九項第二号	四時限（現に中型第二種免許又は普通第二種免許を受けている者に対する教習にあっては、一時限）	四時限
第九項第六号	時限数（現に中型第二種免許又は普通第二種免許を受けている者に対する教習にあっては、一時限（運転シミュレーターによる教習を行う場合にあっては、一時限に当該教習に係る時限数を加えた時限数）を減じた時限数）	時限数

（指定前における教習の基準の細目）

第五条　第一条、第二条及び第四条の規定は、府令第三十四条の三第二項の国家公安委員会規則で定める教習の科目並びに教習の科目ごとの教習時間及び教習方法の基準についての細目について準用する。

附　則

この規則は、道路交通法施行規則の一部を改正する総理府令（平成十年総理府令第三十号）の施行の日（平成十年十二月一日）から施行する。

附　則〔平成一四・四・二六国家公安委員会規則一二〕

（施行期日）

1　この規則は、平成十四年六月一日から施行する。

（経過措置）

2　この規則の施行の際現に指定自動車教習所において道路交通法施行規則及び自動車安全運転センター法施行規則の一部を改正する内閣府令（平成十四年内閣府令第三十四号）による改正前の道路交通法施行規則第三十三条第一項に規定する教習を受けている者に対する教習の科目並びに教習の科目ごとの教習時間及び教習方法の基準についての細目は、改正後の指定自動車教習所等の教習の基準の細目に関する規則（次項において「新規則」という。）の規定にかかわらず、なお従前の例による。

3　新規則第三条第五項第三号の規定の適用については、この規則の施行の日から起算して二年を経過する日までの間は、同号中「教習を行う場合」とあるのは「教習を行う場合その他都道府県公安委員会が適当と認める方法により教習を行う場合」と読み替えるものとする。

附　則〔平成一六・六・五国家公安委員会規則一二〕

改正　平成一六・一二国公委規則一九

（施行期日）

1　この規則は、平成十七年六月一日から施行する。

（経過措置）

2　この規則の施行の際現に改正前の指定自動車教習所等の教習

の基準の細目に関する規則（次項において「旧規則」という。）第一条第一項第五号に掲げる基本操作及び基本走行を修了している者は、改正後の指定自動車教習所等の教習の基準の細目に関する規則（次項において「新規則」という。）第一条第一項第五号に掲げる基本操作及び基本走行を修了した者とみなす。

3　この規則の施行の際現に旧規則第一条第三項第一号に掲げる学科㈠を修了している者は、新規則第一条第三項第一号に掲げる学科㈠を修了した者とみなす。

附　則〔平成一六・一二・三国家公安委員会規則一九抄〕

（施行期日）

1　この規則は、平成十七年三月一日から施行する。

（経過措置）

2　この規則の施行の際現に改正前の指定自動車教習所等の教習の基準の細目に関する規則第一条及び第二条の規定により行われた大型二輪免許又は普通二輪免許に係る学科教習を修了している者は、改正後の指定自動車教習所等の教習の基準の細目に関する規則第一条及び第二条の規定により行われた大型二輪免許又は普通二輪免許に係る学科教習を修了した者とみなす。

附　則〔平成一八・二・二〇国家公安委員会規則五〕

（施行期日）

1　この規則は、道路交通法の一部を改正する法律（平成十六年法律第九十号。以下「改正法」という。）附則第一条第五号に掲げる規定の施行の日（平成一九・六・二）から施行する。

（経過措置）

2　この規則の施行の際現に次の各号に掲げる基本操作及び基本走行を修了している者は、当該各号に定める基本操作及び基本走行を修了した者とみなす。

一　改正前の指定自動車教習所等の教習の基準の細目に関する規則（以下「旧規則」という。）第一条第一項第一号の大型自動車免許に係る基本操作及び基本走行　改正後の指定自動車教習所等の教習の基準の細目に関する規則（以下「新規則」という。）第一条第一項第一号の中型自動車免許に係る基本操作及び基本走行

二　旧規則第一条第一項第三号の普通自動車免許に係る基本操作及び基本走行　新規則第一条第一項第三号の普通自動車免許に係る基本操作及び基本走行

三　旧規則第一条第一項第七号の大型自動車第二種免許に係る基本操作及び基本走行（次号に掲げる場合を除く。）　新規則第一条第一項第七号の大型自動車第二種免許に係る基本操作及び基本走行

四　旧規則第一条第一項第七号の大型自動車第二種免許に係る基本操作及び基本走行（全長十メートル未満又は軸距五・一五メートル未満である自動車を使用して行う場合に限る。）　新規則第一条第一項第七号の中型自動車第二種免許に係る基本操作及び基本走行

五　旧規則第一条第一項第七号の普通自動車第二種免許に係る基本操作及び基本走行　新規則第一条第一項第七号の普通自動車第二種免許に係る基本操作及び基本走行

3　この規則の施行の際現に次の各号に掲げる応用走行を修了している者は、当該各号に定める応用走行を修了した者とみなす。

一　旧規則第一条第一項第二号の大型自動車免許に係る応用走行　新規則第一条第一項第二号の中型自動車免許に係る応用走行

二　旧規則第一条第一項第四号の普通自動車免許に係る応用走行　新規則第一条第一項第四号の普通自動車免許に係る応用走行

三　旧規則第一条第一項第八号の大型自動車第二種免許に係る応用走行（次号に掲げる場合を除く。）　新規則第一条第一項第八号の大型自動車第二種免許に係る応用走行

四　旧規則第一条第一項第八号の大型自動車第二種免許に係る応用走行（全長十メートル未満又は軸距五・一五メートル未満である自動車を使用して行う場合に限る。）　新規則第一条第一項第八号の中型第二種免許に係る応用走行

五　旧規則第一条第一項第八号の普通自動車第二種免許に係る応用走行　新規則第一条第一項第八号の普通自動車第二種免許に係る応用走行

4　この規則の施行の際現に旧規則第一条第三項第一号、第三号又は第五号に掲げる学科㈠を修了している者は、それぞれ新規則第一条第三項第一号、第三号又は第五号に掲げる学科㈠を修了した者とみなす。

5　この規則の施行の際現に旧規則第一条第三項第二号、第四号又は第六号に掲げる学科㈡を修了している者は、それぞれ新規則第一条第三項第二号、第四号又は第六号に掲げる学科㈡を修了した者とみなす。

6　この規則の施行の際現に指定自動車教習所における旧規則第一条第一項第二号の大型自動車免許に係る応用走行又は同条第三項第二号の大型自動車免許に係る学科㈡を受けている者（改正法附則第六条の規定により改正法第四条の規定による改正後の道路交通法（昭和三十五年法律第百五号）第八十四条第四項の中型自動車第二種免許又は同項の普通自動車第二種免許（以下この項において「普通第二種免許」という。）とみなされる改正法第四条の規定による改正前の道路交通法第八十四条第四項の普通自動車第二種免許を受けている者を除く。）に対しては、新規則別表第一第七号に掲げる事項に係る教習を二時限、同表第八号及び第九号に掲げる事項に係る教習を一時限並びに新規則別表第五第二号に掲げる事項に係る教習を一時限行うこととする。ただし、普通第二種免許を受けた者については、この限りでない。

附　則〔平成二八・七・一五国家公安委員会規則一七〕

（施行期日）

1　この規則は、道路交通法の一部を改正する法律（平成二十七年法律第四十号。以下「改正法」という。）の施行の日（平成二十九年三月十二日。以下「改正法施行日」という。）から施行する。

（経過措置）

2　次の各号のいずれかに該当する者に対する改正後の指定自動車教習所等の教習の基準の細目に関する規則（以下「新規則」という。）第一条第二項第一号及び第二号並びに同条第四項第一号、第二条第一号及び第二号、第三条第一項第一号、同条第二項第一号及び第二号、同条第三項第一号及び第二号、同条第四項第一号及び第二号、同条第五項第一号、同条第六項第一号並びに同条第八項第一号及び第二号並びに第四条第一項第一号及び第七号並びに同条第二項の規定の適用については、新規則第一条第二項第一号中「準中型免許」とあるのは「準中型免許（道路交通法の一部を改正する法律（平成二十七年法律第四十号）附則第二条第二号に定める準中型免許（以下「限定準中型免許」という。）を除く。）」と、同項第二号中「準中型免許」とあるのは「準中型免許（限定準中型免許を除く。）」と、同条第四項第一号中「現に」とあるのは「現に限定準中型免許、」と、第二条第一号及び第二号、第三条第一項第一号、同条第二項第一号及び第二号、同条第三項第一号及び第二号、同条第四項第一号及び第二号、同条第五項第一号、同条第六項第一号並びに同条第八項第一号及び第二号並びに第四条第一項第一号中「、準中型免許」とあるのは「、準中型免許（限定準中型免許を除く。）」と、同号中「普通免許」とあるのは「限定準中型免許若しくは普通免許」と、同項第七号及び同条第二項の表中「準中型免許」とあるのは「準中型免許（限定準中型免許を除く。）」とする。

一　改正法附則第二条の規定により準中型自動車免許とみなされる改正法による改正前の道路交通法（昭和三十五年法律第百五号）第八十四条第三項の普通自動車免許を受けている者

二　改正法附則第五条の規定により準中型自動車免許に係る運転免許試験に合格した者とみなされて準中型自動車免許を受

けている者

3　改正法施行日において現に次の各号に掲げる基本操作及び基本走行を修了している者は、それぞれ当該各号に定める基本操作及び基本走行を修了した者とみなす。

一　改正前の指定自動車教習所等の教習の基準の細目に関する規則（以下「旧規則」という。）第一条第一項第一号の中型自動車免許に係る基本操作及び基本走行　新規則第一条第一項第一号の中型自動車免許に係る基本操作及び基本走行

二　旧規則第一条第一項第三号の普通自動車免許に係る基本操作及び基本走行　新規則第一条第一項第五号の普通自動車免許に係る基本操作及び基本走行

三　旧規則第一条第一項第七号の中型自動車第二種免許に係る基本操作及び基本走行　新規則第一条第一項第九号の中型自動車第二種免許に係る基本操作及び基本走行

四　旧規則第一条第一項第七号の普通自動車第二種免許に係る基本操作及び基本走行　新規則第一条第一項第九号の普通自動車第二種免許に係る基本操作及び基本走行

4　改正法施行日において現に次の各号に掲げる応用走行を修了している者は、それぞれ当該各号に定める応用走行を修了した者とみなす。

一　旧規則第一条第一項第二号の中型自動車免許に係る応用走行　新規則第一条第一項第二号の中型自動車免許に係る応用走行

二　旧規則第一条第一項第四号の普通自動車免許に係る応用走行　新規則第一条第一項第六号の普通自動車免許に係る応用走行

三　旧規則第一条第一項第八号の中型自動車第二種免許に係る応用走行　新規則第一条第一項第十号の中型自動車第二種免許に係る応用走行

四　旧規則第一条第一項第八号の普通自動車第二種免許に係る応用走行　新規則第一条第一項第十号の普通自動車第二種免許に係る応用走行

5　改正法施行日において現に次の各号に掲げる学科㈠を修了している者は、それぞれ当該各号に定める学科㈠を修了した者とみなす。

一　旧規則第一条第三項第一号の中型自動車免許に係る学科㈠　新規則第一条第三項第一号の中型自動車免許に係る学科㈠

二　旧規則第一条第三項第一号の普通自動車免許に係る学科㈠　新規則第一条第三項第一号の普通自動車免許に係る学科㈠

三　旧規則第一条第三項第五号の中型自動車第二種免許に係る学科㈠　新規則第一条第三項第五号の中型自動車第二種免許に係る学科㈠

四　旧規則第一条第三項第五号の普通自動車第二種免許に係る学科㈠　新規則第一条第三項第五号の普通自動車第二種免許に係る学科㈠

6　改正法施行日において現に次の各号に掲げる学科㈡を修了している者は、それぞれ当該各号に定める学科㈡を修了した者とみなす。

一　旧規則第一条第三項第二号の中型自動車免許に係る学科㈡　新規則第一条第三項第二号の中型自動車免許に係る学科㈡

二　旧規則第一条第三項第二号の普通自動車免許に係る学科㈡　新規則第一条第三項第二号の普通自動車免許に係る学科㈡

三　旧規則第一条第三項第六号の中型自動車第二種免許に係る学科㈡　新規則第一条第三項第六号の中型自動車第二種免許に係る学科㈡

四　旧規則第一条第三項第六号の普通自動車第二種免許に係る学科㈡　新規則第一条第三項第六号の普通自動車第二種免許に係る学科㈡

附　則〔平成三〇・六・一一国家公安委員会規則一二〕

この規則は、道路交通法施行規則の一部を改正する内閣府令の施行の日〔平成三〇・七・一二〕から施行する。

附　則〔令和六・六・二六国家公安委員会規則八抄〕

（施行期日）

第一条　この規則は、道路交通法施行規則の一部を改正する内閣府令（令和六年内閣府令第六十号）の施行の日（令和七年四月一日）から施行する。ただし、次の各号に掲げる規定は、当該各号に定める日から施行する。

一　第二条並びに附則第三条及び第六条の規定　令和八年四月一日

二　第三条並びに附則第四条及び第七条の規定　令和九年四月一日

三　第四条及び附則第五条の規定　令和九年十月一日

（普通免許等に関する経過措置）

第二条　指定自動車教習所における普通自動車免許（以下「普通免許」という。）（運転することができる普通自動車をオートマチック・トランスミッションその他のクラッチの操作を要しない機構（以下「AT機構」という。）がとられておりクラッチの操作装置を有しない普通自動車に限る普通免許（以下「AT普通免許」という。）を除く。）及び普通自動車第二種免許（以下「普通第二種免許」という。）（運転することができる普通自動車をAT機構がとられておりクラッチの操作装置を有しない普通自動車に限る普通第二種免許（以下「AT普通第二種免許」という。）を除く。）に係る技能教習の科目並びに科目ごとの教習時間及び教習方法の基準についての細目は、第一条の規定による改正後の指定自動車教習所等の教習の基準の細目に関する規則（以下この条において「第一条新規則」という。）の規定にかかわらず、当分の間、なお従前の例によることができる。

2　この規則の施行の際現に指定自動車教習所において普通免許（AT普通免許を除く。）又は普通第二種免許（AT普通第二種免許を除く。）に係る教習を受けている者に対する技能教習の科目並びに科目ごとの教習時間及び教習方法の基準についての細目は、第一条新規則の規定にかかわらず、なお従前の例による。

（中型免許等に関する経過措置）

第三条　指定自動車教習所における中型自動車免許（以下「中型免許」という。）（運転することができる中型自動車、準中型自動車及び普通自動車をAT機構がとられておりクラッチの操作装置を有しない中型自動車、準中型自動車及び普通自動車に限る中型免許（以下「AT中型免許」という。）を除く。）、準中型自動車免許（以下「準中型免許」という。）（運転することができる準中型自動車及び普通自動車をAT機構がとられておりクラッチの操作装置を有しない準中型自動車及び普通自動車に限る準中型免許（以下「AT準中型免許」という。）を除く。）及び中型自動車第二種免許（以下「中型第二種免許」という。）（運転することができる中型自動車、準中型自動車及び普通自動車をAT機構がとられておりクラッチの操作装置を有しない中型自動車、準中型自動車及び普通自動車に限る中型第二種免許（以下「AT中型第二種免許」という。）を除く。）に係る技能教習の科目並びに科目ごとの教習時間及び教習方法の基準についての細目は、第二条の規定による改正後の指定自動車教習所等の教習の基準の細目に関する規則（以下この条において「第二条新規則」という。）の規定にかかわらず、当分の間、なお従前の例によることができる。

2　附則第一条第一号に掲げる規定の施行の際現に指定自動車教習所において中型免許（AT中型免許を除く。）、準中型免許（AT準中型免許を除く。）又は中型第二種免許（AT中型第二種免許を除く。）に係る教習を受けている者に対する技能教習の科目並びに科目ごとの教習時間及び教習方法の基準についての細目は、第二条新規則の規定にかかわらず、なお従前の例による。

（大型免許に関する経過措置）

第四条　指定自動車教習所における大型自動車免許（以下「大型

免許」という。）（運転することができる大型自動車、中型自動車、準中型自動車及び普通自動車をAT機構がとられておりクラッチの操作装置を有しない大型自動車、中型自動車、準中型自動車及び普通自動車に限る大型免許（以下「AT大型免許」という。）を除く。）に係る技能教習の科目並びに科目ごとの教習時間及び教習方法の基準についての細目は、第三条の規定による改正後の指定自動車教習所等の教習の基準の細目に関する規則（以下この条において「第三条新規則」という。）の規定にかかわらず、当分の間、なお従前の例によることができる。

２　附則第一条第二号に掲げる規定の施行の際現に指定自動車教習所において大型免許（AT大型免許を除く。）に係る教習を受けている者に対する技能教習の科目並びに科目ごとの教習時間及び教習方法の基準についての細目は、第三条新規則の規定にかかわらず、なお従前の例による。

（大型第二種免許に関する経過措置）

第五条　指定自動車教習所における大型自動車第二種免許（以下「大型第二種免許」という。）（運転することができる大型自動車、中型自動車、準中型自動車及び普通自動車をAT機構がとられておりクラッチの操作装置を有しない大型自動車、中型自動車、準中型自動車及び普通自動車に限る大型第二種免許（以下「AT大型第二種免許」という。）を除く。）に係る技能教習の科目並びに科目ごとの教習時間及び教習方法の基準についての細目は、第四条の規定による改正後の指定自動車教習所等の教習の基準の細目に関する規則（以下この条において「第四条新規則」という。）の規定にかかわらず、当分の間、なお従前の例によることができる。

２　附則第一条第三号に掲げる規定の施行の際現に指定自動車教習所において大型第二種免許（AT大型第二種免許を除く。）に係る教習を受けている者に対する技能教習の科目並びに科目ごとの教習時間及び教習方法の基準についての細目は、第四条新規則の規定にかかわらず、なお従前の例による。

別表第一（第一条―第四条関係）

一　自動車の構造を踏まえた各装置の操作、発進、停止及び速度の調節に係る操作その他貨物自動車の運転に係る操作

二　交差点の通行、横断歩道及び踏切の通過、坂道における走行（坂道における一時停止及び発進を含む。以下同じ。）、路端における停車及び発進、隘路への進入その他の貨物自動車の運転に係る走行（次号から第十号までに掲げる事項を除く。）

三　急ブレーキによる停止を行うための走行

四　府令第二十一条の二の表に規定する交通法規に従い、道路及び交通の状況に応じた運転に係る走行で貨物自動車に係るもの（次号から第十号までに掲げる事項を除く。）

五　方向変換及び縦列駐車

六　運転者が交通法規に従い、道路及び交通の状況に応じて設定した経路における貨物自動車の運転に係る走行

七　貨物自動車の運転に係る危険の予測その他の貨物自動車の安全な運転に必要な技能に基づく走行

八　夜間における貨物自動車の安全な運転に必要な技能に基づく走行

九　路面が凍結の状態にある場合その他の悪条件下にある場合における運転の危険性に応じた貨物自動車の安全な運転に必要な技能に基づく走行

十　地形その他の地域の特性に応じた貨物自動車の運転に係る走行

別表第二（第一条―第四条関係）

一　自動車の構造を踏まえた各装置の操作、発進、停止及び速度の調節に係る操作その他自動車の運転に係る操作（第三号に掲げる事項を除く。）

二　交差点の通行、横断歩道及び踏切の通過、坂道における走行その他自動車の運転に係る走行（次号から第九号までに掲げる事項を除く。）

三　オートマチック車の特性に応じた自動車の運転に係る操作及び走行

四　府令第二十一条の二の表に規定する交通法規に従い、道路及び交通の状況に応じた運転に係る走行（第六号から第九号までに掲げる事項を除く。）

五　方向変換、縦列駐車及び急ブレーキによる停止を行うための走行

六　運転者が交通法規に従い、道路及び交通の状況に応じて設定した経路による走行

七　危険の予測その他の安全な運転に必要な技能に基づく走行

八　高速運転に必要な技能に基づく走行

九　気候、地形その他の地域の特性に応じた走行

別表第三（第一条、第二条、第四条関係）

一　取り回し（自動車を押して歩くことをいう。）、自動車の構造を踏まえた各装置の操作、発進、停止及び速度の調節に係る操作その他自動車の運転に係る操作（第三号に掲げる事項を除く。）

二　坂道における走行、車両の死角を踏まえた走行、安定を保った走行その他自動車の運転に係る走行（次号から第七号までに掲げる事項を除く。）

三　オートマチック車の特性に応じた自動車の運転に係る操作及び走行

四　府令第二十一条の二の表に規定する交通法規に従い、道路及び交通の状況に応じた運転に係る走行（第六号に掲げる事項を除く。）

五　カーブにおける安全な速度での走行並びに急ブレーキによる停止及び急な方向の変更を行うための走行

六　危険の予測その他の安全な運転に必要な技能に基づく走行

七　砂利道における走行その他の安定を保つことが困難な状況における走行

別表第四（第一条―第四条関係）

一　自動車の構造を踏まえた各装置の操作、発進、停止及び速度の調節に係る操作その他旅客自動車の運転に係る操作

二　交差点の通行、横断歩道及び踏切の通過、坂道における走行、鋭角コースの通過、方向変換、縦列駐車、転回、人の乗降のための停車及び発進その他の旅客自動車の運転に係る走行（次号から第十号までに掲げる事項を除く。）

三　急ブレーキによる停止を行うための走行

四　府令第二十一条の二の表に規定する交通法規に従い、道路及び交通の状況に応じた運転に係る走行で旅客自動車に係るもの並びに同表に規定する旅客自動車の運転に係る走行（次号から第十号までに掲げる事項を除く。）

五　運転者が交通法規に従い、道路及び交通の状況に応じて設定した経路における旅客自動車の運転に係る走行

六　時間的余裕がない場合における旅客自動車の安全な運転に係る走行

七　旅客自動車の運転に係る危険の予測その他の旅客自動車の安全な運転に必要な技能に基づく走行

八　夜間における旅客自動車の安全な運転に必要な技能に基づく走行

九　路面が凍結の状態にある場合その他の悪条件下にある場合における運転の危険性に応じた旅客自動車の安全な運転に必要な技能に基づく走行

十　地形その他の地域の特性に応じた旅客自動車の運転に係る走行

別表第五（第一条、第二条関係）

一　法第百八条の二十八第四項各号に掲げる事項であって、別表第一第一号から第三号まで、別表第二第一号から第三号まで及び別表第三第一号から第三号までに掲げる事項に関するもの

二　危険の予測その他の安全な運転に必要な知識

三　応急救護処置

四　前三号に掲げるもののほか、運転に必要な適性の自覚に関すること、交通事故の実態の理解に関することその他自動車の運転に必要な知識

別表第六（第一条、第二条関係）

一　法第百八条の二十八第四項各号に掲げる事項であって、別表第四第一号から第三号までに掲げる事項に関するもの

二　身体障害者、高齢者等が旅客である場合における旅客自動車の安全な運転その他の交通の安全の確保について必要な知識

三　旅客自動車の運転に係る危険の予測その他の安全な運転に必要な知識

四　応急救護処置

五　前各号に掲げるもののほか、旅客自動車の運転に必要な適性の自覚に関すること、旅客自動車に係る交通事故の実態の理解に関することその他の旅客自動車の運転に必要な知識

○指定自動車教習所の指定に係る別段の申出に関する規則

〔平成二八・七・一五
国家公安委員会規則一九〕

道路交通法施行令の一部を改正する政令附則第二条第一項ただし書の規定による別段の申出は、指定自動車教習所の設置者又は管理者が次の事項を記載した申出書を当該自動車教習所を指定自動車教習所として指定した都道府県公安委員会に提出して行うものとする。

一　当該申出に係る指定自動車教習所の名称及び所在地並びに管理者の氏名及び住所

二　当該申出に係る道路交通法の一部を改正する法律（平成二十七年法律第四十号）による改正後の道路交通法（昭和三十五年法律第百五号）第八十四条第三項の運転免許の種類

三　第一号に係る指定自動車教習所が前号に係る運転免許の種類について道路交通法施行令の一部を改正する政令附則第二条第一項本文の規定の適用を受けることを希望しない旨

附　則

この規則は、公布の日から施行する。

第二編　交通安全対策

第二編　交通安全対策

2

○交通安全対策基本法（昭四五法一一〇）……一二二一
○第十一次交通安全基本計画【概要】（令三中央交通安全対策会議）……一二二五
○自転車の安全利用の促進及び自転車等の駐車対策の総合的推進に関する法律（昭五五法八七）……一二二七
○自転車の防犯登録を行う者の指定に関する規則（平六国公委規一二）……一二二九
○交通政策基本法（平二五法九二）……一二三〇

○交通安全対策基本法

〔昭和四五・六・一
法律一一〇〕

改正 昭和四六・六法九八、昭和五〇・七法五八、昭和五八・一二法八〇、平成一一・七法一〇二、一二法一六〇、平成一八・五法三八、平成二三・八法一〇五、平成二五・六法四四、平成二七・九法六六、令和三・五法三六、令和五・六法五八

第一章 総則

（目的）

第一条 この法律は、交通の安全に関し、国及び地方公共団体、車両、船舶及び航空機の使用者、車両の運転者、船員及び航空機乗組員等の責務を明らかにするとともに、国及び地方公共団体を通じて必要な体制を確立し、並びに交通安全計画の策定その他国及び地方公共団体の施策の基本を定めることにより、交通安全対策の総合的かつ計画的な推進を図り、もつて公共の福祉の増進に寄与することを目的とする。

（定義）

第二条 この法律において、次の各号に掲げる用語の意義は、それぞれ当該各号に定めるところによる。

一 道路 道路交通法（昭和三十五年法律第百五号）第二条第一項第一号に規定する道路をいう。

二 車両 道路交通法第二条第一項第八号に規定する車両及び鉄道又は軌道による交通の用に供する車両をいう。

三 船舶 水上又は水中の航行の用に供する船舟類をいう。

四 航空機 航空法（昭和二十七年法律第二百三十一号）第二条第一項に規定する航空機をいう。

五 陸上交通 道路又は一般交通の用に供する鉄道若しくは軌道による交通をいう。

六 海上交通 船舶による交通をいう。

七 航空交通 航空機による交通をいう。

八 船員 船舶に乗り組んでその運航に従事する者をいい、水先法（昭和二十四年法律第百二十一号）第二条第二項に規定する水先人を含むものとする。

九 航空機乗組員 航空法第六十九条に規定する航空機乗組員をいう。

十 指定行政機関 次に掲げる機関で内閣総理大臣が指定するものをいう。

イ 内閣府並びに内閣府設置法（平成十一年法律第八十九号）第四十九条第一項及び第二項に規定する機関、デジタル庁並びに国家行政組織法（昭和二十三年法律第百二十号）第三条第二項に規定する機関

ロ 内閣府設置法第三十七条及び第五十四条並びに国家行政組織法第八条に規定する機関

ハ 内閣府設置法第三十九条及び第五十五条並びに国家行政組織法第八条の二に規定する機関

ニ 内閣府設置法第四十条及び第五十六条並びに国家行政組織法第八条の三に規定する機関

十一 指定地方行政機関 指定行政機関の地方支分部局（内閣府設置法第四十三条及び第五十七条並びに国家行政組織法第九条に規定する地方支分部局をいう。）その他の国の地方行政機関で、内閣総理大臣が指定するものをいう。

（国の責務）

第三条 国は、国民の生命、身体及び財産を保護する使命を有することにかんがみ、陸上交通、海上交通及び航空交通の安全（以下「交通の安全」という。）に関する総合的な施策を策定し、及びこれを実施する責務を有する。

（地方公共団体の責務）

第四条 地方公共団体は、住民の生命、身体及び財産を保護するため、その区域における交通の安全に関し、国の施策に準じて施策を講ずるとともに、当該区域の実情に応じた施策を策定し、及びこれを実施する責務を有する。

（道路等の設置者等の責務）

第五条 道路、鉄道、軌道、港湾施設、漁港施設、飛行場又は航空保安施設を設置し、又は管理する者は、法令の定めるところにより、その設置し、又は管理するこれらの施設に関し、交通の安全を確保するため必要な措置を講じなければならない。

（車両等の製造事業者の責務）

第六条 車両、船舶又は航空機（以下「車両等」という。）の製造の事業を営む者は、その製造する車両等の構造、設備及び装置の安全性の向上に努めなければならない。

（車両等の使用者の責務）

第七条 車両等を使用する者は、法令の定めるところにより、その使用する車両等の安全な運転又は運航を確保するため必要な措置を講じなければならない。

（車両の運転者等の責務）

第八条 車両を運転する者（以下「車両の運転者」という。）は、法令の定めるところにより仕業点検等を行なうとともに、歩行者に危害を及ぼさないようにする等車両の安全な運転に努めなければならない。

2 船員は、法令の定めるところにより発航前の検査、異常な気象、海象等の通報、航路標識の事故の通報、遭難船舶の救助等を行なうとともに、船舶の安全な運航に努めなければならない。

3 航空機乗組員は、法令の定めるところにより出発前の確認、航空保安施設の機能の障害の報告等を行なうとともに、航空機の安全な運航に努めなければならない。

（歩行者の責務）

第九条 歩行者は、道路を通行するに当たつては、法令を励行するとともに、陸上交通に危険を生じさせないように努めなければならない。

（住民の責務）

第一〇条 住民は、国及び地方公共団体が実施する交通の安全に関する施策に協力する等交通の安全に寄与するように努めなければならない。

（施策における交通安全のための配慮）

第一一条 国及び地方公共団体は、その施策が、直接的なものであると間接的なものであるとを問わず、一体として交通の安全に寄与することとなるように配慮しなければならない。

（財政措置等）

第一二条 政府は、交通の安全に関する施策の実施に必要な財政上又は金融上の措置その他の措置を講じなければならない。

（国会に対する報告）

第一三条 政府は、毎年、国会に、交通事故の状況、交通の安全に関する施策に係る計画及び交通の安全に関して講じた施策の概況に関する報告を提出しなければならない。

第二章 交通安全対策会議等

（中央交通安全対策会議の設置及び所掌事務）

第一四条 内閣府に、中央交通安全対策会議を置く。

2 中央交通安全対策会議は、次の各号に掲げる事務をつかさどる。

一　交通安全基本計画を作成し、及びその実施を推進すること。

二　前号に掲げるもののほか、交通の安全に関する総合的な施策で重要なものの企画に関して審議し、及びその施策の実施を推進すること。

（中央交通安全対策会議の組織等）

第一五条　中央交通安全対策会議は、会長及び委員をもつて組織する。

2　会長は、内閣総理大臣をもつて充てる。

3　委員は、次に掲げる者をもつて充てる。

一　内閣官房長官

二　国家公安委員会委員長

三　国土交通大臣

四　前二号に掲げる者のほか、指定行政機関の長、内閣府設置法第九条第一項に規定する特命担当大臣及びデジタル大臣のうちから内閣総理大臣が任命する者

4　中央交通安全対策会議に、専門の事項を調査させるため必要があるときは、専門委員を置くことができる。

5　中央交通安全対策会議の庶務は、内閣府本府において警察庁及び国土交通省の協力を得て総括し、及び処理する。ただし、海上交通及び航空交通の安全に関する事項に係るものについては、内閣府本府と国土交通省において共同して処理する。

6　前各項に定めるもののほか、中央交通安全対策会議の組織及び運営に関し必要な事項は、政令で定める。

（都道府県交通安全対策会議の設置及び所掌事務）

第一六条　都道府県に、都道府県交通安全対策会議を置く。

2　都道府県交通安全対策会議は、次の各号に掲げる事務をつかさどる。

一　都道府県交通安全計画を作成し、及びその実施を推進すること。

二　前号に掲げるもののほか、都道府県の区域における陸上交通の安全に関する総合的な施策の企画に関して審議し、及びその施策の実施を推進すること。

三　都道府県の区域における陸上交通の安全に関する総合的な施策の実施に関し、都道府県並びに関係指定地方行政機関及び関係市町村相互間の連絡調整を図ること。

（都道府県交通安全対策会議の組織等）

第一七条　都道府県交通安全対策会議は、会長及び委員をもつて組織する。

2　会長は、都道府県知事をもつて充てる。

3　委員は、次に掲げる者をもつて充てる。

一　都道府県の区域の全部又は一部を管轄する指定地方行政機関の長又はその指名する職員

二　都道府県教育委員会の教育長

三　警視総監又は道府県警察本部長

四　都道府県知事が都道府県の部内の職員のうちから指名する者

五　地方自治法（昭和二十二年法律第六十七号）第二百五十二条の十九第一項の指定都市を包括する都道府県にあつては、指定都市の長又はその指名する職員

六　都道府県の区域内の市町村の市町村長及び消防機関の長のうちから都道府県知事が任命する者

七　その他都道府県知事が必要と認めて任命する者

4　都道府県交通安全対策会議に、特別の事項を審議させるため必要があるときは、特別委員を置くことができる。

5　前各項に定めるもののほか、都道府県交通安全対策会議の組織及び運営に関し必要な事項は、政令で定める基準に従い、都道府県の条例で定める。

（市町村交通安全対策会議）

第一八条　市町村は、市町村交通安全計画を作成し、及びその実施を推進させるため、条例で定めるところにより、市町村交通安全対策会議を置くことができる。

2　前項に規定するもののほか、市町村は、協議により規約を定め、共同して市町村交通安全対策会議を置くことができる。

3　市町村交通安全対策会議の組織及び所掌事務は、都道府県交通安全対策会議の組織及び所掌事務の例に準じて、市町村の条例（前項の規定により置かれる市町村交通安全対策会議にあつては、規約）で定める。

（関係行政機関等に対する協力要求）

第一九条　中央交通安全対策会議、都道府県交通安全対策会議及び市町村交通安全対策会議（市町村交通安全対策会議を置かない市町村にあつては、市町村の長。次条並びに第二十六条第一項及び第五項において同じ。）は、その所掌事務を遂行するため必要があると認めるときは、関係行政機関の長（関係行政機関が委員会である場合にあつては、関係行政機関）及び関係地方行政機関の長、関係地方公共団体の長その他の執行機関並びに政令で定めるその他の関係者に対し、資料の提供その他必要な協力を求めることができる。

（交通安全対策会議相互の関係）

第二〇条　都道府県交通安全対策会議及び市町村交通安全対策会議は、その所掌事務の遂行について、相互に、又はそれぞれ他の都道府県の都道府県交通安全対策会議若しくは他の市町村の市町村交通安全対策会議と協力しなければならない。

2　中央交通安全対策会議は、その所掌事務を遂行するため必要があると認めるときは、都道府県交通安全対策会議及び市町村交通安全対策会議に対し、必要な勧告をすることができる。

3　都道府県交通安全対策会議は、その所掌事務を遂行するため必要があると認めるときは、市町村交通安全対策会議に対し、必要な勧告をすることができる。

（都道府県交通安全連絡協議会）

第二一条　都道府県は、その区域における海上交通又は航空交通の安全に関し、関係地方行政機関との連絡及び協議を行なうため必要があると認めるときは、条例で定めるところにより、都道府県交通安全連絡協議会を置くことができる。

2　都道府県交通安全連絡協議会の組織及び運営に関し必要な事項は、都道府県の条例で定める。

第三章　交通安全計画

（交通安全基本計画の作成及び公表等）

第二二条　中央交通安全対策会議は、交通安全基本計画を作成しなければならない。

2　交通安全基本計画は、次に掲げる事項について定めるものとする。

一　交通の安全に関する総合的かつ長期的な施策の大綱

二　前号に掲げるもののほか、交通の安全に関する施策を総合的かつ計画的に推進するために必要な事項

3　国家公安委員会及び国土交通大臣は、中央交通安全対策会議が第一項の規定により交通安全基本計画を作成するに当たり、前項各号に掲げる事項のうちそれぞれの所掌に属するものに関する部分の交通安全基本計画の案を作成し、中央交通安全対策会議に提出しなければならない。

4　中央交通安全対策会議は、第一項の規定により交通安全基本計画を作成したときは、速やかに、これを内閣総理大臣に報告し、並びに指定行政機関の長（指定行政機関が委員会である場合にあつては、指定行政機関。以下同じ。）及び都道府県知事に通知するとともに、その要旨を公表しなければならない。

5　前二項の規定は、交通安全基本計画の変更について準用する。

（内閣総理大臣の勧告等）

第二三条　内閣総理大臣は、必要があると認めるときは、指定行政機関の長に対し、交通安全基本計画の実施に関して必要な勧告をし、又はその勧告の結果とられた措置について報告を求め

ることができる。

2　内閣総理大臣は、前項の規定により勧告をする場合においては、あらかじめ、中央交通安全対策会議の意見をきかなければならない。

（交通安全業務計画）

第二四条　指定行政機関の長は、交通安全基本計画に基づき、その所掌事務に関し、毎年度、交通安全業務計画を作成しなければならない。

2　交通安全業務計画は、次の各号に掲げる事項について定めるものとする。

一　交通の安全に関し、当該年度において指定行政機関が講ずべき施策

二　前号に掲げるもののほか、都道府県の区域における陸上交通の安全に関し、当該年度において指定地方行政機関及び都道府県が講ずべき施策に関する計画の作成の基準となるべき事項

3　指定行政機関の長は、第一項の規定により交通安全業務計画を作成したときは、すみやかに、これを内閣総理大臣に報告するとともに、都道府県知事に通知しなければならない。

4　前項の規定は、交通安全業務計画の変更について準用する。

（都道府県交通安全計画等）

第二五条　都道府県交通安全対策会議は、交通安全基本計画（陸上交通の安全に関する部分に限る。）に基づき、都道府県交通安全計画を作成しなければならない。

2　都道府県交通安全計画は、次の各号に掲げる事項について定めるものとする。

一　都道府県の区域における陸上交通の安全に関する総合的かつ長期的な施策の大綱

二　前号に掲げるもののほか、都道府県の区域における陸上交通の安全に関する施策を総合的かつ計画的に推進するために必要な事項

3　都道府県交通安全対策会議は、毎年度、都道府県の区域における陸上交通の安全に関し、当該区域の全部又は一部を管轄する指定地方行政機関及び都道府県が講ずべき施策に関する計画（以下「都道府県交通安全実施計画」という。）を作成しなければならない。この場合において、都道府県交通安全実施計画は、交通安全業務計画（陸上交通の安全に関する部分に限る。）に抵触するものであつてはならない。

4　都道府県交通安全対策会議は、第一項の規定により都道府県交通安全計画を作成したときは、すみやかに、これを内閣総理大臣及び指定行政機関の長に報告し、並びに都道府県の区域内の市町村の長に通知するとともに、その要旨を公表しなければならない。

5　都道府県交通安全対策会議は、第三項の規定により都道府県交通安全実施計画を作成したときは、すみやかに、これを内閣総理大臣及び指定行政機関の長に報告するとともに、都道府県の区域内の市町村の長に通知しなければならない。

6　第四項の規定は都道府県交通安全計画の変更について、前項の規定は都道府県交通安全実施計画の変更について準用する。

（市町村交通安全計画等）

第二六条　市町村交通安全対策会議は、都道府県交通安全計画に基づき、市町村交通安全計画を作成することができる。

2　市町村交通安全対策会議を置かない市町村の長は、前項の規定により市町村交通安全計画を作成しようとするときは、あらかじめ、関係指定地方行政機関の長及び関係地方公共団体の長その他の執行機関の意見を聴かなければならない。

3　市町村交通安全計画は、おおむね次に掲げる事項について定めるものとする。

一　市町村の区域における陸上交通の安全に関する総合的かつ長期的な施策の大綱

二　前号に掲げるもののほか、市町村の区域における陸上交通の安全に関する施策を総合的かつ計画的に推進するために必要な事項

4　市町村長は、市町村の区域における陸上交通の安全に関し、当該年度において市町村が講ずべき施策に関する計画（以下「市町村交通安全実施計画」という。）を作成することができる。この場合において、市町村交通安全実施計画は、都道府県交通安全実施計画に抵触するものであつてはならない。

5　市町村交通安全対策会議は、第一項の規定により市町村交通安全計画を作成したときは、速やかに、その要旨を公表するよう努めるとともに、市町村交通安全計画を都道府県知事に報告しなければならない。

6　市町村長は、第四項の規定により市町村交通安全実施計画を作成したときは、速やかに、これを都道府県知事に報告しなければならない。

7　第二項及び第五項の規定は市町村交通安全計画の変更について、前項の規定は市町村交通安全実施計画の変更について準用する。

（地方公共団体の長の要請等）

第二七条　地方公共団体の長は、都道府県交通安全計画又は市町村交通安全計画の的確かつ円滑な実施を図るため必要があると認めるときは、当該地方公共団体の区域の全部又は一部を管轄する指定地方行政機関の長及び関係地方公共団体の長その他の執行機関に対し、これらの者が陸上交通の安全に関し処理すべき事務について、必要な要請をし、又は法令の定めるところにより必要な勧告若しくは指示をすることができる。

第二八条　地方公共団体の長は、当該地方公共団体の区域における海上交通又は航空交通の安全に関し必要があると認めるときは、交通安全基本計画又は交通安全業務計画（これらの計画のうち、陸上交通の安全に関する部分を除く。）の作成又は実施に関し、中央交通安全対策会議及び関係指定行政機関の長に対し、必要な要請をすることができる。

第四章　交通の安全に関する基本的施策

第一節　国の施策

（交通環境の整備）

第二九条　国は、交通環境の整備を図るため、交通安全施設及び航空交通管制施設の整備、交通の規制及び管制の合理化、道路及び公共用水域の使用の適正化等必要な措置を講ずるものとする。

2　国は、陸上交通の安全に関し、住宅地、商店街等について前項に規定する措置を講ずるに当たつては、特に歩行者の保護が図られるように配慮するものとする。

（交通の安全に関する知識の普及等）

第三〇条　国は、交通の安全に関する知識の普及及び交通安全思想の高揚を図るため、交通の安全に関する教育の振興、交通の安全に関する広報活動の充実等必要な措置を講ずるものとする。

2　国は、交通の安全に関する民間の健全かつ自主的な組織活動が促進されるよう必要な措置を講ずるものとする。

（車両等の安全な運転又は運航の確保）

第三一条　国は、車両等の安全な運転又は運航の確保を図るため、車両の運転者、船員及び航空機乗組員（以下この項においてこれらの者を「運転者等」という。）の教育の充実、運転者等の資格に関する制度の合理化、車両等の運転又は運航の管理の改善、運転者等の労働条件の適正化等必要な措置を講ずるものとする。

2　国は、交通の安全に関し、気象情報その他の情報の迅速な収集及び周知を図るため、気象観測網の充実、通信施設の整備等

必要な措置を講ずるものとする。

（車両等の安全性の確保）

第三二条　国は、車両等の安全性の確保を図るため、車両等の構造、設備、装置等に関する保安上の技術的基準の改善、車両等の検査の充実等必要な措置を講ずるものとする。

（交通秩序の維持）

第三三条　国は、交通秩序の維持を図るため、交通の取締り等必要な措置を講ずるものとする。

（緊急時における救助体制の整備等）

第三四条　国は、交通事故による負傷者に対する応急手当及び医療の充実を図るため、救急業務に関する体制の整備、救急医療施設の充実等必要な措置を講ずるものとする。

2　国は、海難救助の充実を図るため、海難発生情報の収集体制及び海難救助体制の整備等必要な措置を講ずるものとする。

（損害賠償の適正化）

第三五条　国は、交通事故による被害者（その遺族を含む。以下この条において同じ。）に対する損害賠償の適正化を図るため、自動車損害賠償保障制度の充実、交通事故による被害者の行なう損害賠償の請求についての援助等必要な措置を講ずるものとする。

（科学技術の振興等）

第三六条　国は、交通の安全に関する科学技術の振興を図るため、試験研究に関する体制の整備、研究開発の推進及びその成果の普及等必要な措置を講ずるものとする。

2　国は、交通事故の原因の科学的究明を図るため、総合的な研究調査の実施等必要な措置を講ずるものとする。

（交通の安全に関する施策の実施についての配慮）

第三七条　国は、前八条に規定する措置を講ずるに当たつては、国民の生活を不当に侵害することとならないように配慮するものとする。

第二節　地方公共団体の施策

（地方公共団体の施策）

第三八条　地方公共団体は、法令に違反しない限りにおいて、前節に規定する国の施策に準ずる施策を講ずるものとする。

第五章　雑則

（特別区についてのこの法律の適用）

第三九条　この法律の適用については、特別区は、市とみなす。

附　則

1　この法律は、公布の日から施行する。

2　〔他の法令改正に付き略〕

附　則〔平成一三・八・三〇法律一〇五抄〕

（施行期日）

第一条　この法律は、公布の日から施行する。〔以下略〕

（政令への委任）

第八二条　この附則に規定するもののほか、この法律の施行に関し必要な経過措置（罰則に関する経過措置を含む。）は、政令で定める。

附　則〔平成二五・六・一四法律四四抄〕

（施行期日）

第一条　この法律は、公布の日から施行する。〔以下略〕

（罰則に関する経過措置）

第一〇条　この法律（附則第一条各号に掲げる規定にあっては、当該規定）の施行前にした行為に対する罰則の適用については、なお従前の例による。

（政令への委任）

第一一条　この附則に規定するもののほか、この法律の施行に関し必要な経過措置（罰則に関する経過措置を含む。）は、政令で定める。

附　則〔平成二七・九・一一法律六六抄〕

改正　平成二八・四法三三

（施行期日）

第一条　この法律は、平成二十八年四月一日から施行する。ただし、次の各号に掲げる規定は、当該各号に定める日から施行する。

一　附則第七条の規定　公布の日

二・三　〔略〕

（政令への委任）

第七条　附則第二条から前条までに定めるもののほか、この法律の施行に関し必要な経過措置は、政令で定める。

附　則〔令和三・五・一九法律三六抄〕

（施行期日）

第一条　この法律は、令和三年九月一日から施行する。ただし、附則第六十条の規定は、公布の日から施行する。

（処分等に関する経過措置）

第五七条　この法律の施行前にこの法律による改正前のそれぞれの法律（これに基づく命令を含む。以下この条及び次条において「旧法令」という。）の規定により従前の国の機関がした認定等の処分その他の行為は、法令に別段の定めがあるもののほか、この法律の施行後は、この法律による改正後のそれぞれの法律（これに基づく命令を含む。以下この条及び次条において「新法令」という。）の相当規定により相当の国の機関がした認定等の処分その他の行為とみなす。

2　この法律の施行の際現に旧法令の規定により従前の国の機関に対してされている申請、届出その他の行為は、法令に別段の定めがあるもののほか、この法律の施行後は、新法令の相当規定により相当の国の機関に対してされた申請、届出その他の行為とみなす。

3　この法律の施行前に旧法令の規定により従前の国の機関に対して申請、届出その他の手続をしなければならない事項で、この法律の施行の日前に従前の国の機関に対してその手続がされていないものについては、法令に別段の定めがあるもののほか、この法律の施行後は、これを、新法令の相当規定により相当の国の機関に対してその手続がされていないものとみなして、新法令の規定を適用する。

（罰則の適用に関する経過措置）

第五九条　この法律の施行前にした行為に対する罰則の適用については、なお従前の例による。

（政令への委任）

第六〇条　附則第十五条、第十六条、第五十一条及び前三条に定めるもののほか、この法律の施行に関し必要な経過措置（罰則に関する経過措置を含む。）は、政令で定める。

（検討）

第六一条　政府は、この法律の施行後十年を経過した場合において、この法律の施行の状況及びデジタル社会の形成の状況を勘案し、デジタル庁の在り方について検討を加え、必要があると認めるときは、その結果に基づいて必要な措置を講ずるものとする。

附　則〔令和五・六・一六法律五八抄〕

（施行期日）

第一条　この法律は、公布の日から施行する。〔以下略〕

（政令への委任）

第五条　前三条に規定するもののほか、この法律の施行に関し必要な経過措置は、政令で定める。

○第11次交通安全基本計画【概要】

〔令和３．３．29
中央交通安全対策会議〕

○交通安全対策基本法（昭和45年法律第110号）に基づき、交通の安全に関する総合的かつ長期的な施策等の大綱を定めるもの。

○道路交通、鉄道交通、踏切道における交通、海上交通及び航空交通の安全に関する計画。

○計画期間：令和３年度～令和７年度（５か年）

計画の基本理念

○　高齢化の進展への適切な対処とともに、子育てを応援する社会の実現が強く要請される中、時代のニーズに応える交通安全の取組が求められる。

○　人命尊重の理念に基づき、交通事故被害者等の存在に思いを致し、また交通事故がもたらす大きな社会的・経済的損失をも勘案して、究極的には交通事故のない社会を目指す。**【交通事故のない社会を目指して】**

○　全ての交通について、高齢者、障害者、子供等の交通弱者の安全を、一層確保する必要。交通事故がない社会は、交通弱者が社会的に自立できる社会でもある。「人優先」の交通安全思想を基本とし、あらゆる施策を推進する。**【人優先の交通安全思想】**

○　高齢になっても安全に移動することができ、安心して移動を楽しみ豊かな人生を送ることができる社会、さらに、年齢や障害の有無等に関わりなく安全に安心して暮らせる「共生社会」を構築する。**【高齢化が進展しても安全に移動できる社会の構築】**

これからの５年間（計画期間）において特に注視すべき事項

①　人手不足への対応
　自動化・省力化等の進展もみられる中で、安全が損なわれることのないよう、人材の質を確保し、安全教育を徹底する等の取組が必要。

②　先進技術導入への対応
　先進技術の導入によりヒューマンエラー防止を図り、人手不足の解決にも寄与することが期待されるが、安全性の確保を前提として、社会的受容性の醸成を進めることが重要。

③　高まる安全への要請と交通安全
　様々な安全への要請が高まる中、確実に交通安全を図る。

④　新型コロナウイルス感染症の影響の注視
　国民のライフスタイルや交通行動への影響と、これに伴う交通事故発生状況や事故防止対策への影響を注視し、必要な対策に臨機に着手。

横断的に重要な事項

①　先端技術の積極的活用
　あらゆる知見を動員して、交通安全の確保に資する先端技術や情報の普及活用を促進。将来的には、ICTを積極的に活用し、高齢者を始めとする人々の行動の変容を促していく。

②　救助・救急活動及び被害者支援の充実
　迅速な救助・救急活動の充実、負傷者の治療の充実等を図る。交通事故被害者等に対する支援の更なる充実を図る。

③　参加・協働型の交通安全活動の推進
　国等の行う交通安全施策に計画段階から国民が参加できる仕組みづくり、参加・協働型の交通安全活動を推進。

④　経営トップ主導による自主的な安全管理体制の充実・強化
　事業者が安全管理体制を構築・改善し、国がその実施状況を確認する運輸安全マネジメント評価の充実・強化。

⑤　EBPMの推進
　基盤となるデータの整備・改善に努め、多角的にデータを収集し、各施策の効果を検証した上で、より効果的な施策を目指す。

⑥　知見の共有
　我が国の知見と世界の知見を共有し、いかしていく視点も重要。

第１章　道路交通の安全（目標・対策の視点・対策の柱）

【目標】

①　世界一安全な道路交通の実現を目指し、24時間死者数を2,000人(※)以下とする。(※30日以内死者数2,400人)

②　重傷者数を22,000人以下にする。

【対策の視点】

①　高齢者及び子供の安全確保
②　歩行者及び自転車の安全確保と遵法意識の向上
③　生活道路における安全確保
④　先端技術の活用推進
⑤　交通実態等を踏まえたきめ細かな対策の推進
⑥　地域が一体となった交通安全対策の推進

【対策の柱】

①　道路交通環境の整備
②　交通安全思想の普及徹底
③　安全運転の確保
④　車両の安全性の確保
⑤　道路交通秩序の維持
⑥　救助・救急活動の充実
⑦　被害者支援の充実と推進
⑧　研究開発及び調査研究の充実

具体的対策

１　道路交通環境の整備

○　生活道路等における人優先の安全・安心な歩行空間の整備
・　最高速度30キロメートル毎時の区域規制「ゾーン30」の整備推進
・　車両速度の抑制や通過車両の抑制によるエリア対策
・　ビッグデータの活用による潜在的な危険箇所の解消
・　通学路や未就学児を中心に子供が日常的に集団で移動する経路における交通安全を確保するため、関係機関が連携して対策を推進

○　高速道路の更なる活用促進による生活道路との機能分化
・　高齢者、障害者等の安全に資する歩行空間等の整備

○　高規格幹線道路等、事故率の低い道路利用の促進と生活道路における通過交通の排除による、人優先の道路交通の形成

○　幹線道路における交通安全対策の推進
・　ワイヤロープの設置、逆走対策の推進、環状交差点の適切な箇所への導入

○　高齢者等の移動手段の確保・充実
・　地域公共交通計画に基づく公共交通サービスの改善、地域の自動運転サービスの社会実装や地域課題の解決に資するMaaSのモデル構築等を推進

○　自転車利用環境の総合的整備
・　自転車活用推進計画に基づき、交通状況に応じた歩行者・自転車・自動車の適切な分離を図り、安全で快適な自転車利用環境を創出

○　ITS（高度道路交通システム）の活用
・　光ビーコン、ETC2.0等のインフラの整備の推進及びリアルタイムの自動車走行履歴（プローブ）情報等の広範な道路交通情報を集約・配信

○　災害に備えた道路交通環境の整備
・　警察や道路管理者、民間事業者が保有するプローブ情報から運行実績情報を生成し提供することで災害時における交通情報の提供を推進

○　交通安全に寄与する道路交通環境の整備
・　冬期積雪・凍結路面対策として、広範囲で躊躇ない予防

的・計画的な通行規制や集中的な除雪作業、道路利用者への情報提供

2 交通安全思想の普及徹底

○ 段階的かつ体系的な交通安全教育の推進

・運転免許を持たない若者や成人が交通安全について学ぶ機会の設定

・高齢者自身の交通安全意識の向上や地域一体となった高齢者の安全確保

○ 交通安全に関する普及啓発活動の推進

・横断歩行者の安全確保

・全ての年齢層の自転車利用者に対してヘルメットの着用を推奨

・配達目的で自転車を利用する関係事業者等への交通安全対策の働き掛け等を推進

○ 交通の安全に関する民間団体等の主体的活動の推進

・交通ボランティア等への幅広い年代の参画

3 安全運転の確保

○ 運転者教育等の充実

・認知機能検査、安全運転相談等の機会を通じて、認知症の疑いがある運転者等の把握に努め、臨時適性検査等の確実な実施により、安全な運転に支障のある者については運転免許の取消し等の行政処分を実施

・限定条件付免許制度の導入等を内容とする改正道路交通法の円滑な施行

○ 事業用自動車の安全プラン等に基づく安全対策の推進

・事業用自動車の交通事故死者数・重傷者数・人身事故件数・飲酒運転件数の削減等を目標とする事業用自動車総合安全プランに基づき、関係者が一体となり総合的な取組を推進

4 車両の安全性の確保

○ 車両の安全性に関する基準等の改善の推進

・車両の安全対策の基本である自動車の構造・装置等の安全要件を定める道路運送車両の保安基準について、適切に拡充・強化を推進

・運転者の先進技術に対する過信・誤解による事故を防止するため、先進技術に関する理解醸成の取組を推進

・高齢運転者が自ら運転をする場合の安全対策として、安全運転サポート車の性能向上・普及促進等の高齢運転者への車両安全対策を推進

○ 自動運転車の安全対策・活用の推進

・令和2年3月に限定的な自動運転機能等に係る安全基準を導入したところであるが、より高度な自動運転機能についても基準策定を推進

・地方部における高齢者等の移動に資する無人自動運転移動サービス車両の実現に向けて、実証実験や技術要件の策定等の取組を促進

○ 自動車アセスメント情報の提供等

・自動車の安全性に関する情報を自動車使用者に伝え、自動車使用者の選択を通じて、より安全な自動車の普及拡大を促進すると同時に、自動車製作者のより安全な自動車の研究開発を促進

○ 自転車の安全性の確保

・自転車が加害者となる事故に関し、賠償責任を負った際の支払い原資を担保し、被害者の救済の十全を図るため、損害賠償責任保険等への加入を促進

5 道路交通秩序の維持

○ 交通指導取締りの強化等

・無免許運転、飲酒運転、妨害運転、著しい速度超過、交差点関連違反等の交通事故に直結する悪質性、危険性の高い違反、国民から取締り要望の多い迷惑性の高い違反に重点を置いた交通指導取締りを推進

・交通指導取締りの実施状況について、交通事故の発生実態等を分析し、その結果を取締り計画の見直しに反映させる、いわゆるPDCAサイクルをより一層機能

・自転車利用者による無灯火、二人乗り、信号無視、一時不停止等に対して積極的に指導警告を行うとともに、悪質・危険な交通違反に対する検挙措置を推進

○ 交通事故事件等に係る適正かつ緻密な捜査の一層の推進

・危険運転致死傷罪の立件を視野に入れた捜査の徹底

・交通事故事件等に係る科学的捜査の推進

6 救助・救急活動の充実

○ 救助・救急体制の整備

・交通事故の種類・内容の複雑多様化に対処するため、救助体制を整備拡充

・救助工作車や交通救助活動に必要な救助資機材を充実

○ 救急医療体制の整備

・初期救急医療機関、第二次救急医療機関、第三次救急医療機関の整備推進

・交通事故等で負傷した患者の救命率の向上や後遺症を軽減させるため、医師等が同乗し救命医療を行いながら搬送できるドクターヘリを配備し、地域の実情に応じた体制を整備

7 被害者支援の充実と推進

○ 自動車損害賠償保障制度の充実等

・自賠責保険（自賠責共済）による救済を受けられないひき逃げや無保険（無共済）車両による事故の被害者への救済の観点から引き続き政府の自動車損害賠償保障事業の適正な運用

○ 損害賠償の請求についての援助等

○ 交通事故被害者等支援の充実強化

・在宅で療養生活を送る自動車事故による後遺障害者の介護者が、様々な理由により介護が難しくなる場合に備えた環境整備を推進

・交通事故被害者等の支援の充実を図るため、自助グループの活動等に対する支援を始めとした施策を推進

・不起訴処分について、交通事故被害者等の希望に応じ処分の内容及び理由について十分な説明の推進

・国土交通省に設置した公共交通事故被害者支援室における公共交通事故の被害者等への支援の取組を着実に推進

8 研究開発及び調査研究の充実

○ 安全な自動運転を実用化するための制度の在り方に関する調査研究

・従来の「運転者」の存在を前提としない場合における交通ルールの在り方や自動運転システムがカバーできない事態が発生した場合の安全性の担保方策等について、技術開発等の動向を踏まえつつ検討

○ 道路交通事故原因の総合的な調査研究の充実強化

・救命救急医療機関等との医工連携による新たな交通事故データベースの構築及び活用を推進

・イベントデータレコーダーやドライブレコーダー、作動状態記録装置のデータ等のミクロデータの充実を通した交通事故分析への活用を推進

第2章 鉄道交通の安全〔略〕

第3章 踏切道における交通の安全〔略〕

第4章 海上交通の安全〔略〕

第5章 航空交通の安全〔略〕

○自転車の安全利用の促進及び自転車等の駐車対策の総合的推進に関する法律

〔昭和五五・一一・二五
法律八七〕

改正　平成五・一二法九七

（目的）

第一条　この法律は、自転車に係る道路交通環境の整備及び交通安全活動の推進、自転車の安全性の確保、自転車等の駐車対策の総合的推進等に関し必要な措置を定め、もつて自転車の交通に係る事故の防止と交通の円滑化並びに駅前広場等の良好な環境の確保及びその機能の低下の防止を図り、あわせて自転車等の利用者の利便の増進に資することを目的とする。

（定義）

第二条　この法律において、次の各号に掲げる用語の意義は、それぞれ当該各号に定めるところによる。

一　自転車　道路交通法（昭和三十五年法律第百五号）第二条第一項第十一号の二に規定する自転車をいう。

二　自転車等　自転車又は原動機付自転車（道路交通法第二条第一項第十号に規定する原動機付自転車をいう。）をいう。

三　自転車等駐車場　一定の区画を限つて設置される自転車等の駐車のための施設をいう。

四　道路　道路法（昭和二十七年法律第百八十号）第二条第一項に規定する道路及び一般交通の用に供するその他の場所をいう。

五　道路管理者　道路法第十八条第一項に規定する道路管理者をいう。

（国及び地方公共団体の責務）

第三条　国及び地方公共団体は、第一条の目的を達成するため、自転車の安全利用の促進及び自転車等の駐車対策の総合的推進に関する全般的な施策が有効かつ適切に実施されるよう必要な配慮をしなければならない。

（良好な自転車交通網の形成）

第四条　道路管理者は、自転車の利用状況を勘案し、良好な自転車交通網を形成するため必要な自転車道、自転車歩行者道等の整備に関する事業を推進するものとする。

2　都道府県公安委員会は、自転車の利用状況を勘案し、良好な自転車交通網を形成するため、自転車の通行することのできる路側帯、自転車専用車両通行帯及び自転車横断帯の設置等の交通規制を適切に実施するものとする。

3　道路管理者、都道府県警察等は、自転車交通網の形成と併せて適正な道路利用の促進を図るため、相互に協力して、自転車の通行する道路における放置物件の排除等に努めるものとする。

（自転車等の駐車対策の総合的推進）

第五条　地方公共団体又は道路管理者は、通勤、通学、買物等のための自転車等の利用の増大に伴い、自転車等の駐車需要の著しい地域又は自転車等の駐車需要の著しくなることが予想される地域においては、一般公共の用に供される自転車等駐車場の設置に努めるものとする。

2　鉄道事業者は、鉄道の駅の周辺における前項の自転車等駐車場の設置が円滑に行われるように、地方公共団体又は道路管理者との協力体制の整備に努めるとともに、地方公共団体又は道路管理者から同項の自転車等駐車場の設置に協力を求められたときは、その事業との調整に努め、鉄道用地の譲渡、貸付けその他の措置を講ずることにより、当該自転車等駐車場の設置に積極的に協力しなければならない。ただし、鉄道事業者が自ら旅客の利便に供するため、自転車等駐車場を設置する場合は、この限りでない。

3　官公署、学校、図書館、公会堂等公益的施設の設置者及び百貨店、スーパーマーケット、銀行、遊技場等自転車等の大量の駐車需要を生じさせる施設の設置者は、周辺の土地利用状況を勘案し、その施設の利用者のために必要な自転車等駐車場を、当該施設若しくはその敷地内又はその周辺に設置するように努めなければならない。

4　地方公共団体は、商業地域、近隣商業地域その他自転車等の駐車需要の著しい地域内で条例で定める区域内において百貨店、スーパーマーケット、銀行、遊技場等自転車等の大量の駐車需要を生じさせる施設で条例で定めるものを新築し、又は増築しようとする者に対し、条例で、当該施設若しくはその敷地内又はその周辺に自転車等駐車場を設置しなければならない旨を定めることができる。

5　都道府県公安委員会は、自転車等駐車場の整備と相まつて、歩行者及び自転車利用者の通行の安全を確保するための計画的な交通規制の実施を図るものとする。

6　地方公共団体、道路管理者、都道府県警察、鉄道事業者等は、駅前広場等の良好な環境を確保し、その機能の低下を防止するため、必要があると認めるときは、法令の規定に基づき、相互に協力して、道路に駐車中の自転車等の整理、放置自転車等（自転車等駐車場以外の場所に置かれている自転車等であつて、当該自転車等の利用者が当該自転車等を離れて直ちに移動することができない状態にあるものをいう。以下同じ。）の撤去等に努めるものとする。

第六条　市町村長は、駅前広場等の良好な環境を確保し、その機能の低下を防止するため必要があると認める場合において条例で定めるところにより放置自転車等を撤去したときは、条例で定めるところにより、その撤去した自転車等を保管しなければならない。

2　市町村長は、前項の規定により自転車等を保管したときは、条例で定めるところによりその旨を公示しなければならない。この場合において、市町村長は、当該自転車等を利用者に返還するため必要な措置を講ずるように努めるものとする。

3　市町村長は、第一項の規定により保管した自転車等につき、前項前段の規定による公示の日から相当の期間を経過してもなお当該自転車等を返還することができない場合においてその保管に不相当な費用を要するときは、条例で定めるところにより、当該自転車等を売却し、その売却した代金を保管することができる。この場合において、当該自転車等につき、買受人がないとき又は売却することができないと認められるときは、市町村長は、当該自転車等につき廃棄等の処分をすることができる。

4　第二項前段の規定による公示の日から起算して六月を経過してもなお第一項の規定により保管した自転車等（前項の規定により売却した代金を含む。以下この項において同じ。）を返還することができないときは、当該自転車等の所有権は、市町村に帰属する。

5　第一項の条例で定めるところによる放置自転車等の撤去及び同項から第三項までの規定による自転車等の保管、公示、自転車等の売却その他の措置に要した費用は、当該自転車等の利用者の負担とすることができる。この場合において、負担すべき金額は、当該費用につき実費を勘案して条例でその額を定めたときは、その定めた額とする。

6　都道府県警察は、市町村から、第一項の条例で定めるところにより撤去した自転車等に関する資料の提供を求められたときは、速やかに協力するものとする。

（総合計画）

第七条　市町村は、第五条第一項に規定する地域において自転車等の駐車対策を総合的かつ計画的に推進するため、自転車等駐車対策協議会の意見を聴いて、自転車等の駐車対策に関する総合計画（以下「総合計画」という。）を定めることができる。

2 総合計画は、次に掲げる事項について定めるものとする。

一 総合計画の対象とする区域

二 総合計画の目標及び期間

三 自転車等駐車場の整備の目標量及び主要な自転車等駐車場の配置、規模、設置主体等その整備に関する事業の概要

四 第五条第二項の規定により自転車等駐車場の設置に協力すべき鉄道事業者（以下「設置協力鉄道事業者」という。）の講ずる措置

五 放置自転車等の整理、撤去等及び撤去した自転車等の保管、処分等の実施方針

六 自転車等の正しい駐車方法の啓発に関する事項

七 自転車等駐車場の利用の調整に関する措置その他自転車等の駐車対策について必要な事項

3 総合計画は、都市計画その他法律の規定による地域の交通に関する計画との調和が保たれたものでなければならない。

4 市町村は、総合計画を定めるに当たつては、第二項第三号に掲げる事項のうち主要な自転車等駐車場の整備に関する事業の概要については当該自転車等駐車場の設置主体となる者（第五条第四項の規定に基づく条例で定めるところにより自転車等駐車場の設置主体となる者を除く。）と、第二項第四号に掲げる事項については当該事項に係る設置協力鉄道事業者となる者と協議しなければならない。

5 市町村は、総合計画を定めたときは、遅滞なく、これを公表しなければならない。

6 前各項の規定は、総合計画の変更について準用する。

7 総合計画において第二項第三号の主要な自転車等駐車場の設置主体となつた者及び同項第四号の設置協力鉄道事業者となつた者は、総合計画に従つて必要な措置を講じなければならない。

（自転車等駐車対策協議会）

第八条 市町村は、自転車等の駐車対策に関する重要事項を調査審議させるため、条例で定めるところにより、自転車等駐車対策協議会（以下「協議会」という。）を置くことができる。

2 協議会は、自転車等の駐車対策に関する重要事項について、市町村長に意見を述べることができる。

3 協議会は、道路管理者、都道府県警察及び鉄道事業者等自転車等の駐車対策に利害関係を有する者のうちから、市町村長が指定する者で組織する。

4 前項に規定するもののほか、協議会の組織及び運営に関して必要な事項は、市町村の条例で定める。

（自転車等駐車場の構造及び設備の基準）

第九条 一般公共の用に供される自転車等駐車場の構造及び設備は、利用者の安全が確保され、かつ、周辺の土地利用状況及び自転車等の駐車需要に適切に対応したものでなければならない。

2 国は、前項の自転車等駐車場の安全性を確保するため、その構造及び設備に関して必要な技術的指針を定めることができる。

（都市計画等における配慮）

第一〇条 道路、都市高速鉄道、駐車場その他駅前広場の整備に関連する都市施設に関する都市計画その他の都市環境の整備に関する計画は、当該地域における自転車等の利用状況を適切に配慮して定めなければならない。

（交通安全活動の推進）

第一一条 国及び地方公共団体は、関係機関及び関係団体の協力の下に、自転車の安全な利用の方法に関する交通安全教育の充実を図るとともに、自転車の利用者に対する交通安全思想の普及に努めるものとする。

（自転車等の利用者の責務）

第一二条 自転車を利用する者は、道路交通法その他の法令を遵守する等により歩行者に危害を及ぼさないようにする等自転車の安全な利用に努めなければならない。

2 自転車等を利用する者は、自転車等駐車場以外の場所に自転車等を放置することのないように努めなければならない。

3 自転車を利用する者は、その利用する自転車について、国家公安委員会規則で定めるところにより都道府県公安委員会が指定する者の行う防犯登録（以下「防犯登録」という。）を受けなければならない。

（自転車の安全性の確保）

第一三条 国は、自転車について、その利用者等の生命又は身体に対する危害の発生を防止するため必要な品質の基準を整備すること等により、その安全性を確保するための措置を講ずるものとする。

（自転車製造業者等の責務）

第一四条 自転車の製造（組立を含む。以下同じ。）を業とする者は、その製造する自転車について、前条に定める基準の遵守その他の措置を講ずるとともに、欠陥による損害のてん補の円滑な実施に必要な措置を講ずる等安全性及び利便性の向上に努めなければならない。

2 自転車の小売を業とする者は、自転車の販売に当たつては、当該自転車の取扱方法、定期的な点検の必要性等の自転車の安全利用のための十分な情報を提供するとともに、防犯登録の勧奨並びに自転車の点検及び修理業務の充実に努めなければならない。

3 国は、自転車の製造を業とする者及び自転車の小売を業とする者に対し、前二項の規定の施行に必要な指導及び助言その他の措置を講じなければならない。

（国の助成措置等）

第一五条 国は、予算の範囲内において、地方公共団体が都市計画事業として行う自転車等駐車場の設置に要する費用のうち、施設の整備に要する費用及び用地の取得に要する費用の一部を補助することができる。

2 国は、地方公共団体が一般公共の用に供される自転車等駐車場の設置に要する経費に充てるために起こす地方債については、法令の範囲内において、資金事情及び当該地方公共団体の財政状況が許す限り、特別の配慮をするものとする。

3 国は、前二項に定めるもののほか、地方公共団体が実施する自転車に係る道路交通環境の整備、交通安全活動の推進その他の自転車の安全利用に関する施策及び自転車等駐車場の整備に関する施策が円滑に実施されるよう助成その他必要な配慮をするものとする。

4 国及び地方公共団体は、民営自転車等駐車場事業の育成を図るため、当該事業を行う者で必要と認めるものに対し、資金のあつせんその他必要な措置を講ずるものとする。

5 国は、地方公共団体が設置する一般公共の用に供される自転車等駐車場の用に供するため必要があると認めるときは、当該地方公共団体に対し、国有財産法（昭和二十三年法律第七十三号）及び道路法で定めるところにより、普通財産を無償で貸し付け、又は譲与することができる。

附 則

この法律は、公布の日から起算して六月を超えない範囲内において政令で定める日から施行する。

〔昭和五六政一四九により、昭和五六・五・二〇から施行〕

附 則〔平成五・一二・二二法律九七〕

1 この法律は、公布の日から起算して六月を超えない範囲内において政令で定める日から施行する。

〔平成六政一四八により、平成六・六・二〇から施行〕

2 改正後の第十二条第三項の規定は、この法律の施行の日以後に新たに利用する自転車について適用し、この法律の施行の日前から利用している自転車については、なお従前の例による。

3 国家公安委員会規則で定める種類の自転車及び都道府県公安委員会の指定する市町村の区域以外の地域において利用する自転車に係る防犯登録については、改正後の第十二条第三項の規定にかかわらず、改正前の第九条第三項の規定の例による。

○自転車の防犯登録を行う者の指定に関する規則

〔平成六・六・六
国家公安委員会規則一二〕

改正 平成二〇・八国公委規一六、令和元・六国公委規三、令和五・四国公委規七

（指定の基準等）

第一条 自転車の安全利用の促進及び自転車等の駐車対策の総合的推進に関する法律第十二条第三項の規定による指定（以下「指定」という。）は、自転車の盗難の防止及び盗品である自転車の回復に資するため、次に掲げる業務（以下「登録業務」という。）を同項の防犯登録に係る業務として行おうとする者の申請により行う。

一 自転車を利用する者の申出により、登録カード（登録事項（自転車を利用する者の氏名又は名称及び住所、作成の年月日、登録番号その他第三条第一項に規定する指定団体が必要と認める事項をいう。以下同じ。）を記載し、又は記録した書面又は電磁的記録（電子的方式、磁気的方式その他人の知覚によっては認識することができない方式で作られる記録であって、電子計算機による情報処理の用に供されるものをいう。以下同じ。）をいう。以下同じ。）を作成するとともに、当該申出に係る自転車に登録番号標を表示すること。

二 登録カード又は登録事項を、前号の申出のあった場所を管轄する都道府県警察に送付し、又は通知すること。

2 指定の基準は、次のとおりとする。

一 登録業務を行う者が、一般社団法人又は一般財団法人その他の営利を目的としない団体（以下「非営利団体」という。）であること。

二 登録業務の実施が、当該登録業務を行う都道府県における防犯登録の需要に対し適切なものであること。

三 防犯登録所（前項第一号に掲げる業務を行う事務所（当該業務を委託する場合にあっては、受託者が当該業務を行う事務所を含む。以下同じ。）をいう。）の位置が、前号の都道府県における防犯登録を受けようとする者の利便に照らして、適当なものであること。

四 登録業務の遂行上適切な計画を有するものであること。

五 登録業務を適確に遂行するに足る能力を有するものであること。

六 その他登録業務の実施及びその方法が適切なものであること。

（指定の申請）

第二条 指定を受けようとする非営利団体は、次に掲げる事項を記載した申請書をその登録業務を行う都道府県の区域を管轄する都道府県公安委員会（以下「公安委員会」という。）に提出しなければならない。

一 名称及び住所並びに代表者の氏名

二 防犯登録所の名称及び所在地

2 前項の申請書には、次に掲げる書類を添付しなければならない。

一 定款又はこれに類する規約

二 役員の氏名、住所及び略歴を記載した書類

三 推定による一年間の防犯登録実施件数及びその算出の基礎を記載した書類

四 登録業務の一部を委託する場合にあっては、次に掲げる事項を記載した書類

イ 受託者の氏名又は名称（法人にあっては、その代表者の氏名を含む。）及び住所

ロ 委託する業務の内容及び範囲

ハ 前条第一項第一号に掲げる業務を委託する場合にあっては、当該委託に係る防犯登録所の名称及び所在地

五 申請の日の属する事業年度の直前の事業年度末（申請の日の属する事業年度に設立された非営利団体にあっては、その設立時）における財産目録及び貸借対照表

六 申請の日の属する事業年度及び翌事業年度における事業計画書及び収支予算書

七 登録業務の実施要領

八 その他参考となる事項を記載した書類

3 前項第六号に掲げる書類は、登録業務に係る事項と他の業務に係る事項とを区分して記載したものでなければならない。

4 第二項第七号に掲げる実施要領は、次に掲げる事項を記載したものでなければならない。

一 登録事項に関する事項

二 登録カードの様式及び作成の方法に関する事項

三 登録番号標の様式及び表示の方法に関する事項

四 登録カード又は登録事項を都道府県警察に送付し、又は通知する方法に関する事項

五 登録事項に係る情報の管理のために講ずる措置に関する事項

六 その他登録業務の実施に関し必要な事項

（変更の届出等）

第三条 指定を受けた非営利団体（以下「指定団体」という。）は、前条第一項第一号若しくは第二号に掲げる事項又は同条第二項第一号、第二号若しくは第四号に掲げる書類に係る事項を変更したときは、遅滞なく、その変更の内容を公安委員会に届け出なければならない。

2 指定団体は、前条第四項各号に掲げる事項を変更しようとするときは、その変更の内容、時期及び理由を記載した書面を公安委員会に提出して、その承認を受けなければならない。

（登録業務の実施等）

第四条 指定団体は、自転車を利用する者の申出があったときは、正当な理由がある場合を除き、第一条第一項第一号に掲げる業務を行わなければならない。

2 指定団体は、登録事項に係る情報の適切な管理のために必要な措置を講じなければならない。

3 指定団体は、防犯登録所にその表示を掲げる等の方法によって、防犯登録所の所在地の周知を図るようにしなければならない。

（事業計画書等の提出）

第五条 指定団体は、毎事業年度開始前に、事業計画書及び収支予算書を公安委員会に提出しなければならない。

2 指定団体は、毎事業年度終了後三月以内に、事業報告書及び収支決算書を公安委員会に提出しなければならない。

3 第二条第三項の規定は、第一項の事業計画書及び収支予算書並びに前項の事業報告書及び収支決算書について準用する。

（報告等）

第六条 公安委員会は、登録業務の適確な運営のため必要があると認めるときは、指定団体に対し、その登録業務に関し報告させ、又は資料の提出を求めることができる。

（是正又は改善の勧告）

第七条 公安委員会は、指定団体がこの規則の規定に違反したとき、又は指定団体の財産の状況若しくは登録業務の運営に関し改善が必要であると認めるときは、指定団体に対し、その是正又は改善のため必要な措置をとるべきことを勧告することができる。

（登録業務の休廃止）

第八条 指定団体は、登録業務を休止し、又は廃止しようとする

ときは、あらかじめ、公安委員会の承認を受けなければならない。

（指定の取消し）

第九条　公安委員会は、指定団体が次の各号のいずれかに該当するときは、指定を取り消すことができる。

一　第一条第二項の指定の基準に適合しなくなったとき。

二　第七条の規定による勧告があったにもかかわらず、当該勧告に係る措置を講じていないと認められるとき。

三　偽りその他不正の手段により指定を受けたことが判明するに至ったとき。

（登録業務の廃止等に伴う措置）

第一〇条　指定団体は、第八条の承認を受けて登録業務を廃止したとき、又は前条の規定により指定を取り消されたときは、登録業務に係る書類等を公安委員会に提出することその他公安委員会が必要と認める事項を行わなければならない。

（指定等の公示）

第一一条　公安委員会は、指定をしたときは、指定団体の名称及び住所を公示しなければならない。これらの事項の変更について第三条第一項の規定による届出があったときも、同様とする。

2　公安委員会は、第八条の規定により登録業務の休止若しくは廃止を承認したとき、又は第九条の規定により指定を取り消したときは、その旨を公示しなければならない。

附　則

1　この規則は、自転車の安全利用の促進及び自転車駐車場の整備に関する法律の一部を改正する法律（次項において「改正法」という。）の施行の日〔平成六・六・二〇〕から施行する。

2　改正法附則第三項の国家公安委員会規則で定める種類の自転車は、産業標準化法（昭和二十四年法律第百八十五号）に基づく日本産業規格D九三〇二号（幼児用自転車）に適合する自転車とする。

附　則〔令和元・六・二一国家公安委員会規則三〕

（施行期日）

1　この規則は、令和元年七月一日から施行する。

（経過措置）

2　この規則による改正前の〔中略〕自転車の防犯登録を行う者の指定に関する規則〔中略〕に規定する様式による書面については、この規則による改正後のこれらの規則に規定する様式にかかわらず、当分の間、なおこれを使用することができる。

附　則〔令和五・四・七国家公安委員会規則七〕

この規則は、公布の日から施行する。

○交通政策基本法

〔平成二五・一二・四 法律九二〕

改正　令和二・一二法七三

第一章　総則

（目的）

第一条　この法律は、交通に関する施策について、基本理念及びその実現を図るのに基本となる事項を定め、並びに国及び地方公共団体の責務等を明らかにすることにより、交通安全対策基本法（昭和四十五年法律第百十号）と相まって、交通に関する施策を総合的かつ計画的に推進し、もって国民生活の安定向上及び国民経済の健全な発展を図ることを目的とする。

（交通に関する施策の推進に当たっての基本的認識）

第二条　交通に関する施策の推進は、交通が、国民の自立した日常生活及び社会生活の確保、活発な地域間交流及び国際交流並びに物資の円滑な流通を実現する機能を有するものであり、国民生活の安定向上及び国民経済の健全な発展を図るために欠くことのできないものであることに鑑み、将来にわたって、その機能が十分に発揮されることにより、国民その他の者（以下「国民等」という。）の交通に対する基本的な需要が適切に充足されることが重要であるという基本的認識の下に行われなければならない。

（交通の機能の確保及び向上）

第三条　交通に関する施策の推進は、交通が、国民の日常生活及び社会生活の基盤であること、国民の社会経済活動への積極的な参加に際して重要な役割を担っていること及び経済活動の基盤であることに鑑み、我が国における近年の急速な少子高齢化の進展、人口の減少その他の社会経済情勢の変化に対応しつつ、交通が、豊かな国民生活の実現に寄与するとともに、我が国の産業、観光等の国際競争力の強化並びに地域経済の活性化、地域社会の維持及び発展その他地域の活力の向上に寄与するものとなるよう、その機能の確保及び向上が図られることを旨として行われなければならない。

2　交通の機能の確保及び向上を図るに当たっては、国土強靱化の観点を踏まえ、大規模な災害が発生した場合においても交通の機能が維持されるとともに、当該災害からの避難のための移動が円滑に行われること等を通じて、我が国の社会経済活動の持続可能性を確保することの重要性に鑑み、できる限り、当該災害による交通の機能の低下の抑制及びその迅速な回復に資するとともに、当該災害の発生時における避難のための移動に的確に対応し得るものとなるように配慮しなければならない。

（交通による環境への負荷の低減）

第四条　交通に関する施策の推進は、環境を健全で恵み豊かなものとして維持することが人間の健康で文化的な生活に欠くことのできないものであること及び交通が環境に与える影響に鑑み、将来にわたって、国民が健全で恵み豊かな環境の恵沢を享受することができるよう、交通による環境への負荷の低減が図られることを旨として行われなければならない。

（交通の適切な役割分担及び有機的かつ効率的な連携）

第五条　交通に関する施策の推進は、徒歩、自転車、自動車、鉄道車両、船舶、航空機その他の手段による交通が、交通手段（交通施設及び輸送サービスを含む。以下同じ。）の選択に係る競争及び国民等の自由な選好を踏まえつつそれぞれの特性に応じて適切に役割を分担し、かつ、有機的かつ効率的に連携することを旨として行われなければならない。

（連携等による施策の推進）

第六条　交通に関する施策の推進は、まちづくり、観光立国の実現その他の観点を踏まえ、当該施策相互間の連携及びこれと関連する施策との連携を図りながら、国、地方公共団体、運輸事業その他交通に関する事業を行う者（以下「交通関連事業者」という。）、交通施設の管理を行う者（以下「交通施設管理者」という。）、住民その他の関係者が連携し、及び協働しつつ、行われなければならない。

（交通の安全の確保）

第七条　交通の安全の確保に関する施策については、当該施策が国民等の生命、身体及び財産の保護を図る上で重要な役割を果たすものであることに鑑み、交通安全対策基本法その他の関係法律で定めるところによる。

2　交通に関する施策の推進に当たっては、前項に定めるところにより行われる交通の安全の確保に関する施策との十分な連携が確保されなければならない。

（国の責務）

第八条　国は、第二条から第六条までに定める交通に関する施策についての基本理念（以下単に「基本理念」という。）にのっとり、交通に関する施策を総合的に策定し、及び実施する責務を有する。

2　国は、情報の提供その他の活動を通じて、基本理念に関する国民等の理解を深め、かつ、その協力を得るよう努めなければならない。

（地方公共団体の責務）

第九条　地方公共団体は、基本理念にのっとり、交通に関し、国との適切な役割分担を踏まえて、その地方公共団体の区域の自然的経済的社会的諸条件に応じた施策を策定し、及び実施する責務を有する。

2　地方公共団体は、情報の提供その他の活動を通じて、基本理念に関する住民その他の者の理解を深め、かつ、その協力を得るよう努めなければならない。

（交通関連事業者及び交通施設管理者の責務）

第一〇条　交通関連事業者及び交通施設管理者は、基本理念の実現に重要な役割を有していることに鑑み、その業務を適切に行うよう努めるとともに、国又は地方公共団体が実施する交通に関する施策に協力するよう努めるものとする。

2　前項に定めるもののほか、交通関連事業者及び交通施設管理者は、基本理念にのっとり、その業務を行うに当たっては、当該業務に係る正確かつ適切な情報の提供に努めるものとする。

（国民等の役割）

第一一条　国民等は、基本理念についての理解を深め、その実現に向けて自ら取り組むことができる活動に主体的に取り組むよう努めるとともに、国又は地方公共団体が実施する交通に関する施策に協力するよう努めることによって、基本理念の実現に積極的な役割を果たすものとする。

（関係者の連携及び協力）

第一二条　国、地方公共団体、交通関連事業者、交通施設管理者、住民その他の関係者は、基本理念の実現に向けて、相互に連携を図りながら協力するよう努めるものとする。

（法制上の措置等）

第一三条　政府は、交通に関する施策を実施するため必要な法制上又は財政上の措置その他の措置を講じなければならない。

（年次報告等）

第一四条　政府は、毎年、国会に、交通の動向及び政府が交通に関して講じた施策に関する報告を提出しなければならない。

2　政府は、毎年、前項の報告に係る交通の動向を考慮して講じようとする施策を明らかにした文書を作成し、これを国会に提出しなければならない。

第二章　交通に関する基本的施策

第一節　交通政策基本計画

第一五条　政府は、交通に関する施策の総合的かつ計画的な推進を図るため、交通に関する施策に関する基本的な計画（以下この条において「交通政策基本計画」という。）を定めなければならない。

2　交通政策基本計画は、次に掲げる事項について定めるものとする。

一　交通に関する施策についての基本的な方針

二　交通に関する施策についての目標

三　交通に関し、政府が総合的かつ計画的に講ずべき施策

四　前三号に掲げるもののほか、交通に関する施策を総合的かつ計画的に推進するために必要な事項

3　交通政策基本計画は、国土の総合的な利用、整備及び保全に関する国の計画並びに環境の保全に関する国の基本的な計画との調和が保たれたものでなければならない。

4　内閣総理大臣、経済産業大臣及び国土交通大臣は、交通政策基本計画の案を作成し、閣議の決定を求めなければならない。

5　内閣総理大臣、経済産業大臣及び国土交通大臣は、前項の規定により交通政策基本計画の案を作成しようとするときは、あらかじめ、その趣旨、内容その他の必要な事項を公表し、広く国民等の意見を求めなければならない。

6　国土交通大臣は、第四項の規定により交通政策基本計画の案を作成しようとするときは、あらかじめ、交通政策審議会及び社会資本整備審議会の意見を聴かなければならない。

7　内閣総理大臣、経済産業大臣及び国土交通大臣は、第四項の規定により交通政策基本計画の案を作成しようとするときは、あらかじめ、環境の保全の観点から、環境大臣に協議しなければならない。

8　政府は、交通政策基本計画を定めたときは、遅滞なく、これを国会に報告するとともに、公表しなければならない。

9　第四項から前項までの規定は、交通政策基本計画の変更について準用する。

第二節　国の施策

（日常生活等に必要不可欠な交通手段の確保等）

第一六条　国は、少子高齢化の進展、人口の減少その他の社会経済情勢の変化に伴い、国民の交通に対する需要が多様化し、又は減少する状況においても、国民が日常生活及び社会生活を営むに当たって必要不可欠な通勤、通学、通院その他の人又は物の移動を円滑に行うことができるようにするため、離島に係る交通事情その他地域における自然的経済的社会的諸条件に配慮しつつ、交通手段の確保その他必要な施策を講ずるものとする。

（高齢者、障害者、妊産婦等の円滑な移動のための施策）

第一七条　国は、高齢者、障害者、妊産婦その他の者で日常生活又は社会生活に身体の機能上の制限を受けるもの及び乳幼児を同伴する者が日常生活及び社会生活を営むに当たり円滑に移動することができるようにするため、自動車、鉄道車両、船舶及び航空機、旅客施設、道路並びに駐車場に係る構造及び設備の改善の推進その他必要な施策を講ずるものとする。

（公共交通機関に係る旅客施設等の安全及び衛生の確保）

第一七条の二　国は、国民が安全にかつ安心して公共交通機関を利用することができるようにするため、公共交通機関に係る旅客施設及びサービスに関する安全及び衛生の確保の支援その他必要な施策を講ずるものとする。

（交通の利便性向上、円滑化及び効率化）

第一八条　国は、前三条に定めるもののほか、国民等の日常生活又は社会生活における交通に対する基本的な需要が適切に充足されるようにするため、定時性の確保（設定された発着時刻に従って運行することをいう。）、速達性の向上（目的地に到達するまでに要する時間を短縮することをいう。）、快適性の確保、乗継ぎの円滑化その他交通結節機能の高度化（交通施設及びその周辺の施設における相当数の人の移動について、複数の交通手段の間を結節する機能を高度化することをいう。）、輸送の合理化その他の交通の利便性の向上、円滑化及び効率化のために必要な施策を講ずるものとする。

（国際競争力の強化に必要な施策）

第一九条　国は、我が国の産業、観光等の国際競争力の強化を図るため、国際海上輸送網及び国際航空輸送網の形成、これらの輸送網の拠点となる港湾及び空港の整備、これらの輸送網と全国的な国内交通網とを結節する機能の強化その他必要な施策を講ずるものとする。

（地域の活力の向上に必要な施策）

第二〇条　国は、地域経済の活性化、地域社会の維持及び発展その他の地域の活力の向上を図るため、地域における企業の立地並びに地域内及び地域間の交流及び物資の流通の促進に資する国内交通網及び輸送に関する拠点の形成（基幹的な高速交通網の形成を含む。）、輸送サービスの提供の確保その他必要な施策を講ずるものとする。

（運輸事業その他交通に関する事業の健全な発展）

第二一条　国は、運輸事業その他交通に関する事業の安定的な運営が交通の機能の確保及び向上に資するものであることに鑑み、その健全な発展を図るため、事業基盤の強化、人材の確保（これに必要な労働条件の改善を含む。）の支援、人材の育成その他必要な施策を講ずるものとする。

（大規模な災害が発生した場合における交通の機能の低下の抑制及びその迅速な回復等に必要な施策）

第二二条　国は、国土強靱化の観点から、我が国の社会経済活動の持続可能性を確保することの重要性に鑑み、大規模な災害が発生した場合における交通の機能の低下の抑制及びその迅速な回復を図るとともに、当該災害からの避難のための移動を円滑に行うことができるようにするため、交通施設の地震に対する安全性の向上、相互に代替性のある交通手段の確保、交通の機能の速やかな復旧を図るための関係者相互間の連携の確保、災害時において一時に多数の者の避難のための移動が生じ得ることを踏まえた交通手段の整備その他必要な施策を講ずるものとする。

（交通に係る環境負荷の低減に必要な施策）

第二三条　国は、交通に係る温室効果ガスの排出の抑制、大気汚染、海洋汚染及び騒音の防止その他交通による環境への負荷の低減を図るため、温室効果ガスその他環境への負荷の原因となる物質の排出の抑制に資する自動車その他の輸送用機械器具の開発、普及及び適正な使用の促進並びに交通の円滑化の推進、鉄道及び船舶による貨物輸送への転換その他の物の移動の効率化の促進、公共交通機関の利用者の利便の増進、船舶からの海洋への廃棄物の排出の防止、航空機の騒音により生ずる障害の防止その他必要な施策を講ずるものとする。

（総合的な交通体系の整備等）

第二四条　国は、徒歩、自転車、自動車、鉄道車両、船舶、航空機その他の手段による交通が、それぞれの特性に応じて適切に役割を分担し、かつ、有機的かつ効率的な交通網を形成することが必要であることを踏まえつつ、道路交通、鉄道交通、海上交通及び航空交通の間における連携並びに公共交通機関相互間の連携の強化の促進その他の総合的な交通体系の整備を図るために必要な施策を講ずるものとする。

2　国は、交通に係る需要の動向、交通施設の老朽化の進展の状況その他の事情に配慮しつつ、前項に規定する連携の下に、交通手段の整備を重点的、効果的かつ効率的に推進するために必要な施策を講ずるものとする。

（まちづくりの観点からの施策の促進）

第二五条　国は、地方公共団体による交通に関する施策が、まちづくりの観点から、土地利用その他の事項に関する総合的な計画を踏まえ、国、交通関連事業者、交通施設管理者、住民その他の関係者との連携及び協力の下に推進されるよう、必要な施策を講ずるものとする。この場合においては、当該連携及び協力が、住民その他の者の交通に対する需要その他の事情に配慮されたものとなるように努めるものとする。

（観光立国の実現の観点からの施策の推進）

第二六条　国は、観光立国の実現が、我が国経済社会の発展のために極めて重要であるとともに、観光旅客の往来の促進が、地域間交流及び国際交流の拡大を通じて、国民生活の安定向上及び国民経済の健全な発展を図り、並びに国際相互理解の増進に寄与することに鑑み、観光旅客の円滑な往来に必要な交通手段の提供の推進、自動車、鉄道車両、船舶及び航空機、旅客施設並びに道路に係る外国語その他の方法による外国人観光旅客に対する情報の提供の推進その他の交通に関連する観光旅客の往来の促進に必要な施策を講ずるものとする。

（協議の促進等）

第二七条　国は、国、地方公共団体、交通関連事業者、交通施設管理者、住民その他の関係者が相互に連携と協働を図ることにより、交通に関する施策の効果的な推進が図られることに鑑み、これらの者の間における協議の促進その他の関係者相互間の連携と協働を促進するために必要な施策を講ずるものとする。

（調査研究）

第二八条　国は、交通の動向に関する調査研究その他の交通に関する施策の策定に必要な調査研究を推進するものとする。

（技術の開発及び普及）

第二九条　国は、情報通信技術その他の技術の活用が交通に関する施策の効果的な推進に寄与することに鑑み、交通に関する技術の研究開発及び普及の効果的な推進を図るため、これらの技術の研究開発の目標の明確化、国及び独立行政法人の試験研究機関、大学、民間その他の研究開発を行う者の間の連携の強化、基本理念の実現に資する技術を活用した交通手段の導入の促進その他必要な施策を講ずるものとする。

（国際的な連携の確保及び国際協力の推進）

第三〇条　国は、交通に関する施策を国際的協調の下で推進することの重要性に鑑み、交通に関し、我が国に蓄積された技術及び知識が海外において活用されるように配慮しつつ、国際的な規格の標準化その他の国際的な連携の確保及び開発途上地域に対する技術協力その他の国際協力を推進するため、必要な施策を講ずるものとする。

（国民等の立場に立った施策の実施のための措置）

第三一条　国は、国民等の立場に立って、その意見を踏まえつつ交通に関する施策を講ずるため、国民等の意見を反映させるために必要な措置その他の措置を講ずるものとする。

第三節　地方公共団体の施策

第三二条　地方公共団体は、その地方公共団体の区域の自然的経済的社会的諸条件に応じた交通に関する施策を、まちづくりその他の観点を踏まえながら、当該施策相互間の連携及びこれと関連する施策との連携を図りつつ、総合的かつ計画的に実施するものとする。

附　則

（施行期日）

1　この法律は、公布の日から施行する。

2　〔他の法令改正に付き略〕

附　則〔令和二・一二・九法律七三〕

この法律は、公布の日から施行する。

第三編　道路及び交通施設

3

第三編　道路及び交通施設

○道路法（昭二七法一八〇）……一二四一
○道路法施行令（昭二七政四七九）……一二八〇
○道路法施行規則〔抄〕（昭二七建令二五）……一三二〇
○道路構造令（昭四五政三二〇）……一三三三
○道路構造令施行規則（昭四六建令七）……一三四八
○共同溝の整備等に関する特別措置法（昭三八法八一）……一三四八
○車両制限令（昭三六政二六五）……一三五三
○車両の通行の許可の手続等を定める省令（昭三六建令二八）……一三五六
○国土開発幹線自動車道建設法〔抄〕（昭三二法六八）……一三六四
○道路整備特別措置法〔抄〕（昭三一法七）……一三六六
○道路整備特別措置法施行規則〔抄〕（昭三一建令一八）……一三六七
○高速自動車国道法（昭三二法七九）……一三六八
○高速自動車国道法施行令（昭三二政二〇五）……一三七五
○高速自動車国道の路線を指定する政令（昭三二政二七五）……一三八一
○一般国道の路線を指定する政令（昭四〇政五八）……一三八四
○幹線道路の沿道の整備に関する法律〔抄〕（昭五五法三四）……一四〇三
○幹線道路の沿道の整備に関する法律施行令〔抄〕（昭五五政二七三）……一四〇六
○幹線道路の沿道の整備に関する法律施行規則〔抄〕（昭五五建令一二）……一四〇八
○自転車道の整備等に関する法律（昭四五法一六）……一四〇九
○駐車場法〔抄〕（昭三二法一〇六）……一四一〇
○駐車場法施行令〔抄〕（昭三二政三四〇）……一四一二
○自動車ターミナル法〔抄〕（昭三四法一三六）……一四一四
○自動車ターミナル法施行規則〔抄〕（昭三四運令四七）……一四一六
○自動車ターミナルの位置、構造及び設備の基準を定める政令（昭三四政三三〇）……一四一七
○特定車両停留施設の構造及び設備の基準を定める省令（令二国交令九一）……一四一八

○道路法

〔昭和二七・六・一〇〕
〔法律一八〇〕

改正　前略…平成二九・六法四五、平成三〇・三法六、令和二・五法三一、六法四九、令和三・三法九、令和五・五法三四

注　令和四年六月一七日法律第六八号の改正は、令和七年六月一日から施行のため、附則の次に（参考）として改正文を掲載いたしました。

第一章　総則

（この法律の目的）

第一条　この法律は、道路網の整備を図るため、道路に関して、路線の指定及び認定、管理、構造、保全、費用の負担区分等に関する事項を定め、もつて交通の発達に寄与し、公共の福祉を増進することを目的とする。

（用語の定義）

第二条　この法律において「道路」とは、一般交通の用に供する道で次条各号に掲げるものをいい、トンネル、橋、渡船施設、道路用エレベーター等道路と一体となつてその効用を全うする施設又は工作物及び道路の附属物で当該道路に附属して設けられているものを含むものとする。

2　この法律において「道路の附属物」とは、道路の構造の保全、安全かつ円滑な道路の交通の確保その他道路の管理上必要な施設又は工作物で、次に掲げるものをいう。

一　道路上の柵又は駒止め

二　道路上の並木又は街灯で第十八条第一項に規定する道路管理者の設けるもの

三　道路標識、道路元標又は里程標

四　道路情報管理施設（道路上の道路情報提供装置、車両監視装置、気象観測装置、緊急連絡施設その他これらに類するものをいう。）

五　自動運行補助施設（電子的方法、磁気的方法その他人の知覚によつて認識することができない方法により道路運送車両法（昭和二十六年法律第百八十五号）第四十一条第一項第二十号に掲げる自動運行装置を備えている自動車の自動的な運行を補助するための施設その他これに類するものをいう。以下同じ。）で道路上に又は道路の路面下に第十八条第一項に規定する道路管理者が設けるもの

六　道路に接する道路の維持又は修繕に用いる機械、器具又は材料の常置場

七　自動車駐車場又は自転車駐車場で道路上に、又は道路に接して第十八条第一項に規定する道路管理者が設けるもの

八　特定車両停留施設（旅客の乗降又は貨物の積卸しによる道路における交通の混雑を緩和することを目的として、専ら道路運送法（昭和二十六年法律第百八十三号）による一般乗合旅客自動車運送事業若しくは一般乗用旅客自動車運送事業又は貨物自動車運送事業法（平成元年法律第八十三号）による一般貨物自動車運送事業の用に供する自動車その他の国土交通省令で定める車両（以下「特定車両」という。）を同時に二両以上停留させる施設で道路に接して第十八条第一項に規定する道路管理者が設けるものをいう。以下同じ。）

九　共同溝の整備等に関する特別措置法（昭和三十八年法律第八十一号）第三条第一項の規定による共同溝整備道路又は電線共同溝の整備等に関する特別措置法（平成七年法律第三十九号）第四条第二項に規定する電線共同溝整備道路に第十八条第一項に規定する道路管理者の設ける共同溝又は電線共同溝

十　前各号に掲げるものを除くほか、政令で定めるもの

3　この法律において「自動車」とは、道路運送車両法第二条第二項に規定する自動車をいう。

4　この法律において「駐車」とは、道路交通法（昭和三十五年法律第百五号）第二条第一項第十八号に規定する駐車をいう。

5　この法律において「車両」とは、道路交通法第二条第一項第八号に規定する車両をいう。

（道路の種類）

第三条　道路の種類は、左に掲げるものとする。

一　高速自動車国道

二　一般国道

三　都道府県道

四　市町村道

（高速自動車国道）

第三条の二　高速自動車国道については、この法律に定めるもののほか、別に法律で定める。

（私権の制限）

第四条　道路を構成する敷地、支壁その他の物件については、私権を行使することができない。但し、所有権を移転し、又は抵当権を設定し、若しくは移転することを妨げない。

第二章　一般国道等の意義並びに路線の指定及び認定

（一般国道の意義及びその路線の指定）

第五条　第三条第二号の一般国道（以下「国道」という。）とは、高速自動車国道と併せて全国的な幹線道路網を構成し、かつ、次の各号のいずれかに該当する道路で、政令でその路線を指定したものをいう。

一　国土を縦断し、横断し、又は循環して、都道府県庁所在地（北海道の支庁所在地を含む。）その他政治上、経済上又は文化上特に重要な都市（以下「重要都市」という。）を連絡する道路

二　重要都市又は人口十万以上の市と高速自動車国道又は前号に規定する国道とを連絡する道路

三　二以上の市を連絡して高速自動車国道又は第一号に規定する国道に達する道路

四　港湾法（昭和二十五年法律第二百十八号）第二条第二項に規定する国際戦略港湾若しくは国際拠点港湾若しくは同法附則第二項に規定する港湾、重要な飛行場又は国際観光上重要な地と高速自動車国道又は第一号に規定する国道とを連絡する道路

五　国土の総合的な開発又は利用上特別の建設又は整備を必要とする都市と高速自動車国道又は第一号に規定する国道とを連絡する道路

2　前項の規定による政令においては、路線名、起点、終点、重要な経過地その他路線について必要な事項を明らかにしなければならない。

第六条　削除

（都道府県道の意義及びその路線の認定）

第七条　第三条第三号の都道府県道とは、地方的な幹線道路網を構成し、かつ、次の各号のいずれかに該当する道路で、都道府県知事が当該都道府県の区域内に存する部分につき、その路線を認定したものをいう。

一　市又は人口五千以上の町（以下これらを「主要地」という。）とこれらと密接な関係にある主要地、港湾法第二条第

二項に規定する国際戦略港湾、国際拠点港湾、重要港湾若しくは地方港湾、漁港及び漁場の整備等に関する法律（昭和二十五年法律第百三十七号）第五条に規定する第二種漁港若しくは第三種漁港若しくは飛行場（以下これらを「主要港」という。）、鉄道若しくは軌道の主要な停車場若しくは停留場（以下これらを「主要停車場」という。）又は主要な観光地とを連絡する道路

二　主要港とこれと密接な関係にある主要停車場又は主要な観光地とを連絡する道路

三　主要停車場とこれと密接な関係にある主要な観光地とを連絡する道路

四　二以上の市町村を経由する幹線で、これらの市町村とその沿線地方に密接な関係がある主要地、主要港又は主要停車場とを連絡する道路

五　主要地、主要港、主要停車場又は主要な観光地とこれらと密接な関係にある高速自動車国道、国道又は前各号のいずれかに該当する都道府県道とを連絡する道路

六　前各号に掲げるもののほか、地方開発のため特に必要な道路

2　都道府県知事が前項の規定により路線を認定しようとする場合においては、あらかじめ当該都道府県の議会の議決を経なければならない。

3　第一項の規定により都道府県知事が認定しようとする路線が地方自治法（昭和二十二年法律第六十七号）第二百五十二条の十九第一項の市（以下「指定市」という。）の区域内に存する場合においては、都道府県知事は、当該指定市の長の意見を聴かなければならない。この場合において、当該指定市の長は、意見を提出しようとするときは、当該指定市の議会の議決を経なければならない。

4　二以上の都道府県の区域にわたる道路については、関係都道府県知事は、協議の上それぞれ議会の議決を経て、当該都道府県の区域内に存する部分について、路線を認定しなければならない。

5　前項の規定による協議が成立しない場合においては、関係都道府県知事は、国土交通大臣に裁定を申請することができる。

6　国土交通大臣は、前項の規定による申請に基づいて裁定をしようとする場合においては、関係都道府県知事の意見を聴かなければならない。この場合において、関係都道府県知事は、意見を提出しようとするときは、当該都道府県の議会の議決を経なければならない。

7　都道府県知事が第一項の規定により路線を認定し、又は国土交通大臣が第五項の規定により路線を認定すべき旨の裁定をするに当たつては、当該認定に係る道路が他の都道府県道とともに構成することとなる地方的な幹線道路網と高速自動車国道及び国道が構成する全国的な幹線道路網とが一体となつてこれらの機能を十分に発揮することができるよう配慮しなければならない。

8　国土交通大臣が第五項の規定により路線を認定すべき旨の裁定をした場合においては、関係都道府県知事は、当該都道府県の区域内に存する部分について、それぞれ路線を認定しなければならない。この場合においては、第四項の規定による当該都道府県の議会の議決を経ることを要しない。

（市町村道の意義及びその路線の認定）

第八条　第三条第四号の市町村道とは、市町村の区域内に存する道路で、市町村長がその路線を認定したものをいう。

2　市町村長が前項の規定により路線を認定しようとする場合においては、あらかじめ当該市町村の議会の議決を経なければならない。

3　市町村長は、特に必要があると認める場合においては、当該市町村の区域をこえて、市町村道の路線を認定することができる。この場合においては、当該市町村長は、関係市町村長の承諾を得なければならない。

4　前項後段の場合においては、関係市町村長は、当該市町村の議会の議決を経なければ承諾をすることができない。

5　前項の承諾があつた場合においては、地方自治法第二百四十四条の三第一項の規定の適用については、同項に規定する協議が成立したものとみなす。

（路線の認定の公示）

第九条　都道府県知事又は市町村長は、第七条又は前条の規定により路線を認定した場合においては、その路線名、起点、終点、重要な経過地その他必要な事項を、国土交通省令で定めるところにより、公示しなければならない。

（路線の廃止又は変更）

第一〇条　都道府県知事又は市町村長は、都道府県道又は市町村道について、一般交通の用に供する必要がなくなつたと認める場合においては、当該路線の全部又は一部を廃止することができる。路線が重複する場合においても、同様とする。

2　都道府県知事又は市町村長は、路線の全部又は一部を廃止し、これに代わるべき路線を認定しようとする場合においては、これらの手続に代えて、路線を変更することができる。

3　第七条第二項から第八項まで及び前条の規定は前二項の規定による都道府県道の路線の廃止又は変更について、第八条第二項から第五項まで及び前条の規定は前二項の規定による市町村道の路線の廃止又は変更について、それぞれ準用する。

（路線が重複する場合の措置）

第一一条　国道の路線と都道府県道又は市町村道の路線とが重複する場合においては、その重複する道路の部分については、国道に関する規定を適用する。

2　都道府県道の路線と市町村道の路線とが重複する場合においては、その重複する道路の部分については、都道府県道に関する規定を適用する。

3　他の道路の路線と重複するように路線を指定し、認定し、若しくは変更しようとする者又は他の道路の路線と重複している路線について路線を廃止し、若しくは変更しようとする者は、現に当該道路の路線を認定している者に、あらかじめその旨を通知しなければならない。

第三章　道路の管理

第一節　道路管理者

（国道の新設又は改築）

第一二条　国道の新設又は改築は、国土交通大臣が行う。ただし、工事の規模が小であるものその他政令で定める特別の事情により都道府県がその工事を施行することが適当であると認められるものについては、その工事に係る路線の部分の存する都道府県が行う。

（国道の維持、修繕その他の管理）

第一三条　前条に規定するものを除くほか、国道の維持、修繕、公共土木施設災害復旧事業費国庫負担法（昭和二十六年法律第九十七号）の規定の適用を受ける災害復旧事業（以下「災害復旧」という。）その他の管理は、政令で指定する区間（以下「指定区間」という。）内については国土交通大臣が行い、その他の部分については都道府県がその路線の当該都道府県の区域内に存する部分について行う。

2　国土交通大臣は、政令で定めるところにより、指定区間内の国道の維持、修繕及び災害復旧以外の管理を当該部分の存する都道府県又は指定市が行うこととすることができる。

3　国土交通大臣は、工事が高度の技術を要する場合、高度の機械力を使用して実施することが適当であると認める場合又は都

道府県の区域の境界に係る場合においては、都道府県に代わつて自ら指定区間外の国道の災害復旧に関する工事を行うことができる。この場合においては、国土交通大臣は、あらかじめその旨を当該都道府県に通知しなければならない。

4　第一項の規定により都道府県が維持、修繕、災害復旧その他の管理を行う場合において、その行おうとする国道の修繕又は災害復旧に関する工事が都道府県の区域の境界に係るときは、関係都道府県は、あらかじめ修繕又は災害復旧に関する工事の設計及び実施計画について協議しなければならない。

5　第七条第五項及び第六項前段の規定は、前項の規定による協議が成立しない場合について準用する。

6　前項において準用する第七条第五項及び第六項前段の規定により国土交通大臣が裁定をした場合においては、第四項の規定による協議が成立したものとみなす。

第一四条　削除

（都道府県道の管理）

第一五条　都道府県道の管理は、その路線の存する都道府県が行う。

（市町村道の管理）

第一六条　市町村道の管理は、その路線の存する市町村が行う。

2　第八条第三項の規定により市町村長が当該市町村の区域をこえて市町村道の路線を認定した場合においては、その道路の管理は、当該路線を認定した市町村長の統轄する市町村が行う。但し、当該路線が他の市町村の市町村道の路線と重複する場合においては、その重複する部分の道路の管理の方法については、関係市町村長がそれぞれ議会の議決を経て協議しなければならない。

3　第七条第五項及び第六項の規定は、前項但書の規定による協議が成立しない場合について準用する。この場合において、これらの規定中「関係都道府県知事」とあるのは「関係市町村長」と、「国土交通大臣」とあるのは「都道府県知事」と、同条第六項中「当該都道府県の議会」とあるのは「当該市町村の議会」と読み替えるものとする。

4　前項において準用する第七条第五項及び第六項の規定により都道府県知事が裁定をした場合においては、第二項但書の規定の適用については、関係市町村長の協議が成立したものとみなす。

5　第二項但書の規定による関係市町村長の協議が成立した場合（前項の規定により関係市町村長の協議が成立したものとみなされる場合を含む。）においては、関係市町村長は、成立した協議の内容を公示しなければならない。

（管理の特例）

第一七条　指定市の区域内に存する国道の管理で第十二条ただし書及び第十三条第一項の規定により都道府県が行うこととされているもの並びに指定市の区域内に存する都道府県道の管理は、第十二条ただし書、第十三条第一項及び第十五条の規定にかかわらず、当該指定市が行う。

2　指定市以外の市は、第十二条ただし書、第十三条第一項及び第十五条の規定にかかわらず、都道府県に協議し、その同意を得て、当該市の区域内に存する国道の管理で第十二条ただし書及び第十三条第一項の規定により当該都道府県が行うこととされているもの並びに当該市の区域内に存する都道府県道の管理を行うことができる。

3　町村は、第十五条の規定にかかわらず、都道府県に協議し、その同意を得て、当該町村の区域内に存する都道府県道の管理を行うことができる。

4　指定市以外の市町村は、地域住民の日常生活の安全性若しくは利便性の向上又は快適な生活環境の確保を図るため、当該市町村の区域内に存する国道若しくは都道府県道の新設、改築、維持若しくは修繕又は国道若しくは都道府県道に附属する道路の附属物の新設若しくは改築のうち、歩道の新設、改築、維持又は修繕その他の政令で定めるものであつて第十二条ただし書、第十三条第一項、第十五条並びに第八十五条第一項及び第二項の規定により都道府県が行うこととされているもの（前三項の規定により指定市、指定市以外の市又は町村が行うこととされているものを除く。第二十七条第二項において「歩道の新設等」という。）を都道府県に代わつて行うことが適当であると認められる場合においては、第十二条ただし書、第十三条第一項、第十五条並びに第八十五条第一項及び第二項の規定にかかわらず、都道府県に協議し、その同意を得て、これを行うことができる。

5　指定市以外の市町村は、前三項の規定により国道又は都道府県道の新設、改築、維持又は修繕を行おうとするとき、及び当該国道又は都道府県道の新設、改築、維持又は修繕の全部又は一部を完了したときは、国土交通省令で定めるところにより、その旨を公示しなければならない。

6　国土交通大臣は、都道府県又は市町村から要請があり、かつ、当該都道府県又は市町村における道路の改築又は修繕に関する工事の実施体制その他の地域の実情を勘案して、当該都道府県又は市町村が管理する都道府県道又は市町村道（地域における安全かつ円滑な交通の確保のために適切な管理の必要性が特に高いと認められるものに限る。）を構成する施設又は工作物のうち政令で定めるものの改築又は修繕に関する工事（高度の技術を要するもの又は高度の機械力を使用して実施することが適当であると認められるものに限る。）を当該都道府県又は市町村に代わつて自ら行うことが適当であると認められる場合においては、前二条及び第一項から第三項までの規定にかかわらず、その事務の遂行に支障のない範囲内で、これを行うことができる。

7　国土交通大臣は、災害が発生した場合において、都道府県又は市町村から要請があり、かつ、当該都道府県又は市町村における道路の維持又は災害復旧に関する工事の実施体制その他の地域の実情を勘案して、当該都道府県又は市町村が管理する次の各号に掲げる道路について当該各号に定める管理（高度の技術を要するもの又は高度の機械力を使用して実施することが適当であると認められるものに限る。）を当該都道府県又は市町村に代わつて自ら行うことが適当であると認められるときは、第十三条第一項、前二条及び第一項から第三項までの規定にかかわらず、その事務の遂行に支障のない範囲内で、これを行うことができる。

一　指定区間外の国道、都道府県道又は市町村道　維持（道路の啓開のために行うものに限る。）

二　都道府県道又は市町村道　災害復旧に関する工事

8　都道府県は、災害が発生した場合において、指定市以外の市町村から要請があり、かつ、当該市町村における道路の維持又は災害復旧に関する工事の実施体制その他の地域の実情を勘案して、当該市町村が管理する指定区間外の国道、都道府県道又は市町村道（当該都道府県が管理する道路と交通上密接な関連を有するものに限る。）について維持（道路の啓開のために行うものに限る。）又は災害復旧に関する工事を当該市町村に代わつて自ら行うことが適当であると認められるときは、前条並びに第二項及び第三項の規定にかかわらず、その事務の遂行に支障のない範囲内で、これを行うことができる。

9　第一項から第四項まで及び前三項の場合におけるこの法律の規定の適用についての必要な技術的読替えは、政令で定める。

（道路の区域の決定及び供用の開始等）

第一八条　第十二条、第十三条第一項若しくは第三項、第十五条、第十六条又は前条第一項から第三項までの規定によつて道路を管理する者（指定区間内の国道にあつては国土交通大臣、指定区間外の国道にあつては都道府県。以下「道路管理者」という。）は、路線が指定され、又は路線の認定若しくは変更が公示された場合においては、遅滞なく、道路の区域を決定して、国土交通省令で定めるところにより、これを公示し、かつ、これを表示した図面を関係地方整備局若しくは北海道開発局又は関係都道府県若しくは市町村の事務所（以下「道路管理者の事務所」という。）において一般の縦覧に供しなければならない。道路の区域を変更した場合においても、同様とする。

2　道路管理者は、道路の供用を開始し、又は廃止しようとする場合においては、国土交通省令で定めるところにより、その旨を公示し、かつ、これを表示した図面を道路管理者の事務所において一般の縦覧に供しなければならない。ただし、既存の道路について、その路線と重複して路線が指定され、認定され、又は変更された場合においては、その重複する道路の部分については、既に供用の開始があつたものとみなし、供用開始の公示をすることを要しない。

（境界地の道路の管理）

第一九条　地方公共団体の区域の境界に係る道路については、関係道路管理者（国土交通大臣である道路管理者を除く。以下本条及び第五十四条中同じ。）は、第十三条第一項及び第三項並びに第十五条から第十七条までの規定にかかわらず、協議して別にその管理の方法を定めることができる。

2　前項の規定による協議が成立しない場合においては、関係道路管理者は、当該道路が都道府県の区域の境界に係るとき、又は関係道路管理者のいずれかが都道府県であるときは国土交通大臣に、その他のときは都道府県知事に裁定を申請することができる。

3　第七条第六項の規定は、前項の場合について準用する。この場合において、第七条第六項中「国土交通大臣」とあるのは「国土交通大臣又は都道府県知事」と、「関係都道府県知事」とあるのは「関係道路管理者」と、「当該都道府県の議会の議決を経なければならない。」とあるのは「指定区間外の国道にあつては道路管理者である都道府県の議会に諮問し、その他の道路にあつては道路管理者である地方公共団体の議会の議決を経なければならない。」と読み替えるものとする。

4　第二項及び前項において準用する第七条第六項の規定により国土交通大臣又は都道府県知事が裁定をした場合においては、第一項の規定の適用については、関係道路管理者の協議が成立したものとみなす。

5　第一項の規定による協議が成立した場合（前項の規定により関係道路管理者の協議が成立したものとみなされる場合を含む。）においては、関係道路管理者は、成立した協議の内容を公示しなければならない。

（共用管理施設の管理）

第一九条の二　道路交通騒音により生ずる障害の防止又は軽減、道路の排水その他の道路の管理のための施設又は工作物で、当該道路と隣接し、又は近接する他の道路から発生する道路交通騒音により生ずる障害の防止又は軽減、当該他の道路の排水その他の当該他の道路の管理に資するもの（第五十四条の二第一項において「共用管理施設」という。）の管理については、当該道路の道路管理者及び当該他の道路の道路管理者（以下この条及び第五十四条の二において「共用管理施設関係道路管理者」という。）は、第十三条第一項及び第三項並びに第十五条から第十七条までの規定にかかわらず、協議して別にその管理の方法を定めることができる。

2　前項の規定による協議が成立しない場合においては、共用管理施設関係道路管理者は、そのいずれかが国土交通大臣である場合を除き、共用管理施設関係道路管理者のいずれかが都道府県であるときは国土交通大臣に、その他のときは都道府県知事に裁定を申請することができる。

3　第七条第六項の規定は、前項の場合について準用する。この場合において、第七条第六項中「国土交通大臣」とあるのは「国土交通大臣又は都道府県知事」と、「関係都道府県知事」とあるのは「共用管理施設関係道路管理者」と、「当該都道府県の議会の議決を経なければならない。」とあるのは「指定区間外の国道にあつては道路管理者である都道府県の議会に諮問し、その他の道路にあつては道路管理者である地方公共団体の議会の議決を経なければならない。」と読み替えるものとする。

4　第二項及び前項において準用する第七条第六項の規定により国土交通大臣又は都道府県知事が裁定をした場合においては、第一項の規定の適用については、共用管理施設関係道路管理者の協議が成立したものとみなす。

5　第一項の規定による協議が成立した場合（前項の規定により共用管理施設関係道路管理者の協議が成立したものとみなされる場合を含む。）においては、共用管理施設関係道路管理者は、成立した協議の内容を公示しなければならない。

（兼用工作物の管理）

第二〇条　道路と堤防、護岸、ダム、鉄道又は軌道用の橋、踏切道（道路と独立行政法人鉄道建設・運輸施設整備支援機構、独立行政法人日本高速道路保有・債務返済機構若しくは鉄道事業者（第三十一条及び第三十一条の二において「鉄道事業者等」という。）の鉄道又は軌道法（大正十年法律第七十六号）による新設軌道との交差部分をいう。）、駅前広場その他公共の用に供する工作物又は施設（以下これらを「他の工作物」と総称する。）とが相互に効用を兼ねる場合においては、当該道路の道路管理者及び他の工作物の管理者は、当該道路及び他の工作物の管理については、第十三条第一項及び第三項並びに第十五条から第十七条までの規定にかかわらず、協議して別にその管理の方法を定めることができる。ただし、他の工作物の管理者が私人である場合においては、道路については、道路に関する工事（道路の新設、改築又は修繕に関する工事をいう。以下同じ。）及び維持以外の管理を行わせることができない。

2　前項の規定により協議する場合において、国土交通大臣である道路管理者と他の工作物の管理者との協議が成立しないときは、国土交通大臣は、当該他の工作物に関する主務大臣とあらためて協議することができる。

3　第一項の規定により協議する場合において、国土交通大臣以外の道路管理者と他の工作物の管理者との協議が成立しないときは、当該道路の道路管理者又は他の工作物の管理者は、そのいずれかが国又は都道府県であるときは国土交通大臣及び当該他の工作物に関する主務大臣に、その他のときは都道府県知事（他の工作物に関する主務大臣の事務を分掌する地方支分部局の長があるときは、都道府県知事及び当該支分部局の長。以下この条並びに第五十五条第三項及び第四項において同じ。）に裁定を申請することができる。

4　国土交通大臣及び他の工作物に関する主務大臣又は都道府県知事は、前項の規定による申請に基づいて裁定をしようとする場合においては、当該道路の道路管理者又は他の工作物の管理者の意見を聴かなければならない。この場合において、当該道路の道路管理者は、意見を提出しようとするときは、指定区間外の国道にあつては道路管理者である都道府県の議会に諮問し、その他の道路にあつては道路管理者である地方公共団体の議会の議決を経なければならない。

5　第二項の規定による国土交通大臣と当該他の工作物に関する主務大臣との協議が成立した場合又は前二項の規定により国土交通大臣及び当該他の工作物に関する主務大臣若しくは都道府県知事が裁定をした場合においては、第一項の規定の適用については、道路管理者と他の工作物の管理者との協議が成立したものとみなす。

6　第一項の規定による協議が成立した場合（前項の規定により道路管理者と他の工作物の管理者との協議が成立したものとみなされる場合を含む。）においては、当該道路の道路管理者は、成立した協議の内容を公示しなければならない。

（他の工作物の管理者に対する工事施行命令等）

第二一条　道路と他の工作物とが相互に効用を兼ねる場合において、他の工作物の管理者に当該道路の道路に関する工事を施行させ、又は維持をさせることが適当であると認められるときは、前条及び第三十一条の規定によつて協議をした場合を除く外、道路管理者は、他の工作物の管理者に当該道路に関する工事を施行させ、又は当該道路の維持をさせることができる。

（工事原因者に対する工事施行命令等）

第二十二条　道路管理者は、道路に関する工事以外の工事（以下「他の工事」という。）により必要を生じた道路に関する工事又は道路を損傷し、若しくは汚損した行為若しくは道路の補強、拡幅その他道路の構造の現状を変更する必要を生じさせた行為（以下「他の行為」という。）により必要を生じた道路に関する工事又は道路の維持を当該工事の執行者又は行為者に施行させることができる。

2　前項の場合において、他の工事が河川法（昭和三十九年法律第百六十七号）が適用され、又は準用される河川の河川工事（以下「河川工事」という。）であるときは、当該道路に関する工事については、同法第十九条の規定は、適用しない。

（維持修繕協定の締結）

第二十二条の二　道路管理者は、道路の構造を保全し、又は交通の危険を防止するため災害の発生時において道路管理者以外の者が道路の特定の維持又は修繕に関する工事を行うことができることをあらかじめ定めておく必要があると認めるときは、その管理する道路について、道路の維持又は修繕に関する工事を適確に行う能力を有すると認められる者（第二号において「維持修繕実施者」という。）との間において、次に掲げる事項を定めた協定（以下この条において「維持修繕協定」という。）を締結することができる。

一　維持修繕協定の目的となる道路の区域（次号において「協定道路区域」という。）

二　維持修繕実施者が道路の損傷の程度その他の道路の状況に応じて協定道路区域において行う道路の維持又は修繕に関する工事の内容

三　前号の道路の維持又は修繕に関する工事に要する費用の負担の方法

四　維持修繕協定の有効期間

五　維持修繕協定に違反した場合の措置

六　その他必要な事項

（附帯工事の施行）

第二十三条　道路管理者は、道路に関する工事に因り必要を生じた他の工事又は道路に関する工事を施行するために必要を生じた他の工事を道路に関する工事とあわせて施行することができる。

2　前項の場合において、他の工事が河川工事又は砂防工事であるときは、当該他の工事の施行については、同項の規定は、適用しない。

（道路管理者以外の者の行う工事）

第二十四条　道路管理者以外の者は、第十二条、第十三条第三項、第十七条第四項若しくは第六項から第八項まで、第十九条から第二十二条の二まで、第四十八条の十九第一項又は第四十八条の二十二第一項の規定による場合のほか、道路に関する工事の設計及び実施計画について道路管理者の承認を受けて道路に関する工事又は道路の維持を行うことができる。ただし、道路の維持で政令で定める軽易なものについては、道路管理者の承認を受けることを要しない。

（自動車駐車場又は自転車駐車場の駐車料金及び割増金）

第二十四条の二　道路管理者（指定区間内の国道にあつては、国。第三項（第四十八条の三十五第三項において準用する場合を含む。）、第三十九条第一項、第四十四条第五項及び第七項、第四十四条の三第八項、第四十八条の七第一項、第四十八条の三十五第一項、第四十九条、第五十八条第一項、第五十九条第三項、第六十一条第一項、第六十四条第一項、第六十九条第一項、第七十条第一項、第七十二条第一項及び第三項、第七十三条第一項から第三項まで、第八十五条第三項並びに第九十一条第三項において同じ。）は、道路管理者である地方公共団体の条例（指定区間内の国道にあつては、政令）で定めるところにより、道路の附属物である自動車駐車場又は自転車駐車場に自動車（道路運送車両法第二条第三項に規定する原動機付自転車を含む。以下この条において同じ。）又は自転車を駐車させる者から、駐車料金を徴収することができる。ただし、道路交通法第三十九条第一項に規定する緊急自動車その他政令で定める自動車又は自転車を駐車させる場合においては、この限りでない。

2　前項の駐車料金の額は、次の原則によつて定めなければならない。

一　自動車又は自転車を駐車させる特定の者に対し不当な差別的取扱いをするものでないこと。

二　自動車又は自転車を駐車させる者の負担能力にかんがみ、その利用を困難にするおそれのないものであること。

三　付近の自動車駐車場又は自転車駐車場で道路の区域外に設置されており、かつ、一般公衆の用に供するものの駐車料金に比して著しく均衡を失しないものであること。

3　道路管理者は、第一項の駐車料金を不法に免れた者から、その免れた額のほか、その免れた額の二倍に相当する額を割増金として徴収することができる。

（自動車駐車場又は自転車駐車場の駐車料金等の表示）

第二十四条の三　道路管理者は、前条第一項の規定により駐車料金を徴収する自動車駐車場又は自転車駐車場について、条例（国道にあつては、国土交通省令）で定めるところにより、駐車料金、駐車することができる時間その他自動車駐車場又は自転車駐車場の利用に関し必要な事項を表示するため、標識を設けなければならない。

（有料の橋又は渡船施設）

第二十五条　都道府県又は市町村である道路管理者は、都道府県道又は市町村道について、橋又は渡船施設の新設又は改築に要する費用の全部又は一部を償還するために、一定の期間を限り、当該橋の通行者又は当該渡船施設の利用者から、その通行者又は利用者が受ける利益を超えない範囲内において、条例で定めるところにより、料金を徴収することができる。

2　前項に規定する橋又は渡船施設は、左の各号に該当するものでなければならない。

一　その通行又は利用の範囲が地域的に限定されたものであること。

二　その通行者又は利用者がその通行又は利用に因り著しく利益を受けるものであること。

三　その新設又は改築に要する費用の全額を地方債以外の財源をもつて支弁することが著しく困難なものであること。

3　道路管理者は、第一項の条例を制定したときは、遅滞なく、次に掲げる事項を記載した書類及び設計図その他必要な図面を添えて、その旨を国土交通大臣に届け出なければならない。

一　工事方法

二　工事予算

三　工事の着手及び完成の予定年月日

四　収支予算の明細

五　料金

六　料金徴収期間

七　元利償還年次計画

4　道路管理者は、前項の規定による届出に係る事項について変更があつたときは、遅滞なく、変更に係る事項を記載した書類及び必要な図面を添えて、その旨を国土交通大臣に届け出なければならない。

（有料の橋又は渡船施設の工事の検査）

第二十六条　前条第一項の規定により料金を徴収しようとする道路管理者は、工事の途中において、国土交通省令で定めるところにより、都道府県である道路管理者にあつては国土交通大臣の、市町村である道路管理者にあつては都道府県知事の検査を受けなければならない。工事が完了した場合においても、同様とする。

2　国土交通大臣又は都道府県知事は、前項の規定による検査の結果当該橋又は渡船施設の構造が前条第三項の規定による届出に係る同項第一号の工事方法（同条第四項の規定による工事方法の変更（同条第三項第五号又は第六号に掲げる事項の変更を伴うものに限る。）に係る届出があつたときは、その変更後のもの）に適合しないと認める場合においては、届出をした道路管理者に対して、工事方法の変更その他必要な措置をとるべき旨の要求（都道府県知事にあつては、勧告）をすることができる。

3　道路管理者は、国土交通大臣から前項の規定による要求を受けたときは、工事方法の変更その他必要な措置をとらなければならない。

4　都道府県知事は、第一項の規定に基づき検査をしたときはその結果を、第二項の規定に基づき必要な措置をとるべき旨の勧告をしたときはその内容及びこれに従つて道路管理者がとつた措置を国土交通大臣に報告しなければならない。

5　前条第一項の規定により料金を徴収しようとする道路管理者は、第一項後段の規定による検査に合格した後でなければ、当該橋又は渡船施設の供用を開始してはならない。

（道路管理者の権限の代行）

第二十七条　国土交通大臣は、第十二条本文の規定により指定区間外の国道の新設若しくは改築を行う場合又は第十三条第三項の規定により指定区間外の国道の災害復旧に関する工事を行う場合においては、政令で定めるところにより、当該指定区間外の国道の道路管理者に代わつてその権限を行うものとする。

2　指定市以外の市町村は、第十七条第四項の規定により歩道の新設等を行う場合においては、政令で定めるところにより、当該道路の道路管理者に代わつてその権限を行うものとする。

3　国土交通大臣は、第十七条第六項の規定により都道府県道若しくは市町村道を構成する施設若しくは工作物の改築若しくは修繕に関する工事を行う場合又は同条第七項の規定により指定区間外の国道、都道府県道若しくは市町村道の維持若しくは都道府県道若しくは市町村道の災害復旧に関する工事を行う場合においては、政令で定めるところにより、当該道路の道路管理者に代わつてその権限を行うものとする。

4　都道府県は、第十七条第八項の規定により指定区間外の国道、都道府県道又は市町村道の維持又は災害復旧に関する工事を行う場合においては、政令で定めるところにより、当該道路の道路管理者に代わつてその権限を行うものとする。

5　第十九条の規定による協議に基づき一の道路管理者がその地方公共団体の区域外にわたつて道路を管理する場合又は第二十条の規定による協議に基づき他の工作物の管理者が道路を管理する場合においては、これらの者は、政令で定めるところにより、当該道路の道路管理者に代わつてその権限を行うものとする。

（道路台帳）

第二十八条　道路管理者は、その管理する道路の台帳（以下本条において「道路台帳」という。）を調製し、これを保管しなければならない。

2　道路台帳の記載事項その他その調製及び保管に関し必要な事項は、国土交通省令で定める。

3　道路管理者は、道路台帳の閲覧を求められた場合においては、これを拒むことができない。

（協議会）

第二十八条の二　交通上密接な関連を有する道路（以下この項において「密接関連道路」という。）の管理を行う二以上の道路管理者は、踏切道密接関連道路（踏切道改良促進法（昭和三十六年法律第百九十五号）第三条第一項に規定する踏切道密接関連道路をいう。）その他の密接関連道路の管理を効果的に行うために必要な協議を行うための協議会（以下この条において「協議会」という。）を組織することができる。

2　協議会は、必要があると認めるときは、次に掲げる者をその構成員として加えることができる。

一　関係地方公共団体

二　道路の構造の保全又は安全かつ円滑な交通の確保に資する措置を講ずることができる者

三　その他協議会が必要と認める者

3　協議会において協議が調つた事項については、協議会の構成員は、その協議の結果を尊重しなければならない。

4　前三項に定めるもののほか、協議会の運営に関し必要な事項は、協議会が定める。

第二節　道路の構造

（道路の構造の原則）

第二十九条　道路の構造は、当該道路の存する地域の地形、地質、気象その他の状況及び当該道路の交通状況を考慮し、通常の衝撃に対して安全なものであるとともに、安全かつ円滑な交通を確保することができるものでなければならない。

（道路の構造の基準）

第三十条　高速自動車国道及び国道の構造の技術的基準は、次に掲げる事項について政令で定める。

一　通行する自動車の種類に関する事項

二　幅員

三　建築限界

四　線形

五　視距

六　勾配

七　路面

八　排水施設

九　交差又は接続

十　待避所

十一　横断歩道橋、さくその他安全な交通を確保するための施設

十二　橋その他政令で定める主要な工作物の自動車の荷重に対し必要な強度

十三　前各号に掲げるもののほか、高速自動車国道及び国道の構造について必要な事項

2　都道府県道及び市町村道の構造の技術的基準（前項第一号、第三号及び第十二号に掲げる事項に係るものに限る。）は、政令で定める。

3　前項に規定するもののほか、都道府県道及び市町村道の構造の技術的基準は、政令で定める基準を参酌して、当該道路の道路管理者である地方公共団体の条例で定める。

（道路と鉄道との交差）

第三十一条　道路と鉄道事業者等の鉄道とが相互に交差する場合（当該道路が国道であり、かつ、国土交通大臣が自らその新設又は改築を行う場合を除く。）においては、当該道路の道路管理者及び当該鉄道事業者等は、当該交差の方式、その構造、工事の施行方法及び費用負担について、あらかじめ協議し、これを成立させなければならない。ただし、当該道路の交通量又は当該鉄道の運転回数が少ない場合、地形上やむを得ない場合その他政令で定める場合を除くほか、当該交差の方式は、立体交差としなければならない。

2　前項の規定により協議する場合において、国土交通大臣以外の道路管理者と鉄道事業者等との協議が成立しないときは、当該道路の道路管理者又は当該鉄道事業者等は、国土交通大臣に裁定を申請することができる。

3　国土交通大臣は、前項の規定による申請に基づいて裁定をしようとする場合においては、当該道路の道路管理者又は当該鉄道事業者等の意見を聴かなければならない。この場合において、当該道路の道路管理者は、意見を提出しようとするときは、指定区間外の国道にあつては当該道路管理者である都道府県の議会に諮問し、その他の道路にあつては当該道路管理者である地方公共団体の議会の議決を経なければならない。

4　第二項の規定により国土交通大臣が裁定をした場合において

は、第一項の規定の適用については、当該道路の道路管理者と当該鉄道事業者等との協議が成立したものとみなす。

5　国道と鉄道事業者等の鉄道とが相互に交差する場合において、国土交通大臣が自ら当該国道の新設又は改築を行うときは、国土交通大臣は、あらかじめ、当該鉄道事業者等の意見を聴いて、当該交差の方式、その構造、工事の施行方法及び費用負担を決定するものとする。ただし、国土交通大臣の決定前に、国土交通大臣と当該鉄道事業者等との間にこれらの事項について協議が成立したときは、この限りでない。

6　前項に規定する場合において、当該国道の交通量又は当該鉄道の運転回数が少ない場合、地形上やむを得ない場合その他政令で定める場合を除いた交差の方式は、立体交差としなければならない。

7　国土交通大臣は、第五項本文の規定による決定をするときは、鉄道の整備及び安全の確保並びに鉄道事業の発達、改善及び調整に特に配慮しなければならない。

（道路と鉄道との交差部分の管理の方法）

第三十一条の二　指定区間外の国道、都道府県道又は市町村道と鉄道事業者等の鉄道とが相互に交差している場合においては、当該道路の道路管理者及び当該鉄道事業者等は、次の各号に掲げる交差の方式の区分に応じ、当該各号に定める管理の方法について協議し、これを成立させるよう努めなければならない。ただし、第二号に規定する交差部分について踏切道改良促進法第十三条第一項の規定による指定があつたときは、この限りでない。

一　立体交差　当該立体交差に係る道路及び鉄道施設の維持、修繕（当該修繕を効率的に行うための点検を含む。）その他の管理の方法であつて安全かつ円滑な交通の確保に必要なものとして国土交通省令で定める基準に適合するもの

二　立体交差以外の交差　災害が発生した場合における当該交差部分の管理の方法であつて安全かつ円滑な交通の確保に必要なものとして国土交通省令で定める基準に適合するもの

2　道路管理者又は鉄道事業者等の一方が前項の規定による協議を求めたときは、当該協議を求められた者は、正当な理由がある場合を除き、これに応じなければならない。

3　国土交通大臣は、道路管理者又は鉄道事業者等の一方が第一項の協議を求めたにもかかわらず他の一方が当該協議に応じず、又は当該協議が調わなかつた場合で、当該協議を求めた者から申立てがあつたときは、前項に規定する正当な理由がある場合に該当すると認める場合を除き、当該協議を求められた者に対し、その協議の開始又は再開を命ずることができる。

4　指定区間内の国道と鉄道事業者等の鉄道とが相互に交差している場合においては、国土交通大臣は、当該鉄道事業者等の意見を聴いて、第一項各号に掲げる交差の方式の区分に応じ、当該各号に定める管理の方法を決定するものとする。ただし、国土交通大臣による当該管理の方法の決定前に国土交通大臣と当該鉄道事業者等との間に当該管理の方法について協議が成立したとき、又は同項第二号に規定する交差部分について踏切道改良促進法第十三条第一項の規定による指定があつたときは、この限りでない。

5　国土交通大臣は、前項本文の規定による決定をするときは、鉄道の整備及び安全の確保並びに鉄道事業の発達、改善及び調整に特に配慮しなければならない。

第三節　道路の占用

（道路の占用の許可）

第三十二条　道路に次の各号のいずれかに掲げる工作物、物件又は施設を設け、継続して道路を使用しようとする場合においては、道路管理者の許可を受けなければならない。

一　電柱、電線、変圧塔、郵便差出箱、公衆電話所、広告塔その他これらに類する工作物

二　水管、下水道管、ガス管その他これらに類する物件

三　鉄道、軌道、自動運行補助施設その他これらに類する施設

四　歩廊、雪よけその他これらに類する施設

五　地下街、地下室、通路、浄化槽その他これらに類する施設

六　露店、商品置場その他これらに類する施設

七　前各号に掲げるもののほか、道路の構造又は交通に支障を及ぼすおそれのある工作物、物件又は施設で政令で定めるもの

2　前項の許可を受けようとする者は、左の各号に掲げる事項を記載した申請書を道路管理者に提出しなければならない。

一　道路の占用（道路に前項各号の一に掲げる工作物、物件又は施設を設け、継続して道路を使用することをいう。以下同じ。）の目的

二　道路の占用の期間

三　道路の占用の場所

四　工作物、物件又は施設の構造

五　工事実施の方法

六　工事の時期

七　道路の復旧方法

3　第一項の規定による許可を受けた者（以下「道路占用者」という。）は、前項各号に掲げる事項を変更しようとする場合においては、その変更が道路の構造又は交通に支障を及ぼす虞のないと認められる軽易なもので政令で定めるものである場合を除く外、あらかじめ道路管理者の許可を受けなければならない。

4　第一項又は前項の規定による許可に係る行為が道路交通法第七十七条第一項の規定の適用を受けるものである場合においては、第二項の規定による申請書の提出は、当該地域を管轄する警察署長を経由して行なうことができる。この場合において、当該警察署長は、すみやかに当該申請書を道路管理者に送付しなければならない。

5　道路管理者は、第一項又は第三項の規定による許可を与えようとする場合において、当該許可に係る行為が道路交通法第七十七条第一項の規定の適用を受けるものであるときは、あらかじめ当該地域を管轄する警察署長に協議しなければならない。

（道路の占用の許可基準）

第三十三条　道路管理者は、道路の占用が前条第一項各号のいずれかに該当するものであつて道路の敷地外に余地がないためにやむを得ないものであり、かつ、同条第二項第二号から第七号までに掲げる事項について政令で定める基準に適合する場合に限り、同条第一項又は第三項の許可を与えることができる。

2　次に掲げる工作物、物件又は施設で前項の規定に基づく政令で定める基準に適合するもののための道路の占用については、同項の規定にかかわらず、前条第一項又は第三項の許可を与えることができる。

一　前条第一項第五号から第七号までに掲げる工作物、物件又は施設のうち、高架の道路の路面下に設けられる工作物又は施設で、当該高架の道路の路面下の区域をその合理的な利用の観点から継続して使用するにふさわしいと認められるもの

二　前条第一項第五号から第七号までに掲げる工作物、物件又は施設のうち、高速自動車国道又は第四十八条の四に規定する自動車専用道路の連結路附属地（これらの道路のうち、これらの道路と当該道路以外の交通の用に供する通路その他の施設とを連結する部分で国土交通省令で定める交通の用に供するものに附属する道路の区域内の土地をいう。以下この号において同じ。）に設けられるこれらの道路の通行者の利便の増進に資する施設で、当該連結路附属地をその合理的な利用の観点から継続して使用するにふさわしいと認められるもの

三　前条第一項第一号又は第四号から第七号までに掲げる工作物、物件又は施設のうち、歩行者の利便の増進に資するものとして政令で定めるもの（以下「歩行者利便増進施設等」と

いう。）で、第四十八条の二十第一項に規定する歩行者利便増進道路（第四十八条の二十一の技術的基準に適合するものに限る。第四十八条の二十三第一項、第三項及び第五項、第四十八条の二十四第一項並びに第四十八条の二十七第二項第二号において同じ。）の区域のうち、道路管理者が歩行者利便増進施設等の適正かつ計画的な設置を誘導するために指定した区域（以下「利便増進誘導区域」という。）内に設けられるもの（道路の機能又は道路交通環境の維持及び向上を図るための清掃その他の措置であつて当該歩行者利便増進施設等の設置に伴い必要となるものが併せて講じられるものに限る。）

四　前条第一項第一号、第五号又は第七号に掲げる工作物、物件又は施設のうち、第四十八条の二十九の二第一項に規定する防災拠点自動車駐車場内に設けられる工作物又は施設で、災害応急対策（災害対策基本法（昭和三十六年法律第二百二十三号）第五十条第一項に規定する災害応急対策をいう。第四十八条の二十九の二第一項及び第四十八条の二十九の五第一項において同じ。）に資するものとして政令で定めるもの

五　前条第一項第一号、第四号又は第七号に掲げる工作物、物件又は施設のうち、並木、街灯その他道路（高速自動車国道及び第四十八条の四に規定する自動車専用道路を除く。以下この号において同じ。）の管理上当該道路の区域内に設けることが必要なものとして政令で定める工作物又は施設で、道路交通環境の向上を図る活動を行うことを目的とする特定非営利活動促進法（平成十年法律第七号）第二条第二項に規定する特定非営利活動法人その他の営利を目的としない法人又はこれに準ずるものとして国土交通省令で定める者が設けるもの

六　前条第一項第三号に掲げる自動運行補助施設で、自動車の自動運転に係る技術の活用による地域における持続可能な公共交通網の形成又は物資の流通の確保、自動車技術の発達その他安全かつ円滑な道路の交通の確保を図る活動を行うことを目的とする法人又はこれに準ずるものとして国土交通省令で定める者が設けるもの

3　道路管理者は、利便増進誘導区域を指定しようとするときは、あらかじめ、当該利便増進誘導区域を管轄する警察署長に協議しなければならない。

4　道路管理者は、利便増進誘導区域を指定しようとするときは、あらかじめ、その旨を公示しなければならない。

5　前二項の規定は、利便増進誘導区域の指定の変更又は解除について準用する。

6　第二項の規定による許可（同項第三号に係るものに限る。）に係る前条第二項及び第八十七条第一項の規定の適用については、前条第二項中「申請書を」とあるのは「申請書に、次条第二項第三号の措置を記載した書面を添付して、」と、第八十七条第一項中「円滑な交通を確保する」とあるのは「円滑な交通を確保し、又は道路の機能若しくは道路交通環境の維持及び向上を図る」とする。

（工事の調整のための条件）

第三十四条　道路管理者は、第三十二条第一項又は第三項の規定による許可を与えようとする場合において、道路を不経済に損傷し、又は道路の交通に著しい支障を及ぼさないために必要があると認めるときは、当該申請に係る道路の占用に関する工事と他の申請に係る道路の占用に関する工事若しくは他の道路占用者の道路の占用に関する工事とを相互に調整するために当該許可に対して必要な条件を附することができる。この場合において、道路管理者は、あらかじめ当該申請に係る道路の占用に関する工事を行おうとする者又は他の道路占用者の意見を聞かなければならない。

（国の行う道路の占用の特例）

第三十五条　国の行う事業のための道路の占用については、第三十二条第一項及び第三項の規定にかかわらず、国が道路管理者に協議し、その同意を得れば足りる。この場合において、同条第二項各号に掲げる事項及び第三十九条に規定する占用料に関する事項については、政令でその基準を定めることができる。

（水道、電気、ガス事業等のための道路の占用の特例）

第三十六条　水道法（昭和三十二年法律第百七十七号）、工業用水道事業法（昭和三十三年法律第八十四号）、下水道法（昭和三十三年法律第七十九号）、鉄道事業法（昭和六十一年法律第九十二号）若しくは全国新幹線鉄道整備法（昭和四十五年法律第七十一号）、ガス事業法（昭和二十九年法律第五十一号）、電気事業法（昭和三十九年法律第百七十号）又は電気通信事業法（昭和五十九年法律第八十六号）の規定に基づき、水管（水道事業、水道用水供給事業又は工業用水道事業の用に供するものに限る。）、下水道管、公衆の用に供する鉄道、ガス管（ガス事業法第二条第十一項に規定するガス事業（同条第二項に規定するガス小売事業を除く。）の用に供するものに限る。）又は電柱、電線若しくは公衆電話所（これらのうち、電気事業法に基づくものにあつては同法第二条第一項第十七号に規定する電気事業者（同項第三号に規定する小売電気事業者及び同項第十五号の四に規定する特定卸供給事業者を除く。）がその事業の用に供するものに、電気通信事業法に基づくものにあつては同法第百二十条第一項に規定する認定電気通信事業者が同項に規定する認定電気通信事業の用に供するものに限る。）を道路に設けようとする者は、第三十二条第一項又は第三項の規定による許可を受けようとする場合においては、これらの工事を実施しようとする日の一月前までに、あらかじめ当該工事の計画書を道路管理者に提出しておかなければならない。ただし、災害による復旧工事その他緊急を要する工事又は政令で定める軽易な工事を行う必要が生じた場合においては、この限りでない。

2　道路管理者は、前項の計画書に基づく工事（前項ただし書の規定による工事を含む。）のための道路の占用の許可の申請があつた場合において、当該申請に係る道路の占用が第三十三条第一項の規定に基づく政令で定める基準に適合するときは、第三十二条第一項又は第三項の規定による許可を与えなければならない。

（道路の占用の禁止又は制限区域等）

第三十七条　道路管理者は、次に掲げる場合においては、第三十三条、第三十五条及び前条第二項の規定にかかわらず、区域を指定して道路（第二号に掲げる場合にあつては、歩道の部分に限る。）の占用を禁止し、又は制限することができる。

一　交通が著しくふくそうする道路又は幅員が著しく狭い道路について車両の能率的な運行を図るために特に必要があると認める場合

二　幅員が著しく狭い歩道の部分について歩行者の安全かつ円滑な通行を図るために特に必要があると認める場合

三　災害が発生した場合における被害の拡大を防止するために特に必要があると認める場合

2　道路管理者は、前項の規定により道路の占用を禁止し、又は制限する区域を指定しようとする場合においては、あらかじめ当該地域を管轄する警察署長に、当該道路の占用を禁止し、又は制限しようとする理由及び区域について協議しなければならない。当該道路の占用の禁止又は制限の区域の指定を解除しようとする場合においても、同様とする。

3　道路管理者は、前二項の規定に基いて道路の占用を禁止し、又は制限する区域を指定しようとする場合においては、あらかじめその旨を公示しなければならない。

（道路管理者の道路の占用に関する工事の施行）

第三十八条　道路管理者は、道路の構造を保全するために必要があると認める場合又は道路占用者の委託があつた場合においては、道路の占用に関する工事で道路の構造に関係のあるものを自ら行うことができる。

2　前項の場合において、道路の構造を保全するために必要があ

ると認めて道路管理者が自ら工事を行おうとするときは、当該道路管理者は、道路占用者に対して、あらかじめ自ら当該工事を行うべき旨及び当該工事を行うべき時期を通知しなければならない。

（占用料の徴収）

第三九条　道路管理者は、道路の占用につき占用料を徴収することができる。ただし、道路の占用が国の行う事業及び地方公共団体の行う事業で地方財政法（昭和二十三年法律第百九号）第六条に規定する公営企業以外のものに係る場合においては、この限りでない。

2　前項の規定による占用料の額及び徴収方法は、道路管理者である地方公共団体の条例（指定区間内の国道にあつては、政令）で定める。但し、条例で定める場合においては、第三十五条に規定する事業及び全国にわたる事業で政令で定めるものに係るものについては、政令で定める基準の範囲をこえてはならない。

（入札対象施設等の入札占用指針）

第三九条の二　道路管理者は、第三十二条第一項又は第三項の規定による許可の申請を行うことができる者を占用料の額についての入札により決定することが、道路占用者の公平な選定を図るとともに、道路管理者の収入の増加を図る上で有効であると認められる工作物、物件又は施設（以下「入札対象施設等」という。）について、道路の占用及び入札の実施に関する指針（以下「入札占用指針」という。）を定めることができる。

2　入札占用指針には、次に掲げる事項を定めなければならない。

一　入札占用指針の対象とする入札対象施設等の種類

二　当該入札対象施設等のための道路の占用の場所

三　当該入札対象施設等のための道路の占用の開始の時期

四　道路の機能又は道路交通環境の維持を図るための清掃その他の措置であつて当該入札対象施設等の設置に伴い必要となるもの

五　第三十九条の五第一項の規定による認定の有効期間

六　占用料の額の最低額

七　前各号に掲げるもののほか、入札の実施に関する事項その他必要な事項

3　前項第二号の場所は、第三十二条第一項又は第三項の規定による許可の申請を行うことができる者を入札により決定することが道路の管理上適切でない場所として国土交通省令で定める場所については定めないものとする。

4　第二項第五号の有効期間は、二十年を超えないものとする。

5　第二項第六号の占用料の額の最低額は、道路管理者である地方公共団体の条例（指定区間内の国道にあつては、政令）で定める額を下回つてはならないものとする。

6　道路管理者（市町村である道路管理者を除く。）は、入札占用指針を定め、又はこれを変更しようとする場合においては、あらかじめ、当該入札占用指針に定めようとする第二項第二号の場所の存する市町村を統括する市町村長の意見を聴かなければならない。

7　道路管理者は、入札占用指針を定め、又はこれを変更したときは、遅滞なく、これを公示しなければならない。

（入札占用計画の提出）

第三九条の三　入札対象施設等を設置するため道路を占用しようとする者は、入札対象施設等のための道路の占用に関する計画（以下「入札占用計画」という。）を作成し、その入札占用計画が適当である旨の認定を受けるための入札（以下「占用入札」という。）に参加するため、これを道路管理者に提出することができる。

2　入札占用計画には、次に掲げる事項を記載しなければならない。

一　第三十二条第二項各号に掲げる事項

二　道路の機能又は道路交通環境の維持を図るための清掃その他の措置であつて当該入札対象施設等の設置に伴い講ずるもの

三　その他国土交通省令で定める事項

3　入札占用計画の提出は、道路管理者が公示する一月を下らない期間内に行わなければならない。

（占用入札）

第三九条の四　道路管理者は、入札占用計画を提出した者のうち、次の各号のいずれにも該当すると認めるものに対しては占用入札に参加することができる旨を、次の各号のいずれかに該当しないと認めるものに対しては占用入札に参加することができない旨を、それぞれ通知しなければならない。

一　当該入札占用計画が入札占用指針に照らし適切なものであること。

二　当該入札対象施設等のための道路の占用が第三十二条第二項第二号から第七号までに掲げる事項について第三十三条第一項の政令で定める基準に適合するものであること。

三　当該入札対象施設等のための道路の占用が道路の交通に著しい支障を及ぼすおそれが明らかなものでないこと。

四　その者が不正又は不誠実な行為をするおそれが明らかな者でないこと。

2　道路管理者は、前項の規定により占用入札に参加することができる旨を通知しようとする場合において、当該通知の相手方が提出した入札占用計画に従つて入札対象施設等を設置する行為が道路交通法第七十七条第一項の規定の適用を受けるものであるときは、あらかじめ当該入札占用計画に記載された道路の占用の場所を管轄する警察署長に協議しなければならない。

3　道路管理者は、第一項の規定により占用入札に参加することができる旨の通知を受けた者を参加者として、占用入札を実施しなければならない。

4　道路管理者は、前項の規定により実施した占用入札において最も高い占用料の額（入札占用指針に定められた占用料の額の最低額以上の額に限る。以下この項において同じ。）をもつて申し出た参加者を落札者として決定するものとする。ただし、効率的な道路の管理の観点から占用料の額その他の条件が当該道路管理者にとつて最も有利な入札占用計画の提出をした参加者を落札者として決定することが適切であると認められる場合においては、政令で定めるところにより、最も高い占用料の額をもつて申し出た参加者以外の者を落札者として決定することができる。

5　道路管理者は、前項の規定により落札者を決定したときは、その者にその旨を通知しなければならない。

（入札占用計画の認定）

第三九条の五　道路管理者は、前条第五項の規定により通知した落札者が提出した入札占用計画について、道路の場所を指定して、当該入札占用計画が適当である旨の認定をするものとする。

2　道路管理者は、前項の規定による認定をしたときは、当該認定をした日及び認定の有効期間並びに同項の規定により指定した道路の場所を公示しなければならない。

（入札占用計画の変更等）

第三九条の六　前条第一項の規定による認定を受けた者（次条において「認定計画提出者」という。）は、当該認定を受けた入札占用計画を変更しようとする場合においては、道路管理者の認定を受けなければならない。

2　道路管理者は、前項の規定による変更の認定をしようとする場合において、変更後の入札占用計画に従つて入札対象施設等を設置する行為が道路交通法第七十七条第一項の規定の適用を受けるものであるときは、あらかじめ当該入札占用計画に記載された道路の占用の場所を管轄する警察署長に協議しなければならない。

3　道路管理者は、第一項の規定による変更の認定の申請があつた場合において、その申請に係る変更後の入札占用計画が第三十九条の四第一項第一号から第三号までのいずれにも該当すると認めるときは、第一項の規定による認定をするものとする。

4　前条第二項の規定は、第一項の規定による変更の認定をした場合について準用する。

（占用入札を行つた場合における道路の占用の許可）

第三九条の七　認定計画提出者は、第三十九条の五第一項の規定による認定を受けた入札占用計画（前条第一項の規定による変更の認定があつたときは、その変更後のもの。次項において「認定入札占用計画」という。）に従つて入札対象施設等を設置しなければならない。

2　道路管理者は、認定計画提出者から認定入札占用計画に基づき第三十二条第一項又は第三項の規定による許可の申請があつた場合においては、これらの規定による許可を与えなければならない。

3　前項の規定による許可に係る第三十二条第二項及び第八十七条第一項の規定の適用については、第三十二条第二項中「申請書を」とあるのは「申請書に、第三十九条の三第二項第二号の措置を記載した書面を添付して、」と、第八十七条第一項中「円滑な交通を確保する」とあるのは「円滑な交通を確保し、又は道路の機能若しくは道路交通環境の維持を図る」とする。

4　道路管理者が第二項の規定により第三十二条第一項又は第三項の規定による許可を与えた場合においては、当該許可に係る占用料の額は、第三十九条第二項の規定にかかわらず、占用入札において認定計画提出者が申し出た額（当該申し出た額が同項の条例（指定区間内の国道にあつては、同項の政令）で定める額を下回る場合にあつては、当該条例又は当該政令で定める額）とする。この場合において、同条第一項ただし書の規定は、適用しない。

5　第三十九条の五第一項の規定による認定がされた場合においては、認定計画提出者以外の者は、同項の道路の場所については、第三十二条第一項又は第三項の規定による許可の申請をすることができない。

（占用物件の管理）

第三九条の八　道路占用者は、国土交通省令で定める基準に従い、道路の占用をしている工作物、物件又は施設（以下これらを「占用物件」という。）の維持管理をしなければならない。

（占用物件の維持管理に関する措置）

第三九条の九　道路管理者は、道路占用者が前条の国土交通省令で定める基準に従つて占用物件の維持管理をしていないと認めるときは、当該道路占用者に対し、その是正のため必要な措置を講ずべきことを命ずることができる。

（原状回復）

第四〇条　道路占用者は、道路の占用の期間が満了した場合又は道路の占用を廃止した場合においては、占用物件を除却し、道路を原状に回復しなければならない。ただし、原状に回復することが不適当な場合においては、この限りでない。

2　道路管理者は、道路占用者に対して、前項の規定による原状の回復又は原状に回復することが不適当な場合の措置について必要な指示をすることができる。

（添加物件に関する適用）

第四一条　道路管理者以外の者が占用物件に関し新たに道路の構造又は交通に支障を及ぼす虞のある物件を添加しようとする行為は、本節の規定の適用については、新たな道路の占用とみなす。

第四節　道路の保全等

（道路の維持又は修繕）

第四二条　道路管理者は、道路を常時良好な状態に保つように維持し、修繕し、もつて一般交通に支障を及ぼさないように努めなければならない。

2　道路の維持又は修繕に関する技術的基準その他必要な事項は、政令で定める。

3　前項の技術的基準は、道路の修繕を効率的に行うための点検に関する基準を含むものでなければならない。

（道路に関する禁止行為）

第四三条　何人も道路に関し、左に掲げる行為をしてはならない。

一　みだりに道路を損傷し、又は汚損すること。

二　みだりに道路に土石、竹木等の物件をたい積し、その他道路の構造又は交通に支障を及ぼす虞のある行為をすること。

（車両の積載物の落下の予防等の措置）

第四三条の二　道路管理者は、道路を通行している車両の積載物が落下するおそれがある場合において、当該積載物の落下により道路が損傷され、又は当該積載物により道路が汚損される等により道路の構造又は交通に支障を及ぼすおそれがあるときは、当該車両を運転している者に対し、当該車両の通行の中止、積載方法の是正その他通行の方法について、道路の構造又は交通に支障が及ぶのを防止するため必要な措置をすることを命ずることができる。

（沿道区域における土地等の管理者の損害予防義務）

第四四条　道路管理者は、道路の沿道の土地、竹木又は工作物が道路の構造に及ぼすべき損害を予防し、又は道路の交通に及ぼすべき危険を防止するため、道路に接続する区域を、条例（指定区間内の国道にあつては、政令）で定める基準に従い、沿道区域として指定することができる。ただし、道路の各一側について幅二十メートルを超える区域を沿道区域として指定することはできない。

2　前項の規定による指定においては、当該指定に係る沿道区域及び次項の規定による措置の対象となる土地、竹木又は工作物を定めるものとし、道路管理者は、当該指定をしたときは、遅滞なくこれらの事項を公示するものとする。

3　沿道区域の区域内にある土地、竹木又は工作物（前項の規定により公示されたものに限る。以下この項及び次項において同じ。）の管理者は、その土地、竹木又は工作物が道路の構造に損害を及ぼし、又は交通に危険を及ぼすおそれがあると認められる場合においては、その損害又は危険を防止するための施設の設置その他その損害又は危険を防止するため必要な措置を講じなければならない。

4　道路管理者は、前項に規定する損害又は危険を防止するため特に必要があると認める場合においては、当該土地、竹木又は工作物の管理者に対して、同項に規定する施設の設置その他その損害又は危険を防止するため必要な措置を講ずべきことを命ずることができる。

5　道路管理者は、前項の規定による命令により損失を受けた者に対して、通常生ずべき損失を補償しなければならない。

6　前項の規定による損失の補償については、道路管理者と損失を受けた者とが協議しなければならない。

7　前項の規定による協議が成立しない場合においては、道路管理者は、自己の見積もつた金額を損失を受けた者に支払わなければならない。この場合において、当該金額について不服がある者は、政令で定めるところにより、補償金額の支払を受けた日から一月以内に収用委員会に土地収用法（昭和二十六年法律第二百十九号）第九十四条の規定による裁決を申請することができる。

（届出対象区域内における工作物の設置の届出等）

第四四条の二　道路管理者は、沿道区域（前条第二項の規定により同条第三項の規定による措置の対象となるものとして工作物が公示されたものに限る。）の全部又は一部の区域を、届出対象区域として指定することができる。

2　道路管理者は、前項の規定による届出対象区域の指定をしようとする場合においては、条例（指定区間内の国道にあつては、国土交通省令。以下この条において同じ。）で定めるところにより、あらかじめ、その旨及びその区域を公示しなければならない。

3　届出対象区域の区域内において、工作物（前条第二項の規定により公示されたものに限る。）の設置に関する行為をしようとする者は、当該行為に着手する日の三十日前までに、条例で定めるところにより、行為の種類、場所、設計又は施行方法、着手予定日その他の条例で定める事項を道路管理者に届け出なければならない。

4　次に掲げる行為については、前項の規定は、適用しない。

一　軽易な行為その他の行為で条例で定めるもの

二　非常災害のため必要な応急措置として行う行為

三　国又は地方公共団体が行う行為

5　第三項の規定による届出をした者は、その届出に係る事項のうち条例で定める事項を変更しようとするときは、当該事項の変更に係る行為に着手する日の三十日前までに、条例で定めるところにより、その旨を道路管理者に届け出なければならない。

6　道路管理者は、第三項又は前項の規定による届出があつた場合において、その届出に係る行為が災害が発生した場合において道路の構造に損害を及ぼすおそれ又は交通に危険を及ぼすおそれがあると認めるときは、その届出をした者に対し、その届出に係る行為に関し場所又は設計の変更その他の必要な措置を講ずべきことを勧告することができる。

（違法放置等物件に対する措置）

第四四条の三　道路管理者は、第四十三条第二号の規定に違反して、道路を通行している車両から落下して道路に放置された当該車両の積載物、道路に設置された看板その他の道路に放置され、又は設置された物件（以下この条において「違法放置等物件」という。）が、道路の構造に損害を及ぼし、若しくは交通に危険を及ぼし、又はそれらのおそれがあると認められる場合であつて、次の各号のいずれかに該当するときは、当該違法放置等物件を自ら除去し、又はその命じた者若しくは委任した者に除去させることができる。

一　当該違法放置等物件の占有者、所有者その他当該違法放置等物件について権原を有する者（以下この条において「違法放置等物件の占有者等」という。）に対し第七十一条第一項の規定により必要な措置をとることを命じた場合において、当該措置をとることを命ぜられた者が当該措置をとらないとき。

二　当該違法放置等物件の占有者等が現場にいないために、第七十一条第一項の規定により必要な措置をとることを命ずることができないとき。

2　道路管理者は、前項の規定により違法放置等物件を除去し、又は除去させたときは、当該違法放置等物件を保管しなければならない。

3　道路管理者は、前項の規定により違法放置等物件を保管したときは、当該違法放置等物件の占有者等に対し当該違法放置等物件を返還するため、政令で定めるところにより、政令で定める事項を公示しなければならない。

4　道路管理者は、第二項の規定により保管した違法放置等物件が滅失し、若しくは破損するおそれがあるとき、又は前項の規定による公示の日から起算して三月を経過してもなお当該違法放置等物件を返還することができない場合において、政令で定めるところにより評価した当該違法放置等物件の価額に比し、その保管に不相当な費用若しくは手数を要するときは、政令で定めるところにより、当該違法放置等物件を売却し、その売却した代金を保管することができる。

5　道路管理者は、前項の規定による違法放置等物件の売却につき買受人がない場合において、同項に規定する価額が著しく低いときは、当該違法放置等物件を廃棄することができる。

6　第四項の規定により売却した代金は、売却に要した費用に充てることができる。

7　第一項から第四項までに規定する違法放置等物件の除去、保管、売却、公示等に要した費用は、当該違法放置等物件の返還を受けるべき違法放置等物件の占有者等の負担とする。

8　第三項の規定による公示の日から起算して六月を経過してもなお第二項の規定により保管した違法放置等物件（第四項の規定により売却した代金を含む。以下この項において同じ。）を返還することができないときは、当該違法放置等物件の所有権は、当該違法放置等物件を保管する道路管理者に帰属する。

（道路標識等の設置）

第四五条　道路管理者は、道路の構造を保全し、又は交通の安全と円滑を図るため、必要な場所に道路標識又は区画線を設けなければならない。

2　前項の道路標識及び区画線の種類、様式及び設置場所その他道路標識及び区画線に関し必要な事項は、内閣府令・国土交通省令で定める。

3　都道府県道又は市町村道に設ける道路標識のうち内閣府令・国土交通省令で定めるものの寸法は、前項の規定にかかわらず、同項の内閣府令・国土交通省令の定めるところを参酌して、当該都道府県道又は市町村道の道路管理者である地方公共団体の条例で定める。

（自動運行補助施設の性能の基準等）

第四五条の二　道路の附属物である自動運行補助施設の性能の基準その他自動運行補助施設に関し必要な事項は、国土交通省令で定める。

2　道路管理者は、道路の附属物である自動運行補助施設を設置した場合においては、当該自動運行補助施設の性能、当該自動運行補助施設を設置した道路の場所その他必要な事項を、国土交通省令で定めるところにより、公示しなければならない。公示した事項を変更した場合においても、同様とする。

（通行の禁止又は制限）

第四六条　道路管理者は、左の各号の一に掲げる場合においては、道路の構造を保全し、又は交通の危険を防止するため、区間を定めて、道路の通行を禁止し、又は制限することができる。

一　道路の破損、欠壊その他の事由に因り交通が危険であると認められる場合

二　道路に関する工事のためやむを得ないと認められる場合

2　道路監理員（第七十一条第四項の規定により道路管理者が命じた道路監理員をいう。）は、前項第一号に掲げる場合において、道路の構造を保全し、又は交通の危険を防止するため緊急の必要があると認めるときは、必要な限度において、一時、道路の通行を禁止し、又は制限することができる。

3　道路管理者は、水底トンネル（水底トンネルに類するトンネルで国土交通省令で定めるものを含む。以下同じ。）の構造を保全し、又は水底トンネルにおける交通の危険を防止するため、政令で定めるところにより、爆発性又は易燃性を有する物件その他の危険物を積載する車両の通行を禁止し、又は制限することができる。

第四七条　道路の構造を保全し、又は交通の危険を防止するため、道路との関係において必要とされる車両（人が乗車し、又は貨物が積載されている場合にあつてはその状態におけるものをいい、他の車両を牽引している場合にあつては当該牽引されている車両を含む。第四十七条の五第三号及び第四十七条の六第一項第一号を除き、以下この節及び第八章において同じ。）の幅、重量、高さ、長さ及び最小回転半径の最高限度は、政令で定める。

2　車両でその幅、重量、高さ、長さ又は最小回転半径が前項の政令で定める最高限度をこえるものは、道路を通行させてはならない。

3　道路管理者は、道路の構造を保全し、又は交通の危険を防止するため必要があると認めるときは、トンネル、橋、高架の道路その他これらに類する構造の道路について、車両でその重量又は高さが構造計算その他の計算又は試験によつて安全であると認められる限度をこえるものの通行を禁止し、又は制限することができる。

4　前三項に規定するもののほか、道路の構造を保全し、又は交通の危険を防止するため、道路との関係において必要とされる

車両についての制限に関する基準は、政令で定める。

（限度超過車両の通行の許可等）

第四七条の二　道路管理者は、車両の構造又は車両に積載する貨物が特殊であるためやむを得ないと認めるときは、前条第二項の規定又は同条第三項の規定による禁止若しくは制限にかかわらず、当該車両を通行させようとする者の申請に基づいて、通行経路、通行時間等について、道路の構造を保全し、又は交通の危険を防止するため必要な条件を付して、同条第一項の政令で定める最高限度又は同条第三項に規定する限度を超える車両（以下「限度超過車両」という。）の通行を許可することができる。

2　前項の申請が道路管理者を異にする二以上の道路に係るものであるとき（国土交通省令で定める場合を除く。）は、同項の許可に関する権限は、政令で定めるところにより、一の道路の道路管理者が行うものとする。この場合において、当該一の道路の道路管理者が同項の許可をしようとするときは、他の道路の道路管理者に協議し、その同意を得なければならない。

3　前項の規定により二以上の道路について一の道路の道路管理者が行う第一項の許可を受けようとする者は、手数料を道路管理者（当該許可に関する権限を行う者が国土交通大臣である場合にあつては、国）に納めなければならない。

4　前項の手数料の額は、実費を勘案して、当該許可に関する権限を行う者が国土交通大臣である場合にあつては政令で、その他の者である場合にあつては当該道路管理者である地方公共団体の条例で定める。

5　道路管理者は、第一項の許可をしたときは、許可証を交付しなければならない。

6　前項の規定により許可証の交付を受けた者は、当該許可に係る通行中、当該許可証を当該車両に備え付けていなければならない。

7　第一項の許可の申請の方法、第五項の許可証の様式その他第一項の許可の手続について必要な事項は、国土交通省令で定める。

（限度超過車両の通行を誘導すべき道路の指定等）

第四七条の三　国土交通大臣は、道路の構造及び交通の状況、沿道の土地利用の状況その他の事情を勘案して、道路の構造の保全と安全かつ円滑な交通の確保を図るため、限度超過車両の通行（第四十七条の十第三項の回答の内容に従つた通行を除く。以下この項において同じ。）を特定の経路に誘導することが特に必要であると認められる場合においては、当該経路を構成する道路管理者を異にする二以上の道路（高速自動車国道又は指定区間内の国道を含む場合に限る。第六項及び第七項において同じ。）について、区間を定めて、限度超過車両の通行を誘導すべき道路として指定することができる。

2　国土交通大臣は、前項の規定による指定をしようとするときは、あらかじめ、当該指定に係る道路の道路管理者（国土交通大臣である道路管理者を除く。）に協議し、その同意を得なければならない。これを変更し、又は廃止しようとするときも、同様とする。

3　国土交通大臣は、第一項の規定による指定をしたときは、その旨を公示しなければならない。これを変更し、又は廃止したときも、同様とする。

4　第二項の同意をした道路管理者は、直ちに、当該道路に係る前条第一項の許可（国土交通省令で定める車両の幅、重量、高さ、長さ及び最小回転半径に関する基準に適合する車両に係るものに限る。以下この条において同じ。）の基準及び当該許可に係る審査のために必要な当該道路の構造に関する情報として国土交通省令で定めるもの（次項及び第六項において「許可基準等」という。）を国土交通大臣に提供しなければならない。

5　前項の道路管理者は、当該道路に係る許可基準等に変更があつたときは、直ちに、これを国土交通大臣に提供しなければならない。

6　前条第二項の規定にかかわらず、同条第一項の申請が第一項の規定により指定された道路管理者を異にする二以上の道路に係るもので政令で定めるものであるときは、同条第一項の許可に関する権限は、国土交通大臣が行うものとする。この場合において、国土交通大臣は、指定区間外の国道、都道府県道又は市町村道に係る審査については、前二項の規定によりこれらの道路の道路管理者から提供された許可基準等に照らして、これを行わなければならない。

7　前項の規定により道路管理者を異にする二以上の道路について国土交通大臣が行う前条第一項の許可を受けようとする者は、手数料を国に納めなければならない。

8　前項の手数料の額は、実費を勘案して、政令で定める。

9　国土交通大臣は、第一項の規定により指定された道路の道路管理者（国土交通大臣である道路管理者を除く。）から第六項の規定により行つた当該道路に係る前条第一項の許可に関する情報の提供を求められた場合には、その求めに応じなければならない。

（限度超過車両の登録）

第四七条の四　限度超過車両を通行させようとする者は、当該限度超過車両について、国土交通大臣の登録を受けることができる。

2　前項の登録は、五年ごとにその更新を受けなければ、その期間の経過によつて、その効力を失う。

3　前項の更新の申請があつた場合において、同項の期間（以下この条において「登録の有効期間」という。）の満了の日までにその申請に対する処分がされないときは、従前の登録は、登録の有効期間の満了後もその処分がされるまでの間は、なおその効力を有する。

4　前項の場合において、登録の更新がされたときは、その登録の有効期間は、従前の登録の有効期間の満了の日の翌日から起算するものとする。

5　第一項の登録（第二項の登録の更新を含む。以下「登録」という。）を受けようとする者は、第四十八条の五十九第一項に規定する場合を除き、実費を勘案して政令で定める額の手数料を国に納めなければならない。

（登録の申請）

第四七条の五　登録を受けようとする者は、国土交通省令で定めるところにより、次に掲げる事項を記載した申請書を国土交通大臣に提出しなければならない。

一　道路運送車両法による自動車登録番号

二　限度超過車両を通行させようとする者の氏名又は名称及び住所並びに法人にあつては、その代表者の氏名

三　車両（人が乗車しておらず、かつ、貨物が積載されていない状態におけるものをいい、他の車両を牽引する場合にあつては当該牽引される車両を含む。次条第一項第一号において同じ。）の幅、重量、高さ、長さ及び最小回転半径

四　限度超過車両の通行経路に係る記録の保存の方法

五　限度超過車両が貨物を積載する車両（以下「貨物積載車両」という。）である場合にあつては、積載する貨物の重量に係る記録の保存の方法その他国土交通省令で定める事項

（登録の基準等）

第四七条の六　国土交通大臣は、登録の申請に係る限度超過車両が次の各号のいずれにも該当すると認めるときは、その登録をしなければならない。

一　車両の構造が国土交通省令で定める車両の幅、重量、高さ、長さ及び最小回転半径に関する基準に適合するものであること。

二　限度超過車両の通行経路に係る記録の保存の方法が国土交通省令で定める基準に適合するものであること。

三　限度超過車両が貨物積載車両である場合にあつては、その積載する貨物の重量に係る記録の保存の方法が国土交通省令

で定める基準に適合するものであること。

2　国土交通大臣は、登録をしたときは、遅滞なく、その旨を当該登録を受けた者に通知しなければならない。

（変更の届出等）

第四七条の七　登録を受けた者は、第四十七条の五各号に掲げる事項（次項及び第四十七条の十三第一項第一号において「登録事項」という。）に変更があつたときは、第四十七条の十第一項の規定による求めをする時までに、その旨を国土交通大臣に届け出なければならない。

2　国土交通大臣は、前項の規定による届出を受理したときは、当該届出に係る登録事項が前条第一項各号の基準に適合しないと認める場合を除き、変更の登録をしなければならない。

（廃止の届出）

第四七条の八　登録を受けた者は、登録を受けた限度超過車両（以下「登録車両」という。）の使用を廃止したときは、その日から三十日以内に、その旨を国土交通大臣に届け出なければならない。

2　前項の規定による届出があつたときは、当該届出に係る登録は、その効力を失う。

（登録の取消し）

第四七条の九　国土交通大臣は、登録を受けた者が次の各号のいずれかに該当するときは、その登録を取り消すことができる。

一　不正な手段により登録を受けたとき。

二　第四十七条の六第一項各号のいずれかに該当しなくなつたと認められるとき。

三　第四十七条の七第一項の規定による届出をせず、又は虚偽の届出をしたとき。

（登録車両の通行に関する確認等）

第四七条の一〇　登録車両を通行させようとする者は、国土交通省令で定めるところにより、国土交通大臣に対し、当該登録車両を道路の構造の保全及び交通の危険の防止上支障がないように通行させることができる経路（以下「通行可能経路」という。）の有無について、その確認を求めることができる。

2　前項の規定による求めは、国土交通省令で定めるところにより、次に掲げる事項を明らかにしてしなければならない。

一　道路運送車両法による自動車登録番号

二　出発地及び目的地

三　登録車両が貨物積載車両である場合にあつては、その積載する貨物の幅、重量、高さ及び長さ

3　第一項の規定による求めを受けた国土交通大臣は、国土交通省令で定めるところにより、直ちに、当該求めに係る通行可能経路の有無を判定し、その結果について回答をするものとする。この場合において、通行可能経路があるときは、併せて、その内容及び当該通行可能経路の通行に係る通行時間その他の通行方法について回答をするものとする。

4　前項の規定による判定は、判定基準（登録車両の通行が、当該登録車両に係る第四十七条の五第三号及び第二項第三号に掲げる事項並びに第一項の規定による求めに係る出発地から目的地までの経路を構成することとなる道路の構造に関する情報に照らして、当該道路の構造の保全及び交通の危険の防止上支障がないものであるかどうかを判定するための基準として、国土交通省令で定めるところにより道路管理者が定めるものをいう。以下同じ。）に基づき、これを行うものとする。

5　第一項の規定による求めをしようとする者は、第四十八条の五十九第一項に規定する場合を除き、実費を勘案して政令で定める額の手数料を国に納めなければならない。

6　国土交通大臣は、第三項の回答をしたときは、国土交通省令で定めるところにより、当該回答の内容を記載した書面を交付しなければならない。

7　前項の規定により書面の交付を受けた者は、当該回答に係る通行可能経路の通行中、当該書面を当該登録車両に備え付けていなければならない。

8　登録車両を第三項の回答の内容に従つて通行させるときは、第四十七条第二項及び第三項の規定は、当該登録車両については適用しない。

（判定基準等の提供等）

第四七条の一一　国土交通大臣は、前条第三項に規定する判定をするため、あらかじめ、道路管理者（国土交通大臣である道路管理者を除く。以下この条及び次条第三項において同じ。）に協議し、その同意を得て、当該道路管理者の判定基準及び当該判定に係る道路の構造に関する情報として国土交通省令で定めるもの（以下「判定基準等」という。）の提供を受けることができる。

2　前項の同意をした道路管理者は、直ちに、その判定基準等を国土交通大臣に提供しなければならない。

3　前項の道路管理者は、同項の規定により提供した判定基準等に変更があつたときは、直ちに、これを国土交通大臣に提供しなければならない。

4　国土交通大臣は、前二項の規定によりその判定基準等を提供した道路の道路管理者から当該道路に係る前条第三項の回答に関する情報の提供を求められた場合には、その求めに応じなければならない。

（登録車両の通行の記録及び報告）

第四七条の一二　登録車両を第四十七条の十第三項の回答の内容に従つて通行させる者は、当該登録車両ごとに、第四十七条の六第一項第二号及び第三号に規定する国土交通省令で定める基準に従つて、当該登録車両の通行経路及び当該登録車両に積載する貨物の重量を記録するとともに、当該通行に係る通行時間その他国土交通省令で定める事項を記録し、これらを保存しなければならない。

2　国土交通大臣は、第四十七条の四からこの条までの規定を施行するため必要な限度において、国土交通省令で定めるところにより、前項に規定する者に対し、同項の記録その他必要な事項についての報告を求めることができる。

3　国土交通大臣は、前項の規定による報告を受けたときは、登録車両が通行した経路を構成する道路の道路管理者に対し、国土交通省令で定める事項を通知しなければならない。

（データベースの整備等）

第四七条の一三　国土交通大臣は、第四十七条の十第三項の回答を迅速かつ適確に実施するため、次に掲げる情報を記録し、及び保存するデータベース（これらの情報の集合物であつて、特定の登録車両に係る通行可能経路の内容及び当該通行可能経路の通行に係る通行時間その他の通行方法を電子計算機を用いて容易に検索ができるように体系的に構成したものをいう。次項及び第四十八条の五十第一項第五号において同じ。）を整備することができる。

一　登録事項

二　判定基準等

三　第四十七条の十第三項の回答の実績その他国土交通省令で定める事項に関する情報

2　国土交通大臣は、前項のデータベースを整備した場合にあつては、当該データベースに記録された情報（判定基準その他国土交通省令で定めるものに限る。）をインターネットの利用その他の方法により公表するものとする。

（車両の通行に関する措置）

第四七条の一四　道路管理者は、第四十七条第二項の規定に違反し、若しくは同条第一項の政令で定める最高限度を超える車両の通行に関し第四十七条の二第一項の規定により付した条件に違反し、若しくは第四十七条の十第三項の回答の内容に従わないで車両を通行させている者又は道路において第四十七条第四項の規定による政令で定める基準を超える車両を通行させている者に対し、当該車両の通行の中止、総重量の軽減、徐行その他通行の方法について、道路の構造の保全又は交通の危険防止

のための必要な措置をすることを命ずることができる。

2　道路管理者は、路線を定めて道路を自動車運送事業のために使用しようとする者又は反覆して同一の道路に車両を通行させようとする者に対して、当該車両が第四十七条第四項の規定による政令で定める基準に適合しない場合においては、当該基準に適合するように、道路に関して必要な措置を講ずべきことを命ずることができる。

（通行の禁止又は制限の場合における道路標識）

第四十七条の一五　道路管理者は、第四十六条第一項若しくは第三項又は第四十七条第三項の規定により道路の通行を禁止し、又は制限しようとする場合においては、禁止又は制限の対象、区間、期間及び理由を明瞭に記載した道路標識を設けなければならない。この場合において、道路管理者は、必要があると認めるときは、適当な回り道を道路標識をもつて明示し、一般の交通に支障のないようにしなければならない。

2　道路管理者は、第四十七条第四項の規定による政令で定める基準を特に明示する必要があると認められる場所には、道路標識を設けなければならない。

（市町村による歩行安全改築の要請）

第四十七条の一六　市町村は、当該市町村の区域内に存する道路（高速自動車国道、第四十八条の四に規定する自動車専用道路、第四十八条の十四第二項に規定する自転車専用道路及び当該市町村が道路管理者である道路を除く。以下この項において同じ。）の道路管理者に対し、国土交通省令で定めるところにより、道路の附属物である自転車駐車場の道路上における設置その他の歩行者の通行の安全の確保に資するものとして政令で定める道路の改築（以下「歩行安全改築」という。）を行うことを要請することができる。この場合においては、当該要請に係る歩行安全改築の工事計画書の素案を添えなければならない。

2　前項の規定による要請（以下この条において「実施要請」という。）に係る歩行安全改築の工事計画書の素案の内容は、第三十条第一項に規定する道路の構造の技術的基準その他の法令の規定に基づく道路に関する基準に適合するものでなければならない。

3　道路管理者は、実施要請が行われたときは、遅滞なく、当該実施要請を踏まえた歩行安全改築（当該実施要請に係る歩行安全改築の工事計画書の素案の内容の全部又は一部を実現することとなる歩行安全改築をいう。）を行うこととするかどうかを判断し、当該歩行安全改築を行うこととするときは、その工事計画書の案を作成しなければならない。

4　道路管理者は、当該実施要請を踏まえた歩行安全改築（当該実施要請に係る歩行安全改築の工事計画書の素案の内容の一部を実現することとなる歩行安全改築をいう。）を行うこととする場合において、第九十五条の二第一項の規定により都道府県公安委員会の意見を聴こうとするときは、当該歩行安全改築の工事計画書の案に併せて、当該実施要請に係る歩行安全改築の工事計画書の素案を送付しなければならない。

5　道路管理者は、当該実施要請を踏まえた歩行安全改築を行わないこととするときは、遅滞なく、その旨及びその理由を、当該実施要請をした市町村に通知しなければならない。

6　道路管理者は、前項の通知をしようとするときは、あらかじめ、実施要請をした市町村を包括する都道府県の都道府県公安委員会に当該実施要請に係る歩行安全改築の工事計画書の素案を送付してその意見を聴かなければならない。

第五節　道路の立体的区域

（道路の立体的区域の決定等）

第四十七条の一七　道路管理者は、道路の存する地域の状況を勘案し、適正かつ合理的な土地利用の促進を図るため必要があると認めるときは、第十八条第一項の規定により決定し又は変更する道路の区域を空間又は地下について上下の範囲を定めたもの（以下「立体的区域」という。）とすることができる。

2　道路管理者は、道路管理者以外の者が道路の区域を立体的区域とした道路を構成する敷地（国有財産法（昭和二十三年法律第七十三号）第三条第二項又は地方自治法第二百三十八条第四項に規定する行政財産であるものに限る。）の上の空間又は地下（当該道路の区域内の空間又は地下を除く。）に交通確保施設（歩行者の一般交通の用に供する通路その他の安全かつ円滑な道路の交通の確保に資するものとして国土交通省令で定める施設をいう。以下この項において同じ。）を所有し、又は所有しようとする場合において、その者が、当該交通確保施設の整備又は維持管理を適切に行うのに必要な技術的能力を有することその他の国土交通省令で定める要件に適合すると認めるときは、国有財産法第十八条第一項又は地方自治法第二百三十八条の四第一項の規定にかかわらず、その者のために当該敷地に当該交通確保施設の所有を目的とする民法（明治二十九年法律第八十九号）第二百六十九条の二第一項の地上権を設定することができる。

3　国有財産法第二十四条及び第二十五条並びに地方自治法第二百三十八条の五第四項から第六項までの規定は、前項の規定による地上権の設定について準用する。

（道路一体建物に関する協定）

第四十七条の一八　道路管理者は、道路の区域を立体的区域とした道路と当該道路の区域外に新築される建物とが一体的な構造となることについて、当該建物を新築してその所有者になろうとする者との協議が成立したときは、次に掲げる事項を定めた協定（以下この節において「協定」という。）を締結して、当該道路の新設、改築、維持、修繕、災害復旧その他の管理を行うことができる。この場合において、道路の管理上必要があると認めるときは、協定に従つて、当該建物の管理を行うことができる。

一　協定の目的となる建物（以下「道路一体建物」という。）
二　道路一体建物の新築及びこれに要する費用の負担
三　次に掲げる事項及びこれらに要する費用の負担
イ　道路一体建物に関する道路の管理上必要な行為の制限
ロ　道路の管理上必要な道路一体建物への立入り
ハ　道路に関する工事又は道路一体建物に関する工事が行われる場合の調整
ニ　道路又は道路一体建物に損害が生じた場合の措置
ホ　道路の附属物である自動車駐車場若しくは自転車駐車場又は特定車両停留施設（以下「自動車駐車場等」という。）と道路一体建物とが一体的な構造となる場合であつて、当該自動車駐車場等と連絡する通路その他の当該道路一体建物の部分を当該自動車駐車場等の多数の利用者が利用すると見込まれるときは、当該部分の整備及び管理に係る措置
四　協定の有効期間
五　協定に違反した場合の措置
六　協定の掲示方法
七　その他道路一体建物の管理に関し必要な事項

2　道路管理者は、協定を締結したときは、国土交通省令で定めるところにより、遅滞なく、その旨を公示し、かつ、当該協定の写しを道路管理者の事務所に備えて一般の閲覧に供するとともに、協定において定めるところにより、道路一体建物又はその敷地内の見やすい場所に、道路管理者の事務所においてこれを閲覧に供している旨を掲示しなければならない。

（協定の効力）

第四十七条の一九　前条第二項の規定による公示のあつた協定は、その公示のあつた後において道路一体建物の所有者となつた者に対しても、その効力があるものとする。

（道路一体建物に関する私権の行使の制限等）

第四十七条の二〇　道路一体建物の敷地に関する所有権又は地上権その他の使用若しくは収益を目的とする権利を有する者（次項において「敷地所

有者等」という。）は、その道路一体建物の所有者に対する当該権利の行使が協定の目的たる道路を支持する道路一体建物としての効用を失わせることとなる場合においては、当該権利の行使をすることができない。

2　前項の場合において、道路一体建物の所有者がその道路一体建物を所有するためのその敷地に関する地上権その他の使用又は収益を目的とする権利を有しないときは、その道路一体建物の収去を請求する権利を有する敷地所有者等は、その道路一体建物の所有者に対し、その道路一体建物を時価で売り渡すべきことを請求することができる。

（道路保全立体区域）

第四七条の二一　道路管理者は、道路の区域を立体的区域とした道路について、当該道路の構造を保全し、又は交通の危険を防止するため必要があると認めるときは、当該道路の上下の空間又は地下について、上下の範囲を定めて、道路保全立体区域の指定をすることができる。

2　道路保全立体区域の指定は、当該道路の構造を保全し、又は交通の危険を防止するため必要な最小限度の上下の範囲に限つてするものとする。

3　道路管理者は、道路保全立体区域の指定をしようとする場合においては、国土交通省令で定めるところにより、あらかじめ、その旨を公示しなければならない。その指定を変更し、又は解除しようとする場合においても、同様とする。

（道路保全立体区域内の制限）

第四八条　道路保全立体区域内にある土地、竹木又は建築物その他の工作物の所有者又は占有者は、その土地、竹木又は建築物その他の工作物が道路の構造に損害を及ぼし、又は交通に危険を及ぼすおそれがあると認められる場合においては、その損害又は危険を防止するため必要な措置を講じなければならない。

2　道路管理者は、前項に規定する損害又は危険を防止するため特に必要があると認める場合においては、同項に規定する所有者又は占有者に対して、同項に規定する施設の設置その他の損害又は危険を防止するため必要な措置を講ずべきことを命ずることができる。

3　第一項に規定する所有者又は占有者は、同項に規定するもののほか、高架の道路の橋脚の周囲又は地盤面下の道路の上下における土石の採取その他の道路保全立体区域における行為であつて、道路の構造に損害を及ぼし、又は交通に危険を及ぼすおそれがあると認められるものを行つてはならない。

4　道路管理者は、前項の規定に違反している者に対し、行為の中止、物件の改築、移転又は除却その他道路の構造を保全し、又は交通の危険を防止するための必要な措置をすることを命ずることができる。

第六節　自動車専用道路

（自動車専用道路の指定）

第四八条の二　道路管理者は、交通が著しくふくそうして道路における車両の能率的な運行に支障のある市街地及びその周辺の地域において、交通の円滑を図るために必要があると認めるときは、まだ供用の開始（他の道路と交差する部分について第十八条第二項ただし書の規定によりあつたものとみなされる供用の開始及び自動車のみの一般交通の用に供する供用の開始を除く。次項において同じ。）がない道路（高速自動車国道を除く。）について、自動車のみの一般交通の用に供する道路を指定することができる。この場合において、当該道路に二以上の道路管理者（当該道路と交差する道路の道路管理者を除く。）があるときは、それらの道路管理者が共同して当該指定をするものとする。

2　道路管理者は、交通が著しくふくそうし、又はふくそうすることが見込まれることにより、車両の能率的な運行に支障があり、若しくは道路交通騒音により生ずる障害があり、又はそれらのおそれがある道路（高速自動車国道及び前項の規定により指定された道路を除く。以下この項において同じ。）の区間内において、交通の円滑又は道路交通騒音により生ずる障害の防止を図るために必要があると認めるときは、当該道路（まだ供用の開始がないものに限る。）又は道路の部分について、区域を定めて、自動車のみの一般交通の用に供する道路又は道路の部分を指定することができる。ただし、通常他に道路の通行の方法があつて、自動車以外の方法による通行に支障のない場合に限る。

3　道路管理者は、第一項又は前項の規定による指定をしようとする場合においては、一般自動車道（道路運送法第二条第八項に規定する一般自動車道をいう。次条において同じ。）との調整について特に考慮を払わなければならない。

4　道路管理者は、第一項又は第二項の規定による指定をしようとする場合においては、国土交通省令で定めるところにより、あらかじめ、その旨を公示しなければならない。その指定を解除しようとする場合においても、同様とする。

（道路等との交差の方式）

第四八条の三　道路管理者は、前条第一項又は第二項の規定による指定をした、又はしようとする道路又は道路の部分を道路、軌道、一般自動車道又は交通の用に供する通路その他の施設（以下この条、次条及び第四十八条の十四中「道路等」という。）と交差させようとする場合においては、当該交差の方式は、立体交差としなければならない。ただし、当該道路等の交通量が少ない場合、地形上やむを得ない場合その他道路管理者である地方公共団体の条例（国道にあつては、政令）で定める場合においては、この限りでない。

（自動車専用道路との連結の制限）

第四八条の四　次に掲げる施設以外の施設は、第四十八条の二第一項又は第二項の規定による指定を受けた道路又は道路の部分（以下「自動車専用道路」という。）と連結させてはならない。

一　道路等（軌道を除く。次条第一項及び第四十八条の十四第二項において同じ。）

二　当該自動車専用道路の通行者の利便に供するための休憩所、給油所その他の施設又は利用者のうち相当数の者が当該自動車専用道路を通行すると見込まれる商業施設、レクリエーション施設その他の施設

三　前号の施設と当該自動車専用道路とを連絡する通路その他の施設であつて、専ら同号の施設の利用者の通行の用に供することを目的として設けられるもの（第一号に掲げる施設を除く。）

四　前三号に掲げるもののほか、当該自動車専用道路の道路管理者である地方公共団体の条例（国道にあつては、政令）で定める施設

（連結許可等）

第四八条の五　前条各号に掲げる施設の管理者は、当該施設を自動車専用道路と連結させようとする場合においては、当該管理者が道路管理者であるときは当該自動車専用道路の道路管理者と協議し、その他の者であるときは国土交通省令で定めるところにより当該自動車専用道路の道路管理者の許可（以下「連結許可」という。）を受けなければならない。自動車専用道路以外の道路等を自動車専用道路と立体交差以外の方式で交差させようとする場合においても、同様とする。

2　自動車専用道路の道路管理者（次項及び第四十八条の七から第四十八条の十までにおいて単に「道路管理者」という。）は、前項前段の場合にあつては当該協議に係る施設又は当該連結許可の申請に係る施設が次の各号に掲げる区分に応じ当該各号に定める基準に適合するときに限り、同項後段の場合にあつては当該交差が第四十八条の三ただし書に規定する場合に該当するときに限り、同項の協議に応じ、又は連結許可をすることがで

きる。

一　前条第一号に掲げる施設　当該連結が当該自動車専用道路の効用を妨げないものであること。

二　前条第二号から第四号までに掲げる施設　政令で定める連結位置に関する基準及び国土交通省令で定める施設の構造に関する技術的基準に適合するものであること。

3　連結許可を受けた前条第二号から第四号までに掲げる施設の管理者は、当該施設の構造について変更（国土交通省令で定める軽微な変更を除く。）を行おうとする場合には、あらかじめ、国土交通省令で定めるところにより、道路管理者の許可を受けなければならない。

4　第二項の規定は、前項の許可について準用する。

（連結許可等に係る施設の管理）

第四八条の六　連結許可及び前条第三項の許可（以下「連結許可等」という。）を受けた第四十八条の四第二号から第四号までに掲げる施設の管理者は、国土交通省令で定める基準に従い、当該施設の維持管理をしなければならない。

（連結料の徴収）

第四八条の七　道路管理者は、第四十八条の四第二号から第四号までに掲げる施設の自動車専用道路との連結につき、連結料を徴収することができる。

2　前項の規定による連結料の額の基準及び徴収方法は、道路管理者である地方公共団体の条例（指定区間内の国道にあつては、政令）で定める。

（連結許可等に基づく地位の承継）

第四八条の八　相続人、合併又は分割により設立される法人その他の連結許可等を受けた者の一般承継人（分割による承継の場合にあつては、連結許可等に係る自動車専用道路と連結する施設を承継する法人に限る。）は、被承継人が有していた当該連結許可等に基づく地位を承継する。

2　前項の規定により連結許可等に基づく地位を承継した者は、その承継の日の翌日から起算して三十日以内に、道路管理者にその旨を届け出なければならない。

第四八条の九　道路管理者の承認を受けて連結許可等に係る自動車専用道路と連結する施設を譲り受けた者は、譲渡人が有していたその連結許可等に基づく地位を承継する。

（連結許可等の条件）

第四八条の一〇　道路管理者は、連結許可等又は前条の承認には、自動車専用道路の管理のため必要な範囲内で条件を付することができる。

（出入の制限等）

第四八条の一一　何人もみだりに自動車専用道路に立ち入り、又は自動車専用道路を自動車による以外の方法により通行してはならない。

2　道路管理者は、自動車専用道路の入口その他必要な場所に通行の禁止又は制限の対象を明らかにした道路標識を設けなければならない。

（違反行為に対する措置）

第四八条の一二　道路管理者は、前条第一項の規定に違反している者に対し、行為の中止その他交通の危険防止のための必要な措置をすることを命ずることができる。

第七節　自転車専用道路等

（自転車専用道路等の指定）

第四八条の一三　道路管理者は、交通の安全と円滑を図るために必要があると認めるときは、まだ供用の開始がない道路又は道路の部分（当該道路の他の部分と構造的に分離されているものに限る。以下本条中同じ。）について、区間を定めて、もつぱら自転車の一般交通の用に供する道路又は道路の部分を指定することができる。

2　道路管理者は、交通の安全と円滑を図るために必要があると認めるときは、まだ供用の開始がない道路又は道路の部分について、区間を定めて、もつぱら自転車及び歩行者の一般交通の用に供する道路又は道路の部分を指定することができる。

3　道路管理者は、交通の安全と円滑を図るために必要があると認めるときは、まだ供用の開始がない道路又は道路の部分について、区間を定めて、もつぱら歩行者の一般交通の用に供する道路又は道路の部分を指定することができる。

4　道路管理者（市町村である道路管理者を除く。）は、前三項の規定による指定をしようとする場合においては、あらかじめ、当該道路又は道路の部分の存する市町村を統括する市町村長に協議しなければならない。その指定を解除しようとする場合においても、同様とする。

5　道路管理者は、第一項から第三項までの規定による指定をしようとする場合においては、国土交通省令で定めるところにより、あらかじめ、その旨を公示しなければならない。その指定を解除しようとする場合においても、同様とする。

（道路等との交差等）

第四八条の一四　道路管理者は、前条第一項から第三項までの規定による指定をした、又はしようとする道路又は道路の部分を道路等と交差させようとする場合においては、当該道路又は道路の部分の安全な交通が確保されるよう措置しなければならない。

2　道路等の管理者は、道路等を前条第一項の規定による指定を受けた道路若しくは道路の部分（以下「自転車専用道路」という。）、同条第二項の規定による指定を受けた道路若しくは道路の部分（以下「自転車歩行者専用道路」という。）又は同条第三項の規定による指定を受けた道路若しくは道路の部分（以下「歩行者専用道路」という。）（以下これらを「自転車専用道路等」と総称する。）と交差させようとする場合においては、当該自転車専用道路等の安全な交通が確保されるよう措置しなければならない。

（通行の制限等）

第四八条の一五　何人もみだりに自転車専用道路を自転車（自転車以外の軽車両（道路交通法第二条第一項第十一号に規定する軽車両をいう。）その他の車両で国土交通省令で定めるものを含む。以下同じ。）による以外の方法により通行してはならない。

2　何人もみだりに自転車歩行者専用道路を自転車以外の車両により通行してはならない。

3　何人もみだりに歩行者専用道路を車両により通行してはならない。

4　道路管理者は、自転車専用道路等の入口その他必要な場所に通行の禁止又は制限の対象を明らかにした道路標識を設けなければならない。

（違反行為に対する措置）

第四八条の一六　道路管理者は、前条第一項から第三項までの規定に違反している者に対し、通行の中止その他交通の危険防止のための必要な措置をすることを命ずることができる。

第八節　重要物流道路

（重要物流道路の指定）

第四八条の一七　国土交通大臣は、道路の構造、貨物積載車両の運行及び沿道の土地利用の状況並びにこれらの将来の見通しその他の事情を勘案して、全国的な貨物輸送網の形成を図るため、貨物積載車両の能率的な運行の確保を図ることが特に重要と認められる道路について、区間を定めて、重要物流道路として指定することができる。

2　国土交通大臣は、前項の規定による指定をしようとするときは、あらかじめ、当該指定に係る道路の道路管理者（国土交通大臣である道路管理者を除く。）に協議し、その同意を得なければならない。これを変更し、又は廃止しようとするときも、同様とする。

3　国土交通大臣は、第一項の規定による指定をしたときは、その旨を公示しなければならない。これを変更し、又は廃止したときも、同様とする。

（重要物流道路の構造の基準）

第四八条の一八　重要物流道路に係る第三十条第一項及び第二項に規定する道路の構造の技術的基準は、これにより重要物流道路における貨物積載車両の能率的な運行が確保されるように定められなければならない。

（災害が発生した場合における重要物流道路等の管理の特例）

第四八条の一九　国土交通大臣は、災害が発生した場合において、都道府県又は市町村から要請があり、かつ、当該都道府県又は市町村における道路の維持の実施体制その他の地域の実情を勘案して、当該都道府県又は市町村が管理する指定区間外の国道、都道府県道又は市町村道で次の各号のいずれかに該当するものの維持（道路の啓開のために行うものに限る。）を当該都道府県又は市町村に代わつて自ら行うことが適当であると認められるときは、第十三条第一項、第十五条、第十六条並びに第十七条第一項から第三項まで及び第七項の規定にかかわらず、その事務の遂行に支障のない範囲内で、これを行うことができる。

一　重要物流道路

二　重要物流道路と交通上密接な関連を有する道路であつて、当該災害により当該重要物流道路の交通に著しい支障が生じた場合における貨物積載車両の運行の確保を図るために当該重要物流道路に代わつて必要となるものとして国土交通大臣が当該道路の道路管理者の同意を得てあらかじめ指定したもの

2　国土交通大臣は、前項の規定により指定区間外の国道、都道府県道又は市町村道の維持を行う場合においては、政令で定めるところにより、当該道路の道路管理者に代わつてその権限を行うものとする。

3　第一項の場合におけるこの法律の規定の適用についての必要な技術的読替えは、政令で定める。

第九節　歩行者利便増進道路

（歩行者利便増進道路の指定）

第四八条の二〇　道路管理者は、道路の構造、車両及び歩行者の通行並びに沿道の土地利用の状況並びにこれらの将来の見通しその他の事情を勘案して、歩行者の安全かつ円滑な通行及び利便の増進を図り、快適な生活環境の確保及び地域の活力の創造に資するため、その管理する道路（高速自動車国道及び自動車専用道路を除く。以下この条において同じ。）のうち、歩行者の滞留の用に供する部分を確保し、及び歩行者利便増進施設等の適正かつ計画的な設置を誘導することが特に必要と認められるものについて、区間を定めて、歩行者利便増進道路として指定することができる。

2　道路管理者（市町村である道路管理者を除く。）は、前項の規定による指定をしようとするときは、あらかじめ、当該道路の存する市町村を統括する市町村長に協議しなければならない。これを変更し、又は廃止しようとするときも、同様とする。

3　指定市以外の市町村は、第一項の規定による指定をしようとするときは、当該市町村の区域内に存する都道府県が管理する道路であつて、当該指定をしようとする道路と歩行者の安全かつ円滑な通行及び利便の増進を図る上で密接な関連を有するものについて、区間を定めて、歩行者利便増進道路として併せて指定することができる。

4　指定市以外の市町村は、前項の規定による指定をしようとするときは、あらかじめ、当該指定に係る道路を管理する都道府県に協議し、その同意を得なければならない。これを変更し、又は廃止しようとするときも、同様とする。

5　道路管理者は、第一項又は第三項の規定による指定をしたときは、その旨を公示しなければならない。これを変更し、又は廃止したときも、同様とする。

（歩行者利便増進道路の構造の基準）

第四八条の二一　歩行者利便増進道路に係る第三十条第一項及び第三項に規定する道路の構造の技術的基準は、これにより歩行者利便増進道路における歩行者の安全かつ円滑な通行及び利便の増進が図られるように定められなければならない。

（歩行者利便増進道路の管理の特例）

第四八条の二二　第四十八条の二十第三項の規定により都道府県が管理する道路を歩行者利便増進道路として指定した指定市以外の市町村は、当該歩行者利便増進道路の改築、維持若しくは修繕又は当該歩行者利便増進道路に附属する道路の附属物の新設若しくは改築のうち、歩行者の滞留の用に供する部分を確保するための歩道の拡幅その他の歩行者の利便の増進に資するものとして政令で定めるもの（第十七条第一項から第四項までの規定により指定市、指定市以外の市又は町村が行うこととされているものを除く。以下この条において「歩行者利便増進改築等」という。）を都道府県に代わつて行うことが適当であると認められる場合においては、第十二条ただし書、第十三条第一項、第十五条並びに第八十五条第一項及び第二項の規定にかかわらず、都道府県に協議し、その同意を得て、これを行うことができる。

2　指定市以外の市町村は、前項の規定により歩行者利便増進改築等を行おうとするとき、及び当該歩行者利便増進改築等の全部又は一部を完了したときは、国土交通省令で定めるところにより、その旨を公示しなければならない。

3　指定市以外の市町村は、第一項の規定により歩行者利便増進改築等を行う場合においては、政令で定めるところにより、当該道路の道路管理者に代わつてその権限を行うものとする。

4　第一項の場合におけるこの法律の規定の適用についての必要な技術的読替えは、政令で定める。

（公募対象歩行者利便増進施設等の公募占用指針）

第四八条の二三　道路管理者は、利便増進誘導区域において第三十二条第一項又は第三項の規定による許可の申請を行うことができる者を公募により決定することが、道路占用者の公平な選定を図るとともに、歩行者利便増進道路の歩行者の利便の増進を図る上で特に有効であると認められる歩行者利便増進施設等（以下「公募対象歩行者利便増進施設等」という。）について、道路の占用及び公募の実施に関する指針（以下「公募占用指針」という。）を定めることができる。

2　公募占用指針には、次に掲げる事項を定めなければならない。

一　公募対象歩行者利便増進施設等の種類

二　当該公募対象歩行者利便増進施設等のための道路の占用の場所

三　当該公募対象歩行者利便増進施設等のための道路の占用の開始の時期

四　道路の機能又は道路交通環境の維持及び向上を図るための清掃その他の措置であつて当該公募対象歩行者利便増進施設等の設置に伴い必要となるもの

五　第四十八条の二十六第一項の規定による認定の有効期間

六　占用予定者（公募対象歩行者利便増進施設等に係る第三十二条第一項又は第三項の規定による許可の申請を行うことができる者をいう。以下同じ。）を選定するための評価の基準

七　前各号に掲げるもののほか、公募の実施に関する事項その他必要な事項

3　前項第二号の場所は、第三十二条第一項又は第三項の規定による許可の申請を行うことができる者を公募により決定することが歩行者利便増進道路の管理上適切でない場所として国土交通省令で定める場所については定めないものとする。

4　第二項第五号の有効期間は、二十年を超えないものとする。

5　道路管理者は、公募占用指針を定め、又はこれを変更しよう

とする場合においては、あらかじめ、当該公募占用指針に係る歩行者利便増進道路の存する市町村を統括する市町村長（当該歩行者利便増進道路の道路管理者が市町村である場合の当該市町村を統括する市町村長を除く。）及び学識経験者の意見を聴かなければならない。

6　道路管理者は、公募占用指針を定め、又はこれを変更したときは、遅滞なく、これを公示しなければならない。

（歩行者利便増進計画の提出）

第四八条の二四　歩行者利便増進道路に公募対象歩行者利便増進施設等を設置するため道路を占用しようとする者は、公募対象歩行者利便増進施設等のための道路の占用に関する計画（以下「歩行者利便増進計画」という。）を作成し、第四十八条の二十六第一項の規定によるその歩行者利便増進計画が適当である旨の認定を受けるための選定の手続に参加するため、これを道路管理者に提出することができる。

2　歩行者利便増進計画には、次に掲げる事項を記載しなければならない。

一　第三十二条第二項各号に掲げる事項

二　道路の機能又は道路交通環境の維持及び向上を図るための清掃その他の措置であつて公募対象歩行者利便増進施設等の設置に伴い講ずるもの

三　その他国土交通省令で定める事項

3　歩行者利便増進計画の提出は、道路管理者が公示する一月を下らない期間内に行わなければならない。

（占用予定者の選定）

第四八条の二五　道路管理者は、前条第一項の規定により公募対象歩行者利便増進施設等を設置するため道路を占用しようとする者から歩行者利便増進計画が提出されたときは、当該歩行者利便増進計画が次に掲げる基準に適合しているかどうかを審査しなければならない。

一　当該歩行者利便増進計画が公募占用指針に照らし適切なものであること。

二　当該歩行者利便増進施設等のための道路の占用が第三十二条第二項第二号から第七号までに掲げる事項について第三十三条第一項の政令で定める基準に適合するものであること。

三　当該歩行者利便増進施設等のための道路の占用が道路の交通に著しい支障を及ぼすおそれが明らかなものでないこと。

四　当該歩行者利便増進計画を提出した者が不正又は不誠実な行為をするおそれが明らかな者でないこと。

2　道路管理者は、前項の規定により審査した結果、歩行者利便増進計画が同項各号に掲げる基準に適合していると認められるときは、第四十八条の二十三第二項第六号の評価の基準に従つて、その適合していると認められた全ての歩行者利便増進計画について評価を行うものとする。

3　道路管理者は、前項の評価を行おうとする場合において、当該評価に係る歩行者利便増進計画に従つて公募対象歩行者利便増進施設等を設置する行為が道路交通法第七十七条第一項の規定の適用を受けるものであるときは、あらかじめ当該歩行者利便増進計画に記載された道路の占用の場所を管轄する警察署長に協議しなければならない。

4　道路管理者は、第二項の評価に従い、道路の機能を損なうことなく当該道路の歩行者の利便の増進を図る上で最も適切であると認められる歩行者利便増進計画を提出した者を占用予定者として選定するものとする。

5　道路管理者は、前項の規定により占用予定者を選定しようとするときは、国土交通省令で定めるところにより、あらかじめ、学識経験者の意見を聴かなければならない。

6　道路管理者は、第四項の規定により占用予定者を選定したときは、その者にその旨を通知しなければならない。

（歩行者利便増進計画の認定）

第四八条の二六　道路管理者は、前条第六項の規定により通知した占用予定者が提出した歩行者利便増進計画について、道路の場所を指定して、当該歩行者利便増進計画が適当である旨の認定をするものとする。

2　道路管理者は、前項の認定をしたときは、当該認定をした日及び認定の有効期間並びに同項の規定により指定した道路の場所を公示しなければならない。

（歩行者利便増進計画の変更等）

第四八条の二七　前条第一項の認定を受けた者（以下「認定計画提出者」という。）は、当該認定を受けた歩行者利便増進計画を変更しようとする場合においては、道路管理者の認定を受けなければならない。

2　道路管理者は、前項の変更の認定の申請があつたときは、次に掲げる基準に適合すると認める場合に限り、その認定をするものとする。

一　変更後の歩行者利便増進計画が第四十八条の二十五第一項第一号から第三号までに掲げる基準を満たしていること。

二　当該歩行者利便増進計画の変更をすることについて、歩行者利便増進道路の歩行者の利便の一層の増進に寄与するものであると見込まれること又はやむを得ない事情があること。

3　前条第二項の規定は、第一項の変更の認定をした場合について準用する。

（公募を行つた場合における道路の占用の許可）

第四八条の二八　認定計画提出者は、第四十八条の二十六第一項の認定（前条第一項の変更の認定を含む。第四項及び次条において「計画の認定」という。）を受けた歩行者利便増進計画（変更があつたときは、その変更後のもの。次項及び次条第二号において「認定歩行者利便増進計画」という。）に従つて公募対象歩行者利便増進施設等を設置しなければならない。

2　道路管理者は、認定計画提出者から認定歩行者利便増進計画に基づき第三十二条第一項又は第三項の規定による許可の申請があつた場合においては、これらの規定による許可を与えなければならない。

3　前項の規定による許可に係る第三十二条第二項及び第八十七条第一項の規定の適用については、第三十二条第二項中「申請書に」とあるのは「申請書に、第四十八条の二十四第二項第二号の措置を記載した書面を添付して」と、第八十七条第一項中「円滑な交通を確保する」とあるのは「円滑な交通を確保し、又は道路の機能若しくは道路交通環境の維持及び向上を図る」とする。

4　計画の認定がされた場合においては、認定計画提出者以外の者は、第四十八条の二十六第一項の道路の場所については、第三十二条第一項又は第三項の規定による許可の申請をすることができない。

（地位の承継）

第四八条の二九　次に掲げる者は、道路管理者の承認を受けて、認定計画提出者が有していた計画の認定に基づく地位を承継することができる。

一　認定計画提出者の一般承継人

二　認定計画提出者から、認定歩行者利便増進計画に基づき設置又は管理が行われる公募対象歩行者利便増進施設等の所有権その他当該公募対象歩行者利便増進施設等の設置又は管理に必要な権原を取得した者

第九節の二　防災拠点自動車駐車場

（防災拠点自動車駐車場の指定）

第四八条の二九の二　国土交通大臣は、道路の附属物である自動車駐車場のうち、その規模、その接する道路の構造及び交通の状況並びにその近傍における災害応急対策に係る施設の立地その他の事情を勘案して、災害が発生した場合における円滑な避難又は緊急輸送の確保を図るため、重要物流道路の維持（道路の啓開のために行うものに限る。）その他の広域災害応急対策

（一の都道府県の区域を越えて行われる緊急輸送の確保その他の災害応急対策であつて国土交通省令で定めるものをいう。次条及び第四十八条の二十九の五第一項において同じ。）の拠点としての機能の確保を図ることが特に必要と認められるものについて、防災拠点自動車駐車場として指定することができる。

2　国土交通大臣は、前項の規定による指定をしようとするときは、あらかじめ、当該指定に係る自動車駐車場の道路管理者（国土交通大臣である道路管理者を除く。）に協議し、その同意を得なければならない。これを変更し、又は廃止しようとするときも、同様とする。

3　国土交通大臣は、第一項の規定による指定をしたときは、その旨を公示しなければならない。これを変更し、又は廃止したときも、同様とする。

（防災拠点自動車駐車場の利用の禁止又は制限）

第四八条の二九の三　道路管理者は、災害が発生した場合における被害の拡大を防ぎ、又は災害の速やかな復旧を図るため、防災拠点自動車駐車場の広域災害応急対策の拠点としての機能を緊急に確保することが特に必要であると認めるときは、当該防災拠点自動車駐車場について、広域災害応急対策の拠点としての利用以外の利用を禁止し、又はその利用を制限することができる。

（防災拠点自動車駐車場の利用の制限等の表示）

第四八条の二九の四　道路管理者は、前条の規定により防災拠点自動車駐車場の利用を禁止し、又は制限しようとする場合においては、当該防災拠点自動車駐車場の入口その他必要な場所に、禁止又は制限の対象を明らかにした道路標識を設けなければならない。

（災害応急対策施設管理協定の締結等）

第四八条の二九の五　道路管理者は、その管理する防災拠点自動車駐車場について、災害時における広域災害応急対策の拠点としての機能の確保を図るため必要があると認めるときは、あらかじめ、道路外災害応急対策施設所有者等（当該防災拠点自動車駐車場に隣接する土地の区域に存する駐車場、備蓄倉庫、発電施設、通信設備その他災害応急対策に必要なものとして政令で定める工作物又は施設（以下この項において「道路外災害応急対策施設」という。）の所有者又は当該道路外災害応急対策施設の敷地である土地（建築物その他の工作物に道路外災害応急対策施設が設けられている場合にあつては、当該建築物その他の工作物のうち当該道路外災害応急対策施設に係る部分のもの）の所有者若しくは使用及び収益を目的とする権利（臨時設備その他一時的に使用する施設のため設定されたことが明らかなものを除く。）を有する者をいう。次項及び第四十八条の二十九の七において同じ。）との間において、次に掲げる事項を定めた協定（以下この条から第四十八条の二十九の七までにおいて「災害応急対策施設管理協定」という。）を締結して、当該道路外災害応急対策施設の管理を行うことができる。

一　災害応急対策施設管理協定の目的となる道路外災害応急対策施設（以下この項、次条第三項及び第四十八条の二十九の七において「協定災害応急対策施設」という。）
二　協定災害応急対策施設の管理の方法
三　災害応急対策施設管理協定の有効期間
四　災害応急対策施設管理協定に違反した場合の措置
五　次条第三項の規定による災害応急対策施設管理協定の掲示の方法
六　その他協定災害応急対策施設の管理に関し必要な事項

2　災害応急対策施設管理協定については、道路外災害応急対策施設所有者等の全員の合意がなければならない。

（災害応急対策施設管理協定の縦覧等）

第四八条の二九の六　道路管理者は、災害応急対策施設管理協定を締結しようとするときは、国土交通省令で定めるところにより、その旨を公告し、当該災害応急対策施設管理協定を当該公告の日から二週間利害関係人の縦覧に供さなければならない。

2　前項の規定による公告があつたときは、利害関係人は、同項の縦覧期間満了の日までに、当該災害応急対策施設管理協定について、道路管理者に意見書を提出することができる。

3　道路管理者は、災害応急対策施設管理協定を締結したときは、国土交通省令で定めるところにより、遅滞なく、その旨を公示し、かつ、当該災害応急対策施設管理協定の写しを道路管理者の事務所に備えて一般の閲覧に供するとともに、災害応急対策施設管理協定において定めるところにより、協定災害応急対策施設又はその敷地内の見やすい場所に、道路管理者の事務所においてこれを閲覧に供している旨を掲示しなければならない。

4　前条第二項及び前三項の規定は、災害応急対策施設管理協定において定めた事項の変更について準用する。

（災害応急対策施設管理協定の効力）

第四八条の二九の七　前条第三項（同条第四項において準用する場合を含む。）の規定による公示のあつた災害応急対策施設管理協定は、その公示のあつた後において協定災害応急対策施設の道路外災害応急対策施設所有者等となつた者に対しても、その効力があるものとする。

第十節　特定車両停留施設

（車両の種類の指定）

第四八条の三〇　道路管理者は、まだ供用の開始がない特定車両停留施設について、国土交通省令で定めるところにより、特定車両のうち、当該特定車両停留施設を利用することができる車両の種類を指定するものとする。

2　道路管理者は、前項の規定による指定をしようとするときは、国土交通省令で定めるところにより、あらかじめ、その旨を公示しなければならない。

（特定車両停留施設の構造等）

第四八条の三一　特定車両停留施設の構造及び設備の技術的基準は、特定車両停留施設を利用することができる特定車両の種類ごとに、国土交通省令で定める。

（車両の停留の許可）

第四八条の三二　特定車両停留施設に車両を停留させようとする場合においては、道路管理者の許可を受けなければならない。ただし、道路交通法第三十九条第一項に規定する緊急自動車その他政令で定める車両については、この限りでない。

2　前項の許可を受けようとする者は、停留させる車両に係る事項、当該車両を停留させる日時その他特定車両停留施設を利用する特定車両の種類ごとに国土交通省令で定める事項を記載した申請書を道路管理者に提出しなければならない。

3　第一項の許可を受けた者は、当該許可の申請に係る前項に規定する事項を変更しようとする場合においては、あらかじめ道路管理者の許可を受けなければならない。

（特定車両の停留の許可基準）

第四八条の三三　道路管理者は、前条第一項又は第三項の許可をしようとするときは、次の基準によつて、これをしなければならない。

一　当該許可の申請に係る車両が特定車両のうち第四十八条の三十第一項の規定により指定した種類のものであること。
二　当該許可の申請に係る前条第二項に規定する事項が特定車両停留施設の構造の保全及び適正かつ合理的な利用の確保、安全かつ円滑な道路の交通の確保その他の観点から政令で定める基準に適合するものであること。

（利用の制限等の表示）

第四八条の三四　道路管理者は、特定車両停留施設の入口その他必要な場所に利用の禁止又は制限の対象を明らかにした道路標識を設けなければならない。

（特定車両停留施設の停留料金及び割増金）

第四八条の三五　道路管理者である地方公共団体の条例（指定区間内の国道にあつては、政令）で定めるところにより、特定車両停留施設に特定車両を停留させる者から、停留料金を徴収することができる。ただし、道路交通法第三十九条第一項に規定する緊急自動車その他政令で定める車両を停留させる場合においては、この限りでない。

２　前項の停留料金の額は、次の原則によつて定めなければならない。

一　特定車両を停留させる特定の者に対し不当な差別的取扱いをするものでないこと。

二　特定車両を停留させる者の負担能力に鑑み、その利用を困難にするおそれのないものであること。

三　特定車両停留施設を利用することができる特定車両と同一の種類の車両を同時に二両以上停留させる付近の施設で道路の区域外に設置されており、かつ、一般公衆の用に供するものの停留料金に比して著しく均衡を失しないものであること。

３　第二十四条の二第三項の規定は、第一項の停留料金を不法に免れた者について準用する。

（特定車両停留施設の停留料金等の公示）

第四八条の三六　道路管理者は、前条第一項の規定により停留料金を徴収する特定車両停留施設について、条例（国道にあつては、国土交通省令）で定めるところにより、停留料金、停留することができる時間その他特定車両停留施設の利用に関し必要な事項を公示しなければならない。

第十一節　利便施設協定

（利便施設協定の締結等）

第四八条の三七　道路管理者は、その管理する道路に並木、街灯その他道路の通行者又は利用者の利便の確保に資するものとして政令で定める工作物又は施設を設けることが当該道路の構造又は周辺の土地利用の状況により困難である場合において、当該道路の通行者又は利用者の利便の確保のため必要があると認めるときは、当該道路の区域外にあるそれらの工作物又は施設（以下この項において「道路外利便施設」という。）について、道路外利便施設所有者等（当該道路外利便施設の所有者又は当該道路外利便施設の敷地である土地（建築物その他の工作物に道路外利便施設が設けられている場合にあつては、当該建築物その他の工作物のうち当該道路外利便施設に係る部分のもの）の所有者若しくは使用及び収益を目的とする権利（臨時設備その他一時的に使用する施設のため設定されたことが明らかなものを除く。）を有する者をいう。次項及び第四十八条の三十九において同じ。）との間において、次に掲げる事項を定めた協定（以下この節において「利便施設協定」という。）を締結して、当該道路外利便施設の管理を行うことができる。

一　利便施設協定の目的となる道路外利便施設（以下「協定利便施設」という。）

二　協定利便施設の管理の方法

三　利便施設協定の有効期間

四　利便施設協定に違反した場合の措置

五　利便施設協定の掲示方法

六　その他協定利便施設の管理に関し必要な事項

２　利便施設協定については、道路外利便施設所有者等の全員の合意がなければならない。

（利便施設協定の縦覧等）

第四八条の三八　道路管理者は、利便施設協定を締結しようとするときは、国土交通省令で定めるところにより、その旨を公告し、当該利便施設協定を当該公告の日から二週間利害関係人の縦覧に供さなければならない。

２　前項の規定による公告があつたときは、利害関係人は、同項の縦覧期間満了の日までに、当該利便施設協定について、道路管理者に意見書を提出することができる。

３　道路管理者は、利便施設協定を締結したときは、国土交通省令で定めるところにより、遅滞なく、その旨を公示し、かつ、当該利便施設協定の写しを道路管理者の事務所に備えて一般の閲覧に供するとともに、利便施設協定において定めるところにより、協定利便施設又はその敷地内の見やすい場所に、道路管理者の事務所においてこれを閲覧に供している旨を掲示しなければならない。

４　前条第二項及び前三項の規定は、利便施設協定において定めた事項の変更について準用する。

（利便施設協定の効力）

第四八条の三九　前条第三項（同条第四項において準用する場合を含む。）の規定による公示のあつた利便施設協定は、その公示のあつた後において協定利便施設の道路外利便施設所有者等となつた者に対しても、その効力があるものとする。

第十二節　自動車駐車場等運営事業

（自動車駐車場等運営事業に関する料金の徴収の特例）

第四八条の四〇　道路管理者は、民間資金等の活用による公共施設等の整備等の促進に関する法律（平成十一年法律第百十七号。以下「民間資金法」という。）第十九条第一項の規定により自動車駐車場等運営権（自動車駐車場等運営事業（自動車駐車場等の運営等（民間資金法第二条第六項に規定する運営等をいう。以下この項において同じ。）であつて、当該自動車駐車場等の利用に係る料金（以下「利用料金」という。）を当該運営等を行う者が自らの収入として収受するもの及びこれに附帯する事業をいう。以下同じ。）に係る公共施設等運営権（民間資金法第二条第七項に規定する公共施設等運営権をいう。）をいう。以下同じ。）を設定する場合には、第二十四条の二第一項及び第四十八条の三十五第一項の規定にかかわらず、当該自動車駐車場等運営権を有する者（以下「自動車駐車場等運営権者」という。）に当該自動車駐車場等運営事業に係る利用料金を自らの収入として収受させるものとする。

２　第二十四条の二第二項及び第三項の規定は道路の附属物である自動車駐車場又は自転車駐車場に係る前項の利用料金について、第四十八条の三十五第二項及び第三項の規定は特定車両停留施設に係る前項の利用料金について、それぞれ準用する。この場合において、第二十四条の二第三項（第四十八条の三十五第三項において準用する場合を含む。）中「道路管理者」とあるのは、「第四十八条の四十第一項に規定する自動車駐車場等運営権者」と読み替えるものとする。

（民間資金法の特例）

第四八条の四一　道路管理者が民間資金法第五条第一項の規定により自動車駐車場等運営事業（特定車両停留施設に係るものに限る。）に係る実施方針を定める場合における民間資金法第十七条の規定の適用については、同条第二号中「内容」とあるのは、「内容（災害時における緊急輸送の確保その他交通の機能の維持に関し必要な措置を含む。）」とする。

２　道路管理者が民間資金法第二十二条第一項の規定により自動車駐車場等運営事業に係る公共施設等運営権実施契約を締結する場合における同項の規定の適用については、同項第一号中「方法」とあるのは「方法（災害時における緊急輸送の確保その他交通の機能の維持に関し必要な措置を含む。）」と、同項第三号中「公共施設等の利用に係る約款を定める場合には、その決定手続及び公表方法」とあるのは「供用約款の決定手続及び公表方法並びに利用料金の公表方法」とする。

（利用料金の変更命令及び公示）

第四八条の四二　自動車駐車場等運営権を設定した道路管理者（以下「特定道路管理者」という。）は、自動車駐車場等運営権者から民間資金法第二十三条第二項の規定により届け出られた利用料金が第四十八条の四十第二項において準用する第二十四条の二第二項又は第四十八条の三十五第二項の規定に違反すると認めるときは、自動車駐車場等運営権者に対し、期限を定めて、その利用料金を変更すべきことを命ずることができる。

2　特定道路管理者は、自動車駐車場等運営権者から民間資金法第二十三条第二項の規定による届出を受けたときは、前項に規定する場合を除き、当該届出の内容を条例（国道にあつては、国土交通省令）で定める方法により公示しなければならない。

（国土交通大臣への通知）

第四八条の四三　指定区間外の国道の道路管理者は、次に掲げる場合には、遅滞なく、その旨を国土交通大臣に通知するものとする。

一　民間資金法第八条第一項の規定により自動車駐車場等運営事業を実施する民間事業者を選定したとき。

二　自動車駐車場等運営事業に係る民間資金法第二十六条第二項の許可をしたとき。

三　民間資金法第二十九条第一項の規定により自動車駐車場等運営権を取り消し、又はその行使の停止を命じたとき。

四　公共施設等運営権の存続期間の満了に伴い、又は民間資金法第二十九条第四項の規定により自動車駐車場等運営権が消滅したとき。

（自動車駐車場等運営権を設定した場合における読替え）

第四八条の四四　特定道路管理者が民間資金法第十九条第一項の規定により自動車駐車場等運営権を設定した場合における第二十四条の三及び第四十八条の三十六の規定の適用については、これらの規定中「事項」とあるのは「事項（同項に規定する利用料金に関する事項を除く。）」と、第二十四条の三中「前条第一項の規定により駐車料金を徴収する」とあり、及び第四十八条の三十六中「前条第一項の規定により停留料金を徴収する」とあるのは「第四十八条の四十第一項の規定により利用料金を収受させる」と、第二十四条の三の見出し中「駐車料金等」とあるのは「駐車することができる時間等」と、同条中「駐車料金、駐車する」とあるのは「駐車する」と、第四十八条の三十六の見出し中「停留料金等」とあるのは「停留することができる時間等」と、同条中「停留料金、停留する」とあるのは「停留する」とする。

（自動車駐車場等運営権者に対する道路管理者の承認等の特例）

第四八条の四五　自動車駐車場等運営権者がその運営する自動車駐車場等について行う国土交通省令で定める行為についての第二十四条本文並びに第三十二条第一項及び第三項の規定の適用については、自動車駐車場等運営権者と特定道路管理者との協議が成立することをもつて、これらの規定による承認又は許可があつたものとみなす。

第十三節　指定登録確認機関

（指定）

第四八条の四六　国土交通大臣は、道路の交通の適切な管理に資することを目的とする一般社団法人又は一般財団法人であつて、第四十八条の四十九に規定する業務（以下「道路交通管理業務」という。）に関し次に掲げる基準に適合すると認められるものを、その申請により、指定登録確認機関として指定することができる。

一　職員、道路交通管理業務の実施の方法その他の事項についての道路交通管理業務の実施に関する計画が、道路交通管理業務の適確な実施のために適切なものであること。

二　前号の道路交通管理業務の実施に関する計画を適確に実施するに足りる経理的及び技術的な基礎を有するものであること。

三　道路交通管理業務以外の業務を行つている場合には、その業務を行うことによつて道路交通管理業務の公正な実施に支障を及ぼすおそれがないものであること。

四　前三号に定めるもののほか、道路交通管理業務を公正かつ適確に行うことができるものであること。

2　前項の規定による指定は、道路交通管理業務の範囲を定めて行うものとする。

（欠格条項）

第四八条の四七　国土交通大臣は、前条第一項の申請をした者が次の各号のいずれかに該当するときは、指定登録確認機関の指定をしてはならない。

一　この法律の規定により罰金の刑に処せられ、その執行を終わり、又は執行を受けることがなくなつた日から起算して二年を経過しない者であること。

二　第四十八条の五十七第一項又は第二項の規定により指定登録確認機関の指定を取り消され、その取消しの日から起算して二年を経過しない者であること。

三　その役員のうちに、禁錮以上の刑に処せられ、又はこの法律の規定により罰金の刑に処せられ、その執行を終わり、又はその執行を受けることがなくなつた日から起算して二年を経過しない者があること。

（指定の公示等）

第四八条の四八　国土交通大臣は、第四十八条の四十六第一項の規定による指定（以下この節において「指定」という。）をしたときは、指定登録確認機関の名称及び住所、指定登録確認機関が行う道路交通管理業務の範囲、道路交通管理業務を行う事務所の所在地並びに道路交通管理業務の開始の日を公示しなければならない。

2　指定登録確認機関は、その名称若しくは住所、指定登録確認機関が行う道路交通管理業務の範囲又は道路交通管理業務を行う事務所の所在地を変更しようとするときは、変更しようとする日の二週間前までに、その旨を国土交通大臣に届け出なければならない。

3　国土交通大臣は、前項の規定による届出があつたときは、その旨を公示しなければならない。

（指定登録確認機関の業務）

第四八条の四九　指定登録確認機関は、次に掲げる業務を行うものとする。

一　次条第一項に規定する事務（以下「登録等事務」という。）を行うこと。

二　道路管理者の委託を受けて、第四十七条の二第一項の許可に係る審査の事務を行うこと。

三　前二号に掲げるもののほか、道路の交通の適切な管理に資する業務を行うこと。

（指定登録確認機関による登録等事務の実施）

第四八条の五〇　国土交通大臣は、指定をしたときは、次に掲げる事務の全部又は一部を行わせることができる。

一　登録の実施に関する事務（第四十七条の九の規定による登録の取消しに関する事務を除く。）

二　第四十七条の十第三項の回答の実施に関する事務

三　第四十七条の十一第二項及び第三項の規定による判定基準等の提供の受理並びに同条第四項の規定による情報の提供に関する事務

四　第四十七条の十二第二項の規定による報告の受理及び同条第三項の規定による通知に関する事務

五　第四十七条の十三第一項の規定による同項各号に掲げる事項のデータベースへの記録及び同条第二項の規定による公表に関する事務

2　国土交通大臣は、指定をしたときは、指定登録確認機関が行う前項第一号及び第二号の事務を行わないものとし、この場合における当該登録等事務の引継ぎその他の必要な事項は、国土交通省令で定める。

3　指定登録確認機関が登録等事務を行う場合における第四十七条の四から第四十七条の八まで及び第四十七条の十の規定の適

用については、これらの規定中「国土交通大臣」とあるのは、「指定登録確認機関」とする。

（秘密保持義務等）

第四八条の五一　指定登録確認機関の役員及び職員並びにこれらの者であつた者は、登録等事務に関して知り得た秘密を漏らし、又は自己の利益のために使用してはならない。

2　指定登録確認機関の役員及び職員で登録等事務に従事する者は、刑法（明治四十年法律第四十五号）その他の罰則の適用については、法令により公務に従事する職員とみなす。

（登録等事務規程）

第四八条の五二　指定登録確認機関は、国土交通省令で定めるところにより、登録等事務に関する規程（以下「登録等事務規程」という。）を定め、国土交通大臣の認可を受けなければならない。これを変更しようとするときも、同様とする。

2　登録等事務規程で定めるべき事項は、国土交通省令で定める。

3　国土交通大臣は、第一項の認可をした登録等事務規程が登録等事務の公正かつ適確な実施上不適当となつたと認めるときは、その登録等事務規程を変更すべきことを命ずることができる。

（帳簿の備付け等）

第四八条の五三　指定登録確認機関は、国土交通省令で定めるところにより、登録等事務に関する事項で国土交通省令で定めるものを記載した帳簿を備え付け、これを保存しなければならない。

2　前項に定めるもののほか、指定登録確認機関は、国土交通省令で定めるところにより、登録等事務に関する書類で国土交通省令で定めるものを保存しなければならない。

（監督命令）

第四八条の五四　国土交通大臣は、道路交通管理業務の公正かつ適確な実施を確保するため必要があると認めるときは、指定登録確認機関に対し、道路交通管理業務に関し監督上必要な命令をすることができる。

（報告、検査等）

第四八条の五五　国土交通大臣は、道路交通管理業務の公正かつ適確な実施を確保するため必要があると認めるときは、指定登録確認機関に対し道路交通管理業務に関し必要な報告を求め、又はその職員に、指定登録確認機関の事務所に立ち入り、道路交通管理業務の状況若しくは帳簿、書類その他の物件を検査させ、若しくは関係者に質問させることができる。

2　前項の規定により立入検査をする職員は、その身分を示す証明書を携帯し、関係者にこれを提示しなければならない。

3　第一項の規定による立入検査の権限は、犯罪捜査のために認められたものと解釈してはならない。

（登録等事務の休廃止）

第四八条の五六　指定登録確認機関は、国土交通大臣の許可を受けなければ、登録等事務の全部若しくは一部を休止し、又は廃止してはならない。

2　国土交通大臣は、前項の許可をしたときは、その旨を公示しなければならない。

（指定の取消し等）

第四八条の五七　国土交通大臣は、指定登録確認機関が第四十八条の四十七第一号又は第三号に該当するに至つたときは、指定を取り消さなければならない。

2　国土交通大臣は、指定登録確認機関が次の各号のいずれかに該当するときは、指定を取り消し、又は期間を定めて登録等事務の全部若しくは一部の停止を命ずることができる。

一　第四十八条の六、第四十八条の五十第三項の規定により読み替えて適用する第四十七条の七第二項又は第四十七条の十第三項、第四項若しくは第六項の規定に違反したとき。

二　第四十八条の五十一第一項、第四十八条の五十三又は前条第一項の規定に違反したとき。

三　第四十八条の五十二第一項の認可を受けた登録等事務規程によらないで業務を行つたとき。

四　第四十八条の五十二第三項又は第四十八条の五十四の規定による命令に違反したとき。

五　第四十八条の四十六第一項各号に掲げる基準に適合していないと認めるとき。

六　登録等事務に関し著しく不適当な行為をしたとき。

七　不正な手段により指定を受けたとき。

3　国土交通大臣は、前二項の規定により指定を取り消し、又は前項の規定により登録等事務の全部若しくは一部の停止を命じたときは、その旨を公示しなければならない。

（国土交通大臣による登録等事務の実施）

第四八条の五八　国土交通大臣は、第四十八条の五十六第一項の規定により指定登録確認機関が登録等事務の全部若しくは一部を休止したとき、前条第二項の規定により指定登録確認機関に対し登録等事務の全部若しくは一部の停止を命じたとき、又は指定登録確認機関が天災その他の事由により登録等事務の全部若しくは一部を実施することが困難となつた場合において必要があると認めるときは、第四十八条の五十第二項の規定にかかわらず、登録等事務の全部又は一部を自ら行うものとする。

2　国土交通大臣は、前項の規定により登録等事務を行うこととし、又は同項の規定により行つている登録等事務を行わないこととするときは、その旨を公示しなければならない。

3　国土交通大臣が、第一項の規定により登録等事務を行うこととし、第四十八条の五十六第一項の規定により登録等事務の廃止を許可し、若しくは前条第一項若しくは第二項の規定により指定を取り消し、又は第一項の規定により行つている登録等事務を行わないこととする場合における登録等事務の引継ぎその他の必要な事項は、国土交通省令で定める。

（手数料）

第四八条の五九　指定登録確認機関が登録等事務を行う場合には、次に掲げる者は、実費を勘案して政令で定める額の手数料を当該指定登録確認機関に納付しなければならない。

一　登録を受けようとする者

二　第四十七条の十第一項の規定による求めをしようとする者

2　前項の規定により指定登録確認機関に納付された手数料は、当該指定登録確認機関の収入とする。

第十四節　道路協力団体

（道路協力団体の指定）

第四八条の六〇　道路管理者は、次条に規定する業務を適正かつ確実に行うことができると認められる法人その他これに準ずるものとして国土交通省令で定める団体を、その申請により、道路協力団体として指定することができる。

2　道路管理者は、前項の規定による指定をしたときは、当該道路協力団体の名称、住所及び事務所の所在地を公示しなければならない。

3　道路協力団体は、その名称、住所又は事務所の所在地を変更しようとするときは、あらかじめ、その旨を道路管理者に届け出なければならない。

4　道路管理者は、前項の規定による届出があつたときは、当該届出に係る事項を公示しなければならない。

（道路協力団体の業務）

第四八条の六一　道路協力団体は、当該道路協力団体を指定した道路管理者が管理する道路について、次に掲げる業務を行うものとする。

一　道路管理者に協力して、道路に関する工事又は道路の維持を行うこと。

二　前号に掲げるもののほか、安全かつ円滑な道路の交通の確保又は道路の通行者若しくは利用者の利便の増進に資する工作物、物件又は施設であつて国土交通省令で定めるものの設置又は管理を行うこと。

三　道路の管理に関する情報又は資料を収集し、及び提供すること。
四　道路の管理に関する調査研究を行うこと。
五　道路の管理に関する知識の普及及び啓発を行うこと。
六　前各号に掲げる業務に附帯する業務を行うこと。

（監督等）

第四八条の六二　道路管理者は、前条各号に掲げる業務の適正かつ確実な実施を確保するため必要があると認めるときは、道路協力団体に対し、その業務に関し報告をさせることができる。

2　道路管理者は、道路協力団体が前条各号に掲げる業務を適正かつ確実に実施していないと認めるときは、道路協力団体に対し、その業務の運営の改善に関し必要な措置を講ずべきことを命ずることができる。

3　道路管理者は、道路協力団体が前項の規定による命令に違反したときは、その指定を取り消すことができる。

4　道路管理者は、前項の規定により指定を取り消したときは、その旨を公示しなければならない。

（情報の提供等）

第四八条の六三　国土交通大臣又は道路管理者は、道路協力団体に対し、その業務の実施に関し必要な情報の提供又は指導若しくは助言をするものとする。

（道路協力団体に対する道路管理者の承認等の特例）

第四八条の六四　道路協力団体が第四十八条の六十一各号に掲げる業務として行う国土交通省令で定める行為についての第二十四条本文並びに第三十二条第一項及び第三項の規定の適用については、道路協力団体と道路管理者との協議が成立することをもつて、これらの規定による承認又は許可があつたものとみなす。

（踏切道の改良への協力）

第四八条の六五　道路協力団体は、踏切道改良促進法第四条第八項及び第九項（これらの規定を同法第五条第二項又は第六条第三項（同条第六項において準用する場合を含む。）において準用する場合を含む。）の規定により同法第四条第一項に規定する地方踏切道改良計画又は同法第六条第一項に規定する国踏切道改良計画に道路協力団体の協力が必要な事項が記載されたときは、当該地方踏切道改良計画又は国踏切道改良計画に基づき鉄道事業者及び道路管理者が実施する踏切道（同法第二条に規定する踏切道をいう。）の改良に協力するものとする。

第四章　道路に関する費用、収入及び公用負担

（道路の管理に関する費用負担の原則）

第四九条　道路の管理に関する費用は、この法律及び公共土木施設災害復旧事業費国庫負担法並びに他の法律に特別の規定がある場合を除くほか、当該道路の道路管理者の負担とする。

（国道の管理に関する費用負担の特例等）

第五〇条　国道の新設又は改築に要する費用は、国土交通大臣が当該新設又は改築を行う場合においては国がその三分の二を、都道府県がその三分の一を負担し、都道府県が当該新設又は改築を行う場合においては国及び当該都道府県がそれぞれその二分の一を負担するものとする。

2　指定区間内の国道の災害復旧に要する費用は、国がその十分の五・五を、都道府県がその十分の四・五を負担する。

3　第十三条第二項の規定による指定区間内の国道の維持、修繕及び災害復旧以外の管理に要する費用は、当該都道府県又は指定市の負担とする。

4　第十三条第三項の規定による指定区間外の国道の災害復旧に関する工事に要する費用は、当該都道府県の負担とする。

5　第十七条第七項又は第四十八条の十九第一項の規定による指定区間外の国道の維持に要する費用は、当該指定区間外の国道の道路管理者である都道府県の負担とする。

6　第一項の場合において、国道の新設又は改築によつて他の都道府県も著しく利益を受けるときは、国土交通大臣は、政令で定める基準により、その利益を受ける限度において、当該国道の所在する都道府県の負担すべき負担金の一部を著しく利益を受ける他の都道府県に分担させることができる。

7　前項の規定により国土交通大臣が著しく利益を受ける他の都道府県に国道の所在する都道府県の負担すべき負担金の一部を分担させようとする場合においては、国土交通大臣は、関係都道府県の意見を聴かなければならない。

（国土交通大臣が行う都道府県道又は市町村道に係る工事等に関する費用負担）

第五一条　第十七条第六項の規定により国土交通大臣が行う都道府県道又は市町村道を構成する施設又は工作物の改築に関する工事に要する費用は、国が補助金相当額（都道府県又は市町村が自ら当該工事を行うこととした場合に第五十六条の規定により国が当該都道府県又は市町村に補助することができる金額に相当する額をいう。以下この項において同じ。）を、当該都道府県又は市町村が当該工事に要する費用の額から補助金相当額を控除した額を負担する。

2　第十七条第六項の規定により国土交通大臣が行う都道府県道又は市町村道を構成する施設又は工作物の修繕に関する工事に要する費用は、当該都道府県又は市町村の負担とする。

3　第十七条第七項又は第四十八条の十九第一項の規定により国土交通大臣が行う都道府県道又は市町村道の維持又は災害復旧に関する工事に要する費用は、当該都道府県又は市町村の負担とする。

（市町村の分担金）

第五二条　前三条の規定により都道府県の負担する費用のうち、その工事又は維持で当該都道府県の区域内の市町村を利するものについては、当該工事又は維持による受益の限度において、当該市町村に対し、その工事又は維持に要する費用の一部を負担させることができる。

2　前項の費用について同項の規定により市町村が負担すべき金額は、当該市町村の意見を聞いた上、当該都道府県の議会の議決を経て定めなければならない。

（負担金の納付又は支出）

第五三条　国土交通大臣が国道の新設若しくは改築を行う場合、指定区間内の国道の災害復旧を行う場合、指定区間外の国道の維持若しくは災害復旧に関する工事を行う場合、都道府県道若しくは市町村道の維持若しくは災害復旧に関する工事を行う場合又は都道府県道若しくは市町村道を構成する施設若しくは工作物の改築若しくは修繕に関する工事を行う場合においては、まず全額国費をもつてこれを行つた後、都道府県又は市町村は、政令で定めるところにより、第五十条第一項、第二項若しくは第四項から第六項まで又は第五十一条の規定に基づく負担金を国庫に納付しなければならない。

2　都道府県が国道の新設又は改築を行う場合においては、国は、第五十条第一項の規定に基づく負担金を、同条第六項の規定により分担を命ぜられた他の都道府県は当該規定による分担金を、政令で定めるところにより、当該都道府県に対して支出しなければならない。

3　前条第一項の規定による市町村の分担金は、政令で定めるところにより、都道府県に納付しなければならない。

（境界地の道路の管理に関する費用）

第五四条　第四十九条から第五十一条までの規定により地方公共団体の負担すべき道路の管理に関する費用で地方公共団体の区

域の境界に係る道路に関するものについては、関係道路管理者は、協議してその分担すべき金額及び分担の方法を定めることができる。

2　第十九条第二項の規定は、前項の規定による協議が成立しない場合について準用する。

3　第七条第六項の規定は、前項において準用する第十九条第二項の規定による国土交通大臣又は都道府県知事の裁定について準用する。この場合において、第七条第六項中「国土交通大臣」とあるのは「国土交通大臣又は都道府県知事」と、「関係都道府県知事」とあるのは「関係道路管理者」と、「当該都道府県の議会」とあるのは「道路管理者である地方公共団体の議会」と読み替えるものとする。

4　第二項において準用する第十九条第二項の規定により国土交通大臣又は都道府県知事が裁定をした場合においては、第一項の規定の適用については、関係道路管理者の協議が成立したものとみなす。

（共用管理施設の管理に要する費用）

第五四条の二　第四十九条から第五十一条までの規定により国又は地方公共団体の負担すべき道路の管理に関する費用で共用管理施設に関するものについては、共用管理施設関係道路管理者は、協議してその分担すべき金額及びその分担の方法を定めることができる。

2　第十九条の二第二項の規定は、前項の規定による協議が成立しない場合について準用する。

3　第七条第六項の規定は、前項において準用する第十九条の二第二項の規定による国土交通大臣又は都道府県知事の裁定について準用する。この場合において、第七条第六項中「国土交通大臣」とあるのは「国土交通大臣又は都道府県知事」と、「関係都道府県知事」とあるのは「共用管理施設関係道路管理者」と、「当該都道府県の議会」とあるのは「道路管理者である地方公共団体の議会」と読み替えるものとする。

4　第二項において準用する第十九条の二第二項の規定により国土交通大臣又は都道府県知事が裁定をした場合においては、第一項の規定の適用については、共用管理施設関係道路管理者の協議が成立したものとみなす。

（兼用工作物の費用）

第五五条　第四十九条から第五十一条までの規定により国又は地方公共団体の負担すべき道路の管理に関する費用で、当該道路が他の工作物と効用を兼ねるものに関するものについては、国土交通大臣又は当該道路の道路管理者は、他の工作物の管理者と協議してその分担すべき金額及び分担の方法を定めることができる。

2　第二十条第二項及び第三項の規定は、前項の規定による協議が成立しない場合について準用する。

3　第七条第六項の規定は、前項において準用する第二十条第三項の規定による国土交通大臣及び当該他の工作物に関する主務大臣又は都道府県知事の裁定について準用する。この場合において、第七条第六項中「国土交通大臣」とあるのは「国土交通大臣及び当該他の工作物に関する主務大臣又は都道府県知事」と、「関係都道府県知事の意見」とあるのは「当該道路の道路管理者又は他の工作物の管理者の意見」と、「関係都道府県知事は、」とあるのは「当該道路の道路管理者は、」と、「当該都道府県の議会」とあるのは「道路管理者である地方公共団体の議会」と読み替えるものとする。

4　第二項において準用する第二十条第二項の規定により国土交通大臣と当該他の工作物に関する主務大臣との協議が成立した場合又は第二項において準用する同条第三項の規定により国土交通大臣及び当該他の工作物に関する主務大臣若しくは都道府県知事が裁定をした場合においては、第一項の規定の適用については、国土交通大臣又は当該道路の道路管理者と他の工作物の管理者との協議が成立したものとみなす。

（道路に関する費用の補助）

第五六条　国は、国土交通大臣の指定する主要な都道府県道若しくは市道を整備するために必要がある場合、第七十七条の規定による道路に関する調査を行うために必要がある場合又は資源の開発、産業の振興、観光その他国の施策上特に道路を整備する必要があると認められる場合においては、予算の範囲内において、政令で定めるところにより、当該道路の新設又は改築に要する費用についてはその二分の一以内を、道路に関する調査に要する費用についてはその三分の一以内を、指定区間外の国道の修繕に要する費用についてはその二分の一以内を道路管理者に対して、補助することができる。

（道路管理者以外の者の行う工事等に要する費用）

第五七条　第二十四条の規定により道路管理者以外の者の行う道路に関する工事又は道路の維持に要する費用は、同条の規定により道路管理者の承認を受けた者又は道路の維持を行う者が負担しなければならない。

（原因者負担金）

第五八条　道路管理者は、他の工事又は他の行為により必要を生じた道路に関する工事又は道路の維持の費用については、その必要を生じた限度において、他の工事又は他の行為につき費用を負担する者にその全部又は一部を負担させるものとする。

2　前項の場合において、他の工事が河川工事であるときは、道路に関する工事の費用については、河川法第六十八条の規定は、適用しない。

（附帯工事に要する費用）

第五九条　道路に関する工事に因り必要を生じた他の工事又は道路に関する工事を施行するために必要を生じた他の工事に要する費用は、第三十二条第一項及び第三項の規定による許可に附した条件に特別の定がある場合並びに第三十五条の規定による協議による場合を除く外、その必要を生じた限度において、この法律の規定に基いて道路に関する工事について費用を負担すべき者がその全部又は一部を負担しなければならない。

2　前項の場合において、他の工事が河川工事であるときは、他の工事に要する費用については、同項の規定は、適用しない。

3　道路管理者は、第一項の道路に関する工事が他の工事又は他の行為のために必要となつたものである場合においては、同項の他の工事に要する費用の全部又は一部を、その必要を生じた限度において、その原因となつた工事又は行為につき費用を負担する者に負担させることができる。

（他の工作物の管理者の行う道路に関する工事に要する費用）

第六〇条　第二十一条の規定によつて道路管理者が他の工作物の管理者に施行させた道路に関する工事に要する費用は、この法律の規定に基いて当該道路に関する工事について費用を負担すべき者が負担しなければならない。但し、当該他の工作物の管理者が当該道路に関する工事に因り利益を受けた場合においては、当該他の工作物の管理者に対し、その受けた利益の限度において、当該工事に要する費用の一部を負担させることができる。

（受益者負担金）

第六一条　道路管理者は、道路に関する工事に因つて著しく利益を受ける者がある場合においては、その利益を受ける限度において、当該工事に要する費用の一部を負担させることができる。

2　前項の場合において、負担金の徴収を受ける者の範囲及びその徴収方法については、道路管理者である地方公共団体の条例（指定区間内の国道にあつては、政令）で定める。

（道路の占用に関する工事の費用）

第六二条　道路の占用に関する工事に要する費用は、第五十九条の規定の適用がある場合を除き、道路の占用につき道路管理者の許可を受けた者が負担しなければならない。第三十八条第一項の規定により道路管理者が自ら道路の占用に関する工事を行う場合も、同様とする。

（負担金の通知及び納入手続等）

第六三条　第四十四条の三第七項及び第五十八条から前条までの規定による負担金の額の通知及び納入手続その他負担金に関し必要な事項は、政令で定める。

（収入の帰属）

第六四条　第二十四条の二第一項の規定に基づく駐車料金及び同条第三項（第四十八条の三十五第三項において準用する場合を含む。）の規定に基づく割増金、第二十五条の規定に基づく料金、第四十八条の七第一項の規定に基づく連結料、第四十四条の三第七項、第五十八条から第六十一条まで及び第六十二条後段の規定に基づく負担金、第四十八条の三十五第一項の規定に基づく停留料金並びに自動車駐車場等運営権の設定の対価は、道路管理者の収入とし、第三十九条の規定に基づく占用料は、政令で定める区分に従い、道路管理者又は第十三条第二項の規定により指定区間内の国道の維持、修繕及び災害復旧以外の管理を行う都道府県若しくは指定市の収入とする。

2　第四十七条の二第三項の規定に基づく手数料は、同項の道路管理者の収入とし、第四十七条の三第七項、第四十七条の四第五項及び第四十七条の十第五項の規定に基づく手数料は、国の収入とする。

（義務履行のために要する費用）

第六五条　この法律、この法律に基く命令若しくは条例又はこれらによつてする処分による義務を履行するために必要な費用は、この法律に特別の規定がある場合を除く外、当該義務者が負担しなければならない。

（他人の土地の立入又は一時使用）

第六六条　道路管理者又はその命じた者若しくはその委任を受けた者は、道路に関する調査、測量若しくは工事又は道路の維持のためやむを得ない必要がある場合においては、他人の土地に立ち入り、又は特別の用途のない他人の土地を材料置場若しくは作業場として一時使用することができる。

2　前項の規定により他人の土地に立ち入ろうとする場合においては、あらかじめ当該土地の占有者にその旨を通知しなければならない。但し、あらかじめ通知することが困難である場合においては、この限りでない。

3　前項の規定により宅地又はかき、さく等で囲まれた土地に立ち入ろうとする場合においては、立入の際あらかじめその旨を当該土地の占有者に告げなければならない。

4　日出前及び日没後においては、占有者の承諾があつた場合を除き、前項に規定する土地に立ち入つてはならない。

5　第一項の規定により他人の土地に立ち入ろうとする者は、その身分を示す証票を携帯し、関係人の請求があつた場合においては、これを呈示しなければならない。

6　第一項の規定により特別の用途のない他人の土地を材料置場又は作業場として一時使用しようとする場合においては、あらかじめ当該土地の占有者及び所有者に通知して、その者の意見を聞かなければならない。

7　第五項の規定による証票の様式その他必要な事項は、国土交通省令で定める。

（立入又は一時使用の受忍）

第六七条　土地の占有者又は所有者は、正当な事由がない限り、前条第一項の規定による立入又は一時使用を拒み、又は妨げてはならない。

（長時間放置された車両の移動等）

第六七条の二　道路管理者又はその命じた者若しくはその委任を受けた者は、道路の改築、修繕若しくは災害復旧に関する工事又は除雪その他の道路の維持の施行のため緊急やむを得ない必要がある場合においては、道路に長時間放置された車両について、現場に当該車両の運転をする者その他当該車両の管理について責任がある者がいないときに限り、当該車両が放置されている場所からの距離が五十メートルを超えない道路上の場所に当該車両を移動することができる。この場合において、当該車両が放置されている場所からの距離が五十メートルを超えない範囲の地域内の道路上に当該車両を移動する場所がないときは、自動車駐車場、空地、この項前段に規定する場所以外の道路上の場所その他の場所に当該車両を移動することができる。

2　道路管理者は、前項の規定により車両を移動し、又はその命じた者若しくはその委任を受けた者に車両を移動させようとするときは、あらかじめ、当該地域を管轄する警察署長の意見を聴かなければならない。

3　道路管理者は、第一項後段の規定により車両を移動したときは、当該車両を保管しなければならない。この場合において、道路管理者は、車両の保管の場所の形状、管理の態様等に応じ、当該車両に係る盗難等の事故の発生を防止するため、道路管理者が当該車両を保管している旨の表示、車輪止め装置の取付けその他の必要な措置を講じなければならない。

4　道路管理者は、前項の規定により車両を保管したときは、当該車両の所有者又は使用者（以下この条において「所有者等」という。）に対し、保管を始めた日時及び保管の場所を告知し、その他当該車両を所有者等に返還するため必要な措置を講じなければならない。この場合において、当該車両の所有者等の氏名及び住所を知ることができないときは、政令で定めるところにより、政令で定める事項を公示しなければならない。

5　道路管理者は、車両が放置されていた場所における道路の改築、修繕若しくは災害復旧に関する工事が完了し、又は除雪その他の道路の維持の施行が終了した場合その他第三項の規定による保管を継続する必要がなくなつた場合においては、遅滞なく、同項の規定により保管した車両を当該車両が放置されていた場所又はその周辺の場所に移動しなければならない。

（非常災害時における土地の一時使用等）

第六八条　道路管理者は、道路に関する非常災害のためやむを得ない必要がある場合においては、災害の現場において、必要な土地を一時使用し、又は土石、竹木その他の物件を使用し、若しくは収用し、若しくは処分することができる。

2　道路管理者は、非常災害に因り道路の構造又は交通に対する危険を防止するためやむを得ないと認められる場合においては、災害の現場に在る者又はその附近に居住する者を防ぎよに従事させることができる。

（損失の補償）

第六九条　道路管理者は、第六十六条又は前条の規定による処分に因り損失を受けた者に対して、通常生ずべき損失を補償しなければならない。

2　第四十四条第六項及び第七項の規定は、前項の規定による損失の補償について準用する。

（道路の新設又は改築に伴う損失の補償）

第七〇条　土地収用法第九十三条第一項の規定による場合の外、道路を新設し、又は改築したことに因り、当該道路に面する土地について、通路、みぞ、かき、さくその他の工作物を新築し、増築し、修繕し、若しくは移転し、又は切土若しくは盛土をするやむを得ない必要があると認められる場合においては、道路管理者は、これらの工事をすることを必要とする者（以下「損失を受けた者」という。）の請求により、これに要する費用の全部又は一部を補償しなければならない。この場合において、道路管理者又は損失を受けた者は、補償金の全部又は一部に代えて、道路管理者が当該工事を行うことを要求することができる。

2　前項の規定による損失の補償は、道路に関する工事の完了の日から一年を経過した後においては、請求することができない。

3　第一項の規定による損失の補償については、道路管理者と損失を受けた者とが協議しなければならない。

4　前項の規定による協議が成立しない場合においては、道路管理者又は損失を受けた者は、政令で定めるところにより、収用委員会に土地収用法第九十四条の規定による裁決を申請することができる。

第五章　監督

（道路管理者等の監督処分）

第七十一条　道路管理者は、次の各号のいずれかに該当する者に対して、この法律若しくはこの法律に基づく命令の規定によつて与えた許可、承認若しくは認定（以下この条及び第七十二条の二第一項において「許可等」という。）を取り消し、その効力を停止し、若しくはその条件を変更し、又は行為若しくは工事の中止、道路（連結許可等に係る自動車専用道路と連結する施設を含む。以下この項において同じ。）に存する工作物その他の物件の改築、移転、除却若しくは当該工作物その他の物件により生ずべき損害を予防するために必要な施設をすること若しくは道路を原状に回復することを命ずることができる。

一　この法律若しくはこの法律に基づく命令の規定又はこれらの規定に基づく処分に違反している者

二　この法律又はこの法律に基づく命令の規定による許可又は承認に付した条件に違反している者

三　偽りその他不正な手段によりこの法律又はこの法律に基づく命令の規定による許可等を受けた者

2　道路管理者は、次の各号のいずれかに該当する場合においては、この法律又はこの法律に基づく命令の規定による許可等を受けた者に対し、前項に規定する処分をし、又は措置を命ずることができる。

一　道路に関する工事のためやむを得ない必要が生じた場合

二　道路の構造又は交通に著しい支障が生じた場合

三　前二号に掲げる場合のほか、道路の管理上の事由以外の事由に基づく公益上やむを得ない必要が生じた場合

3　第四十四条第四項又は前二項の規定により必要な措置をとることを命じようとする場合において、過失がなくて当該措置を命ずべき者を確知することができないときは、道路管理者は、その者の負担において、当該措置を自ら行い、又はその命じた者若しくは委任した者にこれを行わせることができる。この場合においては、相当の期限を定めて、当該措置を行うべき旨及びその期限までに当該措置を行わないときは、道路管理者又はその命じた者若しくは委任した者が当該措置を行う旨を、あらかじめ公告しなければならない。

4　道路管理者（第九十七条の二の規定により権限の委任を受けた北海道開発局長を含む。以下この項及び次項において同じ。）は、その職員のうちから道路監理員を命じ、第二十四条、第三十二条第一項若しくは第三項、第三十七条、第四十条、第四十三条、第四十四条第三項若しくは第四項、第四十六条第一項若しくは第三項、第四十七条第三項、第四十七条の十四第二項若しくは第四十八条第一項若しくは第二項の規定又はこれらの規定に基づく処分に違反している者（第一項又は第二項の規定による道路管理者の処分に違反している者を含む。）に対して第一項の規定によるその違反行為若しくは工事の中止を命じ、又は道路に存する工作物その他の物件の改築、移転、除却若しくは当該工作物その他の物件により生ずべき損害を予防するために必要な施設をすること若しくは道路を原状に回復することを命ずる権限を行わせることができる。

5　道路管理者は、前項の規定により命じた道路監理員に第四十三条の二、第四十七条の十四第一項、第四十八条第四項、第四十八条の十二又は第四十八条の十六の規定による権限を行わせることができる。

6　道路監理員は、前二項の規定による権限を行使する場合においては、その身分を示す証票を携帯し、関係人の請求があつたときは、これを呈示しなければならない。

7　前項の規定による証票の様式その他必要な事項は、国土交通省令で定める。

（監督処分に伴う損失の補償等）

第七十二条　道路管理者は、第二十四条又は第三十二条第一項若しくは第三項の規定による承認又は許可を受けた者が前条第二項第二号又は第三号の規定による処分によつて通常受けるべき損失を補償しなければならない。

2　第四十四条第六項及び第七項の規定は、前項の規定による損失の補償について準用する。

3　道路管理者は、第一項の規定による補償の原因となつた損失が前条第二項第三号の規定による処分に因るものである場合においては、当該補償金額を当該事由を生じさせた者に負担させることができる。

（報告及び立入検査）

第七十二条の二　道路管理者は、この法律（次項に規定する規定を除く。）の施行に必要な限度において、国土交通省令で定めるところにより、この法律若しくはこの法律に基づく命令の規定による許可等を受けた者に対し、道路管理上必要な報告をさせ、又はその職員に、当該許可等に係る行為若しくは工事に係る場所若しくは当該許可等を受けた者の事務所その他の事業場に立ち入り、当該許可等に係る行為若しくは工事の状況若しくは工作物、帳簿、書類その他の物件を検査させることができる。

2　道路管理者は、第四十七条第二項及び第三項並びに第七十一条第一項（第四十七条第二項若しくは第三項又は第四十七条の二第一項の規定に係る場合に限る。）の規定の施行に必要な限度において、国土交通省令で定めるところにより、限度超過車両を所有し、若しくは通行させる者に対し、道路管理上必要な報告をさせ、又はその職員に、限度超過車両の所在する場所若しくは限度超過車両を所有し、若しくは通行させる者の事務所その他の事業場に立ち入り、限度超過車両の通行経路、通行時間その他の通行の方法の記録その他の物件を検査させることができる。

3　前二項の規定により立入検査をする職員は、その身分を示す証明書を携帯し、関係人の請求があつたときは、これを提示しなければならない。

4　第一項及び第二項の規定による立入検査の権限は、犯罪捜査のために認められたものと解釈してはならない。

（負担金等の強制徴収）

第七十三条　この法律、この法律に基づく命令若しくは条例又はこれらによつてした処分により納付すべき負担金、占用料、駐車料金、割増金、料金、連結料又は停留料金（以下これらを「負担金等」という。）を納付しない者がある場合においては、道路管理者は、督促状によつて納付すべき期限を指定して督促しなければならない。

2　前項の場合においては、道路管理者は、条例（指定区間内の国道にあつては、政令）で定めるところにより、手数料及び延滞金を徴収することができる。ただし、手数料の額は督促状の送付に要する費用を勘案して定め、延滞金は年十四・五パーセントの割合を乗じて計算した額を超えない範囲内で定めなければならない。

3　第一項の規定による督促を受けた者がその指定する期限までにその納付すべき金額を納付しない場合においては、道路管理者は、国税滞納処分の例により、前二項に規定する負担金等並びに手数料及び延滞金を徴収することができる。この場合における負担金等並びに手数料及び延滞金の先取特権の順位は、国税及び地方税に次ぐものとする。

4　手数料及び延滞金は、負担金等に先だつものとする。

5　負担金等並びに手数料及び延滞金を徴収する権利は、これらを行使することができる時から五年間行使しない場合においては、時効により消滅する。

（国土交通大臣の認可）

第七十四条　指定区間外の国道の道路管理者は、当該国道を新設し、又は改築しようとする場合においては、国土交通省令で定める

ところにより、国土交通大臣の認可を受けなければならない。ただし、国土交通省令で定める軽易なものについては、この限りでない。

（法令違反等に関する指示等）

第七五条　国土交通大臣は、指定区間外の国道に関し、次に掲げる場合においては、当該指定区間外の国道の道路管理者に対して、その処分の取消し、変更その他必要な処分又はその工事の中止、変更、施行若しくは道路の維持のため必要な措置をすること（以下この条において「必要な処分等」という。）を指示することができる。

一　道路の構造を保全し、又は交通の危険を防止するため特に必要があると認められる場合

二　道路管理者のした処分又は工事がこの法律若しくはこの法律に基づく命令又はこれらに基づいて国土交通大臣がした処分に違反すると認められる場合

2　国土交通大臣は都道府県道及び指定市の市道に関し、都道府県知事は指定市の市道以外の市町村道に関し、次の各号に掲げる場合においては、それぞれ当該道路の道路管理者に対して、当該各号に定める措置をすることができる。

一　道路の構造を保全し、又は交通の危険を防止するため緊急の必要があると認められる場合　必要な処分等の指示

二　道路管理者のした処分又は工事がこの法律、この法律に基づく命令又はこれらに基づいて国土交通大臣若しくは都道府県知事がした処分に違反すると認められる場合　必要な処分等の要求（都道府県知事がするときは、勧告）

3　国土交通大臣は、指定市の市道以外の市町村道に関し、次の各号に掲げる場合においては、当該道路の道路管理者に対して、当該各号に定める措置をすることができる。

一　前項第一号に掲げる場合であつて特に必要があると認められる場合　必要な処分等の指示

二　前項第二号に掲げる場合であつて特に必要があると認められる場合　必要な処分等の要求

4　道路管理者は、国土交通大臣から前二項の規定による要求を受けたときは、必要な処分等を行わなければならない。

5　第一項から第三項までの規定による国土交通大臣又は都道府県知事の指示又は要求若しくは勧告により道路管理者が自己の処分を取り消し、又は変更したことにより、損失を受けた者がある場合においては、道路管理者は、損失を受けた者に対し通常生ずべき損失を補償しなければならない。

6　第四十四条第六項及び第七項の規定は、前項の規定による損失の補償について準用する。

（報告の提出）

第七六条　道路管理者は、国土交通省令で定めるところにより、次に掲げる事項を都道府県である場合にあつては国土交通大臣に、市町村である場合にあつては都道府県知事に報告しなければならない。

一　道路整備計画

二　道路に関する工事の施行実績

三　道路の附属物である自動運行補助施設の設置状況

四　第三十一条第一項の規定による協議の内容

五　第三十九条第二項、第四十八条の七第二項又は第六十一条第二項の規定により定めた条例

2　都道府県知事は、市町村である道路管理者から前項第三号に掲げる事項の報告を受けたときは、その内容を国土交通大臣に報告しなければならない。

（道路に関する調査）

第七七条　国土交通大臣は、道路の交通量、道路の構造、道路の維持又は修繕の実施状況その他道路又は道路の管理の状況に関し必要な調査をその職員に行わせ、又は当該道路の存する地方公共団体の長若しくはその命じた職員が行うこととすることができる。

2　地方公共団体の長は、前項の規定による調査の結果を国土交通大臣に報告しなければならない。

3　第一項の規定により道路の交通量を調査するため特に必要があると認める場合においては、当該調査を行おうとする者は、道路を通行する車両を一時停止させ、当該車両の長さ、幅、高さ、総重量その他調査に必要な事項について質問することができる。この場合においては、当該調査を行おうとする者は、その身分を示す証票を携帯し、関係人の請求があつたときは、これを呈示しなければならない。

4　前項に規定する権限は、犯罪捜査のために認められたものと解釈してはならない。

5　前各項に規定するものを除くほか、第三項後段の規定による証票の様式その他道路の調査に関して必要な事項は、国土交通省令で定める。

（道路の行政又は技術に対する勧告等）

第七八条　国土交通大臣は都道府県又は市町村に対し、都道府県知事は市町村に対し、道路を保全し、その他道路の整備を促進するため、道路の行政又は技術に関して必要な勧告、助言又は援助をすることができる。

第六章　社会資本整備審議会の調査審議等

（社会資本整備審議会の調査審議等）

第七九条　社会資本整備審議会は、国土交通大臣の諮問に応じ、国土開発幹線自動車道建設会議の権限に属せしめられた事項を除き、道路整備計画、国道の路線の指定又は道路の構造及び工法その他道路に関する制度を調査審議する。

2　社会資本整備審議会は、前項に規定する事項について、関係行政機関に建議することができる。

第八〇条から第八四条まで　削除

第七章　雑則

（道路の附属物の新設又は改築）

第八五条　国道に附属する道路の附属物の新設又は改築は、国土交通大臣が自ら行う国道の新設又は改築に伴う場合を除き、当該国道の道路管理者が行う。

2　都道府県道又は市町村道に附属する道路の附属物の新設又は改築は、当該都道府県道又は市町村道の道路管理者が行う。

3　道路の附属物の新設又は改築に要する費用は、道路の附属物の新設又は改築が国道の新設又は改築に伴うものである場合においては、当該国道の新設又は改築に要する費用を負担する者がその負担の割合に応じて負担し、その他の場合においては、道路管理者が負担する。

（国の行う事業等に対する負担金の徴収）

第八六条　第三十五条に規定する事業に対する第五十八条から第六十一条まで及び第六十二条後段の規定による負担金並びに道路の占用に伴う道路に関する工事の費用の負担金の額の決定並びにその徴収方法については、これらの基準を政令で定めることができる。

2　道路管理者は、第三十五条に規定する事業について第五十八条の規定により負担金を徴収しようとする場合又は第六十一条第二項の規定による条例を制定し、若しくは改正しようとする場合においては、前項に規定する政令で定める基準の範囲内においてしなければならない。

（許可等の条件）

第八七条　国土交通大臣及び道路管理者は、この法律の規定によつてする許可、認可又は承認には、第三十四条又は第四十七条の二第一項の規定による場合のほか、道路の構造を保全し、交通の危険を防止し、その他円滑な交通を確保するために必要な条件を附することができる。

2　前項の規定による条件は、当該許可、認可又は承認を受けた者に不当な義務を課することとならないものでなければならない。

（道等の特例）

第八八条　国は、道の区域内の道路については、政令で定めるところにより、道路に関する費用の全額を負担し、若しくはこの法律に規定する負担割合若しくは補助率以上の負担若しくは補助を行い、又はこの法律に規定する以外の負担若しくは補助を行うことができる。地勢、気象等の自然的条件がきわめて悪く、且つ、資源の開発が充分に行われていない地域内の道路で政令で指定するものについても、同様とする。

2　国土交通大臣は、前項の規定により国が道の区域内の道路について、新設又は改築に要する費用にあつてはその四分の三以上で、維持、修繕その他の管理に要する費用にあつてはその二分の一以上で政令で定める割合以上の負担を行なう場合において、国の利害に特に関係があるときは、政令で定めるところにより、道路管理者の権限の全部又は一部を行なうことができる。

3　前項の規定により国土交通大臣が道路管理者の権限の全部又は一部を行なう場合においては、道又は当該市町村道の存する市町村は、政令で定めるところにより、第四十九条の規定に基づく負担金を国庫に納付しなければならない。

（都の特例）

第八九条　都の特別区の存する区域内においては、都知事は、第七条第一項各号に掲げる基準によらないで、議会の議決を経て、都道の路線を認定し、変更し、又は廃止することができる。

2　都知事は、前項の規定により都道の路線を認定し、変更し、又は廃止しようとする場合においては、あらかじめ当該路線の存する特別区の区長の意見を聞かなければならない。

（道路の敷地等の帰属）

第九〇条　国道の新設又は改築のために取得した道路を構成する敷地又は支壁その他の物件（以下これらを「敷地等」という。）は国に、都道府県道又は市町村道の新設又は改築のために取得した敷地等はそれぞれ当該新設又は改築をした都道府県又は市町村に帰属する。

2　普通財産である国有財産は、都道府県道又は市町村道の用に供する場合においては、国有財産法第二十二条又は第二十八条の規定にかかわらず、当該道路の道路管理者である地方公共団体に無償で貸し付け、又は譲与することができる。

（道路予定区域）

第九一条　第十八条第一項の規定により道路の区域が決定された後道路の供用が開始されるまでの間は、何人も、道路管理者（国土交通大臣が自ら道路の新設又は改築を行う場合における国土交通大臣を含む。以下この条及び第九十六条第五項後段において同じ。）が当該区域についての土地に関する権原を取得する前においても、道路管理者の許可を受けなければ、当該区域内において土地の形質を変更し、工作物を新築し、改築し、増築し、若しくは大修繕し、又は物件を付加増置してはならない。

2　道路の区域が決定された後道路の供用が開始されるまでの間においても、道路管理者が当該区域についての土地に関する権原を取得した後においては、当該区域又は当該区域内に設置された道路の附属物となるべきもの（以下「道路予定区域」という。）については、第四条、第三章第三節、第四十三条、第四十四条から第四十四条の三まで、第四十七条の二十一、第四十八条、第四十八条の四十五（第三十二条第一項又は第三項の規定の適用に係る部分に限る。）、第七十一条、第七十二条、第七十二条の二（第二項を除く。）、第七十三条、第七十五条、第八十七条及び次条から第九十五条までの規定を準用する。

3　第一項の規定による制限により損失を受ける者がある場合においては、道路管理者は、その者に対して通常受けるべき損失を補償しなければならない。

4　第四十四条第六項及び第七項の規定は、前項の規定による損失の補償について準用する。

（不用物件の管理又は交換）

第九二条　道路の供用の廃止又は道路の区域の変更があつた場合においては、当該道路を構成していた不用となつた敷地、支壁その他の物件（以下「不用物件」という。）は、従前当該道路を管理していた者が一年をこえない範囲内において政令で定める期間、管理しなければならない。

2　第四条の規定は、前項の期間が満了するまでは、不用物件について準用する。

3　第一項の不用物件は、土地収用法第百六条の規定の適用については、同項に規定する期間内においては、不用物件とならないものとみなす。

4　道路管理者は、路線の変更又は区域の変更に因り、新たに道路を構成する敷地その他の物件を取得する必要がある場合において、これらの物件及び不用物件の所有者並びに当該物件について抵当権、賃借権、永小作権その他所有権以外の権利を有する者の同意があるときは、第一項の期間内においても、不用物件とこれらの物件とを交換することができる。

（不用物件の使用）

第九三条　不用物件を他の道路の新設又は区域の変更のために使用する必要がある場合であつて、且つ、当該不用物件が当該道路の区域内にある場合において、当該道路の道路管理者がその旨を前条第一項の期間内に当該不用物件の管理者に申し出たときは、当該不用物件の管理者は、これを当該道路管理者に引き渡さなければならない。

（不用物件の返還又は譲与）

第九四条　第九十二条第四項及び前条の規定に該当する場合を除き、不用物件がその管理者以外の者の所有に属する場合においては、当該不用物件の管理者は、第九十二条第一項の期間満了後、直ちにこれを所有者に返還しなければならない。

2　前項の場合において当該不用物件が国有財産であるときは、国土交通大臣は、当該国有財産の管理者である主務大臣と協議の上、国有財産として存置する必要があるものを除き、国有財産法第二十八条の規定にかかわらず、当該不用物件のあつた道路の管理の費用を負担した地方公共団体にこれを譲与することができる。

3　第一項の場合において、不用物件の管理者が当該不用物件の所有者を確知することができないときは、当該不用物件を供託することができる。ただし、当該管理者に過失があるときは、この限りでない。

4　民法第四百九十五条第二項並びに非訟事件手続法（平成二十三年法律第五十一号）第九十四条及び第九十八条の規定は、前項の規定による供託について準用する。

5　第二項の規定により、譲与を受けることができる地方公共団体が二以上ある場合においては、そのいずれかが都道府県であるときは国土交通大臣が、その他のときは都道府県知事が譲与の割合を決定するものとする。

6　第二項の場合において、土地収用法第百六条又は民法第五百七十九条の規定による買受け又は買戻しの相手方は、譲与を受けた地方公共団体とする。

（不用物件に関する費用等）

第九五条　第九十二条第一項の期間内における不用物件の管理若しくは同条第四項の規定による不用物件の交換又は前条の規定による不用物件の返還に要する費用は不用物件の管理者の負担とし、不用物件の管理に伴う収益は不用物件の管理者の収入とする。

（都道府県公安委員会との調整）

第九五条の二　道路管理者は、第四十五条第一項の規定により道路（高速自動車国道及び自動車専用道路を除く。以下この項において同じ。）に区画線（道路交通法第二条第二項の規定により同条第一項第十六号の道路標示とみなされるものに限る。以下この条において同じ。）を設け、第四十六条第一項若しくは第三項若しくは第四十七条第三項の規定により道路の通行を禁止し、若しくは制限し、第四十八条の二十第一項若しくは第三項の規定による歩行者利便増進道路の指定をし、第四十八条の二十九の三の規定により防災拠点自動車駐車場の利用を禁止し、若しくは制限し、又は横断歩道橋を設け、道路の交差部分及びその付近の道路の部分の改築で政令で定めるもの若しくは歩行安全改築を行い、道路上に道路の附属物である自動車駐車場を設け、若しくは道路に接して特定車両停留施設を設けようとするときは、当該地域を管轄する都道府県公安委員会の意見を聴かなければならない。ただし、第四十六条第一項の規定により道路の通行を禁止し、若しくは制限し、又は第四十八条の二十九の三の規定により防災拠点自動車駐車場の利用を禁止し、若しくは制限しようとする場合において、緊急を要するためやむを得ないと認められるときは、この限りでないものとし、この場合には、事後において、速やかに当該禁止又は制限の内容及び理由を通知しなければならない。

2　道路管理者は、道路の区域を立体的区域として決定し、若しくは変更し、第四十八条の二第一項若しくは第二項の規定による自動車専用道路の指定をし、第四十五条第一項の規定により自動車専用道路に区画線を設け、第四十六条第一項若しくは第三項の規定により自動車専用道路の通行を禁止し、若しくは制限し、又は自動車専用道路が他の道路に連絡する位置を定めようとするときは、当該地域を管轄する都道府県公安委員会に協議しなければならない。前項ただし書の規定は、道路管理者が第四十六条第一項の規定により自動車専用道路の通行を禁止し、又は制限しようとする場合について準用する。

（不服申立て）

第九六条　第四十六条第二項又は第六十八条第一項若しくは第二項の規定による処分その他公権力の行使に当たる行為（以下この条において「処分」という。）については、審査請求をすることができない。

2　前項に規定する処分を除くほか、都道府県又は市町村である道路管理者がこの法律に基づいてした処分に不服がある者は、当該都道府県の知事又は当該市町村の長に対して審査請求をし、その裁決に不服がある者は、都道府県である道路管理者がした処分については国土交通大臣に対して、市町村である道路管理者がした処分については都道府県知事に対して再審査請求をすることができる。

3　第一項に規定する処分を除くほか、第二十条の規定による協議に基づき都道府県、市町村その他の公共団体である他の工作物の管理者が道路管理者に代わつてした処分に不服がある者は、当該公共団体の長に対して審査請求をし、その裁決に不服がある者は、都道府県である他の工作物の管理者がした処分については国土交通大臣及び当該他の工作物に関する主務大臣に対して、その他の者がした処分については都道府県知事に対して再審査請求をすることができる。

4　第一項に規定する処分を除くほか、第二十条の規定による協議に基づき他の工作物の管理者である主務大臣又はその地方支分部局の長が道路管理者に代わつてした処分に不服がある者は、国土交通大臣及び当該他の工作物に関する主務大臣に対して審査請求をすることができる。

5　道路管理者が第三十二条第一項若しくは第三項（第九十一条第二項において準用する場合を含む。）又は第四十八条の五第一項若しくは第三項の規定による許可の申請書を受理した日から三月を経過してもなおその申請に対する何らの処分をしないときは、許可を申請した者は、道路管理者がその許可を拒否したものとみなして、審査請求をすることができる。道路管理者が第九十一条第一項の規定による許可の申請書を受理した日から三十日を経過してもなおその申請に対する何らの処分をしないときも、同様とする。

（事務の区分）

第九七条　この法律の規定により地方公共団体が処理することとされている事務のうち次に掲げるものは、地方自治法第二条第九項第一号に規定する第一号法定受託事務（次項において「第一号法定受託事務」という。）とする。

一　この法律の規定により都道府県、指定市又は第十七条第二項の規定により都道府県の同意を得た市（次項において「都道府県等」という。）が、指定区間外の国道の道路管理者として処理することとされている事務（第二十四条の二第一項及び第三項（第四十八条の三十五第三項において準用する場合を含む。）、第三十九条第一項（第九十一条第二項において準用する場合を含む。）、第四十四条第五項から第七項まで（これらの規定を第九十一条第二項において準用する場合を含む。）、第四十七条の二第三項、第四十八条の三十五第一項、第四十九条、第五十四条第一項、同条第二項において準用する第十九条第二項、第五十四条第三項において準用する第七条第六項、第五十四条の二第一項、第五十四条の二第三項において準用する第十九条の二第二項、第五十五条第一項、同条第二項において準用する第二十条第三項、第五十五条第三項において準用する第七条第六項、第五十八条第一項、第五十九条第一項及び第三項、第六十条、第六十一条第一項、第六十九条第一項、同条第二項において準用する第四十四条第六項及び第七項、第七十条第一項、第三項及び第四項、第七十一条第四項（道路監理員の任命に係る部分に限り、第九十一条第二項において準用する場合を含む。）、第七十二条第一項（第九十一条第二項において準用する場合を含む。）、第七十二条第二項において準用する第四十四条第六項及び第七項並びに第七十二条第三項（これらの規定を第九十一条第二項において準用する場合を含む。）、第七十三条第一項から第三項まで（これらの規定を第九十一条第二項において準用する場合を含む。）、第七十五条第五項並びに同条第六項において準用する第四十四条第六項及び第七項（これらの規定を第九十一条第二項において準用する場合を含む。）、第八十五条第三項、第九十一条第三項並びに同条第四項において準用する第四十四条第六項及び第七項の規定により処理することとされているものを除く。）及び指定区間外の国道を構成していた不用物件の管理者として処理することとされている事務（第九十五条（第九十一条第二項において準用する場合を含む。）の規定により処理することとされているものを除く。）

二　第十三条第二項の規定により都道府県又は指定市が処理することとされる事務（政令で定めるものを除く。）

三　第十七条第四項、第四十八条の二十第三項及び第四十八条の二十二第一項の規定により国道に関して指定市以外の市町村が処理することとされている事務（政令で定めるものを除く。）

四　第十七条第八項の規定により国道に関して都道府県が処理することとされている事務

五　第九十四条第五項（第九十一条第二項において準用する場合を含む。）の規定により都道府県が処理することとされている事務

2　他の法律及びこれに基づく政令の規定により、都道府県等が指定区間外の国道の道路管理者又は道路管理者となるべき者として処理することとされている事務（費用の負担及び徴収に関するものを除く。）は、第一号法定受託事務とする。

（権限の委任）

第九七条の二　この法律及びこの法律に基づく政令に規定する国

土交通大臣の権限は、政令で定めるところにより、その一部を地方整備局長又は北海道開発局長に委任することができる。ただし、第三十一条第二項の規定による裁定、同条第五項本文及び第三十一条の二第四項本文の規定による決定並びに同条第三項の規定による命令については、この限りでない。

（不適用規定）

第九八条　第四条の規定は、他の工作物について道路の路線が指定され、又は認定された場合においては、当該他の工作物については、適用しない。

（経過措置）

第九八条の二　この法律の規定に基づき命令を制定し、又は改廃する場合においては、その命令で、その制定又は改廃に伴い合理的に必要と判断される範囲内において、所要の経過措置（罰則に関する経過措置を含む。）を定めることができる。

第八章　罰則

第九九条　国又は地方公共団体の職員が、第三十九条の五第一項若しくは第四十八条の二十六第一項の規定による認定に関し、その職務に反し、当該認定を受けようとする者に談合を唆すこと、当該認定を受けようとする者に当該認定に係る占用入札若しくは公募（以下「占用入札等」という。）に関する秘密を教示すること又はその他の方法により、当該占用入札等の公正を害すべき行為を行つたときは、五年以下の懲役又は二百五十万円以下の罰金に処する。

第一〇〇条　偽計又は威力を用いて、占用入札等の公正を害すべき行為をしたときは、その違反行為をした者は、三年以下の懲役若しくは二百五十万円以下の罰金に処し、又はこれを併科する。

2　占用入札等につき、公正な価額を害し又は不正な利益を得る目的で、談合したときも、前項と同様とする。

第一〇一条　みだりに道路（高速自動車国道を除く。以下この条において同じ。）を損壊し、若しくは道路の附属物を移転し、若しくは損壊して道路の効用を害し、又は道路における交通に危険を生じさせたときは、その違反行為をした者は、三年以下の懲役又は百万円以下の罰金に処する。

第一〇二条　次の各号のいずれかに該当するときは、その違反行為をした者は、一年以下の懲役又は五十万円以下の罰金に処する。

一　第三十二条第一項又は第九十一条第二項において準用する第三十二条第一項の規定に違反して道路又は道路予定区域を占用したとき。

二　第三十七条第一項又は第九十一条第二項において準用する第三十七条第一項の規定による禁止又は制限に違反して道路又は道路予定区域を占用したとき。

三　第四十三条（第九十一条第二項において準用する場合を含む。）の規定に違反したとき。

四　第四十八条の五十一第一項の規定に違反して、その職務に関し知り得た秘密を漏らし、又は自己の利益のために使用した者

五　第四十八条の五十七第二項の規定による登録等事務の停止の命令に違反した者

六　正当の事由がなくて第六十八条第一項の規定による土地の一時使用又は土石、竹木その他の物件の使用、収用若しくは処分を拒み、又は妨げたとき。

第一〇三条　次の各号のいずれかに該当するときは、その違反行為をした者は、六月以下の懲役又は三十万円以下の罰金に処する。

一　第三十二条第三項（第九十一条第二項において準用する場合を含む。）の規定に違反して道路又は道路予定区域を占用したとき。

二　第三十九条の九（第九十一条第二項において準用する場合を含む。）の規定による道路管理者の命令に違反したとき。

三　第四十六条第一項又は第二項の規定による禁止又は制限に違反して道路を通行したとき。

四　第四十六条第三項の規定による禁止又は制限に違反して水底トンネルを通行したとき。

五　第四十七条第三項の規定による禁止若しくは制限に違反し、又は同項の規定により通行が禁止され、若しくは制限されている道路の通行に関し第四十七条の二第一項の規定により道路管理者が付した条件に違反して道路を通行したとき。

六　第四十七条第二項の規定に違反し、又は同条第一項の政令で定める最高限度を超える車両の通行に関し第四十七条の二第一項の規定により道路管理者が付した条件に違反して車両を通行させている者に対する第四十七条の十四第一項の規定による道路管理者の命令（第七十一条第五項の規定による道路監理員の命令を含む。）に違反したとき。

七　第四十八条の二十九の三の規定による禁止又は制限に違反して防災拠点自動車駐車場を利用したとき。

八　第四十八条の三十二第一項又は第三項の規定に違反して特定車両停留施設に車両を停留させたとき。

九　第六十七条の規定に違反して土地の立入り又は一時使用を拒み、又は妨げたとき。

十　第九十一条第一項の規定に違反したとき。

第一〇四条　次の各号のいずれかに該当するときは、その違反行為をした者は、百万円以下の罰金に処する。

一　第四十七条第二項の規定に違反し、又は同条第一項の政令で定める最高限度を超える車両の通行に関し第四十七条の二第一項の規定により道路管理者が付した条件に違反して車両を通行させたとき。

二　第四十七条の二第六項の規定に違反して許可証を備え付けなかつたとき。

三　第四十七条の十第七項の規定に違反して書面を備え付けなかつた者

四　第四十七条の十二第一項の規定に違反して、記録を作成せず、若しくは虚偽の記録を作成し、又は記録を保存しなかつた者

五　第四十七条の十二第二項の規定による報告をせず、又は虚偽の報告をした者

六　第四十七条の十四第二項の規定による道路管理者の命令に違反したとき。

七　第七十一条第一項又は第二項（第九十一条第二項においてこれらの規定を準用する場合を含む。）の規定による道路管理者の命令に違反したとき。

八　第七十一条第四項（第九十一条第二項において準用する場合を含む。）の規定による道路監理員の命令に違反したとき。

第一〇五条　第四十三条の二、第四十八条第四項、第四十八条の十二若しくは第四十八条の十六の規定による道路管理者の命令又は第四十七条第四項の規定による政令で定める基準を超える車両を通行させている者に対する第四十七条の十四第一項の規定による道路管理者の命令に違反したときは、その違反行為をした者は、五十万円以下の罰金に処する。第七十一条第五項の規定による道路監理員の命令に違反したときについても、同様とする。

第一〇六条　次の各号のいずれかに該当するときは、その違反行為をした者は、三十万円以下の罰金に処する。

一　第四十四条第四項又は第四十八条第二項（第九十一条第二項においてこれらの規定を準用する場合を含む。）の規定による道路管理者の命令に違反したとき。

二　第四十四条の二第三項又は第五項の規定に違反して、届出をせず、又は虚偽の届出をして、同条第三項又は第五項に規

定する行為をしたとき。

三　第四十七条の七第一項又は第四十七条の八第一項の規定による届出をせず、又は虚偽の届出をしたとき。

四　第四十八条の五十三第一項の規定に違反して、帳簿を備え付けず、帳簿に記載せず、若しくは帳簿に虚偽の記載をし、又は帳簿を保存しなかつたとき。

五　第四十八条の五十三第二項の規定に違反したとき。

六　第四十八条の五十五第一項の規定による報告をせず、若しくは虚偽の報告をし、又は同項の規定による検査を拒み、妨げ、若しくは忌避し、若しくは同項の規定による質問に対して答弁をせず、若しくは虚偽の答弁をしたとき。

七　第四十八条の五十六第一項の規定による許可を受けないで登録等事務の全部を廃止したとき。

八　第七十二条の二第一項又は第二項の規定に違反して、報告をせず、若しくは虚偽の報告をし、又はこれらの規定による検査を拒み、若しくは妨げたとき。

第百七条　法人の代表者又は法人若しくは人の代理人、使用人その他の従業者が、その法人又は人の業務に関し、第百条から前条まで（第百二条第四号を除く。）の違反行為をしたときは、行為者を罰するほか、その法人又は人に対して各本条の罰金刑を科する。

第百八条　第四十八条の八第二項の規定に違反して、届出をせず、又は虚偽の届出をした者は、十万円以下の過料に処する。

第百九条　第十三条第二項、第二十七条、第四十八条の十九第二項又は第四十八条の二十二第三項の規定により道路管理者に代わつてその権限を行う者は、本章の規定の適用については、道路管理者とみなす。

附　則

1　この法律の施行期日は、公布の日から起算して六月をこえない期間内において政令で定める。但し、第五条から第十条まで、第七十四条第一号及び第六章の規定は、公布の日から施行する。

〔昭二七政四七八により、昭二七・一二・五から施行〕

2　第五十条第二項及び第五十三条第一項の規定の平成二十二年度における適用については、第五十条第二項中「災害復旧」とあるのは「災害復旧又は安全かつ円滑な道路の交通に支障を生ずることを防止するために速やかに行う必要があるものとして政令で定める道路を構成する施設若しくは工作物に係る工事（当該工事を施行するために必要な点検を含む。第五十三条第一項において「特定事業」という。）」と、第五十三条第一項中「災害復旧」とあるのは「災害復旧若しくは特定事業」とする。

3　国は、当分の間、都道府県に対し、第五十条第一項の規定により国がその費用について負担する都道府県が行う国道の新設又は改築で日本電信電話株式会社の株式の売払収入の活用による社会資本の整備の促進に関する特別措置法（昭和六十二年法律第八十六号。以下「社会資本整備特別措置法」という。）第二条第一項第二号に該当するものに要する費用に充てる資金について、予算の範囲内において、第五十条第一項の規定（この規定による国の負担の割合について、この規定と異なる定めをした法令の規定がある場合には、当該異なる定めをした法令の規定を含む。以下同じ。）により国が負担する金額に相当する金額を無利子で貸し付けることができる。

4　国は、当分の間、道路管理者である地方公共団体に対し、第五十六条又は第八十八条第一項の規定により国がその費用について補助し、又は負担することができる道路の新設若しくは改築又は指定区間外の国道の修繕で社会資本整備特別措置法第二条第一項第二号に該当するものに要する費用に充てる資金について、予算の範囲内において、第五十六条又は第八十八条第一項の規定（これらの規定による国の補助又は負担の割合について、これらの規定と異なる定めをした法令の規定がある場合には、当該異なる定めをした法令の規定を含む。以下同じ。）により国が補助し、又は負担することができる金額に相当する金額を無利子で貸し付けることができる。

5　前二項の国の貸付金の償還期間は、五年（二年以内の据置期間を含む。）以内で政令で定める期間とする。

6　前項に定めるもののほか、附則第三項及び第四項の規定による貸付金の償還方法、償還期限の繰上げその他償還に関し必要な事項は、政令で定める。

7　国は、附則第三項の規定により、都道府県に対し貸付けを行つた場合には、当該貸付けの対象である国道の新設又は改築に係る第五十条第一項の規定による国の負担については、当該貸付金の償還時において、当該貸付金の償還金に相当する金額を交付することにより行うものとする。

8　国は、附則第四項の規定により、地方公共団体に対し貸付けを行つた場合には、当該貸付けの対象である道路の新設若しくは改築又は指定区間外の国道の修繕について、第五十六条又は第八十八条第一項の規定による当該貸付金に相当する金額の補助又は負担を行うものとし、当該補助又は負担については、当該貸付金の償還時において、当該貸付金の償還金に相当する金額を交付することにより行うものとする。

9　都道府県又は地方公共団体が、附則第三項又は第四項の規定による貸付けを受けた無利子貸付金について、附則第五項及び第六項の規定に基づき定められる償還期限を繰り上げて償還を行つた場合（政令で定める場合を除く。）における前二項の規定の適用については、当該償還は、当該償還期限の到来時に行われたものとみなす。

附　則〔昭和五九・八・一〇法律七一抄〕

（施行期日）

第一条　この法律は、昭和六十年四月一日から施行する。〔以下略〕

（道路法の一部改正に伴う経過措置）

第二四条　この法律の施行前に第五十五条の規定による改正前の道路法第三十五条の規定により旧公社が道路管理者とした協議に基づく占用は、第五十五条の規定による改正後の道路法第三十二条第一項及び第三項の規定により会社に対して道路管理者がした許可に基づく占用とみなす。

（罰則の適用に関する経過措置）

第二六条　この法律の施行前にした行為及びこの法律の規定によりなお従前の例によることとされる事項に係るこの法律の施行後にした行為に対する罰則の適用については、なお従前の例による。

（政令への委任）

第二七条　附則第二条から前条までに定めるもののほか、この法律の施行に関し必要な経過措置は、政令で定める。

附　則〔昭和五九・一二・二五法律八七抄〕

（施行期日）

第一条　この法律は、昭和六十年四月一日から施行する。〔以下略〕

（道路法の一部改正に伴う経過措置）

第二四条　この法律の施行前に第六十七条の規定による改正前の道路法第三十五条の規定により旧公社が道路管理者とした協議に基づく占用は、第六十七条の規定による改正後の道路法第三十二条第一項及び第三項の規定により会社に対して道路管理者がした許可に基づく占用とみなす。

（政令への委任）

第二八条　附則第二条から前条までに定めるもののほか、この法律の施行に関し必要な事項は、政令で定める。

附　則〔昭和六〇・五・一八法律三七抄〕

（施行期日等）

1　この法律は、公布の日から施行する。

2　この法律による改正後の法律の規定（昭和六十年度の特例に係る規定を除く。）は、同年度以降の年度の予算に係る国の負担（当該国の負担に係る都道府県又は市町村の負担を含む。以下この項及び次項において同じ。）若しくは補助（昭和五十九年度以前の年度における事務又は事業の実施により昭和六十年度以降の年度に支出される国の負担又は補助及び昭和五十九年度以前の年度の国庫債務負担行為に基づき昭和六十年度以降の年度に支出すべきものとされた国の負担又は補助を除く。）又は交付金の交付について適用し、昭和五十九年度以前の年度における事務又は事業の実施により昭和六十年度以降の年度に支出される国の負担又は補助、昭和五十九年度以前の年度の国庫債務負担行為に基づき昭和六十年度以降の年度に支出すべきものとされた国の負担又は補助及び昭和五十九年度以前の年度の歳出予算に係る国の負担又は補助で昭和六十年度以降の年度に繰り越されたものについては、なお従前の例による。

附　則〔昭和六一・五・八法律四六抄〕

1　この法律は、公布の日から施行する。

2　この法律〔中略〕による改正後の法律の昭和六十一年度から昭和六十三年度までの各年度の特例に係る規定並びに昭和六十一年度及び昭和六十二年度の特例に係る規定は、昭和六十一年度から昭和六十三年度までの各年度（昭和六十一年度及び昭和六十二年度の特例に係るものにあつては、昭和六十一年度及び昭和六十二年度。以下この項において同じ。）の予算に係る国の負担（当該国の負担に係る都道府県又は市町村の負担を含む。以下この項において同じ。）又は補助（昭和六十年度以前の年度における事務又は事業の実施により昭和六十一年度以降の年度に支出される国の負担又は補助及び昭和六十年度以前の年度の国庫債務負担行為に基づき昭和六十一年度以降の年度に支出すべきものとされた国の負担又は補助を除く。）並びに昭和六十一年度から昭和六十三年度までの各年度における事務又は事業の実施により昭和六十四年度（昭和六十一年度及び昭和六十二年度の特例に係るものにあつては、昭和六十三年度。以下この項において同じ。）以降の年度に支出される国の負担又は補助、昭和六十一年度から昭和六十三年度までの各年度の国庫債務負担行為に基づき昭和六十四年度以降の年度に支出すべきものとされる国の負担又は補助及び昭和六十一年度から昭和六十三年度までの各年度の歳出予算に係る国の負担又は補助で昭和六十四年度以降の年度に繰り越されるものについて適用し、昭和六十年度以前の年度における事務又は事業の実施により昭和六十一年度以降の年度に支出される国の負担又は補助、昭和六十年度以前の年度の国庫債務負担行為に基づき昭和六十一年度以降の年度に支出すべきものとされた国の負担又は補助及び昭和六十年度以前の年度の歳出予算に係る国の負担又は補助で昭和六十一年度以降の年度に繰り越されたものについては、なお従前の例による。

附　則〔昭和六一・一二・四法律九三抄〕

（施行期日）

第一条　この法律は、昭和六十二年四月一日から施行する。〔以下略〕

（道路法の一部改正に伴う経過措置）

第三九条　この法律の施行前に第百五十八条の規定による改正前の道路法第三十五条の規定により日本国有鉄道が道路管理者とした協議に基づく占用は、政令で定めるところにより、第百五十八条の規定による改正後の道路法第三十二条第一項及び第三項の規定により承継法人及び清算事業団のうち政令で定める者に対して道路管理者がした許可に基づく占用とみなす。

附　則〔昭和六二・三・三一法律一一抄〕

（施行期日）

1　この法律は、昭和六十二年四月一日から施行する。

（経過措置）

2　この法律による改正後の法律の規定は、昭和六十二年度及び昭和六十三年度の予算に係る国の負担及び当該国の負担に係る都道府県又は市町村の負担（以下この項において「国等の負担」という。）であつて昭和六十一年度以前の年度の国庫債務負担行為に基づき昭和六十二年度以降の年度に支出すべきものとされたもの以外のもの、昭和六十二年度及び昭和六十三年度の国庫債務負担行為に基づき昭和六十四年度以降の年度に支出すべきものとされる国等の負担並びに昭和六十二年度及び昭和六十三年度の歳出予算に係る国等の負担で昭和六十四年度以降の年度に繰り越されるものについて適用し、昭和六十一年度以前の年度の国庫債務負担行為に基づき昭和六十二年度以降の年度に支出すべきものとされた国等の負担及び昭和六十一年度以前の年度の歳出予算に係る国等の負担で昭和六十二年度以降の年度に繰り越されたものについては、なお従前の例による。

附　則〔平成元・四・一〇法律二二抄〕

（施行期日等）

1　この法律は、公布の日から施行する。

2　この法律〔中略〕による改正後の法律の平成元年度及び平成二年度の特例に係る規定並びに平成元年度の特例に係る規定は、平成元年度及び平成二年度（平成元年度の特例に係るものにあっては、平成元年度。以下この項において同じ。）の予算に係る国の負担（当該国の負担に係る都道府県又は市町村の負担を含む。以下この項及び次項において同じ。）又は補助（昭和六十三年度以前の年度における事務又は事業の実施により平成元年度以降の年度に支出される国の負担又は補助及び昭和六十三年度以前の年度の国庫債務負担行為に基づき平成元年度以降の年度に支出すべきものとされた国の負担又は補助を除く。）並びに平成元年度及び平成二年度における事務又は事業の実施により平成三年度（平成元年度の特例に係るものにあっては、平成二年度。以下この項において同じ。）以降の年度に支出される国の負担、平成元年度及び平成二年度の国庫債務負担行為に基づき平成三年度以降の年度に支出すべきものとされる国の負担又は補助並びに平成元年度及び平成二年度の歳出予算に係る国の負担又は補助で平成三年度以降の年度に繰り越されるものについて適用し、昭和六十三年度以前の年度における事務又は事業の実施により平成元年度以降の年度に支出される国の負担、昭和六十三年度以前の年度の国庫債務負担行為に基づき平成元年度以降の年度に支出すべきものとされた国の負担又は補助及び昭和六十三年度以前の年度の歳出予算に係る国の負担又は補助で平成元年度以降の年度に繰り越されたものについては、なお従前の例による。

国の補助金等の整理及び合理化並びに臨時特例等に関する法律〔抄〕　〔平成元・四・一〇 法律二二〕

第九章　地方公共団体に対する財政金融上の措置

（地方公共団体に対する財政金融上の措置）

第四八条　国は、この法律の規定〔中略〕による改正後の法律の規定により平成元年度及び平成二年度の予算に係る国の負担又は補助の割合の引下げ措置の対象となる地方公共団体に対し、その事務又は事業の執行及び財政運営に支障を生ずることのないよう財政金融上の措置を講ずるものとする。

附　則〔平成三・三・三〇法律一五〕

改正　平成五・三法八

1　この法律は、平成三年四月一日から施行する。

2　この法律〔中略〕による改正後の法律の平成三年度及び平成四年度の特例に係る規定並びに平成三年度の特例に係る規定は、平成三年度及び平成四年度（平成三年度の特例に係るものにあっては平成三年度とする。以下この項において同じ。）の予算に係る国の負担（当該国の負担に係る都道府県又は市町村の負担を含む。以下この項において同じ。）又は補助（平成二年度以前の年度における事務又は事業の実施により平成三年度以降の年度に支出される国の負担及び平成二年度以前の年度の国庫債務負担行為に基づき平成三年度以降の年度に支出すべきものとされた国の負担又は補助を除く。）並びに平成三年度及び平成四年度における事務又は事業の実施により平成五年度（平成三年度の特例に係るものにあっては平成四年度とする。以下この項において同じ。）以降の年度に支出される国の負担、平成三年度及び平成四年度の国庫債務負担行為に基づき平成五年度以降の年度に支出すべきものとされる国の負担又は補助並びに平成三年度及び平成四年度の歳出予算に係る国の負担又は補助で平成五年度以降の年度に繰り越されるものについて適用し、平成二年度以前の年度における事務又は事業の実施により平成三年度以降の年度に支出される国の負担、平成二年度以前の年度の国庫債務負担行為に基づき平成三年度以降の年度に支出すべきものとされた国の負担又は補助及び平成二年度以前の年度の歳出予算に係る国の負担又は補助で平成三年度以降の年度に繰り越されたものについては、なお従前の例による。

国の補助金等の臨時特例等に関する法律〔抄〕〔平成三・三・三〇 法律一五〕

改正 平成五・三法八

第八章 地方公共団体に対する財政金融上の措置

（地方公共団体に対する財政金融上の措置）

第三四条 国は、この法律の規定による改正後の法律の規定により平成三年度及び平成四年度の予算に係る国の負担又は補助の割合の引下げ措置の対象となる地方公共団体に対し、その事務又は事業の執行及び財政運営に支障を生ずることのないよう財政金融上の措置を講ずるものとする。

附 則〔平成五・三・三一法律八抄〕

（施行期日等）

1 この法律は、平成五年四月一日から施行する。

2 この法律（第十一条及び第二十条の規定を除く。）による改正後の法律の規定は、平成五年度以降の年度の予算に係る国の負担（当該国の負担に係る都道府県又は市町村の負担を含む。以下この項において同じ。）又は補助（平成四年度以前の年度における事務又は事業の実施により平成五年度以降の年度に支出される国の負担及び平成四年度以前の年度の国庫債務負担行為に基づき平成五年度以降の年度に支出すべきものとされた国の負担又は補助を除く。）について適用し、平成四年度以前の年度における事務又は事業の実施により平成五年度以降の年度に支出される国の負担、平成四年度以前の年度の国庫債務負担行為に基づき平成五年度以降の年度に支出すべきものとされた国の負担又は補助及び平成四年度以前の年度の歳出予算に係る国の負担又は補助で平成五年度以降の年度に繰り越されたものについては、なお従前の例による。

附 則〔平成五・一一・一二法律八九抄〕

（施行期日）

第一条 この法律は、行政手続法（平成五年法律第八十八号）の施行の日〔平成六・一〇・一〕から施行する。

（諮問等がされた不利益処分に関する経過措置）

第二条 この法律の施行前に法令に基づき審議会その他の合議制の機関に対し行政手続法第十三条に規定する聴聞又は弁明の機会の付与の手続その他の意見陳述のための手続に相当する手続を執るべきことの諮問その他の求めがされた場合においては、当該諮問その他の求めに係る不利益処分の手続に関しては、この法律による改正後の関係法律の規定にかかわらず、なお従前の例による。

（罰則に関する経過措置）

第一三条 この法律の施行前にした行為に対する罰則の適用については、なお従前の例による。

（聴聞に関する規定の整理に伴う経過措置）

第一四条 この法律の施行前に法律の規定により行われた聴聞、聴問若しくは聴聞会（不利益処分に係るものを除く。）又はこれらのための手続は、この法律による改正後の関係法律の相当規定により行われたものとみなす。

（政令への委任）

第一五条 附則第二条から前条までに定めるもののほか、この法律の施行に関して必要な経過措置は、政令で定める。

附 則〔平成一〇・六・三法律八九抄〕

（施行期日）

1 この法律は、公布の日から起算して三月を超えない範囲内において政令で定める日から施行する。

〔平成一〇政二八八により、平成一〇・九・二から施行〕

4 この法律の施行前にした行為に対する罰則の適用については、なお従前の例による。

附 則〔平成一一・七・一六法律八七抄〕

（施行期日）

第一条 この法律は、平成十二年四月一日から施行する。ただし、次の各号に掲げる規定は、当該各号に定める日から施行する。

一 （前略）附則（中略）第百六十条、第百六十三条、第百六十四条並びに第二百二条の規定 公布の日

二〜六 〔略〕

（道路法の一部改正に伴う経過措置）

第一二九条 施行日前に第四百十五条の規定による改正前の道路法（以下この条において「旧道路法」という。）第二十五条第五項の規定による許可を受けて変更（同条第三項第五号又は第六号に掲げる事項の変更を併せてしたものを除く。）をした工事方法若しくは元利償還年次計画又は旧道路法第七十四条第一号の規定による認可を受けて認定若しくは変更をした路線は、それぞれ第四百十五条の規定による改正後の道路法（以下この条において「新道路法」という。）第二十五条第五項の規定による協議を行って変更をした工事方法若しくは元利償還年次計画又は新道路法第七十四条第一項の規定による協議を行って認定若しくは変更をした路線とみなす。

2 この法律の施行の際現に道路法第二十五条第五項の規定によりされている許可の申請（同条第三項第一号若しくは第七号に掲げる事項を変更しようとする場合（同項第五号又は第六号に掲げる事項を併せて変更しようとする場合を除く。）に限る。）又は旧道路法第七十四条第一号の規定によりされている認可の申請は、それぞれ新道路法第二十五条第五項又は第七十四条第一項の規定によりされた協議の申出とみなす。

3 施行日前に旧道路法第二十六条第二項の規定により建設大臣又は都道府県知事がした命令は、それぞれ新道路法第二十六条第二項の規定により建設大臣がした要求又は都道府県知事がした勧告とみなす。

4 施行日前に旧道路法第七十五条第一項第一号（旧道路法第九十一条第二項において準用する場合を含む。以下この項において同じ。）の規定により建設大臣が国道に関してした処分、旧道路法第七十五条第一項第二号（旧道路法第九十一条第二項において準用する場合を含む。以下この項において同じ。）の規定により建設大臣が国道に関してした処分、旧道路法第七十五条第一項第一号の規定により建設大臣が都道府県道若しくは指定市の市道に関してした処分、同項第二号の規定により建設大臣が都道府県道若しくは指定市の市道に関してした処分、同項第一号の規定により都道府県知事が指定市の市道以外の市町村道に関してした処分又は同項第二号の規定により都道府県知事が指定市の市道以外の市町村道に関してした処分は、それぞれ新道路法第七十五条第一項第二号（新道路法第九十一条第二項において準用する場合を含む。）の規定により建設大臣がした指示、新道路法第七十五条第一項第一号（新道路法第九十一条第二項において準用する場合を含む。）の規定により建設大臣がした指示、新道路法第七十五条第二項第二号（新道路法第九十一条第二項において準用する場合を含む。以下この項において同じ。）の規定により建設大臣がした要求、新道路法第七十五条第二項第一号（新道路法第九十一条第二項において準用する

場合を含む。以下この項において同じ。）の規定により建設大臣がした指示、新道路法第七十五条第二項第二号の規定により都道府県知事がした勧告又は同項第一号の規定により都道府県知事がした指示とみなす。

（国等の事務）

第一五九条　この法律による改正前のそれぞれの法律に規定するもののほか、この法律の施行前において、地方公共団体の機関が法律又はこれに基づく政令により管理し又は執行する国、他の地方公共団体その他公共団体の事務（附則第百六十一条において「国等の事務」という。）は、この法律の施行後は、地方公共団体が法律又はこれに基づく政令により当該地方公共団体の事務として処理するものとする。

（処分、申請等に関する経過措置）

第一六〇条　この法律（附則第一条各号に掲げる規定については、当該各規定。以下この条及び附則第百六十三条において同じ。）の施行前に改正前のそれぞれの法律の規定によりされた許可等の処分その他の行為（以下この条において「処分等の行為」という。）又はこの法律の施行の際現に改正前のそれぞれの法律の規定によりされている許可等の申請その他の行為（以下この条において「申請等の行為」という。）で、この法律の施行の日においてこれらの行為に係る行政事務を行うべき者が異なることとなるものは、附則第二条から前条までの規定又は改正後のそれぞれの法律（これに基づく命令を含む。）の経過措置に関する規定に定めるものを除き、この法律の施行の日以後における改正後のそれぞれの法律の適用については、改正後のそれぞれの法律の相当規定によりされた処分等の行為又は申請等の行為とみなす。

2　この法律の施行前に改正前のそれぞれの法律の規定により国又は地方公共団体の機関に対し報告、届出、提出その他の手続をしなければならない事項で、この法律の施行の日前にその手続がされていないものについては、この法律及びこれに基づく政令に別段の定めがあるもののほか、これを、改正後のそれぞれの法律の相当規定により国又は地方公共団体の相当の機関に対して報告、届出、提出その他の手続をしなければならない事項についてその手続がされていないものとみなして、この法律による改正後のそれぞれの法律の規定を適用する。

（不服申立てに関する経過措置）

第一六一条　施行日前にされた国等の事務に係る処分であって、当該処分をした行政庁（以下この条において「処分庁」という。）に施行日前に行政不服審査法に規定する上級行政庁（以下この条において「上級行政庁」という。）があったものについての同法による不服申立てについては、施行日以後においても、当該処分庁に引き続き上級行政庁があるものとみなして、行政不服審査法の規定を適用する。この場合において、当該処分庁の上級行政庁とみなされる行政庁は、施行日前に当該処分庁の上級行政庁であった行政庁とする。

2　前項の場合において、上級行政庁とみなされる行政庁が地方公共団体の機関であるときは、当該機関が行政不服審査法の規定により処理することとされる事務は、新地方自治法第二条第九項第一号に規定する第一号法定受託事務とする。

（手数料に関する経過措置）

第一六二条　施行日前においてこの法律による改正前のそれぞれの法律（これに基づく命令を含む。）の規定により納付すべきであった手数料については、この法律及びこれに基づく政令に別段の定めがあるもののほか、なお従前の例による。

（罰則に関する経過措置）

第一六三条　この法律の施行前にした行為に対する罰則の適用については、なお従前の例による。

（その他の経過措置の政令への委任）

第一六四条　この附則に規定するもののほか、この法律の施行に伴い必要な経過措置（罰則に関する経過措置を含む。）は、政令で定める。

2　〔略〕

（検討）

第二五〇条　新地方自治法第二条第九項第一号に規定する第一号法定受託事務については、できる限り新たに設けることのないようにするとともに、新地方自治法別表第一に掲げるもの及び新地方自治法に基づく政令に示すものについては、地方分権を推進する観点から検討を加え、適宜、適切な見直しを行うものとする。

第二五一条　政府は、地方公共団体が事務及び事業を自主的かつ自立的に執行できるよう、国と地方公共団体との役割分担に応じた地方税財源の充実確保の方途について、経済情勢の推移等を勘案しつつ検討し、その結果に基づいて必要な措置を講ずるものとする。

第二五二条　政府は、医療保険制度、年金制度等の改革に伴い、社会保険の事務処理の体制、これに従事する職員の在り方等について、被保険者等の利便性の確保、事務処理の効率化等の視点に立って、検討し、必要があると認めるときは、その結果に基づいて所要の措置を講ずるものとする。

附　則〔平成一一・七・一六法律一〇二抄〕

（施行期日）

第一条　この法律は、内閣法の一部を改正する法律（平成十一年法律第八十八号）の施行の日（平成一三・一・六）から施行する。〔以下略〕

（委員等の任期に関する経過措置）

第二八条　この法律の施行の日の前日において次に掲げる従前の審議会その他の機関の会長、委員その他の職員である者（任期の定めのない者を除く。）の任期は、当該会長、委員その他の職員の任期を定めたそれぞれの法律の規定にかかわらず、その日に満了する。

一～五十　〔略〕

五十一　道路審議会

五十二　国土開発幹線自動車道建設審議会

五十三～五十八　〔略〕

（別に定める経過措置）

第三〇条　第二条から前条までに規定するもののほか、この法律の施行に伴い必要となる経過措置は、別に法律で定める。

附　則〔平成一一・一二・二二法律一六〇抄〕

（施行期日）

第一条　この法律（中略）は、平成十三年一月六日から施行する。〔以下略〕

中央省庁等改革関係法施行法〔抄〕

〔平成一一・一二・二二　法律一六〇〕

第十六章　経過措置等

（道路法の一部改正に伴う経過措置）

第一三三九条　改革関係法等の施行前に第千七十六条の規定による改正前の道路法第三十一条第二項の規定により建設大臣と運輸大臣との間に成立した協議は、第千七十六条の規定による改正後の道路法第三十一条第五項本文の規定により国土交通大臣がした決定とみなす。

附　則〔平成一二・六・二法律一〇六抄〕

（施行期日）

第一条　この法律は、平成十三年四月一日から施行する。

（罰則に関する経過措置）

第四条　この法律の施行前にした行為に対する罰則の適用については、なお従前の例による。

附　則〔平成一四・七・三一法律九八抄〕

（施行期日）

第一条　この法律は、公社法〔日本郵政公社法〕の施行の日〔平成一五・四・一〕から施行する。〔以下略〕

（罰則に関する経過措置）
第三八条　施行日前にした行為並びにこの法律の規定によりなお従前の例によることとされる場合及びこの附則の規定によりなおその効力を有することとされる場合における施行日以後にした行為に対する罰則の適用については、なお従前の例による。
（その他の経過措置の政令への委任）
第三九条　この法律に規定するもののほか、公社法及びこの法律の施行に関し必要な経過措置（罰則に関する経過措置を含む。）は、政令で定める。

附　則〔平成一四・七・三一法律一〇〇〕

（施行期日）
第一条　この法律は、民間事業者による信書の送達に関する法律（平成十四年法律第九十九号）の施行の日〔平成一五・四・一〕から施行する。
（罰則に関する経過措置）
第二条　この法律の施行前にした行為に対する罰則の適用については、なお従前の例による。
（その他の経過措置の政令への委任）
第三条　前条に定めるもののほか、この法律の施行に関し必要な経過措置は、政令で定める。

附　則〔平成一九・三・三一法律一九抄〕

（施行期日）

第一条　この法律は、公布の日から起算して六月を超えない範囲内において政令で定める日から施行する。ただし、〔中略〕附則第五条の規定は、平成十九年四月一日から施行する。

〔平成一九政三〇三により、平成一九・九・二八から施行〕

（罰則に関する経過措置）

第四条　この法律の施行前にした行為に対する罰則の適用については、なお従前の例による。

（政令への委任）

第五条　前三条に定めるもののほか、この法律の施行に関して必要な経過措置（罰則に関する経過措置を含む。）は、政令で定める。

（検討）

第六条　政府は、この法律の施行後五年を経過した場合において、第二条から第四条までの規定による改正後の規定の施行の状況について検討を加え、必要があると認めるときは、その結果に基づいて必要な措置を講ずるものとする。

附　則〔平成二二・三・三一法律二〇抄〕

（施行期日）
第一条　この法律は、平成二十二年四月一日から施行する。
（経過措置）
第二条　第一条から第八条まで並びに附則第六条及び第九条の規定による改正後の次の各号に掲げる法律の規定は、当該各号に定める国の負担（当該国の負担に係る都道府県又は市町村の負担を含む。以下この条において同じ。）について適用し、平成二十一年度以前の年度における事務又は事業の実施により平成二十二年度以降の年度に支出される国の負担、平成二十一年度以前の年度の国庫債務負担行為に基づき平成二十二年度以降の年度に支出すべきものとされた国の負担及び平成二十一年度以前の年度の歳出予算に係る国の負担で平成二十二年度以降の年度に繰り越されたものについては、なお従前の例による。
一　次に掲げる法律の規定　平成二十二年度の予算に係る国の負担（平成二十一年度以前の年度における事務又は事業の実施により平成二十二年度に支出される国の負担及び平成二十一年度以前の年度の国庫債務負担行為に基づき平成二十二年度に支出すべきものとされた国の負担を除く。）並びに同年度における事務又は事業の実施により平成二十三年度以降の年度に支出される国の負担、平成二十二年度の国庫債務負担行為に基づき平成二十三年度以降の年度に支出すべきものとされる国の負担及び平成二十二年度の歳出予算に係る国の負担で平成二十三年度以降の年度に繰り越されるもの
イ　〔略〕
ロ　道路法附則第二項の規定により読み替えて適用する同法第五十条第二項
ハ～ヘ　〔略〕
二　〔略〕
三　次に掲げる法律の規定　平成二十三年度以降の年度の予算に係る国の負担（平成二十二年度以前の年度における事務又は事業の実施により平成二十三年度以降の年度に支出される国の負担及び平成二十二年度以前の年度の国庫債務負担行為に基づき平成二十三年度以降の年度に支出すべきものとされた国の負担を除く。）
イ　〔略〕
ロ　道路法第五十条第二項
ハ～ホ　〔略〕
（政令への委任）
第三条　前条に定めるもののほか、この法律の施行に関し必要な経過措置は、政令で定める。

附　則〔平成二三・五・二法律三七抄〕

（施行期日）
第一条　この法律は、公布の日から施行する。ただし、次の各号に掲げる規定は、当該各号に定める日から施行する。
一　〔前略〕第三十三条（次号に掲げる改正規定を除く。）〔中略〕の規定　公布の日から起算して三月を経過した日
二　〔前略〕第三十三条（道路法第三十条及び第四十五条の改正規定に限る。）〔中略〕の規定並びに附則〔中略〕第十五条〔中略〕の規定　平成二十四年四月一日
三・四　〔略〕
（道路法の一部改正に伴う経過措置）
第一五条　第三十三条の規定（道路法第三十条及び第四十五条の改正規定に限る。以下この条において同じ。）の施行の日から起算して一年を超えない期間内において、第三十三条の規定による改正後の道路法（以下この条において「新道路法」という。）第三十条第三項の規定に基づく条例が制定施行されるまでの間は、同項の政令で定める基準は、当該条例で定める技術的基準とみなす。
2　第三十三条の規定の施行の日から起算して一年を超えない期間内において、新道路法第四十五条第三項の規定に基づく条例が制定施行されるまでの間は、同項の規定は、適用しない。
（罰則に関する経過措置）
第二三条　この法律（附則第一条各号に掲げる規定にあっては、当該規定）の施行前にした行為に対する罰則の適用については、なお従前の例による。
（政令への委任）
第二四条　附則第二条から前条まで及び附則第三十六条に規定するもののほか、この法律の施行に関し必要な経過措置は、政令で定める。

非訟事件手続法及び家事事件手続法の施行に伴う関係法律の整備等に関する法律〔抄〕

〔平成二三・五・二五法律五三〕

（罰則に関する経過措置）
第一六八条　第六条又は第七条に規定するもののほか、この法律の施行前にした行為及びこの法律の他の規定によりなお従前の例によることとされる場合におけるこの法律の施行後にした行為に対する罰則の適用については、なお従前の例による。
（政令への委任）
第一六九条　この法律に定めるもののほか、この法律の規定による法律の廃止又は改正に伴い必要な経過措置は、政令で定める。

附　則〔平成二三・八・三〇法律一〇五抄〕

（施行期日）

第一条　この法律は、公布の日から施行する。ただし、次の各号に掲げる規定は、当該各号に定める日から施行する。

一　〔前略〕第九十九条（道路法第十七条、第十八条、第二十四条、第二十七条、第四十八条の四から第四十八条の七まで及び第九十七条の改正規定に限る。）〔中略〕の規定　公布の日から起算して三月を経過した日

二　〔前略〕第九十九条（道路法第二十四条の三及び第四十八条の三の改正規定に限る。）〔中略〕の規定並びに附則第十三条、第十五条から第二十四条まで、第二十五条第一項、第二十六条、第二十七条第一項から第三項まで、第三十条から第三十二条まで、第三十八条、第四十四条、第四十六条第一項及び第四項〔中略〕の規定　平成二十四年四月一日

三～六　〔略〕

（道路法の一部改正に伴う経過措置）

第四六条　第九十九条の規定（道路法第二十四条の三及び第四十八条の三の改正規定に限る。以下この項及び第四項において同じ。）の施行の日から起算して一年を超えない期間内において、第九十九条の規定による改正後の道路法（第四項において「新道路法」という。）第二十四条の三の規定に基づく条例が制定施行されるまでの間は、自動車駐車場又は自転車駐車場（国道の附属物であるものを除く。）の駐車料金等の表示については、同条の規定にかかわらず、なお従前の例による。

2　この法律の施行の際現に第九十九条の規定（道路法第二十五条、第二十六条及び第三十条の改正規定に限る。以下この項及び次項において同じ。）による改正前の道路法（以下この項及び次項において「旧道路法」という。）第二十五条第一項の許可を受けて道路管理者が料金の徴収を行っている橋又は渡船施設については、当該道路管理者が、第九十九条の規定の施行の時において、当該許可に係る申請書に記載された事項（旧道路法第二十五条第五項の許可若しくは同項の規定による協議又は同条第六項の規定による届出があったときは、その変更後のもの）を記載した書類及び設計図その他必要な図面を添えて第九十九条の規定による改正後の道路法（次項において「新道路法」という。）第二十五条第三項の規定による届出をしたものとみなす。

3　第九十九条の規定の施行の際現にされている旧道路法第二十五条第一項の許可の申請又は同条第五項の許可の申請若しくは同項の規定による協議の申出は、それぞれ新道路法第二十五条第三項又は第四項の規定によりした届出とみなす。

4　第九十九条の規定の施行の日から起算して一年を超えない期間内において、新道路法第四十八条の三の規定に基づく条例が制定施行されるまでの間は、道路等との交差の方式については、同条の規定にかかわらず、なお従前の例による。

（罰則に関する経過措置）

第八一条　この法律（附則第一条各号に掲げる規定にあっては、当該規定。以下この条において同じ。）の施行前にした行為及びこの附則の規定によりなお従前の例によることとされる場合におけるこの法律の施行後にした行為に対する罰則の適用については、なお従前の例による。

（政令への委任）

第八二条　この附則に規定するもののほか、この法律の施行に関し必要な経過措置（罰則に関する経過措置を含む。）は、政令で定める。

附　則〔平成二五・六・五法律三〇抄〕

（施行期日）

第一条　この法律は、公布の日から起算して三月を超えない範囲内において政令で定める日から施行する。ただし、第一条中道路法目次の改正規定（「第二十八条」を「第二十八条の二」に改める部分を除く。）、同法第四十七条の二の改正規定、同法第四十七条の十を同法第四十七条の十一とし、同法第四十七条の六から同法第四十七条の九までを一条ずつ繰り下げる改正規定、同法第三章第四節中第四十七条の五を同法第四十七条の六とする改正規定、同法第四十七条の四第一項の改正規定、同条を同法第四十七条の五とする改正規定、同法第四十七条の三第一項の改正規定、同条を同法第四十七条の四とする改正規定、同法第四十七条の二の次に一条を加える改正規定、同法第六十四条第二項の改正規定、同法第七十一条第四項及び第五項の改正規定、同法第七十二条の次に一条を加える改正規定並びに同法第九十一条第二項、第百一条第五号、第百二条第三号、第百三条及び第百四条の改正規定並びに第三条の規定は、公布の日から起算して一年を超えない範囲内において政令で定める日から施行する。

〔平成二五政二四二により、平成二五・九・二から施行。ただし書の規定は、平成二六政一八六により、平成二六・五・三〇から施行〕

（政令への委任）

第三条　前条に定めるもののほか、この法律の施行に関し必要な経過措置は、政令で定める。

（検討）

第四条　政府は、この法律の施行後五年を経過した場合において、第一条から第三条までの規定による改正後の規定の施行の状況について検討を加え、必要があると認めるときは、その結果に基づいて必要な措置を講ずるものとする。

附　則〔平成二六・六・四法律五三抄〕

（施行期日）

第一条　この法律は、公布の日から起算して三月を超えない範囲内において政令で定める日から施行する。ただし、第一条（道路法第四十七条の七の改正規定を除く。）〔中略〕の規定は、公布の日から起算して一年を超えない範囲内において政令で定める日から施行する。

〔平成二六政二二〇により、平成二六・六・三〇から施行。ただし書の規定は、平成二七政二〇により、平成二七・四・一から施行〕

（罰則に関する経過措置）

第二条　この法律の施行前にした行為に対する罰則の適用については、なお従前の例による。

（政令への委任）

第三条　前条に定めるもののほか、この法律の施行に関し必要な経過措置（罰則に関する経過措置を含む。）は、政令で定める。

（検討）

第四条　政府は、この法律の施行後五年を経過した場合において、第一条の規定による改正後の道路法及び第二条の規定による改正後の道路整備特別措置法の施行の状況について検討を加え、必要があると認めるときは、その結果に基づいて必要な措置を講ずるものとする。

附　則〔平成二六・六・一三法律六九抄〕

（施行期日）

第一条　この法律は、行政不服審査法（平成二十六年法律第六十八号）の施行の日〔平成二八・四・一〕から施行する。

（経過措置の原則）

第五条　行政庁の処分その他の行為又は不作為についての不服申立てであってこの法律の施行前にされた行政庁の処分その他の行為又はこの法律の施行前にされた申請に係る行政庁の不作為に係るものについては、この附則に特別の定めがある場合を除き、なお従前の例による。

（訴訟に関する経過措置）

第六条　この法律による改正前の法律の規定により不服申立てに対する行政庁の裁決、決定その他の行為を経た後でなければ訴えを提起できないこととされる事項であって、当該不服申立てを提起しないでこの法律の施行前にこれを提起すべき期間を経過したもの（当該不服申立てが他の不服申立てに対する行政庁の裁決、決定その他の行為を経た後でなければ提起できないとされる場合にあっては、当該他の不服申立てを提起しないでこの法律の施行前にこれを提起すべき期間を経過したものを含

む。）の訴えの提起については、なお従前の例による。

2　この法律の規定による改正前の法律の規定（前条の規定によりなお従前の例によることとされる場合を含む。）により異議申立てが提起された処分その他の行為であって、この法律の規定による改正後の法律の規定により審査請求に対する裁決を経た後でなければ取消しの訴えを提起することができないこととされるものの取消しの訴えの提起については、なお従前の例による。

3　不服申立てに対する行政庁の裁決、決定その他の行為の取消しの訴えであって、この法律の施行前に提起されたものについては、なお従前の例による。

（罰則に関する経過措置）

第九条　この法律の施行前にした行為並びに附則第五条及び前二条の規定によりなお従前の例によることとされる場合におけるこの法律の施行後にした行為に対する罰則の適用については、なお従前の例による。

（その他の経過措置の政令への委任）

第一〇条　附則第五条から前条までに定めるもののほか、この法律の施行に関し必要な経過措置（罰則に関する経過措置を含む。）は、政令で定める。

附　則〔平成二七・六・二四法律四七抄〕

（施行期日）

第一条　この法律〔中略〕は、当該各号に定める日から施行する。

一～四〔略〕

五〔前略〕附則〔中略〕第七十九条から第八十二条までの規定〔中略〕公布の日から起算して二年六月を超えない範囲内において政令で定める日

〔平成二八政二二九により、平成二九・四・一から施行〕

六～八〔略〕

（道路法の一部改正に伴う経過措置）

第八〇条　第五号施行日前に一般ガス事業者（第五号旧ガス事業法第二条第二項に規定する一般ガス事業者をいう。）又は簡易ガス事業者（第五号旧ガス事業法第二条第四項に規定する簡易ガス事業者をいう。）がした前条の規定による改正前の道路法（以下この項において「旧道路法」という。）第三十六条第一項の計画書に基づく工事のための旧道路法第三十二条第一項又は第三項の規定による許可の申請であって、第五条の規定の施行の際、許可又は不許可の処分がされていないものについての許可又は不許可の処分については、なお従前の例による。

2　前条の規定による改正後の道路法（以下この条において「新道路法」という。）第三十六条第一項の規定の適用については、旧一般ガスみなしガス小売事業者が附則第二十二条第一項の義務を負う間、新道路法第三十六条第一項中「ガス小売事業を除く。）」とあるのは、「ガス小売事業を除く。）又は電気事業法等の一部を改正する等の法律（平成二十七年法律第四十七号）附則第二十二条第一項に規定する指定旧供給区域等小売供給を行う事業」とする。

3　新道路法第三十六条第一項の規定の適用については、旧簡易ガスみなしガス小売事業者が附則第二十八条第一項の義務を負う間、新道路法第三十六条第一項中「ガス小売事業を除く。）」とあるのは、「ガス小売事業を除く。）又は電気事業法等の一部を改正する等の法律（平成二十七年法律第四十七号）附則第二十八条第一項に規定する指定旧供給地点小売供給を行う事業」とする。

附　則〔平成二八・三・三一法律一九抄〕

（施行期日）

第一条　この法律は、平成二十八年四月一日から施行する。ただし、第二条中道路法第四十四条の二の改正規定、同法第四十七条の七に二項を加える改正規定並びに同法第九十条第二項及び第九十四条第四項の改正規定〔中略〕は、公布の日から起算して六月を超えない範囲内において政令で定める日から施行する。

〔平成二八政三二一により、平成二八・九・三〇から施行〕

（政令への委任）

第三条　前条に定めるもののほか、この法律の施行に関し必要な経過措置は、政令で定める。

（検討）

第四条　政府は、この法律の施行後五年を経過した場合において、第二条の規定による改正後の道路法及び第三条の規定による改正後の道路整備特別措置法の施行の状況について検討を加え、必要があると認めるときは、その結果に基づいて必要な措置を講ずるものとする。

附　則〔平成二九・六・二法律四五〕

この法律は、民法改正法の施行の日〔令和二・四・一〕から施行する。ただし、〔中略〕第三百六十二条の規定は、公布の日から施行する。

民法の一部を改正する法律の施行に伴う関係法律の整備等に関する法律〔抄〕

〔平成二九・六・二　法律四五〕

（道路法の一部改正に伴う経過措置）

第三一九条　施行日前に前条の規定による改正前の道路法（以下この条において「旧道路法」という。）第九十四条第一項（旧道路法第九十一条第二項において準用する場合を含む。）の規定により不用物件の返還義務が生じた場合におけるその不用物件の供託については、なお従前の例による。

（罰則に関する経過措置）

第三六一条　施行日前にした行為及びこの法律の規定によりなお従前の例によることとされる場合における施行日以後にした行為に対する罰則の適用については、なお従前の例による。

（政令への委任）

第三六二条　この法律に定めるもののほか、この法律の施行に伴い必要な経過措置は、政令で定める。

附　則〔平成三〇・三・三一法律六抄〕

（施行期日）

第一条　この法律は、公布の日から起算して六月を超えない範囲内において政令で定める日から施行する。〔以下略〕

〔平成三〇政二七九により、平成三〇・九・三〇から施行〕

（政令への委任）

第二条　この法律の施行に関し必要な経過措置は、政令で定める。

（検討）

第三条　政府は、この法律の施行後五年を経過した場合において、第一条の規定による改正後の道路法及び第二条の規定による改正後の道路整備特別措置法の施行の状況について検討を加え、必要があると認めるときは、その結果に基づいて必要な措置を講ずるものとする。

附　則〔令和二・五・二七法律三一抄〕

（施行期日）

第一条　この法律は、公布の日から起算して六月を超えない範囲内において政令で定める日から施行する。ただし、次の各号に掲げる規定は、当該各号に定める日から施行する。

〔令和二政三一八により、令和二・一一・二五から施行〕

一　第一条中道路法第十七条の改正規定、同法第二十七条第三項の改正規定、同法第四十八条の十九の改正規定並びに同法第五十条第五項及び第五十一条第三項の改正規定〔中略〕　公布の日

二　第二条〔中略〕の規定　公布の日から起算して二年を超えない範囲内において政令で定める日

〔令和三政一九七により、令和四・四・一から施行〕

（準備行為）

第二条　第二条の規定による改正後の道路法（以下この条において「新道路法」という。）第四十八条の四十六第一項の規定による指定及びこれに関し必要な手続その他の行為は、前条第二号に掲げる規定の施行の日前においても、新道路法第四十八条

の四十六、第四十八条の四十七及び第四十八条の四十八第一項の規定の例により行うことができる。

（政令への委任）

第三条　前条に規定するもののほか、この法律の施行に関し必要な経過措置は、政令で定める。

（検討）

第四条　政府は、この法律の施行後五年を経過した場合において、第一条から第四条までの規定による改正後の規定の施行の状況について検討を加え、必要があると認めるときは、その結果に基づいて必要な措置を講ずるものとする。

附　則　〔令和二・六・一二法律四九抄〕

（施行期日）

第一条　この法律は、令和四年四月一日から施行する。〔以下略〕

附　則　〔令和三・三・三一法律九抄〕

（施行期日）

第一条　この法律は、令和三年四月一日から施行する。ただし、次の各号に掲げる規定は、当該各号に定める日から施行する。

一　第二条（道路法第十七条の改正規定、同法第二十四条の改正規定（「、第六項若しくは第七項」を「若しくは第六項から第八項まで」に改める部分に限る。）、同法第二十七条の改正規定及び同法第九十七条第一項の改正規定に限る。）の規定〔中略〕公布の日から起算して三月を超えない範囲内において政令で定める日

〔令和三政一七三により、令和三・六・二〇から施行〕

二　第二条（道路法の目次の改正規定（「第三十一条の二」に改める部分に限る。）、同法第十七条の改正規定、同法第二十条の改正規定、同法第二十四条の改正規定、同法第二十七条の改正規定、同法第二十八条の二第一項の改正規定、同法第三十一条の改正規定、同法第三章第二節中同条の次に一条を加える改正規定、同法第四十八条の五十一の改正規定、同法第九十七条第一項の改正規定、同法第九十七条の二ただし書の改正規定及び同法第百九条の改正規定を除く。）〔中略〕並びに附則第十二条（道路法等の一部を改正する法律（令和二年法律第三十一号）附則第八条の改正規定を除く。）の規定　公布の日から起算して六月を超えない範囲内において政令で定める日

〔令和三政二六〇により、令和三・九・二五から施行〕

三　〔略〕

（道路法の一部改正に伴う経過措置）

第三条　附則第一条第二号に掲げる規定の施行の日（次条において「第二号施行日」という。）前に第二条の規定による改正前の道路法第四十四条第一項の規定により指定された沿道区域における土地等の管理者の損害予防義務については、なお従前の例による。

（政令への委任）

第五条　前三条に定めるもののほか、この法律の施行に関し必要な経過措置（罰則に関する経過措置を含む。）は、政令で定める。

（検討）

第六条　政府は、この法律の施行後五年を目途として、この法律による改正後のそれぞれの法律の規定について、その施行の状況等を勘案して検討を加え、必要があると認めるときは、その結果に基づいて所要の措置を講ずるものとする。

附　則　〔令和四・六・一七法律六八抄〕

（施行期日）

1　この法律は、刑法等一部改正法〔令和四年法律第六十七号〕施行日〔令和七・六・一〕から施行する。ただし、次の各号に掲げる規定は、当該各号に定める日から施行する。

一　第五百九条の規定　公布の日

二　〔略〕

刑法等の一部を改正する法律の施行に伴う関係法律の整理等に関する法律〔抄〕

〔令和四・六・一七
法律六八〕

（罰則の適用等に関する経過措置）

第四四一条　刑法等の一部を改正する法律（令和四年法律第六十七号。以下「刑法等一部改正法」という。）及びこの法律（以下「刑法等一部改正法等」という。）の施行前にした行為の処罰については、次章に別段の定めがあるもののほか、なお従前の例による。

2　刑法等一部改正法等の施行後にした行為に対して、他の法律の規定によりなお従前の例によることとされ、なお効力を有することとされ又は改正前若しくは廃止前の法律の規定の例によることとされる罰則を適用する場合において、当該罰則に定める刑（刑法施行法第十九条第一項の規定又は第八十二条の規定による改正後の沖縄の復帰に伴う特別措置に関する法律第二十五条第四項の規定の適用後のものを含む。）に刑法等一部改正法第二条の規定による改正前の刑法（明治四十年法律第四十五号。以下この項において「旧刑法」という。）第十二条に規定する懲役（以下「懲役」という。）、旧刑法第十三条に規定する禁錮（以下「禁錮」という。）又は旧刑法第十六条に規定する拘留（以下「旧拘留」という。）が含まれるときは、当該刑のうち無期の懲役又は禁錮はそれぞれ無期拘禁刑と、有期の懲役又は禁錮はそれぞれその刑と長期及び短期（刑法施行法第二十条の規定の適用後のものを含む。）を同じくする有期拘禁刑と、旧拘留は長期及び短期（刑法施行法第二十条の規定の適用後のものを含む。）を同じくする拘留とする。

（裁判の効力とその執行に関する経過措置）

第四四二条　懲役、禁錮及び旧拘留の確定裁判の効力並びにその執行については、次章に別段の定めがあるもののほか、なお従前の例による。

（人の資格に関する経過措置）

第四四三条　懲役、禁錮又は旧拘留に処せられた者に係る人の資格に関する法令の規定の適用については、無期の懲役又は禁錮に処せられた者はそれぞれ無期拘禁刑に処せられた者と、有期の懲役又は禁錮に処せられた者はそれぞれ刑期を同じくする有期拘禁刑に処せられた者と、旧拘留に処せられた者は拘留に処せられた者とみなす。

2　拘禁刑又は拘留に処せられた者に係る他の法律の規定によりなお従前の例によることとされ、なお効力を有することとされ又は改正前若しくは廃止前の法律の規定の例によることとされる人の資格に関する法令の規定の適用については、無期拘禁刑に処せられた者は無期禁錮に処せられた者と、有期拘禁刑に処せられた者は刑期を同じくする有期禁錮に処せられた者と、拘留に処せられた者は刑期を同じくする旧拘留に処せられた者とみなす。

（経過措置の政令への委任）

第五〇九条　この編に定めるもののほか、刑法等一部改正法等の施行に伴い必要な経過措置は、政令で定める。

附　則　〔令和五・五・二六法律三四抄〕

（施行期日）

第一条　この法律は、公布の日から起算して一年を超えない範囲内において政令で定める日から施行する。〔以下略〕

〔令和五政三〇三により、令和六・四・一から施行〕

（参考）

○刑法等の一部を改正する法律の施行に伴う関係法律の整理等に関する法律〔抄〕

〔令和四・六・一七
法律六八〕

（道路法の一部改正）

第三六四条　道路法（昭和二十七年法律第百八十号）の一部を次のように改正する。

　第四十八条の四十七第三号中「禁錮」を「拘禁刑」に改める。

　第九十九条、第百条第一項及び第百一条から第百三条までの規定中「懲役」を「拘禁刑」に改める。

附　則

（施行期日）

1　この法律は、刑法等一部改正法〔令和四年法律第六十七号〕施行日〔令和七・六・一〕から施行する。〔以下略〕

○道路法施行令

〔昭和二七・一二・四
政令四七九〕

改正 前略…平成一六・二政二三、三政五九、平成一七・四政一二五、六政二〇三、平成一八・一一政三五七、平成一九・八政二三五、九政三〇四、平成二〇・一政五、五政一七六、平成二一・四政一三〇、平成二二・三政七八、一二政二三六、平成二三・五政一一九、一〇政三二一、一一政三六三、一二政四二四、平成二四・一二政二九四、平成二五・八政二四三、一一政三一三、平成二六・三政八八、五政一八七、平成二七・一政二一、一一政三九二、平成二八・二政四三、三政一八二、九政三一二、平成二九・一政二、三政四〇、平成三〇・三政一二八、九政二八〇、平成三一・三政四一、令和元・九政一一二、令和二・三政八六、五政一七五、一一政三二九、令和三・三政一三二、六政一七四、九政二六一、一二政三二五、令和四・二政三七、一二政三七八、令和五・一一政三二四

第一章　道路管理者等

（都道府県等が行う国道の新設又は改築）

第一条　道路法（以下「法」という。）第十二条ただし書の政令で定める特別の事情は、次に掲げるものとする。

一　都道府県知事又は都道府県の施行する河川工事その他の建設工事の施行と密接な関連を有すること。

二　道路の区域を変更し、当該変更に係る部分を一般国道（以下「国道」という。）以外の道路とする計画のある箇所であること。

三　道路法の一部を改正する法律（昭和三十九年法律第百六十三号）による改正前の法（次号において「改正前の法」という。）第十三条第一項の規定により都道府県知事が施行した工事と一体として施行する必要があること。

四　改正前の法第十三条第一項の規定により都道府県知事が工事を施行するため調査、測量、設計その他の工事の準備を行つたこと。

五　法第五条第一項の規定による指定があつた日（次号において「指定日」という。）前に法第十五条の規定により都道府県が工事を施行するため調査、測量、設計その他の工事の準備を行つたこと。

六　指定日前に法第十五条の規定により都道府県が施行した工事と一体として施行する必要があること。

2　前項の規定は、法第十七条第一項又は第二項の規定により指定市又は指定市以外の市が国道の新設又は改築を行う場合について準用する。この場合において、前項各号中「都道府県知事」とあるのはそれぞれ「指定市の長」又は「指定市以外の市の長」と、「都道府県」とあるのはそれぞれ「指定市」又は「指定市以外の市」と読み替えるものとする。

3　第一項（第三号及び第四号を除く。）の規定は、法第十七条第四項の規定により指定市以外の市町村が国道の新設又は改築を行う場合について準用する。この場合において、第一項第一号中「都道府県知事又は都道府県」とあるのは「指定市以外の市町村の長又は指定市以外の市町村」と、同項第五号及び第六号中「都道府県」とあるのは「指定市以外の市町村」と読み替えるものとする。

（都道府県又は指定市による指定区間内の国道の管理）

第一条の二　法第十三条第二項の規定により都道府県又は指定市が行うこととすることができる指定区間内の国道の管理は、次に掲げる管理（第一号から第五号まで及び第七号から第二十一号までに掲げる管理については、国土交通大臣が新設、改築、修繕又は災害復旧に関する工事を行つている区間に係るものを除く。）とする。

一　法第三十二条第一項又は第三項の規定による許可を与えること。

二　法第三十三条第二項第三号の規定により利便増進誘導区域を指定すること。

三　法第三十四条の規定により工事の調整のための条件を付すること。

四　法第三十五条の規定により国と協議し、同意すること。

五　法第三十六条第一項の規定により提出する工事の計画書を受理すること。

六　法第三十九条第一項（法第九十一条第二項において準用する場合を含む。）の規定により占用料を徴収すること。

七　法第三十九条の二第一項の規定により入札占用指針を定め、及び同条第六項の規定により意見を聴くこと。

八　法第三十九条の四第一項又は第五項の規定により通知し、同条第三項の規定により落札者を決定すること。

九　法第三十九条の五第一項の規定により道路の場所を指定し、及び入札占用計画が適当である旨の認定をすること。

十　法第三十九条の六第一項の規定により変更の認定をすること。

十一　法第三十九条の九の規定により必要な措置を講ずべきことを命ずること。

十二　法第四十条第二項の規定により必要な指示をすること。

十三　法第四十八条の二十三第一項の規定により公募占用指針を定め、及び同条第五項の規定により意見を聴くこと。

十四　法第四十八条の二十五第一項及び第二項の規定により歩行者利便増進計画について審査し、及び評価を行い、同条第四項の規定により占用予定者を選定し、同条第五項の規定により意見を聴き、並びに同条第六項の規定により通知すること。

十五　法第四十八条の二十六第一項の規定により道路の場所を指定し、及び歩行者利便増進計画が適当である旨の認定をすること。

十六　法第四十八条の二十七第一項の規定により変更の認定をすること。

十七　法第四十八条の二十九の規定により地位の承継の承認をすること。

十八　法第四十八条の四十五の規定により自動車駐車場等運営権者と協議（当該協議が成立することをもつて、法第三十二条第一項又は第三項の規定による許可があつたものとみなされるものに限る。）をすること。

十九　法第四十八条の六十四の規定により道路協力団体と協議（当該協議が成立することをもつて、法第三十二条第一項又は第三項の規定による許可があつたものとみなされるものに限る。）をすること。

二十　道路の占用に係る事項について法第七十一条第一項に規定する処分をし、又は措置を命ずること。

二十一　道路の占用に係る事項について法第七十二条の二第一項の規定により必要な報告をさせ、又はその職員に立入検査をさせること。

二十二　法第七十三条（法第九十一条第二項において準用する場合を含む。）の規定により法第三十九条（同項において準用する場合を含む。）の規定に基づく占用料の納付を督促し、並びに当該占用料並びに当該占用料に係る手数料及び延滞金

を徴収すること。

2　都道府県又は指定市は、前項第一号から第四号まで、第七号（法第三十九条の二第一項の規定による入札占用指針の策定に係る部分に限る。）、第十二号、第十三号（法第四十八条の二十三第一項の規定による公募占用指針の策定に係る部分に限る。）及び第十八号から第二十号までに掲げる権限（道路の構造又は交通に及ぼす支障が少ないと認められる道路の占用で国土交通省令で定めるものに係るものを除く。）を行つたときは、遅滞なく、その旨を国土交通大臣に報告しなければならない。

（国土交通大臣が権限を行う場合の意見の聴取等）

第一条の三　国土交通大臣は、都道府県又は指定市が前条第一項に規定する管理を行つている道路の区間（国土交通大臣が新設、改築、修繕又は災害復旧に関する工事を行つている区間を除く。）について次に掲げる権限を行おうとするときは、あらかじめ、関係都道府県又は指定市の意見を聴かなければならない。

一　法第三十七条第一項の規定により道路の占用を禁止し、又は制限すること。

二　法第三十二条第一項若しくは第三項（これらの規定を法第九十一条第二項において準用する場合を含む。）の規定による許可又は法第三十九条の五第一項若しくは第三十九条の六第一項（これらの規定を法第九十一条第二項において準用する場合を含む。）、第四十八条の二十六第一項若しくは第四十八条の二十七第一項の規定による認定を受けた者に対し、法第七十一条第二項に規定する処分をし、又は措置を命ずること。

2　国土交通大臣は、都道府県又は指定市が前条第一項に規定する管理を行つている道路の区間（国土交通大臣が新設、改築、修繕又は災害復旧に関する工事を行つている区間に限る。）について次に掲げる権限を行つたときは、遅滞なく、その旨を関係都道府県又は指定市に通知しなければならない。

一　法第三十二条第一項又は第三項（これらの規定を法第九十一条第二項において準用する場合を含む。）の規定による許可を与えること。

二　法第三十五条（法第九十一条第二項において準用する場合を含む。）の規定により国と協議し、同意すること。

三　法第四十八条の四十五（法第九十一条第二項において準用する場合を含む。）の規定により自動車駐車場等運営権者と協議（当該協議が成立することをもつて、法第三十二条第一項又は第三項の規定による許可があつたものとみなされるものに限る。）をすること。

四　法第四十八条の六十四の規定により道路協力団体と協議（当該協議が成立することをもつて、法第三十二条第一項又は第三項の規定による許可があつたものとみなされるものに限る。）をすること。

五　法第七十一条第二項（法第九十一条第二項において準用する場合を含む。）の規定により、法第三十二条第一項若しくは第三項（これらの規定を法第九十一条第二項において準用する場合を含む。）の規定による許可若しくは法第三十九条の五第一項若しくは第三十九条の六第一項（これらの規定を法第九十一条第二項において準用する場合を含む。）、第四十八条の二十六第一項若しくは第四十八条の二十七第一項の規定による認定を取り消し、又はその許可若しくは認定の効力を停止すること。

（都道府県又は指定市による指定区間内の国道の管理の告示）

第一条の四　国土交通大臣は、法第十三条第二項の規定により指定区間内の国道の管理を都道府県又は指定市が行うこととする場合においては、あらかじめ、管理の区間、管理の内容、管理の始期及び管理者を告示しなければならない。

2　国土交通大臣は、前項の規定により告示した事項を変更する場合においては、あらかじめ、その旨を告示しなければならない。

（指定市以外の市町村が行うことができる国道又は都道府県道の新設等）

第一条の五　法第十七条第四項の政令で定める国道若しくは都道府県道の新設、改築、維持若しくは修繕又は国道若しくは都道府県道に附属する道路の附属物の新設若しくは改築は、次に掲げるものとする。

一　歩道、自転車道、自転車歩行者道、植樹帯、路肩、横断歩道橋、自転車専用道路、自転車歩行者専用道路又は歩行者専用道路の新設、改築、維持又は修繕

二　道路の附属物である柵、並木、街灯、自転車駐車場、電線共同溝又はベンチ若しくはその上屋の新設又は改築

（国土交通大臣が改築又は修繕に関する工事を行うことができる施設又は工作物）

第一条の六　法第十七条第六項の政令で定める施設又は工作物は、トンネル、橋その他国土交通大臣が定める施設又は工作物とする。

（管理の特例の場合の読替規定）

第一条の七　法第十七条第一項又は第二項の場合における同条第九項の規定による法の規定の適用についての技術的読替えは、次の表のとおりとする。

項	読み替える規定	読み替えられる字句	読み替える字句（法第十七条第一項の場合）	読み替える字句（法第十七条第二項の場合）
一	第十三条第三項、第十八条第一項、第五十条第一項、第四項及び第五項	都道府県	指定市	指定市以外の市
二	第十三条第四項	第一項	第十七条第一項	第十七条第二項
		関係都道府県	関係する指定市、都道府県又は指定市以外の市（第十七条第二項の規定により管理を行う市をいう。第九十四条第五項において同じ。）	関係する指定市以外の市、都道府県又は指定市
三	第十三条第四項、第五十三条第二項	都道府県が	指定市が	指定市以外の市が
四	第十三条第四項、第十九条第二項	都道府県の	指定市の	指定市以外の市の
	第十七条第六項及び第七項、第二十五条第一項、第四十八条の十九	都道府県又は	指定市又は	指定市以外の市又は

五	第一項、第五十一条、第五十三条第一項、第九十条第一項、第九十六条第二項			
六	第十九条第二項、第十九条の二第二項、第二十条第三項、第二十六条第一項、第七十六条第一項、第九十六条第二項及び第三項	都道府県である	指定市である	指定市以外の市である
七	第十九条第三項、第十九条の二第三項、第二十条第四項、第三十一条第三項	都道府県の議会に	指定市の議会に	指定市以外の市の議会に
八	第二十六条第一項、第七十六条、第九十六条第二項	市町村	市（指定市を除く。）町村	市（指定市以外の市を除く。）町村
九	第五十条第六項及び第七項、第五十三条第二項	他の都道府県	都道府県	都道府県
十	第五十条第六項	当該国道の所在する都道府県	当該国道の所在する指定市	指定市以外の市で当該国道の所在するもの
十一	第五十条第七項	国道の所在する都道府県	国道の所在する指定市	指定市以外の市で国道の所在するもの
		関係都道府県	指定市及び関係都道府県	指定市以外の市及び関係都道府県
十二	第五十三条第二項	当該都道府県	当該指定市	当該指定市以外の市
十三	第九十四条第五項	都道府県である	指定市、都道府県、指定市以外の市又は町村（第十七条第三項の規定により管理を行う町村をいう。）である	指定市以外の市、都道府県、指定市又は町村（第十七条第三項の規定により管理を行う町村をいう。）である
十四	第九十六条第二項	都道府県の知事	指定市の長	指定市以外の市の長

2　法第十七条第三項の場合における同条第九項の規定による法の規定の適用についての技術的読替えは、次の表のとおりとする。

項	読み替える規定	読み替えられる字句	読み替える字句
一	第十七条第六項及び第七項、第二十五条第一項、第四十八条の十九第一項、第五十一条、第九十条第一項、第九十六条第二項	都道府県又は	町村又は
二	第十九条第二項	都道府県の	町村の
三	第十九条第二項、第十九条の二第二項、第二十条第三項、第二十六条第一項、第七十六条第一項、第九十六条第二項及び第三項	都道府県である	町村である
四	第二十六条第一項、第七十六条、第九十六条第二項	市町村	市町村（町村を除く。）
五	第五十三条第一項	都道府県又は	都道府県又は町村若しくは
六	第九十四条第五項	都道府県である	町村、都道府県、指定市又は指定市以外の市（第十七条第二項の規定により管理を行う市をいう。）である
七	第九十六条第二項	都道府県の知事	町村の長

3　法第十七条第四項の場合における同条第九項の規定による法の規定の適用についての技術的読替えは、次の表のとおりとする。

項	読み替える規定	読み替えられる字句	読み替える字句
一	第二条第二項第二号、第七号及び第九号	道路管理者	道路管理者又は指定市以外の市町村
	第十三条第四項	第一項の規定により都道府県が維持、修繕、災害復旧その他の管理	第十七条第四項の規定により指定市以外の市町村が国道の修繕
		修繕又は災害復	修繕

二		旧	
		都道府県の	指定市以外の市町村の
		関係都道府県	当該指定市以外の市町村及び関係する都道府県、指定市又は指定市以外の市（第十七条第二項の規定により管理を行う市をいう。）
三	第十八条第一項	第十六条又は	第十六条若しくは
		道路管理者」という	道路管理者」という。）又は指定市以外の市町村（以下「道路管理者等」と総称する
		決定して	決定し、道路管理者は
	第二十一条、第二十二条第一項、第二十二条の二、第二十三条第一項、第二十四条、第二十四条の二第一項及び第三項、第二十四条の三、第二十八条の二第一項、第三十二条、第三十三条第一項、第二項第三号及び第三項、第三十四条から第三十六条まで、第三十八条、第三十九条第一項、第三十九条の二第一項、第三十九条の三第一項、第三十九条の四、第三十九条の五第一項、第三十九条の六第一項から第三項まで、第三十九条の七第二項及び第四項、第三十九条の九、第四十条第二項、第四十一条、第四十二条第一項、第四十四条の三第一項から第五項まで及び第八項、第四十五条第一項、第四十六条第一項及び第二項、第四十七条の十七第一項、第四十七条の十八第一項、第四十八条の二十三第一項、第四十八条の二十四第一項、第四十八条の二十五、第四十八条の二十六第一項、第四十八条の二十七第一項及び第二項、第四十八条の二十八第二項、第四十八条の二十九、第四十八条の三十七第一項、第四十八条の六十第一項及び第三項、第四十八条の六十一、第四十八条の六十二第一項から第三項まで、第四十八条の六十三から第四十八条の六十五まで、第五十六条、第五十七条、第五十八条第一項、第五十九条第三項、第六十条、第六十一条第一項、第六十二条、第六十六条第一項、第六十七条の二、第六十八条、第六十九条第一項、第七十条第一項、第三項及び第四項、第七十一条第一項から第五項まで、第七十二条第一項及び第三項、第七十二条の二第一項、第七十三条第二項及び第三項、第八十六条第二項、第八十七条第一項、第九十一条第一項から第三項まで、第九十二条第四項、第九十三条、第九十五条の二第一項及び第二項前	道路管理者	道路管理者等
四			

	段、第九十六条第五項		
五	第二十四条の二第一項	道路の	道路管理者にあつては道路の
		駐車料金	指定市以外の市町村にあつては道路の附属物である自転車駐車場に自転車を駐車させる者から、駐車料金
六	第三十三条第四項、第三十九条の二第七項、第三十九条の五第二項、第四十五条の二第二項、第四十七条の十八第二項、第四十八条の二十三第六項、第四十八条の二十六第二項、第四十八条の三十八第一項及び第三項	道路管理者は、	道路管理者は、道路管理者等が
七	第三十九条第二項、第三十九条の二第五項	道路管理者	当該占用料を徴収する道路管理者等
八	第四十七条の十五第一項	道路管理者は、第四十六条第一項	第四十六条第一項
		場合においては	道路管理者等は
		、道路管理者	、道路管理者等
九	第四十八条の十四第一項	道路管理者は、	道路管理者等は、道路管理者が
	第四十八条の二十三第五項	道路管理者は	道路管理者等は
十		市町村長を	市町村長又は当該歩行者利便増進道路の存する指定市以外の市町村の長を
十一	第四十八条の四十五	特定道路管理者	特定道路管理者又は指定市以外の市町村
十二	第四十九条	道路の管理に関する	第十七条第四項に規定する歩道の新設等に要する
		当該道路の道路管理者	指定市以外の市町村
十三	第五十条第一項	都道府県が当該	指定市以外の市町村が当該
		当該都道府県	当該指定市以外の市町村
十四	第五十条第六項及び第七項、第五十三条第二項	他の都道府県	都道府県
十五	第五十条第六項	当該国道の所在する都道府県	指定市以外の市町村で当該国道の所在するもの
十六	第五十条第七項	国道の所在する都道府県	指定市以外の市町村で国道の所在するもの
		関係都道府県	当該指定市以外の市町村及び関係都道府県
十七	第五十三条第二項	都道府県が	指定市以外の市町村が
		都道府県に	指定市以外の市町村に
十八	第六十一条第二項	道路管理者	当該負担金を徴収する道路管理者等
			者等
十九	第六十四条第一項	停留料金並びに	停留料金、
		は、道路管理者の収入とし、第三十九条の規定に基づく占用料は、政令で定める区分に従い、道路管理者又は第十三条第二項の規定により指定区間内の国道の維持、修繕及び災害復旧以外の管理を行う都道府県若しくは指定市	並びに第三十九条の規定に基づく占用料で、第十七条第五項の規定に基づき公示される国道又は都道府県道の新設、改築、維持又は修繕の開始の日から国道又は都道府県道の新設、改築、維持又は修繕の完了の日までに指定市以外の市町村が徴収すべきものは、当該指定市以外の市町村
二十	第七十三条第一項	道路管理者	負担金等を徴収すべき道路管理者等
二十一	第七十四条	道路管理者は、当該国道を新設し、又は改築しようとする場合において	新設又は改築をしようとする指定市以外の市町村
二十二	第七十五条第一項	当該指定区間外の国道の道路管理者	指定市以外の市町村
二十三	第七十五条第一項第二号、第二項第二号、第四項及び第五項、第七十六条第一	道路管理者	指定市以外の市町村

	項、第八十五条第三項		
二十四	第七十五条第二項	都道府県道及び指定市の市道に関し、都道府県知事は指定市の市道以外の市町村道に関し、次の各号に掲げる場合においては、それぞれ当該道路の道路管理者	、都道府県道に関し、次の各号に掲げる場合においては、指定市以外の市町村
二十五	第七十五条第二項第二号	要求（都道府県知事がするときは、勧告）	要求
二十六	第七十五条第五項	国土交通大臣又は都道府県知事	国土交通大臣
		要求若しくは勧告	要求
二十七	第七十六条第一項	次に掲げる事項を都道府県である場合にあつては国土交通大臣に、市町村である場合にあつては都道府県知事	第一号、第二号及び第五号に掲げる事項（同号に掲げる事項にあつては、第三十九条第二項の規定により定めた条例に限る。）を国土交通大臣
二十八	第九十六条第二項	又は市町村である道路管理者	若しくは市町村である道路管理者又は指定市以外の市町村
		又は当該市町村の長	若しくは当該市町村の長又は当該指定市以外の市町村の長
		都道府県である	都道府県である
		道路管理者	道路管理者又は指定市以外の市町村

4　法第十七条第六項の場合における同条第九項の規定による法の規定の適用についての技術的読替えは、次の表のとおりとする。

項	読み替える規定	読み替えられる字句	読み替える字句
一	第二条第二項第二号、第五号及び第七号から第九号まで	道路管理者	道路管理者又は国土交通大臣
二	第十八条第一項	第十六条又は	第十六条若しくは
		道路管理者」という	道路管理者」という。）又は国土交通大臣（以下「道路管理者等」と総称する
		決定して	決定し、道路管理者は
三	第二十一条、第二十二条第一項、第二十三条第一項、第二十四条、第三十二条、第三十三条第一項及び第二項第三号、第三十四条から第三十六条まで、第三十八条、第三十九条の三第一項、第三十九条の四第一項及び第三項から第五項まで、第三十九条の五第一項、第三十九条の六第一項及び第三項、第三十九条の七第二項及び第四項、第三十九条の九、第四十条第二項、第四十一条、第四十三条の二、第四十四条の三第一項から第五項まで及び第八項、第四十五条第一項、第四十六条第一項及び第二項、第四十七条第三項、第四十七条の二第一項及び第五項、第四十七条の十四、第四十七条の十五第二項、第四十七条の十七第一項、第四十七条の十八第一項、第四十八条の二十三第一項、第四十八条の二十四第一項、第四十八条の二十五第一項、第二項及び第四項から第六項まで、第四十八条の二十六第一項、第四十八条の二十七第一項及び第二項、第四十八条の二十八第二項、第四十八条の二十九、第四十八条の二十九	道路管理者	道路管理者等

	の三、第四十八条の二十九の四、第四十八条の二十九の五第一項、第四十八条の三十二、第四十八条の三十三、第四十八条の三十七第一項、第四十八条の四十九第二号、第四十八条の六十四、第五十七条、第六十六条第一項、第六十七条の二、第六十八条、第六十九条第一項、第七十条第一項、第三項及び第四項、第七十一条第一項から第五項まで、第七十二条第一項及び第二項、第七十二条の二第一項及び第二項、第九十二条第四項、第九十三条、第九十五条の二、第九十六条第五項前段		
四	第三十三条第三項及び第四項、第三十九条の二第七項、第三十九条の五第二項、第四十五条の二第二項、第四十七条の十八第二項、第四十八条の二十三第六項、第四十八条の二十六第二項、第四十八条の二十九の六第一項及び第三項、第四十八条の三十八第一項及び第三項	道路管理者は、	道路管理者は、道路管理者等が
五	第三十九条の二第一項、第四十八条の二十三第五項	道路管理者は	道路管理者等は
六	第三十九条の二第六項	道路管理者（	道路管理者等（
七	第四十七条の二第二項	道路管理者を異にする二以上の道路に係るものであるとき（国土交通省令で定める場合を除く。）は、同項	第十七条第六項の規定により国土交通大臣が改築又は修繕に関する工事を行う道路及び当該道路以外の道路に係るものであるときは、前項
八	第四十七条の二第二項及び第三項	の道路管理者	の道路管理者又は国土交通大臣
九	第四十七条の十五第一項	道路管理者は、第四十六条第一項	第四十六条第一項
		場合においては	道路管理者等は
		、道路管理者	、道路管理者等
十	第四十八条の十四第一項	道路管理者は、	道路管理者等は、道路管理者が
十一	第四十八条の四十五	特定道路管理者	特定道路管理者又は国土交通大臣
十二	第五十四条の二第一項	共用管理施設関係道路管理者	共用管理施設関係道路管理者又は国土交通大臣及び他の道路の道路管理者

5　法第十七条第七項の場合における同条第九項の規定による法の規定の適用についての技術的読替えについては、前項（同項の表三の項（第七十条第一項、第三項及び第四項に係る部分に限る。）及び七の項に係る部分を除く。）の規定を準用するほか、次の表のとおりとする。

項	読み替える規定	読み替えられる字句	読み替える字句
一	第十九条の二第一項	共用管理施設関係道路管理者」という。）	共用管理施設関係道路管理者」という。）又は国土交通大臣及び当該他の道路の道路管理者
二	第二十条第一項及び第二項	道路管理者	道路管理者又は国土交通大臣
三	第二十条第五項	道路管理者	道路管理者等
四	第二十条第六項	道路管理者と	道路管理者等と
五	第四十七条の二第二項	道路管理者を異にする二以上の道路に係るものであるとき（国土交通省令で定める場合を除く。）は、同項	第十七条第七項の規定により国土交通大臣が維持又は災害復旧に関する工事を行う道路及び当該道路以外の道路に係るものであるときは、前項

6　法第十七条第八項の場合における同条第九項の規定による法の規定の適用についての技術的読替えは、次の表のとおりとする。

項	読み替える規定	読み替えられる字句	読み替える字句
一	第二条第二項第二号、第五号及び第七号から第九号まで、第二十条第一項、第四十七条の十二第三項	道路管理者	道路管理者又は都道府県
二	第十八条第一項	第十六条又は	第十六条若しくは
		道路管理者」という	道路管理者」という。）又は都道府県（以下「道路管理者等」と総称する
		決定して	決定し、道路管理者は
三	第十九条の二第一項	道路管理者及び	道路管理者又は都道府県及び
四	第十九条の二第一項、第二項及び第四項、第五十四条の二第一項及び第四項	共用管理施設関係道路管理者	共用管理施設関係道路管理者等
五	第十九条の二第三項、第五十四条の二第三項	」とあるのは「共用管理施設関係道路管理者	の」とあるのは「共用管理施設関係道路管理者等の」と、「関係都道府県知事は」とあるのは「共用管理施設関係道路管理者等である道路管理者は
六	第十九条の二第五項	共用管理施設関係道路管理者の	共用管理施設関係道路管理者等の
		共用管理施設関係道路管理者は	共用管理施設関係道路管理者等である道路管理者は
七	第二十条第三項	道路管理者と	道路管理者又は都道府県と
八	第二十条第三項及び第四項、第五十五条第三項	道路管理者又は	道路管理者若しくは都道府県又は
九	第二十条第五項、第二十一条、第二十二条第一項、第二十三条第一項、第二十四条、第三十二条、第三十三条第一項及び第二項第三号、第三十四条から第三十六条まで、第三十八条、第三十九条の三第一項、第三十九条の四第一項及び第三項から第五項まで、第三十九条の五第一項、第三十九条の六第一項及び第三項、第三十九条の七第二項及び第四項、第三十九条の九、第四十条第二項、第四十一条、第四十三条の二、第四十四条の三第一項から第五項まで及び第八項、第四十五条第一項、第四十六条第一項及び第二項、第四十七条第三項、第四十七条の二第一項及び第五項、第四十七条の十四、第四十七条の十五第二項、第四十七条の十七第一項、第四十七条の十八第一項、第四十八条の二十三第一項、第四十八条の二十四第一項、第四十八条の二十五第一項、第二項及び第四項から第六項まで、第四十八条の二十六第一項、第四十八条の二十七第一項及び第二項、第四十八条の二十八第二項、第四十八条の二十九、第四十八条の二十九の三、第四十八条の二十九の四、第四十八条の二十九の五第一項、第四十八条の三十二、第四十八条の三十三、第四十八条の三十七第一項、第四十八条の四十九第二号、第四十	道路管理者	道路管理者等

	八条の六十四、第五十六条、第五十七条、第六十六条第一項、第六十七条の二、第六十八条、第六十九条第一項、第七十一条第一項から第五項まで、第七十二条第一項及び第三項、第七十二条の二第一項及び第二項、第八十七条第一項、第九十二条第四項、第九十三条、第九十五条の二、第九十六条第五項前段		
十	第二十条第六項	道路管理者と	道路管理者等と
十一	第三十三条第三項及び第四項、第三十九条の二第七項、第三十九条の五第二項、第四十五条の二第二項、第四十七条の十八第二項、第四十八条の二十三第六項、第四十八条の二十六第二項、第四十八条の二十九の六第一項及び第三項、第四十八条の三十八第一項及び第三項	道路管理者は、	道路管理者は、道路管理者等が
十二	第三十九条の二第一項、第四十八条の二十三第五項	道路管理者は	道路管理者等は
十三	第三十九条の二第六項	道路管理者（	道路管理者等（
十四	第四十七条の二第二項	道路管理者を異にする二以上の道路に係るものであるとき（国土交通省令で定める場合を除く。）は、同項	第十七条第八項の規定により都道府県が維持又は災害復旧に関する工事を行う道路及び当該道路以外の道路に係るものであるときは、前項
十五	第四十七条の二第二項及び第三項	の道路管理者	の道路管理者又は都道府県
十六	第四十七条の二第三項	国）	国）又は都道府県
十七	第四十七条の十五第一項	道路管理者は、第四十六条第一項	第四十六条第一項
		場合においては	道路管理者等は
		、道路管理者	、道路管理者等
十八	第四十八条の十四第一項	道路管理者は、	道路管理者等は、道路管理者が
十九	第四十八条の四十五	特定道路管理者	特定道路管理者又は都道府県
二十	第五十五条第一項及び第四項	道路管理者	道路管理者若しくは都道府県
二十一	第七十五条第一項	当該指定区間外の国道の道路管理者	都道府県
二十二	第七十五条第一項第二号、第二項第二号、第四項及び第五項、第七十六条第一項	道路管理者	都道府県
二十三	第七十五条第二項	都道府県道及び指定市の市道に関し、都道府県知事は指定市の市道以外の市町村道に関し、次の各号に掲げる場合においては、それぞれ当該道路の道路管理者	、都道府県道に関し、次の各号に掲げる場合においては、都道府県
二十四	第七十五条第二項第二号	国土交通大臣若しくは都道府県知事	国土交通大臣
		要求（都道府県知事がするときは、勧告）	要求
二十五	第七十五条第三項	当該道路の道路管理者	都道府県
二十六	第七十五条第五項	国土交通大臣又は都道府県知事	国土交通大臣
		要求若しくは勧告	要求
二十七	第七十六条第一項	次に掲げる事項を都道府県である場合にあつては国土交通大臣に、市町村である場合にあつては都道府県知事	第一号から第三号までに掲げる事項を国土交通大臣
二十八	第九十六条第二項	都道府県又は	都道府県である道路管理者若しくは都道府県又は
		都道府県である道路管理者	都道府県である道路管理者又は

			都道府県

7　法第四十八条の十九第一項の場合における同条第三項の規定による法の規定の適用についての技術的読替えについては、第四項（同項の表三の項（第二十一条、第二十三条第一項、第三十三条第二項第三号、第三十九条の三第一項、第三十九条の四第一項及び第三項から第五項まで、第三十九条の五第一項、第三十九条の六第一項及び第三項、第三十九条の七第二項及び第四項、第四十七条の十七第一項、第四十八条の十八第一項、第四十八条の二十三第一項、第四十八条の二十四第一項、第四十八条の二十五第一項、第二項及び第四項から第六項まで、第四十八条の二十六第一項、第四十八条の二十七第一項及び第二項、第四十八条の二十八第二項、第四十八条の二十九、第七十条第一項、第三項及び第四項、第九十二条第四項並びに第九十三条に係る部分を除く。）、四の項（第四十八条の二十九の六第一項及び第三項並びに第四十八条の三十八第一項及び第三項に係る部分に限る。）、八の項、九の項及び十一の項に係る部分に限る。）の規定を準用するほか、次の表のとおりとする。

項	読み替える規定	読み替えられる字句	読み替える字句
一	第二十一条	道路管理者	道路管理者又は国土交通大臣（以下「道路管理者等」と総称する。）
二	第四十七条の二第二項	道路管理者を異にする二以上の道路に係るものであるとき（国土交通省令で定める場合を除く。）は、同項	第四十八条の十九第一項の規定により国土交通大臣が維持を行う道路及び当該道路以外の道路に係るものであるときは、前項

8　法第四十八条の二十二第一項の場合における同条第四項の規定による法の規定の適用についての技術的読替えについては、第三項（同項の表二の項、五の項、十二の項、十九の項及び二十一の項に係る部分を除く。）の規定を準用するほか、次の表のとおりとする。

項	読み替える規定	読み替えられる字句	読み替える字句
一	第十三条第四項	第一項の規定により都道府県が維持、修繕、災害復旧その他の管理	第四十八条の二十二第一項の規定により指定市以外の市町村が国道の修繕
		修繕又は災害復旧	修繕
		都道府県の	指定市以外の市町村の
		関係都道府県	当該指定市以外の市町村及び関係する都道府県、指定市又は指定市以外の市（第十七条第二項の規定により管理を行う市をいう。）
二	第四十三条の二、第四十七条第三項、第四十七条の二第一項及び第五項、第四十七条の十四、第四十七条の十五第二項、第四十八条の二十九の三、第四十八条の二十九の四、第四十八条の二十九の五第一項、第四十八条の四十九第二号、第七十二条の二第二項	道路管理者	道路管理者等
三	第四十七条の二第二項	道路管理者を異にする二以上の道路に係るものであるとき（国土交通省令で定める場合を除く。）は、同項	第四十八条の二十二第一項の規定により指定市以外の市町村が歩行者利便増進改築等を行う道路及び当該道路以外の道路に係るものであるときは、前項
四	第四十七条の二第二項及び第三項、第四十七条の十二第三項	の道路管理者	の道路管理者又は指定市以外の市町村
五	第四十八条の二十九の六第一項及び第三項	道路管理者は、	道路管理者は、道路管理者等が
六	第四十九条	道路の管理に関する	第四十八条の二十二第一項に規定する歩行者利便増進改築等に要する
		当該道路の道路管理者	指定市以外の市町村
七	第五十条第一項及び第六項、第五十三条第二項	国道の新設又は改築	歩行者利便増進道路である国道の改築
八	第五十条第一項	新設又は改築を	改築を
九	第六十四条第一項	停留料金並びに	停留料金、
		は、道路管理者の収入とし、第三十九条の規定に基づく占用料は、政令で定める区分に従い、道路管理者又は第十三条第二項	並びに第三十九条の規定に基づく占用料で、第四十八条の二十二第二項の規定に基づき公示される同条第一項に規定する歩行

		の規定により指定区間内の国道の維持、修繕及び災害復旧以外の管理を行う都道府県若しくは指定市	者利便増進改築等の開始の日から当該歩行者利便増進改築等の完了の日までに指定市以外の市町村が徴収すべきものは、当該指定市以外の市町村
十	第七十四条	道路管理者は、当該国道を新設し、又は改築しようとする場合において	改築をしようとする指定市以外の市町村

（国土交通大臣の行う工事等の告示）

第二条　国土交通大臣は、次に掲げる工事等（工事又は維持をいう。以下この条において同じ。）を行おうとする場合においては、あらかじめ、当該道路の路線名、工事等の区間、工事の種類及び工事等の開始の日を告示しなければならない。

一　法第十二条本文の規定による国道（指定区間外の国道に限る。）の新設又は改築に関する工事

二　法第十三条第二項の規定により指定区間内の国道の管理を都道府県又は指定市が行つている区間に係る法第十二条本文の規定による新設若しくは改築又は法第十三条第一項の規定による修繕若しくは災害復旧に関する工事

三　法第十三条第三項の規定による指定区間外の国道の災害復旧に関する工事

四　法第十七条第六項の規定による都道府県道又は市町村道を構成する施設又は工作物の改築又は修繕に関する工事

五　法第十七条第七項の規定による指定区間外の国道、都道府県道又は市町村道の維持又は災害復旧に関する工事

六　法第四十八条の十九第一項の規定による指定区間外の国道、都道府県道又は市町村道の維持

2　国土交通大臣は、前項各号に掲げる工事等の全部又は一部を完了し、又は廃止しようとする場合においては、あらかじめ、同項の規定に準じてその旨を告示しなければならない。

（都道府県の行う維持等の公示）

第二条の二　都道府県は、法第十七条第八項の規定による指定区間外の国道、都道府県道又は市町村道の維持等（維持又は災害復旧に関する工事をいう。以下この条並びに第四条の五第一項及び第三項において同じ。）を行おうとする場合においては、あらかじめ、当該道路の路線名、維持等の区間及び維持等の開始の日を公示しなければならない。

2　都道府県は、前項に規定する維持等の全部又は一部を完了し、又は廃止しようとする場合においては、あらかじめ、同項の規定に準じてその旨を公示しなければならない。

（道路管理者以外の者の行う軽易な道路の維持）

第三条　法第二十四条但書に規定する道路の維持で政令で定める軽易なものは、道路の損傷を防止するために必要な砂利又は土砂の局部的補充その他道路の構造に影響を与えない道路の維持とする。

（指定区間内の国道に附属する有料の自動車駐車場又は自転車駐車場の名称等の告示）

第三条の二　国土交通大臣は、法第二十四条の二第一項の規定により指定区間内の国道に附属する自動車駐車場又は自転車駐車場に自動車（道路運送車両法（昭和二十六年法律第百八十五号）第二条第三項に規定する原動機付自転車（以下単に「原動機付自転車」という。）を含む。次条及び第四十一条第二項第十七号において同じ。）又は自転車を駐車させる者から駐車料金を徴収しようとする場合においては、あらかじめ、当該自動車駐車場又は自転車駐車場の名称及び位置、駐車料金の額、駐車することができる時間並びに駐車料金の徴収開始の日を告示しなければならない。

2　国土交通大臣は、前項の規定により告示した事項を変更する場合においては、あらかじめ、その旨を告示しなければならない。

（駐車料金を徴収することができない自動車又は自転車）

第三条の三　法第二十四条の二第一項ただし書の政令で定める自動車又は自転車は、道路の改築、修繕又は災害復旧に関する工事、道路の維持その他特別の理由に基づき当該自動車駐車場又は自転車駐車場に駐車することがやむを得ないと認められる自動車又は自転車で、国土交通大臣が定めるものとする。

（道路管理者の権限の代行）

第四条　法第二十七条第一項の規定により国土交通大臣が道路管理者に代わつて行う権限は、次に掲げるものとする。

一　法第十八条第一項の規定により道路の区域を決定し、又は変更すること。

二　法第十九条の二第一項又は第二十条第一項の規定により災害復旧に関する工事の施行について協議すること。

三　法第二十一条又は第二十二条第一項の規定により道路に関する工事を施行させること。

四　法第二十三条第一項の規定により他の工事を施行すること。

五　法第二十四条本文の規定により道路に関する工事を行うことを承認し、及び法第八十七条第一項の規定により当該承認に必要な条件を付すること。

六　法第三十二条第一項又は第三項（これらの規定を法第九十一条第二項において準用する場合を含む。）の規定による許可を与え、及び法第八十七条第一項（法第九十一条第二項において準用する場合を含む。）の規定により当該許可に必要な条件を付すること。

七　法第三十三条第二項第三号（法第九十一条第二項において準用する場合を含む。）の規定により利便増進誘導区域を指定すること。

八　法第三十四条（法第九十一条第二項において準用する場合を含む。）の規定により工事の調整のための条件を付すること。

九　法第三十五条（法第九十一条第二項において準用する場合を含む。）の規定により国と協議し、同意すること。

十　法第三十六条第一項（法第九十一条第二項において準用する場合を含む。）の規定により提出する工事の計画書を受理すること。

十一　法第三十八条第一項（法第九十一条第二項において準用する場合を含む。）の規定により道路の占用に関する工事を施行すること。

十二　法第三十九条の二第一項（法第九十一条第二項において準用する場合を含む。）の規定により入札占用指針を定め、及び法第三十九条の二第六項（法第九十一条第二項において準用する場合を含む。）の規定により意見を聴くこと。

十三　法第三十九条の四第一項又は第五項（これらの規定を法第九十一条第二項において準用する場合を含む。）の規定により通知し、法第三十九条の四第三項（法第九十一条第二項において準用する場合を含む。）の規定により占用入札を実施し、及び法第三十九条の四第四項（法第九十一条第二項において準用する場合を含む。）の規定により落札者を決定すること。

十四　法第三十九条の五第一項（法第九十一条第二項において準用する場合を含む。）の規定により道路の場所を指定し、及び入札占用計画が適当である旨の認定をすること。

十五　法第三十九条の六第一項（法第九十一条第二項において準用する場合を含む。）の規定により変更の認定をすること。

十六　法第三十九条の九（法第九十一条第二項において準用す

る場合を含む。）の規定により必要な措置を講ずべきことを命ずること。

十七　法第四十条第二項（法第九十一条第二項において準用する場合を含む。）の規定により必要な指示をすること。

十八　法第四十三条の二の規定により必要な措置をすることを命ずること。

十九　法第四十四条の三第一項（法第九十一条第二項において準用する場合を含む。）の規定により違法放置等物件を自ら除去し、又はその命じた者若しくは委任した者に除去させ、法第四十四条の三第二項（法第九十一条第二項において準用する場合を含む。）の規定により違法放置等物件を保管し、法第四十四条の三第三項（法第九十一条第二項において準用する場合を含む。）の規定により公示し、法第四十四条の三第四項（法第九十一条第二項において準用する場合を含む。）の規定により違法放置等物件を売却し、及び代金を保管し、並びに法第四十四条の三第五項（法第九十一条第二項において準用する場合を含む。）の規定により違法放置等物件を廃棄すること。

二十　法第四十五条第一項又は第四十七条の十五の規定により道路標識又は区画線を設けること。

二十一　法第四十六条第一項又は第四十七条第三項の規定により道路の通行を禁止し、又は制限すること。

二十二　法第四十七条の二第一項及び第二項前段の規定により許可をし、同項後段の規定により協議し、同意し、並びに同条第五項の規定により許可証を交付すること。

二十三　法第四十七条の十四第一項の規定により必要な措置をすることを命じ、及び同条第二項の規定により必要な措置を講ずべきことを命ずること。

二十四　法第四十七条の十八第一項の規定により協議し、協定を締結し、及び道路一体建物を管理すること。

二十五　法第四十八条の二十三第一項の規定により公募占用指針を定め、及び同条第五項の規定により意見を聴くこと。

二十六　法第四十八条の二十五第一項及び第二項の規定により歩行者利便増進計画について審査し、及び評価を行い、同条第四項の規定により占用予定者を選定し、同条第五項の規定により意見を聴き、並びに同条第六項の規定により通知すること。

二十七　法第四十八条の二十六第一項の規定により道路の場所を指定し、及び歩行者利便増進計画が適当である旨の認定をすること。

二十八　法第四十八条の二十七第一項の規定により変更の認定をすること。

二十九　法第四十八条の二十九の規定により地位の承継の承認をすること。

三十　法第四十八条の二十九の三の規定により防災拠点自動車駐車場の利用を禁止し、又は制限すること。

三十一　法第四十八条の二十九の四の規定により道路標識を設けること。

三十二　法第四十八条の二十九の五第一項の規定により協定を締結し、及び道路外災害応急対策施設を管理すること。

三十三　法第四十八条の三十二第一項又は第三項の規定による許可をし、及び法第八十七条第一項の規定により当該許可に必要な条件を付すること。

三十四　法第四十八条の三十七第一項の規定により協定を締結し、及び道路外利便施設を管理すること。

三十五　法第四十八条の四十五（法第九十一条第二項において準用する場合を含む。）の規定により自動車駐車場等運営権者と協議（当該協議が成立することをもつて、法第二十四条本文の規定による承認（道路に関する工事の施行に係るものに限る。）又は法第三十二条第一項若しくは第三項の規定による許可があつたものとみなされるものに限る。）をすること。

三十六　法第四十八条の六十四の規定により道路協力団体と協議（当該協議が成立することをもつて、法第二十四条本文の規定による承認（道路に関する工事の施行に係るものに限る。）又は法第三十二条第一項若しくは第三項の規定による許可があつたものとみなされるものに限る。）をすること。

三十七　法第五十四条の二第一項の規定により共用管理施設の費用の分担の方法等について協議すること。

三十八　法第六十六条第一項の規定により他人の土地に立ち入り、若しくは特別の用途のない他人の土地を材料置場若しくは作業場として一時使用し、又はその命じた者若しくはその委任を受けた者にこれらの行為をさせること。

三十九　法第六十七条の二第一項の規定により車両を移動し、又はその命じた者若しくはその委任を受けた者に車両を移動させ、同条第二項の規定により意見を聴き、同条第三項の規定により車両を保管し、及び必要な措置を講じ、同条第四項の規定により告知し、必要な措置を講じ、及び公示し、並びに同条第五項の規定により車両を移動すること。

四十　法第六十八条第一項の規定により災害の現場において、必要な土地を一時使用し、又は土石、竹木その他の物件を使用し、収用し、若しくは処分し、及び同条第二項の規定により災害の現場に在る者又はその付近に居住する者を防御に従事させること。

四十一　法第六十九条の規定により損失の補償について損失を受けた者と協議し、及び損失を補償すること。

四十二　法第七十条の規定により損失の補償について損失を受けた者と協議し、及び補償金を支払い、又は補償金に代えて工事を行うことを要求し、並びに協議が成立しない場合において収用委員会に裁決を申請すること。

四十三　法第七十一条第一項若しくは第二項（これらの規定を法第九十一条第二項において準用する場合を含む。）に規定する処分をし、若しくは措置を命じ、又は法第七十一条第三項前段（法第九十一条第二項において準用する場合を含む。以下この号において同じ。）の規定により必要な措置を自ら行い、若しくはその命じた者若しくは委任した者に行わせること。ただし、法第七十一条第二項第二号又は第三号（これらの規定を法第九十一条第二項において準用する場合を含む。）に該当する場合においては、法第七十一条第二項（法第九十一条第二項において準用する場合を含む。）に規定する処分をし、若しくは措置を命じ、又は法第七十一条第三項前段の規定により必要な措置を自ら行い、若しくはその命じた者若しくは委任した者に行わせることはできない。

四十四　法第七十二条の二第一項又は第二項の規定により必要な報告をさせ、又はその職員に立入検査をさせること。

四十五　法第九十二条第四項（法第九十一条第二項において準用する場合を含む。）の規定により不用物件と新たに道路を構成する物件とを交換すること。

四十六　法第九十三条（法第九十一条第二項において準用する場合を含む。）の規定により不用物件の使用の申出をし、及びその引渡しを受けること。

四十七　法第九十五条の二第一項の規定により意見を聴き、又は通知し、及び同条第二項の規定により協議し、又は通知すること。ただし、法第四十六条第三項、第四十八条の二第一項若しくは第二項又は第四十八条の二十第一項若しくは第三項の規定に係るものを除く。

四十八　車両制限令（昭和三十六年政令第二百六十五号）第七条第二項の規定により車両の総重量、軸重又は輪荷重の限度を定め、及び同令第十条第三項の規定により通行方法を定めること。

四十九　車両制限令第十一条第一項の規定により他の道路を指定すること。

五十　車両制限令第十二条の規定により認定すること。

2　前項に規定する国土交通大臣の権限は、第二条第一項（第一号又は第三号に係る部分に限る。）の規定により告示された工事の開始の日から同条第二項の規定により告示された当該工事の完了又は廃止の日までの間に限り行うことができるものとする。ただし、前項第四十一号及び第四十二号に掲げる権限については、当該完了又は廃止の日後においても行うことができる。

第四条の二　法第二十七条第二項の規定により指定市以外の市町村が道路管理者に代わつて行う権限（第三項において「指定市以外の市町村が代行する権限」という。）は、次に掲げるもののうち、指定市以外の市町村が道路管理者と協議して定めるものとする。

一　前条第一項第一号、第三号から第十一号まで、第十二号（法第三十九条の二第一項（法第九十一条第二項において準用する場合を含む。）の規定による入札占用指針の策定に係る部分に限る。）、第十三号から第十七号まで、第十九号、第二十四号から第二十九号まで、第三十四号、第三十六号、第三十八号から第四十二号まで、第四十五号及び第四十六号に掲げる権限

二　法第二十一条又は第二十二条第一項の規定により道路の維持を行わせること。

三　法第二十二条の二の規定により協定を締結すること。

四　法第二十四条本文の規定により道路の維持を行うことを承認し、及び法第八十七条第一項の規定により当該承認に必要な条件を付すること。

五　法第二十四条の二第一項の規定に基づく自転車駐車場の駐車料金、同条第三項の規定に基づく割増金（自転車駐車場の駐車料金に係るものに限る。）、法第三十九条（法第九十一条第二項において準用する場合を含む。）の規定に基づく占用料並びに法第四十四条の三第七項（法第九十一条第二項において準用する場合を含む。）及び第五十八条から第六十二条までの規定に基づく負担金（第十七号において「駐車料金等」という。）を徴収すること。

六　法第二十八条の二第一項の規定により協議会を組織すること。

七　法第三十二条第五項、第三十三条第三項（同条第五項において準用する場合を含む。）、第三十九条の四第二項及び第三十九条の六第二項（これらの規定を法第九十一条第二項において準用する場合を含む。）並びに第四十八条の二十五第三項の規定により協議すること。

八　法第四十五条第一項又は第四十七条の十五第一項（法第四十六条第一項の規定により道路の通行を禁止し、又は制限しようとする場合に係る部分に限る。）の規定により道路標識又は区画線を設けること。

九　法第四十六条第一項の規定により道路の通行を禁止し、又は制限すること。

十　法第四十八条の四十五（法第九十一条第二項において準用する場合を含む。）の規定により自転車駐車場に係る自動車駐車場等運営権者と協議をすること。

十一　法第四十八条の六十第一項の規定により道路協力団体を指定し、及び同条第三項の規定による届出を受理すること。

十二　法第四十八条の六十二第一項の規定により報告をさせ、同条第二項の規定により必要な措置を講ずべきことを命じ、及び同条第三項の規定により指定を取り消すこと。

十三　法第四十八条の六十三の規定により情報の提供又は指導若しくは助言をすること。

十四　法第四十八条の六十四の規定により道路協力団体と協議（当該協議が成立することをもつて、法第二十四条本文の規定による承認（道路の維持の実施に係るものに限る。）があつたものとみなされるものに限る。）をすること。

十五　法第七十一条第一項若しくは第二項（これらの規定を法第九十一条第二項において準用する場合を含む。）に規定する処分をし、若しくは措置を命じ、又は法第七十一条第三項前段（法第九十一条第二項において準用する場合を含む。）の規定により必要な措置を自ら行い、若しくはその命じた者若しくは委任した者に行わせること。ただし、法第二十四条の規定、法第三十二条第一項及び第三項、第三十四条、第三十五条、第三十六条第一項、第三十九条の五第一項、第三十九条の六第一項、第三十九条の九並びに第四十条第二項（これらの規定を法第九十一条第二項において準用する場合を含む。）の規定並びに法第四十八条の二十六第一項、第四十八条の二十七第一項及び第四十八条の二十九の規定に係るものに限る。

十六　法第七十二条の二第一項の規定により必要な報告をさせ、又はその職員に立入検査をさせること。

十七　法第七十三条（法第九十一条第二項において準用する場合を含む。）の規定により駐車料金等の納付を督促し、並びに駐車料金等並びに駐車料金等に係る手数料及び延滞金を徴収すること。

十八　法第九十一条第一項の規定により許可をすること。

十九　法第九十五条の二第一項（法第四十六条第三項又は第四十七条第三項の規定により道路の通行を禁止し、又は制限しようとするとき、法第四十八条の二十第一項又は第三項の規定による歩行者利便増進道路の指定をしようとするとき、法第四十八条の二十九の三の規定により防災拠点自動車駐車場の利用を禁止し、又は制限しようとするとき及び自動車駐車場又は特定車両停留施設を設けようとするときに係る部分を除く。）の規定により意見を聴き、又は通知し、及び法第九十五条の二第二項本文（道路の区域を立体的区域として決定し、又は変更しようとするときに係る部分に限る。）の規定により協議すること。

二十　電線共同溝の整備等に関する特別措置法（平成七年法律第三十九号。以下「電線共同溝整備法」という。）第四条第四項（電線共同溝整備法第八条第三項において読み替えて準用する場合を含む。）の規定により申請を却下すること。

二十一　電線共同溝整備法第五条第二項（電線共同溝整備法第八条第三項において読み替えて準用する場合を含む。）の規定により意見を聴き、及び電線共同溝整備計画又は電線共同溝増設計画を定めること。

二十二　電線共同溝整備法第六条第二項（電線共同溝整備法第八条第三項において読み替えて準用する場合を含む。）若しくは第十四条第二項又は電線共同溝の整備等に関する特別措置法施行令（平成七年政令第二百五十六号）第七条第二項第一号の規定による届出を受理すること。

二十三　電線共同溝整備法第十条、第十一条第一項又は第十二条第一項の規定による許可をすること。

二十四　電線共同溝整備法第十五条第一項の規定による承認をすること。

二十五　電線共同溝整備法第十六条第二項の規定により必要な措置を講ずべきことを命ずること。

二十六　電線共同溝整備法第十八条の規定により意見を聴き、及び電線共同溝管理規程を定めること。

二十七　電線共同溝整備法第二十条第二項の規定により必要な指示をすること。

二十八　電線共同溝整備法第二十一条の規定による協議をすること。

二十九　電線共同溝整備法第二十六条の規定による処分をすること。

2　指定市以外の市町村は、前項の規定による協議が成立したときは、遅滞なく、その内容を公示しなければならない。

3　指定市以外の市町村が代行する権限は、法第十七条第五項の規定に基づき公示された国道又は都道府県道の新設、改築、維持又は修繕の開始の日から同項の規定に基づき公示された当該国道又は都道府県道の新設、改築、維持又は修繕の完了の日ま

での間に限り行うことができるものとする。ただし、前条第一項第四十一号及び第四十二号に掲げる権限については、当該完了の日後においても行うことができる。

第四条の三　法第十七条第六項の規定により国土交通大臣が改築又は修繕に関する工事を行う場合において、法第二十七条第三項の規定により国土交通大臣が道路管理者に代わつて行う権限（第三項において「国土交通大臣が代行する権限」という。）は、第四条第一項第一号及び第三号から第五十号までに掲げるもののうち、国土交通大臣が道路管理者と協議して定めるものとする。

2　国土交通大臣は、前項の規定による協議が成立したときは、遅滞なく、その内容を告示しなければならない。

3　国土交通大臣が代行する権限は、第二条第一項（第四号に係る部分に限る。）の規定により告示された工事の開始の日から同条第二項の規定により告示された当該工事の完了又は廃止の日までの間に限り行うことができるものとする。ただし、第四条第一項第四十一号及び第四十二号に掲げる権限については、当該完了又は廃止の日後においても行うことができる。

第四条の四　法第十七条第七項の規定により国土交通大臣が維持又は災害復旧に関する工事を行う場合において、法第二十七条第三項の規定により国土交通大臣が道路管理者に代わつて行う権限（第三項において「国土交通大臣が代行する権限」という。）は、次に掲げるもののうち、国土交通大臣が道路管理者と協議して定めるものとする。

一　第四条第一項第一号から第四十一号まで、第四十三号から第四十六号まで及び第四十八号から第五十号までに掲げる権限

二　第四条の二第一項第二号、第四号及び第十四号に掲げる権限

三　法第四十八条の四十五の規定により自動車駐車場等運営権者と協議（当該協議が成立することをもつて、法第二十四条本文の規定による承認（道路の維持の実施に係るものに限る。）があつたものとみなされるものに限る。）をすること。

四　法第九十五条の二第一項（法第四十六条第三項の規定により道路の通行を禁止し、又は制限しようとするとき、法第四十八条の二十第一項又は第三項の規定による歩行者利便増進道路の指定をしようとするとき並びに法第九十五条の二第一項の政令で定める道路の交差部分及びその付近の道路の部分の改築又は歩行安全改築を行おうとするときに係る部分を除く。）の規定により意見を聴き、又は通知し、及び同条第二項（法第四十八条の二第一項又は第二項の規定による自動車専用道路の指定をしようとするとき及び法第四十六条第三項の規定により自動車専用道路の通行を禁止し、又は制限しようとするときに係る部分を除く。）の規定により協議し、又は通知すること。

2　国土交通大臣は、前項の規定による協議が成立したときは、遅滞なく、その内容を告示しなければならない。

3　国土交通大臣が代行する権限は、第二条第一項（第五号に係る部分に限る。）の規定により告示された維持又は工事の開始の日から同条第二項の規定により告示された当該維持又は工事の完了又は廃止の日までの間に限り行うことができるものとする。ただし、第四条第一項第四十一号に掲げる権限については、当該完了又は廃止の日後においても行うことができる。

第四条の五　法第十七条第八項の規定により都道府県が維持等を行う場合において、法第二十七条第四項の規定により都道府県が道路管理者に代わつて行う権限（第三項において「都道府県が代行する権限」という。）は、前条第一項各号に掲げるもののうち、都道府県が道路管理者と協議して定めるものとする。

2　都道府県は、前項の規定による協議が成立したときは、遅滞なく、その内容を公示しなければならない。

3　都道府県が代行する権限は、第二条の二第一項の規定により公示された維持等の開始の日から同条第二項の規定により公示された当該維持等の完了又は廃止の日までの間に限り行うことができるものとする。ただし、第四条第一項第四十一号に掲げる権限については、当該完了又は廃止の日後においても行うことができる。

第五条　一の道路管理者がその地方公共団体の区域外にわたつて道路を管理する場合又は他の工作物の管理者が道路を管理する場合において、これらの者が法第二十七条第五項の規定により当該道路の道路管理者に代わつて行う権限は、道路管理者の権限のうち、次に掲げるもの以外のものでこれらの者が道路管理者と協議して定めるものとする。

一　法第十八条第一項の規定により道路の区域を公示すること。

二　法第二十八条第一項の規定により道路台帳を調製し、及びこれを保管すること。

三　法第四十四条第一項及び第二項（これらの規定を法第九十一条第二項において準用する場合を含む。）の規定により沿道区域を指定し、及びこれを公示すること。

四　法第四十四条の二第一項及び第二項（これらの規定を法第九十一条第二項において準用する場合を含む。）の規定により届出対象区域を指定し、及びこれを公示すること。

五　法第四十七条の十八第二項、第四十八条の二十九の六第三項又は第四十八条の三十八第三項の規定により協定を締結した旨を公示し、当該協定の写しを一般の閲覧に供し、及びこれを閲覧に供している旨を掲示すること。

六　法第四十七条の二十一（法第九十一条第二項において準用する場合を含む。）の規定により道路保全立体区域を指定し、及びこれを公示すること。

七　法第五十二条第一項の規定により市町村に対し、工事又は維持に要する費用の一部を負担させること。

第五条の二　法第四十八条の十九第二項の規定により国土交通大臣が道路管理者に代わつて行う権限（第三項において「国土交通大臣が代行する権限」という。）は、次に掲げるもののうち、国土交通大臣が道路管理者と協議して定めるものとする。

一　第四条第一項第六号、第八号から第十一号まで、第十六号から第二十三号まで、第三十号から第三十五号まで、第三十八号から第四十一号まで、第四十三号、第四十四号及び第四十八号から第五十号までに掲げる権限

二　第四条の二第一項第二号、第四号及び第十四号に掲げる権限

三　法第九十五条の二第一項（法第四十五条第一項の規定により道路に区画線を設けようとするとき、法第四十六条第一項又は第四十七条第三項の規定により道路の通行を禁止し、又は制限しようとするとき及び法第四十八条の二十九の三の規定により防災拠点自動車駐車場の利用を禁止し、又は制限しようとするときに係る部分に限る。）の規定により意見を聴き、又は通知し、及び法第九十五条の二第二項（法第四十五条第一項の規定により自動車専用道路に区画線を設けようとするとき及び法第四十六条第一項の規定により自動車専用道路の通行を禁止し、又は制限しようとするときに係る部分に限る。）の規定により協議し、又は通知すること。

2　国土交通大臣は、前項の規定による協議が成立したときは、遅滞なく、その内容を告示しなければならない。

3　国土交通大臣が代行する権限は、第二条第一項（第六号に係る部分に限る。）の規定により告示された維持の開始の日から同条第二項の規定により告示された当該維持の完了又は廃止の日までの間に限り行うことができるものとする。ただし、第四条第一項第四十一号に掲げる権限については、当該完了又は廃止の日後においても行うことができる。

第五条の三　法第四十八条の二十二第三項の規定により指定市以外の市町村が道路管理者に代わつて行う権限（第三項において「指定市以外の市町村が代行する権限」という。）は、次に掲げるもののうち、指定市以外の市町村が道路管理者と協議して定

めるものとする。
一　第四条第一項第一号、第三号から第十一号まで、第十二号（法第三十九条の二第一項（法第九十一条第二項において準用する場合を含む。）の規定による入札占用指針の策定に係る部分に限る。）、第十三号から第三十二号まで、第三十四号、第三十六号、第三十八号から第四十二号まで、第四十四号から第四十六号まで及び第四十八号から第五十号までに掲げる権限
二　第四条の二第一項第二号から第四号まで、第六号、第七号、第十号から第十五号まで、第十八号及び第二十号から第二十九号までに掲げる権限
三　法第二十四条の二第一項の規定に基づく駐車料金、同条第三項の規定に基づく割増金、法第三十九条（法第九十一条第二項において準用する場合を含む。）の規定に基づく占用料並びに法第四十四条の三第七項（法第九十一条第二項において準用する場合を含む。）及び第五十八条から第六十二条までの規定に基づく負担金（第五号において「駐車料金等」という。）を徴収すること。
四　法第四十八条の四十五（法第九十一条第二項において準用する場合を含む。）の規定により自動車駐車場に係る自動車駐車場等運営権者と協議をすること。
五　法第七十三条（法第九十一条第二項において準用する場合を含む。）の規定により駐車料金等の納付を督促し、並びに駐車料金等並びに駐車料金等に係る手数料及び延滞金を徴収すること。
六　法第九十五条の二第一項（法第四十六条第三項の規定により道路の通行を禁止し、又は制限しようとするとき、法第四十八条の二十第一項又は第三項の規定による歩行者利便増進道路の指定をしようとするとき及び横断歩道橋又は特定車両停留施設を設けようとするときに係る部分を除く。）の規定により意見を聴き、又は通知し、及び法第九十五条の二第二項本文（道路の区域を立体的区域として決定し、又は変更しようとするときに係る部分に限る。）の規定により協議すること。
2　指定市以外の市町村は、前項の規定による協議が成立したときは、遅滞なく、その内容を公示しなければならない。
3　指定市以外の市町村が代行する権限は、法第四十八条の二十二第二項の規定に基づき公示された歩行者利便増進改築等の開始の日から同項の規定に基づき公示された当該歩行者利便増進改築等の完了の日までの間に限り行うことができるものとする。ただし、第四条第一項第四十一号及び第四十二号に掲げる権限については、当該完了の日後においても行うことができる。

（国土交通大臣等が道路管理者の権限を代行する場合における意見の聴取等）

第六条　国土交通大臣は、次の各号に掲げる規定により道路管理者に代わつて当該各号に定める協定を締結しようとするときは、あらかじめ、道路管理者の意見を聴かなければならない。
一　法第二十七条第一項又は第三項　法第四十七条の十八第一項、第四十八条の二十九の五第一項又は第四十八条の三十七第一項の規定による協定
二　法第四十八条の十九第二項　法第四十八条の二十九の五第一項又は第四十八条の三十七第一項の規定による協定
2　指定市以外の市町村は、法第二十七条第二項の規定により道路管理者に代わつて次に掲げる権限を行おうとするときは、あらかじめ、道路管理者の意見を聴かなければならない。
一　法第三十二条の二、第四十七条の十八第一項又は第四十八条の三十七第一項の規定により協定を締結すること。
二　法第三十八条の二第一項の規定により協議会を組織すること。
三　法第四十八条の六十第一項の規定により指定し、又は法第四十八条の六十二第三項の規定により指定を取り消すこと。
3　都道府県は、法第二十七条第四項の規定により道路管理者に代わつて第一項第一号に定める協定を締結しようとするときは、あらかじめ、道路管理者の意見を聴かなければならない。
4　指定市以外の市町村は、法第四十八条の二十二第三項の規定により道路管理者に代わつて次に掲げる権限を行おうとするときは、あらかじめ、道路管理者の意見を聴かなければならない。
一　第二項各号に掲げる権限
二　法第四十八条の二十九の五第一項の規定により協定を締結すること。
5　国土交通大臣は、法第二十七条第一項又は第三項の規定により道路管理者に代わつて次に掲げる権限を行つた場合においては、遅滞なく、その旨を道路管理者に通知しなければならない。
一　第四条第一項第一号又は第七号に掲げる権限
二　法第三十二条第一項又は第三項（これらの規定を法第九十一条第二項において準用する場合を含む。）の規定による許可を与えること。
三　法第三十五条（法第九十一条第二項において準用する場合を含む。）の規定により同意すること。
四　法第三十九条の二第一項（法第九十一条第二項において準用する場合を含む。）の規定により入札占用指針を定めること。
五　法第四十七条の十八第一項、第四十八条の二十九の五第一項又は第四十八条の三十七第一項の規定により協定を締結すること。
六　法第四十八条の二十三第一項の規定により公募占用指針を定めること。
七　法第四十八条の四十五（法第九十一条第二項において準用する場合を含む。）の規定により自動車駐車場等運営権者と協議（当該協議が成立することをもつて、法第三十二条第一項又は第三項の規定による許可があつたものとみなされるものに限る。）をすること。
八　法第四十八条の六十四の規定により道路協力団体と協議（当該協議が成立することをもつて、法第三十二条第一項又は第三項の規定による許可があつたものとみなされるものに限る。）をすること。
九　法第七十一条第一項又は第二項（これらの規定を法第九十一条第二項において準用する場合を含む。）の規定により法第三十二条第一項若しくは第三項（これらの規定を法第九十一条第二項において準用する場合を含む。）の規定による許可、法第三十九条の五第一項若しくは第三十九条の六第一項（これらの規定を法第九十一条第二項において準用する場合を含む。）、第四十八条の二十六第一項若しくは第四十八条の二十七第一項の規定による認定若しくは法第四十八条の二十九の規定による承認を取り消し、その効力を停止し、若しくはその条件を変更し、又は当該許可に係る物件の改築、移転若しくは除却を命ずること。
6　指定市以外の市町村は、法第二十七条第二項の規定により道路管理者に代わつて次に掲げる権限を行つた場合においては、遅滞なく、その旨を道路管理者に通知しなければならない。
一　第四条第一項第一号、第六号、第七号、第八号、第九号、第十一号（法第四十八条の六十第一項の規定による指定に係る部分に限る。）、第十二号（法第四十八条の六十二第三項の規定による指定の取消しに係る部分に限る。）、第二十号、第二十二号から第二十五号まで及び第二十九号並びに前項第二号から第九号までに掲げる権限
二　電線共同溝整備法第五条第二項（電線共同溝整備法第八条第三項において読み替えて準用する場合を含む。）の規定により電線共同溝整備計画又は電線共同溝増設計画を定めること。
三　電線共同溝整備法第十八条の規定により電線共同溝管理規程を定めること。

四　電線共同溝整備法第二十一条の規定による協議を成立させること。

7　都道府県は、法第二十七条第四項の規定により道路管理者に代わつて第五項各号に掲げる権限を行つた場合においては、遅滞なく、その旨を道路管理者に通知しなければならない。

8　一の道路管理者がその地方公共団体の区域外にわたつて道路を管理する場合又は他の工作物の管理者が道路を管理する場合において、これらの者は、法第二十七条第五項の規定により道路管理者に代わつて第四条の二第一項第三号若しくは第六号に掲げる権限又は第五項各号に掲げる権限を行つたときは、遅滞なく、その旨を道路管理者に通知しなければならない。

9　国土交通大臣は、法第四十八条の十九第二項の規定により道路管理者に代わつて次に掲げる権限を行つた場合においては、遅滞なく、その旨を道路管理者に通知しなければならない。

一　第五項第二号、第三号及び第七号に掲げる権限

二　法第四十八条の二十九の五第一項又は第四十八条の三十七第一項の規定により協定を締結すること。

三　法第七十一条第一項又は第二項（これらの規定を法第九十一条第二項において準用する場合を含む。）の規定により法第三十二条第一項若しくは第三項（これらの規定を法第九十一条第二項において準用する場合を含む。）の規定による許可を取り消し、その効力を停止し、若しくはその条件を変更し、又は当該許可に係る物件の改築、移転若しくは除却を命ずること。

10　指定市以外の市町村は、法第四十八条の二十二第三項の規定により道路管理者に代わつて第四条第一項第一号、第七号、第八号、第十七号、第二十号、第二十一号、第三十号及び第三十一号、第四条の二第一項第三号、第六号、第十一号（法第四十八条の六十第一項の規定による指定に係る部分に限る。）、第十二号（法第四十八条の六十二第三項の規定による指定の取消しに係る部分に限る。）、第二十号、第二十二号から第二十五号まで及び第二十九号並びにこの条第五項第二号から第九号まで及び第六項第二号から第四号までに掲げる権限を行つた場合においては、遅滞なく、その旨を道路管理者に通知しなければならない。

11　指定市以外の市町村が法第十七条第四項の規定により道路の附属物である電線共同溝の新設又は改築を行う場合において、道路管理者が当該電線共同溝について電線共同溝整備法第七条第一項（電線共同溝整備法第八条第三項において読み替えて準用する場合を含む。）、第十三条第一項又は第十九条の規定による負担金を徴収したときは、当該道路管理者は、当該負担金に相当する額を当該負担金の徴収後直ちに当該市町村に支払わなければならない。

第二章　道路の占用

（道路の構造又は交通に支障を及ぼすおそれのある工作物等）

第七条　法第三十二条第一項第七号の政令で定める工作物、物件又は施設は、次に掲げるものとする。

一　看板、標識、旗ざお、パーキング・メーター、幕及びアーチ

二　太陽光発電設備及び風力発電設備

三　洪水、高潮又は津波からの一時的な避難場所としての機能を有する堅固な施設

四　工事用板囲、足場、詰所その他の工事用施設

五　土石、竹木、瓦その他の工事用材料

六　防火地域（都市計画法（昭和四十三年法律第百号）第八条第一項第五号の防火地域をいう。以下同じ。）内に存する建築物（以下「既存建築物」という。）を除去して、当該防火地域内にこれに代わる建築物として耐火建築物（建築基準法（昭和二十五年法律第二百一号）第二条第九号の二に規定する耐火建築物をいう。以下同じ。）を建築する場合（既存建築物が防火地域と防火地域でない地域にわたつて存する場合において、当該既存建築物を除去して、当該既存建築物の敷地（その近接地を含む。）又は当該防火地域内に、これに代わる建築物として耐火建築物を建築するときを含む。）において、当該耐火建築物の工事期間中当該既存建築物に替えて必要となる仮設店舗その他の仮設建築物

七　都市再開発法（昭和四十四年法律第三十八号）による市街地再開発事業に関する都市計画において定められた施行区域内の建築物に居住する者で同法第二条第六号に規定する施設建築物に入居することとなるものを一時収容するため必要な施設又は密集市街地における防災街区の整備の促進に関する法律（平成九年法律第四十九号）による防災街区整備事業に関する都市計画において定められた施行区域内の建築物（当該防災街区整備事業の施行に伴い移転し、又は除却するものに限る。）に居住する者で当該防災街区整備事業の施行後に当該施行区域内に居住することとなるものを一時収容するため必要な施設

八　高速自動車国道及び自動車専用道路以外の道路又は法第三十三条第二項第二号に規定する高速自動車国道若しくは自動車専用道路の連結路附属地（以下「特定連結路附属地」という。）に設ける食事施設、購買施設その他これらに類する施設（第十三号に掲げる施設を除く。）でこれらの道路の通行者又は利用者の利便の増進に資するもの

九　トンネルの上又は高架の道路の路面下に設ける事務所、店舗、倉庫、住宅、自動車駐車場、自転車駐車場、広場、公園、運動場その他これらに類する施設

十　次に掲げる道路の上空に設ける事務所、店舗、倉庫、住宅その他これらに類する施設及び自動車駐車場

イ　都市計画法第八条第一項第三号の高度地区（建築物の高さの最低限度が定められているものに限る。）及び高度利用地区並びに同項第四号の二の都市再生特別地区内の高速自動車国道又は自動車専用道路

ロ　都市再生特別措置法（平成十四年法律第二十二号）第三十六条の三第一項に規定する特定都市道路（イに掲げる道路を除く。）

十一　建築基準法第八十五条第一項に規定する区域内に存する道路（車両又は歩行者の通行の用に供する部分及び路肩の部分を除く。）の区域内の土地に設ける同項第一号に該当する応急仮設建築物で、被災者の居住の用に供するため必要なもの

十二　道路の区域内の地面に設ける自転車（側車付きのものを除く。以下同じ。）、原動機付自転車（側車付きのものを除く。）又は道路運送車両法第三条に規定する小型自動車若しくは軽自動車で二輪のもの（いずれも側車付きのものを除く。以下「二輪自動車」という。）を駐車させるため必要な車輪止め装置その他の器具（第九号に掲げる施設に設けるものを除く。）

十三　高速自動車国道又は自動車専用道路に設ける休憩所、給油所その他の自動車に燃料又は動力源としての電気を供給するための施設及び自動車修理所

十四　防災拠点自動車駐車場に設ける備蓄倉庫、非常用電気等供給施設（都市再生特別措置法第十九条の十五第一項に規定する非常用電気等供給施設をいう。）その他これらに類する施設で、災害応急対策（災害対策基本法（昭和三十六年法律第二百二十三号）第五十条第一項に規定する災害応急対策をいう。第十六条の三第二号イ並びに第三十五条の七第二号及び第四号において同じ。）の的確かつ円滑な実施のため必要であると認められるもの

（道路の占用の軽易な変更）

第八条　法第三十二条第二項各号に掲げる事項の変更で道路の構

造又は交通に支障を及ぼす虞のないと認められる軽易なもので政令で定めるものは、左の各号に掲げるものとする。

一　占用物件の構造の変更であつて重量の著しい増加を伴わないもの。

二　道路の構造又は交通に支障を及ぼす虞のない物件の占用物件に対する添加であつて、当該道路占用者が当該占用の目的に附随して行うもの。

（占用の期間に関する基準）

第九条　法第三十二条第二項第二号に掲げる事項についての法第三十三条第一項の政令で定める基準は、占用の期間又は占用の期間が終了した場合においてこれを更新しようとする場合の期間が、次の各号に掲げる工作物、物件又は施設の区分に応じ、当該各号に定める期間であることとする。

一　次に掲げる工作物、物件又は施設　十年以内

イ　水道法（昭和三十二年法律第百七十七号）による水管（同法第三条第二項に規定する水道事業又は同条第四項に規定する水道用水供給事業の用に供するものに限る。）

ロ　工業用水道事業法（昭和三十三年法律第八十四号）による水管（同法第二条第四項に規定する工業用水道事業の用に供するものに限る。）

ハ　下水道法（昭和三十三年法律第七十九号）による下水道管

ニ　鉄道事業法（昭和六十一年法律第九十二号）又は全国新幹線鉄道整備法（昭和四十五年法律第七十一号）による鉄道で公衆の用に供するもの

ホ　ガス事業法（昭和二十九年法律第五十一号）によるガス管（同法第二条第十一項に規定するガス事業（同条第二項に規定するガス小売事業を除く。）の用に供するものに限る。）

ヘ　電気事業法（昭和三十九年法律第百七十号）による電柱又は電線（同法第二条第一項第十七号に規定する電気事業者（同項第三号に規定する小売電気事業者及び同項第十五号の四に規定する特定卸供給事業者を除く。）がその事業の用に供するものに限る。）

ト　電気通信事業法（昭和五十九年法律第八十六号）による電柱、電線又は公衆電話所（同法第百二十条第一項に規定する認定電気通信事業者が同項に規定する認定電気通信事業の用に供するものに限る。）

チ　石油パイプライン事業法（昭和四十七年法律第百五号）による石油管（同法第二条第三項に規定する石油パイプライン事業の用に供するものに限る。）

二　その他の法第三十二条第一項各号に掲げる工作物、物件又は施設　五年以内

（一般工作物等の占用の場所に関する基準）

第一〇条　法第三十二条第二項第三号に掲げる事項についての同条第一項各号に掲げる工作物、物件又は施設（電柱、電線、公衆電話所、水管、下水道管、ガス管、石油管、自動運行補助施設、第七条第二号に掲げる工作物、同条第三号に掲げる施設、同条第六号に掲げる仮設建築物、同条第七号に掲げる施設、同条第八号に掲げる施設、同条第十一号に掲げる応急仮設建築物及び同条第十二号に掲げる器具を除く。以下この条において「一般工作物等」という。）に関する法第三十三条第一項の政令で定める基準は、次のとおりとする。

一　一般工作物等（鉄道の軌道敷を除く。以下この号において同じ。）を地上（トンネルの上又は高架の道路の路面下の道路がない区域の地上を除く。次条第一項第二号、第十一条の二第一項第一号、第十一条の三第一項第一号、第十一条の六第一項、第十一条の七第一項、第十一条の八第一項及び第十一条の九第一項において同じ。）に設ける場合においては、次のいずれにも適合する場所（特定連結路附属地の地上に設ける場合にあつては、ロ及びハのいずれにも適合する場所）であること。

イ　一般工作物等の道路の区域内の地面に接する部分は、次のいずれかに該当する位置にあること。

(1)　法面

(2)　側溝上の部分

(3)　路端に近接する部分

(4)　歩道（自転車歩行者道を含む。第十一条の七第一項第二号及び第十一条の十第一項第二号を除き、以下この章において同じ。）内の車道（自転車道を含む。第十一条の六第一項第三号及び第五号、第十一条の七第一項第一号並びに第十一条の十一第一項第一号を除き、以下この章において同じ。）に近接する部分（第十六条の二第一号から第三号まで及び第六号に掲げる工作物、物件又は施設に該当する一般工作物等を利便増進誘導区域内に設ける場合にあつては、歩道上の部分）

(5)　一般工作物等の種類又は道路の構造からみて道路の構造又は交通に著しい支障を及ぼすおそれのない場合にあつては、分離帯、ロータリーその他これらに類する道路の部分

ロ　一般工作物等の道路の上空に設けられる部分（法敷、側溝、路端に近接する部分、歩道内の車道に近接する部分又は分離帯、ロータリーその他これらに類する道路の部分の上空にある部分を除く。）がある場合においては、その最下部と路面との距離が四・五メートル（歩道上にあつては、二・五メートル）以上であること。

ハ　一般工作物等の種類又は道路の構造からみて道路の構造又は交通に著しい支障を及ぼすおそれのない場合を除き、道路の交差し、接続し、又は屈曲する部分以外の道路の部分であること。

二　一般工作物等を地下に設ける場合においては、次のいずれにも適合する場所であること。

イ　一般工作物等の種類又は道路の構造からみて、路面をしばしば掘削し、又は他の占用物件と錯そうするおそれのない場所であること。

ロ　保安上又は工事実施上の支障のない限り、他の占用物件に接近していること。

ハ　道路の構造又は地上にある占用物件に支障のない限り、当該一般工作物等の頂部が地面に接近していること。

三　一般工作物等をトンネルの上に設ける場合においては、トンネルの構造の保全又はトンネルの換気若しくは採光に支障のない場所であること。

四　一般工作物等を高架の道路の路面下に設ける場合においては、高架の道路の構造の保全に支障のない場所であること。

五　一般工作物等を特定連結路附属地に設ける場合においては、連結路及び連結路により連結される道路の見通しに支障を及ぼさない場所であること。

（電柱又は公衆電話所の占用の場所に関する基準）

第一一条　法第三十二条第二項第三号に掲げる事項についての電柱又は公衆電話所に関する法第三十三条第一項の政令で定める基準は、次のとおりとする。

一　道路の敷地外に当該場所に代わる適当な場所がなく、公益上やむを得ないと認められる場所であること。

二　電柱（鉄道の電柱を除く。）を地上に設ける場合においては次のいずれにも適合する場所であり、鉄道の電柱又は公衆電話所を地上に設ける場合においてはイに適合する場所であること。

イ　電柱又は公衆電話所の道路の区域内の地面に接する部分は、次のいずれかに該当する位置にあること。

(1)　法面（法面のない道路にあつては、路端に近接する部分）

(2)　歩道内の車道に近接する部分

ロ　同一の線路に係る電柱を道路（道路の交差し、接続し、又は屈曲する部分を除く。以下この号において同じ。）に設ける場合においては、道路の同じ側であること。

ハ　電柱を歩道を有しない道路に設ける場合において、その反対側に占用物件があるときは、当該占用物件との水平距離が八メートル以上であること。

2　前項に定めるもののほか、同項の基準については、電柱にあつては前条（第二号から第五号までに係る部分に限る。）の規定を、公衆電話所にあつては同条（第一号ハ及び第二号から第五号までに係る部分に限る。）の規定を、それぞれ準用する。

（電線の占用の場所に関する基準）

第十一条の二　法第三十二条第二項第三号に掲げる事項についての電線に関する法第三十三条第一項の政令で定める基準は、次のとおりとする。

一　電線を地上に設ける場合においては、次のいずれにも適合する場所であること。

イ　電線の最下部と路面との距離が五メートル（既設の電線に附属して設ける場合その他技術上やむを得ず、かつ、道路の構造又は交通に支障を及ぼすおそれの少ない場合にあつては四・五メートル、歩道上にあつては二・五メートル）以上であること。

ロ　電線を既設の電線に附属して設ける場合においては、保安上の支障がなく、かつ、技術上やむを得ないとき又は公益上やむを得ない事情があると認められるときを除き、当該既設の電線に、これと錯そうするおそれがなく、かつ、保安上の支障のない程度に接近していること。

二　電線を地下（トンネルの上又は高架の道路の路面下の道路がない区域の地下を除く。次条第一項第二号及び第十一条の四第一項において同じ。）に設ける場合においては、次のいずれにも適合する場所であること。

イ　道路を横断して設ける場合及び車道（歩道を有しない道路にあつては、路面の幅員の三分の二に相当する路面の中央部。以下この号及び第十一条の八第一項第二号において同じ。）以外の部分に当該場所に代わる適当な場所がなく、かつ、公益上やむを得ない事情があると認められるときに電線の本線を車道の部分に設ける場合を除き、車道以外の部分であること。

ロ　電線の頂部と路面との距離が、保安上又は道路に関する工事の実施上の支障のない場合を除き、車道にあつては〇・八メートル、歩道（歩道を有しない道路にあつては、路面の幅員の三分の二に相当する路面の中央部以外の部分。次条第一項第二号イ並びに第十一条の八第一項第二号及び第三号において同じ。）にあつては〇・六メートルを超えていること。

三　電線を橋又は高架の道路に取り付ける場合においては、桁の両側又は床版の下であること。

2　前項に定めるもののほか、同項の基準については、第十条（第二号から第五号までに係る部分に限る。）及び前条第一項（第一号に係る部分に限る。）の規定を準用する。

（水管又はガス管の占用の場所に関する基準）

第十一条の三　法第三十二条第二項第三号に掲げる事項についての水管又はガス管に関する法第三十三条第一項の政令で定める基準は、次のとおりとする。

一　水管又はガス管を地上に設ける場合においては、道路の交差し、接続し、又は屈曲する部分以外の道路の部分であること。

二　水管又はガス管を地下に設ける場合においては、次のいずれにも適合する場所であること。

イ　道路を横断して設ける場合及び歩道以外の部分に当該場所に代わる適当な場所がなく、かつ、公益上やむを得ない事情があると認められるときに水管又はガス管の本線を歩道以外の部分に設ける場合を除き、歩道の部分であること。

ロ　水管又はガス管の本線の頂部と路面との距離が一・二メートル（工事実施上やむを得ない場合にあつては、〇・六メートル）を超えていること。

2　前項に定めるもののほか、同項の基準については、第十条（第一号ロ及び第二号から第五号までに係る部分に限る。）、第十一条第一項（第一号に係る部分に限る。）及び前条第一項（第三号に係る部分に限る。）の規定を準用する。

（下水道管の占用の場所に関する基準）

第十一条の四　法第三十二条第二項第三号に掲げる事項についての下水道管に関する法第三十三条第一項の政令で定める基準は、下水道管の本線を地下に設ける場合において、その頂部と路面との距離が三メートル（工事実施上やむを得ない場合にあつては、一メートル）を超えていることとする。

2　前項に定めるもののほか、同項の基準については、第十条（第一号ロ及び第二号から第五号までに係る部分に限る。）、第十一条第一項（第一号に係る部分に限る。）、第十一条の二第一項（第三号に係る部分に限る。）及び前条第一項（第一号及び第二号イに係る部分に限る。）の規定を準用する。

（石油管の占用の場所に関する基準）

第十一条の五　法第三十二条第二項第三号に掲げる事項についての石油管に関する法第三十三条第一項の政令で定める基準は、次のとおりとする。

一　トンネルの上の道路がない区域に設ける場合及び地形の状況その他特別の理由によりやむを得ないと認められる場合を除き、地下であること。

二　石油管を地下に設ける場合においては、次のいずれにも適合する場所であること。

イ　道路を横断して設ける場合及びトンネルの上又は高架の道路の路面下の道路がない区域に設ける場合を除き、原則として車両の荷重の影響の少ない場所であり、かつ、石油管の導管と道路の境界線との水平距離が保安上必要な距離以上であること。

ロ　道路の路面下に設ける場合においては、高架の道路の路面下の道路がない区域に設ける場合を除き、次に定めるところによる深さの場所であること。

(1)　市街地においては、防護構造物により石油管の導管を防護する場合にあつては当該防護構造物の頂部と路面との距離が一・五メートルを、その他の場合にあつては石油管の導管の頂部と路面との距離が一・八メートルを超えていること。

(2)　市街地以外の地域においては、石油管の導管の頂部（防護構造物によりその導管を防護する場合にあつては、当該防護構造物の頂部）と路面との距離が一・五メートルを超えていること。

ハ　道路の路面下以外の場所に設ける場合においては、トンネルの上の道路がない区域に設ける場合を除き、当該石油管の導管の頂部と地面との距離が一・二メートル（防護工又は防護構造物によりその導管を防護する場合においては、市街地にあつては〇・九メートル、市街地以外の地域にあつては〇・六メートル）を超えていること。

ニ　高架の道路の路面下に設ける場合においては、道路を横断して設ける場合を除き、当該石油管の導管と道路の境界線との水平距離が保安上必要な距離以上であること。

三　石油管を地上に設ける場合においては、次のいずれにも適合する場所であること。

イ　トンネルの中でないこと。

ロ　高架の道路の路面下の道路のない区域にあつては、当該高架の道路の桁の両側又は床版の下であり、かつ、当該石油管を取り付けることができる場所であること。

ハ　石油管の最下部と路面との距離が五メートル以上であること。

2　前項に定めるもののほか、同項の基準については、第十条（第二号から第五号までに係る部分に限る。）、第十一条の二第一項（第三号に係る部分に限る。）及び第十一条の三第一項（第一号に係る部分に限る。）の規定を準用する。この場合において、第十条第二号中「適合する場所」とあるのは、「適合する場所（高架の道路の路面下の地下に設ける場合にあつては、イ及びロに適合する場所）」と読み替えるものとする。

（自動運行補助施設の占用の場所に関する基準）

第十一条の六　法第三十二条第二項第三号に掲げる事項についての自動運行補助施設に関する法第三十三条第一項の政令で定める基準は、自動運行補助施設を地上に設ける場合においては、自動運行補助施設の道路の区域内の地面に接する部分が、次の各号のいずれかに該当する位置にあることとする。

一　法面

二　側溝上の部分

三　路端に近接する部分（路肩の部分及び車道上の部分を除く。）

四　歩道内の車道に近接する部分

五　道路の構造からみて道路の構造又は交通に著しい支障を及ぼすおそれのない場合にあつては、路肩の部分若しくは車道上の部分又は分離帯、ロータリーその他これらに類する道路の部分

2　前項に定めるもののほか、同項の基準については、第十条（第一号ロ及びハ、第二号イ及びハ並びに第三号から第五号までに係る部分に限る。）の規定を準用する。

（太陽光発電設備等の占用の場所に関する基準）

第十一条の七　法第三十二条第二項第三号に掲げる事項についての第七条第二号に掲げる工作物、同条第三号に掲げる施設又は同条第八号に掲げる施設（以下この条において「太陽光発電設備等」という。）に関する法第三十三条第一項の政令で定める基準は、太陽光発電設備等を地上に設ける場合においては、次のいずれにも適合する場所であることとする。

一　太陽光発電設備等の道路の区域内の地面に接する部分は、車道（第十六条の二第四号に掲げる施設に該当する施設を利便増進誘導区域内に設ける場合にあつては、車道及び自転車道）以外の道路の部分にあること。

二　自転車道、自転車歩行者道又は歩道上（第十六条の二第四号に掲げる施設に該当する施設を利便増進誘導区域内に設ける場合にあつては、自転車歩行者道又は歩道上）に設ける場合においては、道路の構造からみて道路の構造又は交通に著しい支障のない場合を除き、当該太陽光発電設備等を設けたときに自転車又は歩行者が通行することができる部分の一方の側の幅員が、国道にあつては道路構造令（昭和四十五年政令第三百二十号）第十条第三項本文、第十条の二第二項又は第十一条第三項に規定する幅員、都道府県道又は市町村道にあつてはこれらの規定に規定する幅員を参酌して法第三十条第三項の条例で定める幅員であること。

2　前項に定めるもののほか、同項の基準については、第十条（第一号ロ及びハ並びに第二号から第五号までに係る部分に限る。）の規定を準用する。

（特定仮設店舗等の占用の場所に関する基準）

第十一条の八　法第三十二条第二項第三号に掲げる事項についての第七条第六号に掲げる仮設建築物又は同条第七号に掲げる施設（以下「特定仮設店舗等」という。）に関する法第三十三条第一項の政令で定める基準は、特定仮設店舗等を地上に設ける場合において、次のいずれにも適合する場所であることとする。

一　道路の一方の側に設ける場合にあつては十二メートル以上、道路の両側に設ける場合にあつては二十四メートル以上の幅員の道路であること。

二　法面、側溝上の部分又は歩道上の部分（道路の構造又は道路の周辺の状況上やむを得ないと認められる場合において、当該道路の交通に著しい支障を及ぼさないときにあつては、これらの部分及び車道内の歩道に近接する部分）であること。

三　歩道上の部分に設ける場合においては、特定仮設店舗等を設けたときに歩行者がその一方の側を通行することができる場所であること。

四　特定仮設店舗等を設けることによつて通行することができなくなる路面の部分の幅員が道路の一方の側につき四メートル以下であること。

2　前項に定めるもののほか、同項の基準については、第十条（第一号ハ及び第二号から第五号までに係る部分に限る。）の規定を準用する。

（応急仮設住宅の占用の場所に関する基準）

第十一条の九　法第三十二条第二項第三号に掲げる事項についての第七条第十一号に掲げる応急仮設建築物（以下「応急仮設住宅」という。）に関する法第三十三条第一項の政令で定める基準は、応急仮設住宅を地上に設ける場合においては、次の各号のいずれかに該当する位置にあることとする。

一　法面

二　側溝上の部分

三　路端に近接する部分（車両又は歩行者の通行の用に供する部分及び路肩の部分を除く。）

2　前項に定めるもののほか、同項の基準については、第十条（第一号ロ及びハ並びに第二号から第五号までに係る部分に限る。）の規定を準用する。

（自転車駐車器具の占用の場所に関する基準）

第十一条の一〇　法第三十二条第二項第三号に掲げる事項についての第七条第十二号に規定する自転車を駐車させるため必要な車輪止め装置その他の器具（以下この条において「自転車駐車器具」という。）に関する法第三十三条第一項の政令で定める基準は、次のいずれにも適合する場所であることとする。

一　車道以外の道路の部分（分離帯、ロータリーその他これらに類する道路の部分を除く。次条第一項第一号において同じ。）であること。

二　法面若しくは側溝上の部分又は自転車道、自転車歩行者道若しくは歩道上に設ける場合においては、道路の構造からみて道路の構造又は交通に著しい支障のない場合を除き、当該自転車駐車器具を自転車の駐車の用に供したときに自転車又は歩行者が通行することができる部分の一方の側の幅員が、国道にあつては道路構造令第十条第三項本文、第十条の二第二項又は第十一条第三項に規定する幅員、都道府県道又は市町村道にあつてはこれらの規定に規定する幅員を参酌して法第三十条第三項の条例で定める幅員であること。

2　前項に定めるもののほか、同項の基準については、第十条（第一号及び第五号に係る部分に限る。）の規定を準用する。この場合において、同条第一号中「地上（」とあるのは「地面（」と、「地上を」とあるのは「地面を」と、「次のいずれにも適合する場所（特定連結路附属地の地上に設ける場合にあつては、ロ及びハのいずれにも適合する場所）」とあるのは「ロ及びハのいずれにも適合する場所」と読み替えるものとする。

（原動機付自転車等駐車器具の占用の場所に関する基準）

第十一条の一一　法第三十二条第二項第三号に掲げる事項についての第七条第十二号に規定する原動機付自転車又は二輪自動車を駐車させるため必要な車輪止め装置その他の器具（以下この条において「原動機付自転車等駐車器具」という。）に関する法第三十三条第一項の政令で定める基準は、次のいずれにも適合する場所であることとする。

一　車道以外の道路の部分内の車道に近接する部分であること。

二　道路の構造からみて道路の構造又は交通に著しい支障のない場合を除き、当該原動機付自転車等駐車器具を原動機付自転車（側車付きのものを除く。）又は二輪自動車の駐車の用に供したときに自転車又は歩行者が通行することができる部分の幅員が、国道にあつては道路構造令第十条第三項本文、

第十条の二第二項又は第十一条第三項に規定する幅員、都道府県道又は市町村道にあつてはこれらの規定に規定する幅員を参酌して法第三十条第三項の条例で定める幅員であること。

2　前項に定めるもののほか、同項の基準については、第十条（第一号及び第五号に係る部分に限る。）の規定を準用する。この場合において、同条第一号中「地上（」とあるのは「地面（」と、「地上を」とあるのは「地面を」と、「次のいずれにも適合する場所（特定連結路附属地の地上に設ける場合にあつては、ロ及びハのいずれにも適合する場所）」とあるのは「ロ及びハのいずれにも適合する場所」と読み替えるものとする。

（構造に関する基準）

第一二条　法第三十二条第二項第四号に掲げる事項についての法第三十三条第一項の政令で定める基準は、次のとおりとする。

一　地上に設ける場合においては、次のいずれにも適合する構造であること。

イ　倒壊、落下、剝離、汚損、火災、荷重、漏水その他の事由により道路の構造又は交通に支障を及ぼすことがないと認められるものであること。

ロ　電柱の脚釘は、路面から一・八メートル以上の高さに、道路の方向と平行して設けるものであること。

ハ　特定仮設店舗等又は第七条第八号に掲げる施設（特定連結路附属地に設けるものを除く。）にあつては、必要最小限度の規模であり、かつ、道路の交通に及ぼす支障をできる限り少なくするものであること。

二　地下に設ける場合においては、次のいずれにも適合する構造であること。

イ　堅固で耐久性を有するとともに、道路及び地下にある他の占用物件の構造に支障を及ぼさないものであること。

ロ　車道に設ける場合においては、道路の強度に影響を与えないものであること。

ハ　電線、水管、下水道管、ガス管又は石油管については、各戸に引き込むために地下に設けるものその他国土交通省令で定めるものを除き、国土交通省令で定めるところにより、当該占用物件の名称、管理者、埋設した年その他の保安上必要な事項を明示するものであること。

三　橋又は高架の道路に取り付ける場合においては、当該橋又は高架の道路の強度に影響を与えない構造であること。

四　特定連結路附属地に設ける場合においては、次のいずれにも適合する構造であること。

イ　連結路及び連結路により連結される道路の見通しに支障を及ぼさないものであること。

ロ　当該工作物、物件又は施設の規模及び用途その他の状況に応じ、当該工作物、物件又は施設と連絡する道路の安全かつ円滑な交通に支障を及ぼさないように、必要な規模の駐車場及び適切な構造の通路その他の施設を設けるものであること。

（工事実施の方法に関する基準）

第一三条　法第三十二条第二項第五号に掲げる事項についての法第三十三条第一項の政令で定める基準は、次のとおりとする。

一　占用物件の保持に支障を及ぼさないために必要な措置を講ずること。

二　道路を掘削する場合においては、溝掘、つぼ掘又は推進工法その他これに準ずる方法によるものとし、えぐり掘の方法によらないこと。

三　路面の排水を妨げない措置を講ずること。

四　原則として、道路の一方の側は、常に通行することができることとすること。

五　工事現場においては、さく又は覆いの設置、夜間における赤色灯又は黄色灯の点灯その他道路の交通の危険防止のために必要な措置を講ずること。

六　前各号に定めるところによるほか、電線、水管、下水道管、ガス管若しくは石油管（以下この号において「電線等」という。）が地下に設けられていると認められる場所又はその付近を掘削する工事にあつては、保安上の支障のない場合を除き、次のいずれにも適合するものであること。

イ　試掘その他の方法により当該電線等を確認した後に実施すること。

ロ　当該電線等の管理者との協議に基づき、当該電線等の移設又は防護、工事の見回り又は立会いその他の保安上必要な措置を講ずること。

ハ　ガス管又は石油管の付近において、火気を使用しないこと。

（工事の時期に関する基準）

第一四条　法第三十二条第二項第六号に掲げる事項についての法第三十三条第一項の政令で定める基準は、次のとおりとする。

一　他の占用に関する工事又は道路に関する工事の時期を勘案して適当な時期であること。

二　道路の交通に著しく支障を及ぼさない時期であること。特に道路を横断して掘削する工事その他道路の交通を遮断する工事については、交通量の最も少ない時間であること。

（道路の復旧の方法に関する基準）

第一五条　法第三十二条第二項第七号に掲げる事項についての法第三十三条第一項の政令で定める基準は、次のとおりとする。

一　占用のために掘削した土砂を埋め戻す場合においては、層ごとに行うとともに、確実に締め固めること。

二　占用のために掘削した土砂をそのまま埋め戻すことが不適当である場合においては、土砂の補充又は入換えを行つた後に埋め戻すこと。

三　砂利道の表面仕上げを行う場合においては、路面を砂利及び衣土をもつて掘削前の路面形に締め固めること。

（技術的細目）

第一六条　第十条から前条までに規定する基準を適用するについて必要な技術的細目は、国土交通省令で定める。ただし、第十一条の五に規定する石油管（第九条第一号チに掲げる石油管に限る。以下この条において同じ。）の占用の場所に関する基準又は第十二条に規定する石油管の構造に関する基準を適用するについて必要な技術的細目は、石油パイプライン事業法第十五条第三項第二号の規定に基づく主務省令の規定（石油管の設置の場所又は構造に係るものに限る。）の例による。

（歩行者利便増進施設等）

第一六条の二　法第三十三条第二項第三号の政令で定める工作物、物件又は施設は、次に掲げるものとする。

一　広告塔又は看板で良好な景観の形成又は風致の維持に寄与するもの

二　ベンチ、街灯その他これらに類する工作物で歩行者の利便の増進に資するもの

三　標識、旗ざお、幕又はアーチで歩行者の利便の増進に資するもの

四　食事施設、購買施設その他これらに類する施設で歩行者の利便の増進に資するもの

五　第十一条の十第一項に規定する自転車駐車器具で自転車を賃貸する事業の用に供するもの

六　次に掲げるもので、集会、展示会その他これらに類する催しのため設けられ、かつ、歩行者の利便の増進に資するもの

イ　広告塔その他これに類する工作物

ロ　露店、商品置場その他これらに類する施設

ハ　看板、旗ざお、幕及びアーチ

（災害応急対策に資する工作物又は施設）

第一六条の三　法第三十三条第二項第四号の政令で定める工作物又は施設は、次に掲げるものとする。

一　広告塔、通信設備、街灯その他これらに類する工作物又は看板であつて、災害時において住民その他の者（次号及び第三十五条の七において「住民等」という。）に対する災害情

報の伝達の用に供することができるもの

二　次に掲げるもので、災害時において住民等に対する物資又は電力の供給の用に供することができるもの

イ　ベンチその他これに類する工作物であつて、物資の保管その他災害応急対策の実施に資する機能を併せ有するもの

ロ　貯水槽その他これに類する施設

ハ　第七条第二号又は第八号に掲げる工作物又は施設

三　第七条第十四号に掲げる施設

（道路の管理上当該道路の区域内に設けることが必要な工作物又は施設）

第一七条　法第三十三条第二項第五号の政令で定める工作物又は施設は、次に掲げるものとする。

一　歩行者の休憩の用に供するベンチ又はその上屋

二　花壇その他道路の緑化のための施設

三　高架の道路の路面下に設ける自転車駐車場であつて、自転車の安全利用の促進及び自転車等の駐車対策の総合的推進に関する法律（昭和五十五年法律第八十七号）第七条第一項に規定する総合計画にその整備に関する事業の概要が定められたもの

（工事の計画書の提出を要しない軽易な工事）

第一八条　法第三十六条第一項ただし書の政令で定める軽易な工事は、各戸に引き込むために地下に埋設する水管、下水道管、ガス管又は電線で、道路を占用する部分の延長が二十メートルを超えないものの設置又は改修に関する工事とする。

（指定区間内の国道に係る占用料の額）

第一九条　指定区間内の国道に係る占用料の額は、別表占用料の欄に定める金額（第七条第八号に掲げる施設のうち特定連結路附属地に設けるもの及び同条第十三号に掲げる施設にあつては、同表占用料の欄に定める額及び道路の交通量等から見込まれる当該施設において行われる営業により通常得られる売上収入額に応じて国土交通省令で定めるところにより算定した額を勘案して占用面積一平方メートルにつき一年当たりの妥当な占用の対価として算定した額。以下この項及び次項において同じ。）に、法第三十二条第一項若しくは第三項の規定により許可をし、法第三十五条の規定により同意をし、又は法第四十八条の四十五若しくは第四十八条の六十四の規定により協議が成立した占用の期間（電線共同溝に係る占用料にあつては、電線共同溝整備法第十条、第十一条第一項若しくは第十二条第一項の規定により許可をし、又は電線共同溝整備法第二十一条の規定により協議が成立した占用することができる期間（当該許可又は当該協議に係る電線共同溝への電線の敷設工事を開始した日が当該許可をし、又は当該協議が成立した日と異なる場合には、当該敷設工事を開始した日から当該占用することができる期間の末日までの期間）。以下この項、次項、次条第一項及び別表の備考第九号において同じ。）に相当する期間を同表占用料の単位の欄に定める期間で除して得た数を乗じて得た額（その額が百円に満たない場合にあつては、百円）とする。ただし、当該占用の期間が翌年度以降にわたる場合においては、同表占用料の欄に定める金額に、各年度における占用の期間に相当する期間を同表占用料の単位の欄に定める期間で除して得た数を乗じて得た額（その額が百円に満たない場合にあつては、百円）の合計額とする。

2　前項の規定にかかわらず、指定区間内の国道に係る道路の占用のうち占用の期間が一月未満のものについての占用料の額は、別表占用料の欄に定める金額に、当該占用の期間に相当する期間を同表占用料の単位の欄に定める期間で除して得た数を乗じて得た額に、当該道路を占用させることにつき課されるべき消費税に相当する額及び当該課されるべき消費税の額を課税標準として課されるべき地方消費税に相当する額の合計額を加えた額（その額が百円に満たない場合にあつては、百円）とする。ただし、当該占用の期間が翌年度にわたる場合においては、同表占用料の欄に定める金額に、各年度における占用の期間に相当する期間を同表占用料の単位の欄に定める期間で除して得た数を乗じて得た額に、当該各年度において当該道路を占用させることにつき課されるべき消費税に相当する額及び当該課されるべき消費税の額を課税標準として課されるべき地方消費税に相当する額の合計額を加えた額（その額が百円に満たない場合にあつては、百円）の合計額とする。

3　国土交通大臣は、指定区間内の国道に係る占用料で次に掲げる占用物件に係るものについて、特に必要があると認めるときは、前二項の規定にかかわらず、前二項に規定する額の範囲内において別に占用料の額を定め、又は占用料を徴収しないことができる。

一　応急仮設住宅

二　地方財政法（昭和二十三年法律第百九号）第六条に規定する公営企業に係るもの

三　独立行政法人鉄道建設・運輸施設整備支援機構が建設し、又は災害復旧工事を行う鉄道施設及び独立行政法人日本高速道路保有・債務返済機構が管理を行う鉄道施設並びに鉄道事業法による鉄道事業者又は索道事業者がその鉄道事業又は索道事業で一般の需要に応ずるものの用に供する施設

四　公職選挙法（昭和二十五年法律第百号）による選挙運動のために使用する立札、看板その他の物件

五　街灯、公共の用に供する通路及び駐車場法（昭和三十二年法律第百六号）第十七条第一項に規定する都市計画において定められた路外駐車場

六　前各号に掲げるもののほか、前二項に規定する額の占用料を徴収することが著しく不適当であると認められる占用物件で、国土交通大臣が定めるもの

4　指定区間内の国道に係る占用料で指定区間の指定の日の前日までに道路管理者である都道府県又は指定市が徴収すべきものの額は、前三項の規定にかかわらず、当該指定区間の指定の際現に当該指定区間の存する都道府県又は指定市が法第三十九条第二項の規定に基づく条例で定めている占用料の額とする。

（指定区間内の国道に係る占用料の徴収方法）

第一九条の二　指定区間内の国道に係る占用料は、法第三十二条第一項若しくは第三項の規定により許可をし、法第三十五条の規定により同意をし、又は法第四十八条の四十五若しくは第四十八条の六十四の規定により協議が成立した占用の期間に係る分を、当該占用の許可をし、同意をし、又は協議が成立した日（電線共同溝に係る占用料にあつては、電線共同溝整備法第十条、第十一条第一項若しくは第十二条第一項の規定により許可をし、又は電線共同溝整備法第二十一条の規定により協議が成立した日（当該許可又は当該協議に係る電線共同溝への電線の敷設工事を開始した日が当該許可をし、又は当該協議が成立した日と異なる場合には、当該敷設工事を開始した日））から一月以内に納入告知書（法第三十九条第二項の規定により都道府県又は指定市が占用料を徴収する事務を行つている場合にあつては、納入通知書）により一括して徴収するものとする。ただし、当該占用の期間が翌年度以降にわたる場合においては、翌年度以降の占用料は、毎年度、当該年度分を四月三十日までに徴収するものとする。

2　前項の占用料で既に納めたものは、返還しない。ただし、国土交通大臣が法第七十一条第二項の規定により道路の占用の許可を取り消した場合において、既に納めた占用料の額が当該占用の許可の日から当該占用の許可の取消しの日までの期間につき算出した占用料の額を超えるときは、その超える額の占用料は、返還する。

3　指定区間内の国道に係る占用料で指定区間の指定の日の前日までに道路管理者である都道府県又は指定市が徴収すべきものは、前二項の規定にかかわらず、当該指定区間の指定の際現に当該指定区間の存する都道府県又は指定市が法第三十九条第二項の規定に基づく条例で定めている占用料の徴収方法により徴

収するものとする。

（占用料の収入の帰属）

第一九条の三　法第三十九条の規定に基づく占用料は、指定区間内の国道に係るものにあつては国、指定区間外の国道に係るものにあつては道路管理者である都道府県又は指定市若しくは指定市以外の市、都道府県道又は市町村道に係るものにあつては道路管理者である都道府県又は市町村の収入とする。

2　法第十三条第二項の規定により都道府県又は指定市が指定区間内の国道の管理を行つている場合においては、当該管理を行つている指定区間内の国道に係る占用料は、前項の規定にかかわらず、当該都道府県又は指定市の収入とする。

3　前項の規定により都道府県又は指定市の収入となるべき指定区間内の国道に係る占用料で法第十三条第二項の規定により都道府県又は指定市が指定区間内の国道の管理を行うこととされる日の前日までに国が徴収すべきものは、前項の規定にかかわらず、国の収入とする。

4　第一項の規定により国の収入となるべき指定区間内の国道に係る占用料で法第十三条第二項の規定により国土交通大臣が都道府県又は指定市が行つていた指定区間内の国道の管理を解除する日の前日までに当該都道府県又は指定市が徴収すべきものは、第一項の規定にかかわらず、当該都道府県又は指定市の収入とする。

5　第一項の規定により国の収入となるべき指定区間内の国道に係る占用料で当該指定区間の指定の日の前日までに道路管理者である都道府県又は指定市が徴収すべきものは、同項の規定にかかわらず、当該都道府県又は指定市の収入とする。

6　第一項の規定により道路管理者である都道府県又は指定市の収入となるべき国道に係る占用料で、当該国道に係る指定区間の指定の廃止の日の前日までに国が徴収すべきものは、同項の規定にかかわらず、国の収入とする。

（指定区間内の国道に係る占用料の額の最低額）

第一九条の三の二　法第三十九条の二第五項の政令で定める額については、第十九条第一項本文及び第三項の規定を準用する。この場合において、同条第一項本文中「法第三十二条第一項若しくは第三項の規定により許可をし、法第三十五条の規定により同意をし、又は法第四十八条の四十五若しくは第四十八条の六十四の規定により協議が成立した占用の期間（電線共同溝に係る占用料にあつては、電線共同溝整備法第十条、第十一条第一項若しくは第十二条第一項の規定により許可をし、又は電線共同溝整備法第二十一条の規定により協議が成立した占用することができる期間（当該許可又は当該協議に係る電線共同溝への電線の敷設工事を開始した日が当該許可をし、又は当該協議が成立した日と異なる場合には、当該敷設工事を開始した日から当該占用することができる期間の末日までの期間）。以下この項、次項、次条第一項及び別表の備考第九号において同じ。）に相当する期間」とあるのは「入札対象施設等の種類その他の事項を勘案して国土交通大臣が定める期間」と、同条第三項中「前二項の規定にかかわらず、前二項」とあるのは「第十九条の三の二において準用する第一項の規定にかかわらず、同項」と、「占用料の額を定め、又は占用料を徴収しない」とあるのは「占用料の額の最低額の下限の額を定める」と、同項第六号中「前二項」とあるのは「第十九条の三の二において準用する第一項」と、「の占用料を徴収する」とあるのは「を占用料の額の最低額の下限の額とする」と読み替えるものとする。

（総合評価占用入札の手続）

第一九条の三の三　道路管理者は、法第三十九条の四第四項ただし書の規定により落札者を決定する占用入札（以下この項において「総合評価占用入札」という。）を行おうとするときは、あらかじめ、当該総合評価占用入札に係る申出のうち占用料の額その他の条件が当該道路管理者にとつて最も有利なものを決定するための基準（以下この条において「総合評価落札者決定基準」という。）を、法第三十九条の二第二項第七号の入札の実施に関する事項として入札占用指針において定めなければならない。

2　道路管理者は、総合評価落札者決定基準を定めようとするときは、国土交通省令で定めるところにより、あらかじめ、学識経験を有する者（次項において「学識経験者」という。）の意見を聴かなければならない。

3　道路管理者は、前項の規定による意見の聴取において、あわせて、当該総合評価落札者決定基準に基づいて落札者を決定しようとするときに改めて意見を聴く必要があるかどうかについて意見を聴くものとし、改めて意見を聴く必要があるとの意見が述べられた場合には、当該落札者を決定しようとするときに、あらかじめ、学識経験者の意見を聴かなければならない。

（総合評価占用入札に関する規定の指定市以外の市町村が道路管理者の権限を代行する場合についての準用）

第一九条の三の四　前条の規定は、法第二十七条第二項の規定により指定市以外の市町村が第四条第一項第十二号（法第三十九条の四第四項の規定による落札者の決定に係る部分に限る。）に掲げる権限を道路管理者に代わつて行う場合について準用する。

（道路の占用に関する規定の道路予定区域についての準用）

第一九条の四　第七条から前条までの規定は、道路予定区域に法第三十二条第一項各号に掲げる工作物、物件又は施設を設け、継続して道路予定区域を使用する場合について準用する。

第二章の二　違法放置等物件の保管の手続等

（違法放置等物件を保管した場合の公示事項）

第一九条の五　法第四十四条の三第三項の政令で定める事項は、次に掲げるものとする。

一　保管した違法放置等物件の名称又は種類、形状及び数量

二　保管した違法放置等物件が放置され、又は設置されていた場所及びその違法放置等物件を除去した日時

三　その違法放置等物件の保管を始めた日時及び保管の場所

四　前三号に掲げるもののほか、保管した違法放置等物件を返還するため必要と認められる事項

（違法放置等物件を保管した場合の公示の方法）

第一九条の六　法第四十四条の三第三項の規定による公示は、次に掲げる方法により行わなければならない。

一　前条各号に掲げる事項を、保管を始めた日から起算して十四日間、当該道路管理者の事務所に掲示すること。

二　前号の公示に係る違法放置等物件のうち特に貴重と認められるものについては、同号の公示の期間が満了しても、なおその違法放置等物件の占有者等の氏名及び住所を知ることができないときは、その公示の要旨を官報に掲載すること。

2　道路管理者は、前項に規定する方法による公示を行うとともに、国土交通省令で定める様式による保管違法放置等物件一覧簿を当該道路管理者の事務所に備え付け、かつ、これをいつでも関係者に自由に閲覧させなければならない。

（違法放置等物件の価額の評価の方法）

第一九条の七　法第四十四条の三第四項の規定による違法放置等物件の価額の評価は、取引の実例価格、当該違法放置等物件の使用年数、損耗の程度その他当該違法放置等物件の価額の評価に関する事情を勘案してするものとする。この場合において、道路管理者は、必要があると認めるときは、違法放置等物件の価額の評価に関し専門的知識を有する者の意見を聴くことができる。

（保管した違法放置等物件を売却する場合の手続）

第一九条の八　法第四十四条の三第四項の規定による保管した違法放置等物件の売却は、競争入札に付して行わなければならな

い。ただし、次の各号のいずれかに該当するものについては、随意契約により売却することができる。

一 速やかに売却しなければ価値が著しく減少するおそれのある違法放置等物件

二 競争入札に付しても入札者がない違法放置等物件

三 前二号に掲げるもののほか、競争入札に付することが適当でないと認められる違法放置等物件

第一九条の九 道路管理者は、前条本文の規定による競争入札のうち一般競争入札に付そうとするときは、その入札期日の前日から起算して少なくとも五日前までに、その違法放置等物件の名称又は種類、形状、数量その他国土交通省令で定める事項を当該道路管理者の事務所に掲示し、又はこれに準ずる適当な方法で公示しなければならない。

2 道路管理者は、前条本文の規定による競争入札のうち指名競争入札に付そうとするときは、なるべく三人以上の入札者を指定し、かつ、それらの者に違法放置等物件の名称又は種類、形状、数量その他国土交通省令で定める事項をあらかじめ通知しなければならない。

3 道路管理者は、前条ただし書の規定による随意契約によろうとするときは、なるべく二人以上の者から見積書を徴さなければならない。

（違法放置等物件を返還する場合の手続）

第一九条の一〇 道路管理者は、保管した違法放置等物件を当該違法放置等物件の占有者等に返還するときは、返還を受ける者にその氏名及び住所を証するに足りる書類を提示させる等の方法によつてその者がその違法放置等物件の返還を受けるべき違法放置等物件の占有者等であることを証明させ、かつ、国土交通省令で定める様式による受領書と引換えに返還するものとする。

（違法放置等物件に関する規定の指定市以外の市町村が道路管理者の権限を代行する場合等についての準用）

第一九条の一一 第十九条の五から前条までの規定は、法第二十七条第二項又は第四十八条の二十二第三項の規定により指定市以外の市町村が第四条第一項第十九号に掲げる権限を道路管理者に代わつて行う場合について準用する。

2 第十九条の五から前条まで及び前項の規定は、道路予定区域に係る違法放置等物件について準用する。

第二章の三 危険物を積載する車両の水底トンネルの通行の禁止又は制限

（車両の通行の禁止）

第一九条の一二 道路管理者は、次に掲げる危険物を積載する車両の水底トンネルの通行を禁止することができる。

一 火薬類取締法（昭和二十五年法律第百四十九号）第二条に規定する火薬類（以下この条及び次条において「火薬類」という。）のうち次に掲げるもの

イ 雷こう、アジ化鉛その他の起爆薬

ロ ニトログリセリン、ニトログリコール及び爆発の用途に供せられるその他の硝酸エステル（国土交通省令で定めるものを除く。）

ハ 煙火（玩具煙火を除く。）

二 火薬類以外の物品で、アセチレン銅、ジアゾメタンその他これらと同程度以上の爆発性を有するもの

三 毒物及び劇物取締法（昭和二十五年法律第三百三号）第二条第一項に規定する毒物（以下この条及び次条において「毒物」という。）又は同法第二条第二項に規定する劇物（次条において「劇物」という。）のうち次に掲げるもの

イ シアン化水素

ロ 塩化シアノゲン

ハ 四アルキル鉛

ニ ホスゲン

ホ クロルピクリン

四 毒物以外の物品で、チオホスゲンその他これと同程度以上の毒性を有するもの

五 消防法（昭和二十三年法律第百八十六号）第二条第七項に規定する危険物以外の物品で、塩化アセチレン、ジシランその他水又は空気と作用してこれらと同程度以上の発火性を有するもの

（車両の通行の制限）

第一九条の一三 道路管理者は、次に掲げる危険物を積載する車両のうち水底トンネルを通行することができる車両を、道路管理者の定める種類に属し、かつ、積載する危険物の容器、容器への収納方法及び包装（次条において「容器包装」という。）、積載数量並びに積載方法が道路管理者の定める要件を満たしているものに限ることができる。

一 火薬類

二 高圧ガス保安法（昭和二十六年法律第二百四号）第二条に規定する高圧ガス

三 毒物又は劇物

四 毒物及び劇物以外の物品で、クロルアセトフェノン、モノクロルアセトンその他これらと同程度以上の毒性を有するもの

五 消防法第二条第七項に規定する危険物（同法別表に掲げる第四類の危険物にあつては、危険物の規制に関する政令（昭和三十四年政令第三百六号）第一条の六に規定する引火点を測定する試験において、一気圧において、引火点が七十度未満の温度で測定されるものに限る。）

六 四塩化けい素、オキシ塩化りんその他これらと同程度以上の腐食性を有するもの

七 マッチ

八 前条第二号及び第五号に掲げるもの

2 道路管理者は、前項各号に掲げる危険物を積載する車両が水底トンネルを通行することができる時間を限ることができる。

第一九条の一四 道路管理者は、前条の規定に基き車両の種類、危険物の容器包装、積載数量若しくは積載方法に関する要件又は通行することができる時間を定める場合においては、それぞれ次の各号に掲げる事項を考慮しなければならない。

一 車両の種類については、危険物を運搬しても、構造上運行中の動揺、衝撃、排気等により危険物の作用を誘発する虞のないものであること。

二 容器包装については、積載する危険物が容器若しくは被包の内部で作用し、又はその外部に出る虞のないものであること。

三 積載数量については、積載する危険物の全部が作用しても、水底トンネルの構造又は交通に危険を及ぼす虞の少いものであること。

四 積載方法については、積載する危険物の摩擦、動揺、衝突、転倒又は転落の虞のないこと及び積載する危険物の作用を誘発し易い他の物件と混載しないこと。

五 通行できる時間については、交通の状況により他の車両との衝突事故の発生の虞の大きい時間でないこと。

（車両の通行の禁止又は制限に関する公示）

第一九条の一五 道路管理者は、第十九条の十二又は第十九条の十三の規定により車両の通行を禁止し、又は制限しようとするときは、国土交通省令で定めるところにより、あらかじめ、そ

の旨を公示しなければならない。

第二章の四　連結位置及び連結料

（連結位置に関する基準）

第一九条の一六　法第四十八条の五第二項第二号（同条第四項において準用する場合を含む。）の政令で定める連結位置に関する基準は、当該自動車専用道路の構造及び交通の状況その他当該自動車専用道路及び周辺の状況を勘案して、当該自動車専用道路の安全かつ円滑な交通に著しい支障を及ぼすおそれのない位置であることとする。

（指定区間内の国道に係る連結料の額の基準）

第一九条の一七　指定区間内の国道に係る法第四十八条の七第一項の規定による連結料の額の基準は、次のとおりとする。

一　次に掲げる額の合計額の範囲内であること。

イ　当該自動車専用道路と連結する法第四十八条の四第二号に掲げる施設（以下この条において「連結利便施設等」という。）の用に供する土地又は当該自動車専用道路と連結する同条第三号に掲げる施設（以下この条において「連結通路等」という。）及び当該連結通路等によつて自動車専用道路と連絡する同条第二号に掲げる施設（以下この条において「連絡施設」という。）の用に供する土地と当該連結利便施設等又は連結通路等が自動車専用道路に連結しないものとした場合のこれらの土地との国土交通省令で定めるところにより算定した地代の差額に相当する額

ロ　当該連結利便施設等又は連結通路等と連結することにより追加的に必要を生じた当該自動車専用道路の管理に要する費用の額（以下「追加管理費用額」という。）

二　追加管理費用額を下回らないこと。

三　連結利便施設等又は連絡施設の規模、用途その他の状況に応じて公正妥当なものであること。

（指定区間内の国道に係る連結料の徴収方法）

第一九条の一八　指定区間内の国道に係る法第四十八条の七第一項の規定による連結料は、毎年度、当該年度分を六月三十日（追加管理費用額に相当する分にあつては、翌年の六月三十日）までに一括して徴収するものとする。ただし、次の各号に掲げる連結料は、当該各号に定める日から三月以内に一括して徴収するものとする。

一　連結許可の日の属する年度分の連結料（追加管理費用額に相当する分を除く。）　当該連結許可の日

二　法第四十八条の十の規定により連結許可に翌年度以降にわたらない期限が付された場合における追加管理費用額に相当する分又は同条の規定により連結許可に翌年度以降にわたる期限が付された場合における最終年度の追加管理費用額に相当する分の連結料　当該期限が到来した日の翌日

2　前項の連結料は、納入告知書により徴収するものとする。

3　第一項の連結料で既に徴収したものは、返還しない。ただし、道路管理者が法第七十一条第二項の規定により連結許可を取り消した場合において、既に徴収した連結料の額が当該連結許可の日から当該連結許可の取消しの日までの期間につき算出した連結料の額を超えるときは、その超える額の連結料は、返還する。

第三章　道路に関する費用の負担及び補助

第一節　道路の新設等に要する費用の負担

（他の都道府県に分担させる負担金に関する基準）

第二〇条　国土交通大臣は、法第五十条第六項の規定により他の都道府県に負担金の一部を分担させる場合においては、国道の新設又は改築によつて当該他の都道府県の受ける利益の程度並びに当該国道の所在する都道府県及び当該他の都道府県の受ける利益の割合を考慮して国土交通大臣が定める額を分担させるものとする。

（都道府県等負担額）

第二一条　国土交通大臣が国道の新設若しくは改築又は指定区間内の国道の災害復旧（以下この項及び第二十三条第一項において「国道の新設等」という。）を行う場合における都道府県が法第五十三条第一項の規定により国庫に納付する負担金の額は、国道の新設等に要する費用の額（法第五十八条から第六十一条まで及び第六十二条後段又は地方道路公社法（昭和四十五年法律第八十二号）第二十九条の規定による負担金（以下この章において「収入金」という。）があるときは、当該費用の額から当該収入金の額を控除した額。以下この節において「国道新設等負担基本額」という。）に、法第五十条第一項又は第二項に定める都道府県の負担割合をそれぞれ乗じて得た額（収入金（指定区間内の国道に係る収入金を除く。以下この項において同じ。）があるときは当該額に当該収入金の額を加算し、同条第六項の規定により分担を命ぜられた他の都道府県があるときは、当該額から分担額を控除した額。以下この節において「国道新設等都道府県負担額」という。）とする。

2　国土交通大臣が指定区間外の国道の維持又は災害復旧に関する工事を行う場合における都道府県が法第五十三条第一項の規定により国庫に納付する負担金の額は、当該維持又は工事に要する費用の額に相当する額（第二十三条第三項及び第七項において「指定区間外国道維持等都道府県負担額」という。）とする。

3　国土交通大臣が都道府県道又は市町村道の維持又は災害復旧に関する工事を行う場合における都道府県又は市町村が法第五十三条第一項の規定により国庫に納付する負担金の額は、当該維持又は工事に要する費用の額に相当する額（第二十三条第四項及び第七項において「都道府県道等維持等都道府県等負担額」という。）とする。

4　国土交通大臣が都道府県道又は市町村道を構成する施設又は工作物の改築に関する工事を行う場合における都道府県又は市町村が法第五十三条第一項の規定により国庫に納付する負担金の額は、当該工事に要する費用の額から当該費用の額（収入金があるときは、当該費用の額から当該収入金の額を控除した額。第二十三条第五項及び第七項において「施設等改築負担基本額」という。）に法第五十六条に定める補助率を乗じて得た額に相当する額を控除した額（第二十三条第五項及び第七項において「施設等改築都道府県等負担額」という。）とする。

5　国土交通大臣が都道府県道又は市町村道を構成する施設又は工作物の修繕に関する工事を行う場合における都道府県又は市町村が法第五十三条第一項の規定により国庫に納付する負担金の額は、当該工事に要する費用の額に相当する額（第二十三条第六項及び第七項において「施設等修繕都道府県等負担額」という。）とする。

（国道新設等国庫負担額）

第二二条　国が法第五十三条第二項の規定により都道府県に対して支出する負担金の額は、国道新設等負担基本額に、法第五十条第一項に定める国の負担割合を乗じて得た額（以下この節において「国道新設等国庫負担額」という。）とする。

（国道新設等負担基本額等の通知）

第二三条　国土交通大臣は、国道の新設等を行う場合においては、当該国道の所在する都道府県に対して、国道新設等負担基本額及び国道新設等都道府県負担額を通知しなければならない。

2　国土交通大臣は、国道の新設又は改築を行う場合において、法第五十条第六項の規定により他の都道府県に分担を命じたと

きは、分担額並びに国道新設等負担基本額及び国道新設等都道府県負担額を関係都道府県に通知しなければならない。

3　国土交通大臣は、指定区間外の国道の維持又は災害復旧に関する工事を行う場合においては、当該指定区間外の国道を管理する都道府県に対して、指定区間外国道維持等都道府県負担額を通知しなければならない。

4　国土交通大臣は、都道府県道又は市町村道の維持又は災害復旧に関する工事を行う場合においては、当該都道府県道又は市町村道を管理する都道府県又は市町村に対して、都道府県道等維持等都道府県等負担額を通知しなければならない。

5　国土交通大臣は、都道府県道又は市町村道を構成する施設又は工作物の改築に関する工事を行う場合においては、当該都道府県道又は市町村道を管理する都道府県又は市町村に対して、施設等改築負担基本額及び施設等改築都道府県等負担額を通知しなければならない。

6　国土交通大臣は、都道府県道又は市町村道を構成する施設又は工作物の修繕に関する工事を行う場合においては、当該都道府県道又は市町村道を管理する都道府県又は市町村に対して、施設等修繕都道府県等負担額を通知しなければならない。

7　国土交通大臣は、前各項の規定により通知した国道新設等負担基本額、国道新設等都道府県負担額、分担額、指定区間外国道維持等都道府県負担額、都道府県道等維持等都道府県等負担額、施設等改築負担基本額、施設等改築都道府県等負担額又は施設等修繕都道府県等負担額を変更したときは、これらの規定に準じて通知しなければならない。

8　第一項、第二項及び前項の規定は、都道府県が国道の新設又は改築を行う場合について準用する。この場合において、これらの規定中「国道新設等都道府県負担額」とあるのは「国道新設等国庫負担額」と、同項中「、分担額、指定区間外国道維持等都道府県負担額、都道府県道等維持等都道府県等負担額、施設等改築負担基本額、施設等改築都道府県等負担額又は施設等修繕都道府県等負担額」とあるのは「又は分担額」と読み替えるものとする。

第二四条　削除

（中間検査及び完了認定の申請）

第二五条　国土交通大臣は、都道府県の行う国道の新設又は改築に関する工事について、中間検査を行うことができる。

2　都道府県は、国道の新設又は改築に関する工事を完了した場合においては、遅滞なく、国土交通大臣に完了の認定の申請をしなければならない。

（国道新設等都道府県負担額等に関する規定の指定市が国道の管理を行う場合等についての準用）

第二六条　第二十条、第二十一条第一項及び第二項、第二十二条並びに第二十三条第一項から第三項まで、第七項及び第八項の規定は、法第十七条第一項の規定により指定市が国道の管理を行う場合又は同条第二項の規定により指定市以外の市が国道の管理を行う場合の費用の負担について準用する。この場合において、第二十条、第二十一条第一項及び第二十三条第二項中「他の都道府県」とあるのは「都道府県」と、第二十条及び第二十三条第一項中「当該国道の所在する都道府県」とあるのはそれぞれ「当該国道の所在する指定市」又は「指定市以外の市で当該国道の所在するもの」と、第二十一条第一項及び第二項中「都道府県が法」とあるのはそれぞれ「指定市が法」又は「指定市以外の市が法」と、同条第一項中「都道府県の」とあるのはそれぞれ「指定市の」又は「指定市以外の市の」と、同項並びに第二十三条第一項、第二項、第七項及び第八項中「国道新設等都道府県負担額」とあるのはそれぞれ「国道新設等指定市負担額」又は「国道新設等指定市以外の市負担額」と、第二十一条第二項及び第二十三条第三項中「指定区間外国道維持等都道府県負担額」とあるのはそれぞれ「指定区間外国道維持等指定市負担額」又は「指定区間外国道維持等指定市以外の市負担額」と、第二十二条及び第二十三条第三項中「都道府県に」とあるのはそれぞれ「指定市に」又は「指定市以外の市に」と、同条第二項中「関係都道府県」とあるのはそれぞれ「関係指定市及び都道府県」又は「関係指定市以外の市及び都道府県」と、同条第七項及び第八項中「、指定区間外国道維持等都道府県負担額、都道府県道等維持等都道府県等負担額、施設等改築負担基本額、施設等改築都道府県等負担額又は施設等修繕都道府県等負担額」とあるのはそれぞれ「又は指定区間外国道維持等指定市負担額」又は「又は指定区間外国道維持等指定市以外の市負担額」と、同項中「都道府県が」とあるのはそれぞれ「指定市が」又は「指定市以外の市が」と読み替えるものとする。

2　第二十一条第三項から第五項まで及び第二十三条第四項から第七項までの規定は、法第十七条第一項の規定により指定市が都道府県道の管理を行う場合又は同条第二項の規定により指定市以外の市が都道府県道の管理を行う場合の費用の負担について準用する。この場合において、第二十一条第三項から第五項まで及び第二十三条第四項から第六項までの規定中「都道府県又は」とあるのはそれぞれ「指定市又は」又は「指定市以外の市又は」と、第二十一条第三項及び第二十三条第四項中「都道府県道等維持等都道府県等負担額」とあるのはそれぞれ「都道府県道等維持等指定市等負担額」又は「都道府県道等維持等指定市以外の市等負担額」と、第二十一条第四項並びに第二十三条第五項及び第七項中「施設等改築都道府県等負担額」とあるのはそれぞれ「施設等改築指定市等負担額」又は「施設等改築指定市以外の市等負担額」と、第二十一条第五項並びに第二十三条第六項及び第七項中「施設等修繕都道府県等負担額」とあるのはそれぞれ「施設等修繕指定市等負担額」又は「施設等修繕指定市以外の市等負担額」と、同項中「国道新設等負担基本額、国道新設等都道府県負担額、分担額、指定区間外国道維持等都道府県負担額、都道府県道等維持等都道府県等負担額」とあるのはそれぞれ「都道府県道等維持等指定市等負担額」又は「都道府県道等維持等指定市以外の市等負担額」と読み替えるものとする。

3　第二十条及び第二十二条の規定は、法第十七条第四項の規定により指定市以外の市町村が国道の新設又は改築を行う場合の費用の負担について準用する。この場合において、第二十条中「他の都道府県」とあるのは「都道府県」と、「当該国道の所在する都道府県」とあるのは「指定市以外の市町村で当該国道の所在するもの」と、第二十二条中「都道府県」とあるのは「指定市以外の市町村」と読み替えるものとする。

4　第二十条及び第二十二条の規定は、法第四十八条の二十二第一項の規定により指定市以外の市町村が歩行者利便増進道路である国道の改築を行う場合の費用の負担について準用する。この場合において、第二十条中「他の都道府県」とあるのは「都道府県」と、「当該国道の所在する都道府県」とあるのは「指定市以外の市町村で当該国道の所在するもの」と、「新設又は改築」とあるのは「改築」と、第二十二条中「都道府県」とあるのは「指定市以外の市町村」と読み替えるものとする。

5　前条の規定は、法第十七条第一項、第二項又は第四項の規定により指定市、指定市以外の市又は指定市以外の市町村の行う国道の新設又は改築に関する工事について準用する。この場合において、前条中「都道府県」とあるのは、それぞれ「指定市」、「指定市以外の市」又は「指定市以外の市町村」と読み替えるものとする。

6　前条の規定は、法第四十八条の二十二第一項の規定により指定市以外の市町村の行う歩行者利便増進道路である国道の改築に関する工事について準用する。この場合において、前条中「都道府県」とあるのは「指定市以外の市町村」と、「新設又は改築」とあるのは「改築」と読み替えるものとする。

（都道府県の分担金の支出）

第二七条　都道府県が法第五十三条第二項の規定により支出する

分担金は、その分担金を財源とする費用の支出時期に遅れないように支出しなければならない。

第二節　道路に関する費用の補助

（道路に関する費用の補助額）

第二八条　法第五十六条の規定による道路管理者に対する道路の新設、改築若しくは修繕に要する費用又は道路の調査に要する費用に関する補助金の額は、当該費用の額（道路の新設、改築又は修繕の場合において収入金があるときは、当該費用の額から当該収入金の額を控除した額）に、同条に定める補助率をそれぞれ乗じて得た額とする。

2　前項の規定は、法第十七条第四項の規定による歩道の新設等又は法第四十八条の二十二第一項の規定による歩行者利便増進改築等を行う指定市以外の市町村に対する国道若しくは都道府県道の新設、改築若しくは修繕若しくは歩行者利便増進道路の改築若しくは修繕に要する費用又は当該歩道の新設等若しくは歩行者利便増進改築等に係る国道若しくは都道府県道若しくは歩行者利便増進道路の調査に要する費用に関する補助金の額について準用する。

第二九条　削除

（中間検査及び完了認定の申請）

第三〇条　第二十五条の規定は、法第五十六条の規定による補助を受ける工事又は調査の中間検査又は完了認定の申請について準用する。この場合において、第二十五条第二項中「都道府県」とあるのは、「道路管理者又は法第十七条第四項の規定による国道若しくは都道府県道の新設、改築若しくは修繕に関する工事若しくは法第四十八条の二十二第一項の規定による歩行者利便増進道路の改築若しくは修繕に関する工事を行う指定市以外の市町村」と読み替えるものとする。

第三章の二　長時間放置された車両の保管の手続等

（長時間放置された車両を保管した場合の公示事項）

第三〇条の二　法第六十七条の二第四項の政令で定める事項は、次に掲げるものとする。

一　保管した車両の車名、型式、塗色及び番号標に表示されている番号

二　保管した車両が放置されていた場所及びその車両を移動した日時

三　その車両の保管を始めた日時及び保管の場所

四　前三号に掲げるもののほか、保管した車両を返還するため必要と認められる事項

（長時間放置された車両を保管した場合の公示の方法）

第三〇条の三　法第六十七条の二第四項の規定による公示は、次に掲げる方法により行わなければならない。

一　前条各号に掲げる事項を、法第六十七条の二第三項の規定による保管を継続している間、当該道路管理者の事務所に掲示すること。

二　前号の公示を始めた日から起算して十四日を経過して法第六十七条の二第三項の規定による保管を継続している場合において、なおその車両の所有者等の氏名及び住所を知ることができないときは、その公示の要旨を官報に掲載すること。

2　道路管理者は、前項に規定する方法による公示を行うとともに、国土交通省令で定める様式による保管車両一覧簿を当該道路管理者の事務所に備え付け、かつ、これをいつでも関係者に自由に閲覧させなければならない。

（長時間放置された車両を返還する場合の手続）

第三〇条の四　道路管理者は、保管した車両を所有者等に返還するときは、返還を受ける者にその氏名及び住所を証するに足りる書類を提示させる等の方法によつてその者がその車両の返還を受けるべき所有者等であることを証明させ、かつ、国土交通省令で定める様式による受領書と引換えに返還するものとする。

（長時間放置された車両に関する規定の指定市以外の市町村が道路管理者の権限を代行する場合についての準用）

第三〇条の五　前三条の規定は、法第二十七条第二項又は第四十八条の二十二第三項の規定により指定市以外の市町村が第四条第一項第三十九号に掲げる権限を道路管理者に代わつて行う場合について準用する。

第四章　道の区域内の道路の特例

（国道の新設等に要する費用の負担）

第三一条　道の区域内の国道の新設、改築又は災害復旧に要する費用（共同溝及び電線共同溝の新設、改築又は災害復旧に要する費用並びに交通安全施設等整備事業の推進に関する法律（昭和四十一年法律第四十五号）第二条第三項に規定する交通安全施設等整備事業（同項第一号に掲げる事業を除く。以下「交通安全施設等整備事業」という。）のうち同項第二号ロに掲げる事業に要する費用を除く。）についての国の負担割合は、法第五十条第一項及び第二項の規定にかかわらず、次の表に掲げる費用の区分に応じ、同表の負担割合の欄に掲げる割合とする。

費用の区分	負担割合
㈠　新設又は改築に要する費用（㈡に掲げる費用を除く。）	十分の八
㈡　積雪寒冷特別地域における道路交通の確保に関する特別措置法（昭和三十一年法律第七十二号）第四条第一項に規定する道路交通確保五箇年計画に基づいて実施される防雪又は凍雪害の防止（流雪溝の整備を含む。）に係る事業（改築に該当するものに限る。次条第一項の表㈡の項において「防雪事業等」という。）に要する費用	十分の八・五
㈢　災害復旧に要する費用	十分の七

（道道及び道の区域内の市町村道の管理に関する費用の負担）

第三二条　道道及び道の区域内の市町村道で、国土交通大臣が開発のため特に必要と認めて指定したもの（以下「開発道路」という。）の管理に関する費用（共同溝及び電線共同溝の管理に関する費用を除く。）については、法第四十九条の規定にかかわらず、当分の間、新設、改築又は災害復旧に要する費用にあつては、次の表に掲げる費用の区分に応じ、同表に掲げる負担割合により国がその一部を負担し、新設、改築及び災害復旧以外の管理に要する費用にあつては、国の負担とする。

費用の区分	負担割合
㈠　新設又は改築に要する費用（㈡及び㈢に掲げる費用を除く。）	十分の八
㈡　防雪事業等に要する費用	十分の八・五
㈢　交通安全施設等整備事業のうち交通安全施設等整備事業の推進に関する法律第二条第三項第二号ロに掲げる事業に要する費用	三分の二
㈣　災害復旧に要する費用	十分の七

2　国土交通大臣は、前項に規定する指定を行おうとするときは、あらかじめ、道知事の意見を聴かなければならない。

3　第一項に規定する指定は、当該道路の路線名及び区間を告示することによつて行う。

（道路管理者の権限の代行）

第三三条　道道又は道の区域内の市町村道（第三十四条の二の三において「道道等」という。）に係る法第八十八条第二項の政令で定める割合は、前条第一項の表に掲げる費用の区分に応じ、同項の規定により国が負担する割合とする。

第三四条　国土交通大臣は、開発道路の新設及び改築並びに開発道路に係る法第二十四条の二第一項の規定に基づく駐車料金、同条第三項（法第四十八条の三十五第三項において準用する場合を含む。）の規定に基づく割増金、法第三十九条の規定に基づく占用料（電線共同溝に係るものを除く。）、法第四十四条の三第七項及び第五十八条から第六十二条まで並びに地方道路公社法第二十九条の規定に基づく負担金並びに法第四十八条の三十五第一項の規定に基づく停留料金を徴収する権限を行う。

2　国土交通大臣は、開発道路の新設又は改築を行う場合においては、当該開発道路に係る第四条第一項各号に掲げる権限を行う。

3　国土交通大臣は、開発道路の維持を行うことができる。この場合においては、国土交通大臣は、当該開発道路に係る第四条第一項各号に掲げる権限その他の管理（第一項に掲げる権限並びに修繕及び災害復旧を除く。）を行う。

4　国土交通大臣は、開発道路の修繕又は災害復旧を行うことができる。この場合においては、国土交通大臣は、当該開発道路に係る第四条第一項各号に掲げる権限を行う。

5　第二条の規定は、第一項、第三項又は前項の規定により国土交通大臣が開発道路に関する工事又は維持を行い、完了し、又は廃止しようとする場合について準用する。

6　道路管理者は、開発道路の維持、修繕又は災害復旧を行う場合においては、その実施計画について、国土交通大臣に協議しなければならない。

（道等の負担額）

第三四条の二　法第八十八条第三項の規定により道又は市町村が国庫に納付する負担金の額は、第三十二条第一項の表に掲げる費用の区分に応じ、国土交通大臣が行う道道又は市町村道の新設、改築又は災害復旧に要する費用の額（法第五十八条から第六十一条まで及び第六十二条後段又は地方道路公社法第二十九条の規定による負担金（以下この条において「収入金」という。）があるときは、当該費用の額から当該収入金の額を控除した額。次条において「負担基本額」という。）に、道又は市町村の負担割合（一から第三十二条第一項の規定により国が負担する割合を減じた割合とする。）を乗じて得た額（次条において「道等の負担額」という。）とする。

（負担基本額等の通知）

第三四条の二の二　国土交通大臣は、法第八十八条第二項の規定に基づき道道又は市町村道について道路管理者の権限の全部又は一部を行なう場合においては、道又は当該市町村道の存する市町村に対して、負担基本額及び道等の負担額を通知しなければならない。負担基本額又は道等の負担額を変更した場合も、同様とする。

（道道等の改築に関する費用の補助）

第三四条の二の三　平成三十年度以降十箇年間における道道等の改築で次の各号のいずれかに該当するものに要する費用についての国の補助の割合は、法第五十六条の規定にかかわらず、十分の七以内とする。

一　中心都市等連絡道路（地域社会の中心となる都市（以下この号において「中心都市」という。）と、その周辺の地域の市町村（以下この号において「周辺市町村」という。）又は当該中心都市と密接な関係にある中心都市若しくは高速自動車国道、空港その他の交通施設とを連絡する道路をいう。）、中心都市等循環道路（中心都市及び周辺市町村の区域を循環する道路をいう。）その他の道路であつて、自動車専用道路、他の道路との交差の方式を立体交差とする道路その他の中心都市及び周辺市町村における安全かつ円滑な交通の確保に特に資する道路として国土交通大臣が指定する道道等の改築で、次に掲げるもの以外のもの

イ　当該改築に係る道道等に法第三十条第三項の政令で定める基準を適用した場合に当該基準に適合しないこととなる改築又は当該場合に道路構造令第三十八条第一項の規定により同項に規定する規定による基準によらないことができることとなる改築で、これらに要する費用の額が国土交通大臣が定めた額を超えないもの

ロ　道路の交通に支障を及ぼしている構造上の原因の一部を除去するために行う突角の切取り、路床の改良、排水施設の整備又は待避所の設置

ハ　当該改築に係る道道等に法第三十条第三項の政令で定める基準を適用した場合に、車道の舗装につき道路構造令第二十三条第二項に規定する基準によることを要しないこととなる場合における当該道路の舗装

ニ　交通安全施設等整備事業として行われるもの

二　前号に規定する道道等以外の道道等の改築で次のイからニまでに掲げる基準のいずれにも適合するもの

イ　当該改築に係る道道等が次の(1)又は(2)のいずれかに該当するものであること。

(1)　法第五十六条の規定による国土交通大臣の指定を受けた道道又は道の区域内の市道

(2)　(1)に掲げるもののほか、資源の開発、産業の振興その他国の施策上特に整備を行う必要があると認められる道道等

ロ　地域住民の日常生活の安全性若しくは利便性の向上を図るために必要であり、又は快適な生活環境の確保若しくは地域の活力の創造に資すると認められるものであること。

ハ　公共施設その他の公益的施設の整備、管理若しくは運営に関連して、又は地域の自然的若しくは社会的な特性に即して行われるものであること。

ニ　その他国土交通省令で定める要件を満たすものであること。

三　第一号に規定する道道等以外の道道等の改築で次のいずれかに該当するもの（前号に該当するものを除く。）

イ　踏切道改良促進法（昭和三十六年法律第百九十五号）第十一条第一項（同条第三項の規定により読み替えて適用する場合を含む。）又は第二項の規定による踏切道の改良のために必要な道路の高架移設（鉄道（新設軌道を含む。）と交差している道路を高架式構造とすることにより当該交差の方式を立体交差とすることをいう。）、車道又は歩道の拡幅その他の国土交通省令で定める改築

ロ　通学路（交通安全施設等整備事業の推進に関する法律施行令（昭和四十一年政令第百三号）第四条に規定する通学路をいう。第三項において同じ。）その他の特に交通の安全を確保する必要がある区間に該当する道道等における交通事故の防止を図るために必要な歩道の拡幅、自動車を減速させて歩行者又は自転車の安全な通行を確保するために行う路面の凸部の設置、柵の設置その他の国土交通省令で定める改築

ハ　無電柱化（無電柱化の推進に関する法律（平成二十八年法律第百十二号）第一条に規定する無電柱化をいう。）の推進のために必要な電線共同溝の建設その他の国土交通省令で定める改築

四　第一号に規定する道道等以外の道道等を構成する橋、トンネルその他の施設又は工作物で、損傷、腐食その他の劣化により当該道道等の構造に支障を及ぼすおそれが大きいものと

して国土交通省令で定めるものの改築（前二号に該当するものを除く。）

2　平成三十年度以降十箇年間における道道等の改築で、前項各号に掲げるもの及び同項第一号イから二までに掲げるもの以外のものに要する費用についての国の補助の割合は、法第五十六条の規定にかかわらず、十分の五・五以内とする。

3　国は、道路管理者が道道等について実施する交通安全施設等整備事業のうち交通安全施設等整備事業の推進に関する法律第二条第三項第二号イに掲げる事業及び交通安全施設等整備事業の推進に関する法律施行令第二条の三に規定する事業に要する費用については、法第五十六条及び第八十五条第三項の規定にかかわらず、予算の範囲内において、その二分の一（道路管理者が通学路に該当する市町村道について実施する同号イに掲げる事業に要する費用については、その十分の五・五）をその費用を負担する地方公共団体に対して補助する。

第五章　雑則

（道路の附属物）

第三十四条の三　法第二条第二項第十号の政令で定める道路の附属物は、次に掲げるものとする。

一　道路の防雪又は防砂のための施設

二　ベンチ又はその上屋で道路管理者又は法第十七条第四項の規定による歩道の新設等若しくは法第四十八条の二十二第一項の規定による歩行者利便増進改築等を行う指定市以外の市町村が設けるもの

三　車両の運転者の視線を誘導するための施設

四　他の車両又は歩行者を確認するための鏡

五　地点標

六　道路の交通又は利用に係る料金の徴収施設

（立体交差とすることを要しない場合）

第三十五条　法第三十一条第一項ただし書及び第六項に規定する政令で定める立体交差とすることを要しない場合は次の各号に掲げるものとし、法第四十八条の三ただし書に規定する政令で定める立体交差とすることを要しない場合は第一号及び第三号に掲げるものとする。

一　当該交差が一時的である場合

二　臨港線又は市場線である鉄道が港又は市場に近接して道路と交差する場合及び鉄道が停車場に近接した場所で道路と交差する場合で、立体交差とすることによつて道路又は鉄道の効用が著しく阻害される場合

三　立体交差とすることによつて増加する工事の費用が、これによつて生ずる利益を著しくこえる場合

（道路の維持又は修繕に関する技術的基準等）

第三十五条の二　法第四十二条第二項の政令で定める道路の維持又は修繕に関する技術的基準その他必要な事項は、次のとおりとする。

一　道路の構造、交通状況又は維持若しくは修繕の状況、道路の存する地域の地形、地質又は気象の状況その他の状況（次号において「道路構造等」という。）を勘案して、適切な時期に、道路の巡視を行い、及び清掃、除草、除雪その他の道路の機能を維持するために必要な措置を講ずること。

二　道路の点検は、トンネル、橋その他の道路を構成する施設若しくは工作物又は道路の附属物について、道路構造等を勘案して、適切な時期に、目視その他適切な方法により行うこと。

三　前号の点検その他の方法により道路の損傷、腐食その他の劣化その他の異状があることを把握したときは、道路の効率的な維持及び修繕が図られるよう、必要な措置を講ずること。

2　前項に規定するもののほか、道路の維持又は修繕に関する技術的基準その他必要な事項は、国土交通省令で定める。

（指定区間内の国道に係る沿道区域の指定の基準）

第三十五条の三　法第四十四条第一項（法第九十一条第二項において準用する場合を含む。）の政令で定める基準は、次のとおりとする。

一　指定区間内の国道に係る沿道区域の指定は、道路の沿道における地形、地質その他の状況を勘案して、落石、土砂の崩壊、竹木の倒伏、工作物の倒壊その他の道路の沿道の土地、竹木又は工作物が道路の構造に損害を及ぼし、又は交通に危険を及ぼす事象が発生するおそれがある土地の区域について行うこと。

二　前号の規定による沿道区域の指定は、道路の沿道の土地、竹木又は工作物が道路の構造に及ぼすべき損害を予防し、又は道路の交通に及ぼすべき危険を防止するため必要な最小限度のものであること。

（損失補償の裁決申請手続）

第三十五条の四　法第四十四条第七項（法第六十九条第二項、第七十二条第二項、第七十五条第六項並びに第九十一条第二項及び第四項において準用する場合を含む。）又は第七十条第四項の規定により土地収用法（昭和二十六年法律第二百十九号）第九十四条第二項の規定による裁決を申請しようとする者は、国土交通省令で定める様式に従い、次に掲げる事項を記載した裁決申請書を収用委員会に提出しなければならない。

一　裁決申請者の氏名及び住所

二　相手方の氏名及び住所

三　損失の事実

四　損失の補償の見積り及びその内訳

五　協議の経過

（歩行者の通行の安全の確保に資する道路の改築）

第三十五条の五　法第四十七条の十六第一項の政令で定める道路の改築は、次に掲げるものとする。

一　道路の附属物である自転車駐車場の道路上における設置

二　突角の切取り又は歩道の拡幅（いずれも道路の交差部分及びその付近の道路の部分におけるものに限る。）

三　横断歩道橋の設置

（歩行者利便増進改築等）

第三十五条の六　法第四十八条の二十二第一項の政令で定める歩行者利便増進道路の改築、維持若しくは修繕又は歩行者利便増進道路に附属する道路の附属物の新設若しくは改築は、次に掲げるものとする。

一　歩道、自転車道、自転車歩行者道、自転車歩行者専用道路又は歩行者専用道路の改築、維持又は修繕（いずれも歩行者の滞留の用に供する部分に係るものに限る。）

二　道路の附属物である柵、駒止め、並木、街灯、自動車駐車場若しくは自転車駐車場、電線共同溝又はベンチ若しくはその上屋の新設又は改築

三　第一号に掲げる改築、維持又は修繕と併せて行う車道又は路肩の幅員の縮小その他の改築及び当該改築に係る車道又は路肩の維持又は修繕

（道路外災害応急対策施設）

第三十五条の七　法第四十八条の二十九の五第一項の政令で定める工作物又は施設は、次に掲げるものとする。

一　広告塔、看板、街灯その他これらに類する工作物であつて、災害時において住民等に対する災害情報の伝達の用に供することができるもの

二　ベンチその他これに類する工作物であつて、物資の保管その他災害応急対策の実施に資する機能を併せ有するもの

三　食事施設、購買施設その他これらに類する施設であつて、災害時において住民等の支援に係る物資（次号において「支援物資」という。）の供給の用に供することができるもの

四　事務所、店舗、広場、公園その他これらに類する施設であ

つて、災害時において住民等若しくは災害応急対策に従事する者の利用又は支援物資の保管の用に供することができるもの

（道路管理者の許可を要しない車両）

第三五条の八　法第四十八条の三十二第一項ただし書の政令で定める車両は、道路の改築、修繕又は災害復旧に関する工事、道路の維持その他特別の理由に基づき当該特定車両停留施設に停留することがやむを得ないと認められる車両で、国土交通大臣が定めるものとする。

（特定車両の停留の許可基準）

第三五条の九　法第四十八条の三十三第二号の政令で定める基準は、次のとおりとする。

一　当該申請に係る車両の幅、重量、高さ又は長さその他の当該車両に係る事項が、当該特定車両停留施設の構造の保全に支障を及ぼすことがないと認められるものであること。

二　当該申請に係る車両を停留させる日及び時間帯、当該車両の特定車両停留施設の周辺における通行経路その他の当該車両の停留の方法に関する事項が、当該日及び時間帯において当該特定車両停留施設に停留する他の車両の種類及び数、当該特定車両停留施設の周辺における道路の構造及び交通の状況その他の事情に照らして、当該特定車両停留施設の適正かつ合理的な利用に支障を及ぼすことがないと認められるものであること。

三　当該申請に係る車両を停留させることが、特定車両停留施設の周辺における安全かつ円滑な道路の交通を確保するため必要であると認められるものであること。

（停留料金を徴収することができない車両）

第三五条の一〇　法第四十八条の三十五第一項ただし書の政令で定める車両は、第三十五条の八に規定する車両とする。

（道路の通行者又は利用者の利便の確保に資する工作物又は施設）

第三五条の一一　法第四十八条の三十七第一項の政令で定める工作物又は施設は、次に掲げるものとする。

一　道路に沿つて設けられた通路で、専ら歩行者又は自転車の一般交通の用に供するもの（当該通路に設けられた工作物又は施設のうち、アーケード、雪よけその他これらに類するものとして国土交通省令で定めるものを含む。）

二　道路の通行者又は利用者の一般交通に関し案内を表示する標識

三　自動車駐車場又は自転車駐車場（いずれも道路に接して設けられたものに限る。）

四　道路の歩行者の休憩の用に供するベンチ又はその上屋

五　花壇その他道路の緑化のための施設

六　道路に接して設けられた公衆便所

（手数料及び延滞金）

第三六条　法第七十三条第二項（法第九十一条第二項において準用する場合を含む。以下この条において同じ。）の規定により国が徴収する手数料の額は、督促状一通につき郵便法（昭和二十二年法律第百六十五号）第二十一条第一項に規定する通常葉書の料金の額を超えない範囲内において国土交通大臣が定める額とする。

2　法第七十三条第二項の規定により国が徴収することができる延滞金は、当該督促に係る負担金等の額が千円以上である場合に徴収するものとし、その額は、納付すべき期限の翌日から負担金等の納付の日までの日数に応じ負担金等の額に年十・七五パーセントの割合を乗じて計算した額とする。この場合において、負担金等の額の一部につき納付があつたときは、その納付の日以後の期間に係る延滞金の計算の基礎となる負担金等の額は、その納付のあつた負担金等の額を控除した額による。

3　前項の延滞金は、その額が百円未満であるときは、徴収しないものとする。

4　指定区間内の国道に係る占用料で指定区間の指定の日の前日までに道路管理者である都道府県若しくは指定市又は法第二十七条第二項の規定により第四条第一項第四号に掲げる権限を道路管理者に代わつて行う指定市以外の市町村が徴収すべきものに係る手数料及び延滞金については、前三項の規定にかかわらず、当該指定区間の指定の際現に当該指定区間の存する都道府県若しくは指定市又は当該権限を道路管理者に代わつて行う指定市以外の市町村が法第七十三条第二項の規定に基づく条例で定めている手数料及び延滞金の例による。

（不用物件の管理期間）

第三七条　法第九十二条第一項（法第九十一条第二項において準用する場合を含む。）の政令で定める期間は、国道又は都道府県道を構成していた不用物件については四月とし、市町村道を構成していた不用物件については二月とする。ただし、橋、渡船施設、道路用エレベーター等道路と一体となつてその効用を全うする施設又は工作物（トンネルを除く。）及び道路の附属物であつた不用物件については、一月までその期間を短縮することができる。

（都道府県公安委員会の意見を聴かなければならない改築）

第三八条　法第九十五条の二第一項の政令で定める道路の交差部分及びその付近の道路の部分の改築は、車道又は歩道の幅員の変更（歩道にあつては、その拡幅を除く。）及び交通島、中央帯又は植樹帯の設置とする。

（法定受託事務から除かれる事務）

第三九条　法第九十七条第一項第二号の政令で定める事務は、第一条の二第一項第六号及び第二十二号に掲げるものとする。

2　法第九十七条第一項第三号の政令で定める事務は、第四条の二第一項第五号及び第十七号並びに第五条の三第一項第三号及び第五号に掲げるものとする。

（事務の区分）

第四〇条　この政令の規定により地方公共団体が処理することとされている事務のうち次に掲げるものは、地方自治法（昭和二十二年法律第六十七号）第二条第九項第一号に規定する第一号法定受託事務とする。

一　都道府県、指定市又は法第十七条第二項の規定により都道府県の同意を得た市が指定区間外の国道の道路管理者として処理することとされている事務（第二十三条第八項（第二十六条第一項において読み替えて準用する場合を含む。）において読み替えて準用する第二十三条第一項及び第二項（これらの規定を第二十六条第一項において読み替えて準用する場合を含む。）の規定並びに第三十五条の四の規定により処理することとされているものを除く。）

二　指定市以外の市町村が法第十七条第四項の規定による歩道の新設等又は法第四十八条の二十二第一項の規定による歩行者利便増進改築等を行う者として国道に関し処理することとされている事務（第三十五条の四の規定により処理することとされているものを除く。）

三　都道府県が法第十七条第八項の規定による維持又は災害復旧に関する工事を行う者として国道に関し処理することとされている事務（第三十五条の四の規定により処理することとされているものを除く。）

（権限の委任）

第四一条　法及び法に基づく政令に規定する道路管理者である国土交通大臣の権限は、地方整備局長及び北海道開発局長に委任する。ただし、法第十三条第二項の規定により都道府県又は指定市が指定区間内の国道の管理を行うこととする場合にあつては、この限りでない。

2　前項に規定するもののほか、法及び法に基づく政令に規定する国土交通大臣の権限のうち、次に掲げるもの以外のものは、地方整備局長及び北海道開発局長に委任する。ただし、法第三十一条第二項の規定による裁定、同条第五項本文及び法第三十一条の二第四項本文の規定による決定、同条第三項の規定によ

る命令並びに法第九十四条第二項の規定による譲与については、この限りでない。

一　法第二十条第三項（法第五十五条第二項において準用する場合を含む。）の規定により裁定をし、並びに法第二十条第四項前段の規定及び法第五十五条第三項において準用する法第七条第六項前段の規定により当該道路の道路管理者又は他の工作物の管理者の意見を聴くこと。

二　法第四十七条の三第一項の規定により限度超過車両の通行を誘導すべき道路を指定し、同条第二項の規定により当該指定に係る道路の道路管理者に協議し、その同意を得、及び同条第三項の規定により当該指定をした旨を公示すること。

三　法第四十八条の十七第一項の規定により重要物流道路を指定し、同条第二項の規定により当該指定に係る道路の道路管理者に協議し、その同意を得、及び同条第三項の規定により当該指定をした旨を公示すること。

四　法第四十八条の十九第一項第二号の規定により重要物流道路と交通上密接な関連を有する道路を指定すること。

五　法第四十八条の二十九の二第一項の規定により防災拠点自動車駐車場を指定し、同条第二項の規定により当該指定に係る自動車駐車場の道路管理者に協議し、その同意を得、及び同条第三項の規定により当該指定をした旨を公示すること。

六　法第四十八条の四十六第一項の規定により指定登録確認機関を指定すること。

七　法第四十八条の四十八第一項又は第三項の規定により公示し、及び同条第二項の規定による届出を受理すること。

八　法第四十八条の五十二第一項の規定により認可をし、及び同条第三項の規定により登録等事務規程を変更すべきことを命ずること。

九　法第四十八条の五十四の規定により道路交通管理業務に関し監督上必要な命令をすること。

十　法第四十八条の五十五第一項の規定により必要な報告を求め、又はその職員に、指定登録確認機関の事務所に立ち入り、道路交通管理業務の状況若しくは帳簿、書類その他の物件を検査させ、若しくは関係者に質問させること。

十一　法第四十八条の五十六第一項の規定により許可をし、及び同条第二項の規定により公示すること。

十二　法第四十八条の五十七第一項又は第二項の規定により指定を取り消し、同項の規定により登録等事務の停止を命じ、及び同条第三項の規定により公示すること。

十三　法第四十八条の五十八第二項の規定により公示すること。

十四　法第五十条第六項の規定により負担金の一部を分担させ、及び同条第七項の規定により意見を聴くこと。

十五　法第五十六条の規定により主要な都道府県道又は市道を指定すること。

十六　法第九十六条第二項若しくは第三項の規定による再審査請求又は同条第四項の規定による審査請求に対して裁決をすること。

十七　第三条の三の規定により駐車料金を徴収することができない自動車又は自転車を定めること。

十八　第十九条第三項第六号（第十九条の三の二において準用する場合を含む。）の規定により別に占用料の額を定め、又は占用料を徴収しないこと（占用料の額の最低額の下限の額を定めることを含む。）ができる占用物件を定めること。

十九　第二十三条第一項から第七項まで（これらの規定を第二十六条第一項及び第二項において読み替えて準用する場合を含む。）の規定により国道新設等負担基本額、国道新設等都道府県負担額（国道新設等指定市負担額及び国道新設等指定市以外の市負担額を含む。）、分担額、指定区間外国道維持等都道府県負担額（指定区間外国道維持等指定市負担額及び指定区間外国道維持等指定市以外の市負担額を含む。）、都道府県道等維持等都道府県等負担額（都道府県道等維持等指定市等負担額及び都道府県道等維持等指定市以外の市等負担額を含む。）、施設等改築負担基本額、施設等改築都道府県等負担額（施設等改築指定市等負担額及び施設等改築指定市以外の市等負担額を含む。）及び施設等修繕都道府県等負担額（施設等修繕指定市等負担額及び施設等修繕指定市以外の市等負担額を含む。）を通知すること。

二十　第三十二条第一項の規定により開発道路を指定し、及び同条第二項の規定により意見を聴取すること。

二十一　第三十四条第六項の規定により実施計画について協議すること。

二十二　第三十四条の二の二の規定により負担基本額及び道等の負担額を通知すること。

二十三　第三十四条の二の三第一項第一号の規定により道路を指定し、及び同号イの規定により費用の額の上限を定めること。

二十四　第三十五条の八の規定により道路管理者の許可を要しない車両を定めること。

二十五　第三十六条第一項の規定により手数料の額を定めること。

二十六　車両制限令第二十条ただし書の規定により手数料の額を定めること。

3　前項の規定により地方整備局長及び北海道開発局長に委任する国土交通大臣の権限のうち、次に掲げるものについては、国土交通大臣が自ら行うことを妨げない。

一　法第七十五条第一項から第三項まで（これらの規定を法第九十一条第二項において準用する場合を含む。）の規定により指示し、又は措置すること。

二　法第七十七条第一項の規定により道路に関する調査を行わせ、又は地方公共団体の長若しくはその命じた職員が行うこととし、及び同条第二項の規定による報告を徴収すること。

三　法第七十八条の規定により必要な勧告、助言又は援助をすること。

附　則

1　この政令の規定中、第四条第一項第六号から第十一号までの規定は昭和二十八年四月一日から、その他の規定は法施行の日（昭和二十七年十二月五日）から施行する。

2　左に掲げる勅令は、廃止する。

一　道路法施行期日の件（大正八年勅令第四百五十九号）

二　道路法施行令（大正八年勅令第四百六十号）

三　道路法第十七条但書の規定に依る同法の規定の準用等の件（大正八年勅令第四百六十一号）

四　道路法第七条の規定に依る同法の規定の準用等の件（大正八年勅令第四百七十一号）

五　道路管理者特別規程（大正八年勅令第四百七十二号）

六　北海道道路令（大正八年勅令第四百七十三号）

七　道路法第六十二条の規定に依る不用物件の管理及処分に関する件（大正八年勅令第四百七十四号）

八　大正十一年法律第三号改正法律施行の件（大正十一年勅令第三百八十三号）

九　道路法第二十条第二項の規定に依る主務大臣の権限に関する件（大正十一年勅令第三百八十五号）

十　道路法第三十三条第三項の規定に依る道路に関する費用負担の件（大正十一年勅令第三百八十六号）

十一　道路法戦時特例（昭和十八年勅令第九百四十四号）

3　従前の道路法（大正八年法律第五十八号）の規定による占用の許可又は承認を受けた占用物件でこの政令施行の際現に存するものについては、当該占用の許可又は承認の期間中は、この政令に規定する許可の基準は、適用しない。但し、水道条例、下水道法若しくは地方鉄道法の規定に基いて設ける水管、下水道管若しくは公衆の用に供する地方鉄道又はガス管、電柱若しくは電線で、占用の期間の定のないもの又はこの政令施行の日から起算して十年以上の占用の期間の定のあるものについては、占用の期間をこの政令施行の日から起算して十年とし、その他の占用物件で占用の期間の定のないもの又はこの政令施行の日から起算して三年以上の占用の期間の定のあるものについては、占用の期間をこの政令の施行の日から起算して三年とする。

4　法附則第二項の規定により読み替えて適用する法第五十条第二項の政令で定める道路を構成する施設又は工作物に係る工事は、次に掲げるものとする。

一　道路を構成する施設又は工作物で災害により道路の交通に支障を及ぼしているものに係る当該施設又は工作物の復旧のための工事（災害復旧に該当するものを除く。）

二　防雪のための施設その他の防護施設、橋その他の道路を構成する施設又は工作物で、災害が発生した場合においては道路の構造又は交通に支障を及ぼすおそれが大きいものに係る災害の防止又は軽減を図るための工事

三　前二号に掲げるもののほか、橋、トンネル、舗装その他の道路を構成する施設又は工作物で、損傷、腐食その他の劣化により道路の構造又は交通に支障を及ぼしており、又は及ぼすおそれが大きいものに係る当該施設又は工作物の機能を回復するための工事

5　第二十一条、第二十三条第一項、第三十一条及び第三十二条第一項の規定の平成二十二年度における適用については、第二十一条中「災害復旧」とあるのは「災害復旧若しくは特定事業（附則第四項各号に掲げる工事（当該工事を施行するために必要な点検を含む。）をいう。以下同じ。）」と、第二十三条第一項中「災害復旧」とあるのは「災害復旧若しくは特定事業」と、第三十一条中「又は災害復旧に要する費用（」とあるのは「、災害復旧又は特定事業に要する費用（」と、同条の表(二)の項中「改築」とあるのは「改築又は特定事業」と、同表(三)の項中「災害復旧に要する費用」とあるのは「災害復旧又は特定事業に要する費用（(二)に掲げる費用を除く。）」と、第三十二条第一項の表(二)の項中「防雪事業等」とあるのは「防雪事業等（改築に該当するものに限る。）」とする。

6　法附則第五項に規定する政令で定める期間は、五年（二年の据置期間を含む。）とする。

7　前項に規定する期間は、日本電信電話株式会社の株式の売払収入の活用による社会資本の整備の促進に関する特別措置法（昭和六十二年法律第八十六号）第五条第一項の規定により読み替えて準用される補助金等に係る予算の執行の適正化に関する法律（昭和三十年法律第百七十九号）第六条第一項の規定による貸付けの決定（以下「貸付決定」という。）ごとに、当該貸付決定に係る法附則第三項及び第四項の規定による貸付金（以下「国の貸付金」という。）の交付を完了した日（その日が当該貸付決定があつた日の属する年度の末日の前日以後の日である場合には、当該年度の末日の前々日）の翌日から起算する。

8　国の貸付金の償還は、均等年賦償還の方法によるものとする。

9　国は、国の財政状況を勘案し、相当と認めるときは、国の貸付金の全部又は一部について、前三項の規定により定められた償還期限を繰り上げて償還させることができる。

10　法附則第九項に規定する政令で定める場合は、前項の規定により償還期限を繰り上げて償還を行つた場合とする。

附　則〔昭和三一・五・一五政令一〇〇〕

1　この政令は、公布の日から施行する。

2　改正後の道路法施行令第十条第一項の規定は、この政令の施行の際現に存する占用物件（工事中のものを含む。）については、当該占用物件の占用の許可の期間中は、適用しない。

附　則〔昭和三七・九・二九政令三九一〕

1　この政令は、行政不服審査法（昭和三十七年法律第百六十号）の施行の日（昭和三十七年十月一日）から施行する。

2　この政令による改正後の規定は、この政令の施行前にされた行政庁の処分その他この政令の施行前に生じた事項についても適用する。ただし、この政令による改正前の規定によつて生じた効力を妨げない。

3　この政令の施行前に提起された訴願、審査の請求、異議の申立てその他の不服申立て（以下「訴願等」という。）については、この政令の施行後も、なお従前の例による。この政令の施行前にされた訴願等の裁決、決定その他の処分（以下「裁決等」という。）又はこの政令の施行前に提起された訴願等につきこの政令の施行後にされる裁決等にさらに不服がある場合の訴願等についても、同様とする。

4　前項に規定する訴願等で、この政令の施行後は行政不服審査法による不服申立てをすることができることとなる処分に係るものは、この政令による改正後の規定の適用については、同法による不服申立てとみなす。

附　則〔昭和三九・五・二〇政令一六〇〕

この政令は、公布の日から施行し、改正後の道路整備緊急措置法施行令及び道路法施行令の規定は、昭和三十九年度分の予算に係る国の負担金及び補助金から適用する。

附　則〔昭和四〇・三・二九政令五七抄〕

（施行期日）

1　この政令は、昭和四十年四月一日から施行する。

（経過措置）

2　この政令の施行の際、現に存する道路の占用物件（工事中のものを含む。）に係る占用の場所については、この政令による改正後の道路法施行令第十一条及び第十二条の規定にかかわらず、なお従前の例によることができる。

附　則〔昭和四二・一〇・二六政令三三五抄〕

（施行期日）

1　この政令は、公布の日から施行する。

（経過規定）

2　指定区間内の国道又は日本道路公団の管理する高速自動車国道若しくは日本道路公団の管理する一般国道等、首都高速道路公団の管理する首都高速道路若しくは阪神高速道路公団の管理する阪神高速道路に係る占用料でこの政令の施行の日の前日までに徴収すべきものの額及び徴収方法並びに当該占用料に係る手数料及び延滞金については、なお従前の例による。

附　則〔昭和四四・八・二六政令二二三抄〕

（施行期日）

第一条　この政令は、公布の日から施行する。

（地方税法施行令等の一部改正に伴う経過措置）

第一八条　法附則第四条第一項に規定する市街地改造事業並びに同条第二項に規定する防災建築街区造成組合、防災建築街区造成事業及び防災建築物に関しては、この政令の附則の規定による改正後の次に掲げる政令の規定にかかわらず、なお従前の例による。

一～三　〔略〕

四　道路法施行令

五～八　〔略〕

附　則〔昭和四五・四・二〇政令七九〕

1　この政令は、公布の日から施行する。

2　この政令による改正後の〔中略〕道路法施行令第三十一条の規定は、昭和四十五年度分の予算に係る国の負担金から適用し、昭和四十四年度以前の年度の予算に係る一般国道の改築でその工事又はその工事に係る負担金に係る経費の金額が昭和四十五年度以降に繰り越されたものに要する費用についての国及び都道府県の負担割合は、なお従前の例による。

附　則〔昭和四五・一二・二政令三三三抄〕

（施行期日）

1　この政令は、建築基準法の一部を改正する法律（昭和四十五年法律第百九号。以下「改正法」という。）の施行の日（昭和四十六年一月一日）から施行する。

15　この政令の施行の際現に改正前の都市計画法第二章の規定による都市計画において定められている用途地域、住居専用地区若しくは工業専用地区又は空地地区若しくは容積地区に関して

は、この政令の施行の日から起算して三年を経過する日までの間は、この政令による改正前の次の各号に掲げる政令の規定は、なおその効力を有する。

一　道路法施行令

二～七〔略〕

附　則〔昭和四六・二・一六政令二〇〕

1　この政令は、昭和四十六年四月一日から施行する。

2　改正後の道路法施行令第十四条第二項第三号に規定する占用物件で、この政令の施行の際現に地下に埋設されているものに関しては、同号の規定は、当該占用物件がその管理者の行なう占用に関する工事により露出することとなつた場合に当該露出することとなつた部分について適用する。

3　札幌市の指定区間内の国道に係る占用料で、この政令の施行前の占用の期間に係るものの額については、なお従前の例による。

附　則〔昭和四六・三・三一政令九〇抄〕

（施行期日）

1　この政令は、昭和四十六年四月一日から施行する。

（経過措置）

2　道の区域内の一般国道又は改正後の道路法施行令第三十四条第一項に規定する開発道路（以下本項において「開発道路」という。）に係る管理のうち次の各号に掲げるものに要する費用は、改正後の同令第三十一条又は第三十二条第一項の規定にかかわらず、国の負担とする。

一　昭和四十五年度以前の年度の予算に係る一般国道又は開発道路の管理（次に掲げるものを除く。）で、その管理又はその管理に係る負担金に係る経費の金額が昭和四十六年度以降に繰り越されたもの

イ　舗装（改正後の道路法施行令第三十四条の二の三第三号に該当するものを除く。）がされている一般国道で車道の幅員が五・五メートル以上のもの又はこれに代わるべきものとして設ける一般国道について行なう改築

ロ　開発道路の新設又は改築（積雪寒冷特別地域における道路交通の確保に関する特別措置法（昭和三十一年法律第七十二号）第四条第一項に規定する道路交通確保五箇年計画に基づいて実施される防雪若しくは凍雪害の防止（流雪溝の整備を含む。）に係る事業又は交通安全施設等整備事業に関する緊急措置法第二条第三項に規定する交通安全施設等整備事業として行なわれるものを除く。）

二　次に掲げる災害復旧事業

イ　昭和四十五年中に発生した災害に係る災害復旧事業

ロ　昭和四十六年中に発生した災害に係る災害復旧事業で昭和四十六年度に施行されるもの

附　則〔昭和四六・七・二二政令二五二抄〕

（施行期日等）

1　この政令は、道路法等の一部を改正する法律（昭和四十六年法律第四十六号）の施行の日（昭和四十六年十二月一日）から施行する。〔以下略〕

附　則〔昭和四七・五・一政令一四五〕

1　この政令は、公布の日から施行する。

2　改正後の第三十一条及び第三十二条の規定は、昭和四十七年度の予算に係る国の負担金から適用し、昭和四十六年度以前の年度の予算に係る道の区域内の一般国道又は開発道路の新設又は改築でその工事又はその工事に係る負担金に係る経費の金額が昭和四十七年度以降に繰り越されたものに要する費用についての国及び地方公共団体の負担割合は、なお従前の例による。

附　則〔昭和四八・二・一五政令一二〕

1　この政令は、昭和四十八年二月二十日から施行する。

2　この政令の施行の際現に存する石油管に係る占用の場所及び構造については、この政令による改正後の第十二条の二、第十二条の四及び第十四条の二の規定にかかわらず、なお従前の例による。

3　この政令の施行の際現に地下に埋設されている石油管に関しては、この政令による改正後の第十四条第二項第三号の規定は、当該石油管がその管理者の行なう占用に関する工事により露出することとなつた場合に当該露出することとなつた部分について適用する。

4　第九条に規定する石油管に係る占用料で、この政令の施行前の占用の期間に係るものの額については、なお従前の例による。

附　則〔昭和五二・九・二政令二五九〕

1　この政令は、昭和五十二年十月一日から施行する。

2　指定区間内の国道又は日本道路公団の管理する高速自動車国道若しくは道路整備特別措置法（昭和三十一年法律第七号）第十七条第一項に規定する公団等の管理する一般国道等に係る占用料で、この政令の施行の日前にした許可又は協議に係る占用の期間（当該占用の期間が昭和五十三年度以降にわたる場合においては、当該占用の期間のうち、昭和五十三年三月三十一日までの期間に限る。）に係るものの額については、なお従前の例による。

附　則〔昭和五三・四・五政令一一〇〕

1　この政令は、公布の日から施行する。

2　第一条の規定による改正後の道路法施行令第三十二条及び第三十四条の二の規定は、昭和五十三年度の予算に係る国及び地方公共団体の負担金から適用し、昭和五十二年度以前の年度の予算に係る開発道路の改築でその工事又はその工事に係る負担金に係る経費の金額が昭和五十三年度以降に繰り越されたものに要する費用についての国及び地方公共団体の負担額は、なお従前の例による。

附　則〔昭和五五・四・五政令八〇〕

1　この政令は、公布の日から施行する。

2　改正後の第三十一条及び第三十二条第一項の規定は、昭和五十五年度の予算に係る国の負担金から適用し、昭和五十四年度以前の年度の予算に係る道の区域内の一般国道又は開発道路の維持、修繕その他の管理でその管理又はその管理に係る負担金に係る経費の金額が昭和五十五年度以降に繰り越されたものに要する費用についての国及び地方公共団体の負担割合は、なお従前の例による。

附　則〔昭和五六・三・三一政令六三〕

（施行期日）

1　この政令は、昭和五十六年四月一日から施行する。

（経過措置）

2　昭和五十五年度の予算に係る道の区域内の一般国道又は開発道路の管理について、その管理又はその管理に係る負担金に係る経費の金額が昭和五十六年度以降に繰り越された場合においては、当該管理に要する費用についての国及び地方公共団体の負担割合は、改正後の道路法施行令の規定にかかわらず、なお従前の例による。

附　則〔昭和五七・三・三〇政令五八〕

1　この政令は、昭和五十七年四月一日から施行する。

2　改正後の〔中略〕道路法施行令附則第四項及び第五項の規定は、昭和五十七年度から昭和五十九年度までの間（以下この項において「特例適用期間」という。）における各年度の予算に係る国の負担又は補助（昭和五十六年度以前の年度の国庫債務負担行為に基づき昭和五十七年度以降の年度に支出すべきものとされた国の負担又は補助を除く。）並びに特例適用期間における各年度の国庫債務負担行為に基づき昭和六十年度以降の年度に支出すべきものとされる国の負担又は補助及び昭和五十九年度以前の年度の歳出予算に係る国の負担又は補助で昭和六十年度以降の年度に繰り越されるものにより実施される管理について適用し、昭和五十六年度以前の年度の国庫債務負担行為に基づき昭和五十七年度以降の年度に支出すべきものとされた国の負担又は補助及び昭和五十六年度以前の年度の歳出予算に係る国の負担又は補助で昭和五十七年度以降の年度に繰り越され

たものにより実施される管理については、なお従前の例による。

附　則〔昭和五八・三・二二政令六五〕

1　この政令は、昭和五十八年四月一日から施行する。

2　第一条の規定による改正後の道路法施行令附則第四項の規定は、昭和五十八年度及び昭和五十九年度の予算に係る国の負担又は補助（昭和五十七年度以前の年度の国庫債務負担行為に基づき昭和五十八年度以降の年度に支出すべきものとされた国の負担又は補助を除く。）並びに昭和五十八年度及び昭和五十九年度の国庫債務負担行為に基づき昭和六十年度以降の年度に支出すべきものとされる国の負担又は補助並びに昭和五十八年度及び昭和五十九年度の歳出予算に係る国の負担又は補助で昭和六十年度以降の年度に繰り越されるものにより実施される管理について適用し、昭和五十七年度以前の年度の国庫債務負担行為に基づき昭和五十八年度以降の年度に支出すべきものとされた国の負担又は補助及び昭和五十七年度以前の年度の歳出予算に係る国の負担又は補助で昭和五十八年度以降の年度に繰り越されたものにより実施される管理については、なお従前の例による。

附　則〔昭和五八・九・一三政令一九六〕

1　この政令は、昭和五十八年十月一日から施行する。

2　指定区間内の国道又は日本道路公団の管理する高速自動車国道若しくは道路整備特別措置法（昭和三十一年法律第七号）第十七条第一項に規定する公団等の管理する一般国道等に係る占用料で、この政令の施行の日前にした許可又は協議に係る占用の期間（当該占用の期間が昭和五十九年度以降にわたる場合においては、当該占用の期間のうち、昭和五十九年三月三十一日までの期間に限る。）に係るものの額については、なお従前の例による。

附　則〔昭和五九・五・一五政令一三九〕

1　この政令は、各種手数料等の額の改定及び規定の合理化に関する法律の施行の日（昭和五十九年五月二十一日）から施行する。

2　この政令の施行前にした都道府県知事に対するあつ旋の申請、建設大臣又は都道府県知事に対する事業の認定の申請、収用委員会に対する裁決の申請及び協議の確認の申請並びに建設大臣に対する特定公共事業の認定の申請に係る手数料の額については、なお従前の例による。

附　則〔昭和六〇・三・一三政令四〇〕

（施行期日）

1　この政令は、昭和六十年四月一日から施行する。

（経過措置）

2　この政令の施行の際現に存する占用物件（工事中のものを含む。）に係る基準については、改正後の道路法施行令の規定にかかわらず、なお従前の例による。

附　則〔昭和六〇・五・一八政令一三三〕

（施行期日）

1　この政令は、公布の日から施行する。

（経過措置）

2　改正後の道路法施行令附則第六項（中略）の規定は、昭和六十年度の予算に係る国の負担又は補助（昭和五十九年度以前の年度の国庫債務負担行為に基づき昭和六十年度に支出すべきものとされた国の負担又は補助を除く。）並びに同年度の国庫債務負担行為に基づき昭和六十一年度以降の年度に支出すべきものとされる国の負担又は補助及び昭和六十年度の歳出予算に係る国の負担又は補助で昭和六十一年度以降の年度に繰り越されるものについて適用し、昭和五十九年度以前の年度の国庫債務負担行為に基づき昭和六十年度に支出すべきものとされた国の負担又は補助及び昭和五十九年度以前の年度の歳出予算に係る国の負担又は補助で昭和六十年度に繰り越されたものについては、なお従前の例による。

附　則〔昭和六一・五・八政令一五四抄〕

（施行期日）

1　この政令は、公布の日から施行する。

（経過措置）

2　改正後の道路法施行令（中略）の規定は、昭和六十一年度から昭和六十三年度までの各年度（昭和六十一年度及び昭和六十二年度の特例に係るものにあつては、昭和六十一年度及び昭和六十二年度。以下この項において同じ。）の予算に係る国の負担又は補助（昭和六十年度以前の年度の国庫債務負担行為に基づき昭和六十一年度以降の年度に支出すべきものとされた国の負担又は補助を除く。）並びに昭和六十一年度から昭和六十三年度までの各年度の国庫債務負担行為に基づき昭和六十四年度（昭和六十一年度及び昭和六十二年度の特例に係るものにあつては、昭和六十三年度。以下この項において同じ。）以降の年度に支出すべきものとされる国の負担又は補助及び昭和六十一年度から昭和六十三年度までの各年度の歳出予算に係る国の負担又は補助で昭和六十四年度以降の年度に繰り越されるものについて適用し、昭和六十年度以前の年度の国庫債務負担行為に基づき昭和六十一年度以降の年度に支出すべきものとされた国の負担又は補助及び昭和六十年度以前の年度の歳出予算に係る国の負担又は補助で昭和六十一年度以降の年度に繰り越されたものについては、なお従前の例による。

附　則〔昭和六二・三・三一政令九八抄〕

（施行期日）

1　この政令は、昭和六十二年四月一日から施行する。

（経過措置）

2　改正後の道路法施行令（中略）の規定は、昭和六十二年度及び昭和六十三年度（昭和六十二年度の特例に係るものにあつては、昭和六十二年度。以下この項において同じ。）の予算に係る国の負担又は補助（昭和六十一年度以前の年度の国庫債務負担行為に基づき昭和六十二年度以降の年度に支出すべきものとされた国の負担又は補助を除く。）、昭和六十二年度及び昭和六十三年度の国庫債務負担行為に基づき昭和六十四年度（昭和六十二年度の特例に係るものにあつては、昭和六十三年度。以下この項において同じ。）以降の年度に支出すべきものとされる国の負担又は補助並びに昭和六十二年度及び昭和六十三年度の歳出予算に係る国の負担又は補助で昭和六十四年度以降の年度に繰り越されるものについて適用し、昭和六十一年度以前の年度の国庫債務負担行為に基づき昭和六十二年度以降の年度に支出すべきものとされた国の負担又は補助及び昭和六十一年度以前の年度の歳出予算に係る国の負担又は補助で昭和六十二年度以降の年度に繰り越されたものについては、なお従前の例による。

附　則〔昭和六二・九・一一政令三〇四〕

（施行期日）

1　この政令は、昭和六十二年十月一日から施行する。

（経過措置）

2　指定区間内の国道又は日本道路公団の管理する高速自動車国道若しくは道路整備特別措置法（昭和三十一年法律第七号）第十七条第一項に規定する公団等の管理する一般国道等に係る占用料で、この政令の施行の日前にした許可又は協議に係る占用の期間（当該占用の期間が昭和六十三年度以降にわたる場合においては、当該占用の期間のうち、昭和六十三年三月三十一日までの期間に限る。）に係るものの額については、なお従前の例による。

附　則〔昭和六三・三・三一政令七九抄〕

（施行期日）

1　この政令は、昭和六十三年四月一日から施行する。

（経過措置）

2　この政令による改正後の道路法施行令附則第十項（中略）の規定は、昭和六十三年度の予算に係る国の負担又は補助（昭和六十二年度以前の年度の国庫債務負担行為に基づき昭和六十三年度以降の年度に支出すべきものとされた国の負担又は補助を除く。）、昭和六十三年度の国庫債務負担行為に基づき昭和六十四年度以降の年度に支出すべきものとされる国の負担又は補助及び昭和六十三年度の歳出予算に係る国の負担又は補助で昭和六十四年度以降の年度に繰り越されるものについて適用し、昭和六十二年度以前の年度の国庫債務負担行為に基づき昭和六十三年度以降の年度に支出すべきものとされた国の負担又は補助及び昭和六十二年度以前の年度の歳出予算に係る国の負担又は補助で昭和六十三年度以降の年度に繰り越されたものについては、なお従前の例による。

附　則〔平成元・四・一〇政令一〇八〕

（施行期日）

1　この政令は、公布の日から施行する。

（経過措置）

2　改正後の道路法施行令〔中略〕の規定は、平成元年度及び平成二年度（平成元年度の特例に係るものにあっては、平成元年度。以下この項において同じ。）の予算に係る国の負担又は補助（昭和六十三年度以前の年度の国庫債務負担行為に基づき平成元年度以降の年度に支出すべきものとされた国の負担又は補助を除く。）、平成元年度及び平成二年度の国庫債務負担行為に基づき平成三年度（平成元年度の特例に係るものにあっては、平成二年度。以下この項において同じ。）以降の年度に支出すべきものとされる国の負担又は補助並びに平成元年度及び平成二年度の歳出予算に係る国の負担又は補助で平成三年度以降の年度に繰り越されるものについて適用し、昭和六十三年度以前の年度の国庫債務負担行為に基づき平成元年度以降の年度に支出すべきものとされた国の負担又は補助及び昭和六十三年度以前の年度の歳出予算に係る国の負担又は補助で平成元年度以降の年度に繰り越されたものについては、なお従前の例による。

附　則〔平成三・三・三〇政令九八〕

改正　平成五・三政九四

（施行期日）

1　この政令は、平成三年四月一日から施行する。

（経過措置）

2　改正後の道路法施行令〔中略〕の規定は、平成三年度及び平成四年度の予算に係る国の負担又は補助（平成二年度以前の年度の国庫債務負担行為に基づき平成三年度以降の年度に支出すべきものとされた国の負担又は補助を除く。）、平成三年度及び平成四年度の国庫債務負担行為に基づき平成五年度以降の年度に支出すべきものとされる国の負担又は補助並びに平成三年度及び平成四年度の歳出予算に係る国の負担又は補助で平成五年度以降の年度に繰り越されるものについて適用し、平成二年度以前の年度の国庫債務負担行為に基づき平成三年度以降の年度に支出すべきものとされた国の負担又は補助及び平成二年度以前の年度の歳出予算に係る国の負担又は補助で平成三年度以降の年度に繰り越されたものについては、なお従前の例による。

附　則〔平成五・三・三一政令九四抄〕

（施行期日）

1　この政令は、平成五年四月一日から施行する。

（経過措置）

2　改正後の〔中略〕道路法施行令〔中略〕の規定は、平成五年度以降の年度の予算に係る国の負担又は補助（平成四年度以前の年度の国庫債務負担行為に基づき平成五年度以降の年度に支出すべきものとされた国の負担又は補助を除く。）について適用し、平成四年度以前の年度の国庫債務負担行為に基づき平成五年度以降の年度に支出すべきものとされた国の負担又は補助及び平成四年度以前の年度の歳出予算に係る国の負担又は補助で平成五年度以降の年度に繰り越されたものについては、なお従前の例による。

附　則〔平成五・一一・二五政令三七五抄〕

（施行期日）

1　この政令は、公布の日から施行する。

（罰則に関する経過措置）

3　この政令の施行前にした行為に対する罰則の適用については、なお従前の例による。

附　則〔平成一〇・八・二六政令二八九〕

（施行期日）

1　この政令は、高速自動車国道法等の一部を改正する法律（以下「改正法」という。）の施行の日（平成十年九月二日）から施行する。

（経過措置）

2　この政令の施行の際、改正法第二条の規定による改正後の道路法第三十三条第二項に規定する高速自動車国道又は自動車専用道路の連結路附属地に現に存する占用物件の占用の基準については、この政令による改正後の道路法施行令第十四条の二の規定にかかわらず、なお従前の例による。

附　則〔平成一一・一一・一〇政令三五二抄〕

（施行期日）

第一条　この政令は、平成十二年四月一日から施行する。

（道路法施行令の一部改正に伴う経過措置）

第四条　施行日前に第十条の規定による改正前の道路法施行令（以下この条において「旧道路法施行令」という。）第三十四条第六項の規定による承認を受けた実施計画は、第十条の規定による改正後の道路法施行令（以下この条において「新道路法施行令」という。）第三十四条第六項の規定による協議を行った実施計画とみなす。

2　この政令の施行の際現に旧道路法施行令第三十四条第六項の規定によりされている承認の申請は、新道路法施行令第三十四条第六項の規定によりされた協議の申出とみなす。

附　則〔平成一五・一二・一七政令五二三〕

（施行期日）

第一条　この政令は、密集市街地における防災街区の整備の促進に関する法律等の一部を改正する法律の施行の日（平成十五年十二月十九日）から施行する。

（罰則に関する経過措置）

第二条　この政令の施行前にした行為に対する罰則の適用については、なお従前の例による。

附　則〔平成二一・四・三〇政令一三〇抄〕

（施行期日）

第一条　この政令は、公布の日から施行する。

（国の負担又は補助に関する経過措置）

第二条　第一条、第五条、第六条、第八条、第九条、第十二条及び第十四条から第十六条までの規定による改正後の次に掲げる政令の規定は、平成二十一年度以降の年度の予算に係る国の負担又は補助（平成二十年度以前の年度の国庫債務負担行為に基づき平成二十一年度以降の年度に支出すべきものとされた国の負担又は補助を除く。）について適用し、平成二十年度以前の年度の予算に係る国の負担又は補助で平成二十一年以降の年度に繰り越されたもの及び平成二十年度以前の年度の国庫債務負担行為に基づき平成二十一年度以降の年度に支出すべきものとされた国の負担又は補助については、なお従前の例による。

一～三　〔略〕

四　道路法施行令第三十四条の二の三

五～九　〔略〕

（不用物件の管理に関する経過措置）

第三条　この政令の施行の際現に道路法（昭和二十七年法律第百八十号）第九十二条第一項（同法第九十一条第二項（高速自動車国道法施行令（昭和三十二年政令第二百五号）第十二条の規定により読み替えて適用する場合を含む。）において準用する場合を含む。）の規定による管理が行われている不用物件の管理期間については、なお従前の例による。

附　則〔平成二二・三・三一政令七八抄〕

（施行期日）

第一条　この政令は、平成二十二年四月一日から施行する。

（経過措置）

第二条 国の直轄事業に係る都道府県等の維持管理負担金の廃止等のための関係法律の整備に関する法律附則第二条に規定する国庫債務負担行為が次に掲げる契約に係るものである場合における同条の規定の適用については、同条中「負担、平成二十一年度以前の年度の国庫債務負担行為に基づき平成二十二年度以降の年度に支出すべきものとされた国の負担」とあり、同条第一号中「負担及び平成二十一年度以前の年度の国庫債務負担行為に基づき平成二十二年度に支出すべきものとされた国の負担」及び「負担、平成二十二年度の国庫債務負担行為に基づき平成二十三年度以降の年度に支出すべきものとされる国の負担」とあり、同条第二号中「負担及び平成二十一年度以前の年度の国庫債務負担行為に基づき平成二十二年度以降の年度に支出すべきものとされた国の負担」とあり、並びに同条第三号中「負担及び平成二十二年度以前の年度の国庫債務負担行為に基づき平成二十三年度以降の年度に支出すべきものとされた国の負担」とあるのは、「負担」とする。

一　一般国道の新設、改築及び災害復旧以外の管理を効率的に行うために当該一般国道の管理に係る事務又は事業で相互に関連するものを一括して委託する契約

二　一級河川の管理を効率的に行うために当該一級河川の管理に係る事務又は事業で相互に関連するものを一括して委託する契約

第三条 第四条、第六条、第九条、第十二条及び第十三条の規定による改正後の次の各号に掲げる政令の規定は、当該各号に定める国の負担（当該国の負担に係る都道府県又は市町村の負担を含む。以下この条及び次条において同じ。）について適用し、平成二十一年度以前の年度における事務又は事業の実施により平成二十二年度以降の年度に支出される国の負担、平成二十一年度以前の年度の国庫債務負担行為に基づき平成二十二年度以降の年度に支出すべきものとされた国の負担及び平成二十一年度以前の年度の歳出予算に係る国の負担で平成二十二年度以降の年度に繰り越されたものについては、なお従前の例による。

一　次に掲げる政令の規定　平成二十二年度の予算に係る国の負担（平成二十一年度以前の年度における事務又は事業の実施により平成二十二年度に支出される国の負担及び平成二十一年度以前の年度の国庫債務負担行為に基づき平成二十二年度に支出すべきものとされた国の負担を除く。）並びに同年度における事務又は事業の実施により平成二十三年度以降の年度に支出される国の負担、平成二十二年度の国庫債務負担行為に基づき平成二十三年度以降の年度に支出すべきものとされる国の負担及び平成二十二年度の歳出予算に係る国の負担で平成二十三年度以降の年度に繰り越されるもの

イ　道路法施行令附則第五項の規定により読み替えて適用する同令第三十一条

ロ～ホ　〔略〕

二　次に掲げる政令の規定　平成二十二年度以降の年度の予算に係る国の負担（平成二十一年度以前の年度における事務又は事業の実施により平成二十二年度以降の年度に支出される国の負担及び平成二十一年度以前の年度の国庫債務負担行為に基づき平成二十二年度以降の年度に支出すべきものとされた国の負担を除く。）

イ　道路法施行令第三十二条第一項

ロ～ニ　〔略〕

三　次に掲げる政令の規定　平成二十三年度以降の年度の予算に係る国の負担（平成二十二年度以前の年度における事務又は事業の実施により平成二十三年度以降の年度に支出される国の負担及び平成二十二年度以前の年度の国庫債務負担行為に基づき平成二十三年度以降の年度に支出すべきものとされた国の負担を除く。）

イ　道路法施行令第三十一条

ロ　〔略〕

2　前項に規定する国庫債務負担行為が前条各号に掲げる契約に係るものである場合における同項の規定の適用については、同項中「負担、平成二十一年度以前の年度の国庫債務負担行為に基づき平成二十二年度以降の年度に支出すべきものとされた国の負担」とあり、同項第一号中「負担及び平成二十一年度以前の年度の国庫債務負担行為に基づき平成二十二年度に支出すべきものとされた国の負担」及び「負担、平成二十二年度の国庫債務負担行為に基づき平成二十三年度以降の年度に支出すべきものとされる国の負担」とあり、同条第二号中「負担及び平成二十一年度以前の年度の国庫債務負担行為に基づき平成二十二年度以降の年度に支出すべきものとされた国の負担」とあり、並びに同項第三号中「負担及び平成二十二年度以前の年度の国庫債務負担行為に基づき平成二十三年度以降の年度に支出すべきものとされた国の負担」とあるのは、「負担」とする。

附　則〔平成二七・一一・二六政令三九二抄〕

（施行期日）

第一条 この政令は、行政不服審査法の施行の日（平成二十八年四月一日）から施行する。

（経過措置の原則）

第二条 行政庁の処分その他の行為又は不作為についての不服申立てであってこの政令の施行前にされた行政庁の処分その他の行為又はこの政令の施行前にされた申請に係る行政庁の不作為に係るものについては、この附則に特別の定めがある場合を除き、なお従前の例による。

附　則〔平成二九・三・二三政令四〇抄〕

（施行期日）

第一条 この政令は、第五号施行日（平成二十九年四月一日）から施行する。〔以下略〕

（道路法施行令の一部改正に伴う経過措置）

第二条 この政令の施行前に一般ガス事業者（改正法第五条の規定による改正前のガス事業法（以下この項において「旧ガス事業法」という。）第二条第二項に規定する一般ガス事業者をいう。）又は簡易ガス事業者（旧ガス事業法第二条第四項に規定する簡易ガス事業者をいう。）がした道路法（昭和二十七年法律第百八十号）第三十二条第一項又は第三項の規定による許可の申請であって、この政令の施行の際、許可又は不許可の処分がされていないものに係る占用の期間に関する基準については、第六条の規定による改正後の道路法施行令（以下この条において「新道路法施行令」という。）第九条第一号ホの規定にかかわらず、なお従前の例による。

2　新道路法施行令第九条第一号ホの規定の適用については、改正法附則第二十二条第一項に規定する旧一般ガスみなしガス小売事業者（附則第五条第一項及び附則第六条第一項において単に「旧一般ガスみなしガス小売事業者」という。）が改正法附則第二十二条第一項の義務を負う間、同号ホ中「ガス小売事業を除く。）」とあるのは、「ガス小売事業を除く。）又は電気事業法等の一部を改正する等の法律（平成二十七年法律第四十七号）附則第二十二条第一項に規定する指定旧供給区域等小売供給を行う事業」とする。

3　新道路法施行令第九条第一号ホの規定の適用については、改正法附則第二十八条第一項に規定する旧簡易ガスみなしガス小売事業者（附則第五条第二項及び附則第六条第二項において単に「旧簡易ガスみなしガス小売事業者」という。）が改正法附則第二十八条第一項の義務を負う間、同号ホ中「ガス小売事業を除く。）」とあるのは、「ガス小売事業を除く。）又は電気事業法等の一部を改正する等の法律（平成二十七年法律第四十七号）附則第二十八条第一項に規定する指定旧供給地点小売供給を行う事業」とする。

附　則〔平成三〇・三・三一政令一二八抄〕

（施行期日）

1　この政令は、平成三十年四月一日から施行する。

（経過措置）

2　第一条から第三条までの規定による改正後の次に掲げる政令の規定は、平成三十年度以降の年度の予算に係る国の負担又は補助（平成二十九年度以前の年度の国庫債務負担行為に基づき平成三十年度以降の年度に支出すべきものとされた国の負担又は補助を除く。）について適用し、平成二十九年度以前の年度の予算に係る国の負担又は補助で平成三十年度以降の年度に繰り越されたもの及び平成二十九年度以前の年度の国庫債務負担行為に基づき平成三十年度以降の年度に支出すべきものとされた国の負担又は補助については、なお従前の例による。

一・二　〔略〕

三　道路法施行令第三十四条の二の三第一項及び第二項

附　則〔令和二・三・三〇政令八六〕

（施行期日）

1　この政令は、令和二年四月一日から施行する。

（経過措置）

2　この政令による改正後の規定は、令和二年度以降の年度の予算に係る国の負担又は補助（令和元年度以前の年度の国庫債務負担行為に基づき令和二年度以降の年度に支出すべきものとされた国の負担又は補助を除く。）について適用し、令和元年度以前の年度の予算に係る国の負担又は補助で令和二年度以降の年度に繰り越されたもの及び令和元年度以前の年度の国庫債務負担行為に基づき令和二年度以降の年度に支出すべきものとされた国の負担又は補助については、なお従前の例による。

附　則〔令和三・三・三一政令一三二〕

（施行期日）

1　この政令は、令和三年四月一日から施行する。

（経過措置）

2　第二条の規定による改正後の道路法施行令第三十四条の二の三第一項第三号の規定〔中略〕は、令和三年度以降の年度の予算に係る国の負担又は補助（令和二年度以前の年度の国庫債務負担行為に基づき令和三年度以降の年度に支出すべきものとされた国の負担又は補助を除く。）について適用し、令和二年度以前の年度の予算に係る国の負担又は補助で令和三年度以降の年度に繰り越されたもの及び令和二年度以前の年度の国庫債務負担行為に基づき令和三年度以降の年度に支出すべきものとされた国の負担又は補助については、なお従前の例による。

附　則〔令和三・一一・八政令三一五〕

この政令は、道路法等の一部を改正する法律附則第一条第二号に掲げる規定の施行の日（令和四年四月一日）から施行する。

附　則〔令和四・二・二政令三七抄〕

（施行期日）

1　この政令は、令和四年四月一日から施行する。〔以下略〕

附　則〔令和四・一二・一四政令三七八〕

この政令は、令和五年四月一日から施行する。

附　則〔令和五・一一・一〇政令三二四〕

この政令は、令和六年四月一日から施行する。

別表（第十九条関係）

占用物件		単位	占用料 第一級地	第二級地	第三級地	第四級地	第五級地
第一種電柱		一本につき一年	一、九〇〇	八〇〇	五七〇	四八〇	四三〇
第二種電柱			二、九〇〇	一、二〇〇	八七〇	七三〇	六七〇
第三種電柱			三、九〇〇	一、七〇〇	一、二〇〇	九九〇	九〇〇
第一種電話柱			一、七〇〇	七一〇	五一〇	四三〇	三九〇
第二種電話柱			二、七〇〇	一、一〇〇	八一〇	六八〇	六二〇
第三種電話柱			三、七〇〇	一、六〇〇	一、一〇〇	九四〇	八五〇
その他の柱類			一七〇	七一	五一	四三	三九
共架電線その他上空に設ける線類		長さ一メートルにつき一年	一七	七	五	四	四
地下に設ける電線その他の線類			一〇	四	三	三	二
法第三十二条第一項第一号に掲げる工作物	路上に設ける変圧器	一個につき一年	一、六〇〇	七〇〇	四九〇	四二〇	三八〇
	地下に設ける変圧器	占用面積一平方メートルにつき一年	一、〇〇〇	四三〇	三〇〇	二六〇	二三〇
	変圧塔その他これに類するもの及び公衆電話所	一個につき一年	三、四〇〇	一、四〇〇	一、〇〇〇	八五〇	七八〇
	郵便差出箱及び信書便差出箱		一、四〇〇	六〇〇	四二〇	三六〇	三三〇
	広告塔	表示面積一平方メートルにつき一年	三〇、〇〇〇	四、八〇〇	一、八〇〇	八七〇	五九〇
	その他のもの	占用面積一平方メートルにつき一年	三、四〇〇	一、四〇〇	一、〇〇〇	八五〇	七八〇
法第三十二条第一項第二号に掲げる物件	外径が〇・〇七メートル未満のもの	長さ一メートルにつき一年	七一	三〇	二一	一八	一六
	外径が〇・〇七メートル以上〇・一メートル未満のもの		一〇〇	四三	三〇	二六	二三
	外径が〇・一メートル以上〇・一五メートル未満のもの		一五〇	六四	四五	三八	三五
	外径が〇・一五メートル以上〇・二メートル未満のもの		二〇〇	八六	六一	五一	四七
	外径が〇・二メートル以上〇・三メートル未満のもの		三〇〇	一三〇	九一	七七	七〇
	外径が〇・三メートル以上〇・四メートル未満のもの		四〇〇	一七〇	一二〇	一〇〇	九三
	外径が〇・四メートル以上〇・七メートル未満のもの		七一〇	三〇〇	二一〇	一八〇	一六〇
	外径が〇・七メートル以上一メートル未満のもの		一、〇〇〇	四三〇	三〇〇	二六〇	二三〇
	外径が一メートル以上のもの		二、〇〇〇	八六〇	六一〇	五一〇	四七〇

法第三十二条第一項第三号に掲げる施設 自動運行補助施設 法第二条第五項第二号に規定する自動運行装置による検知の対象として設置する導線その他の線類	地下に設けるもの	長さ一メートルにつき一年	一〇	四	三	三	二
	その他のもの		三四	一四	一〇	九	八
道路の構造又は交通の状況を表示する標示柱その他の柱類		一本につき一年	二、七〇〇	一、一〇〇	八一〇	六八〇	六二〇
その他のもの	上空に設けるもの	占用面積一平方メートルにつき一年	一、七〇〇	七一〇	五一〇	四三〇	三九〇
	地下に設けるもの		一、〇〇〇	四二〇	三〇〇	二六〇	二三〇
その他のもの			三、四〇〇	一、四〇〇	一、〇〇〇	八五〇	七八〇

法第三十二条第一項第四号に掲げる施設		占用面積一平方メートルにつき一年	三、四〇〇	一、四〇〇	一、〇〇〇	八五〇	七八〇
法第三十二条第一項第五号に掲げる施設 地下街及び地下室	階数が一のもの		Aに〇・〇〇四を乗じて得た額				
	階数が二のもの		Aに〇・〇〇六を乗じて得た額				
	階数が三以上のもの		Aに〇・〇〇七を乗じて得た額				
上空に設ける通路			一五、〇〇〇	二、四〇〇	九〇〇	四三〇	二九〇
地下に設ける通路			九、〇〇〇	一、五〇〇	五四〇	二六〇	一八〇
その他のもの			三、四〇〇	一、四〇〇	一、〇〇〇	八五〇	七八〇
法第三十二条第一項第六号に掲げる施設 祭礼、縁日その他の催しに際し、一時的に設けるもの		占用面積一平方メートルにつき一日	三〇〇	四八	一八	九	六
その他のもの		占用面積一平方メートルにつき一月	三、〇〇〇	四八〇	一八〇	八七	五九
看板（アーチであるものを除く。）	一時的に設けるもの	表示面積一平方メートルにつき一月	三、〇〇〇	四八〇	一八〇	八七	五九
	その他のもの	表示面積一平方メートルにつき一年	三〇、〇〇〇	四、八〇〇	一、八〇〇	八七〇	五九〇
標識		一本につき一年	二、七〇〇	一、一〇〇	八一〇	六八〇	六二〇

占用物件			単位					
第七条第一号に掲げる物件	旗ざお	祭礼、縁日その他の催しに際し、一時的に設けるもの	一本につき一日	三〇〇	四八	一八	九	六
		その他のもの	一本につき一月	三、〇〇〇	四八〇	一八〇	八七	五九
	幕（第七条第四号に掲げる工事用施設であるものを除く。）	祭礼、縁日その他の催しに際し、一時的に設けるもの	その面積一平方メートルにつき一日	三〇〇	四八	一八	九	六
		その他のもの	その面積一平方メートルにつき一月	三、〇〇〇	四八〇	一八〇	八七	五九
	アーチ	車道を横断するもの	一基につき一月	三〇、〇〇〇	四、八〇〇	一、八〇〇	八七〇	五九〇
		その他のもの		一五、〇〇〇	二、四〇〇	九〇〇	四三〇	二九〇
第七条第二号に掲げる工作物			占用面積一平方メートルにつき一年	三、四〇〇	一、四〇〇	一、〇〇〇	八五〇	七八〇
第七条第三号に掲げる施設				Aに〇・〇三一を乗じて得た額				
第七条第四号に掲げる工事用施設及び同条第五号に掲げる工事用材料			占用面積一平方メートルにつき一月	三、〇〇〇	四八〇	一八〇	八七	五九
第七条第六号に掲げる仮設建築物及び同条第七号に掲げる施設				三四〇	一四〇	一〇〇	八五	七八

占用物件			単位					
第七条第八号に掲げる施設	トンネルの上又は高架の道路の路面下（当該路面下の地下を除く。）に設けるもの		占用面積一平方メートルにつき一年	Aに〇・〇〇八を乗じて得た額	Aに〇・〇〇九を乗じて得た額	Aに〇・〇一二を乗じて得た額	Aに〇・〇一四を乗じて得た額	Aに〇・〇一七を乗じて得た額
	上空に設けるもの			Aに〇・〇一七を乗じて得た額				
	地下（トンネルの上の地下を除く。）に設けるもの	階数が一のもの		Aに〇・〇〇四を乗じて得た額				
		階数が二のもの		Aに〇・〇〇六を乗じて得た額				
		階数が三以上のもの		Aに〇・〇〇七を乗じて得た額				
	その他のもの			Aに〇・〇二五を乗じて得た額				
第七条第九号に掲げる施設	建築物			Aに〇・〇一を乗じて得た額	Aに〇・〇一二を乗じて得た額	Aに〇・〇一五を乗じて得た額	Aに〇・〇一九を乗じて得た額	Aに〇・〇二二を乗じて得た額
	その他のもの			Aに〇・〇〇七を乗じて得た額	Aに〇・〇〇九を乗じて得た額	Aに〇・〇一一を乗じて得た額	Aに〇・〇一四を乗じて得た額	Aに〇・〇一五を乗じて得た額
第七条第十号に掲げる施設及び自動車駐車場	建築物			Aに〇・〇二二を乗じて得た額				
	その他のもの			Aに〇・〇〇七を乗じて得た額	Aに〇・〇〇九を乗じて得た額	Aに〇・〇一一を乗じて得た額	Aに〇・〇一四を乗じて得た額	Aに〇・〇一五を乗じて得た額
第七条第十一号に掲	トンネルの上又は高架の道路の路面下に設けるもの			Aに〇・〇一を乗じて得た額	Aに〇・〇一二を乗じて得た額	Aに〇・〇一五を乗じて得た額	Aに〇・〇一九を乗じて得た額	Aに〇・〇二二を乗じて得た額

げる応急仮設建築物	上空に設けるもの	Aに〇・〇二二を乗じて得た額				
	その他のもの	Aに〇・〇三一を乗じて得た額				
第七条第十二号に掲げる器具		Aに〇・〇二五を乗じて得た額				
第七条第十三号に掲げる施設	トンネルの上又は高速自動車国道若しくは自動車専用道路（高架のものに限る。）の路面下に設けるもの	Aに〇・〇一を乗じて得た額	Aに〇・〇一二を乗じて得た額	Aに〇・〇一五を乗じて得た額	Aに〇・〇一九を乗じて得た額	Aに〇・〇二二を乗じて得た額
	上空に設けるもの	Aに〇・〇二二を乗じて得た額				
	その他のもの	Aに〇・〇三一を乗じて得た額				
第七条第十四号に掲げる施設		Aに〇・〇三一を乗じて得た額				

備考

一　金額の単位は、円とする。

二　所在地とは、占用物件の所在地をいい、その区分は、次のとおりとし、各年度の初日後に占用物件の所在地の区分に変更があつた場合は、同日におけるその区分によるものとする。

イ　第一級地　その区域内の土地の平均価格（当該区域内の土地の価格（地方税法（昭和二十五年法律第二百二十六号）第三百八十一条第一項又は第二項の規定により土地課税台帳又は土地補充課税台帳に登録されている価格をいう。）の合計を当該区域内の土地の地積（これらの規定により土地課税台帳又は土地補充課税台帳に登録されている地積をいう。）の合計で除したものをいう。以下同じ。）が都の特別区及び人口五十万人以上の市の区域内の土地の平均価格以上であるものとして国土交通大臣が定める市町村（都の特別区を含む。以下同じ。）の区域をいう。

ロ　第二級地　その区域内の土地の平均価格が都の特別区及び人口五十万人以上の市の区域内の土地の平均価格未満であり、かつ、人口五十万人未満二十万人以上の市の区域内の土地の平均価格以上であるものとして国土交通大臣が定める市町村の区域をいう。

ハ　第三級地　その区域内の土地の平均価格が人口五十万人未満二十万人以上の市の区域内の土地の平均価格未満であり、かつ、人口二十万人未満の市の区域内の土地の平均価格以上であるものとして国土交通大臣が定める市町村の区域をいう。

ニ　第四級地　その区域内の土地の平均価格が人口二十万人未満の市の区域内の土地の平均価格未満であり、かつ、町及び村の区域内の土地の平均価格以上であるものとして国土交通大臣が定める市町村の区域をいう。

ホ　第五級地　その区域内の土地の平均価格が町及び村の区域内の土地の平均価格未満であるものとして国土交通大臣が定める市町村の区域をいう。

三　第一種電柱とは、電柱（当該電柱に設置される変圧器を含む。以下この号において同じ。）のうち三条以下の電線（当該電柱を設置する者が設置するものに限る。以下この号において同じ。）を支持するものを、第二種電柱とは、電柱のうち四条又は五条の電線を支持するものを、第三種電柱とは、電柱のうち六条以上の電線を支持するものをいうものとする。

四　第一種電話柱とは、電話柱（電話その他の通信又は放送の用に供する電線を支持する柱をいい、電柱であるものを除く。以下同じ。）のうち三条以下の電線（当該電話柱を設置する者が設置するものに限る。以下この号において同じ。）を支持するものを、第二種電話柱とは、電話柱のうち四条又は五条の電線を支持するものを、第三種電話柱とは、電話柱のうち六条以上の電線を支持するものをいうものとする。

五　共架電線とは、電柱又は電話柱を設置する者以外の者が当該電柱又は電話柱に設置する電線をいうものとする。

六　表示面積とは、広告塔又は看板の表示部分の面積をいうものとする。

七　Aは、近傍類似の土地（第七条第八号に掲げる施設のうち特定連結路附属地に設けるもの及び同条第十三号に掲げる施設について近傍に類似の土地が存しない場合には、立地条件、収益性等土地価格形成上の諸要素が類似した土地）の時価を表すものとする。

八　表示面積、占用面積若しくは占用物件の面積若しくは長さが〇・〇一平方メートル若しくは〇・〇一メートル未満であるとき、又はこれらの面積若しくは長さに〇・〇一平方メートル若しくは〇・〇一メートル未満の端数があるときは、その全面積若しくは全長又はその端数の面積若しくは長さを切り捨てて計算するものとする。

九　占用料の額が年額で定められている占用物件に係る占用の期間が一年未満であるとき、又はその期間に一年未満の端数があるときは月割をもつて計算し、なお、一月未満の端数があるときは一月として計算し、占用料の額が月額で定められている占用物件に係る占用の期間が一月未満であるとき、又はその期間に一月未満の端数があるときは一月として計算するものとする。

○道路法施行規則〔抄〕

〔昭和二七・八・一 建設省令二五〕

改正 前略…平成一六・三国交令一四、平成一七・六国交令六六、平成一八・一二国交令一一三、平成一九・九国交令八四、平成二一・四国交令三一、平成二三・三国交令三三、八国交令六〇、一一国交令八八、一二国交令九四、平成二五・九国交令七四、平成二六・三国交令三九、五国交令五二、平成二七・一国交令四、平成二八・三国交令三九、九国交令六八、一〇国交令七六、平成三〇・三国交令三七、九国交令七四、平成三一・四国交令三二、令和元・五国交令一、令和二・三国交令一九、一一国交令九〇、一二国交令九八、令和三・三国交令一一、七国交令四七、九国交令五八、令和四・八国交令六三、令和五・三国交令一一、令和六・三国交令二六

(特定車両の種類)

第一条 道路法（昭和二十七年法律第百八十号。以下「法」という。）第二条第二項第八号に規定する国土交通省令で定める車両は、次に掲げる車両とする。

一 道路運送法（昭和二十六年法律第百八十三号）による一般乗合旅客自動車運送事業の用に供する自動車
二 道路運送法による一般貸切旅客自動車運送事業の用に供する自動車
三 道路運送法による一般乗用旅客自動車運送事業の用に供する自動車
四 貨物自動車運送事業法（平成元年法律第八十三号）による一般貨物自動車運送事業の用に供する自動車

(路線の認定等の公示)

第一条の二 法第九条の規定による路線の認定又は法第十条第三項において準用する法第九条の規定による路線の廃止若しくは変更の公示は、それぞれ別記様式第一、第二又は第三により、行うものとする。

2 都道府県知事又は市町村長は、前項の公示をする場合においては、都道府県道については縮尺五万分の一、市町村道については縮尺一万分の一程度の図面に当該路線を明示し、都道府県又は市町村の事務所において一般の縦覧に供しなければならない。ただし、市街地その他特に必要があると認められる部分については、別に拡大図を備えなければならない。

(道路の区域の決定等の公示)

第二条 法第十八条第一項の規定による道路の区域の決定又は変更の公示は、次に掲げる事項について行うものとし、同項の規定による図面は、縮尺千分の一以上のものを用いるものとする。

一 道路の種類
二 路線名
三 次のイ、ロ又はハに掲げる場合の区分に応じそれぞれイ、ロ又はハに定める事項
イ 区域の決定の場合（ロに掲げる場合を除く。） 敷地の幅員及びその延長
ロ 法第四十七条の十七第一項の規定により立体的区域とする区域の決定の場合 イに掲げる事項並びに当該立体的区域とする区間及びその延長
ハ 区域の変更の場合 変更の区間並びに当該区間に係る変更前の敷地の幅員及びその延長並びに変更後の敷地の幅員及びその延長
四 区域を表示した図面を縦覧する場所及び期間

(道路の供用の開始等の公示)

第三条 法第十八条第二項の規定による道路の供用の開始又は廃止の公示は、左に掲げる事項について行うものとし、同項の規定による図面は、一般国道（以下「国道」という。）及び都道府県道については縮尺五万分の一、市町村道については縮尺一万分の一程度のものを用いるものとする。

一 路線名
二 供用開始又は廃止の区間
三 供用開始又は廃止の期日
四 供用開始又は廃止の区間を表示した図面を縦覧する場所及び期間

(国道に附属する有料の自動車駐車場又は自転車駐車場の利用に関する標識)

第三条の二 法第二十四条の三の規定により国道に附属する自動車駐車場又は自転車駐車場に設ける標識は、次に掲げる事項を明示したものでなければならない。

一 駐車料金の額
二 駐車することができる時間
三 駐車料金の徴収方法
四 割増金の徴収に関する注意事項
五 その他自動車駐車場又は自転車駐車場の利用に関し必要と認められる事項

2 前項の標識は、自動車駐車場又は自転車駐車場を利用しようとする者の見やすい場所に設けなければならない。

(道路台帳)

第四条の二 道路台帳は、調書及び図面をもつて組成するものとする。

2 調書及び図面は、路線ごとに調製するものとする。

3 調書には、道路につき、少くとも次に掲げる事項を記載するものとし、その様式は、別記様式第四とする。

一 道路の種類
二 路線名
三 路線の指定又は認定の年月日
四 路線の起点及び終点
五 路線の主要な経過地
六 供用開始の区間及び年月日
七 路線（その管理に係る部分に限る。）の延長及びその内訳
八 道路の敷地の面積及びその内訳
九 最小車道幅員、最小曲線半径及び最急縦断勾配
十 鉄道又は新設軌道との交差の数、方式及び構造
十一 有料の道路の区間、延長及びその内訳（自動車駐車場にあつては位置、規模及び構造）並びに料金徴収期間
十二 道路と効用を兼ねる主要な他の工作物の概要
十三 軌道その他主要な占用物件の概要
十四 道路一体建物の概要
十五 協定利便施設の概要

4 図面は、道路につき、少くとも次に掲げる事項を、付近の地形及び方位を表示した縮尺千分の一以上の平面図（法第四十七条の十七第一項の規定により道路の区域を立体的区域とする場合は、平面図、縦断図及び横断定規図）に記載して調製するものとする。

一 道路の区域の境界線
二 市町村、大字及び字の名称及び境界線
三 車道の幅員が〇・五メートル以上変化する箇所ごとにおける当該箇所の車道の幅員
四 曲線半径（三十メートル以上のものを除く。）
五 縦断勾配（八パーセント未満のものを除く。）
六 路面の種類
七 トンネル、橋及び渡船施設並びにこれらの名称
八 自動車交通不能区間（幅員、曲線半径、勾配その他の道路の状況により最大積載量四トンの貨物自動車が通行することができない区間をいう。）

九　道路元標その他主要な道路の附属物
十　道路の敷地の国有、地方公共団体有又は民有の別及び民有地の地番
十一　道路と効用を兼ねる主要な他の工作物
十二　交差し、若しくは接続する道路又は重複する道路並びにこれらの主要なものの種類及び路線名
十三　交差する鉄道又は新設軌道及びこれらの名称
十四　軌道その他主要な占用物件
十五　道路一体建物
十六　協定利便施設
十七　調製の年月日

5　調書及び図面は、その記載事項に変更があつたときは、すみやかに、これを訂正しなければならない。

6　道路台帳は、次の各号に掲げる区分に応じ、当該各号に掲げる場所において保管するものとする。ただし、道の区域内の道路に係る道路台帳のうち、国道に係るもの及び令第三十二条第一項に規定する開発道路で国土交通大臣が維持を行うものに係るものは、北海道開発局の事務所において保管するものとする。

一　高速自動車国道に係る道路台帳　国土交通省の事務所
二　国道に係る道路台帳　指定区間内の国道に係るものは関係地方整備局の事務所、指定区間外の国道に係るものは関係都道府県（法第十七条第一項の規定により指定市の長が国道の管理を行なう場合又は同条第二項の規定により指定市以外の市の長が国道の管理を行なう場合にあつては、当該指定市又は指定市以外の市）の事務所
三　都道府県道に係る道路台帳　関係都道府県（法第十七条第一項の規定により指定市の長が都道府県道を管理する場合、同条第二項の規定により指定市以外の市が都道府県道を管理する場合又は同条第三項の規定により町村が都道府県道を管理する場合にあつては、当該指定市、指定市以外の市又は町村）の事務所
四　市町村道に係る道路台帳　関係市町村の事務所

（道路と鉄道との交差部分の管理の方法の基準）

第四条の二の二　法第三十一条の二第一項第一号の国土交通省令で定める基準は、立体交差に係る道路及び鉄道施設について計画的な維持、修繕（当該修繕を効率的に行うための点検を含む。）その他の管理が図られるよう、次に掲げる事項の全てを定めていることとする。

一　道路及び鉄道施設の損傷、腐食その他の劣化その他の異状を把握するための点検の実施時期その他の点検に関する事項
二　点検の結果に応じて想定される修繕の方法その他の修繕に関する事項

2　法第三十一条の二第一項第二号の国土交通省令で定める基準は、災害が発生した場合における立体交差以外の交差部分の適確な管理が図られるよう、次に掲げる事項の全てを定めていることとする。

一　災害時における鉄道事業者と道路管理者との間の連絡体制及びこれらの者と関係機関との間の連絡体制の整備に関する事項
二　踏切道における継続的な通行の遮断の発生及び踏切遮断時間（踏切道の通行が遮断されている時間をいう。）の見込みに関する情報提供その他の災害時において鉄道事業者及び道路管理者がとるべき措置に関する事項

（保管違法放置等物件一覧簿の様式）

第四条の六　令第十九条の六第二項（令第十九条の十一において準用する場合を含む。）の規定による保管違法放置等物件一覧簿の様式は、別記様式第五の四とする。

（競争入札における掲示事項等）

第四条の七　令第十九条の九第一項及び第二項（令第十九条の十一においてこれらの規定を準用する場合を含む。）に規定する国土交通省令で定める事項は、次に掲げるものとする。

一　当該競争入札の執行を担当する職員の職及び氏名
二　当該競争入札の執行の日時及び場所
三　契約条項の概要
四　その他道路管理者が必要と認める事項

（違法放置等物件の返還に係る受領書の様式）

第四条の八　令第十九条の十（令第十九条の十一において準用する場合を含む。）の規定による受領書の様式は、別記様式第五の五とする。

（自動運行補助施設の性能の基準等）

第四条の八の二　法第四十五条の二第一項の国土交通省令で定める道路の附属物である自動運行補助施設の性能の基準は、自動運行補助施設が次の各号のいずれかに該当することとする。

一　自動運行補助施設が設置された道路を通行する自動運行装置（道路運送車両法（昭和二十六年法律第百八十五号）第四十一条第一項第二十号に規定する自動運行装置をいう。）を備えている自動車その他の自動運転に係る技術により運行する自動車（以下この項において「自動運行車」という。）の位置を補正するため、当該自動運行車の運行時の状態を検知するためのセンサーに検知されるよう、磁界、電波その他これらに類するものを発するものであつて、国土交通大臣が定める基準に適合するものであること。
二　自動運行補助施設が設置された道路又は当該道路と交差し、若しくは接続する道路を通行する自動運行車の位置を補正するため、当該自動運行車の運行時の状態を検知するためのセンサーに検知されるよう、当該自動運行補助施設の位置を示す情報を表示し、又は発信するものであつて、国土交通大臣が定める基準に適合するものであること。
三　自動運行補助施設が設置された道路又は当該道路と交差し、若しくは接続する道路において自動運行車の安全な通行を確保するため、当該自動運行車の周囲の状況を検知するためのセンサーを補完するものとして、当該センサーに検知されるよう、これらの道路の構造、他の車両若しくは歩行者の通行の状況、障害物の有無その他の当該道路の状況に関する情報を表示し、又は発信するものであつて、国土交通大臣が定める基準に適合するものであること。

2　自動運行補助施設は、道路の構造又は交通に支障を及ぼさないと認められるものでなければならない。

（自動運行補助施設の設置の公示）

第四条の八の三　法第四十五条の二第二項の規定による自動運行補助施設の設置の公示は、次に掲げる事項について行うものとする。

一　前条第一項各号に掲げる性能に関する事項
二　自動運行補助施設が設置された道路の場所に関する事項
三　その他自動運行補助施設の利用に関し必要と認められる事項

（車両の通行の禁止又は制限に関する公示）

第四条の一〇　令第十九条の十五の規定による車両の通行の禁止又は制限に関する公示は、次の各号に掲げる事項を官報に掲載して行うものとする。

一　危険物を積載する車両の通行を禁止し、又は制限する水底トンネルの名称及び箇所
二　危険物を積載する車両の通行を禁止するときは、当該危険物の表示
三　危険物を積載する車両の通行を制限するときは、次に掲げる事項
イ　当該危険物の表示
ロ　当該危険物を積載することができる車両の種類
ハ　当該危険物の容器包装、積載数量及び積載方法に関する要件
ニ　当該危険物を積載する車両の通行することができる時間を定めるときは、その時間

（歩行安全改築の要請に係る様式）

第四条の一〇の二　法第四十七条の十六第一項の規定による要請をしようとする市町村は、次に掲げる事項を記載した要請書を道路管理者に提出しなければならない。
一　歩行安全改築に係る道路の種類、路線名及び区間
二　歩行安全改築の内容
三　第一号の区間において歩行安全改築の要請をする理由

（交通確保施設）
第四条の一〇の三　法第四十七条の十七第二項の国土交通省令で定める施設は、次に掲げるものとする。
一　一般交通の用に供する通路及びこれと同等の機能を有する建築物その他の施設
二　自動車駐車場及び自転車駐車場

（法第四十七条の十七第二項の国土交通省令で定める要件）
第四条の一〇の四　法第四十七条の十七第二項の国土交通省令で定める要件は、交通確保施設の整備又は維持管理を適切に行うのに必要な経理的基礎及び技術的能力を有することとする。

（道路一体建物に関する協定の公示）
第四条の一一　法第四十七条の十八第二項の規定による同条第一項の協定の公示は、次に掲げる事項について行うものとする。
一　道路一体建物の所在地
二　道路一体建物の所有者になろうとする者の氏名又は名称
三　協定の写しの閲覧の場所

（道路保全立体区域の指定等の公示）
第四条の一二　法第四十七条の二十一第三項の規定による道路保全立体区域の指定又は当該指定の変更の公示は、次に掲げる事項を縮尺千分の一以上の平面図、縦断図及び横断定規図に明示して行うものとする。
一　道路保全立体区域の存する土地の所在地
二　道路保全立体区域の境界線
2　法第四十七条の二十一第三項の規定による道路保全立体区域の指定の解除の公示は、前項第一号に掲げる事項について行うものとする。

（自動車専用道路の指定等の公示）
第四条の一三　法第四十八条の二第四項の規定による同条第一項の指定又は当該指定の解除の公示は、次の各号に掲げる事項について行うものとする。
一　指定し、又は解除する道路の路線名
二　指定し、又は解除する期日
2　法第四十八条の二第四項の規定による同条第二項の指定又は当該指定の解除の公示は、次の各号に掲げる事項について行うものとする。
一　路線名
二　指定し、又は解除する道路の部分
三　指定し、又は解除する期日
四　指定し、又は解除する道路の部分を表示した図面を縦覧する場所及び期間
3　道路管理者は、前項の公示をする場合においては縮尺千分の一以上の図面に当該道路の部分を明示し、関係地方整備局若しくは北海道開発局又は関係都道府県若しくは市町村の事務所において一般の縦覧に供しなければならない。

（自動車専用道路と道路等の連結の許可手続）
第四条の一三の二　法第四十八条の五第一項の連結許可を受けようとする者は、次に掲げる事項（法第四十八条の四第一号に掲げる施設の連結許可にあつては第一号から第五号までに掲げる事項、同条第二号に掲げる施設（以下「利便施設等」という。）の連結許可にあつては第一号から第八号まで及び第十一号に掲げる事項）を記載した申請書に位置図並びに連結のために必要な工事の区間及び工事の設計の概要を記載した平面図、縦断図及び横断定規図（法第四十八条の四第一号に掲げる施設にあつては、平面図）を添付して道路管理者に提出しなければならない。
一　自動車専用道路の路線名
二　連結位置及び連結予定施設
三　連結を必要とする理由（法第四十八条の四第三号に掲げる施設（以下「通路等」という。）の連結許可にあつては、当該通路等により自動車専用道路と連絡する施設が、利便施設等に該当する理由を含む。）
四　連結のために必要な工事に要する費用の概算額
五　工事の施行期間
六　連結する期間
七　利便施設等の設計の概要
八　利便施設等の事業計画及び資金計画
九　通路等の交通量の見込み
十　通路等の維持管理の計画
十一　その他必要な事項

（利便施設等又は通路等の構造に関する技術的基準）
第四条の一三の三　法第四十八条の五第二項第二号（同条第四項において準用する場合を含む。）の国土交通省令で定める施設の構造に関する技術的基準は、次のとおりとする。
一　利便施設等にあつては、次に掲げるものであること。
イ　関係法令の規定を遵守するものであること。
ロ　自動車専用道路及び通路等の安全かつ円滑な交通に著しい支障を及ぼすおそれのないものであること。
ハ　当該利便施設等の利用者の安全かつ円滑な通行を確保するものであること。
二　通路等にあつては、次に掲げるものであること。
イ　幅員、線形、勾配その他の構造が、自動車専用道路の構造及び交通の状況その他当該自動車専用道路及び周辺の状況を勘案して、当該通路等の連結によつて自動車専用道路の安全かつ円滑な交通に著しい支障を及ぼすおそれのないものであること。
ロ　利便施設等の規模、用途その他の状況に応じて自動車専用道路の安全かつ円滑な交通に著しい支障を及ぼすことがないように、必要な規模及び適切な構造の駐車場を当該通路等に設けること。

（軽微な変更）
第四条の一三の四　法第四十八条の五第三項の国土交通省令で定める軽微な変更は、幅員、線形若しくは勾配又は駐車場の規模若しくは構造の変更を伴わない通路等の構造についての変更とする。

（構造についての変更の許可手続）
第四条の一三の五　法第四十八条の五第三項の許可を受けようとする者は、次に掲げる事項を記載した申請書に利便施設等又は通路等の構造についての変更に伴う工事の区間及び工事の設計の概要を記載した平面図、縦断図又は横断定規図を添付して道路管理者に提出しなければならない。
一　変更しようとする事項
二　変更を必要とする理由
三　工事の施行期間

（利便施設等又は通路等の維持管理に関する基準）
第四条の一三の六　法第四十八条の六の国土交通省令で定める基準は、当該利便施設等又は通路等を管理する者が、自動車専用道路の安全かつ円滑な交通に支障を及ぼすことがないように、定期的に当該利便施設等又は通路等の巡回及び保守点検を行い、並びに通行の支障となる損傷の修繕又は物件の除却を行うことその他の当該利便施設等又は通路等の適切な維持管理を行うこととする。

（地代の差額に相当する額の算定方法）
第四条の一三の七　令第十九条の十七第一号イの地代の差額に相当する額は、近傍類似の土地（近傍に類似の土地が存しない場合には、立地条件、収益性その他の土地価格形成上の諸要素が類似した土地。以下この条において同じ。）の時価に期待利回りを乗じて得た額、近傍類似の土地の純地代から算定される推

定の純地代に相当する額及び利便施設等において通常得られる売上収入額に第四条の五第一項各号に掲げる場合の区分に応じて当該各号に定める割合を乗じて得た額を勘案して算出する、自動車専用道路と連結する利便施設等（以下この条において「連結利便施設等」という。）の用に供する土地又は自動車専用道路と連結する通路等（以下この条において「連結通路等」という。）及び当該連結通路等によつて自動車専用道路と連絡する利便施設等（以下この条において「連絡施設」という。）の用に供する土地と当該連結利便施設等又は当該連結通路等が自動車専用道路に連結しないものとした場合の当該土地との純地代の額の差額に相当する額（当該連結利便施設等又は当該連結通路等及び当該連絡施設の用に供する土地に係る公租公課に相当する額が当該連結利便施設等又は当該連結通路等が自動車専用道路に連結しないものとした場合の公租公課に相当する額を上回る場合にあつては、その差額を控除した額）とする。

（自転車専用道路等の指定等の公示）

第四条の一四　法第四十八条の十三第五項の規定による同条第一項から第三項までの指定又は当該指定の解除の公示は、道路に係るものにあつては第四条の十三第一項各号、道路の部分に係るものにあつては同条第二項各号に掲げる事項について行うものとする。

2　第四条の十三第三項の規定は、道路管理者が道路の部分について前項の公示を行う場合に準用する。

（自転車専用道路等を通行することができる車両）

第四条の一五　法第四十八条の十五第一項の国土交通省令で定める車両は、自転車以外の軽車両（道路交通法（昭和三十五年法律第百五号）第二条第一項第十一号に規定する軽車両をいう。）、特定小型原動機付自転車（同法第十七条第三項に規定する特定小型原動機付自転車をいう。）及び道路運送車両法施行規則（昭和二十六年運輸省令第七十四号）第二条の小型特殊自動車である農耕作業用自動車とする。

（準用）

第四条の一六　第一条の五の規定は法第四十八条の二十二第一項の規定による歩行者利便増進改築等について、第四条の五の二から第四条の五の四までの規定は法第四十八条の二十三第一項に規定する公募対象歩行者利便増進施設等のための道路の占用について、それぞれ準用する。この場合において、第一条の五中「第十七条第二項から第四項まで」とあるのは「第四十八条の二十二第一項」と、第四条の五の二の見出し中「占用入札」とあるのは「公募占用」と、同条中「第三十九条の二第三項」とあるのは「第四十八条の二十三第三項」と、同条第一号及び第二号中「第三十九条の五第一項」とあるのは「第四十八条の二十六第一項」と、第四条の五の三の見出し中「入札占用計画」とあるのは「歩行者利便増進計画」と、同条中「第三十九条の三第二項第三号」とあるのは「第四十八条の二十四第二項第三号」と、同条第一号から第三号まで中「入札対象施設等」とあるのは「公募対象歩行者利便増進施設等」と、同条第四号中「法第三十九条の四第四項ただし書の規定により落札者を決定する占用入札を行う場合においては、占用料の額」とあるのは「占用料の額」と、第四条の五の四中「令第十九条の三の三第二項及び第三項」とあるのは「法第四十八条の二十三第五項及び第四十八条の二十五第五項」と読み替えるものとする。

（災害応急対策）

第四条の一六の二　法第四十八条の二十九の二第一項の国土交通省令で定める災害応急対策は、次に掲げるものとする。

一　緊急輸送の確保
二　消防、水防その他の応急措置
三　被災者の救難、救助その他保護
四　施設及び設備の応急の復旧
五　前各号に掲げるもののほか、災害の拡大の防止を図るため実施すべき応急の対策

（災害応急対策施設管理協定の公告等）

第四条の一六の三　法第四十八条の二十九の六第一項の公告及び同条第三項の公示（同条第四項において準用する場合を含む。）は、次に掲げる事項について行うものとする。

一　災害応急対策施設管理協定の名称
二　協定災害応急対策施設の名称及びその所在地
三　災害応急対策施設管理協定の有効期間
四　災害応急対策施設管理協定の縦覧又は災害応急対策施設管理協定の写しの閲覧の場所

（車両の種類の指定）

第四条の一七　法第四十八条の三十第一項の規定による車両の種類の指定は、特定車両停留施設ごとに、第一条各号に掲げるもののうちから行うものとする。

（車両の種類の指定の公示）

第四条の一八　法第四十八条の三十第二項の規定による車両の種類の指定の公示は、次に掲げる事項について行うものとする。

一　当該指定に係る特定車両停留施設の名称
二　当該指定をしようとする日

（車両の停留の許可手続）

第四条の一九　法第四十八条の三十二第一項又は第三項の規定による許可を受けようとする者は、別記様式第五の六による申請書を道路管理者に提出しなければならない。

2　前項の申請書には、次に掲げる書類を添付しなければならない。ただし、道路管理者は、変更の申請であるためその添付の必要がないと認めるときは、その必要がないと認める書類の添付を省略させることができる。

一　次の各号に掲げる車両の種類の区分に応じ当該各号に定める書類
イ　第一条第一号に掲げる自動車　一般乗合旅客自動車運送事業に係る道路運送法第四条第一項の許可を受けていることを証する書面及び同法第五条第一項第三号の事業計画（同号に規定する路線定期運行を行う一般乗合旅客自動車運送事業の用に供する自動車にあつては、同号の事業計画及び同法第十五条の三第一項の運行計画）を記載した書類
ロ　第一条第二号に掲げる自動車　一般貸切旅客自動車運送事業に係る道路運送法第四条第一項の許可を受けていることを証する書面及び同法第五条第一項第三号の事業計画を記載した書類
ハ　第一条第三号に掲げる自動車　一般乗用旅客自動車運送事業に係る道路運送法第四条第一項の許可を受けていることを証する書面及び同法第五条第一項第三号の事業計画を記載した書類
ニ　第一条第四号に掲げる自動車　一般貨物自動車運送事業に係る貨物自動車運送事業法第三条の許可を受けていることを証する書面及び同法第四条第一項第二号の事業計画を記載した書類
二　申請に係る車両に係る道路運送車両法による自動車検査証の写し及び同法による自動車登録番号又は車両番号を示す書面
三　その他道路管理者が許可を行うにつき必要と認める書類

（特定車両停留施設の利用に関し必要な事項）

第四条の二〇　法第四十八条の三十六の規定により公示する事項は、次に掲げる事項とする。

一　特定車両停留施設の名称及び位置
二　停留料金の額
三　停留することができる時間
四　停留料金の徴収開始の日
五　停留料金の徴収方法
六　割増金の徴収に関する注意事項
七　その他特定車両停留施設の利用に関し必要と認められる事項

（道路の通行者又は利用者の利便の確保に資する工作物又は施

設）

第四条の二一　令第三十五条の十一第一号の国土交通省令で定める工作物又は施設は、通路に設けられた雨よけとする。

（利便施設協定の公告等）

第四条の二二　法第四十八条の三十八第一項の公告及び同条第三項の公示（同条第四項において準用する場合を含む。）は、次に掲げる事項について行うものとする。

一　利便施設の名称

二　協定利便施設の名称及びその所在地

三　利便施設協定の有効期間

四　利便施設協定の縦覧又は利便施設協定の写しの閲覧の場所

（特定道路管理者による自動車駐車場等運営権者の定めた利用料金の公示の方法）

第四条の二三　法第四十八条の四十二第二項の国土交通省令で定める方法は、官報への掲載、インターネットの利用その他の適切な方法とする。

（自動車駐車場等運営権者に対する道路管理者の承認等の特例の対象となる行為）

第四条の二四　自動車駐車場又は自転車駐車場に係る法第四十八条の四十五の国土交通省令で定める行為は、次の各号に掲げる承認又は許可の区分に応じ、当該各号に定める行為とする。

一　法第二十四条本文の規定による承認　駐車の用に供する部分の拡幅その他の道路に関する工事又は除草、除雪その他の道路の維持（いずれも自動車駐車場若しくは自転車駐車場の機能の維持及び向上又はこれらの利用者の利便の増進に資するものに限る。）

二　法第三十二条第一項又は第三項の規定による許可　自動車駐車場若しくは自転車駐車場の利用者の一般交通に関し案内を表示する標識又は食事施設若しくは購買施設その他の自動車駐車場又は自転車駐車場の利用者の利便の増進に資する工作物、物件又は施設に係る道路の占用

2　特定車両停留施設に係る法第四十八条の四十五の国土交通省令で定める行為は、次の各号に掲げる承認又は許可の区分に応じ、当該各号に定める行為とする。

一　法第二十四条本文の規定による承認　停留場所、乗降場、待合所若しくは荷扱場の増設その他の道路に関する工事又は除草、除雪その他の道路の維持（いずれも特定車両停留施設の機能の維持及び向上又は当該施設の利用者の利便の増進に資するものに限る。）

二　法第三十二条第一項又は第三項の規定による許可　特定車両停留施設の利用者の一般交通に関し案内を表示する標識又は食事施設若しくは購買施設その他の特定車両停留施設の利用者の利便の増進に資する工作物、物件又は施設に係る道路の占用

（道路協力団体として指定することができる法人に準ずる団体）

第四条の二五　法第四十八条の六十第一項の国土交通省令で定める団体は、法人でない団体であつて、事務所の所在地、構成員の資格、代表者の選任方法、総会の運営、会計に関する事項その他当該団体の組織及び運営に関する事項を内容とする規約その他これに準ずるものを有しているものとする。

（道路協力団体の指定）

第四条の二六　法第四十八条の六十第一項の規定による指定は、法第四十八条の六十一各号に掲げる業務のうち道路協力団体が行うもの及び当該業務を行う道路の区間を明らかにしてするものとする。

（道路協力団体が業務として設置又は管理を行う工作物等）

第四条の二七　法第四十八条の六十一第二号の国土交通省令で定める工作物、物件又は施設は、次に掲げるものとする。

一　看板、標識、旗ざお、幕、アーチその他これらに類する物件又は歩廊、雪よけその他これらに類する施設で安全かつ円滑な道路の交通の確保に資するもの

二　令第七条第九号の自動車駐車場及び自転車駐車場で道路の通行者又は利用者の利便の増進に資するもの

三　令第七条第十二号の車輪止め装置その他の器具で道路の通行者又は利用者の利便の増進に資するもの（前号に掲げる施設に設けるものを除く。）

四　広告塔又は看板で良好な景観の形成又は風致の維持に寄与するもの

五　標識又はベンチ若しくはその上屋、街灯その他これらに類する工作物で道路の通行者又は利用者の利便の増進に資するもの

六　食事施設、購買施設その他これらに類する施設で道路の通行者又は利用者の利便の増進に資するもの

七　次に掲げるもので、集会、展示会その他これらに類する催し（道路に関するものに限る。）のため設けられ、かつ、道路の通行者又は利用者の利便の増進に資するもの

イ　広告塔、ベンチ、街灯その他これらに類する工作物

ロ　露店、商品置場その他これらに類する施設

ハ　看板、標識、旗ざお、幕及びアーチ

（道路協力団体に対する道路管理者の承認等の特例の対象となる行為）

第四条の二八　法第四十八条の六十四の国土交通省令で定める行為は、次の各号に掲げる承認又は許可の区分に応じ、当該各号に定める行為（当該道路協力団体がその業務を行う道路の区間において行うものに限る。）とする。

一　法第二十四条本文の規定による承認　花壇その他道路の緑化のための施設の設置、道路の交通に支障を及ぼしている構造上の原因の一部を除去するために行う突角の切取りその他の道路に関する工事又は除草、除雪その他の道路の維持

二　法第三十二条第一項又は第三項の規定による許可　工事用施設、工事用材料その他これらに類する工作物、物件若しくは施設で道路に関する工事若しくは道路の維持のためのもの、前条各号に掲げる工作物、物件若しくは施設又は看板、標識その他これらに類する物件で道路の管理に関する情報若しくは資料の収集及び提供、調査研究若しくは知識の普及及び啓発のためのものに係る道路の占用（前条第二号から第七号までに掲げる工作物、物件又は施設に係る道路の占用にあつては、法第四十八条の六十一第一号に掲げる業務を行う道路協力団体が行うものに限る。）

（報告の提出）

第九条　法第七十六条第一項の規定による報告は、同項第一号に掲げる事項については社会経済情勢の変化等に伴い道路整備計画を作成し、又は変更した都度、同項第二号に掲げる事項については工事を施行した後、同項第三号に掲げる事項については自動運行補助施設を設置し、又は設置状況を変更した都度、同項第四号に掲げる事項については協議が成立した都度、同項第五号に掲げる事項については条例を制定した都度、速やかに行うものとする。

2　道路管理者は、法第七十六条第一項第一号に掲げる道路整備計画についての報告を行うときは、別記様式第十により、都道府県にあつては縮尺五万分の一程度の、市町村にあつては都道府県が市町村ごとに定める縮尺（五万分の一以上のものに限る。）の図面に少なくとも次に掲げる事項を記載したものを添付して行うものとする。

一　市町村、大字及び字の名称並びに境界線

二　車道の幅員

三　主要なトンネル、橋及び渡船施設並びにこれらの名称

四　道路と効用を兼ねる主要な他の工作物

五　交差し、若しくは接続する道路又は重複する道路のうち主要なもの並びにこれらの種類及び路線名

六　交差する鉄道又は新設軌道及びこれらの名称

七　作成の年月日

（道道又は道の区域内の市町村道の改築の要件）

第一〇条 令第三十四条の二の三第一項第二号ニの国土交通省令で定める要件は、次のとおりとする。

一 一定の地域において一体として行われるものであること。

二 重点的、効果的かつ効率的に行われるものであること。

（令第三十四条の二の三第一項第三号イの国土交通省令で定める改築）

第一一条 令第三十四条の二の三第一項第三号イの国土交通省令で定める改築は、踏切道改良促進法（昭和三十六年法律第百九十五号）第四条第一項に規定する地方踏切道改良計画に従つて行われる道路の高架移設、車道又は歩道の拡幅その他の改築とする。

（令第三十四条の二の三第一項第三号ロの国土交通省令で定める改築）

第一二条 令第三十四条の二の三第一項第三号ロの国土交通省令で定める改築は、次に掲げるものとする。

一 歩道、自転車道又は自転車歩行者道の設置又は拡幅その他の道路の幅員の変更

二 自動車を減速させて歩行者又は自転車の安全な通行を確保するために行う路面の凸部の設置

三 舗装の着色（歩行者と車両とを分離して通行させるための道路の着色をいう。）

四 交差点又はその付近における突角の切取り

五 柵、街灯、道路標識、道路情報管理施設、自動車駐車場その他の道路の附属物の設置

六 その他道路の構造、車両及び歩行者の通行並びに沿道の土地利用の状況その他の事情を勘案して、当該道路における交通事故の防止を図るため特に重点的に行う必要があると認められる改築

（令第三十四条の二の三第一項第三号ハの国土交通省令で定める改築）

第一三条 令第三十四条の二の三第一項第三号ハの国土交通省令で定める改築は、無電柱化の推進に関する法律（平成二十八年法律第百十二号）第八条第一項又は第二項に規定する都道府県無電柱化推進計画又は市町村無電柱化推進計画に基づいて行われるものとする。

（令第三十四条の二の三第一項第四号の国土交通省令で定める施設又は工作物）

第一四条 令第三十四条の二の三第一項第四号の国土交通省令で定める施設又は工作物は、損傷、腐食その他の劣化により道路の構造に支障を及ぼすおそれが特に大きいと認められる橋、トンネル、法面、横断歩道橋、防護施設、道路を横断して設ける道路標識その他これらに類するものとする。

様式第一（第一条関係）

、、、都（道、府、県、市、町、村）告示第　　号

都（道、府、県、市、町、村）道路線認定に関する告示

道路法（昭和二十七年法律第百八十号）第七条（第八条）の規定に基き、都（道、府、県、市、町、村）道の路線を次のように認定する。

その関係図面は、、、、において一般の縦覧に供する。

年　月　日

都道府県知事（市町村長）

整理番号	路線名	起点	終点	重要な経過地

様式第二（第一条関係）

、、、都（道、府、県、市、町、村）告示第　　号

都（道、府、県、市、町、村）道路線廃止に関する告示

道路法（昭和二十七年法律第百八十号）第十条第一項の規定に基き、次の都（道、府、県、市、町、村）道の路線を廃止する。

その関係図面は、、、、において一般の縦覧に供する。

年　月　日

都道府県知事（市町村長）

整理番号	路線名	起点	終点	重要な経過地

様式第三（第一条関係）

、、、都（道、府、県、市、町、村）告示第　　号

都（道、府、県、市、町、村）道路線変更に関する告示

道路法（昭和二十七年法律第百八十号）第十条第二項の規定に基き、次のように都（道、府、県、市、町、村）道の路線を変更する。

その関係図面は、、、、において一般の縦覧に供する。

年　月　日

都道府県知事（市町村長）

整理番号	旧新別	路線名	起点	終点	重要な経過地

註　重要な経過地の旧欄中変更部分には側線を附し、新欄には変更した事項のみを記載すること。

様式第四（第四条の二関係）
第一表（表）

○　○　道　路　台　帳

整理番号		図面対照番号	
道路の種類		路線名	
路線の指定（認定）年月日		指定（認定）の該当条項	
道路管理者			
起点		主要な経過地	
終点			

路線の延長	供用されている区間の延長		供用されていない区間の延長	供用開始の区間及び年月日
	実延長	重複延長		
メートル	メートル	メートル	メートル	

路線の実延長の内訳

道路	トンネル		橋			渡船施設			
	個数	延長	種類	個数	延長	渡船場		渡船	
						個数	延長	船数	運行距離
メートル		メートル	永久橋		メートル		メートル		メートル
			木橋		メートル				
			混合橋		メートル				
			計		メートル				

路線の延長の内

車道の幅員 ／ 路面の種類	9.0メートル以上	5.5メートル以上9.0メートル未満	4.0メートル以上5.5メートル未満	4.0メートル未満
舗装道	メートル	メートル	メートル	メートル

（訳）

訳	9.0メートル以上	5.5メートル以上9.0メートル未満	4.0メートル以上5.5メートル未満	4.0メートル未満
砂利道	メートル	メートル	メートル	メートル
計	メートル	メートル	メートル	メートル
自動車交通不能区間の延長	メートル			

交差の方式	鉄道又は新設軌道との交差	立体交差		平面交差
		跨道	跨線	
個数				

道路の敷地の面積	国有地	地方公共団体有地	民有地	計
	平方メートル	平方メートル	平方メートル	平方メートル

最小車道幅員	箇所	最小曲線半径	箇所	最急縦断勾配	箇所
メートル		メートル		パーセント	

有料の道路

区間	延長	管理者	根拠条項	料金徴収期間

延長の内訳	道路	トンネル	橋	渡船施設
	メートル	メートル	メートル	メートル
9.0メートル以上	メートル			
5.5メートル以上9.0メートル未満	メートル			
4.0メートル以上5.5メートル未満	メートル			
4.0メートル未満	メートル			

駐車場

位置	規模		構造	管理者	根拠条項	料金徴収開始の日
	面積	駐車台数				
	平方メートル	台				

註　重複延長の欄には、法第11条第1項又は第2項の規定により他の道路に関する規定が適用される区間の延長を記載し、実延長の欄には、その他の区間の延長を記載すること。

（裏）

道路と効用を兼ねる主要な他の工作物の概要	
道路一体建物の概要	
協定利便施設の概要	
軌道その他主要な占用物件の概要	
その他特記すべき事項	
調製（改訂）の年月日	

第二表

実延長調書

区間	幅員				延長					逓加延長	路面の種類	備考
	車道	歩道	分離帯	路肩	道路	トンネル	橋	渡船施設	計			

註　備考欄には、自動車交通不能その他道路の管理上必要な事項を記載すること。

第三表

トンネル調書

図面対照番号	名称	箇所	延長	構造								建設年次	備考
				幅員			有効高	拱	側壁	排水施設	照明設備		
				車道	歩道	路肩							

註　備考の欄には、トンネルの保全の状況その他トンネルの管理上必要な事項を記載すること。

第四表

橋調書

図面対照番号	名称	箇所	延長	幅員			面積	橋種及び型式	建設年次	耐荷荷重	現況	備考
				車道	歩道	路肩						

註 1 耐荷荷重の欄には、一車線当りの通行することができる最大車両の総重量を記載すること。
2 現況の欄には、自動車交通不能又は荷重制限に関する事項を記載すること。
3 備考の欄には、橋の保全の状況その他橋の管理上必要な事項を記載すること。

第五表

鉄道等との交差調書

図面対照番号	箇所	鉄道又は新設軌道の名称	交差の方式	延長	幅員	有効高又は交差角度	備考

註 1 有効高又は交差角度の欄には、立体交差にあつては有効高、平面交差にあつては交差角度を記載すること。
2 備考の欄には、踏切道における保安設備の状況その他鉄道等との交差に関し道路の管理上必要な事項を記載すること。

様式第五の四（第四条の六関係）

保管違法放置等物件一覧簿

整理番号	保管した違法放置等物件			保管した違法放置等物件が放置され、又は設置されていた場所	除去した年月日時	保管を始めた年月日時	保管の場所	備考
	名称又は種類	形状	数量					

様式第五の五（第四条の八関係）

（用紙　Ａ４）

受　　領　　書

年　　月　　日

（道路管理者）　殿

返還を受けた者

住　所

氏　名

下記のとおり違法放置等物件（現金）の返還を受けました。

返還を受けた日時		
返還を受けた場所		
返還を受けた違法放置等物件	整理番号	
	名称又は種類	
	形状	
	数量	
（返還を受けた金額）		

様式第五の六（第四条の十九関係）

到達番号	
受付番号	

特定車両停留許可申請書

新規	更新	変更	年　月　日

申請日　　年　月　日

道路管理者

殿

住　所
名　称
代表者
連絡先　TEL
担当者
連絡先　TEL

道路法第４８条の３２の規定により許可を申請します。

1．停留の場所

路線名	特定車両停留施設の名称

2．車両の種類・運行の態様

□①一般乗合旅客自動車運送事業・路線定期	□④一般貸切旅客自動車運送事業
□②一般乗合旅客自動車運送事業・路線不定期	□⑤一般乗用旅客自動車運送事業
□③一般乗合旅客自動車運送事業・区域運行	□⑥一般貨物自動車運送事業

	長さ	幅	高さ	車両総重量
3．車両諸元（最大値）	m	m	m	kg

※　複数の車両を停留させる場合、車両ごとの諸元は別表1に記載すること

	名称	位置	所有者
4．事務所 営業所 荷扱所			

	位置	収容能力
5．車庫		㎡
		㎡

	系統番号	系統名	起点	主たる経過地	終点	キロ程
6．路線（2．①・②のみ）						

7．営業区域（2．③～⑥のみ）	

	開始日時	終了日時
8．停留日時（2．②～⑥のみ、おおむね1年以内）	年　月　日　：	年　月　日　：
	年　月　日　：	年　月　日　：

※　2．①については、停留日時等は別表2に記載すること

別表１

到達番号	
受付番号	

特定車両停留許可申請書（停留予定の自動車一覧）

	自動車登録番号 車両番号	ETC2.0車載器管理番号	乗車定員	長さ	幅	高さ	総重量
1							
2							
3							
4							
5							
6							
7							
8							
9							
10							
11							
12							
13							
14							
15							
16							
17							
18							
19							
20							

別表２

※２．①のみ

到達番号	
受付番号	

特定車両停留許可申請書（停留日時等）

系統番号	系統名	期間（おおむね１年以内）開始	期間（おおむね１年以内）終了	曜日	開始時間	終了時間
		年月日	年月日	平日	：	：
					：	：
					：	：
					：	：
					：	：
				土曜日	：	：
					：	：
					：	：
					：	：
					：	：
				休日	：	：
					：	：
					：	：
					：	：
					：	：
		年月日	年月日	平日	：	：
					：	：
					：	：
					：	：
					：	：
				土曜日	：	：
					：	：
					：	：
					：	：
					：	：
				休日	：	：
					：	：
					：	：
					：	：
					：	：

※　系統番号、系統名は、７．と記載を合わせること

様式第十（第九条関係）

道路整備計画報告書

番　号

年　月　日

地方整備局長（北海道開発局長、都道府県知事）殿

道路管理者　印

道路法第七十六条第一号の規定により道路整備計画を作成（変更）したので別紙書類を添えて報告します。

一、高速自動車国道又は一般国道との連絡その他の道路の整備に関する基本的な方針

二、主要な幹線道路に関する路線ごとの整備の目標及び方針

三、共同溝の整備その他の道路の構造の保全及び円滑な道路交通の確保に関する事項のうち特に重要なもの

四、その他道路の整備に関する事項

○道路構造令

〔昭和四五・一〇・二九 政令三二〇〕

改正 前略…平成一一・六政三二二、平成一三・四政一七〇、平成一五・七政三二一、平成二三・一二政四二四、平成三〇・九政二八〇、平成三一・四政一五七、令和二・一一政三三九

（この政令の趣旨）

第一条 この政令は、道路を新設し、又は改築する場合における高速自動車国道及び一般国道の構造の一般的技術的基準（都道府県道及び市町村道の構造の一般的技術的基準にあつては、道路法（以下「法」という。）第三十条第一項第一号、第三号及び第十二号に掲げる事項に係るものに限る。）並びに道路管理者である地方公共団体の条例で都道府県道及び市町村道の構造の技術的基準（同項第一号、第三号及び第十二号に掲げる事項に係るものを除く。）を定めるに当たつて参酌すべき一般的技術的基準を定めるものとする。

（用語の定義）

第二条 この政令において、次の各号に掲げる用語の意義は、それぞれ当該各号に定めるところによる。

一 歩道 専ら歩行者の通行の用に供するために、縁石線又は柵その他これに類する工作物により区画して設けられる道路の部分をいう。

二 自転車道 専ら自転車の通行の用に供するために、縁石線又は柵その他これに類する工作物により区画して設けられる道路の部分をいう。

三 自転車歩行者道 専ら自転車及び歩行者の通行の用に供するために、縁石線又は柵その他これに類する工作物により区画して設けられる道路の部分をいう。

四 車道 専ら車両の通行の用に供することを目的とする道路の部分（自転車道を除く。）をいう。

五 車線 一縦列の自動車を安全かつ円滑に通行させるために設けられる帯状の車道の部分（副道を除く。）をいう。

六 付加追越車線 専ら自動車の追越しの用に供するために、車線（登坂車線、屈折車線及び変速車線を除く。）に付加して設けられる車線をいう。

七 登坂車線 上り勾配の道路において速度の著しく低下する車両を他の車両から分離して通行させることを目的とする車線をいう。

八 屈折車線 自動車を右折させ、又は左折させることを目的とする車線をいう。

九 変速車線 自動車を加速させ、又は減速させることを目的とする車線をいう。

十 中央帯 車線を往復の方向別に分離し、及び側方余裕を確保するために設けられる帯状の道路の部分をいう。

十一 副道 盛土、切土等の構造上の理由により車両の沿道への出入りが妨げられる区間がある場合に当該出入りを確保するため、当該区間に並行して設けられる帯状の車道の部分をいう。

十二 路肩 道路の主要構造部を保護し、又は車道の効用を保つために、車道、歩道、自転車道又は自転車歩行者道に接続して設けられる帯状の道路の部分をいう。

十三 側帯 車両の運転者の視線を誘導し、及び側方余裕を確保する機能を分担させるために、車道に接続して設けられる帯状の中央帯又は路肩の部分をいう。

十四 停車帯 主として車両の停車の用に供するために設けられる帯状の車道の部分をいう。

十五 自転車通行帯 自転車を安全かつ円滑に通行させるために設けられる帯状の車道の部分をいう。

十六 軌道敷 専ら路面電車（道路交通法（昭和三十五年法律第百五号）第二条第一項第十三号に規定する路面電車をいう。以下同じ。）の通行の用に供することを目的とする道路の部分をいう。

十七 交通島 車両の安全かつ円滑な通行を確保し、又は横断する歩行者若しくは乗合自動車若しくは路面電車に乗降する者の安全を図るために、交差点、車道の分岐点、乗合自動車の停留所、路面電車の停留場等に設けられる島状の施設をいう。

十八 植樹帯 専ら良好な道路交通環境の整備又は沿道における良好な生活環境の確保を図ることを目的として、樹木を植栽するために縁石線又は柵その他これに類する工作物により区画して設けられる帯状の道路の部分をいう。

十九 路上施設 道路の附属物（共同溝及び電線共同溝を除く。）で歩道、自転車道、自転車歩行者道、中央帯、路肩、自転車専用道路、自転車歩行者専用道路又は歩行者専用道路に設けられるものをいう。

二十 都市部 市街地を形成している地域又は市街地を形成する見込みの多い地域をいう。

二十一 地方部 都市部以外の地域をいう。

二十二 計画交通量 道路の設計の基礎とするために、当該道路の存する地域の発展の動向、将来の自動車交通の状況等を勘案して、国土交通省令で定めるところにより、当該道路の新設又は改築に関する計画を策定する者で国土交通省令で定めるものが定める自動車の日交通量をいう。

二十三 設計速度 道路の設計の基礎とする自動車の速度をいう。

二十四 視距 車線（車線を有しない道路にあつては、車道（自転車通行帯を除く。）。以下この号において同じ。）の中心線上一・二メートルの高さから当該車線の中心線上にある高さ十センチメートルの物の頂点を見通すことができる距離を当該車線の中心線に沿つて測つた長さをいう。

（道路の区分）

第三条 道路は、次の表に定めるところにより、第一種から第四種までに区分するものとする。

道路の存する地域 / 高速自動車国道及び自動車専用道路又はその他の道路の別	地方部	都市部
高速自動車国道及び自動車専用道路	第一種	第二種
その他の道路	第三種	第四種

2 第一種の道路は、第一号の表に定めるところにより第一級から第四級までに、第二種の道路は、第二号の表に定めるところにより第一級又は第二級に、第三種の道路は、第三号の表に定めるところにより第一級から第五級までに、第四種の道路は、第四号の表に定めるところにより第一級

から第四級までに、それぞれ区分するものとする。ただし、地形の状況その他の特別の理由によりやむを得ない場合においては、該当する級が第一種第四級、第二種第二級、第三種第五級又は第四種第四級である場合を除き、該当する級の一級下の級に区分することができる。

一　第一種の道路

<table>
<tr><th rowspan="2">道路の種類</th><th rowspan="2">道路の存する地域の地形</th><th colspan="4">計画交通量（単位　一日につき台）</th></tr>
<tr><th>三〇、〇〇〇以上</th><th>二〇、〇〇〇以上三〇、〇〇〇未満</th><th>一〇、〇〇〇以上二〇、〇〇〇未満</th><th>一〇、〇〇〇未満</th></tr>
<tr><td rowspan="2">高速自動車国道</td><td>平地部</td><td>第一級</td><td colspan="2">第二級</td><td>第三級</td></tr>
<tr><td>山地部</td><td>第二級</td><td colspan="2">第三級</td><td>第四級</td></tr>
<tr><td rowspan="2">高速自動車国道以外の道路</td><td>平地部</td><td colspan="2">第二級</td><td colspan="2">第三級</td></tr>
<tr><td>山地部</td><td colspan="2">第三級</td><td colspan="2">第四級</td></tr>
</table>

二　第二種の道路

<table>
<tr><th>道路の種類</th><th>道路の存する地区：大都市の都心部以外の地区</th><th>大都市の都心部</th></tr>
<tr><td>高速自動車国道</td><td colspan="2">第一級</td></tr>
<tr><td>高速自動車国道以外の道路</td><td>第一級</td><td>第二級</td></tr>
</table>

三　第三種の道路

<table>
<tr><th rowspan="2">道路の種類</th><th rowspan="2">道路の存する地域の地形</th><th colspan="5">計画交通量（単位　一日につき台）</th></tr>
<tr><th>二〇、〇〇〇以上</th><th>四、〇〇〇以上二〇、〇〇〇未満</th><th>一、五〇〇以上四、〇〇〇未満</th><th>五〇〇以上一、五〇〇未満</th><th>五〇〇未満</th></tr>
<tr><td rowspan="2">一般国道</td><td>平地部</td><td>第一級</td><td>第二級</td><td colspan="3">第三級</td></tr>
<tr><td>山地部</td><td>第二級</td><td>第三級</td><td colspan="3">第四級</td></tr>
<tr><td rowspan="2">都道府県道</td><td>平地部</td><td colspan="2">第二級</td><td colspan="3">第三級</td></tr>
<tr><td>山地部</td><td colspan="2">第三級</td><td colspan="3">第四級</td></tr>
<tr><td rowspan="2">市町村道</td><td>平地部</td><td colspan="2">第二級</td><td>第三級</td><td>第四級</td><td>第五級</td></tr>
<tr><td>山地部</td><td colspan="2">第三級</td><td colspan="2">第四級</td><td>第五級</td></tr>
</table>

四　第四種の道路

<table>
<tr><th rowspan="2">道路の種類</th><th colspan="4">計画交通量（単位　一日につき台）</th></tr>
<tr><th>一〇、〇〇〇以上</th><th>四、〇〇〇以上一〇、〇〇〇未満</th><th>五〇〇以上四、〇〇〇未満</th><th>五〇〇未満</th></tr>
<tr><td>一般国道</td><td colspan="2">第一級</td><td colspan="2">第二級</td></tr>
<tr><td>都道府県道</td><td>第一級</td><td>第二級</td><td colspan="2">第三級</td></tr>
<tr><td>市町村道</td><td>第一級</td><td>第二級</td><td>第三級</td><td>第四級</td></tr>
</table>

3　前二項の規定による区分は、当該道路の交通の状況を考慮して行なうものとする。

4　第一種、第二種、第三種第一級から第四級まで又は第四種第一級から第三級までの道路（第三種第一級から第四級まで又は第四種第一級から第三級までの道路にあつては、高架の道路その他の自動車の沿道への出入りができない構造のものに限る。）は、地形の状況、市街化の状況その他の特別の理由によりやむを得ない場合において、当該道路の近くに小型自動車等（小型自動車その他これに類する小型の自動車をいう。以下同じ。）以外の自動車が迂回することができる道路があるときは、小型自動車等（第三種第一級から第四級まで又は第四種第一級から第三級までの道路にあつては、小型自動車等及び歩行者又は自転車）のみの通行の用に供する道路とすることができる。

5　第一種、第二種、第三種第一級から第四級まで又は第四種第一級から第三級までの道路について、地形の状況、市街化の状況その他の特別の理由によりやむを得ない場合においては、小型自動車等のみの通行の用に供する車線を他の車線と分離して設けることができる。この場合において、第三種第一級から第四級まで又は第四種第一級から第三級までの道路について小型自動車等のみの通行の用に供する車線を設けようとするときは、当該車線に係る道路の部分を高架の道路その他の自動車の沿道への出入りができない構造とするものとする。

6　道路は、小型道路（第四項に規定する小型自動車等（第三種第一級から第四級まで又は第四種第一級から第三級までの道路にあつては、小型自動車等及び歩行者又は自転車）のみの通行の用に供する道路及び前項に規定する小型自動車等のみの通行の用に供する車線に係る道路の部分をいう。以下同じ。）と普通道路（小型道路以外の道路及び道路の部分をいう。以下同じ。）とに区分するものとする。

（高速自動車国道及び一般国道の構造の一般的技術的基準）

第三条の二　高速自動車国道又は一般国道を新設し、又は改築する場合におけるこれらの道路の構造の一般的技術的基準は、次条から第四十一条までに定めるところによる。

（設計車両）

第四条　道路の設計に当たつては、第一種、第二種、第三種第一級若しくは第四種第一級の普通道路又は重要物流道路（法第四十八条の十七第一項の規定により指定された重要物流道路をいう。以下同じ。）である普通道路にあつては小型自動車及びセミトレーラ連結車（自動車と前車軸を有しない被牽引車との結合体であつて、被牽引車の一部が自動車に載せられ、かつ、被牽引車及びその積載物の重量の相当の部分が自動車によつて支えられるものをいう。以下同じ。）が、その他の普通道路にあつては小型自動車及び普通自動車が、小型道路にあつては小型自動車等が安全かつ円滑に通行することができるようにするものとする。

2 道路の設計の基礎とする自動車（以下「設計車両」という。）の種類ごとの諸元は、それぞれ次の表に掲げる値とする。

諸元（単位 メートル）／設計車両	長さ	幅	高さ	前端オーバハング	軸距	後端オーバハング	最小回転半径
小型自動車	四・七	一・七	二	〇・八	二・七	一・二	六
小型自動車等	六	二	二・八	一	三・七	一・三	七
普通自動車	一二	二・五	三・八	一・五	六・五	四	一二
セミトレーラ連結車	一六・五	二・五	三・八（重要物流道路である普通道路にあつては、四・一）	一・三	前軸距四 後軸距九	二・二	一二

この表において、次の各号に掲げる用語の意義は、それぞれ当該各号に定めるところによる。

一 前端オーバハング 車体の前面から前輪の車軸の中心までの距離をいう。

二 軸距 前輪の車軸の中心から後輪の車軸の中心までの距離をいう。

三 後端オーバハング 後輪の車軸の中心から車体の後面までの距離をいう。

（車線等）

第五条 車道（副道、停車帯、自転車通行帯その他国土交通省令で定める部分を除く。）は、車線により構成されるものとする。ただし、第三種第五級の道路にあつては、この限りでない。

2 道路の区分及び地方部に存する道路にあつては地形の状況に応じ、計画交通量が次の表の設計基準交通量（自動車の最大許容交通量をいう。以下同じ。）の欄に掲げる値以下である道路の車線（付加追越車線、登坂車線、屈折車線及び変速車線を除く。次項において同じ。）の数は、二とする。

区分		地形	設計基準交通量（単位 一日につき台）
第一種	第二級	平地部	一四、〇〇〇
	第三級	平地部	一四、〇〇〇
		山地部	一〇、〇〇〇
	第四級	平地部	一三、〇〇〇
		山地部	九、〇〇〇
第三種	第二級	平地部	九、〇〇〇
	第三級	平地部	八、〇〇〇
		山地部	六、〇〇〇
	第四級	平地部	八、〇〇〇
		山地部	六、〇〇〇
第四種	第一級		一二、〇〇〇
	第二級		一〇、〇〇〇
	第三級		九、〇〇〇

交差点の多い第四種の道路については、この表の設計基準交通量に〇・八を乗じた値を設計基準交通量とする。

3 前項に規定する道路以外の道路（第二種の道路で対向車線を設けないもの及び第三種第五級の道路を除く。）の車線の数は四以上（交通の状況により必要がある場合を除き、二の倍数）、第二種の道路で対向車線を設けないものの車線の数は二以上とし、当該道路の区分及び地方部に存する道路にあつては地形の状況に応じ、次の表に掲げる一車線当たりの設計基準交通量に対する当該道路の計画交通量の割合によつて定めるものとする。

区分		地形	一車線当たりの設計基準交通量（単位 一日につき台）
第一種	第一級	平地部	一二、〇〇〇
	第二級	平地部	一二、〇〇〇
		山地部	九、〇〇〇
	第三級	平地部	一一、〇〇〇
		山地部	八、〇〇〇
	第四級	平地部	一一、〇〇〇
		山地部	八、〇〇〇
第二種	第一級		一八、〇〇〇
	第二級		一七、〇〇〇
第三種	第一級	平地部	一一、〇〇〇
	第二級	平地部	九、〇〇〇
		山地部	七、〇〇〇
	第三級	平地部	八、〇〇〇
		山地部	六、〇〇〇

第四種	第四級	山地部 五、〇〇〇
	第一級	一二、〇〇〇
	第二級	一〇、〇〇〇
	第三級	一〇、〇〇〇

交差点の多い第四種の道路については、この表の一車線当たりの設計基準交通量に〇・六を乗じた値を一車線当たりの設計基準交通量とする。

4 車線（登坂車線、屈折車線及び変速車線を除く。以下この項において同じ。）の幅員は、道路の区分に応じ、次の表の車線の幅員の欄に掲げる値とするものとする。ただし、第一種第一級若しくは第二級、第三種第二級又は第四種第一級の普通道路にあつては、交通の状況により必要がある場合においては、同欄に掲げる値に〇・二五メートルを加えた値、第一種第二級若しくは第三級の小型道路又は第二種第一級の道路にあつては、地形の状況その他の特別の理由によりやむを得ない場合においては、同欄に掲げる値から〇・二五メートルを減じた値とすることができる。

区分			車線の幅員（単位　メートル）
第一種	第一級		三・五
	第二級		
	第三級	普通道路	三・五
		小型道路	三・二五
	第四級	普通道路	三・二五
		小型道路	三
第二種	第一級	普通道路	三・五
		小型道路	三・二五
	第二級	普通道路	三・二五
		小型道路	三
第三種	第一級	普通道路	三・五
		小型道路	三
	第二級	普通道路	三・二五
		小型道路	二・七五
	第三級	普通道路	三
		小型道路	二・七五
	第四級		二・七五

5 第三種第五級の普通道路の車道（自転車通行帯を除く。）の幅員は、四メートルとするものとする。ただし、当該普通道路の計画交通量が極めて少なく、かつ、地形の状況その他の特別の理由によりやむを得ない場合又は第三十一条の二の規定により車道に狭窄部を設ける場合においては、三メートルとすることができる。

第四種	第一級	普通道路	三・二五
		小型道路	二・七五
	第二級及び第三級	普通道路	三
		小型道路	二・七五

（車線の分離等）

第六条 第一種、第二種又は第三種第一級の道路（対向車線を設けない道路を除く。以下この条において同じ。）の車線は、往復の方向別に分離するものとする。車線の数が四以上であるその他の道路について、安全かつ円滑な交通を確保するため必要がある場合においても、同様とする。

2 前項前段の規定にかかわらず、車線の数（登坂車線、屈折車線及び変速車線の数を除く。以下この条において同じ。）が三以下である第一種の道路にあつては、地形の状況その他の特別の理由によりやむを得ない場合においては、その車線を往復の方向別に分離しないことができる。

3 車線を往復の方向別に分離するため必要があるときは、中央帯を設けるものとする。

4 中央帯の幅員は、当該道路の区分に応じ、次の表の中央帯の幅員の欄の上欄に掲げる値以上とするものとする。ただし、長さ百メートル以上のトンネル、長さ五十メートル以上の橋若しくは高架の道路又は地形の状況その他の特別の理由によりやむを得ない箇所については、同表の中央帯の幅員の欄の下欄に掲げる値まで縮小することができる。

区分		中央帯の幅員（単位　メートル）	
第一種	第一級	四・五	二
	第二級		
	第三級	三	一・五
	第四級		
第二種	第一級	二・二五	一・五
	第二級	一・七五	一・二五
第三種	第一級	一・七五	一
	第二級		
	第三級		
	第四級		
第四種	第一級	一	
	第二級		

	第三級		

5 中央帯には、側帯を設けるものとする。

6 前項の側帯の幅員は、道路の区分に応じ、次の表の中央帯に設ける側帯の幅員の欄の上欄に掲げる値とするものとする。ただし、第四項ただし書の規定により中央帯の幅員を縮小する道路又は箇所については、同表の中央帯に設ける側帯の幅員の欄の下欄に掲げる値まで縮小することができる。

区分		中央帯に設ける側帯の幅員（単位 メートル）	
第一種	第一級	〇・七五	〇・二五
	第二級		
	第三級	〇・五	
	第四級		
第二種		〇・五	〇・二五
第三種	第一級	〇・二五	
	第二級		
	第三級		
	第四級		
第四種	第一級	〇・二五	
	第二級		
	第三級		

7 中央帯のうち側帯以外の部分（以下「分離帯」という。）には、さくその他これに類する工作物を設け、又は側帯に接続して縁石線を設けるものとする。

8 分離帯に路上施設を設ける場合においては、当該中央帯の幅員は、第十二条の建築限界を勘案して定めるものとする。

9 同方向の車線の数が一である第一種の道路の当該車線の属する車道には、必要に応じ、付加追越車線を設けるものとする。

（副道）

第七条 車線（登坂車線、屈折車線及び変速車線を除く。）の数が四以上である第三種又は第四種の道路には、必要に応じ、副道を設けるものとする。

2 副道（自転車通行帯を除く。）の幅員は、四メートルを標準とするものとする。

（路肩）

第八条 道路には、車道に接続して、路肩を設けるものとする。ただし、中央帯又は停車帯を設ける場合においては、この限りでない。

2 車道の左側に設ける路肩の幅員は、道路の区分に応じ、次の表の車道の左側に設ける路肩の幅員の欄の上欄に掲げる値以上とするものとする。ただし、付加追越車線、登坂車線若しくは変速車線を設ける箇所、長さ五十メートル以上の橋若しくは高架の道路又は地形の状況その他の特別の理由によりやむを得ない箇所については、同表の車道の左側に設ける路肩の幅員の欄の下欄に掲げる値まで縮小することができる。

区分			車道の左側に設ける路肩の幅員（単位 メートル）	
第一種	第一級及び第二級	普通道路	二・五	一・七五
		小型道路	一・二五	
	第三級及び第四級	普通道路	一・七五	一・二五
		小型道路	一	
第二種		普通道路	一・二五	
		小型道路	一	
第三種	第一級	普通道路	一・二五	〇・七五
		小型道路	〇・七五	
	第二級から第四級まで	普通道路	〇・七五	〇・五
		小型道路	〇・五	
	第五級		〇・五	
第四種			〇・五	

3 前項の規定にかかわらず、車線を往復の方向別に分離する第一種の道路であつて同方向の車線の数が一であるものの当該車線の属する車道の左側に設ける路肩の幅員は、道路の区分に応じ、次の表の車道の左側に設ける路肩の幅員の欄の上欄に掲げる値以上とするものとする。ただし、普通道路のうち、長さ百メートル以上のトンネル、長さ五十メートル以上の橋若しくは高架の道路又は地形の状況その他の特別の理由によりやむを得ない箇所であつて、大型の自動車の交通量が少ないものについては、同表の車道の左側に設ける路肩の幅員の欄の下欄に掲げる値まで縮小することができる。

区分		車道の左側に設ける路肩の幅員（単位 メートル）	
第二級及び第三級	普通道路	二・五	一・七五
	小型道路	一・二五	
第四級	普通道路	二・五	二
	小型道路	一・二五	

4　車道の右側に設ける路肩の幅員は、道路の区分に応じ、次の表の車道の右側に設ける路肩の幅員の欄に掲げる値以上とするものとする。

区分			車道の右側に設ける路肩の幅員（単位　メートル）
第一種	第一級及び第二級	普通道路	一・二五
		小型道路	〇・七五
	第三級及び第四級	普通道路	〇・七五
		小型道路	〇・五
第二種		普通道路	〇・七五
		小型道路	〇・五
第三種			〇・五
第四種			〇・五

5　普通道路のトンネルの車道に接続する路肩（第三項本文に規定する路肩を除く。）又は小型道路のトンネルの車道の左側に設ける路肩（同項本文に規定する路肩を除く。）の幅員は、第一種第一級又は第二級の道路にあつては一メートルまで、第一種第三級又は第四級の道路にあつては〇・七五メートルまで、第三種（第五級を除く。）の普通道路又は第三種第一級の小型道路にあつては〇・五メートルまで縮小することができる。

6　副道に接続する路肩については、第二項の表第三種の項車道の左側に設ける路肩の幅員の欄の上欄中「一・二五」とあり、及び「〇・七五」とあるのは、「〇・五」とし、第二項ただし書の規定は適用しない。

7　歩道、自転車道又は自転車歩行者道を設ける道路にあつては、道路の主要構造部を保護し、又は車道の効用を保つために支障がない場合においては、車道に接続する路肩を設けず、又はその幅員を縮小することができる。

8　第一種又は第二種の道路の車道に接続する路肩には、側帯を設けるものとする。

9　前項の側帯の幅員は、道路の区分に応じ、普通道路にあつては次の表の路肩に設ける側帯の幅員の欄の上欄に掲げる値と、小型道路にあつては〇・二五メートルとする。ただし、普通道路のトンネルの車道に接続する路肩に設ける側帯の幅員は、同表の路肩に設ける側帯の幅員の欄の下欄に掲げる値とすることができる。

区分		路肩に設ける側帯の幅員（単位　メートル）	
第一種	第一級	〇・七五	〇・五
	第二級		
	第三級	〇・五	〇・二五
	第四級		
第二種	第一級	〇・五	
	第二級		

10　道路の主要構造部を保護するため必要がある場合においては、歩道、自転車道又は自転車歩行者道に接続して、路端寄りに路肩を設けるものとする。

11　車道に接続する路肩に路上施設を設ける場合においては、当該路肩の幅員については、第二項の表の車道の左側に設ける路肩の幅員の欄又は第四項の表の車道の右側に設ける路肩の幅員の欄に掲げる値に当該路上施設を設けるのに必要な値を加えてこれらの規定を適用するものとする。

（停車帯）

第九条　第四種の道路には、自動車の停車により車両の安全かつ円滑な通行が妨げられないようにするため必要がある場合においては、車道の左端寄りに停車帯を設けるものとする。

2　停車帯の幅員は、二・五メートルとするものとする。ただし、自動車の交通量のうち大型の自動車の交通量の占める割合が低いと認められる場合においては、一・五メートルまで縮小することができる。

（自転車通行帯）

第九条の二　自動車及び自転車の交通量が多い第三種又は第四種の道路（自転車道を設ける道路を除く。）には、車道の左端寄り（停車帯を設ける道路にあつては、停車帯の右側。次項において同じ。）に自転車通行帯を設けるものとする。ただし、地形の状況その他の特別の理由によりやむを得ない場合においては、この限りでない。

2　自転車の交通量が多い第三種若しくは第四種の道路又は自動車及び歩行者の交通量が多い第三種若しくは第四種の道路（自転車道を設ける道路及び前項に規定する道路を除く。）には、安全かつ円滑な交通を確保するため自転車の通行を分離する必要がある場合においては、車道の左端寄りに自転車通行帯を設けるものとする。ただし、地形の状況その他の特別の理由によりやむを得ない場合においては、この限りでない。

3　自転車通行帯の幅員は、一・五メートル以上とするものとする。ただし、地形の状況その他の特別の理由によりやむを得ない場合においては、一メートルまで縮小することができる。

4　自転車通行帯の幅員は、当該道路の自転車の交通の状況を考慮して定めるものとする。

（軌道敷）

第九条の三　軌道敷の幅員は、軌道の単線又は複線の別に応じ、次の表の下欄に掲げる値以上とするものとする。

単線又は複線の別	軌道敷の幅員（単位　メートル）
単線	三
複線	六

（自転車道）

第一〇条　自動車及び自転車の交通量が多い第三種（第四級及び第五級を除く。次項において同じ。）又は第四種（第三級を除く。同項において同じ。）の道路で設計速度が一時間につき六十キロメートル以上であるものには、自転車道を道路の各側に設けるものとする。ただし、地形の状況その他の特別の理由によりやむを得ない場合においては、この限りでない。

2　自転車の交通量が多い第三種若しくは第四種の道路又は自動車及び歩行者の交通量が多い第三種若しくは第四種の道路で設計速度が一時間につき六十キロメートル以上であるもの（前項に規定する道路を除く。）には、安全かつ円滑な交通を確保するため自転車の通行を分離する必要がある場合においては、自転車道を道路の各側に設けるものとする。ただし、地形の状況その他の特別の理由によりやむを得ない場合においては、この限りでない。

3　自転車道の幅員は、二メートル以上とするものとする。ただし、地形の状況その他の特別の理由によりやむを得ない場合においては、一・五メートルまで縮小することができる。

4　自転車道に路上施設を設ける場合においては、当該自転車道の幅員は、第十二条の建築限界を勘案して定めるものとする。

5　自転車道の幅員は、当該道路の自転車の交通の状況を考慮して定めるものとする。

（自転車歩行者道）

第一〇条の二　自動車の交通量が多い第三種又は第四種の道路（自転車道又は自転車通行帯を設ける道路を除く。）には、自転車歩行者道を道路の各側に設けるものとする。ただし、地形の状況その他の特別の理由によりやむを得ない場合においては、この限りでない。

2　自転車歩行者道の幅員は、歩行者の交通量が多い道路にあつては四メートル以上、その他の道路にあつては三メートル以上とするものとする。

3　横断歩道橋若しくは地下横断歩道（以下「横断歩道橋等」という。）又は路上施設を設ける自転車歩行者道の幅員については、前項に規定する幅員の値に横断歩道橋等を設ける場合にあつては三メートル、ベンチの上屋を設ける場合にあつては二メートル、並木を設ける場合にあつては一・五メートル、ベンチを設ける場合にあつては一メートル、その他の場合にあつては〇・五メートルを加えて同項の規定を適用するものとする。ただし、第三種第五級の道路にあつては、地形の状況その他の特別の理由によりやむを得ない場合においては、この限りでない。

4　自転車歩行者道の幅員は、当該道路の自転車及び歩行者の交通の状況を考慮して定めるものとする。

（歩道）

第一一条　第四種の道路（自転車歩行者道を設ける道路を除く。）、歩行者の交通量が多い第三種（第五級を除く。）の道路（自転車歩行者道を設ける道路を除く。）又は自転車道若しくは自転車通行帯を設ける第三種の道路には、その各側に歩道を設けるものとする。ただし、地形の状況その他の特別の理由によりやむを得ない場合においては、この限りでない。

2　第三種の道路（自転車歩行者道を設ける道路及び前項に規定する道路を除く。）には、安全かつ円滑な交通を確保するため必要がある場合においては、歩道を設けるものとする。ただし、地形の状況その他の特別の理由によりやむを得ない場合においては、この限りでない。

3　歩道の幅員は、歩行者の交通量が多い道路にあつては三・五メートル以上、その他の道路にあつては二メートル以上とするものとする。

4　横断歩道橋等又は路上施設を設ける歩道の幅員については、前項に規定する幅員の値に横断歩道橋等を設ける場合にあつては三メートル、ベンチの上屋を設ける場合にあつては二メートル、並木を設ける場合にあつては一・五メートル、ベンチを設ける場合にあつては一メートル、その他の場合にあつては〇・五メートルを加えて同項の規定を適用するものとする。ただし、第三種第五級の道路にあつては、地形の状況その他の特別の理由によりやむを得ない場合においては、この限りでない。

5　歩道の幅員は、当該道路の歩行者の交通の状況を考慮して定めるものとする。

（歩行者の滞留の用に供する部分）

第一一条の二　歩道、自転車歩行者道、自転車歩行者専用道路又は歩行者専用道路には、横断歩道、乗合自動車停車所等に係る歩行者の滞留により歩行者又は自転車の安全かつ円滑な通行が妨げられないようにするため必要がある場合においては、主として歩行者の滞留の用に供する部分を設けるものとする。

（積雪地域に存する道路の中央帯等の幅員）

第一一条の三　積雪地域に存する道路の中央帯、路肩、自転車歩行者道及び歩道の幅員は、除雪を勘案して定めるものとする。

（植樹帯）

第一一条の四　第四種第一級及び第二級の道路には、植樹帯を設けるものとし、その他の道路には、必要に応じ、植樹帯を設けるものとする。ただし、地形の状況その他の特別の理由によりやむを得ない場合においては、この限りでない。

2　植樹帯の幅員は、一・五メートルを標準とするものとする。

3　次に掲げる道路の区間に設ける植樹帯の幅員は、当該道路の構造及び交通の状況、沿道の土地利用の状況並びに良好な道路交通環境の整備又は沿道における良好な生活環境の確保のため講じられる他の措置を総合的に勘案して特に必要があると認められる場合には、前項の規定にかかわらず、その事情に応じ、同項の規定により定められるべき値を超える適切な値とするものとする。

一　都心部又は景勝地を通過する幹線道路の区間

二　相当数の住居が集合し、又は集合することが確実と見込まれる地域を通過する幹線道路の区間

4　植樹帯の植栽に当たつては、地域の特性等を考慮して、樹種の選定、樹木の配置等を適切に行うものとする。

（建築限界）

第一二条　建築限界は、車道にあつては第一図、歩道及び自転車道又は自転車歩行者道（以下「自転車道等」という。）にあつては第二図に示すところによるものとする。

第一図

(一)		(二)	(三)
車道に接続して路肩を設ける道路の車道（(三)に示す部分を除く。）		車道に接続して路肩を設けない道路の車道（(三)に示す部分を除く。）	車道のうち分離帯又は交通島に係る部分
歩道又は自転車道等を有しないトンネル又は長さ五十メートル以上の橋若しくは高架の道路以外の道路の車道	歩道又は自転車道等を有しないトンネル又は長さ五十メートル以上の橋若しくは高架の道路の車道		

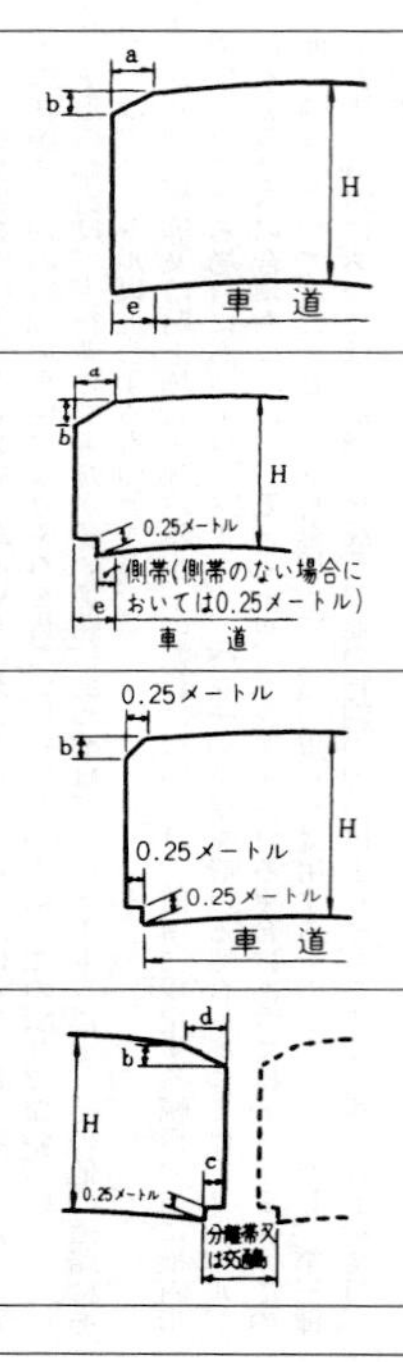

この図において、H、a、b、c、d及びeは、それぞれ次の値を表すものとする。

H　重要物流道路である普通道路にあつては四・八メートル、その他の普通道路にあつては四・五メートル、小型道路にあつては三メートル。ただし、第三種第五級の普通道路（重要物流道路である普通道路を除く。）にあつては、地形の状況その他の特別の理由によりやむを得ない場合においては、四メートル（大型の自動車の交通量が極めて少なく、かつ、当該道路の近くに大型の自動車が迂回することができる道路があるときは、三メートル）まで縮小することができる。

a　普通道路にあつては車道に接続する路肩の幅員（路上施設を設ける路肩にあつては路肩の幅員から路上施設を設けるのに必要な値を減じた値とし、当該値が一メートルを超える場合においては一メートルとする。）、小型道路にあつては〇・五メートル

b　重要物流道路である普通道路にあつてはH（四・一メートル未満の場合においては、四・一メートルとする。）から四・一メートルを減じた値、その他の普通道路にあつてはH（三・八メートル未満の場合においては、三・八メートルとする。）から三・八メートルを減じた値、小型道路にあつては〇・二メートル

c及びd　分離帯に係るものにあつては、道路の区分に応じ、それぞれ次の表のcの欄及びdの欄に掲げる値、交通島に係るものにあつては、cは〇・二五メートル、dは〇・五メートル

区分			c（単位　メートル）	d（単位　メートル）
第一種	第一級	普通道路	〇・五	一
		小型道路		〇・五
	第二級	普通道路	〇・二五	一
		小型道路		〇・五
	第三級及び第四級	普通道路	〇・二五	〇・七五
		小型道路		〇・五
第二種		普通道路	〇・二五	〇・七五
		小型道路		〇・五
第三種			〇・二五	〇・五
第四種			〇・二五	〇・五

e　車道に接続する路肩の幅員（路上施設を設ける路肩にあつては、路肩の幅員から路上施設を設けるのに必要な値を減じた値）

第二図

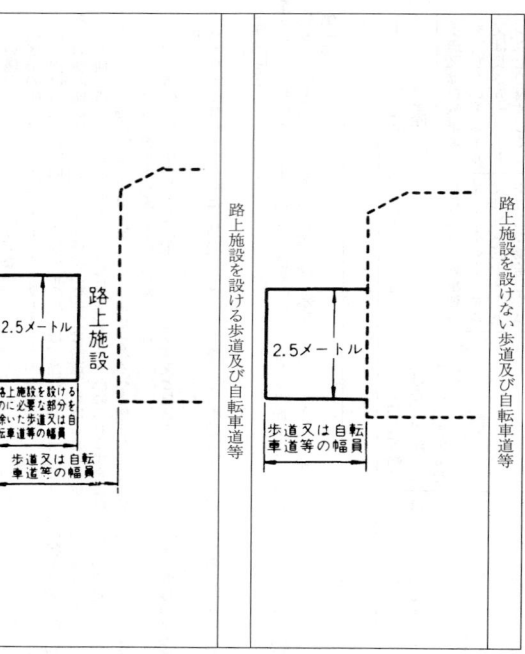

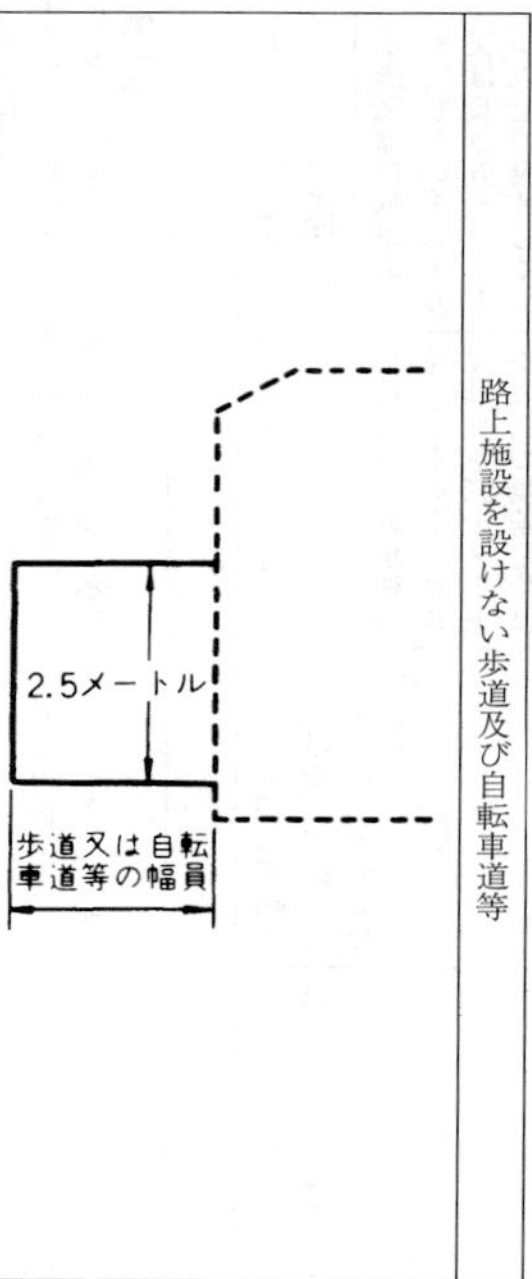

（設計速度）

第一三条　道路（副道を除く。）の設計速度は、道路の区分に応じ、次の表の設計速度の欄の上欄に掲げる値とする。ただし、地形の状況その他の特別の理由によりやむを得ない場合においては、高速自動車国道である第一種第四級の道路を除き、同表の設計速度の欄の下欄に掲げる値とすることができる。

区分		設計速度（単位　一時間につきキロメートル）	
第一種	第一級	一二〇	一〇〇
	第二級	一〇〇	八〇
	第三級	八〇	六〇

	第四級	六〇	五〇
第二種	第一級	八〇	六〇
	第二級	六〇	五〇又は四〇
第三種	第一級	八〇	六〇
	第二級	六〇	五〇又は四〇
	第三級	六〇、五〇又は四〇	三〇
	第四級	五〇、四〇又は三〇	二〇
	第五級	四〇、三〇又は二〇	
第四種	第一級	六〇	五〇又は四〇
	第二級	六〇、五〇又は四〇	三〇
	第三級	五〇、四〇又は三〇	二〇

2 副道の設計速度は、一時間につき、四十キロメートル、三十キロメートル又は二十キロメートルとする。

（車道の屈曲部）

第一四条 車道の屈曲部は、曲線形とするものとする。ただし、緩和区間（車両の走行を円滑ならしめるために車道の屈曲部に設けられる一定の区間をいう。以下同じ。）又は第三十一条の二の規定により設けられる屈曲部については、この限りでない。

（曲線半径）

第一五条 車道の屈曲部のうち緩和区間を除いた部分（以下「車道の曲線部」という。）の中心線の曲線半径（以下「曲線半径」という。）は、当該道路の設計速度に応じ、次の表の曲線半径の欄の上欄に掲げる値以上とするものとする。ただし、地形の状況その他の特別の理由によりやむを得ない箇所については、同表の曲線半径の欄の下欄に掲げる値まで縮小することができる。

設計速度（単位　一時間につきキロメートル）	曲線半径（単位　メートル）	
一二〇	七一〇	五七〇
一〇〇	四六〇	三八〇
八〇	二八〇	二三〇
六〇	一五〇	一二〇
五〇	一〇〇	八〇
四〇	六〇	五〇
三〇	三〇	
二〇	一五	

（曲線部の片勾配）

第一六条 車道、中央帯（分離帯を除く。）及び車道に接続する路肩の曲線部には、曲線半径がきわめて大きい場合を除き、当該道路の区分及び当該道路の存する地域の積雪寒冷の度に応じ、かつ、当該道路の設計速度、曲線半径、地形の状況等を勘案し、次の表の最大片勾配の欄に掲げる値（第三種の道路で自転車道等を設けないものにあつては、六パーセント）以下で適切な値の片勾配を附するものとする。ただし、第四種の道路にあつては、地形の状況その他の特別の理由によりやむを得ない場合においては、片勾配を附さないことができる。

区分	道路の存する地域		最大片勾配（単位　パーセント）
第一種、第二種及び第三種	積雪寒冷地域	積雪寒冷の度がはなはだしい地域	六
		その他の地域	八
	その他の地域		一〇
第四種			六

（曲線部の車線等の拡幅）

第一七条 車道の曲線部においては、設計車両及び当該曲線部の曲線半径に応じ、車線（車線を有しない道路にあつては、車道）を適切に拡幅するものとする。ただし、第二種及び第四種の道路にあつては、地形の状況その他の特別の理由によりやむを得ない場合においては、この限りでない。

（緩和区間）

第一八条 車道の屈曲部には、緩和区間を設けるものとする。ただし、第四種の道路の車道の屈曲部にあつては、地形の状況その他の特別の理由によりやむを得ない場合においては、この限りでない。

2 車道の曲線部において片勾配を附し、又は拡幅をする場合においては、緩和区間においてすりつけをするものとする。

3 緩和区間の長さは、当該道路の設計速度に応じ、次の表の下欄に掲げる値（前項の規定によるすりつけに必要な長さが同欄に掲げる値をこえる場合においては、当該すりつけに必要な長さ）以上とするものとする。

設計速度（単位　一時間につきキロメートル）	緩和区間の長さ（単位　メートル）
一二〇	一〇〇
一〇〇	八五
八〇	七〇
六〇	五〇

五〇	四〇
四〇	三五
三〇	二五
二〇	二〇

（視距等）

第一九条 視距は、当該道路の設計速度に応じ、次の表の下欄に掲げる値以上とするものとする。

設計速度（単位 一時間につきキロメートル）	視距（単位 メートル）
一二〇	二一〇
一〇〇	一六〇
八〇	一一〇
六〇	七五
五〇	五五
四〇	四〇
三〇	三〇
二〇	二〇

2 車線の数が二である道路（対向車線を設けない道路を除く。）においては、必要に応じ、自動車が追越しを行なうのに十分な見とおしの確保された区間を設けるものとする。

（縦断勾配）

第二〇条 車道の縦断勾配は、道路の区分及び道路の設計速度に応じ、次の表の縦断勾配の欄の上欄に掲げる値以下とするものとする。ただし、地形の状況その他の特別の理由によりやむを得ない場合においては、同表の縦断勾配の欄の下欄に掲げる値以下とすることができる。

区分		設計速度（単位 一時間につきキロメートル）	縦断勾配（単位 パーセント）	
第一種、第二種及び第三種	普通道路	一二〇	二	五
		一〇〇	三	六
		八〇	四	七
		六〇	五	八
		五〇	六	九
		四〇	七	一〇
		三〇	八	一一
		二〇	九	一二
	小型道路	一二〇	四	五
		一〇〇		六
		八〇	七	
		六〇	八	
		五〇	九	
		四〇	一〇	
		三〇	一一	
		二〇	一二	
第四種	普通道路	六〇	五	七
		五〇	六	八
		四〇	七	九
		三〇	八	一〇
		二〇	九	一一
	小型道路	六〇	八	
		五〇	九	
		四〇	一〇	
		三〇	一一	
		二〇	一二	

（登坂車線）

第二一条 普通道路の縦断勾配が五パーセント（高速自動車国道及び高速自動車国道以外の普通道路で設計速度が一時間につき百キロメートル以上であるものにあつては、三パーセント）を超える車道には、必要に応じ、登坂車線を設けるものとする。

2 登坂車線の幅員は、三メートルとするものとする。

（縦断曲線）

第二二条 車道の縦断勾配が変移する箇所には、縦断曲線を設けるものとする。

2 縦断曲線の半径は、当該道路の設計速度及び当該縦断曲線の曲線形に応じ、次の表の縦断曲線の半径の欄に掲げる値以上とするものとする。ただし、設計速度が一時間につき六十キロメートルである第四種第一級の道路にあつては、地形の状況その他の特別の理由によりやむを得ない場合においては、凸形縦断曲線の半径を千メートルまで縮小することができる。

設計速度（単位　一時間につきキロメートル）	縦断曲線の曲線形	縦断曲線の半径（単位　メートル）
一二〇	凸形曲線	一一、〇〇〇
	凹形曲線	四、〇〇〇
一〇〇	凸形曲線	六、五〇〇
	凹形曲線	三、〇〇〇
八〇	凸形曲線	三、〇〇〇
	凹形曲線	二、〇〇〇
六〇	凸形曲線	一、四〇〇
	凹形曲線	一、〇〇〇
五〇	凸形曲線	八〇〇
	凹形曲線	七〇〇
四〇	凸形曲線	四五〇
	凹形曲線	四五〇
三〇	凸形曲線	二五〇
	凹形曲線	二五〇
二〇	凸形曲線	一〇〇
	凹形曲線	一〇〇

3　縦断曲線の長さは、当該道路の設計速度に応じ、次の表の下欄に掲げる値以上とするものとする。

設計速度（単位　一時間につきキロメートル）	縦断曲線の長さ（単位　メートル）
一二〇	一〇〇
一〇〇	八五
八〇	七〇
六〇	五〇
五〇	四〇
四〇	三五
三〇	二五
二〇	二〇

（舗装）

第二三条　車道、中央帯（分離帯を除く。）、車道に接続する路肩、自転車道等及び歩道は、舗装するものとする。ただし、交通量がきわめて少ない等特別の理由がある場合においては、この限りでない。

2　車道及び側帯の舗装は、その設計に用いる自動車の輪荷重の基準を四十九キロニュートンとし、計画交通量、自動車の重量、路床の状態、気象状況等を勘案して、自動車の安全かつ円滑な交通を確保することができるものとして国土交通省令で定める基準に適合する構造とするものとする。ただし、自動車の交通量が少ない場合その他の特別の理由がある場合においては、この限りでない。

3　第四種の道路（トンネルを除く。）の舗装は、当該道路の存する地域、沿道の土地利用及び自動車の交通の状況を勘案して必要がある場合においては、雨水を道路の路面下に円滑に浸透させ、かつ、道路交通騒音の発生を減少させることができる構造とするものとする。ただし、道路の構造、気象状況その他の特別の理由によりやむを得ない場合においては、この限りでない。

（横断勾配）

第二四条　車道、中央帯（分離帯を除く。）及び車道に接続する路肩には、片勾配を付する場合を除き、路面の種類に応じ、次の表の下欄に掲げる値を標準として横断勾配を付するものとする。

路面の種類	横断勾配（単位　パーセント）
前条第二項に規定する基準に適合する舗装道	一・五以上二以下
その他	三以上五以下

2　歩道又は自転車道等には、二パーセントを標準として横断勾配を付するものとする。

3　前条第三項本文に規定する構造の舗装道にあつては、気象状況等を勘案して路面の排水に支障がない場合においては、横断勾配を付さず、又は縮小することができる。

（合成勾配）

第二五条　合成勾配（縦断勾配と片勾配又は横断勾配とを合成した勾配をいう。以下同じ。）は、当該道路の設計速度に応じ、次の表の下欄に掲げる値以下とするものとする。ただし、設計速度が一時間につき三十キロメートル又は二十キロメートルの道路にあつては、地形の状況その他の特別の理由によりやむを得ない場合においては、十二・五パーセント以下とすることができる。

設計速度（単位　一時間につきキロメートル）	合成勾配（単位　パーセント）
一二〇	一〇

一〇〇	
八〇	一〇・五
六〇	
五〇	一一・五
四〇	
三〇	
二〇	

2 積雪寒冷の度がはなはだしい地域に存する道路にあつては、合成勾配は、八パーセント以下とするものとする。

（排水施設）

第二六条 道路には、排水のため必要がある場合においては、側溝、街渠、集水ますその他の適当な排水施設を設けるものとする。

（平面交差又は接続）

第二七条 道路は、駅前広場等特別の箇所を除き、同一箇所において同一平面で五以上交会させてはならない。

2 道路が同一平面で交差し、又は接続する場合においては、必要に応じ、屈折車線、変速車線若しくは交通島を設け、又は隅角部を切り取り、かつ、適当な見とおしができる構造とするものとする。

3 屈折車線又は変速車線を設ける場合においては、当該部分の車線（屈折車線及び変速車線を除く。）の幅員は、第四種第一級の普通道路にあつては三メートルまで、第四種第二級又は第三級の普通道路にあつては二・七五メートルまで、第四種の小型道路にあつては二・五メートルまで縮小することができる。

4 屈折車線及び変速車線の幅員は、普通道路にあつては三メートル、小型道路にあつては二・五メートルを標準とするものとする。

5 屈折車線又は変速車線を設ける場合においては、当該道路の設計速度に応じ、適切にすりつけをするものとする。

（立体交差）

第二八条 車線（登坂車線、屈折車線及び変速車線を除く。）の数が四以上である普通道路が相互に交差する場合においては、当該交差の方式は、立体交差とするものとする。ただし、交通の状況により不適当なとき又は地形の状況その他の特別の理由によりやむを得ないときは、この限りでない。

2 車線（屈折車線及び変速車線を除く。）の数が四以上である小型道路が相互に交差する場合及び普通道路と小型道路が交差する場合においては、当該交差の方式は、立体交差とするものとする。

3 道路を立体交差とする場合においては、必要に応じ、交差する道路を相互に連結する道路（以下「連結路」という。）を設けるものとする。

4 連結路については、第五条から第八条まで、第十二条、第十三条、第十五条、第十六条、第十八条から第二十条まで、第二十二条及び第二十五条の規定は、適用しない。

（鉄道等との平面交差）

第二九条 道路が鉄道又は軌道法（大正十年法律第七十六号）による新設軌道（以下「鉄道等」という。）と同一平面で交差する場合においては、その交差する道路は次に定める構造とするものとする。

一 交差角は、四十五度以上とすること。

二 踏切道の両側からそれぞれ三十メートルまでの区間は、踏切道を含めて直線とし、その区間の車道の縦断勾配は、二・五パーセント以下とすること。ただし、自動車の交通量がきわめて少ない箇所又は地形の状況その他の特別の理由によりやむを得ない箇所については、この限りでない。

三 見とおし区間の長さ（線路の最縁端軌道の中心線と車道の中心線との交点から、軌道の外方車道の中心線上五メートルの地点における一・二メートルの高さにおいて見とおすことができる軌道の中心線上当該交点からの長さをいう。）は、踏切道における鉄道等の車両の最高速度に応じ、次の表の下欄に掲げる値以上とすること。ただし、踏切遮断機その他の保安設備が設置される箇所又は自動車の交通量及び鉄道等の運転回数がきわめて少ない箇所については、この限りでない。

踏切道における鉄道等の車両の最高速度（単位 一時間につきキロメートル）	見とおし区間の長さ（単位 メートル）
五〇未満	一一〇
五〇以上七〇未満	一六〇
七〇以上八〇未満	二〇〇
八〇以上九〇未満	二三〇
九〇以上一〇〇未満	二六〇
一〇〇以上一一〇未満	三〇〇
一一〇以上	三五〇

（待避所）

第三〇条 第三種第五級の道路には、次に定めるところにより、待避所を設けるものとする。ただし、交通に及ぼす支障が少ない道路については、この限りでない。

一 待避所相互間の距離は、三百メートル以内とすること。

二 待避所相互間の道路の大部分が待避所から見通すことができること。

三 待避所の長さは、二十メートル以上とし、その区間の車道（自転車通行帯を除く。）の幅員は、五メートル以上とすること。

（交通安全施設）

第三一条 交通事故の防止を図るため必要がある場合においては、横断歩道橋等、自動運行補助施設、柵、照明施設、視線誘導標、緊急連絡施設その他これらに類する施設で国土交通省令で定めるものを設けるものとする。

（凸部、狭窄部等）

第三一条の二　主として近隣に居住する者の利用に供する第三種第五級の道路には、自動車を減速させて歩行者又は自転車の安全な通行を確保する必要がある場合においては、車道及びこれに接続する路肩の路面に凸部を設置し、又は車道に狭窄部若しくは屈曲部を設けるものとする。

（乗合自動車の停留所等に設ける交通島）

第三一条の三　自転車道、自転車歩行者道又は歩道に接続しない乗合自動車の停留所又は路面電車の停留場には、必要に応じ、交通島を設けるものとする。

（自動車駐車場等）

第三二条　安全かつ円滑な交通を確保し、又は公衆の利便に資するため必要がある場合においては、自動車駐車場、自転車駐車場、乗合自動車停車所、非常駐車帯その他これらに類する施設で国土交通省令で定めるものを設けるものとする。

（防雪施設その他の防護施設）

第三三条　なだれ、飛雪又は積雪により交通に支障を及ぼすおそれがある箇所には、雪覆工、流雪溝、融雪施設その他これらに類する施設で国土交通省令で定めるものを設けるものとする。

2　前項に規定する場合を除くほか、落石、崩壊、波浪等により交通に支障を及ぼし、又は道路の構造に損傷を与えるおそれがある箇所には、さく、擁壁その他の適当な防護施設を設けるものとする。

（トンネル）

第三四条　トンネルには、安全かつ円滑な交通を確保するため必要がある場合においては、当該道路の計画交通量及びトンネルの長さに応じ、適当な換気施設を設けるものとする。

2　トンネルには、安全かつ円滑な交通を確保するため必要がある場合においては、当該道路の設計速度等を勘案して、適当な照明施設を設けるものとする。

3　トンネルにおける車両の火災その他の事故により交通に危険を及ぼすおそれがある場合においては、必要に応じ、通報施設、警報施設、消火施設その他の非常用施設を設けるものとする。

（橋、高架の道路等）

第三五条　橋、高架の道路その他これらに類する構造の道路は、鋼構造、コンクリート構造又はこれらに準ずる構造とするものとする。

2　橋、高架の道路その他これらに類する構造の普通道路は、その設計に用いる設計自動車荷重を二百四十五キロニュートンとし、当該橋、高架の道路その他これらに類する構造の普通道路における大型の自動車の交通の状況を勘案して、安全な交通を確保することができる構造とするものとする。

3　橋、高架の道路その他これらに類する構造の小型道路は、その設計に用いる設計自動車荷重を三十キロニュートンとし、当該橋、高架の道路その他これらに類する構造の小型道路における小型自動車等の交通の状況を勘案して、安全な交通を確保することができる構造とするものとする。

4　前三項に規定するもののほか、橋、高架の道路その他これらに類する構造の道路の構造の基準に関し必要な事項は、国土交通省令で定める。

（附帯工事等の特例）

第三六条　道路に関する工事により必要を生じた他の道路に関する工事を施行し、又は道路に関する工事以外の工事により必要を生じた道路に関する工事を施行する場合において、第四条から前条までの規定（第八条、第十三条、第十四条、第二十四条、第二十六条、第三十一条及び第三十三条を除く。）による基準をそのまま適用することが適当でないと認められるときは、これらの規定による基準によらないことができる。

（区分が変更される道路の特例）

第三七条　一般国道の区域を変更し、当該変更に係る部分を都道府県道又は市町村道とする計画がある場合において、当該部分を当該他の道路とすることにより第三条第二項の規定による区分が変更されることとなるときは、同条第四項及び第五項、第四条、第五条、第六条第一項、第四項及び第六項、第八条第二項から第六項まで、第九項及び第十一項、第九条第一項、第十条第一項及び第二項、第十条の二第三項、第十一条第一項、第二項及び第四項、第十一条の四第一項、第十二条、第十三条第一項、第十六条、第十七条、第十八条第一項、第二十条、第二十二条第二項、第二十三条第三項、第二十七条第三項、第三十条並びに第三十一条の二の規定の適用については、当該変更後の区分を当該部分の区分とみなす。この場合において、第五条第一項ただし書及び第五項、第十条の二第三項ただし書、第十一条第四項ただし書並びに第十二条中「第三種第五級」とあるのは「第三種第五級又は第四種第四級」と、第五条第三項中「及び第三種第五級」とあるのは「並びに第三種第五級及び第四種第四級」と、第九条第一項及び第十一条第一項中「第四種」とあるのは「第四種（第四級を除く。）」と、第十条第一項中「第三級」とあるのは「第三級及び第四級」と、第十一条第一項中「第三種の」とあるのは「第三種若しくは第四種第四級の」と、同条第二項中「第三種」とあるのは「第三種又は第四種第四級」と、第十三条第一項中「上欄に掲げる値」とあるのは「上欄に掲げる値（当該道路が第四種第四級の道路である場合にあっては、一時間につき四十キロメートル、三十キロメートル又は二十キロメートル）」と、第三十一条の二中「主として」とあるのは「第四種第四級の道路又は主として」と読み替えるものとする。

（小区間改築の場合の特例）

第三八条　道路の交通に著しい支障がある小区間について応急措置として改築を行う場合（次項に規定する改築を行う場合を除く。）において、これに隣接する他の区間の道路の構造が、第五条、第六条第四項から第六項まで、第七条、第九条、第九条の二、第九条の三、第十条第三項、第十条の二第二項及び第三項、第十一条第三項及び第四項、第十一条の四第二項及び第三項、第十五条から第二十二条まで、第二十三条第三項並びに第二十五条の規定による基準に適合していないためこれらの規定による基準をそのまま適用することが適当でないと認められるときは、これらの規定による基準によらないことができる。

2　道路の交通の安全の保持に著しい支障がある小区間について応急措置として改築を行う場合において、当該道路の状況等からみて第五条、第六条第四項から第六項まで、第七条、第八条第二項、第九条、第九条の二、第九条の三、第十条第三項、第十条の二第二項及び第三項、第十一条第三項及び第四項、第十一条の四第二項及び第三項、第十九条第一項、第二十一条第二項、第二十三条第三項、次条第一項及び第二項並びに第四十条第一項の規定による基準をそのまま適用することが適当でないと認められるときは、これらの規定による基準によらないことができる。

（自転車専用道路及び自転車歩行者専用道路）

第三九条　自転車専用道路の幅員は三メートル以上とし、自転車歩行者専用道路の幅員は四メートル以上とするものとする。ただし、自転車専用道路にあつては、地形の状況その他の特別の理由によりやむを得ない場合においては、二・五メートルまで縮小することができる。

2　自転車専用道路又は自転車歩行者専用道路には、その各側に、当該道路の部分として、幅員〇・五メートル以上の側方余裕を確保するための部分を設けるものとする。

3　自転車専用道路又は自転車歩行者専用道路に路上施設を設ける場合においては、当該自転車専用道路又は自転車歩行者専用道路の幅員は、次項の建築限界を勘案して定めるものとする。

4　自転車専用道路及び自転車歩行者専用道路の建築限界は、次の図に示すところによるものとする。

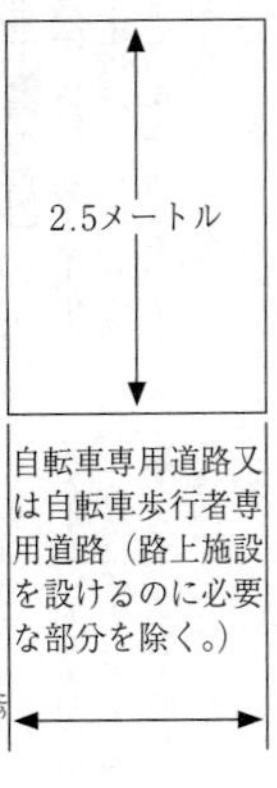

5　自転車専用道路及び自転車歩行者専用道路の線形、勾配その他の構造は、自転車及び歩行者が安全かつ円滑に通行することができるものでなければならない。

6　自転車専用道路及び自転車歩行者専用道路については、第三条から第三十七条まで及び前条第一項の規定（自転車歩行者専用道路にあつては、第十一条の二を除く。）は、適用しない。

（歩行者専用道路）

第四〇条　歩行者専用道路の幅員は、当該道路の存する地域及び歩行者の交通の状況を勘案して、二メートル以上とするものとする。

2　歩行者専用道路に路上施設を設ける場合においては、当該歩行者専用道路の幅員は、次項の建築限界を勘案して定めるものとする。

3　歩行者専用道路の建築限界は、次の図に示すところによるものとする。

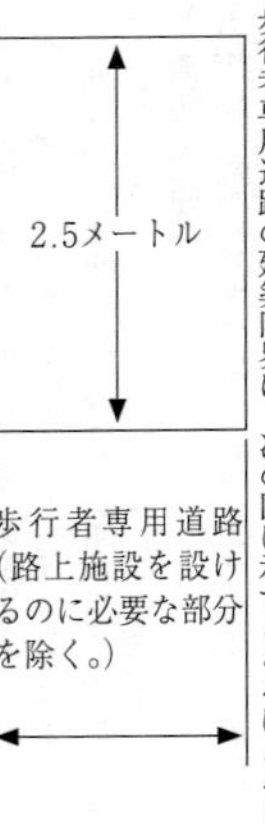

4　歩行者専用道路の線形、勾配その他の構造は、歩行者が安全かつ円滑に通行することができるものでなければならない。

5　歩行者専用道路については、第三条から第十一条まで、第十一条の三から第三十七条まで及び第三十八条第一項の規定は、適用しない。

（歩行者利便増進道路）

第四一条　歩行者利便増進道路に設けられる歩道若しくは自転車歩行者道又は歩行者利便増進道路である自転車歩行者専用道路若しくは歩行者専用道路には、歩行者の滞留の用に供する部分を設けるものとする。

2　前項に規定する部分には、歩行者利便増進施設等の適正かつ計画的な設置を誘導する必要があるときは、歩行者利便増進施設等を設置する場所を確保するものとする。この場合において、必要があると認めるときは、当該場所に街灯、ベンチその他の歩行者の利便の増進に資する工作物、物件又は施設を設けるものとする。

3　歩行者利便増進道路（高齢者、障害者等の移動等の円滑化の促進に関する法律（平成十八年法律第九十一号）第十条第一項に規定する新設特定道路を除く。）は、同項に規定する道路移動等円滑化基準に適合する構造とするものとする。

（都道府県道及び市町村道の構造の一般的技術的基準等）

第四二条　都道府県道又は市町村道を新設し、又は改築する場合におけるこれらの道路の構造の一般的技術的基準については、第四条、第十二条、第三十五条第二項、第三項及び第四項（法第三十条第一項第十二号に掲げる事項に係る部分に限る。）、第三十九条第四項並びに第四十条第三項の規定を準用する。この場合において、第十二条中「第三種第五級」とあるのは、「第三種第五級又は第四種第四級」と読み替えるものとする。

2　法第三十条第三項の政令で定める基準については、第五条から第十一条の四まで、第十三条から第三十四条まで、第三十五条第一項及び第四項（法第三十条第一項第十二号に掲げる事項に係る部分を除く。）、第三十六条から第三十八条まで、第三十九条第一項から第三項まで、第五項及び第六項、第四十条第一項、第二項、第四項及び第五項並びに前条の規定を準用する。この場合において、第五条第一項ただし書及び第五項、第十条の二第三項ただし書並びに第十一条第四項ただし書中「第三種第五級」とあるのは「第三種第五級又は第四種第四級」と、第五条第三項中「及び第三種第五級」とあるのは「並びに第三種第五級及び第四種第四級」と、第九条第一項及び第十一条第一項中「第四種」とあるのは「第四種（第四級を除く。）」と、第十条第一項中「第三級」とあるのは「第三級及び第四級」と、第十一条第一項中「第三種の」とあるのは「第三種若しくは第四種第四級の」と、同条第二項中「第三種」とあるのは「第三種又は第四種第四級」と、第十三条第一項中「上欄に掲げる値」とあるのは「上欄に掲げる値（当該道路が第四種第四級の道路である場合にあつては、一時間につき四十キロメートル、三十キロメートル又は二十キロメートル）」と、第三十一条の二中「主として」とあるのは「第四種第四級の道路又は主として」と、第三十七条中「一般国道」とあるのは「都道府県道」と、「都道府県道又は市町村道」とあるのは「市町村道」と、「当該部分」とあるのは「当該都道府県道」と読み替えるものとする。

附　則

（施行期日）

1　この政令は、昭和四十六年四月一日から施行する。

（道路構造令の廃止）

2　道路構造令（昭和三十三年政令第二百四十四号）は、廃止する。

（経過規定）

3　この政令の施行の際現に新設又は改築の工事中の道路については、この政令の規定に適合しない部分がある場合においては、当該部分に対しては、当該規定は、適用しない。この場合において、旧道路構造令中当該規定に相当する規定があるときは、当該部分に関しては、なお従前の例による。

4〜10　〔他の法令改正に付き略〕

附　則　〔昭和五七・九・二五政令二五六抄〕

（施行期日）

1　この政令は、昭和五十七年十月一日から施行する。

（経過措置）

2　この政令の施行の際現に新設又は改築の工事中の道路については、改正後の規定に適合しない部分がある場合においては、当該部分に対しては、当該規定は、適用しない。この場合において、当該規定に相当する改正前の規定があるときは、当該部分に関しては、なお従前の例による。

附　則　〔平成五・一一・二五政令三七五抄〕

（施行期日）

1　この政令は、公布の日から施行する。

（道路構造令の一部改正に伴う経過措置）

2　この政令の施行の際現に新設又は改築の工事中の道路については、第一条の規定による改正後の道路構造令の規定に適合しない部分がある場合においては、当該部分に対しては、当該規定は、適用しない。この場合において、当該規定に相当する同条の規定による改正前の道路構造令の規定があるときは、当該部分に関しては、なお従前の例による。

（罰則に関する経過措置）

3　この政令の施行前にした行為に対する罰則の適用については、なお従前の例による。

附　則〔平成一三・四・二五政令一七〇抄〕

（施行期日）

第一条　この政令は、平成十三年七月一日から施行する。

（経過措置）

第二条　この政令の施行の際現に新設又は改築の工事中の道路については、改正後の規定に適合しない部分がある場合においては、当該部分に対しては、当該規定は適用しない。この場合において、当該規定に相当する改正前の規定があるときは、当該部分に関しては、なお従前の例による。

附　則〔平成三〇・九・二八政令二八〇抄〕

（施行期日）

第一条　この政令は、道路法等の一部を改正する法律の施行の日（平成三十年九月三十日）から施行する。

（経過措置）

第二条　この政令の施行の際現に新設又は改築の工事中の道路については、第六条の規定による改正後の道路構造令第四条及び第十二条の規定にかかわらず、なお従前の例による。

附　則〔平成三一・四・一九政令一五七〕

（施行期日）

1　この政令は、平成三十一年四月二十五日から施行する。

（経過措置）

2　この政令の施行の際現に新設又は改築の工事中の第三種又は第四種の一般国道については、この政令による改正後の道路構造令第九条の二並びに第十条第一項及び第二項の規定にかかわらず、なお従前の例による。

附　則〔令和二・一一・二〇政令三二九抄〕

（施行期日）

第一条　この政令は、道路法等の一部を改正する法律の施行の日（令和二年十一月二十五日）から施行する。

○道路構造令施行規則

〔昭和四六・三・三一 建設省令七〕

改正 平成一二・一一建令四一、平成一五・七国交令八四、平成一七・六国交令六六、平成三一・四国交令三四

（計画交通量）

第一条 道路構造令（以下「令」という。）第二条第二十二号の国土交通省令で定める者は、高速自動車国道、一般国道又は独立行政法人日本高速道路保有・債務返済機構法（平成十六年法律第百号）第十二条第一項第四号に規定する首都高速道路若しくは阪神高速道路（一般国道を除く。）にあつては国土交通大臣、その他の道路にあつては当該道路の道路管理者とする。

2 令第二条第二十二号に規定する計画交通量は、同種の設計基準を用いるべき道路の一定の区間ごとに定めるものとする。

（車線により構成されない車道の部分）

第二条 令第五条第一項の国土交通省令で定める部分は、次の各号に掲げるものとする。

一 交差点
二 車両の通行の用に供するため分離帯が切断された車道の部分
三 乗合自動車停車所及び非常駐車帯
四 付加追越車線、屈折車線、変速車線及び登坂車線のすりつけ区間
五 車線の数が増加し、若しくは減少する場合又は道路が接続する場合におけるすりつけ区間

（交通安全施設）

第三条 令第三十一条の国土交通省令で定める施設は、次の各号に掲げるものとする。

一 駒止（こまどめ）
二 道路標識
三 道路情報管理施設（緊急連絡施設を除く。）
四 他の車両又は歩行者を確認するための鏡

（防雪施設）

第四条 令第三十三条第一項の国土交通省令で定める施設は、次の各号に掲げるものとする。

一 吹きだまり防止施設
二 なだれ防止施設

（橋、高架の道路等）

第五条 橋、高架の道路その他これらに類する構造の道路（以下「橋等」という。）の構造は、当該橋等の構造形式及び交通の状況並びに当該橋等の存する地域の地形、地質、気象その他の状況を勘案し、死荷重、活荷重、風荷重、地震荷重その他の当該橋等に作用する荷重及びこれらの荷重の組合せに対して十分安全なものでなければならない。

附　則

この省令は、道路構造令の施行の日（昭和四十六年四月一日）から施行する。

附　則〔平成一七・六・一国土交通省令六六〕

この省令は、法（日本道路公団等民営化関係法施行法）の施行の日（平成十七年十月一日）から施行する。〔以下略〕

附　則〔平成三一・四・一九国土交通省令三四〕

この省令は、道路構造令の一部を改正する政令の施行の日（平成三十一年四月二十五日）から施行する。

○共同溝の整備等に関する特別措置法

〔昭和三八・四・一 法律八一〕

改正 前略…平成一四・二法一、平成一五・七法一二五、平成二二・三法二〇、平成二三・八法一〇五、平成二六・六法六九、法七二、平成二七・六法四七、令和二・六法四九

第一章　総則

（この法律の目的）

第一条 この法律は、共同溝の建設及び管理に関する特別の措置等を定め、特定の道路について、路面の掘さくを伴う地下の占用の制限と相まつて共同溝の整備を行なうことにより、道路の構造の保全と円滑な道路交通の確保を図ることを目的とする。

（定義）

第二条 この法律において「道路」とは、道路法（昭和二十七年法律第百八十号）による道路をいう。

2 この法律において「道路管理者」とは、道路法第十八条第一項に規定する道路管理者をいう。

3 この法律において「公益事業者」とは、次に掲げる者をいう。

一 電気通信事業法（昭和五十九年法律第八十六号）による認定電気通信事業者
二 電気事業法（昭和三十九年法律第百七十号）による一般送配電事業者、送電事業者、配電事業者、特定送配電事業者又は発電事業者
三 ガス事業法（昭和二十九年法律第五十一号）による一般ガス導管事業者、特定ガス導管事業者又はガス製造事業者
四 水道法（昭和三十二年法律第百七十七号）による水道事業者又は水道用水供給事業者
五 工業用水道事業法（昭和三十三年法律第八十四号）による工業用水道事業者
六 下水道法（昭和三十三年法律第七十九号）による公共下水道管理者、流域下水道管理者又は都市下水路管理者

4　この法律において「公益物件」とは、公益事業者が当該事業の目的を達成するため設ける電線（前項第一号の認定電気通信事業者が設けるものにあつては、電気通信事業法第百二十条第一項に規定する認定電気通信事業の用に供するものに限る。）、ガス管、水管又は下水道管をいう。

5　この法律において「共同溝」とは、二以上の公益事業者の公益物件を収容するため道路管理者が道路の地下に設ける施設をいう。

第二章　共同溝整備道路

（共同溝整備道路の指定）

第三条　国土交通大臣は、交通が著しくふくそうしている道路又は著しくふくそうすることが予想される道路で、路面の掘さくを伴う道路の占用に関する工事がひんぱんに行なわれることにより道路の構造の保全上及び道路交通上著しい支障を生ずるおそれがあると認められるものを、共同溝を整備すべき道路（以下「共同溝整備道路」という。）として指定することができる。

2　国土交通大臣は、前項の規定による指定をしようとするときは、あらかじめ、当該道路の道路管理者（道路法第十三条第二項の規定により都道府県又は同法第七条第三項に規定する指定市（以下「指定市」という。）が同法第十三条第一項に規定する指定区間（以下「指定区間」という。）内の一般国道の管理を行うこととされている場合においては、当該都道府県又は指定市。以下次項において同じ。）の意見を聴かなければならない。これを変更し、又は廃止しようとするときも、同様とする。

3　道路管理者は、前項の規定により意見を述べようとするときは、あらかじめ、都道府県公安委員会の意見をきかなければならない。

4　国土交通大臣は、第一項の規定による指定をしたときは、その旨を公示しなければならない。これを変更し、又は廃止したときも、同様とする。

5　第二項及び第三項（都道府県公安委員会の意見を聴く事務に係る部分に限る。）の規定により指定区間内の一般国道の管理を行う都道府県及び指定市が処理することとされている事務は、地方自治法（昭和二十二年法律第六十七号）第二条第九項第一号に規定する第一号法定受託事務とする。

（共同溝整備道路における許可等の制限）

第四条　道路管理者は、前条第一項の規定による共同溝整備道路の指定があつた場合においては、当該道路の車道の部分の地下の占用に関し、道路法第三十二条第一項若しくは第三項の規定による許可をし、又は同法第三十五条の規定による協議に応じてはならない。ただし、次に掲げる場合は、この限りでない。

一　次条第二項の規定による申出をした者の責めに帰すことのできない理由により共同溝が建設されない場合において、その者が同条第三項に規定する敷設計画書に係る公益物件を設置し、及び当該公益物件の維持、修繕又は災害の復旧を行う場合

二　公益物件を収容するための施設又はこれと同等以上の公益性を有する施設で、路面の掘返しによる道路の構造の保全上及び道路交通上の支障を生ずるおそれが少ないと認めて国土交通大臣が指定するものを設置し、及び当該施設の維持、修繕又は災害の復旧を行う場合

三　共同溝整備道路の指定の日前になされた道路法第三十二条第一項若しくは第三項又は同法第三十五条の規定による許可又は協議に基づき設置された又は設置される工作物、物件又は施設の維持、修繕又は災害の復旧を行う場合

四　共同溝の建設が完了する以前において、当該共同溝に敷設すべき公益物件を、緊急の必要に基づき当該共同溝が建設される道路の部分以外の部分に仮に設置し、及び当該公益物件の維持、修繕又は災害の復旧を行う場合

第三章　共同溝の建設及び管理

（共同溝の建設）

第五条　第三条第一項の規定による共同溝整備道路の指定があつたときは、道路管理者（道路法第十二条の規定により一般国道の新設又は改築を国土交通大臣が行なう場合においては、国土交通大臣。以下この条、次条から第八条まで、第十二条、第十四条、第十五条及び第二十三条において同じ。）は、当該道路に共同溝を建設することについて、関係公益事業者の意見を求めなければならない。

2　前項の規定により意見を求められた公益事業者は、道路管理者の定める期限までに、共同溝の建設を希望する旨の申出をすることができる。

3　前項の規定による申出は、当該共同溝に敷設すべき公益物件の敷設計画書その他国土交通省令で定める書面を添えてしなければならない。

4　道路管理者は、第二項の規定による申出が相当であると認めるときは、共同溝の建設を行なうものとする。この場合においては、道路管理者は、共同溝の建設を行なうべき旨を公示しなければならない。

（共同溝整備計画）

第六条　道路管理者は、共同溝を建設しようとするときは、共同溝整備計画を作成しなければならない。

2　共同溝整備計画には、建設しようとする共同溝に関し、おおむね次に掲げる事項を定めるものとする。

一　位置及び名称

二　構造

三　共同溝の占用予定者

四　共同溝の占用予定者ごとの当該共同溝の占用部分及び公益物件の敷設計画の概要

五　共同溝の建設に要する費用及びその負担に関する事項

六　工事着手予定時期及び工事完了予定時期

第七条　道路管理者は、共同溝整備計画を作成する場合においては、建設しようとする共同溝の占用予定者に、第五条第四項の規定による公示のあつた日の翌日から起算して三十日を経過した日以後において、当該共同溝整備計画に定めようとする事項を通知し、相当な期限を定めて意見書の提出を求めなければならない。

2　道路管理者は、前項の意見書の提出があり、かつ、その意見書に係る意見を採用すべきであると認める場合においてはその必要の範囲内において同項の規定による通知に係る事項を修正して修正後の事項を、その他の場合においては同項の規定による通知に係る事項を修正しない旨を、同項の規定による通知をした者に通知するものとする。

3　道路管理者は、前項の規定による通知をした後において第十三条の規定による申請の取下げがあつたことにより共同溝整備計画に定めようとする事項の変更を必要とする場合においては、更に前二項の手続を行うものとする。

4　道路管理者は、共同溝の建設工事に着手した後において共同溝整備計画を変更しようとする場合においては、共同溝整備計画に定められた共同溝の占用予定者の意見をきかなければならない。

（建設の廃止）

第八条　道路管理者は、次条に規定する共同溝の占用予定者の要件を備える公益事業者が二以上ない場合又は第十三条の規定による申請の取下げがあつたことにより共同溝を建設することができなくなつた場合においては、共同溝の建設を廃止し、その

旨を公示するとともに、関係公益事業者に通知するものとする。

（占用予定者）

第九条　共同溝の占用予定者は、第十二条第一項の規定による許可の申請をした者で、その者の敷設計画書に係る公益物件を共同溝に収容することが当該共同溝の規模及び構造上相当であると認められるものでなければならない。

（占用予定者の地位の承継）

第一〇条　相続人、合併又は分割により設立される法人その他の共同溝の占用予定者の一般承継人（分割による承継の場合にあつては、占用予定者の事業の全部を承継する法人に限る。）は、占用予定者の地位を承継する。

２　占用予定者の事業について譲渡があつたときは、当該事業を譲り受けた者は、占用予定者の地位を承継する。

（共同溝管理規程）

第一一条　道路管理者は、共同溝を管理しようとする場合においては、国土交通省令で定めるところにより、共同溝管理規程を定めなければならない。

２　道路管理者は、前項の規定により共同溝管理規程を定めようとするときは、あらかじめ、第十四条第一項の許可を受けた公益事業者の意見をきかなければならない。

第四章　共同溝の占用

（占用の申請）

第一二条　第五条第二項の規定による申出をした公益事業者は、同条第四項の規定による公示があつた日以後その翌日から起算して三十日以内に、公益物件の敷設計画書その他国土交通省令で定める書面を添えて、道路管理者に共同溝の占用の許可を申請することができる。

２　道路管理者は、前項の規定による申請をした者が第九条の要件に該当しないと認めるときは、すみやかに、その申請を却下し、その旨を理由を付した書面を添えて、その者に通知しなければならない。

（占用の申請の取下げ）

第一三条　第七条第二項の規定による通知を受けた者はその通知があつた日、同条第三項の規定の適用により更に同条第二項の規定による通知を受けた者はその通知があつた日以後二週間以内に限り、前条第一項の規定による申請を取り下げることができる。

（占用の許可）

第一四条　道路管理者は、共同溝の建設を完了したときは、直ちに、共同溝の占用予定者に当該共同溝の占用の許可をするものとする。

２　前項の許可は、次に掲げる事項を明らかにしてしなければならない。

一　占用することができる共同溝の部分

二　共同溝に敷設することができる公益物件の種類

第一五条　削除

（許可に基づく地位の承継）

第一六条　相続人、合併又は分割により設立される法人その他の第十四条第一項の許可を受けた公益事業者の一般承継人（分割による承継の場合にあつては、当該公益事業者の事業の全部を承継する法人に限る。）は、被承継人が有していた同項の許可に基づく地位を承継する。

（許可に基づく権利義務の譲渡）

第一七条　第十四条第一項の許可に基づく権利及び義務は、道路管理者の認可を受けなければ、譲渡することができない。

（公益物件の構造等の基準）

第一八条　第十四条第一項の許可を受けた公益事業者が当該許可に基づき公益物件の敷設をしようとするときは、あらかじめ、道路管理者に届け出なければならない。

２　前項の場合における当該公益物件の構造及び敷設の方法の基準は、政令で定める。

（監督処分）

第一九条　道路管理者は、第十四条第一項の許可を受けた公益事業者が当該許可に基づき公益物件を敷設する場合において、その公益物件の構造又は敷設の方法が前条第二項に規定する政令で定める基準に適合しないときは、当該敷設に関する工事の中止又は当該公益物件の改築、移転若しくは除却を命ずることができる。

第五章　共同溝に関する費用

（建設費の負担）

第二〇条　共同溝の占用予定者は、共同溝の建設に要する費用のうち、共同溝の建設によつて受ける効用から算定される推定の投資額等を勘案して、政令で定めるところにより算出した額の費用を負担しなければならない。

２　共同溝の建設に要する費用の範囲、負担金の納付の方法及び期限その他前項の負担金に関し必要な事項は、政令で定める。

（管理費用の負担）

第二一条　第十四条第一項の許可に基づき共同溝を占用する者は、当該共同溝の改築、維持、修繕、公共土木施設災害復旧事業費国庫負担法（昭和二十六年法律第九十七号）の規定の適用を受ける災害復旧事業（次条第一項及び第二十三条において「災害復旧」という。）その他の管理に要する費用のうち、政令で定める費用を政令で定めるところにより負担しなければならない。

（国の負担又は補助）

第二二条　共同溝の建設又は改築若しくは災害復旧で次の各号のいずれかに掲げるものに要する費用（第二十条第一項又は前条の規定により当該共同溝の占用予定者又は当該共同溝を占用する者が負担すべき費用を除く。）は国及び当該各号に定める地方公共団体がそれぞれその二分の一を負担し、指定区間内の一般国道に附属する共同溝の改築及び災害復旧以外の管理に要する費用（同条の規定により当該共同溝を占用する者が負担すべき費用を除く。）は国の負担とする。

一　指定区間内の一般国道に附属する共同溝の建設又は改築若しくは災害復旧　都道府県又は指定市

二　指定区間外の一般国道に附属する共同溝の建設又は改築で国土交通大臣が当該一般国道の新設又は改築に伴つて行うもの　当該一般国道の道路管理者である地方公共団体

２　国は、前項の場合を除くほか、共同溝の建設又は改築に要する費用（第二十条第一項又は前条の規定により当該共同溝の占用予定者又は当該共同溝を占用する者が負担すべき費用を除く。）の二分の一以内を、予算の範囲内において、政令で定めるところにより、その費用を負担する地方公共団体に対して、補助することができる。

３　共同溝の建設又は改築に要する費用については、道路法第八十五条第三項の規定は、適用しない。

（収入の帰属）

第二三条　第二十条第一項又は第二十一条の規定に基づく負担金は、当該共同溝の建設又は改築、維持、修繕、災害復旧その他の管理を行う道路管理者（当該道路管理者が国土交通大臣であるときは、国）の収入とする。

（義務履行のために要する費用）

第二四条　この法律又はこの法律に基づいてする処分による義務を履行するために必要な費用は、当該義務者が負担しなければならない。

第六章　雑則

(負担金の強制徴収)

第二五条　道路法第七十三条の規定は、第二十条第一項又は第二十一条の規定に基づく負担金の徴収について準用する。

(不服申立て)

第二六条　都道府県又は市町村である道路管理者がこの法律に基づいてした処分に不服がある者は、当該都道府県の知事又は当該市町村の長に対して審査請求をし、その裁決に不服がある者は、都道府県又は指定市若しくは特定の市町村（道路法第十七条第二項又は第三項の規定により管理を行う市又は町村をいう。以下この条において同じ。）である道路管理者がした処分については国土交通大臣に対して、市町村（指定市及び特定の市町村を除く。）である道路管理者がした処分については都道府県知事に対して再審査請求をすることができる。

(権限の委任)

第二七条　この法律に規定する国土交通大臣の権限は、政令で定めるところにより、地方整備局長又は北海道開発局長に委任することができる。

(道路法の適用除外)

第二八条　この法律の規定に基づく共同溝の占用に関しては、道路法第三章第三節の規定は、適用しない。

附　則

(施行期日)

1　この法律は、公布の日から施行する。

(国の無利子貸付け等)

2　国は、当分の間、地方公共団体に対し、第二十二条第二項の規定により国がその費用について補助することができる共同溝の建設又は改築で日本電信電話株式会社の株式の売払収入の活用による社会資本の整備の促進に関する特別措置法（昭和六十二年法律第八十六号）第二条第一項第二号に該当するものに要する費用に充てる資金について、予算の範囲内において、第二十二条第二項の規定（この規定による国の補助の割合について、この規定と異なる定めをした法令の規定がある場合には、当該異なる定めをした法令の規定を含む。以下同じ。）により国が補助することができる金額に相当する金額を無利子で貸し付けることができる。

3　前項の国の貸付金の償還期間は、五年（二年以内の据置期間を含む。）以内で政令で定める期間とする。

4　前項に定めるもののほか、附則第二項の規定による貸付金の償還方法、償還期限の繰上げその他償還に関し必要な事項は、政令で定める。

5　国は、附則第二項の規定により、地方公共団体に対し貸付けを行つた場合には、当該貸付けの対象である共同溝の建設又は改築について、第二十二条第二項の規定による当該貸付金に相当する金額の補助を行うものとし、当該補助については、当該貸付金の償還時において、当該貸付金の償還金に相当する金額を交付することにより行うものとする。

6　地方公共団体が、附則第二項の規定による貸付けを受けた無利子貸付金について、附則第三項及び第四項の規定に基づき定められる償還期限を繰り上げて償還を行つた場合（政令で定める場合を除く。）における前項の規定の適用については、当該償還は、当該償還期限の到来時に行われたものとみなす。

附　則〔昭和五九・一二・二五法律八七抄〕

(施行期日)

第一条　この法律は、昭和六十年四月一日から施行する。〔以下略〕

(共同溝の整備等に関する特別措置法の一部改正に伴う経過措置)

第二六条　この法律の施行前に第七十一条の規定による改正前の共同溝の整備等に関する特別措置法第十五条の規定により旧公社が道路管理者にした協議に基づく占用は、第七十一条の規定による改正後の共同溝の整備等に関する特別措置法第十二条第一項の規定により会社に対して道路管理者がした許可に基づく占用とみなす。

(政令への委任)

第二八条　附則第二条から前条までに定めるもののほか、この法律の施行に関し必要な事項は、政令で定める。

附　則〔平成一一・七・一六法律八七抄〕

(施行期日)

第一条　この法律は、平成十二年四月一日から施行する。ただし、次の各号に掲げる規定は、当該各号に定める日から施行する。

一　〔前略〕附則〔中略〕第百六十条、第百六十三条、第百六十四条並びに第二百二条の規定　公布の日

二～六　〔略〕

(国等の事務)

第一五九条　この法律による改正前のそれぞれの法律に規定するもののほか、この法律の施行前において、地方公共団体の機関が法律又はこれに基づく政令により管理し又は執行する国、他の地方公共団体その他公共団体の事務（附則第百六十一条において「国等の事務」という。）は、この法律の施行後は、地方公共団体が法律又はこれに基づく政令により当該地方公共団体の事務として処理するものとする。

(処分、申請等に関する経過措置)

第一六〇条　この法律（附則第一条各号に掲げる規定については、当該各規定。以下この条及び附則第百六十三条において同じ。）の施行前に改正前のそれぞれの法律の規定によりされた許可等の処分その他の行為（以下この条において「処分等の行為」という。）又はこの法律の施行の際現に改正前のそれぞれの法律の規定によりされている許可等の申請その他の行為（以下この条において「申請等の行為」という。）で、この法律の施行の日においてこれらの行為に係る行政事務を行うべき者が異なることとなるものは、附則第二条から前条までの規定又は改正後のそれぞれの法律（これに基づく命令を含む。）の経過措置に関する規定に定めるものを除き、この法律の施行の日以後における改正後のそれぞれの法律の適用については、改正後のそれぞれの法律の相当規定によりされた処分等の行為又は申請等の行為とみなす。

2　この法律の施行前に改正前のそれぞれの法律の規定により国又は地方公共団体の機関に対し報告、届出、提出その他の手続をしなければならない事項で、この法律の施行の日前にその手続がされていないものについては、この法律及びこれに基づく政令に別段の定めがあるもののほか、これを、改正後のそれぞれの法律の相当規定により国又は地方公共団体の相当の機関に対して報告、届出、提出その他の手続をしなければならない事項についてその手続がされていないものとみなして、この法律による改正後のそれぞれの法律の規定を適用する。

(その他の経過措置の政令への委任)

第一六四条　この附則に規定するもののほか、この法律の施行に伴い必要な経過措置（罰則に関する経過措置を含む。）は、政令で定める。

2　〔略〕

(検討)

第二五〇条　新地方自治法第二条第九項第一号に規定する第一号法定受託事務については、できる限り新たに設けることのないようにするとともに、新地方自治法別表第一に掲げるもの及び新地方自治法に基づく政令に示すものについては、地方分権を推進する観点から検討を加え、適宜、適切な見直しを行うものとする。

第二五一条　政府は、地方公共団体が事務及び事業を自主的かつ

自立的に執行できるよう、国と地方公共団体との役割分担に応じた地方税財源の充実確保の方途について、経済情勢の推移等を勘案しつつ検討し、その結果に基づいて必要な措置を講ずるものとする。

附　則〔平成二二・三・三一法律二〇抄〕

（施行期日）

第一条　この法律は、平成二十二年四月一日から施行する。

（経過措置）

第二条　第一条から第八条まで並びに附則第六条及び第九条の規定による改正後の次の各号に掲げる法律の規定は、当該各号に定める国の負担（当該国の負担に係る都道府県又は市町村の負担を含む。以下この条において同じ。）について適用し、平成二十一年度以前の年度における事務又は事業の実施により平成二十二年度以降の年度に支出される国の負担、平成二十一年度以前の年度の国庫債務負担行為に基づき平成二十二年度以降の年度に支出すべきものとされた国の負担及び平成二十一年度以前の年度の歳出予算に係る国の負担で平成二十二年度以降の年度に繰り越されたものについては、なお従前の例による。

一　〔略〕

二　次に掲げる法律の規定　平成二十二年度以降の年度の予算に係る国の負担（平成二十一年度以前の年度における事務又は事業の実施により平成二十二年度以降の年度に支出される国の負担及び平成二十一年度以前の年度の国庫債務負担行為に基づき平成二十二年度以降の年度に支出すべきものとされた国の負担を除く。）

イ　〔略〕

ロ　共同溝の整備等に関する特別措置法第二十二条第一項

ハ・ニ　〔略〕

三　〔略〕

（政令への委任）

第三条　前条に定めるもののほか、この法律の施行に関し必要な経過措置は、政令で定める。

附　則〔平成二三・八・三〇法律一〇五抄〕

（施行期日）

第一条　この法律は、公布の日から施行する。ただし、次の各号に掲げる規定は、当該各号に定める日から施行する。

一　〔前略〕第百十条（共同溝の整備等に関する特別措置法第二十六条の改正規定に限る。）〔中略〕の規定　公布の日から起算して三月を経過した日

二〜六　〔略〕

（政令への委任）

第八二条　この附則に規定するもののほか、この法律の施行に関し必要な経過措置（罰則に関する経過措置を含む。）は、政令で定める。

附　則〔平成二六・六・一三法律六九抄〕

（施行期日）

第一条　この法律は、行政不服審査法（平成二十六年法律第六十八号）の施行の日（平成二八・四・一）から施行する。

（経過措置の原則）

第五条　行政庁の処分その他の行為又は不作為についての不服申立てであってこの法律の施行前にされた行政庁の処分その他の行為又はこの法律の施行前にされた申請に係る行政庁の不作為に係るものについては、この附則に特別の定めがある場合を除き、なお従前の例による。

（訴訟に関する経過措置）

第六条　この法律による改正前の法律の規定により不服申立てに対する行政庁の裁決、決定その他の行為を経た後でなければ訴えを提起できないこととされる事項であって、当該不服申立てを提起しないでこの法律の施行前にこれを提起すべき期間を経過したもの（当該不服申立てが他の不服申立てに対する行政庁の裁決、決定その他の行為を経た後でなければ提起できないとされる場合にあっては、当該他の不服申立てを提起しないでこの法律の施行前にこれを提起すべき期間を経過したものを含む。）の訴えの提起については、なお従前の例による。

2　この法律の規定による改正前の法律の規定（前条の規定によりなお従前の例によることとされる場合を含む。）により異議申立てが提起された処分その他の行為であって、この法律の規定による改正後の法律の規定により審査請求に対する裁決を経た後でなければ取消しの訴えを提起することができないこととされるものの取消しの訴えの提起については、なお従前の例による。

3　不服申立てに対する行政庁の裁決、決定その他の行為の取消しの訴えであって、この法律の施行前に提起されたものについては、なお従前の例による。

（その他の経過措置の政令への委任）

第一〇条　附則第五条から前条までに定めるもののほか、この法律の施行に関し必要な経過措置（罰則に関する経過措置を含む。）は、政令で定める。

附　則〔平成二七・六・二四法律四七抄〕

（施行期日）

第一条　この法律〔中略〕は、当該各号に定める日から施行する。

一〜四　〔略〕

五　〔前略〕附則〔中略〕第七十九条から第八十二条までの規定〔中略〕公布の日から起算して二年六月を超えない範囲内において政令で定める日

〔平成二八政二二九により、平成二九・四・一から施行〕

六〜八　〔略〕

（共同溝の整備等に関する特別措置法の一部改正に伴う経過措置）

第八二条　前条の規定による改正後の共同溝の整備等に関する特別措置法（次項において「新共同溝法」という。）第二条第三項第三号の規定の適用については、旧一般ガスみなしガス小売事業者が附則第二十二条第一項の義務を負う間、同号中「又はガス製造事業者」とあるのは、「若しくはガス製造事業者又は電気事業法等の一部を改正する等の法律（平成二十七年法律第四十七号）による指定旧供給区域等小売供給を行う事業者」とする。

2　新共同溝法第二条第三項第三号の規定の適用については、旧簡易ガスみなしガス小売事業者が附則第二十八条第一項の義務を負う間、同号中「又はガス製造事業者」とあるのは、「若しくはガス製造事業者又は電気事業法等の一部を改正する等の法律（平成二十七年法律第四十七号）による指定旧供給地点小売供給を行う事業者」とする。

附　則〔令和二・六・一二法律四九抄〕

（施行期日）

第一条　この法律は、令和四年四月一日から施行する。〔以下略〕

○車両制限令

〔昭和三六・七・一七
政令二六五〕

改正 前略…平成一一・一一政三五二、平成一二・六政三一二、平成一三・四政一七〇、平成一六・二政一三、一二政三八七、平成二三・一二政四二四、平成二六・五政一八七、平成三一・三政四一、令和三・七政一九八

第一章 総則

（趣旨）

第一条 道路の構造を保全し、又は交通の危険を防止するために道路との関係において必要とされる車両についての制限及び限度超過車両の通行に係る許可の申請その他の手続に関し必要な事項については、道路法（以下「法」という。）に定めるもののほか、この政令の定めるところによる。

（定義）

第二条 この政令において、次の各号に掲げる用語の意義は、それぞれ当該各号に定めるところによる。

一 車両 法第二条第五項に規定する車両（人が乗車し、又は貨物が積載されている場合にあつてはその状態におけるものをいい、他の車両をけん引している場合にあつては当該けん引されている車両を含む。）をいう。

二 自動車 道路運送車両法（昭和二十六年法律第百八十五号）第二条第二項に規定する自動車（二輪のものを除く。）及び無軌条電車をいう。

三 歩道 専ら歩行者の通行の用に供されている道路の部分をいう。

四 自転車道 専ら自転車の通行の用に供されている道路の部分をいう。

五 自転車歩行者道 専ら自転車及び歩行者の通行の用に供されている道路の部分をいう。

六 車道 専ら車両及び無軌条電車以外の軌道車の通行の用に供されている道路の部分（自転車道を除く。）又は歩道、自転車道若しくは自転車歩行者道のいずれをも有しない道路（自動車のみの一般交通の用に供されている道路を除く。）の一般通行の用に供されている部分をいう。

七 路肩 道路の主要構造部を保護し、又は車道の効用を保つために、車道、歩道、自転車道又は自転車歩行者道に接続して設けられている帯状の道路の部分をいう。

第二章 道路との関係において必要とされる車両についての制限

（車両の幅等の最高限度）

第三条 法第四十七条第一項の車両の幅、重量、高さ、長さ及び最小回転半径の最高限度は、次のとおりとする。

一 幅 二・五メートル

二 重量 次に掲げる値

イ 総重量 高速自動車国道又は道路管理者が道路の構造の保全及び交通の危険の防止上支障がないと認めて指定した道路を通行する車両にあつては二十五トン以下で車両の長さ及び軸距に応じて当該車両の通行により道路に生ずる応力を勘案して国土交通省令で定める値、その他の道路を通行する車両にあつては二十トン

ロ 軸重 十トン

ハ 隣り合う車軸に係る軸重の合計 隣り合う車軸に係る軸距が一・八メートル未満である場合にあつては十八トン（隣り合う車軸に係る軸距が一・三メートル以上であり、かつ、当該隣り合う車軸に係る軸重がいずれも九・五トン以下である場合にあつては、十九トン）、一・八メートル以上である場合にあつては二十トン

ニ 輪荷重 五トン

三 高さ 道路管理者が道路の構造の保全及び交通の危険の防止上支障がないと認めて指定した道路を通行する車両にあつては四・一メートル、その他の道路を通行する車両にあつては三・八メートル

四 長さ 十二メートル

五 最小回転半径 車両の最外側のわだちについて十二メートル

2 バン型のセミトレーラ連結車（自動車と前車軸を有しない被けん引車との結合体であつて、被けん引車の一部が自動車に載せられ、かつ、被けん引車及びその積載物の重量の相当の部分が自動車によつて支えられるものをいう。以下同じ。）、タンク型のセミトレーラ連結車、幌枠型のセミトレーラ連結車及びコンテナ又は自動車の運搬用のセミトレーラ連結車並びにフルトレーラ連結車（自動車と一の被けん引車との結合体であつて、被けん引車及びその積載物の重量が自動車によつて支えられないものをいう。以下同じ。）で自動車及び被けん引車がバン型の車両、タンク型の車両、幌枠型の車両又はコンテナ若しくは自動車の運搬用の車両であるものの総重量の最高限度は、前項の規定にかかわらず、高速自動車国道を通行するものにあつては三十六トン以下、その他の道路を通行するものにあつては二十七トン以下で、車両の軸距に応じて当該車両の通行により道路に生ずる応力を勘案して国土交通省令で定める値とする。

3 高速自動車国道を通行するセミトレーラ連結車又はフルトレーラ連結車で、その積載する貨物が被けん引車の車体の前方又は後方にはみ出していないものの長さの最高限度は、第一項の規定にかかわらず、セミトレーラ連結車にあつては十六・五メートル、フルトレーラ連結車にあつては十八メートルとする。

4 道路管理者が道路の強度、線形その他の道路の構造を勘案して国際海上コンテナの運搬用のセミトレーラ連結車の通行により道路の構造の保全及び交通の危険の防止上の支障がないと認めて指定した道路を通行する国際海上コンテナの運搬用のセミトレーラ連結車の重量及び長さの最高限度は、第一項及び第二項の規定にかかわらず、次のとおりとする。

一 重量 次に掲げる値

イ 総重量 四十四トン以下で車両の車軸の数及び軸距に応じて当該車両の通行により道路に生ずる応力を勘案して国土交通省令で定める値

ロ 軸重 十一・五トン以下で車両の総重量、車軸の数及び軸距に応じて当該車両の通行により道路に生ずる応力を勘案して国土交通省令で定める値

ハ 輪荷重 五・七五トン以下で車両の総重量、車軸の数及び軸距に応じて当該車両の通行により道路に生ずる応力を勘案して国土交通省令で定める値

二 長さ 十六・五メートル

（車両についての制限の基準）

第四条 法第四十七条第四項の車両についての制限に関する基準は、次条から第十二条までに定めるとおりとする。

（幅の制限）

第五条 市街地を形成している区域（以下「市街地区域」という。）内の道路で、道路管理者が自動車の交通量がきわめて少ないと認めて指定したもの又は一方通行とされているものを通行する車両の幅は、当該道路の車道の幅員（歩道又は自転車歩

行者道のいずれをも有しない道路で、その路肩の幅員が明らかでないもの又はその路肩の幅員の合計が一メートル未満（トンネル、橋又は高架の道路にあつては、〇・五メートル未満）のものにあつては、当該道路の路面の幅員から一メートル（トンネル、橋又は高架の道路にあつては、〇・五メートル）を減じたものとする。以下同じ。）から〇・五メートルを減じたものをこえないものでなければならない。

２　市街地区域内の道路で前項に規定するもの以外のものを通行する車両の幅は、当該道路の車道の幅員から〇・五メートルを減じたものの二分の一をこえないものでなければならない。

３　市街地区域内の駅前、繁華街等にある歩行者の多い道路で道路管理者が指定したものの歩道又は自転車歩行者道のいずれをも有しない区間を道路管理者が指定した時間内に通行する車両についての前二項の規定の適用については、第一項中「〇・五メートルを減じたもの」とあるのは「一メートルを減じたもの」と、第二項中「〇・五メートル」とあるのは「一・五メートル」とする。

第六条　市街地区域外の道路（道路管理者が自動車の交通量がきわめて少ないと認めて指定したものを除く。以下次項において同じ。）で、一方通行とされているもの又はその道路におおむね三百メートル以内の区間ごとに待避所があるもの（道路管理者が自動車の交通量が多いため当該待避所のみでは車両のすれ違いに支障があると認めて指定したものを除く。）を通行する車両の幅は、当該道路の車道の幅員から〇・五メートルを減じたものをこえないものでなければならない。

２　市街地区域外の道路で前項に規定するもの以外のものを通行する車両の幅は、当該道路の車道の幅員の二分の一をこえないものでなければならない。

（総重量、軸重及び輪荷重の制限）

第七条　道路構造令（昭和四十五年政令第三百二十号）第二十三条第二項の基準（強度に係るものに限る。）を参酌して法第三十条第三項の条例で定める基準に適合している舗装がされていない都道府県道又は市町村道で、これに代わるべき他の道路があるものについて、道路管理者が路面の破損を防止するため必要と認められる車両の総重量、軸重又は輪荷重の限度を定めたときは、当該道路を通行する車両の総重量、軸重又は輪荷重は、当該限度を超えないものでなければならない。ただし、当該道路を通行しなければ目的地に到達することができない車両については、この限りでない。

２　融雪、冠水等のため支持力が著しく低下している道路について、道路管理者が路盤又は路床の破損を防止するため必要と認められる車両の総重量、軸重又は輪荷重の限度を定めたときは、当該道路を通行する車両の総重量、軸重又は輪荷重は、当該限度をこえないものでなければならない。

３　前項の規定により道路管理者が車両の総重量、軸重又は輪荷重の限度を定めようとするときは、国土交通省令で定める構造計算又は試験の方法に基づいてしなければならない。

（カタピラを有する自動車の制限）

第八条　舗装道を通行する自動車は、次の各号の一に該当する場合を除き、カタピラを有しないものでなければならない。

一　その自動車のカタピラの構造が路面を損傷するおそれのないものである場合

二　その自動車が当該道路の除雪のために使用される場合

三　その自動車のカタピラが路面を損傷しないように当該道路について必要な措置がとられている場合

（路肩通行の制限）

第九条　歩道、自転車道又は自転車歩行者道のいずれをも有しない道路を通行する自動車は、その車輪が路肩（路肩が明らかでない道路にあつては、路端から車道寄りの〇・五メートル（トンネル、橋又は高架の道路にあつては、〇・二五メートル）の幅の道路の部分）にはみ出してはならない。

（通行方法の制限）

第一〇条　第三条第一項第三号の規定による指定を受けた道路について、高さが三・八メートルを超え四・一メートル以下の車両に関し、道路管理者が当該道路の構造を保全し、又は交通の危険を防止するため必要と認められる路肩の通行の禁止その他の通行方法を定めたときは、当該道路を通行する当該車両は、当該通行方法によらなければならない。

２　第三条第四項の規定による指定を受けた道路について、国際海上コンテナの運搬用のセミトレーラ連結車に関し、道路管理者が当該道路の構造を保全し、又は交通の危険を防止するため必要と認められる徐行その他の通行方法を定めたときは、当該道路を通行する国際海上コンテナの運搬用のセミトレーラ連結車は、当該通行方法によらなければならない。

３　第七条第二項の規定により車両の総重量、軸重又は輪荷重の限度が定められている道路について、道路管理者が当該道路の構造を保全し、又は交通の危険を防止するため必要と認められる徐行その他の通行方法を定めたときは、当該道路を通行する車両は、当該通行方法によらなければならない。

（幅の制限の特例）

第一一条　道路が次の各号の一に該当し、車両の通行に支障のある場合において、道路管理者が交通の円滑を図るためやむを得ない必要があると認めて他の道路を指定したときは、当該他の道路を通行する車両については、第五条及び第六条の規定は、適用しない。

一　道路が破損し、又は欠壊している場合

二　道路に関する工事が行なわれている場合

三　車両の通行が著しく停滞している場合

２　道路管理者は、前項に規定する指定をしようとするときは、あらかじめ都道府県公安委員会（道警察本部の所在地を包括する方面を除く方面にあつては、方面公安委員会）の意見をきかなければならない。

（特殊な車両の特例）

第一二条　幅、総重量、軸重又は輪荷重が第三条に規定する最高限度をこえず、かつ、第五条から第七条までに規定する基準に適合しない車両で、当該車両を通行させようとする者の申請により、道路管理者がその基準に適合しないことが車両の構造又は車両に積載する貨物が特殊であるためやむを得ないと認定したものは、当該認定に係る事項については、第五条から第七条までに規定する基準に適合するものとみなす。ただし、道路管理者が運転経路又は運転時間の指定等道路の構造の保全又は交通の安全を図るため必要な条件を附したときは、当該条件に従つて通行する場合に限る。

（無軌条電車の特例）

第一三条　道路を通行する無軌条電車の高さについては、第三条の規定にかかわらず、軌道法（大正十年法律第七十六号）第三十一条第一項において準用する同法第十四条の規定に基づく命令の定めるところによる。

（緊急自動車等の特例）

第一四条　道路交通法（昭和三十五年法律第百五号）第三十九条第一項に規定する緊急自動車及び災害救助、水防活動等の緊急の用務又はその他の公共の利害に重大な関係がある公の用務のために通行する国土交通省令で定める車両並びに日本国とアメリカ合衆国との間の相互協力及び安全保障条約に基づき日本国内にあるアメリカ合衆国の軍隊の任務の遂行に必要な用務のために通行する当該軍隊の車両で、道路の構造の保全のための必要な措置を講じて通行するものについては、この政令の規定は、適用しない。

２　前項に規定するもののほか、公益上緊要な用務のために通行する国土交通省令で定める車両で、道路の構造の保全のための必要な措置を講じて通行するものについては、第五条から第七条まで、第九条及び第十条第三項の規定は、適用しない。

第三章　限度超過車両の通行に係る許可の申請その他の手続に関し必要な事項

（道路管理者を異にする二以上の道路の通行の許可）

第一五条　道路管理者を異にする二以上の道路についての法第四十七条の二第一項の許可に関する権限は、当該二以上の道路の全部又は一部が市町村道（指定市の市道及び道路法施行令（昭和二十七年政令第四百七十九号）第三十四条第一項又は第三項の規定により国土交通大臣が新設若しくは改築又は維持を行なう道路を除く。以下この条において同じ。）以外の道路であるときは当該市町村道以外の道路の道路管理者（当該市町村道以外の道路の道路管理者が二以上あるときは、最初に申請を受けた道路管理者）が、当該二以上の道路が市町村道のみであるときは国土交通省令で定める道路管理者が行なうものとする。

（国土交通大臣が許可に関する権限を行う場合の手数料）

第一六条　法第四十七条の二第二項の規定により国土交通大臣が同条第一項の許可に関する権限を行う場合における同条第三項の手数料の額は、当該受けようとする許可に係る一通行経路ごとに二百円とする。

（国土交通大臣が許可に関する権限を行う申請）

第一七条　法第四十七条の三第六項の政令で定める申請は、国土交通大臣に対してされた申請とする。

（限度超過車両の通行を誘導すべき道路に係る許可の手数料）

第一八条　法第四十七条の三第七項の手数料の額は、当該受けようとする許可に係る一通行経路ごとに百六十円とする。

（限度超過車両の登録の手数料）

第一九条　法第四十七条の四第五項の手数料の額は、同条第一項の登録又は同条第二項の登録の更新に係る申請一件につき五千円とする。

（登録車両の通行に関する確認の手数料）

第二〇条　法第四十七条の十第五項の手数料の額は、同条第一項の規定による求め一件につき六百円とする。ただし、当該求めに係る同条第二項第二号に掲げる出発地及び目的地が一の都道府県の区域内にある場合には、当該求め一件につき四百円を超えない範囲内において同条第四項の規定により判定基準が定められている当該都道府県の区域内の道路の延長及び構造を勘案して当該都道府県ごとに国土交通大臣が定める額とする。

（指定登録確認機関が登録等事務を行う場合の手数料）

第二一条　法第四十八条の五十九第一項第一号に掲げる者が同項の規定により指定登録確認機関に納付しなければならない手数料の額は、第十九条に規定する額とする。

2　法第四十八条の五十九第一項第二号に掲げる者が同項の規定により指定登録確認機関に納付しなければならない手数料の額は、前条に規定する額とする。

第四章　雑則

（事務の区分）

第二二条　この政令の規定により都道府県、指定市又は法第十七条第二項の規定により都道府県の同意を得た市が指定区間外の国道の道路管理者として処理することとされている事務は、地方自治法（昭和二十二年法律第六十七号）第二条第九項第一号に規定する第一号法定受託事務とする。

（国土交通省令への委任）

第二三条　この政令で定めるもののほか、この政令を実施するために必要な事項は、国土交通省令で定める。

附　則

1　この政令は、昭和三十七年二月一日から施行する。ただし、第七条、第九条から第十一条まで及び第十四条から第十六条までの規定は、昭和三十六年九月一日から施行する。

2　道路法の施行の際に道路運送法（昭和二十六年法律第百八十三号）第四条第一項の規定による免許を受けて路線を定めて道路を自動車運送事業のために使用していた者の車両で、この政令の規定による基準に適合しないものについては、道路法の施行後この政令の公布前に当該事業につき道路運送法第十八条第一項の規定による事業計画の変更（自動車の大きさ又は重量の増加を伴う事業計画の変更に限る。以下次項において同じ。）の認可を受けて車両を通行させている場合を除き、この政令の規定は、適用しない。

3　この政令の公布の際現に道路運送法第四条第一項の規定による免許を受けて路線を定めて道路を自動車運送事業のために使用している者の車両で、この政令の規定による基準に適合しないもの（前項の規定の適用を受けるものを除く。）については、当該事業につき道路運送法第十八条第一項の規定による事業計画の変更の認可を受けて車両を通行させる場合を除き、昭和三十九年七月三十一日までの間（道路運送法第三条第二項第一号に掲げる一般乗合旅客自動車運送事業の用に供するものにあつては、昭和四十一年七月三十一日までの間）は、この政令の規定（第七条第二項及び第三項、第十条並びに第十一条の規定を除く。）は、適用しない。

4　この政令の公布の際現に設けられている車両の常置場を利用する車両で、その出入路との関係においてこの政令の規定による基準に適合しないものについては、道路管理者の許可を受けてその出入路を通行する場合に限り、昭和三十八年一月三十一日までの間は、この政令の規定は、適用しない。

附　則〔昭和四六・七・二二政令二五二抄〕

（施行期日等）

1　この政令は、道路法等の一部を改正する法律（昭和四十六年法律第四十六号）の施行の日（昭和四十六年十二月一日）から施行する。ただし、第二条の規定による改正後の車両制限令（以下「新車両制限令」という。）第三条第二項及び第三項、第十五条並びに第十六条の規定（中略）は、同法附則第一項ただし書に規定する同法による改正後の道路法の規定の適用の日（昭和四十七年四月一日）から適用する。

2　前項ただし書に規定する日までの間は、新車両制限令第三条第一項第三号中「三・八メートル」とあるのは「三・五メートル」とする。

附　則〔昭和五九・五・一五政令一三九〕

1　この政令は、各種手数料等の額の改定及び規定の合理化に関する法律の施行の日（昭和五十九年五月二十一日）から施行する。

2　この政令の施行前にした都道府県知事に対するあつ旋の申請、建設大臣又は都道府県知事に対する事業の認定の申請、収用委員会に対する裁決の申請及び協議の確認の申請並びに建設大臣に対する特定公共事業の認定の申請に係る手数料の額については、なお、従前の例による。

附　則〔平成一三・四・二五政令一七〇抄〕

（施行期日）

第一条　この政令は、平成十三年七月一日から施行する。

（経過措置）

第二条　この政令の施行の際現に新設又は改築の工事中の道路については、改正後の規定に適合しない部分がある場合においては、当該部分に対しては、当該規定は適用しない。この場合において、当該規定に相当する改正前の規定があるときは、当該部分に関しては、なお従前の例による。

附　則〔令和三・七・九政令一九八〕

この政令は、道路法等の一部を改正する法律（令和二年法律第三十一号）附則第一条第二号に掲げる規定の施行の日（令和四年四月一日）から施行する。

○車両の通行の許可の手続等を定める省令

（昭和三六・九・二五　建設省令二八）

改正　前略…平成一二・一一建令四一、平成一六・三国交令一六、平成一七・三国交令二四、平成一九・八国交令七五、平成二六・五国交令五二、平成二七・三国交令一八、平成二八・三国交令二三、平成三〇・九国交令七四、平成三一・三国交令九、令和元・五国交令一、令和二・一二国交令九八、令和三・七国交令四七、令和五・七国交令五六、一二国交令九八、令和六・三国交令二六

（高速自動車国道又は道路管理者が指定した道路を通行する車両の総重量の最高限度）

第一条　車両制限令（以下「令」という。）第三条第一項第二号イに規定する国土交通省令で定める高速自動車国道又は道路管理者が指定した道路を通行する車両の総重量の最高限度は、次の表に掲げる値とする。

最遠軸距	総重量の最高限度
五・五メートル未満	二十トン
五・五メートル以上七メートル未満	二十二トン（貨物が積載されていない状態における長さが九メートル未満のものにあつては、二十トン）
七メートル以上	二十五トン（貨物が積載されていない状態における長さが九メートル未満のものにあつては二十トン、九メートル以上十一メートル未満のものにあつては二十二トン）
備考　最遠軸距とは、車両の最前軸と最後軸との軸間距離をいう。以下同じ。	

（セミトレーラ連結車及びフルトレーラ連結車の総重量の最高限度）

第二条　令第三条第二項に規定する国土交通省令で定めるバン型のセミトレーラ連結車、タンク型のセミトレーラ連結車、幌枠型のセミトレーラ連結車及びコンテナ又は自動車の運搬用のセミトレーラ連結車並びにフルトレーラ連結車で自動車及び被けん引車がバン型の車両、タンク型の車両、幌枠型の車両又はコンテナ若しくは自動車の運搬用の車両であるものの総重量の最高限度は、次の表に掲げる値とする。

区分	最遠軸距	総重量の最高限度
高速自動車国道を通行するもの	八メートル以上九メートル未満	二十五トン
	九メートル以上十メートル未満	二十六トン
	十メートル以上十一メートル未満	二十七トン
	十一メートル以上十二メートル未満	二十九トン
	十二メートル以上十三メートル未満	三十トン
	十三メートル以上十四メートル未満	三十二トン
	十四メートル以上十五メートル未満	三十三トン
	十五メートル以上十五・五メートル未満	三十五トン
	十五・五メートル以上	三十六トン
その他の道路を通行するもの	八メートル以上九メートル未満	二十四トン（令第三条第一項第二号イの規定に基づき道路管理者が指定した道路を通行する車両にあつては、二十五トン）
	九メートル以上十メートル未満	二十五・五トン（令第三条第一項第二号イの規定に基づき道路管理者が指定した道路を通行する車両にあつては、二十六トン）

十メートル以上	二十七トン

（国際海上コンテナの運搬用のセミトレーラ連結車）

第三条　令第三条第四項の規定による指定を受けた道路を通行する国際海上コンテナの運搬用のセミトレーラ連結車は、次のいずれにも適合するものとする。

一　四十フィート背高の国際海上コンテナ（本邦において、目的地に到達するまで貨物の詰替えを行わずに運搬されるものに限る。）の運搬用のものであつて、これを確認することができるものとして国土交通大臣が定める書類を備え付けているものであること。

二　国土交通大臣が定める基準に適合するＥＴＣ二・〇車載器（有料道路自動料金収受システムを使用する料金徴収事務の取扱いに関する省令（平成十一年建設省令第三十八号）第四条第一項第一号に規定する車載器であつて、無線の交信により通行経路を記録することができる装置をいう。第十四条において同じ。）を搭載したものであること。

（国際海上コンテナの運搬用のセミトレーラ連結車の重量の最高限度）

第四条　令第三条第四項第一号に規定する国土交通省令で定める国際海上コンテナの運搬用のセミトレーラ連結車の重量の最高限度は、次のとおりとする。

一　総重量　次の表に掲げる値

車軸の数 自動車	車軸の数 被けん引車	最遠軸距	総重量の最高限度
二	二	七・七メートル以上八・七メートル未満	三十六・二トン
		八・七メートル以上	三十七・五トン
	三	九・三メートル以上十一・九メートル未満	三十七・五トン
		十一・九メートル以上	四十四トン
三	二	八・六メートル以上九・五メートル未満	三十六・二トン
		九・五メートル以上十一・一メートル未満	三十七・五トン
		十一・一メートル以上	四十四トン
	三	十・三メートル以上十二・八メートル未満	三十七・五トン
		十二・八メートル以上	四十四トン

二　軸重　次の表に掲げる値

総重量	車軸の数 自動車	車軸の数 被けん引車	軸重の最高限度
三十八トン未満	三	三	被けん引車にあつては、十トン以下で最小軸距（メートル）の値に二・三を乗じ五を加えた値（トン）
三十八トン以上	二	三	道路運送車両の保安基準（昭和二十六年運輸省令第六十七号）第四条の二第一項の規定による告示で定める基準を満たすセミトレーラ連結車のうち、自動車にあつては十一・五トン、被けん引車にあつては十トン以下で最小軸距（メートル）の値に二・三を乗じ五を加えた値（トン）、その他のセミトレーラ連結車のうち、被けん引車にあつては十トン以下で最小軸距（メートル）の値に二・三を乗じ五を加えた値（トン）
	三	三	被けん引車にあつては、十トン以下で最小軸距（メートル）の値に二・三を乗じ五を加えた値（トン）

三　輪荷重　次の表に掲げる値

総重量	車軸の数 自動車	車軸の数 被けん引車	輪荷重の最高限度
三十八トン未満	三	三	被けん引車にあつては、五トン以下で最小軸距（メートル）の値に二・三を乗じ五を加え二で除した値（トン）
三十八トン以上	二	三	道路運送車両の保安基準第四条の二第一項の規定による告示で定める基準を満たすセミトレーラ連結車のうち、自動車にあつては五・七五トン、被けん引車にあつては五トン以下で最小軸距（メートル）の値に二・三を乗じ五を加え二で除した値（トン）、その他のセミトレーラ連結車のうち、被けん引車にあつては五トン以下で最小軸距（メートル）の値に二・三を乗じ五を加え二で除した値（トン）
	三	三	被けん引車にあつては、五トン以下で最小軸距（メートル）の値に二・三を乗じ五を加え二で除した値（トン）

（道路の指定等の公示）

第五条　道路管理者は、令第三条第一項第二号イ若しくは第三号若しくは第四項、第五条第一項若しくは第三項、第六条第一項又は第十一条第一項の規定による指定をし、又はその指定を解除しようとする場合は、あらかじめ、次に掲げる事項を公示しなければならない。

一　路線名

二　指定し、又は解除する道路の区間

三　指定し、又は解除する期日

四　その他指定又は解除に関し必要な事項

2　道路管理者は、令第十条第一項又は第二項の規定により通行方法を定めようとする場合は、あらかじめ、当該通行方法を公示しなければならない。

（特殊な車両の認定の手続）

第六条　令第十二条の認定の申請をしようとする者は、別記様式第一による申請書を道路管理者に提出しなければならない。

2　前項の場合において、申請に係る車両が一の都道府県の区域内における二以上の道路管理者の管理に係る道路を通行しようとするものであるときは、一の道路管理者を経由してその者以外の道路管理者に係る同項の申請書を提出することができる。この場合において、当該申請書を受理した道路管理者は、すみやかに他の道路管理者にその者に係る申請書を送付しなければならない。

3 道路管理者は、令第十二条の認定をしたときは、別記様式第二による認定書を交付しなければならない。

（車両の指定）

第七条 令第十四条第一項に規定する国土交通省令で定める車両は、次のとおりとする。

一 災害救助、人命救助（傷病者を緊急に医療機関その他の場所に搬送することを含む。）、水防活動、消火活動又は火災現場への臨場のため使用される車両

二 裁判官又は裁判所の発する令状の執行のため使用される自動車

三 交通の取締りのため使用される自動車

四 警らのため使用される無線自動車

五 被疑者の逮捕、犯罪現場への臨場その他の緊急を要する警察活動のため使用される自動車

六 災害警備その他の警備実施に係る警察部隊活動の訓練のため使用される車両

七 自衛隊法（昭和二十九年法律第百六十五号）第七十六条から第七十九条まで及び第八十一条から第八十四条までの規定による自衛隊の行動のため使用される車両又は自衛隊の部隊若しくは機関の編成若しくは配置若しくは教育訓練のため使用される自衛隊の車両

八 日本国の自衛隊とオーストラリア国防軍との間における相互のアクセス及び協力の円滑化に関する日本国とオーストラリアとの間の協定第八条第一項に規定する協力活動の実施のための要請に基づき使用される公用車両（同協定第一条（e）に規定する公用車両であつて、オーストラリアの軍隊に係るものをいう。）

九 日本国の自衛隊とグレートブリテン及び北アイルランド連合王国の軍隊との間における相互のアクセス及び協力の円滑化に関する日本国とグレートブリテン及び北アイルランド連合王国との間の協定第八条第一項に規定する協力活動の実施のための要請に基づき使用される公用車両（同協定第一条（e）に規定する公用車両であつて、英国の軍隊に係るものをいう。）

十 緊急を要する火薬類の除去のため使用される車両

十一 緊急を要する事故の発生した航空機、車両等の回収のため使用される車両

十二 人の生命又は身体に危害の生ずるおそれがある緊急の事態における関係者に対する警告のため使用される車両

十三 交通の混乱その他消火活動に著しい支障を及ぼすおそれがある事態において火災の警戒のため配置される消防自動車

十四 火災の発生に伴い人の生命若しくは身体に危害を生ずるおそれがある市街地区域内の特殊防火対象物又は火災の拡大がすみやかである火災危険区域で市町村の作成する消防計画において指定したものに係る消防訓練のため使用される消防自動車

十五 感染症の予防及び感染症の患者に対する医療に関する法律（平成十年法律第百十四号）の規定による感染症の予防及び感染症の患者に対する医療のため使用される車両

十六 新型インフルエンザ等対策特別措置法（平成二十四年法律第三十一号）第二条第二号に規定する新型インフルエンザ等対策のため使用される車両

十七 家畜伝染病予防法（昭和二十六年法律第百六十六号）第二十一条の規定による家畜の死体の焼却又は埋却のために必要となる装置の運搬のため使用される車両

2 令第十四条第二項に規定する国土交通省令で定める車両は、次のとおりとする。

一 郵便法（昭和二十二年法律第百六十五号）に規定する郵便物を配達するため使用される車両でその幅が一・三メートル以下のもの

二 廃棄物の処理及び清掃に関する法律（昭和四十六年法律第百三十七号）第六条の規定による一般廃棄物の収集のため使用される車両

三 霊きゆう車で市町村の運営管理するもの又は緊急に通行することがやむを得ないもの

（二以上の道路の通行の許可を一の道路の道路管理者が行なわない場合）

第八条 道路法（昭和二十七年法律第百八十号。以下「法」という。）第四十七条の二第二項に規定する国土交通省令で定める場合は、同条第一項の申請に係る二以上の道路が市町村道（指定市の市道及び道路法施行令（昭和二十七年政令第四百七十九号）第三十四条第一項又は第三項の規定により国土交通大臣が新設若しくは改築又は維持を行なう道路を除く。）のみである場合とする。

（車両の通行の許可の手続）

第九条 法第四十七条の二第一項の許可の申請をしようとする者は、別記様式第一による申請書を道路管理者に提出しなければならない。

2 前項の申請書には、次に掲げる書類及び図面を添付しなければならない。ただし、道路管理者は、更新若しくは変更の申請であるため又は他の方法により当該書類の内容を確認することができるためその添付の必要がないと認めるときは、その必要がないと認める書類の添付を省略させることができる。

一 道路運送車両法（昭和二十六年法律第百八十五号）による自動車検査証の写し

二 車両の諸元に関する説明書

三 車両内訳書（申請に係る車両の数が二以上である場合に限る。）

四 通行経路図及び通行経路表

五 その他道路管理者が許可を行うにつき必要と認めるもの

3 道路管理者は、法第四十七条の二第一項の許可をしたときは、別記様式第二による許可証を交付しなければならない。

（限度超過車両の通行の許可に係る車両の幅等の基準）

第一〇条 法第四十七条の三第四項に規定する国土交通省令で定める車両の幅、重量、高さ、長さ及び最小回転半径に関する基準は、次のとおりとする。

一 幅 二・五メートル以下

二 重量 次に掲げる値以下

イ 総重量 次の表の上欄に掲げる車両の種類の区分に応じ、それぞれ同表の下欄に掲げる値

車両の種類	総重量の基準
一 国際海上コンテナの運搬用のセミトレーラ連結車	四十四トン
二 単車（自動車と被けん引車との結合体ではない車両をいう。以下同じ。）及び連結車（前項に掲げるものを除く。）で総重量が二十トンを超え、かつ、幅、軸重、隣り合う車軸に係る軸重の合計、輪荷重、高さ、長さ又は最小回転半径が令第三条第一項に規定する最高限度をこえないもの	令第三条第二項に規定するバン型のセミトレーラ連結車、タンク型のセミトレーラ連結車、幌枠型のセミトレーラ連結車及びコンテナ又は自動車の運搬用のセミトレーラ連結車（ロ及びニにおいて「バン型等のセミトレーラ連結車」という。）並びにフルトレーラ連結車で自動車及び被けん引車がバン型の車両、タンク型の車両、幌枠型の車両又はコンテナ若しくは自動車の運搬用の車両であるものにあつては二十六トン、その他の車両

三　前二項に掲げるもの以外の車両	にあつては二十五トン
	単車にあつては三十九トン、セミトレーラ連結車、フルトレーラ連結車及びダブルス（自動車と二の被けん引車との結合体であつて、二台目の被けん引車及びその積載物の重量が自動車又は一台目の被けん引車によつて支えられないものをいう。以下同じ。）にあつては四十四トン

ロ　軸重　バン型等のセミトレーラ連結車、あおり型のセミトレーラ連結車、スタンション型のセミトレーラ連結車、船底型のセミトレーラ連結車及び国際海上コンテナの運搬用のセミトレーラ連結車（自動車の車軸の数が二のものであつて、道路運送車両の保安基準第四条の二第一項の規定による告示で定めるものに限る。ニにおいて同じ。）にあつては十一・五トン、その他の車両にあつては十トン

ハ　隣り合う車軸に係る軸重の合計　隣り合う車軸に係る軸距が一・八メートル未満である場合にあつては十八トン（隣り合う車軸に係る軸距が一・三メートル以上であり、かつ、当該隣り合う車軸に係る軸重がいずれも九・五トン以下である場合にあつては、十九トン）、一・八メートル以上である場合にあつては二十トン

ニ　輪荷重　バン型等のセミトレーラ連結車、あおり型のセミトレーラ連結車、スタンション型のセミトレーラ連結車、船底型のセミトレーラ連結車及び国際海上コンテナの運搬用のセミトレーラ連結車にあつては五・七五トン、その他の車両にあつては五トン

三　高さ　四・一メートル以下

四　長さ　次に掲げる値以下

イ　単車にあつては十二メートル

ロ　セミトレーラ連結車にあつては十七メートル（被けん引車の後軸の旋回中心から車体の後面までの距離が三・二メートルから三・八メートルまでの車両にあつては十七・五メートル、三・八メートルから四・二メートルまでの車両にあつては十八メートル）

ハ　フルトレーラ連結車にあつては十九メートル

ニ　ダブルスにあつては二十一メートル

五　最小回転半径　車両の最外側のわだちについて十二メートル以下

（道路の構造に関する情報）

第一一条　法第四十七条の三第四項に規定する国土交通省令で定める道路の構造に関する情報は、幅員、平面線形、上空にある橋梁その他の障害物、交差点の形状、橋梁の強度、通行の規制等に関する情報とする。

（電子情報処理組織の使用）

第一二条　国土交通大臣（指定登録確認機関が登録等事務を行う場合にあつては、指定登録確認機関）は、次の各号に掲げる事項については、電子情報処理組織（情報通信技術を活用した行政の推進等に関する法律（平成十四年法律第百五十一号）第六条第一項に規定する電子情報処理組織をいう。以下この条において同じ。）を使用して行わせるものとする。ただし、電気通信回線の故障、災害その他の理由により電子情報処理組織を使用することが困難であり、かつ、電子情報処理組織を使用しないで次の各号に掲げる事項を行わせることができると認める場合は、この限りでない。

一　法第四十七条の五の規定による申請

二　法第四十七条の七第一項の規定による届出

三　法第四十七条の八第一項の規定による届出

四　法第四十七条の十第一項の規定による確認の求め（以下「確認の求め」という。）

（限度超過車両の登録に係る車両の幅等の基準）

第一三条　法第四十七条の六第一項第一号に規定する国土交通省令で定める車両の幅、重量、高さ、長さ及び最小回転半径に関する基準は、次のとおりとする。

一　幅　三・五メートル以下

二　重量　次に掲げる値以下

イ　フルトレーラ連結車及びダブルスにあつては百六十三・六トン

ロ　セミトレーラ連結車にあつては百四十三・六トン

ハ　イ及びロに規定する車両以外の車両にあつては百三十五・一トン

三　高さ　四・三メートル以下

四　長さ　次に掲げる値以下

イ　フルトレーラ連結車及びダブルスにあつては二十一メートル

ロ　セミトレーラ連結車にあつては二十メートル

ハ　イ及びロに規定する車両以外の車両にあつては十六メートル

五　最小回転半径　車両の最外側のわだちについて十二メートル以下

（通行経路に係る記録の保存の方法の基準）

第一四条　法第四十七条の六第一項第二号に規定する国土交通省令で定める保存の方法の基準は、限度超過車両に搭載された第三条第二号の国土交通大臣が定める基準に適合するＥＴＣ二・〇車載器を用いて行われるものであることとする。

（積載する貨物の重量に係る記録の保存の方法の基準）

第一五条　法第四十七条の六第一項第三号に規定する国土交通省令で定める保存の方法の基準は、積載する貨物の重量並びに当該貨物の積卸しの日時及び場所を明らかにできる書類（通行経路に係る記録と組み合わせてこれらを明らかにできる書類を含む。）を、法第四十七条の十第三項の回答の内容に従つて限度超過車両を通行させた日から一年間保存するものであることとする。

（通行可能経路の有無の判定の方法）

第一六条　法第四十七条の十第三項の規定による判定は、法第四十七条の十三第一項に規定するデータベースが整備されている場合にあつては、当該データベースを用いて行うものとする。

（判定基準の策定の方法）

第一七条　法第四十七条の十第四項に規定する判定基準は、限度超過車両の通行の状況及びその将来の見通しその他の事情を勘案して道路の管理上必要と認められる道路について、同条第三項の規定による判定を、数式を用いて算定する方法その他の定型的な方法により直ちに行うことができるよう定めるものとする。

（判定に係る道路の構造に関する情報）

第一八条　法第四十七条の十一第一項に規定する国土交通省令で定める道路の構造に関する情報は、幅員、平面線形、上空にある橋梁その他の障害物、交差点の形状、橋梁の強度及び通行の規制に関する情報並びに法第四十七条の二第一項の規定による許可をした限度超過車両の幅、重量、高さ、長さ及び最小回転半径並びに当該許可に付した条件とする。

（報告の徴収の方法）

第一九条　国土交通大臣は、法第四十七条の十二第二項の規定により報告を求める場合には、報告すべき事項、報告の期限その他必要な事項を明示し、これを行うものとする。

（道路管理者への通知事項）

第二〇条　法第四十七条の十二第三項に規定する国土交通省令で定める事項は、次の各号に掲げるものとする。

一　登録車両の通行が法第四十七条の十第三項の回答の内容に従うものであつたか否かの別

二　登録車両の通行が前号の回答の内容に従わないものであつ

た場合にあつては、当該登録車両に係る法第四十七条の五第一号から第三号までに掲げる事項並びに当該登録車両が通行した経路及び総重量

（データベースに記録する情報）

第二一条　法第四十七条の十三第一項第三号に規定する国土交通省令で定める事項は、登録車両の通行経路並びに判定基準に係る道路の路線名及び区間とする。

（公表事項）

第二二条　法第四十七条の十三第二項に規定する国土交通省令で定める情報は、判定基準に係る道路の路線名及び区間とする。

（指定の申請）

第二三条　法第四十八条の四十六第一項の規定による指定を受けようとする者（次項第八号において「申請者」という。）は、次に掲げる事項を記載した申請書を国土交通大臣に提出しなければならない。

一　名称及び住所
二　行おうとする道路交通管理業務の範囲
三　道路交通管理業務を行おうとする事務所の所在地
四　道路交通管理業務を開始しようとする年月日

2　前項の申請書には、次に掲げる書類を添付しなければならない。

一　定款及び登記事項証明書
二　最近の事業年度における財産目録及び貸借対照表又はこれらに準ずるもの
三　申請の日の属する事業年度及び翌事業年度における事業計画書及び収支予算書
四　申請に係る意思の決定を証する書類
五　役員の氏名及び略歴を記載した書類
六　現に行つている業務の概要を記載した書類
七　道路交通管理業務の実施に関する計画を記載した書類
八　申請者が法第四十八条の四十七各号に該当しない旨を誓約する書面
九　その他参考となる事項を記載した書類

（名称等の変更の届出）

第二四条　指定登録確認機関は、法第四十八条の四十八第二項の規定による届出をしようとするときは、次に掲げる事項を記載した届出書を国土交通大臣に提出しなければならない。

一　変更後の指定登録確認機関の名称若しくは住所、指定登録確認機関が行う道路交通管理業務の範囲又は道路交通管理業務を行う事務所の所在地
二　変更しようとする年月日
三　変更の理由

（国土交通大臣による登録等事務の引継ぎ）

第二五条　国土交通大臣は、法第四十八条の五十第二項に規定する場合及び法第四十八条の五十八第一項の規定により行つている登録等事務を行わないこととする場合にあつては、次に掲げる事項を行わなければならない。

一　登録等事務を指定登録確認機関に引き継ぐこと。
二　登録等事務に関する書類（電磁的記録（電子的方式、磁気的方式その他人の知覚によつては認識することができない方式で作られる記録であつて、電子計算機による情報処理の用に供されるものをいう。第二十八条第二項において同じ。）を含む。）を指定登録確認機関に引き継ぐこと。
三　その他国土交通大臣が必要と認める事項

（登録等事務規程の認可の申請等）

第二六条　指定登録確認機関は、法第四十八条の五十二第一項前段の規定による認可を受けようとするときは、申請書に、当該認可に係る同項に規定する登録等事務規程を添え、これを国土交通大臣に提出しなければならない。

2　指定登録確認機関は、法第四十八条の五十二第一項後段の規定による認可を受けようとするときは、次に掲げる事項を記載した申請書を国土交通大臣に提出しなければならない。

一　変更しようとする事項
二　変更しようとする年月日
三　変更の理由

（登録等事務規程の記載事項）

第二七条　法第四十八条の五十二第二項に規定する国土交通省令で定める事項は、次に掲げるものとする。

一　登録等事務を行う時間及び休日に関する事項
二　登録等事務を行う事務所に関する事項
三　登録等事務の実施体制に関する事項
四　登録等事務の実施の方法に関する事項
五　手数料の収納の方法に関する事項
六　登録等事務に関する秘密の保持に関する事項
七　登録等事務に関する帳簿及び書類の管理に関する事項
八　その他登録等事務の実施に関し必要な事項

（帳簿）

第二八条　法第四十八条の五十三第一項に規定する登録等事務に関する事項で国土交通省令で定めるものは、次に掲げるものとする。

一　登録の申請又は法第四十七条の七第一項若しくは第四十七条の八第一項の規定による届出を受けた年月日
二　登録又は法第四十七条の七第二項の規定による変更の登録を行つた年月日
三　登録の内容
四　確認の求めを受けた年月日
五　法第四十七条の十第三項の回答をした年月日及び当該回答の内容
六　法第四十七条の十一第二項又は第三項の規定による判定基準等の提供を受けた年月日
七　法第四十七条の十一第四項の規定による情報の提供の求めを受けた年月日
八　法第四十七条の十一第四項の規定による情報の提供を行つた年月日及び当該提供の内容
九　法第四十七条の十二第二項の規定による報告を受けた年月日
十　法第四十七条の十二第三項の規定による通知を行つた年月日及び当該通知の内容
十一　その他登録等事務に関し必要な事項

2　前項各号に掲げる事項が、電子計算機に備えられたファイル又は電磁的記録媒体（電磁的記録に係る記録媒体をいう。次項及び次条において同じ。）に記録され、必要に応じ指定登録確認機関において電子計算機その他の機器を用いて明確に紙面に表示されるときは、当該記録をもつて法第四十八条の五十三第一項の帳簿（次項において「帳簿」という。）への記載に代えることができる。

3　指定登録確認機関は、帳簿（前項の規定による記録が行われた同項のファイル又は電磁的記録媒体を含む。第三十二条第二号において同じ。）を、登録等事務の全部を廃止するまで保存しなければならない。

（書類の保存）

第二九条　法第四十八条の五十三第二項に規定する登録等事務に関する書類で国土交通省令で定めるものは、次に掲げるものとする。

一　前条第一項第一号の申請又は届出に係る書類
二　確認の求めに係る書類
三　法第四十七条の十一第二項又は第三項の規定による判定基準等の提供に係る書類
四　法第四十七条の十一第四項の規定による情報の提供の求めに係る書類
五　法第四十七条の十二第二項の規定による報告に係る書類
六　その他国土交通大臣が必要と認める書類

2　前項各号に掲げる書類が、電子計算機に備えられたファイル

又は電磁的記録媒体に記録され、必要に応じ指定登録確認機関において電子計算機その他の機器を用いて明確に紙面に表示されるときは、当該記録をもつて同項各号に掲げる書類に代えることができる。

3　指定登録確認機関は、第一項の書類（前項の規定による記録が行われた同項のファイル又は電磁的記録媒体を含む。第三十二条第二号において同じ。）を、次の各号に掲げる書類の区分に応じ、当該各号に定める期間保存しなければならない。

一　第一項第一号の書類　法第四十七条の四第三項に規定する登録の有効期間が満了するまでの間

二　第一項第二号及び第四号の書類　法第四十七条の十第三項の回答の日から五年間

三　第一項第三号の書類　登録等事務の全部を廃止するまでの間

四　第一項第五号の書類　法第四十七条の十二第二項の規定による報告を受けた日から五年間

五　第一項第六号の書類　国土交通大臣が定める期間

（不正登録車両の報告）

第三〇条　指定登録確認機関は、登録を受けた者が偽りその他不正の手段により当該登録を受けたと思料するときは、直ちに、次に掲げる事項を記載した報告書を国土交通大臣に提出しなければならない。

一　登録車両に係る登録事項

二　偽りその他不正の手段

（登録等事務の休廃止の許可の申請）

第三一条　指定登録確認機関は、法第四十八条の五十六第一項の規定による許可を受けようとするときは、次に掲げる事項を記載した申請書を国土交通大臣に提出しなければならない。

一　休止し、又は廃止しようとする登録等事務の範囲

二　休止し、又は廃止しようとする年月日及び休止しようとする場合にあつては、その期間

三　休止又は廃止の理由

（指定登録確認機関による登録等事務の引継ぎ）

第三二条　指定登録確認機関は、法第四十八条の五十八第三項（同条第一項の規定により国土交通大臣が行つている登録等事務を行わないこととする場合を除く。）にあつては、次に掲げる事項を行わなければならない。

一　登録等事務を国土交通大臣に引き継ぐこと。

二　帳簿及び第二十九条第一項の書類を国土交通大臣に引き継ぐこと。

三　その他国土交通大臣が必要と認める事項

（登録の取消しの通知）

第三三条　国土交通大臣は、指定登録確認機関が登録等事務を行う場合において、法第四十七条の九の規定により登録を取り消したときは、次に掲げる事項を指定登録確認機関に通知するものとする。

一　取消しに係る登録車両の自動車登録番号（道路運送車両法による自動車登録番号をいう。）

二　取消しを受けた者の氏名又は名称及び住所並びに法人にあつては、その代表者の氏名

三　取消しをした年月日

（限度超過車両の所有者等に対する立入検査の証明書）

第三四条　法第七十二条の二第三項の証明書（国の職員が携帯するものを除く。）は、別記様式第四によるものとする。

附　則

この省令は、公布の日から施行する。

附　則〔昭和四六・一一・二五建設省令二五〕

（施行期日等）

1　この省令は、昭和四十六年十二月一日から施行する。ただし、この省令による改正後の車両の通行の許可の手続等を定める省令第四条の規定は、昭和四十七年四月一日から適用する。

（経過規定）

2　この省令の施行前にこの省令による改正前の車両制限令施行規則第二条第三項の規定により道路管理者が交付した認定書のうち、道路法等の一部を改正する法律（昭和四十六年法律第四十六号）による改正後の法第四十七条の二第五項の許可証に相当するものは、同項の許可証とみなす。

附　則〔昭和五三・一一・一〇建設省令一七〕

1　この省令は、昭和五十三年十二月一日から施行する。

2　申請書、許可証及び認定書の様式については、この省令の規定による改正後の車両の通行の許可の手続等を定める省令（以下「新省令」という。）様式第一の様式にかかわらず、昭和五十四年三月三十一日までの間、なお従前の例によることができる。

3　前項に規定する日までに交付された従前の様式による許可証及び認定書については、新省令様式第一の様式にかかわらず、改正後の様式によるものとみなす。

附　則〔平成一六・三・一五国土交通省令一六〕

1　この省令は、平成十六年三月二十九日から施行する。ただし、第二条の改正規定は、公布の日から施行する。

2　申請書、許可証又は認定書の様式については、この省令による改正後の車両の通行の許可の手続等を定める省令（以下「新省令」という。）別記様式第一又は別記様式第二の様式にかかわらず、平成十七年三月三十一日までの間、なお従前の例によることができる。

3　前項に規定する日以前に交付された従前の様式による許可証又は認定書については、同項に規定する日後も新省令別記様式第二による許可証又は認定書とみなす。

附　則〔平成一七・三・二九国土交通省令二四〕

（施行期日）

1　この省令は、行政事件訴訟法の一部を改正する法律の施行の日（平成十七年四月一日）から施行する。

（経過措置）

2　この省令の施行前にその期間が満了した高等海難審判庁の裁決に対する訴えの出訴期間の計算については、なお従前の例による。

3　この省令の施行の際現にあるこの省令による改正前の様式による用紙については、当分の間、これを取り繕って使用することができる。

附　則〔令和二・一二・二三国土交通省令九八〕

（施行期日）

1　この省令は、令和三年一月一日から施行する。

（経過措置）

2　この省令の施行の際現にあるこの省令による改正前の様式による用紙は、当分の間、これを取り繕って使用することができる。

附　則〔令和三・七・九国土交通省令四七〕

この省令は、道路法等の一部を改正する法律附則第一条第二号に掲げる規定の施行の日（令和四年四月一日）から施行する。

附　則〔令和五・七・六国土交通省令五六〕

この省令中、第一条の規定は、日本国の自衛隊とオーストラリア国防軍との間における相互のアクセス及び協力の円滑化に関する日本国とオーストラリアとの間の協定の効力発生の日（令和五・八・一三）から、第二条の規定は、日本国の自衛隊とグレートブリテン及び北アイルランド連合王国の軍隊との間における相互のアクセス及び協力の円滑化に関する日本国とグレートブリテン及び北アイルランド連合王国との間の協定の効力発生の日（令和五・一〇・一五）から施行する。

附　則〔令和五・一二・二八国土交通省令九八〕

この省令は、公布の日から施行する。

附　則〔令和六・三・二九国土交通省令二六抄〕

（施行期日）

第一条　この省令は、令和六年四月一日から施行する。〔以下略〕

様式第一

（用紙Ａ４）

受付番号	

特殊車両通行 許可／認定 申請書　（　　　）

道路管理者
　　　　　　殿

年　月　日

通行開始日	年　月　日
通行終了日	年　月　日

住所

会社名・氏名

代表者名　　　　TEL

担当者名　　　　TEL

車種区分	
車両番号等	車名及び型式
他　台	
他　台	

積載貨物	幅	高さ	長さ
	品名		

軸種数	

車両諸元	総重量	最遠軸距	最小隣接軸距	隣接軸重	長さ
	kg	cm	cm	kg	cm
	幅	高さ	最小回転半径	最大軸重	最大輪荷重
	cm	cm	cm	kg	kg

通行区分		通行経路数	

更新又は変更経緯					
申請内容	年月日	許可番号	車両台数	総通行経路数	変更事由
新規時			／		
前回			／		

様式第二

特殊車両通行 許可／認定 申請書　（　　　）

通行開始日	年　月　日
通行終了日	年　月　日

年　月　日

住所

会社名・氏名

代表者名　　　　TEL

担当者名　　　　TEL

車種区分	
車両番号	車名及び型式
他　台	
他　台	

積載貨物	幅	高さ	長さ
	品名		

軸種数	

車両諸元	総重量	最遠軸距	最小隣接軸距	隣接軸重	長さ
	kg	cm	cm	kg	cm
	幅	高さ	最小回転半径	最大軸重	最大輪荷重
	cm	cm	cm	kg	kg

通行区分		通行経路数	

更新又は変更経緯					
申請内容	年月日	許可番号	車両台数	総通行経路数	変更事由
新規時			／		
前回			／		

特殊車両通行 許可証／認定書

第　　　号

年　月　日

上記の通り 許可／認定 する。ただし、別紙の条件に従うこと。

許可証／認定書 の有効期限	自：　年　月　日
	至：　年　月　日

道路管理者

〔Ⅰ〕許可証又は認定書（以下「本証」という。）の取扱上の注意事項

1．本証の交付を受けた者は、通行中本証を当該車両に備え付けなければならない。

2．本証は、本証に記載された車両以外の車両には使用することはできない。

3．通行に際し、本証に記載されている通行条件、通行経路等は厳守しなければならない。

4．通行条件等に関し、道路管理者等から措置命令を受けた場合には、それに従わなければならない。

5．本証に記載されている車両諸元、通行経路等に変更があった場合には、道路管理者に変更の申請を行い、許可を得なければならない。

6．以上の各事項に違反した場合には、道路法の規定に基づき懲役又は罰金の刑に処せられることがある。

〔Ⅱ〕審査請求又は処分の取消しの訴え

この特殊車両通行許可又は認定について不服があるときは、行政不服審査法の定めるところにより、本証を受け取った日の翌日から起算して３か月以内に　　　　　　に、審査請求することができる（なお、本証を受け取った日の翌日から起算して３か月以内であつても、処分の日から１年を経過すると審査請求することができなくなる。）。また、行政事件訴訟法の定めるところにより、本証を受け取った日（当該処分につき、審査請求した場合においては、これに対する裁決の送達を受けた日）の翌日から起算して６か月以内に、　　　　　　を被告として（訴訟において　　　　　　を代表する者は　　　　　　となる。）、処分の取消しの訴えを提起することができる（なお、本証を受け取った日又は裁決の送達を受けた日の翌日から起算して６か月以内であつても、処分の日又は裁決の日から１年を経過すると処分の取消しの訴えを提起することができなくなる。）。

様式第三　削除

様式第四

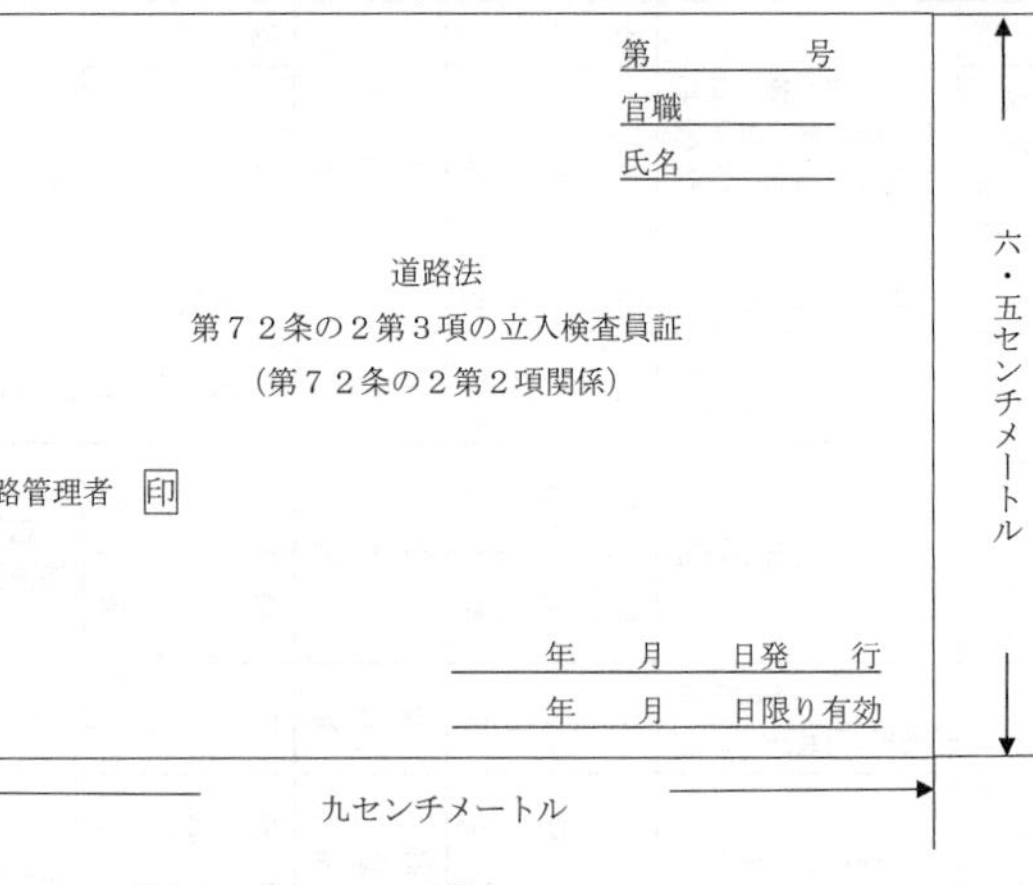

（表）

第　　　号
官職
氏名

道路法
第７２条の２第３項の立入検査員証
（第７２条の２第２項関係）

道路管理者　印

年　月　日発　行
年　月　日限り有効

六・五センチメートル

九センチメートル

（裏）

道路法（抜粋）

（報告及び立入検査）
第七十二条の二　（略）
2　道路管理者は、第四十七条第二項及び第三項並びに第七十一条第一項（第四十七条第二項若しくは第三項又は第四十七条の二第一項の規定に係る場合に限る。）の規定の施行に必要な限度において、国土交通省令で定めるところにより、限度超過車両を所有し、若しくは通行させる者に対し、道路管理上必要な報告をさせ、又はその職員に、限度超過車両の所在する場所若しくは限度超過車両を所有し、若しくは通行させる者の事務所その他の事業場に立ち入り、限度超過車両の通行経路、通行時間その他の通行の方法の記録その他の物件を検査させることができる。
3　前二項の規定により立入検査をする職員は、その身分を示す証明書を携帯し、関係人の請求があつたときは、これを提示しなければならない。
4　第一項及び第二項の規定による立入検査の権限は、犯罪捜査のために認められたものと解釈してはならない。
第百六条　次の各号のいずれかに該当する者は、三十万円以下の罰金に処する。
一　（略）
二　第七十二条の二第一項又は第二項の規定に違反して、報告をせず、若しくは虚偽の報告をし、又はこれらの規定による検査を拒み、若しくは妨げた者

〇国土開発幹線自動車道建設法〔抄〕

（昭和三二・四・一六 法律六八）

改正 前略…平成一一・七法八七、法一〇二、一二法一六〇

（目的）

第一条 この法律は、国土の普遍的開発をはかり、画期的な産業の立地振興及び国民生活領域の拡大を期するとともに、産業発展の不可欠の基盤たる全国的な高速自動車交通網を新たに形成させるため、国土を縦貫し、又は横断する高速幹線自動車道を開設し、及びこれと関連して新都市及び新農村の建設等を促進することを目的とする。

（定義）

第二条 この法律で「自動車道」とは、自動車（道路運送車両法（昭和二十六年法律第百八十五号）第二条第二項に規定する自動車をいう。）のみの一般交通の用に供することを目的として設けられた道をいう。

（国土開発幹線自動車道の予定路線）

第三条 第一条の目的を達成するため高速幹線自動車道として国において建設すべき自動車道（以下「国土開発幹線自動車道」という。）の予定路線は、別表のとおりとする。

（建設線の基本計画）

第五条 国土交通大臣は、高速自動車交通の需要の充足、国土の普遍的開発の地域的な重点指向その他国土開発幹線自動車道の効率的な建設をはかるため必要な事項を考慮し、国土開発幹線自動車道の予定路線のうち建設を開始すべき路線（以下「建設線」という。）の建設に関する基本計画（以下「基本計画」という。）を立案し、国土開発幹線自動車道建設会議の議を経て、これを決定しなければならない。

2 国土交通大臣は、前項の規定により建設線の基本計画を決定したときは、遅滞なく、これを国の関係行政機関の長に送付するとともに、政令で定めるところにより、公表しなければならない。

3 前項の規定により公表された事項に関し利害関係を有する者は、同項の公表の日から三十日以内に、政令で定めるところにより、国の行政機関の長にその意見を申し出ることができる。

4 前項の規定による意見の申出があつたときは、国の行政機関の長は、これをしんしやくして、必要な措置を採らなければならない。

（政令への委任）

第一六条 この法律に定めるもののほか、会議の組織及び運営その他この法律を実施するため必要な事項は、政令で定める。

別表（第三条関係）

路線名		起点	終点	主たる経過地	
北海道縦貫自動車道		函館市	稚内市	室蘭市付近 札幌市 岩見沢市 旭川市付近	
北海道横断自動車道	根室線	北海道寿都郡黒松内町	根室市	北海道虻田郡倶知安町付近 小樽市 札幌市 夕張市付近 帯広市付近 北海道足寄郡足寄町付近	釧路市
	網走線		網走市		北見市
東北縦貫自動車道	弘前線	東京都	青森市	浦和市 館林市 宇都宮市 福島市 仙台市 盛岡市	鹿角市 弘前市
	八戸線				八戸市
東北横断自動車道	釜石秋田線	釜石市	秋田市	花巻市付近 北上市 横手市付近	
	酒田線	仙台市	酒田市	山形市付近 鶴岡市付近	
	いわき新潟線	いわき市	新潟市	会津若松市付近	
日本海沿岸東北自動車道		新潟市	青森市	村上市付近 鶴岡市付近 酒田市付近 秋田市付近 能代市付近 大館市付近	
東北中央自動車道		相馬市	横手市	福島市付近 米沢市付近 山形市付近 新庄市付近	
関越自動車道	新潟線	東京都	新潟市	川越市 本庄市	前橋市
	上越線		上越市		高崎市付近 長野市付近
常磐自動車道		東京都	仙台市	柏市 土浦市 水戸市 いわき市 相馬市付近	
東関東自動車道	館山線	東京都	館山市	習志野市	千葉市付近 木更津市
	水戸線		水戸市		茨城県鹿島郡鹿島町
北関東自動車道		高崎市	那珂湊市	前橋市付近 宇都宮市付近 水戸市付近	
中央自動車道	富士吉田線	東京都	富士吉田市	神奈川県津久井郡相模湖町 大月市	
	西宮線		西宮市	神奈川県津久井郡相模湖町 大月市 甲府市 諏訪市	飯田市 中津川市 小牧市 大垣市 大津市 京都市 吹田市
	長野線		長野市		松本市付近
第一東海自動車道		東京都	小牧市	横浜市 静岡市 浜松市 豊橋市 名古屋市	

東海北陸自動車道		一宮市	砺波市	関市　岐阜県大野郡荘川村付近
第二東海自動車道		東京都	名古屋市	厚木市付近　静岡市付近
中部横断自動車道		清水市	佐久市	山梨県中巨摩郡甲西町付近
北陸自動車道		新潟市	滋賀県坂田郡米原町	上越市　富山市　金沢市　福井市　敦賀市
近畿自動車道	伊勢線	名古屋市	伊勢市	四日市市　津市
	名古屋大阪線	名古屋市	吹田市	四日市市　天理市　大阪市
	名古屋神戸線	名古屋市	神戸市	四日市市付近　大津市付近　京都市付近　高槻市付近
	紀勢線	松原市	三重県多気郡勢和村	和歌山市　田辺市付近　新宮市付近　尾鷲市付近
	敦賀線	吹田市	敦賀市	三田市付近　福知山市　舞鶴市　小浜市付近
中国縦貫自動車道		吹田市	下関市	兵庫県加東郡滝野町　津山市　三次市　島根県鹿足郡六日市町　山口市
山陽自動車道		吹田市	下関市	神戸市付近　姫路市付近　岡山市付近　広島市　岩国市付近　山口市　宇部市付近
中国横断自動車道	姫路鳥取線	姫路市	鳥取市	兵庫県佐用郡佐用町付近
	岡山米子線	岡山市	境港市	岡山県真庭郡落合町付近　米子市付近
	尾道松江線	尾道市	松江市	三次市付近
	広島浜田線	広島市	浜田市	広島県山県郡千代田町付近
山陰自動車道		鳥取市	美祢市	米子市付近　松江市付近　浜田市付近　長門市付近
四国縦貫自動車道		徳島市	大洲市	徳島県三好郡池田町付近　松山市付近
四国横断自動車道		阿南市	大洲市	徳島市　高松市　川之江市付近　高知市付近　須崎市　中村市付近　宇和島市付近
九州縦貫自動車道	鹿児島線	北九州市	鹿児島市	福岡市　鳥栖市　熊本市　えびの市
	宮崎線	北九州市	宮崎市	福岡市　鳥栖市　熊本市　えびの市
九州横断自動車道	長崎大分線	長崎市	大分市	佐賀市　鳥栖市　甘木市　日田市付近
	延岡線	熊本県上益城郡御船町	延岡市	宮崎県西臼杵郡高千穂町付近
東九州自動車道		北九州市	鹿児島市	行橋市付近　大分市付近　延岡市付近　宮崎市付近　日南市付近　鹿屋市付近

○道路整備特別措置法〔抄〕

〔昭和三一・三・一四 法律七〕

改正 前略…平成一四・一二法一八〇、平成一六・六法一〇一、平成一九・三法一九、平成二三・八法一〇五、平成二五・六法三〇、平成二六・六法五三、法六九、平成二八・三法一九、平成二九・六法四五、平成三〇・三法六、令和二・五法三一、令和三・三法九、令和四・六法六八、令和五・六法四三、法六三

第一章　総則

（目的）

第一条　この法律は、その通行又は利用について料金を徴収することができる道路の新設、改築、維持、修繕その他の管理を行う場合の特別の措置を定め、もつて道路の整備を促進し、交通の利便を増進することを目的とする。

（定義）

第二条　この法律において「道路」とは、道路法（昭和二十七年法律第百八十号）第二条第一項に規定する道路をいう。

2　この法律において「高速道路」とは、高速道路株式会社法（平成十六年法律第九十九号）第二条第二項に規定する高速道路をいう。

3　この法律において「道路管理者」とは、高速自動車国道にあつては国土交通大臣、その他の道路にあつては道路法第十八条第一項に規定する道路管理者をいう。

4　この法律において「会社」とは、東日本高速道路株式会社、首都高速道路株式会社、中日本高速道路株式会社、西日本高速道路株式会社、阪神高速道路株式会社又は本州四国連絡高速道路株式会社をいう。

5　この法律において「料金」とは、会社、地方道路公社又は道路管理者が道路の通行又は利用について徴収する料金をいう。

6　この法律において「会社等」とは、会社又は地方道路公社をいう。

7　この法律において「機構等」とは、独立行政法人日本高速道路保有・債務返済機構（以下「機構」という。）又は地方道路公社をいう。

第四章　雑則

（料金徴収の対象等）

第二十四条　料金は、高速自動車国道又は自動車専用道路にあつては当該道路を通行する道路法第二条第三項に規定する自動車（以下「自動車」という。）の運転者又は使用者（当該運転者を除く。）（以下「運転者等」という。）から、その他の道路にあつては当該道路を通行し、又は利用する車両の運転者等から徴収する。ただし、道路交通法（昭和三十五年法律第百五号）第三十九条第一項に規定する緊急自動車その他政令で定める車両（第三項において「緊急自動車等」という。）の運転者等については、この限りでない。

2　前項本文に規定するその他の道路にあつては、同項本文の規定にかかわらず、トンネル及び橋並びに渡船施設、道路用エレベーターその他政令で定める施設を通行し、又は利用する人（同項本文に規定する車両の運転者等であるものを除く。）からも料金を徴収することができる。

3　会社等又は有料道路管理者は、この法律の規定により料金を徴収することができる道路について、料金の徴収を確実に行うため、国土交通省令で定めるところにより、国土交通大臣の認可を受けて、料金の徴収施設及びその付近における車両の一時停止その他の車両の通行方法を定めることができる。この場合において、当該道路を通行する自動車その他の車両（緊急自動車等を除く。第五十九条において同じ。）の運転者は、当該通行方法に従つて、当該車両を通行させなければならない。

4　会社等又は有料道路管理者は、前項の認可を受けたときは、国土交通省令で定めるところにより、遅滞なく、当該認可を受けた通行方法について、電気通信回線に接続して行う自動公衆送信により公衆の閲覧に供するとともに、営業所、事務所その他の事業場において公衆に見やすいように掲示しなければならない。

5　会社等又は有料道路管理者は、次の表の上欄に掲げる自動車の運転者等から徴収できなかつた料金の請求のため当該運転者等を特定する必要があると認めるときは、同表の中欄に掲げる者に対し、それぞれ同表の下欄に掲げる事項のうち当該運転者等を特定するために必要なものとして国土交通省令で定めるものに係る情報の提供を求めることができる。

道路運送車両法（昭和二十六年法律第百八十五号）第五十九条第一項に規定する検査対象軽自動車	国土交通大臣（同法第七十四条の四の規定により同法第七十二条第一項の規定を読み替えて適用する場合にあつては、軽自動車検査協会）	同法第七十二条第一項（同法第七十四条の四の規定により読み替えて適用する場合を含む。）に規定する軽自動車検査ファイルに記録されている事項
道路運送車両法第三条に規定する小型自動車で二輪のもの	国土交通大臣	同法第七十二条第一項に規定する二輪自動車検査ファイルに記録されている事項
道路運送車両法第五十八条第一項に規定する検査対象外軽自動車	同法第九十七条の三第一項に規定する地方運輸局長	同法第九十七条の三第一項の規定による届出に係る事項

（割増金）

第二十六条　会社等は、料金を不法に免れた者から、その免れた額のほか、その免れた額の二倍に相当する額を割増金として徴収することができる。

第五章　罰則

第五十九条　第二十四条第三項後段の規定に違反して自動車その他の車両を通行させた運転者は、三十万円以下の罰金に処する。

○道路整備特別措置法施行規則〔抄〕

（昭和三一・五・一六 建設省令一八）

改正　前略…平成一二・一一建令四一、平成一七・六国交令六六、平成二四・二国交令四、平成二七・一国交令四、令和五・六国交令四六、九国交令六五、令和六・一国交令二

（車両の通行方法）

第一三条　会社等又は有料道路管理者は、法第二十四条第三項の認可を受けようとするときは、当該認可を受けようとする通行方法を記載した申請書を国土交通大臣に提出しなければならない。

2　国土交通大臣は、前項の申請書に記載された通行方法が次の各号に掲げる料金の徴収施設の区分に応じ、それぞれ当該各号に定めるものである場合に限り、法第二十四条第三項の認可をするものとする。

一　一般専用有人施設（料金を徴収する事務に従事する者（以下この項において「係員」という。）が料金の収受又は通行券（法第二十四条第三項に規定する運転者が通行させる自動車その他の車両（以下この項において「通行車両」という。）の通行区間を確認するため当該通行車両に対して交付される紙片をいう。以下この項において同じ。）の交付若しくは確認を行う施設であつて、第四号から第六号までに該当しないものをいう。以下この号において同じ。）　次のイからハまでに掲げる一般専用有人施設の区分に応じて、それぞれ当該イからハまでに定める通行方法

イ　料金の収受を行う施設　通行車両は、確実に係員が料金の収受を行うことができる程度に当該係員が当該収受を行う場所に近接した場所（停止すべき場所について当該係員の指示又は標識その他の方法による表示がある場合には、当該指示又は表示に係る場所）で停止しなければならず、かつ、料金の収受後に当該係員が発進を承諾するまでの間は発進してはならないこと。

ロ　通行券の交付を行う施設　通行車両は、確実に係員が通行券の交付を行うことができる程度に当該係員が当該交付を行う場所に近接した場所（停止すべき場所について当該係員の指示又は標識その他の方法による表示がある場合には、当該指示又は表示に係る場所）で停止しなければならず、かつ、通行券の交付後に当該係員が発進を承諾するまでの間は発進してはならないこと。

ハ　通行券の確認を行う施設　通行車両は、確実に係員が通行券の確認を行うことができる程度に当該係員が当該確認を行う場所に近接した場所（停止すべき場所について当該係員の指示又は標識その他の方法による表示がある場合には、当該指示又は表示に係る場所）で停止しなければならず、かつ、通行券の確認後に当該係員が発進を承諾するまでの間は発進してはならないこと。

二　一般専用機械式施設（料金収受機等（無線の交信を伴うETCシステム（有料道路自動料金収受システムを使用する料金徴収事務の取扱いに関する省令（平成十一年建設省令第三十八号）第一条に規定するETCシステムをいう。以下この項において同じ。）を使用せずに料金の収受を行い、又は通行券の交付若しくは確認を行う機械であつて、これと連動して開閉棒（料金の収受又は通行券の交付若しくは確認を完了するまでの間通行車両の通行を遮断するために設けられる開閉式の棒をいう。）、表示板（停止すべき旨又は発進することができる旨を意味する字句又は信号を表示する設備をいう。）その他の通行車両に対して停止すべき旨又は発進することができる旨を表示するための設備（以下この項において「開閉棒等」という。）が動作するものをいう。以下この項において同じ。）による料金の収受又は通行券の交付若しくは確認を行う施設であつて、第四号から第六号までに該当しないものをいう。以下この号において同じ。）　次のイからハまでに掲げる一般専用機械式施設の区分に応じて、それぞれ当該イからハまでに定める通行方法

イ　料金の収受を行う施設　通行車両は、確実に料金収受機等が料金の収受を行うことができる程度に当該料金収受機等に近接した場所で停止しなければならず、かつ、開閉棒等の開閉又は表示に従つて通行しなければならないこと。

ロ　通行券の交付を行う施設　通行車両は、確実に料金収受機等が通行券の交付を行うことができる程度に当該料金収受機等に近接した場所で停止しなければならず、かつ、開閉棒等の開閉又は表示に従つて通行しなければならないこと。

ハ　通行券の確認を行う施設　通行車両は、確実に料金収受機等が通行券の確認を行うことができる程度に当該料金収受機等に近接した場所で停止しなければならず、かつ、開閉棒等の開閉又は表示に従つて通行しなければならないこと。

三　ETC専用施設（無線の交信を伴うETCシステムを使用して料金の徴収のために必要な通行車両の通行に関する情報の記録を行う施設であつて、次号から第六号までに該当しないものをいう。以下この号において同じ。）　次のイ又はロに掲げるETC専用施設の区分に応じて、それぞれ当該イ又はロに定める通行方法

イ　標識その他の方法によつて徐行し又は停止すべき旨が表示されている施設　有料道路自動料金収受システムを使用する料金徴収事務の取扱いに関する省令第四条第一項第一号に規定する車載器及び識別カードが搭載され、かつ、無線の交信によりETCシステムに料金の徴収のために必要なその通行に関する情報を適正に記録することができる状態にある通行車両（以下この項において「ETC通行車」という。）以外の通行車両にあつては当該施設を通過してはならず、ETC通行車にあつては当該標識その他の方法による表示に従つて通行しなければならないこと。

ロ　イ以外の施設　ETC通行車以外の通行車両は、当該施設を通過してはならないこと。

四　ETC・一般共通有人施設（係員が料金の収受又は通行券の交付若しくは確認を行うことができ、かつ、無線の交信を伴うETCシステムを使用して料金の徴収のために必要な通行車両の通行に関する情報の記録を行うことができる施設であつて、第六号に該当しないものをいう。）　次のイ又はロに掲げる通行車両の区分に応じて、それぞれ当該イ又はロに定める通行方法

イ　ETC通行車　係員による徐行し又は停止すべき旨の指示がある場合には当該指示に従つて、標識その他の方法による徐行し又は停止すべき旨の表示がある場合には当該表示に従つて、通行しなければならないこと。

ロ　ETC通行車以外の通行車両　第一号イからハまでに掲げる施設の区分に応じて、それぞれ同号イからハまでに定める通行方法によること。

五　ETC・一般共通機械式施設（料金収受機等による料金の収受又は通行券の交付若しくは確認を行うことができ、かつ、無線の交信を伴うETCシステムを使用して料金の徴収のために必要な通行車両の通行に関する情報の記録を行うことができる施設であつて、次号に該当しないものをいう。）　次のイ又はロに掲げる通行車両の区分に応じて、それぞれ当該イ

又はロに定める通行方法
イ　ＥＴＣ通行車　標識その他の方法による徐行し又は停止すべき旨の表示に従つて、通行しなければならないこと。
ロ　ＥＴＣ通行車以外の通行車両　第二号イからハまでに掲げる施設の区分に応じて、それぞれ同号イからハまでに定める通行方法によること。

六　閉鎖施設（標識その他の方法によつて通過することができない旨が表示されている施設をいう。）　通行車両は、通過してはならないこと。

3　法第二十四条第四項の規定による公衆の閲覧は、会社等にあつては会社等の、有料道路管理者にあつては有料道路管理者のウェブサイトへの掲載により行うものとする。

○高速自動車国道法

〔昭和三二・四・二五〕
〔法律七九〕

改正　前略…平成二二・三法二〇、平成二三・八法一〇五、平成二六・六法五三、法六九、平成三〇・三法六、令和二・五法三一、令和三・三法九

注　令和四年六月一七日法律第六八号の改正は、令和七年六月一日から施行のため、附則の次に（参考）として改正文を掲載いたしました。

第一章　総則

（この法律の目的）

第一条　この法律は、高速自動車国道に関して、道路法（昭和二十七年法律第百八十号）に定めるもののほか、路線の指定、整備計画、管理、構造、保全等に関する事項を定め、もつて高速自動車国道の整備を図り、自動車交通の発達に寄与することを目的とする。

（用語の定義）

第二条　この法律において「道路」とは、道路法第二条第一項に規定する道路をいう。

2　この法律において「一般自動車道」とは、道路運送法（昭和二十六年法律第百八十三号）第二条第八項に規定する一般自動車道をいう。

3　この法律において「国土開発幹線自動車道」とは、国土開発幹線自動車道建設法（昭和三十二年法律第六十八号）第三条に規定する国土開発幹線自動車道をいう。

4　この法律において「自動車」とは、道路運送車両法（昭和二十六年法律第百八十五号）第二条第二項に規定する自動車をいう。

（予定路線）

第三条　国土交通大臣は、政令で定めるところにより、内閣の議を経て、高速自動車国道として建設すべき道路の予定路線（国土開発幹線自動車道の予定路線を除く。以下本条において同じ。）を定める。この場合においては、一般自動車道との調整について特に考慮されなければならない。

2　国土交通大臣は、前項の予定路線について内閣の議を経ようとするときは、あらかじめ国土開発幹線自動車道建設会議（以下「会議」という。）の議を経なければならない。

3　国土交通大臣は、第一項の規定により高速自動車国道の予定路線を定めたときは、遅滞なく、政令で定める事項を告示しなければならない。

（高速自動車国道の意義及び路線の指定）

第四条　高速自動車国道とは、自動車の高速交通の用に供する道路で、全国的な自動車交通網の枢要部分を構成し、かつ、政治・経済・文化上特に重要な地域を連絡するものその他国の利害に特に重大な関係を有するもので、次の各号に掲げるものをいう。

一　国土開発幹線自動車道の予定路線のうちから政令でその路線を指定したもの

二　前条第三項の規定により告示された予定路線のうちから政令でその路線を指定したもの

2　前項の規定による政令においては、路線名、起点、終点、重要な経過地その他路線について必要な事項を明らかにしなければならない。

3　国土交通大臣は、第一項の規定による政令の制定又は改廃の立案をしようとするときは、あらかじめ会議の議を経なければならない。

（整備計画）

第五条　国土交通大臣は、前条第一項の規定により高速自動車国道の路線が指定された場合においては、政令で定めるところにより、当該高速自動車国道の新設に関する整備計画を定めなければならない。これを変更しようとするときも、同様とする。

2　前項の整備計画のうち、国土開発幹線自動車道に係るものについては、国土開発幹線自動車道建設法第五条第一項の規定により決定された基本計画に基き定められなければならない。

3　国土交通大臣は、政令で定めるところにより、高速自動車国道の改築をしようとする場合においては、政令で定めるところにより、当該高速自動車国道の改築に関する整備計画を定めなければならない。これを変更しようとするときも、同様とする。

4　国土交通大臣は、第一項又は前項の規定により整備計画を定め、又は変更しようとするときは、政令で定める事項について会議の議を経なければならない。

5　国土交通大臣は、第一項又は第三項の規定により整備計画を

定め、又は変更しようとするときは、あらかじめ、関係都道府県（地方自治法（昭和二十二年法律第六十七号）第二百五十二条の十九第一項の指定都市の区域内における整備計画にあつては、当該指定都市）の意見を聴かなければならない。

第二章　管理

（管理）

第六条　高速自動車国道の新設、改築、維持、修繕、公共土木施設災害復旧事業費国庫負担法（昭和二十六年法律第九十七号）の規定の適用を受ける災害復旧事業（以下「災害復旧」という。）その他の管理は、国土交通大臣が行う。

（区域の決定及び供用の開始等）

第七条　国土交通大臣は、第五条第一項の規定により整備計画が決定された場合においては、遅滞なく、政令で定めるところにより、高速自動車国道の区域を決定して、これを公示し、かつ、これを表示した図面を一般の縦覧に供しなければならない。高速自動車国道の区域を変更した場合も、同様とする。

2　国土交通大臣は、高速自動車国道の供用を開始し、又は廃止しようとする場合においては、政令で定めるところにより、その旨を公示し、かつ、これを表示した図面を一般の縦覧に供しなければならない。

（共用高速自動車国道管理施設の管理）

第七条の二　道路交通騒音により生ずる障害の防止又は軽減、道路の排水その他の高速自動車国道の管理のための施設又は工作物で、当該高速自動車国道と隣接し、又は近接する他の道路から発生する道路交通騒音により生ずる障害の防止又は軽減、当該他の道路の排水その他の当該他の道路の管理に資するもの（以下「共用高速自動車国道管理施設」という。）の管理については、国土交通大臣及び当該他の道路の道路管理者（道路法第十八条第一項に規定する道路管理者をいう。以下同じ。）は、第六条の規定にかかわらず、協議して別にその管理の方法を定めることができる。

2　前項の規定による協議が成立した場合においては、国土交通大臣及び当該他の道路の道路管理者は、成立した協議の内容を公示しなければならない。

（兼用工作物の管理）

第八条　高速自動車国道と他の工作物（道路法第二十条第一項に規定する他の工作物をいい、以下「他の工作物」という。）とが相互に効用を兼ねる場合においては、国土交通大臣及び当該他の工作物の管理者は、当該高速自動車国道及び他の工作物の管理については、第六条の規定にかかわらず、協議して別にその維持、修繕、災害復旧その他の管理の方法を定めることができる。ただし、他の工作物の管理者が私人である場合においては、当該高速自動車国道については、修繕に関する工事及び維持以外の管理を行わせることができない。

2　前項の規定による協議が成立しない場合においては、国土交通大臣は、当該他の工作物に関する主務大臣とあらためて協議することができる。

3　前項の規定により国土交通大臣と当該他の工作物に関する主務大臣との協議が成立した場合においては、第一項の規定の適用については、国土交通大臣と当該他の工作物の管理者との協議が成立したものとみなす。

4　第一項の規定による協議が成立した場合（前項の規定により国土交通大臣と当該他の工作物の管理者との協議が成立したものとみなされる場合を含む。）においては、国土交通大臣は、成立した協議の内容を公示しなければならない。

（国土交通大臣の権限の代行）

第九条　前条の規定による協議に基き他の工作物の管理者が高速自動車国道を管理する場合においては、当該他の工作物の管理者は、政令で定めるところにより、国土交通大臣に代つてその権限を行うものとする。

（高速自動車国道と道路、鉄道、軌道等との交差の方式）

第一〇条　高速自動車国道と道路、鉄道、軌道、一般自動車道又は交通の用に供する通路その他の施設とが相互に交差する場合においては、当該交差の方式は、立体交差としなければならない。

（高速自動車国道との連結の制限）

第一一条　次に掲げる施設以外の施設は、高速自動車国道と連結させてはならない。

一　道路、一般自動車道又は政令で定める一般交通の用に供する通路その他の施設

二　当該高速自動車国道の通行者の利便に供するための休憩所、給油所その他の施設又は利用者のうち相当数の者が当該高速自動車国道を通行すると見込まれる商業施設、レクリエーション施設その他の施設

三　前号の施設と当該高速自動車国道とを連絡する通路その他の施設であつて、専ら同号の施設の利用者の通行の用に供することを目的として設けられるもの（第一号に掲げる施設を除く。）

四　前三号に掲げるもののほか、政令で定める施設

（連結許可等）

第一一条の二　前条各号に掲げる施設（高速自動車国道を除く。）を管理する者は、当該施設を高速自動車国道と連結させようとする場合においては、あらかじめ、国土交通省令で定めるところにより、国土交通大臣の許可（以下「連結許可」という。）を受けなければならない。

2　国土交通大臣は、連結許可の申請があつた場合において、当該申請に係る施設が次の各号に掲げる区分に応じ当該各号に定める基準に適合するときに限り、連結許可をすることができる。

一　前条第一号に掲げる施設　第五条第一項又は第三項の規定により定められた整備計画に適合するものであること。

二　前条第二号から第四号までに掲げる施設であつて、これを管理する者以外の者の管理する他の通路その他の施設に連結するもの　第五条第一項又は第三項の規定により定められた整備計画及び国土交通省令で定める施設の構造に関する技術的基準に適合するものであること。

三　前条第二号から第四号までに掲げる施設であつて、前号に掲げるもの以外のもの　政令で定める連結位置に関する基準及び同号の国土交通省令で定める技術的基準に適合するものであること。

3　道路運送法第七十四条第二項の規定は、連結許可については、適用しない。

4　連結許可を受けた前条第二号から第四号までに掲げる施設であつて第二項第三号に該当するものを管理する者は、当該施設を同項第一号又は第二号の施設としようとする場合（政令で定める場合を除く。）には、連結許可を受けなければならない。

5　連結許可を受けた前条第二号から第四号までに掲げる施設を管理する者は、当該施設の構造について変更（国土交通省令で定める軽微な変更を除く。）を行おうとする場合には、あらかじめ、国土交通省令で定めるところにより、国土交通大臣の許可を受けなければならない。

6　第二項の規定は、前項の許可について準用する。

7　第五項の許可を受けた施設は、連結許可を受けた前条第二号から第四号までに掲げる施設とみなして、第四項及び第五項の規定を適用する。

（連結許可等に係る施設の管理）

第一一条の三　連結許可及び前条第五項の許可（以下「連結許可等」という。）を受けて高速自動車国道と連結する第十一条第二号から第四号までに掲げる施設を管理する者は、国土交通省令で定める基準に従い、当該施設の維持管理をしなければなら

ない。

（連結料の徴収）

第十一条の四　国は、第十一条第二号から第四号までに掲げる施設の高速自動車国道との連結につき、連結料を徴収することができる。

２　前項の規定による連結料の額の基準及び徴収方法は、政令で定める。

３　第一項の規定に基づく連結料は、国の収入とする。

（連結許可等に基づく地位の承継）

第十一条の五　相続人、合併又は分割により設立される法人その他の連結許可等を受けた者の一般承継人（分割による承継の場合にあつては、連結許可等に係る高速自動車国道と連結する施設を承継する法人に限る。）は、被承継人が有していた当該連結許可等に基づく地位を承継する。

２　前項の規定により連結許可等に基づく地位を承継した者は、その承継の日の翌日から起算して三十日以内に、国土交通大臣にその旨を届け出なければならない。

第十一条の六　国土交通大臣の承認を受けて連結許可等に係る高速自動車国道と連結する施設を譲り受けた者は、譲渡人が有していたその連結許可等に基づく地位を承継する。

（連結許可等の条件等）

第十一条の七　国土交通大臣は、連結許可等又は前条の承認には、高速自動車国道の管理のため必要な範囲内で条件を付することができる。

（連結許可等に対する監督処分等）

第十一条の八　道路法第七十一条第一項から第三項までの規定は、連結許可等及び連結許可等に係る高速自動車国道と連結する施設について準用する。この場合において、同条第一項から第三項までの規定中「道路管理者」とあるのは「国土交通大臣」と、同条第一項及び第二項中「この法律」とあるのは「高速自動車国道法」と、同条第一項中「連結許可等に係る自動車専用道路と連結する施設」とあるのは「高速自動車国道法第十一条の二第一項又は第五項の許可に係る高速自動車国道と連結する施設」と読み替えるものとする。

２　道路法第七十三条の規定は、第十一条の四第一項の規定に基づく連結料の徴収について準用する。この場合において、同法第七十三条第一項から第三項までの規定中「道路管理者」とあるのは「国」と、同条第二項中「条例（指定区間内の国道にあつては、政令）」とあるのは「政令」と読み替えるものとする。

（高速自動車国道と鉄道との交差）

第十二条　高速自動車国道と独立行政法人鉄道建設・運輸施設整備支援機構、独立行政法人日本高速道路保有・債務返済機構又は鉄道事業者（以下この条において「鉄道事業者等」という。）の鉄道とが相互に交差する場合においては、国土交通大臣は、あらかじめ、当該鉄道事業者等の意見を聴いて、当該交差の構造、工事の施行方法及び費用負担を決定するものとする。ただし、国土交通大臣の決定前に、国土交通大臣と当該鉄道事業者等との間にこれらの事項について協議が成立したときは、この限りでない。

２　高速自動車国道と鉄道事業者等の鉄道とが相互に交差している場合においては、国土交通大臣は、当該鉄道事業者等の意見を聴いて、当該交差部分の管理の方法であつて安全かつ円滑な交通の確保に必要なものとして国土交通省令で定める基準に適合するものを決定するものとする。ただし、国土交通大臣の決定前に、国土交通大臣と当該鉄道事業者等との間に当該管理の方法について協議が成立したときは、この限りでない。

３　国土交通大臣は、第一項本文又は前項本文の規定による決定をするときは、鉄道の整備及び安全の確保並びに鉄道事業の発達、改善及び調整に特に配慮しなければならない。

（特別沿道区域の指定）

第十三条　国土交通大臣は、高速自動車国道に接続する区域について、当該高速自動車国道を通行する自動車の高速交通に及ぼすべき危険を防止するため、当該道路の構造及びその存する地域の状況を勘案して、政令で定める基準に従い、特別沿道区域の指定をすることができる。ただし、高速自動車国道の各一側について幅二十メートルをこえる区域を特別沿道区域として指定することはできない。

２　前項の規定により特別沿道区域の指定をした場合においては、国土交通大臣は、遅滞なく、政令で定めるところにより、その区域を公示し、かつ、これを表示した図面を一般の縦覧に供しなければならない。

（特別沿道区域内の制限）

第十四条　前条第二項の規定により公示された特別沿道区域内においては、高速自動車国道を通行する自動車の高速交通を著しく妨げるおそれのある建築物その他の工作物又は物件で政令で定めるもの（以下「建築物等」という。）を建築し、又は設けてはならない。

２　国土交通大臣は、前項の規定に違反して、建築し、又は設けた建築物等の所有者その他の権原を有する者に対し、当該建築物等の改築、移転、除却その他必要な措置をすることを命ずることができる。

３　国土交通大臣は、前条第二項の公示の際特別沿道区域内に現に存する建築物等の所有者その他の権原を有する者に対し、政令で定めるところにより、通常生ずべき損失を補償して、当該建築物等の改築、移転、除却その他必要な措置をすることを命ずることができる。

４　前項の建築物等又はこれが存する土地の所有者は、同項の建築物等の改築、移転、除却その他の措置によつて、当該建築物等又は土地を従来利用していた目的に供することが著しく困難となるときは、政令で定めるところにより、国土交通大臣に対し当該建築物等又は土地の買取を請求することができる。

５　第三項の規定により補償すべき損失の額並びに前項の規定による買取及びその価額等の条件は、国土交通大臣と当該建築物等又は土地の所有者その他の権原を有する者とが協議して定める。

６　前項の規定による協議が成立しない場合においては、国土交通大臣又は当該建築物等若しくは土地の所有者その他の権原を有する者は、政令で定めるところにより、収用委員会に土地収用法（昭和二十六年法律第二百十九号）第九十四条の規定による裁決を申請することができる。

第十五条　国土交通大臣は、前条第一項の規定による特別沿道区域内における用益の制限により通常生ずべき損失を当該土地の所有者その他の権原を有する者に対し、政令で定めるところにより、補償しなければならない。

２　前項の土地の所有者は、前条第一項の規定による特別沿道区域内における用益の制限によつて当該土地を従来利用していた目的に供することが著しく困難となるときは、同条第四項の規定による場合を除き、政令で定めるところにより、国土交通大臣に対しその土地の買取を請求することができる。

３　前条第五項及び第六項の規定は、前二項の場合について準用する。

（準用規定）

第十六条　前三条の規定は、高速自動車国道の区域が決定された後当該道路の供用が開始されるまでの間において、国土交通大臣が当該道路の区域についての土地に関する権原を取得した後においては、当該区域について準用する。

（出入の制限等）

第十七条　何人もみだりに高速自動車国道に立ち入り、又は高速自動車国道を自動車による以外の方法により通行してはならない。

２　国土交通大臣は、高速自動車国道の入口その他必要な場所に通行の禁止又は制限の対象を明らかにした道路標識を設けなければならない。

（違反行為に対する措置）

第一八条　国土交通大臣は、前条第一項の規定に違反している者に対し、行為の中止その他交通の危険防止のための必要な措置をすることを命ずることができる。

（道路監理員の監督処分）

第一九条　国土交通大臣は、道路法第七十一条第四項の規定により国土交通大臣が命じた道路監理員に、第十四条第一項（第十六条において準用する場合を含む。）若しくは第十七条第一項の規定又は第十四条第二項若しくは第三項（第十六条において準用する場合を含む。）又は前条の規定に基づく処分に違反している者に対して、その違反行為の中止を命じ、又は建築物等の改築、移転、除却その他の必要な措置をすることを命ずる権限を行わせることができる。

2　道路法第七十一条第六項及び第七項の規定は、前項の規定により権限を行使する道路監理員に準用する。

（費用の負担）

第二〇条　高速自動車国道の管理に要する費用は、この法律及び他の法律に特別の規定がある場合を除くほか、新設、改築又は災害復旧に係るものにあつては国がその四分の三以上で政令で定める割合を、都道府県（地方自治法第二百五十二条の十九第一項の指定都市の区域内における高速自動車国道にあつては、当該指定都市。以下この章において同じ。）がその余の割合を負担し、新設、改築及び災害復旧以外の管理に係るものにあつては国の負担とする。

2　前項の規定により都道府県が負担すべき高速自動車国道の新設、改築又は災害復旧に要する費用は、政令で定めるところにより、国庫に納付しなければならない。

（共用高速自動車国道管理施設の管理に要する費用）

第二〇条の二　前条第一項の規定により国及び都道府県の負担すべき高速自動車国道の管理に要する費用で共用高速自動車国道管理施設に関するものについては、国土交通大臣及び他の道路の道路管理者は、協議してその分担すべき金額及びその分担の方法を定めることができる。

（兼用工作物の費用）

第二一条　第二十条第一項の規定により国及び都道府県の負担すべき高速自動車国道の管理に要する費用で当該道路が他の工作物と効用を兼ねるものに関するものについては、国土交通大臣は、他の工作物の管理者と協議してその分担すべき金額及び分担の方法を定めることができる。

2　前項の規定による協議が成立しない場合においては、国土交通大臣は、当該他の工作物に関する主務大臣とあらためて協議することができる。

3　第八条第三項の規定は、前項の規定による協議が成立した場合について準用する。

（義務履行のために要する費用）

第二二条　この法律によつてする処分による義務を履行するために必要な費用は、当該義務者が負担しなければならない。

第三章　雑則

（国土交通大臣が行う道路に関する調査）

第二三条　国土交通大臣は、道路法第七十七条の規定により道路に関する調査をその職員に行わせるほか、第三条から第五条までに規定する権限を行うため特に必要があると認めるときは、その職員をして道路を通行する車両を一時停止させ、当該車両の発地及び着地、積載物品の種類及び数量その他道路の交通量調査に必要な事項について質問させることができる。

2　前項の規定により調査を命ぜられた職員は、国土交通省令で定める様式による身分を示す証票を携帯し、関係人の請求があつたときは、これを提示しなければならない。

3　第一項に規定する権限は、犯罪捜査のために認められたものと解釈してはならない。

（不服申立て）

第二四条　第八条の規定による協議に基づき都道府県、市町村その他の公共団体である他の工作物の管理者が国土交通大臣に代わつてした処分その他公権力の行使に当たる行為（以下この条において「処分」という。）に不服がある者は、当該処分をした他の工作物の管理者である公共団体の長に対して審査請求をし、その裁決に不服がある者は、国土交通大臣及び当該他の工作物に関する主務大臣に対して再審査請求をすることができる。

2　第八条の規定による協議に基づき他の工作物の管理者である主務大臣又はその地方支分部局の長が国土交通大臣に代わつてした処分に不服がある者は、国土交通大臣及び当該他の工作物に関する主務大臣に対して審査請求をすることができる。

（道路法の準用）

第二四条の二　道路法第九十五条の二第二項の規定は、国土交通大臣が、高速自動車国道について、同法第四十五条第一項の規定により区画線（道路交通法（昭和三十五年法律第百五号）第二条第二項の規定により同条第一項第十六号の道路標示とみなされるものに限る。）を設け、又は道路法第四十六条第一項若しくは第三項の規定により道路の通行を禁止し、若しくは制限しようとする場合について準用する。この場合において、同法第九十五条の二第二項中「道路管理者」とあるのは「国土交通大臣」と、「自動車専用道路」とあるのは「高速自動車国道」と読み替えるものとする。

（道路法の適用）

第二五条　高速自動車国道の新設、改築、維持、修繕、災害復旧その他の管理については、この法律に定めるもののほか、道路法及び同法に基づく政令の規定の適用があるものとする。この場合において、同法第二条第二項第二号、第五号、第七号又は第八号中「第十八条第一項に規定する道路管理者」とあるのは「国土交通大臣」と、同法第二十四条の二第一項、第三十九条第二項、第三十九条の二第五項、第四十八条の三十五第一項又は第六十一条第二項中「道路管理者である地方公共団体の条例（指定区間内の国道にあつては、政令）」とあるのは「政令」と、同法第二十四条の三中「条例（国道にあつては、国土交通省令）」とあるのは「国土交通省令」と、同法第四十四条第一項又は第七十三条第二項中「条例（指定区間内の国道にあつては、政令）」とあるのは「政令」と、同法第四十四条の二第二項中「条例（指定区間内の国道にあつては、国土交通省令。以下この条において同じ。）」とあるのは「国土交通省令」と、同条第三項から第五項までの規定中「条例」とあるのは「国土交通省令」と、同法第四十七条の二第四項中「当該許可に関する権限を行う者が国土交通大臣である場合にあつては政令で、その他の者である場合にあつては当該道路管理者である地方公共団体の条例で」とあるのは「政令で」と、同法第百九条中「第十三条第二項、第二十七条、第四十八条の十九第二項又は第四十八条の二十二第三項の規定により道路管理者に代わつて」とあるのは「高速自動車国道法第九条の規定により国土交通大臣に代わつて」と、「道路管理者とみなす」とあるのは「国土交通大臣とみなす」とする。

2　前項に定めるもののほか、道路法及び同法に基づく政令の規定の適用についての必要な技術的読替は、政令で定める。

（権限の委任）

第二五条の二　前章及びこの章に規定する国土交通大臣の権限は、国土交通省令で定めるところにより、その一部を地方整備局長又は北海道開発局長に委任することができる。ただし、第十二条第一項本文及び第二項本文の規定による決定については、この限りでない。

第四章　罰則

第二六条　高速自動車国道を損壊し、若しくは高速自動車国道の附属物を移転し、若しくは損壊して高速自動車国道の効用を害し、又は高速自動車国道における交通に危険を生じさせた者は、五年以下の懲役又は二百万円以下の罰金に処する。

2　前項の未遂罪は、罰する。

第二七条　前条第一項の罪を犯しよつて自動車を転覆させ、又は破壊した者は、十年以下の懲役に処する。

2　前項の罪を犯しよつて人を傷つけた者は、一年以上の有期懲役に処し、死亡させた者は、無期又は三年以上の懲役に処する。

第二八条　過失により第二十六条第一項の罪を犯した者は、五十万円以下の罰金に処する。高速自動車国道の管理に従事する者が犯したときは、一年以下の禁錮又は百万円以下の罰金に処する。

第二八条の二　第十一条の八第一項において準用する道路法第七十一条第一項又は第二項の規定による国土交通大臣の命令に違反した者は、百万円以下の罰金に処する。

第二九条　第十四条第二項又は第三項（第十六条において準用する場合を含む。）の規定による国土交通大臣の命令に違反した者は、百万円以下の罰金に処する。第十九条第一項の規定により道路監理員がした第十四条第二項又は第三項（第十六条において準用する場合を含む。）の命令に違反した者についても、同様とする。

第三〇条　第十八条の規定による国土交通大臣の命令に違反した者は、五十万円以下の罰金に処する。第十九条第一項の規定により道路監理員がした第十八条の命令に違反した者についても、同様とする。

第三一条　第十四条第一項（第十六条において準用する場合を含む。）の規定に違反して建築物等を建築し、又は設けた者は、三十万円以下の罰金に処する。

第三二条　法人の代表者又は法人若しくは人の代理人、使用人その他の従業者が、その法人又は人の業務に関し、第二十八条の二から前条までの違反行為をしたときは、行為者を罰するほか、その法人又は人に対して各本条の罰金刑を科する。

第三二条の二　第十一条の五第二項の規定に違反して、届出をせず、又は虚偽の届出をした者は、十万円以下の過料に処する。

第三三条　第九条の規定により国土交通大臣に代つてその権限を行う者は、この法律による罰則の適用については、国土交通大臣とみなす。

附　則

（施行期日）

1　この法律は、公布の日から施行する。

（平成二十二年度の特例）

2　第二十条の規定の平成二十二年度における適用については、同条第一項中「又は災害復旧」とあるのは「、災害復旧又は安全かつ円滑な道路の交通に支障を生ずることを防止するために速やかに行う必要があるものとして政令で定める高速自動車国道を構成する施設若しくは工作物に係る工事（当該工事を施行するために必要な点検を含む。以下この条において「特定事業」という。）」と、「及び災害復旧」とあるのは「、災害復旧及び特定事業」と、同条第二項中「又は災害復旧」とあるのは「、災害復旧又は特定事業」とする。

附　則〔昭和三七・九・一五法律一六一抄〕

1　この法律は、昭和三十七年十月一日から施行する。

2　この法律による改正後の規定は、この附則に特別の定めがある場合を除き、この法律の施行前にされた行政庁の処分、この法律の施行前にされた申請に係る行政庁の不作為その他この法律の施行前に生じた事項についても適用する。ただし、この法律による改正前の規定によつて生じた効力を妨げない。

3　この法律の施行前に提起された訴願、審査の請求、異議の申立てその他の不服申立て（以下「訴願等」という。）については、この法律の施行後も、なお従前の例による。この法律の施行前にされた訴願等の裁決、決定その他の処分（以下「裁決等」という。）又はこの法律の施行前に提起された訴願等につきこの法律の施行後にされる裁決等にさらに不服がある場合の訴願等についても、同様とする。

4　前項に規定する訴願等で、この法律の施行後は行政不服審査法による不服申立てをすることができることとなる処分に係るものは、同法以外の法律の適用については、行政不服審査法による不服申立てとみなす。

5　第三項の規定によりこの法律の施行後にされる審査の請求、異議の申立てその他の不服申立ての裁決等については、行政不服審査法による不服申立てをすることができない。

6　この法律の施行前にされた行政庁の処分で、この法律による改正前の規定により訴願等をすることができるものとされ、かつ、その提起期間が定められていなかつたものについて、行政不服審査法による不服申立てをすることができる期間は、この法律の施行の日から起算する。

8　この法律の施行前にした行為に対する罰則の適用については、なお従前の例による。

9　前八項に定めるもののほか、この法律の施行に関して必要な経過措置は、政令で定める。

附　則〔平成八・五・二四法律四八抄〕

（施行期日）

1　この法律は、公布の日から起算して六月を超えない範囲内において政令で定める日から施行する。

〔平成八政三〇七により、平成八・一一・一〇から施行〕

（経過措置）

6　この法律の施行前にした行為に対する罰則の適用については、なお従前の例による。

附　則〔平成一〇・六・三法律八九抄〕

（施行期日）

1　この法律は、公布の日から起算して三月を超えない範囲内において政令で定める日から施行する。

〔平成一〇政二八八により、平成一〇・九・二から施行〕

（高速自動車国道法の一部改正に伴う経過措置）

2　この法律の施行前に第一条の規定による改正前の高速自動車国道法第十一条第二項の規定によりした許可は、第一条の規定による改正後の高速自動車国道法第十一条の二第一項の規定によりした許可とみなす。

4　この法律の施行前にした行為に対する罰則の適用については、なお従前の例による。

附　則〔平成一一・一二・二二法律一六〇抄〕

（施行期日）

第一条　この法律（中略）は、平成十三年一月六日から施行する。

〔以下略〕

中央省庁等改革関係法施行法〔抄〕

〔平成一一・一二・二二
法律一六〇〕

第十六章　経過措置等

（高速自動車国道法の一部改正に伴う経過措置）

第一三四一条　改革関係法等の施行前に第千百五条の規定による改正前の高速自動車国道法第十二条第二項の規定により建設大臣と運輸大臣との間に成立した協議は、第千百五条の規定による改正後の高速自動車国道法第十二条第一項本文の規定により国土交通大臣がした決定とみなす。

附　則〔平成一二・三・三一法律二〇抄〕

（施行期日）

第一条　この法律は、平成二十二年四月一日から施行する。

（経過措置）

第二条　第一条から第八条まで〔中略〕の規定による改正後の次の各号に掲げる法律の規定は、当該各号に定める国の負担（当該国の負担に係る都道府県又は市町村の負担を含む。以下この条において同じ。）について適用し、平成二十一年度以前の年度における事務又は事業の実施により平成二十二年度以降の年度に支出される国の負担、平成二十一年度以前の年度の国庫債務負担行為に基づき平成二十二年度以降の年度に支出すべきものとされた国の負担及び平成二十一年度以前の年度の歳出予算に係る国の負担で平成二十二年度以降の年度に繰り越されたものについては、なお従前の例による。

一　次に掲げる法律の規定　平成二十二年度の予算に係る国の負担（平成二十一年度以前の年度における事務又は事業の実施により平成二十二年度に支出される国の負担及び平成二十一年度以前の年度の国庫債務負担行為に基づき平成二十二年度に支出すべきものとされた国の負担を除く。）並びに同年度における事務又は事業の実施により平成二十三年度以降の年度に支出される国の負担、平成二十二年度の国庫債務負担行為に基づき平成二十三年度以降の年度に支出すべきものとされる国の負担及び平成二十二年度の歳出予算に係る国の負担で平成二十三年度以降の年度に繰り越されるもの

イ～ハ　〔略〕

ニ　高速自動車国道法附則第二項の規定により読み替えて適用する同法第二十条第一項

ホ・ヘ　〔略〕

二　〔略〕

三　次に掲げる法律の規定　平成二十三年度以降の年度の予算に係る国の負担（平成二十二年度以前の年度における事務又は事業の実施により平成二十三年度以降の年度に支出される国の負担及び平成二十二年度以前の年度の国庫債務負担行為に基づき平成二十三年度以降の年度に支出すべきものとされた国の負担を除く。）

イ・ロ　〔略〕

ハ　高速自動車国道法第二十条第一項

ニ・ホ　〔略〕

（政令への委任）

第三条　前条に定めるもののほか、この法律の施行に関し必要な経過措置は、政令で定める。

附　則〔平成二六・六・一三法律六九抄〕

（施行期日）

第一条　この法律は、行政不服審査法（平成二十六年法律第六十八号）の施行の日〔平成二八・四・一〕から施行する。

（経過措置の原則）

第五条　行政庁の処分その他の行為又は不作為についての不服申立てであってこの法律の施行前にされた行政庁の処分その他の行為又はこの法律の施行前にされた申請に係る行政庁の不作為に係るものについては、この附則に特別の定めがある場合を除き、なお従前の例による。

（訴訟に関する経過措置）

第六条　この法律による改正前の法律の規定により不服申立てに対する行政庁の裁決、決定その他の行為を経た後でなければ訴えを提起できないこととされる事項であって、当該不服申立てを提起しないでこの法律の施行前にこれを提起すべき期間を経過したもの（当該不服申立てが他の不服申立てに対する行政庁の裁決、決定その他の行為を経た後でなければ提起できないとされる場合にあっては、当該他の不服申立てを提起しないでこの法律の施行前にこれを提起すべき期間を経過したものを含む。）の訴えの提起については、なお従前の例による。

2　この法律の規定による改正前の法律の規定（前条の規定によりなお従前の例によることとされる場合を含む。）により異議申立てが提起された処分その他の行為であって、この法律の規定による改正後の法律の規定により審査請求に対する裁決を経た後でなければ取消しの訴えを提起することができないこととされるものの取消しの訴えの提起については、なお従前の例による。

3　不服申立てに対する行政庁の裁決、決定その他の行為の取消しの訴えであって、この法律の施行前に提起されたものについては、なお従前の例による。

（罰則に関する経過措置）

第九条　この法律の施行前にした行為並びに附則第五条及び前二条の規定によりなお従前の例によることとされる場合におけるこの法律の施行後にした行為に対する罰則の適用については、なお従前の例による。

（その他の経過措置の政令への委任）

第一〇条　附則第五条から前条までに定めるもののほか、この法律の施行に関し必要な経過措置（罰則に関する経過措置を含む。）は、政令で定める。

附　則〔令和三・三・三一法律九抄〕

（施行期日）

第一条　この法律は、令和三年四月一日から施行する。ただし、次の各号に掲げる規定は、当該各号に定める日から施行する。

一　〔略〕

二　〔前略〕第四条（高速自動車国道法第二十五条第一項の改正規定（「又は第四十八条の十九第二項」を「、第四十八条の十九第二項又は第四十八条の二十二第三項」に改める部分を除く。）に限る。）の規定〔中略〕　公布の日から起算して六月を超えない範囲内において政令で定める日

〔令和三政二六〇により、令和三・九・二五から施行〕

三　〔略〕

（政令への委任）

第五条　前三条に定めるもののほか、この法律の施行に関し必要な経過措置（罰則に関する経過措置を含む。）は、政令で定める。

（検討）

第六条　政府は、この法律の施行後五年を目途として、この法律による改正後のそれぞれの法律の規定について、その施行の状況等を勘案して検討を加え、必要があると認めるときは、その結果に基づいて所要の措置を講ずるものとする。

附　則〔令和四・六・一七法律六八抄〕

（施行期日）

1　この法律は、刑法等一部改正法〔令和四年法律第六十七号〕の施行日〔令和七・六・一〕から施行する。ただし、次の各号に掲げる規定は、当該各号に定める日から施行する。

一　第五百九条の規定　公布の日

二　〔略〕

刑法等の一部を改正する法律の施行に伴う関係法律の整理等に関する法律〔抄〕

〔令和四・六・一七　法律六八〕

（罰則の適用等に関する経過措置）

第四四一条　刑法等の一部を改正する法律（令和四年法律第六十七号。以下「刑法等一部改正法」という。）及びこの法律（以下「刑法等一部改正法等」という。）の施行前にした行為の処罰については、次章に別段の定めがあるもののほか、なお従前の例による。

2　刑法等一部改正法等の施行後にした行為に対して、他の法律の規定によりなお従前の例によることとされ、なお効力を有することとされ又は改正前若しくは廃止前の法律の規定の例によることとされる罰則を適用する場合において、当該罰則に定める刑（刑法施行法第十九条第一項の規定又は第八十二条の規定による改正後の沖縄の復帰に伴う特別措置に関する法律第二十五条第四項の規定の適用後のものを含む。）に刑法等一部改正

法第二条の規定による改正前の刑法（明治四十年法律第四十五号。以下この項において「旧刑法」という。）第十二条に規定する懲役（以下「懲役」という。）、旧刑法第十三条に規定する禁錮（以下「禁錮」という。）又は旧刑法第十六条に規定する拘留（以下「旧拘留」という。）が含まれるときは、当該刑のうち無期の懲役又は禁錮はそれぞれ無期拘禁刑と、有期の懲役又は禁錮はそれぞれその刑と長期及び短期（刑法施行法第二十条の規定の適用後のものを含む。）を同じくする有期拘禁刑と、旧拘留は長期及び短期（刑法施行法第二十条の規定の適用後のものを含む。）を同じくする拘留とする。

（裁判の効力とその執行に関する経過措置）

第四四二条　懲役、禁錮及び旧拘留の確定裁判の効力並びにその執行については、次章に別段の定めがあるもののほか、なお従前の例による。

（人の資格に関する経過措置）

第四四三条　懲役、禁錮又は旧拘留に処せられた者に係る人の資格に関する法令の規定の適用については、無期の懲役又は禁錮に処せられた者はそれぞれ無期拘禁刑に処せられた者と、有期の懲役又は禁錮に処せられた者はそれぞれ刑期を同じくする有期拘禁刑に処せられた者と、旧拘留に処せられた者は拘留に処せられた者とみなす。

2　拘禁刑又は拘留に処せられた者に係る他の法律の規定によりなお従前の例によることとされ、なお効力を有することとされ又は改正前若しくは廃止前の法律の規定の例によることとされる人の資格に関する法令の規定の適用については、無期拘禁刑に処せられた者は無期禁錮に処せられた者と、有期拘禁刑に処せられた者は刑期を同じくする有期禁錮に処せられた者と、拘留に処せられた者は刑期を同じくする旧拘留に処せられた者とみなす。

（経過措置の政令への委任）

第五〇九条　この編に定めるもののほか、刑法等一部改正法等の施行に伴い必要な経過措置は、政令で定める。

（参考）

○刑法等の一部を改正する法律の施行に伴う関係法律の整理等に関する法律〔抄〕

（令和四・六・一七 法律六八）

（高速自動車国道法の一部改正）

第三七四条　高速自動車国道法（昭和三十二年法律第七十九号）の一部を次のように改正する。

第二十六条第一項中「懲役」を「拘禁刑」に改める。

第二十七条第一項中「懲役」を「拘禁刑」に改め、同条第二項中「有期懲役」を「有期拘禁刑」に、「の懲役」を「の拘禁刑」に改める。

第二十八条中「禁錮」を「拘禁刑」に改める。

附　則

（施行期日）

1　この法律は、刑法等一部改正法〔令和四年法律第六十七号〕施行日〔令和七・六・一〕から施行する。〔以下略〕

○高速自動車国道法施行令

〔昭和三二・七・二六
政令二〇五〕

改正　前略…平成一〇・八政二八九、平成一一・一一政三五二、平成一二・六政三一二、平成一四・一二政三八六、平成一五・五政二二一、平成一六・一二政三八七、平成一七・六政二〇三、平成一八・一一政三五七、政三五八、平成一九・四政一四二、八政二三五、九政三〇四、平成二一・四政一三〇、平成二二・三政七八、平成二三・一一政三六三、平成二五・八政二四三、平成二六・五政一八七、平成二七・一政二一、一一政三八五、平成二八・三政一八二、九政三一二、平成三〇・九政二八〇、平成三一・三政四一、令和二・一一政三二九、令和三・三政一三二、六政一七四、九政二六一、一二政三三五

（予定路線）

第一条　高速自動車国道法（以下「法」という。）第三条第一項の規定により予定路線を定める場合においては、その路線名、起点、終点及び主たる経過地を明らかにしてしなければならない。

2　法第三条第三項の政令で定める事項は、予定路線の路線名、起点、終点及び主たる経過地とする。

（整備計画）

第二条　法第五条第一項の整備計画には、次に掲げる事項を定めなければならない。

一　経過する市町村名（経過地を明らかにするため特に必要があるときは、当該市町村内の経過地の名称とすること。）

二　車線数（区間により異なるときは、区間ごとに明らかにすること。）

三　設計速度（区間により異なるときは、区間ごとに明らかにすること。）

四　連結位置及び連結予定施設

五　工事に要する費用の概算額

六　その他必要な事項

2　法第五条第三項の整備計画には、前項に掲げる事項で当該改築に係るものを定めなければならない。

3　第一項又は前項の整備計画は、必要があるときは、新設又は改築する高速自動車国道の区間を分けて定めることができる。

4　法第五条第四項の政令で定める事項は、第一項第一号から第五号までに掲げる事項（同項第四号に掲げる事項にあつては、国土開発幹線自動車道建設法（昭和三十二年法律第六十八号）第五条第一項に規定する建設線の国土開発幹線自動車道建設法施行令（昭和三十二年政令第百五十一号）第一条第五号の連結地に係るものに限る。）とする。ただし、法第五条第一項又は第三項の規定により整備計画を変更しようとする場合においては、次に掲げるものを除く。

一　第一項第二号に掲げる事項のうち、全国的な高速自動車交通網の形成に及ぼす影響が軽微なものとして国土交通省令で定めるもの

二　第一項第五号に掲げる事項のうち、減額に係るもの及び天災による工期の延長その他の国土交通省令で定めるやむを得ない事由による増額（国土交通省令で定める範囲内のものに限る。）に係るもの

（区域の決定の公示等）

第三条　法第七条第一項の規定による高速自動車国道の区域の決定又は変更の公示は、次に掲げる事項を官報に掲載して行うものとする。

一　路線名

二　次のイ、ロ又はハに掲げる場合の区分に応じそれぞれイ、ロ又はハに定める事項

イ　区域の決定の場合（ロに掲げる場合を除く。）　高速自動車国道の存する市町村ごとの敷地の幅員（当該市町村内の敷地の幅員が異なるときは、その最大幅員及び最小幅員）及びその延長

ロ　法第二十五条第一項の規定により適用があるものとされた道路法（昭和二十七年法律第百八十号）第四十七条の十七第一項の規定により立体的区域とする区域の決定の場合　イに掲げる事項並びに当該立体的区域とする区間及びその延長

ハ　区域の変更の場合　変更の区間並びに当該区間に係る変更前の敷地の幅員（当該区間内の敷地の幅員が異なるときは、その最大幅員及び最小幅員。以下この号において同じ。）及びその延長並びに変更後の敷地の幅員及びその延長

三　区域を表示した図面を縦覧する場所及び期間

2　法第七条第一項の規定による図面の縦覧は、縮尺千分の一の図面（法第二十五条第一項の規定により適用があるものとされた道路法第四十七条の十七第一項の規定により立体的区域とした区間については、千分の一以上で国土交通省令で定める縮尺の図面）に当該区域を明示して、関係地方整備局若しくは北海道開発局又は関係地方公共団体の事務所において、前項の公示の日から起算して三十日間行うものとする。

（供用の開始の公示等）

第四条　法第七条第二項の規定による高速自動車国道の供用の開始又は廃止の公示は、次に掲げる事項を官報に掲載して行うものとする。

一　路線名

二　供用の開始又は廃止の区間

三　供用の開始又は廃止の期日

四　供用の開始又は廃止の区間を表示した図面を縦覧する場所及び期間

2　法第七条第二項の規定による図面の縦覧は、縮尺五万分の一の図面に供用の開始又は廃止の区間を明示して、関係地方整備局若しくは北海道開発局又は関係地方公共団体の事務所において、前項の公示の日から起算して三十日間行うものとする。

（一般交通の用に供する通路その他の施設）

第五条　法第十一条第一号の政令で定める一般交通の用に供する通路その他の施設は、次に掲げる施設とする。

一　道路（高速自動車国道を除く。）と当該高速自動車国道とを連絡する公共用通路であつて、その公共用通路に代わるべき適当な道路がないもの

二　飛行場内の公共用通路

（連結位置に関する基準）

第六条　法第十一条の二第二項第三号（同条第六項において準用する場合を含む。）の政令で定める連結位置に関する基準は、次のとおりとする。

一　高速自動車国道の本線車道（以下この号において単に「本線車道」という。）に直接出入りすることができる施設にあつては、当該施設の本線車道に接続する部分（変速車線を含む。以下この号において同じ。）が他の法第十一条各号に掲げる施設（整備計画に定められた連結予定施設を含む。）その他本線車道に直接出入りすることができる国土交通省令で定める施設の本線車道に接続する部分から本線車道に沿つて二キロメートル以上離れていること。

二　前号に掲げるもののほか、当該高速自動車国道の構造及び交通の状況その他当該高速自動車国道及び周辺の状況を勘案して、高速自動車国道の安全かつ円滑な交通に著しい支障を及ぼすおそれのない位置であること。

（法第十一条の二第四項の政令で定める場合）

第七条　法第十一条の二第四項の政令で定める場合は、連結許可を受けた施設の一部の譲渡等によつて当該施設の一部を他の者が管理することとなる場合（他の者が管理することとなる当該施設の一部が当該施設の他の部分以外の施設に連結しない場合に限る。）とする。

（連結料の額の基準）

第八条　法第十一条の四第一項の連結料の額の基準は、次のとおりとする。

一　次に掲げる額の合計額の範囲内であること。

イ　当該高速自動車国道と連結する法第十一条第二号に掲げる施設（以下この条において「連結利便施設等」という。）の用に供する土地又は当該高速自動車国道と連結する同条第三号に掲げる施設（以下この条において「連結通路等」という。）及び当該連結通路等によつて高速自動車国道と連絡する同条第二号に掲げる施設（以下この条において「連絡施設」という。）の用に供する土地と当該連結利便施設等又は連結通路等が高速自動車国道に連結しないものとした場合のこれらの土地との国土交通省令で定めるところにより算定した地代の差額に相当する額

ロ　当該連結利便施設等又は連結通路等と連結することにより追加的に必要を生じた当該高速自動車国道の管理に要する費用の額（以下「追加管理費用額」という。）

二　追加管理費用額を下回らないこと。

三　連結利便施設等又は連絡施設の規模、用途その他の状況に応じて公正妥当なものであること。

（連結料の徴収方法）

第九条　法第十一条の四第一項の連結料は、毎年度、当該年度分を六月三十日（追加管理費用額に相当する分にあつては、翌年の六月三十日）までに一括して徴収するものとする。ただし、次の各号に掲げる連結料は、当該各号に定める日から三月以内に一括して徴収するものとする。

一　連結許可の日の属する年度分の連結料（追加管理費用額に相当する分を除く。）　当該連結許可の日

二　法第十一条の七の規定により連結許可に翌年度以降にわたらない期限が付された場合における追加管理費用額に相当する分又は同条の規定により連結許可に翌年度以降にわたる期限が付された場合における最終年度の追加管理費用額に相当する分の連結料　当該期限が到来した日の翌日

2　前項の連結料は、納入告知書により徴収するものとする。

3　第一項の連結料で既に徴収したものは、返還しない。ただし、国土交通大臣が法第十一条の八第一項において準用する道路法第七十一条第二項の規定により連結許可を取り消した場合において、既に徴収した連結料の額が当該連結許可の日から当該連結許可の取消しの日までの期間につき算出した連結料の額を超えるときは、その超える額の連結料は、返還する。

（手数料及び延滞金の額）

第一〇条　法第十一条の八第二項において準用する道路法第七十三条第二項の規定により国が徴収する手数料の額は、督促状一通につき郵便法（昭和二十二年法律第百六十五号）第二十一条第一項に規定する通常葉書の料金の額を超えない範囲内において国土交通大臣が定める額とする。

2　法第十一条の八第二項において準用する道路法第七十三条第二項の規定により国が徴収することができる延滞金は、当該督促に係る連結料の額が千円以上である場合に徴収するものとし、その額は、納付すべき期限の翌日から連結料の納付の日までの日数に応じ連結料の額に年十・七五パーセントの割合を乗じて計算した額とする。この場合において、連結料の額の一部につき納付があつたときは、その納付の日以後の期間に係る延滞金の計算の基礎となる連結料の額は、その納付のあつた連結料の額を控除した額による。

3　前項の延滞金は、その額が百円未満であるときは、徴収しないものとする。

4　法第二十五条第一項の規定により適用があるものとされた道路法第四十七条の二第二項の規定により国土交通大臣が同条第一項の許可に関する権限を行う場合における同条第三項の手数料の額は、当該受けようとする許可に係る一通行経路ごとに二百円とする。

（費用の負担割合等）

第一一条　法第二十条第一項の政令で定める割合は、四分の三（道の区域内にあつては、十分の八・五）とする。

2　都道府県（地方自治法（昭和二十二年法律第六十七号）第二百五十二条の十九第一項の指定都市の区域内における高速自動車国道にあつては、当該指定都市。以下この条において同じ。）が法第二十条第二項の規定により国庫に納付する負担金の額は、高速自動車国道の新設、改築又は災害復旧に要する費用の額（次条の規定により読み替えて適用される道路法第五十八条から第六十二条までの規定による負担金（以下この項において「収入金」という。）があるときは、当該費用の額から収入金を控除した額。次項において「負担基本額」という。）に、法第二十条第一項に規定する都道府県の負担割合を乗じて計算した額（次項において「都道府県負担額」という。）とする。

3　国土交通大臣は、法第二十条第一項の規定により高速自動車国道の新設、改築又は災害復旧に要する費用を負担することとなる都道府県に対して、負担基本額及び都道府県負担額を通知しなければならない。これらを変更したときも、同様とする。

（道路法の規定の適用についての技術的読替え）

第一二条　法第二十五条第一項の規定により道路法の規定を適用する場合における同条第二項の規定による同法の規定の技術的読替えは、次の表のとおりとする。

項	読み替える道路法の規定	読み替えられる字句	読み替える字句
一	第十九条の二第一項	当該他の道路の道路管理者	国土交通大臣
二	第二十一条	前条及び第三十一条	高速自動車国道法（昭和三十二年法律第七十九号）第八条及び第十二条
	第二十一条、第二十二条第一項、第二十二条の二、第二十三条第一項、第二十四条、第二十四条の三、第二十八条第一項及び第三項、第三十二条、第三十三条第一項、第三十四条から第三十七条まで、第三十八条第一項、第三十九条の二第七項、第三十九条の三第一項及び第三項、第三十九条の四第一項から第三項まで及び第五項、第三十九条の五、第三十九条の六第一項から第三項まで、第三十九条の七第二項及び第四項、	道路管理者	国土交通大臣

三
第三十九条の九、第四十条第二項、第四十一条、第四十二条第一項、第四十三条の二、第四十四条第一項、第二項、第四項及び第六項、第四十四条の二第一項から第三項まで、第五項及び第六項、第四十四条の三第一項から第五項まで、第四十五条第一項、第四十五条の二第二項、第四十六条、第四十七条第三項、第四十七条の二第一項及び第五項、第四十七条の十第四項、第四十七条の十四、第四十七条の十五、第四十七条の十七第一項及び第二項、第四十七条の十八第一項、第四十七条の二十一第一項及び第三項、第四十八条第二項及び第四項、第四十八条の二十九の三、第四十八条の二十九の四、第四十八条の二十九の五第一項、第四十八条の二十九の六第一項及び第二項、第四十八条の三十、第四十八条の三十二から第四十八条の三十四まで、第四十八条の三十六、第四十八条の三十七第一項、第四十八条の三十八

	四	
第一項及び第二項、第四十八条の四十第一項、第四十八条の四十一、第四十八条の四十九第二号、第四十八条の六十から第四十八条の六十二まで、第四十八条の六十四、第五十七条、第六十条、第六十二条、第六十六条第一項、第六十七条の二、第六十八条、第七十条第三項及び第四項、第七十一条第一項から第五項まで、第七十二条の二第一項及び第二項、第九十一条第二項、第九十二条第四項、第九十六条第五項、第百三条第二号、第五号及び第六号、第百四条第一号、第六号及び第七号、第百五条、第百六条第一号	第二十四条	第二十四条の二第一項
	第十二条、第十三条第三項、第十七条第四項若しくは第六項から第八項まで、第十九条から第二十二条の二まで、第四十八条の十九第一項又は第四十八条の二十二第一項	道路管理者（指定区間内の国道にあつては、国。）
	第二十一条から第二十二条の二まで又は高速自動車国道法第七条の二若しくは第八条	国

五	六
	第二十四条の二第三項、第三十九条第一項、第四十四条第五項及び第七項、第四十四条の三第八項、第五十八条第一項、第五十九条第三項、第六十一条第一項、第六十九条第一項、第七十二条第一項及び第三項、第七十三
第三項（第四十八条の三十五第三項において準用する場合を含む。）、第三十九条第一項、第四十四条第五項及び第七項、第四十四条の三第八項、第四十八条の七第一項、第四十八条の三十五第一項、第四十九条、第五十八条第一項、第五十九条第三項、第六十一条第一項、第六十四条第一項、第六十九条第一項、第七十条第一項、第七十二条第一項及び第三項、第七十三条第一項から第三項まで、第八十五条第三項並びに第九十一条第三項において同じ。）	道路管理者
	国

	条第一項から第三項まで、第九十一条第三項		
七	第二十八条の二第一項	道路（以下	高速自動車国道及び高速自動車国道以外の道路（以下
		二以上の道路管理者は、踏切道密接関連道路（踏切道改良促進法（昭和三十六年法律第百九十五号）第三条第一項に規定する踏切道密接関連道路をいう。）その他の	国土交通大臣及び道路管理者は、
八	第三十八条第二項、第七十条第一項	道路管理者が	国土交通大臣が
九	第三十八条第二項、第三十九条の四第四項、第九十三条	当該道路管理者	国土交通大臣
十	第三十九条の二第一項、第三十九条の四第四項、第四十七条の十八第二項、第四十七条の二十九の六第三項、第四十八条の三十八第三項	道路管理者は	国土交通大臣は
十一	第三十九条の二第一項、第六十四条第一項	道路管理者の	国の
十二	第三十九条の二第六項	道路管理者（市町村である道路管理者を除く。）	国土交通大臣
十三	第三十九条の七第四項	同項の条例（指定区間内の国道にあつては、同項の政令）	同項の政令
		当該条例又は当該政令	当該政令
十四	第四十七条の二第二項	道路管理者を異にする二以上の道路に係るものであるとき（国土交通省令で定める場合を除く。）	高速自動車国道及び高速自動車国道以外の道路に係るものであるとき
		一の道路の道路管理者が行う	国土交通大臣又は一の道路の道路管理者が行う
		当該一の道路の道路管理者	国土交通大臣又は当該一の道路の道路管理者
		他の道路の道路管理者	他の道路の道路管理者又は国土交通大臣
十五	第四十七条の二第三項	一の道路の道路管理者	国土交通大臣
		道路管理者（当該許可に関する権限を行う者が国土交通大臣である場合にあつては、国）	国
十六	第四十七条の十七第一項、第九十一条第一項	第十八条第一項	高速自動車国道法第七条第一項
十七	第四十七条の十八第二項、第四十八条の二十九の六第三項、第四十八条の三十八第三項	道路管理者の	関係地方整備局又は北海道開発局の
十八	第四十八条の三十五第一項	道路管理者は	国は
十九	第四十八条の四十二第一項	道路管理者（以下「特定道路管理者」という。）	国土交通大臣
二十	第四十八条の四十二第二項、第四十八条の四十四、第四十八条の四十五	特定道路管理者	国土交通大臣
二十一	第四十八条の六十三	国土交通大臣又は道路管理者	国土交通大臣
二十二	第六十条	この法律	この法律及び高速自動車国道法
二十三	第六十四条第一項	割増金、第二十五条の規定に基づく料金	割増金
		道路管理者又は第十三条第二項の規定により指定区間内の国道の維持、修繕及び災害復旧以外の管理を行う都道府県若しくは指定市	国
二十四	第六十四条第二項	同項の道路管理者	国
二十五	第七十条第一項	道路管理者は	国は
		道路管理者又は	国又は
	第七十一条第五項	、第四十八条第	又は第四十

二十六		四項、第四十八条の十二又は第四十八条の十六	八条第四項
二十七	第八十七条第一項	国土交通大臣及び道路管理者	国土交通大臣
二十八	第九十一条第一項	道路管理者（国土交通大臣が自ら道路の新設又は改築を行う場合における国土交通大臣を含む。以下この条及び第九十六条第五項後段において同じ。）	国土交通大臣
		道路管理者の	国土交通大臣の
二十九	第九十三条	当該道路の道路管理者	国土交通大臣
三十	第九十六条第五項	第三十二条第一項若しくは	第三十二条第一項又は
		又は第四十八条の五第一項若しくは第三項の規定	の規定
三十一	第百五条	、第四十八条第四項、第四十八条の十二若しくは第四十八条の十六	若しくは第四十八条第四項

（道路法施行令の規定の適用についての技術的読替え）

第一三条　法第二十五条第一項の規定により道路法施行令（昭和二十七年政令第四百七十九号）の規定を適用する場合における同条第二項の規定による同令の規定の技術的読替えは、次の表のとおりとする。

読み替える道路法施行令の規定	読み替えられる字句	読み替える字句
第三条の二第一項、第十九条第一項から第三項まで、第十九条の二第一項、第三十五条の三第一号	指定区間内の国道	高速自動車国道
第十九条の二第一項	納入告知書（法第十三条第二項の規定により都道府県又は指定市が占用料を徴収する事務を行つている場合にあつては、納入通知書）	納入告知書
第十九条の三第一項	指定区間内の国道に係るものにあつては国、指定区間外の国道に係るものにあつては道路管理者である都道府県又は指定市若しくは指定市以外の市、都道府県道又は市町村道に係るものにあつては道路管理者である都道府県又は市町村	国
第十九条の三の二	同条第一項本文中	これらの規定中「指定区間内の国道」とあるのは「高速自動車国道」と、同条第一項本文中
第十九条の三の三第一項、第十九条の六第二項、第十九条の九第一項、第三十条の三第二項	道路管理者は	国土交通大臣は
第十九条の三の三第一項	当該道路管理者	国土交通大臣
第十九条の三の三第二項及び第三項、第十九条の七、第十九条の九第二項及び第三項、第十九条の十、第十九条の十二から第十九条の十五まで、第三十条の四	道路管理者	国土交通大臣
第十九条の六第一項第一号及び第二項、第十九条の九第一項、第三十条の三第一項第一号及び第二項	当該道路管理者	関係地方整備局又は北海道開発局
第三十四条の三第二号	道路管理者又は法第十七条第四項の規定による歩道の新設等若しくは法第四十八条の二十二第一項の規定による歩行者利便増進改築等を行う指定市以外の市町村	国土交通大臣
第三十七条	国道又は都道府県道を構成していた不用物件については四月とし、市町村道を構成していた不用物件については二月	四月

（車両制限令の規定の適用についての技術的読替え）

第一四条　法第二十五条第一項の規定による車両制限令（昭和三十六年政令第二百六十五号）の規定の適用については、同令第三条第一項第三号及び第四項、第七条第二項及び第三項並びに第十条から第十二条までの規定中「道路管理者」とあるのは、「国土交通大臣」とする。

附　則

（施行期日）

1　この政令は、公布の日から施行する。

（平成二十二年度の特例）

2　法附則第二項の規定により読み替えて適用する法第二十条第一項の政令で定める高速自動車国道を構成する施設又は工作物に係る工事は、次に掲げるものとする。

一　高速自動車国道を構成する施設又は工作物で災害により高速自動車国道の交通に支障を及ぼしているものに係る当該施設又は工作物の復旧のための工事（災害復旧に該当するものを除く。）

二　防雪のための施設その他の防護施設、橋その他の高速自動車国道を構成する施設又は工作物で、災害が発生した場合においては高速自動車国道の構造又は交通に支障を及ぼすおそれが大きいものに係る災害の防止又は軽減を図るための工事

三　前二号に掲げるもののほか、橋、トンネル、舗装その他の高速自動車国道を構成する施設又は工作物で、損傷、腐食その他の劣化により高速自動車国道の構造又は交通に支障を及ぼしており、又は及ぼすおそれが大きいものに係る当該施設又は工作物の機能を回復するための工事

3　第十一条第二項及び第三項の規定の平成二十二年度における適用については、同条第二項中「又は災害復旧」とあるのは「、災害復旧又は特定事業（附則第二項各号に掲げる工事（当該工事を施行するために必要な点検を含む。）をいう。次項において同じ。）」と、同条第三項中「又は災害復旧」とあるのは「、災害復旧又は特定事業」とする。

附　則〔昭和三七・九・二九政令三九二〕

1　この政令は、行政不服審査法（昭和三十七年法律第百六十号）の施行の日（昭和三十七年十月一日）から施行する。

2　この政令による改正後の規定は、この政令の施行前にされた行政庁の処分その他この政令の施行前に生じた事項についても適用する。ただし、この政令による改正前の規定によつて生じた効力を妨げない。

3　この政令の施行前に提起された訴願、審査の請求、異議の申立てその他の不服申立て（以下「訴願等」という。）については、この政令の施行後も、なお従前の例による。この政令の施行前にされた訴願等の裁決、決定その他の処分（以下「裁決等」という。）又はこの政令の施行前に提起された訴願等につきこの政令の施行後にされる裁決等にさらに不服がある場合の訴願等についても、同様とする。

4　前項に規定する訴願等で、この政令の施行後は行政不服審査法による不服申立てをすることができることとなる処分に係るものは、この政令による改正後の規定の適用については、同法による不服申立てとみなす。

附　則〔昭和五九・五・一五政令一三九〕

1　この政令は、各種手数料等の額の改定及び規定の合理化に関する法律の施行の日（昭和五十九年五月二十一日）から施行する。

2　この政令の施行前にした都道府県知事に対するあつ旋の申請、建設大臣又は都道府県知事に対する事業の認定の申請、収用委員会に対する裁決の申請及び協議の確認の申請並びに建設大臣に対する特定公共事業の認定の申請にかかる手数料の額については、なお従前の例による。

附　則〔平成一〇・八・二六政令二八九〕

（施行期日）

1　この政令は、高速自動車国道法等の一部を改正する法律（以下「改正法」という。）の施行の日（平成十年九月二日）から施行する。

（経過措置）

2　この政令の施行の際、改正法第二条の規定による改正後の道路法第三十三条第二項に規定する高速自動車国道又は自動車専用道路の連結路附属地に現に存する占用物件の占用の基準については、この政令による改正後の道路法施行令第十四条の二の規定にかかわらず、なお従前の例による。

附　則〔令和二・一一・二〇政令三三九抄〕

（施行期日）

第一条　この政令は、道路法等の一部を改正する法律の施行の日（令和二年十一月二十五日）から施行する。

附　則〔令和三・三・三一政令一三三抄〕

（施行期日）

1　この政令は、令和三年四月一日から施行する。

附　則〔令和三・六・一八政令一七四抄〕

（施行期日）

第一条　この政令は、踏切道改良促進法等の一部を改正する法律附則第一条第一号に掲げる規定の施行の日（令和三年六月二十日）から施行する。

附　則〔令和三・九・二四政令二六一抄〕

（施行期日）

第一条　この政令は、踏切道改良促進法等の一部を改正する法律附則第一条第二号に掲げる規定の施行の日（令和三年九月二十五日）から施行する。

附　則〔令和三・一二・八政令三二五〕

この政令は、道路法等の一部を改正する法律附則第一条第二号に掲げる規定の施行の日（令和四年四月一日）から施行する。

○高速自動車国道の路線を指定する政令

〔昭和三二・八・三〇 政令二七五〕

改正 前略…平成九・二政一二、平成一二・一政五、平成一六・三政五〇、平成二〇・一政六

高速自動車国道の路線名、起点、終点及び重要な経過地は、別表のとおりとする。

附 則

この政令は、公布の日から施行する。

附 則〔平成二〇・一・一八政令六〕

この政令は、公布の日から施行する。

別表

路線名		起点	終点	重要な経過地	
北海道縦貫自動車道函館名寄線		函館市	名寄市	北海道茅部郡森町 同道山越郡長万部町 同道寿都郡黒松内町 伊達市 室蘭市 登別市 苫小牧市 千歳市 恵庭市 北広島市 札幌市 江別市 岩見沢市 三笠市 美唄市 砂川市 滝川市 深川市 旭川市 士別市	
北海道横断自動車道	黒松内釧路線	北海道寿都郡黒松内町	北海道釧路郡釧路町	北海道虻田郡倶知安町 同道余市郡余市町 小樽市 札幌市 北広島市 恵庭市 千歳市 夕張市 同道勇払郡占冠村 同道上川郡清水町 同道河東郡音更町 同道中川郡本別町	北海道白糠郡白糠町 釧路市
	黒松内北見線		北見市		北海道足寄郡足寄町
	弘前線			和光市 戸田市 川口市 さいたま市 蓮田市 久喜市 加須市 羽生市 館林市 佐野市 栃木県下都賀郡岩舟町 栃	鹿角市 秋田県鹿角郡小坂町 弘前市 平川市

路線名		起点	終点	重要な経過地	
東北縦貫自動車道		東京都練馬区	青森市	木市 同郡都賀町 鹿沼市 宇都宮市 矢板市 那須塩原市 白河市 須賀川市 郡山市 本宮市 二本松市 福島市 白石市 宮城県柴田郡村田町 仙台市 同県黒川郡富谷町 大崎市 栗原市 一関市 奥州市 北上市 花巻市 盛岡市 八幡平市	黒石市
	八戸線				二戸市 岩手県二戸郡一戸町 八戸市 三沢市 青森県上北郡七戸町
東北横断自動車道	釜石秋田線	釜石市	秋田市	遠野市 奥州市 花巻市 北上市 岩手県和賀郡西和賀町 横手市 大仙市	
	酒田線	仙台市	酒田市	宮城県柴田郡村田町 山形市 寒河江市 山形県西村山郡西川町 鶴岡市	
	いわき新潟線	いわき市	新潟市	福島県田村郡小野町 田村市 郡山市 本宮市 会津若松市 同県河沼郡会津坂下町 阿賀野市 五泉市	
日本海沿岸東北自動車道		新潟市	青森市	新発田市 胎内市 村上市 新潟県岩船郡朝日村 鶴岡市 酒田市 にかほ市 由利本荘市 秋田市 潟上市 秋田県山本郡三種町 能代市 北秋田市 大館市 同県鹿角郡小坂町 弘前市 平川市 黒石市	
東北中央自動車道相馬尾花沢線		相馬市	尾花沢市	伊達市 福島市 米沢市 山形県東置賜郡高畠町 南陽市 上山市 山形市 天童市 東根市 村山市	
関越自動車道	新潟線	三鷹市	新潟市	武蔵野市 東京都杉並区 同都練馬区 新座市 所沢市 ふじみ野市 川越市 鶴ヶ島市 坂戸市	高崎市 前橋市 渋川市 沼田市 南魚沼市 魚沼市 小千谷市 長岡市 見附市 三条市 燕市
					富岡市 安中市

路線名		起点	終点	主たる経過地
	上越線		上越市	東松山市　深谷市　本庄市　藤岡市
				佐久市　小諸市　東御市　上田市　千曲市　長野市　須坂市　中野市　妙高市
常磐自動車道		東京都練馬区	仙台市	和光市　戸田市　さいたま市　川口市　草加市　八潮市　三郷市　流山市　柏市　守谷市　つくばみらい市　つくば市　土浦市　かすみがうら市　石岡市　小美玉市　笠間市　水戸市　那珂市　常陸太田市　日立市　高萩市　北茨城市　いわき市　南相馬市　相馬市　宮城県亘理郡亘理町　岩沼市　名取市　仙台市　多賀城市　同県黒川郡富谷町
東関東自動車道	千葉富津線	千葉市	富津市	市原市　袖ケ浦市　木更津市　君津市
	水戸線	東京都練馬区	水戸市	和光市　戸田市　さいたま市　川口市　草加市　八潮市　三郷市　松戸市　市川市　船橋市　習志野市　千葉市　四街道市　佐倉市　富里市　成田市　香取市　潮来市　行方市　鉾田市　茨城県東茨城郡茨城町
北関東自動車道		高崎市	ひたちなか市	前橋市　伊勢崎市　太田市　足利市　佐野市　栃木県下都賀郡岩舟町　栃木市　同郡都賀町　下野市　宇都宮市　同県河内郡上三川町　真岡市　桜川市　笠間市　茨城県東茨城郡茨城町　水戸市
	富士吉田線		富士吉田市	都留市　山梨県南都留郡富士河口湖町
				東京都世田谷区
				伊那市　駒ケ根市　飯田市　中津川市　恵那市　瑞浪市　土岐市　多治見市　春日井市　小牧市　岩倉市　一

路線名		起点	終点	主たる経過地
中央自動車道	西宮線	東京都杉並区	西宮市	三鷹市　調布市　府中市　国立市　日野市　八王子市　相模原市　上野原市　大月市
				甲州市　笛吹市　甲府市　甲斐市　韮崎市　北杜市　茅野市　諏訪市　岡谷市
				宮市　羽島市　大垣市　岐阜県不破郡関ケ原町　米原市　彦根市　東近江市　湖南市　野洲市　栗東市　草津市　大津市　京都市　向日市　長岡京市　高槻市　茨木市　吹田市　豊中市　尼崎市
	長野線		長野市	塩尻市　松本市　安曇野市　千曲市
第一東海自動車道		東京都世田谷区	小牧市	川崎市　横浜市　大和市　綾瀬市　海老名市　厚木市　伊勢原市　秦野市　御殿場市　裾野市　沼津市　富士市　静岡市　焼津市　藤枝市　牧之原市　菊川市　掛川市　袋井市　磐田市　浜松市　新城市　豊橋市　豊川市　岡崎市　豊田市　日進市　尾張旭市　名古屋市　春日井市
東海北陸自動車道		一宮市	砺波市	各務原市　岐阜市　関市　美濃市　郡上市　高山市　飛騨市　南砺市
第二東海自動車道横浜名古屋線		横浜市	名古屋市	藤沢市　綾瀬市　海老名市　厚木市　伊勢原市　秦野市　御殿場市　裾野市　沼津市　富士市　富士宮市　静岡市　藤枝市　島田市　掛川市　磐田市　浜松市　新城市　豊川市　岡崎市　豊田市　安城市　刈谷市　豊明市　名古屋市　大府市　東海市
中部横断自動車道		静岡市	佐久市	山梨県南巨摩郡身延町　同郡増穂町　南アルプス市　甲斐市　韮崎市　北杜市　長野県南佐久郡佐久穂町　佐久市　小諸市
				燕市　三条市　見附市　長岡市　柏崎

路線名		起点	終点	重要な経過地
北陸自動車道		新潟市	米原市	上越市 糸魚川市 黒部市 魚津市 滑川市 富山市 射水市 高岡市 砺波市 小矢部市 南砺市 金沢市 白山市 能美市 小松市 加賀市 あわら市 坂井市 福井市 鯖江市 越前市 敦賀市 長浜市

<table>
<tr><th>路線名</th><th></th><th>起点</th><th>終点</th><th colspan="2">重要な経過地</th></tr>
<tr><td rowspan="2">近畿自動車道</td><td>伊勢線</td><td rowspan="2">名古屋市</td><td>伊勢市</td><td colspan="2">春日井市 清須市</td></tr>
<tr><td>名古屋亀山線</td><td>亀山市</td><td>愛知県海部郡飛島村</td><td>津島市 愛西市</td></tr>
<tr><td></td><td></td><td></td><td></td><td colspan="2">弥富市 桑名市 四日市市 鈴鹿市</td></tr>
<tr><td></td><td></td><td></td><td></td><td>亀山市 津市 松阪市 三重県多気郡多気町</td><td></td></tr>
</table>

路線名		起点	終点	重要な経過地
近畿自動車道	天理吹田線	天理市	吹田市	大和郡山市 香芝市 柏原市 羽曳野市 藤井寺市 松原市 大阪市 八尾市 東大阪市 大東市 門真市 守口市 摂津市 茨木市
	名古屋神戸線	名古屋市	神戸市	愛知県海部郡飛島村 弥富市 桑名市 四日市市 鈴鹿市 亀山市 甲賀市 栗東市 大津市 城陽市 京田辺市 八幡市 枚方市 高槻市 茨木市 箕面市 川西市 宝塚市
	松原那智勝浦線	松原市	和歌山県東牟婁郡那智勝浦町	堺市 和泉市 岸和田市 貝塚市 泉佐野市 泉南市 阪南市 和歌山市 海南市 御坊市 田辺市 和歌山県西牟婁郡すさみ町 同県東牟婁郡串本町
	尾鷲多気線	尾鷲市	三重県多気郡多気町	三重県北牟婁郡紀北町
	敦賀線	吹田市	敦賀市	豊中市 池田市 川西市 伊丹市 宝塚市 西宮市 神戸市 三木市 三田市 篠山市 丹波市 福知山市 綾部市 舞鶴市 小浜市
中国縦貫自動車道		吹田市	下関市	豊中市 池田市 川西市 伊丹市 宝塚市 西宮市 神戸市 三木市 加東市 加西市 姫路市 宍粟市 兵庫県佐用郡佐用町 美作市 津山市 真庭市 新見市 庄原市 三次市 安芸高田市 広島県山県郡北広島町 広島市 廿日市市 岩国市 島根県鹿足郡吉賀町 周南市 山口市 美祢市
山陽自動車道	吹田山口線	吹田市	山口市	豊中市 池田市 川西市 伊丹市 宝塚市 西宮市 神戸市 三木市 加古川市 姫路市 たつの市 相生市 赤穂市 備前市 赤磐市 岡山市 倉敷市 浅口市 笠岡市 福山市 尾道市 三原市 東広島市 広島市 廿日市市 大竹市 岩国市 下松市 周南市 防府市
	宇部下関線	宇部市	下関市	山陽小野田市
中国横断自動車道	姫路鳥取線	姫路市	鳥取市	たつの市 相生市 宍粟市 兵庫県佐用郡佐用町 美作市 鳥取県八頭郡智頭町
	岡山米子線	岡山市	米子市	総社市 高梁市 真庭市 鳥取県日野郡江府町
	尾道松江線	尾道市	松江市	広島県世羅郡世羅町 三次市 庄原市 雲南市
	広島浜田線	広島市	浜田市	広島県山県郡北広島町
山陰自動車道	鳥取益田線	鳥取市	益田市	鳥取県東伯郡北栄町 米子市 安来市 松江市 出雲市 大田市 江津市 浜田市
	長門美祢線	長門市	美祢市	下関市
四国縦貫自動車道		徳島市	大洲市	阿波市 美馬市 三好市 四国中央市 新居浜市 西条市 東温市 松山市 伊予市
四国横断自動車道	阿南四万十線	阿南市	四万十市	小松島市 徳島市 鳴門市 東かがわ市 さぬき市 高松市 坂出市 丸亀市 善通寺市 三豊市 観音寺市 四国中央市 高知県長岡郡大豊町 香美市 南国市 高知市 土佐市 須崎市 同県高岡郡四万十町
	愛南大洲線	愛媛県南宇和郡愛南町	大洲市	宇和島市 西予市

路線名		起点	終点	重要な経過地
九州縦貫自動車道	鹿児島線	北九州市	鹿児島市	直方市　宮若市　福津市　古賀市　福岡市　大野城市　太宰府市　筑紫野市　小郡市　鳥栖市　久留米市　八女市　筑後市　みやま市　熊本県玉名郡和水町　山鹿市　合志市　熊本市　同県上益城郡嘉島町　同郡御船町　宇城市　八代市　人吉市　えびの市　霧島市　鹿児島県姶良郡加治木町
	宮崎線		宮崎市	（上記共通経過地）　小林市　都城市　宮崎県宮崎郡清武町
九州横断自動車道	長崎大分線	長崎市	大分市	諫早市　大村市　嬉野市　武雄市　多久市　小城市　佐賀市　神埼市　鳥栖市　小郡市　朝倉市　日田市　大分県玖珠郡玖珠町　由布市　同県速見郡日出町　別府市
	延岡線	熊本県上益城郡御船町	延岡市	熊本県上益城郡嘉島町　同郡山都町　宮崎県西臼杵郡高千穂町
東九州自動車道		北九州市	鹿児島市	行橋市　福岡県京都郡みやこ町　同県築上郡築上町　豊前市　中津市　宇佐市　大分県速見郡日出町　別府市　大分市　臼杵市　津久見市　佐伯市　延岡市　日向市　西都市　宮崎市　宮崎県宮崎郡清武町　日南市　串間市　志布志市　鹿屋市　曽於市　霧島市　鹿児島県姶良郡加治木町
成田国際空港線		成田市大山	成田国際空港	
関西国際空港線		泉佐野市上之郷	関西国際空港	
関門自動車道		下関市	北九州市	
沖縄自動車道		名護市	那覇市	うるま市　沖縄市　宜野湾市　浦添市

○一般国道の路線を指定する政令

〔昭和四〇・三・二九　政令五八〕

改正　前略…昭和四九・一一政三六四、昭和五六・四政一五三、平成四・四政一〇四、平成一六・三政五〇

一般国道の路線名、起点、終点及び重要な経過地は、別表のとおりとする。

附　則

（施行期日）

1　この政令は、昭和四十年四月一日から施行する。

（一般国道の路線を指定する政令等の廃止）

2　〔他の法令改正に付き略〕

附　則〔平成一六・三・一九政令五〇抄〕

（施行期日）

第一条　この政令〔中略〕は、平成十六年四月一日から施行する。

別表

路線名	起点	終点	重要な経過地
一号	東京都中央区	大阪市	東京都千代田区（霞が関一丁目）　同都港区（高輪二丁目）　同都品川区（東五反田一丁目）　同都大田区（池上二丁目）　川崎市（幸区）　横浜市（神奈川区）　藤沢市（城南四丁目）　茅ヶ崎市（下町屋）　平塚市（浅間町　袖ケ浜）　神奈川県中郡大磯町　小田原市　同県足柄下郡箱根町　三島市　沼津市　富士市　清水市　静岡市（栄町）　藤枝市　島田市　静岡県榛原郡金谷町　掛川市　袋井市　磐田市（三ケ野）　浜松市　湖西市　同県浜名郡新居町　豊橋市　愛知県宝飯郡小坂井町　豊川市（白鳥町）　岡崎市　安城市（宇頭茶屋町）　知立市　刈谷市（今川町）　豊明市　名古屋市（熱田区）　同県海部郡弥富町　桑名市（安永）　四日市市（采女町）　鈴鹿市（石薬師町）　亀山市　三重県鈴鹿郡関町　滋賀県甲賀郡水口町　同県栗太郡栗東町　草津市　大津市（瀬田）　京都市（下京区）　宇治市　京都府久

路線名	起点	終点	重要な経過地
			世郡久御山町　八幡市　枚方市　交野市　寝屋川市　門真市　守口市
二号	大阪市	北九州市	尼崎市(杭瀬本町)　西宮市(池田町)　芦屋市(清水町)　神戸市(灘区)　明石市　加古川市(加古川町寺家町　加古川町河原)　高砂市(阿弥陀町魚橋)　姫路市(本町　飾磨区三宅一丁目)　兵庫県揖保郡太子町　龍野市　相生市(池之内)　赤穂市(東有年)　備前市　岡山市　岡山県都窪郡早島町　倉敷市　笠岡市　福山市　尾道市　三原市(時貞町)　竹原市(西野町)　東広島市　広島県安芸郡海田町　広島市　廿日市市　大竹市　岩国市　山口県玖珂郡玖珂町　同郡周東町　下松市　徳山市(徳山)　新南陽市(福川)　防府市　山口市　同県吉敷郡小郡町　宇部市(吉見)　同県厚狭郡山陽町　下関市
三号	北九州市	鹿児島市	宗像市　福岡市　大野城市　筑紫野市　鳥栖市　久留米市　八女市　山鹿市　熊本県鹿本郡植木町　熊本市　宇土市　同県宇土郡不知火町　同県下益城郡松橋町　同県八代郡宮原町　八代市　水俣市　出水市　阿久根市　鹿児島県出水郡野田町　川内市　串木野市　同県日置郡市来町
四号	東京都中央区	青森市	東京都千代田区(岩本町三丁目)　同都台東区(入谷二丁目)　同都荒川区　同都足立区　草加市　越谷市　春日部市　埼玉県北葛飾郡庄和町　幸手市　同郡栗橋町　茨城県猿島郡五霞村　古河市　同郡総和町　同郡三和町　小山市　結城市　栃木県下都賀郡石橋町　同県河内郡上三川町　宇都宮市　同県塩谷郡高根沢町　同郡氏家町　矢板市　大田原市　同県那須郡西那須野町　黒磯市　白河市　須賀川市　郡山市　二本松市　福島市　福島県伊達郡伊達町　白石市　宮城県柴田郡柴田町　岩沼市　名取市　仙台市(宮城野区)　古川市　同県栗原郡築館町　一関市　水沢市　北上市(有田町)　花巻市(山の神)　盛岡市　岩手県岩手郡滝沢村　同郡岩手町　二戸市　青森県三戸郡三戸町　同郡名川町　同郡五戸町　十和田市　同県上北郡七戸町　同郡野辺地町
五号	函館市	札幌市	北海道茅部郡森町　同道山越郡八雲町　同郡長万部町　同道虻田郡倶知安町　同道岩内郡共和町　同道余市郡余市町　小樽市
六号	東京都中央区	仙台市	東京都台東区(花川戸一丁目)　同都墨田区(向島二丁目)　同都葛飾区(金町四丁目)　松戸市　柏市　我孫子市　取手市　龍ケ崎市　牛久市　土浦市　石岡市　水戸市　勝田市(田彦)　日立市　高萩市　北茨城市　いわき市(泉町)　福島県双葉郡双葉町　同郡浪江町　原町市　相馬市　岩沼市　名取市
七号	新潟市	青森市	豊栄市(浦ノ入)　新発田市　新潟県岩船郡荒川町　同郡神林村　村上市(山辺里)　同郡山北町　山形県西田川郡温海町　鶴岡市　酒田市　同県飽海郡遊佐町　本荘市　秋田市　秋田県南秋田郡昭和町　同郡飯田川町　同県山本郡八竜町　能代市　同県北秋田郡鷹巣町　大館市　青森県南津軽郡碇ケ関村　同郡大鰐町　弘前市　同郡藤崎町　同郡浪岡町
八号	新潟市	京都市	白根市　三条市　見附市　長岡市　柏崎市　上越市　糸魚川市　黒部市　魚津市　滑川市　富山市　新湊市(作道)　高岡市(四屋)　富山県西礪波郡福岡町　小矢部市(安楽寺)　石川県河北郡津幡町　金沢市　同県石川郡野々市町　松任市　小松市　加賀市　福井市(淵上町)　鯖江市　武生市　福井県南条郡河野村　敦賀市　滋賀県伊香郡西浅井町　同郡木之本町　長浜市　同県坂田郡近江町　彦根市　近江八幡市　同県蒲生郡竜王町　同県栗太郡栗東町　草津市　大津市(瀬田)
九号	京都市	下関市	亀岡市　京都府船井郡八木町　同郡園部町　同郡丹波町　同郡瑞穂町　福知山市　兵庫県朝来郡山東町　同郡和田山町　同県養父郡八鹿町　同県美方郡村岡町　鳥取県岩美郡岩美町　鳥取市　同県東伯郡羽合町　同郡北条町　米子市　安来市　松江市(西津田三丁目)

			島根県八束郡宍道町　出雲市　大田市　江津市　浜田市　益田市　同県鹿足郡日原町　山口県阿武郡阿東町　山口市　同県吉敷郡小郡町　宇部市（吉見）　同県厚狭郡山陽町
十号	北九州市	鹿児島市	行橋市　豊前市　中津市　宇佐市　大分県速見郡日出町　別府市　大分市　同県大野郡犬飼町　同郡野津町　同県南海部郡弥生町　宮崎県東臼杵郡北川町　延岡市　同郡門川町　日向市　宮崎市　同県東諸県郡高岡町　都城市　鹿児島県始良郡福山町　国分市　同郡隼人町
十一号	徳島市	松山市	徳島県板野郡松茂町　鳴門市　香川県大川郡白鳥町　高松市　坂出市　丸亀市　善通寺市　観音寺市（植田町）　同県三豊郡豊浜町　川之江市　伊予三島市　新居浜市　西条市　愛媛県周桑郡小松町　同県温泉郡川内町
十二号	札幌市	旭川市	江別市（野幌町）　岩見沢市　美唄市　砂川市　滝川市　深川市（音江町）
十三号	福島市	秋田市	米沢市　南陽市　上山市　山形市（和合町）　天童市　東根市　村山市（本飯田）　尾花沢市　山形県最上郡舟形町　新庄市　同郡金山町　秋田県雄勝郡雄勝町　湯沢市　同県平鹿郡十文字町　横手市　大曲市　同県仙北郡協和町
十四号	東京都中央区	千葉市	東京都墨田区（江東橋四丁目）　同都江東区（亀戸五丁目）　同都江戸川区（松島一丁目）　市川市（平田二丁目　大和田二丁目）　船橋市（本町二丁目　湊町二丁目）　習志野市（津田沼六丁目　袖ケ浦二丁目）
十五号	東京都中央区	横浜市	東京都港区（高輪二丁目）　同都品川区（北品川三丁目）　同都大田区（大森東一丁目）　川崎市（川崎区）
十六号	横浜市	横浜市	町田市　大和市　相模原市　八王子市　昭島市　福生市　羽村市　入間市　狭山市（鵜ノ木）　川越市　大宮市　岩槻市　春日部市　埼玉県北葛飾郡庄和町　野田市　柏市　船橋市（小室町）　八千代市　千葉市　市原市（姉崎海岸）　袖ケ浦市（福王台三丁目）　木更津市　君津市（人見）　富津市（富津）　横須賀市
十七号	東京都中央区	新潟市	東京都千代田区（神田須田町一丁目）　同都文京区　同都豊島区（巣鴨一丁目）　同都北区（滝野川五丁目）　同都板橋区（板橋一丁目）　戸田市　蕨市　浦和市　与野市　大宮市　上尾市　桶川市　北本市　鴻巣市　行田市　熊谷市　深谷市　本庄市　群馬県新田郡尾島町　藤岡市（岡之郷）　伊勢崎市（豊城町）　高崎市　前橋市　渋川市　同県北群馬郡子持村　沼田市　同県利根郡月夜野町　新潟県南魚沼郡湯沢町　同郡塩沢町　同郡六日町　同県北魚沼郡小出町　同郡湯之谷村　同郡堀之内町　小千谷市　長岡市　見附市　三条市　白根市
十八号	高崎市	上越市	安中市　長野県北佐久郡軽井沢町　小諸市　上田市　更埴市　長野市　新井市
十九号	名古屋市	長野市	春日井市　多治見市　土岐市（泉寺田町）　瑞浪市　恵那市　中津川市　長野県木曽郡山口村　同郡南木曽町　同郡木曽福島町　同郡日義村　塩尻市　松本市　同県東筑摩郡明科町　同県上水内郡信州新町
二十号	東京都中央区	塩尻市	東京都千代田区（霞が関一丁目）　同都新宿区　同都渋谷区　同都杉並区　同都世田谷区　調布市　府中市　国立市　立川市　日野市　八王子市　神奈川県津久井郡相模湖町　同郡藤野町　大月市　山梨県東八代郡御坂町　同郡石和町　甲府市　韮崎市　茅野市　諏訪市　長野県諏訪郡下諏訪町　岡谷市
二十一号	瑞浪市	滋賀県坂田郡米原町	土岐市　可児市　美濃加茂市　各務原市　岐阜県羽島郡岐南町　岐阜市　大垣市　同県不破郡関ケ原町　滋賀県坂田郡近江町
二十二号	名古屋市	岐阜市	愛知県西春日井郡春日町　一宮市　岐阜県羽島郡岐南町
			蒲郡市　愛知県額田郡幸田町　西尾市（江原町）　安城市（城ケ入町）　刈谷市　知立市

号	起点	終点	経過地
二十三号	豊橋市	伊勢市	豊明市　名古屋市(港区)　同県海部郡飛島村　桑名市(和泉)　四日市市(中里町)　鈴鹿市(北玉垣町)　津市　三重県一志郡三雲町　松阪市
二十四号	京都市	和歌山市	宇治市　京都府久世郡久御山町　城陽市　同府綴喜郡田辺町　同府相楽郡山城町　同郡精華町　同郡木津町　奈良市　大和郡山市　天理市　橿原市　大和高田市　奈良県北葛城郡新庄町　御所市　五條市　橋本市　和歌山県伊都郡かつらぎ町　同県那賀郡那賀町　同郡打田町
二十五号	四日市市	大阪市	鈴鹿市　亀山市　三重県鈴鹿郡関町　上野市　奈良県山辺郡都祁村　天理市　大和郡山市　同県北葛城郡王寺町　同県生駒郡斑鳩町　柏原市　八尾市
二十六号	大阪市	和歌山市	堺市　高石市　泉大津市　岸和田市(岸城町)　貝塚市(近木)　泉佐野市　泉南市　阪南市
二十七号	敦賀市	京都府船井郡丹波町	福井県三方郡三方町　同県遠敷郡上中町　小浜市　舞鶴市　綾部市　京都府船井郡和知町
二十八号	神戸市	徳島市	明石市　兵庫県津名郡淡路町　洲本市　同県三原郡南淡町　鳴門市　徳島県板野郡松茂町
二十九号	姫路市	鳥取市	兵庫県揖保郡太子町　龍野市　同県宍粟郡山崎町　同郡波賀町　鳥取県八頭郡若桜町　同郡八東町
三十号	岡山市	高松市	岡山県都窪郡早島町　倉敷市　玉野市　坂出市
三十一号	広島県安芸郡海田町	呉市	広島市
三十二号	高松市	高知市	香川県綾歌郡綾歌町　同県仲多度郡琴平町　同郡仲南町　徳島県三好郡井川町　同郡池田町　同郡山城町　高知県長岡郡大豊町　南国市
三十三号	高知市	松山市	高知県吾川郡伊野町　同県高岡郡佐川町　同県吾川郡吾川村　愛媛県上浮穴郡柳谷村　同郡久万町　同県伊予郡砥部町

号	起点	終点	経過地
三十四号	鳥栖市	長崎市	佐賀県神埼郡三田川町　同郡神埼町　佐賀市(高木瀬町)　同県小城郡三日月町　同郡牛津町　同県杵島郡江北町　武雄市　長崎県東彼杵郡東彼杵町　大村市　諫早市　同県西彼杵郡多良見町
三十五号	武雄市	佐世保市	佐賀県西松浦郡西有田町
三十六号	札幌市	室蘭市	恵庭市(栄恵町)　千歳市(本町)　苫小牧市　登別市
三十七号	北海道山越郡長万部町	室蘭市	北海道虻田郡虻田町　伊達市
三十八号	滝川市	釧路市	赤平市　芦別市　富良野市　北海道上川郡清水町　帯広市　同道中川郡幕別町　同道十勝郡浦幌町　同道白糠郡白糠町
三十九号	旭川市	網走市	北海道上川郡愛別町　同郡上川町　同道常呂郡留辺蘂町　北見市(三輪)　同郡端野町　同道網走郡美幌町
四十号	旭川市	稚内市	北海道上川郡比布町　士別市　名寄市　同道中川郡美深町　同郡音威子府村　同道天塩郡天塩町
四十一号	名古屋市	富山市	小牧市　犬山市　可児市　美濃加茂市　岐阜県加茂郡川辺町　同郡白川町　同県益田郡金山町　同郡下呂町　同郡萩原町　高山市　同県吉城郡古川町　同郡神岡町　富山県婦負郡細入村
四十二号	浜松市	和歌山市	静岡県浜名郡新居町　湖西市　愛知県渥美郡赤羽根町　同郡渥美町　鳥羽市　伊勢市　松阪市　三重県一志郡三雲町　同県多気郡勢和村　同県北牟婁郡紀伊長島町　尾鷲市　熊野市　新宮市　和歌山県西牟婁郡串本町　同郡上富田町　田辺市　同県日高郡南部町　御坊市　有田市　海南市(名高)
四十三号	大阪市	神戸市	尼崎市(東本町)　西宮市(本町)　芦屋市(平田町)
四十四号	釧路市	根室市	北海道釧路郡釧路町　同道厚岸郡厚岸町
			多賀城市　塩竈市　宮城県宮城郡松島町　石

四十五号	仙台市	青森市	巻市　同県本吉郡津山町　同郡志津川町　同郡本吉町　気仙沼市　陸前高田市　大船渡市　釜石市　宮古市　岩手県下閉伊郡岩泉町　久慈市　八戸市　青森県上北郡下田町　十和田市　同郡七戸町　同郡野辺地町
四十六号	盛岡市	秋田市	岩手県岩手郡雫石町　秋田県仙北郡田沢湖町　同郡協和町
四十七号	仙台市	酒田市	古川市　宮城県玉造郡岩出山町　同郡鳴子町　山形県最上郡舟形町　新庄市　同県東田川郡立川町
四十八号	仙台市	山形市	東根市　天童市
四十九号	いわき市	新潟市	郡山市　福島県耶麻郡猪苗代町　会津若松市　同県河沼郡会津坂下町　同県耶麻郡西会津町　新潟県東蒲原郡津川町　同県北蒲原郡安田町　同郡水原町　同県中蒲原郡亀田町
五十号	前橋市	水戸市	桐生市　太田市　足利市　佐野市　小山市　結城市　下館市　笠間市
五十一号	千葉市	水戸市	四街道市　佐倉市　千葉県印旛郡酒々井町　成田市　同県香取郡大栄町　佐原市　茨城県稲敷郡東村　同県行方郡牛堀町　同県鹿島郡鹿島町　同郡大洋村
五十二号	清水市	甲府市	山梨県南巨摩郡富沢町　同郡身延町　同郡増穂町　韮崎市
五十三号	岡山市	鳥取市	岡山県御津郡建部町　津山市　鳥取県八頭郡智頭町　同郡用瀬町
五十四号	広島市	松江市	三次市　島根県飯石郡赤来町　同郡三刀屋町　同県大原郡木次町　同県八束郡宍道町
五十五号	徳島市	高知市	小松島市　阿南市　徳島県海部郡牟岐町　同郡海南町　高知県安芸郡東洋町　室戸市　同郡奈半利町　安芸市　南国市
五十六号	高知市	松山市	土佐市　須崎市　高知県高岡郡窪川町　中村市　宿毛市　宇和島市　愛媛県北宇和郡吉田町　大洲市　同県喜多郡内子町　伊予市
			大分県大野郡犬飼町　同郡朝地町　竹田市　熊本県阿蘇郡一の宮町　同郡阿蘇町　同郡長

五十七号	大分市	長崎市	陽村　同県菊池郡大津町　熊本市　宇土市　同県宇土郡三角町　島原市　長崎県南高来郡小浜町　同郡愛野町　諫早市
五十八号	鹿児島市	那覇市	西之表市　鹿児島県熊毛郡南種子町　同県大島郡笠利町　名瀬市　同郡瀬戸内町　沖縄県国頭郡国頭村　同郡大宜味村　名護市　宜野湾市（大山）　浦添市（屋富祖）
百一号	青森市	秋田市	青森県南津軽郡浪岡町　五所川原市　同県西津軽郡深浦町　能代市　秋田県山本郡八竜町　男鹿市　同県南秋田郡昭和町
百二号	弘前市	十和田市	黒石市　青森県南津軽郡平賀町　同県上北郡十和田湖町
百三号	青森市	大館市	青森県上北郡十和田湖町　秋田県鹿角郡小坂町　鹿角市
百四号	八戸市	大館市	青森県三戸郡名川町　同郡三戸町　鹿角市
百五号	本荘市	秋田県北秋田郡鷹巣町	秋田県由利郡大内町　大曲市　同県仙北郡田沢湖町　同県北秋田郡森吉町
百六号	宮古市	盛岡市	岩手県下閉伊郡新里村　同郡川井村
百七号	大船渡市	本荘市	岩手県気仙郡住田町　遠野市（小友町）　同県上閉伊郡宮守村　江刺市（梁川）　北上市　横手市　秋田県平鹿郡雄物川町　同県由利郡東由利町
百八号	石巻市	本荘市	宮城県遠田郡涌谷町　古川市　同県玉造郡岩出山町　同郡鳴子町　秋田県雄勝郡雄勝町　同県由利郡矢島町
百十二号	山形市	酒田市	寒河江市　鶴岡市
百十三号	新潟市	相馬市	豊栄市（横土居）　新潟県北蒲原郡中条町　同県岩船郡荒川町　同郡関川村　長井市　南陽市　山形県東置賜郡高畠町　白石市　角田市　宮城県伊具郡丸森町
百十四号	福島市	福島県双葉郡浪江町	福島県伊達郡川俣町
百十五号	相馬市	福島県耶麻郡猪苗代町	福島県伊達郡霊山町　福島市（八島町）

百十六号	柏崎市	新潟市	新潟県刈羽郡刈羽村　同県三島郡出雲崎町　同県西蒲原郡吉田町　同郡巻町　同郡西川町
百十七号	長野市	小千谷市	飯山市　新潟県中魚沼郡津南町　同郡中里村　十日町市
百十八号	水戸市	会津若松市	茨城県那珂郡大宮町　同県久慈郡大子町　福島県東白川郡矢祭町　同郡棚倉町　須賀川市　同県岩瀬郡長沼町　同県南会津郡下郷町
百十九号	日光市	宇都宮市	今市市
百二十号	日光市	沼田市	群馬県利根郡片品村
百二十一号	米沢市	栃木県芳賀郡益子町	喜多方市　会津若松市　福島県南会津郡下郷町　同郡田島町　栃木県塩谷郡藤原町　今市市　鹿沼市　宇都宮市　真岡市
百二十二号	日光市	東京都豊島区	栃木県上都賀郡足尾町　群馬県山田郡大間々町　桐生市　太田市(龍舞)　館林市　羽生市　加須市　埼玉県南埼玉郡菖蒲町　蓮田市　岩槻市　浦和市　川口市　鳩ケ谷市　東京都北区(王子一丁目)
百二十三号	宇都宮市	水戸市	栃木県芳賀郡益子町　同郡茂木町
百二十四号	銚子市	水戸市	茨城県鹿島郡波崎町　同郡鹿島町　同郡大洋村
百二十五号	佐原市	熊谷市	茨城県稲敷郡東村　同郡阿見町　土浦市　つくば市　下妻市　同県猿島郡三和町　古河市　埼玉県北葛飾郡栗橋町　加須市　羽生市　行田市
百二十六号	銚子市	千葉市	旭市　八日市場市　東金市
百二十七号	館山市	木更津市	千葉県安房郡鋸南町　富津市(湊)　君津市(郡)
百二十八号	館山市	千葉市	千葉県安房郡丸山町　鴨川市　勝浦市　同県夷隅郡大原町　茂原市　東金市
百二十九号	平塚市	相模原市	厚木市
百三十号	東京港	東京都港区芝一丁目	
百三十一号	羽田空港	東京都大田区大森東二丁目	
百三十二号	川崎港	川崎市川崎区宮前町	
百三十三号	横浜港	横浜市中区桜木町	
百三十四号	横須賀市	神奈川県中郡大磯町	三浦市　横須賀市　逗子市　鎌倉市　藤沢市(鵠沼海岸一丁目)　茅ケ崎市(東海岸南一丁目)　平塚市(袖ケ浜)
百三十五号	下田市	小田原市	伊東市　熱海市　神奈川県足柄下郡真鶴町
百三十六号	下田市	三島市	静岡県田方郡土肥町　同郡天城湯ケ島町　同郡大仁町　同郡函南町
百三十七号	富士吉田市	山梨県東八代郡石和町	山梨県南都留郡河口湖町　同県東八代郡御坂町
百三十八号	富士吉田市	小田原市	山梨県南都留郡山中湖村　御殿場市　神奈川県足柄下郡箱根町
百三十九号	富士市	東京都西多摩郡奥多摩町	富士宮市　山梨県西八代郡上九一色村　同県南都留郡河口湖町　富士吉田市　都留市　大月市
百四十号	熊谷市	山梨県南巨摩郡増穂町	埼玉県大里郡寄居町　同県秩父郡長瀞町　秩父市　塩山市　山梨市(万力)　甲府市　山梨県東八代郡中道町
百四十一号	韮崎市	上田市	長野県南佐久郡小海町　同郡八千穂村　同郡佐久町　佐久市　小諸市
百四十二号	長野県北佐久郡軽井沢町	長野県諏訪郡下諏訪町	小諸市　佐久市　長野県北佐久郡立科町　同県小県郡長門町
百四十三号	松本市	上田市	
百四十四号	群馬県吾妻郡長野原町	上田市	長野県小県郡真田町
百四十五号	群馬県吾妻郡長野原町	沼田市	群馬県吾妻郡中之条町
百四十六号	群馬県吾妻郡長野原町	長野県北佐久郡軽井沢町	

百四十七号	大町市	松本市	長野県南安曇郡穂高町
百四十八号	大町市	糸魚川市	長野県北安曇郡白馬村
百四十九号	清水港	清水市大和町	
百五十号	清水市	浜松市	静岡市（大谷）　焼津市　静岡県榛原郡相良町　磐田市（万正寺）　同県磐田郡竜洋町
百五十一号	飯田市	豊橋市	長野県下伊那郡阿南町　愛知県北設楽郡東栄町　同県南設楽郡鳳来町　新城市　豊川市（馬場町）　同県宝飯郡小坂井町
百五十二号	上田市	浜松市	長野県小県郡丸子町　同郡長門町　茅野市　同県上伊那郡高遠町　同県下伊那郡上村　同郡南信濃村　静岡県磐田郡水窪町　同郡佐久間町　天竜市　浜北市
百五十三号	名古屋市	塩尻市	豊田市　愛知県東加茂郡足助町　同県北設楽郡稲武町　長野県下伊那郡平谷村　同郡阿智村　飯田市　駒ケ根市　伊那市
百五十四号	名古屋港	名古屋市熱田区	
百五十五号	常滑市	愛知県海部郡弥富町	知多市　東海市　大府市　刈谷市（中手町七丁目）　知立市　豊田市　瀬戸市　春日井市　小牧市　一宮市　稲沢市　津島市
百五十六号	岐阜市	高岡市	岐阜県羽島郡岐南町　関市　美濃市　同県郡上郡八幡町　同郡白鳥町　同県大野郡荘川村　同郡白川村　富山県東礪波郡平村　同郡庄川町　砺波市
百五十七号	金沢市	岐阜市	石川県石川郡野々市町　松任市　同郡吉野谷村　同郡尾口村　勝山市（村岡町）　大野市　岐阜県本巣郡根尾村　同郡糸貫町　同郡北方町
百五十八号	福井市	松本市	福井県足羽郡美山町　同県吉田郡松岡町　同郡永平寺町　勝山市（鹿谷町）　大野市　岐阜県郡上郡白鳥町　同県大野郡荘川村　高山市　同県吉城郡上宝村
百五十九号	七尾市	金沢市	羽咋市（飯山町）　石川県羽咋郡押水町　同県河北郡津幡町
百六十号	七尾市	高岡市	氷見市
百六十一号	敦賀市	大津市	滋賀県高島郡マキノ町　同郡今津町
百六十二号	京都市	敦賀市	京都府北桑田郡京北町　小浜市　福井県三方郡三方町
百六十三号	大阪市	津市	守口市　門真市　寝屋川市　四條畷市　生駒市（鹿畑町）　京都府相楽郡精華町　同郡木津町　同郡山城町　上野市　三重県安芸郡美里村
百六十四号	四日市港	四日市市諏訪町	
百六十五号	大阪市	津市	八尾市　柏原市　香芝市　奈良県北葛城郡當麻町　同郡新庄町　大和高田市　橿原市　桜井市　同県宇陀郡榛原町　名張市　三重県名賀郡青山町　久居市
百六十六号	羽曳野市	松阪市	奈良県北葛城郡當麻町　大和高田市　橿原市　桜井市　同県宇陀郡大宇陀町　三重県飯南郡飯高町　同郡飯南町
百六十七号	三重県志摩郡阿児町	伊勢市	鳥羽市
百六十八号	新宮市	枚方市	和歌山県東牟婁郡熊野川町　同郡本宮町　奈良県吉野郡十津川村　五條市　御所市　大和高田市　同県北葛城郡當麻町　香芝市　同郡王寺町　同県生駒郡斑鳩町　生駒市　交野市
百六十九号	奈良市	新宮市	天理市　桜井市　橿原市　奈良県吉野郡大淀町　同郡吉野町　同郡上北山村　同郡下北山村　熊野市　和歌山県東牟婁郡熊野川町
百七十号	高槻市	泉佐野市	枚方市　寝屋川市　四条畷市　大東市　東大阪市　八尾市　柏原市　藤井寺市　羽曳野市　富田林市　河内長野市　和泉市　岸和田市（内畑町）　貝塚市（木積）
百七十一号	京都市	神戸市	向日市　長岡京市　京都府乙訓郡大山崎町　高槻市　茨木市　箕面市　池田市　伊丹市　尼崎市　西宮市（河原町）　芦屋市（清水町）
百七十二号	大阪港	大阪市東区	

百七十三号	池田市	綾部市	川西市　兵庫県多紀郡篠山町　京都府船井郡瑞穂町
百七十四号	神戸港	神戸市中央区	
百七十五号	明石市	舞鶴市	神戸市　三木市　小野市　兵庫県加東郡社町　西脇市　同県氷上郡氷上町　同郡春日町　福知山市　京都府加佐郡大江町
百七十六号	宮津市	大阪市	京都府与謝郡野田川町　福知山市　兵庫県氷上郡春日町　同郡氷上町　同県多紀郡丹南町　三田市　神戸市（北区）　西宮市（塩瀬町生瀬）　宝塚市　川西市　池田市　豊中市
百七十七号	舞鶴港	舞鶴市字魚屋	
百七十八号	舞鶴市	鳥取県岩美郡岩美町	宮津市　京都府竹野郡丹後町　同郡網野町　同府熊野郡久美浜町　豊岡市　兵庫県城崎郡香住町
百七十九号	姫路市	鳥取県東伯郡羽合町	兵庫県揖保郡太子町　龍野市　同県佐用郡佐用町　同郡上月町　岡山県英田郡美作町　津山市　同県苫田郡上齋原村　鳥取県東伯郡三朝町　倉吉市
百八十号	岡山市	松江市	総社市　高梁市　新見市　鳥取県日野郡日野町　同県西伯郡西伯町　米子市　安来市
百八十一号	津山市	米子市	岡山県真庭郡久世町　同郡勝山町　鳥取県日野郡日野町　同郡江府町　同郡溝口町
百八十二号	新見市	福山市	広島県比婆郡東城町　同県深安郡神辺町
百八十三号	広島市	米子市	三次市　庄原市　広島県比婆郡西城町　鳥取県日野郡日野町　同郡江府町　同郡溝口町
百八十四号	出雲市	尾道市	島根県飯石郡赤来町　三次市　広島県世羅郡世羅町　同郡甲山町　同県御調郡御調町
百八十五号	呉市	三原市	広島県豊田郡安芸津町　竹原市（竹原町）
百八十六号	江津市	大竹市	浜田市　広島県山県郡加計町　同郡戸河内町　同県佐伯郡吉和村　同郡佐伯町
百八十七号	岩国市	益田市	山口県玖珂郡錦町　島根県鹿足郡日原町
百八十八号	岩国市	下松市	山口県玖珂郡大島町　柳井市　光市
百八十九号	岩国空港	岩国市麻里布町一丁目	
百九十号	山口市	山口県厚狭郡山陽町	山口県吉敷郡阿知須町　宇部市（常磐町一丁目）　小野田市
百九十一号	下関市	広島市	山口県豊浦郡豊北町　同県大津郡油谷町　長門市　萩市　同県阿武郡須佐町　益田市　広島県山県郡戸河内町　同郡加計町
百九十二号	西条市	徳島市	新居浜市　伊予三島市　川之江市　徳島県三好郡池田町　同郡井川町　同県美馬郡半田町　同郡貞光町　同郡穴吹町　同県麻植郡山川町　同郡鴨島町
百九十三号	高松市	徳島県海部郡海南町	香川県香川郡香川町　同郡塩江町　同県木田郡三木町　徳島県美馬郡穴吹町　同県麻植郡山川町　同県名西郡神山町　同県那賀郡上那賀町
百九十四号	高知市	西条市	高知県吾川郡伊野町　同郡吾北村
百九十五号	高知市	徳島市	南国市　徳島県那賀郡木頭村　同郡上那賀町　阿南市　小松島市
百九十六号	松山市	愛媛県周桑郡小松町	北条市　今治市　東予市
百九十七号	高知市	大分市	土佐市　須崎市　高知県高岡郡東津野村　同郡檮原町　愛媛県北宇和郡日吉村　大洲市　八幡浜市　同県西宇和郡保内町　同郡三崎町　大分県北海部郡佐賀関町
百九十八号	門司港	北九州市門司区西本町	
百九十九号	北九州市門司区	北九州市八幡西区	
二百号	北九州市	筑紫野市	直方市　飯塚市　福岡県嘉穂郡穂波町
二百一号	福岡市	福岡県京都郡苅田町	飯塚市　福岡県嘉穂郡穂波町　田川市　同県田川郡香春町　行橋市
二百二号	福岡市	長崎市	佐賀県東松浦郡浜玉町　唐津市　伊万里市　同県西松浦郡西有田町　佐世保市　長崎県西彼杵郡西彼町　同郡大瀬戸町

二百三号	唐津市	佐賀市	多久市　佐賀県小城郡三日月町
二百四号	唐津市	佐世保市	佐賀県東松浦郡呼子町　同郡鎮西町　伊万里市　松浦市　長崎県北松浦郡田平町　同郡江迎町　同郡佐々町
二百五号	佐世保市	長崎県東彼杵郡東彼杵町	
二百六号	長崎市	佐世保市	長崎県西彼杵郡時津町　同郡西彼町
二百七号	佐賀市	長崎県西彼杵郡時津町	佐賀県小城郡牛津町　同県杵島郡江北町　同郡有明町　鹿島市　諫早市　長崎県西彼杵郡多良見町
二百八号	熊本市	佐賀市	熊本県鹿本郡植木町　玉名市　荒尾市　大牟田市　福岡県三池郡高田町　同県山門郡三橋町　柳川市　大川市(向島)　佐賀県佐賀郡諸富町
二百九号	大牟田市	久留米市	福岡県三池郡高田町　同県山門郡瀬高町　筑後市
二百十号	久留米市	大分市	日田市　大分県玖珠郡玖珠町　同郡九重町　同県大分郡湯布院町
二百十一号	日田市	北九州市	福岡県朝倉郡小石原村　同県嘉穂郡嘉穂町　飯塚市　直方市
二百十二号	中津市	熊本県阿蘇郡阿蘇町	大分県下毛郡本耶馬渓町　同郡山国町　日田市　熊本県阿蘇郡小国町
二百十三号	別府市	中津市	大分県速見郡日出町　杵築市　同県東国東郡国東町　同郡国見町　豊後高田市　宇佐市
二百十七号	大分市	大分県南海部郡弥生町	大分県北海部郡佐賀関町　臼杵市　津久見市　佐伯市
二百十八号	熊本市	延岡市	宇土市　熊本県宇土郡不知火町　同県下益城郡松橋町　同郡中央町　同郡砥用町　同県上益城郡矢部町　同県阿蘇郡蘇陽町　宮崎県西臼杵郡五ヶ瀬町　同郡高千穂町
二百十九号	熊本市	宮崎市	宇土市　熊本県宇土郡不知火町　同県下益城郡松橋町　同県八代郡宮原町　八代市　人吉市　同県球磨郡錦町　同郡湯前町　宮崎県児湯郡西米良村　西都市
二百二十号	宮崎市	国分市	日南市　宮崎県南那珂郡南郷町　串間市(北方)　鹿児島県曽於郡大崎町　鹿屋市　垂水市
二百二十一号	人吉市	都城市	熊本県球磨郡綿町　えびの市　小林市　宮崎県西諸県郡高原町
二百二十二号	日南市	都城市	
二百二十三号	小林市	鹿児島県姶良郡隼人町	宮崎県西諸県郡高原町
二百二十四号	垂水市	鹿児島市	鹿児島県鹿児島郡桜島町
二百二十五号	枕崎市	鹿児島市	
二百二十六号	加世田市	鹿児島市	鹿児島県川辺郡笠沙町　枕崎市　同県揖宿郡山川町　指宿市
二百二十七号	函館市	北海道檜山郡江差町	北海道上磯郡上磯町　同道亀田郡大野町
二百二十八号	函館市	北海道檜山郡江差町	北海道上磯郡上磯町　同道亀田郡大野町　同道上磯郡木古内町　同道松前郡福島町
二百二十九号	小樽市	北海道檜山郡江差町	北海道余市郡余市町　同道積丹郡積丹町　同道岩内郡岩内町　同道寿都郡寿都町　同道瀬棚郡北檜山町　同道爾志郡熊石町
二百三十号	札幌市	北海道瀬棚郡北檜山町	北海道虻田郡喜茂別町　同郡虻田町　同道山越郡長万部町
二百三十一号	札幌市	留萌市	北海道石狩郡石狩町　同道浜益郡浜益村
二百三十二号	稚内市	留萌市	北海道天塩郡天塩町　同道苫前郡苫前町
二百三十三号	旭川市	留萌市	深川市　北海道雨竜郡北竜町
二百三十四号	岩見沢市	苫小牧市	北海道夕張郡由仁町
二百三十五号	室蘭市	北海道浦河郡浦河町	登別市　苫小牧市　北海道沙流郡門別町
二百三十六号	帯広市	北海道浦河郡浦河町	北海道河西郡中札内村　同道広尾郡広尾町
二百三十七号	旭川市	北海道浦河郡浦河町	富良野市　北海道沙流郡日高町　同郡門別町

路線名	起点	終点	重要な経過地
二百三十八号	網走市	稚内市	北海道常呂郡佐呂間町　同道紋別郡上湧別町　紋別市　同郡興部町　同郡雄武町　同道枝幸郡浜頓別町
二百三十九号	網走市	留萌市	北海道常呂郡佐呂間町　同道紋別郡上湧別町　紋別市　同郡興部町　名寄市　士別市　同道雨竜郡幌加内町　同道苫前郡苫前町
二百四十号	釧路市	網走市	北海道阿寒郡阿寒町　同道網走郡津別町　同郡美幌町
二百四十一号	北海道川上郡弟子屈町	帯広市	北海道阿寒郡阿寒町　同道足寄郡足寄町　同道河東郡上士幌町　同郡士幌町
二百四十二号	網走市	帯広市	北海道常呂郡佐呂間町　同道紋別郡上湧別町　同郡遠軽町　同郡生田原町　同道常呂郡留辺蘂町　同道足寄郡陸別町　同郡足寄町　同道中川郡本別町　同郡幕別町
二百四十三号	網走市	根室市	北海道網走郡美幌町　同道川上郡弟子屈町　同道野付郡別海町
二百四十四号	網走市	根室市	北海道斜里郡小清水町　同郡斜里町　同道標津郡標津町　同道野付郡別海町
二百四十五号	水戸市	日立市	那珂湊市　勝田市（馬渡）
二百四十六号	東京都千代田区	沼津市	東京都港区（北青山一丁目）　同都渋谷区　同都目黒区　同都世田谷区　川崎市（高津区）　横浜市　町田市　大和市　座間市　海老名市　厚木市　伊勢原市（田中）　秦野市　神奈川県足柄上郡松田町　御殿場市　裾野市　静岡県駿東郡長泉町
二百四十七号	名古屋市	豊橋市	東海市　知多市　常滑市　愛知県知多郡南知多町　半田市　高浜市　碧南市　西尾市（寺津町）　蒲郡市
二百四十八号	蒲郡市	岐阜市	愛知県額田郡幸田町　岡崎市　豊田市　瀬戸市　多治見市　可児市　美濃加茂市（太田町）　関市
二百四十九号	七尾市	金沢市	石川県鳳至郡穴水町　珠洲市　輪島市　羽咋市（中央町）　同県羽咋郡押水町　同県河北郡津幡町

路線名	起点	終点	重要な経過地
二百五十号	神戸市	岡山市	明石市　加古川市（尾上町養田　尾上町安田）　高砂市（曽根町）　姫路市（飾磨区宮）　兵庫県揖保郡御津町　相生市（旭四丁目）　赤穂市（坂越）　備前市
二百五十一号	長崎市	諫早市	長崎県南高来郡愛野町　同郡小浜町　同郡口之津町　島原市　同郡国見町　同郡愛野町
二百五十二号	柏崎市	会津若松市	新潟県中魚沼郡川西町　十日町市　同県北魚沼郡堀之内町　同郡小出町　同郡広神村　同郡守門村　福島県南会津郡只見町　同県大沼郡金山町　同郡三島町　同県河沼郡柳津町　同郡会津坂下町
二百五十三号	上越市	新潟県南魚沼郡六日町	新潟県東頸城郡松代町　十日町市
二百五十四号	東京都文京区	松本市	東京都豊島区（池袋一丁目）　同都板橋区（上板橋一丁目）　同都練馬区　和光市　朝霞市　新座市　富士見市　川越市　埼玉県比企郡川島町　東松山市　同県大里郡寄居町　同県児玉郡児玉町　藤岡市（藤岡）　富岡市　佐久市　長野県北佐久郡立科町　同県小県郡長門町　同郡丸子町
二百五十五号	秦野市	小田原市	神奈川県足柄上郡松田町
二百五十六号	岐阜市	長野県下伊那郡上村	岐阜県山県郡高富町　同郡美山町　同県郡上郡八幡町　同県益田郡金山町　同県加茂郡白川町　同県恵那郡加子母村　同郡福岡町　長野県木曽郡山口村　同郡南木曽町　同県下伊那郡阿智村　飯田市
二百五十七号	浜松市	岐阜県大野郡荘川村	静岡県引佐郡細江町　同郡引佐町　愛知県南設楽郡鳳来町　新城市　同県北設楽郡設楽町　同郡稲武町　岐阜県恵那郡上矢作町　同郡岩村町　恵那市（東野）　中津川市　同郡福岡町　同郡加子母村　同県益田郡下呂町　同郡萩原町　同県大野郡清見村
二百五十八号	大垣市	桑名市	
二百五十九号	鳥羽市	豊橋市	愛知県渥美郡渥美町
二百六十号	三重県志摩郡阿児町	三重県北牟婁郡紀伊長島町	三重県志摩郡志摩町　同郡浜島町

二百六十一号	広島市	江津市	広島県山県郡千代田町
二百六十二号	萩市	防府市	山口市
二百六十三号	福岡市	佐賀市	佐賀県佐賀郡大和町
二百六十四号	佐賀市	久留米市	佐賀県神埼郡千代田町
二百六十五号	小林市	熊本県阿蘇郡阿蘇町	宮崎県児湯郡西米良村　同県東臼杵郡椎葉村　熊本県阿蘇郡蘇陽町　同郡高森町　同郡一の宮町
二百六十六号	牛深市	熊本市	熊本県天草郡河浦町　本渡市　同郡龍ケ岳町　同郡松島町　同県宇土郡三角町　同郡不知火町　同県下益城郡松橋町　同県上益城郡嘉島町
二百六十七号	人吉市	川内市	大口市　鹿児島県薩摩郡宮之城町
二百六十八号	水俣市	宮崎県東諸県郡高岡町	大口市　えびの市　小林市
二百六十九号	指宿市	宮崎市	鹿児島県揖宿郡山川町　同県肝属郡佐多町　同郡大根占町　鹿屋市　都城市　宮崎県宮崎郡田野町
二百七十号	枕崎市	鹿児島県日置郡市来町	加世田市
二百七十一号	小田原市	厚木市	平塚市　伊勢原市（沼目）
二百七十二号	釧路市	北海道標津郡標津町	北海道釧路郡釧路町　同道野付郡別海町
二百七十三号	帯広市	紋別市	北海道河東郡士幌町　同郡上士幌町　同道上川郡上川町　同道紋別郡滝上町
二百七十四号	札幌市	北海道川上郡標茶町	北海道夕張郡長沼町　同郡由仁町　夕張市　同道沙流郡日高町　同道上川郡清水町　同道河東郡士幌町　同郡上士幌町　同道足寄郡足寄町　同道中川郡本別町　同道白糠郡白糠町　同道阿寒郡阿寒町
二百七十五号	札幌市	北海道枝幸郡浜頓別町	江別市（篠津）　北海道石狩郡当別町　同道樺戸郡月形町　同郡新十津川町　同道雨竜郡北竜町　深川市（多度志町）　同郡幌加内町　同道中川郡美深町　同郡音威子府村　同道枝幸郡中頓別町
二百七十六号	北海道檜山郡江差町	苫小牧市	北海道爾志郡熊石町　同道瀬棚郡北檜山町　同道寿都郡寿都町　同道岩内郡岩内町　同郡共和町　同道虻田郡倶知安町　同郡喜茂別町　同道有珠郡大滝村　千歳市（美笛）
二百七十七号	北海道桧山郡江差町	北海道山越郡八雲町	北海道爾志郡熊石町
二百七十八号	函館市	北海道茅部郡森町	北海道亀田郡椴法華村
二百七十九号	函館市	青森県上北郡野辺地町	青森県下北郡大間町　むつ市　同県上北郡横浜町
二百八十号	青森市	函館市	青森県東津軽郡蟹田町　同郡三厩村　北海道松前郡福島町　同道上磯郡木古内町　同郡上磯町
二百八十一号	盛岡市	久慈市	岩手県岩手郡滝沢村　同郡岩手町　同郡葛巻町
二百八十二号	盛岡市	青森県南津軽郡碇ケ関村	岩手県岩手郡滝沢村　同県二戸郡安代町　鹿角市
二百八十三号	釜石市	花巻市	遠野市（松崎町）　岩手県上閉伊郡宮守村　同県和賀郡東和町
二百八十四号	陸前高田市	一関市	気仙沼市　岩手県東磐井郡千厩町
二百八十五号	秋田市	鹿角市	秋田県南秋田郡昭和町　同郡飯田川町　同県北秋田郡森吉町　同郡鷹巣町　大館市
二百八十六号	仙台市	山形市	宮城県柴田郡川崎町
二百八十七号	米沢市	東根市	長井市　山形県西置賜郡白鷹町　同県西村山郡大江町　寒河江市　同郡河北町
二百八十八号	郡山市	福島県双葉郡双葉町	福島県田村郡船引町　同郡都路村
二百八十九号	新潟市	いわき市	新潟県西蒲原郡巻町　同郡吉田町　燕市　三条市　同県南蒲原郡下田村　福島県南会津郡只見町　同郡南郷村　同郡田島町　同郡下郷町　白河市　同県東白川郡棚倉町　同郡鮫川村

二百九十号	村上市	新潟県北魚沼郡小出町	新潟県岩船郡神林村　同郡関川村　新発田市　同県北蒲原郡安田町　五泉市　加茂市（黒水）　同県南蒲原郡下田村　栃尾市　同県北魚沼郡守門村　同郡広神村
二百九十一号	前橋市	柏崎市	渋川市　群馬県北群馬郡子持村　沼田市　同県利根郡月夜野町　同郡水上町　新潟県南魚沼郡六日町　同県北魚沼郡小出町　同郡湯之谷村　同郡広神村　小千谷市　同県刈羽郡小国町
二百九十二号	群馬県吾妻郡長野原町	新井市	群馬県吾妻郡六合村　長野県下高井郡山ノ内町　中野市　飯山市
二百九十三号	日立市	足利市	常陸太田市　茨城県那珂郡大宮町　栃木県那須郡馬頭町　同郡小川町　同県塩谷郡氏家町　宇都宮市　鹿沼市　栃木市
二百九十四号	柏市	会津若松市	我孫子市　取手市　水海道市　下妻市　下館市　真岡市　栃木県芳賀郡益子町　同郡茂木町　同県那須郡小川町　同郡湯津上村　同郡黒羽町　白河市　福島県岩瀬郡長沼町
二百九十五号	成田国際空港	成田市	
二百九十六号	八日市場市	船橋市	千葉県印旛郡富里町　同郡酒々井町　佐倉市　八千代市
二百九十七号	館山市	市原市	千葉県安房郡丸山町　鴨川市　勝浦市　同県夷隅郡大多喜町
二百九十八号	和光市	市川市	戸田市　浦和市　川口市　草加市　八潮市　三郷市　東京都葛飾区（東金町七丁目）　松戸市
二百九十九号	茅野市	入間市	長野県南佐久郡八千穂村　同郡佐久町　群馬県多野郡上野村　同郡中里村　秩父市　飯能市　日高市
三百号	富士吉田市	山梨県南巨摩郡身延町	山梨県南都留郡河口湖町　同県西八代郡上九一色村
三百一号	浜松市	豊田市	静岡県浜名郡新居町　湖西市　同県引佐郡三ケ日町　新城市　愛知県東加茂郡下山村
三百二号	名古屋市中川区	名古屋市中川区	愛知県西春日井郡春日町　名古屋市西区　同市北区　春日井市　名古屋市守山区　同市名東区　同市天白区　同市緑区　東海市　同県海部郡飛島村　名古屋市港区
三百三号	岐阜市	福井県遠敷郡上中町	岐阜県本巣郡北方町　同郡糸貫町　同県揖斐郡揖斐川町　同郡藤橋村　滋賀県伊香郡木之本町　同郡西浅井町　同県高島郡マキノ町　同郡今津町
三百四号	金沢市	富山県東礪波郡平村	富山県東礪波郡城端町
三百五号	金沢市	福井県南条郡今庄町	石川県石川郡野々市町　松任市　小松市　加賀市　福井市（浜住町）　福井県丹生郡越前町　同県南条郡河野村　同郡南条町
三百六号	津市	彦根市	亀山市　鈴鹿市（伊船町）　四日市市（水沢町）　三重県三重郡菰野町　同県員弁郡大安町　同郡北勢町　同郡藤原町　滋賀県犬上郡多賀町
三百七号	彦根市	枚方市	滋賀県犬上郡多賀町　八日市市　同県蒲生郡日野町　同県甲賀郡水口町　同郡信楽町　城陽市　京都府綴喜郡田辺町
三百八号	大阪市	奈良市	東大阪市　生駒市（小瀬町）
三百九号	熊野市	大阪市	奈良県吉野郡下北山村　同郡上北山村　同郡大淀町　御所市　富田林市　松原市
三百十号	堺市	五條市	大阪狭山市　河内長野市
三百十一号	尾鷲市	和歌山県西牟婁郡上富田町	熊野市　和歌山県東牟婁郡熊野川町　同郡本宮町　同県西牟婁郡中辺路町
三百十二号	宮津市	姫路市	京都府与謝郡野田川町　同府中郡峰山町　同府熊野郡久美浜町　豊岡市　兵庫県城崎郡日高町　同県養父郡八鹿町　同県朝来郡和田山町　同郡朝来町　同郡生野町　同県神崎郡神崎町
三百十三号	福山市	鳥取県東伯郡北条町	広島県深安郡神辺町　井原市　高梁市　岡山県真庭郡久世町　同郡勝山町　同郡中和村　同郡八束村　倉吉市
三百十四号	福山市	島根県飯石郡三刀屋町	広島県深安郡神辺町　同県比婆郡東城町　同郡西城町　島根県仁多郡仁多町

三百十五号	徳山市	山口県阿武郡須佐町	山口県阿武郡阿東町
三百十六号	長門市	山口県厚狭郡山陽町	美祢市
三百十七号	松山市	尾道市	今治市　愛媛県越智郡吉海町　同郡宮窪町　同郡伯方町　同郡上浦町　広島県豊田郡瀬戸田町　因島市　同県御調郡向島町
三百十八号	徳島市	香川県大川郡白鳥町	徳島県麻植郡鴨島町
三百十九号	坂出市	伊予三島市	丸亀市　善通寺市　香川県仲多度郡琴平町　徳島県三好郡井川町　同郡池田町　同郡山城町
三百二十号	宿毛市	愛媛県北宇和郡日吉村	宇和島市　愛媛県北宇和郡広見町
三百二十一号	中村市	宿毛市	土佐清水市
三百二十二号	北九州市	久留米市	福岡県田川郡香春町　田川市　山田市　同県嘉穂郡嘉穂町　甘木市
三百二十三号	佐賀市	佐賀県東松浦郡浜玉町	佐賀県佐賀郡大和町
三百二十四号	長崎市	熊本県宇土郡三角町	熊本県天草郡苓北町　同郡五和町　本渡市　同郡有明町　同郡松島町
三百二十五号	久留米市	宮崎県西臼杵郡高千穂町	八女市　山鹿市　菊池市　熊本県菊池郡大津町　同県阿蘇郡長陽村　同郡高森町
三百二十六号	延岡市	大分県大野郡犬飼町	宮崎県東臼杵郡北川町　大分県大野郡三重町
三百二十七号	日向市	熊本県阿蘇郡蘇陽町	宮崎県東臼杵郡東郷町　同郡西郷村　同郡諸塚村　同郡椎葉村
三百二十八号	鹿児島市	出水市	鹿児島県薩摩郡宮之城町
三百二十九号	名護市	那覇市	石川市　具志川市　沖縄市　沖縄県島尻郡与那原町　同郡南風原町
三百三十号	沖縄市	那覇市	宜野湾市（我如古）　浦添市（大平）
三百三十一号	那覇市	沖縄県国頭郡大宜味村	沖縄県島尻郡豊見城村　糸満市　同郡具志頭村　同郡知念村　同郡与那原町　沖縄市　具志川市　石川市　名護市
三百三十二号	那覇空港	那覇市垣花町	
三百三十三号	旭川市	北海道常呂郡端野町	北海道上川郡愛別町　同郡上川町　同道紋別郡白滝村　同郡遠軽町　同郡生田原町　北見市（仁頃町）
三百三十四号	北海道目梨郡羅臼町	北海道網走郡美幌町	北海道斜里郡斜里町　同郡小清水町
三百三十五号	北海道目梨郡羅臼町	北海道標津郡標津町	
三百三十六号	北海道浦河郡浦河町	釧路市	北海道幌泉郡えりも町　同道広尾郡広尾町　同道十勝郡浦幌町　同道白糠郡白糠町
三百三十七号	千歳市	小樽市	北海道夕張郡長沼町　江別市　同道石狩郡当別町　同郡石狩町
三百三十八号	函館市	青森県上北郡下田町	青森県下北郡大間町　同郡川内町　むつ市　同県上北郡六ケ所村　三沢市
三百三十九号	弘前市	青森県東津軽郡三厩村	青森県南津軽郡藤崎町　五所川原市　同県北津軽郡中里町
三百四十号	陸前高田市	八戸市	岩手県気仙郡住田町　遠野市　同県下閉伊郡川井村　同郡新里村　同郡岩泉町　同県岩手郡葛巻町　同県九戸郡軽米町
三百四十一号	鹿角市	本荘市	秋田県仙北郡田沢湖町　同郡協和町
三百四十二号	横手市	宮城県本吉郡津山町	秋田県平鹿郡十文字町　同県雄勝郡東成瀬村　一関市　宮城県登米郡中田町
三百四十三号	陸前高田市	水沢市	岩手県東磐井郡大東町
三百四十四号	湯沢市	酒田市	秋田県雄勝郡雄勝町　山形県最上郡金山町　同県飽海郡八幡町
三百四十五号	新潟市	山形県飽海郡遊佐町	豊栄市（横土居）　新潟県北蒲原郡中条町　村上市（瀬波）　同県岩船郡山北町　山形県西田川郡温海町　鶴岡市　同県東田川郡立川町　同県飽海郡八幡町
三百四十六号	仙台市	気仙沼市	多賀城市　塩竈市　宮城県宮城郡松島町　同県遠田郡涌谷町　同県登米郡迫町　同郡中田

			町　同郡東和町　同県本吉郡本吉町
三百四十七号	寒河江市	古川市	山形県西村山郡河北町　村山市（長島）　尾花沢市　宮城県加美郡中新田町
三百四十八号	長井市	山形市	山形県西置賜郡白鷹町　上山市
三百四十九号	水戸市	宮城県柴田郡柴田町	常陸太田市　茨城県久慈郡里美村　福島県東白川郡矢祭町　同郡鮫川村　いわき市（三和町上三坂）　同県田村郡船引町　同県安達郡岩代町　同県伊達郡川俣町　同郡月舘町　同郡霊山町　同郡伊達町　宮城県伊具郡丸森町　角田市
三百五十号	新潟市	上越市	両津市　新潟県佐渡郡小木町
三百五十一号	栃尾市	小千谷市	長岡市　新潟県三島郡越路町
三百五十二号	柏崎市	栃木県河内郡上三川町	新潟県三島郡出雲崎町　同郡三島町　長岡市　同県北魚沼郡広神村　同郡小出町　同郡湯之谷村　福島県南会津郡檜枝岐村　同郡伊南村　同郡田島町　栃木県塩谷郡藤原町　今市市　鹿沼市　同県下都賀郡石橋町
三百五十三号	桐生市	柏崎市	群馬県山田郡大間々町　渋川市　同県北群馬郡子持村　同県吾妻郡中之条町　新潟県南魚沼郡湯沢町　同郡塩沢町　同県中魚沼郡中里村　同県東頸城郡松代町
三百五十四号	高崎市	茨城県鹿島郡大洋村	伊勢崎市（堀口町）　群馬県新田郡尾島町　太田市（富沢）　館林市　古河市　茨城県猿島郡総和町　同郡境町　岩井市　水海道市　つくば市　土浦市　同県行方郡玉造町
三百五十五号	佐原市	笠間市	茨城県稲敷郡東村　同県行方郡牛堀町　同郡玉造町　石岡市
三百五十六号	銚子市	我孫子市	佐原市　千葉県香取郡下総町　成田市
三百五十七号	千葉市	横須賀市	習志野市（秋津三丁目）　船橋市（日の出町）　市川市（千鳥町）　浦安市　東京都江戸川区（臨海町一丁目）　同都江東区（有明二丁目）　同都品川区（八潮二丁目）　同都港区（台場）　同都大田区（京浜島二丁目）　川崎市（川崎区）　横浜市（磯子区）

三百五十八号	山梨県西八代郡上九一色村	甲府市	山梨県東八代郡中道町
三百五十九号	富山市	金沢市	富山県婦負郡婦中町　砺波市　小矢部市（津沢）
三百六十号	富山市	小松市	富山県婦負郡細入村　岐阜県吉城郡河合村　同県大野郡白川村　石川県石川郡尾口村　同郡吉野谷村
三百六十一号	高山市	長野県上伊那郡高遠町	岐阜県大野郡高根村　長野県木曽郡木曽福島町　同郡日義村　伊那市
三百六十二号	豊川市	静岡市	静岡県引佐郡三ケ日町　同郡細江町　同郡引佐町　浜北市　天竜市　同県周智郡春野町　同県榛原郡中川根町
三百六十三号	名古屋市	中津川市	尾張旭市　瀬戸市　土岐市（鶴里町細野）　瑞浪市　岐阜県恵那郡山岡町　同郡岩村町
三百六十四号	大野市	加賀市	福井県足羽郡美山町　同県吉田郡永平寺町
三百六十五号	加賀市	四日市市	福井市（浜住町）　福井県丹生郡越前町　同郡織田町　武生市　同県南条郡南条町　同郡今庄町　滋賀県伊香郡木之本町　岐阜県不破郡関ケ原町　三重県員弁郡藤原町　同郡北勢町　同郡大安町　同郡東員町
三百六十六号	半田市	名古屋市	大府市
三百六十七号	京都市	福井県遠敷郡上中町	滋賀県高島郡今津町
三百六十八号	上野市	三重県多気郡勢和村	名張市　奈良県宇陀郡御杖村　三重県一志郡美杉村　同県飯南郡飯南町
三百六十九号	奈良市	松阪市	奈良県山辺郡都祁村　同県宇陀郡榛原町　同郡御杖村　三重県一志郡美杉村　同県飯南郡飯南町
三百七十号	海南市	奈良県山辺郡都祁村	和歌山県伊都郡高野町　橋本市　五條市　奈良県吉野郡大淀町　同郡吉野町　同県宇陀郡大宇陀町　同郡榛原町
三百七十一号	河内長野市	和歌山県西牟婁郡串本町	橋本市　和歌山県伊都郡高野町　同郡花園村　同県日高郡龍神村　同県西牟婁郡中辺路町　同県東牟婁郡古座川町

三百七十二号	亀岡市	姫路市	京都府船井郡園部町　兵庫県多紀郡篠山町　同郡丹南町　同県加東郡社町　加西市
三百七十三号	赤穂市	鳥取市	兵庫県佐用郡上月町　同郡佐用町　岡山県英田郡大原町　鳥取県八頭郡智頭町　同郡用瀬町
三百七十四号	備前市	津山市	岡山県赤磐郡吉井町　同県英田郡美作町
三百七十五号	呉市	大田市	東広島市　広島県賀茂郡豊栄町　三次市　同県双三郡作木村
三百七十六号	山口市	山口県玖珂郡周東町	山口県佐波郡徳地町　新南陽市（垰）　徳山市（長穂）
三百七十七号	鳴門市	香川県三豊郡豊浜町	香川県大川郡白鳥町　同県木田郡三木町　同県香川郡香川町　同県綾歌郡綾歌町　同県仲多度郡琴平町　同郡仲南町　観音寺市（粟井町）
三百七十八号	伊予市	愛媛県北宇和郡吉田町	愛媛県西宇和郡保内町　八幡浜市
三百七十九号	松山市	愛媛県喜多郡内子町	愛媛県伊予郡砥部町　同県上浮穴郡小田町
三百八十号	八幡浜市	愛媛県上浮穴郡久万町	大洲市　愛媛県喜多郡内子町　同県上浮穴郡小田町
三百八十一号	須崎市	宇和島市	高知県高岡郡窪川町　同県幡多郡大正町　同郡西土佐村　愛媛県北宇和郡広見町
三百八十二号	長崎県上県郡上対馬町	唐津市	長崎県下県郡厳原町　同県壱岐郡勝本町　同郡石田町　佐賀県東松浦郡呼子町
三百八十三号	平戸市	伊万里市	長崎県北松浦郡田平町　松浦市
三百八十四号	長崎県南松浦郡富江町	佐世保市	長崎県南松浦郡玉之浦町　福江市　同郡奈良尾町　同郡有川町
三百八十五号	柳川市	福岡市	大川市（大橋）　佐賀県神埼郡千代田町　同郡神埼町　同郡三田川町
三百八十六号	日田市	筑紫野市	甘木市
三百八十七号	宇佐市	熊本市	大分県宇佐郡院内町　同県玖珠郡玖珠町　同郡九重町　熊本県阿蘇郡小国町　大分県日田郡中津江村　菊池市
三百八十八号	佐伯市	熊本県球磨郡湯前町	大分県南海部郡蒲江町　延岡市　宮崎県東臼杵郡門川町　同郡西郷村　同郡南郷村　同郡椎葉村
三百八十九号	大牟田市	阿久根市	荒尾市　熊本県玉名郡長洲町　長崎県南高来郡国見町　同郡小浜町　同郡口之津町　熊本県天草郡五和町　同郡苓北町　同郡河浦町　牛深市　鹿児島県出水郡長島町
三百九十号	石垣市	那覇市	沖縄県宮古郡城辺町　平良市
三百九十一号	釧路市	網走市	北海道釧路郡釧路町　同道川上郡標茶町　同郡弟子屈町　同道斜里郡小清水町
三百九十二号	釧路市	北海道中川郡本別町	北海道白糠郡白糠町
三百九十三号	小樽市	北海道虻田郡倶知安町	北海道余市郡赤井川村
三百九十四号	むつ市	弘前市	青森県上北郡六ケ所村　同郡七戸町　同郡十和田湖町　青森市　黒石市
三百九十五号	久慈市	二戸市	岩手県九戸郡軽米町
三百九十六号	遠野市	盛岡市	岩手県稗貫郡大迫町　同県紫波郡紫波町
三百九十七号	大船渡市	秋田県平鹿郡十文字町	岩手県気仙郡住田町　江刺市（藤里）　水沢市　秋田県雄勝郡東成瀬村
三百九十八号	石巻市	本荘市	宮城県牡鹿郡女川町　同県本吉郡志津川町　同県登米郡中田町　同郡迫町　同県栗原郡築館町　同郡一迫町　同郡花山村　湯沢市　秋田県由利郡東由利町
三百九十九号	いわき市	南陽市	福島県田村郡都路村　同県双葉郡浪江町　同県伊達郡月舘町　同郡霊山町　同郡伊達町　福島市（飯坂町）　山形県東置賜郡高畠町
四百号	水戸市	福島県耶麻郡西会津町	茨城県那珂郡大宮町　栃木県那須郡小川町　同郡湯津上村　大田原市　同郡西那須野町　同県塩谷郡藤原町　福島県南会津郡田島町　同県大沼郡昭和村　同郡金山町　同郡三島町
四百一号	会津若松市	沼田市	福島県大沼郡昭和村　同県南会津郡南郷村　同郡伊南村　同郡檜枝岐村　群馬県利根郡片品村

路線番号	起点	終点	重要な経過地
四百二号	柏崎市	新潟市	新潟県三島郡出雲崎町　同郡寺泊町　同県西蒲原郡巻町
四百三号	新潟市	松本市	新潟県中蒲原郡亀田町　新津市　加茂市（寿町）　三条市　同県三島郡三島町　長岡市　同郡越路町　小千谷市　同県刈羽郡小国町　同県中魚沼郡川西町　同県東頸城郡松代町　同郡安塚町　飯山市　長野県下高井郡山ノ内町　中野市　須坂市　長野市　更埴市　同県東筑摩郡明科町
四百四号	長岡市	上越市	新潟県刈羽郡小国町　同県中魚沼郡川西町　同県東頸城郡松代町
四百五号	群馬県吾妻郡六合村	上越市	長野県下水内郡栄村　新潟県中魚沼郡津南町　同県東頸城郡安塚町
四百六号	大町市	高崎市	長野県北安曇郡白馬村　長野市　須坂市　同県小県郡真田町　群馬県吾妻郡長野原町
四百七号	足利市	入間市	太田市　熊谷市　東松山市　坂戸市　鶴ケ島市　日高市　狭山市（根岸）
四百八号	成田市	栃木県塩谷郡高根沢町	牛久市　つくば市　下妻市　下館市　真岡市　宇都宮市
四百九号	川崎市	成田市	木更津市　袖ケ浦市（横田）　市原市（牛久）　千葉県長生郡長南町　茂原市　東金市　八街市　同県印旛郡富里町
四百十号	館山市	木更津市	千葉県安房郡白浜町　同郡丸山町　君津市（大坂）　袖ケ浦市（横田）
四百十一号	八王子市	甲府市	秋川市　青梅市　東京都西多摩郡奥多摩町　塩山市　山梨市（一町田中）　山梨県東八代郡石和町
四百十二号	平塚市	神奈川県津久井郡藤野町	厚木市　神奈川県津久井郡津久井町　同郡相模湖町
四百十三号	富士吉田市	相模原市	山梨県南都留郡山中湖村　神奈川県津久井郡津久井町　同郡城山町
四百十四号	下田市	沼津市	静岡県田方郡天城湯ケ島町　同郡大仁町　同郡函南町　三島市　同県駿東郡長泉町
四百十五号	羽咋市	富山市	氷見市　高岡市（太田）　新湊市（本町一丁目）
四百十六号	福井市	小松市	福井県吉田郡松岡町　同郡永平寺町　勝山市（荒土町）
四百十七号	大垣市	福井県南条郡河野村	岐阜県揖斐郡揖斐川町　同郡藤橋村　福井県今立郡池田町　同郡今立町　鯖江市　同県丹生郡織田町　同郡越前町
四百十八号	大野市	長野県下伊那郡南信濃村	岐阜県本巣郡根尾村　同県山県郡美山町　関市　美濃加茂市（山之上町）　同県加茂郡川辺町　恵那市（三郷町）　同県恵那郡山岡町　同郡岩村町　同郡上矢作町　長野県下伊那郡平谷村　同郡阿南町
四百十九号	瑞浪市	高浜市	愛知県西加茂郡藤岡町　豊田市　知立市　刈谷市（野田町）
四百二十号	豊田市	新城市	愛知県東加茂郡足助町　同郡下山村　同県北設楽郡設楽町
四百二十一号	桑名市	近江八幡市	三重県員弁郡大安町　八日市市
四百二十二号	大津市	三重県北牟婁郡紀伊長島町	滋賀県甲賀郡信楽町　上野市　三重県名賀郡青山町　名張市　奈良県宇陀郡御杖村　三重県一志郡美杉村　同県飯南郡飯高町
四百二十三号	大阪市	亀岡市	吹田市　箕面市　池田市
四百二十四号	田辺市	和歌山県那賀郡打田町	和歌山県日高郡南部町　同郡龍神村　同県有田郡金屋町　海南市（沖野々）
四百二十五号	尾鷲市	御坊市	奈良県吉野郡下北山村　同郡十津川村　和歌山県日高郡龍神村
四百二十六号	豊岡市	福知山市	兵庫県出石郡但東町　同郡出石町
四百二十七号	明石市	兵庫県朝来郡山東町	神戸市　三木市　小野市　兵庫県加東郡社町　西脇市　同県氷上郡青垣町
四百二十八号	神戸市	兵庫県美嚢郡吉川町	
四百二十九号	倉敷市	福知山市	総社市　岡山市　岡山県御津郡加茂川町　津山市　同県英田郡大原町　兵庫県宍粟郡波賀町　同県朝来郡朝来町　同郡生野町　同県氷上郡青垣町
四百三十号	倉敷市	玉野市	

四百三十一号	出雲市	米子市	平田市　松江市（菅田町）　島根県八束郡美保関町　境港市
四百三十二号	竹原市	松江市	広島県賀茂郡大和町　同県世羅郡世羅町　同郡甲山町　庄原市　島根県仁多郡仁多町
四百三十三号	大竹市	三次市	廿日市市　広島県佐伯郡湯来町　同県山県郡加計町　同郡千代田町　同県双三郡作木村
四百三十四号	徳山市	三次市	山口県玖珂郡錦町　広島県佐伯郡佐伯町　同郡吉和村　同県山県郡戸河内町　同郡加計町　同郡千代田町　同県双三郡作木村
四百三十五号	山口市	山口県豊浦郡豊北町	山口県美祢郡美東町　美祢市　同県豊浦郡豊田町
四百三十六号	姫路市	高松市	香川県小豆郡内海町　同郡土庄町
四百三十七号	松山市	山口県玖珂郡玖珂町	山口県大島郡東和町　同県玖珂郡大畠町　柳井市
四百三十八号	徳島市	坂出市	徳島県名西郡神山町　同県美馬郡木屋平村　同県三好郡東祖谷山村　同県美馬郡貞光町　同郡半田町　香川県綾歌郡綾歌町
四百三十九号	徳島市	中村市	徳島県名西郡神山町　同県美馬郡木屋平村　同県三好郡東祖谷山村　高知県長岡郡大豊町　同県吾川郡吾北村　同郡池川町　同郡吾川村　同県高岡郡東津野村　同県幡多郡大正町
四百四十号	松山市	高知県高岡郡檮原町	愛媛県伊予郡砥部町　同県上浮穴郡久万町　同郡柳谷村
四百四十一号	大洲市	中村市	愛媛県北宇和郡広見町　高知県幡多郡西土佐村
四百四十二号	大分市	大川市	大分県大野郡朝地町　竹田市　熊本県阿蘇郡小国町　大分県日田郡中津江村　八女市　筑後市
四百四十三号	大川市	熊本県八代郡宮原町	柳川市　福岡県山門郡三橋町　同郡瀬高町　山鹿市　菊池市　熊本県菊池郡大津町　同県上益城郡御船町　同県下益城郡中央町
四百四十四号	大村市	佐賀県佐賀郡諸富町	鹿島市　佐賀県杵島郡有明町　佐賀市（西与賀町）
四百四十五号	熊本市	人吉市	熊本県上益城郡嘉島町　同郡御船町　同郡矢部町　同県下益城郡砥用町　同県球磨郡五木村
四百四十六号	日向市	熊本県球磨郡湯前町	宮崎県東臼杵郡東郷町　同郡南郷村　同郡椎葉村
四百四十七号	えびの市	出水市	大口市
四百四十八号	指宿市	宮崎市	鹿児島県揖宿郡山川町　同県肝属郡佐多町　同郡大根占町　同郡内之浦町　同県曽於郡大崎町　串間市（都井）　宮崎県南那珂郡南郷町　日南市
四百四十九号	沖縄県国頭郡本部町	名護市	
四百五十号	旭川市	紋別市	北海道上川郡比布町　同郡愛別町　同郡上川町　同道紋別郡白滝村　同郡遠軽町　同郡上湧別町
四百五十一号	留萌市	滝川市	北海道浜益郡浜益村　同道樺戸郡新十津川町
四百五十二号	夕張市	旭川市	三笠市　芦別市
四百五十三号	札幌市	伊達市	恵庭市（盤尻）　千歳市（幌美内）　苫小牧市　北海道有珠郡大滝村
四百五十四号	八戸市	青森県南津軽郡大鰐町	青森県三戸郡五戸町　同県上北郡十和田湖町　秋田県鹿角郡小坂町　青森県南津軽郡平賀町　黒石市
四百五十五号	盛岡市	岩手県下閉伊郡岩泉町	
四百五十六号	盛岡市	宮城県本吉郡本吉町	岩手県紫波郡紫波町　花巻市（高松）　同県和賀郡東和町　北上市（口内町）　江刺市　同県東磐井郡大東町　同郡千厩町　宮城県登米郡東和町
四百五十七号	一関市	白石市	宮城県栗原郡花山村　同郡一迫町　同県玉造郡岩出山町　同県加美郡中新田町　仙台市（青葉区）　同県柴田郡川崎町
四百五十八号	新庄市	上山市	寒河江市　山形県西村山郡大江町　山形市（菅沢）

路線名	起点	終点	重要な経過地
四百五十九号	新潟市	福島県双葉郡浪江町	新潟県中蒲原郡亀田町　同県北蒲原郡水原町　同郡安田町　同県東蒲原郡津川町　喜多方市　福島県耶麻郡猪苗代町　福島市　二本松市　同県安達郡岩代町
四百六十号	新発田市	柏崎市	新潟県北蒲原郡水原町　新津市　白根市　同県西蒲原郡巻町　同県三島郡出雲崎町
四百六十一号	今市市	高萩市	矢板市　大田原市　栃木県那須郡黒羽町　茨城県久慈郡大子町　同郡里美村
四百六十二号	佐久市	伊勢崎市	長野県南佐久郡佐久町　群馬県多野郡中里村　埼玉県児玉郡児玉町　本庄市
四百六十三号	越谷市	入間市	岩槻市　浦和市　与野市　志木市　富士見市　新座市　所沢市
四百六十四号	松戸市	成田市	市川市　鎌ケ谷市　船橋市（小室町）
四百六十五号	茂原市	富津市	千葉県夷隅郡大原町　同郡大多喜町　君津市
四百六十六号	東京都世田谷区	横浜市	川崎市（高津区）
四百六十七号	大和市	藤沢市	
四百六十八号	横浜市	木更津市	藤沢市　茅ヶ崎市　海老名市　厚木市　神奈川県津久井郡城山町　八王子市　秋川市　青梅市　羽村市　入間市　狭山市　日高市　川越市　鶴ケ島市　坂戸市　埼玉県比企郡川島町　桶川市　北本市　同県南埼玉郡菖蒲町　久喜市　幸手市　茨城県猿島郡五霞村　同郡境町　岩井市　水海道市　つくば市　牛久市　千葉県香取郡下総町　成田市　同郡大栄町　東金市　茂原市　同県長生郡長南町　市原市　袖ケ浦市
四百六十九号	御殿場市	山梨県南巨摩郡富沢町	裾野市　富士市　富士宮市
四百七十号	輪島市	砺波市	七尾市　氷見市　高岡市　富山県西礪波郡福岡町　小矢部市
四百七十一号	羽咋市	岐阜県吉城郡上宝村	石川県羽咋郡押水町　小矢部市　富山県東礪波郡庄川町　同県婦負郡八尾町　岐阜県吉城郡河合村　同郡古川町　同郡神岡町
四百七十二号	新湊市	岐阜県郡上郡八幡町	富山県婦負郡婦中町　同郡八尾町　岐阜県吉城郡河合村　同郡古川町　高山市　同県大野郡清見村　同郡荘川村
四百七十三号	蒲郡市	静岡県榛原郡相良町	岡崎市　愛知県東加茂郡下山村　同県北設楽郡設楽町　同郡東栄町　静岡県磐田郡佐久間町　天竜市　同県榛原郡中川根町　同郡金谷町
四百七十四号	飯田市	静岡県引佐郡引佐町	長野県下伊那郡上村　静岡県磐田郡水窪町　同郡佐久間町　愛知県北設楽郡東栄町　同県南設楽郡鳳来町
四百七十五号	豊田市	四日市市	愛知県西加茂郡藤岡町　瀬戸市　土岐市　可児市　美濃加茂市　関市　岐阜市　岐阜県山県郡高富町　同県本巣郡糸貫町　大垣市　三重県員弁郡大安町　同郡東員町
四百七十六号	大野市	敦賀市	福井県今立郡池田町　同県南条郡今庄町
四百七十七号	四日市市	池田市	三重県三重郡菰野町　滋賀県蒲生郡日野町　同郡竜王町　近江八幡市　守山市　大津市（真野）　京都市（左京区）　京都府北桑田郡京北町　同府船井郡八木町　同郡園部町　亀岡市　川西市
四百七十八号	宮津市	京都府久世郡久御山町	舞鶴市　綾部市　京都府船井郡和知町　同郡瑞穂町　同郡丹波町　同郡園部町　同郡八木町　亀岡市　京都市　長岡京市　同府乙訓郡大山崎町　八幡市
四百七十九号	豊中市	大阪市住之江区	吹田市　守口市　大阪市旭区　同市東成区　同市平野区
四百八十号	和泉市	有田市	和歌山県那賀郡那賀町　同県伊都郡かつらぎ町　同郡高野町　同郡花園村　同県有田郡金屋町
四百八十一号	関西国際空港	泉佐野市上之郷	
四百八十二号	宮津市	米子市	京都府竹野郡丹後町　同府中郡峰山町　同府熊野郡久美浜町　兵庫県出石郡但東町　同郡出石町　豊岡市　同県城崎郡日高町　同県美方郡村岡町　鳥取県八頭郡若桜町　同郡八東

			町　同郡用瀬町　岡山県苫田郡上齋原村　鳥取県東伯郡三朝町　岡山県真庭郡中和村　同郡八東村　鳥取県日野郡江府町
四百八十三号	豊岡市	兵庫県氷上郡春日町	兵庫県城崎郡日高町　同県養父郡八鹿町　同県朝来郡和田山町　同郡山東町　同県氷上郡青垣町　同郡氷上町
四百八十四号	備前市	高梁市	岡山県赤磐郡吉井町　同県御津郡建部町　同郡加茂川町
四百八十五号	島根県隠岐郡布施村	松江市	島根県隠岐郡西郷町　同郡西ノ島町　同県八束郡美保関町
四百八十六号	総社市	東広島市	井原市　広島県深安郡神辺町　福山市　府中市　同県御調郡御調町　三原市（八幡町）　同県賀茂郡大和町　同郡豊栄町
四百八十七号	呉市	広島市	広島県安芸郡音戸町　同県佐伯郡能美町　同県安芸郡江田島町
四百八十八号	益田市	廿日市市	広島県佐伯郡吉和村　同郡湯来町
四百八十九号	新南陽市大神三丁目	山口県阿武郡阿東町	徳山市　山口県佐波郡徳地町
四百九十号	宇部市	萩市	山口県美祢郡美東町
四百九十一号	下関市	山口県大津郡油谷町	山口県豊浦郡豊田町
四百九十二号	高松市	高知県長岡郡大豊町	香川県香川郡香川町　同郡塩江町　同県木田郡三木町　徳島県美馬郡穴吹町　同郡木屋平村　同県三好郡東祖谷山村
四百九十三号	高知市	高知県安芸郡東洋町	南国市　安芸市　高知県安芸郡奈半利町　同郡北川村
四百九十四号	松山市	須崎市	愛媛県温泉郡川内町　高知県吾川郡池川町　同郡吾川村　同県高岡郡佐川町
四百九十五号	北九州市	福岡市	福岡県宗像郡玄海町
四百九十六号	行橋市	日田市	福岡県京都郡犀川町　大分県下毛郡山国町
四百九十七号	福岡市	武雄市	佐賀県東松浦郡浜玉町　唐津市　伊万里市　松浦市　長崎県北松浦郡江迎町　同郡佐々町　佐世保市

四百九十八号	鹿島市	佐世保市	武雄市　伊万里市
四百九十九号	長崎市	阿久根市	長崎県西彼杵郡野母崎町
五百号	別府市	鳥栖市	大分県宇佐郡院内町　同県下毛郡本耶馬渓町　同郡山国町　福岡県京都郡犀川町　同県朝倉郡小石原村　甘木市　小郡市
五百一号	大牟田市	宇土市	荒尾市　熊本県玉名郡長洲町　玉名市　熊本市
五百二号	臼杵市	竹田市	大分県大野郡野津町　同郡三重町
五百三号	熊本県阿蘇郡高森町	日向市	熊本県阿蘇郡蘇陽町　宮崎県西臼杵郡五ケ瀬町　同県東臼杵郡諸塚村　同郡西郷村　同郡東郷町
五百四号	鹿屋市	鹿児島県出水郡野田町	鹿児島県姶良郡福山町　国分市　同郡隼人町　同県薩摩郡宮之城町
五百五号	沖縄県国頭郡本部町	名護市	沖縄県国頭郡今帰仁村
五百六号	那覇空港	沖縄県中頭郡西原町	沖縄県島尻郡豊見城村　同郡南風原町
五百七号	糸満市	那覇市	沖縄県島尻郡具志頭村　同郡南風原町

○幹線道路の沿道の整備に関する法律〔抄〕

（昭和五五・五・一 法律三四）

改正 平成八・五法四八、平成一一・七法八七、一二法一六〇、平成一二・五法七三、平成一四・七法八五、平成一六・六法一〇二、法一〇九、法一一一、法一二四、平成一八・五法四六、六法五〇、平成二三・八法一〇五、平成二五・六法四四、平成二六・五法四二、平成二九・五法二六

第一章 総則

（目的）

第一条 この法律は、道路交通騒音の著しい幹線道路の沿道について、沿道整備道路の指定、沿道地区計画の決定等に関し必要な事項を定めるとともに、沿道の整備を促進するための措置を講ずることにより、道路交通騒音により生ずる障害を防止し、あわせて適正かつ合理的な土地利用を図り、もつて円滑な道路交通の確保と良好な市街地の形成に資することを目的とする。

（定義）

第二条 この法律において次の各号に掲げる用語の意義は、それぞれ当該各号に定めるところによる。

一 道路 道路法（昭和二十七年法律第百八十号）による道路をいう。

二 沿道整備道路 第五条第一項の規定により指定された道路をいう。

三 道路管理者 高速自動車国道にあつては国土交通大臣（道路整備特別措置法（昭和三十一年法律第七号）第二十三条第一項第一号に規定する会社管理高速道路（以下この号において「会社管理高速道路」という。）にあつては、同法第二条第四項に規定する会社（以下この号において「会社」という。））、高速自動車国道以外の道路にあつては道路法第十八条第一項に規定する道路管理者（同法第十二条本文の規定により国土交通大臣が新設又は改築を行う同法第十三条第一項に規定する指定区間外の一般国道にあつては国土交通大臣、会社管理高速道路にあつては会社、道路整備特別措置法第三十一条第一項に規定する公社管理道路にあつては地方道路公社）をいう。

（道路管理者の責務）

第三条 道路管理者は、幹線道路の整備に当たつては、沿道における良好な生活環境の確保が図られるよう道路交通騒音により生ずる障害の防止等に努めなければならない。

（国及び地方公共団体の責務）

第四条 国及び地方公共団体は、幹線道路における円滑な交通及びその沿道における良好な生活環境が確保されるべきものであることにかんがみ、道路交通騒音により生ずる障害の防止と沿道の適正かつ合理的な土地利用が促進されるよう必要な施策の推進に努めるものとする。

第二章 沿道整備道路の指定等

（沿道整備道路の指定）

第五条 都道府県知事は、幹線道路網を構成する道路（高速自動車国道以外の道路にあつては、都市計画において定められたものに限る。第四項において同じ。）のうち次に掲げる条件に該当する道路について、道路交通騒音により生ずる障害の防止と沿道の適正かつ合理的な土地利用の促進を図るため必要があると認めるときは、区間を定めて、国土交通大臣に協議し、その同意を得て、沿道整備道路として指定することができる。

一 自動車交通量が特に大きいものとして政令で定める基準を超え、又は超えることが確実と見込まれるものであること。

二 道路交通騒音が沿道における生活環境に著しい影響を及ぼすおそれがあるものとして政令で定める基準を超え、又は超えることが確実と見込まれるものであること。

三 当該道路に隣接する地域における土地利用の現況及び推移からみて、当該地域に相当数の住居等が集合し、又は集合することが確実と見込まれるものであること。

2 前項の規定による指定は、当該道路及びこれと密接な関連を有する道路の整備の見通し等を考慮した上でなお必要があると認められる場合に限り、行うものとする。

3 都道府県知事は、第一項の規定による指定をするときは、あらかじめ、当該指定に係る道路及びこれと密接な関連を有する道路の道路管理者、関係市町村並びに都道府県公安委員会に協議しなければならない。

4 幹線道路網を構成する道路のうち第一項各号に掲げる条件に該当する道路の道路管理者又は関係市町村は、都道府県知事に対し、当該道路を沿道整備道路として指定するよう要請することができる。

5 都道府県知事は、第一項の規定による指定をしたときは、国土交通省令で定めるところにより、その路線名及び区間を公告しなければならない。

6 前各項の規定は、沿道整備道路の指定の変更又は解除について準用する。

（沿道整備道路の指定の特例）

第六条 前条第一項又は第四項の規定は、二以上の道路が相互に接し、又は重複する場合においては、これらの道路を一の道路とみなして適用する。

（道路交通騒音の減少等のための措置）

第七条 第五条第一項の規定により沿道整備道路が指定された場合には、当該沿道整備道路の道路管理者及び都道府県公安委員会は、当該沿道整備道路の構造、交通の状況等を勘案して当該沿道整備道路における道路交通騒音を減少させるために必要と認められる措置を講ずるものとする。

2 沿道整備道路の道路管理者は、前項に規定するもののほか、沿道の整備と併せて、道路交通騒音により生ずる障害の防止を促進するため必要な措置を講ずるものとする。

第七条の二 前条第一項の場合において、当該沿道整備道路の道路管理者及び都道府県公安委員会は、協議により、当該沿道整備道路における道路交通騒音の減少に関する計画（以下この条において「道路交通騒音減少計画」という。）を定めることができる。

2 道路交通騒音減少計画においては、おおむね次に掲げる事項を定めるものとする。

一 沿道整備道路における道路交通騒音を減少させるための措置の実施に関する方針

二 次に掲げる事項のうち、沿道整備道路においてその構造、交通の状況等を勘案して必要と認められるもの

イ 遮音壁、植樹帯等の設置その他の沿道における道路交通騒音を減少させるための措置に関する事項

ロ 道路の舗装の構造の改善、交差点又はその付近における道路の改築、交通の規制その他の道路交通騒音の発生を減少させるための措置に関する事項

3 沿道整備道路の道路管理者及び都道府県公安委員会は、道路交通騒音減少計画を定めたときは、遅滞なく、これを公表する

よう努めるとともに、都道府県知事に通知しなければならない。

4　前二項の規定は、道路交通騒音減少計画の変更について準用する。

5　道路交通騒音減少計画に定められた措置に関する事項に従つて行う行為については、道路法第九十五条の二（高速自動車国道法（昭和三十二年法律第七十九号）第二十四条の二において準用する場合を含む。）並びに道路交通法（昭和三十五年法律第百五号）第百十条の二第三項及び第四項の規定は、適用しない。

（沿道整備協議会）

第八条　第五条第一項の規定により沿道整備道路が指定された場合には、道路交通騒音により生ずる障害の防止と沿道の適正かつ合理的な土地利用の促進を図るため、当該沿道整備道路及びその沿道の整備に関し必要となるべき措置について協議するため、都道府県知事、都道府県公安委員会、関係市町村及び当該沿道整備道路の道路管理者（以下この項において「都道府県知事等」という。）は、沿道整備協議会（以下この条において「協議会」という。）を組織することができる。この場合において、都道府県知事等は、必要と認めるときは、協議して、協議会に国の地方行政機関を加えることができる。

2　前項前段の協議を行うための会議において協議が調つた事項については、協議会の構成員は、その協議の結果を尊重しなければならない。

3　協議会の庶務は、都道府県知事が統轄する都道府県において処理する。

4　前三項に定めるもののほか、協議会の運営に関し必要な事項は、協議会が定める。

第三章　沿道地区計画

（沿道地区計画）

第九条　都市計画法（昭和四十三年法律第百号）第五条の規定により指定された都市計画区域（同法第七条第一項の規定による市街化区域以外の地域にあつては、政令で定める地域に限る。）内において、沿道整備道路に接続する土地の区域で、道路交通騒音により生ずる障害の防止と適正かつ合理的な土地利用の促進を図るため、一体的かつ総合的に市街地を整備することが適切であると認められるものについては、都市計画に沿道地区計画を定めることができる。

2　沿道地区計画については、都市計画法第十二条の四第二項に定める事項のほか、都市計画に、第一号に掲げる事項を定めるものとするとともに、第二号に掲げる事項を定めるよう努めるものとする。

一　緑地その他の緩衝空地及び主として当該区域内の居住者等の利用に供される道路その他政令で定める施設（都市計画施設（都市計画法第四条第六項に規定する都市計画施設をいう。以下同じ。）を除く。以下「沿道地区施設」という。）並びに建築物その他の工作物（以下「建築物等」という。）の整備並びに土地の利用その他の沿道の整備に関する計画（以下「沿道地区整備計画」という。）

二　沿道の整備に関する方針

3　次に掲げる条件に該当する土地の区域における沿道地区計画については、土地の合理的かつ健全な高度利用と都市機能の増進とを図るため、一体的かつ総合的な市街地の再開発又は開発整備を実施すべき区域（以下「沿道再開発等促進区」という。）を都市計画に定めることができる。

一　現に土地の利用状況が著しく変化しつつあり、又は著しく変化することが確実であると見込まれる区域であること。

二　土地の合理的かつ健全な高度利用を図る上で必要となる適正な配置及び規模の公共施設（都市計画法第四条第十四項に規定する公共施設をいう。以下同じ。）がない区域であること。

三　当該区域内の土地の高度利用を図ることが、当該都市の機能の増進に貢献すること。

四　用途地域（都市計画法第八条第一項第一号に規定する用途地域をいう。以下同じ。）が定められている区域であること。

4　沿道再開発等促進区を定める沿道地区計画においては、第二項各号に掲げるもののほか、都市計画に、第一号に掲げる事項を定めるものとするとともに、第二号に掲げる事項を定めるよう努めるものとする。

一　道路、公園その他の政令で定める施設（都市計画施設及び沿道地区施設を除く。）の配置及び規模

二　土地利用に関する基本方針

5　沿道再開発等促進区を都市計画に定める際、当該沿道再開発等促進区について、当面建築物又はその敷地の整備と併せて整備されるべき公共施設の整備に関する事業が行われる見込みがないときその他前項第一号に規定する施設の配置及び規模を定めることができない特別の事情があるときは、当該沿道再開発等促進区について同号に規定する施設の配置及び規模を定めることを要しない。

6　沿道地区整備計画においては、次に掲げる事項を定めることができる。

一　沿道地区施設の配置及び規模

二　建築物の沿道整備道路に係る間口率（建築物の沿道整備道路に面する部分の長さの敷地の沿道整備道路に接する部分の長さに対する割合をいう。以下同じ。）の最低限度、建築物の構造に関する防音上又は遮音上必要な制限、建築物等の高さの最高限度又は最低限度、壁面の位置の制限、壁面後退区域（壁面の位置の制限として定められた限度の線と敷地境界線との間の土地の区域をいう。以下同じ。）における工作物の設置の制限、建築物の容積率（延べ面積の敷地面積に対する割合をいう。以下同じ。）の最高限度又は最低限度、建築物の建ぺい率（建築面積の敷地面積に対する割合をいう。以下同じ。）の最高限度、建築物の敷地面積又は建築面積の最低限度、建築物等の形態又は色彩その他の意匠の制限、建築物の緑化率（都市緑地法（昭和四十八年法律第七十二号）第三十四条第二項に規定する緑化率をいう。）の最低限度その他建築物等に関する事項で政令で定めるもの

三　現に存する樹林地、草地等で良好な居住環境を確保するため必要なものの保全に関する事項

四　前三号に掲げるもののほか、土地の利用に関する事項その他の沿道の整備に関する事項で政令で定めるもの

7　沿道地区計画を都市計画に定めるに当たつては、次に掲げるところに従わなければならない。

一　当該区域及びその周辺の地域の土地利用の状況及びその見通しを勘案し、これらの地域について道路交通騒音により生ずる障害を防止し、又は軽減するため、必要に応じ、遮音上有効な機能を有する建築物等又は緑地その他の緩衝空地が沿道整備道路等に面して整備されるとともに、当該道路に面する建築物その他道路交通騒音が著しい土地の区域内に存する建築物について、道路交通騒音により生ずる障害を防止し、又は軽減するため、防音上有効な構造となるように定めること。

二　当該区域が、前号に掲げるところに従つて都市計画に定められるべき事項の内容を考慮し、当該区域及びその周辺において定められている他の都市計画と併せて効果的な配置及び規模の公共施設を備えた健全な都市環境のものとなるように定めること。

三　建築物等が、都市計画上幹線道路の沿道としての当該区域の特性にふさわしい用途、容積、高さ、配列等を備えた適正

かつ合理的な土地の利用形態となるように定めること。

四　沿道再開発等促進区は、建築物及びその敷地の整備並びに公共施設の整備を一体として行うべき土地の区域としてふさわしいものとなるように定めること。

8　沿道地区計画を都市計画に定める際、当該沿道地区計画の区域の全部又は一部について沿道地区整備計画を定めることができない特別の事情があるときは、当該区域の全部又は一部について沿道地区整備計画を定めることを要しない。この場合において、沿道地区計画の区域の一部について沿道地区整備計画を定めるときは、当該沿道地区計画については、沿道地区整備計画の区域をも都市計画に定めなければならない。

（建築物の容積率の最高限度を区域の特性に応じたものと公共施設の整備状況に応じたものとに区分して定める沿道地区整備計画）

第九条の二　沿道地区整備計画においては、適正な配置及び規模の公共施設がない土地の区域において適正かつ合理的な土地利用の促進を図るため特に必要であると認められるときは、前条第六項第二号の建築物の容積率の最高限度について次の各号に掲げるものごとに数値を区分し、第一号に掲げるものの数値を第二号に掲げるものの数値を超えるものとして定めるものとする。

一　当該沿道地区整備計画の区域の特性（沿道再開発等促進区にあつては、土地利用に関する基本方針に従つて土地利用が変化した後の区域の特性）に応じたもの

二　当該沿道地区整備計画の区域内の公共施設の整備の状況に応じたもの

（区域を区分して建築物の容積を適正に配分する沿道地区整備計画）

第九条の三　沿道地区整備計画（沿道再開発等促進区におけるものを除く。以下この条において同じ。）においては、用途地域内の適正な配置及び規模の公共施設を備えた土地の区域において建築物の容積を適正に配分することが当該沿道地区整備計画の区域の特性に応じた合理的な土地利用の促進を図るため特に必要であると認められるときは、当該沿道地区整備計画の区域を区分して第九条第六項第二号の建築物の容積率の最高限度を定めるものとする。この場合において、当該沿道地区整備計画の区域を区分して定められた建築物の容積率の最高限度の数値にそれぞれの数値の定められた区域の面積を乗じたものの合計は、当該沿道地区整備計画の区域内の都市計画法第八条第三項第二号イの規定により用途地域において定められた建築物の容積率の数値に当該数値の定められた区域の面積を乗じたものの合計を超えてはならない。

（高度利用と都市機能の更新とを図る沿道地区整備計画）

第九条の四　沿道地区整備計画（沿道再開発等促進区におけるものを除く。）においては、用途地域（都市計画法第八条第一項第一号に規定する第一種低層住居専用地域、第二種低層住居専用地域及び田園住居地域を除く。）内の適正な配置及び規模の公共施設を備えた土地の区域において、その合理的かつ健全な高度利用と都市機能の更新とを図るため特に必要であると認められるときは、建築物の容積率の最高限度及び最低限度（建築物の沿道整備道路に係る間口率の最低限度及び建築物の高さの最低限度が定められている場合にあつては、建築物の容積率の最低限度を除く。）、建築物の建蔽率の最高限度、建築物の建築面積の最低限度並びに壁面の位置の制限（壁面の位置の制限にあつては、敷地内に道路（都市計画において定められた計画道路及び沿道地区施設である道路その他政令で定める施設を含む。以下この条において同じ。）に接して有効な空間を確保して市街地の環境の向上を図るため必要な場合における当該道路に面する壁面の位置を制限するもの（これを含む壁面の位置の制限を含む。）に限る。）を定めるものとする。

（住居と住居以外の用途とを適正に配分する沿道地区整備計画）

第九条の五　沿道地区整備計画においては、住居と住居以外の用途とを適正に配分することが当該沿道地区整備計画の区域の特性（沿道再開発等促進区にあつては、土地利用に関する基本方針に従つて土地利用が変化した後の区域の特性）に応じた合理的な土地利用の促進を図るため特に必要であると認められるときは、第九条第六項第二号の建築物の容積率の最高限度について次の各号に掲げるものごとに数値を区分し、第一号に掲げるものの数値を第二号に掲げるものの数値以上のものとして定めるものとする。

一　その全部又は一部を住宅の用途に供する建築物に係るもの

二　その他の建築物に係るもの

（区域の特性に応じた高さ、配列及び形態を備えた建築物の整備を誘導する沿道地区整備計画）

第九条の六　沿道地区整備計画においては、当該沿道地区整備計画の区域の特性（沿道再開発等促進区にあつては、土地利用に関する基本方針に従つて土地利用が変化した後の区域の特性）に応じた高さ、配列及び形態を備えた建築物を整備することが合理的な土地利用の促進を図るため特に必要であると認められるときは、壁面の位置の制限（道路（都市計画において定められた計画道路及び第九条第四項第一号に規定する施設又は沿道地区施設である道路その他政令で定める施設を含む。）に面する壁面の位置を制限するものを含むものに限る。）、壁面後退区域における工作物の設置の制限（当該壁面後退区域において連続的に有効な空地を確保するため必要なものを含むものに限る。）及び建築物の高さの最高限度を定めるものとする。

（行為の届出等）

第一〇条　沿道地区計画の区域（第九条第四項第一号に規定する施設の配置及び規模が定められている沿道再開発等促進区又は沿道地区整備計画が定められている区域に限る。）内において、土地の区画形質の変更、建築物等の新築、改築又は増築その他政令で定める行為を行おうとする者は、当該行為に着手する日の三十日前までに、国土交通省令で定めるところにより、行為の種類、場所、設計又は施行方法、着手予定日その他の国土交通省令で定める事項を市町村長に届け出なければならない。ただし、次に掲げる行為については、この限りでない。

一　通常の管理行為、軽易な行為その他の行為で政令で定めるもの

二　非常災害のため必要な応急措置として行う行為

三　国又は地方公共団体が行う行為

四　都市計画事業の施行として行う行為又はこれに準ずる行為として政令で定める行為

五　都市計画法第二十九条第一項の許可を要する行為その他政令で定める行為

六　第十条の四の規定による公告があつた沿道整備権利移転等促進計画の定めるところによつて設定され、又は移転された次条第一項の権利に係る土地において当該沿道整備権利移転等促進計画に定められた土地の区画形質の変更、建築物等の新築、改築又は増築その他同条第二項第六号の国土交通省令で定める行為に関する事項に従つて行う行為

2　前項の規定による届出をした者は、その届出に係る事項のうち国土交通省令で定める事項を変更しようとするときは、当該事項の変更に係る行為に着手する日の三十日前までに、国土交通省令で定めるところにより、その旨を市町村長に届け出なければならない。

3　市町村長は、第一項又は前項の規定による届出があつた場合において、その届出に係る行為が沿道地区計画に適合しないと認めるときは、その届出をした者に対し、その届出に係る行為に関し、設計の変更その他の必要な措置を執ることを勧告することができる。この場合において、道路交通騒音により生ずる障害の防止又は軽減を図るため必要があると認めるときは、沿道地区計画に定められた事項その他の事項に関し、適切な措置を執ることについて指導又は助言をするものとする。

第五章　雑則

（権限の委任）

第一四条　この法律に規定する国土交通大臣の権限は、政令で定めるところにより、地方整備局長又は北海道開発局長に委任することができる。

（政令への委任）

第一五条　この法律に定めるもののほか、この法律の実施のため必要な事項は、政令で定める。

（経過措置）

第一六条　この法律の規定に基づき政令又は国土交通省令を制定し、又は改廃する場合においては、それぞれ、政令又は国土交通省令で、その制定又は改廃に伴い合理的に必要と判断される範囲内において、所要の経過措置（罰則に関する経過措置を含む。）を定めることができる。

第六章　罰則

第一七条　第十条第一項又は第二項の規定に違反して、届出をせず、又は虚偽の届出をした者は、二十万円以下の罰金に処する。

第一八条　法人の代表者又は法人若しくは人の代理人、使用人その他の従業者が、その法人又は人の業務又は財産に関して前条の違反行為をしたときは、行為者を罰するほか、その法人又は人に対して各本条の罰金刑を科する。

○幹線道路の沿道の整備に関する法律施行令〔抄〕

〔昭和五五・一〇・二四　政令二七三〕

改正　前略…平成一一・三政一一五、平成一二・六政三一二、平成一三・三政九八、平成一四・一一政三三一、平成一五・一二政五二三、平成一六・一二政三九六、平成一七・五政一八二、平成二三・八政二八二、平成二九・六政一五六

（自動車交通量の基準）

第一条　幹線道路の沿道の整備に関する法律（以下「法」という。）第五条第一項第一号の政令で定める基準は、自動車の日交通量が一万台（自動車の日交通量のうち国土交通省令で定める大型の自動車の日交通量の占める割合が幹線道路網を構成する道路における標準的な値を超える道路にあつては、一万台未満四千台以上の範囲内で当該割合に応じ国土交通省令で定めるところにより算定した台数）であることとする。

2　前項の自動車の日交通量の算定に関し必要な事項は、国土交通省令で定める。

（道路交通騒音の基準）

第二条　法第五条第一項第二号の政令で定める基準は、次の各号のいずれかに該当することとする。

一　路端における夜間の道路交通騒音の大きさが六十五デシベルであること。

二　路端における昼間の道路交通騒音の大きさが七十デシベルであること。

2　前項の道路交通騒音の大きさの測定又は算定に関し必要な事項は、国土交通省令で定める。

3　国土交通大臣は、前項の国土交通省令を定めようとするときは、あらかじめ、環境大臣に協議しなければならない。

（法第九条第一項の政令で定める地域）

第三条　法第九条第一項の政令で定める地域は、次に掲げるものとする。

一　都市計画法（昭和四十三年法律第百号）第七条第一項に規定する区域区分に関する都市計画が定められていない都市計画区域内の同法第八条第一項第一号に規定する用途地域が定められている土地の区域

二　土地区画整理法（昭和二十九年法律第百十九号）による土地区画整理事業の施行に係る区域、都市計画法第二十九条第一項の許可を受けた開発行為に係る区域又は旧住宅地造成事業に関する法律（昭和三十九年法律第百六十号）第四条の認可を受けた住宅地造成事業の施行に係る区域で、相当数の住居等が集合することが確実と見込まれる地域

三　前二号に掲げるもののほか、市町村の中心の市街地その他の地域で国土交通省令で定める要件に該当するもの

（法第九条第二項第一号の政令で定める施設）

第四条　法第九条第二項第一号の政令で定める施設は、公園、緑地、広場その他の公共空地（緩衝空地を除く。）又は道（道路法（昭和二十七年法律第百八十号）による道路を除く。以下同じ。）とする。

（法第九条第四項第一号の政令で定める施設）

第五条　法第九条第四項第一号の政令で定める施設は、道路若しくは道又は公園、緑地、広場その他の公共空地とする。

（沿道地区整備計画において定める建築物等に関する事項）

第五条の二　法第九条第六項第二号の建築物等に関する事項で政令で定めるものは、垣又はさくの構造の制限とする。

（法第九条の四及び第九条の六の政令で定める施設）

第六条　法第九条の四及び第九条の六の政令で定める施設は、道とする。

（届出を要する行為）

第七条　法第十条第一項各号列記以外の部分の政令で定める行為は、次の各号に掲げる土地の区域内において行う当該各号に定める行為とする。

一　沿道地区計画において用途の制限が定められ、又は用途に応じて建築物その他の工作物（以下「建築物等」という。）に関する制限が定められている土地の区域　建築物等の用途の変更（用途変更後の建築物等が沿道地区計画において定められた用途の制限又は用途に応じた建築物等に関する制限に適合しないこととなる場合に限る。）

二　沿道地区計画において建築物等の形態又は色彩その他の意匠の制限が定められている土地の区域　建築物等の形態又は色彩その他の意匠の変更

三　沿道地区計画において法第九条第六項第三号に掲げる事項が定められている土地の区域　木竹の伐採

（通常の管理行為、軽易な行為その他の行為）

第八条　法第十条第一項第一号の政令で定める行為は、次に掲げるものとする。
一　次に掲げる土地の区画形質の変更
イ　建築物等で仮設のものの新築、改築又は増築の用に供する目的で行う土地の区画形質の変更
ロ　既存の建築物等の管理のために必要な土地の区画形質の変更
ハ　農林漁業を営むために行う土地の区画形質の変更
二　次に掲げる建築物等の新築、改築又は増築
イ　前号イに掲げる建築物等の新築、改築又は増築
ロ　屋外広告物で表示面積が一平方メートル以下であり、かつ、高さが三メートル以下であるものの表示又は掲出のために必要な工作物（建築物以外の工作物をいう。以下この号において同じ。）の新築、改築又は増築
ハ　水道管、下水道管その他これらに類する工作物で地下に設けるものの新築、改築又は増築
ニ　建築物の存する敷地内の当該建築物に附属する物干場、建築設備、受信用の空中線系（その支持物を含む。）、旗ざおその他これらに類する工作物の新築、改築又は増築
ホ　農林漁業を営むために必要な物置、作業小屋その他これらに類する建築物等の新築、改築又は増築
三　次に掲げる建築物等の用途の変更
イ　第一号イに掲げる建築物等の用途の変更
ロ　建築物等の用途を前号ホに掲げるものとする建築物等の用途の変更
四　第二号に掲げる建築物等の形態又は色彩その他の意匠の変更
五　次に掲げる木竹の伐採
イ　除伐、間伐、整枝等木竹の保育のために通常行われる木竹の伐採
ロ　枯損した木竹又は危険な木竹の伐採
ハ　自家の生活の用に充てるために必要な木竹の伐採
ニ　仮植した木竹の伐採
ホ　測量、実地調査又は施設の保守の支障となる木竹の伐採
六　前各号に掲げるもののほか、法令又はこれに基づく処分による義務の履行として行う行為

（都市計画事業の施行として行う行為に準ずる行為）

第九条　法第十条第一項第四号の都市計画事業の施行として行う行為に準ずる行為として政令で定めるものは、次に掲げるものとする。
一　都市計画施設を管理することとなる者が当該都市施設に関する都市計画に適合して行う行為
二　土地区画整理事業の施行として行う行為
三　都市再開発法（昭和四十四年法律第三十八号）による市街地再開発事業の施行として行う行為
四　大都市地域における住宅及び住宅地の供給の促進に関する特別措置法（昭和五十年法律第六十七号）による住宅街区整備事業の施行として行う行為
五　密集市街地における防災街区の整備の促進に関する法律（平成九年法律第四十九号）による防災街区整備事業の施行として行う行為

（法第十条第一項第五号の政令で定める行為）

第一〇条　法第十条第一項第五号の政令で定める行為は、次に掲げるものとする。
一　建築基準法（昭和二十五年法律第二百一号）第六条第一項（同法第八十七条第一項又は第八十八条第二項において準用する場合を含む。）の確認又は同法第十八条第二項（同法第八十七条第一項又は第八十八条第二項において準用する場合を含む。）の通知を要する建築物等の新築、改築若しくは増築又は用途の変更（当該建築物等又はその敷地について沿道地区計画において定められている内容（次に掲げる事項を除く。）の全てが同法第六十八条の二第一項（同法第八十七条第二項若しくは第三項又は第八十八条第二項において準用する場合を含む。）の規定に基づく条例で制限として定められている場合に限る。）
イ　沿道地区計画において定められている建築物の容積率の最高限度で、建築基準法第六十八条の五の規定により同法第五十二条第一項第一号から第四号までに定める数値とみなされるもの、同法第六十八条の五の二の規定により同法第五十二条第一項各号に定める数値とみなされるもの又は同法第六十八条の五の三の規定により同法第五十二条第一項第二号若しくは第三号に定める数値とみなされるもの
ロ　沿道地区計画（沿道地区整備計画において、法第九条の六の規定による壁面の位置の制限、壁面後退区域における工作物の設置の制限及び建築物の高さの最高限度が定められているものに限る。）において定められている建築物の容積率の最高限度で、当該敷地に係る建築基準法第五十二条の規定による建築物の容積率の最高限度を超えるもの
ハ　沿道地区計画（沿道再開発等促進区が定められている区域に限る。）において定められている次に掲げる事項
(1)　建築物の容積率の最高限度で、当該敷地に係る用途地域に関する都市計画において定められた建築物の容積率を超えるもの
(2)　建築物の建蔽率の最高限度で、当該敷地に係る用途地域に関する都市計画において定められた建築物の建蔽率を超えるもの
(3)　建築物の高さの最高限度で、当該敷地に係る都市計画法第八条第一項第一号に規定する第一種低層住居専用地域、第二種低層住居専用地域又は田園住居地域に関する都市計画において定められた建築物の高さの限度を超えるもの
二　都市緑地法（昭和四十八年法律第七十二号）第二十条第一項の規定に基づく条例の規定により、同項の許可を要する同法第十四条第一項各号に掲げる行為
三　都市計画法第二十九条第一項第三号に掲げる開発行為その他の公益上必要な事業の実施に係る行為で沿道地区計画の目的を達成する上で著しい支障を及ぼすおそれが少ないと認められるもののうち、用途上又は構造上やむを得ないものとして国土交通省令で定めるもの

（権限の委任）

第一四条　法に規定する国土交通大臣の権限は、地方整備局長及び北海道開発局長に委任する。

（算定方法）

第一五条　次の各号に掲げる長さの算定方法は、それぞれ当該各号に定めるところによる。
一　建築物の沿道整備道路に面する部分の長さ　建築物の周囲の地面に接する外壁又はこれに代わる柱の面で囲まれた部分の水平投影の沿道整備道路に面する長さによる。
二　敷地の沿道整備道路に接する部分の長さ　敷地の沿道整備道路に接する部分の水平投影の長さによる。

○幹線道路の沿道の整備に関する法律施行規則〔抄〕

〔昭和五五・一〇・二五 建設省令一二〕

改正 前略…平成一二・一建令九、建令一〇、五建令二六、一一建令四一、平成一三・四国交令八五、平成一四・一二国交令一二〇、平成一五・一〇国交令一〇九、平成一六・三国交令三一、一二国交令九九、平成一八・九国交令八六、平成二〇・六国交令四四、一〇国交令九一、平成二三・六国交令四八、平成二五・六国交令五〇、平成二七・三国交令一九、平成二八・三国交令二六、平成二九・三国交令一二、国交令一九、六国交令三六、令和二・一二国交令九八

（自動車及び日交通量）

第一条 幹線道路の沿道の整備に関する法律施行令（以下「令」という。）第一条第一項の「自動車」とは、道路運送車両法（昭和二十六年法律第百八十五号）第二条第二項に規定する自動車をいう。

2 令第一条第一項の「日交通量」とは、年間を通じての標準的な一日当たりの交通量をいう。

（令第一条第一項の国土交通省令で定める大型の自動車）

第二条 令第一条第一項の国土交通省令で定める大型の自動車は、道路運送車両法施行規則（昭和二十六年運輸省令第七十四号）別表第一の自動車の種別の欄に掲げる普通自動車（人の運送の用に供するものにあつては、乗車定員十一人以上のものに限る。）及び大型特殊自動車とする。

（令第一条第一項の台数）

第三条 令第一条第一項の台数は、次の式により算定した台数（当該台数が四千台に満たないときは、四千台）とする。

$$10{,}000台 \times \frac{7.16}{1+28P}$$

備考

Pは、自動車の日交通量のうち大型の自動車の日交通量の占める割合で百分の二十二を超えるものとする。

（夜間等）

第四条 令第二条第一項の「夜間」とは、午後十時から翌日の午前六時までの間をいい、「昼間」とは、午前六時から午後十時までの間をいう。

2 令第二条第一項の「デシベル」とは、計量単位令（平成四年政令第三百五十七号）別表第二第六号に定める音圧レベルの計量単位（同号の聴感補正に係るものに限る。）をいう。

（令第二条第一項の道路交通騒音の大きさ）

第五条 令第二条第一項の道路交通騒音の大きさは、当該道路の道路交通騒音の状況が年間を通じて標準的と認められる日の夜間又は昼間の全時間を通じて測定し、等価騒音レベルによつて評価するものとする。ただし、全時間を通じて測定した場合に比べて統計的に十分な精度を確保しうる範囲内であれば、実際に測定する時間を短縮することができるものとする。

2 道路交通騒音の大きさの測定は、地上一・二メートルの高さにおいて行うものとする。ただし、道路の構造、地形等によりこれにより難い場合においては、当該道路の道路交通騒音の状況を適切に示すと認められる高さにおいて行うことができる。

（沿道整備道路の指定の公告）

第六条 幹線道路の沿道の整備に関する法律（以下「法」という。）第五条第四項（同条第五項において準用する場合を含む。）の規定による公告は、当該都道府県の公報に掲載して行うものとする。

（令第三条第三号の国土交通省令で定める要件）

第七条 令第三条第三号の国土交通省令で定める要件は、主として住居等の用に供されている建築物がおおむね五十以上連たんしていることとする。

（令第十条第三号の国土交通省令で定める行為）

第八条 令第十条第三号の国土交通省令で定める行為は、次に掲げるものとする。

一 道路法（昭和二十七年法律第百八十号）第二条第一項に規定する道路の新設、改築、維持、修繕又は災害復旧に係る行為

二 道路運送法（昭和二十六年法律第百八十三号）第二条第八項に規定する一般自動車道又は専用自動車道（同法第三条第一号に規定する一般旅客自動車運送事業又は貨物自動車運送事業法（平成元年法律第八十三号）第二条第二項に規定する一般貨物自動車運送事業の用に供するものに限る。）の造設又は管理に係る行為

三 河川法（昭和三十九年法律第百六十七号）が適用され、又は準用される河川の改良工事の施行又は管理に係る行為

四 独立行政法人水資源機構が行う独立行政法人水資源機構法（平成十四年法律第百八十二号）第十二条第一項（同項第二号ハ及び第五号を除く。）に規定する業務又は同法附則第四条第一項に規定する業務（これに附帯する業務を除く。）に係る行為（前号に掲げるものを除く。）

五 土地改良法（昭和二十四年法律第百九十五号）による土地改良事業の施行に係る行為

六 国立研究開発法人森林研究・整備機構法（平成十一年法律第百九十八号）附則第十条第一項の規定により国立研究開発法人森林研究・整備機構が行う森林開発公団法の一部を改正する法律（平成十一年法律第七十号）附則第八条の規定による廃止前の農用地整備公団法（昭和四十九年法律第四十三号）第十九条第一項第一号、第四号又は第六号に規定する業務に係る行為

七 農業を営む者が組織する団体が行う農業構造の改善に関し必要な事業の施行に係る行為

八 都市公園法（昭和三十一年法律第七十九号）第二条第二項に規定する公園施設の設置又は管理に係る行為

九 鉄道事業法（昭和六十一年法律第九十二号）による鉄道事業者又は索道事業者がその鉄道事業又は索道事業で一般の需要に応ずるものの用に供する施設の建設又は管理に係る行為

十 軌道法（大正十年法律第七十六号）による軌道の敷設又は管理に係る行為

十一 石油パイプライン事業法（昭和四十七年法律第百五号）第五条第二項第二号に規定する事業用施設の設置又は管理に係る行為

十二 道路運送法第三条第一号イに規定する一般乗合旅客自動車運送事業（路線を定めて定期に運行する自動車により乗合旅客の運送を行うものに限る。）若しくは貨物自動車運送事業法第二条第二項に規定する一般貨物自動車運送事業（同条第六項に規定する特別積合せ貨物運送をするものに限る。）の用に供する施設又は自動車ターミナル法（昭和三十四年法律第百三十六号）第二条第五項に規定する一般自動車ターミナルの設置又は管理に係る行為

十三 港務局が行う港湾法（昭和二十五年法律第二百十八号）第十二条第一項に規定する業務に係る行為

十四 航空法（昭和二十七年法律第二百三十一号）による公共の用に供する飛行場又は同法第二条第五項に規定する航空保安施設で公共の用に供するものの設置又は管理に係る行為

十五 気象、海象、地象又は洪水その他これに類する現象の観

測又は通報の用に供する施設の設置又は管理に係る行為

十六　電気通信事業法（昭和五十九年法律第八十六号）第百二十条第一項に規定する認定電気通信事業者が行う同項に規定する認定電気通信事業の用に供する施設の設置又は管理に係る行為

十七　放送法（昭和二十五年法律第百三十二号）第二条第二号に規定する基幹放送の用に供する放送設備（建築物であるものを除く。）の設置又は管理に係る行為

十八　電気事業法（昭和三十九年法律第百七十号）第二条第一項第十六号に規定する電気事業の用に供する同項第十八号に規定する電気工作物又はガス事業法（昭和二十九年法律第五十一号）第二条第十三項に規定するガス工作物（同条第二項に規定するガス小売事業の用に供するものを除く。）の設置又は管理に係る行為

十九　水道法（昭和三十二年法律第百七十七号）第三条第二項に規定する水道事業若しくは同条第四項に規定する水道用水供給事業の用に供する同条第八項に規定する水道施設、工業用水道事業法（昭和三十三年法律第八十四号）第二条第六項に規定する工業用水道施設又は下水道法（昭和三十三年法律第七十九号）第二条第三号に規定する公共下水道、同条第四号に規定する流域下水道若しくは同条第五号に規定する都市下水路の用に供する施設の設置又は管理に係る行為

二十　熱供給事業法（昭和四十七年法律第八十八号）第二条第四項に規定する熱供給施設の設置又は管理に係る行為

二十一　水害予防組合が行う水防の用に供する施設の設置又は管理に係る行為

（沿道地区計画の区域内における行為の届出）

第九条　法第十条第一項の国土交通省令で定める事項は、行為の種類、場所、設計又は施行方法、着手予定日及び完了予定日とする。

第一〇条　法第十条第一項の規定による届出は、別記様式第一〔略〕による届出書を提出して行うものとする。

2　前項の届出書には、次に掲げる図書を添付しなければならない。

一　土地の区画形質の変更にあつては、次に掲げる図面

イ　当該行為を行う土地の区域並びに当該区域内及び当該区域の周辺の公共施設を表示する図面で縮尺千分の一以上のもの

ロ　設計図で縮尺百分の一以上のもの

二　建築物その他の工作物（以下「建築物等」という。）の新築、改築若しくは増築又は用途の変更にあつては、次に掲げる図面

イ　敷地内における建築物等の位置を表示する図面で縮尺百分の一以上のもの

ロ　都市緑地法（昭和四十八年法律第七十二号）第三十四条第二項に規定する建築物の緑化施設の位置を表示する図面（沿道地区整備計画において建築物の緑化率の最低限度が定められている場合に限る。）で縮尺百分の一以上のもの

ハ　二面以上の建築物等の断面図及び立面図並びに各階平面図（建築物である場合に限る。）で縮尺五十分の一以上のもの

三　建築物等の形態又は意匠の変更にあつては、前号イに掲げる図面及び二面以上の立面図で縮尺五十分の一以上のもの

四　木竹の伐採にあつては、次に掲げる図面

イ　当該行為を行う土地の区域を表示する図面で縮尺千分の一以上のもの

ロ　当該行為の施行方法を明らかにする図面で縮尺百分の一以上のもの

五　その他参考となるべき事項を記載した図書

（変更の届出）

第一一条　法第十条第二項の国土交通省令で定める事項は、設計又は施行方法のうち、その変更により法第十条第一項の届出に係る行為が同項各号に掲げる行為に該当することとなるもの以外のものとする。

○自転車道の整備等に関する法律

〔昭和四五・四・三
法律一六〕

改正　前略…平成一〇・一〇法一三五、平成一一・一二法一六〇、平成一五・三法二一、平成一六・六法一〇二、平成二三・五法三七、八法一〇五、平成二四・六法四二、平成二八・一二法一一三

（目的）

第一条　この法律は、わが国における自転車の利用状況にかんがみ、自転車が安全に通行することができる自転車道の整備等に関し必要な措置を定め、もつて交通事故の防止と交通の円滑化に寄与し、あわせて自転車の利用による国民の心身の健全な発達に資することを目的とする。

（定義）

第二条　この法律において「道路」とは、道路法（昭和二十七年法律第百八十号）による道路をいう。

2　この法律において「道路管理者」とは、道路法第十八条第一項に規定する道路管理者（同法第八十八条第二項の規定により国土交通大臣が改築を行う道路にあつては、国土交通大臣）をいう。

3　この法律において「自転車道」とは、次に掲げるものをいう。

一　もつぱら自転車の通行の用に供することを目的とする道路又は道路の部分

二　自転車及び歩行者の共通の通行の用に供することを目的とする道路又は道路の部分

4　この法律において「自転車道整備事業」とは、自転車道の設置に関する事業をいう。

（国及び地方公共団体の責務）

第三条　国及び地方公共団体は、第一条に規定する目的を達成するため、自転車道整備事業が有効かつ適切に実施されるよう必要な配慮をしなければならない。

（自転車道整備事業の実施）

第四条　道路管理者は、道路法第三十条第一項の政令又は同条第二項の政令及び同条第三項の規定に基づく条例で定める基準に従い、自転車及び自動車の交通量、道路における交通事故の発

生状況その他の事情を考慮して自転車道整備事業を実施するよう努めなければならない。

（自転車道の計画的整備）

第五条　社会資本整備重点計画法（平成十五年法律第二十号）第二条第一項に規定する社会資本整備重点計画は、自転車道の計画的整備が促進されるよう配慮して定められなければならない。

（自転車専用道路等の設置）

第六条　道路管理者は、自転車の通行の安全を確保し、あわせて自転車の利用による国民の心身の健全な発達に資するため、道路法第四十八条の十三第一項の規定による指定をした道路又は同条第二項の規定による指定をした道路を設置するよう努めなければならない。

2　道路管理者が、河川法（昭和三十九年法律第百六十七号）第六条に規定する河川区域（同法第五十八条の二の規定により指定されたものを含む。）内の土地又は国有林野の管理経営に関する法律（昭和二十六年法律第二百四十六号）第二条第一項に規定する国有林野（以下この項において「国有林野」という。）である土地を利用して前項の道路を設置しようとする場合においては、河川又は国有林野の管理者は、河川又は国有林野の管理上支障のない範囲内において、その設置に協力するものとする。

3　国は、第一項の道路の設置の促進に資するため必要な財政上の措置その他の措置を講ずるよう努めなければならない。

（自転車の通行の安全を確保するための交通規制）

第七条　都道府県公安委員会は、自転車道の整備と相まつて、自転車の通行の安全を確保するための計画的な交通規制の実施を図るものとする。

附　則

（施行期日）

1　この法律は、公布の日から施行する。

2　〔他の法令改正に付き略〕

附　則〔平成一五・三・三一法律二一抄〕

（施行期日）

第一条　この法律は、平成十五年四月一日から施行する。

（政令への委任）

第四条　前二条に規定するもののほか、この法律の施行に伴い必要な経過措置は、政令で定める。

附　則〔平成一六・六・九法律一〇二〕

（施行期日）

第一条　この法律は、平成十八年三月三十一日までの間において政令で定める日から施行する。〔以下略〕

〔平成一七政二〇〇により、平成一七・一〇・一から施行〕

（検討）

第二条　政府は、この法律の施行後十年以内に、日本道路公団等民営化関係法の施行の状況について検討を加え、その結果に基づいて必要な措置を講ずるものとする。

附　則〔平成二三・八・三〇法律一〇五抄〕

（施行期日）

第一条　この法律は、公布の日から施行する。〔以下略〕

（自転車道の整備等に関する法律の一部改正に伴う調整規定）

第九八条　この法律の施行の日が地域主権改革の推進を図るための関係法律の整備に関する法律附則第一条第二号に掲げる規定の施行の日前である場合には、前条の規定は、適用しない。

2　前項の場合において、地域主権改革の推進を図るための関係法律の整備に関する法律附則第三十一条のうち自転車道の整備等に関する法律第四条の改正規定中「同条第三項の政令及び同条第四項」とあるのは、「同条第二項の政令及び同条第三項」とする。

附　則〔平成二八・一二・一六法律一一三抄〕

（施行期日）

第一条　この法律は、公布の日から起算して六月を超えない範囲内において政令で定める日から施行する。

〔平成二九政一四一により、平成二九・五・一から施行〕

○駐車場法〔抄〕

〔昭和三二・五・一六法律一〇六〕

改正　前略…平成一〇・六法八九、平成一一・七法八七、一二法一六〇、平成一八・五法四六、平成二三・八法一〇五、平成二九・五法二六

第一章　総則

（目的）

第一条　この法律は、都市における自動車の駐車のための施設の整備に関し必要な事項を定めることにより、道路交通の円滑化を図り、もつて公衆の利便に資するとともに、都市の機能の維持及び増進に寄与することを目的とする。

（用語の定義）

第二条　この法律において次の各号に掲げる用語の意義は、それぞれ当該各号に定めるところによる。

一　路上駐車場　駐車場整備地区内の道路の路面に一定の区画を限つて設置される自動車の駐車のための施設であつて一般公共の用に供されるものをいう。

二　路外駐車場　道路の路面外に設置される自動車の駐車のための施設であつて一般公共の用に供されるものをいう。

三　道路　道路法（昭和二十七年法律第百八十号）による道路をいう。

四　自動車　道路交通法（昭和三十五年法律第百五号）第二条第一項第九号に規定する自動車をいう。

五　駐車　道路交通法第二条第一項第十八号に規定する駐車をいう。

（国及び地方公共団体の責務）

第二条の二　国及び地方公共団体は、自動車の駐車のための施設の需要に応じ、自動車の駐車のための施設の総合的かつ計画的な整備の推進が図られるよう努めなければならない。

第二章　駐車場整備地区

（駐車場整備地区）

第三条　都市計画法（昭和四十三年法律第百号）第八条第一項第一号の商業地域（以下「商業地域」という。）、同号の近隣商業地域（以下「近隣商業地域」という。）、同号の第一種住居地域、同号の第二種住居地域若しくは同号の準住居地域、同号の準工業地域（同号の第一種住居地域、同号の第二種住居地域、同号の準住居地域又は同号の準工業地域にあつては、同項第二号の特別用途地区で政令で定めるものの区域内に限る。）内において自動車交通が著しくふくそうする地区又は当該地区の周辺の地域内において自動車交通が著しくふくそうする地区で、道路の効用を保持し、円滑な道路交通を確保する必要があると認められる区域については、都市計画に駐車場整備地区を定めることができる。

2　駐車場整備地区に関する都市計画を定め、又はこれに同意しようとする場合においては、あらかじめ、都道府県知事にあつては都道府県公安委員会の、国土交通大臣にあつては国家公安委員会の意見を聴かなければならない。

（駐車場整備計画）

第四条　駐車場整備地区に関する都市計画が定められた場合においては、市町村は、その駐車場整備地区における路上駐車場及び路外駐車場の需要及び供給の現況及び将来の見通しを勘案して、その地区における路上駐車場及び路外駐車場の整備に関する計画（以下「駐車場整備計画」という。）を定めることができる。

2　駐車場整備計画においては、おおむね次に掲げる事項を定めるものとする。

一　路上駐車場及び路外駐車場の整備に関する基本方針

二　路上駐車場及び路外駐車場の整備の目標年次及び目標量

三　前号の目標量を達成するために必要な路上駐車場及び路外駐車場の整備に関する施策

四　地方公共団体の設置する路上駐車場で駐車場整備地区内にある路外駐車場によつては満たされない自動車の駐車需要に応ずるため必要なものの配置及び規模並びに設置主体

五　主要な路外駐車場の整備に関する事業の計画の概要

3　市町村は、駐車場整備計画を定めようとする場合においては、前項第四号に掲げる事項について、あらかじめ、都道府県と協議するとともに関係のある道路管理者（道路法第十八条第一項に規定する道路管理者（同法第八十八条第二項の規定により国土交通大臣が維持を行う道路にあつては、国土交通大臣）をいう。以下同じ。）及び都道府県公安委員会の意見を聴かなければならない。

4　市町村は、駐車場整備計画を定めたときは、遅滞なく、これを公表するよう努めるとともに、第二項第四号に掲げる事項について関係のある道路管理者及び都道府県公安委員会に通知しなければならない。

5　前二項の規定は、駐車場整備計画の変更について準用する。

（地方公共団体の責務）

第四条の二　地方公共団体は、駐車場整備計画の達成のため、路上駐車場及び路外駐車場の整備に関し必要な措置を講ずるよう努めなければならない。

第三章　路上駐車場

（路上駐車場の設置）

第五条　第四条第一項の規定により駐車場整備計画（同条第二項第四号に掲げる事項が定められているものに限る。）が定められた場合においては、地方公共団体は、その駐車場整備計画に基づいて路上駐車場を設置するものとする。

2　前項の規定により地方公共団体が路上駐車場を設置しようとする場合においては、当該地方公共団体の長は、あらかじめ、都道府県公安委員会の意見を聴かなければならない。

（路上駐車場の表示）

第八条　道路管理者は、路上駐車場管理者の設置に係る路上駐車場の位置を表示するため、道路法第四十五条の規定による道路標識及び区画線を設けなければならない。

2　前項に規定するもののほか、路上駐車場管理者は、条例で定めるところにより、駐車料金その他路上駐車場の利用について必要な事項を表示するため、標識を設けなければならない。

（政令への委任）

第九条　この章に定めるもののほか、路上駐車場管理者の設置に係る路上駐車場に関し必要な事項は、政令で定める。

第四章　路外駐車場

（駐車場整備地区内の路外駐車場の整備）

第一〇条　国土交通大臣、都道府県又は市町村は、駐車場整備地区に関する都市計画を定めた場合においては、その地区内の長時間の自動車の駐車需要に応ずるために必要な路外駐車場に関する都市計画を定めなければならない。

2　地方公共団体は、前項の都市計画に基いて、路外駐車場の整備に努めなければならない。

（構造及び設備の基準）

第一一条　路外駐車場で自動車の駐車の用に供する部分の面積が五百平方メートル以上であるものの構造及び設備は、建築基準法（昭和二十五年法律第二百一号）その他の法令の規定の適用がある場合においてはそれらの法令の規定によるほか、政令で定める技術的基準によらなければならない。

（設置の届出）

第一二条　都市計画法第四条第二項の都市計画区域（以下「都市計画区域」という。）内において、前条の路外駐車場でその利用について駐車料金を徴収するものを設置する者（以下「路外駐車場管理者」という。）は、あらかじめ、国土交通省令で定めるところにより、路外駐車場の位置、規模、構造、設備その他必要な事項を都道府県知事（市の区域内にあつては、当該市の長。以下「都道府県知事等」という。）に届け出なければならない。届け出てある事項を変更しようとするときも、また同様とする。

第五章　建築物における駐車施設の附置及び管理

（建築物の新築又は増築の場合の駐車施設の附置）

第二〇条　地方公共団体は、駐車場整備地区内又は商業地域内若しくは近隣商業地域内において、延べ面積が二千平方メートル以上で条例で定める規模以上の建築物を新築し、延べ面積が当該規模以上の建築物について増築をし、又は建築物の延べ面積が当該規模以上となる増築をしようとする者に対し、条例で、その建築物又はその建築物の敷地内に自動車の駐車のための施設（以下「駐車施設」という。）を設けなければならない旨を定めることができる。劇場、百貨店、事務所その他の自動車の駐車需要を生じさせる程度の大きい用途で政令で定めるもの（以下「特定用途」という。）に供する部分のある建築物で特定用途に供する部分（以下「特定部分」という。）の延べ面積が当該駐車場整備地区内又は商業地域内若しくは近隣商業地域内の道路及び自動車交通の状況を勘案して条例で定める規模以上のものを新築し、特定部分の延べ面積が当該規模以上の建築物について特定用途に係る増築をし、又は建築物の特定部分の延べ面積が当該規模以上となる増築をしようとする者に対しては、当該新築又は増築後の当該建築物の延べ面積が二千平方メートル未満である場合においても、同様とする。

2　地方公共団体は、駐車場整備地区若しくは商業地域若しくは近隣商業地域の周辺の都市計画区域内の地域（以下「周辺地域」という。）内で条例で定める地区内、又は周辺地域、駐車場整備地区並びに商業地域及び近隣商業地域以外の都市計画区域内の地域であつて自動車交通の状況が周辺地域に準ずる地域内若しくは自動車交通がふくそうすることが予想される地域内で条例で定める地区内において、特定部分の延べ面積が二千平方メートル以上で条例で定める規模以上の建築物を新築し、特定部分の延べ面積が当該規模以上の建築物について特定用途に係る増築をし、又は建築物の特定部分の延べ面積が当該規模以上となる増築をしようとする者に対し、条例で、その建築物又はその建築物の敷地内に駐車施設を設けなければならない旨を定めることができる。

3　前二項の延べ面積の算定については、同一敷地内の二以上の建築物で用途上不可分であるものは、これを一の建築物とみなす。

（建築物の用途変更の場合の駐車施設の附置）

第二〇条の二　地方公共団体は、前条第一項の地区若しくは地域内又は同条第二項の地区内において、建築物の部分の用途の変更（以下「用途変更」という。）で、当該用途変更により特定部分の延べ面積が一定規模（同条第一項の地区又は地域内のものにあつては特定用途について同項に規定する条例で定める規模、同条第二項の地区内のものにあつては同項に規定する条例で定める規模をいう。以下同じ。）以上となるもののために大規模の修繕又は大規模の模様替（建築基準法第二条第十四号又は第十五号に規定するものをいう。以下同じ。）をしようとする者又は特定部分の延べ面積が一定規模以上の建築物の用途変更で、当該用途変更により特定部分の延べ面積が増加することとなるもののために大規模の修繕又は大規模の模様替をしようとする者に対し、条例で、その建築物又はその建築物の敷地内に駐車施設を設けなければならない旨を定めることができる。

2　前条第三項の規定は、前項の延べ面積の算定について準用する。

第七章　罰則

第二三条　第十二条、第十三条第一項若しくは第四項又は第十四条の規定に違反した者は、五十万円以下の罰金に処する。

第二四条　法人の代表者又は法人若しくは人の代理人、使用人その他の従業者が、その法人又は人の業務又は財産に関し、前三条の違反行為をしたときは、その行為者を罰するほか、その法人又は人に対しても、各本条の刑を科する。

○駐車場法施行令〔抄〕

〔昭和三二・一二・一三／政令三四〇〕

改正　前略…平成一〇・一〇政三三一、一一政三七二、平成一一・一二政三八四、平成一二・四政二一一、六政三一二、平成一六・七政二一九、平成一八・一一政三五〇、平成一九・三政五五、一二政三六三、平成二四・二政二六、平成二六・一二政四一二、平成二七・一二政四二一、平成二八・七政二五九、平成二九・三政六三、平成三〇・一二政三五四、令和二・一一政三三三

第一章　駐車場整備地区

（駐車場整備地区を定めることができる特別用途地区）

第一条　駐車場法（以下「法」という。）第三条第一項の政令で定める特別用途地区は、次に掲げる施設に係る業務の利便の増進を図ることを目的とする特別用途地区とする。

一　小売店舗

二　事務所

三　娯楽・レクリエーション施設

四　流通業務施設その他自動車の駐車需要を生じさせる程度の大きい特別の業務の用に供する施設

（路上駐車場の配置及び規模の基準）

第二条　法第四条第二項第四号に掲げる路上駐車場の配置及び規模は、次に掲げる基準によるものとする。

一　路上駐車場は、駐車場整備地区内及びその周辺にある路外駐車場その他の自動車の駐車の用に供される施設又は場所との関連を考慮してその配置及び規模を定めるとともに、駐車場整備地区内におけるその適正な分布を図ること。

二　路上駐車場は、主要幹線街路に設置しないこと。ただし、分離帯その他の道路の部分で道路の交通に支障を及ぼすおそれの少ないものに設置するときは、この限りでない。

三　路上駐車場は、歩道と車道の区別のない道路に設置しないこと。ただし、幅員が八メートル以上ある道路の歩行者の通

行及び沿道の利用に支障を及ぼさない部分に設置するときは、この限りでない。
四　路上駐車場は、歩道と車道の区別のある道路にあつては、その車道の幅員が六メートル未満の道路に設置しないこと。
五　路上駐車場は、縦断勾配が四パーセントを超える道路に設置しないこと。ただし、縦断勾配が六パーセント以下の道路で、歩道と車道の区別があり、かつ、その車道の幅員が十三メートル以上のものに設置するときは、この限りでない。
六　路上駐車場は、陸橋の下又は橋に設置しないこと。
七　路上駐車場は、道路交通法（昭和三十五年法律第百五号）第四十四条第一項各号に掲げる道路の部分又は同法第四十五条第一項第一号若しくは第三号から第五号までに掲げる道路の部分に設置しないこと。
八　路上駐車場は、当該路上駐車場を設置する道路の幅員及び交通の状況に応じ、車両の通行に必要な幅（少なくとも三・五メートル）の道路の部分を保つように設置すること。

第二章　路外駐車場

第一節　構造及び設備の基準

（適用の範囲）

第六条　この節の規定は、路外駐車場で自動車の駐車の用に供する部分の面積が五百平方メートル以上であるものに適用する。

（自動車の出口及び入口に関する技術的基準）

第七条　法第十一条の政令で定める技術的基準のうち、自動車の出口（路外駐車場の自動車の出口で自動車の車路の路面が道路（道路交通法第二条第一項第一号に規定する道路をいう。以下この条において同じ。）の路面に接する部分をいう。以下この条において同じ。）及び入口（路外駐車場の自動車の入口で自動車の車路の路面が道路の路面に接する部分をいう。以下この条において同じ。）に関するものは、次のとおりとする。
一　次に掲げる道路又はその部分以外の道路又はその部分に設けること。
イ　道路交通法第四十四条第一項各号に掲げる道路の部分
ロ　横断歩道橋（地下横断歩道を含む。）の昇降口から五メートル以内の道路の部分
ハ　幼稚園、小学校、義務教育学校、特別支援学校、幼保連携型認定こども園、保育所、児童発達支援センター、児童心理治療施設、児童公園、児童遊園又は児童館の出入口から二十メートル以内の部分（当該出入口に接する柵の設けられた歩道を有する道路及び当該出入口に接する歩道を有し、かつ、縁石線又は柵その他これに類する工作物により車線が往復の方向別に分離されている道路以外の道路にあつては、当該出入口の反対側及びその左右二十メートル以内の部分を含む。）
ニ　橋
ホ　幅員が六メートル未満の道路
ヘ　縦断勾配が十パーセントを超える道路
二　路外駐車場の前面道路が二以上ある場合においては、歩行者の通行に著しい支障を及ぼすおそれのあるときその他特別の理由があるときを除き、その前面道路のうち自動車交通に支障を及ぼすおそれの少ない道路に設けること。
三　自動車の駐車の用に供する部分の面積が六千平方メートル以上の路外駐車場にあつては、縁石線又は柵その他これに類する工作物により自動車の出口及び入口を設ける道路の車線が往復の方向別に分離されている場合を除き、自動車の出口と入口とを分離した構造とし、かつ、それらの間隔を道路に沿つて十メートル以上とすること。
四　自動車の出口又は入口において、自動車の回転を容易にするため必要があるときは、隅切りをすること。この場合において、切取線と自動車の車路との角度及び切取線と道路との角度を等しくすることを標準とし、かつ、切取線の長さは、一・五メートル以上とすること。
五　自動車の出口付近の構造は、当該出口から、イ又はロに掲げる路外駐車場又はその部分の区分に応じ、当該イ又はロに定める距離後退した自動車の車路の中心線上一・四メートルの高さにおいて、道路の中心線に直角に向かつて左右にそれぞれ六十度以上の範囲内において、当該道路を通行する者の存在を確認できるようにすること。
イ　専ら大型自動二輪車及び普通自動二輪車（いずれも側車付きのものを除く。以下「特定自動二輪車」という。）の駐車のための路外駐車場又は路外駐車場の専ら特定自動二輪車の駐車のための部分（特定自動二輪車以外の自動車の進入を防止するための駒止めその他これに類する工作物により特定自動二輪車以外の自動車の駐車のための部分と区分されたものに限る。）　一・三メートル
ロ　その他の路外駐車場又はその部分　二メートル
2　前項第一号の規定は、自動車の出口又は入口を次に掲げる道路又はその部分（当該道路又はその部分以外の同号イからヘまでに掲げる道路又はその部分に該当するものを除く。）に設ける路外駐車場であつて、必要な変速車線を設けること、必要な交通整理が行われること等により、国土交通大臣が当該出口又は入口を設ける道路の円滑かつ安全な交通の確保に支障がないと認めるものについては、適用しない。
一　道路交通法第四十四条第一項第一号、第二号、第四号又は第五号に掲げる道路の部分（同項第一号に掲げる道路の部分にあつては、交差点の側端及びトンネルに限る。）
二　橋
三　幅員が六メートル未満の道路
3　国土交通大臣は、前項の規定による認定をしようとするときは、あらかじめ、自動車の出口又は入口を同項第一号に掲げる道路の部分（トンネルを除く。）又は同項第三号に掲げる道路に設ける場合にあつては関係のある道路管理者及び都道府県公安委員会と協議し、その他の場合にあつては関係のある道路管理者及び都道府県公安委員会の意見を聴かなければならない。
4　第一項第二号から第五号までの規定は、自動車の出口又は入口を道路内に設ける場合における当該自動車の出口（出口付近を含む。）又は入口については、適用しない。

（車路に関する技術的基準）

第八条　法第十一条の政令で定める技術的基準のうち車路に関するものは、次のとおりとする。
一　自動車が円滑かつ安全に走行することができる車路を設けること。
二　自動車の車路の幅員は、イからハまでに掲げる自動車の車路又はその部分の区分に応じ、当該イからハまでに定める幅員とすること。
イ　一方通行の自動車の車路のうち、当該車路に接して駐車料金の徴収施設が設けられており、かつ、歩行者の通行の用に供しない部分　二・七五メートル（前条第一項第五号イに掲げる路外駐車場又はその部分（以下この条において「自動二輪車専用駐車場」という。）の特定自動二輪車の車路又はその部分にあつては、一・七五メートル）以上
ロ　一方通行の自動車の車路又はその部分（イに掲げる車路の部分を除く。）　三・五メートル（自動二輪車専用駐車場の特定自動二輪車の車路又はその部分にあつては、二・二五メートル）以上
ハ　その他の自動車の車路又はその部分　五・五メートル（自動二輪車専用駐車場の特定自動二輪車の車路又はその部分にあつては、三・五メートル）以上

三　建築物（建築基準法（昭和二十五年法律第二百一号）第二条第一号に規定する建築物をいう。以下同じ。）である路外駐車場の自動車の車路にあつては、次のいずれにも適合する構造とすること。
イ　はり下の高さは、二・三メートル以上であること。
ロ　屈曲部（ターンテーブルが設けられているものを除く。以下同じ。）は、自動車を五メートル以上の内法半径で回転させることができる構造（自動二輪車専用駐車場の屈曲部にあつては、特定自動二輪車を三メートル以上の内法半径で回転させることができる構造）であること。
ハ　傾斜部の縦断勾配は、十七パーセントを超えないこと。
ニ　傾斜部の路面は、粗面とし、又は滑りにくい材料で仕上げること。

（駐車の用に供する部分の高さ）

第九条　建築物である路外駐車場の自動車の駐車の用に供する部分のはり下の高さは、二・一メートル以上でなければならない。

（避難階段）

第一〇条　建築物である路外駐車場において、直接地上へ通ずる出入口のある階以外の階に自動車の駐車の用に供する部分を設けるときは、建築基準法施行令（昭和二十五年政令第三百三十八号）第百二十三条第一項若しくは第二項に規定する避難階段又はこれに代る設備を設けなければならない。

（防火区画）

第一一条　建築物である路外駐車場に給油所その他の火災の危険のある施設を附置する場合においては、当該施設と当該路外駐車場とを耐火構造（建築基準法第二条第七号に規定する耐火構造をいう。）の壁又は特定防火設備（建築基準法施行令第百十二条第一項に規定する特定防火設備をいう。）によつて区画しなければならない。

（換気装置）

第一二条　建築物である路外駐車場には、その内部の空気を床面積一平方メートルにつき毎時十四立方メートル以上直接外気と交換する能力を有する換気装置を設けなければならない。ただし、窓その他の開口部を有する階でその開口部の換気に有効な部分の面積がその階の床面積の十分の一以上であるものについては、この限りでない。

（照明装置）

第一三条　建築物である路外駐車場には、次の各号に定める照度を保つために必要な照明装置を設けなければならない。
一　自動車の車路の路面　十ルツクス以上
二　自動車の駐車の用に供する部分の床面　二ルツクス以上

（警報装置）

第一四条　建築物である路外駐車場には、自動車の出入及び道路交通の安全を確保するために必要な警報装置を設けなければならない。

（特殊の装置）

第一五条　この節の規定は、その予想しない特殊の装置を用いる路外駐車場については、国土交通大臣がその装置がこの節の規定による構造又は設備と同等以上の効力があると認める場合においては、適用しない。

第三章　特定用途

（特定用途）

第一八条　法第二十条第一項後段の自動車の駐車需要を生じさせる程度の大きい用途で政令で定めるものは、劇場、映画館、演芸場、観覧場、放送用スタジオ、公会堂、集会場、展示場、結婚式場、斎場、旅館、ホテル、料理店、飲食店、待合、キャバレー、カフエー、ナイトクラブ、バー、舞踏場、遊技場、ボーリング場、体育館、百貨店その他の店舗、事務所、病院、卸売市場、倉庫及び工場とする。

第四章　雑則

（権限の委任）

第一九条　この政令に規定する国土交通大臣の権限は、国土交通省令で定めるところにより、その全部又は一部を地方整備局長又は北海道開発局長に委任することができる。

○自動車ターミナル法〔抄〕

（昭和三四・四・一五　法律一三六）

改正　前略…平成一一・一二法一五一、法一六〇、平成一二・五法九一、平成一六・一二法一四七、平成一八・五法四〇、平成二三・六法六一、令和元・六法三七

注　令和四年六月一七日法律第六八号の改正は、令和七年六月一日から施行のため、附則の次に（参考）として改正文を掲載いたしました。

第一章　総則

（目的）

第一条　この法律は、自動車ターミナル事業の適正な運営を確保すること等により、自動車運送事業者及び自動車ターミナルを利用する公衆の利便の増進を図り、もつて自動車運送の健全な発達に寄与することを目的とする。

（定義）

第二条　この法律で「自動車運送事業」とは、一般乗合旅客自動車運送事業及び一般貨物自動車運送事業をいい、「自動車運送事業者」とは、自動車運送事業を経営する者をいう。
2　この法律で「一般乗合旅客自動車運送事業」とは、道路運送法（昭和二十六年法律第百八十三号）第三条第一号イの一般乗合旅客自動車運送事業（路線を定めて定期に運行する自動車により乗合旅客の運送を行うものに限る。）をいい、「一般乗合旅客自動車運送事業者」とは、一般乗合旅客自動車運送事業を経営する者をいう。
3　この法律で「一般貨物自動車運送事業」とは、貨物自動車運送事業法（平成元年法律第八十三号）第二条第二項の一般貨物自動車運送事業（特別積合せ貨物運送をするものに限る。）をいう。
4　この法律で「自動車ターミナル」とは、旅客の乗降又は貨物の積卸しのため、自動車運送事業の事業用自動車を同時に二両

以上停留させることを目的として設置した施設であつて、道路の路面その他一般交通の用に供する場所を停留場所として使用するもの以外のものをいう。

5　この法律で「一般自動車ターミナル」とは、自動車運送事業者が当該自動車運送事業の用に供することを目的として設置した自動車ターミナル以外の自動車ターミナルをいう。

6　この法律で「バスターミナル」とは、一般乗合旅客自動車運送事業の用に供する自動車ターミナルをいい、「トラックターミナル」とは、一般貨物自動車運送事業の用に供する自動車ターミナルをいう。

7　この法律で「専用バスターミナル」とは、一般乗合旅客自動車運送事業者が当該一般乗合旅客自動車運送事業の用に供することを目的として設置したバスターミナルをいう。

8　この法律で「自動車ターミナル事業」とは、一般自動車ターミナルを自動車運送事業の用に供する事業をいう。

第二章　自動車ターミナル事業

（事業の許可）

第三条　自動車ターミナル事業を経営しようとする者は、一般自動車ターミナルごとに、かつ、次に定める事業の種類ごとに国土交通大臣の許可を受けなければならない。ただし、一般自動車ターミナルを無償で供用するものについては、この限りでない。

一　バスターミナル事業（バスターミナルである一般自動車ターミナルを一般乗合旅客自動車運送事業の用に供する自動車ターミナル事業）

二　トラックターミナル事業（トラックターミナルである一般自動車ターミナルを一般貨物自動車運送事業の用に供する自動車ターミナル事業）

（許可の申請）

第四条　前条の許可を受けようとする者は、国土交通省令で定めるところにより、次に掲げる事項を記載した申請書を国土交通大臣に提出しなければならない。

一　氏名又は名称及び住所並びに法人にあつては、その代表者の氏名

二　経営しようとする自動車ターミナル事業の種類

三　一般自動車ターミナルの名称及び位置

四　一般自動車ターミナルの規模並びに構造及び設備の概要

2　前項の申請書には、事業計画書その他の国土交通省令で定める書類を添付しなければならない。

（欠格事由）

第五条　次の各号のいずれかに該当する者は、第三条の許可を受けることができない。

一　一年以上の懲役又は禁錮の刑に処せられ、その執行を終わり、又は執行を受けることがなくなつた日から二年を経過しない者

二　自動車ターミナル事業の許可の取消しを受け、その取消しの日から二年を経過しない者

三　営業に関し成年者と同一の行為能力を有しない未成年者であつて、その法定代理人が前二号又は次号のいずれかに該当するもの

四　法人であつて、その役員が前三号のいずれかに該当するもの

（許可の基準）

第六条　国土交通大臣は、第三条の許可の申請が次に掲げる基準に適合していると認めるときでなければ、同条の許可をしてはならない。

一　当該一般自動車ターミナルの位置、構造及び設備が政令で定める基準に適合するものであること。

二　当該事業の遂行上適切な計画を有するものであること。

三　当該事業を適確に遂行するに足りる能力を有するものであること。

第四章　雑則

（関係都道府県公安委員会の意見聴取）

第一九条　国土交通大臣は、第三条又は第十一条第一項の規定による処分をしようとするときは、関係都道府県公安委員会の意見を聴かなければならない。

（適用除外）

第二一条　この法律は、鉄道事業又は軌道事業を経営する者がこれらの事業の用に供する乗降施設、積卸施設、荷捌施設その他の停車場内の施設を利用して設置する自動車ターミナルについては、適用しない。

第五章　罰則

第二三条　次の各号の一に該当する者は、百万円以下の罰金に処する。

一　第三条の規定に違反して自動車ターミナル事業を経営した者

二・三〔略〕

附　則

（施行期日）

第一条　この法律は、公布の日から起算して六月をこえない範囲内において政令で定める日から施行する。

〔昭和三四政三二九により、昭和三四・一〇・一〇から施行〕

（経過規定）

第二条　第三条の規定は、この法律の施行の際現に自動車ターミナル事業を経営している者については、この法律の施行の日から三月間は、適用しない。

2　この法律の施行の際現に自動車ターミナル事業を経営している者は、前項の期間内に当該一般自動車ターミナルに関し第四条第一項各号に掲げる事項を運輸大臣に届け出たときは、第三条の免許を受けたものとみなす。

3　第四条第二項の規定は、前項の規定による届出について準用する。

第三条　この法律の施行の際現に専用自動車ターミナルを使用している自動車運送事業者は、この法律の施行の日から三月以内に、当該専用自動車ターミナルに関し第二十五条第一項各号に掲げる事項を運輸大臣に届け出なければならない。

2　前項の規定による届出をせず、又は虚偽の届出をした者は、三万円以下の過料に処する。

第四条　附則第二条第二項の規定により自動車ターミナル事業の免許を受けたものとみなされた者は、この法律の施行の日から六月間は、第十一条第一項及び第十二条第一項の規定にかかわらず、使用料金又は供用約款の認可を受けなくても、当該一般自動車ターミナルを供用することができる。その者がその期間内にこれらの規定による認可を申請した場合において、認可をした旨又は認可をしない旨の通知を受ける日までも、同様とする。

2　附則第二条第二項の届出をした一般自動車ターミナルについては、第十五条の規定は、この法律の施行の日から六月間は、

適用しない。

3　前項に規定する一般自動車ターミナルについては、第二十条の規定は、この法律の施行の日から三年間は、適用しない。

第五条　附則第二条第二項の規定により免許を受けたものとみなされた者及び附則第三条第一項の規定による届出をした自動車運送事業者は、この法律の施行の日から六月間は、第十三条第二項（第二十七条において準用する場合を含む。以下この項において同じ。）の規定にかかわらず、利用規程の認可を受けなくても、当該一般自動車ターミナルを供用し、又は当該専用自動車ターミナルを使用することができる。これらの者がその期間内に同項の規定による認可を申請した場合において、認可をした旨又は認可をしない旨の通知を受ける日までも、同様とする。

2　附則第二条第二項の規定による届出をした一般自動車ターミナル及び附則第三条第一項の届出をした専用自動車ターミナルについては、第十四条第二項（第二十七条において準用する場合を含む。）の規定は、この法律の施行の日から六月間は、適用しない。

3　前項に規定する自動車ターミナルについては、第十四条第一項（第二十七条において準用する場合を含む。）の規定は、この法律の施行の日から三年間は、適用しない。ただし、当該自動車ターミナルの構造又は設備を変更した場合において、その変更に係る部分については、その変更後は、この限りでない。

第六条・第七条　〔他の法令改正に付き略〕

（参考）

○刑法等の一部を改正する法律の施行に伴う関係法律の整理等に関する法律〔抄〕

〔令和四・六・一七　法律六八〕

（自動車ターミナル法の一部改正）

第三七八条　自動車ターミナル法（昭和三十四年法律第百三十六号）の一部を次のように改正する。

第五条第一号中「懲役又は禁錮の刑」を「拘禁刑」に改める。

附　則

（施行期日）

1　この法律は、刑法等一部改正法〔令和四年法律第六十七号〕施行日〔令和七・六・一〕から施行する。〔以下略〕

○自動車ターミナル法施行規則〔抄〕

〔昭和三四・一〇・九　運輸省令四七〕

改正　前略…平成九・一二運令八一、平成一〇・三運令八、平成一二・一一運令三九、平成一三・三国交令三七、平成一七・三国交令一二、平成一八・四国交令五八、令和元・六国交令二〇、令和二・一二国交令九八、令和六・三国交令二六

第三章　管理基準

（機能の保持等）

第一一条　管理者（自動車ターミナル事業者及び専用バスターミナルを設置した一般乗合旅客自動車運送事業者をいう。以下同じ。）は、清掃、点検及び修理により、自動車ターミナルの機能を完全な状態に保持するようにしなければならない。

2　管理者は、換気設備その他の設備を適切に操作することにより、危険の防止及び事業用自動車の円滑な運行を確保しなければならない。

（運行管理）

第一二条　管理者は、危険の防止及び事業用自動車の円滑な運行を図るため、あらかじめ適切な運行方法を定め、当該自動車ターミナルを使用する自動車の運転者にこれを遵守させるようにしなければならない。

2　管理者は、前項の運行方法を前項の運転者に遵守させるため必要がある場合には、運行管理員を配置して自動車の誘導に当たらせる等適切な措置を講じなければならない。

3　管理者は、事業用自動車の安全かつ円滑な運行を阻害するおそれがある場合には、事業用自動車以外の自動車に自動車ターミナルを使用させてはならない。

（停留方法等）

第一三条　管理者は、事業用自動車を停留場所以外の場所に旅客の乗降若しくは貨物の積卸しのため停留させてはならない。

2　管理者は、自動車を誘導車路又は操車場所に駐車させてはならない。ただし、危険又は混雑を生ずるおそれがなく、かつ、事業用自動車の円滑な運行に支障がない場所については、この限りでない。

（旅客の混雑の防止等）

第一四条　バスターミナルの管理者は、旅客その他バスターミナルを利用する公衆の混雑を防止するため必要がある場合には、放送、掲示等による案内、整理員の配置、乗降場又は旅客通路を乗車用と降車用とに区別すること等適切な措置を講じなければならない。

2　バスターミナルの管理者は、旅客その他バスターミナルを利用する公衆をみだりに自動車用場所に立ち入らせないように適切な措置を講じなければならない。

（工事中の措置）

第一五条　管理者は、工事を行う場合には、危険及び混雑を防止するため標識の設置その他の適切な措置を講じなければならない。

（事故発生時の措置）

第一六条　管理者は、火災、衝突その他の事故が発生した場合には、直ちに旅客の誘導、事故自動車の撤去その他の適切な措置を講じなければならない。

（危険の防止）

第一七条　管理者は、災害その他の原因により自動車の運行及び旅客の安全を阻害するおそれが生じた場合には、直ちにその供用を一時停止する等適切な措置を講じなければならない。

附　則

（施行期日）

第一条　この省令は、昭和三十四年十月十日から施行する。

（経過規定）

第二条　法附則第二条第二項の規定による届出をしようとする者は、次の事項を記載した届出書を提出しなければならない。

一　氏名又は名称及び住所

二　経営する自動車ターミナル事業の種類

三　一般自動車ターミナルの名称及び位置

四　一般自動車ターミナルの規模（停留場所の数）

五　一般自動車ターミナルの構造及び設備の概要（第二条第一項第四号イからカまでの事項の概要）

六　当該一般自動車ターミナルを使用する自動車の一日当り発着回数並びにその自動車運送事業者別及び運行系統別の内訳

七　附帯事業を経営する場合は、その種類

2　前項の届出書には、次の書類及び図面を添附しなければならない。

一　一般自動車ターミナルの位置を示した縮尺一万分の一以上の地図
二　前面道路の幅員及び縦断勾配を記載した書類
三　次の事項を示した縮尺五百分の一以上の平面図
イ　一般自動車ターミナルの境域
ロ　道路の路面に接する自動車の出口又は入口から五十メートル以内にある道路交通取締法施行令第三十条第一号から第五号までの場所で前面道路内にあるものを示す平面図
四　附帯事業を経営する場合は、その概要を記載した書類
五　地方公共団体以外の法人にあつては、次の書類
イ　定款又は寄附行為及び登記簿の謄本
ロ　最近の事業年度における財産目録及び貸借対照表
ハ　役員の名簿及び履歴書
六　個人にあつては、次の書類
イ　資産目録
ロ　戸籍抄本
ハ　履歴書

第三条・第四条　〔略〕

○自動車ターミナルの位置、構造及び設備の基準を定める政令

〔昭和三四・一〇・六　政令三三〇〕

改正　前略…平成八・一〇政三二四、平成一二・六政三一二、平成一八・八政二七六、令和二・一一政三三三

（定義）

第一条　この政令で「自動車」とは、一般乗合旅客自動車運送事業（路線を定めて定期に運行する自動車により乗合旅客の運送を行うものに限る。次条において同じ。）又は一般貨物自動車運送事業（特別積合せ貨物運送をするものに限る。）の事業用自動車をいう。

2　この政令で「道路」とは、道路交通法（昭和三十五年法律第百五号）第二条第一項第一号に規定する道路をいう。

3　この政令で「建築物」とは、建築基準法（昭和二十五年法律第二百一号）第二条第一号に規定する建築物をいう。

（位置）

第二条　一般自動車ターミナルの位置は、バスターミナルにあつては当該バスターミナルと一般乗合旅客自動車運送事業に係る運行系統が現に設定されている道路又は設定されることが見込まれる道路とを連絡する道路の構造からみて、トラックターミナルにあつては当該トラックターミナルと幹線道路とを連絡する道路の構造からみて、自動車の円滑な運行を確保することができるものでなければならない。

（構造耐力）

第三条　誘導車路、操車場所、停留場所その他の自動車の通行、停留又は駐車の用に供する場所（以下「自動車用場所」という。）は、自動車荷重その他の荷重並びに地震その他の震動及び衝撃に対して安全な構造でなければならない。

2　自動車用場所の設計に用いる設計自動車荷重は、バスターミナルにあつては二十トン、トラックターミナルにあつては二十五トンとする。

（自動車の出口及び入口）

第四条　自動車の出口及び入口は、その設置の際に道路交通法第四十四条第一項各号のいずれかに該当する場所、橋、幅員が六・五メートル未満である道路又は縦断勾配が十パーセントを超えるものである道路の路面に接して設けてはならない。

2　停留場所の数が十一以上の自動車ターミナルの自動車の出口又は入口で幅員が二十メートル以上の道路の路面に接するものは、その設置の際にその道路の曲がり角又は幅員が二十メートル以上の他の道路との交差点から三十メートル以上離れている場所に設けなければならない。

3　前二項の規定は、国土交通大臣（自動車ターミナル法第二十条の規定により同法第三条第一項、第十一条第一項又は第十五条に規定する職権が地方運輸局長に委任されている場合は、当該職権に係る地方運輸局長。第六条第一項ただし書において同じ。）が関係都道府県公安委員会と協議して当該出口又は入口の設置が当該道路における道路交通の円滑と安全を阻害しないと認める場合については、適用しない。

4　自動車の出口又は入口において、自動車の回転を容易にするため必要があるときは、隅切りをしなければならない。

5　道路の路面に接する自動車の出口の付近の構造は、幅が二・五メートルの自動車がその前端を当該出口に接した場合に、その前端から車両中心線上一・二メートル離れた位置の地上一・七メートルの高さの点において、道路の中心線に直角に向かつて左右にそれぞれ八十度の範囲内でその道路を通行するものの存在を確認できるようにしなければならない。ただし、信号機、反射鏡その他の適当な保安設備を設けるときは、この限りでない。

（諸設備の配置）

第五条　誘導車路、操車場所、停留場所、乗降場、待合所、荷扱場その他の設備の配置は、自動車の円滑な運行又は旅客、荷主その他の利用者の利便を著しく阻害するものであつてはならない。

（誘導車路及び操車場所）

第六条　自動車ターミナルには、自動車が後退運転によらないで出口及び入口を通行できるように誘導車路又は操車場所を設けなければならない。ただし、国土交通大臣が関係都道府県公安委員会と協議して道路交通の円滑と安全を阻害しないと認める場合は、この限りでない。

2　誘導車路の幅員は、六・五メートル以上としなければならない。ただし、一方通行の誘導車路にあつては、三・五メートルまで縮少することができる。

3　上方にはりその他の障害物がある誘導車路の路面上の有効高は、四・一メートル以上でなければならない。

4　誘導車路の屈曲部は、自動車（長さが十二メートル、幅が二・五メートル、軸距が六・五メートル、前端から前車軸までの水平距離が二メートル、最小回転半径が十二メートルである自動車とする。）が円滑に回転できる構造としなければならない。

5　誘導車路の傾斜部の勾配は、十パーセントを超えてはならない。

6　操車場所の形状及び広さは、自動車ターミナルの規模及び構造に適応したものでなければならない。

7　第三項及び第五項の規定は、操車場所について準用する。

（停留場所）

第七条　停留場所は、長さは十二メートル以上、幅は三メートル以上とし、区画線その他適当な方法でその位置を明示しなければならない。

2　停留場所の面には、一・五パーセント以上の勾配があつてはならない。

3　前条第三項の規定は、停留場所について準用する。

（旅客用場所）

第八条　バスターミナルの乗降場、旅客通路その他の旅客の用に供する場所（以下「旅客用場所」という。）は、自動車用場所と共用するものであつてはならない。ただし、旅客通路を自動車用場所と共用する場合であつて、警報設備の設置その他の適当な措置を講ずることにより旅客の安全及び自動車の円滑な運行を阻害しないときは、この限りでない。

2　バスターミナルの旅客用場所（乗降場を除く。）、自動車用場所及び自動車用場所と共用する旅客通路は、それぞれ、さく、区画線その他適当な方法により明確に区分しなければならない。

（乗降場）

第九条　乗降場の幅は、八十センチメートル以上でなければならない。

2　乗降場は、その乗降場に接する自動車用場所の面上十センチメートル以上二十センチメートル以下の高さを有するもの又はさくその他の遮断設備により自動車用場所と明確に区分されたものでなければならない。

（排水設備）

第一〇条　自動車ターミナルには、建築物である部分を除き、側溝その他の排水設備を設けなければならない。

（避難設備）

第一一条　バスターミナルの建築物である部分において、直接地上へ通ずる旅客の出入口のある階以外の階に乗降場、待合所その他旅客の集合する設備を設けるときは、建築基準法施行令（昭和二十五年政令第三百三十八号）第百二十三条第一項若しくは第二項に規定する避難階段又はこれと同等以上の避難設備を設けなければならない。

（換気設備）

第一二条　通常の状態において空気中の一酸化炭素の占める割合が〇・〇一パーセントを超えるおそれがある場所には、その割合を〇・〇一パーセント以下に保つことができる換気設備を設けなければならない。

附　則

この政令は、自動車ターミナル法の施行の日（昭和三十四年十月十日）から施行する。

附　則（平成八・一〇・三〇政令三一四抄）

（施行期日）

1　この政令は、自動車ターミナル法の一部を改正する法律の施行の日（平成八年十一月二十八日）から施行する。

（経過措置）

2　この政令の施行の際現に設置されている自動車用場所又は現に新設の工事中の自動車用場所については、第一条の規定による改正後の自動車ターミナルの位置、構造及び設備の基準を定める政令第三条又は第六条第三項（同条第七項及び同令第七条第三項において準用する場合を含む。）の規定にかかわらず、なお従前の例による。

附　則（平成一八・八・一八政令二七六）

この政令は、道路運送法等の一部を改正する法律の施行の日（平成十八年十月一日）から施行する。

附　則（令和二・一一・一三政令三三三抄）

（施行期日）

第一条　この政令は、道路交通法の一部を改正する法律（次条において「改正法」という。）附則第一条第二号に掲げる規定の施行の日（令和二年十二月一日）から施行する。

〇特定車両停留施設の構造及び設備の基準を定める省令

〔令和二・一一・二〇　国土交通省令九一〕

（この省令の趣旨）

第一条　この省令は、特定車両停留施設を新設し、又は改築する場合における特定車両停留施設の構造及び設備の一般的技術的基準を定めるものとする。

（構造耐力）

第二条　誘導車路、操車場所、停留場所その他の特定車両の通行、停留又は駐車の用に供する場所（以下「特定車両用場所」という。）は、特定車両の荷重その他の荷重並びに地震その他の震動及び衝撃に対して安全な構造でなければならない。

2　特定車両用場所の設計に用いる設計自動車荷重は、道路法施行規則（昭和二十七年建設省令第二十五号）第一条第三号に掲げる自動車のみの停留の用に供する特定車両停留施設にあっては三十キロニュートン、同条第四号に掲げる自動車の停留の用に供する特定車両停留施設にあっては二百四十五キロニュートン、その他の特定車両停留施設にあっては百九十六キロニュートンとする。

（特定車両の出口及び入口）

第三条　特定車両の出口及び入口は、その設置の際に道路交通法（昭和三十五年法律第百五号）第四十四条第一項各号のいずれかに該当する場所、橋、幅員が六・五メートル（道路法施行規則第一条第三号に掲げる自動車のみに係る出口及び入口にあっては、六メートル）未満である道路又は縦断勾配が十パーセント（同号に掲げる自動車のみに係る出口及び入口にあっては、十二パーセント）を超えるものである道路に接して設けてはならない。

2　停留場所の数が十一以上の特定車両停留施設の特定車両の出口又は入口で幅員が二十メートル以上の道路に接するものは、その設置の際にその道路の曲がり角又は幅員が二十メートル以上の他の道路との交差点から三十メートル以上離れている場所に設けなければならない。

3　前二項の規定は、道路管理者が特定車両停留施設の存する地域を管轄する都道府県公安委員会と協議して当該出口又は入口の設置が当該道路における道路交通の円滑と安全を阻害しないと認める場合については、適用しない。

4　特定車両の出口又は入口において、特定車両の回転を容易にするため必要があるときは、すみ切りをしなければならない。

5　道路に接する特定車両の出口の付近の構造は、特定車両がその前端を当該出口に接した場合に、その前端から車両中心線上一・二メートル離れた位置の地上一・七メートル（道路法施行規則第一条第三号に掲げる自動車にあっては、一・二メートル）の高さの点において、道路の中心線に直角に向かって左右にそれぞれ八十度の範囲内でその道路を通行するものの存在を確認できるようにしなければならない。ただし、信号機、反射鏡その他の適当な保安設備を設けるときは、この限りでない。

（諸設備の配置）

第四条　誘導車路、操車場所、停留場所、乗降場、待合所、荷扱場その他の設備の配置は、特定車両の円滑な運行又は旅客、荷主その他の利用者の利便を著しく阻害するものであってはならない。

（誘導車路及び操車場所）

第五条　特定車両停留施設には、特定車両が後退運転によらないで出口及び入口を通行できるように誘導車路又は操車場所を設けなければならない。

2　誘導車路の幅員は、六・五メートル（道路法施行規則第一条第三号に掲げる自動車のみに係る誘導車路にあっては、五・五メートル）以上としなければならない。ただし、一方通行の誘導車路にあっては、三・五メートルまで縮少することができる。

3　上方にはりその他の障害物がある誘導車路の路面上の有効高は、四・一メートル（道路法施行規則第一条第三号に掲げる自動車のみに係る誘導車路にあっては、三メートル）以上でなければならない。

4　誘導車路の屈曲部は、特定車両（長さが十二メートル、幅が二・五メートル、軸距が六・五メートル、前端から前車軸までの水平距離が二メートル、最小回転半径が十二メートルである特定車両とする。）が円滑に回転できる構造としなければならない。ただし、道路法施行規則第一条第三号に掲げる自動車のみに係る誘導車路の屈曲部にあっては、特定車両（長さが六メートル、幅が二メートル、軸距が三・七メートル、前端から前車軸までの水平距離が一メートル、最小回転半径が七メートルである特定車両とする。）が円滑に回転できる構造としなければならない。

5　誘導車路の傾斜部の勾配は、十パーセント（道路法施行規則第一条第三号に掲げる自動車のみに係る誘導車路の傾斜部にあっては、十二パーセント）を超えてはならない。ただし、地形の状況その他の特別の理由によりやむを得ない場合においては、十二パーセント以下とすることができる。

6　操車場所の形状及び広さは、特定車両停留施設の規模及び構造に適応したものでなければならない。

7　第三項及び第五項の規定は、操車場所について準用する。

（停留場所）

第六条　停留場所は、長さは十二メートル以上、幅は三メートル以上（道路法施行規則第一条第三号に掲げる自動車のみに係る停留場所にあっては、長さは六メートル以上、幅は二・五メートル以上）とし、区画線その他適当な方法でその位置を明示しなければならない。

2　停留場所の面には、一・五パーセント以上の勾配があってはならない。

3　前条第三項の規定は、停留場所について準用する。

（旅客用場所）

第七条　道路法施行規則第一条第一号から第三号までに掲げる自動車の停留の用に供する特定車両停留施設の乗降場、旅客通路その他の旅客の用に供する場所（以下「旅客用場所」という。）は、特定車両用場所と共用するものであってはならない。ただし、旅客通路を特定車両用場所と共用する場合であって、警報設備の設置その他の適当な措置を講ずることにより旅客の安全及び特定車両の円滑な運行を阻害しないときは、この限りでない。

2　道路法施行規則第一条第一号から第三号までに掲げる自動車の停留の用に供する特定車両停留施設の旅客用場所（乗降場を除く。）、特定車両用場所及び特定車両用場所と共用する旅客通路は、それぞれ、柵、区画線その他適当な方法により明確に区分しなければならない。

（乗降場）

第八条　乗降場の幅は、八十センチメートル以上でなければならない。

2　乗降場は、その乗降場に接する特定車両用場所の面上十センチメートル以上二十センチメートル以下の高さを有するもの又はさくその他の遮断設備により特定車両用場所と明確に区分されたものでなければならない。

（排水設備）

第九条　特定車両停留施設には、建築物（建築基準法（昭和二十五年法律第二百一号）第二条第一号に規定する建築物をいう。次条において同じ。）である部分を除き、側溝その他の排水設備を設けなければならない。

（避難設備）

第一〇条　道路法施行規則第一条第一号から第三号までに掲げる自動車の停留の用に供する特定車両停留施設の建築物である部分において、直接地上へ通ずる出入口のある階以外の階に乗降場、待合所その他旅客の集合する設備を設けるときは、建築基準法施行令（昭和二十五年政令第三百三十八号）第百二十三条第一項若しくは第二項に規定する避難階段又はこれと同等以上の避難設備を設けなければならない。

（換気設備）

第一一条　通常の状態において空気中の一酸化炭素の占める割合が〇・〇一パーセントを超えるおそれがある場所には、その割合を〇・〇一パーセント以下に保つことができる換気設備を設けなければならない。

（交通結節機能の高度化のための構造）

第一二条　道路管理者は、旅客の乗降の用に供する特定車両停留施設であって、公共交通機関の旅客施設（以下単に「旅客施設」という。）の敷地に隣接し、若しくは近接する土地に設けられ、又は旅客施設である道路一体建物（道路法（昭和二十七年法律第百八十号）第四十七条の八第一項第一号に規定する道路一体建物をいう。）と一体的な構造となるものについて、交通結節機能の高度化（特定車両停留施設及び旅客施設における相当数の人の移動について、複数の交通手段の間を結節する機能を高度化することをいう。）を図るため、当該特定車両停留施設と旅客施設との間を往来して公共交通機関相互の乗継ぎを行う旅客の利便の増進に資するように旅客用場所を配置することその他の適当な方法により当該旅客の乗継ぎを円滑に行うことができる構造とするように努めなければならない。

（災害時における対応のための構造及び設備）

第一三条　道路管理者は、前条に規定する特定車両停留施設について、災害が発生した場合において当該特定車両停留施設及びその周辺の旅客を一時的に滞在させることができる構造とし、及び当該旅客の移動のための交通手段に関する情報、当該特定車両停留施設の周辺に存する指定避難所（災害対策基本法（昭和三十六年法律第二百二十三号）第四十九条の七第一項に規定する指定避難所をいう。）の場所に係る情報その他の情報を提供するための設備を設けるように努めなければならない。

（権限の委任）

第一四条　第三条第三項に規定する道路管理者である国土交通大臣の権限は、地方整備局長及び北海道開発局長に委任する。

附　則

（施行期日）

第一条　この省令は、道路法等の一部を改正する法律（令和二年法律第三十一号）の施行の日（令和二年十一月二十五日）から施行する。ただし、次条の規定は、道路交通法の一部を改正する法律（令和二年法律第四十一号）の施行の日（令和二年十二月一日）から施行する。

第二条　〔略〕

4

第四編　道路運送車両

第四編　道路運送車両

○道路運送車両法　（昭二六法一八五）……一四三一
○道路運送車両法施行令　（昭二六政二五四）……一四七〇
○道路運送車両法施行規則　（昭二六運令七四）……一四七四
○自動車登録令〔抄〕　（昭二六政二五六）……一五五七
○自動車登録規則〔抄〕　（昭四五運令七）……一五五八
○自動車の登録及び検査に関する申請書等の様式等を定める省令　（昭四五運令八）……一五六六
○道路運送車両の保安基準　（昭二六運令六七）……一六四四
○道路運送車両の保安基準の細目を定める告示〔抄〕　（平一四国交告六一九）……一六六八
○道路運送車両の保安基準第三十一条第十四項、第十五項、第二十三項及び第二十四項に基づき、自動車から排出される排出物の基準等に関する事項を定める告示　（平一三国交告一二九四）……一七八一
○道路運送車両の保安基準第五十五条第一項、第五十六条第一項及び第五十七条第一項に規定する国土交通大臣が告示で定めるものを定める告示　（平一五国交告一三二〇）……一七八三
○道路運送車両の保安基準第二章及び第三章の規定の適用関係の整理のため必要な事項を定める告示　（平一五国交告一三一八）……一七八六
○自衛隊法〔抄〕　（昭二九法一六五）……一九九七
○自動車点検基準　（昭二六運令七〇）……一九九七
○自動車型式指定規則〔抄〕　（昭二六運令八五）……二〇一一
○指定自動車整備事業規則〔抄〕　（昭三七運令四九）……二〇一二
○自動車事故報告規則〔抄〕　（昭二六運令一〇四）……二〇一六
○道路交通に関する条約の実施に伴う道路運送車両法の特例等に関する法律　（昭三九法一〇九）……二〇一七

○道路運送車両法

〔昭和二六・六・一
法律一八五〕

改正　昭和二七・四法一〇二、六法一八一、昭和二八・八法二一三、九法二五九、昭和二九・五法九五、五法九七、昭和三〇・六法二六、八法一一二、昭和三一・三法一六、昭和三三・四法五四、昭和三六・六法一四五、昭和三七・五法一〇六、九法一六一、昭和三八・七法一四九、昭和三九・三法四七、昭和四四・八法六八、昭和四五・五法八〇、昭和四六・三法九、五法八九、昭和四七・六法六二、昭和五〇・五法三四、昭和五四・三法五、昭和五七・九法九一、昭和五八・五法五七、昭和五九・五法二三、法二五、八法六七、昭和六二・五法四〇、平成元・一二法八三、法九一、平成五・一一法八九、平成六・七法八六、平成一〇・五法七四、六法一〇一、平成一一・五法四三、六法六六、七法八七、一二法一五一、法一六〇、法二〇七、法二一八、法二二〇、平成一二・五法九一、平成一四・五法五四、七法八九、法一〇〇、一二法一五二、平成一五・五法六一、平成一六・五法五五、六法一二四、一二法一四七、平成一七・七法八七、平成一八・三法一〇、五法四〇、六法五〇、平成一九・三法九、平成二〇・四法二一、平成二三・六法六一、平成二六・四法二二、六法六九、平成二七・六法四四、平成二八・三法一三、五法五一、平成二九・五法四〇、令和元・五法一四、法一六、六法三七、令和三・五法三七、令和四・三法四、令和五・六法六三

注　令和四年六月一七日法律第六八号の改正は、令和七年六月一日から施行のため、附則の次に（参考）として改正文を掲載いたしました。

第一章　総則

（この法律の目的）

第一条　この法律は、道路運送車両に関し、所有権についての公証等を行い、並びに安全性の確保及び公害の防止その他の環境の保全並びに整備についての技術の向上を図り、併せて自動車の整備事業の健全な発達に資することにより、公共の福祉を増進することを目的とする。

（定義）

第二条　この法律で「道路運送車両」とは、自動車、原動機付自転車及び軽車両をいう。

2　この法律で「自動車」とは、原動機により陸上を移動させることを目的として製作した用具で軌条若しくは架線を用いないもの又はこれにより牽引して陸上を移動させることを目的として製作した用具であつて、次項に規定する原動機付自転車以外のものをいう。

3　この法律で「原動機付自転車」とは、国土交通省令で定める総排気量又は定格出力を有する原動機により陸上を移動させることを目的として製作した用具で軌条若しくは架線を用いないもの又はこれにより牽引して陸上を移動させることを目的として製作した用具をいう。

4　この法律で「軽車両」とは、人力若しくは畜力により陸上を移動させることを目的として製作した用具で軌条若しくは架線を用いないもの又はこれにより牽引して陸上を移動させることを目的として製作した用具であつて、政令で定めるものをいう。

5　この法律で「運行」とは、人又は物品を運送するとしないとにかかわらず、道路運送車両を当該装置の用い方に従い用いること（道路以外の場所のみにおいて用いることを除く。）をいう。

6　この法律で「道路」とは、道路法（昭和二十七年法律第百八十号）による道路、道路運送法（昭和二十六年法律第百八十三号）による自動車道及びその他の一般交通の用に供する場所をいう。

7　この法律で「自動車運送事業」とは、道路運送法による自動車運送事業（貨物軽自動車運送事業を除く。）をいい、「自動車運送事業者」とは、自動車運送事業を経営する者をいう。

8　この法律で「使用済自動車」とは、使用済自動車の再資源化等に関する法律（平成十四年法律第八十七号）による使用済自動車をいう。

9　この法律で「登録識別情報」とは、第四条の自動車登録ファイルに自動車の所有者として記録されている者が当該自動車に係る登録を申請する場合において、当該記録されている者自らが当該登録を申請していることを確認するために用いられる符号その他の情報であつて、当該記録されている者を識別することができるものをいう。

（自動車の種別）

第三条　この法律に規定する普通自動車、小型自動車、軽自動車、大型特殊自動車及び小型特殊自動車の別は、自動車の大きさ及び構造並びに原動機の種類及び総排気量又は定格出力を基準として国土交通省令で定める。

第二章　自動車の登録等

（登録の一般的効力）

第四条　自動車（軽自動車、小型特殊自動車及び二輪の小型自動車を除く。以下第二十九条から第三十二条までを除き本章において同じ。）は、自動車登録ファイルに登録を受けたものでなければ、これを運行の用に供してはならない。

第五条　登録を受けた自動車の所有権の得喪は、登録を受けなければ、第三者に対抗することができない。

2　前項の規定は、自動車抵当法（昭和二十六年法律第百八十七号）第二条但書に規定する大型特殊自動車については、適用しない。

（自動車登録ファイル等）

第六条　自動車の自動車登録ファイルへの登録は、政令で定めるところにより、電子情報処理組織によつて行なう。

2　自動車登録ファイル及び前項の電子情報処理組織は、国土交通大臣が管理する。

（新規登録の申請）

第七条　登録を受けていない自動車の登録（以下「新規登録」という。）を受けようとする場合には、その所有者は、国土交通大臣に対し、次に掲げる事項を記載した申請書に、国土交通省令で定める区分により、第三十三条に規定する譲渡証明書、輸入の事実を証明する書面又は当該自動車の所有権を証明するに足るその他の書面を添えて提出し、かつ、当該自動車を提示しなければならない。

一　車名及び型式

二　車台番号（車台の型式についての表示を含む。以下同じ。）

三　原動機の型式

四　所有者の氏名又は名称及び住所

五　使用の本拠の位置

六　取得の原因

2　国土交通大臣は、前項の申請をする者に対し、同項に規定するもののほか、車台番号又は原動機の型式の打刻に関する証明書その他必要な書面の提出を求めることができる。

3　第一項の申請をする場合において、次の各号に掲げる自動車

にあつては、それぞれ当該各号に定める書面の提出をもつて当該自動車の提示に代えることができる。

一　第七十一条第二項の規定による有効な自動車予備検査証の交付を受けている自動車　自動車予備検査証

二　第七十五条第一項の規定によりその型式について指定を受けた自動車　同条第四項の規定による完成検査終了証（発行後国土交通省令で定める期間を経過しないものに限る。次項第二号において同じ。）

三　第十六条第一項の申請に基づく一時抹消登録を受けた後に第九十四条の五第一項の規定による有効な保安基準適合証の交付を受けている乗用自動車等（人の運送の用に供する自動車又は貨物の運送の用に供する小型自動車のうち、当該自動車の構造等に関する事項（第七十一条の二第一項に規定する構造等に関する事項をいう。）に変更が生ずることが少ないものとして国土交通省令で定めるものをいう。第九十四条の五第七項において同じ。）　保安基準適合証

四　第七十一条の二第一項の規定による有効な限定自動車検査証の交付を受けた後に第九十四条の五の二第一項の規定による有効な限定保安基準適合証の交付を受けている自動車　限定自動車検査証及び限定保安基準適合証

4　第一項の申請をする者は、次の各号に掲げる規定によりそれぞれ当該各号に掲げる規定に規定する事項が第九十六条の二から第九十六条の四までの規定により国土交通大臣の登録を受けた者（以下「登録情報処理機関」という。）に提供されたときは、国土交通省令で定めるところにより、同項の申請書にその旨を記載することをもつてそれぞれ当該各号に掲げる書面の提出に代えることができる。

一　第三十三条第四項　譲渡証明書

二　第七十五条第五項　完成検査終了証

三　第九十四条の五第二項　保安基準適合証

四　第九十四条の五の二第二項において準用する第九十四条の五第二項　限定保安基準適合証

5　前項の規定により同項各号に掲げる規定に規定する事項が登録情報処理機関に提供されたことが第一項の申請書に記載されたときは、国土交通大臣は、登録情報処理機関に対し、国土交通省令で定めるところにより、必要な事項を照会するものとする。

6　第一項の申請は、新規検査の申請又は第七十一条第四項の交付の申請と同時にしなければならない。

（新規登録の基準）

第八条　国土交通大臣は、前条の申請書を受理したときは、次の各号のいずれかに該当する場合を除き、新規登録をしなければならない。

一　申請者が当該自動車の所有権を有するものと認められないとき。

二　当該自動車が新規検査を受け、保安基準に適合すると認められたもの又は有効な自動車予備検査証の交付を受けているものでないとき。

三　当該自動車に打刻されている車台番号及び原動機の型式（前条第三項各号に掲げる書面の提出をもつて当該自動車の提示に代えた場合には、当該書面に記載されている車台番号及び原動機の型式）が申請書に記載されている車台番号及び原動機の型式と同一でないとき。

四　その他その申請に係る事項に虚偽があると認めるとき。

（新規登録事項）

第九条　新規登録は、自動車登録ファイルに第七条第一項第一号から第五号までに掲げる事項及び新規登録の年月日を登録し、かつ、国土交通省令で定める基準により自動車登録番号を定め、これを自動車登録ファイルに登録することによつて行う。

（登録事項の通知）

第一〇条　国土交通大臣は、新規登録をしたときは、国土交通省令で定めるところにより、申請者に対し、登録事項を通知しなければならない。

（自動車登録番号標の封印等）

第一一条　自動車の所有者は、前条の規定により自動車登録番号の通知を受けたときは、当該番号を記載した自動車登録番号標を国土交通大臣又は第二十五条の自動車登録番号標交付代行者から交付を受け、国土交通省令で定めるところによりこれを当該自動車に取り付けた上、国土交通大臣（政令で定める離島にあつては、国土交通大臣又は政令で定める市町村の長。以下この条（次項第三号及び第三項を除く。）において同じ。）又は第二十八条の三第一項の規定による委託を受けた者（以下この条において「封印取付受託者」という。）の行う封印の取付けを受けなければならない。

2　前項の規定は、次に掲げる場合について準用する。この場合において必要となる自動車登録番号標又は封印の取り外しは、国土交通大臣又は封印取付受託者が行うものとする。

一　自動車登録番号標が滅失し、毀損し、又は第三十九条第二項の規定に基づく国土交通省令で定める様式に適合しなくなつたとき。

二　自動車登録番号標に記載された自動車登録番号の識別が困難となつたとき。

三　次項の規定により国土交通大臣が自動車登録番号標の交換を認めたとき。

3　国土交通大臣は、自動車の所有者から当該自動車に係る自動車登録番号標の交換の申請があつたときは、これを認めるものとする。

4　自動車の所有者は、当該自動車に係る自動車登録番号標に取り付けられた封印が滅失し、又は毀損したとき（次項ただし書の国土交通省令で定めるやむを得ない事由に該当して取り外したときを除く。）は、国土交通大臣又は封印取付受託者の行う封印の取付けを受けなければならない。

5　何人も、国土交通大臣若しくは封印取付受託者が取付けをした封印又はこれらの者が封印の取付けをした自動車登録番号標は、これを取り外してはならない。ただし、整備のため特に必要があるときその他の国土交通省令で定めるやむを得ない事由に該当するときは、この限りでない。

6　前項ただし書の場合において、当該自動車の所有者は、同項ただし書の国土交通省令で定めるやむを得ない事由に該当しなくなつたときは、封印のみを取り外した場合にあつては国土交通大臣又は封印取付受託者の行う封印の取付けを受け、封印の取付けをした自動車登録番号標を取り外した場合にあつては国土交通省令で定めるところにより当該自動車登録番号標を当該自動車に取り付けた上で国土交通大臣又は封印取付受託者の行う封印の取付けを受けなければならない。

（変更登録）

第一二条　自動車の所有者は、登録されている型式、車台番号、原動機の型式、所有者の氏名若しくは名称若しくは住所又は使用の本拠の位置に変更があつたときは、その事由があつた日から十五日以内に、国土交通大臣の行う変更登録の申請をしなければならない。ただし、次条の規定による移転登録又は第十五条の規定による永久抹消登録の申請をすべき場合は、この限りでない。

2　前項の申請をすべき事由により第六十七条第一項の規定による自動車検査証の変更記録の申請をすべきときは、これらの申請は、同時にしなければならない。

3　第一項の変更登録のうち、車台番号又は原動機の型式の変更に係るものについては、第八条（第三号及び第四号に係る部分に限る。）の規定を、その他の変更に係るものについては、同条（同号に係る部分に限る。）の規定を準用する。

4　第十条の規定は、変更登録をした場合について準用する。

（移転登録）

第一三条　新規登録を受けた自動車（以下「登録自動車」とい

う。）について所有者の変更があつたときは、新所有者は、その事由があつた日から十五日以内に、国土交通大臣の行う移転登録の申請をしなければならない。

2　国土交通大臣は、前項の申請を受理したときは、第八条第一号若しくは第四号に該当する場合又は当該自動車に係る自動車検査証が有効なものでない場合を除き、移転登録をしなければならない。

3　前条第二項の規定は、第一項の申請について準用する。

4　第十条の規定は、移転登録をした場合について準用する。

（自動車登録番号の変更）

第一四条　国土交通大臣は、前二条の申請があつた場合その他の場合において、登録自動車についてその自動車登録番号が第九条の国土交通省令で定める基準に適合しなくなつたと認めるときは、その自動車登録番号を変更するものとする。

2　第九条、第十条及び第十一条第一項の規定は、前項の規定による自動車登録番号の変更について準用する。

（永久抹消登録）

第一五条　登録自動車の所有者は、次に掲げる場合には、その事由があつた日（当該事由が使用済自動車の解体である場合にあつては、使用済自動車の再資源化等に関する法律による情報管理センター（以下単に「情報管理センター」という。）に当該自動車が同法の規定に基づき適正に解体された旨の報告がされたことを証する記録として政令で定める記録（以下「解体報告記録」という。）がなされたことを知つた日）から十五日以内に、永久抹消登録の申請をしなければならない。

一　登録自動車が滅失し、解体し（整備又は改造のために解体する場合を除く。）、又は自動車の用途を廃止したとき。

二　当該自動車の車台が当該自動車の新規登録の際存したものでなくなつたとき。

2　引取業者（使用済自動車の再資源化等に関する法律による引取業者をいう。第百条第一項第三号において同じ。）は、同法の規定に基づきその取扱いに係る登録自動車の解体報告記録がなされたことを確認し、これを確認したときは、自らが当該自動車の所有者である場合を除き、その旨を当該自動車の所有者に通知するものとする。

3　登録自動車の所有者は、使用済自動車の解体に係る第一項の申請をするときは、同項の解体報告記録がなされた日及び車台番号その他の当該解体報告記録が当該自動車に係るものであることを特定するために必要な事項として国土交通省令で定める事項を明らかにしなければならない。

4　第一項の場合において、登録自動車の所有者が永久抹消登録の申請をしないときは、国土交通大臣は、その定める七日以上の期間内において、これをなすべきことを催告しなければならない。

5　国土交通大臣は、前項の催告をした場合において、登録自動車の所有者が正当な理由がないのに永久抹消登録の申請をしないときは、永久抹消登録をし、その旨を所有者に通知しなければならない。

（輸出抹消登録）

第一五条の二　登録自動車（国土交通省令で定めるものを除く。）の所有者は、その自動車を輸出しようとするときは、当該輸出の予定日から国土交通省令で定める期間さかのぼつた日から当該輸出をする時までの間に、輸出抹消仮登録の申請をし、かつ、次項の規定による輸出抹消仮登録証明書の交付を受けなければならない。ただし、その自動車を一時的に輸出した後に本邦に再輸入することが見込まれる場合であつて輸出抹消仮登録を受けさせる必要性に乏しいものとして国土交通省令で定めるものに該当する場合には、国土交通省令で定めるところにより、あらかじめ、その旨を国土交通大臣に届け出なければならない。

2　国土交通大臣は、前項の申請に基づき輸出抹消仮登録をしたときは、申請者に対し、当該自動車について輸出が予定されている旨が記載され、かつ、当該輸出の予定日までを有効期間とする輸出抹消仮登録証明書を交付するものとする。

3　国土交通大臣は、第一項の申請に基づき輸出抹消仮登録をしたときは、税関長に対し、当該自動車の輸出の予定日が経過した後速やかに、前項に規定する輸出抹消仮登録証明書の具備について関税法（昭和二十九年法律第六十一号）第七十条第二項の確認をしたことその他当該自動車の輸出の事実を確認するために必要な照会をしなければならない。この場合において、国土交通大臣は、当該自動車の輸出の事実を確認したときは、輸出抹消登録をするものとする。

4　第二項の規定により交付を受けた輸出抹消仮登録証明書に係る自動車が輸出されることなく当該輸出抹消仮登録証明書の有効期間が満了したときは、当該自動車の所有者は、当該有効期間が満了した日から十五日以内に、国土交通大臣に当該輸出抹消仮登録証明書を返納しなければならない。

5　国土交通大臣は、前項の規定その他の事由により輸出抹消仮登録証明書の返納を受けたときは、次条第一項の規定による一時抹消登録の申請があつたものとみなして一時抹消登録をするものとする。

（一時抹消登録）

第一六条　登録自動車の所有者は、前二条に規定する場合を除くほか、その自動車を運行の用に供することをやめたときは、一時抹消登録の申請をすることができる。

2　一時抹消登録を受けた自動車（国土交通省令で定めるものを除く。）の所有者は、次に掲げる場合には、その事由があつた日（当該事由が使用済自動車の解体である場合にあつては、解体報告記録がなされたことを知つた日）から十五日以内に、国土交通省令で定めるところにより、その旨を国土交通大臣に届け出なければならない。

一　当該自動車が滅失し、解体し（整備又は改造のために解体する場合を除く。）、又は自動車の用途を廃止したとき。

二　当該自動車の車台が当該自動車の新規登録の際存したものでなくなつたとき。

3　第十五条第二項及び第三項の規定は、使用済自動車の解体に係る前項の規定による届出をする場合について準用する。この場合において、これらの規定中「登録自動車」とあるのは、「一時抹消登録を受けた自動車」と読み替えるものとする。

4　一時抹消登録を受けた自動車（国土交通省令で定めるものを除く。）の所有者は、その自動車を輸出しようとするときは、当該輸出の予定日から国土交通省令で定める期間さかのぼつた日から当該輸出をする時までの間に、国土交通省令で定めるところにより、国土交通大臣にその旨の届出をし、かつ、次項の規定による輸出予定届出証明書の交付を受けなければならない。

5　国土交通大臣は、前項の規定による届出があつたときは、当該届出をした者に対し、当該自動車について輸出が予定されている旨が記載され、かつ、当該輸出の予定日までを有効期間とする輸出予定届出証明書を交付するものとする。

6　前条第三項及び第四項の規定は、一時抹消登録を受けた自動車の輸出に係る第四項の規定による届出があつた場合について準用する。この場合において、同条第三項中「輸出抹消仮登録証明書」とあるのは「輸出予定届出証明書」と、「輸出抹消登録を」とあるのは「その旨を自動車登録ファイルに記録」と、同条第四項中「第二項」とあるのは「次条第五項」と、「輸出抹消仮登録証明書」とあるのは「輸出予定届出証明書」と読み替えるものとする。

7　国土交通大臣は、前項において準用する前条第四項の規定その他の事由により輸出予定届出証明書の返納を受けたときは、その旨を自動車登録ファイルに記録するものとする。

（届出記録）

第一七条　国土交通大臣は、第十五条の二第一項ただし書又は前条第二項若しくは第四項の規定による届出があつたときは、その旨を、政令で定めるところにより、第六条第一項の電子情報処理組織によつて、自動車登録ファイルに記録するものとする。

（自動車登録ファイルの正確な記録を確保するための措置）

第一八条　国土交通大臣は、一時抹消登録をした自動車について、国土交通省令で定める期間が経過してもなお第十六条第二項又は第四項の規定による届出がなされないことその他の事情から判断して、当該自動車の所有者が正当な理由がなくてこれらの規定に違反しており、又は違反するおそれがあると認めるときは、これらの規定による届出をなすべき旨の催告その他の当該自動車に係る自動車登録ファイルの正確な記録を確保するために必要と認められる措置を講ずることができる。

２　一時抹消登録を受けた自動車について所有者の変更があつたときは、旧所有者は、次項の規定により当該所有者の変更について自動車登録ファイルに記録がなされた場合その他の国土交通省令で定める場合を除き、当該所有者の変更があつた旨を証明することができる契約書その他の資料を作成し、又は取得して、これを国土交通省令で定める期間保存し、国土交通大臣から求められたときは、これを提示し、又は提出しなければならない。

３　一時抹消登録を受けた自動車について所有者の変更があつたときは、新所有者は、政令で定めるところにより、当該所有者の変更について自動車登録ファイルに記録を受けることができる。

（登録識別情報の通知）

第一八条の二　国土交通大臣は、新規登録、変更登録、移転登録又は一時抹消登録をしたときは、国土交通省令で定めるところにより、速やかに、当該登録の申請者に対し、当該登録に係る登録識別情報を通知しなければならない。ただし、当該申請者があらかじめ登録識別情報の通知を希望しない旨の申出をした場合その他の国土交通省令で定める場合は、この限りでない。

２　前項ただし書の規定による申出をした者は、国土交通省令で定めるところにより、いつでも、国土交通大臣に対し、登録識別情報を通知することを請求することができる。

（登録識別情報の提供）

第一八条の三　新規登録（一時抹消登録があつた自動車に係るものに限る。）、変更登録、移転登録、永久抹消登録、輸出抹消仮登録又は一時抹消登録の申請をする場合には、申請者は、国土交通省令で定めるところにより、登録識別情報を提供しなければならない。ただし、申請者が登録識別情報を提供できないことにつき正当な理由がある場合その他国土交通省令で定める場合は、この限りでない。

２　一時抹消登録があつた自動車を譲渡する者は、国土交通省令で定めるところにより、登録識別情報を譲受人に提供しなければならない。

（自動車登録番号標の表示の義務）

第一九条　自動車は、第十一条第一項（同条第二項及び第十四条第二項において準用する場合を含む。）の規定により国土交通大臣又は第二十五条の自動車登録番号標交付代行者から交付を受けた自動車登録番号標を国土交通省令で定める位置に、かつ、被覆しないことその他当該自動車登録番号標に記載された自動車登録番号の識別に支障が生じないものとして国土交通省令で定める方法により表示しなければ、運行の用に供してはならない。

（自動車登録番号標の廃棄等）

第二〇条　登録自動車の所有者は、次の各号のいずれかに該当するときは、遅滞なく、当該自動車登録番号標及び封印を取り外し、国土交通省令で定める方法により、これを破壊し、若しくは廃棄し、又は国土交通大臣若しくは第二十五条の自動車登録番号標交付代行者に返納しなければならない。

一　第十四条第二項において準用する第十条の規定により自動車登録番号の通知を受けたとき。

二　第十五条第一項の申請に基づく永久抹消登録、第十五条の二第一項の申請に基づく輸出抹消仮登録又は第十六条第一項の申請に基づく一時抹消登録を受けたとき。

三　第十五条第五項の規定により永久抹消登録のあつた旨の通知を受けたとき。

２　登録自動車の所有者は、当該自動車の使用者が第六十九条第二項の規定により自動車検査証を返納したときは、遅滞なく、当該自動車登録番号標及び封印を取りはずし、自動車登録番号標について国土交通大臣の領置を受けなければならない。

３　前項の自動車の使用者が第六十九条第三項の規定により自動車検査証の返付を受けたときは、国土交通大臣は、遅滞なく、領置をした自動車登録番号標を返付しなければならない。

４　前項の自動車登録番号標の返付を受けた者は、国土交通省令で定めるところにより当該自動車登録番号標を当該自動車に取り付け、国土交通大臣の行う封印の取付けを受けなければならない。

（自動車登録ファイルの記録等の保存）

第二一条　永久抹消登録、輸出抹消登録又は一時抹消登録をした自動車に係る自動車登録ファイルの記録は、それぞれ、永久抹消登録にあつては当該永久抹消登録をした日、輸出抹消登録にあつては当該輸出抹消登録をした日、一時抹消登録にあつては第十六条第二項の規定による届出に係る第十七条の規定による記録をした日又は第十六条第六項において準用する第十五条の二第三項後段の規定による記録をした日から五年間保存しなければならない。

２　自動車の登録に係る申請書及び添附書類は、当該申請書を受理した日から五年間保存しなければならない。

（登録事項等証明書等）

第二二条　何人も、国土交通大臣に対し、登録事項その他の自動車登録ファイルに記録されている事項を証明した書面（以下「登録事項等証明書」という。）の交付を請求することができる。

２　前項の規定により登録事項等証明書の交付を請求する者は、国土交通省令で定めるところにより、第百二条第一項の規定による手数料のほか送付に要する費用を納付して、その送付を請求することができる。

３　第九十六条の十五から第九十六条の十七までの規定により国土交通大臣の登録を受けた者（以下「登録情報提供機関」という。）は、登録事項その他の自動車登録ファイルに記録されている情報（以下「登録情報」という。）の電気通信回線による提供を受けようとする者の委託を受けて、その者に対し、国土交通大臣から提供を受けた登録情報を電気通信回線を使用して送信する業務（以下「情報提供業務」という。）を行うため、国土交通大臣に対し、当該委託に係る登録情報の提供を電気通信回線を使用して請求することができる。

４　国土交通大臣又は登録情報提供機関は、第一項の規定による請求をする者又は前項の委託をする者について、国土交通省令で定める方法により本人であることの確認を行うものとする。

５　第一項及び第三項の規定による請求は、請求の事由又は請求に係る委託の事由その他国土交通省令で定める事項を明らかにしてしなければならない。ただし、自動車の所有者が当該自動車について第一項の規定による請求をする場合その他の国土交通省令で定める場合は、この限りでない。

６　国土交通大臣は、第一項の規定による請求若しくは第三項の委託が不当な目的によることが明らかなとき又は第一項の登録事項等証明書の交付若しくは第三項の登録情報の提供により知り得た事項が不当な目的に使用されるおそれがあることその他の第一項又は第三項の規定による請求を拒むに足りる相当な理由があると認めるときは、当該請求を拒むことができる。

（自動車登録ファイルの登録の回復）

第二三条　自動車登録ファイルの記録の全部又は一部が滅失した場合における登録の回復に関して必要な事項は、政令で定める。

（自動車登録官）

第二四条　国土交通大臣は、国土交通省の職員のうちから自動車登録官を任命し、本章に規定する登録に関する事務を執行させるものとする。

２　自動車登録官の任命、服務及び研修について必要な事項は、国家公務員法（昭和二十二年法律第百二十号）及びこれに基づく命令によるほか、国土交通省令で定める。

（独立行政法人自動車技術総合機構の確認調査）

第二四条の二　国土交通大臣は、この章に規定する自動車の登録に関する事務のうち、その申請に係る事項に虚偽がないかどうかの確認その他の事実の確認をするために必要な調査（以下この条において「確認調査」という。）を独立行政法人自動車技術総合機構（以下「機構」という。）に行わせるものとする。

２　機構は、確認調査を行つたときは、遅滞なく、当該確認調査の結果を国土交通省令で定めるところにより国土交通大臣に通知しなければならない。

３　国土交通大臣は、機構が天災その他の事由により確認調査を円滑に処理することが困難となつた場合において必要があると認めるときは、確認調査を自らも行うことができる。

４　国土交通大臣が前項の規定により確認調査を行うこととし、又は同項の規定により行つている確認調査を行わないこととする場合における確認調査の引継ぎに関する所要の事項は、国土交通省令で定める。

（自動車登録番号標交付代行者）

第二五条　自動車登録番号標を登録自動車の所有者に交付する業を行おうとする者は、事業場ごとに、国土交通大臣の指定を受けなければならない。

２　前項の指定には、条件又は期限を附し、及びこれを変更することができる。

３　前項の条件又は期限は、第一項の規定により指定を受けた者（以下「自動車登録番号標交付代行者」という。）が行なう自動車登録番号標の交付が適切に行なわれるために必要とする最小限度のものに限り、かつ、当該自動車登録番号標交付代行者に不当な義務を課することとならないものでなければならない。

（禁止行為等）

第二六条　自動車登録番号標交付代行者は、左の各号に掲げる行為をしてはならない。

一　第十一条第一項（同条第二項及び第十四条第二項において準用する場合を含む。）の規定により自動車登録番号標の交付を受けなければならない者の請求がある場合において、災害その他やむを得ない事由がないのに自動車登録番号標を交付しないこと。

二　前号の者以外の者に自動車登録番号標を交付すること。

２　国土交通大臣は、自動車登録番号標交付代行者がこの法律若しくはこの法律に基く命令又はこれらに基く処分に違反したときは、三箇月以内において期間を定めてその事業の停止を命じ、又はその指定を取り消すことができる。

（自動車登録番号標の交付手数料）

第二七条　自動車登録番号標交付代行者は、自動車登録番号標の交付につき収受する手数料については、国土交通大臣の認可を受けなければならない。

２　国土交通大臣は、前項の認可をしようとするときは、自動車登録番号標の交付に要する実費を考慮して、これをしなければならない。

３　自動車登録番号標交付代行者は、第一項の手数料について、事業場において公衆の見やすいように掲示するとともに、国土交通省令で定めるところにより、電気通信回線に接続して行う自動公衆送信（公衆によつて直接受信されることを目的として公衆からの求めに応じ自動的に送信を行うことをいい、放送又は有線放送に該当するものを除く。以下同じ。）により公衆の閲覧に供しなければならない。

（標識）

第二八条　自動車登録番号標交付代行者は、事業場において、公衆の見易いように、国土交通省令で定める様式の標識を掲げなければならない。

２　自動車登録番号標交付代行者以外の者は、前項の標識又はこれに類似する標識を掲げてはならない。

（遵守事項）

第二八条の二　この法律に規定するもののほか、自動車登録番号標の管理の方法、事業場に掲示すべき事項その他自動車登録番号標の適正な交付の確保のために自動車登録番号標交付代行者の遵守すべき事項は、国土交通省令で定める。

２　国土交通大臣は、自動車登録番号標交付代行者が前項の国土交通省令で定める事項を遵守していないため自動車登録番号標の適正な交付が確保されていないと認めるときは、当該自動車登録番号標交付代行者に対し、自動車登録番号標の管理の方法の改善その他の是正のために必要な措置を講ずべきことを命ずることができる。

（封印の取付けの委託）

第二八条の三　国土交通大臣は、登録自動車に取り付けた自動車登録番号標への封印の取付けを国土交通省令で定める要件を備える者に委託することができる。

２　第二十六条第一項、第二十八条第一項及び前条第一項の規定は、前項の規定による封印の取付けの委託を受けた者について準用する。この場合において、これらの規定中「自動車登録番号標交付代行者」とあるのは「第二十八条の三第一項の規定による封印の取付けの委託を受けた者」と、「の規定」とあるのは「、第三項及び第五項の規定」と、「自動車登録番号標」とあるのは「封印」と、「交付」とあるのは「取付け」と読み替えるものとする。

（車台番号等の打刻）

第二九条　自動車の製作を業とする者、自動車の車台又は原動機の製作を業とする者及び国土交通大臣が指定した者以外の者は、自動車の車台番号又は原動機の型式を打刻してはならない。

２　自動車の製作を業とする者、自動車の車台又は原動機の製作を業とする者及び前項の指定を受けた者が自動車の車台番号又は原動機の型式を打刻しようとするときは、その様式その他の国土交通省令で定める事項についてあらかじめ国土交通大臣に届け出て、その届け出たところに従い、これをしなければならない。

３　国土交通大臣は、前項の届出に係る事項が適当でないと認めるときは、その変更を命ずることができる。

（輸入自動車等の打刻の届出）

第三〇条　自動車又はその部分の輸入を業とする者は、自動車又は自動車の車台若しくは原動機を輸入したときは、その都度その車台番号及び原動機の型式の様式その他の国土交通省令で定める事項を輸入の日から二十日以内に国土交通大臣に届け出なければならない。

２　前項の者が、その輸入しようとする自動車又は自動車の車台若しくは原動機の車台番号又は原動機の型式に係る前条第二項の国土交通省令で定める事項について、その事実を証明するに足りる当該自動車又は自動車の車台若しくは原動機の製作者の書面を添えて、国土交通大臣に届け出たときは、前項の規定による届出はしなくてもよい。

（打刻の塗まつ等の禁止）

第三一条　何人も、自動車の車台番号又は原動機の型式の打刻を塗まつし、その他車台番号又は原動機の型式の識別を困難にするような行為をしてはならない。但し、整備のため特に必要な場合その他やむを得ない場合において、国土交通大臣の許可を受けたとき、又は次条の規定による命令を受けたときは、この限りでない。

（職権による打刻等）

第三二条　国土交通大臣は、自動車が左の各号の一に該当するときは、その所有者に対し、車台番号若しくは原動機の型式の打刻を受け、若しくはその打刻を塗まつすべきことを命じ、又は自ら車台番号若しくは原動機の型式の打刻を塗まつし、若しくは打刻をすることができる。

一　車台番号又は原動機の型式の打刻を有しないとき。

二　当該自動車の車台番号又は原動機の型式の打刻が他の自動車の車台番号又は原動機の型式の打刻と類似のものであるとき。

三　当該自動車の車台番号又は原動機の型式の打刻が識別困難なものであるとき。

（譲渡証明書等）

第三十三条　自動車を譲渡する者は、次に掲げる事項を記載した譲渡証明書を譲受人に交付しなければならない。

一　譲渡の年月日

二　車名及び型式

三　車台番号及び原動機の型式

四　譲渡人及び譲受人の氏名又は名称及び住所

2　前項の譲渡証明書は、譲渡に係る自動車一両につき、二通以上交付してはならない。

3　自動車を譲渡する者は、当該自動車に関して既に交付を受けている第一項の譲渡証明書を有するときは、これを譲受人に交付しなければならない。

4　自動車（国土交通省令で定めるものを除く。）を譲渡する者は、第一項の規定による譲渡証明書の交付に代えて、政令で定めるところにより、当該譲受人の承諾を得て、当該譲渡証明書に記載すべき事項を電磁的方法（電子情報処理組織を使用する方法その他の情報通信の技術を利用する方法であつて国土交通省令で定めるものをいう。以下同じ。）により登録情報処理機関に提供することができる。

5　前項の規定により譲渡証明書に記載すべき事項が登録情報処理機関に提供されたときは、同項の自動車を譲渡する者は、当該譲渡証明書を当該譲受人に交付したものとみなす。

（臨時運行の許可）

第三十四条　臨時運行の許可を受けた自動車を、当該自動車に係る臨時運行許可証に記載された目的及び経路に従つて運行の用に供するときは、第四条、第十九条、第五十八条第一項及び第六十六条第一項の規定は、当該自動車について適用しない。

2　前項の臨時運行の許可は、地方運輸局長、市及び特別区の長並びに政令で定める町村の長（「行政庁」という。次条において同じ。）が行う。

（許可基準等）

第三十五条　前条の臨時運行の許可は、当該自動車の試運転を行う場合、新規登録、新規検査又は当該自動車検査証が有効でない自動車についての継続検査その他の検査の申請をするために必要な提示のための回送を行う場合その他特に必要がある場合に限り、行うことができる。

2　臨時運行の許可は、有効期間を附して行う。

3　前項の有効期間は、五日をこえてはならない。但し、長期間を要する回送の場合その他特にやむを得ない場合は、この限りでない。

4　行政庁は、臨時運行の許可をしたときは、臨時運行許可証を交付し、且つ、臨時運行許可番号標を貸与しなければならない。

5　前項の臨時運行許可証には、臨時運行の目的及び経路並びに第二項の有効期間を記載しなければならない。

6　臨時運行の許可を受けた者は、第二項の有効期間が満了したときは、その日から五日以内に、当該行政庁に臨時運行許可証及び臨時運行許可番号標を返納しなければならない。

（臨時運行許可番号標表示等の義務）

第三十六条　臨時運行の許可に係る自動車は、次に掲げる要件を満たさなければ、これを運行の用に供してはならない。

一　臨時運行許可番号標を国土交通省令で定める位置に、かつ、被覆しないことその他当該臨時運行許可番号標に記載された番号の識別に支障が生じないものとして国土交通省令で定める方法により表示していること。

二　臨時運行許可証を備え付けていること。

（回送運行の許可）

第三十六条の二　自動車の回送を業とする者で地方運輸局長の許可を受けたものが、その業務として回送する自動車（以下「回送自動車」という。）で、次に掲げる要件を満たすものを、当該許可の有効期間内に、当該回送運行許可証に記載された目的に従つて運行の用に供するときは、第四条、第十九条、第五十八条第一項及び第六十六条第一項の規定は、当該自動車について適用しない。

一　回送運行許可番号標を国土交通省令で定める位置に、かつ、被覆しないことその他当該回送運行許可番号標に記載された番号の識別に支障が生じないものとして国土交通省令で定める方法により表示していること。

二　回送運行許可証を備え付けていること。

2　前項の許可の有効期間は、五年を超えてはならない。

3　第一項の許可には、条件を付し、及びこれを変更することができる。

4　前項の条件は、第一項の許可を受けた者が行う自動車の回送が適切に行われるために必要とする最小限度のものに限り、かつ、当該許可を受けた者に不当な義務を課することとならないものでなければならない。

5　地方運輸局長は、第一項の許可を受けた者に対し、その申請に基づき、必要と認められる数の回送運行許可証を交付するとともに、これに対応する数の回送運行許可番号標を貸与するものとする。

6　回送運行許可証には、交付年月日及び第一項の許可の有効期間の満了の日、回送の目的並びに当該回送運行許可証に係る回送運行許可番号標の番号を記載しなければならない。

7　第一項の許可を受けた者は、当該許可の有効期間が満了したとき又は次項の規定により許可を取り消されたときは現に交付を受けている回送運行許可証及び現に貸与を受けている回送運行許可番号標（以下この条において「交付を受けている回送運行許可証等」という。）の全部を、同項の規定による命令を受けたときはその命令に応じ交付を受けている回送運行許可証等の全部又は一部を、その日から五日以内（同項の規定により許可を取り消されたとき又は同項の規定による命令を受けたときにあつては、その通知を受けてから五日以内）に、それぞれ地方運輸局長に返納しなければならない。

8　地方運輸局長は、次に掲げる場合においては、第一項の許可を受けた者に対し交付を受けている回送運行許可証等の全部若しくは一部の返納を命じ、又は同項の許可を取り消すことができる。

一　回送運行許可証又は回送運行許可番号標が回送自動車以外の自動車のために利用されたとき。

二　回送運行許可証に記載された回送の目的に従わないで回送自動車を運行の用に供したとき。

三　第三項の規定により許可に付した条件に違反したとき。

9　地方運輸局長は、前項の規定による命令を受けた者に対しては、六月以内の期間を定めて、回送運行許可証の交付及び回送運行許可番号標の貸与を行わないことができる。

10　地方運輸局長は、第八項の規定により許可を取り消された者に対しては、その取消しの日から二年を経過する日までの間は、新たな第一項の許可を行わないものとする。

（登録識別情報の安全確保）

第三十六条の三　国土交通大臣は、その取り扱う登録識別情報の漏えい、滅失又はき損の防止その他の登録識別情報の安全管理のために必要かつ適切な措置を講じなければならない。

2　自動車登録官その他の登録に関する事務に従事する国土交通省の職員又はその職にあつた者は、その事務に関して知り得た登録識別情報の作成又は管理に関する秘密を漏らしてはならない。

（他の法律の適用除外）

第三六条の四　登録については、行政手続法（平成五年法律第八十八号）第二章及び第三章の規定は、適用しない。

2　自動車登録番号標及びその封印に関する処分並びに登録事項等証明書の交付については、行政手続法第二章の規定は、適用しない。

3　自動車登録ファイルについては、行政機関の保有する情報の公開に関する法律（平成十一年法律第四十二号）の規定は、適用しない。

4　自動車登録ファイルに記録されている保有個人情報（個人情報の保護に関する法律（平成十五年法律第五十七号）第六十条第一項に規定する保有個人情報をいう。）については、同法第五章第四節の規定は、適用しない。

（審査請求期間等の特例）

第三七条　登録についての審査請求については、行政不服審査法（平成二十六年法律第六十八号）第十五条第六項及び第十八条の規定は、適用しない。

（審査請求が理由がある場合）

第三八条　国土交通大臣は、登録についての審査請求が理由があるときは、当該審査請求に係る登録について更正をし、その旨を当該登録についての利害関係人に通知しなければならない。

2　第十条の規定は、前項の規定により更正をした場合について準用する。

（命令への委任）

第三九条　登録の更正に関する事項その他の登録の実施のために必要な事項は、政令で定める。

2　自動車登録番号標、その封印、譲渡証明書並びに臨時運行及び第三十六条の二第一項の許可に関する細目的事項は、国土交通省令で定める。

第三章　道路運送車両の保安基準

（自動車の構造）

第四〇条　自動車は、その構造が、次に掲げる事項について、国土交通省令で定める保安上又は公害防止その他の環境保全上の技術基準に適合するものでなければ、運行の用に供してはならない。

一　長さ、幅及び高さ
二　最低地上高
三　車両総重量（車両重量、最大積載量及び五十五キログラムに乗車定員を乗じて得た重量の総和をいう。）
四　車輪にかかる荷重
五　車輪にかかる荷重の車両重量（運行に必要な装備をした状態における自動車の重量をいう。）に対する割合
六　車輪にかかる荷重の車両総重量に対する割合
七　最大安定傾斜角度
八　最小回転半径
九　接地部及び接地圧

（自動車の装置）

第四一条　自動車は、次に掲げる装置について、国土交通省令で定める保安上又は公害防止その他の環境保全上の技術基準に適合するものでなければ、運行の用に供してはならない。

一　原動機及び動力伝達装置
二　車輪及び車軸、そりその他の走行装置
三　操縦装置
四　制動装置
五　ばねその他の緩衝装置
六　燃料装置及び電気装置
七　車枠及び車体
八　連結装置
九　乗車装置及び物品積載装置
十　前面ガラスその他の窓ガラス
十一　消音器その他の騒音防止装置
十二　ばい煙、悪臭のあるガス、有毒なガス等の発散防止装置
十三　前照灯、番号灯、尾灯、制動灯、車幅灯その他の灯火装置及び反射器
十四　警音器その他の警報装置
十五　方向指示器その他の指示装置
十六　後写鏡、窓拭き器その他の視野を確保する装置
十七　速度計、走行距離計その他の計器
十八　消火器その他の防火装置
十九　内圧容器及びその附属装置
二十　自動運行装置
二十一　その他政令で定める特に必要な自動車の装置

2　前項第二十号の「自動運行装置」とは、プログラム（電子計算機（入出力装置を含む。この項及び第九十九条の三第一項第一号を除き、以下同じ。）に対する指令であって、一の結果を得ることができるように組み合わされたものをいう。以下同じ。）により自動的に自動車を運行させるために必要な、自動車の運行時の状態及び周囲の状況を検知するためのセンサー並びに当該センサーから送信された情報を処理するための電子計算機及びプログラムを主たる構成要素とする装置であって、当該装置ごとに国土交通大臣が付する条件で使用される場合において、自動車を運行する者の操縦に係る認知、予測、判断及び操作に係る能力の全部を代替する機能を有し、かつ、当該機能の作動状態の確認に必要な情報を記録するための装置を備えるものをいう。

（乗車定員又は最大積載量）

第四二条　自動車は、乗車定員又は最大積載量について、国土交通省令で定める保安上又は公害防止その他の環境保全上の技術基準に適合するものでなければ、運行の用に供してはならない。

（自動車の保安上の技術基準についての制限の付加）

第四三条　地方運輸局長は、勾配、曲折、ぬかるみ、積雪、結氷その他の路面の状況等により保安上危険な道路において主として運行する自動車の使用者に対し、当該自動車につき、第四十条の規定による同条各号についての制限、第四十一条第一項の規定による走行装置、制動装置、灯火装置若しくは警報装置についての制限又は前条の規定による乗車定員若しくは最大積載量についての制限を付加することができる。

2　地方運輸局長は、前項の行為をするときは、あらかじめ、国土交通大臣の承認を受けなければならない。

（原動機付自転車の構造及び装置）

第四四条　原動機付自転車は、次に掲げる事項について、国土交通省令で定める保安上又は公害防止その他の環境保全上の技術基準に適合するものでなければ、運行の用に供してはならない。

一　長さ、幅及び高さ
二　接地部及び接地圧
三　制動装置
四　車体
五　ばい煙、悪臭のあるガス、有毒なガス等の発散防止装置
六　前照灯、番号灯、尾灯、制動灯及び後部反射器
七　警音器
八　消音器
九　方向指示器
十　後写鏡
十一　速度計

（軽車両の構造及び装置）

第四五条　軽車両は、次に掲げる事項について、国土交通省令で定める保安上の技術基準に適合するものでなければ、運行の用に供してはならない。

一　長さ、幅及び高さ

二　接地部及び接地圧
三　制動装置
四　車体
五　警音器

（保安基準の原則）

第四六条　第四十条から第四十二条まで、第四十四条及び前条の規定による保安上又は公害防止その他の環境保全上の技術基準（以下「保安基準」という。）は、道路運送車両の構造及び装置が運行に十分堪え、操縦その他の使用のための作業に安全であるとともに、通行人その他に危害を与えないことを確保するものでなければならず、かつ、これにより製作者又は使用者に対し、自動車の製作又は使用について不当な制限を課することとなるものであつてはならない。

第四章　道路運送車両の点検及び整備

（使用者の点検及び整備の義務）

第四七条　自動車の使用者は、自動車の点検をし、及び必要に応じ整備をすることにより、当該自動車を保安基準に適合するように維持しなければならない。

（日常点検整備）

第四七条の二　自動車の使用者は、自動車の走行距離、運行時の状態等から判断した適切な時期に、国土交通省令で定める技術上の基準により、灯火装置の点灯、制動装置の作動その他の日常的に点検すべき事項について、目視等により自動車を点検しなければならない。

2　次条第一項第一号及び第二号に掲げる自動車の使用者又はこれらの自動車を運行する者は、前項の規定にかかわらず、一日一回、その運行の開始前において、同項の規定による点検をしなければならない。

3　自動車の使用者は、前二項の規定による点検の結果、当該自動車が保安基準に適合しなくなるおそれがある状態又は適合しない状態にあるときは、保安基準に適合しなくなるおそれをなくするため、又は保安基準に適合させるために当該自動車について必要な整備をしなければならない。

（定期点検整備）

第四八条　自動車（小型特殊自動車を除く。以下この項、次条第一項及び第五十四条第四項において同じ。）の使用者は、次の各号に掲げる自動車について、それぞれ当該各号に掲げる期間ごとに、点検の時期及び自動車の種別、用途等に応じ国土交通省令で定める技術上の基準により自動車を点検しなければならない。

一　自動車運送事業の用に供する自動車及び車両総重量八トン以上の自家用自動車その他の国土交通省令で定める自家用自動車　三月

二　道路運送法第七十八条第二号に規定する自家用有償旅客運送の用に供する自家用自動車（国土交通省令で定めるものを除く。）、同法第八十条第一項の許可を受けて業として有償で貸し渡す自家用自動車その他の国土交通省令で定める自家用自動車（前号に掲げる自家用自動車を除く。）　六月

三　前二号に掲げる自動車以外の自動車　一年

2　前条第三項の規定は、前項の場合に準用する。この場合において、同条第三項中「前二項」とあるのは、「前項」と読み替えるものとする。

（点検整備記録簿）

第四九条　自動車の使用者は、点検整備記録簿を当該自動車に備え置き、当該自動車について前条の規定により点検又は整備をしたときは、遅滞なく、次に掲げる事項を記載しなければならない。

一　点検の年月日
二　点検の結果
三　整備の概要
四　整備を完了した年月日
五　その他国土交通省令で定める事項

2　自動車（第五十八条第一項に規定する検査対象外軽自動車及び小型特殊自動車を除く。以下この項において同じ。）の使用者は、当該自動車について特定整備（原動機、動力伝達装置、走行装置、操縦装置、制動装置、緩衝装置、連結装置又は自動運行装置（第四十一条第二項に規定する自動運行装置をいう。第九十九条の三第一項第一号において同じ。）を取り外して行う自動車の整備又は改造その他のこれらの装置の作動に影響を及ぼすおそれがある整備又は改造（同号に掲げる行為を除く。）であつて国土交通省令で定めるものをいう。以下同じ。）をしたときは、遅滞なく、前項の点検整備記録簿に同項第三号から第五号までに掲げる事項を記載しなければならない。ただし、前条第二項において準用する第四十七条の二第三項の規定による必要な整備として当該特定整備をしたとき及び第七十八条第四項に規定する自動車特定整備事業者が当該特定整備を実施したときは、この限りでない。

3　点検整備記録簿の保存期間は、国土交通省令で定める。

（整備管理者）

第五〇条　自動車の使用者は、自動車の点検及び整備並びに自動車車庫の管理に関する事項を処理させるため、自動車の点検及び整備に関し特に専門的知識を必要とすると認められる車両総重量八トン以上の自動車その他の国土交通省令で定める自動車であつて国土交通省令で定める台数以上のものの使用の本拠ごとに、自動車の点検及び整備に関する実務の経験その他について国土交通省令で定める一定の要件を備える者のうちから、整備管理者を選任しなければならない。

2　前項の規定により整備管理者を選任しなければならない者（以下「大型自動車使用者等」という。）は、整備管理者に対し、その職務の執行に必要な権限を与えなければならない。

第五一条　削除

（選任届）

第五二条　大型自動車使用者等は、整備管理者を選任したときは、その日から十五日以内に、地方運輸局長にその旨を届け出なければならない。これを変更したときも同様である。

（解任命令）

第五三条　地方運輸局長は、整備管理者がこの法律若しくはこの法律に基く命令又はこれらに基く処分に違反したときは、大型自動車使用者等に対し、整備管理者の解任を命ずることができる。

（整備命令等）

第五四条　地方運輸局長は、自動車が保安基準に適合しなくなるおそれがある状態又は適合しない状態にあるとき（次条第一項に規定するときを除く。）は、当該自動車の使用者に対し、保安基準に適合しなくなるおそれをなくするため、又は保安基準に適合させるために必要な整備を行うべきことを命ずることができる。この場合において、地方運輸局長は、保安基準に適合しない状態にある当該自動車の使用者に対し、当該自動車が保安基準に適合するに至るまでの間の運行に関し、当該自動車の使用の方法又は経路の制限その他の保安上又は公害防止その他の環境保全上必要な指示をすることができる。

2　地方運輸局長は、自動車の使用者が前項の規定による命令又は指示に従わない場合において、当該自動車が保安基準に適合しない状態にあるときは、当該自動車の使用を停止することができる。

3　地方運輸局長は、前項の処分に係る自動車が保安基準に適合するに至つたときは、直ちに同項の処分を取り消さなければならない。

4　地方運輸局長は、第一項の規定により整備を命ずる場合において、当該保安基準に適合しなくなるおそれがある状態又は適合しない状態が、劣化又は摩耗により生ずる状態であつて国土交通省令で定めるものであり、かつ、当該自動車について、点検整備記録簿の有無及び記載内容その他の事項を確認した結果第四十八条第一項の規定による点検で国土交通省令で定めるものが行われていないことが判明したときは、当該自動車の使用者に対し、当該点検（第一項の規定により整備を命ずる部分に係るものを除く。）をし、及び必要に応じ整備をすべきことを勧告することができる。

第五四条の二　地方運輸局長は、自動車（小型特殊自動車を除く。）が保安基準に適合しない状態にあり、かつ、その原因が自動車又はその部分の改造、装置の取付け又は取り外しその他これらに類する行為に起因するものと認められるときは、当該自動車の使用者に対し、保安基準に適合させるために必要な整備を行うべきことを命ずることができる。この場合において、地方運輸局長は、当該自動車の使用者に対し、当該自動車が保安基準に適合するに至るまでの間の運行に関し、当該自動車の使用の方法又は経路の制限その他の保安上又は公害防止その他の環境保全上必要な指示をすることができる。

2　地方運輸局長は、前項の規定により整備を命じたときは、当該自動車の前面の見やすい箇所に、国土交通省令で定めるところにより、整備命令標章をはり付けなければならない。

3　何人も、前項の規定によりはり付けられた整備命令標章を破損し、又は汚損してはならず、また、第五項の規定により第一項の規定による命令を取り消された後でなければこれを取り除いてはならない。

4　第一項の規定による命令を受けた自動車の使用者は、当該命令を受けた日から十五日以内に、地方運輸局長に対し、保安基準に適合させるために必要な整備を行つた当該自動車及び当該自動車に係る自動車検査証を提示しなければならない。

5　地方運輸局長は、前項の提示に係る自動車が保安基準に適合するに至つたときは、直ちに第一項の規定による命令を取り消さなければならない。

6　地方運輸局長は、自動車の使用者が第一項の規定による命令若しくは指示に従わないとき又は第三項若しくは第四項の規定に違反したときは、六月以内の期間を定めて、当該自動車の使用を停止することができる。

7　前項の処分に係る自動車の使用者は、同項の規定による自動車の使用の停止の期間の満了の日までに当該自動車が保安基準に適合するに至らないときは、当該期間の満了後も当該自動車が保安基準に適合するに至るまでの間は、これを運行の用に供してはならない。

（報告及び検査）

第五四条の三　地方運輸局長は、前条の規定の施行に必要な限度において、自動車又はその部分の改造、装置の取付け又は取り外しその他これらに類する行為を行つた者に対し、その業務に関し報告をさせ、又はその職員に、当該者の事務所その他の事業場に立ち入り、帳簿書類その他の物件を検査させ、若しくは関係者に質問させることができる。

2　前項の規定により立入検査をする職員は、その身分を示す証票を携帯し、かつ、関係者の請求があるときは、これを提示しなければならない。

3　第一項の規定による立入検査の権限は、犯罪捜査のために認められたものと解釈してはならない。

（自動車整備士の技能検定）

第五五条　国土交通大臣は、自動車の整備の向上を図るため、申請により、自動車整備士の技能検定を行う。

2　前項の技能検定は、申請者が保安基準その他の自動車の整備に関する知識及び技能を有するかどうかを学科試験及び実技試験により判定することによつて行う。

3　国土交通大臣が申請により指定する自動車整備士の養成施設の課程を修了した者その他一定の資格を有する者については、国土交通省令で学科試験又は実技試験の全部又は一部を免除することができる。

4　第二項の試験に関し不正の行為があつたときは、国土交通大臣は、当該不正行為に関係のある者について、その受験を停止し、又はその合格を無効とすることができる。この場合においては、その者について、三年以内の期間を定めて同項の試験を受けさせないことができる。

5　自動車整備士の技能検定の種類、試験科目、受験手続その他技能検定の実施細目及び第三項の養成施設の指定の実施細目は、国土交通省令で定める。

（自動車車庫に関する勧告）

第五六条　国土交通大臣は、自動車の使用者に対し、その用に供する自動車車庫に関し、国土交通省令で定める技術上の基準によるべきことを勧告することができる。

（自動車の点検及び整備に関する手引）

第五七条　国土交通大臣は、自動車を使用し、又は運行する者が、自動車の点検及び整備の実施の方法を容易に理解することができるようにするため、次に掲げる事項を内容とする手引を作成し、これを公表するものとする。

一　第四十七条の二第一項及び第二項並びに第四十八条第一項の規定による点検の実施の方法

二　前号に規定する点検の結果必要となる整備の実施の方法

三　前二号に掲げるもののほか、点検及び整備に関し必要な事項

（自動車の点検及び整備に関する情報の提供）

第五七条の二　自動車の製作を業とする者又は外国において本邦に輸出される自動車を製作することを業とする者から当該自動車を購入する契約を締結している者であつて当該自動車を輸入することを業とするもの（以下「自動車製作者等」という。）は、国土交通省令で定めるところにより、その製作する自動車で本邦において運行されるもの又はその輸入する自動車について、第七十八条第四項に規定する自動車特定整備事業者又は当該自動車の使用者が点検及び整備（第四十七条の二及び第四十八条の規定によるものを除く。次項において同じ。）をするに当たつて必要となる当該自動車の型式に固有の技術上の情報であつて国土交通省令で定めるものをこれらの者に提供しなければならない。

2　前項に定めるもののほか、自動車製作者等は、その製作する自動車で本邦において運行されるもの又はその輸入する自動車について、当該自動車の使用者が第四十七条の規定による点検及び整備をするに当たつて必要となる技術上の情報であつて国土交通省令で定めるものを当該自動車の使用者に提供するよう努めなければならない。

第五章　道路運送車両の検査等

（自動車の検査及び自動車検査証）

第五八条　自動車（国土交通省令で定める軽自動車（以下「検査対象外軽自動車」という。）及び小型特殊自動車を除く。以下この章において同じ。）は、この章に定めるところにより、国土交通大臣の行う検査を受け、有効な自動車検査証の交付を受けているものでなければ、これを運行の用に供してはならない。

2　自動車検査証は、車台番号、使用者の氏名又は名称その他国土交通省令で定める事項が記載され、かつ、これらの事項、有効期間その他国土交通省令で定める事項（以下「自動車検査証記録事項」という。）が電子的方法、磁気的方法その他の人の知覚によつては認識することができない方法により記録されたカードとする。

3　自動車検査証は、特定の自動車を識別して行う事務を処理する国の行政機関、地方公共団体、民間事業者その他の者であつて国土交通省令で定めるものが、国土交通省令で定めるところにより、自動車検査証の自動車検査証記録事項が記録された部分と区分された部分に、当該事務を処理するために必要な事項を記録して利用することができる。この場合において、これらの者は、自動車検査証記録事項の漏えい、滅失又は毀損の防止その他の自動車検査証記録事項の安全管理を図るため必要なものとして国土交通大臣が定める基準に従つて自動車検査証を取り扱わなければならない。

（検査の実施の方法）

第五八条の二　この章に定めるところにより国土交通大臣の行なう検査の項目その他の検査の実施の方法は、新規検査その他の検査の種別ごとに国土交通省令で定める。

（新規検査）

第五九条　登録を受けていない第四条に規定する自動車又は次条第一項の規定による車両番号の指定を受けていない検査対象外軽自動車以外の軽自動車（以下「検査対象軽自動車」という。）若しくは二輪の小型自動車の使用者は、当該自動車を運行の用に供しようとするときは、当該自動車を提示して、国土交通大臣の行なう新規検査を受けなければならない。

2　新規検査（検査対象軽自動車及び二輪の小型自動車に係るものを除く。）の申請は、新規登録の申請と同時にしなければならない。

3　国土交通大臣は、新規検査を受けようとする者に対し、当該自動車に係る点検及び整備に関する記録の提示を求めることができる。

4　第七条第三項（第二号に係る部分に限る。）、第四項（第二号に係る部分に限る。）及び第五項の規定は、第一項の場合に準用する。

第六〇条　国土交通大臣は、新規検査の結果、当該自動車が保安基準に適合すると認めるときは、自動車検査証を当該自動車の使用者に交付しなければならない。この場合において、検査対象軽自動車及び二輪の小型自動車については車両番号を指定しなければならない。

2　検査対象軽自動車及び二輪の小型自動車以外の自動車に係る前項の規定による自動車検査証の交付は、当該自動車について新規登録をした後にしなければならない。

（自動車検査証の有効期間）

第六一条　自動車検査証の有効期間は、旅客を運送する自動車運送事業の用に供する自動車、貨物の運送の用に供する自動車及び国土交通省令で定める自家用自動車であつて、検査対象軽自動車以外のものにあつては一年、その他の自動車にあつては二年とする。

2　次の各号に掲げる自動車について、初めて前条第一項又は第七十一条第四項の規定により自動車検査証を交付する場合においては、前項の規定にかかわらず、当該各号に掲げる期間とする。

一　前項の規定により自動車検査証の有効期間を一年とされる自動車のうち車両総重量八トン未満の貨物の運送の用に供する自動車及び国土交通省令で定める自家用自動車であるもの　二年

二　前項の規定により自動車検査証の有効期間を二年とされる自動車のうち自家用乗用自動車（人の運送の用に供する自家用自動車であつて、国土交通省令で定めるものを除く。）及び二輪の小型自動車であるもの　三年

3　国土交通大臣は、前条第一項、第六十二条第二項（第六十三条第三項及び第六十七条第四項において準用する場合を含む。）又は第七十一条第四項の規定により自動車検査証を交付し、又は返付する場合において、当該自動車が第一項又は前項の有効期間を経過しない前に保安基準に適合しなくなるおそれがあると認めるときは、第一項又は前項の有効期間を短縮することができる。

4　第七十条の規定により自動車検査証の再交付をする場合にあつては、新たに交付する自動車検査証の有効期間は、従前の自動車検査証の有効期間の残存期間とする。

第六一条の二　国土交通大臣は、一定の地域に使用の本拠の位置を有する自動車の使用者が、天災その他やむを得ない事由により、継続検査を受けることができないと認めるときは、当該地域に使用の本拠の位置を有する自動車の自動車検査証の有効期間を、期間を定めて伸長する旨を公示することができる。

2　前項の公示があつた場合には、当該地域に使用の本拠の位置を有する自動車の自動車検査証の有効期間は、公示の定めるところにより伸長したものとみなす。

3　第六十七条第一項の規定は、前項の規定による自動車検査証の有効期間の伸長については、適用しない。

（継続検査）

第六二条　登録自動車又は車両番号の指定を受けた検査対象軽自動車若しくは二輪の小型自動車の使用者は、自動車検査証の有効期間の満了後も当該自動車を使用しようとするときは、当該自動車を提示して、国土交通大臣の行う継続検査を受けなければならない。この場合において、当該自動車の使用者は、当該自動車検査証を国土交通大臣に提出しなければならない。

2　国土交通大臣は、継続検査の結果、当該自動車が保安基準に適合すると認めるときは、当該自動車検査証に有効期間を記録して、これを当該自動車の使用者に返付し、当該自動車が保安基準に適合しないと認めるときは、当該自動車検査証を当該自動車の使用者に返付しないものとする。

3　第五十九条第三項の規定は、継続検査について準用する。

4　次条第二項の規定により臨時検査を受けるべき自動車については、臨時検査を受けていなければ、継続検査を受けることができない。

5　自動車の使用者は、継続検査を申請しようとする場合において、第六十七条第一項の規定による自動車検査証の変更記録の申請をすべき事由があるときは、あらかじめ、その申請をしなければならない。

（臨時検査）

第六三条　国土交通大臣は、一定の範囲の自動車又は検査対象外軽自動車について、事故が著しく生じている等によりその構造、装置又は性能が保安基準に適合していないおそれがあると認めるときは、期間を定めて、これらの自動車又は検査対象外軽自動車について次項の規定による臨時検査を受けるべき旨を公示することができる。

2　前項の公示に係る自動車（登録自動車並びに車両番号の指定を受けた検査対象軽自動車及び二輪の小型自動車に限る。以下この条において同じ。）又は検査対象外軽自動車の使用者は、当該公示に係る同項の期間内に、当該自動車又は検査対象外軽自動車を提示して、国土交通大臣の行なう臨時検査を受けなければならない。ただし、同項の公示に係る自動車で当該公示に係る同項の期間の末日の前に有効期間が満了した自動車検査証の交付を受けているものについて臨時検査を受けるべき時期は、当該有効期間の満了後これを使用しようとする時とすることができる。

3　第五十九条第三項、前条第一項後段及び同条第二項の規定は、臨時検査について準用する。

4　第一項の公示に係る自動車で当該公示に係る同項の期間内に臨時検査を受けなかつたものに係る自動車検査証でその期間の末日に有効であるものは、その期間の経過後は、その効力を失う。この場合において、当該自動車の使用者は、すみやかに、当該自動車検査証を国土交通大臣に返納しなければならない。

5　国土交通大臣は、臨時検査の結果、当該検査対象外軽自動車が保安基準に適合すると認めるときは、その使用者に臨時検査合格標章を交付するものとする。

6　第一項の公示に係る検査対象外軽自動車は、当該公示に係る同項の期間に引き続く国土交通省令で定める期間内は、国土交通省令で定めるところにより臨時検査合格標章を表示しなければ、運行の用に供してはならない。

7　第二項及び第四項の規定は、第一項の公示に係る自動車で当該公示のあつた日以後当該公示に係る同項の期間の末日までに新規検査又は構造等変更検査を受けたもの及びこれに係る自動車検査証については、適用しない。

（改善措置の勧告等）

第六三条の二　国土交通大臣は、前条第一項の場合において、その構造、装置又は性能が保安基準に適合していないおそれがあると認める同一の型式の一定の範囲の自動車（検査対象外軽自動車を含む。以下この項及び次項並びに次条第一項から第三項までにおいて同じ。）について、その原因が設計又は製作の過程にあると認めるときは、当該自動車（自動車を輸入することを業とする者以外の者が輸入した自動車その他国土交通省令で定める自動車を除く。以下「基準不適合自動車」という。）を製作し、又は輸入した自動車製作者等に対し、当該基準不適合自動車を保安基準に適合させるために必要な改善措置を講ずべきことを勧告することができる。

2　国土交通大臣は、前条第一項の場合において、保安基準に適合していないおそれがあると認める同一の型式の一定の範囲の装置（自動車の製作の過程において取り付けられた装置その他現に自動車に取り付けられている装置であつてその設計又は製作の過程からみて前項の規定により当該自動車の自動車製作者等が改善措置を講ずることが適当と認められるものを除く。以下「後付装置」という。）であつて主として後付装置として大量に使用されていると認められる政令で定めるもの（以下「特定後付装置」という。）について、その原因が設計又は製作の過程にあると認めるときは、当該特定後付装置（自動車の装置を輸入することを業とする者以外の者が輸入した特定後付装置その他国土交通省令で定める特定後付装置を除く。以下「基準不適合特定後付装置」という。）を製作し、又は輸入した装置製作者等（自動車の装置の製作を業とする者又は外国において本邦に輸出される自動車の装置を製作することを業とする者から当該装置を購入する契約を締結している者であつて当該装置を輸入することを業とするものをいう。以下この条、次条第二項から第四項まで及び第六十三条の四第一項において同じ。）に対し、当該基準不適合特定後付装置を保安基準に適合させるために必要な改善措置を講ずべきことを勧告することができる。

3　国土交通大臣は、その原因が設計又は製作の過程にあると認める基準不適合自動車又は基準不適合特定後付装置について、次条第一項の規定による届出をした自動車製作者等又は同条第二項の規定による届出をした装置製作者等による改善措置が講じられ、その結果保安基準に適合していないおそれがなくなつたと認めるときは、第一項又は前項の規定による勧告をしないものとする。

4　国土交通大臣は、第一項又は第二項の規定による勧告をした場合において、その勧告を受けた自動車製作者等又は装置製作者等がその勧告に従わないときは、その旨を公表することができる。

5　国土交通大臣は、第一項又は第二項に規定する勧告を受けた自動車製作者等又は装置製作者等が、前項の規定によりその勧告に従わなかつた旨を公表された後において、なお、正当な理由がなくてその勧告に係る措置をとらなかつたときは、当該自動車製作者等又は装置製作者等に対し、その勧告に係る措置をとるべきことを命ずることができる。

6　国土交通大臣は、第一項又は第二項の規定による勧告を行おうとする場合において必要があると認めるときは、自動車の構造、装置若しくは性能又は特定後付装置が保安基準に適合していないおそれの原因が設計又は製作の過程にあるかどうかの技術的な検証を機構に行わせるものとする。

7　機構は、前項の技術的な検証を行つたときは、遅滞なく、当該技術的な検証の結果を国土交通大臣に通知しなければならない。

（改善措置の届出等）

第六三条の三　自動車製作者等は、その製作し、又は輸入した同一の型式の一定の範囲の自動車の構造、装置又は性能が保安基準に適合しなくなるおそれがある状態又は適合していない状態にあり、かつ、その原因が設計又は製作の過程にあると認める場合において、当該自動車について、保安基準に適合しなくなるおそれをなくするため又は保安基準に適合させるために必要な改善措置を講じようとするときは、あらかじめ、国土交通大臣に次に掲げる事項を届け出なければならない。

一　保安基準に適合しなくなるおそれがある状態又は適合していない状態にあると認める構造、装置又は性能の状況及びその原因

二　改善措置の内容

三　前二号に掲げる事項を当該自動車の使用者に周知させるための措置その他の国土交通省令で定める事項

2　装置製作者等は、その製作し、又は輸入した同一の型式の一定の範囲の特定後付装置が保安基準に適合しなくなるおそれがある状態又は適合していない状態にあり、かつ、その原因が設計又は製作の過程にあると認める場合において、当該特定後付装置について、保安基準に適合しなくなるおそれをなくするため又は保安基準に適合させるために必要な改善措置を講じようとするときは、あらかじめ、国土交通大臣に次に掲げる事項を届け出なければならない。

一　保安基準に適合しなくなるおそれがある状態又は適合していない状態にあると認める特定後付装置の状況及びその原因

二　改善措置の内容

三　前二号に掲げる事項を当該特定後付装置の使用者に周知させるための措置その他の国土交通省令で定める事項

3　国土交通大臣は、第一項又は前項の規定による届出に係る改善措置の内容が、当該自動車又は特定後付装置について、保安基準に適合しなくなるおそれをなくするため又は保安基準に適合させるために適切でないと認めるときは、当該届出をした自動車製作者等又は装置製作者等に対し、その変更を指示することができる。

4　第一項の規定による届出をした自動車製作者等又は第二項の規定による届出をした装置製作者等は、国土交通省令で定めるところにより、当該届出に係る改善措置の実施状況について国土交通大臣に報告しなければならない。

5　国土交通大臣は、第三項の規定による指示を行おうとする場合において必要があると認めるときは、自動車の構造、装置若しくは性能又は特定後付装置について、保安基準に適合しなくなるおそれをなくするため又は保安基準に適合させるために第一項又は第二項の規定による届出に係る改善措置の内容が適切であるかどうかの技術的な検証を機構に行わせるものとする。

6　機構は、前項の技術的な検証を行つたときは、遅滞なく、当該技術的な検証の結果を国土交通大臣に通知しなければならない。

（報告及び検査）

第六三条の四　国土交通大臣は、前二条の規定の施行に必要な限度において、基準不適合自動車を製作し、若しくは輸入した自動車製作者等（当該基準不適合自動車の装置（後付装置を除く。以下この項において同じ。）のうち、保安基準に適合していないおそれがあると認めるものを製作し、又は輸入した装置製作者等を含む。）若しくは基準不適合特定後付装置を製作し、若しくは輸入した装置製作者等（当該届出に係る自動車の装置のうち、保安基準に適合しなくなるおそれがある状態又は適合していない状態にあると認めるものを製作し、又は輸入した装置製作者

等を含む。）若しくは同条第二項の規定による届出をした装置製作者等に対し、その業務に関し報告をさせ、又はその職員に、当該自動車製作者等若しくは装置製作者等の事務所その他の事業場に立ち入り、帳簿書類その他の物件を検査させ、若しくは関係者に質問させることができる。

2　前項の規定により立入検査をする職員は、その身分を示す証票を携帯し、かつ、関係者の請求があるときは、これを提示しなければならない。

3　第一項の規定による立入検査の権限は、犯罪捜査のために認められたものと解釈してはならない。

第六十四条　国土交通大臣は、前条第一項の規定によりその職員が立入検査を行う場合には、第六十三条の二第六項又は第六十三条の三第五項の規定による技術的な検証のために必要な調査を機構に行わせることができる。

2　機構は、前項の調査を行つたときは、遅滞なく、当該調査の結果を国土交通大臣に通知しなければならない。

第六十五条　削除

（自動車検査証の備付け等）

第六十六条　自動車は、自動車検査証を備え付け、かつ、国土交通省令で定めるところにより検査標章を表示しなければ、運行の用に供してはならない。

2　国土交通大臣は、次の場合には、使用者に検査標章を交付しなければならない。

一　第六十条第一項又は第七十一条第四項の規定により自動車検査証を交付するとき。

二　第六十二条第二項（第六十三条第三項及び次条第四項において準用する場合を含む。）の規定により自動車検査証に有効期間を記録して、これを返付するとき。

3　検査標章には、国土交通省令で定めるところにより、その交付の際の当該自動車検査証の有効期間の満了する時期を表示するものとする。

4　検査標章の有効期間は、その交付の際の当該自動車の自動車検査証の有効期間と同一とする。

5　検査標章は、当該自動車検査証がその効力を失つたとき、又は継続検査、臨時検査若しくは構造等変更検査の結果、当該自動車検査証の返付を受けることができなかつたときは、当該自動車に表示してはならない。

（自動車検査証記録事項の変更及び構造等変更検査）

第六十七条　自動車の使用者は、自動車検査証記録事項について変更があつたときは、その事由があつた日から十五日以内に、当該変更について、国土交通大臣が行う自動車検査証の変更記録を受けなければならない。ただし、その効力を失つている自動車検査証については、これに変更記録を受けるべき時期は、当該自動車を使用しようとする時とすることができる。

2　前項の規定は、行政区画又は土地の名称の変更により、自動車の使用者若しくは所有者の住所又は自動車の使用の本拠の位置についての自動車検査証記録事項の変更があつた場合については、適用しない。

3　国土交通大臣は、第一項の変更が国土交通省令で定める事由に該当する場合において、保安基準に適合しなくなるおそれがあると認めるときは、当該自動車が保安基準に適合するかどうかについて、これを提示して構造等変更検査を受けるべきことを命じなければならない。

4　第五十九条第三項及び第六十二条第二項の規定は、構造等変更検査について準用する。

第六十八条　削除

（自動車検査証の返納等）

第六十九条　自動車の使用者は、当該自動車について次に掲げる事由があつたときは、その事由があつた日（当該事由が使用済自動車の解体である場合にあつては、解体報告記録がなされたことを知つた日）から十五日以内に、当該自動車検査証を国土交通大臣に返納しなければならない。

一　当該自動車が滅失し、解体し（整備又は改造のために解体する場合を除く。）、又は自動車の用途を廃止したとき。

二　当該自動車の車台が当該自動車の新規登録の際（検査対象軽自動車及び二輪の小型自動車にあつては、車両番号の指定の際）存したものでなくなつたとき。

三　当該自動車について第十五条の二第一項の申請に基づく輸出抹消仮登録又は第十六条第一項の申請に基づく一時抹消登録があつたとき。

四　当該自動車について次条第三項の規定による届出に基づく輸出予定届出証明書の交付がされたとき。

2　第五十四条第二項又は第五十四条の二第六項の規定により自動車の使用の停止を命ぜられた者は、遅滞なく、当該自動車検査証を国土交通大臣に返納しなければならない。

3　国土交通大臣は、第五十四条第三項の規定により使用の停止の取消をしたとき又は第五十四条の二第六項の規定による自動車の使用の停止の期間が満了し、かつ、当該自動車が保安基準に適合するに至つたときは、返納を受けた自動車検査証を返付しなければならない。

4　車両番号の指定を受けた検査対象軽自動車又は二輪の小型自動車の使用者は、当該自動車を運行の用に供することをやめたときは、当該自動車検査証を国土交通大臣に返納して自動車検査証返納証明書の交付を受けることができる。

（解体等又は輸出に係る届出）

第六十九条の二　検査対象軽自動車又は二輪の小型自動車（国土交通省令で定めるものを除く。）の所有者は、当該自動車について前条第一項第一号又は第二号に掲げる事由があつたときは、その事由があつた日（当該事由が使用済自動車の解体である場合にあつては、解体報告記録がなされたことを知つた日）から十五日以内に、国土交通省令で定めるところにより、その旨を国土交通大臣に届け出なければならない。

2　第十五条第二項及び第三項の規定は、使用済自動車の解体に係る前項の規定による届出をする場合について準用する。この場合において、これらの規定中「登録自動車」とあるのは、「検査対象軽自動車又は二輪の小型自動車」と読み替えるものとする。

3　検査対象軽自動車又は二輪の小型自動車（国土交通省令で定めるものを除く。）の所有者は、その自動車を輸出しようとするときは、当該輸出の予定日から国土交通省令で定める期間さかのぼつた日から当該輸出をする時までの間に、国土交通省令で定めるところにより、国土交通大臣にその旨の届出をし、かつ、次項の規定による輸出予定届出証明書の交付を受けなければならない。ただし、その自動車を一時的に輸出した後に本邦に再輸入することが見込まれる場合であつて当該届出をさせる必要性に乏しいものとして国土交通省令で定めるものに該当する場合には、国土交通省令で定めるところにより、あらかじめ、その旨を国土交通大臣に届け出なければならない。

4　国土交通大臣は、前項本文の規定による届出があつたときは、当該届出をした者に対し、当該自動車について輸出が予定されている旨が記載され、かつ、当該輸出の予定日までを有効期間とする輸出予定届出証明書を交付するものとする。

5　第十五条の二第三項及び第四項の規定は、検査対象軽自動車又は二輪の小型自動車の輸出に係る第三項本文の規定による届出があつた場合について準用する。この場合において、同条第三項中「輸出抹消仮登録証明書」とあるのは「輸出予定届出証明書」と、「輸出抹消仮登録を」とあるのは「その旨を第七十二条第一項に規定する軽自動車検査ファイル又は二輪自動車検査ファイルに記録」と、同条第四項中「第二項」とあるのは「第六十九条の二第四項」と、「輸出抹消仮登録証明書」とあるのは「輸出予定届出証明書」と読み替えるものとする。

6　国土交通大臣は、前項において準用する第十五条の二第四項の規定その他の事由により輸出予定届出証明書の返納を受けたときは、その旨を第七十二条第一項に規定する軽自動車検査ファイル又は二輪自動車検査ファイルに記録するものとする。

（準用規定）

第六九条の三　第十八条の規定は、自動車検査証が返納された検査対象軽自動車又は二輪の小型自動車について準用する。この場合において、同条中「自動車登録ファイル」とあるのは「第七十二条第一項に規定する軽自動車検査ファイル又は二輪自動車検査ファイル」と、同条第一項中「第十六条第二項又は第四項」とあるのは「第六十九条の二第一項又は第三項」と、同条第二項中「次項」とあるのは「第六十九条の三において準用する第十八条第三項」と読み替えるものとする。

（再交付）

第七〇条　自動車又は検査対象外軽自動車の使用者は、自動車検査証若しくは検査標章又は臨時検査合格標章が滅失し、き損し、又はその識別が困難となつた場合その他国土交通省令で定める場合には、その再交付を受けることができる。

（予備検査）

第七一条　登録を受けていない第四条に規定する自動車又は車両番号の指定を受けていない検査対象軽自動車若しくは二輪の小型自動車の所有者は、当該自動車を提示して、国土交通大臣の行う予備検査を受けることができる。

2　国土交通大臣は、予備検査の結果、当該自動車が保安基準に適合すると認めるときは、自動車予備検査証を当該自動車の所有者に交付しなければならない。

3　自動車予備検査証の有効期間は、三月とする。

4　自動車予備検査証の交付を受けた自動車についてその使用の本拠の位置が定められたときは、その使用者は、国土交通大臣に当該自動車予備検査証を提出して、自動車検査証の交付を受けることができる。

5　第五十九条第二項及び第三項並びに第六十二条第五項の規定は、前項の交付の申請について準用する。この場合において、同条第五項中「使用者」とあるのは「所有者」と、「第六十七条第一項の規定による自動車検査証」とあるのは「第七十一条第八項において準用する第六十七条第一項の規定による自動車予備検査証」と読み替えるものとする。

6　第六十条第一項後段の規定は、第四項の規定により国土交通大臣が自動車検査証を交付する場合について適用があるものとし、同条第二項の規定は、第四項の交付について準用する。

7　第六十三条第二項本文、第三項及び第四項の規定は、自動車予備検査証の交付に係る自動車について準用する。この場合において、これらの規定並びに同条第三項において準用する第六十二条第一項後段及び第二項の規定中「使用者」とあるのは「所有者」と、「自動車検査証」とあるのは「自動車予備検査証」と読み替えるものとする。

8　第六十七条の規定は、自動車予備検査証の記載事項について変更があつた場合について準用する。この場合において、同条中「使用者」とあるのは、「所有者」と読み替えるものとする。

9　第六十一条第四項及び前条の規定は、自動車予備検査証について準用する。この場合において、同条中「使用者」とあるのは、「所有者」と読み替えるものとする。

（限定自動車検査証等）

第七一条の二　国土交通大臣は、新規検査若しくは予備検査（第十六条第一項の申請に基づく一時抹消登録を受けた自動車又は第六十九条第四項の規定による自動車検査証返納証明書の交付を受けた検査対象軽自動車若しくは二輪の小型自動車であつて、当該自動車の長さ、幅又は高さその他の国土交通省令で定める事項（以下「構造等に関する事項」という。）がそれぞれ当該自動車に係る自動車登録ファイルに記録され、又は自動車検査証返納証明書に記載された構造等に関する事項と同一であるものに係るものに限る。）又は継続検査の結果、当該自動車が保安基準に適合しないと認める場合には、当該自動車の使用を停止する必要があると認めるときを除き、限定自動車検査証を当該自動車の使用者（予備検査にあつては、所有者）に交付するものとする。

2　第五十四条第四項の規定は、前項の規定により継続検査の結果限定自動車検査証を交付する場合について準用する。この場合において、同条第四項中「地方運輸局長」とあるのは「国土交通大臣」と、「当該保安基準に適合しなくなるおそれがある状態又は適合しない状態」とあるのは「第一項の規定により当該自動車が保安基準に適合しないと認める状態」と、「第一項の規定により整備を命ずる部分」とあるのは「当該限定自動車検査証に記載された保安基準に適合しない部分」と読み替えるものとする。

3　限定自動車検査証の有効期間は、十五日とする。

4　継続検査の結果限定自動車検査証の交付を受けている自動車を、当該継続検査の申請の際提出された自動車検査証の有効期間内において、当該限定自動車検査証に記載された保安基準に適合しない部分について整備を行うため又は継続検査の申請をするために運行の用に供する場合についての第五十八条第一項及び第六十六条第一項の規定の適用については、これらの規定中「自動車検査証」とあるのは、「限定自動車検査証」とする。

5　限定自動車検査証の交付を受けている自動車の検査標章については、その有効期間は、第六十六条第四項の規定にかかわらず、当該限定自動車検査証の有効期間（継続検査の申請の際提出された自動車検査証の有効期間の残存期間が限定自動車検査証の有効期間より短い場合にあつては、当該自動車検査証の有効期間の残存期間）と同一とし、同条第五項の規定にかかわらず、その有効期間内において表示することができる。

6　限定自動車検査証は、当該限定自動車検査証の交付を受けている自動車に係る自動車登録ファイルに記載され、又は自動車検査証返納証明書に記載された構造等に関する事項について変更があつたときは、その効力を失う。

7　第六十一条第四項及び第七十条の規定は、限定自動車検査証について準用する。この場合において、同条中「使用者」とあるのは、「使用者（予備検査にあつては、所有者）」と読み替えるものとする。

（検査記録）

第七二条　国土交通大臣は、この章に規定する自動車の検査、第六十九条の二第一項及び第三項の規定による届出並びに自動車検査証及び自動車検査証返納証明書の交付、変更記録、返納及び再交付に関する事項を、政令で定めるところにより、電子情報処理組織によつて、自動車登録ファイル（検査対象軽自動車にあつては軽自動車検査ファイル、二輪の小型自動車にあつては二輪自動車検査ファイル）に記録するものとする。

2　軽自動車検査ファイル及び二輪自動車検査ファイルは、国土交通大臣が管理する。

（軽自動車検査ファイル等の記録の保存）

第七二条の二　自動車検査証が返納された検査対象軽自動車又は二輪の小型自動車に係る前条第一項に規定する軽自動車検査ファイル又は二輪自動車検査ファイルの記録は、第六十九条の二第一項の規定による届出に係る前条第一項の規定による記録をした日又は第六十九条の二第五項において準用する第十五条の二第三項後段の規定による記録をした日から五年間保存しなければならない。

（証明書の交付）

第七二条の三　検査対象軽自動車又は二輪の小型自動車の所有者は、国土交通大臣に対し、第七十二条第一項に規定する軽自動車検査ファイル又は二輪自動車検査ファイルに記録されている事項を証明した書面の交付を請求することができる。

（車両番号標の表示の義務等）

第七三条　検査対象軽自動車及び二輪の小型自動車は、第六十条第一項後段の規定により指定を受けた車両番号を記載した車両番号標を国土交通省令で定める位置に、かつ、被覆しないことその他当該車両番号の識別に支障が生じないものとして国土交通省令で定める方法により表示しなければ、これを運行の用に供してはならない。

2　第三十四条から第三十六条の二までの規定は、検査対象軽自動車及び二輪の小型自動車について準用する。この場合において、第三十四条第一項及び第三十六条の二第一項中「第十九条」とあるのは「第七十三条第一項」と読み替える。

（自動車検査官）

第七四条　国土交通大臣は、国土交通省の職員のうちから自動車検査官を任命し、この章に規定する自動車（検査対象外軽自動車を含む。）の検査、第五十四条第一項から第三項まで及び第五十四条の二（第三項、第四項及び第七項を除く。）の規定による処分並びに第五十四条第四項（第七十一条の二第二項において準用する場合を含む。）の規定による勧告に関する事務を執行させるものとする。

2　第二十四条第二項の規定は、自動車検査官に準用する。

（道路運送車両の検査に係る独立行政法人自動車技術総合機構の審査）

第七四条の二　国土交通大臣は、この章に規定する自動車及び検査対象外軽自動車の検査に関する事務のうち、自動車及び検査対象外軽自動車が保安基準に適合するかどうかの審査（以下「基準適合性審査」という。）を機構に行わせるものとする。ただし、次条の規定により軽自動車検査協会に軽自動車の検査事務を行わせる場合における基準適合性審査については、この限りでない。

2　機構は、基準適合性審査を行つたときは、遅滞なく、当該基準適合性審査の結果を国土交通省令で定めるところにより国土交通大臣に通知しなければならない。

3　国土交通大臣は、機構が天災その他の事由により基準適合性審査を円滑に処理することが困難となつた場合において必要があると認めるときは、基準適合性審査を自らも行うことができる。この場合において、国土交通大臣は、機構の設備を、基準適合性審査のため必要な限度において、無償で使用することができる。

4　国土交通大臣は、前項の規定により基準適合性審査を行うこととし、又は同項の規定により行つている基準適合性審査を行わないこととするときは、あらかじめ、その旨を官報で公示しなければならない。

5　国土交通大臣が第三項の規定により基準適合性審査を行うこととし、又は同項の規定により行つている基準適合性審査を行わないこととする場合における基準適合性審査の引継ぎに関する所要の事項及び基準適合性審査に関する申請、手数料の納付その他の手続に関する所要の経過措置は、国土交通省令で定める。

（軽自動車検査協会の検査等）

第七四条の三　国土交通大臣は、次章の規定により軽自動車検査協会が設立されたときは、軽自動車検査協会に、この章に規定する自動車の検査に関する事務（第六十一条の二及び第六十三条第一項の規定による事務並びに基準適合性審査に必要な技術上の情報であつて国土交通省令で定めるものの管理に関する事務（第百二条第二項において「審査用技術情報管理事務」という。）を除く。）であつて軽自動車に係るもの（以下「軽自動車の検査事務」という。）を行わせるものとする。

2　国土交通大臣は、前項の規定により軽自動車検査協会に軽自動車の検査事務を行わせるときは、軽自動車検査協会が当該事務を開始する日及び当該事務を行う事務所の所在地を官報で公示しなければならない。

3　国土交通大臣は、軽自動車検査協会が天災その他の事由により軽自動車の検査事務を円滑に処理することが困難となつた場合において必要があると認めるときは、軽自動車の検査事務を自らも行うこととすることができる。

4　国土交通大臣は、前項の規定により軽自動車の検査事務を行うこととし、又は同項の規定により行つている軽自動車の検査事務を行わないこととするときは、あらかじめ、その旨を官報で公示しなければならない。

5　第一項の規定により軽自動車検査協会に軽自動車の検査事務を行わせる場合又は国土交通大臣が第三項の規定により軽自動車の検査事務を行うこととし、若しくは同項の規定により行つている軽自動車の検査事務を行わないこととする場合における軽自動車の検査事務の引継ぎに関する所要の事項及び軽自動車の検査に関する申請、手数料の納付その他の手続に関する所要の経過措置は、国土交通省令で定める。

6　国土交通大臣は、第三項の規定により軽自動車の検査事務を行うこととするときは、軽自動車が保安基準に適合するかどうかの審査を機構に行わせることができる。

7　機構は、前項の審査を行つたときは、遅滞なく、当該審査の結果を国土交通省令で定めるところにより国土交通大臣に通知しなければならない。

第七四条の四　軽自動車検査協会が行う軽自動車の検査事務に関してこの章（第六十一条の二、第六十三条第一項、第六十三条の二から第六十三条の四まで、第七十一条の二第二項、第七十四条からこの条まで、第七十五条から第七十五条の三まで、第七十五条の五及び第七十五条の六を除く。）の規定を適用する場合においては、これらの規定中「国土交通大臣」とあるのは、「軽自動車検査協会」とする。

（継続検査に係る自動車検査証への記録等に関する事務の委託）

第七四条の五　国土交通大臣は、国土交通省令で定めるところにより、第六十二条第二項の規定による自動車検査証への記録及び自動車検査証の返付並びに第六十六条第二項の規定による検査標章の交付に関する事務（継続検査の結果の判定その他国土交通省令で定める事務を除く。）を国土交通省令で定める要件を備える者に委託することができる。

2　前項の規定による委託を受けた者（次項及び第百条第一項第八号において「特定記録等事務代行者」という。）は、次に掲げる行為をしてはならない。

一　第六十二条第二項の規定により自動車検査証の返付を受けるべき者の請求がある場合において、災害その他やむを得ない事由がないのに当該自動車検査証への記録をせず、若しくはこれを返付せず、又は検査標章を交付しないこと。

二　前号に規定する場合において、当該自動車検査証以外の自動車検査証への記録をし、若しくは同号の者以外の者に自動車検査証を返付し、又は同号の者以外の者に検査標章を交付すること。

3　第二十八条第一項及び第二十八条の二第一項の規定は、特定記録等事務代行者が自動車検査証への記録及び自動車検査証の返付並びに検査標章の交付に関する事務を行う場合について準用する。

（自動車検査証の変更記録に関する事務の委託）

第七四条の六　国土交通大臣は、国土交通省令で定めるところにより、第六十七条第一項の自動車検査証の変更記録に関する事務（変更記録をすることが適当であるかどうかの審査その他国土交通省令で定める事務を除く。）を国土交通省令で定める要件を備える者に委託することができる。

2　前項の規定による委託を受けた者（次項及び第百条第一項第九号において「特定変更記録事務代行者」という。）は、次に掲げる行為をしてはならない。

一　第六十七条第一項の規定により自動車検査証の変更記録を受けるべき者の請求がある場合において、災害その他やむを得ない事由がないのに当該自動車検査証への記録をしないこと。

二　前号に規定する場合において、当該自動車検査証以外の自動車検査証への記録をすること。

3　第二十八条第一項及び第二十八条の二第一項の規定は、特定変更記録事務代行者が自動車検査証の変更記録に関する事務を行う場合について準用する。

（自動車の指定）

第七五条 国土交通大臣は、自動車の安全性の増進及び自動車による公害の防止その他の環境の保全を図るため、申請により、自動車をその型式について指定する。

2 前項の規定による指定の申請は、本邦に輸出される自動車について、外国において当該自動車を製作することを業とする者又はその者から当該自動車を購入する契約を締結している者であつて当該自動車を本邦に輸出することを業とするものも行うことができる。

3 第一項の規定による指定は、申請に係る自動車の構造、装置及び性能が保安基準に適合し、かつ、当該自動車が均一性を有するものであるかどうかを判定することによつて行う。この場合において、次条第一項の規定によりその型式について指定を受けた特定共通構造部（同項に規定する特定共通構造部をいう。）の当該指定に係る構造、装置及び性能並びに第七十五条の三第一項の規定によりその型式について指定を受けた装置は、保安基準に適合しているものとみなす。

4 第一項の申請をした者は、その型式について指定を受けた自動車（第二項に規定する者であつてその製作し、又は輸出する自動車の型式について第一項の規定による指定を受けたもの（第九項において「指定外国製作者等」という。）に係る自動車にあつては、本邦に輸出されるものに限る。第八項及び第九項第四号において同じ。）を譲渡する場合において、当該自動車の構造、装置及び性能が保安基準に適合しているかどうかを検査し、適合すると認めるときは、完成検査終了証を発行し、これを譲受人に交付しなければならない。

5 第一項の申請をした者は、その型式について指定を受けた自動車（国土交通省令で定めるものを除く。）に係る前項の規定による完成検査終了証の発行及び交付に代えて、政令で定めるところにより、当該譲受人の承諾を得て、当該完成検査終了証に記載すべき事項を電磁的方法により登録情報処理機関に提供することができる。

6 前項の規定により完成検査終了証に記載すべき事項が登録情報処理機関に提供されたときは、第一項の申請をした者は、当該完成検査終了証を発行し、これを当該譲受人に交付したものとみなす。

7 国土交通大臣は、第一項の申請をした者が第七十六条の規定に基づく国土交通省令の規定（同項の規定による指定に係る部分に限る。）に違反していると認めるときは、当該者に対し、当該違反を是正するために必要な措置をとるべきことを命じ、又は当該違反を是正するために必要な措置が講じられたものと認めるまでの間、同項の規定による指定の効力を停止することができる。この場合において、国土交通大臣は、指定の効力を停止するときは、当該停止の日までに製作された自動車について当該停止の効力の及ぶ範囲を限定することができる。

8 国土交通大臣は、次の各号のいずれかに該当する場合には、第一項の規定による指定を取り消すことができる。この場合において、国土交通大臣は、取消しの日までに製作された自動車について取消しの効力の及ぶ範囲を限定することができる。

一 その型式について指定を受けた自動車の構造、装置又は性能が保安基準に適合しなくなつたとき。

二 その型式について指定を受けた自動車が均一性を有するものでなくなつたとき。

三 不正の手段によりその型式について指定を受けたとき。

9 前項の規定によるほか、国土交通大臣は、次の各号のいずれかに該当する場合には、当該指定外国製作者等に係る第一項の規定による指定を取り消すことができる。

一 指定外国製作者等が第四項の規定に違反したとき。

二 指定外国製作者等が第七十六条の規定に基づく国土交通省令の規定（第一項の規定による指定に係る部分に限る。）に違反したとき。

三 国土交通大臣が第一条の目的を達成するため必要があると認めて指定外国製作者等に対しその業務に関し報告を求めた場合において、その報告がされず、又は虚偽の報告がされたとき。

四 国土交通大臣が第一条の目的を達成するため特に必要があると認めてその職員に指定外国製作者等の事務所その他の事業場又はその型式について指定を受けた自動車の所在すると認める場所において当該自動車、帳簿書類その他の物件についての検査をさせ、又は関係者に質問をさせようとした場合において、その検査が拒まれ、妨げられ、若しくは忌避され、又は質問に対し陳述がされず、若しくは虚偽の陳述がされたとき。

（共通構造部の指定）

第七五条の二 国土交通大臣は、自動車の安全性の増進及び自動車による公害の防止その他の環境の保全を図るため、申請により、車枠又は車体及びその他の第四十一条第一項各号に掲げる装置の一部から構成される自動車の構造部分であつて、複数の型式の自動車に共通して使用されるもの（以下この条において「共通構造部」という。）のうち、当該共通構造部により当該共通構造部を有する自動車の第四十条第八号に掲げる事項が特定されることとなるもの（以下「特定共通構造部」という。）をその型式について指定する。

2 前項の規定による指定の申請は、本邦に輸出される特定共通構造部について、外国において当該特定共通構造部を製作することを業とする者又はその者から当該特定共通構造部を購入する契約を締結している者であつて当該特定共通構造部を本邦に輸出することを業とするものも行うことができる。

3 第一項の規定による指定は、申請に係る特定共通構造部の当該申請に係る構造、装置及び性能が保安基準に適合し、かつ、当該特定共通構造部が均一性を有するものであるかどうかを判定することによつて行う。この場合において、次条第一項の規定によりその型式について指定を受けた装置は、保安基準に適合しているものとみなす。

4 国土交通大臣は、第一項の申請をした者が第七十六条の規定に基づく国土交通省令の規定（同項の規定による指定に係る部分に限る。）に違反していると認めるときは、当該者に対し、当該違反を是正するために必要な措置をとるべきことを命じ、又は当該違反を是正するために必要な措置が講じられたものと認めるまでの間、同項の規定による指定の効力を停止することができる。この場合において、国土交通大臣は、指定の効力を停止するときは、当該停止の日までに製作された共通構造部について当該停止の効力の及ぶ範囲を限定することができる。

5 国土交通大臣は、次の各号のいずれかに該当する場合には、第一項の規定による指定を取り消すことができる。この場合において、国土交通大臣は、取消しの日までに製作された共通構造部について取消しの効力の及ぶ範囲を限定することができる。

一 その型式について指定を受けた特定共通構造部の当該指定に係る構造、装置又は性能が保安基準に適合しなくなつたとき。

二 その型式について指定を受けた特定共通構造部が均一性を有するものでなくなつたとき。

三 不正の手段によりその型式について指定を受けたとき。

6 前項の規定によるほか、国土交通大臣は、指定外国共通構造部製作者等（第二項に規定する者であつてその製作し、又は輸出する特定共通構造部の型式について第一項の規定による指定を受けたものをいう。以下この項において同じ。）が次の各号のいずれかに該当する場合には、当該指定外国共通構造部製作者等に係る第一項の規定による指定を取り消すことができる。

一 指定外国共通構造部製作者等が第七十六条の規定に基づく国土交通省令の規定（第一項の規定による指定に係る部分に限る。）に違反したとき。

二　国土交通大臣が第一条の目的を達成するため必要があると認めて指定外国共通構造部製作者等に対しその業務に関し報告を求めた場合において、その報告がされず、又は虚偽の報告がされたとき。

三　国土交通大臣が第一条の目的を達成するため特に必要があると認めてその職員に指定外国共通構造部製作者等の事務所その他の事業場又はその型式について指定を受けた特定共通構造部の所在すると認める場所において当該特定共通構造部、帳簿書類その他の物件についての検査をさせ、又は関係者に質問をさせようとした場合において、その検査が拒まれ、妨げられ、若しくは忌避され、又は質問に対し陳述がされず、若しくは虚偽の陳述がされたとき。

7　特定共通構造部のうち国土交通省令で定めるものは、国土交通省令で定めるところによりその型式について外国が行う第一項の規定による指定に相当する認定その他の証明を受けた場合には、前条第三項後段の規定の適用については、第一項の規定によりその型式について指定を受けた特定共通構造部とみなす。

（装置の指定）

第七五条の三　国土交通大臣は、自動車の安全性の増進及び自動車による公害の防止その他の環境の保全を図るため、申請により、第四十一条第一項各号に掲げる装置のうち国土交通省令で定めるもの（以下「特定装置」という。）をその型式について指定する。

2　前項の規定による指定の申請は、本邦に輸出される特定装置について、外国において当該特定装置を製作することを業とする者又はその者から当該特定装置を購入する契約を締結している者であつて当該特定装置を本邦に輸出することを業とするものも行うことができる。

3　第一項の規定による指定は、申請に係る特定装置が保安基準に適合し、かつ、均一性を有するものであるかどうかを判定することによつて行う。

4　第一項の規定による指定は、当該特定装置を取り付けることができる自動車又は特定共通構造部の範囲を限定して行うことができる。

5　国土交通大臣は、第一項の申請をした者が第七十六条の規定に基づく国土交通省令の規定（同項の規定による指定に係る部分に限る。）に違反していると認めるときは、当該者に対し、当該違反を是正するために必要な措置をとるべきことを命じ、又は当該違反を是正するために必要な措置が講じられたものと認めるまでの間、同項の規定による指定の効力を停止することができる。この場合において、国土交通大臣は、指定の効力を停止するときは、当該停止の日までに製作された装置について当該停止の効力の及ぶ範囲を限定することができる。

6　国土交通大臣は、次の各号のいずれかに該当する場合には、第一項の規定による指定を取り消すことができる。この場合において、国土交通大臣は、取消しの日までに製作された装置について取消しの効力の及ぶ範囲を限定することができる。

一　その型式について指定を受けた特定装置が保安基準に適合しなくなつたとき。

二　その型式について指定を受けた特定装置が均一性を有するものでなくなつたとき。

三　不正の手段によりその型式について指定を受けたとき。

7　前項の規定によるほか、国土交通大臣は、指定外国装置製作者等（第二項に規定する者であつてその製作し、又は輸出する特定装置の型式について第一項の規定による指定を受けたものをいう。以下この項において同じ。）が次の各号のいずれかに該当する場合には、当該指定外国装置製作者等に係る第一項の規定による指定を取り消すことができる。

一　指定外国装置製作者等が第七十六条の規定に基づく国土交通省令の規定（第一項の規定による指定に係る部分に限る。）に違反したとき。

二　国土交通大臣が第一条の目的を達成するため必要があると認めて指定外国装置製作者等に対しその業務に関し報告を求めた場合において、その報告がされず、又は虚偽の報告がされたとき。

三　国土交通大臣が第一条の目的を達成するため特に必要があると認めてその職員に指定外国装置製作者等の事務所その他の事業場又はその型式について指定を受けた特定装置の所在すると認める場所において当該特定装置、帳簿書類その他の物件についての検査をさせ、又は関係者に質問をさせようとした場合において、その検査が拒まれ、妨げられ、若しくは忌避され、又は質問に対し陳述がされず、若しくは虚偽の陳述がされたとき。

8　特定装置のうち国土交通省令で定めるものは、国土交通省令で定めるところによりその型式について外国が行う第一項の規定による指定に相当する認定その他の証明を受けた場合には、第七十五条第三項後段及び前条第三項後段の規定の適用については、第一項の規定によりその型式について指定を受けた装置とみなす。

（特定共通構造部及び特定装置の表示）

第七五条の四　第七十五条の二第一項又は前条第一項の申請をした者は、その型式について指定を受けた特定共通構造部又は特定装置につき、国土交通省令で定めるところにより、第七十五条の二第一項又は前条第一項の指定を受けたものであることを示す国土交通省令で定める方式による特別な表示を付することができる。

2　何人も、前項に規定する場合を除くほか、特定共通構造部又は特定装置に同項の表示又はこれと紛らわしい表示を付してはならない。

3　特定共通構造部又は特定装置を輸入することを業とする者は、第一項の規定により表示が付されている場合を除くほか、同項の表示又はこれと紛らわしい表示が付されている特定共通構造部又は特定装置を輸入したときは、これを譲渡する時までにその表示を除去しなければならない。

（型式についての指定に係る独立行政法人自動車技術総合機構の審査）

第七五条の五　国土交通大臣は、第七十五条第一項に規定する自動車の型式についての指定、第七十五条の二第一項に規定する特定共通構造部の型式についての指定及び第七十五条の三第一項に規定する特定装置の型式についての指定に関する事務のうち、当該自動車及び当該特定共通構造部の構造、装置及び性能並びに当該特定装置が保安基準に適合するかどうかの審査を機構に行わせるものとする。

2　機構は、前項の審査を行つたときは、遅滞なく、当該審査の結果を国土交通省令で定めるところにより国土交通大臣に通知しなければならない。

（報告及び検査）

第七五条の六　国土交通大臣は、第七十五条第七項及び第八項、第七十五条の二第四項及び第五項並びに第七十五条の三第五項及び第六項の規定の施行に必要な限度において、第七十五条第一項の規定により自動車の型式について指定を受けた者、第七十五条の二第一項の規定により特定共通構造部の型式について指定を受けた者若しくは第七十五条の三第一項の規定により特定装置の型式について指定を受けた者に対し、その業務に関し報告をさせ、又はその職員に、これらの者の事務所その他の事業場に立ち入り、帳簿書類その他の物件を検査させ、若しくは関係者に質問させることができる。

2　前項の規定により立入検査をする職員は、その身分を示す証票を携帯し、かつ、関係者の請求があるときは、これを提示しなければならない。

3　第一項の規定による立入検査の権限は、犯罪捜査のために認められたものと解釈してはならない。

（国土交通省令への委任）

第七六条 自動車検査証、臨時検査合格標章、検査標章、自動車予備検査証及び限定自動車検査証の様式及び再交付の手続、自動車検査証返納証明書の様式、第七十三条第一項の車両番号標に関する事項、第七十五条第一項の規定による指定の手続、同条第四項の規定による検査の基準、同項の完成検査終了証の様式、第七十五条の二第一項の規定による指定の手続、第七十五条の三第一項の規定による指定の手続その他この章に規定する道路運送車両の検査の実施細目は、国土交通省令で定める。

第五章の二　軽自動車検査協会

第一節　総則

（目的）

第七六条の二 軽自動車検査協会は、軽自動車の安全性を確保し、及び軽自動車による公害の防止その他の環境の保全を図るため軽自動車の検査事務を行い、併せてこれに関連する事務を行うことを目的とする。

（法人格）

第七六条の三 軽自動車検査協会（以下「協会」という。）は、法人とする。

（数）

第七六条の四 協会は、一を限り、設立されるものとする。

第七六条の五 削除

（名称）

第七六条の六 協会は、その名称中に軽自動車検査協会という文字を用いなければならない。

2 協会でない者は、その名称中に軽自動車検査協会という文字を用いてはならない。

（登記）

第七六条の七 協会は、政令で定めるところにより、登記しなければならない。

2 前項の規定により登記しなければならない事項は、登記の後でなければ、これをもつて第三者に対抗することができない。

（一般社団法人及び一般財団法人に関する法律の準用）

第七六条の八 一般社団法人及び一般財団法人に関する法律（平成十八年法律第四十八号）第四条及び第七十八条の規定は、協会について準用する。

第二節　設立

（発起人）

第七六条の九 協会を設立するには、自動車の安全性の確保及び自動車による公害の防止について学識経験を有する者七人以上が発起人となることを必要とする。

（設立の認可等）

第七六条の一〇 発起人は、定款及び事業計画書を国土交通大臣に提出して、設立の認可を申請しなければならない。

2 設立当初の役員は、定款で定めなければならない。

3 第一項の事業計画書に記載すべき事項は、国土交通省令で定める。

第七六条の一一 国土交通大臣は、前条第一項の規定による認可の申請があつた場合において、申請の内容が次の各号の一に該当せず、かつ、その業務が健全に行われ、軽自動車の安全性の確保及び軽自動車による公害の防止に寄与することが確実であると認められるときは、設立の認可をしなければならない。

一 設立の手続又は定款若しくは事業計画書の内容が法令に違反するとき。

二 定款又は事業計画書に虚偽の記載があり、又は記載すべき事項の記載が欠けているとき。

第七六条の一二 削除

（事務の引継ぎ）

第七六条の一三 設立の認可があつたときは、発起人は、遅滞なく、その事務を協会の理事長となるべき者に引き継がなければならない。

（設立の登記）

第七六条の一四 理事長となるべき者は、前条の規定による事務の引継ぎを受けたときは、遅滞なく、政令で定めるところにより、設立の登記をしなければならない。

2 協会は、設立の登記をすることによつて成立する。

第三節　管理

（定款記載事項）

第七六条の一五 協会の定款には、次の事項を記載しなければならない。

一 目的

二 名称

三 事務所の所在地

四 役員の定数、任期、選任方法その他役員に関する事項

五 評議員会に関する事項

六 業務及びその執行に関する事項

七 財務及び会計に関する事項

八 定款の変更に関する事項

九 公告の方法

2 協会の定款の変更は、国土交通大臣の認可を受けなければ、その効力を生じない。

（役員）

第七六条の一六 協会に、役員として、理事長、理事及び監事を置く。

（役員の職務及び権限）

第七六条の一七 理事長は、協会を代表し、その業務を総理する。

2 理事は、定款で定めるところにより、理事長を補佐して協会の業務を掌理し、理事長に事故があるときはその職務を代理し、理事長が欠員のときはその職務を行なう。

3 監事は、協会の業務を監査する。

4 監事は、監査の結果に基づき、必要があると認めるときは、理事長又は国土交通大臣に意見を提出することができる。

（役員の欠格条項）

第七六条の一八 次の各号のいずれかに該当する者は、役員となることができない。

一 政府又は地方公共団体の職員（非常勤の者を除く。）

二 自動車若しくは自動車の部品の製造、改造、整備、販売、引取り、解体若しくは破砕の事業を営む者又はこれらの者が法人であるときはその役員（いかなる名称によるかを問わず、これと同等以上の職権又は支配力を有する者を含む。）

三 前号に掲げる事業者の団体の役員（いかなる名称によるかを問わず、これと同等以上の職権又は支配力を有する者を含む。）

第七六条の一九 協会は、役員が前条各号の一に該当するに至つたときは、その役員を解任しなければならない。

（役員の選任及び解任）

第七六条の二〇 役員の選任及び解任は、国土交通大臣の認可を受けなければ、その効力を生じない。

2 国土交通大臣は、役員が、この法律、この法律に基づく命令若しくは処分、定款、業務規程、業務方法書若しくは第七十六条の三十第一項に規定する検査事務規程に違反する行為をしたとき、又は協会の業務に関し著しく不適当な行為をしたときは、協会に対し、期間を指定して、その役員を解任すべきことを命ずることができる。

3　国土交通大臣は、役員が第七十六条の十八各号の一に該当するに至つた場合において協会がその役員を解任しないとき、又は協会が前項の規定による命令に従わなかつたときは、当該役員を解任することができる。

（役員の兼職禁止）

第七六条の二一　役員は、営利を目的とする団体の役員となり、又は自ら営利事業に従事してはならない。ただし、国土交通大臣の承認を受けたときは、この限りでない。

（代表権の制限）

第七六条の二二　協会と理事長との利益が相反する事項については、理事長は、代表権を有しない。この場合には、監事が協会を代表する。

（評議員会）

第七六条の二三　協会に、その運営に関する重要事項を審議する機関として、評議員会を置く。

2　評議員会は、評議員二十人以内で組織する。

3　評議員は、自動車の安全性の確保及び自動車による公害の防止その他の環境の保全について学識経験を有する者のうちから、国土交通大臣の認可を受けて、理事長が任命する。

（職員の任命）

第七六条の二四　協会の職員は、理事長が任命する。

（職員の兼職禁止）

第七六条の二五　職員は、自動車若しくは自動車の部品の製造、改造、整備、販売、引取り、解体若しくは破砕の事業を経営し、これらの事業の業務に従事し、又はこれらの事業を経営する者の団体の役員若しくは職員となつてはならない。

（役員及び職員の公務員たる性質）

第七六条の二六　役員及び職員は、刑法（明治四十年法律第四十五号）その他の罰則の適用については、法令により公務に従事する職員とみなす。

第四節　業務

（業務）

第七六条の二七　協会は、第七十六条の二の目的を達成するため、次の業務を行う。

一　軽自動車の検査事務

二　検査対象軽自動車に係る自動車重量税の納付の確認及び税額の認定の事務

三　検査対象軽自動車に係る軽自動車税種別割（軽自動車税の種別割（地方税法（昭和二十五年法律第二百二十六号）第四百四十二条第二号に掲げる種別割をいう。）をいう。第九十七条の二第一項及び第二項において同じ。）の納付の確認の事務

四　検査対象軽自動車に係る自動車損害賠償責任保険の契約又は自動車損害賠償責任共済の契約の締結の確認の事務

五　前各号の業務に附帯する業務

六　前各号に掲げるもののほか、第七十六条の二の目的を達成するために必要な業務

2　協会は、前項第六号に掲げる業務を行なおうとするときは、国土交通大臣の認可を受けなければならない。

（業務方法書）

第七六条の二八　協会は、業務の開始前に、業務方法書を作成し、国土交通大臣の認可を受けなければならない。これを変更しようとするときも、同様とする。

2　業務方法書に記載すべき事項は、国土交通省令で定める。

（軽自動車の検査事務の開始等の届出）

第七六条の二九　協会は、軽自動車の検査事務を開始する際、当該事務を開始する日及び当該事務を行なう事務所の所在地を国土交通大臣に届け出なければならない。協会が軽自動車の検査事務を行なう事務所の所在地を変更しようとするときも、同様とする。

（検査事務規程）

第七六条の三〇　協会は、軽自動車の検査事務の開始前に、軽自動車の検査事務の実施に関する規程（以下「検査事務規程」という。）を定め、国土交通大臣の認可を受けなければならない。これを変更しようとするときも、同様とする。

2　国土交通大臣は、前項の認可をした検査事務規程が軽自動車の検査事務の適正かつ確実な実施上不適当となつたと認めるときは、その検査事務規程を変更すべきことを命ずることができる。

3　検査事務規程で定めるべき事項は、国土交通省令で定める。

（軽自動車の検査設備）

第七六条の三一　協会は、軽自動車の検査事務を行なう事務所ごとに、国土交通省令で定める基準に適合する検査設備を備え、かつ、これを当該基準に適合するように維持しなければならない。

（軽自動車検査員）

第七六条の三二　協会は、軽自動車の検査事務を行なう場合において、軽自動車が保安基準に適合するかどうかの判定に関する業務については、軽自動車検査員に行なわせなければならない。

2　軽自動車検査員は、自動車の検査について国土交通省令で定める一定の実務の経験その他の要件を備える者のうちから、選任しなければならない。

3　協会は、軽自動車検査員を選任したときは、その日から十五日以内に、国土交通大臣にその旨を届け出なければならない。これを変更したときも、同様とする。

4　国土交通大臣は、軽自動車検査員が、この法律、この法律に基づく命令若しくは処分若しくは検査事務規程に違反する行為をしたとき、又は軽自動車の検査事務に関し著しく不適当な行為をしたときは、協会に対し、軽自動車検査員の解任を命ずることができる。

5　前項又は第九十四条の四第四項の規定による命令により軽自動車検査員又は自動車検査員の職を解任され、解任の日から二年を経過しない者は、軽自動車検査員となることができない。

第五節　財務及び会計

（事業年度）

第七六条の三三　協会の事業年度は、毎年四月一日に始まり、翌年三月三十一日に終わる。

（予算等の認可）

第七六条の三四　協会は、毎事業年度、予算及び事業計画を作成し、当該事業年度の開始前に、国土交通大臣の認可を受けなければならない。これを変更しようとするときも、同様とする。

（財務諸表）

第七六条の三五　協会は、毎事業年度、財産目録、貸借対照表及び損益計算書（以下「財務諸表」という。）を作成し、当該事業年度の終了後三月以内に国土交通大臣に提出しなければならない。

2　協会は、前項の規定により財務諸表を国土交通大臣に提出するときは、これに、予算の区分に従い作成した当該事業年度の決算報告書並びに財務諸表及び決算報告書に関する監事の意見書を添附しなければならない。

第七六条の三六及び第七六条の三七　削除

（国土交通省令への委任）

第七六条の三八　この法律に規定するもののほか、協会の財務及び会計に関し必要な事項は、国土交通省令で定める。

第六節　監督

（監督命令）

第七六条の三九　国土交通大臣は、この法律を施行するため必要があると認めるときは、協会に対し、その業務に関し監督上必

要な命令をすることができる。

（報告及び検査）

第七六条の四〇　国土交通大臣は、この法律を施行するため必要があると認めるときは、協会に対しその業務に関し報告をさせ、又はその職員に、協会の事務所その他の事業場に立ち入り、業務の状況若しくは帳簿書類その他の物件を検査させることができる。

２　前項の規定により立入検査をする場合においては、当該職員は、その身分を示す証票を携帯し、かつ、関係者の請求があるときは、これを提示しなければならない。

３　第一項の規定による立入検査の権限は、犯罪捜査のために認められたものと解釈してはならない。

第七節　解散

（解散）

第七六条の四一　協会の解散については、別に法律で定める。

第六章　自動車の整備事業

（自動車特定整備事業の種類）

第七七条　自動車特定整備事業（自動車（検査対象外軽自動車及び小型特殊自動車を除く。）の特定整備を行う事業をいう。以下同じ。）の種類は、次に掲げるものとする。

一　普通自動車特定整備事業（普通自動車、四輪の小型自動車及び大型特殊自動車を対象とする自動車特定整備事業をいう。）

二　小型自動車特定整備事業（小型自動車及び検査対象軽自動車を対象とする自動車特定整備事業をいう。）

三　軽自動車特定整備事業（検査対象軽自動車を対象とする自動車特定整備事業をいう。）

（認証）

第七八条　自動車特定整備事業を経営しようとする者は、自動車特定整備事業の種類及び特定整備を行う事業場ごとに、地方運輸局長の認証を受けなければならない。

２　自動車特定整備事業の認証は、対象とする自動車の種類を指定し、その他業務の範囲を限定して行うことができる。

３　自動車特定整備事業の認証には、条件を付し、及びこれを変更することができる。

４　前項の条件は、自動車特定整備事業の認証を受けた者（以下「自動車特定整備事業者」という。）が行う自動車の特定整備が適切に行われるために必要とする最小限度のものに限り、かつ、当該自動車特定整備事業者に不当な義務を課することとならないものでなければならない。

（申請）

第七九条　自動車特定整備事業の認証を受けようとする者は、次に掲げる事項を記載した申請書を地方運輸局長に提出しなければならない。

一　氏名又は名称及び住所並びに法人にあつては、その役員の氏名

二　自動車特定整備事業の種類

三　事業場の所在地

四　前条第二項の規定により業務の範囲を限定する認証を受けようとする者にあつては、対象とする自動車の種類その他業務の範囲

２　前項の申請書には、その申請が次条第一項各号に掲げる要件に適合するものであることを証する書面を添付しなければならない。

３　地方運輸局長は、自動車特定整備事業の認証を申請した者に対し、前二項に規定するもののほか、その者の登記事項証明書その他必要な書面の提出を求めることができる。

（認証基準）

第八〇条　地方運輸局長は、前条の規定による申請が次に掲げる基準に適合するときは、自動車特定整備事業の認証をしなければならない。

一　当該事業場の設備及び従業員が、国土交通省令で定める基準に適合するものであること。

二　申請者が、次に掲げる者に該当しないものであること。

イ　一年以上の懲役又は禁錮の刑に処せられ、その執行を終わり、又は執行を受けることがなくなつた日から二年を経過しない者

ロ　第九十三条の規定による自動車特定整備事業の認証の取消しを受け、その取消しの日から二年を経過しない者（当該認証を取り消された者が法人である場合においては、当該取消しに係る聴聞の期日及び場所に関する第百三条第二項の公示の日前六十日以内に当該法人の役員（いかなる名称によるかを問わず、これと同等以上の職権又は支配力を有するものを含む。ニにおいて同じ。）であつた者で当該取消しの日から二年を経過しないものを含む。）

ハ　営業に関し成年者と同一の行為能力を有しない未成年者であつて、その法定代理人がイ、ロ又はニのいずれかに該当するもの

ニ　法人であつて、その役員のうちにイ、ロ又はハのいずれかに該当する者があるもの

２　前項第一号の規定による基準は、自動車特定整備事業の種類別に自動車の特定整備に必要な最低限度のものでなければならない。

（変更届等）

第八一条　自動車特定整備事業者は、次に掲げる事項について変更が生じたときは、その事由が生じた日から三十日以内に、地方運輸局長に届け出なければならない。

一　氏名又は名称及び住所

二　法人にあつては、その役員の氏名

三　事業場の所在地

四　事業場の設備のうち国土交通省令で定める特に重要なもの

２　自動車特定整備事業者は、その事業を廃止したときは、その日から三十日以内に、その旨を地方運輸局長に届け出なければならない。

（相続、合併及び分割）

第八二条　自動車特定整備事業者について相続、合併又は分割（自動車特定整備事業を承継させるものに限る。）があつたときは、相続人（相続人が二人以上ある場合において、被相続人の死亡後三十日以内にその協議により事業を承継すべき相続人を選定したときは、その者）、合併後存続する法人若しくは合併により設立された法人又は分割により自動車特定整備事業を承継した法人は、自動車特定整備事業者のこの法律の規定による地位を承継する。

２　前項の規定により自動車特定整備事業者の地位を承継した者は、その事由の生じた日から三十日以内にその旨を地方運輸局長に届け出なければならない。

（事業の譲渡）

第八三条　自動車特定整備事業者が自動車特定整備事業を譲渡したときは、譲受人は、譲渡人のこの法律の規定による地位を承継する。

２　前条第二項の規定は、前項の場合に準用する。

（認証の失効）

第八四条　第八十一条第二項の規定により事業の廃止の届出があつたときは、自動車特定整備事業の認証は、その効力を失う。

第八五条から第八八条まで　削除

（標識）

第八九条　自動車特定整備事業者は、事業場において、公衆の見

やすいように、国土交通省令で定める様式の標識を掲げなければならない。

2　自動車特定整備事業者以外の者は、前項の標識又はこれに類似する標識を掲げてはならない。

（自動車特定整備事業者の義務）

第九〇条　自動車特定整備事業者は、特定整備を行う場合においては、当該自動車の特定整備に係る部分が保安基準に適合するようにしなければならない。

（特定整備記録簿）

第九一条　自動車特定整備事業者は、特定整備記録簿を備え、特定整備をしたときは、これに次に掲げる事項を記載しなければならない。

一　登録自動車にあつては自動車登録番号、第六十条第一項後段の車両番号の指定を受けた自動車にあつては車両番号、その他の自動車にあつては車台番号

二　特定整備の概要

三　特定整備を完了した年月日

四　依頼者の氏名又は名称及び住所

五　その他国土交通省令で定める事項

2　自動車特定整備事業者は、当該自動車の使用者に前項各号に掲げる事項を記載した特定整備記録簿の写しを交付しなければならない。

3　特定整備記録簿は、その記載の日から二年間保存しなければならない。

（設備の維持等）

第九一条の二　自動車特定整備事業者は、当該事業場に関し、第八十条第一項第一号の規定による基準に適合するように設備を維持し、及び従業員を確保しなければならない。

（遵守事項）

第九一条の三　自動車特定整備事業者は、第八十九条から前条までに定めるもののほか、自動車の整備についての技術の向上、適切な点検及び整備の励行の促進その他自動車特定整備事業の業務の適正な運営を確保するために国土交通省令で定める事項を遵守しなければならない。

（改善命令）

第九二条　地方運輸局長は、自動車特定整備事業者の事業場の設備及び従業員が第八十条第一項第一号の規定による基準に適合せず、又はその業務の運営に関し前条の国土交通省令で定める事項を遵守していないと認めるときは、当該自動車特定整備事業者に対し、その設備及び従業員を基準に適合させるため、又はその業務の運営を改善するため必要な措置をとるべきことを命ずることができる。

（事業の停止等）

第九三条　地方運輸局長は、自動車特定整備事業者が、次の各号のいずれかに該当するときは、三月以内において期間を定めて事業の停止を命じ、又は認証を取り消すことができる。

一　この法律若しくはこの法律に基づく命令又はこれらに基づく処分に違反したとき。

二　第七十八条第二項の規定による業務の範囲の限定又は同条第三項の規定により認証に付した条件に違反したとき。

三　第八十条第一項第二号イ、ハ又はニに掲げる者となつたとき。

（優良自動車整備事業者の認定）

第九四条　地方運輸局長は、自動車の整備の向上を図るため、申請により、自動車又はその部分の整備又は改造を業とする者について、国土交通省令で定める基準に適合する設備、技術及び管理組織を有する事業場ごとに、優良自動車整備事業者の認定を行う。

2　優良自動車整備事業者の認定を受けた者は、事業場において、公衆の見易いように、国土交通省令で定める様式の標識を掲げなければならない。

3　優良自動車整備事業者の認定を受けた者以外の者は、前項の標識又はこれに類似する標識を掲げてはならない。

4　地方運輸局長は、第一項の認定を受けた者が同項の国土交通省令で定める基準に適合する設備、技術及び管理組織を有しなくなつたと認めるときは、認定を取り消すことができる。

5　第一項の認定の種類その他認定の実施細目は、国土交通省令で定める。

（指定自動車整備事業の指定等）

第九四条の二　地方運輸局長は、自動車特定整備事業者の申請により、自動車特定整備事業の認証を受けた事業場であつて、自動車の整備について前条第一項の国土交通省令で定める基準に適合する設備、技術及び管理組織を有するほか、国土交通省令で定める基準に適合する自動車の検査の設備を有し、かつ、確実に第九十四条の四第一項の自動車検査員を選任して第九十四条の五第一項の自動車の点検及び整備について検査をさせると認められるものについて、指定自動車整備事業の指定をすることができる。

2　第七十八条第二項から第四項まで及び第八十条第一項（第二号ロからニまでに係る部分に限る。）の規定は、前項の指定について準用する。この場合において、同号ロ中「第九十三条の規定による自動車特定整備事業の認証」とあるのは「第九十四条の八第一項の規定による指定」と、「当該認証」とあるのは「当該指定」と読み替えるものとする。

3　第一項の規定の適用については、二以上の自動車特定整備事業の事業場のために用いられる自動車の検査の設備は、その管理の方法、位置その他について国土交通省令で定める要件を備えるときは、当該二以上の事業場のそれぞれに所属する自動車の検査の設備とみなすことができる。

（設備の維持等）

第九四条の三　前条第一項の指定を受けた者（以下「指定自動車整備事業者」という。）は、同項の設備（自動車の検査の設備を含む。次項において同じ。）、技術及び管理組織を同条第一項に規定する基準に適合するように維持しなければならない。

2　地方運輸局長は、前条第一項の設備、技術及び管理組織が同項に規定する基準に適合していないと認めるときは、当該指定自動車整備事業者に対し、その是正のために必要な措置をとるべきことを命ずることができる。

（自動車検査員）

第九四条の四　指定自動車整備事業者は、事業場ごとに、自動車の検査について国土交通省令で定める一定の実務の経験その他の要件を備える者のうちから、自動車検査員を選任しなければならない。

2　自動車検査員は、他の事業場の自動車検査員となることができない。ただし、同一の指定自動車整備事業者の他の事業場で、位置その他について国土交通省令で定める要件を備えるものについては、この限りでない。

3　指定自動車整備事業者は、自動車検査員を選任したときは、その日から十五日以内に、地方運輸局長にその旨を届け出なければならない。これを変更したときも、同様とする。

4　地方運輸局長は、自動車検査員がその業務について不正の行為をしたとき、又はその他この法律若しくはこの法律に基づく命令の規定に違反したときは、指定自動車整備事業者に対し、自動車検査員の解任を命ずることができる。

5　前項又は第七十六条の三十二第四項の規定による命令により自動車検査員又は軽自動車検査員の職を解任され、解任の日から二年を経過しない者は、自動車検査員となることができない。

（保安基準適合証等）

第九四条の五　指定自動車整備事業者は、自動車（検査対象外軽自動車及び小型特殊自動車を除く。）を国土交通省令で定める技術上の基準により点検し、当該自動車の保安基準に適合しなくなるおそれがある部分及び適合しない部分について必要な整備をした場合において、当該自動車が保安基準に適合する旨を

自動車検査員が証明したときは、請求により、保安基準適合証及び保安基準適合標章（第十六条第一項の申請に基づく一時抹消登録を受けた自動車並びに第六十九条第四項の規定による自動車検査証返納証明書の交付を受けた検査対象軽自動車及び二輪の小型自動車にあつては、保安基準適合証）を依頼者に交付しなければならない。ただし、第六十三条第二項の規定により臨時検査を受けるべき自動車については、臨時検査を受けていなければ、これらを交付してはならない。

2　指定自動車整備事業者は、自動車（検査対象外軽自動車及び小型特殊自動車その他国土交通省令で定める自動車を除く。）に係る前項の規定による保安基準適合証の交付に代えて、政令で定めるところにより、当該依頼者の承諾を得て、当該保安基準適合証に記載すべき事項を電磁的方法により登録情報処理機関に提供することができる。

3　前項の規定により保安基準適合証に記載すべき事項が登録情報処理機関に提供されたときは、当該指定自動車整備事業者は、当該保安基準適合証を当該依頼者に交付したものとみなす。

4　第一項の場合においては、自動車検査員は、国土交通省令で定める基準により、当該自動車が保安基準に適合するかどうかを検査し、その結果これに適合すると認めるときでなければ、その証明をしてはならない。この場合において、自動車検査員が当該自動車について国土交通省令で定める技術上の基準により同項の点検を行い、その結果保安基準に適合すると認めた部分は、国土交通省令で定めるところにより、検査において保安基準に適合するものとみなす。

5　自動車検査員は、第十六条第一項の申請に基づく一時抹消登録を受けた自動車又は第六十九条第四項の規定による自動車検査証返納証明書の交付を受けた検査対象軽自動車若しくは二輪の小型自動車については、当該自動車の構造等に関する事項がそれぞれ当該自動車に係る自動車登録ファイルに記録され、又は自動車検査証返納証明書に記載された構造等に関する事項と同一でなければ、第一項の証明をしてはならない。

6　保安基準適合証及び保安基準適合標章には、国土交通省令で定めるところにより、有効期間を付さなければならない。

7　新規検査又は予備検査（第十六条第一項の申請に基づく一時抹消登録を受けた乗用自動車等又は第六十九条第四項の規定による自動車検査証返納証明書の交付を受けた検査対象軽自動車若しくは二輪の小型自動車に係るものに限る。）に際し、当該自動車に係る自動車検査証返納証明書（同項の規定による自動車検査証返納証明書の交付を受けた検査対象軽自動車又は二輪の小型自動車に係るものに限る。）とともに有効な保安基準適合証の提出があつた場合には、第五十九条及び第六十条並びに第七十一条の規定の適用については、当該自動車は、国土交通大臣（第七十四条の四の規定の適用があるときは、協会。次項、第十項及び次条第四項において同じ。）に対する提示があり、かつ、保安基準に適合するものとみなす。

8　継続検査に際し、有効な保安基準適合証の提出があつた場合には、第六十二条の規定の適用については、当該自動車は、国土交通大臣に対する提示があり、かつ、保安基準に適合するものとみなす。

9　前二項の検査の申請をする者は、第二項の規定により同項に規定する事項が登録情報処理機関に提供されたときは、国土交通省令で定めるところにより、前二項の申請書にその旨を記載することをもつて保安基準適合証の提出に代えることができる。

10　前項の規定により保安基準適合証に記載すべき事項が登録情報処理機関に提供されたことが第七項又は第八項の申請書に記載されたときは、国土交通大臣は、登録情報処理機関に対し、国土交通省令で定めるところにより、必要な事項を照会するものとする。

11　第一項の規定による自動車検査員の証明を受けた自動車が国土交通省令で定めるところにより当該証明に係る有効な保安基準適合標章を表示しているときは、第五十八条第一項及び第六十六条第一項の規定は、当該自動車について適用しない。

12　第七十一条の二第六項の規定は、保安基準適合証について準用する。

（限定保安基準適合証）

第九四条の五の二　指定自動車整備事業者は、有効な限定自動車検査証の交付を受けている自動車の当該限定自動車検査証に記載された保安基準に適合しない部分を整備した場合において、当該整備に係る部分が保安基準に適合する旨を自動車検査員が証明したときは、請求により、限定保安基準適合証を依頼者に交付しなければならない。

2　前条第二項及び第三項の規定は、有効な限定自動車検査証の交付を受けている自動車（国土交通省令で定めるものを除く。）に係る前項の規定による限定保安基準適合証の交付について準用する。

3　前条第一項ただし書及び第四項前段の規定は、第一項の場合について準用する。この場合において、同条第四項前段中「当該自動車」とあるのは、「当該整備に係る部分」と読み替えるものとする。

4　有効な限定自動車検査証及び限定保安基準適合証の提出があつた場合には、第五十九条及び第六十条、第六十二条並びに第七十一条の規定の適用については、当該自動車は、国土交通大臣に対する提示があり、かつ、保安基準に適合するものとみなす。

5　前条第九項及び第十項の規定は、限定保安基準適合証の提出について準用する。

（指定整備記録簿）

第九四条の六　指定自動車整備事業者は、指定整備記録簿を備え、保安基準適合証、保安基準適合標章又は限定保安基準適合証を交付した自動車について、次に掲げる事項を記載しなければならない。

一　車名及び型式、車台番号、原動機の型式並びに登録自動車にあつては自動車登録番号、第六十条第一項後段の規定により車両番号の指定を受けた自動車にあつては車両番号

二　点検及び整備並びに検査の概要

三　検査の年月日

四　自動車検査員の氏名

五　国土交通省令で定める保安基準適合証、保安基準適合標章及び限定保安基準適合証に関する事項

六　依頼者の氏名又は名称及び住所

2　指定整備記録簿は、その記載の日から二年間保存しなければならない。

（罰則の適用）

第九四条の七　自動車検査員その他第九十四条の五第一項及び第九十四条の五の二第一項の証明その他の保安基準適合証、保安基準適合標章及び限定保安基準適合証の交付の業務に従事する指定自動車整備事業者並びにその役員及び職員は、刑法その他の罰則の適用については、法令により公務に従事する職員とみなす。

（保安基準適合証の交付の停止等）

第九四条の八　地方運輸局長は、指定自動車整備事業者が次の各号のいずれかに該当するときは、六月以内において期間を定めて保安基準適合証、保安基準適合標章及び限定保安基準適合証の交付の停止を命じ、又は指定を取り消すことができる。

一　この法律若しくはこの法律に基づく命令又はこれらに基づく処分に違反したとき。

二　第九十三条第二号又は第三号に該当するとき。

三　第九十四条の二第二項において準用する第七十八条第二項又は第三項の規定による業務の範囲の限定又は指定に付した条件に違反したとき。

四　第九十四条の二第二項において準用する第八十条第一項第二号ハ又はニに掲げる者となつたとき。

五　自動車損害賠償保障法（昭和三十年法律第九十七号）第九条第七項の規定に違反したとき。

2　指定自動車整備事業者が自動車特定整備事業者でなくなつたとき、又は次条において準用する第八十一条第二項の規定による事業の廃止の届出があつたときは、その指定は、効力を失う。

（準用規定）

第九四条の九　第八十一条第一項（同項第四号に係る部分に限る。）及び第二項並びに第八十九条の規定は、指定自動車整備事業者について準用する。

（国土交通省令への委任）

第九四条の一〇　第九十四条の五第一項及び第九十四条の五の二第一項の証明の方式、保安基準適合証、保安基準適合標章及び限定保安基準適合証の様式その他保安基準適合証、保安基準適合標章及び限定保安基準適合証に関する実施細目、指定整備記録簿の様式並びに業務の適正な運営の確保のために指定自動車整備事業者及び自動車検査員の遵守すべき事項は、国土交通省令で定める。

（自動車整備振興会）

第九五条　一般社団法人又は一般財団法人であつて、その名称中に自動車整備振興会の文字を用いるものは、自動車の整備に関する設備の改善及び技術の向上を促進し、並びに自動車の整備事業の業務の適正な運営を確保するため、次に掲げる事業を行うことを目的とするものでなければならない。

一　自動車整備振興会としての意見を公表し、又は適当な行政庁に申し出ること。

二　必要な調査研究を行い、統計を作成し、資料を収集し、若しくはこれらを公刊し、又は情報を提供し、若しくはあつせんすること。

三　講演又は講習を行うこと。

四　自動車の整備又は整備事業に関し、自動車の使用者等の苦情を処理し、又はその相談に応ずること。

五　自動車の整備に関する技術の向上及び自動車の整備事業の業務の運営の改善に関し、自動車特定整備事業者その他の者の相談に応じ、又はこれらの者を指導すること。

六　広報を行うこと。

第九六条　前条の法人以外の者は、その名称中に自動車整備振興会の文字を用いてはならない。

第六章の二　登録情報処理機関

（登録）

第九六条の二　第七条第四項の登録（以下この章において単に「登録」という。）は、第三十三条第四項、第七十五条第五項又は第九十四条の五第二項（第九十四条の五の二第二項において準用する場合を含む。）に規定する事項の提供を受け、当該提供をした者について国土交通省令で定める方法による本人であることの確認その他の国土交通省令で定める事項の確認を行い、並びに第七条第五項（第五十九条第四項において準用する場合を含む。）及び第九十四条の五第十項（第九十四条の五の二第五項において準用する場合を含む。）の規定による国土交通大臣の照会に対して回答する業務（以下「情報処理業務」という。）を行おうとする者の申請により行う。

（欠格条項）

第九六条の三　次の各号のいずれかに該当する者は、登録を受けることができない。

一　この法律又はこの法律に基づく命令に違反し、罰金以上の刑に処せられ、その執行を終わり、又は執行を受けることがなくなつた日から二年を経過しない者

二　第九十六条の十三の規定により登録を取り消され、その取消しの日から二年を経過しない者

三　法人であつて、その業務を行う役員のうちに前二号のいずれかに該当する者があるもの

（登録基準等）

第九六条の四　国土交通大臣は、第九十六条の二の規定により登録を申請した者が電子計算機及び情報処理業務に必要なプログラムを有するものであるときは、その登録をしなければならない。この場合において、登録に関して必要な手続は、国土交通省令で定める。

2　登録は、登録情報処理機関登録簿に次に掲げる事項を記載してするものとする。

一　登録年月日及び登録番号

二　登録情報処理機関の氏名又は名称及び住所並びに法人にあつては、その代表者の氏名

三　登録情報処理機関が情報処理業務を行う事業場の所在地

四　自動公衆送信において送信元である登録情報処理機関を識別するための文字、番号、記号その他の符号

五　登録情報処理機関が提供を受ける第七条第四項各号に掲げる規定に規定する事項の別

六　前各号に掲げるもののほか、国土交通省令で定める事項

3　国土交通大臣は、国土交通省令で定めるところにより、登録情報処理機関登録簿を公衆の閲覧に供しなければならない。

4　登録情報処理機関は、電気通信回線に接続して行う自動公衆送信により、その氏名又は名称、登録情報処理機関登録簿に記載された登録番号、情報処理業務に関する約款及び料金その他の国土交通省令で定める事項を公衆の閲覧に供しなければならない。

（登録の更新）

第九六条の五　登録は、五年以上十年以内において政令で定める期間ごとにその更新を受けなければ、その期間の経過によつて、その効力を失う。

2　前三条の規定は、前項の登録の更新について準用する。

（業務の実施に係る義務）

第九六条の六　登録情報処理機関は、情報処理業務を行うことを求められたときは、正当な理由がある場合を除き、遅滞なく、情報処理業務を行わなければならない。

2　登録情報処理機関は、公正に、かつ、国土交通省令で定める基準に適合する方法により情報処理業務を行わなければならない。

3　登録情報処理機関は、国土交通省令で定める場合を除き、情報処理業務の全部又は一部を他人に委託してはならない。

（変更の届出）

第九六条の七　登録情報処理機関は、第九十六条の四第二項第二号から第四号まで又は第六号に掲げる事項を変更しようとするときは、変更しようとする日の二週間前までに、その旨を国土交通大臣に届け出なければならない。

（業務規程）

第九六条の八　登録情報処理機関は、情報処理業務の実施に関する規程（以下「業務規程」という。）を定め、情報処理業務の開始前に、国土交通大臣に届け出なければならない。これを変更しようとするときも、同様とする。

2　業務規程には、情報処理業務の実施方法、情報処理業務に関する料金その他の国土交通省令で定める事項を定めておかなければならない。

（業務の休廃止）

第九六条の九　登録情報処理機関は、情報処理業務の全部又は一部を休止し、又は廃止しようとするときは、あらかじめ、国土交通省令で定めるところにより、その旨を国土交通大臣に届け

出なければならない。

（財務諸表等の備付け及び閲覧等）

第九六条の一〇　登録情報処理機関は、毎事業年度経過後三月以内に、当該事業年度の財産目録、貸借対照表及び損益計算書又は収支計算書並びに事業報告書（その作成に代えて電磁的記録（電子的方式、磁気的方式その他の人の知覚によつては認識することができない方式で作られる記録であつて、電子計算機による情報処理の用に供されるものをいう。以下この条において同じ。）の作成がされている場合における当該電磁的記録を含む。次項及び第百十三条において「財務諸表等」という。）を作成し、五年間事務所に備えて置かなければならない。

2　第三十三条第四項、第七十五条第五項又は第九十四条の五第二項（第九十四条の五の二第二項において準用する場合を含む。）に規定する事項を提供しようとする者その他の利害関係人は、登録情報処理機関の業務時間内は、いつでも、次に掲げる請求をすることができる。ただし、第二号又は第四号の請求をするには、登録情報処理機関の定めた費用を支払わなければならない。

一　財務諸表等が書面をもつて作成されているときは、当該書面の閲覧又は謄写の請求

二　前号の書面の謄本又は抄本の請求

三　財務諸表等が電磁的記録をもつて作成されているときは、当該電磁的記録に記録された事項を国土交通省令で定める方法により表示したものの閲覧又は謄写の請求

四　前号の電磁的記録に記録された事項を電磁的方法であつて国土交通省令で定めるものにより提供することの請求又は当該事項を記載した書面の交付の請求

（適合命令）

第九六条の一一　国土交通大臣は、登録情報処理機関が第九十六条の四第一項の規定に適合しなくなつたと認めるときは、その登録情報処理機関に対し、同項の規定に適合するため必要な措置をとるべきことを命ずることができる。

（改善命令）

第九六条の一二　国土交通大臣は、登録情報処理機関が第九十六条の六の規定に違反していると認めるときは、その登録情報処理機関に対し、情報処理業務を行うべきこと又は情報処理業務の方法その他の業務の方法の改善に関し必要な措置をとるべきことを命ずることができる。

（登録の取消し等）

第九六条の一三　国土交通大臣は、登録情報処理機関が次の各号のいずれかに該当するときは、その登録を取り消し、又は期間を定めて情報処理業務の全部若しくは一部の停止を命ずることができる。

一　第九十六条の三第一号又は第三号に該当するに至つたとき。

二　第九十六条の七から第九十六条の九まで、第九十六条の十第一項又は次条の規定に違反したとき。

三　正当な理由がないのに第九十六条の十第二項各号の規定による請求を拒んだとき。

四　前二条の規定による命令に違反したとき。

五　不正の手段により登録を受けたとき。

（帳簿の記載）

第九六条の一四　登録情報処理機関は、国土交通省令で定めるところにより、帳簿を備え、情報処理業務に関し国土交通省令で定める事項を記載し、これを保存しなければならない。

第六章の三　登録情報提供機関

（登録）

第九六条の一五　第二十二条第三項の登録（以下この章において単に「登録」という。）は、情報提供業務を行おうとする者の申請により行う。

（欠格条項）

第九六条の一六　次の各号のいずれかに該当する者は、登録を受けることができない。

一　この法律又はこの法律に基づく命令に違反し、罰金以上の刑に処せられ、その執行を終わり、又は執行を受けることがなくなつた日から二年を経過しない者

二　第九十六条の十九において準用する第九十六条の十三の規定により登録を取り消され、その取消しの日から二年を経過しない者

三　法人であつて、その業務を行う役員のうちに前二号のいずれかに該当する者があるもの

（登録基準等）

第九六条の一七　国土交通大臣は、第九十六条の十五の規定により登録を申請した者が電子計算機及び情報提供業務に必要なプログラムを有するものであるときは、その登録をしなければならない。この場合において、登録に関して必要な手続は、国土交通省令で定める。

2　登録は、登録情報提供機関登録簿に次に掲げる事項を記載してするものとする。

一　登録年月日及び登録番号

二　登録情報提供機関の氏名又は名称及び住所並びに法人にあつては、その代表者の氏名

三　登録情報提供機関が情報提供業務を行う事業場の所在地

四　自動公衆送信において送信元である登録情報提供機関を識別するための文字、番号、記号その他の符号

五　前各号に掲げるもののほか、国土交通省令で定める事項

3　国土交通大臣は、国土交通省令で定めるところにより、登録情報提供機関登録簿を公衆の閲覧に供しなければならない。

4　登録情報提供機関は、電気通信回線に接続して行う自動公衆送信により、その氏名又は名称、登録情報提供機関登録簿に記載された登録番号、情報提供業務に関する約款及び料金その他の国土交通省令で定める事項を公衆の閲覧に供しなければならない。

（登録の更新）

第九六条の一八　登録は、五年以上十年以内において政令で定める期間ごとにその更新を受けなければ、その期間の経過によつて、その効力を失う。

2　前三条の規定は、前項の登録の更新について準用する。

（準用）

第九六条の一九　第九十六条の六から第九十六条の十四までの規定は、登録情報提供機関及び情報提供業務について準用する。この場合において、第九十六条の七中「第九十六条の四第二項第二号から第四号まで」とあるのは「第九十六条の十七第二項第二号から第五号まで」と、第九十六条の十第二項中「第三十三条第四項、第七十五条第五項又は第九十四条の五第二項（第九十四条の五の二第二項において準用する場合を含む。）に規定する事項を提供しようとする者」とあるのは「登録情報の電気通信回線による提供を受けようとする者」と、第九十六条の十一中「第九十六条の四第一項」とあるのは「第九十六条の十七第一項」と、第九十六条の十三第一号中「第九十六条の三第一号又は第三号」とあるのは「第九十六条の十六第一号又は第三号」と読み替えるものとする。

第七章　雑則

（登録自動車に対する強制執行等）

第九七条　登録自動車に対する強制執行及び仮差押えの執行については、地方裁判所が執行裁判所又は保全執行裁判所として、

これを管轄する。ただし、仮差押えの執行で最高裁判所規則で定めるものについては、地方裁判所以外の裁判所が保全執行裁判所として、これを管轄する。

2 前項の強制執行及び仮差押えの執行に関し必要な事項は、最高裁判所規則で定める。

3 前二項の規定は、登録自動車の競売について準用する。

4 前三項の規定は、自動車抵当法第二条但書に規定する大型特殊自動車については、適用しない。

第九七条の二 自動車の使用者が第六十二条第二項（第六十七条第四項において準用する場合を含む。）の規定により自動車検査証の返付を受けようとする場合（検査対象軽自動車又は二輪の小型自動車の使用者にあつては、第六十二条第二項の規定により自動車検査証の返付を受けようとする場合に限る。）には、当該自動車の使用者は、当該自動車の所有者が当該自動車について現に自動車税種別割（自動車税の種別割（地方税法第百四十五条第二号に掲げる種別割をいう。）をいう。次項において同じ。）又は軽自動車税種別割の滞納（天災その他やむを得ない事由によるものを除く。）がないことを証するに足る書面を提示しなければならない。

2 前項の場合において、現に自動車税種別割又は軽自動車税種別割の滞納がないことを証するに足る書面の提示については、当該書面の提示に代えて、政令で定めるところにより、国土交通大臣（第七十四条の四の規定の適用があるときは、協会。次項において同じ。）が当該自動車税種別割又は軽自動車税種別割を課した地方公共団体にその額の納付の有無の事実を確認することにより行うことができる。

3 国土交通大臣は、第一項の書面の提示又は前項の納付の事実の確認がないときは、自動車検査証の返付をしないものとする。

（検査対象外軽自動車の使用の届出等）

第九七条の三 検査対象外軽自動車は、その使用者が、その使用の本拠の位置を管轄する地方運輸局長に届け出て、車両番号の指定を受けなければ、これを運行の用に供してはならない。

2 第七十三条第一項の規定は、検査対象外軽自動車について準用する。

3 前項において準用する第七十三条第一項の規定により検査対象外軽自動車に表示する車両番号標に関する事項は、国土交通省令で定める。

（自動車重量税の不納付による自動車検査証の不交付等）

第九七条の四 国土交通大臣（第七十四条の四の規定の適用があるときは、協会）は、第六十条第一項、第六十二条第二項（第六十三条第三項及び第六十七条第四項において準用する場合を含む。）又は第七十一条第四項の規定により自動車検査証を交付し、又は返付する場合において、当該自動車検査証の交付又は返付に係る自動車につき課されるべき自動車重量税が納付されていないとき（当該自動車重量税の納付につき、自動車重量税法（昭和四十六年法律第八十九号）第十条の三第一項の規定による委託がされているときを除く。）は、当該自動車検査証の交付又は返付をしないものとする。

2 前項の規定は、前条第一項の規定により地方運輸局長が車両番号を指定する場合について準用する。

（不正使用等の禁止）

第九八条 何人も、行使の目的をもつて、自動車登録番号標、臨時運行許可番号標、回送運行許可番号標、臨時検査合格標章、検査標章若しくは保安基準適合標章を偽造し、若しくは変造し、又は偽造若しくは変造に係るこれらの物を使用してはならない。

2 何人も、行使の目的をもつて、自動車登録番号標、臨時運行許可番号標、回送運行許可番号標、臨時検査合格標章、検査標章若しくは保安基準適合標章に紛らわしい外観を有する物を製造し、又はこれらの物を使用してはならない。

3 自動車登録番号標、臨時運行許可番号標、回送運行許可番号標、臨時検査合格標章、検査標章又は保安基準適合標章は、当該自動車以外の自動車に使用してはならない。

（保安基準の規定の準用）

第九九条 第四十条から第四十二条までの規定は、道路以外の場所において使用する自動車であつて多数の人員の輸送を行うものその他政令で定める保安上又は公害防止その他の環境保全上特に重要なものの使用について準用する。

（不正改造等の禁止）

第九九条の二 何人も、第五十八条第一項の規定により有効な自動車検査証の交付を受けている自動車又は第九十七条の三第一項の規定により使用の届出を行つている検査対象外軽自動車（以下「自動車検査証交付済自動車等」という。）について、自動車又はその部分の改造、装置の取付け又は取り外しその他これらに類する行為であつて、当該自動車が保安基準に適合しないこととなるものを行つてはならない。

（特定改造等の許可）

第九九条の三 自動車検査証交付済自動車等について、次に掲げる行為（以下「特定改造等」という。）をしようとする者は、国土交通省令で定めるところにより、あらかじめ、国土交通大臣の許可を受けなければならない。

一 自動運行装置その他の装置に組み込まれたプログラム等（プログラムその他の電子計算機による処理の用に供する情報をいう。以下同じ。）の改変による自動車の改造であつて、当該改造のためのプログラム等が適切なものでなければ自動車が保安基準に適合しなくなるおそれのあるものとして国土交通省令で定めるものを電気通信回線を使用する方法その他の国土交通省令で定める方法によりする行為

二 前号に規定する改造をさせる目的をもつて、電気通信回線を使用する方法その他の国土交通省令で定める方法により自動車の使用者その他の者に対し当該改造のためのプログラム等を提供する行為

2 第七十八条第三項及び第四項の規定は、前項の許可について準用する。この場合において、これらの規定中「条件」とあるのは、「条件又は期限」と読み替えるものとする。

3 国土交通大臣は、第一項の許可の申請が次に掲げる基準に適合していると認めるときでなければ、同項の許可をしてはならない。

一 申請者が特定改造等を適確に実施するに足りる能力及び体制を有する者として国土交通省令で定める基準に適合する者であること。

二 申請に係るプログラム等の改変により改造された自動車が保安基準に適合するものであること。

4 第一項の許可を受けた者は、その能力及び体制を、前項第一号の国土交通省令で定める基準に適合するように維持しなければならない。

5 第一項の許可を受けた者は、前項に定めるもののほか、プログラム等の適切な管理及び確実な改変その他特定改造等の適確な実施を確保するために必要なものとして国土交通省令で定める事項を遵守しなければならない。

6 国土交通大臣は、第一項の許可を受けた者の能力及び体制が第三項第一号の国土交通省令で定める基準に適合せず、又は第一項の許可を受けた者が特定改造等に関し前項の国土交通省令で定める事項を遵守していないと認めるときは、当該者に対し、その能力及び体制を基準に適合させるため、又は特定改造等の適確な実施を確保するため必要な措置をとるべきことを命ずることができる。

7 国土交通大臣は、第一項の許可を受けた者が次の各号のいずれかに該当するときは、期間を定めて特定改造等の停止を命じ、又は同項の許可を取り消すことができる。

一 この法律若しくはこの法律に基づく命令又はこれらに基づく処分に違反したとき。

二 第二項において準用する第七十八条第三項の規定により許可に付した条件に違反したとき。

三　偽りその他不正の手段により第一項の許可を受けたとき。

8　国土交通大臣は、第一項の許可に関する事務のうち、次に掲げるものを機構に行わせるものとする。

一　第一項の許可の申請者が特定改造等を適確に実施するに足りる能力を有するかどうかの審査

二　第一項の許可の申請に係るプログラム等の改変により改造された自動車が保安基準に適合するかどうかの審査

9　機構は、前項各号に掲げる審査を行つたときは、遅滞なく、これらの審査の結果を国土交通省令で定めるところにより国土交通大臣に通知しなければならない。

（情報管理センターに対する照会）

第九九条の四　国土交通大臣は、情報管理センターに対し、国土交通省令で定めるところにより、解体報告記録に関し、必要な事項を照会することができる。

（報告徴収及び立入検査）

第一〇〇条　当該行政庁は、第七十五条の六第一項に定めるもののほか、第一条の目的を達成するため必要があると認めるときは、次に掲げる者に、道路運送車両の所有若しくは使用又は事業若しくは業務に関し報告をさせることができる。

一　道路運送車両の所有者又は使用者

二　自動車登録番号標交付代行者

三　引取業者

四　第二十八条の三第一項の規定により封印の取付けの委託を受けた者

五　第二十九条第二項又は第三十条の規定により届出をした者

六　第三十六条の二第一項の許可を受けた者

七　第五十五条第三項の規定によりその設ける自動車整備士の養成施設について指定を受けた者

八　特定記録等事務代行者

九　特定変更記録事務代行者

十　第七十五条第一項の規定により自動車の型式について指定を受けた者

十一　第七十五条の二第一項の規定により特定共通構造部の型式について指定を受けた者

十二　第七十五条の三第一項の規定により特定装置の型式について指定を受けた者

十三　自動車特定整備事業者

十四　優良自動車整備事業者の認定を受けた者

十五　指定自動車整備事業者

十六　登録情報処理機関

十七　登録情報提供機関

十八　情報管理センター

十九　第九十九条の三第一項の許可を受けた者

2　当該職員は、第七十五条の六第一項に定めるもののほか、第一条の目的を達成するため特に必要があると認めるときは、前項各号に掲げる者の事務所その他の事業場又は道路運送車両の所在すると認める場所に立ち入り、道路運送車両、帳簿書類その他の物件を検査し、又は関係者に質問することができる。

3　前項の場合には、当該職員は、その身分を示す証票を携帯し、かつ、関係者の請求があるときは、これを提示しなければならない。

4　第二項の規定による権限は、犯罪捜査のために認められたものと解釈してはならない。

第一〇一条　当該行政庁は、前条第二項の規定により当該職員が次の各号に掲げるものを検査する場合には、それぞれ当該各号に定める審査を機構に行わせることができる。

一　自動車　当該自動車が保安基準に適合するかどうかの審査

二　第九十九条の三第一項の許可を受けた者の物件　同項の許可を受けた者が特定改造等を適確に実施するに足りる能力を有するかどうかの審査

2　機構は、前項各号に定める審査を行つたときは、遅滞なく、これらの審査の結果を国土交通省令で定めるところにより当該行政庁に通知しなければならない。

（手数料の納付）

第一〇二条　次に掲げる者（国及び独立行政法人（独立行政法人通則法（平成十一年法律第百三号）第二条第一項に規定する独立行政法人であつて当該独立行政法人の業務の内容その他の事情を勘案して政令で定めるものに限る。第八号において同じ。）を除く。次項において同じ。）は、実費を勘案して政令で定める額の手数料を国（第四号、第十号又は第十一号に掲げる者が協会にその申請をする場合には、協会）に納めなければならない。

一　新規登録を申請する者

二　変更登録、移転登録、輸出抹消仮登録又は一時抹消登録を申請する者

三　第十八条の二の規定による登録識別情報の通知を受ける者（第十五条の二第五項の一時抹消登録に係るものに限る。）

四　輸出予定届出証明書の交付を申請する者

五　地方運輸局長が行う臨時運行の許可を申請する者

六　回送運行許可証の交付を申請する者

七　登録事項等証明書の交付を請求する者

八　第二十二条第三項の規定による請求（国又は独立行政法人の委託に係るものを除く。）に係る登録情報の提供を受ける登録情報提供機関

九　自動車整備士の技能検定を申請する者

十　自動車検査証返納証明書又は第七十二条の三の規定による証明書の交付を申請する者

十一　自動車検査証、臨時検査合格標章、検査標章、自動車予備検査証又は限定自動車検査証の再交付を申請する者

十二　指定自動車整備事業の指定を申請する者

2　新規検査、継続検査、構造等変更検査又は予備検査を申請する者は、実費（審査用技術情報管理事務に係る実費を除く。）を勘案して政令で定める額の手数料を国（協会にその申請をする場合には、協会）に、審査用技術情報管理事務に係る実費を勘案して政令で定める額の手数料を機構に、それぞれ納めなければならない。

3　前項に規定する者のうち機構が行う基準適合性審査を受けようとする者は、同項の規定にかかわらず、自動車検査証の交付に係る実費を勘案して政令で定める額の手数料を国に、基準適合性審査に係る実費を勘案して政令で定める額の手数料を機構に、それぞれ納めなければならない。

4　次の各号に掲げる者は、実費（それぞれ当該各号に定める審査に係る実費を除く。）を勘案して政令で定める額の手数料を国に、それぞれ当該各号に定める審査に係る実費を勘案して政令で定める額の手数料を機構に、それぞれ納めなければならない。

一　自動車、特定共通構造部又は特定装置の型式について指定を申請する者　第七十五条の五第一項の審査

二　第九十九条の三第一項の許可を申請する者　同条第八項各号に掲げる審査

5　第一項第一号から第四号まで、第七号、第八号又は第十号から第十二号までに掲げる者の同項の手数料、第二項に規定する者の同項及び第三項の手数料並びに前項各号に掲げる者の同項の手数料の納付は、機構及び協会に納める場合を除き、国土交通省令で定めるところにより、自動車検査登録印紙をもつてしなければならない。ただし、第一項第八号の請求をする場合には、国土交通省令で定めるところにより、現金をもつてすることができる。

6　第一項第八号の請求をする者又は情報通信技術を活用した行政の推進等に関する法律（平成十四年法律第百五十一号）第六条第一項の規定により同項に規定する電子情報処理組織を使用して第一項各号（第八号を除く。）、第二項若しくは第四項各号の規定による申請等をする者が、国土交通省令で定める期間内

に手数料を納付しないときは、国土交通大臣（第七十四条の四の規定の適用があるときは、協会）は、国土交通省令で定めるところにより、当該申請等を却下することができる。

7　第一項及び第二項の手数料で協会に納められたものは、協会の収入とする。

8　第二項から第四項までの手数料で機構に納められたものは、機構の収入とする。

（聴聞の特例）

第一〇三条　当該行政庁は、第二十六条第二項若しくは第九十三条の規定による事業の停止又は第九十四条の八第一項の規定による保安基準適合証、保安基準適合標章及び限定保安基準適合証の交付の停止の命令をしようとするときは、行政手続法第十三条第一項の規定による意見陳述のための手続の区分にかかわらず、聴聞を行わなければならない。

2　当該行政庁は、第二十六条第二項、第三十六条の二第八項（許可の取消しの場合に限る。）、第五十三条、第七十五条第八項若しくは第九項、第七十五条の二第五項若しくは第六項、第七十五条の三第六項若しくは第七項、第九十三条、第九十四条第四項、第九十四条の四第四項、第九十四条の八第一項又は第九十九条の三第七項（許可の取消しの場合に限る。）の規定による処分に係る聴聞を行うに当たつては、その期日の一週間前までに、行政手続法第十五条第一項の規定による通知をし、かつ、聴聞の期日及び場所を公示しなければならない。

3　前項の通知を行政手続法第十五条第三項に規定する方法によつて行う場合においては、同条第一項の規定により聴聞の期日までにおくべき相当な期間は、二週間を下回つてはならない。

4　第二項の聴聞の期日における審理は、公開により行わなければならない。

（協会がした処分等に係る審査請求）

第一〇三条の二　協会が行う軽自動車の検査事務に係る処分又はその不作為に不服がある者は、国土交通大臣に対し審査請求をすることができる。この場合において、国土交通大臣は、行政不服審査法第二十五条第二項及び第三項、第四十六条第一項及び第二項、第四十七条並びに第四十九条第三項の規定の適用については、協会の上級行政庁とみなす。

（経過措置）

第一〇四条　この法律の規定に基づき政令又は国土交通省令を制定し、又は改廃する場合においては、それぞれ、政令又は国土交通省令で、その制定又は改廃に伴い合理的に必要と判断される範囲内において、所要の経過措置（罰則に関する経過措置を含む。）を定めることができる。

（権限の委任）

第一〇五条　この法律に規定する国土交通大臣の権限は、政令で定めるところにより、地方運輸局長に委任することができる。

2　この法律に規定する地方運輸局長の権限及び前項の規定により地方運輸局長に委任された権限は、政令で定めるところにより、運輸監理部長又は運輸支局長に委任することができる。

3　国土交通大臣又は地方運輸局長の権限が第一項又は前項の規定により地方運輸局長又は運輸監理部長若しくは運輸支局長に委任された場合においては、政令で、合理的に必要と判断される範囲内において、この法律その他の法令の規定の適用に関し必要な事項を定めることができる。

（事務の区分）

第一〇五条の二　第十一条第一項、第二項、第四項及び第六項並びに第三十四条第二項及び第三十五条第四項（これらの規定を第七十三条第二項において準用する場合を含む。）の規定により市町村（特別区を含む。）が処理することとされている事務は、地方自治法（昭和二十二年法律第六十七号）第二条第九項第一号に規定する第一号法定受託事務とする。

第八章　罰則

第一〇六条　第九十八条第一項の規定に違反した者は、三年以下の懲役若しくは百万円以下の罰金に処し、又はこれを併科する。

第一〇六条の二　第三十六条の三第二項の規定に違反して、登録識別情報の作成又は管理に関する秘密を漏らした者は、二年以下の懲役又は百万円以下の罰金に処する。

第一〇六条の三　自動車登録ファイルに不実の記録をさせることとなる登録の申請の用に供する目的で、登録識別情報を取得した者は、二年以下の懲役又は五十万円以下の罰金に処する。情を知つて、その情報を提供した者も、同様とする。

2　不正に取得された登録識別情報を、前項の目的で保管した者も、同項と同様とする。

第一〇六条の四　次の各号のいずれかに該当する者は、一年以下の懲役若しくは三百万円以下の罰金に処し、又はこれを併科する。

一　第六十三条の二第五項の規定による命令に違反した者

二　第六十三条の三第一項又は第二項の規定による届出をせず、又は虚偽の届出をした者

三　第六十三条の四第一項若しくは第七十五条の六第一項の規定による報告をせず、若しくは虚偽の報告をし、又はこれらの規定による検査を拒み、妨げ、若しくは忌避し、若しくは質問に対し陳述をせず、若しくは虚偽の陳述をした者

第一〇六条の五　第九十八条第二項の規定に違反した者は、一年以下の懲役又は百万円以下の罰金に処する。

第一〇七条　次の各号のいずれかに該当する者は、一年以下の懲役若しくは五十万円以下の罰金に処し、又はこれを併科する。

一　詐偽その他不正の手段により、第三十一条ただし書、第三十四条第一項（第七十三条第二項において準用する場合を含む。）、第三十六条の二第一項（第七十三条第二項において準用する場合を含む。）、第六十条第一項、第六十二条第二項（第六十三条第三項（第七十一条第七項において準用する場合を含む。）及び第六十七条第四項（第七十一条第八項において準用する場合を含む。）において準用する場合を含む。）、第七十条、第七十一条第二項若しくは第四項又は第七十一条の二第一項の規定による許可その他の処分を受けた者

二　第二十九条第一項、第三十一条、第九十四条の五第四項（第九十四条の五の二第三項において準用する場合を含む。）又は第九十四条の五第五項の規定に違反した者

三　第九十四条の二第二項において準用する第七十八条第二項の規定による業務の範囲の限定に違反した者

四　第九十四条の五第一項の規定による自動車検査員の証明がないのに保安基準適合証又は保安基準適合標章を交付した者

五　第九十四条の五の二第一項の規定による自動車検査員の証明がないのに限定保安基準適合証を交付した者

六　第九十四条の八第一項の規定による保安基準適合証、保安基準適合標章及び限定保安基準適合証の交付の停止の処分に違反した者

七　第九十六条の十三（第九十六条の十九において準用する場合を含む。）の規定による情報処理業務又は情報提供業務の停止の命令に違反した登録情報処理機関又は登録情報提供機関の役員又は職員

第一〇八条　次の各号のいずれかに該当する者は、六月以下の懲役又は三十万円以下の罰金に処する。

一　第四条、第十一条第五項、第二十条第一項若しくは第二項、第三十五条第六項、第三十六条、第三十六条の二第七項（第七十三条第二項において準用する場合を含む。）、第五十四条の二第七項、第五十八条第一項、第六十九条第二項又は第九十九条の二の規定に違反した者

二　第五十四条第二項又は第五十四条の二第六項の規定による処分に違反した者

三　第五十四条の三第一項の規定による報告をせず、若しくは虚偽の報告をし、又は同項の規定による検査を拒み、妨げ、若しくは忌避し、若しくは質問に対し陳述をせず、若しくは虚偽の陳述をした者

第一〇九条　次の各号のいずれかに該当する者は、五十万円以下の罰金に処する。

一　第十一条第一項（同条第二項及び第十四条第二項において準用する場合を含む。）、第十一条第四項若しくは第六項、第十九条、第二十条第四項、第五十四条の二第四項、第六十三条第六項、第七十三条第一項（第九十七条の三第二項において準用する場合を含む。）又は第九十八条第三項の規定に違反した者

二　第十二条第一項、第十三条第一項又は第十五条第一項の規定による申請をせず、又は虚偽の申請をした者

三　第十五条の二第一項本文の規定による申請をせず、又は虚偽の申請をして輸出した者

四　第二十五条第一項の規定による指定を受けないで自動車登録番号標を登録自動車の所有者に交付する業を行つた者

五　第二十六条第二項、第九十三条又は第九十九条の三第七項の規定による命令に違反した者

六　第二十八条の二第二項又は第三十二条の規定による命令に違反した者

七　第五十四条第一項又は第五十四条の二第一項の規定による命令又は指示に違反した者

八　第五十七条の二第一項の規定による情報の提供をせず、又は虚偽の情報の提供をした者

九　第六十六条第一項（第七十一条の二第四項において読み替えて適用する場合を含む。）の規定に違反して、自動車検査証若しくは限定自動車検査証を備え付けず、又は検査標章を表示しないで自動車を運行の用に供した者

十　第七十五条第七項、第七十五条の二第四項又は第七十五条の三第五項の規定による命令に違反した者

十一　第七十八条第一項の規定による認証を受けないで自動車特定整備事業を経営した者

十二　第七十八条第二項の規定による業務の範囲の限定に違反した者

十三　第九十二条又は第九十四条の三第二項の規定による命令に違反した者

十四　第九十九条の三第一項の規定に違反して、特定改造等をした者（同項第二号の規定による提供をした者にあつては、当該違反により当該提供を受けた者が自動車検査証交付済自動車等について、当該違反に係るプログラム等の改変による自動車の改造をした場合に限る。）

十五　第九十九条の三第六項の規定による命令に違反した者

第一一〇条　次の各号のいずれかに該当する者は、三十万円以下の罰金に処する。

一　第二十六条第一項（第二十八条の三第二項において準用する場合を含む。）、第二十八条第二項、第二十九条第二項、第三十三条、第五十条、第六十三条第二項（第七十一条第七項において準用する場合を含む。）、第六十六条第五項、第六十七条第一項（第七十一条第八項において準用する場合を含む。）、第七十四条の五第二項、第七十四条の六第二項、第七十五条の四第二項若しくは第三項、第七十六条の六第二項、第八十九条第二項（第九十四条の九において準用する場合を含む。）、第九十一条第一項から第三項まで、第九十四条第三項、第九十四条の四第一項、第九十四条の六、第九十六条、第九十七条の三第一項又は第九十九条において準用する第四十条、第四十一条第一項若しくは第四十二条の規定に違反した者

二　第二十七条第一項の規定による認可を受けないで手数料を収受した者

三　第三十六条第二項、第三十条第一項、第五十二条、第六十三条の三第四項、第六十九条の二第一項、第八十一条（第九十四条の九において準用する場合を含む。）、第八十二条第二項（第八十二条第二項において準用する場合を含む。）、第九十四条の四第三項、第九十六条の九（第九十六条の十九において準用する場合を含む。）又は第百条第一項の規定に基づく届出若しくは報告をせず、又は虚偽の届出若しくは報告をした者

四　第十五条の二第一項ただし書、第十六条第四項又は第六十九条の二第三項の規定による届出をせず、又は虚偽の届出をして輸出した者

五　第三十三条第一項、第九十一条第一項又は第九十四条の六第一項の規定による譲渡証明書等に虚偽の記載をした者

六　第三十九条、第七十六条及び第九十七条の三第三項の規定に基づく命令の規定に違反した者

七　第二十九条第三項、第五十三条、第六十七条第三項（第七十一条第八項において準用する場合を含む。）又は第九十四条の四第四項の規定による命令に違反した者

八　第七十六条の四十第一項の規定による検査を拒み、妨げ、又は忌避した者

九　第百条第二項の規定による検査を拒み、妨げ、若しくは忌避し、又は質問に対し陳述をせず、若しくは虚偽の陳述をした者

十　第九十六条の十四（第九十六条の十九において準用する場合を含む。）の規定に違反して、帳簿を備えず、帳簿に記載せず、若しくは帳簿に虚偽の記載をし、又は帳簿を保存しなかつた者

2　第七十六条の四十第一項の規定による報告をせず、又は虚偽の報告をした場合には、その違反行為をした協会の役員又は職員は、二十万円以下の罰金に処する。

第一一一条　法人の代表者又は法人若しくは人の代理人、使用人その他の従業者が、その法人又は人の業務又は所有し、若しくは使用する道路運送車両に関し、次の各号に掲げる規定の違反行為をしたときは、行為者を罰するほか、その法人に対して当該各号に定める罰金刑を、その人に対して各本条の罰金刑を科する。

一　第百六条の四　二億円以下の罰金刑

二　第百七条から前条まで（同条第一項第八号及び同条第二項を除く。）　各本条の罰金刑

第一一二条　第十五条の二第四項（第十六条第六項又は第六十九条の二第五項において準用する場合を含む。）、第十八条第二項（第六十九条の三において準用する場合を含む。）、第二十七条第三項、第二十八条第一項（第二十八条の三第二項において準用する場合を含む。）、第六十三条第四項後段、第六十九条第一項、第七十五条第四項、第八十九条第一項（第九十四条の九において準用する場合を含む。）又は第九十四条第二項の規定に違反した者は、三十万円以下の過料に処する。

2　次の各号のいずれかに該当する場合には、その違反行為をした協会の役員は、三十万円以下の過料に処する。

一　第五章の二の規定により国土交通大臣の認可又は承認を受けなければならない場合において、その認可又は承認を受けなかつたとき。

二　第七十六条の七第一項の規定による政令に違反して、登記することを怠つたとき。

三　第七十六条の二十七第一項に規定する業務以外の業務を行つたとき。

第一一三条　第九十六条の十第一項（第九十六条の十九において準用する場合を含む。）の規定に違反して財務諸表等を備えて置かず、財務諸表等に記載すべき事項を記載せず、若しくは虚偽の記載をし、又は正当な理由がないのに第九十六条の十第二項各号（第九十六条の十九において準用する場合を含む。）の規定による請求を拒んだ者は、二十万円以下の過料に処する。

附　則

この法律は、昭和二十六年七月一日から施行する。但し、第五条並びに第九十七条第一項及び第三項（同条第一項の準用に係る部分に限る。）の規定は、昭和二十七年四月一日から施行する。

附　則〔昭和二七・四・二八法律一〇二抄〕

1　この法律は、公布の日から施行する。

2　この法律の施行の際、現に改正前の道路運送車両法（以下「法」という。）第二十九条第二項の規定により指定を受けた車台番号又は原動機番号の様式、番号、位置及び方法は、それぞれ、改正後の同項の規定により届け出た車台番号又は原動機番号の様式、番号、位置及び方法とみなす。

3　この法律の施行の際、現に有効な自動車検査証の有効期間は、改正後の法第六十一条の規定にかかわらず、現に記載されている有効期間によるものとする。

4　この法律の施行の際、現に軽自動車又は二輪の小型自動車に表示した自動車登録番号標は、改正後の法第七十三条第一項（法第九十七条の二第二項において準用する場合を含む。）の規定により表示した車両番号標とみなす。

5　この法律の施行前にした行為に対する罰則の適用については、この法律の施行後も、なお従前の例による。

附　則〔昭和二九・五・一五法律九七抄〕

改正　昭和五九・五法二五

1　この法律の施行期日は、公布の日から起算して六箇月をこえない範囲内において、政令で定める。

〔昭和二九政二九三により、昭和二九・一一・一四から施行〕

（経過規定）

4　この法律の施行の際現に道路運送車両法により所有権の登録を受けている建設機械については、その登録がある間は、なお、従前の例による。

5　陸運局長は、この法律の施行の日から十五日以内に、前項に規定する建設機械の自動車登録原簿の謄本を建設大臣に送付しなければならない。

6　地方運輸局長は、附則第四項に規定する建設機械について道路運送車両法第十五条又は第十六条の規定によるまつ消登録をしたときは、その旨を、遅滞なく、建設大臣に通知しなければならない。

7　建設大臣は、附則第四項に規定する建設機械については、前項の規定による通知を受けるまでは、第四条の規定による打刻をすることができない。

附　則〔昭和三〇・六・二八法律一二六〕

1　この法律は、昭和三十年十月一日から施行する。

2　この法律の施行の際現に存する改正前の道路運送車両法の規定によりした申請又はその記載は、運輸省令で定めるところにより、改正後の道路運送車両法の規定によりした申請又はその記載とみなす。

3　この法律の施行前、改正前の道路運送車両法の規定により作製し、又は交付した自動車登録原簿、自動車登録原簿の謄本若しくは抄本、自動車検査証、自動車予備検査証若しくは譲渡証明書又はこれらに対する記載は、この法律の施行後は、運輸省令で定めるところにより、それぞれ改正後の道路運送車両法の規定により作製し、又は交付した自動車登録原簿、自動車登録原簿の謄本若しくは抄本、自動車検査証、自動車予備検査証若しくは譲渡証明書又はこれらに対する記載とみなす。

4　この法律の施行の際現に自動車登録原簿に自動車の所有権の登録以外の登録がある自動車に係る自動車登録原簿、自動車登録原簿の謄本若しくは抄本又は譲渡証明書の記載は、当該自動車に係る所有権の登録以外の登録がまつ消されるまでの間は、前項の規定にかかわらず、なお従前の例による。

5　前項の自動車に係る改正後の道路運送車両法第十二条、第十七条及び第三十三条の規定の適用については、これらの規定にかかわらず、前項の期間内は、なお従前の例による。

6　改正後の道路運送車両法第十四条第三項及び第八項並びに第六十八条の規定の適用については、この法律の施行の際現に存する改正前の道路運送車両法第十四条第一項の規定によりした登録換の申請は、この法律の施行の日にしたものとみなす。

7　改正後の道路運送車両法第三十五条第六項の違反行為に対する罰則の適用については、この法律の施行前に満了した改正前の道路運送車両法第三十五条第二項の有効期間は、この法律の施行の日に満了したものとみなす。

附　則〔昭和三七・五・四法律一〇六抄〕

（施行期日）

第一条　この法律は、昭和三十七年十月一日から施行する。ただし、第一条の規定中道路運送車両法第七十六条、第九十八条及び第百六条の改正規定、同法に第百六条の二を加える改正規定並びに同法第百九条第一号の改正規定、第二条の規定中自動車損害賠償保障法に第二十条の二を加える改正規定並びに附則第三条の規定は、昭和三十七年八月一日から施行する。

（道路運送車両法の改正に伴う経過措置）

第二条　この法律（前条ただし書に規定する部分を除く。以下同じ。）の施行の際現に有効な自動車検査証及び自動車予備検査証の有効期間は、改正後の道路運送車両法第六十一条第一項（同法第七十一条第五項において準用する場合を含む。）の規定にかかわらず、現にこれらに記載されている有効期間によるものとする。

2　この法律の施行の際現に有効な自動車検査証の交付を受けている自動車（次条第一項の規定によりこの法律の施行の日前に検査標章の交付を受けた自動車を除く。）は、改正後の道路運送車両法第六十六条第一項の規定にかかわらず、次の各号の区分に従い、それぞれ当該各号に掲げる日までは、検査標章を表示しなくても運行の用に供することができる。

一　昭和三十七年十二月三十一日以前に当該自動車検査証に記載されている有効期間が満了する自動車にあつては、その満了の日

二　昭和三十七年十二月三十一日以前に検査標章の交付を受ける自動車にあつては、この法律の施行後最初に交付を受ける日

三　その他の自動車にあつては、昭和三十七年十二月三十一日

3　この法律の施行前にした改正前の道路運送車両法の規定に違反する行為に対する罰則の適用については、なお従前の例による。

第三条　陸運局長（道路運送車両法第百五条第二項の規定に基づく政令の規定により同法第五章に規定する陸運局長の権限に属する事項の委任を受けた都道府県知事を含む。）は、運輸省令で定めるところにより、次の各号に掲げる自動車の使用者に対して検査標章を交付しなければならない。

一　この条の規定の施行の日から昭和三十七年九月三十日までの間において自動車検査証の交付又はその有効期間の更新を受ける自動車

二　この条の規定の施行の際現に有効な自動車検査証の交付を受けている自動車（前条第二項第一号に規定する自動車及びすでに検査標章の交付を受けた自動車を除く。）

2　前項の検査標章及びその交付については、改正後の道路運送車両法第六十六条第三項及び第四項並びに改正後の自動車損害賠償保障法第九条第二項の規定の例によるものとする。

附　則〔昭和三七・九・一五法律一六一抄〕

1　この法律は、昭和三十七年十月一日から施行する。

2　この法律による改正後の規定は、この附則に特別の定めがある場合を除き、この法律の施行前にされた行政庁の処分、この法律の施行前にされた申請に係る行政庁の不作為その他この法律の施行前に生じた事項についても適用する。ただし、この法律による改正前の規定によつて生じた効力を妨げない。

3　この法律の施行前に提起された訴願、審査の請求、異議の申立てその他の不服申立て（以下「訴願等」という。）について

は、この法律の施行後も、なお従前の例による。この法律の施行前にされた訴願等の裁決、決定その他の処分（以下「裁決等」という。）又はこの法律の施行前に提起された訴願等につきこの法律の施行後にされる裁決等にさらに不服がある場合の訴願等についても、同様とする。

4　前項に規定する訴願等で、この法律の施行後は行政不服審査法による不服申立てをすることができることとなる処分に係るものは、同法以外の法律の適用については、行政不服審査法による不服申立てとみなす。

5　第三項の規定によりこの法律の施行後にされる審査の請求、異議の申立てその他の不服申立ての裁決等については、行政不服審査法による不服申立てをすることができない。

6　この法律の施行前にされた行政庁の処分で、この法律による改正前の規定により訴願等をすることができるものとされ、かつ、その提起期間が定められていなかつたものについて、行政不服審査法による不服申立てをすることができる期間は、この法律の施行の日から起算する。

8　この法律の施行前にした行為に対する罰則の適用については、なお従前の例による。

9　前八項に定めるもののほか、この法律の施行に関して必要な経過措置は、政令で定める。

附　則〔昭和三八・七・一五法律一四九抄〕

（施行期日）

第一条　この法律は、公布の日から起算して三月を経過した日から施行する。

（経過規定）

第二条　この法律の施行前に改正前の道路運送車両法（以下「旧法」という。）第十四条第一項の規定により申請された登録換えについては、なお従前の例による。

2　前項の規定により閉鎖した自動車登録原簿は、その閉鎖の日から五年間保存しなければならない。

3　この法律の施行前に旧法第十四条第七項の規定により閉鎖した自動車登録原簿の保存については、なお従前の例による。

第三条　この法律の施行の際現に乗車定員十人以下で車両総重量八トン以上の自家用自動車を使用する者であつて第五十条第一項の規定の改正により新たに五両以上九両以下の自動車の使用の本拠につき整備管理者を選任しなければならなくなつたものは、この法律の施行の日から一年間は、改正後の道路運送車両法（以下「新法」という。）第五十一条第一項各号の一に該当しない者を当該使用の本拠における整備管理者に選任することができる。

第四条　この法律の施行前にした旧法の規定による自動車分解整備事業の認証は、運輸省令で定めるところにより、新法の規定に基づいてしたものとみなす。その認証の申請についても、同様とする。

2　この法律の施行の際現に軽自動車分解整備事業に相当する事業を経営している者は、新法第七十八条第一項の規定にかかわらず、この法律の施行の日から一年間は、軽自動車分解整備事業の認証を受けたものとみなす。その者が、その期間内に新法第七十八条第一項の認証を申請した場合において、認証があつた旨又は認証をしない旨の通知を受ける日までも、同様とする。

3　前項の規定により軽自動車分解整備事業の認証を受けた者とみなされたものは、この法律の施行の日から一年間は、新法第八十六条第一項各号の一に該当しない者を検査主任者に選任することができる。

第五条　この法律の施行前にした行為に対する罰則の適用については、なお従前の例による。

附　則〔昭和四四・八・一法律六八抄〕

改正　平成一一・一二法一六〇

（施行期日）

第一条　この法律中、第一条、次条、附則第三条及び附則第六条の規定は、公布の日から起算して六月をこえない範囲内において政令で定める日から、第二条、附則第四条及び附則第五条の規定は、公布の日から起算して一年をこえない範囲内において政令で定める日から施行する。

〔昭和四四政三〇七により、第一条、附則第二条、附則第三条及び附則第六条の規定は、昭和四五・一・一から、第二条、附則第四条及び附則第五条の規定は、昭和四五・三・一から施行〕

（第一条の規定による改正に伴う経過措置）

第二条　第一条の規定の施行の際現に同条の規定による改正前の道路運送車両法（以下この条において「旧法」という。）第十一条第二項の規定により封印の取りつけの委託をしている場合における当該委託は、第一条の規定による改正後の道路運送車両法（以下この条において「新法」という。）第二十八条の三第一項の規定による封印の取りつけの委託とみなす。

2　第一条の規定の施行前に旧法第六十三条第三項の規定による検査を行なうため同条第一項の規定により期間が公示され、又は通知された場合において、当該期間が第一条の規定の施行後にわたるときにおいても、当該検査については、なお従前の例による。

3　第一条の規定の施行前に旧法第七十一条第四項の規定により交付された自動車予備検査証の有効期間については、なお従前の例による。

4　第一条の規定の施行の際現に旧法第八十六条第一項各号の一に該当し、かつ、検査主任者に選任されている者で、第一条の規定の施行前に旧法第八十七条の規定による届出があつたものは、新法第八十六条第一項の運輸省令で定める要件を備える者でない場合においても、第一条の規定の施行後引き続き当該事業場の検査主任者に選任されている間は、新法第八十六条第一項の運輸省令で定める要件を備える者とみなす。

（第二条の規定による改正に伴う経過措置）

第四条　第二条の規定の施行前に同条の規定による改正前の道路運送車両法（以下「旧法」という。）及びこれに基づく命令の規定によつてした処分、手続その他の行為は、同条の規定による改正後の道路運送車両法（以下「新法」という。）及びこれに基づく命令の相当規定によつてした処分、手続その他の行為とみなす。

2　第二条の規定の施行前に旧法の規定により交付された検認票、新規登録用謄本、自動車検査証、臨時検査合格標章、検査標章及び自動車予備検査証は、それぞれ新法の規定により交付された検認票、まつ消登録証明書、自動車検査証、臨時検査合格標章、検査標章及び自動車予備検査証とみなす。

3　第二条の規定の施行前に自動車登録原簿にした登録（他の法令の規定によつてしたものを含む。）は、自動車登録ファイルにした登録とみなす。

4　運輸大臣は、政令で定める日までは、政令で定めるところにより、自動車登録原簿を設け、これに自動車の登録をすることができる。

5　国土交通大臣は、当分の間、他の法令の規定により自動車登録ファイルに登録すべき事項について、政令で定めるところにより、自動車登録原簿を設け、これに登録することができる。

6　前二項の規定により自動車登録原簿にした登録は、新法及び他の法令の規定の適用については、自動車登録ファイルにした登録とみなす。

7　国土交通大臣は、政令で定めるところにより、旧法並びに第四項及び第五項の規定により設けた自動車登録原簿に登録された事項を自動車登録ファイルに移し替えることができる。

8　運輸大臣は、政令で定める日までは、政令で定めるところにより、自動車検査記録簿を備え、これに新法第七十二条に規定する事項を記録することができる。

9　前各項に定めるもののほか第二条の規定の施行に関して必要となる経過措置並びに第四項、第五項及び前二項の規定の施行に伴い必要と認められる権限の委任その他の措置は、政令で定めることができる。

（罰則に関する経過措置）

第六条　この法律の施行前にした行為及び附則第二条第二項の規定により従前の例によることとされる検査に係る第一条の規定の施行後にした行為に対する罰則の適用については、なお従前の例による。

附　則〔昭和四七・六・二二法律六二抄〕

改正　平成一一・一二法一六〇

（施行期日）

第一条　この法律は、昭和四十八年十月一日から施行する。ただし、目次の改正規定、第七十四条の次に二条を加える改正規定、第五章の次に一章を加える改正規定、第九十四条の七、第九十五条、第百五条及び第百九条から第百十二条までの改正規定並びに次条第五項、附則第三条〔中略〕の規定は、公布の日から施行する。

（経過措置）

第二条　この法律の施行の際現にこの法律による改正前の道路運送車両法（以下「旧法」という。）第九十七条の三第一項の規定による使用の届出をしている検査対象軽自動車については、当該検査対象軽自動車について最初に使用の届出があつた日からこの法律の施行の日までの期間に応じ、この法律の施行の日から起算して二年をこえない範囲内において政令で定める日まで、この法律による改正後の道路運送車両法（以下「新法」という。）第五章の規定による検査を受け、新法第六十六条第一項の規定による自動車検査証を備え付け、及び検査標章を表示し、並びに新法第七十三条第一項の規定による車両番号標及び車両番号を表示することを要しない。ただし、新法第六十条第一項の規定により自動車検査証の交付を受けた後においては、この限りでない。

2　前項の規定により新法第七十三条第一項の規定による車両番号標を表示しない検査対象軽自動車については、当該自動車を検査対象外軽自動車とみなして新法第九十七条の三（同条の規定に違反する行為に対する罰則を含む。）の規定を適用する。

3　第一項に規定する検査対象軽自動車の使用者が同項の政令で定める日以前に新法第五十九条の規定による新規検査を受けようとする場合において、当該検査対象軽自動車に係る保安基準適合証を提出したときは、同条の規定の適用については、当該検査対象軽自動車は、運輸大臣（新法第七十四条の三の規定の適用があるときは、協会）に対する提示があり、かつ、保安基準に適合するものとみなす。

4　国土交通大臣（新法第七十四条の三の規定の適用があるときは、協会）は、検査対象軽自動車については、当分の間、政令で定めるところにより、軽自動車検査記録簿を備え、これに新法第七十二条第一項に規定する事項を記録することができる。

5　運輸大臣は、この法律の施行前においても、旧法第七十五条第一項及び第二項の規定の例により検査対象軽自動車をその型式について指定することができるものとする。この場合には、同条第三項及び第四項、旧法第百条、第百二条及び第百三条並びに新法第百十二条第二項の規定の適用があるものとする。

第三条　新法第七十六条の六第二項の規定の施行の際現にその名称中に軽自動車検査協会という文字を用いている者については、同項の規定は、同項の規定の施行後六月間は、適用しない。

2　協会の最初の事業年度は、新法第七十六条の三十三の規定にかかわらず、その成立の日に始まり、翌年三月三十一日に終わるものとする。

3　協会の最初の事業年度の予算、事業計画及び資金計画については、新法第七十六条の三十四中「当該事業年度の開始前に」とあるのは、「協会の成立後遅滞なく」とする。

第四条　前二条に規定するもののほか、この法律の施行に関して必要となる経過措置は、政令で定めることができる。

（罰則に関する経過措置）

第一五条　この法律の施行前にした行為に対する罰則の適用については、なお従前の例による。

附　則〔昭和五四・三・三〇法律五抄〕

（施行期日）

1　この法律は、民事執行法（昭和五十四年法律第四号）の施行の日（昭和五十五年十月一日）から施行する。

（経過措置）

2　この法律の施行前に申し立てられた民事執行、企業担保権の実行及び破産の事件については、なお従前の例による。

3　前項の事件に関し執行官が受ける手数料及び支払又は償還を受ける費用の額については、同項の規定にかかわらず、最高裁判所規則の定めるところによる。

附　則〔昭和五七・九・二法律九一抄〕

（施行期日）

第一条　この法律は、公布の日から起算して一年を超えない範囲内において政令で定める日から施行する。ただし、第三十六条の二、第五十五条、第五十七条、第百二条及び第百三条の改正規定並びに次条及び附則第十条から第十二条までの規定は、公布の日から施行する。

〔昭和五七政三二一により、昭和五八・七・一から施行〕

（経過措置）

第二条　改正後の道路運送車両法（以下「新法」という。）第三十六条の二第七項の規定は、この法律の公布の日（以下「公布日」という。）以後に生じた同項各号に掲げる事由について適用し、公布日前に生じた改正前の道路運送車両法（以下「旧法」という。）第三十六条の二第七項各号に掲げる事由に係る処分については、なお従前の例による。

第三条　新法第四十八条第二項の規定は、この法律の施行の日（以下「施行日」という。）以後に初めて新法第六十条第一項若しくは第七十一条第四項の規定により自動車検査証の交付を受け、又は新法第九十七条の三の規定により車両番号の指定を受けた自動車について適用する。

第四条　新法第六十一条第二項の規定は、施行日以後に初めて新法第六十条第一項又は第七十一条第四項の規定により自動車検査証の交付を受けた自動車について適用する。

第五条　新法第八十条第一項第三号の規定は、施行日以後になされた自動車分解整備事業の認証の申請について適用する。

第六条　新法第八十条第一項第四号イの規定は、施行日以後に同号イに規定する刑に処せられた者について適用し、施行日前に旧法第八十条第一項第三号イに規定する刑に処せられた者については、なお従前の例による。

第七条　新法第八十一条第一項の規定は、施行日以後に生じた同項各号に掲げる事項についての変更について適用し、施行日前に生じた旧法第八十一条第一項各号に掲げる事項についての変更に係る届出については、なお従前の例による。

第八条　新法第九十一条第三項の規定は、施行日以後にされた新法第九十条の検査に係る分解整備記録簿について適用し、施行日前にされた旧法第九十条の検査に係る分解整備記録簿の保存期間については、なお従前の例による。

第九条　新法第百八条第二号の規定は、施行日前にされた旧法第五十四条第二項の規定による処分（使用の停止に限る。）に係る違反行為については、適用しない。

2　新法第百九条第六号又は第十号の規定は、施行日前にされた旧法第五十四条第一項又は第九十二条の規定による命令に係る違反行為については、適用しない。

第一〇条　旧法の規定によつてした処分、手続その他の行為は、新法の相当規定によつてした処分、手続その他の行為とみなす。

第一一条　この法律（第三十六条の二の改正規定については、当該改正規定）の施行前にした行為並びに附則第七条及び第八条の規定によりなお従前の例によることとされる変更の届出及び分解整備記録簿の保存に係るこの法律の施行後にした行為に対する罰則の適用については、なお従前の例による。

第一二条　附則第二条から前条までに規定するもののほか、この法律の施行に伴い必要となる経過措置（罰則に関する経過措置を含む。）は、政令で定めることができる。

附　則〔昭和五九・五・八法律二五抄〕

（施行期日）

第一条　この法律は、昭和五十九年七月一日から施行する。

（経過措置）

第二三条　この法律の施行前に海運局長、海運監理部長、海運局若しくは海運監理部の支局その他の地方機関の長（以下「支局長等」という。）又は陸運局長が法律若しくはこれに基づく命令の規定によりした許可、認可その他の処分又は契約その他の行為（以下この条において「処分等」という。）は、政令（支局長等がした処分等にあつては、運輸省令）で定めるところにより、この法律による改正後のそれぞれの法律若しくはこれに基づく命令の規定により相当の地方運輸局長、海運監理部長又は地方運輸局若しくは海運監理部の海運支局その他の地方機関の長（以下「海運支局長等」という。）がした処分等とみなす。

第二四条　この法律の施行前に海運局長、海運監理部長、支局長等又は陸運局長に対してした申請、届出その他の行為（以下この条において「申請等」という。）は、政令（支局長等に対してした申請等にあつては、運輸省令）で定めるところにより、この法律による改正後のそれぞれの法律若しくはこれに基づく命令の規定により相当の地方運輸局長、海運監理部長又は海運支局長等に対してした申請等とみなす。

第二五条　この法律の施行前にした行為に対する罰則の適用については、なお従前の例による。

附　則〔昭和五九・八・一〇法律六七抄〕

（施行期日）

第一条　この法律は、公布の日から起算して一年を超えない範囲内において政令で定める日から施行する。

〔昭和五九政三三〇により、昭和六〇・四・一から施行〕

（経過措置）

第九条　この法律の施行前に、この法律による改正前の〔中略〕道路運送車両法〔中略〕又はこれらの法律に基づく命令の規定によりした処分、手続その他の行為は、この法律による改正後の〔中略〕道路運送車両法〔中略〕又はこれらの法律に基づく命令の相当規定によりした処分、手続その他の行為とみなす。

附　則〔昭和六二・五・二九法律四〇抄〕

（施行期日）

第一条　この法律は、公布の日から起算して六月を超えない範囲内において政令で定める日から施行する。ただし、次条、附則第四条第二項及び附則第五条（附則第二条及び第四条第二項の準用に関する部分に限る。）の規定は、公布の日から施行する。

〔昭和六二政三四〇により、昭和六二・一〇・一から施行〕

（機構の定款の変更）

第二条　小型船舶検査機構（次条及び附則第四条において「機構」という。）は、この法律の施行の日までに、必要な定款の変更をし、運輸大臣の認可を受けるものとする。

2　前項の認可があつたときは、同項に規定する定款の変更は、この法律の施行の日にその効力を生ずる。

（機構の資本金相当額の国庫への納付）

第三条　機構は、第一条の規定による改正前の船舶安全法第二十五条の五に規定する資本金の額に相当する金額を、この法律の施行の日において、国庫に納付しなければならない。

（機構の役員に関する経過措置）

第四条　この法律の施行の際現に機構の理事長、理事又は監事である者は、それぞれその際第一条の規定による改正後の船舶安全法第二十五条の二十第一項の規定により、その選任について運輸大臣の認可を受けたものとみなす。

2　機構は、附則第二条第一項の規定による定款の変更をする場合には、前項の規定によりその選任について運輸大臣の認可を受けたものとみなされる役員の任期を当該定款に定めなければならない。

（準用）

第五条　前三条の規定は、軽自動車検査協会について準用する。この場合において、附則第三条中「第一条」とあるのは「第二条」と、「船舶安全法第二十五条の五」とあるのは「道路運送車両法第七十六条の五」と、前条第一項中「第一条」とあるのは「第二条」と、「船舶安全法第二十五条の二十第一項」とあるのは「道路運送車両法第七十六条の二十第一項」と、同条第二項中「附則第二条第一項」とあるのは「次条において準用する附則第二条第一項」と読み替えるものとする。

（罰則に関する経過措置）

第六条　この法律の施行前にした行為に対する罰則の適用については、なお従前の例による。

附　則〔平成五・一一・一二法律八九抄〕

（施行期日）

第一条　この法律は、行政手続法（平成五年法律第八十八号）の施行の日〔平成六・一〇・一〕から施行する。

（諮問等がされた不利益処分に関する経過措置）

第二条　この法律の施行前に法令に基づき審議会その他の合議制の機関に対し行政手続法第十三条に規定する聴聞又は弁明の機会の付与の手続その他の意見陳述のための手続に相当する手続を執るべきことの諮問その他の求めがされた場合においては、当該諮問その他の求めに係る不利益処分の手続に関しては、この法律による改正後の関係法律の規定にかかわらず、なお従前の例による。

（罰則に関する経過措置）

第一三条　この法律の施行前にした行為に対する罰則の適用については、なお従前の例による。

（聴聞に関する規定の整理に伴う経過措置）

第一四条　この法律の施行前に法律の規定により行われた聴聞、聴問若しくは聴聞会（不利益処分に係るものを除く。）又はこれらのための手続は、この法律による改正後の関係法律の相当規定により行われたものとみなす。

（政令への委任）

第一五条　附則第二条から前条までに定めるもののほか、この法律の施行に関して必要な経過措置は、政令で定める。

附　則〔平成六・七・四法律八六抄〕

（施行期日）

第一条　この法律は、公布の日から起算して一年を超えない範囲内において政令で定める日から施行する。ただし、第十一条、第十七条から第二十条まで、第二十七条、第二十九条、第三十条、第三十六条から第三十六条の三まで及び第三十九条の改正規定、第六十三条の次に三条を加える改正規定、第七十四条の三の改正規定（第七十一条の二第二項に係る部分を除く。）、第八十一条、第八十四条、第九十四条の九、第九十八条、第百六条及び第百六条の二の改正規定、第百七条の改正規定（「二十万円」を「三十万円」に改める部分並びに同条第一号中「、第十七条第三項」を削る部分及び「検認、」を削る部分に限る。）、第百八条の改正規定、第百九条の改正規定（第七号に係る部分を除く。）、第百十条の改正規定並びに第百十二条の改正規定（第一項第二号に係る部分を除く。）並びに附則第二条、第五条、第八条から第十条まで及び第十二条の規定は、公布の日から起算して六月を超えない範囲内において政令で定める日から施行する。

〔平成七政一八一により、平成七・七・一から施行。ただし書の規定は、平成六政三三九により、平成七・一・一から施行〕

（経過措置）

第二条　第十一条第四項の改正規定の施行の際現にこの法律による改正前の道路運送車両法（以下「旧法」という。）第十一条第四項ただし書の規定により運輸大臣の許可を受けて取り外されている封印又は封印の取付けをした自動車登録番号標は、この法律による改正後の道路運送車両法（以下「新法」という。）第十一条第四項ただし書の運輸省令で定めるやむを得ない事由に該当して取り外されたものとみなす。

第三条　この法律の施行前に旧法第五十三条の二第一項の指示を受けた自動車の使用者が当該指示に基づいて講ずる措置については、なお従前の例による。

第四条　新法第六十九条第一項の規定は、この法律の施行の日（以下「施行日」という。）以後に同項第一号又は第二号に掲げる事由に該当することとなる検査対象軽自動車及び二輪の小型自動車について適用し、施行日前に当該事由に該当することとなったこれらの自動車については、なお従前の例による。

第五条　この法律（附則第一条ただし書に規定する改正規定については、当該各改正規定。以下この条及び附則第八条から第十条までにおいて同じ。）の施行の際現に旧法第七十八条第一項の規定により認証を受けている自動車分解整備事業者に対する新法第九十三条の規定による事業の停止の処分又は認証の取消しに関しては、この法律の施行前に生じた事由については、なお従前の例による。

第六条　旧法第九十四条の五第一項の規定により交付された保安基準適合証及び保安基準適合標章でこの法律の施行の際現に効力を有するものは、その有効期間中に限り、新法第九十四条の五第一項の規定により交付された保安基準適合証及び保安基準適合標章とみなす。ただし、新法第七条第三項（第三号に係る部分に限る。）及び第九十四条の五第五項の規定の適用については、この限りでない。

第七条　この法律の施行の際現に旧法第九十四条の二第一項の規定により指定を受けている指定自動車整備事業者に対する新法第九十四条の八第一項の規定による交付の停止の処分又は指定の取消しに関しては、この法律の施行前に生じた事由については、なお従前の例による。

第八条　この法律の施行前に旧法又はこれに基づく命令の規定によってした処分、手続その他の行為であって新法又はこれに基づく命令の規定に相当の規定があるものは、附則第二条及び第六条に規定するものを除き、新法又はこれに基づく命令の相当規定によってしたものとみなす。

（罰則に関する経過措置）

第九条　この法律の施行前にした行為及び附則第三条の規定によりなお従前の例によることとされる場合におけるこの法律の施行後にした行為に対する罰則の適用については、なお従前の例による。

（政令への委任）

第一〇条　附則第二条から前条までに定めるもののほか、この法律の施行に関して必要となる経過措置（罰則に関する経過措置を含む。）は、政令で定める。

附　則　〔平成一〇・五・二七法律七四抄〕

（施行期日）

第一条　この法律は、公布の日から起算して六月を超えない範囲内において政令で定める日から施行する。ただし、第七条第三項第二号の改正規定は、公布の日から施行する。

〔平成一〇政三一八により、平成一〇・一一・二四から施行〕

（経過措置）

第二条　自動車（検査対象外軽自動車及び小型特殊自動車を除く。）の使用者は、この法律の施行の日（以下「施行日」という。）前十五日以内にこの法律による改正前の道路運送車両法（以下「旧法」という。）第六十四条第一項の分解整備をし、施行日の前日までに同項の規定による分解整備検査を受けなかったときは、この法律の施行後遅滞なく、この法律による改正後の道路運送車両法（以下「新法」という。）第四十九条第一項の点検整備記録簿に同項第三号から第五号までに掲げる事項を記載しなければならない。ただし、旧法第四十八条第二項において準用する旧法第四十七条の二第三項の規定による必要な整備として当該分解整備をし、かつ、旧法第四十九条第一項の規定により同項の定期点検整備記録簿に記載をしたとき又は旧法第七十八条第四項の自動車分解整備事業者が当該分解整備を実施し、かつ、旧法第九十条の規定による検査をしたときは、この限りでない。

第三条　旧法第四十九条第一項の定期点検整備記録簿の保存については、なお従前の例による。

第四条　旧法第六十三条第一項の規定によりされた公示であって同項の規定により定められた期間の末日が施行日以後の日であるものに係る自動車であって、当該公示があった日以後施行日の前日までに旧法第六十四条第一項の規定による分解整備検査を受けたもの及びこれに係る自動車検査証については、新法第六十三条第二項及び第四項の規定は、適用しない。

第五条　この法律の施行前に受けた旧法第六十四条の規定による分解整備検査の結果、自動車検査証の返付を受けることができなかった自動車についての検査標章の表示については、新法第六十六条第五項の規定にかかわらず、なお従前の例による。

第六条　この法律の施行前に旧法第八十八条の規定による命令により検査主任者の職を解任され、解任の日から二年を経過しない者は、新法第七十六条の三十二第五項及び第九十四条の四第五項の規定にかかわらず、軽自動車検査員及び自動車検査員となることができない。

（罰則に関する経過措置）

第七条　この法律の施行前にした行為及び附則第五条の規定によりなお従前の例によることとされる場合におけるこの法律の施行後にした行為に対する罰則の適用については、なお従前の例による。

附　則　〔平成一一・六・四法律六六〕

1　この法律は、公布の日から起算して一年を超えない範囲内において政令で定める日から施行する。

〔平成一一政三九二により、平成一二・五・一から施行〕

2　改正後の道路運送車両法第六十一条第二項（第一号に係る部分に限る。）の規定は、この法律の施行の日以後に初めて同法第六十条第一項又は第七十一条第四項の規定により自動車検査証の交付を受けた自動車について適用する。

附　則　〔平成一一・七・一六法律八七抄〕

（施行期日）

第一条　この法律は、平成十二年四月一日から施行する。ただし、次の各号に掲げる規定は、当該各号に定める日から施行する。

一　〔前略〕附則〔中略〕第百六十条、第百六十三条、第百六十四条並びに第二百二条の規定　公布の日

二～六　〔略〕

（国等の事務）

第一五九条　この法律による改正前のそれぞれの法律に規定するもののほか、この法律の施行前において、地方公共団体の機関が法律又はこれに基づく政令により管理し又は執行する国、他の地方公共団体その他公共団体の事務（附則第百六十一条において「国等の事務」という。）は、この法律の施行後は、地方公共団体が法律又はこれに基づく政令により当該地方公共団体の事務として処理するものとする。

（処分、申請等に関する経過措置）

第一六〇条　この法律（附則第一条各号に掲げる規定については、当該各規定。以下この条及び附則第百六十三条において同じ。）の施行前に改正前のそれぞれの法律の規定によりされた許可等の処分その他の行為（以下この条において「処分等の行為」という。）又はこの法律の施行の際現に改正前のそれぞれの法律の規定によりされている許可等の申請その他の行為（以下この条において「申請等の行為」という。）で、この法律の施行の日においてこれらの行為に係る行政事務を行うべき者が異なることとなるものは、附則第二条から前条までの規定又は改正後のそれぞれの法律（これに基づく命令を含む。）の経過措置に

関する規定に定めるものを除き、この法律の施行の日以後における改正後のそれぞれの法律の適用については、改正後のそれぞれの法律の相当規定によりされた処分等の行為又は申請等の行為とみなす。

2　この法律の施行前に改正前のそれぞれの法律の規定により国又は地方公共団体の機関に対し報告、届出、提出その他の手続をしなければならない事項で、この法律の施行の日前にその手続がされていないものについては、この法律及びこれに基づく政令に別段の定めがあるもののほか、これを、改正後のそれぞれの法律の相当規定により国又は地方公共団体の相当の機関に対して報告、届出、提出その他の手続をしなければならない事項についてその手続がされていないものとみなして、この法律による改正後のそれぞれの法律の規定を適用する。

（不服申立てに関する経過措置）

第一六一条　施行日前にされた国等の事務に係る処分であって、当該処分をした行政庁（以下この条において「処分庁」という。）に施行日前に行政不服審査法に規定する上級行政庁（以下この条において「上級行政庁」という。）があったものについての同法による不服申立てについては、施行日以後においても、当該処分庁に引き続き上級行政庁があるものとみなして、行政不服審査法の規定を適用する。この場合において、当該処分庁の上級行政庁とみなされる行政庁は、施行日前に当該処分庁の上級行政庁であった行政庁とする。

2　前項の場合において、上級行政庁とみなされる行政庁が地方公共団体の機関であるときは、当該機関が行政不服審査法の規定により処理することとされる事務は、新地方自治法第二条第九項第一号に規定する第一号法定受託事務とする。

（手数料に関する経過措置）

第一六二条　施行日前においてこの法律による改正前のそれぞれの法律（これに基づく命令を含む。）の規定により納付すべきであった手数料については、この法律及びこれに基づく政令に別段の定めがあるもののほか、なお従前の例による。

（罰則に関する経過措置）

第一六三条　この法律の施行前にした行為に対する罰則の適用については、なお従前の例による。

（その他の経過措置の政令への委任）

第一六四条　この附則に規定するもののほか、この法律の施行に伴い必要な経過措置（罰則に関する経過措置を含む。）は、政令で定める。

2　〔略〕

附　則〔平成一一・一二・八法律一五一抄〕

（施行期日）

第一条　この法律は、平成十二年四月一日から施行する。〔以下略〕

（経過措置）

第三条　民法の一部を改正する法律（平成十一年法律第百四十九号）附則第三条第三項の規定により従前の例によることとされる準禁治産者及びその保佐人に関するこの法律による改正規定の適用については、〔中略〕なお従前の例による。〔以下略〕

第四条　この法律の施行前にした行為に対する罰則の適用については、なお従前の例による。

附　則〔平成一一・一二・二二法律一六〇抄〕

（施行期日）

第一条　この法律〔中略〕は、平成十三年一月六日から施行する。〔以下略〕

（政令への委任）

第四条　前二条に定めるもののほか、この法律の施行に関し必要な事項は、政令で定める。

附　則〔平成一四・五・三一法律五四抄〕

（施行期日）

第一条　この法律は、平成十四年七月一日から施行する。

（経過措置）

第二八条　この法律の施行前にこの法律による改正前のそれぞれの法律若しくはこれに基づく命令（以下「旧法令」という。）の規定により海運監理部長、陸運支局長、海運支局長又は陸運支局の事務所の長（以下「海運監理部長等」という。）がした許可、認可その他の処分又は契約その他の行為（以下「処分等」という。）は、国土交通省令で定めるところにより、この法律による改正後のそれぞれの法律若しくはこれに基づく命令（以下「新法令」という。）の規定により相当の運輸監理部長、運輸支局長又は地方運輸局、運輸監理部若しくは運輸支局の事務所の長（以下「運輸監理部長等」という。）がした処分等とみなす。

第二九条　この法律の施行前に旧法令の規定により海運監理部長等に対してした申請、届出その他の行為（以下「申請等」という。）は、国土交通省令で定めるところにより、新法令の規定により相当の運輸監理部長等に対してした申請等とみなす。

第三〇条　この法律の施行前にした行為に対する罰則の適用については、なお従前の例による。

附　則〔平成一四・七・一七法律八九抄〕

（施行期日）

第一条　この法律は、公布の日から起算して二年六月を超えない範囲内において政令で定める日から施行する。ただし、次の各号に掲げる規定は、当該各号に定める日から施行する。

〔平成一五政四九四により、平成一七・一・一から施行〕

一　第一条の改正規定（「公害の防止」の下に「その他の環境の保全」を加える部分及び「あわせて」を「併せて」に改める部分に限る。）、第四十条から第四十二条まで、第四十四条及び第四十六条の改正規定、第六十三条の二に一項を加える改正規定（装置製作者等に係る部分を除く。）、第七十五条、第七十五条の二、第七十六条の二、第七十六条の二十三、第七十七条の二、第九十七条の四及び第百四条の改正規定、第九十七条の二、第九十七条の四及び第百四条の改正規定、第百六条の二の改正規定、同条を第百六条の三とする改正規定、第百六条の次に一条を加える改正規定（第六十三条の三第二項の規定による届出をせず、又は虚偽の届出をした者に係る部分を除く。）、第百七条の改正規定、第百八条の改正規定（「各号の一」を「各号のいずれか」に、「二十万円」を「三十万円」に改める部分に限る。）、第百九条の改正規定（「各号の一」を「各号のいずれか」に、「三十万円」を「五十万円」に改める部分に限る。）、第百十条の改正規定（同条第一項中「各号の一」を「各号のいずれか」に、「二十万円」を「三十万円」に改める部分、同項第三号中「、第六十三条の四第一項」を削る部分及び同項第八号中「第六十三条の四第一項又は」を削る部分に限る。）、第百十一条の改正規定、第百十一条の二を削る改正規定、第百十二条第一項の改正規定、同条第二項の改正規定、附則第十二条の規定（地方税法（昭和二十五年法律第二百二十六号）附則第三十二条第八項の改正規定中「公害防止」の下に「その他の環境保全」を加える部分に限る。）並びに附則第十九条の規定　公布の日から起算して六月を経過した日

二　第五十条、第五十一条及び第五十四条の改正規定、第五十四条の次に一条を加える改正規定、第六十九条第二項及び第三項の改正規定、第七十四条の改正規定、第九十九条の次に二条を加える改正規定（第九十九条の二に係る部分に限る。）、第百八条第一号及び第二号の改正規定、第百九条第一号及び第六号の改正規定並びに附則第十五条の規定　公布の日から起算して一年を超えない範囲内において政令で定める日

〔平成一四政三四二により、平成一五・四・一から施行〕

三　第六十三条の二の改正規定、同条に一項を加える改正規定（装置製作者等に係る部分に限る。）、第六十三条の三及び第六十三条の四の改正規定、第百六条の次に一条を加える改正規定（第六十三条の三第二項の規定による届出をせず、又は虚偽の届出をした者に係る部分に限る。）並びに第百十条第

一項第三号の改正規定（「第六十三条の三第三項」を「第六十三条の三第四項」に改める部分に限る。）　公布の日から起算して一年六月を超えない範囲内において政令で定める日

〔平成一五政二五八により、平成一六・一・一から施行〕

（経過措置）

第二条　この法律による改正後の道路運送車両法（以下「新法」という。）第十五条第一項、第十六条第三項、第六十九条第一項及び第六十九条の二第一項の規定（使用済自動車の解体に係る部分に限る。）は、この法律の施行の日（以下「施行日」という。）以後に使用済自動車の再資源化等に関する法律の規定により所有者から引取業者に引き渡された自動車について適用し、施行日前に引き渡された自動車については、なお従前の例による。

第三条　新法第十五条第一項、第十六条第三項、第六十九条第一項及び第六十九条の二第一項の規定（使用済自動車の解体に係る部分を除く。）は、施行日以後にこれらの規定に掲げる事由に該当することとなる自動車について適用し、施行日前に当該事由に該当することとなった自動車については、なお従前の例による。

第四条　新法第十五条の二第一項、第十六条第五項及び第六十九条の二第三項の規定は、施行日以後にこれらの規定における当該輸出の予定日から国土交通省令で定める期間さかのぼった日が到来する自動車について適用し、施行日前に当該輸出の予定日から国土交通省令で定める期間さかのぼった日が到来した自動車については、なお従前の例による。

第五条　新法第十八条第二項（第六十九条の三において準用する場合を含む。）の規定は、施行日以後に新法第十六条第二項の規定による一時抹消登録を受ける自動車又は施行日以後に自動車検査証を返納する検査対象軽自動車若しくは二輪の小型自動車について適用し、施行日前にこの法律による改正前の道路運送車両法（以下「旧法」という。）第十六条第二項の規定による抹消登録を受けた自動車又は施行日前に自動車検査証を返納した検査対象軽自動車若しくは二輪の小型自動車については、なお従前の例による。

第六条　第五十四条の改正規定の施行の際現に旧法第五十四条第一項の規定による命令を受けている自動車については、なお従前の例による。

第七条　第六十三条の二に一項を加える改正規定（装置製作者等に係る部分を除く。）の施行の日前に旧法第六十三条の二第一項の規定による勧告を受けた自動車製作者等については、なお従前の例による。

第八条　附則第二条から前条までに規定するもののほか、この法律（附則第一条各号に掲げる改正規定については、当該各改正規定。次条及び附則第十条において同じ。）の施行前に旧法又はこれに基づく命令の規定によってした処分、手続その他の行為であって新法又はこれに基づく命令の規定に相当の規定があるものは、新法又はこれに基づく命令の相当規定によってしたものとみなす。

（罰則に関する経過措置）

第九条　この法律の施行前にした行為及び附則第六条の規定によりなお従前の例によることとされる場合におけるこの法律の施行後にした行為に対する罰則の適用については、なお従前の例による。

（政令への委任）

第一〇条　附則第二条から前条までに定めるもののほか、この法律の施行に関して必要となる経過措置（罰則に関する経過措置を含む。）は、政令で定める。

附　則〔平成一四・七・三一法律一〇〇〕

（施行期日）

第一条　この法律は、民間事業者による信書の送達に関する法律（平成十四年法律第九十九号）の施行の日〔平成一五・四・一〕から施行する。

（罰則に関する経過措置）

第二条　この法律の施行前にした行為に対する罰則の適用については、なお従前の例による。

（その他の経過措置の政令への委任）

第三条　前条に定めるもののほか、この法律の施行に関し必要な経過措置は、政令で定める。

附　則〔平成一四・一二・一三法律一五二抄〕

（施行期日）

第一条　この法律（中略）は、当該各号に定める日〔この法律の公布の日から起算して二年を超えない範囲内において政令で定める日〕から施行する。

〔平成一六政五二により、平成一六・三・三一から施行〕

（罰則に関する経過措置）

第四条　この法律の施行前にした行為に対する罰則の適用については、なお従前の例による。

（その他の経過措置の政令への委任）

第五条　前三条に定めるもののほか、この法律の施行に関し必要な経過措置は、政令で定める。

附　則〔平成一五・五・三〇法律六一抄〕

（施行期日）

第一条　この法律は、行政機関の保有する個人情報の保護に関する法律の施行の日〔平成一七・四・一〕から施行する。

（その他の経過措置の政令への委任）

第四条　前二条に定めるもののほか、この法律の施行に関し必要な経過措置は、政令で定める。

附　則〔平成一六・五・二六法律五五〕

（施行期日）

第一条　この法律は、平成十七年十二月三十一日までの間において政令で定める日から施行する。ただし、第一条中道路運送車両法第三十六条の二の改正規定、同法第六章の次に一章を加える改正規定及び同法第百条第一項の改正規定は、公布の日から起算して一年を超えない範囲内において政令で定める日から施行する。

〔平成一七政一八六により、平成一七・一二・二六から施行。ただし書の規定は、平成一七政一七九により、平成一七・五・二五から施行〕

（経過措置）

第二条　この法律の施行前に第一条の規定による改正前の道路運送車両法（以下「旧道路運送車両法」という。）第三十三条第一項の規定により自動車（国土交通省令で定めるものを除く。）の譲受人に譲渡証明書を交付した者が、政令で定めるところにより、第一条の規定による改正後の道路運送車両法（以下「新道路運送車両法」という。）第七条第一項の申請に係る当該自動車の譲受人の承諾を得て、当該譲渡証明書に記載されていた事項を電磁的方法により登録情報処理機関に提供したときは、新道路運送車両法第三十三条第四項の規定により同項に規定する事項の提供がされたものとみなす。

2　前項の場合においては、当該自動車の譲受人は、当該譲渡証明書を交付した者にこれを返却しなければならない。

第三条　附則第一条ただし書に規定する規定（道路運送車両法第三十六条の二の改正規定に限る。以下同じ。）の施行の際現に旧道路運送車両法第三十六条の二第一項の許可（以下この項において「旧許可」という。）を受けている者は、附則第一条ただし書の政令で定める日（以下この条において「一部施行日」という。）に新道路運送車両法第三十六条の二第一項の許可（以下この項において「新許可」という。）を受けた者とみなす。この場合において、当該新許可を受けた者とみなされる者に係る新許可の有効期間は、一部施行日におけるその者に係る旧許可の有効期間の残存期間のうち最も長い残存期間と同一の期間とする。

2　附則第一条ただし書に規定する規定の施行の際現に旧道路運送車両法第三十六条の二第一項の許可の申請をしている者（国

土交通省令で定める者を除く。）は、一部施行日に新道路運送車両法第三十六条の二第一項の許可の申請をしたものとみなす。

3　附則第一条ただし書に規定する規定の施行の際現に旧道路運送車両法第三十六条の二第三項の規定により交付を受けている回送運行許可証（以下この項において「旧回送運行許可証」という。）及び貸与を受けている回送運行許可番号標は、新道路運送車両法第三十六条の二第三項の規定により交付を受けた回送運行許可証（以下この項において「新回送運行許可証」という。）及び貸与を受けた回送運行許可番号標とみなす。この場合において、当該新回送運行許可証とみなされる旧回送運行許可証の有効期間は、一部施行日における当該旧回送運行許可証の有効期間の残存期間と同一の期間とする。

第四条　この法律の施行前に旧道路運送車両法第七十五条第四項の規定により完成検査終了証を発行し、これを自動車（国土交通省令で定めるものを除く。）の譲受人に交付した者が、国土交通省令で定める期間内に、政令で定めるところにより、新道路運送車両法第七条第一項又は第五十九条第一項の申請をする者の承諾を得て、当該完成検査終了証に記載されていた事項を電磁的方法により登録情報処理機関に提供したときは、新道路運送車両法第七十五条第五項の規定により同項に規定する事項の提供がされたものとみなす。

第五条　前条の規定は、この法律の施行前に旧道路運送車両法第九十四条の五第一項の規定により保安基準適合証を依頼者に交付した者について準用する。この場合において、前条中「第七条第一項又は第五十九条第一項」とあるのは「第七条第一項又は第五十九条第一項若しくは第六十二条第一項」と、「当該完成検査終了証」とあるのは「当該保安基準適合証」と、「第七十五条第五項」とあるのは「第九十四条の五第二項」と読み替えるものとする。

第六条　附則第四条の規定は、この法律の施行前に旧道路運送車両法第九十四条の五の二第一項の規定により限定保安基準適合証を依頼者に交付した者について準用する。この場合において、附則第四条中「第七条第一項又は第五十九条第一項」とあるのは「第七条第一項又は第五十九条第一項若しくは第六十二条第一項」と、「当該完成検査終了証」とあるのは「当該限定保安基準適合証」と、「第七十五条第五項」とあるのは「第九十四条の五の二第二項において準用する第九十四条の五第二項」と読み替えるものとする。

（罰則に関する経過措置）

第七条　附則第一条ただし書に規定する規定の施行前にした行為に対する罰則の適用については、なお従前の例による。

（政令への委任）

第八条　附則第二条から前条までに定めるもののほか、この法律の施行に関して必要となる経過措置（罰則に関する経過措置を含む。）は、政令で定める。

附　則〔平成一八・三・三一法律一〇抄〕

（施行期日）

第一条　この法律は、平成十八年四月一日から施行する。〔以下略〕

（罰則に関する経過措置）

第二一一条　この法律（附則第一条各号に掲げる規定にあっては、当該規定。以下この条において同じ。）の施行前にした行為及びこの附則の規定によりなお従前の例によることとされる場合におけるこの法律の施行後にした行為に対する罰則の適用については、なお従前の例による。

（その他の経過措置の政令への委任）

第二一二条　この附則に規定するもののほか、この法律の施行に関し必要な経過措置は、政令で定める。

附　則〔平成一八・五・一九法律四〇抄〕

（施行期日）

第一条　この法律は、公布の日から起算して十月を超えない範囲内において政令で定める日から施行する。ただし、次の各号に掲げる規定は、当該各号に定める日から施行する。

〔平成一八政二七五により、平成一八・一〇・一から施行〕

一　第二条中道路運送車両法第五十四条の二の次に一条を加える改正規定、同法第六十三条の二に二項を加える改正規定、同法第六十三条の三に二項を加える改正規定、同法第六十四条及び第六十五条並びに第七十五条の四第一項の改正規定並びに同法第百八条に一号を加える改正規定並びに第三条の規定　公布の日

二　第二条中道路運送車両法第十一条及び第二十八条の三の改正規定、同法第六十一条第二項第二号の改正規定（「及び二輪の小型自動車」を加える部分に限る。）及び同法第百五条の二の改正規定並びに附則第十一条及び第十五条の規定　公布の日から起算して一年を超えない範囲内において政令で定める日

〔平成一八政三一六により、平成一八・一一・一から施行。ただし、同法第二条中道路運送車両法（昭和二十六年法律第百八十五号）第六十一条第二項第二号の改正規定（「及び二輪の小型自動車」を加える部分に限る。）及び道路運送法等の一部を改正する法律附則第十一条の規定は、平成一九・四・一から施行〕

三　第二条中道路運送車両法の目次の改正規定、同法第二十二条の見出しの改正規定及び同条に四項を加える改正規定、同法第九十六条の四第一項の改正規定、同法第六章の二の次に一章を加える改正規定、同法第百条第一項の改正規定、同法第百二条第一項及び第二項の改正規定（同条第一項第三号の改正規定を除く。）、同法第百七条第七号の改正規定、同法第百十条第一項の改正規定（同項第三号中「第九十六条の九」の下に「（第九十六条の十九において準用する場合を含む。）」を加える部分及び同項第十号に係る部分に限る。）並びに同法第百十三条の改正規定並びに附則第十六条及び第二十六条（登録免許税法（昭和四十二年法律第三十五号）別表第一第百二十四号の改正規定に限る。）の規定　公布の日から起算して一年六月を超えない範囲内において政令で定める日

〔平成一九政三二一により、平成一九・一一・一八から施行〕

四　第一条中道路運送法第四十一条第四項の改正規定及び第二条の規定（前三号に掲げる改正規定並びに道路運送車両法第四十八条第一項の改正規定及び同法第六十一条第二項第二号の改正規定（「及び二輪の小型自動車」を加える部分を除く。）を除く。）並びに附則第八条から第十条まで、第十七条、第二十一条、第二十七条（土砂等を運搬する大型自動車による交通事故の防止等に関する特別措置法（昭和四十二年法律第百三十一号）第九条第四項の改正規定に限る。）及び第二十八条の規定　公布の日から起算して二年六月を超えない範囲内において政令で定める日

〔平成二〇政八一により、平成二〇・一一・四から施行〕

（道路運送車両法の一部改正に伴う経過措置）

第八条　附則第一条第四号に掲げる規定の施行の日（以下「一部施行日」という。）前に第二条の規定による改正前の道路運送車両法（以下「旧道路運送車両法」という。）の規定による新規登録を受けた自動車の所有者は、一部施行日以後初めて同条の規定による改正後の道路運送車両法（以下「新道路運送車両法」という。）の規定による変更登録、移転登録、永久抹消登録、輸出抹消仮登録又は一時抹消登録の申請をする場合（第三項の電子情報処理組織を使用して申請をする場合を除く。）に限り、新道路運送車両法第十八条の三第一項の規定にかかわらず、登録識別情報を提供することを要しない。

2　一部施行日前に旧道路運送車両法に基づく一時抹消登録を受けた自動車（以下「一時抹消登録自動車」という。）の所有者は、一部施行日以後に新道路運送車両法の規定による新規登録の申請をする場合（次項の電子情報処理組織を使用して申請をする場合を除く。）には、新道路運送車両法第十八条の三第一項の

規定にかかわらず、登録識別情報を提供することを要しない。

3　前二項の自動車の所有者は、行政手続等における情報通信の技術の利用に関する法律（平成十四年法律第百五十一号）第三条第一項の規定により同項に規定する電子情報処理組織を使用して申請をする場合には、国土交通省令で定めるところにより、いつでも、国土交通大臣に対し、登録識別情報を通知することを請求することができる。

4　一時抹消登録自動車の所有者は、第二項の申請又は前項の請求をする場合には、当該一時抹消登録自動車に係る一時抹消登録証明書を国土交通大臣に提出しなければならない。

第九条　一時抹消登録自動車の所有者は、一部施行日以後に一時抹消登録自動車を譲渡する場合には、当該一時抹消登録自動車に係る一時抹消登録証明書を譲受人に交付しなければならない。この場合において、新道路運送車両法第十八条の三第二項の規定は、適用しない。

第一〇条　一時抹消登録自動車の所有者は、一部施行日以後に新道路運送車両法第十六条第四項の届出をする場合には、当該一時抹消登録自動車に係る一時抹消登録証明書を国土交通大臣に返納しなければならない。

2　国土交通大臣は、前項の届出をした一時抹消登録自動車について新道路運送車両法第十六条第七項の規定によりその旨を自動車登録ファイルに記録したときは、当該一時抹消登録自動車の所有者に対し、登録識別情報を通知するものとする。

第一一条　新道路運送車両法第六十一条第二項第二号（二輪の小型自動車に係る部分に限る。）の規定は、附則第一条第二号に掲げる規定の施行の日以後に初めて新道路運送車両法第六十条第一項又は第七十一条第四項の規定により自動車検査証の交付を受けた自動車について適用する。

（罰則に関する経過措置）

第一二条　この法律（附則第一条各号に掲げる規定については、当該規定）の施行前にした行為に対する罰則の適用については、なお従前の例による。

（政令への委任）

第一三条　附則第二条から前条までに定めるもののほか、この法律の施行に関し必要となる経過措置（罰則に関する経過措置を含む。）は、政令で定める。

（検討）

第一四条　政府は、この法律の施行後五年を目途として、この法律による改正後の規定の実施状況を勘案し、必要があると認めるときは、当該規定について検討を加え、その結果に基づいて必要な措置を講ずるものとする。

附　則〔平成一八・六・二法律五〇〕

改正　平成二三・六法七四

この法律は、一般社団・財団法人法の施行の日〔平成二〇・一二・一〕から施行する。〔以下略〕

一般社団法人及び一般財団法人に関する法律及び公益社団法人及び公益財団法人の認定等に関する法律の施行に伴う関係法律の整備等に関する法律〔抄〕〔平成一八・六・二法律五〇〕

（罰則に関する経過措置）

第四五七条　施行日前にした行為及びこの法律の規定によりなお従前の例によることとされる場合における施行日以後にした行為に対する罰則の適用については、なお従前の例による。

（政令への委任）

第四五八条　この法律に定めるもののほか、この法律の規定による法律の廃止又は改正に伴い必要な経過措置は、政令で定める。

附　則〔平成一九・三・三〇法律九抄〕

（施行期日）

第一条　この法律は、平成十九年四月一日から施行する。ただし、第二条中道路運送車両法第百二条の改正規定〔中略〕は、公布の日から起算して一年を超えない範囲内において政令で定める日から施行する。

〔平成一九政三二四により、平成二〇・一・一から施行〕

（政令への委任）

第八条　附則第二条から前条までに定めるもののほか、この法律の施行に関し必要な経過措置は、政令で定める。

附　則〔平成二六・六・一三法律六九抄〕

（施行期日）

第一条　この法律は、行政不服審査法（平成二十六年法律第六十八号）の施行の日〔平成二八・四・一〕から施行する。

（経過措置の原則）

第五条　行政庁の処分その他の行為又は不作為についての不服申立てであってこの法律の施行前にされた行政庁の処分その他の行為又はこの法律の施行前にされた申請に係る行政庁の不作為に係るものについては、この附則に特別の定めがある場合を除き、なお従前の例による。

（訴訟に関する経過措置）

第六条　この法律による改正前の法律の規定により不服申立てに対する行政庁の裁決、決定その他の行為を経た後でなければ訴えを提起できないこととされる事項であって、当該不服申立てを提起しないでこの法律の施行前にこれを提起すべき期間を経過したもの（当該不服申立てが他の不服申立てに対する行政庁の裁決、決定その他の行為を経た後でなければ提起できないとされる場合にあっては、当該他の不服申立てを提起しないでこの法律の施行前にこれを提起すべき期間を経過したものを含む。）の訴えの提起については、なお従前の例による。

2　この法律の規定による改正前の法律の規定（前条の規定によりなお従前の例によることとされる場合を含む。）により異議申立てが提起された処分その他の行為であって、この法律の規定による改正後の法律の規定により審査請求に対する裁決を経た後でなければ取消しの訴えを提起することができないこととされるものの取消しの訴えの提起については、なお従前の例による。

3　不服申立てに対する行政庁の裁決、決定その他の行為の取消しの訴えであって、この法律の施行前に提起されたものについては、なお従前の例による。

（罰則に関する経過措置）

第九条　この法律の施行前にした行為並びに附則第五条及び前二条の規定によりなお従前の例によることとされる場合におけるこの法律の施行後にした行為に対する罰則の適用については、なお従前の例による。

（その他の経過措置の政令への委任）

第一〇条　附則第五条から前条までに定めるもののほか、この法律の施行に関し必要な経過措置（罰則に関する経過措置を含む。）は、政令で定める。

附　則〔平成二七・六・二四法律四四抄〕

（施行期日）

第一条　この法律は、平成二十八年四月一日から施行する。ただし、次の各号に掲げる規定は、当該各号に定める日から施行する。

一　第一条中道路運送車両法第六十三条の四第一項の改正規定並びに附則第十二条第二項及び第三項並びに第十九条の規定　公布の日

二　第一条中道路運送車両法第七条第三項、第十一条、第九十四条の五第七項及び第百五条の二の改正規定、同法第百八条第一号の改正規定（「第十一条第四項」を「第十一条第五項」に改める部分に限る。）並びに同法第百九条第一号の改正規定並びに附則第二十一条の規定　平成二十八年三月三十一日までの間において政令で定める日

〔平成二七政四三七により、平成二八・二・一から施行〕

（確認調査に関する経過措置）

第二条　国土交通大臣は、第一条の規定による改正後の道路運送

車両法（次条において「新道路運送車両法」という。）第二十四条の二第一項の規定にかかわらず、平成三十年四月一日（以下「指定日」という。）の前日までは、政令で定める区域内に使用の本拠の位置を有する自動車の登録に関する確認調査（同項に規定する確認調査をいう。附則第十条において同じ。）を自ら行うものとする。

（回送運行の許可に関する経過措置）

第三条　新道路運送車両法第三十六条の二（新道路運送車両法第七十三条第二項において準用する場合を含む。以下この条において同じ。）の規定は、この法律の施行の日（以下「施行日」という。）以後に新道路運送車両法第三十六条の二第一項の許可を受けた者について適用し、この法律の施行の際現に第一条の規定による改正前の道路運送車両法（以下「旧道路運送車両法」という。）第三十六条の二第一項（旧道路運送車両法第七十三条第二項において準用する場合を含む。以下この条において同じ。）の許可を受けている者については、なお従前の例による。この場合において、旧道路運送車両法第三十六条の二第一項中次の表の上欄に掲げる字句は、同表の下欄に掲げる字句とする。

上欄	下欄
国土交通省令で定めるところにより回送運行許可番号標及びこれに記載された番号を見やすいように表示し、かつ、回送運行許可証を備え付けたものを、当該回送運行許可証の有効期間内に、これに記載された目的に従つて運行の用に供するときは、第四条、第十九条、第五十八条第一項及び第六十六条第一項の規定は、当該自動車について適用しない。	次に掲げる要件を満たすものを、当該回送運行許可証の有効期間内に、これに記載された目的に従つて運行の用に供するときは、第四条、第十九条、第五十八条第一項及び第六十六条第一項の規定は、当該自動車について適用しない。 一　回送運行許可番号標を国土交通省令で定める位置に、かつ、被覆しないことその他当該回送運行許可番号標に記載された番号の識別に支障が生じないものとして国土交通省令で定める方法により表示していること。 二　回送運行許可証を備え付けていること。

（罰則に関する経過措置）

第一八条　この法律の施行前にした行為並びに附則第三条及び前条の規定によりなお従前の例によることとされる場合におけるこの法律の施行後にした行為に対する罰則の適用については、なお従前の例による。

（政令への委任）

第一九条　この附則に規定するもののほか、この法律の施行に関し必要な経過措置（罰則に関する経過措置を含む。）は、政令で定める。

附　則〔平成二八・一一・三〇法律一三抄〕

改正　平成二八・一一法八六、平成三一・三法四、令和二・三法五

（施行期日）

第一条　この法律〔中略〕は、当該各号に定める日から施行する。

一～五の三〔略〕

五の四〔前略〕附則〔中略〕第三十九条、第四十条〔中略〕の規定　令和元年十月一日

五の四の二～十五〔略〕

（道路運送車両法の一部改正に伴う経過措置）

第四〇条　前条の規定による改正後の道路運送車両法（以下この条及び附則第五十三条において「新道路運送車両法」という。）の規定の適用については、当分の間、新道路運送車両法第七十六条の二十七第一項第三号中「納付」とあるのは、「納付（検査対象軽自動車に係る令和元年度以前の年度分の地方税法等の一部を改正する等の法律（平成二十八年法律第十三号）附則第一条第五号の四に掲げる規定による改正前の地方税法に規定する軽自動車税の納付を含む。）」とする。

2　令和元年度以前の年度分の元年旧法に規定する自動車税又は軽自動車税を課されたことがある自動車についての新道路運送車両法第九十七条の二第一項及び第二項の規定の適用については、同条第一項中「自動車税種別割（」とあるのは「令和元年度以前の年度分の旧自動車税（地方税法等の一部を改正する等の法律（平成二十八年法律第十三号）附則第一条第五号の四に掲げる規定による改正前の地方税法（以下この項において「改正前地方税法」という。）に規定する自動車税をいう。次項において同じ。）若しくは自動車税種別割（」と、「軽自動車税種別割」とあるのは「令和元年度以前の年度分の旧軽自動車税（改正前地方税法に規定する軽自動車税をいう。次項において同じ。）若しくは軽自動車税種別割」と、同条第二項中「自動車税種別割又は軽自動車税種別割」とあるのは「令和元年度以前の年度分の旧自動車税若しくは自動車税種別割又は令和元年度以前の年度分の旧軽自動車税若しくは軽自動車税種別割」とする。

附　則〔平成二九・五・二六法律四〇抄〕

（施行期日）

第一条　この法律は、公布の日から起算して二十日を経過した日から施行する。ただし、第七十五条第七項、第七十五条の二第四項及び第七十五条の三第五項の改正規定並びに次条の規定は、公布の日から施行する。

（政令への委任）

第二条　この法律の施行に関し必要な経過措置は、政令で定める。

（検討）

第三条　政府は、この法律の施行後五年を経過した場合において、この法律による改正後の道路運送車両法の施行の状況について検討を加え、必要があると認めるときは、その結果に基づいて所要の措置を講ずるものとする。

附　則〔令和元・五・二四法律一四抄〕

（施行期日）

第一条　この法律は、公布の日から起算して一年を超えない範囲内において政令で定める日から施行する。ただし、次の各号に掲げる規定は、当該各号に定める日から施行する。

〔令和二政二〇により、令和二・四・一から施行〕

一　第一条及び附則第九条の規定　公布の日

二　第二条中道路運送車両法第七十五条の六の改正規定　公布の日から起算して二十日を経過した日

三　附則第三条の規定　公布の日から起算して一年三月を超えない範囲内において政令で定める日

〔令和二政二三七により、令和二・八・二三から施行〕

四　第三条〔中略〕の規定　公布の日から起算して一年六月を超えない範囲内において政令で定める日

〔令和二政二三七により、令和二・一一・二三から施行〕

五　附則第四条の規定　公布の日から起算して三年を超えない範囲内において政令で定める日

〔令和四政一九四により、令和四・五・二三から施行〕

六　第四条並びに附則第五条から第八条まで〔中略〕の規定　公布の日から起算して四年を超えない範囲内において政令で定める日

〔令和四政一九五により、令和五・一・一から施行〕

（第二条の規定による改正に伴う経過措置）

第二条　この法律の施行の日（次項及び第三項において「施行日」という。）前にした第二条の規定による改正前の道路運送車両法（同項において「旧法」という。）第七十八条第一項の規定による自動車分解整備事業の認証は、国土交通省令で定めるところにより、第二条の規定による改正後の道路運送車両法（次項及び第三項において「新法」という。）第七十八条第一項

の規定に基づいてした自動車特定整備事業の認証とみなす。その認証の申請についても、同様とする。

2　この法律の施行の際現に新法第七十七条第一項に規定する自動車特定整備事業に相当する事業（原動機、動力伝達装置、走行装置、操縦装置、制動装置、緩衝装置又は連結装置を取り外して行う整備又は改造であって国土交通省令で定めるものを行わないものに限る。）を経営している者は、施行日から起算して四年を経過する日までの間は、新法第七十八条第一項の規定にかかわらず、国土交通省令で定めるところにより、引き続き当該事業を経営することができる。その者が、その期間内に同項の認証を申請した場合において、認証があった旨又は認証をしない旨の通知を受ける日までも、同様とする。

3　この法律の施行の際現に備えている旧法第九十一条の分解整備記録簿は、施行日において、新法第九十一条の特定整備記録簿とみなす。

（第三条の規定による改正に伴う経過措置）

第三条　第三条の規定による改正後の道路運送車両法第九十九条の三第一項の許可を受けようとする者は、附則第一条第四号に掲げる規定の施行の日前においても、その申請を行うことができる。

（第四条の規定による改正に伴う経過措置）

第四条　第四条の規定による改正後の道路運送車両法（以下「第六号新法」という。）第七十四条の五第一項及び第七十四条の六第一項の規定による委託に関し必要な手続その他の行為は、附則第一条第六号に掲げる規定の施行の日（以下「第六号施行日」という。）前においても行うことができる。

第五条　第六号施行日前に第四条の規定による改正前の道路運送車両法（以下「第六号旧法」という。）第六十条第一項、第六十二条第二項（第六号旧法第六十三条第三項及び第六十七条第四項において準用する場合を含む。）若しくは第七十一条第四項の規定又は附則第二十二条の規定による改正前の総合特別区域法第二十二条の二第三項の規定により交付され、又は返付された自動車検査証については、第六号施行日以後も、第六号新法第五十八条第二項及び第三項の規定にかかわらず、なお従前の例による。

第六条　第六号新法第五十八条第二項及び第三項の規定の適用については、第六号施行日から起算して一年六月を超えない範囲内において政令で定める日までの間は、同条第二項中「カード」とあるのは「カード（第五十九条第一項に規定する検査対象軽自動車の自動車検査証にあっては、自動車検査証記録事項が記載された書面）」と、同条第三項中「自動車検査証は」とあるのは「自動車検査証（第五十九条第一項に規定する検査対象軽自動車の自動車検査証を除く。）は」とする。

2　第六号施行日から前項の政令で定める日までの間に第六号新法第六十条第一項、第六十二条第二項（第六号新法第六十三条第三項及び第六十七条第四項において準用する場合を含む。）若しくは第七十一条第四項の規定又は附則第二十二条の規定による改正後の総合特別区域法第二十二条の二第三項の規定により交付され、又は返付された第六号新法第五十九条第一項に規定する検査対象軽自動車の自動車検査証については、同日後も、第六号新法第五十八条第二項及び第三項の規定にかかわらず、なお従前の例による。

第七条　第六号施行日前に第六号旧法及びこれに基づく命令の規定によってした処分、手続その他の行為は、第六号新法及びこれに基づく命令の相当規定によってした処分、手続その他の行為とみなす。

第八条　第六号施行日前にした行為に対する罰則の適用については、なお従前の例による。

（政令への委任）

第九条　この附則に規定するもののほか、この法律の施行に関し必要な経過措置（罰則に関する経過措置を含む。）は、政令で定める。

（検討）

第一〇条　政府は、この法律の施行後五年を経過した場合において、この法律による改正後の道路運送車両法の施行の状況について検討を加え、必要があると認めるときは、その結果に基づいて所要の措置を講ずるものとする。

附　則〔令和元・五・三一法律一六抄〕

（施行期日）

第一条　この法律は、公布の日から起算して九月を超えない範囲内において政令で定める日から施行する。〔以下略〕

〔令和元政一八二により、令和元・一二・一六から施行〕

附　則〔令和元・六・一四法律三七抄〕

（施行期日）

第一条　この法律は、公布の日から起算して三月を経過した日から施行する。ただし、次の各号に掲げる規定は、当該各号に定める日から施行する。

一　〔前略〕第百四十九条〔中略〕並びに次条並びに附則第三条及び第六条の規定　公布の日

二～四　〔略〕

（行政庁の行為等に関する経過措置）

第二条　この法律（前条各号に掲げる規定にあっては、当該規定。以下この条及び次条において同じ。）の施行の日前に、この法律による改正前の法律又はこれに基づく命令の規定（欠格条項その他の権利の制限に係る措置を定めるものに限る。）に基づき行われた行政庁の処分その他の行為及び当該規定により生じた失職の効力については、なお従前の例による。

（罰則に関する経過措置）

第三条　この法律の施行前にした行為に対する罰則の適用については、なお従前の例による。

（検討）

第七条　政府は、会社法（平成十七年法律第八十六号）及び一般社団法人及び一般財団法人に関する法律（平成十八年法律第四十八号）における法人の役員の資格を成年被後見人又は被保佐人であることを理由に制限する旨の規定について、この法律の公布後一年以内を目途として検討を加え、その結果に基づき、当該規定の削除その他の必要な法制上の措置を講ずるものとする。

附　則〔令和二・三・三一法律五抄〕

（施行期日）

第一条　この法律は、令和二年四月一日から施行する。〔以下略〕

附　則〔令和三・五・一九法律三七抄〕

（施行期日）

第一条　この法律〔中略〕は、当該各号に定める日から施行する。

一　〔前略〕附則〔中略〕第七十一条から第七十三条までの規定　公布の日

二・三　〔略〕

四　〔前略〕附則〔中略〕第二十一条〔中略〕の規定　公布の日から起算して一年を超えない範囲内において、各規定につき、政令で定める日

〔令和三政二九一により、令和四・四・一から施行〕

五～十　〔略〕

（罰則に関する経過措置）

第七一条　この法律（附則第一条各号に掲げる規定にあっては、当該規定。以下この条において同じ。）の施行前にした行為及びこの附則の規定によりなお従前の例によることとされる場合におけるこの法律の施行後にした行為に対する罰則の適用については、なお従前の例による。

（政令への委任）

第七二条　この附則に定めるもののほか、この法律の施行に関し必要な経過措置（罰則に関する経過措置を含む。）は、政令で定める。

（検討）

第七三条　政府は、行政機関等に係る申請、届出、処分の通知その他の手続において、個人の氏名を平仮名又は片仮名で表記したものを利用して当該個人を識別できるようにするため、個人の氏名を平仮名又は片仮名で表記したものを戸籍の記載事項とすることを含め、この法律の公布後一年以内を目途としてその具体的な方策について検討を加え、その結果に基づいて必要な措置を講ずるものとする。

附　則〔令和四・三・三一法律四抄〕

（施行期日）

第一条　この法律は、令和四年四月一日から施行する。〔以下略〕

（罰則に関する経過措置）

第九八条　この法律（附則第一条各号に掲げる規定にあっては、当該規定。以下この条において同じ。）の施行前にした行為並びにこの附則の規定によりなお従前の例によることとされる場合及びこの附則の規定によりなおその効力を有することとされる場合におけるこの法律の施行後にした行為に対する罰則の適用については、なお従前の例による。

（政令への委任）

第九九条　この附則に規定するもののほか、この法律の施行に関し必要な経過措置は、政令で定める。

附　則〔令和四・六・一七法律六八抄〕

（施行期日）

1　この法律は、刑法等一部改正法〔令和四年法律第六十七号〕施行日〔令和七・六・一〕から施行する。ただし、次の各号に掲げる規定は、当該各号に定める日から施行する。

一　第五百九条の規定　公布の日

二　〔略〕

刑法等の一部を改正する法律の施行に伴う関係法律の整理等に関する法律〔抄〕

〔令和四・六・一七　法律六八〕

（罰則の適用等に関する経過措置）

第四四一条　刑法等の一部を改正する法律（令和四年法律第六十七号。以下「刑法等一部改正法」という。）及びこの法律（以下「刑法等一部改正法等」という。）の施行前にした行為の処罰については、次章に別段の定めがあるもののほか、なお従前の例による。

2　刑法等一部改正法等の施行後にした行為に対して、他の法律の規定によりなお従前の例によることとされ、なお効力を有することとされ又は改正前若しくは廃止前の法律の規定の例によることとされる罰則を適用する場合において、当該罰則に定める刑（刑法施行法第十九条第一項の規定又は第八十二条の規定による改正後の沖縄の復帰に伴う特別措置に関する法律第二十五条第四項の規定の適用後のものを含む。）に刑法等一部改正法第二条の規定による改正前の刑法（明治四十年法律第四十五号。以下この項において「旧刑法」という。）第十二条に規定する懲役（以下「懲役」という。）、旧刑法第十三条に規定する禁錮（以下「禁錮」という。）又は旧刑法第十六条に規定する拘留（以下「旧拘留」という。）が含まれるときは、当該刑のうち無期の懲役又は禁錮はそれぞれ無期拘禁刑と、有期の懲役又は禁錮はそれぞれその刑と長期及び短期（刑法施行法第二十条の規定の適用後のものを含む。）を同じくする有期拘禁刑と、旧拘留は長期及び短期（刑法施行法第二十条の規定の適用後のものを含む。）を同じくする拘留とする。

（裁判の効力とその執行に関する経過措置）

第四四二条　懲役、禁錮及び旧拘留の確定裁判の効力並びにその執行については、次章に別段の定めがあるもののほか、なお従前の例による。

（人の資格に関する経過措置）

第四四三条　懲役、禁錮又は旧拘留に処せられた者に係る人の資格に関する法令の規定の適用については、無期の懲役又は禁錮に処せられた者はそれぞれ無期拘禁刑に処せられた者と、有期の懲役又は禁錮に処せられた者はそれぞれ刑期を同じくする有期拘禁刑に処せられた者と、旧拘留に処せられた者は拘留に処せられた者とみなす。

2　拘禁刑又は拘留に処せられた者に係る他の法律の規定によりなお従前の例によることとされ、なお効力を有することとされ又は改正前若しくは廃止前の法律の規定の例によることとされる人の資格に関する法令の規定の適用については、無期拘禁刑に処せられた者は無期禁錮に処せられた者と、有期拘禁刑に処せられた者は刑期を同じくする有期禁錮に処せられた者と、拘留に処せられた者は刑期を同じくする旧拘留に処せられた者とみなす。

（経過措置の政令への委任）

第五〇九条　この編に定めるもののほか、刑法等一部改正法等の施行に伴い必要な経過措置は、政令で定める。

附　則〔令和五・六・一六法律六三抄〕

（施行期日）

第一条　この法律は、公布の日から起算して一年を超えない範囲内において政令で定める日から施行する。ただし、次の各号に掲げる規定は、当該各号に定める日から施行する。

〔令和五政二八四により、令和六・四・一から施行〕

一　（前略）附則第七条（中略）の規定　公布の日

二　〔略〕

（罰則に関する経過措置）

第六条　この法律の施行前にした行為に対する罰則の適用については、なお従前の例による。

（政令への委任）

第七条　この附則に定めるもののほか、この法律の施行に関し必要な経過措置（罰則に関する経過措置を含む。）は、政令で定める。

（参考）

○刑法等の一部を改正する法律の施行に伴う関係法律の整理等に関する法律〔抄〕

〔令和四・六・一七　法律六八〕

（道路運送車両法の一部改正）

第三六〇条　道路運送車両法（昭和二十六年法律第百八十五号）の一部を次のように改正する。

第八十条第一項第二号イ中「懲役又は禁錮の刑」を「拘禁刑」に改める。

第百六条、第百六条の二、第百六条の三第一項及び第百六条の四から第百八条までの規定中「懲役」を「拘禁刑」に改める。

附　則

（施行期日）

1　この法律は、刑法等一部改正法〔令和四年法律第六十七号〕施行日〔令和七・六・一〕から施行する。〔以下略〕

○道路運送車両法施行令

〔昭和二六・六・三〇 政令二五四〕

改正 昭和二七・四政一一六、昭和三〇・九政二六二、昭和三一・四政九六、昭和三七・六政二三二、昭和三八・九政三二四、昭和四二・五政七二、昭和四四・一二政三〇八、昭和四五・七政二二四、昭和四六・一一政三三五、昭和四八・九政二五四、昭和五七・一二政三二二、昭和五八・七政一七二、昭和五九・六政一七六、一一政三三一、昭和六一・五政一六五、平成二・七政二一四、平成六・九政三〇三、一〇政三四〇、平成七・四政一八二、平成一〇・一〇政三一九、平成一一・九政二六五、平成一二・六政三一二、政三三三、一二政五〇七、政五三三、平成一三・七政二五二、九政二九七、平成一四・六政二〇〇、九政二九六、一一政三四三、平成一五・六政二四四、政二五九、八政三六八、政三九〇、一二政四八三、政四九五、平成一六・一政一四、六政二一一、平成一七・五政一八〇、政一八七、平成一八・三政一五九、政一六一、政一六四、政一六五、政一六七、五政一九八、九政三一七、平成一九・三政五五、政一一〇、政一一一、一〇政三一三、平成二〇・三政八二、平成二一・三政一一一、九政二四〇、平成二二・三政四一、平成二六・一政一六、二政三九、一一政三五六、平成二七・二政三五、三政七四、一一政三九二、一二政四三八、平成二八・一政一一、政一三、政二一、三政五七、政七八、政八六、一二政三九六、平成二九・二政二二、六政一五九、令和元・五政一四、令和二・一政二一、七政二一七、八政二三八、一一政三二一、令和四・五政一九五、令和五・七政二四六

（軽車両の定義）

第一条 道路運送車両法（以下「法」という。）第二条第四項の軽車両は、馬車、牛車、馬そり、荷車、人力車、三輪自転車（側車付の二輪自転車を含む。）及びリヤカーをいう。

（自動車登録番号標の封印等に関する離島及び市町村の指定）

第二条 法第十一条第一項の離島は、本土との隔絶の状態及び当該離島に使用の本拠を有する自動車の数を考慮して国土交通大臣が指定する離島とする。

2 法第十一条第一項の市町村は、自動車の使用の本拠の分布の状態を考慮して国土交通大臣が指定する市町村とする。

（譲渡証明書に記載すべき事項の電磁的方法による提供）

第三条 自動車を譲渡する者は、法第三十三条第四項の規定により譲渡証明書に記載すべき事項を登録情報処理機関に提供しようとするときは、あらかじめ、当該譲受人からの書面又は電磁的方法による承諾を得なければならない。

2 前項の規定による承諾を得た自動車を譲渡する者は、当該譲受人から書面又は電磁的方法により、電磁的方法による登録情報処理機関への提供を承諾しない旨の申出があつたときは、登録情報処理機関に対し、譲渡証明書に記載すべき事項の提供を電磁的方法によつてしてはならない。ただし、当該譲受人が再び同項の規定による承諾をした場合は、この限りでない。

（臨時運行の許可に関する町村の指定）

第四条 法第三十四条第二項の町村は、左に掲げる事項を考慮して国土交通大臣が指定する町村とする。

一 自動車の使用の本拠の分布の状態

二 臨時運行の許可の権限を有するもよりの行政庁の事務所の位置及びその行政庁のした臨時運行の許可に関する実績

（指定の告示）

第五条 国土交通大臣は、第二条又は前条の規定により指定したときは、その旨を告示する。

（特に必要な自動車の装置）

第六条 法第四十一条第一項第二十一号の特に必要な自動車の装置は、運行記録計及び速度表示装置とする。

（特定後付装置）

第七条 法第六十三条の二第二項の政令で定める後付装置は、タイヤ及び年少者用補助乗車装置（幼児その他の年少者を乗車させる際、座席ベルトに代わる機能を果たさせるため、又は座席ベルトの機能を確保するために座席に固定して用いる乗車装置をいう。）とする。

（検査記録事項の自動車登録ファイル等への記録）

第八条 登録自動車に係る法第七十二条第一項に規定する事項（以下「検査記録事項」という。）は、現在記録ファイルに記録する。ただし、当該記録した事項に係る自動車検査証記録事項が変更されたときは、変更前の自動車検査証記録事項に係る検査記録事項は、保存記録ファイルに記録する。

2 永久抹消登録、輸出抹消仮登録又は一時抹消登録をした自動車に係る検査記録事項は、保存記録ファイルに記録する。

3 自動車登録令（昭和二十六年政令第二百五十六号）第七条から第八条までの規定は、自動車登録ファイルに検査記録事項を記録する場合について準用する。

4 自動車登録令第六条第一項及び第四項の規定は軽自動車検査ファイルについて、前三項の規定は軽自動車検査ファイルに検査対象軽自動車に係る検査記録事項を記録する場合について準用する。この場合において、自動車登録令第六条第四項中「国土交通大臣」とあるのは「国土交通大臣（法第七十四条の四の規定の適用があるときは、軽自動車検査協会）」と、第二項中「永久抹消登録、輸出抹消仮登録又は一時抹消登録をした」とあるのは「自動車検査証が返納された」と、前二項中「検査記録事項」とあるのは「検査記録事項その他国土交通省令で定める事項」と読み替えるものとする。

5 自動車登録令第六条第一項及び第四項の規定は二輪自動車検査ファイルについて、第一項から第三項までの規定は二輪自動車検査ファイルに二輪の小型自動車に係る検査記録事項を記録する場合について準用する。この場合において、第二項中「永久抹消登録、輸出抹消仮登録又は一時抹消登録をした」とあるのは「自動車検査証が返納された」と、同項及び第三項中「検査記録事項」とあるのは「検査記録事項その他国土交通省令で定める事項」と読み替えるものとする。

6 自動車登録令第四十八条の規定は、法第六十九条の三において準用する法第十八条第三項の規定により所有者の変更について軽自動車検査ファイル又は二輪自動車検査ファイルに記録を受けようとする場合について準用する。

（完成検査終了証に記載すべき事項の電磁的方法による提供）

第九条 法第七十五条第一項の申請をした者は、同条第五項の規定により完成検査終了証に記載すべき事項を登録情報処理機関に提供しようとするときは、あらかじめ、当該譲受人からの書面又は電磁的方法による承諾を得なければならない。

2 前項の規定による承諾を得た法第七十五条第一項の申請をした者は、当該譲受人から書面又は電磁的方法により、電磁的方法による登録情報処理機関への提供を承諾しない旨の申出があつたときは、登録情報処理機関に対し、完成検査終了証に記載すべき事項の提供を電磁的方法によつてしてはならない。ただし、当該譲受人が再び前項の規定による承諾をした場合は、この限りでない。

（保安基準適合証等に記載すべき事項の電磁的方法による提供）

第一〇条 指定自動車整備事業者は、法第九十四条の五第二項の規定により保安基準適合証に記載すべき事項を登録情報処理機関に提供しようとするときは、あらかじめ、当該依頼者からの

書面又は電磁的方法による承諾を得なければならない。

2　前項の規定による承諾を得た指定自動車整備事業者は、当該依頼者から書面又は電磁的方法により、電磁的方法による登録情報処理機関への提供を承諾しない旨の申出があつたときは、登録情報処理機関に対し、保安基準適合証に記載すべき事項の提供を電磁的方法によつてしてはならない。ただし、当該依頼者が再び同項の規定による承諾をした場合は、この限りでない。

3　前二項の規定は、法第九十四条の五の二第二項において法第九十四条の五第二項の規定を準用する場合について準用する。

（登録情報処理機関の登録の有効期間）

第一一条　法第九十六条の五第一項の政令で定める期間は、五年とする。

（登録情報提供機関の登録の有効期間）

第一一条の二　法第九十六条の十八第一項の政令で定める期間は、五年とする。

（納付の有無の事実を確認する方法）

第一二条　法第九十七条の二第二項の納付の有無の事実の確認は、国土交通省令で定めるところにより、電磁的方法又はこれに準ずる方法により行うものとする。

（保安基準の規定を準用する自動車）

第一三条　法第九十九条の自動車は、十一人以上の人員を乗車させることができる設備を有する自動車とする。

（手数料の納付を要しない独立行政法人）

第一四条　法第百二条第一項の政令で定める独立行政法人は、独立行政法人国立公文書館、国立研究開発法人情報通信研究機構、独立行政法人酒類総合研究所、独立行政法人国立特別支援教育総合研究所、独立行政法人国立青少年教育振興機構、独立行政法人国立女性教育会館、独立行政法人国立科学博物館、国立研究開発法人物質・材料研究機構、国立研究開発法人防災科学技術研究所、独立行政法人国立美術館、独立行政法人国立文化財機構、独立行政法人農林水産消費安全技術センター、独立行政法人家畜改良センター、国立研究開発法人農業・食品産業技術総合研究機構、国立研究開発法人国際農林水産業研究センター、国立研究開発法人森林研究・整備機構、国立研究開発法人水産研究・教育機構、独立行政法人経済産業研究所、独立行政法人工業所有権情報・研修館、国立研究開発法人産業技術総合研究所、独立行政法人製品評価技術基盤機構、国立研究開発法人土木研究所、国立研究開発法人建築研究所、国立研究開発法人海上・港湾・航空技術研究所、独立行政法人海技教育機構、独立行政法人航空大学校、国立研究開発法人国立環境研究所、独立行政法人駐留軍等労働者労務管理機構、独立行政法人自動車技術総合機構、独立行政法人統計センター、独立行政法人教職員支援機構、独立行政法人国立高等専門学校機構、国立研究開発法人国立がん研究センター、国立研究開発法人国立循環器病研究センター、国立研究開発法人国立精神・神経医療研究センター、国立研究開発法人国立国際医療研究センター、国立研究開発法人国立成育医療研究センター及び国立研究開発法人国立長寿医療研究センターとする。

（権限の委任）

第一五条　法に規定する国土交通大臣の権限で次の各号に掲げるものは、当該各号に定める地方運輸局長に委任する。

一　法第二章（第六条第二項、第十五条の二第三項（法第十六条第六項及び第六十九条の二第五項において準用する場合を含む。）、第二十四条第一項、第二十四条の二、第二十九条及び第三十条を除く。）、第四十一条第二項（使用の本拠の位置が定められた自動車に取り付けられた装置に係るものに限り、当該自動車に係る法第七十五条の三第一項の規定による許可の条件の付与及び変更並びに法第九十九条の三第七項の規定による許可の取消しを含む。）に伴い当該装置について付され、又は変更される条件に係るものを除く。）、第四十三条第二項及び第五章（第六十三条第一項、第六十三条の二（第三項を除く。）、第六十三条の三、第六十三条の四第一項、第六十四条、第七十二条第二項、第七十四条第一項、第七十四条の二、第七十四条の三、第七十五条第一項及び第七項から第九項まで、第七十五条の二第一項及び第四項から第六項まで、第七十五条の三第一項及び第五項から第七項まで、第七十五条の五並びに第七十五条の六第一項を除く。）に規定する国土交通大臣の権限（次号から第四号までに掲げるものを除く。）　自動車の使用の本拠の位置を管轄する地方運輸局長

二　法第十一条第四項及び第六項、第十五条の二第四項（法第十六条第六項及び第六十九条の二第五項において準用する場合を含む。）及び第五項、第十六条第二項、第四項、第五項及び第七項、第十八条第三項（法第六十九条の三において準用する場合を含む。）、第二十二条第一項、第四十一条第二項（予備検査を受けようとする自動車に取り付けられた装置に係るものに限る。）、第六十二条第一項及び第二項（法第六十三条第三項において準用する場合を含む。）、第六十六条第二項及び第五項、第六十七条第二項（第二号に係る部分（構造等変更検査に係るものを除く。）に限る。）、第六十九条の二第一項、第三項本文、第四項及び第六項、第七十一条第一項及び第二項、第七十一条の二第一項（新規検査に係るものを除く。）、同条第二項において準用する法第五十四条第四項、第七十二条の三並びに第七十四条の五第一項に規定する国土交通大臣の権限並びにこれらの権限に係る法第七十二条第一項に規定する国土交通大臣の権限　最寄りの地方運輸局長

三　法第十八条第一項（法第六十九条の三において準用する場合を含む。）に規定する国土交通大臣の権限　一時抹消登録の申請又は自動車検査証の返納が行われた時における当該自動車の使用の本拠の位置を管轄する地方運輸局長（法第十八条第三項（法第六十九条の三において準用する場合を含む。）の規定により当該自動車の所有者の変更が自動車登録ファイル（二輪の小型自動車にあつては、二輪自動車検査ファイル）に記録された場合にあつては、新所有者の住所地を管轄する地方運輸局長）

四　法第二十五条第一項、第二十六条第二項、第二十七条第一項及び第二項並びに第二十八条の二第二項に規定する国土交通大臣の権限　自動車登録番号標交付代行者の事業場の所在地を管轄する地方運輸局長

2　法に規定する地方運輸局長の権限及び前項の規定により地方運輸局長に委任された権限で次の各号に掲げるものは、当該各号に定める運輸監理部長又は運輸支局長に委任する。

一　法第三十四条第二項（法第七十三条第二項において準用する場合を含む。）並びに第五十四条の二第四項及び第五項に規定する地方運輸局長の権限並びに前項第二号の規定により地方運輸局長に委任された権限（法第四十一条第二項に係るものを除く。）　最寄りの運輸監理部長又は運輸支局長

二　法第三十六条の二第五項（法第七十三条第二項において準用する場合を含む。）に規定する地方運輸局長の権限　自動車の回送を業とする者の営業所の所在地を管轄する運輸監理部長又は運輸支局長

三　法第四十三条第一項及び第九十七条の三第一項に規定する地方運輸局長の権限並びに前項第一号の規定により地方運輸局長に委任された権限（法第四十一条第二項及び第四十三条第二項に係るものを除く。）　自動車の使用の本拠の位置を管轄する運輸監理部長又は運輸支局長

四　前項第三号の規定により地方運輸局長に委任された権限　一時抹消登録の申請又は自動車検査証の返納が行われた時における当該自動車の使用の本拠の位置を管轄する運輸監理部長又は運輸支局長（法第十八条第三項（法第六十九条の三において準用する場合を含む。）の規定により当該自動車の所有者の変更が自動車登録ファイル（二輪の小型自動車にあつては、二輪自動車検査ファイル）に記録された場合にあつては、

新所有者の住所地を管轄する運輸監理部長又は運輸支局長）

3　法第五十四条第一項の規定による命令及び指示、同条第四項の規定による勧告、法第五十四条の二第一項の規定による命令及び指示並びに同条第二項の規定による標章の貼付けは、自動車の現在地を管轄する運輸監理部長又は運輸支局長も行うことができる。

4　法第五十四条第二項の規定による処分及び同条第三項の規定による処分の取消し並びに法第五十四条の二第六項の規定による処分は、自動車の使用の本拠の位置を管轄する運輸監理部長又は運輸支局長も行うことができる。

5　法第五十四条の三第一項の規定による報告徴収及び立入検査の権限は、自動車若しくはその部分の改造、装置の取付け若しくは取り外しその他これらに類する行為を行つた者の事務所その他の事業場の所在地又は自動車の使用の本拠の位置若しくは現在地を管轄する運輸監理部長又は運輸支局長も行うことができる。

6　法第九十二条の規定による命令は、自動車特定整備事業者の事業場の所在地を管轄する運輸監理部長又は運輸支局長も行うことができる。

7　第二項の場合において、次の表の上欄に掲げる法律の規定の適用については、これらの規定中同表の中欄に掲げる字句は、それぞれ同表の下欄に掲げる字句とする。

法第十一条第五項本文及び第十九条	国土交通大臣	運輸監理部長、運輸支局長
法第五十八条第一項及び第五十八条の二	国土交通大臣	運輸監理部長又は運輸支局長
法第三十六条の二第七項（法第七十三条第二項において準用する場合を含む。）	地方運輸局長	自動車の回送を業とする者の営業所の所在地を管轄する運輸監理部長又は運輸支局長
法第六十三条第四項並びに第六十九条第一項及び第二項	国土交通大臣	自動車の使用の本拠の位置を管轄する運輸監理部長又は運輸支局長
法第九十四条の五第七項（法第五十九条及び第六十条の規定の適用に係る部分に限る。）及び第九十四条の五の二第四項（法第五十九条及び第六十条の規定の適用に係る部分に限る。）	国土交通大臣	自動車の使用の本拠の位置を管轄する運輸監理部長又は運輸支局長
法第九十四条の五第七項（法第七十一条の規定の適用に係る部分に限る。）及び第八項並びに第九十四条の五の二第四項（法第六十二条及び第七十一条の規定の適用に係る部分に限る。）	国土交通大臣	最寄りの運輸監理部長又は運輸支局長
鉄道抵当法（明治三十八年法律第五十三号）第三十七条第二項及び第六十八条第三項（第三号に係る部分に限る。）（これらの規定を軌道ノ抵当ニ関スル法律（明治四十二年法律第二十八号）第一条（運河法（大正二年法律第十六号）第十三条において準用する場合を含む。）及び道路運送法施行法（昭和二十六年法律第百八十四号）第十二条の規定によりなおその効力を有するものとされた旧道路運送法（昭和二十二年法律第百九十一号）附則第五条の規定によりなおその効力を有するものとされた旧自動車交通事業法（昭和六年法律第五十二号）第三十八条第三項において準用する場合を含む。）	国土交通大臣	管轄運輸監理部長又ハ運輸支局長
工場抵当法（明治三十八年法律第五十四号）第二十三条第四項ただし書、第二十八条第二項及び第三項、第四十四条第四項ただし書並びに第四十七条第一項（これらの規定を鉱業抵当法（明治三十八年法律第五十五号）第三条、漁業財団抵当法（大正十四年法律第九号）第五条、港湾運送事業法（昭和二十六年法律第百六十一号）第二十六条及び道路交通事業抵当法（昭和二十七年法律第二百四号）第十九条において準用する場合を含む。）	国土交通大臣	管轄運輸監理部長若ハ運輸支局長
観光施設財団抵当法（昭和四十三年法律第九十一号）第十一条において準用する工場抵当法第二十三条第四項ただし書、第二十八条第二項及び第三項、第四十四条第四項ただし書並びに第四十七条第一項	国土交通大臣	管轄運輸監理部長若ハ運輸支局長若ハ国土交通大臣
道路運送法（昭和二十六年法律第百八十三号）第四十一条第三項及び第四項（これらの規定を同法第四十三条第五項及び第八十一条第二項、タクシー業務適正化特別措置法（昭和四十五年法律第七十五号）第五十二条第二項、地域公共交通の活性化及び再生に関する法律（平成十九年法律第五十九号）第二十七条の十八第七項（同法第二十九条の九において準用する場合を含む。）並びに特定地域及び準特定地域における一般乗用旅客自動車運送事業の適正化及び活性化に関する特別措置法（平成二十一年法律第六十四号）第十七条の三第二項において準用する場合を含む。）並びに貨物自動車運送事業法（平成元年法律第八十三号）第三十四条第三項及び第四項（これらの規定を同法第三十五条第六項及び第三十七条第三項において準用する場合を含む。）	国土交通大臣	自動車の使用の本拠の位置を管轄する運輸監理部長又は運輸支局長
自動車抵当法（昭和二十六年法律第百八十七号）第十六条及び第十七条第三項	国土交通大臣	自動車の使用の本拠の位置を管轄する運輸監理部長又は運輸支局長

土砂等を運搬する大型自動車による交通事故の防止等に関する特別措置法（昭和四十二年法律第百三十一号）第九条第三項及び第四項	国土交通大臣	自動車の使用の本拠の位置を管轄する運輸監理部長又は運輸支局長

附　則

（施行期日）

1　この政令は、昭和二十六年七月一日から施行する。

（提供する登録情報の範囲）

2　法第二十二条第三項の登録情報には、当分の間、保存記録ファイルに記録されている事項に係るものは、含まないものとする。

附　則〔平成一七・五・二七政令一八七〕

（施行期日）

第一条　この政令は、自動車関係手続における電子情報処理組織の活用のための道路運送車両法等の一部を改正する法律（以下「改正法」という。）の施行の日（平成十七年十二月二十六日）から施行する。

（経過措置）

第二条　改正法の施行前に改正法第一条の規定による改正前の道路運送車両法第三十三条第一項の規定により自動車の譲受人に譲渡証明書を交付した者（次項において「譲渡証明書交付者」という。）は、改正法附則第二条第一項の規定により当該譲渡証明書に記載されていた事項を登録情報処理機関に提供しようとするときは、あらかじめ、当該自動車の譲受人の書面又は電磁的方法による承諾を得なければならない。

2　前項の規定による承諾を得た譲渡証明書交付者は、当該自動車の譲受人から書面又は電磁的方法により、電磁的方法による登録情報処理機関への提供を承諾しない旨の申出があったときは、登録情報処理機関に対し、当該譲渡証明書に記載されていた事項の提供を電磁的方法によってしてはならない。ただし、当該自動車の譲受人が再び同項の規定による承諾をした場合は、この限りでない。

第三条　改正法の施行前に改正法第一条の規定による改正前の道路運送車両法第七十五条第四項の規定により完成検査終了証を発行し、これを自動車の譲受人に交付した者（次項において「完成検査終了証交付者」という。）は、改正法附則第四条の規定により当該完成検査終了証に記載されていた事項を登録情報処理機関に提供しようとするときは、あらかじめ、改正法第一条の規定による改正後の道路運送車両法第七条第一項又は第五十九条第一項の申請をする者（次項において「申請者」という。）の書面又は電磁的方法による承諾を得なければならない。

2　前項の規定による承諾を得た完成検査終了証交付者は、申請者から書面又は電磁的方法により、電磁的方法による登録情報処理機関への提供を承諾しない旨の申出があったときは、登録情報処理機関に対し、当該完成検査終了証に記載されていた事項の提供を電磁的方法によってしてはならない。ただし、申請者が再び同項の規定による承諾をした場合は、この限りでない。

附　則〔平成二七・一一・二六政令三九二抄〕

（施行期日）

第一条　この政令は、行政不服審査法の施行の日（平成二十八年四月一日）から施行する。

（経過措置の原則）

第二条　行政庁の処分その他の行為又は不作為についての不服申立てであってこの政令の施行前にされた行政庁の処分その他の行為又はこの政令の施行前にされた申請に係る行政庁の不作為に係るものについては、この附則に特別の定めがある場合を除き、なお従前の例による。

附　則〔令和二・一・三一政令一二〕

この政令は、道路運送車両法の一部を改正する法律の施行の日（令和二年四月一日）から施行する。

附　則〔令和二・七・八政令二一七抄〕

（施行期日）

第一条　この政令は、改正法施行日（令和二年十二月一日）から施行する。〔以下略〕

附　則〔令和二・八・五政令二三八抄〕

この政令は、道路運送車両法の一部を改正する法律（令和元年法律第十四号）附則第一条第四号に掲げる規定の施行の日（令和二年十一月二十三日）から施行する。〔以下略〕

附　則〔令和二・一一・一一政令三三二〕

この政令は、持続可能な運送サービスの提供の確保に資する取組を推進するための地域公共交通の活性化及び再生に関する法律等の一部を改正する法律の施行の日（令和二年十一月二十七日）から施行する。

附　則〔令和四・五・二〇政令一九五〕

この政令は、道路運送車両法の一部を改正する法律附則第一条第六号に掲げる規定の施行の日（令和五年一月一日）から施行する。

附　則〔令和五・七・二一政令二四六〕

この政令は、地域公共交通の活性化及び再生に関する法律等の一部を改正する法律の施行の日（令和五年十月一日）から施行する。

○道路運送車両法施行規則

〔昭和二六・八・一六
運輸省令七四〕

改正　昭和二七・四運令一八、七運令五三、一〇運令九〇、昭和二八・三運令一一、八運令四七、一二運令七四、昭和二九・一運令三、一〇運令五〇、昭和三〇・三運令七、一〇運令五一、昭和三二・六運令一八、八運令二八、昭和三三・三運令五、九運令四〇、昭和三四・七運令三三、九運令四二、運令四五、一〇運令四九、昭和三五・七運令三〇、昭和三六・二運令九、一〇運令五二、一二運令六一、昭和三七・四運令二〇、五運令二六、九運令四八、昭和三八・一〇運令四八、昭和三九・三運令一七、一〇運令七七、昭和四一・三運令一六、昭和四二・三運令一七、五運令二二、運令二七、八運令六一、九運令七〇、昭和四三・四運令一二、七運令二八、九運令四四、昭和四四・一二運令五六、昭和四五・二運令六、六運令五三、七運令六三、昭和四六・三運令一七、九運令五五、一一運令六四、昭和四七・五運令二九、一二運令六五、昭和四八・三運令一一、九運令三三、昭和四九・一運令二、五運令一八、昭和五〇・二運令四、三運令六、九運令三四、運令三五、一二運令五二、昭和五一・一二運令四七、昭和五二・一運令二、五運令一一、昭和五三・二運令五、六〇、一二運令六三、昭和五四・二運令五、四運令一四、七運令三四、八運令三六、昭和五五・四運令一〇、九運令二七、昭和五六・八運令三九、昭和五七・一運令一、九運令二三、九運令三一、一二運令三二、昭和五八・三運令八、七運令三五、一〇運令四五、運令四六、昭和五九・五運令一三、六運令一八、八運令二七、一〇運令三四、昭和六〇・一運令一、二運令五、九運令三〇、運令三一、昭和六一・五運令一八、昭和六二・一運令三、三運令二七、八運令五二、昭和六三・一運令一、一二運令三八、平成元・一運令一、二運令四、六運令一九、七運令二四、平成二・一一運令三一、平成三・三運令三、一一運令三九、平成四・一一運令三三、平成五・三運令六、一〇運令三一、平成六・三運令一〇、一一運令四八、平成七・二運令八、四運令二四、一〇運令五八、一二運令六六、運令七〇、平成八・一運令四、八運令四七、九運令五三、一〇運令五六、一二運令六六、平成九・二運令九、三運令二二、八運令五二、一二運令七四、一二運令八一、平成一〇・五運令三一、九運令六五、一〇運令六七、一二運令七六、平成一一・八運令三七、一〇運令四六、一二運令五一、平成一二・二運令五、三運令八、七運令二五、九運令三一、一一運令三九、平成一三・三国交令七二、六国交令九八、七国交令一〇五、八国交令一一四、一二国交令一四六、平成一四・四国交令五八、六国交令七九、国交令八〇、七国交令八四、国交令八九、平成一五・二国交令一一、三国交令一八、七国交令八〇、国交令八一、八国交令八七、九国交令九五、平成一六・三国交令三四、国交令三六、国交令三七、五国交令六五、八国交令八三、平成一七・三国交令一二、国交令一四、国交令二一、五国交令五七、六国交令七一、一一国交令一〇四、平成一八・三国交令二二、国交令三〇、国交令三二、四国交令五八、五国交令六六、九国交令八六、国交令八九、一一国交令一〇六、平成一九・三国交令三五、五国交令六〇、六国交令六八、一一国交令八七、国交令八九、一二国交令九五、平成二〇・七国交令五九、九国交令七六、平成二一・六国交令三九、平成二三・一一国交令七九、平成二四・三国交令二一、平成二五・一一国交令八八、一二国交令九三、平成二六・二国交令九、九国交令七二、国交令七五、一〇国交令八三、一一国交令八九、平成二七・三国交令一〇、国交令一一、国交令一六、国交令二〇、六国交令四七、国交令四八、七国交令五二、一二国交令八二、国交令八七、平成二八・一国交令二、三国交令一四、一〇国交令七三、一一国交令七八、一二国交令八七、平成二九・六国交令三八、七国交令四六、九国交令五六、平成三〇・六国交令五一、七国交令五九、八国交令六二、平成三一・一国交令一、三国交令八、令和元・六国交令一四、国交令二〇、九国交令三三、一〇国交令四〇、一二国交令四七、令和二・二国交令六、三国交令二〇、八国交令六七、九国交令七三、一〇国交令八四、一二国交令九八、令和三・三国交令二八、六国交令四〇、九国交令五九、令和四・三国交令三六、五国交令四五、令和五・一国交令一、九国交令六六、一二国交令九八、令和六・三国交令二三、国交令二六、四国交令五八、六国交令六六、国交令六七

注　令和四年五月二五日国土交通省令第四六号の改正は、令和九年一月一日から施行のため、改正を加えてありません。

第一章　総則

（原動機付自転車の範囲及び種別）

第一条　道路運送車両法（昭和二十六年法律第百八十五号。以下「法」という。）第二条第三項の総排気量又は定格出力は、左のとおりとする。

一　内燃機関を原動機とするものであつて、二輪を有するもの（側車付のものを除く。）にあつては、その総排気量は〇・一二五リットル以下、その他のものにあつては〇・〇五〇リットル以下

二　内燃機関以外のものを原動機とするものであつて、二輪を有するもの（側車付のものを除く。）にあつては、その定格出力は一・〇〇キロワット以下、その他のものにあつては〇・六〇キロワット以下

2　前項に規定する総排気量又は定格出力を有する原動機付自転車のうち、総排気量が〇・〇五〇リットル以下又は定格出力が〇・六〇キロワット以下のものを第一種原動機付自転車とし、その他のものを第二種原動機付自転車とする。

（自動車の種別）

第二条　法第三条の普通自動車、小型自動車、軽自動車、大型特殊自動車及び小型特殊自動車の別は、別表第一に定めるところによる。

（法第七条第三項第二号の国土交通省令で定める期間）

第二条の二　法第七条第三項第二号（法第五十九条第四項において準用する場合を含む。）の国土交通省令で定める期間は、九月とする。

（法第七条第三項第三号の国土交通省令で定める自動車）

第二条の三　法第七条第三項第三号の国土交通省令で定める自動車は、次の各号に掲げる自動車とする。

一　人の運送の用に供する自動車のうち、次に掲げるもの以外のもの

イ　乗車定員十一人以上の普通自動車及び小型自動車

ロ　専ら幼児の運送を目的とする普通自動車及び小型自動車

ハ　三輪の小型自動車

ニ　広告宣伝用自動車その他特種の用途に供する普通自動車及び小型自動車

ホ　大型特殊自動車

二　貨物の運送の用に供する小型自動車のうち、最大積載量が一トン以下であり、かつ、当該小型自動車に係る登録識別情報等通知書（登録識別情報その他の自動車登録ファイルに記録されている事項を記載した書面をいう。以下同じ。）の車体の形状の欄に「バン」又は「三輪バン」と記載されているもの

（電磁的方法）

第二条の四　法第三十三条第四項の国土交通省令で定める方法は、次に掲げる方法とする。

一　送信者の使用に係る電子計算機と受信者の使用に係る電子計算機とを電気通信回線で接続した電子情報処理組織を使用する方法であつて、当該電気通信回線を通じて情報が送信され、受信者の使用に係る電子計算機に備えられたファイルに当該情報が記録されるもの

二　磁気ディスクその他これに準ずる方法により一定の情報を確実に記録しておくことができる物をもつて調製するファイルに情報を記録したものを交付する方法

（特定整備の定義）

第三条　法第四十九条第二項の特定整備とは、第一号から第七号までのいずれかに該当するもの（以下「分解整備」という。）又は第八号若しくは第九号に該当するもの（以下「電子制御装置整備」という。）をいう。

一　原動機を取り外して行う自動車の整備又は改造

二　動力伝達装置のクラッチ（二輪の小型自動車のクラッチを除く。）、トランスミッション、プロペラ・シャフト、デファレンシャル又はドライブ・シャフトを取り外して行う自動車の整備又は改造

三　走行装置のフロント・アクスル、前輪独立懸架装置（ストラットを除く。）又はリア・アクスル・シャフトを取り外して行う自動車（二輪の小型自動車を除く。）の整備又は改造

四　かじ取り装置のギヤ・ボックス、リンク装置の連結部又はかじ取りホークを取り外して行う自動車の整備又は改造

五　制動装置のマスタ・シリンダ、バルブ類、ホース、パイプ、倍力装置、ブレーキ・チャンバ、ブレーキ・ドラム（二輪の小型自動車のブレーキ・ドラムを除く。）若しくはディスク・ブレーキのキャリパを取り外し、又は二輪の小型自動車のブレーキ・ライニングを交換するためにブレーキ・シューを取り外して行う自動車の整備又は改造

六　緩衝装置のシャシばね（コイルばね及びトーションバー・スプリングを除く。）を取り外して行う自動車の整備又は改造

七　けん引自動車又は被けん引自動車の連結装置（トレーラ・ヒッチ及びボール・カプラを除く。）を取り外して行う自動車の整備又は改造

八　次に掲げるもの（以下「運行補助装置」という。）の取り外し、取付位置若しくは取付角度の変更又は機能の調整を行う自動車の整備又は改造（かじ取り装置又は制動装置の作動に影響を及ぼすおそれがあるものに限り、次号に掲げるものを除く。）

イ　自動車の運行時の状態及び前方の状況を検知するためのセンサー

ロ　イに規定するセンサーから送信された情報を処理するための電子計算機

ハ　イに規定するセンサーが取り付けられた自動車の車体前部又は窓ガラス

九　自動運行装置を取り外して行う自動車の整備又は改造その他の当該自動運行装置の作動に影響を及ぼすおそれがある自動車の整備又は改造

第二章　自動車登録番号標及び封印

（自動車登録番号標の交付を受けるための手続）

第四条　自動車登録番号標の交付を受けようとする者は、自動車登録番号標交付代行者に、法第十条（法第十四条第二項及び自動車登録令（昭和二十六年政令第二百五十六号。以下「令」という。）第四十三条第二項において準用する場合を含む。）の規定による書面を提示し、又は交付を受けるべき自動車登録番号標に係る自動車登録番号を指示した運輸監理部長又は運輸支局長の書面を提出しなければならない。

第五条及び第六条　削除

（自動車登録番号標の取付け）

第七条　法第十一条第一項（同条第二項及び第十四条第二項において準用する場合を含む。）及び第六項並びに法第二十条第四項の規定による自動車登録番号標の取付けは、第八条の二第一項本文に規定する位置に、同条第二項に規定する方法により表示されるように行うものとする。ただし、三輪自動車、被牽引自動車又は国土交通大臣の指定する大型特殊自動車にあつては、前面の自動車登録番号標を省略することができる。

（封印）

第八条　封印の取りつけは、自動車の後面に取りつけた自動車登録番号標の左側の取りつけ箇所に行うものとする。

2　封印には、運輸監理部又は運輸支局の表示をしなければならない。

3　法第十一条第五項ただし書の国土交通省令で定めるやむを得ない事由は次のとおりとする。

一　自動車の整備のため特に必要があるとき。

二　道路交通に関する条約の実施に伴う道路運送車両法の特例等に関する法律（昭和三十九年法律第百九号）第五条第一項の規定により国土交通大臣から交付を受けた登録証書（第四十条の五第一号において単に「登録証書」という。）に記載された登録番号を表示するとき。

（自動車登録番号標の表示）

第八条の二　法第十九条の国土交通省令で定める位置は、自動車の前面及び後面であつて、自動車登録番号標に記載された自動車登録番号の識別に支障が生じないものとして告示で定める位置とする。ただし、三輪自動車、被牽引自動車又は国土交通大臣の指定する大型特殊自動車にあつては、前面の自動車登録番号標を省略することができる。

2　法第十九条の国土交通省令で定める方法は、次のいずれにも該当するものとする。

一　自動車の車両中心線に直交する鉛直面に対する角度その他の自動車登録番号標の表示の方法に関し告示で定める基準に適合していること。

二　自動車登録番号標に記載された自動車登録番号の識別に支障が生じないものとして告示で定める物品以外のものが取り付けられておらず、かつ、汚れがないこと。

（自動車登録番号標の廃棄等の方法）

第九条　法第二十条第一項の規定による自動車登録番号標の破壊は、自動車登録番号標を切断すること又は自動車登録番号標の表面から裏面に貫通する直径四十ミリメートル以上の穴をあけることにより行うものとする。

2　法第二十条第一項の規定による自動車登録番号標の廃棄は、運輸監理部長又は運輸支局長の指定する場所において行うものとする。

（自動車登録番号標の返納）

第一〇条　自動車の所有者は、法第二十条第一項の規定により自動車登録番号標を自動車登録番号標交付代行者に返納したときは、その旨を信じさせるに足りる書面を運輸監理部長又は運輸支局長に提出しなければならない。

（自動車登録番号標の様式等）

第一一条　自動車登録番号標は、第一号様式による。

2　前項の規定にかかわらず、宮内庁の所管に属する自動車であつて、専ら天皇、皇后又は皇太后の用に供すべきものの自動車登録番号標は、第一号様式の二による。

3　自動車登録番号標は、次の各号に適合するものでなければならない。

一　金属製のもの又は金属及び透明材料を用いたものであること。

二　使用に十分耐える厚さ及び硬度を有するものであること。

三　腐食、さび又は亀裂の生ずるおそれの少ないものであること。

四　塗装の色が変わり又はあせるおそれの少ないものであること。

五　塗膜の剝げ落ち又は亀裂の生ずるおそれの少ないものであること。

（封印の取付けの委託の申請）

第一二条　法第二十八条の三第一項の規定により封印の取付けの委託を受けようとする者は、次に掲げる事項を記載した申請書を運輸監理部長又は運輸支局長に提出しなければならない。

一　氏名又は名称及び住所

二　事業場の名称及び所在地

三　封印の取付けを行おうとする自動車の範囲を限定して委託を受けようとする者にあつては、その自動車の範囲

2　運輸監理部長又は運輸支局長は、前項の申請書のほか、現に営んでいる事業の種類及びその概要を記載した書面並びに次条に規定する要件に該当することを信じさせるに足りる書面その他必要な書面の提出を求めることができる。

（封印取付受託者の要件）

第一三条　法第二十八条の三第一項の国土交通省令で定める要件は、次のとおりとする。

一　封印の取付けを適確に遂行する能力を有すること。

二　委託を受けて封印の取付けを行うことが登録自動車の所有者の利便を増進するものであること。

三　封印の取付けを行おうとする自動車の範囲を法第七条第三項の規定により書面の提出をもつて提示に代えた自動車又は法第十四条第一項の規定によりその自動車登録番号を変更した自動車（令第四十条の規定による提示をした自動車を除く。）に限定して委託を受けようとする者以外の者にあつては、その事業場の所在地が運輸監理部、運輸支局又は自動車検査登録事務所の所在地に近接していること。

四　次に掲げる者に該当しないこと。

イ　一年以上の懲役又は禁錮の刑に処せられ、その執行を終わり、又は執行を受けることがなくなつた日から二年を経過しない者

ロ　第十五条の四の規定により委託を解除され、その解除の日から二年を経過しない者

ハ　営業に関し成年者と同一の行為能力を有しない未成年者であつて、その法定代理人がイ、ロ又はニのいずれかに該当するもの

ニ　法人であつて、その役員（いかなる名称によるかを問わず、これと同等以上の職権又は支配力を有する者を含む。）のうちに、イからハまでのいずれかに該当する者があるもの

（標識）

第一四条　法第二十八条の三第一項の規定による委託を受けた者（以下「封印取りつけ受託者」という。）が掲げる標識の様式は、第一号様式の三とする。

（封印取りつけ責任者）

第一五条　封印取りつけ受託者は、事業場ごとに、封印の取りつけ、保管及び出納に関する事項を処理させるため、封印取りつけ責任者を選任しなければならない。

2　封印取付受託者は、封印取付責任者を選任し、又は変更したときは、遅滞なく、運輸監理部長又は運輸支局長に、その旨を届け出なければならない。

（自動車登録番号及び車台番号の確認）

第一五条の二　封印取りつけ受託者は、当該自動車に取りつけられた自動車登録番号標に記載された自動車登録番号及び当該自動車の車台番号が当該自動車検査証に記載された自動車登録番号及び車台番号と同一であることを確認した後でなければ、封印の取りつけをしてはならない。

（事業場の位置の変更等の承認）

第一五条の三　封印取付受託者は、事業場の位置を変更しようとするとき、又は封印の取付けの業務をやめようとするときは、あらかじめ、運輸監理部長又は運輸支局長の承認を受けなければならない。

（委託の解除）

第一五条の四　運輸監理部長又は運輸支局長は、封印取付受託者が次の各号の一に該当することとなつたときは、封印の取付けの委託を解除することができる。

一　第十三条各号の要件を備えなくなつたとき。

二　法又はこの省令の規定に違反したとき。

第一六条から第一九条まで　削除

第三章　臨時運行の許可及び回送運行の許可

第一節　臨時運行の許可

（臨時運行の許可）

第二〇条　法第三十四条第一項（法第七十三条第二項において準用する場合を含む。）の臨時運行の許可は、その運行の経路の最寄りの行政庁（運輸監理部長若しくは運輸支局長又は市、特別区若しくは道路運送車両法施行令（昭和二十六年政令第二百五十四号。以下「施行令」という。）第四条に規定する町村の長をいう。）が行う。

（臨時運行許可申請書）

第二一条　臨時運行の許可の申請書には、左に掲げる事項を記載しなければならない。

一　氏名又は名称及び住所

二　車名

三　形状

四　車台番号

五　運行の目的

六　運行の経路

七　運行の期間

（臨時運行許可証の記載事項）

第二二条　法第三十五条第四項（法第七十三条第二項において準用する場合を含む。）の臨時運行許可証には、法第三十五条第五項に規定するものの外、左に掲げる事項をも記載しなければならない。

一　許可を受けた者の氏名又は名称及び住所

二　車名

三　形状

四　車台番号

（臨時運行許可証の表示）

第二三条　臨時運行許可証（有効期間を記載した裏面に限る。）は、自動車の運行中その前面の見やすい位置に表示しなければならない。

（臨時運行許可番号標の表示）

第二四条　第八条の二の規定は、法第三十六条第一号（法第七十三条第二項において準用する場合を含む。）の規定による臨時運行許可番号標の表示の位置及び方法について準用する。この場合において、第八条の二第一項中「前面及び後面」とあるのは「前面及び後面（第二十条の行政庁が、当該自動車の構造、運行の態様等を勘案して、前面に表示することにより自動車の安全性の確保に支障を及ぼすおそれがあると認める場合であつて、臨時運行の許可を受けていることを明らかにするために必要な措置を講じていると認めるときは、後面）」と、同項ただし書中「三輪自動車」とあるのは「二輪自動車、側車付二輪自動車、三輪自動車」と読み替えるものとする。

（臨時運行許可証等）

第二五条　臨時運行許可証は第二号様式、臨時運行許可番号標は第三号様式による。

2　第十一条第三項の規定は、臨時運行許可番号標について準用する。

第二節　回送運行の許可

（回送運行の許可の申請）

第二六条　法第三十六条の二第一項（法第七十三条第二項において準用する場合を含む。）の許可（以下「回送運行の許可」という。）を受けようとする者は、次に掲げる事項を記載した申請書を地方運輸局長に提出しなければならない。

一　氏名又は名称及び住所

二　営業所の名称及び所在地

三　現に営んでいる事業の種類及びその概要

2　地方運輸局長は、必要があると認めるときは、前項の申請者に対し、自動車の回送を業とすることを証する書面の提出を求めることができる。

（許可基準）

第二六条の二　地方運輸局長は、回送運行の許可をしようとするときは、次の基準に適合するかどうかを審査して、これをしなければならない。

一　法及び法に基づく命令の規定を遵守して回送自動車を運行の用に供すると認められること。

二　回送運行許可証及び回送運行許可番号標を適切に管理すると認められること。

三　自動車の製作、陸送、販売又は特定整備を業とする者であること。

（回送運行許可証の交付の申請等）

第二六条の三　回送運行の許可を受けた者は、回送運行許可証の交付及び回送運行許可番号標の貸与を受けようとするときは、次に掲げる事項を記載した申請書を運輸監理部長又は運輸支局長に提出しなければならない。

一　氏名又は名称及び住所

二　営業所の名称及び所在地

三　回送の目的

四　交付を受けようとする回送運行許可証及び貸与を受けようとする回送運行許可番号標の数（回送運行許可番号標にあつては、金属製のものか合成樹脂製のものかの別を含む。）

2　運輸監理部長又は運輸支局長は、必要があると認めるときは、前項の申請者に対し、前項第四号の数の回送運行許可証及び回送運行許可番号標を必要とすることを証する書面の提出を求めることができる。

（回送運行許可証の記載事項）

第二六条の四　回送運行許可証には、法第三十六条の二第六項に規定する事項のほか、前条第一項第一号及び第二号に掲げる事項をも記載しなければならない。

（回送運行許可証の表示等）

第二六条の五　第八条の二の規定は法第三十六条の二第一項第一号（法第七十三条第二項において準用する場合を含む。）の規定による回送運行許可番号標の表示の位置及び方法について、第二十三条の規定は回送運行許可証の表示について準用する。この場合において、第八条の二第一項中「前面及び後面」とあるのは「前面及び後面（運輸監理部長又は運輸支局長が、回送運行の許可を受けていることを明らかにするために必要な措置を講じていると認めるときは、前面又は前面及び後面）」と、同項ただし書中「三輪自動車」とあるのは「二輪自動車、側車付二輪自動車、三輪自動車」と、「前面」とあるのは「この項本文の規定により後面に表示しない場合を除き、前面」と読み替えるものとする。

（回送運行許可証等）

第二六条の六　回送運行許可証は第四号様式、回送運行許可番号標は第五号様式による。

2　回送運行許可番号標は、次の各号に適合するものでなければならない。

一　金属製のもの又は合成樹脂製のものであること。

二　使用に十分耐える厚さを有するものであること。

三　金属製のものにあつては、使用に十分耐える硬度を有するものであること。

四　腐食、さび又は亀裂の生ずるおそれの少ないものであること。

五　塗装の色が変わり又はあせるおそれの少ないものであること。

六　塗膜の剝げ落ち又は亀裂の生ずるおそれの少ないものであること。

第四章　自動車の車台番号及び原動機の型式の打刻

（打刻の届出事項）

第二六条の七　法第二十九条第二項の国土交通省令で定める事項は、次のとおりとする。

一　打刻様式

二　打刻字体

三　打刻位置

（打刻の届出）

第二七条　法第二十九条第二項の届出は、第六号様式により自動車の車台又は原動機の型式ごとに行わなければならない。

2　国土交通大臣は、必要があると認めるときは、前項の届出をする者に対し、自動車、自動車の車台又は原動機の製作を業とすることを証する書面の提出を求めることができる。

第二八条及び第二九条　削除

（国土交通大臣の指定）

第三〇条　法第三十条第一項の指定を受けようとする者は、左に掲げる事項を記載した申請書を国土交通大臣に提出しなければならない。

一　氏名又は名称及び住所

二　事業場の名称及び所在地

三　事業内容

四　打刻しようとする自動車の車名

2　国土交通大臣は、前項の申請に係る者が、車台番号又は原動機の型式を打刻することが適当と認めるときは、指定する。

3　国土交通大臣は、前項の指定を受けた者が、車台番号又は原動機の型式を打刻することが適当でないと認めたときは、その指定を取り消すことができる。

（輸入自動車等の打刻の届出事項）

第三〇条の二　法第三十条第一項の国土交通省令で定める事項は、

第二十六条の七各号に掲げる事項とする。

（輸入自動車等の打刻の届出書）

第三一条　法第三十条第一項の規定による届出書は、第七号様式による。

第三一条の二　第二十七条の規定は、法第三十条第二項の国土交通大臣に届け出る場合に準用する。

第四章の二　条件の付与

第三一条の二の二　法第四十一条第二項の条件（以下この条において単に「条件」という。）の付与を受けようとする者（以下「申請者」という。）は、次に掲げる事項を記載した申請書を国土交通大臣（施行令第十五条第一項第一号の規定により地方運輸局長に国土交通大臣の権限が委任されている場合にあつては、当該地方運輸局長。以下この条において同じ。）に提出しなければならない。

一　申請者の氏名又は名称及び住所
二　条件の付与を受けようとする装置の名称及び型式
三　自動運行装置が使用される場所、気象及び交通の状況その他の状況

2　前項の申請書には、次に掲げる書類を添付しなければならない。

一　前項の条件の付与の申請に係る装置が第四項の基準に適合するものであることを証する書類
二　自動運行装置を取り付けることができる自動車又は特定共通構造部の範囲

3　国土交通大臣は、前二項に規定するもののほか、申請者に対し、条件の付与に関し必要があると認めるときは、必要な書面の提出を求めることができる。

4　国土交通大臣は、第一項第三号に掲げる状況で使用されるものと仮定した場合において、第一項の条件の付与の申請に係る装置が、道路運送車両の保安基準（昭和二十六年運輸省令第六十七号）第四十八条に定める基準に適合すると認めるときは、条件を付するものとする。

5　国土交通大臣は、次の各号のいずれかに該当する場合には、第四項の規定による条件の付与を取り消すことができる。

一　当該条件の付与の取消しを求める申請があつたとき。
二　不正の手段により付与を受けたとき。

第五章　道路運送車両の点検及び整備

（整備管理者の選任）

第三一条の三　法第五十条第一項の国土交通省令で定める自動車は、次の各号に掲げるものとし、同項の国土交通省令で定める台数は、当該各号に定める台数とする。

一　乗車定員十一人以上の自動車（次号に掲げる自動車を除く。）　一両
二　乗車定員十一人以上二十九人以下の自家用自動車（道路運送法（昭和二十六年法律第百八十三号）第八十条第一項の許可に係るものを除く。）　二両
三　乗車定員十人以下で車両総重量八トン以上の自家用自動車及び乗車定員十人以下の自動車運送事業の用に供する自動車　五両
四　貨物軽自動車運送事業の用に供する自動車及び乗車定員十人以下で車両総重量八トン未満の自家用自動車であつて、第二号の許可に係るもの　十両

（整備管理者の資格）

第三一条の四　法第五十条第一項の自動車の点検及び整備に関する実務経験その他について国土交通省令で定める一定の要件は、次の各号のいずれかに該当し、かつ、法第五十三条に規定する命令により解任され、解任の日から二年（前条第一号又は第二号の規定の適用を受けて選任される整備管理者にあつては、五年）を経過しない者でないこととする。

一　整備の管理を行おうとする自動車と同種類の自動車の点検若しくは整備又は整備の管理に関して二年以上実務の経験を有し、地方運輸局長が行う研修を修了した者であること。
二　自動車整備士技能検定規則（昭和二十六年運輸省令第七十一号）の規定による一級、二級又は三級の自動車整備士技能検定に合格した者であること。
三　前二号に掲げる技能と同等の技能として国土交通大臣が告示で定める基準以上の技能を有すること。

（整備管理者の権限等）

第三二条　法第五十条第二項の規定により整備管理者に与えなければならない権限は、次のとおりとする。

一　法第四十七条の二第一項及び第二項に規定する日常点検の実施方法を定めること。
二　前号の点検の結果に基づき、運行の可否を決定すること。
三　法第四十八条第一項に規定する定期点検を実施すること。
四　第一号及び前号の点検のほか、随時必要な点検を実施すること。
五　第一号、第三号又は前号の点検の結果必要な整備を実施すること。
六　第三号の点検及び前号の整備の実施計画を定めること。
七　法第四十九条第一項の点検整備記録簿その他の点検及び整備に関する記録簿を管理すること。
八　自動車車庫を管理すること。
九　前各号に掲げる事項を処理するため、運転者、整備員その他の者を指導し、又は監督すること。

2　整備管理者は、前項に掲げる事項の執行に係る基準に関する規程を定め、これに基づき、その業務を行わなければならない。

第三二条の二　削除

（整備管理者の選任届）

第三三条　法第五十二条の規定による届出書には、次に掲げる事項を記載しなければならない。

一　届出者の氏名又は名称及び住所
二　届出者が自動車運送事業者であるかどうかの別
三　整備管理者の選任に係る自動車の使用の本拠の名称及び位置
四　第三十一条の三各号に掲げる自動車の数
五　整備管理者の氏名及び生年月日
六　第三十一条の四各号のうち前号の者が該当するもの
七　整備管理者の兼職の有無（兼職がある場合は、その職名及び職務内容）

2　前項の届出書には、同項第五号の者が同項第六号に掲げる者に該当すること及び法第五十三条に規定する命令により解任され、解任の日から二年（第三十一条の三第一号又は第二号の規定の適用を受けて選任される整備管理者にあつては、五年）を経過しない者でないことを信じさせるに足る書面を添付しなければならない。

（整備命令標章）

第三四条　整備命令標章は、自動車の前面ガラスに前方から見やすいように貼り付けるものとする。ただし、運転者室又は前面ガラスのない自動車にあつては、自動車の前面に見やすいように貼り付けるものとする。

2　法第五十四条の二第一項の規定による命令を受けた自動車の使用者は、同条第五項の規定により命令を取り消されたときは、

遅滞なく、当該命令に係る整備命令標章を取り除かなければならない。
3　整備命令標章の様式は、第七号様式の二とする。

（整備命令の取消し）

第三四条の二　運輸監理部長又は運輸支局長は、法第五十四条の二第一項の規定により必要な整備を行うべきことを命じた自動車が滅失し、解体し（整備又は改造のために解体する場合を除く。）若しくは自動車の用途を廃止したとき又は当該自動車の車台が当該自動車の新規登録の際存したものでなくなつたときは、当該命令を取り消すことができる。

第三五条　削除

第六章　道路運送車両の検査等

第一節　自動車の検査等

（検査対象外軽自動車）

第三五条の二　法第五十八条第一項の国土交通省令で定める軽自動車は、次の各号に掲げる軽自動車とする。
一　二輪の軽自動車
二　カタピラ及びそりを有する軽自動車
三　被牽引自動車である軽自動車（第一号に掲げる軽自動車又は小型特殊自動車により牽引されるものに限る。）

（自動車検査証の記載事項）

第三五条の三　法第五十八条第二項前段に規定する国土交通省令で定める事項は、次のとおりとする。
一　自動車登録番号（検査対象軽自動車及び二輪の小型自動車にあつては、車両番号。以下第四十九条の二第一項第一号イを除き同じ。）
二　車両識別符号（当該自動車を識別するために、国土交通大臣（法第七十四条の四の規定の適用があるときは、軽自動車検査協会）が付与するものをいう。）
三　自動車検査証の交付年月日
四　車名及び型式
五　普通自動車、小型自動車、検査対象軽自動車又は大型特殊自動車の別
六　長さ、幅及び高さ
七　車体の形状
八　原動機の型式
九　燃料の種類
十　原動機の総排気量又は定格出力
十一　自家用又は事業用の別
十二　用途
十三　牽引自動車にあつては、牽引重量（原動機の性能その他牽引自動車の駆動性能を基礎にして当該牽引自動車が最大限牽引することができるものとして算出された重量をいう。）又は第五輪荷重（セミトレーラ（前車軸を有しない被牽引自動車であつて、その一部が牽引自動車に載せられ、かつ、当該被牽引自動車及びその積載物の重量の相当部分が牽引自動車によつて支えられる構造のものをいう。）を牽引することを目的とする牽引自動車の連結装置に垂直に負荷することができる最大荷重をいう。）
十四　被牽引自動車（次のイ及びロに掲げるものを除く。）にあつては、その旨
イ　次条第二項の規定により自動車検査証に当該被牽引自動車と同じ車名及び型式を記録した牽引自動車によつて牽引されるもの
ロ　次条第三項の規定により自動車検査証に牽引することができるキャンピングトレーラ等（車両総重量二、〇〇〇キログラム未満の被牽引自動車であつて、セミトレーラに該当しないものをいう。同項及び第四十三条の二第十号の二において同じ。）の車両総重量（原動機の性能その他牽引自動車の駆動性能並びに牽引自動車及び当該牽引自動車によつて牽引されるキャンピングトレーラ等の制動性能を基礎にして当該牽引自動車が最大限牽引することができるものとして算出されたキャンピングトレーラ等の車両総重量をいう。以下この条、次条第三項及び第四十三条の二第十号において「牽引可能なキャンピングトレーラ等の車両総重量」という。）を記録した牽引自動車（当該牽引可能なキャンピングトレーラ等の車両総重量が当該被牽引自動車の車両総重量以上のものに限る。）によつて牽引されるもの
十五　法第四十三条第一項の規定により制限を附加した自動車にあつては、その内容
十六　乗車定員又は最大積載量
十七　車両重量及び車両総重量
十八　空車状態における軸重
十九　初度登録年月（検査対象軽自動車及び二輪の小型自動車にあつては、初度検査年月）
二十　法第五十四条第一項前段又は法第五十四条の二第一項前段の規定により必要な整備を行うべきことを命じた自動車にあつては、その旨
二十一　法第五十四条第一項後段又は法第五十四条の二第一項後段の規定により使用の方法又は経路の制限その他の保安上又は公害防止その他の環境保全上必要な指示をした自動車にあつては、その旨
二十二　次に掲げる自動車にあつては、それぞれ次に定める事項
イ　道路運送車両の保安基準第五十五条の規定により基準の緩和をした自動車　その旨
ロ　国家戦略特別区域法（平成二十五年法律第百七号。以下「特区法」という。）第八条第八項の規定により内閣総理大臣の認定を受けた技術実証区域計画（特区法第二十五条の二第一項に規定する技術実証区域計画をいう。次条第一項第七号ロ及び第五十二条第二項第一号において同じ。）に従つて行われる技術実証（特区法第二十五条の二第一項に規定する技術実証をいい、特殊仕様自動車運行（同条第二項第三号イに規定する特殊仕様自動車運行をいう。次条第一項第七号ロ及び第五十二条第二項第一号において同じ。）を含むものに限る。）に使用される特殊仕様自動車（特区法第二十五条の二第二項第三号イに規定する特殊仕様自動車をいう。次条第一項第七号ロにおいて同じ。）　その旨
二十三　タンク自動車（爆発性液体、高圧ガスその他の物品を運送するため、車台にタンク又はガス容器を固定した自動車をいう。以下同じ。）であつて爆発性液体又は高圧ガスを運送するものにあつては、積載物品名
二十四　道路運送車両の保安基準第一条の三の破壊試験を行つていない装置を備える自動車にあつては、その旨
二十五　道路運送車両の保安基準第四十九条の二の規定により灯火を備える自動車にあつては、その旨
二十六　道路運送車両の保安基準第四十九条の三の規定により青色防犯灯を備える自動車にあつては、その旨
二十七　貨物の運送の用に供する普通自動車であつて車両総重量が七トン以上のものにあつては、燃料タンクの個数及びそれぞれの燃料タンクの容量
二十八　道路運送法第八十条第一項の許可を受けて業として有償で貸し渡す自家用自動車であつて、貸渡人が当該自家用自動車の使用の状況を情報通信技術の活用により把握した上で特定の利用者に対して貸し渡すもののうち、当該自家用自動車の使用の本拠以外の貸渡人の事務所（道路運送法施行規則（昭和二十六年運輸省令第七十五号）第五十二条第一項第二号の貸渡人の事務所をいう。）において貸し渡すものにあつ

ては、その旨

二十九　長さ二・五〇メートル、幅一・三〇メートル、高さ二・〇〇メートルを超えない軽自動車であつて、最高速度六十キロメートル毎時以下のもののうち、高速自動車国道（高速自動車国道法（昭和三十二年法律第七十九号）第四条第一項に規定する道路をいう。）又は自動車専用道路（道路法（昭和二十七年法律第百八十号）第四十八条の四に規定する自動車専用道路をいう。）において運行しないもの（第二十二号イ又はロに掲げる自動車を除く。）にあつては、その旨

2　次条第二項の規定により自動車検査証に牽引することができる被牽引自動車（前車軸の取付け及び取り外しができる被牽引自動車であつて、前車軸を取り外した場合にのみその一部が牽引自動車に載せられ、かつ、当該被牽引自動車及びその積載物の重量の相当部分が牽引自動車によつて支えられる構造のものを除く。同項において同じ。）の車名及び型式を記録した牽引自動車にあつては、前項各号に掲げるもののほか、自動車検査証にその旨を記載することができる。

3　次条第三項の規定により自動車検査証に牽引可能なキャンピングトレーラ等の車両総重量を記録したキャンピングトレーラ等を牽引する自動車にあつては、第一項各号に掲げるもののほか、自動車検査証にその旨を記載することができる。

（自動車検査証の記録事項）

第三十五条の四　法第五十八条第二項後段に規定する国土交通省令で定める事項は、次のとおりとする。

一　自動車検査証の有効期間の満了する日

二　使用者の住所

三　所有者の氏名又は名称及び住所（当該自動車の所有者が当該自動車に係る登録識別情報を保有していない場合に限る。）

四　使用の本拠の位置

五　被牽引自動車（前条第一項第十四号のイ及びロに掲げるものを除く。）にあつては、牽引自動車の車名及び型式

六　法第五十四条第一項後段又は法第五十四条の二第一項後段の規定により使用の方法又は経路の制限その他の保安上又は公害防止その他の環境保全上必要な指示をした自動車にあつては、その内容

七　次に掲げる自動車にあつては、それぞれ次に定める事項

イ　道路運送車両の保安基準第五十五条の規定により基準の緩和をした自動車　当該基準の緩和の内容

ロ　特区法第八条第八項の規定により内閣総理大臣の認定を受けた技術実証区域計画に従つて行われる技術実証に使用される特殊仕様自動車　特区法第二十五条の二第二項第三号イ(1)、(4)及び(5)に掲げる事項

2　牽引自動車にあつては、前項各号に掲げるもののほか、自動車検査証に牽引することができる被牽引自動車の車名及び型式を記録することができる。

3　キャンピングトレーラ等を牽引する自動車にあつては、第一項各号に掲げるもののほか、自動車検査証に牽引可能なキャンピングトレーラ等の車両総重量を記録することができる。

（自動車検査証の利用）

第三十五条の五　法第五十八条第三項の国土交通省令で定める者は、次に掲げるものとする。

一　道路運送車両に係る関係者の利便性の向上に資するものとして国土交通大臣が定める事務を処理する行政機関、地方公共団体、独立行政法人、個人情報の保護に関する法律（平成十五年法律第五十七号）別表第一に掲げる法人又は地方独立行政法人（地方独立行政法人法（平成十五年法律第百十八号）第二条第一項に規定する地方独立行政法人をいう。）

二　道路運送車両に係る関係者の利便性の向上に資するものとして国土交通大臣が定める事務を処理する民間事業者（当該事務及び自動車検査証記録事項の安全管理を適切に実施することができるものとして国土交通大臣が定める基準に適合する者に限る。）

2　前項各号に掲げる者が、法第五十八条第三項前段の規定により自動車検査証を利用するときは、あらかじめ、当該自動車検査証に係る登録自動車又は車両番号の指定を受けた検査対象軽自動車若しくは二輪の小型自動車の使用者にその利用の目的を明示し、その同意を得なければならない。

（検査の実施の方法）

第三十五条の六　新規検査その他の検査の実施の方法は、別表第二のとおりとする。

（新規検査の申請）

第三十六条　新規検査を申請する者は、次の各号に該当する場合を除き、当該自動車の使用者の住所を証するに足りる書面を提出しなければならない。

一　当該自動車が国若しくは地方公共団体の使用する自動車又は自動車運送事業の用に供する自動車であるとき。

二　当該自動車（検査対象軽自動車及び二輪の小型自動車を除く。）の所有者と使用者が同一であるとき。

2　自動車運送事業の用に供する自動車に係る新規検査の申請書を提出する場合には、次の各号のいずれかに掲げる書面を提示しなければならない。

一　当該新規検査に係る事業用自動車の使用が、自動車運送事業の経営の開始に伴つて必要となる場合にあつては、道路運送法による一般旅客自動車運送事業若しくは特定旅客自動車運送事業の許可を受けたことを証する書面、貨物自動車運送事業法（平成元年法律第八十三号）による一般貨物自動車運送事業若しくは特定貨物自動車運送事業の許可を受けたことを証する書面又は貨物利用運送事業法（平成元年法律第八十二号）による第二種貨物利用運送事業の許可を受けたことを証する書面及びこれらに係る事業計画（第二種貨物利用運送事業の場合にあつては、集配事業計画。以下この条において同じ。）を記載した書面

二　当該新規検査に係る事業用自動車の使用が、自動車運送事業の事業計画の変更に伴つて必要となる場合にあつては、道路運送法、貨物自動車運送事業法又は貨物利用運送事業法による事業計画の変更の認可を受け、若しくは変更の届出をしたことを証する書面又は届出事項の変更の届出をしたことを証する書面及びこれらに係る事業計画又は届出事項を記載した書面

三　当該新規検査に係る事業用自動車が、自動車運送事業者が既に使用していた事業用自動車の代替車である場合は、その旨を証する書面

3　一時抹消登録を受けた自動車について新規検査を申請する者は、当該自動車に係る登録識別情報等通知書を提示しなければならない。

4　車両番号の指定を受けていない検査対象軽自動車及び二輪の小型自動車について新規検査を申請する者は、当該自動車の使用者であることを証する書面を提出しなければならない。この場合において、法第六十九条第四項の規定により自動車検査証返納証明書の交付を受けているときは、これをあわせて提出するものとする。

5　国土交通大臣が指定する自動車について新規検査を申請する者は、当該自動車が道路運送車両の保安基準第三十条第一項の基準（同令第五十八条の規定に基づく告示により当該基準が適用されないこととされている自動車にあつては、当該基準に代えて適用すべきものとして当該告示に定める基準）に適合するものであることを証する書面を提出しなければならない。

6　法第七十五条第一項の規定によりその型式について指定を受けた自動車（以下「型式指定自動車」という。）、法第七十五条の三第一項の規定によりその型式について指定を受けた一酸化炭素等発散防止装置を備えた自動車（型式指定自動車を除く。以下「一酸化炭素等発散防止装置指定自動車」という。）及び国土交通大臣が指定する自動車について新規検査を申請する者

は、当該自動車が道路運送車両の保安基準第三十一条第二項の基準（同令第五十八条の規定に基づく告示により当該基準が適用されないこととされている自動車にあつては、当該基準に代えて適用すべきものとして当該告示に定める基準）のうち、国土交通大臣が指定するものに適合するものであることを証する書面を提出しなければならない。

7　次の各号に掲げる自動車について新規検査を申請する場合には、第一号に定める書面にあつては、前二項に規定する書面とし、第二号及び第三号に定める書面にあつては第六項に規定する書面とすることができる。

一　型式指定自動車　法第七十五条第四項の規定による完成検査終了証

二　一酸化炭素等発散防止装置指定自動車　第六十二条の五の規定による排出ガス検査終了証

三　外国において本邦に輸出される自動車を製作することを業とする者が製作した自動車（前二号に掲げるものを除く。）であつて当該自動車の製作者がその構造及び性能を記載した書面を提示するもの　国土交通大臣の登録を受けた者（以下「登録試験機関」という。）が行う試験（以下「登録試験」という。）又は登録試験機関に準ずるものとして国土交通大臣が告示で定める外国の機関が行う試験の結果を記載した書面

8　法第五十九条において準用する法第七条第四項の規定により完成検査終了証に記載すべき事項が登録情報処理機関に提供されたことが新規検査の申請書に記載されたときは、国土交通大臣（法第七十四条の四の規定の適用があるときは、軽自動車検査協会）は、登録情報処理機関に対し、完成検査終了証に記載すべき事項について、電磁的方法により照会するものとする。

9　新規検査を申請する者は、第六十二条の五第二項の規定により排出ガス検査終了証に記載すべき事項が登録情報処理機関に提供されたときは、新規検査の申請書にその旨を記載することをもつて排出ガス検査終了証の提出に代えることができる。

10　前項の規定により排出ガス検査終了証に記載すべき事項が登録情報処理機関に提供されたことが新規検査の申請書に記載されたときは、国土交通大臣（当該申請が検査対象軽自動車の新規検査に係るものであるときは、軽自動車検査協会）は、登録情報処理機関に対し、排出ガス検査終了証に記載すべき事項について、電磁的方法により照会するものとする。

11　法第七十五条の二第一項の規定によりその型式について指定を受けた特定共通構造部を有する自動車（型式指定自動車を除く。以下この項及び第六十二条の六において「特定共通構造部型式指定自動車」という。）について新規検査を申請する者は、第六十二条の六第一項の規定により出荷検査証が交付されたときにあつては当該特定共通構造部型式指定自動車が同項各号に掲げる基準に適合するものであることを証する書面として出荷検査証を提出し、同条第二項において準用する第六十二条の五第二項の規定により出荷検査証に記載すべき事項が登録情報処理機関に提供されたときにあつては新規検査の申請書にその旨を記載しなければならない。

12　第十項の規定は、前項の規定により出荷検査証に記載すべき事項が登録情報処理機関に提供されたことが新規検査の申請書に記載された場合について準用する。

13　第八項又は第十項（前項において準用する場合を含む。）の照会を受けた登録情報処理機関は、電磁的方法により当該照会に係る事項について国土交通大臣（当該照会が検査対象軽自動車の新規検査に係るものであるときは、軽自動車検査協会）に対し通知しなければならない。

14　国土交通大臣が指定する自動車について新規検査を申請する者は、当該自動車に適用される道路運送車両の保安基準第四条、第四条の二第一項、第二項若しくは第三項、第五条、第六条第一項若しくは第二項、第七条、第八条第一項若しくは第五項、第九条第一項、第二項若しくは第三項、第十条、第十一条第一項若しくは第二項、第十一条の二第二項若しくは第三項、第十二条第一項若しくは第二項、第十三条、第十四条、第十五条第一項若しくは第二項、第十七条第一項、第二項若しくは第三項、第十七条の二第一項、第二項、第三項、第四項、第五項若しくは第六項、第十八条第二項、第三項、第四項、第五項、第六項若しくは第七項、第十八条の二第三項、第四項、第五項若しくは第六項、第十九条、第二十条第四項、第五項若しくは第六項、第二十一条、第二十二条第三項及び第四項、第二十二条の三第一項、第二項（同条第四項において準用する場合を含む。）、第三項（同条第四項において準用する場合を含む。）若しくは第五項、第二十二条の四第二項、第二十二条の五第二項若しくは第三項、第二十五条第四項、第二十九条第一項、第二項及び第三項、第三十二条第一項、第二項、第三項、第四項、第五項、第六項、第七項、第八項、第九項、第十項、第十一項、第十二項若しくは第十三項、第三十三条第二項、第三項若しくは第四項、第三十三条の二第二項若しくは第三項、第三十三条の三第二項若しくは第三項、第三十四条第二項若しくは第三項、第三十四条の二第二項若しくは第三項、第三十四条の三第二項若しくは第三項、第三十五条第二項若しくは第三項、第三十五条の二第二項、第三項、第四項若しくは第五項、第三十六条第二項若しくは第三項、第三十七条第二項若しくは第三項、第三十七条の二第二項若しくは第三項、第三十七条の三第二項若しくは第三項、第三十七条の四第二項若しくは第三項、第三十八条第二項若しくは第三項、第三十八条の二第二項若しくは第三項、第三十八条の三第二項若しくは第三項、第三十九条第二項若しくは第三項、第三十九条の二第二項若しくは第三項、第四十条第二項若しくは第三項、第四十一条第二項若しくは第三項、第四十一条の二第二項若しくは第三項、第四十一条の三第二項若しくは第三項、第四十一条の四第三項若しくは第四項、第四十一条の五第三項若しくは第四項、第四十二条、第四十三条第二項若しくは第三項、第四十三条の二、第四十三条の三、第四十三条の四第一項、第四十三条の五第二項、第四十三条の六、第四十三条の七、第四十三条の八、第四十三条の九、第四十三条の十第二項及び第三項、第四十四条第一項、第二項、第三項、第四項、第五項若しくは第六項、第四十四条の二、第四十五条第一項若しくは第二項、第四十六条第一項、第四十六条の二、第四十七条第一項、第四十七条の二、第四十八条第二項、第四十八条の二第二項、第四十八条の三第二項又は第五十条の基準（同令第五十八条の規定に基づく告示によりこれらの基準が適用されないこととされている自動車にあつては、これらの基準に代えて適用すべきものとして当該告示に定める基準）のうち、国土交通大臣が指定する基準に適合するものであることを証する書面を提出しなければならない。

15　第一項、第四項から第七項まで、第十一項及び前項の規定により書面を提出しようとする者は、当該書面に虚偽の記載をしてはならない。

（登録）

第三十六条の二　前条第七項第三号の登録は、登録試験を行おうとする者の申請により行う。

2　前条第七項第三号の登録を受けようとする者は、次に掲げる事項を記載した申請書を国土交通大臣に提出しなければならない。

一　登録を受けようとする者の氏名又は名称及び住所並びに法人にあつては、その代表者の氏名

二　登録を受けようとする者が登録試験に係る業務（以下「登録試験業務」という。）を行おうとする事務所の名称及び所在地

三　別表第二の二の上欄に掲げる試験のうち、登録を受けようとする者が行おうとするもの

四　登録を受けようとする者が登録試験業務を開始する日

3　前項の申請書には、次に掲げる書類を添付しなければならない。

一　登録を受けようとする者が法人である場合には、次に掲げる事項を記載した書類
イ　定款又は寄付行為及び登記事項証明書
ロ　役員の氏名、住所及び経歴を記載した書類
二　登録を受けようとする者が個人である場合には、その住民票の写し及び履歴書
三　試験に用いる別表第二の二の下欄に掲げる施設及び設備の数、性能、所在の場所及びその所有又は借入れの別を記載した書類
四　試験を行う者の氏名及び経歴を記載した書類
五　試験を行う者が、次条第一項第二号に該当する者であることを証する書類
六　登録を受けようとする者が、次条第一項第三号及び第二項各号のいずれにも該当しない者であることを信じさせるに足る書類

（登録の要件等）

第三十六条の三　国土交通大臣は、前条の規定による登録の申請をした者（以下この項及び次項において「登録申請者」という。）が次に掲げる要件のすべてに適合しているときは、その登録をしなければならない。
一　別表第二の二の上欄に掲げる試験の区分に応じ、それぞれ同表の下欄に掲げる施設及び設備を用いて登録試験を行うものであること。
二　次に掲げる条件のいずれかに適合する知識経験を有する者が登録試験を行い、その人数が五名以上であること。
イ　自動車若しくは自動車の部品の製造、改造若しくは整備に関する研究、設計又は検査について、別表第二の三の上欄に掲げる学歴の区分に応じ、それぞれ同表の下欄に掲げる年数以上の実務の経験を有する者
ロ　自動車若しくは自動車の部品の製造、改造若しくは整備に関する研究、設計又は検査について、六年以上の実務の経験を有する者
ハ　イ又はロに掲げる者と同等以上の知識経験を有する者
三　登録申請者が、自動車又は自動車の部品の製造、改造、整備、輸入又は販売の事業を営む者（以下「自動車関連事業者」という。）に支配されているものとして次のいずれかに該当するものでないこと。
イ　登録申請者が株式会社である場合にあつては、自動車関連事業者がその親法人（会社法（平成十七年法律第八十六号）第八百七十九条第一項に規定する親法人をいう。）であること。
ロ　登録申請者の役員（持分会社（会社法第五百七十五条第一項に規定する持分会社をいう。）にあつては、業務を執行する社員）に占める自動車関連事業者の役員又は職員（過去二年間に当該自動車関連事業者の役員又は職員であつた者を含む。）の割合が二分の一を超えていること。
ハ　登録申請者（法人にあつては、その代表権を有する役員）が自動車関連事業者の役員又は職員（過去二年間に当該自動車関連事業者の役員又は職員であつた者を含む。）であること。
2　国土交通大臣は、登録申請者が、次の各号のいずれかに該当するときは、第三十六条第七項第三号の登録をしてはならない。
一　法又は法に基づく命令に違反し、罰金以上の刑に処せられ、その執行を終わり、又は執行を受けることがなくなつた日から二年を経過しない者
二　第三十六条の十三の規定により第三十六条第七項第三号の登録を取り消され、その取消しの日から二年を経過しない者
三　法人であつて、登録試験業務を行う役員のうちに前二号のいずれかに該当する者があるもの
3　第三十六条第七項第三号の登録は、登録試験機関登録簿に次に掲げる事項を記載してするものとする。
一　登録年月日及び登録番号
二　登録試験機関の氏名又は名称及び住所並びに法人にあつては、その代表者の氏名
三　登録を受けた者が登録試験業務を行う事務所の名称及び所在地
四　別表第二の二の上欄に掲げる試験のうち、登録試験機関が行おうとするもの
五　登録を受けた者が登録試験業務を開始する日

（登録の更新）

第三十六条の四　第三十六条第七項第三号の登録は、五年ごとにその更新を受けなければ、その期間の経過によつて、その効力を失う。
2　前二条の規定は、前項の登録の更新について準用する。

（登録試験の義務）

第三十六条の五　登録試験機関は、登録試験を行うことを求められたときは、正当な理由がある場合を除き、遅滞なく、登録試験を行わなければならない。
2　登録試験機関は、公正に、かつ、第三十六条の三第一項第一号及び第二号に掲げる要件に適合する方法により登録試験を行わなければならない。

（登録事項の変更の届出）

第三十六条の六　登録試験機関は、第三十六条の三第三項第二号及び第三号に掲げる事項を変更しようとするときは、あらかじめ、次に掲げる事項を記載した届出書を国土交通大臣に提出しなければならない。
一　変更しようとする事項
二　変更しようとする日
三　変更の理由

（登録試験業務規程）

第三十六条の七　登録試験機関は、登録試験業務の開始前に、次に掲げる事項を記載した登録試験業務の実施に関する規程を定め、国土交通大臣に届け出なければならない。これを変更しようとするときも、同様とする。
一　登録試験の申請に関する事項
二　登録試験の手数料の額及び収納の方法に関する事項
三　登録試験の日程、場所その他登録試験の実施の方法に関する事項
四　登録試験の合否判定の方法に関する事項
五　登録試験の結果を記載した書面の交付及び再交付に関する事項
六　登録試験業務に関する秘密の保持に関する事項
七　登録試験業務に関する公正の確保に関する事項
八　不正に登録試験を受けた者に対する処分に関する事項
九　その他登録試験業務の実施に関し必要な事項

（登録試験業務の休廃止）

第三十六条の八　登録試験機関は、登録試験業務を休止又は廃止しようとするときは、あらかじめ、次に掲げる事項を記載した届出書を国土交通大臣に提出しなければならない。
一　登録試験機関の氏名又は名称及び住所並びに法人にあつては、その代表者の氏名
二　登録試験業務を休止又は廃止しようとする事務所の名称及び所在地
三　登録試験業務を休止又は廃止しようとする日
四　登録試験業務を休止しようとする期間
五　登録試験業務を休止又は廃止しようとする理由

（財務諸表等の備付け及び閲覧等）

第三十六条の九　登録試験機関は、毎事業年度経過後三月以内に、その事業年度の財産目録、貸借対照表及び損益計算書又は収支計算書並びに事業報告書（その作成に代えて電磁的記録（電子的方式、磁気的方式その他の人の知覚によつては認識することができない方式で作られる記録であつて、電子計算機による情報処理の用に供されるものをいう。以下同じ。）の作成がされ

ている場合における当該電磁的記録を含む。次項において「財務諸表等」という。）を作成し、国土交通大臣に提出するとともに、五年間事務所に備えて置かなければならない。

2　自動車関連事業者その他の利害関係人は、登録試験機関の業務時間内は、いつでも、次に掲げる請求をすることができる。ただし、第二号又は第四号の請求をするには、登録試験機関の定めた費用を支払わなければならない。

一　財務諸表等が書面をもつて作成されているときは、当該書面の閲覧又は謄写の請求

二　前号の書面の謄本又は抄本の請求

三　財務諸表等が電磁的記録をもつて作成されているときは、当該電磁的記録に記録された事項を紙面又は出力装置の映像面に表示する方法により表示したものの閲覧又は謄写の請求

四　前号の電磁的記録に記録された事項を電磁的方法であつて次条に定めるものにより提供することの請求又は当該事項を記載した書面の交付の請求

（電磁的記録に記録された事項を提供するための電磁的方法）

第三十六条の一〇　前条第二項第四号に規定する電磁的方法は、次に掲げるもののうち、登録試験機関が定めるものとする。

一　送信者の使用に係る電子計算機と受信者の使用に係る電子計算機とを電気通信回線で接続した電子情報処理組織を使用する方法であつて、当該電気通信回線を通じて情報が送信され、受信者の使用に係る電子計算機に備えられたファイルに当該情報が記録されるもの

二　磁気ディスクその他これに準ずる方法により一定の情報を確実に記録しておくことができる物をもつて調整するファイルに情報を記録したものを交付する方法

2　前項各号に掲げる方法は、受信者がファイルへの記録を出力することによる書面を作成できるものでなければならない。

（適合命令）

第三十六条の一一　国土交通大臣は、登録試験機関が第三十六条の三第一項各号のいずれかに適合しなくなつたと認めるときは、その登録試験機関に対し、これらの規定に適合するための必要な措置をとるべきことを命ずることができる。

（改善命令）

第三十六条の一二　国土交通大臣は、登録試験機関が第三十六条の五の規定に違反していると認めるときは、その登録試験機関に対し、同条の規定による登録試験業務を行うべきこと又は登録試験の方法その他の業務の方法の改善に関し必要な措置をとるべきことを命ずることができる。

（登録の取消し等）

第三十六条の一三　国土交通大臣は、登録試験機関が次の各号のいずれかに該当するときは、第三十六条第七項第三号の登録を取り消し、又は期間を定めて登録試験業務の全部若しくは一部の停止を命ずることができる。

一　第三十六条の三第二項第一号又は第三号に該当するに至つたとき。

二　第三十六条の六から第三十六条の八まで、第三十六条の九第一項又は次条の規定に違反したとき。

三　正当な理由がないのに第三十六条の九第二項各号の規定による請求を拒んだとき。

四　前二条の規定による命令に違反したとき。

五　不正の手段により第三十六条第七項第三号の登録を受けたとき。

（帳簿の記載）

第三十六条の一四　登録試験機関は、次に掲げる事項を記載した帳簿を備え、これを記載の日から五年間保存しなければならない。

一　登録試験の手数料の収納に関する事項

二　登録試験の申請の受理に関する事項

三　登録試験の結果に関する事項

四　その他登録試験の実施状況に関する事項

（報告の徴収）

第三十六条の一五　国土交通大臣は、登録試験業務の実施のため必要な限度において、登録試験機関に対し、登録試験業務又は経理の状況に関し報告させることができる。

（公示）

第三十六条の一六　国土交通大臣は、次の場合には、その旨を官報に公示しなければならない。

一　第三十六条第七項第三号の登録をしたとき。

二　第三十六条の六の規定による届出があつたとき。

三　第三十六条の八の規定による届出があつたとき。

四　第三十六条の十三の規定により第三十六条第七項第三号の登録を取り消し、又は登録試験業務の停止を命じたとき。

（検査対象軽自動車の車両番号）

第三十六条の一七　検査対象軽自動車の車両番号は、次に掲げる文字をその順序により組み合わせて定めるものとする。

一　検査対象軽自動車の使用の本拠の位置を管轄する運輸監理部又は運輸支局（使用の本拠の位置が自動車検査登録事務所の管轄区域に属する場合にあつては、当該自動車検査登録事務所。以下この条、次条及び第六十三条の四において同じ。）を表示する文字

二　検査対象軽自動車の用途による分類番号を表示する二字のアラビア数字又は最初の字がアラビア数字であつて、その他の字がアラビア数字若しくはローマ字若しくはこれらの組合せである三字（別表第二の四）

三　自家用又は事業用の別等を表示する平仮名又はローマ字（別表第二の五）

四　四けた以下のアラビア数字

2　前項第一号の運輸監理部又は運輸支局を表示する文字については、自動車登録規則（昭和四十五年運輸省令第七号。以下「規則」という。）の別表第一に定めるところによる。

3　運輸監理部又は運輸支局の管轄区域が変更された場合においては、当該変更前に法の規定により指定を受けた検査対象軽自動車の車両番号については、当該変更又は当該変更に係る区域を含む市町村（特別区を含む。）の区域内における当該車両番号に係る検査対象軽自動車の使用の本拠の位置の変更により前二項に規定する基準に適合しないこととなつたときであつても、前二項に規定する基準に適合するものとみなす。

（二輪の小型自動車の車両番号）

第三十六条の一八　二輪の小型自動車の車両番号は、次に掲げる文字をその順序により組み合わせて定めるものとする。

一　二輪の小型自動車の使用の本拠の位置を管轄する運輸監理部又は運輸支局を表示する文字

二　自家用又は事業用の別等を表示する平仮名又はローマ字（別表第三）

三　四けた以下のアラビア数字

2　前条第二項の規定は前項第一号の運輸監理部又は運輸支局を表示する文字について、同条第三項の規定は運輸監理部又は運輸支局の管轄区域が変更された場合において当該変更前に法の規定により指定を受けた二輪の小型自動車の車両番号について準用する。

（法第六十一条第一項及び第二項第一号の国土交通省令で定める自家用自動車）

第三十七条　法第六十一条第一項の国土交通省令で定める自家用自動車は、次に掲げる自動車とする。

一　乗車定員十一人以上の自家用自動車

二　専ら幼児の運送を目的とする自家用自動車

三　第三十一条の三第二号の許可に係る自家用自動車

2　法第六十一条第二項第一号の国土交通省令で定める自家用自動車は、前項第三号に掲げる自動車のうち、貨物の運送の用に供する自動車並びに同項第一号及び第二号に掲げる自動車を除いたものとする。

3　法第六十一条第二項第二号の国土交通省令で定める人の運送

の用に供する自動車は、次に掲げる自動車とする。
一　車両総重量八トン以上の自家用自動車
二　乗車定員十一人以上の自家用自動車
三　道路運送法第八十条第一項の許可を受けて業として有償で貸し渡す自家用自動車
四　専ら幼児の運送を目的とする自家用自動車
五　自家用三輪自動車
六　広告宣伝用自動車その他特種の用途に供する自家用自動車
七　自家用大型特殊自動車

（継続検査）

第三十七条の二　第三十六条第十四項の規定は、継続検査の申請について準用する。

2　前項において準用する第三十六条第十四項の規定により書面を提出しようとする者は、当該書面に虚偽の記載をしてはならない。

（臨時検査）

第三十七条の二の二　検査対象外軽自動車に係る臨時検査の申請書は、第八号様式による。

2　前項の申請書を提出する場合には、第六十三条の二第三項の規定により交付を受けた当該自動車の軽自動車届出済証又は臨時運転番号標貸与証を提示しなければならない。

3　第三十六条第十四項の規定は、臨時検査の申請について準用する。

4　前項において準用する第三十六条第十四項の規定により書面を提出しようとする者は、当該書面に虚偽の記載をしてはならない。

5　法第六十三条第六項の国土交通省令で定める期間は、一年とする。

6　第三十七条の三第一項の規定は、臨時検査合格標章の表示について準用する。

（限定自動車検査証等の提出）

第三十七条の二の三　継続検査又は臨時検査を受けようとする者は、次の各号に掲げる場合にあつては、当該各号に掲げる書面を提出しなければならない。
一　限定自動車検査証の交付を受けている場合　当該限定自動車検査証
二　第四十条第一項の自動車検査証保管証明書の交付を受けている場合　当該自動車検査証保管証明書

（検査標章）

第三十七条の三　検査標章は、自動車の前面ガラスの内側に前方から見易いように貼り付けることによつて表示するものとする。ただし、運転者室又は前面ガラスのない自動車にあつては、自動車の後面に取りつけられた自動車登録番号標又は車両番号標の左上部に見易いように貼り付けることによつて表示するものとする。

2　法第六十六条第三項の当該自動車検査証の有効期間の満了する時期は、年及び月をもつて表示するものとする。

（保安基準適合標章の表示）

第三十七条の四　保安基準適合標章は、自動車の運行中その前面に指定自動車整備事業規則（昭和三十七年運輸省令第四十九号）第二号様式又は第二号様式の二による有効期間及び自動車登録番号が見やすいように表示しなければならない。

（自動車検査証の変更記録の申請等）

第三十八条　第三十六条第一項の規定は、使用者の氏名若しくは名称又は住所の変更を事由とする自動車検査証の変更記録の申請をする場合に準用する。

2　第三十六条第二項の規定は、使用者の変更（当該自動車を引き続き自動車運送事業の用に供する場合に限る。）又は自動車運送事業の用に供しない自動車を自動車運送事業の用に供するものとすることを事由とする自動車検査証の変更記録の申請をする場合に準用する。

3　法第六十七条第一項の規定により国土交通大臣が行う自動車検査証の変更記録の申請をする者は、次の各号に掲げる場合にあつては、当該各号に掲げる書面を提出しなければならない。
一　限定自動車検査証の交付を受けている場合　当該限定自動車検査証
二　第四十条第一項の自動車検査証保管証明書の交付を受けている場合　当該自動車検査証保管証明書

4　運輸監理部長又は運輸支局長（法第七十四条の四の規定の適用があるときは、軽自動車検査協会）は、検査対象軽自動車について自動車検査証の変更記録の申請があつた場合において、当該自動車の車両番号が第三十六条の十七に規定する基準に適合しなくなつたと認めるときは、その車両番号を変更するものとする。

5　運輸監理部長又は運輸支局長（法第七十四条の四の規定の適用があるときは、軽自動車検査協会）は、検査対象軽自動車について自動車検査証の変更記録の申請があつた場合において、車両番号標が滅失し、毀損し、その識別が困難となり、法第七十六条の規定に基づき国土交通省令で定める様式に適合しなくなり、又は車両番号の変更の申請があつたときは、車両番号を変更することができる。

6　運輸監理部長又は運輸支局長（法第七十四条の四の規定の適用があるときは、軽自動車検査協会）は、前二項の規定により車両番号を変更したときは、その変更について、自動車検査証に変更記録しなければならない。

7　前三項の規定は、二輪の小型自動車について準用する。この場合において、第四項中「第三十六条の十七」とあるのは「第三十六条の十八」と読み替えるものとする。

8　法第六十七条第三項の国土交通省令で定める事由は、次に掲げる事項に係る変更とする。
一　自動車から排出される窒素酸化物及び粒子状物質の特定地域における総量の削減等に関する特別措置法（平成四年法律第七十号）第十三条第一項に規定する指定自動車にあつては、使用の本拠の位置（同法第六条第一項に規定する窒素酸化物対策地域外から同項に規定する窒素酸化物対策地域内への変更（変更後の使用の本拠の位置が自動車から排出される窒素酸化物の特定地域における総量の削減等に関する特別措置法施行令の一部を改正する政令（平成十三年政令第四百六号）による改正前の自動車から排出される窒素酸化物の特定地域における総量の削減等に関する特別措置法施行令（平成四年政令第三百六十五号）第一条の特定地域であつた地域（以下この号において「旧特定地域」という。）である場合にあつては、旧特定地域外から旧特定地域内への変更）に限る。）
二　自動車の長さ、幅又は高さ
三　車体の形状
四　原動機の型式
五　燃料の種類
六　自家用又は事業用の別
七　用途
八　被牽引自動車にあつては、牽引自動車の車名又は型式
九　乗車定員又は最大積載量
十　牽引自動車にあつては、被牽引自動車の車名又は型式
十一　第三十五条の三第一項第二十九号に掲げる事項

9　第三十六条第十四項の規定は、構造等変更検査の申請について準用する。

10　第一項において準用する第三十六条第一項、第三項及び前項において準用する第三十六条第十四項の規定により書面を提出しようとする者は、当該書面に虚偽の記載をしてはならない。

（点検整備記録簿の提示）

第三十九条　継続検査、臨時検査又は構造等変更検査を受けようとする者は、法第六十二条第三項、法第六十三条第三項又は法第六十七条第四項において準用する法第五十九条第三項の点検及び整備に関する記録の提示として、当該自動車に係る点検整備

記録簿を提示しなければならない。

（限定自動車検査証等の返納）

第三九条の二　限定自動車検査証の交付を受けている自動車の使用者（予備検査の結果交付を受けた自動車にあつては、所有者）又は第四十条第一項の自動車検査証保管証明書の交付を受けている自動車の使用者は、当該自動車について法第六十九条第一項各号に掲げる事由があつたときは、当該限定自動車検査証又は当該自動車検査証保管証明書を返納しなければならない。

（自動車検査証保管証明書の交付等）

第四〇条　法第六十九条第二項の規定により自動車検査証の返納があつたときは、当該自動車の使用者に第九号様式による自動車検査証保管証明書を交付しなければならない。

2　法第六十九条第三項の規定により自動車検査証の返付を受ける者は、当該自動車検査証と引き換えに自動車検査証保管証明書を返納しなければならない。

（解体等に係る届出を必要としない自動車）

第四〇条の二　法第六十九条の二第一項の国土交通省令で定める自動車は、次に掲げる自動車とする。

一　車両番号の指定を受けたことがない検査対象軽自動車
二　被牽引自動車である検査対象軽自動車
三　二輪の小型自動車

（解体等に係る届出）

第四〇条の三　法第六十九条の二第一項の規定により届出をしようとする者は、次に掲げる事項（使用済自動車の解体に係る届出にあつては、第四号に掲げる事項を除く。）を記載した届出書を提出しなければならない。

一　車両番号（自動車検査証が返納された自動車に係る届出にあつては、自動車検査証が返納された際の車両番号）
二　車台番号
三　届出者の氏名又は名称及び住所
四　届出の原因及びその日付
五　届出の年月日

2　前項の届出書には、次に掲げる書面（当該届出をしようとする者が国又は地方公共団体であるものにあつては、第一号に掲げる書面を除く。）を添付しなければならない。

一　当該届出に係る自動車に係る軽自動車検査ファイルに記録されている所有者の氏名若しくは名称又は住所に変更があつたときは、当該届出をしようとする者の住所を証するに足りる書面
二　自動車検査証が返納された後に所有者の変更があつた場合であつて、当該所有者の変更について軽自動車検査ファイルに法第六十九条の三において準用する法第十八条第三項の記録がなされていないときは、当該所有者の変更があつた旨を証明することができる書面
三　当該届出に係る自動車が滅失し、若しくは自動車の用途を廃止したとき又は当該自動車の車台が当該自動車の車両番号の指定の際存したものでなくなつたときは、その事実を証するに足りる書面

（使用済自動車の解体に係る届出の際の明示事項）

第四〇条の四　法第六十九条の二第二項において準用する法第十五条第三項の国土交通省令で定める事項は、次に掲げる事項とする。

一　車台番号
二　使用済自動車の再資源化等に関する法律（平成十四年法律第八十七号）第八十一条第九項又は第十項の規定による移動報告の番号（第六十七条の二第一項第二号において「移動報告番号」という。）

（輸出に係る届出を必要としない自動車）

第四〇条の五　法第六十九条の二第三項本文の国土交通省令で定める自動車は、次に掲げる自動車とする。

一　車両番号の指定を受けたことがない検査対象軽自動車
二　被牽引自動車である検査対象軽自動車
三　二輪の小型自動車
四　登録証書の交付を受けた検査対象軽自動車

（輸出に係る届出の開始時期）

第四〇条の六　法第六十九条の二第三項の国土交通省令で定める期間は、六月とする。

（輸出に係る届出）

第四〇条の七　法第六十九条の二第三項の規定により届出をしようとする者は、次に掲げる事項を記載した届出書を提出しなければならない。

一　車両番号（自動車検査証が返納された自動車に係る届出にあつては、自動車検査証が返納された際の車両番号）
二　車台番号
三　届出者の氏名又は名称及び住所
四　届出の年月日
五　輸出の予定日

2　前項の届出書には、次に掲げる書面（当該届出をしようとする者が国又は地方公共団体であるものにあつては、第一号に掲げる書面を除く。）を添付しなければならない。

一　当該届出に係る自動車に係る軽自動車検査ファイルに記録されている所有者の氏名若しくは名称又は住所に変更があつたときは、当該届出をしようとする者の住所を証するに足りる書面
二　自動車検査証が返納された後に所有者の変更があつた場合であつて、当該所有者の変更について軽自動車検査ファイルに法第六十九条の三において準用する法第十八条第三項の記録がなされていないときは、当該所有者の変更があつた旨を証明することができる書面

3　運輸監理部長又は運輸支局長（法第七十四条の四の規定の適用があるときは、軽自動車検査協会）は、第一項の届出があつた場合であつて、当該届出に係る自動車に係る軽自動車検査ファイルに記録されている所有者の氏名若しくは名称又は住所に変更があつたときは、当該変更について軽自動車検査ファイルに記録するものとする。

（本邦に再輸入することが見込まれる自動車）

第四〇条の八　法第六十九条の二第三項ただし書の輸出に係る届出をさせる必要性に乏しいものとして国土交通省令で定める自動車は、検査対象軽自動車のうち本邦と外国との間を往来する自動車であつて、次に掲げるものとする。

一　貨物の運送の用に供するもの
二　本邦と外国との間を往来する者の乗用に供するもの

（本邦に再輸入することが見込まれる自動車の届出）

第四〇条の九　法第六十九条の二第三項ただし書の規定により届出をしようとする者は、次に掲げる事項を記載した届出書を提出しなければならない。

一　車両番号
二　車台番号
三　使用の本拠の位置
四　届出者の氏名又は名称及び住所
五　届出の年月日

2　前項の届出を行う場合には、自動車検査証及び前条に規定する自動車であることを証するに足りる書面を提示しなければならない。

（軽自動車検査ファイル及び二輪自動車検査ファイルの正確な記録を確保するための措置）

第四〇条の一〇　法第六十九条の三において準用する法第十八条第一項の国土交通省令で定める期間は、一年とする。

2　法第六十九条の三において準用する法第十八条第二項の国土交通省令で定める場合は、法第六十九条の三において準用する法第十八条第三項の規定により所有者の変更について軽自動車検査ファイルに記録がなされた場合又は二輪の小型自動車について所有者の変更があつた場合とする。

3　法第六十九条の三において準用する法第十八条第二項の国土交通省令で定める期間は、三年とする。

（自動車検査証の返納後の所有者の変更に係る記録の申請）

第四〇条の一一　施行令第八条第六項において準用する令第四十八条第一項の国土交通省令で定める書面（新所有者が国又は地方公共団体であるときは、第二号に掲げる書面を除く。）は、次に掲げる書面とする。

一　当該自動車の所有権を証明するに足る書面

二　新所有者の住所を証するに足りる書面

（臨時検査合格標章の再交付の申請書）

第四一条　法第七十条の臨時検査合格標章の再交付の申請書は、第十号様式による。

（検査標章の再交付）

第四一条の二　検査標章の再交付を申請する者は、自動車検査証又は限定自動車検査証の再交付の申請と同時にする場合を除き、当該自動車検査証又は限定自動車検査証を提示しなければならない。

2　検査標章の再交付を受けることができる場合は、検査標章が滅失し、き損し、又はその識別が困難となつた場合のほか、次の各号に掲げる場合とする。

一　検査標章をはりつけた前面ガラスを使用することができなくなつた場合

二　検査標章をはりつけた自動車登録番号標又は車両番号標を表示することができなくなつた場合（当該自動車を引き続き運行の用に供する場合に限る。）

三　その他再交付を受けることについて正当な理由があると認められる場合

（臨時検査合格標章の再交付）

第四一条の三　前条第二項の規定は、臨時検査合格標章の再交付について準用する。

（予備検査）

第四二条　第三十六条第三項、第四項（自動車検査証返納証明書に係る部分に限る。）、第五項から第七項まで及び第九項から第十四項までの規定は、予備検査の申請について準用する。この場合において、同条第四項中「あわせて提出する」とあるのは、「提示する」と読み替えるものとする。

2　前項において準用する第三十六条第五項から第七項まで、第十一項及び第十四項の規定により書面を提出しようとする者は、当該書面に虚偽の記載をしてはならない。

3　予備検査を申請する者は、法第七十五条第五項の規定により完成検査終了証に記載すべき事項が登録情報処理機関に提供されたときは、予備検査の申請書にその旨を記載することをもつて完成検査終了証の提出に代えることができる。

4　前項の規定により完成検査終了証に記載すべき事項が登録情報処理機関に提供されたことが予備検査の申請書に記載されたときは、国土交通大臣（当該申請が検査対象軽自動車の予備検査に係るものであるときは、軽自動車検査協会）は、登録情報処理機関に対し、完成検査終了証に記載すべき事項について、電磁的方法により照会するものとする。

5　前項の照会を受けた登録情報処理機関は、電磁的方法により当該照会に係る事項について国土交通大臣（当該照会が検査対象軽自動車の予備検査に係るものであるときは、軽自動車検査協会）に対し通知しなければならない。

第四三条　第三十六条第一項、第二項及び第四項の規定は、法第七十一条第四項の規定により自動車検査証の交付を受ける場合について準用する。

（構造等に関する事項）

第四三条の二　法第七十一条の二第一項の国土交通省令で定める事項は、次のとおりとする。

一　車名及び型式

二　普通自動車、小型自動車、検査対象軽自動車又は大型特殊自動車の別

三　長さ、幅及び高さ

四　車体の形状

五　原動機の型式

六　燃料の種類

七　原動機の総排気量又は定格出力

八　人の運送の用に供する自動車であつて乗車定員十一人以上のものにあつては、自家用又は事業用

九　用途

十　牽引自動車にあつては、牽引重量又は第五輪荷重並びに被牽引自動車の車名及び型式並びに牽引可能なキャンピングトレーラ等の車両総重量

十一　被牽引自動車にあつては、牽引自動車の車名及び型式

十二　乗車定員又は最大積載量

十三　車両重量及び車両総重量

十四　空車状態における軸重

十五　タンク自動車であつて爆発性液体又は高圧ガスを運送するものにあつては、積載物品名

十六　貨物の運送の用に供する普通自動車であつて車両総重量が七トン以上のものにあつては、燃料タンクの個数及びそれぞれの燃料タンクの容量

（軽自動車検査ファイルに記録する事項）

第四三条の三　施行令第八条第四項の規定により読み替えて準用する同条第二項及び第三項の国土交通省令で定める事項は、次に掲げるものとする。

一　法第六十九条の二第五項において準用する法第十五条の二第三項後段の確認をした年月日

二　法第六十九条の二第六項の返納を受けた年月日

三　法第六十九条の三において準用する法第十八条第三項の変更の年月日並びに新所有者の氏名又は名称及び住所

（二輪自動車検査ファイルに記録する事項）

第四三条の四　施行令第八条第五項の規定により読み替えて準用する同条第二項及び第三項の国土交通省令で定める事項は、法第六十九条の三において準用する法第十八条第三項の変更の年月日並びに新所有者の氏名又は名称及び住所とする。

（検査記録等事項の略号化）

第四三条の五　自動車登録ファイル、軽自動車検査ファイル及び二輪自動車検査ファイルの検査記録事項並びに第四十三条の三及び第四十三条の四に規定する事項（以下「検査記録等事項」という。）のうち次に掲げるものは、略号にして記録するものとする。

一　使用者及び所有者の住所並びに使用の本拠の位置（これらを表示する行政区画又は土地の名称に限る。）

二　その型式について法第七十五条第一項の指定を受けた自動車に係る車名及び型式、長さ、幅及び高さ、車体の形状、原動機の型式、燃料の種類、原動機の総排気量又は定格出力、乗車定員又は最大積載量、車両重量並びに空車状態における軸重

三　前号に規定する自動車以外の自動車に係る車名及び車体の形状

四　国土交通大臣が指定した者に係る氏名又は名称及び住所

五　道路運送車両の保安基準第五十五条第一項の規定により基準の緩和をした自動車に係るその内容であつて、国土交通大臣の定めるもの

六　タンク自動車に係る積載物品名

2　前項の略号は、国土交通大臣が定めて告示するものとする。

（検査記録等事項の表示に用いる記号）

第四三条の六　規則第四条の規定は、検査記録等事項の表示について準用する。

（検査対象軽自動車及び二輪の小型自動車の車両番号標の表示）

第四三条の七　第八条の二第一項本文及び第二項の規定は、法第七十三条第一項の規定による車両番号標の表示の位置及び方法

について準用する。この場合において、第八条の二第一項本文中「後面」とあるのは「後面（三輪の検査対象軽自動車若しくは被牽引自動車である検査対象軽自動車又は二輪の小型自動車にあつてはその後面）」と読み替えるものとする。

（自動車検査証等の有効期間の起算日）

第四四条　自動車検査証の有効期間の起算日は、当該自動車検査証を交付する日又は当該自動車検査証に係る有効期間を法第七十二条第一項の規定により記録する日とする。ただし、自動車検査証の有効期間が満了する日の一月前から当該期間が満了する日までの間に継続検査を行い、当該自動車検査証に係る有効期間を法第七十二条第一項の規定により記録する場合は、当該自動車検査証の有効期間が満了する日の翌日とする。

２　自動車予備検査証又は限定自動車検査証の有効期間の起算日は、当該自動車予備検査証又は限定自動車検査証を交付する日とする。

（臨時検査合格標章等の様式等）

第四五条　次の表の上欄に掲げるものの様式は、それぞれ同表の下欄に掲げる様式とする。

一　臨時検査合格標章	第十一号様式
二　検査対象軽自動車の車両番号標	第十二号様式
三　二輪の小型自動車の車両番号標	第十三号様式

２　第十一条第三項の規定は、前項の車両番号標について準用する。

（申請書等の様式）

第四五条の二　自動車の検査並びに軽自動車検査ファイル及び二輪自動車検査ファイルの正確な記録を確保するための措置に関する申請書、届出書及び請求書、輸出予定届出証明書、自動車検査証、検査標章、自動車検査証返納証明書、自動車予備検査証、限定自動車検査証並びに法第七十二条の三の規定による証明書（以下「検査記録事項等証明書」という。）の様式については、この省令に定めるもののほか、自動車の登録及び検査に関する申請書等の様式等を定める省令（昭和四十五年運輸省令第八号）の定めるところによる。

（検査記録事項等証明書）

第四五条の三　検査記録事項等証明書は、法第七十二条第一項の電子情報処理組織によつて作成するものとする。

（基準適合性審査に必要な技術上の情報）

第四五条の四　法第七十四条の三第一項の国土交通省令で定める技術上の情報は、次の各号に掲げるものとする。

一　道路運送車両の保安基準に定めのあるものであつて自動車の故障の状態を識別するための番号、記号その他の符号

二　前号の符号を記録する装置との通信により当該符号を取得するための情報

（軽自動車検査協会の事務所の管轄区域）

第四六条　軽自動車検査協会は、法第七十四条の三第一項の規定により軽自動車の検査事務を行うこととなつた場合においては、その事務を行う事務所ごとに管轄区域を定め、国土交通大臣に報告しなければならない。

２　国土交通大臣は、前項の報告を受けた場合においては、遅滞なく当該管轄区域を官報で公示しなければならない。

（検査対象軽自動車の検査の申請等）

第四七条　前条第一項の規定により軽自動車検査協会がその事務所ごとの管轄区域を定めた場合においては、次の各号に掲げる軽自動車の検査事務に係る申請等は、当該申請等に係る軽自動車の使用の本拠の位置を管轄する軽自動車検査協会の事務所に対してしなければならない。

一　法第五十九条第一項の新規検査の申請

二　法第六十三条第四項に規定する自動車検査証の返納

三　法第六十七条第一項の自動車検査証の変更記録の申請又は同条第三項の構造等変更検査の申請

四　法第六十九条第一項又は第二項に規定する自動車検査証の返納

五　法第六十九条第四項の自動車検査証返納証明書の交付の申請

六　法第六十九条の二第三項ただし書の輸出に係る届出をさせる必要性に乏しいものとして国土交通省令に定める自動車に該当する旨の届出

七　法第七十条の自動車検査証又は検査標章の再交付の申請

八　法第七十一条第四項の自動車検査証の交付の申請

２　前項各号に掲げる軽自動車の検査事務に係る申請等以外の申請等は、最寄りの軽自動車検査協会の事務所に対してしなければならない。

（独立行政法人自動車技術総合機構の基準適合性審査の運輸監理部長又は運輸支局長への引継ぎ）

第四七条の二　国土交通大臣は、法第七十四条の二第三項の規定により基準適合性審査を行うこととするときは、次に掲げる事項を官報に公示するものとする。

一　国土交通大臣の委任を受けて基準適合性審査を行うこととなる運輸監理部長又は運輸支局長

二　基準適合性審査を開始する日

２　独立行政法人自動車技術総合機構（以下「機構」という。）は、前項第一号に掲げる運輸監理部長又は運輸支局長の管轄区域内に存する機構の事務所において同項第二号に掲げる日前に納付された基準適合性審査に係る手数料を当該納付に係る基準適合性審査を同日前に開始していない場合においては、納付した者に速やかに返還しなければならない。

３　機構は、第一項第一号に掲げる運輸監理部長又は運輸支局長が基準適合性審査を処理するため必要とする書類を当該運輸監理部長又は運輸支局長に対して送付しなければならない。

（運輸監理部長又は運輸支局長の基準適合性審査の機構への引継ぎ）

第四七条の三　国土交通大臣は、法第七十四条の二第三項の規定により運輸監理部長又は運輸支局長が行つている基準適合性審査を行わないこととするときは、次に掲げる事項を官報に公示するものとする。

一　基準適合性審査を行わないこととする運輸監理部長又は運輸支局長

二　基準適合性審査を終止する日

２　前項第一号に掲げる運輸監理部長又は運輸支局長は、同項第二号に掲げる日以後において、前条第三項の規定により送付された書類を機構に返還しなければならない。

３　第一項第一号に掲げる運輸監理部長又は運輸支局長は、同項第二号に掲げる日以後において、法第七十四条の二第三項の規定により行つた基準適合性審査に係る書類（第一項第二号に掲げる日において終了している基準適合性審査に係るものを除く。）を機構に送付しなければならない。

（軽自動車検査協会の検査事務等の運輸監理部長又は運輸支局長への引継ぎ）

第四八条　国土交通大臣は、法第七十四条の三第三項の規定により軽自動車の検査事務を行うこととするときは、次に掲げる事項を官報に公示するものとする。

一　国土交通大臣の委任を受けて軽自動車の検査事務を行うこととなる運輸監理部長又は運輸支局長

二　軽自動車の検査事務を開始する日

２　その使用の本拠の位置が前項第一号に掲げる運輸監理部長又は運輸支局長の管轄区域内に存する軽自動車に係る第四十七条第一項各号に掲げる申請等は、前項第二号に掲げる日以後においては、同条同項の規定にかかわらず、当該運輸監理部長又は

運輸支局長に対してするものとする。

3　前項の軽自動車に係る継続検査又は臨時検査の申請は、第一項第二号に掲げる日以後においては、第四十七条第二項の規定にかかわらず第一項第一号に掲げる運輸監理部長又は運輸支局長の管轄区域においてする場合は当該運輸監理部長又は運輸支局長に対して、当該管轄区域以外の区域においてする場合は最寄りの軽自動車検査協会の事務所に対してするものとする。

4　軽自動車検査協会は、第一項第一号に掲げる運輸監理部長又は運輸支局長の管轄区域内に存する軽自動車検査協会の事務所において第一項第二号に掲げる日前に受け付けた軽自動車の検査事務に関する申請に係る申請書及び手数料を当該申請に係る軽自動車の検査事務を同日前に開始していない場合においては、速やかに申請者に返還しなければならない。

5　軽自動車検査協会は、第一項第一号に掲げる運輸監理部長又は運輸支局長が第二項の規定による申請に係る軽自動車の検査事務を処理するため必要とする書類を当該運輸監理部長又は運輸支局長に対して送付しなければならない。

（運輸監理部長又は運輸支局長の検査事務等の軽自動車検査協会への引継ぎ）

第四九条　国土交通大臣は、法第七十四条の三第三項の規定により運輸監理部長又は運輸支局長が行つている軽自動車の検査事務を行わないこととするときは、次に掲げる事項を官報に公示するものとする。

一　検査事務を行わないこととする運輸監理部長又は運輸支局長

二　軽自動車の検査事務を終止する日

2　前項第二号に掲げる日以後においては、前項第一号に掲げる運輸監理部長又は運輸支局長の管轄区域内に存する軽自動車に係る第四十七条第一項各号に掲げる申請等又は当該軽自動車に係る継続検査若しくは臨時検査に係る申請は、前条第二項又は第三項の規定にかかわらず、それぞれ第四十七条第一項又は第二項の規定の例による。

3　第一項第一号に掲げる運輸監理部長又は運輸支局長は、同項第二号に掲げる日以後において、前条第五項の規定により送付された書類を軽自動車検査協会に返還しなければならない。

4　第一項第一号に掲げる運輸監理部長又は運輸支局長は、同項第二号に掲げる日以後において、前条第二項及び第三項の規定により行なつた軽自動車の検査に係る検査記録等事項を軽自動車検査協会に通報しなければならない。

（審査結果の通知）

第四九条の二　法第七十四条の二第二項及び第百一条第二項の規定による通知は、次の各号に掲げる審査の区分に応じ、当該各号に定める事項を記載した書面により行うものとする。

一　法第七十四条の二第一項及び第百一条第一項第一号の審査　次に掲げる事項

イ　車台番号又は自動車登録番号（軽自動車及び二輪の小型自動車にあつては、車両番号）

ロ　当該審査の結果

二　法第百一条第一項第二号の審査　次に掲げる事項

イ　法第九十九条の三第一項の許可を受けた者の氏名又は名称及び当該許可に係る自動車の特定改造等の許可に関する省令（令和二年国土交通省令第六十六号）第二条第二項第一号に規定する業務管理システムの名称

ロ　当該審査の結果

2　前項の場合において、前項各号に掲げる審査の結果の記録が電磁的記録で作成されているときは、書面による通知に代えて、電磁的方法により通知することができる。

（継続検査に係る自動車検査証への記録等に関する事務の委託の申請等）

第四九条の三　法第七十四条の五第一項の規定により継続検査に係る法第六十二条第二項の規定による自動車検査証への記録及び自動車検査証の返付並びに法第六十六条第二項の規定による検査標章の交付に関する事務（継続検査の結果の判定及び第四十九条の六に規定する事務を除く。以下「特定記録等事務」という。）の委託を受けようとする者は、次に掲げる事項を記載した申請書を最寄りの運輸監理部長又は運輸支局長（法第七十四条の四の規定の適用があるときは、軽自動車検査協会）に提出しなければならない。

一　氏名又は名称及び住所並びに法人にあつては、その代表者の氏名

二　事業場の名称及び所在地

三　第四十九条の九の規定により選任する特定記録等事務責任者の氏名

四　現に営んでいる事業の種類

2　運輸監理部長又は運輸支局長（法第七十四条の四の規定の適用があるときは、軽自動車検査協会）は、前項の申請書のほか、第四十九条の七に規定する要件に該当することを信じさせるに足りる書面その他必要な書面の提出を求めることができる。

3　運輸監理部長又は運輸支局長（法第七十四条の四の規定の適用があるときは、軽自動車検査協会）は、法第七十四条の五第一項の委託をしたときは、その旨及び委託番号を同項の委託を受けた者に通知するものとする。

（運輸支局長等からの記録事項の通知）

第四九条の四　運輸監理部長又は運輸支局長（法第七十四条の四の規定の適用があるときは、軽自動車検査協会）は、継続検査により自動車検査証を返付する場合において、次の各号に掲げる場合のいずれにも該当するときは、当該自動車が保安基準に適合すると認める旨、自動車検査証の有効期間、自動車登録番号その他の自動車検査証への記録を行うために必要な事項を、当該継続検査の申請に係る申請書に記載された委託番号を有する特定記録等事務代行者に通知するものとする。

一　当該継続検査の申請が電子申請（電子情報処理組織を使用して行う申請をいう。以下同じ。）による場合

二　当該継続検査の申請書に特定記録等事務代行者が特定記録等事務を行う旨及び特定記録等事務を行う特定記録等事務代行者の委託番号の記載がある場合

三　当該継続検査の申請書に記載された委託番号を有する特定記録等事務代行者が、当該申請を受けた運輸監理部長又は運輸支局長（法第七十四条の四の規定の適用があるときは、軽自動車検査協会）から法第七十四条の五第一項の規定による委託を受けている場合

四　当該継続検査の申請書に記載された委託番号を有する特定記録等事務代行者が当該継続検査に際し、法第九十四条の五第二項の規定による提供を行つた者又は当該継続検査の申請を電子申請により行つた者のいずれかである場合

（特定記録等事務代行者の公表等）

第四九条の五　運輸監理部長又は運輸支局長（法第七十四条の四の規定の適用があるときは、軽自動車検査協会）は、法第七十四条の五第一項の規定により委託をしたとき又は第四十九条の十三の規定による承認をしたとき若しくは第四十九条の十四の規定による届出を受けたときは、特定記録等事務代行者に関する記録を作成しなければならない。

2　国土交通大臣は、前項の規定により作成された記録を取りまとめ、インターネットの利用その他適切な方法により次に掲げる事項を公表するものとする。

一　特定記録等事務代行者の氏名又は名称並びに法人にあつては、住所及びその代表者の氏名

二　委託に係る特定記録等事務を処理する事業場の名称及び所在地

三　委託に係る特定記録等事務の対象とする自動車の範囲

（委託することのできない事務）

第四九条の六　法第七十四条の五第一項の国土交通省令で定める事務は、次に掲げる事務とする。

一　法第六十一条第三項の規定による自動車検査証の有効期間の短縮に係る事務
二　法第九十七条の二第二項の規定による自動車税種別割又は軽自動車税種別割を課した地方公共団体に対するその額の納付の有無の事実の確認に係る事務及び同条第三項の規定による自動車検査証の不返付に係る事務
三　法第九十七条の四第一項（同条第二項において準用する場合を含む。）の規定による自動車検査証の不返付に係る事務
四　道路交通法（昭和三十五年法律第百五号）第五十一条の七第二項の規定による自動車検査証の不返付に係る事務

（特定記録等事務代行者の要件）

第四九条の七　法第七十四条の五第一項の国土交通省令で定める要件は、次のとおりとする。
一　特定記録等事務を行うのに必要かつ適切な組織及び能力を有すること。
二　特定記録等事務を適確に遂行するために必要な設備を有すること。
三　次に掲げる者に該当しないこと。
イ　一年以上の懲役又は禁錮の刑に処せられ、その執行を終わり、又は執行を受けることがなくなつた日から二年を経過しない者
ロ　第四十九条の十六又は第四十九条の二十九の規定により委託を解除され、その解除の日から二年を経過しない者
ハ　営業に関し成年者と同一の行為能力を有しない未成年者であつて、その法定代理人がイ、ロ又はニのいずれかに該当するもの
ニ　法人であつて、その役員（いかなる名称によるかを問わず、これと同等以上の職権又は支配力を有する者を含む。）のうちに、イからハまでのいずれかに該当する者があるもの

（標識）

第四九条の八　特定記録等事務代行者が掲げる標識の様式は、第一号様式の四とする。

（特定記録等事務責任者）

第四九条の九　特定記録等事務代行者は、事業場ごとに、特定記録等事務に関する事項を処理させるため、特定記録等事務責任者を選任しなければならない。

（通知を受けて講ずる措置）

第四九条の一〇　第四十九条の四の規定による通知があつた場合には、特定記録等事務代行者は、次に掲げる措置を執らなければならない。
一　通知を受けた自動車検査証の有効期間、自動車登録番号その他の自動車検査証への記録を行うために必要な事項を自動車検査証に記録すること。
二　通知を受けた自動車検査証の有効期間と同一の有効期間を表示した検査標章を交付すること。

（自動車登録番号の確認）

第四九条の一一　特定記録等事務代行者は、前条の措置を執る場合において自動車検査証に記載された自動車登録番号が第四十九条の四の規定により通知を受けた自動車登録番号と同一であることを確認した後でなければ、特定記録等事務をしてはならない。

（検査標章の保管）

第四九条の一二　特定記録等事務代行者は、事業場ごとに、検査標章の適切な保管設備を設け、これに検査標章を保管しなければならない。
2　特定記録等事務代行者は、保管中の検査標章を紛失した場合には、直ちに、その年月日、枚数、理由その他必要な事項を運輸監理部長又は運輸支局長（法第七十四条の四の規定の適用があるときは、軽自動車検査協会）に届け出なければならない。

（事業場の位置の変更の承認）

第四九条の一三　特定記録等事務代行者は、事業場の位置を変更しようとするときは、あらかじめ、運輸監理部長又は運輸支局長（法第七十四条の四の規定の適用があるときは、軽自動車検査協会）の承認を受けなければならない。

（氏名又は名称等の変更の届出）

第四九条の一四　特定記録等事務代行者は、次に掲げる事項を変更しようとするときは、あらかじめ、その旨を運輸監理部長又は運輸支局長（法第七十四条の四の規定の適用があるときは、軽自動車検査協会）に届け出なければならない。
一　氏名又は名称及び住所並びに法人にあつては、その代表者の氏名
二　事業場の名称
三　特定記録等事務責任者の氏名

（委託業務廃止の届出）

第四九条の一五　特定記録等事務代行者は、特定記録等事務の業務をやめようとするときは、あらかじめ、運輸監理部長又は運輸支局長（法第七十四条の四の規定の適用があるときは、軽自動車検査協会）に届け出なければならない。

（委託の解除）

第四九条の一六　運輸監理部長又は運輸支局長（法第七十四条の四の規定の適用があるときは、軽自動車検査協会）は、特定記録等事務代行者が次の各号のいずれかに該当することとなつたときは、特定記録等事務の委託を解除することができる。
一　第四十九条の七各号の要件を備えなくなつたとき。
二　法又はこの省令の規定に違反したとき。

（自動車検査証の変更記録に関する事務の委託の申請等）

第四九条の一七　法第七十四条の六第一項の規定により法第六十七条第一項の自動車検査証の変更記録に関する事務（変更記録をすることが適当であるかどうかの審査及び第四十九条の二十に規定する事務を除く。以下「特定変更記録事務」という。）の委託を受けようとする者は、次に掲げる事項を記載した申請書を運輸監理部長又は運輸支局長（法第七十四条の四の規定の適用があるときは、軽自動車検査協会）に提出しなければならない。
一　氏名又は名称及び住所並びに法人にあつては、その代表者の氏名
二　事業場の名称及び所在地
三　第四十九条の二十三の規定により選任する特定変更記録事務責任者の氏名
四　現に営んでいる事業の種類
2　運輸監理部長又は運輸支局長（法第七十四条の四の規定の適用があるときは、軽自動車検査協会）は、前項の申請書のほか、第四十九条の二十一に規定する要件に該当することを信じさせるに足りる書面その他必要な書面の提出を求めることができる。
3　運輸監理部長又は運輸支局長（法第七十四条の四の規定の適用があるときは、軽自動車検査協会）は、法第七十四条の六第一項の委託をしたときは、その旨及び委託番号を同項の委託を受けた者に通知するものとする。

（運輸支局長等からの記録事項の通知）

第四九条の一八　運輸監理部長又は運輸支局長（法第七十四条の四の規定の適用があるときは、軽自動車検査協会）は、変更記録をする場合において、次の各号に掲げる場合のいずれにも該当するときは、当該変更記録をすることが適当であると認める旨、変更があつた自動車検査証記録事項、変更記録に係る自動車登録番号その他の自動車検査証の変更記録を行うために必要な事項を当該変更記録の申請に係る申請書に記載された委託番号を有する特定変更記録事務代行者に通知するものとする。
一　当該変更記録の申請が電子申請による場合
二　当該変更記録の申請書に特定変更記録事務代行者が特定変更記録事務を行う旨及び特定変更記録事務を行う特定変更記録事務代行者委託番号の記載がある場合
三　当該変更記録の申請書に記載された委託番号を有する特定

変更記録事務代行者が、当該申請を受けた運輸監理部長又は運輸支局長（法第七十四条の四の規定の適用があるときは、軽自動車検査協会）から法第七十四条の六第一項の規定による委託を受けている場合

四　当該変更記録の申請書に記載された委託番号を有する特定変更記録事務代行者が当該変更記録の申請を電子申請により行つた者である場合（ただし、所有者又は使用者が自ら当該変更記録の申請を電子申請により行つた場合にあつては、この限りではない。）

五　当該変更記録の申請が、自動車検査証記録事項のうち第三十五条の三に規定する自動車検査証の記載事項の変更を伴うものでない場合

（特定変更記録事務代行者の公表等）

第四九条の一九　運輸監理部長又は運輸支局長（法第七十四条の四の規定の適用があるときは、軽自動車検査協会）は、法第七十四条の六第一項の規定により委託をしたとき又は第四十九条の二十六の規定による承認をしたとき若しくは第四十九条の二十七の規定による届出を受けたときは、特定変更記録事務代行者に関する記録を作成しなければならない。

2　国土交通大臣は、前項の規定により作成された記録を取りまとめ、インターネットの利用その他適切な方法により次に掲げる事項を公表するものとする。

一　特定変更記録事務代行者の氏名又は名称並びに法人にあつては、住所及びその代表者の氏名

二　委託に係る特定変更記録事務を処理する事業場の名称及び所在地

三　委託に係る特定変更記録事務の対象とする自動車の範囲

（委託することのできない事務）

第四九条の二〇　法第七十四条の六第一項の国土交通省令で定める事務は、法第六十七条第三項の規定による保安基準に適合しなくなるおそれがあると認めるかどうかの判定に係る事務とする。

（特定変更記録事務代行者の要件）

第四九条の二一　法第七十四条の六第一項の国土交通省令で定める要件は、次のとおりとする。

一　特定変更記録事務を行うのに必要かつ適切な組織及び能力を有すること。

二　特定変更記録事務を適確に遂行するために必要な設備を有すること。

三　次に掲げる者に該当しないこと。

イ　一年以上の懲役又は禁錮の刑に処せられ、その執行を終わり、又は執行を受けることがなくなつた日から二年を経過しない者

ロ　第四十九条の十六又は第四十九条の二十九の規定により委託を解除され、その解除の日から二年を経過しない者

ハ　営業に関し成年者と同一の行為能力を有しない未成年者であつて、その法定代理人がイ、ロ又はニのいずれかに該当するもの

ニ　法人であつて、その役員（いかなる名称によるかを問わず、これと同等以上の職権又は支配力を有する者を含む。）のうちに、イからハまでのいずれかに該当する者があるもの

（標識）

第四九条の二二　特定変更記録事務代行者が掲げる標識の様式は、第一号様式の五とする。

（特定変更記録事務責任者）

第四九条の二三　特定変更記録事務代行者は、事業場ごとに、自動車検査証の変更記録に関する事項を処理させるため、特定変更記録事務責任者を選任しなければならない。

（通知を受けて講ずる措置）

第四九条の二四　第四十九条の十八の規定による通知があつた場合には、特定変更記録事務代行者は、変更があつた自動車検査証記録事項、変更記録に係る自動車登録番号その他の自動車検査証の変更記録を行うために必要な事項を自動車検査証に記録しなければならない。

（自動車登録番号の確認）

第四九条の二五　特定変更記録事務代行者は、前条の措置を執る場合において自動車検査証に記載された自動車登録番号が第四十九条の十八の規定により通知を受けた自動車登録番号と同一であることを確認した後でなければ、特定変更記録事務をしてはならない。

（事業場の位置の変更の承認）

第四九条の二六　特定変更記録事務代行者は、事業場の位置を変更しようとするときは、あらかじめ、運輸監理部長又は運輸支局長（法第七十四条の四の規定の適用があるときは、軽自動車検査協会）の承認を受けなければならない。

（氏名又は名称等の変更の届出）

第四九条の二七　特定変更記録事務代行者は、次に掲げる事項を変更しようとするときは、あらかじめ、その旨を運輸監理部長又は運輸支局長（法第七十四条の四の規定の適用があるときは、軽自動車検査協会）に届け出なければならない。

一　氏名又は名称及び住所並びに法人にあつては、その代表者の氏名

二　事業場の名称

三　特定変更記録事務責任者の氏名

（委託業務廃止の届出）

第四九条の二八　特定変更記録事務代行者は、特定変更記録事務の業務をやめようとするときは、あらかじめ、運輸監理部長又は運輸支局長（法第七十四条の四の規定の適用があるときは、軽自動車検査協会）に届け出なければならない。

（委託の解除）

第四九条の二九　運輸監理部長又は運輸支局長（法第七十四条の四の規定の適用があるときは、軽自動車検査協会）は、特定変更記録事務代行者が次の各号のいずれかに該当することとなつたときは、特定変更記録事務の委託を解除することができる。

一　第四十九条の二十一各号の要件を備えなくなつたとき。

二　法又はこの省令の規定に違反したとき。

第二節　改善措置の勧告等

（改善措置の勧告の対象とならない自動車及び特定後付装置）

第五〇条　法第六十三条の二第一項の国土交通省令で定める自動車は、自動車を輸入することを業とする者が輸入した自動車であつて、外国において本邦に輸出される自動車を製作することを業とする者から自動車を輸入する契約を締結している者が当該契約に基づいて輸入した自動車（外国において本邦に輸出される自動車を製作することを業とする者が自ら輸入した自動車を含む。）以外のものとする。

2　法第六十三条の二第二項の国土交通省令で定める特定後付装置は、自動車の装置を輸入することを業とする者が輸入した特定後付装置であつて、外国において本邦に輸出される自動車の装置を製作することを業とする者から特定後付装置を輸入する契約を締結している者が当該契約に基づいて輸入した特定後付装置（外国において本邦に輸出される自動車の装置を製作することを業とする者が自ら輸入した特定後付装置を含む。）以外のものとする。

（使用者等への周知の措置）

第五一条　法第六十三条の三第一項第三号の国土交通省令で定める事項は、同項第一号及び第二号に掲げる事項を自動車の使用者及び自動車特定整備事業者に周知させるための措置とする。

2　法第六十三条の三第二項第三号の国土交通省令で定める事項は、同項第一号及び第二号に掲げる事項を特定後付装置の使用者、自動車特定整備事業者及び特定後付装置の販売業者に周知

させるための措置とする。

（実施状況の報告）

第五一条の二　法第六十三条の三第四項に規定する自動車製作者等の報告は、改善措置が完了するまで（国土交通大臣が報告の必要がなくなつたと認めた場合は、その時まで）、三月ごとに行うものとする。

2　法第六十三条の三第四項に規定する装置製作者等の報告は、改善措置の届出の日から三年間、三月ごとに行うものとする。ただし、国土交通大臣は、特定後付装置の改善措置の実施状況その他の事情を考慮して必要があると認めるときは、当該報告の期間を延長し又は短縮することができる。

第三節　保安基準についての制限及び緩和

（自動車検査証等の提示の命令）

第五二条　地方運輸局長、運輸監理部長又は運輸支局長は、次の各号のいずれかに掲げる処分をしようとするときは、自動車の使用者に対し、当該自動車検査証、限定自動車検査証又は軽自動車届出済証の提示を求めることができる。

一　法第四十三条第一項の規定による制限の付加

二　法第五十四条第一項又は法第五十四条の二第一項の規定による命令又は指示

三　道路運送車両の保安基準第五十五条の規定による基準の緩和

四　前三号に掲げる処分（法第五十四条第一項及び法第五十四条の二第一項の規定による命令を除く。）の取消し

五　第二号の命令（法第五十四条第一項の規定によるものに限る。）に従つたことの確認

2　地方運輸局長は、次の各号のいずれかに掲げる処分が行われたとき（第三号に掲げる処分にあつては、当該処分をしようとするとき）は、自動車の使用者に対し、当該自動車検査証、限定自動車検査証又は軽自動車届出済証の提示を求めることができる。

一　特区法第八条第八項の規定による技術実証区域計画（特殊仕様自動車運行を含むものに限る。）の認定

二　特区法第十一条第一項又は特区法第二十五条の二第十七項の規定による前号の認定の取消し

三　特区法第二十五条の三第二項の規定による特区法第二十五条の二第七項の指定の取消し

（制限又は緩和の記録）

第五三条　前条第一項各号に掲げる処分（第二号、第四号（第二号の指示の取消しに限る。）及び第五号に掲げる処分を除く。）は、当該自動車検査証にその旨を記録することにより行う。

（制限の表示）

第五四条　自動車の使用者は、第五十二条第一項第一号、第二号（法第五十四条第一項及び法第五十四条の二第一項の規定による指示に係るものに限る。）及び第三号並びに第二項第一号に掲げる処分に係る自動車（第一項第三号に係るものにあつては、その運行のため必要な保安上又は公害防止上の制限を付されたもの（専ら道路（専ら自転車及び歩行者の一般交通の用に供する場所に限る。）の上を移動させることを目的として製作した特殊な構造を有するものを除く。）に限る。）を運行の用に供しようとするときは、第十九号様式による標識を当該自動車の後面に見やすいように表示しなければならない。

2　自動車の使用者は、第五十二条第一項第四号に掲げる処分を受けたとき並びに第二項第二号及び第三号に掲げる処分が行われたときは、遅滞なく、前項の標識を抹消しなければならない。

第七章　自動車特定整備事業

第五五条及び第五六条　削除

（認証基準）

第五七条　法第八十条第一項第一号の事業場の設備及び従業員の基準は、次のとおりとする。

一　事業場は、常時特定整備をしようとする自動車を収容することができる十分な場所を有し、かつ、次に掲げる作業場及び別表第四に掲げる規模の車両置場を有するものであること。

イ　分解整備を行う場合にあつては、別表第四に掲げる規模の屋内作業場

ロ　電子制御装置整備を行う場合にあつては、別表第四に掲げる規模の電子制御装置点検整備作業場。ただし、電子制御装置点検整備作業場は、屋内作業場（車両整備作業場及び点検作業場に限る。次号において同じ。）と兼用することができる。

二　屋内作業場及び電子制御装置点検整備作業場の天井の高さは、対象とする自動車について特定整備又は点検を実施するのに十分であること。

三　屋内作業場及び電子制御装置点検整備作業場の床面は、平滑に舗装されていること。

四　事業場は、別表第五に掲げる作業機械等を備えたものであり、かつ、当該作業機械等のうち国土交通大臣の定めるものは、国土交通大臣が定める技術上の基準に適合するものであること。

五　電子制御装置整備を行う事業場にあつては、法第五十七条の二第一項に規定する自動車の型式に固有の技術上の情報（第三条第九号の自動車の整備又は改造を行わない場合にあつては、自動運行装置に係るものを除く。）及び運行補助装置の機能の調整（第六十二条の二の二第一項第六号において「エーミング作業」という。）に必要な機器を入手することができる体制を有すること。

六　事業場には、二人以上の特定整備に従事する従業員を有すること。

七　事業場において特定整備に従事する従業員について、次のイからハまでに掲げる事業場の区分に応じ、当該イからハまでに定める要件を満たすこと。

イ　分解整備を行う事業場（ハに掲げるものを除く。）　少なくとも一人の自動車整備士技能検定規則の規定による一級又は二級の自動車整備士の技能検定（当該事業場が原動機を対象とする分解整備を行う場合にあつては、二級自動車シャシ整備士の技能検定を除く。ハ前段並びに第六十二条の二の二第一項第七号イ及びハにおいて同じ。）に合格した者を有し、かつ、一級、二級又は三級の自動車整備士の技能検定に合格した者の数が、従業員の数を四で除して得た数（その数に一未満の端数があるときは、これを一とする。）以上であること。

ロ　電子制御装置整備を行う事業場（ハに掲げるものを除く。）　少なくとも一人の自動車整備士の技能検定（一級二輪自動車整備士の技能検定を除く。ハ前段並びに第六十二条の二の二第一項第七号ロ及びハにおいて同じ。）に合格した者又は同規則の規定による一級二輪自動車整備士、二級の自動車整備士、自動車車体整備士若しくは自動車電気装置整備士の技能検定に合格した者であつて電子制御装置整備に必要な知識及び技能について運輸監理部長若しくは運輸支局長が行う講習を修了した者を有し、かつ、一級、二級若しくは三級の自動車整備士、自動車車体整備士又は自動車電気装置整備士の技能検定に合格した者の数が、従業員の数を四で除して得た数（その数に一未満の端数があるときは、これを一とする。）以上であること。

ハ　分解整備及び電子制御装置整備を行う事業場　少なくと

も一人の一級の自動車整備士の技能検定に合格した者又は同規則の規定による一級二輪自動車整備士若しくは二級の自動車整備士の技能検定に合格した者であつて電子制御装置整備に必要な知識及び技能について運輸監理部長若しくは運輸支局長が行う講習を修了した者を有し、かつ、一級、二級又は三級の自動車整備士の技能検定に合格した者の数が、従業員の数を四で除して得た数（その数に一未満の端数があるときは、これを一とする。）以上であること。

（変更届出事項）

第五八条　法第八十一条第一項第四号に規定する事業場の設備は、屋内作業場若しくは電子制御装置点検整備作業場の面積又は間口若しくは奥行の長さとする。

第五九条から第六一条まで　削除

（標識の様式）

第六二条　法第八十九条の様式は、第二十号様式による。

（特定整備記録簿の記載事項）

第六二条の二　法第九十一条第一項第五号の国土交通省令で定める事項は、次のとおりとする。

一　特定整備時の総走行距離

二　第六十二条の二の二第一項第七号に規定する整備主任者の氏名

三　自動車特定整備事業者の氏名又は名称及び事業場の所在地並びに認証番号

（自動車特定整備事業者の遵守事項）

第六二条の二の二　法第九十一条の三の国土交通省令で定める事項は、次のとおりとする。

一　法第四十八条に規定する点検又は整備の作業を行う事業場にあつては、当該作業に係る料金について、当該事業場において依頼者の見やすいように掲示するとともに、次のいずれかに該当する場合を除き、自ら管理するウェブサイトに掲載して公衆の閲覧に供すること。

イ　自動車特定整備事業に常時使用する従業員の数が五人以下である場合

ロ　自ら管理するウェブサイトを有していない場合

二　法第四十八条に規定する点検又は整備の作業を行う事業場にあつては、当該作業の依頼者に対し、必要となると認められる整備の内容及び当該整備の必要性について説明し、料金の概算見積りを記載した書面を交付し、又はこれを記録した電磁的記録を提供すること。

三　依頼者に対し、行つていない点検若しくは整備の料金を請求し、又は依頼されない点検若しくは整備を不当に行い、その料金を請求しないこと。

四　道路運送車両の保安基準に定める基準に適合しなくなるように自動車の改造を行わないこと。

五　電子制御装置整備を行う事業場にあつては、当該電子制御装置整備を適切に実施するため、法第五十七条の二第一項に規定する自動車の型式に固有の技術上の情報に基づき、必要な点検及び整備を実施すること。

六　電子制御装置整備を行う事業場にあつては、エーミング作業が適切に実施されるよう必要な措置を講ずること。

六の二　エアコンディショナーが搭載されている自動車の点検又は整備の作業を行う事業場にあつては、みだりに当該エアコンディショナーに充塡されているフロン類（フロン類の使用の合理化及び管理の適正化に関する法律（平成十三年法律第六十四号）第二条第一項に規定するフロン類をいう。）を大気中に放出しないこと。

六の三　検査整備用電子情報処理組織（車載式故障診断装置の診断の結果を活用して自動車が道路運送車両の保安基準に定める基準に適合するかどうかの確認を行うため、機構の使用に係る電子計算機と自動車特定整備事業者の使用に係る電子計算機とを電気通信回線で接続した電子情報処理組織をいう。次号において同じ。）を使用する事業場にあつては、当該検査整備用電子情報処理組織の安全性を確保するために必要な措置を講ずること。

六の四　検査整備用電子情報処理組織を使用する事業場にあつては、当該検査整備用電子情報処理組織を使用して機構の使用に係る電子計算機に備えられたファイルに情報を記録するときは、正確な情報を記録すること。

七　事業場ごとに、当該事業場において特定整備に従事する従業員であつて、かつ、次のイからハまでに掲げる事業場の区分に応じ、当該イからハまでに定める者のうち少なくとも一人に特定整備及び法第九十一条の特定整備記録簿の記載に関する事項を統括管理させること（自ら統括管理する場合を含む。）。ただし、当該事項を統括管理する者（以下「整備主任者」という。）は、他の事業場の整備主任者になることができない。

イ　分解整備を行う事業場（ハに掲げるものを除く。）　一級又は二級の自動車整備士の技能検定に合格した者

ロ　電子制御装置整備を行う事業場（ハに掲げるものを除く。）　一級の自動車整備士、二級の自動車整備士、自動車車体整備士若しくは自動車電気装置整備士の技能検定に合格した者であつて電子制御装置整備に必要な知識及び技能について運輸監理部長若しくは運輸支局長が行う講習を修了した者

ハ　分解整備及び電子制御装置整備を行う事業場　一級の自動車整備士の技能検定に合格した者又は一級二輪自動車整備士若しくは二級の自動車整備士の技能検定に合格した者であつて電子制御装置整備に必要な知識及び技能について運輸監理部長若しくは運輸支局長が行う講習を修了した者

八　整備主任者であつて次に掲げるものに運輸監理部長又は運輸支局長が行う研修を受けさせること。

イ　整備主任者として新たに届け出た者

ロ　最後に当該研修を受けた日の属する年度の末日を経過した者

九　他人に対して法若しくは法に基づく命令若しくは処分に違反する行為（以下この号において「違反行為」という。）をすることを要求し、依頼し、若しくは唆し、又は他人が違反行為をすることを助けないこと。

2　自動車特定整備事業者は、整備主任者に関する次に掲げる事項を、自動車特定整備事業の開始の日又は次に掲げる事項に変更のあつた日から十五日以内に、運輸監理部長又は運輸支局長に届け出なければならない。

一　届出者の氏名又は名称及び住所

二　整備主任者が統括管理業務を行う事業場の名称及び所在地

三　整備主任者の氏名、生年月日及び統括管理業務の開始の日

3　前項の届出書には、同項第三号の者が一級若しくは二級の自動車整備士の技能検定（第一項第七号ロ及びハに掲げる事業場にあつては、一級の自動車整備士の技能検定（一級二輪自動車整備士の技能検定を除く。）に限る。）に合格したこと又は電子制御装置整備に必要な知識及び技能について運輸監理部長若しくは運輸支局長が行う講習を修了したこと（前項第三号の者が第一項第七号ロ及びハに掲げる事業場の統括管理業務を行う場合に限る。）を証する書面を添付しなければならない。

第七章の二　登録情報処理機関

（本人確認方法）

第六二条の二の三　法第九十六条の二の国土交通省令で定める方法は、次のとおりとする。

一　商業登記法（昭和三十八年法律第百二十五号）第十二条の

二第一項及び第三項の規定に基づき登記官が作成した電子証明書及びそれにより確認される電子署名（電子署名及び認証業務に関する法律（平成十二年法律第百二号）第二条第一項に規定する電子署名をいう。）が行われた法第三十三条第四項、法第七十五条第五項又は法第九十四条の五第二項（法第九十四条の五の二第二項において準用する場合を含む。）に規定する事項の提供を受ける方法

二　電子署名等に係る地方公共団体情報システム機構の認証業務に関する法律（平成十四年法律第百五十三号）第三条第一項に規定する署名用電子証明書及びそれにより確認される電子署名（同法第二条第一項に規定する電子署名をいう。）が行われた法第三十三条第四項、法第七十五条第五項又は法第九十四条の五第二項（法第九十四条の五の二第二項において準用する場合を含む。）に規定する事項の提供を受ける方法

三　識別番号及び暗証番号を用いる方法

四　氏名又は名称及び住所を証するに足りる書面を提示させる方法

（確認事項）

第六二条の二の四　法第九十六条の二の国土交通省令で定める事項は、次のとおりとする。

一　法第三十三条第四項、法第七十五条第五項又は法第九十四条の五第二項（法第九十四条の五の二第二項において準用する場合を含む。）に規定する事項の提供をした者が本人であること。

二　法第七十五条第五項に規定する事項の提供をした者が同条第一項の規定により自動車の型式について指定を受けた者であること。

三　法第九十四条の五第二項（法第九十四条の五の二第二項において準用する場合を含む。）に規定する事項の提供をした者が指定自動車整備事業者であること。

（登録の申請）

第六二条の二の五　法第九十六条の二の規定により登録情報処理機関の登録の申請をしようとする者は、次に掲げる事項を記載した申請書を、国土交通大臣に提出しなければならない。

一　氏名又は名称及び住所並びに法人にあつては代表者の氏名

二　情報処理業務を行おうとする事業場の名称及び所在地

三　情報処理業務の開始の予定日

四　自動公衆送信において登録情報処理機関の登録の申請をしようとする者を識別するための文字、番号、記号その他の符号

五　提供を受けようとする法第七条第四項各号に掲げる規定に規定する事項の別

六　附帯情報処理業務（第三項に規定する附帯情報処理業務をいう。以下同じ。）を行おうとする場合にあつては、次に掲げる事項

イ　附帯情報処理業務の開始の予定日

ロ　提供又は通知を受けようとする次に掲げる規定に規定する事項の別

(1)　自動車損害賠償保障法（昭和三十年法律第九十七号）第九条第二項

(2)　使用済自動車の再資源化等に関する法律第七十四条第一項ただし書

(3)　第六十二条の五第二項（第六十二条の六第二項において準用する場合を含む。）

2　前項の申請書には、次に掲げる書類を添付しなければならない。

一　法人にあつては定款又は寄附行為及び登記事項証明書

二　個人にあつては住民票の写し

三　法人にあつては役員の名簿及び履歴書

四　組織及び運営に関する事項を記載した書類

五　情報処理業務の実施の方法に関する計画を記載した書類

六　登録申請者が法第九十六条の三各号に該当しないことを信じさせるに足る書類

七　登録申請者が法第九十六条の四第一項前段の電子計算機及びプログラムを有することを証する書類

八　附帯情報処理業務を行おうとする場合にあつては、次に掲げる書類

イ　附帯情報処理業務の実施の方法に関する計画を記載した書類

ロ　登録申請者が附帯情報処理業務に必要な電子計算機及びプログラムを有することを証する書類

九　その他参考になることを記載した書類

3　登録情報処理機関は、附帯情報処理業務として、次に掲げる業務の全部又は一部を行うことができる。

一　自動車損害賠償保障法第九条第二項に規定する事項の提供を受け、委託を受けて当該提供をした者について第六十二条の二の三で定める方法による本人であることの確認及び同法第六条第一項に規定する保険会社又は同条第二項に規定する組合であることの確認を行い、並びに同法第九条第四項の規定による当該行政庁の照会に対して回答する業務

二　使用済自動車の再資源化等に関する法律第七十四条第一項ただし書に規定する通知を受け、委託を受けて当該通知をした者について第六十二条の二の三で定める方法による本人であることの確認及び同法第九十二条第一項に規定する資金管理法人であることの確認を行い、並びに同法第七十四条第二項の規定による国土交通大臣等の照会に対して回答する業務

三　令第十四条第四項並びに規則第六条の九第五項、第六条の十二第五項及び第六条の十五第四項の規定による国土交通大臣の照会に対して回答する業務（令第十四条第四項の規定による国土交通大臣の照会に対して回答する業務にあつては、法第七条第五項の規定によるものを除く。）

四　第六十二条の五第二項（第六十二条の六第二項において準用する場合を含む。）に規定する事項の提供を受け、当該提供をした者について第六十二条の二の三で定める方法による本人であることの確認及び法第七十五条の三第一項の規定により一酸化炭素等発散防止装置の型式について指定を受けた者（第六十二条の六第二項において準用する場合にあつては、法第七十五条の二第一項の規定により特定共通構造部の型式について指定を受けた者）であることの確認を行い、並びに第三十六条第十項（同条第十二項及び第四十二条第一項において準用する場合を含む。）及び第四十二条第四項の規定による国土交通大臣又は軽自動車検査協会の照会に対して回答する業務

（登録情報処理機関登録簿の記載事項）

第六二条の二の六　法第九十六条の四第二項第六号の国土交通省令で定める事項は、次のとおりとする。

一　情報処理業務を行う事業場の名称

二　情報処理業務の開始の日

三　附帯情報処理業務を行う場合にあつては、次に掲げる事項

イ　附帯情報処理業務の開始の日

ロ　提供又は通知を受ける前条第一項第六号ロ(1)から(3)までに掲げる規定に規定する事項の別

（登録情報処理機関登録簿の閲覧）

第六二条の二の七　法第九十六条の四第三項の登録情報処理機関登録簿は、国土交通省に備えて公衆の閲覧に供するものとする。

（公衆の閲覧に供する事項）

第六二条の二の八　法第九十六条の四第四項の国土交通省令で定める事項は、次のとおりとする。

一　氏名又は名称及び住所並びに法人にあつては代表者の氏名

二　登録年月日及び登録情報処理機関登録簿に記載された登録番号

三　情報処理業務に関する約款及び料金

四　情報処理業務を行う事業場の名称及び所在地

五　提供を受ける法第七条第四項各号に掲げる規定に規定する事項の別

六　附帯情報処理業務を行う場合にあつては、次に掲げる事項

イ　附帯情報処理業務に関する約款及び料金

ロ　提供又は通知を受ける第六十二条の二の五第一項第六号ロ(1)から(3)までに掲げる規定に規定する事項の別

（登録の更新）

第六十二条の二の九　第六十二条の二の三から前条までの規定は、法第九十六条の五第一項の登録の更新について準用する。

（情報処理業務の実施基準）

第六十二条の二の一〇　法第九十六条の六第二項の国土交通省令で定める基準は、次のとおりとする。

一　情報処理業務の用に供する電子計算機（以下この条及び第六十二条の二の十四において「情報処理設備」という。）を不正アクセス行為（不正アクセス行為の禁止等に関する法律（平成十一年法律第百二十八号）第三条に規定する不正アクセス行為をいう。以下同じ。）から防御するための措置を講ずること。

二　情報処理設備を設置する施設への立入りを制限するための措置を講ずること。

三　従業者に対し、情報処理業務の実施のために必要な教育及び訓練を施すこと。

四　法第九十六条の二の規定により提供を受けた事項を記録する情報処理設備に備えられたファイル又は磁気ディスク（これに準ずる方法により一定の事項を確実に記録しておくことができる物を含む。以下同じ。）に記録した事項と同一の事項を記録する情報処理設備に備えられたファイル又は磁気ディスクを調製すること。

五　情報処理設備の故障その他の事由により情報処理設備の機能に支障が生じた場合に、速やかに当該支障を除去することができるための措置を講ずること。

六　情報処理業務を委託する場合は、当該委託した業務が前各号に掲げる基準に適合する方法により行われるよう、委託を受けた者に対する必要かつ適切な監督を行うこと。

七　附帯情報処理業務を行う場合にあつては、次に掲げる基準に適合する方法により附帯情報処理業務を行うこと。

イ　附帯情報処理業務を行うことを求められたときは、正当な理由がある場合を除き、遅滞なく、附帯情報処理業務を行うこと。

ロ　公正に、かつ、次に掲げる基準に適合する方法により附帯情報処理業務を行うこと。

(1)　附帯情報処理業務に必要な電子計算機及びプログラムを有すること。

(2)　附帯情報処理業務の用に供する電子計算機（以下「附帯情報処理設備」という。）を不正アクセス行為から防御するための措置を講ずること。

(3)　附帯情報処理設備を設置する施設への立入りを制限するための措置を講ずること。

(4)　従業者に対し、附帯情報処理業務の実施のために必要な教育及び訓練を施すこと。

(5)　第六十二条の二の五第三項の規定により提供又は通知を受けた事項を記録する情報処理設備に備えられたファイル又は磁気ディスクに記録した事項と同一の事項を記録する情報処理設備に備えられたファイル又は磁気ディスクを調製すること。

(6)　附帯情報処理設備の故障その他の事由により附帯情報処理設備の機能に支障が生じた場合に、速やかに当該支障を除去することができるための措置を講ずること。

(7)　附帯情報処理業務を委託する場合は、当該委託した業務が(2)から(6)までに掲げる基準に適合する方法により行われるよう、委託を受けた者に対する必要かつ適切な監督を行うこと。

ハ　次に掲げる基準を満たす者に委託する場合を除き、附帯情報処理業務の全部又は一部を他人に委託しないこと。

(1)　委託を受けた附帯情報処理業務に必要な電子計算機及びプログラムを有すること。

(2)　法第九十六条の三各号のいずれにも該当しないこと。

(3)　正当な理由がある場合を除き、遅滞なく、委託を受けた附帯情報処理業務を行うこと。

(4)　公正に、かつ、ロ(2)から(6)までに掲げる基準に適合する方法により委託を受けた附帯情報処理業務を行うこと。

(5)　自ら委託を受けた附帯情報処理業務を行うこと。

（情報処理業務を委託することができる場合）

第六十二条の二の一一　法第九十六条の六第三項の国土交通省令で定める場合は、次に掲げる基準に適合する者に委託する場合とする。

一　電子計算機及び委託を受けた情報処理業務に必要なプログラムを有すること。

二　法第九十六条の三各号のいずれにも該当しないこと。

三　正当な理由がある場合を除き、遅滞なく、委託を受けた情報処理業務を行うこと。

四　公正に、かつ、前条第一号から第五号までに掲げる基準に適合する方法により委託を受けた情報処理業務を行うこと。

五　自ら委託を受けた情報処理業務を行うこと。

（登録事項の変更の届出）

第六十二条の二の一二　登録情報処理機関は、法第九十六条の七の規定による届出をしようとするときは、次に掲げる事項を記載した届出書を、国土交通大臣に提出しなければならない。

一　変更しようとする事項

二　変更しようとする日

三　変更の理由

２　第六十二条の二の六第三号ロに掲げる事項を変更しようとするときは、前項の届出書に第六十二条の二の五第二項第八号に掲げる書類を添付しなければならない。

（役員の選任及び解任の届出）

第六十二条の二の一三　登録情報処理機関は、役員を選任又は解任したときは、次に掲げる事項を記載した届出書を、国土交通大臣に提出しなければならない。

一　選任した役員の氏名又は解任した役員の氏名

二　選任の場合にあつては、その者の履歴

三　解任の場合にあつては、その理由

（業務規程）

第六十二条の二の一四　法第九十六条の八第二項の国土交通省令で定める事項は、次のとおりとする。

一　情報処理業務の実施方法に関する事項

二　情報処理業務に関する料金、その算出根拠及び収納の方法に関する事項

三　情報処理業務を行う時間及び休日に関する事項

四　情報処理設備を不正アクセス行為から防御するための措置に関する事項

五　情報処理設備を設置する施設への立入りを制限するための措置に関する事項

六　従業者に対する教育及び訓練の実施に関する事項

七　法第九十六条の二の規定により提供を受けた事項を記録する情報処理設備に備えられたファイル又は磁気ディスクに記録した事項と同一の事項を記録する情報処理設備に備えられたファイル又は磁気ディスクの調製に関する事項

八　情報処理設備の機能に支障が生じた場合の措置に関する事項

九　情報処理業務を委託する場合は、委託を受けた者の氏名又は名称及び住所並びに当該者の監督に関する事項

十　情報処理業務に関する情報を漏えいし、滅失し、又はき損した従業者の処分に関する事項

十一　その他情報処理業務の実施に関し必要な事項
十二　附帯情報処理業務を行う場合にあつては、次に掲げる事項
イ　附帯情報処理業務の実施方法に関する事項
ロ　附帯情報処理業務に関する料金、その算出根拠及び収納の方法に関する事項
ハ　附帯情報処理設備を不正アクセス行為から防御するための措置に関する事項
ニ　附帯情報処理設備を設置する施設への立入りを制限するための措置に関する事項
ホ　第六十二条の二の五第三項の規定により提供又は通知を受けた事項を記録する情報処理設備に備えられたファイル又は磁気ディスクに記録した事項と同一の事項を記録する情報処理設備に備えられたファイル又は磁気ディスクの調製に関する事項
ヘ　附帯情報処理設備の機能に支障が生じた場合の措置に関する事項
ト　附帯情報処理業務を委託する場合は、委託を受けた者の氏名又は名称及び住所並びに当該者の監督に関する事項
チ　附帯情報処理業務に関する情報を漏えいし、滅失し、又はき損した従業者の処分に関する事項
リ　その他附帯情報処理業務の実施に関し必要な事項

（情報処理業務の休廃止の届出）

第六二条の二の一五　登録情報処理機関は、法第九十六条の九の届出をしようとするときは、次に掲げる事項を記載した届出書を、国土交通大臣に提出しなければならない。
一　休止又は廃止しようとする情報処理業務
二　休止又は廃止しようとする日
三　休止しようとする期間
四　休止又は廃止しようとする理由

（電磁的記録に記録された事項を表示する方法）

第六二条の二の一六　法第九十六条の十第二項第三号の国土交通省令で定める方法は、当該電磁的記録に記録された事項を紙面又は出力装置の映像面に表示する方法とする。

（電磁的記録に記録された事項を提供するための電磁的方法）

第六二条の二の一七　法第九十六条の十第二項第四号の国土交通省令で定める電磁的方法は、登録情報処理機関が定める電磁的方法（受信者がファイルへの記録を出力することによる書面を作成できるものに限る。）とする。

（帳簿）

第六二条の二の一八　法第九十六条の十四の国土交通省令で定める事項は、各月における次に掲げる件数とする。
一　法第三十三条第四項に規定する事項について、法第九十六条の二の規定により提供を受けた件数及び回答した件数
二　法第七十五条第五項に規定する事項について、法第九十六条の二の規定により提供を受けた件数及び回答した件数
三　法第九十四条の五第二項に規定する事項について、法第九十六条の二の規定により提供を受けた件数及び回答した件数
四　法第九十四条の五の二第二項において準用する法第九十四条の五第二項に規定する事項について、法第九十六条の二の規定により提供を受けた件数及び回答した件数
五　附帯情報処理業務を行う場合にあつては、次に掲げる件数
イ　自動車損害賠償保障法第九条第二項に規定する事項について、第六十二条の二の五第三項第一号の規定により提供を受けた件数及び回答した件数
ロ　使用済自動車の再資源化等に関する法律第七十四条第一項ただし書に規定する通知について、第六十二条の二の五第三項第二号の規定により通知を受けた件数及び回答した件数
ハ　法第三十三条第四項に規定する事項について、第六十二条の二の五第三項第三号の規定により回答した件数
ニ　第六十二条の五第二項に規定する事項について、第六十二条の二の五第三項第四号の規定により提供を受けた件数及び回答した件数
ホ　第六十二条の六第二項において準用する第六十二条の五第二項に規定する事項について、第六十二条の二の五第三項第四号の規定により提供を受けた件数及び回答した件数
2　法第九十六条の十四の帳簿は、情報処理業務を行う事業場ごとに作成して備え付け、情報処理業務を廃止するまで保存しなければならない。

第七章の三　登録情報提供機関

（登録の申請）

第六二条の二の一九　法第九十六条の十五の規定により登録情報提供機関の登録の申請をしようとする者は、次に掲げる事項を記載した申請書を、国土交通大臣に提出しなければならない。
一　氏名又は名称及び住所並びに法人にあつては代表者の氏名
二　情報提供業務を行おうとする事業場の名称及び所在地
三　情報提供業務の開始の予定日
四　自動公衆送信において登録情報提供機関の登録の申請をしようとする者を識別するための文字、番号、記号その他の符号
2　前項の申請書には、次に掲げる書類を添付しなければならない。
一　法人にあつては定款又は寄附行為及び登記事項証明書
二　個人にあつては住民票の写し
三　法人にあつては役員の名簿及び履歴書
四　組織及び運営に関する事項を記載した書類
五　情報提供業務の実施の方法に関する計画を記載した書類
六　登録申請者が法第九十六条の十六各号に該当しないことを信じさせるに足る書類
七　登録申請者が法第九十六条の十七第一項前段の電子計算機及びプログラムを有することを証する書類
八　その他参考になることを記載した書類

（登録情報提供機関登録簿の記載事項）

第六二条の二の二〇　法第九十六条の十七第二項第五号の国土交通省令で定める事項は、次のとおりとする。
一　情報提供業務を行う事業場の名称
二　情報提供業務の開始の日

（登録情報提供機関登録簿の閲覧）

第六二条の二の二一　法第九十六条の十七第三項の登録情報提供機関登録簿は、国土交通省に備えて公衆の閲覧に供するものとする。

（公衆の閲覧に供する事項）

第六二条の二の二二　法第九十六条の十七第四項の国土交通省令で定める事項は、次のとおりとする。
一　氏名又は名称及び住所並びに法人にあつては代表者の氏名
二　登録年月日及び登録情報提供機関登録簿に記載された登録番号
三　情報提供業務に関する約款及び料金
四　情報提供業務を行う事業場の名称及び所在地

（登録の更新）

第六二条の二の二三　第六十二条の二の十九から前条までの規定は、法第九十六条の十八第一項の登録の更新について準用する。

（情報提供業務の実施基準）

第六二条の二の二四　法第九十六条の十九において準用する法第九十六条の六第二項の国土交通省令で定める基準は、次のとおりとする。
一　情報提供業務の用に供する電子計算機（以下この条及び第六十二条の二の二十八において「情報提供設備」という。）

を不正アクセス行為から防御するための措置を講ずること。
二　情報提供設備を設置する施設への立入りを制限するための措置を講ずること。
三　従業者に対し、情報提供業務の実施のために必要な教育及び訓練を施すこと。
四　情報提供設備の故障その他の事由により情報提供設備の機能に支障が生じた場合に、速やかに当該支障を除去することができるための措置を講ずること。
五　情報提供業務を委託する場合は、当該委託した業務が前各号に掲げる基準に適合する方法により行われるよう、委託を受けた者に対する必要かつ適切な監督を行うこと。

（情報提供業務を委託することができる場合）
第六二条の二の二五　法第九十六条の十九において準用する法第九十六条の六第三項の国土交通省令で定める場合は、次に掲げる基準に適合する者に委託する場合とする。
一　電子計算機及び委託を受けた情報提供業務に必要なプログラムを有すること。
二　法第九十六条の十六各号のいずれにも該当しないこと。
三　正当な理由がある場合を除き、遅滞なく、委託を受けた情報提供業務を行うこと。
四　公正に、かつ、前条第一号から第四号までに掲げる基準に適合する方法により委託を受けた情報提供業務を行うこと。
五　自ら委託を受けた情報提供業務を行うこと。

（登録事項の変更の届出）
第六二条の二の二六　登録情報提供機関は、法第九十六条の十九において準用する法第九十六条の七の規定による届出をしようとするときは、次に掲げる事項を記載した届出書を、国土交通大臣に提出しなければならない。
一　変更しようとする事項
二　変更しようとする日
三　変更の理由

（役員の選任及び解任の届出）
第六二条の二の二七　登録情報提供機関は、役員を選任又は解任したときは、次に掲げる事項を記載した届出書を、国土交通大臣に提出しなければならない。
一　選任した役員又は解任した役員の氏名
二　選任の場合にあつては、その者の履歴
三　解任の場合にあつては、その理由

（業務規程）
第六二条の二の二八　法第九十六条の十九において準用する法第九十六条の八第二項の国土交通省令で定める事項は、次のとおりとする。
一　情報提供業務の実施方法に関する事項
二　情報提供業務に関する料金、その算出根拠及び収納の方法に関する事項
三　情報提供業務を行う時間及び休日に関する事項
四　情報提供設備を不正アクセス行為から防御するための措置に関する事項
五　情報提供設備を設置する施設への立入りを制限するための措置に関する事項
六　従業者に対する教育及び訓練の実施に関する事項
七　情報提供設備の機能に支障が生じた場合の措置に関する事項
八　情報提供業務を委託する場合は、委託を受けた者の氏名又は名称及び住所並びに当該者の監督に関する事項
九　情報提供業務に関する情報を漏えいし、滅失し、又はき損した従業者の処分に関する事項
十　その他情報提供業務の実施に関し必要な事項

（情報提供業務の休廃止の届出）
第六二条の二の二九　登録情報提供機関は、法第九十六条の十九において準用する法第九十六条の九の届出をしようとするときは、次に掲げる事項を記載した届出書を、国土交通大臣に提出しなければならない。
一　休止又は廃止しようとする情報提供業務
二　休止又は廃止しようとする日
三　休止しようとする期間
四　休止又は廃止しようとする理由

（電磁的記録に記録された事項を表示する方法）
第六二条の二の三〇　法第九十六条の十九において準用する法第九十六条の十第二項第三号の国土交通省令で定める方法は、当該電磁的記録に記録された事項を紙面又は出力装置の映像面に表示する方法とする。

（電磁的記録に記録された事項を提供するための電磁的方法）
第六二条の二の三一　法第九十六条の十九において準用する法第九十六条の十第二項第四号の国土交通省令で定める電磁的方法は、登録情報提供機関が定める電磁的方法（受信者がファイルへの記録を出力することによる書面を作成できるものに限る。）とする。

（帳簿）
第六二条の二の三二　法第九十六条の十九において準用する法第九十六条の十四の国土交通省令で定める事項は、各月における次に掲げる事項とする。
一　法第二十二条第三項の規定により登録情報提供機関が委託を受けた件数
二　法第二十二条第三項の規定により登録情報提供機関が登録情報を送信した件数及び当該登録情報に含まれる自動車の台数
2　法第九十六条の十九において準用する法第九十六条の十四の帳簿は、情報提供業務を行う事業場ごとに作成して備え付け、情報提供業務を廃止するまで保存しなければならない。

第八章　雑則

（保安上又は公害防止上の技術基準）
第六二条の二の三三　法第四十条から第四十二条までの検査対象外軽自動車及び小型特殊自動車以外の自動車（法第九十九条において準用する場合を含む。）についての保安上又は公害防止上の技術基準は、道路運送車両の保安基準に定める基準とする。
2　法第四十条から第四十二条までの検査対象外軽自動車及び小型特殊自動車についての保安上又は公害防止上の技術基準は、道路運送車両の保安基準に定める基準又は次条の規定により国土交通大臣の認定した型式とする。
3　法第四十四条の原動機付自転車についての保安上又は公害防止上の技術基準は、道路運送車両の保安基準に定める基準又は次条の規定により国土交通大臣の認定した型式とする。
4　法第四十五条の軽車両についての保安上の技術基準は、道路運送車両の保安基準に定める基準とする。

（検査対象外軽自動車等の型式認定）
第六二条の三　検査対象外軽自動車、小型特殊自動車又は原動機付自転車（以下「検査対象外軽自動車等」という。）の製作を業とする者又はその者と検査対象外軽自動車等の販売契約を結んでいる者は、その製作し、又は販売する検査対象外軽自動車等の型式について国土交通大臣の認定を受けることができる。
2　前項の認定を受けようとする者は、左に掲げる事項を記載した申請書を国土交通大臣に提出し、かつ、当該型式の検査対象外軽自動車等を呈示しなければならない。ただし、農耕作業用の小型特殊自動車及び国土交通大臣の指定する小型特殊自動車以外の検査対象外軽自動車等の提示については、地方運輸局長にするものとする。
一　車名及び型式
二　車台の名称及び型式

三　製作工場の名称及び所在地

3　前項の申請書には、諸元、外観図、強度計算書、製作方法、検査方法等当該型式の内容並びに当該型式の検査対象外軽自動車等が道路運送車両の保安基準に適合すること及び製作における均一性を有することを明らかにした書類を添付しなければならない。

4　国土交通大臣は、第一項の認定をしたときは、当該型式の内容及び当該認定に係る型式認定番号を告示する。

5　第一項の認定を受けた者は、当該型式の検査対象外軽自動車等を譲渡する場合には、当該検査対象外軽自動車等が道路運送車両の保安基準に適合しているかどうかを検査し、適合すると認めるときは、当該検査対象外軽自動車等に第十六号様式による型式認定番号標を、その原動機に総排気量又は定格出力を表示しなければならない。

6　国土交通大臣は、次の各号に掲げる場合は、第一項の認定を取り消すものとする。

一　当該型式の検査対象外軽自動車等が道路運送車両の保安基準に適合しなくなり、又は均一性を有するものでなくなつたと認められるとき。

二　第一項の認定を受けた者が第五項の規定に違反したとき又は虚偽の型式認定番号標を表示したとき。

三　第一項の認定を受けた者が第七十条第一項の規定に違反して届出をしなかつたとき。

7　国土交通大臣は、前項の規定により第一項の認定を取り消したときは、その旨及びその理由を告示する。

（型式指定番号標の表示）

第六二条の四　装置型式指定規則（平成十年運輸省令第六十六号）第二条第十七号の二の騒音防止装置について法第七十五条の三第一項の申請をした者は、その型式について指定を受けた騒音防止装置を備えた自動車（型式指定自動車を除く。）を譲渡する場合には、当該自動車が道路運送車両の保安基準第三十条第一項に定める基準（同令第五十八条の規定に基づく告示により当該基準が適用されないこととされている自動車にあつては、当該基準に代えて適用すべきものとして当該告示に定める基準）に適合しているかどうかを検査し、適合すると認めるときは、当該自動車に第十七号様式による型式指定番号標を表示しなければならない。

（排出ガス検査終了証の発行）

第六二条の五　装置型式指定規則第二条第十八号の一酸化炭素等発散防止装置について法第七十五条の三第一項の申請をした者は、その型式について指定を受けた一酸化炭素等発散防止装置を備えた一酸化炭素等発散防止装置指定自動車を譲渡する場合には、当該一酸化炭素等発散防止装置指定自動車が道路運送車両の保安基準第三十一条第二項及び第三項の基準（同令第五十八条の規定に基づく告示により当該基準が適用されないこととされている自動車にあつては、当該基準に代えて適用すべきものとして当該告示に定める基準）のうち、国土交通大臣が指定するものに適合しているかどうかを検査し、適合すると認めるときは、排出ガス検査終了証を発行し、これを譲受人に交付しなければならない。

2　前項の申請をした者は、一酸化炭素等発散防止装置指定自動車（二輪の小型自動車を除く。）に係る前項の規定による排出ガス検査終了証の発行及び交付に代えて、あらかじめ、当該譲受人からの書面又は電磁的方法による承諾を得て、当該排出ガス検査終了証に記載すべき事項を電磁的方法により登録情報処理機関に提供することができる。

3　前項の規定による承諾を得た第一項の申請をした者は、当該譲受人から書面又は電磁的方法により、電磁的方法による登録情報処理機関への提供を承諾しない旨の申出があつたときは、登録情報処理機関に対し、排出ガス検査終了証に記載すべき事項の提供を電磁的方法によつてしてはならない。ただし、当該譲受人が再び前項の規定による承諾をした場合は、この限りでない。

4　前二項の規定により排出ガス検査終了証に記載すべき事項が登録情報処理機関に提供されたときは、第一項の申請をした者は、当該排出ガス検査終了証を発行し、これを当該譲受人に交付したものとみなす。

（出荷検査証の発行）

第六二条の六　法第七十五条の二第一項の申請をした者は、その型式について指定を受けた特定共通構造部を有する特定共通構造部型式指定自動車を譲渡する場合には、当該特定共通構造部型式指定自動車が次に掲げる基準に適合しているかどうかを検査し、適合すると認めるときは、出荷検査証を発行し、これを譲受人に交付することができる。

一　指定を受けた型式としての構造、装置及び性能を有すること。

二　道路運送車両の保安基準の規定（当該特定共通構造部が対象となる部分に限る。）に適合すること。

三　法第二十九条第二項又は法第三十条の届出をした車台番号及び原動機の型式が明確に打刻されていること。

2　前条第二項及び第三項の規定は、特定共通構造部型式指定自動車に係る前項の規定による出荷検査証の発行及び交付について準用する。

3　第一項の申請をした者は、同項の規定により出荷検査証を発行したときは、当該特定共通構造部型式指定自動車の点検整備方式（自動車点検基準（昭和二十六年運輸省令第七十号）第七条第三項及び第八条の技術上の情報を含む。）を使用者に対して周知させるための措置を講じなければならない。

（自動車税種別割又は軽自動車税種別割の納付の有無の事実を確認する方法）

第六三条　施行令第十二条の納付の有無の事実の確認は、国土交通大臣（法第七十四条の四の規定の適用があるときは、軽自動車検査協会）の使用に係る電子計算機に登録されている情報を電気通信回線を通じて都道府県知事又は市町村長（特別区の区長を含む。）の使用に係る電子計算機に登録されている情報と照合することによつて行うものとする。

（検査対象外軽自動車の使用の届出等）

第六三条の二　車両番号の指定を受けていない検査対象外軽自動車を運行の用に供しようとする者は、運輸監理部長又は運輸支局長に届出書を提出しなければならない。この場合において、運輸監理部長又は運輸支局長は、第六十三条の六第三項の軽自動車届出済証返納証明書その他の必要な書面の提出を求めることができる。

2　第三十六条第一項（第一号に係る部分に限る。）及び第二項の規定は、前項の届出書を提出する場合に準用する。

3　法第九十七条の三第一項の規定により運輸監理部長又は運輸支局長が行う車両番号の指定は、当該届出に係る検査対象外軽自動車の車両番号を定め、軽自動車届出済証を交付することによつて行う。ただし、試運転又は回送その他特別の事由がある場合は、法第九十七条の三第二項で準用する法第七十三条第一項の規定により表示すべき車両番号標として臨時運転番号標を貸与し、かつ、臨時運転番号標貸与証を交付することによつて行う。

4　法第九十七条の三第二項で準用する法第七十三条第一項の規定により表示すべき車両番号標（臨時運転番号標を除く。）及び臨時運転番号標の様式は、それぞれ第十四号様式及び第十五号様式による。

5　第十一条第三項の規定は、第四項の車両番号標及び臨時運転番号標について準用する。

（軽自動車届出済証等の備付）

第六三条の三　検査対象外軽自動車を運行の用に供する者は、前条第三項の規定により交付を受けた軽自動車届出済証又は臨時運転番号標貸与証を当該検査対象外軽自動車に備え付けなければならない。

（検査対象外軽自動車の車両番号）

第六三条の四　検査対象外軽自動車の車両番号は、次に掲げる文字をその順序により組み合わせて定めるものとする。

一　検査対象外軽自動車の用途による分類番号を表示するアラビア数字

二　検査対象外軽自動車の使用の本拠の位置を管轄する運輸監理部又は運輸支局を表示する文字

三　自家用又は事業用の別等を表示する平仮名又はローマ字

四　四桁以下のアラビア数字

2　第三十六条の十七第二項の規定は前項第二号の運輸監理部又は運輸支局を表示する文字について、同条第三項の規定は運輸監理部又は運輸支局の管轄区域が変更された場合において当該変更前に法の規定により指定を受けた検査対象外軽自動車の車両番号について準用する。

（軽自動車届出済証の記載事項の変更）

第六三条の五　検査対象外軽自動車の使用者は、軽自動車届出済証の記載事項について変更があつたときは、その日から十五日以内に、当該事項の変更について、運輸監理部長又は運輸支局長が行う軽自動車届出済証の記入を受けなければならない。

2　前項の記入を受けようとする者は、申請書を提出しなければならない。

3　第三十六条第一項（第一号に係る部分に限る。）の規定は、使用者の氏名若しくは名称又は住所の変更を事由とする前項の申請書を提出する場合に準用する。

4　第三十六条第二項の規定は、使用者の変更（当該検査対象外軽自動車を引き続き自動車運送事業の用に供する場合に限る。）又は自動車運送事業の用に供しない検査対象外軽自動車を自動車運送事業の用に供するものとすることを事由とする第二項の申請書を提出する場合に準用する。

5　第三十八条第四項から第六項までの規定は、検査対象外軽自動車について準用する。この場合において、これらの規定中「自動車検査証」とあるのは「軽自動車届出済証」と、第三十八条第四項中「第三十六条の十七」とあるのは「第六十三条の四」と、同条第五項中「法第七十六条」とあるのは「法第九十七条の三第三項」と読み替えるものとする。

（軽自動車届出済証の返納等）

第六三条の六　検査対象外軽自動車の使用者は、次の各号のいずれかに該当するときは、遅滞なく、当該軽自動車届出済証を運輸監理部長又は運輸支局長に返納しなければならない。

一　法第五十四条第二項又は法第五十四条の二第六項の規定により、検査対象外軽自動車の使用の停止を命ぜられたとき。

二　検査対象外軽自動車の使用を廃止したとき。

2　前項第二号の規定により軽自動車届出済証の返納をしようとする者は、申請書を提出しなければならない。

3　第一項第二号の規定により軽自動車届出済証の返納があつたときは、申請により、当該軽自動車届出済証を返納した者に対し、軽自動車届出済証返納証明書を交付するものとする。

4　運輸監理部長又は運輸支局長は、法第五十四条第三項の規定により使用の停止の取消をしたとき又は法第五十四条の二第六項の規定による自動車の使用の停止の期間が満了し、かつ、当該自動車が保安基準に適合するに至つたときは、返納を受けた軽自動車届出済証を返付しなければならない。

（軽自動車届出済証の再交付）

第六三条の七　検査対象外軽自動車の使用者は、軽自動車届出済証が滅失し、き損し又はその識別が困難となつたときは、その再交付を受けることができる。

2　軽自動車届出済証の再交付を受けようとする者は、申請書を提出しなければならない。

（検査対象外軽自動車の車両番号標の表示）

第六三条の八　第八条の二第一項本文及び第二項の規定は、法第九十七条の三第二項において準用する法第七十三条第一項の規定による車両番号標の表示の位置及び方法について準用する。この場合において、第八条の二第一項本文中「前面及び後面」とあるのは「後面」と読み替えるものとする。

（車両番号標の領置等）

第六三条の九　検査対象軽自動車又は二輪の小型自動車の所有者は、当該自動車の使用者が法第六十九条第二項の規定により自動車検査証を返納したときは、遅滞なく、当該自動車の車両番号を記載した車両番号標を取りはずし、車両番号標について運輸監理部長又は運輸支局長（検査対象軽自動車にあつては、法第七十四条の四の規定の適用があるときは、軽自動車検査協会）の領置を受けなければならない。

2　検査対象外軽自動車の所有者は、当該自動車の使用者が第六十三条の六第一項第一号の規定により軽自動車届出済証を返納したときは、遅滞なく、当該自動車の車両番号を記載した車両番号標を取りはずし、運輸監理部長又は運輸支局長の領置を受けなければならない。

3　第一項の自動車の使用者が法第六十九条第三項の規定により自動車検査証の返付を受けたとき又は前項の自動車の使用者が第六十三条の六第四項の規定により軽自動車届出済証の返付を受けたときは、運輸監理部長又は運輸支局長（検査対象軽自動車にあつては、法第七十四条の四の規定の適用があるときは、軽自動車検査協会）は、遅滞なく、領置をした車両番号標を返付しなければならない。

（検査対象外軽自動車の使用に関する届出書等の様式）

第六三条の一〇　検査対象外軽自動車の使用に関する次の表の上欄に掲げる届出書及び申請書の様式は、それぞれ同表の下欄に掲げる様式とする。

届出書及び申請書	様式
一　検査対象外軽自動車の使用の届出書（次号及び第五号に掲げる場合を除く。）	軽二輪第一号様式及び軽二輪第二号様式
二　検査対象外軽自動車の使用の届出書（第六十三条の六第三項の規定による軽自動車返納証明書の交付を受けた検査対象外軽自動車であつて、軽二輪第二号様式の諸元欄に掲げる事項（以下「この条において「諸元欄事項」という。）に変更のないものについて届出を行う場合に限る。）	軽二輪第一号様式
三　軽自動車届出済証の記入の申請書（第四号及び第六号に掲げる場合を除く。）	
四　軽自動車届出済証の記入の申請書（諸元欄事項に変更がある場合に限る。）	軽二輪第二号様式
五　検査対象外軽自動車の使用の届出書（試運転又は回送その他特別の事由がある場合に限る。）	軽二輪第三号様式
六　軽自動車届出済証の記入の申請書（検査対象外軽自動車の車両番号のみに変更がある場合に限る。）	軽二輪第四号様式
七　軽自動車届出済証の再交付の申請書	
八　軽自動車届出済証の返納の申請書	軽二輪第五号様式
九　軽自動車届出済証返納証明書の交付の申請書	

2　軽二輪第一号様式の届出書及び申請書に記載すべき事項で氏名又は名称に係るものが当該届出書又は申請書だけでは記載することができないときは、その記載することができない部分は、軽二輪第六号様式の追加用紙に記載するものとする。

3　前二項に規定する届出書及び申請書（軽二輪第三号様式を除く。）に記載すべき事項で当該届出書又は申請書だけでは記載することができないときは、その記載することができない部分は、軽二輪第七号様式の追加用紙に記載するものとする。

（軽自動車届出済証等の様式）

第六十三条の十一　検査対象外軽自動車の使用に関する次の表の上欄に掲げる書面の様式は、それぞれ同表の下欄に掲げる様式とする。

一　軽自動車届出済証	軽二輪第八号様式
二　臨時運転番号標貸与証	軽二輪第九号様式
三　軽自動車届出済証返納証明書	軽二輪第十号様式

（届出書等の紙質等）

第六十三条の十二　ＯＣＲに用いる届出書及び申請書（次項において「届出書等」という。）は、その紙質、印刷等について国土交通大臣の定める基準に適合するものでなければならない。

2　届出書等は、折損し、又は汚損したものであつてはならない。

（公印の省略）

第六十三条の十三　法第六条第一項の電子情報処理組織によつて印字する軽自動車届出済証及び軽自動車届出済証返納証明書については、運輸監理部長又は運輸支局長の公印は、押印しないものとする。

（譲渡証明書）

第六十四条　法第三十三条第一項の譲渡証明書は、第二十一号様式による。

（法第三十三条第四項の国土交通省令で定める自動車）

第六十四条の二　法第三十三条第四項の国土交通省令で定める自動車は、自動車を譲渡する者が当該自動車に関して既に交付を受けている譲渡証明書を有する場合における当該自動車とする。

第六十五条　削除

（申請書の経由等）

第六十六条　第二十六条第一項若しくは法第七十九条第一項の申請書又は第三十三条、第七十条第一項（第三号及び第四号の場合に限る。）、法第八十一条若しくは法第八十二条第二項（法第八十三条第二項において準用する場合を含む。）の届出書は、正副二通を営業所若しくは事業場の所在地又は使用の本拠の位置を管轄する運輸監理部長若しくは運輸支局長を経由して、地方運輸局長に提出しなければならない。

2　第六十二条の三第二項の申請書又は第七十条第一項（第五号の場合に限る。）の届出書は、正副二通を地方運輸局長を経由して国土交通大臣に提出しなければならない。

3　前項の規定にかかわらず、農耕作業用の小型特殊自動車又は第六十二条の三第二項ただし書の国土交通大臣の指定する小型特殊自動車に係る同項の申請書及び第七十条第一項（第五号の場合に限る。）の届出書は、一通を地方運輸局長を経由しないで国土交通大臣に提出するものとする。

（自動車検査登録事務所における申請等）

第六十六条の二　法の規定により運輸監理部長又は運輸支局長に対してする申請、届出その他の行為（規則第三十条に規定するものを除く。）又はこの省令の規定により運輸監理部長又は運輸支局長に対してする申請、届出その他の行為（前条第一項に規定するもの（第二十六条第一項に関するものを除く。）を除く。）（以下「申請等」という。）は、次の各号に掲げる場合にあつては、当該自動車検査登録事務所においてするものとする。

一　前条第一項（第二十六条第一項に係る部分に限る。）又は法第三十六条の二第五項若しくは第七項の申請等にあつては、当該申請等をする者の営業所の所在地が自動車検査登録事務所の管轄区域に属する場合

二　前号及び第三項に掲げるものを除く申請等にあつては、当該申請等に係る自動車の使用の本拠の位置が自動車検査登録事務所の管轄区域に属する場合

2　前項の規定にかかわらず、法第十一条第四項若しくは第六項、法第三十四条第二項（法第七十三条第二項において準用する場合を含む。）、法第五十四条の二第四項、法第六十二条第一項（法第六十三条第三項において準用する場合を含む。）、法第六十三条第二項又は法第七十一条第一項の規定により運輸監理部長又は運輸支局長に対してする申請等は、最寄りの自動車検査登録事務所においてすることができる。

3　法第六十九条の二第一項若しくは第三項本文、法第六十九条の二第五項において準用する法第十五条の二第四項、法第六十九条の三において準用する法第十八条第三項又は法第七十二条の三の規定により運輸監理部長又は運輸支局長に対してする申請等は、最寄りの運輸監理部若しくは運輸支局又は自動車検査登録事務所においてするものとする。

（原動機付自転車用原動機の型式認定）

第六十七条　原動機付自転車用原動機の製作を業とする者は、その製作する原動機の型式について国土交通大臣の型式認定を受けることができる。

2　前項の型式認定を受けようとする者は、次に掲げる事項を記載した申請書を国土交通大臣に提出しなければならない。

一　氏名又は名称及び住所

二　原動機付自転車用原動機の名称及び型式

三　原動機付自転車用原動機の主要諸元

四　原動機付自転車用原動機の構造に関する図面

3　第一項の型式認定は、当該原動機の総排気量又は定格出力が第一条に規定する範囲内にあるかどうかを判定することによつて行う。

4　国土交通大臣は、第一項の型式認定をしたときは、当該型式認定に係る型式認定番号を指定する。

5　第一項の型式認定を受けた者は、当該型式の原動機に第二十三号様式による型式認定番号標及び総排気量又は定格出力を表示しなければならない。

6　国土交通大臣は、次に掲げる場合は、第一項の型式認定を取り消すことができる。

一　当該原動機付自転車用原動機の構造、性能及び使用方法に著しい変更があつたと認められたとき。

二　第七十条第一項第六号の規定による届出（同号ハに係るものに限る。）があつたとき。

三　第一項の型式認定を受けた者が、前項の規定に違反したとき又は虚偽の型式認定番号標を表示したとき。

四　第一項の型式認定を受けた者が、第七十条第一項の規定に違反したとき。

（情報管理センターに対する照会）

第六十七条の二　検査対象軽自動車に係る法第九十九条の四の照会は、次に掲げる事項について行うものとする。

一　車台番号

二　移動報告番号

三　解体報告記録がなされた年月日

四　車両番号（自動車検査証が返納された自動車に係る照会にあつては、自動車検査証が返納された際の車両番号）

五　使用済自動車の再資源化等に関する法律第八十一条第一項の規定により引取業者が情報管理センターに報告した年月日

2　前項の照会を受けた情報管理センターは、電子情報処理組織を使用する方法により当該照会に係る事項について国土交通大臣に対し通知しなければならない。

（報告書）

第六十八条　法第百条第一項の規定により国土交通大臣又は地方運輸局長から報告を求められた者は、速やかに当該報告書を提出しなければならない。

2　前項の規定による報告書は、国土交通大臣に提出するものにあつては三通を、地方運輸局長に提出するものにあつては二通を、当該事業場の所在地を管轄する運輸監理部長又は運輸支局長を経由して提出しなければならない。

3　運輸監理部長又は運輸支局長は、前項の報告書を受理したときは、遅滞なく、これを地方運輸局長に進達しなければならない。

（手数料の納付）

第六九条　法第百二条第一項から第四項までの手数料は、同条第一項第一号から第四号まで、第七号、第八号、第十号若しくは第十一号に掲げる者（同号に掲げる者にあつては、臨時検査合格標章の再交付を申請する者を除く。）又は同条第二項に規定する者にあつては自動車検査登録印紙を手数料納付書に貼つて、同条第一項第十一号若しくは第十二号に掲げる者（同項第十一号に掲げる者にあつては、臨時検査合格標章の再交付を申請する者に限る。）又は同条第四項に規定する者にあつては自動車検査登録印紙を申請書に貼つて納めなければならない。

2　法第百二条第一項第五号、第六号又は第九号に掲げる者の同項の手数料は、収入印紙を申請書に貼つて納めなければならない。

（法第百二条第六項の国土交通省令で定める期間）

第六九条の二　法第百二条第六項の国土交通省令で定める期間は、同項の規定による申請等があつた日から十五日間とする。

（申請等の却下）

第六九条の三　国土交通大臣（法第七十四条の四の規定の適用があるときは、軽自動車検査協会）は、法第百二条第六項の規定により申請等を却下したときは、遅滞なく、その理由を示して、その旨を当該申請等をした者に通知しなければならない。

（届出）

第七〇条　次の各号に掲げる者は、当該各号に掲げる場合に該当することとなつたときは、その旨を国土交通大臣（第三号及び第四号にあつては地方運輸局長）に届け出なければならない。

一　第二十七条の届出をした者が、次のいずれかに該当した場合

イ　氏名若しくは名称又は住所又は打刻を行う事業場の名称若しくは所在地に変更があつたとき。

ロ　届出に係る型式の車台又は原動機の製作をやめたとき。

二　法第二十九条第一項の指定を受けた者に関し、第三十条第一項各号に掲げる事項について変更があつた場合

三　法第五十条第二項の大型自動車使用者等に関し、第三十三条第一項第一号から第三号まで、第五号又は第七号に掲げる事項について変更があつた場合

四　第三十三条第一項の届出をした者が、大型自動車使用者等に該当しなくなつた場合

五　第六十二条の三第一項の認定を受けた者が、次のいずれかに該当した場合

イ　氏名若しくは名称又は住所に変更があつたとき。

ロ　当該型式の検査対象外軽自動車等の製作又は販売をやめたとき。

六　第六十七条第一項の認定を受けた者が、次のいずれかに該当した場合

イ　氏名若しくは名称又は住所に変更があつたとき。

ロ　当該型式の原動機付自転車用原動機の主要諸元、構造に関する図面又は使用方法に変更があつたとき。

ハ　当該型式の原動機付自転車用原動機の製作をやめたとき。

2　前項の届出は、届出事由の発生した日後三十日以内に（同項第三号に掲げる場合にあつては十五日以内に、同項第六号に掲げる場合にあつては遅滞なく）行わなければならない。

附　則

（施行期日）

1　この省令は、公布の日から施行し、昭和二十六年七月一日から適用する。

（経過規定）

2　自動車登録番号標は、運輸大臣が指定する日までの間に限り、第十一条の規定にかかわらず、旧車両規則（昭和二十二年運輸省令第三十六号）第二十五条第四項に規定する車両番号標の様式によることができる。

3　都道府県知事は、運輸大臣の指定する日までの間に限り、第八条第二項の規定にかかわらず、なお、従前の封印を使用することができる。

4　自動車登録規則（昭和二十六年運輸省令第六十二号）附則第九項の規定により、自動車登録番号の変更の通知を受けた所有者は、運輸大臣の指定する日までの間に、第五条の規定に準じて自動車登録番号標及び封印の取りはずしを受け、且つ、新しい自動車登録番号標の取りつけをした上、封印の取りつけを受けなければならない。

5　自動車の製作を業とする者であつて法施行の日までに、自動車の車台番号又は原動機番号の打刻に関し運輸大臣に届け出た者が届出書の記載に従つて行つた打刻は、運輸大臣の指定する日までの間に限り、法第二十九条第二項の規定により指定を受けその範囲内において行つたものとみなす。

6　旧車両規則による臨時運転許可証の用紙又は臨時車両番号標は、運輸大臣の指定する日までの間に限り、第二十五条の規定にかかわらず、なお、これを使用することができる。

7　旧車両規則による自動車検査証の用紙は、運輸大臣の指定する日までの間に限り、第四十五条の規定にかかわらず、なお、これを使用することができる。

8　道路運送車両法施行法（昭和二十六年法律第百八十六号）第十九条の種類は、左のとおりとする。

一　法第七十七条の普通自動車分解整備事業に相当する事業については、普通自動車分解整備事業

二　法第七十七条の小型自動車分解整備事業に相当する事業については、小型自動車分解整備事業

三　法第七十七条の電気自動車分解整備事業に相当する事業については、電気自動車分解整備事業

9　法施行の際現に法第七十七条各号の事業に相当する事業を経営する者であつて、それぞれの対象とする自動車の種類のうち特定の範囲を対象とするものについては、道路運送車両法施行法第十九条第二項の規定により受けたものとみなされる認証は、法第七十八条の規定により、自動車の種類のうち当該特定範囲を指定して、これを行つたものとみなす。

附　則（昭和四六・九・八運輸省令五五）

1　この省令は、昭和四十六年十二月一日から施行する。

2　この省令の施行前に交付した自動車検査証の記載事項については、当該自動車検査証についてこの省令の施行後はじめて有効期間の記入をするまでの間は、改正後の第三十五条の二の規定にかかわらず、なお従前の例による。

附　則（昭和四八・九・二八運輸省令三三）抄

改正　昭和五四・七運令三四、昭和六〇・一二運令五、平成一二・一一運令三九・平成一五・三国交令一八

1　この省令は、道路運送車両法の一部を改正する法律（昭和四十七年法律第六十二号。以下「改正法」という。）の施行の日（昭和四十八年十月一日）から施行する。ただし、第一条の規定中第四十五条の二の次に四条を加える改正規定（第四十六条に係る部分に限る。）（中略）は、公布の日から施行する。

2　この省令の施行前に改正法による改正前の道路運送車両法（昭和二十六年法律第百八十五号。以下「旧法」という。）第九十七条の三第一項の規定により車両番号の指定を受けた軽自動車のうち改正法による改正後の道路運送車両法（以下「新法」という。）第五十九条第一項の検査対象軽自動車に該当するもの及び昭和五十年三月三十一日までに新法第六十条第一項の規定により車両番号の指定を受けた検査対象軽自動車に係る車両番号標の様式は、この省令による改正後の道路運送車両法施行

規則（以下「新施行規則」という。）第十三号様式の三にかかわらず、この省令による改正前の道路運送車両法施行規則（以下「旧施行規則」という。）第十四号様式によることができる。

3　前項の規定により旧施行規則第十四号様式の車両番号標を表示する検査対象軽自動車の車両番号については、新施行規則第三十六条の二の規定は適用しない。

4　運輸監理部長又は運輸支局長（新法第七十四条の四の規定の適用があるときは、軽自動車検査協会）は、附則第二項の検査対象軽自動車に係る自動車検査証の記入をした場合において、その記入が使用の本拠の位置又は自家用若しくは事業用の別若しくは用途等の区分の変更に係るものであるときは、車両番号を変更することができる。

5　附則第二項に規定する検査対象軽自動車の臨時運行許可番号標の様式は、新施行規則第三号様式にかかわらず、次の様式によることができる。

（A）（その一）

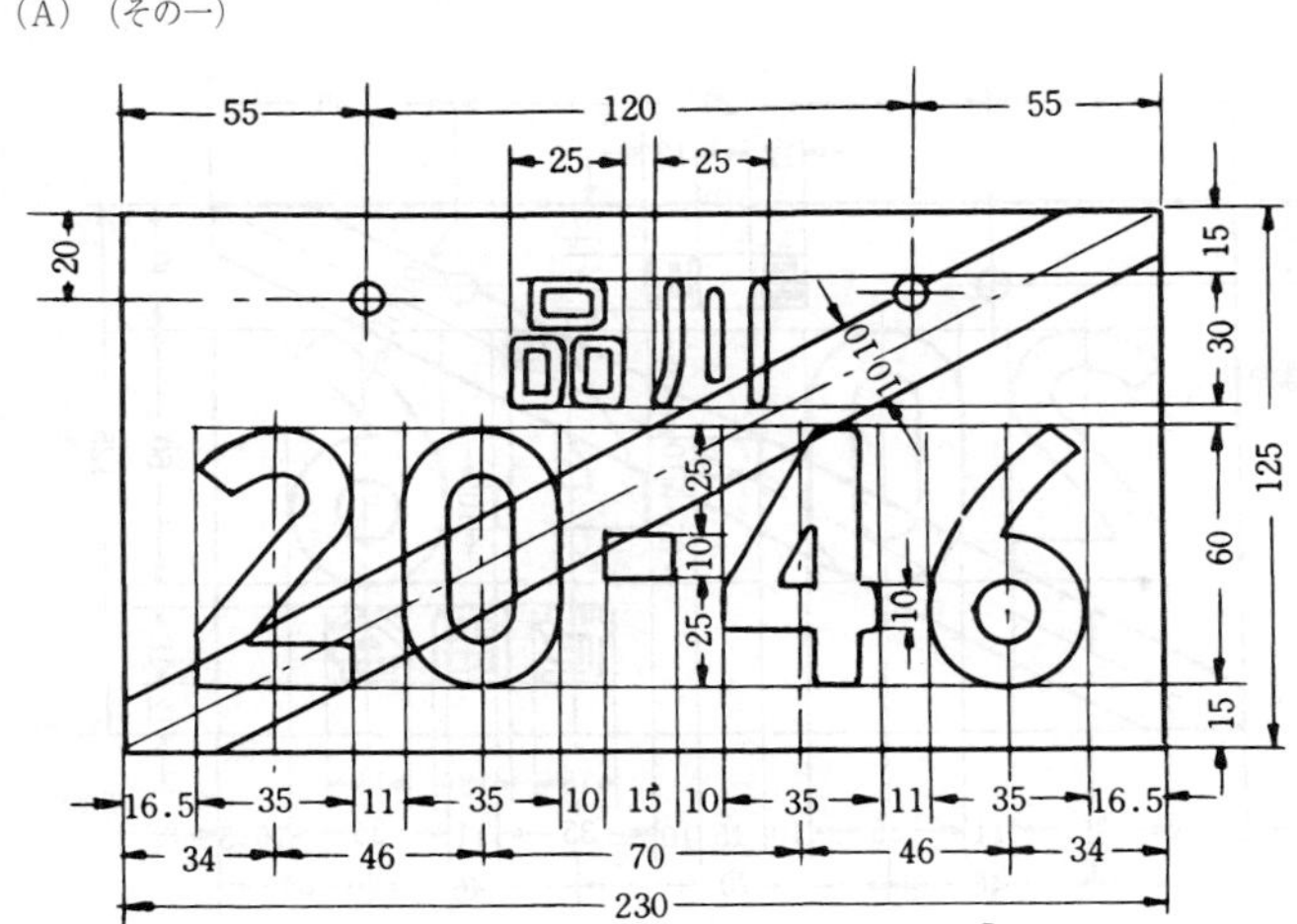

（A）（その二）

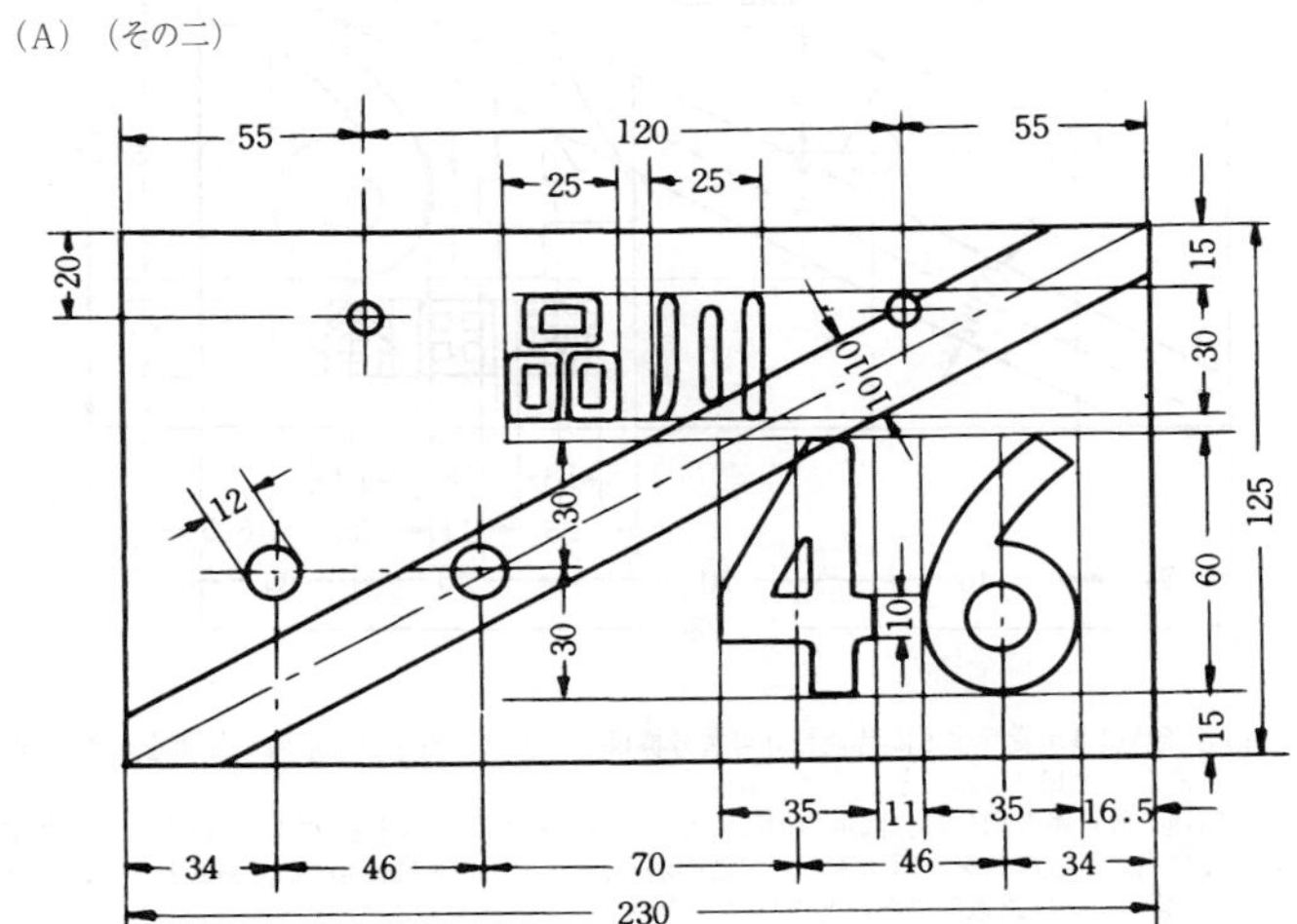

6　附則第二項に規定する検査対象軽自動車の回送運行許可番号標の様式は、新施行規則第五号様式にかかわらず、次の様式によることができる。

（B）（その一）

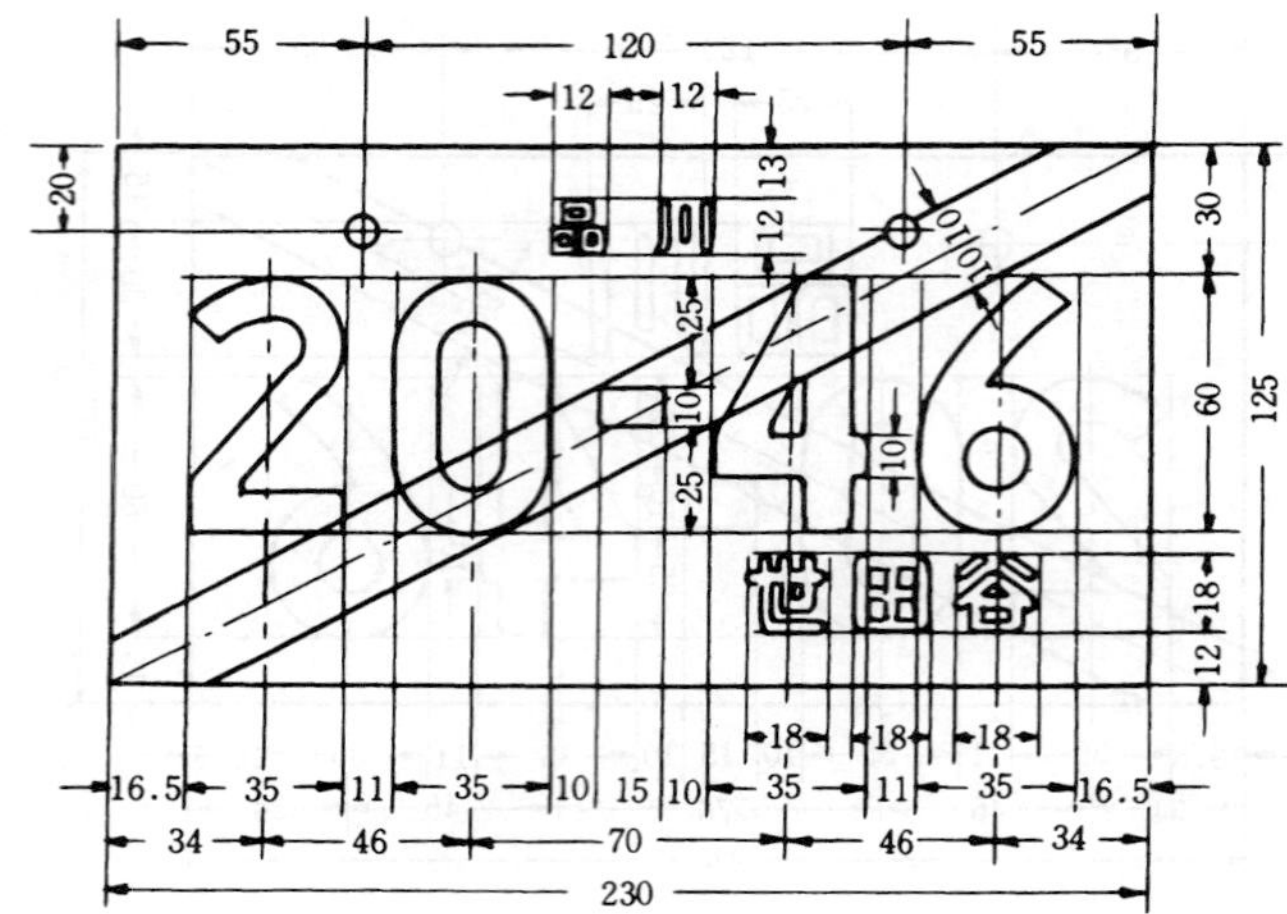

（B）（その二）

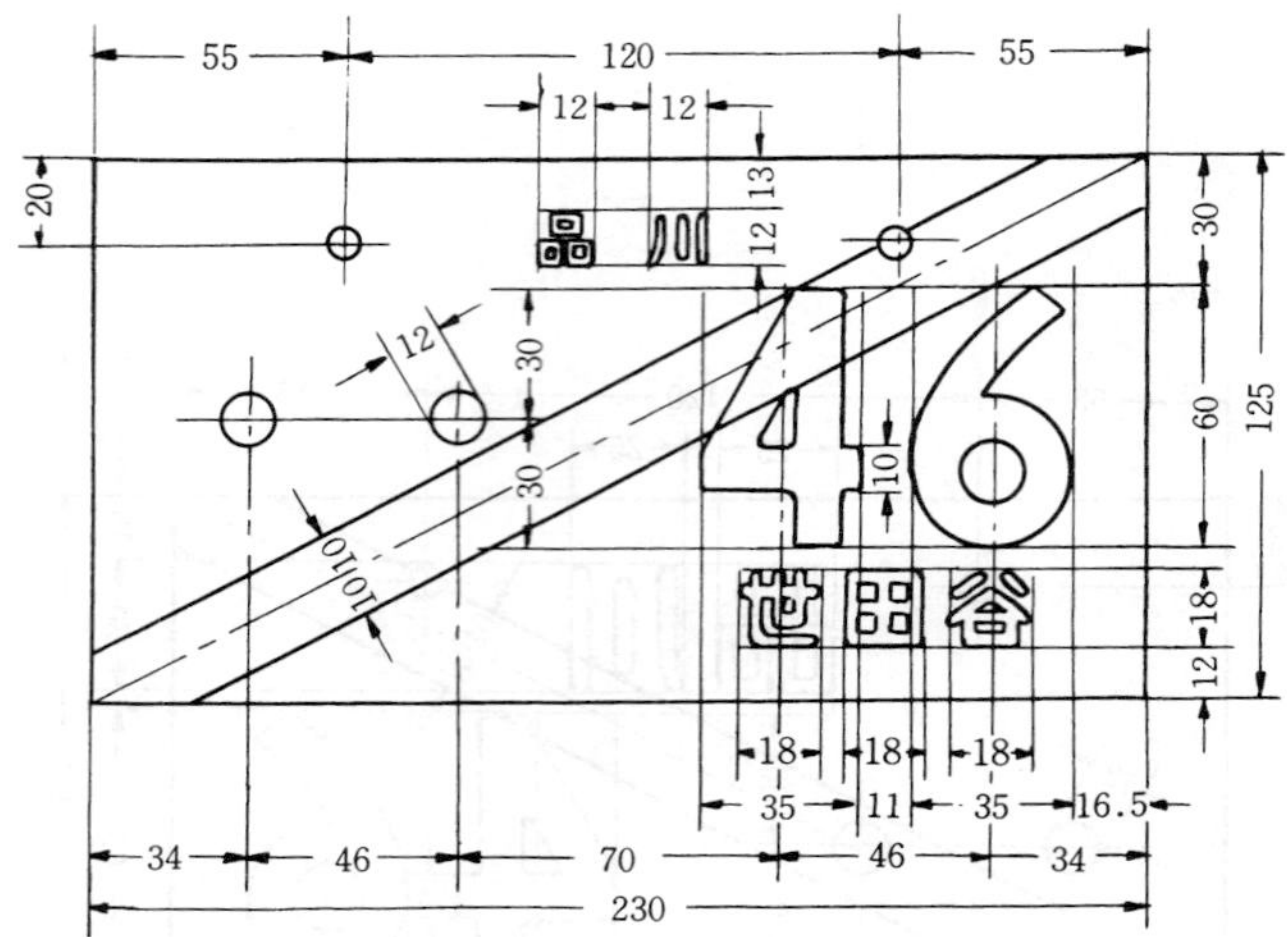

備　考

(1)　都道府県知事が貸与する臨時運行許可番号標は(A)、当該行政庁（都道府県知事を除く。）が貸与するものは(B)によること。

(2)　臨時運行許可番号標には、図示の例により、陸運事務所を表示する文字、四けた以下の数字、斜線及び当該行政庁名を表示すること。この場合において、数字が四けたであるときは図（その一）、数字が三けた以下であるときは図（その二）の例によること。

(3)　陸運事務所の表示については、自動車登録規則別表第一の例によること。

(4)　文字は浮出しとすること。ただし、当該行政庁名を表示する文字は、浮出しとしないことができる。

(5)　臨時運行許可番号標の塗色は、白色に黒文字とし、斜線は赤色とすること。

(6)　図(A)の陸運事務所を表示する文字が三文字又は四文字の場合は、当該文字の横の長さは22ミリメートルとすること。

(7)　寸法の単位は、ミリメートルとすること。

（その一）

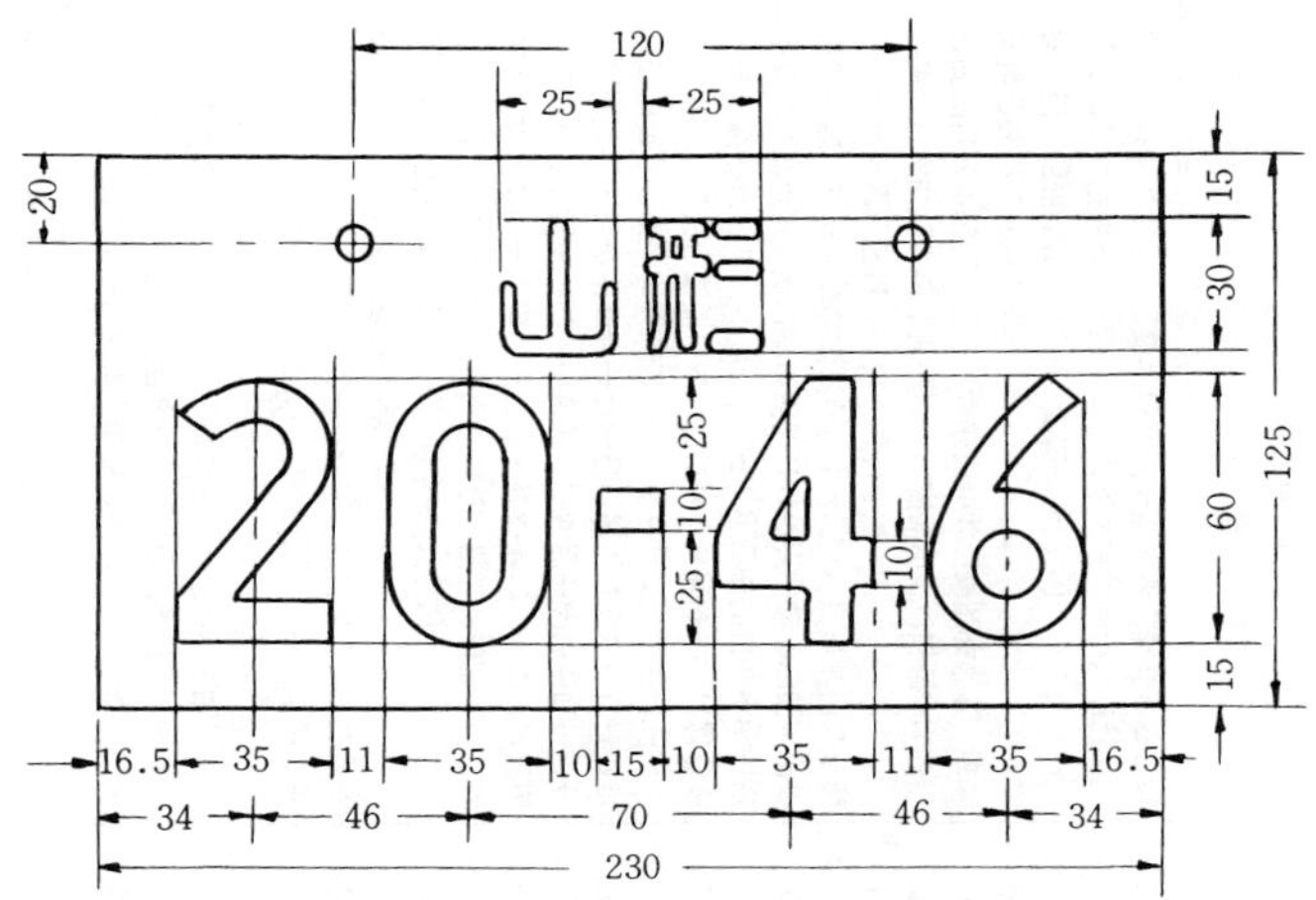

（その二）

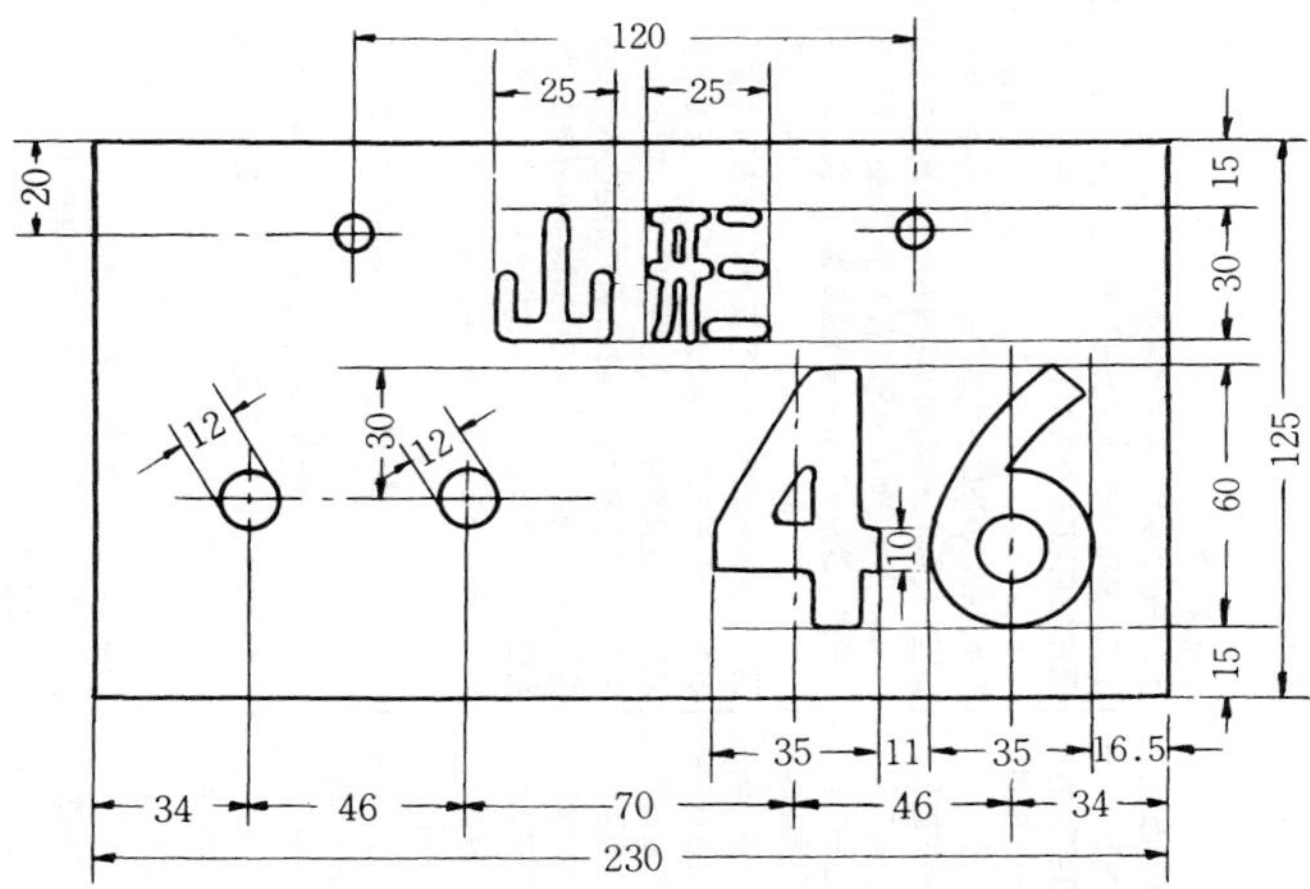

備　考

(1)　回送運行許可番号標には、図示の例により、上段に陸運事務所を表示する文字を、下段に四けた以下の数字を表示すること。この場合において、数字が四けたであるときは図（その一）、数字が三けた以下であるときは図（その二）の例によること。

(2)　陸運事務所の表示については、自動車登録規則別表第一の例によること。

(3)　文字は、浮出しとすること。

(4)　回送運行許可番号標の塗色は、白地に黒文字とし、その内側に幅10ミリメートルの赤色の枠を附すること。

(5)　陸運事務所を表示する文字が三文字又は四文字の場合は、当該文字の横の長さは22ミリメートルとすること。

(6)　寸法の単位はミリメートルとすること。

7　改正法附則第二条第三項の規定により新法第五十九条の規定の適用について国土交通大臣（新法第七十四条の四の規定の適用があるときは、軽自動車検査協会）に対する提示があり、かつ、保安基準に適合するとみなされた検査対象軽自動車に係る新規検査の実施方法は、提出された保安基準適合証を審査することにより検査するものとする。

附　則〔昭和四九・一一・二五運輸省令二抄〕

改正　昭和四九・五運令一八

1　この省令は、昭和五十年四月一日から施行する。ただし、第二条中道路運送車両法施行規則第六十二条の三の次に一条を加える改正規定及び同令第六十三条の見出しを削る改正規定は、昭和四十九年九月一日から施行する。

2　〔前略〕第二条の規定による改正後の道路運送車両法施行規則第三十六条第五項（同令第四十二条第二項において準用する場合を含む。）の規定は、適用しない。

附　則〔昭和五〇・三・一三運輸省令六抄〕

1　この省令は、昭和五十年三月二十日から施行する。

3　昭和五十年五月三十一日（昭和四十八年九月三十日までに道路運送車両法の一部を改正する法律（昭和四十七年法律第六十二号）による改正前の法第九十七条の三第一項の規定による使用の届出があつた検査対象軽自動車にあつては、昭和五十年九月三十日）までに法の規定により指定する車両番号（二輪の小型自動車に係るものを除く。）は、第一条の規定による改正後の自動車登録規則及び第二条の規定による改正後の道路運送車両法施行規則（以下「新登録規則等」という。）の規定にかかわらず、なお従前の例によることができる。

4　この省令の施行前に法の規定により指定された車両番号及び前項の規定により従前の例により指定された車両番号は、新登録規則等の規定による車両番号とみなす。

附　則〔昭和五〇・九・一二運輸省令三四〕

1　この省令は、昭和五十一年一月一日から施行する。ただし、別表第一大型特殊自動車の項及び同表小型特殊自動車の項の改正規定は、公布の日から施行する。

2　この省令の施行の日前に製作された自動車の種別については、改正後の道路運送車両法施行規則別表第一の規定にかかわらず、なお従前の例による。

附　則〔昭和五二・五・七運輸省令一一抄〕

改正　平成一二・一一運令三九

（施行期日）

1　この省令は、昭和五十二年五月九日から施行する。

3　この省令の施行前に法の規定により指定された車両番号は、道路運送車両法施行規則第三十八条第三項又は同条第六項において準用する同条第三項若しくは第六十三条の五第一項の規定の適用については、第二条の規定による改正後の道路運送車両法施行規則第三十六条の二の規定又は新登録規則別表第一及び道路運送車両法施行規則第三十六条の三若しくは第六十三条の二第四項に規定する基準に適合する車両番号とみなす。

4　この省令の施行後に法又は道路運送車両法施行規則の規定により貸与する臨時運行許可番号標、回送運行許可番号標又は臨時運転番号標の様式については、新登録規則別表第一及び道路運送車両法施行規則第二十五条第一項、第二十六条の六第一項又は第六十三条の二第四項の規定にかかわらず、国土交通大臣の指定する日までの間は、なお従前の例によることができる。

附　則〔昭和五三・二・八運輸省令七抄〕

（施行期日）

1　この省令は、公布の日から施行する。〔以下略〕

（経過措置）

2　この省令の施行の際現に、道路運送車両法の規定による認証を受けて自動車分解整備事業を経営している者及び同法の規定により自動車分解整備事業の認証を申請している者に係る同法第八十条第一項第二号の規定による基準（事業場の規模に関するものに限る。）については、改正後の道路運送車両法施行規則（以下「新施行規則」という。）別表第四の規定にかかわらず、この省令の施行後最初に事業場の位置を変更するまでの間は、なお従前の例による。

3　前項に規定する者に係る道路運送車両法第八十条第一項第二号の規定による基準（事業場の規模に関するものを除く。）については、新施行規則第五十七条第四号及び第六号並びに別表第五の規定にかかわらず、この省令の施行の日から二年間を経過する日までの間は、なお従前の例による。

4　この省令の施行の際現に、改正前の道路運送車両法施行規則（以下「旧施行規則」という。）第六十七条第一項又は第七項の規定により型式認定を受けている機械器具は、新施行規則第六十七条第一項の規定により型式認定を受けた自動車整備検査用機械器具とみなす。

5　この省令の施行前に旧施行規則第六十七条第一項又は第七項の型式認定を受けた機械器具であつて同条第六項第二号、第三号又は第四号（同条第八項で準用する場合を含む。）に該当することを事由として型式認定の取消しを受けたものは、新施行規則第五十七条第四号、改正後の指定自動車整備事業規則第二条第二項又は改正後の軽自動車検査協会に関する省令第十三条第二項の適用については、新施行規則第六十七条第一項の規定により型式認定を受けた自動車整備検査用機械器具であつて同条第八項第二号、第四号、第五号又は第六号に該当することを事由として型式認定の取消しを受けたものとみなす。

附　則〔昭和五三・二・一七運輸省令八〕

改正　平成一二・一一運令三九

（施行期日）

1　この省令は、昭和五十三年二月二十日から施行する。

（経過措置）

2　この省令の施行前に道路運送車両法（昭和二十六年法律第百八十五号。以下「法」という。）の規定により登録された自動車登録番号は、法第十四条第一項の規定の適用については、第一条の規定による改正後の自動車登録規則（以下「新登録規則」という。）第十三条に規定する基準に適合する自動車登録番号とみなす。

3　この省令の施行前に法の規定により指定された車両番号は、道路運送車両法施行規則第三十八条第三項又は同条第六項において準用する同条第三項若しくは第六十三条の五第一項の規定の適用については、第二条の規定による改正後の道路運送車両法施行規則第三十六条の二の規定又は新登録規則別表第一及び道路運送車両法施行規則第三十六条の三若しくは第六十三条の二第四項に規定する基準に適合する車両番号とみなす。

4　この省令の施行後に法又は道路運送車両法施行規則の規定により貸与する臨時運行許可番号標、回送運行許可番号標又は臨時運転番号標の様式については、新登録規則別表第一及び道路運送車両法施行規則第二十五条第一項、第二十六条の六第一項又は第六十三条の二第四項の規定にかかわらず、国土交通大臣の指定する日までの間は、なお従前の例によることができる。

附　則〔昭和五三・四・一三運輸省令一九〕

改正　平成一二・一一運令三九

（施行期日）

1　この省令は、昭和五十三年四月十七日から施行する。

（経過措置）

2　この省令の施行前に道路運送車両法（昭和二十六年法律第百八十五号。以下「法」という。）の規定により登録された自動車登録番号は、法第十四条第一項の規定の適用については、第一条の規定による改正後の自動車登録規則（以下「新登録規則」という。）第十三条に規定する基準に適合する自動車登録番号とみなす。

3　この省令の施行前に法の規定により指定された車両番号は、道路運送車両法施行規則第三十八条第三項又は同条第六項において準用する同条第三項若しくは第六十三条の五第一項の規定の適用については、第二条の規定による改正後の道路運送車両法施行規則第三十六条の二の規定又は新登録規則別表第一及び道路運送車両法施行規則第三十六条の三若しくは第六十三条の二第四項に規定する基準に適合する車両番号とみなす。

4　この省令の施行後に法又は道路運送車両法施行規則の規定により貸与する臨時運行許可番号標、回送運行許可番号標又は臨時運転番号標の様式については、新登録規則別表第一及び道路運送車両法施行規則第二十五条第一項、第二十六条の六第一項又は第六十三条の二第四項の規定にかかわらず、国土交通大臣の指定する日までの間は、なお従前の例によることができる。

附　則〔昭和五三・一二・一八運輸省令六三〕

（施行期日）

1　この省令は、昭和五十四年一月一日から施行する。

（経過措置）

2　この省令の施行の際現に道路運送車両法（昭和二十六年法律第百八十五号。以下「法」という。）の規定により登録を受けている自動車又は法の規定により車両番号の指定を受けている検査対象軽自動車若しくは二輪の小型自動車に係る自動車検査証の記載事項については、当該自動車についてこの省令の施行後はじめて法第十五条第一項若しくは第三項若しくは第十六条第一項の規定によりまつ消登録を受けるまで若しくは道路運送車両法施行規則第四十条の二第一項の規定により自動車検査証を返納するまで又は法第六十七条第三項の規定により構造等変更検査を受けるまでの間は、第一条の規定による改正後の道路運送車両法施行規則第三十五条の三の規定にかかわらず、なお従前の例によることができる。

3　この省令の施行前に法の規定により交付された従前の様式による登録事項等通知書、まつ消登録証明書、登録事項等証明書、自動車検査証、自動車予備検査証又は完成検査終了証は、それぞれこの省令による改正後の様式によるものとみなす。

附　則〔昭和五四・二・二二運輸省令五〕

（施行期日）

1　この省令中、福岡県陸運事務所に係る部分〔中略〕は、昭和五十四年二月二十六日から、山形県陸運事務所に係る部分〔中略〕は、同年三月十二日から施行する。

（経過措置）

2　この省令の施行前に道路運送車両法（昭和二十六年法律第百八十五号。以下「法」という。）の規定により登録された自動車登録番号であつて、この省令の施行により法第十四条第一項に規定する場合に該当することとなるものは、同項の規定の適用については、第一条の規定による改正後の自動車登録規則（以下「新登録規則」という。）第十三条に規定する基準に適合する自動車登録番号とみなす。

3　この省令の施行前に法の規定により指定された車両番号は、道路運送車両法施行規則第三十八条第三項又は同条第六項において準用する同条第三項若しくは第六十三条の五第一項の規定の適用については、第二条の規定による改正後の道路運送車両法施行規則第三十六条の二の規定又は新登録規則別表第一及び道路運送車両法施行規則第三十六条の三若しくは第六十三条の二第四項に規定する基準に適合する車両番号とみなす。

4　この省令の施行後に法又は道路運送車両法施行規則の規定により貸与する臨時運行許可番号標、回送運行許可番号標又は臨時運転番号標の様式については、新登録規則別表第一及び道路運送車両法施行規則第二十五条第一項、第二十六条の六第一項又は第六十三条の二第四項の規定にかかわらず、当分の間、なお従前の例によることができる。

附　則〔昭和五四・四・二〇運輸省令一四〕

（施行期日）

1　この省令は、昭和五十四年四月二十三日から施行する。

（経過措置）

2　この省令の施行前に道路運送車両法（昭和二十六年法律第百八十五号。以下「法」という。）の規定により登録された自動車登録番号であつて、この省令の施行により法第十四条第一項に規定する場合に該当することとなるものは、同項の規定の適用については、第一条の規定による改正後の自動車登録規則第十三条に規定する基準に適合する自動車登録番号とみなす。

3　この省令の施行前に法の規定により指定された車両番号であつて、この省令の施行により道路運送車両法施行規則第三十八条第三項（同条第六項において準用する場合を含む。以下同じ。）又は第六十三条の五第一項に規定する場合に該当することとなるものは、同令第三十八条第三項又は第六十三条の五第一項の規定の適用については、それぞれ第二条の規定による改正後の道路運送車両法施行規則第三十六条の二又は道路運送車両法施行規則第三十六条の三若しくは第六十三条の二第四項に規定する基準に適合する車両番号とみなす。

4　この省令の施行後に法又は道路運送車両法施行規則の規定により貸与する臨時運行許可番号標、回送運行許可番号標又は臨時運転番号標の様式については、道路運送車両法施行規則第二十五条第一項、第二十六条の六第一項又は第六十三条の二第四項の規定にかかわらず、当分の間、なお従前の例によることができる。

附　則〔昭和五四・七・二〇運輸省令三四〕

（施行期日）

1　この省令は、昭和五十四年八月六日から施行する。

（経過措置）

2　この省令の施行前に道路運送車両法（昭和二十六年法律第百八十五号。以下「法」という。）の規定により登録された自動車登録番号であつて、この省令の施行により法第十四条第一項に規定する場合に該当することとなるものは、同項の規定の適用については、第一条の規定による改正後の自動車登録規則第十三条に規定する基準に適合する自動車登録番号とみなす。

3　この省令の施行前に法の規定により指定された車両番号であつて、この省令の施行により道路運送車両法施行規則第三十八条第三項（同条第六項において準用する場合を含む。以下同じ。）又は第六十三条の五第一項に規定する場合に該当することとなるものは、同令第三十八条第三項又は第六十三条の五第一項の規定の適用については、それぞれ第二条の規定による改正後の道路運送車両法施行規則第三十六条の二又は道路運送車両法施行規則第三十六条の三若しくは第六十三条の二第四項に規定する基準に適合する車両番号とみなす。

4　この省令の施行後に法又は道路運送車両法施行規則の規定により貸与する臨時運行許可番号標、回送運行許可番号標又は臨時運転番号標の様式については、道路運送車両法施行規則第二十五条第一項、第二十六条の六第一項又は第六十三条の二第四項の規定にかかわらず、当分の間、なお従前の例によることができる。

附　則〔昭和五五・四・一七運輸省令一〇〕

（施行期日）

1　この省令は、昭和五十五年四月二十一日から施行する。

（経過措置）

2　この省令の施行前に道路運送車両法（昭和二十六年法律第百八十五号。以下「法」という。）の規定により登録された自動車登録番号であつて、この省令の施行により、法第十四条第一項に規定する場合に該当することとなるものは、同項の規定の適用については、第一条の規定による改正後の自動車登録規則第十三条に規定する基準に適合する自動車登録番号とみなす。

3　この省令の施行前に法の規定により指定された車両番号であつて、この省令の施行により道路運送車両法施行規則第三十八条第三項（同条第六項において準用する場合を含む。以下同じ。）又は第六十三条の五第一項に規定する場合に該当することとなるものは、同令第三十八条第三項又は第六十三条の五第一項の規定の適用については、それぞれ第二条の規定による改正後の道路運送車両法施行規則第三十六条の二又は道路運送車両法施行規則第三十六条の三若しくは第六十三条の二第四項に規定する基準に適合する車両番号とみなす。

4　この省令の施行後に法又は道路運送車両法施行規則の規定により貸与する臨時運行許可番号標、回送運行許可番号標又は臨時運転番号標の様式については、道路運送車両法施行規則第二十五条第一項、第二十六条の六第一項又は第六十三条の二第四項の規定にかかわらず、当分の間、なお従前の例によることができる。

附　則〔昭和五七・一・二〇運輸省令一〕

（施行期日）

1　この省令は、昭和五十七年二月一日から施行する。

（経過措置）

2　この省令の施行前に道路運送車両法（昭和二十六年法律第百八十五号。以下「法」という。）の規定により登録された自動車登録番号であつて、この省令の施行により法第十四条第一項に規定する場合に該当することとなるものは、同項の規定の適用については、第一条の規定による改正後の自動車登録規則第十三条に規定する基準に適合する自動車登録番号とみなす。

3　この省令の施行前に法の規定により指定された車両番号であつて、この省令の施行により道路運送車両法施行規則第三十八条第三項（同条第六項において準用する場合を含む。以下同じ。）又は第六十三条の五第一項に規定する場合に該当することとなるものは、同令第三十八条第三項又は第六十三条の五第一項の規定の適用については、それぞれ第二条の規定による改正後の道路運送車両法施行規則第三十六条の二又は道路運送車両法施行規則第三十六条の三若しくは第六十三条の二第四項に規定する基準に適合する車両番号とみなす。

4　この省令の施行後に法又は道路運送車両法施行規則の規定により貸与する臨時運行許可番号標、回送運行許可番号標又は臨時運転番号標の様式については、道路運送車両法施行規則第二十五条第一項、第二十六条の六第一項又は第六十三条の二第四項の規定にかかわらず、当分の間、なお従前の例によることができる。

附　則〔昭和五七・一二・一四運輸省令三二〕

（施行期日）

1　この省令は、昭和五十七年十二月二十日から施行する。

（経過措置）

2　この省令の施行前に道路運送車両法（昭和二十六年法律第百八十五号。以下「法」という。）の規定により登録された自動車登録番号であつて、この省令の施行により法第十四条第一項に規定する場合に該当することとなるものは、同項の規定の適用については、第一条の規定による改正後の自動車登録規則第十三条に規定する基準に適合する自動車登録番号とみなす。

3　この省令の施行前に法の規定により指定された車両番号であつて、この省令の施行により道路運送車両法施行規則第三十八条第三項（同条第六項において準用する場合を含む。以下同じ。）又は第六十三条の五第一項に規定する場合に該当することとなるものは、同令第三十八条第三項又は第六十三条の五第一項の規定の適用については、それぞれ第二条の規定による改正後の道路運送車両法施行規則第三十六条の二又は道路運送車両法施行規則第三十六条の三若しくは第六十三条の二第四項に規定する基準に適合する車両番号とみなす。

4　この省令の施行後に法又は道路運送車両法施行規則の規定により貸与する臨時運行許可番号標、回送運行許可番号標又は臨時運転番号標の様式については、道路運送車両法施行規則第二十五条第一項、第二十六条の六第一項又は第六十三条の二第四項の規定にかかわらず、当分の間、なお従前の例によることができる。

附　則〔昭和五八・一〇・一八運輸省令四五〕

（施行期日）

1　この省令中、大阪府陸運事務所に係る部分〔中略〕は、昭和五十八年十一月十四日から、青森県陸運事務所に係る部分〔中略〕は、同年十二月五日から施行する。

（経過措置）

2　この省令の施行前に道路運送車両法（昭和二十六年法律第百八十五号。以下「法」という。）の規定により登録された自動車登録番号であつて、この省令の施行により法第十四条第一項に規定する場合に該当することとなるものは、同項の規定の適用については、第一条の規定による改正後の自動車登録規則第十三条に規定する基準に適合する自動車登録番号とみなす。

3　この省令の施行前に法の規定により指定された車両番号であつて、この省令の施行により道路運送車両法施行規則第三十八条第三項（同条第六項において準用する場合を含む。以下同じ。）又は第六十三条の五第一項に規定する場合に該当することとなるものは、同令第三十八条第三項又は第六十三条の五第一項の規定の適用については、それぞれ第二条の規定による改正後の道路運送車両法施行規則第三十六条の二又は道路運送車両法施行規則第三十六条の三若しくは第六十三条の二第四項に規定する基準に適合する車両番号とみなす。

4　この省令の施行後に法又は道路運送車両法施行規則の規定により貸与する臨時運行許可番号標、回送運行許可番号標又は臨時運転番号標の様式については、道路運送車両法施行規則第二十五条第一項、第二十六条の六第一項又は第六十三条の二第四項の規定にかかわらず、当分の間、なお、従前の例によることができる。

附　則〔昭和五九・六・二二運輸省令一八抄〕

（施行期日）

第一条　この省令は、昭和五十九年七月一日から施行する。

第五条　この省令の施行の際現に自動車登録番号標交付代行者、優良自動車整備事業者、自動車分解整備事業者又は指定自動車整備事業者が道路運送車両法（昭和二十六年法律第百八十五号）の規定により掲げている標識の様式については、それぞれ改正後の〔中略〕道路運送車両法施行規則第二十号様式〔中略〕にかかわらず、なお従前の例による。

附　則〔昭和六〇・一・一〇運輸省令一〕

（施行期日）

1　この省令は、昭和六十年二月四日から施行する。

（経過措置）

2　この省令の施行前に道路運送車両法（以下「法」という。）の規定により登録された自動車登録番号であつて、この省令の施行により法第十四条第一項に規定する場合に該当することとなるものは、同項の規定の適用については、第一条の規定による改正後の自動車登録規則第十三条に規定する基準に適合する自動車登録番号とみなす。

3　この省令の施行前に法の規定により指定された車両番号であつて、この省令の施行により道路運送車両法施行規則第三十八条第三項（同条第六項において準用する場合を含む。以下同じ。）又は第六十三条の五第一項に規定する場合に該当することとなるものは、同令第三十八条第三項又は第六十三条の五第一項の規定の適用については、それぞれ第二条の規定による改正後の道路運送車両法施行規則第三十六条の二又は道路運送車両法施行規則第三十六条の三若しくは第六十三条の二第四項に規定する基準に適合する車両番号とみなす。

4　この省令の施行後に法又は道路運送車両法施行規則の規定により貸与する臨時運行許可番号標、回送運行許可番号標又は臨時運転番号標の様式については、道路運送車両法施行規則第二十五条第一項、第二十六条の六第一項又は第六十三条の二第四項の規定にかかわらず、当分の間、なお従前の例によることができる。

附　則〔昭和六〇・二・五運輸省令五抄〕

（施行期日）

1　この省令は、道路運送法等の一部を改正する法律の施行の日（昭和六十年四月一日）から施行する。

（経過措置）

2　この省令の施行の際現に〔中略〕封印取付受託者が道路運送車両法（昭和二十六年法律第百八十五号）の規定により掲げている標識の様式については、それぞれこの省令による改正後の〔中略〕道路運送車両法施行規則第一号様式の三にかかわらず、なお従前の例による。

3　この省令の施行前に道路運送車両法又は道路運送車両法施行規則の規定により交付された従前の様式による検認票、回送運行許可証、自動車予備検査証、軽自動車届出済証、臨時運転番号標貸与証、登録事項等通知書、自動車検査証又は登録事項等証明書〔中略〕は、この省令による改正後のそれぞれの様式によるものとみなす。

附　則〔昭和六〇・九・二〇運輸省令三〇〕

（施行期日）

1　この省令は、昭和六十年十月一日から施行する。ただし、第二条から第五条までの規定（以下「自動車登録規則等の改正規定」という。）及び附則第二項から第四項までの規定は、昭和六十年十月二十一日から施行する。

（経過措置）

2　自動車登録規則等の改正規定の施行前に道路運送車両法（以下「法」という。）の規定により登録された自動車登録番号であつて、その改正規定の施行により法第十四条第一項に規定する場合に該当することとなるものは、同項の規定の適用については、第二条の規定による改正後の自動車登録規則第十三条に規定する基準に適合する自動車登録番号とみなす。

3　自動車登録規則等の改正規定の施行前に法の規定により指定された車両番号であつて、その改正規定の施行により道路運送車両法施行規則第三十八条第三項（同条第六項において準用する場合を含む。以下同じ。）又は第六十三条の五第一項に規定する場合に該当することとなるものは、同令第三十八条第三項又は第六十三条の五第一項の規定の適用については、それぞれ第三条の規定による改正後の道路運送車両法施行規則第三十六条の二又は道路運送車両法施行規則第三十六条の三若しくは第六十三条の二第四項に規定する基準に適合する車両番号とみなす。

4　自動車登録規則等の改正規定の施行後に法又は道路運送車両法施行規則の規定により貸与する臨時運行許可番号標、回送運行許可番号標又は臨時運転番号標の様式については、道路運送車両法施行規則第二十五条第一項、第二十六条の六第一項又は第六十三条の二第四項の規定にかかわらず、当分の間、なお従前の例によることができる。

附　則〔昭和六二・八・一二運輸省令五二〕

（施行期日）

1　この省令は、昭和六十三年一月一日から施行する。

（経過措置）

2　この省令の施行前に道路運送車両法（以下「法」という。）の規定により登録された自動車登録番号であつて、この省令の施行により法第十四条第一項に規定する場合に該当することとなるものは、同項の規定の適用については、第二条の規定による改正後の自動車登録規則第十三条に規定する基準に適合する自動車登録番号とみなす。

3　この省令の施行前に法の規定により指定された車両番号であつて、この省令の施行により道路運送車両法施行規則第三十八条第六項において準用する同条第三項又は第六十三条の五第一項に該当することとなるものは、同令第三十八条第六項において準用する同条第三項又は第六十三条の五第一項の規定の適用については、それぞれ第一条の規定による改正後の道路運送車両法施行規則第三十六条の三又は道路運送車両法施行規則第六十三条の二第四項に規定する基準に適合する車両番号とみなす。

4　この省令の施行後に法又は道路運送車両法施行規則の規定により貸与する臨時運行許可番号標、回送運行許可番号標又は臨時運転番号標の様式については、道路運送車両法施行規則第二十五条第一項、第二十六条の六第一項又は第六十三条の二第四項の規定にかかわらず、当分の間、なお従前の例によることができる。

5　この省令の施行前に法の規定により交付された従前の様式による登録事項等通知書、抹消登録証明書、登録事項等証明書、自動車検査証又は自動車予備検査証は、この省令による改正後のそれぞれの様式によるものとみなす。

6　この省令の施行前に法第七十一条第二項の規定により交付された自動車予備検査証（検査対象軽自動車に係るものを除く。）の記入又は再交付の申請書については、第三条の規定による改正後の自動車の登録及び検査に関する申請書等の様式等を定める省令第一号様式から第三号様式までにかかわらず、なお従前の例による。

7　前項の申請書による申請の手数料の納付については、第一条の規定による改正後の道路運送車両法施行規則第六十八条の規定にかかわらず、なお従前の例による。

附　則〔平成元・一二・一〇運輸省令四〕

1　この省令は、平成二年一月一日から施行する。

2　この省令の施行の日前に製作された自動車の種別については、改正後の道路運送車両法施行規則別表第一の規定にかかわらず、なお従前の例による。

附　則〔平成三・三・二七運輸省令三抄〕

（施行期日）

1　この省令の規定は、次の各号に掲げる区分に従い、それぞれ当該各号に定める日から施行する。

一　〔前略〕附則第三項〔中略〕の規定　平成三年十一月一日

二　〔前略〕附則第四項〔中略〕の規定　平成四年十月一日

三　第三条並びに附則第五項及び第九項の規定　平成五年十月一日

四　前三号に掲げる規定以外の規定　平成六年十月一日

（道路運送車両の保安基準の一部を改正する省令の廃止）

2　道路運送車両の保安基準の一部を改正する省令（昭和六十三年運輸省令第三十八号）は、廃止する。

附　則〔平成三・一一・一六運輸省令三八抄〕

（施行期日）

1　この省令は、平成四年六月一日から施行する。

附　則〔平成三・一一・三〇運輸省令三九〕

改正　平成七・一〇運令五六

（施行期日）

1　この省令は、平成四年二月一日から施行する。

（経過措置）

2　この省令による改正前の道路運送車両法施行規則第十五号様式による届出書は、この省令による改正後の様式にかかわらず、当分の間、なおこれを使用することができる。

附　則〔平成七・二・二八運輸省令八〕

改正　平成七・一〇運令五六

（施行期日等）

1　この省令は、道路運送車両法の一部を改正する法律（平成六年法律第八十六号）の施行の日（平成七・七・一）（以下「施行日」という。）から施行する。ただし、第一条の規定による改正後の道路運送車両法施行規則（以下「新施行規則」という。）第三十七条の規定は、平成七年六月一日から施行し、次の各号に掲げる区分に応じ、それぞれ当該各号に掲げる日から適用する。

一　自動車検査証の有効期間の満了する日が平成七年七月一日から同年七月三十一日までである自動車であつて道路運送車両法施行規則第四十四条第一項ただし書の規定により継続検査を受けるもの　当該継続検査の日

二　前号に掲げる自動車以外の自動車　平成七年七月一日以後に初めて受ける検査の日

（経過措置）

2　この省令の施行の際現に道路運送車両法（以下「法」という。）第七十八条第一項の規定による認証を受けて小型自動車分解整備事業（対象とする自動車に三輪以上の小型自動車が含まれるものに限る。）を経営している者であって道路運送車両法施行規則の一部を改正する省令（昭和四十二年運輸省令第二十七号）附則第二項の規定により法第八十条第一項第二号の規定による基準（事業場の規模に関するものに限る。）についてはなお従前の例によることとされたものが、この省令の施行後に法第七十八条第一項の規定による普通自動車分解整備事業（普通自動車（車両総重量が八トン以上のもの、乗車定員が十一人以上のもの、貨物の運送の用に供するもの又は散水自動車、広告宣伝用自動車、霊きゅう自動車その他特種の用途に供するものを除く。以下同じ。）を対象とするものに限る。）の認証を受けるときは、法第八十条第一項第二号の規定による基準（事業場の規模に関するものに限る。）の適用については、新施行規則第五十七条第一項第一号及び別表第四の規定による基準に適合するものとみなす。

3　この省令の施行の際現に改正前の道路運送車両法施行規則（以下「旧施行規則」という。）第六十七条第六項の規定により型式認定番号標が表示された作業機械等又は旧施行規則第五十七条第一項第四号の規定により地方運輸局長が自動車の分解整備用として適当であると認定した作業機械等は、新施行規則第五十七条第一項第四号の運輸大臣が定める技術上の基準に適合したものであって運輸大臣の定める者の行う検査に合格したもの又は地方運輸局長が自動車の分解整備用として適当であると定めたものとみなす。

4　この省令の施行の際現に法第七十八条第一項の規定による認証を受けて自動車分解整備事業を経営している者及び法第七十九条第一項の規定により自動車分解整備事業の認証を申請している者であって次の表の上欄に掲げる作業機械等を備えているものは、法第八十条第一項第二号の規定による基準（事業場の作業機械等に関するものに限る。）の適用については、この省令の施行後最初に当該作業機械等を変更するまでの間は、同表下欄に掲げる作業機械等を備えている者とみなす。

ボルト・メータ又はアンペア・メータ	サーキット・テスタ
バッテリ・テスタ	充電器
バキユーム・ゲージ	ハンディ・バキューム・ポンプ
ダイヤル・ゲージ付トースカン	ダイヤル・ゲージ

5　旧施行規則第十号様式による申請書については、新施行規則第十号様式にかかわらず、当分の間、なおこれを使用することができる。

6　この省令の施行の際現に普通自動車分解整備事業者（対象とする自動車に普通自動車が含まれるものに限る。）が法第八十九条第一項の規定により掲げている標識については、新施行規則第二十号様式にかかわらず、施行日から一年間は、なおこれを使用することができる。

7　この省令の施行の際現に旧施行規則第六十七条第六項の規定により型式認定番号標が表示された自動車検査用機械器具又は改正前の指定自動車整備事業規則（以下「旧指定事業規則」という。）第二条第二項の規定により地方運輸局長が自動車の検査用として適当であると認定した自動車検査用機械器具は、第三条の規定による改正後の指定自動車整備事業規則（以下「新指定事業規則」という。）第二条第二項の運輸大臣が定める技術上の基準に適合するものであって運輸大臣の定める者の行う検査に合格したもの又は地方運輸局長が自動車の検査用として適当であると定めたものとみなす。

8　旧指定事業規則第一号様式による保安基準適合証については、新指定事業規則第一号様式にかかわらず、当分の間、なおこれを使用することができる。

9　この省令の施行の際現に指定自動車整備事業者（対象とする自動車に普通自動車が含まれるものに限る。）が法第九十四条の九において準用する法第八十九条第一項の規定により掲げている標識については、新指定事業規則第五号様式にかかわらず、施行日から一年間は、なおこれを使用することができる。

10　この省令の施行の際現に旧施行規則第六十七条第六項の規定により型式認定番号標が表示された自動車検査用機械器具又は改正前の軽自動車検査協会に関する省令第十三条第二項の規定により運輸大臣が軽自動車の検査用として適当であると認定した自動車検査用機械器具は、第十条の規定による改正後の軽自動車検査協会に関する省令第十三条第二項の運輸大臣が定める技術上の基準に適合するものであって運輸大臣の定める者の行う検査に合格したもの又は運輸大臣が軽自動車の検査用として適当であると定めたものとみなす。

11　第十一条の規定による改正前の道路運送車両法の一部を改正する法律の施行に伴う経過措置を定める省令第四号様式による申請書については、第十一条の規定による改正後の道路運送車両法の一部を改正する法律の施行に伴う経過措置を定める省令第四号様式にかかわらず、当分の間、なおこれを使用することができる。

附　則〔平成七・一二・二八運輸省令七〇〕

（施行期日）

1　この省令は、平成八年七月一日から施行する。ただし、道路運送車両法施行規則第二十一号様式〔中略〕の改正規定は、同年一月一日から施行する。

（経過措置）

2　第一条の規定による改正前の道路運送車両法施行規則第八号様式、第十五号様式、第十七号様式の三及び第二十一号様式による検査対象外軽自動車臨時検査申請書、軽自動車届出書、軽自動車届出済証記入申請書及び譲渡証明書〔中略〕については、それぞれ第一条の規定による改正後の道路運送車両法施行規則第八号様式、第十五号様式、第十七号様式の三及び第二十一号様式〔中略〕にかかわらず、当分の間、なおこれを使用することができる。

3　この省令の施行前に交付した道路運送車両法施行規則第二号様式、第四号様式、第十六号様式及び第十七号様式の二による臨時運行許可証、回送運行許可証、軽自動車届出済証及び臨時運転番号標貸与証は、それぞれ改正後の道路運送車両法施行規則第二号様式、第四号様式、第十六号様式及び第十七号様式の二によるものとみなす。

附　則〔平成八・九・三〇運輸省令五三〕

（施行期日）

1　この省令〔中略〕は、平成十年十月一日から施行する。

（経過措置）

2　第二条の規定の施行の日前に製作された自動車の種別については、同条の規定による改正後の道路運送車両法施行規則別表第一の規定にかかわらず、なお従前の例による。

附　則〔平成八・一〇・三一運輸省令五六〕

（施行期日）

第一条　この省令は、平成九年一月一日から施行する。

（経過措置）

第二条　この省令による改正前の道路運送車両法施行規則別表第一に掲げる大型特殊自動車であってこの省令の施行により新たに小型特殊自動車となるもの（以下この条において「特定自動車」という。）が、この省令の施行の際現に道路運送車両法（昭和二十六年法律第百八十五号。以下この条において「法」という。）の規定により受けている登録については、この省令の施行後初めて法第十三条第二項の規定による当該特定自動車に係る移転登録の申請が受理されるまで（嘱託により移転登録がなされる場合にあっては当該嘱託がなされるまで）の間（所有権の登録以外の登録がある特定自動車にあっては当該特定自動車に係る移転登録を受けた後当該特定自動車に係る所有権の登録以外の登録が抹消されるまでの間）又は法第十五条第一項若しくは第十六条第一項の規定による当該特定自動車に係る抹消登録の申請が受理されるまで（嘱託により抹消登録がなされる場合にあっては当該嘱託がなされるまで）の間は、なお従前の例による。ただし、所有権の登録以外の登録（この省令の施行の際現に受けている所有権の登録以外の登録の原因たる事実関係に関してなされるものを除く。）は、新たに受けることができない。

2　前項の規定によりなお従前の例によることとされる場合における特定自動車については、法第六十二条、第六十三条及び第六十四条の規定は、適用しない。

3　第一項の規定によりなお従前の例によることとされる場合における特定自動車に係る道路運送車両法施行規則第十五条の二の規定の適用については、同条中「自動車検査証」とあるのは「自動車の登録及び検査に関する申請書等の様式を定める省令（昭和四十五年運輸省令第八号）第三条の表第一号に掲げる登録事項等通知書又は登録事項等証明書」とする。

第三条　農耕作業の用に供することを目的として製作した大型特殊自動車であってこの省令の施行により新たに小型特殊自動車となるもの（以下この条において「特定自動車」という。）を自己のために運行の用に供する者がこの省令の施行前に当該特定自動車を運行し、これによって他人の生命又は身体を害した場合における損害賠償の責任に関しては、なお従前の例による。

2　特定自動車に係る自動車損害賠償責任保険の契約（以下この条において「責任保険契約」という。）であってこの省令の施行の際現に締結されているものは、当該責任保険契約の保険期間の残存期間中、保有者（自動車損害賠償保障法（昭和三十年法律第九十七号。以下この条において「自賠法」という。）第二条第三項に規定する保有者をいう。）又は運転者（自賠法第二条第四項に規定する運転者をいう。）が特定自動車の運行によって他人の生命又は身体に加えた損害の賠償責任を負うことにより受けることあるべき損害をてん補することを目的として、当該責任保険契約の当事者間において締結された保険契約として存続するものとする。ただし、保険金額については、自賠法第十三条第二項の規定による定めがなされた場合においては、当該変更後の保険金額と同じ額とする。

3　前項に規定するものを除き、同項の保険契約に係る保険関係については、自動車損害賠償責任保険に関する自賠法（第二十条の二第二項の規定を除く。）その他の法令の規定を準用する。

4　自動車損害賠償責任再保険に関する自賠法の規定の適用については、第二項の保険契約は責任保険契約とみなす。

5　第二項から第四項までの規定は、特定自動車に係る自動車損害賠償責任共済の契約について準用する。この場合において、第二項中「第十三条第二項」とあるのは「第二十三条の二第一項において準用する第十三条第二項」と、第三項中「第二十条の二第二項」とあるのは「第二十三条の三第二項において準用する第二十条の二第二項」と読み替えるものとする。

第四条　この省令の施行前にした行為及び附則第二条第一項の規定によりなお従前の例によることとされる登録に係るこの省令の施行後にした行為に対する罰則の適用については、なお従前の例による。

附　則　〔平成九・一二・一五運輸省令八一抄〕

(施行期日)

1　この省令は、平成十年一月一日から施行する。

(経過措置)

2　〔前略〕第三条の規定による改正前の道路運送車両法施行規則第十号様式、第十一号様式、第十二号様式及び第十五号様式による検査標章再交付申請書・臨時検査合格標章再交付申請書・自動車予備検査証再交付申請書・限定自動車検査証再交付申請書・軽自動車届出済証再交付申請書、予備検査申請書、自動車予備検査証記入申請書及び軽自動車届出書（臨時運転番号標貸与証の交付を受けようとする場合）〔中略〕は、それぞれ〔中略〕第三条の規定による改正後の道路運送車両法施行規則第十号様式、第十一号様式、第十二号様式及び第十五号様式〔中略〕にかかわらず、当分の間、なおこれを使用することができる。この場合には、氏名を記載し、押印することに代えて、署名することができる。

3　第三条の規定による改正前の道路運送車両法施行規則第十五号様式及び第十七号様式の三による軽自動車届出書（軽自動車届出済証の交付を受けようとする場合）及び軽自動車届出済証記入申請書〔中略〕は、それぞれ第三条の規定による改正後の道路運送車両法施行規則第十五号様式及び第十七号様式の三〔中略〕にかかわらず、当分の間、なおこれを使用することができる。この場合には、届出者（使用者）、申請者（使用者）又は申請者は、氏名を記載し、押印することに代えて、署名することができる。

附　則　〔平成一〇・一〇・九運輸省令六七抄〕

改正　平成一一・八運令三七

(施行期日)

1　この省令は、道路運送車両法の一部を改正する法律（平成十年法律第七十四号）の施行の日（平成十年十一月二十四日）から施行する。

(道路運送車両法施行規則の一部改正に伴う経過措置)

2　この省令の施行の際現に、道路運送車両法の一部を改正する法律（平成十年法律第七十四号）による改正前の道路運送車両法（以下「旧法」という。）第八十五条第一項に規定する検査主任者に選任されている者は、この省令の施行後引き続き当該事業場の従業員である間は、この省令による改正後の道路運送車両法施行規則（以下「新規則」という。）第六十二条の二の二第一項第五号に規定する整備主任者とみなす。この場合において、自動車分解整備事業者が、この省令の施行前に旧法第八十七条の規定によりした届出は、新規則第六十二条の二の二第二項の規定によりした届出とみなし、当該事業場に対する新規則第五十七条第六号の適用については、同号中「自動車整備士技能検定規則（昭和二十六年運輸省令第七十一号）の規定による一級又は二級の自動車整備士の技能検定（当該事業場が原動機を対象とする分解整備を行う場合にあつては、二級自動車シャシ整備士の技能検定を除く。第六十二条の二の二第一項第五号において同じ。）に合格した者」とあるのは「道路運送車両法の一部を改正する法律（平成十年法律第七十四号）による改正前の道路運送車両法第八十五条第一項の規定により検査主任者として選任された者」と読み替えるものとする。

3　この省令の施行の際現に、この省令による改正前の道路運送車両法施行規則（以下「旧規則」という。）第六十二条の三の二第一項の認定を受けている自動車、旧規則第六十二条の四第一項の認定を受けている装置又は旧規則第六十三条第一項の認定を受けている装置については、旧規則第六十二条の二の三第四項、第六十二条の三の二第二項において準用する第六十二条の三第六項及び第七項、第六十二条の四第四項、同条第五項において準用する第六十二条の三第七項、第六十三条第二項において準用する第六十二条の三第六項及び第七項、第六十三条第三項並びに第七十条第一項第七号から第九号までの規定は、なおその効力を有する。

4　この省令の施行の際現に、旧規則第六十二条の三の二第一項の認定を申請中の自動車、旧規則第六十二条の四第一項の認定を申請中の装置又は旧規則第六十三条の認定を申請中の装置については、旧規則第六十二条の二の三第四項、第六十二条の三の二第一項、同条第二項において準用する第六十二条の三第二項本文及び第三項、第四項、第六項及び第七項、第六十二条の四第一項、第二項及び第四項、同条第五項において準用する第六十二条の三第二項本文、第三項、第四項及び第七項、第六十三条第一項、同条第二項において準用する第六十二条の三第二項本文（第二号に係る部分を除く。）、第三項、第四項、第六項及び第七項、第六十三条第三項並びに第七十条第一項第七号から第九号までの規定は、なおその効力を有する。

5　第六十二条の四の規定は、この省令の施行の際現に、旧規則第六十二条の三の二第一項の認定を受けている自動車及び同項の認定を申請中の自動車について準用する。この場合において、第六十二条の四中「装置型式指定規則（平成十年運輸省令第六十六号）第二条第三号の騒音防止装置について法第七十五条の三第一項の申請をした者」とあるのは「旧規則第六十二条の三の二第一項の認定を受けた者」と、「指定を受けた騒音防止装置」とあるのは「認定を受けた騒音防止装置」と、「第十八号様式の二による型式指定番号標」とあるのは「旧規則第十八号様式の二による型式認定番号標」と読み替えるものとする。

6　第六十三条の規定は、この省令の施行の際現に、旧規則第六十二条の四第一項の認定を受けている装置及び同項の認定を申請中の装置について準用する。この場合において、第六十三条中「装置型式指定規則第二条第四号の一酸化炭素等発散防止装置について法第七十五条の二第一項の申請をした者」とあるのは「旧規則第六十二条の四第一項の認定を受けた者」と、「指定を受けた一酸化炭素等発散防止装置」とあるのは「認定を受けた一酸化炭素等発散防止装置」と読み替えるものとする。

附　則〔平成一二・一二・二九運輸省令三九〕

（施行期日）

第一条　この省令は、平成十三年一月六日から施行する。

（経過措置）

第二条　この省令の施行前の（中略）道路運送車両法施行規則第一号様式の三による封印取付受託者の標識、第四号様式による回送運行許可証、第十二号様式の三による検査標章、第十五号様式の三による軽自動車届出書、第十六号様式による軽自動車届出済証、第十七号様式の二による臨時運転番号標貸与証並びに第十七号様式の三による軽自動車届出済証記入申請書（中略）は、この省令による改正後のそれぞれの書式又は様式にかかわらず、当分の間、なおこれを使用することができる。

附　則〔平成一四・六・二八国土交通省令七九〕

（施行期日）

第一条　この省令は、平成十四年七月一日から施行する。

（経過措置）

第二条　この省令の施行の際現にあるこの省令による改正前の様式又は書式による申請書、証明書その他の文書は、この省令による改正後のそれぞれの様式又は書式にかかわらず、当分の間、なおこれを使用することができる。

附　則〔平成一四・七・一二国土交通省令八九〕

（施行期日）

第一条　この省令は、平成十四年十月一日から施行する。

（経過措置）

第二条　この省令の施行の際現に道路運送車両法（以下「法」という。）の規定により登録を受けている自動車の種別については、次に掲げる日のいずれか早い日までの間は、改正後の道路運送車両法施行規則別表第一の規定にかかわらず、なお従前の例による。

一　当該自動車がこの省令の施行後初めて受ける継続検査、臨時検査又は構造等変更検査の日

二　当該自動車についてこの省令の施行後初めて法第十四条の規定により自動車登録番号を変更する日

附　則〔平成一五・三・一二国土交通省令一八〕

（施行期日）

1　この省令は、道路運送車両法の一部を改正する法律（平成十四年法律第八十九号）の一部の施行の日（平成十五年四月一日）から施行する。

（経過措置）

2　この省令の施行の際現に整備管理者に選任されていた者については、この省令による改正後の道路運送車両法施行規則第三十一条の四各号に掲げる者に該当する者とみなす。

附　則〔平成一五・七・三国土交通省令八〇〕

（施行期日）

第一条　この省令は、平成十六年一月一日から施行する。

（経過措置）

第二条　この省令の施行前に交付したこの省令による改正前の道路運送車両法施行規則第十二号様式の三による検査標章（中略）は、それぞれこの省令による改正後の自動車の登録及び検査に関する申請書等の様式等を定める省令第十一号様式から第二十号様式までによるものとみなす。

2　この省令による改正前の道路運送車両法施行規則第十二号様式の三による検査標章は、この省令による改正後の自動車の登録及び検査に関する申請書等の様式等を定める省令第二十号様式にかかわらず、当分の間、なおこれを使用することができる。

附　則〔平成一六・五・二一国土交通省令六五抄〕

（施行期日）

第一条　この省令は、公布の日から施行する。

（道路運送車両法施行規則の一部改正に伴う経過措置）

第三条　第二条の規定の施行の際現に同条の規定による改正前の道路運送車両法施行規則（次項において「旧道路運送車両法施行規則」という。）第三十六条第七項第三号の認定を受けている者は、第二条の規定の施行の日から起算して六月を経過するまでの間は、第二条の規定による改正後の道路運送車両法施行規則（次項において「新道路運送車両法施行規則」という。）第三十六条第七項第三号の登録を受けているものとみなす。

2　第二条の規定の施行前に交付された旧道路運送車両法施行規則第三十六条第七項第三号の規定による書面は、新道路運送車両法施行規則第三十六条第七項第三号の規定による書面とみなす。

（処分、手続等の効力に関する経過措置）

第十一条　この省令の施行前に、この省令による改正前の道路運送車両法施行規則、船舶に乗り組む医師及び衛生管理者に関する省令、救命艇手規則、小型船造船業法施行規則、海洋汚染及び海上災害の防止に関する法律施行規則又は鉄道事業法施行規則の規定によりした処分、手続その他の行為は、附則第二条から前条までの規定に定めるものを除き、この省令による改正後の道路運送車両法施行規則、船舶に乗り組む医師及び衛生管理者に関する省令、救命艇手規則、小型船造船業法施行規則、海洋汚染及び海上災害の防止に関する法律施行規則又は鉄道事業法施行規則の相当規定によりした処分、手続その他の行為とみなす。

附　則〔平成一六・八・一七国土交通省令八三抄〕

（施行期日）

第一条　この省令は、道路運送車両法の一部を改正する法律附則第一条本文の規定の施行の日（平成十七年一月一日）から施行する。

（経過措置）

第二条　この省令の施行前に交付したこの省令による改正前の道路運送車両法施行規則第十三号様式による自動車予備検査証及び第十三号様式の二による限定自動車検査証並びにこの省令による改正前の自動車の登録及び検査に関する申請書等の様式等を定める省令第十二号様式による抹消登録証明書及び第十七号様式による自動車検査証返納証明書は、それぞれこの省令による改正後の自動車の登録及び検査に関する申請書等の様式等を定める省令軽第十一号様式、軽第十二号様式、第十三号様式及び第二十号様式によるものとみなす。

2　この省令による改正前の道路運送車両法施行規則第十号様式による申請書並びにこの省令による改正前の自動車の登録及び検査に関する申請書等の様式等を定める省令第一号様式による申請書、第四号様式による請求書及び専用第四号様式による申請書は、この省令による改正後のそれぞれの様式にかかわらず、当分の間、なおこれを使用することができる。

附　則〔平成一七・五・二〇国土交通省令五七抄〕

（施行期日）

第一条　この省令は、自動車関係手続における電子情報処理組織の活用のための道路運送車両法等の一部を改正する法律（次条において「改正法」という。）附則第一条ただし書に規定する規定の施行の日（平成十七年五月二十五日）から施行する。

（経過措置）

第二条　改正法附則第三条第二項の国土交通省令で定める者は、改正法附則第一条ただし書に規定する規定の施行の際現に改正法附則第三条第一項前段の規定により新許可を受けた者とみなされる者とする。

附　則〔平成一七・一一・二国土交通省令一〇四抄〕

（施行期日）

第一条　この省令は、平成十七年十二月二十六日から施行する。

（経過措置）

第二条　自動車関係手続における電子情報処理組織の活用のための道路運送車両法等の一部を改正する法律（以下「改正法」という。）附則第二条第一項の国土交通省令で定める自動車は、次に掲げる自動車とする。

一　登録を受けたことがある自動車
二　軽自動車
三　小型特殊自動車
四　二輪の小型自動車

第三条　改正法附則第四条の国土交通省令で定める自動車は、次に掲げる自動車とする。

一　軽自動車
二　小型特殊自動車
三　二輪の小型自動車

第四条　改正法附則第四条の国土交通省令で定める期間は、完成検査終了証の発行の日から九月間とする。

第五条　この省令の施行前に第一条の規定による改正前の道路運送車両法施行規則（以下「旧道路運送車両法施行規則」という。）第六十三条の規定により排出ガス検査終了証を発行し、これを一酸化炭素等発散防止装置指定自動車（検査対象軽自動車及び二輪の小型自動車を除く。）の譲受人に交付した者（次項において「排出ガス検査終了証交付者」という。）が、あらかじめ、新規検査又は予備検査を申請する者（次項において「申請者」という。）の書面又は電磁的方法による承諾を得て、当該排出ガス検査終了証に記載されていた事項を電磁的方法により登録情報処理機関に提供したときは、第一条の規定による改正後の道路運送車両法施行規則（次条において「新道路運送車両法施行規則」という。）第六十三条第四項の規定により同項に規定する事項の提供がされたものとみなす。

2　前項の規定による承諾を得た排出ガス検査終了証交付者は、申請者から書面又は電磁的方法により、電磁的方法による登録情報処理機関への提供を承諾しない旨の申出があったときは、登録情報処理機関に対し、当該排出ガス検査終了証に記載されていた事項の提供を電磁的方法によってしてはならない。ただし、申請者が再び同項の規定による承諾をした場合は、この限りでない。

附　則〔平成一八・三・三一国土交通省令三〇〕

（施行期日）

第一条　この省令は、平成十八年四月一日から施行する。

（経過措置）

第二条　この省令の施行の際現にあるこの省令による改正前の様式による申請書、証明書その他の文書は、この省令による改正後のそれぞれの様式にかかわらず、当分の間、なおこれを使用することができる。

附　則〔平成一八・四・二八国土交通省令五八抄〕

（施行期日）

第一条　この省令は、会社法の施行の日（平成十八年五月一日）から施行する。

（経過措置）

第三条　この省令の施行前にしたこの省令による改正前の省令の規定による処分、手続、その他の行為は、この省令による改正後の省令（以下「新令」という。）の規定の適用については、新令の相当規定によってしたものとみなす。

附　則〔平成一八・五・一九国土交通省令六六〕

（施行期日）

第一条　この省令は、公布の日から施行する。ただし、第一条中道路運送車両法施行規則第三十五条の三第一項に一号を加える改正規定及び同令第四十三条の二に一号を加える改正規定は、平成十八年八月一日から施行する。

（経過措置）

第二条　前条ただし書に規定する規定の施行の際現に、道路運送車両法（以下「法」という。）の規定により登録を受けている自動車に係る自動車検査証の記載事項については、次に掲げる日のいずれか早い日までの間は、第一条の規定による改正後の道路運送車両法施行規則（以下「新施行規則」という。）第三十五条の三の規定にかかわらず、なお従前の例による。

一　当該自動車について法第十五条第一項の申請に基づく永久抹消登録を受ける日
二　当該自動車について法第十五条第五項の規定により永久抹消登録のあった旨の通知を受ける日
三　当該自動車について法第十五条の二第一項の申請に基づく輸出抹消仮登録を受ける日
四　当該自動車についてこの省令の施行後初めて法第十六条第一項の申請に基づく一時抹消登録を受ける日
五　当該自動車がこの省令の施行後初めて受ける構造等変更検査の日

第三条　この省令の施行の際現に、法の規定による認証を受けて自動車分解整備事業を経営している者及び法の規定により自動車分解整備事業の認証を申請している者に係る法第八十条第一項第一号の規定による基準（一酸化炭素測定器及び炭化水素測定器に係るものに限る。）については、新施行規則別表第五の規定にかかわらず、この省令の施行の日から二年間を経過する日までの間は、なお従前の例による。

附　則〔平成一八・九・二二国土交通省令八九〕

（施行期日）

1　この省令は、平成十八年十月十日から施行する。〔以下略〕

（経過措置）

2　この省令（前項ただし書に規定する規定については、当該規定）の施行前に道路運送車両法の規定により登録された自動車登録番号又は指定を受けた車両番号であって、この省令の施行により新たに自動車登録規則第十三条又は道路運送車両法施行規則第三十六条の十七、第三十六条の十八若しくは第六十三条の二第四項に規定する基準に適合しなくなったものについては、これらの規定に規定する基準に適合するものとみなすことができる。

附　則〔平成一八・一一・九国土交通省令一〇六〕

（施行期日）

1　この省令は、平成十九年一月四日から施行する。ただし、第一条の規定中第六十二条の二の三及び第七号様式の三の改正規定は、公布の日から施行する。

（経過措置）

2　第三条の規定による改正前の自動車の登録及び検査に関する申請書等の様式等を定める省令軽第一号様式及び軽専用第一号様式による申請書は、次に掲げる場合を除き、平成十九年十二月三十一日までの間、これを使用することができる。

一　道路運送車両法第七十五条第五項の規定により完成検査終了証に記載すべき事項が登録情報処理機関に提供された場合
二　使用済自動車の再資源化等に関する法律第七十四条第一項ただし書の規定により資金管理法人に委託して預託証明書に

相当する通知を登録情報処理機関に対して行った場合

三　道路運送車両法施行規則第六十三条第二項の規定により排出ガス検査終了証に記載すべき事項が登録情報処理機関に提供された場合

附　則〔平成一九・五・一七国土交通省令六〇〕

（施行期日）

第一条　この省令〔中略〕は、当該各号に定める日〔平成二〇・八・一〕から施行する。

（経過措置）

第二条　第一条の規定による改正後の自動車整備士技能検定規則別表の規定の適用については、平成二十年八月三十一日までは、なお従前の例によることができる。

2　第三条の規定による改正後の指定自動車整備事業規則（以下「新指定事業規則」という。）別表第七の規定の適用については、平成十九年十二月三十一日までは、なお従前の例によることができる。

3　この省令の施行の際現に存する第三条の規定による改正前の指定自動車整備事業規則第三号様式による指定整備記録簿は、新指定事業規則別表第二の規定に基づき自動車から排出される排出物の粒子状物質による汚染度を検査する場合を除き、新指定事業規則第三号様式にかかわらず、当分の間、なおこれを使用することができる。

附　則〔平成一九・一一・一六国土交通省令八九抄〕

（施行期日）

1　この省令は、道路運送法等の一部を改正する法律附則第一条第三号に掲げる規定の施行の日（平成十九年十一月十八日）から施行する。

（経過措置）

2　この省令の施行の際現に交付されている第一条の規定による改正前の道路運送車両法施行規則第二十二号様式による証票は、第一条の規定による改正後の道路運送車両法施行規則第二十二号様式による証票とみなす。

附　則〔平成二五・一二・三国土交通省令九三抄〕

（施行期日）

第一条　この省令は、平成二十六年一月一日から施行する。

（道路運送車両法施行規則の一部改正に伴う経過措置）

第二条　第二条の規定による改正前の自動車の登録及び検査に関する申請書等の様式等を定める省令（以下「旧様式省令」という。）軽第九号様式による検査標章の表示については、第一条の規定による改正後の道路運送車両法施行規則（以下「新施行規則」という。）第三十七条の三第一項の規定にかかわらず、なお従前の例による。

2　道路運送車両法施行規則等の一部を改正する省令（昭和四十八年運輸省令第三十三号）第一条の規定による改正前の道路運送車両法施行規則第十四号様式による車両番号標を表示する検査対象軽自動車（運転者室又は前面ガラスのないものに限る。）についての第二条の規定による改正後の自動車の登録及び検査に関する申請書等の様式を定める省令（以下「新様式省令」という。）軽第九号様式による検査標章の表示については、新施行規則第三十七条の三第一項の規定にかかわらず、なお従前の例による。

附　則〔平成二六・一〇・一七国土交通省令八三〕

（施行期日）

1　この省令は、平成二十六年十一月十七日から施行する。

（経過措置）

2　この省令の施行前に道路運送車両法の規定により登録された自動車登録番号又は指定を受けた車両番号であって、この省令の施行により新たに自動車登録規則第十三条又は道路運送車両法施行規則（次項において「車両規則」という。）第三十六条の十七、第三十六条の十八若しくは第六十三条の二第四項に規定する基準に適合しないこととなったものについては、この省令による改正後の自動車登録規則別表第一の規定にかかわらず、なお従前の例によることができる。

3　この省令の施行後に道路運送車両法又は車両規則の規定により貸与する臨時運行許可番号標、回送運行許可番号標又は臨時運転番号標の様式については、この省令による改正後の車両規則第三号様式備考(2)の規定にかかわらず、当分の間、なお従前の例によることができる。

附　則〔平成二九・六・一五国土交通省令三八〕

（施行期日）

1　この省令は、道路運送車両法の一部を改正する法律の施行の日〔平成二九・六・一五〕から施行する。

（経過措置）

2　この省令の施行の際現に交付されている第一条の規定による改正前の道路運送車両法施行規則第十八号様式の三及び第二十二号様式による証票は、同条の規定による改正後の道路運送車両法施行規則第十八号様式の三及び第二十二号様式による証票とみなす。

附　則〔平成三一・一・四国土交通省令一〕

（施行期日）

1　この省令は、平成三十一年〔令和元年〕七月一日から施行する。

（経過措置）

2　この省令の施行の際現にあるこの省令による改正前の道路運送車両法施行規則（以下「旧規則」という。）第十六号様式による軽自動車届出済証及び第十七号様式の二による臨時運転番号標貸与証は、それぞれこの省令による改正後の道路運送車両法施行規則（以下「新規則」という。）軽二輪第八号様式による軽自動車届出済証及び軽二輪第九号様式による臨時運転番号標貸与証とみなす。

3　この省令の施行の際現にある旧規則第六十三条の六第二項の規定により軽自動車届出済証を返納した者に交付された軽自動車届出済証返納証明書は、新規則軽二輪第十号様式による軽自動車届出済証返納証明書とみなす。

附　則〔令和二・二・六国土交通省令六抄〕

（施行期日）

第一条　この省令は、道路運送車両法の一部を改正する法律（以下「改正法」という。）の施行の日〔令和二・四・一〕（以下「施行日」という。）から施行する。〔以下略〕

（経過措置）

第二条　施行日において現に改正法による改正前の道路運送車両法の規定による認証を受けて自動車分解整備事業を経営している者及び同法の規定により自動車分解整備事業の認証を申請している者に係る同法第七十八条第二項の規定により限定された対象とする自動車の種類その他業務の範囲、同条第三項の規定により附された条件及び同法第八十九条第一項の規定により掲げる標識については、第一条の規定による改正後の道路運送車両法施行規則（以下「新施行規則」という。）第二十号様式の規定にかかわらず、施行日以後初めて改正法による改正後の道路運送車両法第八十一条第一項の規定による届出（同項第二号に係るものを除く。）をするまでの間は、なお従前の例による。

第三条　改正法附則第二条第二項前段の国土交通省令で定める整備又は改造は、新施行規則第三条に規定する分解整備とする。

第四条　改正法附則第二条第二項の規定により自動車特定整備事業に相当する事業を経営している者が、施行日から起算して四年を経過する日までの間に引き続き経営することができる当該事業の範囲は、次の各号に掲げる区分に応じ、それぞれ当該各号に掲げるものとする。

一　新施行規則第三条第八号に規定する機能の調整を行う自動車の整備若しくは改造又はこれに相当する事業を経営している者　当該機能の調整を行う自動車の整備又は改造

二　新施行規則第三条第八号イに規定するセンサーの取り外し若しくは取付位置若しくは取付角度の変更を行う自動車の整

備若しくは改造又はこれに相当する事業を経営している者　当該センサーの取り外し又は取付位置若しくは取付角度の変更を行う自動車の整備又は改造

三　新施行規則第三条第八号ロに規定する電子計算機の取り外し若しくは取付位置若しくは取付角度の変更を行う自動車の整備若しくは改造又はこれに相当する事業を経営している者　当該電子計算機の取り外し又は取付位置若しくは取付角度の変更を行う自動車の整備又は改造

四　新施行規則第三条第八号ハに規定する自動車の車体前部の取り外し若しくは取付位置若しくは取付角度の変更を行う自動車の整備若しくは改造又はこれに相当する事業を経営している者　当該車体前部の取り外し又は取付位置若しくは取付角度の変更を行う自動車の整備又は改造

五　新施行規則第三条第八号ニに規定する自動車の窓ガラスの取り外し若しくは取付位置若しくは取付角度の変更を行う自動車の整備若しくは改造又はこれに相当する事業を経営している者　当該窓ガラスの取り外し又は取付位置若しくは取付角度の変更を行う自動車の整備又は改造

第五条　施行日において現に第一条の規定による改正前の道路運送車両法施行規則（以下この項及び次条において「旧施行規則」という。）第六十二条の二の二第一項第五号に規定する整備主任者である者並びに道路運送車両法の一部を改正する法律（昭和四十四年法律第六十八号）附則第二条第四項及び道路運送車両法施行規則等の一部を改正する省令（平成十年運輸省令第六十七号）附則第二項の規定により旧施行規則第六十二条の二の二第一項第五号に規定する整備主任者とみなされている者（次項において「旧整備主任者」という。）は、施行日以後引き続き当該事業場の従業員である間は、新施行規則第六十二条の二の二第一項第七号（同号イに掲げる事業場の区分に限る。）に規定する整備主任者とみなす。

2　前項の規定により整備主任者とみなされている者（旧整備主任者に限る。）に対する新施行規則第六十二条の二の二第一項第七号の適用については、同号ハ中「一級二輪自動車整備士若しくは二級の自動車整備士の技能検定に合格した者」とあるのは、「道路運送車両法の一部を改正する法律（昭和四十四年法律第六十八号）附則第二条第四項及び道路運送車両法施行規則等の一部を改正する省令（平成十年運輸省令第六十七号）附則第二項の規定により道路運送車両法施行規則第六十二条の二の二第一項第五号に規定する整備主任者とみなされている者」とすることができる。

第六条　施行日において現に交付されている旧施行規則第二十二号様式による証票は、新施行規則第二十二号様式による証票とみなす。

附　則〔令和二・一二・二三国土交通省令九八〕

（施行期日）

1　この省令は、令和三年一月一日から施行する。

（経過措置）

2　この省令の施行の際現にあるこの省令による改正前の様式による用紙は、当分の間、これを取り繕って使用することができる。

附　則〔令和三・三・三一国土交通省令一八〕

この省令は、令和五年一月一日から施行する。ただし、第五十一条の三、第六十二条の四、第六十七条の二第一項、第六十九条第一項、第六十九条の二（見出しを含む。）及び第六十九条の三の改正規定は、公布の日から施行する。

附　則〔令和三・六・九国土交通省令四〇抄〕

（施行期日）

第一条　この省令は、令和三年六月十日から施行する。〔以下略〕

附　則〔令和三・九・三〇国土交通省令五九抄〕

（施行期日）

第一条　この省令は、令和三年九月三十日から施行する。

附　則〔令和四・三・三一国土交通省令三六抄〕

（施行期日）

第一条　この省令は、公布の日から施行する。

（経過措置）

第二条　この省令の施行前に道路運送車両法第三十五条第四項（法第七十三条第二項において準用する場合を含む。）の規定により貸与した臨時運行許可番号標でこの省令の施行の際現に効力を有するものの表示の位置及び方法については、この省令による改正後の道路運送車両法施行規則第二十四条の規定にかかわらず、なお従前の例による。

附　則〔令和四・五・二〇国土交通省令四五抄〕

（施行期日）

第一条　この省令は、道路運送車両法の一部を改正する法律（令和元年法律第十四号）附則第一条第六号に掲げる規定の施行の日（令和五年一月一日）から施行する。ただし、第三条の規定中軽第九号様式の改正規則及び附則第三条第二項の規定は令和六年一月一日から施行する。

（経過措置）

第二条　第一条の規定による改正後の道路運送車両法施行規則第三十五条の三、第四十九条の四及び第四十九条の十八の規定の適用については、令和五年十二月三十一日までの間は、第三十五条の三中「車両番号。以下第四十九条の二第一項第一号イを除き同じ。」とあるのは「車両番号。第三十七条の四において同じ。」と、第四十九条の十八中「運輸監理部長又は運輸支局長（法第七十四条の四の規定の適用があるときは、軽自動車検査協会）」とあるのは、「運輸監理部長又は運輸支局長」とする。

附　則〔令和五・一・四国土交通省令一抄〕

（施行期日）

第一条　この省令（中略）は、令和五年一月十九日から施行する。

附　則〔令和五・九・一国土交通省令六六〕

この省令は、公布の日から施行する。

附　則〔令和五・一二・一八国土交通省令九八〕

この省令は、公布の日から施行する。

附　則〔令和六・三・二二国土交通省令二三抄〕

（施行期日）

第一条　この省令は、令和六年十月一日から施行する。ただし、第三条第二号の改正規定は、公布の日から施行する。

附　則〔令和六・三・二九国土交通省令二六抄〕

（施行期日）

第一条　この省令は、令和六年四月一日から施行する。〔以下略〕

附　則〔令和六・四・三〇国土交通省令五八抄〕

（施行期日）

1　この省令は、令和六年六月三十日から施行する。

附　則〔令和六・六・一四国土交通省令六六抄〕

（施行期日）

第一条　この省令は、令和六年六月十五日から施行する。〔以下略〕

附　則〔令和六・六・二五国土交通省令六七〕

この省令は、令和七年四月一日から施行する。

別表第一（第二条関係）

自動車の種別	自動車の構造及び原動機	自動車の大きさ 長さ	幅	高さ
普通自動車	小型自動車、軽自動車、大型特殊自動車及び小型特殊自動車以外の自動車			
小型自動車	四輪以上の自動車及び被けん引自動車で自動車の大きさが下欄に該当するもののうち軽自動車、大型特殊自動車及び小型特殊自動車以外のもの（内燃機関を原動機とする自動車（軽油を燃料とする自動車及び天然ガスのみを燃料とする自動車を除く。）にあつては、その総排気量が二・〇〇リットル以下のものに限る。）	四・七〇メートル以下	一・七〇メートル以下	二・〇〇メートル以下
	二輪自動車（側車付二輪自動車を含む。）及び三輪自動車で軽自動車、大型特殊自動車及び小型特殊自動車以外のもの			
軽自動車	二輪自動車（側車付二輪自動車を含む。）以外の自動車及び被けん引自動車で自動車の大きさが下欄に該当するもののうち大型特殊自動車及び小型特殊自動車以外のもの（内燃機関を原動機とする自動車にあつては、その総排気量が〇・六六〇リットル以下のものに限る。）	三・四〇メートル以下	一・四八メートル以下	二・〇〇メートル以下
	二輪自動車（側車付二輪自動車を含む。）で自動車の大きさが下欄に該当するもののうち大型特殊自動車及び小型特殊自動車以外のもの（内燃機関を原動機とする自動車にあつては、その総排気量が〇・二五〇リットル以下のものに限る。）	二・五〇メートル以下	一・三〇メートル以下	二・〇〇メートル以下
大型特殊自動車	一　次に掲げる自動車であつて、小型特殊自動車以外のもの イ　ショベル・ローダ、タイヤ・ローラ、ロード・ローラ、グレーダ、ロード・スタビライザ、スクレーパ、ロータリ除雪自動車、アスファルト・フィニッシャ、タイヤ・ドーザ、モータ・スイーパ、ダンパ、ホイール・ハンマ、ホイール・ブレーカ、フォーク・リフト、フォーク・ローダ、ホイール・クレーン、ストラドル・キャリヤ、ターレット式構内運搬自動車、自動車の車台が屈折して操向する構造の自動車、国土交通大臣の指定する構造のカタピラを有する自動車及び国土交通大臣の指定する特殊な構造を有する自動車 ロ　農耕トラクタ、農業用薬剤散布車、刈取脱穀作業車、田植機及び国土交通大臣の指定する農耕作業用自動車 二　ポール・トレーラ及び国土交通大臣の指定する特殊な構造を有する自動車			
小型特殊自動車	一　前項第一号イに掲げる自動車であつて、自動車の大きさが下欄に該当するもののうち最高速度十五キロメートル毎時以下のもの	四・七〇メートル以下	一・七〇メートル以下	二・八〇メートル以下
	二　前項第一号ロに掲げる自動車であつて、最高速度三十五キロメートル毎時未満のもの			

別表第二（第三十五条の六関係）

検査の種別	検査の実施の方法
新規検査及び予備検査	一　審査結果の通知がある自動車の検査 　審査結果の通知がある自動車については、その内容を審査することにより検査するものとする。 二　完成検査終了証の提出（法第五十九条第四項において準用する法第七条第四項の規定による申請書への記載をもつて提出に代える場合を含む。以下この号において同じ。）がある自動車の検査 　完成検査終了証の提出がある自動車については、当該完成検査終了証（法第七十五条第五項の規定により登録情報処理機関に提供される完成検査終了証に記載すべき事項を含む。）を審査することにより検査するものとする。 三　登録識別情報等通知書の提示又は自動車検査証返納証明書の提出若しくは提示及び審査結果の通知又は保安基準適合証の提出（法第九十四条の五第九項の規定により申請書への記載をもつて提出に代える場合（継続検査に係る場合を除く。）を含む。以下この号において同じ。）がある自動車の検査 　登録識別情報等通知書の提示又は自動車検査証返納証明書の提出若しくは提示及び審査結果の通知又は保安基準適合証の提出がある自動車については、当該登録識別情報等通知書又は自動車検査証返納証明書及び審査結果の通知の内容又は保安基準適合証（法第九十四条の五第二項の規定により登録情報処理機関に提供される保安基準適合証に記載すべき事項を含む。）を審査することにより検査するものとする。 四　限定保安基準適合証の提出又は審査結果の通知及び限定自動車検査証の提出がある自動車の検査 　限定保安基準適合証の提出又は審査結果の通知及び限定自動車検査証の提出がある自動車については、当該限定保安基準適合証又は審査結果の通知の内容及び限定自動車検査証を審査することにより検査するものとする。
継続検査、臨時検査及び構造等変更検査	一　審査結果の通知がある自動車の検査 　審査結果の通知がある自動車については、その内容を審査することにより検査するものとする。 二　保安基準適合証の提出（法第九十四条の五第九項の規定により申請書への記載をもつて提出に代える場合（継続検査に係る場合に限る。）を含む。以下この号において同じ。）がある自動車の検査 　保安基準適合証の提出がある自動車については、当該保安基準適合証（法第九十四条の五第二項の規定により登録情報処理機関に提供される保安基準適合証に記載すべき事項を含む。）を審査することにより検査するものとする。 三　限定保安基準適合証の提出又は審査結果の通知及び限定自動車検査証の提出がある自動車の検査 　限定保安基準適合証の提出又は審査結果の通知及び限定自動車検査証の提出がある自動車については、当該限定保安基準適合証又は審査結果の通知の内容及び限定自動車検査証を審査することにより検査するものとする。

別表第二の二（第三十六条の二、第三十六条の三関係）

試験	施設及び設備
自動車の排気管から大気中に排出される排出物に含まれる一酸化炭素、炭化水素、窒素酸化物、粒子状物質及び黒煙を測定する第三十六条第六項に規定する基準に係る試験であつて、原動機をエンジンダイナモメータに設置して行うもの	一　エンジンダイナモメータ 二　吸入空気量測定装置 三　燃料消費量測定装置 四　排気導入管 五　記録装置 六　試験室 七　希釈トンネル、希釈排出ガスサンプル流量計、フィルタホルダ、サンプリング吸引ポンプ、秤量室及び秤量計（粒子状物質を測定する場合に限る。） 八　定容量採取装置 九　排出ガス分析計 十　標準ガス 十一　黒煙測定器（黒煙を測定する場合に限る。） 十二　オパシメータ（粒子状物質を測定する場合に限る。） 十三　温度計 十四　湿度計 十五　気圧計 十六　エンジン回転速度計
自動車の排気管から大気中に排出される排出物に含まれる一酸化炭素、炭化水素、窒素酸化物、粒子状物質及び黒煙を測定する第三十六条第六項に規定する基準に係る試験であつて、自動車をシャシダイナモメータに設置して行うもの	一　シャシダイナモメータ 二　送風機 三　運転指示装置 四　車速測定装置 五　風速計 六　風向計 七　惰行時間測定装置又はホイールトルク測定装置 八　排気導入管 九　記録装置 十　試験室 十一　希釈トンネル、希釈排出ガスサンプル流量計、フィルタホルダ、サンプリング吸引ポンプ、秤量室及び秤量計（粒子状物質を測定する場合に限る。） 十二　定容量採取装置 十三　排出ガス分析計 十四　標準ガス 十五　黒煙測定器（黒煙を測定する場合に限る。） 十六　オパシメータ（粒子状物質を測定する場合に限る。） 十七　温度計 十八　湿度計 十九　気圧計 二十　エンジン回転速度計

別表第二の三（第三十六条の三関係）

学歴	年数
学校教育法（昭和二十二年法律第二十六号）による大学院若しくは大学（短期大学を除く。）又は旧大学令（大正七年勅令第三百八十八号）による大学（以下「大学等」という。）において機械に関する学科を修得して卒業した者	一年
大学等において機械に関する学科以外の工学に関する学科を修得して卒業した者又は学校教育法による短期大学（同法による専門職大学の前期課程を含む。）若しくは高等専門学校若しくは旧専門学校令（明治三十六年勅令第六十一号）による専門学校（以下「短期大学等」という。）において機械に関する学科を修得して卒業した者（同法による専門職大学の前期課程にあつては、修了した者）	二年
短期大学等において機械に関する学科以外の工学に関する学科を修得して卒業した者（学校教育法による専門職大学の前期課程にあつては、修了した者）又は同法による高等学校若しくは中等教育学校若しくは旧中等学校令（昭和十八年勅令第三十六号）による実業学校において機械に関する学科を修得して卒業した者	四年

別表第二の四（第三十六条の十七関係）

自動車の用途による区分	分類番号
1　貨物の運送の用に供する自動車	40から49まで、400から499まで、600から699まで、40Ａから49Ｚまで、60Ａから69Ｚまで、４Ａ０から４Ｚ９まで、６Ａ０から６Ｚ９まで、４ＡＡから４ＺＺまで及び６ＡＡから６ＺＺまで
2　人の運送の用に供する自動車	50から59まで、500から599まで、700から799まで、50Ａから59Ｚまで、70Ａから79Ｚまで、５Ａ０から５Ｚ９まで、７Ａ０から７Ｚ９まで、５ＡＡから５ＺＺまで及び７ＡＡから７ＺＺまで
3　散水自動車、広告宣伝用自動車、霊きゆう自動車その他特種の用途に供する自動車	80から89まで、800から899まで、80Ａから89Ｚまで、８Ａ０から８Ｚ９まで及び８ＡＡから８ＺＺまで

別表第二の五（第三十六条の十七関係）

自動車の区分	平仮名及びローマ字
1　事業用自動車	りれ
2　自家用自動車（次号及び第４号に規定するものを除く。）	あいうえかきくけこさすせそたちつてとなにぬねのはひふほまみむめもやゆよらるろを
3　道路運送法施行規則第52条の規定により受けた許可に係る自家用自動車	わ
4　日本国籍を有しない者が所有する自家用自動車で、法令の規定により関税又は消費税が免除されているもの	ＡＢ

別表第三（第三十六条の十八関係）

自動車の区分	平仮名及びローマ字
1　事業用自動車	ゆりれ
2　自家用自動車（次号及び第４号に規定するものを除く。）	(1)　次に掲げる文字 あいうえかきくけこさすせそたちつてとなにぬねのはひふほまみむめもやらるを (2)　次に掲げる文字をその順序により組み合わせたもの イ　ＣＬＶ ロ　(1)に掲げる文字
3　道路運送法施行規則第52条の規定により受けた許可に係る自家用自動車	ろわ
4　日本国籍を有しない者が所有する自家用自動車で、法令の規定により関税又は消費税が免除されているもの及び別に国土交通大臣が指定するもの	ＡＢＥＨＫＭＴＹよ

別表第四（第五十七条関係）

特定整備の種類 事業の種類	対象とする自動車の種類	対象とする整備の種類	対象とする装置の種類	屋内作業場の規模の基準 車両整備作業場 間口	車両整備作業場 奥行	部品整備作業場	点検作業場 間口	点検作業場 奥行	電子制御装置点検整備作業場の規模の基準（括弧内は屋内の規模の基準） 間口	電子制御装置点検整備作業場 奥行	車両置場の規模の基準 間口	車両置場 奥行
普通自動車特定整備事業	普通自動車（車両総重量が8トン以上のもの、最大積載量が5トン以上のもの又は乗車定員が30人以上のものに限る。）	分解整備	原動機	5メートル以上	13メートル以上	12平方メートル以上	5メートル以上	13メートル以上			3.5メートル以上	11メートル以上
			動力伝達装置	5メートル以上	12メートル以上	7平方メートル以上	5メートル以上	12メートル以上				
			走行装置									
			操縦装置									
			制動装置									
			緩衝装置									
			連結装置	3.5メートル以上	12.5メートル以上	7平方メートル以上	3.5メートル以上	12.5メートル以上				
		電子制御装置整備	運行補助装置						5メートル以上（5メートル以上）	16メートル以上（7メートル以上）		
			自動運行装置									
	普通自動車（最大積載量が2トンを超えるもの又は乗車定員が11人以上のものに限り、上欄に掲げるものを除く。）	分解整備	原動機	5メートル以上	10メートル以上	12平方メートル以上	5メートル以上	10メートル以上			3.5メートル以上	8メートル以上
			動力伝達装置	5メートル以上	9メートル以上	7平方メートル以上	5メートル以上	9メートル以上				
			走行装置									
			操縦装置									
			制動装置									
			緩衝装置									
			連結装置	3.5メートル以上	9.5メートル以上	7平方メートル以上	3.5メートル以上	9.5メートル以上				
		電子制御装置整備	運行補助装置						3メートル以上（3メートル以上）	13メートル以上（7メートル以上）		
			自動運行装置									
	大型特殊自動車	分解整備	原動機	5メートル以上	10メートル以上	12平方メートル以上	5メートル以上	10メートル以上				
			動力伝達装置	5メートル以上	9メートル以上	7平方メートル以上	5メートル以上	9メートル以上				
			走行装置									
			操縦装置									
			制動装置									

			緩衝装置									
			連結装置	3.5メートル以上	9.5メートル以上	7平方メートル以上	3.5メートル以上	9.5メートル以上				
	普通自動車（貨物の運送の用に供するもの又は散水自動車、広告宣伝用自動車、霊きゅう自動車その他特種の用途に供するものに限り、上三欄に掲げるものを除く。）	分解整備	原動機	4.5メートル以上	8メートル以上	10平方メートル以上	4.5メートル以上	8メートル以上			3メートル以上	6メートル以上
			動力伝達装置	4.5メートル以上	7メートル以上	6平方メートル以上	4.5メートル以上	7メートル以上				
			走行装置									
			操縦装置									
			制動装置									
			緩衝装置									
			連結装置	3メートル以上	7.5メートル以上	6平方メートル以上	3メートル以上	7.5メートル以上				
		電子制御装置整備	運行補助装置						2.5メートル以上（2.5メートル以上）	7メートル以上（3メートル以上）		
			自動運行装置									
	普通自動車（上四欄に掲げるものを除く。）	分解整備	原動機	4メートル以上	8メートル以上	8平方メートル以上	4メートル以上	8メートル以上			3メートル以上	5.5メートル以上
			動力伝達装置	4メートル以上	6メートル以上	5平方メートル以上	4メートル以上	6メートル以上				
			走行装置									
			操縦装置									
			制動装置									
			緩衝装置									
			連結装置	2.8メートル以上	6.5メートル以上	5平方メートル以上	2.8メートル以上	6.5メートル以上				
		電子制御装置整備	運行補助装置						2.5メートル以上（2.5メートル以上）	6メートル以上（3メートル以上）		
			自動運行装置									
小型自動車特定整備事業	四輪の小型自動車	分解整備	原動機	4メートル以上	8メートル以上	8平方メートル以上	4メートル以上	8メートル以上			3メートル以上	5.5メートル以上
			動力伝達装置	4メートル以上	6メートル以上	5平方メートル以上	4メートル以上	6メートル以上				
			走行装置									
			操縦装置									
			制動装置									
			緩衝装置									
			連結装置	2.8メートル以上	6.5メートル以上	5平方メートル以上	2.8メートル以上	6.5メートル以上				

	電子制御装置整備	運行補助装置 自動運行装置						2.5メートル以上(2.5メートル以上)	6メートル以上(3メートル以上)		
三輪の小型自動車	分解整備	原動機	4メートル以上	8メートル以上	8平方メートル以上	4メートル以上	8メートル以上			3メートル以上	5.5メートル以上
		動力伝達装置 走行装置 操縦装置 制動装置 緩衝装置	4メートル以上	6メートル以上	5平方メートル以上	4メートル以上	6メートル以上				
		連結装置	2.8メートル以上	6.5メートル以上	5平方メートル以上	2.8メートル以上	6.5メートル以上				
	電子制御装置整備	運行補助装置 自動運行装置						2.5メートル以上(2.5メートル以上)	6メートル以上(3メートル以上)		
二輪の小型自動車	分解整備	原動機 動力伝達装置 走行装置	3メートル以上	3.5メートル以上	4平方メートル以上	3メートル以上	3.5メートル以上			2メートル以上	2.5メートル以上

		操縦装置 制動装置 緩衝装置 連結装置									
軽自動車特定整備事業											
軽自動車	分解整備	原動機	3.5メートル以上	5メートル以上	6.5平方メートル以上	3.5メートル以上	5メートル以上			2.5メートル以上	3.5メートル以上
		動力伝達装置 走行装置 操縦装置 制動装置 緩衝装置	3.5メートル以上	4.4メートル以上	4.5平方メートル以上	3.5メートル以上	4.4メートル以上				
		連結装置	2.5メートル以上	4.7メートル以上	4.5平方メートル以上	2.5メートル以上	4.7メートル以上				
	電子制御装置整備	運行補助装置 自動運行装置						2メートル以上(2メートル以上)	5.5メートル以上(4メートル以上)		

備考
　二以上の種類の特定整備を行う事業場の屋内作業場、電子制御装置点検整備作業場及び車両置場の規模は、該当する特定整備の種類ごとに定められている基準のすべてに適合するものでなければならない。

別表第五（第五十七条関係）

区分	作業機械等	分解整備：原動機	分解整備：動力伝達装置	分解整備：走行装置	分解整備：操縦装置	分解整備：制動装置	分解整備：緩衝装置	分解整備：連結装置	電子制御装置整備：運行補助装置	電子制御装置整備：自動運行装置	
作業機械	(1) プレス	○	○	○	○	○	○	○			小型自動車特定整備事業で対象とする自動車が二輪の小型自動車であるものにあつては、第1号、第3号及び第4号に掲げるものを除く。
	(2) エア・コンプレッサ	○	○	○	○	○	○	○			
	(3) チェーン・ブロック	○						○			
	(4) ジャッキ	○	○	○	○	○	○				
	(5) バイス	○	○	○	○	○	○	○			
	(6) 充電器	○									
作業計器	(1) ノギス	○	○	○	○	○	○	○			
	(2) トルク・レンチ	○	○	○	○	○	○	○			
	(3) 水準器								○	○	
点検計器及び点検装置	(1) サーキット・テスタ	○	○	○	○	○	○	○			1　普通自動車特定整備事業で対象とする自動車がカタピラを有する大型特殊自動車であるものにあつては、第9号から第12号までに掲げるものを除く。 2　小型自動車特定整備事業で対象とする自動車が三輪の小型自動車及び二輪の小型自動車であるもの並びに三輪の小型自動車であるものにあつては、第9号から第11号までに掲げるものを、二輪の小型自動車であるものにあつては、第9号から第11号まで及び第13号に掲げるものを除く。 3　ガソリン又は液化石油ガスを燃料とする原動機の点検を行わない事業場にあつては、第6号、第14号及び第15号に掲げるものを、内燃機関の点検を行わない事業場にあつては、第3号、第6号、第14号及び第15号
	(2) 比重計	○									
	(3) コンプレッション・ゲージ	○									
	(4) ハンディ・バキューム・ポンプ	○	○		○	○					
	(5) エンジン・タコ・テスタ	○	○		○						
	(6) タイミング・ライト	○									
	(7) シックネス・ゲージ	○	○	○	○	○		○			
	(8) ダイヤル・ゲージ	○	○	○	○	○	○				
	(9) トーイン・ゲージ			○	○		○				
	(10) キャンバ・キャスタ・ゲージ			○	○		○				
	(11) ターニング・ラジアス・ゲージ			○	○		○				
	(12) タイヤ・ゲージ			○							
	(13) 検車装置	○	○	○	○	○	○				
	(14) 一酸化炭素測定器	○									
	(15) 炭化水素測定器	○									
	(16) 整備用スキャンツール								○	○	

											号に掲げるものを除く。
工具	(1) ホイール・プーラ			○		○					小型自動車特定整備事業で対象とする自動車が二輪の小型自動車であるものにあつては、第1号及び第2号に掲げるものを除く。
	(2) ベアリング・レース・プーラ		○	○		○					
	(3) グリース・ガン又はシャシ・ルブリケータ	○	○	○	○	○	○	○			
	(4) 部品洗浄槽	○	○	○	○	○	○	○			

備考

○印は、対象とする装置の種類の項に掲げる装置を対象とする特定整備を行う事業場が当該各欄に掲げる作業機械等をそれぞれ備えなければならないことを示す。

第一号様式（自動車登録番号標）（第十一条関係）

（その一）

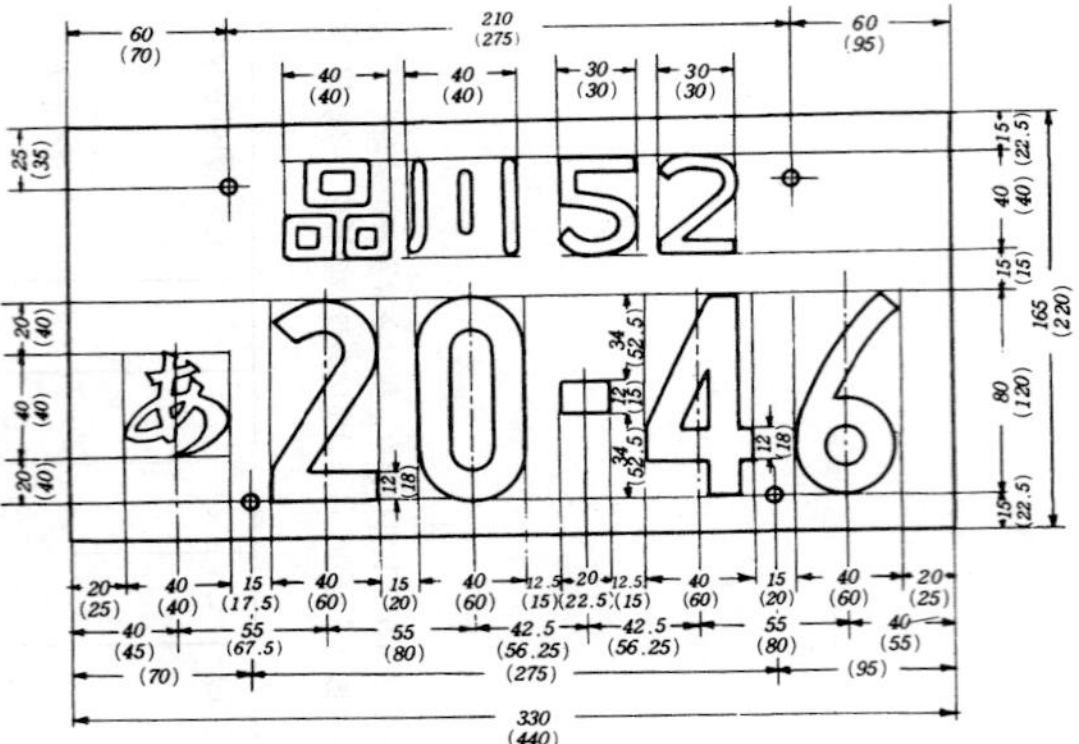

（その二）

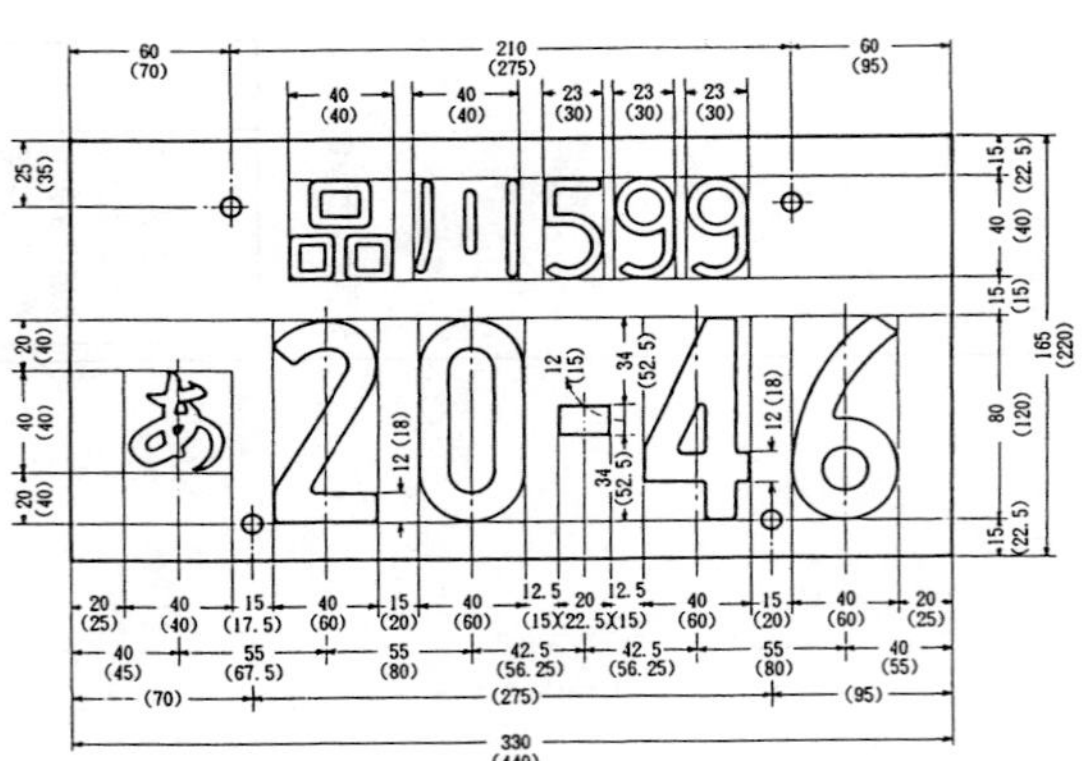

（その三）

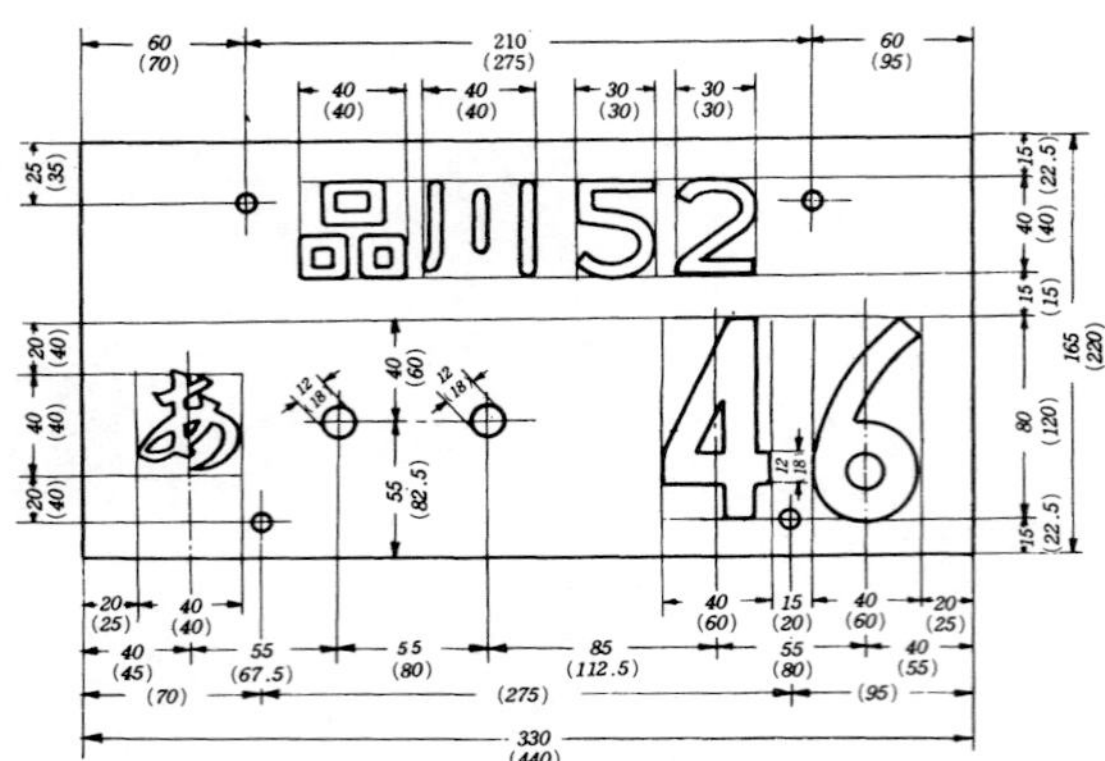

（その四）

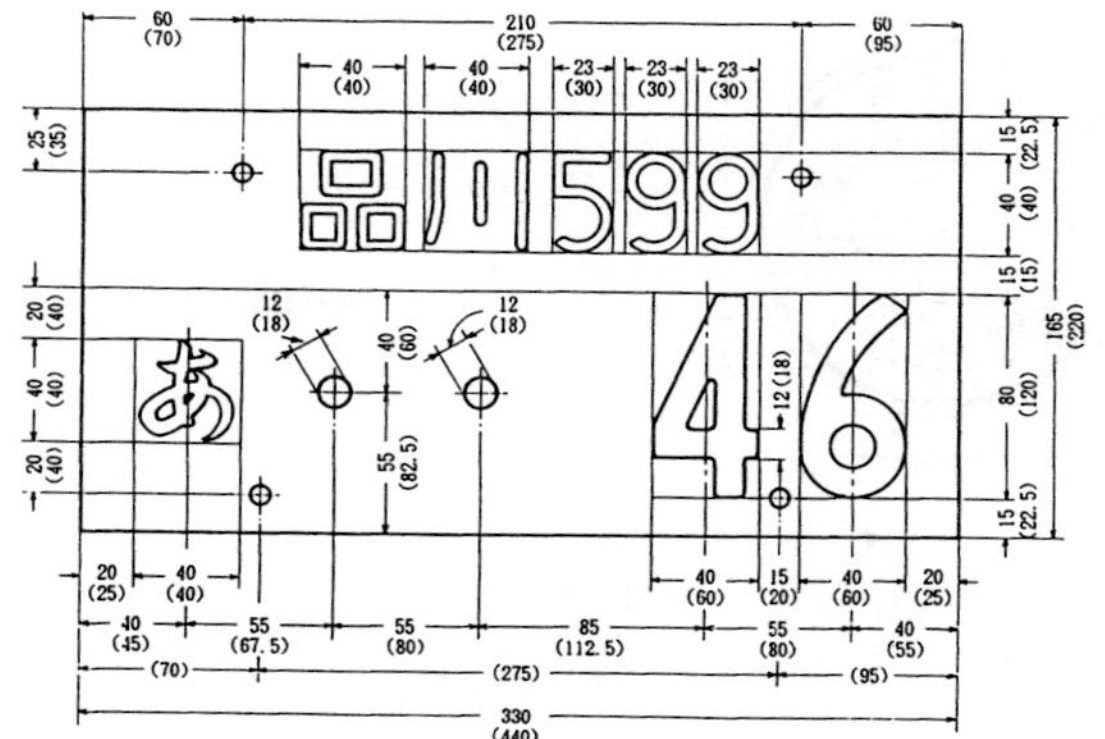

備　考

(1)　自動車登録番号は、図示の例により表示すること。この場合において、数字が四けたであるときは図（その一）又は図（その二）、数字が三けた以下であるときは図（その三）又は図（その四）の例によること。

(2)　自動車登録番号は、浮出しとすること。

(3)　自動車登録番号標の塗色は、事業用自動車にあつては緑地に白文字とし、自家用自動車にあつては白地に緑文字とするほか、国土交通大臣の定めるところによる。

(4)　運輸監理部、運輸支局又は自動車検査登録事務所を表示する文字が三文字の場合（(5)に規定する場合以外の場合であつて、自動車の種別及び用途による分類番号（以下この備考において「分類番号」という。）が一けたであるときを除く。）は、当該文字の横の長さは30ミリメートルとすること。ただし、普通自動車であつて、車両総重量が8,000キログラム以上のもの、最大積載量が5,000キログラム以上のもの又は乗車定員が30人以上のものに取り付ける自動車登録番号標については、この限りでない。

(5)　運輸監理部、運輸支局又は自動車検査登録事務所を表示する文字が三文字の場合（第二文字目がケであるときに限る。）は、当該ケの縦の長さは33ミリメートル、横の長さは28ミリメートルとし、それ以外の文字の横の長さは30ミリメートルとすること。ただし、(4)ただし書に規定する自動車に取り付ける自動車登録番号標については、当該ケの縦の長さは35ミリメートル、横の長さは30ミリメートルとし、それ以外の文字の横の長さは40ミリメートルとすること。

(6)　運輸監理部、運輸支局又は自動車検査登録事務所を表示する文字が四文字の場合は、当該文字の横の長さは分類番号が二字であるときは27ミリメートル、分類番号が三字であるときは22ミリメートルとし、分類番号を表示するアラビア数字又はローマ字の横の長さは分類番号が二字であるときは27ミリメートル、分類番号が三字であるときは23ミリメートルとすること。ただし、(4)ただし書に規定する自動車に取り付ける自動車登録番号標については、運輸監理部、運輸支局又は自動車検査登録事務所を表示する文字の横の長さは分類番号が二字であるときは35ミリメートル、分類番号が三字であるときは33ミリメートルとし、分類番号を表示するアラビア数字又はローマ字の横の長さは30ミリメートルとすること。

(7)　寸法の単位は、「ミリメートル」とする。この場合において、括弧内に示す寸法は、(4)ただし書に規定する自動車に取り付ける自動車登録番号標における寸法とする。

第一号様式の二（自動車登録番号標）（第十一条関係）

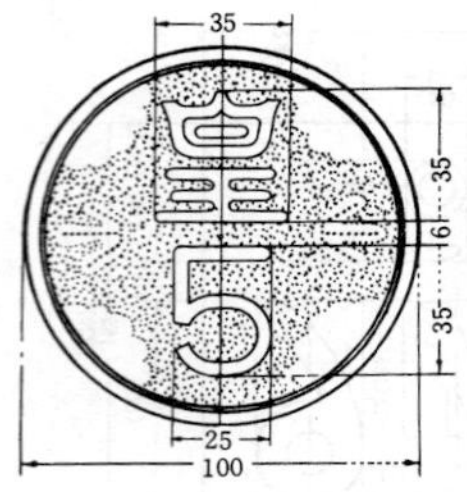

備　考

(1)　自動車登録番号は、図示の例により、上段の「皇」及び下段の数字をもつて表示すること。

(2)　自動車登録番号標は、梨地に図示の紋様を配し、自動車登録番号は、浮出しとすること。

(3)　自動車登録番号標の塗色は、銀色地に金文字とすること。

(4)　文字は、幅4ミリメートルとすること。

(5)　寸法の単位は、「ミリメートル」とする。

第一号様式の三（封印取付受託者の標識）（第十四条関係）

○○運輸監理部長又は○○運輸支局長委託 封　印　取　付　受　託　者	
氏名又は名称	
取付けをする 自動車の範囲	

30センチメートル

40センチメートル

第一号様式の四（特定記録等事務代行者の標識）（第四十九条の八関係）

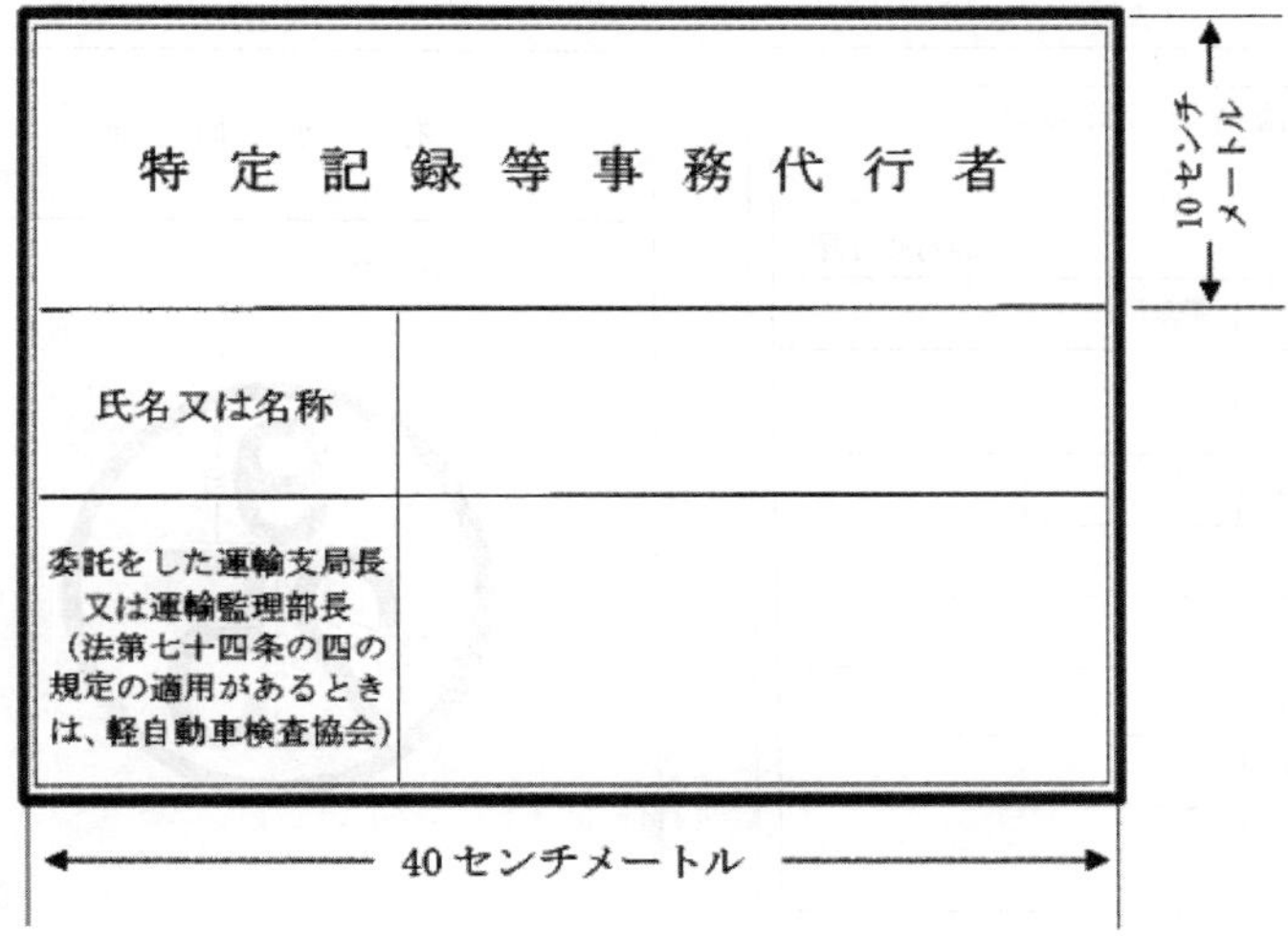

特定記録等事務代行者
氏名又は名称
委託をした運輸支局長
又は運輸監理部長
（法第七十四条の四の
規定の適用があるとき
は、軽自動車検査協会）
10センチメートル
40センチメートル

第一号様式の五（特定変更記録事務代行者の標識）（第四十九条の二十二関係）

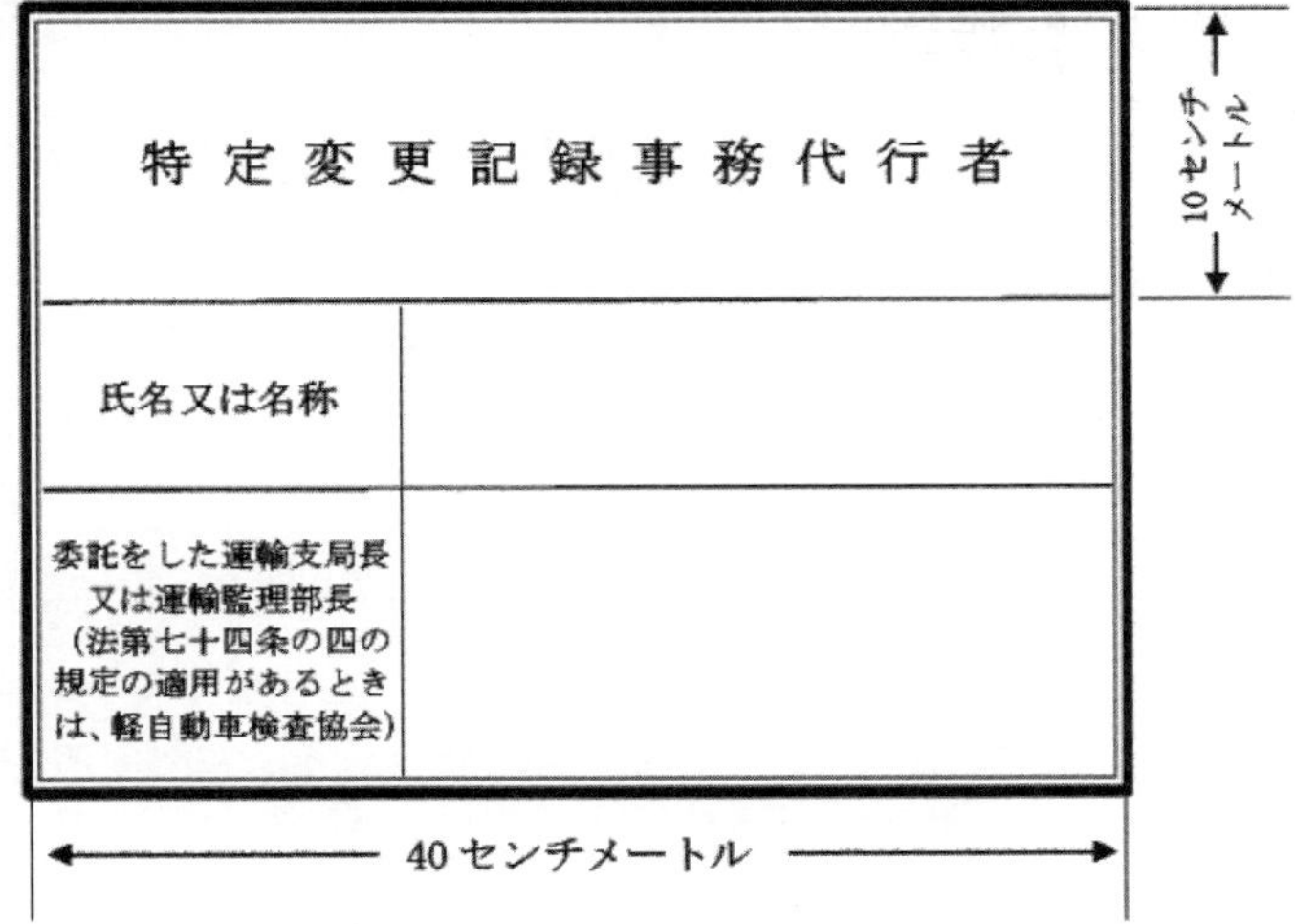

特定変更記録事務代行者
氏名又は名称
委託をした運輸支局長
又は運輸監理部長
（法第七十四条の四の
規定の適用があるとき
は、軽自動車検査協会）
10センチメートル
40センチメートル

第二号様式（臨時運行許可証）（第二十五条関係）

（表）

臨時運行許可証
許可番号　第　　号
年　月　日
当該行政庁印

臨時運行許可番号標番号	
許可を受けた者の氏名又は名称及び住所	
車名	
形状	
車台番号	
運行の目的	
運行の経路	
備考	

（裏）

有　効　期　間

月　日から

9
25
20
32
35
35

まで

（日本産業規格Ａ列６番）

備　考
(1)　形状欄には、「バス」「乗用車」「トラック」「側２」「２輪」「工作車」「ロード・ローラ」等と記載すること。
(2)　裏面の円枠（わく）及び円枠（わく）内の数字は、赤色とすること。
(3)　有効期間は、図示の例により表示すること。
(4)　寸法の単位は、「ミリメートル」とする。

第三号様式（臨時運行許可番号標）（第二十五条関係）

（その一）

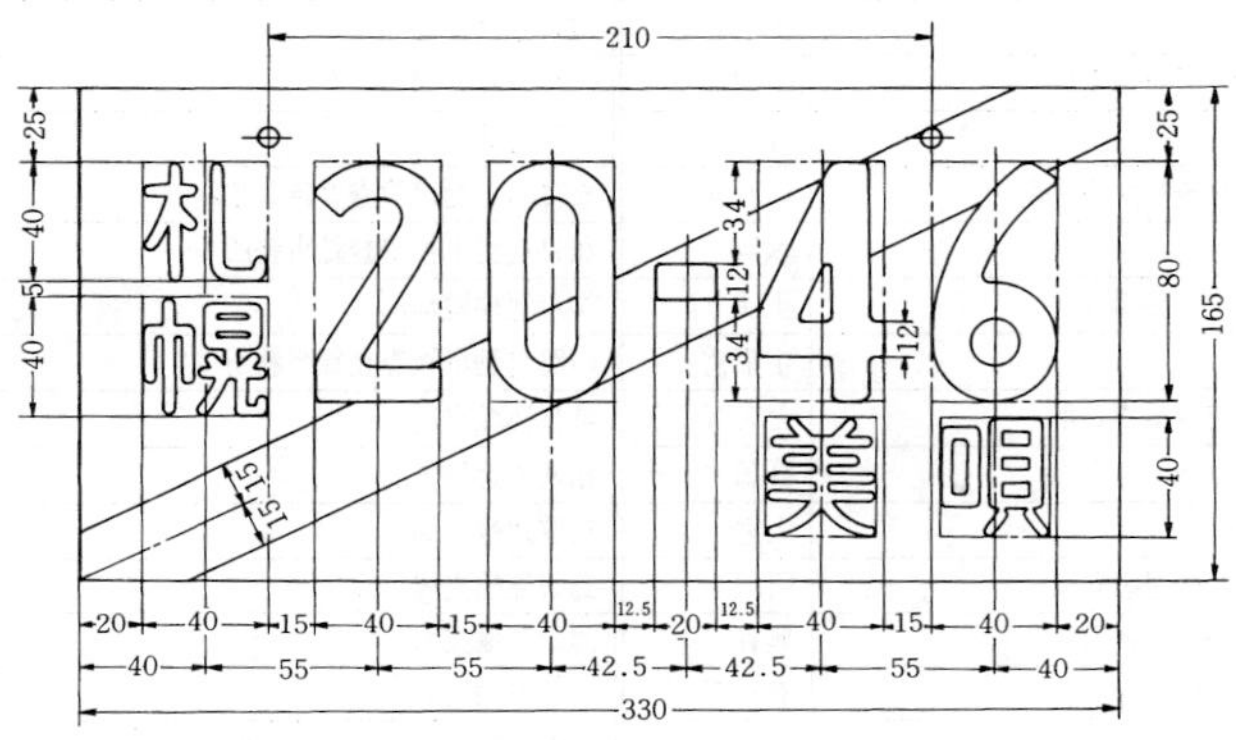

（その二）

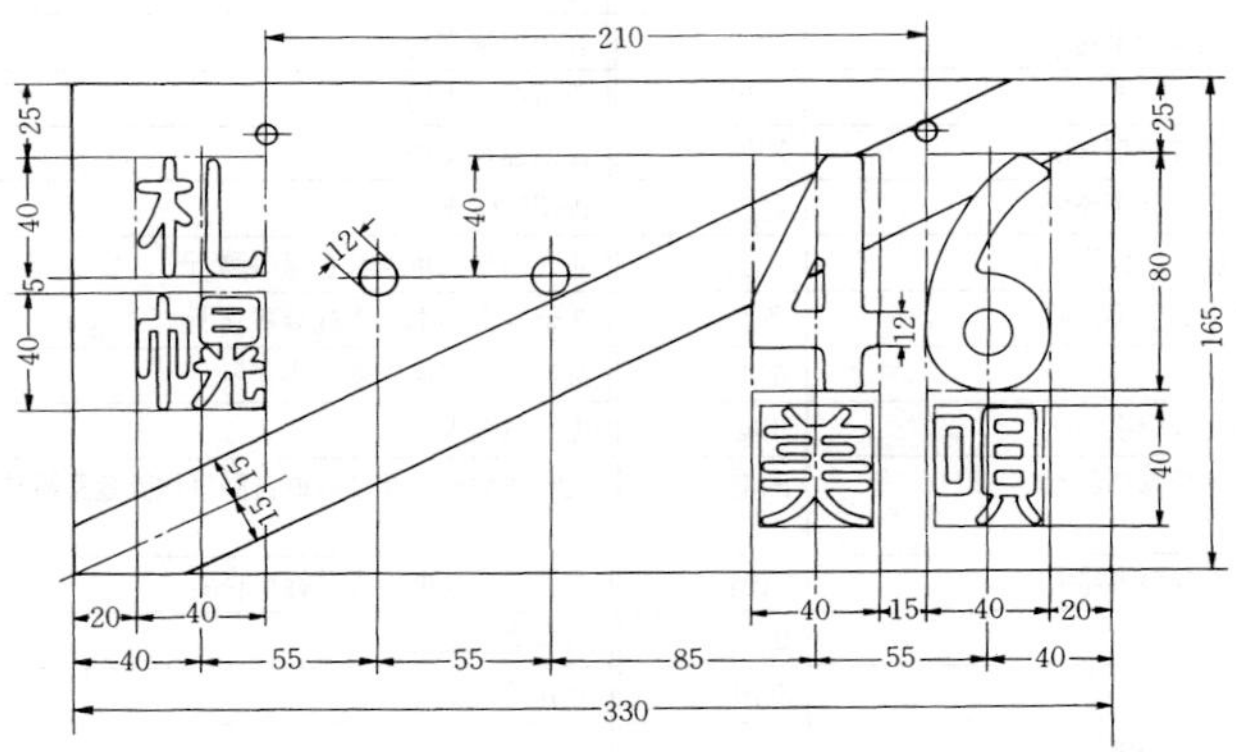

備　考

(1)　臨時運行許可番号標には、図示の例により、運輸監理部、運輸支局又は自動車検査登録事務所を表示する文字、四けた以下の数字、斜線及び当該行政庁名を表示すること。この場合において、数字が四けたであるときは図（その一）、数字が三けた以下であるときは図（その二）の例によること。ただし、運輸監理部長又は運輸支局長が貸与する臨時運行許可番号標には、当該行政庁名の表示をしないこと。

(2)　運輸監理部、運輸支局又は自動車検査登録事務所の表示については、次の表によること。

運輸監理部、運輸支局又は自動車検査登録事務所	表示する文字	運輸監理部、運輸支局又は自動車検査登録事務所	表示する文字
札幌運輸支局	札幌	松本自動車検査登録事務所	松本
函館運輸支局	函館	福井運輸支局	福井
旭川運輸支局	旭川	岐阜運輸支局	岐阜
室蘭運輸支局	室蘭	飛騨自動車検査登録事務所	飛騨
釧路運輸支局	釧路	静岡運輸支局	静岡
帯広運輸支局	帯広	浜松自動車検査登録事務所	浜松
北見運輸支局	北見	沼津自動車検査登録事務所	沼津
青森運輸支局	青森	愛知運輸支局	名古屋
八戸自動車検査登録事務所	八戸	豊橋自動車検査登録事務所	豊橋
岩手運輸支局	岩手	西三河自動車検査登録事務所	三河

宮城運輸支局	宮城	小牧自動車検査登録事務所	尾張小牧
秋田運輸支局	秋田	三重運輸支局	三重
山形運輸支局	山形	滋賀運輸支局	滋賀
庄内自動車検査登録事務所	庄内	京都運輸支局	京都
福島運輸支局	福島	大阪運輸支局	大阪
いわき自動車検査登録事務所	いわき	なにわ自動車検査登録事務所	なにわ
茨城運輸支局	水戸	和泉自動車検査登録事務所	和泉
土浦自動車検査登録事務所	土浦	神戸運輸監理部	神戸
栃木運輸支局	宇都宮	姫路自動車検査登録事務所	姫路
佐野自動車検査登録事務所	とちぎ	奈良運輸支局	奈良
群馬運輸支局	群馬	和歌山運輸支局	和歌山
埼玉運輸支局	大宮	鳥取運輸支局	鳥取
所沢自動車検査登録事務所	所沢	島根運輸支局	島根
熊谷自動車検査登録事務所	熊谷	岡山運輸支局	岡山
春日部自動車検査登録事務所	春日部	広島運輸支局	広島
千葉運輸支局	千葉	福山自動車検査登録事務所	福山
習志野自動車検査登録事務所	習志野	山口運輸支局	山口
袖ヶ浦自動車検査登録事務所	袖ヶ浦	徳島運輸支局	徳島
野田自動車検査登録事務所	野田	香川運輸支局	香川
東京運輸支局	品川	愛媛運輸支局	愛媛
練馬自動車検査登録事務所	練馬	高知運輸支局	高知
足立自動車検査登録事務所	足立	福岡運輸支局	福岡
八王子自動車検査登録事務所	八王子	北九州自動車検査登録事務所	北九州
多摩自動車検査登録事務所	多摩	久留米自動車検査登録事務所	久留米
神奈川運輸支局	横浜	筑豊自動車検査登録事務所	筑豊
川崎自動車検査登録事務所	川崎	佐賀運輸支局	佐賀
湘南自動車検査登録事務所	湘南	長崎運輸支局及び厳原自動車検査登録事務所	長崎
相模自動車検査登録事務所	相模	佐世保自動車検査登録事務所	佐世保
山梨運輸支局	山梨	熊本運輸支局	熊本
新潟運輸支局	新潟	大分運輸支局	大分
長岡自動車検査登録事務所	長岡	宮崎運輸支局	宮崎
富山運輸支局	富山	鹿児島運輸支局	鹿児島
石川運輸支局	石川	奄美自動車検査登録事務所	奄美
長野運輸支局	長野	沖縄総合事務局陸運事務所、宮古運輸事務所及び八重山運輸事務所	沖縄

⑶　文字は、浮出しとすること。ただし、当該行政庁名を表示する文字は、浮出しとしないことができる。

⑷　臨時運行許可番号標の塗色は、白地に黒文字とし、斜線は赤色とすること。

⑸　運輸監理部、運輸支局又は自動車検査登録事務所を表示する文字が三文字の場合（第二文字目がケであるときに限る。）は、当該ケの縦の長さは35ミリメートル、横の長さは30ミリメートルとすること。

⑹　運輸監理部、運輸支局又は自動車検査登録事務所を表示する文字が四文字の場合は、当該文字の縦の長さは27ミリメートル、横の長さは30ミリメートルとすること。

⑺　寸法の単位は、「ミリメートル」とする。

⑻　第一号様式（自動車登録番号標）備考⑷たゞし書の自動車に取り付ける臨時運行許可番号標にあつては、取付孔の間隔は、275ミリメートルとすること。

第四号様式（回送運行許可証）（第二十六条の六関係）

（表）

<table>
<tr><td colspan="2">回送運行許可証
交付番号　第　　　　号
年　　月　　日
運輸監理部長又は運輸支局長 印</td></tr>
<tr><td>回送運行許可番号標の番号</td><td></td></tr>
<tr><td>交付を受けた者の氏名又は名称及び住所</td><td></td></tr>
<tr><td>営業所の名称及び所在地</td><td></td></tr>
<tr><td>回送の目的</td><td></td></tr>
<tr><td>備　　考</td><td></td></tr>
</table>

（裏）

（日本産業規格Ａ列６番）

備　考

(1) 有効期間は、図示の例により表示すること。
(2) 裏面の円枠及び円枠内の数字は、赤色とすること。
(3) 寸法の単位は、ミリメートルとする。

第五号様式（回送運行許可番号標）（第二十六条の六関係）

（その一）

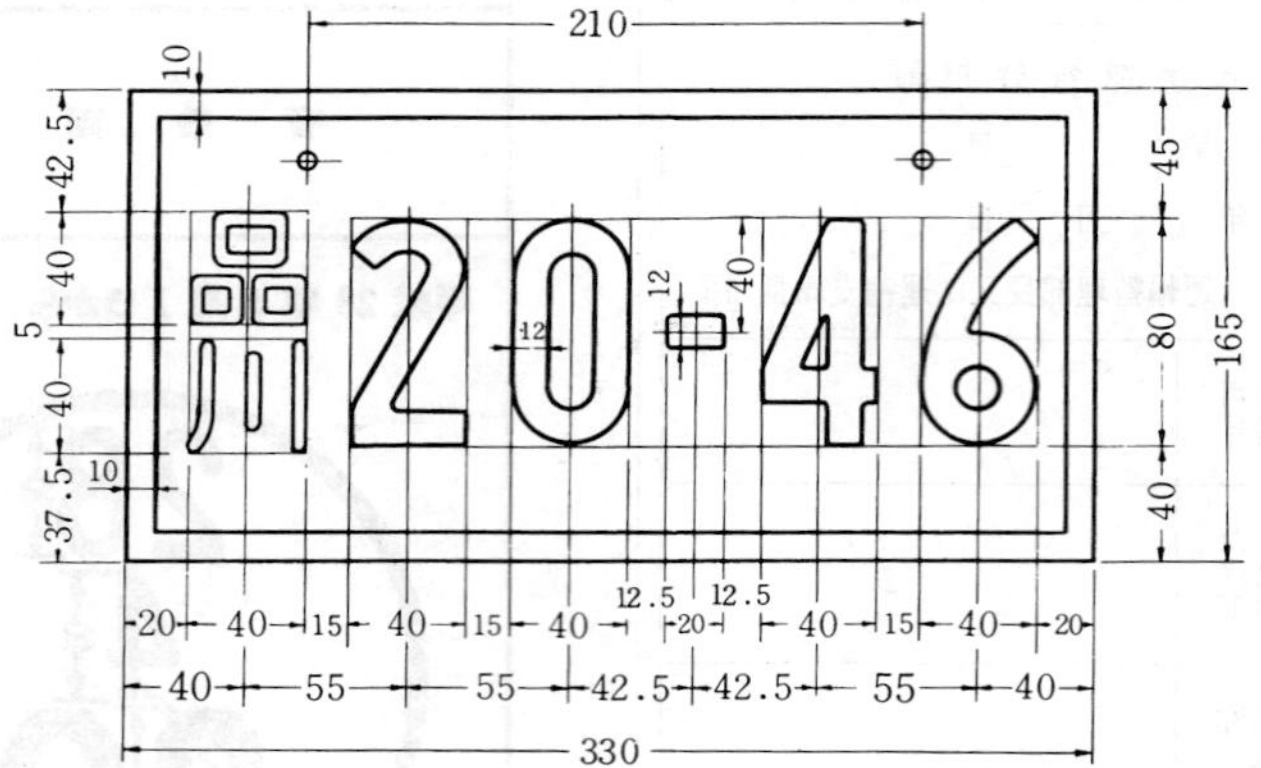

（その二）

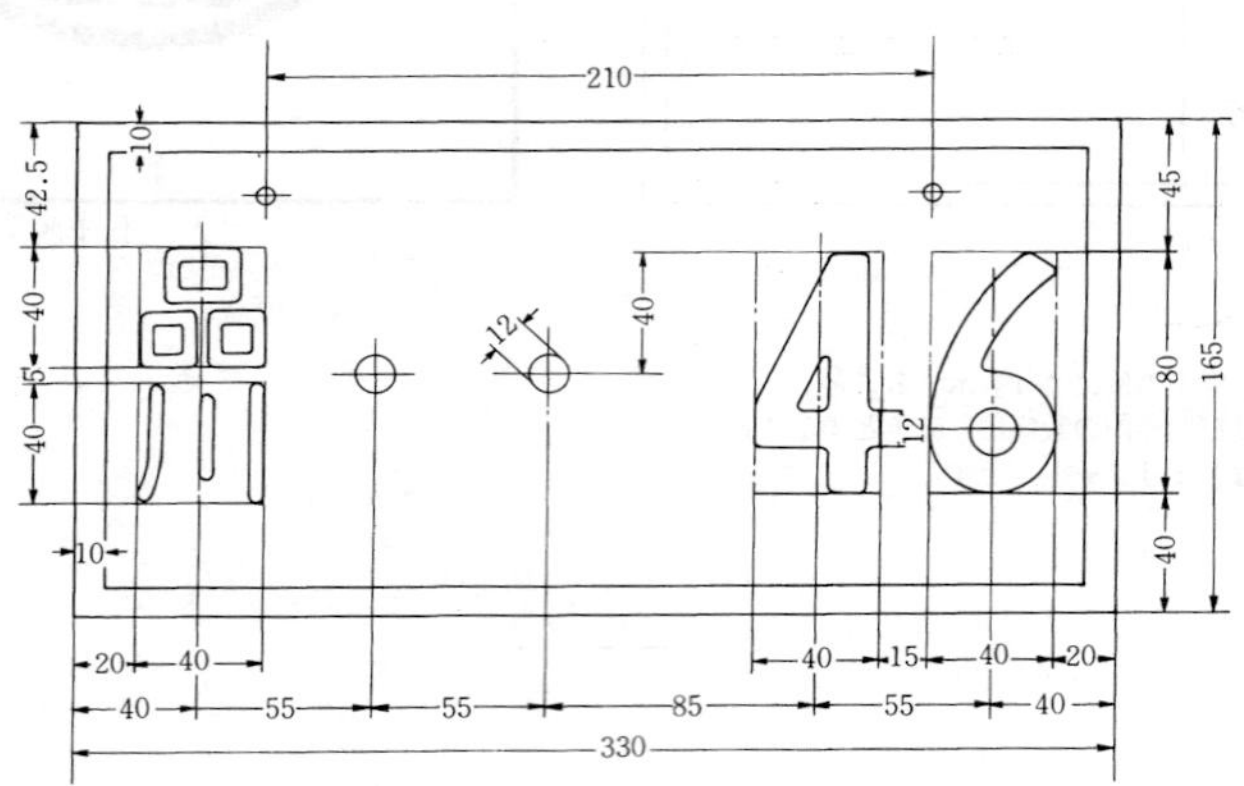

備　考

(1)　回送運行許可番号標には、図示の例により、運輸監理部、運輸支局又は自動車検査登録事務所を表示する文字、四けた以下の数字及び枠を表示すること。この場合において、数字が四けたであるときは図（その一）、数字が三けた以下であるときは図（その二）の例によること。

(2)　運輸監理部、運輸支局又は自動車検査登録事務所の表示については、第三号様式備考(2)の表の例によること。

(3)　回送運行許可番号標の塗色は、白地に黒文字とし、枠は赤色とすること。

(4)　回送運行許可番号標の上辺と運輸監理部、運輸支局又は自動車検査登録事務所を表示する文字との間隔は、当該文字が三文字又は四文字の場合は25ミリメートルとすること。

(5)　運輸監理部、運輸支局又は自動車検査登録事務所を表示する文字が三文字の場合（第二文字目がケであるときに限る。）は、当該ケの縦の長さは35ミリメートル、横の長さは30ミリメートルとすること。

(6)　運輸監理部、運輸支局又は自動車検査登録事務所を表示する文字が四文字の場合は、当該文字の縦の長さは27ミリメートル、横の長さは30ミリメートルとすること。

(7)　寸法の単位は、ミリメートルとする。

(8)　第一号様式（自動車登録番号標）備考(4)ただし書の自動車に取り付ける回送運行許可番号標にあつては、取付孔の間隔は、275ミリメートルとすること。

(9)　合成樹脂製の回送運行許可番号標にあつては、取付孔を設けないことができる。

第六号様式（自動車の車台番号等の打刻届出書）（第二十七条関係）

長辺

自動車の車台番号／原動機の型式の打刻届出書

国土交通大臣　　　　　殿

届出者の氏名又は名称

住　所

年　月　日

車名及び型式	
車台／原動機の名称及び型式	
打刻様式	
打刻字体	
打刻位置説明図	
打刻を行う事業場の名称及び所在地	
備考	

短辺　　（日本産業規格A列4番型）

備考

(1) 用紙は、白地とすること。

(2) 打刻様式欄には、打刻の訂正を行う場合の訂正様式をも記載すること。

(3) 打刻字体欄には、使用するすべての打刻字体を押印するか、又は打刻の拓本若しくは打刻と同一寸法の写真若しくは図面をはり付けること。

(4) 自動車の車台番号の打刻届出書にあつては「原動機の型式」及び「原動機」の文字を、自動車の原動機の型式の打刻届出書にあつては「車台番号」及び「車台」の文字をそれぞれ抹消すること。

第七号様式（輸入自動車等の打刻届出書）（第三十一条関係）

輸入自動車等の打刻届出書

国土交通大臣　　　　　　　　殿

届出者の氏名又は名称
住　所

年　　月　　日

車名及び型式		
車台の型式		
原動機の型式		
	車台番号	原動機の型式
打刻様式及び打刻字体		
打刻位置		
備考		

短辺　長辺

（日本産業規格A列4番型）

注　打刻様式及び打刻字体欄には、車台番号又は原動機の型式の拓本をはり付けること。

第七号様式の二（整備命令標章）（第三十四条関係）

（表）

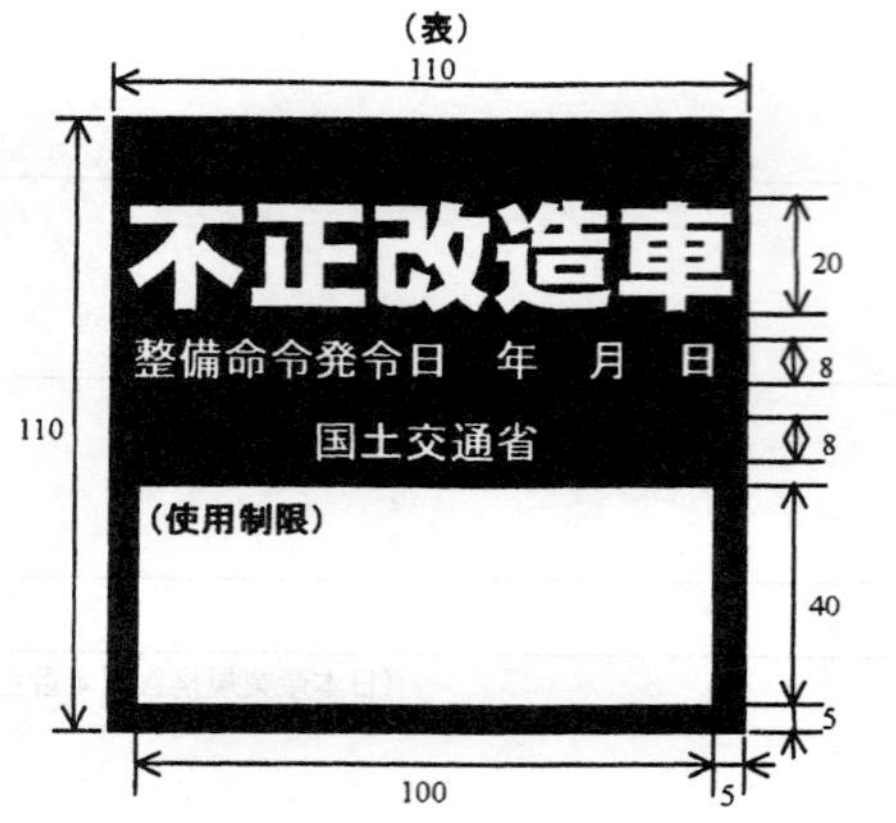

（裏）

注意事項

1　発令日から15日以内に、この自動車を保安基準に適合するよう整備を行った後、最寄りの運輸監理部、運輸支局又は自動車検査登録事務所へ持ち込み、確認を受けてください。
2　上記の確認を受けるまでは、この標章は、はがしたり、汚したりしないようにしてください。
3　使用制限の欄に制限が記載されている場合には、その記載事項に従ってください。
4　上記の事項に違反した場合には、法律に基づき、この自動車の使用が停止されるとともに、罰せられることとなります。

備考
(1)　整備命令標章の地色は、赤色とし、「（使用制限）」を記載する欄は、白色とすること。
(2)　「（使用制限）」の文字の色は、黒色とし、それ以外の文字の色は、黄色とすること。
(3)　寸法の単位は、「ミリメートル」とする。

第八号様式（検査対象外軽自動車臨時検査申請書）（第三十七条の二の二関係）

検　査　対　象　外　軽　自　動　車　臨　時　検　査　申　請　書

年　　月　　日

運輸監理部長又は運輸支局長殿

申請者の氏名又は名称

住　　所

車　名		型　式	
車両番号又は臨時運転番号標の番号			
車　台　番　号			
備　考			

長辺

短辺

（日本産業規格A列5番）

第九号様式（自動車検査証保管証明書）（第四十条関係）

自　動　車　検　査　証　保　管　証　明　書 証明書番号　第　　　　号		
返納した者	氏名または名称	
	住　　所	
返納した自動車検査証の自動車登録番号または車両番号		
返　納　年　月　日		年　　月　　日
備　　考		
以上証明する。 年　　月　　日　　　　　㊞		

（日本産業規格A列5番型）

第十号様式（臨時検査合格標章再交付申請書）（第四十一条関係）

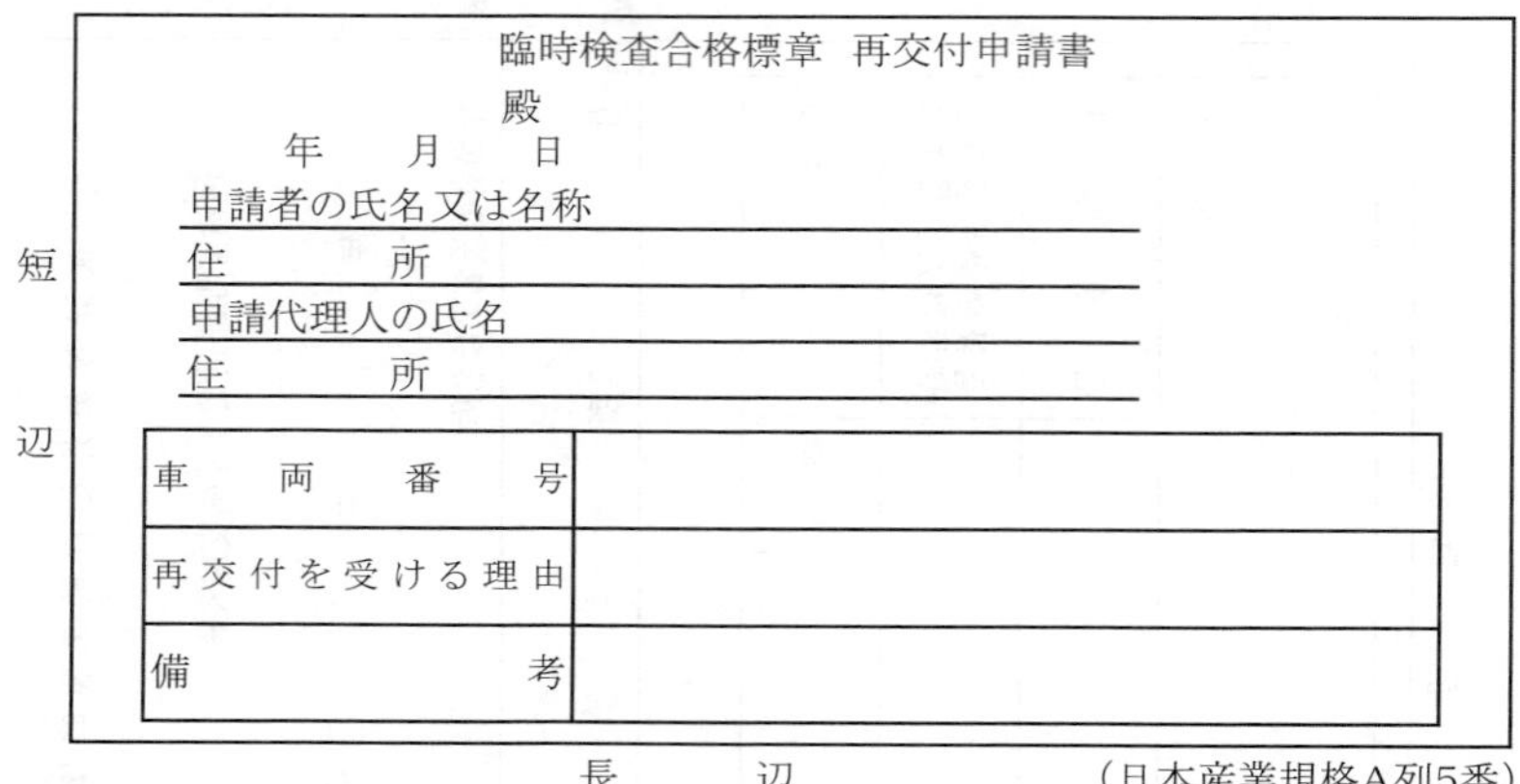

臨時検査合格標章　再交付申請書

殿

年　　月　　日

申請者の氏名又は名称

住　　　所

申請代理人の氏名

住　　　所

車両番号	
再交付を受ける理由	
備考	

短辺

長辺　（日本産業規格A列5番）

注　(1)　不要の文字を抹消すること。

(2)　当該自動車が運転者室及び前面ガラスを有するかどうかの別を備考欄に記載すること。

第十一号様式（臨時検査合格標章）（第四十五条関係）

（その一）

（表）

50　28　18　28　36　50

臨

国土交通省

（裏）

注意事項

1　臨時検査合格標章は、前面ガラスの内側の運転者の視野を妨げない位置に確実にはりつけて下さい。

2　臨時検査合格標章は、ぬらしたり、よごしたりしないように注意して下さい。

車体番号

（その二）

30　17　2　11　17　23　30

臨

国土交通省

注(1)　自動車の前面ガラスにはりつけるものにあつては図（その一）、車両番号標にはりつけるものにあつては図（その二）の例によること。

(2)　寸法の単位は、ミリメートルとする。

第十二号様式（車両番号標）（第四十五条関係）

（その一）

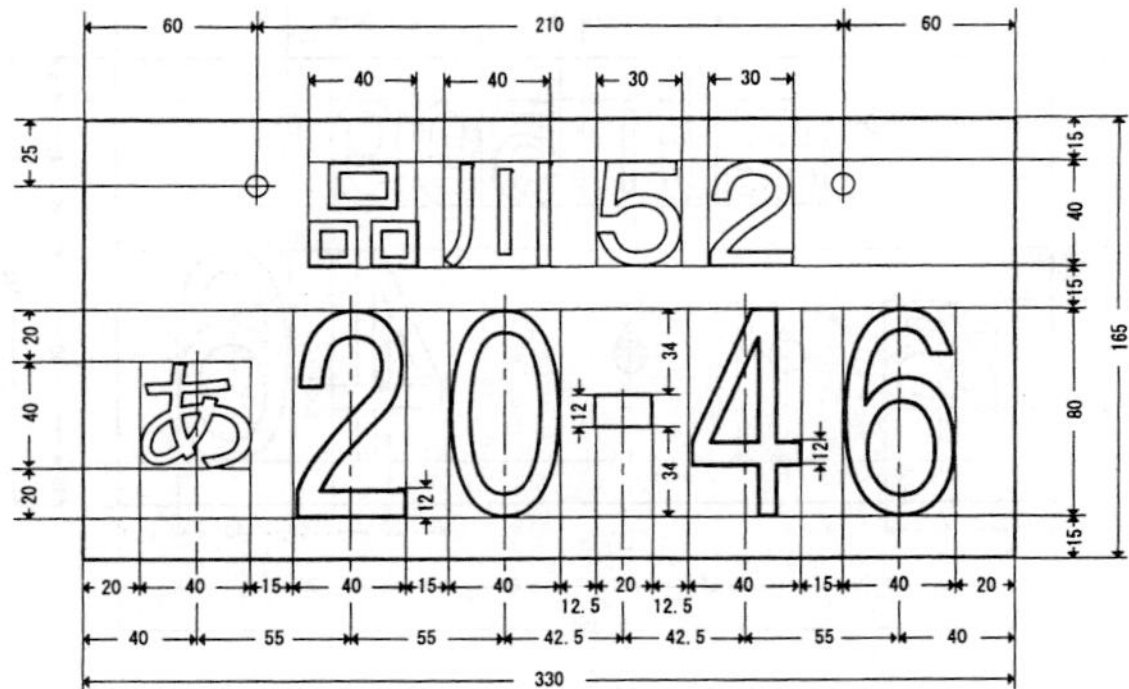

（その二）

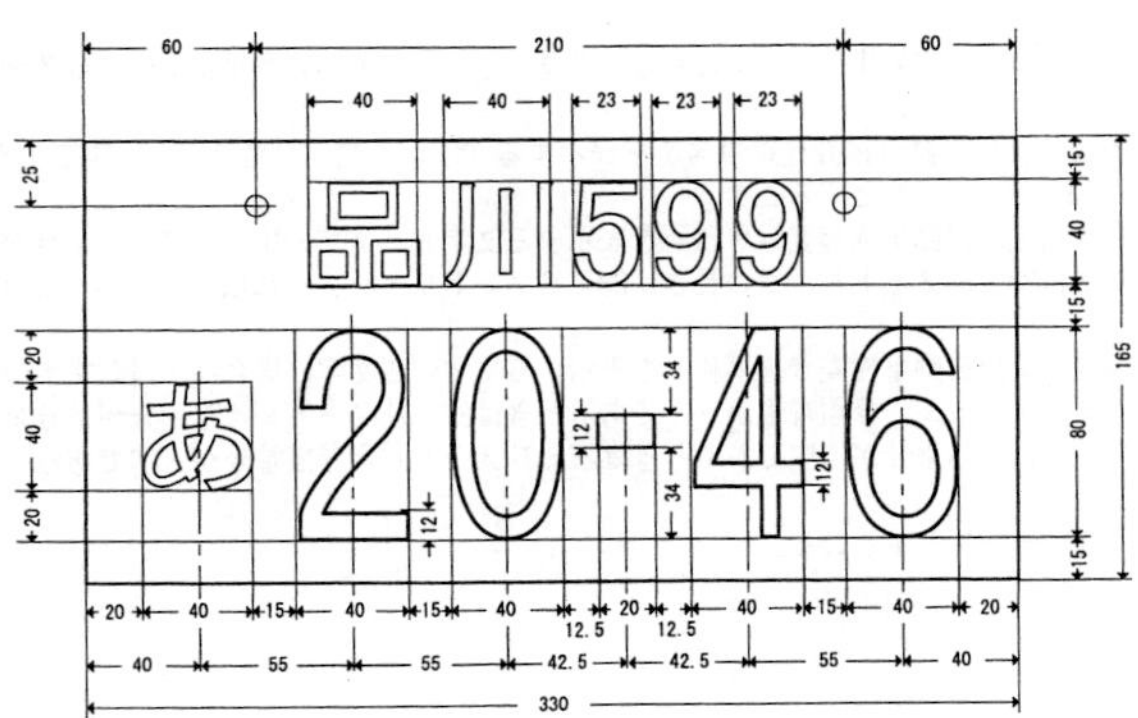

（その三）

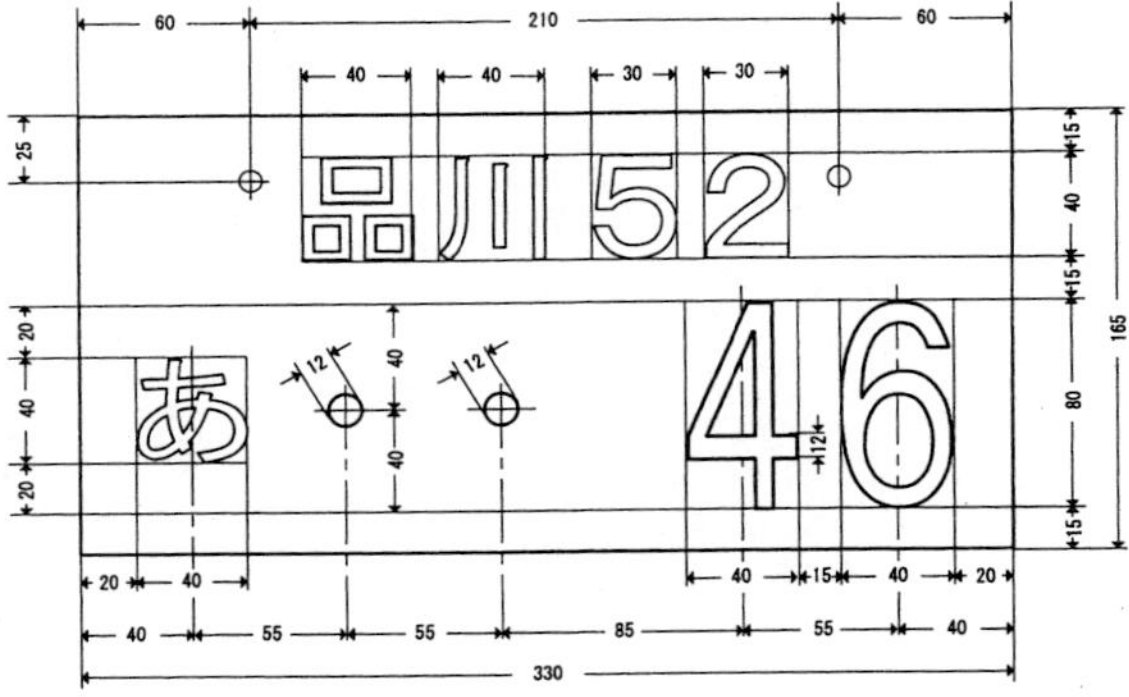

（その四）

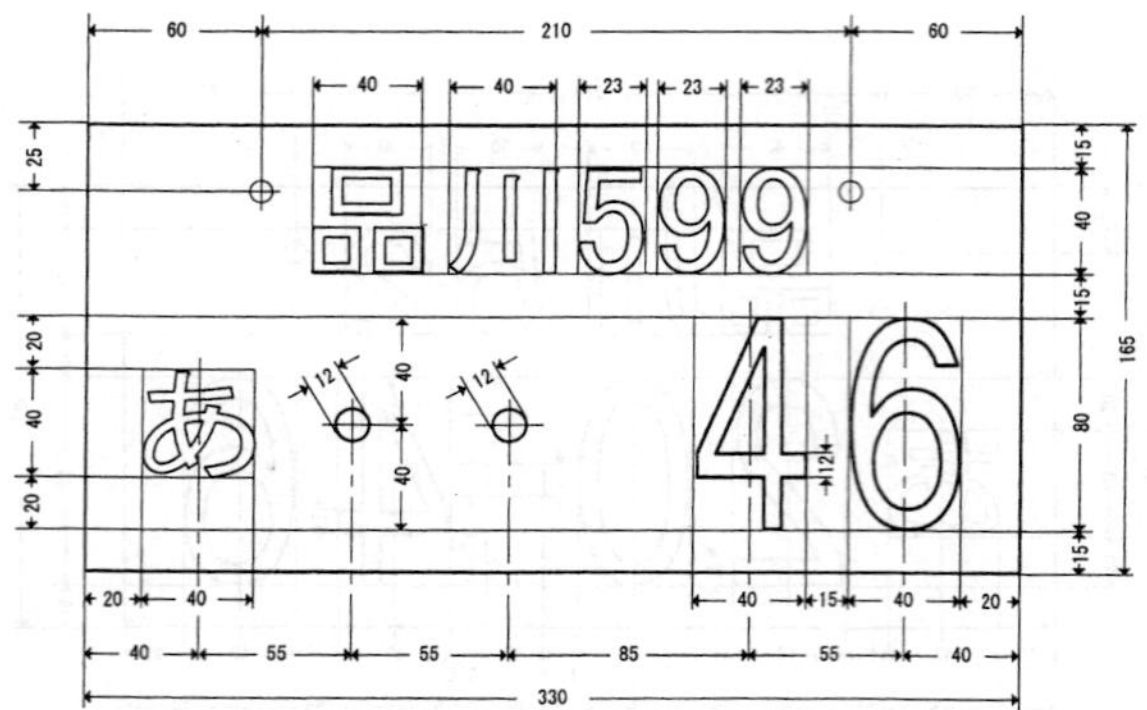

備考

⑴　車両番号は、図示の例により表示すること。この場合において数字が四けたであるときは図（その一）又は図（その二）、数字が三けた以下であるときは図（その三）又は図（その四）の例によること。

⑵　車両番号は、浮出しとすること。

⑶　車両番号標の塗色は、事業用自動車にあつては黒地に黄文字とし、自家用自動車にあつては黄地に黒文字とするほか、国土交通大臣の定めるところによる。

⑷　運輸監理部、運輸支局又は自動車検査登録事務所を表示する文字が三文字の場合（⑸に規定する場合を除く。）は、当該文字の横の長さは30ミリメートルとすること。

⑸　運輸監理部、運輸支局又は自動車検査登録事務所を表示する文字が三文字の場合（第二文字目がケであるときに限る。）は、当該ケの縦の長さは33ミリメートル、横の長さは28ミリメートルとし、それ以外の文字の横の長さは30ミリメートルとすること。

⑹　運輸監理部、運輸支局又は自動車検査登録事務所を表示する文字が四文字の場合は、当該文字の横の長さは分類番号が二字であるときは27ミリメートル、分類番号が三字であるときは22ミリメートルとし、分類番号を表示するアラビア数字又はローマ字の横の長さは分類番号が二字であるときは27ミリメートル、分類番号が三字であるときは23ミリメートルとすること。

⑺　寸法の単位は、ミリメートルとすること。

第十三号様式（車両番号標）（第四十五条関係）

（その一）

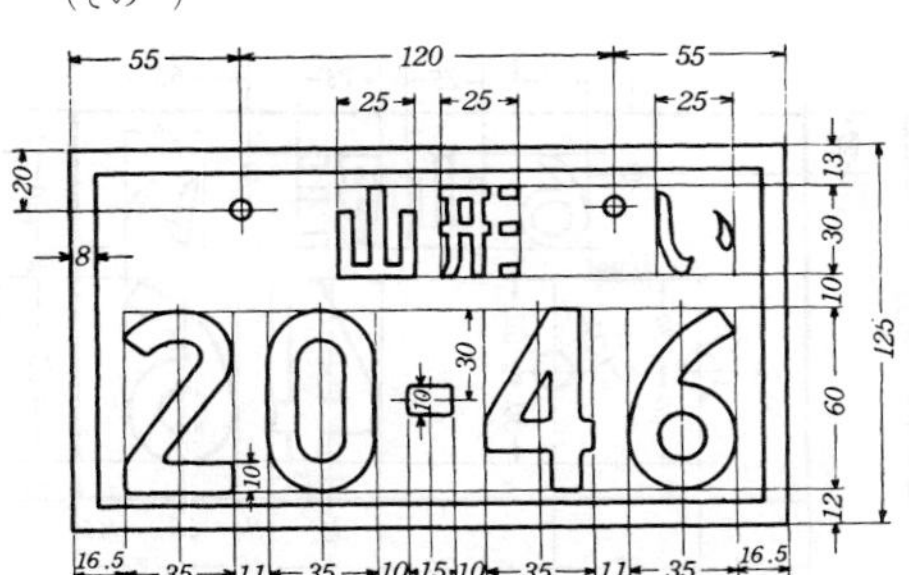

（その二）

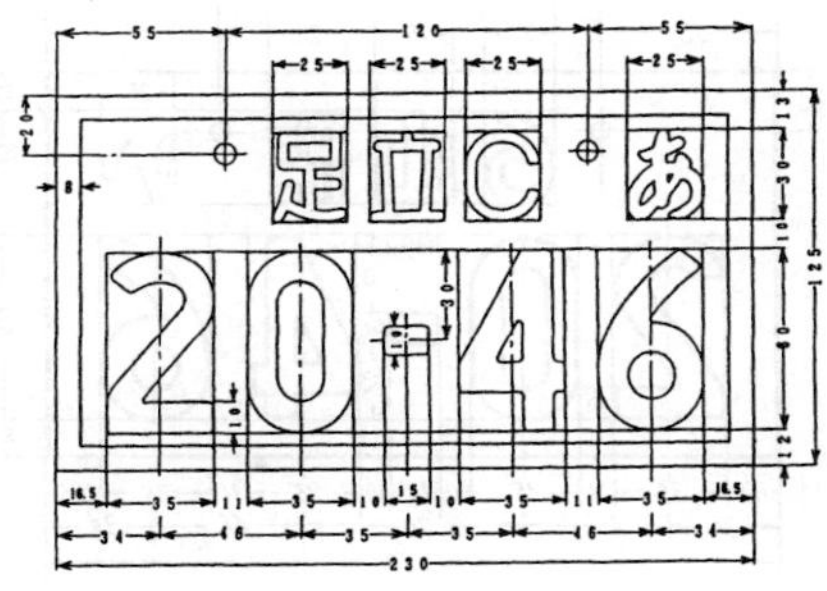

（その三）

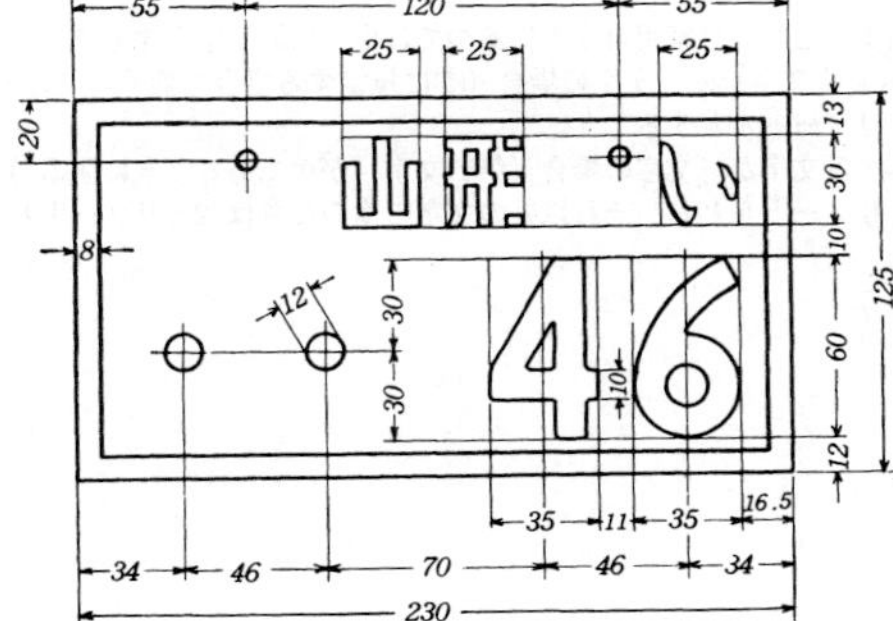

（その四）

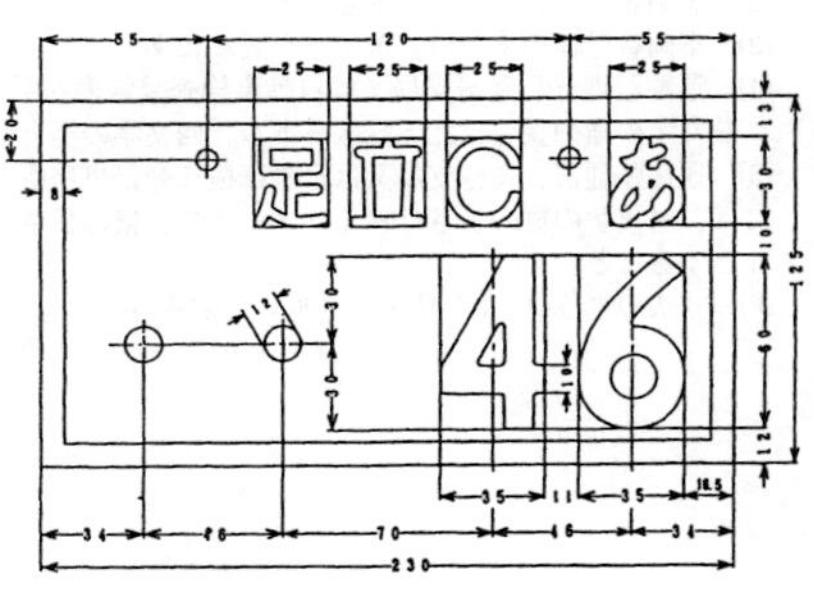

備　考

(1)　車両番号は、図示の例により表示すること。この場合において、数字が四けたであるときは図（その一）又は図（その二）、数字が三けた以下であるときは図（その三）又は図（その四）の例によること。

(2)　車両番号は、浮出しとすること。

(3)　車両番号標の塗色は、事業用自動車にあつては緑地に白文字、枠は白色とし、自家用自動車にあつては白地に緑文字、枠は緑色とすること。

(4)　運輸監理部、運輸支局又は自動車検査登録事務所を表示する文字が三文字の場合（(5)に規定する場合を除く。）又は四文字の場合（(6)に規定する場合を除く。）は、当該文字の横の長さは22ミリメートルとすること。

(5)　運輸監理部、運輸支局又は自動車検査登録事務所を表示する文字が三文字の場合（第二文字目がケであるときに限る。）は、当該ケの縦の長さは24ミリメートル、横の長さは19ミリメートルとし、それ以外の文字の横の長さは22ミリメートルとすること。

(6)　運輸監理部、運輸支局又は自動車検査登録事務所を表示する文字が四文字であつて、自家用又は事業用の別等を表示する文字として文字の組合せを用いる場合には、運輸監理部、運輸支局又は自動車検査登録事務所を表示する文字の横の長さは17.5ミリメートルとし、自家用又は事業用の別等を表示する文字の組合せに含まれるローマ字の横の長さは19ミリメートルとすること。

(7)　寸法の単位は、ミリメートルとする。

第十四号様式（車両番号標）（第六十三条の二関係）

（その一）　　　　（その二）

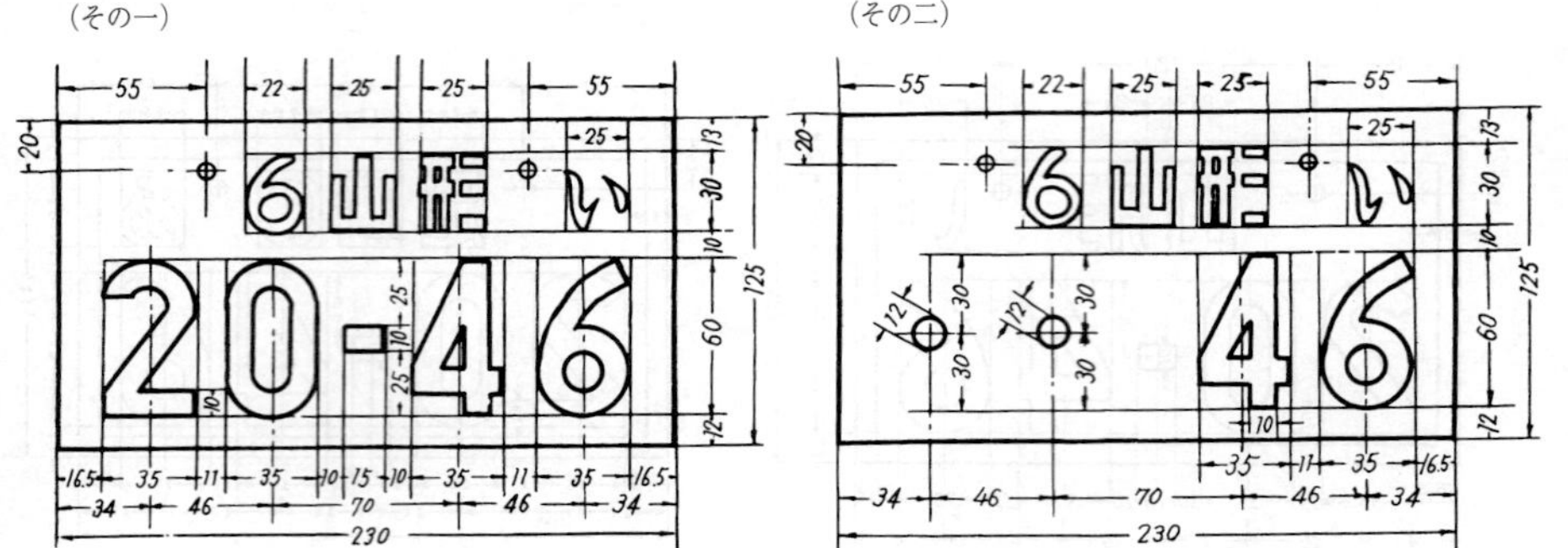

備　考

(1)　車両番号は、図示の例により表示すること。この場合において、数字が四桁であるときは図（その一）、数字が三桁以下であるときは図（その二）の例によること。

(2)　車両番号は、浮出しとすること。

(3)　車両番号標の塗色は、事業用自動車にあつては緑地に白文字とし、自家用自動車にあつては白地に緑文字とすること。

(4)　運輸監理部、運輸支局又は自動車検査登録事務所を表示する文字が、三文字の場合（(5)に規定する場合を除く。）は当該文字の横の長さは22ミリメートル、四文字の場合は17ミリメートルとすること。

(5)　運輸監理部、運輸支局又は自動車検査登録事務所を表示する文字が三文字の場合（第二文字目がケであるときに限る。）は、当該ケの縦の長さは24ミリメートル、横の長さは19ミリメートルとし、それ以外の文字の横の長さは22ミリメートルとすること。

(6)　寸法の単位は、「ミリメートル」とする。

第十五号様式（臨時運転番号標）（第六十三条の二関係）

（その一）

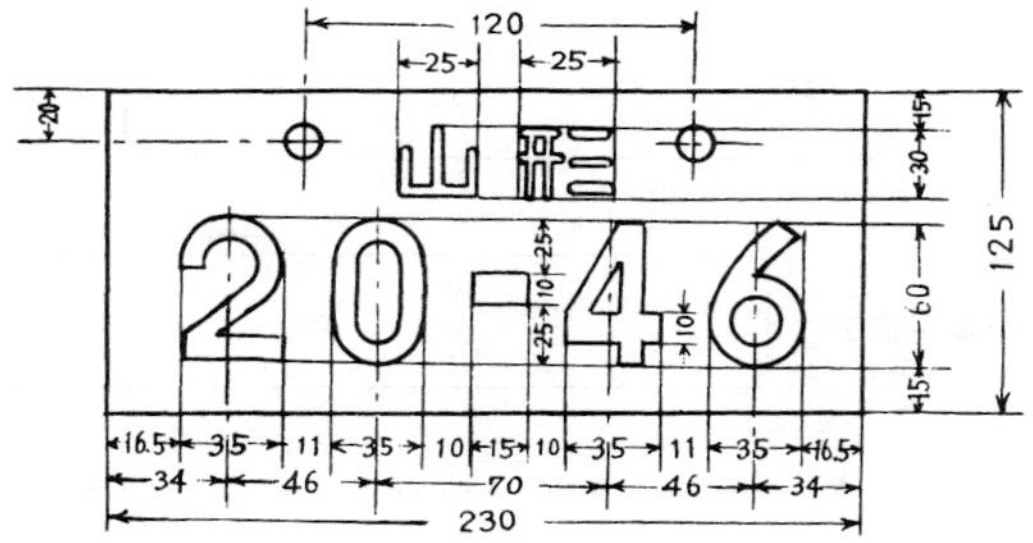

（その二）

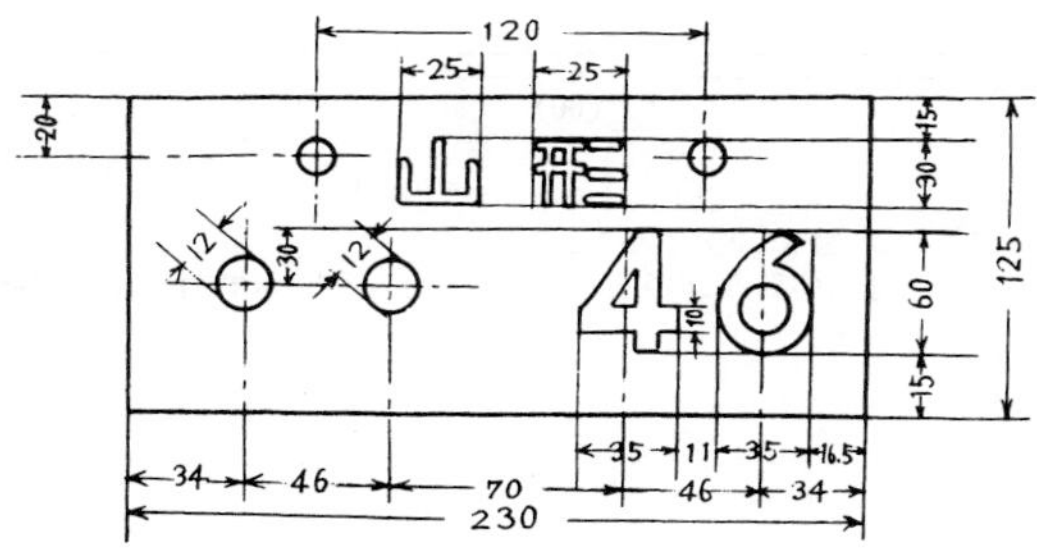

備　考

⑴　臨時運転番号標には、図示の例により、上段に運輸監理部、運輸支局又は自動車検査登録事務所を表示する文字を、下段に四けた以下の数字を表示すること。この場合において、数字が四けたであるときは図（その一）、数字が三けた以下であるときは図（その二）の例によること。

⑵　運輸監理部、運輸支局又は自動車検査登録事務所の表示については、第三号様式備考⑵の表の例によること。

⑶　文字は、浮出しとすること。

⑷　臨時運転番号標の塗色は、白地に黒文字とし、その内側に幅10ミリメートルの赤色の枠を付すること。

⑸　運輸監理部、運輸支局又は自動車検査登録事務所を表示する文字が三文字の場合（⑹に規定する場合を除く。）又は四文字の場合は、当該文字の横の長さは22ミリメートルとすること。

⑹　運輸監理部、運輸支局又は自動車検査登録事務所を表示する文字が三文字の場合（第二文字目がケであるときに限る。）は、当該ケの縦の長さは24ミリメートル、横の長さは19ミリメートルとし、それ以外の文字の横の長さは22ミリメートルとすること。

⑺　寸法の単位は、「ミリメートル」とする。

第十六号様式（型式認定番号標）（第六十二条の三関係）

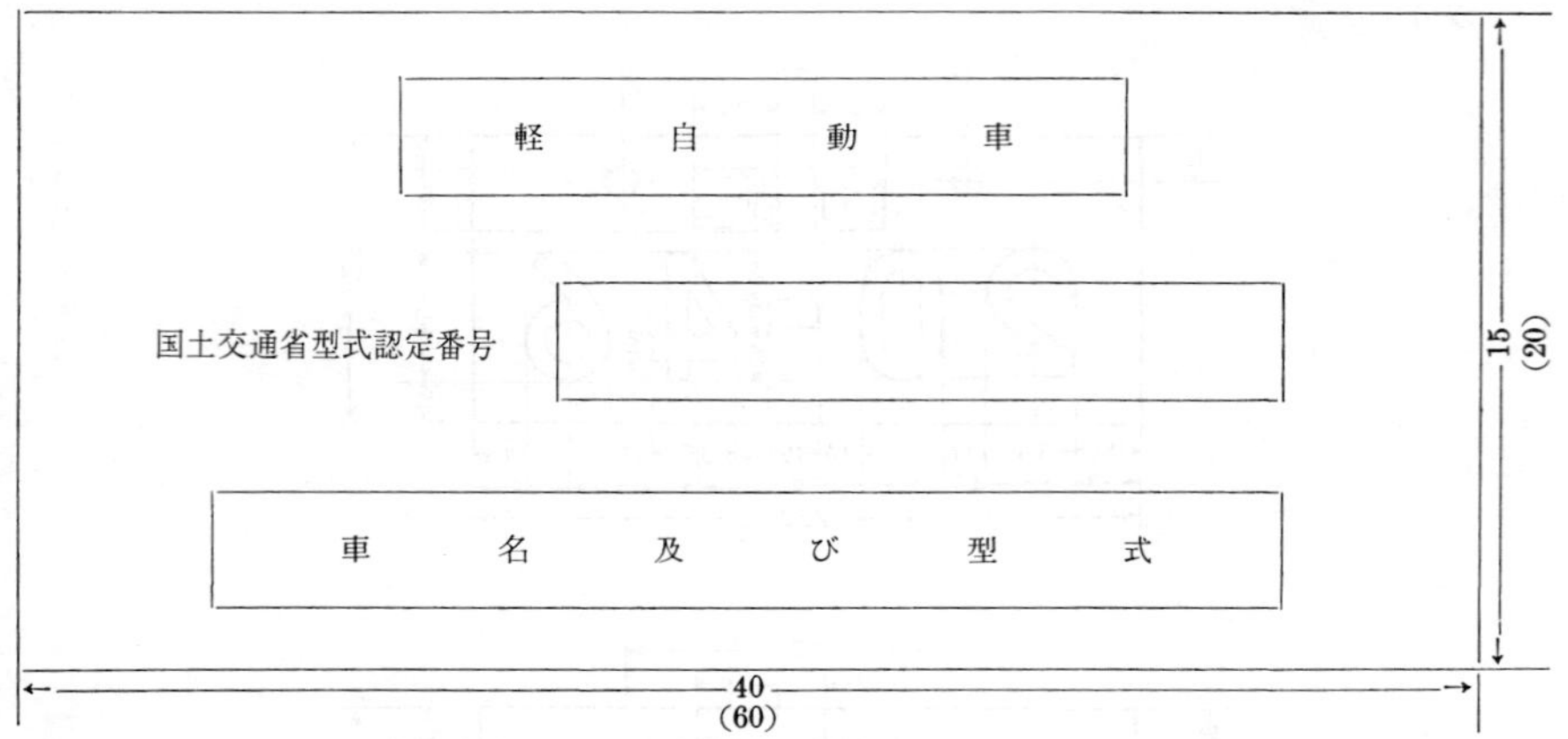

備考

(1)　型式認定番号標は、金属製とし、図示の例によること。

(2)　寸法の単位は、「ミリメートル」とする。この場合において、かつこ内に示す寸法は、小型特殊自動車に表示する場合の寸法とする。

第十七号様式（型式指定番号標）（第六十二条の四関係）

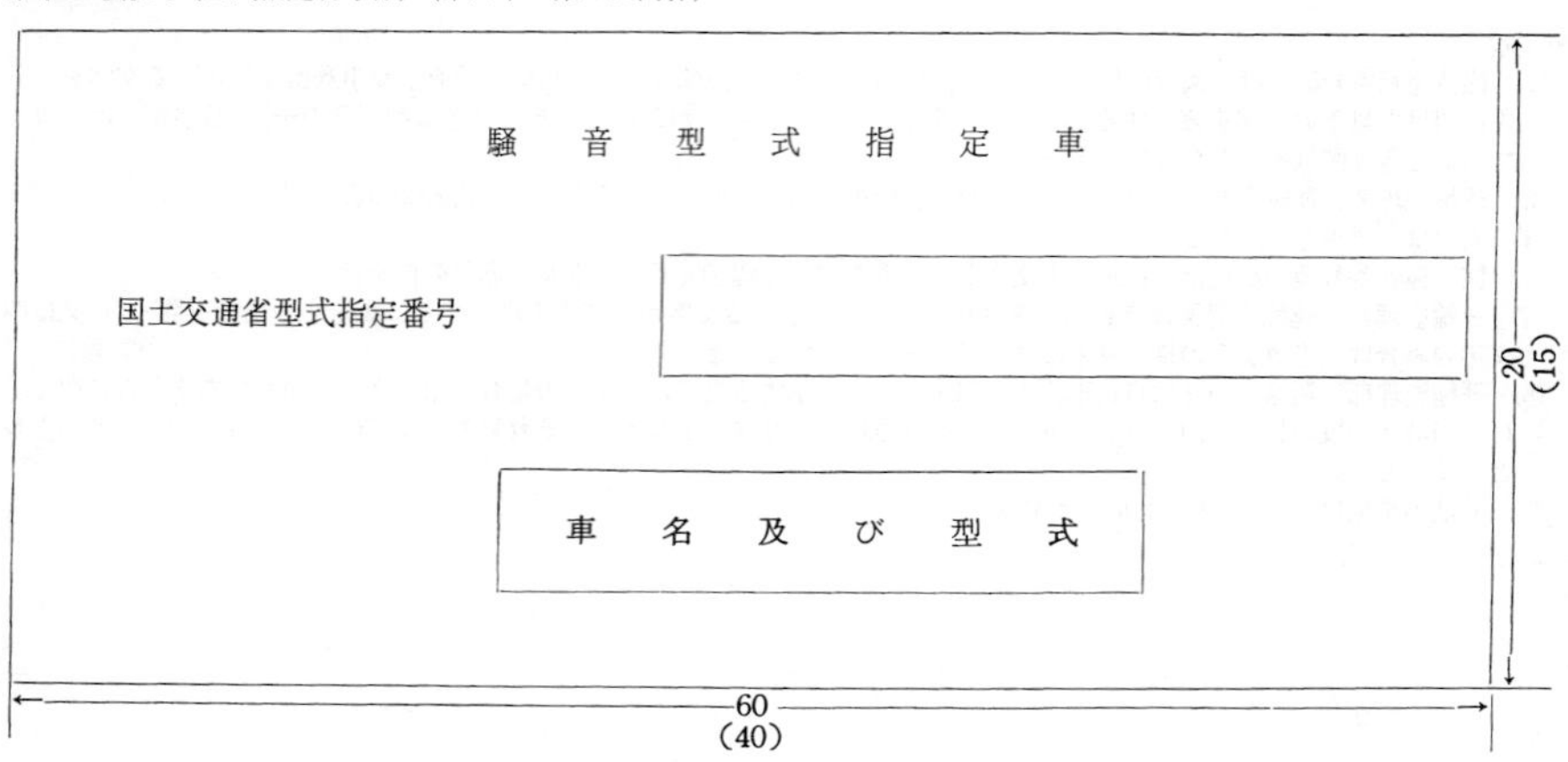

備考

(1)　型式指定番号標は、金属製とし、図示の例によること。

(2)　寸法の単位は、「ミリメートル」とする。この場合において、かつこ内に示す寸法は、二輪自動車（側車付二輪自動車を含む。）に表示する場合の寸法とする。

第十八号様式　削除

第十九号様式（制限を受けた自動車の標識）（第五十四条関係）

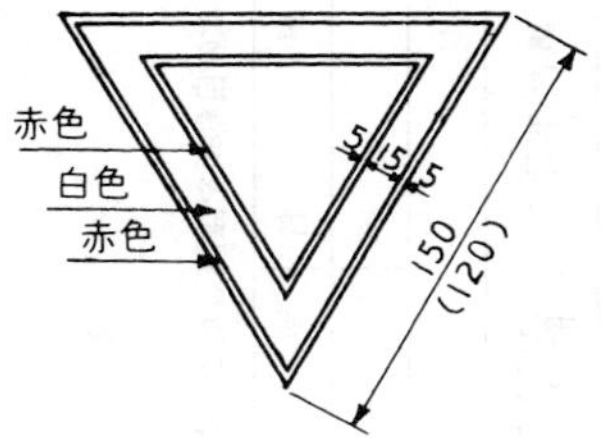

備考

(1)　形状は倒立正三角形とすること。

(2)　寸法は、総べて「ミリメートル」とすること。
この場合において括弧内に示す寸法は、軽自動車及び小型自動車における寸法とすること。

第二十号様式（自動車特定整備事業者の標識）（第六十二条関係）

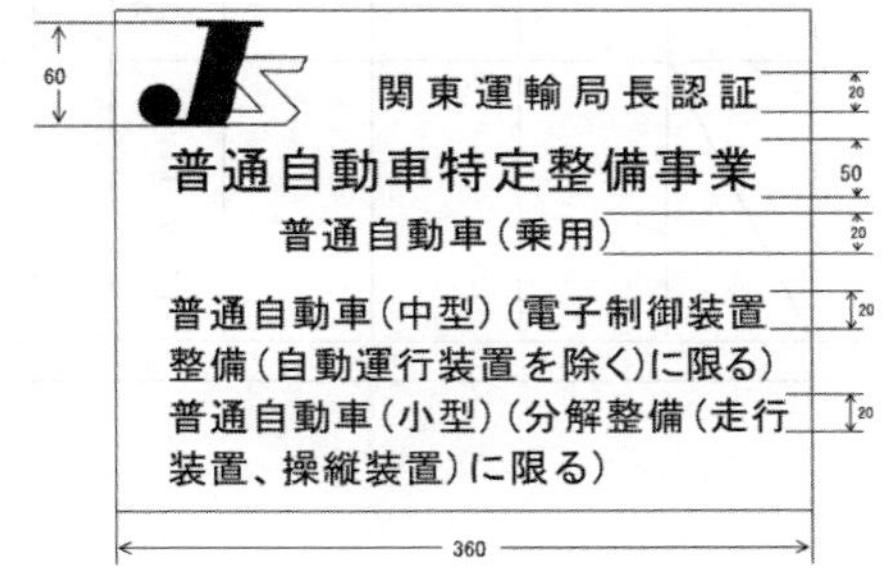

備考

(1)　自動車特定整備事業者の標識は、図示の例により、自動車特定整備事業者の標章、認証を行った地方運輸局長名、自動車特定整備事業の種類及び対象とする自動車の種類をそれぞれ表示すること。この場合において、対象とする自動車の種類は、次の区分により表示すること。

普通自動車（大型）（普通自動車のうち車両総重量が８トン以上のもの、最大積載量が５トン以上のもの又は乗車定員が30人以上のものを対象とする場合に限る。）

普通自動車（中型）（普通自動車のうち最大積載量が２トンを超えるもの又は乗車定員が11人以上のものであって、普通自動車（大型）以外のものを対象とする場合に限る。）

普通自動車（小型）（普通自動車のうち貨物の運送の用に供するもの又は散水自動車、広告宣伝用自動車、霊きゅう自動車その他特種の用途に供するものであって、普通自動車（大型）及び普通自動車（中型）以外のものを対象とする場合に限る。）

普通自動車（乗用）（普通自動車のうち普通自動車（大型）、普通自動車（中型）及び普通自動車（小型）以外のものを対象とする場合に限る。）

小型四輪自動車
小型三輪自動車
小型二輪自動車
軽自動車
大型特殊自動車

(2)　自動車特定整備事業の種類が二種類以上にわたるものにあつては、「普通
小型自動車特定整備事業」のように表示すること。
この場合において、「普通」及び「小型」の文字は、図示の寸法にかかわらず、縦25ミリメートルとする。

(3)　対象とする整備の種類又は装置を限定する場合は、図示の例により、その旨を表示すること。

(4)　対象とする自動車の種類のうち、対象とする装置を限定しないものが４以上のときは、左右二列に配置すること。

(5)　寸法の単位は、「ミリメートル」とする。

(6)　標識は、金属製又は合成樹脂製とすること。

(7)　標識の塗色は、第三条第一号から第七号までに掲げる分解整備の全部及び電子制御装置整備を行う事業場のものにあつては若草色地に黒文字、それ以外のものにあつては橙黄色地に黒文字とし、標章は赤色とすること。

第二十一号様式（譲渡証明書）（第六十四条関係）

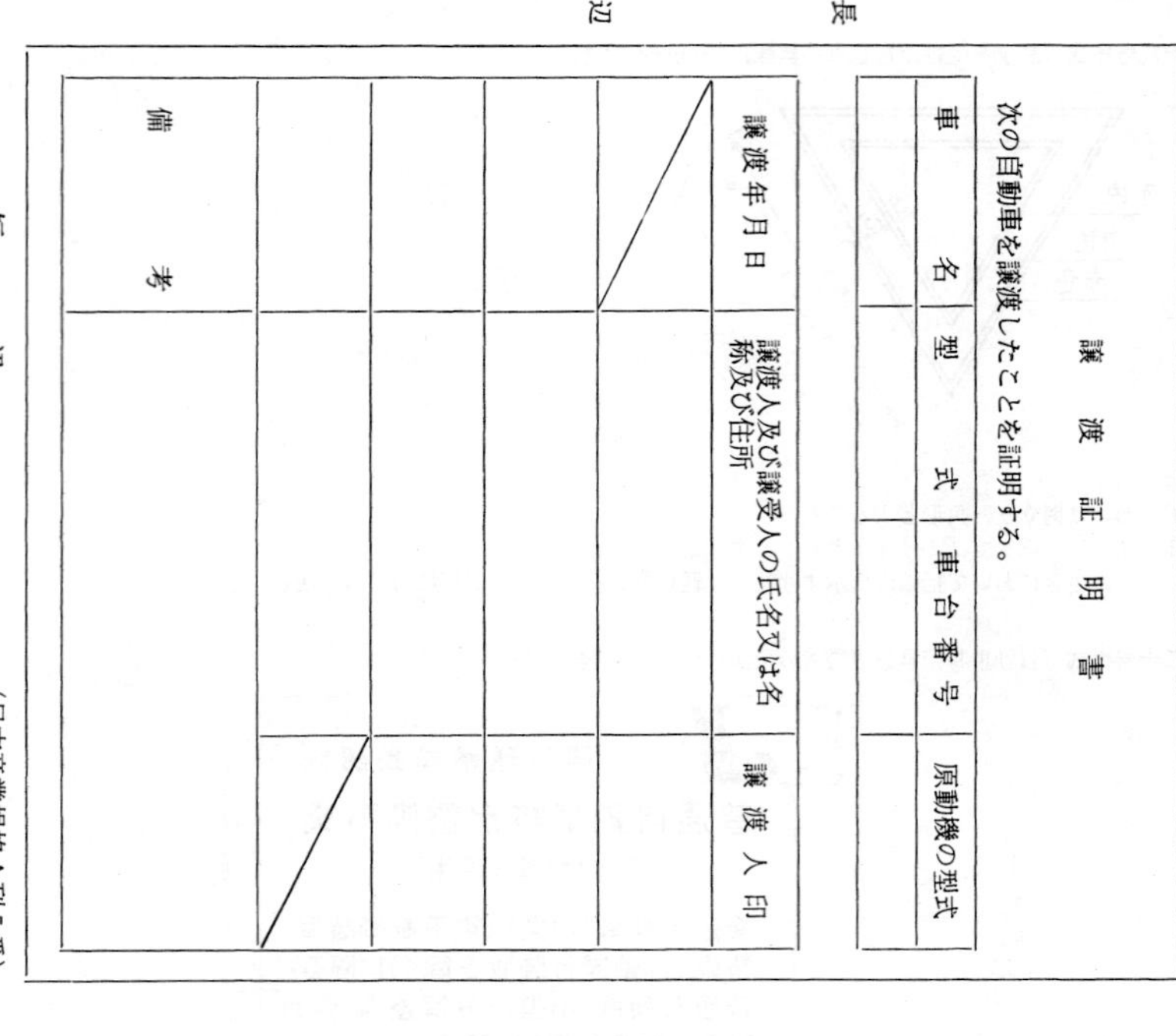

長辺

譲渡証明書

次の自動車を譲渡したことを証明する。

車名	型式	車台番号	原動機の型式

譲渡年月日	譲渡人及び譲受人の氏名又は名称及び住所	譲渡人印

備考	

短辺　（日本産業規格A列5番）

注　型式の変更等があつた場合は、備考欄にその旨を記入すること。

第二十二号様式 削除

第二十三号様式（型式認定番号標）（第六十七条関係）

原動機付自転車用原動機

国土交通省型式認定番号

原　動　機　の　名　称　及　び　型　式

15

30

備考

⑴　型式認定番号標は、金属製とし、図示の例によること。

⑵　型式認定番号は、第一種原動機付自転車用原動機にあつては赤色、第二種原動機付自転車用原動機にあつては黒色をもつて表示すること。

⑶　寸法の単位は、「ミリメートル」とする。

軽二輪第一号様式（軽自動車届出書／軽自動車届出済証記入申請書）（第六十三条の十関係）

■

□ 新規届出書　□ 軽自動車届出済証記入申請書

軽二輪 第1号様式

①業務種別　1新規届出　8記載変更

④補助シート　枚

⑥番号指示　（種別）0特殊　1二輪　2特種　3被けん引　（用途）1自家用　2事業用　3貸渡　5AB　（標板）2転入返納

⑪処理　1訂正　2復元　1届出済証不要　2支局等指示番号　3切替

⑯例外　1全例外　2諸元

⑰制限解除　1全解除　2使用者限定　5処理制限

⑬重量税

㉑車両番号

㉒車台番号　ローマ字記入時は下欄をマークして下さい

⑧車台番号変更　1職権打刻　2職権打刻以外　3職権打刻例外

所有者欄

㊲氏名又は名称　（所有権留保を解除する場合は左欄に「1」を記入し、下欄は記入不要です）

1所有権留保の解除

漢字で記入して下さい（氏名を記入する場合は氏と名の間に1マスあけて記入、濁点・半濁点は同一マス目に「ガ」「パ」と記入）

㊱住　所

住所コードで記入して下さい

（都道府県市区郡コード　－　町村コード　－　小字コード）　丁目

（番、号、番地、棟番号等）ローマ字記入時は下欄をマークして下さい

㊵所有者コード（販売店等以外は記入不要）

使用者欄

㊺氏名又は名称　（㊲所有者と同じ場合は左欄に「1」を、㊲所有者名に後続して使用者名を付加する場合は左欄に「2」を、届出済証の所有者と同じ場合は左欄に「3」を、届出済証の所有者名に後続して使用者名を付加する場合は左欄に「4」を、㊵所有者コードの内容を使用者の項目に流用する場合は左欄に「9」を記入して下さい。また、これらに該当しないときは左欄には記入せず、下欄に使用者氏名又は名称を記入して下さい。）

1所有者に同じ

漢字で記入して下さい（氏名を記入する場合は氏と名の間に1マスあけて記入、濁点・半濁点は同一マス目に「ガ」「パ」と記入）

㊸住　所　（所有者住所と同じ場合は左欄に「1」を記入し、異なるときは下欄にその使用者住所を記入して下さい）

1所有者住所に同じ

住所コードで記入して下さい

（都道府県市区郡コード　－　町村コード　－　小字コード）　丁目

（番、号、番地、棟番号等）ローマ字記入時は下欄をマークして下さい

㊷使用の本拠の位置

使用者住所と同じ場合は左欄に「1」を記入し、異なるときは下欄にその使用の本拠の位置を記入して下さい

1使用者住所に同じ

住所コードで記入して下さい

（都道府県市区郡コード　－　町村コード　－　小字コード）　丁目

（番、号、番地、棟番号等）ローマ字記入時は下欄をマークして下さい

⑬軽自動車型式認定番号　ローマ数字がある場合は数字で記入して下さい

（記入例）Ⅱ-123の場合　2 - 123

運輸支局長殿
運輸監理部長

平成　年　月　日

届出人・申請者（使用者） 氏名又は名称	（旧使用者） 氏名又は名称	使用の本拠の位置
住所	住所	変更の事由とその日付　平成　年　月　日
（所有者） 氏名又は名称	（旧所有者） 氏名又は名称	（持参人） 氏名
住所	住所	電話番号

軽二輪第二号様式（軽自動車届出済証記入申請書）（第六十三条の十関係）

軽自動車届出済証記入申請書

軽二輪第2号様式

①業務種別 8記載変更
④補助シート 枚
51シート順位
⑪処理 1訂正 2復元 1届出済証不要
⑯例外 1全例外 2諸元
⑰制限解除 1全解除 2使用者限定

㉑車両番号 □-□□□□-□-□□□□
㉒車台番号 ローマ字記入時は下欄をマークして下さい
⑧車台番号変更 1職権打刻 2職権打刻以外 3職権打刻例外

諸元欄

㉘車体の形状コード
㉕車名コード
㉙乗車定員 人 削除は「－」
㉚最大積載量 0 kg 削除は「－」
㉜長さ cm
㉝幅 cm
㉞高さ cm
㉖型式 ローマ字記入時は下欄をマークしてください 1改 2試作 3組立 4不明
㉗原動機の型式 ローマ字記入時は下欄をマークしてください 1職権打刻 2不明
㉟総排気量又は定格出力 ℓ (kw) 1 kw 削除は「－」

95シリアル番号 ローマ字記入時は下欄をマークして下さい
99車台番号職権打刻位置

運輸支局長殿
運輸監理部長
平成　年　月　日

申請者（使用者）
氏名又は名称
住所

（持参人）
氏名
電話番号

変更の事由とその日付
平成　年　月　日

軽二輪第三号様式（軽自動車届出書）（第六十三条の十関係）

軽自動車届出書

運輸監理部長又は運輸支局長　殿

年　月　日　　届出者の氏名又は名称

住所

長辺

※臨時運転番号標番号	
臨時運転番号標の貸与を受けようとする者の氏名又は名称及び住所	
車名	
運行の目的	
返還期日	年　月　日
備考	

短辺　　（日本産業規格A列5番）

注 (1) ※印の欄は、記入しないこと。

(2) 二輪の軽自動車（側車付二輪自動車を除く。）以外の軽自動車にあつては、乗車定員及び最大積載量を備考欄に記入すること。

軽二輪第四号様式（軽自動車届出済証再交付申請書）（第六十三条の十関係）

（□軽自動車届出済証記入 □軽自動車届出済証再交付）申請書

軽二輪第4号様式

①業務種別
3再交付
8二輪番号変更

⑥番号指示
(種別) 0特殊 1二輪 2特種 3被けん引
(用途) 1自家用 2事業用 3貸渡 5AB
(標板)

⑪処理
2復元
1届出済証不要 2支局等指示番号

⑰制限解除
1全解除 5処理制限

㉑車両番号
（記入例） 1-運輸 - さ-1234

㉒車台番号 ローマ字記入時は下欄をマークして下さい（軽自動車届出済証の車台番号のうち下7桁の数字等を記入）
（記入例）
AB3－1234567
記入
（① 軽自動車届出済証の再交付をする場合には、この欄に記入する必要はありません。）

運輸支局長殿
運輸監理部長
平成　年　月　日

申請者（使用者・所有者）
氏名又は名称

住所

（持参人）
氏名

電話番号

申請の事由

軽二輪第五号様式（軽自動車届出済証返納証明書申請書）（第六十三条の十関係）

☐ 軽自動車届出済証返納証明書交付申請書　☐ 軽自動車届出済証返納申請書

軽二輪第5号様式

①業務種別　9抹消

⑫抹消　1解体　2一時使用中止　5滅失

⑪処理　2復元　1届出済証不要

㉑車両番号

（記入例）1－運輸－さ－1234

㉒車台番号（軽自動車届出済証の車台番号のうち下7桁の数字等を記入）

ローマ字記入時は下欄をマークして下さい

（記入例）AB3－1234567　記入

運輸支局長殿
運輸監理部長
平成　年　月　日

申請者（使用者）

氏名又は名称

住所

（所有者）

氏名又は名称

住所

（持参人）

氏名

電話番号

申請の原因とその日付

☐ 滅失
☐ 解体
☐ 一時使用中止

平成　年　月　日

軽二輪第六号様式（氏名等補助シート）（第六十三条の十関係）

軽二輪第6号様式

氏名等補助シート

㉛シート順位

所有者欄（オーバーフロー）	㊾氏名又は名称 漢字で記入して下さい（氏名を記入する場合は氏と名の間に１マスあけて記入、濁点・半濁点は同一マス目に「ガ」「パ」と記入） １オーバーフロー
使用者欄（オーバーフロー）	㊾氏名又は名称 漢字で記入して下さい（氏名を記入する場合は氏と名の間に１マスあけて記入、濁点・半濁点は同一マス目に「ガ」「パ」と記入） １オーバーフロー

軽二輪第七号様式（記載事項等補助シート）（第六十三条の十関係）

軽二輪第7号様式

記載事項等補助シート

⑤シート順位　⑫処理（1設定 2削除 3追加）　⑬種別（1登録事項 2検査事項）

その他登録事項等

⑭項目番号
（登録事項）
25 車名
42 使用の本拠の位置
43 使用者の住所
56 所有者の住所
99 その他
（検査事項）
検査事項通番を記入

⑮登録事項等記入欄

軽二輪第八号様式（軽自動車届出済書）（第六十三条の十一関係）

番　号

年　月　日　　　　運輸監理部長又は運輸支局長

軽　自　動　車　届　出　済　証

車　両　番　号	届出年月日／交付年月日	初度届出年月	用　途	自家用・事業用の別	車　体　の　形　状
	年　月　日	年　月			
車　名			乗　車　定　員		最　大　積　載　量
			人		kg
車　台　番　号					
型　式	原　動　機　の　型　式				

所有者の氏名又は名称	
所　有　者　の　住　所	
使用者の氏名又は名称	
使　用　者　の　住　所	
使　用　の　本　拠　の　位　置	

備　考

番号

軽自動車届出済証

年　月　日

運輸監理部長又は運輸支局長

車両番号	車台番号

備考

軽二輪第九号様式（臨時運転番号標貸与証）（第六十三条の十一関係）

長辺

臨時運転番号標貸与証

年　月　日

運輸監理部長又は運輸支局長　㊞

臨時運転番号標番号	
臨時運転番号標の貸与を受けた者の氏名又は名称及び住所	
車名	
運行の目的	
返還期日	年　月　日
備考	

短辺

（日本産業規格A列5番）

軽二輪第十号様式（軽自動車届出済証返納証明書）（第六十三条の十一関係）

番　号

軽自動車届出済証返納証明書

車両番号	交付年月日	初度届出年月	車台番号
	年　月　日	年　月	

車名	型式	原動機の型式

所有者の氏名又は名称	
所有者の住所	
使用者の氏名又は名称	
使用者の住所	
使用の本拠の位置	

用途	自家用・事業用の別	車体の形状	乗車定員	最大積載量
			人	kg

総排気量又は定格出力	軽自動車型式認定番号	長さ	幅	高さ
kW L		cm	cm	cm

備　考

年　月　日　　運輸監理部長又は運輸支局長

番　号

軽自動車届出済証返納証明書

車　両　番　号	車　台　番　号

備　考

年　月　日　　運輸監理部長又は運輸支局長

○自動車登録令〔抄〕

（昭和二六・六・三〇 政令一五六）

改正　昭和二七・四政九七、政一一六、昭和三〇・九政二六三、昭和三四・一二政三八三、昭和三八・九政三二五、昭和三九・三政二五、昭和四二・六政一六二、昭和四四・一二政三〇八、昭和四七・三政三九、昭和五五・八政二三一、昭和五九・六政一七六、一一政三三一、昭和六二・八政二八〇、平成二・九政二八五、平成六・九政三〇三、平成九・一一政三三三、平成一二・六政三一二、平成一四・六政二〇〇、平成一五・六政二六〇、一二政四九五、政五四五、平成一六・一二政四一九、平成一七・二政二四、三政三七、五政一八七、平成一九・七政二〇七、平成二〇・三政八二、平成二四・七政一九七、平成二七・一政三〇、平成三〇・六政一八三、令和元・一二政一八三、令和二・一二政三六三、令和四・五政一九五

第一章　総則

（目的）

第一条　この政令は、道路運送車両法（昭和二十六年法律第百八十五号）による自動車の登録等及び自動車抵当法（昭和二十六年法律第百八十七号）による自動車の抵当権の登録に関する事項を定めることを目的とする。

（付記登録）

第二条　次に掲げる登録は、付記登録とする。

一　登録名義人の表示の変更の登録
二　一部が抹消された登録の回復の登録
三　自動車の変更登録
四　抵当権の移転の登録
五　信託による抵当権の変更の登録
六　自動車抵当法第十九条の二第二項において準用する民法（明治二十九年法律第八十九号）第三百九十八条の八第一項又は第二項の合意の登録

２　次に掲げる登録は、登録上利害関係を有する第三者がないとき又は登録上利害関係を有する第三者の承諾書若しくはこれに対抗することができる裁判の謄本が提出されたときに限り、付記登録とする。

一　更正の登録
二　抵当権の変更の登録（信託による抵当権の変更の登録を除く。）

（順位）

第三条　附記登録の順位は、主登録の順位により、附記登録間の順位は、その前後による。

（登録の欠缺を主張できない者）

第四条　詐欺又は強迫によつて登録の申請を妨げた第三者は、その登録の欠缺を主張することができない。

第五条　他人のため登録を申請する義務がある者は、その登録の欠缺を主張することができない。但し、その登録の原因が自己の登録の原因の後に発生したときは、この限りでない。

第二章　自動車登録ファイル及び電子情報処理組織

（自動車登録ファイル等）

第六条　自動車登録ファイルは、現在記録ファイル及び保存記録ファイルとする。

２　現在記録ファイルには、自動車に関する登録に係る登録事項で現に効力を有すべきもの及び道路運送車両法第十五条の二第一項ただし書の届出に関する事項その他の国土交通省令で定める事項を記録する。

３　保存記録ファイルには、現在記録ファイルに記録した自動車に関する登録に係る登録事項で抹消したもの並びに道路運送車両法第十六条第二項及び第四項の届出に関する事項その他の国土交通省令で定める事項を記録する。

４　国土交通大臣は、自動車登録ファイルに記録した事項と同一の事項を記録する副自動車登録ファイルを調製しておくものとする。

（電子情報処理組織）

第七条　道路運送車両法第六条第一項の電子情報処理組織（次項において単に「電子情報処理組織」という。）により自動車登録ファイルにする登録等（登録並びに前条第二項及び第三項の国土交通省令で定める事項の記録その他の自動車登録ファイルの正確な記録を確保するための措置をいう。以下同じ。）に関する事務の処理は、オンライン・リアルタイム処理方式による。ただし、同法第二十二条第一項の規定による登録事項等証明書の交付に関する事務で国土交通省令で定めるものの処理については、この限りでない。

２　自動車登録ファイルにする登録等に関する事務の処理のための電子情報処理組織への入力はＯＣＲ（光学的文字読取装置をいう。）を用い又は電気通信回線を通じて行い、その出力は印字又は電磁的方法（電子的方法、磁気的方法その他人の知覚によつて認識することができない方法をいう。）により行う。

（登録等事項の略号化）

第七条の二　自動車登録ファイルの登録等に関する事項（以下「登録等事項」という。）の一部は、国土交通省令で定めるところにより、略号にして記録することができる。

（登録等事項の表示に用いる文字等）

第八条　自動車登録ファイルの登録等事項は、漢字、平仮名、片仮名、アラビア数字、ローマ字及び国土交通省令で定める記号により表示する。

○自動車登録規則〔抄〕

〔昭和四五・二・二〇
運輸省令七〕

改正 昭和四七・五運令三二、昭和五〇・三運令六、昭和五二・五運令一一、昭和五三・二運令八、四運令一九、一二運令六三、昭和五四・二運令五、四運令一四、七運令三四、昭和五五・四運令一〇、昭和五七・一運令一、一二運令三二、昭和五八・一〇運令四五、昭和五九・七運令二二、昭和六〇・一運令一、二運令五、九運令三〇、昭和六二・八運令五二、昭和六三・九運令二八、平成元・六運令一九、平成二・一〇運令二九、一一運令三一、平成三・九運令三〇、平成六・八運令三六、平成九・八運令五二、八運令五四、平成一一・八運令三八、平成一二・一一運令三九、平成一四・六国交令七九、平成一五・三国交令三八、平成一六・三国交令三六、八国交令八三、平成一七・六国交令七一、一一国交令一〇四、平成一八・三国交令三〇、九国交令八九、平成一九・一一国交令八九、平成二〇・九国交令七六、一〇国交令九〇、平成二四・七国交令七〇、平成二六・一国交令七、九国交令七五、一〇国交令八三、平成二七・一二国交令八二、平成二八・三国交令一四、一二国交令八七、令和二・四国交令四五、一二国交令九八、令和四・二国交令八、五国交令四五

第一章　自動車登録ファイル及び電子情報処理組織

（現在記録ファイルに記録する事項）

第一条　自動車登録令（昭和二十六年政令第二百五十六号。以下「令」という。）第六条第二項の国土交通省令で定める事項は、次に掲げるものとする。

一　道路運送車両法（昭和二十六年法律第百八十五号。以下「法」という。）第十五条の二第一項ただし書の規定による届出があつた年月日

二　法第十八条の二第一項本文の登録識別情報

（保存記録ファイルに記録する事項）

第一条の二　令第六条第三項の国土交通省令で定める事項は、次に掲げるものとする。

一　新規登録の年月日（移転登録を受けた自動車に係るものに限る。）

二　移転登録の年月日（最新の移転登録の年月日を除く。）

三　新規登録及び移転登録以外の登録の年月日

四　法第十六条第二項の届出があつた年月日

五　解体報告記録がなされた年月日及び使用済自動車の再資源化等に関する法律（平成十四年法律第八十七号）第八十一条第九項又は第十項の規定による移動報告の番号（以下「移動報告番号」という。）

六　法第十六条第四項の届出があつた年月日及び当該届出に係る輸出の予定日

七　法第十六条第六項において準用する法第十五条の二第三項後段の確認をした年月日

八　法第十六条第七項の返納を受けた年月日

九　法第十八条第三項の変更の年月日並びに新所有者の氏名又は名称及び住所

（オンライン・リアルタイム処理方式によらない登録に関する事務）

第二条　令第七条第一項ただし書の国土交通省令で定める事務は、三十両以下の自動車について一括して作成する登録事項等証明書で現在記録ファイルに記録されている事項のみに係るものの交付に関する事務とする。

（登録等事項の略号化）

第三条　自動車登録ファイルの登録等事項のうち次に掲げるものは、略号にして記録するものとする。

一　住所及び使用の本拠の位置（これらを表示する行政区画又は土地の名称に限る。）

二　その型式について法第七十五条第一項の指定を受けた自動車に係る車名及び型式並びに原動機の型式

三　前号に規定する自動車以外の自動車に係る車名

四　国土交通大臣が指定した者に係る氏名又は名称及び住所

五　抵当権によつて担保される債権に付された条件であつて、国土交通大臣の定めるもの

六　抵当権の登録の原因又は抵当権によつて担保される債権の範囲であつて、国土交通大臣の定めるもの

2　前項の略号は、国土交通大臣が定めて告示するものとする。

（登録等事項の表示に用いる記号）

第四条　令第八条の国土交通省令で定める記号は、「＊　＊　＊」とする。

第二章　登録の申請等の手続

（申請書の記載事項）

第五条　新規登録の申請書には、次に掲げる事項を記載しなければならない。

一　車名及び型式

二　車台番号

三　原動機の型式

四　使用の本拠の位置

五　一時抹消登録を受けた自動車に係る申請にあつては、一時抹消登録を受けた際の自動車登録番号

六　申請人の氏名又は名称及び住所

七　代理人により登録の申請をするときは、その氏名又は名称及び住所

八　登録の原因及びその日付

九　申請の年月日

2　変更登録、移転登録、永久抹消登録、輸出抹消仮登録、一時抹消登録又は更正の登録の申請書には、次に掲げる事項を記載しなければならない。

一　自動車登録番号

二　前項第二号、第四号及び第六号から第九号まで（使用済自動車の解体に係る永久抹消登録及び輸出抹消仮登録の申請にあつては、第八号を除く。）に掲げる事項

三　変更登録、移転登録又は更正の登録の申請にあつては、当該変更又は更正に係る事項

四　輸出抹消仮登録の申請にあつては、輸出の予定日

3　抵当権の登録の申請書には、次に掲げる事項を記載しなければならない。

一　自動車登録番号

二　第一項第二号、第四号及び第六号から第九号までに掲げる事項

三　抵当権の変更、移転又は更正の登録の申請にあつては、当該変更又は更正に係る事項

四　登録免許税の額

4　登録の抹消又は抹消した登録の回復の申請書には、次に掲げる事項を記載しなければならない。

一　自動車登録番号
二　第一項第二号、第六号及び第九号に掲げる事項
三　代理人により登録の抹消又は抹消した登録の回復の申請をするときは、その氏名又は名称及び住所
四　登録の抹消又は抹消した登録の回復の原因及びその日付

（新規登録申請書の添付書類の提出区分）

第六条　法第七条第一項の国土交通省令で定める区分は、次のとおりとする。

一　登録を受けたことがない自動車　譲渡証明書及び輸入自動車にあつては、輸入の事実を証明する書面
二　登録を受けたことがある自動車　譲渡証明書

2　登録の原因が相続その他の一般承継である場合における前項の規定の適用については、令第十八条の規定により提出する書面を譲渡証明書とみなす。

3　第一項の書面を提出することができないときは、当該自動車の所有権を証明するに足りる書面を提出しなければならない。

（登録情報処理機関に対する照会）

第六条の二　法第七条第五項の照会は、同条第四項各号に掲げる規定に規定する事項について、電磁的方法により行うものとする。

2　前項の照会を受けた登録情報処理機関は、電磁的方法により当該照会に係る事項について国土交通大臣に対し通知しなければならない。

（登録事項の通知方法）

第六条の二の二　法第十二条（法第十二条第四項、第十三条第四項、第十四条第二項及び第三十八条第二項並びに令第四十三条第二項において準用する場合を含む。）の規定による登録事項の通知は、次の各号に掲げる場合の区分に応じ、当該各号に定める方法により行うものとする。

一　法第七十四条の六第一項に規定する変更記録に関する事務による場合　自動車登録ファイルに記録された登録事項を法第六条第一項の電子情報処理組織（第六条の十六第一号、第六条の十八、第六条の十九第二号及び第二十九条において単に「電子情報処理組織」という。）を使用して送信し、これを当該情報を受けようとする特定変更記録事務代行者の使用に係る電子計算機に備えられたファイルに記録することにより、当該特定変更記録事務代行者を介して行う方法
二　前号以外の場合　登録事項等通知書を交付する方法

（使用済自動車の解体に係る永久抹消登録の申請の際の明示事項）

第六条の三　法第十五条第三項（法第十六条第三項において準用する場合を含む。）の国土交通省令で定める事項は、次の各号に掲げる事項とする。

一　車台番号
二　移動報告番号

（輸出抹消仮登録を必要としない自動車）

第六条の四　法第十五条の二第一項本文の国土交通省令で定める自動車は、次に掲げる自動車とする。

一　大型特殊自動車
二　被牽引自動車
三　道路交通に関する条約の実施に伴う道路運送車両法の特例等に関する法律（昭和三十九年法律第百九号）第五条第一項の規定による登録証書の交付を受けた自動車

（輸出抹消仮登録の申請の開始時期）

第六条の五　法第十五条の二第一項の国土交通省令で定める期間は、六月とする。

（本邦に再輸入することが見込まれる登録自動車）

第六条の六　法第十五条の二第一項ただし書の輸出抹消仮登録を受けさせる必要性に乏しいものとして国土交通省令で定める自動車は、本邦と外国との間を往来する自動車であつて、次に掲げるものとする。

一　貨物の運送の用に供するもの
二　本邦と外国との間を往来する者の乗用に供するもの

（本邦に再輸入することが見込まれる登録自動車の届出）

第六条の七　法第十五条の二第一項ただし書の規定により届出をしようとする者は、次に掲げる事項を記載した届出書を提出しなければならない。

一　自動車登録番号
二　車台番号
三　使用の本拠の位置
四　届出をしようとする者の氏名又は名称及び住所
五　届出の年月日

2　前項の届出を行う場合には、自動車検査証及び前条に規定する自動車であることを証するに足りる書面を提示しなければならない。

（一時抹消登録後の解体等に係る届出を必要としない自動車）

第六条の八　法第十六条第二項の国土交通省令で定める自動車は、第六条の四第一号及び第二号に掲げる自動車とする。

（一時抹消登録後の解体等に係る届出）

第六条の九　法第十六条第二項の規定により届出をしようとする者は、次に掲げる事項（使用済自動車の解体に係る届出にあつては、第四号に掲げる事項を除く。）を記載した届出書を提出しなければならない。

一　一時抹消登録を受けた際の自動車登録番号
二　車台番号
三　届出をしようとする者の氏名又は名称及び住所
四　届出の原因及びその日付
五　届出の年月日

2　前項の届出書には、次に掲げる書面（当該届出をしようとする者が国又は地方公共団体であるものにあつては、第二号に掲げる書面を除く。）を添付しなければならない。

一　登録識別情報等通知書（登録識別情報その他の自動車登録ファイルに記録されている事項を記載した書面をいう。以下同じ。）
二　当該届出に係る自動車に係る自動車登録ファイルに記録されている所有者の氏名若しくは名称又は住所に変更があつたときは、当該届出をしようとする者の住所を証するに足りる書面
三　所有者の変更があつた場合であつて、当該所有者の変更について自動車登録ファイルに法第十八条第三項の記録がなされていないときは、譲渡証明書
四　当該届出に係る自動車が滅失し、若しくは自動車の用途を廃止したとき又は当該自動車の車台が当該自動車の新規登録の際存したものでなくなつたときは、その事実を証するに足りる書面

3　前項第三号の書面を提出することができないときは、当該自動車の所有権を証明するに足りる書面を提出しなければならない。

4　第一項の届出をする者は、法第三十三条第四項の規定により譲渡証明書に記載すべき事項が登録情報処理機関に提供されたときは、第一項の届出書にその旨を記載することをもつて第二項第三号の書面の提出に代えることができる。

5　前項の規定により譲渡証明書に記載すべき事項が登録情報処理機関に提供されたことが第一項の届出書に記載されたときは、国土交通大臣は、登録情報処理機関に対し、譲渡証明書に記載すべき事項について、電磁的方法により照会するものとする。

6　前項の照会を受けた登録情報処理機関は、電磁的方法により当該照会に係る事項について国土交通大臣に対し通知しなければならない。

（一時抹消登録後の輸出に係る届出を必要としない自動車）

第六条の一〇　法第十六条第四項の国土交通省令で定める自動車は、第六条の四第一号及び第二号に掲げる自動車とする。

（一時抹消登録後の輸出に係る届出の開始時期）

第六条の一一　法第十六条第四項の国土交通省令で定める期間は、六月とする。

（一時抹消登録後の輸出に係る届出）

第六条の一二　法第十六条第四項の規定により届出をしようとする者は、次に掲げる事項を記載した届出書を提出しなければならない。

一　一時抹消登録を受けた際の自動車登録番号
二　車台番号
三　届出をしようとする者の氏名又は名称及び住所
四　届出の年月日
五　輸出の予定日

2　前項の届出書には、次に掲げる書面（当該届出をしようとする者が国又は地方公共団体であるものにあつては、第二号に掲げる書面を除く。）を添付しなければならない。

一　登録識別情報等通知書
二　当該届出に係る自動車に係る自動車登録ファイルに記録されている所有者の氏名若しくは名称又は住所に変更があつたときは、当該届出をしようとする者の住所を証するに足りる書面
三　所有者の変更があつた場合であつて、当該所有者の変更について自動車登録ファイルに法第十八条第三項の記録がなされていないときは、譲渡証明書

3　前項第三号の書面を提出することができないときは、当該自動車の所有権を証明するに足りる書面を提出しなければならない。

4　第一項の届出をする者は、法第三十三条第四項の規定により譲渡証明書に記載すべき事項が登録情報処理機関に提供されたときは、第一項の届出書にその旨を記載することをもつて第二項第三号の書面の提出に代えることができる。

5　前項の規定により譲渡証明書に記載すべき事項が登録情報処理機関に提供されたことが第一項の届出書に記載されたときは、国土交通大臣は、登録情報処理機関に対し、譲渡証明書に記載すべき事項について、電磁的方法により照会するものとする。

6　前項の照会を受けた登録情報処理機関は、電磁的方法により当該照会に係る事項について国土交通大臣に対し通知しなければならない。

7　運輸監理部長又は運輸支局長は、第一項の届出があつた場合であつて、当該届出に係る自動車に係る自動車登録ファイルに記録されている所有者の氏名若しくは名称又は住所に変更があつたときは、当該変更について自動車登録ファイルに記録するものとする。

8　運輸監理部長又は運輸支局長は、法第十六条第七項の規定により輸出予定届出証明書の返納について自動車登録ファイルに記録したときは、第二項の規定により提出を受けた登録識別情報等通知書を当該自動車の所有者に返付するものとする。

（自動車登録ファイルの正確な記録を確保するための措置）

第六条の一三　法第十八条第一項の国土交通省令で定める期間は、一年とする。

2　法第十八条第二項の国土交通省令で定める場合は、同条第三項の規定により所有者の変更について自動車登録ファイルに記録がなされた場合とする。

3　法第十八条第二項の国土交通省令で定める期間は、三年とする。

（移転登録の原因を証する書面）

第六条の一四　自動車の移転登録を申請する場合において、自動車の譲渡が登録の原因であるときは、令第十四条第一項第一号の登録の原因を証する書面は、譲渡証明書とする。

（登録情報処理機関に対する照会）

第六条の一四の二　令第十四条第四項の照会は、譲渡証明書に記載すべき事項について、電磁的方法により行うものとする。

2　前項の照会を受けた登録情報処理機関は、電磁的方法により当該照会に係る事項について国土交通大臣に対し通知しなければならない。

（一時抹消登録後の所有者の変更に係る記録の申請）

第六条の一五　令第四十八条第一項の国土交通省令で定める書面（新所有者が国又は地方公共団体であるときは、第三号に掲げる書面を除く。）は、次に掲げる書面とする。

一　登録識別情報等通知書
二　譲渡証明書その他の当該自動車の所有権を証明するに足る書面
三　新所有者の住所を証するに足りる書面

2　運輸監理部長又は運輸支局長は、法第十八条第三項の規定により所有者の変更について自動車登録ファイルに記録したときは、前項の規定により提出を受けた登録識別情報等通知書に当該変更についての記入をし、これを新所有者に返付するものとする。

3　令第四十八条第一項の申請をする新所有者は、法第三十三条第四項の規定により譲渡証明書に記載すべき事項が登録情報処理機関に提供されたときは、令第四十八条第一項の申請書にその旨を記載することをもつて第一項第二号の書面の提出に代えることができる。

4　前項の規定により譲渡証明書に記載すべき事項が登録情報処理機関に提供されたことが令第四十八条第一項の申請書に記載されたときは、国土交通大臣は、登録情報処理機関に対し、譲渡証明書に記載すべき事項について、電磁的方法により照会するものとする。

5　前項の照会を受けた登録情報処理機関は、電磁的方法により当該照会に係る事項について国土交通大臣に対し通知しなければならない。

（登録識別情報の通知方法）

第六条の一六　法第十八条の二第一項の規定による登録識別情報の通知は、次の各号に掲げる場合の区分に応じ、当該各号に定める方法により行うものとする。

一　新規登録、変更登録又は移転登録をした場合　自動車登録ファイルに記録された登録識別情報を電子情報処理組織を使用して送信し、これを申請者があらかじめ入手した識別番号及び暗証番号を用いて申請者の使用に係る電子計算機に備えられたファイルに記録する方法
二　一時抹消登録をした場合　登録識別情報等通知書を交付する方法

（登録識別情報の通知を必要としない場合）

第六条の一七　法第十八条の二第一項ただし書の国土交通省令で定める場合は、次に掲げる場合とする。

一　申請者があらかじめ登録識別情報の通知を希望しない旨の申出をした場合
二　所有者と使用者が同一の場合
三　変更登録が次に掲げる事項の変更のみに係る場合（使用者の変更により自動車の所有者と使用者が異なることとなる場合を除く。）
イ　登録されている型式
ロ　車台番号
ハ　原動機の型式
ニ　使用の本拠の位置

2　一時抹消登録をした場合にあつては、前項の規定にかかわらず、申請者に対し、登録識別情報を通知するものとする。

（登録識別情報の通知の請求）

第六条の一八　法第十八条の二第二項の規定により登録識別情報の通知を請求する者は、次に掲げる事項を、その者の使用に係る電子計算機から、あらかじめ入手した識別番号及び暗証番号を用いて電子情報処理組織に送信しなければならない。

一　自動車登録番号
二　所有者の氏名又は名称及び住所

（登録識別情報の提供方法）

第六条の一九　法第十八条の三第一項の規定による登録識別情報の提供は、次の各号に掲げる場合の区分に応じ、当該各号に定める方法により行うものとする。

一　新規登録（一時抹消登録があつた自動車に係るものに限る。）の申請をする場合　登録識別情報等通知書を申請書に添付して提出する方法
二　変更登録、移転登録、永久抹消登録、輸出抹消仮登録又は一時抹消登録の申請をする場合　あらかじめ入手した識別番号及び暗証番号を用いて申請者の使用に係る電子計算機から電子情報処理組織に登録識別情報を提供する方法又は申請書に登録識別情報を記載する方法

（登録識別情報の提供を必要としない場合）

第六条の二〇　法第十八条の三第一項ただし書の国土交通省令で定める場合は、変更登録が第六条の十七第一項第三号イから二までに掲げる事項の変更のみに係る場合（使用者の変更により自動車の所有者と使用者が同一となる場合を除く。）とする。

（登録識別情報の譲受人への提供）

第六条の二一　法第十八条の三第二項の規定による譲受人への登録識別情報の提供は、登録識別情報等通知書の交付により行うものとする。

第三章　登録等の手続

（自動車登録番号）

第一三条　自動車登録番号は、次に掲げる文字をその順序により組み合わせて定めるものとする。

一　自動車の使用の本拠の位置を管轄する運輸監理部又は運輸支局（使用の本拠の位置が自動車検査登録事務所の管轄区域に属する場合にあつては、当該自動車検査登録事務所。次項において同じ。）を表示する文字（別表第一）
二　自動車の種別及び用途による分類番号を表示する二字以下のアラビア数字又は最初の字がアラビア数字であつて、その他の字がアラビア数字若しくはローマ字若しくはこれらの組合せである三字（別表第二）
三　自動車運送事業の用に供するかどうかの別等を表示する平仮名又はローマ字（別表第三）
四　四けた以下のアラビア数字

2　運輸監理部又は運輸支局の管轄区域が変更された場合においては、当該変更前に法の規定により登録された自動車登録番号については、当該変更又は当該変更に係る区域を含む市町村（特別区を含む。）の区域内における当該自動車登録番号に係る自動車の使用の本拠の位置の変更により前項に規定する基準に適合しないこととなつたときであつても、同項に規定する基準に適合するものとみなす。

別表第一（第十三条関係）

運輸監理部、運輸支局又は自動車検査登録事務所	使用の本拠の位置	表示する文字
札幌運輸支局	札幌運輸支局の管轄区域内	札幌
函館運輸支局	函館運輸支局の管轄区域内	函館
旭川運輸支局	旭川運輸支局の管轄区域内	旭川
室蘭運輸支局	室蘭運輸支局の管轄区域（苫小牧市を除く。）内	室蘭
	室蘭運輸支局の管轄区域（苫小牧市に限る。）内	苫小牧
釧路運輸支局	釧路運輸支局の管轄区域（野付郡、標津郡及び目梨郡を除く。）内	釧路
	釧路運輸支局の管轄区域（野付郡、標津郡及び目梨郡に限る。）内	知床
帯広運輸支局	帯広運輸支局の管轄区域内	帯広
北見運輸支局	北見運輸支局の管轄区域（斜里郡を除く。）内	北見
	北見運輸支局の管轄区域（斜里郡に限る。）内	知床
青森運輸支局	青森運輸支局の管轄区域（弘前市及び中津軽郡を除く。）内	青森
	青森運輸支局の管轄区域（弘前市及び中津軽郡に限る。）内	弘前
八戸自動車検査登録事務所	八戸自動車検査登録事務所の管轄区域内	八戸
岩手運輸支局	岩手運輸支局の管轄区域（盛岡市、八幡平市、滝沢市及び紫波郡に限る。）内	盛岡
	岩手運輸支局の管轄区域（盛岡市、一関市、八幡平市、奥州市、滝沢市、紫波郡、胆沢郡及び西磐井郡を除く。）内	岩手
	岩手運輸支局の管轄区域（一関市、奥州市、胆沢郡及び西磐井郡に限る。）内	平泉
宮城運輸支局	宮城運輸支局の管轄区域（仙台市に限る。）内	仙台
	宮城運輸支局の管轄区域（仙台市を除く。）内	宮城
秋田運輸支局	秋田運輸支局の管轄区域内	秋田
山形運輸支局	山形運輸支局の管轄区域内	山形
庄内自動車検査登録事務所	庄内自動車検査登録事務所の管轄区域内	庄内
福島運輸支局	福島運輸支局の管轄区域（会津若松市、郡山市、白河市、喜多方市、南会津郡、耶麻郡、河沼郡、大沼郡及び西白河郡を除く。）内	福島
	福島運輸支局の管轄区域（会津若松市、喜多方市、南会津郡、耶麻郡、河沼郡及び大沼郡に限る。）内	会津
	福島運輸支局の管轄区域（郡山市に限る。）内	郡山
	福島運輸支局の管轄区域（白河市及び西白河郡に限る。）内	白河
いわき自動車検査登録事務所	いわき自動車検査登録事務所の管轄区域内	いわき
茨城運輸支局	茨城運輸支局の管轄区域内	水戸
土浦自動車検査登録事務所	土浦自動車検査登録事務所の管轄区域（古河市、結城市、下妻市、常総市、つくば市、守谷市、筑西市、坂東市、桜川市、つくばみらい市、結城郡及び猿島郡を除く。）内	土浦
	土浦自動車検査登録事務所の管轄区域（古河市、結城市、下妻市、常総市、つくば市、守谷市、筑西市、坂東市、桜川市、つくばみらい市、結城郡及び猿島郡に限る。）内	つくば
栃木運輸支局	栃木運輸支局の管轄区域（大田原市、那須塩原市及び那須郡（那須町に限る。）を除く。）内	宇都宮
	栃木運輸支局の管轄区域（大田原市、那須塩原市及び那須郡（那須町に限る。）に限る。）内	那須
佐野自動車検査登録事務所	佐野自動車検査登録事務所の管轄区域内	とちぎ
群馬運輸支局	群馬運輸支局の管轄区域（前橋市及び北群馬郡（吉岡町に限る。）に限る。）内	前橋
	群馬運輸支局の管轄区域（高崎市及び安中市に限る。）内	高崎
	群馬運輸支局の管轄区域（前橋市、高崎市、安中市及び北群馬郡（吉岡町に限る。）を除く。）内	群馬
埼玉運輸支局	埼玉運輸支局の管轄区域（川口市を除く。）内	大宮
	埼玉運輸支局の管轄区域（川口市に限る。）内	川口
所沢自動車検査登録事務所	所沢自動車検査登録事務所の管轄区域（川越市、坂戸市、鶴ヶ島市及び入間郡（三芳町を除く。）に限る。）内	川越
	所沢自動車検査登録事務所の管轄区域（川越市、坂戸市、鶴ヶ島市及び入間郡（三芳町を除く。）を除く。）内	所沢
熊谷自動車検査登録事務所	熊谷自動車検査登録事務所の管轄区域内	熊谷
春日部自動車検査登録事務所	春日部自動車検査登録事務所の管轄区域（越谷市を除く。）内	春日部

	春日部自動車検査登録事務所の管轄区域（越谷市に限る。）内	越谷
千葉運輸支局	千葉運輸支局の管轄区域（成田市、富里市、山武市、香取郡（東庄町を除く。）及び山武郡（芝山町及び横芝光町に限る。）を除く。）内	千葉
	千葉運輸支局の管轄区域（成田市、富里市、山武市、香取郡（東庄町を除く。）及び山武郡（芝山町及び横芝光町に限る。）に限る。）内	成田
習志野自動車検査登録事務所	習志野自動車検査登録事務所の管轄区域（市川市に限る。）内	市川
	習志野自動車検査登録事務所の管轄区域（船橋市に限る。）内	船橋
	習志野自動車検査登録事務所の管轄区域（市川市及び船橋市を除く。）内	習志野
袖ヶ浦自動車検査登録事務所	袖ヶ浦自動車検査登録事務所の管轄区域（市原市を除く。）内	袖ヶ浦
	袖ヶ浦自動車検査登録事務所の管轄区域（市原市に限る。）内	市原
野田自動車検査登録事務所	野田自動車検査登録事務所の管轄区域（松戸市に限る。）内	松戸
	野田自動車検査登録事務所の管轄区域（松戸市、柏市及び我孫子市を除く。）内	野田
	野田自動車検査登録事務所の管轄区域（柏市及び我孫子市に限る。）内	柏
東京運輸支局	東京運輸支局の管轄区域（世田谷区を除く。）内	品川
	東京運輸支局の管轄区域（世田谷区に限る。）内	世田谷
練馬自動車検査登録事務所	練馬自動車検査登録事務所の管轄区域（杉並区及び板橋区を除く。）内	練馬
	練馬自動車検査登録事務所の管轄区域（杉並区に限る。）内	杉並
	練馬自動車検査登録事務所の管轄区域（板橋区に限る。）内	板橋
足立自動車検査登録事務所	足立自動車検査登録事務所の管轄区域（江東区及び葛飾区を除く。）内	足立
	足立自動車検査登録事務所の管轄区域（江東区に限る。）内	江東
	足立自動車検査登録事務所の管轄区域（葛飾区に限る。）内	葛飾
八王子自動車検査登録事務所	八王子自動車検査登録事務所の管轄区域内	八王子
多摩自動車検査登録事務所	多摩自動車検査登録事務所の管轄区域内	多摩
神奈川運輸支局	神奈川運輸支局の管轄区域内	横浜
川崎自動車検査登録事務所	川崎自動車検査登録事務所の管轄区域内	川崎
湘南自動車検査登録事務所	湘南自動車検査登録事務所の管轄区域内	湘南
相模自動車検査登録事務所	相模自動車検査登録事務所の管轄区域内	相模
山梨運輸支局	山梨運輸支局の管轄区域（富士吉田市及び南都留郡を除く。）内	山梨
	山梨運輸支局の管轄区域（富士吉田市及び南都留郡に限る。）内	富士山
新潟運輸支局	新潟運輸支局の管轄区域内	新潟
長岡自動車検査登録事務所	長岡自動車検査登録事務所の管轄区域（糸魚川市、妙高市及び上越市を除く。）内	長岡
	長岡自動車検査登録事務所の管轄区域（糸魚川市、妙高市及び上越市に限る。）内	上越
富山運輸支局	富山運輸支局の管轄区域内	富山
石川運輸支局	石川運輸支局の管轄区域（金沢市、かほく市、河北郡に限る。）内	金沢
	石川運輸支局の管轄区域（金沢市、かほく市、河北郡を除く。）内	石川
長野運輸支局	長野運輸支局の管轄区域内	長野
松本自動車検査登録事務所	松本自動車検査登録事務所の管轄区域（岡谷市、諏訪市、茅野市及び諏訪郡を除く。）内	松本
	松本自動車検査登録事務所の管轄区域（岡谷市、諏訪市、茅野市及び諏訪郡に限る。）内	諏訪
福井運輸支局	福井運輸支局の管轄区域内	福井
岐阜運輸支局	岐阜運輸支局の管轄区域内	岐阜
飛騨自動車検査登録事務所	飛騨自動車検査登録事務所の管轄区域内	飛騨
静岡運輸支局	静岡運輸支局の管轄区域内	静岡
浜松自動車検査登録事務所	浜松自動車検査登録事務所の管轄区域内	浜松
沼津自動車検査登録事務所	沼津自動車検査登録事務所の管轄区域（熱海市、三島市、富士宮市、伊東市、富士市、御殿場市、下田市、裾野市、伊豆市、伊豆の国市、賀茂郡、田方郡及び駿東郡（小山町に限る。）を除く。）内	沼津
	沼津自動車検査登録事務所の管轄区域（熱海市、三島市、伊東市、下田市、伊豆市、伊豆の国市、賀茂郡及び田方郡に限る。）内	伊豆
	沼津自動車検査登録事務所の管轄区域（富士宮市、富士市、御殿場市、裾野市及び駿東郡（小山町に	富士山

	限る。）に限る。）内	
愛知運輸支局	愛知運輸支局の管轄区域内	名古屋
豊橋自動車検査登録事務所	豊橋自動車検査登録事務所の管轄区域内	豊橋
西三河自動車検査登録事務所	西三河自動車検査登録事務所の管轄区域（岡崎市及び額田郡に限る。）内	岡崎
	西三河自動車検査登録事務所の管轄区域（岡崎市、豊田市及び額田郡を除く。）内	三河
	西三河自動車検査登録事務所の管轄区域（豊田市に限る。）内	豊田
小牧自動車検査登録事務所	小牧自動車検査登録事務所の管轄区域（一宮市に限る。）内	一宮
	小牧自動車検査登録事務所の管轄区域（一宮市及び春日井市を除く。）内	尾張小牧
	小牧自動車検査登録事務所の管轄区域（春日井市に限る。）内	春日井
三重運輸支局	三重運輸支局の管轄区域（四日市市、伊勢市、鈴鹿市、亀山市、鳥羽市、志摩市、多気郡（明和町に限る。）及び度会郡（大紀町を除く。）を除く。）内	三重
	三重運輸支局の管轄区域（四日市市に限る。）内	四日市
	三重運輸支局の管轄区域（伊勢市、鳥羽市、志摩市、多気郡（明和町に限る。）及び度会郡（大紀町を除く。）に限る。）内	伊勢志摩
	三重運輸支局の管轄区域（鈴鹿市及び亀山市に限る。）内	鈴鹿
滋賀運輸支局	滋賀運輸支局の管轄区域内	滋賀
京都運輸支局	京都運輸支局の管轄区域内	京都
大阪運輸支局	大阪運輸支局の管轄区域内	大阪
なにわ自動車検査登録事務所	なにわ自動車検査登録事務所の管轄区域内	なにわ
和泉自動車検査登録事務所	和泉自動車検査登録事務所の管轄区域（堺市に限る。）内	堺
	和泉自動車検査登録事務所の管轄区域（堺市を除く。）内	和泉
神戸運輸監理部	神戸運輸監理部の管轄区域内	神戸
姫路自動車検査登録事務所	姫路自動車検査登録事務所の管轄区域内	姫路
奈良運輸支局	奈良運輸支局の管轄区域（橿原市、磯城郡（川西町を除く。）及び高市郡を除く。）内	奈良
	奈良運輸支局の管轄区域（橿原市、磯城郡（川西町を除く。）及び高市郡に限る。）内	飛鳥
和歌山運輸支局	和歌山運輸支局の管轄区域内	和歌山
鳥取運輸支局	鳥取運輸支局の管轄区域内	鳥取
島根運輸支局	島根運輸支局の管轄区域（出雲市、仁多郡及び飯石郡を除く。）内	島根
	島根運輸支局の管轄区域（出雲市、仁多郡及び飯石郡に限る。）内	出雲
岡山運輸支局	岡山運輸支局の管轄区域（倉敷市、笠岡市、井原市、浅口市、浅口郡及び小田郡を除く。）内	岡山
	岡山運輸支局の管轄区域（倉敷市、笠岡市、井原市、浅口市、浅口郡及び小田郡に限る。）内	倉敷
広島運輸支局	広島運輸支局の管轄区域内	広島
福山自動車検査登録事務所	福山自動車検査登録事務所の管轄区域内	福山
山口運輸支局	山口運輸支局の管轄区域（下関市に限る。）内	下関
	山口運輸支局の管轄区域（下関市を除く。）内	山口
徳島運輸支局	徳島運輸支局の管轄区域内	徳島
香川運輸支局	香川運輸支局の管轄区域（高松市に限る。）内	高松
	香川運輸支局の管轄区域（高松市を除く。）内	香川
愛媛運輸支局	愛媛運輸支局の管轄区域内	愛媛
高知運輸支局	高知運輸支局の管轄区域内	高知
福岡運輸支局	福岡運輸支局の管轄区域内	福岡
北九州自動車検査登録事務所	北九州自動車検査登録事務所の管轄区域内	北九州
久留米自動車検査登録事務所	久留米自動車検査登録事務所の管轄区域内	久留米
筑豊自動車検査登録事務所	筑豊自動車検査登録事務所の管轄区域内	筑豊
佐賀運輸支局	佐賀運輸支局の管轄区域内	佐賀
長崎運輸支局及び厳原自動車検査登録事務所	長崎運輸支局及び厳原自動車検査登録事務所の管轄区域内	長崎
佐世保自動車検査登録事務所	佐世保自動車検査登録事務所の管轄区域内	佐世保
熊本運輸支局	熊本運輸支局の管轄区域内	熊本
大分運輸支局	大分運輸支局の管轄区域内	大分
宮崎運輸支局	宮崎運輸支局の管轄区域内	宮崎
鹿児島運輸支局	鹿児島運輸支局の管轄区域内	鹿児島
奄美自動車検査登録事務所	奄美自動車検査登録事務所の管轄区域内	奄美
沖縄総合事務局陸運事務所、宮古運輸事務所及び八重山運輸事務所	沖縄総合事務局陸運事務所、宮古運輸事務所及び八重山運輸事務所の管轄区域内	沖縄

別表第二（第十三条関係）

自動車の範囲	分類番号
1　貨物の運送の用に供する普通自動車	1、10から19まで、100から199まで、10Aから19Zまで、1A0から1Z9まで及び1AAから1ZZまで
2　人の運送の用に供する乗車定員11人以上の普通自動車	2、20から29まで、200から299まで、20Aから29Zまで、2A0から2Z9まで及び2AAから2ZZまで
3　人の運送の用に供する乗車定員10人以下の普通自動車	3、30から39まで、300から399まで、30Aから39Zまで、3A0から3Z9まで及び3AAから3ZZまで
4　貨物の運送の用に供する小型自動車	4、6、40から49まで、60から69まで、400から499まで、600から699まで、40Aから49Zまで、60Aから69Zまで、4A0から4Z9まで、6A0から6Z9まで、4AAから4ZZまで及び6AAから6ZZまで
5　人の運送の用に供する小型自動車	5、7、50から59まで、70から79まで、500から599まで、700から799まで、50Aから59Zまで、70Aから79Zまで、5A0から5Z9まで、7A0から7Z9まで、5AAから5ZZまで及び7AAから7ZZまで
6　散水自動車、広告宣伝用自動車、霊きゆう自動車その他特種の用途に供する普通自動車及び小型自動車	8、80から89まで、800から899まで、80Aから89Zまで、8A0から8Z9まで及び8AAから8ZZまで
7　大型特殊自動車（次号に規定するものを除く。）	9、90から99まで、900から999まで、90Aから99Zまで、9A0から9Z9まで及び9AAから9ZZまで
8　自動車抵当法第2条ただし書に規定する大型特殊自動車	0、00から09まで、000から099まで、00Aから09Zまで、0A0から0Z9まで及び0AAから0ZZまで

別表第三（第十三条関係）

自動車の区分	平仮名及びローマ字
1　自動車運送事業の用に供する自動車	あいうえかきくけこを
2　自家用自動車（次号及び第4号に規定するものを除く。）	さすせそたちつてとなにぬねのはひふほまみむめもやゆらりるろ
3　道路運送法施行規則（昭和26年運輸省令第75号）第52条の規定により受けた許可に係る自家用自動車	れわ
4　日本国籍を有しない者が所有する自家用自動車で、法令の規定により関税又は消費税が免除されているもの及び別に国土交通大臣が指定するもの	EHKMTYよ

○自動車の登録及び検査に関する申請書等の様式等を定める省令

（昭和四五・二・二〇 運輸省令八）

改正 昭和四七・一二運令六五、昭和五三・一二運令六三、昭和五六・三運令九、昭和五八・三運令八、昭和五九・六運令一八、八運令二七、昭和六〇・二運令五、三運令一〇、昭和六二・三運令二九、八運令五二、平成元・七運令二四、平成三・一一運令三九、平成七・二運令八、一〇運令五六、平成九・八運令五二、一二運令八一、平成一〇・一〇運令六七、平成一二・七運令二五、一一運令三九、平成一三・七国交令一一一、平成一四・六国交令七九、八国交令九六、平成一五・七国交令八〇、平成一六・三国交令三七、八国交令八三、平成一七・一一国交令一〇四、平成一八・一一国交令一〇六、平成一九・一一国交令八九、平成二〇・八国交令七三、九国交令七六、平成二三・一二国交令一〇七、平成二四・七国交令七〇、平成二五・一二国交令九三、平成二七・三国交令二〇、平成二八・一二国交令八七、平成三〇・三国交令一八、一二国交令九五、令和元・六国交令二〇、令和二・一〇国交令八四、一二国交令九八、令和三・八国交令五三、令和四・五国交令四五

（趣旨）

第一条 この省令は、自動車に関する登録及び検査に関するOCRに用いる申請書等の様式等を定めるものとする。

（登録及び検査に関する申請書等の様式）

第二条 自動車（軽自動車及び小型特殊自動車を除く。以下この条及び第四条第一項において同じ。）の登録等に関する次の表の上欄に掲げる申請書、届出書、請求書及び嘱託書の様式は、それぞれ同表の下欄に掲げる様式とする。

一 新規登録の申請書（第三号に掲げる場合を除く。）	第一号様式及び第二号様式
二 自動車登録番号標の交付の申請書（第八号の申請と同時に申請する場合に限る。）	
三 新規登録の申請書（次に掲げる場合に限る。） イ 道路運送車両法（昭和二十六年法律第百八十五号。以下「法」という。）第七十五条第一項の規定により型式について指定を受けた自動車であつて、第二号様式の諸元欄に掲げる事項（以下この条において「諸元欄事項」という。）に変更のないものについて申請を行う場合 ロ 一時抹消登録を受けた自動車（法第十六条第六項において準用する法第十五条の二第三項後段の規定による記録を受けたものを除く。）であつて、諸元欄事項に変更のないものについて申請を行う場合 ハ 道路運送車両法施行規則（昭和二十六年運輸省令第七十四号。以下「施行規則」という。）第四十九条の二第二項の規定により通知が電磁的方法により行われた場合における当該自動車について申請を行う場合	第一号様式
四 変更登録又は更正の登録の申請書（第八号に掲げる場合を除く。）	
五 移転登録の申請書	
六 自動車登録番号標の交付の申請書（第四号及び前号の申請と同時に申請する場合に限る。）	
七 一時抹消登録後の所有者の変更に係る記録の申請書	
八 変更登録又は更正の登録の申請書（諸元欄事項に変更がある場合に限る。）（施行規則第四十九条の二第二項の規定により通知が電磁的方法により行われた場合における当該自動車について申請を行う場合を除く。）	第二号様式
九 自動車登録番号標の交付の申請書（第二号及び第六号に掲げる場合を除く。）	第三号様式
十 登録事項等証明書（自動車一両ごとに作成するものに限る。）の交付の請求書	
十一 永久抹消登録、輸出抹消仮登録又は一時抹消登録の申請書（第十六号に掲げる場合を除く。）	第三号様式の二
十二 本邦に再輸入することが見込まれる登録自動車の届出書	
十三 一時抹消登録後の解体等又は輸出に係る届出書（第十六号に掲げる場合を除く。）	
十四 輸出予定届出証明書の交付の申請書	
十五 輸出抹消仮登録証明書又は輸出予定届出証明書の返納の届出書	
十六 永久抹消登録の申請書又は一時抹消登録後の解体等に係る届出書（使用済自動車の解体に係る場合に限る。）	第三号様式の三
十七 登録事項等証明書（三十両以下の自動車について一括して作成する証明書で現在記録ファイルに記録されている事項のみに係るものに限る。）の交付の請求書	第四号様式
十八 抵当権の登録の申請書	第五号様式
十九 登録の嘱託書	第六号様式

2 自動車の検査及び二輪自動車検査ファイルの正確な記録を確保するための措置に関する次の表の上欄に掲げる申請書及び請求書の様式は、それぞれ同表の下欄に掲げる様式とする。

一 新規検査、予備検査又は自動車予備検査証に基づく自動車検査証の交付の申請書（次号に掲げる場合を除く。）	第一号様式及び第二号様式
二 新規検査、予備検査又は自動車予備検査証に基づく自動車検査証の交付の申請書（次に掲げる場合に限る。） イ 法第七十五条第一項の規定により型	第一号様式

式について指定を受けた自動車であつて、諸元欄事項に変更のないものについて申請を行う場合	
ロ　一時抹消登録を受けた自動車（法第十六条第六項において準用する法第十五条の二第三項後段の規定による記録を受けたものを除く。）又は法第六十九条第四項の規定による自動車検査証返納証明書の交付を受けた自動車であつて、諸元欄事項に変更のないものについて申請を行う場合	
ハ　施行規則第四十九条の二第二項の規定により通知が電磁的方法により行われた場合における当該自動車について申請を行う場合	
三　自動車検査証又は自動車予備検査証の変更記録の申請書（第五号及び第七号に掲げる場合を除く。）	
四　自動車検査証の返納後の二輪の小型自動車の所有者の変更に係る記録の申請書	
五　自動車検査証又は自動車予備検査証の変更記録の申請書（諸元欄事項に変更がある場合に限る。）（施行規則第四十九条の二第二項の規定により通知が電磁的方法により行われた場合における当該自動車について申請を行う場合を除く。）	第二号様式
六　継続検査又は臨時検査の申請書	第三号様式
七　自動車検査証の変更記録の申請書（施行規則第三十五条の三第一項第一号に掲げる事項のみに変更がある場合に限る。）	
八　自動車検査証、自動車予備検査証、限定自動車検査証又は検査標章の再交付の申請書	
九　検査記録事項等証明書（自動車一両ごとに作成するものに限る。）の交付の請求書	
十　自動車検査証返納証明書の交付の申請書	第三号様式の二
十一　検査記録事項等証明書（三十両以下の自動車について一括して作成する証明書で現在記録ファイルに記録されている事項のみに係るものに限る。）の交付の請求書	第四号様式
十二　新規検査の申請書（次に掲げる事項のみを記録する場合に限る。）又は自動車検査証の変更記録の申請書（次に掲げる事項のみに変更がある場合に限る。）（それぞれ施行規則第四十九条の二第二項の規定により通知が電磁的方法により行われた場合における当該自動車について申請を行う場合を除く。） イ　掘削、除雪その他の作業の用に供する附属装置を取り付けた自動車にあつては、長さ、幅及び高さ、乗車定員又は最大積載量、車両重量並びに当該附属装置の名称 ロ　タンク自動車（爆発性液体、高圧ガスその他の物品を運送するため、車台にタンク又はガス容器を固定した自動車をいう。）にあつては、最大積載容積、積載物品名及び当該物品の比重又は定数 ハ　施行規則第三十五条の四第一項第七号に掲げる事項	第七号様式
十三　新規検査の申請書（施行規則第三十五条の四第一項第五号及び第二項に掲げる事項のみを記録する場合に限る。）又は自動車検査証の変更記録の申請書（同号に掲げる事項のみに変更がある場合に限る。）（それぞれ施行規則第四十九条の二第二項の規定により通知が電磁的方法により行われた場合における当該自動車について申請を行う場合を除く。）	第八号様式

3　自動車の登録及び検査に関する次の表の上欄に掲げる申請書の様式は、前二項の規定にかかわらず、それぞれ同表の下欄に掲げる様式によることができる。

一　変更登録の申請と自動車検査証の変更記録の申請を同時に行う場合の申請書（当該申請に係る自動車の所有者と使用者が同一の場合であつて、所有者の住所又は使用の本拠の位置のみの変更に係るものに限る。）	専用第一号様式
二　移転登録の申請と自動車検査証の変更記録の申請（使用者の氏名若しくは名称又は施行規則第三十五条の四第一項第二号から第四号までに掲げる事項のみに変更がある場合に限る。）を同時に行う場合の申請書	専用第二号様式

4　第三項に定めるもののほか、自動車の検査に関する次の表の上欄に掲げる申請書の様式は、第二項の規定にかかわらず、それぞれ同表の下欄に掲げる様式によることができる。

一　自動車検査証の変更記録の申請書（当該申請に係る自動車の所有者と使用者が同一の場合であつて、所有者の住所又は使用の本拠の位置のみの変更に係るものに限る。）	専用第一号様式
二　自動車検査証の変更記録の申請書（使用者の氏名若しくは名称又は施行規則第三十五条の四第一項第二号から第四号までに掲げる事項のみに変更がある場合に限る。）	専用第二号様式
三　継続検査の申請書	専用第三号様式

5　第一号様式及び専用第二号様式の申請書に記載すべき事項で氏名若しくは名称又は住所に係るものが当該申請書だけでは記載することができないときは、その記載することができない部分は、第九号様式の追加用紙に記載するものとする。

6　前各項に規定する申請書、届出書及び嘱託書に記載すべき事項で当該申請書、届出書又は嘱託書だけでは記載することができないとき（施行規則第四十九条の二第二項の規定により通知が電磁的方法により行われた場合における当該自動車について申請を行うときを除く。）は、その記載することができない部分は、第十号様式の追加用紙に記載するものとする。

第三条　**（検査対象軽自動車の検査等に関する申請書等の様式）**　検査対象軽自動車の検査及び軽自動車検査ファイルの正

確な記録を確保するための措置（第四条第二項において「検査対象軽自動車の検査等」という。）に関する次の表の上欄に掲げる申請書、届出書及び請求書の様式は、それぞれ同表の下欄に掲げる様式とする。

一　新規検査、予備検査又は自動車予備検査証に基づく自動車検査証の交付の申請書（次号に掲げる場合を除く。）	軽第一号様式及び軽第二号様式
二　新規検査、予備検査又は自動車予備検査証に基づく自動車検査証の交付の申請書（次に掲げる場合に限る。） イ　法第七十五条第一項の規定により型式について指定を受けた自動車であつて、軽第二号様式の諸元欄に掲げる事項（以下この条において「軽諸元欄事項」という。）に変更のないものについて申請を行う場合 ロ　法第六十九条第四項の規定による自動車検査証返納証明書の交付を受けた自動車（法第六十九条の二第五項において準用する法第十五条の二第三項後段の規定による記録を受けたものを除く。）であつて、軽諸元欄事項に変更のないものについて申請を行う場合 ハ　軽自動車検査協会により軽諸元欄事項の記録が電磁的記録で作成された自動車について申請を行う場合	軽第一号様式
三　自動車検査証又は自動車予備検査証の変更記録の申請書（使用者の氏名若しくは名称又は施行規則第三十五条の四第一項第二号から第四号までに掲げる事項に変更がある場合に限る。）	
四　自動車検査証の返納後の所有者の変更に係る記録の申請書	
五　自動車検査証又は自動車予備検査証の変更記録の申請書（軽諸元欄事項に変更がある場合に限る。）（第三号の申請と同時に申請する場合であつて、軽自動車検査協会により軽諸元欄事項の記録が電磁的記録で作成された自動車について申請を行う場合を除く。）	軽第二号様式
六　継続検査又は臨時検査の申請書	軽第三号様式
七　自動車検査証の変更記録の申請書（施行規則第三十五条の三第一項第一号に掲げる事項のみに変更がある場合に限る。）	
八　自動車検査証、自動車予備検査証、限定自動車検査証又は検査標章の再交付の申請書	
九　検査記録事項等証明書（自動車一両ごとに作成するものに限る。）の交付の請求書	
十　自動車検査証返納証明書の交付の申請書	軽第四号様式
十一　解体等又は輸出に係る届出書（第十五号に掲げる場合を除く。）	軽第四号様式の二
十二　本邦に再輸入することが見込まれる自動車の届出書	
十三　輸出予定届出証明書の交付の申請書	
十四　輸出予定届出証明書の返納の届出書	
十五　解体等に係る届出書（使用済自動車の解体に係る場合に限る。）	軽第四号様式の三

2　検査対象軽自動車の検査に関する次の表の上欄に掲げる申請書及び届出書の様式は、前項の規定にかかわらず、それぞれ同表の下欄に掲げる様式によることができる。

一　自動車検査証の変更記録の申請書（使用者の氏名若しくは名称又は施行規則第三十五条の四第一項第二号から第四号までに掲げる事項のみに変更がある場合に限る。）	軽専用第一号様式
二　継続検査の申請書	軽専用第二号様式

3　検査対象軽自動車の検査に関する申請書であつて、次の各号に掲げる事項について、自動車検査証に記録し、又は自動車検査証記録事項を変更する場合（軽自動車検査協会により当該事項の記録が電磁的記録で作成された自動車について申請を行う場合を除く。）の様式は、軽第五号様式とする。

一　被牽引自動車にあつては、牽引自動車の車名及び型式

二　牽引自動車にあつては、被牽引自動車の車名及び型式

三　タンク自動車（爆発性液体、高圧ガスその他の物品を運送するため、車台にタンク又はガス容器を固定した自動車をいう。）にあつては、最大積載容積、積載物品名及び当該積載物品の比重又は定数

四　施行規則第三十五条の四第一項第七号に掲げる事項

4　前三項に規定する申請書及び届出書に記載すべき事項で当該申請書又は届出書だけでは記載することができないとき（軽自動車検査協会により当該事項の記録が電磁的記録で作成された自動車について申請を行うときを除く。）は、その記載することができない部分は、軽第六号様式の追加用紙に記載するものとする。

（登録事項等通知書等の様式）

第四条　自動車の登録等及び検査に関する次の表の上欄に掲げる書面の様式は、それぞれ同表の下欄に掲げる様式とする。

一　登録事項等通知書（法第十条（法第十二条第四項、第十三条第四項、第十四条第二項及び第三十八条第二項並びに自動車登録令（昭和二十六年政令第二百五十六号）第四十三条第二項において準用する場合を含む。）の規定により登録事項を通知する書面をいう。）	第十一号様式
二　輸出抹消仮登録証明書	第十二号様式
三　輸出予定届出証明書	第十三号様式
四　登録識別情報等通知書	第十四号様式
五　登録事項等証明書 イ　自動車一両ごとに作成する証明書で現在記録ファイルに記録されている事項のみに係るもの	第十五号様式
ロ　自動車一両ごとに作成する証明書で現在記録ファイル及び保存記録ファイルに記録されている事項に係るもの	第十六号様式
ハ　三十両以下の自動車について一括して作成する証明書で現在記録ファイルに記録されている事項のみに係るもの	第十七号様式

六　自動車検査証	第十八号様式
七　検査標章	第十九号様式
八　自動車検査証返納証明書	第二十号様式
九　自動車予備検査証	第二十一号様式
十　限定自動車検査証	第二十二号様式
十一　検査記録事項等証明書 イ　自動車一両ごとに作成する証明書で現在記録ファイルに記録されている事項のみに係るもの	第二十三号様式
ロ　自動車一両ごとに作成する証明書で現在記録ファイル及び保存記録ファイルに記録されている事項に係るもの	第二十四号様式
ハ　三十両以下の自動車について一括して作成する証明書で現在記録ファイルに記録されている事項のみに係るもの	第二十五号様式

2　検査対象軽自動車の検査等に関する次の表の上欄に掲げる書面の様式は、それぞれ同表の下欄に掲げる様式とする。

一　輸出予定届出証明書	軽第七号様式
二　自動車検査証	軽第八号様式
三　検査標章	軽第九号様式
四　自動車検査証返納証明書	軽第十号様式
五　自動車予備検査証	軽第十一号様式
六　限定自動車検査証	軽第十二号様式
七　検査記録事項等証明書 イ　自動車一両ごとに作成する証明書で現在記録ファイルに記録されている事項のみに係るもの	軽第十三号様式
ロ　自動車一両ごとに作成する証明書で現在記録ファイル及び保存記録ファイルに記録されている事項に係るもの	軽第十四号様式

（ＯＣＲに用いる申請書等の記載方法等）

第五条　ＯＣＲに用いる申請書、届出書、請求書及び嘱託書（以下「申請書等」という。）の記載方法並びに登録事項等通知書、輸出抹消仮登録証明書、輸出予定届出証明書、自動車検査証返納証明書、登録識別情報等通知書、登録事項等証明書、自動車検査証、自動車検査証返納証明書、自動車予備検査証、限定自動車検査証及び検査記録事項等証明書の表示方法は、告示で定める。

（申請書等の紙質等）

第六条　申請書等は、その紙質、印刷等について国土交通大臣（法第七十四条の四の規定の適用があるときは、軽自動車検査協会）の定める基準に適合するものでなければならない。

2　申請書等は、折損し、又は汚損したものであつてはならない。

（光ディスクによる手続）

第七条　新規登録、変更登録、移転登録、永久抹消登録、輸出抹消仮登録、一時抹消登録若しくは新規検査（検査対象軽自動車に係るものを除く。）に係る申請又は変更登録若しくは移転登録と同時にする自動車検査証の変更記録の申請であつて第一号様式又は第三号様式の二によるものについては、当該様式の記載事項を告示で定める方式により記録した光ディスク及び当該光ディスクに記録された内容を告示で定めるところにより記載した書面をもつて当該申請に係る申請書に代えることができる。

2　検査対象軽自動車に係る新規検査又は自動車検査証の変更記録の申請若しくは自動車検査証返納証明書の交付の申請であつて、軽第一号様式又は軽第四号様式によるものについては、当該様式の記載事項を告示で定める方式により記録した光ディスク及び当該光ディスクに記録された内容を告示で定めるところにより記載した書面をもつて当該申請に係る申請書に代えることができる。

3　前二項の光ディスクの構造は、産業標準化法（昭和二十四年法律第百八十五号）に基づく日本産業規格（以下「日本産業規格」という。）Ｘ六二八三に適合する情報交換用百二十ミリメートルリライタブル光ディスクでなければならない。

4　第一項及び第二項の光ディスクには、日本産業規格Ｘ六二八三に規定するラベルに、告示で定める事項を記載しなければならない。

（公印の省略）

第八条　法第六条第一項の電子情報処理組織によつて印字する登録事項等通知書、輸出抹消仮登録証明書、輸出予定届出証明書、登録識別情報等通知書、登録事項等証明書、自動車検査証、自動車検査証返納証明書、自動車予備検査証、限定自動車検査証及び検査記録事項等証明書については、運輸監理部長又は運輸支局長（法第七十四条の四の規定の適用があるときは、軽自動車検査協会）の公印は、押印しないものとする。

附　則

この省令は、昭和四十五年三月一日から施行する。

附　則〔昭和五三・一二・一八運輸省令六三〕

（施行期日）

1　この省令は、昭和五十四年一月一日から施行する。

（経過措置）

2　この省令の施行の際現に道路運送車両法（昭和二十六年法律第百八十五号。以下「法」という。）の規定により登録を受けている自動車又は法の規定により車両番号の指定を受けている検査対象軽自動車若しくは二輪の小型自動車に係る自動車検査証の記載事項については、当該自動車についてこの省令の施行後はじめて法第十五条第一項若しくは第三項若しくは第十六条第一項の規定によりまつ消登録を受けるまで若しくは道路運送車両法施行規則第四十条の二第一項の規定により自動車検査証を返納するまで又は法第六十七条第三項の規定により構造等変更検査を受けるまでの間は、第一条の規定による改正後の道路運送車両法施行規則第三十五条の三の規定にかかわらず、なお従前の例によることができる。

3　この省令の施行前に法の規定により交付された従前の様式による登録事項等通知書、まつ消登録証明書、登録事項等証明書、自動車検査証、自動車予備検査証又は完成検査終了証は、それぞれこの省令による改正後の様式によるものとみなす。

附　則〔昭和五六・三・二五運輸省令九〕

1　この省令は、昭和五十六年四月一日から施行する。

2　改正前の第一号様式から第四号様式までの様式による申請書は、改正後の第一号様式から第四号様式までの様式にかかわらず、当分の間、なおこれを使用することができる。

3　この省令の施行前に交付した改正前の第十六号様式による登録事項等証明書は、改正後の第十六号様式によるものとみなす。

附　則〔昭和五九・六・二二運輸省令一八抄〕

（施行期日）

第一条　この省令は、昭和五十九年七月一日から施行する。

（経過措置）

第二条　この省令の施行前に次の表の上欄に掲げる行政庁が法律若しくはこれに基づく命令の規定によりした許可、認可その他の処分又は契約その他の行為（以下「処分等」という。）は、同表の下欄に掲げるそれぞれの行政庁がした処分等とみなし、この省令の施行前に同表の上欄に掲げる行政庁に対してした申請、届出その他の行為（以下「申請等」という。）は、同表の下欄に掲げるそれぞれの行政庁に対してした申請等とみなす。

北海海運局長	北海道運輸局長
東北海運局長（山形県又は秋田県の区域に係る処分等又は申請等に係る場合を除く。）	東北運輸局長
東北海運局長（山形県又は秋田県の区域に係る処分等又は申請等に係る場合に限る。）及び新潟海運監理部長	新潟運輸局長
関東海運局長	関東運輸局長
東海海運局長	中部運輸局長
近畿海運局長	近畿運輸局長
中国海運局長	中国運輸局長
四国海運局長	四国運輸局長
九州海運局長	九州運輸局長
神戸海運局長	神戸海運監理部長
札幌陸運局長	北海道運輸局長
仙台陸運局長	東北運輸局長
新潟陸運局長	新潟運輸局長
東京陸運局長	関東運輸局長
名古屋陸運局長	中部運輸局長
大阪陸運局長	近畿運輸局長
広島陸運局長	中国運輸局長
高松陸運局長	四国運輸局長
福岡陸運局長	九州運輸局長

第六条　この省令による改正前の船員法施行規則第十六号書式による船員手帳、船舶職員法施行規則第二号様式による海技従事者免許申請書、第五号様式による海技免状、第六号様式による登録事項（海技免状）訂正申請書、第七号様式による海技免状更新申請書及び第九号様式による海技免状再交付申請書、船員法及び船舶職員法の一部を改正する法律の施行に伴う経過措置を定める省令様式第二号による海技免状引換え（就業範囲変更）申請書及び様式第三号による海技従事者免許申請書（旧試験合格者用）、自動車事故報告規則別記様式による自動車事故報告書並びに自動車の登録及び検査に関する申請書等の様式等を定める省令第十三号様式による備考欄補助シート・自動車検査証記入申請書は、この省令による改正後のそれぞれの書式又は様式にかかわらず、当分の間、なおこれを使用することができる。

附　則　〔昭和五九・八・二九運輸省令二七抄〕

（施行期日）

1　この省令は、昭和五十九年十月一日から施行する。

（経過措置）

2　改正前の第一号様式から第四号様式までの様式による申請書は、改正後の第一号様式から第四号様式までの様式にかかわらず、当分の間、なおこれを使用することができる。

附　則　〔昭和六〇・二・一五運輸省令五〕

（施行期日）

1　この省令は、道路運送法等の一部を改正する法律の施行の日（昭和六十年四月一日）から施行する。

（経過措置）

2　この省令の施行の際現に自動車登録番号標交付代行者又は封印取付受託者が道路運送車両法（昭和二十六年法律第百八十五号）の規定により掲げている標識の様式については、それぞれこの省令による改正後の自動車登録番号標交付代行者規則別記様式及び道路運送車両法施行規則第一号様式の三にかかわらず、なお従前の例による。

3　この省令の施行前に道路運送車両法又は道路運送車両法施行規則の規定により交付された従前の様式による検認票、回送運行許可証、自動車予備検査証、軽自動車届出済証、臨時運転番号標貸与証、登録事項等通知書、自動車検査証又は登録事項等証明書、自動車輸送統計調査規則の規定により配布された従前の様式による自動車輸送統計調査票及び道路交通に関する条約の実施に伴う道路運送車両法の特例等を定める法律（昭和三十九年法律第百九号）の規定により交付された従前の様式による登録証書は、この省令による改正後のそれぞれの様式によるものとみなす。

4　この省令による改正前の自動車事故報告規則別記様式による自動車事故報告書並びに自動車の登録及び検査に関する申請書等の様式等を定める省令第一号様式又は第二号様式による新規登録申請書・新規検査申請書・自動車検査証交付申請書、第三号様式による変更登録申請書、移転登録申請書又は更正登録申請書・自動車検査証記入申請書・自動車登録番号標交付申請書、第四号様式による変更登録申請書、移転登録申請書又は更正登録申請書・自動車検査証記入申請書、第五号様式によるまつ消登録申請書、第六号様式による登録事項等証明書交付請求書・自動車検査証再交付申請書、第七号様式による登録事項等証明書交付請求書、第八号様式による自動車登録番号標交付申請書、第九号様式による抵当権登録申請書（その一）・登録嘱託書、第十号様式による継続検査申請書・臨時検査申請書又は分解整備検査申請書及び第十三号様式による備考欄補助シート・自動車検査証記入申請書は、この省令による改正後のそれぞれの様式にかかわらず、当分の間、なおこれを使用することができる。

附　則　〔昭和六〇・三・一三運輸省令一〇〕

（施行期日）

1　この省令は、昭和六十年四月一日から施行する。

（経過措置）

2　自動車登録番号標交付代行者規則等の一部を改正する省令（昭和六十年運輸省令第五号）による改正前の自動車の登録及び検査に関する申請書等の様式等を定める省令第一号様式から第四号様式までの様式並びにこの省令による改正前の自動車の登録及び検査に関する申請書等の様式等を定める省令第一号様式から第四号様式までの様式及び第十二号様式による申請書は、この省令による改正後のそれぞれの様式にかかわらず、当分の間、なおこれを使用することができる。

附　則　〔昭和六二・三・二七運輸省令二九抄〕

（施行期日）

第一条　この省令は、昭和六十二年四月一日から施行する。

（自動車の登録及び検査に関する申請書等の様式等を定める省令の一部改正に伴う経過措置）

第一〇条　第二十五条の規定による改正前の自動車の登録及び検査に関する申請書等の様式等を定める省令第一号様式から第四号様式までの様式及び第十二号様式による申請書は、同条の規定による改正後のそれぞれの様式にかかわらず、当分の間、なおこれを使用することができる。

附　則　〔昭和六二・八・一一運輸省令五二抄〕

（施行期日）

1　この省令は、昭和六十三年一月一日から施行する。

（経過措置）

5　この省令の施行前に法の規定により交付された従前の様式による登録事項等通知書、抹消登録証明書、登録事項等証明書、自動車検査証又は自動車予備検査証は、この省令による改正後のそれぞれの様式によるものとみなす。

6　この省令の施行前に法第七十一条第二項の規定により交付された自動車予備検査証（検査対象軽自動車に係るものを除く。）の記入又は再交付の申請書については、第三条の規定による改正後の自動車の登録及び検査に関する申請書等の様式等を定める省令第一号様式から第三号様式までにかかわらず、なお従前の例による。

7　前項の申請書による申請の手数料の納付については、第一条の規定による改正後の道路運送車両法施行規則第六十八条の規定にかかわらず、なお従前の例による。

附　則〔平成三・一一・三〇運輸省令三九〕

改正　平成七・一〇運令五六

（施行期日）

1　この省令は、平成四年二月一日から施行する。

（経過措置）

2　この省令による改正前の道路運送車両法施行規則第十五号様式による届出書は、この省令による改正後の様式にかかわらず、当分の間、なおこれを使用することができる。

附　則〔平成七・一〇・二二運輸省令五六抄〕

（施行期日）

1　この省令は、平成八年一月一日から施行する。

（経過措置）

2　この省令の施行前に交付した改正前の第十号様式から第十三号様式まで及び第十五号様式から第十八号様式までによる登録事項等通知書、抹消登録証明書、登録事項等証明書（三十両以下の自動車について一括して作成するものを除く。）、自動車検査証、自動車検査証返納証明書、自動車予備検査証及び限定自動車検査証は、それぞれ改正後の第十号様式から第十三号様式まで及び第十五号様式から第十八号様式までによるものとみなす。

附　則〔平成九・八・四運輸省令五二〕

1　この省令は、公布の日から施行する。ただし、第三条（専用第四号様式の改正規定を除く。）及び次項の規定は、平成十年五月一日から施行する。

2　第三条の規定による改正前の自動車の登録及び検査に関する申請書等の様式等を定める省令第一号様式から第三号様式までの様式、専用第一号様式から専用第三号様式までの様式、専用第五号様式及び第八号様式による申請書は、同条の規定による改正後のそれぞれの様式にかかわらず、当分の間、なおこれを使用することができる。

附　則〔平成九・一二・一五運輸省令八一抄〕

（施行期日）

1　この省令は、平成十年一月一日から施行する。

（経過措置）

2　〔前略〕第十条の規定による改正前の自動車の登録及び検査に関する申請書等の様式等を定める省令（以下「旧様式省令」という。）専用第五号様式及び第八号様式による継続検査申請書及び自動車検査証記入申請書・備考欄補助シート〔中略〕は、それぞれ〔中略〕第十条の規定による改正後の自動車の登録及び検査に関する申請書等の様式等を定める省令（以下「新様式省令」という。）専用第五号様式及び第八号様式〔中略〕にかかわらず、当分の間、なおこれを使用することができる。この場合には、氏名を記載し、押印することに代えて、署名することができる。

4　旧様式省令第一号様式又は第二号様式、第三号様式、専用第一号様式、専用第三号様式及び専用第四号様式による新規登録申請書・変更登録申請書・移転登録申請書・更正登録申請書・新規検査申請書・予備検査申請書・自動車検査証記入申請書・自動車予備検査証記入申請書・自動車検査証交付申請書・自動車登録番号標交付申請書、抹消登録申請書・自動車検査証返納証明書交付申請書・継続検査申請書・臨時検査申請書・分解整備検査申請書・自動車検査証記入申請書・自動車検査証再交付申請書・自動車予備検査証再交付申請書・限定自動車検査証再交付申請書・自動車登録番号標交付申請書、新規登録申請書・新規検査申請書、移転登録申請書・自動車検査証記入申請書及び抹消登録申請書・自動車検査証返納証明書交付申請書は、それぞれ新様式省令第一号様式又は第二号様式、第三号様式、専用第一号様式、専用第三号様式及び専用第四号様式にかかわらず、当分の間、なおこれを使用することができる。この場合には、所有者（予備検査申請若しくは自動車予備検査証記入申請又は自動車予備検査証再交付申請を行う場合に限る。）及び使用者は、氏名を記載し、押印することに代えて、署名することができ、申請代理人又は請求者は、押印することを要しない。

5　旧様式省令第三号様式又は第四号様式による登録事項等証明書交付請求書〔中略〕は、それぞれ新様式省令第三号様式又は第四号様式〔中略〕にかかわらず、当分の間、なおこれを使用することができる。この場合には、押印することを要しない。

6　旧様式省令第五号様式及び専用第二号様式による抵当権登録申請書及び変更登録申請書は、それぞれ新様式省令第五号様式及び専用第二号様式にかかわらず、当分の間、なおこれを使用することができる。この場合には、申請代理人は、押印することを要しない。

附　則〔平成一〇・一〇・九運輸省令六七抄〕

（施行期日）

1　この省令は、道路運送車両法の一部を改正する法律（平成十年法律第七十四号）の施行の日（平成十年十一月二十四日）から施行する。

（自動車の登録及び検査に関する申請書等の様式等を定める省令の一部改正に伴う経過措置）

7　第六条の規定による改正前の自動車の登録及び検査に関する申請書等の様式等を定める省令第三号様式による申請書は、同条の規定による改正後の様式にかかわらず、当分の間、なおこれを使用することができる。

附　則〔平成一二・七・三運輸省令二五〕

1　この省令は、平成十二年十月一日から施行する。

2　第二条の規定による改正前の自動車の登録及び検査に関する申請書等の様式等を定める省令第一号様式から第三号様式までの様式、専用第一号様式から専用第五号様式までの様式及び第八号様式による申請書は、同条の規定による改正後のそれぞれの様式にかかわらず、当分の間、なおこれを使用することができる。

附　則〔平成一二・一一・二九運輸省令三九〕

（施行期日）

第一条　この省令は、平成十三年一月六日から施行する。

（経過措置）

第二条　この省令による改正前の〔中略〕自動車の登録及び検査に関する申請書等の様式等を定める省令第十号様式による登録事項等通知書、第十一号様式による抹消登録証明書、第十二号様式から第十四号様式までによる登録事項等証明書、第十五号様式による自動車検査証、第十六号様式による自動車検査証返納証明書、第十七号様式による自動車予備検査証並びに第十八号様式による限定自動車検査証〔中略〕は、この省令による改正後のそれぞれの書式又は様式にかかわらず、当分の間、なおこれを使用することができる。

附　則〔平成一四・六・二八国土交通省令七九〕

（施行期日）

第一条　この省令は、平成十四年七月一日から施行する。

（経過措置）

第二条　この省令の施行の際現にあるこの省令による改正前の様式又は書式による申請書、証明書その他の文書は、この省令による改正後のそれぞれの様式又は書式にかかわらず、当分の間、なおこれを使用することができる。

附　則〔平成一四・八・二二国土交通省令九六〕

（施行期日）

第一条　この省令は、平成十四年九月一日から施行する。

（経過措置）

第二条　この省令による改正前の自動車の登録及び検査に関する申請書等の様式等を定める省令第一号様式から第三号様式、専用第一号様式及び専用第五号様式（以下「旧様式」という。）による申請書は、この省令による改正後のそれぞれの様式（以下「新様式」という。）にかかわらず、当分の間、なおこれを使用することができる。この場合において、新様式中受検者の欄に記載すべき事項は、旧様式の空欄に記載するものとする。

附　則〔平成一五・七・三国土交通省令八〇〕

（施行期日）

第一条　この省令は、平成十六年一月一日から施行する。

（経過措置）

第二条　この省令の施行前に交付した〔中略〕この省令による改正前の自動車の登録及び検査に関する申請書等の様式等を定める省令第十号様式から第十八号様式までによる登録事項等通知書、抹消登録証明書、登録事項等証明書、自動車検査証、自動車検査証返納証明書、自動車予備検査証若しくは限定自動車検査証は、それぞれこの省令による改正後の自動車の登録及び検査に関する申請書等の様式等を定める省令第十一号様式から第二十号様式までによるものとみなす。

2　〔略〕

附　則〔平成一六・三・三一国土交通省令三七抄〕

（施行期日）

第一条　この省令は、平成十六年七月一日から施行する。

（経過措置）

第二条　第二条の規定による改正前の自動車の登録及び検査に関する申請書等の様式等を定める省令第八号様式による申請書については、第二条の規定による改正後の自動車の登録及び検査に関する申請書等の様式等を定める省令第八号様式にかかわらず、当分の間、なおこれを使用することができる。

附　則〔平成一六・八・一七国土交通省令八三抄〕

（施行期日）

第一条　この省令は、道路運送車両法の一部を改正する法律附則第一条本文の規定の施行の日（平成十七年一月一日）から施行する。

（経過措置）

第二条　この省令の施行前に交付したこの省令による改正前の道路運送車両法施行規則第十三号様式による自動車予備検査証及び第十三号様式の二による限定自動車検査証並びにこの省令による改正前の自動車の登録及び検査に関する申請書等の様式等を定める省令第十二号様式による抹消登録証明書及び第十七号様式による自動車検査証返納証明書は、それぞれこの省令による改正後の自動車の登録及び検査に関する申請書等の様式等を定める省令軽第十一号様式、軽第十二号様式、第十三号様式及び第二十号様式によるものとみなす。

2　この省令による改正前の道路運送車両法施行規則第十号様式による申請書並びにこの省令による改正前の自動車の登録及び検査に関する申請書等の様式等を定める省令第一号様式による申請書、第四号様式による請求書及び専用第四号様式による申請書は、この省令による改正後のそれぞれの様式にかかわらず、当分の間、なおこれを使用することができる。

附　則〔平成一七・一一・二国土交通省令一〇四〕

（施行期日）

第一条　この省令は、平成十七年十二月二十六日から施行する。

（経過措置）

第二条　自動車関係手続における電子情報処理組織の活用のための道路運送車両法等の一部を改正する法律（以下「改正法」という。）附則第二条第一項の国土交通省令で定める自動車は、次に掲げる自動車とする。

一　登録を受けたことがある自動車
二　軽自動車
三　小型特殊自動車
四　二輪の小型自動車

第三条　改正法附則第四条の国土交通省令で定める自動車は、次に掲げる自動車とする。

一　軽自動車
二　小型特殊自動車
三　二輪の小型自動車

第四条　改正法附則第四条の国土交通省令で定める期間は、完成検査終了証の発行の日から九月間とする。

第五条　この省令の施行前に第一条の規定による改正前の道路運送車両法施行規則（以下「旧道路運送車両法施行規則」という。）第六十三条の規定により排出ガス検査終了証を発行し、これを一酸化炭素等発散防止装置指定自動車（検査対象軽自動車及び二輪の小型自動車を除く。）の譲受人に交付した者（次項において「排出ガス検査終了証交付者」という。）が、あらかじめ、新規検査又は予備検査を申請する者（次項において「申請者」という。）の書面又は電磁的方法による承諾を得て、当該排出ガス検査終了証に記載されていた事項を電磁的方法により登録情報処理機関に提供したときは、第一条の規定による改正後の道路運送車両法施行規則（次条において「新道路運送車両法施行規則」という。）第六十三条第四項の規定により同項に規定する事項の提供がされたものとみなす。

2　前項の規定による承諾を得た排出ガス検査終了証交付者は、申請者から書面又は電磁的方法により、電磁的方法による登録情報処理機関への提供を承諾しない旨の申出があったときは、登録情報処理機関に対し、当該排出ガス検査終了証に記載されていた事項の提供を電磁的方法によってしてはならない。ただし、申請者が再び同項の規定による承諾をした場合は、この限りでない。

第六条　第六条の規定による改正前の自動車の登録及び検査に関する申請書等の様式等を定める省令第一号様式による申請書は、次に掲げる場合を除き、同条の規定による改正後の様式にかかわらず、当分の間、なおこれを使用することができる。

一　道路運送車両法第三十三条第四項の規定により譲渡証明書に記載すべき事項が登録情報処理機関に提供された場合
二　道路運送車両法第七十五条第五項の規定により完成検査終了証に記載すべき事項が登録情報処理機関に提供された場合
三　使用済自動車の再資源化等に関する法律第七十四条第一項ただし書の規定により資金管理法人に委託して預託証明書に相当する通知を登録情報処理機関に対して行った場合
四　新道路運送車両法施行規則第六十三条第二項の規定により排出ガス検査終了証に記載すべき事項が登録情報処理機関に提供された場合

附　則〔平成一八・一一・九国土交通省令一〇六〕

（施行期日）

1　この省令は、平成十九年一月四日から施行する。ただし、第一条の規定中第六十二条の二の三及び第七号様式の三の改正規定は、公布の日から施行する。

（経過措置）

2　第三条の規定による改正前の自動車の登録及び検査に関する申請書等の様式等を定める省令軽第一号様式及び軽専用第一号様式による申請書は、次に掲げる場合を除き、平成十九年十二月三十一日までの間、これを使用することができる。

一　道路運送車両法第七十五条第五項の規定により完成検査終了証に記載すべき事項が登録情報処理機関に提供された場合
二　使用済自動車の再資源化等に関する法律第七十四条第一項ただし書の規定により資金管理法人に委託して預託証明書に相当する通知を登録情報処理機関に対して行った場合
三　道路運送車両法施行規則第六十三条第二項の規定により排出ガス検査終了証に記載すべき事項が登録情報処理機関に提供された場合

附　則〔平成一九・一一・一六国土交通省令八九抄〕

（施行期日）

1　この省令は、道路運送法等の一部を改正する法律附則第一条第三号に掲げる規定の施行の日（平成十九年十一月十八日）から施行する。

（経過措置）

3　この省令の施行の際現にある第三条の規定による改正前の自動車の登録及び検査に関する申請書等の様式等を定める省令第三号様式による申請書又は請求書は、第三条の規定による改正後の自動車の登録及び検査に関する申請書等の様式を定める省令第三号様式にかかわらず、当分の間、なおこれを使用することができる。

附　則〔平成二〇・八・八国土交通省令七三〕

（施行期日）

1　この省令は、平成二十年十月一日から施行する。

（経過措置）

2　この省令の施行の際現にある（中略）第九条の規定による改正前の自動車の登録及び検査に関する申請書等の様式等を定める省令第十二号様式による輸出抹消仮登録証明書及び第十四号様式による輸出予定届出証明書（中略）による証票は、それぞれ（中略）第九条の規定による改正後の自動車の登録及び検査に関する申請書等の様式等を定める省令第十二号様式による輸出抹消仮登録証明書及び第十四号様式による輸出予定届出証明書（中略）による証票とみなす。

附　則〔平成二〇・九・一二国土交通省令七六抄〕

（施行期日）

第一条　この省令は、道路運送法等の一部を改正する法律（以下「改正法」という。）附則第一条第四号に掲げる規定の施行の日（平成二十年十一月四日）から施行する。ただし、第五条中自動車の登録及び検査に関する申請書等の様式等を定める省令第三条第二項の表、第七条第二項、軽第一号様式から軽第四号様式まで、軽第四号様式の二、軽第四号様式の三、軽第五号様式、軽第六号様式、軽専用第一号様式及び軽専用第二号様式の改正規定並びに軽専用第三号様式を削る改正規定は、平成二十一年一月一日から施行する。

（自動車の登録及び検査に関する申請書等の様式等を定める省令の一部改正に伴う経過措置）

第六条　この省令の施行前に交付された第五条の規定による改正前の自動車の登録及び検査に関する申請書等の様式等を定める省令（以下「旧様式省令」という。）第十三号様式による一時抹消登録証明書は、第五条の規定による改正後の自動車の登録及び検査に関する申請書等の様式等を定める省令（以下「新様式省令」という。）第十四号様式による登録識別情報等通知書とみなす。

2　前項の場合において、新登録規則第六条の十五第二項の規定の適用については、同項中「前項の規定により提出を受けた」とあるのは「当該自動車に係る」と、「に当該変更についての記入をし、これを新所有者に返付する」とあるのは「を交付する」とする。

第七条　旧様式省令第十九号様式による検査標章は、新様式省令第十九号様式にかかわらず、平成二十三年十月三十日までは、なおこれを使用することができる。

附　則〔平成二三・一二・二八国土交通省令一〇七〕

（施行期日）

1　この省令は、平成二十四年一月一日から施行する。

（経過措置）

2　この省令による改正前の自動車の登録及び検査に関する申請書等の様式等を定める省令（以下「旧省令」という。）第二号様式及び軽第二号様式による申請書は、この省令による改正後の自動車の登録及び検査に関する申請書等の様式等を定める省令（以下「新省令」という。）第二号様式及び軽第二号様式にかかわらず、当分の間、なおこれを使用することができる。

3　旧省令第十九号様式による検査標章は、新省令第十九号様式にかかわらず、平成二十六年十二月三十一日までは、なおこれを使用することができる。

附　則〔平成二四・七・六国土交通省令七〇抄〕

（施行期日）

第一条　この省令は、住民基本台帳法の一部を改正する法律附則第一条第一号に掲げる規定及び出入国管理及び難民認定法及び日本国との平和条約に基づき日本の国籍を離脱した者等の出入国管理に関する特例法の一部を改正する等の法律（次条において「改正法」という。）の施行の日（平成二十四年七月九日）から施行する。

（経過措置）

第四条　第二条の規定による改正前の自動車の登録及び検査に関する申請書等の様式等を定める省令第三号様式による申請書は、同条の規定による改正後の自動車の登録及び検査に関する申請書等の様式等を定める省令第三号様式にかかわらず、当分の間、なおこれを使用することができる。

附　則〔平成二五・一二・三国土交通省令九三抄〕

（施行期日）

第一条　この省令は、平成二十六年一月一日から施行する。

（自動車の登録及び検査に関する申請書等の様式等を定める省令の一部改正に伴う経過措置）

第三条　この省令の施行前に交付された旧様式省令軽第九号様式による検査標章は、新様式省令軽第九号様式によるものとみなす。

2　旧様式省令軽第九号様式による検査標章は、新様式省令軽第九号様式にかかわらず、当分の間、なおこれを使用することができる。

附　則〔平成二八・一二・二八国土交通省令八七抄〕

（施行期日）

第一条　この省令は、平成二十九年一月一日から施行する。〔以下略〕

（経過措置）

第二条　第五条の規定による改正前の自動車の登録及び検査に関する申請書等の様式等を定める省令（次条において「旧様式省令」という。）第一号様式から第四号様式まで、第五号様式（その二）、第六号様式、専用第一号様式から専用第三号様式まで、第七号様式から第十号様式まで、軽第一号様式から軽第三号様式まで及び軽専用第二号様式による申請書は、同条の規定による改正後のそれぞれの様式にかかわらず、当分の間、なおこれを使用することができる。

第三条　旧様式省令第十九号様式による検査標章は、第五条の規定による改正後の自動車の登録及び検査に関する申請書等の様式等を定める省令第十九号様式にかかわらず、平成三十一年十二月三十一日までは、なおこれを使用することができる。

附　則〔平成三〇・三・三〇国土交通省令一八〕

（施行期日）

1　この省令は、平成三十年四月一日から施行する。

（経過措置）

2　この省令による改正前の自動車の登録及び検査に関する申請書等の様式等を定める省令第二号様式、第八号様式及び軽第二号様式による申請書は、この省令による改正後の自動車の登録及び検査に関する申請書等の様式等を定める省令第二号様式、第八号様式及び軽第二号様式にかかわらず、当分の間、なおこれを使用することができる。

附　則〔平成三〇・一二・二八国土交通省令九五〕

（施行期日）

1　この省令は、平成三十一年一月四日から施行する。ただし、第二号様式の改正規定は、平成三十一年四月一日から施行する。

（経過措置）

2　この省令による改正前の自動車の登録及び検査に関する申請

書等の様式等を定める省令軽第一号様式から軽第六号様式までの様式並びに軽専用第一号様式及び軽専用第二号様式による申請書は、この省令による改正後のそれぞれの様式にかかわらず、当分の間、なおこれを使用することができる。

附　則〔令和元・六・二八国土交通省令二〇〕

この省令は、不正競争防止法等の一部を改正する法律の施行の日（令和元年七月一日）から施行する。

附　則〔令和二・一〇・三〇国土交通省令八四抄〕

（施行期日）

第一条　この省令〔中略〕は、公布の日から施行する。

（自動車の登録及び検査に関する申請書等の様式等を定める省令の一部改正に伴う経過措置）

第三条　第三条の規定による改正前の自動車の登録及び検査に関する申請書等の様式等を定める省令第一号様式による申請書は、同条の規定による改正後の自動車の登録及び検査に関する申請書等の様式等を定める省令第一号様式にかかわらず、当分の間、なおこれを使用することができる。

附　則〔令和二・一二・二三国土交通省令九八〕

（施行期日）

1　この省令は、令和三年一月一日から施行する。

（経過措置）

2　この省令の施行の際現にあるこの省令による改正前の様式による用紙は、当分の間、これを取り繕って使用することができる。

附　則〔令和三・八・三一国土交通省令五三〕

（施行期日）

1　この省令は、令和三年九月一日から施行する。

（経過措置）

2　この省令の施行の際現にあるこの省令による改正前の様式による用紙は、当分の間、これを取り繕って使用することができる。

附　則〔令和四・五・二〇国土交通省令四五抄〕

（施行期日）

第一条　この省令は、道路運送車両法の一部を改正する法律（令和元年法律第十四号）附則第一条第六号に掲げる規定の施行の日（令和五年一月一日）から施行する。ただし、第三条の規定中軽第九号様式の改正規則及び附則第三条第二項の規定は令和六年一月一日から施行する。

（経過措置）

第三条　この省令の施行の日において現に交付されている第三条の規定による改正前の自動車の登録及び検査に関する申請書等の様式等を定める省令第十九号様式による検査標章は、第三条の規定による改正後の自動車の登録及び検査に関する申請書等の様式等を定める省令第十九号様式による検査標章とみなす。

2　附則第一条ただし書に規定する規定の施行の日において現に交付されている第三条の規定による改正前の自動車の登録及び検査に関する申請書等の様式等を定める省令軽第九号様式による検査標章は、第三条の規定による改正後の自動車の登録及び検査に関する申請書等の様式等を定める省令軽第九号様式による検査標章とみなす。

第一号様式（新規　変更　移転　更正　登録申請書／新規　予備　検査　申請書／自動車検査証　自動車予備検査証　記入申請書／自動車検査証　自動車登録番号標　交付申請書／所有者変更記録申請書）（第二条関係）

短辺

■

（□新規登録　□変更登録　□更正登録　□予備検査　□自動車予備検査証記入　□所有者変更記録／□新規検査　□移転登録　□自動車検査証記入　□自動車検査証交付　□自動車登録番号標交付）申請書

第1号様式

①業務種別（1新規検査　2新規検査完成切　3移転　4変更　5更正　6番号変更　7構造変更　8記載変更　9予備検査　11所有者変更記録）
②手数料（1無料　2登録無料　3検査無料　4職権）
④補助シート　枚
⑥番号指示（種別　二輪は「一」）（用途　1普通　2小型　1自家用　2事業用　3貸渡　4よ　5AB　6EHKM　7Y）（1字光　2転入抹消）（様板　1大板一枚　2大板二枚　3小板一枚　4小板二枚）
⑦有効期間（1 1年　2 2年　3 3年　4解除　5 1年・指定　6 2年・指定　7予備・検査　8予備・指定）
⑨出張
⑩備考欄（1備考欄削除　2検査事項削除　3備考欄・検査事項削除）（台帳　1設定　2削除）
⑪処理（1訂正　2復元）（1検査証不要　2支局等指示番号　3切替・五年経過　4限定検査証交付）
⑯例外（1全例外　2諸元　3有効期間　4備考欄　5その他例外）
⑰制限解除（1全解除　2使用者設定　3抵当権記　4整備命令　5処理制限）
⑲NOx・PM
⑳証明書指示（1書面提出　2情報取得　3預託金解除　5譲渡証明書）（1保・自提出　2保済証提示　3自賠責提出　8保済証照会　9自賠責照会）

62希望自動車登録番号（この欄には希望番号予約済証に記載されている希望登録番号の支局等を表示する文字を除いたものを記入して下さい）ローマ字記入時は右欄をマークして下さい

㉑自動車登録番号　ローマ字記入時は下欄をマークして下さい

㉒車台番号　ローマ字記入時は下欄をマークして下さい

⑧車台番号変更（1職権打刻　2職権打刻以外　3職権打刻例外）

所有者欄

57氏名又は名称（所有権留保を解除する場合は左欄に「1」を記入し、下欄は記入不要です）
1所有権留保の解除
漢字で記入して下さい（氏名を記入する場合は氏と名の間に1マスあけて記入、濁点・半濁点は同一マス目に「ガ」「パ」と記入）

56住所
住所コードで記入して下さい　（番、号、番地、棟番号等）ローマ字記入時は下欄をマークして下さい
（都道府県市区郡コード　－　町村コード　－　小字コード）丁目

40所有者コード（販売店等以外は記入不要）

登録識別情報通知の希望の有無　1通知希望

使用者欄

45氏名又は名称（57所有者と同じ場合は左欄に「1」を、57所有者名に後続して使用者名を付加する場合は左欄に「2」を、検査証の所有者と同じ場合は左欄に「3」を、検査証の所有者名に後続して使用者名を付加する場合は左欄に「4」を、40所有者コードの内容を使用者の項目に流用する場合は左欄に「9」を記入して下さい。また、これらに該当しないときは左欄に記入せず、下欄に使用者氏名又は名称を記入して下さい。）
住所
1所有者に同じ
漢字で記入して下さい（氏名を記入する場合は氏と名の間に1マスあけて記入、濁点・半濁点は同一マス目に「ガ」「パ」と記入）

43住所（所有者住所と同じ場合は左欄に「1」を記入し、異なるときは下欄にその使用者住所を記入して下さい）
1所有者住所に同じ
住所コードで記入して下さい　（番、号、番地、棟番号等）ローマ字記入時は下欄をマークして下さい
（都道府県市区郡コード　－　町村コード　－　小字コード）丁目

127登録識別情報　ローマ字記入時は下欄をマークして下さい

42本拠の位置（使用者住所と同じ場合は左欄に「1」を記入し、異なるときは下欄にその使用の本拠の位置を記入して下さい）
1使用者住所に同じ
住所コードで記入して下さい　（番、号、番地、棟番号等）ローマ字記入時は下欄をマークして下さい
（都道府県市区郡コード　－　町村コード　－　小字コード）丁目

37車体の塗色（1赤　2橙　3茶　4黄　5緑　6青　7紫　8白　9灰　0黒）

24自動車型式指定・類別区分番号（自動車型式指定番号）（類別区分番号）

102製作年月日（元号）年　月　日

100走行距離計表示値　,00　km　2 mile

126整備工場コード

108定期点検

109受検形態

23装置名等コード　1　2　3　4　5　6　7

申請人
（新所有者・現所有者）
氏名又は名称　　印

住所

（使用者）
氏名又は名称

住所

（旧所有者）
氏名又は名称　　印

住所

申請代理人
氏名

住所

受検者
氏名又は名称

住所

以下の書面に記載すべき事項が登録情報処理機関に提供された場合はチェックして下さい。
□ 譲渡証明書　□ 完成検査終了証
□ 排出ガス検査終了証　□ 出荷検査証
使用の本拠の位置　□ 保安基準適合証

登録の原因とその日付　令和　年　月　日

自動車登録番号標交付の理由

運輸支局長殿
運輸監理部長
令和　年　月　日

長　辺

（日本産業規格A列4番）

備考　新規登録申請又は移転登録申請を行う場合以外の場合にあっては、所有者は、押印することを要しない。

第二号様式（変更 自動車検査証 更正 自動車予備検査証 登録申請書 記入申請書）（第二条関係）

短辺

第2号様式

（□変更登録 □更正登録 □自動車検査証記入 □自動車予備検査証記入）申請書

①業務種別　②手数料　④補助シート　⑤シート順位　⑦有効期間　⑨出張　⑩備考欄　⑪処理　⑯例外　⑰制限解除　⑲NOx・PM　⑳提出区分

㉑自動車登録番号　㉒車台番号

㉘車体の形状コード　㉙車名コード　㉙乗車定員（1）（2）　㉚最大積載量（1）（2）　㉛車両重量

㉜長さ　㉝幅　㉞高さ　㉟軸重（前前・前後・後前・後後）

㊱型式　㊲原動機の型式（1～12桁）

原動機の型式（13～24桁）

㊳総排気量又は定格出力　㊴燃料の種類

㊵走行距離計表示値　㊶近接排気騒音規制値　㊷NO×排出量・PM排出量

㊸シリアル番号　㊹その他検査事項等コード

㊺定期点検　㊻受検形態　㊼装置名等コード　㊽改造内容

改造自動車　㊾改造審査番号

申請人（所有者）氏名又は名称　住所

（使用者）氏名又は名称　住所

申請代理人 氏名

受検者 氏名又は名称　住所

使用の本拠の位置

登録の原因とその日付

運輸支局長 殿
運輸監理部長
令和　年　月　日

令和　年　月　日

長辺

（日本産業規格Ａ列４番）

第三号様式（継続　臨時　検査申請書／自動車検査証記入申請書／自動車検査証　自動車予備検査証　再交付申請書／限定自動車検査証　検査標章再交付申請書／自動車登録番号標交付申請書／登録事項等証明書交付請求書／検査記録事項等証明書交付請求書）（第二条関係）

■

（□継続検査　□臨時検査　□自動車検査証記入　□自動車検査証再交付　□検査標章再交付　□自動車登録番号標交付　□自動車予備検査証再交付　□限定自動車検査証再交付）申請書

（□登録事項等証明書交付　□検査記録事項等証明書交付）請求書

第3号様式

①業務種別（1継続　2臨時　3再交付　4検査標章再交付　5証明書交付　6番号変更　8二輪番号変更）

②手数料（1無料）

⑥番号指示（種別：二輪は「一」）（用途：1普通　2小型／1自家用　2事業用　3貸渡　4よ／5AB　6EH　KM　7Y）（1字光）（標板：1大板一枚　2大板二枚　3小板一枚　4小板二枚）

⑦有効期間（1 1年指定整備車　2 1年検査車　3 2年指定整備車　4 2年検査車）

⑨出張

⑬証明書（1現在　2詳細）

⑪処理（1訂正　2復元　3保存照会　4検査証再出力）（1検査証不要　2支局等指示番号　4限定検査証交付）

⑯例外（1全例外　2諸元　3有効期間　5その他例外）

⑰制限解除（1全解除　3抵当嘱託　4整備命令　5処理制限）

⑲NOx・PM

⑳証明書指示（1保・自提出　2保適証取得　3自賠責提出　8保適証照会　9自賠責照会）

㉒希望自動車登録番号　ローマ字記入時は下欄をマークして下さい

（この欄は希望番号予約済証に記載されている希望登録番号の支局等を表示する文字を除いたものを記入して下さい）

㉒車台番号　ローマ字記入時は下欄をマークして下さい

㉑自動車登録番号　ローマ字記入時は下欄をマークして下さい

（① 登録事項等証明書の交付を請求する場合は、㉑の欄に自動車登録番号を記入のうえ、車台番号の下7桁を記入して下さい。
② 自動車検査証若しくは自動車予備検査証の再交付又は車両番号に基づいて証明書の交付を請求する場合には、この欄に記入する必要はありません。
③ 車台番号に基づいて証明書の交付を請求する場合で、車台番号が23桁を超えるときは下23桁を、また車台番号が23桁以内のときはそのすべてを左詰で記入して下さい。）

⑱整備工場コード

⑱定期点検　⑱受検形態　㉓装置名等コード

⑩走行距離計表示値　00　km　2 mile

運輸支局長殿
運輸監理部長
令和　年　月　日

申請人
（所有者）
氏名又は名称
住所
（使用者）
氏名又は名称
住所
受検者
氏名又は名称
住所
請求者
（登録事項等証明書）
氏名又は名称
住所
（検査記録事項等証明書）
氏名又は名称
住所

以下の書面に記載すべき事項が登録情報処理機関に提供された場合はチェックして下さい。
□保安基準適合証

登録事項等証明書又は検査記録事項等証明書の種類
□現在記録ファイル記録事項分　□現在記録ファイル及び保存記録ファイル記録事項分

使用の本拠の位置

申請又は請求の事由

登録事項等証明書の交付を請求する場合の本人確認書類
□運転免許証　□健康保険証　□個人番号カード　□在留カード　□特別永住者証明書
□その他（　　　）

申請代理人
氏名
住所

■　■　■

短辺

長辺

（日本産業規格A列4番）

第三号様式の二（永久抹消登録　一時抹消登録　輸出抹消登録　申請書／自動車検査証返納証明書交付申請書／輸出予定届出証明書交付申請書／解体等　輸出　再輸入見込　届出書／輸出抹消仮登録証明書　輸出予定届出証明書　返納届出書）（第二条関係）

（□永久抹消登録　□一時抹消登録　□輸出抹消仮登録　□輸出予定届出証明書交付　□自動車検査証返納証明書交付）申請書　（□輸出抹消仮登録証明書　輸出予定届出証明書　返納　□解体等　□輸出　□再輸入見込）届出書

第3号様式の2

①業務種別　7届出　9抹消

②手数料　1無料

⑨出張

⑫抹消　1解体　2一時使用中止　3輸出　4輸出証明書返納　5滅失　6用途廃止　7再輸入見込

⑪処理　1訂正　2復元　1検査証不要

⑰制限解除　1全解除　3foo

⑫登録識別情報　ローマ字記入時は下欄をマークして下さい

㉑自動車登録番号　ローマ字記入時は下欄をマークして下さい

（記入例）運輸　-555-さ-1234

㉒車台番号（自動車検査証の車台番号のうち下7桁の数字等を記入）
ローマ字記入時は下欄をマークして下さい

（記入例）AB3－1234567　記入

⑭輸出予定日　（元号）　年　月　日

運輸支局長殿
運輸監理部長
令和　年　月　日

申請人・届出人
（所有者）
氏名又は名称　印
住所

（使用者）
氏名又は名称
住所

申請代理人
氏名
住所

以下の書面に記載すべき事項が登録情報処理機関に提供された場合はチェックして下さい。
□譲渡証明書

使用の本拠の位置

登録又は届出の原因とその日付（使用済自動車の解体及び輸出入に係る登録又は届出の場合を除く。）
□滅失
□解体（使用済自動車の解体を除く。）
□用途廃止
□車台が新規登録を受けた際に存したものでなくなったとき
□一時使用中止
令和　年　月　日

短辺　長辺

（日本産業規格A列4番）

備考　永久抹消登録申請、一時抹消登録申請又は輸出抹消登録申請を行う場合以外の場合にあっては、所有者は、押印することを要しない。

第三号様式の三（永久抹消登録申請書／解体届出書）（第二条関係）

短辺

□永久抹消登録申請書　□解体届出書

①業務種別（7 解体届出　9 抹消（解体））　⑨出張　⑪処理（1 訂正　2 復元）　⑰制限解除（1 全解除　3 抵当権抹消）

㉑自動車登録番号　ローマ字記入時は下欄をマークして下さい

⑩移動報告番号

㉒車台番号　ローマ字記入時は下欄をマークして下さい

第3号様式の3

申請人・届出人（所有者）
氏名又は名称　印
住所

解体報告記録がなされた年月日　令和　年　月　日

申請代理人
氏名　印
住所

⑫登録識別情報　ローマ字記入時は下欄をマークして下さい

運輸支局長
運輸監理部長　殿

令和　年　月　日

以下の書面に記載すべき事項が登録情報処理機関に提供された場合はチェックして下さい。
□譲渡証明書

長辺

（日本産業規格A列4番）

備考　永久抹消登録申請を行う場合以外の場合にあっては、所有者は、押印することを要しない。

第四号様式（登録事項等証明書交付請求書／検査記録事項等証明書交付請求書）（第二条関係）

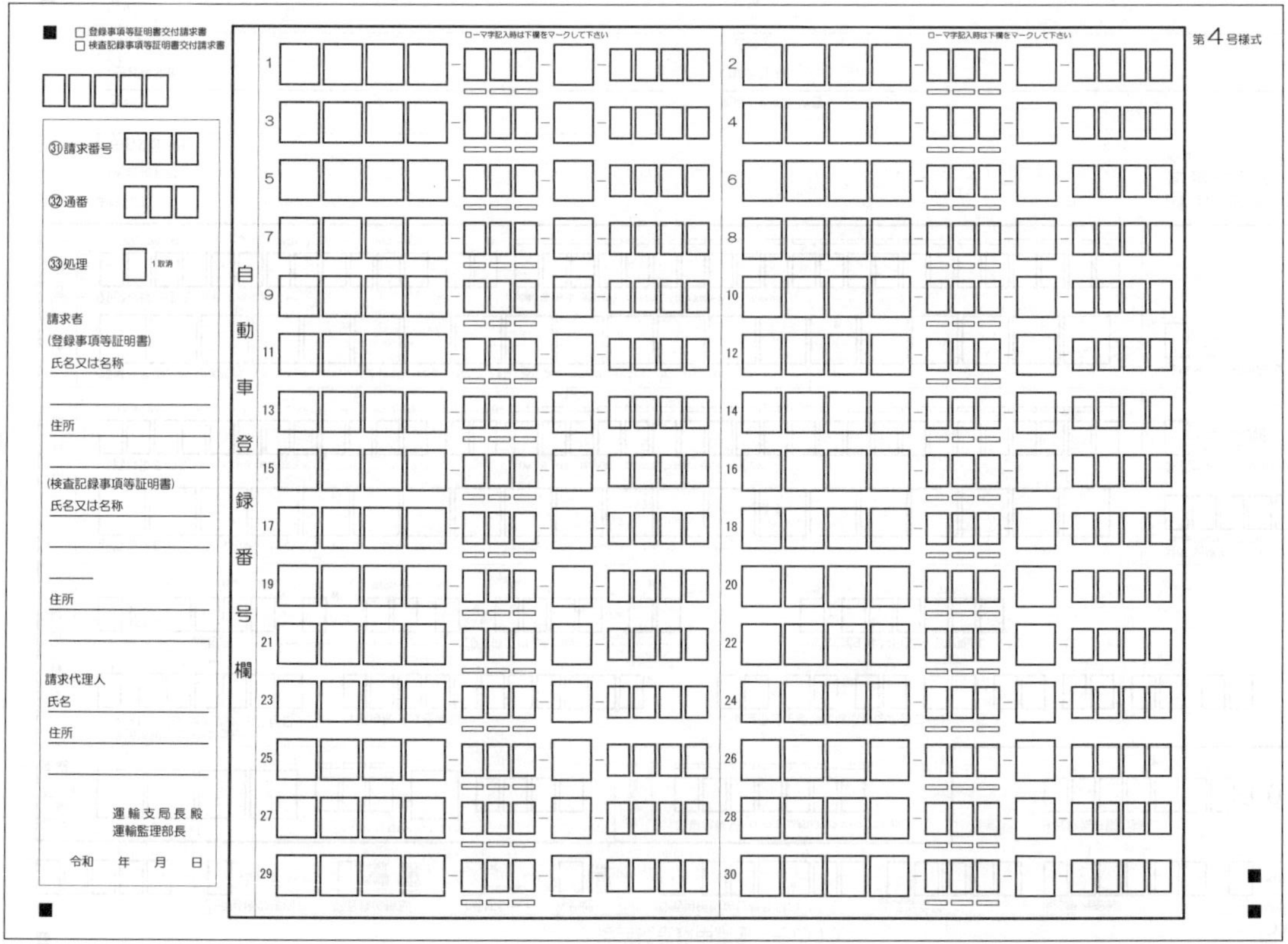

短辺

□ 登録事項等証明書交付請求書
□ 検査記録事項等証明書交付請求書

㉛請求番号

㉜通番

㉝処理　1 取消

請求者
（登録事項等証明書）
氏名又は名称

住所

（検査記録事項等証明書）
氏名又は名称

住所

請求代理人
氏名
住所

運輸支局長
運輸監理部長　殿

令和　年　月　日

自動車登録番号欄

ローマ字記入時は下欄をマークして下さい

1　2　3　4　5　6　7　8　9　10　11　12　13　14　15　16　17　18　19　20　21　22　23　24　25　26　27　28　29　30

第4号様式

長辺

（日本産業規格A列4番）

第五号様式（抵当権登録申請書）（第二条関係）

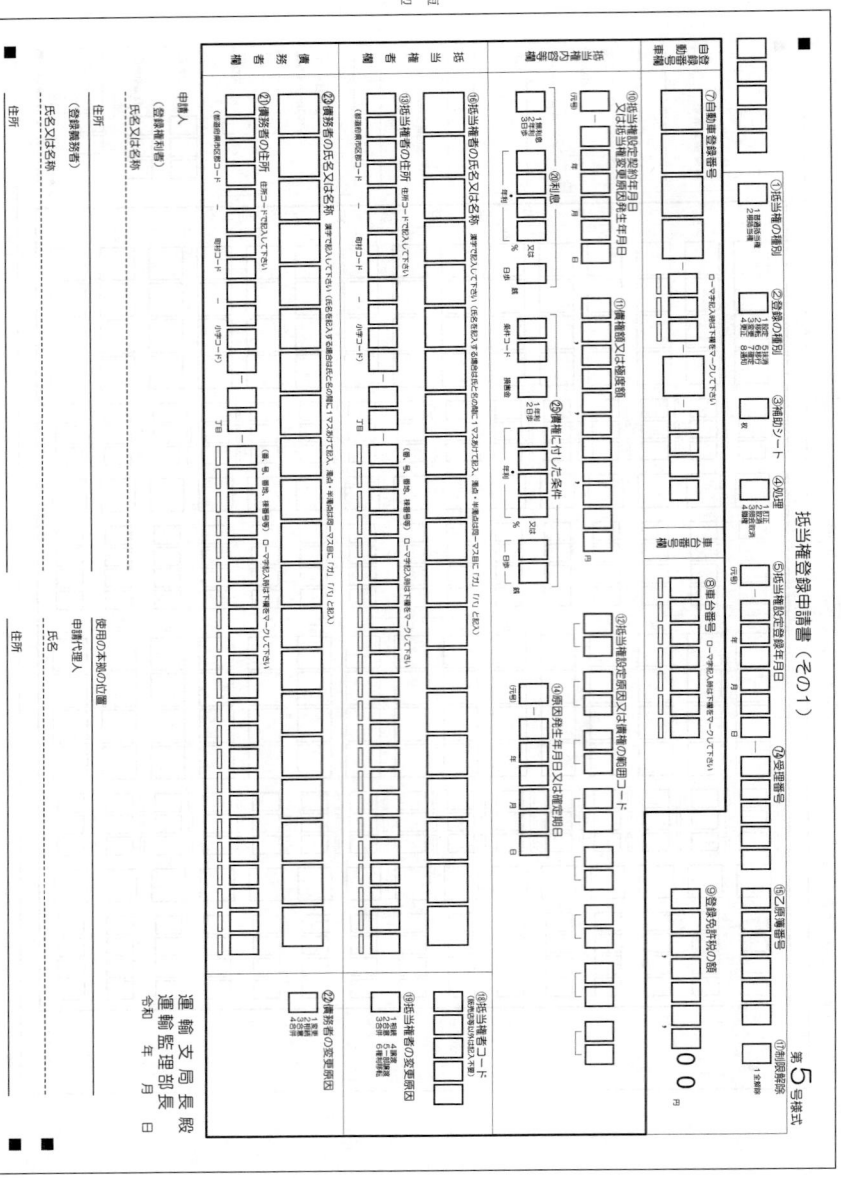

■ 抵当権登録申請書（その1） 第5号様式

①抵当権の種別 1普通抵当権 2根抵当権

②登録の種別 1設定 2移転 3変更 4更正 5抹消 6移行 7確定 8通知

③補助シート 枚

④処理 1訂正 2取消 3照合取消 4職権

⑤抵当権設定登録年月日 （元号） 年 月 日

⑭受理番号

⑮乙原簿番号

⑰制限解除 1全解除

自動車登録番号欄

⑦自動車登録番号 ローマ字記入時は下欄をマークして下さい

車台番号欄

⑧車台番号 ローマ字記入時は下欄をマークして下さい

⑨登録免許税の額 00円

抵当権内容等欄

⑩抵当権設定契約年月日又は抵当権変更原因発生年月日 （元号） 年 月 日

⑪債権額又は極度額 円

⑫抵当権設定原因又は債権の範囲コード

⑳利息 1無利息 2年利 3日歩 年利 ％ 又は 日歩 銭

㉕債権に付した条件 条件コード 損害金 1年利 2日歩 年利 ％ 又は 日歩 銭

⑭原因発生年月日又は確定期日 （元号） 年 月 日

抵当権者欄

⑯抵当権者の氏名又は名称 漢字で記入して下さい（氏名を記入する場合は氏と名の間に1マスあけて記入、濁点・半濁点は同一マス目に「ガ」「パ」と記入）

⑱抵当権者コード （販売店等以外は記入不要）

⑬抵当権者の住所 住所コードで記入して下さい （都道府県市区郡コード － 町村コード － 小字コード） 丁目 （番、号、番地、棟番号等） ローマ字記入時は下欄をマークして下さい

⑲抵当権者の変更原因 1相続 2合意 3合併 4譲渡 5一部譲渡 6権利移転

債務者欄

㉓債務者の氏名又は名称 漢字で記入して下さい（氏名を記入する場合は氏と名の間に1マスあけて記入、濁点・半濁点は同一マス目に「ガ」「パ」と記入）

㉒債務者の変更原因 1変更 2相続 3合意 4合併

㉑債務者の住所 住所コードで記入して下さい （都道府県市区郡コード － 町村コード － 小字コード） 丁目 （番、号、番地、棟番号等） ローマ字記入時は下欄をマークして下さい

申請人

（登録権利者）

氏名又は名称

住所

（登録義務者）

氏名又は名称

住所

運輸支局長
運輸監理部長 殿

令和　年　月　日

使用の本拠の位置

申請代理人

氏名

住所

短辺

長辺

（日本産業規格Ａ列４番）

抵当権登録申請書（その2）

運輸監理部長又は運輸支局長　殿

自動車登録番号		車台番号		課税標準額　　円
設定				登録免許税の額　　円
				（印紙貼付欄）
追加設定	設定登録してある抵当自動車の自動車登録番号			
	抵当権の表示 　　年　　月　　日　受理番号第　　　　号で設定した 　　抵当権			

短辺

長辺

（日本産業規格A列4番）

第六号様式（登録嘱託書）（第二条関係）

登録嘱託書

第6号様式

①嘱託種別

②登録の種別　1設定　2変更　3更正　4抹消　5移行

③補助シート　枚

④処理　1訂正　2取消　3照会取消　4職権

㉖登録証明　1現在

⑤嘱託設定登録年月日　（元号）　年　月　日

㉔受理番号

⑰制限解除　1全解除

自動車登録番号欄	⑦自動車登録番号　ローマ字記入時は下欄をマークして下さい
車台番号欄	⑧車台番号　ローマ字記入時は下欄をマークして下さい
	⑮乙原簿番号　1保存　2制限
嘱託者欄	㉗嘱託者の名称　漢字で記入して下さい（濁点・半濁点は同一マス目に「ガ」「パ」と記入）
債権者等欄	⑯債権者又は抵当権者の氏名又は名称　漢字で記入して下さい（氏名を記入する場合は氏と名の間に１マスあけて記入、濁点・半濁点は同一マス目に「ガ」「パ」と記入）
	⑬債権者又は債務者の住所　住所コードで記入して下さい（都道府県市区郡コード　－　町村コード　－　小字コード）　丁目　（番、号、番地、棟番号等）　ローマ字記入時は下欄をマークして下さい
	㉓債務者の氏名又は名称　漢字で記入して下さい（氏名を記入する場合は氏と名の間に１マスあけて記入、濁点・半濁点は同一マス目に「ガ」「パ」と記入）
抵当権欄	⑩抵当権設定通知年月日　（元号）　年　月　日
	⑪極度額　円

運輸支局長殿
運輸監理部長
令和　年　月　日

登録権利者

氏名又は名称

住所

嘱託者

登録義務者

氏名又は名称

登録の原因とその日付

住所

令和　年　月　日

短辺

長辺

（日本産業規格Ａ列４番）

専用第一号様式（変更登録　自動車検査証記入　申請書）（第二条関係）

（□変更登録（住所変更）
□自動車検査証記入（住所変更））申請書　（現所有者と現使用者が同一人の場合）

専用1号様式

①業務種別　4変更　8記載変更

②手数料　1無料

⑥番号指示　（種別）二輪は「ー」　（用途）1普通　2小型　1自家用　2事業用　3貸渡　（標板）1字光　2転入抹消　1大板一枚　2大板二枚　3小板一枚　4小板二枚

⑨出張

⑪処理　1訂正　2復元　1検査証不要　2支局等指示番号

⑯例外　1全例外　2諸元　5その他例外

⑰制限解除　1全解除　3抵当嘱託　4整備命令　5処理制限

⑲NOx・PM

62希望自動車登録番号

この欄には希望番号予約済証に記載されている希望登録番号の支局等を表示する文字を除いたものを記入して下さい

ローマ字記入時は下欄をマークして下さい

㉑自動車登録番号

ローマ字記入時は下欄をマークして下さい

（記入例）運輸-555-さ-1234

㉒車台番号（自動車検査証の車台番号のうち下7桁の数字等を記入）

ローマ字記入時は下欄をマークして下さい

（記入例）AB3-1234567　記入

新住所欄

56住　所

住所コードで記入して下さい

（都道府県市区郡コード　ー　町村コード　ー　小字コード）　丁目

（番、号、番地、棟番号等）　ローマ字記入時は下欄をマークして下さい

㊷使用の本拠の位置

使用者住所と同じ場合は左欄に「1」を記入し、異なるときは下欄にその使用の本拠の位置を記入して下さい

1使用者住所に同じ

住所コードで記入して下さい

（都道府県市区郡コード　ー　町村コード　ー　小字コード）　丁目

（番、号、番地、棟番号等）　ローマ字記入時は下欄をマークして下さい

運輸支局長
運輸監理部長 殿

令和　年　月　日

申請人（現所有者・使用者）

氏名又は名称

住所

登録の原因とその日付

令和　年　月　日

申請代理人

氏名

住所

短辺

長辺

（日本産業規格A列4番）

専用第二号様式（移転登録　自動車検査証記入　申請書）（第二条関係）

（□移転登録（所有者変更）
□自動車検査証記入（所有者変更））申請書

専用2号様式

①業務種別　3移転　8記載変更
②手数料　1無料
④補助シート　枚
⑥番号指示　（種別）「一」　1普通 2小型　（用途）1自家用 2事業用 3貸渡　1字光 2輸入抹消　（種板）1大板一枚 2大板二枚 3小板一枚 4小板二枚
⑦有効期間　4解除
⑨出張
⑪処理　1訂正 2復元　1検査証不要 2支局等指示番号
⑯例外　1全例外 2語元 4備考欄 5その他例外
⑰制限解除　1全解除 2使用者限定 3拒否 4職権命令 5処理制限
⑲NOx·PM
⑳証明書指示　5譲渡証明書

62希望自動車登録番号　この欄には希望番号予約済証に記載されている希望登録番号の支局等を表示する文字を除いたものを記入して下さい
ローマ字記入時は下欄にマークして下さい

㉑自動車登録番号（新車の場合は記入不要、中古車の場合は旧番号記入）ローマ字記入時は下欄にマークして下さい
（記入例）運 輸 □ □ - 5 5 5 - さ - 1 2 3 4

㉒車台番号（自動車検査証の車台番号のうち下7桁の数字等を記入）ローマ字記入時は下欄にマークして下さい
（記入例）AB3－1234567　記入

㊲車体の塗色　1赤 2橙 3茶 4黄 5緑 6青 7紫 8白 9灰 0黒

所有者欄
57氏名又は名称　所有権留保を解除する場合は左欄に「1」を記入し、下欄は記入不要です
1所有権留保の解除
漢字で記入して下さい（氏名を記入する場合は氏と名の間に1マスあけて記入、濁点・半濁点は同一マス目に「ガ」「パ」と記入）
56住所　住所コードで記入して下さい（番、号、番地、棟番号等）ローマ字記入時は下欄をマークして下さい
（都道府県市区郡コード　－　町村コード　－　小字コード）丁目

㊵所有者コード（販売店等以外は記入不要）
登録識別情報通知の希望の有無　1通知希望

使用者欄
㊺氏名又は名称　所有者氏名又は名称と同じ場合は左欄に「1」を、㊵所有者コードの内容を使用者の項目に流用する場合は左欄に「9」を記入し、これらに該当しないときは左欄には記入せず、その使用者氏名又は名称を記入して下さい
1所有者に同じ
漢字で記入して下さい（氏名を記入する場合は氏と名の間に1マスあけて記入、濁点・半濁点は同一マス目に「ガ」「パ」と記入）
㊸住所　所有者住所と同じ場合は左欄に「1」を記入し、異なるときは下欄にその使用者住所を記入して下さい
1所有者住所に同じ
住所コードで記入して下さい（番、号、番地、棟番号等）ローマ字記入時は下欄をマークして下さい
（都道府県市区郡コード　－　町村コード　－　小字コード）丁目

⑰登録識別情報　ローマ字記入時は下欄をマークして下さい

㊷使用の本拠の位置　使用者住所と同じ場合は左欄に「1」を記入し、異なるときは下欄にその使用の本拠の位置を記入して下さい
1使用者住所に同じ
住所コードで記入して下さい（番、号、番地、棟番号等）ローマ字記入時は下欄をマークして下さい
（都道府県市区郡コード　－　町村コード　－　小字コード）丁目

運輸支局長
運輸監理部長　殿
令和　年　月　日

申請人（旧所有者）
氏名又は名称　印
住所
（新所有者・現所有者）
氏名又は名称　印
住所
（使用者）
氏名又は名称
住所

以下の書面に記載すべき事項が登録情報処理機関に提供された場合はチェックして下さい。
□譲渡証明書

登録の原因とその日付
令和　年　月　日

申請代理人
氏名
住所

短辺　　長辺　　（日本産業規格A列4番）

備考　移転登録申請を行う場合以外の場合にあっては、所有者は、押印することを要しない。

専用第三号様式（継続検査申請書）（第二条関係）

継続検査申請書

専用３号様式

①業務種別 1

②手数料 1 無料

⑦有効期間 1 1年指定整備車 2 1年検査車 3 2年指定整備車 4 2年検査車

⑨出張

⑪処理 1 訂正 2 復元 4 検査証再出力 / 1 検査証不要 4 限定検査証交付

⑯例外 1 全例外 2 諸元 3 有効期間

⑰制限解除 1 全解除 4 整備命令 5 処理制限

⑲NOx・PM

⑳証明書指示 1 保・自提出 2 保適証取得 3 自賠責提出 8 保適証照会 9 自賠責照会

㉑自動車登録番号 ローマ字記入時は下欄をマークして下さい

（記入例） 運 輸 - 5 5 5 - さ - 1 2 3 4

㉒車台番号（自動車検査証の車台番号のうち下7桁の数字等を記入） ローマ字記入時は下欄をマークして下さい

（記入例） AB3－1234567 記入

(126)整備工場コード

(108)定期点検

(109)受検形態

㉓装置名等コード 1 2 3 4 5 6 7

(100)走行距離計表示値 00 1 km 2 mile

運輸支局長殿
運輸監理部長

令和　年　月　日

短辺

申請人
（使用者）
氏名又は名称

住所

受検者
氏名又は名称

住所

以下の書面に記載すべき事項が登録情報処理機関に提供された場合はチェックして下さい。

□保安基準適合証

継続検査に必要な書類等

- 記録簿
- 申請書
- 手数料
- 重量税
- 保険証
- 納税証

長辺

（日本産業規格A列４番）

第七号様式（自動車検査証記入申請書／備考欄補助シート）（第二条関係）

□自動車検査証記入申請書　□ 備考欄補助シート　第7号様式

①業務種別　8記載変更
④補助シート　枚
⑨出張
㉛シート順位
⑯処理　1訂正 2復元　1検査証不要　（台帳）1設定 2削除
⑰制限解除　1全解除
⑲NOx・PM

⑰自動車登録番号　ローマ字記入時は下欄をマークして下さい
⑱車台番号　ローマ字記入時は下欄をマークして下さい

附属装置トラックトラクタ　1設定 2削除
⑩種別　1トラック トラクタ 2附属装置
⑲乗車定員　人
⑳最大積載量　0 kg
㉑車両重量　0 kg
㉒長さ　cm
㉓幅　cm
㉔高さ　cm
㉝附属装置名コード　03 バックホー付　06 スノウプラウ付　09 その他　10 草刈装置　11 清掃用ブラシ　12 ロータリー除雪装置　13 サイドウィング　50 脱着装置

基準緩和　1設定 2削除
⑩基準緩和番号
㉕地方運輸局コード　1北海道 2東北 3北陸信越 4関東 5中部 6近畿 7中国 8四国 9九州 0沖縄
㉖認定番号
㉗認定年月日　（元号）年 月 日
⑫基準緩和期限　（元号）年 月 日
㉘緩和事項コード　1その他緩和事項あり
㉙制限事項コード　1その他制限事項あり

タンク車　1設定 2削除 3追加
⑬種別　1危険物 2専用運搬車
㉚タンク車
物品名コード　最大積載容量 0 ℓ　比重又は定数　1一部処理
物品名コード　最大積載容量 0 ℓ　比重又は定数　1一部処理
物品名コード　最大積載容量 0 ℓ　比重又は定数　1一部処理
物品名コード　最大積載容量 0 ℓ　比重又は定数　1一部処理
1その他混載あり　2その他混載あり組み合わせは設置許可書等による　3組み合わせは設置許可書等による

運輸支局長
運輸監理部長　殿
令和　年　月　日

申請人（使用者）
氏名又は名称
住所

短辺　長辺

（日本産業規格A列4番）

第八号様式（自動車検査証記入申請書 備考欄補助シート）（第二条関係）

第8号様式

□自動車検査証記入申請書　□備考欄補助シート

①業務種別　8記載変更

④補助シート　枚

⑨出張

⑮シート順位　1訂正 2抹消

⑯処理

⑰制限解除　1全解除

⑲NOx・PM

⑦自動車登録番号　ローマ字記入時は下欄をマークして下さい

⑬車台番号　ローマ字記入時は下欄をマークして下さい

㉖第五輪荷重　1設定 2削除　0 kg　1以上 2以下

㉑けん引車・被けん引車　1けん引車設定 2削除 3追加 4一部訂正 5被けん引車設定　1その他けん引車

車名コード　型式、車台番号又はシリアル番号　ローマ字記入時は下欄をマークして下さい

1改 2試作 3組立 4不明 5試作(職権打刻) 6組立(職権打刻) 7不明(シリアル)　1NR有　1一部抹消

1 2 3 4 5 6 7 8 9 10 11 12 13 14

けん引車・被けん引車訂正欄

車名コード　型式、車台番号又はシリアル番号　ローマ字記入時は下欄をマークして下さい

申請人（使用者）

氏名又は名称

住所

運輸支局長 殿

運輸監理部長

令和　年　月　日

（日本産業規格A列4番）

短辺

長辺

第九号様式（氏名等補助シート）（第二条関係）

短辺

第9号様式

氏名等補助シート

⑸1シート順位　⑸0共同所有者（1設定 2変更）

共同所有者記入欄1

オーバーフロー所有者欄

⑸9氏名又は名称　漢字で記入して下さい（氏名を記入する場合は氏と名の間に1マスあけて記入、濁点・半濁点は同一マス目に「ガ」「パ」と記入）

1オーバーフロー

⑸8住所　住所コードで記入して下さい（都道府県市区郡コード － 町村コード － 小字コード）　丁目　（番、号、番地、枝番号等）　ローマ字記入時は下欄をマークして下さい

⑥0共同所有者変更

共同所有者記入欄2

オーバーフロー使用者欄

⑸9氏名又は名称　漢字で記入して下さい（氏名を記入する場合は氏と名の間に1マスあけて記入、濁点・半濁点は同一マス目に「ガ」「パ」と記入）

1オーバーフロー

⑸8住所　住所コードで記入して下さい（都道府県市区郡コード － 町村コード － 小字コード）　丁目　（番、号、番地、枝番号等）　ローマ字記入時は下欄をマークして下さい

⑥0共同所有者変更

共同所有者記入欄3

⑸9氏名又は名称　漢字で記入して下さい（氏名を記入する場合は氏と名の間に1マスあけて記入、濁点・半濁点は同一マス目に「ガ」「パ」と記入）

⑸8住所　住所コードで記入して下さい（都道府県市区郡コード － 町村コード － 小字コード）　丁目　（番、号、番地、枝番号等）　ローマ字記入時は下欄をマークして下さい

⑥0共同所有者変更

長辺

（日本産業規格A列4番）

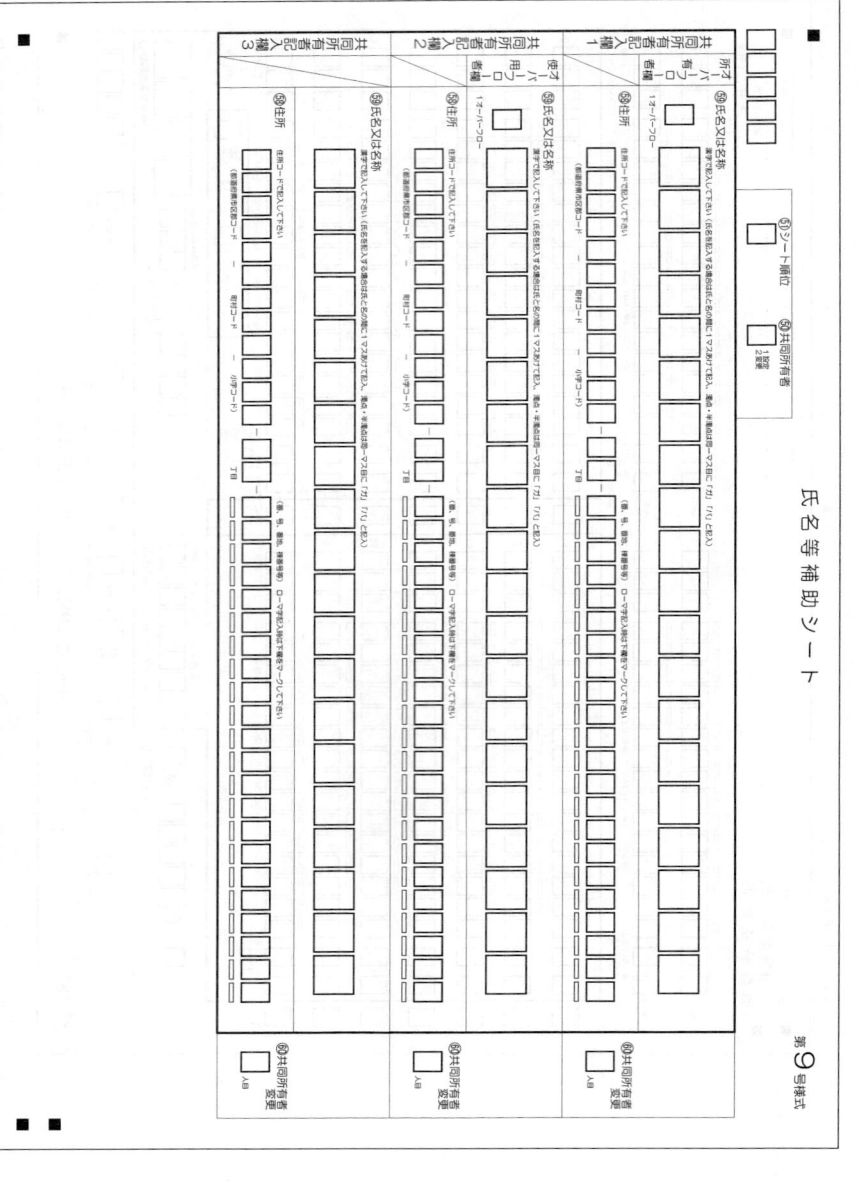

第十号様式（登録事項等補助シート）（第二条関係）

短辺

登録事項等補助シート

第10号様式

⑤1シート順位

⑤2処理
1設定
2削除
3追加

⑤3種別
1登録事項
2検査事項
3抵当権・嘱託事項

⑤4項目番号
(登録事項)
25 車名
42 使用の本拠の位置
43 使用者の住所
56 所有者の住所
99 その他
(検査事項)
検査事項通番を記入

⑤5登録事項等記入欄

その他登録事項等

長辺

（日本産業規格A列4番）

軽第一号様式
新規　予備　検査　申請書
自動車検査証　自動車予備検査証　記入　申請書
自動車検査証交付申請書
所有者変更記録申請書
（第三条関係）

（□ 新規検査 □ 自動車検査証記入 □ 自動車検査証交付 / □ 予備検査 □ 自動車予備検査証記入 □ 所有者変更記録）申請書

軽第1号様式

(50)業務種別　1 新規検査　4 記載変更　5 構造変更　6 番号変更　7 所有者変更　8 予備検査

(51)車両提示　1 持込

(52)手数料　1 無料

(56)補助シート　枚

(55)番号指示　1 乗用 2 貨物 3 特種（用途1）　1 自家用 2 事業用 3 貸渡 4 A B（用途2）　1 字光 2 転入 返納（標板1）　1 中板二枚 2 中板一枚 3 小板二枚 4 小板一枚（標板2）

(59)備考欄　1 備考欄削除

(60)処理　1 訂正 2 復元　1 検査証不要 2 事務所指示番号 3 切替、五年経過 4 限定検査証交付 5 再出力

(61)例外

(95)制限解除

(64)証明書指示　1 保・自提出 2 保遡証提出 3 自賠責提出　1 書面提出 2 預託金解除

②希望車両番号 ローマ字記入時は下欄にマークして下さい
（この欄には希望番号予約済証に記載されている希望車両番号の支局等を表示する文字を除いたものを記入して下さい）

①車両番号 ローマ字記入時は下欄にマークして下さい　1 小板

③車台番号 ローマ字記入時は下欄にマークして下さい

(58)車台番号変更　1 職権打刻 2 職権打刻例外

④使用者氏名又は名称 漢字で記入して下さい（氏名を記入する場合は氏と名の間に1マスあけて記入、濁点・半濁点は同一マス目に「ガ」「パ」と記入）

(90)流通確認

⑤使用者住所 住所コードで記入して下さい　（番、号、番地、棟番号等）ローマ字記入時は下欄にマークして下さい
（都道府県市区郡コード　－　町村コード　－　小字コード）　丁目

(91)販売店コード

1 使用者に同じ　⑥所有者氏名又は名称（使用者氏名又は名称と同じ場合は左欄に「1」を記入、異なる場合には下欄にその所有者氏名又は名称を記入して下さい）
漢字で記入して下さい（氏名を記入する場合は氏と名の間に1マスあけて記入、濁点・半濁点は同一マス目に「ガ」「パ」と記入）

⑧所有者コード（販売店等以外は記入不要）

1 使用者住所に同じ　⑦所有者住所（使用者住所と同じ場合は左欄に「1」を記入、異なる場合には下欄にその所有者住所を記入して下さい）
住所コードで記入して下さい　（番、号、番地、棟番号等）ローマ字記入時は下欄にマークして下さい
（都道府県市区郡コード　－　町村コード　－　小字コード）　丁目

1 使用者

1 使用者住所に同じ　⑨使用の本拠の位置（使用者住所と同じ場合は左欄に「1」を記入、異なる場合には下欄に使用の本拠の位置を記入して下さい）
住所コードで記入して下さい　（番、号、番地、棟番号等）ローマ字記入時は下欄にマークして下さい
（都道府県市区郡コード　－　町村コード　－　小字コード）　丁目

㉗車体の塗色　1 赤 4 黄 7 紫 0 黒　2 橙 5 緑 8 白　3 茶 6 青 9 灰

⑩自動車型式指定・類別区分番号（自動車型式指定番号）－（類別区分番号）

(66)製作年月日（元号）　年　月　日

(86)走行距離計表示値　00 km　2 mile

㊼整備工場コード

(62)定期点検

(97)受検形態

(63)装置名等コード　1　2　3　4　5　6　7

申請者（使用者）
氏名又は名称
住所

（所有者）
氏名又は名称
住所

（旧使用者）
氏名又は名称
住所

（旧所有者）
氏名又は名称
住所

以下の書面に記載すべき事項が登録情報処理機関に提供された場合はチェックして下さい。
□ 完成検査終了証　□ 排出ガス検査終了証
□ 保安基準適合証

受検者氏名又は名称
住所

軽自動車検査協会　殿
令和　年　月　日

変更事項

短辺

長辺

（日本産業規格A列4番）

軽第二号様式（新規　予備　検査　申請書／自動車検査証　自動車予備検査証　記入　申請書／自動車検査証交付申請書）（第三条関係）

（□ 自動車検査証記入／□ 自動車予備検査証記入）申請書（□ 新規検査、予備検査、自動車検査証交付／自動車検査証記入、自動車予備検査証記入）申請書（その2）　軽第2号様式

㊿業務種別 4 記載変更 5 構造変更
52 手数料 1 無料
56 補助シート 枚
57 シート順位
59 備考欄 1 備考欄削除
55 番号指示 1 乗用 2 貨物 3 特種（用途1） 1 自家用 2 事業用 3 貸渡 4 AB（用途2） 1 字光（標板1） 1 中板二枚 2 中板一枚 3 小板二枚 4 小板一枚（標板2）
60 処理 1 訂正 2 復元　1 検査証不要 2 事務所指示番号 5 再出力
51 例外　53 制限解除
54 証明書指示 3 自賠責提出

②希望車両番号 ローマ字記入時は下欄にマークして下さい
（この欄には希望番号予約済証に記載されている希望車両番号の支局等を表示する文字を除いたものを記入して下さい）

①車両番号 ローマ字記入時は下欄にマークして下さい　1 小板
③車台番号 ローマ字記入時は下欄にマークして下さい
58 車台番号変更 1 職権打刻 2 職権打刻例外

諸元欄（検査結果に基づき記入）
⑭車体の形状コード
⑪車名コード
⑮乗車定員 (1) 人 (2) 人　削除は「－」
⑯最大積載量 0 kg (1)　0 kg (2)　削除は「－」
⑰車両重量 0 kg
⑲長さ cm
⑳幅 cm
㉑高さ cm
⑱軸重 0 kg 前　0 kg 後
⑫型式 ローマ字記入時は下欄にマークして下さい　1 改 2 試作 3 組立 4 不明
⑬原動機の型式 ローマ字記入時は下欄にマークして下さい　1 職権打刻 2 不明
㉓総排気量又は定格出力 ℓ (kW)　削除は「－」
㉒燃料の種類 1 ガソリン 2 軽油 3 LPG 4 灯油 5 電気 6 ガソリン・LPG 7 ガソリン・灯油 8 メタノール 9 CNG 11 LNG 12 ANG 13 圧縮水素 14 ガソリン・電気 15 LPG・電気 16 軽油・電気 99 その他

65 シリアル番号 ローマ字記入時は下欄にマークして下さい
66 車台番号打刻位置
64 その他検査事項等コード 1 設定 2 削除 3 追加　1 2 3 4 5

62 定期点検
67 受検形態
63 装置名等コード 1 2 3 4 5 6 7
㊻走行距離計表示値 0 0 km　2 mile

61 改造自動車 1 設定 2 削除 3 追加　改造通知番号　軽検　改第　号　改造通知年月日（元号）年 月 日　改造内容 1 2 3 4

軽自動車検査協会　殿

令和　年　月　日

申請者（使用者・所有者）
氏名又は名称

住所

受検者
氏名又は名称

住所

変更事項

短辺

長辺

（日本産業規格A列4番）

軽第三号様式

軽第三号様式	継続　臨時　検査　申請書 自動車検査証記入　申請書 自動車検査証　自動車予備検査証　再交付　申請書 限定自動車検査証　検査標章　再交付　申請書 検査記録事項等証明書交付　請求書	（第三条関係）

（□ 継続検査 □ 自動車検査証記入 □ 自動車予備検査証再交付 □ 検査標章再交付 □ 臨時検査 □ 自動車検査証再交付 □ 限定自動車検査証再交付）申請書　□ 検査記録事項等証明書交付請求書

軽第3号様式

(50)業務種別　2 継続　3 臨時　6 番号変更　7 証明書交付　9 再交付
(51)車両提示　1 持込
(52)手数料　1 無料
(53)再交付　1 検査標章
(72)証明書　1 現在　2 詳細
(55)番号指示　（用途1）1 乗用　2 貨物　3 特種　（用途2）1 自家用　2 事業用　3 貸渡　4 AB　（標板1）1 字光　（標板2）1 中板二枚　2 中板一枚　3 小板二枚　4 小板一枚
(60)処理　1 訂正　2 復元　1 検査証不要　2 事務所指示番号　4 限定検査証交付　5 再出力
(61)例外
(95)制限解除

②希望車両番号　ローマ字記入時は下欄にマークして下さい
（この欄には希望番号予約済証に記載されている希望車両番号の支局等を表示する文字を除いたものを記入して下さい）

③車台番号　ローマ字記入時は下欄にマークして下さい

(94)証明書指示　1 保・自提出　2 保適証提出　3 自賠責提出

①車両番号　ローマ字記入時は下欄にマークして下さい　1 小板

（① 自動車検査証、自動車予備検査証、限定自動車検査証の再交付及び証明書の交付請求を車両番号に基づいておこなう場合、この欄に記入する必要はありません。
② 車台番号に基づいて証明書の交付請求をする場合で、車台番号が20桁を超えるときは下20桁を、また車台番号が20桁以内のときはその全てを左詰で記入して下さい。）

(47)整備工場コード

(62)定期点検　(97)受検形態　(63)装置名等コード　1　2　3　4　5　6　7

(96)走行距離計表示値　0 0　km　2 mile

以下の書面に記載すべき事項が登録情報処理機関に提供された場合はチェックして下さい。

□ 保安基準適合証

検査記録事項等証明書の種類

□ 現在記録ファイル記録事項分

□ 現在記録ファイル及び保存記録ファイル記録事項分

交付又は再交付を受ける理由

軽自動車検査協会　殿

令和　年　月　日

申請者（使用者・所有者）
氏名又は名称

住所

請求者（所有者）
氏名又は名称

住所

受検者
氏名又は名称

住所

申請代理人
氏名

住所

変更事項

短辺

長辺

（日本産業規格A列4番）

軽第四号様式（自動車検査証返納証明書交付申請書）（第三条関係）

軽第4号様式

自動車検査証返納証明書交付申請書

⑥⓪業務種別 7　⑥②手数料 1 無料

⑥⓪処理 1 訂正 2 復元　1 検査証不要 5 再出力 6 滅失・解体等

①車両番号　ローマ字記入時は下欄にマークして下さい　1 小板

③車台番号（自動車検査証の車台番号のうち下７桁の数字等を記入）ローマ字記入時は下欄にマークして下さい

軽自動車検査協会　殿

令和　年　月　日

申請者（使用者）
氏名又は名称

住所

（所有者）
氏名又は名称

住所

返納の原因
□ 滅失、解体等（被けん引車に限る）
□ 一時使用中止

短辺

長辺

（日本産業規格Ａ列４番）

軽第四号様式の二（輸出予定届出証明書交付　申請書／解体等　輸出　再輸入見込　届出書／輸出予定届出証明書返納　届出書）（第三条関係）

□ 輸出予定届出証明書交付申請書　（□ 解体等　□ 再輸入見込／□ 輸出　□ 輸出予定届出証明書返納）届出書

軽第4号様式の2

㊿業務種別 7　㊾手数料 1 無料

㉑返納　3 輸出返納　5 滅失返納　6 用途廃止返納　7 再輸入見込

3 輸出届出　4 輸出予定届出証明書返納　5 滅失届出　6 用途廃止届出

㊵処理　1 訂正　2 復元　1 検査証不要　5 再出力

㊶例外　㊺制限解除

①車両番号 ローマ字記入時は下欄にマークして下さい　1 小板

③車台番号 ローマ字記入時は下欄にマークして下さい（自動車検査証、自動車検査証返納証明書もしくは輸出予定届出証明書の車台番号のうち下７桁の数字等を記入）

㉚輸出予定日 （元号）　年　月　日

軽自動車検査協会　殿

令和　年　月　日

申請者・届出者（所有者）
氏名又は名称

住所

届出者（使用者）
氏名又は名称

住所

使用の本拠の位置

届出の原因とその日付（使用済自動車の解体及び輸出に係る届出の場合を除く。）

□ 滅失
□ 用途廃止
□ 車台が車両番号の指定の際に存したものでなくなったとき

年　月　日

短辺

長辺

（日本産業規格A列4番）

軽第四号様式の三〔解体届出書〕（第三条関係）

短　辺

軽第4号様式の3

解体届出書

(50)業務種別　7

(60)処理　1 訂正　2 復元　5 再出力

(61)例外　(95)制限解除　(71)返納　1 解体返納　2 解体届出

(80)重量税還付申請の有無　0 なし

(29)移動報告番号

(1)車両番号　ローマ字記入時は下欄にマークして下さい　1 小板

(3)車台番号　ローマ字記入時は下欄にマークして下さい

（自動車検査証もしくは自動車検査証返納証明書の車台番号のうち下7桁の数字等を記入）

解体報告記録がなされた年月日

令和　年　月　日

届出者／申請者（所有者）

氏名又は名称

住所

届出者（使用者）

氏名又は名称

住所

軽自動車検査協会　殿

令和　年　月　日

長　辺

（日本産業規格A列4番）

軽第五号様式（新規　予備　検査　申請書／自動車検査証　自動車予備検査証　記入　申請書／自動車検査証交付申請書）（第三条関係）

（□ 新規検査 □ 自動車検査証記入 □ 自動車検査証交付／□ 予備検査 □ 自動車予備検査証記入）申請書（備考欄記載事項）

軽第5号様式

㊿業務種別 4 記載変更　㊻補助シート 枚　㊼シート順位

㊾処理 1 訂正 2 復元　1 検査証不要 5 再出力

㊺制限解除

①車両番号 ローマ字記入時は下欄にマークして下さい　1 小板

③車台番号（自動車検査証の車台番号のうち下７桁の数字等を記入）ローマ字記入時は下欄にマークして下さい

㉔タンク車 1 設定 2 削除 3 追加　物品名コード　最大積載容量 ℓ　比重又は定数

㉕タンク付車 1 設定 2 削除　物品名コード　最大積載容量 ℓ　比重又は定数　積載内訳 0 kg タンク　0 kg 荷台

1 設定 4 一部訂正　2 削除 5 設定（被けん引車）　3 追加

1 その他 けん引車・被けん引車有

㉖けん引車・被けん引車

1改 2試作 3組立 4不明　1 一部処理

1～8 車名コード　型式 ローマ字記入時は下欄にマークして下さい

けん引車・被けん引車訂正欄　車名コード　型式 ローマ字記入時は下欄にマークして下さい　1 改 3 組立 2 試作 4 不明

基準緩和　1 設定 2 削除

⑩基準緩和番号

⑩地方運輸局コード　1 北海道 2 東北 3 北陸信越 4 関東 5 中部 6 近畿 7 中国 8 四国 9 九州 0 沖縄

⑩認定番号

⑩認定年月日（元号）年 月 日

⑩基準緩和期限（元号）年 月 日

⑩緩和事項コード　1 その他 緩和事項あり

⑩制限事項コード　1 その他 制限事項あり

申請者（使用者・所有者）氏名又は名称

住所

軽自動車検査協会　殿

令和　年　月　日

短辺

長辺

（日本産業規格A列4番）

軽第六号様式〔記載事項等補助シート〕（第三条関係）

短辺

軽第6号様式

記載事項等補助シート

(57)シート順位

(60)処理
3 設定
4 削除
5 追加

(70)項目番号
4 使用者ナンバーコード
5 使用者の住所
6 所有者ナンバーコード
7 所有者の住所
9 使用の本拠の位置
11 車名

(28)記載事項等記入欄

長辺

（日本産業規格A列4番）

軽専用第一号様式〔自動車検査証記入申請書〕（第三条関係）

自動車検査証記入申請書（使用者、所有者、住所変更専用）

軽専用第1号様式

㊿業務種別 4 　㊾補助シート 枚　㊽備考欄 1 備考欄削除

㊻番号指示　1 乗用 2 貨物 3 特種（用途1）　1 自家用 2 事業用 3 貸渡 4 AB（用途2）　1 字光 2 転入 返納（標板1）　1 中板二枚 2 中板一枚 3 小板二枚 4 小板一枚（標板2）

㊼処理　1 訂正 2 復元　1 検査証不要 2 事務所指示番号 5 再出力

㊶例外　㊺制限解除

②希望車両番号 ローマ字記入時は下欄にマークして下さい
（この欄には希望番号予約済証に記載されている希望車両番号の支局等を表示する文字を除いたものを記入して下さい）

①車両番号 ローマ字記入時は下欄にマークして下さい　1 小板
（記入例）軽検協 - 580 - お - 1234

③車台番号（自動車検査証の車台番号のうち下7桁の数字等を記入）ローマ字記入時は下欄にマークして下さい
（記入例）AB3 － 1234567　記入

④使用者氏名又は名称　漢字で記入して下さい（氏名を記入する場合は氏と名の間に1マスあけて記入、濁点・半濁点は同一マス目に「ガ」「パ」と記入）

⑩流通確認

⑤使用者住所　住所コードで記入して下さい　（番、号、番地、棟番号等）ローマ字記入時は下欄にマークして下さい
（都道府県市区郡コード － 町村コード － 小字コード）丁目

⑥所有者氏名又は名称（使用者氏名又は名称と同じ場合は左欄に「1」を記入、異なる場合には下欄にその所有者氏名又は名称を記入して下さい）
漢字で記入して下さい（氏名を記入する場合は氏と名の間に1マスあけて記入、濁点・半濁点は同一マス目に「ガ」「パ」と記入）
1 使用者に同じ

⑧所有者コード（販売店等以外は記入不要）

⑦所有者住所（使用者住所と同じ場合は左欄に「1」を記入、異なる場合には下欄にその所有者住所を記入して下さい）
住所コードで記入して下さい　（番、号、番地、棟番号等）ローマ字記入時は下欄にマークして下さい
1 使用者住所に同じ
（都道府県市区郡コード － 町村コード － 小字コード）丁目

1 使用者

⑨使用の本拠の位置（使用者住所と同じ場合は左欄に「1」を記入、異なる場合には下欄に使用の本拠の位置を記入して下さい）
住所コードで記入して下さい　（番、号、番地、棟番号等）ローマ字記入時は下欄にマークして下さい
1 使用者住所に同じ
（都道府県市区郡コード － 町村コード － 小字コード）丁目

⑳車体の塗色　1 赤 4 黄 7 紫 0 黒　2 橙 5 緑 8 白　3 茶 6 青 9 灰

申請者（使用者）氏名又は名称
住所
（所有者）氏名又は名称
住所

（旧使用者）氏名又は名称
住所
（旧所有者）氏名又は名称
住所

軽自動車検査協会　殿
令和　年　月　日

変更事項

短辺

長辺

（日本産業規格A列4番）

軽専用第二号様式〔継続検査申請書〕（第三条関係）

継続検査申請書

軽専用第2号様式

㊿業務種別 2　51 車両提示 1 持込　52 手数料 1 無料

94 証明書指示 1 保・自提出 2 保適証提出 3 自賠責提出

60 処理 1 訂正 2 復元 1 検査証不要 4 限定検査証交付 5 再出力

61 例外　95 制限解除

①車両番号 ローマ字記入時は下欄にマークして下さい

1 小板

（記入例） 軽 検 協 - 5 8 0 - お - 1 2 3 4

③車台番号（自動車検査証の車台番号のうち下7桁の数字等を記入）
ローマ字記入時は下欄にマークして下さい

（記入例）
AB3 － 1234567

記入

47 整備工場コード

62 定期点検　97 受検形態　63 装置名等コード 1 2 3 4 5 6 7

96 走行距離計表示値 0 0 km 2 mile

短辺

軽自動車検査協会　殿

令和　年　月　日

申請者（使用者）
氏名又は名称

住所

受検者
氏名又は名称

住所

以下の書面に記載すべき事項が登録情報処理機関に提供された場合はチェックして下さい。

□ 保安基準適合証

長辺

（日本産業規格A列4番）

第十一号様式（登録事項等通知書）（第三条関係）

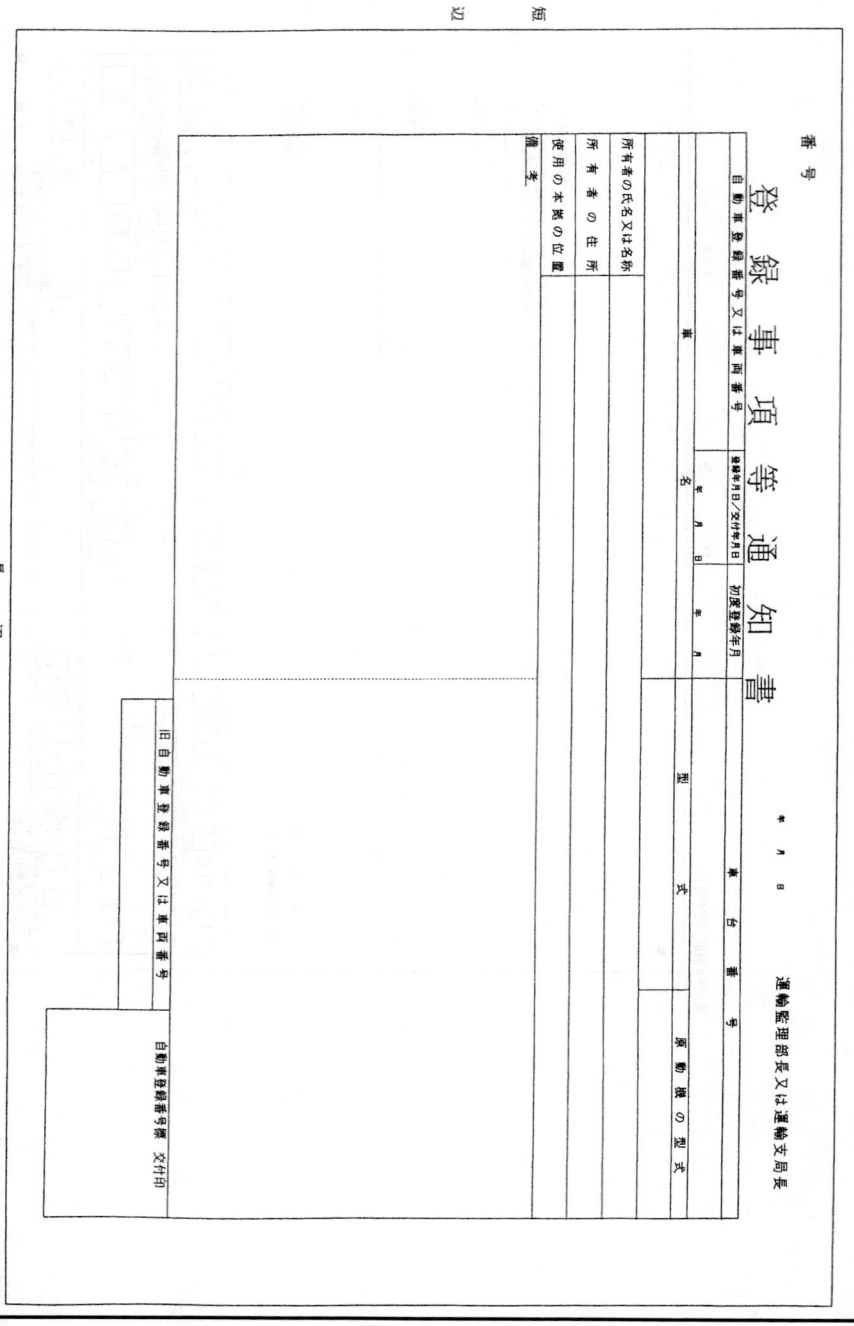

番　号

年　月　日

運輸監理部長又は運輸支局長

登　録　事　項　等　通　知　書

自動車登録番号又は車両番号	登録年月日／交付年月日	初度登録年月	車台番号	
	年　月　日	年　月		
車名			型式	原動機の型式

所有者の氏名又は名称	
所有者の住所	
使用の本拠の位置	

備考

旧自動車登録番号又は車両番号	自動車登録番号標　交付印

短辺

長辺

（日本産業規格Ａ列４番）

第十二号様式（輸出抹消仮登録証明書）（第四条関係）

番　号

整　理　番　号

輸出抹消仮登録証明書 ／ Export Certificate

自動車登録番号 ／ Registration No.	登録年月日 ／ Registration Date	初度登録年月 ／ First Reg. Date	車台番号 ／ Maker's serial number
	年 year　月 month　日 day	年 year　月 month	

車名 ／ Trademark of the maker of the vehicle	型式 ／ Model	原動機の型式 ／ Engine Model

所有者の氏名又は名称 Name of Owner	
所有者の住所 Address of Owner	
使用者の氏名又は名称 Name of User	
使用者の住所 Address of User	
使用の本拠の位置 Locality of principal abode of use	

自動車の種別 Classification of Vehicle	用途 Use	自家用・事業用の別 Purpose	車体の形状 Type of Body	乗車定員 Fixed Number	最大積載量 Maxim. Carry	車両重量 Weight	車両総重量 G/Weight
				人	kg	kg	kg

総排気量又は定格出力 Engine Capacity	燃料の種別 Classification of Fuel	型式指定番号 Specification No.	類別区分番号 Classification No.	長さ Length	幅 Width	高さ Height	前前軸重 FF Weight	前後軸重 FR Weight	後前軸重 RF Weight	後後軸重 RR Weight
kW L				cm	cm	cm	kg	kg	kg	kg

輸出予定日（証明書有効期間満了日） Export scheduled day	年 year　月 month　日 day	

備　考

年 year　月 month　日 day

Director-General of the District Transport Bureau or
Director-General of the Transport Branch of the District Transport Bureau,
Ministry of Land, Infrastructure, Transport and Tourism, Japan
運輸監理部長又は運輸支局長

短辺

長辺

（日本産業規格Ａ列４番）

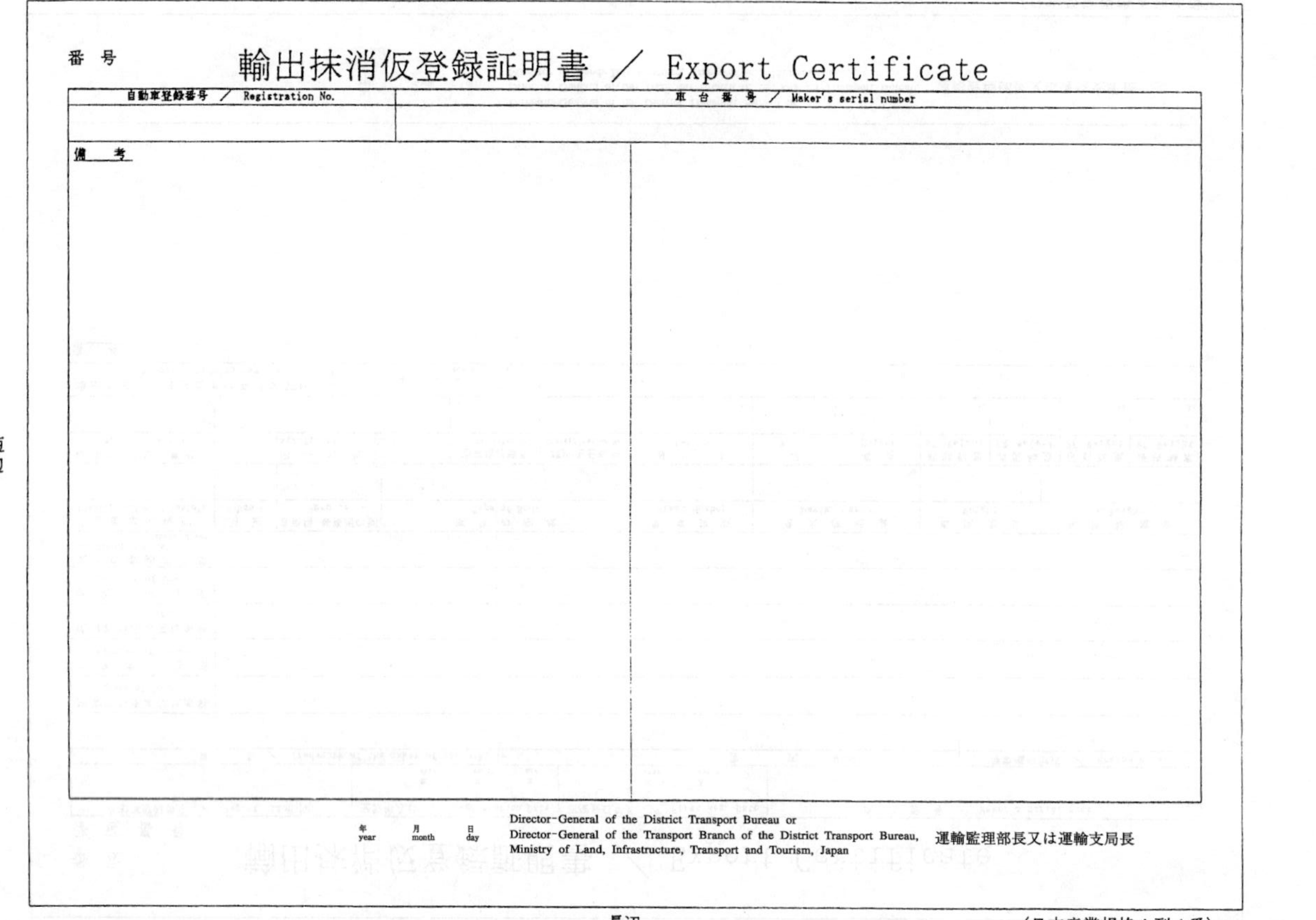

番　号

輸出抹消仮登録証明書 ／ Export Certificate

自動車登録番号 ／ Registration No.	車台番号 ／ Maker's serial number

備　考

年 year　月 month　日 day

Director-General of the District Transport Bureau or
Director-General of the Transport Branch of the District Transport Bureau,
Ministry of Land, Infrastructure, Transport and Tourism, Japan
運輸監理部長又は運輸支局長

短辺

長辺

（日本産業規格A列４番）

番　号

整理番号

輸出予定届出証明書 ／ Export Certificate

自動車登録番号 ／ Registration No.	登録年月日 ／ Registration Date	初度登録年月 ／ First Reg. Date	車台番号 ／ Maker's serial number
	年 year　月 month　日 day	年 year　月 month	

車名 ／ Trademark of the maker of the vehicle	型式 ／ Model	原動機の型式 ／ Engine Model

所有者の氏名又は名称 Name of Owner	
所有者の住所 Address of Owner	
使用者の氏名又は名称 Name of User	
使用者の住所 Address of User	
使用の本拠の位置 Locality of principal abode of use	

自動車の種別 Classification of Vehicle	用途 Use	自家用・事業用の別 Purpose	車体の形状 Type of Body	乗車定員 Fixed Number	最大積載量 Maxim. Carry	車両重量 Weight	車両総重量 G/Weight
				人	kg	kg	kg

総排気量又は定格出力 Engine Capacity	燃料の種別 Classification of Fuel	型式指定番号 Specification No.	類別区分番号 Classification No.	長さ Length	幅 Width	高さ Height	前前軸重 FF Weight	前後軸重 FR Weight	後前軸重 RF Weight	後後軸重 RR Weight
kW L				cm	cm	cm	kg	kg	kg	kg

輸出予定日（証明書有効期間満了日） Export scheduled day	年 year　月 month　日 day	

備　考

年 year　月 month　日 day

Director-General of the District Transport Bureau or
Director-General of the Transport Branch of the District Transport Bureau,
Ministry of Land, Infrastructure, Transport and Tourism, Japan

運輸監理部長又は運輸支局長

短辺

長辺

（日本産業規格Ａ列４番）

番号

輸出予定届出証明書 ／ Export Certificate

自動車登録番号 ／ Registration No.	車台番号 ／ Maker's serial number

備考

年 year　月 month　日 day

Director-General of the District Transport Bureau or
Director-General of the Transport Branch of the District Transport Bureau,
Ministry of Land, Infrastructure, Transport and Tourism, Japan
運輸監理部長又は運輸支局長

短辺

長辺

（日本産業規格A列4番）

第十四号様式（登録識別情報等通知書）（第四条関係）

番号

登録識別情報等通知書

自動車登録番号	登録年月日	初度登録年月	車台番号
	年　月　日	年　月	

車名	型式	原動機の型式

所有者の氏名又は名称	
所有者の住所	

自動車の種別	用途	自家用・事業用の別	車体の形状	乗車定員	最大積載量	車両重量	車両総重量
				人	kg	kg	kg

総排気量又は定格出力	燃料の種別	型式指定番号	類別区分番号	長さ	幅	高さ	前前軸重	前後軸重	後前軸重	後後軸重
kW L				cm	cm	cm	kg	kg	kg	kg

有効期間の満了する日	年　月　日

備考

登録識別情報

年　月　日　運輸監理部長又は運輸支局長

短辺

長辺

（日本産業規格A列４番）

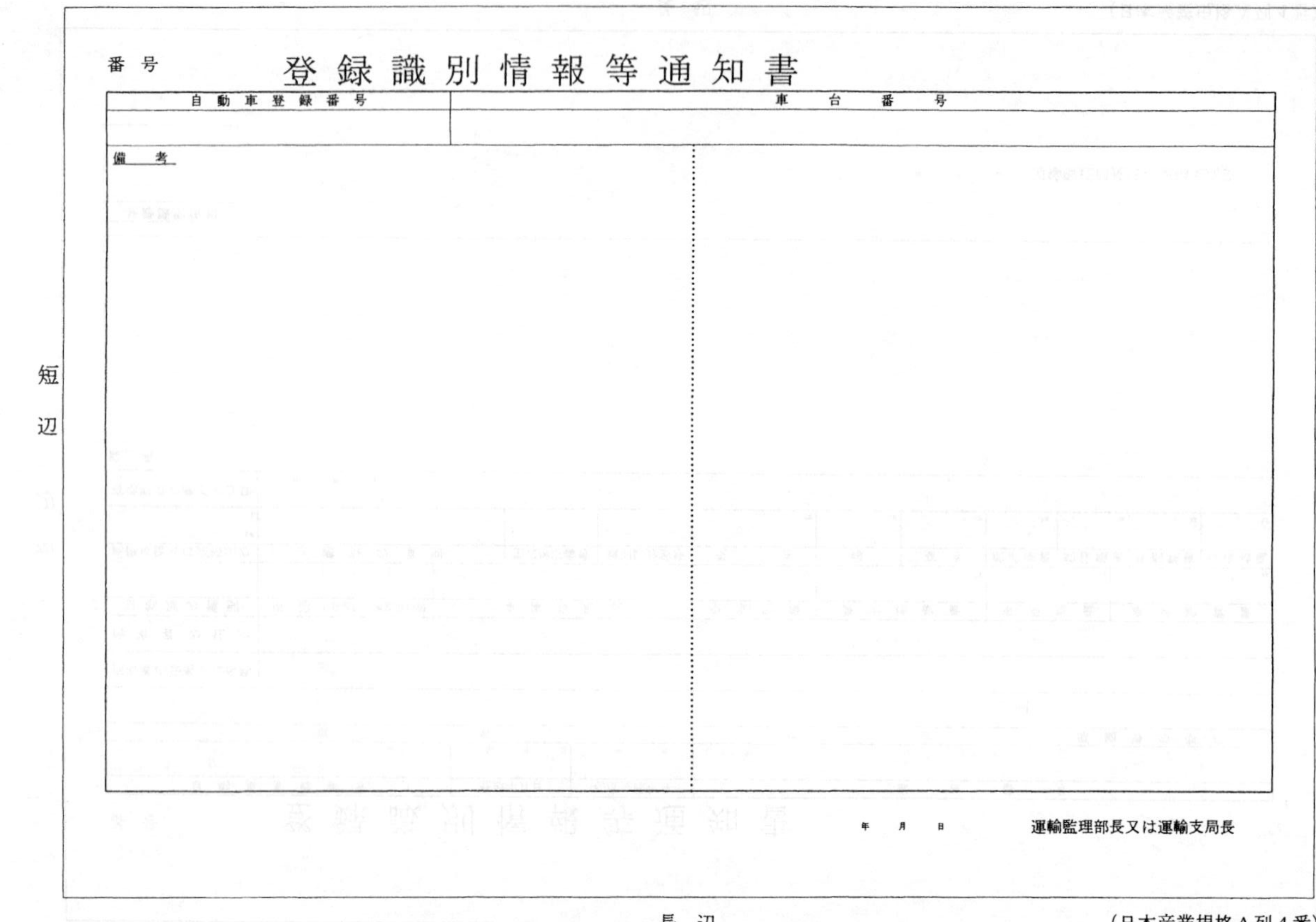

番号

登録識別情報等通知書

自動車登録番号	車台番号

備考

年　月　日　運輸監理部長又は運輸支局長

短辺

長辺

（日本産業規格Ａ列４番）

第十五号様式（登録事項等証明書）（第四条関係）

番号

登録事項等証明書

自動車登録番号	車台番号

所有者の氏名又は名称	
所有者の住所	
使用者の氏名又は名称	
使用者の住所	
使用の本拠の位置	

登録年月日／交付年月日	初度登録年月
年　月　日	年　月

車名

型式	原動機の型式

自動車の種別	用途	自家用・事業用の別	車体の形状

総排気量又は定格出力	燃料の種類	型式指定番号	類別区分番号
kW L			

乗車定員	最大積載量	車両重量	車両総重量
人	kg	kg	kg

長さ	幅	高さ	前前軸重	前後軸重	後前軸重	後後軸重
cm	cm	cm	kg	kg	kg	kg

有効期間の満了する日	請求に係る自動車登録番号又は車台番号
年　月　日	

備考

上記の通り相違ないことを証明します。　年　月　日　運輸監理部長又は運輸支局長

短辺

長辺

（日本産業規格Ａ列４番）

短辺

登録事項等証明書

番号

自動車登録番号	車台番号

備考

年　月　日

運輸監理部長又は運輸支局長

長辺

（日本産業規格A列4番）

第十六号様式（登録事項等証明書）（第四条関係）

番号

登録事項等証明書　現在記録

自動車登録番号	車台番号

所有者の氏名又は名称	
所有者の住所	
使用者の氏名又は名称	
使用者の住所	
使用の本拠の位置	

登録年月日／交付年月日	初度登録年月
年　月　日	年　月

車名

型式	原動機の型式

自動車の種別	用途	自家用・事業用の別	車体の形状

総排気量又は定格出力	燃料の種類	型式指定番号	類別区分番号
kW L			

乗車定員	最大積載量	車両重量	車両総重量
人	kg	kg	kg

長さ	幅	高さ	前前軸重	前後軸重	後前軸重	後後軸重
cm	cm	cm	kg	kg	kg	kg

有効期間の満了する日	請求に係る自動車登録番号又は車台番号
年　月　日	

備考

上記の通り相違ないことを証明します。　年　月　日　運輸監理部長又は運輸支局長

短辺

長辺

（日本産業規格Ａ列４番）

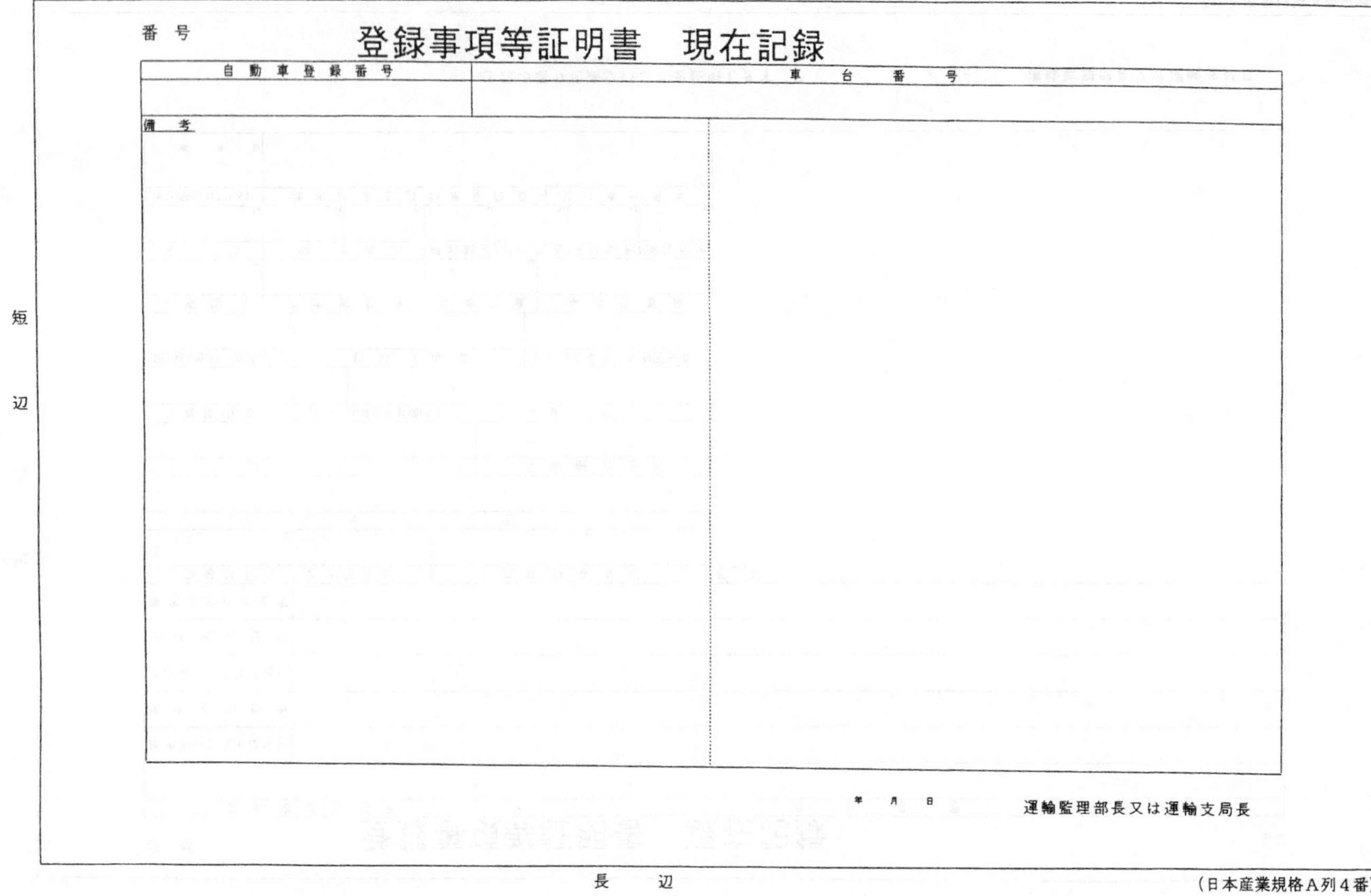

番号

登録事項等証明書　現在記録

自動車登録番号	車台番号

備考

短辺

年　月　日　　運輸監理部長又は運輸支局長

長辺

（日本産業規格A列４番）

番号

登録事項等証明書　保存記録

自動車登録番号	車台番号

登録年月日	登録の種別	項目名	登録事項等の内容

年　月　日　運輸監理部長又は運輸支局長

短辺

長辺

（日本産業規格A列4番）

第十七号様式（登録事項等証明書）（第四条関係）

短辺

登録事項等証明書

交付年月日　年　月　日

運輸監理部長又は運輸支局長

番号	自動車登録番号	型式	原動機の型式			所有者の氏名又は名称	所有者の住所	使用の本拠の位置	燃料の種類			
	車名及び車台番号		初度登録年月	登録年月日	有効期間の満了日	使用者の氏名又は名称	使用者の住所		車体の形状	乗車定員	最大積載量	総排気量又は定格出力
1												
2												
3												
4												
5												
6												
7												
8												
9												
10												
11												
12												
13												
14												
15												
16												
17												
18												
19												
20												
21												
22												
23												
24												
25												
26												
27												
28												
29												
30												

長辺

（日本産業規格Ａ列３番）

第十八号様式（自動車検査証）（第四条関係）

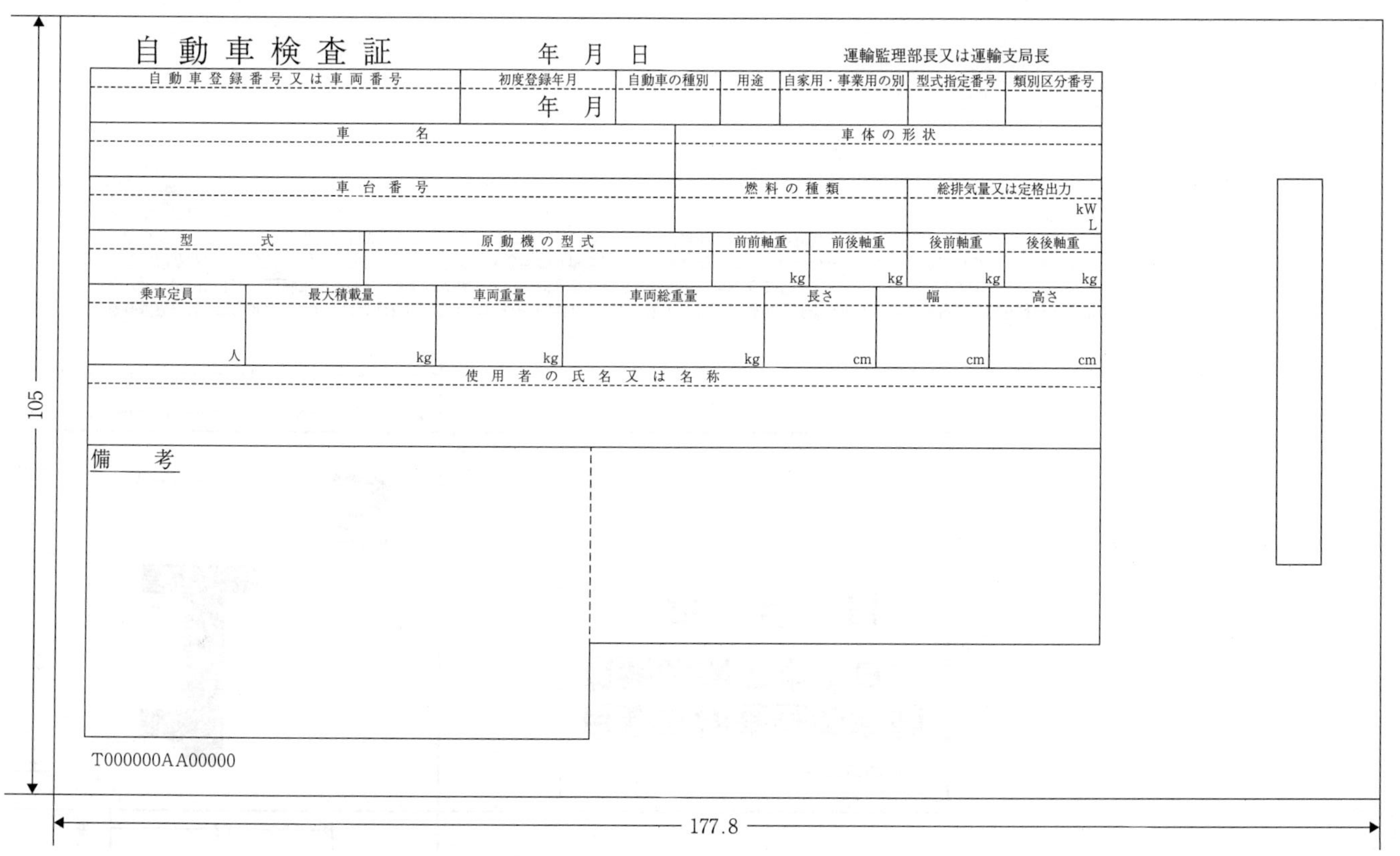

自動車検査証

年　月　日

運輸監理部長又は運輸支局長

自動車登録番号又は車両番号	初度登録年月	自動車の種別	用途	自家用・事業用の別	型式指定番号	類別区分番号
	年　月					

車名	車体の形状

車台番号	燃料の種類	総排気量又は定格出力
		kW L

型式	原動機の型式	前前軸重	前後軸重	後前軸重	後後軸重
		kg	kg	kg	kg

乗車定員	最大積載量	車両重量	車両総重量	長さ	幅	高さ
人	kg	kg	kg	cm	cm	cm

使用者の氏名又は名称

備考

T000000AA00000

105

177.8

注　寸法の単位は、ミリメートルとすること。

第十九号様式（検査標章）（第四条関係）

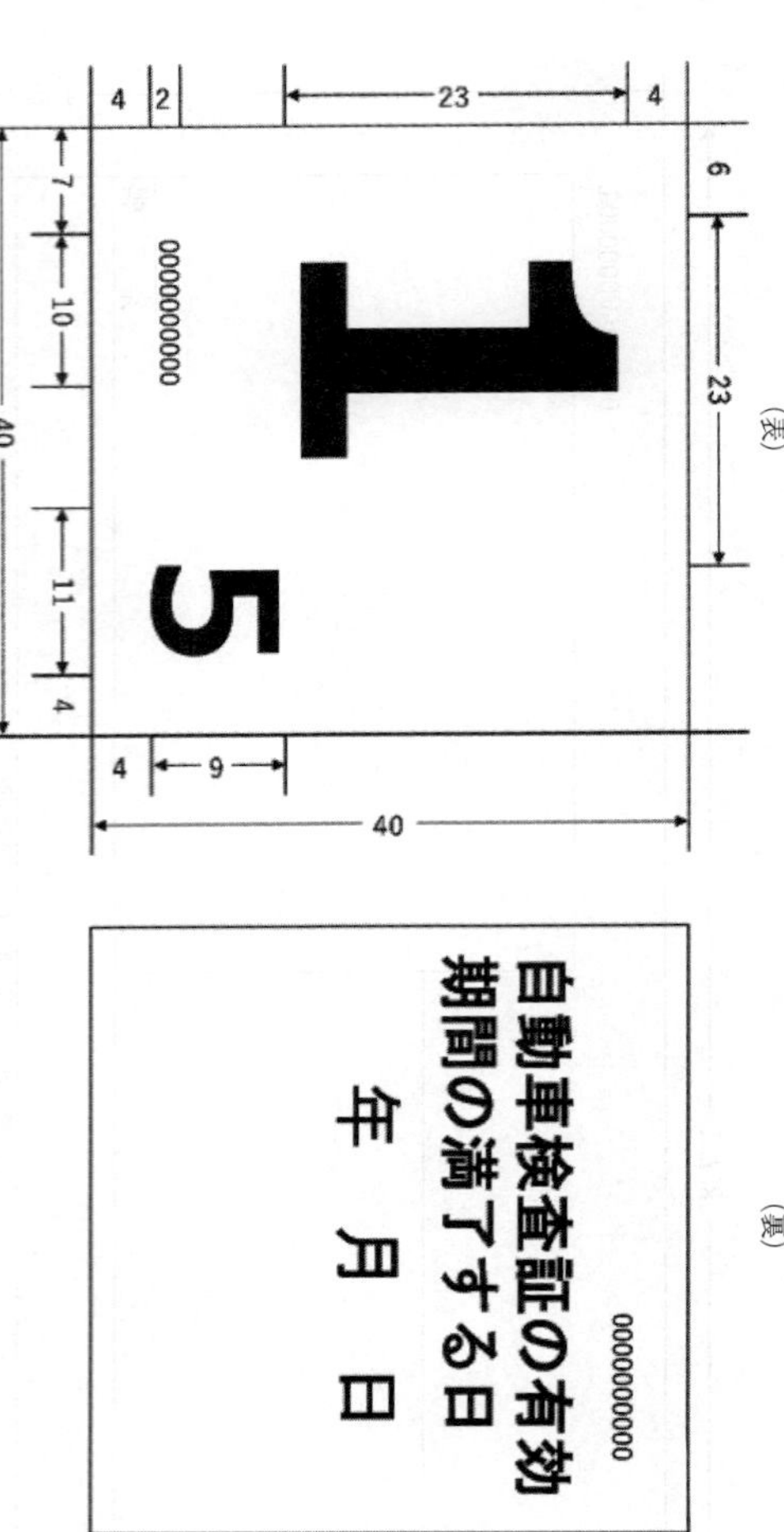

注(1)　検査標章には、自動車の前面ガラスに貼り付けるものにあっては図の（表）及び（裏）、自動車登録番号標又は車両番号標に貼り付けるものにあっては図の（表）の例により、自動車検査証の有効期間の満了する時期を表す数字を黒字で表示すること。

(2)　自動車検査証の有効期間の満了する日の属する年を表す数字の位置は、令和五年にあっては（表）の右下、令和六年にあっては（表）の左下、令和七年にあっては（表）の左上、令和八年にあっては（表）の右上とし、令和九年以降は順次これを繰り返すこと。

(3)　寸法の単位は、ミリメートルとすること。

第二十号様式（自動車検査証返納証明書）（第四条関係）

番号

自動車検査証返納証明書

車両番号	交付年月日	初度検査年月	車台番号
	年　月　日	年　月	

車名	型式	原動機の型式

所有者の氏名又は名称	
所有者の住所	
使用者の氏名又は名称	
使用者の住所	
使用の本拠の位置	

自動車の種別	用途	自家用・事業用の別	車体の形状	乗車定員	最大積載量	車両重量	車両総重量
				人	kg	kg	kg

総排気量又は定格出力	燃料の種別	型式指定番号	類別区分番号	長さ	幅	高さ	前前軸重	前後軸重	後前軸重	後後軸重
kW L				cm	cm	cm	kg	kg	kg	kg

有効期間の満了する日	年　月　日

備考

年　月　日　　運輸監理部長又は運輸支局長

短辺

長辺

（日本産業規格Ａ列４番）

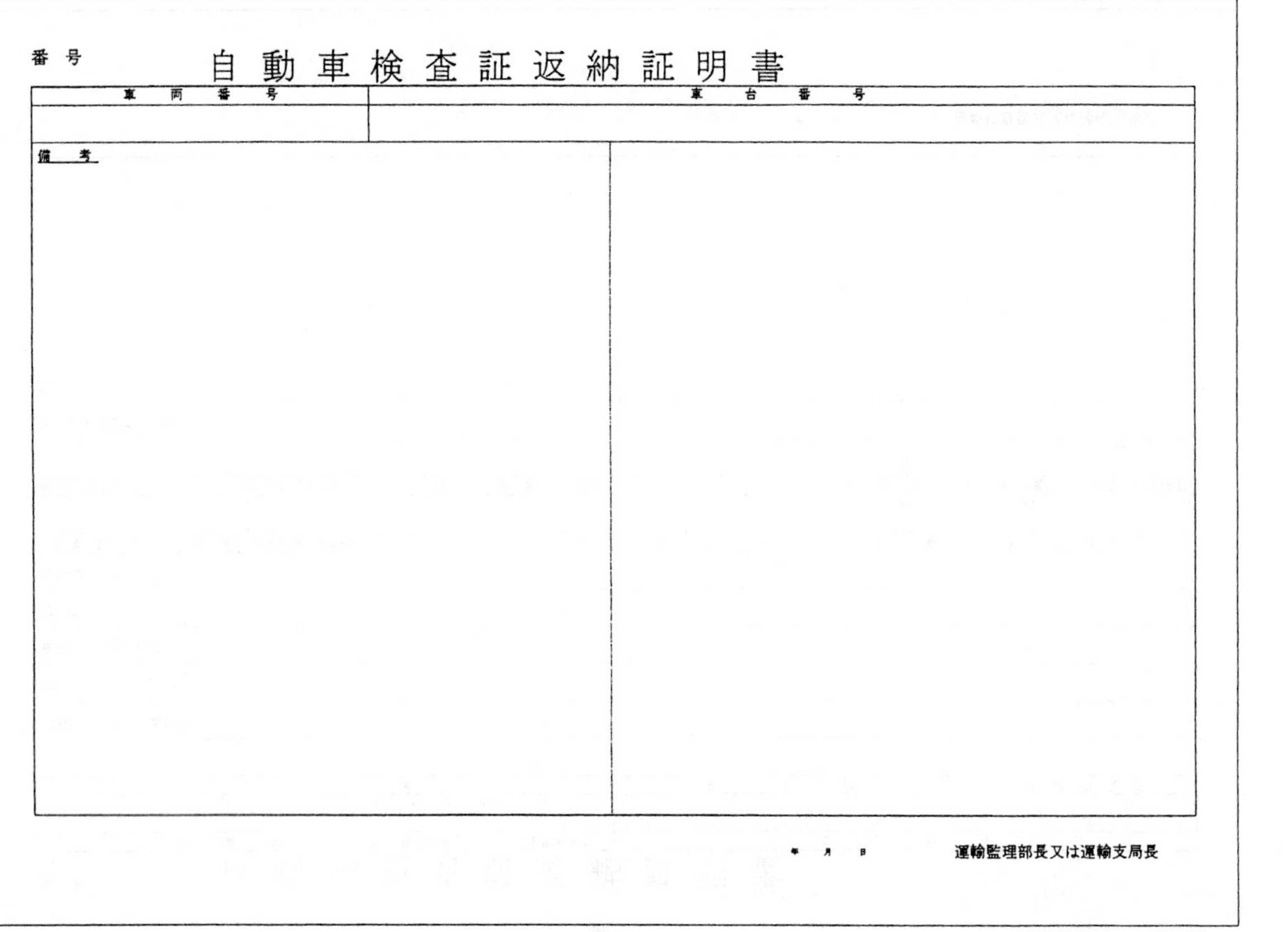

番号

自動車検査証返納証明書

車両番号	車台番号

備考

年　月　日　　運輸監理部長又は運輸支局長

短辺

長辺

（日本産業規格A列4番）

第二十一号様式（自動車予備検査証）（第四条関係）

番号

年　月　日　　運輸監理部長又は運輸支局長

自動車予備検査証

自動車予備検査証番号	交付年月日	初度登録年月	自動車の種別	用途	事業用の適否	車体の形状		
	年　月　日	年　月						
車名			乗車定員	最大積載量		車両重量	車両総重量	
			人	kg		kg	kg	
車台番号			長さ	幅	高さ	前前軸重	前後軸重	後前軸重	後後軸重
			cm	cm	cm	kg	kg	kg	kg
型式	原動機の型式		総排気量又は定格出力	燃料の種類		型式指定番号	類別区分番号	
			kW / L					

所有者の氏名又は名称				
所有者の住所				
自動車の所在する位置				
有効期間の満了する日	年　月　日		年　月　日	

備考

短辺

長辺

（日本産業規格A列4番）

番号

自動車予備検査証

年　月　日

運輸監理部長又は運輸支局長

自動車予備検査証番号	車台番号

備考

短辺

長辺

（日本産業規格A列4番）

第二十二号様式（限定自動車検査証）（第四条関係）

番　号

年　月　日　　運輸監理部長又は運輸支局長

限定自動車検査証（その１）

自動車登録番号又は車両番号	登録年月日／交付年月日	初度登録年月	自動車の種別	用途	自家用・事業用の別	車体の形状	
	年　月　日	年　月					
車名			乗車定員	最大積載量		車両重量	車両総重量
			人	kg		kg	kg
車台番号			長さ	幅	高さ	前前軸重 / 前後軸重	後前軸重 / 後後軸重
			cm	cm	cm	kg / kg	kg / kg
型式	原動機の型式		総排気量又は定格出力	燃料の種類		型式指定番号	類別区分番号
			kW / L				

使用者の氏名又は名称					
使用者の住所					
使用の本拠の位置					
有効期間の満了する日	年　月　日		年　月　日		

備考

短辺

長辺

（日本産業規格Ａ列４番）

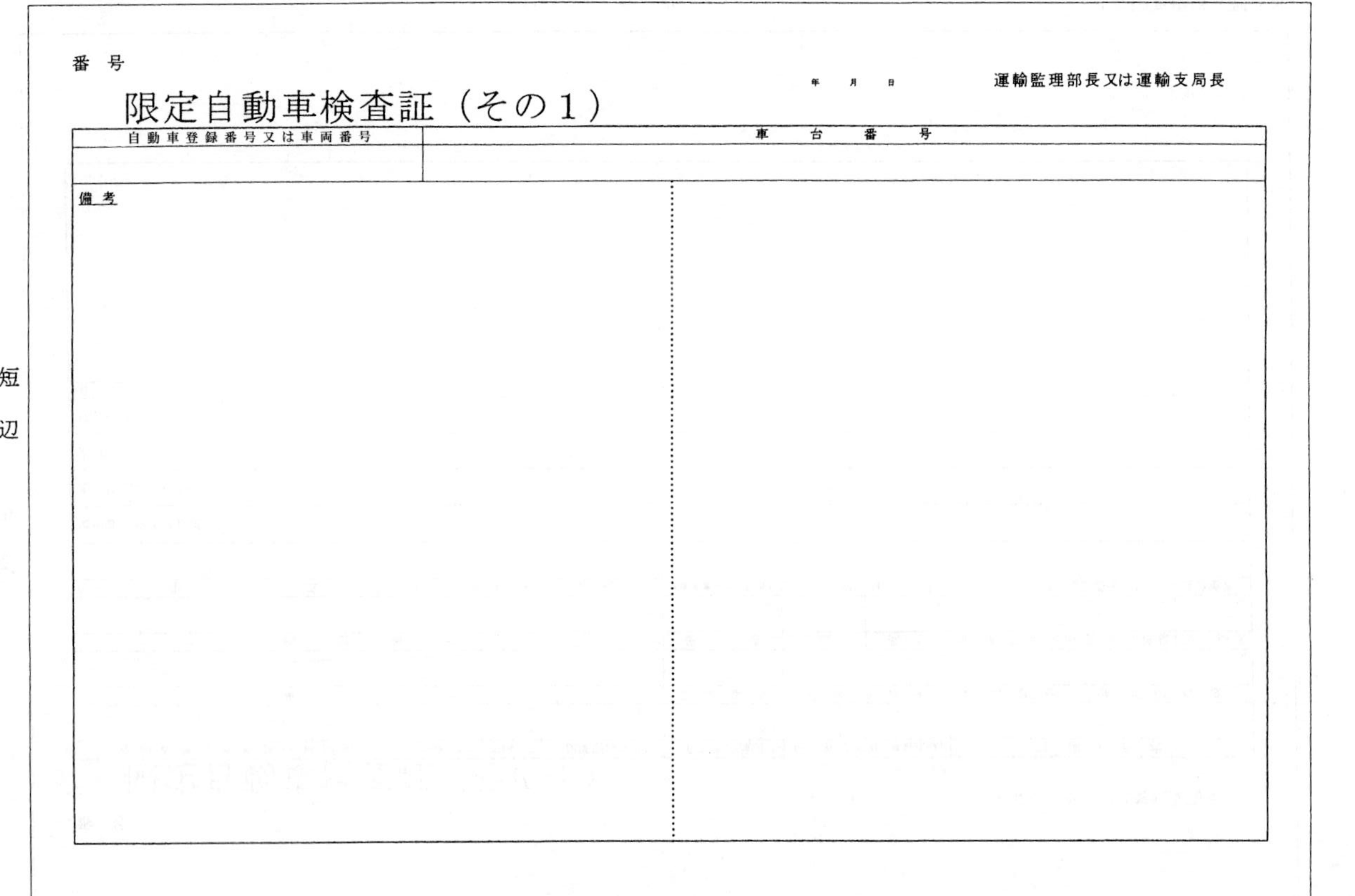
番号

年　月　日　　運輸監理部長又は運輸支局長

限定自動車検査証（その１）

自動車登録番号又は車両番号	車台番号

備考

短辺

長辺

（日本産業規格A列4番）

番　号

年　月　日　　　運輸監理部長又は運輸支局長

限定自動車検査証（その１）

自動車登録番号又は車両番号	登録年月日／交付年月日	初度登録年月	自動車の種別	用　途	自家用・事業用の別	車体の形状
	年　月　日	年　月				

車　名	乗車定員	最大積載量	車両重量	車両総重量
	人	kg	kg	kg

車台番号	長　さ	幅	高　さ	前前軸重	前後軸重	後前軸重	後後軸重
	cm	cm	cm	kg	kg	kg	kg

型　式	原動機の型式	総排気量又は定格出力	燃料の種類	型式指定番号	類別区分番号
		kW l			

所有者の氏名又は名称					
所有者の住所					
使用者の氏名又は名称					
使用者の住所					
使用の本拠の位置					
有効期間の満了する日	年　月　日		年　月　日		

備　考

短辺

長辺

（日本産業規格Ａ列４番）

（注）　当該自動車の所有者が当該自動車に係る登録識別情報を保有していない場合にあつては、この様式による。

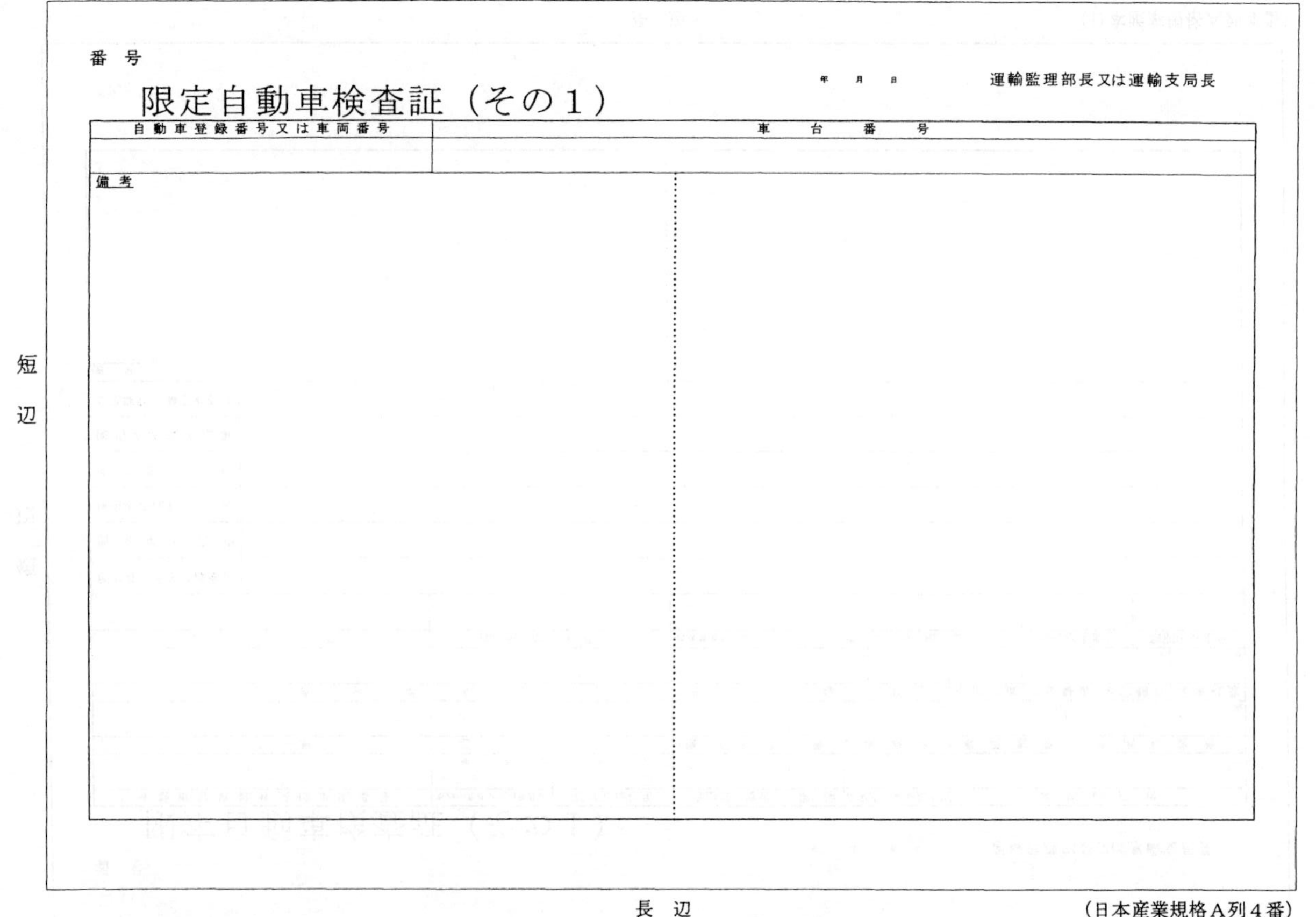

番号

年　月　日　　運輸監理部長又は運輸支局長

限定自動車検査証（その1）

自動車登録番号又は車両番号	車台番号

備考

短辺

長辺

（日本産業規格A列4番）

番号

限定自動車検査証（その１）

年　月　日　運輸監理部長又は運輸支局長

自動車予備検査証番号	交付年月日	初度登録年月	自動車の種別	用途	事業用の適否	車体の形状		
	年　月　日	年　月						
車名			乗車定員	最大積載量		車両重量	車両総重量	
			人	kg		kg	kg	
車台番号			長さ	幅	高さ	前前軸重	前後軸重	後前軸重	後後軸重
			cm	cm	cm	kg	kg	kg	kg
型式	原動機の型式		総排気量又は定格出力	燃料の種類		型式指定番号		類別区分番号
			kW / l					

所有者の氏名又は名称		
所有者の住所		
自動車の所在する位置		
有効期間の満了する日	年　月　日	年　月　日
備考		

短辺

長辺

（日本産業規格Ａ列４番）

（注）予備検査車両に対して交付する場合にあっては、この様式による。

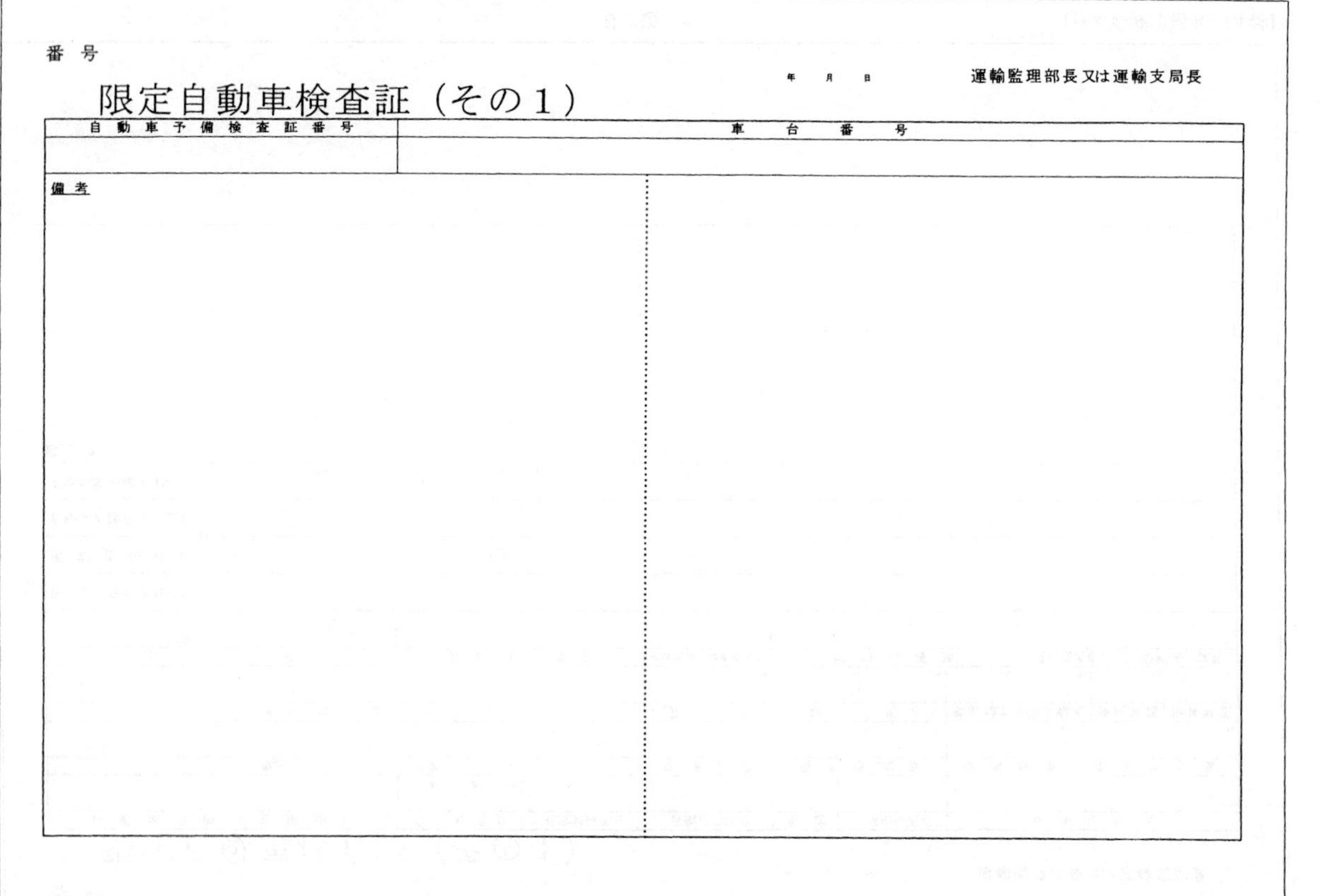

番号

年　月　日　　運輸監理部長又は運輸支局長

限定自動車検査証（その１）

自動車予備検査証番号	車台番号

備考

短辺

長辺

（日本産業規格Ａ列４番）

年　月　日

限定自動車検査証（その２）

登録番号又は車両番号		原動機の型式		車　台　番　号	
保安基準に適合しない部分					
〔備考欄〕					

短辺

長辺

（日本産業規格Ａ列４番）

第二十三号様式（検査記録事項等証明書）（第四条関係）

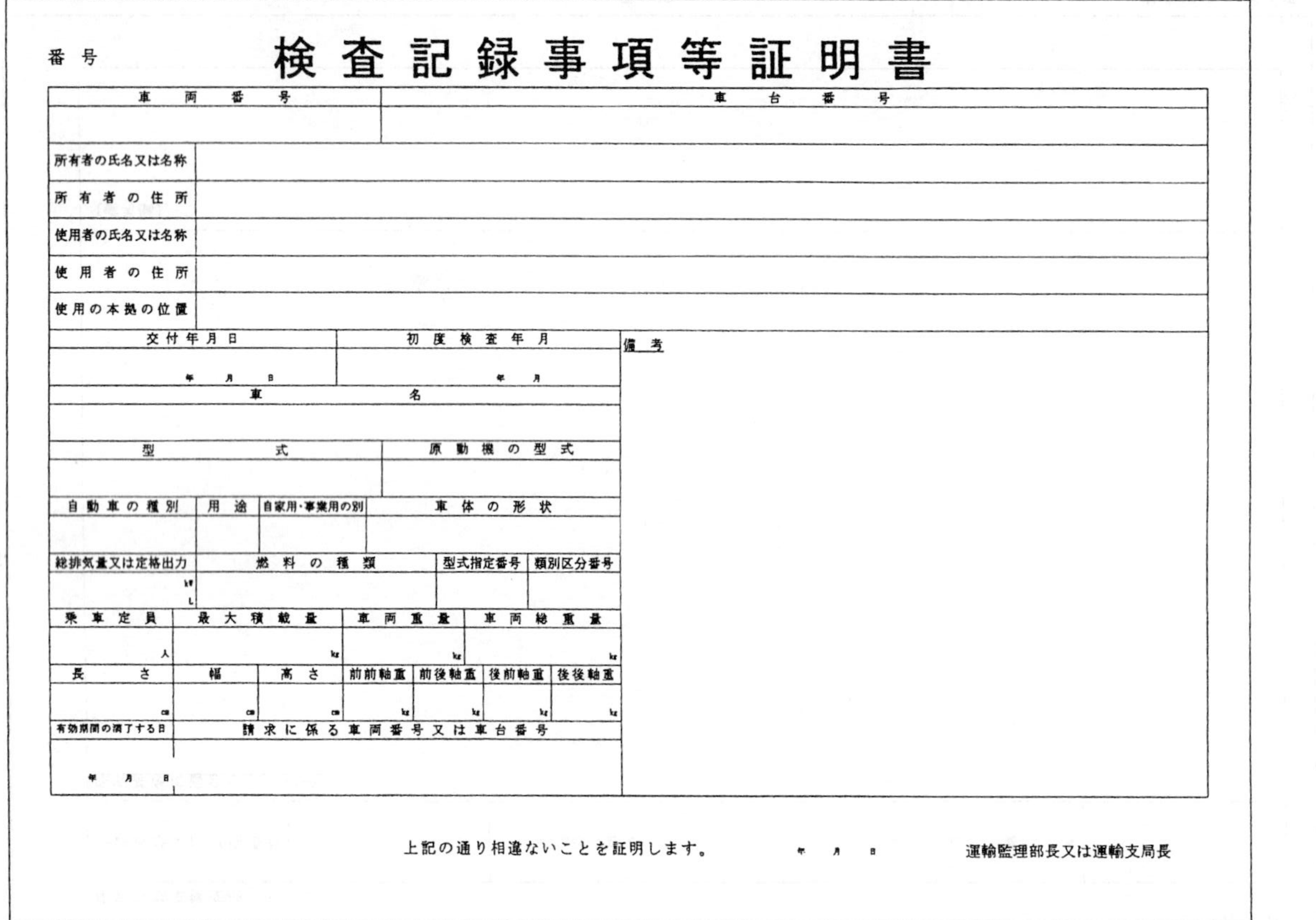

短辺

番号

検査記録事項等証明書

車両番号	車台番号

所有者の氏名又は名称	
所有者の住所	
使用者の氏名又は名称	
使用者の住所	
使用の本拠の位置	

交付年月日	初度検査年月	備考
年　月　日	年　月	

車名	

型式	原動機の型式

自動車の種別	用途	自家用・事業用の別	車体の形状

総排気量又は定格出力	燃料の種類	型式指定番号	類別区分番号
kW L			

乗車定員	最大積載量	車両重量	車両総重量
人	kg	kg	kg

長さ	幅	高さ	前前軸重	前後軸重	後前軸重	後後軸重
cm	cm	cm	kg	kg	kg	kg

有効期間の満了する日	請求に係る車両番号又は車台番号
年　月　日	

上記の通り相違ないことを証明します。　　年　月　日　　運輸監理部長又は運輸支局長

長辺

（日本産業規格Ａ列４番）

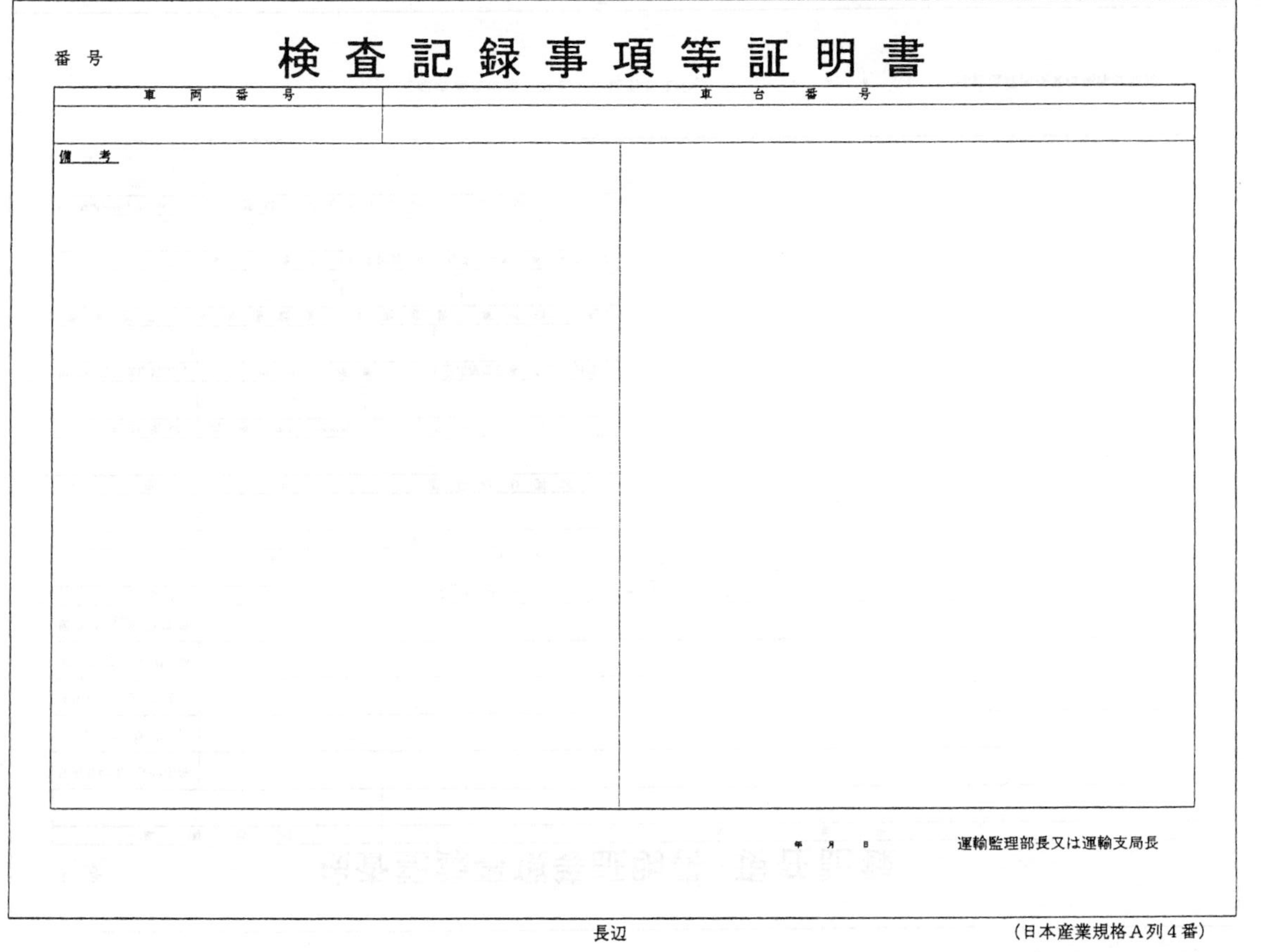

番号

検査記録事項等証明書

車両番号	車台番号

備考

年　月　日　　運輸監理部長又は運輸支局長

短辺

長辺

（日本産業規格Ａ列４番）

第二十四号様式（検査記録事項等証明書）（第四条関係）

番　号

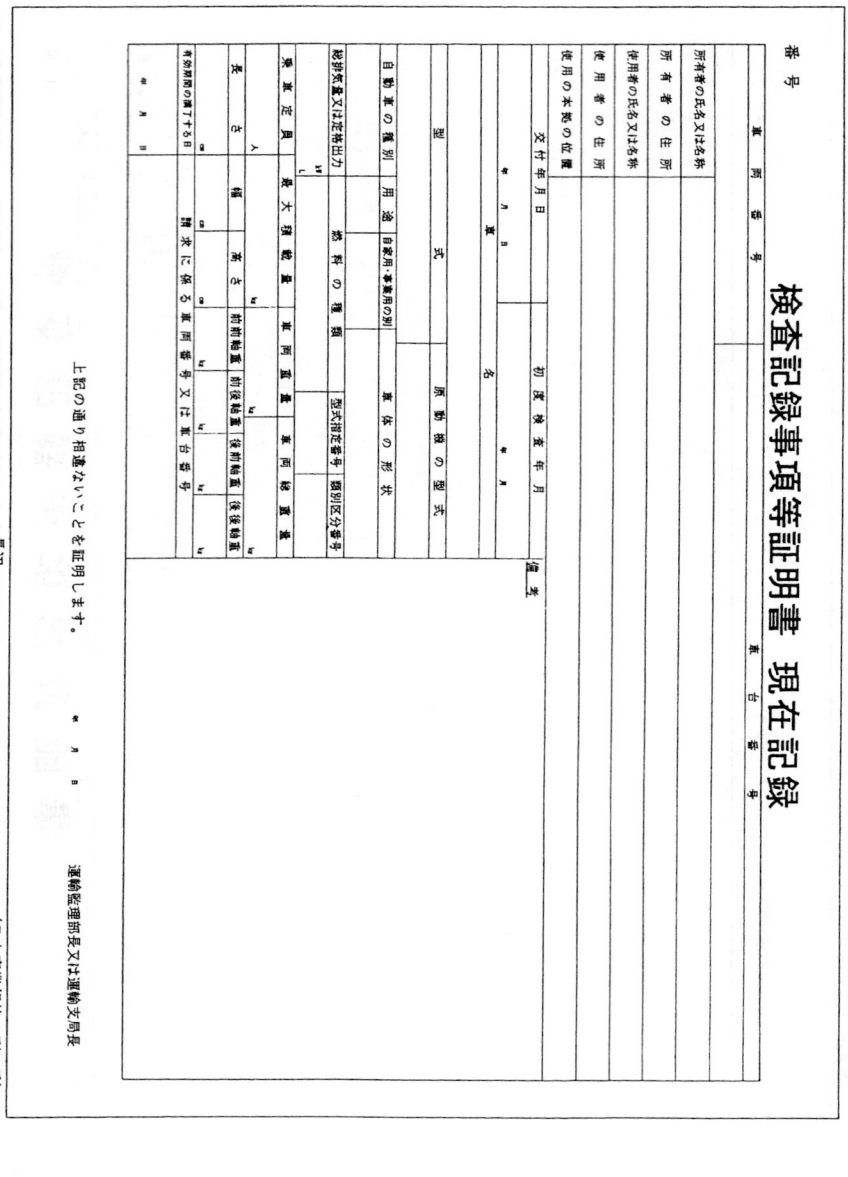

検査記録事項等証明書　現在記録

車両番号	車台番号

所有者の氏名又は名称	
所有者の住所	
使用者の氏名又は名称	
使用者の住所	
使用の本拠の位置	

交付年月日	初度検査年月	備考
年　月　日	年　月	

車名	
型式	原動機の型式

自動車の種別	用途	自家用・事業用の別	車体の形状

総排気量又は定格出力	燃料の種類	型式指定番号	類別区分番号
kW L			

乗車定員	最大積載量	車両重量	車両総重量
人	kg	kg	kg

長さ	幅	高さ	前前軸重	前後軸重	後前軸重	後後軸重
cm	cm	cm	kg	kg	kg	kg

有効期間の満了する日	請求に係る車両番号又は車台番号
年　月　日	

上記の通り相違ないことを証明します。　　年　月　日　　運輸監理部長又は運輸支局長

短辺

長辺

（日本産業規格Ａ列４番）

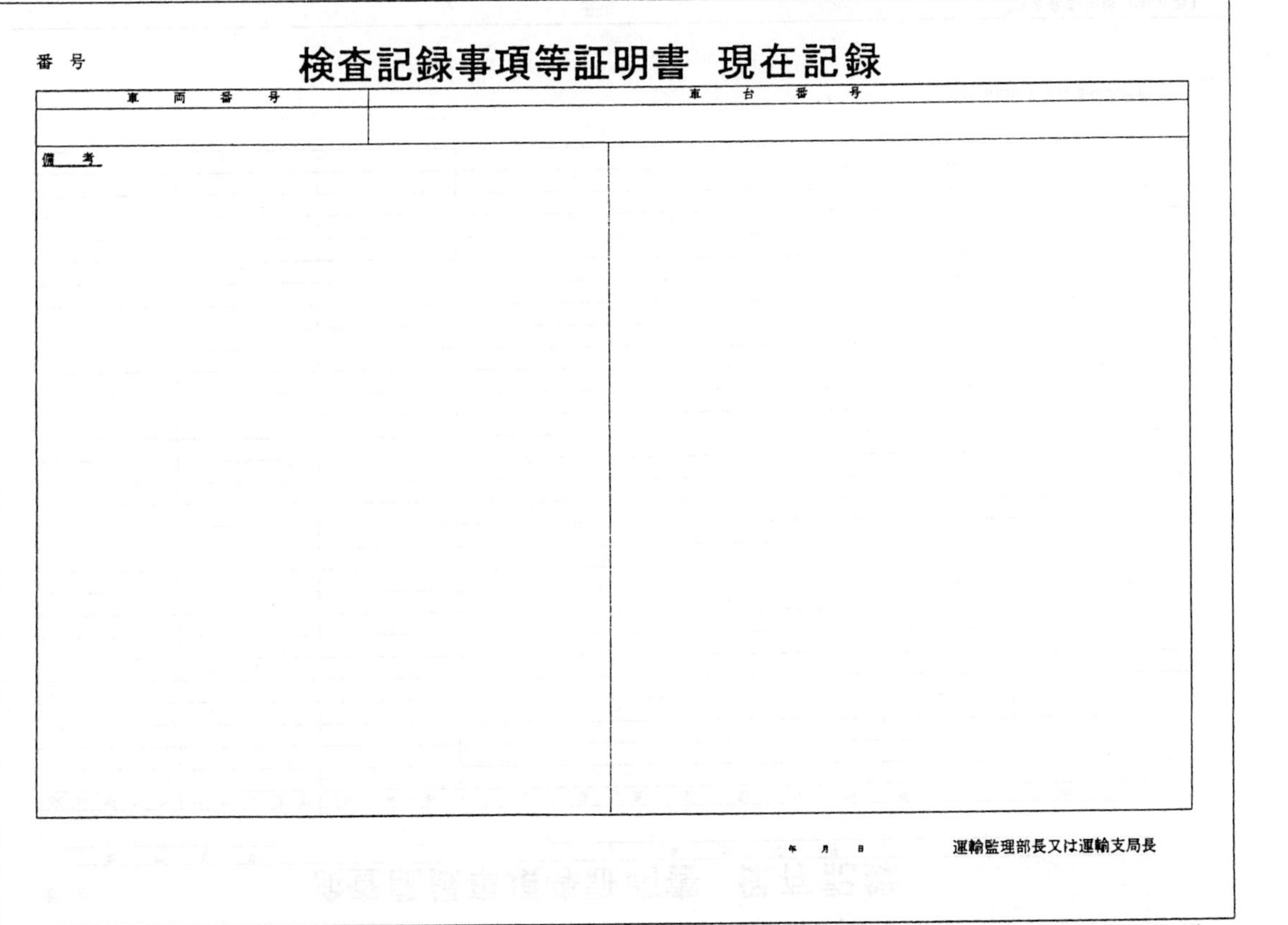
番号
検査記録事項等証明書　現在記録
車両番号
車台番号
備考
短辺
年　月　日
運輸監理部長又は運輸支局長
長辺
（日本産業規格Ａ列４番）

番号

検査記録事項等証明書　保存記録

車両番号	車台番号

交付年月日	検査の種別	項目名	検査記録事項等の内容

年　月　日　　運輸監理部長又は運輸支局長

短辺

長辺

（日本産業規格Ａ列４番）

短辺

検査記録事項等証明書

交付年月日　年　月　日

運輸監理部長又は運輸支局長

番号	車両番号	型式	車名及び車台番号	原動機の型式	初度検査年月	交付年月日	有効期間の満了日	所有者の氏名又は名称	使用者の氏名又は名称	所有者の住所	使用者の住所	使用の本拠の位置	燃料の種類	車体の形状	乗車定員	最大積載量	総排気量又は定格出力
1																	
2																	
3																	
4																	
5																	
6																	
7																	
8																	
9																	
10																	
11																	
12																	
13																	
14																	
15																	
16																	
17																	
18																	
19																	
20																	
21																	
22																	
23																	
24																	
25																	
26																	
27																	
28																	
29																	
30																	

長辺

（日本産業規格Ａ列３番）

軽第七号様式（輸出予定届出証明書）（第四条関係）

番　　号
整理番号

輸出予定届出証明書
Export Certificate

年　月　日

車両番号 ／ Motor vehicle number	交付年月日 ／ Grant Date	初度検査年月 First Grant Date	自動車の種別 Classification of Vehicle	用途 Use	自家用・事業用の別 Purpose	車体の形状 ／ Type of Body		
	年 year　月 month　日 day	年 year　月 month						
車台番号 ／ Maker's serial number	乗車定員 Fixed Number	最大積載量 Maxim. Carry	車両重量 Weight	車両総重量 C/Weight		長さ Length	幅 Width	高さ Height
	人	kg	kg	kg		cm	cm	cm
車名 ／ Trademark of the maker of the vehicle	型式 ／ Model	原動機の型式 Engine Model	燃料の種類 Classification of Fuel	総排気量又は定格出力 Engine Capacity	前軸重 F Weight	後軸重 R Weight	型式指定番号 Specification No.	類別区分番号 Classification No.
				l　kw	kg	kg		

使用者の氏名又は名称 Name of User	
使用者の住所 Address of User	
所有者の氏名又は名称 Name of Owner	
所有者の住所 Address of Owner	
使用の本拠の位置 Locality of principal abode of use	
輸出予定日（証明書有効期間満了日） Export scheduled day	備考
年 year　月 month　日 day	

短辺

長辺

（日本産業規格A列4番）

軽第八号様式（自動車検査証）（第四条関係）

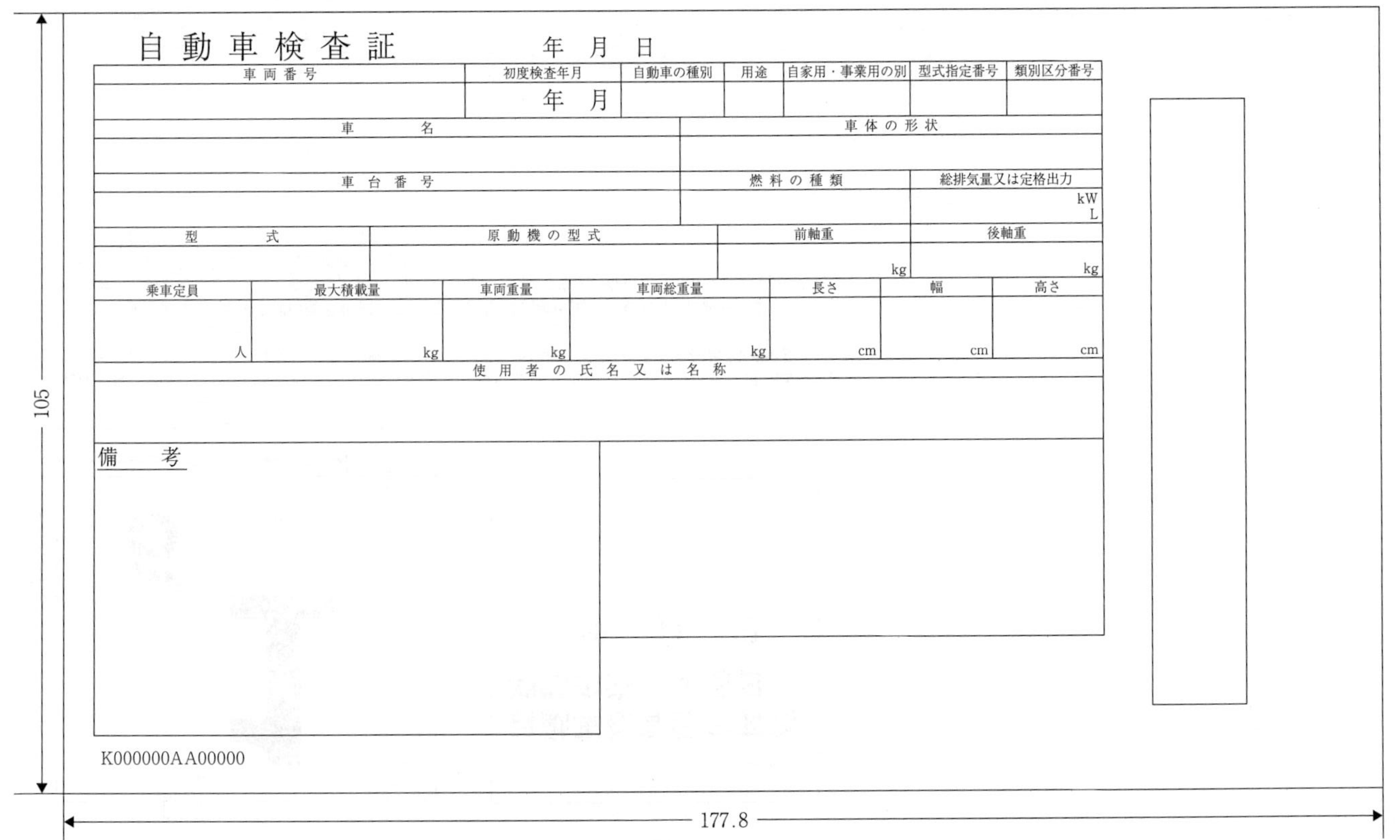

自動車検査証
年　月　日
車両番号
初度検査年月
年　月
自動車の種別
用途
自家用・事業用の別
型式指定番号
類別区分番号
車名
車体の形状
車台番号
燃料の種類
総排気量又は定格出力
kW
L
型式
原動機の型式
前軸重
kg
後軸重
kg
乗車定員
人
最大積載量
kg
車両重量
kg
車両総重量
kg
長さ
cm
幅
cm
高さ
cm
使用者の氏名又は名称
備考
K000000AA00000
105
177.8

注　寸法の単位は、ミリメートルとすること。

軽第九号様式（検査標章）（第四条関係）

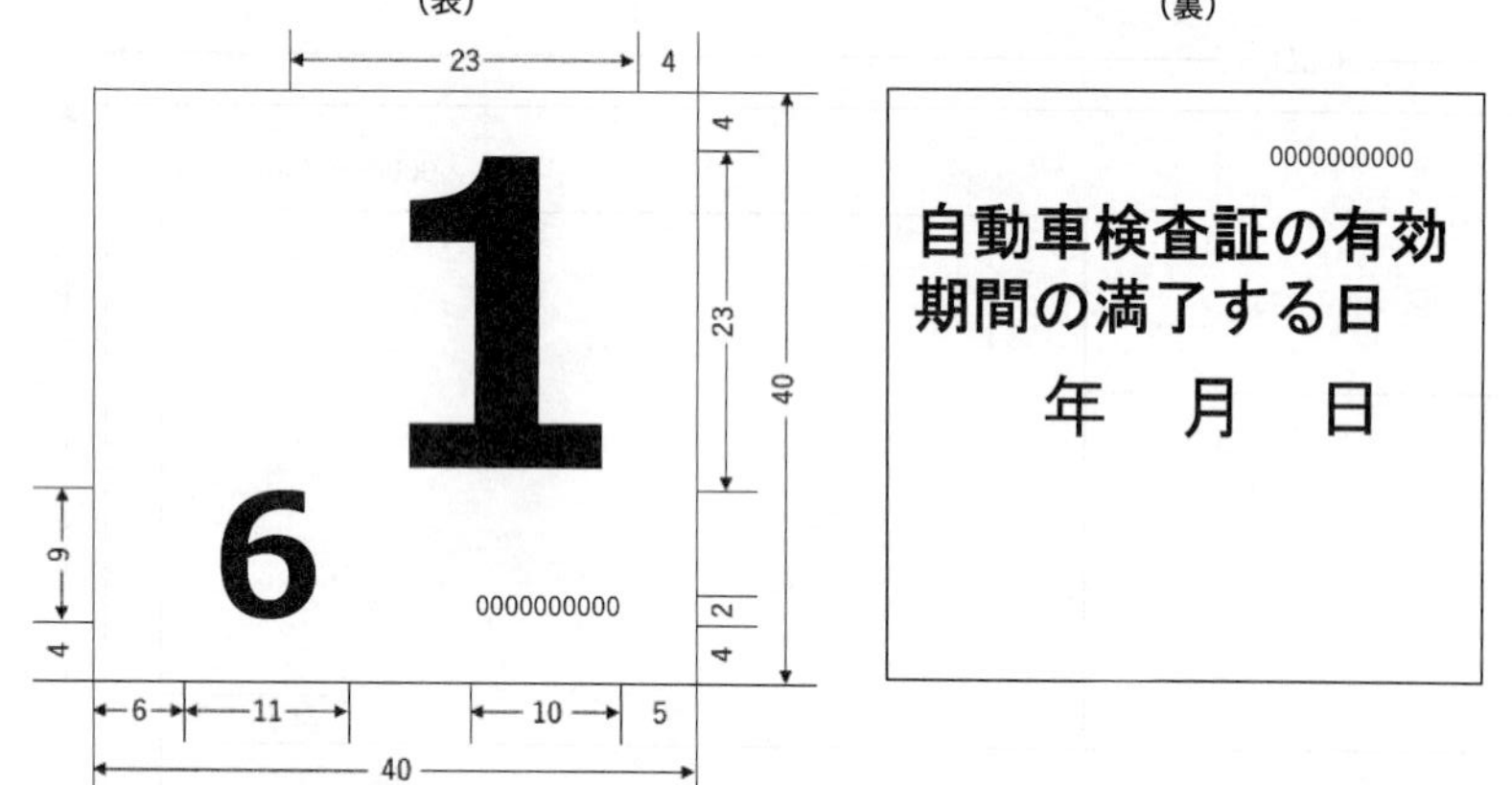

注(1)　検査標章には、自動車の前面ガラスに貼り付けるものにあっては図の（表）及び（裏）、車両番号標に貼り付けるものにあつては図の（表）の例により、自動車検査証の有効期間の満了する時期を表す数字を黒字で表示すること。

(2)　自動車検査証の有効期間の満了する日の属する年を表す数字の位置は、令和六年にあっては（表）の左下、令和七年にあっては（表）の左上、令和八年にあっては（表）の右上、令和九年にあっては（表）の右下とし、令和十年以降は順次これを繰り返すこと。

(3)　寸法の単位は、ミリメートルとすること。

軽第十号様式（自動車検査証返納証明書）（第四条関係）

番　号

自動車検査証返納証明書

年　月　日

車両番号	交付年月日	初度検査年月	自動車の種別	用途	自家用・事業用の別	車体の形状
	年　月　日	年　月				

車台番号	乗車定員	最大積載量	車両重量	車両総重量	長さ	幅	高さ
	人	kg	kg	kg	cm	cm	cm

車名	型式	原動機の型式	燃料の種類	総排気量又は定格出力	前軸重	後軸重	型式指定番号	類別区分番号
				l kw	kg	kg		

使用者	氏名又は名称	
	住　所	
所有者	氏名又は名称	
	住　所	
使用の本拠の位置		
有効期間の満了する日 年　月　日		備考

短辺

長辺

（日本産業規格A列4番）

軽第十一号様式（自動車予備検査証）（第四条関係）

番　号　　**自動車予備検査証**　　年　月　日

自動車予備検査証番号	交付年月日	初度検査年月	自動車の種別	用途	事業用の適否	車体の形状
	年　月　日	年　月				

車台番号	乗車定員	最大積載量	車両重量	車両総重量	長さ	幅	高さ
	人	kg	kg	kg	cm	cm	cm

車名	型式	原動機の型式	燃料の種類	総排気量又は定格出力	前軸重	後軸重	型式指定番号	類別区分番号
				l kw	kg	kg		

所有者	氏名又は名称	
	住　所	
自動車の所在する位置		
有効期間の満了する日	備考	
年　月　日		

短辺

長辺

（日本産業規格A列4番）

短辺

番　号　　　**限定自動車検査証（その１）**　　　年　月　日

車両番号／自動車予備検査証番号	交付年月日	初度検査年月	自動車の種別	用途	自家用・事業用の別/番号	車体の形状
	年　月　日	年　月				

車台番号	乗車定員	最大積載量	車両重量	車両総重量	長さ	幅	高さ
	人	kg	kg	kg	cm	cm	cm

車名	型式	原動機の型式	燃料の種類	総排気量又は定格出力	前軸重	後軸重	型式指定番号	類別区分番号
				l kw	kg	kg		

使用者	氏名又は名称	
	住所	
所有者	氏名又は名称	
	住所	
使用の本拠の位置 自動車の所在する位置		
有効期間の満了する日		備考
年　月　日		

長辺　　（日本産業規格A列4番）

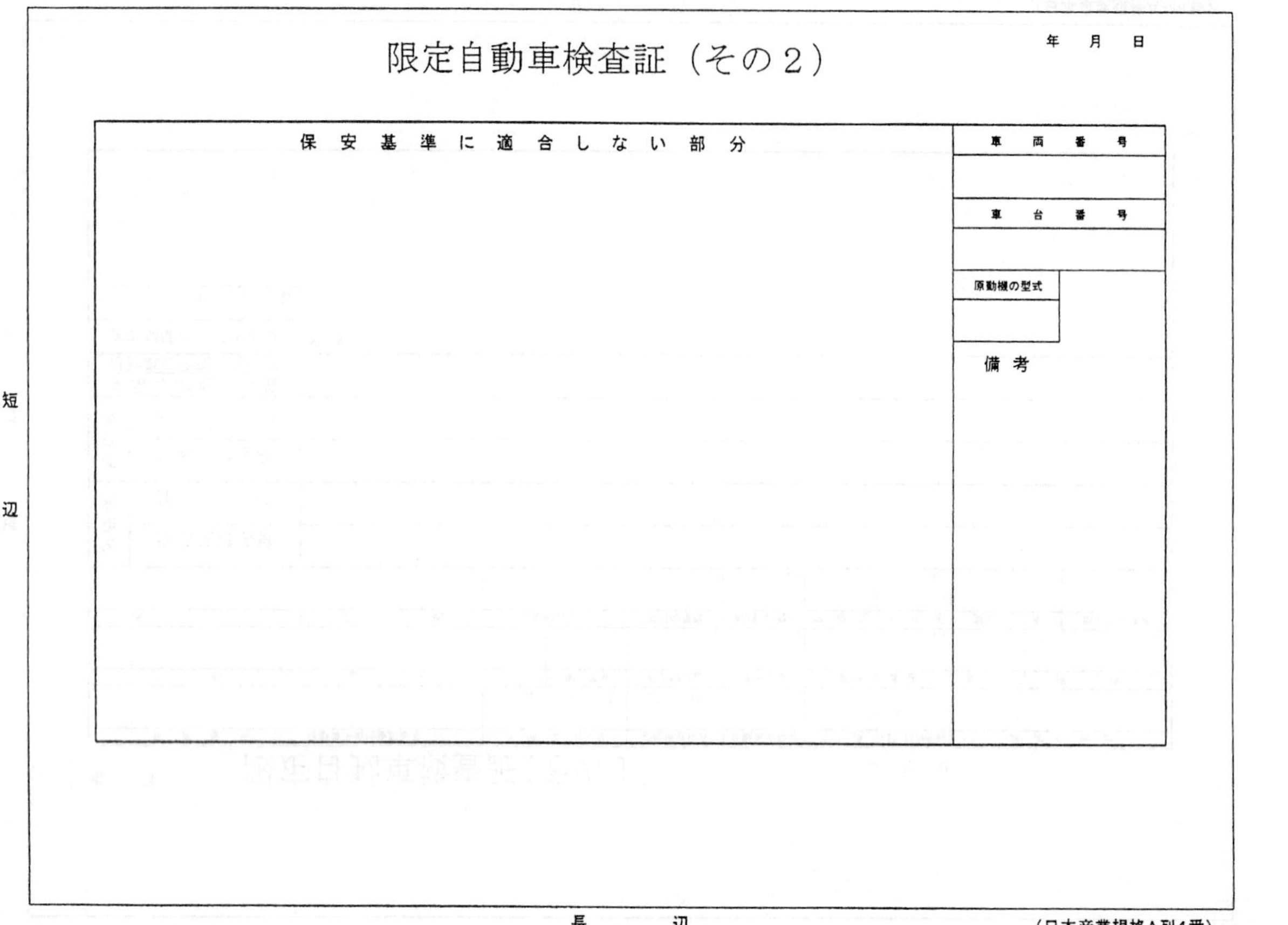

限定自動車検査証（その２）

年　月　日

保安基準に適合しない部分	車両番号
	車台番号
	原動機の型式
	備考

短辺

長辺

（日本産業規格A列４番）

軽第十三号様式（検査記録事項等証明書）（第四条関係）

番　号

検査記録事項等証明書

使用者	氏名又は名称	
	住　所	
所有者	氏名又は名称	
	住　所	
使用の本拠の位置		

車両番号	交付年月日	初度検査年月	自動車の種別	用途	自家用・事業用の別	車体の形状
	年　月　日	年　月				

車台番号	乗車定員	最大積載量	車両重量	車両総重量	長さ	幅	高さ
	人	kg	kg	kg	cm	cm	cm

車名	型式	原動機の型式	燃料の種類	総排気量又は定格出力	前軸重	後軸重	型式指定番号	類別区分番号
				l kw	kg	kg		

有効期間の満了する日	備考
年　月　日	
請求に係る車両番号	

上記の通り相違ないことを証明します。　年　月　日

短辺

長辺

（日本産業規格A列4番）

軽第十四号様式（検査記録事項等証明書）（第四条関係）

番　号

検査記録事項等証明書　　現在記録

使用者	氏名又は名称	
	住　　所	
所有者	氏名又は名称	
	住　　所	
使用の本拠の位置		

車両番号	交付年月日	初度検査年月	自動車の種別	用途	自家用・事業用の別	車体の形状
	年　月　日	年　月				

車台番号	乗車定員	最大積載量	車両重量	車両総重量	長さ	幅	高さ
	人	kg	kg	kg	cm	cm	cm

車名	型式	原動機の型式	燃料の種類	総排気量又は定格出力	前軸重	後軸重	型式指定番号	類別区分番号
				l kw	kg	kg		

有効期間の満了する日	備考
年　月　日	
請求に係る車両番号	

上記の通り相違ないことを証明します。　　年　月　日

短辺

長辺

（日本産業規格A列4番）

番　号

検査記録事項等証明書　　保存記録

車両番号			車台番号
申請等年月日	申請等の種別	項目名	検査記録事項等の内容

上記の通り相違ないことを証明します。　　年　月　日

短辺

長辺

（日本産業規格A列4番）

○道路運送車両の保安基準

（昭和二六・七・二八
運輸省令六七）

改正　昭和二八・四運令二三、昭和二九・一〇運令五〇、昭和三〇・九運令四八、昭和三二・一二運令七四、昭和三三・五運令一六、九運令四一、昭和三四・九運令四二、昭和三五・二運令二、七運令二五、昭和三六・二運令八、昭和三七・九運令五〇、昭和三八・一〇運令四五、昭和三九・九運令六四、昭和四一・七運令四六、昭和四二・五運令二二、八運令六一、昭和四三・七運令二八、一一運令五六、昭和四四・六運令三五、一二運令六〇、昭和四五・七運令六三、一二運令九一、昭和四七・三運令九、一二運令六二、昭和四八・一運令一、四運令一六、七運令二三、一〇運令三六、昭和四九・一運令二、五運令一八、一一運令四五、昭和五〇・二運令四、九運令三五、一二運令五二、昭和五一・二運令四、五運令一五、一二運令四七、昭和五二・一運令二、一一運令三四、昭和五三・二運令五、一一運令六二、一二運令七四、昭和五四・三運令八、八運令三六、昭和五五・九運令二七、昭和五六・五運令二五、八運令三九、昭和五七・三運令四、九運令三一、昭和五八・三運令八、七運令三五、一〇運令四四、運令四六、昭和五九・六運令一八、一〇運令三四、昭和六〇・九運令三一、昭和六一・三運令三、一〇運令三三、昭和六二・一運令三、昭和六三・一運令一、二運令四、一二運令三八、平成元・二運令五、三運令七、六運令一八、平成二・五運令一一、八運令二五、平成三・三運令三、一一運令三八、平成五・三運令六、四運令一四、一〇運令三一、一一運令三八、平成六・三運令一〇、三運令一五、一一運令四八、平成七・二運令八、七運令四五、一二運令六六、平成八・一運令四、三運令一八、九運令五三、一〇運令五六、一二運令六六、平成九・三運令一二、運令二一、運令二二、六運令三五、八運令五三、九運令六一、一〇運令六八、一二運令七四、平成一〇・三運令一四、五運令二八、九運令六五、一〇運令六九、一二運令七六、平成一一・三運令一八、九運令三九、運令四三、平成一二・二運令五、九運令三一、一一運令三九、平成一三・五国交令九四、八国交令一一四、国交令一二二、一二国交令一四六、平成一四・三国交令二二、七国交令八四、平成一五・三国交令一八、四国交令四五、七国交令八一、九国交令九五、平成一六・四国交令五七、一二国交令九七、平成一七・三国交令二八、四国交令四九、一二国交令一一六、平成一八・三国交令二二、平成一九・一国交令一、国交令三、三国交令一四、六国交令六八、一一国交令八七、平成二〇・七国交令五九、一〇国交令八五、平成二一・七国交令四八、平成二三・一国交令七、五国交令四四、六国交令四七、平成二四・七国交令七二、一一国交令八四、平成二五・八国交令七三、一一国交令八八、平成二六・一国交令五、六国交令五四、一二国交令九五、平成二七・一国交令三、三国交令一三、国交令一八、六国交令四六、国交令四七、七国交令五一、国交令五二、一〇国交令七四、平成二八・一国交令一、国交令四、三国交令一四、六国交令五〇、八国交令六三、一〇国交令七三、一一国交令七八、平成二九・二国交令七、六国交令三九、平成三〇・一国交令五、四国交令四一、七国交令五九、一二国交令九〇、令和元・一〇国交令四〇、令和二・三国交令二〇、四国交令四一、九国交令七八、一二国交令一〇〇、令和三・六国交令四〇、九国交令五九、令和四・六国交令五二、一二国交令九一、令和五・一国交令一、六国交令四五、九国交令七四、令和六・六国交令六六

第一章　総則

（用語の定義）

第一条　この省令における用語の定義は、道路運送車両法（以下「法」という。）第二条に定めるもののほか、次の各号の定めるところによる。

一　「けん引自動車」とは、専ら被けん引自動車をけん引することを目的とすると否とにかかわらず、被けん引自動車をけん引する目的に適合した構造及び装置を有する自動車をいう。

二　「被けん引自動車」とは、自動車によりけん引されることを目的とし、その目的に適合した構造及び装置を有する自動車をいう。

二の二　「ポール・トレーラ」とは、柱、パイプ、橋げたその他長大な物品を運搬することを目的とし、これらの物品により他の自動車にけん引される構造の被けん引自動車をいう。

二の三　「セミトレーラ」とは、前車軸を有しない被牽引自動車であつて、その一部が牽引自動車に載せられ、かつ、当該被牽引自動車及びその積載物の重量の相当部分が牽引自動車によつて支えられる構造のものをいう。

三　削除

四　「旅客自動車運送事業用自動車」とは、道路運送法第二条第三項の旅客自動車運送事業の用に供する自動車をいう。

五　「幼児専用車」とは、専ら幼児の運送の用に供する自動車をいう。

六　「空車状態」とは、道路運送車両が、原動機及び燃料装置に燃料、潤滑油、冷却水等の全量を搭載し及び当該車両の目的とする用途に必要な固定的な設備を設ける等運行に必要な装備をした状態をいう。

七　「高圧ガス」とは、高圧ガス保安法（昭和二十六年法律第二百四号）第二条の高圧ガスをいう。

八　「ガス容器」とは、前号の高圧ガスを蓄積するための容器をいう。

九　「ガス運送容器」とは、第七号の高圧ガスを運送するため車台に固定されたガス容器をいう。

十　「内圧容器」とは、常用の温度における圧力（ゲージ圧力をいう。以下同じ。）が〇・二メガパスカル以上の圧縮ガスで高圧ガス以外のものを蓄積するための容器（制動装置用容器以外の容器で、内径二百ミリメートル未満、長さ千ミリメートル未満のもの又は容積四十リットル未満のものを除く。）をいう。

十一　「火薬類」とは、火薬類取締法（昭和二十五年法律第百四十九号）第二条の火薬類をいう。

十二　「危険物」とは、消防法（昭和二十三年法律第百八十六号）別表の品名欄に掲げる物品で、同表に定める区分に応じ同表の性質欄に掲げる性状を有するものをいう。

十三　「緊急自動車」とは、消防自動車、警察自動車、検察庁において犯罪捜査のため使用する自動車又は防衛省用自動車であつて緊急の出動の用に供するもの、刑務所その他の矯正施設において緊急警備のため使用する自動車、入国者収容所又は地方入国管理局において容疑者の収容又は被収容者の警備のため使用する自動車、保存血液を販売する医薬品販売業者が保存血液の緊急輸送のため使用する自動車、医療機関が臓器の移植に関する法律（平成九年法律第百四号）の規定により死体（脳死した者の身体を含む。）から摘出された臓器、同法の規定により臓器の摘出をしようとする医師又はその摘

出に必要な器材の緊急輸送のため使用する自動車、救急自動車、公共用応急作業自動車、不法に開設された無線局の探査のため総務省において使用する自動車及び国土交通大臣が定めるその他の緊急の用に供する自動車をいう。

十三の二 「道路維持作業用自動車」とは、道路交通法（昭和三十五年法律第百五号）第四十一条第四項の道路維持作業用自動車をいう。

十三の三 「締約国登録自動車」とは、道路交通に関する条約の実施に伴う道路運送車両法の特例等に関する法律（昭和三十九年法律第百九号。以下「特例法」という。）第二条第二項の締約国登録自動車をいう。

十三の四 「締約国登録原動機付自転車」とは、特例法第二条第二項の締約国若しくはその下部機構によりその法令に定める方法で登録されている原動機付自転車（付随車を除く。）であつて次に掲げる要件に該当するもの又はこれによりけん引される付随車であつて次に掲げる要件に該当するものをいう。

イ 自家用自動車の一時輸入に関する通関条約第二条1、自家用自動車の一時輸入に関する通関条約の実施に伴う関税法等の特例に関する法律（昭和三十九年法律第百一号）第十条又は関税定率法（明治四十三年法律第五十四号）第十四条（第七号に係る部分に限る。）若しくは第十七条第一項（第十号に係る部分に限る。）の規定の適用を受けて輸入されたものであること。

ロ 当該原動機付自転車を輸入した者の使用に供されるものであること。

ハ 関税法（昭和二十九年法律第六十一号）第六十七条の輸入の許可を受けた日から一年を経過しないものであること。

十三の五 「一般原動機付自転車」とは、原動機付自転車であつて、次号に規定する特定小型原動機付自転車以外のものをいう。

十三の六 「特定小型原動機付自転車」とは、原動機付自転車のうち、外部電源により供給される電気を動力源とするものであつて、次に掲げる要件の全てに該当するものをいう。

イ 原動機の定格出力が〇・六〇キロワット以下であること。

ロ 告示で定める方法により測定した場合において、長さ一・九メートル以下、幅〇・六メートル以下であること。

ハ 最高速度が二十キロメートル毎時以下であること。

十四 「付随車」とは、原動機付自転車によつてけん引されることを目的とし、その目的に適合した構造及び装置を有する道路運送車両をいう。

十五 「軸重」とは、自動車の車両中心線に垂直な一メートルの間隔を有する二平行鉛直面間に中心のあるすべての車輪の輪荷重の総和をいう。

十六 「最遠軸距」とは、自動車の最前部の車軸中心（セミトレーラにあつては、連結装置中心）から最後部の車軸中心までの水平距離をいう。

十七 「輪荷重」とは、自動車の一個の車輪を通じて路面に加わる鉛直荷重をいう。

十八 「高速道路等」とは、道路交通法（昭和三十五年法律第百五号）第二十二条第一項の規定により当該道路において定められている自動車の最高速度が六十キロメートル毎時を超える道路をいう。

2 法第四十条第五号の運行に必要な装備をした状態とは、前項第六号に規定する状態をいう。

（燃料の規格）

第一条の二 この省令の燃料の性状又は燃料に含まれる物質と密接な関係を有する技術基準は、告示で定める燃料が使用される場合に自動車又は原動機付自転車の安全性の確保及び公害の防止が図られるよう定めるものである。

（破壊試験）

第一条の三 この省令に規定する衝突等による衝撃と密接な関係を有する技術基準については、当該技術基準が適用される装置と同一の構造を有する装置の破壊試験により適合するかどうかの判定を行わなければならないものとする。ただし、第十一条第二項、第十五条第二項、第十七条第三項、第十七条の二第六項及び第十八条第二項から第七項までに規定する技術基準を、同一の構造を有する装置が他に存在しない又は著しく少ないため破壊試験を行うことが著しく困難であると国土交通大臣が認める装置に適用する場合にあつては、この限りでない。

第二章　自動車の保安基準

（長さ、幅及び高さ）

第二条 自動車は、告示で定める方法により測定した場合において、長さ（セミトレーラにあつては、連結装置中心から当該セミトレーラの後端までの水平距離）十二メートル（セミトレーラのうち告示で定めるものにあつては、十三メートル）、幅二・五メートル、高さ三・八メートルを超えてはならない。

2 次の各号に掲げるものは、告示で定める方法により測定した場合において、それぞれ当該各号に定める突出量の範囲を超えて突出していてはならない。

一 外開き式の窓及び換気装置並びに第四十四条第五項の装置 その自動車の最外側から二百五十ミリメートル未満又はその自動車の高さから三百ミリメートル未満

二 後写鏡及び後方等確認装置（自動車の外側線付近及び後方の状況の画像を撮影し、運転者席において確認できる位置に備えられた当該画像を表示する装置をいう。以下同じ。） その自動車の最外側（その自動車より幅の広い被牽引自動車を牽引する牽引自動車に備える場合にあつては、その被牽引自動車の最外側）から二百五十ミリメートル未満又はその自動車の高さから三百ミリメートル未満

三 自動車の周囲の状況の検知又は監視を行い、運転者に対し当該状況に係る情報の提供又は当該自動車の制御を行う装置その他の告示で定める装置 その自動車の最外側から二百五十ミリメートル未満かつその自動車の高さから三百ミリメートル未満であつて告示で定める突出量の範囲

（最低地上高）

第三条 自動車の接地部以外の部分は、安全な運行を確保できるものとして、地面との間に告示で定める間げきを有しなければならない。

（車両総重量）

第四条 自動車の車両総重量は、次の表の上欄に掲げる自動車の種別に応じ、同表の下欄に掲げる重量を超えてはならない。

自動車の種別	最遠軸距（メートル）	車両総重量（トン）
一 セミトレーラ以外の自動車	五・五未満	二十
	五・五以上七未満	二十二（長さが九メートル未満の自動車にあつては、二十）
	七以上	二十五（長さが九メートル未満の自動車にあつては二十、長さが九メートル以上十一メートル未満の自動車にあつては二十二）
二 セミトレーラ（次号に	五未満	二十
	五以上七未満	二十二

掲げるものを除く。）	七以上八未満	二十四
	八以上九・五未満	二十六
	九・五以上	二十八
三　セミトレーラのうち告示で定めるもの		三十六

（軸重等）

第四条の二　自動車の軸重は、十トン（牽引自動車のうち告示で定めるものにあつては、十一・五トン）を超えてはならない。

2　隣り合う車軸にかかる荷重の和は、その軸距が一・八メートル未満である場合にあつては十八トン（その軸距が一・三メートル以上であり、かつ、一の車軸にかかる荷重が九・五トン以下である場合にあつては、十九トン）、一・八メートル以上である場合にあつては二十トンを超えてはならない。

3　自動車の輪荷重は、五トン（牽引自動車のうち告示で定めるものにあつては、五・七五トン）を超えてはならない。ただし、専ら路面の締め固め作業の用に供することを目的とする自動車の車輪のうち、当該目的に適合した構造を有し、かつ、接地部が平滑なもの（当該車輪の中心を含む鉛直面上に他の車輪の中心がないものに限る。）の輪荷重にあつては、この限りでない。

（安定性）

第五条　自動車は、安定した走行を確保できるものとして、安定性に関し告示で定める基準に適合しなければならない。

（最小回転半径）

第六条　自動車の最小回転半径は、最外側のわだちについて十二メートル以下でなければならない。

2　けん引自動車及び被けん引自動車にあつては、けん引自動車と被けん引自動車とを連結した状態において、前項の基準に適合しなければならない。

（接地部及び接地圧）

第七条　自動車の走行装置の接地部及び接地圧は、道路を破損するおそれのないものとして、告示で定める基準に適合しなければならない。

（原動機及び動力伝達装置）

第八条　自動車の原動機及び動力伝達装置は、運行に十分耐えるものとして、構造等に関し告示で定める基準に適合するものでなければならない。

2　自動車（二輪自動車、側車付二輪自動車、最高速度二十キロメートル毎時未満の軽自動車及び小型特殊自動車を除く。）の原動機は、運転者席において始動できるものでなければならない。

3　自動車（二輪自動車、側車付二輪自動車、カタピラ及びそりを有する軽自動車、大型特殊自動車、農耕作業用小型特殊自動車（道路運送車両法施行規則（昭和二十六年運輸省令第七十四号）別表第一小型特殊自動車の項第二号に掲げる自動車をいう。以下同じ。）並びに最高速度二十キロメートル毎時未満の自動車を除く。）の加速装置は、運転者が操作を行わない場合に、当該装置の作動を自動的に解除するための独立に作用する二個以上のばねその他の装置を備えなければならない。

4　次の自動車（最高速度が九十キロメートル毎時以下の自動車、緊急自動車及び被牽引自動車を除く。）の原動機は、速度抑制装置を備えなければならない。

一　貨物の運送の用に供する普通自動車であつて、車両総重量が八トン以上又は最大積載量が五トン以上のもの

二　前号の自動車に該当する被牽引自動車を牽引する牽引自動車

5　前項の速度抑制装置は、自動車が九十キロメートル毎時を超えて走行しないよう燃料の供給を調整し、かつ、自動車の速度の制御を円滑に行うことができるものとして、速度制御性能等に関し告示で定める基準に適合するものでなければならない。

6　自動車（二輪自動車、側車付二輪自動車、カタピラ及びそりを有する軽自動車、大型特殊自動車、小型特殊自動車並びに被牽引自動車を除く。以下この項及び次項において同じ。）の燃料消費率（自動車の一定の条件での使用に際し消費される燃料の量を基礎として算出される燃料一リットル（圧縮水素ガス（水素ガスを主成分とする高圧ガスをいう。第十七条第三項において同じ。）を燃料とする自動車にあつては、一キログラム）当たりの走行距離をキロメートルで表した数値をいう。）は、告示で定める方法により測定されなければならない。

7　自動車の電力消費率（外部電源により供給される電気を動力源とする自動車の一定の条件での使用に際し消費される電力量を基礎として算出される走行距離一キロメートル当たりの電力量をワット時で表した数値をいう。）は、告示で定める方法により測定されなければならない。

（走行装置等）

第九条　自動車の走行装置（空気入ゴムタイヤを除く。）は、堅ろうで、安全な運行を確保できるものとして、強度等に関し告示で定める基準に適合するものでなければならない。

2　自動車の空気入ゴムタイヤは、堅ろうで、安全な運行を確保できるものとして、強度、滑り止めに係る性能等に関し告示で定める基準に適合するものでなければならない。

3　自動車（二輪自動車、側車付二輪自動車、三輪自動車、大型特殊自動車及び小型特殊自動車を除く。）の空気入ゴムタイヤは、騒音を著しく発しないものとして、騒音の大きさに関し告示で定める基準に適合するものでなければならない。

4　タイヤ・チエン等は走行装置に確実に取り付けることができ、かつ、安全な運行を確保することができるものでなければならない。

（操縦装置）

第一〇条　自動車の運転に際して操作を必要とする次に掲げる装置は、運転者が定位置において容易に識別でき、かつ、操作できるものとして、配置、識別表示等に関し告示で定める基準に適合するものでなければならない。

一　始動装置、加速装置、点火時期調節装置、噴射時期調節装置、クラッチ、変速装置その他の原動機及び動力伝達装置の操作装置

二　制動装置の操作装置

三　前照灯、警音器、方向指示器、窓ふき器、洗浄液噴射装置及びデフロスタ（前面ガラスの水滴等の曇りを除去するための装置をいう。以下同じ。）の操作装置

第一一条　自動車のかじ取装置は、堅ろうで、安全な運行を確保できるものとして、強度、操作性能等に関し告示で定める基準に適合するものでなければならない。

2　自動車（次の各号に掲げるものを除く。）のかじ取装置は、当該自動車が衝突等による衝撃を受けた場合において、運転者に傷害を与えるおそれの少ないものとして、運転者の保護に係る性能に関し告示で定める基準に適合するものでなければならない。

一　専ら乗用の用に供する自動車であつて乗車定員十一人以上のもの

二　前号の自動車の形状に類する自動車

三　貨物の運送の用に供する自動車であつて車両総重量一・五トン以上のもの

四　前号の自動車の形状に類する自動車

五　二輪自動車

六　側車付二輪自動車

七　カタピラ及びそりを有する軽自動車

八　大型特殊自動車

九　小型特殊自動車

十　被牽引自動車

（施錠装置等）

第一一条の二　専ら乗用の用に供する自動車（乗車定員十一人以上の自動車及び被牽引自動車を除く。）及び貨物の運送の用に供する自動車（車両総重量が三・五トンを超える自動車及び被牽引自動車を除く。）の原動機、動力伝達装置、走行装置、変速装置、かじ取装置又は制動装置（二輪自動車、側車付二輪自動車、三輪自動車並びにカタピラ及びそりを有する軽自動車に備える制動装置を除く。）には、施錠装置を備えなければならない。

2　自動車の原動機、動力伝達装置、走行装置、変速装置、かじ取装置又は制動装置に備える施錠装置は、その作動により施錠装置を備えた装置の機能を確実に停止させ、かつ、安全な運行を妨げないものとして、構造、施錠性能等に関し告示で定める基準に適合するものでなければならない。

3　専ら乗用の用に供する自動車（乗車定員十人以上の自動車、二輪自動車、側車付二輪自動車、三輪自動車、カタピラ及びそりを有する軽自動車並びに被牽引自動車を除く。）及び貨物の運送の用に供する自動車（車両総重量が二トンを超える自動車、三輪自動車及び被牽引自動車を除く。）に備えるイモビライザ（原動機その他運行に必要な装置の機能を電子的方法により停止させる装置をいう。）は、その作動により原動機その他運行に必要な装置の機能を確実に停止させ、かつ、安全な運行を妨げないものとして、構造、施錠性能等に関し告示で定める基準に適合するものでなければならない。

（制動装置）

第一二条　自動車には、走行中の自動車が確実かつ安全に減速及び停止を行うことができ、かつ、平坦な舗装路面等で確実に当該自動車を停止状態に保持できるものとして、制動性能に関し告示で定める基準に適合する二系統以上の制動装置を備えなければならない。ただし、最高速度三十五キロメートル毎時未満の大型特殊自動車、農耕作業用小型特殊自動車及び最高速度二十五キロメートル毎時未満の自動車にあつては、走行中の自動車が確実かつ安全に減速及び停止を行うことができ、かつ、平坦な舗装路面等で確実に当該自動車を停止状態に保持できるものとして、制動性能に関し告示で定める基準に適合する一系統の制動装置を備えればよい。

2　車両総重量七百五十キログラム以下の被牽引自動車にあつては、当該被牽引自動車を牽引する牽引自動車が、当該被牽引自動車を連結した状態において、走行中の牽引自動車及び被牽引自動車が確実かつ安全に減速及び停止を行うことができるものとして、制動性能に関し告示で定める基準に適合する制動装置を備えた場合には、前項の規定にかかわらず、主制動装置（走行中の自動車の制動に常用する制動装置をいう。以下同じ。）を省略することができる。

第一三条　牽引自動車及び被牽引自動車の制動装置は、牽引自動車と被牽引自動車とを連結した状態において、連結状態における制動性能に関し告示で定める基準に適合しなければならない。

（緩衝装置）

第一四条　自動車には、地面からの衝撃に対し十分な容量を有し、かつ、安全な運行を確保できるものとして、強度、緩衝性能等に関し告示で定める基準に適合するばねその他の緩衝装置を備えなければならない。ただし、大型特殊自動車、農耕作業用小型特殊自動車、車両総重量二トン未満の被牽引自動車及び最高速度二十キロメートル毎時未満の自動車のうち、危険物を運送する自動車として告示で定めるもの以外のものにあつては、これを省略することができる。

（燃料装置）

第一五条　ガソリン、灯油、軽油、アルコールその他の引火しやすい液体を燃料とする自動車の燃料装置は、燃料への引火等のおそれのないものとして、強度、構造、取付方法等に関し告示で定める基準に適合するものでなければならない。

2　ガソリン、灯油、軽油、アルコールその他の引火しやすい液体を燃料とする自動車（乗車定員十一人以上の自動車、貨物の運送の用に供する自動車であつて車両総重量が三・五トンを超える自動車、二輪自動車、側車付二輪自動車、カタピラ及びそりを有する軽自動車、大型特殊自動車、小型特殊自動車並びに被牽引自動車を除く。）の燃料タンク及び配管は、当該自動車が衝突、他の自動車の追突等による衝撃を受けた場合において、燃料が著しく漏れるおそれの少ないものとして、燃料漏れ防止に係る性能等に関し告示で定める基準に適合するものでなければならない。

第一六条　発生炉ガスを燃料とする自動車の燃料装置は、火災等のおそれのないものとして、強度、構造、取付方法等に関し告示で定める基準に適合するものでなければならない。

第一七条　高圧ガスを燃料とする自動車の燃料装置は、爆発等のおそれのないものとして、強度、構造、取付方法等に関し告示で定める基準に適合するものでなければならない。

2　液化石油ガス（プロパン・ガス又はブタン・ガスを主成分とする液化ガスをいう。）を燃料とする自動車の燃料装置は、爆発、燃料への引火等のおそれのないものとして、強度、構造、取付方法等に関し告示で定める基準に適合するものでなければならない。

3　圧縮水素ガスを燃料とする自動車（二輪自動車、側車付二輪自動車、カタピラ及びそりを有する軽自動車、大型特殊自動車、小型特殊自動車並びに被牽引自動車を除く。）のガス容器、配管その他の水素ガスの流路にある装置は、当該自動車が衝突、他の自動車の追突等による衝撃を受けた場合において、燃料が著しく漏れるおそれの少ないものとして、燃料漏れ防止に係る性能及び構造に関し告示で定める基準に適合するものでなければならない。

（電気装置）

第一七条の二　自動車の電気装置は、火花による乗車人員への傷害等を生ずるおそれがなく、かつ、その発する電波が無線設備の機能に継続的かつ重大な障害を与えるおそれのないものとして、取付位置、取付方法、性能等に関し告示で定める基準に適合するものでなければならない。

2　自動車（大型特殊自動車及び小型特殊自動車を除く。）の電気装置は、電波による影響により当該装置を備える自動車の制御に重大な障害を生ずるおそれのないものとして、性能に関し告示で定める基準に適合するものでなければならない。

3　自動車（二輪自動車、側車付二輪自動車、三輪自動車、カタピラ及びそりを有する軽自動車、大型特殊自動車並びに小型特殊自動車を除く。）の電気装置は、サイバーセキュリティ（サイバーセキュリティ基本法（平成二十六年法律第百四号）第二条に規定するサイバーセキュリティをいう。）を確保できるものとして、性能に関し告示で定める基準に適合するものでなければならない。

4　自動車（二輪自動車、側車付二輪自動車、三輪自動車、カタピラ及びそりを有する軽自動車、大型特殊自動車並びに小型特殊自動車を除く。）の電気装置は、当該装置に組み込まれたプログラム等を確実に改変できるものとして、機能及び性能に関し告示で定める基準に適合するものでなければならない。

5　電力により作動する原動機を有する自動車（カタピラ及びそりを有する軽自動車、大型特殊自動車、小型特殊自動車並びに被牽引自動車を除く。）の電気装置は、高電圧による乗車人員への傷害等を生ずるおそれがないものとして、乗車人員の保護に係る性能及び構造に関し告示で定める基準に適合するものでなければならない。

6　電力により作動する原動機を有する自動車（二輪自動車、側車付二輪自動車、三輪自動車、カタピラ及びそりを有する軽自動車、大型特殊自動車、小型特殊自動車並びに被牽引自動車を除く。）の電気装置は、当該自動車が衝突、他の自動車の追突等による衝撃を受けた場合において、高電圧による乗車人員への傷害等を生ずるおそれが少ないものとして、乗車人員の保護に係る性能及び構造に関し告示で定める基準に適合するものでなければならない。

（車枠及び車体）

第一八条　自動車の車枠及び車体は、次の基準に適合するものでなければならない。

一　車枠及び車体は、堅ろうで運行に十分耐えるものとして、強度、取付方法等に関し告示で定める基準に適合するものであること。

二　車体の外形その他自動車の形状は、鋭い突起がないこと、回転部分が突出していないこと等他の交通の安全を妨げるおそれがないものとして、告示で定める基準に適合するものであること。ただし、大型特殊自動車及び小型特殊自動車にあつては、この限りでない。

三　最後部の車軸中心から車体の後面までの水平距離は、告示で定める距離以下であること。ただし、大型特殊自動車であつて、操向する場合に必ず車台が屈折するもの又は最高速度三十五キロメートル毎時未満のもの及び小型特殊自動車にあつては、この限りでない。

2　自動車（次の各号に掲げるものを除く。）の車枠及び車体は、当該自動車の前面が衝突等による衝撃を受けた場合において、運転者席及びこれと並列の座席のうち自動車の側面に隣接するものの乗車人員に過度の傷害を与えるおそれの少ないものとして、乗車人員の保護に係る性能に関し告示で定める基準に適合するものでなければならない。

一　専ら乗用の用に供する自動車であつて乗車定員十一人以上のもの

二　貨物の運送の用に供する自動車であつて車両総重量三・五トンを超えるもの

三　前二号の自動車の形状に類する自動車として告示で定めるもの

四　二輪自動車

五　側車付二輪自動車

六　カタピラ及びそりを有する軽自動車

七　大型特殊自動車

八　小型特殊自動車

九　最高速度二十キロメートル毎時未満の自動車

十　被牽引自動車

3　自動車（次の各号に掲げるものを除く。）の車枠及び車体は、当該自動車の前面のうち運転者席側の一部が衝突等により変形を生じた場合において、運転者席及びこれと並列の座席のうち自動車の側面に隣接するものの乗車人員に過度の傷害を与えるおそれの少ないものとして、乗車人員の保護に係る性能に関し告示で定める基準に適合するものでなければならない。

一　専ら乗用の用に供する自動車であつて次に掲げるもの

イ　乗車定員十人以上の自動車

ロ　乗車定員十人未満の自動車であつて車両総重量三・五トンを超えるもの

二　貨物の運送の用に供する自動車であつて車両総重量二・五トンを超えるもの

三　前二号の自動車の形状に類する自動車として告示で定めるもの

四　二輪自動車

五　側車付二輪自動車

六　カタピラ及びそりを有する軽自動車

七　大型特殊自動車

八　小型特殊自動車

九　被牽引自動車

4　自動車（次の各号に掲げるものを除く。）の車枠及び車体は、当該自動車の側面が衝突等による衝撃を受けた場合において、運転者席又はこれと並列の座席のうち衝突等による衝撃を受けた側面に隣接するものの乗車人員に過度の傷害を与えるおそれの少ないものとして、乗車人員の保護に係る性能に関し告示で定める基準に適合するものでなければならない。

一　専ら乗用の用に供する自動車であつて次に掲げるもの

イ　乗車定員十人以上の自動車

ロ　乗車定員十人未満の自動車であつて車両総重量が三・五トンを超え、かつ、座席の着席基準点（着座位置を設定する際に基準とされる点であつて告示で定めるものをいう。以下同じ。）の地面からの高さが七百ミリメートルを超えるもの

二　貨物の運送の用に供する自動車であつて車両総重量三・五トンを超えるもの

三　前二号の自動車の形状に類する自動車として告示で定めるもの

四　二輪自動車

五　側車付二輪自動車

六　三輪自動車

七　大型特殊自動車

八　小型特殊自動車

九　カタピラ及びそりを有する軽自動車

十　被牽引自動車

5　自動車（次の各号に掲げるものを除く。）の車枠及び車体は、当該自動車の側面の一部が衝突等により変形を生じた場合において、運転者席又はこれと並列の座席のうち変形を生じた側面に隣接するものの乗車人員に過度の傷害を与えるおそれの少ないものとして、乗車人員の保護に係る性能に関し告示で定める基準に適合するものでなければならない。

一　専ら乗用の用に供する自動車であつて乗車定員十人以上のもの

二　貨物の運送の用に供する自動車であつて、運転者席の着席基準点と前車軸中心線を含む平面と前車軸中心線を含む水平面とのなす角度が二十二・〇度以上であり、かつ、運転者席の着席基準点から後車軸中心線を含む鉛直面までの水平距離の運転者席の着席基準点から前車軸中心線を含む鉛直面までの水平距離に対する比が一・三〇以上のもの

三　車両総重量三・五トンを超える自動車

四　前三号の自動車の形状に類する自動車

五　二輪自動車

六　側車付二輪自動車

七　三輪自動車

八　カタピラ及びそりを有する軽自動車

九　大型特殊自動車

十　小型特殊自動車

十一　被牽引自動車

6　自動車（次の各号に掲げるものを除く。）の車枠及び車体は、当該自動車の前面が歩行者に衝突した場合において、当該歩行者の頭部及び脚部に過度の傷害を与えるおそれの少ないものとして、当該歩行者の保護に係る性能に関し告示で定める基準に適合するものでなければならない。

一　専ら乗用の用に供する自動車であつて乗車定員十人以上のもの

二　前号の自動車の形状に類する自動車

三　貨物の運送の用に供する自動車（車両総重量三・五トン以下であり、かつ、運転者席の着席基準点が前車軸中心線から後方に一・一メートルの線より後方に位置するものを除く。）

四　前号の自動車の形状に類する自動車

五　二輪自動車

六　側車付二輪自動車

七　カタピラ及びそりを有する軽自動車

八　大型特殊自動車

九　小型特殊自動車

十　最高速度二十キロメートル毎時未満の自動車

十一　被牽引自動車

7　自動車（次の各号に掲げるものを除く。）の車枠及び車体は、当該自動車の車体の上部が転覆等により変形を生じた場合において、乗車人員に過度の傷害を与えるおそれの少ないものとして、乗車人員の保護に係る性能に関し告示で定める基準に適合するものでなければならない。

一　乗車定員十七人以下の自動車
二　車両総重量十二トン以下の自動車
三　立席を有する自動車
四　二階建ての自動車
五　貨物の運送の用に供する自動車
六　前各号の自動車の形状に類する自動車
七　二輪自動車
八　側車付二輪自動車
九　三輪自動車
十　カタピラ及びそりを有する軽自動車
十一　大型特殊自動車
十二　小型特殊自動車

8　自動車の車体の後面には、最大積載量（タンク自動車にあつては、最大積載量、最大積載容積及び積載物品名）を表示しなければならない。

9　専ら小学校、中学校、義務教育学校、特別支援学校、幼稚園、幼保連携型認定こども園、保育所又は児童福祉法（昭和二十二年法律第百六十四号）第六条の三第十項に規定する小規模保育事業若しくは同条第十二項に規定する事業所内保育事業を行う施設に通う児童、生徒又は幼児の運送を目的とする自動車（乗車定員十一人以上のものに限る。）の車体の前面、後面及び両側面には、告示で定めるところにより、これらの者の運送を目的とする自動車である旨の表示をしなければならない。

（巻込防止装置等）

第十八条の二　貨物の運送の用に供する普通自動車及び車両総重量が八トン以上の普通自動車（乗車定員十一人以上の自動車及びその形状が乗車定員十一人以上の自動車の形状に類する自動車を除く。）の両側面には、堅ろうであり、かつ、歩行者、自転車の乗車人員等が当該自動車の後車輪へ巻き込まれることを有効に防止することができるものとして、強度、形状等に関し告示で定める基準に適合する巻込防止装置を備えなければならない。ただし、歩行者、自転車の乗車人員等が当該自動車の後車輪へ巻き込まれるおそれの少ない構造を有するものとして告示で定める構造の自動車にあつては、この限りでない。

2　巻込防止装置は、その性能を損なわないように、かつ、取付位置、取付方法等に関し告示で定める基準に適合するように取り付けられなければならない。

3　自動車（二輪自動車、側車付二輪自動車、カタピラ及びそりを有する軽自動車、大型特殊自動車（ポール・トレーラを除く。）、小型特殊自動車並びに牽引自動車を除く。）の後面には、他の自動車が追突した場合に追突した自動車の車体前部が突入することを有効に防止することができるものとして、強度、形状等に関し告示で定める基準に適合する突入防止装置を備えなければならない。ただし、突入防止装置を備えた自動車と同程度以上に他の自動車が追突した場合に追突した自動車の車体前部が突入することを防止することができる構造を有するものとして告示で定める構造の自動車にあつては、この限りでない。

4　突入防止装置は、その性能を損なわないように、かつ、取付位置、取付方法等に関し告示で定める基準に適合するように取り付けられなければならない。

5　貨物の運送の用に供する自動車（三輪自動車、被牽引自動車及び前部潜り込み防止装置を備えることができないものとして告示で定める自動車を除く。）であつて車両総重量三・五トンを超えるものの前面には、他の自動車が衝突した場合に衝突した自動車の車体前部が潜り込むことを有効に防止することができるものとして、強度、形状等に関し告示で定める基準に適合する前部潜り込み防止装置を備えなければならない。ただし、前部潜り込み防止装置を備えた自動車と同程度以上に他の自動車が衝突した場合に衝突した自動車の車体前部が潜り込むことを防止することができる構造を有するものとして告示で定める自動車にあつては、この限りでない。

6　前部潜り込み防止装置は、その性能を損なわないように、かつ、取付位置、取付方法等に関し告示で定める基準に適合するように取り付けられなければならない。

（連結装置）

第十九条　牽引自動車及び被牽引自動車の連結装置は、堅ろうで運行に十分耐え、かつ、牽引自動車と被牽引自動車とを相互に確実に結合するものとして、強度、構造等に関し告示で定める基準に適合するものでなければならない。

（乗車装置）

第二〇条　自動車の乗車装置は、乗車人員が動揺、衝撃等により転落又は転倒することなく安全な乗車を確保できるものとして、構造に関し告示で定める基準に適合するものでなければならない。

2　運転者及び運転者助手以外の者の用に供する乗車装置を備えた自動車には、これらの者の用に供する車室（以下「客室」という。）を備えなければならない。ただし、二輪自動車、側車付二輪自動車、カタピラ及びそりを有する軽自動車並びに緊急自動車にあつては、この限りでない。

3　自動車の運転者室及び客室は、必要な換気を得られる構造でなければならない。

4　自動車（二輪自動車、側車付二輪自動車、カタピラ及びそりを有する軽自動車、大型特殊自動車並びに小型特殊自動車を除く。）の座席、座席ベルト、頭部後傾抑止装置、年少者用補助乗車装置、天井張り、内張りその他の運転者室及び客室の内装（次項において単に「内装」という。）には、告示で定める基準に適合する難燃性の材料を使用しなければならない。

5　専ら乗用の用に供する自動車（乗車定員十一人以上の自動車、二輪自動車、側車付二輪自動車、カタピラ及びそりを有する軽自動車並びに最高速度二十キロメートル毎時未満の自動車を除く。）の内装のうち告示で定めるものは、乗車人員に傷害を与えるおそれの少ないものとして、乗車人員の保護に係る性能等に関し告示で定める基準に適合するものでなければならない。

6　自動車（乗車定員十一人以上の自動車、大型特殊自動車、農耕作業用小型特殊自動車及び最高速度二十キロメートル毎時未満の自動車を除く。）のサンバイザ（車室内に備える太陽光線の直射による乗車人員のげん惑を防止するための装置をいう。）は、当該自動車が衝突等による衝撃を受けた場合において、乗車人員の頭部等に傷害を与えるおそれの少ないものとして、乗車人員の保護に係る性能等に関し告示で定める基準に適合するものでなければならない。

（座席）

第二一条　自動車の運転者席は、運転に必要な視野を有し、かつ、乗車人員、積載物品等により運転操作を妨げられないものとして、運転者の視野、物品積載装置等との隔壁の構造等に関し告示で定める基準に適合するものでなければならない。

第二二条　座席は、安全に着席できるものとして、着席するに必要な空間（運転者席にあつては、運転するに必要な空間）及び当該座席の向きに関し告示で定める基準に適合するように設けられていなければならない。

2　自動車の運転者席以外の用に供する座席（またがり式の座席を除く。）は、安全に着席できるものとして、その寸法に関し告示で定める基準に適合するものでなければならない。ただし、旅客自動車運送事業用自動車（乗車定員十一人以上の自動車に限る。）の座席及び幼児専用車の幼児用座席以外の座席であつて第二十二条の三第一項に規定する座席ベルト及び当該座席ベルトの取付装置を備えるものにあつては、この限りでない。

3　専ら乗用の用に供する自動車（二輪自動車、側車付二輪自動車及び最高速度二十キロメートル毎時未満の自動車を除く。）及び貨物の運送の用に供する自動車（最高速度二十キロメートル毎時未満の自動車を除く。）の座席（当該座席の取付装置を含む。）は、当該自動車が衝突等による衝撃を受けた場合において、乗車人員等から受ける荷重に十分耐えるものとして、構造等に関し告示で定める基準に適合するものでなければならない。ただし、次の各号に掲げる座席にあつては、この限りでない。

一　またがり式の座席

二　容易に折り畳むことができる座席で通路その他専ら座席の用に供する床面以外の床面に設けられるもの

三　かじ取ハンドルの回転角度がかじ取車輪の回転角度の七倍未満である三輪自動車の運転者席の側方に設けられる一人用の座席

四　横向きに備えられた座席

五　後向きに備えられた座席

六　非常口付近に備えられた座席

七　法第四十七条の二の規定により自動車を点検する場合に取り外しを必要とする座席

4　前項の自動車（次に掲げる自動車を除く。）の座席の後面部分は、当該自動車が衝突等による衝撃を受けた場合において、乗車人員を保護するものとして、構造等に関し告示で定める基準に適合するものでなければならない。ただし、前項各号に掲げる座席にあつては、この限りでない。

一　乗車定員が十一人以上の自動車（高速道路等において運行しないものに限る。）

二　貨物の運送の用に供する自動車

5　乗車定員十一人以上の自動車には、大部分の窓の開放部が有効幅五百ミリメートル以上、有効高さ三百ミリメートル以上である場合に限り、その通路に補助座席を設けることができる。

6　幼児専用車には、補助座席を幼児用座席として設けることができない。

第二十二条の二　自動車の補助座席、車掌用座席その他これに類する座席以外の座席の定員は、座席定員又は乗車定員のうち告示で定める割合以上でなければならない。

（座席ベルト等）

第二十二条の三　次の表の上欄に掲げる自動車（二輪自動車、側車付二輪自動車及び最高速度二十キロメートル毎時未満の自動車を除く。）には、当該自動車が衝突等による衝撃を受けた場合において、同表の中欄に掲げるその自動車の座席（第二十二条第三項第一号から第三号まで及び第六号に掲げる座席（第二号に掲げる座席にあつては、座席の後面部分のみが折り畳むことができるもの及び通路に設けられるものを除く。）並びに幼児専用車の幼児用座席を除く。）の乗車人員が、座席の前方に移動することを防止し、又は上半身を過度に前傾することを防止するため、それぞれ同表の下欄に掲げる座席ベルト及び当該座席ベルトの取付装置を備えなければならない。

自動車の種別	座席の種別	座席ベルトの種別
一　専ら乗用の用に供する自動車であつて、次に掲げるもの イ　乗車定員十人未満の自動車 ロ　乗車定員十人以上の自動車であつて、車両総重量が三・五トン以下のもの（第三号に掲げるものを除く。）	運転者席その他の座席であつて、前向きのもの（以下この表において「前向き座席」という。）（容易に折り畳むことができる座席で通路に設けられるものを除く。）	当該座席の乗車人員が、座席の前方に移動することを防止し、かつ、上半身を過度に前傾することを防止するための座席ベルト（以下「第二種座席ベルト」という。）
	前欄に掲げる座席以外の座席	当該座席の乗車人員が、座席の前方に移動することを防止するための座席ベルト（第二種座席ベルトを除く。以下「第一種座席ベルト」という。）又は第二種座席ベルト
二　専ら乗用の用に供する自動車であつて、乗車定員十人以上のもの（前号ロ及び次号に掲げるものを除く。）	前向き座席（告示で定める基準に適合するものを除く。）	第二種座席ベルト
	前欄に掲げる座席以外の座席	第一種座席ベルト又は第二種座席ベルト
三　専ら乗用の用に供する自動車であつて、乗車定員十人以上のもの（高速道路等において運行しないものに限る。）	運転者席及びこれと並列の座席	第一種座席ベルト又は第二種座席ベルト
四　貨物の運送の用に供する自動車であつて、車両総重量が三・五トン以下のもの	前向き座席のうち、運転者席及びこれと並列の座席並びに自動車の側面に隣接する座席（告示で定める基準に適合するものを除く。）	第二種座席ベルト
	前欄に掲げる座席以外の座席	第一種座席ベルト又は第二種座席ベルト
五　貨物の運送の用に供する自動車であつて、車両総重量が三・五トンを超えるもの	前向き座席のうち、運転者席及びこれと並列の座席（告示で定める基準に適合するものを除く。）	第二種座席ベルト
	前欄に掲げる座席以外の座席	第一種座席ベルト又は第二種座席ベルト

2　前項の座席ベルトの取付装置は、座席ベルトから受ける荷重等に十分耐え、かつ、取り付けられる座席ベルトが有効に作用し、かつ、乗降の支障とならないものとして、強度、取付位置等に関し告示で定める基準に適合するものでなければならない。

3　第一項の座席ベルトは、当該自動車が衝突等による衝撃を受けた場合において、当該座席ベルトを装着した者に傷害を与えるおそれが少なく、かつ、容易に操作等を行うことができるものとして、構造、操作性能等に関し告示で定める基準に適合するものでなければならない。

4　前二項の規定は、第一項の表の上欄に掲げる自動車（二輪自動車、側車付二輪自動車及び最高速度二十キロメートル毎時未満の自動車を除く。）が衝突等による衝撃を受けた場合において、同項の規定の適用を受けない座席（第二十二条第三項第一号に掲げる座席及び幼児専用車の幼児用座席を除く。）の乗車人員が座席の前方に移動することを防止し、又は上半身を過度に前傾することを防止するために当該自動車に備える座席ベルト及び当該座席ベルトの取付装置について準用する。この場合において、第二項中「前項」とあるのは「第四項」と、前項中「第一項」とあるのは「次項」と読み替えるものとする。

5　次の表の上欄に掲げる自動車（二輪自動車、側車付二輪自動車及び最高速度二十キロメートル毎時未満の自動車を除く。）には、同表の下欄に掲げるその自動車の座席の座席ベルト（告示で定めるものを除く。）が装着されていない場合に、その旨を運転者席の運転者に警報するものとして、警報性能等に関し告示で定める基準に適合する装置を備えなければならない。

自動車の種別	座席の種別
一　専ら乗用の用に供する自動車であつて乗車定員十人未満のもの及び貨物の運送の用に供する自動車であつて車両総重量が三・五トン以下のもの	運転者席その他の座席
二　専ら乗用の用に供する自動車であつて乗車定員十人以上のもの及び貨物の運送の用に供する自動車であつて車両総重量が三・五トンを超えるもの	運転者席及びこれと並列の座席

（頭部後傾抑止装置等）

第二十二条の四　自動車（車両総重量が三・五トンを超える自動車（専ら乗用の用に供する自動車であつて乗車定員十人以下のものを除く。）、二輪自動車、側車付二輪自動車、大型特殊自動車、農耕作業用小型特殊自動車及び最高速度二十キロメートル毎時未満の自動車を除く。）の座席（第二十二条第三項第一号から第四号までに掲げる座席及び自動車の側面に隣接しない座席を除く。次項において同じ。）のうち運転者席及びこれと並列の座席には、頭部後傾抑止装置を備えなければならない。

2　自動車（車両総重量が三・五トンを超える自動車（専ら乗用の用に供する自動車であつて乗車定員十人以下のものを除く。）、二輪自動車、側車付二輪自動車、大型特殊自動車、農耕作業用小型特殊自動車及び最高速度二十キロメートル毎時未満の自動車を除く。）の座席に備える頭部後傾抑止装置は、他の自動車の追突等による衝撃を受けた場合において、乗車人員の頭部の過度の後傾を有効に抑止し、かつ、乗車人員の頭部等に傷害を与えるおそれの少ないものとして、構造等に関し告示で定める基準に適合するものでなければならない。ただし、当該座席自体が当該装置と同等の性能を有するものであるときは、この限りでない。

（年少者用補助乗車装置等）

第二十二条の五　専ら乗用の用に供する自動車（乗車定員十人以上の自動車、運転者席及びこれと並列の座席以外の座席を有しない自動車、二輪自動車、側車付二輪自動車、三輪自動車、カタピラ及びそりを有する軽自動車、被牽引自動車並びに最高速度二十キロメートル毎時未満の自動車を除く。）には、年少者用補助乗車装置取付具を備えなければならない。ただし、高齢者、障害者等（高齢者、障害者等の移動等の円滑化の促進に関する法律（平成十八年法律第九十一号）第二条第一号に規定する高齢者、障害者等をいう。以下この項において同じ。）が移動のための車いすその他の用具を使用したまま車両に乗り込むことが可能な自動車及び運転者席より後方に備えられた座席が回転することにより高齢者、障害者等が円滑に車内に乗り込むことが可能な自動車にあつては、この限りでない。

2　年少者用補助乗車装置取付具は、年少者用補助乗車装置から受ける荷重等に十分耐え、かつ、取り付けられる年少者用補助乗車装置が有効に作用し、かつ、乗降の支障とならないものとして、強度、取付位置等に関し告示で定める基準に適合するものでなければならない。

3　年少者用補助乗車装置は、座席ベルト等を損傷しないものであり、かつ、当該自動車が衝突等による衝撃を受けた場合において、当該年少者用補助乗車装置を装着した者に傷害を与えるおそれが少なく、かつ、容易に着脱することができるものとして、構造、操作性能等に関し告示で定める基準に適合するものでなければならない。

（通路）

第二十三条　通路は、安全かつ容易に通行できるものでなければならない。

2　乗車定員十一人以上の自動車（緊急自動車を除く。）及び幼児専用車には、告示で定めるところにより、乗降口から座席へ至ることのできる通路を設けなければならない。ただし、乗降口から直接着席できる座席については、この限りでない。

（立席）

第二十四条　自動車の立席は、客室内の告示で定める床面に限り設けることができる。ただし、緊急自動車の立席、車掌の用に供する立席、これに相当する立席及び運転者助手の用に供する立席については、この限りでない。

2　前項の規定にかかわらず、幼児専用車には、立席を設けることができない。

3　立席人員一人の占める広さは、告示で定める面積とする。

（乗降口）

第二十五条　運転者室及び客室には、乗降口を設けなければならない。この場合において、客室の乗降口のうち一個は、右側面以外の面に設けなければならない。

2　乗車定員十一人以上の自動車（緊急自動車を除く。）及び幼児専用車の客室には、運転者及び運転者助手以外のすべての者が利用できる乗降口をその左側面に一個以上設けなければならない。

3　客室の乗降口には、確実に閉じることができるとびらを備えなければならない。但し、鎖、ロープ等乗車している者が走行中に転落することを防止する装置を備えた場合は、この限りでない。

4　自動車（乗車定員十一人以上の自動車、大型特殊自動車、農耕作業用小型特殊自動車及び最高速度二十キロメートル毎時未満の自動車を除く。）の乗降口に備える扉は、当該自動車が衝突等による衝撃を受けた場合において、容易に開放するおそれがないものとして、構造に関し告示で定める基準に適合するものでなければならない。

5　乗車定員十一人以上の自動車（緊急自動車及び幼児専用車を除く。）の乗降口は、安全な乗降ができるものとして、大きさ、構造等に関し告示で定める基準に適合するものでなければならない。ただし、乗降口から直接着席できる座席のための乗降口にあつては、この限りでない。

6　幼児専用車の乗降口は、幼児による安全な乗降ができるものとして、大きさ、構造等に関し告示で定める基準に適合するものでなければならない。ただし、乗降口から直接着席できる座席のための乗降口にあつては、この限りでない。

（非常口）

第二十六条　幼児専用車及び乗車定員三十人以上の自動車（緊急自動車を除く。）には、非常時に容易に脱出できるものとして、設置位置、大きさ等に関し告示で定める基準に適合する非常口を設けなければならない。ただし、すべての座席が乗降口から直接着席できる自動車にあつては、この限りでない。

2　非常口を設けた自動車には、非常口又はその附近に、見やすいように、非常口の位置及びとびらの開放の方法が表示されていなければならない。この場合において、灯火により非常口の位置を表示するときは、その灯光の色は、緑色でなければならない。

3　非常口を設けた自動車には、非常口のとびらが開放した場合にその旨を運転者に警報する装置を備えなければならない。

（物品積載装置）

第二七条　自動車の荷台その他の物品積載装置は、堅ろうで、かつ、安全、確実に物品を積載できるものとして、強度、構造等に関し告示で定める基準に適合するものでなければならない。

2　土砂等を運搬する大型自動車による交通事故の防止等に関する特別措置法（昭和四十二年法律第百三十一号）第四条に規定する土砂等運搬大型自動車には、当該自動車の最大積載量をこえて同法第二条第一項に規定する土砂等を積載できるものとして告示で定める物品積載装置を備えてはならない。

（高圧ガス運送装置）

第二八条　高圧ガスを運送する自動車のガス運送装置は、爆発等のおそれのないものとして、強度、取付方法等に関し告示で定める基準に適合するものでなければならない。

（窓ガラス）

第二九条　自動車（最高速度二十五キロメートル毎時以下の自動車を除く。）の窓ガラスは、告示で定める基準に適合する安全ガラスでなければならない。ただし、衝突等により窓ガラスが損傷した場合において、当該ガラスの破片により乗車人員が傷害を受けるおそれの少ないものとして告示で定める場所に備えられたものにあつては、この限りでない。

2　自動車（最高速度四十キロメートル毎時未満の自動車を除く。）の前面ガラスは、損傷した場合においても運転者の視野を確保できるものであり、かつ、容易に貫通されないものとして、強度等に関し告示で定める基準に適合するものでなければならない。

3　自動車（被牽引自動車を除く。）の前面ガラス及び側面ガラス（告示で定める部分を除く。）は、運転者の視野を妨げないものとして、ひずみ、可視光線の透過率等に関し告示で定める基準に適合するものでなければならない。

4　前項に規定する窓ガラスには、次に掲げるもの以外のものが装着され、貼り付けられ、塗装され、又は刻印されていてはならない。

一　整備命令標章

一の二　臨時検査合格標章

二　検査標章

二の二　保安基準適合標章（中央点線のところから二つ折りとしたものに限る。）

三　自動車損害賠償保障法（昭和三十年法律第九十七号）第九条の二第一項（同法第九条の四において準用する場合を含む。）又は第十条の二第一項の保険標章、共済標章又は保険・共済除外標章

四　道路交通法第六十三条第四項の標章

五　削除

六　前各号に掲げるもののほか、運転者の視野の確保に支障がないものとして告示で定めるもの

七　前各号に掲げるもののほか、国土交通大臣又は地方運輸局長が指定したもの

（騒音防止装置）

第三〇条　自動車（被牽引自動車を除く。以下この条において同じ。）は、騒音を著しく発しないものとして、構造、騒音の大きさ等に関し告示で定める基準に適合するものでなければならない。

2　内燃機関を原動機とする自動車には、騒音の発生を有効に抑止することができるものとして、構造、騒音防止性能等に関し告示で定める基準に適合する消音器を備えなければならない。

3　法第七十五条の三第一項の規定によりその型式について指定を受ける騒音防止装置は、当該装置を備える自動車を第一項の基準に適合させるものでなければならない。

（ばい煙、悪臭のあるガス、有害なガス等の発散防止装置）

第三一条　自動車は、運行中ばい煙、悪臭のあるガス又は有害なガスを多量に発散しないものでなければならない。

2　自動車は、排気管から大気中に排出される排出物に含まれる一酸化炭素、炭化水素、窒素酸化物、粒子状物質及び黒煙を多量に発散しないものとして、燃料の種別等に応じ、性能に関し告示で定める基準に適合するものでなければならない。

3　前項の規定に適合させるために自動車に備えるばい煙、悪臭のあるガス、有害なガス等の発散防止装置は、当該装置及び他の装置の機能を損なわないものとして、構造、機能、性能等に関し告示で定める基準に適合するものでなければならない。

4　内燃機関を原動機とする自動車には、炭化水素等の発散を防止することができるものとして、機能、性能等に関し告示で定める基準に適合するブローバイ・ガス還元装置（原動機の燃焼室からクランクケースに漏れるガスを還元させる装置をいう。以下同じ。）を備えなければならない。

5　普通自動車、小型自動車及び軽自動車であつて、ガソリンを燃料とするものは、炭化水素の発散を有効に防止することができるものとして、当該自動車及びその燃料から蒸発する炭化水素の排出量に関し告示で定める基準に適合するものでなければならない。

6　自動車の客室内の冷房を行うための装置の導管及び安全装置は、乗車人員に傷害を与えるおそれの少ないものとして、取付位置、取付方法等に関し告示で定める基準に適合するものでなければならない。

7　自動車の排気管は、発散する排気ガス等により、乗車人員等に傷害を与えるおそれが少なく、かつ、制動装置等の機能を阻害しないものとして、取付位置、取付方法等に関し告示で定める基準に適合するものでなければならない。

8　法第七十五条の三第一項の規定によりその型式について指定を受ける一酸化炭素等発散防止装置は、当該装置を備える自動車を第二項から第四項までの基準に適合させるものでなければならない。

（窒素酸化物排出自動車等の特例）

第三一条の二　自動車から排出される窒素酸化物及び粒子状物質の特定地域における総量の削減等に関する特別措置法（平成四年法律第七十号）第十二条第一項に規定する窒素酸化物排出自動車及び粒子状物質排出自動車であつて告示で定めるものは、告示で定める窒素酸化物排出基準及び粒子状物質排出基準に適合するものでなければならない。

（前照灯等）

第三二条　自動車（被牽引自動車を除く。第四項において同じ。）の前面には、走行用前照灯を備えなければならない。ただし、当該装置と同等の性能を有する配光可変型前照灯（夜間の走行状態に応じて、自動的に照射光線の光度及びその方向の空間的な分布を調整できる前照灯をいう。以下同じ。）を備える自動車として告示で定めるものにあつては、この限りでない。

2　走行用前照灯は、夜間に自動車の前方にある交通上の障害物を確認できるものとして、灯光の色、明るさ等に関し告示で定める基準に適合するものでなければならない。

3　走行用前照灯は、その性能を損なわないように、かつ、取付位置、取付方法等に関し告示で定める基準に適合するように取り付けられなければならない。

4　自動車の前面には、すれ違い用前照灯を備えなければならない。ただし、配光可変型前照灯又は最高速度二十キロメートル毎時未満の自動車であつて光度が告示で定める基準未満である走行用前照灯を備えるものにあつては、この限りでない。

5　すれ違い用前照灯は、夜間に自動車の前方にある交通上の障害物を確認でき、かつ、その照射光線が他の交通を妨げないものとして、灯光の色、明るさ等に関し告示で定める基準に適合するものでなければならない。

6　すれ違い用前照灯は、その性能を損なわないように、かつ、取付位置、取付方法等に関し告示で定める基準に適合するように取り付けられなければならない。

7　自動車（側車付二輪自動車、三輪自動車、カタピラ及びそりを有する軽自動車、大型特殊自動車、小型特殊自動車並びに被牽引自動車を除く。）の前面には、配光可変型前照灯を備えることができる。

8　配光可変型前照灯は、自動車の前方にある交通上の障害物を確認でき、かつ、必要な場合にあつてはその照射光線が他の交通を妨げないものとして、灯光の色、明るさ等に関し告示で定める基準に適合するものでなければならない。

9　配光可変型前照灯は、その性能を損なわないように、かつ、取付位置、取付方法等に関し告示で定める基準に適合するように取り付けられなければならない。

10　自動車には、前照灯の照射方向の調節に係る性能等に関し告示で定める基準に適合する前照灯照射方向調節装置（前照灯（走行用前照灯、すれ違い用前照灯及び配光可変型前照灯をいう。以下この章において同じ。）の照射方向を自動車の乗車又は積載の状態に応じて鉛直方向に調節するための装置をいう。）を備えることができる。

11　配光可変型前照灯（当該灯火装置の光源から出される光の総量等が告示で定める性能を有するものに限る。）には、前照灯洗浄器を備えなければならない。ただし、二輪自動車に備えるものにあつては、この限りではない。

12　前照灯洗浄器は、前照灯のレンズ面の外側が汚染された場合において、当該部分を洗浄することにより前照灯の光度を回復できるものとして、洗浄性能等に関し告示で定める基準に適合するものでなければならない。

13　前照灯洗浄器は、その性能を損なわないように、かつ、取付位置、取付方法等に関し告示で定める基準に適合するように取り付けられなければならない。

（前部霧灯）

第三十三条　自動車の前面には、前部霧灯を備えることができる。

2　前部霧灯は、霧等により視界が制限されている場合において、自動車の前方を照らす照度を増加させ、かつ、その照射光線が他の交通を妨げないものとして、灯光の色、明るさ等に関し告示で定める基準に適合するものでなければならない。

3　前部霧灯は、その性能を損なわないように、かつ、取付位置、取付方法等に関し告示で定める基準に適合するように取り付けられなければならない。

4　自動車には、前部霧灯の照射方向の調節に係る性能等に関し告示で定める基準に適合する前部霧灯照射方向調節装置（前部霧灯の照射方向を自動車の乗車又は積載の状態に応じて鉛直方向に調節するための装置をいう。）を備えることができる。

（側方照射灯）

第三十三条の二　自動車の前面の両側又は両側面の前部には、側方照射灯を一個ずつ備えることができる。

2　側方照射灯は、自動車が右左折又は進路の変更をする場合において、当該自動車の進行方向にある交通上の障害物を確認でき、かつ、その照射光線が他の交通を妨げないものとして、灯光の色、明るさ等に関し告示で定める基準に適合するものでなければならない。

3　側方照射灯は、その性能を損なわないように、かつ、取付位置、取付方法等に関し告示で定める基準に適合するように取り付けられなければならない。

（低速走行時側方照射灯）

第三十三条の三　自動車（二輪自動車、側車付二輪自動車、三輪自動車、カタピラ及びそりを有する軽自動車、大型特殊自動車並びに小型特殊自動車を除く。）の側面には、低速走行時側方照射灯を備えることができる。

2　低速走行時側方照射灯は、自動車が告示で定める速度以下の速度で走行する場合において、当該自動車の側方にある交通上の障害物を確認でき、かつ、その照射光線が他の交通を妨げないものとして、灯光の色、明るさ等に関し告示で定める基準に適合するものでなければならない。

3　低速走行時側方照射灯は、その性能を損なわないように、かつ、取付位置、取付方法等に関し告示で定める基準に適合するように取り付けられなければならない。

（車幅灯）

第三十四条　自動車（カタピラ及びそりを有する軽自動車、最高速度二十キロメートル毎時未満の軽自動車並びに小型特殊自動車（長さ四・七メートル以下、幅一・七メートル以下、高さ二・〇メートル以下、かつ、最高速度十五キロメートル毎時以下の小型特殊自動車に限る。第三十六条第一項、第三十七条第一項、第三十九条第一項及び第四十条第一項において同じ。）を除く。）の前面の両側には、車幅灯を備えなければならない。ただし、二輪自動車にあつては車幅灯を前面に一個備えればよいものとし、幅〇・八メートル以下の自動車（二輪自動車を除く。）にあつては当該自動車に備えるすれ違い用前照灯の照明部の最外縁が自動車の最外側から四百ミリメートル以内となるように取り付けられている場合には、その側の車幅灯を備えないことができる。

2　車幅灯は、夜間に自動車の前方にある他の交通に当該自動車の幅（二輪自動車にあつては、当該自動車の存在）を示すことができ、かつ、その照射光線が他の交通を妨げないものとして、灯光の色、明るさ等に関し告示で定める基準に適合するものでなければならない。

3　車幅灯は、その性能を損なわないように、かつ、取付位置、取付方法等に関し告示で定める基準に適合するように取り付けられなければならない。

（前部上側端灯）

第三十四条の二　自動車の前面の両側には、前部上側端灯を備えることができる。

2　前部上側端灯は、夜間に自動車の前方にある他の交通に当該自動車の高さ及び幅を示すことができ、かつ、その照射光線が他の交通を妨げないものとして、灯光の色、明るさ等に関し告示で定める基準に適合するものでなければならない。

3　前部上側端灯は、その性能を損なわないように、かつ、取付位置、取付方法等に関し告示で定める基準に適合するように取り付けられなければならない。

（昼間走行灯）

第三十四条の三　自動車（側車付二輪自動車、三輪自動車、カタピラ及びそりを有する軽自動車、大型特殊自動車、小型特殊自動車並びに被牽引自動車を除く。）の前面には、昼間走行灯を備えることができる。

2　昼間走行灯は、昼間に自動車の前方にある他の交通からの視認性を向上させ、かつ、その照射光線が他の交通を妨げないものとして、灯光の色、明るさ等に関し告示で定める基準に適合するものでなければならない。

3　昼間走行灯は、その性能を損なわないように、かつ、取付位置、取付方法等に関し告示で定める基準に適合するように取り付けられなければならない。

（前部反射器）

第三十五条　被けん引自動車の前面の両側には、前部反射器を備えなければならない。

2　前部反射器は、夜間に自動車の前方にある他の交通に当該自動車の幅を示すことができるものとして、反射光の色、明るさ、反射部の形状等に関し告示で定める基準に適合するものでなければならない。

3　前部反射器は、その性能を損なわないように、かつ、取付位置、取付方法等に関し告示で定める基準に適合するように取り付けられなければならない。

（側方灯及び側方反射器）

第三五条の二　次に掲げる自動車の両側面には、側方灯又は側方反射器（第四号に掲げる自動車にあつては、側方反射器）を備えなければならない。

一　長さ六メートルを超える普通自動車
二　長さ六メートル以下の普通自動車である牽引自動車
三　長さ六メートル以下の普通自動車である被牽引自動車
四　二輪自動車
五　ポール・トレーラ

2　側方灯は、夜間に自動車の側方にある他の交通に当該自動車の長さを示すことができ、かつ、その照射光線が他の交通を妨げないものとして、灯光の色、明るさ等に関し告示で定める基準に適合するものでなければならない。

3　側方灯は、その性能を損なわないように、かつ、取付位置、取付方法等に関し告示で定める基準に適合するように取り付けられなければならない。

4　側方反射器は、夜間に自動車の側方にある他の交通に当該自動車の長さ（第一項第四号に掲げる自動車にあつては、当該自動車の存在）を示すことができるものとして、反射光の色、明るさ、反射部の形状等に関し告示で定める基準に適合するものでなければならない。

5　側方反射器は、その性能を損なわないように、かつ、取付位置、取付方法等に関し告示で定める基準に適合するように取り付けられなければならない。

（番号灯）

第三六条　自動車の後面には、番号灯を備えなければならない。ただし、最高速度二十キロメートル毎時未満の軽自動車及び小型特殊自動車にあつては、この限りでない。

2　番号灯は、夜間に自動車登録番号標、臨時運行許可番号標、回送運行許可番号標又は車両番号標の番号等を確認できるものとして、灯光の色、明るさ等に関し告示で定める基準に適合するものでなければならない。

3　番号灯は、その性能を損なわないように、かつ、取付位置、取付方法等に関し告示で定める基準に適合するように取り付けられなければならない。

（尾灯）

第三七条　自動車（最高速度二十キロメートル毎時未満の軽自動車及び小型特殊自動車を除く。）の後面の両側には、尾灯を備えなければならない。ただし、二輪自動車、カタピラ及びそりを有する軽自動車並びに幅〇・八メートル以下の自動車には、尾灯を後面に一個備えればよい。

2　尾灯は、夜間に自動車の後方にある他の交通に当該自動車の幅（二輪自動車にあつては、当該自動車の存在）を示すことができ、かつ、その照射光線が他の交通を妨げないものとして、灯光の色、明るさ等に関し告示で定める基準に適合するものでなければならない。

3　尾灯は、その性能を損なわないように、かつ、取付位置、取付方法等に関し告示で定める基準に適合するように取り付けられなければならない。

（後部霧灯）

第三七条の二　自動車の後面には、後部霧灯を備えることができる。

2　後部霧灯は、霧等により視界が制限されている場合において、自動車の後方にある他の交通からの視認性を向上させ、かつ、その照射光線が他の交通を妨げないものとして、灯光の色、明るさ等に関し告示で定める基準に適合するものでなければならない。

3　後部霧灯は、その性能を損なわないように、かつ、取付位置、取付方法等に関し告示で定める基準に適合するように取り付けられなければならない。

（駐車灯）

第三七条の三　自動車の前面及び後面の両側（カタピラ及びそりを有する軽自動車並びに幅〇・八メートル以下の自動車にあつては、前面及び後面又は後面）又はその両側面には、駐車灯を備えることができる。

2　駐車灯は、夜間に駐車している自動車の存在を他の交通に示すことができ、かつ、その照射光線が他の交通を妨げないものとして、灯光の色、明るさ等に関し告示で定める基準に適合するものでなければならない。

3　駐車灯は、その性能を損なわないように、かつ、取付位置、取付方法等に関し告示で定める基準に適合するように取り付けられなければならない。

（後部上側端灯）

第三七条の四　自動車には、後部上側端灯を備えることができる。

2　後部上側端灯は、夜間に自動車の後方にある他の交通に当該自動車の高さ及び幅を示すことができ、かつ、その照射光線が他の交通を妨げないものとして、灯光の色、明るさ等に関し告示で定める基準に適合するものでなければならない。

3　後部上側端灯は、その性能を損なわないように、かつ、取付位置、取付方法等に関し告示で定める基準に適合するように取り付けられなければならない。

（後部反射器）

第三八条　自動車の後面には、後部反射器を備えなければならない。

2　後部反射器は、夜間に自動車の後方にある他の交通に当該自動車の幅を示すことができるものとして、反射光の色、明るさ、反射部の形状等に関し告示で定める基準に適合するものでなければならない。

3　後部反射器は、その性能を損なわないように、かつ、取付位置、取付方法等に関し告示で定める基準に適合するように取り付けられなければならない。

（大型後部反射器）

第三八条の二　貨物の運送の用に供する普通自動車であつて車両総重量が七トン以上のものの後面には、前条の基準に適合する後部反射器を備えるほか、大型後部反射器を備えなければならない。

2　大型後部反射器は、自動車の後方にある他の交通に当該自動車の存在を示すことができるものとして、反射光の色、明るさ、反射部の形状等に関し告示で定める基準に適合するものでなければならない。

3　大型後部反射器は、その性能を損なわないように、かつ、取付位置、取付方法等に関し告示で定める基準に適合するように取り付けられなければならない。

（再帰反射材）

第三八条の三　自動車（次の各号に掲げるものを除く。）の前面（被牽引自動車の前面に限る。）、両側面及び後面には再帰反射材を備えることができる。

一　専ら乗用の用に供する自動車であつて乗車定員十人未満のもの
二　前号の自動車の形状に類する自動車
三　二輪自動車
四　側車付二輪自動車
五　カタピラ及びそりを有する軽自動車

2　再帰反射材は、光を光源方向に効果的に反射することにより夜間に自動車の前方（被牽引自動車の前方に限る。）、側方又は後方にある他の交通に当該自動車の長さ又は幅を示すことができるものとして、反射光の色、明るさ、反射部の形状等に関し告示で定める基準に適合するものでなければならない。

3　再帰反射材は、その性能を損なわないように、かつ、取付位置、取付方法等に関し告示で定める基準に適合するように取り付けられなければならない。

（制動灯）

第三九条　自動車（最高速度二十キロメートル毎時未満の軽自動車及び小型特殊自動車を除く。）の後面の両側には、制動灯を備えなければならない。ただし、二輪自動車、カタピラ及びそりを有する軽自動車並びに幅〇・八メートル以下の自動車には、制動灯を後面に一個備えればよい。

2　制動灯は、自動車の後方にある他の交通に当該自動車が主制動装置（牽引自動車と被牽引自動車とを連結した場合においては、当該牽引自動車又は当該被牽引自動車の主制動装置。以下本条及び次条において同じ。）又は補助制動装置（主制動装置を補助し、走行中の自動車を減速させるための制動装置をいう。以下同じ。）を操作していることを示すことができ、かつ、その照射光線が他の交通を妨げないものとして、灯光の色、明るさ等に関し告示で定める基準に適合するものでなければならない。

3　制動灯は、その性能を損なわないように、かつ、取付位置、取付方法等に関し告示で定める基準に適合するように取り付けられなければならない。

4　制動灯を緊急制動表示灯（急激な減速時に灯火装置を点滅させる装置をいう。以下同じ。）として使用する場合にあつては、その間、当該制動灯については前二項の基準は適用しない。

（補助制動灯）

第三九条の二　次に掲げる自動車（二輪自動車、側車付二輪自動車、三輪自動車、カタピラ及びそりを有する軽自動車並びに被牽引自動車を除く。）の後面には、補助制動灯を備えなければならない。

一　専ら乗用の用に供する自動車であつて乗車定員十人未満のもの

二　貨物の運送の用に供する自動車（バン型の自動車に限る。）であつて車両総重量が三・五トン以下のもの

2　補助制動灯は、自動車の後方にある他の交通に当該自動車が主制動装置又は補助制動装置を操作していることを示すことができ、かつ、その照射光線が他の交通を妨げないものとして、灯光の色、明るさ等に関し告示で定める基準に適合するものでなければならない。

3　補助制動灯は、その性能を損なわないように、かつ、取付位置、取付方法等に関し告示で定める基準に適合するように取り付けられなければならない。

4　補助制動灯を緊急制動表示灯として使用する場合にあつては、その間、当該補助制動灯については前二項の基準は適用しない。

（後退灯）

第四〇条　自動車には、後退灯を備えなければならない。ただし、二輪自動車、側車付二輪自動車、カタピラ及びそりを有する軽自動車、小型特殊自動車並びに幅〇・八メートル以下の自動車並びにこれらによりけん引される被けん引自動車にあつては、この限りでない。

2　後退灯は、自動車の後方にある他の交通に当該自動車が後退していることを示すことができ、かつ、その照射光線が他の交通を妨げないものとして、灯光の色、明るさ等に関し告示で定める基準に適合するものでなければならない。

3　後退灯は、その性能を損なわないように、かつ、取付位置、取付方法等に関し告示で定める基準に適合するように取り付けられなければならない。

（方向指示器）

第四一条　自動車（次の各号に掲げる自動車を除く。）には、方向指示器を備えなければならない。

一　最高速度二十キロメートル毎時未満の自動車であつて長さが六メートル未満のもの（かじ取ハンドルの中心から自動車の最外側までの距離が六百五十ミリメートル未満であり、かつ、運転者席が車室内にないものに限る。）

二　牽引自動車と被牽引自動車とを連結した状態における長さが六メートル未満となる被牽引自動車

2　方向指示器は、自動車が右左折又は進路の変更をすることを他の交通に示すことができ、かつ、その照射光線が他の交通を妨げないものとして、灯光の色、明るさ等に関し告示で定める基準に適合するものでなければならない。

3　方向指示器は、その性能を損なわないように、かつ、取付位置、取付方法等に関し告示で定める基準に適合するように取り付けられなければならない。

4　方向指示器を緊急制動表示灯又は後面衝突警告表示灯として使用する場合にあつては、その間、当該方向指示器については前二項の基準は適用しない。

（補助方向指示器）

第四一条の二　自動車の両側面には、補助方向指示器を一個ずつ備えることができる。

2　補助方向指示器は、自動車が右左折又は進路の変更をすることを他の交通に示すことができ、かつ、その照射光線が他の交通を妨げないものとして、灯光の色、明るさ等に関し告示で定める基準に適合するものでなければならない。

3　補助方向指示器は、その性能を損なわないように、かつ、取付位置、取付方法等に関し告示で定める基準に適合するように取り付けられなければならない。

4　補助方向指示器を緊急制動表示灯又は後面衝突警告表示灯として使用する場合にあつては、その間、当該補助方向指示器については前二項の基準は適用しない。

（非常点滅表示灯）

第四一条の三　自動車には、非常点滅表示灯を備えなければならない。ただし、二輪自動車、側車付二輪自動車、カタピラ及びそりを有する軽自動車、大型特殊自動車、幅〇・八メートル以下の自動車並びに最高速度四十キロメートル毎時未満の自動車並びにこれらによりけん引される被けん引自動車にあつては、この限りでない。

2　非常点滅表示灯は、非常時等に他の交通に警告することができ、かつ、その照射光線が他の交通を妨げないものとして、灯光の色、明るさ等に関し告示で定める基準に適合するものでなければならない。

3　非常点滅表示灯は、その性能を損なわないように、かつ、取付位置、取付方法等に関し告示で定める基準に適合するように取り付けられなければならない。

（緊急制動表示灯）

第四一条の四　自動車（カタピラ及びそりを有する軽自動車、大型特殊自動車並びに小型特殊自動車を除く。）には、緊急制動表示灯を備えることができる。

2　緊急制動表示灯として使用する灯火装置は、制動灯、補助制動灯、方向指示器又は補助方向指示器とする。

3　緊急制動表示灯は、自動車の後方にある他の交通に当該自動車が急激に減速していることを示すことができ、かつ、その照射光線が他の交通を妨げないものとして、灯光の色、明るさ等に関し告示で定める基準に適合するものでなければならない。

4　緊急制動表示灯は、その性能を損なわないように、かつ、取付位置、取付方法等に関し告示で定める基準に適合するように取り付けられなければならない。

（後面衝突警告表示灯）

第四一条の五　自動車（側車付二輪自動車、カタピラ及びそりを有する軽自動車を除く。）には、後面衝突警告表示灯を備えることができる。

2　後面衝突警告表示灯として使用する灯火装置は、方向指示器又は補助方向指示器とする。

3　後面衝突警告表示灯は、自動車の後方にある交通に当該自動車と衝突するおそれがあることを示すことができ、かつ、その照射光線が他の交通を妨げないものとして、灯光の色、明るさ等に関し告示で定める基準に適合するものでなければならない。

4　後面衝突警告表示灯は、その性能を損なわないように、かつ、

取付位置、取付方法等に関し告示で定める基準に適合するように取り付けられなければならない。

（その他の灯火等の制限）

第四二条　自動車には、第三十二条から前条までの灯火装置若しくは反射器又は指示装置と類似する等により他の交通の妨げとなるおそれのあるものとして告示で定める灯火又は反射器を備えてはならない。

（警音器）

第四三条　自動車（被牽引自動車を除く。）には、警音器を備えなければならない。

2　警音器の警報音発生装置は、次項に定める警音器の性能を確保できるものとして、音色、音量等に関し告示で定める基準に適合するものでなければならない。

3　自動車の警音器は、警報音を発生することにより他の交通に警告することができ、かつ、その警報音が他の交通を妨げないものとして、音色、音量等に関し告示で定める基準に適合するものでなければならない。

4　自動車（緊急自動車を除く。）には、車外に音を発する装置であつて警音器と紛らわしいものを備えてはならない。ただし、歩行者の通行その他の交通の危険を防止するため自動車が右左折、進路の変更若しくは後退するときにその旨を歩行者等に警報するブザその他の装置又は盗難、車内における事故その他の緊急事態が発生した旨を通報するブザその他の装置については、この限りでない。

（非常信号用具）

第四三条の二　自動車には、非常時に灯光を発することにより他の交通に警告することができ、かつ、安全な運行を妨げないものとして、灯光の色、明るさ、備付け場所等に関し告示で定める基準に適合する非常信号用具を備えなければならない。ただし、二輪自動車、側車付二輪自動車、大型特殊自動車、小型特殊自動車及び被牽引自動車にあつては、この限りでない。

（警告反射板）

第四三条の三　自動車に備える警告反射板は、その反射光により他の交通に警告することができるものとして、形状、反射光の色、明るさ等に関し告示で定める基準に適合するものでなければならない。

（停止表示器材）

第四三条の四　自動車に備える停止表示器材は、けい光及び反射光により他の交通に当該自動車が停止していることを表示することができるものとして、形状、けい光及び反射光の明るさ、色等に関し告示で定める基準に適合するものでなければならない。

2　停止表示器材は、使用に便利な場所に備えられたものでなければならない。

（盗難発生警報装置）

第四三条の五　自動車には、盗難発生警報装置（自動車の盗難が発生しようとしている、又は発生している旨を音又は音及び灯光等により車外へ警報することにより自動車の盗難を防止する装置をいう。以下同じ。）を備えることができる。

2　専ら乗用の用に供する自動車（乗車定員十人以上の自動車、二輪自動車、側車付二輪自動車、三輪自動車、カタピラ及びそりを有する軽自動車並びに被牽引自動車を除く。）及び貨物の運送の用に供する自動車（車両総重量が二トンを超える自動車、三輪自動車及び被牽引自動車を除く。）に備える盗難発生警報装置は、安全な運行を妨げないものとして、盗難の検知及び警報に係る性能等に関し告示で定める基準に適合するものでなければならない。

（車線逸脱警報装置）

第四三条の六　専ら乗用の用に供する自動車（二輪自動車、側車付二輪自動車、三輪自動車、カタピラ及びそりを有する軽自動車、被牽引自動車並びに車線逸脱警報装置（自動車が走行中に車線から逸脱しようとしている、又は逸脱している旨を運転者に警報することにより自動車の車線からの逸脱を防止する装置をいう。以下この条において同じ。）を備えることができないものとして告示で定める自動車を除く。）であつて乗車定員十人以上のもの及び貨物の運送の用に供する自動車（三輪自動車、カタピラ及びそりを有する軽自動車、被牽引自動車並びに車線逸脱警報装置を備えることができないものとして告示で定める自動車を除く。）であつて車両総重量三・五トンを超えるものには、安全な運行を確保できるものとして、車線からの逸脱の検知及び警報に係る性能等に関し告示で定める基準に適合する車線逸脱警報装置を備えなければならない。ただし、高速道路等において運行しない自動車にあつては、この限りでない。

（車両接近通報装置）

第四三条の七　電力により作動する原動機を有する自動車（二輪自動車、側車付二輪自動車、三輪自動車、カタピラ及びそりを有する軽自動車、大型特殊自動車、小型特殊自動車並びに被牽引自動車を除く。）には、当該自動車の接近を歩行者等に通報するものとして、機能、性能等に関し告示で定める基準に適合する車両接近通報装置を備えなければならない。ただし、走行中に内燃機関が常に作動する自動車にあつては、この限りでない。

（事故自動緊急通報装置）

第四三条の八　自動車（次に掲げるものを除く。）に備える事故自動緊急通報装置は、当該自動車が衝突等による衝撃を受ける事故が発生した場合において、その旨及び当該事故の概要を所定の場所に自動的かつ緊急に通報するものとして、機能、性能等に関し告示で定める基準に適合するものでなければならない。

一　専ら乗用の用に供する自動車であつて次に掲げるもの

イ　乗車定員十人以上の自動車

ロ　乗車定員十人未満の自動車であつて車両総重量三・五トンを超えるもの

二　前号の自動車の形状に類する自動車

三　貨物の運送の用に供する自動車であつて車両総重量三・五トンを超えるもの

四　前号の自動車の形状に類する自動車

五　二輪自動車

六　側車付二輪自動車

七　三輪自動車

八　カタピラ及びそりを有する軽自動車

九　大型特殊自動車

十　小型特殊自動車

十一　被牽引自動車

（側方衝突警報装置）

第四三条の九　次に掲げる自動車（被牽引自動車及び側方衝突警報装置を備えることができないものとして告示で定める自動車を除く。）には、自転車の乗車人員等が当該自動車の左側面に衝突するおそれがある場合に、その旨を運転者に警報するものとして、機能、性能等に関し告示で定める基準に適合する側方衝突警報装置を備えなければならない。

一　貨物の運送の用に供する普通自動車であつて、車両総重量が八トンを超えるもの

二　前号の自動車に該当する被牽引自動車を牽引する牽引自動車

（車両後退通報装置）

第四三条の一〇　自動車（次に掲げるものを除く。）には、車両後退通報装置（自動車が後退している旨を歩行者等に通報する装置をいう。以下この条において同じ。）を備えなければならない。

一　専ら乗用の用に供する自動車（第五号から第十一号までに掲げるものを除く。以下この号から第四号までにおいて同じ。）であつて次に掲げるもの

イ　乗車定員十人未満の自動車

ロ　乗車定員十人以上の自動車であつて車両総重量三・五ト

ン以下のもの
二　前号の自動車の形状に類する自動車
三　貨物の運送の用に供する自動車であつて車両総重量三・五トン以下のもの
四　前号の自動車の形状に類する自動車
五　二輪自動車
六　側車付二輪自動車
七　三輪自動車
八　カタピラ及びそりを有する軽自動車
九　大型特殊自動車
十　小型特殊自動車
十一　被牽引自動車

2　車両後退通報装置の通報音発生装置は、歩行者等が確実に聞き取ることができる通報音を発することができるものとして、音色、音量等に関し告示で定める基準に適合するものでなければならない。

3　車両後退通報装置は、自動車の後退を歩行者等に通報することにより歩行者等の当該自動車との衝突を防止することができるものとして、機能、性能等に関し告示で定める基準に適合するものでなければならない。

（後写鏡等）

第四四条　自動車（被牽引自動車を除く。）には、後写鏡を備えなければならない。ただし、運転者の視野、乗車人員等の保護に係る性能等に関し告示で定める基準に適合する後方等確認装置を備える自動車（二輪自動車、側車付二輪自動車、三輪自動車、カタピラ及びそりを有する軽自動車、大型特殊自動車、小型特殊自動車並びに被牽引自動車を除く。）にあつては、この限りでない。

2　自動車（ハンドルバー方式のかじ取装置を備える二輪自動車、側車付二輪自動車及び三輪自動車であつて車室（運転者が運転者席において自動車の外側線付近の交通状況を確認できるものを除く。）を有しないものを除く。次項及び第六十五条において同じ。）に備える後写鏡は、運転者が運転者席において自動車の外側線付近及び後方の交通状況を確認でき、かつ、乗車人員、歩行者等に傷害を与えるおそれの少ないものとして、当該後写鏡による運転者の視野、乗車人員等の保護に係る性能等に関し告示で定める基準に適合するものでなければならない。

3　ハンドルバー方式のかじ取装置を備える二輪自動車、側車付二輪自動車及び三輪自動車であつて車室を有しないものに備える後写鏡は、運転者が後方の交通状況を確認でき、かつ、歩行者等に傷害を与えるおそれのないものとして、当該後写鏡による運転者の視野、歩行者等の保護に係る性能等に関し告示で定める基準に適合するものでなければならない。

4　第一項の後方等確認装置並びに第二項及び前項の後写鏡は、それぞれ、これらの規定に掲げる性能を損なわないように、かつ、取付位置、取付方法等に関し告示で定める基準に適合するように取り付けられなければならない。

5　自動車（二輪自動車、側車付二輪自動車、カタピラ及びそりを有する軽自動車、大型特殊自動車、小型特殊自動車並びに被牽引自動車を除く。）には、運転者が運転者席において告示で定める障害物を確認できる鏡その他の装置を備えなければならない。ただし、運転者が運転者席において当該障害物を直接又は後写鏡若しくは後方等確認装置により確認できる構造の自動車にあつては、この限りでない。

6　前項の鏡その他の装置は、同項の障害物を確認でき、かつ、歩行者等に傷害を与えるおそれの少ないものとして、当該鏡その他の装置による運転者の視野、歩行者等の保護に係る性能等に関し告示で定める基準に適合するものでなければならない。

7　第五項の鏡その他の装置は、その性能を損なわないように、かつ、取付位置、取付方法等に関し告示で定める基準に適合するように取り付けられなければならない。

（後退時車両直後確認装置）

第四四条の二　自動車（二輪自動車、側車付二輪自動車、三輪自動車、カタピラ及びそりを有する軽自動車、大型特殊自動車、小型特殊自動車、被牽引自動車並びに後退時車両直後確認装置を備えることができないものとして告示で定める自動車を除く。）には、後退時に運転者が運転者席において当該自動車の直後の状況を確認できるものとして、運転者の視野に係る性能等に関し告示で定める基準に適合する後退時車両直後確認装置を備えなければならない。ただし、後退時に運転者が運転者席において当該自動車の直後の状況を直接確認できる構造を有するものとして告示で定める自動車にあつては、この限りでない。

（窓ふき器等）

第四五条　自動車（二輪自動車、側車付二輪自動車、カタピラ及びそりを有する軽自動車並びに被牽引自動車を除く。）の前面ガラスには、前面ガラスの直前の視野を確保できるものとして、視野の確保に係る性能等に関し告示で定める基準に適合する自動式の窓ふき器を備えなければならない。

2　前項の規定により窓ふき器を備えなければならない自動車（大型特殊自動車、農耕作業用小型特殊自動車及び最高速度二十キロメートル毎時未満の自動車を除く。）には、前面ガラスの外側が汚染された場合又は前面ガラスに水滴等により著しい曇りが生じた場合において、前面ガラスの直前の視野を確保でき、かつ、安全な運行を妨げないものとして、視野の確保に係る性能等に関し告示で定める基準に適合する洗浄液噴射装置及びデフロスタを備えなければならない。ただし、車室と車体外とを屋根、窓ガラス等の隔壁により仕切ることのできない自動車にあつては、デフロスタは備えることを要しない。

（速度計等）

第四六条　自動車（最高速度二十キロメートル毎時未満の自動車及び被牽引自動車を除く。）には、運転者が容易に走行時における速度を確認でき、かつ、平坦な舗装路面での走行時において、著しい誤差がないものとして、取付位置、精度等に関し告示で定める基準に適合する速度計を運転者の見やすい箇所に備えなければならない。ただし、最高速度三十五キロメートル毎時未満の大型特殊自動車及び農耕作業用小型特殊自動車にあつては、原動機回転計をもつて速度計に代えることができる。

2　自動車（カタピラ及びそりを有する軽自動車、最高速度二十キロメートル毎時未満の自動車及び被牽引自動車を除く。）には、運転者が運転者席において容易に走行距離を確認できるものとして、表示、取付位置等に関し告示で定める基準に適合する走行距離計を備えなければならない。ただし、最高速度三十五キロメートル毎時未満の大型特殊自動車及び農耕作業用小型特殊自動車にあつては、原動機運転時間計をもつて走行距離計に代えることができる。

（事故情報計測・記録装置）

第四六条の二　専ら乗用の用に供する自動車（二輪自動車、側車付二輪自動車、三輪自動車、カタピラ及びそりを有する軽自動車並びに被牽引自動車を除く。）及び貨物の運送の用に供する自動車（三輪自動車及び被牽引自動車を除く。）には、当該自動車が衝突等による衝撃を受ける事故が発生した場合において、当該自動車の瞬間速度その他の情報を計測し、及びその結果を記録するものとして、記録性能等に関し告示で定める基準に適合する事故情報計測・記録装置を備えなければならない。

（消火器）

第四七条　次に掲げる自動車には、消火器を備えなければならない。
一　火薬類（第五十一条各号に掲げる数量以下のものを除く。）を運送する自動車（被牽引自動車を除く。）
二　危険物の規制に関する政令（昭和三十四年政令第三百六号）別表第三に掲げる指定数量以上の危険物を運送する自動車（被牽引自動車を除く。）
三　告示で定める品名及び数量以上の可燃物を運送する自動車

（被牽引自動車を除く。）

四　百五十キログラム以上の高圧ガス（可燃性ガス及び酸素に限る。）を運送する自動車（被牽引自動車を除く。）

五　前各号に掲げる火薬類、危険物、可燃物又は高圧ガスを運送する自動車を牽引する牽引自動車

六　放射性同位元素等の規制に関する法律施行規則（昭和三十五年総理府令第五十六号）第十八条の三第一項に規定する放射性輸送物（L型輸送物を除き、同条第二項に定めるIP－1型輸送物、IP－2型輸送物及びIP－3型輸送物を含む。）を運送する場合若しくは放射性同位元素等車両運搬規則（昭和五十二年運輸省令第三十三号）第十八条の規定により運送する場合又は核燃料物質等の工場又は事業所の外における運搬に関する規則（昭和五十三年総理府令第五十七号）第三条に規定する核燃料輸送物（L型輸送物を除く。）若しくは同令第十一条に規定する核分裂性輸送物を運送する場合若しくは核燃料物質等車両運搬規則（昭和五十三年運輸省令第七十二号）第十九条の規定により運送する場合に使用する自動車

七　乗車定員十一人以上の自動車

八　乗車定員十一人以上の自動車を牽引する牽引自動車

九　幼児専用車

2　前項各号に掲げる自動車に備える消火器は、運送物品等の消火に適応することができ、かつ、安全な運行を妨げないものとして、消火剤の種類及び充てん量、構造、取付位置等に関し告示で定める基準に適合するものでなければならない。

（内圧容器及びその附属装置）

第四七条の二　自動車の内圧容器及びその附属装置は、内圧に耐えることができ、かつ、安全な運行を妨げないものとして、規格、表示、取付け等に関し告示で定める基準に適合するものでなければならない。

（自動運行装置）

第四八条　自動車（二輪自動車、側車付二輪自動車、三輪自動車、カタピラ及びそりを有する軽自動車、大型特殊自動車、小型特殊自動車並びに被牽引自動車を除く。）には、自動運行装置を備えることができる。

2　自動運行装置を備える自動車は、プログラムによる当該自動車の自動的な運行の安全性を確保できるものとして、機能、性能等に関し告示で定める基準に適合しなければならない。

3　法第七十五条の三第一項の規定によりその型式について指定を受ける自動運行装置は、当該装置を備える自動車を前項の基準に適合させるものでなければならない。

（運行記録計）

第四八条の二　次の各号に掲げる自動車（緊急自動車及び被牽引自動車を除く。）には、運行記録計を備えなければならない。

一　貨物の運送の用に供する普通自動車であつて、車両総重量が八トン以上又は最大積載量が五トン以上のもの

二　前号の自動車に該当する被牽引自動車を牽引する牽引自動車

2　前項各号に掲げる自動車に備える運行記録計は、二十四時間以上の継続した時間内における当該自動車の瞬間速度及び二時刻間の走行距離を自動的に記録することができ、かつ、平坦な舗装路面での走行時において、著しい誤差がないものとして、記録性能、精度等に関し告示で定める基準に適合するものでなければならない。

（速度表示装置）

第四八条の三　自動車には、速度表示装置を備えることができる。

2　速度表示装置は、当該自動車の速度を他の交通に容易に表示することができ、かつ、平坦な舗装路面での走行時において、著しい誤差がないものとして、表示方法、灯光の色、明るさ、精度等に関し告示で定める基準に適合するものでなければならない。

3　速度表示装置は、その性能を損なわないように、かつ、取付位置、取付方法等に関し告示で定める基準に適合するように取り付けられなければならない。

（緊急自動車）

第四九条　緊急自動車には、当該自動車が緊急自動車であることを他の交通に示すことができるものとして、警光灯の色、明るさ、サイレンの音量に関し告示で定める基準に適合する警光灯及びサイレンを備えなければならない。

2　緊急自動車は、当該自動車が緊急自動車であることを他の交通に示すことができるものとして、車体の塗色に関し告示で定める基準に適合しなければならない。

（道路維持作業用自動車）

第四九条の二　道路維持作業用自動車には、当該自動車が道路維持作業用自動車であることを他の交通に示すことができるものとして、灯光の色、明るさ等に関し告示で定める基準に適合する灯火を車体の上部の見やすい箇所に備えなければならない。

（自主防犯活動用自動車）

第四九条の三　自主防犯活動用自動車（地方公共団体その他の団体が自主防犯活動のため使用する自動車であつて告示で定めるものをいう。次項において同じ。）には、青色防犯灯を備えることができる。

2　青色防犯灯は、当該自動車が自主防犯活動用自動車であることを他の交通に示すことができ、かつ、その照射光線が他の交通を妨げないものとして、灯光の色、明るさ等に関し告示で定める基準に適合するものでなければならない。

3　青色防犯灯は、その性能を損なわないように、かつ、取付位置、取付方法等に関し告示で定める基準に適合するように取り付けられなければならない。

（旅客自動車運送事業用自動車）

第五〇条　旅客自動車運送事業用自動車（乗車定員十一人以上の自動車に限る。）は、第二条から第四十八条までの規定によるほか、旅客自動車運送事業の用に供するため必要な性能及び構造に関し告示で定める基準に適合しなければならない。

（ガス運送容器を備える自動車等）

第五〇条の二　ガス運送容器を備える自動車その他のガス容器を運送するための構造及び装置を有する自動車は、第二条から第四十八条の三までの規定によるほか、衝突によるガス容器及びその附属装置の損傷を防止できるものとして、強度、取付位置等に関し告示で定める基準に適合するバンパその他の緩衝装置を車台の後部に備えなければならない。

2　ガス運送容器を備える自動車は、前項の規定によるほか、ガス運送容器の後面及び附属装置と前項の緩衝装置との間に間隔に関し告示で定める基準に適合しなければならない。

（火薬類を運送する自動車）

第五一条　火薬類を運送する自動車は、第二条から第四十八条の三までの規定によるほか、火薬類を安全に運送できるものとして、構造、装置等に関し告示で定める基準に適合しなければならない。ただし、次に掲げる数量以下の火薬類を運送する自動車にあつては、この限りでない。

一　火薬にあつては、五キログラム

二　猟銃雷管にあつては、二千個

三　実包、空包、信管又は火管にあつては、二百個

（危険物を運送する自動車）

第五二条　危険物を運送する自動車は、第二条から第四十八条の三までの規定によるほか、危険物を安全に運送できるものとして、構造、装置等に関し告示で定める基準に適合しなければならない。

（乗車定員及び最大積載量）

第五三条　自動車の乗車定員又は最大積載量は、本章の規定に適合して安全な運行を確保し、及び公害を防止できるものとして、告示で定める基準に基づき算出される範囲内において乗車し又は積載することができる人員又は物品の積載量のうち最大のものとする。ただし、二輪の軽自動車（側車付二輪自動車を除

く。）にあつては乗車定員二人以下、車両総重量二トン未満の被牽引自動車にあつては乗車定員なしとする。

2　前項の乗車定員は、十二歳以上の者の数をもつて表すものとする。この場合において、十二歳以上の者一人は、十二歳未満の小児又は幼児一・五人に相当するものとする。

（臨時乗車定員）

第五四条　地方運輸局長は、路線を定めて定期に運行する旅客自動車運送事業用自動車（前条の乗車定員が三十人以上のものに限る。）について、前条の乗車定員のほか、その運行のため必要な保安上又は公害防止上の制限を附して、臨時乗車定員を定めることができる。

2　前項の臨時乗車定員は、告示で定める人数を超えないものでなければならない。

3　前条第二項の規定は、第一項の臨時乗車定員について準用する。

（基準の緩和）

第五五条　地方運輸局長が、その構造により若しくはその使用の態様が特殊であることにより保安上及び公害防止上支障がないと認定した自動車については、本章の規定及びこれに基づく告示であつて当該自動車について適用しなくても保安上及び公害防止上支障がないものとして国土交通大臣が告示で定めるもののうち、地方運輸局長が当該自動車ごとに指定したものは、適用しない。

2　前項の認定は、条件若しくは期限又は認定に係る自動車の運行のため必要な保安上若しくは公害防止上の制限を付して行うことができる。

3　第一項の認定を受けようとする者は、次に掲げる事項を記載した申請書を地方運輸局長に提出しなければならない。

一　氏名又は名称及び住所
二　車名及び型式
三　種別及び用途
四　車体の形状
五　車台番号
六　使用の本拠の位置
七　構造又は使用の態様の特殊性
八　認定により適用を除外する規定
九　認定を必要とする理由

4　前項の申請書には、同項第八号に掲げる規定を適用しない場合においても保安上及び公害防止上支障がないことを証する書面を添付しなければならない。

5　地方運輸局長は、第三項の申請者に対し、前二項に規定するもののほか、第三項第九号の事項として同項の申請書に記載した輸送の必要性を示す書面その他必要な書面の提出を求めることができる。

6　地方運輸局長は、次の各号の一に該当する場合には、第一項の認定を取り消すことができる。

一　認定の取消しを求める申請があつたとき。
二　第一項の規定により地方運輸局長が適用を除外する規定として指定した規定を適用しないことにより保安上又は公害防止上支障を生じるおそれがあるとき又は支障を生じたとき。
三　第二項の規定による条件又は制限に違反したとき。

7　地方運輸局長は、第一項の認定の申請に係る自動車が第三項の申請書に記載された同項第七号の使用の態様以外の態様により使用されるおそれ又は第二項の規定により付そうとする条件又は制限に違反して使用されるおそれがあると疑うに足りる相当な理由があるときは、第一項の認定をしないものとする。

第五六条　製造又は改造の過程にある自動車で法第三十四条第一項（法第七十三条第二項において準用する場合を含む。）の臨時運行の許可又は法第三十六条の二第一項（法第七十三条第二項において準用する場合を含む。）の許可を受けて運行の用に供するものについては、工場と工場、保管施設若しくは試験場との間又はこれらの相互間を運行する場合に限り、本章の規定及びこれに基づく告示のうち当該自動車について適用しなくても保安上及び公害防止上支障がないものとして国土交通大臣が告示で定めるものは、適用しない。

2　前項の自動車には、第三十七条第一項本文又は第三十九条第一項本文の規定にかかわらず、尾灯及び制動灯を後面にそれぞれ一個ずつ備えればよい。

3　法の規定による検査等により本章に定める基準に適合していないことが明らかとなつた自動車又は故障若しくは事故によりこれらの基準に適合しなくなつた自動車については、これらの基準に適合させるため整備若しくは改造を行う場所又は積載物品等による危険を除去するために必要な措置を行う場所に運行する場合に限り、当該基準に係る本章の規定は、適用しない。ただし、その運行が他の交通に危険を及ぼし、又は他人に迷惑を及ぼすおそれのあるものにあつては、この限りでない。

4　国土交通大臣が構造又は装置について本章に定める基準の改善に資するため必要があると認定した試作自動車又は試験自動車でその運行のため必要な保安上又は公害防止上の制限を付したものについては、当該構造又は装置に係る本章の規定は、適用しない。

第五七条　法第九十九条の自動車については、本章の規定及びこれに基づく告示のうち当該自動車について適用しなくても保安上及び公害防止上支障がないものとして国土交通大臣が告示で定めるものは、適用しない。

2　前条第二項の規定は、前項の自動車について準用する。

（適用関係の整理）

第五八条　第二章の規定が改正された場合における改正後の規定の適用に関しては、告示で、当該規定の適用関係の整理のため必要な事項を定めることができる。

（締約国登録自動車の特例）

第五八条の二　締約国登録自動車については、第三条及び第五条から第五十四条までの規定は、適用しない。

2　締約国登録自動車の装置は、道路交通に関する条約附属書六（以下「附属書六」という。）の規定に適合しなければならない。

3　締約国登録自動車の乗車定員又は最大積載量は、当該自動車の登録国の権限のある当局が乗車定員又は最大積載量を宣言した場合にあつては、当該乗車定員又は最大積載量とし、その他の場合にあつては、附属書六の規定に適合して安全な運行を確保し、及び公害を防止できる範囲内において乗車し又は積載することができる人員又は物品の積載量のうち最大のものとする。

第三章　原動機付自転車の保安基準

第一節　一般原動機付自転車の保安基準

（長さ、幅及び高さ）

第五九条　一般原動機付自転車は、告示で定める方法により測定した場合において、長さ二・五メートル、幅一・三メートル、高さ二メートルを超えてはならない。ただし、地方運輸局長の許可を受けたものにあつては、この限りでない。

（接地部及び接地圧）

第六〇条　一般原動機付自転車の接地部及び接地圧は、道路を破損するおそれのないものとして、告示で定める基準に適合しなければならない。

（制動装置）

第六一条　一般原動機付自転車（付随車を除く。）には、走行中の一般原動機付自転車が確実かつ安全に減速及び停止を行うことができ、かつ、平坦な舗装路面等で確実に当該一般原動機付自転車を停止状態に保持できるものとして、制動性能に関し告示で定める基準に適合する二系統以上の制動装置を備えなければならない。

2　付随車を牽引する一般原動機付自転車の制動装置（当該付随車に制動装置が備えられている場合にあつては、当該制動装置を含む。）は、付随車とこれを牽引する一般原動機付自転車とを連結した状態において、走行中の一般原動機付自転車の減速及び停止等に係る制動性能に関し告示で定める基準に適合しなければならない。

（車体）

第六十一条の二　一般原動機付自転車（二輪のもの及び付随車を除く。）の車体は、次の基準に適合するものでなければならない。

一　車体は、堅ろうで運行に十分耐え、かつ、一般原動機付自転車の周囲にある他の交通からの視認性を向上させるものとして、強度、構造等に関し告示で定める基準に適合するものであること。

二　車体の外形その他一般原動機付自転車の形状は、回転部分が突出していないこと等他の交通の安全を妨げるおそれがないものとして、告示で定める基準に適合するものであること。

（ばい煙、悪臭のあるガス、有害なガス等の発散防止装置）

第六十一条の三　一般原動機付自転車は、運行中ばい煙、悪臭のあるガス又は有害なガスを多量に発散しないものでなければならない。

2　一般原動機付自転車は、排気管から大気中に排出される排出物に含まれる一酸化炭素、炭化水素及び窒素酸化物を多量に発散しないものとして、性能に関し告示で定める基準に適合するものでなければならない。

3　前項の規定に適合させるために一般原動機付自転車に備えるばい煙、悪臭のあるガス、有害なガス等の発散防止装置は、当該装置の機能を損なわないものとして、構造、機能、性能等に関し告示で定める基準に適合するものでなければならない。

4　内燃機関を原動機とする一般原動機付自転車には、炭化水素等の発散を防止することができるものとして、機能、性能等に関し告示で定める基準に適合するブローバイ・ガス還元装置を備えなければならない。

5　一般原動機付自転車であつて、ガソリンを燃料とするものは、炭化水素の発散を有効に防止することができるものとして、当該一般原動機付自転車及びその燃料から蒸発する炭化水素の排出量に関し告示で定める基準に適合するものでなければならない。

6　一般原動機付自転車の排気管は、発散する排気ガス等により乗車人員等に傷害を与えるおそれが少なく、かつ、制動装置等の機能を阻害しないものとして、取付位置、取付方法等に関し告示で定める基準に適合するものでなければならない。

（前照灯）

第六十二条　一般原動機付自転車（付随車を除く。）の前面には、前照灯を備えなければならない。

2　前照灯は、夜間に一般原動機付自転車の前方にある交通上の障害物を確認でき、かつ、その照射光線が他の交通を妨げないものとして、灯光の色、明るさ等に関し告示で定める基準に適合するものでなければならない。

3　前照灯は、その性能を損なわないように、かつ、取付位置、取付方法等に関し告示で定める基準に適合するように取り付けられなければならない。

（番号灯）

第六十二条の二　一般原動機付自転車（最高速度二十キロメートル毎時未満のものを除く。第六十二条の三、第六十二条の四、第六十四条の三、第六十五条の二、第六十五条の三、第六十六条の二及び第六十六条の三において同じ。）の番号灯は、夜間にその後面に取り付けた市町村（特別区を含む。）の条例で付すべき旨を定めている標識の番号等を確認できるものとして、灯光の色、明るさ等に関し告示で定める基準に適合するものでなければならない。

2　番号灯は、その性能を損なわないように、かつ、取付方法等に関し告示で定める基準に適合するように取り付けられなければならない。

（尾灯）

第六十二条の三　一般原動機付自転車の後面には、尾灯を備えなければならない。

2　尾灯は、夜間に一般原動機付自転車の後方にある他の交通に当該一般原動機付自転車の存在を示すことができ、かつ、その照射光線が他の交通を妨げないものとして、灯光の色、明るさ等に関し告示で定める基準に適合するものでなければならない。

3　尾灯は、その性能を損なわないように、かつ、取付位置、取付方法等に関し告示で定める基準に適合するように取り付けられなければならない。

（制動灯）

第六十二条の四　一般原動機付自転車の後面には、制動灯を備えなければならない。

2　制動灯は、一般原動機付自転車の後方にある他の交通に当該一般原動機付自転車の制動装置が作動していることを示すことができ、かつ、その照射光線が他の交通を妨げないものとして、灯光の色、明るさ等に関し告示で定める基準に適合するものでなければならない。

3　制動灯は、その性能を損なわないように、かつ、取付位置、取付方法等に関し告示で定める基準に適合するように取り付けられなければならない。

4　制動灯を緊急制動表示灯として使用する場合にあつては、その間、当該制動灯については前二項の基準は適用しない。

（後部反射器）

第六十三条　一般原動機付自転車の後面には、後部反射器を備えなければならない。

2　後部反射器は、夜間に一般原動機付自転車の後方にある他の交通に当該一般原動機付自転車の存在を示すことができるものとして、反射光の色、明るさ、反射部の形状等に関し告示で定める基準に適合するものでなければならない。

3　後部反射器は、その性能を損なわないように、かつ、取付位置、取付方法等に関し告示で定める基準に適合するように取り付けられなければならない。

（警音器）

第六十四条　一般原動機付自転車（付随車を除く。）には、警音器を備えなければならない。

2　警音器の警報音発生装置は、次項に定める警音器の性能を確保できるものとして、音色、音量等に関し告示で定める基準に適合するものでなければならない。

3　警音器は、警報音を発生することにより他の交通に警告することができ、かつ、その警報音が他の交通を妨げないものとして、音色、音量等に関し告示で定める基準に適合するものでなければならない。

4　一般原動機付自転車には、車外に音を発する装置であつて警音器と紛らわしいものを備えてはならない。ただし、歩行者の通行その他の交通の危険を防止するため一般原動機付自転車が右左折、進路の変更若しくは後退するときにその旨を歩行者等に警報するブザその他の装置又は盗難、車内における事故その他の緊急事態が発生した旨を通報するブザその他の装置については、この限りでない。

（消音器）

第六十四条の二　一般原動機付自転車（付随車を除く。以下この条において同じ。）は、騒音を著しく発しないものとして、構造、騒音の大きさ等に関し告示で定める基準に適合するものでなければならない。

2　内燃機関を原動機とする一般原動機付自転車には、騒音の発生を有効に抑止することができるものとして、構造、騒音防止性能等に関し告示で定める基準に適合する消音器を備えなければばならない。

（方向指示器）

第六四条の三　一般原動機付自転車には、方向指示器を備えなければならない。

２　方向指示器は、一般原動機付自転車が右左折又は進路の変更をすることを他の交通に示すことができ、かつ、その照射光線が他の交通を妨げないものとして、灯光の色、明るさ等に関し告示で定める基準に適合するものでなければならない。

３　方向指示器は、その性能を損なわないように、かつ、取付位置、取付方法等に関し告示で定める基準に適合するように取り付けられなければならない。

４　方向指示器を緊急制動表示灯又は後面衝突警告表示灯として使用する場合にあつては、その間、当該方向指示器については前二項の基準は適用しない。

（後写鏡）

第六五条　一般原動機付自転車（付随車を除く。）には、後写鏡を備えなければならない。

２　一般原動機付自転車（ハンドルバー方式のかじ取装置を備える一般原動機付自転車であつて車室を有しないものを除く。）に備える後写鏡は、運転者が運転者席において一般原動機付自転車の後方の交通状況を確認でき、かつ、乗車人員、歩行者等に傷害を与えるおそれの少ないものとして、当該後写鏡による運転者の視野、乗車人員、歩行者等の保護に係る性能等に関し告示で定める基準に適合するものでなければならない。

３　ハンドルバー方式のかじ取装置を備える一般原動機付自転車であつて車室を有しないものに備える後写鏡は、運転者が後方の交通状況を確認でき、かつ、歩行者等に傷害を与えるおそれの少ないものとして、当該後写鏡による運転者の視野、歩行者等の保護に係る性能等に関し告示で定める基準に適合するものでなければならない。

４　前二項の後写鏡は、それぞれ、これらの規定に掲げる性能を損なわないように、かつ、取付位置、取付方法等に関し告示で定める基準に適合するように取り付けられなければならない。

（速度計）

第六五条の二　一般原動機付自転車（付随車を除く。）には、運転者が容易に走行時における速度を確認でき、かつ、平坦な舗装路面での走行時において、著しい誤差がないものとして、取付位置、精度等に関し告示で定める基準に適合する速度計を運転者の見やすい箇所に備えなければならない。

（かじ取装置）

第六五条の三　一般原動機付自転車（二輪のもの及び付随車を除く。）のかじ取装置は、当該一般原動機付自転車が衝突等による衝撃を受けた場合において、運転者に傷害を与えるおそれの少ないものとして、運転者の保護に係る性能に関し告示で定める基準に適合するものでなければならない。

（乗車装置）

第六六条　一般原動機付自転車の乗車装置は、乗車人員が動揺、衝撃等により転落又は転倒することなく安全な乗車を確保できるものとして、構造に関し告示で定める基準に適合するものでなければならない。

２　一般原動機付自転車の運転者以外の者の用に供する座席（またがり式の座席を除く。）は、安全に着席できるものとして、寸法等に関し告示で定める基準に適合するものでなければならない。

（座席ベルト等）

第六六条の二　一般原動機付自転車（二輪のもの及び付随車を除く。）には、当該一般原動機付自転車が衝突等による衝撃を受けた場合において、運転者が、座席の前方に移動することを防止し、かつ、上半身を過度に前傾することを防止するため、座席ベルト及び当該座席ベルトの取付装置を備えなければならない。ただし、座席がまたがり式であるものにあつては、この限りでない。

２　前項の座席ベルトの取付装置は、座席ベルトから受ける荷重等に十分耐え、かつ、取り付けられる座席ベルトが有効に作用し、かつ、乗降の支障とならないものとして、強度、取付位置等に関し告示で定める基準に適合するものでなければならない。

３　第一項の座席ベルトは、当該一般原動機付自転車が衝突等による衝撃を受けた場合において、当該座席ベルトを装着した者に傷害を与えるおそれが少なく、かつ、容易に操作等を行うことができるものとして、構造、操作性能等に関し告示で定める基準に適合するものでなければならない。

（頭部後傾抑止装置等）

第六六条の三　一般原動機付自転車（二輪のもの及び付随車を除く。）の座席（またがり式の座席を除く。）には、他の自動車の追突等による衝撃を受けた場合において、運転者の頭部の過度の後傾を有効に抑止し、かつ、運転者の頭部等に傷害を与えるおそれの少ないものとして、構造等に関し告示で定める基準に適合する頭部後傾抑止装置を備えなければならない。ただし、当該座席自体が当該装置と同等の性能を有するものであるときは、この限りでない。

（緊急制動表示灯）

第六六条の四　一般原動機付自転車には、緊急制動表示灯を備えることができる。

２　緊急制動表示灯として使用する灯火装置は、制動灯又は方向指示器とする。

３　緊急制動表示灯は、一般原動機付自転車の後方にある他の交通に当該一般原動機付自転車が急激に減速していることを示すことができ、かつ、その照射光線が他の交通を妨げないものとして、灯光の色、明るさ等に関し告示で定める基準に適合するものでなければならない。

４　緊急制動表示灯は、その性能を損なわないように、かつ、取付位置、取付方法等に関し告示で定める基準に適合するように取り付けられなければならない。

（後面衝突警告表示灯）

第六六条の四の二　一般原動機付自転車（二輪のものに限る。）には、後面衝突警告表示灯を備えることができる。

２　後面衝突警告表示灯として使用する灯火装置は、方向指示器とする。

３　後面衝突警告表示灯は、一般原動機付自転車の後方にある交通に当該一般原動機付自転車と衝突するおそれがあることを示すことができ、かつ、その照射光線が他の交通を妨げないものとして、灯光の色、明るさ等に関し告示で定める基準に適合するものでなければならない。

４　後面衝突警告表示灯は、その性能を損なわないように、かつ、取付位置、取付方法等に関し告示で定める基準に適合するように取り付けられなければならない。

第二節　特定小型原動機付自転車の保安基準

（接地部及び接地圧）

第六六条の五　特定小型原動機付自転車の接地部及び接地圧は、道路を破損するおそれのないものとして、告示で定める基準に適合しなければならない。

（制動装置）

第六六条の六　特定小型原動機付自転車には、走行中の特定小型原動機付自転車が確実かつ安全に減速及び停止を行うことができ、かつ、平坦な舗装路面等で確実に当該特定小型原動機付自転車を停止状態に保持できるものとして、制動性能に関し告示で定める基準に適合する制動装置を備えなければならない。

２　付随車を牽引する特定小型原動機付自転車の制動装置（当該付随車に制動装置が備えられている場合にあつては、当該制動装置を含む。）は、付随車とこれを牽引する特定小型原動機付自転車とを連結した状態において、走行中の原動機付自転車の減速及び停止等に係る制動性能に関し告示で定める基準に適合しなければならない。

3　付随車の制動装置は、これを牽引する特定小型原動機付自転車の制動装置のみで、前項の基準に適合する場合には、これを省略することができる。

（車体）

第六六条の七　特定小型原動機付自転車の車体は、次の基準に適合するものでなければならない。

一　車体は、堅ろうで運行に十分耐え、かつ、特定小型原動機付自転車の周囲にある他の交通からの視認性を向上させるものとして、強度、構造等に関し告示で定める基準に適合するものであること。

二　車体の外形その他特定小型原動機付自転車の形状は、回転部分が突出していないこと等他の交通の安全を妨げるおそれがないものとして、告示で定める基準に適合するものであること。

三　安定した走行を確保できるものとして、安定性に関し告示で定める基準に適合するものであること。

（前照灯）

第六六条の八　特定小型原動機付自転車の前面には、前照灯を備えなければならない。

2　前照灯は、夜間に特定小型原動機付自転車の前方にある交通上の障害物を確認でき、かつ、その照射光線が他の交通を妨げないものとして、灯光の色、明るさ等に関し告示で定める基準に適合するものでなければならない。

3　前照灯は、その性能を損なわないように、かつ、取付位置、取付方法等に関し告示で定める基準に適合するように取り付けられなければならない。

（尾灯）

第六六条の九　特定小型原動機付自転車の後面には、尾灯を備えなければならない。

2　尾灯は、夜間に特定小型原動機付自転車の後方にある他の交通に当該特定小型原動機付自転車の存在を示すことができ、かつ、その照射光線が他の交通を妨げないものとして、灯光の色、明るさ等に関し告示で定める基準に適合するものでなければならない。

3　尾灯は、その性能を損なわないように、かつ、取付位置、取付方法等に関し告示で定める基準に適合するように取り付けられなければならない。

（制動灯）

第六六条の一〇　特定小型原動機付自転車の後面には、制動灯を備えなければならない。

2　制動灯は、特定小型原動機付自転車の後方にある他の交通に当該特定小型原動機付自転車の制動装置が作動していることを示すことができ、かつ、その照射光線が他の交通を妨げないものとして、灯光の色、明るさ等に関し告示で定める基準に適合するものでなければならない。

3　制動灯は、その性能を損なわないように、かつ、取付位置、取付方法等に関し告示で定める基準に適合するように取り付けられなければならない。

（後部反射器）

第六六条の一一　特定小型原動機付自転車の後面には、後部反射器を備えなければならない。

2　後部反射器は、夜間に特定小型原動機付自転車の後方にある他の交通に当該特定小型原動機付自転車の存在を示すことができるものとして、反射光の色、明るさ、反射部の形状等に関し告示で定める基準に適合するものでなければならない。

3　後部反射器は、その性能を損なわないように、かつ、取付位置、取付方法等に関し告示で定める基準に適合するように取り付けられなければならない。

（警音器）

第六六条の一二　特定小型原動機付自転車には、警音器を備えなければならない。

2　警音器の警報音発生装置は、次項に定める警音器の性能を確保できるものとして、音色、音量等に関し告示で定める基準に適合するものでなければならない。

3　警音器は、警報音を発生することにより他の交通に警告することができ、かつ、その警報音が他の交通を妨げないものとして、音色、音量等に関し告示で定める基準に適合するものでなければならない。

4　特定小型原動機付自転車には、車外に音を発する装置であつて警音器と紛らわしいものを備えてはならない。ただし、歩行者の通行その他の交通の危険を防止するため特定小型原動機付自転車が右左折、進路の変更若しくは後退するときにその旨を歩行者等に警報するブザその他の装置又は盗難、車内における事故その他の緊急事態が発生した旨を通報するブザその他の装置については、この限りでない。

（方向指示器）

第六六条の一三　特定小型原動機付自転車には、方向指示器を備えなければならない。

2　方向指示器は、特定小型原動機付自転車が右左折又は進路の変更をすることを他の交通に示すことができ、かつ、その照射光線が他の交通を妨げないものとして、灯光の色、明るさ等に関し告示で定める基準に適合するものでなければならない。

3　方向指示器は、その性能を損なわないように、かつ、取付位置、取付方法等に関し告示で定める基準に適合するように取り付けられなければならない。

（速度抑制装置）

第六六条の一四　特定小型原動機付自転車には、速度制御性能に関し告示で定める基準に適合する速度抑制装置を備えなければならない。

（電気装置）

第六六条の一五　特定小型原動機付自転車の電気装置は、火災等により乗車人員への傷害等を生ずるおそれがないものとして、乗車人員の保護に係る性能及び構造に関し告示で定める基準に適合するものでなければならない。

（乗車装置）

第六六条の一六　特定小型原動機付自転車の乗車装置は、乗車人員が動揺、衝撃等により転落又は転倒することなく安全な乗車を確保できるものとして、構造に関し告示で定める基準に適合するものでなければならない。

（最高速度表示灯）

第六六条の一七　特定小型原動機付自転車（道路交通法第十七条第三項に規定する特定小型原動機付自転車をいう。次項において同じ。）には、最高速度表示灯を備えなければならない。

2　最高速度表示灯は、当該特定小型原動機付自転車が、車両の構造上、告示で定める速度を超えて走行できないことを他の交通に示すことができ、かつ、その照射光線が他の交通を妨げないものとして、灯光の色、明るさ等に関し告示で定める基準に適合するものでなければならない。

3　最高速度表示灯は、その性能を損なわないように、かつ、取付位置、取付方法等に関し告示で定める基準に適合するように取り付けられなければならない。

第三節　雑則

（基準の緩和）

第六七条　第五十五条の規定は、原動機付自転車について準用する。

2　第五十六条第三項の規定は、原動機付自転車について準用する。

（適用関係の整理）

第六七条の二　第三章の規定が改正された場合における改正後の

規定の適用に関しては、告示で、当該規定の適用の関係整理のため必要な事項を定めることができる。

（締約国登録原動機付自転車の特例）

第六十七条の三　締約国登録原動機付自転車については、第六十条から第六十六条の十七までの規定は、適用しない。

2　締約国登録原動機付自転車の装置は、附属書六の規定に適合しなければならない。

第四章　軽車両の保安基準

（長さ、幅及び高さ）

第六十八条　軽車両は、空車状態において、その長さ、幅及び高さが左表に掲げる大きさをこえてはならない。但し、地方運輸局長の許可を受けたものにあつては、この限りでない。

種別	長さ（メートル）	幅（メートル）	高さ（メートル）
人力により運行する軽車両	四	二	三
畜力により運行する軽車両	十二	二・五	三・五

（接地部及び接地圧）

第六十九条　軽車両の接地部及び接地圧については、第七条の規定を準用する。

（制動装置）

第七〇条　乗用に供する軽車両には、適当な制動装置を備えなければならない。但し、人力車にあつては、この限りでない。

（車体）

第七一条　乗用に供する軽車両の車体は、安全な乗車を確保できるものでなければならない。

2　乗用に供する軽車両の座席及び立席については、第二十二条第一項（座席の向きに係る部分を除く。）、第二項、第五項及び第六項、第二十二条の二、第二十三条並びに第二十四条の規定を準用する。

（警音器）

第七二条　乗用に供する軽車両には、適当な音響を発する警音器を備えなければならない。

（基準の緩和）

第七三条　第五十六条第三項の規定は、軽車両について準用する。

附　則

1　この省令は、公布の日から施行し、昭和二十六年七月一日から適用する。但し、第十五条、第十六条、第二十五条、第三十条、第三十一条第二項、第三十五条、第三十九条、第四十条第三項、第四十一条第三項、第四十二条第二号、第四十三条第一項第四号、第四十五条後段、第五十条第二項第一号、第五十二条（第九号を除く。）及び第七十条の規定は、昭和二十七年一月一日から、第十二条第二項第二号、第十九条第三号、第三十四条（側車付二輪自動車及び旧車両規則（昭和二十二年運輸省令第三十六号）第十五条第二項の規定により都道府県知事が車幅灯の取付を命じた自動車を除く。）、第四十三条第一項（第四号及び第五号を除く。）及び同条第二項の規定は、昭和二十七年七月一日から施行する。

2　軽自動車にあつては、昭和二十六年十二月三十一日までは、第四十四条の規定にかかわらず後写鏡を備えないで運行の用に供することができる。

3　自動車運送事業以外の用に供する自動車で乗車定員十一人以上のものにあつては、昭和二十六年十二月三十一日までは、第四十七条の規定にかかわらず消火器を備えないで運行の用に供することができる。

4　運転者室を有しない自動車にあつては、第四十三条の規定にかかわらず昭和二十七年六月三十日までは、方向指示器を備えないで運行の用に供することができる。

5　旧車両規則第四条第一号の自動車については、昭和二十七年六月三十日までは、第四十四条及び第四十六条の規定は、これを適用しない。

6　前項の自動車については、昭和二十七年六月三十日までは、第五十四条の規定を準用する。

7　この省令施行の際現に運行の用に供している自動車にあつては、昭和二十六年十二月三十一日までは、制動装置の性能について第十二条第一項第五号及び第六号の、警音器の性能について第四十二条第一号の、後写鏡の性能について第四十四条の規定は、これを適用しない。

8　圧縮ガス又は液化ガスを燃料とする自動車等の特別な構造、装置及び性能に関する省令（昭和二十六年運輸省令第三号）は、これを廃止する。

附　則〔昭和三四・九・一五運輸省令四二抄〕

（施行期日）

1　この省令は、昭和三十五年四月一日から施行する。ただし、第十八条第一項に一号を加える改正規定、第二十九条第二項の改正規定、第三十条の改正規定、第四十条第二項及び第三項の改正規定、第六十七条の改正規定、第七十三条の改正規定並びに次項の規定は、昭和三十四年九月十六日から施行する。

（経過措置）

2　昭和三十五年三月三十一日までの間は、改正後の第十八条第一項第四号の規定は、昭和三十四年九月十五日以前に製作された自動車について、適用しない。ただし、最後部の車軸中心から車体の後面までの水平距離が長くなる改造を行う場合は、この限りでない。

3　昭和三十五年九月三十日までの間は、改正後の第四十二条第五項の規定にかかわらず、自動車に備える方向指示器は、改正前の第四十三条第一項各号の基準に適合する灯火式方向指示器で点滅式以外のものとすることができる。

4　この省令の施行の際現に改正前の第五十三条又は第五十七条第二項の規定に基き陸運局長が保安上の危険がないと認定した自動車については、改正前のこれらの規定により適用をうけていない規定の改正後の相当規定は、適用しない。

附　則〔昭和三五・二・一運輸省令二〕

1　この省令は、昭和三十五年十月一日から施行する。ただし、第一条第一項の改正規定、第五条第一号の改正規定、第十四条の改正規定、第二十八条第六号の改正規定、第五十条第一項第五号及び第六号を加える改正規定、第五十条第四項を加える改正規定、第五十二条の改正規定、第五十八条第一項の表中「、第二十五条第四項第三号及び第五十二条第七号」を「及び第二十五条第四項第三号」に改める改正規定並びに次項の規定は、昭和三十五年四月一日から施行する。

2　改正後の第五十条第一項第五号及び第六号並びに改正後の同条第四項第二号から第四号までの規定は、昭和三十五年三月三十一日において現に旅客自動車運送事業用自動車である自動車については、適用しない。

附　則〔昭和三七・九・二八運輸省令五〇〕

1　この省令は、昭和三十七年十月一日から施行する。ただし、第四十四条の改正規定及び附則第四項の規定は、昭和三十八年四月一日から施行する。

2　昭和三十七年九月三十日以前に製作されたタンク自動車で爆発性液体を運送するもの以外のものの最大積載量等の表示については、改正後の第十八条第三項の規定にかかわらず、昭和三十八年九月三十日までは、なお従前の例による。

3　昭和三十七年九月三十日以前に製作された自動車の排気管については、改正後の第三十一条第三項第一号の規定にかかわらず、昭和三十八年九月三十日までは、なお従前の例による。

4 昭和三十八年三月三十一日以前に製作された自動車の後写鏡については、改正後の第四十四条の規定にかかわらず、昭和三十九年三月三十一日までは、なお従前の例による。

附 則〔昭和三八・一〇・一運輸省令四五〕

1 この省令は、昭和三十九年五月一日から施行する。

2 昭和三十九年五月三十一日までの間は、改正後の第十七条第一項第一号の二の規定は、昭和三十八年十月十五日以前に液化石油ガスを燃料とする自動車として製作された自動車については、適用しない。

3 この省令の施行前に交付を受けた臨時運行許可期限票は、改正後の第二十九条第二項の規定にかかわらず、自動車の前面ガラスにはりつけることができる。

附 則〔昭和四二・五・一六運輸省令二三抄〕

1 この省令は、昭和四十二年九月一日から施行する。

2 改正後の道路運送車両の保安基準第四十八条の二の規定は、次に掲げる自動車については、昭和四十三年二月二十九日までは、適用しない。

一 荷台を傾斜させる装置を有する自動車であつて、この省令の施行の際現に有効な自動車検査証の交付を受けているもの

二 荷台を傾斜させる装置を有しない自動車

3 改正後の道路運送車両の保安基準第四十八条の二の規定は、前項第二号に掲げる自動車であつて、同項に規定する日を経過する際現に有効な自動車検査証の交付を受けているものについては昭和四十三年三月一日から同年七月三十一日までの間は、適用しない。

附 則〔昭和四二・八・一運輸省令六一抄〕

1 この省令は、公布の日から施行する。ただし、第四十二条の改正規定、第四十八条の二の次に一条を加える改正規定、第五十一条第一項及び第五十二条第一項の改正規定、第五十四条第二項、第五十六条第一項及び第五十七条の改正規定（速度表示装置に係る部分に限る。）並びに次項から附則第四項までの規定は、昭和四十三年四月一日から施行する。

2 改正後の道路運送車両の保安基準第四十八条の三の規定は、次に掲げる自動車については、昭和四十三年九月三十日までは、適用しない。

一 荷台を傾斜させる装置を有する自動車であつて、昭和四十三年三月三十一日以前に製作されたもの

二 荷台を傾斜させる装置を有しない自動車

3 改正後の道路運送車両の保安基準第四十八条の三の規定は、前項第二号に掲げる自動車であつて昭和四十三年九月三十日以前に製作されたものについては、同年十月一日から昭和四十四年二月二十八日までの間は、適用しない。

附 則〔昭和四三・七・四運輸省令二八抄〕

1 この省令は、公布の日から施行する。ただし、第三十四条第二項第四号を加える改正規定及び同条第三項を加える改正規定は、昭和四十四年四月一日から施行する。

2 改正後の道路運送車両の保安基準第二十二条の四の規定は、一般乗用旅客自動車運送事業の用に供する自動車であつて昭和四十四年三月三十一日以前に製作されたものについては、昭和四十五年三月三十一日までは、適用しない。

3 改正後の道路運送車両の保安基準第四十三条の二の規定は、普通自動車又はもつぱら乗用の用に供する自動車であつて昭和四十四年三月三十一日以前に製作されたものについては、同年九月三十日までは、適用しない。

4 改正後の道路運送車両の保安基準第四十三条の二の規定は、昭和四十四年三月三十一日以前に製作された自動車（前項の自動車を除く。）については、昭和四十五年三月三十一日までは、適用しない。

5 改正後の道路運送車両の保安基準第四十四条第二項の規定は、昭和四十四年三月三十一日以前に製作された自動車（乗車定員十一人以上の旅客自動車運送事業用自動車を除く。）については、昭和四十五年三月三十一日までは、適用しない。

附 則〔昭和四四・六・一二運輸省令三五〕

1 この省令は、昭和四十五年六月一日から施行する。ただし、第三十一条第二項の改正規定及び次項の規定は昭和四十四年九月一日から、第十八条第六項を加える改正規定及び別記様式を加える改正規定は昭和四十五年一月一日から施行する。

2 第三十一条第二項の改正規定の施行の日前に道路運送車両法第七十五条第一項の規定により、その型式について指定を受けた自動車については、改正後の道路運送車両の保安基準第三十一条第二項の規定にかかわらず、昭和四十四年十二月三十一日（貨物の運送の用に供する自動車及び乗車定員十一人以上の自動車にあつては、昭和四十五年三月三十一日）までは、なお従前の例による。

3 この省令の施行の日前に製作された自動車（改正後の道路運送車両の保安基準第四十七条第一項第一号から第五号までに掲げる自動車（同項第三号及び第五号に掲げる自動車にあつては、別表第八号から第十四号までに掲げる可燃物のみを運送するもの及びこれらを牽引する牽引自動車に限る。）に限る。）に備える消火器については、同条第二項又は第三項の規定にかかわらず、昭和四十六年五月三十一日までは、なお従前の例による。

附 則〔昭和四五・七・二三運輸省令六三〕

1 この省令は、昭和四十五年八月一日から施行する。ただし、〔中略〕第三十一条第二項の改正規定は、昭和四十六年一月一日から施行する。

2 〔前略〕第三十一条第四項及び第五項の規定は、昭和四十五年十二月三十一日以前に製作された軽自動車については、適用しない。

附 則〔昭和四五・一二・四運輸省令九一〕

1 この省令は、昭和四十六年一月一日から施行する。ただし、第一条第一項第十一号の改正規定、第三十条の改正規定（同条第二項に係る部分に限る。）、第四十七条の改正規定、第六十五条第二項を加える改正規定及び別表第一の次に一表を加える改正規定は、同年四月一日から施行する。

2 改正後の第四十三条第二項第二号の規定は、この省令の施行の日前に製作された自動車に備える警音器については、昭和四十六年三月三十一日までは、適用しない。

3 改正後の第三十条第二項及び第六十五条第二項の規定は、昭和四十六年三月三十一日以前に道路運送車両法第七十五条第一項又は道路運送車両法施行規則第六十二条の三第一項の規定によりその型式について指定又は認定を受けた自動車及び同日前に同項の規定によりその型式について認定を受けた原動機付自転車については、同年十二月三十一日までは、適用しない。

附 則〔昭和四七・一二・一二運輸省令六二抄〕

（施行期日）

1 この省令は、昭和四十八年四月一日から施行する。

（経過措置）

2 軽自動車は、改正後の第三十一条第四項の規定にかかわらず、昭和四十八年九月三十日までは、第三十一条第一項及び第二項の規定によるほか、道路運送車両法第七十五条第三項又は道路運送車両法施行規則第六十二条の三第五項の検査の際、原動機を無負荷運転している状態で発生し、大気中に排出される排出物に含まれる一酸化炭素の容量比で表わした測定値が四・五パーセント以下であればよい。

附 則〔昭和四八・一一・八運輸省令一二〕

改正 昭和五二・三運令七

（施行期日）

1 この省令は、昭和四十八年五月一日から施行する。

（経過措置）

2 次の表の上欄に掲げる自動車については、改正後の第三十一条第五項の規定にかかわらず、同表の下欄に掲げる日までは、運輸大臣が指示するところにより、排気管から大気中に排出される排出物に含まれる炭化水素又は窒素酸化物を減少させるよ

うに点火装置を調整すればよい。

自動車の種別		期日
もつぱら乗用の用に供する自動車であつて原動機の総排気量が一・八〇リットルをこえるもの	神奈川県、埼玉県、千葉県、愛知県又は兵庫県の区域に使用の本拠の位置を有するもの	昭和四十八年八月三十一日
	東京都、神奈川県、埼玉県、千葉県、愛知県、大阪府又は兵庫県以外の道府県の区域に使用の本拠の位置を有するもの	昭和四十九年十二月三十一日
もつぱら乗用の用に供する自動車であつて原動機の総排気量が一・六〇リットルをこえ、一・八〇リットル以下のもの	東京都、神奈川県、埼玉県、千葉県、愛知県、大阪府又は兵庫県の区域に使用の本拠の位置を有するもの	昭和四十八年十一月三十日
	東京都、神奈川県、埼玉県、千葉県、愛知県、大阪府又は兵庫県以外の道府県の区域に使用の本拠の位置を有するもの	昭和五十年三月三十一日
もつぱら乗用の用に供する自動車であつて原動機の総排気量が一・〇〇リットルをこえ、一・六〇リットル以下のもの	東京都、神奈川県、埼玉県、千葉県、愛知県、大阪府又は兵庫県の区域に使用の本拠の位置を有するもの	昭和四十九年三月三十一日
	東京都、神奈川県、埼玉県、千葉県、愛知県、大阪府又は兵庫県以外の道府県の区域に使用の本拠の位置を有するもの	昭和五十年三月三十一日
もつぱら乗用の用に供する自動車であつて原動機の総排気量が一・〇〇リットル以下のもの		昭和五十年三月三十一日
もつぱら乗用の用に供する自動車以外の自動車	東京都、神奈川県、埼玉県、千葉県、愛知県、大阪府又は兵庫県の区域に使用の本拠の位置を有するもの	昭和四十九年十二月三十一日
	東京都、神奈川県、埼玉県、千葉県、愛知県、大阪府又は兵庫県以外の道府県の区域に使用の本拠の位置を有するもの	昭和五十年三月三十一日

附　則〔昭和四九・一・二五運輸省令二抄〕

改正　昭和四九・五運令一八、昭和五二・三運令七

1　この省令は、昭和五十年四月一日から施行する。〔以下略〕

2　第一条の規定による改正後の道路運送車両の保安基準第五十八条第六項、第七項及び第十六項の自動車について新規検査又は予備検査を申請する者については、第二条の規定による改正後の道路運送車両法施行規則第三十六条第五項（同令第四十二条第二項において準用する場合を含む。）の規定は、適用しない。

附　則〔昭和五〇・一二・二六運輸省令四抄〕

1　この省令は、昭和五十一年四月一日から施行する。ただし、第三十一条第八項の改正規定は、昭和五十年六月一日から施行する。

2　運輸大臣は、この省令の施行前においても、この省令による改正前の第三十一条第八項の表第三号の規定の例によりもつぱら乗用の用に供する自動車以外の自動車をその型式について認定することができるものとする。

附　則〔昭和五一・五・七運輸省令一五〕

1　この省令は、昭和五十一年五月二十日から施行する。

2　改正後の第五十条の二第一項の規定は、この省令の施行の日前に製作された自動車については、昭和五十二年十一月十九日までは、適用しない。

附　則〔昭和五四・三・一五運輸省令八抄〕

改正　平成一五・七国交令八一

（施行期日）

1　この省令は、公布の日から施行する。

（経過措置）

2　改正後の第十八条の二第一項の規定は、昭和四十三年七月三十一日以前に製作された貨物の運送の用に供する普通自動車（車両総重量が八トン以上又は最大積載量が五トン以上のものに限る。）及びこの省令の施行の日前に製作された車両総重量が八トン以上の普通自動車（貨物の運送の用に供する自動車、乗車定員十一人以上の自動車及びその形状が乗車定員十一人以上の自動車の形状に類する自動車を除く。）については、昭和五十五年十月三十一日までは、適用しない。

3　この省令の施行の日前に製作された貨物の運送の用に供する車両総重量が八トン以上又は最大積載量が五トン以上の普通自動車（昭和四十三年七月三十一日以前に製作されたものを除く。）に対する改正後の第十八条の二第一項第一号及び第二号の規定の適用については、昭和五十五年十月三十一日までは、同項第一号中「板状その他歩行者、自転車の乗車人員等が当該自動車の後車輪へ巻き込まれることを有効に防止することができる形状」とあるのは「歩行者が当該自動車の後車輪へ巻き込まれるおそれの少ない構造」と、同項第二号中「地上四百五十ミリメートル以下、その上縁の高さが地上六百五十ミリメートル以上となるように取り付けられ、かつ、その上縁と荷台等との間隔が歩行者、自転車の乗車人員等が当該自動車の後車輪へ巻き込まれることを有効に防止することができるもの」とあるのは「地上六百ミリメートル以下」と読み替えるものとする。

4　貨物の運送の用に供する普通自動車（車両総重量が八トン以上又は最大積載量が五トン以上のものを除く。）に対する改正後の第十八条の二第一項及び第二項の規定の適用については、当分の間、告示で定めるものとする。

5　この省令の施行の日前に製作された自動車については、改正後の第四十一条第四項の規定にかかわらず、昭和五十五年十月三十一日までは、なお従前の例による。

6　昭和五十年十一月三十日以前に製作された自動車に対する改正後の第四十四条第三項の表第二号の規定の適用については、昭和五十五年十月三十一日までは、同号中「二メートルの距離にある鉛直面及び当該自動車の左側面から三メートル」とあるのは「〇・三メートル」と読み替えるものとする。

7　この省令の施行の日前に製作された自動車（昭和五十年十一月三十日以前に製作されたものを除く。）に対する改正後の第四十四条第三項の表第二号の規定の適用については、昭和五十五年十月三十一日までは、同号中「二メートル」及び「三メートル」とあるのは「〇・三メートル」と読み替えるものとする。

附　則〔平成三・三・二七運輸省令三抄〕

（施行期日）

1　この省令の規定は、次の各号に掲げる区分に従い、それぞれ当該各号に定める日から施行する。

一　第一条並びに次項〔中略〕の規定　平成三年十一月一日

二　第二条〔中略〕の規定　平成四年十月一日

三　第三条並びに附則第五項及び第九項の規定　平成五年十月一日

四　前三号に掲げる規定以外の規定　平成六年十月一日

（道路運送車両の保安基準の一部を改正する省令の廃止）

2　道路運送車両の保安基準の一部を改正する省令（昭和六十三年運輸省令第三十八号）は、廃止する。

附　則〔平成三・一一・二六運輸省令三八抄〕

（施行期日）

1　この省令は、平成四年六月一日から施行する。

（経過措置）

2　改正後の第三十八条第二項の規定は、この省令の施行の日前に製作された自動車については、平成五年九月三十日までは、適用しない。

附　則〔平成五・四・一三運輸省令一四抄〕

（施行期日）

1　この省令の規定は、次の各号に掲げる区分に従い、それぞれ当該各号に定める日から施行する。

一　第一条及び次項の規定　公布の日

二　第二条並びに附則第三項及び第四項の規定　平成六年四月一日

三　第三条の規定　平成七年九月一日

（経過措置）

2　平成六年三月三十一日以前に製作された自動車については、この省令による改正後の第三十九条第二項第二号及び第三号の規定にかかわらず、平成七年三月三十一日までは、なお、従前の例によることができる。

附　則〔平成五・一一・二五運輸省令三八抄〕

（施行期日）

1　この省令は、公布の日から施行する。

（経過措置）

2　車両総重量が二十トンを超える自動車（被けん引自動車を除く。）の車体の前面には、改正後の道路運送車両の保安基準第十八条に規定するもののほか、当分の間、附則様式による標識を見やすいように表示しなければならない。ただし、同令第五十五条の規定により同令第四条の規定の適用を受けない車両にあつては、この限りでない。

附則様式

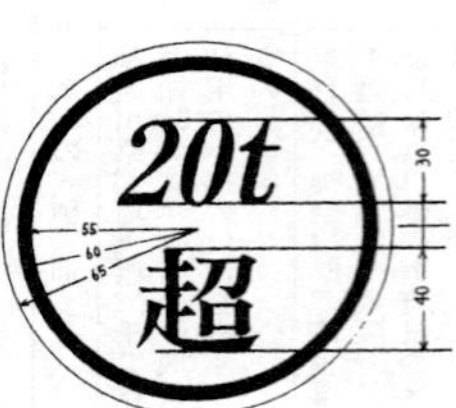

備考

一　色彩は、縁線及び文字を黒色とし、縁及び地を白色とする。

二　寸法の単位は、ミリメートルとする。

附　則〔平成六・三・三一運輸省令一五〕

（施行期日）

1　この省令は、平成七年四月一日から施行する。ただし、第三十八条第二項の改正規定及び次項の規定は、平成七年九月一日から施行する。

（経過措置）

2　改正後の第三十八条第二項の規定は、平成七年八月三十一日以前に製作された自動車については、平成八年八月三十一日までは、適用しない。

附　則〔平成九・八・一一運輸省令五三〕

（施行期日）

1　この省令は、平成九年十月一日から施行する。

（経過措置）

2　この省令の施行前にこの省令による改正前の道路運送車両の保安基準（以下「旧保安基準」という。）第五十五条の規定により運輸大臣に対してした認定の申請は、この省令による改正後の道路運送車両の保安基準（以下「新保安基準」という。）第五十五条第一項の規定により地方運輸局長に対してした認定の申請とみなす。

3　この省令の施行の際現に旧保安基準第五十五条の認定を受けている自動車について同条の規定により付された保安上又は公害防止上の制限は、新保安基準第五十五条第二項の規定による保安上又は公害防止上の制限とみなす。

附　則〔平成一〇・九・三〇運輸省令六五抄〕

改正　平成一〇・一〇運令六九、一二運令七六、平成一二・二運令五、平成一三・五国交令九四

（施行期日）

第一条　この省令は、平成十二年十月一日から施行する。ただし、第二条及び附則第三条の規定は、平成十三年十月一日から、第三条及び附則第四条の規定は、平成十四年十月一日から施行する。

（道路運送車両の保安基準の一部改正に伴う経過措置）

第五条　道路運送車両法施行規則等の一部を改正する省令（平成十年運輸省令第六十七号）による改正前の道路運送車両法施行規則（以下「旧規則」という。）第六十二条の四第一項の規定によりその型式について認定を受けた一酸化炭素等発散防止装置を備えた自動車に対する平成十年改正新令第三十一条の適用については、同条第二項中「法第七十五条の二第一項の規定によりその型式について指定を受けた一酸化炭素等発散防止装置を備えた自動車（以下「一酸化炭素等発散防止装置指定自動車」という。）」とあるのは「道路運送車両法施行規則等の一部を改正する省令（平成十年運輸省令第六十七号）による改正前の道路運送車両法施行規則第六十二条の四第一項の規定によりその型式について認定を受けた一酸化炭素等発散防止装置を備えた自動車（以下「一酸化炭素等発散防止装置認定自動車」という。）」と、同条第三項中「一酸化炭素等発散防止装置指定自動車」とあるのは「一酸化炭素等発散防止装置認定自動車」と、同条第四項中「一酸化炭素等発散防止装置指定自動車」とあるのは「一酸化炭素等発散防止装置認定自動車」と、「道路運送車両法施行規則第六十三条」とあるのは「道路運送車両法施行規則第六十二条の四第三項」と、同条第五項から第十三項までの規定中「一酸化炭素等発散防止装置指定自動車」とあるのは「一酸化炭素等発散防止装置認定自動車」と読み替えるものとする。

附　則〔平成一〇・一〇・九運輸省令六九抄〕

（施行期日）

1　この省令は、道路運送車両法の一部を改正する法律（平成十年法律第七十四号）の施行の日（平成十年十一月二十四日）から施行する。ただし、附則第九項及び第十項の規定は、平成十一年十月一日から施行する。

（道路運送車両の保安基準の一部改正に伴う経過措置）

2　輸入された自動車であって第一条の規定による改正後の道路運送車両の保安基準（以下「平成十年改正新令」という。）第五十八条第七十七項の規定の適用を受けるものに備える一酸化炭素等発散防止装置に対する同令第三十一条第二十三項の規定の適用については、平成十二年三月三十一日までは、同項第三号中「同項、第七項、第十四項及び第十五項」とあるのは「第五十八条第七十七項及び第七十九項」とする。

3　輸入された自動車であって平成十年改正新令第五十八条第七十八項の規定の適用を受けるものに備える同令第三十一条第二十三項の規定の適用については、平成十二年三月三十一日までは、同項第四号中「同項、第七項、第十四項及び第十五項」とあるのは、「第五十八条第七十八項及び第七十九項」とする。

4　輸入された自動車であって平成十年改正新令第五十八条第八十一項の規定の適用を受けるものに備える一酸化炭素等発散防止装置に対する同令第三十一条第二十三項の規定の適用については、平成十二年三月三十一日までは、同項第三号中「同項、第七項、第十四項及び第十五項」とあるのは、「第五十八条第

八十一項及び第八十三項」とする。

5　輸入された自動車であつて平成十年改正新令第五十八条第八十二項の規定の適用を受けるものに備える一酸化炭素等発散防止装置に対する同令第三十一条第二十三項の規定の適用については、平成十二年三月三十一日までは、同項第四号中「同項、第七項、第十四項及び第十五項」とあるのは、「第五十八条第八十二項及び第八十三項」とする。

6　輸入された自動車であつて平成十年改正新令第五十八条第八十六項の規定の適用を受けるものに備える騒音防止装置に対する同令第三十条第四項の規定の適用については、平成十二年三月三十一日までは、同項中「第一項及び第二項」とあるのは、「第五十八条第八十五項及び第八十六項」とする。

7　輸入された自動車であつて平成十年改正新令第五十八条第八十七項の規定の適用を受けるものに備える一酸化炭素等発散防止装置に対する同令第三十一条第二十三項の規定の適用については、平成十二年三月三十一日までは、同項第一号中「同項、第三項、第七項から第九項まで、第十二項及び第十三項」とあるのは、「第五十八条第八十七項」とする。

8　輸入された自動車であつて平成十年改正新令第五十八条第八十八項の規定の適用を受けるものに備える一酸化炭素等発散防止装置に対する同令第三十一条第二十三項の規定の適用については、平成十二年三月三十一日までは、同項第二号中「第四項の自動車にあつては、同項、第七項から第九項まで、第十二項及び第十三項」とあるのは、「第五十八条第八十八項」とする。

9　輸入された自動車であつて道路運送車両法施行規則の一部を改正する省令（平成九年運輸省令第七十四号）による改正後の道路運送車両の保安基準（以下「平成九年改正新令」という。）第五十八条第九十三項の規定の適用を受けるものに対する平成十年改正新令第三十条第四項の規定の適用については、平成十三年三月三十一日までは、同項中「第一項及び第二項」とあるのは、「第五十八条第九十一項及び第九十三項」とする。

10　輸入された自動車であつて平成九年改正新令第五十八条第九十四項の規定の適用を受けるものに対する平成十年改正新令第三十条第四項の規定の適用については、平成十四年三月三十一日までは、同項中「第一項及び第二項」とあるのは、「第五十八条第九十二項及び第九十四項」とする。

11　道路運送車両法施行規則等の一部を改正する省令（平成十年運輸省令第六十七号）による改正前の道路運送車両法施行規則（以下「旧規則」という。）第六十二条の三の二第一項の規定によりその型式について認定を受けた自動車に対する平成十年改正新令第三十条第二項の規定の適用については、同項中「同令第六十二条の四」とあるのは「旧規則第六十二条の三の二第二項において準用する旧規則第六十二条の三第五項」と、「同令第六十二条の三第一項」とあるのは「旧規則第六十二条の三の二第一項」と読み替えるものとする。

12　旧規則第六十二条の四第一項の規定によりその型式について認定を受けた一酸化炭素等発散防止装置を備えた自動車に対する平成十年改正新令第三十一条の規定の適用については、同条第二項中「法第七十五条の二第一項の規定によりその型式について指定を受けた一酸化炭素等発散防止装置を備えた自動車（型式指定自動車を除く。以下「一酸化炭素等発散防止装置指定自動車」という。）にあつては道路運送車両法施行規則第六十三条」とあるのは「旧規則第六十二条の四第一項の規定によりその型式について認定を受けた一酸化炭素等発散防止装置を備えた自動車にあつては同条第三項」と、同条第四項中「一酸化炭素等発散防止装置指定自動車にあつては道路運送車両法施行規則第六十三条」とあるのは「旧規則第六十二条の四第一項の規定によりその型式について認定を受けた一酸化炭素等発散防止装置を備えた自動車にあつては同条第三項」と、「及び一酸化炭素等発散防止装置指定自動車」とあるのは「及び旧規則第六十二条の四第一項の規定によりその型式について認定を受けた一酸化炭素等発散防止装置を備えた自動車」と、同条第十項第三号の二中「一酸化炭素等発散防止指定自動車」とあるのは「旧規則第六十二条の四第一項の規定によりその型式について認定を受けた一酸化炭素等発散防止装置を備えた自動車」と読み替えるものとする。

附　則〔平成一〇・一二・八運輸省令七六抄〕

改正　平成一二・二運令五

（施行期日）

1　この省令は、平成十二年十月一日から施行する。〔以下略〕

（経過措置）

2　輸入された自動車であつてこの省令による改正後の道路運送車両の保安基準第五十八条第九十八項の規定の適用を受けるものに備える騒音防止装置に対する道路運送車両の保安基準第三十条第四項の規定の適用については、平成十三年八月三十一日（この省令による改正後の道路運送車両の保安基準第五十八条第九十八項第二号に掲げる自動車にあっては、平成十四年八月三十一日）までは、同項中「第一項及び第二項」とあるのは、「第五十八条第九十七項及び第九十八項」とする。

附　則〔平成一二・二・二一運輸省令五抄〕

改正　平成一二・一一運令三九、平成一三・五国交令九四

（施行期日）

第一条　この省令中、第一条及び第二条並びに附則第四条及び第五条の規定は、公布の日から、第三条及び第四条の規定は、平成十二年三月三十一日から、第五条並びに附則第二条及び第三条の規定は、平成十三年十月一日から施行する。

（経過措置）

第二条　輸入された自動車であってこの省令による改正後の道路運送車両の保安基準第五十八条第百十六項の規定の適用を受けるものに備える騒音防止装置に対する道路運送車両の保安基準第三十条第四項の規定の適用については、平成十四年八月三十一日（この省令による改正後の道路運送車両の保安基準第五十八条第百十六項第一号及び第三号に掲げる自動車にあっては、平成十五年八月三十一日）までは、道路運送車両の保安基準第三十条第四項中「第一項及び第二項」とあるのは、「第五十八条第百十五項及び第百十六項」とする。

附　則〔平成二七・七・一〇国土交通省令五二抄〕

（施行期日）

1　この省令は、公布の日から施行する。

（国土交通省関係構造改革特別区域法第二条第三項に規定する省令の特例に関する措置及びその適用を受ける特定事業を定める省令の廃止に伴う経過措置）

3　この省令の施行の日前に前項の規定による廃止前の国土交通省関係構造改革特別区域法第二条第三項に規定する省令の特例に関する措置及びその適用を受ける特定事業を定める省令第一条の規定により準用する道路運送車両の保安基準第五十五条第一項の規定により地方運輸局長が行った認定は、第一条の規定による改正後の道路運送車両の保安基準第六十七条の規定により準用する同令第五十五条第一項の規定により地方運輸局長が行った認定とみなす。

附　則〔令和二・一二・二五国土交通省令一〇〇抄〕

（施行期日）

第一条　この省令は、令和三年一月二十二日から施行する。ただし、次の各号に掲げる規定は、当該各号に定める日から施行する。

一　第一条中道路運送車両の保安基準第二条の改正規定　公布の日

二　第一条中道路運送車両の保安基準第十八条の改正規定〔中略〕令和三年一月三日

附　則〔令和三・六・九国土交通省令四〇抄〕

（施行期日）

第一条　この省令は、令和三年六月十日から施行する。〔以下略〕

附　則〔令和三・九・三〇国土交通省令五九抄〕

（施行期日）

第一条　この省令は、令和三年九月三十日から施行する。

附　則〔令和四・六・二三国土交通省令五二抄〕

（施行期日）

第一条　この省令は、令和四年六月二十二日から施行する。

附　則〔令和四・一二・一三国土交通省令九一〕

（施行期日）

1　この省令は、公布の日から施行する。ただし、第六十六条の十七の改正規定は、道路交通法の一部を改正する法律（令和四年法律第三十二号）附則第一条第三号に掲げる規定の施行の日〔令和五・七・一〕から施行する。

（経過措置）

2　この省令の施行の日から道路交通法の一部を改正する法律附則第一条第三号に掲げる規定の施行の日の前日までの間は、この省令による改正後の道路運送車両の保安基準目次及び第六十七条の三第一項中「第六十六条の十七」とあるのは、「第六十六条の十六」とする。

附　則〔令和五・一・四国土交通省令一抄〕

（施行期日）

第一条　この省令は、公布の日から施行する。ただし、次の各号に掲げる規定は、令和五年一月十九日から施行する。

一　第一条中道路運送車両の保安基準第四十三条の十の改正規定

二～四〔略〕

附　則〔令和五・六・五国土交通省令四五抄〕

（施行期日）

第一条　この省令は、公布の日から施行する。〔以下略〕

附　則〔令和五・九・二二国土交通省令七四抄〕

（施行期日）

第一条　この省令は、令和五年九月二十四日から施行する。〔以下略〕

附　則〔令和六・六・一四国土交通省令六六抄〕

（施行期日）

第一条　この省令は、令和六年六月十五日から施行する。ただし、次の各号に掲げる規定は、令和六年六月二十日から施行する。

一　第一条中道路運送車両の保安基準第四十六条の二の改正規定

二・三〔略〕

○道路運送車両の保安基準の細目を定める告示〔抄〕

〔平成14・7・15
国土交通省告示619〕

改正　平成14・10国交告911、平成15・4国交告373、7国交告1002、9国交告1317、12国交告1544、平成16・4国交告484、国交告499、12国交告1477、平成17・2国交告150、3国交告254、国交告283、国交告386、4国交告413、6国交告564、8国交告872、国交告909、9国交告1018、11国交告1337、12国交告1400、国交告1437、平成18・3国交告381、6国交告683、8国交告978、10国交告1203、11国交告1268、12国交告1513、平成19・1国交告3、国交告89、3国交告371、国交告394、6国交告854、7国交告987、11国交告1490、平成20・2国交告89、3国交告348、7国交告869、10国交告1217、12国交告1532、平成21・2国交告215、3国交告309、7国交告771、国交告823、10国交告1112、平成22・3国交告197、国交告206、国交告247、8国交告949、10国交告1213、12国交告1460、平成23・1国交告73、3国交告335、5国交告565、6国交告670、7国交告717、10国交告1084、平成24・3国交告236、国交告384、6国交告766、7国交告829、11国交告1319、平成25・1国交告68、7国交告726、8国交告826、10国交告917、11国交告1078、国交告1100、平成26・1国交告43、国交告61、2国交告126、3国交告341、6国交告675、10国交告975、平成27・1国交告42、3国交告443、国交告459、6国交告717、国交告723、7国交告826、10国交告1048、11国交告1158、平成28・1国交告226、2国交告419、4国交告607、国交告681、6国交告826、国交告853、8国交告966、10国交告1121、国交告1172、11国交告1334、平成29・2国交告88、国交告135、4国交告315、6国交告640、9国交告827、国交告843、10国交告906、12国交告1171、平成30・1国交告128、2国交告147、3国交告528、4国交告634、7国交告945、10国交告1175、11国交告1297、12国交告1395、平成31・2国交告212、3国交告465、令和元・5国交告68、6国交告237、10国交告589、国交告714、令和2・1国交告52、3国交告463、4国交告521、5国交告629、6国交告704、8国交告788、9国交告1021、12国交告1577、令和3・6国交告521、8国交告1084、9国交告1294、令和4・1国交告10、6国交告713、10国交告1040、12国交告1289、令和5・1国交告1、6国交告572、9国交告969、10国交告1048、令和6・1国交告2、6国交告518

道路運送車両の保安基準及び装置型式指定規則の一部を改正する省令（平成14年7月3日国土交通省令第84号）の施行に伴い、並びに道路運送車両の保安基準（昭和26年運輸省令第67号）の規定に基づき、道路運送車両の保安基準の細目を定める告示を次のように定め、平成14年9月1日から適用する。

第1章　総則

第1条　道路運送車両の保安基準（昭和26年運輸省令第67号。以下「保安基準」という。）第1条から第5条まで、第7条から第31条まで、第32条から第54条まで及び第59条から第66条の17までの規定に基づく技術上の基準その他の保安基準の細目については、この告示に定めるところによる。

（定義等）

第2条　この告示における用語の定義は、道路運送車両法（昭和26年法律第185号。以下「法」という。）第2条及び保安基準第1条に定めるもののほか、次の各号に定めるところによる。

一　「指定自動車等」とは、法第75条第1項の規定により型式について指定を受けた自動車、法第75条の2第1項の規定により型式について指定を受けた特定共通構造部を有する自動車（研究、開発等の用に供するため製作した年間の生産台数が少量の自動車を除く。）、道路運送車両法施行規則（昭和26年運輸省令第74号。以下「施行規則」という。）第62条の3第1項の規定により認定を受けた自動車及び国土交通大臣が定める自動車をいう。

二　「型式認定原動機付自転車」とは、施行規則第62条の3第1項の規定により認定を受けた原動機付自転車をいう。

三　「三輪自動車」とは、3個の車輪を備える自動車であって、次号のいずれかに該当するもの以外のものをいう。

四　「側車付二輪自動車」とは、次のいずれかに該当するものをいう。

イ　直進状態において、同一直線上にある2個の車輪及びその側方に配置された1個（複輪を含む。）又は2個（二輪

自動車の片側の側方に備えたものに限る。）の車輪（以下「側車輪」という。）を備えた自動車

ロ　またがり式の座席、ハンドルバー方式のかじ取装置及び3個の車輪を備え、かつ、運転者席の側方が開放された自動車

五「車両中心線」とは、直進姿勢にある自動車を平たんな面に置いたときの次に掲げる直線とする。

イ　4輪以上の自動車にあっては、左右の前車輪及び後車輪のそれぞれのタイヤ接地部中心点を結ぶ線分の中点を通る直線

ロ　前1輪の三輪自動車にあっては、左右の後車輪のタイヤ接地部中心点を結ぶ線分の中点を通り同線分と直角な水平線（前2輪の三輪自動車もこれに準ずる。）

ハ　二輪自動車及び側車付二輪自動車（第4号ロに規定する側車付二輪自動車を除く。）にあっては、前後車輪（側車付二輪自動車の側車輪を除く。）のタイヤ接地部中心点を通る直線

ニ　第4号ロに規定する側車付二輪自動車にあっては、前車輪のタイヤ接地部中心点を通り、かつ、後車輪を含む鉛直面に垂直な直線

ホ　カタピラ又はカタピラ及びそりを有する自動車にあっては、左右のカタピラ又は左右のそりの中心線から等距離にある直線

六「損傷」とは、当該装置の機能を損なう変形、曲がり、摩耗、破損、切損、亀裂又は腐食をいう。

七「検査時車両状態」とは、空車状態の自動車に運転者1名が乗車した状態（被牽引自動車にあっては、空車状態に運転者1名が乗車した牽引自動車と空車状態の被牽引自動車とを連結した状態。）をいう。

この場合において、車軸自動昇降装置付き自動車にあっては、上昇している車軸を強制的に下降させた状態の自動車に運転者1名が乗車した状態（被牽引自動車にあっては、運転者1名が乗車した牽引自動車と上昇している車軸を強制的に下降させた状態の被牽引自動車とを連結した状態。）をいう。

八「協定規則」とは、車両並びに車両への取付け又は車両における使用が可能な装置及び部品に係る調和された技術上の国際連合規則の諸採択並びにこれらの国際連合の諸規則に基づいて行われる認定の相互承認のための条件に関する協定に附属する規則をいう。

九「積車状態」とは、空車状態の道路運送車両に乗車定員の人員が乗車し、最大積載量の物品が積載された状態をいう。この場合において乗車定員1人の重量は55kgとし、座席定員の人員は定位置に、立席定員の人員は立席に均等に乗車し、物品は物品積載装置に均等に積載したものとする。

十「可燃物」とは、次に掲げるものをいう。

イ　油紙類及び油布類。油紙類及び油布類とは、動植物油類がしみ込んでいる紙又は布及びこれらの製品をいう。

ロ　副蚕糸。副蚕糸とは、さなぎ油がしみ込んでいるもののみをいう。

ハ　油かす

ニ　可燃性固体類。可燃性固体類とは、固体で、次の(1)、(3)又は(4)のいずれかに該当するもの（1気圧において、温度20℃を超え40℃以下の間において液状となるもので、次の(2)、(3)又は(4)のいずれかに該当するものを含む。）をいう。

(1)　引火点が40℃以上100℃未満のもの

(2)　引火点が70℃以上100℃未満のもの

(3)　引火点が100℃以上200℃未満で、かつ、燃焼熱量が8,000cal／g以上であるもの

(4)　引火点が200℃以上で、かつ、燃焼熱量が8,000cal／g以上であるもので、融点が100℃未満のもの

ホ　可燃性液体類。可燃性液体類とは、危険物の規制に関する政令（昭和34年政令第306号）別表第4備考第7号の可燃性液体類をいう。

ヘ　綿花類。綿花類とは、不燃性又は難燃性でない綿状又はトップ状の繊維及び麻糸原料をいう。

ト　木毛

チ　わら類。わら類とは、乾燥わら、乾燥藺及びこれらの製品並びに干草をいう。

リ　合成樹脂類。合成樹脂類とは、不燃性又は難燃性でない固体の合成樹脂製品、合成樹脂半製品、原料合成樹脂及び合成樹脂くず（不燃性又は難燃性でないゴム製品、ゴム半製品、原料ゴム及びゴムくずを含む。）をいい、合成樹脂の繊維、布、紙及び糸並びにこれらのぼろ及びくずを除く。

ヌ　マッチ

十一「爆発性液体」とは、消防法（昭和23年法律第186号）別表第4類及び第6類の項の品名欄に掲げる物品で、それぞれの項の性質欄に掲げる性状を有するものをいう。

十二「型式指定自動車」とは、法第75条第1項の規定によりその型式について指定を受けた自動車をいう。

十三「放射性物質等」とは、放射性同位元素等の規制に関する法律施行規則（昭和35年総理府令第56号）第18条の3第1項の放射性同位元素等並びに核原料物質、核燃料物質及び原子炉の規制に関する法律（昭和32年法律第166号）第2条第2項の核燃料物質及びそれによって汚染されたものをいう。

十四「分配制動機能」とは、1個の操作装置によりすべての車輪を制動する機能であり、かつ、複数の部分的制動装置（制動装置を構成する部品を部分的に組み合わせた装置であり、かつ、操作装置又は伝達装置（操作装置と制動力を発生する部品とを機能的に連結する装置をいう。以下同じ。）からの入力により独立に制動することのできるものをいう。）から構成されており、1つの部分的制動装置で故障が発生したとしても他の部分的制動装置の作動を妨げない主制動装置の機能をいう。

十五「連動制動機能」とは、前号の分配制動機能ではなく、かつ、次のいずれかに該当する機能をいう。

イ　二輪自動車、二輪の原動機付自転車、第4号イに掲げる側車付二輪自動車及び車輪の配置が非対称である三輪の原動機付自転車であって最高速度が50km／hを超えるものにあっては、1個の操作装置により前車輪及び後車輪を制動する主制動装置の機能

ロ　第4号ロに掲げる側車付二輪自動車、三輪自動車及び車輪の配置が対称である三輪の原動機付自転車にあっては、1個の操作装置によりすべての車輪を制動する主制動装置の機能

十六「燃料電池自動車」とは、水素と酸素を化学反応させることにより直接に電気を発生させる装置を備え、かつ、その電力により作動する原動機を有する自動車をいう。

十七「運転者異常時対応システム」とは、運転者が体調の急変等により自動車を正常に運転することが困難な状態に陥った場合において、その状態を検知するとともに、これを報知し、かつ、当該自動車を緊急に停車させるために当該自動車を自動的に制御するシステムをいう。

2　この告示において、次の表の左欄に掲げる略語は、それぞれ同表の右欄に掲げる意味を表すものとする。

略　語	意　味
協定規則第10号	協定規則第10号第6改訂版補足第2改訂版
協定規則第11号	協定規則第11号第4改訂版補足第2改訂版
協定規則第12号	協定規則第12号第5改訂版

協定規則第13号	協定規則第13号第13改訂版
協定規則第13H号	協定規則第13H号改訂版補足第4改訂版
協定規則第14号	協定規則第14号第9改訂版補足第3改訂版
協定規則第16号	協定規則第16号第9改訂版
協定規則第17号	協定規則第17号第11改訂版
協定規則第21号	協定規則第21号改訂版補足第4改訂版
協定規則第25号	協定規則第25号第4改訂版補足改訂版
協定規則第26号	協定規則第26号第4改訂版
協定規則第28号	協定規則第28号補足第6改訂版
協定規則第30号	協定規則第30号第2改訂版補足第25改訂版
協定規則第34号	協定規則第34号第4改訂版
協定規則第39号	協定規則第39号改訂版補足第2改訂版
協定規則第41号	協定規則第41号第5改訂版補足第2改訂版
協定規則第43号	協定規則第43号改訂版補足第11改訂版
協定規則第44号	協定規則第44号第4改訂版補足第18改訂版
協定規則第46号	協定規則第46号第5改訂版
協定規則第48号	協定規則第48号第8改訂版補足第4改訂版
協定規則第51号	協定規則第51号第3改訂版補足第9改訂版
協定規則第53号	協定規則第53号第4改訂版
協定規則第54号	協定規則第54号補足第26改訂版
協定規則第58号	協定規則第58号第3改訂版補足第3改訂版
協定規則第60号	協定規則第60号補足第5改訂版
協定規則第62号	協定規則第62号改訂版
協定規則第64号	協定規則第64号第3改訂版補足改訂版
協定規則第66号	協定規則第66号第2改訂版
協定規則第75号	協定規則第75号補足第20改訂版
協定規則第78号	協定規則第78号第6改訂版
協定規則第79号	協定規則第79号第4改訂版補足第4改訂版
協定規則第80号	協定規則第80号第4改訂版
協定規則第85号	協定規則第85号補足第12改訂版
協定規則第94号	協定規則第94号第5改訂版
協定規則第95号	協定規則第95号第6改訂版
協定規則第98号	協定規則第98号改訂版補足第2改訂版
協定規則第100号	協定規則第100号第3改訂版補足第3改訂版
協定規則第110号	協定規則第110号第6改訂版
協定規則第112号	協定規則第112号第2改訂版補足改訂版
協定規則第117号	協定規則第117号第4改訂版補足改訂版
協定規則第121号	協定規則第121号改訂版補足第6改訂版
協定規則第125号	協定規則第125号第2改訂版補足第3改訂版
協定規則第127号	協定規則第127号第4改訂版補足改訂版
協定規則第129号	協定規則第129号第4改訂版
協定規則第130号	協定規則第130号補足改訂版
協定規則第131号	協定規則第131号第2改訂版補足改訂版
協定規則第134号	協定規則第134号第2改訂版
協定規則第135号	協定規則第135号第2改訂版補足第2改訂版
協定規則第136号	協定規則第136号改訂版
協定規則第137号	協定規則第137号第3改訂版
協定規則第138号	協定規則第138号改訂版補足第3改訂版
協定規則第139号	協定規則第139号補足第2改訂版
協定規則第140号	協定規則第140号補足第5改訂版
協定規則第141号	協定規則第141号改訂版補足第2改訂版
協定規則第142号	協定規則第142号改訂版補足改訂版
協定規則第144号	協定規則第144号改訂版補足改訂版
協定規則第145号	協定規則第145号改訂版
協定規則第146号	協定規則第146号初版
協定規則第148号	協定規則第148号改訂版補足改訂版
協定規則第149号	協定規則第149号改訂版補足第2改訂版
協定規則第150号	協定規則第150号改訂版補足改訂版
協定規則第151号	協定規則第151号補足第4改訂版
協定規則第152号	協定規則第152号第2改訂版補足第3改訂版
協定規則第153号	協定規則第153号補足第4改訂版
協定規則第154号	協定規則第154号第3改訂版補足改訂版
協定規則第155号	協定規則第155号補足第2改訂版
協定規則第156号	協定規則第156号初版
協定規則第157号	協定規則第157号改訂版補足第2改訂版
協定規則第158号	協定規則第158号補足第2改訂版
協定規則第159号	協定規則第159号補足第2改訂版
協定規則第160号	協定規則第160号第2改訂版
協定規則第161号	協定規則第161号補足第4改訂版
協定規則第162号	協定規則第162号補足第5改訂版

協定規則第163号	協定規則第163号補足第２改訂版
協定規則第165号	協定規則第165号初版
協定規則第166号	協定規則第166号初版
協定規則第167号	協定規則第167号初版
協定規則第168号	協定規則第168号初版
協定規則第169号	協定規則第169号初版
協定規則第170号	協定規則第170号初版

第２条の２　自動車又は原動機付自転車のうち次に掲げるすべての要件を満たすものは、二輪自動車又は二輪を有する原動機付自転車の基準を適用するものとする。

一　３個以上の車輪を備えるもの

二　車輪が車両中心線に対して左右対称の位置に配置されているもの

三　同一線上の車軸における最外側の車輪の接地部中心点を通る直線の距離が460ミリメートル未満であるもの

四　車輪及び車体の一部又は全部を傾斜して旋回する構造を有するもの

第２条の３　保安基準第１条第１項第13号の６ロの告示で定める方法は、第１号から第３号までに掲げる状態の特定小型原動機付自転車を、第４号により測定するものとする。

一　空車状態

二　外開き式の窓及び換気装置については、これらの装置を閉鎖した状態

三　車体外に取り付けられたたわみ式アンテナについては、これらの装置を取り外した状態。

四　直進姿勢にある原動機付自転車を水平かつ平坦な面（以下「基準面」という。）に置き巻き尺等を用いて次に掲げる寸法を測定した値とする。（単位はcmとし、１cm未満は切り捨てるものとする。）

イ　長さについては、特定小型原動機付自転車の最も前方及び後方の部分を基準面に投影した場合において、車両中心線に平行な方向の距離

ロ　幅については、特定小型原動機付自転車の最も側方にある部分を基準面に投影した場合において、車両中心線と直交する直線に平行な方向の距離

第３条　保安基準第１条の２の規定による燃料は、次表の左欄に掲げる燃料の種類ごとに設けられた右欄に掲げる基準を満たすものとする。

燃料の種類	基　　準
ガソリン（E10ガソリンを除く。）	鉛が検出されないこと。
	硫黄が質量比0.001％以下
	ベンゼンが容量比１％以下
	メチルターシャリーブチルエーテルが容量比７％以下
	メタノールが検出されないこと。
	エタノールが容量比３％以下
	酸素分が質量比1.3％以下
	灯油の混入率が容量比４％以下
	実在ガムが10mℓ当たり５mg以下
E10ガソリン	鉛が検出されないこと。
	硫黄が質量比0.001％以下
	ベンゼンが容量比１％以下
	メチルターシャリーブチルエーテルが容量比７％以下
	メタノールが検出されないこと。
	エタノールが容量比10％以下
	酸素分が質量比3.7％以下
	灯油の混入率が容量比４％以下
	実在ガムが100mℓ当たり５mg以下
軽油	硫黄が質量比0.001％以下
	セタン指数が45以上
	90％留出温度が360℃以下
	次のイ又はロの要件を満たすものであること。 イ　脂肪酸メチルエステルが質量比0.1％以下 ロ　脂肪酸メチルエステルが質量比0.1％超５％以下であり、かつ、次に掲げる要件をいずれも満たすこと。 (1)　メタノールが質量比0.01％以下 (2)　酸価が0.13以下 (3)　ぎ酸、酢酸及びプロピオン酸の合計が質量比0.003％以下 (4)　酸価の増加量が0.12以下
	トリグリセリドが質量比0.01％以下

備考

1　「鉛が検出されないこと」とは、日本産業規格Ｋ2255の原子吸光Ａ法又は原子吸光Ｂ法で定める試験方法により測定した場合において、その結果が当該方法の適用区分の下限値以下であることをいう。

2　「メタノールが検出されないこと」とは、メタノールの混入率を容量比で測定でき、かつ、メタノールの混入率の定量下限が容量比0.5％以下である分析設備により測定した場合において、その結果が当該方法の適用区分の下限値以下であることをいう。

3　「酸素分」とは、日本産業規格Ｋ2536号の２、日本産業規格Ｋ2536号の４又は日本産業規格Ｋ2536号の６に定める方法により測定した場合における数値とする。

4　「セタン指数」とは、日本産業規格Ｋ2280で定める方法で算出した軽油の性状をいう。

5　「90％留出温度」とは、日本産業規格Ｋ2254に定める方法で測定した軽油の性状をいう。

6　「酸価」とは、軽油１ｇのうちに含まれる酸の中和に要する水酸化カリウムのmg数をいい、日本産業規格Ｋ2501号の電位差滴定法（酸価）により測定した数値とする。

7　「酸価の増加量」とは、軽油中の酸価の増加の測定方法として経済産業大臣が定める方法（平成19年経済産業省告示第81号）により測定した数値とする。

（破壊試験）

第４条　保安基準第１条の３ただし書に基づき、保安基準第11条第２項、第15条第２項、第17条第３項、第17条の２第６項及び第18条第２項から第７項までに規定する技術基準を、同一の構造を有する装置が他に存在しない又は著しく少ないため破壊試験を行うことが著しく困難であると国土交通大臣が認める装置は、次の各号に掲げる装置とする。

一　次に掲げる装置以外の装置

イ　指定自動車等に備える装置

ロ　法第75条の２第１項の規定によりその型式について指定を受けた共通構造部に備えられている装置

ハ　法第75条の３第１項の規定によりその型式について指定

を受けた装置

ニ　第21条第6項に規定する原動機用蓄電池（次号において単に「原動機用蓄電池」という。）

二　前号イからハに掲げる装置（原動機用蓄電池を除く。）であって改造が行われたもの

第2章　自動車の保安基準の細目

第3節　使用の過程にある自動車の保安基準の細目

第161条　この節の規定は、次に掲げる場合に適用する。

一　法第47条の規定による点検及び整備を行う場合

二　法第54条第1項の規定による命令、同条第2項の規定による使用の停止、同条第3項の規定による処分の取消し又は同条第4項の規定による勧告のための判定を行う場合

三　法第54条の2第1項の規定による命令、同条第4項の規定による整備、同条第5項の規定による処分の取消し又は同条第7項の規定に係る判断を行う場合

四　法第62条第1項の規定による継続検査を行う場合

五　法第63条第2項の規定による臨時検査を行う場合

六　法第67条第3項の規定による構造等変更検査を行う場合

七　法第90条の規定による特定整備を行う場合

八　法第94条の5第1項の規定による証明のための判定を行う場合

九　その他第5条及び第83条の規定により第1節及び第2節の規定が適用される場合以外の場合

2　次の各号に掲げる場合には、当該各号に定める自動車の部分について、前項の規定にかかわらず、それぞれ第2節（指定自動車等の臨時検査を行う場合にあっては、第1節）の規定を適用するものとする。

一　法第63条第2項の規定による臨時検査を行う場合　事故が著しく生じている等によりその構造、装置又は性能が第2節（指定自動車等にあっては、第1節）の規定に適合していないおそれがあると認められる部分

二　法第67条第3項の規定による構造等変更検査を行う場合　法第67条第3項に規定する事由に該当する変更により構造、装置又は性能が第2節の規定に適合していないおそれがあると認められる部分

三　自動車又はその部品の改造、装置の取付け又は取外しその他これらに類する行為により構造、装置又は性能に係る変更を行う場合（前号に規定する場合及び法第99条の3第1項の規定による許可を受けた特定改造等を行う場合を除く。）　当該変更に係る部分

四　保安基準第56条第4項の規定により認定を受けた自動車であって、当該認定が効力を失った後に初めて法第59条第1項の規定による新規検査又は法第71条第1項の規定による予備検査を行う場合　当該認定の対象となっていた構造又は装置

3　この節の規定については、適用関係告示でその適用関係の整理のため必要な事項を定めることができる。

（長さ、幅及び高さ）

第162条　自動車の測定に関し、保安基準第2条第1項の告示で定める方法は、次の各号に掲げる状態の自動車を、第2項により測定するものとする。

一　空車状態

二　はしご自動車のはしご、架線修理自動車のやぐらその他走行中に格納されているものについては、これらの装置を格納した状態

三　折畳式のほろ、工作自動車の起重機その他走行中に種々の状態で使用されるものについては、走行中使用されるすべての状態。ただし、外開き式の窓及び換気装置については、これらの装置を閉鎖した状態とし、また、故障した自動車を吊り上げて牽引するための装置（格納できるものに限る。）については、この装置を格納した状態とする。

四　車体外に取り付けられた後写鏡、後方等確認装置、保安基準第44条第5項の装置、周辺監視装置及びたわみ式アンテナについては、これらの装置を取りはずした状態。この場合において、車体外に取り付けられた後写鏡、後方等確認装置、保安基準第44条第5項の装置及び周辺監視装置は、当該装置に取り付けられた灯火器及び反射器を含むものとする。ただし、第5項に定める突出量を超えて突出している周辺監視装置にあっては、当該装置を取り付けた状態とする。

2　自動車の長さ、幅、高さは、直進姿勢にある前項の状態の自動車を水平かつ平坦な面（以下「基準面」という。）に置き巻き尺等を用いて次の各号に掲げる寸法を測定した値（単位はcmとし、1cm未満は切り捨てるものとする。）とする。

一　長さについては、自動車の最も前方及び後方の部分を基準面に投影した場合において、車両中心線に平行な方向の距離

二　幅については、自動車の最も側方にある部分（大型特殊自動車又は小型特殊自動車以外の自動車に備えられる回転するタイヤ、ディスクホイール及びこれに付随して回転する部分並びに方向指示器のうち自動車の両側面に備えるもの（第215条第3項第4号により中央部に備えるものを除く。第178条第4項第10号において同じ。）を除く。）を基準面に投影した場合において、車両中心線と直交する直線に平行な方向の距離

三　高さについては、自動車の最も高い部分と基準面との距離

3　保安基準第2条第1項の告示で定めるものは、次の各号に掲げる基準に適合するセミトレーラとする。

一　物品を積載する装置が次のいずれかに該当すること。

イ　バン又はこれに類するもの

ロ　タンク又はこれに類するもの

ハ　幌骨で支持された幌に覆われるもの

ニ　コンテナを専用に積載するための緊縮装置を有するもの

ホ　専ら車両を運搬する構造のもの

ヘ　荷台に後煽、側煽及び固縛金具を備えるもの

ト　荷台に固定式のスタンション及び固縛金具を備えるもの。ただし、荷台の両側端に沿って備えられるスタンションにあっては、脱着式のものであってもよい。

チ　船底状にくぼんだ荷台及び固縛金具を備え、かつ、荷台の船底状のくぼみの傾斜角が27°以上であるもの

二　前号ヘ、ト又はチのものにあっては、積車状態において、次に掲げる方向毎に、物品の重量に次に掲げる係数を乗じて得られる重量を負荷する場合に耐える構造を有すること。

イ　前　0.6

ロ　横　0.5

ハ　後　0.35

4　自動車の測定に関し、保安基準第2条第2項の告示で定める方法は、次の各号に掲げる状態の自動車を測定するものとする。

一　外開き式の窓及び換気装置にあっては、開放した状態

二　後写鏡、後方等確認装置及び保安基準第44条第5項の装置にあっては、取り付けられた状態

三　周辺監視装置にあっては、取り付けられた状態。ただし、格納式のものにあっては、取り付けられ、かつ、展開された状態又は格納された状態のいずれか突出量が大きい状態とする。

5　保安基準第2条第2項第3号の告示で定める装置は、周辺監視装置とし、同号の告示で定める突出量の範囲は、その自動車

の最外側から（自動車の左右に備える場合にあっては、その自動車の両最外側からの突出量の最大値の合計が）100㎜以下又はその自動車の高さから100㎜以下とする。

（最低地上高）

第163条　保安基準第３条の告示で定める基準は、自動車の接地部以外の部分が、安全な運行を確保できるように地面との間に適当な間げきを有することとする。この場合において、地上高が次の各号のいずれかに該当するものはこの基準に適合するものとする。

一　指定自動車等と同一と認められる自動車

二　普通自動車及び小型自動車（乗車定員11人以上の自動車、二輪の自動車を除く。）であって車両総重量が2.8ｔ以下のもの、もっぱら乗用の用に供する自動車（乗車定員11人以上の自動車、二輪の自動車を除く。）であって車両総重量が2.8ｔを超えるもの及び軽自動車（二輪の自動車、カタピラ及びそりを有する軽自動車を除く。）であって、最低地上高が低くなるような改造がされた自動車については、イの測定条件で測定した場合において、測定値がロの基準を満たす自動車

イ　測定条件

地上高は、次の方法により求めるものとする。

⑴　測定する自動車は、空車状態とする。

⑵　測定する自動車のタイヤの空気圧は、規定された値とする。

⑶　車高調整装置が装着されている自動車にあっては、標準（中立）の位置とする。ただし、車高を任意の位置に保持することができる車高調整装置にあっては、車高が最低となる位置と車高が最高となる位置の中間の位置とする。

⑷　測定する自動車を舗装された平面に置き、地上高を巻き尺等を用いて測定する。

⑸　測定値は、１㎝未満は切り捨て㎝単位とする。

ロ　測定値の判定

イにより求めた地上高は、⑴から⑶の基準をそれぞれ満足していること。

ただし、自動車の接地部以外の部分と路面等が接触等した場合に、自動車の構造及び保安上重要な装置が接触等の衝撃に十分耐える構造のもの、又は自動車の構造及び保安上重要な装置を保護するための機能を有するアンダーカバー等が装着されている構造のものにあっては、当該部位の地上高は次の⑴及び⑵の基準を満足していればよいものとする。

この場合において、上記ただし書の「衝撃に十分耐える構造」及び「アンダーカバー等が装着されている構造」の自動車における当該構造を有する部位の地上高にあっては、⑴の数値は５㎝以上と読み替えて適用する。

なお、地上高を測定する際は、次に掲げる自動車の部分を除くものとする。

(a)　タイヤと連動して上下するブレーキ・ドラムの下端、緩衝装置のうちのロア・アーム等の下端

(b)　自由度を有するゴム製の部品

(c)　マッド・ガード、エアダム・スカート、エア・カット・フラップ等であって樹脂製のもの

⑴　自動車の地上高（全面）は、９㎝以上であること。

⑵　軸距間に位置する自動車の地上高は、次式により得られた値以上であること。

H＝Wb・１／２・sin２°20′＋４

⑶　前輪より自動車の前方又は後輪より自動車の後方に位置する自動車の地上高は、次式により得られた値以上であること。

H＝Ob・sin６°20′＋２

ただし、各記号の意味は次のとおりとする。

H：自動車の地上高（㎝）

Wb：軸距（㎝）

多軸を有する自動車にあっては、隣接軸距のうち最大のものとする。

Ob：前軸（多軸を有する自動車にあっては、一番前方にある軸）から自動車の前方の地上高を測定しようとする位置と前軸の中心線との距離又は後軸（多軸を有する自動車にあっては、一番後方にある軸）から後方の地上高を測定しようとする位置と後軸の中心線との距離（㎝）

なお、三角関数正弦の数値は、次の値を用いるものとする。

Sin２°20′＝0.04

Sin６°20′＝0.11

（車両総重量）

第163条の２　保安基準第４条の表中の告示で定めるものは、次の各号に掲げる基準に適合するセミトレーラとする。

一　物品を積載する装置が次のいずれかに該当すること。

イ　バン又はこれに類するもの

ロ　タンク又はこれに類するもの

ハ　幌骨で支持された幌に覆われるもの

ニ　コンテナを専用に積載するための緊締装置を有するもの

ホ　専ら車両を運搬する構造のもの

ヘ　荷台に後煽、側煽及び固縛金具を備えるもの

ト　荷台に固定式のスタンション及び固縛金具を備えるもの。ただし、荷台の両側端に沿って備えられるスタンションにあっては、脱着式のものであってもよい。

チ　船底状にくぼんだ荷台及び固縛金具を備え、かつ、荷台の船底状のくぼみの傾斜角が27°以上であるもの

二　前号ヘ、ト又はチのものにあっては、積車状態において、次に掲げる方向毎に、物品の重量に次に掲げる係数を乗じて得られる重量を負荷する場合に耐える構造を有すること。

イ　前　0.6

ロ　横　0.5

ハ　後　0.35

（軸重等）

第163条の３　保安基準第４条の２第１項及び第３項の告示で定めるものは、別添114「牽引自動車の軸重に関する技術基準」に定める基準（車軸の数が３である牽引自動車を除く。）及び次の各号に掲げる基準に適合する牽引自動車とする。

一　車軸の数が２又は３（駆動軸の数が１であるものに限る。）であること。

二　前軸にかかる荷重が10トン以下であること。

三　前輪にかかる輪荷重が５トン以下であること。

四　第５輪荷重を有するものであること。

（安定性）

第164条　自動車の安定性に関し、保安基準第５条の告示で定める基準は、次の各号に掲げる基準とする。

一　空車状態及び積車状態におけるかじ取り車輪の接地部にかかる荷重の総和が、それぞれ車両重量及び車両総重量の20%（三輪自動車にあっては18%）以上であること。ただし、側車付二輪自動車にあっては、この限りでない。

二　牽引自動車にあっては、被牽引自動車を連結した状態においても、前号の基準に適合すること。

三　側車付二輪自動車にあっては、空車状態及び積車状態における側車の車輪（駆動輪を除く。）の接地部にかかる荷重が、それぞれ車両重量及び車両総重量の35%以下であること。

四　空車状態において、自動車（二輪自動車及び被牽引自動車を除く。以下この号において同じ。）を左側及び右側に、それぞれ35°（側車付二輪自動車にあっては25°、最高速度20㎞／h未満の自動車、車両総重量が車両重量の1.2倍以下の自動車又は積車状態における車両の重心の高さが空車状態における車両の重心の高さ以下の自動車にあっては30°）まで傾

けた場合に転覆しないこと。この場合において、「左側及び右側に傾ける」とは、自動車の中心線に直角に左又は右に傾けることではなく、実際の転覆のおこる外側の前後車輪の接地点を結んだ線を軸として、その側に傾けることをいう。

五　被牽引自動車（ポール・トレーラを除く。）にあっては、空車状態の牽引自動車と連結した状態において、前号の基準に適合すること。

六　ポール・トレーラにあっては、空車状態において左右最外側の車輪の接地面の中心の間隔が荷台床面の地面からの高さの1.3倍以上であること。

（接地部及び接地圧）

第165条　自動車の走行装置の接地部及び接地圧に関し、保安基準第7条の告示で定める基準は、次の各号に掲げる基準とする。

一　接地部は、道路を破損するおそれのないものであること。

二　ゴム履帯又は平滑履帯を装着したカタピラを有する自動車は、前号の基準に適合するものとする。

三　空気入りゴムタイヤ又は接地部の厚さ25mm以上の固形ゴムタイヤについては、その接地圧は、タイヤの接地部の幅1cmあたり200kgを超えないこと。この場合において、「タイヤの接地部の幅」とは、実際に地面と接している部分の最大幅をいう。

四　カタピラについては、その接地圧は、カタピラの接地面積1cm²あたり3kgを超えないこと。この場合において、カタピラの接地面積は、見かけ接地面積とし、次式により算出した値（単位はcm²とし、整数位とする。）とする。

（算式）

A＝a・b

ただし

A：見かけの接地面積

a：履帯の接地長

b：履帯の接地幅

（参考図）

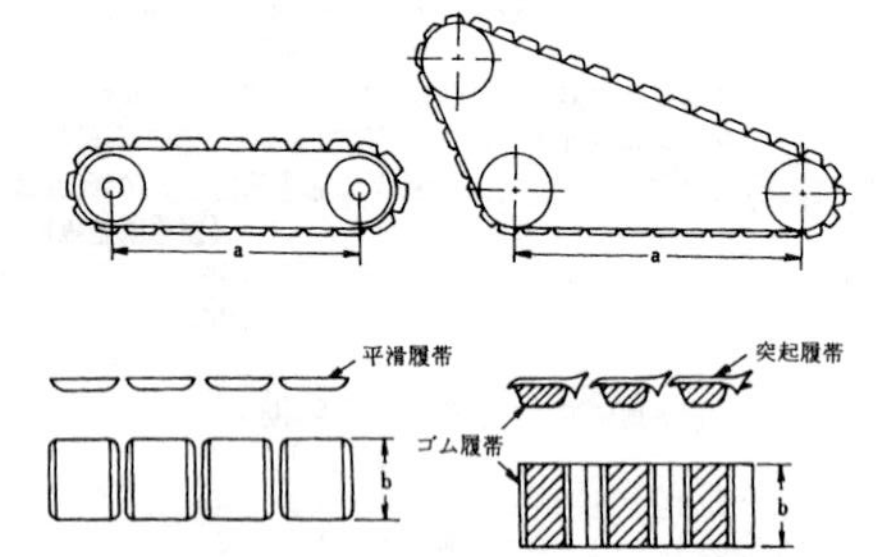

五　前2号の接地部及びそり以外の接地部については、その接地圧は、接地部の幅1cm当たり100kgを超えないこと。

六　牽引自動車にあっては、被牽引自動車を連結した状態においても、前3号の基準に適合すること。

（原動機及び動力伝達装置）

第166条　原動機及び動力伝達装置の構造等に関し、保安基準第8条第1項の告示で定める基準は、次の各号に掲げる基準とする。

一　原動機及び動力伝達装置は、運行に十分耐える構造及び性能を有すること。この場合において、次に掲げるものはこの基準に適合しないものとする。

イ　原動機の始動が著しく困難なもの

ロ　原動機が作動中に著しい異音又は振動を生じるもの

ハ　原動機を無負荷運転状態から回転数を上昇させた場合に回転が円滑に上昇しないもの

ニ　エア・クリーナが取り外されているもの

ホ　潤滑系統に著しい油漏れがあるもの

ヘ　冷却装置に著しい水漏れがあるもの

ト　ファンベルト等に著しい緩み又は損傷があるもの

チ　クラッチの作動状態が適正でないもの若しくは著しい滑りがあるもの又はレリーズのダストブーツが損傷しているもの

リ　変速機の操作機構に著しいがたがあるもの

ヌ　動力伝達装置の連結部に緩みがあるもの

ル　動力伝達装置に著しい液漏れがあるもの

ヲ　推進軸のスプライン部、自在接手部若しくはセンター・ベアリングに著しいがたがあるもの

ワ　駆動軸のスプライン部、自在接手部若しくはセンター・ベアリングに著しいがたがあるもの

カ　推進軸又は駆動軸に損傷があるもの

ヨ　自在接手部のボルト及びナットに脱落又は損傷があるもの

タ　自在接手部のダスト・ブーツに損傷があるもの又はヨークの向きが正常でないもの

レ　動力伝達装置のスプロケットに損傷があるもの若しくは取付部に緩みがあるもの又はチエンに著しい緩みがあるもの

ソ　別添95「自動車の走行性能の技術基準」の基準を満足しないもの

ツ　別添96「連結車両の走行性能の技術基準」の基準を満足しないもの

ネ　協定規則第121号の規則5.又は協定規則第60号の規則5.及び6.が適用される自動車のテルテール（第168条の表2の識別対象装置欄又は同条の表4の識別対象装置欄に掲げるテルテールのうち、原動機に係るものに限る。）が異常を示す点灯をしているもの。

二　自動車（軽自動車（二輪自動車に限る。（側車付二輪自動車を含む。））、カタピラ及びそりを有する軽自動車、大型特殊自動車、小型特殊自動車並びに被牽引自動車を除く。）にあっては、別添125「車載式燃料・電力消費等測定装置の技術基準」3.の規定に適合する装置を備えたものであること。

2　速度抑制装置の速度制御性能等に関し保安基準第8条第5項の告示で定める基準は、次に掲げる基準とする。

一　平成15年9月1日以降に製作された自動車（平成15年8月31日以前に製作された自動車であって別添1「大型貨物自動車の速度抑制装置の技術基準」又は別添97「使用過程にある大型貨物自動車の速度抑制装置の技術基準」3.6.に規定する自動車が停止している間に速度抑制装置の機能が確認できるものとして速度抑制装置の機能を確認するためのランプ又は設定速度を表示するディスプレイ（以下「確認ランプ等」という。）が装備されているものを含む。）にあっては、次に掲げるイ及びロの基準に適合すること。

イ　確認ランプ等が適正に作動すること。ただし、確認ランプ等が装備されていないものにあっては、速度抑制装置の封印等当該装置の機能を損なう改変を防止する措置が自動車に適正に施されていること。

ロ　別添1「大型貨物自動車の速度抑制装置の技術基準」の「5.表示」に規定する標識が車室内の運転者の見やすい位置及び車両の後面（牽引自動車を除く。）に表示されていること。

二　平成15年8月31日以前に製作された自動車（確認ランプ等が装備されている自動車を除く。）にあっては、次に掲げるイからハまでの全ての基準に適合すること。ただし、別途国土交通大臣が定める自動車については、この限りでない。

イ　公的試験機関が発行した別添97「使用過程にある大型貨物自動車の速度抑制装置の技術基準」による試験成績書により別添97「使用過程にある大型貨物自動車の速度抑制装置の技術基準」に適合していることが確認できること。

ロ　試験成績書に記載されている速度抑制装置の機能を損なう改変を防止する措置が自動車に適正に施されていること。

ハ　別添97「使用過程にある大型貨物自動車の速度抑制装置の技術基準」中「5.表示」に規定する標識が車室内の運転者の見やすい位置及び車両の後面（牽引自動車を除く。）に表示されていること。

三　原動機の作動中、確実に機能するものであること。この場合において、次に掲げるものはこの基準に適合しないものとする。

イ　速度抑制装置の機能を損なう改変が行われているもの

ロ　自動車使用者等により設定速度の変更又は解除ができるもの

（走行装置）

第167条　自動車の走行装置の強度等に関し、保安基準第9条第1項の告示で定める基準は、次項及び第5項に掲げる基準とする。

2　自動車の走行装置は、堅ろうで、安全な運行を確保できるものでなければならない。この場合において、次の各号に掲げるものはこの基準に適合しないものとする。

一　ハブボルト、スピンドル・ナット、クリップ・ボルト、ナットに緩み若しくは脱落があるもの又は割ピンの脱落があるもの

二　ホイール・ベアリングに著しいがた又は損傷があるもの

三　アクスルに損傷があるもの

四　リム又はサイドリングに損傷があるもの

五　サイドリングがリムに確実にはめこまれていないもの

六　車輪に著しい振れがあるもの

七　車輪の回転が円滑でないもの

3　軽合金製ディスクホイールであって、別添2「軽合金製ディスクホイールの技術基準」に基づき鋳出し又は刻印によりマークが表示されており、かつ、損傷がないものは、前項の「堅ろう」とされるものとする。

4　自動車の空気入ゴムタイヤの強度、滑り止めに係る性能等に関し、保安基準第9条第2項の告示で定める基準は、次の各号及び次項に掲げる基準とする。

一　自動車の積車状態における軸重を当該軸重に係る輪数で除した値である空気入ゴムタイヤに加わる荷重は、当該空気入ゴムタイヤの負荷能力以下であること。

二　接地部は滑り止めを施したものであり、滑り止めの溝（最高速度40km／h未満の自動車、最高速度40km／h未満の自動車に牽引される被牽引自動車、大型特殊自動車及び大型特殊自動車に牽引される被牽引自動車に備えるものを除く。）は、空気入ゴムタイヤの接地部の全幅（ラグ型タイヤにあっては、空気入ゴムタイヤの接地部の中心線にそれぞれ全幅の4分の1）にわたり滑り止めのために施されている凹部（サイピング、プラットフォーム及びウエア・インジケータの部分を除く。）のいずれの部分においても1.6mm（二輪自動車及び側車付二輪自動車に備えるものにあっては、0.8mm）以上の深さを有すること。この場合において、滑り止めの溝の深さについての判定は、ウエア・インジケータにより判定しても差し支えない。

三　亀裂、コード層の露出等著しい破損のないものであること。

四　空気入ゴムタイヤの空気圧が適正であること。

5　専ら乗用の用に供する自動車（乗車定員10人未満であって車両総重量3.5tを超える自動車、二輪自動車、側車付二輪自動車、三輪自動車、カタピラ及びそりを有する軽自動車並びに車両総重量3.5t以下の被牽引自動車を除く。）及び貨物の運送の用に供する自動車（三輪自動車、カタピラ及びそりを有する軽自動車並びに車両総重量3.5t以下の被牽引自動車を除く。）に備えるタイヤ空気圧監視装置は、空気入りゴムタイヤの空気圧が適正でない旨を示す警報及び当該装置が正常に作動しないおそれがある旨を示す警報が適正に作動するものであること。

（操縦装置）

第168条　側車付二輪自動車、三輪自動車、カタピラ及びそりを有する軽自動車、大型特殊自動車、小型特殊自動車並びに被牽引自動車に備える操作装置の配置、識別表示等に関し、保安基準第10条の告示で定める基準は、次の各号に掲げる基準とする。

一　保安基準第10条各号に掲げる装置は、かじ取ハンドルの中心から左右にそれぞれ500mm以内に配置され、運転者が定位置において容易に操作できるものでなければならない。この場合において、かじ取ハンドル中心との配置に係る距離は、それぞれの装置の中心位置から、かじ取ハンドル中心（レバー式のかじ取り装置にあっては、運転者席の中心）を含み車両中心線に平行な鉛直面に下ろした垂線の長さとし、変速装置の中心位置は、変速レバーを中立の状態の中央に置いたときの握り部中心の位置とし、レバー式等可動のデフロスタ操作装置の中心位置は可動範囲の中心位置とする。

二　保安基準第10条第1号に掲げる装置（始動装置、加速装置、クラッチ及び変速装置の操作装置を除く。）及び同条第3号に掲げる装置（方向指示器の操作装置を除く。）又はその附近には、当該装置を運転者が運転者席において容易に識別できるような表示をしなければならない。

三　変速装置の操作装置又はその附近には、変速段ごとの操作位置を運転者が運転者席において容易に識別できるような表示をしなければならない。

四　方向指示器の操作装置又はその附近には、当該方向指示器が指示する方向ごとの操作装置を運転者が運転者席において容易に識別できるような表示をしなければならない。

五　第2号から第4号までの「運転者が運転者席において容易に識別できるような表示」とは、運転者が運転者席に着席した状態で著しく無理な姿勢をとらずに見える位置に文字、数字又は記号により、当該装置又は当該装置の操作位置を容易に判別できる表示をしたものをいう。この場合において、JIS D0032「自動車用操作・計量・警報装置類の識別記号」又はISO（国際標準規格）2575「Road vehicles-Symbols for controls, indicators and tell-tales」に掲げられた識別記号は、その表示の例とする。

2　自動車（二輪自動車及び前項の自動車を除く。）に備える操作装置の配置、識別表示等に関し、保安基準第10条の告示で定める基準は、次の各号に掲げる基準とする。

一　手動操作装置は、次に掲げる基準に適合しなければならない。

イ　表1の識別対象装置欄に掲げる装置の識別表示は、当該装置の表面又は当該装置と隣接した位置に配置されていること。

ロ　表1の識別対象装置欄に掲げる装置は、同表の識別表示欄に掲げる識別表示を用いること。

ハ　手動操作装置は、運転者が運転者席に着席し、かつ、座席ベルトを装着した状態において容易に操作できる位置に配置されていること。

二　表1の識別対象装置欄に掲げる装置（同表の照明欄が「要」となっているものに限る。）は、車幅灯が点灯した場合に、当該装置の識別表示も点灯すること。ただし、かじ取り装置に備える操作装置その他の操作装置にあっては、

この限りでない。

二　保安基準第10条各号に掲げる装置（手動操作装置を除く。）は、前項各号に掲げる基準に適合しなければならない。

三　表2の識別対象装置欄に掲げる装置を備える場合にあっては、前2号に定める操作装置の配置、識別表示等を妨げないものとして、次に掲げる基準に適合しなければならない。

イ　表2の識別対象装置欄に掲げる装置の識別表示は、当該装置の表面又は当該装置と隣接した位置に配置されていること。

ロ　表2の識別対象装置欄に掲げる装置は、同表の識別表示欄に掲げる識別表示を用いること。

ハ　表2の識別対象装置欄に掲げる操作装置は、運転者が運転者席に着席し、かつ、座席ベルトを装着した状態において容易に操作できる位置に配置されていること。

ニ　表2の識別対象装置欄に掲げる操作装置（同表の照明欄が「要」となっているものに限る。）は、車幅灯が点灯した場合に、当該装置の識別表示も点灯すること。ただし、かじ取り装置に備える操作装置その他の操作装置にあっては、この限りでない。

ホ　表2の識別対象装置欄に掲げるテルテールの識別表示及びインジケーター（計測対象の状態を表示する装置をいう。以下同じ。）の識別表示は、運転者が運転者席に着席し、かつ、座席ベルトを装着した状態において容易に識別できる位置に配置されていること。

ヘ　表2の識別対象装置欄に掲げるテルテールの識別表示は、当該装置の機能として作動状態又は異常状態を表示する場合及び点検の場合以外は点灯しないこと。

ト　表2の識別対象装置欄に掲げるテルテールの識別表示の照明は、同表の色欄に掲げる色とすること。

チ　表2の識別対象装置欄に掲げるインジケーターの識別表示は、原動機の操作装置が始動の位置にあり、かつ、車幅灯が点灯している場合に点灯すること。

表1

識別対象装置	識別表示（注17）	照明	色
すれ違い用前照灯（点灯）の操作装置	 （注4及び注10）	不要	－
走行用前照灯（点灯）の操作装置	 （注10）	不要	－
方向指示器の操作装置	 （注1）	不要	－
窓ふき器の操作装置		要	－
洗浄液噴射装置の操作装置		要	－
窓ふき器及び洗浄液噴射装置の操作装置		要	－
デフロスタの操作装置		要	－
警音器の操作装置		不要	－
チョークの操作装置	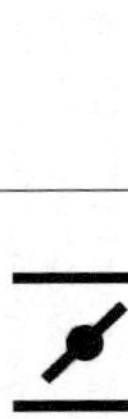	不要	－
始動装置の操作装置	 （注8及び注16）	不要	－
停止装置の操作装置	 （注8及び注16）	要	－

前照灯（照射方向調整）の操作装置	又は 又は （注10）	不要	－

表2

識別対象装置	識別表示（注17）	照明	色
複数の灯火装置の操作装置		不要	－
複数の灯火装置のテルテール（注9、注15）		－	緑
すれ違い用前照灯（点灯）のテルテール	（注4、注10及び注15）	－	緑
走行用前照灯（点灯）のテルテール	（注10及び注15）	－	青
前照灯洗浄装置の操作装置	（注10）	不要	－
方向指示器のテルテール	（注1）	－	緑
非常点滅表示灯の操作装置		要	－
非常点滅表示灯のテルテール（注2）		－	赤
前部霧灯の操作装置	（注15）	不要	－
前部霧灯のテルテール		－	緑
後部霧灯の操作装置	（注15）	不要	－
後部霧灯のテルテール		－	黄
燃料タンク（残量）のテルテール	又は （注15）	－	黄
燃料タンク（残量）のインジケータ		要	－
エンジンオイル（圧力）のテルテール	（注3及び注15）	－	赤
エンジンオイル（圧力）のインジケータ		要	－
冷却水（温度）のテルテール	（注3及び注15）	－	赤
冷却水（温度）のインジケータ		要	－
バッテリ及び充電システムのテルテール	（注15）	－	赤
バッテリ及び充電システムのインジケータ		要	－

パワーウインドウロックの操作装置	又は	不要	–
デフロスタのテルテール	(注15)	–	黄
後部デフロスタ(後面ガラスの水滴等の曇りを除去するための装置をいう。以下同じ。)の操作装置	(注15)	要	–
後部デフロスタのテルテール		–	黄
車幅灯の操作装置	(注4及び注15)	不要	–
車幅灯のテルテール(注9)		–	緑
駐車灯の操作装置	(注15)	不要	–
駐車灯のテルテール		–	緑
座席ベルトのテルテール	又は (注15及び注20)	–	赤
前方のエアバッグ(異常)のテルテール		–	黄、赤又は黄及び赤
側方のエアバッグ(異常)のテルテール	(注5)	–	黄、赤又は黄及び赤
エアバッグ(作動停止)のテルテール		–	黄
制動装置(異常)のテルテール		–	黄又は赤
アンチロックブレーキシステム(異常)のテルテール	(注6)	–	黄
速度インジケータ	キロメートル表示の場合にあってはkm/h、マイル表示の場合にあってはmph (注11)	要	–
駐車制動装置のテルテール	(注6)	–	赤
原動機(異常)のテルテール		–	黄
原動機(予熱)のテルテール	(注15)	–	黄
チョークのテルテール	(注15)	–	–

冷暖房装置の操作装置	又は「A/C」	要	–
自動変速機の変速装置（変速位置）のインジケータ	PRND（注７）	要	–
ブレーキライニング（摩耗）のテルテール	（注６）	–	黄
温熱装置の操作装置		要	–
送風装置の操作装置		要	–
走行距離インジケータ	キロメートル表示の場合にあってはkm、マイル表示の場合にあってはmiles（注12）	要	
タイヤ空気圧監視装置（空気圧及び装置異常）のテルテール	（注13）	–	黄
タイヤ空気圧監視装置（空気圧及び装置異常位置）のテルテール	（注13及び注14）	–	黄
横滑り防止装置のテルテール	又はESC、VSF若しくはEVSC（注14）	–	黄
横滑り防止装置（作動停止）の操作装置	OFF	要	–
横滑り防止装置（作動停止）のテルテール	又はESC OFF、VSF OFF若しくはEVSC OFF（注14及び注18）	–	黄
事故自動緊急通報装置の操作装置	SOS 又は SOS（注19）	要	–
事故自動緊急通報装置のテルテール		–	–

注１　２つの矢印で１つの識別表示を構成することとする。ただし、左折と右折の方向指示器の操作装置又はテルテールが独立している場合にあっては、それぞれの矢印を１つの識別表示として、離して配置してよい。

注２　方向指示器のテルテールの識別表示の２つの矢印が、同時に点滅することができる場合にあっては、当該テルテールの識別表示を非常点滅表示灯のテルテールの識別表示とすることができる。

注３　エンジンオイル（圧力）のテルテールの識別表示及び冷却水（温度）のテルテールの識別表示は、同じ位置に配置することができる。

注４　同一の操作装置により複数の灯火装置を操作することができる場合にあっては、個別の識別表示を要しない。

注５　側方のエアバッグ（異常）のテルテールの識別表示は、前方のエアバッグ（異常）のテルテールの識別表示に代えることができる。

注６　制動装置（異常）のテルテールの識別表示に代えることができる。

注７　文字「D」の代わりに他の英数字や記号を使用することができる。また、文字「D」に補足してもよい。

注８　始動装置又は停止装置の操作装置と原動機の施錠装置とが独立している場合に表示するも

のとする。

注9　複数の灯火の操作装置を操作した時に、速度計、走行距離計その他の計器の照明が自動的に作動する場合にあっては、表示しなくてよい。

注10　5本の線は4本の線に、4本の線は5本の線にそれぞれ代えることができる。

注11　識別表示は、大文字又は小文字で表示することができる。

注12　識別表示は、小文字で表示しなければならない。ただし、マイル表示の場合にあっては、略語を使用することができる。

注13　タイヤ空気圧監視システム（TPMS）、タイヤ空気圧補充システム（TPRS）及び中央タイヤ空気圧調整システム（CTIS）の異常を示すために使用してもよい。

注14　表示する車両の形状は、変えることができる。

注15　識別対象装置欄に掲げる装置の識別表示をその本来の用途以外の用途として使用する場合にあっては、表中色欄に掲げる色以外の色で表示してもよい。

注16　始動装置及び停止装置の操作装置は、同一のものとすることができる。また、始動装置の操作装置の識別表示にあっては「START」と、停止装置の操作装置の識別表示にあっては「STOP」と、それぞれ補足してよいこととするとともに、始動装置の操作装置の識別表示にあっては「START」に、停止装置の操作装置の識別表示にあっては「STOP」にそれぞれ代えることができる。なお、当該識別表示は大文字又は小文字で表示することができる。

注17　識別対象装置欄に掲げる装置が自動機能を有する場合にあっては、当該装置の識別表示の付近に文字「A」又は「AUTO」を配置することができる。

注18　「OFF」の文字は、記号上又はその付近に配置することができる。

注19　操作装置が透明でないカバーで覆われている場合は、当該カバー上にも表示されていること。また、電話の記号は向きを変えてもよい。

注20　前列を除く座席に備える座席ベルトのテルテールの識別表示及び色は、表中識別表示欄又は色欄に掲げる識別表示又は色以外の識別表示又は色で表示してもよい。

3　二輪自動車に備える操作装置の配置、識別表示等に関し、保安基準第10条の告示で定める基準は、次の各号に掲げる基準とする。

一　表3の識別対象装置欄に掲げる装置は、次に掲げる基準に適合しなければならない。

イ　表3の識別対象装置欄に掲げる装置の識別表示は、当該装置の表面又は当該装置と隣接した位置に配置されていること。

ロ　表3の識別対象装置欄に掲げる装置は、同表の識別表示欄に掲げる識別表示を用いること。

ハ　表3の識別対象装置欄に掲げる装置は、運転者が運転者席に着席した状態において容易に操作できる位置であって、同表の配置欄に掲げる位置に配置されていること。

ニ　表3の識別対象装置欄に掲げる装置の識別表示は、同表の色欄に掲げる色とすること。

ホ　表3の識別対象装置欄に掲げる装置及びその識別表示は、同表の要件等欄に掲げる要件に適合すること。

二　表4の識別対象装置欄に掲げる操作装置の配置、識別表示等を備える場合にあっては、前号に定める操作装置の配置、識別表示等を妨げないものとして、次に掲げる基準に適合しなければならない。

イ　表4の識別対象装置欄に掲げる装置の識別表示は、当該装置の表面又は当該装置と隣接した位置に配置されていること。

ロ　表4の識別対象装置欄に掲げる装置は、同表の識別表示欄に掲げる識別表示を用いること。

ハ　表4の識別対象装置欄に掲げる装置は、運転者が運転者席に着席した状態において容易に操作できる位置に配置されていること。

ニ　表4の識別対象装置欄に掲げるテルテールの識別表示は、当該装置の機能として作動状態又は異常状態を表示する場合及び点検の場合以外は点灯しないこと。

ホ　表4の識別対象装置欄に掲げるテルテールの識別表示は、同表の色欄に掲げる色とすること。

三　走行用前照灯、すれ違い用前照灯、方向指示器、停止装置、警音器、制動装置、クラッチ及び非常点滅表示灯の操作装置は、運転者がかじ取装置から手を離さずに操作することができること。

表3

識別対象装置	識別表示	配置	色	要件等
停止装置の操作装置（切断）		運転者が運転者席に着席した状態において、右側のハンドルバー（注２）に配置すること。	－	主に使用する原動機の停止装置とは別の停止装置を備えてもよい。
始動装置の操作装置	－	－	－	回転式の始動装置の操作装置にあっては、イグニッションスイッチ「オフ」の位置からイグニッションスイッチ「オン」の位置まで時計回りに回転するものであること。
始動装置（電気式）の操作装置		－	－	－
チョークの操作装置	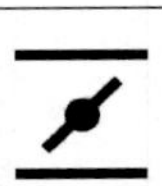	運転者が運転者席に着席した状態において、視認できない位置に配置してもよい。	－	－
変速装置（中立の状態）の操作装置		－	緑	テルテールは、変速装置が中立の位置にある時に点灯するものであること。

警音器の操作装置		運転者が運転者席に着席した状態において、左側のハンドルバーに配置すること。ただし、手動式クラッチ及び変速装置を備える自動車にあっては、運転者が運転者席に着席した状態において、右側のハンドルバーに配置すること。	–	手で押すものであること。
走行用前照灯の操作装置		運転者が運転者席に着席した状態において、左側のハンドルバーに配置すること。ただし、手動式クラッチ及び変速装置を備える自動車にあっては、運転者が運転者席に着席した状態において、右側のハンドルバーに配置すること。	–	–
すれ違い用前照灯の操作装置		運転者が運転者席に着席した状態において、左側のハンドルバーに配置すること。ただし、手動式クラッチ及び変速装置を備える自動車にあっては、運転者が運転者席に着席した状態において、右側のハンドルバーに配置すること。	–	–
光学的警報装置の操作装置（注１）	–	走行用前照灯又はすれ違い用前照灯の操作装置に隣接する位置に配置すること。	–	走行用前照灯及びすれ違い用前照灯の操作装置とは別に備えることができる。この場合において、光学的警報装置の使用を停止したときは、速やかに当該警報装置は消灯するものでなければならない。
方向指示器の操作装置		ハンドルバーの上側であり、かつ、運転者席から容易に視認することができる位置に配置すること。	–	インジケータは、車両の進行方向を示すことができるよう左右それぞれが独立したものであること。
原動機回転数の操作装置	–	運転者が運転者席に着席した状態において、右側のハンドルバーに配置すること。	–	手動により操作できるものであること。
制動装置（前輪）の操作装置	–	運転者が運転者席に着席した状態において、右側のハンドルバー前方に配置すること。	–	手動により操作できるものであり、かつ、前後輪連動式制動装置を備える場合にあっては、制動装置（後輪）も同時に作動するものであること。
足動式制動装置（後輪）の操作装置	–	運転者が運転者席に着席した状態において、車枠右側に配置すること。	–	ペダルを踏むことにより操作できるものであり、かつ、前後輪連動式制動装置を備える場合にあっては、制動装置（前輪）も同時に作動するものであること。
手動式制動装置（後輪）の操作装置	–	運転者が運転者席に着席した状態において、左側のハンドルバー前方に配置すること。	–	手動により操作できるものであること。ただし、手動式クラッチを備える車両には装備してはならない。
駐車制動装置の操作装置	–	–	–	手動式レバー又は足動式ペダルを操作できるものであること。
クラッチの操作装置	–	運転者が運転者席に着席した状態において、左側のハンドルバーに配置すること。	–	手動式レバーにより操作できるものであり、かつ、握りしめることによりクラッチが切れるものであること。
足動式変速装置の操作装置	–	運転者が運転者席に着席した状態において、車枠左側に配置すること。	–	–
手動式変速装置の操作装置	–	運転者が運転者席に着席した状態において、左側のハンドルバーに配置すること。	–	–

表4

識別対象装置	識別表示	配　　置	色
停止装置の操作装置（接続）		－	－
手動式チョークのテルテール		－	黄又は橙
手動式燃料タンク遮断バルブ(オフ)の操作装置		－	－
手動式燃料タンク遮断バルブ(オン)の操作装置		－	－
手動式燃料タンク遮断バルブ(予備)の操作装置		－	－
速度表示計のインジケータ	－	－	－
走行用前照灯のテルテール		－	青
すれ違い用前照灯のテルテール		－	緑
前部霧灯の操作装置		－	－
前部霧灯のテルテール		－	緑
後部霧灯の操作装置		－	－
後部霧灯のテルテール		－	黄又は橙
方向指示器のテルテール		－	緑
非常点滅表示灯の操作装置		－	－
非常点滅表示灯のテルテール		－	赤
		－	緑
車幅灯の操作装置		－	－
車幅灯のテルテール		－	緑
複数の灯火装置の操作装置		－	－
複数の灯火装置のテルテール		－	緑
駐車灯の操作装置		－	－
駐車灯のテルテール		－	緑
燃料タンク(残量)のインジケータ		－	－
燃料タンク(残量)のテルテール		－	黄又は橙
冷却水（温度）のインジケータ		－	－
冷却水（温度）のテルテール		－	赤
バッテリ及び充電システムのインジケータ		－	－
バッテリ及び充電システムのテルテール		－	赤

エンジンオイル(圧力)のテルテール		–	赤
アンチロックブレーキシステム(異常)のテルテール	(ABS)	–	黄又は橙
原動機（異常）のテルテール		–	黄又は橙

注1　光学的警報装置とは、道路交通法第52条第1項の規定により前照灯を点灯しなければならない場合以外の場合において、専ら手動により短い間隔で断続的に点滅する又は交互に点灯させることにより警報を発することを専らの目的とする前照灯をいう。

注2　ハンドルバーとは、車両の方向を操作するため、かじ取フォーク又はかじ取フォーク間を連結するものに取り付けられたバーをいう。

4　次に掲げる操作装置であって、その機能を損なう損傷等のないものは、前2項の基準に適合するものとする。

一　指定自動車等に備えられている操作装置と同一の構造を有し、かつ、同一の位置に備えられた操作装置

二　法第75条の2第1項の規定に基づき型式の指定を受けた特定共通構造部に備えられている操作装置又はこれに準ずる性能を有する操作装置

三　法第75条の3第1項の規定に基づく装置の指定を受けた操作装置又はこれに準ずる性能を有する操作装置

（かじ取装置）

第169条　自動車のかじ取装置の強度、操作性能等に関し、保安基準第11条第1項の告示で定める基準は、次の各号に掲げる基準とする。

一　自動車のかじ取装置は、堅ろうで安全な運行を確保できるものであること。この場合において、次に掲げるものはこの基準に適合しないものとする。

イ　ナックル・アーム、タイロッド、ドラッグ・リンク又はセクタ・アーム等のかじ取リンクに損傷があるもの

ロ　前号各部の取付部に、著しいがた又は割ピンの脱落があるもの

ハ　かじ取ハンドルに著しいがたがあるもの又は取付部に緩みがあるもの

ニ　給油を必要とする箇所に所要の給油がなされていないもの

ホ　かじ取フォークに損傷があるもの

ヘ　ギヤ・ボックスに著しい油漏れがあるもの又は取付部に緩みがあるもの

ト　かじ取装置のダスト・ブーツに損傷があるもの

チ　パワ・ステアリング装置に著しい油漏れがあるもの又は取付部に緩みがあるもの

リ　パワ・ステアリング装置のベルトに著しい緩み又は損傷があるもの

ヌ　溶接、肉盛又は加熱加工等の修理を行った部品を使用しているもの

ル　四輪以上の自動車のかじ取車輪をサイドスリップ・テスタを用いて計測した場合の横すべり量が、走行1mについて5㎜を超えるもの。ただし、その輪数が4輪以上の自動車のかじ取り車輪をサイドスリップ・テスタを用いて計測した場合に、その横滑り量が、指定自動車等の自動車製作者等（自動車を製作することを業とする者又はその者から当該自動車を購入する契約を締結している者であって当該自動車を本邦に輸出することを業とするものをいう。）がかじ取り装置について安全な運行を確保できるものとして指定する横滑り量の範囲内にある場合にあっては、この限りでない。

ヲ　協定規則第79号に定める自動命令型操舵機能を備える自動車にあっては、当該機能を損なうおそれのある損傷等のあるもの

ワ　協定規則第79号に定める高度運転者支援ステアリングシステムを備える自動車のかじ取装置であって、別添124「継続検査等に用いる車載式故障診断装置の技術基準」に定める基準に適合しないもの

二　かじ取装置は、運転者が定位置において容易に、かつ、確実に操作できるものであること。この場合において、パワ・ステアリングを装着していない自動車（最高速度が20km／h未満の自動車を除く。）であって、かじ取車輪の輪荷重の総和が4,700kg以上であるものはこの基準に適合しないものとする。

三　かじ取装置は、かじ取時に車枠、フェンダ等自動車の他の部分と接触しないこと。

四　かじ取ハンドルの回転角度とかじ取車輪のかじ取角度との関係は、左右について著しい相異がないこと。

五　かじ取りハンドルの操だ力は、左右について著しい相異がないこと。

2　かじ取装置の運転者の保護に係る性能に関し、保安基準第11条第2項の告示で定める基準は、当該自動車が衝突等による衝撃を受けた場合において、運転者に過度の衝撃を与えるおそれの少ない構造であることとする。この場合において、次に掲げるかじ取装置であって、その機能を損なうおそれのある損傷のないものは、この基準に適合するものとする。

一　指定自動車等に備えられているかじ取装置と同一の構造を有し、かつ、同一の位置に備えられたもの

二　法第75条の2第1項の規定に基づき型式の指定を受けた特定共通構造部に備えられているかじ取装置と同一の構造を有するもの又はこれに準ずる性能を有するかじ取装置

三　法第75条の3第1項の規定に基づく装置の指定を受けたかじ取装置と同一の構造を有するもの又はこれに準ずる性能を有するもの

四　新規検査、予備検査又は構造等変更検査の際に提示のあったかじ取装置と同一の構造を有し、かつ、同一の位置に備えられたもの

五　保安基準第1条の3のただし書の規定により、破壊試験を行うことが著しく困難であると認めるかじ取装置であって、第91条第5項の規定によるもの

3　協定規則第121号の規則5.が適用される自動車のテルテール（第168条の表2の識別対象装置欄に掲げるテルテールのうち、前方のエアバッグに係るものに限る。）が異常を示す点灯をし

ているものは、前項の基準に適合しないものとする。

第170条（施錠装置等） 施錠装置の構造、施錠性能等に関し、保安基準第11条の2第2項の告示で定める基準は、次に定める基準とする。ただし、第1号ロ及び第3号の規定は二輪自動車、側車付二輪自動車並びにカタピラ及びそりを有する軽自動車には、適用しない。

一　次に掲げる施錠装置の区分に応じ、それぞれ次に定める構造であること。

イ　制動装置以外に備える施錠装置　その作動により、施錠装置を備えた装置の機能を確実に停止させることができる構造

ロ　制動装置に備える施錠装置　その作動により、当該自動車の車輪を確実に停止させることができる構造

二　堅ろうであり、かつ、容易にその機能が損なわれ、又は作動を解除されることがない構造であること。

三　その作動中は、始動装置を操作することができないものであること。

四　走行中の振動、衝撃等により作動するおそれがないものであること。

2　次に掲げる施錠装置であってその機能を損なうおそれのある損傷等のないものは、前項の基準に適合するものとする。

一　指定自動車等に備えられた施錠装置と同一の構造を有し、かつ、同一の位置に備えられた施錠装置

二　法第75条の2第1項の規定に基づき型式の指定を受けた特定共通構造部に備えられている施錠装置と同一の構造を有し、かつ、同一の位置に備えられている施錠装置又はこれに準ずる性能を有する施錠装置

三　法第75条の3第1項の規定に基づき施錠装置の指定を受けた自動車に備える施錠装置と同一の構造を有し、かつ、同一の位置に備えられた施錠装置又はこれに準ずる性能を有する施錠装置

3　イモビライザの構造、施錠性能等に関し保安基準第11条の2第3項の告示で定める基準は、次の各号に掲げる基準とする。

一　その作動により、原動機その他運行に必要な装置の機能を確実に停止させることができる構造であること。

二　堅ろうであり、かつ、容易にその機能が損なわれ、又は作動を解除されることがない構造であること。

三　走行中の振動、衝撃等により作動するおそれがないものであること。

四　その作動により、制動装置の解除を妨げるものでないこと。ただし、空気圧解除式スプリングブレーキの解除を防止する形式のイモビライザにあっては、この限りでない。

五　イモビライザの設定又は設定解除を灯光により通知する場合は、方向指示器が点灯又は点滅することによって通知するものであってよいが、その点灯又は点滅時間は3秒を超えないものであること。

4　次に掲げるイモビライザであってその機能を損なうおそれのある損傷等のないものは、前項の基準に適合するものとする。

一　指定自動車等に備えられたイモビライザと同一の構造を有し、かつ、同一の位置に備えられたイモビライザ

二　法第75条の2第1項の規定に基づき型式の指定を受けた特定共通構造部に備えられているイモビライザと同一の構造を有し、かつ、同一の位置に備えられているイモビライザ又はこれに準ずる性能を有するイモビライザ

三　法第75条の3第1項の規定に基づきイモビライザの指定を受けた自動車に備えるイモビライザと同一の構造を有し、かつ、同一の位置に備えられたイモビライザ又はこれに準ずる性能を有するイモビライザ

第171条（制動装置） 走行中の自動車の減速及び停止、停止中の自動車の停止状態の保持等に係る制動性能に関し、保安基準第12条第1項の告示で定める基準は、次項から第10項までに掲げる基準とする。

2　自動車（次項から第6項までの自動車を除く。）には、次に掲げる基準に適合する独立に作用する2系統以上の制動装置を備えなければならない。ただし、本項の適用を受ける貨物の運送の用に供する自動車であって、車両総重量3.5t以下のものに備える制動装置は、次項の基準に適合するものであってもよいものとする。

一　制動装置は、堅ろうで運行に十分耐え、かつ、振動、衝撃、接触等により損傷を生じないように取り付けられているものであり、次に掲げるものでないこと。

イ　ブレーキ系統の配管又はブレーキ・ケーブル（配管又はブレーキ・ケーブルを保護するため、配管又はブレーキ・ケーブルに保護部材を巻きつける等の対策を施してある場合の保護部材は除く。）であって、ドラッグ・リンク、推進軸、排気管、タイヤ等と接触しているもの又は走行中に接触した痕跡があるもの若しくは接触するおそれがあるもの

ロ　ブレーキ系統の配管又は接手部から、液漏れ又は空気漏れがあるもの

ハ　ブレーキ・ロッド又はブレーキ・ケーブルに損傷があるもの又はその連結部に緩みがあるもの

ニ　ブレーキ・ロッド又はブレーキ系統の配管に溶接又は肉盛等の修理を行った部品（パイプを二重にして確実にろう付けした場合の銅製パイプを除く。）を使用しているもの

ホ　ブレーキ・ホース又はブレーキ・パイプに損傷があるもの

ヘ　ブレーキ・ホースが著しくねじれて取り付けられているもの

ト　ブレーキ・ペダルに遊びがないもの又は床面とのすきまがないもの

チ　ブレーキ・レバーに遊びがないもの又は引き代のないもの

リ　ブレーキ・レバーのラチェットが確実に作動しないもの又は損傷しているもの

ヌ　イからリに掲げるもののほか、堅ろうでないもの又は振動、衝撃、接触等により損傷を生じないように取り付けられていないもの

二　制動装置は、かじ取り性能を損なわないで作用する構造及び性能を有するものであり、かつブレーキの方ぎき等による横滑りをおこすものでないこと。

三　主制動装置は、すべての車輪を制動すること。この場合において、ブレーキ・ディスク、ブレーキ・ドラム等の制動力作用面が、ボルト、軸、歯車等の強固な部品により車輪と結合されている構造は、「車輪を制動する」とされるものとする。

四　主制動装置は、繰り返して制動を行った後においても、その制動効果に著しい支障を容易に生じないものであること。

五　主制動装置は、その配管等の一部が損傷した場合においても、その制動効果に著しい支障を容易に生じないものであること。

六　主制動装置は、回転部分及びしゅう動部分の間のすき間を自動的に調整できるものであること。ただし、次に掲げる主制動装置にあっては、この限りでない。

イ　車両総重量3.5t以下の自動車（専ら乗用の用に供する自動車を除く。）の後車輪に備える主制動装置

ロ　次に掲げる車両総重量が3.5tを超える12t以下の自動車（専ら乗用の用に供する自動車を除く。）に備える主制動装置

(1)　全ての車輪に動力を伝達できる構造（1軸への動力伝達を切り離すことができる構造を含む。）の動力伝達装置を備える自動車

(2)　前軸及び後軸のそれぞれ1軸以上に動力を伝達できる構造（1軸への動力伝達を切り離すことができる構造を

含む。）の動力伝達装置及び1個以上の動力伝達装置の差動機の作動を停止又は制限できる装置を備え、かつ、4分の1こう配の坂路を登坂する能力を有する自動車

ハ 次に掲げる車両総重量が12tを超える自動車（専ら乗用の用に供する自動車を除く。）に備える主制動装置

(1) 全ての車輪に動力を伝達できる構造（1軸への動力伝達を切り離すことができる構造を含む。）の動力伝達装置を備える自動車

(2) 半数以上の軸に動力を伝達できる構造の動力伝達装置及び1個以上の動力伝達装置の差動機の作動を停止又は制限できる装置を備え、かつ、4分の1こう配の坂路を登坂する能力を有する自動車

七 主制動装置の制動液は、配管を腐食し、原動機等の熱の影響を受けることによって気泡を生ずる等により当該主制動装置の機能を損なわないものであること。

八 液体の圧力により作動する主制動装置は、制動液の液量がリザーバ・タンクのふたを開けずに容易に確認できる次に掲げるいずれかの構造を有するものであり、かつ、その配管から制動液が漏れることにより制動効果に支障が生じたときにその旨を運転者席の運転者に警報する装置を備えたものであること。

イ 制動液のリザーバ・タンクが透明又は半透明であるもの

ロ 制動液の液面のレベルを確認できるゲージを備えたもの

ハ 制動液が減少した場合、運転者席の運転者に警報する液面低下警報装置を備えたもの

ニ イからハに掲げるもののほか、制動液の液量がリザーバ・タンクのふたを開けずに容易に確認できるもの

九 空気圧力、真空圧力又は蓄積された液体の圧力により作動する主制動装置は、制動に十分な圧力を蓄積する能力を有するものであり、かつ、圧力の変化により制動効果に著しい支障を来すおそれが生じたときにその旨を運転者席の運転者に警報する装置を備えたものであること。

十 走行中の自動車の制動に著しい支障を及ぼす車輪の回転運動の停止を有効に防止することができる装置を備えた自動車にあっては、当該装置が正常に作動しないおそれが生じたときにその旨を運転者席の運転者に警報する黄色警報装置を備えたものであること。

十一 走行中の自動車の旋回に著しい支障を及ぼす横滑り又は転覆を有効に防止することができる装置を備えた自動車にあっては、当該装置が正常に作動しないおそれが生じたときにその旨を運転者席の運転者に警報する黄色警報装置を備えたものであること。

十二 専ら乗用の用に供する自動車であって車両総重量が10tを超えるもの（高速自動車国道等に係る路線以外の路線を定めて定期に運行する旅客自動車運送事業用自動車を除く。）の補助制動装置は、連続して制動を行った後においても、その制動効果に著しい支障を容易に生じないものであること。

3 専ら乗用の用に供する自動車であって乗車定員10人未満のもの（次項から第6項までの自動車を除く。）には、次に掲げる基準に適合する独立に作用する2系統以上の制動装置を備えなければならない。

一 制動装置は前項第1号から第5号及び第7号から第9号までの基準に適合すること。

二 主制動装置は、回転部分及びしゅう動部分の間のすき間を自動的に調整できるものであること。

三 主制動装置を除く制動装置（主制動装置を除く制動装置を2系統以上備える場合にはうち1系統。主制動装置を除く制動装置の操作装置を操作することにより主制動装置を作動させる機構を有する場合には主制動装置）は、作動しているときに、その旨を運転者席の運転者に警報する装置を備えたものであること。

四 主制動装置は、適切な点検孔又はその他の手段を備えることにより、しゅう動部分の摩耗が容易に確認できる構造であること。この場合において、次に掲げるものは、この基準に適合するものとする。

イ 指定自動車等に備えられている制動装置と同一の構造を有し、かつ、同一の位置に備えられた制動装置

ロ しゅう動部分の交換が必要になった場合に、運転者席の運転者に警報する装置を備えた制動装置

五 空気圧力、真空圧力又は蓄積された液体の圧力のみにより作動する主制動装置は、独立に作用する2系統以上の圧力を蓄積する装置を有するものであること。ただし、圧力を蓄積する装置が正常に作動しない場合であっても運転者の操作力のみで第7項に定める基準に適合するものにあっては、この限りでない。

六 制動力を制御する電気装置を備えた制動装置は、次に掲げる要件を満たすものであること。

イ 制動に十分な電気を蓄積する能力を有するものであること。

ロ 正常に作動しないおそれが生じたときにその旨を運転者席の運転者に警報する装置を備えたものであること。

ハ その機能を作動不能とするための手動装置を備えないものであること（走行中の自動車の制動に著しい支障を及ぼす車輪の回転運動の停止を有効に防止することができる装置に限る。）。

4 二輪自動車、側車付二輪自動車及び三輪自動車（最高速度25km／h以下の自動車及び第6項の自動車を除く。）には、次に掲げる基準に適合する独立に作用する2系統以上の制動装置を備えなければならない。

一 制動装置は第2項第1号、第2号、第4号、第7号及び第10号の基準に適合すること。

二 次に掲げる制動装置のいずれかを備えること。

イ 二輪自動車及び側車付二輪自動車（第2条第1項第4号ロの側車付二輪自動車を除く。）にあっては、2個の独立した操作装置を有し、前車輪を含む車輪及び後車輪を含む車輪をそれぞれ独立に制動する制動装置

ロ 第2条第1項第4号ロの側車付二輪自動車及び三輪自動車（最高速度50km／h以下の自動車を除く。）にあっては、駐車制動装置及び次に掲げる制動装置のいずれか

(1) 全ての車輪を制動する足動式の分配制動機能を有する主制動装置

(2) 全ての車輪を制動する足動式の連動制動機能を有する主制動装置及び補助主制動装置（連動制動機能を有する主制動装置を装備した車両の二次的な主制動装置をいう。以下同じ。）。ただし、補助主制動装置は、駐車制動装置に代えることができるものとする。

ハ 第2条第1項第4号ロの側車付二輪自動車及び三輪自動車（最高速度50km／h以下の自動車に限る。）にあっては、駐車制動装置及び次に掲げる制動装置のいずれか

(1) 2個の独立した主制動装置により全ての車輪を制動するもの（連動制動機能を有する主制動装置を除く。）

(2) 分配制動機能を有する主制動装置

(3) 全ての車輪を制動する連動制動機能を有する主制動装置及び補助主制動装置。ただし、補助主制動装置は、駐車制動装置に代えることができるものとする。

三 主制動装置は、雨水の付着等により、その制動効果に著しい支障を生じないものであること。

四 液体の圧力により作動する主制動装置は、次に掲げるいずれかの構造を有するものであること

イ 制動液の液面のレベルを容易に確認できる、透明若しくは半透明なリザーバ・タンク又はゲージを備えたもの

ロ 制動液が減少したときに、運転者席の運転者に警報する液面低下警報装置を備えたもの

ハ　その他制動液の液量がリザーバ・タンクのふたを開けないで容易に確認できるもの

五　分配制動機能を有する主制動装置を備える自動車にあっては、操作装置に90N以下の力が加わったときに液圧式伝達装置が故障した場合及び制動装置が作動していないにもかかわらず制動液の液量が自動車製作者等の指定する量又は制動液のリザーバ・タンクの容量の半分の量のうちいずれか多い量以下となった場合に、運転者席の運転者に視覚的に警報する赤色警報装置を備えなければならない。

5　大型特殊自動車、農耕作業用小型特殊自動車、カタピラ及びそりを有する軽自動車並びに最高速度25km／h以下の自動車（次項の自動車を除く。）には、次に掲げる基準に適合する独立に作用する2系統以上の制動装置を備えなければならない。ただし、最高速度35km／h未満の大型特殊自動車、農耕作業用小型特殊自動車及び最高速度25km／h未満の自動車にあってはこれを1系統とすることができ、かつ、第2号、第4号、第8号及び第10号の基準に適合することを要しない。

一　制動装置は、第2項第1号、第2号及び第7号の基準に適合すること。

二　主制動装置は、後車輪を含む半数以上の車輪を制動すること。この場合において、第2項第3号後段の規定を準用する。

三　主制動装置は、乾燥した平たんな舗装路面で、その自動車の最高速度に応じ次の表に掲げる制動能力を有すること。この場合において運転者の操作力は、足動式のものにあっては900N以下、手動式のものにあっては300N以下とする。

最高速度（km／h）	制動初速度（km／h）	停止距離（m）
80以上	50	22以下
35以上80未満	35	14以下
20以上35未満	20	5以下
20未満	その最高速度	5以下

四　主制動装置は、その配管の一部が損傷した場合においても2以上の車輪を制動することができる構造であること。ただし、非常用制動装置を備えた自動車にあっては、この限りでない。

五　制動装置（制動装置を2系統以上備える場合にはうち1系統）は、運転者が運転者席にいないとき、空車状態の自動車を乾燥した5分の1こう配の舗装路面で、機械的作用により停止状態に保持できる性能を有すること。この場合において、運転者の操作力は、足動式のものにあっては900N以下、手動式のものにあっては500N以下とし、当該装置を作動させて自動車を停止状態に保持した後において、なお、液圧、空気圧又は電気的作用を利用している制動装置は、この基準に適合しないものとする。

六　牽引自動車にあっては、空車状態の被牽引自動車を連結した状態において前号の基準に適合すること。

七　主制動装置の制動液は、配管を腐食し、原動機等の熱の影響を受けることによって気泡を生ずる等により当該主制動装置の機能を損なわないものであること。

八　液体の圧力により作動する主制動装置は、その配管から制動液が漏れることにより制動効果に支障が生じたときに、その旨を運転者席の運転者に警報するブザその他の装置を備えたものであること。ただし、第5号ただし書の自動車にあっては、この限りでない。

九　空気圧力又は真空圧力により作動する主制動装置は、制動に十分な圧力を蓄積する能力を有するものであり、かつ、圧力の変化により制動効果に支障を来すおそれが生じたときにその旨を運転者席の運転者に警報するブザその他の装置を備えたものであること。ただし、その圧力が零となった場合においても第4号に定める基準に適合する構造を有する主制動装置については、この限りでない。

十　走行中の自動車の制動に著しい支障を及ぼす車輪の回転運動の停止を有効に防止することができる装置を備えた自動車（車両総重量が7tを超える牽引自動車に限る。）にあっては、当該装置が正常に作動しないおそれが生じたときにその旨を運転者席の運転者に警報する装置を備えたものであること。

6　被牽引自動車には、次に掲げる基準に適合する2系統以上の制動装置を備えなければならない。ただし、被牽引自動車とこれを牽引する牽引自動車とが接近することにより作用する構造の主制動装置を備えるものにあっては、次の第1号（第2項第4号の基準に係る部分に限る。）、第2号及び第3号の基準は適用しない。

一　制動装置は、第2項第1号、第3号、第4号及び第7号の基準に適合すること。

二　主制動装置は、牽引自動車の主制動装置と連動して作用する構造であること。

三　主制動装置は、乾燥した平たんな舗装路面で、被牽引自動車のみの主制動装置を作動させることにより、セミトレーラにあってはイ、それ以外の被牽引自動車にあってはロの計算式に適合する制動能力を有すること。

イ　$S \leqq 0.15V + 0.0086V^2$

ロ　$S \leqq 0.15V + 0.0077V^2$

この場合において被牽引自動車を牽引する牽引自動車の原動機と走行装置の接続は断つこととし、

Sは、被牽引自動車単体の停止距離（単位　m）

Vは、制動初速度（被牽引自動車を牽引する牽引自動車の最高速度とする。ただし、最高速度が60km／hを超える牽引自動車に牽引される被牽引自動車にあっては、60とする。）（単位km／h）

四　主制動装置は、回転部分及びしゅう動部分の間のすき間を自動的に調整できるものであること。ただし、車両総重量3.5t以下の被牽引自動車及び最高速度25km／h以下の牽引自動車により牽引される被牽引自動車にあっては、この限りでない。

五　被牽引自動車の制動装置のうち主制動装置を除く制動装置（主制動装置を除く制動装置を2系統以上備える場合にはうち1系統）は、乾燥した50分の9こう配の舗装路面で、積車状態の被牽引自動車を機械的作用により停止状態に保持できる性能を有すること。この場合において、運転者の操作力は、600N以下とする。

六　走行中の自動車の制動に著しい支障を及ぼす車輪の回転運動の停止を有効に防止することができる装置を備えた被牽引自動車（最高速度25km／h以下の牽引自動車により牽引される被牽引自動車を除く。）にあっては、当該装置が正常に作動しないおそれが生じたときにその旨を運転者席の運転者に警報する黄色警報装置を備えたものであること。

7　自動車の制動装置は、ブレーキ・テスタを用いて第1号の状態で計測した制動力が第2号に掲げる基準に適合しなければならない。ただし、ブレーキ・テスタを用いて検査することが困難であるときに限り走行その他の適切な方法により検査し、第2号に掲げる基準の適合性を判断することができるものとする。

一　計測の条件

検査時車両状態とする。なお、車軸自動昇降装置付き自動車にあっては、車軸が上昇している状態についても計測するものとする。

二　計測値の判定

イ　自動車（被牽引自動車を除く。）の主制動装置にあっては、制動力の総和を検査時車両状態（注1）における自動車の重量で除した値が4.90N／kg以上（制動力の計量単位として「kgf」を用いる場合においては、制動力の総和が検査時車両状態における自動車の重量の50%以上）（注2）

であり、かつ、後車輪にかかわる制動力の和を検査時車両状態における当該車軸の軸重で除した値が0.98N／kg以上（制動力の計量単位として「kgf」を用いる場合においては、制動力の和と検査時車両状態における当該車軸の軸重の10%以上）であること。

ロ　最高速度が80km／h未満で、車両総重量が車両重量の1.25倍以下の自動車の主制動装置にあっては、イにかかわらず、制動力の総和を車両総重量で除した値が3.92N／kg以上（制動力の計量単位として「kgf」を用いる場合においては、制動力の総和が車両総重量の40%以上）（注2）であること。

ハ　被牽引自動車の主制動装置にあっては、制動力の和を検査時車両状態における当該車軸の軸重で除した値が4.90N／kg以上（制動力の計量単位として「kgf」を用いる場合においては、制動力の和が当該車軸の軸重の50%以上）（注3）であること。

ニ　主制動装置にあっては、左右の車輪の制動力の差を検査時車両状態（注1）における当該車軸の軸重で除した値が0.78N／kg以下（制動力の計量単位として「kgf」を用いる場合においては、制動力の差が検査時車両状態（注1）における当該車軸の軸重の8%以下）であること。

ホ　主制動装置を除く制動装置（主制動装置を除く制動装置を2系統以上備える場合にはうち1系統。）にあっては、制動力の総和を検査時車両状態（注1）における自動車の重量で除した値が1.96N／kg以上（制動力の計量単位として「kgf」を用いる場合においては、制動力の総和が検査時車両状態（注1）における自動車の重量の20%以上）とし、当該装置を作動させて自動車を停止状態に保持した後において、なお、液圧、空気圧又は電気的作用を利用している制動装置は、この基準に適合しないものとする。

ヘ　第172条第4項の被牽引自動車の制動装置にあっては、制動力の総和を検査時車両状態における自動車の重量で除した値が1.96N／kg以上（制動力の計量単位として「kgf」を用いる場合においては、制動力の総和が検査時車両状態における自動車の重量の20%以上）であること。

（注1）検査時車両状態における自動車の各軸重を計測することが困難な場合には、空車状態における前車軸に55kgを加えた値を検査時車両状態における自動車の前車軸とみなして差し支えない。

（注2）ブレーキ・テスタのローラ上で前車軸の全ての車輪がロックし、それ以上制動力を計測することが困難な場合には、その状態で制動力の総和に対し適合するとみなして差し支えない。

（注3）ブレーキ・テスタのローラ上で当該車軸のすべての車輪がロックし、それ以上の制動力を計測することが困難な場合には、その状態で当該車軸の軸重で除した値が4.90N／kg以上（制動力の計量単位として「kgf」を使用する場合においては、当該軸重の50%以上）とみなして差し支えない。

8　専ら乗用の用に供する自動車（二輪自動車、側車付二輪自動車、三輪自動車、カタピラ及びそりを有する軽自動車並びに被牽引自動車を除く。）であって乗車定員10人以上のもの及び貨物の運送の用に供する自動車（三輪自動車、カタピラ及びそりを有する軽自動車並びに被牽引自動車を除く。）であって車両総重量が3.5tを超えるものには、高速道路等において運行しないもの及び道路維持作業用自動車又は緊急自動車であって車両前部に特殊な装備を有するものを除き、次に掲げる基準に適合する衝突被害軽減制動制御装置を備えなければならない。

一　衝突被害軽減制動制御装置の作動中、確実に機能するものであること。この場合において、衝突被害軽減制動制御装置の機能を損なうおそれのある損傷等のあるものは、この基準に適合しないものとする。

二　衝突被害軽減制動制御装置に当該装置の解除装置を備える場合は、当該解除装置により衝突被害軽減制動制御装置が作動しない状態となったときにその旨を運転者席の運転者に的確かつ視覚的に警報するものであること。

9　専ら乗用の用に供する自動車（二輪自動車、側車付二輪自動車、三輪自動車、カタピラ及びそりを有する軽自動車並びに被牽引自動車を除く。）であって乗車定員10人未満のもの及び貨物の運送の用に供する自動車（三輪自動車、カタピラ及びそりを有する軽自動車並びに被牽引自動車を除く。）であって車両総重量が3.5t以下のものには、道路維持作業用自動車又は緊急自動車であって車両前部に特殊な装備を有するものを除き、次に掲げる基準に適合する衝突被害軽減制動制御装置を備えなければならない。

一　衝突被害軽減制動制御装置の作動中、確実に機能するものであること。この場合において、衝突被害軽減制動制御装置の機能を損なうおそれのある損傷等のあるものは、この基準に適合しないものとする。

二　衝突被害軽減制動制御装置に当該装置の解除装置を備える場合は、当該解除装置により衝突被害軽減制動制御装置が作動しない状態となったときにその旨を運転者席の運転者に的確かつ視覚的に警報するものであること。

10　協定規則第121号の規則5.又は協定規則第60号の規則5.及び6.が適用される自動車のテルテール（第168条の表2の識別対象装置欄又は同条の表4の識別対象装置欄に掲げるテルテールのうち、制動装置及びアンチロックブレーキシステムに係るものに限る。）が異常を示す点灯をしていないものでなければならない。

11　走行中の自動車の制動に著しい支障を及ぼす車輪の回転運動の停止を有効に防止することができる装置、走行中の自動車の旋回に著しい支障を及ぼす横滑り若しくは転覆を有効に防止することができる装置、緊急制動時に自動的に制動装置の制動力を増加させる装置又は衝突被害軽減制動制御装置であって、別添124「継続検査等に用いる車載式故障診断装置の技術基準」に定める基準に適合しないものは、第2項、第3項、第8項及び第9項に掲げる基準に適合しないものとする。

第171条の2　走行中の牽引自動車及び被牽引自動車の減速及び停止等に係る牽引自動車の制動性能に関し、保安基準第12条第2項の告示で定める基準は、次項に掲げる基準とする。この場合において、次項の自動車以外のものにあっては、保安基準第12条第2項の告示で定める基準に適合するものとする。

2　自動車（二輪自動車、側車付二輪自動車、三輪自動車、大型特殊自動車、農耕作業用小型特殊自動車、カタピラ及びそりを有する軽自動車、最高速度25km／h以下の自動車を除く。）にあっては、被牽引自動車を連結した状態において、走行中の牽引自動車及び被牽引自動車が確実かつ安全に減速及び停止を行うことができる制動装置を備えていること。この場合において、次に掲げる制動装置であって、その機能を損なう損傷のないものはこの基準に適合するものとする。

一　指定自動車等に備えられた制動装置と同一の構造を有し、かつ、同一の位置に備えられた制動装置

二　法第75条の2第1項の規定に基づき型式の指定を受けた特定共通構造部に備えられている制動装置と同一の構造を有し、かつ、同一の位置に備えられている制動装置又はこれに準ずる性能を有する制動装置

三　法第75条の3第1項の規定に基づき制動装置について型式の指定を受けた自動車に備える制動装置と同一の構造を有し、かつ、同一の位置に備えられた制動装置又はこれに準ずる性能を有する制動装置

（牽引自動車及び被牽引自動車の制動装置）

第172条　牽引自動車と被牽引自動車の連結状態における制動性能に関し、保安基準第13条の告示で定める基準は、次項から第

5項までに掲げる基準とする。

2　牽引自動車及び被牽引自動車の制動装置は、牽引自動車と被牽引自動車とを連結した状態において、第171条第2項第2号及び第7号の基準並びに次の基準に適合しなければならない。

一　第171条第2項又は第3項の自動車に牽引される場合にあっては、同条第2項第9号の基準

二　第171条第5項の自動車に牽引される場合にあっては、同項第9号の基準

3　最高速度25km/h以下の牽引自動車により牽引される被牽引自動車にあっては、連結した状態において、牽引する牽引自動車の主制動装置のみで第171条第2項第2号及び第5項第3号の基準に適合する場合には、主制動装置を省略することができる。

4　牽引自動車及び被牽引自動車の制動装置は、走行中牽引自動車と被牽引自動車とが分離したときに、それぞれを停止させることができる構造でなければならない。ただし、被牽引自動車（被牽引自動車とこれを牽引する牽引自動車とが接近することにより作用する構造の主制動装置を備えたもの又は保安基準第12条第2項若しくは前項に基づき主制動装置を省略したものに限る。）であって、連結装置が分離したときに連結装置の地面への接触を防止し、牽引自動車と被牽引自動車との連結状態を保つことができるものにあっては、この限りでない。

5　牽引自動車（最高速度25km/h以下のものを除く。）及び被牽引自動車（被牽引自動車とこれを牽引する牽引自動車とが接近することにより作用する構造の主制動装置を備えたものを除く。）の主制動装置は、牽引自動車と被牽引自動車とを連結した状態において、次に掲げる基準に適合しなければならない。

一　第171条第2項又は第3項の自動車に牽引される場合にあっては、同条第2項第8号の基準

二　第171条第4項の自動車に牽引される場合にあっては、同項第4号の基準

三　第171条第5項の自動車に牽引される場合にあっては、同項第5号及び第8号の基準

6　牽引自動車及び被牽引自動車（被牽引自動車とこれを牽引する牽引自動車とが接近することにより作用する構造の主制動装置を備えたものを除く。）の主制動装置は、牽引自動車と被牽引自動車とを連結した状態において、牽引自動車の主制動装置を操作したときに、直ちに被牽引自動車の主制動装置が作用する構造でなければならない。

7　牽引自動車（最高速度25km/h以下のものを除く。）及び被牽引自動車の主制動装置は、牽引自動車と被牽引自動車とを連結した状態において、第171条第2項第10号の基準に適合しなければならない。

（緩衝装置）

第173条　ばねその他の緩衝装置の強度、緩衝性能等に関し保安基準第14条第1項の告示で定める基準は、次項に掲げる基準とする。

2　ばねその他の緩衝装置は、地面からの衝撃に対し十分な容量を有し、かつ、安全な運行を確保できるものでなければならない。この場合において、次の各号に掲げるばねその他の緩衝装置は、この基準に適合しないものとする。

一　ばねに損傷があり、リーフに著しいずれがあり、又は左右のばねのたわみに著しい不同があるもの

二　センター・ボルト、Uボルト、クリップ・ボルト及びナット又はクリップ・バンドに損傷若しくは脱落又は緩みがあるもの

三　ブラケット又はスライディング・シートに損傷があり、又は取付部に緩みがあるもの

四　シャックル又はシャックル・ピンに著しい摩耗があるもの

五　サスペンション・アーム等のアーム類、トルク・ロッド等のロッド類又はスタビライザ等に損傷があり、又は取付部に著しいがたがあるもの

六　サスペンション・アーム等のアーム類等のダスト・ブーツに損傷があるもの

七　空気ばねのベローズ等に損傷若しくは空気漏れがあり、又は左右の空気ばねの高さに著しい不同があるもの

八　ばねの端部がブラケットから離脱しているもの又は離脱するおそれがあるもの

九　ストラットに損傷があり、又は取付部に緩みがあるもの

十　ショック・アブソーバに著しい液漏れ、ガス漏れ若しくは損傷があり、又は取付部に緩みがあるもの

十一　ショック・アブソーバが取り外されているもの

十二　オレオ装置に著しい液漏れがあるもの

十三　フォーク・ロッカーアームの取付部に著しいがた又は緩みがあるもの

十四　ばね又はスタビライザ等に溶接、肉盛又は加熱加工等の修理を行うことによりその機能を損なった部品を使用しているもの

十五　改造を行ったことにより次のいずれかに該当するもの

イ　切断等によりばねの一部又は全部を除去したもの

ロ　ばねの機能を損なうおそれのある締付具を有するもの

ハ　ばねの取付方法がその機能を損なうおそれのあるもの

3　保安基準第14条ただし書の告示で定める自動車は、第236条第4項の自動車とする。

（燃料装置）

第174条　ガソリン、灯油、軽油、アルコールその他の引火しやすい液体を燃料とする自動車の燃料装置の強度、構造、取付方法等に関し、保安基準第15条第1項の告示で定める基準は、次の各号に掲げる基準とする。

一　燃料タンク及び配管は、堅ろうで、振動、衝撃等により損傷を生じないように取り付けられていること。この場合において、次に掲げる燃料タンク及び配管はこの基準に適合しないものとする。

イ　配管（配管を保護するため、配管に保護部材を巻きつける等の対策を施してある場合の保護部材を除く。）が、走行中に他の部分と接触した痕跡があるもの又は接触するおそれがあるもの

ロ　燃料タンク、配管又は接手部からの燃料漏れがあるもの又は他の部分との接触により燃料漏れを発生するおそれがあるもの

二　燃料タンクの注入口及びガス抜口は、次に掲げる基準に適合すること。

イ　通常の運行において燃料が容易に漏れない構造であること。

ロ　露出した電気端子及び電気開閉器から200mm以上離れていること。

ハ　座席又は立席のある車室（隔壁により仕切られた運転者室を除く。）の内部に開口していないこと。

2　指定自動車等に備えられている燃料タンク及び配管と同一の構造を有し、かつ、同一の位置に備えられた燃料装置であって、その機能を損なうおそれがある損傷のないものは、前項各号に掲げる基準に適合するものとする。

3　ガソリン、灯油、軽油、アルコールその他引火しやすい液体を燃料とする自動車（乗車定員11人以上の自動車、貨物の運送の用に供する自動車であって車両総重量が3.5tを超える自動車、二輪自動車、側車付二輪自動車、カタピラ及びそりを有する軽自動車、大型特殊自動車、小型特殊自動車並びに被牽引自動車を除く。）の燃料タンク及び配管の燃料漏れ防止に係る性能等に関し、保安基準第15条第2項の告示で定める基準は、当該自動車が衝突、追突等による衝撃を受けた場合において、燃料が著しく漏れるおそれの少ない構造であることとする。この場合において、次に掲げる燃料装置であって、その機能を損なうおそれがある損傷のないものはこの基準に適合するものとする。

一　指定自動車等に備えられている燃料タンク及び配管と同一の構造を有し、かつ、同一の位置に備えられた燃料装置

二　新規検査、予備検査又は構造等変更検査の際に提示のあった燃料タンク及び配管と同一の構造を有し、かつ、同一の位置に備えられた燃料装置

三　保安基準第1条の3ただし書の規定により、破壊試験を行うことが著しく困難であると認める燃料装置であって、第96条第4項の規定によるもの

（発生炉ガスを燃料とする自動車の燃料装置）

第175条　発生炉ガスを燃料とする自動車の燃料装置の強度、構造、取付方法等に関し、保安基準第16条の告示で定める基準は、次の各号に掲げる基準とする。

一　ガス発生炉及び配管は、堅ろうで、振動、衝撃等により損傷を生じないように取り付けられていること。

二　ガス発生炉の燃焼室に面する車体の部分には、適当な防熱壁を備えること。

三　ガス発生炉と防熱壁との間隔は、50mm以上であること。

四　配管のうち高熱の部分は、車体の可燃性の部分と接触していないこと。

五　積載した物品がガス発生炉と接触するおそれのある場合にあっては、ガス発生炉と物品積載装置との間に適当な隔壁を備えること。

（高圧ガスを燃料とする自動車の燃料装置）

第176条　高圧ガスを燃料とする自動車（第3項、第5項及び第6項の自動車を除く。）の燃料装置の強度、構造、取付方法等に関し、保安基準第17条第1項の告示で定める基準は、次の各号に掲げる基準とする。

一　ガス容器は、次に掲げる区分に応じ、それぞれに定める基準に適合すること。ただし、容器検査若しくは容器再検査を受けた後若しくは自主検査刻印等がされた後容器保安規則第24条で定める期間を経過した容器又は損傷を受けた容器にあっては、この基準に適合しないものとする。

イ　容器再検査を受けたことのないガス容器　次のいずれかに該当すること

(1)　容器保安規則第7条及び第17条に規定する構造及び機能を有するもの

(2)　刻印等が当該容器になされているもの

(3)　圧縮天然ガス自動車燃料装置用容器であって、容器則細目告示第1条第2項第3号に規定する車載容器総括証票が燃料充填口近傍に貼付されているもの

ロ　容器再検査を受けたことのあるガス容器　次のいずれかに該当すること

(1)　容器保安規則第26条及び第29条に規定する構造及び機能を有するもの

(2)　高圧ガス保安法第49条に規定する刻印又は標章の掲示が当該容器になされているもの

(3)　圧縮天然ガス自動車燃料装置用容器であって、容器則細目告示第32条に規定する容器再検査合格証票が燃料充填口近傍に貼付されているもの

二　液化石油ガスのガス容器及び導管は、大型特殊自動車又は小型特殊自動車の車体外に取り付ける場合を除き、取り外してガスの充填を行うものでないこと。

三　ガス容器は、車体外に取り付けるものを除き、座席又は立席のある車室と気密な隔壁で仕切られ、車体外と通気が十分な場所に取り付けられていること。この場合において、液化石油ガス又は圧縮天然ガスを燃料とする自動車に関し、次のイ又はロにより検査を行い、その結果、ハに該当するものは、この基準に適合しないものとする。ただし、次のニのいずれかに該当するものにあっては、この基準に適合しているものとする。

イ　ガス容器又はガス容器バルブ及び安全弁等が固定されたコンテナケースに収納のうえトランクルーム等に装着されている自動車

(1)　炭酸ガスによる方法

コンテナケースの換気孔の一つにノズル径4mmφ（又は6mmφ）の炭酸ガス導入ホースを挿入し、全ての換気孔を密閉した後、コンテナケース内に9.8kPaの圧縮炭酸ガスを30秒間送入し、そのままの状態でコンテナケースからのガス漏れの有無を炭酸ガス検知器で検査する。

(2)　発煙剤による方法

コンテナケースの換気孔の一つにノズル径4mmφ（又は6mmφ）の空気導入ホースを挿入し、全ての換気孔を密閉した後、コンテナケース内に発煙剤により発生させた煙を混入した9.8kPaの圧縮空気を30秒間送入し、そのままの状態でコンテナケースからの煙の漏れの有無を目視により検査する。

ロ　ガス容器又はガス容器バルブ及び安全弁等がイ以外の方法でトランクルーム等に装着されている自動車

(1)　炭酸ガスによる方法

ガス容器格納室の換気孔の一つにノズル径4mmφ（又は6mmφ）の炭酸ガス導入ホースを挿入し、全ての換気孔を密閉した後、ガス容器格納室に490kPa（ノズル径が6mmφの場合は、294kPa）の圧縮炭酸ガスを30秒間送入し、そのままの状態で車室へのガス漏れの有無を炭酸ガス検知器で検査する。

(2)　発煙剤による方法

ガス容器格納室の換気孔の一つにノズル径4mmφ（又は6mmφ）の空気導入ホースを挿入し、全ての換気孔を密閉した後、ガス容器格納室内に発煙剤により発生させた煙を混入した490kPa（ノズル径が6mmφの場合は294kPa）の圧縮空気を30秒間送入し、そのままの状態で車室への煙の漏れの有無を目視により検査する。

ハ　気密検査結果の判定

(1)　炭酸ガスによる方法で、炭酸ガス検知器によって測定されるガス濃度が0.05％を超えるもの

(2)　発煙剤による方法で、車室に煙が漏洩しているもの

ニ　気密検査の省略

(1)　ガス容器バルブ、安全弁等がガス容器取付施工時と同じにコンテナケースに確実に格納されており、当該コンテナケースに気密機能を損なうおそれのある損傷のないもの（燃料の種類を液化石油ガス又は圧縮天然ガスに変更した自動車に備えるものを除く。）

(2)　その他の方法により確実に気密機能を有していることが認められるもの。

四　ガス容器及び導管は、移動及び損傷を生じないように確実に取り付けられ、かつ、損傷を受けるおそれのある部分が適当な覆いで保護されており、溶解アセチレン・ガス容器にあっては、ガス開閉装置を上方とし、容器内の多孔物質の原状を変化させないように取り付けられていること。この場合において、次に掲げるものは、この基準に適合しないものとする。

イ　ガス容器の取付部及び導管の取付部に緩み又は損傷があるもの

ロ　導管（導管を保護するため、導管に保護部材を巻きつける等の対策を施している場合の保護部材は除く。）であって、走行中に他の部分と接触した痕跡があるもの又は接触するおそれがあるもの

五　排気管、消音器等によって著しく熱の影響を受けるおそれのあるガス容器及び導管には、適当な防熱装置が施されていること。この場合において、直射日光をうけるものには、おおいその他の適当な日よけを設けること。

六　導管は、繊維補強樹脂管又は焼鈍した鋼管若しくは銅管（アセチレン・ガスを含有する高圧ガスに係るものにあっては、繊維補強樹脂管又は焼鈍した鋼管）であること。ただし、低圧部に用いるもの及び液化石油ガスに係るものにあっては、

耐油性ゴム管を使用することができる。

七　両端が固定された導管（耐油性ゴム管を除く。）は、中間の適当な部分が湾曲しているものであり、かつ、1m以内の長さごとに支持されていること。

八　アセチレン・ガスを含有する高圧ガスを使用するものにあっては、燃料装置中のガスと接触する部分に銅製品を使用していないこと。

九　高圧部の配管（ガス容器から最初の減圧弁までの配管をいう。以下この号において同じ。）は、ガス容器のガス充塡圧力の1.5倍の圧力に耐えること。この場合において、この基準に適合しないおそれがあるときは、次のイからハまでに掲げる方法により気密検査を行うものとし、気密検査の結果ニに掲げる基準に適合する液化石油ガス又は圧縮天然ガスを燃料とする自動車の高圧部の配管は、この基準に適合するものとする。

イ　検知液による方法

ガス容器の液取出しバルブを全開にした状態で、配管及び各継手部に検知液（石けん水等）を塗布し、発泡によりガス漏れを検査する。

ロ　ガス測定器による方法

ガス容器の液取出しバルブを全開にした状態で、配管及び各継手部にガス測定器の検出部を当てガス漏れを検査する。

ハ　圧力計による方法

配管に圧力計を設置し、配管内に液化石油ガス又は圧縮天然ガスの常用圧力の不燃性ガスを1分間封入し、配管に設置した圧力計により圧力の低下状況を検査する。

ニ　イからハまでにより気密検査を行った結果、発泡等によりガス漏れが認められない又は圧力の低下が認められないものであること。

十　主止弁を運転者の操作しやすい箇所に、ガス充塡弁をガス充塡口の近くに備えること。

十一　液化石油ガス以外の高圧ガスを燃料とする燃料装置には、最初の減圧弁の入口圧力を指示する圧力計を備えること。

十二　圧縮天然ガスを燃料とする燃料装置には、低圧側の圧力の著しい上昇を有効に防止することができる安全装置を備えること。ただし、最終の減圧弁の低圧側が大気に開放されているものにあっては、この限りでない。

十三　安全装置は、車室内にガスを噴出しないように取り付けられたものであること。

十四　アセチレン・ガスを含有する高圧ガスを燃料とする燃料装置には、逆火防止装置を最終の減圧弁と原動機の吸入管との間に備えること。

2　液化石油ガスを燃料とする自動車の燃料装置の強度、構造、取付方法等に関し、保安基準第17条第2項の告示で定める基準は、前項各号の基準及び第174条第1項第2号に掲げる基準とする。この場合において、「燃料タンクの注入口及びガス抜口」とあるのは「ガス容器の充塡口」と読み替えるものとする。

3　圧縮水素ガスを燃料とする自動車の燃料装置の強度、構造、取付方法等に関し、保安基準第17条第1項の告示で定める基準は、次の各号に掲げる基準とする。

一　次のいずれかの基準に適合すること。

イ　圧縮水素ガスを燃料とする自動車（二輪自動車、側車付二輪自動車、三輪自動車、カタピラ及びそりを有する軽自動車、大型特殊自動車、小型特殊自動車並びに被牽引自動車を除く。）に備える燃料装置にあっては、次のいずれにも該当すること。

(1)　別添131「圧縮水素ガスを燃料とする自動車のガス容器及びガス容器附属品の技術基準」3.3.及び4.3.に適合すること

(2)　別添131「圧縮水素ガスを燃料とする自動車のガス容器及びガス容器附属品の技術基準」5.1.に規定する刻印又は同別添5.2.に規定する標章が当該ガス容器になされていること。この場合において、この基準に適合するものとみなす。

(3)　別添131「圧縮水素ガスを燃料とする自動車のガス容器及びガス容器附属品の技術基準」5.5.1.に規定する刻印が当該ガス容器附属品になされていること。この場合において、刻印等が当該ガス容器附属品になされているものは、この基準に適合するものとみなす。

(4)　別添131「圧縮水素ガスを燃料とする自動車のガス容器及びガス容器附属品の技術基準」6.1.2.1.に規定する容器証票が当該ガス容器に、同別添6.1.2.2.に規定する車載容器一覧証票が当該燃料装置を備える自動車の表面に、同別添6.1.2.3.に規定する車載容器総括証票が当該自動車の燃料充塡口近傍に貼付されていること

ロ　圧縮水素ガスを燃料とする自動車（二輪自動車、側車付二輪自動車及び三輪自動車に限り、検査対象外軽自動車を除く。）に備える燃料装置にあっては、次のいずれにも該当すること。

(1)　本号イ(1)に適合すること

(2)　別添131「圧縮水素ガスを燃料とする自動車のガス容器及びガス容器附属品の技術基準」5.1.に規定する刻印又は5.2.に規定する標章が当該ガス容器になされていること。この場合において、刻印等が当該ガス容器になされているものは、この基準に適合するものとみなす。

(3)　別添131「圧縮水素ガスを燃料とする自動車のガス容器及びガス容器附属品の技術基準」5.5.1.に規定する刻印が当該ガス容器附属品になされていること。この場合において、刻印等が当該ガス容器附属品になされているものは、この基準に適合するものとみなす。

(4)　別添131「圧縮水素ガスを燃料とする自動車のガス容器及びガス容器附属品の技術基準」6.1.2.1.に規定する容器証票が当該ガス容器に、同別添6.1.2.2.に規定する車載容器一覧証票が当該燃料装置を備える自動車の表面に、同別添6.1.2.3.に規定する車載容器総括証票が当該自動車の燃料充塡口近傍に貼付されていること

ハ　圧縮水素ガスを燃料とする自動車（検査対象外軽自動車、大型特殊自動車及び小型特殊自動車を除く。）に備える燃料装置にあっては、次のいずれにも該当すること。

(1)　当該ガス容器が、別添131「圧縮水素ガスを燃料とする自動車のガス容器及びガス容器附属品の技術基準」3.4.及び4.4.に適合すること

(2)　別添131「圧縮水素ガスを燃料とする自動車のガス容器及びガス容器附属品の技術基準」5.3.に規定する刻印又は5.4.に規定する標章が当該燃料装置に備えるガス容器になされていること。この場合において、刻印等が当該ガス容器になされているものは、この基準に適合するものとみなす。

(3)　別添131「圧縮水素ガスを燃料とする自動車のガス容器及びガス容器附属品の技術基準」5.5.2.に規定する刻印が当該燃料装置に備えるガス容器附属品になされていること。この場合において、刻印等が当該ガス容器附属品になされているものは、この基準に適合するものとみなす。

(4)　別添131「圧縮水素ガスを燃料とする自動車のガス容器及びガス容器附属品の技術基準」6.2.5.1.に規定する容器証票が当該ガス容器に、同別添6.2.5.2.に規定する車載容器一覧証票が当該燃料装置を備える自動車の表面に、同別添6.2.5.3.に規定する車載容器総括証票が当該自動車の燃料充塡口近傍に貼付されていること

ニ　圧縮水素ガスを燃料とする自動車（検査対象外軽自動車、

大型特殊自動車及び小型特殊自動車に限る。）に備える燃料装置にあっては、次に掲げる区分に応じ、それぞれに定める基準に適合するガス容器を備えること。

(1)　容器再検査を受けたことのないガス容器　次のいずれかに該当すること

(i)　容器保安規則第7条及び第17条に規定する構造及び機能を有すること

(ii)　刻印等が当該ガス容器になされていること

(iii)　容器則細目告示第1条第2項第3号に規定する車載容器総括証票が燃料充填口近傍に貼付されていること

(iv)　国際相互承認則第5条及び第11条に規定する構造及び機能を有するものであって、協定規則第134号の規則7.1.1.2.又は協定規則第146号の規則7.1.1.2.に適合すること

(2)　容器再検査を受けたことのあるガス容器　次のいずれかに該当すること

(i)　容器保安規則第26条及び第29条に規定する構造及び機能を有すること

(ii)　高圧ガス保安法第49条に規定する刻印又は標章の掲示が当該ガス容器になされていること

(iii)　容器則細目告示第32条に規定する容器再検査合格証票が燃料充填口近傍に貼付されていること

(iv)　国際相互承認容器細目告示第57条に規定する容器再検査合格証票が燃料充填口近傍に貼付されていること

二　燃料装置が次の各号に適合するものであること。

イ　ガス容器及び配管等（水素ガスの流路の構成部品であって、燃料電池スタック、原動機、ガス容器及びガス容器附属品を除く部分をいう。以下この号において同じ。）は、運転者室、客室及び荷室その他換気が十分にされない場所に備えてはならない。この場合において、ガス容器及び配管等から水素が漏出した場合であっても運転者室、客室及び荷室その他換気が十分にされない場所に水素が流入しないものは、この基準に適合するものとみなす。

ロ　配管等は、通常使用される圧力の中で最も高い圧力において、外部に対して気密性を有するものでなければならない。この場合において、配管等に圧力がかかった状態において、高圧部から燃料電池スタック（燃料電池自動車以外の自動車にあっては原動機）に至るまでの配管等の確認可能な箇所においてガス検知器又は検知液（石けん水等）を用いて水素ガス漏れの検知を行いガス漏れがないものは、この基準に適合するものとみなす。

ハ　自動車に備えられた水素ガス漏れを検知する装置（以下この号において「水素ガス漏れ検知器」という。）が正常に作動すること。この場合において、次に掲げる基準のいずれかに適合するものは、この基準に適合するものとみなす。

(1)　水素ガス漏れ検知器の取付部に緩み、がた等がなく、かつ、水素ガス漏れ検知器に損傷等がないこと。

(2)　水素ガス漏れ検知器の異常を表示する装置が備えられている場合にあっては、当該装置が正常に作動すること。

ニ　ガス容器及び配管等の取付部に緩み又は損傷が無いこと。

ホ　ガス容器及び配管等は、損傷を受けるおそれのある部分が適当なおおいで保護されており、かつ、そのおおいに機能を損なう損傷又は故障が無いこと。

ヘ　ガス容器及び配管等の防熱措置又はおおいその他の適当な日よけにその機能を損なう損傷が無いこと。

ト　燃料電池システムの制御によりパージ（燃料電池システム内の水素を含むガスを外部に排出することをいう。）されたガスは、その排出部に確実に導かれるものであること。なお、そのガスを導くための管の取付けが確実でないもの又はその管に損傷のあるものは、この基準に適合しないものとする。

チ　水素ガス漏れ検知器により水素ガス漏れが検知されていないこと。

リ　圧力計又は残量計が正常に作動しているものであること。

三　圧縮水素ガスを燃料とする自動車（専ら乗用の用に供する自動車であって乗車定員10人以上のもの及び貨物の運送の用に供する自動車であって車両総重量が3.5tを超えるものに限る。）にあっては、協定規則第134号の規則7.1.7.に定める基準に適合するものであること。

四　次に掲げる装置であってその機能を損なうおそれがある損傷のないものは前号イ、ホからトまで及びリに定める基準に適合するものとする。

イ　指定自動車等に備えられている燃料装置と同一の構造を有し、かつ、同一の位置に備えられたもの

ロ　新規検査、予備検査又は構造等変更検査の際に提示のあった燃料装置と同一の構造を有し、かつ、同一の位置に備えられたもの

4　圧縮水素ガスを燃料とする自動車（二輪自動車、側車付二輪自動車、カタピラ及びそりを有する軽自動車、大型特殊自動車、小型特殊自動車並びに被牽引自動車を除く。）のガス容器、配管その他の水素ガスの流路にある装置の燃料漏れ防止に係る性能等に関し、保安基準第17条第3項の告示で定める基準は、当該自動車が衝突、追突等により衝撃を受けた場合において、燃料が著しく漏れるおそれの少ない構造であることとする。この場合において、次の各号に掲げる装置であって、その機能を損なうおそれがある損傷のないものは、この基準に適合するものとする。

一　指定自動車等に備えられているガス容器、配管その他の水素ガスの流路にある装置と同一の構造を有し、かつ、同一の位置に備えられたもの

二　法第75条の3第1項の規定に基づく装置の指定を受けた燃料装置と同一の構造を有し、かつ、同一の位置に備えられた燃料装置又はこれに準ずる性能を有する燃料装置

三　新規検査、予備検査又は構造等変更検査の際に提示のあったガス容器、配管その他の水素ガスの流路にある装置と同一の構造を有し、かつ、同一の位置に備えられたもの

四　保安基準第1条の3ただし書の規定により、破壊試験を行うことが著しく困難であると認められる装置であって、第98条第5項各号に掲げるもの

5　圧縮天然ガスを燃料とする自動車（検査対象外軽自動車、大型特殊自動車、小型特殊自動車及び容器保安規則第26条第1項の規定が適用されるガス容器を燃料装置に備える自動車を除く。）は次に掲げる基準に適合すること。

一　圧縮天然ガスを燃料とする自動車（二輪自動車、側車付二輪自動車、三輪自動車及び被牽引自動車を除く。）に備える燃料装置にあっては、次のいずれにも該当すること。

イ　当該燃料装置に備えるガス容器が、協定規則第110号の規則8.2.に定める基準に適合すること

ロ　当該燃料装置に備えるガス容器附属品が、協定規則第110号の規則8.3.の基準に適合すること

ハ　別添132「圧縮天然ガスを燃料とする自動車のガス容器及びガス容器附属品の技術基準」3.1.1.、3.2.1.、4.1.1.及び4.2.1.に適合すること

ニ　イ及び別添132「圧縮天然ガスを燃料とする自動車のガス容器及びガス容器附属品の技術基準」3.1.1.に適合するものとして、同別添5.1.1.に規定する刻印又は標章が当該ガス容器になされていること。この場合において、刻印等が当該ガス容器附属品になされているものは、この基準に適合するものとみなす。

ホ　ロ及び別添132「圧縮天然ガスを燃料とする自動車のガス容器及びガス容器附属品の技術基準」4.1.1.に適合するものとして、同別添5.2.1.に規定する刻印が当該ガス容器

附属品になされていること。この場合において、刻印等が当該ガス容器附属品になされているものは、この基準に適合するものとみなす。

ヘ　別添132「圧縮天然ガスを燃料とする自動車のガス容器及びガス容器附属品の技術基準」6.1.2.に規定する容器証票が当該ガス容器に、同別添6.1.3.に規定する車載容器一覧証票が当該燃料装置を備える自動車の表面に、同別添6.1.4.に規定する車載容器総括証票が当該自動車の燃料充填口近傍に貼付されていること。この場合において、高圧ガス保安法第46条の規定により証票が貼付されているものは、この基準に適合するものとみなす。

ト　燃料装置は、次に掲げる基準に適合すること

(1)　ガス容器及び配管等（ガスの流路の構成部品であって、原動機、ガス容器及び容器附属品を除く部分をいう。以下この条において同じ。）の取付部に緩み又は損傷が無いこと。

(2)　配管等は、ガス容器のガス充填圧力の1.5倍の圧力に耐えるものであること。この場合において、配管等に圧力がかかった状態において、高圧部から原動機に至るまでの配管等の確認可能な箇所においてガス検知器又は検知液（石けん水等）を用いてガス漏れの検知を行いガス漏れが検知されないものは、この基準に適合するものとみなす。

(3)　専ら乗用の用に供する自動車であって乗車定員10人以上のもの及び貨物の運送の用に供する自動車であって車両総重量が3.5tを超えるものにあっては、協定規則第110号の規則18.1.8.1.及び18.1.8.3.に適合すること。

(4)　ガス容器は、車体外に取り付けるものを除き、座席又は立席のある車室と気密な隔壁で仕切られ、車体外との通気が十分な場所に取り付けられており、かつ、次に掲げる基準に適合すること。

(i)　ガス容器格納室（ガス容器又はガス容器のバルブ及び安全弁等が固定されたコンテナケースをいう。以下同じ。）の換気がタイヤハウス内、排気管その他の熱源に向けて行われていないこと。

(ii)　ガス容器格納室及び通気ダクトの取付部に緩み又はその機能を損なう損傷がないこと。

(5)　ガス容器及び配管等は、損傷を受けるおそれのある部分が適当なおおいで保護されており、かつ、そのおおいに機能を損なう損傷又は故障がないこと。

(6)　ガス容器及び配管等の防熱装置又はおおいその他の適当な日よけにその機能を損なう損傷がないこと。

(7)　次に掲げる装置であってその機能を損なうおそれがある損傷のないものは(1)及び(4)から(6)までに定める基準に適合するものとする。

(i)　指定自動車等に備えられている燃料装置と同一の構造を有し、かつ、同一の位置に備えられたもの

(ii)　法第75条の3第1項の規定に基づく装置の指定を受けた燃料装置と同一の構造を有し、かつ、同一の位置に備えられた燃料装置又はこれに準ずる性能を有する燃料装置

(iii)　新規検査、予備検査又は構造等変更検査の際に提示のあった燃料装置と同一の構造を有し、かつ、同一の位置に備えられたもの

二　圧縮天然ガスを燃料とする自動車（二輪自動車、側車付二輪自動車、三輪自動車及び被牽引自動車に限る。）に備える燃料装置にあっては、次のいずれにも該当すること。

イ　当該燃料装置に備えるガス容器及びガス容器附属品が、別添132「圧縮天然ガスを燃料とする自動車のガス容器及びガス容器附属品の技術基準」3.1.2.、3.2.2.、4.1.2.及び4.2.2.に定める基準に適合すること

ロ　別添132「圧縮天然ガスを燃料とする自動車のガス容器及びガス容器附属品の技術基準」3.1.2.に適合するものとして、同別添5.1.2.に規定する刻印又は標章が当該燃料装置に備えるガス容器になされていること。この場合において、刻印等が当該ガス容器附属品になされているものは、この基準に適合するものとみなす。

ハ　別添132「圧縮天然ガスを燃料とする自動車のガス容器及びガス容器附属品の技術基準」4.1.2.に適合するものとして、同別添5.2.2.に規定する刻印が当該燃料装置に備えるガス容器附属品になされていること。この場合において、刻印等が当該ガス容器附属品になされているものは、この基準に適合するものとみなす。

ニ　別添132「圧縮天然ガスを燃料とする自動車のガス容器及びガス容器附属品の技術基準」6.1.2.に規定する容器証票が当該ガス容器に、同別添6.1.3.に規定する車載容器一覧証票が当該燃料装置を備える自動車の表面に、同別添6.1.4.に規定する車載容器総括証票が当該自動車の燃料充填口近傍に貼付されていること。この場合において、高圧ガス保安法第46条の規定により証票が貼付されているものは、この基準に適合するものとみなす。

ホ　燃料装置は、第1項第3号から第7号及び第9号から第13号に掲げる基準に適合するものであること。

6　液化天然ガスを燃料とする自動車（検査対象外軽自動車、大型特殊自動車及び小型特殊自動車を除く。）は次に掲げる基準に適合すること。

一　液化天然ガスを燃料とする自動車（二輪自動車、側車付二輪自動車、三輪自動車及び被牽引自動車を除く。）に備える燃料装置にあっては、次のいずれにも該当すること。

イ　当該燃料装置に備えるガス容器が、協定規則第110号の規則8.12.に定める基準に適合すること

ロ　当該燃料装置に備えるガス容器附属品が、協定規則第110号の規則8.14.の基準に適合すること

ハ　別添133「液化天然ガスを燃料とする自動車のガス容器及びガス容器附属品の技術基準」3.1.1.、3.2.1.、4.1.1.及び4.2.1.に適合すること

ニ　イ及び別添133「液化天然ガスを燃料とする自動車のガス容器及びガス容器附属品の技術基準」3.1.1.に適合するものとして、同別添5.1.1.に規定する刻印又ははが当該ガス容器になされていること。この場合において、刻印等が当該ガス容器附属品になされているものは、この基準に適合するものとみなす。

ホ　ロ及び別添133「液化天然ガスを燃料とする自動車のガス容器及びガス容器附属品の技術基準」4.1.1.に適合するものとして、同別添5.2.1.に規定する刻印が当該ガス容器附属品になされていること。この場合において、刻印等が当該ガス容器附属品になされているものは、この基準に適合するものとみなす。

ヘ　別添133「液化天然ガスを燃料とする自動車のガス容器及びガス容器附属品の技術基準」6.1.2.に規定する容器証票が当該ガス容器に、同別添6.1.3.に規定する車載容器一覧証票が当該燃料装置を備える自動車の表面に、同別添6.1.4.に規定する車載容器総括証票が当該自動車の燃料充填口近傍に貼付されていること。この場合において、高圧ガス保安法第46条の規定により証票が貼付されているものは、この基準に適合するものとみなす。

ト　燃料装置は、次に掲げる基準に適合すること

(1)　ガス容器及び配管等の取付部に緩み又は損傷が無いこと。

(2)　配管等は、ガス容器のガス充填圧力の1.5倍の圧力に耐えること。この場合において、この基準に適合しないおそれがあるときは、配管等に圧力がかかった状態において、高圧部から原動機に至るまでの配管等の確認可能

な箇所においてガス検知器又は検知液（石けん水等）を用いてガス漏れの検知を行いガス漏れがないものは、この基準に適合するものとみなす。

(3) 専ら乗用の用に供する自動車であって乗車定員10人以上のもの及び貨物の運送の用に供する自動車であって車両総重量が3.5tを超えるものにあっては、協定規則第110号の規則18.1.8.2.及び18.1.8.3.に適合すること。

(4) ガス容器及び配管等は、損傷を受けるおそれのある部分が適当なおおいで保護されており、かつ、そのおおいに機能を損なう損傷又は故障がないこと。

(5) ガス容器及び配管等の防熱装置又はおおいその他の適当な日よけにその機能を損なう損傷がないこと。

(6) 次に掲げる装置であってその機能を損なうおそれがある損傷のないものは(1)、(4)及び(5)に定める基準に適合するものとする。

(i) 指定自動車等に備えられている燃料装置と同一の構造を有し、かつ、同一の位置に備えられたもの

(ii) 法第75条の3第1項の規定に基づく装置の指定を受けた燃料装置と同一の構造を有し、かつ、同一の位置に備えられた燃料装置又はこれに準ずる性能を有する燃料装置

(iii) 新規検査、予備検査又は構造等変更検査の際に提示のあった燃料装置と同一の構造を有し、かつ、同一の位置に備えられたもの

二 液化天然ガスを燃料とする自動車（二輪自動車、側車付二輪自動車、三輪自動車及び被牽引自動車に限る。）に備える燃料装置にあっては、次のいずれにも該当すること。

イ 当該燃料装置に備えるガス容器及びガス容器附属品が、別添133「液化天然ガスを燃料とする自動車のガス容器及びガス容器附属品の技術基準」3.1.2.、3.2.2.、4.1.2.及び4.2.2.に定める基準に適合すること

ロ 別添133「液化天然ガスを燃料とする自動車のガス容器及びガス容器附属品の技術基準」3.1.2.に適合するものとして、同別添5.1.2.に規定する刻印又は標章が当該ガス容器になされていること

ハ 別添133「液化天然ガスを燃料とする自動車のガス容器及びガス容器附属品の技術基準」に適合するものとして、同別添5.2.2.に規定する刻印が当該ガス容器附属品になされていること

ニ 別添133「液化天然ガスを燃料とする自動車のガス容器及びガス容器附属品の技術基準」6.1.2.に規定する容器証票が当該ガス容器に、同別添6.1.3.に規定する車載容器一覧証票が当該燃料装置を備える自動車の表面に、同別添6.1.4.に規定する車載容器総括証票が当該自動車の燃料充填口近傍に貼付されていること。この場合において、高圧ガス保安法第46条の規定により証票が貼付されているものは、この基準に適合するものとみなす。

ホ 燃料装置は、第1項第3号から第7号、第9号から第11号及び第13号に掲げる基準に適合するものであること。

（電気装置）

第177条 電気装置の取付位置、取付方法、性能等に関し保安基準第17条の2第1項の告示で定める基準は、次の各号に掲げる基準とする。

一 車室内及びガス容器が取り付けられているトランク等の仕切られた部分の内部（以下「車室内等」という。）の電気配線は、被覆され、かつ、車体に定着されていること。

二 車室内等の電気端子、電気開閉器その他火花を生ずるおそれのある電気装置は、乗車人員及び積載物品によって損傷、短絡等を生じないように、かつ、電気火花等によって乗車人員及び積載物品に危害を与えないように適当におおわれていること。この場合において、計器板裏面又は座席下部の密閉された箇所等に設置されている電気端子及び電気開閉器は、適当におおわれているものとする。

三 蓄電池は、自動車の振動、衝撃等により移動し、又は損傷することがないようになっていること。この場合において、車室内等の蓄電池は、木箱その他適当な絶縁物等によりおおわれている（蓄電池端子の部分（蓄電池箱の上側）が適当な絶縁物で完全におおわれていることをいい、蓄電池箱の横側あるいは下側は、絶縁物でおおわれていないものであってもよい。）ものとする。

四 電気装置の発する電波が、無線設備の機能に継続的かつ重大な障害を与えるおそれのないものであること。この場合において、自動車雑音防止用の高圧抵抗電線、外付抵抗器等を備え付けていない等電波障害防止のための措置をしていないものは、この基準に適合しないものとする。

2 保安基準第17条の2第2項の告示で定める基準は、自動車に備える電気装置が、電波による影響により当該自動車の制御に重大な障害を生ずるおそれのないものであることとする。この場合において、次に掲げる電気装置であって、その機能を損なう損傷のないものはこの基準に適合するものとする。

一 指定自動車等に備えられている電気装置と同一の構造を有し、かつ、同一の位置に備えられた電気装置

二 新規検査、予備検査又は構造等変更検査の際に提示のあった電気装置と同一の構造を有し、かつ、同一の位置に備えられた電気装置

3 保安基準第17条の2第3項の告示で定める基準は、自動車に備える電気装置が、サイバーセキュリティを確保できるものであることとする。この場合において、次に掲げる電気装置であって、その性能を損なう損傷のないものはこの基準に適合するものとする。

一 指定自動車等に備えられている電気装置と同一の構造を有し、かつ、同一の位置に備えられた電気装置

二 新規検査、予備検査又は構造等変更検査の際に提示のあった電気装置と同一の構造を有し、かつ、同一の位置に備えられた電気装置

4 保安基準第17条の2第4項の告示で定める基準は、自動車に備える電気装置が、当該装置に組み込まれたプログラム等の適切な改変を確保できるものであることとする。この場合において、次に掲げる電気装置であって、その性能を損なう損傷のないものはこの基準に適合するものとする。

一 指定自動車等に備えられている電気装置と同一の構造を有し、かつ、同一の位置に備えられた電気装置

二 新規検査、予備検査又は構造等変更検査の際に提示のあった電気装置と同一の構造を有し、かつ、同一の位置に備えられた電気装置

5 保安基準第17条の2第5項の告示で定める基準は、次の各号に掲げる基準とする。

一 作動電圧が直流60V又は交流30V（実効値）を超える部分を有する動力系（原動機用蓄電池、駆動用電動機の電子制御装置、DC／DCコンバータ等電力を制御又は変換できる装置、駆動用電動機及びそれに付随するワイヤハーネス並びにコネクタ等及び走行に係る補助装置（ヒータ、デフロスタ又はパワ・ステアリング等）を含む電気回路をいう。以下同じ。）の活電部（通常の使用時に通電することを目的とした導電性の部分をいう。以下同じ。）への人体の接触に対する保護のため活電部に取り付けられた固体の絶縁体（活電部へのあらゆる方向からの人体の接触に対して、活電部を覆い保護するために設けられたワイヤハーネスの絶縁被覆、コネクタの活電部を絶縁するためのカバー又は絶縁を目的としたワニス若しくは塗料をいう。以下同じ。）、バリヤ（あらゆる接近方向からの接触に対して、活電部を囲い込み保護するために設けられた部分をいう。以下同じ。）、エンクロージャ（あらゆる方向からの接触に対して、内部の機器を包み込み保護

するために設けられた部分をいう。以下同じ。）等は、その機能を損なうような緩み又は損傷がないものであること。ただし、作動電圧が直流60Ｖ又は交流30Ｖ（実効値）以下の部分であって作動電圧が直流60Ｖ又は交流30Ｖ（実効値）を超える部分から十分に絶縁され、かつ、正負いずれか片側の極が電気的シャシ（電気的に互いに接続された導電性の部分の集合体であって、その電位が基準とみなされるものをいう。以下同じ。）に直流電気的に接続（トランス等を用いず電気配線を直接接続するものをいう。以下同じ。）されている部分を除く。

二　作動電圧が直流60Ｖ又は交流30Ｖ（実効値）を超える部分を有する動力系（作動電圧が直流60Ｖ又は交流30Ｖ（実効値）以下の部分であって作動電圧が直流60Ｖ又は交流30Ｖ（実効値）を超える部分から十分に絶縁され、かつ、正負いずれか片側の極が電気的シャシに直流電気的に接続されている部分を除く。）の活電部を保護するバリヤ及びエンクロージャは、協定規則第100号の規則5.1.1.4.又は協定規則第136号の規則5.1.1.5.に規定する様式の例による表示がなされているものであること。ただし、次のイ又はロに掲げるものを除く。

イ　バリヤ及びエンクロージャ等であって、工具を使用して他の部品を取り外す又は自動車の上面（車両総重量５ｔを超える専ら乗用の用に供する自動車であって乗車定員10人以上のもの、車両総重量3.5ｔを超える貨物の運送の用に供する自動車及びこれらに類する形状の自動車に限る。）及び下面のうち日常的な自動車の使用過程では触れることができない場所に備えられている場合

ロ　バリヤ、エンクロージャ又は固体の絶縁体により、二重以上の保護がなされている場合

三　高電圧回路に使用する動力系の活電部の配線（エンクロージャ内に設置されている高電圧回路に使用する配線を除く。）は、橙色の被覆を施すことにより、他の電気配線と識別できるものであること。

四　活電部と電気的シャシとの間の絶縁抵抗を監視し、絶縁抵抗が作動電圧１Ｖ当たり100Ωに低下する前に運転者へ警報する機能を備える自動車にあっては、当該機能が正常に作動しており、かつ、当該機能により警報されていないものであること。

五　活電部は、原動機用蓄電池並びに当該電池と接続する機器との間の電気回路における短絡故障時の過電流による火災を防止するために備えられた電気回路を遮断するヒューズ、サーキットブレーカ等はその機能を損なうような緩み又は損傷がないものであること。

六　導電性のバリヤ、エンクロージャ等の露出導電部への人体の接触による感電を防止するため、導電性のバリヤ、エンクロージャ等の露出導電部を直流電気的に電気的シャシに接続する電線、アース束線等による接続、溶接、ボルト締め等の締結状態は、その機能を損なうような緩み又は損傷がないものであること。

七　充電系連結システム（外部電源に接続して原動機用蓄電池を充電するために主として使用され、かつ、電気回路を開閉する接触器、絶縁トランス等により外部電源に接続している時以外には動力系から直流電気的に絶縁される電気回路をいう。以下同じ。）の活電部の保護は、その機能を損なうような緩み又は損傷がないこと。

八　接地された外部電源と接続するための装置は、電気的シャシが直流電気的に大地に接続できるものでなければならない。

九　水素ガスを発生する開放式原動機用蓄電池を収納する場所は、換気扇又は換気ダクト等を備える等、水素ガスが滞留しないようにするとともに、客室内に水素ガスを放出しないものでなければならない。

十　自動車が停車した状態から、変速機の変速位置を変更し、かつ、加速装置の操作若しくは制動装置の解除によって走行が可能な状態にあること又は変速機の変速位置を変更せず、加速装置の操作若しくは制動装置の解除によって走行が可能な状態にあることを運転者に表示する装置を備えたものであること。ただし、内燃機関及び電動機を原動機とする自動車であって内燃機関が作動中はこの限りでない。

十一　原動機用蓄電池は自動車の振動等により移動し又は損傷することがないよう確実に取り付けられていること。

十二　原動機用蓄電池は、自動車（二輪自動車、側車付二輪自動車及び三輪自動車に限る。）の動揺により電解液が漏れない構造であること。

十三　自動車に備える原動機用蓄電池及び充電系連結システムは、次に掲げる場合において、運転者に対してテルテールによって警告をするものであること。

イ　原動機用蓄電池又は充電系連結システムに故障が発生している場合

ロ　外部電源により供給される電気を動力源とする自動車であって、内燃機関を有しないものにあっては、原動機用蓄電池の充電残量が低下している場合

6　保安基準第17条の２第６項の告示で定める基準は、当該自動車の衝突、他の自動車の追突等による衝撃を受けた場合において、高電圧による乗車人員への傷害、原動機用蓄電池の移動又は損傷による乗車人員への傷害等を生ずるおそれが少ない構造であること。この場合において、次に掲げる電気装置であって、その機能を損なうおそれがある損傷のないものはこの基準に適合するものとする。

一　指定自動車等に備えられている電気装置と同一の構造を有し、かつ、同一の位置に備えられた電気装置

二　新規検査、予備検査又は構造等変更検査の際に提示のあった電気装置と同一の構造を有し、かつ、同一の位置に備えられた電気装置

三　保安基準第１条の３ただし書により、破壊試験を行うことが著しく困難であると認める装置であって第99条第10項の規定によるもの

7　次の各号に掲げる電気装置であってその機能を損なうおそれのある緩み又は損傷のないものは、それぞれ当該各号の基準に適合するものとする。

一　指定自動車等に備えられた電気装置と同一の構造を有し、かつ、同一の位置に備えられた電気装置　前２項の基準

二　法第75条の２第１項の規定に基づき型式の指定を受けた特定共通構造部に備えられている感電防止装置と同一の構造を有し、かつ、同一の位置に備えられている感電防止装置又はこれに準ずる性能を有する感電防止装置　第５項第１号から第10号まで及び第６項（原動機用蓄電池に係る部分を除く。）の基準

三　法第75条の３第１項の規定に基づき感電防止装置の指定を受けた自動車に備えるものと同一の構造を有し、かつ、同一の位置に備えられた感電防止装置又はこれに準ずる性能を有する感電防止装置　第５項第１号から第10号まで及び第６項（原動機用蓄電池に係る部分を除く。）の基準

四　法第75条の２第１項の規定に基づき型式の指定を受けた特定共通構造部に備えられている原動機用蓄電池と同一の構造を有し、かつ、同一の位置に備えられている原動機用蓄電池又はこれに準ずる性能を有する原動機用蓄電池　第５項第11号及び第12号並びに第６項（原動機用蓄電池に係る部分に限る。）の基準

五　法第75条の３第１項の規定に基づき原動機用蓄電池の指定を受けた自動車に備えるものと同一の構造を有し、かつ、同一の位置に備えられた原動機用蓄電池又はこれに準ずる性能を有する原動機用蓄電池　第５項第11号及び第12号並びに第６項（原動機用蓄電池に係る部分に限る。）の基準

（車枠及び車体）

第178条　車枠及び車体の強度、取付方法等に関し、保安基準第18条第１項第１号の告示で定める基準は、次の各号に掲げる基準とする。

一　車枠及び車体は、堅ろうで運行に十分耐えるものであること。

二　車体は、車枠に確実に取り付けられ、振動、衝撃等によりゆるみを生じないようになっていること。

三　車枠及び車体は、著しく損傷していないこと。

2　車体の外形その他自動車の形状に関し、保安基準第18条第１項第２号の告示で定める基準は、車体の外形その他自動車の形状が、鋭い突起を有し、又は回転部分が突出する等他の交通の安全を妨げるおそれのあるものでないこととする。この場合において、次に該当する車枠及び車体は、この基準に適合するものとする。

一　自動車が直進姿勢をとった場合において、車軸中心を含む鉛直面と車軸中心を通りそれぞれ前方30°及び後方50°に交わる２平面によりはさまれる走行装置の回転部分（タイヤ、ホイール・ステップ、ホイール・キャップ等）が当該部分の直上の車体（フェンダ等）より車両の外側方向に突出していないもの。この場合において、専ら乗用の用に供する自動車（乗車定員10人以上の自動車、二輪自動車、側車付二輪自動車、三輪自動車、カタピラ及びそりを有する軽自動車並びに被牽引自動車を除く。）の車枠及び車体であって、協定規則第30号の規則3.（3.2.を除く。）及び6.に適合するタイヤを備えた自動車のもので、かつ、次に掲げるものにあっては、タイヤ以外の回転部分に係る部品の改造、装置の取付け又は取り外しその他これらに類する行為により構造、装置又は性能に係る変更を行う場合を除き、基準に適合しているものとみなす。

イ　指定自動車等に備えられた車枠及び車体と同一の構造を有し、同一の位置に備えられたものであって、その機能を損なうおそれのある損傷等のないもの

ロ　タイヤの次に掲げる部分以外の部分の直上の車体（フェンダ等）より車両の外側方向に突出していない車枠及び車体

(1)　サイドウォール部の文字又は記号がサイドウォール部から突出している部分

(2)　サイドウォール部の保護帯及びリブ並びにこれらと構造上一体となってサイドウォール部から突出している部分（突出量が10mm未満である場合に限る。）

（参考図）

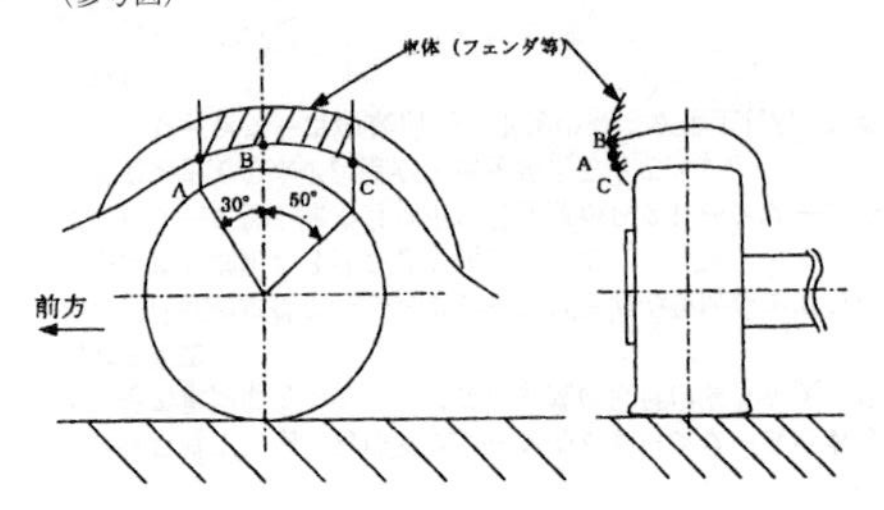

二　貨物の運送の用に供する普通自動車の後車輪であって、保安基準第18条の２第１項の基準に適合する巻込防止装置等を備えており、かつ、当該巻込防止装置等の平面部が最外側にある前車輪及び後車輪のそれぞれの車軸中心を通る鉛直面における車輪等回転部分の最外側（車軸中心より下方の部位を除く。）の鉛直線と接地面との交点を結ぶ直線（前車輪を有しない被牽引自動車にあっては、後車輪の車軸中心を通る鉛直面における車輪等回転部分の最外側（車軸中心より下方の部位を除く。）の鉛直線と接地面との交点を通り車両中心線に平行な直線）より外側に取り付けられているもの

（参考図）

例１

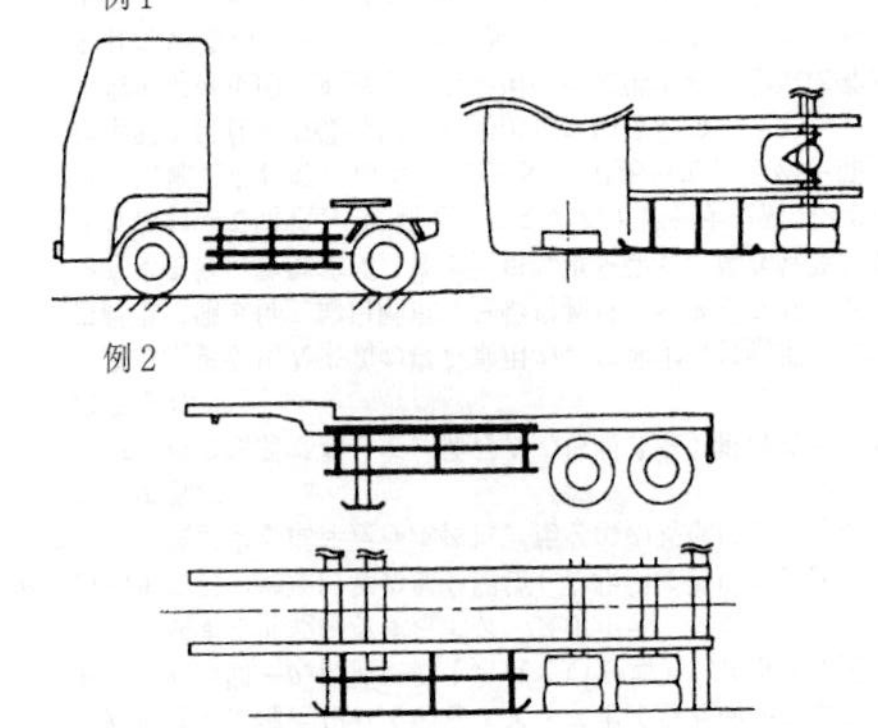

例２

三　専ら乗用の用に供する乗車定員10人以下の自動車及び貨物の運送の用に供する車両総重量2.8ｔ以下の自動車に備えるエア・スポイラ（二輪自動車、側車付二輪自動車、カタピラ及びそりを有する軽自動車に備えるもの並びに自動車の最前部の車軸と最後部の車軸との間における下面及び側面の部分に備えるものを除く。）であって、次の要件に適合するもの

イ　エア・スポイラは、自動車の前部及び後部のいずれの部分においても、自動車の最前端又は最後端とならないものであること。ただし、バンパの下端より下方にある部分であって、直径100mmの球体が静的に接触することのできる部分（鉛直線と母線のなす角度が30°である円錐を静的に接触させながら移動させた場合の接触点の軌跡（以下「フロアライン」という。）より下方の部分を除く。）の角部が半径５mm以上であるもの又は角部の硬さが60ショア(A)以下の場合にあっては、この限りでない。

ロ　エア・スポイラ（バンパの下端より下方にある部分及び地上1.8mを超える部分を除く。）は、直径100mmの球体が静的に接触することのできる部分に半径2.5mm未満の角部を有さないものであること。ただし、角部の硬さが60ショア(A)以下のとき、又は角部の高さが５mm未満の場合若しくは角部の間隔（直径100mmの球体を２つの角部に静的に接触させたときの接点間の距離をいう。）が40mm以下の場合であって角部が次表に定める角部の形状の要件を満足するときは、この限りでない。

角部の高さ（h）	角部の形状	角部の間隔（δ）	角部の形状
h＜５mm	角部に外向きの尖った部分又は鋭い部分がないこと。	25＜δ≦40mm	角部の半径が1.0mm以上であること。
		δ≦25	角部の半径が0.5mm以上であること。

ハ　エア・スポイラは、その付近における車体の最外側（バンパの上端より下方にある部分にあっては、当該自動車の最外側）とならないものであること。

ニ　エア・スポイラは、側方への翼状のオーバー・ハング部（以下「ウイング」という。）を有していないものであること。ただし、ウイング側端の部分と車体のすき間が20mmを超えない等ウイング側端の部分と車体とのすき間が極めて

小さい場合、ウイング側端が当該自動車の最外側から165mm以上内側にある場合又はウイング側端が当該自動車の最外側から165mm以上内側にないウイングの部分が歩行者等に接触した場合に衝撃を緩衝することができる構造である場合にあっては、この限りでない。この場合において、ウイング側端付近に、車両中心線に平行な後向き方向に245N以下の力を加えたとき、当該自動車の最外側から165mm以上内側にないウイングの部分がたわむ、回転する又は脱落するものは、「ウイング側端が当該自動車の最外側から165mm以上内側にないウイングの部分が歩行者等に接触した場合に衝撃を緩衝することができる構造」とする。

ホ　エア・スポイラは、溶接、ボルト・ナット、接着剤等により車体に確実に取り付けられている構造であること。

(例) 角度の高さ及び間隔の例

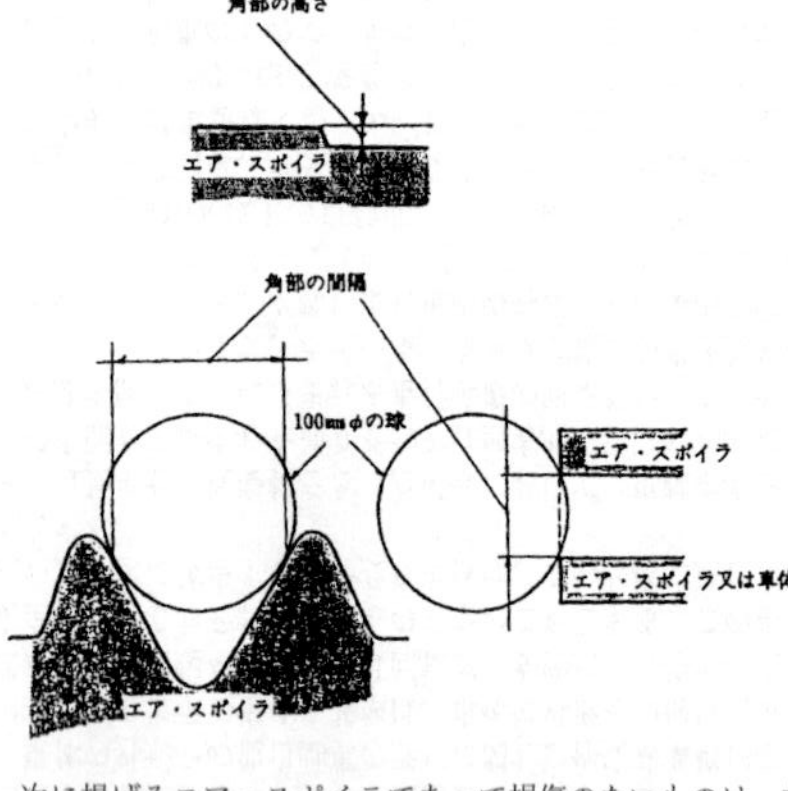

3　次に掲げるエア・スポイラであって損傷のないものは、前項第3号の基準に適合するものとする。

一　指定自動車等に備えられているエア・スポイラと同一の構造を有し、かつ同一の位置に備えられているエア・スポイラ

二　法第75条の2第1項の規定に基づき型式の指定を受けた特定共通構造部に備えられているエア・スポイラと同一の構造を有し、かつ、同一の位置に備えられているエア・スポイラ又はこれに準ずる性能を有するエア・スポイラ

三　法第75条の3第1項の規定に基づき外装の装置の指定を受けた自動車に備えられているエア・スポイラと同一の構造を有し、かつ同一の位置に備えられているエア・スポイラ又はこれに準ずる性能を有するエア・スポイラ

4　自動車の窓、乗降口等の扉を閉鎖した状態において、次のいずれかに該当する車枠及び車体は、第2項の基準に適合しないものとする。

一　バンパの端部であって、通行人の被服等を引掛けるおそれのあるもの

二　乗車定員が10人未満の専ら乗用の用に供する自動車（二輪自動車、側車付二輪自動車、三輪自動車、カタピラ及びそりを有する軽自動車並びに被牽引自動車を除く。第3号及び第4号において同じ。）に備えられているアンテナ（高さ2.0m以下に備えられているものに限る。）であって、その一部又は全部が自動車の最外側から突出しているもの

三　乗車定員が10人未満の専ら乗用の用に供する自動車に備えられているホィール、ホィールナット、ハブキャップ及びホィール・キャップであって、ホィールのリムの最外側を超えて突出する鋭利な突起を有するもの

四　乗車定員が10人未満の専ら乗用の用に供する自動車に備える外開き式窓（高さ2.0m以下に備えられているものに限る。）であって、その一部又は全部が自動車の最外側から突出しているもの又はその端部が自動車の進行方向に向いているもの

五　後写鏡及び後方等確認装置の取付金具に鋭利な突起を有しているもの

六　スピンナー、ウイングナット等、車輪に取り付けるプロペラ状の装飾品を有するもの

七　レバー式のドア・ハンドルで先端が自動車の進行方向を向いているもの（先端が内側へ曲げてあるもの、保護装置を有するもの等他の交通の安全を妨げるおそれの少ないものを除く。）

八　貨物自動車に備える簡易クレーンのクレーンブームであって、その車両前方への突出量及び前端の取付け高さが次に該当するもの

イ　最前部の車軸中心からクレーンブームの最前端までの水平距離が軸距の3分の2を超えるもの

ロ　クレーン部を除く自動車の最前部からクレーンブームの最前端までの水平距離が1mを超えるもの

ハ　クレーンブームの最前端の下縁の高さが地上1.8m未満のもの

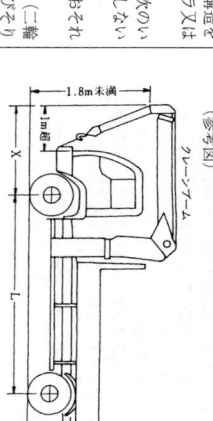

(参考図)

クレーンブーム
1.8m未満
1m超
X
L

$X>\frac{2}{3}L$

九　二輪自動車に備えられているフェアリングであって鋭利な突起を有するもの

十　方向指示器のうち自動車の両側面に備えるものであって最外部に接する車両中心線と平行な鉛直面とその取付部付近の自動車の最外側との距離が100mmを超えて突出しているもの又はその方向指示器若しくは高さ2m以下に取り付けられた周辺監視装置が車体に取り付けられた状態で直径100mmの球体が接触する範囲であってその外部表面の曲率半径が2.5mm未満の突起を有するもの。ただし、突出量が5mm未満であってその外向きの端部に丸みが付けられているもの、突出量が1.5mm未満のもの、突起の硬さが60ショア(A)以下のもの又は自動車の幅（周辺監視装置にあっては自動車の長さ及び幅）から突出していないものにあってはこの限りでない。

(参考図)

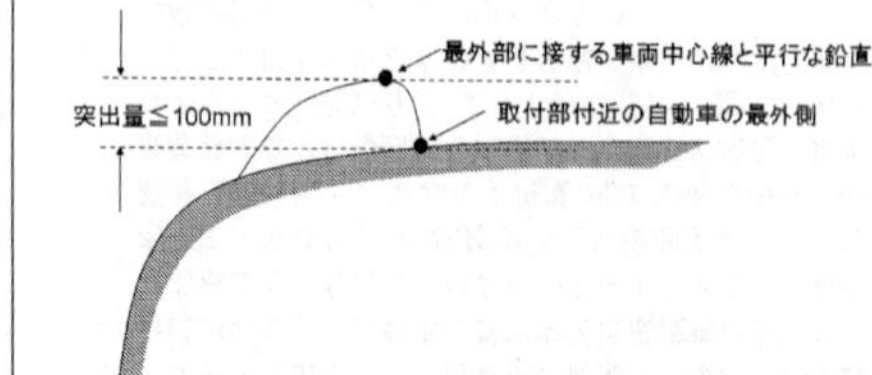

5　乗車定員が10人未満の専ら乗用の用に供する自動車（二輪自動車、側車付二輪自動車、三輪自動車、カタピラ及びそりを有する軽自動車並びに被牽引自動車を除く。以下この項において同じ。）以外の自動車及び乗車定員が10人未満の専ら乗用の用に供する自動車（協定規則第26号の規則5.及び6.に適合してい

る自動車を除く。）であって、次に掲げるものは、第２項の基準に適合しないものとする。

一　乗用自動車及びその形状が乗用自動車の形状に類する自動車（いわゆる貨客兼用貨物自動車、警察車のパトロール車等）の後部に備えるバンパ（その端部が、車体後部側面付近にあるものに限る。）であって、次に該当しないもの

イ　車体の凹部に組み込まれているもの

ロ　車体とのすき間が20mmを超えず、かつ、直径100mmの球体を車体及びバンパに接触させた場合において球体に接触することがないものであって、その端部付近の部分が車体側に曲げられているもの

二　地上1.8m以下に備えられているアンテナの取付部であって、その付近の車体の最外側から突出しているもの

6　自動車（ポール・トレーラを除く。）の最後部の車軸中心から車体の後面までの水平距離（空車状態の自動車を平坦な面に置き巻尺等を用いて車両中心線に平行に計測した長さをいう。以下同じ。）に関し、保安基準第18条第１項第３号の告示で定める基準は、最後部の車軸中心から車体の後面までの水平距離が最遠軸距の２分の１（物品を車体の後方へ突出して積載するおそれのない構造の自動車にあっては３分の２、その他の自動車のうち小型自動車にあっては20分の11）以下であることとする。この場合において、車体には、クレーン車のクレーンブーム又はスキーバスの車室外に設けられた物品積載装置を含み、バンパ、フック、ヒンジ等の附属物を含まないものとし、車軸自動昇降装置付き自動車にあっては、車軸が上昇している状態及び上昇している車軸を強制的に下降させた状態においてそれぞれ計測するものとする。

7　次に掲げる自動車は、前項の「物品を車体の後方へ突出して積載するおそれのない構造の自動車」とする。

一　物品を積載する装置を有しない自動車

二　物品を積載する装置が次に該当する自動車

イ　タンク又はこれに類するもの

ロ　コンテナを専用に積載するための緊締装置を有するもの

三　その後面に、折り畳み式でない煽であってその高さが荷台床面から155cm以上のものを備える自動車

四　バン型自動車等であって、後面の積卸口の全体に観音開き式、片開き式又はシャッター式の扉を備えているもの

五　専ら車両を運搬する構造の自動車であって、次に掲げる要件を満たすもの

イ　荷台床面は、中央部が開口形状、穿孔形状その他自動車以外の物品を容易に積載できない形状であること。

ロ　後煽の高さが荷台床面から45cm以上のものであること。

ハ　原動機等の動力を用いて荷台を斜め下方へスライドし、地面に接地させる機能を有する自動車は、側煽の高さが（煽の固縛金具、金具取付台及び支柱を除く。）荷台床面（自動車の最前部の車軸中心（セミトレーラにあっては連結装置中心）から最後部の車軸中心までの間に位置する床面に限る。）から15cm以下のものであること。

8　車枠及び車体の前面衝突時の乗車人員の保護に係る性能に関し、保安基準第18条第２項の告示で定める基準は、車枠及び車体が、当該自動車の前面が衝突等による衝撃を受けた場合において、運転者席及びこれと並列の座席のうち自動車の側面に隣接するものの乗車人員に過度の傷害を与えるおそれの少ない構造であることとし、同項第３号の告示で定めるものは、同項第１号及び第２号に掲げる自動車の形状に類する自動車とする。この場合において、次に掲げる車枠及び車体であって、その前面からの衝撃吸収性能を損なうおそれのある損傷のないものは、この基準に適合するものとする。

一　運転者席より前方の部分が指定自動車等と同一の構造を有する車枠及び車体

二　新規検査、予備検査又は構造等変更検査の際に提示のあった車枠及び車体と同一の構造を有する車枠及び車体

三　保安基準第１条の３ただし書きの規定により、破壊試験を行うことが著しく困難であると認める車枠及び車体であって、第100条第９項の規定によるもの

9　車枠及び車体のオフセット衝突時の乗車人員の保護に係る性能に関し、保安基準第18条第３項の告示で定める基準は、車枠及び車体が、当該自動車の前面のうち運転者席側の一部が衝突等による変形を生じた場合において、運転者席及びこれと並列の座席のうち自動車の側面に隣接するものの乗車人員に過度の傷害を与えるおそれの少ない構造であることとし、同項第３号の告示で定めるものは、同項第１号及び第２号に掲げる自動車の形状に類する自動車とする。この場合において、次に掲げる車枠及び車体であって、その前面からの衝撃吸収性能を損なうおそれのある損傷のないものは、この基準に適合するものとする。

一　運転者席より前方の部分が指定自動車等と同一の構造を有する車枠及び車体

二　新規検査、予備検査又は構造等変更検査の際に提示のあった車枠及び車体と同一の構造を有する車枠及び車体

三　保安基準第１条の３ただし書の規定により、破壊試験を行うことが著しく困難であると認める車枠及び車体であって、第100条第11項の規定によるもの

10　車枠及び車体の側面衝突時の乗車人員の保護に係る性能に関し、保安基準第18条第４項の告示で定める基準は、車枠及び車体が、当該自動車の側面が衝突等による衝撃を受けた場合において、運転者席又はこれと並列の座席のうち衝突等による衝撃を受けた側面に隣接するものの乗車人員に過度の傷害を与えるおそれの少ない構造であることとし、同項第３号の告示で定めるものは、同項第１号及び第２号に掲げる自動車の形状に類する自動車とする。この場合において、次に掲げる車枠及び車体であって、その側面からの衝撃吸収性能を損なうおそれのある損傷のないものは、この基準に適合するものとする。

一　運転者室及び客室を取り囲む部分が指定自動車等と同一の構造を有する車枠及び車体

二　法第75条の２第１項の規定に基づき型式の指定を受けた特定共通構造部に備えられている側面衝突時の乗員保護装置と同一の構造を有する車枠及び車体

三　法第75条の３第１項の規定に基づく装置の指定を受けた側面衝突時の乗員保護装置と同一の構造を有する車枠及び車体

四　新規検査、予備検査又は構造等変更検査の際に提示のあった車枠及び車体と同一の構造を有する車枠及び車体

五　保安基準第１条の３ただし書の規定により、破壊試験を行うことが著しく困難であると認める車枠及び車体であって、第100条第13項の規定によるもの

11　車枠及び車体のポールとの側面衝突時の乗車人員の保護に係る性能に関し、保安基準第18条第５項の告示で定める基準は、車枠及び車体が、当該自動車の側面の一部が衝突等により変形を生じた場合において、運転者席又はこれと並列の座席のうち変形を生じた側面に隣接するものの乗車人員に過度の傷害を与えるおそれの少ない構造であること。この場合において、次に掲げる車枠及び車体であって、その側面からの衝撃吸収性能を損なうおそれのある損傷のないものは、この基準に適合するものとする。

一　運転者室及び客室を取り囲む部分（乗員保護装置を含む。）が指定自動車等と同一の構造を有する車枠及び車体

二　法第75条の２第１項の規定に基づき型式の指定を受けた特定共通構造部に備えられているポールとの側面衝突時の乗員保護装置と同一の構造を有する車枠又は車体

三　法第75条の３第１項の規定に基づく装置の指定を受けたポールとの側面衝突時の乗員保護装置と同一の構造を有する車枠及び車体

四　新規検査、予備検査又は構造等変更検査の際に提示のあっ

た車枠及び車体

五　保安基準第1条の3ただし書の規定により、破壊試験を行うことが著しく困難であると認める車枠及び車体であって、第100条第16項の各号に掲げるもの

12　保安基準第18条第4項第1号の着席基準点とは、人体模型をＩＳＯ6549：1999に規定する着座方法により座席に着座させた場合における人体模型のＨ点（股関節点）の位置又はこれに相当する座席上に設定した設計基準点をいう。

13　車枠及び車体の歩行者の頭部及び脚部の保護に係る性能に関し、保安基準第18条第6項の告示で定める基準は、車枠及び車体が、当該自動車の前面が歩行者に衝突した場合において、当該歩行者の頭部及び脚部に過度の傷害を与えるおそれの少ない構造であること。この場合において、ボンネット（ボンネットを有さない自動車にあっては、フロントパネル等ボンネットに相当するもの。）及びバンパの表面に鋭い突起を有しない車枠及び車体並びにボンネット及びバンパの材質及び構造が指定自動車等と同一の車枠及び車体であって、かつ、歩行者の頭部及び脚部の保護に係る性能を損なうおそれのある損傷がないものは、この基準に適合するものとする。

14　車枠及び車体の車両転覆時の乗車人員の保護に係る性能に関し、保安基準第18条第7項の告示で定める基準は、車枠及び車体が、当該自動車の車体の上部が転覆等により変形を生じた場合において、乗車人員に過度の傷害を与えるおそれの少ない構造であることとする。この場合において、次に掲げる車枠及び車体であって、車両転覆時の乗車人員の保護に係る性能を損なうおそれのある損傷のないものは、この基準に適合するものとする。

一　運転者室及び客室を取り囲む部分が指定自動車等と同一の構造を有する車枠及び車体

二　法第75条の2第1項の規定に基づき指定を受けた特定共通構造部に備えられている車両転覆時の乗員保護装置と同一の構造を有する車枠及び車体又はこれに準ずる性能を有する車枠及び車体

三　法第75条の3第1項の規定に基づく装置の指定を受けた車両転覆時の乗員保護装置と同一の構造を有する車枠及び車体又はこれに準ずる性能を有する車枠及び車体

四　新規検査、予備検査又は構造等変更検査の際に提示のあった車枠及び車体と同一の構造を有する車枠及び車体

15　協定規則第121号の規則5.が適用される自動車のテルテール（第168条の表2の識別対象装置欄に掲げるテルテールのうち、前方のエアバッグ及び側方のエアバッグに係るものに限る。）が異常を示す点灯をしているものは、第8項から第11項までの基準に適合しないものとする。

16　自動車の車体の後面には、最大積載量（タンク自動車にあっては、最大積載量、最大積載容積及び積載物品名）を表示しなければならない。この場合において、最大積載量の単位記号は、kg又はtとし、最大積載容積の単位記号は、L又は㎥とする。

17　保安基準第18条第9項に基づき、専ら小学校、中学校、義務教育学校、特別支援学校、幼稚園、幼保連携型認定こども園、保育所又は児童福祉法第六条の三第十項に規定する小規模保育事業若しくは同条第十二項に規定する事業所内保育事業を行う施設に通う児童、生徒又は幼児の運送を目的とする自動車（乗車定員11人以上のものに限る。）の車体の前面、後面及び両側面に表示する、これらの者の運送を目的とする自動車である旨の表示は、次に定める様式の例によるものとする。

一　形状は、1辺の長さが50cm以上の正立正三角形とし、縁及び縁線の太さは12mm程度とする。ただし、車体の構造により当該寸法を確保することができない自動車（前面ガラス、前照灯、信号灯火類、冷却装置の空気取り入れ口等自動車の機能部品又は自動車登録番号標により規定寸法が確保できない自動車をいう。）にあっては、1辺の長さを30cm以上とすることができる。

二　色彩は、縁線、文字及び記号を黒色とし、縁及び地を黄色とする。

三　文字は、「スクールバス」、「幼稚園バス」等適宜の文字とする。

様式の例

（巻込防止装置）

第179条　巻込防止装置の強度、形状等に関し、保安基準第18条の2第1項の告示で定める基準は、次の各号に掲げる基準とする。

一　堅ろうであること。この場合において、腐食等により取付けが確実でないものは、この基準に適合しないものとする。

二　板状その他歩行者、自転車の乗車人員等が当該自動車の後車輪へ巻き込まれることを有効に防止することができる形状であること。この場合において、「板状その他歩行者、自転車の乗車人員等が当該自動車の後車輪へ巻き込まれることを有効に防止することができる形状」とは、巻込防止装置の平面部の形状が、一体板物、すのこ状、網状、棒状（3本以上）又はこれに準ずる形状をいう。

2　貨物の運送の用に供する普通自動車（車両総重量8t以上又は最大積載量5t以上のものを除く。）についての前項第2号の規定の適用については、道路運送車両の保安基準の一部を改正する省令（昭和54年運輸省令第8号）附則第4項の規定により、「板状その他歩行者、自転車の乗車人員等が当該自動車の後車輪へ巻き込まれることを有効に防止することができる形状」とあるのは「歩行者等が当該自動車の後車輪へ巻き込まれるおそれの少ない構造」とする。この場合において、鋼管一本等の形状を有する巻込防止装置は、この基準に適合するものとする。

3　保安基準第18条の2第1項本文ただし書きの「歩行者、自転車の乗車人員等が当該自動車の後車輪へ巻き込まれるおそれの少ない構造を有するものとして告示で定める構造の自動車」とは自動車本来の構造物その他により、巻込防止装置と同程度以上に歩行者、自転車の乗車人員等が当該自動車の後車輪へ巻き込まれることを有効に防止することができる構造の自動車とする。

4　巻込防止装置の取付位置、取付方法等に関し、保安基準第18条の2第2項の告示で定める基準は、次の各号に掲げる基準とする。

一　巻込防止装置は、空車状態において、その下縁の高さが地上450mm以下、その上縁の高さが地上650mm以上となるように取り付けられていること。

二　巻込防止装置は、空車状態において、その上縁と荷台等との間隔が歩行者、自転車の乗車人員等が当該自動車の後車輪へ巻き込まれることを有効に防止することができるものとなるように取り付けられていること。この場合において、巻込防止装置の平面部の上縁と荷台等との間隔が550mm以下となるように取り付けられている巻込防止装置は、この基準に適合するものとする。

(例)
(1)タンクローリの場合

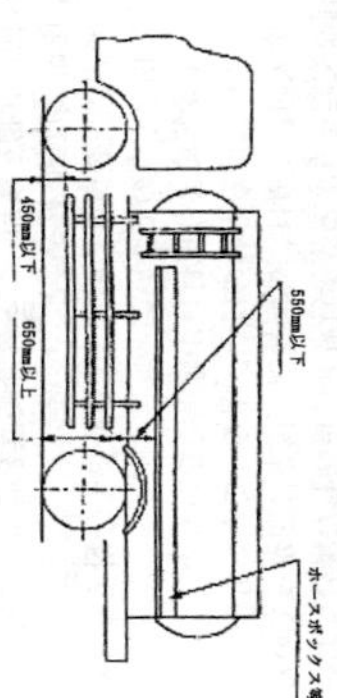

(2)バラセメント車の場合

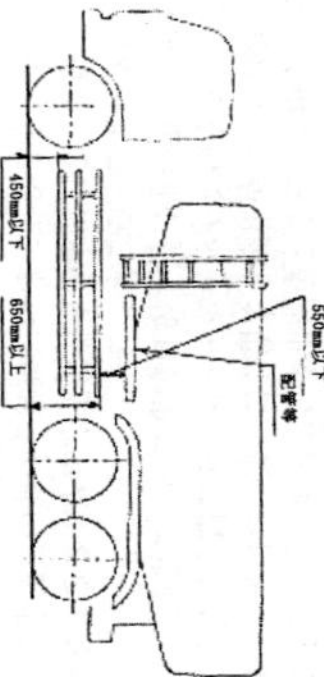

(3)コンクリート・ミキサー車の場合

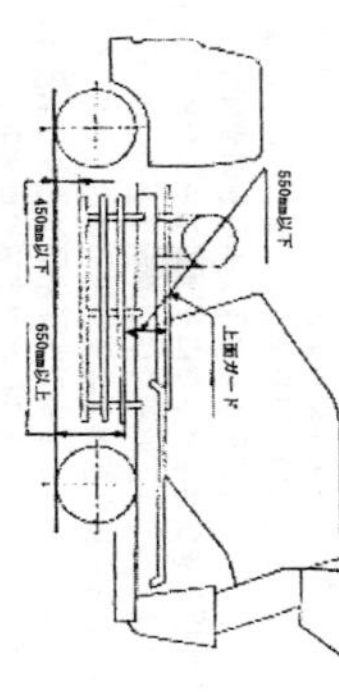

(4)バラセメントセミトレーラの場合

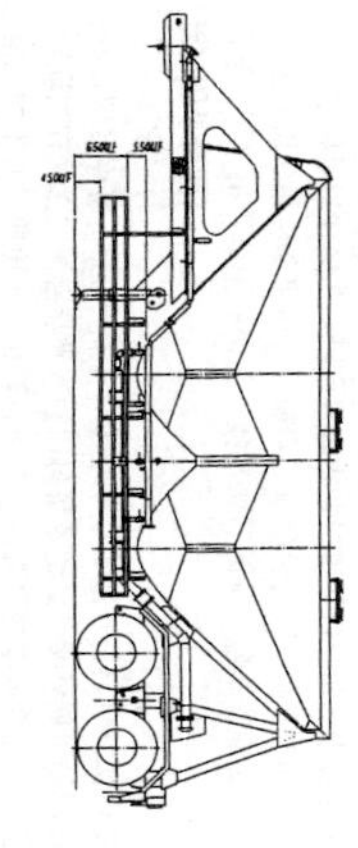

(5)コンテナセミトレーラの場合

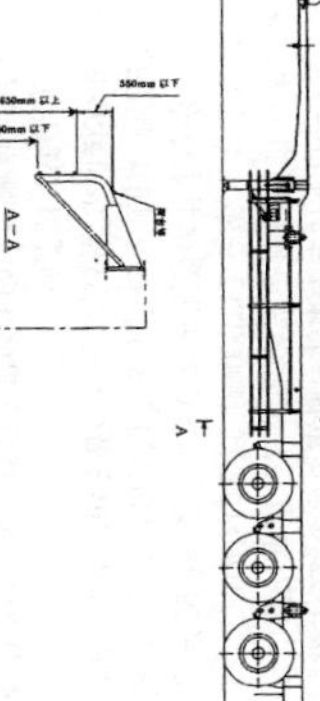

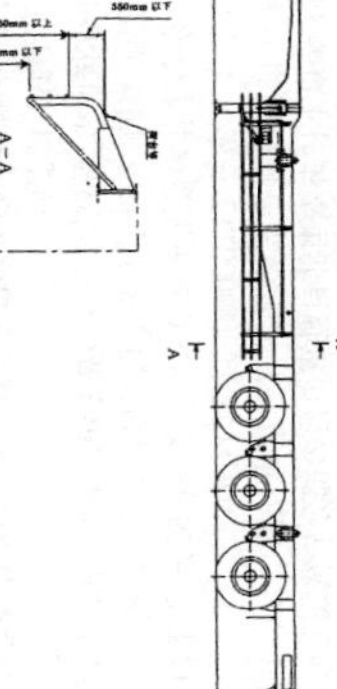

三　巻込防止装置は、その平面部（湾曲部を除く。以下同じ。）前端を含み車両中心面に対して直角をなす鉛直面と前輪タイヤのうち最後部にあるものの後端を含む車両中心面に対して直角をなす鉛直面との距離及び平面部後端を含み車両中心面に対して直角をなす鉛直面と後輪タイヤのうち最前部にあるものの前端を含む車両中心面に対して直角をなす鉛直面との距離が400mm以下となるように取り付けられていること。ただし、セミトレーラに備える巻込防止装置にあっては、その平面部前端が補助脚より前方となるように取り付けられていなければならない。

(例1)（普通型貨物自動車の場合の取付例）

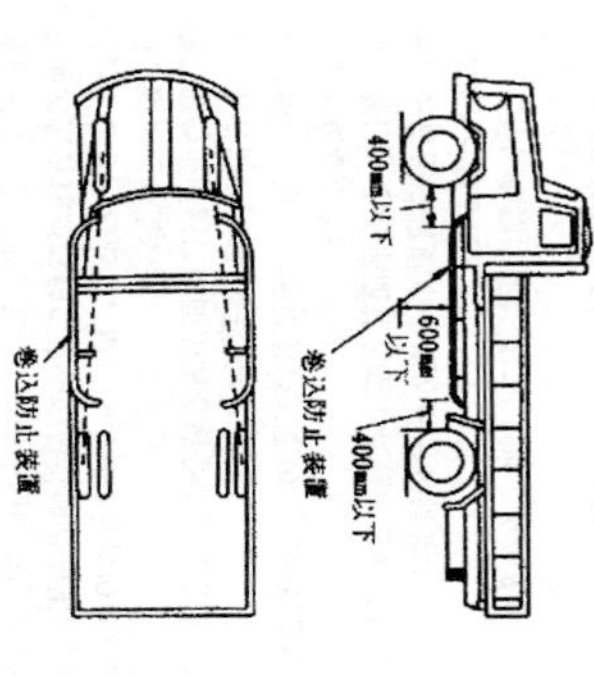

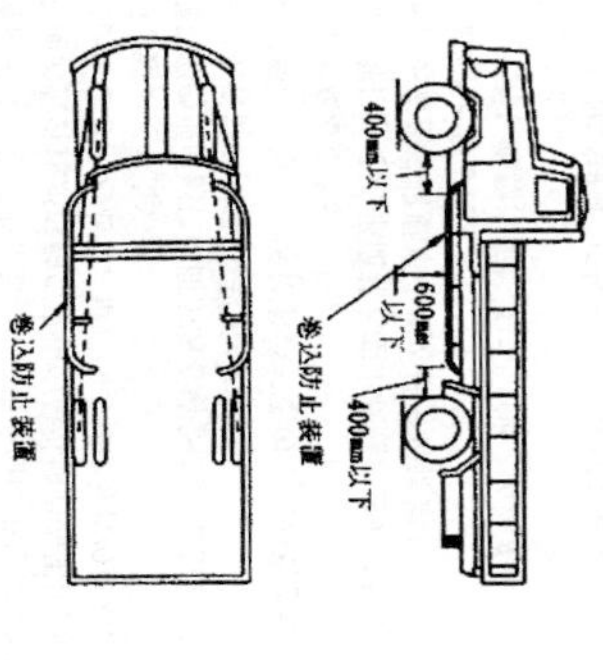

(例2)（車両総重量8トン以上又は最大積載量5トン以上の大型貨物自動車の場合の取付例）

550mm以下
650mm以上
400mm以下
450mm以下　巻込防止装置
400mm以下
巻込防止装置

四　巻込防止装置は、その平面部が、最外側にある前車輪及び後車輪の接地部の中心点を結ぶ直線より外側になり、かつ、その取付部が平面部より150mm以上内側になるように取り付けられていること。

(例)

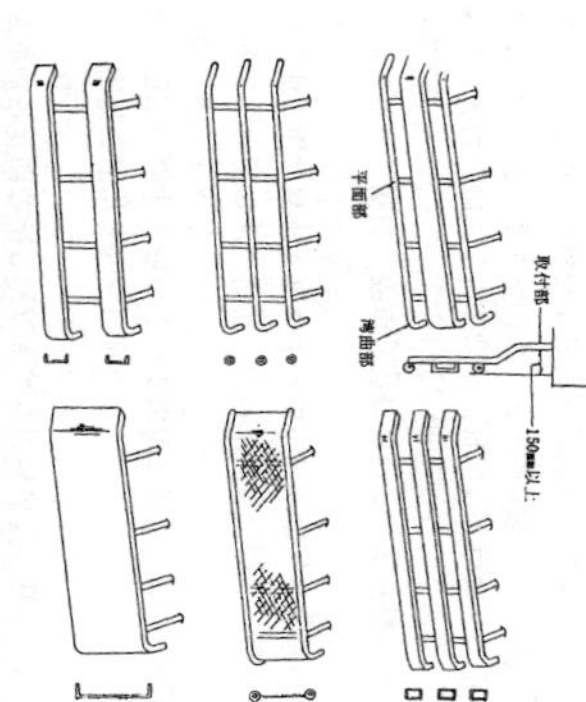

五　巻込防止装置は、振動、衝撃等によりゆるみ等を生じないように確実に取り付けられていること。

5　貨物の運送の用に供する普通自動車（車両総重量8t以上又は最大積載量5t以上のものを除く。）についての前項第1号及び第2号の規定の適用については、道路運送車両の保安基準の一部を改正する省令（昭和54年運輸省令第８号）附則第４項の規定により、前項第１号及び第２号の規定にかかわらず、空車状態において、運転者席乗降口付近を除き、巻込防止装置の下縁の高さが地上600mm以下となるように取り付けられていることとする。

（突入防止装置）

第180条　突入防止装置の強度、形状等に関し、保安基準第18条の２第３項の告示で定める基準は、次の各号に掲げる基準とする。この場合において、指定自動車等に備えられている突入防止装置若しくはこれに準ずる性能を有する突入防止装置と同一の構造を有し、かつ、同一の位置若しくはそれより後方に備えられた突入防止装置、法第75条の２第１項の規定に基づき型式の指定を受けた特定共通構造部に備えられている突入防止装置、法第75条の３第１項の規定に基づく装置の指定を受けた突入防止装置又は国土交通大臣が認める識別記号が付されている突入防止装置であってその機能を損なうおそれのある損傷のないものは、この基準に適合するものとする。

一　自動車（次号に掲げる自動車、二輪自動車及び側車付二輪自動車並びにこれらの自動車に牽引される被牽引自動車（後車輪が１個の自動車に限る。）、後車輪が１個の三輪自動車、カタピラ及びそりを有する軽自動車、大型特殊自動車、小型特殊自動車並びに牽引自動車を除く。）に備える突入防止装置は、堅ろうであり、かつ、板状その他の自動車が追突した場合に追突した自動車の車体前部が突入することを有効に防止できる形状であること。

二　貨物の運送の用に供する自動車であって車両総重量が3.5ｔを超えるもの及びポール・トレーラに備える突入防止装置は、他の自動車が追突した場合に追突した自動車の車体前部が著しく突入することを防止することができる構造であり、かつ、当該装置の平面部の車両中心面に平行な鉛直面による断面の高さが120mm（車両総重量が８ｔ以下の自動車、車体後面に貨物を積卸しする昇降装置を有する自動車にあっては100mm）以上であること。

三　突入防止装置は、堅ろうで運行に十分耐えるものであり、次に掲げるものでないこと。

イ　腐食等により取付けが確実でないもの

ロ　イに掲げるもののほか、堅ろうでないもの

四　突入防止装置は、外側端部が後方に曲がっている、又は鋭利な突起を有する等歩行者等に接触した場合において、歩行者等に傷害を与えるおそれのあるものでないこと。

2　保安基準第18条の２第３項本文ただし書の告示で定める構造の自動車は、次に掲げるいずれかの自動車とする。

一　前項第１号の自動車であって、次に掲げる要件に適合する構造部を有するもの又は次号イからハまでに掲げる要件に適合する構造部を有するもの

イ　構造部は、その平面部の車両中心面に平行な鉛直面による断面の最外縁が後軸の車輪の最外側の内側100mmまでの間にあること。ただし、構造部の幅は後軸の車輪の最外側の幅を超えてもよい。

ロ　構造部の平面部に隙間がある場合にあっては、その隙間の長さの合計が200mmを超えないこと。

ハ　構造部は、空車状態においてその下縁の高さが地上550mm以下となること。

ニ　構造部は、その平面部と空車状態において地上1,500mm以下にある当該自動車の他の部分の後端との水平距離が450mm以下となること。

ホ　構造部は、振動、衝撃等によりゆるみ等を生じないものであること。

二　前項第２号の自動車であって次に掲げる要件に適合する構造を有するもの

イ　車体後面の構造部が、その構造部の平面部の車両中心面に平行な鉛直面による断面の高さが120mm（車両総重量が８ｔ以下の自動車（被牽引自動車を除く。）、車体後面に貨物を積卸しする昇降装置を有する自動車並びに専ら車両を運搬する構造の自動車であって、荷台後方部分が傾斜している構造、アウトリガにより前車軸を持ち上げ車体後面が接地する構造又は低床荷台の構造を有する車体後面の構造部にあっては100mm）以上あって、その平面部の最外縁が後軸の車輪の最外側の内側100mmまでの間にあること。ただし、車両総重量が８ｔ以下の自動車（被牽引自動車を除く。）にあっては、車体後面の構造部は当該自動車の幅の60%以上（最後部の車軸中心から車体の後面までの水平距離が1,500mm以下のものは、当該自動車の車枠後端の幅以上。）であればよい。

ロ　車体後面の構造部の下縁の高さが、空車状態において地上550mm（車両総重量が８ｔ以下の自動車（最後部の車軸中心から車体の後面までの水平距離が1,500mm以下のものに限る。）にあっては600mm）以下のもの

ハ　車体後面の構造部の平面部と空車状態において地上1,500mm以下にある当該自動車の他の部分の後端との水平距離が450mm以下のもの

三　労働安全衛生法施行令第１条第１項第８号に規定する移動式クレーンであって、車両後面の構造部の平面部と空車状態において地上2,000mm以下にある当該自動車の他の部分の後端との水平距離が450mm以下であるもの

四　次に掲げる自動車のうち、その構造上第１号に掲げる要件に適合する構造部を有することができないものであって、当該基準を可能な限り満たすように構造部が取り付けられているもの

イ　除雪に使用される自動車

ロ　消防自動車であって、車体後部に移動式の消火作業用装置を備えるもの

3　突入防止装置の取付位置、取付方法等に関し、保安基準第18条の２第４項の告示で定める基準は、次の各号に掲げる基準とする。

一　突入防止装置は、空車状態においてその下縁の高さが地上450mm以下（油圧・空気圧式、油圧式若しくは空気圧式の緩衝装置又は自動車の積載状態に対応して自動的に車高を調節する装置を備える自動車以外の自動車にあっては地上500mm以下）となるように取り付けられていること。ただし、車両総重量が８ｔ以下の自動車、自動車の最後部の車軸中心から突入防止装置の平面部までの水平距離が2,550mm（油圧・空気圧式、油圧式若しくは空気圧式の緩衝装置又は自動車の積載状態に対応して自動的に車高を調節する装置を備える自動車以外の自動車にあっては2,260mm）を超えるもの、コンクリート・ミキサー車、ダンプ車、２以上の車軸に動力を伝達することができる動力伝達装置を備える自動車、突入防止装置を備えることにより本来の性能を損なうこととなる特殊な装備を有する自動車及び特殊な装備を装着するために突入防止装置を装着することが困難な自動車にあっては、地上550mm以下であればよい。

二　突入防止装置は、その平面部が車両中心面に直交する鉛直面上で車両中心面に対して対称の位置に取り付けられていること。

三　突入防止装置は、その平面部の最外縁が後軸の車輪の最外側の内側の100mmまでの間にあるよう取り付けられていること。ただし、当該装置が、後軸の車輪の最外側を超える車体後面の構造部として格納されている場合には、その平面部の最外縁は後軸の車輪の最外側を超えてもよい。

四　突入防止装置は、その平面部から空車状態において地上1,500mm以下にある車体後面（車体後面からの突出量が50mm以上のフック、ヒンジ等の付属物を有する自動車にあっては当該付属物の後端から前方50mm）までの水平距離が300mm以

下（車両総重量が８ｔ以下の自動車（被牽引自動車を除く。）にあっては400㎜以下。被牽引自動車（コンテナを専用に積載するための緊締装置を有するもの（荷台が傾斜するものを除く。）に限る。）にあっては200㎜以下。）であって、取り付けることができる自動車の後端に近い位置となるよう取り付けられていること。

五　突入防止装置は、振動、衝撃等によりゆるみ等を生じないように確実に取り付けられていること。

六　車体後部に貨物を積卸しする昇降装置が取り付けられた自動車であって、次に掲げる基準を満たす場合は、昇降装置の支柱により突入防止装置を分割することができる。

イ　昇降装置の支柱が分割された突入防止装置を通過するために必要な当該支柱と突入防止装置との隙間は、25㎜未満であること。

ロ　昇降装置の支柱の外側にある分割された突入防止装置の車両中心面に直交する鉛直面による断面の有効面積は、350㎠以上でなければならない。ただし、車幅が2,000㎜未満の自動車にあっては、この限りでない。

七　突入防止装置は、当該自動車に取り付けた状態のままで、その位置を移動することができる。この場合において、当該突入防止装置は取り付けられた位置から意図せず移動しないよう確実に取り付けられる構造を有し、かつ、その位置を移動させるための操作は容易に行うことができるものでなければならないものとし、運転者席又は突入防止装置のいずれかの見やすい位置に当該突入防止装置が通常使用される位置を示す記号又はラベルが表示されていなければならない。

（前部潜り込み防止装置）

第180条の２　前部潜り込み防止装置の強度、形状等に関し保安基準第18条の２第５項の告示で定める基準は、その性能を損なうおそれのある損傷のないものであり、かつ、取付けが確実になされたものであるほか、次のいずれかに掲げる基準を満たすものとする。

一　車両総重量が7.5ｔを超える貨物の運送の用に供する自動車に備える前部潜り込み防止装置にあっては、他の自動車が衝突した場合にその自動車の車体前部が著しく潜り込むことを有効に防止することができる構造であるものとする。この場合において、次に掲げる要件を満たすものはこの基準に適合するものとする。

イ　平面部の高さは、車両中心線に平行な鉛直面において100㎜以上（車両総重量が12ｔを超える自動車にあっては120㎜以上）であること。

ロ　端部が前方に曲がっておらず、かつ、鋭い突起を有するものその他歩行者等に接触した場合に当該歩行者等に傷害を与えるおそれのあるものでないこと。

二　車両総重量が3.5ｔを超え7.5ｔ以下の貨物の運送の用に供する自動車に備える前部潜り込み防止装置にあっては、堅ろうであり、かつ、板状その他他の自動車が衝突した場合に当該衝突した自動車の車体前部が潜り込むことを有効に防止することができる形状のものとする。

2　次に掲げる前部潜り込み防止装置は、前項各号の基準に適合するものとする。

イ　指定自動車等に備える前部潜り込み防止装置と同一の構造を有し、かつ、それと同一の位置又はそれより前方に備えられた前部潜り込み防止装置

ロ　法第75条の２第１項の規定に基づき型式の指定を受けた特定共通構造部に備えられている前部潜り込み防止装置

ハ　法第75条の３第１項の規定に基づく装置の指定を受けた前部潜り込み防止装置

ニ　別添107「前部潜り込み防止装置の技術基準」に準ずる性能を有する前部潜り込み防止装置

3　保安基準第18条の２第５項の前部潜り込み防止装置を備えることができないものとして告示で定める自動車は、全輪駆動車、前部潜り込み防止装置を備えることにより本来の性能を損なうこととなる特殊な装備を有する自動車及び特殊な装備を装着するために前部潜り込み防止装置を装着することが困難な自動車をいう。

4　保安基準第18条の２第５項ただし書の告示で定める自動車は、次のいずれかに掲げる要件に適合する構造を有するものとする。

一　車両総重量が7.5ｔを超える貨物の運送の用に供する自動車にあっては、次に掲げる要件を満たすこと。

イ　車体前面の構造部の平面部の高さは、車両中心線に平行な鉛直面において100㎜以上（車両総重量が12ｔを超える自動車にあっては120㎜以上）であって、当該構造部の最外縁は最前軸のタイヤの最外側から車両中心線に直交する鉛直面において車両の内側に100㎜以内又は運転台への乗降口のステップの最外側から車両中心線に直交する鉛直面において車両の内側に200㎜以内にあること。

ロ　車体前面の構造部の平面部の下縁の高さは、空車状態において地上400㎜以下（コンクリート・ミキサー車及びダンプ車にあっては、地上450㎜以下）にあること。

ハ　車体前面の構造部の平面部と空車状態における地上1.8ｍ以下にある当該自動車の前端をそれぞれ車両中心線に平行な鉛直面に投影したときの水平方向の距離は、400㎜以下であること。

二　車両総重量が3.5ｔを超え7.5ｔ以下の貨物の運送の用に供する自動車にあっては、車体前面の構造部の平面部の下縁の高さが、空車状態において地上400㎜以下であること。

5　前部潜り込み防止装置の取付位置、取付方法等に関し保安基準第18条の２第６項の告示で定める基準は、次のいずれかに掲げる基準とする。

一　車両総重量が7.5ｔを超える貨物の運送の用に供する自動車に備える前部潜り込み防止装置にあっては、次に掲げる基準に適合すること。

イ　平面部の下縁の高さは、空車状態において地上400㎜以下（コンクリート・ミキサー車及びダンプ車にあっては、地上450㎜以下）であること。

ロ　最外縁は、最前軸の車輪を覆う泥よけの最外側（泥よけを有しない自動車にあっては、最前軸の車輪の近傍にある自動車の最外側）より車両中心線に直交する鉛直面において車両の内側にあり、かつ、最前軸のタイヤの最外側から車両中心線に直交する鉛直面において車両の内側に100㎜以内又は運転台への乗降口のステップの最外側から車両中心線に直交する鉛直面において車両の内側に200㎜以内であること。

ハ　平面部と空車状態における地上1.8ｍ以下にある当該自動車の前端をそれぞれ車両中心線に平行な鉛直面に投影したときの水平方向の距離は400㎜以内であり、かつ、平面部が自動車の前端に近い位置にあること。

ニ　衝撃等によりゆるみ等を生じないように確実に取り付けること。

二　車両総重量が3.5ｔを超え7.5ｔ以下の貨物の運送の用に供する自動車に備える前部潜り込み防止装置にあっては、次に掲げる基準に適合すること。

イ　平面部は、空車状態においてその下縁の高さが地上400㎜以下であること。

ロ　衝撃等によりゆるみ等を生じないように確実に取り付けること。

6　前項第１号の基準を満たす前部潜り込み防止装置は、当該自動車に取り付けた状態のままで、その位置を変えることができる。この場合において、当該前部潜り込み防止装置は取り付けられた位置から意図せず移動しないように確実に取り付けられる構造を有し、かつ、その位置を移動させるための操作は容易に行うことができるものでなければならない。

（連結装置）

第181条 牽引自動車及び被牽引自動車の連結装置の強度、構造等に関し、保安基準第19条の告示で定める基準は、次の各号に掲げる基準とする。

一 牽引自動車及び被牽引自動車の連結装置は、堅ろうで運行に十分耐えるものであること。

二 牽引自動車及び被牽引自動車の連結装置は、相互に確実に結合する構造であること。

三 牽引自動車又は被牽引自動車の連結装置には、走行中振動、衝撃等により分離しないように適当な安全装置を備えること。

2 前項において、貨物自動車等の車枠の先端に設けられた被牽引自動車を牽引することを目的としない応急用の牽引にう等は、連結装置に含まないものとする。

（乗車装置）

第182条 自動車の乗車装置の構造に関し、保安基準第20条第1項の告示で定める基準は、次の各号に掲げる基準とする。

一 自動車の乗車装置は、乗車人員が動揺、衝撃等により転落又は転倒することなく安全な乗車を確保できる構造でなければならない。この場合において、次に掲げる乗車装置はこの基準に適合するものとする。

イ 側面に扉、鎖、ロープ等が備えられていない自動車の助手席であって、肘かけ又は握り手を有するもの

ロ 二輪自動車の後部座席であって、握り手及び足かけを有するもの

ハ 消防自動車の立席であって、握り棒及び滑り止めを施した踏板（奥行30cm以上）を有するもの

ニ バス型自動車の立席であって、つり革、握り棒又は握り手を有するもの

二 リンク式ドア開閉装置にあっては、構造上乗客の足をはさむ等安全な乗車を確保できないおそれのあるものでないこと。

2 保安基準第20条第4項の告示で定める基準に適合する難燃性の材料は、次の各号に掲げるいずれかの材料とする。

一 指定自動車等に備えられている内装と同一の材料であって、かつ、同一の位置に使用されているもの

二 公的試験機関等が実施した試験結果を記載した書面その他により、難燃性であることが明らかである材料

三 鉄板、アルミ板、FRP、厚さ3mm以上の木製の板（合板を含む。）及び天然皮革

四 法第75条の2第1項の規定に基づき型式の指定を受けた特定共通構造部に備えられている年少者用補助乗車装置又はこれに準ずる性能を有する年少者用補助乗車装置

五 法第75条の3第1項の規定に基づく装置の指定を受けた年少者用補助乗車装置又はこれに準ずる性能を有する年少者用補助乗車装置

3 前項において、次の各号に掲げるものは、「内装」とされないものとする。

一 車体に固定されていないもの

二 表面の寸法が長さ293mm又は幅25mmに満たないもの

4 専ら乗用の用に供する自動車（乗車定員11人以上の自動車、二輪自動車、側車付二輪自動車、カタピラ及びそりを有する軽自動車並びに最高速度20km/h未満の自動車を除く。）に備える第26条第3項の装置の乗車人員の保護に係る性能等に関し、保安基準第20条第5項の告示で定める基準は、インストルメントパネルが、当該自動車が衝突等による衝撃を受けた場合において、乗車人員の頭部等に過度の衝撃を与えるおそれの少ないものであることとする。

5 指定自動車等に備えられているインストルメントパネルと同一の構造を有し、かつ同一の位置に備えられているインストルメントパネルであって、その衝撃吸収の機能を損なうおそれのある損傷等のないものは、前項の基準に適合するものとする。

6 自動車（乗車定員11人以上の自動車、大型特殊自動車、農耕作業用小型特殊自動車及び最高速度20km/h未満の自動車を除く。）に備えるサンバイザの乗車人員の保護に係る性能等に関し、保安基準第20条第6項の告示で定める基準は、衝撃を吸収する材料で被われているサンバイザであって、内部構造物に局所的に硬い接触感のないものでなければならないものとする。

7 指定自動車等に備えられているサンバイザと同一の構造を有し、かつ同一の位置に備えられているサンバイザであって、その衝撃吸収の機能を損なうおそれのある損傷等のないものは、前項の基準に適合するものとする。

（運転者席）

第183条 運転者席の運転者の視野、物品積載装置等との隔壁等に関し、保安基準第21条の告示で定める基準は、次の各号に掲げる基準とする。

一 専ら乗用の用に供する自動車であって乗車定員10人未満のもの（二輪自動車、側車付二輪自動車、三輪自動車、カタピラ及びそりを有する軽自動車並びに被牽引自動車を除く。）及び貨物の運送の用に供する自動車であって車両総重量が3.5t以下のもの（三輪自動車及び被牽引自動車を除く。）の運転者席は、次に掲げる基準（道路交通法施行令第26条の3の2第1項第7号の規定の適用を受ける自動車にあっては、イに掲げるものに限る。）に適合すること。

イ 運転者が運転者席において、次に掲げる鉛直面により囲まれる範囲内にある障害物（高さ1m直径30cmの円柱をいう。）の少なくとも一部を鏡等を用いずに直接確認できるものであること。ただし、Aピラー、窓拭き器、後写鏡又はかじ取ハンドルにより確認が妨げられる場合にあっては、この限りでない。

(1) 当該自動車の前面から2mの距離にある鉛直面

(2) 当該自動車の前面から2.3mの距離にある鉛直面

(3) 自動車の左側面（左ハンドル車にあっては「右側面」）から0.9mの距離にある鉛直面

(4) 自動車の右側面（左ハンドル車にあっては「左側面」）から0.7mの距離にある鉛直面

（参考図）

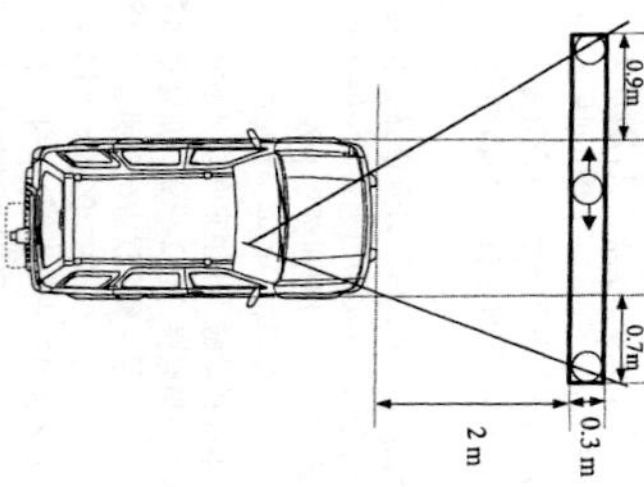

ロ 運転者席における運転者のアイポイントを通る水平面のうち当該アイポイントを通る鉛直面より前方の部分には、光学的な投影を含む運転視野を妨げるもの（Aピラー、室外アンテナ、ドアバイザ、側面ガラス分割バー、後写鏡、後方等確認装置、窓拭き器、固定型及び可動型のベント、窓ガラス面への光学的な運転支援情報の投影並びに保安基準第29条第4項各号に掲げるものを除く。）がないこと。この場合において、スライド機構等を有する運転者席にあっては、運転者席を最後端の位置に調整した状態とし、リクライニング機構を有する運転者席の背もたれにあって

は、背もたれを鉛直線から後方に25°にできるだけ近くなるような角度の位置に調整した状態とする。
二　前号の自動車以外の自動車の運転者席は、運転に必要な視野を有するものであること。この場合において、前面ガラスのうち車両中心面と平行な面上のガラス開口部の下縁より上部であって運転者席における運転者のアイポイントを通る車両中心線に直交する鉛直面より前方の部分に、第195条第5項第7号に掲げるもの以外の装飾板を備えているものはこの基準に適合しないものとする。
三　トラッククレーン等のクレーンブーム（支柱、フック等を含む。）は、格納された状態において、前方及び左右の運転視野を著しく妨げるものでないこと。
四　運転車席は、乗車人員、積載物品等により運転操作を妨げられないものであること。この場合において、次に掲げる運転者席であってその機能を損なうおそれのある損傷のないものは、「乗車人員、積載物品等により運転操作を妨げられないもの」とする。
イ　一般乗合旅客自動車運送事業用自動車の運転者席であって、保護棒又は隔壁を有するもの
ロ　貨物自動車の運転者席であって、運転者席と物品積載装置との間に隔壁又は保護仕切を有するもの。この場合において、最大積載量が500kg以下の貨物自動車であって、運転者席の背あてにより積載物品等から保護されると認められるものは、運転者席の背あてを保護仕切りとみなす。
ハ　かじ取りハンドルの回転角度がかじ取り車輪の回転角度の7倍未満である三輪自動車の運転者の座席の右側方に設けられた座席であって、その前縁が運転者の座席の前縁から20cm以上後方にあるもの、又は左側方に設けられた座席であって、その前縁が運転者の座席の前縁より後方にあるもの
2　次に掲げる運転者席であって、その機能を損なうおそれのある改造、損傷等のないものは、前項の基準に適合するものとする。
一　指定自動車等に備えられているものと同一の構造を有し、かつ、同一の位置に備えられた運転者席
二　法第75条の2第1項の規定に基づき型式の指定を受けた特定共通構造部に備えられている運転者席と同一の構造を有し、かつ、同一の位置に備えられている運転者席又はこれに準ずる性能を有する運転者席
三　法第75条の3第1項の規定に基づき運転者席について型式の指定を受けた自動車に備えられているものと同一の構造を有し、かつ、同一の位置に備えられた運転者席又はこれに準ずる性能を有する運転者席

（座席）

第184条　座席の着席するに必要な空間及び当該座席の向きに関し、保安基準第22条第1項（保安基準第71条第2項において準用する場合を含む。）の告示で定める基準は、次の各号に掲げる基準とする。
一　自動車の運転者席の幅は、保安基準第10条各号に掲げる装置（乗車人員、積載物品等により操作を妨げられない装置を除く。）のうち最外側のものまでの範囲とする。この場合においてその最小範囲は、かじ取ハンドルの中心から左右それぞれ200mmまでとする。

二　自動車の運転者以外の者の用に供する座席（またがり式の座席、保安基準第22条の3第1項及び第4項に規定する座席ベルトの取付装置及び座席ベルトを備える座席（乗車定員10人以上の旅客自動車運送事業用自動車に備えるものを除く。）並びに及び幼児専用車の幼児用座席を除く。）は、1人につき、幅400mm以上の着席するに必要な空間を有すること。この場合において、次に掲げるものはこの基準に適合しないものとする。
イ　3席以上連続した座席のうち両端の座席以外の座席であってその幅が400mm未満のもの
ロ　3席以上連続した座席のうち両端の座席以外の座席であって当該座席に隣接する座席に着席するために必要な空間以外の空間に幅が400mm以上となる空間を車室内に有しないもの
ハ　3席以上連続した座席のうち両端の座席であって当該座席に隣接する座席に着席するために必要な空間以外の空間のうち当該座席面の上方のいずれの位置においても車室内に幅400mm以上となる空間を有しないもの
（例）（1）　3席以上連続した座席のうち両端の座席以外の座席であってその幅が400mm未満のもの又は当該座席に隣接する座席に着席するために必要な空間以外の空間の幅

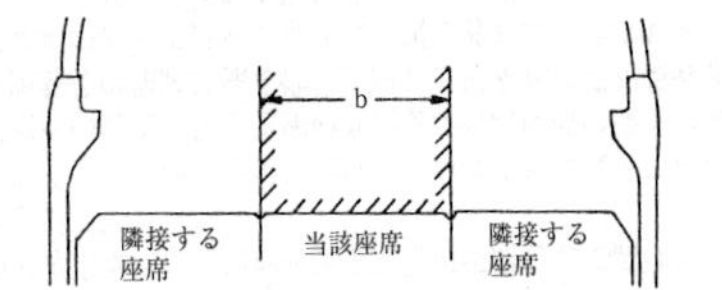

（2）　3席以上連続した座席のうち両端の座席であって当該座席に隣接する座席に着席するために必要な空間以外の空間の幅

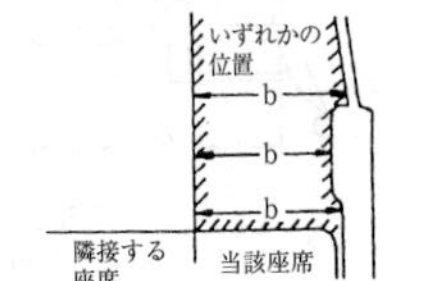

三　座席の向きは、次に掲げるものとする。
イ　前向きに備える座席とは、運行中に使用する座席であって、車両中心線に平行な鉛直面と座席中心面との角度が左右10度以内となるよう車両の前方に向いているもの。
ロ　後向きに備える座席とは、運行中に使用する座席であって、車両中心線に平行な鉛直面と座席中心面との角度が左右10度以内となるよう車両の後方に向いているもの。
ハ　横向きに備える座席とは、運行中に使用する座席であって、車両中心線に直交する鉛直面と座席中心面との角度が左右10度以内となるよう車両の側方に向いているもの。
四　自動車（乗車定員10人以上の自動車（立席を有するものに限る。）、幼児専用車、福祉タクシー車両、車両総重量3.5トンを超える貨物の運送の用に供する自動車、緊急自動車、患者輸送車、キャンピング車、大型特殊自動車、小型特殊自動

車及び最高速度20km／h未満の自動車を除く。）に備える座席は、横向きに設けられたものでないこと。ただし、乗車定員10人以上の自動車（立席を有するものを除く。）であって車両総重量10トンを超えるものに備えられた座席であって、指定自動車等に備えられている座席及び座席取付装置と同一の構造を有し、かつ、同一の位置に備えられたもの、法第75条の2第1項の規定に基づき型式の指定を受けた特定共通構造部に備えられている座席及び座席取付装置若しくは法第75条の3第1項の規定に基づく型式の指定を受けた座席及び座席取付装置又はこれらに準ずる性能を有するものであって、その強度を損なうおそれのある損傷のないもの及び乗車人員の頭部等に傷害を与えるおそれのある損傷のないものにあっては、この限りでない。

五　幼児専用車の幼児用座席は、前向きに設けられたものであること。

六　座席には、その前方の座席、隔壁等と次に掲げる長さ（前方の座席が当該座席と向かい合っているものにあっては、その2倍の長さとする。）以上の間げきを有すること。

イ　乗車定員11人以上の自動車（緊急自動車を除く。）の座席（幼児専用車の幼児用座席を除く。）　200mm

ロ　幼児専用車の幼児用座席　150mm

2　運転者席以外の用に供する座席の寸法に関し、保安基準第22条第2項（保安基準第71条第2項において準用する場合を含む。）の告示で定める基準は、次の各号に掲げる基準とする。

一　自動車の運転者以外の者の用に供する座席（またがり式の座席及び幼児専用車の幼児用座席を除く。）は、1人につき、大きさが幅380mm以上、奥行400mm以上（非常口付近に設けられる座席にあっては幅380mm以上、奥行250mm以上、次に掲げる座席にあっては幅300mm以上、奥行250mm以上）であり、運行中に安全に着席できるものでなければならない。

イ　補助座席

ロ　乗車定員11人以上の自動車に設けられる車掌の用に供する座席、これに相当する座席及び運転者助手の用に供する座席で、1人用のもの

ハ　かじ取ハンドルの回転角度がかじ取車輪の回転角度の7倍未満である三輪自動車の運転者席の側方に設けられる1人用の座席

二　幼児専用車の幼児用座席は、1人につき大きさが幅270mm以上、奥行230mm以上270mm以下であり、床面からの高さが250mm以下でなければならない。ただし、自動車の床面に備えることができる年少者用補助乗車装置を幼児専用車の専ら座席の用に供する床面に幼児用座席として備える場合にあっては、この限りでない。

3　第1項第6号に掲げる間げき並びに前項に掲げる座席の幅及び奥行は、次に定めるものとする。

一　間げきは、座席の中央部から左右190mmの間（補助座席にあっては左右150mmの間とする。）における当該座席の前縁からその前方の座席の背あての後縁、隔壁等（当該座席への着席を妨げない部分的な突出を除く。）までの最短水平距離とする。この場合において、座席の調整機構は次に掲げる状態とするものとする。

イ　リクライニング機構を有する運転者席等（運転者席、それと一体となって作動する座席及び並列な座席を含む。以下この号において同じ。）にあっては背もたれを当該運転者席等の鉛直面から後方に30°まで倒した状態

ロ　スライド機構を有する運転者席等にあっては間げきが最小となるように調整した状態。ただし、運転者席と並列な座席の前縁からその前方の隔壁等までの間げきに限り、当該座席とその後方座席との間げきが最小となるように調整した状態でもよいものとする。

ハ　運転者席等以外の座席であってリクライニング機構、スライド機構等の調整機構を有するものにあっては間げきが最小となるように調整した状態

（例）　座席の間げき

d：間げき

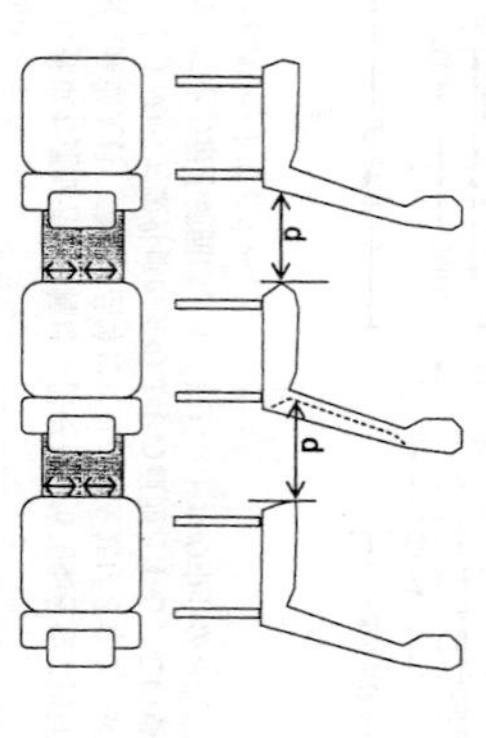

二　幅は、座席の中央部の前縁から、奥行の方向に200mm離れた位置において、奥行の方向と直角に測った座席の両端縁（肘かけがあるときは肘かけの内縁）の最短水平距離とする。この場合において、分割された部分がそれぞれに位置を調整できる座席であって一体の状態とし得るものについては、その状態とする。なお、座席面から100mm以上300mm以下の高さに設けられた肘かけについては、座席の内側への張出しは1個の肘かけにつき50mmまでは張り出しても差し支えないものとして取り扱う。

三　奥行は、座席の中央部の前縁から後縁（背あてがあるときは背あての前縁）までの最短水平距離とする。

（例）

(イ)　座席の幅

b：座席の幅

(ロ)　座席の奥行

l：座席の奥行

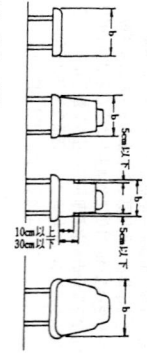

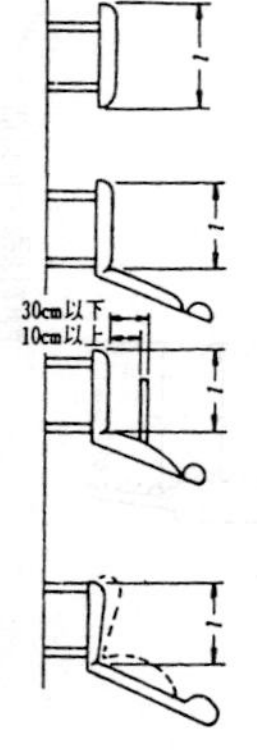

4　乗車定員11人以上の自動車には、大部分の窓の開放部が有効幅500mm以上、有効高さ300mm以上である場合に限り、その通路に補助座席を設けることができる。

5　幼児専用車には、補助座席を幼児用座席として設けることができない。

6　衝突等による衝撃を受けた場合における乗車人員等から受ける荷重への耐久に係る座席の性能及び当該座席の後方の乗車人員の頭部等の保護に係る性能に関し、保安基準第22条第3項及び第4項の告示で定める基準は、次の各号に掲げる基準とする。

一　座席及び当該座席の取付装置は、車体に確実に取り付けられていること。

二　座席のスライド機構及びリクライニング機構等の調整機構を有する座席は、全ての座席調整位置に保持できるものであること。

三　座席の後面部分は、当該自動車が衝突等による衝撃を受けた場合において、当該座席の後方の乗車人員の頭部等に過度の衝撃を与えるおそれの少ない構造であること。

7　次に掲げる座席及び座席取付装置であって、その機能、強度

を損なうおそれのある損傷のないもの及び乗車人員の頭部等に傷害を与えるおそれのある損傷のないものは、前項の基準に適合するものとする。

一　指定自動車等に備えられている座席及び座席取付装置と同一の構造を有し、かつ、同一の位置に備えられた座席及び座席取付装置

二　法第75条の2第1項の規定に基づき型式の指定を受けた特定共通構造部に備えられている座席及び座席取付装置又はこれに準ずる性能を有する座席及び座席取付装置

三　法第75条の3第1項の規定に基づく装置の指定を受けた座席及び座席取付装置又はこれに準ずる性能を有する座席及び座席取付装置

（補助座席定員）

第185条　保安基準第22条の2（保安基準第71条第2項において準用する場合を含む。）の告示で定める基準は、前条第2項第1号イからハまでに掲げる座席以外の座席の定員が、座席定員の2分の1以上でなければならないものとする。

（座席ベルト等）

第186条　保安基準第22条の3第1項表中の告示で定める基準とは、次のいずれかに掲げる基準とする。

一　専ら乗用の用に供する乗車定員10人以上の自動車の座席に着席している座席ベルトを装着した乗車人員が接触するおそれのある車両内部の構造を有さないもの又は接触するおそれのある車両内部の構造が協定規則第80号の規則5.、6.及び7.（7.4.を除く。）に定める基準に適合するものであること。

二　貨物の運送の用に供する自動車の運転者席及びこれと並列の座席のうち車両の中心位置に備える座席に着席している座席ベルトを装着した乗車人員が前面ガラスに接触するおそれのない構造を有していること。

三　補助座席のうち通路に設けられるものであること。

2　保安基準第22条の3第1項の表中の「第二種座席ベルト」とは、三点式座席ベルト等少なくとも乗車人員の腰部の移動を拘束し、かつ、上半身が前方に倒れることを防止することのできるものをいう。

3　保安基準第22条の3第1項の表中の「第一種座席ベルト」とは、二点式座席ベルト等少なくとも乗車人員の腰部の移動を拘束することのできるものをいう。

4　座席ベルトの取付装置の強度、取付装置等に関し、保安基準第22条の3第2項の告示で定める基準は、次の各号に掲げる基準とする。

一　当該自動車の衝突等によって座席ベルトから受ける荷重に十分耐えるものであること。

二　振動、衝撃等によりゆるみ、変形等を生じないようになっていること。

三　取り付けられる座席ベルトが有効に作用する位置に備えられたものであること。

四　乗降に際し損傷を受けるおそれがなく、かつ、乗降の支障とならない位置に備えられたものであること。

五　座席ベルトを容易に取り付けることができる構造であること。

5　次に掲げる座席ベルトの取付装置であって損傷のないものは、前項に定める基準に適合するものとする。

一　指定自動車等に備えられた座席ベルトの取付装置と同一の構造を有し、かつ、同一の位置に備えられた座席ベルトの取付装置

二　法第75条の2第1項の規定に基づき型式の指定を受けた特定共通構造部に備えられている座席ベルトの取付装置又はこれに準ずる性能を有する座席ベルトの取付装置

三　法第75条の3第1項の規定に基づく装置の指定を受けた座席ベルトの取付装置又はこれに準ずる性能を有する座席ベルトの取付装置

6　座席ベルトの構造、操作性能等に関し、保安基準第22条の3第3項の告示で定める基準は、次の各号に掲げる基準とする。

一　当該自動車が衝突等による衝撃を受けた場合において、当該座席ベルトを装着した者に傷害を与えるおそれの少ない構造のものであること。

二　第二種座席ベルトにあっては、当該自動車が衝突等による衝撃を受けた場合において、当該座席ベルトを装着した者が、座席の前方に移動しないようにすることができ、かつ、上半身を過度に前傾しないようにすることができるものであること。

三　第一種座席ベルトにあっては、当該自動車が衝突等による衝撃を受けた場合において、当該座席ベルトを装着した者が座席の前方に移動しないようにすることができるものであること。

四　容易に、着脱することができ、かつ、長さを調整することができるものであること。

五　第二種座席ベルト及び運転者席に備える第一種座席ベルトにあっては、通常の運行において当該座席ベルトを装着した者がその腰部及び上半身を容易に動かし得る構造のものであること。

7　次に掲げる座席ベルトであって装着者に傷害を与えるおそれのある損傷、擦過痕等のないものは、前項に定める基準に適合するものとする。

一　指定自動車等に備えられた座席ベルトと同一の構造を有し、かつ、同一の位置に備えられた座席ベルト

二　法第75条の2第1項の規定に基づき指定を受けた特定共通構造部に備えられている座席ベルト又はこれに準ずる性能を有する座席ベルト

三　法第75条の3第1項の規定に基づく装置の指定を受けた座席ベルト又はこれに準ずる性能を有する座席ベルト

8　座席ベルトの取付装置の強度、取付位置等に関し、保安基準第22条の3第4項において準用する同条第2項の告示で定める基準は、第4項に掲げる基準とする。

9　次に掲げる座席ベルトの取付装置であって損傷のないものは、前項に定める基準に適合するものとする。

一　指定自動車等に備えられた座席ベルトの取付装置と同一の構造を有し、かつ、同一の位置に備えられた座席ベルトの取付装置

二　法第75条の2第1項の規定に基づき指定を受けた特定共通構造部に備えられている座席ベルトの取付装置又はこれに準ずる性能を有する座席ベルトの取付装置

三　法第75条の3第1項の規定に基づく装置の指定を受けた座席ベルトの取付装置又はこれに準ずる性能を有する座席ベルトの取付装置

10　座席ベルトの構造、操作性能等に関し、保安基準第22条の3第4項の規定において準用する同条第3項の告示で定める基準は、第6項に掲げる基準とする。

11　次に掲げる座席ベルトであって装着者に傷害を与えるおそれのある損傷、擦過痕等のないものは、前項に定める基準に適合するものとする。

一　指定自動車等に備えられた座席ベルトと同一の構造を有し、かつ、同一の位置に備えられた座席ベルト

二　法第75条の2第1項の規定に基づき指定を受けた特定共通構造部に備えられている座席ベルト又はこれに準ずる性能を有する座席ベルト

三　法第75条の3第1項の規定に基づく装置の指定を受けた座席ベルト又はこれに準ずる性能を有する座席ベルト

12　運転者席の運転者に警報する装置の警報性能等に関し保安基準第22条の3第5項の告示で定める基準は、同項の表の上欄に掲げる自動車の種別に応じ同表の下欄に掲げる自動車の座席の座席ベルトが装着されていない場合にその旨を運転者席の運転者に警報することとする。この場合において、次の各号に掲げ

る装置は、この基準に適合しないものとする。

一　当該座席の座席ベルトが装着されていない状態で電源を投入したときに、警報を発しない装置。

二　当該座席の座席ベルトが装着されたときに、警報が停止しない装置

三　発する警報を運転者席において容易に判別できない装置

13　保安基準第22条の3第5項の告示で定めるものは次に掲げる座席ベルトとする。

一　補助座席に備える座席ベルト

二　協定規則第16号の規則2.1.4.に定める座席ベルト

三　キャンピング車及び霊柩車に備える座席であって運転者席及びこれと並列の座席以外の座席に備える座席ベルト

四　高齢者、障害者等が移動のための車いすその他の用具を使用したまま車両に乗り込むことが可能な自動車、緊急自動車及び患者輸送車に備える座席に備える座席ベルト

五　保安基準第22条第3項第1号から第3号まで及び第6号に掲げる座席（同項第2号に掲げる座席にあっては、座席の後面部分のみが折り畳むことができるもの並びに荷台及び通路に設けられるものを除く。）、幼児用座席並びに座席が回転することにより高齢者、障害者等が円滑に車内に乗り込むことができる座席に備える座席ベルト

（頭部後傾抑止装置）

第187条　追突等による衝撃を受けた場合における乗車人員の頭部の保護等に係る頭部後傾抑制装置の性能に関し、保安基準第22条の4第2項の告示で定める基準は、次の各号に掲げる基準とする。

一　他の自動車の追突等による衝撃を受けた場合において、乗車人員の頭部の過度の後傾を有効に防止することのできるものであること。

二　乗車人員の頭部等に傷害を与えるおそれのない構造のものであること。

三　頭部後傾抑止装置の後面部分は、衝突等による衝撃を受けた場合における当該頭部後傾抑止装置を備える座席の後方の乗車人員に過度の衝撃を与えるおそれの少ない構造であること。

四　振動、衝撃により脱落することのないように備えられたものであること。

2　次に掲げる頭部後傾抑止装置であって、その機能、乗車人員の頭部等に傷害を与えるおそれのある損傷のないものは、前項各号に掲げる基準に適合するものとする。

一　指定自動車等に備えられた頭部後傾抑止装置と同一の構造を有し、かつ、同一の位置に備えられた頭部後傾抑止装置

二　法第75条の2第1項の規定に基づき型式の指定を受けた特定共通構造部に備えられている頭部後傾抑止装置

三　法第75条の3第1項の規定に基づく装置の指定を受けた頭部後傾抑止装置

四　ＪＩＳ　D4606「自動車乗車用ヘッドレストレイント」又はこれと同程度以上の規格に適合した頭部後傾抑止装置であって、的確に備えられたもの

（年少者用補助乗車装置等）

第188条　年少者用補助乗車装置取付具の強度、取付位置等に関し、保安基準第22条の5第2項の告示で定める基準は、次の各号に掲げる基準とする。

一　自動車の衝突等によって年少者用補助乗車装置から受ける荷重に十分耐えるものであること。

二　振動、衝撃等によりゆるみ、変形等を生じないものであること。

三　乗降に際し損傷を受けるおそれがなく、かつ、乗降の支障とならない位置に備えられたものであること。

四　年少者用補助乗車装置取付具により自動車に固定することができる年少者用補助乗車装置を容易に取り付けることができる構造であること。

五　ＩＳＯＦＩＸトップテザー取付装置及び当該装置の後方に備えられたＩＳＯＦＩＸトップテザー取付装置以外の取付装置には、次のいずれかの表示を行うこと。ただし、ＩＳＯＦＩＸトップテザー取付装置以外の取付装置を有していない場合にあっては、この限りではない。

イ　全てのＩＳＯＦＩＸトップテザー取付装置に、次に定める様式の例により当該装置がＩＳＯＦＩＸトップテザー取付装置であることを表示すること。

様式の例

ロ　全てのＩＳＯＦＩＸトップテザー取付装置以外の取付装置に、当該装置がＩＳＯＦＩＸトップテザー取付装置として使用できないことを表示すること。

六　年少者用補助乗車装置取付具を2個以上（車体の形状が幌型の場合又は次に掲げる要件を満たす自動車に備える場合においては1個以上）備えていること。ただし、運転者席と並列な座席のみを備えている自動車、年少者用補助乗車装置取付具が取り付けられた座席を取り外す改造がされた自動車又は保安基準第22条の5第1項ただし書の自動車においてはこの限りではない。

イ　乗降口が2個以下であること。

ロ　動力伝達装置又は緩衝装置により後部座席への年少者用補助乗車装置取付具の取付けが妨げられる構造であること。

ハ　原動機の最高出力（kW）を1000倍した値を車両重量（kg）に75kgを加えた値で除した値が140を超えること。

ニ　原動機の最高出力（kW）が200kWを超えること。

2　年少者用補助乗車装置の構造、操作性能等に関し、保安基準第22条の5第3項の告示で定める基準は、次の各号に掲げる基準とする。

一　年少者用補助乗車装置を備える座席、座席ベルト及び年少者用補助乗車装置取付具を損傷しないものであること。

二　前向き及び後向きのいずれでも使用可能な年少者用補助乗車装置には、当該装置が取り付けられた状態において視認できる場所に次に定める様式による表示を付さなければならない。この場合において、当該様式による表示の文字「M」に「(ヵ月)」等と補足してもよいこととする。

三　当該自動車が衝突等による衝撃を受けた場合において、当該年少者用補助乗車装置を装着した者に傷害を与えるおそれの少ない構造のものであること。この場合において、年少者用補助乗車装置のうち前向きのものであって、年少者の前方に衝撃を緩衝する材料で覆われていない硬い構造物があるものは、この基準に適合しないものとする。

四　当該自動車が衝突等による衝撃を受けた場合において、当

該年少者用補助乗車装置を装着した者及び当該年少者用補助乗車装置が第22条の３第３項の基準に適合する座席ベルト又は次の基準に適合する取付装置により座席の前方に移動しないようにすることができるものであること。この場合において、自動車のシート・バックにつり掛けることのみにより固定する等、座席ベルト、年少者用補助乗車装置取付具又は当該自動車の衝突等によって年少者用補助乗車装置から受ける荷重に十分耐えられる取付装置により固定できない構造である、又は年少者を容易に装置内に拘束又は定置することが困難である年少者用補助乗車装置は、この基準に適合しないものとする。

イ　当該自動車の衝突等によって年少者用補助乗車装置から受ける荷重に十分耐えるものであること。

ロ　衝撃、振動等によりゆるみ、変形等を生じないようになっていること。

五　容易に着脱ができるものであること。この場合において、緊急時に保護者又は第三者によって容易に救出することができない構造である年少者用補助乗車装置は、この基準に適合しないものとする。

六　年少者用補助乗車装置の説明書をウェブサイトへの掲載により提供する場合は、当該説明書を掲載したウェブサイトのアドレス（二次元コードを含む。）を年少者用補助乗車装置の見やすい箇所に表示すること。

3　次に掲げるその機能を損なうおそれのある改造、損傷等のないものは、前項各号に掲げる基準に適合するものとする。

一　指定自動車等に備えられているものと同一の構造を有し、かつ、同一の位置に備えられた年少者用補助乗車装置

二　法第75条の２第１項の規定に基づき型式の指定を受けた特定共通構造部に備えられている年少者用補助乗車装置と同一の構造を有し、かつ、同一の位置に備えられている年少者用補助乗車装置又はこれに準ずる性能を有する年少者用補助乗車装置

三　法第75条の３第１項の規定に基づき年少者用補助乗車装置について型式の指定を受けた自動車に備えられているものと同一の構造を有し、かつ、同一の位置に備えられた年少者用補助乗車装置

（通路）

第189条　保安基準第23条第２項（保安基準第71条第２項において準用する場合を含む。）に基づき、乗車定員11人以上の自動車（緊急自動車を除く。）及び幼児専用車に設ける乗降口から座席へ至ることのできる通路は、有効幅（通路に補助座席が設けられている場合は、当該補助座席を折り畳んだときの有効幅）300mm以上、有効高さ1,600mm（当該通路に係る全ての座席の前縁と最も近い乗降口との車両中心線方向の最短距離が２m未満である場合は、1,200mm）以上のものでなければならない。ただし、乗降口から直接着席できる座席にあっては、この限りでない。

2　前項の「有効幅」及び「有効高さ」は、通路において有効に利用できる部分の幅及び高さとする。この場合において、座席のスライド等により通路の有効幅が変化するものにあっては、通路の有効幅が最小となる場合の幅とする。

（例）

イ　有効幅

(1)　通路と座席床面の高さが異なる場合

b：有効幅

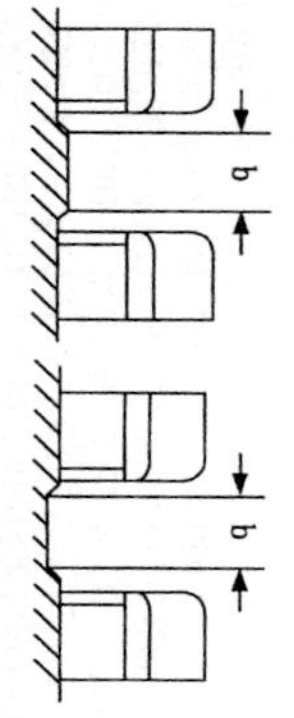

(2)　座席の一部が通路上に突出している場合

b：有効幅

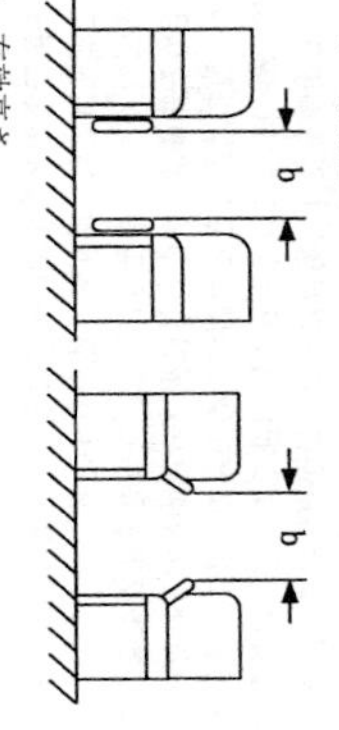

ロ　有効高さ

h：有効高さ

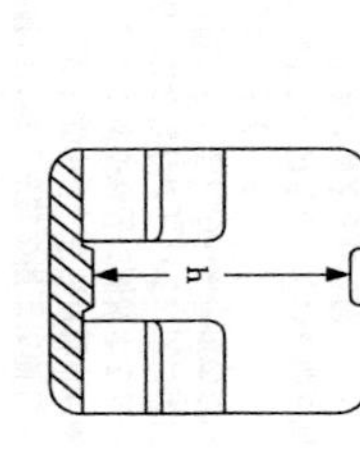

3　乗降口から座席へ至るための通路との位置関係が次の各号のいずれかに該当する座席は、当該座席に関し、第１項の「座席へ至ることのできる」ものとする。

一　座席側面が通路に接している座席又は通路の近傍に位置する座席

二　最前部の前向き座席（前号に係る座席を除く。）であって、当該座席の背あての床面への正射影が通路に接しているもの又は通路の近傍に位置するもの

三　横向き座席、最奥部の座席等であって、当該座席の用に供する床面が通路に接しているもの

四　第１号から前号までの座席の側方に隣接して設けられた座席であって、それぞれ定員２名分までのもの

（参考図）

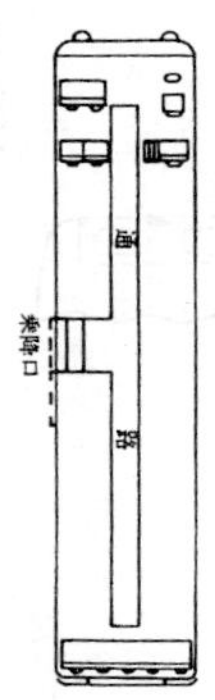

4　次に掲げる座席にあって乗降口から容易に着席できるものは、第１項ただし書きの「乗降口から直接着席できる座席」とされるものとする。

一　乗降口に隣接して設けられた座席

二　前号の座席の側方に隣接して設けられた座席であって、定員２名分までのもの

（参考図）

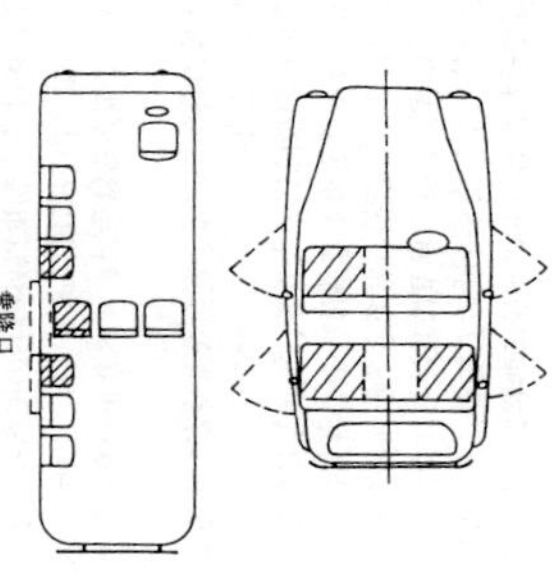

（注）　斜線部は、乗降口に隣接して設けられた座席を示す。

5　第１項の規定の適用については、座席の前縁から少なくとも250mmの床面は、専ら座席の用に供する床面とする。

（立席）

第190条　保安基準第24条第１項（保安基準第71条第２項において準用する場合を含む。）の規定により、立席を設けることができる客室内の告示で定める床面は、客室内の有効幅300mm以上、有効高さ1,800mm以上の専ら座席の用に供する床面以外の床面とする。ただし、緊急自動車の立席、車掌の用に供する立席、これに相当する立席及び運転者助手の用に供する立席にあっては、この限りでない。

2　前項の規定の適用については、座席の前縁から250mmの床面は、専ら座席の用に供する床面とする。

3　第１項において、「有効幅」及び「有効高さ」は、客室のうち立席として有効に利用できる部分の幅及び高さとし、室内高を測定する場合には、車室の天井に設けた握り棒、つり革、単独の室内灯等は取り付けられていないものとみなすことができるものとする。また、ライン・ライト、通風ダクト等一定の幅と長さを有する突出物であって床面からその下面までの高さが1,800mm未満のものを有する自動車にあっては、通路の面積から当該構造物の投影面積を差し引くものとする。

（参考図）

b：30cm以上

c：25cm

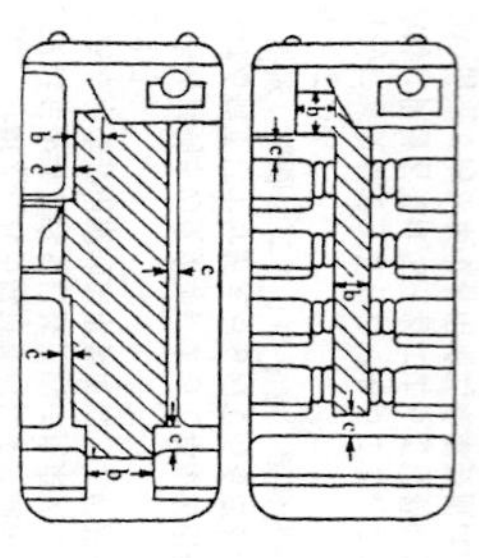

（注）　斜線部は、立席の部位を示す。

4　幼児専用車には、立席を設けることができない。

5　保安基準第24条第３項（保安基準第71条第２項において準用する場合を含む。）の規定により、立席人員１人の占める広さに関し告示で定める面積は、0.14㎡とする。

（乗降口）

第191条　乗降口に備える扉の構造に関し、保安基準第25条第４項の告示で定める基準は、当該自動車が衝突等による衝撃を受けた場合において扉が容易に開放するおそれがない構造であることとする。この場合において、次に掲げる扉であってその機能、強度を損なうおそれのある損傷のないものは、この基準に適合するものとする。

一　指定自動車等に備えられている扉と同一の構造を有し、かつ、同一の位置に備えられた扉

二　法第75条の２第１項の規定に基づき型式の指定を受けた特定共通構造部に備えられている扉又はこれに準ずる性能を有する扉

三　法第75条の３第１項の規定に基づく装置の型式の指定を受けた扉又はこれに準ずる性能を有する扉

2　乗降口の大きさ、構造等に関し、保安基準第25条第５項の告示で定める基準は、次の各号に掲げる基準とする。ただし、乗降口から直接着席できる座席のための開口部であって、運転者室及び客室以外の車室に設けられた開口部であって、自動車が衝突等による衝撃を受けた場合に乗車人員が車外に投げ出されるおそれがあるもの並びに非常口にあっては、この限りでない。

一　乗降口の有効幅は、600mm以上であること。

二　乗降口の有効高さは、1,600mm（第189条第１項の規定により通路の有効高さを1,200mmとすることができる自動車にあっては、1,200mm）以上であること。ただし、当該乗降口とは別に設ける乗降口であって、専ら車いすを使用している者の利用に供するものにあっては、この限りでない。

（参考図）

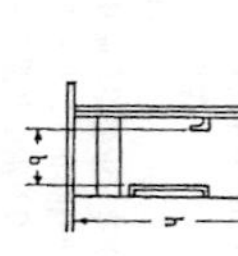

b：有効幅

h：有効高さ

三　空車状態において床面の高さが地上450mmを超える自動車の乗降口には、次に掲げる踏段を備えること。

イ　乗車定員11人以上23人以下の旅客自動車運送事業用自動車であって車両総重量５トン以下のものにあっては、一段の高さが120mm以上250mm（最下段の踏段にあっては、空車状態において430mm（車高調節装置を備えた自動車にあっては、その床面の高さを最も低くした状態であり、かつ、空車状態において380mm））以下の踏段。

ロ　イに掲げる自動車以外のものにあっては、一段の高さが400mm（最下段の踏段にあっては、450mm）以下の踏段。

四　乗降口に備える踏段は、すべり止めを施したものであること。

五　第３号の乗降口には、安全な乗降ができるように乗降用取手を備えること。

3　幼児専用車の乗降口の大きさ、構造等に関し、保安基準第25条第６項の告示で定める基準は、次の各号に掲げる基準とする。ただし、乗降口から直接着席できる座席のための開口部であって、運転者室及び客室以外の車室に設けられた開口部であって、自動車が衝突等による衝撃を受けた場合に乗車人員が車外に投げ出されるおそれがあるもの並びに非常口にあっては、この限りでない。

一　空車状態において床面の高さが地上300mmを超える自動車の乗降口には、一段の高さが200mm（最下段の踏段にあっては、300mm）以下であり、有効奥行が200mm以上である踏段を備えること。ただし、最下段以外の踏段で乗降口の扉等のためやむをえないものにあっては、乗降口の有効幅のうち、350mm以上の部分についてその有効奥行が200mmあればよい。

二　乗降口及び踏段は、前項（第３号を除く。）の基準に準じたものであること。

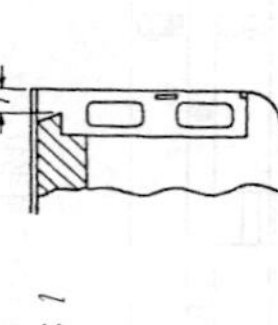

l：有効奥行

（非常口）

第192条　非常口の設置位置、大きさ等に関し、保安基準第26条第１項の告示で定める基準は、次の各号に掲げる基準とする。

一　非常口は、客室の右側面の後部（客室の右側面のうち客室の長手方向の中央より後方の部分をいう。）又は後面に設けられていること。この場合において、非常口の有効幅の中心が右側面の後部より後方のものは、この基準に適合するものとする。

二　乗車定員30人以上の自動車の非常口は、次号及び第４号に掲げる場合を除き、有効幅400mm以上、有効高さ1,200mm以上

であること。

三　客室の右側面の後部に設ける非常口は、これに接して車輪おおいの張り出しがあるためやむを得ない場合は、床面からの高さ450mmまでの部分の有効幅が250mm以上でその他の部分の有効幅が400mm以上であり、かつ、有効高さが1,200mm以上であること。

四　客室の右側面の後部に設ける非常口は、前号に掲げる場合を除き、これに接して前向座席があるためやむを得ない場合は、床面からの高さ650mmまでの部分の有効幅が300mm以上でその他の部分の有効幅が400mm以上であり、かつ、有効高さが1,300mm以上であること。

五　乗車定員30人未満の幼児専用車の非常口は、有効幅300mm以上、有効高さ1,000mm以上であること。

六　非常口には、常時確実に閉鎖することができ、火災、衝突その他の非常の際に客室の内外からかぎその他の特別な器具を用いないで開放できる外開きのとびらを備えること。この場合において、とびらは、自重により再び閉鎖することがないものでなければならない。

七　非常口の付近には、バンパ、牽引こう、その他の脱出の妨げとなるものが突出しておらず、非常口の下縁と床面との間には段がついていないこと。この場合において、「非常口の下縁と床面との間には段がついていないこと」とは、脱出の際につまずかないような構造となっていることをいい、次の図に示す非常口は、この基準に適合するものとする。

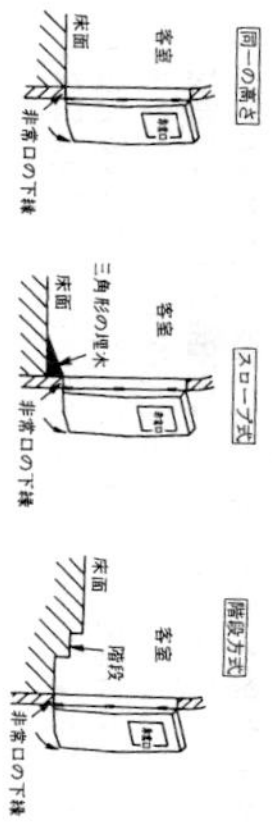

八　非常口付近にある座席は、脱出の妨げとならないように、容易に取り外し又は折り畳むことができる構造であること。この場合において、「脱出の妨げにならない」とは、座席を取り外し又は折り畳んだ状態において、通路から非常口までの有効幅及び有効高さが、第5号に掲げる自動車にあっては同号、その他の自動車にあっては第2号、第3号又は第4号の基準に適合し、かつ、その状態が保持できるものをいう。

九　幼児専用車の非常口は、保護者用座席の付近に設けられていること。ただし、保護者用座席から非常口へ至ることのできる通路が設けられている場合にあっては、この限りでない。

2　保安基準第26条第2項の規定により、非常口を設けた自動車には、非常口又はその附近に、見やすいように、非常口の位置及びとびらの開放の方法が表示されていなければならない。この場合において灯火により非常口の位置を表示するときは、その灯火の色は緑色でなければならない。

3　保安基準第26条第3項の規定により、非常口を設けた自動車には、非常口のとびらが開放した場合にその旨を運転者に警報する装置を備えなければならない。

（物品積載装置）

第193条　荷台その他の物品積載装置の強度、構造等に関し、保安基準第27条第1項の告示で定める基準は、自動車の荷台その他の物品積載装置は、堅ろうで、かつ、安全、確実に物品を積載できる構造であることとする。この場合において、次の各号に掲げるものは、この基準に適合しないものとする。

一　著しく損傷している荷台その他の物品積載装置

二　専ら砂利、土砂の運搬に用いる自動車（次項の自動車を除く。以下この項において同じ。）の荷台（荷台が傾斜するものに限る。以下この項において同じ。）であって、当該自動車の最大積載量を当該荷台の容積（0.1m³未満は切り捨てるものとする。）で除した数値が普通自動車にあっては1.5t／m³未満のもの、小型自動車にあっては1.3t／m³未満のもの

三　前号に該当しない自動車の荷台であって、さし枠の取付金具を有するもの

四　前各号のいずれにも該当しない専ら砂利、土砂の運搬に用いる自動車であって、後煽、側煽等の荷台の一部が高くなり、かつ、最大積載量を超えて積載することを目的としたもの

2　土砂等を運搬する大型自動車による交通事故の防止等に関する特別措置法（昭和42年法律第131号）第4条に規定する土砂等運搬大型自動車について、保安基準第27条第2項の告示で定める物品積載装置は、次のいずれかに該当する物品積載装置とする。

一　自動車の荷台であって、当該自動車の最大積載量を当該荷台の容積（0.1m³未満は切り捨てるものとする。）で除した数値が1.5t／m³未満のもの

二　前号に該当しない自動車の荷台であって、さし枠の取付金具を有するもの

三　前各号のいずれにも該当しない自動車の荷台であって、後煽、側煽等荷台の一部が高くなっており、かつ、最大積載量を超えて積載することを目的としたもの

（高圧ガス運送装置）

第194条　高圧ガスを運送する自動車のガス運送装置の強度、取付方法に関し、保安基準第28条の告示で定める基準は、次の各号に掲げる基準とする。

一　ガス運送容器については、第176条第1項第1号及び第5号の基準を準用する。

二　ガス運送装置の配管については、第176条第1項第5号から第7号まで及び第9号の基準を準用する。

三　ガス運送装置のガスと接触する部分については、第176条第1項第8号の基準を準用する。

四　ガス運送容器及び配管の取付については、第176条第1項第4号の基準を準用する。

五　ガス充填弁をガス充填口の近くに、ガス供給弁をガス供給口の近くに備えること。

六　一般高圧ガス保安規則第2条第2号の毒性ガス（液化ガスを除く。）に係るガス運送容器には、容器内の圧力を指示する圧力計をガス止弁で仕切られたガス運送容器又はガス運送容器の一群ごとに運転者の見やすい場所に設けること。

七　前号の圧力計は零からガス充填圧力の1.5倍以上2倍以下までの目盛をしたものであること。

八　第6号の圧力計は、照明装置を備え、又は文字板及び指示針に自発光塗料を塗ったものであること。

（窓ガラス）

第195条　自動車（二輪自動車、側車付二輪自動車及び最高速度25km／h以下の自動車を除く。）の窓ガラスに関し、保安基準第29条第1項の告示で定める基準に適合する安全ガラスは、合わせガラス、強化ガラス、部分強化ガラス、有機ガラス（ポリカーボネート材又はメタクリル材等の硬質合成樹脂材をいう。）又はガラス－プラスチック（車外面を板ガラス、合わせガラス又は強化ガラスとし、車室内にプラスチックを接着したものをいう。）（協定規則第43号の規則1.(i)及び(ii)に係る窓ガラスを除く。次項及び第3項において「前面ガラス等」という。）とする。この場合において、保安基準第29条第1項ただし書の「当該ガラスの破片により乗車人員が傷害を受けるおそれの少ないものとして告示で定める場所」とは、損傷したガラスの破片を容易に通さない隔壁によって運転者席及び客室と仕切られた場所をいう。

2　自動車（二輪自動車、側車付二輪自動車及び最高速度40キロメートル毎時未満の自動車を除く。）の前面ガラス等のうち前面ガラスの強度等に関し、保安基準第29条第2項の告示で定める基準は、次の各号に掲げる基準とする。

一　損傷した場合においても運転者の視野を確保できるもので

あること。

二　容易に貫通されないものであること。

3　自動車（二輪自動車、側車付二輪自動車及び牽引自動車を除く。）の前面ガラス等のうち前面ガラス及び側面ガラスのひずみ、可視光線の透過率等に関し、保安基準第29条第3項の告示で定める基準は、次の各号に掲げる基準とする。

一　透明で、運転者の視野を妨げるようなひずみのないものであること。

二　運転者が交通状況を確認するために必要な視野の範囲に係る部分における可視光線の透過率が70%以上のものであること。

4　保安基準第29条第3項の告示で定める部分は、運転者席より後方の部分とする。この場合において、次の各号に掲げる範囲は運転者席より後方の部分とする。

一　運転者席より後方の座席等の側面ガラス

二　側面ガラスのうち、運転者席に備えられている頭部後傾抑止装置の前縁（運転者席に頭部後傾抑止装置が備えられていない自動車にあっては、運転者席に備えられている背あて上部の前縁、運転者席に頭部後傾抑止装置及び背あてが備えられていない自動車にあっては、通常の運転姿勢にある運転者の頭部の後端）を含み、かつ、車両中心線に直交する鉛直面より後方の部分。この場合において、スライド機構等を有する運転者席にあっては、運転者席を最後端の位置に調整した状態とし、リクライニング機構を有する運転者席の背もたれにあっては、背もたれを鉛直線から後方に25°の角度にできるだけ近くなるような角度の位置に調整した状態とする。

5　窓ガラスへの装着、貼り付け、塗装又は刻印に関し、保安基準第29条第4項第6号の告示で定めるものは、専ら乗用の用に供する自動車であって乗車定員10人未満のもの及び貨物の運送の用に供する自動車であって車両総重量が3.5t以下のもの並びに第27条第2号イ(2)に適合する自動車にあっては第1号から第8号まで及び第10号、その他の自動車にあっては第2号から第10号までに掲げるものとする。

一　協定規則第125号の規則5.1.3.に定める基準に適合したもの。

二　車室内に備える貼り付け式の後写鏡及び後方等確認装置

三　道路等に設置された通信設備との通信のための機器、協定規則第159号に定める基準に適合する装置、ドライブレコーダーの前方用カメラ若しくは運転者用カメラその他の道路、交通状況若しくは運行中の運転者の状況に係る情報の入手のためのカメラ、一般乗用旅客自動車運送事業用自動車に備える車内を撮影するための防犯カメラ、車両間の距離を測定するための機器、雨滴等を検知して窓ふき器を自動的に作動させるための感知器、車室内の温度若しくは湿度を検知して空調装置等を自動的に制御するための感知器又は受光量を感知して前照灯、車幅灯等を自動的に作動させるための感知器であって、次に掲げる要件に該当するもの

イ　専ら乗用の用に供する自動車であって乗車定員10人未満のもの及び貨物の運送の用に供する自動車であって車両総重量が3.5t以下のものにあっては、次の(1)又は(2)に掲げる範囲に貼り付けられたものであること。ただし、前面ガラスの上縁であって、車両中心面と平行な面上のガラス開口部の実長の20%以内の範囲又は前面ガラスの下縁であって車両中心面と平行な面上のガラス開口部から150mm以内の範囲に貼り付けられた場合にあっては、この限りでない。

(1)　運転者席の運転者が、V_1点から前方を視認する際、車室内後写鏡により遮へいされる前面ガラスの範囲

(2)　試験領域B及び試験領域Bを前面ガラスの水平方向に拡大した領域以外の範囲

ロ　専ら乗用の用に供する自動車であって乗車定員10人未満のもの及び貨物の運送の用に供する自動車であって車両総重量が3.5t以下のもの以外の自動車にあっては、次の(1)又は(2)に掲げる範囲に貼り付けられたものであること。ただし、前面ガラスの上縁であって、車両中心面と平行な面上のガラス開口部の実長の20%以内の範囲又は前面ガラスの下縁であって車両中心面と平行な面上のガラス開口部から150mm以内の範囲に貼り付けられた場合にあっては、この限りでない。

(1)　運転者席の運転者が0点から前方を視認する際、車室内後写鏡により遮へいされる前面ガラスの範囲

(2)　試験領域I及び試験領域Iを前面ガラスの水平方向に拡大した領域以外の範囲

四　公共の電波の受信のために前面ガラスに貼り付けられ、又は埋め込まれたアンテナであって、次に掲げる要件に該当するもの

イ　専ら乗用の用に供する自動車であって乗車定員10人未満のもの及び貨物の運送の用に供する自動車であって車両総重量が3.5t以下のものの前面ガラスに貼り付けられ、又は埋め込まれた場合にあっては、次に掲げる要件に適合するものであること。

(1)　試験領域Aに貼り付けられ、又は埋め込まれた場合にあっては、機器の幅が0.5mm以下であり、かつ、3本以下であること。

(2)　試験領域B（試験領域Aと重複する領域を除く。）に貼り付けられ、又は埋め込まれた場合にあっては、機器の幅が1.0mm以下であること。

ロ　専ら乗用の用に供する自動車であって乗車定員10人未満のもの及び貨物の運送の用に供する自動車であって車両総重量が3.5t以下のもの以外の自動車の前面ガラスのうち、試験領域Iに貼り付けられ、又は埋め込まれた場合にあっては、機器の幅が1.0mm以下であること。

五　窓ガラスの曇り及び窓ふき器の凍結を防止する機器であって、次に掲げる要件に該当するもの

イ　専ら乗用の用に供する自動車であって乗車定員10人未満のもの及び貨物の運送の用に供する自動車であって車両総重量が3.5t以下のものに備える場合にあっては、次の(1)及び(2)に掲げる要件に適合するものであること。

(1)　窓ガラスの曇りを防止する機器にあっては、前面ガラスに埋め込まれた形状が直線、ジグザグ又は正弦曲線の電熱線であり、かつ、試験領域Aに埋め込まれた場合にあっては機器の幅が0.03mm以下で、密度が8本／cm（導体が水平に埋め込まれた場合にあっては、5本／cm）以下であり、試験領域B（試験領域Aと重複する領域を除く。）に埋め込まれた場合にあっては機器の幅が0.5mm（合わせガラスの合わせ面に埋め込まれた場合にあっては、機器の幅が1.0mm）以下であること。

(2)　窓ふき器の凍結を防止する機器にあっては、試験領域B及び試験領域Bを前面ガラスの水平方向に拡大した領域の下端より下方の範囲に貼り付けられ、又は埋め込まれたものであること。

ロ　専ら乗用の用に供する自動車であって乗車定員10人未満のもの及び貨物の運送の用に供する自動車であって車両総重量が3.5t以下のもの以外の自動車に備える場合にあっては、次の(1)及び(2)に掲げる要件に適合するものであること。

(1)　窓ガラスの曇りを防止する機器にあっては、前面ガラスに埋め込まれた形状が直線、ジグザグ又は正弦曲線の電熱線であり、かつ、試験領域Iに埋め込まれた場合にあっては機器の幅が0.03mm以下で、密度が8本／cm（導体が水平に埋め込まれた場合にあっては、5本／cm）以下であること。

(2)　窓ふき器の凍結を防止する機器にあっては、試験領域I及び試験領域Iを前面ガラスの水平方向に拡大した領

域の下端より下方の範囲に貼り付けられ、又は埋め込まれたものであること。

六　駐留軍憲兵隊の発行する自動車の登録に関する標識

七　装着され、貼り付けられ、又は塗装された状態において、透明であるもの。この場合において、運転者が交通状況を確認するために必要な視野の範囲に係る部分にあっては可視光線透過率が70％以上であることが確保できるもの

八　自動車、自動車の装置等の盗難を防止するための装置が備えられていることを表示する標識又は自動車の盗難を防止するために窓ガラスに刻印する文字及び記号であって、側面ガラスのうち、標識又は刻印の上縁の高さがその附近のガラス開口部（ウェザ・ストリップ、モール等と重なる部分及びマスキングが施されている部分を除く。以下、本条において同じ。）の下縁から100㎜以下、かつ標識又は刻印の前縁がその附近のガラス開口部の後縁から125㎜以内となるように貼付又は刻印されたもの

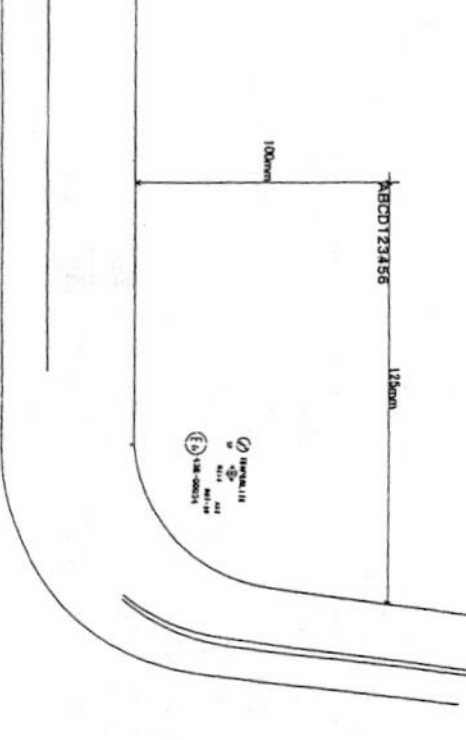

九　大型特殊自動車及び小型特殊自動車の窓ガラスに取り付けるワイパーモータ、扉の開閉取手（ガラス削り込みを含む。）及びガラス取付用金具等であって、次に掲げる要件に該当するもの

イ　前面ガラスにあっては、当該ガラスの上縁であって、車両中心面と平行な面上のガラス開口部の実長の20％以内の範囲又はガラス開口部周囲から各100㎜以内の範囲に貼り付けられたものであること。

ロ　側面ガラスにあっては、ガラス開口部周囲から各150㎜以内の範囲に貼り付けられたものであること。

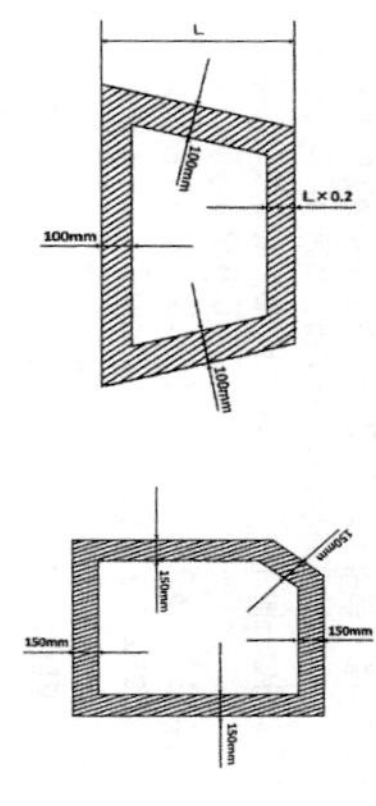

【前面ガラスの例】

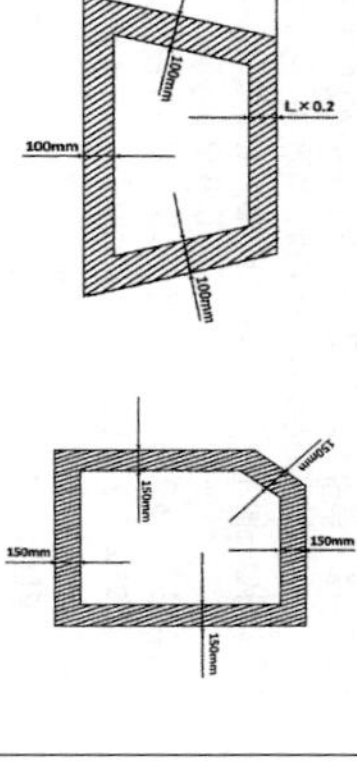

【側面ガラスの例】

十　法第75条の4第1項の特別な表示、再資源化の適正かつ円滑な実施のために必要となる窓ガラスの分類についての表示及びその他の窓ガラスに係る情報の表示であって、運転者の視野の確保に支障がない位置に装着され、貼り付けられ、塗装され、又は刻印されているもの

6　前項第7号の「運転者が交通状況を確認するために必要な視野の範囲」とは、次の各号に掲げる範囲（保安基準第44条第1項の後写鏡及び同条第5項の鏡その他の装置を確認するために必要な範囲並びに同項ただし書きの自動車の窓ガラスのうち同項の障害物を直接確認するために必要な範囲を除く。）以外の範囲とする。

一　前面ガラスの上縁であって、車両中心面と平行な面上のガラス開口部の実長の20％以内の範囲

二　側面ガラスであって、自動車の側面に設けられた扉等より上方に設けられた窓ガラスの範囲

三　側面ガラスであって、自動車の側面に設けられた扉等の下部に設けられた窓ガラスの範囲

四　前号に掲げるもののほか、乗車定員11人以上の自動車及びその形状が乗車定員11人以上の自動車の形状に類する自動車の側面に設けられた扉の窓ガラスのうち、運転者席の座面を含む水平面より下方の範囲

7　窓ガラスに装着され、貼り付けられ、又は塗装された状態において、運転者が次の各号に掲げるものを確認できるものは、第5項第7号の「透明である」とされるものとする。

一　運転者が交通状況を確認するために必要な視野の範囲に係る部分にあっては、他の自動車、歩行者等

二　前項第1号及び第2号にあっては、交通信号機

三　前項第3号及び第4号にあっては、歩行者等

8　次に掲げる窓ガラスであって、その機能を損なうおそれのある改造、損傷等のないものは、第1項から第3項まで及び第5項の基準に適合するものとする。

一　指定自動車等に備えられているものと同一の構造を有し、かつ、同一の位置に備えられた窓ガラス

二　法第75条の2第1項の規定に基づき型式の指定を受けた特定共通構造部に備えられている窓ガラスと同一の構造を有し、かつ、同一の位置に備えられている窓ガラス又はこれに準ずる性能を有する窓ガラス

三　法第75条の3第1項の規定に基づき窓ガラスについて型式の指定を受けた自動車に備えられているものと同一の構造を有し、かつ、同一の位置に備えられた窓ガラス又はこれに準ずる性能を有する窓ガラス

9　次の表の左欄に掲げる窓ガラスの部位のうち同表右欄に掲げる記号又はこれらと同程度以上の規格に基づく記号が付されたものであって、その性能を損なう損傷のないものは、第1項、第2項及び第3項の基準に適合するものとする。

窓ガラスの部位	付される記号	
	JIS R 3211「自動車用安全ガラス」に基づくもの	FMVSS No.205及びこれに基づくANSZ26.1の規定によるもの
(1)　(2)以外の前面ガラス	L, GP	AS1, AS10（※）, AS14
(2)　最高速度40km／h未満の自動車の前面ガラス	L, Ḷ, Z, T, GP	AS1, AS2, AS10（※）, AS14
(3)　側面ガラス（運転者席より後方の部分を除く。）のうち運転者が交通状況を確認するために必要な視野の範囲に係る部分	L, Ḷ, T, GP, RP	AS1, AS2, AS4, AS10（※）, AS13, AS14, AS15
(4)　(1)、(2)及び(3)以外の窓ガラス	L, Ḷ, T, GP, RP	AS1, AS2, AS3, AS4, AS5, AS8, AS9, AS10, AS11,

		AS12, AS13, AS14, AS15, AS16

（※）可視光線の透過率が70%以上のものに限る。

（自動車の騒音防止装置）

第196条　自動車（被牽引自動車を除く。以下この条において同じ。）が騒音を著しく発しないものとして構造、騒音の大きさ等に関し保安基準第30条第１項の告示で定める基準は、次の各号に掲げる基準とする。

一　側車付二輪自動車、大型特殊自動車、三輪自動車、カタピラ及びそりを有する軽自動車、大型特殊自動車並びに小型特殊自動車は、別添39「定常走行騒音の測定方法」に定める方法により測定した定常走行騒音をdBで表した値が85dBを超える騒音を発しない構造であること。

二　次の表の自動車の種別の欄に掲げる自動車（排気管を有しない自動車及び排気管を有する自動車であって停止状態において原動機が作動しないものを除く。）は、別添38「近接排気騒音の測定方法」に定める方法により測定した近接排気騒音をdBで表した値がそれぞれ次の表の騒音の大きさの欄に掲げる値を超える騒音を発しない構造であること。

自動車の種別		騒音の大きさ
大型特殊自動車及び小型特殊自動車		110
三輪自動車並びにカタピラ及びそりを有する軽自動車（専ら乗用の用に供する乗車定員10人以下の自動車を除く。）	車両総重量が3.5ｔを超え、原動機の最高出力が150kWを超えるもの	99
	車両総重量が3.5ｔを超え、原動機の最高出力が150kW以下のもの	98
	車両総重量が3.5ｔ以下のもの	97
三輪自動車並びにカタピラ及びそりを有する軽自動車（専ら乗用の用に供する乗車定員10人以下の自動車に限る。）	車両の後部に原動機を有するもの	100
	車両の後部に原動機を有するもの以外のもの	96

側車付二輪自動車から改造を行ったもの	94

三　次に掲げる自動車（排気管を有しない自動車及び排気管を有する自動車であって停止状態において原動機が作動しないものを除く。）は、当該自動車に応じ、それぞれに定める基準に適合すること。

イ　消音器について改造又は交換を行っていない二輪自動車（側車付二輪自動車に改造を行ったものを含む。）　別添38「近接排気騒音の測定方法」に定める方法により測定した近接排気騒音をdBで表した値が第40条第１項第４号又は第118条第１項第３号イに規定する基準に適合することを認めた際に確認した近接排気騒音値に５dBを加えた値を超える騒音を発しない構造であること。ただし、別添112「後付消音器の技術基準」に規定する市街地加速走行騒音有効防止後付消音器に係る性能等確認済表示を有する消音器を備える二輪自動車にあっては、当該表示に記載された近接排気騒音値に５dBを加えた値を超える騒音を発しない構造であればよい。

ロ　消音器について改造又は交換を行っていない自動車（二輪自動車、側車付二輪自動車、三輪自動車、カタピラ及びそりを有する軽自動車、大型特殊自動車並びに小型特殊自動車を除く。）　別添38「近接排気騒音の測定方法」に定める方法により測定した近接排気騒音をdBで表した値が第40条第１項第５号又は第118条第１項第３号ロに規定する基準に適合することを認めた際に確認した近接排気騒音値に５dBを加えた値を超える騒音を発しない構造であること。ただし、別添112「後付消音器の技術基準」に規定する市街地加速走行騒音有効防止後付消音器に係る性能等確認済表示を有する消音器を備える自動車にあっては、当該表示に記載された近接排気騒音値に５dBを加えた値を超える騒音を発しない構造であればよい。

四　次に掲げる騒音防止装置（普通自動車、小型自動車及び軽自動車（側車付二輪自動車、三輪自動車並びにカタピラ及びそりを有する軽自動車を除く。）に備えるものに限る。）であって、その機能を損なう損傷等のないものは、前号に掲げる基準に適合するものとする。

イ　指定自動車等に備えられているものと同一の構造を有し、かつ、同一の位置に備えられた騒音防止装置

ロ　法第75条の２第１項の規定に基づき指定を受けた特定共通構造部に備えられている騒音防止装置又はこれに準ずる性能を有する騒音防止装置

ハ　法第75条の３第１項の規定に基づき指定を受けた騒音防止装置又はこれに準ずる性能を有する騒音防止装置

2　内燃機関を原動機とする自動車が備える消音器が騒音の発生を有効に抑止するものとして構造、騒音防止性能等に関し保安基準第30条第２項の告示で定める基準は次の各号に掲げる基準とする。

一　消音器の全部又は一部が取り外されていないこと。

二　消音器本体が切断されていないこと。

三　消音器の内部にある騒音低減機構が除去されていないこと。

四　消音器に破損又は腐食がないこと。

五　消音器の騒音低減機構を容易に除去できる構造（一酸化炭素等発散防止装置と構造上一体となっている消音器であって、当該一酸化炭素等発散防止装置の点検又は整備のために分解しなければならない構造のものを除く。）でないこと。

六　自動車（大型特殊自動車及び小型特殊自動車を除く。次項において同じ。）に備える消音器は加速走行騒音を有効に防止するものであること。

3　自動車に備える消音器は前項第６号の基準に適合するものとして、次の各号に掲げる自動車の区分に応じ、それぞれ各号に定める消音器に該当するものでなければならない。

一　自動車（側車付二輪自動車（二輪自動車から改造を行ったものを除く。）、三輪自動車並びにカタピラ及びそりを有する軽自動車に限る。以下この号において同じ。）　次のいずれかに該当する消音器

イ　次のいずれかの表示がある消音器

(1)　指定自動車等の製作者が、当該指定自動車等に備える消音器に行う表示

(2)　法第75条の２第１項の規定に基づき指定を受けた特定共通構造部に備えられている騒音防止装置の消音器に表示される同法第75条の４第１項の特別な表示

(3)　法第75条の３第１項の規定に基づき指定を受けた騒音防止装置の消音器に表示される同法第75条の４第１項の特別な表示

(4)　別添112「後付消音器の技術基準」に規定する性能等確認済表示

(5)　協定規則第９号、第41号若しくは第51号又はこれらと同等の欧州連合指令に適合する自動車が備える消音器に表示される特別な表示

(6)　協定規則第59号若しくは第92号又はこれらと同等の欧州連合指令に適合する消音器に表示される特別な表示

ロ　次のいずれかに該当する自動車が現に備えている消音器

(1)　公的試験機関が実施した試験の結果を記載した書面により、別添40「加速走行騒音の測定方法」に定める方法により測定した加速走行騒音をdBで表した値が82dB以下であることが運行の際に明らかである自動車

(2)　外国の法令に基づく書面又は表示により、協定規則第9号、第41号若しくは第51号又はこれらと同等の欧州連合指令に適合することが運行の際に明らかである自動車

二　自動車（側車付二輪自動車（二輪自動車から改造を行ったものを除く。）、三輪自動車並びにカタピラ及びそりを有する軽自動車を除く。以下この号において同じ。）　次のいずれかに該当する消音器

イ　次のいずれかに該当する消音器であって、その機能を損なう損傷等のない消音器

(1)　細目告示第40条第1項第4号又は第5号の基準に適合する自動車に備えられているものと同一の構造を有し、かつ、同一の位置に備えられた消音器

(2)　法第75条の2第1項の規定に基づき指定を受けた特定共通構造部に備えられている騒音防止装置の消音器又はこれに準ずる性能を有する消音器

(3)　法第75条の3第1項の規定に基づき指定を受けた騒音防止装置の消音器又はこれに準ずる性能を有する消音器

(4)　別添112「後付消音器の技術基準」に規定する市街地加速走行騒音有効防止後付消音器の基準に適合する消音器

ロ　次のいずれかに該当する自動車が現に備えている消音器

(1)　二輪自動車（側車付二輪自動車へ改造を行ったものを含む。）であって、公的試験機関が実施した試験の結果を記載した書面により、協定規則第41号の規則6.1.及び6.2.に適合することが運行の際に明らかである自動車

(2)　自動車（二輪自動車、側車付二輪自動車、三輪自動車並びにカタピラ及びそりを有する軽自動車を除く。）であって、公的試験機関が実施した試験の結果を記載した書面により、協定規則第51号の規則6.2.2.（同規則に規定するフェーズ3に係る要件に限る。）に定める基準に適合することが運行の際に明らかである自動車

(3)　外国の法令に基づく書面又は表示により、協定規則第41号若しくは協定規則第51号又はこれらと同等の欧州連合指令に適合することが運行の際に明らかである自動車

（自動車のばい煙、悪臭のあるガス、有害なガス等の発散防止装置）

第197条　自動車の排気管から大気中に排出される排出物に含まれる一酸化炭素、炭化水素、窒素酸化物、粒子状物質及び黒煙の発散防止性能に関し保安基準第31条第2項の告示で定める基準は、次の各号に掲げる基準とする。

一　ガソリン又は液化石油ガスを燃料とする自動車は、原動機を無負荷運転している状態で発生し、排気管から大気中に排出される排出物に含まれる一酸化炭素の容量比で測定値（暖機状態の自動車の排気管内にプローブ（一酸化炭素又は炭化水素の測定器の排出ガス採取部）を60cm程度挿入して測定したものとする。ただし、プローブを60cm程度挿入して測定することが困難な自動車については、外気の混入を防止する措置を講じて測定するものとする。以下この号において同じ。）及び同排出物に含まれる炭化水素のノルマルヘキサン当量による容量比で表した測定値が、次の表の左欄に掲げる自動車の種別に応じ、それぞれ同表の一酸化炭素及び炭化水素の欄に掲げる値を超えないものであること。

自動車の種別	一酸化炭素	炭化水素
イ　2サイクルの原動機を有する自動車（二輪自動車（側車付二輪自動車を含む。以下この条において同じ。）を除く。）	4.5%	100万分の7,800
ロ　二輪自動車	0.5%	100万分の1,000
ハ　4サイクル原動機を有する軽自動車（二輪自動車を除く。）	2%	100万分の500
ニ　大型特殊自動車又は小型特殊自動車（定格出力が19kW以上560kW未満である原動機を備えたものに限る。）	1%	100万分の500
ホ　イからニまでに掲げる自動車以外の自動車	1%	100万分の300

二　軽油を燃料とする自動車のうち、普通自動車及び小型自動車（二輪自動車を除く。）並びに定格出力が19kW以上560kW未満である原動機を備えた大型特殊自動車及び小型特殊自動車は、光吸収係数が$0.50m^{-1}$を超えないものであること。

2　第41条第1項又は第119条第1項の規定に適合させるために自動車に備えるばい煙、悪臭のあるガス、有害なガス等の発散防止装置が当該装置及び他の装置の機能を損なわないものとして構造、機能、性能等に関し保安基準第31条第3項の告示で定める基準は、次の各号に掲げる基準とする。この場合において、別添124「継続検査等に用いる車載式故障診断装置の技術基準」に定める基準に適合しない自動車のばい煙、悪臭のあるガス、有害なガス等の発散防止装置（二輪自動車、大型特殊自動車及び小型特殊自動車に備えるものを除く。）は、これらの基準に適合しないものとし、軽油を燃料とする普通自動車及び小型自動車であって車両総重量が3.5tを超えるもの以外の自動車（二輪自動車、大型特殊自動車及び小型特殊自動車を除く。）については第5号の規定は適用せず、二輪自動車については、第2号及び第3号の規定は適用せず、大型特殊自動車及び小型特殊自動車については、第2号から第5号までの規定は適用しない。

一　原動機の作動中、確実に機能するものであること。なお、次に掲げるもののいずれかに該当するもの（公的試験機関が実施した試験の結果を記載した書面により、自動車の種別に応じて適用される第41条第1項又は第119条第1項の基準に適合することが明らかである自動車にあっては、ハ及びニに掲げるもの）はこの基準に適合しないものとする。

イ　触媒等が取り外されているもの

ロ　電子制御式燃料供給装置が機械式燃料供給装置に変更されているもの

ハ　触媒等の取付けが確実でないもの又は触媒等に損傷があるもの

ニ　還元剤等の補給を必要とする触媒等に所要の補給がなされていないもの

二　当該装置の温度が上昇した場合において他の装置の機能を損なわないように遮熱板の取付けその他の適切な措置が施されたものであること。ただし、断続器の型式が無接点式である点火装置を備えた自動車にあっては、この限りではない。なお、次のイ及びロに掲げるものはこの基準に適合するものとする。

イ　指定自動車等又は公的試験機関が実施した試験の結果を記載した書面により第41条第2項第2号又は第119条第2項第2号の基準に適合することが明らかである自動車に備えられている熱害対策装置等との同一性が、次の(1)及び(2)に適合するもの

(1)　排気管及び触媒コンバータが同一の位置に備えられていること。

(2)　触媒コンバータ部分の遮熱板が同一の構造を有すること。

ロ　取付けが確実であり、損傷がないもの

三　当該装置の温度がその装置又は他の装置の機能を損なうおそれのある温度（以下「異常温度」という。）以上に上昇した場合又は上昇するおそれのある場合にその旨を運転者席の運転者に警報する警報装置を備えたものであること。ただし、当該装置の温度が異常温度以上に上昇することを防止する装置を備えた自動車及び断続器の型式が無接点式である点火装置を備えた自動車にあっては、この限りではない。なお、次に掲げるもののいずれかに該当するものはこの基準に適合するものとする。

イ　指定自動車等に備えられている熱害警報装置と同一の構造を有し、かつ、同一の位置に備えられたものであって、損傷がないもの

ロ　公的試験機関が証明する書面により、第41条第2項第3号又は第119条第2項第3号の基準に適合していることが明らかであるもの

四　当該装置の機能に支障が生じたときにその旨を運転者に警報する装置を備えたものであること。なお、次のいずれかに該当するものはこの基準に適合しないものとする。

イ　電源投入時（蓄電池を備えない自動車にあっては、原動機始動時）に警報を発しないもの

ロ　電源投入時に発した警報が原動機の始動により停止しないもの（蓄電池を備えない自動車にあっては、原動機始動時に点灯し、当該点灯から5秒後に消灯しないもの）

ハ　発する警報を運転席において容易に判断できないもの

五　一酸化炭素、非メタン炭化水素、窒素酸化物及び粒子状物質の排出量を著しく増加させる原動機制御を行わないものであること。なお、前号の規定に適合する装置を備えた場合は、この基準に適合するものとする。

3　内燃機関を原動機とする自動車に備えるブローバイ・ガス還元装置が炭化水素等の発散を防止するものとして、その機能、性能等に関し保安基準第31条第4項の告示で定める基準は、その取付けが確実であり、かつ、損傷のないものでなければならないものとする。ただし、軽油を燃料とする普通自動車及び小型自動車であって車両総重量が3.5tを超えるもの（過給機を備えるものに限る。）並びに軽油を燃料とする大型特殊自動車及び小型特殊自動車のうち定格出力が19kW以上560kW未満である原動機を備えたもの（過給機を備えたものに限る。）であって、完成検査等又は新規検査等を受けた際に、大気開放するブローバイ・ガスを含めて第41条第1項第5号、第6号、第15号及び第16号並びに第119条第1項第3号及び第8号の基準に適合したものにあっては、本項は適用しない。

4　普通自動車、小型自動車及び軽自動車であってガソリンを燃料とするものが炭化水素の発散を有効に防止するものとして当該自動車及びその燃料から蒸発する炭化水素の排出量に関し保安基準第31条第5項の告示で定める基準は、当該自動車が完成検査等又は新規検査等を受けた際に取り付けられていた炭化水素の排出を抑制する装置と同等以上の性能を有する装置が取り付けられていなければならないものとする。なお、炭化水素の排出を抑制する装置の取付けが確実でないもの又は損傷があるものはこの基準に適合しないものとする。

5　冷房装置等が乗車人員に傷害を与えるおそれの少ないものとして、冷房装置等の取付位置、取付方法等に関し保安基準第31条第6項の告示で定める基準は、次の各号に掲げる基準とする。

一　導管（損傷を受けないようにおおいで保護されている部分を除く。）は、客室内に配管されていないこと。

二　安全装置は、車室内にガスを噴出しないように取り付けられたものであること。

6　自動車の排気管から発散する排気ガス等により乗車人員等の傷害を与えるおそれが少なく、かつ、制動装置等の機能を阻害しないものとして、排気管の取付位置、取付方法等に関し保安基準第31条第7項の告示で定める基準は、次の各号に掲げる基準とする。

一　排気管は、発散する排気ガス等により法第11条第1項の自動車登録番号標又は法第73条第1項（法第97条の3第2項において準用する場合を含む。）の車両番号標の数字等の表示を妨げる位置に開口していないこと。

二　排気管は、車室内に配管されていない等、排気ガス等の車室内への侵入により乗車人員に傷害を与えるおそれが少ないよう配管されていること。

三　排気管は、接触、発散する排気ガス等により自動車（当該自動車が牽引する被牽引自動車を含む。）若しくはその積載物品が発火し又は制動装置、電気装置等の装置の機能を阻害するおそれのないものであること。なお、排気管の取付けが確実でないもの又は損傷しているものはこの基準に適合しないものとする。

（前照灯等）

第198条　走行用前照灯と同等の性能を有する配光可変型前照灯を備える自動車として保安基準第32条第1項の告示で定めるものは、灯光の色、明るさ等が協定規則第149号の規則4.及び5.3.に定める基準に適合する走行用ビームを発することのできる配光可変型前照灯を備える自動車とする。

2　走行用前照灯の灯光の色、明るさ等に関し保安基準第32条第2項の告示で定める基準は、次の各号に掲げる基準とする。

一　走行用前照灯（最高速度20km／h未満の自動車に備える走行用前照灯を除く。）は、そのすべてを照射したときには、夜間にその前方100m（除雪、土木作業その他特別な用途に使用される自動車で地方運輸局長の指定するもの、最高速度35km／h未満の大型特殊自動車及び農耕作業用小型特殊自動車にあっては、50m）の距離にある交通上の障害物を確認できる性能を有するものであること。

二　最高速度20km／h未満の自動車に備える走行用前照灯は、安全な運行を確保できる適当な光度を有すること。

三　走行用前照灯の灯光の色は、白色であること。

四　走行用前照灯は、灯器が損傷し又はレンズ面が著しく汚損していないこと。

五　走行用前照灯は、レンズ取付部に緩み、がた等がないこと。

六　次に掲げる走行用前照灯であってその機能を損なう損傷等のないものにかぎり、曲線道路用配光可変型走行用前照灯として使用してもよい。

イ　指定自動車等に備えられたものと同一の構造を有し、かつ、同一の位置に備えられた曲線道路用配光可変型走行用前照灯

ロ　法第75条の2第1項の規定に基づき型式の指定を受けた特定共通構造部に備えられている曲線道路用配光可変型走行用前照灯又はこれに準ずる性能を有する曲線道路用配光可変型走行用前照灯

ハ　法第75条の3第1項の規定に基づき装置の指定を受けた曲線道路用配光可変型走行用前照灯又はこれに準ずる性能を有する曲線道路用配光可変型走行用前照灯

3　走行用前照灯の取付位置、取付方法等に関し、保安基準第32条第3項の告示で定める基準は、次の各号（最高速度20km／h未満の自動車に備える走行用前照灯であってその光度が10,000cd未満のものにあっては第1号及び第14号、最高速度20km／h未満の自動車に備える走行用前照灯であってその光度が10,000cd以上のものにあっては第1号、第4号及び第6号から第12号まで）に掲げる基準とする。この場合において、走行用前照灯の照明部、個数及び取付位置の測定方法は、別添94「灯火等の照明部、個数、取付位置等の測定方法（第2章第2節及び同章第3節関係）」によるものとする。

一　走行用前照灯の数は、2個又は4個であること。ただし、二輪自動車及び側車付二輪自動車にあっては、1個又は2個、カタピラ及びそりを有する軽自動車、幅0.8m以下の自動車（二輪自動車を除く。）並びに最高速度20km／h未満の自動車

（二輪自動車及び側車付二輪自動車を除く。）にあっては、1個、2個又は4個であること。このうち、被牽引自動車、最高速度20km／h未満の自動車で地方運輸局長の指定するもの、除雪、土木作業その他特別な用途に使用される自動車で地方運輸局長の指定するもの、最高速度が35km／h未満の大型特殊自動車、二輪自動車、側車付二輪自動車、農耕作業用小型特殊自動車並びにカタピラ及びそりを有する軽自動車を除く自動車にあっては、車両の左右各側において1個を曲線道路用配光可変型走行用前照灯として使用してもよい。また、補助的に備える走行用前照灯の数は、2個であること。

二　4個の走行用前照灯（その全てが、消灯時に格納することができる走行用前照灯（以下「格納式走行用前照灯」という。）であるものに限る。）を備える自動車にあっては、前号の規定にかかわらず、4個の走行用前照灯のほか、道路交通法第52条第1項の規定により前照灯を点灯しなければならない場合以外の場合において、専ら手動により短い間隔で断続的に点滅する又は交互に点灯させることにより警報を発することを専らの目的とする前照灯を2個備えることができる。

二の二　二輪自動車に備える走行用前照灯は、その照明部の上縁の高さが地上1.3m以下、下縁の高さが地上0.5m以上となるように取り付けられていること。

三　走行用前照灯の最高光度の合計は、430,000cdを超えないこと。

四　走行用前照灯の照射光線は、自動車の進行方向を正射するものであること。ただし、曲線道路用配光可変型走行用前照灯にあっては、その照射光線は、直進姿勢において自動車の進行方向を正射するものであればよい。

五　走行用前照灯の点灯操作状態を運転者席の運転者に表示する装置を備えること。ただし、最高速度35km／h未満の大型特殊自動車、農耕作業用小型特殊自動車、側車付二輪自動車並びにカタピラ及びそりを有する軽自動車にあっては、この限りでない。

六　走行用前照灯は、走行用前照灯を1個備える場合を除き左右同数であり、かつ、前面が左右対称である自動車に備えるものにあっては、車両中心面に対して対称の位置に取り付けられたものであること。ただし、二輪自動車ですれ違い用前照灯の側方に走行用前照灯を備えるものにあっては、走行用前照灯及びすれ違い用前照灯の中心が車両中心面に対して対称の位置にあればよい。

七　走行用前照灯は、走行用前照灯の点灯操作を行ったときに自動車の両側に備える走行用前照灯のうちそれぞれ1個又は全ての走行用前照灯が同時に点灯するものであり、かつ、すれ違い用前照灯の点灯操作を行ったときに全ての走行用前照灯が消灯するものであること。

八　走行用前照灯は、車幅灯、尾灯、前部上側端灯、後部上側端灯、番号灯及び側方灯が消灯している場合に点灯できない構造であること。ただし、道路交通法第52条第1項の規定により前照灯を点灯しなければならない場合以外の場合において、専ら手動により走行用前照灯を短い間隔で断続的に点滅する、又は交互に点灯させる場合にあっては、この限りでない。

九　走行用前照灯は、点滅するものでないこと。ただし、前号ただし書きの場合にあっては、この限りでない。

十　走行用前照灯の直射光又は反射光は、当該走行用前照灯を備える自動車の運転操作を妨げるものでないこと。

十一　走行用前照灯は、その取付部に緩み、がた等がある等その照射光線の方向が振動、衝撃等により容易にくるうおそれのないものであること。

十二　走行用前照灯は、前項に掲げる性能を損なわないように取り付けられていること。この場合において、灯器のレンズ面等に光軸を変化させるものを貼付するなどしており、かつ、これにより配光等に著しい影響を与えているものは、この基準に適合しないものとする。

十三　走行用前照灯は、その作動状態及び不作動状態に係る制御を自動で行う場合には、次に掲げる要件に適合しなければならない。

イ　周囲の光の状態及び対向車又は先行車から発せられる灯光に反応すること。

ロ　当該制御を手動により行うことができ、かつ、手動により解除できること。

ハ　当該制御を自動で行う状態であることを運転者席の運転者に表示できること。

十四　すれ違い用前照灯及び配光可変型前照灯を備えない自動車（二輪自動車、側車付二輪自動車、三輪自動車、カタピラ及びそりを有する軽自動車、大型特殊自動車並びに小型特殊自動車を除く。）に備える走行用前照灯は、当該自動車の速度が15km／hを超える場合に夜間において常に点灯している構造であること。

4　次に掲げる走行用前照灯であってその機能を損なう損傷等のないものは、前項各号（第4号を除く。）の基準に適合するものとする。

一　指定自動車等に備えられたものと同一の構造を有し、かつ、同一の位置に備えられた走行用前照灯

二　法第75条の2第1項の規定に基づき型式の指定を受けた特定共通構造部に備えられている走行用前照灯と同一の構造を有し、かつ、同一の位置に備えられる走行用前照灯又はこれに準ずる性能を有する走行用前照灯

三　法第75条の3第1項の規定に基づき灯火器及び反射器並びに指示装置の取付装置について装置の型式の指定を受けた自動車に備える走行用前照灯と同一の構造を有し、かつ、同一の位置に備えられた走行用前照灯又はこれに準ずる性能を有する走行用前照灯

5　保安基準第32条第4項ただし書きの告示で定める基準は、10,000cdとし、この規定によりすれ違い用前照灯を備えなくてもよいこととされる自動車は、その光度がこの基準未満である走行用前照灯を備える最高速度20km／h未満の自動車とする。

6　すれ違い用前照灯の灯光の色、明るさ等に関し保安基準第32条第5項の告示で定める基準は、次の各号に掲げる基準とする。

一　すれ違い用前照灯（その光度が10,000cd以上である走行用前照灯を備える最高速度20km／h未満の自動車に備えるものを除く。）は、その全てを同時に照射したときに、夜間にその前方40m（除雪、土木作業その他特別な用途に使用される自動車で地方運輸局長の指定するもの、最高速度35km／h未満の大型特殊自動車及び農耕作業用小型特殊自動車にあっては、15m）の距離にある交通上の障害物を確認できる性能を有すること。

二　その光度が10,000cd以上である走行用前照灯を備える最高速度20km／h未満の自動車にあっては、すれ違い用前照灯は、その照射光線が他の交通を妨げないものであること。

三　すれ違い用前照灯は、第2項第3号から第5号までの基準に準じたものであること。

四　次に掲げるすれ違い用前照灯であってその機能を損なう損傷等のないものにかぎり、曲線道路用配光可変型すれ違い用前照灯として使用してもよい。

イ　指定自動車等に備えられたものと同一の構造を有し、かつ、同一の位置に備えられた曲線道路用配光可変型すれ違い用前照灯

ロ　法第75条の2第1項の規定に基づき型式の指定を受けた特定共通構造部に備えられている曲線道路用配光可変型すれ違い用前照灯又はこれに準ずる性能を有する曲線道路用配光可変型すれ違い用前照灯

ハ　法第75条の3第1項の規定に基づき装置の指定を受けた

曲線道路用配光可変型すれ違い用前照灯又はこれに準ずる性能を有する曲線道路用配光可変型すれ違い用前照灯

7　すれ違い用前照灯の取付位置、取付方法等に関し、保安基準第32条第6項の告示で定める基準は、次に掲げる基準とする。この場合において、すれ違い用前照灯の照明部、個数及び取付位置の測定方法は、別添94「灯火等の照明部、個数、取付位置等の測定方法（第2章第2節及び同章第3節関係）」によるものとする。

一　すれ違い用前照灯の数は、2個であること。ただし、二輪自動車、側車付二輪自動車、カタピラ及びそりを有する軽自動車、最高速度20km／h未満の自動車並びに幅0.8m以下の自動車にあっては、1個又は2個であること。

二　自動車（側車付二輪自動車並びにカタピラ及びそりを有する軽自動車を除く。）に備えるすれ違い用前照灯は、その照明部の上縁の高さが地上1.2m以下（大型特殊自動車、農耕作業用小型特殊自動車及び除雪、土木作業その他特別な用途に使用される自動車で地方運輸局長の指定するものに備えるすれ違い用前照灯でその自動車の構造上地上1.2m以下に取り付けることができないものにあっては、取り付けることができる最低の高さ）、下縁の高さが地上0.5m以上（大型特殊自動車、農耕作業用小型特殊自動車（最高速度20km／h未満の自動車にあっては、小型特殊自動車）及び除雪、土木作業その他特別な用途に使用される自動車で地方運輸局長の指定するものに備えるすれ違い用前照灯でその自動車の構造上地上0.5m以上に取り付けることができないものにあっては、取り付けることができる最高の高さ）となるように取り付けられていること。

三　側車付二輪自動車並びにカタピラ及びそりを有する軽自動車に備えるすれ違い用前照灯は、その照明部の中心が地上1.2m以下となるように取り付けられていること。

四　すれ違い用前照灯は、その照明部の最外縁が自動車の最外側から400mm以内（大型特殊自動車、農耕作業用小型特殊自動車及び除雪、土木作業その他特別な用途に使用される自動車で地方運輸局長の指定するものに備えるすれ違い用前照灯でその自動車の構造上自動車の最外側から400mm以内に取り付けることができないものにあっては、取り付けることができる最外側の位置）となるように取り付けられていること。ただし、二輪自動車、側車付二輪自動車、カタピラ及びそりを有する軽自動車、最高速度20km／h未満の自動車並びに幅0.8m以下の自動車に備えるすれ違い用前照灯にあっては、この限りでない。

五　前面が左右対称である自動車に備えるすれ違い用前照灯は、車両中心面に対し対称の位置に取り付けられていること。ただし、すれ違い用前照灯の側方に走行用前照灯を備える二輪自動車にあっては、走行用前照灯及びすれ違い用前照灯の中心が車両中心面に対して対称の位置にあればよい。

六　すれ違い用前照灯の操作装置は、運転者がすれ違い用前照灯の点灯操作を行った場合に、全ての走行用前照灯を消灯する構造であること。

七　放電灯光源を備えるすれ違い用前照灯は、走行用前照灯が点灯している場合に消灯できない構造であること。

八　すれ違い用前照灯は、車幅灯、尾灯、前部上側端灯、後部上側端灯、番号灯及び側方灯が消灯している場合に点灯できない構造であること。ただし、道路交通法第52条第1項の規定により前照灯を点灯しなければならない場合以外の場合において、専ら手動によりすれ違い用前照灯を短い間隔で断続的に点滅する、又は交互に点灯させる場合にあっては、この限りでない。

九　すれ違い用前照灯は、点滅するものでないこと。ただし、前号ただし書きの場合にあっては、この限りでない。

十　すれ違い用前照灯の直射光又は反射光は、当該すれ違い用前照灯を備える自動車及び他の自動車の運転操作を妨げるものでないこと。

十一　すれ違い用前照灯は、その取付部に緩み、がた等がある等その照射光線の方向が振動、衝撃等により容易にくるうおそれのないものであること。

十一の二　二輪自動車に備える走行用前照灯、すれ違い用前照灯及び配光可変型前照灯は、原動機が作動している場合に常にいずれかが点灯している構造であること。ただし、昼間走行灯が点灯している場合にあっては、この限りでない。

十二　側車付二輪自動車に備える走行用前照灯及びすれ違い用前照灯は、原動機が作動している場合に常にいずれかが点灯している構造であること。

十三　すれ違い用前照灯は、第6項に掲げる性能を損なわないように取り付けられていること。この場合において、灯器のレンズ面等に光軸を変化させるものを貼付するなどしており、かつ、これにより配光等に著しい影響を与えているものは、この基準に適合しないものとする。

十四　自動車（二輪自動車、側車付二輪自動車、三輪自動車、カタピラ及びそりを有する軽自動車、大型特殊自動車並びに小型特殊自動車を除く。）に備える走行用前照灯及びすれ違い用前照灯は、当該自動車の速度が15km／hを超える場合に夜間において常にいずれかが点灯している構造であること。

8　次に掲げるすれ違い用前照灯であってその機能を損なう損傷等のないものは、前項各号の基準に適合するものとする。

一　指定自動車等に備えられたものと同一の構造を有し、かつ、同一の位置に備えられたすれ違い用前照灯

二　法第75条の2第1項の規定に基づき型式の指定を受けた特定共通構造部に備えられているすれ違い用前照灯と同一の構造を有し、かつ、同一の位置に備えられているすれ違い用前照灯又はこれに準ずる性能を有するすれ違い用前照灯

三　法第75条の3第1項の規定に基づき灯火器及び反射器並びに指示装置の取付装置について装置の指定を受けた自動車に備えるすれ違い用前照灯と同一の構造を有し、かつ、同一の位置に備えられたすれ違い用前照灯又はこれに準ずる性能を有するすれ違い用前照灯

9　配光可変型前照灯の灯光の色、明るさ等に関し保安基準第32条第8項の告示で定める基準は、次のとおりとする。

一　走行用ビームを発することのできる配光可変型前照灯にあっては、夜間に走行用ビームを照射したときに、当該自動車の前方100mの距離にある交通上の障害物を確認できる性能を有するものであること。

二　すれ違い用ビームは他の交通を妨げないものであり、かつ、夜間にそれを発する灯火ユニットのすべてを同時に照射させたときに、当該自動車の前方40mの距離にある交通上の障害物を確認できる性能を有すること。

三　配光可変型前照灯の灯光の色は、白色であること。

四　配光可変型前照灯は、灯器が損傷し又はレンズ面が著しく汚損していないこと。

五　配光可変型前照灯は、レンズ取付部に緩み、がた等がないこと。

10　次に掲げる配光可変型前照灯であってその機能を損なう損傷等のないものは、前項（第一号及び第二号を除く。）の基準に適合するものとする。

一　指定自動車等に備えられているものと同一の構造を有し、かつ、同一の位置に備えられた配光可変型前照灯

二　法第75条の2第1項の規定に基づき型式の指定を受けた特定共通構造部に備えられている配光可変型前照灯と同一の構造を有し、かつ、同一の位置に備えられている配光可変型前照灯又はこれに準ずる性能を有する配光可変型前照灯

三　法第75条の3第1項の規定に基づき配光可変型前照灯の型式の指定を受けた自動車に備える配光可変型前照灯と同一の

構造を有し、かつ、同一の位置に備えられた配光可変型前照灯又はこれに準ずる性能を有する配光可変型前照灯

11 配光可変型前照灯の取付位置、取付方法等に関し保安基準第32条第9項の告示で定める基準は、次のとおりとする。

一 走行用ビームを発することのできる配光可変型前照灯は、走行用ビームを発する際に照射する灯火ユニットの総最大光度が430,000cdを超えていないこと。

二 走行用ビームは、自動車の進行方向を正射するものであること。

三 走行用ビームを発する灯火ユニットは、走行用ビームの点灯操作を行ったときに、自動車の車両中心線を含む鉛直面により左側又は右側に区分された部分当たり1個以上の灯火ユニットが同時に点灯するものであり、かつ、すれ違い用ビームの点灯操作を行ったときに、すべての走行用ビームを発する灯火ユニットが同時に消灯するものであること。ただし、二輪自動車に備えるものにあっては、すれ違い用ビームの点灯操作を行ったときに、すべての走行用ビームを発する灯火ユニットが同時に消灯する構造であればよい。

四 走行用ビームを発する格納式灯火ユニット（二輪自動車に備えるものを除く。）が4個備えられた自動車に、専ら手動により短い間隔で断続的に点滅させること又はすれ違い用ビームを発する灯火ユニットと交互に点灯させることを目的として備えられた補助灯火ユニットは、格納式灯火ユニットが上昇した場合には点灯しないものであること。

五 すれ違い用ビームを発する灯火ユニットに放電灯を用いる場合において、当該灯火ユニットは走行用ビームが点灯している間、消灯しないものであること。

六 すれ違い状態の配光形態において、自動車の車両中心線を含む鉛直面を挟んで左右対称に配置された2つのすれ違い用ビームを発する灯火ユニット（二輪自動車に備えるものを除く。）は、少なくとも一組がその見かけの表面の上縁の位置が地上から1.2m以下であり、かつ、下縁の位置が地上から0.5m以上となるように取り付けられていること。

七 配光可変型前照灯（二輪自動車に備えるものを除く。）に補助灯火ユニットを備える場合において、補助灯火ユニットは、その位置に最も近い位置にある灯火ユニットから水平方向に140mm以下及び鉛直方向に400mm以下の位置に配置されていること。この場合において、2つの補助灯火ユニットを自動車の車両中心線を含む鉛直面を挟んで対称に配置したときは、当該灯火ユニットから水平方向に200mm以下の位置にあればよいものとする。

八 前号の補助灯火ユニット（二輪自動車に備えるものを除く。）は、いずれも、地上から250mm以上1,200mm以下の位置に配置されていること。

九 すれ違い状態の配光形態において、すれ違い用ビームを発する灯火ユニット（二輪自動車に備えるものを除く。）の見かけの表面の外縁は、車両の最外側から車両中心線側に400mm以下の位置にあること。

十 配光可変型前照灯は、車幅灯、尾灯、前部上側端灯、後部上側端灯、番号灯及び側方灯が消灯している場合にあっては点灯できないものであること。ただし、道路交通法第52条第1項の規定により前照灯を点灯しなければならない場合以外の場合において、専ら手動によりすれ違い用ビームを発する灯火ユニットを短い間隔で断続的に点滅させる、又は交互に点灯させる場合にあってはこの限りでない。

十一 配光可変型前照灯の全ての灯火ユニットは点滅するものでないこと。ただし、前号ただし書の場合にあってはこの限りでない。

十二 配光可変型前照灯の直射光又は反射光は、当該配光可変型前照灯を備える自動車の運転操作を妨げるものでないこと。

十三 配光可変型前照灯は、その取付部に緩み、がた等があることにより、その照射光線の方向が振動、衝撃等のために容易に変化するおそれのないものであること。

十四 配光可変型前照灯は、第9項に掲げる性能を損なわないように取り付けられていること。この場合において、灯器のレンズ面等に光軸を変化させるものを貼付するなどすることにより配光等が著しい影響を受けているものは、この基準に適合しないものとする。

十五 配光可変型前照灯は、走行用ビームの点灯操作状態を運転者席の運転者に表示する装置を備えたものであること。

十六 配光可変型前照灯の配光制御信号の異常な作動を検知したときに、その旨を運転者席の運転者に警報する非点滅式の視覚的な警報装置を備えたものであること。

十七 配光可変型前照灯は、その作動状態及び不作動状態に係る制御を自動で行う場合には、次に掲げる要件に適合しなければならない。

イ 周囲の光の状態及び対向車又は先行車から発せられる灯光に反応すること。

ロ 当該制御を手動により行うことができ、かつ、手動により解除できること。

ハ 当該制御を自動で行う状態であることを運転者席の運転者に表示できること。

十八 配光可変型前照灯（二輪自動車に備えるものを除く。）は、自動車の速度が15km／hを超える場合に夜間において常に点灯している構造であること。

十九 配光可変型前照灯の灯火ユニット（二輪自動車に備えるものに限る。）は、その照明部の上縁の高さが地上1.3m以下、下縁の高さが地上0.5m以上であり、かつ、車両中心面に対して対称の位置に取り付けられていること。ただし、すれ違い用前照灯の側方に配光可変型前照灯の灯火ユニットを備えるものにあっては、その照明部の上縁の高さが地上1.3m以下、下縁の高さが地上0.5m以上であり、かつ、配光可変型前照灯の灯火ユニット及びすれ違い用前照灯の中心が車両中心面に対して対称の位置にあればよい。

12 次に掲げる配光可変型前照灯であってその機能を損なう損傷等のないものは、前項の基準に適合するものとする。

一 指定自動車等に備えられたものと同一の構造を有し、かつ、同一の位置に備えられた配光可変型前照灯

二 法第75条の2第1項の規定に基づき型式の指定を受けた特定共通構造部に備えられている配光可変型前照灯と同一の構造を有し、かつ、同一の位置に備えられている走行用前照灯又はこれに準ずる性能を有する配光可変型前照灯

三 法第75条の3第1項の規定に基づき灯火器、反射器及び指示装置の取付装置について型式の指定を受けた自動車に備える配光可変型前照灯と同一の構造を有し、かつ、同一の位置に備えられた配光可変型前照灯又はこれに準ずる性能を有する配光可変型前照灯

13 前照灯の照射方向の調節に係る性能等に関し保安基準第32条第10項の告示で定める基準は、次のとおりとする。

一 前照灯照射方向調節装置は、すれ違い用前照灯の照射光線を自動車のすべての乗車又は積載の状態において確実に他の交通を妨げないようにすることができるものであること。

二 前照灯照射方向調節装置は、前照灯の照射方向を左右に調節することができないものであること。

三 手動式の前照灯照射方向調節装置は、運転者が運転者席において容易に、かつ、適切に操作できるものであること。この場合において、手動式の前照灯照射方向調節装置であって、運転者が運転者席に着席した状態で著しく無理な姿勢をとらずに見える位置に、文字、数字又は記号からなる直進姿勢であり、かつ、検査時車両状態及び乗車又は積載に係る主な状態に対応する操作装置の調節位置を容易に判別できるように表示していないものは、この基準に適合しないものとする。

14 次に掲げる前照灯照射方向調節装置であってその機能を損な

う損傷等のないものは、前項各号の基準に適合するものとする。

一　指定自動車等に備えられたものと同一の構造を有し、かつ、同一の位置に備えられた前照灯照射方向調節装置

二　法第75条の2第1項の規定に基づき型式の指定を受けた特定共通構造部に備えられている前照灯照射方向調節装置と同一の構造を有し、かつ、同一の位置に備えられている前照灯照射方向調節装置又はこれに準ずる性能を有する前照灯照射方向調節装置

三　法第75条の3第1項の規定に基づき灯火器及び反射器並びに指示装置の取付装置について装置の指定を受けた自動車に備える前照灯照射方向調節装置と同一の構造を有し、かつ、同一の位置に備えられた前照灯照射方向調節装置又はこれに準ずる性能を有する前照灯照射方向調節装置

15　保安基準第32条第11項の告示で定める配光可変型前照灯は、灯光の色、明るさ等が基本すれ違い状態であり、かつ、灯火ユニットの照明部の中心を含み、かつ、水平面から下方0.8°の平面並びに車両中心線と平行な鉛直面より右側6°の鉛直面及び左側4°の鉛直面に囲まれた範囲にカットオフを有する場合において、灯火ユニットの光源の目標光束の総和が自動車の車両中心線を含む鉛直面により左側又は右側に区分された部分当たり2,000lmを超えるものであって、かつ、次に掲げるものをいう。

一　指定自動車等に備えられたものと同一の構造を有し、かつ、同一の位置に備えられた配光可変型前照灯

二　法第75条の2第1項の規定に基づき型式の指定を受けた特定共通構造部に備えられている配光可変型前照灯と同一の構造を有し、かつ、同一の位置に備えられている配光可変型前照灯

三　法第75条の3第1項の規定に基づき灯火器、反射器及び指示装置の取付装置について装置の型式の指定を受けた自動車に備える配光可変型前照灯と同一の構造を有し、かつ、同一の位置に備えられた配光可変型前照灯

16　前照灯洗浄器の洗浄性能等に関し保安基準第32条第12項の告示で定める基準は、次のとおりとする。

一　前照灯のレンズ面の外側が汚染された場合において、前照灯の光度を回復するに十分な洗浄性能を有するものであること。

二　第2項及び第6項に定める前照灯の性能を損なわないものであること。この場合において、すれ違い用前照灯の照明部の表面積の20％又は走行用前照灯の照明部の表面積の10％を超えて、当該照明部を覆わないものは、この基準に適合するものとする。

三　前照灯洗浄器は、走行中の振動、衝撃等により損傷を生じ、又は作動するものでないこと。

四　前照灯洗浄器は、鋭利な外向きの突起を有する等歩行者等に接触した場合において、歩行者等に傷害を与えるおそれのあるものでないこと。

17　次に掲げる前照灯洗浄器であってその機能を損なう損傷等のないものは、前項各号の基準に適合するものとする。

一　指定自動車等に備えられたものと同一の構造を有し、かつ、同一の位置に備えられた前照灯洗浄器

二　法第75条の2第1項の規定に基づき型式の指定を受けた特定共通構造部に備えられている前照灯洗浄器又はこれに準ずる性能を有する前照灯洗浄器

三　法第75条の3第1項の規定に基づき装置の指定を受けた前照灯洗浄器又はこれに準ずる性能を有する前照灯洗浄器

18　前照灯洗浄器の取付位置、取付方法等に関し保安基準第32条第13項の告示で定める基準は、次のとおりとする。

一　前照灯洗浄器は、運転者が運転者席において容易に操作できるものであること。

二　前照灯洗浄器は、灯火装置及び反射器並びに指示装置の性能を損なわないように取り付けられていること。

19　次に掲げる前照灯洗浄器及び前照灯取付装置であってその機能を損なう損傷等のないものは、前項各号の基準に適合するものとする。

一　指定自動車等に備えられたものと同一の構造を有し、かつ、同一の位置に備えられた前照灯洗浄器及び前照灯取付装置

二　法第75条の2第1項の規定に基づき型式の指定を受けた特定共通構造部に備えられている前照灯洗浄器及び前照灯洗浄器取付装置又はこれに準ずる性能を有する前照灯洗浄器及び前照灯洗浄器取付装置

三　法第75条の3第1項の規定に基づき装置の指定を受けた前照灯洗浄器及び前照灯洗浄器取付装置又はこれに準ずる性能を有する前照灯洗浄器及び前照灯洗浄器取付装置

（前部霧灯）

第199条　前部霧灯の灯光の色、明るさ等に関し、保安基準第33条第2項の告示で定める基準は、次の各号に掲げる基準とする。

一　前部霧灯の照射光線は、他の交通を妨げないものであること。

二　前部霧灯は、白色又は淡黄色であり、その全てが同一であること。

三　前部霧灯は、前各号に規定するほか、前条第2項第4号及び第5号の基準に準じたものであること。

2　次に掲げる前部霧灯であって、その機能を損なう損傷等のないものは、前項各号の基準に適合するものとする。

一　指定自動車等に備えられているものと同一の構造を有し、かつ、同一の位置に備えられた前部霧灯

二　法第75条の2第1項の規定に基づき型式の指定を受けた特定共通構造部に備えられている前部霧灯又はこれに準ずる性能を有する前部霧灯

三　法第75条の3第1項の規定に基づき装置の指定を受けた前部霧灯又はこれに準ずる性能を有する前部霧灯

3　前部霧灯の取付位置、取付方法等に関し、保安基準第33条第3項の告示で定める基準は、次に掲げる基準とする。この場合において、前部霧灯の照明部、個数及び取付位置の測定方法は、別添94「灯火等の照明部、個数、取付位置等の測定方法（第2章第2節及び同章第3節関係）」によるものとする。

一　前部霧灯は、同時に3個以上点灯しないように取り付けられていること。

二　自動車（側車付二輪自動車並びにカタピラ及びそりを有する軽自動車を除く。）に備える前部霧灯は、その照明部の上縁の高さが地上800mm以下（専ら乗用の用に供する自動車であって乗車定員が10人未満のもの（二輪自動車、三輪自動車及び被牽引自動車を除く。）及び貨物の運送の用に供する自動車であって車両総重量3.5t以下のもの（二輪自動車、三輪自動車及び被牽引自動車を除く。）以外の自動車に備える前部霧灯は、その照明部の上縁の高さが地上1,200mm以下）であって、すれ違い用前照灯の照明部の上縁を含む水平面以下（大型特殊自動車、小型特殊自動車及び除雪、土木作業その他特別な用途に使用される自動車で地方運輸局長の指定するものに備える前部霧灯でその自動車の構造上地上1,200mm以下に取り付けることができないものにあっては、その照明部の上縁がすれ違い用前照灯の照明部の上縁を含む水平面以下となるように取り付けることができる最低の高さ）、下縁の高さが地上250mm以上となるように取り付けられていること。

三　側車付二輪自動車並びにカタピラ及びそりを有する軽自動車に備える前部霧灯は、その照明部の中心がすれ違い用前照灯の照明部の中心を含む水平面以下となるように取り付けられていること。

四　二輪自動車以外の自動車に備える前部霧灯の照明部の最外縁は、自動車の最外側から400mm以内（大型特殊自動車、小型特殊自動車及び除雪、土木作業その他特別な用途に使用さ

れる自動車で地方運輸局長の指定するものに備える前部霧灯でその自動車の構造上400mm以内に取り付けることができないものにあっては、取り付けることができる最外側の位置）となるように取り付けられていること。ただし、前条第3項第1号ただし書の自動車（二輪自動車を除く。）に備える前部霧灯にあっては、この限りでない。

四の二　二輪自動車の前面に前部霧灯を1個備える場合にあっては、その照明部の最内縁が車両中心面から250mm以内となるように取り付けられていること。

五　大型特殊自動車（ポール・トレーラを除く。）及び小型特殊自動車以外の自動車に備える前部霧灯の照明部は、前部霧灯の中心を通り自動車の進行方向に直交する水平線を含む、水平面より上方5°の平面及び下方5°の平面並びに前部霧灯の中心を含む、自動車の進行方向に平行な鉛直面より前部霧灯の内側方向10°の平面及び前部霧灯の外側方向45°の平面により囲まれる範囲においてすべての位置から見通すことができるように取り付けられていること。ただし、自動車の構造上、すべての位置から見通すことができるように取り付けることができない場合にあっては、可能な限り見通すことができる位置に取り付けられていること。

六　前部霧灯の点灯操作状態を運転者席の運転者に表示する装置を備えること。ただし、二輪自動車に備える前部霧灯にあってはこの限りではない。

七　前部霧灯は、前各号に規定するほか、前条第3項第6号及び第11号の基準に準じたものであること。

八　前部霧灯は、走行用前照灯及びすれ違い用前照灯の点灯状態にかかわらず、点灯及び消灯できるものであること。

九　前部霧灯は、車幅灯、尾灯、前部上側端灯、後部上側端灯、番号灯及び側方灯が消灯している場合に点灯できない構造であること。ただし、道路交通法第52条第1項の規定により前照灯を点灯しなければならない場合以外の場合において、専ら手動により前部霧灯を短い間隔で断続的に点滅する、又は交互に点灯させる場合にあっては、この限りでない。

十　前部霧灯は、点滅するものでないこと。ただし、前号ただし書きの場合にあっては、この限りでない。

十一　前部霧灯の直射光又は反射光は、当該前部霧灯を備える自動車及び他の自動車の運転操作を妨げるものでないこと。

十二　前部霧灯は、灯器の取付部に緩み、がたがない等第1項に掲げる性能を損なわないように取り付けられていること。

4　次の各号に掲げる前部霧灯であってその機能を損なう損傷等のないものは、前項各号の基準に適合するものとする。

一　指定自動車等に備えられたものと同一の構造を有し、かつ、同一の位置に備えられた前部霧灯

二　法第75条の2第1項の規定に基づき型式の指定を受けた特定共通構造部に備えられている前部霧灯と同一の構造を有し、かつ、同一の位置に備えられている前部霧灯又はこれに準ずる性能を有する前部霧灯

三　法第75条の3第1項の規定に基づき灯火器及び反射器並びに指示装置の取付装置について装置の指定を受けた自動車に備える前部霧灯と同一の構造を有し、かつ、同一の位置に備えられた前部霧灯又はこれに準ずる性能を有する前部霧灯

5　前部霧灯の照射方向の調節に係る性能等に関し保安基準第33条第4項の告示で定める基準は、次の各号に掲げる基準とする。

一　前部霧灯照射方向調節装置は、自動車に乗車しうる乗員が全て乗車した状態又は積載しうる全ての貨物を積載した状態において、前部霧灯の照射光線が他の交通を妨げないようにすることができるものであること。

二　前部霧灯照射方向調節装置は、前部霧灯の照射方向を左右に調節することができないものであること。

三　手動式の前部霧灯照射方向調節装置は、運転者が運転者席において容易かつ適切に操作できるものであること。この場合において、運転者が運転者席に着席した状態で著しく無理な姿勢をとらずに操作できる位置に操作装置が備えられており、かつ、検査時車両状態及び乗車状態又は積載状態に対応する操作装置の調節位置を容易に判別できるように表示していないものは、この基準に適合しないものとする。

（側方照射灯）

第200条　側方照射灯の灯光の色、明るさ等に関し、保安基準第33条の2第2項の告示で定める基準は、次の各号に掲げる基準とする。

一　側方照射灯の光度は、16,800cd以下であること。

二　側方照射灯は、その照射光線の主光軸が、取付部より後方の地面、左側に備えるものにあっては取付部より右方の地面、右側に備えるものにあっては取付部より左方の地面を照射しないものであること。

三　側方照射灯の灯光の色は、白色であること。

四　側方照射灯は、灯器が損傷し又はレンズ面が著しく汚損したものでないこと。

2　次に掲げる側方照射灯であってその機能を損なう損傷等がないものは、前項各号の基準に適合するものとする。

一　指定自動車等に備えられたものと同一の構造を有し、かつ、同一の位置に備えられた側方照射灯

二　法第75条の2第1項の規定に基づき型式の指定を受けた特定共通構造部に備えられている側方照射灯又はこれに準ずる性能を有する側方照射灯

三　法第75条の3第1項の規定に基づき装置の指定を受けた側方照射灯又はこれに準ずる性能を有する側方照射灯

3　側方照射灯の取付位置、取付方法等に関し、保安基準第33条の2第3項の告示で定める基準は、次の各号に掲げる基準とする。この場合において、側方照射灯の照明部、個数及び取付位置の測定方法は、別添94「灯火等の照明部、個数、取付位置等の測定方法（第2章第2節及び同章第3節関係）」によるものとする。

一　側方照射灯は、すれ違い用前照灯又は走行用前照灯が点灯している場合にのみ点灯する構造であること。

二　自動車の各側の側方照射灯は、同じ側の方向指示器が作動する場合又はかじ取装置が直進状態から同じ側に向けられた場合に限り作動する構造であること。ただし、後退灯が作動した場合には、かじ取装置の向き又は方向指示器の作動にかかわらず自動車の両側の側方照射灯を作動させることができる。

三　側方照射灯は、方向指示器の作動が解除された場合又はかじ取装置の操舵角が直進状態に戻った場合、自動的に作動が停止する構造であること。ただし、前号ただし書の規定に基づき作動する側方照射灯にあっては、後退灯の作動が解除された場合には自動的にその作動が停止する構造であること。

四　側方照射灯は、その照明部の下縁の高さが地上0.25m以上、上縁の高さが地上0.9m以下であってすれ違い用前照灯の照明部の上縁を含む水平面以下となるように取り付けられていること。

五　側方照射灯は、車両中心面の両側に1個ずつ取り付けられていること。

六　側方照射灯の照明部の最後縁は、自動車の前端から1mまでの間にあること。

七　側方照射灯は、その照射光線の方向が振動、衝撃等により容易にくるうおそれのないものであること。

八　側方照射灯は、点滅するものでないこと。

九　側方照射灯の直射光又は反射光は、当該側方照射灯を備える自動車及び他の自動車の運転操作を妨げるものでないこと。

十　側方照射灯は、灯器の取付部及びレンズ取付部に緩み、がたがない等第1項に掲げる性能を損なわないように取り付けられていること。

4　次に掲げる側方照射灯であってその機能を損なう損傷等がな

いものは、前項各号の基準に適合するものとする。

一　指定自動車等に備えられたものと同一の構造を有し、かつ、同一の位置に備えられた側方照射灯

二　法第75条の２第１項の規定に基づき型式の指定を受けた特定共通構造部に備えられている側方照射灯と同一の構造を有し、かつ、同一の位置に備えられている側方照射灯又はこれに準ずる性能を有する側方照射灯

三　法第75条の３第１項の規定に基づき灯火器及び反射器並びに指示装置の取付装置としての指定を受けた自動車に備える側方照射灯と同一の構造を有し、かつ、同一の位置に備えられた側方照射灯又はこれに準ずる性能を有する側方照射灯

（低速走行時側方照射灯）

第200条の２　保安基準第33条の３第２項の告示で定める速度は、変速装置を前進の位置に操作している状態にあっては、最高速度15km／hとする。

2　低速走行時側方照射灯の灯光の色、明るさ等に関し保安基準第33条の３第２項の告示で定める基準は、次の各号に掲げる基準とする。この場合において、低速走行時側方照射灯の照明部の取扱いは別添94「灯火等の照明部、個数、取付位置等の測定方法（第２章第２節及び同章第３節関係）」によるものとする。

一　低速走行時側方照射灯の光度は、500cd以下であること。

二　低速走行時側方照射灯の照射光線は、他の交通を妨げないものであること。

三　低速走行時側方照射灯の灯光の色は、白色であること。

四　低速走行時側方照射灯は、灯器が損傷し、又はレンズ面が著しく汚損しているものでないこと。

3　次に掲げる低速走行時側方照射灯であって、その機能を損なう損傷等のないものは、前項各号の基準に適合するものとする。

一　指定自動車等に備えられているものと同一の構造を有し、かつ、同一の位置に備えられた低速走行時側方照射灯

二　法第75条の２第１項の規定に基づき型式の指定を受けた特定共通構造部に備えられている低速走行時側方照射灯又はこれに準ずる性能を有する低速走行時側方照射灯

三　法第75条の３第１項の規定に基づき装置の指定を受けた低速走行時側方照射灯又はこれに準ずる性能を有する低速走行時側方照射灯

4　低速走行時側方照射灯の取付位置、取付方法等に関し保安基準第33条の３第３項の告示で定める基準は、次の各号に掲げる基準とする。この場合において、低速走行時側方照射灯の照明部、個数及び取付位置の測定方法は、別添94「灯火等の照明部、個数、取付位置等の測定方法（第２章第２節及び同章第３節関係）」によるものとする。

一　低速走行時側方照射灯の数は、１個又は２個であること。

二　低速走行時側方照射灯は、自動車の側面に下方に向けて取り付けられていること。

三　低速走行時側方照射灯は、車両中心面の両側に１個ずつ取り付けられていること。

四　低速走行時側方照射灯は、前照灯が点灯していない場合、点灯できない構造であること。

五　低速走行時側方照射灯は、次のイからハまでの要件を一つ以上満たす場合に限り自動的に点灯するものとすること。

イ　変速装置を前進の位置に操作しており、かつ、原動機の始動装置を始動の位置に操作した状態（アイドリングストップ対応自動車等にあっては、原動機自動停止に続いて原動機が始動した状態を除く。）において、自動車の速度が15km／h以下の場合

ロ　変速装置を後退の位置に操作している場合

ハ　自動車の周辺状況について必要な視界を運転者に与えるため、必要な画像情報を撮影する装置が作動しており、かつ、変速装置を前進の位置に操作した状態において、自動車の速度が15km／h以下の場合

六　低速走行時側方照射灯には、変速装置を前進の位置に操作した状態において、自動車の速度が15km／hを超えた場合には、消灯する構造であること。

七　低速走行時側方照射灯は、点滅するものでないこと。

八　低速走行時側方照射灯の直射光又は反射光は、当該低速走行時側方照射灯を備える自動車及び他の自動車の運転操作を妨げるものでないこと。

九　低速走行時側方照射灯は、灯器の取付部及びレンズ取付部に緩み、がたがない等第２項に掲げる性能を損なわないように取り付けなければならない。

十　被牽引自動車に備える低速走行時側方照射灯は、当該自動車の速度を計測し点灯又は消灯する構造であること。

5　次に掲げる低速走行時側方照射灯であって、その機能を損なう損傷等のないものは、前項各号の基準に適合するものとする。

一　指定自動車等に備えられたものと同一の構造を有し、かつ、同一の位置に備えられた低速走行時側方照射灯

二　法第75条の２第１項の規定に基づき型式の指定を受けた特定共通構造部に備えられている低速走行時側方照射灯と同一の構造を有し、かつ、同一の位置に備えられている低速走行時側方照射灯又はこれに準ずる性能を有する低速走行時側方照射灯

三　法第75条の３第１項の規定に基づき灯火器及び反射器並びに指示装置の取付装置について装置の指定を受けた自動車に備える低速走行時側方照射灯と同一の構造を有し、かつ、同一の位置に備えられた低速走行時側方照射灯又はこれに準ずる性能を有する低速走行時側方照射灯

（車幅灯）

第201条　車幅灯の灯光の色、明るさ等に関し、保安基準第34条第２項の告示で定める基準は、次の各号に掲げる基準とする。この場合において、車幅灯の照明部の取扱いは、別添94「灯火等の照明部、個数、取付位置等の測定方法（第２章第２節及び同章第３節関係）」によるものとする。

一　車幅灯は、夜間にその前方300mの距離から点灯を確認できるものであり、かつ、その照射光線は、他の交通を妨げないものであること。この場合において、その光源が５W以上で照明部の大きさが15cm²以上（平成18年１月１日以降に製作された自動車に備える車幅灯にあっては、光源が５W以上30W以下で照明部の大きさが15cm²以上）であり、かつ、その機能が正常な車幅灯は、この基準に適合するものとする。

二　車幅灯の灯光の色は、白色であること。ただし、方向指示器、非常点滅表示灯又は側方灯と構造上一体となっているもの又は兼用のもの及び二輪自動車、側車付二輪自動車並びにカタピラ及びそりを有する軽自動車に備えるものにあっては、橙色であってもよい。

三　車幅灯の照明部は、車幅灯の中心を通り自動車の進行方向に直交する水平線を含む、水平面より上方15°の平面及び下方15°の平面並びに車幅灯の中心を含む、自動車の進行方向に平行な鉛直面より車幅灯の内側方向45°の平面（二輪自動車、側車付二輪自動車並びにカタピラ及びそりを有する軽自動車の左右それぞれに備えるものについては、内側方向20°の平面）及び車幅灯の外側方向80°の平面により囲まれる範囲においてすべての位置から見通すことができるものであること。

四　車幅灯は、灯器が損傷し、又はレンズ面が著しく汚損しているものでないこと。

2　次に掲げる車幅灯であって、その機能を損なう損傷等のないものは、前項各号の基準に適合するものとする。

一　指定自動車等に備えられているものと同一の構造を有し、かつ、同一の位置に備えられた車幅灯

二　法第75条の２第１項の規定に基づき型式の指定を受けた特定共通構造部に備えられている車幅灯又はこれに準ずる性能を有する車幅灯

三　法第75条の3第1項の規定に基づき装置の指定を受けた車幅灯又はこれに準ずる性能を有する車幅灯

3　車幅灯の取付位置、取付方法等に関し、保安基準第34条第3項の告示で定める基準は、次に掲げる基準とする。この場合において、車幅灯の照明部、個数及び取付位置の測定方法は、別添94「灯火等の照明部、個数、取付位置等の測定方法（第2章第2節及び同章第3節関係）」によるものとする。

一　自動車（二輪自動車を除く。）に備える車幅灯の数は、2個又は4個であること。ただし、幅0.8m以下の自動車にあっては、当該自動車に備えるすれ違い用前照灯の照明部の最外縁が自動車の最外側から400mm以内となるように取り付けられている場合には、その側の車幅灯を備えないことができる。

一の二　二輪自動車に備える車幅灯の数は、2個であること。ただし、車幅灯の灯光の色が白色である場合にあっては、1個であってもよい。

二　自動車（側車付二輪自動車並びにカタピラ及びそりを有する軽自動車を除く。）に備える車幅灯は、その照明部の上縁の高さが地上2.1m以下（二輪自動車に備えるものにあっては地上1.2m以下）、下縁の高さが地上0.25m以上（二輪自動車に備えるものにあっては地上0.35m以上）となるように取り付けられていること。

三　側車付二輪自動車並びにカタピラ及びそりを有する軽自動車に備える車幅灯は、その照明部の中心が地上2m以下となるように取り付けられていること。

四　自動車（二輪自動車を除く。）に備える車幅灯の照明部の最外縁は、自動車の最外側から400mm以内（被牽引自動車にあっては、150mm以内）となるように取り付けられていること。

五　前面の両側に備える車幅灯は、車両中心面に対して対称の位置に取り付けられたものであること。ただし、前面が左右対称でない自動車に備える車幅灯にあっては、この限りでない。

六　車幅灯の点灯操作状態を運転者席の運転者に表示する装置を備えること。ただし、最高速度35km／h未満の大型特殊自動車、小型特殊自動車並びに車幅灯と連動して点灯する運転者席及びこれと並列の座席の前方に設けられる計器類を備える自動車にあっては、この限りでない。

七　第198条第7項第4号括弧書の自動車及び第199条第3項第4号括弧書の自動車に備える車幅灯は、前照灯又は前部霧灯が点灯している場合に消灯できない構造でなければならない。

八　車幅灯は、尾灯、前部上側端灯、後部上側端灯、側方灯及び番号灯と同時に点灯及び消灯できる構造でなければならない。ただし、駐車灯と兼用の車幅灯及び駐車灯と兼用の尾灯並びに車幅灯、尾灯及び側方灯と兼用の駐車灯を備える場合は、この限りでない。

九　車幅灯は、点滅するものでないこと。

十　車幅灯の直射光又は反射光は、当該車幅灯を備える自動車及び他の自動車の運転操作を妨げるものでないこと。

十一　方向指示器又は非常点滅表示灯と兼用の前面の両側に備える車幅灯（橙色のものに限る。）は、方向指示器又は非常点滅表示灯とさせている場合においては、第7号から第9号までの基準にかかわらず、方向の指示をしている側のもの又は両端のものが消灯する構造であること。

十二　車幅灯は、灯器の取付部及びレンズ取付部に緩み、がたがない等第1項（大型特殊自動車（ポール・トレーラを除く。）及び小型特殊自動車にあっては、同項第3号に係る部分を除く。）に掲げる性能（車幅灯のH面の高さが地上750mm未満となるように取り付けられている場合にあっては同項第3号の基準中「下方15°」とあるのは「下方5°」とし、被牽引自動車に取り付けられている場合にあっては同項第3号の基準中「内側方向45°」とあるのは「内側方向5°」とし、専ら乗用の用に供する自動車（二輪自動車、側車付二輪自動車、三輪自動車、カタピラ及びそりを有する軽自動車並びに被牽引自動車を除く。以下この号において同じ。）であって乗車定員が10人未満のもの又は貨物の運送の用に供する自動車（三輪自動車及び被牽引自動車を除く。以下この号において同じ。）であって車両総重量3.5t以下のものの前部に取り付けられている側方灯が同号に規定する性能を補完する性能を有する場合にあっては同号の基準中「外側方向80°」とあるのは「外側方向45°」とし、車幅灯のH面の高さが地上750mm未満となるように取り付けられている場合にあっては当該車幅灯の基準軸を含む水平面より下方に限り同号の基準中「内側方向45°」とあるのは「内側方向20°」とする。）を損なわないように取り付けられていること。ただし、自動車の構造上、同項第3号に規定する範囲において、すべての位置から見通すことができるように取り付けることができない場合にあっては、可能な限り見通すことができる位置に取り付けられていること。

4　次に掲げる車幅灯であってその機能を損なう損傷等のないものは、前項各号の基準に適合するものとする。

一　指定自動車等に備えられたものと同一の構造を有し、かつ、同一の位置に備えられた車幅灯

二　法第75条の2第1項の規定に基づき型式の指定を受けた特定共通構造部に備えられている車幅灯と同一の構造を有し、かつ、同一の位置に備えられている車幅灯又はこれに準ずる性能を有する車幅灯

三　法第75条の3第1項の規定に基づき灯火器及び反射器並びに指示装置の取付装置について装置の指定を受けた自動車に備える車幅灯と同一の構造を有し、かつ、同一の位置に備えられた車幅灯又はこれに準ずる性能を有する車幅灯

（前部上側端灯）

第202条　前部上側端灯の灯光の色、明るさ等に関し、保安基準第34条の2第2項の告示で定める基準は、次の各号に掲げる基準とする。この場合において、前部上側端灯の照明部の取扱いは別添94「灯火等の照明部、個数、取付位置等の測定方法（第2章第2節及び同章第3節関係）」によるものとする。

一　前部上側端灯は、夜間にその前方300mの距離から点灯を確認できるものであり、かつ、その照射光線は、他の交通を妨げないものであること。この場合において、その光源が5W以上30W以下で照明部の大きさが15cm²以上のものであり、かつ、その機能が正常である前部上側端灯は、この基準に適合するものとする。

二　前部上側端灯の灯光の色は、白色であること。

三　前部上側端灯の照明部は、前部上側端灯の中心を通り自動車の進行方向に直交する水平線を含む、水平面より上方15°の平面（前部上側端灯のH面の高さが地上2,100mmを超えるように取り付けられている場合にあっては、上方5°の平面）及び下方15°の平面並びに前部上側端灯の中心を含む、自動車の進行方向に平行な鉛直面及び当該鉛直面より前部上側端灯の外側方向80°の平面により囲まれる範囲において、すべての位置から見通すことができるものであること。

四　前部上側端灯は、灯器が損傷し、又はレンズ面が著しく汚損しているものでないこと。

2　次に掲げる前部上側端灯であって、その機能を損なう損傷等のないものは、前項各号の基準に適合するものとする。

一　指定自動車等に備えられているものと同一の構造を有し、かつ、同一の位置に備えられた前部上側端灯

二　法第75条の2第1項の規定に基づき型式の指定を受けた特定共通構造部に備えられている前部上側端灯又はこれに準ずる性能を有する前部上側端灯

三　法第75条の3第1項の規定に基づき装置の指定を受けた前部上側端灯又はこれに準ずる性能を有する前部上側端灯

3　前部上側端灯の取付位置、取付方法等に関し、保安基準第34

条の2第3項の告示で定める基準は、次の各号に掲げる基準とする。この場合において、前部上側端灯の照明部、個数及び取付位置の測定方法は、別添94「灯火等の照明部、個数、取付位置等の測定方法（第2章第2節及び同章第3節関係）」によるものとする。

一　被牽引自動車以外の自動車に備える前部上側端灯は、その照明部の上縁の高さが前面ガラスの最上端を含む水平面以上となるように取り付けられていること。ただし、4個備える場合は、上側の2個はその照明部の上縁の高さが前面ガラスの最上端を含む水平面以上となるように取り付け、かつ、下側の2個は上側の照明部の上縁と下側の照明部の下縁との垂直方向の距離が自動車の構造上可能な限り離れた位置に取り付けられていること。この場合において、その照明部の最前縁と自動車の後端からの距離が400mm以内であり、かつ、可能な限り自動車の後端に近づけて取り付けられなければならない。

二　被牽引自動車に備える前部上側端灯は、取り付けることができる最高の高さに取り付けられていること。ただし、4個備える場合は、上側の2個は取り付けることができる最高の高さに取り付け、かつ、下側の2個は上側の照明部の上縁と下側の照明部の下縁との垂直方向の距離が自動車の構造上可能な限り離れた位置に取り付けられていること。この場合において、その照明部の最前縁と自動車の後端からの距離が400mm以内であり、かつ、可能な限り自動車の後端に近づけて取り付けられなければならない。

三　前部上側端灯の照明部の最外縁は、自動車の最外側から400mm以内となるように取り付けられていること。

四　前面の両側に備える前部上側端灯は、車両中心面に対して対称の位置に取り付けられたものであること（前面が左右対称でない自動車の前部上側端灯を除く。）。

五　前部上側端灯は、その照明部と車幅灯の照明部を車両中心面に直交する鉛直面に投影したときに200mm以上離れるような位置に取り付けられていること。

六　前部上側端灯は、車幅灯が点灯している場合に消灯できない構造であること。

七　前部上側端灯は、点滅するものでないこと。

八　前部上側端灯の直射光又は反射光は、当該前部上側端灯を備える自動車及び他の自動車の運転操作を妨げるものでないこと。

九　前部上側端灯は、灯器の取付部及びレンズ取付部に緩み、がたがない等第1項に掲げる性能を損なわないように取り付けられなければならない。ただし、自動車の構造上、同項第3号に規定する範囲において、すべての位置から見通すことができるように取り付けることができない場合にあっては、可能な限り見通すことができる位置に取り付けられていること。

4　次に掲げる前部上側端灯であってその機能を損なう損傷等のないものは、前項各号の基準に適合するものとする。

一　指定自動車等に備えられたものと同一の構造を有し、かつ、同一の位置に備えられた前部上側端灯

二　法第75条の2第1項の規定に基づき型式の指定を受けた特定共通構造部に備えられている前部上側端灯と同一の構造を有し、かつ、同一の位置に備えられている前部上側端灯又はこれに準ずる性能を有する前部上側端灯

三　法第75条の3第1項の規定に基づき灯火器及び反射器並びに指示装置の取付装置について装置の指定を受けた自動車に備える前部上側端灯と同一の構造を有し、かつ、同一の位置に備えられた前部上側端灯又はこれに準ずる性能を有する前部上側端灯

（昼間走行灯）

第202条の2　昼間走行灯の灯光の色、明るさ等に関し、保安基準第34条の3第2項の告示で定める基準は、次の各号に掲げる基準とする。

一　昼間走行灯の光度は、1,440cd以下であること。

二　昼間走行灯の照射光線は、他の交通を妨げないものであること。

三　昼間走行灯の灯光の色は、白色であること。

四　昼間走行灯は、灯器が損傷し、又はレンズ面が著しく汚損していないこと。

五　昼間走行灯は、レンズ取付部に緩み、がた等がないこと。

六　昼間走行灯の照明部の大きさは、25cm²以上200cm²以下であること。

2　次に掲げる昼間走行灯であって、その機能を損なう損傷等のないものは、前項各号の基準に適合するものとする。

一　指定自動車等に備えられているものと同一の構造を有し、かつ、同一の位置に備えられた昼間走行灯

二　法第75条の2第1項の規定に基づき指定を受けた特定共通構造部に備えられている昼間走行灯又はこれに準ずる性能を有する昼間走行灯

三　法第75条の3第1項の規定に基づき装置の指定を受けた昼間走行灯又はこれに準ずる性能を有する昼間走行灯

3　昼間走行灯の取付位置、取付方法等に関し、保安基準第34条の3第3項の告示で定める基準は、次に掲げる基準とする。この場合において、昼間走行灯の照明部、個数及び取付位置の測定方法は、別添94「灯火等の照明部、個数、取付位置等の測定方法（第2章第2節及び同章第3節関係）」によるものとする。

一　昼間走行灯の数は、2個（二輪自動車に備えるものにあっては、1個又は2個）であること。

二　自動車（二輪自動車を除く。）に備える昼間走行灯は、その照明部の最内縁において600mm（幅が1,300mm未満の自動車にあっては、400mm）以上の間隔を有するものであること。

二の二　二輪自動車に昼間走行灯を1個備える場合にあっては、その照明部の中心が車両中心面上となるように取り付けられていること。ただし、昼間走行灯が走行用前照灯、すれ違い用前照灯、前部霧灯及び車幅灯の横に並ぶ場合並びに昼間走行灯が走行用前照灯又は車幅灯と兼用式である場合にあっては、昼間走行灯の照明部の最内縁が車両中心面から250mm以内となるように取り付けられていればよい。

二の三　二輪自動車に昼間走行灯を2個備える場合にあっては、その照明部の中心が車両の中心面に対して対称となるように、かつ、その照明部の最内縁の間隔が420mm以内となるように取り付けられていること。ただし、協定規則第53号の規則6.13.4.1.5.に掲げる場合にあっては、照明部の最内縁の間隔に係る基準は適用しない。

三　昼間走行灯は、その照明部の下縁の高さが地上250mm以上、上縁の高さが地上1,500mm以下となるように取り付けられていること。

四　前面が左右対称である自動車（二輪自動車を除く。）に備える昼間走行灯は、車両中心面に対し対称の位置に取り付けられていること。

五　昼間走行灯の照明部は、昼間走行灯の中心を通り自動車の進行方向に直交する水平線を含む、水平面より上方10°の平面及び下方10°の平面並びに昼間走行灯の中心を含む、自動車の進行方向に平行な鉛直面より昼間走行灯の内側方向20°（二輪自動車に備えるものにあっては、内側方向10°）の平面及び昼間走行灯の外側方向20°の平面により囲まれる範囲においてすべての位置から見通すことができるものであること。

六　原動機の操作装置が始動の位置にないとき及び前部霧灯又は前照灯が点灯しているとき（二輪自動車にあっては、原動機の操作装置が始動の位置にないとき及び前照灯が点灯しているとき）は、昼間走行灯は自動的に消灯するように取り付けられなければならない。ただし、道路交通法第52条第1項の規定により前照灯を点灯しなければならない場合以外の場合において、専ら手動により走行用前照灯を短い間隔で断続

的に点滅する、又は交互に点灯させる場合にあっては、この限りでない。
七　昼間走行灯は、点滅するものでないこと。
八　昼間走行灯の直射光又は反射光は、当該昼間走行灯を備える自動車及び他の自動車の運転操作を妨げるものでないこと。
九　自動車の前面に備える方向指示器と昼間走行灯との距離が40mm以下である場合にあっては、方向指示器の作動中、当該方向指示器と同じ側の昼間走行灯は、消灯するか、又は光度が低下する構造であってもよい。
十　方向指示器が昼間走行灯との兼用式である場合にあっては、方向指示器の作動中、当該方向指示器と同じ側の昼間走行灯は消灯する構造であること。
十一　昼間走行灯は、灯器の取付部及びレンズ取付部に緩み、がたがない等第1項に掲げる性能を損なわないように取り付けられていること。
十二　昼間走行灯を備える二輪自動車にあっては、原動機が作動している場合に常に走行用前照灯、すれ違い用前照灯及び昼間走行灯のいずれかが点灯している構造であって、夜間に昼間走行灯が自動的にすれ違い用前照灯に切り替わる構造であること。ただし、光度が700cd以下の昼間走行灯を備える二輪自動車にあっては、手動ですれ違い用前照灯に切り替える構造であってもよい。
4　次の各号に掲げる昼間走行灯であってその機能を損なう損傷等のないものは、前項各号の基準に適合するものとする。
一　指定自動車等に備えられたものと同一の構造を有し、かつ、同一の位置に備えられた昼間走行灯
二　法第75条の2第1項の規定に基づき指定を受けた特定共通構造部に備えられている昼間走行灯と同一の構造を有し、かつ、同一の位置に備えられている昼間走行灯又はこれに準ずる性能を有する昼間走行灯
三　法第75条の3第1項の規定に基づき灯火器及び反射器並びに指示装置の取付装置について装置の指定を受けた自動車に備える昼間走行灯と同一の構造を有し、かつ、同一の位置に備えられた昼間走行灯又はこれに準ずる性能を有する昼間走行灯

（前部反射器）

第203条　前部反射器の反射光の色、明るさ、反射部の形状等に関し、保安基準第35条第2項の告示で定める基準は、次の各号に掲げる基準とする。この場合において、前部反射器の反射部の取扱いは、別添94「灯火等の照明部、個数、取付位置等の測定方法（第2章第2節及び同章第3節関係）」によるものとする。
一　前部反射器は、夜間にその前方150mの距離から走行用前照灯（第198条第1項第1号の走行用前照灯（除雪、土木作業その他特別な用途に使用される自動車で地方運輸局長の指定するもの、最高速度35km/h未満の大型特殊自動車及び農耕作業用小型特殊自動車に備えるものを除く。）第204条及び第210条において同じ。）をいう。）で照射した場合にその反射光を照射位置から確認できるものであること。この場合において、その反射部の大きさが10cm²以上である前部反射器は、この基準に適合するものとする。
二　前部反射器の反射部は、三角形以外の形状であること。
三　前部反射器による反射光の色は、白色であること。
四　前部反射器は、反射器が損傷し、又は反射面が著しく汚損しているものでないこと。
2　次に掲げる前部反射器であって、その機能を損なう損傷等のないものは、前項各号の基準に適合するものとする。
一　指定自動車等に備えられているものと同一の構造を有し、かつ、同一の位置に備えられた前部反射器
二　法第75条の2第1項の規定に基づき型式の指定を受けた特定共通構造部に備えられている前部反射器又はこれに準ずる性能を有する前部反射器
三　法第75条の3第1項の規定に基づき装置の指定を受けた前部反射器又はこれに準ずる性能を有する前部反射器
3　前部反射器の取付位置、取付方法等に関し、保安基準第35条第3項の告示で定める基準は、次の各号に掲げる基準とする。この場合において、前部反射器の反射部、個数及び取付位置の測定方法は、別添94「灯火等の照明部、個数、取付位置等の測定方法（第2章第2節及び同章第3節関係）」によるものとする。
一　前部反射器は、その反射部の上縁の高さが地上1.5m以下、下縁の高さが地上0.25m以上となるように取り付けられていること。
二　前部反射器の反射部の最外縁は、自動車の最外側から400mm以内となるように取り付けられていること。
三　大型特殊自動車（ポール・トレーラを除く。）及び小型特殊自動車以外の自動車に備える前部反射器の反射部は、前部反射器の中心を通り自動車の進行方向に直交する水平線を含む、水平面より上方10°の平面及び下方10°の平面（前部反射器の H 面の高さが地上750mm未満となるように取り付けられている場合にあっては、下方5°の平面）並びに前部反射器の中心を含む、自動車の進行方向に平行な鉛直面より前部反射器の内側方向30°の平面（被牽引自動車に備える前部反射器にあっては、内側方向10°の平面）及び外側方向30°の平面により囲まれる範囲においてすべての位置から見通すことができるように取り付けられていること。ただし、自動車の構造上、すべての位置から見通すことができるように取り付けることができない場合にあっては、可能な限り見通すことができる位置に取り付けられていること。
四　前部反射器の取付位置は、前各号に規定するほか、第201条第3項第5号の基準に準じたものであること。
五　前部反射器は、自動車の後方に表示しないように取り付けられていること。
六　前部反射器は、その取付部及びレンズ取付部に緩み、がたがない等第1項に掲げる性能を損なわないように取り付けられなければならない。
4　次に掲げる前部反射器であってその機能を損なう損傷等のないものは、前項各号の基準に適合するものとする。
一　指定自動車等に備えられたものと同一の構造を有し、かつ、同一の位置に備えられた前部反射器
二　法第75条の2第1項の規定に基づき型式の指定を受けた特定共通構造部に備えられている前部反射器と同一の構造を有し、かつ、同一の位置に備えられている前部反射器又はこれに準ずる性能を有する前部反射器
三　法第75条の3第1項の規定に基づき灯火器及び反射器並びに指示装置の取付装置について装置の指定を受けた自動車に備える前部反射器と同一の構造を有し、かつ、同一の位置に備えられた前部反射器又はこれに準ずる性能を有する前部反射器

（側方灯及び側方反射器）

第204条　側方灯の灯光の色、明るさ等に関し、保安基準第35条の2第2項の告示で定める基準は、次の各号に掲げる基準とする。この場合において、側方灯の照明部の取扱いは、別添94「灯火等の照明部、個数、取付位置等の測定方法（第2章第2節及び同章第3節関係）」によるものとする。
一　側方灯は、夜間側方150mの距離から点灯を確認できるものであり、かつ、その照射光線は、他の交通を妨げないものであること。この場合において、光源が3W以上30W以下で照明部の大きさが10cm²以上であり、かつ、その機能が正常である側方灯は、この基準に適合するものとする。
二　側方灯の灯光の色は、橙色であること。ただし、後部に備える側方灯であって尾灯、後部上側端灯、後部霧灯、制動灯又は後部反射器と構造上一体となっているもの又は兼用のものにあっては、赤色であってもよい。

三　長さ6mを超える自動車に備える側方灯の照明部は、側方灯の中心を通り自動車の進行方向に平行な水平線を含む、水平面より上方10°の平面及び下方10°の平面並びに側方灯の中心を含む、自動車の進行方向に直交する鉛直面より側方灯の前方向45°の平面及び後方向45°の平面により囲まれる範囲においてすべての位置から見通すことができるものであること。

四　長さ6m以下の自動車に備える側方灯の照明部は、側方灯の中心を通り自動車の進行方向に平行な水平線を含む、水平面より上方10°の平面及び下方10°の平面並びに側方灯の中心を含む、自動車の進行方向に直交する鉛直面より前方向30°の平面及び後方向30°の平面により囲まれる範囲においてすべての位置から見通すことができるものであること。

五　側方灯は、灯器が損傷し、又はレンズ面が著しく汚損していないものでないこと。

2　次に掲げる側方灯であって、その機能を損なう損傷等のないものは、前項各号の基準に適合するものとする。

一　指定自動車等に備えられているものと同一の構造を有し、かつ、同一の位置に備えられた側方灯

二　法第75条の2第1項の規定に基づき型式の指定を受けた特定共通構造部に備えられている側方灯又はこれに準ずる性能を有する側方灯

三　法第75条の3第1項の規定に基づき装置の指定を受けた側方灯又はこれに準ずる性能を有する側方灯

3　側方灯の取付位置、取付方法等に関し、保安基準第35条の2第3項の告示で定める基準は、次の各号に掲げる基準とする。この場合において、側方灯の照明部、個数及び取付位置の測定方法は、別添94「灯火等の照明部、個数、取付位置等の測定方法（第2章第2節及び同章第3節関係）」によるものとする。

一　二輪自動車、側車付二輪自動車並びにカタピラ及びそりを有する軽自動車以外の自動車に備える側方灯は、その照明部の上縁の高さが地上2.1m以下、下縁の高さが地上0.25m以上となるように取り付けられていること。

二　二輪自動車、側車付二輪自動車並びにカタピラ及びそりを有する軽自動車に備える側方灯は、その照明部の中心が地上2m以下となるように取り付けられていること。

三　長さ6mを超える自動車（第8号に規定する自動車を除く。）に備える側方灯は、その照明部の間隔が3m以内（除雪及び土木作業その他特別な用途に使用される自動車に備える側方灯でその自動車の形状、構造、デザイン及び操作性により側方灯の照明部の間隔が3m以内に取り付けることができないものにあっては、取り付けることができる4m以内の位置）となるよう取り付けられていること。

四　長さ6mを超える自動車（第8号に規定する自動車を除く。）に備える側方灯は、少なくとも左右それぞれ1個の側方灯が、その照明部の最前縁が自動車の前端から当該自動車の長さの3分の1以上となり、かつ、その照明部の最後縁が自動車の後端から当該自動車の長さの3分の1以上となるように取り付けられていること。

五　長さ6mを超える自動車（第8号に規定する自動車を除く。）に備える側方灯のうち最前部に取り付けられたものの照明部の最前縁は、自動車の前端から3m以内（セミトレーラにあっては自動車の前端から4m以内、除雪及び土木作業その他特別な用途に使用される自動車に備える側方灯でその自動車の構造上自動車の前端から3m以内に取り付けることができないものにあっては、取り付けることができる自動車の前端に近い位置）となるように取り付けられていること。

六　長さ6mを超える自動車（第8号に規定する自動車を除く。）に備える側方灯のうち最後部に取り付けられたものの照明部の最後縁は、自動車の後端から1m以内（除雪及び土木作業その他特別な用途に使用される自動車に備える側方灯でその構造上自動車の後端から1m以内に取り付けることができないものにあっては、取り付けることができる自動車の後端に近い位置）となるように取り付けられていること。

七　長さが6m以下の自動車の両側面に備える側方灯は、前部に備える場合にあってはその照明部の最前縁と自動車の前端までの距離が自動車の長さの3分の1以内（除雪及び土木作業その他特別の用途に使用される自動車に備える側方灯でその自動車の構造上自動車の前端から3分の1以内に取り付けることができないものにあっては、取り付けることができる自動車の前端に近い位置）となるように、また、後部に備える場合にあってはその照明部の最後縁と自動車の後端までの距離が自動車の長さの3分の1以内（除雪及び土木作業その他特別な用途に使用される自動車に備える側方灯でその構造上自動車の後端から3分の1以内に取り付けることができないものにあっては、取り付けることができる自動車の後端に近い位置）となるように前部又は後部に取り付けられていること。

八　長さが6mを超え7m以下の自動車（専ら乗用の用に供する自動車であって乗車定員10人未満の自動車に限る。）の左右それぞれに備える側方灯は、前部に備える側方灯のその照明部の最前縁と自動車の前端までの距離が3m以内となるように、かつ、後部に備える側方灯のその照明部の最後縁と自動車の後端までの距離が自動車の長さの3分の1以内となるように取り付けられなければならない。

九　側方灯は、次条第3項第1号の基準に準じたものであること。ただし、方向指示器又は補助方向指示器（以下この条において「方向指示器等」という。）と兼用の側方灯にあっては方向指示器等を作動させている場合に当該作動中の方向指示器等と兼用の側方灯が消灯する構造であり、保安基準第41条第3項の規定に基づき前面又は後面に備える方向指示器の性能を補完する側方灯（二輪自動車、側車付二輪自動車並びにカタピラ及びそりを有する軽自動車に備えるものを除く。）にあっては方向指示器等を作動させている場合に当該作動中の方向指示器等と同時に点滅する構造でなければならない。

十　方向指示器等と兼用の側方灯以外の側方灯は、非常点滅表示灯を作動させている場合においては、当該非常点滅表示灯と同時に点滅する構造とすることができる。

十一　側方灯の直射光又は反射光は、当該側方灯を備える自動車及び他の自動車の運転操作を妨げるものでないこと。

十二　その灯光の色が赤色である側方灯は、前方を照射しないように取り付けられていること。

十三　側方灯は、灯器の取付部及びレンズ取付部に緩み、がたがない等第1項（大型特殊自動車（ポール・トレーラを除く。）及び小型特殊自動車にあっては、同項第3号及び第4号に係る部分を除く。）に掲げる性能（側方灯のH面の高さが地上750mm未満となるように取り付けられている場合にあっては、同項第3号及び第4号の基準中「下方10°」とあるのは「下方5°」とし、専ら乗用の用に供する自動車（二輪自動車、側車付二輪自動車、三輪自動車、カタピラ及びそりを有する軽自動車並びに被牽引自動車を除く。）であって乗車定員が10人未満のもの若しくは貨物の運送の用に供する自動車（三輪自動車及び被牽引自動車を除く。）であって車両総重量3.5t以下のものの前部又は後部に取り付けられる側方灯（灯光の色が橙色であるものに限る。）が第215条第1項第3号表イに規定する前面又は後面に備える方向指示器の性能を補完する性能を有する場合にあっては同表イの基準中「外側方向80°」とあるのは「外側方向45°」とする。）を損なわないように取り付けられなければならない。ただし、自動車の構造上、同項第3号及び第4号に規定する範囲において、すべての位置から見通すことができるように取り付けることができない場合にあっては、可能な限り見通すことができる位置に取り付けられていること。

4　次に掲げる側方灯であってその機能を損なう損傷等のないも

のは、前項各号の基準に適合するものとする。
一　指定自動車等に備えられたものと同一の構造を有し、かつ、同一の位置に備えられた側方灯
二　法第75条の２第１項の規定に基づき型式の指定を受けた特定共通構造部に備えられている側方灯と同一の構造を有し、かつ、同一の位置に備えられている側方灯又はこれに準ずる性能を有する側方灯
三　法第75条の３第１項の規定に基づき灯火器及び反射器並びに指示装置の取付装置について装置の指定を受けた自動車に備える側方灯と同一の構造を有し、かつ、同一の位置に備えられた側方灯又はこれに準ずる性能を有する側方灯
5　側方反射器の反射光の色、明るさ、反射部の形状等に関し、保安基準第35条の２第４項の告示で定める基準は、次に掲げる基準とする。この場合において、側方反射器の反射部の取扱いは、別添94「灯火等の照明部、個数、取付位置等の測定方法（第２章第２節及び同章第３節関係）」によるものとする。
一　側方反射器は、夜間にその側方150mの距離から走行用前照灯で照射した場合にその反射光を照射位置から確認できるものであること。この場合において、その反射部の大きさが10㎠以上である側方反射器は、この基準に適合するものとする。
二　側方反射器の反射部は、三角形以外の形状であること。
三　側方反射器による反射光の色は、橙色であること。ただし、後部に備える側方反射器であって、尾灯、後部上側端灯、後部霧灯、制動灯、後部に備える側方灯又は後部反射器（被牽引自動車に備える後部反射器であってその形が三角形であるものを除く。）と構造上一体となっているもの及び二輪自動車の側面に備えるものにあっては、赤色であってもよい。
四　側方反射器は、反射器が損傷し、又は反射面が著しく汚損しているものでないこと。
6　次に掲げる側方反射器であって、その機能を損なう損傷等のないものは、前項各号の基準に適合するものとする。
一　指定自動車等に備えられているものと同一の構造を有し、かつ、同一の位置に備えられた側方反射器
二　法第75条の２第１項の規定に基づき型式の指定を受けた特定共通構造部に備えられている側方反射器又はこれに準ずる性能を有する側方反射器
三　法第75条の３第１項の規定に基づき装置の指定を受けた側方反射器又はこれに準ずる性能を有する側方反射器
7　側方反射器の取付位置、取付方法等に関し、保安基準第35条の２第５項の告示で定める基準は、次に掲げる基準とする。この場合において、側方反射器の反射部、個数及び取付位置の測定方法は、別添94「灯火等の照明部、個数、取付位置等の測定方法（第２章第２節及び同章第３節関係）」によるものとする。
一　自動車（側車付二輪自動車並びにカタピラ及びそりを有する軽自動車を除く。）に備える側方反射器は、その反射部の上縁の高さが地上1.5m以下（二輪自動車に備えるものにあっては地上0.9m以下）、下縁の高さが地上0.25m以上（二輪自動車に備えるものにあっては地上0.3m以上）となるように取り付けられていること。
一の二　側車付二輪自動車並びにカタピラ及びそりを有する軽自動車に備える側方反射器は、その反射部の中心が地上２m以下となるように取り付けられていること。
二　自動車（側車付二輪自動車並びにカタピラ及びそりを有する軽自動車を除く。）に備える側方反射器の反射部は、側方反射器の中心を通り自動車の進行方向に平行な水平線を含む、水平面より上方10°（二輪自動車に備えるものにあっては上方15°）の平面及び下方10°（二輪自動車に備えるものにあっては下方15°）の平面（側方反射器のH面の高さが地上750mm未満となるように取り付けられている場合にあっては、下方５°の平面）並びに側方反射器の中心を含む、自動車の進行方向に直交する鉛直面より側方反射器の前方向45°（二輪自動車に備えるものにあっては前方向30°）の平面及び後方向45°（二輪自動車に備えるものにあっては後方向30°）の平面により囲まれる範囲においてすべての位置から見通すことができるように取り付けられていること。ただし、自動車の構造上、すべての位置から見通すことができるように取り付けることができない場合にあっては、可能な限り見通すことができる位置に取り付けられていること。
三　自動車（二輪自動車を除く。）に備える側方反射器の取付位置は、前３号に規定するほか、第３項第３号から第８号までの基準に準じたものであること。ただし、専ら乗用の用に供する自動車（側車付二輪自動車、三輪自動車、カタピラ及びそりを有する軽自動車並びに被牽引自動車を除く。）であって乗車定員10人未満のもの及び貨物の運送の用に供する自動車（三輪自動車及び被牽引自動車を除く。）であって車両総重量が3.5ｔ以下のもの並びにその形状がこれらの自動車の形状に類する自動車には、第３項第３号の基準は適用しない。
四　その反射光の色が赤色である側方反射器の反射光は、自動車の後方に照射しないように取り付けられていること。
五　側方反射器は、その取付部及びレンズ取付部に緩み、がたがない等第５項に掲げる性能を損なわないように取り付けられなければならない。
8　次に掲げる側方反射器であってその機能を損なう損傷等のないものは、前項各号の基準に適合するものとする。
一　指定自動車等に備えられたものと同一の構造を有し、かつ、同一の位置に備えられた側方反射器
二　法第75条の２第１項の規定に基づき型式の指定を受けた特定共通構造部に備えられている側方反射器と同一の構造を有し、かつ、同一の位置に備えられている側方反射器又はこれに準ずる性能を有する側方反射器
三　法第75条の３第１項の規定に基づき灯火器及び反射器並びに指示装置の取付装置について装置の指定を受けた自動車に備える側方反射器と同一の構造を有し、かつ、同一の位置に備えられた側方反射器又はこれに準ずる性能を有する側方反射器

（番号灯）

第205条　番号灯の灯光の色、明るさ等に関し、保安基準第36条第２項の告示で定める基準は、次に掲げる基準とする。
一　番号灯は、夜間後方20mの距離から自動車登録番号標、臨時運行許可番号標、回送運行許可番号標又は車両番号標の数字等の表示を確認できるものであること。この場合において、次のいずれかに該当する番号灯は、この基準に適合するものとする。
イ　自動車（ロ及びハに掲げるものを除く。）に備える番号灯にあっては、番号灯試験器を用いて計測した番号標板面の照度が８lx以上のもの又は協定規則第148号の規則4.及び5.11.（種別２a及び２bに係るものに限る。）に定める基準に基づく番号標板面の輝度が２cd／㎡以上のものであり、その機能が正常であるもの
ロ　二輪自動車及び側車付二輪自動車に備える番号灯にあっては、番号灯試験器を用いて計測した番号標板面の照度が15lx以上のもの又は協定規則第148号の規則4.及び5.11.（種別２に係るものに限る。）に定める基準に基づく番号標板面の輝度が1.6cd／㎡以上のものであり、その機能が正常であるもの
ハ　カタピラ及びそりを有する軽自動車並びに被牽引自動車である軽自動車（二輪の軽自動車又は小型特殊自動車により牽引されるものに限る。）に備える番号灯にあっては、番号灯試験器を用いて計測した番号標板面の照度が15lx以上のものであり、その機能が正常であるもの
二　番号灯の灯光の色は、白色であること。

三　番号灯は、灯器が損傷し、又はレンズ面が著しく汚損していないものでないこと。

2　次に掲げる番号灯であってその機能を損なう損傷等のないものは、前項各号の基準に適合するものとする。

一　指定自動車等に備えられている番号灯と同一の構造を有し、かつ、同一の位置に備えられた番号灯

二　法第75条の2第1項の規定に基づき型式の指定を受けた特定共通構造部に備えられている番号灯又はこれに準ずる性能を有する番号灯

三　法第75条の3第1項の規定に基づき装置の指定を受けた番号灯又はこれに準ずる性能を有する番号灯

四　施行規則第11条第3項に適合すると認められた後面に備えられた字光式自動車登録番号標

3　番号灯の取付位置、取付方法等に関し、保安基準第36条第3項の告示で定める基準は、次の各号に掲げる基準とする。

一　番号灯は、運転者席において消灯できない構造又は前照灯、前部霧灯若しくは車幅灯のいずれかが点灯している場合に消灯できない構造であること。ただし、道路交通法第52条第1項の規定により前照灯を点灯しなければならない場合以外の場合において、前照灯又は前部霧灯を点灯させる場合に番号灯が点灯しない装置を備えることができる。

二　番号灯は、点滅しないものであること。

三　番号灯の直射光又は反射光は、当該番号灯を備える自動車及び他の自動車の運転操作を妨げるものでないこと。

四　番号灯は、灯器の取付部及びレンズ取付部に緩み、がたがない等第1項に掲げる性能を損なわないように取り付けられていること。

4　次に掲げる番号灯であってその機能を損なう損傷等のないものは、前項各号の基準に適合するものとする。

一　指定自動車等に備えられたものと同一の構造を有し、かつ、同一の位置に備えられた番号灯

二　法第75条の2第1項の規定に基づき型式の指定を受けた特定共通構造部に備えられている番号灯と同一の構造を有し、かつ、同一の位置に備えられている番号灯又はこれに準ずる性能を有する番号灯

三　法第75条の3第1項の規定に基づき灯火器及び反射器並びに指示装置の取付装置について装置の指定を受けた自動車に備える番号灯と同一の構造を有し、かつ、同一の位置に備えられた番号灯又はこれに準ずる性能を有する番号灯

（尾灯）

第206条　尾灯の灯光の色、明るさ等に関し、保安基準第37条第2項の告示で定める基準は、次の各号に掲げる基準とする。この場合において、尾灯の照明部の取扱いは、別添94「灯火等の照明部、個数、取付位置等の測定方法（第2章第2節及び同章第3節関係）」によるものとする。

一　尾灯は、夜間にその後方300mの距離から点灯を確認できるものであり、かつ、その照射光線は、他の交通を妨げないものであること。この場合において、その光源が5W以上で照明部の大きさが15cm²以上（平成18年1月1日以降に製作された自動車に備える尾灯にあっては、光源が5W以上30W以下で照明部の大きさが15cm²以上）であり、かつ、その機能が正常である尾灯は、この基準に適合するものとする。

二　尾灯の灯光の色は、赤色であること。

三　尾灯の照明部は、尾灯の中心を通り自動車の進行方向に直交する水平線を含む、水平面より上方15°の平面及び下方15°の平面並びに尾灯の中心を含む、自動車の進行方向に平行な鉛直面より尾灯の内側方向45°の平面（二輪自動車、側車付二輪自動車並びにカタピラ及びそりを有する軽自動車にあっては内側方向20°の平面）及び尾灯の外側方向80°の平面により囲まれる範囲において全ての位置から見通すことができるものであること。ただし、二輪自動車及び側車付二輪自動車の後面の中心に備えるものにあっては、尾灯の中心を通り自動車の進行方向に直交する水平面を含む、水平面より上方15°の平面及び下方15°の平面並びに尾灯の中心を含む、自動車の進行方向に平行な鉛直面から左右にそれぞれ80°の平面により囲まれる範囲において全ての位置から見通すことができるものとする。

四　尾灯は、灯器が損傷し、又はレンズ面が著しく汚損しているものでないこと。

2　次に掲げる尾灯であって、その機能を損なう損傷等のないものは、前項各号の基準に適合するものとする。

一　指定自動車等に備えられているものと同一の構造を有し、かつ、同一の位置に備えられた尾灯

二　法第75条の2第1項の規定に基づき型式の指定を受けた特定共通構造部に備えられている尾灯又はこれに準ずる性能を有する尾灯

三　法第75条の3第1項の規定に基づき装置の指定を受けた尾灯又はこれに準ずる性能を有する尾灯

3　尾灯の取付位置、取付方法等に関し、保安基準第37条第3項の告示で定める基準は、次に掲げる基準とする。この場合において、尾灯の照明部、個数及び取付位置の測定方法は、別添94「灯火等の照明部、個数、取付位置等の測定方法（第2章第2節及び同章第3節関係）」によるものとする。

一　尾灯は、前条第3項第1号の基準に準じたものであること。

二　自動車（側車付二輪自動車並びにカタピラ及びそりを有する軽自動車を除く。）に備える尾灯は、その照明部の上縁の高さが地上2.1m以下（二輪自動車に備えるものにあっては地上1.5m以下）、下縁の高さが地上0.35m以上（二輪自動車に備えるものにあっては地上0.25m以上）となるように取り付けられていること。ただし、セミトレーラでその自動車の構造上地上0.35m以上に取り付けることができないものにあっては、取り付けることができる最高の高さとなるように取り付けられていること。

三　側車付二輪自動車並びにカタピラ及びそりを有する軽自動車に備える尾灯は、その照明部の中心が地上2m以下となるように取り付けられていること。

四　自動車（二輪自動車を除く。）の後面の両側に備える尾灯にあっては、最外側にあるものの照明部の最外縁は、自動車の最外側から400mm以内となるように取り付けられていること。

五　後面の両側に備える尾灯は、車両中心面に対して対称の位置に取り付けられたものであること（後面が左右対称でない自動車の尾灯を除く。）。

六　尾灯の点灯操作状態を運転者席の運転者に表示する装置を備えること。ただし、二輪自動車、最高速度35km/h未満の大型特殊自動車、小型特殊自動車並びに尾灯と連動して点灯する運転者席及びこれと並列の座席の前方に設けられる計器類を備える自動車にあっては、この限りでない。

七　尾灯は、点滅するものでないこと。

八　尾灯の直射光又は反射光は、当該尾灯を備える自動車及び他の自動車の運転操作を妨げるものでないこと。

九　尾灯は、自動車の前方を照射しないように取り付けられていること。

十　尾灯は、灯器の取付部及びレンズ取付部に緩み、がたがない等第1項（大型特殊自動車（ポール・トレーラを除く。）及び小型特殊自動車にあっては、同項第3号に係る部分を除く。）に掲げる性能（尾灯のH面の高さが地上750mm未満となるように取り付けられている場合にあっては、同項第3号の基準中「下方15°」とあるのは「下方5°」とし、「内側方向45°」とあるのは「内側方向20°」とし、専ら乗用の用に供する自動車（二輪自動車、側車付二輪自動車、三輪自動車、カタピラ及びそりを有する軽自動車並びに被牽引自動車を除く。）であって乗車定員が10人未満のもの又は貨物の運送の

用に供する自動車（三輪自動車及び被牽引自動車を除く。）であって車両総重量3.5t以下のものの後部に取り付けられている側方灯が同号に規定する性能を補完する性能を有する場合にあっては同号の基準中「外側方向80°」とあるのは「外側方向45°」とする。）を損なわないように取り付けられなければならない。ただし、自動車の構造上、同項第3号に規定する範囲において、すべての位置から見通すことができるように取り付けることができない場合にあっては、可能な限り見通すことができる位置に取り付けられていること。

十一　二輪自動車、側車付二輪自動車並びにカタピラ及びそりを有する軽自動車以外の自動車（専ら乗用の用に供する自動車であって乗車定員10人未満のもの及び貨物の運送の用に供する自動車であって車両総重量が3.5t以下のもの（被牽引自動車を除く。）並びにその形状がこれらの自動車の形状に類する自動車並びに車両総重量750kg以下の被牽引自動車を除く。）であって、次のイからハまでの条件をすべて満足する場合にあっては、第2号の基準は適用しない。この場合において、尾灯のH面の高さが地上2,100mm以上となるように取り付けられたものにあっては、第1項第3号の規定中「上方15°」とあるのは「上方5°」と読み替えるものとする。

イ　自動車の後面に後部上側端灯又は旅客自動車運送事業用自動車の地上2,500mmを超える高さの位置に備える後方に表示するための灯火が備えられていないこと。

ロ　後面の両側に備える尾灯が左右2個ずつであり、下側に備える尾灯にあっては、照明部の上縁の高さが地上1,500mm以下（大型特殊自動車、小型特殊自動車並びに除雪及び土木作業その他特別な用途に使用される自動車にあっては、地上2,100mm以下）であり、かつ、照明部の最外縁は自動車の最外側から400mm以内となるように取り付けられていること。

ハ　後面の両側の上側に備える尾灯にあっては、自動車の構造上、可能な限り最も高い位置に取り付けられており、かつ、その照明部の下縁と下側に備える尾灯の照明部の上縁との垂直方向の距離が600mm以上離れていること。

4　次に掲げる尾灯であってその機能を損なう損傷等のないものは、前項各号の基準に適合するものとする。

一　指定自動車等に備えられたものと同一の構造を有し、かつ、同一の位置に備えられた尾灯

二　法第75条の2第1項の規定に基づき型式の指定を受けた特定共通構造部に備えられている尾灯と同一の構造を有し、かつ、同一の位置に備えられている尾灯又はこれに準ずる性能を有する尾灯

三　法第75条の3第1項の規定に基づき灯火器及び反射器並びに指示装置の取付装置について装置の指定を受けた自動車に備える尾灯と同一の構造を有し、かつ、同一の位置に備えられた尾灯又はこれに準ずる性能を有する尾灯

（後部霧灯）

第207条　後部霧灯の灯光の色、明るさ等に関し、保安基準第37条の2第2項の告示で定める基準は、次の各号に掲げる基準とする。この場合において、後部霧灯の照明部の取扱いは、別添94「灯火等の照明部、個数、取付位置等の測定方法（第2章第2節及び同章第3節関係）」によるものとする。

一　後部霧灯の照射光線は、他の交通を妨げないものであること。この場合において、その光源が、35W以下で照明部の大きさが140cm²以下であり、かつ、その機能が正常である後部霧灯は、この基準に適合するものとする。

二　後部霧灯の灯光の色は、赤色であること。

三　後部霧灯は、灯器が損傷し又はレンズ面が著しく汚損しているものでないこと。

2　次に掲げる後部霧灯であって、その機能を損なう損傷等のないものは、前項各号の基準に適合するものとする。

一　指定自動車等に備えられているものと同一の構造を有し、かつ、同一の位置に備えられた後部霧灯

二　法第75条の2第1項の規定に基づき型式の指定を受けた特定共通構造部に備えられている後部霧灯又はこれに準ずる性能を有する後部霧灯

三　法第75条の3第1項の規定に基づき装置の指定を受けた後部霧灯又はこれに準ずる性能を有する後部霧灯

3　後部霧灯の取付位置、取付方法等に関し、保安基準第37条の2第3項の告示で定める基準は、次に掲げる基準とする。この場合において、後部霧灯の照明部、個数及び取付位置の測定方法は、別添94「灯火等の照明部、個数、取付位置等の測定方法（第2章第2節及び同章第3節関係）」によるものとする。

一　後部霧灯の数は、2個以下であること。

二　後部霧灯は、前照灯又は前部霧灯が点灯している場合にのみ点灯できる構造であり、かつ、前照灯又は前部霧灯のいずれが点灯している場合においても消灯できる構造であること。

三　後部霧灯は、次のいずれかの要件（二輪自動車に備えるものにあってはロの要件）に適合する構造であること。

イ　原動機を停止し、かつ、運転者席の扉を開放した場合に、後部霧灯の点灯操作装置が点灯位置にあるときは、その旨を運転者席の運転者に音により警報すること。

ロ　前照灯又は前部霧灯を消灯した場合にあっても点灯しているときは、尾灯は点灯しており、かつ、尾灯を消灯した後、前照灯又は前部霧灯を点灯した場合には、再度、後部霧灯の点灯操作を行うまで消灯していること。

四　自動車（二輪自動車、側車付二輪自動車並びにカタピラ及びそりを有する軽自動車を除く。以下この号において同じ。）に備える後部霧灯は、その照明部の上縁の高さが地上1.0m以下（自動車の後面又は側面の後部に備える他の灯火等と集合式のものにあっては地上1.2m以下）、下縁の高さが地上0.25m以上となるように取り付けられていること。

五　二輪自動車に備える後部霧灯は、その照明部の上縁の高さが地上0.9m以下、下縁の高さが地上0.25m以上となるように取り付けられていること。

六　側車付二輪自動車並びにカタピラ及びそりを有する軽自動車に備える後部霧灯は、その照明部の中心が地上1m以下となるように取り付けられていること。

七　後部霧灯の照明部は、制動灯の照明部から100mm以上離れていること。

八　大型特殊自動車（ポール・トレーラを除く。）及び小型特殊自動車以外の自動車に備える後部霧灯の照明部は、後部霧灯の中心を通り自動車の進行方向に直交する水平線を含む、水平面より上方5°の平面及び下方5°の平面並びに後部霧灯の中心を含む、自動車の進行方向に平行な鉛直面より後部霧灯の内側方向25°（二輪自動車の後面の両側に備えるものにあっては、内側方向10°）の平面及び後部霧灯の外側方向25°の平面により囲まれる範囲においてすべての位置から見通すことができるように取り付けられていること。ただし、自動車の構造上、すべての位置から見通すことができるように取り付けることができない場合にあっては、可能な限り見通すことができる位置に取り付けられていること。

九　後部霧灯を1個備える場合にあっては、当該後部霧灯の中心が車両中心面上又はこれより右側の位置（二輪自動車に備えるものにあっては車両中心面上の位置）となるように取り付けられていること。

十　後部霧灯の点灯操作状態を運転者席の運転者に表示する装置を備えること。

十一　後面の両側に備える後部霧灯の取付位置は、第4号から第8号までに規定するほか、第206条第3項第5号の基準に準じたものであること。

十二　後部霧灯は、点滅するものでないこと。

十三　後部霧灯の直射光又は反射光は、当該後部霧灯を備える

自動車及び他の自動車の運転操作を妨げるものでないこと。

十四　後部霧灯は、前方を照射しないように取り付けられていること。

十五　後部霧灯は、灯器の取付部及びレンズ取付部に緩み、がたがない等第1項に掲げる性能を損なわないように取り付けられなければならない。

4　次に掲げる後部霧灯であってその機能を損なう損傷等のないものは、前項各号の基準に適合するものとする。

一　指定自動車等に備えられたものと同一の構造を有し、かつ、同一の位置に備えられた後部霧灯

二　法第75条の2第1項の規定に基づき型式の指定を受けた特定共通構造部に備えられている後部霧灯と同一の構造を有し、かつ、同一の位置に備えられている後部霧灯又はこれに準ずる性能を有する後部霧灯

三　法第75条の3第1項の規定に基づき灯火器及び反射器並びに指示装置の取付装置について装置の指定を受けた自動車に備える後部霧灯と同一の構造を有し、かつ、同一の位置に備えられた後部霧灯又はこれに準ずる性能を有する後部霧灯

（駐車灯）

第208条　駐車灯の灯光の色、明るさ等に関し、保安基準第37条の3第2項の告示で定める基準は、次の各号に掲げる基準とする。この場合において、駐車灯の照明部の取扱いは、別添94「灯火等の照明部、個数、取付位置等の測定方法（第2章第2節及び同章第3節関係）」によるものとする。

一　駐車灯は、前面に備える駐車灯にあっては夜間前方150mの距離から、後面に備える駐車灯にあっては夜間後方150mの距離から、両側面に備えるものにあっては夜間前方150mの距離及び夜間後方150mの距離から点灯を確認できるものであり、かつ、その照射光線は、他の交通を妨げないものであること。この場合において、その光源が3W以上30W以下で照明部の大きさが10cm^2以上であり、かつ、その機能が正常であるものは、この基準に適合するものとする。

二　駐車灯の灯光の色は、前面に備えるものにあっては白色、後面に備えるものにあっては赤色、両側面に備えるものにあっては自動車の進行方向が白色であり、かつ、自動車の後退方向が赤色であること。ただし、側方灯又は自動車の両側面に備える方向指示器と構造上一体となっている駐車灯にあっては、橙色であってもよい。

三　前面又は後面に備える駐車灯の照明部は、駐車灯の中心を通り自動車の進行方向に直交する水平線を含む、水平面より上方15°の平面及び下方15°の平面並びに駐車灯の中心を含む、自動車の進行方向に平行な鉛直面及び当該鉛直面より駐車灯の外側方向45°の平面により囲まれる範囲においてすべての位置から見通すことができるものであること。

四　両側面に備える駐車灯の照明部は、駐車灯の中心を通り自動車の進行方向に直交する水平線を含む、水平面より上方15°の平面及び下方15°の平面並びに駐車灯の中心を含む、自動車の進行方向に平行な鉛直面及び当該鉛直面より駐車灯の外側前方向45°の鉛直面により囲まれる範囲並びに駐車灯の中心を通り自動車の進行方向に直交する水平線を含む、水平面より上方15°の平面及び下方15°の平面並びに駐車灯の中心を含む、自動車の進行方向に平行な鉛直面及び当該鉛直面より駐車灯の外側後方向45°の鉛直面により囲まれる範囲においてすべての位置から見通すことができるものであること。

五　駐車灯は、灯器が損傷し又はレンズ面が著しく汚損しているものでないこと。

2　次に掲げる駐車灯であって、その機能を損なう損傷等のないものは、前項各号の基準に適合するものとする。

一　指定自動車等に備えられているものと同一の構造を有し、かつ、同一の位置に備えられた駐車灯

二　法第75条の2第1項の規定に基づき型式の指定を受けた特定共通構造部に備えられている駐車灯又はこれに準ずる性能を有する駐車灯

三　法第75条の3第1項の規定に基づき装置の指定を受けた駐車灯又はこれに準ずる性能を有する駐車灯

3　駐車灯の取付位置、取付方法等に関し、保安基準第37条の3第3項の告示で定める基準は、次の各号に掲げる基準とする。この場合において、駐車灯の照明部、個数及び取付位置の測定方法は、別添94「灯火等の照明部、個数、取付位置等の測定方法（第2章第2節及び同章第3節関係）」によるものとする。

一　前面又は後面の両側に備える駐車灯の照明部の最外縁は、自動車の最外側から400mm以内（被牽引自動車にあっては、150mm以内）となるように取り付けられていること。

二　前面又は後面の両側に備える駐車灯は、車両中心面に対して対称の位置に取り付けられたものであること。ただし、前面又は後面が左右対称でない自動車に備える駐車灯にあっては、この限りでない。

三　後面に備える駐車灯は、そのすべてが同時に点灯するものであること。ただし、長さ6m以上又は幅2m以上の自動車以外の自動車にあっては、左側又は右側の駐車灯のみ点灯する構造とすることができる。

四　前面に備える駐車灯は、後面（牽引自動車と被牽引自動車とを連結した場合においては、被牽引自動車の後面）に備える駐車灯が点灯している場合にのみ点灯する構造であること。

五　原動機が停止している状態において点灯することができ、かつ、時間の経過により自動的に消灯しない構造であること。

六　駐車灯は、点滅するものでないこと。

七　駐車灯の直射光又は反射光は、当該駐車灯を備える自動車及び他の自動車の運転操作を妨げるものでないこと。

八　その灯光の色が赤色である駐車灯は、前方を照射しないように取り付けられていること。

九　駐車灯は、灯器の取付部及びレンズ取付部に緩み、がたがない等第1項（大型特殊自動車（ポール・トレーラを除く。）及び小型特殊自動車にあっては、同項第3号及び第4号に係る部分を除く。）に掲げる性能（駐車灯のH面の高さが地上750mm未満となるように取り付けられている場合にあっては、同項第3号及び第4号の基準中「下方15°」とあるのは「下方5°」とする。）を損なわないように取り付けられなければならない。ただし、自動車の構造上、同項第3号及び第4号に規定する範囲において、すべての位置から見通すことができるように取り付けることができない場合にあっては、可能な限り見通すことができる位置に取り付けられていること。

4　次に掲げる駐車灯であってその機能を損なう損傷等のないものは、前項各号の基準に適合するものとする。

一　指定自動車等に備えられたものと同一の構造を有し、かつ、同一の位置に備えられた駐車灯

二　法第75条の2第1項の規定に基づき型式の指定を受けた特定共通構造部に備えられている駐車灯と同一の構造を有し、かつ、同一の位置に備えられている駐車灯又はこれに準ずる性能を有する駐車灯

三　法第75条の3第1項の規定に基づき灯火器及び反射器並びに指示装置の取付装置について装置の指定を受けた自動車に備える駐車灯と同一の構造を有し、かつ、同一の位置に備えられた駐車灯又はこれに準ずる性能を有する駐車灯

（後部上側端灯）

第209条　後部上側端灯の灯光の色、明るさ等に関し、保安基準第37条の4第2項の告示で定める基準は、次の各号に掲げる基準とする。この場合において、後部上側端灯の照明部の取扱いは、別添94「灯火等の照明部、個数、取付位置等の測定方法（第2章第2節及び同章第3節関係）」によるものとする。

一　後部上側端灯は、夜間にその後方300mの距離から点灯を確認できるものであり、かつ、その照射光線は、他の交通を妨げないものであること。この場合において、その光源が5

W以上30W以下で照明部の大きさが15㎠以上であり、かつ、その機能が正常であるものは、この基準に適合するものとする。

二　後部上側端灯の灯光の色は、赤色であること。

三　後部上側端灯の照明部は、後部上側端灯の中心を通り自動車の進行方向に直交する水平線を含む、水平線より上方15°の平面（後部上側端灯のH面の高さが地上2,100㎜を超えるように取り付けられている場合にあっては、上方5°の平面）及び下方15°の平面並びに後部上側端灯の中心を含む、自動車の進行方向に平行な鉛直面及び当該鉛直面より後部上側端灯の外側方向80°の平面により囲まれる範囲において、すべての位置から見通すことができるものであること。

四　後部上側端灯は、灯器が損傷し、又はレンズ面が著しく汚損しているものでないこと。

2　次に掲げる後部上側端灯であって、その機能を損なう損傷等のないものは、前項各号の基準に適合するものとする。

一　指定自動車等に備えられているものと同一の構造を有し、かつ、同一の位置に備えられた後部上側端灯

二　法第75条の2第1項の規定に基づき型式の指定を受けた特定共通構造部に備えられている後部上側端灯又はこれに準ずる性能を有する後部上側端灯

三　法第75条の3第1項の規定に基づき装置の指定を受けた後部上側端灯又はこれに準ずる性能を有する後部上側端灯

3　後部上側端灯の取付位置、取付方法等に関し、保安基準第37条の4第3項の告示で定める基準は、次の各号に掲げる基準とする。この場合において、後部上側端灯の照明部、個数及び取付位置の測定方法は、別添94「灯火等の照明部、個数、取付位置等の測定方法（第2章第2節及び同章第3節関係）」によるものとする。

一　後部上側端灯は、取り付けることができる最高の高さに取り付けられていること。ただし、4個備える場合は、上側の2個は取り付けることができる最高の高さに取り付け、かつ、下側の2個は上側の照明部の上縁と下側の照明部の下縁との垂直方向の距離が自動車の構造上可能な限り離れた位置に取り付けられていること。

二　後部上側端灯の照明部の最外縁は、自動車の最外側から400㎜以内となるように取り付けられていること。

三　両側に備える後部上側端灯は、車両中心面に対して対称の位置に取り付けられたものであること（左右対称でない自動車の後部上側端灯を除く。）。

四　後部上側端灯は、その照明部と尾灯の照明部を車両中心面に直交する鉛直面に投影したときに200㎜以上離れるような位置に取り付けられていること。

五　後部上側端灯は、尾灯が点灯している場合に消灯できない構造であること。

六　後部上側端灯は、点滅するものでないこと。

七　後部上側端灯の直射光又は反射光は、当該後部上側端灯を備える自動車及び他の自動車の運転操作を妨げるものでないこと。

八　後部上側端灯は、その照射光が自動車の前方を照射しないように取り付けられていること。

九　後部上側端灯は、灯器の取付部及びレンズ取付部に緩み、がたがない等第1項に掲げる性能を損なわないように取り付けられなければならない。ただし、自動車の構造上、同項第3号に規定する範囲において、すべての位置から見通すことができるように取り付けることができない場合にあっては、可能な限り見通すことができる位置に取り付けられていること。

4　次に掲げる後部上側端灯であってその機能を損なう損傷等のないものは、前項各号の基準に適合するものとする。

一　指定自動車等に備えられたものと同一の構造を有し、かつ、同一の位置に備えられた後部上側端灯

二　法第75条の2第1項の規定に基づき型式の指定を受けた特定共通構造部に備えられている後部上側端灯と同一の構造を有し、かつ、同一の位置に備えられている後部上側端灯又はこれに準ずる性能を有する後部上側端灯

三　法第75条の3第1項の規定に基づき灯火器及び反射器並びに指示装置の取付装置について装置の指定を受けた自動車に備える後部上側端灯と同一の構造を有し、かつ、同一の位置に備えられた後部上側端灯又はこれに準ずる性能を有する後部上側端灯

（後部反射器）

第210条　後部反射器の反射光の色、明るさ、反射部の形状等に関し、保安基準第38条第2項の告示で定める基準は、次の各号に掲げる基準とする。この場合において、後部反射器の反射部の取扱いは、別添94「灯火等の照明部、個数、取付位置等の測定方法（第2章第2節及び同章第3節関係）」によるものとする。

一　後部反射器（被牽引自動車に備えるものを除く。）の反射部は、三角形以外の形状であること。

二　被牽引自動車に備える後部反射器の反射部は、正立正三角形又は帯状部の幅が一辺の5分の1以上の中空の正立正三角形であって、一辺が150㎜以上200㎜以下のものであること。

三　後部反射器は、夜間にその後方150mの距離から走行用前照灯で照射した場合にその反射光を照射位置から確認できるものであること。この場合において、後部反射器の反射部の大きさが10㎠以上であるものは、この基準に適合するものとする。

四　後部反射器による反射光の色は、赤色であること。

五　後部反射器は、反射器が損傷し、又は反射面が著しく汚損しているものでないこと。

2　次に掲げる後部反射器であって、その機能を損なう損傷等のないものは、前項各号の基準に適合するものとする。

一　指定自動車等に備えられているものと同一の構造を有し、かつ、同一の位置に備えられた後部反射器

二　法第75条の2第1項の規定に基づき型式の指定を受けた特定共通構造部に備えられている後部反射器又はこれに準ずる性能を有する後部反射器

三　法第75条の3第1項の規定に基づき装置の指定を受けた後部反射器又はこれに準ずる性能を有する後部反射器

3　後部反射器の取付位置、取付方法等に関し、保安基準第38条第3項の告示で定める基準は、次に掲げる基準とする。この場合において、後部反射器の反射部、個数及び取付位置の測定方法は、別添94「灯火等の照明部、個数、取付位置等の測定方法（第2章第2節及び同章第3節関係）」によるものとする。

一　自動車（側車付二輪自動車並びにカタピラ及びそりを有する軽自動車を除く。）に備える後部反射器は、その反射部の上縁の高さが地上1.5m以下（二輪自動車に備えるものにあっては地上0.9m以下）、下縁の高さが地上0.25m以上となるように取り付けられていること。

二　側車付二輪自動車並びにカタピラ及びそりを有する軽自動車に備える後部反射器は、その反射部の中心が地上1.5m以下となるように取り付けられていること。

三　自動車（二輪自動車を除く。）の最外側にある後部反射器の反射部は、その最外縁が自動車の最外側から400㎜以内となるように取り付けられていること。ただし、カタピラ及びそりを有する軽自動車に備えるものにあってはその中心が車両中心面上、側車付二輪自動車の二輪自動車部分に備えるものにあってはその中心が二輪自動車部分の中心面上となるように取り付けられていればよい。

三の二　二輪自動車の後面に後部反射器を1個備える場合にあっては、当該後部反射器の反射部の中心が車両中心面上となるように取り付けられていること。

四　自動車（二輪自動車、大型特殊自動車（ポール・トレーラ

を除く。）、小型特殊自動車及び被牽引自動車を除く。）に備える後部反射器の反射部は、後部反射器の中心を通り自動車の進行方向に直交する水平線を含む、水平面より上方10°の平面及び下方10°の平面（後部反射器のH面の高さが地上750mm未満となるように取り付けられている場合にあっては、下方5°の平面）並びに後部反射器の中心を含む、自動車の進行方向に平行な鉛直面より後部反射器の内側方向30°の平面及び後部反射器の外側方向30°の平面により囲まれる範囲においてすべての位置から見通すことができるように取り付けられていること。ただし、自動車の構造上、すべての位置から見通すことができるように取り付けることができない場合にあっては、可能な限り見通すことができる位置に取り付けられていること。

四の二　二輪自動車に備える後部反射器の反射部は、後部反射器の中心を通り自動車の進行方向に直交する水平線を含む、水平面より上方15°の平面及び下方15°の平面（後部反射器のH面の高さが地上750mm未満となるように取り付けられている場合にあっては、下方5°の平面）並びに後部反射器の中心を含む、自動車の進行方向に平行な鉛直面より後部反射器の内側方向10°の平面及び後部反射器の外側方向30°の平面により囲まれる範囲においてすべての位置から見通すことができるように取り付けられていること。ただし、二輪自動車の後面の中央に備えるものにあっては、後部反射器の中心を通り自動車の進行方向に直交する水平線を含む、水平面より上方15°の平面及び下方15°の平面並びに後部反射器の中心を含む、自動車の進行方向に平行な鉛直面から左右にそれぞれ30°の平面により囲まれる範囲においてすべての位置から見通すことができるように取り付けられていること。

五　大型特殊自動車（ポール・トレーラを除く。）、小型特殊自動車以外の被牽引自動車に備える後部反射器の反射部は、後部反射器の中心を通り自動車の進行方向に直交する水平線を含む、水平面より上方15°の平面及び下方15°の平面（後部反射器のH面の高さが地上750mm未満となるように取り付けられている場合にあっては、下方5°の平面）並びに後部反射器の中心を含む、自動車の進行方向に平行な鉛直面より後部反射器の内側方向30°の平面及び後部反射器の外側方向30°の平面により囲まれる範囲においてすべての位置から見通すことができるように取り付けられていること。ただし、自動車の構造上、すべての位置から見通すことができるように取り付けることができない場合にあっては、可能な限り見通すことができる位置に取り付けられていること。

六　後面の両側に備える後部反射器の取付位置は、前各号に規定するほか、第206条第3項第5号の基準に準じたものであること。

七　後部反射器は、自動車の前方に表示しないように取り付けられていること。

八　後部反射器は、その取付部及びレンズ取付部に緩み、がたがない等第1項に掲げる性能を損なわないように取り付けられなければならない。

4　次に掲げる後部反射器であってその機能を損なう損傷等のないものは、前項各号の基準に適合するものとする。

一　指定自動車等に備えられたものと同一の構造を有し、かつ、同一の位置に備えられた後部反射器

二　法第75条の2第1項の規定に基づき型式の指定を受けた特定共通構造部に備えられている後部反射器と同一の構造を有し、かつ、同一の位置に備えられている後部反射器又はこれに準ずる性能を有する後部反射器

三　法第75条の3第1項の規定に基づき灯火器及び反射器並びに指示装置の取付装置について装置の指定を受けた自動車に備える後部反射器と同一の構造を有し、かつ、同一の位置に備えられた後部反射器又はこれに準ずる性能を有する後部反射器

（大型後部反射器）

第211条　大型後部反射器の反射光の色、明るさ、反射部の形状等に関し保安基準第38条の2第2項の告示で定める基準は、次の各号に掲げる基準とする。この場合において、大型後部反射器の反射部の取扱いは、別添94「灯火等の照明部、個数、取付位置等の測定方法（第2章第2節及び同章第3節関係）」によるものとする。

一　大型後部反射器は、反射部又は反射部及び蛍光部からなる一辺の長さが130mm以上、幅が130mm以上150mm以下（被牽引自動車に備えるものにあっては、195mm以上230mm以下）の長方形であり、かつ、その長さの合計が1,130mm以上2,300mm以下であること。

二　被牽引自動車に備えるものは、黄色の反射部が赤色の反射部又は蛍光部により囲まれており、かつ、当該反射部又は蛍光部の幅は40±1mmであること。

三　被牽引自動車以外の自動車に備えるものは、黄色の反射部及び赤色の反射部又は蛍光部からなる45±5°の角度をなす縞模様であり、かつ、その幅は100±2.5mmであること。

四　大型後部反射器は、前条第1項第3号前段の基準に準じたものであること。

五　大型後部反射器は、昼間においてその後方150mの位置からその赤色部を確認できるものであること。

六　大型後部反射器は、反射器が損傷し、又は反射面が著しく汚損しているものでないこと。

2　次に掲げる大型後部反射器であって、その性能を損なう損傷のないものは、前項各号の基準に適合するものとする。

一　指定自動車等に備えられているものと同一の構造を有し、かつ、同一の位置に備えられた大型後部反射器

二　法第75条の2第1項の規定に基づき型式の指定を受けた特定共通構造部に備えられている大型後部反射器

三　法第75条の3第1項の規定に基づき装置の指定を受けた大型後部反射器

四　前号に準ずる性能を有する大型後部反射器

3　大型後部反射器の取付位置、取付方法等に関し保安基準第38条の2第3項の告示で定める基準は、次に掲げる基準とする。この場合において、大型後部反射器の反射部、個数及び取付位置の測定方法は、別添94「灯火等の照明部、個数、取付位置等の測定方法（第2章第2節及び同章第3節関係）」によるものとする。

一　大型後部反射器の数は、1個、2個又は4個であること。

二　大型後部反射器は、その下縁の高さが地上0.25m以上（セミトレーラであり、かつ、その構造上、大型後部反射器を地上0.25m以上の位置に取り付けることができない場合においては、地上0.25mより下のできるだけ高い位置）及びその上縁の高さが地上1.5m以下（自動車の構造上、大型後部反射器を地上1.5m以下の位置に取り付けることができない場合においては、地上2.1mより下であり、かつ、地上1.5mを超えるできるだけ低い位置）となるように取り付けること。

三　大型特殊自動車（ポール・トレーラを除く。）、小型特殊自動車及びセミトレーラを牽引する牽引自動車以外の自動車に備える大型後部反射器の反射部及び蛍光部は、当該大型後部反射器の中心を通り自動車の進行方向に直交する水平面より上方15°の平面及び下方15°の平面（当該大型後部反射器の上縁の高さが地上0.75m未満の位置に取り付けられている場合にあっては、下方5°の平面）並びに大型後部反射器の中心を含む自動車の進行方向に平行な鉛直面より大型後部反射器の左右それぞれ30°の平面により囲まれる範囲において、すべての位置から見通すことができるように取り付けること。ただし、自動車の構造上、すべての位置から見通すことができるように取り付けることができない場合にあっては、可能な限り見通すことができるように取り付けること。

四　大型後部反射器（後面が左右対称でない自動車に備えるものを除く。）は、車両中心線上の鉛直面に対して対称の位置に取り付けること。この場合において、縞模様のものにあっては、当該縞模様が車両中心線上の鉛直面に対して対称となるように取り付けること。

五　大型後部反射器は、自動車の後面にそれを後ろに向けて、その下端が水平になるように取り付けること。

六　大型後部反射器は、その取付部及びレンズ取付部にゆるみ等第1項に掲げる性能を損なわないように取り付けなければならない。

4　指定自動車等に備えられた大型後部反射器と同一の構造を有し、かつ、同一の位置に備えられたものであってその性能を損なう損傷のないものは、前項各号の基準に適合するものとする。

（再帰反射材）

第211条の2　再帰反射材の反射光の色、明るさ、反射部の形状等に関し、保安基準第38条の3第2項の告示で定める基準は、次の各号に掲げる基準とする。この場合において、再帰反射材の反射部の取扱いは、別添94「灯火等の照明部、個数、取付位置等の測定方法（第2章第2節及び同章第3節関係）」によるものとする。

一　再帰反射材はテープ状又はシート状で、テープ状の場合の幅は50mm以上60mm以下であること。

二　再帰反射材は損傷し、又は再帰反射面が著しく汚損しているものでないこと。

三　再帰反射材は、線状再帰反射材、輪郭表示再帰反射材（完全輪郭表示再帰反射材又は部分輪郭表示再帰反射材）又は特徴等表示再帰反射材とする。

四　線状再帰反射材又は輪郭表示再帰反射材の反射光の色は、自動車の前面においては白色、側面においては白色又は黄色、後面においては赤色又は黄色であること。

五　特徴等表示再帰反射材は、輪郭表示再帰反射材よりも明らかに低い反射係数を持つものであること。

2　次に掲げる再帰反射材であって、その機能を損なう損傷等のないものは、前項各号の基準に適合するものとする。

一　指定自動車等に備えられているものと同一の構造を有し、かつ、同一の位置に備えられた再帰反射材

二　法第75条の2第1項の規定に基づき型式の指定を受けた特定共通構造部に備えられている再帰反射材又はこれに準ずる性能を有する再帰反射材

三　法第75条の3第1項の規定に基づき装置の指定を受けた再帰反射材又はこれに準ずる性能を有する再帰反射材

3　再帰反射材の取付位置、取付方法等に関し、保安基準第38条の3第3項の告示で定める基準は、次の各号に掲げる基準とする。この場合において、再帰反射材の反射部、個数及び取付位置の取扱いは、別添94「灯火等の照明部、個数、取付位置等の測定方法（第2章第2節及び同章第3節関係）」によるものとする。

一　線状再帰反射材は、地面にできるだけ平行に取り付けること。

二　輪郭表示再帰反射材は、地面にできるだけ平行又は垂直に取り付けること。

三　自動車の側面に備える線状再帰反射材及び輪郭表示再帰反射材は、車両中心線上の鉛直面にできるだけ平行となるようにするとともに、自動車の後面に備える線状再帰反射材及び輪郭表示再帰反射材は、車両中心線に直交する鉛直面にできるだけ平行となるようにすること。これらによりがたい場合は、車両の外形の輪郭に可能な限り近くなるように取り付けること。

四　自動車の側面に備える線状再帰反射材及び輪郭表示再帰反射材は、自動車の前端及び後端からそれぞれ最も近い位置に取り付けられている再帰反射材までの距離が600mm以内のできるだけ前端（自動車の前端からの距離が2,400mm以内の位置に、600mm以内の間隔で25cm²以上の大きさの反射器が取り付けられている場合にあっては、2,400mm以内のできる限り前端）及び後端に近い位置に取り付けるとともに、その長さの合計が当該自動車の長さの70％以上となるようにすること。この場合において、水平方向の再帰反射材が重なる部分は連続しているものとみなす。

五　自動車の後面に備える線状再帰反射材及び輪郭表示再帰反射材は、その長さの合計が当該自動車の幅の80％以上となるようにするとともに、自動車の最外側からできるだけ近い位置にあること。この場合において、水平方向の再帰反射材が重なる部分は連続しているものとみなす。

六　不連続の線状再帰反射材及び輪郭表示再帰反射材は、前2号の規定において、隣り合う再帰反射材の間隔がそのうち短い方の長さの50％以下（これによりがたい場合は、自動車の構造上取り付けることができる最も短い間隔（1,000mm以下に限る。）とする。）である場合においては連続しているものとみなす。

七　線状再帰反射材及び輪郭表示再帰反射材のうち車両の下部に取り付けるものの下縁の高さは、地上0.25m以上2.5m以下（自動車の形状、構造、デザイン及び操作性により、それらを地上2.5m以下に取り付けることができない場合においては、地上2.5mを超えるできるだけ低い位置）となるようにするとともに、輪郭表示再帰反射材のうち車両の上部に取り付けられるものは、輪郭表示再帰反射材の上縁と当該自動車の上端を車両中心線と平行な鉛直面にそれぞれ投影した際の鉛直方向の長さが400mm以内のできるだけ高い位置となるように取り付けること。

八　第1項第3号に規定する部分輪郭表示再帰反射材のそれぞれの上部の端部及び隅角部に取り付けるコーナーマークは、互いに直角であり、かつ、一辺の長さが250mm以上のテープ状の再帰反射材とする。これらによりがたい場合は、車両の外形の輪郭に可能な限り近くなるように取り付けること。

九　特徴等表示再帰反射材は、その他の灯火等の効果を阻害しないように、自動車側面の輪郭表示再帰反射材の内側にのみ取り付けること。

十　自動車の後面に備える再帰反射材は、その反射部と当該自動車の制動灯（第212条第3項第9号ハの規定により後面の両側の上側に備えるものを除く。）の照明部をそれぞれ車両中心面に直交する鉛直面に投影したものが互いに200mm以上離れるように取り付けること。

十一　自動車の後面に備える大型後部反射器は、第5号の規定により再帰反射材の長さを合計する場合において、再帰反射材の一部とみなすことができる。

十二　自動車の後面に備える線状再帰反射材及び輪郭表示再帰反射材は、自動車の後端から25m後方にある車両中心線に直交する鉛直面における地上1mから1.5mまでの範囲並びに自動車の後端における車両中心線に直交する鉛直面と自動車の最外側における車両中心線に平行な鉛直面が交わる部分より自動車の外側方向に左右それぞれ4°傾斜させた平面により囲まれる範囲内においてすべての位置から当該反射部の80％以上の部分を見通すことができるものであること。

十三　自動車の側面に備える線状再帰反射材及び輪郭表示再帰反射材は、自動車の最外側から25m後方にある車両中心線と平行な鉛直面における地上1mから1.5mまでの範囲並びに自動車の最外側における車両中心線と平行な鉛直面と自動車の前端及び後端における車両中心線に直交する鉛直面が交わる部分より自動車の前端にあっては前方向に4°に傾斜させた平面、その後端にあっては後方向4°に傾斜させた平面、によりそれぞれ囲まれる範囲内においてすべての位置から反射部の80％以上の部分を見通すことができるものであること。

4　次に掲げる再帰反射材であって、その機能を損なう損傷等のないものは、前項各号の基準に適合するものとする。
一　指定自動車等に備えられているものと同一の構造を有し、かつ、同一の位置に備えられた再帰反射材
二　法第75条の2第1項の規定に基づき型式の指定を受けた特定共通構造部に備えられている再帰反射材と同一の構造を有し、かつ、同一の位置に備えられている再帰反射材又はこれに準ずる性能を有する再帰反射材
三　法第75条の3第1項の規定に基づき灯火器及び反射器並びに指示装置の取付装置の指定を受けた自動車に備える再帰反射材と同一の構造を有し、かつ、同一の位置に備えられた再帰反射材又はこれに準ずる性能を有する再帰反射材

（制動灯）

第212条　制動灯の灯光の色、明るさ等に関し、保安基準第39条第2項の告示で定める基準は、次に掲げる基準とする。この場合において、制動灯の照明部の取扱いは、別添94「灯火等の照明部、個数、取付位置等の測定方法（第2章第2節及び同章第3節関係）」によるものとする。
一　制動灯は、昼間にその後方100mの距離から点灯を確認できるものであり、かつ、その照射光線は、他の交通を妨げないものであること。この場合において、その光源が15W以上で照明部の大きさが20㎠以上（平成18年1月1日以降に製作された自動車に備える制動灯にあっては、光源が15W以上60W以下で照明部の大きさが20㎠以上）であり、かつ、その機能が正常な制動灯は、この基準に適合するものとする。
二　尾灯又は後部上側端灯と兼用の制動灯は、同時に点灯したときの光度が尾灯のみ又は後部上側端灯のみを点灯したときの光度の5倍以上となる構造であること。
三　制動灯の灯光の色は、赤色であること。
四　制動灯の照明部は、制動灯の中心を通り自動車の進行方向に直交する水平線を含む、水平面より上方15°の平面及び下方15°の平面並びに制動灯の中心を含む、自動車の進行方向に平行な鉛直面より制動灯の内側方向45°（二輪自動車、側車付二輪自動車並びにカタピラ及びそりを有する軽自動車に備えるものにあっては、内側方向10°）の平面及び制動灯の外側方向45°の平面により囲まれる範囲において全ての位置から見通すことができるものであること。ただし、二輪自動車及び側車付二輪自動車の後面の中心に備えるものにあっては、制動灯の中心を通り自動車の進行方向に直交する水平面を含む、水平面より上方15°の平面及び下方15°の平面並びに制動灯の中心を含む、自動車の進行方向に平行な鉛直面から左右にそれぞれ45°の平面より囲まれる範囲において全ての位置から見通すことができるものとする。
五　制動灯は、灯器が損傷し、又はレンズ面が著しく汚損しているものでないこと。

2　次に掲げる制動灯であって、その機能を損なう損傷等のないものは、前項各号の基準に適合するものとする。
一　指定自動車等に備えられているものと同一の構造を有し、かつ、同一の位置に備えられた制動灯
二　法第75条の2第1項の規定に基づき型式の指定を受けた特定共通構造部に備えられている制動灯又はこれに準ずる性能を有する制動灯
三　法第75条の3第1項の規定に基づき装置の指定を受けた制動灯又はこれに準ずる性能を有する制動灯

3　制動灯の取付位置、取付方法等に関し、保安基準第39条第3項の告示で定める基準は、次に掲げる基準とする。この場合において、制動灯の照明部、個数及び取付位置の測定方法は、別添94「灯火等の照明部、個数、取付位置等の測定方法（第2章第2節及び同章第3節関係）」によるものとする。
一　制動灯は、制動装置が協定規則第13号の規則5.2.1.30.若しくは5.2.2.22.又は協定規則第13H号の規則5.2.22.に定める制動信号（二輪自動車に備えるものにあっては、協定規則第78号の規則5.1.17.に定める制動信号）を発する場合に点灯する構造であること。
二　自動車（側車付二輪自動車並びにカタピラ及びそりを有する軽自動車を除く。）に備える制動灯は、その照明部の上縁の高さが地上2.1m以下（二輪自動車に備えるものにあっては地上1.5m以下）、下縁の高さが地上0.35m以上（二輪自動車に備えるものにあっては地上0.25m以上、セミトレーラでその自動車の構造上地上0.35m以上に取り付けることができないものにあっては、取り付けることができる最高の高さ）となるように取り付けられていること。
三　側車付二輪自動車並びにカタピラ及びそりを有する軽自動車に備える制動灯は、その照明部の中心が地上2m以下となるように取り付けられていること。
四　後面の両側に備える制動灯の取付位置は、前2号に規定するほか、第206条第3項第4号及び第5号の基準に準じたものであること。
五　制動灯は、点滅するものでないこと。ただし、運転者異常時対応システムが当該自動車の制動装置を操作している場合にあっては、この限りでない。
六　制動灯の直射光又は反射光は、当該制動灯を備える自動車及び他の自動車の運転操作を妨げるものでないこと。
七　制動灯は、自動車の前方を照射しないように取り付けられていること。
八　制動灯は、灯器の取付部及びレンズ取付部に緩み、がたがない等第1項（大型特殊自動車（ポール・トレーラを除く。）及び小型特殊自動車にあっては、同項第4号に係る部分を除く。）に掲げた性能（制動灯のH面の高さが地上750㎜未満となるように取り付けられている場合にあっては、同項に掲げた性能のうち同項第4号の基準中「下方15°」とあるのは「下方5°」とし、「内側方向45°」とあるのは「内側方向20°」とする。）を損なわないように取り付けられなければならない。ただし、自動車の構造上、同項第4号に規定する範囲において、すべての位置から見通すことができるように取り付けることができない場合にあっては、可能な限り見通すことができる位置に取り付けられていること。
九　二輪自動車、側車付二輪自動車並びにカタピラ及びそりを有する軽自動車以外の自動車（専ら乗用の用に供する自動車であって乗車定員10人未満のもの及び貨物の運送の用に供する自動車であって車両総重量が3.5t以下のもの（被牽引自動車を除く。）並びにその形状がこれらの自動車の形状に類する自動車並びに車両総重量750kg以下の被牽引自動車を除く。）であって、次のイからハまでの条件をすべて満足する場合にあっては、第2号の基準は適用しない。この場合において、制動灯のH面の高さが地上2,100㎜以上となるように取り付けられたものにあっては、第1項第3号の規定中「上方15°」とあるのは「上方5°」と読み替えるものとする。
イ　自動車の後面に補助制動灯が備えられていないこと。
ロ　後面の両側に備える制動灯が左右2個ずつであり、下側に備える制動灯にあっては、照明部の上縁の高さが地上1,500㎜以下（大型特殊自動車、小型特殊自動車並びに除雪及び土木作業その他特別な用途に使用される自動車にあっては、地上2,100㎜以下）であり、かつ、照明部の最外縁は自動車の最外側から400㎜以内となるように取り付けられていること。
ハ　後面の両側の上側に備える制動灯にあっては、自動車の構造上、可能な限り最も高い位置に取り付けられており、かつ、その照明部の下縁と下側に備える制動灯の照明部の上縁との垂直方向の距離が600㎜以上離れていること。

4 次に掲げる制動灯であってその機能を損なう損傷等のないものは、前項各号の基準に適合するものとする。
一 指定自動車等に備えられたものと同一の構造を有し、かつ、同一の位置に備えられた制動灯
二 法第75条の2第1項の規定に基づき型式の指定を受けた特定共通構造部に備えられている制動灯と同一の構造を有し、かつ、同一の位置に備えられている制動灯又はこれに準ずる性能を有する制動灯
三 法第75条の3第1項の規定に基づき灯火器及び反射器並びに指示装置の取付装置について装置の指定を受けた自動車に備える制動灯と同一の構造を有し、かつ、同一の位置に備えられた制動灯又はこれに準ずる性能を有する制動灯

（補助制動灯）

第213条 補助制動灯の灯光の色、明るさ等に関し、保安基準第39条の2第2項の告示で定める基準は、次の各号に掲げる基準とする。この場合において、補助制動灯の照明部の取扱いは、別添94「灯火等の照明部、個数、取付位置等の測定方法（第2章第2節及び同章第3節関係）」によるものとする。
一 補助制動灯の照射光線は、他の交通を妨げないものであること。
二 補助制動灯は、前号に規定するほか、前条第1項第3号及び第4号の基準に準じたものであること。この場合において、同項第4号の基準中「上方15°の平面及び下方15°の平面」とあるのは「上方10°の平面及び下方5°の平面」と、「45°の平面」とあるのは「10°の平面」とする。
三 補助制動灯は、灯器が損傷し、又はレンズ面が著しく汚損しているものでないこと。
2 次に掲げる補助制動灯であって、その機能を損なう損傷等のないものは、前項各号の基準に適合するものとする。
一 指定自動車等に備えられているものと同一の構造を有し、かつ、同一の位置に備えられた補助制動灯
二 法第75条の2第1項の規定に基づき型式の指定を受けた特定共通構造部に備えられている補助制動灯又はこれに準ずる性能を有する補助制動灯
三 法第75条の3第1項の規定に基づき装置の指定を受けた補助制動灯又はこれに準ずる性能を有する補助制動灯
3 補助制動灯の取付位置、取付方法等に関し、保安基準第39条の2第3項の告示で定める基準は、次に掲げる基準とする。この場合において、補助制動灯の照明部、個数及び取付位置の測定方法は、別添94「灯火等の照明部、個数、取付位置等の測定方法（第2章第2節及び同章第3節関係）」によるものとする。
一 補助制動灯の数は、1個であること。ただし、第3号ただし書の規定により車両中心面の両側に1個ずつ取り付ける場合にあっては、この限りでない。
二 補助制動灯は、その照明部の下縁の高さが地上0.85m以上又は後面ガラスの最下端の下方0.15mより上方であって、制動灯の照明部の上縁を含む水平面以上となるように取り付けられていること。
三 補助制動灯の照明部の中心は、車両中心面上にあること。ただし、自動車の構造上その照明部の中心を車両中心面上に取り付けることができないものにあっては、照明部の中心を車両中心面から150mmまでの間に1個ずつ取り付けるか、又は補助制動灯を車両中心面の両側に1個ずつ取り付けることができる。この場合において、両側に備える補助制動灯の取付位置は、取り付けることのできる車両中心面に最も近い位置であること。
四 補助制動灯は、尾灯と兼用でないこと。ただし、二輪自動車に備えるものにあってはこの限りではない。
五 補助制動灯は、制動灯が点灯する場合のみ点灯する構造であること。
六 補助制動灯は、点滅するものでないこと。ただし、運転者異常時対応システムが当該自動車の制動装置を操作している場合にあっては、この限りでない。
七 補助制動灯の直射光又は反射光は、当該補助制動灯を備える自動車及び他の自動車の運転操作を妨げるものでないこと。
八 補助制動灯は、自動車の前方を照射しないように取り付けられていること。
九 補助制動灯は、灯器の取付部及びレンズ取付部に緩み、がたがない等第1項に掲げる性能を損なわないように取り付けられなければならない。ただし、自動車の構造上、同項第2号に規定する範囲において、すべての位置から見通すことができるように取り付けることができない場合にあっては、可能な限り見通すことができる位置に取り付けられていること。
4 次に掲げる補助制動灯であってその機能を損なう損傷等のないものは、前項各号の基準に適合するものとする。
一 指定自動車等に備えられたものと同一の構造を有し、かつ、同一の位置に備えられた補助制動灯
二 法第75条の2第1項の規定に基づき型式の指定を受けた特定共通構造部に備えられている補助制動灯と同一の構造を有し、かつ、同一の位置に備えられている補助制動灯又はこれに準ずる性能を有する補助制動灯
三 法第75条の3第1項の規定に基づき灯火器及び反射器並びに指示装置の取付装置について装置の指定を受けた自動車に備える補助制動灯と同一の構造を有し、かつ、同一の位置に備えられた補助制動灯又はこれに準ずる性能を有する補助制動灯

（後退灯）

第214条 後退灯の灯光の色、明るさ等に関し、保安基準第40条第2項の告示で定める基準は、次の各号に掲げる基準とする。
一 後退灯は、昼間にその後方100mの距離から点灯を確認できるものであり、かつ、その照射光線は、他の交通を妨げないものであること。この場合において、その光源が15W以上75W以下で照明部の大きさが20cm^2以上（平成17年12月31日以前に製作された自動車に備える後退灯にあってはその光度が5000cd以下（主として後方を照射するための後退灯にあっては300cd以下））であり、かつ、その機能が正常であるものは、この基準に適合するものとする。
二 後退灯の灯光の色は、白色であること。
三 後退灯は、灯器が損傷し又はレンズ面が著しく汚損しているものでないこと。
2 次に掲げる後退灯であって、その機能を損なう損傷等のないものは、前項各号の基準に適合するものとする。
一 指定自動車等に備えられているものと同一の構造を有し、かつ、同一の位置に備えられた後退灯
二 法第75条の2第1項の規定に基づき型式の指定を受けた特定共通構造部に備えられている後退灯又はこれに準ずる性能を有する後退灯
三 法第75条の3第1項の規定に基づき装置の指定を受けた後退灯又はこれに準ずる性能を有する後退灯
3 後退灯の取付位置、取付方法等に関し、保安基準第40条第3項の告示で定める基準は、次に掲げる基準とする。
一 自動車に備える後退灯の数は、次に掲げるものとする。
イ 長さが6mを超える自動車（専ら乗用の用に供する自動車であって乗車定員10人以上の自動車及び貨物の運送の用に供する自動車に限る。）にあっては、2個、3個又は4個
ロ それ以外の自動車にあっては、1個又は2個
二 後退灯は、自動車の後面に後方に向けて取り付けられなければならない。ただし、前号イに掲げる自動車に備える後退灯であって、2個を超えて備えるものについては、自動車の側面に後方に向けて取り付けることができる。

三　後退灯は、その照明部の上縁の高さが地上1.2m以下（大型特殊自動車及び小型特殊自動車に備える後退灯であって、その自動車の構造上地上1.2m以下に取り付けることができないものにあっては、取り付けることができる最低の高さ）、下縁の高さが0.25m以上となるように取り付けられなければならない。

四　後退灯は、変速装置（被牽引自動車にあっては、その牽引自動車の変速装置）を後退の位置に操作しており、かつ、原動機の操作装置が始動の位置にある場合にのみ点灯する構造であること。

　また、第1号イに掲げる自動車に備える後退灯であって、2個を超えて備えるものについては、尾灯及び車幅灯が点灯している場合において前段の規定に適合するものでなければならない。ただし、第2号のただし書の規定により自動車の側面に備える後退灯にあっては、変速装置を後退の位置から前進の位置等に操作した状態において、自動車の速度が15km／hに達するまでの間点灯し続けることができる。この場合において、独立した操作装置を有し、点灯した後退灯を消灯させることができる構造でなければならない。

五　大型特殊自動車（ポール・トレーラを除く。）及び小型特殊自動車以外の自動車の後面に備える後退灯の照明部は、次に掲げる区分に応じ、それぞれに定める平面により囲まれる範囲においてすべての位置から見通すことができるように取り付けられていること。ただし、自動車の構造上、すべての位置から見通すことができるように取り付けることができない場合にあっては、可能な限り見通すことができる位置に取り付けられていること。

　また、自動車の側面に備える後退灯の基準軸は、車両中心線を含む鉛直面に対して外側15°以内の傾斜で側方に水平又は下方に向けるものとする。

イ　後退灯を1個備える場合　後退灯の中心を通り自動車の進行方向に直交する水平線を含む、水平面より上方15°の平面及び下方5°の平面並びに後退灯の中心を含む、自動車の進行方向に平行な鉛直面より後退灯の内側方向45°の平面及び後退灯の外側方向45°の平面

ロ　後退灯を2個以上備える場合　車両中心面に対して対称な位置に取り付けられているものについては、後退灯の中心を通り自動車の進行方向に直交する水平線を含む、水平面より上方15°の平面及び下方5°の平面並びに後退灯の中心を含む、自動車の進行方向に平行な鉛直面より後退灯の内側方向30°の平面及び後退灯の外側方向45°の平面

六　後退灯（後面が左右対称でない自動車に備えるものを除く。）は、前各号に規定するほか、後面に2個以上の後退灯が取り付けられている場合において、少なくとも2個が車両中心面に対して対称な位置に取り付けられたものであること。

七　後退灯は、点滅するものでないこと。

八　後退灯の直射光又は反射光は、当該後退灯を備える自動車及び他の自動車の運転操作を妨げるものでないこと。

九　後退灯は、灯器の取付部及びレンズ取付部に緩み、がたがない等第1項に掲げた性能を損なわないように取り付けられなければならない。

4　次に掲げる後退灯であってその機能を損なう損傷等のないものは、前項各号の基準に適合するものとする。

一　指定自動車等に備えられたものと同一の構造を有し、かつ、同一の位置に備えられた後退灯

二　法第75条の2第1項の規定に基づき型式の指定を受けた特定共通構造部に備えられている後退灯と同一の構造を有し、かつ、同一の位置に備えられている後退灯又はこれに準ずる性能を有する後退灯

三　法第75条の3第1項の規定に基づき灯火器及び反射器並びに指示装置の取付装置について装置の指定を受けた自動車に備える後退灯と同一の構造を有し、かつ、同一の位置に備えられた後退灯又はこれに準ずる性能を有する後退灯

（方向指示器）

第215条　方向指示器の灯光の色、明るさ等に関し、保安基準第41条第2項の告示で定める基準は、次の各号に掲げる基準とする。この場合において、方向指示器の照明部の取扱いは、別添94「灯火等の照明部、個数、取付位置等の測定方法（第2章第2節及び同章第3節関係）」によるものとする。

一　方向指示器は、方向の指示を表示する方向100m（第3項第3号、第4号（自動車の両側面の中央部に備える方向指示器を除く。）、第5号又は第6号（第4号の規定により両側面の中央部に備える方向指示器を除く。）の規定により自動車の両側面に備えるものにあっては、30m）の位置から、昼間において点灯を確認できるものであり、かつ、その照射光線は、他の交通を妨げないものであること。この場合において、次の第1表（平成17年12月31日までに製作された自動車にあっては、第2表）に掲げる要件を満たす方向指示器であり、かつ、その性能が正常であるものは、この基準に適合するものとする。

第1表

方向指示器の種類	自動車の種類	要件	
		光源のW数	照明部の面積
イ　方向の指示を前方又は後方に対して表示するための方向指示器	長さが6m以上の自動車	15W以上60W以下	40㎠以上
	二輪自動車、側車付二輪自動車並びに三輪自動車及びカタピラ及びそりを有する軽自動車	10W以上60W以下	7㎠以上
	その他	15W以上60W以下	20㎠以上
ロ　第3項第3号、第4号、第5号又は第6号の規定により自動車の両側面に備える方向指示器（第4項第9号及び第10号に規定するものを除く。）	平成22年4月1日以後に製作された長さが6mを超える自動車	6W以上60W以下	20㎠以上（※1）
	平成22年3月31日以前に製作された長さが6m以上の自動車及び平成22年4月1日以後に製作された長さが6mの自動車	3W以上60W以下	20㎠以上（※1）
	その他	3W以上30W以下	10㎠以上（※1）
ハ　第4項第9号の規定により自動車の両側面に備える方向指示器		15W以上60W以下	40㎠以上（※1）
ニ　第4項第10号の規定により自動車の両側面に備える方向指示器		3W以上30W以下	10㎠以上（※1）

※１：各照明部の車両中心線上の鉛直面への投影面積及びそれと45°に交わる鉛直面への投影面積をいう。

第２表

方向指示器の種類	自動車の種類	要件	
		光源のＷ数	照明部の面積
イ　方向の指示を前方又は後方に対して表示するための方向指示器	昭和35年４月１日以後に製作された長さが６ｍ以上の自動車	15Ｗ以上	40㎠以上
	三輪自動車、カタピラ及びそりを有する軽自動車並びに昭和35年４月１日以後に製作された二輪自動車及び側車付二輪自動車	10Ｗ以上	７㎠以上
	昭和35年３月31日以前に製作された二輪自動車及び側車付二輪自動車	15Ｗ以上	―
	その他	15Ｗ以上	20㎠以上
ロ　第３項第３号、第４号、第５号又は第６号の規定により自動車の両側面に備える方向指示器（第４項第９号及び第10号に規定するものを除く。）	昭和44年10月１日以後に製作された長さが６ｍ以上の自動車	３Ｗ以上	20㎠以上（※１）
	昭和44年９月30日以前に製作された自動車	３Ｗ以上	20㎠以上（※２）
	その他	３Ｗ以上	10㎠以上（※１）
ハ　第４項第９号の規定により自動車の両側面に備える方向指示器		15Ｗ以上	40㎠以上（※１）
ニ　第４項第10号の規定により自動車の両側面に備える方向指示器		３Ｗ以上	10㎠以上（※１）

※１：各照明部の車両中心線上の鉛直面への投影面積及びそれと45°に交わる鉛直面への投影面積をいう。

※２：各照明部の車両中心線上の鉛直面（専ら後側方に対して表示するためのものにあっては、それと45°に交わる後側方の鉛直面）への投影面積をいう。

二　方向指示器の灯光の色は、橙(とう)色であること。

三　方向指示器の照明部は、次の表の左欄に掲げる方向指示器の種別に応じ、同表の右欄に掲げる範囲において全ての位置から見通すことができるものであること。

方向指示器の種別	範囲
イ　二輪自動車及び側車付二輪自動車以外の自動車の前面及び後面に備える方向指示器	方向指示器の中心を通り自動車の進行方向に直交する水平線を含む、水平面より上方15°の平面及び下方15°の平面並びに方向指示器の中心を含む、自動車の進行方向に平行な鉛直面より方向指示器の内側方向45°の平面及び方向指示器の外側方向80°の平面により囲まれる範囲。ただし、方向指示器のＨ面の高さが地上750㎜未満となるように取り付けられている場合にあっては、下方は５°まで、Ｈ面より下方の内側については20°までの範囲としてもよい。
ロ　二輪自動車及び側車付二輪自動車の前面及び後面に備える方向指示器	方向指示器の中心を通り自動車の進行方向に直交する水平線を含む、水平面より上方15°の平面及び下方15°の平面並びに方向指示器の中心を含む、自動車の進行方向に平行な鉛直面より方向指示器の内側方向20°の平面及び方向指示器の外側方向80°の平面により囲まれる範囲。ただし、方向指示器のＨ面の高さが地上750㎜未満となるように取り付けられている場合にあっては、下方は５°までの範囲としてもよい。
ハ　ニに掲げる自動車以外の自動車の両側面に備える方向指示器（第４項第９号に規定するものを除く。）及び同項第10号に規定する方向指示器	方向指示器の中心を通り自動車の進行方向に直交する水平線を含む、水平面より上方15°の平面及び下方15°の平面並びに方向指示器の中心を含む、自動車の進行方向に平行な鉛直面であって方向指示器の中心より後方にあるものより方向指示器の外側方向５°の平面及び方向指示器の外側方向60°の平面により囲まれる範囲。ただし、方向指示器のＨ面の高さが地上750㎜未満となるように取り付けられている場合にあっては、下方は５°までの範囲としてもよい。
ニ　次の①から④までに掲げる自動車（長さ６ｍ以下のものを除く。）並びに⑤及び⑥に掲げる自動車の両側面に備える方向指示器（第	方向指示器の中心を通り自動車の進行方向に直交する水平線を含む、水平面より上方30°の平面及び下方５°の平面並びに方向指示器の

4項第9号及び第10号に規定するものを除く。） ①　専ら乗用の用に供する自動車であって乗車定員10人以上のもの ②　①の自動車の形状に類する自動車 ③　貨物の運送の用に供する自動車であって車両総重量3.5t以下のもの ④　③の自動車の形状に類する自動車 ⑤　貨物の運送の用に供する自動車であって車両総重量3.5tを超えるもの ⑥　⑤の自動車の形状に類する自動車	中心を含む、自動車の進行方向に平行な鉛直面であって方向指示器の中心より後方にあるものより方向指示器の外側方向5°の平面及び方向指示器の外側方向60°の平面により囲まれる範囲

四　方向指示器は、灯器が損傷し、又はレンズ面が著しく汚損しているものでないこと。

2　次に掲げる方向指示器であって、その機能を損なう損傷等のないものは、前項各号の基準に適合するものとする。

一　指定自動車等に備えられているものと同一の構造を有し、かつ、同一の位置に備えられた方向指示器

二　法第75条の2第1項の規定に基づき型式の指定を受けた特定共通構造部に備えられている方向指示器又はこれに準ずる性能を有する方向指示器

三　法第75条の3第1項の規定に基づき装置の指定を受けた方向指示器又はこれに準ずる性能を有する方向指示器

3　方向指示器の取付位置、取付方法等に関し、保安基準第41条第3項の告示で定める基準は、次の各号に掲げる基準及び次項に掲げる基準とする。

一　自動車には、方向指示器を自動車の車両中心線上の前方及び後方30mの距離から照明部が見通すことのできる位置に少なくとも左右1個ずつ備えること。ただし、最高速度20km/h未満の自動車で、かじ取ハンドルの中心から自動車の最外側までの距離が650mm未満であり、かつ、運転者席が車室内にないもの及び被牽引自動車にあっては、この限りでない。

二　自動車の後面の両側には、方向指示器を備えること。ただし、二輪自動車、側車付二輪自動車、カタピラ及びそりを有する軽自動車、大型特殊自動車、小型特殊自動車、幅0.8m以下の自動車並びに前号ただし書の自動車にあっては、この限りでない。

三　自動車（大型貨物自動車等、二輪自動車、側車付二輪自動車、カタピラ及びそりを有する軽自動車、幅0.8m以下の自動車並びに第1号ただし書の自動車を除く。）の両側面には、方向指示器を備えること。

四　大型貨物自動車等には、両側面の前部（被牽引自動車に係るものを除く。）に1個ずつ方向指示器を備えるほか、両側面の中央部に1個ずつ又は両側面に3個ずつ方向指示器を備えること。ただし、両側面（前部を除く。）に備える方向指示器に代えて、方向指示器と同時に点滅する側方灯を両側面にそれぞれ3個以上備える構造とすることができる。

五　牽引自動車（第2号ただし書の自動車（大型特殊自動車及び小型特殊自動車を除く。）を除く。）と被牽引自動車とを連結した場合（牽引自動車又は被牽引自動車が大型貨物自動車等である場合を除く。）においては、その状態において第1号本文、第2号本文及び第3号の規定に適合するように方向指示器を備えること。

六　大型貨物自動車等である牽引自動車及び被牽引自動車には、第4号の規定に適合するように方向指示器を備えるほか、牽引自動車（第2号ただし書の自動車（大型特殊自動車及び小型特殊自動車を除く。）を除く。）と被牽引自動車とを連結した場合（牽引自動車又は被牽引自動車が大型貨物自動車等である場合に限る。）においては、その状態において牽引自動車又は被牽引自動車に第1号本文及び第2号本文の規定に適合するように、かつ、両側面に方向指示器を備えること。

七　第1号ただし書の自動車（被牽引自動車を除く。）で長さ6m以上のもの及び牽引自動車と被牽引自動車とを連結した状態における長さが6m以上となる場合における牽引自動車（第2号ただし書の自動車（大型特殊自動車及び小型特殊自動車を除く。）に限る。）又は被牽引自動車には、第1号本文の規定に準じて方向指示器を備えること。

4　方向指示器は、次に掲げる基準に適合するように取り付けられなければならない。この場合において、方向指示器の照明部、個数及び取付位置の測定方法は、別添73「灯火等の照明部、個数、取付位置等の測定方法（第2章第2節及び同章第3節関係）」によるものとする。

一　方向指示器は、毎分60回以上120回以下の一定の周期で点滅するものであること。

二　方向指示器は、車両中心線を含む鉛直面に対して対称の位置（方向指示器を取り付ける後写鏡等の部位が左右非対称の場合にあっては、車両中心線を含む鉛直面に対して可能な限り対称の位置）に取り付けられたものであること。ただし、車体の形状自体が左右対称でない自動車に備える方向指示器にあっては、この限りでない。

三　二輪自動車、側車付二輪自動車並びにカタピラ及びそりを有する軽自動車に備える前方又は後方に対して方向の指示を表示するための方向指示器の照明部のうちそれぞれ最内側にあるものの最内縁の間隔は、600mm（幅が1,300mm未満の自動車にあっては、400mm）以上であり、かつ、それぞれ最外側にあるもの（セミトレーラを牽引する牽引自動車に備える後方に対して方向の指示を表示するための方向指示器を除く。）の照明部の最外縁は、自動車の最外側から400mm以内となるように取り付けられていること。

四　二輪自動車、側車付二輪自動車並びにカタピラ及びそりを有する軽自動車に備える方向指示器は、前方に対して方向の指示を表示するためのものにあっては、その照明部の最内縁において240mm以上、後方に対して方向の指示を表示するためのものにあっては、その照明部の中心において150mm以上（二輪自動車の後面に備えるものにあっては、その照明部の最内縁において180mm以上）の間隔を有するものであり、かつ、前照灯が2個以上備えられている場合の前方に対して方向の指示を表示するためのものの位置は方向指示器の照明部の最外縁が最外側の前照灯の照明部の最外縁より外側にあること。

五　自動車（二輪自動車、側車付二輪自動車並びにカタピラ及びそりを有する軽自動車を除く。）に備える方向指示器は、その照明部の上縁の高さが地上2.1m以下（除雪、土木作業その他特別な用途に使用される自動車で地方運輸局長の指定するもの、大型特殊自動車及び小型特殊自動車に備える方向指示器並びに自動車の両側面に備える方向指示器にあっては、地上2.3m以下）、下縁の高さが地上0.35m以上（セミトレーラでその自動車の構造上地上0.35m以上に取り付けることができないものにあっては、取り付けることができる最高の高さ）となるように取り付けられていること。

五の二　二輪自動車に備える方向指示器は、その照明部の上縁の高さが地上1.2m以下、下縁の高さが地上0.35m以上となるように取り付けられていること。

六　側車付二輪自動車並びにカタピラ及びそりを有する軽自動車に備える方向指示器の照明部の中心は、地上2.3m以下となるように取り付けられていること。

七　前項第3号及び第5号の自動車の両側面に備える方向指示

器の照明部の最前縁は、自動車の前端から2.5m以内（大型特殊自動車及び小型特殊自動車にあっては2.5m以内又は自動車の長さ（牽引自動車と被牽引自動車とを連結した場合にあっては、牽引自動車と被牽引自動車とを連結した状態における長さ。以下この項において同じ。）の60%以内、長さ6m以上の自動車（専ら乗用の用に供する自動車であって乗車定員が10人未満のもの、貨物の運送の用に供する自動車であって車両総重量3.5t以下のもの及びその形状がこれらの自動車の形状に類する自動車を除く。）にあっては、自動車の長さの60%以内）となるように取り付けられていること。

八　前項第4号の自動車の両側面の前部に備える方向指示器は、自動車の前端から運転者室又は客室の外側後端までの間に取り付けられていること。

九　前項第4号及び第6号の自動車の両側面の中央部に備える方向指示器の照明部の最前縁は、運転者室又は客室の外側後端から2.5m以内（被牽引自動車にあっては、自動車の前端から4.5m以内）となるように取り付けられ、かつ、自動車の最外側から外側方1mの車両中心面に平行な鉛直面上で当該方向指示器の取付位置の前方1mから自動車の後端までに相当する点における地上1mから1.6mまでのすべての位置から照明部を見通すことができるように取り付けられていること。

十　前項第4号及び第6号の自動車の両側面に3個ずつ備える方向指示器は、各側面に可能な限り均等に配分されるよう取り付けられていること。

十一　前項第6号の自動車の両側面に備える方向指示器（前二号に規定する方向指示器を除く。）の照明部の最前縁は、牽引自動車の前端からの長さの60%以内となるように取り付けられていること。

十二　運転者が運転者席において直接かつ容易に方向指示器（自動車の両側面に備える方向指示器を除く。）の作動状態を確認できない場合は、その作動状態を運転者に表示する装置を備えること。

十三　方向指示器は、他の灯火の点灯状態にかかわらず点灯操作及び消灯操作が行えるものであること。ただし、二輪自動車、側車付二輪自動車並びにカタピラ及びそりを有する軽自動車に備える方向指示器にあっては、この限りでない。

十四　自動車の両側面に備える方向指示器は、非常点滅表示灯を作動させている場合においては、当該非常点滅表示灯と同時に点滅する構造とすることができる。

十五　方向指示器の直射光又は反射光は、当該方向指示器を備える自動車及び他の自動車の運転操作を妨げるものでないこと。

十六　方向指示器は、灯器の取付部及びレンズ取付部に緩み、がたがない等第1項（二輪自動車、側車付二輪自動車、三輪自動車並びにカタピラ及びそりを有する軽自動車にあっては同項第三号の表イ及びロに係る部分を除き、大型特殊自動車（ポール・トレーラを除く。）及び小型特殊自動車にあっては同表イ及びハに係る部分を除く。）に掲げる性能（専ら乗用の用に供する自動車（二輪自動車、側車付二輪自動車、三輪自動車、カタピラ及びそりを有する軽自動車、被牽引自動車並びに長さ6m以上の自動車を除く。）であって乗車定員が10人未満のもの若しくは貨物の運送の用に供する自動車（三輪自動車、被牽引自動車及び長さ6m以上の自動車を除く。）であって車両総重量3.5t以下のものの前部又は後部に取り付けられる側方灯（灯光の色が橙色であるものに限る。）が同表イに規定する前面及び後面に備える方向指示器の性能を補完する性能を有する場合にあっては同表イの基準中「外側方向80°」とあるのは「外側方向45°」とする。）を損なわないように取り付けられなければならない。ただし、自動車の構造上、同項第3号に規定する範囲において、全ての位置から見通すことができるように取り付けることができない場合にあっては、可能な限り見通すことができる位置に取り付けられていること。

十七　二輪自動車、側車付二輪自動車並びにカタピラ及びそりを有する軽自動車以外の自動車（専ら乗用の用に供する自動車であって乗車定員10人未満のもの及び貨物の運送の用に供する自動車であって車両総重量が3.5t以下のもの（被牽引自動車を除く。）並びにその形状がこれらの自動車の形状に類する自動車並びに車両総重量750kg以下の被牽引自動車を除く。）の後面に備える方向指示器であって、次のイ及びロの条件を満足する場合にあっては、第5号及び第12号（被牽引自動車の後面の両側の上側に備える方向指示器に限る。）の基準は適用しない。この場合において、方向指示器のH面の高さが地上2,100mm以上となるように取り付けられたものにあっては、第1項第3号の基準中「上方15°」とあるのは「上方5°」と読み替えるものとする。

イ　後面の両側に備える方向指示器が左右2個ずつであり、下側に備える方向指示器にあっては、照明部の上縁の高さが地上1,500mm以下（大型特殊自動車及び小型特殊自動車にあっては地上2,300mm以下、除雪及び土木作業その他特別な用途に使用される自動車にあっては地上2,100mm以下）であり、かつ、照明部の最外縁は自動車の最外側から400mm以内となるように取り付けられていること。

ロ　後面の両側の上側に備える方向指示器にあっては、自動車の構造上、可能な限り最も高い位置に取り付けられており、かつ、その照明部の下縁と下側に備える方向指示器の照明部の上縁との垂直方向の距離が600mm以上離れていること。

5　次に掲げる方向指示器であってその機能を損なう損傷等のないものは、前項各号の基準に適合するものとする。

一　指定自動車等に備えられたものと同一の構造を有し、かつ、同一の位置に備えられた方向指示器

二　法第75条の2第1項の規定に基づき型式の指定を受けた特定共通構造部に備えられている方向指示器と同一の構造を有し、かつ、同一の位置に備えられている方向指示器又はこれに準ずる性能を有する方向指示器

三　法第75条の3第1項の規定に基づき灯火器及び反射器並びに指示装置の取付装置について装置の指定を受けた自動車に備える方向指示器と同一の構造を有し、かつ、同一の位置に備えられた方向指示器又はこれに準ずる性能を有する方向指示器

（補助方向指示器）

第216条　補助方向指示器の灯光の色、明るさ等に関し、保安基準第41条の2第2項の告示で定める基準は、次の各号に掲げる基準とする。この場合において、補助方向指示器の照明部の取扱いは、別添94「灯火等の照明部、個数、取付位置等の測定方法（第2章第2節及び同章第3節関係）」によるものとする。

一　補助方向指示器は、前条第1項第2号の基準に準じたものであること。

二　補助方向指示器は、灯器が損傷し又はレンズ面が著しく汚損しているものでないこと。

2　指定自動車等に備えられている補助方向指示器と同一の構造を有し、かつ、同一の位置に備えられた補助方向指示器であって、その機能を損なう損傷等のないものは、前項各号の基準に適合するものとする。

3　補助方向指示器の取付位置、取付方法等に関し、保安基準第41条の2第3項の告示で定める基準は、次の各号に掲げる基準とする。この場合において、補助方向指示器の照明部、個数及び取付位置の測定方法は、別添94「灯火等の照明部、個数、取付位置等の測定方法（第2章第2節及び同章第3節関係）」によるものとする。

一　補助方向指示器は、前条第4項第2号、第5号、第6号、第14号及び第15号の基準に準じたものであること。

二　補助方向指示器は、方向指示器と連動して点滅するものであること。

三　二輪自動車に備える補助方向指示器は、その照明部の中心が地上2.3m以下となるように取り付けられていること。

4　指定自動車等に備えられている補助方向指示器と同一の構造を有し、かつ、同一の位置に備えられた補助方向指示器であって、その機能を損なう損傷等のないものは、前項各号の基準に適合するものとする。

（非常点滅表示灯）

第217条　非常点滅表示灯の灯光の色、明るさ等に関し、保安基準第41条の3第2項の告示で定める基準は、第215条第1項（第3号の表のハ及びニを除く。）の規定（自動車の両側面に備える方向指示器に係るものを除く。）に定める基準を準用する。

2　指定自動車等に備えられている非常点滅表示灯と同一の構造を有し、かつ、同一の位置に備えられた非常点滅表示灯であって、その機能を損なう損傷等のないものは、前項の基準に適合するものとする。

3　非常点滅表示灯の取付位置、取付方法等に関し、保安基準第41条の3第3項の告示で定める基準は、次の各号に掲げる基準とする。この場合において、非常点滅表示灯の照明部、個数及び取付位置の測定方法は、別添94「灯火等の照明部、個数、取付位置等の測定方法（第2章第2節及び同章第3節関係）」によるものとする。

一　非常点滅表示灯については、第215条第3項第1号、第2号及び第5号から第7号まで並びに第4項（第7号から第11号まで及び第14号を除く。）の規定（自動車の両側面に備える方向指示器に係るものを除く。）を準用する。ただし、盗難、車内における事故その他の緊急事態が発生していることを表示するための灯火（以下「非常灯」という。）又は運転者異常時対応システムが当該自動車を制御していることを他の交通に対して表示するための灯火として作動する場合には同条第4項第1号に掲げる基準に適合しない構造とすることができる。この場合において、盗難防止装置（74／61／EEC（欧州経済共同体指令）に規定する原動機の動力による走行を不能とする装置をいう。）の設定又は設定解除の状態を外部に表示するため、3秒を超えない範囲内において非常点滅表示灯を使用する構造のものは、ただし書きの規定に適合するものとする。

二　すべての非常点滅表示灯は、同時に作動する構造であること。

三　左右対称に取り付けられた非常点滅表示灯は、同時に点滅する構造であること。

四　非常点滅表示灯は、手動で操作するものでなければならない。ただし、緊急制動表示灯の作動が停止した場合、当該自動車が衝突事故にあった場合、運転者異常時対応システムが当該自動車を制御している場合、非常灯として作動する場合、自動運行装置により非常点滅表示灯を作動させる信号が発せられた場合又はその他協定規則に規定する差し迫った危険を他の交通に対して示す場合にあっては、非常点滅表示灯は自動で作動させることができる。

4　次に掲げる非常点滅表示灯であって、その機能を損なう損傷等のないものは、前項各号の基準に適合するものとする。

一　指定自動車等に備えられたものと同一の構造を有し、かつ、同一の位置に備えられた非常点滅表示灯

二　法第75条の2第1項の規定に基づき型式の指定を受けた特定共通構造部に備えられている非常点滅表示灯と同一の構造を有し、かつ、同一の位置に備えられている非常点滅表示灯又はこれに準ずる性能を有する非常点滅表示灯

三　法第75条の3第1項の規定に基づき灯火器及び反射器並びに指示装置の取付装置について装置の指定を受けた自動車に備える非常点滅表示灯と同一の構造を有し、かつ、同一の位置に備えられた非常点滅表示灯又はこれに準ずる性能を有する非常点滅表示灯

（緊急制動表示灯）

第217条の2　緊急制動表示灯の灯光の色、明るさ等に関し保安基準第41条の4第3項の告示で定める基準は、制動灯及び補助制動灯を緊急制動表示灯として使用する場合にあっては、第212条第1項及び第213条第1項に定める基準を準用し、方向指示器及び補助方向指示器を緊急制動表示灯として使用する場合にあっては、第215条第1項及び第216条第1項の規定に定める基準を準用する。

2　指定自動車等に備えられているものと同一の構造を有し、かつ、同一の位置に備えられた緊急制動表示灯であって、その機能を損なう損傷等のないものは、前項の基準に適合するものとする。

3　緊急制動表示灯の取付位置、取付方法等に関し保安基準第41条の4第4項の告示で定める基準は、制動灯及び補助制動灯を緊急制動表示灯として使用する場合にあっては、第212条第3項第2号から第4号まで及び第6号から第8号まで並びに第213条第3項第1号から第4号まで及び第7号から第9号までに定める基準を準用し、方向指示器及び補助方向指示器を緊急制動表示灯として使用する場合にあっては、第215条第3項第1号から第4号まで、第6号及び第7号並びに同条第4項第2号から第11号まで、第15号及び第16号並びに第216条第3項第2号の規定を準用する。この場合において、緊急制動表示灯の照明部、個数及び取付位置の測定方法は、別添94「灯火等の照明部、個数、取付位置等の測定方法（第2章第2節及び同章第3節関係）」によるものとする。

4　次に掲げる緊急制動表示灯であって、その機能を損なう損傷等のないものは、前項の基準に適合するものとする。

一　指定自動車等に備えられたものと同一の構造を有し、かつ、同一の位置に備えられた緊急制動表示灯

二　法第75条の2第1項の規定に基づき型式の指定を受けた特定共通構造部に備えられている緊急制動表示灯と同一の構造を有し、かつ、同一の位置に備えられている緊急制動表示灯又はこれに準ずる性能を有する緊急制動表示灯

三　法第75条の3第1項の規定に基づき灯火器、反射器及び指示装置の取付装置について型式の指定を受けた自動車に備える緊急制動表示灯と同一の構造を有し、かつ、同一の位置に備えられた緊急制動表示灯又はこれに準ずる性能を有する緊急制動表示灯

（後面衝突警告表示灯）

第217条の3　後面衝突警告表示灯の灯光の色、明るさ等に関し保安基準第41条の5第3項の告示で定める基準は、第215条第1項及び第216条第1項に定める基準を準用する。

2　指定自動車等に備えられているものと同一の構造を有し、かつ、同一の位置に備えられた後面衝突警告表示灯であって、その機能を損なう損傷等のないものは、前項の基準に適合するものとする。

3　後面衝突警告表示灯の取付位置、取付方法等に関し保安基準第41条の5第4項の告示で定める基準は、第215条第3項第1号から第4号まで、第6号及び第7号並びに同条第4項第2号から第5号の2まで及び第7号から第11号まで並びに第216条第3項第2号及び第3号の規定を準用する。この場合において、後面衝突警告表示灯の照明部、個数及び取付位置の測定方法は、別添94「灯火等の照明部、個数、取付位置等の測定方法（第2章第2節及び同章第3節関係）」によるものとする。

4　次に掲げる後面衝突警告表示灯であって、その機能を損なう損傷等のないものは、前項の基準に適合するものとする。

一　指定自動車等に備えられたものと同一の構造を有し、かつ、同一の位置に備えられた後面衝突警告表示灯

二　法第75条の2第1項の規定に基づき型式の指定を受けた特定共通構造部に備えられている後面衝突警告表示灯と同一の

構造を有し、かつ、同一の位置に備えられている後面衝突警告表示灯又はこれに準ずる性能を有する後面衝突警告表示灯

三　法第75条の3第1項の規定に基づき灯火器、反射器及び指示装置の取付装置について装置の型式の指定を受けた自動車に備える後面衝突警告表示灯と同一の構造を有し、かつ、同一の位置に備えられた後面衝突警告表示灯又はこれに準ずる性能を有する後面衝突警告表示灯

（その他の灯火等の制限）

第218条　保安基準第42条の告示で定める基準は、次の各項に掲げる基準とする。

2　自動車には、次に掲げる灯火を除き、後方を照射し若しくは後方に表示する灯光の色が橙色である灯火で照明部の上縁が地上2.5m以下のもの又は灯光の色が赤色である灯火を備えてはならない。

一　側方灯

一の二　尾灯

一の三　後部霧灯

一の四　駐車灯

一の五　後部上側端灯

二　制動灯

二の二　補助制動灯

三　方向指示器

四　補助方向指示器

四の二　非常点滅表示灯

四の三　緊急制動表示灯

四の四　後面衝突警告表示灯

五　緊急自動車の警光灯

六　火薬類又は放射性物質等を積載していることを表示するための灯火

七　旅客自動車運送事業用自動車の地上2.5mを超える高さの位置に備える後方に表示するための灯火（第1号の5に掲げる灯火を除く。）

八　一般乗合旅客自動車運送事業用自動車の終車灯

九　一般乗用旅客自動車運送事業用自動車の空車灯及び料金灯

十　旅客自動車運送事業用自動車の非常灯

十一　旅客自動車運送事業用乗合自動車の車椅子昇降用ステップリフトに備える赤色の灯火であって運転者席で点灯できないものその他の走行中に使用しない灯火

十二　労働安全衛生法施行令第1条第1項第8号に規定する移動式クレーンに備える巻過防止装置、過負荷防止装置又は過負荷防止装置以外の過負荷を防止するための装置と連動する灯火

十三　緊急自動車及び道路維持作業用自動車に備える他の交通に作業中であることを表示する電光表示器

十四　運転者異常時対応システムが当該自動車を制御していることを他の交通に対して表示するための電光表示器

十五　イモビライザ及び盗難発生警報装置の設定状態を灯火により通知する装置であって車室外に備えるもの（光度が0.5cd超えないものであり、かつ、見かけの表面の表面積が20cm²以下のものに限る。）

十六　アンサーバック機能を有する灯火

3　自動車には、次に掲げる灯火を除き、後方を照射し又は後方に表示する灯光の色が白色である灯火を備えてはならない。

一　低速走行時側方照射灯

二　番号灯

三　後退灯

四　室内照明灯

五　一般乗合旅客自動車運送事業用自動車の方向幕灯及び行先等を連続表示する電光表示器

六　一般乗用旅客自動車運送事業用自動車の社名表示灯

七　その構造が次のいずれかに該当する作業灯その他の走行中に使用しない灯火

イ　運転者席で点灯できない灯火

ロ　運転者席において点灯状態を確認できる装置を備えたもの（走行装置に動力を伝達することができる状態においてのみ点灯できる構造を有するものを除く。）

八　運転者異常時対応システムが当該自動車を制御していることを他の交通に対して表示するための電光表示器

九　イモビライザ及び盗難発生警報装置の設定状態を灯火により通知する装置であって車室外に備えるもの（光度が0.5cd超えないものであり、かつ、見かけの表面の表面積が20cm²以下のものに限る。）

十　アンサーバック機能を有する灯火

4　自動車（一般乗合旅客自動車運送事業用自動車を除く。）の前面ガラスの上方には、灯光の色が青紫色である灯火を備えてはならない。

5　自動車の前面ガラスの上方には、速度表示装置の速度表示灯と紛らわしい灯火を備えてはならない。

6　自動車には、次に掲げる灯火を除き、点滅する灯火または光度が増減する灯火（色度が変化することにより視感度が変化する灯火を含む。）を備えてはならない。

一　曲線道路用配光可変型前照灯

二　配光可変型前照灯（運転支援プロジェクションを表示する走行用ビームを発することのできる機能を有するものを含む。）

二の二　昼間走行灯

三　側方灯

四　方向指示器

五　補助方向指示器

六　非常点滅表示灯

七　緊急制動表示灯

七の二　後面衝突警告表示灯

八　緊急自動車の警光灯

九　道路維持作業用自動車の灯火

十　自主防犯活動用自動車の青色防犯灯

十一　一般乗合旅客自動車運送事業用自動車の行先等を連続表示する電光表示器

十二　非常灯（旅客自動車運送事業用自動車に備えるもの又は室内照明灯と兼用するものに限る。）

十三　労働安全衛生法施行令第1条第1項第8号に規定する移動式クレーンに備える巻過防止装置、過負荷防止装置又は過負荷防止装置以外の過負荷を防止するための装置と連動する灯火

十四　点滅又は光度の増減を手動によってのみ行うことができる構造を有する灯火

十五　指定自動車等に備えられたものと同一の構造を有し、かつ、同一の位置に備えられた可変光度制御機能を有する灯火及び光度可変型前部霧灯

十六　法第75条の2第1項の規定に基づき型式の指定を受けた特定共通構造部に備えられている可変光度制御機能を有する灯火及び光度可変型前部霧灯又はこれに準ずる性能を有する可変光度制御機能を有する灯火及び光度可変型前部霧灯

十七　法第75条の3第1項の規定に基づき指定を受けた可変光度制御機能を有する灯火及び光度可変型前部霧灯又はこれに準ずる性能を有する可変光度制御機能を有する灯火及び光度可変型前部霧灯

十八　路線を定めて定期に運行する一般乗合旅客自動車運送事業用自動車及び一般乗用旅客自動車運送事業用自動車に備える旅客が乗降中であることを後方に表示する電光表示器

十九　緊急自動車及び道路維持作業用自動車に備える他の交通に作業中であることを表示する電光表示器

二十　運転者異常時対応システムが当該自動車を制御していることを他の交通に対して表示するための電光表示器

二十一　制動灯及び補助制動灯（運転者異常時対応システムが当該自動車の制動装置を操作している場合に限る。）
二十二　イモビライザ及び盗難発生警報装置の設定状態を灯火により通知する装置であって車室外に備えるもの（光度が0.5cd超えないものであり、かつ、見かけの表面の表面積が20cm²以下のものに限る。）
二十三　アンサーバック機能を有する灯火

7　自動車（緊急自動車は除く。）には、次に掲げる灯火と連動して作動する灯火（保安基準第32条から第41条の5までに規定するものを除く。）及び次に掲げる灯火以外の灯火であって、自動車が右左折、進路の変更、加速、減速、停止その他の動作を行うとする旨を他の交通に対し指示することを目的としたものを備えてはならない。
一　制動灯
二　補助制動灯
三　後退灯
四　方向指示器
五　補助方向指示器
六　緊急制動表示灯
七　後面衝突警告表示灯
八　速度表示装置の速度表示灯
九　運転者異常時対応システムが当該自動車を制御していることを他の交通に対して表示するための電光表示器

8　自動車には、反射光の色が赤色である反射器であって前方に表示するもの又は反射光の色が白色である反射器であって後方に表示するものを備えてはならない。ただし、指定自動車等に備えられた前部赤色反射物と同一の構造を有し、かつ、同一の位置に備えられた反射物及び専ら乗用の用に供する乗車定員10人以上の自動車に備えられた後部白色反射物であって協定規則第110号の規則18.1.8.1.から18.1.8.3.までに掲げるもの又は協定規則第134号の規則7.1.7.に掲げるものにあっては、この限りでない。

9　自動車には、保安基準第32条から第41条の5までに規定する灯火の性能を損なうおそれのある灯火及び反射器を備えてはならない。

10　自動車に備える灯火の直射光又は反射光は、その自動車及び他の自動車の運転操作を妨げるものであってはならない。

11　第2項第1号の2から第2号の2まで及び第7号に掲げる灯火（同項第1号の4に掲げる灯火にあっては自動車の後面に備えるものに限る。）は、前方を照射し、又は前方に表示するものであってはならない。この場合において、指定自動車等に備えられた側面に回り込む赤色の照明部を有する後方に表示する灯火と同一の構造を有し、かつ、同一の位置に備えられたものは、この基準に適合するものとする。

12　自動車に備える灯火は、前照灯、前部霧灯、側方照射灯、低速走行時側方照射灯、昼間走行灯、側方灯、番号灯、後部霧灯（第6項第15号から第17号までに掲げるものに限る。）、後面に備える駐車灯、制動灯、後退灯、方向指示器、補助方向指示器、非常点滅表示灯、緊急制動表示灯、後面衝突警告表示灯、速度表示装置の速度表示灯、室内照明灯、緊急自動車の警光灯、道路維持作業用自動車の灯火、自主防犯活動用自動車の青色防犯灯、火薬類又は放射性物質等を積載していることを表示するための灯火、旅客自動車運送事業用自動車の非常灯、緊急自動車及び道路維持作業用自動車に備える他の交通に作業中であることを表示するための電光表示器、運転者異常時対応システムが当該自動車を制御していることを他の交通に対して表示するための電光表示器、アンサーバック機能を有する灯火、走行中に使用しない灯火（前面に備える駐車灯を除く。）及び車室外乗降支援灯を除き、光度が300cd以下のものでなければならない。

13　火薬類又は放射性物質等を積載していることを表示するための灯火は、他の灯火と兼用のものであってはならない。

14　車室外乗降支援灯は、次に掲げる基準に適合するものでなければならない。
一　自動車（二輪自動車、側車付二輪自動車、大型特殊自動車、小型特殊自動車並びにカタピラ及びそりを有する軽自動車を除く。）に備えるものにあっては、第2項から前項まで及び別添52「灯火器及び反射器並びに指示装置の取付装置の技術基準」に定める基準とする。
二　二輪自動車に備えるものにあっては、第2項から前項まで及び協定規則第53号の規則5.及び6.に定める基準とする。

（警音器）

第219条　警音器の警報音発生装置の音色、音量等に関し、保安基準第43条第2項の告示で定める基準は、警音器の警報音発生装置の音が、連続するものであり、かつ、音の大きさ及び音色が一定なものであることとする。この場合において、次に掲げる警音器の警報音発生装置は、この基準に適合しないものとする。
一　音が自動的に断続するもの
二　音の大きさ又は音色が自動的に変化するもの
三　運転者が運転者席において、音の大きさ又は音色を容易に変化させることができるもの

2　警音器の音色、音量等に関し、保安基準第43条第3項の告示で定める基準は、次の各号に掲げる基準とする。
一　警音器の音の大きさ（2以上の警音器が連動して音を発する場合は、その和）は、自動車の前方7mの位置において112dB以下87dB以上（動力が7kW以下の二輪自動車に備える警音器にあっては、112dB以下83dB以上）であること。
二　警音器は、サイレン又は鐘でないこと。

3　音の大きさが前項第1号に規定する範囲内にないおそれがあるときは、音量計を用いて次の各号により計測するものとする。
一　音量計は、使用開始前に十分暖機し、暖機後に較正を行う。
二　マイクロホンは、車両中心線上の自動車の前端から7mの位置の地上0.5mから1.5mの高さにおける音の大きさが最大となる高さにおいて車両中心線に平行かつ水平に自動車に向けて設置する。
三　聴感補正回路はA特性とする。
四　次に掲げるいずれかの方法により試験電圧を供給するものとする。
イ　原動機を停止させた状態で、当該自動車のバッテリから供給する方法
ロ　原動機を暖機し、かつ、アイドリング運転している状態で、当該自動車のバッテリから供給する方法
ハ　警音器の警報音発生装置の電源端子に接続された外部電源から、別添74「警音器の警報音発生装置の技術基準」3.2.3.の規定による試験電圧を供給する方法
五　計測場所は、概ね平坦で、周囲からの反射音による影響を受けない場所とする。
六　計測値の取扱いは、次のとおりとする。
イ　計測は2回行い、1dB未満は切り捨てるものとする。
ロ　2回の計測値の差が2dBを超える場合には、計測値を無効とする。ただし、いずれの計測値も前項第1号に規定する範囲内にない場合には有効とする。
ハ　2回の計測値（ニにより補正した場合には、補正後の値）の平均を音の大きさとする。
ニ　計測の対象とする音の大きさと暗騒音の計測値の差が3dB以上10dB未満の場合には、計測値から次表の補正値を控除するものとし、3dB未満の場合には計測値を無効とする。

（単位：dB）

計測の対象とする音の大きさと暗騒音の計測値の差	3	4	5	6	7	8	9
補正値	3	2		1			

4　前項の規定にかかわらず、平成15年12月31日以前に製作された自動車にあっては、次により計測できるものとする。

一　音量計は、使用開始前に十分暖機し、暖機後に較正を行う。

二　マイクロホンは、車両中心線上の自動車の前端から２mの位置の地上１mの高さにおいて車両中心線に平行かつ水平に自動車に向けて設置する。

三　聴感補正回路はC特性とする。

四　原動機は、停止した状態とする。

五　計測場所は、概ね平坦で、周囲からの反射音による影響を受けない場所とする。

六　計測値の取扱いは、前項第６号の規定を準用する。

（非常信号用具）

第220条　非常信号用具の灯光の色、明るさ、備付け場所等に関し、保安基準第43条の２第１項の告示で定める基準は、次の各号に掲げる基準とする。

一　夜間200mの距離から確認できる赤色の灯光を発するものであること。

二　自発光式のものであること。

三　使用に便利な場所に備えられたものであること。

四　振動、衝撃等により、損傷を生じ、又は作動するものでないこと。

2　次の各号に掲げるものは、前項の基準に適合しないものとする。

一　赤色灯火の発光部のレンズの直径が35mm未満の赤色合図灯

二　豆電球2.5V・0.3Aの規格又はこれと同程度以上の規格の性能を有しない電球を使用した赤色合図灯

三　JIS　C8501「マンガン電池」のR14P（いわゆるマンガン単二形乾電池）の規格若しくはJIS　C8511「アルカリ一次電池」のLR6（いわゆるアルカリ・マンガン単三電池）の規格又はこれらと同程度以上の規格の性能を有しない電池を使用した赤色合図灯

四　灯器が損傷し、若しくはレンズ面が著しく汚損し、又は電池が消耗したことにより性能の著しく低下した赤色合図灯

五　JIS　D5711「自動車用緊急保安炎筒」の規格又はこれと同程度以上の規格の性能を有しない発炎筒

六　損傷し、又は湿気を吸収したため、性能の著しく低下した発炎筒

（警告反射板）

第221条　警告反射板の形状、反射光の色、明るさ等に関し、保安基準第43条の３の告示で定める基準は、次の各号に掲げる基準とする。

一　警告反射板の反射部は、一辺が400mm以上の中空の正立正三角形で帯状部の幅が50mm以上のものであること。

二　警告反射板は、夜間150mの距離から走行用前照灯で照射した場合にその反射光を照射位置から確認できるものであること。

三　警告反射板による反射光の色は、赤色であること。

四　警告反射板は、路面上に垂直に設置できるものであること。

（停止表示器材）

第222条　停止表示器材の形状、蛍光及び反射光の明るさ、色等に関し、保安基準第43条の４第１項の告示で定める基準は、次の各号に掲げる基準とする。

一　停止表示器材は、次図に定める様式の中空の正立正三角形の反射部及び蛍光部又は中空の正立正三角形の蛍光反射部を有するものであること。

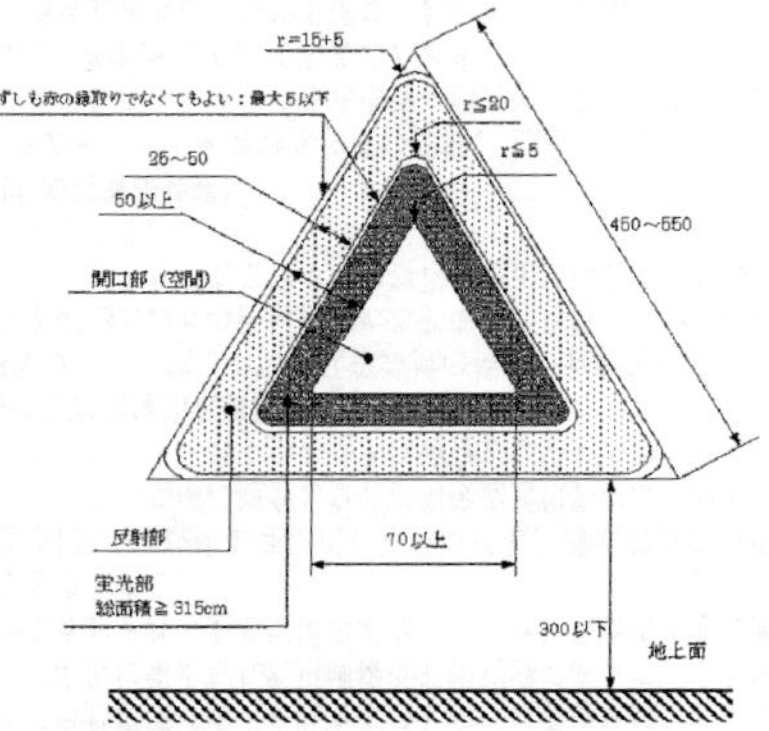

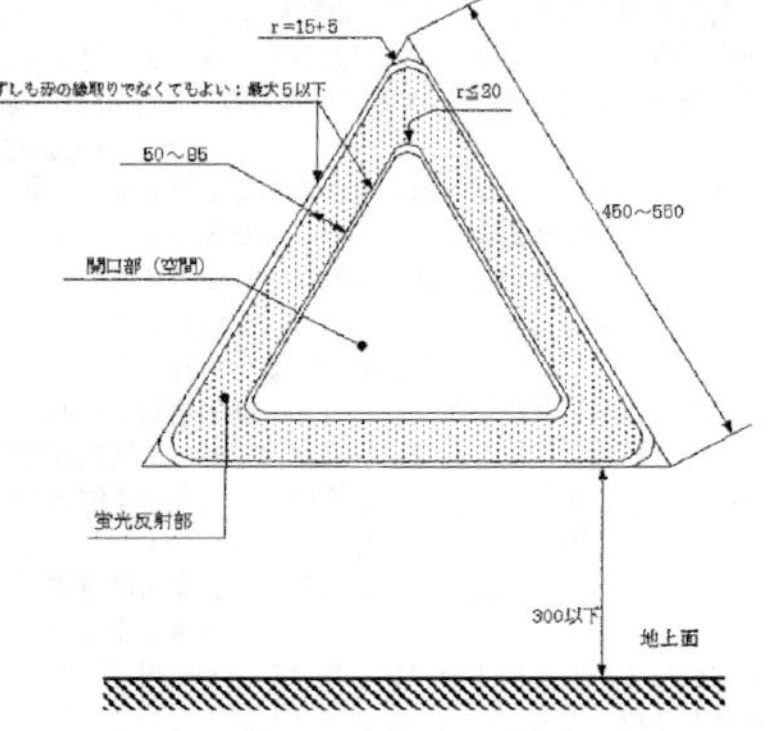

二　停止表示器材は、夜間200mの距離から走行用前照灯で照射した場合にその反射光を照射位置から確認できるものであること。

三　停止表示器材は、昼間200mの距離からその蛍光を確認できるものであること。

四　停止表示器材による反射光の色は赤色であり、かつ、当該停止表示器材による蛍光の色は、赤色又は橙色であること。

五　停止表示器材は、路面上に垂直に設置できるものであること。

六　停止表示器材は、容易に組み立てられる構造であること。

七　停止表示器材は、使用に便利な場所に備えられたものであること。

2　法第75条の２第１項の規定に基づき型式の指定を受けた特定共通構造部に備えられている停止表示器材、法第75条の３第１項の規定に基づく装置の指定を受けた停止表示器材と同一の構造を有し、その機能を損なうおそれのある損傷のない停止表示器材又はこれに準ずる性能を有する停止表示器材は、前項各号の基準に適合するものとする。

（盗難発生警報装置）

第223条　盗難発生警報装置の盗難の検知及び警報に係る性能等に関し、保安基準第43条の５第２項の告示で定める基準は、次の各号に掲げる基準とする。

一　盗難発生警報装置を備える自動車の盗難が発生しようとし

ている、又は発生しているときに、その旨を音により、又は音に加え灯光又は無線により警報を発するものであること。

二 堅ろうであり、かつ、容易にその機能が損なわれ、又は作動を解除されることがない構造であること。

三 走行中の振動、衝撃等により作動するおそれがないものであること。

四 原動機が作動しているときに、運転者により盗難発生警報装置が作動するように操作することができないものであること。

五 音、灯光等を警報するための装置の電気結線の一部が損傷した場合においても、損傷した電気結線に係る装置以外の装置の機能を損なうおそれがないものであること。

六 盗難発生警報装置が損傷した場合において、自動車の他の装置等の性能を損なうおそれがないものであること。

2 次に掲げる盗難発生警報装置であってその機能を損なうおそれのある損傷等のないものは、前項の基準に適合するものとする。

一 指定自動車等に備えられた盗難発生警報装置と同一の構造を有し、かつ、同一の位置に備えられた盗難発生警報装置

二 法第75条の2第1項の規定に基づき型式の指定を受けた特定共通構造部に備えられている盗難発生警報装置と同一の構造を有し、かつ、同一の位置に備えられている盗難発生警報装置又はこれに準ずる性能を有する盗難発生警報装置

三 法第75条の3第1項の規定に基づき盗難発生警報装置の指定を受けた自動車に備える盗難発生警報装置と同一の構造を有し、かつ、同一の位置に備えられた盗難発生警報装置又はこれに準ずる性能を有する盗難発生警報装置

(車線逸脱警報装置)

第223条の2 車線逸脱警報装置の車線からの逸脱の検知及び警報に係る性能等に関し、保安基準第43条の6の告示で定める基準は、次の各号に掲げる基準とする。

一 車線逸脱警報装置の作動中、確実に機能するものであること。この場合において、車線逸脱警報装置の機能を損なうおそれのある損傷等のあるものは、この基準に適合しないものとする。

二 当該解除装置により車線逸脱警報装置が作動しない状態となったときにその旨を運転者席の運転者に的確かつ視覚的に警報するものであること。

2 保安基準第43条の6の告示で定める自動車は、道路維持作業用自動車又は緊急自動車であって車両前部に特殊な装備を有する自動車とする。

(車両接近通報装置)

第223条の3 車両接近通報装置の機能、性能等に関し、保安基準第43条の7の告示で定める基準は、次の各号に掲げる基準とする。

一 車両接近通報装置は、走行時において確実に機能するものであること。この場合において、車両接近通報装置の機能を損なうおそれのある損傷等のあるものは、この基準に適合しないものとする。

二 車両接近通報装置は、当該装置の作動を停止させることができる機能を有さないものであること。

2 指定自動車等に備えられたものと同一の構造を有し、かつ、同一の位置に備えられた車両接近通報装置であって、その機能を損なうおそれのある損傷等のないものは、前項の基準に適合するものとする。

3 別添124「継続検査等に用いる車載式故障診断装置の技術基準」に定める基準に適合しない車両接近通報装置は、前項の規定にかかわらず、第1項の基準に適合しないものとする。

(事故自動緊急通報装置)

第223条の4 事故自動緊急通報装置の機能、性能等に関し、保安基準第43条の8の告示で定める基準は、当該装置が正常に作動しないおそれがある旨を示す警報が適正に作動するものであることとする。

(側方衝突警報装置)

第223条の5 側方衝突警報装置の機能、性能等に関し保安基準第43条の9の告示で定める基準は、側方衝突警報装置の作動中は確実に機能するものであることとする。この場合において、側方衝突警報装置の機能を損なうおそれのある損傷等のあるものは、この基準に適合しないものとする。

2 指定自動車等に備えられたものと同一の構造を有し、かつ、同一の位置に備えられた側方衝突警報装置であって、その機能を損なうおそれのある損傷等のないものは、前項の基準に適合するものとする。

3 保安基準第43条の9の告示で定める自動車は、道路維持作業用自動車又は緊急自動車であって車両前部又は左側に特殊な装備を有する自動車とする。

(車両後退通報装置)

第223条の6 車両後退通報装置の通報音発生装置の音色、音量等に関し、保安基準第43条の10第2項の告示で定める基準は、当該装置が正常に作動するものであることとする。

2 車両後退通報装置の機能、性能等に関し、保安基準第43条の10第3項の告示で定める基準は、次の各号に掲げる基準とする。

一 車両後退通報装置の音の大きさは、自動車の後方1mの位置において77dB以上112dB以下であること。この場合において、車両後退通報装置の機能を損なうおそれのある損傷等のあるものは、この基準に適合しないものとする。

二 車両後退通報装置は、自動車が後退することを歩行者等に注意喚起するものであり、かつ、サイレン又は鐘でないこと。

三 車両後退通報装置は、当該装置の作動を停止させることができる機能を有さないものであること。ただし、保安基準第44条の2に適合する後退時車両直後確認装置を備えた自動車に備える車両後退通報装置にあっては、次のイからハまでのいずれにも適合する場合に限り、当該装置の作動を停止させることができる機能を有してもよい。

イ 運転者が運転者席において操作できるような位置にあるもの

ロ 運転者が運転者席において車両後退通報装置が作動しない状態を確認できるもの

ハ 原動機の再始動時にその都度、自動で解除されるもの

四 車両後退通報装置は、自動車の最後部の車軸中心から自動車の最後端の間に取り付けられていること。

五 原動機の操作装置が始動の位置にあり、かつ、変速装置を後退位置にした場合に連動して、作動を開始するものであること。

3 音の大きさが前項第1号に規定する範囲内にないおそれがあるときは、音量計を用いて別添128「車両後退通報装置の通報音の測定方法」により測定するものとする。

4 次に掲げる後退時通報装置であってその機能を損なうおそれのある改造、損傷等のないものは、第1項及び第2項の基準に適合するものとする。

一 指定自動車等に備えられている後退時通報装置と同一の構造を有し、かつ、同一の位置に備えられた後退時通報装置

二 法第75条の2第1項の規定に基づき指定を受けた特定共通構造部に備えられた後退時通報装置と同一の構造を有し、かつ、同一の位置に備えられている後退時通報装置又はこれに準ずる性能を有する後退時通報装置

三 法第75条の3第1項の規定に基づく装置の指定を受けた後退時通報装置を有する自動車に取り付けられた後退時通報装置と同一の構造を有し、かつ、同一の位置に備えられた後退時通報装置又はこれに準ずる性能を有する後退時通報装置

(後写鏡等)

第224条 自動車（二輪自動車、側車付二輪自動車、三輪自動車、カタピラ及びそりを有する軽自動車、大型特殊自動車、小型特殊自動車並びに被牽引自動車を除く。）に備える後方等確認装置の運転者の視野、乗車人員等の保護に係る性能等に関し、保

安基準第44条第１項ただし書の告示で定める後方等確認装置の基準は、次の各号に定める基準とする。ただし、協定規則第46号の規則15.2.4.5.及び15.2.4.6.の規定が適用される後方等確認装置にあっては第１号から第５号までの基準に適合するものであればよい。

一　カメラ（後方等確認装置のうち自動車の周辺状況を把握するために必要な視界の画像情報を撮影する装置をいう。以下この項において同じ。）は容易に方向の調節をすることができ、かつ、一定の方向を保持できる構造であること。

二　カメラ（地上1.8m以下に取り付けられているものに限る。）は歩行者等に接触した場合において、当該歩行者等に傷害を与えるおそれがないものとして衝撃を緩衝できる構造であること。

三　車室内に備えるカメラ及び画像表示装置（後方等確認装置のうちカメラにより撮影した画像情報を運転者に表示する装置をいう。以下この項において同じ。）は、当該自動車が衝突等による衝撃を受けた場合において、乗車人員の頭部等に傷害を与えるおそれの少ない構造であること。

四　画像表示装置が表示する画像は明瞭かつ容易に確認できるものであること。

五　画像表示装置の輝度は手動又は自動で調整可能なものであり、夜間において運転者の視界の妨げとならないこと。

六　後方等確認装置は故障時に運転者へ視覚的に確認できる表示による警報機能を有しており、当該表示により警報されていないものであること。

2　自動車（ハンドルバー方式のかじ取装置を備える二輪自動車、側車付二輪自動車及び三輪自動車であって車室（運転者が運転者席において自動車の外側線付近の交通状況を確認できるものを除く。以下この条において同じ。）を有しないものを除く。）に備える後写鏡の当該後写鏡による運転者の視野、乗車人員等の保護に係る性能等に関し、保安基準第44条第２項の告示で定める基準は、次の各号に掲げる基準とする。ただし、二輪自動車、側車付二輪自動車、大型特殊自動車、農耕作業用小型特殊自動車及び最高速度20km／h未満の自動車に備えるものについては第２号及び第３号、普通自動車（専ら乗用の用に供するものを除く。）及び乗車定員11人以上の自動車に備えるものについては第３号の規定は、適用しない。

一　容易に方向の調節をすることができ、かつ、一定の方向を保持できる構造であること。

二　取付部附近の自動車の最外側より突出している部分の最下部が地上1.8m以下のものは、当該部分が歩行者等に接触した場合に衝撃を緩衝できる構造であること。

三　車室内に備えるものは、当該自動車が衝突等による衝撃を受けた場合において、乗車人員の頭部等に障害を与えるおそれの少ない構造であること。

四　鏡面に著しいひずみ、曇り又はひび割れがないこと。

3　ハンドルバー方式のかじ取装置を備える二輪自動車、側車付二輪自動車及び三輪自動車であって車室を有しないものに備える後写鏡の当該後写鏡による運転者の視野、歩行者等の保護に係る性能等に関し、保安基準第44条第３項の告示で定める基準は、次の各号に掲げる基準とする。

一　容易に方向の調節をすることができ、かつ、一定の方向を保持できる構造であること。

二　歩行者等に接触した場合において、衝撃を緩衝できる構造であり、かつ、歩行者等に傷害を与えるおそれのあるものでないこと。

三　運転者が後方の交通状況を明瞭かつ容易に確認できる構造であること。

4　次に掲げる後写鏡は、前項第３号の基準に適合しないものとする。ただし、平成18年12月31日以前に製作された自動車に備える後写鏡にあっては、第２号から第４号までの規定によらないことができる。

一　鏡面に著しいひずみ、曇り又はひび割れがあるもの

二　鏡面の面積が69㎠未満であるもの

三　その形状が円形の鏡面にあっては、鏡面の直径が94㎜未満である、又は150㎜を超えるもの

四　その形状が円形以外の鏡面にあっては、当該鏡面が直径78㎜の円を内包しないもの、又は当該鏡面が縦120㎜、横200㎜（又は横120㎜、縦200㎜）の長方形により内包されないもの

5　後方等確認装置及び後写鏡の取付位置、取付方法等に関し、保安基準第44条第４項の告示で定める基準は、次に掲げる基準とする。

一　第１項の後方等確認装置にあっては、次に定める基準

イ　走行中の振動により著しくその機能を損なわないよう取り付けられたものであること。

ロ　車室内に備える画像表示装置は、運転者席において運転する状態の運転者の直接視界範囲内にあり、当該自動車の左側の視界範囲を表示する画像表示装置にあってはアイポイントより左側に、当該自動車の右側の視界範囲を表示する画像表示装置にあってはアイポイントより右側に、それぞれ配置すること。ただし、協定規則第46号の規則15.2.4.5.及び15.2.4.6.の規定が適用される後方等確認装置にあってはこの限りでない。

二　第２項の後写鏡にあっては、次に定める基準

イ　走行中の振動により著しくその機能を損なわないよう取り付けられたものであること。

ロ　運転者が運転者席において、自動車（被牽引自動車を牽引する場合は、被牽引自動車）の左右の外側線上後方50mまでの間にある車両の交通状況及び自動車（牽引自動車より幅の広い被牽引自動車を牽引する場合は、牽引自動車及び被牽引自動車）の左外側線付近（運転者が運転者席において確認できる部分を除く。）の交通状況を確認できるものであること。ただし、二輪自動車、側車付二輪自動車並びにカタピラ及びそりを有する軽自動車にあっては自動車の左右の外側線上後方50m、小型特殊自動車にあっては自動車の右外側線上後方50mまでの間にある車両の交通状況を確認できるものであればよい。この場合において、取付けが不確実な後写鏡は、この基準に適合しないものとする。

ハ　専ら乗用の用に供する乗車定員10人以下の普通自動車、貨物の運送の用に供する普通自動車（車両総重量が2.8tを超える自動車を除く。）、小型自動車及び軽自動車（被牽引自動車、二輪自動車、側車付二輪自動車並びにカタピラ及びそりを有する軽自動車を除く。）に備える車体外後写鏡は、アイポイントの中心及び後写鏡の中心を通る鉛直面と車両中心面とのなす角度が、それぞれ、車両の右側に備える後写鏡にあっては前方55°以下（左ハンドル車にあっては75°以下）、車両の左側に備える後写鏡にあっては前方75°以下（左ハンドル車にあっては55°以下）であること。この場合において、後写鏡の鏡面は、通常使用される位置に調節し、固定した状態とする。

三　第３項の後写鏡にあっては、次に定める基準

イ　後写鏡の反射面の中心が、かじ取装置の中心を通り進行方向に平行な鉛直面から280㎜以上外側となるように取り付けられていること。この場合において、取付けが不確実な後写鏡は、この基準に適合しないものとする。

ロ　運転者が運転者席において、容易に方向の調節をすることができるように取り付けられていること。

ハ　自動車の左右両側（最高速度50km／h以下の自動車にあっては、自動車の左右両側又は右側）に取り付けられていること。

6　次に掲げる後方等確認装置であって、その機能を損なう損傷等のないものは、第１項各号及び前項第１号の基準に適合するものとする。

一　指定自動車等に備えられたものと同一の構造を有し、かつ、同一の位置に備えられた後方等確認装置

二　法第75条の２第１項の規定に基づき指定を受けた特定共通

構造部に備えられている後方等確認装置と同一の構造を有し、かつ、同一の位置に備えられた後方等確認装置又はこれに準ずる性能を有する後方等確認装置

三　法第75条の3第1項の規定に基づく装置の指定を受けた後方等確認装置を有する自動車に取り付けられた後方等確認装置と同一の構造を有し、かつ、同一の位置に備えられた後方等確認装置又はこれに準ずる性能を有する後方等確認装置

7　次の各号に掲げる自動車に備える後写鏡であってその機能を損なうおそれのある損傷等のないものは、それぞれに定める基準に適合するものとする。

一　次号に掲げる自動車以外の自動車に備える後写鏡であって、次に掲げるものにあっては、第2項各号、第3項各号並びに第5項第2号及び第3号の基準

イ　指定自動車等に備えられている後写鏡と同一の構造を有し、かつ、同一の位置に備えられた後写鏡又はこれに準ずる性能を有する後写鏡及び後写鏡取付装置

ロ　法第75条の2第1項の規定に基づき指定を受けた特定共通構造部に備えられている後写鏡及び後写鏡取付装置と同一の構造を有し、かつ、同一の位置に備えられている後写鏡及び後写鏡取付装置又はこれに準ずる性能を有する後写鏡及び後写鏡取付装置

ハ　法第75条の3第1項の規定に基づく装置の指定を受けた後写鏡及び後写鏡取付装置を有する自動車に取り付けられた後写鏡及び後方等確認装置と同一の構造を有し、かつ、同一の位置に備えられた後写鏡及び後写鏡取付装置又はこれに準ずる性能を有する後写鏡及び後写鏡取付装置

二　カタピラ及びそりを有する軽自動車、大型特殊自動車、農耕作業用小型特殊自動車及び最高速度20km／h未満の自動車に備える後写鏡にあっては、指定自動車等に備えられた後写鏡と同一の構造を有し、かつ、同一の位置に備えられた後写鏡にあっては、第2項各号（カタピラ及びそりを有する軽自動車以外の自動車にあっては第2項第1号及び第4号）及び第5項第2号イ及びロの基準

8　保安基準第44条第5項の告示で定める障害物は、次表に掲げるものをいう。

自　動　車	障　害　物
一　専ら乗用の用に供する自動車であって乗車定員10人未満のもの及び貨物の運送の用に供する自動車であって車両総重量が3.5t以下のもの（三輪自動車を除く。）	イ　視覚的方法により確認する場合は、当該自動車の車体外後写鏡の鏡面中心又は後方等確認装置のカメラレンズ中心より前方の範囲（車体外後写鏡の鏡面中心が車体前面の側端部より前方に位置する自動車にあっては、当該車体外後写鏡側の車体前面の側端部より外側の範囲を除く。）にあり、車体と接する高さ1m直径30cmの円柱 ロ　検知装置により確認する場合は、協定規則第166号の規則15.3.に定める範囲に設置した協定規則第166号附則12の規則1.1.に定めるテスト対象物
二　小型自動車、軽自動車及び普通自動車（前号及び次号の自動車並びに三輪自動車を除く。）	当該自動車の前面から0.3m前方にある鉛直面及び当該自動車の左側面（左ハンドル車にあっては右側面）から0.3mの距離にある鉛直面と当該自動車との間にあり、かつ当該自動車に接している高さ1m直径30cmの円柱。ただし、前号の自動車（指定自動車等に限る。）と運転者席からの運転者の直接視野に係る性能が同一の自動車にあっては、前号イ又はロに掲げる障害物であってもよい。
三　車両総重量が8t以上又は最大積載量が5t以上の普通自動車であって原動機の相当部分が運転者室又は客室の下にあるもの（乗車定員11人以上の自動車、その形状が乗車定員11人以上の自動車の形状に類する自動車、原動機が運転者室の側方にあるワンサイドキャブ型自動車、原動機が運転者室又は客室の後方にあるトラッククレーン等を除く。）	当該自動車の前端から2m前方にある車両中心線に直交する鉛直面及び当該自動車の左最外側面（左ハンドル車にあっては右最外側面）から3mの距離にある車両中心線に平行な鉛直面と当該自動車との間にある高さ1m直径30cmの円柱

（参考図）　障害物を確認できなければならない範囲

a）第1号イ関係　　b）第1号ロ関係

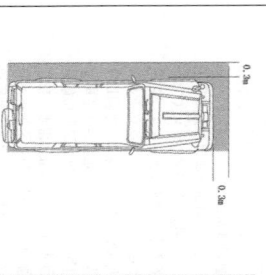

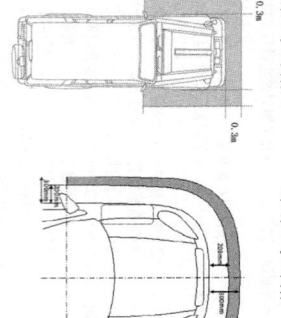

c）第2号関係　　d）第3号関係

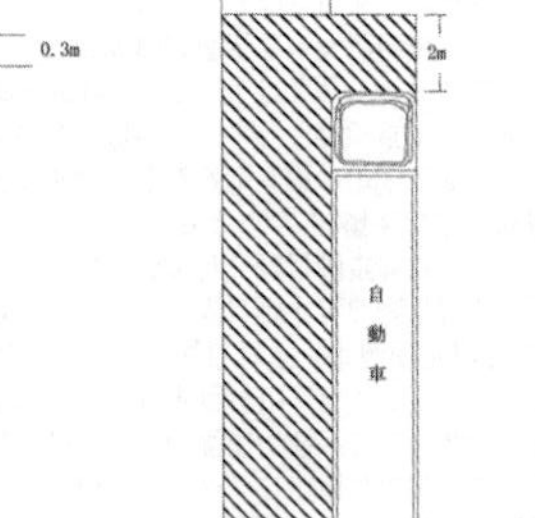

9　保安基準第44条第6項の障害物を確認できる鏡その他の装置による運転者の視野、歩行者等の保護に係る性能等に関し告示で定める基準は、次の各号に定める基準とする。

一　鏡又はカメラ及び画像表示装置により構成される装置にあっては、運転者が運転者席において、前項第1号イ、第2号（同号ただし書の自動車にあっては、前項第1号イに限る。）及び第3号に掲げる障害物の少なくとも一部（Aピラー、窓拭き器、後写鏡又はかじ取ハンドルにより運転者席からの確認が妨げられる部分を除く。）を、視覚的方法により確認できるものであること。

二　取付部附近の自動車の最外側より突出している部分の最下部が地上1.8m以下のものは、当該部分が歩行者等に接触した場合に衝撃を緩衝できる構造であること。

三　カメラ及び画像表示装置により構成される装置並びに検知装置にあっては、運転者が確認しようとするときは、確実に機能するものであること。この場合において、当該装置の機能を損なうおそれのある改造、損傷等のあるものは、この基準に適合しないものとする。

10　前項の鏡その他の装置の取付位置、取付方法等に関し、保安基準第44条第７項の告示で定める基準は、次に掲げるいずれかの構造を有するものであることとする。

一　鏡体部及びその支持部により構成される装置は、溶接、リベット、ボルト・ナット又はねじにより自動車の外側の表面上（バンパを除く。）に直接取り付けられており、かつ、取付部付近の自動車の最外側より突出しない構造。ただし、原動機の相当部分が運転者室又は客室の下にある自動車（貨物の運送の用に供する自動車であって運転者室及び客室と物品積載装置との間に隔壁を有するもの及び専ら乗用の用に供する自動車であって乗車定員11人以上のもの並びにこれらの形状に類する自動車に限る。）にあっては、溶接、リベット、ボルト・ナット又はねじにより確実に取り付けられている構造であればよいものとする。

二　カメラ及び画像表示装置により構成される装置並びに検知装置は、確実に取り付けられており、かつ、その配線が自動車の外側の表面上に露出していない構造

11　取付けが不確実な鏡その他の装置及び鏡面に著しいひずみ、曇り又はひび割れのある鏡その他の装置は、第９項第１号及び前項の基準に適合しないものとする。

12　次に掲げる鏡その他の装置であって、その機能を損なうおそれのある損傷等のないものは、第９項及び第10項の基準に適合するものとする。

一　指定自動車等に備えられた鏡その他の装置と同一の構造を有し、かつ、同一の位置に備えられた鏡その他の装置

二　法第75条の２第１項の規定によりその型式について指定を受けた特定共通構造部の鏡その他の装置と同一の構造を有し、かつ、同一の位置に備えられた鏡その他の装置

三　法第75条の３第１項の規定によりその型式について指定を受けた直前直左右確認装置と同一の構造を有し、かつ、同一の位置に備えられた直前直左右確認装置

（後退時車両直後確認装置）

第224条の２　後退時車両直後確認装置の運転者の視野に係る性能等に関し、保安基準第44条の２の告示で定める基準は、次の各号に掲げる基準とする。

一　後退時車両直後確認装置の作動中、確実に機能するものであること。この場合において、後退時車両直後確認装置の機能を損なうおそれのあるものは、この基準に適合しないものとする。

二　後退時車両直後確認装置の取付位置、取付方法等に関する基準は、次に掲げる基準に適合すること。

イ　走行中の振動により著しくその機能を損なわないよう取り付けられたものであること。

ロ　画像表示装置は、運転者が運転者席に着席した状態で直視できる範囲内にあり、前号の要件を容易に確認できる位置に備えなければならない。

2　次に掲げる後退時車両直後確認装置であってその機能を損なうおそれのある損傷等のないものは、前項の基準に適合するものとする。

一　指定自動車等に備えられた後退時車両直後確認装置と同一の構造を有し、かつ、同一の性能を確保できる位置に備えられた後退時車両直後確認装置

二　法第75条の２第１項の規定によりその型式について指定を受けた特定共通構造部の後退時車両直後確認装置と同一の構造を有し、かつ、同一の性能を確保できる位置に備えられている後退時車両直後確認装置又はこれに準ずる性能を有する後退時車両直後確認装置

三　法第75条の３第１項の規定によりその型式について指定を受けた後退時車両直後確認装置と同一の構造を有し、かつ、同一の性能を確保できる位置に備えられた後退時車両直後確認装置又はこれに準ずる性能を有する後退時車両直後確認装置

四　法第75条の３第１項の規定によりその型式について指定を受けた後方視界看視装置と同一の構造を有し、かつ、同一の性能を確保できる位置に備えられた後方視界看視装置又はこれに準ずる性能を有する後方視界看視装置を備える後退時車両直後確認装置

3　保安基準第44条の２の後退時車両直後確認装置を備えることができないものとして告示で定める自動車は、道路維持作業用自動車又は緊急自動車であって車両後部に特殊な装備を有する自動車とする。

4　保安基準第44条の２のただし書の告示で定める自動車は、協定規則第158号の規則15.2.1.1.に掲げる方法によって第１項に定める基準に適合する自動車とする。ただし、協定規則第158号の規則15.2.1.1.は、協定規則第158号の規則15.2.1.7.を満たす場合に限り適用する。

（窓ふき器等）

第225条　窓ふき器の視野の確保に係る性能等に関し、保安基準第45条第１項の告示で定める基準は、自動車の前面ガラスに備える窓ふき器にあっては、前面ガラスの直前の視野を確保できる自動式の窓ふき器（左右に窓ふき器を備える場合は、同時に作動するものであること。）であることとする。この場合において、窓ふき器のブレードであって、老化等により著しく機能が低下しているものは、この基準に適合しないものとする。

2　指定自動車等に備えられている窓ふき器と同一の構造を有し、かつ、同一の位置に備えられた窓ふき器であって、その機能を損なうおそれのある損傷のないものは、前項の基準に適合するものとする。

3　洗浄液噴射装置及びデフロスタの視野の確保に係る性能等に関し、保安基準第45条第２項の告示で定める基準は、次の各号に掲げる基準とする。

一　洗浄液噴射装置にあっては、前面ガラスの外側が汚染された場合において、前面ガラスの直前の視界を確保するのに十分な洗浄液を噴射するものであること。この場合において、洗浄液を噴射させた場合に洗浄液が窓ふき器の払しょく範囲内にあたるものは、この基準に適合するものとする。

二　専ら乗用の用に供する普通自動車又は小型自動車若しくは軽自動車であって乗車定員10人以下の自動車に備えるデフロスタにあっては、前面ガラスに水滴等により著しい曇りが生じた場合において、前面ガラスの直前の視野を速やかに確保する性能を有するものであること。

三　走行中の振動、衝撃等により損傷を生じ、又は作動するものでないこと。

4　指定自動車等に備えられているデフロスタと同一の構造を有し、かつ、同一の位置に備えられたデフロスタであって、その機能を損なうおそれのある損傷のないものは、前項第２号の基準に適合するものとする。

（速度計）

第226条　速度計の取付位置、精度等に関し、保安基準第46条第１項の告示で定める基準は、次の各号に掲げる基準とする。

一　運転者が容易に走行時における速度を確認できるものであること。この場合において、次に掲げるものは、この基準に適合しないものとする。

イ　速度がkm／hで表示されないもの

ロ　照明装置を備えたもの、自発光式のもの若しくは文字板

及び指示針に自発光塗料を塗ったもののいずれにも該当しないもの（保安基準第56条第1項の自動車であって昼間のみ運行するものを除く。）又は運転者をげん惑させるおそれのあるもの

ハ　ディジタル式速度計であって、昼間又は夜間のいずれにおいて十分な輝度又はコントラストを有しないもの

ニ　速度計が、運転者席において運転する状態の運転者の直接視界範囲内にないもの

二　速度計の指度は、平坦な舗装路面での走行時において、著しい誤差のないものであること。この場合において、次に掲げるものは、この基準に適合しないものとする。

イ　平成18年12月31日までに製作された自動車にあっては、自動車の速度計が40km／h（最高速度が40km／h未満の自動車にあっては、その最高速度）を指示した時の運転者の合図によって速度計試験機を用いて計測した速度が次に掲げる基準に適合しないもの。

(1)　二輪自動車、側車付二輪自動車、三輪自動車並びにカタピラ及びそりを有する軽自動車以外の自動車にあっては、計測した速度が次式に適合するものであること。

$10(V_1-6)/11 \leqq V_2 \leqq (100/90)V_1$

この場合において、

V_1は、自動車に備える速度計の指示速度（単位　km／h）

V_2は、速度計試験機を用いて計測した速度（単位　km／h）

(2)　二輪自動車、側車付二輪自動車、三輪自動車並びにカタピラ及びそりを有する軽自動車にあっては、計測した速度が次式に適合するものであること。

$10(V_1-8)/11 \leqq V_2 \leqq (100/90)V_1$

この場合において、

V_1は、自動車に備える速度計の指示速度（単位　km／h）

V_2は、速度計試験機を用いて計測した速度（単位　km／h）

ロ　平成19年1月1日以降に製作された自動車にあっては、イの規定にかかわらず、自動車の速度計が40km／h（最高速度が40km／h未満の自動車にあっては、その最高速度）を指示した時の運転者の合図によって速度計試験機を用いて計測した速度が次に掲げる基準に適合しないもの。

(1)　二輪自動車、側車付二輪自動車、三輪自動車並びにカタピラ及びそりを有する軽自動車以外の自動車にあっては、計測した速度が次式に適合するものであること。

$10(V_1-6)/11 \leqq V_2 \leqq (100/94)V_1$

この場合において、

V_1は、自動車に備える速度計の指示速度（単位　km／h）

V_2は、速度計試験機を用いて計測した速度（単位　km／h）

(2)　二輪自動車、側車付二輪自動車、三輪自動車並びにカタピラ及びそりを有する軽自動車にあっては、計測した速度が次式に適合するものであること。

$10(V_1-8)/11 \leqq V_2 \leqq (100/94)V_1$

この場合において、

V_1は、自動車に備える速度計の指示速度（単位　km／h）

V_2は、速度計試験機を用いて計測した速度（単位　km／h）

2　次の各号に掲げる速度計であって、その機能を損なうおそれのある損傷のないものは、前項第1号の基準に適合するものとする。

一　指定自動車等に備えられている速度計と同一の構造を有し、かつ、同一の位置に備えられた速度計

二　法第75条の2第1項の規定に基づき型式の指定を受けた特定共通構造部に備えられている速度計と同一の構造を有し、かつ、同一の位置に備えられている速度計又はこれに準じる性能を有する速度計

三　法第75条の3第1項の規定に基づく装置の指定を受けた速度計と同一の構造を有し、かつ、同一の位置に備えられた速度計又はこれに準じる性能を有する速度計

3　走行距離計の取付位置、表示等に関し、保安基準第46条第2項の告示で定める基準は、次の各号に掲げる基準とする。

一　走行距離計は運転者席から容易に確認できる位置に備えること。

二　走行距離計が表示する距離の距離は6桁（二輪自動車及び側車付二輪自動車にあっては5桁）以上の整数値であること。

4　次の各号に掲げる走行距離計であって、その機能を損なうおそれのある損傷等のないものは、前項の基準に適合するものとする。

一　指定自動車等に備えられている走行距離計と同一の構造を有し、かつ、同一の位置に備えられた走行距離計

二　法第75条の2第1項の規定に基づき指定を受けた特定共通構造部に備えられた走行距離計と同一の構造を有し、かつ、同一の位置に備えられている走行距離計又はこれに準ずる性能を有する走行距離計

三　法第75条の3第1項の規定に基づく装置の指定を受けた走行距離計を有する自動車に取り付けられた走行距離計と同一の構造を有し、かつ、同一の位置に備えられた走行距離計又はこれに準ずる性能を有する走行距離計

（事故情報計測・記録装置）

第226条の2　事故情報計測・記録装置の記録性能等に関し、保安基準第46条の2の告示で定める基準は、当該装置が正常に作動しないおそれがある旨を示す警報が適正に作動するものであることとする。この場合において、事故情報計測・記録装置の機能を損なうおそれのある損傷等のあるものは、この基準に適合しないものとする。

2　次に掲げる事故情報計測・記録装置であって、その機能を損なうおそれのある損傷等のないものは、前項の基準に適合するものとする。

一　指定自動車等に備えられている事故情報計測・記録装置と同一の構造を有し、かつ、同一の位置に備えられた事故情報計測・記録装置

二　法第75条の2第1項の規定に基づき指定を受けた特定共通構造部に備えられた事故情報計測・記録装置と同一の構造を有し、かつ、同一の位置に備えられている事故情報計測・記録装置又はこれに準ずる性能を有する事故情報計測・記録装置

三　法第75条の3第1項の規定に基づく装置の指定を受けた事故情報計測・記録装置を有する自動車に取り付けられた事故情報計測・記録装置と同一の構造を有し、かつ、同一の位置に備えられた事故情報計測・記録装置又はこれに準ずる性能を有する事故情報計測・記録装置

（消火器）

第227条　保安基準第47条第1項第3号の告示で定める品名及び数量は、次の表に掲げる数量とする。

品　　名	数　　量
(1)　油紙類及び油布類	750kg
(2)　副蚕糸	750
(3)　油かす	2,000
(4)　可燃性固体類	1,500

(5) 可燃性液体類	2,000
(6) 綿花類	2,000
(7) 木毛	2,000
(8) わら類	2,000
(9) 合成樹脂類	2,000
(10) マッチ	150

2 消火器の消火剤の種類及び充てん量、構造、取付位置等に関し、保安基準第47条第2項の告示で定める基準は、次の各号に掲げる基準とする。

一 保安基準第47条第1項第1号から第5号までに掲げる自動車に備える消火器は、次に掲げる表において対象運送物品の消火に適応するものとされるものでなければならない。ただし、二輪自動車、側車付二輪自動車、軽自動車又は小型特殊自動車にあっては、当該適応消火器の充てん量を次号イからホまでに掲げる量とすることができる。

適応消火器 ＼ 対象運送物品		火薬類	危険物 第一類 アルカリ金属の過酸化物又はこれを含有するもの	危険物 第一類 その他のもの	危険物 第二類 鉄粉、金属粉若しくはマグネシウム又はこれらのいずれかを含有するもの	危険物 第二類 引火性固体	危険物 第二類 その他のもの	危険物 第三類 禁水性物品	危険物 第三類 禁水性物品以外のもの	危険物 第四類	危険物 第五類	危険物 第六類	可燃物 可燃性固体類及び可燃性液体類	可燃物 その他のもの	高圧ガス 可燃性ガス	高圧ガス 酸素
霧状の強化剤を放射する消火器で充てん量が8ℓ以上のもの		○		○		○	○		○	○	○	○	○	○		○
炭酸ガスを放射する消火器で充てん量が3.2kg以上のもの						○				○			○			○
一塩化一臭化メタンを放射する消火器で充てん量が2ℓ以上のもの						○				○			○			○
二臭化四ふっ化エタンを放射する消火器で充てん量が1ℓ以上のもの						○				○			○			○
消火粉末を放射する消火器	りん酸塩類等の充てん量が3.5kg以上のもの			○		○	○			○		○	○	○	○	○
消火粉末を放射する消火器	ナトリウム又はカリウムの重炭酸塩の充てん量が3.5kg以上のもの		○		○	○		○		○			○		○	○

備考

※1：○印は、当該消火器が当該対象運送物品の消火に適応するものであることを示す。

※2：りん酸塩類等とは、りん酸塩類、硫酸塩類その他防炎性を有する薬剤をいう。

二 保安基準第47条第1項の自動車（前号に規定する自動車を除く。）に備える消火器は、次に掲げるものであること。

イ 霧状の強化液を放射する消火器で充てん量が6ℓ以上のもの

ロ 炭酸ガスを放射する消火器で充てん量が2.2kg以上のもの

ハ 一塩化一臭化メタンを放射する消火器で充てん量が1ℓ以上のもの

ニ 二臭化四ふっ化エタンを放射する消火器で充てん量が0.4ℓ以上のもの

ホ 消火粉末を放射する消火器で充てん量が1.8kg以上のもの

三 保安基準第47条第1項の自動車に備える消火器は、前2号の規定によるほか、次に掲げる基準に適合しなければならない。

イ 消火器は、構造及び性能が消防法第21条の2第2項に規定する技術上の規格に適合するものであること。

ロ 消火器は、自動車の走行中の振動、衝撃等により、損傷を生じ又は作動するものでないこと。

ハ 消火器は、使用に際して容易に取りはずしができるように取り付けたものであること。

ニ 消火器は、次の場所に備えたものであること。

(1) 火薬類を運送する自動車及びこれを牽引する牽引自動車にあっては、見張人の使用に便利な場所

(2) (1)に掲げる自動車以外の自動車にあっては、運転者、運転者助手、車掌、見張人又は取扱人の使用に便利な場所

四 消火器の技術上の規格を定める省令（昭和39年自治省令第27号）第38条第3項の規定による表示がなされているものは、前号イ及びロの基準に適合するものとする。

（内圧容器及びその附属装置）

第228条 自動車の内圧容器及びその附属装置の規格、表示、取付け等に関し、保安基準第47条の2の告示で定める基準は、次に掲げる基準とする。

一 内圧容器は、労働安全衛生法施行令（昭和47年政令第318号）第1条第7号に規定する第二種内圧容器に関し労働安全衛生法（昭和47年法律第57号）第42条の規定に基づき厚生労働大臣が定める規格を具備するものであること。

二 圧縮空気に係る内圧容器は、ドレンコックを備えたものであること。

三 内圧容器は、自動車に取り付けた状態で見やすい位置に、最高使用圧力を表示したものであること。

四 内圧容器は、点検しやすい場所に備えられていること。

五 内圧容器及び導管は、自動車の走行中の振動、衝撃等により損傷を生じないように取り付けられていること。

六 内圧容器には、容器内の圧力を指示する圧力計を運転者の見やすい場所に設けること。

七 圧力計は、圧縮ガスにより作動する装置の最低有効作動圧

力を目盛に表示したものであること。

八　第6号の圧力計は、照明装置を備え、又は文字板及び指示針に自発光塗料を塗ったものであること。

2　機械等検定規則（昭和47年労働省令第45号）第4条の規定による合格印が押印された明細書の提出があるときは、前項第1号の基準に適合するものとする。

（自動運行装置）

第228条の2　自動運行装置を備える自動車の機能、性能等に関し、保安基準第48条第2項の告示で定める基準は、自動運行装置の作動中、確実に機能するものであることとする。この場合において、自動運行装置の機能を損なうおそれのある損傷のあるもの又は別添124「継続検査等に用いる車載式故障診断装置の技術基準」に定める基準に適合しないものは、この基準に適合しないものとする。

（運行記録計）

第229条　運行記録計の記録性能、精度等に関し、保安基準第48条の2第2項の告示で定める基準は、次の各号に掲げる基準とする。

一　24時間以上の継続した時間内における当該自動車についての次の事項を自動的に記録できる構造であること。

イ　すべての時刻における瞬間速度

ロ　すべての2時刻間における走行距離

二　運行記録計の瞬間速度の記録は、平坦な舗装路面での走行時において、自動車の速度を下回らず、かつ、著しい誤差のないものであること。

2　法第75条の2第1項の規定に基づき型式の指定を受けた特定共通構造部に備えられている運行記録計、法第75条の3第1項の規定に基づく装置の指定を受けた運行記録計又はこれらに準ずる性能を有するものであって、その機能が正常であるものは、前項各号の基準に適合するものとする。

（速度表示装置）

第230条　速度表示装置の表示方法、灯光の色、明るさ、精度等に関し、保安基準第48条の3第2項の告示で定める基準は、次の各号に掲げる基準とする。

一　速度表示装置は、次表上欄に掲げる速度で走行する場合に同表下欄に掲げる個数の灯火（以下「速度表示灯」という。）を自動的に点灯する構造であること。この場合において、左側の速度表示灯の点灯開始速度は、技術的に可能な限り低い速度とし、いかなる場合にあっても20km／hを超えてはならない。

60km／hを超える速度	3個
40km／hを超えて60km／h以下の速度	2個
40km／h以下の速度	1個

二　速度表示灯には、自動車の電源スイッチを除き、速度表示灯を容易に消灯できる手動スイッチ等を設けるものでないこと。

三　速度表示灯は、前方100mの距離から点灯している灯火の数を確認できるものであること。

四　速度表示灯の灯光の色は、黄緑色であること。

五　速度表示灯の表示は、平坦な舗装路面での走行時において、著しい誤差のないものであること。

六　速度表示装置は、運転者が運転者席においてその作動状態を確認できる灯火その他の装置を備えたものであること。

2　速度表示装置の取付位置、取付方法等に関し、保安基準第48条の3第3項の告示で定める基準は、次の各号に掲げる基準とする。

一　速度表示灯の取付位置は、前面ガラスの上方であり、かつ、地上1.8m以上であること。この場合において、取付位置は、照明部中心の位置によるものとする。

二　速度表示灯は、横に配列するものとし、その点灯の順序は、左側の灯火、右側の灯火、中間の灯火の順であること。この場合において、速度表示装置の速度表示灯は、3個をほぼ水平に、かつ、等間隔に配列し、その間隔は300mm±50mmとし、その中間灯火は、車両中心線付近に配置するものとする。

三　速度表示灯の表示部の車両中心面に直交する鉛直面への投影面積は、40cm²以上であること。

（緊急自動車）

第231条　緊急自動車に備える警光灯の色、明るさ、サイレンの音量、車体の塗色に関し、保安基準第49条第1項及び第2項の告示で定める基準は、次の各号に掲げる基準とする。

一　警光灯は、前方300mの距離から点灯を確認できる赤色のものであること。この場合において、警光灯と連動して作動する赤色の灯火は、この基準に適合するものとする。

二　サイレンの音の大きさは、その自動車の前方20mの位置において90dB以上120dB以下であること。この場合において、サイレンの音の大きさがこの範囲内にないおそれがあるときは、音量計を用いて次により計測するものとする。

イ　音量計は、使用開始前に十分暖機し、暖機後に較正を行う。

ロ　マイクロホンは、車両中心線上の自動車の前端から20mの位置の地上1mの高さにおいて車両中心線に平行かつ水平に自動車に向けて設置する。

ハ　聴感補正回路はC特性とする。

ニ　原動機は、停止した状態とする。

ホ　計測場所は、概ね平坦で、周囲からの反射音による影響を受けない場所とする。

ヘ　計測値の取扱いは、次のとおりとする。

(1)　計測は2回行い、1dB未満は切り捨てるものとする。

(2)　2回の計測値の差が2dBを超える場合には、計測値を無効とする。ただし、いずれの計測値も本則に規定する範囲にない場合には有効とする。

(3)　2回の計測値（(4)により補正した場合には、補正後の値）の平均を音の大きさとする。

(4)　計測の対象とする音の大きさと暗騒音の計測値の差が3dB以上10dB未満の場合には、計測値から次表の補正値を控除するものとし、3dB未満の場合には計測値を無効とする。

（単位：dB）

計測の対象とする音の大きさと暗騒音の計測値の差	3	4	5	6	7	8	9
補正値	3	2		1			

三　緊急自動車の車体の塗色は、消防自動車にあっては朱色とし、その他の緊急自動車にあっては白色とする。ただし、警察自動車、検察庁において犯罪捜査のために使用する自動車又は防衛省用自動車であって緊急の出動の用に供するもの、刑務所その他の矯正施設において緊急警備のため使用する自動車、入国者収容所又は地方入国管理局において容疑者の収容又は被収容者の警備のため使用する自動車、救急自動車のうち重度の傷病者でその居宅において療養しているものについていつでも必要な往診をすることができる体制を確保している医療機関が当該傷病者について必要な緊急の往診を行う医師を当該傷病者の居宅にまで輸送するために使用する自動車、公共用応急作業自動車、海上保安庁用自動車であって緊急自動車として取り扱われる自動車及び不法に開設された無線局の探査のため総務省において使用する自動車にあっては、この限りでない。

四　車体の塗色の大部分の塗色が前号に規定する塗色である場合は、前号の基準に適合するものとする。

（道路維持作業用自動車）

第232条 道路維持作業用自動車に備える灯火の灯光の色、明るさ等に関し、保安基準第49条の2の告示で定める基準は、次の各号に掲げる基準とする。
一 黄色であって点滅式のものであること。
二 150mの距離から点灯を確認できるものであること。

（自主防犯活動用自動車）
第232条の2 保安基準第49条の3第1項に規定する自主防犯活動用自動車とは、警視総監又は道府県警察本部長（道警察本部の所在地を包括する方面を除く方面については、方面本部長）から自主防犯活動のために使用する自動車として証明書の交付を受けたものをいう。
2 自主防犯活動用自動車に備えることができる青色防犯灯の灯光の色、明るさ等に関し、保安基準第49条の3第2項の告示で定める基準は、次の各号に掲げる基準とする。
一 青色防犯灯の灯光の色は、青色であること。
二 青色防犯灯は点滅式であること。
三 青色防犯灯の直射光又は反射光は、当該青色防犯灯を備える自動車及び他の自動車の運転操作を妨げるものでないこと。
3 自主防犯活動用自動車に備えることができる青色防犯灯の取付位置、取付方法等に関し、保安基準第49条の3第3項の告示で定める基準は、次の各号に掲げる基準とする。
一 青色防犯灯の数は、1個（複数の照明部を有し、構造上一体となっているものを含む。）であること。
二 青色防犯灯は、自動車の走行中の振動、衝撃等により、緩み等を生じないように屋根に確実に取り付けられていること。

（旅客自動車運送事業用自動車）
第233条 乗車定員11人以上の旅客自動車運送事業の用に供するため必要な性能及び構造に関し、保安基準第50条の告示で定める基準は、別添91「連接バスの構造要件」及び別添92「2階建バスの構造要件」に定める基準並びに次の各号に掲げる基準とする。
一 緩衝装置及び旅客の座席は、旅客に不快な振動、衝撃を与えないものであること。
二 客室は、適当な採光が得られるものであること。
三 客室には、適当な室内照明灯を備えること。
四 運転者席の側面の窓は、簡易な操作により、有効幅及び有効高さがそれぞれ270mm以上開放できる構造のものであること。
2 乗車定員11人以上23人以下の旅客自動車運送事業用自動車であって車両総重量5トンを超えるもの及び乗車定員24人以上の旅客自動車運送事業用自動車にあっては、前項の規定によるほか、次に掲げる基準に適合しなければならない。
一 室内照明灯は、客室内を均等に照明し、その光源は、客室床面積（客室の長さ（客室の長さが左右で異なる場合は、その平均の長さ）に客室の幅を乗じて得た値をいう。）1m^{2}あたり5W（蛍光灯の場合にあっては2W）以上又はこれと同等以上の明るさであること。

（算式）

$$客室床面積 = \left(\frac{l_1 + l_2}{2}\right) \times w$$

（参考図）

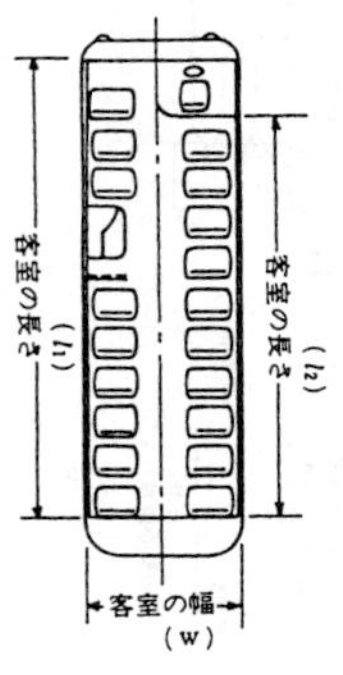

二 乗降口の踏段（幼児専用車の乗降口に備える踏段を除く。）は、その有効奥行が300mm以上であること。ただし、最下段以外の踏段で乗降口のとびら等のためやむをえないものにあっては乗降口の有効幅のうち350mm以上の部分についてその有効奥行が300mm（次の上段までの高さが250mm以下のものにあっては、290mm）以上、次に掲げる要件のいずれにも該当する最下段の踏段にあってはその有効奥行が200mm以上であればよい。
イ 次の上段の高さが空車状態において地上450mm以下であること。
ロ 走行時に車体下部に格納されるものであること。
三 次項の自動車以外の自動車には、旅客の乗降の妨げとならず、かつ、車掌の業務に支障のないように車掌席を乗降口の付近に設けること。この場合において、車掌席は、立席又は座席とすることができるものとする。
四 次項の自動車以外の自動車には、運転者席と車掌席との距離（それぞれ中心間の最短距離を床面に平行に計測した長さとする。この場合において、車掌席の位置が明らかでないものにあっては、車体の側面における乗降口開口部の後縁を車掌の位置とする。）が3m以上であるものにあっては、その間にブザその他の連絡装置（車掌から運転者に対して連絡できるものをいう。）を備えること。この場合において、ブザその他の連絡装置は、2箇所に乗降口があって2名の車掌が乗車するような場合にあっては一方の車掌からの連絡は他の車掌の中継によるものであってもよい。
五 とびらを開閉する装置が動力式である乗降口には、その付近に、故障時などに手動でとびらを開放できる装置を備え、かつ、その位置及びとびらの開放方法を表示すること。
3 乗車定員11人以上23人以下の旅客自動車運送事業用自動車であって車両総重量5トンを超えるもの及び乗車定員24人以上の旅客自動車運送事業用自動車であり、かつ、車掌を乗務させないで運行することを目的とするもの（被牽引自動車を除く。）は、前2項の規定によるほか、別添106「ワンマンバスの構造要件」に定める基準に適合しなければならない。
4 乗車定員11人以上23人以下の旅客自動車運送事業用自動車であって車両総重量5トン以下のものは、第1項の規定によるほか、次に掲げる基準に適合しなければならない。
一 乗降口の踏段（幼児専用車に備えるものを除く。）の有効幅、有効奥行及び有効蹴込みは、次の表に掲げる踏段の種類に応じ、それぞれ同表の有効幅、有効奥行及び有効蹴込みの欄に掲げる範囲であること。ただし、乗降口から直接着席できる座席のためのみの乗降口の踏段及び次に掲げる要件のいずれにも該当する最下段の踏段にあっては、この限りでない。
イ 次の上段の高さが空車状態において地上430mm（車高調整装置を備えた自動車にあっては、その床面の高さを最も低くした状態であり、かつ、空車状態において380mm）以下であること。
ロ 有効奥行が200mm以上であること。
ハ 走行時に車体下部に格納されるものであること。

踏段の種類	有効幅	有効奥行（注1）	有効蹴込み
最下段の踏段（注2）	400mm以上	230mm以上（a）	100mm以下（c）
その他の踏段（注2）	400mm以上	200mm以上（b）	100mm以下（c）

注1 最下段の踏段にあっては、踏段のうち乗降に有効に利用できる部分の奥行であって当該踏段の前縁から後縁までの水平距離（次の図のa）をいう。
注2 有効奥行及び有効蹴込みの欄におけるa、b及びcは、次の図に示すところによるものとする。

図（乗降口の踏段断面図）

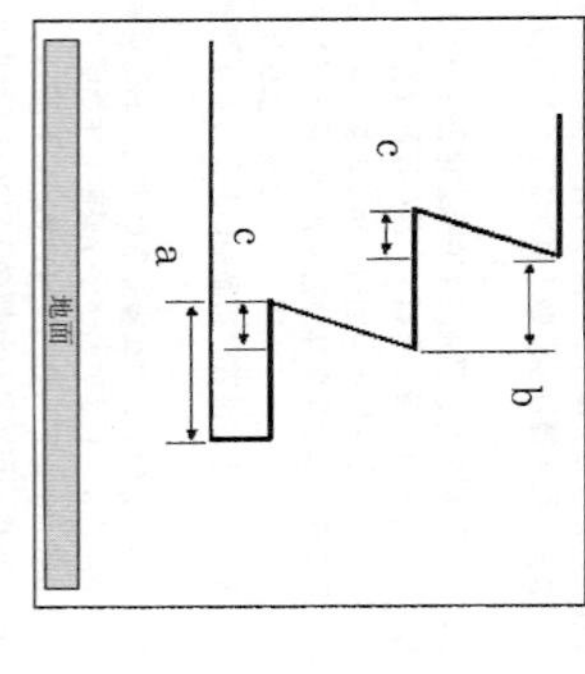

二　とびらを開閉する装置が動力式である乗降口には、その付近に、故障時などに手動でとびらを開放できる装置を備え、かつ、その位置及びとびらの開放方法を表示すること。

（ガス運送容器を備える自動車等）

第234条　ガス運送容器を備える自動車その他のガス容器を運送するための構造及び装置を有する自動車のバンパその他の緩衝装置の強度、取付位置等に関し、保安基準第50条の２第１項の告示で定める基準は、次の各号に掲げる基準とする。

一　ガス運送容器を備える自動車その他のガス容器を運送するための構造及び装置を有する自動車は、衝突によるガス容器及びその他の附属装置の損傷を防止できるよう車台の後部にバンパその他の緩衝装置を備えなければならない。この場合において、「ガス運送容器を備える自動車」とは、高圧ガスを運送するため車台に固定されたガス容器を備える自動車（高圧ガスタンク・ローリ）をいい、「その他のガス容器を運送するための構造及び装置を有する自動車」とは、専らガス容器を収納するコンテナを積載する自動車であって、コンテナの積み卸しを容易にする機械装置及び自動車とコンテナを緊縮する緊縮装置を有するものをいう。（以下「脱着装置付コンテナ自動車」という。）

二　前号の「バンパ」は、本体及び本体を車台に連結する取付部から構成される図１に示すとおりの構造の装置であって、次に掲げる基準に適合しなければならない。

イ　適切な強度及び剛性を有し、かつ、車台に確実に取り付けられていること。

ロ　本体端部及び取付部は、歩行者及び他の自動車に傷害を及ぼすことのない構造であること。

ハ　本体は、車両中心線に対して対称に取り付けられ、かつ、その長さは当該自動車の幅の80％以上であること。

ニ　自動車登録番号標及び灯火類の表示を妨げるおそれのないものであること。

図１

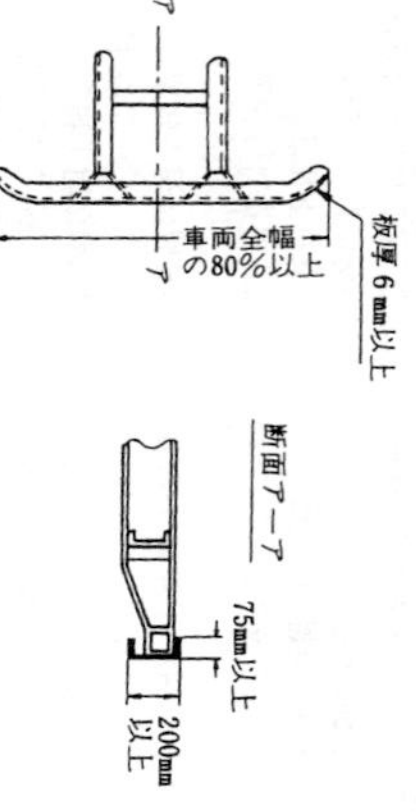

三　脱着装置付コンテナ自動車に備える図２に示す装置（保護板）は「その他の緩衝装置」とする。この場合において、保護板のほかに、前号の基準に適合するバンパを取り付けるものとする。

図２

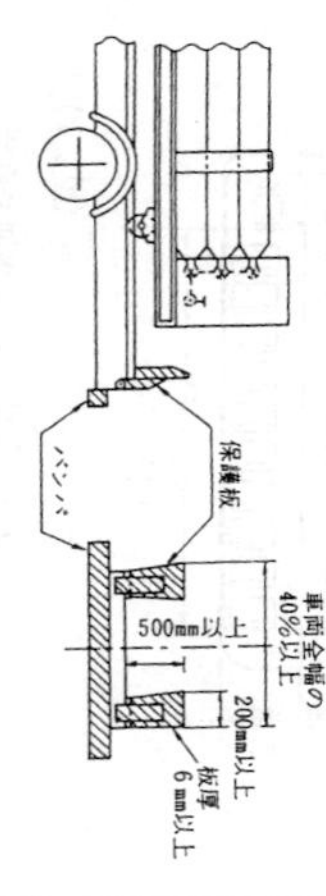

2　保安基準第50条の２第２項の告示で定める基準は、ガス運送容器の後面及び附属装置と前項の緩衝装置との間に十分な間隔がおかれていること。この場合において、「十分な間隔がおかれているもの」とは、次の各号に定める基準に適合することをいう。

一　後部取出し式容器（ガスを送り出し、又は受け入れるために用いられるバルブ（以下「容器元弁」という。）をその後面に設けた容器をいう。）にあっては、図３のとおり容器元弁及び緊急遮断装置に係るバルブからバンパの後面までの距離が40cm以上であること。

図３　後部取出し式

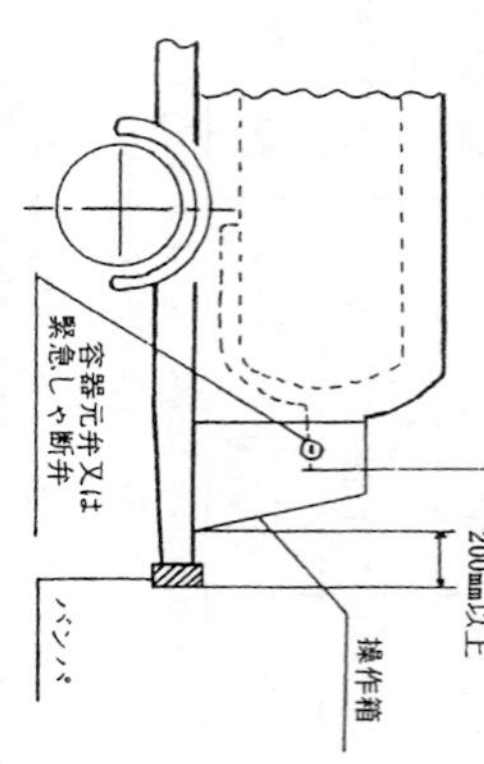

二　後部取出し式容器以外の容器にあっては、図４のとおり容器の後面からバンパの後面までの距離が30cm以上であること。

図４　後部取出し式以外のもの

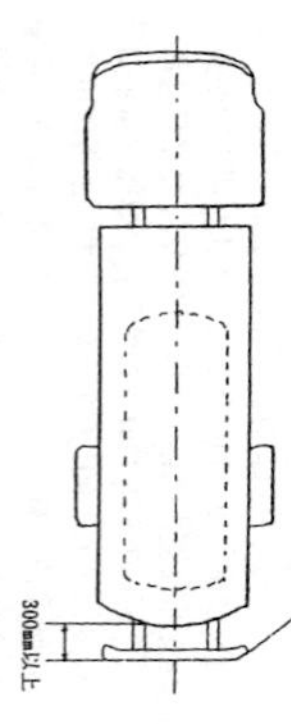

三　容器元弁、緊急遮断装置に係るバルブその他の主要な附属品が操作箱に収納される場合にあっては、前２号の基準に適合するほか、図３のとおり操作箱からバンパの後面までの距離が20cm以上であること。

（火薬類を運送する自動車）

第235条　火薬類を運送する自動車の構造、装置等に関し、保安基準第51条の告示で定める基準は、次の各号に掲げる基準とする。

一　燃料装置は、アセチレン・ガス発生装置又はガス発生炉を使用するものでないこと。

二　荷台その他火薬類を積載する場所と原動機との間は、不燃性の隔壁で仕切られていること。

三　車体外及び荷台その他火薬類を積載する場所にある電気配線は、被覆され、且つ、車体に定着されていること。

四　車体外及び荷台その他火薬類を積載する場所にある電気端子、電気開閉器その他火花を生ずるおそれのある電気装置には、適当な覆いがされていること。

2　次の各号に掲げるものは、前項第3号又は第4号の基準に適合しないものとする。

一　配線の被膜が破損しているもの

二　配線が他の金属部分との接触等により損傷するおそれがあるもの

三　蓄電池の端子覆い又は配線の端子覆いが破損しているもの

（危険物を運送する自動車）

第236条　危険物を運送する自動車の構造、装置等に関し、保安基準第52条の告示で定める基準は、次の各号に掲げる基準とする。

一　燃料装置は、アセチレン・ガス発生装置又はガス発生炉を使用するものでないこと。

二　車体外及び荷台その他危険物を積載する場所にある電気配線は、被覆され、かつ、車体に定着されていること。

三　車体外及び荷台その他危険物を積載する場所にある電気端子、電気開閉器その他火花を生ずるおそれのある電気装置には、適当な覆いがされていること。

2　次の各号に掲げるものは、前項第2号又は第3号の基準に適合しないものとする。

一　配線の被覆が破損しているもの

二　配線が他の金属部分との接触等により損傷するおそれがあるもの

三　蓄電池の端子覆い又は配線の端子覆いが破損しているもの

3　危険物の規制に関する政令別表第3に掲げる指定数量以上の危険物を運送する自動車は、第1項の規定によるほか、荷台その他危険物を積載する場所と原動機との間が不燃性の隔壁で仕切られていなければならない。

4　爆発性液体を運送するため車台にタンクを固定した自動車は、第1項及び第3項の規定によるほか次の各号に掲げる基準に適合しなければならない。

一　空気入ゴムタイヤを使用し、かつ、車台の後部に衝突によるタンク及びその附属装置の損傷を防止できるバンパその他の緩衝装置を備えること。

二　タンク及びその附属装置は、危険物の規制に関する政令第15条（第1項第1号を除く。）の基準に適合するもの又は同令第23条の規定により同令第15条（第1項第1号を除く。）の規準による場合と同等以上の効力があると認められた特殊な構造若しくは設備を用いたものであること。

三　タンクは、移動又は損傷を生じないように車台に確実に取り付けられているものであること。

四　排気管及び消音器は、継目その他から排気の漏れがなく、タンクの表面から200mm未満の部分には、適当な防熱装置が施されていること。

五　消防法別表第4類の項に掲げる爆発性液体を運送する自動車の排気管及び消音器は、タンク又はその附属装置の弁又は管継手の直下に設けられていないこと。

5　車両中心線に対して対称に取り付けられ、かつ、その長さが当該自動車の幅の80%以上のタンクの損傷を防止するための装置であって、適切な強度及び剛性を有し、かつ、車台に確実に取り付けられているものは、前項第1号の基準に適合するものとする。

（参考図）

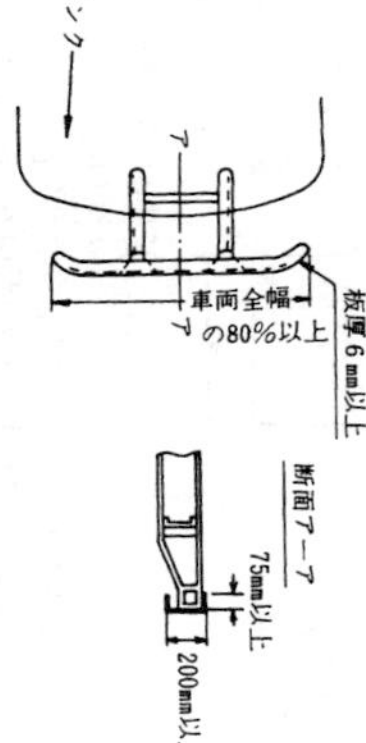

6　タンクについて、タンク証明書の提出があったときは、当該タンク及びその附属装置については、第4項第2号の基準に適合するものとする。

（乗車定員及び最大積載量）

第237条　自動車の乗車定員に関し、保安基準第53条第1項の告示で定める基準は、次の各号に掲げる基準とする。

一　乗車定員は、運転者席、座席、座席に準ずる装置及び立席の定員の総和とする。この場合において、患者輸送車、身体障害者輸送車又は救急車に備えられる寝台又は専ら車いすを設置するために設けられた場所に備えた車いすを固定するための空間と装置は、座席に準ずる装置として取り扱うものとする。

二　連続した座席の座席定員は、次によるものとする。

イ　幼児専用車以外の自動車にあっては、当該座席の幅を40cmで除して得た整数値とする。ただし、当該座席の幅から76cmを引いた値を40cmで除して得た整数値に2を加えた値を用いることができる。

ロ　幼児専用車にあっては、当該座席の幅を27cmで除して得た整数値とする。

三　立席定員は、立席面積の合計を0.14m²で除して得た整数値とする。

四　立席を有する専ら乗用の用に供する乗車定員11人以上の自動車（次号の自動車を除く。）に備える補助座席にあっては、これを折りたたんだ状態により乗車定員を算出するものとする。ただし、次に掲げる自動車であって、座席定員を超えて旅客を運送しないものについては、補助座席を使用した状態として算出することができる。

イ　一般貸切旅客自動車運送事業用自動車

ロ　一般乗合旅客自動車運送事業用自動車のうち長距離高速及び定期観光に使用するもの

ハ　特定旅客自動車運送事業用自動車

五　立席を有する専ら乗用の用に供する乗車定員11人以上の自動車で高速道路等において旅客を運送するものにあっては、当該立席を除いて乗車定員を算出するものとする。この場合において、補助座席を備える自動車にあっては、補助座席を使用した状態として座席定員を算出するものとする。

六　次に掲げる座席及び乗車装置を備える自動車の乗車定員は、当該装置に乗車する小人数を1.5で除した整数値とその他の乗車装置に乗車する大人定員の和とする。

イ　幼児用座席を備える幼児専用車

ロ　専ら座席の用に供する床面の協定規則第145号規則5.及び6.に定める基準に適合する取付具に年少者用補助乗車装置を備える自動車

ハ　協定規則第44号の規則4.、6.から8.まで及び15.に定める基準に適合する協定規則第44号の規則2.1.2.4.2.に規定する装置（専ら年少者が着席するためのものに限る。）を備える自動車

2　自動車の最大積載量に関し、保安基準第53条第1項の告示で定める基準は、次の各号に掲げる基準とする。

一　最大積載量の算定については、次により行うものとする。

イ　貨物自動車の最大積載量の算定（ロに掲げる場合を除く。）については、次によって行うものとする。この場合において、指定自動車等であって、車体構造等を変更した

もの（国土交通大臣が定める自動車を除く。）については、当該自動車の車台を使用する標準車の最大積載量を超えない範囲内で指定するものとする。

(1) 別添95「自動車の走行性能の技術基準」

(2) 別添96「連結車両の走行性能の技術基準」

ロ　乗用自動車又は乗合自動車から貨物自動車に用途の変更を行う場合の最大積載量の算定（特種用途自動車に最大積載量を指定する場合を含む。）については、イ(1)によるほか、次により行うものとする。

(1) 指定自動車等のうち、諸元表等により車両総重量及び軸重の許容限度が明確な自動車にあっては、当該許容限度を超えない範囲内で指定する。

(2) 米国連邦自動車安全基準に適合している旨のラベルにより車両総重量及び軸重の許容限度が表示されている自動車にあっては、当該許容限度（最大積載量の許容限度をも表示されている場合には、最大積載量の許容限度を含む。）を超えない範囲内で指定する。

(3) 欧州経済共同体指令に基づき自動車製作者が発行する完成車の適合証明書により車両総重量及び軸重の許容限度が明確な自動車にあっては、当該許容限度を超えない範囲で指定する。

(4) 指定自動車等のうち、車両総重量及び軸重の許容限度が明確でないものにあっては、同一型式の類別区分中の最大の車両総重量を超えない範囲内で指定する。

(5) (1)から(4)に規定する自動車以外の自動車にあっては、取り外した乗車設備分の定員数に55kgを乗じた重量を超えない範囲内で指定する。

二　牽引自動車（国土交通大臣が定める自動車を除く。）の第5輪荷重の算出については、前号の規定に準じて行うものとする。

三　保安基準第4条の表中の告示で定めるもの（国土交通大臣が定める自動車を除く。）又は保安基準第55条の規定に基づき分割不可能な貨物に限って輸送することを条件として、規制値を超えることとなる保安基準の項目について適用を緩和するための認定を受けたセミトレーラであって、分割可能な貨物を保安基準の範囲内で輸送する場合の基準緩和セミトレーラの最大積載量（基準最大積載量）の算定については、第1号の規定に準じて行うものとする。

四　物品積載装置としてタンク類を使用する自動車（危険物を運搬するタンク自動車、高圧ガスを運搬するタンク自動車及び粉粒体物品輸送専用のタンク自動車を除く。）にあっては、タンクの容積（タンクの容積が1000ℓ以下にあっては10ℓ、タンクの容積が1000ℓを超え5000ℓ以下にあっては50ℓ（末尾が50ℓ以上100ℓ未満の場合は50ℓとする。）及びタンクの容積が5000ℓを超えるものは100ℓ未満は切り捨てる（以下第5号及び第8号において同じ。）ものとする。）に次表の積載物品名に対応する比重を乗じて得た数値（0.9から1.0までの数値を乗ずることができる。ただし、真空ポンプ及び過流防止弁を用いて液状の積載物品をタンクに吸引する構造の物品積載装置にあっては、0.75から1.0までの数値を乗ずることができる。以下第5号、第6号、第7号及び第8号において同じ。）として用いるものとする。

なお、容易にその容積を計算し難いタンクにあっては、次により当該タンクの容積の近似計算により算出する（以下第5号、第6号及び第8号において同じ。）ものとする。

イ　楕円形のタンク

①胴部分の計算式

$$V = \frac{\pi ab}{4}\ell$$

②鏡板部分の計算式

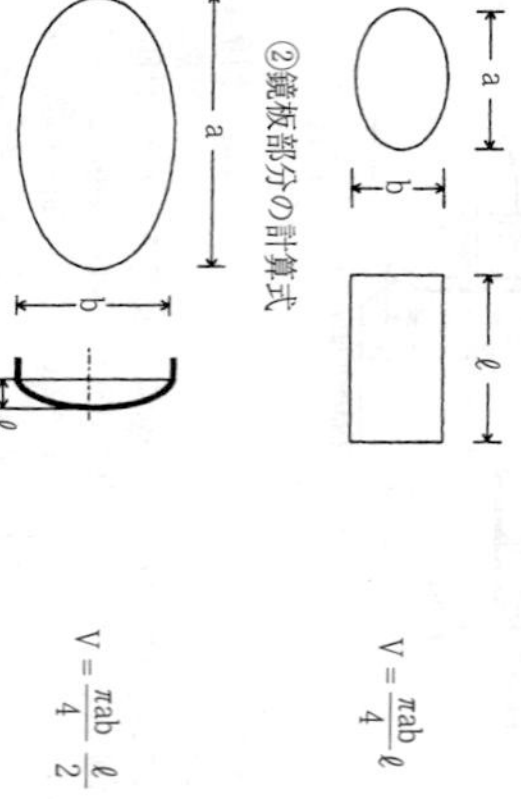

$$V = \frac{\pi ab}{4} \cdot \frac{\ell}{2}$$

ロ　円筒形のタンク

①胴部分の計算式

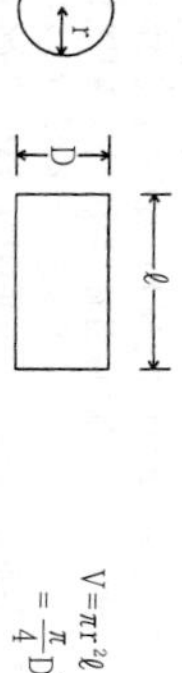

$$V = \pi r^2 \ell = \frac{\pi}{4}D^2\ell$$

②鏡板部分の計算式

イ　10%皿形鏡板

D=R
r=0.1D
ℓ=0.194D
$V=0.0896D^3$

ロ　2：1半楕円体鏡板

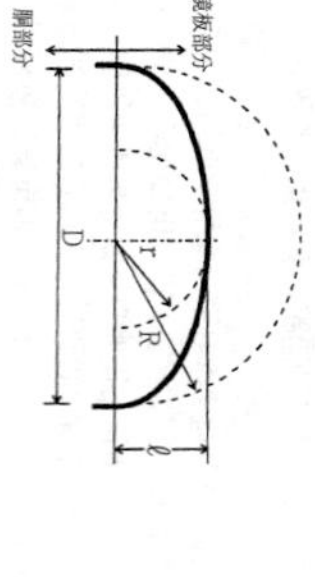

ℓ＝D／4
R：r＝2：1

$$V = \frac{\pi}{24}D^3$$

ハ　欠球型鏡板

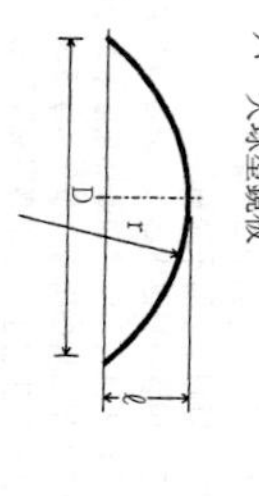

$$V = \frac{1}{3}\pi(3r-\ell)\ell^2$$

（比重表（例））

積　載　物　品　名	比　重
アスファルト溶液	0.90
フォルマリン	1.05
水、海水、牛乳、糞尿	1.00

五　危険物を運搬するタンク自動車にあっては、タンクの容積（0.90から0.95までの数値を乗ずるものとする。）に次表の積載物品名に対応する比重を乗じて得た数値を積載物品の重量として用いるものとする。この場合において、危険物の類別が、消防法の規定に基づく同一類別の範囲内において、複数の品目の危険物を運搬するタンク自動車として消防法の規定に基づき設置の許可を受けたタンク自動車にあっては、タンクの容積に当該設置許可書に記載されている設置許可の品目のいずれかの品目で算出した数値を積載物品の重量として用いることができるものとする。

(比重表 (例))

積載物品名	比重
第四類	
第一石油類	
ガソリン	0.75
アルコール類	
アルコール	0.80
酢酸エステル類	
酢酸エステル	0.90
第二石油類	
灯油	0.80
軽油	0.85
酢酸	1.06
第三石油類	
重油	0.93
第四石油類	
潤滑油	0.95

六 高圧ガスを運搬するタンク自動車にあっては、容器保安規則第45条の液化ガスの質量の計算の方法により得た数値を積載物品の重量として用いるものとする。この場合において、タンクの内容積は、高圧ガス保安法第45条の規定により刻印された数値又は標章に打刻された数値を用いるものとする。

七 コンクリート・ミキサー及びアジデータ・トラックにあっては、ドラムの最大混合容量に2.4t/㎥(ドライ方式であってセメントと骨材のみをドラムに積載する場合にあっては2.2t/㎥、輸送する物品の見かけの比重が確実な資料により明らかな場合にあってはその値)を乗じて得た数値に0.9から1.0までの数値を乗じて得た数値と水タンクを満量とした状態の重量とを加算したものを積載物品の重量として用いるものとする。

ただし、ドライ方式にあってはセメントと骨材のみをドラムに積載する状態と生コンクリートをドラム内で製造する状態のそれぞれについて検討するものとする。この場合において、セメントと骨材のみをドラムに積載する状態において水タンクの水の重量は水タンクを満量とした状態とし、生コンクリートをドラム内で製造した状態における水タンクの水の重量は、水タンクを満量とした状態の重量からドラムの最大混合容量に200kg/㎥を乗じて得た重量を減じたものとする。

八 粉粒体物品輸送専用のタンク自動車にあっては、タンクの容積に次表の見かけの比重(輸送する物品の見かけの比重が確実な資料により明らかな場合にあってはその値)を乗じて得た数値に0.9から1.0までの数値を乗じて得た数値を積載物品の重量として用いるものとする。

(見掛けの比重表)

積載物品名	見掛け比重
バラセメント	1.0
フライアッシ	0.8
飼料	0.5
ビニールパウダ	0.45
小麦粉	0.5
カーボンブラック	0.32

九 最大積載量がないものとされる特種用途自動車以外の特種用途自動車で積載量を有する場合にあっては、第1号から第8号の規定に準じて最大積載量を算定するものとする。

(臨時乗車定員)

第238条 臨時乗車定員に関し、保安基準第54条第2項の告示で定める人数は、座席定員と第190条第2項の規定を適用しないで計算した場合の立席定員との合計とする。この場合において、立席定員は、立席面積の合計を0.14㎡で除した整数値とする。

第3章 原動機付自転車の保安基準の細目

第3款 使用の過程にある一般原動機付自転車の保安基準の細目

第271条 この款の規定は、第239条及び第255条の規定により第1款及び第2款の規定が適用される場合以外の場合に適用する。

2 一般原動機付自転車又はその部品の改造、装置の取付け又は取外しその他これらに類する行為により構造、装置又は性能に係る変更を行う場合には、当該変更に係る一般原動機付自転車の部分について、前項の規定にかかわらず、第2款の規定を適用するものとする。

3 この款の規定については、適用関係告示でその適用関係の整理のため必要な事項を定めることができる。

(長さ、幅及び高さ)

第272条 一般原動機付自転車の測定に関し、保安基準第59条第1項の告示で定める方法は、第1号から第3号までに掲げる状態の一般原動機付自転車を、第4号により測定するものとする。

一 空車状態

二 外開き式の窓及び換気装置については、これらの装置を閉鎖した状態

三 車体外に取り付けられた後写鏡及びたわみ式アンテナについては、これらの装置を取り外した状態。この場合において、車体外に取り付けられた後写鏡は、当該装置に取り付けられた灯火器及び反射器を含むものとする。

四 直進姿勢にある一般原動機付自転車を水平かつ平坦な面(以下「基準面」という。)に置き巻き尺等を用いて次に掲げる寸法を測定した値(単位はcmとし、1cm未満は切り捨てるものとする。)とする。

イ 長さについては、一般原動機付自転車の最も前方及び後方の部分を基準面に投影した場合において、車両中心線に平行な方向の距離

ロ 幅については、一般原動機付自転車の最も側方にある部分を基準面に投影した場合において、車両中心線と直交する直線に平行な方向の距離

ハ 高さについては、一般原動機付自転車の最も高い部分と基準面との距離

(接地部及び接地圧)

第273条 走行装置の接地部及び接地圧に関し、保安基準第60条の告示で定める基準は、次の各号に掲げる基準とする。

一 接地部は、道路を破損する恐れのないものであること。

二 ゴム履帯又は平滑履帯を装着したカタピラを有する一般原動機付自転車は、前号の基準に適合するものとする。

三 空気入りゴムタイヤ又は接地部の厚さ25mm以上の固形ゴムタイヤについては、その接地圧は、タイヤの接地部の幅1cmあたり200kgを超えないこと。この場合において、「タイヤの接地部の幅」とは、実際に地面と接している部分の最大幅をいう。

四 カタピラについては、その接地圧は、カタピラの接地面積1㎠あたり3kgを超えないこと。この場合において、カタピラの接地面積は、見かけ接地面積とし、次式により算出した値(単位は㎠とし、整数位とする。)とする。

(算式)

A＝a・b

ただし

A:見かけの接地面積

a:履帯の接地長

b：履帯の接地幅

（参考図）

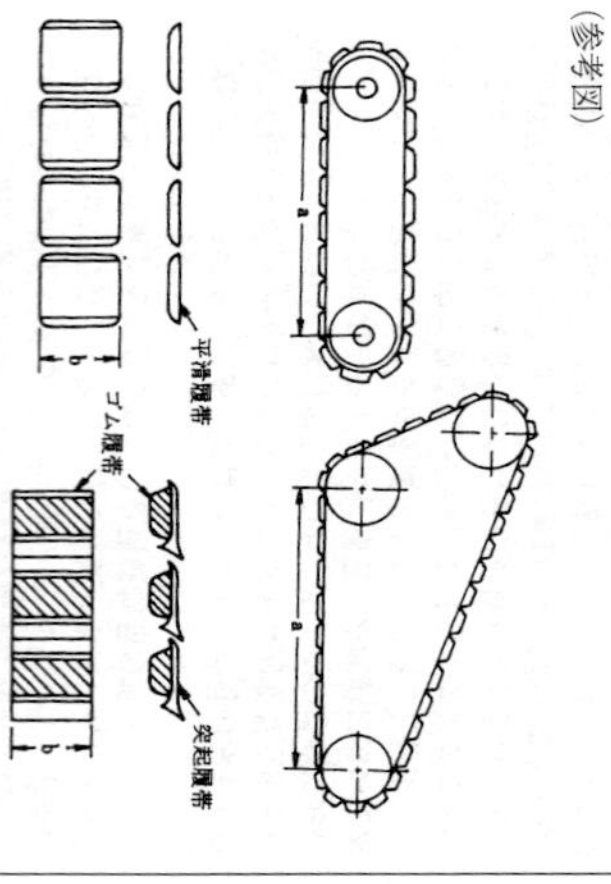

五　前２号の接地部及びそり以外の接地部については、その接地圧は、接地部の幅１cm当たり100kgを超えないこと。

六　付随車を牽引する一般原動機付自転車にあっては、付随車を連結した状態においても、前３号の基準に適合すること。

（制動装置）

第274条　走行中の一般原動機付自転車（付随車を除く。以下次項及び第３項において同じ。）の減速及び停止等に係る制動性能に関し保安基準第61条第１項の告示で定める基準は、次項及び第３項の基準とする。

2　一般原動機付自転車（次項の一般原動機付自転車を除く。）には、次の基準に適合する２系統以上の制動装置を備えなければならない。

一　制動装置は、堅ろうで運行に十分耐え、かつ、振動、衝撃、接触等により損傷を生じないように取り付けられているものであり、次に掲げるものでないこと。

イ　ブレーキ系統の配管又はブレーキ・ケーブル（それらを保護するため、それらに保護部材を巻きつける等の対策を施してある場合の当該保護部材は除く。）であって、ドラッグ・リンク、推進軸、排気管、タイヤ等と接触しているもの又は走行中に接触した痕跡があるもの若しくは接触するおそれがあるもの

ロ　ブレーキ系統の配管又は接手部から液漏れ若しくは空気漏れがあるもの又は他の部分との接触により、それらから液漏れ若しくは空気漏れが生じるおそれがあるもの

ハ　ブレーキ・ロッド若しくはブレーキ・ケーブルに損傷があるもの又はその連結部に緩みがあるもの

ニ　ブレーキ・ロッド又はブレーキ系統の配管に溶接又は肉盛り等の修理を行った部品（パイプを除く。）を使用しているもの

ホ　ブレーキ・ホース又はブレーキ・パイプに損傷があるもの

ヘ　ブレーキ・ホースが著しくねじれを生じているもの

ト　ブレーキ・ペダルに遊び又は床面とのすきまがないもの

チ　ブレーキ・レバーに遊び又は引き代のないもの

リ　ブレーキ・レバーのラチェットが確実に作動しないもの又は損傷しているもの

ヌ　その他、堅ろうでないもの又は振動、衝撃、接触等により損傷を生じないように取り付けられていないもの

二　制動装置は、かじ取性能を損なわない構造及び性能を有するものであり、かつ、ブレーキの片ぎき等により横滑りを起こすものではないこと。

三　制動装置は、平坦な舗装路面等で確実に当該一般原動機付自転車を停止状態に保持できること。

四　次に掲げる制動装置のうちいずれかを備えること。この場合において、ブレーキ・ディスク、ブレーキ・ドラム等の制動力が作用する面が、ボルト、軸、歯車等の強固な部品により車軸と結合している場合にあっては、当該制動装置は、車輪を制動する機能を有するものとみなす。

イ　二輪の一般原動機付自転車及び車輪の配置が非対称である三輪の一般原動機付自転車であって最高速度が50km／hを超えるものにあっては、２個の独立した操作装置を有し、前車輪を含む車輪及び後車輪を含む車輪をそれぞれ独立に制動する主制動装置

ロ　車輪の配置が対称である三輪の第一種一般原動機付自転車であって最高速度が50km／hを超えるもの及び車輪の配置が対称である三輪の第二種原動機付自転車にあっては、駐車制動装置並びにすべての車輪を制動する足動式の分配制動機能を有する主制動装置又はすべての車輪を制動する足動式の連動制動機能を有する主制動装置及び補助主制動装置。なお、連動制動機能を有する主制動装置を備える場合において、補助主制動装置の代わりに駐車制動装置を備えるものであっても良い。

ハ　四輪を有する一般原動機付自転車にあっては、後車輪を含む半数以上の車輪を制動する主制動装置

五　主制動装置は、繰り返して制動を行った後においても、その制動効果に著しい支障を容易に生じないものであること。

六　主制動装置の制動液は、それによる配管の腐食又は原動機等の熱の影響による気泡の発生等により、当該主制動装置の機能を損なわないものであること。

七　液体の圧力により作動する主制動装置は、次に掲げるいずれかの構造を有するものであること。

イ　制動液の液面のレベルを容易に確認できる、透明若しくは半透明なリザーバ・タンク又はゲージを備えたもの

ロ　制動液が減少したときに、運転者席の運転者に警報する液面低下警報装置を備えたもの

ハ　その他制動液の液量がリザーバ・タンクのふたを開けないで容易に確認できるもの

八　主制動装置は、雨水の付着等により、その制動効果に著しい支障を生じないものであること。

九　分配制動機能を有する主制動装置を備える自動車にあっては、操作装置に90N以下の力が加わったときに液圧式伝達装置が故障した場合及び制動装置が作動していないにもかかわらず制動液の液量が自動車製作者等の指定する量又は制動液のリザーバ・タンクの容量の半分の量のうちいずれか多い量以下となった場合に、運転者席の運転者に視覚的に警報する赤色警報装置を備えなければならない。

十　走行中の一般原動機付自転車の制動に著しい支障を及ぼす車輪の回転運動の停止を有効に防止できる装置を備えた一般原動機付自転車にあっては、その装置が正常に作動しないおそれが生じたときに、その旨を運転者席の運転者に警報する黄色警報装置、橙色警報装置（四輪の一般原動機付自転車にあっては、黄色警報装置、橙色警報装置又は赤色警報装置）を備えたものであること。

3　最高速度50km／h以下の第一種一般原動機付自転車には、前項の基準（第４号を除く。）に適合する２系統以上の制動装置であって、次に掲げるもののうちいずれかを備えなければならない。

一　二輪の一般原動機付自転車にあっては、２個の独立した操作装置を有し、前車輪を含む車輪及び後車輪を含む車輪をそれぞれ独立に制動する主制動装置

二　車輪の配置が対称である三輪の一般原動機付自転車にあっては、駐車制動装置及び次に掲げるいずれかの制動装置

イ　２個の独立した主制動装置によりすべての車輪を制動するもの（連動制動機能を有する主制動装置を除く。）

ロ　分配制動機能を有する主制動装置

ハ　すべての車輪を制動する連動制動機能を有する主制動装置及び補助主制動装置。この場合において、補助主制動装置の代わりに駐車制動装置を備えるものであってもよい。

三　四輪を有する一般原動機付自転車にあっては、後車輪を含む半数以上の車輪を制動する主制動装置

4　付随車とこれを牽引する一般原動機付自転車とを連結した状態において、走行中の一般原動機付自転車の減速及び停止等に係る制動性能に関し保安基準第61条第2項の告示で定める基準は、制動装置が堅ろうで運行に十分耐え、かつ、振動、衝撃、接触等により損傷を生じないように取り付けられていることとする。

（車体）

第274条の2　車体の強度、構造等に関し、保安基準第61条の2第1号の告示で定める基準は、次の各号に掲げる基準とする。

一　車体は、堅ろうで運行に十分耐えるものであること。

二　車体は、著しく損傷していないこと。

三　座席の地上面からの高さが500mm未満の一般原動機付自転車（またがり式の座席を有するものを除く。）の車体は、他の交通からの視認性が確保されるものであること。この場合において、地上1m以上の車体の構造について車両中心線に平行な鉛直面への投影面及びそれと直角に交わる鉛直面への投影面の大きさがそれぞれ長さ300mm以上、幅250mm以上のものにあっては、この基準に適合するものとする。

2　車体の外形その他一般原動機付自転車の形状に関し、保安基準第61条の2第2号の告示で定める基準は、車体の外形その他一般原動機付自転車の形状が、回転部分が突出する等他の交通の安全を妨げるおそれのあるものでないこととする。この場合において、一般原動機付自転車が直進姿勢をとった場合において、車軸中心を含む鉛直面と車軸中心を通りそれぞれ前方30°及び後方50°に交わる2平面によりはさまれる走行装置の回転部分（タイヤ、ホイール・キャップ等）が当該部分の直上の車体（フェンダ等）より車両の外側方向に突出していないものは、この基準に適合するものとする。

（ばい煙、悪臭のあるガス、有害なガス等の発散防止装置）

第275条　ガソリンを燃料とする一般原動機付自転車の排気管から大気中に排出される排出物に含まれる一酸化炭素及び炭化水素の発散防止性能に関し保安基準第61条の3第2項の告示で定める基準は、原動機を無負荷運転している状態で発生し、排気管から大気中に排出される排出物に含まれる一酸化炭素の容量比で表した測定値（暖機状態の一般原動機付自転車の排気管内にプローブ（一酸化炭素又は炭化水素の測定器の排出ガス採取部）を60cm程度挿入して測定するものとする。ただし、プローブを60cm程度挿入して測定することが困難な一般原動機付自転車については、外気の混入を防止する措置を講じて測定するものとする。以下この項において同じ。）及び同排出物に含まれる炭化水素のノルマルヘキサン当量による容量比で表した測定値が、一酸化炭素については0.5（総排気量が0.050リットル以下で最高速度が50km／h以下の一般原動機付自転車にあっては、3.0）%、炭化水素については100万分の1,600を超えないこととする。

2　第243条第1項又は第259条第1項の規定に適合させるために一般原動機付自転車に備えるばい煙、悪臭のあるガス、有害なガス等の発散防止装置が当該装置及び他の装置の機能を損なわないものとして構造、機能、性能等に関し保安基準第61条の3第3項の告示で定める基準は、次の各号に掲げる基準とする。

一　原動機の作動中、確実に機能するものであること。なお、触媒等の取付けが確実でないもの又は触媒等に損傷があるものはこの基準に適合しないものとする。

二　当該装置の機能に支障が生じたときにその旨を運転者に警報する装置を備えたものであること。なお、次のいずれかに該当するものはこの基準に適合しないものとする。

イ　電源投入時（蓄電池を備えない一般原動機付自転車にあっては、原動機始動時）に警報を発しないもの

ロ　電源投入時に発した警報が原動機の始動により停止しないもの（蓄電池を備えない一般原動機付自転車にあっては、原動機始動時に点灯し、当該点灯から5秒後に消灯しないもの）

ハ　発する警報を運転席において容易に判断できないもの

3　内燃機関を原動機とする一般原動機付自転車であってガソリンを燃料とするものに備えるブローバイ・ガス還元装置が炭化水素等の発散を防止するものとして機能、性能等に関し保安基準第61条の3第4項の告示で定める基準は、その取付けが確実であり、かつ、損傷のないものでなければならないものとする。

4　一般原動機付自転車であってガソリンを燃料とするものが炭化水素の発散を有効に防止するものとして当該一般原動機付自転車及びその燃料から蒸発する炭化水素の排出量に関し保安基準第61条の3第5項の告示で定める基準は、炭化水素の排出を抑制する装置の取付けが確実であり、かつ、当該装置に損傷がないこととする。

5　一般原動機付自転車の排気管から発散する排気ガス等により乗車人員等に傷害を与えるおそれが少なく、かつ、制動装置等の機能を阻害しないものとして、排気管の取付位置、取付方法等に関し保安基準第61条の3第6項の告示で定める基準は、次の各号に掲げる基準とする。

一　排気管は、標識が取り付けられている場合は、当該標識の数字等の表示が発散する排気ガス等により妨げられる位置に開口していないこと。

二　排気管は、接触、発散する排気ガス等により一般原動機付自転車（当該一般原動機付自転車が牽引する付随車を含む。）若しくはその積載物品が発火し又は制動装置、電気装置等の装置の機能を阻害するおそれのないものであること。

三　排気管は、その取付けが確実であり、かつ、損傷のないものであること。

（前照灯）

第276条　前照灯の灯光の色、明るさ等に関し、保安基準第62条第2項の告示で定める基準は、次の各号に掲げる基準とする。

一　前照灯は、夜間前方40mの距離にある交通上の障害物を確認できる性能を有すること。

二　前照灯の照射光線は、一般原動機付自転車の進行方向を正射し、その主光軸は、下向き又は下向きに変換することができる構造であること。

三　前照灯の灯光の色は、白色であること。

四　前照灯は、灯器が損傷し、又はレンズ面が著しく汚損しているものではないこと。

2　前照灯の取付位置、取付方法等に関し、保安基準第62条第3項の告示で定める基準は、次に掲げる基準とする。この場合において、前照灯の照明部及び取付位置の測定は、別添94「灯火等の照明部、個数、取付位置等の測定方法（第2章第2節及び同章第3節関係）」を準用するものとする。

一　光度が10,000cd以上の前照灯にあっては、減光し又は照射方向を下向きに変換することができる構造であること。ただし、協定規則第53号の規則5.（5.14.及び5.17.を除く。）及び6.に定める基準に適合する前照灯を備える二輪の一般原動機付自転車にあってはこの限りではない。

二　前照灯の取付位置は、地上1m以下であること。ただし、二輪の一般原動機付自転車に備える前照灯にあっては、その照明部の上縁の高さが地上1.3m以下、下縁の高さが地上0.5m以上であることとする。

三　前照灯は、原動機が作動している場合に常に点灯している構造であること。ただし、協定規則第53号の規則5.（5.14.及び5.17.を除く。）及び6.に定める基準に適合する昼間走行灯を備える一般原動機付自転車にあってはこの限りではない。

四　前照灯の個数は、1個又は2個であること。ただし、協定規則第53号の規則5.（5.14.及び5.17.を除く。）及び6.に定める基準に適合する前照灯を備える二輪の一般原動機付自転車にあってはこの限りではない。

五　前照灯を1個備える場合を除き左右同数であり、かつ、前面が左右対称である一般原動機付自転車に備えるものにあっては、車両中心面に対して対称の位置に取り付けられたものであること。ただし、協定規則第53号の規則5.（5.14.及び5.17.を除く。）及び6.に定める基準に適合する前照灯を備える二輪の一般原動機付自転車にあってはこの限りではない。
六　前照灯は、点滅するものでないこと。
七　前照灯の直接光又は反射光は、当該前照灯を備える一般原動機付自転車の運転操作を妨げるものでないこと。
八　前照灯は、その取付部に緩み、がた等がある等その照射光線の方向が振動、衝撃等により容易にくるうおそれのないものであること。

3　施行規則第62条の3第1項の規定により型式の認定を受けた一般原動機付自転車に備えられたものと同一の構造を有し、かつ、同一の位置に備えられた前照灯であってその機能を損なう損傷等のないものは、前項各号の基準に適合するものとする。

（番号灯）

第277条　番号灯の灯光の色、明るさ等に関し、保安基準第62条の2第1項の告示で定める基準は、次の各号に掲げる基準とする。
一　一般原動機付自転車の番号灯は、夜間後方8mの距離からその後面に取り付けた市町村（特別区を含む。）の条例で附すべき旨を定めている標識の番号等を確認できるものであること。
二　番号灯の灯色の色は、白色であること。
三　番号灯は、灯器が損傷し、又はレンズ面が著しく汚損しているものでないこと。

2　施行規則第62条の3第1項の規定により型式の認定を受けた一般原動機付自転車に備えられている番号灯であってその機能を損なう損傷等のないものは、前項各号の基準に適合するものとする。

3　番号灯の取付方法等に関し、保安基準第62条の2第2項の告示で定める基準は、次の各号に掲げる基準とする。この場合において、番号灯の照明部、個数及び取付位置の測定は、別添94「灯火等の照明部、個数、取付位置等の測定方法（第2章第2節及び同章第3節関係）」を準用するものとする。
一　番号灯は、運転者席において消灯できない構造又は前照灯が点灯している場合に消灯できない構造であること。
二　番号灯は、点滅しないものであること。
三　番号灯の直接光又は反射光は、当該番号灯を備える一般原動機付自転車及び他の一般原動機付自転車等の運転操作を妨げるものでないこと。
四　番号灯は、灯器の取付部及びレンズ部に緩み、がたがない等第1項に掲げる性能を損なわないように取り付けられていること。

4　施行規則第62条の3第1項の規定により型式の認定を受けた一般原動機付自転車に備えられたものと同一の構造を有し、かつ、同一の位置に備えられた番号灯であってその機能を損なう損傷等のないものは、前項各号の基準に適合するものとする。

（尾灯）

第278条　尾灯の灯光の色、明るさ等に関し、保安基準第62条の3第2項の告示で定める基準は、次の各号に掲げる基準とする。この場合において、尾灯の照明部の取扱いは、別添94「灯火等の照明部、個数、取付位置等の測定方法（第2章第2節及び同章第3節関係）」に定める基準を準用するものとする。
一　尾灯は、夜間にその後方300mの距離から点灯を確認できるものであり、かつ、その照射光線は、他の交通を妨げないものであること。この場合において、その光源が5W以上30W以下で照明部の大きさが15㎠以上であり、かつ、その機能が正常である尾灯は、この基準に適合するものとする。
二　尾灯の灯光の色は、赤色であること。
三　尾灯の照明部は、尾灯の中心を通り一般原動機付自転車の進行方向に直行する水平線を含む、水平面より上方15°の平面及び下方15°の平面並びに尾灯の中心を含む、一般原動機付自転車の進行方向に平行な鉛直面より尾灯の内側方向20°の平面及び尾灯の外側方向80°の平面により囲まれる範囲において全ての位置から見通すことができるものであること。ただし、一般原動機付自転車の後面の中心に備えるものにあっては、尾灯の中心を通り一般原動機付自転車の進行方向に直交する水平線を含む、水平面より上方15°の平面及び下方15°の平面並びに尾灯の中心を含む、一般原動機付自転車の進行方向に平行な鉛直面から左右にそれぞれ80°の平面により囲まれる範囲において全ての位置から見通すことができるものとする。
四　尾灯は、灯器が損傷し、又はレンズ面が著しく汚損しているものでないこと。

2　尾灯の取付位置、取付方法等に関し、保安基準第62条の3第3項の告示で定める基準は、次の各号に掲げる基準とする。この場合において、尾灯の照明部、個数及び取付位置の測定方法は、別添94「灯火等の照明部、個数、取付位置等の測定方法（第2章第2節及び同章第3節関係）」に定める基準を準用するものとする。
一　尾灯は、運転者席において消灯できない構造又は前照灯、前部霧灯若しくは車幅灯のいずれかが点灯している場合に消灯できない構造であること。ただし、道路交通法第52条第1項の規定により前照灯を点灯しなければならない場合以外の場合において、前照灯又は前部霧灯を点灯させる場合に尾灯が点灯しない装置を備えることができる。
二　尾灯は、その照明部の中心が地上2m以下となるように取り付けられていること。ただし、座席の地上面からの高さが500mm未満の一般原動機付自転車（次に掲げるものを除く。）に備える尾灯のうち最上部にあるものは、その照明部の中心が地上1m以上、2m以下となるように取り付けられていること。
　イ　またがり式の座席を有する一般原動機付自転車
　ロ　二輪の一般原動機付自転車
三　後面の両側に備えられる尾灯にあっては、最外側にあるものの照明部の最外縁は、一般原動機付自転車の最外側から400mm以内となるように取り付けられていること。
四　後面に備える尾灯は、車両中心に対して左右対称に取り付けられたものであること（後面が左右対称でない一般原動機付自転車の尾灯を除く。）。
五　尾灯の点灯操作状態を運転者席の運転者に表示する装置を備えること。ただし、最高速度35km／h未満の一般原動機付自転車並びに尾灯と連動して点灯する運転者席及びこれと並列の座席の前方に設けられた計器類を備える一般原動機付自転車にあっては、この限りでない。
六　尾灯は、前項に掲げた性能（尾灯の照明部の上縁の高さが地上0.75m未満となるように取り付けられている場合にあっては、同項に掲げた性能のうち同項第3号の基準中「下方15°」とあるのは「下方5°」とする。）を損なわないように取り付けられなければならない。この場合において、尾灯の灯器の取付部及びレンズ取付部に緩み、がた等があるものは、この基準に適合しないものとする。ただし、一般原動機付自転車の構造上、同項第3号に規定する範囲において、すべての位置から見通すことができるように取り付けることができない場合にあっては、可能な限り見通すことができる位置に取り付けられていること。

3　施行規則第62条の3第1項の規定により型式の認定を受けた一般原動機付自転車に備えられている尾灯と同一構造を有し、かつ、同一位置に備えられた尾灯であって、その機能を損なう損傷のないものは、前項各号の基準に適合するものとする。

（制動灯）

第279条　制動灯の灯光の色、明るさ等に関し、保安基準第62条の4第2項の告示で定める基準は、次に掲げる基準とする。この場合において、制動灯の照明部の取扱いは、別添94「灯火等の照明部、個数、取付位置等の測定方法（第2章第2節及び同章第3節関係）」に定める基準を準用するものとする。

一　制動灯は、昼間にその後方100mの距離から点灯を確認できるものであり、かつ、その照射光線は、他の交通を妨げないものであること。この場合において、その光源が15W以上60W以下で照明部の大きさが20㎠以上であり、かつ、その機能が正常である制動灯は、この基準に適合するものとする。

二　尾灯と兼用の制動灯は、同時に点灯したときの光度が尾灯のみを点灯したときの光度の5倍以上となる構造であること。

三　制動灯の灯光の色は、赤色であること。

四　制動灯の照明部は、制動灯の中心を通り一般原動機付自転車の進行方向に直行する水平線を含む、水平面より上方15°の平面及び下方15°の平面並びに制動灯の中心を含む、一般原動機付自転車の進行方向に平行な鉛直面より制動灯の内側方向45°（二輪の一般原動機付自転車にあっては、内側方向10°）の平面及び制動灯の外側方向45°の平面により囲まれる範囲において全ての位置から見通すことができるものであること。ただし、一般原動機付自転車の後面の中心に備えるものにあっては、制動灯の中心を通り一般原動機付自転車の進行方向に直交する水平線を含む、水平面より上方15°の平面及び下方15°の平面並びに制動灯の中心を含む、一般原動機付自転車の進行方向に平行な鉛直面から左右にそれぞれ45°の平面により囲まれる範囲において全ての位置から見通すことができるものとする。

五　制動灯は、灯器が損傷し、又はレンズ面が著しく汚損しているものでないこと。

2　制動灯の取付位置、取付方法等に関し、保安基準第62条の4第3項の告示で定める基準は、次に掲げる基準とする。この場合において、制動灯の照明部、個数及び取付位置の測定方法は、別添94「灯火等の照明部、個数、取付位置等の測定方法（第2章第2節及び同章第3節関係）」に定める基準を準用するものとする。

一　制動灯は、主制動装置（一般原動機付自転車と付随車とを連結した場合においては、当該一般原動機付自転車又は付随車の主制動装置をいう。）又は補助制動装置（リターダ、排気ブレーキその他主制動装置を補助し、走行中の一般原動機付自転車又は付随車を減速するための装置をいう。）を操作している場合のみ点灯する構造であること。ただし、空車状態の一般原動機付自転車について乾燥した平たんな舗装路面において、80km／h（最高速度が80km／h未満の一般原動機付自転車にあっては、その最高速度）から減速した場合の減速能力が2.2m／s^2以下である補助制動装置にあっては、操作中に制動灯が点灯しない構造とすることができる。

二　制動灯は、その照明部の中心が地上2m以下となるように取り付けられていること。

三　後面の両側に備える制動灯にあっては、最外側にあるものの照明部の最外縁は、一般原動機付自転車の最外側から400㎜以内となるように取り付けられていること。

四　後面の両側に備える制動灯は、車両中心面に対して対称の位置に取り付けられたものであること（後面が左右対称でない一般原動機付自転車を除く。）。

五　制動灯は、前項に掲げた性能（制動灯の照明部の上縁の高さが地上0.75m未満となるように取り付けられている場合にあっては、同項に掲げた性能のうち同項第4号の基準中「下方15°」とあるのは「下方5°」とする。）を損なわないように取り付けられなければならない。この場合において、制動灯の灯器の取付部及びレンズ取付部に緩み、がた等があるものは、この基準に適合しないものとする。ただし、一般原動機付自転車の構造上、同項第4号に規定する範囲において、すべての位置から見通すことができるように取り付けることができない場合にあっては、可能な限り見通すことができる位置に取り付けられていること。

3　施行規則第62条の3第1項の規定により型式の認定を受けた一般原動機付自転車に備えられている制動灯と同一構造を有し、かつ、同一位置に備えられた制動灯であって、その機能を損なう損傷のないものは、前項各号の基準に適合するものとする。

（後部反射器）

第280条　後部反射器の反射光の色、明るさ、反射部の形状等に関し、保安基準第63条第2項の告示で定める基準は、次に掲げる基準とする。この場合において、後部反射器の反射部の取扱いは、別添94「灯火等の照明部、個数、取付位置等の測定方法（（第2章第2節及び同章第3節関係）」に定める基準を準用するものとする。

一　後部反射器（付随車に備えるものを除く。）の反射部は、文字及び三角形以外の形であること。この場合において、O、I、U又は8といった単純な形の文字又は数字に類似した形状は、この基準に適合するものとする。

二　付随車に備える後部反射器の反射部は、正立正三角形で一辺が50㎜以上のもの又は中空の正立正三角形で、帯状部の幅が25㎜以上のものであること。

三　後部反射器は、夜間にその後方100mの距離から走行用前照灯で照射した場合にその反射光を照射位置から確認できるものであること。

四　後部反射器による反射光の色は、赤色であること。

五　後部反射器は、反射部が損傷し、又は反射面が著しく汚損しているものでないこと。

2　後部反射器の取付位置、取付方法等に関し、保安基準第63条第3項の告示で定める基準は、次に掲げる基準とする。この場合において、後部反射器の反射部、個数及び取付位置の測定方法は、別添94「灯火等の照明部、個数、取付位置等の測定方法（第2章第2節及び同章第3節関係）」に定める基準を準用するものとする。

一　後部反射器は、その反射部の中心が地上1.5m以下となるように取り付けられていること。

二　最外側にある後部反射器の反射部は、その最外縁が一般原動機付自転車の最外側から400㎜以内となるように取り付けられていること。ただし、二輪を有する一般原動機付自転車にあってはその中心が車両中心面上、側車付の一般原動機付自転車に備えるものにあってはその中心が二輪を有する一般原動機付自転車部分の中心面上となるように取り付けられていればよい。

三　後部反射器は、前項に掲げる性能を損なわないように取り付けられなければならない。この場合において、後部反射器の取付部及びレンズ取付部に緩み、がた等があるものは、この基準に適合しないものとする。

3　施行規則第62条の3第1項の規定により型式の認定を受けた一般原動機付自転車に備えられている後部反射器と同一構造を有し、かつ、同一位置に備えられた後部反射器であって、その機能を損なう損傷のないものは、前項各号の基準に適合するものとする。

（警音器）

第282条　警音器の警報音発生装置の音色、音量等に関し、保安基準第64条第2項の告示で定める基準は、警音器の警報音発生装置の音が、連続するものであり、かつ、音の大きさ及び音色が一定なものであることとする。この場合において、次に掲げる警音器の警報音発生装置は、この基準に適合しないものとする。

一　音が自動的に断続するもの

二　音の大きさ又は音色が自動的に変化するもの

三　運転者が運転者席において、音の大きさ又は音色を容易に変化させることができるもの

2　警音器の音色、音量等に関し、保安基準第64条第3項の告示で定める基準は、次の各号に掲げる基準とする。

一　警音器の音の大きさ（2以上の警音器が連動して音を発する場合は、その和）は、一般原動機付自転車の前方7mの位置において112dB以下87dB以上（動力が7kW以下の二輪の一般原動機付自転車に備える警音器にあっては、112dB以下83dB以上）であること。

二　警音器は、サイレン又は鐘でないこと。

3　音の大きさが前項第1号に規定する範囲内にないおそれがあるときは、音量計を用いて次の各号により計測するものとする。

一　音量計は、使用開始前に十分暖機し、暖機後に校正を行う。

二　マイクロホンは、車両中心線上の一般原動機付自転車の前端から7mの位置の地上0.5mから1.5mの高さにおける音の大きさが最大となる高さにおいて車両中心線に平行かつ水平に一般原動機付自転車に向けて設置する。

三　聴感補正回路はA特性とする。

四　次に掲げるいずれかの方法により試験電圧を供給するものとする。

イ　原動機を停止させた状態で、当該一般原動機付自転車のバッテリから供給する方法

ロ　原動機を暖機し、かつ、アイドリング運転している状態で、当該一般原動機付自転車のバッテリから供給する方法

ハ　警音器の警報音発生装置の電源端子に接続された外部電源から、別添74「警音器の警報音発生装置の技術基準」3.2.3.の規定による試験電圧を供給する方法

五　計測場所は、概ね平坦で、周囲からの反射音による影響を受けない場所とする。

六　計測値の取扱いは、次のとおりとする。

イ　計測は2回行い、1dB未満は切り捨てるものとする。

ロ　2回の計測値の差が2dBを超える場合には、計測値を無効とする。ただし、いずれの計測値も前項第1号に規定する範囲内にない場合には有効とする。

ハ　2回の計測値（ニにより補正した場合には、補正後の値）の平均を音の大きさとする。

ニ　計測の対象とする音の大きさと暗騒音の計測値の差が3dB以上10dB未満の場合には、計測値から次表の補正値を控除するものとし、3dB未満の場合には計測値を無効とする。

（単位：dB）

計測の対象とする音の大きさと暗騒音の計測値の差	3	4	5	6	7	8	9
補正値	3	2		1			

4　前項の規定にかかわらず、平成15年12月31日以前に製作された一般原動機付自転車にあっては、次により計測できるものとする。

一　音量計は、使用開始前に十分暖機し、暖機後に校正を行う。

二　マイクロホンは、車両中心線上の一般原動機付自転車の前端から2mの位置の地上1mの高さにおいて車両中心線に平行かつ水平に一般原動機付自転車に向けて設置する。

三　聴感補正回路はC特性とする。

四　原動機は、停止した状態とする。

五　計測場所は、概ね平坦で、周囲からの反射音による影響を受けない場所とする。

六　計測値の取扱いは、前項第6号の規定を準用する。

（消音器）

第284条　一般原動機付自転車が騒音を著しく発しないものとして構造、騒音の大きさ等に関し保安基準第64条の2第1項の告示で定める基準は、次の各号に掲げる基準とする。

一　一般原動機付自転車（総排気量が0.050リットル以下で最高速度が50km／h以下のもの又は三輪以上のものに限る。）は別添39「定常走行騒音の測定方法」に定める方法により測定した定常走行騒音をdBで表した値が85dBを超える騒音を発しない構造であること。

二　次の表の一般原動機付自転車の種別の欄に掲げる一般原動機付自転車（二輪の一般原動機付自転車（総排気量が0.050リットルを超えるもの又は最高速度が50km／hを超えるものに限る。）、排気管を有しない一般原動機付自転車及び排気管を有する一般原動機付自転車であって停止状態において原動機が作動しないものを除く。）は、別添38「近接排気騒音の測定方法」に定める方法により測定した近接排気騒音をdBで表した値がそれぞれ次の表の騒音の大きさの欄に掲げる値を超える騒音を発しない構造であること。

一般原動機付自転車の種別	騒音の大きさ
イ　第一種一般原動機付自転車	84
ロ　第二種原動機付自転車	90

三　消音器について改造又は交換を行っていない二輪の一般原動機付自転車（総排気量が0.050リットルを超えるもの又は最高速度が50km／hを超えるものに限り、排気管を有しないもの及び排気管を有するものであって停止状態において原動機が作動しないものを除く。）　別添38「近接排気騒音の測定方法」に定める方法により測定した近接排気騒音をdBで表した値が第252条第1項第3号又は第268条第1項第3号に規定する基準に適合することを認めた際に確認した近接排気騒音値に5dBを加えた値を超える騒音を発しない構造であること。ただし、別添112「後付消音器の技術基準」に規定する市街地加速走行騒音有効防止後付消音器に係る性能等確認済表示を有する消音器を備える一般原動機付自転車にあっては、当該表示に記載された近接排気騒音値に5dBを加えた値を超える騒音を発しない構造であればよい。

四　二輪の一般原動機付自転車（総排気量が0.050リットルを超えるもの又は最高速度が50km／hを超えるものに限る。）に備える消音器のうち、次に掲げる消音器であって、その機能を損なう損傷等のないものは、前号に掲げる基準に適合するものとする。

イ　施行規則第62条の3第1項の規定に基づきその型式について認定を受けた一般原動機付自転車に備えられているものと同一の構造を有し、かつ、同一の位置に備えられた消音器

ロ　協定規則第41号に適合する消音器に表示される特別な表示がある消音器

2　内燃機関を原動機とする一般原動機付自転車が備える消音器が騒音の発生を有効に抑止するものとして構造、騒音防止性能等に関し保安基準第64条の2第2項の告示で定める基準は、次の各号に掲げる基準とする。

一　消音器の全部又は一部が取り外されていないこと。

二　消音器本体が切断されていないこと。

三　消音器の内部にある騒音低減機構が除去されていないこと。

四　消音器に破損又は腐食がないこと。

五　消音器の騒音低減機構を容易に除去できる構造（一酸化炭素等発散防止装置と構造上一体となっている消音器であって、当該一酸化炭素等発散防止装置の点検又は整備のために分解しなければならない構造のものを除く。）でないこと。

六　消音器が加速走行騒音を有効に防止するものであること。

3　一般原動機付自転車に備える消音器は前項第6号の基準に適合するものとして、次に掲げる一般原動機付自転車に応じ、それぞれに掲げる消音器に該当するものでなければならない。

一　一般原動機付自転車（総排気量が0.050リットル以下で最高速度が50km／h以下のもの又は三輪以上のものに限る。以下この号において同じ。）　次のいずれかに該当する消音器

イ　次のいずれかの表示がある消音器

(1)　型式認定一般原動機付自転車の製作者が、当該型式認定一般原動機付自転車に備える消音器に行う表示

(2)　別添112「後付消音器の技術基準」に基づく性能等確

認済表示

(3) 協定規則第9号、第41号若しくは第63号又はこれらと同等の欧州連合指令に適合する一般原動機付自転車が備える消音器に表示される特別な表示

(4) 協定規則第92号又はこれと同等の欧州連合指令に適合する消音器に表示される特別な表示

ロ 次のいずれかに該当する一般原動機付自転車が現に備えている消音器

(1) 公的試験機関が実施した試験の結果を記載した書面により、別添40「加速走行騒音の測定方法」に定める方法により測定した加速走行騒音をdBで表した値が79dB以下であることが運行の際に明らかである一般原動機付自転車

(2) 外国の法令に基づく書面又は表示により、協定規則第9号、第41号若しくは第63号又はこれらと同等の欧州連合指令に適合することが運行の際に明らかである一般原動機付自転車

二 一般原動機付自転車（総排気量が0.050リットルを超えるもの又は最高速度が50km／hを超えるものであって、二輪のものに限る。以下この号において同じ。） 次のいずれかに該当する消音器

イ 次のいずれかに該当する消音器であって、その機能を損なう損傷等のないもの

(1) 細目告示第252条第1項第3号の基準に適合する型式認定一般原動機付自転車に備えられているものと同一の構造を有し、かつ、同一の位置に備えられた消音器

(2) 別添112「後付消音器の技術基準」に規定する市街地加速走行騒音有効防止後付消音器の基準に適合する消音器

ロ 次のいずれかに該当する一般原動機付自転車が現に備えている消音器

(1) 公的試験機関が実施した試験の結果を記載した書面により、協定規則第41号の規則6.1.及び6.2.に適合することが運行の際に明らかである一般原動機付自転車

(2) 外国の法令に基づく書面又は表示により、協定規則第41号又はこれと同等の欧州連合指令に適合することが運行の際に明らかである一般原動機付自転車

（方向指示器）

第284条の2 方向指示器の灯光の色、明るさ等に関し、保安基準第64条の3第2項の告示で定める基準は、次の各号に掲げる基準とする。この場合において、方向指示器の照明部の取扱いは、別添94「灯火等の照明部、個数、取付位置等の測定方法（第2章第2節及び同章第3節関係）」に定める基準を準用するものとする。

一 車両中心線上の前方及び後方30mの距離から指示部を見通すことができる位置の前面及び後面に少なくとも左右1個ずつ取り付けられていること。

二 方向指示器は、方向の指示を表示する方向100mの距離から昼間において点灯を確認できるものであり、かつ、その照射光線は、他の交通を妨げないものであること。この場合において、方向の指示を前方又は後方に表示するための方向指示器の各指示部の車両中心面に直行する鉛直面への投影面積が7cm²以上であり、かつ、その機能が正常である方向指示器は、この基準に適合するものとする。

三 方向指示器の灯光の色は、橙色であること。

四 方向指示器の照明部は、方向指示器の中心を通り一般原動機付自転車の進行方向に直交する水平線を含む、水平面より上方15°の平面及び下方15°（方向指示器の照明部の上縁の高さが地上0.75m未満となるように取り付けられている場合にあっては、下方5°）の平面並びに方向指示器の中心を含む、一般原動機付自転車の進行方向に平行な鉛直面であって方向指示器の中心より内側方向20°の平面及び方向指示器の外側方向80°の平面により囲まれる範囲において全ての位置から見通すことができるものであること。

五 方向指示器は、灯器が損傷し、又はレンズ面が著しく汚損しているものでないこと。

2 方向指示器の取付位置、取付方法等に関し、保安基準第64条の3第3項の告示で定める基準は、次に掲げる基準とする。この場合において、方向指示器の照明部、個数及び取付位置の測定方法は、別添94「灯火等の照明部、個数、取付位置等の測定方法（第2章第2節及び同章第3節関係）」に定める基準を準用するものとする。

一 方向指示器は、毎分60回以上120回以下の一定の周期で点滅するものであること。

二 方向指示器は、車両中心線を含む鉛直面に対して対称の位置（方向指示器を取り付ける後写鏡等の部位が左右非対称の場合にあっては、車両中心線を含む鉛直面に対して可能な限り対称の位置）に取り付けられたものであること。ただし、車体の形状自体が左右対称でない一般原動機付自転車に備える方向指示器にあっては、この限りでない。

三 一般原動機付自転車に備える方向指示器は、前方に対して方向の指示を表示するためのものにあっては、その照明部の最内縁において240mm以上、後方に対して指示を表示するためのものにあっては、その照明部の中心において150mm以上の間隔を有するものであり、かつ、前照灯が2個備えられている場合の前方に対して方向の指示を表示するためのものの位置は方向指示器の照明部の最外縁が最外側の前照灯の照明部の最外縁より外側にあること。

四 方向指示器の指示部の中心は、地上2.3m以下となるように取り付けられていること。

五 運転者が運転者席において直接、かつ、容易に方向指示器（一般原動機付自転車の両側面に備えるものを除く。）の作動状態を確認できない場合は、その作動状態を運転者に表示する装置を備えること。

六 方向指示器は、前項に掲げた性能を損なわないように取り付けられなければならない。この場合において、方向指示器の灯器の取付部及びレンズ取付部に緩み、がた等があるものは、この基準に適合しないものとする。ただし、一般原動機付自転車の構造上、同項第4号に規定する範囲において、全ての位置から見通すことができるように取り付けることができない場合にあっては、可能な限り見通すことができる位置に取り付けられていること。

3 施行規則第62条の3第1項の規定により型式の認定を受けた一般原動機付自転車に備えられている方向指示器と同一構造を有し、かつ、同一位置に備えられた方向指示器であって、その機能を損なう損傷のないものは、前項各号の基準に適合するものとする。

（後写鏡）

第284条の3 一般原動機付自転車（ハンドルバー方式のかじ取装置を備える二輪の一般原動機付自転車及び三輪の一般原動機付自転車であって車室（運転者が運転者席において一般原動機付自転車の外側線付近の交通状況を確認できるものを除く。以下、本条において同じ。）を有しないものを除く。）に備える後写鏡の当該後写鏡による運転者の視野、乗車人員、歩行者等の保護に係る性能等に関し、保安基準第65条第2項の告示で定める基準は、次の各号に掲げる基準とする。ただし、二輪の一般原動機付自転車及び最高速度20km／h未満の一般原動機付自転車に備えるものについては第2号及び第3号の規定は、適用しない。

一 容易に方向の調節をすることができ、かつ、一定の方向を保持できる構造であること。

二 取付部附近の一般原動機付自転車の最外側より突出している部分の最下部が地上1.8m以下のものは、当該部分が歩行者等に接触した場合に衝撃を緩衝できる構造であること。

三　車室内に備えるものは、当該一般原動機付自転車が衝突等による衝撃を受けた場合において、乗車人員の頭部等に障害を与えるおそれの少ない構造であること。

2　ハンドルバー方式のかじ取装置を備える一般原動機付自転車であって車室を有しないものに備える後写鏡による運転者の視野、歩行者等の保護に係る性能等に関し保安基準第65条第3項の告示で定める基準は、次の各号に掲げる基準とする。

一　容易に方向を調整することができ、かつ、一定方向の保持をできる構造であること。

二　歩行者等に接触した場合において、衝撃を緩衝できる構造であり、かつ、歩行者等に傷害を与えるおそれのあるものでないこと。

三　運転者が後方の交通状況を明瞭かつ容易に確認できる構造であること。

3　次に掲げる後写鏡は、前項第3号の基準に適合しないものとする。ただし、平成18年12月31日以前に製作された一般原動機付自転車に備える後写鏡にあっては、第2号から第4号までの規定によらないことができる。

一　鏡面に著しいひずみ、くもり又はひび割れがあるもの

二　鏡面の面積が69㎠未満であるもの

三　その形状が円形の鏡面にあっては、鏡面の直径が94㎜未満であるもの

四　その形状が円形以外の鏡面にあっては、当該鏡面が直径78㎜の円を内包しないもの、又は当該鏡面が縦120㎜、横200㎜（又は横120㎜、縦200㎜）の長方形により内包されないもの

4　次の各号に掲げる一般原動機付自転車の後写鏡の取付位置、取付方法等に関し、保安基準第65条第4項の告示で定める基準は、次の各号に掲げる基準とする。

一　第1項の後写鏡にあっては、次に掲げる基準

イ　走行中の振動により著しくその機能を損なわないよう取り付けられたものであること。

ロ　運転者が運転者席において、一般原動機付自転車（付随車を牽引する場合は、付随車）の左右の外側線上後方50ｍまでの間にある車両の交通状況及び一般原動機付自転車（牽引する一般原動機付自転車より幅の広い付随車を牽引する場合は、牽引する一般原動機付自転車及び付随車）の左外側線付近（運転者が運転者席において確認できる部分を除く。）の交通状況を確認できるものであること。ただし、二輪の一般原動機付自転車にあっては一般原動機付自転車の左右の外側線上後方50ｍまでの間にある車両の交通状況を確認できるものであればよい。この場合において、取付けが不確実な後写鏡及び鏡面に著しいひずみ、くもり又はひび割れのある後写鏡は、この基準に適合しないものとする。

二　第2項の後写鏡にあっては、次に掲げる基準

イ　後写鏡の反射面の中心が、かじ取り装置の中心を通り進行方向に平行な鉛直面から280㎜以上外側となるように取り付けられていること。この場合において、取付けが不確実な後写鏡は、この基準に適合しないものとする。

ロ　運転者が運転者席において、容易に方向を調整することができるように取り付けられていること。

ハ　一般原動機付自転車の左右両側（最高速度50km/h以下の一般原動機付自転車にあっては、一般原動機付自転車の左右両側又は右側）に取り付けられていること。

5　施行規則第62条の3第1項の規定により型式の認定を受けた一般原動機付自転車に備える後写鏡であってその機能を損なうおそれのある損傷のないものは、第2項各号及び前項各号の基準に適合するものとする。

（速度計）

第285条　速度計の取付位置、精度等に関し、保安基準第65条の2第1項の告示で定める基準は、次の各号に掲げる基準とする。

一　運転者が容易に走行時における速度を確認できるものであること。この場合において、次に掲げるものは、この基準に適合しないものとする。

イ　速度がkm/hで表示されないもの

ロ　照明装置を備えたもの、自発光式のもの若しくは文字板及び指示針に自発光塗料を塗ったもののいずれにも該当しないもの又は運転者をげん惑させるおそれのあるもの

ハ　ディジタル式速度計であって、昼間又は夜間のいずれにおいて十分な輝度又はコントラストを有しないもの

ニ　速度計が、運転者席において運転する状態の運転者の直接視界範囲内にないもの

二　速度計の指度は、平坦な舗装路面での走行時において、一般原動機付自転車の速度を下回らず、かつ、著しい誤差のないものであること。この場合において、次に掲げるものは、この基準に適合しないものとする。

イ　平成18年12月31日までに製作された一般原動機付自転車にあっては、一般原動機付自転車の速度計が40km/h（最高速度が40km/h未満の一般原動機付自転車にあっては、その最高速度）を指示した時の運転者の合図によって速度計試験機を用いて計測した速度が次に掲げる基準に適合しないもの。

⑴　二輪及び三輪以外の一般原動機付自転車にあっては、計測した速度が次式に適合するものであること。

$10(V_1-6)/11 \leq V_2 \leq (100/90)V_1$

この場合において、

V_1は、一般原動機付自転車に備える速度計の指示速度（単位　km/h）

V_2は、速度計試験機を用いて計測した速度（単位　km/h）

⑵　二輪及び三輪の一般原動機付自転車にあっては、計測した速度が次式に適合するものであること。

$10(V_1-8)/11 \leq V_2 \leq (100/90)V_1$

この場合において、

V_1は、一般原動機付自転車に備える速度計の指示速度（単位　km/h）

V_2は、速度計試験機を用いて計測した速度（単位　km/h）

ロ　平成19年1月1日以降に製作された一般原動機付自転車にあっては、イの規定にかかわらず、一般原動機付自転車の速度計が40km/h（最高速度が40km/h未満の一般原動機付自転車にあっては、その最高速度）を指示した時の運転者の合図によって速度計試験機を用いて計測した速度が次に掲げる基準に適合しないもの。

⑴　二輪及び三輪以外の一般原動機付自転車にあっては、計測した速度が次式に適合するものであること。

$10(V_1-6)/11 \leq V_2 \leq V_1$

この場合において、

V_1は、一般原動機付自転車に備える速度計の指示速度（単位　km/h）

V_2は、速度計試験機を用いて計測した速度（単位　km/h）

⑵　二輪及び三輪の一般原動機付自転車にあっては、計測した速度が次式に適合するものであること。

$10(V_1-8)/11 \leq V_2 \leq V_1$

この場合において、

V_1は、一般原動機付自転車に備える速度計の指示速度（単位　km/h）

V_2は、速度計試験機を用いて計測した速度（単位　km/h）

（かじ取装置）

第285条の2　かじ取装置（ハンドルバー方式のものを除く。）の運転者の保護に係る性能に関し、保安基準第65条の3の告示で

定める基準は、当該一般原動機付自転車が衝突等による衝撃を受けた場合において、運転者に過度の衝撃を与えるおそれの少ない構造であることとする。

2　施行規則第62条の3第1項の規定により型式の認定を受けた一般原動機付自転車に備えられているかじ取装置と同一の構造を有し、かつ、同一の位置に備えられたかじ取装置であって、その機能を損なうおそれのある損傷のないものは、前項の基準に適合するものとする。

（乗車装置）

第286条　一般原動機付自転車の乗車装置の構造に関し、保安基準第66条第1項の告示で定める基準は、乗車人員が動揺、衝撃等により転落又は転倒することなく安全な乗車を確保できる構造でなければならないものとする。この場合において、またがり式の後部座席であって握り手及び足かけを有し、安全な乗車を確保できる構造のものは、この基準に適合するものとする。

2　運転者以外の者の用に供する座席（またがり式の座席を除く。）の寸法等に関し保安基準第66条第2項の告示で定める基準は、1人につき、大きさが幅380mm以上、奥行400mm以上でなければならないものとする。

（座席ベルト等）

第286条の2　座席ベルトの取付装置の強度、取付位置等に関し、保安基準第66条の2第2項の告示で定める基準は、次の各号に掲げる基準とする。

一　当該一般原動機付自転車の衝突等によって座席ベルトから受ける荷重に十分耐えるものであること。

二　振動、衝撃等によりゆるみ、変形等を生じないようになっていること。

三　取り付けられる座席ベルトが有効に作用する位置に備えられたものであること。

四　乗降に際し損傷を受けるおそれがなく、かつ、乗降の支障とならない位置に備えられたものであること。

五　座席ベルトを容易に取り付けることができる構造であること。

2　座席ベルトの構造、操作性能等に関し、保安基準第66条の2第3項の告示で定める基準は、次の各号に掲げる基準とする。

一　当該一般原動機付自転車が衝突等による衝撃を受けた場合において、当該座席ベルトを装着した者に傷害を与えるおそれの少ない構造のものであること。

二　当該一般原動機付自転車が衝突等による衝撃を受けた場合において、当該座席ベルトを装着した者が、座席の前方に移動しないようにすることができ、かつ、上半身を過度に前傾しないようにすることができるものであること。

三　容易に、着脱することができ、かつ、長さを調整することができるものであること。

四　通常の運行において当該座席ベルトを装着した者がその腰部及び上半身を容易に動かし得る構造のものであること。

3　次に掲げる座席ベルトであって装着者に傷害を与えるおそれのある損傷、擦過痕等のないものは、前項に定める基準に適合するものとする。

一　施行規則第62条の3第1項の規定により型式の認定を受けた一般原動機付自転車に備えられた座席ベルトと同一の構造を有し、かつ、同一の位置に備えられた座席ベルト

二　法第75条の2第1項の規定に基づき型式の指定を受けた特定共通構造部に備えられている座席ベルト又はこれに準ずる性能を有する座席ベルト

三　法第75条の3第1項の規定に基づく装置の指定を受けた座席ベルト又はこれに準ずる性能を有する座席ベルト

四　ＪＩＳ　D4604「自動車用シートベルト」の規格に適合する座席ベルトであって的確に備えられたもの

（頭部後傾抑止装置）

第286条の3　追突等による衝撃を受けた場合における当該座席の運転者の頭部の保護等に係る頭部後傾抑止装置の性能に関し、保安基準第66条の3の告示で定める基準は、次の各号に掲げる基準とする。

一　他の自動車の追突等による衝撃を受けた場合において、当該一般原動機付自転車の運転者の頭部の過度の後傾を有効に抑止することのできるものであること。

二　運転者の頭部等に傷害を与えるおそれのない構造のものであること。

三　振動、衝撃等により脱落することのないように備えられたものであること。

2　次に掲げる頭部後傾抑止装置であって、運転者の頭部等に傷害を与えるおそれのある損傷のないものは、前項各号に掲げる基準に適合するものとする。

一　施行規則第62条の3第1項の規定により型式の認定を受けた一般原動機付自転車に備えられた頭部後傾抑止装置と同一の構造を有し、かつ、同一の位置に備えられた頭部後傾抑止装置

二　法第75条の2第1項の規定に基づき型式の指定を受けた特定共通構造部に備えられている頭部後傾抑止装置

三　法第75条の3第1項の規定に基づく装置の指定を受けた頭部後傾抑止装置

四　ＪＩＳ　D4606「自動車乗員用ヘッドレストレイント」又はこれと同程度以上の規格に適合した頭部後傾抑止装置であって、的確に備えられたもの

（緊急制動表示灯）

第286条の4　緊急制動表示灯の灯光の色、明るさ等に関し、保安基準第66条の4第3項の告示で定める基準は、制動灯を緊急制動表示灯として使用する場合にあっては第279条第1項の規定を、方向指示器を緊急制動表示灯として使用する場合にあっては第284条の2第1項の規定を準用する。

2　緊急制動表示灯の取付位置、取付方法等に関し、保安基準第66条の4第4項の告示で定める基準は、制動灯を緊急制動表示灯として使用する場合にあっては、第279条第2項第2号から第5号までに定める基準を準用し、方向指示器を緊急制動表示灯として使用する場合にあっては、第284条の2第2項第2号から第4号まで及び第6号に定める基準を準用する。この場合において、緊急制動表示灯の照明部、個数及び取付位置の測定方法は、別添94「灯火等の照明部、個数、取付位置等の測定方法（第2章第2節及び同章第3節関係）」に定める基準を準用するものとする。

3　施行規則第62条の3第1項の規定により型式の認定を受けた一般原動機付自転車に備えられている緊急制動表示灯と同一構造を有し、かつ、同一位置に備えられた緊急制動表示灯であって、その機能を損なう損傷のないものは、前項の基準に適合するものとする。

（後面衝突警告表示灯）

第286条の4の2　後面衝突警告表示灯の灯光の色、明るさ等に関し保安基準第66条の4の2第3項の告示で定める基準は、第284条の2第1項の規定を準用する。

2　後面衝突警告表示灯の取付位置、取付方法等に関し、保安基準第66条の4の2第4項の告示で定める基準は、第284条の2第2項第2号から第4号までの規定を準用する。この場合において、後面衝突警告表示灯の照明部、個数及び取付位置の測定方法は、別添94「灯火等の照明部、個数、取付位置等の測定方法（第2章第2節及び同章第3節関係）」に定める基準を準用するものとする。

3　施行規則第62条の3第1項の規定により型式の認定を受けた一般原動機付自転車に備えられている後面衝突警告表示灯と同一構造を有し、かつ、同一位置に備えられた後面衝突警告表示灯であって、その機能を損なう損傷のないものは、前項の基準に適合するものとする。

第２節　特定小型原動機付自転車の保安基準の細目

第１款　型式認定特定小型原動機付自転車であって新たに運行の用に供しようとするもの等の保安基準の細目

第287条　この款の規定は、次に掲げる場合に適用する。
一　特定小型原動機付自転車について、施行規則第62条の３第１項の規定による認定を行う場合、同条第５項の規定による検査を行う場合又は同条第６項の規定による取消しのための判定を行う場合
二　型式認定原動機付自転車（特定小型原動機付自転車に限る。以下「型式認定特定小型原動機付自転車」という。）を新たに運行の用に供しようとする場合
三　特定小型原動機付自転車について、特定小型原動機付自転車の性能等確認制度に関する告示（令和４年国土交通省告示第1294号。以下「性能等確認告示」という。）第５条第２項の規定による確認を行う場合
四　性能等確認告示第６条第１項の規定による通知（以下「適合通知」という。）を受けた型式の特定小型原動機付自転車を新たに運行の用に供しようとする場合
2　この款の規定については、適用関係告示でその適用関係の整理のため必要な事項を定めることができる。

（接地部及び接地圧）
第288条　走行装置の接地部及び接地圧に関し、保安基準第66条の５の告示で定める基準は、次の各号に掲げる基準とする。
一　接地部は、道路を破損する恐れのないものであること。
二　空気入りゴムタイヤ又は接地部の厚さ25mm以上の固形ゴムタイヤについては、その接地圧は、タイヤの接地部の幅１cmあたり200kgを超えないこと。この場合において、「タイヤの接地部の幅」とは、実際に地面と接している部分の最大幅をいう。
三　付随車を牽引する特定小型原動機付自転車にあっては、付随車を連結した状態においても、前号の基準に適合すること。

（制動装置）
第289条　走行中の特定小型原動機付自転車の減速及び停止等に係る制動性能に関し保安基準第66条の６第１項の告示で定める基準は、次項及び第３項の基準とする。
2　特定小型原動機付自転車には、別添98「原動機付自転車の制動装置の技術基準」に定める基準及び次の基準に適合する２系統以上の制動装置を備えなければならない。
一　制動装置は、堅ろうで運行に十分耐え、かつ、振動、衝撃、接触等により損傷を生じないように取り付けられているものであり、次に掲げるものでないこと。
イ　ブレーキ系統の配管又はブレーキ・ケーブル（それらを保護するため、それらに保護部材を巻きつける等の対策を施してある場合の当該保護部材は除く。）であって、ドラッグ・リンク、推進軸、タイヤ等と接触しているもの又は走行中に接触した痕跡若しくは接触するおそれがあるもの
ロ　ブレーキ系統の配管又は接手部から液漏れ若しくは空気漏れがあるもの又は他の部分との接触により、それらから液漏れ若しくは空気漏れが生じるおそれがあるもの
ハ　ブレーキ・ロッド若しくはブレーキ・ケーブルに損傷があるもの又はその連結部に緩みがあるもの
ニ　ブレーキ・ロッド又はブレーキ系統の配管に溶接又は肉盛り等の修理を行った部品（パイプを二重にして確実にろう付けした場合の銅製パイプを除く。）を使用しているもの
ホ　ブレーキ・ホース又はブレーキ・パイプに損傷があるもの
ヘ　ブレーキ・ホースが著しくねじれを生じているもの
ト　ブレーキ・ペダルに遊び又は床面とのすきまがないもの
チ　ブレーキ・レバーに遊び又は引き代のないもの
リ　ブレーキ・レバーのラチェットが確実に作動しないもの
ヌ　その他、堅ろうでないもの又は振動、衝撃、接触等により損傷を生じないように取り付けられていないもの
二　制動装置は、かじ取性能を損なわない構造及び性能を有するものであり、かつ、ブレーキの片ぎき等により横滑りを起こすものではないこと。
三　主制動装置は、繰り返し制動を行った後においても、その制動効果に著しい支障を容易に生じないものであること。
四　主制動装置の制動液は、それによる配管の腐食又は原動機等の熱の影響による気泡の発生等により、当該主制動装置の機能を損なわないものであること。
五　主制動装置は、雨水の付着等により、その制動効果に著しい支障を生じないものであること。
3　特定小型原動機付自転車には、駐車制動装置及び第２項の基準に適合する２系統以上の制動装置であって、第１号及び第２号並びに第３号から第５号までのいずれかを備えなければならない。
一　２個の独立した操作装置（制動装置の操作を意図した運転者が操作する制動力を増大または減少できるペダル、レバー等をいう。以下この条、第302条及び第315条において同じ。）を有し、走行中の特定小型原動機付自転車が確実かつ安全に減速及び停止を行うことができる主制動装置
二　２系統以上の制動装置のうち１系統は、平坦な舗装路面等で確実に特定小型原動機付自転車を停止状態に保持できる主制動装置
三　二輪の特定小型原動機付自転車にあっては、前車輪を含む車輪及び後車輪を含む車輪をそれぞれ独立に制動する主制動装置
四　三輪の特定小型原動機付自転車にあっては、次に掲げるいずれかの制動装置
イ　２個の独立した主制動装置によりすべての車輪を制動するもの（連動制動機能を有する主制動装置を除く。）
ロ　分配制動機能を有する主制動装置
ハ　すべての車輪を制動する連動制動機能を有する主制動装置及び補助主制動装置。この場合において、補助主制動装置の代わりに駐車制動装置を備えるものであってもよい。
五　四輪を有する特定小型原動機付自転車にあっては、後車輪を含む半数以上の車輪を制動する主制動装置
4　付随車とこれを牽引する特定小型原動機付自転車とを連結した状態において、走行中の原動機付自転車の減速及び停止等に関する制動性能に関し、保安基準第66条の６第２項の告示で定める基準は、主制動装置が、乾燥した平たんな舗装路面で、次の計算式による制動能力を有することとする。この場合において、運転者の操作力は、足動式のものにあっては350N以下、手動式のものにあっては200N以下とする。

$$S \leqq 0.1V + \alpha V^2$$

この場合において、原動機と走行装置の接続は断つこととし、
Sは、停止距離（単位　m）
Vは、制動初速度（その特定小型原動機付自転車の最高速度の90%の速度とする。）（単位　km／h）
αは、次の表の左欄に掲げる特定小型原動機付自転車の種別に応じ、同表の中欄に掲げる制動装置の作動状態において、同表の右欄に掲げる値とする。

特定小型原動機付自転車の種別	制動装置の作動状態	a
1個の操作装置で前輪及び後輪の制動装置を作動させることができない特定小型原動機付自転車	前輪の制動装置のみを作動させる場合	0.0111
	後輪の制動装置のみを作動させる場合	0.0143
1個の操作装置で前輪及び後輪の制動装置を作動させることができる特定小型原動機付自転車	主たる操作装置により前輪及び後輪の制動装置を作動させる場合	0.0087
	主たる操作装置以外の操作装置により前輪のみ、後輪のみ又は前輪及び後輪の制動装置を作動させる場合	0.0154

（車体）

第290条　車体の強度、構造等に関し、保安基準第66条の7第1号の告示で定める基準は、次の各号に掲げる基準とする。

一　車体は、堅ろうで運行に十分耐えるものであること。

二　車体は、確実に取り付けられ、振動、衝撃等によりゆるみを生じないようになっていること。

三　座席の地上面からの高さが500mm未満の特定小型原動機付自転車（またがり式の座席を有するもの及び二輪のものを除く。）の車体は、他の交通からの視認性が確保されるものであること。この場合において、地上1m以上の車体の構造について車両中心線に平行な鉛直面への投影面及びそれと直角に交わる鉛直面への投影面の大きさがそれぞれ長さ300mm以上、幅250mm以上のものにあっては、この基準に適合するものとする。

2　車体の外形その他特定小型原動機付自転車の形状に関し、保安基準第66条の7第2号の告示で定める基準は、車体の外形その他特定小型原動機付自転車の形状が、回転部分が突出する等他の交通の安全を妨げるおそれのあるものでないこととする。この場合において、特定小型原動機付自転車が直進姿勢をとった場合において、車軸中心を含む鉛直面と車軸中心を通りそれぞれ前方30°及び後方50°に交わる2平面によりはさまれる走行装置の回転部分（タイヤ、ホイール・キャップ等）が当該部分の直上の車体（フェンダ等）より車両の外側方向に突出していないものは、この基準に適合するものとする。

3　特定小型原動機付自転車の安定性に関し、保安基準第66条の7第3号の告示で定める基準は、別添126「特定小型原動機付自転車の走行安定性の技術基準」に定める基準とする。

（前照灯）

第291条　前照灯の灯光の色、明るさ等に関し、保安基準第66条の8第2項の告示で定める基準は、次の各号に掲げる基準とする。なお、協定規則第149号の規則4.（4.5.1.、4.5.2.1.、4.5.2.5.及び4.12.を除く。）、5.1.、5.2.及び5.4.に定める基準に適合するものにあっては、次の各号の基準に適合するものとする。ただし、交換式電球の受金形状が、ＪＩＳ規格Ｃ7709に定められた形状（定格電球以外の電球を使用する場合にあっては、その他の誤組付防止措置が図られた形状）である場合にあっては、協定規則第149号の規則4.5.2.2.(b)の規定は適用しないものとし、施行規則第62条の3第1項の規定による認定を行う場合以外の場合にあっては、協定規則第149号の規則5.1.、5.2.及び5.4.の規定にかかわらず、最小光度及び最大光度は、協定規則第149号の規則6.に定める基準に適合すればよいものとする。

一　前照灯は、夜間前方15mの距離にある交通上の障害物を確認できる性能を有すること。

二　前照灯の照射光線は、特定小型原動機付自転車の進行方向を正射し、その主光軸は、下向きであること。

三　前照灯の灯光の色は、白色であること。

四　前照灯は、灯器が損傷し、又はレンズ面が著しく汚損しているものではないこと。

2　前照灯の取付位置、取付方法等に関し、保安基準第66条の8第3項の告示で定める基準は、次に掲げる基準とする。この場合において、前照灯の照明部及び取付位置の測定は、別添94「灯火等の照明部、個数、取付位置等の測定方法（第2章第2節及び同章第3節関係）」を準用するものとする。

一　光度が10,000cd以上の前照灯にあっては、減光し又は照射方向を下向きに変換することができる構造であること。ただし、協定規則第53号の規則5.（5.14.及び5.17.を除く。）及び6.に定める基準に適合する前照灯を備える二輪の特定小型原動機付自転車にあってはこの限りではない。

二　前照灯の取付位置は、地上1m以下であること。ただし、二輪の特定小型原動機付自転車に備える前照灯にあっては、その照明部の上縁の高さが地上1.3m以下、下縁の高さが地上0.5m以上であることとする。

三　前照灯は、原動機が作動している場合に常に点灯している構造であること。ただし、協定規則第53号の規則5.（5.14.及び5.17.を除く。）及び6.に定める基準に適合する昼間走行灯を備える特定小型原動機付自転車にあってはこの限りではない。

四　前照灯の個数は、1個又は2個であること。ただし、協定規則第53号の規則5.（5.14.及び5.17.を除く。）及び6.に定める基準に適合する前照灯を備える二輪の特定小型原動機付自転車にあってはこの限りではない。

五　前照灯を1個備える場合を除き左右同数であり、かつ、前面が左右対称である特定小型原動機付自転車に備えるものにあっては、車両中心面に対して対称の位置に取り付けられたものであること。ただし、協定規則第53号の規則5.（5.14.及び5.17.を除く。）及び6.に定める基準に適合する前照灯を備える二輪の特定小型原動機付自転車にあってはこの限りではない。

六　前照灯は、点滅するものでないこと。

七　前照灯の直接光又は反射光は、当該前照灯を備える特定小型原動機付自転車の運転操作を妨げるものでないこと。

八　前照灯は、その取付部に緩み、がた等がある等その照射光線の方向が振動、衝撃等により容易にくるうおそれのないものであること。

（尾灯）

第292条　尾灯の灯光の色、明るさ等に関し、保安基準第66条の9第2項の告示で定める基準は、次の各号に掲げる基準とする。この場合において、尾灯の照明部の取扱いは、別添94「灯火等の照明部、個数、取付位置等の測定方法（第2章第2節及び同章第3節関係）」に定める基準を準用するものとする。なお、協定規則第148号の規則4.（4.7.1.、4.7.2.1.及び4.7.2.2.(b)を除く。）及び5.2.（種別Ｒ1、Ｒ2及びＭＲに係るものに限る。）に定める基準に適合するものにあっては、次の各号の基準に適合するものとする。ただし、施行規則第62条の3第1項の規定による認定を行う場合以外の場合にあっては、協定規則第148号の規則5.2.の規定にかかわらず、最小光度及び最大光度は、協定規則第148号の規則6.に定める基準に適合すればよいものとする。

一　尾灯は、夜間にその後方300mの距離から点灯を確認できるものであり、かつ、その照射光線は、他の交通を妨げないものであること。この場合において、その光源が5W以上30W以下で照明部の大きさが15㎠以上であり、かつ、その機能が正常である尾灯は、この基準に適合するものとする。

二　尾灯の灯光の色は、赤色であること。

三　尾灯の照明部は、尾灯の中心を通り特定小型原動機付自転車の進行方向に直行する水平線を含む、水平面より上方15°の平面及び下方15°の平面並びに尾灯の中心を含む、特定小型原動機付自転車の進行方向に平行な鉛直面より尾灯の内側方向20°の平面及び尾灯の外側方向80°の平面により囲まれる範囲において全ての位置から見通すことができるものであること。ただし、特定小型原動機付自転車の後面の中心に備えるものにあっては、尾灯の中心を通り特定小型原動機付自転車の進行方向に直交する水平線を含む、水平面より上方15°の平面及び下方15°の平面並びに尾灯の中心を含む、特定小型原動機付自転車の進行方向に平行な鉛直面から左右にそれぞれ80°の平面により囲まれる範囲において全ての位置から見通すことができるものとする。

四　尾灯は、灯器が損傷し、又はレンズ面が著しく汚損しているものでないこと。

2　尾灯の取付位置、取付方法等に関し、保安基準第66条の9第3項の告示で定める基準は、次の各号に掲げる基準とする。この場合において、尾灯の照明部、個数及び取付位置等の測定方法は、別添94「灯火等の照明部、個数、取付位置等の測定方法（第2章第2節及び同章第3節関係）」に定める基準を準用するものとする。

一　尾灯は、運転者席において消灯できない構造又は前照灯が点灯している場合に消灯できない構造であること。ただし、道路交通法第52条第1項の規定により前照灯を点灯しなければならない場合以外の場合において、前照灯を点灯させる場合に尾灯が点灯しない装置を備えることができる。

二　尾灯は、その照明部の中心が地上2m以下となるように取り付けられていること。ただし、座席の地上面からの高さが500mm未満の特定小型原動機付自転車（次に掲げるものを除く。）に備える尾灯のうち最上部にあるものは、その照明部の中心が地上1m以上、2m以下となるように取り付けられていること。この場合において、規定する範囲に構造部がない場合は、可能な限り上部に取り付けること。

イ　またがり式の座席を有する特定小型原動機付自転車

ロ　二輪の特定小型原動機付自転車

三　後面の両側に備えられる尾灯にあっては、最外側にあるものの照明部の最外縁は、特定小型原動機付自転車の最外側から300mm以内となるように取り付けられていること。

四　後面に備える尾灯は、車両中心に対して左右対称に取り付けられたものであること（後面が左右対称でない特定小型原動機付自転車の尾灯を除く。）。

五　尾灯は、前項に掲げた性能（尾灯の照明部の上縁の高さが地上0.75m未満となるように取り付けられている場合にあっては、同項に掲げた性能のうち同項第3号の基準中「下方15°」とあるのは「下方5°」とする。）を損なわないように取り付けられなければならない。この場合において、尾灯の灯器の取付部及びレンズ取付部に緩み、がた等があるものは、この基準に適合しないものとする。ただし、特定小型原動機付自転車の構造上、同項第3号に規定する範囲において、すべての位置から見通すことができるように取り付けることができない場合にあっては、可能な限り見通すことができる位置に取り付けられていること。

（制動灯）

第293条　制動灯の灯光の色、明るさ等に関し、保安基準第66条の10第2項の告示で定める基準は、次に掲げる基準とする。この場合において、制動灯の照明部の取扱いは、別添94「灯火等の照明部、個数、取付位置等の測定方法（第2章第2節及び同章第3節関係）」に定める基準を準用するものとする。なお、協定規則第148号の規則4.（4.7.1.、4.7.2.1.及び4.7.2.2.(b)を除く。）及び5.5.（種別S1、S2及びMSに係るものに限る。）に定める基準に適合するものにあっては、次の各号の基準に適合するものとする。ただし、施行規則第62条の3第1項の規定による認定を行う場合以外の場合にあっては、協定規則第148号の規則5.5.の規定にかかわらず、最小光度及び最大光度は、協定規則第148号の規則6.に定める基準に適合すればよいものとする。

一　制動灯は、昼間にその後方100mの距離から点灯を確認できるものであり、かつ、その照射光線は、他の交通を妨げないものであること。この場合において、その光源が15W以上60W以下で照明部の大きさが20㎠以上であり、かつ、その機能が正常である制動灯は、この基準に適合するものとする。

二　尾灯と兼用の制動灯は、同時に点灯したときの光度が尾灯のみを点灯したときの光度の5倍以上となる構造であること。

三　制動灯の灯光の色は、赤色であること。

四　制動灯の照明部は、制動灯の中心を通り特定小型原動機付自転車の進行方向に直行する水平線を含む、水平面より上方15°の平面及び下方15°の平面並びに制動灯の中心を含む、特定小型原動機付自転車の進行方向に平行な鉛直面より制動灯の内側方向45°（二輪の特定小型原動機付自転車にあっては、内側方向10°）の平面及び制動灯の外側方向45°の平面により囲まれる範囲において全ての位置から見通すことができるものであること。ただし、特定小型原動機付自転車の後面の中心に備えるものにあっては、制動灯の中心を通り特定小型原動機付自転車の進行方向に直交する水平線を含む、水平面より上方15°の平面及び下方15°の平面並びに制動灯の中心を含む、特定小型原動機付自転車の進行方向に平行な鉛直面から左右にそれぞれ45°の平面により囲まれる範囲において全ての位置から見通すことができるものとする。

五　制動灯は、灯器が損傷し、又はレンズ面が著しく汚損しているものでないこと。

2　制動灯の取付位置、取付方法等に関し、保安基準第66条の10第3項の告示で定める基準は、次に掲げる基準とする。この場合において、制動灯の照明部、個数及び取付位置の測定方法は、別添94「灯火等の照明部、個数、取付位置等の測定方法（第2章第2節及び同章第3節関係）」に定める基準を準用するものとする。

一　制動灯は、主制動装置（特定小型原動機付自転車と付随車とを連結した場合においては、当該特定小型原動機付自転車又は付随車の主制動装置をいう。）又は補助制動装置（主制動装置を補助し、走行中の特定小型原動機付自転車又は付随車を減速するための装置をいう。）を操作している場合のみ点灯する構造であること。

二　制動灯は、その照明部の中心が地上2m以下となるように取り付けられていること。

三　後面の両側に備える制動灯にあっては、最外側にあるものの照明部の最外縁は、特定小型原動機付自転車の最外側から300mm以内となるように取り付けられていること。

四　後面の両側に備える制動灯は、車両中心面に対して対称の位置に取り付けられたものであること。（後面が左右対称でない特定小型原動機付自転車を除く。）。

五　制動灯は、前項に掲げた性能（制動灯の照明部の上縁の高さが地上0.75m未満となるように取り付けられている場合にあっては、同項に掲げた性能のうち同項第4号の基準中「下方15°」とあるのは「下方5°」とする。）を損なわないように取り付けられなければならない。この場合において、制動灯の灯器の取付部及びレンズ取付部に緩み、がた等があるものは、この基準に適合しないものとする。ただし、特定小型原動機付自転車の構造上、同項第4号に規定する範囲において、すべての位置から見通すことができるように取り付けることができない場合にあっては、可能な限り見通すことができる位置に取り付けられていること。

（後部反射器）

第294条　後部反射器の反射光の色、明るさ、反射部の形状等に関し、保安基準第66条の11第２項の告示で定める基準は、次に掲げる基準とする。この場合において、後部反射器の反射部の取扱いは、別添94「灯火等の照明部、個数、取付位置等の測定方法（第２章第２節及び同章第３節関係）」に定める基準を準用するものとする。なお、協定規則第150号の規則3.3.4.2.1.、4.及び5.1.に定める基準に適合するものにあっては、次の各号の基準に適合するものとする。ただし、施行規則第62条の３第１項の規定による認定を行う場合以外の場合にあっては、協定規則第150号の規則5.1.の規定にかかわらず、反射器の光度係数は、協定規則第150号の規則3.5.1.1.に定める基準に適合すればよいものとする。

一　後部反射器の反射部は、文字及び三角形以外の形であること。この場合において、O、I、U又は８といった単純な形の文字又は数字に類似した形状は、この基準に適合するものとする。

二　後部反射器は、夜間にその後方100mの距離から走行用前照灯で照射した場合にその反射光を照射位置から確認できるものであること。

三　後部反射器による反射光の色は、赤色であること。

四　後部反射器は、反射部が損傷し、又は反射面が著しく汚損しているものでないこと。

2　後部反射器の取付位置、取付方法等に関し、保安基準第66条の11第３項の告示で定める基準は、次に掲げる基準とする。この場合において、後部反射器の反射部、個数及び取付位置の測定方法は、別添94「灯火等の照明部、個数、取付位置等の測定方法（第２章第２節及び同章第３節関係）」に定める基準を準用するものとする。

一　後部反射器は、その反射部の中心が地上1.5m以下となるように取り付けられていること。

二　最外側にある後部反射器の反射部は、その最外縁が特定小型原動機付自転車の最外側から300mm以内となるように取り付けられていること。ただし、二輪を有する特定小型原動機付自転車にあってはその中心が車両中心面上、側車付の特定小型原動機付自転車に備えるものにあってはその中心が二輪を有する特定小型原動機付自転車部分の中心面上となるように取り付けられていればよい。

三　後部反射器は、前項に掲げる性能を損なわないように取り付けられなければならない。この場合において、後部反射器の取付部及びレンズ取付部に緩み、がた等があるものは、この基準に適合しないものとする。

（警音器）

第295条　警音器の警報音発生装置の音色、音量等に関し、保安基準第66条の12第２項の告示で定める基準は、協定規則第28号の規則６.に定める基準を準用する。ただし、空気式及び電動空気式の警音器以外の警音器の警報発生装置にあっては、適当な音響を発するものであればよい。

2　警音器の音色、音量等に関し、保安基準第66条の12第３項の告示で定める基準は、協定規則第28号の規則14.に定める基準を準用する。ただし、空気式及び電動空気式の警音器以外の警音器にあっては、適当な音響を発するものであればよい。

（方向指示器）

第296条　方向指示器の灯光の色、明るさ等に関し、保安基準第66条の13第２項の告示で定める基準は、次の各号に掲げる基準とする。この場合において、方向指示器の照明部の取扱いは、別添94「灯火等の照明部、個数、取付位置等の測定方法（第２章第２節及び同章第３節関係）」に定める基準を準用するものとする。なお、協定規則第148号の規則4.（4.7.1.及び4.7.2.1.を除く。）及び5.6.（種別１、１a、１b、２a、２b、11、11a、11b、11c及び12に係るものに限る。）に定める基準に適合するものにあっては、次の各号の基準に適合するものとする。ただし、交換式電球の受金形状が、ＪＩＳ規格Ｃ7709に定められた形状（定格電球以外の電球を使用する場合にあっては、その他の誤組付防止措置が図られた形状）である場合にあっては、協定規則第148号の規則4.7.2.2.(b)の規定は適用しないものとし、施行規則第62条の３第１項の規定による認定を行う場合以外の場合にあっては、協定規則第148号の規則5.6.の規定にかかわらず、最小光度及び最大光度は、協定規則第148号の規則6.に定める基準に適合すればよいものとする。

一　車両中心線上の前方及び後方30mの距離から指示部を見通すことができる位置に少なくとも左右１個ずつ取り付けられていること。

二　方向指示器は、方向の指示を表示する方向100mの距離から昼間において点灯を確認できるものであり、かつ、その照射光線は、他の交通を妨げないものであること。この場合において、方向の指示を前方又は後方に表示するための方向指示器の各指示部の車両中心面に直行する鉛直面への投影面積が７cm²以上であり、かつ、その機能が正常である方向指示器は、この基準に適合するものとする。

三　方向指示器の灯光の色は、橙色であること。

四　方向指示器の照明部は、方向指示器の中心を通り特定小型原動機付自転車の進行方向に直交する水平線を含む、水平面より上方15°の平面及び下方15°（方向指示器の照明部の上縁の高さが地上0.75m未満となるように取り付けられている場合にあっては、下方５°）の平面並びに方向指示器の中心を含む、特定小型原動機付自転車の進行方向に平行な鉛直面であって方向指示器の中心より内側方向20°の平面及び方向指示器の外側方向80°の平面により囲まれる範囲において全ての位置から見通すことができるものであること。

五　方向指示器は、灯器が損傷し、又はレンズ面が著しく汚損しているものでないこと。

2　方向指示器の取付位置、取付方法等に関し、保安基準第66条の13第３項の告示で定める基準は、次に掲げる基準とする。この場合において、方向指示器の照明部、個数及び取付位置の測定方法は、別添94「灯火等の照明部、個数、取付位置等の測定方法（第２章第２節及び同章第３節関係）」に定める基準を準用するものとする。

一　方向指示器は、毎分60回以上120回以下の一定の周期で点滅するものであること。

二　方向指示器は、車両中心線を含む鉛直面に対して対称の位置（方向指示器を取り付ける後写鏡等の部位が左右非対称の場合にあっては、車両中心線を含む鉛直面に対して可能な限り対称の位置）に取り付けられたものであること。ただし、車体の形状自体が左右対称でない特定小型原動機付自転車に備える方向指示器にあっては、この限りでない。

三　特定小型原動機付自転車に備える方向指示器は、前方に対して方向の指示を表示するためのものにあっては、その照明部の最内縁において240mm以上、後方に対して指示を表示するためのものにあっては、その照明部の中心において150mm以上の間隔を有するものであり、かつ、前照灯が２個備えられている場合の前方に対して方向の指示を表示するためのものの位置は方向指示器の照明部の最外縁が最外側の前照灯の照明部の最外縁より外側にあること。

四　方向指示器の指示部の中心は、地上2.3m以下となるように取り付けられていること。

五　運転者が運転者席において直接、かつ、容易に方向指示器（特定小型原動機付自転車の両側面に備えるものを除く。）の作動状態を確認できない場合は、その作動状態を運転者に表示する装置を備えること。

六　方向指示器は、前項に掲げた性能を損なわないように取り付けられなければならない。この場合において、方向指示器の灯器の取付部及びレンズ取付部に緩み、がた等があるものは、この基準に適合しないものとする。ただし、特定小型原動機付自転車の構造上、同項第4号に規定する範囲において、全ての位置から見通すことができるように取り付けることができない場合にあっては、可能な限り見通すことができる位置に取り付けられていること。

（速度抑制装置）

第297条　速度抑制装置の速度制御性能に関し、保安基準第66条の14の告示で定める基準は、別添127「特定小型原動機付自転車の速度抑制装置の技術基準」に定める基準とする。

（電気装置）

第298条　保安基準第66条の15の告示で定める基準は、次の各号に掲げる基準とする。

一　原動機用蓄電池にあっては、協定規則第136号の規則6.に定める基準とする。この場合において、次に掲げる基準のいずれかに適合するものは、この基準に適合するものとみなす。

イ　国際連合危険物輸送勧告（UN38.3）

ロ　ヨーロッパ連合における統一規格（EN15194）

ハ　電気用品の技術上の基準を定める省令（平成25年経済産業省令第34号）（PSEマークが表示されているもの）

二　原動機用蓄電池は、振動等により移動し又は損傷することがないよう確実に取り付けられていること。

三　原動機用蓄電池は、特定小型原動機付自転車の動揺により電解液が漏れない構造であること。

（乗車装置）

第299条　特定小型原動機付自転車の乗車装置の構造に関し、保安基準第66条の16の告示で定める基準は、次の各号に定める基準とする。

一　乗車人員が動揺、衝撃等により転落又は転倒することなく安全な乗車を確保できる構造であること。この場合において、座席を有しない乗車装置の床面であって、十分な滑り止め加工がされているものは、この基準に適合するものとする。

二　乗車装置は堅ろうであり、かつ、走行中の振動、衝撃等により車体から分離しない構造であること。

（最高速度表示灯）

第299条の2　最高速度表示灯の灯光の色、明るさ等に関し、保安基準第66条の17第2項の告示で定める基準は、次の各号に掲げる基準とする。この場合において、最高速度表示灯の照明部の取扱いは、別添94「灯火等の照明部、個数、取付位置等の測定方法（第2章第2節及び同章第3節関係）」に定める基準を準用するものとする。

一　最高速度表示灯は、昼間にその前方及び後方25mの距離から点灯を確認できるものであり、かつ、その照射光線は、他の交通を妨げないものであること。この場合において、その光源が15W以上で照明部の大きさが7㎠以上であり、かつ、その機能が正常である最高速度表示灯は、この基準に適合するものとする。

二　最高速度表示灯の灯光の色は、緑色であること。

三　最高速度表示灯の照明部は、最高速度表示灯の中心を通り特定小型原動機付自転車の進行方向に直行する水平線を含む、水平面より上方15°の平面及び下方15°の平面並びに最高速度表示灯の中心を含む、特定小型原動機付自転車の進行方向に平行な鉛直面より最高速度表示灯の内側方向20°の平面及び最高速度表示灯の外側方向80°の平面により囲まれる範囲において全ての位置から見通すことができるものであること。ただし、特定小型原動機付自転車の前面又は後面の中心に備えるものにあっては、最高速度表示灯の中心を通り特定小型原動機付自転車の進行方向に直交する水平線を含む、水平面より上方15°の平面及び下方15°の平面並びに通行区分識別灯の中心を含む、特定小型原動機付自転車の進行方向に平行な鉛直面から左右にそれぞれ80°の平面により囲まれる範囲において全ての位置から見通すことができるものとする。

四　最高速度表示灯は、灯器が損傷し、又はレンズ面が著しく汚損しているものでないこと。

2　保安基準第66条の17第2項の告示で定める速度は、6km／h又は20km／hとする。

3　最高速度表示灯の取付位置、取付方法等に関し、保安基準第66条の17第3項の告示で定める基準は、次に掲げる基準とする。この場合において、最高速度表示灯の照明部、個数及び取付位置の測定方法は、別添94「灯火等の照明部、個数、取付位置等の測定方法（第2章第2節及び同章第3節関係）」に定める基準を準用するものとする。

一　最高速度表示灯は、速度抑制装置が作動する速度が6km／hを超える場合は、常に点灯するものであること。また、速度抑制装置が作動する速度が6km／h以下の場合に限り、常に点滅するものであること。この場合において、毎分60回以上120回以下の一定の周期で点滅するものであること。

二　最高速度表示灯は、車両中心線を含む鉛直面に対して可能な限り対称の位置に取り付けられたものであること。ただし、車体の形状自体が左右対称でない特定小型原動機付自転車に備える最高速度表示灯にあっては、この限りでない。

三　最高速度表示灯（後方に照射するものを除く。）の中心は、地上0.4m以上となるように取り付けられていること。

四　最高速度表示灯（後方に照射するものを除く。）は、その照明部と前照灯の照明部とを特定小型原動機付自転車の横断面（車両中心線に直交する鉛直面をいう。第312条の2及び第326条において同じ。）上に投影したときの距離が、100mm以上となるように取り付けられていること。

五　最高速度表示灯は、原動機が作動している場合に、常に点灯又は点滅している構造であること。

六　最高速度表示灯は、当該特定小型原動機付自転車から容易に取り外しができないように取り付けられていること。

七　最高速度表示灯は、方向指示器を兼ねることができる。

八　方向指示器と兼用の最高速度表示灯は、方向指示器とさせている場合においては、第1号の基準にかかわらず、方向の指示をしている側のものが消灯する構造であること。

九　最高速度表示灯は、第1項に掲げた性能を損なわないように取り付けられなければならない。この場合において、最高速度表示灯の灯器の取付部及びレンズ取付部に緩み、がた等があるものは、この基準に適合しないものとする。

第2款　型式認定特定小型原動機付自転車等以外の特定小型原動機付自転車であって新たに運行の用に供しようとするものの保安基準の細目

第300条　この款の規定は、型式認定特定小型原動機付自転車及び適合通知を受けた型式の特定小型原動機付自転車以外の特定小型原動機付自転車を新たに運行の用に供しようとする場合に適用する。

2　この款の規定については、適用関係告示でその適用関係の整理のため必要な事項を定めることができる。

（接地部及び接地圧）

第301条　走行装置の接地部及び接地圧に関し、保安基準第66条の5の告示で定める基準は、次の各号に掲げる基準とする。

一　接地部は、道路を破損する恐れのないものであること。

二　空気入りゴムタイヤ又は接地部の厚さ25mm以上の固形ゴムタイヤについては、その接地圧は、接地部の幅1cmあたり200kgを超えないこと。この場合において、「タイヤの接地部の幅」とは、実際に地面と接している部分の最大幅をいう。

三　付随車を牽引する特定小型原動機付自転車にあっては、付随車を連結した状態においても、前号の基準に適合すること。

（制動装置）

第302条　走行中の特定小型原動機付自転車の減速及び停止等に係る制動性能に関し保安基準第66条の６第１項の告示で定める基準は、次項及び第３項の基準とする。

2　特定小型原動機付自転車には、別添98「原動機付自転車の制動装置の技術基準」に定める基準及び次の基準に適合する２系統以上の制動装置を備えなければならない。

一　制動装置は、堅ろうで運行に十分耐え、かつ、振動、衝撃、接触等により損傷を生じないように取り付けられているものであり、次に掲げるものでないこと。

イ　ブレーキ系統の配管又はブレーキ・ケーブル（それらを保護するため、それらに保護部材を巻きつける等の対策を施してある場合の当該保護部材は除く。）であって、ドラッグ・リンク、推進軸、タイヤ等と接触しているもの又は走行中に接触した痕跡若しくは接触するおそれがあるもの

ロ　ブレーキ系統の配管又は接手部から液漏れ若しくは空気漏れがあるもの又は他の部分との接触により、それらから液漏れ若しくは空気漏れが生じるおそれがあるもの

ハ　ブレーキ・ロッド若しくはブレーキ・ケーブルに損傷があるもの又はその連結部に緩みがあるもの

ニ　ブレーキ・ロッド又はブレーキ系統の配管に溶接又は肉盛り等の修理を行った部品（パイプを二重にして確実にろう付けした場合の銅製パイプを除く。）を使用しているもの

ホ　ブレーキ・ホース又はブレーキ・パイプに損傷があるもの

ヘ　ブレーキ・ホースが著しくねじれを生じているもの

ト　ブレーキ・ペダルに遊び又は床面とのすきまがないもの

チ　ブレーキ・レバーに遊び又は引き代のないもの

リ　ブレーキ・レバーのラチェットが確実に作動しないもの又は損傷しているもの

ヌ　その他、堅ろうでないもの又は振動、衝撃、接触等により損傷を生じないように取り付けられていないもの

二　制動装置は、かじ取性能を損なわない構造及び性能を有するものであり、かつ、ブレーキの片ぎき等により横滑りを起こすものではないこと。

三　主制動装置は、繰り返し制動を行った後においても、その制動効果に著しい支障を容易に生じないものであること。

四　主制動装置の制動液は、それによる配管の腐食又は原動機等の熱の影響による気泡の発生等により、当該主制動装置の機能を損なわないものであること。

五　主制動装置は、雨水の付着等により、その制動効果に著しい支障を生じないものであること。

3　特定小型原動機付自転車には、駐車制動装置及び第２項の基準に適合する２系統以上の制動装置であって、第１号及び第２号並びに第３号から第５号までのいずれかを備えなければならない。

一　２個の独立した操作装置を有し、走行中の特定小型原動機付自転車が確実かつ安全に減速及び停止を行うことができる主制動装置

二　２系統以上の制動装置のうち１系統は、平坦な舗装路面等で確実に特定小型原動機付自転車を停止状態に保持できる主制動装置

三　二輪の特定小型原動機付自転車にあっては、前車輪を含む車輪及び後車輪を含む車輪をそれぞれ独立に制動する主制動装置

四　三輪の特定小型原動機付自転車にあっては、次に掲げるいずれかの制動装置

イ　２個の独立した主制動装置によりすべての車輪を制動するもの（連動制動機能を有する主制動装置を除く。）

ロ　分配制動機能を有する主制動装置

ハ　すべての車輪を制動する連動制動機能を有する主制動装置及び補助主制動装置。この場合において、補助主制動装置の代わりに駐車制動装置を備えるものであってもよい。

五　四輪を有する特定小型原動機付自転車にあっては、後車輪を含む半数以上の車輪を制動する主制動装置

4　付随車とこれを牽引する特定小型原動機付自転車とを連結した状態において、走行中の原動機付自転車の減速及び停止等に関する制動性能に関し、保安基準第66条の６第２項の告示で定める基準は、主制動装置が、乾燥した平たんな舗装路面で、次の計算式による制動能力を有することとする。この場合において、運転者の操作力は、足動式のものにあっては350N以下、手動式のものにあっては200N以下とする。

$S \leqq 0.1V + \alpha V^2$

この場合において、原動機と走行装置の接続は断つこととし、

Sは、停止距離（単位　m）

Vは、制動初速度（その特定小型原動機付自転車の最高速度の90％の速度とする。）（単位　km／h）

αは、次の表の左欄に掲げる特定小型原動機付自転車の種別に応じ、同表の中欄に掲げる制動装置の作動状態において、同表の右欄に掲げる値とする。

特定小型原動機付自転車の種別	制動装置の作動状態	α
１個の操作装置で前輪及び後輪の制動装置を作動させることができない特定小型原動機付自転車	前輪の制動装置のみを作動させる場合	0.0111
	後輪の制動装置のみを作動させる場合	0.0143
１個の操作装置で前輪及び後輪の制動装置を作動させることができる特定小型原動機付自転車	主たる操作装置により前輪及び後輪の制動装置を作動させる場合	0.0087
	主たる操作装置以外の操作装置により前輪のみ、後輪のみ又は前輪及び後輪の制動装置を作動させる場合	0.0154

（車体）

第303条　車体の強度、構造等に関し、保安基準第66条の７第１号の告示で定める基準は、次の各号に掲げる基準とする。

一　車体は、堅ろうで運行に十分耐えるものであること。

二　車体は、確実に取り付けられ、振動、衝撃等によりゆるみを生じないようになっていること。

三　車体は、著しく損傷していないこと。

四　座席の地上面からの高さが500mm未満の特定小型原動機付自転車（またがり式の座席を有するもの及び二輪のものを除く。）の車体は、他の交通からの視認性が確保されるものであること。この場合において、地上１m以上の車体の構造について車両中心線に平行な鉛直面への投影面及びそれと直角に交わる鉛直面への投影面の大きさがそれぞれ長さ300mm以上、幅250mm以上のものにあっては、この基準に適合するものとする。

2　車体の外形その他特定小型原動機付自転車の形状に関し、保安基準第66条の７第２号の告示で定める基準は、車体の外形その他特定小型原動機付自転車の形状が、回転部分が突出する等他の交通の安全を妨げるおそれのあるものでないこととする。この場合において、特定小型原動機付自転車が直進姿勢をとった場合において、車軸中心を含む鉛直面と車軸中心を通りそれぞれ前方30°及び後方50°に交わる２平面によりはさまれる走行

装置の回転部分（タイヤ、ホイール・キャップ等）が当該部分の直上の車体（フェンダ等）より車両の外側方向に突出していないものは、この基準に適合するものとする。

3　特定小型原動機付自転車の安定性に関し、保安基準第66条の7第3号の告示で定める基準は、別添126「特定小型原動機付自転車の走行安定性の技術基準」に定める基準とする。

（前照灯）

第304条　前照灯の灯光の色、明るさ等に関し、保安基準第66条の8第2項の告示で定める基準は、次の各号に掲げる基準とする。

一　前照灯は、夜間前方15mの距離にある交通上の障害物を確認できる性能を有すること。

二　前照灯の照射光線は、特定小型原動機付自転車の進行方向を正射し、その主光軸は、下向きであること。

三　前照灯の灯光の色は、白色であること。

四　前照灯は、灯器が損傷し、又はレンズ面が著しく汚損しているものではないこと。

2　前照灯の取付位置、取付方法等に関し、保安基準第66条の8第3項の告示で定める基準は、次に掲げる基準とする。この場合において、前照灯の照明部及び取付位置の測定は、別添94「灯火等の照明部、個数、取付位置等の測定方法（第2章第2節及び同章第3節関係）」を準用するものとする。

一　光度が10,000cd以上の前照灯にあっては、減光し又は照射方向を下向きに変換することができる構造であること。ただし、協定規則第53号の規則5.（5.14.及び5.17.を除く。）及び6.に定める基準に適合する前照灯を備える二輪の特定小型原動機付自転車にあってはこの限りではない。

二　前照灯の取付位置は、地上1m以下であること。ただし、二輪の特定小型原動機付自転車に備える前照灯にあっては、その照明部の上縁の高さが地上1.3m以下、下縁の高さが地上0.5m以上であることとする。

三　前照灯は、原動機が作動している場合に常に点灯している構造であること。ただし、協定規則第53号の規則5.（5.14.及び5.17.を除く。）及び6.に定める基準に適合する昼間走行灯を備える特定小型原動機付自転車にあってはこの限りではない。

四　前照灯の個数は、1個又は2個であること。ただし、協定規則第53号の規則5.（5.14.及び5.17.を除く。）及び6.に定める基準に適合する前照灯を備える二輪の特定小型原動機付自転車にあってはこの限りではない。

五　前照灯を1個備える場合を除き左右同数であり、かつ、前面が左右対称である特定小型原動機付自転車に備えるものにあっては、車両中心面に対して対称の位置に取り付けられたものであること。ただし、協定規則第53号の規則5.（5.14.及び5.17.を除く。）及び6.に定める基準に適合する前照灯を備える二輪の特定小型原動機付自転車にあってはこの限りではない。

六　前照灯は、点滅するものでないこと。

七　前照灯の直接光又は反射光は、当該前照灯を備える特定小型原動機付自転車の運転操作を妨げるものでないこと。

八　前照灯は、その取付部に緩み、がた等がある等その照射光線の方向が振動、衝撃等により容易にくるうおそれのないものであること。

3　施行規則第62条の3第1項の規定により型式の認定を受けた特定小型原動機付自転車に備えられた前照灯と同一の構造を有し、かつ、同一の位置に備えられた前照灯であってその機能を損なう損傷等のないものは、前項各号の基準に適合するものとする。

（尾灯）

第305条　尾灯の灯光の色、明るさ等に関し、保安基準第66条の9第2項の告示で定める基準は、次の各号に掲げる基準とする。この場合において、尾灯の照明部の取扱いは、別添94「灯火等の照明部、個数、取付位置等の測定方法（第2章第2節及び同章第3節関係）」に定める基準を準用するものとする。

一　尾灯は、夜間にその後方300mの距離から点灯を確認できるものであり、かつ、その照射光線は、他の交通を妨げないものであること。この場合において、その光源が5W以上30W以下で照明部の大きさが15㎠以上であり、かつ、その機能が正常である尾灯は、この基準に適合するものとする。

二　尾灯の灯光の色は、赤色であること。

三　尾灯の照明部は、尾灯の中心を通り特定小型原動機付自転車の進行方向に直行する水平線を含む、水平面より上方15°の平面及び下方15°の平面並びに尾灯の中心を含む、特定小型原動機付自転車の進行方向に平行な鉛直面より尾灯の内側方向20°の平面及び尾灯の外側方向80°の平面により囲まれる範囲において全ての位置から見通すことができるものであること。ただし、特定小型原動機付自転車の後面の中心に備えるものにあっては、尾灯の中心を通り特定小型原動機付自転車の進行方向に直交する水平線を含む、水平面より上方15°の平面及び下方15°の平面並びに尾灯の中心を含む、特定小型原動機付自転車の進行方向に平行な鉛直面から左右にそれぞれ80°の平面により囲まれる範囲において全ての位置から見通すことができるものとする。

四　尾灯は、灯器が損傷し、又はレンズ面が著しく汚損しているものでないこと。

2　尾灯の取付位置、取付方法等に関し、保安基準第66条の9第3項の告示で定める基準は、次の各号に掲げる基準とする。この場合において、尾灯の照明部、個数及び取付位置の測定方法は、別添94「灯火等の照明部、個数、取付位置等の測定方法（第2章第2節及び同章第3節関係）」に定める基準を準用するものとする。

一　尾灯は、運転者席において消灯できない構造又は前照灯が点灯している場合に消灯できない構造であること。ただし、道路交通法第52条第1項の規定により前照灯を点灯しなければならない場合以外の場合において、前照灯を点灯させる場合に尾灯が点灯しない装置を備えることができる。

二　尾灯は、その照明部の中心が地上2m以下となるように取り付けられていること。ただし、座席の地上面からの高さが500㎜未満の特定小型原動機付自転車（次に掲げるものを除く。）に備える尾灯のうち最上部にあるものは、その照明部の中心が地上1m以上、2m以下となるように取り付けられていること。この場合において、規定する範囲に構造部がない場合は、可能な限り上部に取り付けること。

イ　またがり式の座席を有する特定小型原動機付自転車

ロ　二輪の特定小型原動機付自転車

三　後面の両側に備えられる尾灯にあっては、最外側にあるものの照明部の最外縁は、特定小型原動機付自転車の最外側から300㎜以内となるように取り付けられていること。

四　後面に備える尾灯は、車両中心に対して左右対称に取り付けられたものであること（後面が左右対称でない特定小型原動機付自転車の尾灯を除く。）。

五　尾灯は、前項に掲げた性能（尾灯の照明部の上縁の高さが地上0.75m未満となるように取り付けられている場合にあっては、同項に掲げた性能のうち同項第3号の基準中「下方15°」とあるのは「下方5°」とする。）を損なわないように取り付けられなければならない。この場合において、尾灯の灯器の取付部及びレンズ取付部に緩み、がた等があるものは、この基準に適合しないものとする。ただし、特定小型原動機付自転車の構造上、同項第3号に規定する範囲において、すべての位置から見通すことができるように取り付けることができない場合にあっては、可能な限り見通すことができる位置に取り付けられていること。

3　施行規則第62条の3第1項の規定により型式の認定を受けた

特定小型原動機付自転車に備えられた尾灯と同一の構造を有し、かつ、同一の位置に備えられた尾灯であってその機能を損なう損傷等のないものは、前項各号の基準に適合するものとする。

（制動灯）

第306条　制動灯の灯光の色、明るさ等に関し、保安基準第66条の10第２項の告示で定める基準は、次に掲げる基準とする。この場合において、制動灯の照明部の取扱いは、別添94「灯火等の照明部、個数、取付位置等の測定方法（第２章第２節及び同章第３節関係）」に定める基準を準用するものとする。

一　制動灯は、昼間にその後方100mの距離から点灯を確認できるものであり、かつ、その照明光線は、他の交通を妨げないものであること。この場合において、その光源が15W以上60W以下で照明部の大きさが20㎠以上であり、かつ、その機能が正常である制動灯は、この基準に適合するものとする。

二　尾灯と兼用の制動灯は、同時に点灯したときの光度が尾灯のみを点灯したときの光度の５倍以上となる構造であること。

三　制動灯の灯光の色は、赤色であること。

四　制動灯の照明部は、制動灯の中心を通り特定小型原動機付自転車の進行方向に直行する水平線を含む、水平面より上方15°の平面及び下方15°の平面並びに制動灯の中心を含む、特定小型原動機付自転車の進行方向に平行な鉛直面より制動灯の内側方向45°（二輪の特定小型原動機付自転車にあっては、内側方向10°）の平面及び制動灯の外側方向45°の平面により囲まれる範囲において全ての位置から見通すことができるものであること。ただし、特定小型原動機付自転車の後面の中心に備えるものにあっては、制動灯の中心を通り特定小型原動機付自転車の進行方向に直交する水平線を含む、水平面より上方15°の平面及び下方15°の平面並びに制動灯の中心を含む、特定小型原動機付自転車の進行方向に平行な鉛直面から左右にそれぞれ45°の平面により囲まれる範囲において全ての位置から見通すことができるものとする。

五　制動灯は、灯器が損傷し、又はレンズ面が著しく汚損しているものでないこと。

2　制動灯の取付位置、取付方法等に関し、保安基準第66条の10第３項の告示で定める基準は、次に掲げる基準とする。この場合において、制動灯の照明部、個数及び取付位置の測定方法は、別添94「灯火等の照明部、個数、取付位置等の測定方法（第２章第２節及び同章第３節関係）」に定める基準を準用するものとする。

一　制動灯は、主制動装置（特定小型原動機付自転車と付随車とを連結した場合においては、当該特定小型原動機付自転車又は付随車の主制動装置をいう。）又は補助制動装置（主制動装置を補助し、走行中の特定小型原動機付自転車又は付随車を減速するための装置をいう。）を操作している場合のみ点灯する構造であること。

二　制動灯は、その照明部の中心が地上２m以下となるように取り付けられていること。

三　後面の両側に備える制動灯にあっては、最外側にあるものの照明部の最外縁は、特定小型原動機付自転車の最外側から300㎜以内となるように取り付けられていること。

四　後面の両側に備える制動灯は、車両中心面に対して対称の位置に取り付けられたものであること。（後面が左右対称でない特定小型原動機付自転車を除く。）

五　制動灯は、前項に掲げた性能（制動灯の照明部の上縁の高さが地上0.75m未満となるように取り付けられている場合にあっては、同項に掲げた性能のうち同項第４号の基準中「下方15°」とあるのは「下方５°」とする。）を損なわないように取り付けられなければならない。この場合において、制動灯の灯器の取付部及びレンズ取付部に緩み、がた等があるものは、この基準に適合しないものとする。ただし、特定小型原動機付自転車の構造上、同項第４号に規定する範囲において、すべての位置から見通すことができるように取り付けることができない場合にあっては、可能な限り見通すことができる位置に取り付けられていること。

3　施行規則第62条の３第１項の規定により型式の認定を受けた特定小型原動機付自転車に備えられた制動灯と同一の構造を有し、かつ、同一の位置に備えられた制動灯であってその機能を損なう損傷等のないものは、前項各号の基準に適合するものとする。

（後部反射器）

第307条　後部反射器の反射光の色、明るさ、反射部の形状等に関し、保安基準第66条の11第２項の告示で定める基準は、次に掲げる基準とする。この場合において、後部反射器の反射部の取扱いは、別添94「灯火等の照明部、個数、取付位置等の測定方法（第２章第２節及び同章第３節関係）」に定める基準を準用するものとする。

一　後部反射器の反射部は、文字及び三角形以外の形であること。この場合において、O、I、U又は８といった単純な形の文字又は数字に類似した形状は、この基準に適合するものとする。

二　後部反射器は、夜間にその後方100mの距離から走行用前照灯で照射した場合にその反射光を照射位置から確認できるものであること。

三　後部反射器による反射光の色は、赤色であること。

四　後部反射器は、反射部が損傷し、又は反射面が著しく汚損しているものでないこと。

2　後部反射器の取付位置、取付方法等に関し、保安基準第66条の11第３項の告示で定める基準は、次に掲げる基準とする。この場合において、後部反射器の反射部、個数及び取付位置の測定方法は、別添94「灯火等の照明部、個数、取付位置等の測定方法（第２章第２節及び同章第３節関係）」に定める基準を準用するものとする。

一　後部反射器は、その反射部の中心が地上1.5m以下となるように取り付けられていること。

二　最外側にある後部反射器の反射部は、その最外縁が特定小型原動機付自転車の最外側から300㎜以内となるように取り付けられていること。ただし、二輪を有する特定小型原動機付自転車にあってはその中心が車両中心面上、側車付の特定小型原動機付自転車に備えるものにあってはその中心が二輪を有する特定小型原動機付自転車部分の中心面上となるように取り付けられていればよい。

三　後部反射器は、前項に掲げる性能を損なわないように取り付けられなければならない。この場合において、後部反射器の取付部及びレンズ取付部に緩み、がた等があるものは、この基準に適合しないものとする。

3　施行規則第62条の３第１項の規定により型式の認定を受けた特定小型原動機付自転車に備えられた後部反射器と同一の構造を有し、かつ、同一の位置に備えられた後部反射器であってその機能を損なう損傷等のないものは、前項各号の基準に適合するものとする。

（警音器）

第308条　警音器の警報音発生装置の音色、音量等に関し、保安基準第66条の12第２項の告示で定める基準は、警音器の警報音発生装置の音が、連続するものであり、かつ、音の大きさ及び音色が一定なものであることとする。この場合において、次に掲げる警音器の警報音発生装置は、この基準に適合しないものとする。ただし、空気式及び電動空気式の警音器以外の警音器の警報音発生装置にあっては、適当な音響を発するものであればよい。

一　音が自動的に断続するもの

二　音の大きさ又は音色が自動的に変化するもの

三　運転者が運転者席において、音の大きさ又は音色を容易に変化させることができるもの

2 警音器の音色、音量等に関し、保安基準第66条の12第3項の告示で定める基準は、次の各号に掲げる基準とする。ただし、空気式及び電動空気式の警音器以外の警音器にあっては、適当な音響を発するものであればよい。
一 警音器の音の大きさ（2以上の警音器が連動して音を発する場合は、その和）は、特定小型原動機付自転車の前方7mの位置において112dB以下87dB以上（動力が7kW以下の二輪の特定小型原動機付自転車に備える警音器にあっては、112dB以下83dB以上）であること。
二 警音器は、サイレン又は鐘でないこと。
3 音の大きさが前項第1号に規定する範囲内にないおそれがあるときは、音量計を用いて次の各号により計測するものとする。
一 音量計は、使用開始前に十分暖機し、暖機後に校正を行う。
二 マイクロホンは、車両中心線上の特定小型原動機付自転車の前端から7mの位置の地上0.5mから1.5mの高さにおける音の大きさが最大となる高さにおいて車両中心線に平行かつ水平に特定小型原動機付自転車に向けて設置する。
三 聴感補正回路はA特性とする。
四 次に掲げるいずれかの方法により試験電圧を供給するものとする。
イ 原動機を停止させた状態で、当該特定小型原動機付自転車のバッテリから供給する方法
ロ 原動機を暖機し、かつ、アイドリング運転している状態で、当該特定小型原動機付自転車のバッテリから供給する方法
ハ 警音器の警報音発生装置の電源端子に接続された外部電源から、別添74「警音器の警報音発生装置の技術基準」3.2.3.の規定による試験電圧を供給する方法
五 計測場所は、概ね平坦で、周囲からの反射音による影響を受けない場所とする。
六 計測値の取扱いは、次のとおりとする。
イ 計測は2回行い、1dB未満は切り捨てるものとする。
ロ 2回の計測値の差が2dBを超える場合には、計測値を無効とする。ただし、いずれの計測値も前項第1号に規定する範囲内にない場合には有効とする。
ハ 2回の計測値（ニにより補正した場合には、補正後の値）の平均を音の大きさとする。
ニ 計測の対象とする音の大きさと暗騒音の計測値の差が3dB以上10dB未満の場合には、計測値から次表の補正値を控除するものとし、3dB未満の場合には計測値を無効とする。

（単位：dB）

計測の対象とする音の大きさと暗騒音の計測値の差	3	4	5	6	7	8	9
補正値	3	2		1			

（方向指示器）
第309条 方向指示器の灯光の色、明るさ等に関し、保安基準第66条の13第2項の告示で定める基準は、次の各号に掲げる基準とする。この場合において、方向指示器の照明部の取扱いは、別添94「灯火等の照明部、個数、取付位置等の測定方法（第2章第2節及び同章第3節関係）」に定める基準を準用するものとする。
一 車両中心線上の前方及び後方30mの距離から指示部を見通すことができる位置に少なくとも左右1個ずつ取り付けられていること。
二 方向指示器は、方向の指示を表示する方向100mの距離から昼間において点灯を確認できるものであり、かつ、その照射光線は、他の交通を妨げないものであること。この場合において、方向の指示を前方又は後方に表示するための方向指示器の各指示部の車両中心面に直行する鉛直面への投影面積が7㎠以上であり、かつ、その機能が正常である方向指示器は、この基準に適合するものとする。
三 方向指示器の灯光の色は、橙色であること。
四 方向指示器の照明部は、方向指示器の中心を通り特定小型原動機付自転車の進行方向に直交する水平線を含む、水平面より上方15°の平面及び下方15°（方向指示器の照明部の上縁の高さが地上0.75m未満となるように取り付けられている場合にあっては、下方5°）の平面並びに方向指示器の中心を含む、特定小型原動機付自転車の進行方向に平行な鉛直面であって方向指示器の中心より内側方向20°の平面及び方向指示器の外側方向80°の平面により囲まれる範囲においてて全ての位置から見通すことができるものであること。
五 方向指示器は、灯器が損傷し、又はレンズ面が著しく汚損しているものでないこと。
2 方向指示器の取付位置、取付方法等に関し、保安基準第66条の13第3項の告示で定める基準は、次に掲げる基準とする。この場合において、方向指示器の照明部、個数及び取付位置の測定方法は、別添94「灯火等の照明部、個数、取付位置等の測定方法（第2章第2節及び同章第3節関係）」に定める基準を準用するものとする。
一 方向指示器は、毎分60回以上120回以下の一定の周期で点滅するものであること。
二 方向指示器は、車両中心線を含む鉛直面に対して対称の位置（方向指示器を取り付ける後写鏡等の部位が左右非対称の場合にあっては、車両中心線を含む鉛直面に対して可能な限り対称の位置）に取り付けられたものであること。ただし、車体の形状自体が左右対称でない特定小型原動機付自転車に備える方向指示器にあっては、この限りでない。
三 特定小型原動機付自転車に備える方向指示器は、前方に対して方向の指示を表示するためのものにあっては、その照明部の最内縁において240mm以上、後方に対して指示を表示するためのものにあっては、その照明部の中心において150mm以上の間隔を有するものであり、かつ、前照灯が2個備えられている場合の前方に対して方向の指示を表示するためのものの位置は方向指示器の照明部の最外縁が最外側の前照灯の照明部の最外縁より外側にあること。
四 方向指示器の指示部の中心は、地上2.3m以下となるように取り付けられていること。
五 運転者が運転者席において直接、かつ、容易に方向指示器（特定小型原動機付自転車の両側面に備えるものを除く。）の作動状態を確認できない場合は、その作動状態を運転者に表示する装置を備えること。
六 方向指示器は、前項に掲げた性能を損なわないように取り付けられなければならない。この場合において、方向指示器の灯器の取付部及びレンズ取付部に緩み、がた等があるものは、この基準に適合しないものとする。ただし、特定小型原動機付自転車の構造上、同項第4号に規定する範囲において、全ての位置から見通すことができるように取り付けることができない場合にあっては、可能な限り見通すことができる位置に取り付けられていること。
3 施行規則第62条の3第1項の規定により型式の認定を受けた特定小型原動機付自転車に備えられた方向指示器と同一の構造を有し、かつ、同一の位置に備えられた方向指示器であってその機能を損なう損傷等のないものは、前項各号の基準に適合するものとする。

（速度抑制装置）
第310条 速度抑制装置の速度制御性能に関し、保安基準第66条の14の告示で定める基準は、別添127「特定小型原動機付自転車の速度抑制装置の技術基準」に定める基準とする。

（電気装置）
第311条 特定小型原動機付自転車の電気装置の性能及び構造に関し、保安基準第66条の15の告示で定める基準は、次の各号に

掲げる基準とする。

一　特定小型原動機付自転車に備える原動機用蓄電池にあっては、協定規則第136号の規則6.に定める基準とする。この場合において、次に掲げる基準のいずれかに適合するものは、この基準に適合するものとみなす。

イ　国際連合危険物輸送勧告（ＵＮ38.3）

ロ　ヨーロッパ連合における統一規格（ＥＮ15194）

ハ　電気用品の技術上の基準を定める省令（平成25年経済産業省令第34号）（ＰＳＥマークが表示されているもの）

二　原動機用蓄電池は、振動等により移動し又は損傷することがないよう確実に取り付けられていること。

三　原動機用蓄電池は、特定小型原動機付自転車の動揺により電解液が漏れない構造であること。

（乗車装置）

第312条　特定小型原動機付自転車の乗車装置の構造に関し、保安基準第66条の16の告示で定める基準は、次の各号で定める基準とする。

一　乗車人員が動揺、衝撃等により転落又は転倒することなく安全な乗車を確保できる構造であること。この場合において、座席を有しない乗車装置の床面であって、十分な滑り止め加工がされているものは、この基準に適合するものとする。

二　乗車装置は堅ろうであり、かつ、走行中の振動、衝撃等により車体から分離しない構造であること。

（最高速度表示灯）

第312条の２　最高速度表示灯の灯光の色、明るさ等に関し、保安基準第66条の17第２項の告示で定める基準は、次の各号に掲げる基準とする。この場合において、最高速度表示灯の照明部の取扱いは、別添94「灯火等の照明部、個数、取付位置等の測定方法（第２章第２節及び同章第３節関係）」に定める基準を準用するものとする。

一　最高速度表示灯は、昼間にその前方及び後方25mの距離から点灯を確認できるものであり、かつ、その照明光線は、他の交通を妨げないものであること。この場合において、その光源が15W以上で照明部の大きさが７㎠以上であり、かつ、その機能が正常である最高速度表示灯は、この基準に適合するものとする。

二　最高速度表示灯の灯光の色は、緑色であること。

三　最高速度表示灯の照明部は、最高速度表示灯の中心を通り特定小型原動機付自転車の進行方向に直行する水平線を含む、水平面より上方15°の平面及び下方15°の平面並びに最高速度表示灯の中心を含む、特定小型原動機付自転車の進行方向に平行な鉛直面より最高速度表示灯の内側方向20°の平面及び最高速度表示灯の外側方向80°の平面により囲まれる範囲において全ての位置から見通すことができるものであること。ただし、特定小型原動機付自転車の前面又は後面の中心に備えるものにあっては、最高速度表示灯の中心を通り特定小型原動機付自転車の進行方向に直交する水平線を含む、水平面より上方15°の平面及び下方15°の平面並びに最高速度表示灯の中心を含む、特定小型原動機付自転車の進行方向に平行な鉛直面から左右にそれぞれ80°の平面により囲まれる範囲において全ての位置から見通すことができるものとする。

四　最高速度表示灯は、灯器が損傷し、又はレンズ面が著しく汚損しているものでないこと。

2　保安基準第66条の17第２項の告示で定める速度は、６km／ｈ又は20km／ｈとする。

3　最高速度表示灯の取付位置、取付方法等に関し、保安基準第66条の17第３項の告示で定める基準は、次に掲げる基準とする。この場合において、最高速度表示灯の照明部、個数及び取付位置の測定方法は、別添94「灯火等の照明部、個数、取付位置等の測定方法（第２章第２節及び同章第３節関係）」に定める基準を準用するものとする。

一　最高速度表示灯は、速度抑制装置が作動する速度が６km／ｈを超える場合は、常に点灯するものであること。また、速度抑制装置が作動する速度が６km／ｈ以下の場合に限り、常に点滅するものであること。この場合において、毎分60回以上120回以下の一定の周期で点滅するものであること。

二　最高速度表示灯は、車両中心線を含む鉛直面に対して可能な限り対称の位置に取り付けられたものであること。ただし、車体の形状自体が左右対称でない特定小型原動機付自転車に備える最高速度表示灯にあっては、この限りでない。

三　最高速度表示灯（後方に照射するものを除く。）の中心は、地上0.4m以上となるように取り付けられていること。

四　最高速度表示灯（後方に照射するものを除く。）は、その照明部と前照灯の照明部とを特定小型原動機付自転車の横断面上に投影したときの距離が、100mm以上となるように取り付けられていること。

五　最高速度表示灯は、原動機が作動している場合に、常に点灯又は点滅している構造であること。

六　最高速度表示灯は、当該特定小型原動機付自転車から容易に取り外しができないように取り付けられていること。

七　最高速度表示灯は、方向指示器を兼ねることができる。

八　方向指示器と兼用の最高速度表示灯は、方向指示器とさせている場合においては、第１号の基準にかかわらず、方向の指示をしている側のものが消灯する構造であること。

九　最高速度表示灯は、第１項に掲げた性能を損なわないように取り付けられなければならない。この場合において、最高速度表示灯の灯器の取付部及びレンズ取付部に緩み、がた等があるものは、この基準に適合しないものとする。

第３款　使用の過程にある特定小型原動機付自転車の保安基準の細目

第313条　この款の規定は、第287条及び第300条の規定により第１款及び第２款の規定が適用される場合以外の場合に適用する。

2　特定小型原動機付自転車又はその部品の改造、装置の取付け又は取外しその他これらに類する行為により構造、装置又は性能に係る変更を行う場合には、当該変更に係る特定小型原動機付自転車の部分について、前項の規定にかかわらず、第２款の規定を適用するものとする。

3　この款の規定については、適用関係告示でその適用関係の整理のため必要な事項を定めることができる。

（接地部及び接地圧）

第314条　走行装置の接地部及び接地圧に関し、保安基準第66条の５の告示で定める基準は、次の各号に掲げる基準とする。

一　接地部は、道路を破損する恐れのないものであること。

二　空気入りゴムタイヤ又は接地部の厚さ25mm以上の固形ゴムタイヤについては、その接地圧は、タイヤの接地部の幅１cmあたり200kgを超えないこと。この場合において、「タイヤの接地部の幅」とは、実際に地面と接している部分の最大幅をいう。

三　付随車を牽引する特定小型原動機付自転車にあっては、付随車を連結した状態においても、前号の基準に適合すること。

（制動装置）

第315条　走行中の特定小型原動機付自転車の減速及び停止等に係る制動性能に関し保安基準第66条の６第１項の告示で定める基準は、次項及び第３項の基準とする。

2　特定小型原動機付自転車には、次の基準に適合する２系統以上の制動装置を備えなければならない。

一　制動装置は、堅ろうで運行に十分耐え、かつ、振動、衝撃、接触等により損傷を生じないように取り付けられているものであり、次に掲げるものでないこと。

イ　ブレーキ系統の配管又はブレーキ・ケーブル（それらを

保護するため、それらに保護部材を巻きつける等の対策を施してある場合の当該保護部材は除く。）であって、ドラッグ・リンク、推進軸、タイヤ等と接触しているもの又は走行中に接触した痕跡若しくは接触するおそれがあるもの

ロ　ブレーキ系統の配管又は接手部から液漏れ若しくは空気漏れがあるもの又は他の部分との接触により、それらから液漏れ若しくは空気漏れが生じるおそれがあるもの

ハ　ブレーキ・ロッド若しくはブレーキ・ケーブルに損傷があるもの又はその連結部に緩みがあるもの

ニ　ブレーキ・ロッド又はブレーキ系統の配管に溶接又は肉盛り等の修理を行った部品（パイプを二重にして確実にろう付けした場合の銅製パイプを除く。）を使用しているもの

ホ　ブレーキ・ホース又はブレーキ・パイプに損傷があるもの

ヘ　ブレーキ・ホースが著しくねじれを生じているもの

ト　ブレーキ・ペダルに遊び又は床面とのすきまがないもの

チ　ブレーキ・レバーに遊び又は引き代のないもの

リ　ブレーキ・レバーのラチェットが確実に作動しないもの又は損傷しているもの

ヌ　その他、堅ろうでないもの又は振動、衝撃、接触等により損傷を生じないように取り付けられていないもの

二　制動装置は、かじ取性能を損なわない構造及び性能を有するものであり、かつ、ブレーキの片ぎき等により横滑りを起こすものではないこと。

三　主制動装置は、繰り返し制動を行った後においても、その制動効果に著しい支障を容易に生じないものであること。

四　主制動装置の制動液は、それによる配管の腐食又は原動機等の熱の影響による気泡の発生等により、当該主制動装置の機能を損なわないものであること。

五　主制動装置は、雨水の付着等により、その制動効果に著しい支障を生じないものであること。

3　特定小型原動機付自転車には、駐車制動装置及び第2項の基準に適合する2系統以上の制動装置であって、第1号及び第2号並びに第3号から第5号までのいずれかを備えなければならない。

一　2個の独立した操作装置を有し、走行中の特定小型原動機付自転車が確実かつ安全に減速及び停止を行うことができる主制動装置

二　2系統以上の制動装置のうち1系統は、平坦な舗装路面等で確実に特定小型原動機付自転車を停止状態に保持できる主制動装置

三　二輪の特定小型原動機付自転車にあっては、前車輪を含む車輪及び後車輪を含む車輪をそれぞれ独立に制動する主制動装置

四　三輪の特定小型原動機付自転車にあっては、次に掲げるいずれかの制動装置

イ　2個の独立した主制動装置によりすべての車輪を制動するもの（連動制動機能を有する主制動装置を除く。）

ロ　分配制動機能を有する主制動装置

ハ　すべての車輪を制動する連動制動機能を有する主制動装置及び補助主制動装置。この場合において、補助主制動装置の代わりに駐車制動装置を備えるものであってもよい。

五　四輪を有する特定小型原動機付自転車にあっては、後車輪を含む半数以上の車輪を制動する主制動装置

4　付随車とこれを牽引する特定小型原動機付自転車とを連結した状態において、走行中の原動機付自転車の減速及び停止等に係る制動性能に関し保安基準第66条の6第2項の告示で定める基準は、制動装置が堅ろうで運行に十分耐え、かつ、振動、衝撃、接触等により損傷を生じないように取り付けられていることとする。

（車体）

第316条　車体の強度、構造等に関し、保安基準第66条の7第1号の告示で定める基準は、次の各号に掲げる基準とする。

一　車体は、堅ろうで運行に十分耐えるものであること。

二　車体は、確実に取り付けられ、振動、衝撃等によりゆるみを生じないようになっていること。

三　車体は、著しく損傷していないこと。

四　座席の地上面からの高さが500mm未満の特定小型原動機付自転車（またがり式の座席を有するもの及び二輪のものを除く。）の車体は、他の交通からの視認性が確保されるものであること。この場合において、地上1m以上の車体の構造について車両中心線に平行な鉛直面への投影面及びそれと直角に交わる鉛直面への投影面の大きさがそれぞれ長さ300mm以上、幅250mm以上のものにあっては、この基準に適合するものとする。

2　車体の外形その他特定小型原動機付自転車の形状に関し、保安基準第66条の7第2号の告示で定める基準は、車体の外形その他特定小型原動機付自転車の形状が、回転部分が突出する等他の交通の安全を妨げるおそれのあるものでないこととする。この場合において、特定小型原動機付自転車が直進姿勢をとった場合において、車軸中心を含む鉛直面と車軸中心を通りそれぞれ前方30°及び後方50°に交わる2平面によりはさまれる走行装置の回転部分（タイヤ、ホイール・キャップ等）が当該部分の直上の車体（フェンダ等）より車両の外側方向に突出していないものは、この基準に適合するものとする。

3　特定小型原動機付自転車の安定性に関し、保安基準第66条の7第3号の告示で定める基準は、別添126「特定小型原動機付自転車の走行安定性の技術基準」に定める基準とする。

（前照灯）

第317条　前照灯の灯光の色、明るさ等に関し、保安基準第66条の8第2項の告示で定める基準は、次の各号に掲げる基準とする。

一　前照灯は、夜間前方15mの距離にある交通上の障害物を確認できる性能を有すること。

二　前照灯の照射光線は、特定小型原動機付自転車の進行方向を正射し、その主光軸は、下向きであること。

三　前照灯の灯光の色は、白色であること。

四　前照灯は、灯器が損傷し、又はレンズ面が著しく汚損しているものではないこと。

2　前照灯の取付位置、取付方法等に関し、保安基準第66条の8第3項の告示で定める基準は、次に掲げる基準とする。この場合において、前照灯の照明部及び取付位置の測定は、別添94「灯火等の照明部、個数、取付位置等の測定方法（第2章第2節及び同章第3節関係）」を準用するものとする。

一　光度が10,000cd以上の前照灯にあっては、減光し又は照射方向を下向きに変換することができる構造であること。ただし、協定規則第53号の規則5.（5.14.及び5.17.を除く。）及び6.に定める基準に適合する前照灯を備える二輪の特定小型原動機付自転車にあってはこの限りではない。

二　前照灯の取付位置は、地上1m以下であること。ただし、二輪の特定小型原動機付自転車に備える前照灯にあっては、その照明部の上縁の高さが地上1.3m以下、下縁の高さが地上0.5m以上であることとする。

三　前照灯は、原動機が作動している場合に常に点灯している構造であること。ただし、協定規則第53号の規則5.（5.14.及び5.17.を除く。）及び6.に定める基準に適合する昼間走行灯を備える特定小型原動機付自転車にあってはこの限りではない。

四　前照灯の個数は、1個又は2個であること。ただし、協定規則第53号の規則5.（5.14.及び5.17.を除く。）及び6.に定める基準に適合する前照灯を備える二輪の特定小型原動機付

自転車にあってはこの限りではない。

五　前照灯を1個備える場合を除き左右同数であり、かつ、前面が左右対称である特定小型原動機付自転車に備えるものにあっては、車両中心面に対して対称の位置に取り付けられたものであること。ただし、協定規則第53号の規則5.（5.14.及び5.17.を除く。）及び6.に定める基準に適合する前照灯を備える二輪の特定小型原動機付自転車にあってはこの限りではない。

六　前照灯は、点滅するものでないこと。

七　前照灯の直接光又は反射光は、当該前照灯を備える特定小型原動機付自転車の運転操作を妨げるものでないこと。

八　前照灯は、その取付部に緩み、がた等がある等その照射光線の方向が振動、衝撃等により容易にくるうおそれのないものであること。

3　施行規則第62条の3第1項の規定により型式の認定を受けた特定小型原動機付自転車に備えられた前照灯と同一の構造を有し、かつ、同一の位置に備えられた前照灯であってその機能を損なう損傷等のないものは、前項各号の基準に適合するものとする。

（尾灯）

第318条　尾灯の灯光の色、明るさ等に関し、保安基準第66条の9第2項の告示で定める基準は、次の各号に掲げる基準とする。この場合において、尾灯の照明部の取扱いは、別添94「灯火等の照明部、個数、取付位置等の測定方法（第2章第2節及び同章第3節関係）」に定める基準を準用するものとする。

一　尾灯は、夜間にその後方300mの距離から点灯を確認できるものであり、かつ、その照射光線は、他の交通を妨げないものであること。この場合において、その光源が5W以上30W以下で照明部の大きさが15cm²以上であり、かつ、その機能が正常である尾灯は、この基準に適合するものとする。

二　尾灯の灯光の色は、赤色であること。

三　尾灯の照明部は、尾灯の中心を通り特定小型原動機付自転車の進行方向に直行する水平線を含む、水平面より上方15°の平面及び下方15°の平面並びに尾灯の中心を含む、特定小型原動機付自転車の進行方向に平行な鉛直面より尾灯の内側方向20°の平面及び尾灯の外側方向80°の平面により囲まれる範囲において全ての位置から見通すことができるものであること。ただし、特定小型原動機付自転車の後面の中心に備えるものにあっては、尾灯の中心を通り特定小型原動機付自転車の進行方向に直交する水平線を含む、水平面より上方15°の平面及び下方15°の平面並びに尾灯の中心を含む、特定小型原動機付自転車の進行方向に平行な鉛直面から左右にそれぞれ80°の平面により囲まれる範囲において全ての位置から見通すことができるものとする。

四　尾灯は、灯器が損傷し、又はレンズ面が著しく汚損しているものでないこと。

2　尾灯の取付位置、取付方法等に関し、保安基準第66条の9第3項の告示で定める基準は、次の各号に掲げる基準とする。この場合において、尾灯の照明部、個数及び取付位置の測定方法は、別添94「灯火等の照明部、個数、取付位置等の測定方法（第2章第2節及び同章第3節関係）」に定める基準を準用するものとする。

一　尾灯は、運転者席において消灯できない構造又は前照灯が点灯している場合に消灯できない構造であること。ただし、道路交通法第52条第1項の規定により前照灯を点灯しなければならない場合以外の場合において、前照灯を点灯させる場合に尾灯が点灯しない装置を備えることができる。

二　尾灯は、その照明部の中心が地上2m以下となるように取り付けられていること。ただし、座席の地上面からの高さが500mm未満の特定小型原動機付自転車（次に掲げるものを除く。）に備える尾灯のうち最上部にあるものは、その照明部の中心が地上1m以上、2m以下となるように取り付けられていること。この場合において、規定する範囲に構造部がない場合は、可能な限り上部に取り付けること。

イ　またがり式の座席を有する特定小型原動機付自転車

ロ　二輪の特定小型原動機付自転車

三　後面の両側に備えられる尾灯にあっては、最外側にあるものの照明部の最外縁は、特定小型原動機付自転車の最外側から300mm以内となるように取り付けられていること。

四　後面に備える尾灯は、車両中心に対して左右対称に取り付けられたものであること（後面が左右対称でない特定小型原動機付自転車の尾灯を除く。）。

五　尾灯は、前項に掲げた性能（尾灯の照明部の上縁の高さが地上0.75m未満となるように取り付けられている場合にあっては、同項に掲げた性能のうち同項第3号の基準中「下方15°」とあるのは「下方5°」とする。）を損なわないように取り付けられなければならない。この場合において、尾灯の灯器の取付部及びレンズ取付部に緩み、がた等があるものは、この基準に適合しないものとする。ただし、特定小型原動機付自転車の構造上、同項第3号に規定する範囲において、すべての位置から見通すことができるように取り付けることができない場合にあっては、可能な限り見通すことができる位置に取り付けられていること。

3　施行規則第62条の3第1項の規定により型式の認定を受けた特定小型原動機付自転車に備えられた尾灯と同一の構造を有し、かつ、同一の位置に備えられた尾灯であってその機能を損なう損傷等のないものは、前項各号の基準に適合するものとする。

（制動灯）

第319条　制動灯の灯光の色、明るさ等に関し、保安基準第66条の10第2項の告示で定める基準は、次に掲げる基準とする。この場合において、制動灯の照明部の取扱いは、別添94「灯火等の照明部、個数、取付位置等の測定方法（第2章第2節及び同章第3節関係）」に定める基準を準用するものとする。

一　制動灯は、昼間にその後方100mの距離から点灯を確認できるものであり、かつ、その照明光線は、他の交通を妨げないものであること。この場合において、その光源が15W以上60W以下で照明部の大きさが20cm²以上であり、かつ、その機能が正常である制動灯は、この基準に適合するものとする。

二　尾灯と兼用の制動灯は、同時に点灯したときの光度が尾灯のみを点灯したときの光度の5倍以上となる構造であること。

三　制動灯の灯光の色は、赤色であること。

四　制動灯の照明部は、制動灯の中心を通り特定小型原動機付自転車の進行方向に直行する水平線を含む、水平面より上方15°の平面及び下方15°の平面並びに制動灯の中心を含む、特定小型原動機付自転車の進行方向に平行な鉛直面より制動灯の内側方向45°（二輪の特定小型原動機付自転車にあっては、内側方向10°）の平面及び制動灯の外側方向45°の平面により囲まれる範囲において全ての位置から見通すことができるものであること。ただし、特定小型原動機付自転車の後面の中心に備えるものにあっては、制動灯の中心を通り特定小型原動機付自転車の進行方向に直交する水平線を含む、水平面より上方15°の平面及び下方15°の平面並びに制動灯の中心を含む、特定小型原動機付自転車の進行方向に平行な鉛直面から左右にそれぞれ45°の平面により囲まれる範囲において全ての位置から見通すことができるものとする。

五　制動灯は、灯器が損傷し、又はレンズ面が著しく汚損しているものでないこと。

2　制動灯の取付位置、取付方法等に関し、保安基準第66条の10第3項の告示で定める基準は、次に掲げる基準とする。この場合において、制動灯の照明部、個数及び取付位置の測定方法は、別添94「灯火等の照明部、個数、取付位置等の測定方法（第2章第2節及び同章第3節関係）」に定める基準を準用するものとする。

一　制動灯は、主制動装置（特定小型原動機付自転車と付随車とを連結した場合においては、当該特定小型原動機付自転車又は付随車の主制動装置をいう。）又は補助制動装置（主制動装置を補助し、走行中の特定小型原動機付自転車又は付随車を減速するための装置をいう。）を操作している場合のみ点灯する構造であること。
二　制動灯は、その照明部の中心が地上２m以下となるように取り付けられていること。
三　後面の両側に備える制動灯にあっては、最外側にあるものの照明部の最外縁は、特定小型原動機付自転車の最外側から300mm以内となるように取り付けられていること。
四　後面の両側に備える制動灯は、車両中心面に対して対称の位置に取り付けられたものであること。（後面が左右対称でない特定小型原動機付自転車を除く。）。
五　制動灯は、前項に掲げた性能（制動灯の照明部の上縁の高さが地上0.75m未満となるように取り付けられている場合にあっては、同項に掲げた性能のうち同項第４号の基準中「下方15°」とあるのは「下方５°」とする。）を損なわないように取り付けられなければならない。この場合において、制動灯の灯器の取付部及びレンズ取付部に緩み、がた等があるものは、この基準に適合しないものとする。ただし、特定小型原動機付自転車の構造上、同項第４号に規定する範囲において、すべての位置から見通すことができるように取り付けることができない場合にあっては、可能な限り見通すことができる位置に取り付けられていること。

3　施行規則第62条の３第１項の規定により型式の認定を受けた特定小型原動機付自転車に備えられた制動灯と同一の構造を有し、かつ、同一の位置に備えられた制動灯であってその機能を損なう損傷等のないものは、前項各号の基準に適合するものとする。

（後部反射器）

第320条　後部反射器の反射光の色、明るさ、反射部の形状等に関し、保安基準第66条の11第２項の告示で定める基準は、次に掲げる基準とする。この場合において、後部反射器の反射部の取扱いは、別添94「灯火等の照明部、個数、取付位置等の測定方法（第２章第２節及び同章第３節関係）」に定める基準を準用するものとする。
一　後部反射器の反射部は、文字及び三角形以外の形であること。この場合において、O、I、U又は８といった単純な形の文字又は数字に類似した形状は、この基準に適合するものとする。
二　後部反射器は、夜間にその後方100mの距離から走行用前照灯で照射した場合にその反射光を照射位置から確認できるものであること。
三　後部反射器による反射光の色は、赤色であること。
四　後部反射器は、反射部が損傷し、又は反射面が著しく汚損しているものでないこと。

2　後部反射器の取付位置、取付方法等に関し、保安基準第66条の11第３項の告示で定める基準は、次に掲げる基準とする。この場合において、後部反射器の反射部、個数及び取付位置の測定方法は、別添94「灯火等の照明部、個数、取付位置等の測定方法（第２章第２節及び同章第３節関係）」に定める基準を準用するものとする。
一　後部反射器は、その反射部の中心が地上1.5m以下となるように取り付けられていること。
二　最外側にある後部反射器の反射部は、その最外縁が特定小型原動機付自転車の最外側から300mm以内となるように取り付けられていること。ただし、二輪を有する特定小型原動機付自転車にあってはその中心が車両中心面上、側車付の特定小型原動機付自転車に備えるものにあってはその中心が二輪を有する特定小型原動機付自転車部分の中心面上となるように取り付けられていればよい。
三　後部反射器は、前項に掲げる性能を損なわないように取り付けられなければならない。この場合において、後部反射器の取付部及びレンズ取付部に緩み、がた等があるものは、この基準に適合しないものとする。

3　施行規則第62条の３第１項の規定により型式の認定を受けた特定小型原動機付自転車に備えられた後部反射器と同一の構造を有し、かつ、同一の位置に備えられた後部反射器であってその機能を損なう損傷等のないものは、前項各号の基準に適合するものとする。

（警音器）

第321条　警音器の警報音発生装置の音色、音量等に関し、保安基準第66条の12第２項の告示で定める基準は、警音器の警報音発生装置の音が、連続するものであり、かつ、音の大きさ及び音色が一定なものであることとする。この場合において、次に掲げる警音器の警報音発生装置は、この基準に適合しないものとする。ただし、空気式及び電動空気式の警音器以外の警音器の警報音発生装置にあっては、適当な音響を発するものであればよい。
一　音が自動的に断続するもの
二　音の大きさ又は音色が自動的に変化するもの
三　運転者が運転者席において、音の大きさ又は音色を容易に変化させることができるもの

2　警音器の音色、音量等に関し、保安基準第66条の12第３項の告示で定める基準は、次の各号に掲げる基準とする。ただし、空気式及び電動空気式の警音器以外の警音器にあっては、適当な音響を発するものであればよい。
一　警音器の音の大きさ（２以上の警音器が連動して音を発する場合は、その和）は、特定小型原動機付自転車の前方７mの位置において112dB以下87dB以上（動力が７kW以下の二輪の特定小型原動機付自転車に備える警音器にあっては、112dB以下83dB以上）であること。
二　警音器は、サイレン又は鐘でないこと。

3　音の大きさが前項第１号に規定する範囲内にないおそれがあるときは、音量計を用いて次の各号により計測するものとする。
一　音量計は、使用開始前に十分暖機し、暖機後に校正を行う。
二　マイクロホンは、車両中心線上の特定小型原動機付自転車の前端から７mの位置の地上0.5mから1.5mの高さにおける音の大きさが最大となる高さにおいて車両中心線に平行かつ水平に特定小型原動機付自転車に向けて設置する。
三　聴感補正回路はA特性とする。
四　次に掲げるいずれかの方法により試験電圧を供給するものとする。
　イ　原動機を停止させた状態で、当該特定小型原動機付自転車のバッテリから供給する方法
　ロ　原動機を暖機し、かつ、アイドリング運転している状態で、当該特定小型原動機付自転車のバッテリから供給する方法
　ハ　警音器の警報音発生装置の電源端子に接続された外部電源から、別添74「警音器の警報音発生装置の技術基準」3.2.3.の規定による試験電圧を供給する方法
五　計測場所は、概ね平坦で、周囲からの反射音による影響を受けない場所とする。
六　計測値の取扱いは、次のとおりとする。
　イ　計測は２回行い、１dB未満は切り捨てるものとする。
　ロ　２回の計測値の差が２dBを超える場合には、計測値を無効とする。ただし、いずれの計測値も前項第１号に規定する範囲内にない場合には有効とする。
　ハ　２回の計測値（ニにより補正した場合には、補正後の値）の平均を音の大きさとする。
　ニ　計測の対象とする音の大きさと暗騒音の計測値の差が３dB以上10dB未満の場合には、計測値から次表の補正値

を控除するものとし、3dB未満の場合には計測値を無効とする。

（単位：dB）

計測の対象とする音の大きさと暗騒音の計測値の差	3	4	5	6	7	8	9
補正値	3	2		1			

（方向指示器）

第322条 方向指示器の灯光の色、明るさ等に関し、保安基準第66条の13第2項の告示で定める基準は、次の各号に掲げる基準とする。この場合において、方向指示器の照明部の取扱いは、別添94「灯火等の照明部、個数、取付位置等の測定方法（第2章第2節及び同章第3節関係）」に定める基準を準用するものとする。

一　車両中心線上の前方及び後方30mの距離から指示部を見通すことができる位置に少なくとも左右1個ずつ取り付けられていること。

二　方向指示器は、方向の指示を表示する方向100mの距離から昼間において点灯を確認できるものであり、かつ、その照射光線は、他の交通を妨げないものであること。この場合において、方向の指示を前方又は後方に表示するための方向指示器の各指示部の車両中心面に直行する鉛直面への投影面積が7㎠以上であり、かつ、その機能が正常である方向指示器は、この基準に適合するものとする。

三　方向指示器の灯光の色は、橙色であること。

四　方向指示器の照明部は、方向指示器の中心を通り特定小型原動機付自転車の進行方向に直交する水平線を含む、水平面より上方15°の平面及び下方15°（方向指示器の照明部の上縁の高さが地上0.75m未満となるように取り付けられている場合にあっては、下方5°）の平面並びに方向指示器の中心を含む、特定小型原動機付自転車の進行方向に平行な鉛直面であって方向指示器の中心より内側方向20°の平面及び方向指示器の外側方向80°の平面により囲まれる範囲において全ての位置から見通すことができるものであること。

五　方向指示器は、灯器が損傷し、又はレンズ面が著しく汚損しているものでないこと。

2　方向指示器の取付位置、取付方法等に関し、保安基準第66条の13第3項の告示で定める基準は、次に掲げる基準とする。この場合において、方向指示器の照明部、個数及び取付位置の測定方法は、別添94「灯火等の照明部、個数、取付位置等の測定方法（第2章第2節及び同章第3節関係）」に定める基準を準用するものとする。

一　方向指示器は、毎分60回以上120回以下の一定の周期で点滅するものであること。

二　方向指示器は、車両中心線を含む鉛直面に対して対称の位置（方向指示器を取り付ける後写鏡等の部位が左右非対称の場合にあっては、車両中心線を含む鉛直面に対して可能な限り対称の位置）に取り付けられたものであること。ただし、車体の形状自体が左右対称でない特定小型原動機付自転車に備える方向指示器にあっては、この限りでない。

三　特定小型原動機付自転車に備える方向指示器は、前方に対して方向の指示を表示するためのものにあっては、その照明部の最内縁において240mm以上、後方に対して指示を表示するためのものにあっては、その照明部の中心において150mm以上の間隔を有するものであり、かつ、前照灯が2個備えられている場合の前方に対して方向の指示を表示するためのものの位置は方向指示器の照明部の最外縁が最外側の前照灯の照明部の最外縁より外側にあること。

四　方向指示器の指示部の中心は、地上2.3m以下となるように取り付けられていること。

五　運転者が運転者席において直接、かつ、容易に方向指示器（特定小型原動機付自転車の両側面に備えるものを除く。）の作動状態を確認できない場合は、その作動状態を運転者に表示する装置を備えること。

六　方向指示器は、前項に掲げた性能を損なわないように取り付けられなければならない。この場合において、方向指示器の灯器の取付部及びレンズ取付部に緩み、がた等があるものは、この基準に適合しないものとする。ただし、特定小型原動機付自転車の構造上、前項第4号に規定する範囲において、全ての位置から見通すことができるように取り付けることができない場合にあっては、可能な限り見通すことができる位置に取り付けられていること。

3　施行規則第62条の3第1項の規定により型式の認定を受けた特定小型原動機付自転車に備えられた方向指示器と同一の構造を有し、かつ、同一の位置に備えられた方向指示器であってその機能を損なう損傷等のないものは、前項各号の基準に適合するものとする。

（速度抑制装置）

第323条 速度抑制装置の速度制御性能に関し、保安基準第66条の14の告示で定める基準は、次に掲げる基準とする。

一　別添127「特定小型原動機付自転車の速度抑制装置の技術基準」に定める基準に適合するものであること。

二　原動機の作動中、確実に機能するものであること。この場合において、次に掲げるものはこの基準に適合しないものとする。

イ　速度抑制装置の機能を損なう改変が行われているもの

ロ　特定小型原動機付自転車の使用者等により設定速度の変更又は解除ができるもの

（電気装置）

第324条 特定小型原動機付自転車の電気装置の性能及び構造に関し、保安基準第66条の15の告示で定める基準は、次の各号に掲げる基準とする。

一　特定小型原動機付自転車に備える原動機用蓄電池にあっては、協定規則第136号の規則6.に定める基準とする。この場合において、次に掲げる基準のいずれかに適合するものは、この基準に適合するものとみなす。

イ　国際連合危険物輸送勧告（UN38.3）

ロ　ヨーロッパ連合における統一規格（EN15194）

ハ　電気用品の技術上の基準を定める省令（平成25年経済産業省令第34号）（PSEマークが表示されているもの）

二　原動機用蓄電池は、振動等により移動し又は損傷することがないよう確実に取り付けられていること。

三　原動機用蓄電池は、特定小型原動機付自転車の動揺により電解液が漏れない構造であること。

（乗車装置）

第325条 特定小型原動機付自転車の乗車装置の構造に関し、保安基準第66条の16の告示で定める基準は、次に定める基準とする。

一　乗車人員が動揺、衝撃等により転落又は転倒することなく安全な乗車を確保できる構造であること。この場合において、座席を有しない乗車装置の床面であって、十分な滑り止め加工がされているものは、この基準に適合するものとする。

二　乗車装置は堅ろうであり、かつ、走行中の振動、衝撃等により車体から分離しない構造であること。

（最高速度表示灯）

第326条 最高速度表示灯の灯光の色、明るさ等に関し、保安基準第66条の17第2項の告示で定める基準は、次の各号に掲げる基準とする。この場合において、最高速度表示灯の照明部の取扱いは、別添94「灯火等の照明部、個数、取付位置等の測定方法（第2章第2節及び同章第3節関係）」に定める基準を準用するものとする。

一　最高速度表示灯は、昼間にその前方及び後方25mの距離から点灯を確認できるものであり、かつ、その照明光線は、他の交通を妨げないものであること。この場合において、その光源が15W以上で照明部の大きさが7㎠以上であり、かつ、その機能が正常である最高速度表示灯は、この基準に適合するものとする。

二　最高速度表示灯の灯光の色は、緑色であること。

三　最高速度表示灯の照明部は、最高速度表示灯の中心を通り特定小型原動機付自転車の進行方向に直行する水平線を含む、水平面より上方15°の平面及び下方15°の平面並びに最高速度表示灯の中心を含む、特定小型原動機付自転車の進行方向に平行な鉛直面より最高速度表示灯の外側方向80°の平面及び最高速度表示灯の内側方向20°の平面により囲まれる範囲において全ての位置から見通すことができるものであること。ただし、特定小型原動機付自転車の前面又は後面の中心に備えるものにあっては、最高速度表示灯の中心を通り特定小型原動機付自転車の進行方向に直交する水平線を含む、水平面より上方15°の平面及び下方15°の平面並びに最高速度表示灯の中心を含む、特定小型原動機付自転車の進行方向に平行な鉛直面から左右にそれぞれ80°の平面により囲まれる範囲において全ての位置から見通すことができるものとする。

四　最高速度表示灯は、灯器が損傷し、又はレンズ面が著しく汚損しているものでないこと。

2　保安基準第66条の17第2項の告示で定める速度は、6km／h又は20km／hとする。

3　最高速度表示灯の取付位置、取付方法等に関し、保安基準第66条の17第3項の告示で定める基準は、次に掲げる基準とする。この場合において、最高速度表示灯の照明部、個数及び取付位置の測定方法は、別添94「灯火等の照明部、個数、取付位置等の測定方法（第2章第2節及び同章第3節関係）」に定める基準を準用するものとする。

一　最高速度表示灯は、速度抑制装置が作動する速度が6km／hを超える場合は、常に点灯するものであること。また、速度抑制装置が作動する速度が6km／h以下の場合に限り、常に点滅するものであること。この場合において、毎分60回以上120回以下の一定の周期で点滅するものであること。

二　最高速度表示灯は、車両中心線を含む鉛直面に対して可能な限り対称の位置に取り付けられたものであること。ただし、車体の形状自体が左右対称でない特定小型原動機付自転車に備える最高速度表示灯にあっては、この限りでない。

三　最高速度表示灯（後方に照射するものを除く。）の中心は、地上0.4m以上となるように取り付けられていること。

四　最高速度表示灯（後方に照射するものを除く。）は、その照明部と前照灯の照明部とを特定小型原動機付自転車の横断面上に投影したときの距離が、100mm以上となるように取り付けられていること。

五　最高速度表示灯は、原動機が作動している場合に、常に点灯又は点滅している構造であること。

六　最高速度表示灯は、当該特定小型原動機付自転車から容易に取り外しができないように取り付けられていること。

七　最高速度表示灯は、方向指示器を兼ねることができる。

八　方向指示器と兼用の最高速度表示灯は、方向指示器とさせている場合においては、第1号の基準にかかわらず、方向の指示をしている側のものが消灯する構造であること。

九　最高速度表示灯は、第1項に掲げた性能を損なわないように取り付けられなければならない。この場合において、最高速度表示灯の灯器の取付部及びレンズ取付部に緩み、がた等があるものは、この基準に適合しないものとする。

別添91　連節バスの構造要件

1.　適用範囲

この構造要件は、連節バス（連節部により結合された2つの堅ろうな車室で構成され、車体が屈折する特殊な構造を有し、前車室と後車室の連結及び切り離しが路上等作業設備のない場所で行えない構造の自動車であって、旅客が前後の車室間を自由に移動できる構造のもの）であって、車掌を乗務させないで運行される乗車定員11人以上の旅客自動車運送事業用自動車に適用する。

2.　用語の定義

2.1.「連節部」とは、前車室と後車室をつなぐ幌、ターンテーブル、ターンテーブル下の連結装置等から構成される部分全体をいう。

2.2.「連結部」とは、連節部のうち、ターンテーブル下の部分をいう。

2.3.「ターンテーブル」とは、方向転換のために使用する回転台をいう。

2.4.「ホイールベース」とは、最遠軸距をいう。

2.5.「フロント・オーバー・ハング」とは、最前部の車軸中心から車体前面までの部分をいう。

2.6.「リア・オーバー・ハング」とは、最後部の車軸中心から車体後面までの部分をいう。

3.　連節バスの構造要件

3.1.　連節部

3.1.1.　旅客が連節部の幌やターンテーブル等に巻き込まれない構造であること。

3.1.2.　空車状態において、水平面上に停車している場合に、前後各車室の床面とターンテーブルとの間には、次の3.1.2.1.及び3.1.2.2.の数値を超えるカバーがされていない隙間がないこと。

3.1.2.1.　車両の全車輪が同一平面上にある場合　10mm

3.1.2.2.　連節部に隣接した車軸の車輪を150mm上昇させた場合　20mm

3.1.3.　空車状態において、前後各車室の床面とターンテーブルとの間には、次の3.1.3.1.及び3.1.3.2.の数値を超える段差がないこと。

3.1.3.1.　車両の全車輪が同一平面上にある場合　20mm

3.1.3.2.　連節部に隣接した車軸の車輪を150mm上昇させた場合　30mm

3.1.4.　前後各車室の床面とターンテーブルとの間は、運行中の前後各車室の動きにより著しい段差が生じないような構造であること。

3.1.5.　次の3.1.5.1.及び3.1.5.2.に掲げる連節部の場所は、旅客が乗車することができないような構造であること。

3.1.5.1.　床面以外の場所

3.1.5.2.　運行中の前後各車室の動きにより、乗車空間が変化するような床面の場所

3.1.6.　連節部付近の見やすい位置に、旅客に対する注意事項を表示すること。

3.2.　連結部

3.2.1.　連結部の可動部分は、水平軸（幅方向）及び鉛直軸まわりの回転運動が可能であり、この両軸は、車両の中心軸に対して直角であること。

3.2.2.　前車室と後車室とのなす鉛直軸まわりの角度が安全な運行に支障をきたす状態にならないような装置を備えること。なお、安全な運行に支障をきたすおそれが生じた場合に、運転者にその旨を警告する装置を備えること。

3.3.　乗降口の数及び位置

3.3.1.　乗降口は、2か所以上とし、次の3.3.1.1.から3.3.1.3.までの要件に適合するものであること。ただし、ホイールハウス部に備えることはできない。

3.3.1.1.　前扉は、フロント・オーバー・ハングに備えること。

3.3.1.2.　後扉を前車室に備える場合には、前車室のホイールベース間に備えること。

3.3.1.3.　後扉を後車室に備える場合には、連節部と車軸の間又はリア・オーバー・ハングの部分に備えること。

3.4.　乗降口扉

3.4.1.　前扉は、車外が見通せるように窓を備えること。
3.4.2.　前車室の後扉及び後車室の扉のうちホイールベース間に備えるものにあっては、有効幅800mm以上であること。
3.5.　扉の開閉（制御）方法
3.5.1.　扉の開閉は、運転者席で操作できる構造（以下「自動式」という。）とし、前車室の後扉及び後車室の扉付近には開閉の予告ブザーその他の装置を備えること。
3.6.　扉非常開放装置
自動式の扉付近には、車内外から手動で開閉することができる扉非常開放装置を備え、かつ、非常の際に旅客が扉を開放するための方法を表示すること。
3.7.　前車室内の安全確認装置
3.7.1.　運転者が運転者席において前車室内の旅客の状況を確認することができる3.7.1.1.又は3.7.1.2.に掲げる後写鏡を車室の前部窓上部付近に備え、又はモニター装置を運転者席付近に備えること。
3.7.1.1.　平面鏡にあっては、有効寸法130mm以上×280mm以上とする。
3.7.1.2.　凸面鏡にあっては、有効寸法155mm以上×300mm以上、曲率半径1000mm以上とする。
3.8.　座席等
3.8.1.　連節部には、立席及び補助座席が備えられていないこと。
3.8.2.　連節部に備える座席は、前向きであること。
3.8.3.　運行路線に高速自動車国道等（高速自動車国道法（昭和32年法律第79号）第４条第１項に規定する道路及び道路法（昭和27年法律第180号）第48条の４第１項に規定する自動車専用道路をいう。）を含む場合は、立席が備えられていないこと。
3.9.　非常口
前車室及び後車室には、非常口をそれぞれ１か所以上備えること。
3.10.　後車室内の安全確認装置等
3.10.1.　運転者席付近には、運転者が後車室内の旅客の状況を確認できるモニター装置を備えること。この場合において、運転者が直接又は車室内に備える後写鏡を用いて確認できる範囲は、当該モニター装置によって確認できなくてもよい。
3.10.2.　運転者席付近には、運転者が後車室の旅客に注意事項等を通報できるマイク等の装置を備えること。
3.10.3.　後車室には、旅客が運転者に非常事態等を通報できる装置（警報ブザー、ベルその他の通報装置）を使いやすい位置に備え、かつ、当該装置の付近にその使用方法を表示すること。
3.11.　前車室の後扉付近の旅客を運転者が確認する装置
前車室の後扉付近の旅客を運転者が確認できるよう、次の直接確認方式の装置及び間接確認方式の装置を備えること。
3.11.1.　直接確認方式の装置
3.11.1.1.　前部左窓上部付近の車室内に後写鏡（有効寸法130mm以上×280mm以上の平面鏡）を、後扉上部の車室内に後写鏡（有効寸法280mmφ以上、曲率半径1000mm以上の凸面鏡）をそれぞれ備えること。また、後写鏡に代えて後扉付近の旅客を確認することができるモニター装置を運転者席付近に備えることができる。
3.11.1.2.　前車室の後扉の乗降口の天井に20W以上の蛍光灯又はこれと同等以上の明るさの灯火を備えること。
3.11.2.　間接確認方式の装置
3.11.2.1.　前車室の後扉の乗降口の踏段（踏段を有しない場合であって、扉がスライド式（車枠若しくは車体に格納され又は車外に開放されるものに限る。）のものにあっては、閉扉時における扉の内側から少なくとも奥行120mmにおける範囲の床面とし、扉が折り畳み式のものにあっては、乗降口の出入口付近から扉を折り畳んだ状態における奥行方向における扉の最外縁までの範囲の床面とする。）上に旅客がいるときは、扉が開閉できない構造であること。
3.11.2.2.　前車室の後扉は、速度が５km／ｈを超えた状態において開閉しないこと。
3.12.　後車室の扉付近の旅客を運転者が確認する装置
3.12.1.　後車室の扉付近の旅客を運転者が確認できるよう、次の3.12.1.1.及び3.12.1.2.の装置を備えること。
3.12.1.1.　運転者席付近に備える、後車室の扉付近の旅客を確認できるモニター装置
3.12.1.2.　3.11.2.の規定に適合する間接確認方式の装置
3.12.1.3.　後車室の扉の乗降口の天井に20W以上の蛍光灯又はこれと同等以上の明るさの灯火を備えること。
3.13.　車外安全確認装置
3.13.1.　運転者席付近には、乗降口付近及び車両の左外側線上の状況を運転者が確認できるモニター装置を備えること。この場合において、運転者が直接又は後写鏡（有効寸法300mm以上×143mm以上、曲率半径1000mm以上の凸面鏡）を用いて確認できる範囲については、当該モニター装置によって確認できなくてもよい。
3.13.2.　前車室の後扉及び後車室の扉の乗降口の外側上部には、開扉と同時に点灯し、閉扉後４秒以上遅延して消灯する20W以上の蛍光灯又はこれと同等以上の明るさの灯火を備えること。
3.14.　車外用放送装置等
3.14.1.　次の3.14.1.1.及び3.14.1.2.の放送装置を備えること。
3.14.1.1.　運転者が危険等を感知した際に、運転者の意志を車外の旅客等に容易に伝えることができる車外用放送装置
3.14.1.2.　後乗りバスにあっては、乗車口付近の旅客が運転者と通話できる装置（当該装置付近に使用方法を表示したもの）
3.14.2.　運転者が運転者席において乗降口その他室内の状況をモニター装置により確認する場合には、旅客が運転者と通話できる装置を当該客室内に備え付け、その付近に使用方法を表示すること。
3.15.　旅客降車合図用ブザー又は単打ベル
旅客が降車する際に容易にその旨を運転者に通報するための降車合図用ブザー又は単打ベルを備え、その押しボタンを旅客の手近な位置に備えること。
3.16.　後輪巻込防止装置
ホイールベース間に乗降口を備える場合には、後輪巻込防止装置を備えること。この場合において、空車状態における後輪巻込防止装置の下縁の取付高さが地上300mm以下となるように取り付けられていること。
3.17.　補助方向指示器
連節バスの両側面には補助方向指示器を備えること。
3.18.　消火器
前車室及び後車室には、保安基準第47条の規定に適合する消火器をそれぞれ備えること。
3.19.　火災感知器等
後部車両に空調用エンジンを備える場合には、当該エンジン付近に火災感知器を備えるとともに、当該火災感知器が作動した際に運転者に警報する装置を運転者席付近に備えること。

別添92　２階建バスの構造要件

項　　目	構　造　要　件
1.　最大安定傾斜角度	空車状態の自動車に乗務員が定位置に乗車し、かつ、２階の乗車定員の人員が２階客室のすべての座席に乗車した状態において、自動車を左側及び右側にそれぞれ28度まで傾けた場合に転覆しないものでなければならない。
2.　階段（1階客室と２階客室の間に設け	階段は、次の各号に適合するものでなければならない。 (1)　階段の踏段の有効幅は、600mm以上であること。

られた昇降用通路をいう。)	(2) 階段の踏段上における有効高さは、1600mm以上であること。 (3) 階段の1段の高さは、300mm以下、有効奥行は、300mm以上であり、踏込は、密閉式であること。 ただし、ら線状等の階段にあっては、階段の有効幅のうち350mm以上の部分について、その有効奥行が300mm以上あればよい。 (4) 階段の踏段は、すべり止めを施したものであること。 (5) 階段には、照明灯を備えることとし、その照明灯は、階段の踏段を均等に照明し、その光源は、階段床面積1㎡当たり5W（蛍光灯の場合にあっては、2W）以上であること。
3. 安全確認装置等	1. 乗務員席付近には、乗務員が乗務員席において、2階客室に通報できる装置を少なくとも1つ備えなければならない。 2. 乗務員席付近には、乗務員が乗務員席において、2階客室の状況を確認できる装置（テレビ等）を少なくとも1つ備えなければならない。 3. 2階客室には、旅客が乗務員席の乗務員に容易に通報できる装置を当該客室の前部及び後部の適当な位置にそれぞれ備え、かつ、当該装置の付近には、当該装置の使用方法等を表示しなければならない。
4. 座席等	1. 2階客室には、立席及び補助座席を設けてはならない。 2. 2階客室の最前部に設けられた座席及び通路の前方には、衝突等により衝撃を受けた場合において旅客が車外に転落することを抑止することのできるように適当な保護棒等を備えなければならない。
5. 非常口	1. 道路運送車両の保安基準(以下「保安基準」という。)第26条の規定に適合する非常口を1階客室に備えるほか、次の各号に適合する非常口を2階客室に設けなければならない。 (1) 2階客室の非常口は、1階客室の乗降口又は非常口の上部付近に設けられていないこと。 (2) 2階客室の非常口は、有効幅400mm以上、有効高さ1200mm以上であること。 (3) 2階客室の非常口には、はしご等容易に脱出できるための設備が備えられていること。 (4) 2階客室の非常口は、本則第36条第6号から第8号まで並びに保安基準第26条第2項及び第3項の規定に適合するものであること。 2. 2階客室における非常口と階段出入口の距離（それぞれの開口部の中心を含み車両中心線に直角な二鉛直面の距離をいう。）は、2階客室の長さの3分の1以上の長さでなければならない。 ただし、6. に規定する非常脱出口又は2か所以上の階段が設けられている場合は、この限りでない。
6. 非常脱出口 （非常時に2階客室から1階客室に脱出するための開口部をいう。）	非常脱出口は、次の各号に適合するものでなければならない。 (1) 非常脱出口は、階段及び非常口の位置を十分に考慮し、適切な場所に設けられていること。 (2) 非常脱出口の開口部の有効寸法は、各辺がそれぞれ400mm及び600mm以上であること。 (3) 非常脱出口には、はしご等容易に脱出できるための設備が備えられていること。 (4) 非常脱出口は、通常時には旅客が安全に通行できるように踏板で確実に覆われており、非常時には1階又は2階から容易に開放できるものであること。また、当該脱出口の操作方法等が見易いように表示されていること。
7. 窓ガラス	2階客室に設けられた側面の窓ガラスは、座席の上面から高さ800mm以下の部分が開口できない構造でなければならない。 ただし、当該窓ガラスの開口部の有効寸法が100mm以下である場合は、この限りでない。
8. 消火器	保安基準第47条の規定に適合する消火器を1階車室に備えるほか、次の各号に適合する消火器を2階客室に備えなければならない。 (1) 消火器は、本則第71条第2項第2号イからホまでに掲げるものであり、かつ、同項第3号イからハまでの基準に適合するものであること。 (2) 消火器は、使用に便利な場所に備えられていること。 (3) 消火器の備え付け場所付近には、当該消火器の使用方法等が見易いように表示されていること。
9. 火災報知装置	手荷物室等が客室以外の原動機付近の場所に設けられている場合には、手荷物室等に火災報知装置を備えるとともに、その表示装置等を運転者席に備えなければならない。

［注］ 最大安定傾斜角度は、次の方法により確認しても差し支えない。

1）空車状態の最大安定傾斜角度を実測し、これにより空車状態の重心高を算出する。

2）乗務員が定位置に乗車し、かつ、2階客室のすべての座席に旅客が乗車した状態（以下「2階客室等乗車状態」という。）の乗車人員の重心高を算出する。

3）1）で算出した空車状態の重心高と2）で算出した2階客室等乗車状態の乗車人員の重心高から、2階客室等乗車状態の自動車の重心高を算出し、この重心高から2階客室等乗車状態の自動車の最大安定傾斜角度を算出する。

別添94 灯火等の照明部、個数、取付位置等の測定方法（第2章第2節及び同章第3節関係）

1. 適用範囲

第2節及び第3節の規定における灯火器及び反射器並びに指示装置の照明部、個数、取付位置等の測定方法は、この別添に定めるところによる。

2. 照明部、個数、取付位置等の測定方法

2.1. 照明部及び反射部の測定方法

第2節及び第3節に定める灯火等の照明部又は反射部（以下「照明部等」という。）の上縁、下縁、最外縁等に係る取付位置の基準について、実測することにより判定する必要がある場合には、灯火等の照明部等を次のとおり取り扱うものとする。この場合において、実測する自動車は、平坦かつ水平な路面に設置し、側車付二輪自動車並びにカタピラ及びそりを有する軽自動車にあっては空車状態の自動車に運転者1名（55kg）のみ乗車した状態とし、それ以外の自動車にあっては乗車人員又は積載物品を乗車又は積載せず、かつ、燃料、冷却水及び潤滑油の全量を搭載し、自動車製作者が定める工具及び付属品（スペアタイヤを含む。）を全て装備した状態とする。

2.1.1. 走行用前照灯、すれ違い用前照灯、前部霧灯、低速走行時側方照射灯、後退灯及び側方照射灯の照明部

レンズ部分として取り扱うものとし、有効反射面の開口部（プロジェクター型のものにあっては内面の集光レンズの開口径）をレンズ面上へ投影した部分が明らかとなる書面等の提出がある場合には、当該部分として差し支えない。

2.1.2. 車幅灯、前部上側端灯、昼間走行灯、前部上側端灯、昼間走行灯、側方灯、尾灯、後部上側端灯、後部上側端灯、後部霧灯、駐車灯、制動灯、補助制動灯、方向指示器、補助方向指示器、非常点滅表示灯、緊急制動表示灯及び最高速度表示灯の照明部

レンズ部分として取り扱うものとし、直接光が図面上入射するレンズ部分又は中心光度の98％の光度となるレンズ部分（次図参照）が明らかとなる書面等の提出がある場合には、当該部分とすることができる。

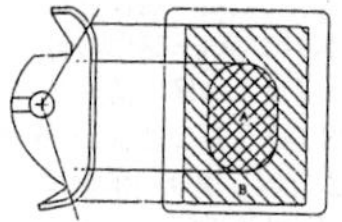

照明部の大きさとは、別に定めるもののほか、自動車の前方又は後方に向けて照射又は表示する灯火器又は指示装置にあっては車両中心面に直角な鉛直面への投影面積とし、自動車の側方に向けて照射又は表示する灯火又は指示装置にあっては、車両中心面に平行な鉛直面への投影面積とする。この場合において、不透明なモール等により仕切られた照明部にあっては、当該モール等に相当する部分の投影面積を除くものとする。

2.1.3. 前部反射器、側方反射器及び後部反射器の反射部

外からの光を反射するために光学的に設計されたレンズ部分とする。

反射部の大きさとは、別に定めるもののほか、自動車の前方又は後方に向けて反射光を反射する反射器にあっては車両中心面に直角な鉛直面への当該レンズ部分の投影面積とし、自動車の側方に向けて照射又は表示する反射器にあっては車両中心面に平行な鉛直面への当該レンズ部分の投影面積とする。この場合において、不透明なモール等により仕切られた反射部にあっては、当該モール等に相当する部分の投影面積を除くものとする。

2.2. 灯火等の照明部等の最外縁に係る自動車の最外側からの距離の測定方法

第2節及び第3節に定める灯火等の照明部等の最外縁に係る自動車の最外側からの距離についての基準の適用については、側面方向指示器、側方灯等は、自動車の最外側に含めないものとする。

2.3. 灯火等の個数の測定方法

灯火等の個数の取扱いは、次のとおりとする。

2.3.1. 走行用前照灯、すれ違い用前照灯、前部霧灯、側方照射灯については、照明部の数とする。ただし、一つの灯火器内に複数の照明部を有するものであって、当該灯火に係る性能基準（走行用前照灯にあっては本則第42条第1項及び第2項、すれ違い用前照灯にあっては本則第42条第6項、前部霧灯にあっては本則第43条第1項並びに側方照射灯にあっては本則第44条第1項の基準とする。）を満たすものであり、かつ、車両中心面に直角又は平行な鉛直面への照明部の投影面積が当該照明部の投影に外接する最小四辺形の面積の60％以上のもの、又は、基準軸に直角の方向に測定した2つの隣接する投影間の最短距離が75mm以下のものは、照明部の数に関係なく、これを1個とみなすことができる。低速走行時側方照射灯、車幅灯、前部上側端灯、昼間走行灯、側方灯、尾灯、後部霧灯、駐車灯、後部上側端灯、制動灯、補助制動灯、後退灯、方向指示器、補助方向指示器、非常点滅表示灯、緊急制動表示灯及び最高速度表示灯については、灯室（反射板等により区切られた光源を納めた部分）の数とする。また、照明部が不透明なモールなどにより仕切られた灯火器は、これに関係なく灯室が一体であるものは1個とみなす。ただし、1つの灯火器内に灯室を2以上有するものであって、車両中心面に直角又は平行な鉛直面への照明部の投影面積が当該照明部の投影に外接する最小四辺形の面積の60％以上のもの、基準軸に直角の方向に測定した2つの隣接する投影間の最短距離が15mm以下のもの、又は基準軸に直角の方向に測定した隣接する投影像間の最短距離が75mmを超えて取り付けられていない、同一の機能を有する2個又は3個の相互依存型灯火等は、灯室の数に関係なく、これを1個とみなすことができる。この場合、制動灯及び方向指示器が基準軸に垂直な平面への当該灯火等の見かけの表面の投影像において、色の境界線と3ヶ所以上交差する水平線又は垂直線を有してはならない。（下図参照）

（例1：1個とみなす。）

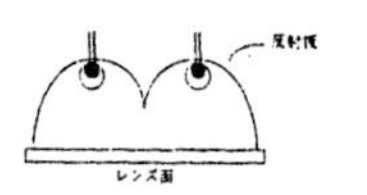

（例2：2個とみなす。）

（例3：モールに関係なく1個とみなす。）

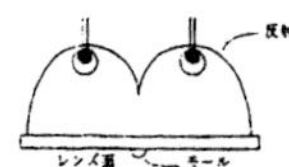

（例4：例2において、以下の場合は1個とみなすことができる。）

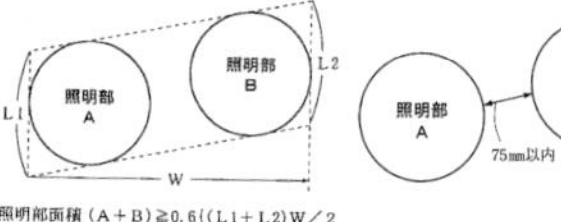

（例5：色の境界線と3カ所以上交差する水平線又は垂直線）

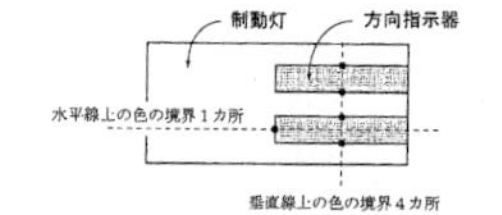

注：上図は、色の境界線と4カ所交差する垂直線を有する不適合灯火器の例

2.3.2. 反射器については、反射部が連続して構成されている部分の数とする。ただし、一つの灯火器内に連続していないもののうち、法第75条の3第1項の規定に基づき型式の指定を受け

た装置及び施行規則第62条の３に基づく保安装置の型式認定を受けたもの並びにこれに準ずる性能を有するもの又は反射部を２以上有するものであって車両中心面に直角又は平行な鉛直面への反射部の投影面積が当該反射部の投影に外接する最小四辺形の面積の60％以上を占めるもの、又は、基準軸に直角の方向に測定した２つの隣接する投影間の最短距離が75㎜以下のものは、１個とみなすことができる。

2.3.3.　帯状の形状又は細長い形状を有する灯火等の発光面であって車両中心面に関して対称な位置に取り付けられているものが、発光面の長さが0.8m以上であって発光面の最外縁が自動車の両側において自動車の最外側から0.4m以内となるよう取り付けられている場合には、当該灯火等は、「２個」の灯火等又は「偶数」の灯火等とみなす。この場合において、発光面の灯光は、当該発光面の両端のできるだけ近傍にある２以上の光源により生じるものでなければならないものとし、自動車の進行方向に垂直な鉛直面への複数の発光面の正射影の面積が、複数の発光面に外接する最小長方形の面積の60％以上となるように取り付けられている場合にあっては、当該複数の発光面を並置することにより構成されるものであってもよい。

2.3.4.　２個の独立した灯火器を有する灯火等の個数

同一の機能を有する２個の独立した灯火器（車幅灯、前部上側端灯、尾灯、後部上側端灯、制動灯、補助制動灯、方向指示器及び非常点滅表示灯に限る。）が、基準軸の方向における当該灯火等の見かけの表面の投影の面積が当該投影に外接する最小四辺形の面積の60％以上のものは、これを１個とみなすことができる。

2.3.5.　補助制動灯のうち、車両中心面上の前後に２個の独立した灯火器を有し、その照明部が同時に点灯せず、かつ、車両の後方から水平に見通した際に、１個の照明部に限って視認することができる構造のものは、2.3.1.前段の規定にかかわらず、１個の補助制動灯とみなすことができる（下図参照）。

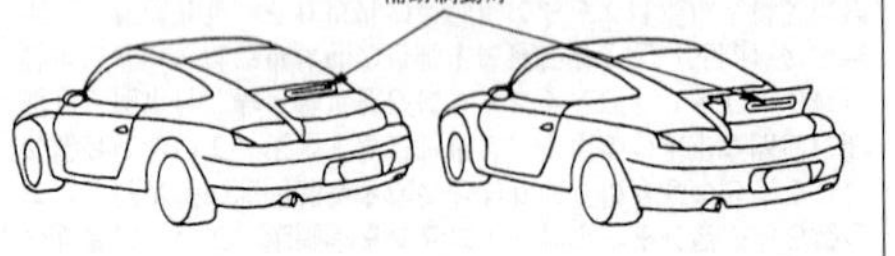

○道路運送車両の保安基準第三十一条第十四項、第十五項、第二十三項及び第二十四項に基づき、自動車から排出される排出物の基準等に関する事項を定める告示

〔平成一三・八・三
国土交通省告示一二九四〕

道路運送車両の保安基準（昭和二十六年運輸省第六十七号）第三十一条第十四項、第十五項、第二十三項及び第二十四項に基づき、自動車から排出される排出物の基準等に関する事項について次のように定める。

（対象自動車）

第一条　道路運送車両の保安基準（昭和二十六年運輸省令第六十七号）第三十一条第十四項及び第十五項の規定による告示で定めるものは、定格出力が十九キロワット以上五百六十キロワット未満である原動機を備えた自動車とする。

（測定方法）

第二条　道路運送車両の保安基準第三十一条第十四項の規定による告示で定める方法は、別表の上欄に掲げる運転条件で運行する場合に発生し、排気管から大気中に排出される排出物に含まれる一酸化炭素、炭化水素、窒素酸化物及び粒子状物質の一時間当たりの排出量をグラムで表した値（炭化水素にあつては、炭素数当量による容量比で表した値をグラムに換算した値）にそれぞれ同表の下欄に掲げる係数を乗じて得た値を加算した値を、同表の上欄に掲げる運転条件で運行する場合に発生した仕事率をキロワットで表した値にそれぞれ同表の下欄に掲げる係数を乗じて得た値を加算した値で除した値を求めるものとする。

第三条　道路運送車両の保安基準第三十一条第十五項の規定による告示で定める方法は、別表の上欄に掲げる運転条件で運行する場合に発生し、排気管から大気中に排出される排出物に含まれる一酸化炭素、炭化水素、窒素酸化物及び粒子状物質の一時間当たりの排出量をグラムで表した値（炭化水素にあつては、炭素数当量による容量比で表した値をグラムに換算した値）にそれぞれ同表の下欄に掲げる係数を乗じて得た値を加算した値を、同表の上欄に掲げる運転条件で運行する場合に発生した仕事率をキロワットで表した値にそれぞれ同表の下欄に掲げる係数を乗じて得た値を加算した値で除した値の当該自動車及び当該自動車と同一の型式の自動車であつて既に完成検査等又は道路運送車両法施行規則（昭和二十六年運輸省令第七十四号）第六十二条の三第五項の検査を終了したすべてのものにおける平均値を求めるものとする。

第四条　道路運送車両の保安基準第三十一条第二十三項の規定による告示で定める方法は、原動機を無負荷運転した後、原動機を無負荷のままで急速に加速ペダルを一杯に踏み込んだ場合において、加速ペダルを踏み込み始めた時から発生する排気管から大気中に排出される排出物に含まれる黒煙についてポンプ式の排気煙採取装置により、ろ紙を通して排出物を〇・三三〇リットル吸引し、当該排出物に含まれる黒煙によるろ紙の汚染の度合を反射光式の測定装置により三回測定し、その測定した値の平均値を求めるものとする。

第五条　道路運送車両の保安基準第三十一条第二十四項の規定による告示で定める方法は、同条第十一項及び第十三項の自動車にあつては、第一号に掲げる運転条件（第十三項の自動車であつて同項の表の第二号に掲げるものにあつては、第一号イに掲げる運転条件を除く。）で運行する場合、同条第十五項の自動車にあつては、別表の上欄に掲げる運転条件で運行する場合に発生し、排気管から大気中に排出される排出物に含まれる黒煙について第二号に定める測定方法により測定した値を求めるものとする。

一　第十一項及び第十三項の自動車の運転条件

イ　原動機を最高出力時の回転数の三十パーセントの回転数（その回転数が毎分八百回転未満のものにあつては、毎分八百回転）で全負荷運転している状態

ロ　原動機を最高出力時の回転数の四十パーセントの回転数（その回転数が毎分千回転未満のものにあつては、毎分千回転）で全負荷運転している状態

ハ　原動機を最高出力時の回転数の六十パーセントの回転数で全負荷運転している状態

ニ　原動機を最高出力時の回転数で全負荷運転している状態

二　測定方法

ポンプ式の排気煙採取装置により、ろ紙を通して排出物を〇・三三〇リットル吸引し、当該排出物に含まれる黒煙によるろ紙の汚染の度合を反射光式の測定装置により測定する。

（基準値）

第六条　道路運送車両の保安基準第三十一条第十四項の規定による告示で定める基準値は、次の表の自動車の種別ごとにそれぞれ同表の一酸化炭素の欄、炭化水素の欄、窒素酸化物の欄又は粒子状物質の欄に掲げる値とする。

自動車の種別	一酸化炭素	炭化水素	窒素酸化物	粒子状物質
一　定格出力が十九キロワット以上三十七キロワット未満である原動機を備えた大型特殊自動車	六・五〇	一・九五	一〇・四〇	一・〇四
二　定格出力が三十七キロワット以上七十五キロワット未満である原動機を備えた大型特殊自動車	六・五〇	一・六九	九・一〇	〇・五二
三　定格出力が七十五キロワット以上百三十キロワット未満である原動機を備えた大型特殊自動車	六・五〇	一・三〇	七・八〇	〇・三九
四　定格出力が百三十キロワット以上五百六十キロワット未満である	四・五五	一・三〇	七・八〇	〇・二六

原動機を備えた大型特殊自動車				

第七条 道路運送車両の保安基準第三十一条第十五項の規定による告示で定める値は、次の表の自動車の種別ごとにそれぞれ同表の一酸化炭素の欄、炭化水素の欄、窒素酸化物の欄又は粒子状物質の欄に掲げる値とする。

自動車の種別	一酸化炭素	炭化水素	窒素酸化物	粒子状物質
一 定格出力が十九キロワット以上三十七キロワット未満である原動機を備えた大型特殊自動車及び小型特殊自動車	五・〇〇	一・五〇	八・〇〇	〇・八〇
二 定格出力が三十七キロワット以上七十五キロワット未満である原動機を備えた大型特殊自動車及び小型特殊自動車	五・〇〇	一・三〇	七・〇〇	〇・四〇
三 定格出力が七十五キロワット以上百三十キロワット未満である原動機を備えた大型特殊自動車及び小型特殊自動車	五・〇〇	一・〇〇	六・〇〇	〇・三〇
四 定格出力が百三十キロワット以上五百六十キロワット未満である原動機を備えた大型特殊自動車及び小型特殊自動車	三・五〇	一・〇〇	六・〇〇	〇・二〇

第八条 道路運送車両の保安基準第三十一条第二十三項の規定による告示で定める値は、次の表の自動車の種別ごとにそれぞれ同表の下欄に掲げる値とする。

自動車の種別	値
一 普通自動車及び小型自動車	二十五パーセント
二 定格出力が十九キロワット以上五百六十キロワット未満である原動機を備えた大型特殊自動車及び小型特殊自動車	四十パーセント

第九条 道路運送車両の保安基準第三十一条第二十四項の規定による告示で定める値は、次の表の自動車の種別ごとにそれぞれ同表の下欄に掲げる値とする。

自動車の種別	値
一 道路運送車両の保安基準第三十一条第十一項及び第十三項の自動車	二十五パーセント
二 道路運送車両の保安基準第三十一条第十五項の自動車	四十パーセント

別表

運転条件	係数
原動機を定格出力時の回転数でその負荷を全負荷にして運転している状態	〇・一五
原動機を定格出力時の回転数でその負荷を全負荷の七十五パーセントにして運転している状態	〇・一五
原動機を定格出力時の回転数でその負荷を全負荷の五十パーセントにして運転している状態	〇・一五
原動機を定格出力時の回転数でその負荷を全負荷の十パーセントにして運転している状態	〇・一〇
原動機を中間回転数で全負荷運転している状態	〇・一〇
原動機を中間回転数でその負荷を全負荷の七十五パーセントにして運転している状態	〇・一〇
原動機を中間回転数でその負荷を全負荷の五十パーセントにして運転している状態	〇・一〇
原動機を無負荷運転している状態	〇・一五

備考 中間回転数は、次のとおりとする。

(1) 原動機のトルクが最大となる回転数（以下「最大トルク回転数」という。）が定格出力時の回転数の六十パーセント以上七十五パーセント以下の場合にあつては最大トルク回転数

(2) 最大トルク回転数が定格出力時の回転数の六十パーセント未満の場合にあつては定格出力時の回転数の六十パーセント

(3) 最大トルク回転数が定格出力時の回転数の七十五パーセントを超える場合にあつては定格出力時の回転数の七十五パーセント

附 則

この告示は、平成十五年十月一日から施行する。

○道路運送車両の保安基準第五十五条第一項、第五十六条第一項及び第五十七条第一項に規定する国土交通大臣が告示で定めるものを定める告示

〔平成一五・九・二六
国土交通省告示一二三〇〕

改正 平成一七・一一国交告一三三九、一二国交告一四三九、平成一八・三国交告三八三、八国交告九七九、平成一九・五国交告五二八、六国交告八五六、平成二〇・二国交告九一、平成二三・三国交告三三七、五国交告四五四、平成二四・一二国交告一四八五、平成二五・一国交告八三、平成二六・二国交告一二八、三国交告三四二、一〇国交告一〇五七、平成二七・一国交告四四、七国交告八五五、一〇国交告一〇五〇、平成二八・八国交告九六八、一〇国交告一一二三、平成二九・二国交告九〇、六国交告六四二、平成三〇・一国交告一二六、一〇国交告一一七五、令和元・一〇国交告七一四、一二国交告九四七、令和二・一国交告五二、三国交告四六三、令和三・六国交告五二一、九国交告一二九四、令和四・一国交告一〇、六国交告七一三、令和五・一国交告一、三国交告二六五、六国交告五七二、九国交告九六九、令和六・六国交告五一八

道路運送車両の保安基準（昭和二十六年運輸省令第六十七号）第五十五条第一項、第五十六条第一項及び第五十七条第一項の規定に基づき、道路運送車両の保安基準第五十五条第一項、第五十六条第一項及び第五十七条第一項に規定する国土交通大臣が告示で定めるものを定める告示を次のように定め、平成十五年十月一日から適用する。

第一条 道路運送車両の保安基準（昭和二十六年運輸省令第六十七号。以下「保安基準」という。）第五十五条第一項に規定する国土交通大臣が定めるものは、次の各号に定めるとおりとする。

一 保安基準第二条、第四条、第四条の二、第六条、第八条第三項及び第四項、第九条第三項、第十一条第二項、第十四条、第十八条第二項から第七項まで、第十八条の二、第二十条第四項から第六項まで、第二十二条第三項及び第四項、第二十二条の三、第二十二条の四、第二十五条第一項及び第四項、第二十六条、第二十九条第二項及び第四項、第三十二条第十一項、第三十七条第一項、第三十七条の三第二項及び第三項、第三十八条の二、第四十条第一項、第四十一条の三第一項、第四十三条の二、第四十三条の六、第四十三条の九、第四十三条の十、第四十四条第五項、第四十五条第二項、第四十八条の二並びに第四十八条の三の規定

二 道路運送車両の保安基準の細目を定める告示（平成十四年国土交通省告示第六百十九号。以下「細目告示」という。）第八条第一号、第二号、第四号及び第五号、第九条（第一号を除く。）、第十一条第三項第二号及び第三号、第十五条第二項、第三項、第四項、第五項第五号、第九号及び第十一号、第七項並びに第八項、第十六条第二項第一号、第二十七条第一号、第三十九条第一項、第四十一条第六項第三号、第四十三条第二項、第四十五条第一項、第四十六条第二項、第四十七条第二項、第四十八条第一項及び第四項、第五十条第一項及び第二項、第五十一条第二項、第五十三条第二項、第五十四条第二項、第五十六条第一項、第五十七条第一項、第五十八条第二項、第五十九条第一項及び第三項、第六十一条第一項及び第二項、第六十二条第二項、第三項、第五項、第六項、第八項及び第十二項、第六十八条第一項第三号、第六十八条の二第一項、第七十七条第一項各号列記以外の部分、第二項第二号及び第四項第一号、第八十一条第一項第五号、第八十六条第一号、第二号、第四号及び第五号、第八十七条（第一号を除く。）、第八十九条第四項第二号（滑り止めの溝に関する部分に限る。）、第九十三条第二項、第三項、第四項、第五項第五号、第九号及び第十一号、第六項、第八項並びに第九項、第九十四条第二項第一号及び第四項、第百五条第一項第一号ロ、第百十七条第一項、第百十九条第六項第三号、第百二十一条第三項第五号、第百二十三条第一項第三号、第百二十四条第一項第三号、第百二十五条第三項第一号及び第三号、第百二十六条第一項第三号及び第四号並びに第七項第一号及び第二号、第百二十八条第一項第三号及び第三項第四号、第百二十九条第三項第七号、第百三十一条第一項第三号、第百三十二条第三項第三号から第五号まで、第百三十四条第一項第四号、第百三十五条第一項第二号、第百三十六条第三項第五号、第百三十七条第一項第三号、第三項並びに第四項第三号及び第七号から第十号まで、第百三十九条第一項及び第三項第一号、第百四十条第二項、第三項、第五項、第六項、第八項及び第十二項、第百四十六条第一項第三号、第百四十六条の二第一項、第百五十五条第一項各号列記以外の部分、第二項第二号及び第四項第一号、第百五十九条第一項第五号、第百六十四条第一号、第二号、第四号及び第五号、第百六十五条（第一号を除く。）、第百六十七条第四項第二号（滑り止めの溝に関する部分に限る。）、第百七十一条第二項第三号から第五号まで、第八号、第十号及び第十一号、第三項第一号（同条第二項第三号から第五号まで及び第八号の基準に係る部分に限る。）、第三号及び第六号、第四項第一号（同条第二項第四号及び第十号の基準に係る部分に限る。）、第二号、第四号及び第五号、第五項第四号、第八号及び第十号、第六項、第八項並びに第九項、第百七十二条第四項、第五項及び第七項、第百八十三条第一項第一号ロ、第百九十五条第三項第二号、第百九十七条第六項第三号、第百九十九条第三項第五号、第二百一条第一項第三号、第二百二条第一項第三号、第二百三条第三項第一号及び第三号、第二百四条第一項第三号及び第四号並びに第七項第一号及び第二号、第二百六条第一項第三号及び第三項第四号、第二百七条第三項第七号、第二百九条第一項第三号、第二百十条第三項第三号から第五号まで、第二百十二条第一項第四号、第二百十三条第一項第二号、第二百十四条第三項第五号、第二百十五条第一項第三号、第三項並びに第四項第三号及び第七号から第十号まで、第二百十七条第一項及び第三項第一号、第二百十八条第二項、第三項、第五項、第六項、第八項及び第十二項、第二百二十四条第一項第三号、第二百二十四条の二第一項、第二百三十三条第一項各号列記以外の部分、第二項第二号及び第四項第一号並びに第二百三十七条第一項第五号の規定

三 路線を定めて定期に運行する細目告示第七十七条第三項、第百五十五条第三項又は第二百三十三条第三項の自動車であって起点及び終点以外の場所において乗降する乗客がきわめて少ないため保安上支障がないものにあっては、第一号及び第二号に掲げる規定のほか、細目告示第七十七条第三項、第百五十五条第三項及び第二百三十三条第三項の規定

四 大型特殊自動車及び小型特殊自動車にあっては、第一号及び第二号に掲げる規定のほか、保安基準第十八条第一項第三号、第三十条、第三十四条から第三十五条の二まで及び第四十四条第一項の規定並びに細目告示第十二条第一項第一号（配置寸法に関する部分に限る。）、第十五条第六項、第十六条第二項から第四項まで、第二十条第一項第二号、第四十一条第六項第一号、第五十六条第二項、第九十条第一項第一号（配置寸法に関する部分に限る。）、第九十三条第五項第四号、

第九十四条第二項から第四項まで、第九十八条第一項第二号、第百十九条第六項第一号、第百三十四条第三項第四号（第百二十八条第三項第四号の基準に係る部分に限る。）、第百三十六条第三項第一号、第三号及び第六号、第百六十八条第一項第一号（配置寸法に関する部分に限る。）、第百七十一条第五項第三号、第百七十二条第二項から第四項まで及び第六項、第百七十六条第一項第二号、第百九十七条第六項第一号、第二百十二条第三項第四号（第二百六条第三項第四号の基準に係る部分に限る。）並びに第二百十四条第三項第一号、第三号及び第六号の規定

五　次に掲げる要件に該当する軽自動車（二輪自動車、側車付二輪自動車、カタピラ及びそりを有する軽自動車並びに被牽引自動車を除く。）にあっては、第一号及び第二号に掲げる規定（これらの規定中保安基準第八条第三項、第二十条第四項から第六項まで、第二十二条第三項及び第四項、第二十二条の三、第二十二条の四、第二十五条第四項、第二十九条第二項、第三十七条第一項、第四十条第一項並びに第四十五条第二項並びに細目告示第九十三条第二項及び第三項、第百十七条第一項、第百二十三条第一項第三号、第百二十八条第一項第三号、第百三十二条第三項第三号、第百三十四条第一項第四号、第百三十五条第一項第二号、第百三十七条第一項第三号、第三項及び第四項第三号、第百七十一条第二項第八号、第十号及び第十一号並びに第三項第一号（同条第二項第三号から第五号まで及び第八号の基準に係る部分に限る。）、第三号及び第六号、第二百一条第一項第三号、第二百六条第一項第三号、第二百十条第三項第三号、第二百十二条第一項第四号、第二百十三条第一項第二号並びに第二百十五条第一項第三号、第三項及び第四項第三号に係る部分に限る。）、保安基準第二十二条第一項（着席するに必要な空間に関する部分に限る。）及び第二項（座席寸法に関する部分に限る。）、第二十二条の五第一項、第二十五条第三項、第三十九条第一項、第三十九条の二第一項並びに第四十三条の七並びに細目告示第八十九条第三項、第九十条第二項、第九十一条第二項、第九十二条第三項、第九十九条第三項第一号ル及び第二号ヌ並びに第四項各号列記以外の部分、第百条第十三項第一号イ及び第十六項第一号イ、第百二十条第三項第一号及び第七項第一号、第百三十七条第一項第一号の第一表のロ、第百四十八条第三項第二号、第百六十七条第三項、第百六十八条第二項、第百九十八条第三項第一号及び第七項第一号、第二百十五条第一項第一号の第一表のロ並びに第二百二十六条第三項第二号の規定

イ　内燃機関を原動機とするものにあっては総排気量が〇・一二五リットル以下のもの、内燃機関以外を原動機とするものにあっては定格出力が八・〇〇キロワット以下のものであること。

ロ　乗車定員が二人以下（二個の年少者用補助乗車装置を取り付けたものにあっては、三人以下）のものであること。

ハ　道路法（昭和二十七年法律第百八十号）第四十八条の四に規定する自動車専用道路、高速自動車国道法（昭和三十二年法律七十九号）に規定する高速自動車国道及び道路交通法（昭和三十五年法律第百五号）第二十二条第一項の規定により当該道路において定められている自動車の最高速度が六十キロメートル毎時を超える道路以外の場所のみにおいて運行の用に供するものであること。

ニ　その運行に関し、地方公共団体又は地方公共団体が組織した協議会が交通の安全と円滑を図るための措置を講ずること。

六　専ら道路（専ら自転車及び歩行者の一般交通の用に供する場所に限る。）の上を移動させることを目的として製作した小型特殊自動車であって、当該目的に適する専用の車体を有し、かつ、次に掲げる要件に該当するものにあっては、第四号に掲げる規定のほか、保安基準第十一条の二第二項並びに細目告示第九十一条第三項第一号ル、第百三十二条第一項第三号、第百四十一条第二項第一号、第百四十六条第一項第四号、第百六十九条第一項第一号ル、第二百四十条第一項第三号、第二百十九条第二項第一号及び第二百二十四条第一項第四号の規定

イ　長さが一・五〇メートル以下のものであり、かつ、幅が〇・七〇メートル以下のものであること。

ロ　最高速度が十キロメートル毎時以下のものであること。

ハ　乗車定員が一人のものであること。

七　前号の自動車であって昼間のみ運行するものにあっては、前号に掲げる規定のほか、保安基準第三十二条第一項及び第四項並びに第三十八条第一項の規定

八　第六号の自動車であって二輪を有するものにあっては、第六号に掲げる規定のほか、細目告示第九十三条第五項第六号並びに第百七十一条第五項第五号の規定

九　港湾法（昭和二十五年法律第二百十八号）第二条第五項第四号に掲げる臨港交通施設である道路（同条第六項の規定により同号の道路とみなされたものを含む。）のみにおいて運行の用に供する自動車であって、次に掲げる要件に該当するものにあっては、第一号、第二号及び第四号に掲げる規定のほか、細目告示第十条第一項第一号レ、第八十八条第一項第一号ソ及び第百六十六条第一項第一号ソの規定

イ　当該道路の通行について必要な港湾管理者（港湾法第二条第一項に規定する港湾管理者をいう。ロにおいて同じ。）の許可、認可その他の処分を受ける見込みが十分であること。

ロ　その運行に関し、地方公共団体、港湾管理者、運行の区域を管轄する警察署その他の関係者と調整した方法により、交通の安全と円滑を図るための措置を講ずること。

十　遠隔操作又は自動運行（プログラムにより自動的に運行を行うことをいう。）の技術の向上に資するために行う走行に用いられる自動車（保安基準第五十五条の規定を保安基準第六十七条の規定により準用する場合にあっては当該技術により走行させることができる原動機付自転車の開発を目的とした試験に用いられる原動機付自転車）にあっては、前各号の規定にかかわらず、保安基準第二章（第三十条及び第三十一条を除く。）の規定

十一　災害応急対策又は災害復旧の用に供する自動車にあっては、前各号の規定にかかわらず、保安基準第二章の規定

第二条　保安基準第五十六条第一項に規定する国土交通大臣が定めるものは、次の各号に定めるとおりとする。

一　保安基準第八条第三項及び第四項、第十五条第二項、第十八条第一項第二号、第二項及び第三項、第十八条の二、第二十条第四項から第六項まで、第二十二条第三項及び第四項、第二十二条の三、第二十二条の四、第二十五条第一項及び第四項、第二十六条、第二十九条第二項、第三十条、第三十二条第十一項、第三十八条の二、第四十条第一項、第四十一条の三第一項、第四十三条の六、第四十三条の九、第四十三条の十、第四十四条第五項、第四十四条の二、第四十八条の二並びに第四十八条の三の規定

二　細目告示第十五条第二項、第三項、第四項、第五項第五号及び第九号から第十一号まで、第七項並びに第八項、第十六条第二項、第二十条第三項第一号及び第五号、第五項（容器再試験及び容器附属品再試験に関する部分並びに協定規則（車両並びに車両への取付け又は車両における使用が可能な装置及び部品に係る調和された技術上の国際連合規則の諸採択並びにこれらの国際連合の諸規則に基づいて行われる認定の相互承認のための条件に関する協定に付属する規則をいう。以下同じ。）第110号の規則18.1.8.に係る部分に限る。）並びに第六項（容器再試験及び容器附属品再試験に関する部分並びに協定規則第110号の規則18.1.8.に係る部分に限る。）、第四十一条第六項第一号、第四十八条第一項、第二項及び第四項、第五十条第一項及び第二項、第五十一条第二項、第五十二条第一項、第五十三条第二項、第五十四条第二項、

第五十六条第一項及び第二項、第五十八条第二項、第五十九条第一項及び第三項、第六十八条第一項第三号、第六十九条第二項第二号、第九十三条第二項、第三項、第四項、第五項第五号、第九号、第十号（警報装置に関する部分に限る。）及び第十一号（警報装置に関する部分に限る。）、第八項並びに第九項、第九十四条第二項、第九十八条第三項第一号及び第五号、第六項（容器再試験及び容器附属品再試験に関する部分並びに協定規則第110号の規則18．1．8．に係る部分に限る。）並びに第七項（容器再試験及び容器附属品再試験に関する部分並びに協定規則第110号の規則18．1．8．に係る部分に限る。）、第百十九条第六項第一号、第百二十六条第一項第三号及び第四号、第三項第五号から第八号まで並びに第七項第二号及び第三号、第百二十八条第一項第三号及び第三項第四号、第百二十九条第三項第七号、第百三十条第一項第三号及び第四号、第百三十一条第一項第三号、第百三十二条第三項第三号から第五号まで、第百三十四条第一項第四号及び第三項第四号（第百二十八条第三項第四号の基準に係る部分に限る。）、第百三十六条第三項第五号、第百三十七条第一項第三号の表のイ（自動車の後面に備える方向指示器に関する部分に限る。）、ロ及びハ並びに第三項第二号から第四号まで、第四項第三号及び第七号から第九号まで、第百四十六条第一項第三号、第百四十七条第三項第二号、第百七十一条第二項第三号から第五号まで、第八号、第九号（警報装置に関する部分に限る。）、第十号及び第十一号、第三項第一号（同条第二項第三号から第五号まで、第八号及び第九号（警報装置に関する部分に限る。）の基準に係る部分に限る。）及び第三号、第四項第一号（同条第二項第四号の基準に係る部分に限る。）、第二号、第四号及び第五号、第五項第四号、第八号、第九号（警報装置に関する部分に限る。）及び第十号（警報装置に関する部分に限る。）、第八項並びに第九項、第百七十二条第二項（第百七十一条第二項第九号（警報装置に関する部分に限る。）及び第五項第九号（警報装置に関する部分に限る。）の基準に係る部分に限る。）、第五項及び第七項、第百七十六条第三項第一号及び第三号、第五項及び第六項、第百九十七条第六項第一号、第二百四条第一項第三号及び第四号、第三項第五号から第八号まで並びに第七項第二号及び第三号、第二百六条第一項第三号及び第三項第四号、第二百七条第三項第七号、第二百八条第一項第三号及び第四号、第二百九条第一項第三号、第二百十条第三項第三号から第五号まで、第二百十二条第一項第四号及び第三項第四号（第二百六条第三項第四号の基準に係る部分に限る。）、第二百十四条第三項第五号、第二百十五条第一項第三号の表のイ（自動車の後面に備える方向指示器に関する部分に限る。）、ロ及びハ並びに第三項第二号から第四号まで、第四項第三号及び第七号から第九号まで、第二百二十四条第一項第三号並びに第二百二十五条第三項第二号の規定

三　昼間のみ運行するものにあっては、第一号及び第二号に掲げる規定のほか、保安基準第三十二条から第三十七条まで、第三十八条及び第四十三条の二の規定並びに細目告示第三十八条第八号、第七十二条第一項第八号、第百十六条第八号、第百五十条第一項第八号、第百九十四条第八号及び第二百二十八条第一項第八号の規定

四　降雨時及び降雪時以外の時のみに運行するものにあっては、第一号及び第二号に掲げる規定のほか、保安基準第四十五条の規定

五　保安基準第二条第二項各号に掲げる装置を備える自動車であって、同項各号に掲げるものが、同条第一項に規定する長さ、幅及び高さから当該各号に定める突出量の範囲内で突出しているものにあっては、第一号及び第二号に掲げる規定のほか、同条の規定

六　保安基準第三十五条の基準に適合する前部反射器を備えるものにあっては、第一号及び第二号に掲げる規定のほか、保安基準第三十四条の規定

第三条　保安基準第五十七条第一項に規定する国土交通大臣が定めるものは、次の各号に定めるとおりとする。

一　保安基準第二条、第四条、第四条の二、第七条、第八条第三項、第十八条第七項、第十八条の二、第二十条第四項、第二十五条第一項、第二十九条第二項、第三十条、第三十二条第十一項、第三十四条から第三十六条まで、第三十七条の三第二項及び第三項、第三十八条の二、第四十一条の三、第四十三条の二、第四十三条の六並びに第四十八条の二の規定

二　細目告示第十五条第二項及び第七項、第十六条第二項第一号、第四十一条第六項第一号、第五十条第二項、第五十六条第二項、第五十九条第三項、第六十二条（第一項及び第十項を除く。）、第六十九条第二項第二号、第九十三条第二項及び第八項、第九十四条第二項第一号、第百十九条第六項第一号、第百二十八条第三項第四号、第百三十四条第三項第四号（第百二十八条第三項第四号の基準に係る部分に限る。）、第百三十七条第四項第三号、第百四十条（第一項及び第十項を除く。）、第百四十七条第三項第二号、第百七十一条第二項第五号、第八号、第十号及び第十一号並びに第八項、第百七十二条第五項及び第七項、第百九十七条第六項第一号、第二百六条第三項第四号、第二百十二条第三項第四号（第二百六条第三項第四号の基準に係る部分に限る。）、第二百十五条第四項第三号、第二百十八条（第一項及び第十項を除く。）並びに第二百二十五条第三項第二号の規定

三　昼間のみ運行するものにあっては、第一号及び第二号に掲げる規定のほか、保安基準第三十二条及び第三十七条の規定

四　運転者の手による方向の指示の合図が自動車の車両中心線上の前方及び後方三十メートルの距離から認められるもので昼間のみ運行するものにあっては、第一号から第三号までに掲げる規定のほか、細目告示第五十九条第三項、第百三十七条第三項第一号から第六号まで及び第四項第七号から第十号まで並びに第二百十五条第三項第一号から第六号まで及び第四項第七号から第十号までの規定

附　則

（道路運送車両の保安基準第五十五条第一項に規定する国土交通大臣が告示で定めるものを定める告示等の廃止）

次に掲げる告示は、廃止する。

一　道路運送車両の保安基準第五十五条第一項に規定する国土交通大臣が告示で定めるものを定める告示（平成十三年国土交通省告示第千八十九号）

二　道路運送車両の保安基準第五十六条第一項に規定する国土交通大臣が告示で定めるものを定める告示（平成十三年国土交通省告示第千九十号）

三　道路運送車両の保安基準第五十七条第一項に規定する国土交通大臣が告示で定めるものを定める告示（平成十三年国土交通省告示第千九十一号）

附　則〔令和五・一・四国土交通省告示二〕

この告示〔中略〕は、令和五年一月十九日から施行する。

附　則〔令和五・三・三一国土交通省告示二六五抄〕

（施行期日）

1　この告示は、公布の日から施行する。

附　則〔令和五・六・五国土交通省告示五七二〕

この告示は、公布の日から施行する。ただし、次の各号に掲げる規定は、当該各号に定める日から施行する。

一　〔前略〕第二条中道路運送車両の保安基準第五十五条第一項、第五十六条第一項及び第五十七条第一項に規定する国土交通大臣が告示で定めるものを定める告示第一条の改正規定（「第二十七条第一項第一号」を「第二十七条第一項第一号」に改める部分を除く。）〔中略〕　令和五年六月八日

二　〔略〕

附　則〔令和五・九・二二国土交通省告示九六九〕

この告示は、令和五年九月二十四日から施行する。〔以下略〕

附　則〔令和六・六・一四国土交通省告示五一八〕

この告示は、令和六年六月十五日から施行する。〔以下略〕

道路運送車両の保安基準第五十五条第一項、第五十六条第一項及び第五十七条第一項に規定する国土交通大臣が告示で定めるものを定める告示

○道路運送車両の保安基準第二章及び第三章の規定の適用関係の整理のため必要な事項を定める告示

（平成一五・九・二六）
（国土交通省告示一三一八）

改正 平成一六・四国交告四八五、国交告五〇〇、六国交告六四一、一二国交告一四七八、平成一七・三国交告三八七、四国交告四一四、八国交告九一〇、一一国交告一三三八、一二国交告一四〇一、国交告一四三八、平成一八・三国交告三八二、六国交告七一〇、八国交告九八〇、一〇国交告一二〇四、一一国交告一二六九、平成一九・一国交告九〇、六国交告八五五、七国交告九八八、一一国交告一四九一、平成二〇・二国交告九〇、三国交告三四九、七国交告八七〇、一〇国交告一二一八、一二国交告一五三三、平成二一・七国交告七〇〇、国交告七八二、国交告八二四、一〇国交告一一一三、平成二二・三国交告一九八、八国交告九五〇、一〇国交告一二一四、一二国交告一四六一、平成二三・一国交告七四、三国交告三三六、五国交告五六六、六国交告六七一、七国交告七二五、一〇国交告一〇八六、平成二四・三国交告二三七、六国交告七六七、七国交告八二八、一一国交告一三三〇、平成二五・一国交告六九、七国交告七二五、八国交告八二七、一〇国交告九一八、一一国交告一〇七九、国交告一一〇一、平成二六・一国交告四四、国交告六二、二国交告一二七、六国交告六七六、一〇国交告九七六、平成二七・一国交告四三、三国交告四六〇、六国交告七二四、七国交告八二七、一〇国交告一〇四九、一一国交告一一五九、平成二八・一国交告二二七、二国交告四二〇、四国交告六一九、国交告六八二、六国交告八二七、国交告八五四、八国交告九六七、一〇国交告一一二二、一一国交告一三三五、平成二九・二国交告八九、国交告一三六、六国交告六四一、九国交告八二七、国交告八四三、一〇国交告九〇六、平成三〇・一国交告一二八、二国交告一四七、三国交告五二八、四国交告六三四、七国交告九四五、一〇国交告一一七五、一二国交告一三九五、平成三一・二国交告二一二、令和元・五国交告六八、一〇国交告五八九、国交告七一四、令和二・一国交告五二、三国交告四六三、四国交告五二一、五国交告六二九、六国交告六六二、国交告七〇四、八国交告七八八、九国交告八二九、国交告一〇二一、一〇国交告一三三一、一二国交告一五七七、令和三・六国交告五二一、八国交告一〇八四、九国交告一二九四、令和四・一国交告一〇、六国交告七一三、八国交告九三八、一〇国交告一〇四〇、一二国交告一二八九、令和五・一国交告一、六国交告五七二、九国交告九六九、一〇国交告一〇四八、令和六・国交告二、三国交告二六九、六国交告五一八

道路運送車両の保安基準（昭和二十六年運輸省令第六十七号）第五十八条及び第六十七条の二の規定に基づき、道路運送車両の保安基準第二章及び第三章の規定の適用関係の整理のため必要な事項を定める告示を次のように定め、平成十五年十月一日から適用する。

第一章　総則

（定義等）

第一条　この告示における用語の定義は、道路運送車両法（昭和二十六年法律第百八十五号。以下「法」という。）第二条、道路運送車両の保安基準（昭和二十六年運輸省令第六十七号。以下「保安基準」という。）第一条及び道路運送車両の保安基準の細目を定める告示（平成十四年国土交通省告示第六百十九号。以下「細目告示」という。）第二条第一項に定めるところによる。

2　この告示における略語の意味は、細目告示第二条第二項に定めるところによる。ただし、道路運送車両の保安基準の細目を定める告示等の一部を改正する告示（令和三年国土交通省告示第五百二十一号）による改正前の細目告示及びそれ以前の改正前の細目告示の規定の適用に当たっては、同項の規定は適用しない。

3　自動車型式指定規則（昭和二十六年運輸省令第八十五号）第三条の二第一項の規定による申請に基づく指定を受けた型式指定自動車にあっては、当該自動車の型式と重要でない部分のみが異なる型式について同令第三条第一項の規定による申請に基づく指定を受けた日と同一の日に指定を受けたものとみなす。

4　この告示において、令和六年三月三十一日以前に指定を受けた型式指定自動車又は国土交通大臣が定める自動車であって次の各号に掲げるものは、当該各号に定める自動車とみなす。

一　令和六年四月一日から令和六年十月三十一日までの期間に製作された自動車　令和六年三月三十一日に製作された自動車

二　令和六年四月一日から令和六年十月三十一日までの期間に発行された出荷検査証に係る自動車　令和六年三月三十一日に発行された出荷検査証に係る自動車

第二章　自動車の保安基準の適用関係の整理

（長さ、幅及び高さ）

第一条の二　次の表の第一欄に掲げる自動車については、同表第二欄に掲げる規定は、同表第三欄に掲げる字句を同表第四欄に掲げる字句に読み替えて適用する。

自動車	条項	読み替えられる字句	読み替える字句
一　昭和四十八年十一月三十日以前に製作された自動車	細目告示第六条第一項第三号、第八十四条第一項第三号及び第百六十二条第一項第三号	換気装置については、これらの装置を閉鎖した状態	換気装置並びに腕木式方向指示器については、これらの装置を閉鎖又は格納した状態
	細目告示第六条第四項第一号、第八十四	換気装置	換気装置、腕木式方向指示器

条第四項第一号及び第百六十二条第四項第一号		
保安基準第二条第二項	換気装置	換気装置、腕木式方向指示器

2　平成二十二年三月三十一日以前に製作された自動車については、細目告示第六条第二項第二号、第八十四条第二項第二号及び第百六十二条第二項第二号の規定にかかわらず、道路運送車両の保安基準の細目を定める告示の一部を改正する告示（平成二十年国土交通省告示第千二百十七号）による改正前の細目告示第六条第二項第二号、第八十四条第二項第二号及び第百六十二条第二項第二号の規定により測定した値とすることができる。

3　令和五年九月三十日以前に製作された自動車については、保安基準第二条第二項の規定並びに細目告示第六条第一項第四号並びに同条第四項及び第五項、第八十四条第一項第四号並びに同条第四項及び第五項並びに第百六十二条第一項第四号並びに同条第四項及び第五項の規定にかかわらず、道路運送車両の保安基準及び装置型式指定規則の一部を改正する省令（令和五年国土交通省令第七十四号）による改正前の保安基準第二条第二項の規定並びに道路運送車両の保安基準の細目を定める告示等の一部を改正する告示（令和五年国土交通省告示第九百六十九号）による改正前の細目告示第六条第一項第四号並びに同条第四項及び第五項、第八十四条第一項第四号並びに同条第四項及び第五項並びに第百六十二条第一項第四号並びに同条第四項及び第五項の規定により測定した値とすることができる。

（軸重等）

第二条　平成五年十一月二十四日以前に製作された自動車（隣り合う車軸にかかる荷重の和が増加する改造を行う場合を除く。）については、保安基準第四条の二第二項の規定は適用しない。

（最小回転半径）

第三条　昭和三十七年九月三十日以前に製作された自動車については、保安基準第六条第二項の規定は適用しない。

（原動機及び動力伝達装置）

第四条　次の表の上欄に掲げる自動車については、同表の下欄に掲げる規定は、適用しない。

自　動　車	条　項
一　自動車登録ファイルに道路運送車両の保安基準の一部を改正する省令（平成三年運輸省令第三号）第三条による改正後の保安基準第三十一条第六項の基準に適合するものとして登録されていない自動車であって平成八年三月三十一日以前に製作されたもの	保安基準第八条第四項
二　自動車から排出される窒素酸化物及び粒子状物質の特定地域における総量の削減等に関する特別措置法（平成四年法律第七十号）第十二条に規定する窒素酸化物排出自動車又は粒子状物質排出自動車であって初度登録日（自動車が初めて法第四条の規定により自動車登録ファイルに登録を受けた日をいう。以下同じ。）が平成九年十二月三十一日（自動車から排出される窒素酸化物及び粒子状物質の特定地域における総量の削減等に関する特別措置法施行令第四条第六号に規定する特種自動車にあっては平成九年八月三十一日）以前のもの（保安基準第三十一条の二に規定する窒素酸化物排出基準及び粒子状物質排出基準に適合するものを除く。）	保安基準第八条第四項
三　昭和二十六年十二月三十一日以前に製作された自動車及び昭和三十五年三月三十一日以前に製作された車両総重量二トン未満の自動車	保安基準第八条第二項
四　平成六年三月三十一日以前に製作された自動車	保安基準第八条第三項

2　保安基準第八条第四項に規定する自動車（前項の表第一号及び第二号に規定する自動車を除く。）のうち、平成十五年八月三十一日以前に製作された自動車については、各号に掲げる期日までにその原動機に速度抑制装置を備えることとする。

一　道路運送車両の保安基準の一部を改正する省令（平成三年運輸省令第三号）第三条による改正後の道路運送車両の保安基準第三十一条第六項の基準（以下本条において「平成六年基準」という。）に適合するものとして自動車登録ファイルに登録されている自動車にあっては、次表の上欄に掲げる自動車毎に、それぞれ同表の下欄に掲げる日

自　動　車	期　日
イ　平成六年基準に適合するものとして自動車登録ファイルに登録されている自動車（道路運送車両の保安基準の一部を改正する省令（平成八年運輸省令第四号）第二条による保安基準第三十一条第六項の基準（以下本条において「平成十年基準」という。）又は道路運送車両の保安基準の一部を改正する省令（平成九年運輸省令第二十二号）第二条による改正後の保安基準第三十一条第六項の基準（以下本条において「平成十一年基準」という。）に適合するものを除く。以下本条において同じ。）であって初度登録日が平成十年一月一日以降のもの及び平成十年基準又は平成十一年基準に適合するものとして自動車登録ファイルに登録されている自動車であって初度登録日が平成十五年一月一日以降のもの	平成十五年九月一日以降に初めて新規検査、継続検査、構造等変更検査又は予備検査を受ける日の前日
ロ　平成六年基準に適合するものとして自動車登録ファイルに登録されている自動車であって初度登録日が平成九年一月一日以降のもの及び平成十年基準又は平成十一年基準に適合するものとして自動車登録ファイルに登録されている自動車であって初度登録日が平成十四年一月一日以降のもの（イの自動車を除く。）	平成十六年九月一日以降に初めて新規検査、継続検査、構造等変更検査又は予備検査を受ける日の前日
ハ　イ及びロに掲げる自動車以外の自動車	平成十七年九月一日以降に初めて新規検査、継続検査、構造等変更検査又は予備検査を受ける日の前日

二　前号に掲げる自動車以外の自動車にあっては、次表の上欄に掲げる自動車毎に、それぞれ同表下欄に掲げる日

自動車	期日
イ　初度登録日が平成十四年一月一日以降のもの	平成十五年九月一日以降に初めて新規検査、継続検査、構造等変更検査又は予備検査を受ける日の前日
ロ　初度登録日が平成十一年一月一日以降のもの（イの自動車を除く。）	平成十六年九月一日以降に初めて新規検査、継続検査、構造等変更検査又は予備検査を受ける日の前日
ハ　イ及びロに掲げる自動車以外の自動車	平成十七年九月一日以降に初めて新規検査、継続検査、構造等変更検査又は予備検査を受ける日の前日

3　平成十五年八月三十一日以前に製作された自動車については、細目告示第八十八条第二項の規定にかかわらず、速度抑制装置の速度制御性能等に関し、細目告示別添九十七「使用過程にある大型貨物自動車の速度抑制装置の技術基準」に適合するものであればよい。

4　平成三十一年一月三十一日以前に製作された専ら乗用の用に供する乗車定員十人以上の自動車であって車両総重量が五トンを超えるもの及び貨物の運送の用に供する自動車であって車両総重量が十二トンを超えるものについては、細目告示第十条第一項第一号ツ、第八十八条第一項第一号ネ及び第百六十六条第一項第一号ネの規定は、適用しない。

5　平成二十九年一月三十一日以前に製作された自動車（専ら乗用の用に供する乗車定員十人以上の自動車であって車両総重量が五トンを超えるもの、貨物の運送の用に供する自動車であって車両総重量が十二トンを超えるもの、二輪自動車、側車付二輪自動車、三輪自動車、カタピラ及びそりを有する軽自動車、大型特殊自動車、小型特殊自動車並びに被牽引自動車を除く。）については、細目告示第十条第一項第一号ツ、第八十八条第一項第一号ネ及び第百六十六条第一項第一号ネの規定は、適用しない。

6　平成二十九年六月三十日以前に製作された自動車（二輪自動車に限る。）については、細目告示第十条第一項第一号ツ、第八十八条第一項第一号ネ及び第百六十六条第一項第一号ネの規定は、適用しない。

7　専ら乗用の用に供する乗車定員九人以下の自動車又は車両総重量三・五トン以下の自動車であって本邦に輸出されるものについては、法第七十五条第四項の規定による検査の際、細目告示第十条第三項第一号の規定は、「次のいずれかの」を「ロに掲げる」と読み替えて適用する。

8　車両総重量が三・五トンを超える自動車（細目告示第十条第三項第二号ロに規定する方法により燃料消費率を測定したものを除き、専ら乗用の用に供する自動車にあっては、乗車定員十人以上のものに限る。）については、法第七十五条第四項の規定及び道路運送車両法施行規則（昭和二十六年運輸省令第七十四号。以下「施行規則」という。）第六十二条の六第一項の規定による検査の際、保安基準第八条第六項の規定は、適用しない。

9　法第七十五条第四項及び施行規則第六十二条の六第一項の規定による検査の際、保安基準第八条第七項及び細目告示第十条第四項の規定は、適用しない。

10　専ら乗用の用に供する乗車定員九人以下の自動車及び車両総重量三・五トン以下の自動車（圧縮水素ガス（水素ガスを主成分とする高圧ガスをいう。以下同じ。）を燃料とするものに限る。）については、法第七十五条第四項及び施行規則第六十二条の六第一項の規定による検査の際、保安基準第八条第六項及び細目告示第十条第三項の規定は、適用しない。

11　専ら乗用の用に供する乗車定員九人以下の自動車及び車両総重量三・五トン以下の自動車のうち、令和二年八月三十一日（令和二年八月三十一日以前に指定を受けた型式指定自動車にあっては、令和三年八月三十一日）以前に製作された自動車（圧縮水素ガスを燃料とするものに限る。）については、保安基準第八条第六項及び細目告示第十条第三項の規定は、適用しない。

12　専ら乗用の用に供する乗車定員九人以下の自動車及び車両総重量三・五トン以下の自動車のうち、令和二年十二月三十一日（細目告示第四十一条第一項第三号の表ハ及びニに掲げる自動車（以下この項において「中量貨物自動車等」という。）にあっては、令和三年十二月三十一日）以前に製作された自動車であって、次に掲げるものについては、細目告示第十条第三項の規定にかかわらず、道路運送車両の保安基準の細目を定める告示及び道路運送車両の保安基準第二章及び第三章の規定の適用関係の整理のため必要な事項を定める告示の一部を改正する告示（令和二年国土交通省告示第五百二十一号）による改正前の細目告示第十条第三項の規定に適合するものであればよい。

一　中量貨物自動車等以外の自動車のうち、平成三十年九月三十日以前に指定を受けた型式指定自動車及び一酸化炭素等発散防止装置指定自動車

二　中量貨物自動車等以外の自動車のうち、平成三十年十月一日以降に新たに指定を受けた型式指定自動車であって、平成三十年九月三十日以前に指定を受けた型式指定自動車と車体の外形、原動機の種類及び主要構造、燃料の種類及び動力用電源装置の種類、動力伝達装置の種類及び主要構造、走行装置の種類及び主要構造並びに排出ガス発散防止装置の仕様が同一であるもの

三　中量貨物自動車等のうち、令和元年九月三十日以前に指定を受けた型式指定自動車及び一酸化炭素等発散防止装置指定自動車

四　中量貨物自動車等のうち、令和元年十月一日以降に新たに指定を受けた型式指定自動車であって、令和元年九月三十日以前に指定を受けた型式指定自動車と車体の外形、原動機の種類及び主要構造、燃料の種類及び動力用電源装置の種類、動力伝達装置の種類及び主要構造、走行装置の種類及び主要構造並びに排出ガス発散防止装置の仕様が同一であるもの

13　専ら乗用の用に供する乗車定員九人以下の自動車及び車両総重量三・五トン以下の自動車のうち、令和二年八月三十一日（令和二年八月三十一日以前に指定を受けた型式指定自動車にあっては、令和三年八月三十一日）以前に製作された自動車については、細目告示第十条第四項の規定にかかわらず、道路運送車両の保安基準の細目を定める告示及び道路運送車両の保安基準第二章及び第三章の規定の適用関係の整理のため必要な事項を定める告示の一部を改正する告示（令和

二年国土交通省告示第五百二十一号）による改正前の細目告示第十条第四項の規定に適合するものであればよい。

14　細目告示第十条第三項第一号及び第四項第一号に掲げる自動車のうち、次に掲げる自動車については、細目告示別添四十二の規定にかかわらず、道路運送車両の保安基準の細目を定める告示及び道路運送車両の保安基準第二章及び第三章の規定の適用関係の整理のため必要な事項を定める告示の一部を改正する告示（令和二年国土交通省告示第七百四号）による改正前の細目告示別添四十二の規定に適合するものであればよい。

一　令和三年九月三十日以前に製作された自動車

二　令和三年十月一日から令和八年九月三十日（軽油を燃料とするものにあっては令和七年九月三十日）までに製作された自動車であって次に掲げるもの

イ　令和三年九月三十日以前に指定を受けた型式指定自動車又は一酸化炭素等発散防止装置指定自動車

ロ　令和三年十月一日以降に新たに指定を受けた型式指定自動車であって、令和三年九月三十日以前に指定を受けた型式指定自動車と車体の外形、原動機の種類及び主要構造、燃料の種類及び動力用電源装置の種類、動力伝達装置の種類及び主要構造、走行装置の種類及び主要構造並びに排出ガス発散防止装置の仕様が同一であるもの

ハ　国土交通大臣が定める自動車

15　細目告示第十条第三項第一号及び第四項第一号に掲げる自動車のうち、次に掲げる自動車については、細目告示別添四十二のⅡの2・1・の規定を適用した後の車両への取付け又は車両における使用が可能な装置及び部品に係る世界技術規則の作成に関する協定（平成十二年外務省告示第四百七十四号）第十五号第五改訂版（同規則の附則4の規定に限る。）にかかわらず、道路運送車両の保安基準の細目を定める告示及び道路運送車両の保安基準第二章及び第三章の規定の適用関係の整理のため必要な事項を定める告示の一部を改正する告示（令和二年国土交通省告示第七百四号）による改正前の細目告示別添四十二の規定（同別添のⅡの別紙4の規定に限る。）に適合するものであればよい。

一　令和四年九月三十日以前に製作された自動車

二　令和四年十月一日から令和八年九月三十日（軽油を燃料とするものにあっては令和七年九月三十日）までに製作された自動車であって次に掲げるもの

イ　令和四年九月三十日以前に指定を受けた型式指定自動車又は一酸化炭素等発散防止装置指定自動車

ロ　令和四年十月一日以降に新たに指定を受けた型式指定自動車であって、令和三年九月三十日以前に指定を受けた型式指定自動車と車体の外形、原動機の種類及び主要構造、燃料の種類及び動力用電源装置の種類、動力伝達装置の種類及び主要構造、走行装置の種類及び主要構造並びに排出ガス発散防止装置の仕様が同一であるもの

ハ　国土交通大臣が定める自動車

16　次に掲げる自動車については、細目告示第十条第一項第三号、第八十八条第一項第二号及び第百六十六条第一項第二号の規定は適用しない。

一　令和六年九月三十日（二輪自動車（側車付二輪自動車を含む。以下この項、次項及び第十八項において同じ。）以外の自動車であって輸入された自動車及び二輪自動車であって輸入された自動車以外の自動車にあっては令和八年九月三十日）以前に製作された自動車

二　令和六年九月三十日以前に発行（施行規則第六十二条の六第一項の規定による発行をいい、当該発行に代えて行う同条第二項において準用する施行規則第六十二条の五第二項の規定による電磁的方法による提供を含む。以下同じ。）された出荷検査証（施行規則第六十二条の六第一項に規定する出荷検査証をいう。以下同じ。）に係る自動車であって、当該出荷検査証の発行後十一月を経過しない間に新規検査又は予備検査を受けようとし、又は受けたもの

三　国土交通大臣が定める自動車

17　令和六年十月一日（二輪自動車以外の自動車であって輸入された自動車及び二輪自動車であって輸入された自動車以外の自動車にあっては令和八年十月一日）以降に製作された自動車であって次に掲げるものについては、令和八年九月三十日（二輪自動車以外の自動車であって輸入された自動車にあっては令和十年九月三十日、二輪自動車であって輸入された自動車以外の自動車にあっては令和十一年九月三十日）までの間、細目告示第十条第一項第三号、第八十八条第一項第二号及び第百六十六条第一項第二号の規定は適用しない。

一　令和六年九月三十日（二輪自動車以外の自動車であって輸入された自動車及び二輪自動車であって輸入された自動車以外の自動車にあっては令和八年九月三十日）以前に指定を受けた型式指定自動車

二　令和六年十月一日（二輪自動車以外の自動車であって輸入された自動車及び二輪自動車であって輸入された自動車以外の自動車にあっては令和八年十月一日）以降に新たに指定を受けた型式指定自動車であって車体の外形、原動機の種類及び主要構造、燃料の種類及び動力用電源装置の種類、動力伝達装置の種類及び主要構造並びに走行装置の種類及び主要構造が令和六年九月三十日（二輪自動車以外の自動車であって輸入された自動車及び二輪自動車であって輸入された自動車以外の自動車にあっては令和八年九月三十日）以前に指定を受けた型式指定自動車と同一であるもの

三　令和八年九月三十日以前に発行された出荷検査証に係る自動車であって、当該出荷検査証の発行後十一月を経過しない間に新規検査又は予備検査を受けようとし、又は受けたもの

四　国土交通大臣が定める自動車

18　輸入された二輪自動車にあっては、当分の間、細目告示第十条第一項第三号、第八十八条第一項第二号及び第百六十六条第一項第二号の規定は適用しない。

19　細目告示第十条第三項第一号及び第四項第一号に掲げる自動車のうち、次に掲げる自動車については、細目告示別添四十二の規定にかかわらず、道路運送車両の保安基準の細目を定める告示等の一部を改正する告示（令和三年国土交通省告示第千八十四号）による改正前の細目告示別添四十二の規定に適合するものであればよい。

一　令和四年九月三十日以前に製作された自動車

二　令和四年十月一日から令和八年九月三十日（軽油を燃料とするものにあっては令和七年九月三十日）までに製作された自動車であって次に掲げるもの

イ　令和四年九月三十日以前に指定を受けた型式指定自動車又は一酸化炭素等発散防止装置指定自動車

ロ　令和四年十月一日以降に新たに指定を受けた型式指定自動車であって、令和四年九月三十日以前に指定を受けた型式指定自動車と車体の外形、原動機の種類及び主要構造、燃料の種類及び動力用電源装置の種類、動力伝達装置の種類及び主要構造、走行装置の種類及び主要構造並びに排出ガス発散防止装置の仕様が同一であるもの

ハ　国土交通大臣が定める自動車

20　車両総重量が三・五トンを超える自動車（細目告示第十条第三項第三号又は第四項第二号に掲

げる自動車（外部電源により供給される電気を動力源とするものに限る。）のうち、専ら乗用の用に供するものにあっては、乗車定員十人以上のものに限る。）のうち、次に掲げる自動車については、細目告示第十条第三項第三号及び第四項第二号の規定は適用しない。

一　令和七年三月三十一日以前に製作された自動車

二　令和七年四月一日から令和九年三月三十一日までに製作された自動車であって、次に掲げるもの

イ　令和七年三月三十一日以前に指定を受けた型式指定自動車又は一酸化炭素等発散防止装置指定自動車

ロ　令和七年四月一日以降に新たに指定を受けた型式指定自動車であって車体の外形、原動機の種類及び主要構造、燃料の種類及び動力用電源装置の種類、動力伝達装置の種類及び主要構造並びに走行装置の種類及び主要構造が同年三月三十一日以前に指定を受けた型式指定自動車と同一であるもの

ハ　国土交通大臣が定める自動車

三　令和九年三月三十一日以前に発行された出荷検査証に係る自動車であって、当該出荷検査証の発行後十一月を経過しない間に新規検査又は予備検査を受けようとし、又は受けたもの

21　車両総重量が三・五トンを超える自動車（細目告示第十条第三項第三号に掲げる自動車（圧縮水素ガスを燃料とするものに限る。）のうち、専ら乗用の用に供するものにあっては、乗車定員十人以上のものに限る。）のうち、次に掲げる自動車については、細目告示第十条第三項第三号の規定は適用しない。

一　令和九年十二月三十一日以前に製作された自動車

二　令和十年一月一日から令和十一年十二月三十一日までに製作された自動車であって、次に掲げるもの

イ　令和九年十二月三十一日以前に指定を受けた型式指定自動車

ロ　令和十年一月一日以降に新たに指定を受けた型式指定自動車であって車体の外形、原動機の種類及び主要構造、燃料の種類及び動力用電源装置の種類、動力伝達装置の種類及び主要構造並びに走行装置の種類及び主要構造が令和九年十二月三十一日以前に指定を受けた型式指定自動車と同一であるもの

ハ　国土交通大臣が定める自動車

三　令和十一年十二月三十一日以前に発行された出荷検査証に係る自動車であって、当該出荷検査証の発行後十一月を経過しない間に新規検査又は予備検査を受けようとし、又は受けたもの

22　細目告示第十条第三項第一号又は第四項第一号に掲げる自動車（軽油を燃料とするものに限る。）のうち、次に掲げる自動車については、細目告示別添四十二の規定にかかわらず、道路運送車両の保安基準の細目を定める告示等の一部を改正する告示（令和四年国土交通省告示第千四十号）による改正前の細目告示別添四十二の規定に適合するものであればよい。

一　令和五年九月三十日以前に製作された自動車

二　令和五年十月一日から令和七年九月三十日までに製作された自動車であって次に掲げるもの

イ　令和五年九月三十日以前に指定を受けた型式指定自動車又は一酸化炭素等発散防止装置指定自動車

ロ　令和五年十月一日以降に新たに指定を受けた型式指定自動車であって、同年九月三十日以前に指定を受けた型式指定自動車と車体の外形、原動機の種類及び主要構造、燃料の種類及び動力用電源装置の種類、動力伝達装置の種類及び主要構造、走行装置の種類及び主要構造並びに排出ガス発散防止装置の仕様が同一であるもの

ハ　国土交通大臣が定める自動車

三　令和七年九月三十日以前に発行された出荷検査証に係る自動車であって、当該出荷検査証の発行後十一月を経過しない間に新規検査又は予備検査を受けようとし、又は受けたもの

23　細目告示第十条第三項第一号又は第四項第一号に掲げる自動車（軽油を燃料とするものを除く。）のうち、次に掲げる自動車については、細目告示別添四十二の規定にかかわらず、道路運送車両の保安基準の細目を定める告示等の一部を改正する告示（令和四年国土交通省告示第千四十号）による改正前の細目告示別添四十二の規定に適合するものであればよい。

一　令和六年九月三十日以前に製作された自動車

二　令和六年十月一日から令和八年九月三十日までに製作された自動車であって次に掲げるもの

イ　令和六年九月三十日以前に指定を受けた型式指定自動車又は一酸化炭素等発散防止装置指定自動車

ロ　令和六年十月一日以降に新たに指定を受けた型式指定自動車であって、同年九月三十日以前に指定を受けた型式指定自動車と車体の外形、原動機の種類及び主要構造、燃料の種類及び動力用電源装置の種類、動力伝達装置の種類及び主要構造、走行装置の種類及び主要構造並びに排出ガス発散防止装置の仕様が同一であるもの

ハ　国土交通大臣が定める自動車

三　令和八年九月三十日以前に発行された出荷検査証に係る自動車であって、当該出荷検査証の発行後十一月を経過しない間に新規検査又は予備検査を受けようとし、又は受けたもの

24　細目告示第十条第三項第二号に掲げる自動車のうち、次に掲げる自動車については、細目告示別添四十一のⅢの別紙9の1・1・の規定にかかわらず、道路運送車両の保安基準の細目を定める告示等の一部を改正する告示（令和五年国土交通省告示第九百六十九号）による改正前の細目告示別添四十一のⅢの別紙9の1・1・の規定に適合するものであればよい。

一　令和八年九月三十日以前に製作された自動車（令和五年十月一日以降に新たに指定を受けた型式指定自動車及び一酸化炭素等発散防止装置指定自動車を除く。）

二　令和五年十月一日から令和八年九月三十日までに製作された自動車であって次に掲げるもの

イ　令和五年九月三十日以前に指定を受けた型式指定自動車又は一酸化炭素等発散防止装置指定自動車

ロ　令和五年十月一日以降に新たに指定を受けた型式指定自動車であって、同年九月三十日以前に指定を受けた型式指定自動車と車体の外形、原動機の種類及び主要構造、燃料の種類及び動力用電源装置の種類並びに排出ガス発散防止装置の仕様が同一であるもの

ハ　国土交通大臣が定める自動車

三　令和八年九月三十日以前に発行された出荷検査証に係る自動車であって、当該出荷検査証の発行後十一月を経過しない間に新規検査又は予備検査を受けようとし、又は受けたもの

（走行装置等）

第五条　平成十六年十二月三十一日以前に製作された自動車については、保安基準第九条の規定並びに細目告示第十一条、第八十九条及び第百六十七条の規定にかかわらず、次の基準に適合するものであればよい。

一　自動車の走行装置は、堅ろうで、安全な運行を確保できるものでなければならない。

二　前号の走行装置のうち空気入ゴムタイヤは、次の基準に適合するものでなければならない。ただし、ロの規定は、最高速度四十キロメートル毎時未満の自動車及びこれにより牽引される

被牽引自動車には、適用しない。

イ　亀裂、コード層の露出等著しい破損のないものであること。

ロ　接地部は、滑り止めを施したものであること。この場合において、滑り止めの溝（大型特殊自動車及びこれにより牽引される被牽引自動車に備えるものを除く。）の深さは、当該溝のいずれの部分においても一・六ミリメートル（二輪自動車及び側車付二輪自動車に備えるものにあっては、〇・八ミリメートル）以上とする。

三　タイヤ・チエン等は走行装置に確実に取り付けることができ、かつ、安全な運行を確保することができるものでなければならない。

2　平成二十一年十二月三十一日以前に製作された自動車については、細目告示別添三の規定にかかわらず、道路運送車両の保安基準の細目を定める告示の一部を改正する告示（平成十七年国土交通省告示第千四百三十七号）による改正前の細目告示別添三の規定に適合するものであればよい。

3　平成三十年一月三十一日以前に製作された自動車については、細目告示第十一条第五項、第六項、第八十九条第五項及び第百六十七条第五項の規定は、適用しない。

4　次の各号に掲げる自動車（専ら乗用の用に供する乗車定員九人以下の自動車に限る。以下この項において同じ。）については、細目告示第十一条第三項の規定にかかわらず、道路運送車両の保安基準の細目を定める告示の一部を改正する告示（平成二十七年国土交通省告示第千四十八号）による改正前の細目告示第十一条第三項の規定に適合するものであればよい。

一　平成三十年三月三十一日以前に製作された自動車

二　平成三十年四月一日から令和四年三月三十一日までに製作された型式指定自動車であって、次に掲げるもの

イ　平成三十年三月三十一日以前に指定を受けた型式指定自動車

ロ　平成三十年四月一日以降に指定を受けた型式指定自動車であって、平成三十年三月三十一日以前に指定を受けた型式指定自動車と種別、用途、車体の外形、原動機の種類及び主要構造、燃料の種類及び動力用電源装置の種類、動力伝達装置の種類及び主要構造、操縦装置の種類及び主要構造、懸架装置の種類及び主要構造、軸距、主制動装置の種類並びに適合する排出ガス規制値又は低排出ガス車認定実施要領に定める認定の基準値以外に、型式を区別する事項に変更がないもの

三　国土交通大臣が定める自動車

四　令和四年三月三十一日以前に発行された出荷検査証に係る自動車であって、当該出荷検査証の発行後十一月を経過しない間に新規検査又は予備検査を受けようとし、又は受けたもの

5　次の各号に掲げる自動車（専ら乗用の用に供する乗車定員十人以上の自動車であって車両総重量が五トン以下のもの、貨物の運送の用に供する自動車であって車両総重量が三・五トン以下のもの及び被牽引自動車であって車両総重量が三・五トン以下のものに限る。以下この項において同じ。）については、細目告示第十一条第三項の規定にかかわらず、道路運送車両の保安基準の細目を定める告示の一部を改正する告示（平成二十七年国土交通省告示第千四十八号）による改正前の細目告示第十一条第三項の規定に適合するものであればよい。

一　平成三十一年三月三十一日以前に製作された自動車

二　平成三十一年四月一日から令和六年三月三十一日までに製作された型式指定自動車であって、次に掲げるもの

イ　平成三十一年三月三十一日以前に指定を受けた型式指定自動車

ロ　平成三十一年四月一日以降に指定を受けた型式指定自動車であって、平成三十一年三月三十一日以前に指定を受けた型式指定自動車と種別、用途、車体の外形、原動機の種類及び主要構造、燃料の種類及び動力用電源装置の種類、動力伝達装置の種類及び主要構造、操縦装置の種類及び主要構造、懸架装置の種類及び主要構造、軸距、主制動装置の種類並びに適合する排出ガス規制値又は低排出ガス車認定実施要領に定める認定の基準値以外に、型式を区別する事項に変更がないもの

三　国土交通大臣が定める自動車

四　令和六年三月三十一日以前に発行された出荷検査証に係る自動車であって、当該出荷検査証の発行後十一月を経過しない間に新規検査又は予備検査を受けようとし、又は受けたもの

6　次の各号に掲げる自動車（専ら乗用の用に供する乗車定員十人以上の自動車であって車両総重量が五トンを超えるもの、貨物の運送の用に供する自動車であって車両総重量が三・五トンを超えるもの及び被牽引自動車であって車両総重量が三・五トンを超えるものに限る。以下この項において同じ。）については、細目告示第十一条第三項の規定にかかわらず、道路運送車両の保安基準の細目を定める告示の一部を改正する告示（平成二十七年国土交通省告示第千四十八号）による改正前の細目告示第十一条第三項の規定に適合するものであればよい。

一　令和五年三月三十一日以前に製作された自動車

二　令和五年四月一日から令和八年三月三十一日までに製作された型式指定自動車であって、次に掲げるもの

イ　令和五年三月三十一日以前に指定を受けた型式指定自動車

ロ　令和五年四月一日以降に指定を受けた型式指定自動車であって、令和五年三月三十一日以前に指定を受けた型式指定自動車と種別、用途、車体の外形、原動機の種類及び主要構造、燃料の種類及び動力用電源装置の種類、動力伝達装置の種類及び主要構造、操縦装置の種類及び主要構造、懸架装置の種類及び主要構造、軸距、主制動装置の種類並びに適合する排出ガス規制値又は低排出ガス車認定実施要領に定める認定の基準値以外に、型式を区別する事項に変更がないもの

三　国土交通大臣が定める自動車

四　令和八年三月三十一日以前に発行された出荷検査証に係る自動車であって、当該出荷検査証の発行後十一月を経過しない間に新規検査又は予備検査を受けようとし、又は受けたもの

7　令和八年三月三十一日以前に製作された二輪自動車、側車付二輪自動車及び三輪自動車については、細目告示第十一条第三項の規定にかかわらず、道路運送車両の保安基準の細目を定める告示の一部を改正する告示（平成二十七年国土交通省告示第千四十八号）による改正前の細目告示第十一条第三項の規定に適合するものであればよい。

8　次の各号に掲げる自動車（専ら乗用の用に供する乗車定員十人未満の自動車に限る。以下この項において同じ。）については、細目告示第十一条第三項第一号の規定にかかわらず、道路運送車両の保安基準の細目を定める告示の一部を改正する告示（平成二十九年国土交通省告示第八十八号）による改正前の細目告示第十一条第三項第一号の規定に適合するものであればよい。

一　令和元年八月三十一日以前に製作された自動車

二　令和元年九月一日から令和四年八月三十一日（輸入された自動車にあっては令和五年三月三十一日）までに製作された自動車であって、次に掲げるもの

イ　令和元年八月三十一日以前に指定を受けた型式指定自動車

ロ　令和元年九月一日以降に新たに指定を受けた型式指定自動車であって、令和元年八月三十

一日以前に指定を受けた型式指定自動車と種別、用途、車体の外形、原動機の種類及び主要構造、燃料の種類及び動力用電源装置の種類、動力伝達装置の種類及び主要構造、操縦装置の種類及び主要構造、懸架装置の種類及び主要構造、軸距、主制動装置の種類並びに適合する排出ガス規制値又は低排出ガス車認定実施要領に定める認定の基準値以外に、型式を区別する事項に変更がないもの

ハ　国土交通大臣が定める自動車

三　令和四年八月三十一日以前に発行された出荷検査証に係る自動車であって、当該出荷検査証の発行後十一月を経過しない間に新規検査又は予備検査を受けようとし、又は受けたもの

9　平成二十九年十二月三十一日以前に製作された専ら乗用の用に供する自動車（二輪自動車、側車付二輪自動車、三輪自動車及び被牽引自動車を除く。）であって乗車定員十人以上の自動車、貨物の運送の用に供する自動車（三輪自動車及び被牽引自動車を除く。）であって車両総重量が三・五トンを超える自動車又は車両総重量三・五トンを超える被牽引自動車に備えるものとして設計された空気入ゴムタイヤ及び平成三十年一月一日以降に製作されたもののうち平成二十九年十二月三十一日以前に指定を受けたものについては、細目告示第十一条第三項第二号ロの規定にかかわらず、道路運送車両の保安基準の細目を定める告示の一部を改正する告示（平成二十九年国土交通省告示第八十八号）による改正前の細目告示第十一条第三項第二号ロの規定に適合するものであればよい。

10　次に掲げる自動車（専ら乗用の用に供する乗車定員十人未満の自動車に限る。以下この項において同じ。）については、細目告示第十一条第三項第一号中の「協定規則第142号」とあるのは「協定規則第142号補足改訂版」と読み替えることができる。

一　令和四年七月五日以前に製作された自動車

二　令和四年七月六日以降に製作された自動車であって、次に掲げるもの

イ　令和四年七月五日以前に指定を受けた型式指定自動車

ロ　令和四年七月六日以降に新たに指定を受けた型式指定自動車であって、令和四年七月五日以前に指定を受けた型式指定自動車と種別、用途、車体の外形、原動機の種類及び主要構造、燃料の種類及び動力用電源装置の種類、動力伝達装置の種類及び主要構造、操縦装置の種類及び主要構造、懸架装置の種類及び主要構造、軸距、主制動装置の種類並びに適合する排出ガス規制値又は低排出ガス車認定実施要領に定める認定の基準値以外に、型式を区別する事項に変更がないもの

ハ　国土交通大臣が定める自動車

三　令和四年七月五日以前に発行された出荷検査証に係る自動車であって、当該出荷検査証の発行後十一月を経過しない間に新規検査又は予備検査を受けようとし、又は受けたもの

11　次に掲げる自動車（専ら乗用の用に供する乗車定員十人以上の自動車であって車両総重量が五トン以下のもの、貨物の運送の用に供する自動車であって車両総重量が三・五トン以下のもの及び被牽引自動車であって車両総重量が三・五トン以下のものに限る。以下この項において同じ。）については、細目告示第十一条第三項第一号の規定にかかわらず、道路運送車両の保安基準の細目を定める告示等の一部を改正する告示（令和三年国土交通省告示第千二百九十四号）による改正前の細目告示第十一条第三項第一号の規定に適合するものであればよい。

一　令和四年七月五日以前に製作された自動車

二　令和四年七月六日から令和六年三月三十一日までに製作された自動車であって、次に掲げるもの

イ　令和四年七月五日以前に指定を受けた型式指定自動車

ロ　令和四年七月六日以降に新たに指定を受けた型式指定自動車であって、令和四年七月五日以前に指定を受けた型式指定自動車と種別、用途、車体の外形、原動機の種類及び主要構造、燃料の種類及び動力用電源装置の種類、動力伝達装置の種類及び主要構造、操縦装置の種類及び主要構造、懸架装置の種類及び主要構造、軸距、主制動装置の種類並びに適合する排出ガス規制値又は低排出ガス車認定実施要領に定める認定の基準値以外に、型式を区別する事項に変更がないもの

ハ　国土交通大臣が定める自動車

三　令和六年三月三十一日以前に発行された出荷検査証に係る自動車であって、当該出荷検査証の発行後十一月を経過しない間に新規検査又は予備検査を受けようとし、又は受けたもの

12　次に掲げる自動車（専ら乗用の用に供する乗車定員十人以上の自動車であって車両総重量が五トンを超えるもの、貨物の運送の用に供する自動車であって車両総重量が三・五トンを超えるもの及び被牽引自動車であって車両総重量が三・五トンを超えるものに限る。以下この項において同じ。）については、細目告示第十一条第三項第一号の規定にかかわらず、道路運送車両の保安基準の細目を定める告示等の一部を改正する告示（令和三年国土交通省告示第千二百九十四号）による改正前の細目告示第十一条第三項第一号の規定に適合するものであればよい。

一　令和五年三月三十一日以前に製作された自動車

二　令和五年四月一日から令和八年三月三十一日までに製作された自動車であって次に掲げるもの

イ　令和五年三月三十一日以前に指定を受けた型式指定自動車

ロ　令和五年四月一日以降に新たに指定を受けた型式指定自動車であって、令和五年三月三十一日以前に指定を受けた型式指定自動車と種別、用途、車体の外形、原動機の種類及び主要構造、燃料の種類及び動力用電源装置の種類、動力伝達装置の種類及び主要構造、操縦装置の種類及び主要構造、懸架装置の種類及び主要構造、軸距、主制動装置の種類並びに適合する排出ガス規制値又は低排出ガス車認定実施要領に定める認定の基準値以外に、型式を区別する事項に変更がないもの

ハ　国土交通大臣が定める自動車

三　令和八年三月三十一日以前に発行された出荷検査証に係る自動車であって、当該出荷検査証の発行後十一月を経過しない間に新規検査又は予備検査を受けようとし、又は受けたもの

13　次に掲げる専ら乗用の用に供する乗車定員十人未満の自動車（車両総重量が三・五トン以下であって複輪の車軸を有しないものに限る。以下この項において同じ。）については、細目告示第十一条第六項及び第八十九条第五項の規定にかかわらず、道路運送車両の保安基準の細目を定める告示等の一部を改正する告示（令和三年国土交通省告示第千二百九十四号）による改正前の細目告示第十一条第六項及び第八十九条第五項の規定に適合するものであればよい。

一　令和四年七月五日以前に製作された自動車

二　令和四年七月六日以降に製作された自動車であって、次に掲げるもの

イ　令和四年七月五日以前に指定を受けた型式指定自動車

ロ　令和四年七月六日以降に新たに指定を受けた型式指定自動車であって、令和四年七月五日以前に指定を受けた型式指定自動車とタイヤ空気圧監視装置の型式及び性能に変更がないもの

ハ　国土交通大臣が定める自動車

三　令和四年七月五日以前に発行された出荷検査証に係る自動車であって、当該出荷検査証の発行後十一月を経過しない間に新規検査又は予備検査を受けようとし、又は受けたもの

14　次に掲げる貨物の運送の用に供する自動車（車両総重量が三・五トン以下であって複輪の車軸を有しないものに限る。以下この項において同じ。）については、細目告示第十一条第六項及び第八十九条第五項の規定にかかわらず、道路運送車両の保安基準の細目を定める告示等の一部を改正する告示（令和三年国土交通省告示第千二百九十四号）による改正前の細目告示第十一条第六項及び第八十九条第五項の規定に適合するものであればよい。

一　令和六年七月五日以前に製作された自動車

二　令和六年七月六日以降に製作された自動車であって、次に掲げるもの

イ　令和六年七月五日以前に指定を受けた型式指定自動車

ロ　令和六年七月六日以降に新たに指定を受けた型式指定自動車であって、令和六年七月五日以前に指定を受けた型式指定自動車とタイヤ空気圧監視装置の型式及び性能に変更がないもの

ハ　国土交通大臣が定める自動車

三　令和六年七月五日以前に発行された出荷検査証に係る自動車であって、当該出荷検査証の発行後十一月を経過しない間に新規検査又は予備検査を受けようとし、又は受けたもの

15　専ら乗用の用に供する自動車（車両総重量が三・五トンを超える乗車定員十人未満のもの、及び乗車定員十人未満であって複輪の車軸を有しないものを除く。以下この項において同じ。）及び貨物の運送の用に供する自動車（車両総重量が三・五トン以下であって複輪の車軸を有しないものを除く。以下この項において同じ。）のうち次に掲げる自動車にあっては、細目告示第十一条第六項及び第八十九条第五項の規定は適用しない。

一　令和五年七月五日以前に製作された自動車

二　令和五年七月六日から令和七年七月五日までに製作された自動車であって、次に掲げるもの

イ　令和五年七月五日以前に指定を受けた型式指定自動車

ロ　令和五年七月六日以降に新たに指定を受けた型式指定自動車であって、令和五年七月五日以前に指定を受けた型式指定自動車とタイヤ空気圧監視装置の型式及び性能に変更がないもの

ハ　国土交通大臣が定める自動車

三　令和七年七月五日以前に発行された出荷検査証に係る自動車であって、当該出荷検査証の発行後十一月を経過しない間に新規検査又は予備検査を受けようとし、又は受けたもの

16　次に掲げる自動車（細目告示第十一条第三項第二号イを適用するタイヤを備えるものに限る。以下この項において同じ。）については、細目告示第十一条第三項第三号の規定中「協定規則第117号の規則4.（4.3.を除く。）及び6.（6.2.にあっては同規則に規定するステージ3に係る要件、6.3.にあっては同規則に規定するステージ3に係る要件及び6.6.にあっては6.6.2.に規定する要件に限る。）に定める基準とする。ただし、型式の指定等による判定を行う場合（法第75条第3項の規定による判定を行う場合、法第75条の2第3項の規定による判定を行う場合及び法第75条の3第3項の規定による判定を行う場合をいう。以下同じ。）以外の場合にあっては、協定規則第117号の規則6.1.から6.4.までの規定にかかわらず、協定規則第117号の規則8.3.から8.5.までの規定」とあるのは、「協定規則第117号の規則4.（4.3.を除く。）及び6.に定める基準とする。ただし、型式の指定等を行う場合（法第75条第3項の規定による判定を行う場合、法第75条の2第3項の規定による判定を行う場合及び法第75条の3第3項の規定による判定を行う場合をいう。以下同じ。）以外の場合にあっては、協定規則第117号の規則6.1.から6.4.の規定にかかわらず、協定規則第117号第3改訂版の規則4.（4.3.及び4.4.を除く。）及び6.（6.1.及び6.3.にあっては同規則に規定するステージ2に係る要件に限る。）に定める基準とする。ただし、型式の指定等による判定を行う場合（法第75条第3項の規定による判定を行う場合、法第75条の2第3項の規定による判定を行う場合及び法第75条の3第3項の規定による判定を行う場合をいう。以下同じ。）以外の場合にあっては、協定規則第117号第3改訂版の規則6.1.及び6.3.の規定にかかわらず、協定規則第117号第3改訂版の規則8.3.及び8.4.の規定」又は「協定規則第117号第2改訂版補足第14改訂版の規則4.（4.3.及び4.4.を除く。）及び6.（6.1.及び6.3.にあっては同規則に規定するステージ2に係る要件に限る。）に定める基準とする。ただし、型式の指定等による判定を行う場合（法第75条第3項の規定による判定を行う場合、法第75条の2第3項の規定による判定を行う場合及び法第75条の3第3項の規定による判定を行う場合をいう。以下同じ。）以外の場合にあっては、協定規則第117号第2改訂版補足第14改訂版の規則6.1.及び6.3.の規定にかかわらず、協定規則第117号第2改訂版補足第14改訂版の規則8.3.及び8.4.の規定」と読み替えることができる。

一　令和八年七月六日以前に製作された自動車

二　令和八年七月七日から令和九年七月六日までに製作された自動車であって、次に掲げるもの

イ　令和八年七月六日以前に指定を受けた型式指定自動車

ロ　令和八年七月七日以降に新たに指定を受けた型式指定自動車であって、令和八年七月六日以前に指定を受けた型式指定自動車とタイヤの性能に変更がないもの

ハ　国土交通大臣が定める自動車

三　令和九年七月六日以前に発行された出荷検査証に係る自動車であって、当該出荷検査証の発行後十一月を経過しない間に新規検査又は予備検査を受けようとし、又は受けたもの

17　次に掲げる自動車（細目告示第十一条第三項第二号ロを適用するタイヤを備えるものに限る。以下この項において同じ。）については、細目告示第十一条第三項第三号の規定中「協定規則第117号の規則4.（4.3.を除く。）及び6.（6.2.にあっては同規則に規定するステージ3に係る要件、6.3.にあっては同規則に規定するステージ2に係る要件及び6.6.にあっては6.6.2.に規定する要件に限る。）に定める基準とする。ただし、型式の指定等による判定を行う場合（法第75条第3項の規定による判定を行う場合、法第75条の2第3項の規定による判定を行う場合及び法第75条の3第3項の規定による判定を行う場合をいう。以下同じ。）以外の場合にあっては、協定規則第117号の規則6.1.から6.4.までの規定にかかわらず、協定規則第117号の規則8.3.から8.5.までの規定」とあるのは、「協定規則第117号の規則4.（4.3.を除く。）及び6.に定める基準とする。ただし、型式の指定等を行う場合（法第75条第3項の規定による判定を行う場合、法第75条の2第3項の規定による判定を行う場合及び法第75条の3第3項の規定による判定を行う場合をいう。以下同じ。）以外の場合にあっては、協定規則第117号の規則6.1.から6.4.までの規定にかかわらず、協定規則第117号の規則8.3.から8.5.までの規定」又は「協定規則第117号第2改訂版補足第14改訂版の規則4.（4.3.及び4.4.を除く。）及び6.（6.1.及び6.3.にあっては同規則に規定するステージ2に係る要件に限る。）に定める基準とする。ただし、型式の指定等を行う場合（法第75条第3項の規定による判定を行う場合、法第75条の2第3項の規定による判定を行う場合及び法第75条の3第3項の規定による判定を行う場合をいう。以下同じ。）以外の場合にあっては、協定規則第117号第2改訂版補足第14改訂版の規則6.1.及び6.3.の規定にかかわらず、協定規則第117号第2改訂版補足第14改訂版の規則8.3.及び8.4.の規定」と読み替えることができる。

一　令和十年八月三十一日以前に製作された自動車

二　令和十年九月一日から令和十一年八月三十一日までに製作された自動車であって、次に掲げるもの

イ　令和十年八月三十一日以前に指定を受けた型式指定自動車

ロ　令和十年九月一日以降に新たに指定を受けた型式指定自動車であって、令和十年八月三十一日以前に指定を受けた型式指定自動車とタイヤの性能に変更がないもの

ハ　国土交通大臣が定める自動車

三　令和十一年八月三十一日以前に発行された出荷検査証に係る自動車であって、当該出荷検査証の発行後十一月を経過しない間に新規検査又は予備検査を受けようとし、又は受けたもの

18　次に掲げる自動車（細目告示第十一条第三項第二号ロを適用するタイヤを備えるものに限る。以下この項において同じ。）については、細目告示第十一条第三項第三号の規定中「協定規則第117号の規則4.（4.3.を除く。）及び6.（6.2.にあっては同規則に規定するステージ2に係る要件、6.3.にあっては同規則に規定するステージ3に係る要件及び6.6.にあっては6.6.2.に規定する要件に限る。）に定める基準」とあるのは、「協定規則第117号の規則4.（4.3.を除く。）及び6.（6.2.にあっては同規則に規定するステージ2及び6.3.にあっては同規則に規定するステージ3に係る要件に限る。）に定める基準」と読み替えることができる。

一　令和十年九月一日から令和十二年八月三十一日までに製作された自動車

二　令和十二年九月一日から令和十三年八月三十一日までに製作された自動車であって、次に掲げるもの

イ　令和十年九月一日から令和十二年八月三十一日までに指定を受けた型式指定自動車

ロ　令和十二年九月一日以降に新たに指定を受けた型式指定自動車であって、令和十年九月一日から令和十二年八月三十一日までに指定を受けた型式指定自動車とタイヤの性能に変更がないもの

ハ　国土交通大臣が定める自動車

三　令和十三年八月三十一日以前に発行された出荷検査証に係る自動車であって、当該出荷検査証の発行後十一月を経過しない間に新規検査又は予備検査を受けようとし、又は受けたもの

（操縦装置）

第六条　昭和五十年十一月三十日以前に製作された自動車については、保安基準第十条並びに細目告示第十二条、第九十条及び第百六十八条の規定にかかわらず、次の基準に適合するものであればよい。

一　自動車の運転に際して操作を必要とする左の装置は、かじ取ハンドルの中心から左右それぞれ五百ミリメートル以内に配置され、運転者が定位置において容易に操作できるものでなければならない。

イ　始動装置、加速装置、点火時期調節装置、噴射時期調節装置、クラッチ、変速装置その他の原動機及び動力伝達装置の操作装置

ロ　制動装置の操作装置

ハ　前照灯、警音器、方向指示器、窓ふき器及び洗浄液噴射装置の操作装置

二　前号イに掲げる装置（始動装置、加速装置、クラッチ及び変速装置の操作装置を除く。）及び同号ハに掲げる装置（方向指示器の操作装置を除く。）又はその附近には、当該装置を運転者が運転者席において容易に識別できるような表示をしなければならない。

三　変速装置の操作装置又はその附近には、変速段ごとの操作位置を運転者が運転者席において容易に識別できるような表示をしなければならない。

四　方向指示器の操作装置又はその附近には、当該方向指示器が指示する方向ごとの操作位置を運転者が運転者席において容易に識別できるような表示をしなければならない。

2　次の表の上欄に掲げる自動車については、前項の規定のうち同表の下欄に掲げる規定は、適用しない。

自動車	条項
一　昭和二十六年十二月三十一日以前に製作された自動車	第一号（配置寸法に関する部分に限る。）
二　昭和四十八年十一月三十日以前に製作された自動車	第二号から第四号まで

3　平成三十一年一月三十一日以前に製作された専ら乗用の用に供する乗車定員十人以上の自動車であって車両総重量が五トンを超えるもの及び貨物の運送の用に供する自動車であって車両総重量が十二トンを超えるものについては、細目告示第十二条第二項、第九十条第二項及び第四項並びに第百六十八条第二項及び第四項の規定にかかわらず、道路運送車両の保安基準の細目を定める告示の一部を改正する告示（平成二十五年国土交通省告示第八百二十六号）による改正前の細目告示第十二条、第九十条及び第百六十八条の規定に適合するものであればよい。

4　平成二十九年一月三十一日以前に製作された自動車（専ら乗用の用に供する乗車定員十人以上の自動車であって車両総重量が五トンを超えるもの、貨物の運送の用に供する自動車であって車両総重量が十二トンを超えるもの、二輪自動車、側車付二輪自動車、三輪自動車、カタピラ及びそりを有する軽自動車、大型特殊自動車、小型特殊自動車並びに被牽引自動車を除く。）については、細目告示第十二条第二項、第九十条第二項及び第四項並びに第百六十八条第二項及び第四項の規定にかかわらず、道路運送車両の保安基準の細目を定める告示の一部を改正する告示（平成二十五年国土交通省告示第八百二十六号）による改正前の細目告示第十二条、第九十条及び第百六十八条の規定に適合するものであればよい。

5　平成二十九年六月三十日以前に製作された自動車（二輪自動車に限る。）については、細目告示第十二条第三項、第九十条第三項及び第四項並びに第百六十八条第三項及び第四項の規定にかかわらず、道路運送車両の保安基準の細目を定める告示の一部を改正する告示（平成二十六年国土交通省告示第六百七十五号）による改正前の細目告示第十二条第一項、第九十条第一項及び第百六十八条第一項の規定に適合するものであればよい。

6　次の各号に掲げる専ら乗用の用に供する乗車定員十人以上の自動車であって車両総重量が五トンを超えるもの及び貨物の運送の用に供する自動車であって車両総重量が十二トンを超えるものについては、細目告示第十二条第二項、第九十条第二項及び第百六十八条第二項の規定にかかわらず、道路運送車両の保安基準の細目を定める告示の一部を改正する告示（平成二十七年国土交通省告示第七百二十三号）による改正前の細目告示第十二条第二項、第九十条第二項及び第百六十八条第二項の規定に適合するものであればよい。

一　平成三十一年一月三十一日以前に製作された自動車

二　平成三十一年二月一日以降に製作された自動車であって、次に掲げるもの

イ　平成三十一年一月三十一日以前に指定を受けた型式指定自動車

ロ　平成三十一年二月一日以降に新たに指定を受けた型式指定自動車であって、平成三十一年一月三十一日以前に指定を受けた型式指定自動車とインストルメント・パネルの基本構造が同一であるもの

ハ　国土交通大臣が定める自動車

7　次の各号に掲げる自動車（専ら乗用の用に供する乗車定員十人以上の自動車であって車両総重量が五トンを超えるもの、貨物の運送の用に供する自動車であって車両総重量が十二トンを超えるもの、二輪自動車、側車付二輪自動車、三輪自動車、カタピラ及びそりを有する軽自動車、大型特殊自動車、小型特殊自動車並びに被牽引自動車を除く。）については、細目告示第十二条第二項、第九十条第二項及び第百六十八条第二項の規定にかかわらず、道路運送車両の保安基準の細目を定める告示の一部を改正する告示（平成二十七年国土交通省告示第七百二十三号）による改正前の細目告示第十二条第二項、第九十条第二項及び第百六十八条第二項の規定に適合するものであればよい。

一　平成二十九年六月十四日以前に製作された自動車

二　平成二十九年六月十五日以降に製作された自動車であって、次に掲げるもの

イ　平成二十九年六月十四日以前に指定を受けた型式指定自動車

ロ　平成二十九年六月十五日以降に新たに指定を受けた型式指定自動車であって、平成二十九年六月十四日以前に指定を受けた型式指定自動車とインストルメント・パネルの基本構造が同一であるもの

ハ　国土交通大臣が定める自動車

（かじ取装置）

第七条　昭和四十八年九月三十日以前に製作された自動車については、保安基準第十一条の規定並びに同項の規定に基づく細目告示第十三条、第九十一条及び第百六十九条の規定にかかわらず、次の基準に適合するものであればよい。

一　かじ取装置は、堅ろうで、安全な運行を確保できるものであること。

二　かじ取装置は、運転者が定位置において容易に、かつ、確実に操作できるものであること。

三　かじ取装置は、かじ取時に車枠、フェンダ等自動車の他の部分と接触しないこと。

四　かじ取ハンドルの回転角度とかじ取車輪のかじ取角度との関係は、左右について著しい相違がないこと。

五　かじ取ハンドルの操だ力は、左右について著しい相違がないこと。

2　昭和四十八年十月一日から平成二十一年八月三十一日までに製作された専ら乗用の用に供する自動車（次の各号に掲げる自動車を除く。）のかじ取装置は、保安基準第十一条第二項の規定並びに同項の規定に基づく細目告示第十三条第四項、第九十一条第四項及び第百六十九条第二項の規定にかかわらず、道路運送車両の保安基準の細目を定める告示の一部を改正する告示（平成十七年国土交通省告示第千四百三十七号）による改正前の細目告示第十三条第二項、第九十一条第二項及び第百六十九条第二項で定める基準に適合するものであればよい。

一　乗車定員十一人以上の自動車

二　二輪自動車

三　側車付二輪自動車

四　カタピラ及びそりを有する軽自動車

五　最高速度五十キロメートル毎時未満の自動車

六　かじ取ハンドル軸の中心線と当該中心線を通り車両中心線に平行な直線とのなす角度が三十五度を超える構造のかじ取装置を備えた自動車

七　平成十九年九月一日以降に指定を受けた型式指定自動車（平成十九年八月三十一日以前に指定を受けた型式指定自動車とかじ取装置における運転者の保護に係る性能が同一であるもの及びかじ取装置に係る改造を行ったものを除く。）

3　次の各号に掲げる自動車については、保安基準第十一条第二項並びに同項の規定に基づく細目告示第十三条第四項、第九十一条第四項及び第百六十九条第二項の規定は適用しない。

一　昭和四十八年十月一日から平成二十一年八月三十一日までに製作された専ら乗用の用に供する自動車であって次に掲げる自動車

イ　最高速度五十キロメートル毎時未満の自動車

ロ　かじ取ハンドル軸の中心線と当該中心線を通り車両中心線に平行な直線とのなす角度が三十五度を超える構造のかじ取装置を備えた自動車

二　次に掲げる貨物の運送の用に供する自動車

イ　平成二十三年三月三十一日以前に製作された自動車

ロ　平成二十三年四月一日から平成二十八年三月三十一日までに製作された自動車（平成二十三年四月一日以降に指定を受けた型式指定自動車を除く。）

ハ　平成二十三年四月一日から平成二十八年三月三十一日までに製作された自動車であって平成二十三年四月一日以降に指定を受けた型式指定自動車（平成二十三年三月三十一日以前に指定を受けた型式指定自動車とかじ取装置における運転者の保護に係る性能が同一であるもの及びかじ取装置に係る改造を行ったものに限る。）

4　平成二十四年六月三十日以前に製作された自動車については、道路運送車両の保安基準の細目を定める告示等の一部を改正する告示（平成二十三年国土交通省告示第六百七十号）による改正前の細目告示別添6の3・1・2・の規定中「協定規則第九十四号改訂版の補足第三改訂版規則5・2・2・の規定」を「道路運送車両の保安基準の細目を定める告示の一部を改正する告示（平成十九年国土交通省告示第八十九号）による改正前の細目告示別添百四「オフセット衝突時の乗員保護の技術基準」3・2・2・の規定」と、同別添6の3・2・1・の規定中「協定規則第九十四号改訂版の補足第三改訂版規則5・2・1・4・及び5・2・1・5・の規定」を「道路運送車両の保安基準の細目を定める告示の一部を改正する告示（平成十九年国土交通省告示第八十九号）による改正前の細目告示別添百四「オフセット衝突時の乗員保護の技術基準」3・2・1・4・及び3・2・1・5・の規定」と読み替えるものとする。

5　電力により作動する原動機を有する自動車以外の自動車（平成二十五年六月二十三日以降に指定を受けた型式指定自動車及び国土交通大臣が指定する自動車を除く。）については、細目告示第十三条第四項及び第九十一条第四項の規定にかかわらず、道路運送車両の保安基準の細目を定める告示等の一部を改正する告示（平成二十三年国土交通省告示第六百七十号）による改正前の細目告示第十三条第二項及び第九十一条第二項の規定に適合するものであればよい。

6　平成二十八年六月二十二日以前に製作された電力により作動する原動機を有する自動車（平成二十六年六月二十三日以降に指定を受けた型式指定自動車及び国土交通大臣が定める自動車を除く。）については、細目告示第十三条第四項及び第九十一条第四項の規定にかかわらず、道路運送車両の保安基準の細目を定める告示等の一部を改正する告示（平成二十三年国土交通省告示第六百七十号）による改正前の細目告示第十三条第二項及び第九十一条第二項の規定に適合するものであればよい。

7　令和元年六月三十日以前に製作された専ら乗用の用に供する乗車定員十人以上の自動車であっ

て車両総重量五トンを超えるもの、貨物の運送の用に供する自動車であって車両総重量十二トンを超えるもの及び被牽引自動車（平成二十九年七月一日以降に指定を受けた型式指定自動車及び国土交通大臣が定める自動車を除く。）については、細目告示第十三条第二項及び第九十一条第二項の規定にかかわらず、道路運送車両の保安基準の細目を定める告示の一部を改正する告示（平成二十六年国土交通省告示第六百七十五号）による改正前の細目告示第十三条第一項及び第九十一条第一項の規定に適合するものであればよい。

8　平成三十年六月三十日以前に製作された専ら乗用の用に供する自動車（乗車定員十人以上の自動車であって車両総重量五トンを超えるもの及び被牽引自動車を除く。）及び貨物の運送の用に供する自動車（被牽引自動車を除く。）であって車両総重量十二トン以下のもの（平成二十八年七月一日以降に指定を受けた型式指定自動車及び国土交通大臣が定める自動車を除く。）については、細目告示第十三条第二項及び第九十一条第二項の規定にかかわらず、道路運送車両の保安基準の細目を定める告示の一部を改正する告示（平成二十六年国土交通省告示第六百七十五号）による改正前の細目告示第十三条第一項及び第九十一条第一項の規定に適合するものであればよい。

9　平成二十九年一月三十一日以前に製作された自動車については、細目告示第十三条第五項、第九十一条第六項及び第百六十九条第三項の規定は、適用しない。

10　次の各号に掲げる自動車（二輪自動車、側車付二輪自動車、三輪自動車、カタピラ及びそりを有する軽自動車、大型特殊自動車並びに小型特殊自動車を除く。以下この項において同じ。）については、細目告示第十三条第二項及び第九十一条第二項の規定にかかわらず、道路運送車両の保安基準の細目を定める告示等の一部を改正する告示（平成二十九年国土交通省告示第九百六号）第一条による改正前の細目告示第十三条第二項及び第九十一条第二項の規定に適合するものであればよい。

一　令和元年九月三十日（赤色の光学警報信号を表示することができない自動車にあっては令和二年三月三十一日）以前に製作された自動車

二　令和元年十月一日から令和三年三月三十一日まで（赤色の光学警報信号を表示することができない自動車にあっては令和二年四月一日から令和五年三月三十一日まで）に製作された自動車（自動操舵機能及び補正操舵機能のいずれをも有しないものを除く。）であって、次に掲げるもの

イ　令和元年九月三十日（赤色の光学警報信号を表示することができない自動車にあっては令和二年三月三十一日）以前に指定を受けた型式指定自動車

ロ　令和元年十月一日（赤色の光学警報信号を表示することができない自動車にあっては令和二年四月一日）以降に新たに指定を受けた型式指定自動車であって、令和元年九月三十日（赤色の光学警報信号を表示することができない自動車にあっては令和二年三月三十一日）以前に指定を受けた型式指定自動車とかじ取装置の性能が同一のもの

ハ　国土交通大臣が定める自動車

三　令和元年十月一日（赤色の光学警報信号を表示することができない自動車にあっては令和二年四月一日）以降に製作された自動車（自動操舵機能及び補正操舵機能のいずれをも有しないものに限る。）であって、次に掲げるもの

イ　令和元年九月三十日（赤色の光学警報信号を表示することができない自動車にあっては令和二年三月三十一日）以前に指定を受けた型式指定自動車

ロ　令和元年十月一日（赤色の光学警報信号を表示することができない自動車にあっては令和二年四月一日）以降に新たに指定を受けた型式指定自動車であって、令和元年九月三十日（赤色の光学警報信号を表示することができない自動車にあっては令和二年三月三十一日）以前に指定を受けた型式指定自動車とかじ取装置の性能が同一のもの

ハ　国土交通大臣が定める自動車

四　令和三年三月三十一日（赤色の光学警報信号を表示することができない自動車にあっては令和五年三月三十一日）以前に発行された出荷検査証に係る自動車であって、当該出荷検査証の発行後十一月を経過しない間に新規検査又は予備検査を受けようとし、又は受けたもの

11　次の各号に掲げる自動車（二輪自動車、側車付二輪自動車、三輪自動車、カタピラ及びそりを有する軽自動車、大型特殊自動車並びに小型特殊自動車を除く。以下この項において同じ。）については、細目告示第十三条第二項及び第九十一条第二項の規定にかかわらず、道路運送車両の保安基準の細目を定める告示等の一部を改正する告示（平成三十年国土交通省告示第千百七十五号）第一条による改正前の細目告示第十三条第二項及び第九十一条第二項の規定に適合するものであればよい。ただし、協定規則第七十九号に定める自動命令型操舵機能（同規則の2・3・4・1・3・、2・3・4・1・5・及び2・3・4・1・6・（運転者異常時対応システムを備えない自動車に係るものに限る。）に係るものを除く。）を備える自動車にあっては、この限りでない。

一　令和三年三月三十一日以前に製作された自動車

二　令和三年四月一日から令和五年三月三十一日までに製作された自動車（かじ取装置に係る電波障害防止装置を有しないものを除く。）であって、次に掲げるもの

イ　令和三年三月三十一日以前に指定を受けた型式指定自動車

ロ　令和三年四月一日以降に新たに指定を受けた型式指定自動車であって、令和三年三月三十一日以前に指定を受けた型式指定自動車とかじ取装置の性能が同一のもの

ハ　国土交通大臣が定める自動車

三　令和三年四月一日以降に製作された自動車（かじ取装置に係る電波障害防止装置を有しないものに限る。）であって、次に掲げるもの

イ　令和三年三月三十一日以前に指定を受けた型式指定自動車

ロ　令和三年四月一日以降に新たに指定を受けた型式指定自動車であって、令和三年三月三十一日以前に指定を受けた型式指定自動車とかじ取装置の性能が同一のもの

ハ　国土交通大臣が定める自動車

四　令和五年三月三十一日以前に発行された出荷検査証に係る自動車であって、当該出荷検査証の発行後十一月を経過しない間に新規検査又は予備検査を受けようとし、又は受けたもの

12　次に掲げる自動車以外の自動車については、細目告示第九十一条第二項及び第百六十九条第一項の規定にかかわらず、当分の間、道路運送車両の保安基準の細目を定める告示及び道路運送車両の保安基準第二章及び第三章の規定の適用関係の整理のため必要な事項を定める告示の一部を改正する告示（令和二年国土交通省告示第七百八十八号）による改正前の細目告示第九十一条第二項及び第百六十九条第一項の規定に適合するものであればよい。

一　令和三年十月一日（輸入された自動車にあっては令和四年十月一日）以降に新たに指定を受けた型式指定自動車のうち、指定を受けた時点における細目告示別添百二十四「継続検査等に用いる車載式故障診断装置の技術基準」1・に規定する対象装置の性能が令和三年九月三十日（輸入された自動車にあっては令和四年九月三十日）以前に指定を受けた型式指定自動車と同一でなく、かつ、指定を受けた日から起算して二年を経過したもの（新規登録（軽自動車にあっては新規検査）を初めて受けた日の属する月の前月の末日から起算して十月を経過したものに限る。）

二　国土交通大臣が定める自動車

13　令和四年九月三十日（輸入された自動車にあっては令和五年九月三十日）以前に指定を受けた型式指定自動車及び国土交通大臣が定める自動車については、令和六年九月三十日（輸入された自動車にあっては令和七年九月三十日）までの間、細目告示第九十一条第二項及び第百六十九条第一項の規定にかかわらず、道路運送車両の保安基準の細目を定める告示及び道路運送車両の保安基準第二章及び第三章の規定の適用関係の整理のため必要な事項を定める告示の一部を改正する告示（令和二年国土交通省告示第七百八十八号）による改正前の細目告示第九十一条第二項及び第百六十九条第一項の規定に適合するものであればよい。

14　長さ二・五〇メートル、幅一・三〇メートル、高さ二・〇〇メートルを超えない軽自動車であって、最高速度六十キロメートル毎時以下のもののうち、高速自動車国道等（高速自動車国道（高速自動車国道法（昭和三十二年法律第七十九号）第四条第一項に規定する道路をいう。）又は自動車専用道路（道路法（昭和二十七年法律第百八十号）第四十八条の四に規定する自動車専用道路をいう。）をいう。以下同じ。）において運行しないもの（細目告示第二節の規定の適用を受ける自動車を除く。以下同じ。）については、当該自動車のかじ取装置の運転者の保護に係る性能に関し、保安基準第十一条第二項の告示で定める基準は、当分の間、細目告示第十三条第四項の規定にかかわらず、次に掲げる基準とすることができる。

一　協定規則第十二号の規則5・（5・5・を除く。）及び6・に定める基準に適合すること。この場合において、協定規則第十二号の規則5・1・2・、5・2・1・及び5・6・の規定の適用については、協定規則第九十四号の附則三の4・の規定中「56－0／＋1km／h」とあるのは「40－0／＋1km／h」と、協定規則第百三十七号の附則三の4・の規定中「50－0／＋1km／h」とあるのは「40－0／＋1km／h」とそれぞれ読み替えるものとする。

二　第十五条第三十三項第二号に規定する標識を当該自動車の後面に見やすいように表示すること。ただし、既に当該標識を表示している場合は、この限りでない。

15　次に掲げる自動車（二輪自動車、側車付二輪自動車、三輪自動車、カタピラ及びそりを有する軽自動車、大型特殊自動車並びに小型特殊自動車を除く。以下この項において同じ。）については、細目告示第十三条第二項及び第九十一条第二項の規定にかかわらず、道路運送車両の保安基準の細目を定める告示等の一部を改正する告示（令和四年国土交通省告示第十号）による改正前の細目告示第十三条第二項及び第九十一条第二項に適合するものであればよい。この場合において、当該細目告示第十三条第二項及び第九十一条第二項中「協定規則第79号」を「協定規則第79号第3改訂版補則第5改訂版」と読み替えることができる。

一　令和五年八月三十一日以前に製作された自動車

二　令和五年九月一日から令和七年八月三十一日までに製作された自動車であって、次に掲げるもの

イ　令和五年八月三十一日以前に指定を受けた型式指定自動車

ロ　令和五年九月一日以降に新たに指定を受けた型式指定自動車であって、令和五年八月三十一日以前に指定を受けた型式指定自動車と運転者異常時対応システムの性能が同一であるもの

ハ　国土交通大臣が定める自動車

三　令和七年八月三十一日以前に発行された出荷検査証に係る自動車であって、当該出荷検査証の発行後十一月を経過しない間に新規検査又は予備検査を受けようとし、又は受けたもの

四　協定規則第七十九号の規則5・1・6・3・9・の適用を受けない自動車

（施錠装置等）

第八条　平成十八年六月三十日（軽自動車にあっては平成二十年六月三十日、ハンドルバー方式のかじ取装置を備える二輪自動車、側車付二輪自動車及び三輪自動車にあっては平成十七年三月三十一日）以前に製作された自動車の原動機、動力伝達装置、走行装置、変速装置又はかじ取装置に備える施錠装置については、保安基準第十一条の二第二項の規定並びに細目告示第十四条第一項、第九十二条第一項及び第二項並びに第百七十条第一項及び第二項の規定にかかわらず、次の基準に適合するものであればよい。ただし、第三号の規定は、二輪自動車、側車付二輪自動車並びにカタピラ及びそりを有する軽自動車には、適用しない。

一　その作動により、施錠装置を備えた装置の機能を確実に停止させることができる構造であること。

二　堅ろうであり、かつ、容易にその機能が損なわれ、又は作動を解除されることがない構造であること。

三　その作動中は、始動装置を操作することができないものであること。

四　走行中の振動、衝撃等により作動するおそれがないものであること。

2　昭和四十八年十一月三十日以前に製作された自動車及び平成十八年六月三十日（軽自動車にあっては平成二十年六月三十日）以前に製作された貨物の運送の用に供する自動車については、保安基準第十一条の二第一項の規定は、適用しない。

3　平成十八年六月三十日（軽自動車にあっては平成二十年六月三十日）以前に製作された自動車については、保安基準第十一条の二第三項の規定並びに細目告示第十四条第二項、第九十二条第三項及び第百七十条第三項の規定は、適用しない。

4　平成二十一年十二月三十一日以前に製作された自動車については、細目告示別添九4・4・1・の規定にかかわらず、道路運送車両の保安基準の細目を定める告示の一部を改正する告示（平成十八年国土交通省告示第千二百三号）による改正前の細目告示別添九4・4・1・の規定を適用することができる。

5　平成二十八年七月三十一日以前に製作された自動車については、細目告示別添九別紙一1・6・、1・8・及び2・3・の規定にかかわらず、道路運送車両の保安基準の細目を定める告示の一部を改正する告示（平成二十五年国土交通省告示第七百二十六号）による改正前の細目告示別添九別紙一1・6・、1・8・及び2・3・の規定を適用することができる。

6　平成二十八年八月一日以降に製作された自動車（外部から充電される電力により作動する原動機を有するものを除く。）及び平成二十八年十月二十八日以前に製作された自動車（外部から充電される電力により作動する原動機を有するものに限る。）については、細目告示別添九別紙一1・6・、1・8・及び2・3・中「協定規則第10号」とあるのは「協定規則第10号第3改訂版」と読み替えることができる。

7　次に掲げる二輪自動車等（細目告示第十四条第一項の二輪自動車等をいう。以下この項において同じ。）については、細目告示別添八の規定にかかわらず、道路運送車両の保安基準の細目を定める告示等の一部を改正する告示（令和二年国土交通省告示第千二十一号）による改正前の細目告示別添八の規定に適合するものであればよい。

一　令和四年八月三十一日以前に製作された二輪自動車等

二　令和四年九月一日から令和六年八月三十一日までに製作された二輪自動車等であって、次に掲げるもの

イ　令和四年八月三十一日以前に指定を受けた型式指定自動車

ロ　令和四年九月一日以降に新たに指定を受けた型式指定自動車であって、令和四年八月三十一日以前に指定を受けた型式指定自動車と施錠装置に係る機能及び性能が同一であるもの
ハ　国土交通大臣が定める自動車
三　令和六年八月三十一日以前に発行された出荷検査証に係る二輪自動車であって、当該出荷検査証の発行後十一月を経過しない間に新規検査又は予備検査を受けようとし、又は受けたもの

8　次に掲げる自動車については、細目告示第十四条第一項の規定にかかわらず、道路運送車両の保安基準の細目を定める告示等の一部を改正する告示（令和四年国土交通省告示第千四十号）による改正前の細目告示第十四条第一項の規定に適合するものであればよい。
一　令和五年十二月三十一日以前に製作された自動車
二　令和六年一月一日から令和八年四月三十日までに製作された自動車であって、次に掲げるもの
イ　令和五年十二月三十一日以前に指定を受けた型式指定自動車
ロ　令和六年一月一日以降に新たに指定を受けた型式指定自動車であって、令和五年十二月三十一日以前に指定を受けた型式指定自動車と施錠装置に係る性能が同一であるもの
ハ　国土交通大臣が定める自動車
三　令和八年四月三十日以前に発行された出荷検査証に係る自動車であって、当該出荷検査証の発行後十一月を経過しない間に新規検査又は予備検査を受けようとし、又は受けたもの

9　次に掲げる自動車については、細目告示第十四条第二項、第九十二条第三項及び第百七十条第三項の規定にかかわらず、道路運送車両の保安基準の細目を定める告示等の一部を改正する告示（令和四年国土交通省告示第千四十号）による改正前の細目告示第十四条第二項、第九十二条第三項及び第百七十条第三項の規定に適合するものであればよい。
一　令和五年十二月三十一日以前に製作された自動車
二　令和六年一月一日から令和八年四月三十日までに製作された自動車であって、次に掲げるもの
イ　令和五年十二月三十一日以前に指定を受けた型式指定自動車
ロ　令和六年一月一日以降に新たに指定を受けた型式指定自動車であって、令和五年十二月三十一日以前に指定を受けた型式指定自動車とイモビライザに係る性能が同一であるもの
ハ　国土交通大臣が定める自動車
三　令和八年四月三十日以前に発行された出荷検査証に係る自動車であって、当該出荷検査証の発行後十一月を経過しない間に新規検査又は予備検査を受けようとし、又は受けたもの

（制動装置）

第九条　平成十五年十二月三十一日以前に製作された自動車については、保安基準第十二条の規定並びに細目告示第十五条、第九十三条及び第百七十一条の規定にかかわらず、次の基準に適合するものであればよい。
一　自動車（次号から第五号までの自動車を除く。）には、次の基準に適合する独立に作用する二系統以上の制動装置を備えなければならない。
イ　制動装置は、堅ろうで運行に十分耐え、かつ、振動、衝撃、接触等により損傷を生じないように取り付けられていること。
ロ　制動装置は、かじ取り性能を損なわないで作用する構造及び性能を有すること。
ハ　主制動装置（走行中の自動車の制動に常用する制動装置をいう。以下同じ。）は、すべての車輪を制動すること。
ニ　主制動装置は、乾燥した平坦な舗装路面で、最高速度が七十五キロメートル毎時を超える

専ら乗用の用に供する自動車、最高速度が百キロメートル毎時を超える車両総重量三・五トン以下の自動車（専ら乗用の用に供する自動車を除く。）及び最高速度が七十五キロメートル毎時を超える車両総重量が三・五トンを超える自動車（専ら乗用の用に供する自動車を除く。）にあっては(1)及び(2)、それ以外の自動車にあっては(1)の計算式に適合する制動能力を有すること。この場合において、運転者の操作力は、七百ニュートン以下とする。

(1)　$S_1 \leqq 0.15V_1+0.0077V_1^2$

この場合において、原動機と走行装置の接続は断つこととし、

S_1は、停止距離（単位　メートル）

V_1は、制動初速度（その自動車の最高速度とする。ただし、次の表の上欄に掲げる自動車にあっては、同表の下欄に掲げる速度とする。）（単位　キロメートル毎時）

最高速度が六十キロメートル毎時を超える専ら乗用の用に供する自動車	六十
最高速度が六十キロメートル毎時を超える車両総重量が三・五トンを超える自動車（専ら乗用の用に供するものを除く。）	六十
最高速度が八十キロメートル毎時を超える車両総重量三・五トン以下の自動車（専ら乗用の用に供するものを除く。）	八十

(2)　$S_2 \leqq 0.15V_2+0.0097V_2^2$

この場合において、

S_2は、停止距離（単位　メートル）

V_2は、制動初速度（その自動車の最高速度の八十パーセントの速度とする。ただし、次の表の上欄に掲げる自動車にあっては、同表の下欄に掲げる速度とする。）（単位　キロメートル毎時）

最高速度が百二十五キロメートル毎時を超える専ら乗用の用に供する乗車定員十一人以上であって車両総重量五トン以下の自動車（牽引自動車であってセミトレーラを牽引するものを除く。）	百
最高速度が百十二・五キロメートル毎時を超える専ら乗用の用に供する乗車定員十一人以上であって車両総重量が五トンを超える自動車（牽引自動車であってセミトレーラを牽引するものを除く。）	九十
最高速度が百五十キロメートル毎時を超える車両総重量三・五トン以下の自動車（専ら乗用の用に供する自動車及び牽引自動車であってセミトレーラを牽引するものを除く。）	百二十
最高速度が百二十五キロメートル毎時を超える車両総重量が三・五トンを超える十二トン以下の自動車（専ら乗用の用に供する自動車及び牽引自動車であってセミトレーラを牽引するものを除く。）	百
最高速度が百十二・五キロメートル毎時を超える車両総重量が十二トンを超える自動車（専ら乗用の用に供する自動車及び牽引自動車であってセミトレーラを牽引するものを除く。）	九十

牽引自動車であってセミトレーラを牽引するもの　八十

ホ　主制動装置は、繰り返して制動を行った後においても、その制動効果に著しい支障を容易に生じないものであること。
ヘ　主制動装置は、その配管等の一部が損傷した場合においても、その制動効果に著しい支障を容易に生じないものであること。
ト　主制動装置は、回転部分及びしゅう動部分の間のすき間を自動的に調整できるものであること。ただし、次に掲げる主制動装置にあっては、この限りでない。
(1)　車両総重量三・五トン以下の自動車（専ら乗用の用に供する自動車を除く。）の後車輪に備える主制動装置
(2)　次に掲げる車両総重量が三・五トンを超え十二トン以下の自動車（専ら乗用の用に供する自動車を除く。）に備える主制動装置
(i)　全ての車輪に動力を伝達できる構造（一軸への動力伝達を切り離すことができる構造を含む。）の動力伝達装置を備える自動車
(ii)　前軸及び後軸のそれぞれ一軸以上に動力を伝達できる構造（一軸への動力伝達を切り離すことができる構造を含む。）の動力伝達装置及び一個以上の動力伝達装置の差動機の作動を停止又は制限できる装置を備え、かつ、四分の一こう配の坂路を登坂する能力を有する自動車
(3)　次に掲げる車両総重量が十二トンを超える自動車（専ら乗用の用に供する自動車を除く。）に備える主制動装置
(i)　全ての車輪に動力を伝達できる構造（一軸への動力伝達を切り離すことができる構造を含む。）の動力伝達装置を備える自動車
(ii)　半数以上の軸に動力を伝達できる構造の動力伝達装置及び一個以上の動力伝達装置の差動機の作動を停止又は制限できる装置を備え、かつ、四分の一こう配の坂路を登坂する能力を有する自動車
チ　主制動装置の制動液は、配管を腐食し、原動機等の熱の影響を受けることによって気泡を生ずる等により当該主制動装置の機能を損なわないものであること。
リ　主制動装置を除く制動装置（主制動装置を除く制動装置を二系統以上備える場合にはうち一系統）は、乾燥した平坦な舗装路面で、次の計算式に適合する制動能力を有し、かつ、乾燥した五十分の九こう配の舗装路面で、機械的作用により停止状態に保持できる性能を有すること。この場合において、運転者の操作力は、足動式のものにあっては七百ニュートン以下、手動式のものにあっては六百ニュートン以下とする。
$S \leqq 0.15V+0.0257V^2$
この場合において、
Sは、停止距離（単位　メートル）
Vは、制動初速度（その自動車の最高速度とする。ただし、最高速度が三十キロメートル毎時を超える自動車にあっては、三十とする。）（単位　キロメートル毎時）
ヌ　牽引自動車の制動装置のうち主制動装置を除くもの（主制動装置を除く制動装置を二系統以上備える場合にはうち一系統）は、被牽引自動車を連結した状態において、乾燥した二十五分の三こう配の舗装路面で、機械的作用により停止状態に保持できる性能を有すること。この場合において運転者の操作力は、足動式のものにあっては七百ニュートン以下、手動式のものにあっては六百ニュートン以下とする。
ル　液体の圧力により作動する主制動装置は、制動液の液量が容易に確認できる構造であり、かつ、その配管から制動液が漏れることにより制動効果に支障が生じたときにその旨を運転者席の運転者に警報する装置を備えたものであること。
ヲ　空気圧力、真空圧力又は蓄積された液体の圧力により作動する主制動装置は、制動に十分な圧力を蓄積する能力を有するものであり、かつ、圧力の変化により制動効果に著しい支障を来すおそれが生じたときにその旨を運転者席の運転者に警報する装置を備えたものであること。
ワ　専ら乗用の用に供する自動車であって車両総重量が十二トンを超えるもの（高速自動車国道等に係る路線以外の路線を定めて定期に運行する旅客自動車運送事業用自動車（旅客を運送する自動車運送事業の用に供する自動車をいう。以下同じ。）を除く。）及び車両総重量が七トンを超える牽引自動車の主制動装置は、走行中の自動車の制動に著しい支障を及ぼす車輪の回転運動の停止を有効に防止することができる装置を備えたものであること。
カ　走行中の自動車の制動に著しい支障を及ぼす車輪の回転運動の停止を有効に防止できる装置を備えた自動車にあっては、その装置が正常に作動しないおそれが生じたときにその旨を運転者席の運転者に警報する装置を備えたものであること。
ヨ　専ら乗用の用に供する自動車であって車両総重量が十トンを超えるもの（高速自動車国道等に係る路線以外の路線を定めて定期に運行する旅客自動車運送事業用自動車を除く。）の補助制動装置は、連続して制動を行った後においても、その制動効果に著しい支障を容易に生じないものであること。

二　専ら乗用の用に供する自動車であって乗車定員十一人未満のもの（次号から第五号までの自動車を除く。）には、次の基準に適合する独立に作用する二系統以上の制動装置を備えなければならない。
イ　制動装置は前号イからハまで、ホ、ヘ、チ、ル及びヲの基準に適合すること。
ロ　主制動装置は、乾燥した平坦な舗装路面で、最高速度が百二十五キロメートル毎時を超える自動車にあっては(1)及び(2)、それ以外の自動車にあっては(1)の計算式に適合する制動能力を有すること。この場合において、運転者の操作力は、五百ニュートン以下とする。
(1)　$S_1 \leqq 0.1V_1+0.006V_1^2$
この場合において、
S_1は、停止距離（単位　メートル）
V_1は、制動初速度（その自動車の最高速度とする。ただし、最高速度が百キロメートル毎時を超える自動車にあっては、百とする。）（単位　キロメートル毎時）
(2)　$S_2 \leqq 0.1V_2+0.0067V_2^2$
この場合において、
S_2は、停止距離（単位　メートル）
V_2は、制動初速度（その自動車の最高速度の八十パーセントの速度とする。ただし、最高速度の八十パーセントの速度が百六十キロメートル毎時を超える自動車にあっては、百六十とする。）（単位　キロメートル毎時）
ハ　主制動装置を除く制動装置（主制動装置を除く制動装置を二系統以上備える場合にはうち

一系統）は、乾燥した平坦な舗装路面で、次の計算式に適合する制動能力を有し、かつ、乾燥した五分の一こう配の舗装路面で、機械的作用により停止状態に保持できる性能を有すること。この場合において、運転者の操作力は、足動式のものにあっては五百ニュートン以下、手動式のものにあっては四百ニュートン以下とする。

$S \leqq 0.1V + 0.0257V^2$

この場合において、

Sは、停止距離（単位　メートル）

Vは、制動初速度（その自動車の最高速度とする。ただし、最高速度が三十キロメートル毎時を超える自動車にあっては、三十とする。）（単位　キロメートル毎時）

ニ　牽（けん）引自動車の制動装置のうち主制動装置を除くもの（主制動装置を除く制動装置を二系統以上備える場合にはうち一系統）は、被牽（けん）引自動車を連結した状態において、乾燥した二十五分の三こう配の舗装路面で、機械的作用により停止状態に保持できる性能を有すること。この場合において運転者の操作力は、足動式のものにあっては五百ニュートン以下、手動式のものにあっては四百ニュートン以下とする。

ホ　ハ及びニの制動装置は、作動しているときに、その旨を運転者席の運転者に警報する装置を備えたものであること。

ヘ　制動力を制御する電気装置を備えた主制動装置は、その装置が正常に作動しないおそれが生じたときにその旨を運転者席の運転者に警報する装置を備えたものであること。

三　二輪自動車及び側車付二輪自動車（最高速度二十キロメートル毎時未満の自動車及び第五号の自動車を除く。）には、次の基準に適合する二系統以上の制動装置を備えなければならない。

イ　制動装置は第一号イ、ロ、ホ、チ及びカの基準に適合すること。

ロ　主制動装置は、二個の独立した操作装置を有し、一個により前車輪を含む車輪を制動し、他の一個により後車輪を含む車輪を制動すること。

ハ　主制動装置は、乾燥した平坦な舗装路面で、(1)及び(2)の計算式に適合する制動能力を有すること。この場合において、運転者の操作力は、足動式のものにあっては三百五十ニュートン以下、手動式のものにあっては二百ニュートン以下とする。

(1)　$S_1 \leqq 0.1V_1 + \alpha V_1^2$

この場合において、原動機と走行装置の接続は断つこととし、

S_1は、停止距離（単位　メートル）

V_1は、制動初速度（その自動車の最高速度の九十パーセントの速度とする。ただし、最高速度の九十パーセントの速度が六十キロメートル毎時を超える自動車にあっては、六十とする。）（単位　キロメートル毎時）

αは、次の表の上欄に掲げる自動車の種別に応じ、同表の中欄に掲げる制動装置の作動状態において、同表の下欄に掲げる値とする。

自動車の種別	制動装置の作動状態	α
一個の操作装置で前輪及び後輪の制動装置を作動させることができない二輪自動車	前輪の制動装置のみを作動させる場合	〇・〇〇八七
	後輪の制動装置のみを作動させる場合	〇・〇一三三
一個の操作装置で前輪及び後輪の制動装置を作動させることができない側車付二輪自動車	前輪又は後輪の制動装置を作動させる場合	〇・〇一〇五
一個の操作装置で前輪及び後輪の制動装置を作動させることができる二輪自動車	主たる操作装置により前輪及び後輪の制動装置を作動させる場合	〇・〇〇七六
	主たる操作装置以外の操作装置により前輪のみ、後輪のみ又は前輪及び後輪の制動装置を作動させる場合	〇・〇一五四
一個の操作装置で前輪及び後輪の制動装置を作動させることができる側車付二輪自動車	主たる操作装置により前輪及び後輪の制動装置を作動させる場合	〇・〇〇七一
	主たる操作装置以外の操作装置により前輪のみ、後輪のみ又は前輪及び後輪の制動装置を作動させる場合	〇・〇一五四

(2)　$S_2 \leqq 0.1V_2 + 0.0067V_2^2$

S_2は、停止距離（単位　メートル）

V_2は、制動初速度（その自動車の最高速度の八十パーセントの速度とする。ただし、最高速度の八十パーセントの速度が百六十キロメートル毎時を超える自動車にあっては、百六十とする。）（単位　キロメートル毎時）

ニ　主制動装置は、雨水の付着等により、その制動効果に著しい支障を生じないものであること。

ホ　主制動装置を除く制動装置を備える自動車にあっては、当該制動装置（主制動装置を除く制動装置を二系統以上備える場合にはうち一系統）は、乾燥した五十分の九こう配の舗装路面で、機械的作用により停止状態に保持できる性能を有すること。この場合において、運転者の操作力は、足動式のものにあっては五百ニュートン以下、手動式のものにあっては四百ニュートン以下とする。

ヘ　液体の圧力により作動する主制動装置は、制動液の液量が容易に確認できる構造であること。

四　大型特殊自動車、農耕作業用小型特殊自動車、カタピラ及びそりを有する軽自動車並びに最高速度二十キロメートル毎時未満の自動車（次号の自動車を除く。）には、次の基準に適合する独立に作用する二系統以上の制動装置を備えなければならない。ただし、最高速度三十五キロメートル毎時未満の大型特殊自動車、農耕作業用小型特殊自動車及び最高速度二十キロメートル毎時未満の自動車にあってはこれを一系統とすることができ、かつ、ロ、ニ、ト及びリの基準に適合することを要しない。

イ　制動装置は、第一号イ、ロ及びチの基準に適合すること。

ロ　主制動装置は、後車輪を含む半数以上の車輪を制動すること。

ハ　主制動装置は、乾燥した平坦な舗装路面で、その自動車の最高速度に応じ次の表に掲げる制動能力を有すること。この場合において運転者の操作力は、足動式のものにあっては九百

ニュートン以下、手動式のものにあっては三百ニュートン以下とする。

最高速度（キロメートル毎時）	制動初速度（キロメートル毎時）	停止距離（メートル）
八十以上	五十	二十二以下
三十五以上八十未満	三十五	十四以下
二十以上三十五未満	二十	五以下
二十未満	その最高速度	五以下

ニ　主制動装置は、その配管（二以上の車輪への共用部分を除く。）の一部が損傷した場合においても二以上の車輪を制動することができる構造であること。ただし、非常用制動装置（主制動装置が故障したときに走行中の自動車の二以上の車輪を制動することができる制動装置をいう。）を備えた自動車にあっては、この限りでない。

ホ　制動装置（制動装置を二系統以上備える場合にはうち一系統）は、運転者が運転者席にいないとき、空車状態の自動車を乾燥した五分の一こう配の舗装路面で、機械的作用により停止状態に保持できる性能を有すること。この場合において、運転者の操作力は、足動式のものにあっては九百ニュートン以下、手動式のものにあっては五百ニュートン以下とする。

ヘ　牽引自動車にあっては、空車状態の被牽引自動車を連結した状態においてホの基準に適合すること。

ト　液体の圧力により作動する主制動装置は、その配管（二以上の車輪への共用部分を除く。）から制動液が漏れることにより制動効果に支障が生じたときに、その旨を運転者席の運転者に警報するブザその他の装置を備えたものであること。ただし、ニただし書の自動車にあっては、この限りでない。

チ　空気圧力又は真空圧力により作動する主制動装置は、制動に十分な圧力を蓄積する能力を有するものであり、かつ、圧力の変化により制動効果に支障を来すおそれが生じたときにその旨を運転者席の運転者に警報するブザその他の装置を備えたものであること。ただし、その圧力が零となった場合においてもハの基準に適合する構造を有する主制動装置については、この限りでない。

リ　車両総重量が七トンを超える牽引自動車の主制動装置は、走行中の自動車の制動に著しい支障を及ぼす車輪の回転運動の停止を有効に防止することができる装置及び当該装置が正常に作動しないおそれが生じたときにその旨を運転者席の運転者に警報するブザその他の装置を備えたものであること。

五　被牽引自動車には、次の基準に適合する二系統以上の制動装置を備えなければならない。

イ　制動装置は、第一号イ、ハ、ホ及びチの基準に適合すること。

ロ　主制動装置は、牽引自動車の主制動装置と連動して作用する構造であること。

ハ　主制動装置は、乾燥した平坦な舗装路面で、被牽引自動車のみの主制動装置を作動させることにより、セミトレーラにあっては(1)、それ以外の被牽引自動車にあっては(2)の計算式に適合する制動能力を有すること。

(1)　$S \leqq 0.15V+0.0086V^2$

(2)　$S \leqq 0.15V+0.0077V^2$

この場合において被牽引自動車を牽引する牽引自動車の原動機と走行装置の接続は断つこととし、

Sは、被牽引自動車単体の停止距離（単位　メートル）

Vは、制動初速度（被牽引自動車を牽引する牽引自動車の最高速度とする。ただし、最高速度が六十キロメートル毎時を超える牽引自動車に牽引される被牽引自動車にあっては、六十とする。）（単位　キロメートル毎時）

ニ　主制動装置は、回転部分及びしゅう動部分の間のすき間を自動的に調整できるものであること。ただし、車両総重量三・五トン以下の被牽引自動車及び最高速度二十キロメートル毎時未満の牽引自動車により牽引される被牽引自動車にあっては、この限りでない。

ホ　被牽引自動車の制動装置のうち主制動装置を除く制動装置（主制動装置を除く制動装置を二系統以上備える場合にはうち一系統）は、乾燥した五十分の九こう配の舗装路面で、機械的作用により停止状態に保持できる性能を有すること。この場合において、運転者の操作力は、六百ニュートン以下とする。

六　次に掲げる被牽引自動車の主制動装置は、前号ロの基準にかかわらず、被牽引自動車とこれを牽引する牽引自動車とが接近することにより作用する構造とすることができる。この場合においては、同号イ（第一号ホの基準に係る部分に限る。）及びハの基準に適合することを要しない。

イ　車両総重量三・五トン以下の被牽引自動車（セミトレーラを除く。）

ロ　最高速度二十キロメートル毎時未満の牽引自動車により牽引される被牽引自動車

ハ　最高速度三十五キロメートル毎時未満の大型特殊自動車及び農耕作業用小型特殊自動車により牽引される被牽引自動車で車両総重量二トン未満のもの（イ及びロに掲げるものを除く。）

七　車両総重量七百五十キログラム以下の被牽引自動車にあっては、当該被牽引自動車を牽引する牽引自動車の車両重量の二分の一を当該被牽引自動車の車両総重量が超えない場合には、前二号の規定にかかわらず、主制動装置を省略することができる。

2　次の表の上欄に掲げる自動車については、前項の規定のうち同表の下欄に掲げる規定は、適用しない。

自動車	条項
一　昭和三十五年三月三十一日以前に製作された自動車	第五号ホ
二　昭和四十三年七月三十一日以前に製作された自動車	第四号ニ
三　昭和四十五年五月三十一日以前に製作された自動車	第四号チ
四　昭和四十八年十一月三十日以前に製作された自動車	第四号ホ後段及びヘ（同号ホ後段の基準に係る部分に限る。）並びに第五号ホ後段
五　昭和四十八年十一月三十日以前に製作された自動車（貨物の運送の用に供する普通自動車であって車両総重量が八トン以上又は最大積載量が五トン以上のもの及び乗車定員三十人以上の普通自動車を除く。）	第四号ニ

六　昭和五十年三月三十一日以前に製作された自動車	第四号イ（第一号チの基準に係る部分に限る。）
七　昭和五十年十一月三十日以前に製作された自動車	第四号ト
八　平成三年九月三十日（専ら乗用の用に供する自動車であって車両総重量が十二トンを超えるもの（高速自動車国道等に係る路線を定めて定期に運行する旅客自動車運送事業用自動車以外のもの）にあっては、平成四年三月三十一日）以前に製作された自動車	第四号リ
九　平成七年八月三十一日以前に製作された車両総重量が十三トン以下の牽引自動車	第四号リ
十　車両総重量三・五トン以下の被牽引自動車であって平成十一年六月三十日以前に製作されたもの（平成九年十月一日以降に指定を受けた型式指定自動車を除く。）	第五号ハ及びニ、第六号後段並びに第七号
十一　車両総重量が三・五トンを超える被牽引自動車であって平成十二年六月三十日以前に製作されたもの（平成十年十月一日以降に指定を受けた型式指定自動車を除く。）	第五号ハ及びニ並びに第六号後段

3　次の表の第一欄に掲げる自動車については、第一項の規定のうち同表第二欄に掲げる規定は、同表第三欄に掲げる字句を同表第四欄に掲げる字句に読み替えて適用する。

自動車	条項	読み替えられる字句	読み替える字句
一　昭和三十五年三月三十一日以前に製作された自動車	第四号ただし書	以下	未満
二　昭和三十八年十月十四日以前に製作された自動車	第四号	最高速度三十五キロメートル毎時未満の大型特殊自動車	大型特殊自動車
三　昭和四十六年十二月三十一日以前に製作された自動車（乗車定員十人以下の旅客自動車運送事業用自動車を除く。）	第四号	適合することを要しない。	適合することを要しない。また、車両総重量二トン未満の自動車にあっては、これを一系統とすることができる。
四　昭和四十六年十二月三十一日以前に製作された自動車	第四号ホ及び第五号ホ	機械的作用により停止状態に	停止状態に
	第五号ホ	被牽引自動車の制動装置のうち主制動装置を除く制動装置（主制動装置を除く制動装置を二系統以上備える場合にはうち一系統）は、乾燥した五十分の九	制動装置（車両総重量二トン未満の被牽引自動車の制動装置を除く。）のうち一系統は、被牽引自動車に備えられた操作装置により操作できるものであり、かつ、空車状態の被牽引自動車を乾燥した五分の一
五　昭和四十八年十一月三十日以前に製作された自動車	第四号ハ	九百ニュートン	千二百ニュートン
六　第一項第一号の自動車であって次に掲げる被牽引自動車を牽引するもの イ　車両総重量三・五トン以下の被牽引自動車であって平成十一年六月三十日以前に製作されたもの（平成九年十月一日以降に指定を受けた型式指定自動車を除く。） ロ　車両総重量が三・五トンを超える被牽引自動車であって平成十二年六月三十日以前に製作されたもの（平成十年十月一日以降に指定を受けた型式指定自動車を除く。）	第一号ヌ	制動装置のうち主制動装置を除くもの（主制動装置を除く	制動装置（
		被牽引自動車	空車状態の被牽引自動車
		二十五分の三	五分の一
		七百ニュートン以下	九百ニュートン以下
		六百ニュートン以下	五百ニュートン以下
七　第一項第一号の自動車（軽自動車及び車両総重量が三・五トンを超える自動車に限る。）であって平成十二年六月三十日以前に製作さ	第四号リ	車両総重量	専ら乗用の用に供する自動車であって車両総重量が十二トンを超えるもの（高速自動車国道等に係る路線以外の路線を定

れたもの（平成十年十月一日以降に指定を受けた型式指定自動車を除く。）			めて定期に運行する旅客自動車運送事業用自動車を除く。）及び車両総重量
八　第六号イ及びロに掲げる被牽引自動車であって昭和四十七年一月一日以降に製作されたもの	第五号ホ	被牽引自動車の制動装置のうち主制動装置を除く制動装置（主制動装置を二系統以上備える場合はうち一系統）は、乾燥した五十分の九	制動装置のうち一系統は、被牽引自動車に備えられた操作装置により操作できるものであり、かつ、空車状態の被牽引自動車を乾燥した五分の一
九　第六号イ及びロに掲げる被牽引自動車	第五号イ	第一号イ、ハ、ホ及びチ	第一号イ
	第五号ホ	六百ニュートン	足動式のものにあっては九百ニュートン以下、手動式のものにあっては五百ニュートン
	第六号イ	三・五トン以下の被牽引自動車（セミトレーラを除く。）	七百五十キログラム以下の被牽引自動車及び車両総重量が七百五十キログラムを超え三・五トン以下の被牽引自動車（セミトレーラを除く。）

4　昭和三十五年三月三十一日以前に製作された自動車については、第一項第四号ハの規定は、「

二十五以上三十五未満	二十
十五以上二十五未満	十五
十五未満	その

」とあるのを「

二十以上三十未満	二十	五以下
二十未満	その最高速度	五以下

五	十以下
	五以下
最高速度	五以下

」と読み替えて適用する。

5　次の表の上欄に掲げる自動車については、同表の下欄に掲げる規定にかかわらず、第一項第四号（二輪自動車にあっては同号ニからトまでに係る部分を除き、側車付二輪自動車及び三輪自動車にあっては同号ニ及びトに係る部分を除く。）の規定を適用する。

自動車	条項
一　第一項第一号の自動車（軽自動車及び車両総重量が三・五トンを超える自動車を除く。）であって平成十一年六月三十日以前に製作されたもの（平成九年十月一日以降に指定を受けた型式指定自動車を除く。）	第一項第一号
二　第一項第一号の自動車（軽自動車及び車両総重量が三・五トンを超える自動車に限る。）であって平成十二年六月三十日以前に製作されたもの（平成十年十月一日以降に指定を受けた型式指定自動車を除く。）	第一項第一号
三　第一項第二号の自動車（原動機の相当部分が運転者室又は客室の下にある自動車及びすべての車輪に動力を伝達できる構造の動力伝達装置を備えた自動車であって車枠を有するものを除く。）であって平成七年十二月三十一日（輸入された自動車にあっては平成十一年三月三十一日）以前に製作されたもの（輸入された自動車以外の自動車であって平成六年四月一日以降に指定を受けた型式指定自動車を除く。）	第一項第二号
四　第一項第二号の自動車（原動機の相当部分が運転者室又は客室の下にある普通自動車及び小型自動車並びにすべての車輪に動力を伝達できる構造の動力伝達装置を備えた普通自動車及び小型自動車であって車枠を有するものに限る。）であって平成十一年六月三十日（輸入された自動車にあっては平成十四年九月三十日）以前に製作されたもの（輸入された自動車以外の自動車であって平成九年十月一日以降に指定を受けた型式指定自動車を除く。）	第一項第二号
五　第一項第二号の自動車（原動機の相当部分が運転者室又は客室の下にある軽自動車及びすべての車輪に動力を伝達できる構造の動力伝達装置を備えた軽自動車であって車枠を有するものに限る。）であって平成十二年六月三十日以前に製作されたもの（平成十年十月一日以降に指定を受けた型式指定自動車を除く。）	第一項第二号
六　第一項第三号の自動車であって平成十一年六月三十日以前に製作されたもの（平成九年十月一日以降に指定を受けた型式指定自動車及び型式認定自動車（施行規則第六十二条の三第一項の規定によりその型式について認定を受けた自動車をいう。以下同じ。）を除く。）	第一項第三号

6　専ら乗用の用に供する自動車であって乗車定員十人未満のもの（第一項第三号から第五号までの自動車を除く。）のうち国土交通大臣が定める自動車については、保安基準第十二条の規定並びに細目告示第十五条、第九十三条及び第百七十一条の規定にかかわらず、当分の間、第一項第二号の規定を適用することができる。この場合において、次の表の上欄に掲げる字句は、同表下欄に掲げる字句に読み替えるものとする。

読み替えられる字句	読み替える字句
十一人	十人
へ　制動力を制御する電気装置を備えた主制動装置は、その装置が正常に作動しないおそれが生じたときにその旨を運転者席の運転者に警報する装置を備えたものであること。	へ　制動力を制御する電気装置を備えた制動装置は、制動に十分な電気を蓄積する能力を有するものであり、かつ、その装置が正常に作動しないおそれが生じたときにその旨を運転者席の運転者に警報する装置を備えたものであること。 ト　主制動装置は、回転部分及びしゅう動部分の間のすき間を自動的に調整できるものであること。 チ　主制動装置は、しゅう動部分の摩耗が容易に確認できる構造であること。 リ　空気圧力、真空圧力又は蓄積された液体の圧力のみにより作動する主制動装置は、独立に作用する二系統以上の圧力を蓄積する装置を有するものであること。

7　平成二十一年六月十七日以前に製作された三輪自動車（次項に掲げるものを除く。）、平成二十一年六月十八日から平成二十三年六月十七日までに製作された三輪自動車（平成二十一年六月十八日以降に法第七十五条第一項の規定により型式の指定を受けた自動車を除く。）及び平成二十一年六月十八日以降に型式の指定を受けた自動車（平成十九年六月二十八日以前に型式の指定を受けた自動車と種別、車体の外形、燃料の種類、動力用電源装置の種類、動力伝達装置の種類及び主要構造、走行装置の種類及び主要構造、操縦装置の種類及び主要構造、懸架装置の種類及び主要構造、車枠並びに主制動装置の構造が同一であるものに限る。）には、細目告示第十五条第四項の規定にかかわらず、次の基準に適合する独立に作用する二系統以上の制動装置を備えればよいものとする。この場合において、ブレーキ・ペダル又はブレーキ・レバーからホイール・シリンダ又はブレーキ・チャンバまで（ホイール・シリンダ又はブレーキ・チャンバを有しない系統の場合にあっては、ブレーキ・シューを直接作動させるカム軸等まで）の部分がそれぞれの系統ごとに独立している構造の制動装置は、「独立に作用する二系統以上の制動装置」であるものとする。

一　道路運送車両の保安基準の細目を定める告示の一部を改正する告示（平成十九年国土交通省告示第八百五十四号）による改正前の細目告示別添十「トラック及びバスの制動装置の技術基準」に定める基準に適合すること。

二　制動装置は、堅ろうで運行に十分耐え、かつ、振動、衝撃、接触等により損傷を生じないように取り付けられているものであり、次に掲げるものでないこと。

イ　ブレーキ系統の配管又はブレーキ・ケーブル（配管又はブレーキ・ケーブルを保護するため、配管又はブレーキ・ケーブルに保護部材を巻きつける等の対策を施してある場合の保護部材は除く。）であって、ドラッグ・リンク、推進軸、排気管、タイヤ等と接触しているもの又は走行中に接触した痕跡があるもの

ロ　ブレーキ系統の配管又は接手部から、液漏れ又は空気漏れがあるもの又は他の部分との接触により液漏れや空気漏れが生じるおそれがあるもの

ハ　ブレーキ・ロッド又はブレーキ・ケーブルの連結部に緩みがあるもの

ニ　ブレーキ・ホースが著しくねじれて取り付けられているもの

ホ　ブレーキ・ペダルに遊びがないもの又は床面とのすきまがないもの

ヘ　ブレーキ・レバーに遊びがないもの又は引き代のないもの

ト　ブレーキ・レバーのラチェットが確実に作動しないもの

チ　イからトに掲げるもののほか、堅ろうでないもの又は振動、衝撃、接触等により損傷を生じないように取り付けられていないもの

三　主制動装置（走行中の自動車の制動に常用する制動装置をいう。以下同じ。）は、すべての車輪を制動すること。この場合において、ブレーキ・ディスク、ブレーキ・ドラム等の制動力作用面が、ボルト、軸、歯車等の強固な部品により車輪と結合されている構造は、「車輪を制動する」とされるものとする。

四　主制動装置の制動液は、配管を腐食し、原動機等の熱の影響を受けることによって気泡を生ずる等により当該主制動装置の機能を損なわないものであること。

五　液体の圧力により作動する主制動装置は、制動液の液量がリザーバ・タンクのふたを開けず容易に確認できる次に掲げるいずれかの構造を有するものであること。

イ　制動液のリザーバ・タンクが透明又は半透明であるもの

ロ　制動液の液面のレベルを確認できるゲージを備えたもの

ハ　制動液が減少した場合、運転者席の運転者に警報する液面低下警報装置を備えたもの

ニ　イからハに掲げるもののほか、制動液の液量がリザーバ・タンクのふたを開けず容易に確認できるもの

六　専ら乗用の用に供する自動車であって車両総重量が十二トンを超えるもの（高速自動車国道等に係る路線以外の路線を定めて定期に運行する旅客自動車運送事業用自動車を除く。）及び車両総重量が七トンを超える牽引自動車の主制動装置は、走行中の自動車の制動に著しい支障を及ぼす車輪の回転運動の停止を有効に防止することができる装置を備えたものであること。

8　平成二十一年六月十七日以前に製作された三輪自動車（専ら乗用の用に供する自動車であって乗車定員十人未満のものに限る。以下この項において同じ。）、平成二十一年六月十八日から平成二十三年六月十七日までに製作された三輪自動車（平成二十一年六月十八日以降に法第七十五条第一項の規定により型式の指定を受けた自動車を除く。）及び平成二十一年六月十八日から平成二十三年六月十七日までに製作された三輪自動車であって平成二十一年六月十八日以降に型式の指定を受けた自動車（平成十九年六月二十八日以前に型式の指定を受けた自動車と種別、車体の外形、燃料の種類、動力用電源装置の種類、動力伝達装置の種類及び主要構造、走行装置の種類及び主要構造、操縦装置の種類及び主要構造、懸架装置の種類及び主要構造、車枠並びに主制動装置の構造が同一であるものに限る。）には、細目告示第十五条第四項の規定にかかわらず、道路運送車両の保安基準の細目を定める告示の一部を改正する告示（平成十九年国土交通省告示第八百五十四号）による改正前の細目告示別添十二「乗用車の制動装置の技術基準」に定める基準に適合する独立に作用する二系統以上の制動装置を備えていればよいものとする。この場合において、前項後段の規定を準用する。ただし、同別添十二「乗用車の制動装置の技術基準」別紙三自動車の車軸間の制動力配分の基準5・2・(a)の規定中「3.1(A)の規定を満たすものであること。」とあ

るのは「3.1(A)の規定を満たすものであること又は後車軸の曲線が、0.15から0.8までのすべての制動比に対して直線 $z=0.9k$ の下にあること。」と、同別添別紙7乗用車の制動装置の電磁両立性に係る試験2・2・2・及び2・3・2・2・中「基準限界より25％高い」とあるのは「基準限界の80％の」と読み替えるものとする。

9　平成二十一年六月十七日以前に製作された二輪自動車及び側車付二輪自動車、平成二十一年六月十八日から平成二十三年六月十七日までに製作された二輪自動車及び側車付二輪自動車（平成二十一年六月十八日以降に型式の指定を受けた自動車及び型式の認定を受けた自動車を除く。）及び平成二十一年六月十八日から平成二十三年六月十七日までに製作された二輪自動車及び側車付二輪自動車であって平成二十一年六月十八日以降に型式の指定を受けた自動車及び型式の認定を受けた自動車（平成十九年六月二十八日以前に型式の指定を受けた自動車又は型式の認定を受けた自動車と種別、車体の外形、燃料の種類、動力用電源装置の種類、動力伝達装置の種類及び主要構造、走行装置の種類及び主要構造、操縦装置の種類及び主要構造、懸架装置の種類及び主要構造、車枠並びに主制動装置の構造が同一であるものに限る。）には、細目告示第十五条第四項の規定にかかわらず、次の基準に適合する二系統以上の制動装置を備えればよいものとする。

一　道路運送車両の保安基準の細目を定める告示の一部を改正する告示（平成十九年国土交通省告示第八百五十四号）による改正前の細目告示別添十三「二輪車の制動装置の技術基準」に定める基準に適合すること。

二　制動装置は第七項第二号及び第四号の基準に適合すること。

三　主制動装置は、二個の独立した操作装置を有し、一個により前車輪を含む車輪を制動し、他の一個により後車輪を含む車輪を制動すること。ただし、細目告示第二条第一項第四号ロの側車付二輪自動車であって、一個の操作装置により全ての車輪を制動する主制動装置を有するものにあっては、この限りでない。この場合において、第七項第三号後段の規定を準用する。

四　液体の圧力により作動する主制動装置は、制動液の液量がリザーバ・タンクのふたを開けず容易に確認できる次に掲げるいずれかの構造を有するものであること。

イ　制動液のリザーバ・タンクが透明又は半透明であるもの

ロ　制動液の液面のレベルを確認できるゲージを備えたもの

ハ　制動液が減少した場合、運転者席の運転者に警報する液面低下警報装置を備えたもの

ニ　イからハに掲げるもののほか、制動液の液量がリザーバ・タンクのふたを開けず容易に確認できるもの

10　平成二十一年六月十七日以前に製作された三輪自動車（次項に掲げるものを除く。）、平成二十一年六月十八日から平成二十三年六月十七日までに製作された三輪自動車（平成二十一年六月十八日以降に法第七十五条第一項の規定により型式の指定を受けた自動車を除く。）及び平成二十一年六月十八日から平成二十三年六月十七日までに製作された三輪自動車であって平成二十一年六月十八日以降に型式の指定を受けた自動車（平成十九年六月二十八日以前に型式の指定を受けた自動車と種別、車体の外形、燃料の種類、動力用電源装置の種類、動力伝達装置の種類及び主要構造、走行装置の種類及び主要構造、操縦装置の種類及び主要構造、懸架装置の種類及び主要構造、車枠並びに主制動装置の構造が同一であるものに限る。）には、細目告示第九十三条第四項及び第百七十一条第四項の規定にかかわらず、次の基準に適合する独立に作用する二系統以上の制動装置を備えればよいものとする。この場合において、ブレーキ・ペダル又はブレーキ・レバーからホイール・シリンダ又はブレーキ・チャンバまで（ホイール・シリンダ又はブレーキ・チャンバを有しない系統の場合にあっては、ブレーキ・シューを直接作動させるカム軸等まで）の部分がそれぞれの系統ごとに独立している構造の制動装置は、「独立に作用する二系統以上の制動装置」であるものとする。

一　自動車（指定自動車等以外の自動車であって新たに運行の用に供しようとするものに限る。）に備える制動装置は、道路運送車両の保安基準の細目を定める告示の一部を改正する告示（平成十九年国土交通省告示第八百五十四号）による改正前の細目告示別添十「トラック及びバスの制動装置の技術基準」に定める基準に適合すること。

二　制動装置は、堅ろうで運行に十分耐え、かつ、振動、衝撃、接触等により損傷を生じないように取り付けられているものであり、次に掲げるものでないこと。

イ　ブレーキ系統の配管又はブレーキ・ケーブル（配管又はブレーキ・ケーブルを保護するため、配管又はブレーキ・ケーブルに保護部材を巻きつける等の対策を施してある場合の保護部材は除く。）であって、ドラッグ・リンク、推進軸、排気管、タイヤ等と接触しているもの又は走行中に接触した痕跡があるもの若しくは接触するおそれがあるもの

ロ　ブレーキ系統の配管又は接手部から、液漏れ又は空気漏れがあるもの

ハ　ブレーキ・ロッド又はブレーキ・ケーブルに損傷があるもの又はその連結部に緩みがあるもの

ニ　ブレーキ・ロッド又はブレーキ系統の配管に溶接又は肉盛等の修理を行った部品（パイプを二重にして確実にろう付けした場合の銅製パイプを除く。）を使用しているもの

ホ　ブレーキ・ホース又はブレーキ・パイプに損傷があるもの

ヘ　ブレーキ・ホースが著しくねじれて取り付けられているもの

ト　ブレーキ・ペダルに遊びがないもの又は床面とのすきまがないもの

チ　ブレーキ・レバーに遊びがないもの又は引き代のないもの

リ　ブレーキ・レバーのラチェットが確実に作動しないもの又は損傷しているもの

ヌ　イからリに掲げるもののほか、堅ろうでないもの又は振動、衝撃、接触等により損傷を生じないように取り付けられていないもの

三　制動装置は、かじ取り性能を損なわないで作用する構造及び性能を有するものであり、かつブレーキの片ぎき等による横滑りをおこすものでないこと。

四　主制動装置（走行中の自動車の制動に常用する制動装置をいう。以下同じ。）は、すべての車輪を制動すること。この場合において、ブレーキ・ディスク、ブレーキ・ドラム等の制動力作用面が、ボルト、軸、歯車等の強固な部品により車輪と結合されている構造は、「車輪を制動する」とされるものとする。

五　主制動装置は、繰り返して制動を行った後においても、その制動効果に著しい支障を容易に生じないものであること。

六　主制動装置は、その配管等の一部が損傷した場合においても、その制動効果に著しい支障を容易に生じないものであること。

七　主制動装置は、回転部分及びしゅう動部分の間のすき間を自動的に調整できるものであること。ただし、次に掲げる主制動装置にあっては、この限りでない。

イ　車両総重量三・五トン以下の自動車（専ら乗用の用に供する自動車を除く。）の後車輪に備える主制動装置

ロ　次に掲げる車両総重量が三・五トンを超える十二トン以下の自動車（専ら乗用の用に供する自動車を除く。）に備える主制動装置

(1)　全ての車輪に動力を伝達できる構造（一軸への動力伝達を切り離すことができる構造を

含む。）の動力伝達装置を備える自動車

(2)　前軸及び後軸のそれぞれ一軸以上に動力を伝達できる構造（一軸への動力伝達を切り離すことができる構造を含む。）の動力伝達装置及び一個以上の動力伝達装置の差動機の作動を停止又は制限できる装置を備え、かつ、四分の一こう配の坂路を登坂する能力を有する自動車

ハ　次に掲げる車両総重量が十二トンを超える自動車（専ら乗用の用に供する自動車を除く。）に備える主制動装置

(1)　全ての車輪に動力を伝達できる構造（一軸への動力伝達を切り離すことができる構造を含む。）の動力伝達装置を備える自動車

(2)　半数以上の軸に動力を伝達できる構造の動力伝達装置及び一個以上の動力伝達装置の差動機の作動を停止又は制限できる装置を備え、かつ、四分の一こう配の坂路を登坂する能力を有する自動車

八　主制動装置の制動液は、配管を腐食し、原動機等の熱の影響を受けることによって気泡を生ずる等により当該主制動装置の機能を損なわないものであること。

九　液体の圧力により作動する主制動装置は、制動液の液量がリザーバ・タンクのふたを開けず容易に確認できる次に掲げるいずれかの構造を有するものであり、かつ、その配管から制動液が漏れることにより制動効果に支障が生じたときにその旨を運転者席の運転者に警報する装置を備えたものであること。

イ　制動液のリザーバ・タンクが透明又は半透明であるもの

ロ　制動液の液面のレベルを確認できるゲージを備えたもの

ハ　制動液が減少した場合、運転者席の運転者に警報する液面低下警報装置を備えたもの

ニ　イからハに掲げるもののほか、制動液の液量がリザーバ・タンクのふたを開けず容易に確認できるもの

十　空気圧力、真空圧力又は蓄積された液体の圧力により作動する主制動装置は、制動に十分な圧力を蓄積する能力を有するものであり、かつ、圧力の変化により制動効果に著しい支障を来すおそれが生じたときにその旨を運転者席の運転者に警報する装置を備えたものであること。

十一　専ら乗用の用に供する自動車であって車両総重量が十二トンを超えるもの（高速自動車国道等に係る路線以外の路線を定めて定期に運行する旅客自動車運送事業用自動車を除く。）及び車両総重量が七トンを超える牽引自動車の主制動装置は、走行中の自動車の制動に著しい支障を及ぼす車輪の回転運動の停止を有効に防止することができる装置を備えたものであること。

十二　走行中の自動車の制動に著しい支障を及ぼす車輪の回転運動の停止を有効に防止することができる装置を備えた自動車にあっては、電源投入時に警告を発し、かつ、その装置が正常に作動しないおそれが生じたときにその旨を運転者席の運転者に容易に判断できる警報を発する装置を備えたものであること。

十三　専ら乗用の用に供する自動車であって車両総重量が十トンを超えるもの（高速自動車国道等に係る路線以外の路線を定めて定期に運行する旅客自動車運送事業用自動車を除く。）の補助制動装置は、連続して制動を行った後においても、その制動効果に著しい支障を容易に生じないものであること。

11　平成二十一年六月十七日以前に製作された三輪自動車（専ら乗用の用に供する自動車であって乗車定員十八人未満のものに限る。以下この項において同じ。）、平成二十一年六月十八日から平成二十三年六月十七日までに製作された三輪自動車（平成二十一年六月十八日以降に法第七十五条第一項の規定により型式の指定を受けた自動車を除く。）及び平成二十一年六月十八日から平成二十三年六月十七日までに製作された三輪自動車であって平成二十一年六月十八日以降に型式の指定を受けた自動車（平成十九年六月二十八日以前に型式の指定を受けた自動車と種別、車体の外形、燃料の種類、動力用電源装置の種類、動力伝達装置の種類及び主要構造、走行装置の種類及び主要構造、操縦装置の種類及び主要構造、懸架装置の種類及び主要構造、車枠並びに主制動装置の構造が同一であるものに限る。）には、細目告示第九十三条第四項及び第百七十一条第四項の規定にかかわらず、次の基準に適合する独立に作用する二系統以上の制動装置を備えればよいものとする。この場合において、ブレーキ・ペダル又はブレーキ・レバーからホイール・シリンダ又はブレーキ・チャンバまで（ホイール・シリンダ又はブレーキ・チャンバを有しない系統の場合にあっては、ブレーキ・シューを直接作動させるカム軸等まで）の部分がそれぞれの系統ごとに独立している構造の制動装置は、「独立に作用する二系統以上の制動装置」であるものとする。

一　自動車（指定自動車等以外の自動車であって新たに運行の用に供しようとするものに限る。）に備える制動装置は、道路運送車両の保安基準の細目を定める告示の一部を改正する告示（平成十九年国土交通省告示第八百五十四号）による改正前の細目告示別添十二「乗用車の制動装置の技術基準」に定める基準及び次に掲げる基準に適合すること。ただし、同別添十二「乗用車の制動装置の技術基準」別紙3自動車の車軸間の制動力配分の基準5・2・(a)の規定中「3.1(A)の規定を満たすものであること。」とあるのは「3.1(A)の規定を満たすものであること又は後車軸の曲線が、0.15から0.8までのすべての制動比に対して直線$z=0.9k$の下にあること。」と、同別添十二「乗用車の制動装置の技術基準」別紙七乗用車の制動装置の電磁両立性に係る試験2・2・2・2・及び2・3・2・2・の規定中「基準限界より25%高い」とあるのは「基準限界の80%の」と読み替えるものとする。

二　制動装置は前項第二号から第六号及び第八号から第十号までの基準に適合すること。

三　主制動装置は、回転部分及びしゅう動部分の間のすき間を自動的に調整できるものであること。

四　主制動装置を除く制動装置（主制動装置を除く制動装置を二系統以上備える場合にはうち一系統。主制動装置を除く制動装置の操作装置を操作することにより主制動装置を作動させる機構を有する場合には主制動装置）は、作動しているときに、その旨を運転者席の運転者に警報する装置を備えたものであること。

五　主制動装置は、適切な点検孔又はその他の手段を備えることにより、しゅう動部分の磨耗が容易に確認できる構造であること。この場合において、次に掲げるものは、この基準に適合するものとする。

イ　指定自動車等に備えられている制動装置と同一の構造を有し、かつ、同一の位置に備えられた制動装置

ロ　しゅう動部分の交換が必要になった場合に、運転者席の運転者に警報する装置を備えた制動装置

六　空気圧力、真空圧力又は蓄積された液体の圧力のみにより作動する主制動装置は、独立に作用する二系統以上の圧力を蓄積する装置を有するものであること。ただし、圧力を蓄積する装置が正常に作動しない場合であっても運転者の操作力のみで細目告示第九十三条第七項（使用の過程にある自動車にあっては第百七十一条第七項）に定める基準に適合するものにあっては、この限りでない。

七　制動力を制御する電気装置を備えた制動装置は、制動に十分な電気を蓄積する能力を有する

ものであり、かつ、その装置が正常に作動しないおそれが生じたときにその旨を運転者席の運転者に警報する装置を備えたものであること。

12　平成二十一年六月十七日以前に製作された二輪自動車及び側車付二輪自動車、平成二十一年六月十八日から平成二十三年六月十七日までに製作された二輪自動車及び側車付二輪自動車（平成二十一年六月十八日以降に型式の指定を受けた自動車及び型式の認定を受けた自動車を除く。）及び平成二十一年六月十八日から平成二十三年六月十七日までに製作された二輪自動車及び側車付二輪自動車であって平成二十一年六月十八日以降に型式の指定を受けた自動車及び型式の認定を受けた自動車（平成十九年六月二十八日以前に型式の指定を受けた自動車又は型式の認定を受けた自動車と種別、車体の外形、燃料の種類、動力用電源装置の種類、動力伝達装置の種類及び主要構造、走行装置の種類及び主要構造、操縦装置の種類及び主要構造、懸架装置の種類及び主要構造、車枠並びに主制動装置の構造が同一であるものに限る。）には、細目告示第九十三条第四項及び第百七十一条第四項の規定にかかわらず、次の基準に適合する二系統以上の制動装置を備えればよい。

一　自動車（指定自動車等以外の自動車であって新たに運行の用に供しようとするものに限る。）に備える制動装置は、道路運送車両の保安基準の細目を定める告示の一部を改正する告示（平成十九年国土交通省告示第八百五十四号）による改正前の細目告示別添十三「二輪車の制動装置の技術基準」に定める基準に適合すること。

二　制動装置は第十項第二号、第三号、第五号、第八号及び第十二号の基準に適合すること。

三　主制動装置は、二個の独立した操作装置を有し、一個により前車輪を含む車輪を制動し、他の一個により後車輪を含む車輪を制動すること。ただし、細目告示第二条第一項第四号ロの側車付二輪自動車であって、一個の操作装置により全ての車輪を制動する主制動装置を有するものにあっては、この限りでない。この場合において、第十項第四号後段の規定を準用する。

四　主制動装置は、雨水の付着等により、その制動効果に著しい支障を生じないものであること。

五　液体の圧力により作動する主制動装置は、制動液の液量がリザーバ・タンクのふたを開けず容易に確認できる次に掲げるいずれかの構造を有するものであること。

イ　制動液のリザーバ・タンクが透明又は半透明であるもの

ロ　制動液の液面のレベルを確認できるゲージを備えたもの

ハ　制動液が減少した場合、運転者席の運転者に警報する液面低下警報装置を備えたもの

ニ　イからハに掲げるもののほか、制動液の液量がリザーバ・タンクのふたを開けず容易に確認できるもの

13　貨物の運送の用に供する自動車であって車両総重量三・五トン以下のもの（第一項第三号から第五号までの自動車を除く。）のうち国土交通大臣が定める自動車については、細目告示第十五条第二項、第九十三条第二項及び第百七十一条第二項の規定にかかわらず、道路運送車両の保安基準の細目を定める告示の一部を改正する告示（平成十九年国土交通省告示第千四百九十号）による改正前の細目告示第十五条第二項、第九十三条第二項及び第百七十一条第二項の規定に適合するものであればよい。

14　専ら乗用の用に供する自動車であって乗車定員十人未満のもの（第一項第三号から第五号までの自動車を除く。）のうち国土交通大臣が定める自動車については、細目告示第十五条第三項及び第九十三条第三項の規定にかかわらず、道路運送車両の保安基準の細目を定める告示の一部を改正する告示（平成十九年国土交通省告示第千四百九十号）による改正前の細目告示第十五条第三項及び第九十三条第三項の規定に適合するものであればよい。

15　平成二十五年十月三十一日以前に製作された自動車（平成二十三年十一月一日以降に型式の指定を受けた自動車から、種別、用途、原動機の種類及び主要構造、燃料の種類及び動力用電源装置の種類並びに適合する排出ガス規制値以外に、型式を区別する事項に変更がないものを除く。）を除く。）については、細目告示第十五条第三項及び第九十三条第三項の規定にかかわらず、道路運送車両の保安基準の細目を定める告示の一部を改正する告示（平成二十一年国土交通省告示第七百七十一号）による改正前の細目告示第十五条第三項及び第九十三条第三項の規定に適合するものであればよい。

16　平成二十六年九月三十日（軽自動車にあっては、平成三十年二月二十三日）以前に製作された自動車（平成二十四年十月一日（軽自動車にあっては、平成二十六年十月一日）以降に型式の指定を受けた自動車（平成二十四年九月三十日（軽自動車にあっては、平成二十六年九月三十日）以前に型式の指定を受けた自動車から、種別、用途、原動機の種類及び主要構造、燃料の種類及び動力用電源装置の種類並びに適合する排出ガス規制値以外に、型式を区別する事項に変更がないものを除く。）を除く。）については、細目告示第十五条第二項第二号ロ（同条第三項後段の規定に係る部分に限る。）及び第三項後段並びに第九十三条第二項第二号ロ（同条第三項後段の規定に係る部分に限る。）及び第三項後段の規定にかかわらず、道路運送車両の保安基準の細目を定める告示の一部を改正する告示（平成二十二年国土交通省告示第千四百六十号）による改正前の細目告示別添十二3・2・24・及び3・2・26・の規定に適合するものであればよい。

17　平成二十六年一月二十九日以前に製作された自動車及び国土交通大臣が定める自動車については、細目告示第十五条第三項及び第九十三条第三項の規定（協定規則第十三H号の規則5・2・22・4・に係る部分に限る。）にかかわらず、道路運送車両の保安基準の細目を定める告示の一部を改正する告示（平成二十三年国土交通省告示第七十三号）による改正前の細目告示別添十二3・2・22・4・の規定に適合するものであればよい。

18　平成二十九年八月三十一日以前に製作された貨物の運送の用に供する自動車（第五輪荷重を有する牽引自動車を除く。）又は平成二十九年八月三十一日以前に発行された出荷検査証に係る貨物の運送の用に供する自動車であって、当該出荷検査証の発行後十一月を経過しない間に新規検査若しくは予備検査を受けようとし、若しくは受けたもの（第五輪荷重を有する牽引自動車を除き、道路運送車両の保安基準の細目を定める告示の一部を改正する告示（平成二十五年国土交通省告示第千百号）による改正前の細目告示別添百十三「衝突被害軽減制動制御装置の技術基準」に適合する衝突被害軽減制動制御装置を備えたものに限る。）であって、これらの自動車のうち車両総重量が二十二トンを超えるもの（平成二十六年十一月一日以降に指定を受けた型式指定自動車（平成二十六年十月三十一日以前に指定を受けた型式指定自動車から、種別、用途、原動機の種類及び主要構造、燃料の種類及び動力用電源装置の種類、適合する排出ガス規制値又は低排出ガス車認定実施要領（平成十二年運輸省告示第百三号）に定める認定の基準値以外に、型式を区別する事項に変更がないものを除く。）及び国土交通大臣が定める自動車を除く。）については、細目告示第十五条第七項、第九十三条第八項及び第百七十一条第八項の規定は、適用しない。ただし、当該自動車（平成二十四年三月三十一日以前に製作されたものを除く。）が衝突被害軽減制動制御装置を備えるものである場合にあっては、細目告示第十五条第七項及び第九十三条第八項中「協定規則第131号の規則5.及び6.」とあるのは「協定規則第131号初版若しくは協定規則第131号の規則5.及び6.又は道路運送車両の保安基準の細目を定める告示の一部を改正する告示（平成25年国土交通省告示第1100号）による改正前の細目告示別添113「衝突被害軽減制動制御装置の技術基準」に定める基準」と読み替えて、細目告示第十五条第七項、第九十三条第八項及び第百七

十一条第八項の規定を適用するものとする。

19　平成三十年八月三十一日以前に製作された貨物の運送の用に供する自動車（第五輪荷重を有する牽引自動車に限る。）であって車両総重量が十三トンを超えるもの（平成二十六年十一月一日以降に指定を受けた型式指定自動車から、種別、用途、原動機の種類及び主要構造、燃料の種類及び動力用電源装置の種類、適合する排出ガス規制値又は低排出ガス車認定実施要領に定める認定の基準値以外に、型式を区別する事項に変更がないものを除く。）及び国土交通大臣が定める自動車を除く。）については、細目告示第十五条第七項、第九十三条第八項及び第百七十一条第八項の規定は、適用しない。ただし、当該自動車（平成二十四年三月三十一日以前に製作されたものを除く。）が衝突被害軽減制動制御装置を備えるものである場合にあっては、細目告示第十五条第七項及び第九十三条第八項中「協定規則第131号の規則5.及び6.」とあるのは「協定規則第131号初版若しくは協定規則第131号の規則5.及び6.又は道路運送車両の保安基準の細目を定める告示の一部を改正する告示（平成25年国土交通省告示第1100号）による改正前の細目告示別添113「衝突被害軽減制動制御装置の技術基準」に定める基準」と読み替えて、細目告示第十五条第七項、第九十三条第八項及び第百七十一条第八項の規定を適用するものとする。

20　平成三十年十月三十一日以前に製作された貨物の運送の用に供する自動車（第五輪荷重を有する牽引自動車を除く。）であって車両総重量が二十トンを超え二十二トン以下のもの（平成二十八年十一月一日以降に指定を受けた型式指定自動車から、種別、用途、原動機の種類及び主要構造、燃料の種類及び動力用電源装置の種類、適合する排出ガス規制値又は低排出ガス車認定実施要領に定める認定の基準値以外に、型式を区別する事項に変更がないものを除く。）及び国土交通大臣が定める自動車を除く。）については、細目告示第十五条第七項、第九十三条第八項及び第百七十一条第八項の規定は、適用しない。ただし、当該自動車（平成二十四年三月三十一日以前に製作されたものを除く。）が衝突被害軽減制動制御装置を備えるものである場合にあっては、細目告示第十五条第七項及び第九十三条第八項中「協定規則第131号の規則5.及び6.」とあるのは「協定規則第131号初版若しくは協定規則第131号の規則5.及び6.又は道路運送車両の保安基準の細目を定める告示の一部を改正する告示（平成25年国土交通省告示第1100号）による改正前の細目告示別添113「衝突被害軽減制動制御装置の技術基準」に定める基準」と読み替えて、細目告示第十五条第七項、第九十三条第八項及び第百七十一条第八項の規定を適用するものとする。

21　令和三年十月三十一日以前に製作された貨物の運送の用に供する自動車（第五輪荷重を有する牽引自動車であって車両総重量が十三トンを超えるものを除く。）又は令和三年十月三十一日以前に発行された出荷検査証に係る貨物の運送の用に供する自動車であって、当該出荷検査証の発行後十一月を経過しない間に新規検査若しくは予備検査を受けようとし、若しくは受けたもの（第五輪荷重を有する牽引自動車であって車両総重量が十三トンを超えるものを除く。）であって、これらの自動車のうち車両総重量が八トンを超え二十トン以下のもの（平成三十年十一月一日以降に指定を受けた型式指定自動車（平成三十年十月三十一日以前に指定を受けた型式指定自動車から、種別、用途、原動機の種類及び主要構造、燃料の種類及び動力用電源装置の種類、適合する排出ガス規制値又は低排出ガス車認定実施要領に定める認定の基準値以外に、型式を区別する事項に変更がないものを除く。）及び国土交通大臣が定める自動車を除く。）については、細目告示第十五条第七項、第九十三条第八項及び第百七十一条第八項の規定は、適用しない。ただし、当該自動車（平成二十四年三月三十一日以前に製作されたものを除く。）が衝突被害軽減制動制御装置を備えるものである場合にあっては、細目告示第十五条第七項及び第九十三条第八項中「協定規則第131号の規則5.及び6.」とあるのは「協定規則第131号初版若しくは協定規則第131号の規則5.及び6.又は道路運送車両の保安基準の細目を定める告示の一部を改正する告示（平成25年国土交通省告示第1100号）による改正前の細目告示別添113「衝突被害軽減制動制御装置の技術基準」に定める基準」と読み替えて、細目告示第十五条第七項、第九十三条第八項及び第百七十一条第八項の規定を適用するものとする。

22　平成二十九年八月三十一日以前に製作された専ら乗用の用に供する乗車定員十人以上の自動車であって車両総重量が十二トンを超えるもの（平成二十六年十一月一日以降に指定を受けた型式指定自動車から、種別、用途、原動機の種類及び主要構造、燃料の種類及び動力用電源装置の種類、適合する排出ガス規制値又は低排出ガス車認定実施要領に定める認定の基準値以外に、型式を区別する事項に変更がないものを除く。）及び国土交通大臣が定める自動車を除く。）については、細目告示第十五条第七項、第九十三条第八項及び第百七十一条第八項の規定は、適用しない。ただし、当該自動車（平成二十五年一月二十六日以前に製作されたものを除く。）が衝突被害軽減制動制御装置を備えるものである場合にあっては、細目告示第十五条第七項及び第九十三条第八項中「協定規則第131号の規則5.及び6.」とあるのは「協定規則第131号初版若しくは協定規則第131号の規則5.及び6.又は道路運送車両の保安基準の細目を定める告示の一部を改正する告示（平成25年国土交通省告示第1100号）による改正前の細目告示別添113「衝突被害軽減制動制御装置の技術基準」に定める基準」と読み替えて、細目告示第十五条第七項、第九十三条第八項及び第百七十一条第八項の規定を適用するものとする。

23　令和三年十月三十一日以前に製作された専ら乗用の用に供する乗車定員十人以上の自動車又は令和三年十月三十一日以前に発行された出荷検査証に係る専ら乗用の用に供する乗車定員十人以上の自動車であって、当該出荷検査証の発行後十一月を経過しない間に新規検査若しくは予備検査を受けようとし、若しくは受けたものであって、これらの自動車のうち車両総重量が五トンを超え十二トン以下のもの（令和元年十一月一日以降に指定を受けた型式指定自動車（令和元年十月三十一日以前に指定を受けた型式指定自動車から、種別、用途、原動機の種類及び主要構造、燃料の種類及び動力用電源装置の種類、適合する排出ガス規制値又は低排出ガス車認定実施要領に定める認定の基準値以外に、型式を区別する事項に変更がないものを除く。）及び国土交通大臣が定める自動車を除く。）については、細目告示第十五条第七項、第九十三条第八項及び第百七十一条第八項の規定は、適用しない。ただし、当該自動車（平成二十五年一月二十六日以前に製作されたものを除く。）が衝突被害軽減制動制御装置を備えるものである場合にあっては、細目告示第十五条第七項及び第九十三条第八項中「協定規則第131号の規則5.及び6.」とあるのは「協定規則第131号初版若しくは協定規則第131号の規則5.及び6.又は道路運送車両の保安基準の細目を定める告示の一部を改正する告示（平成25年国土交通省告示第1100号）による改正前の細目告示別添113「衝突被害軽減制動制御装置の技術基準」に定める基準」と読み替えて、細目告示第十五条第七項、第九十三条第八項及び第百七十一条第八項の規定を適用するものとする。

24　平成二十九年八月三十一日（立席を有するものにあっては平成三十年一月三十一日）以前に製作された専ら乗用の用に供する乗車定員十人以上の自動車（被牽引自動車を除く。）又は平成二十九年八月三十一日（立席を有するものにあっては平成三十年一月三十一日）以前に発行された出荷検査証に係る専ら乗用の用に供する乗車定員十人以上の自動車であって、当該出荷検査証の発行後十一月を経過しない間に新規検査若しくは予備検査を受けようとし、若しくは受けたもの

（被牽引自動車を除く。）であって、これらの自動車のうち車両総重量が十二トンを超えるもの（平成二十六年十一月一日（立席を有するものにあっては平成二十八年二月一日）以降に指定を受けた型式指定自動車（平成二十六年十月三十一日（立席を有するものにあっては平成二十八年一月三十一日）以前に指定を受けた型式指定自動車から、種別、用途、原動機の種類及び主要構造、燃料の種類及び動力用電源装置の種類並びに適合する排出ガス規制値又は低排出ガス車認定実施要領に定める基準値以外に、型式を区別する事項に変更がないものを除く。）及び国土交通大臣が定める自動車を除く。）については、細目告示第十五条第二項、第九十三条第二項及び第百七十一条第二項の規定にかかわらず、道路運送車両の保安基準の細目を定める告示の一部を改正する告示（平成二十五年国土交通省告示第八百二十六号）による改正前の細目告示第十五条第二項、第九十三条第二項及び第百七十一条第二項の規定に適合するものであればよい。

25　平成三十年一月三十一日以前に製作された専ら乗用の用に供する乗車定員十人以上の自動車（被牽引自動車を除く。）又は平成三十年一月三十一日以前に発行された出荷検査証に係る専ら乗用の用に供する乗車定員十人以上の自動車であって、当該出荷検査証の発行後十一月を経過しない間に新規検査若しくは予備検査を受けようとし、若しくは受けたもの（被牽引自動車を除く。）であって、これらの自動車のうち車両総重量が五トンを超え十二トン以下のもの（平成二十八年二月一日以降に指定を受けた型式指定自動車（平成二十八年一月三十一日以前に指定を受けた型式指定自動車から、種別、用途、原動機の種類及び主要構造、燃料の種類及び動力用電源装置の種類並びに適合する排出ガス規制値又は低排出ガス車認定実施要領に定める基準値以外に、型式を区別する事項に変更がないものを除く。）及び国土交通大臣が定める自動車を除く。）については、細目告示第十五条第二項、第九十三条第二項及び第百七十一条第二項の規定にかかわらず、道路運送車両の保安基準の細目を定める告示の一部を改正する告示（平成二十五年国土交通省告示第八百二十六号）による改正前の細目告示第十五条第二項、第九十三条第二項及び第百七十一条第二項の規定に適合するものであればよい。

26　平成二十九年一月三十一日以前に製作された専ら乗用の用に供する乗車定員十人以上の自動車（被牽引自動車を除く。）であって車両総重量が五トン以下のもの（平成二十七年九月一日以降に指定を受けた型式指定自動車（平成二十七年八月三十一日以前に指定を受けた型式指定自動車から、種別、用途、原動機の種類及び主要構造、燃料の種類及び動力用電源装置の種類並びに適合する排出ガス規制値又は低排出ガス車認定実施要領に定める基準値以外に、型式を区別する事項に変更がないものを除く。）及び国土交通大臣が定める自動車を除く。）については、細目告示第十五条第二項、第九十三条第二項及び第百七十一条第二項の規定にかかわらず、道路運送車両の保安基準の細目を定める告示の一部を改正する告示（平成二十五年国土交通省告示第八百二十六号）による改正前の細目告示第十五条第二項、第九十三条第二項及び第百七十一条第二項の規定に適合するものであればよい。

27　平成二十九年八月三十一日以前に製作された貨物の運送の用に供する自動車（第五輪荷重を有する牽引自動車及び被牽引自動車を除く。）又は平成二十九年八月三十一日以前に発行された出荷検査証に係る貨物の運送の用に供する自動車であって、当該出荷検査証の発行後十一月を経過しない間に新規検査若しくは予備検査を受けようとし、若しくは受けたもの（第五輪荷重を有する牽引自動車及び被牽引自動車を除く。）であって、これらの自動車のうち車両総重量が二十二トンを超えるもの（平成二十六年十一月一日以降に指定を受けた型式指定自動車（平成二十六年十月三十一日以前に指定を受けた型式指定自動車から、種別、用途、原動機の種類及び主要構造、燃料の種類及び動力用電源装置の種類並びに適合する排出ガス規制値又は低排出ガス車認定実施要領に定める基準値以外に、型式を区別する事項に変更がないものを除く。）及び国土交通大臣が定める自動車を除く。）については、細目告示第十五条第二項、第九十三条第二項及び第百七十一条第二項の規定にかかわらず、道路運送車両の保安基準の細目を定める告示の一部を改正する告示（平成二十五年国土交通省告示第八百二十六号）による改正前の細目告示第十五条第二項、第九十三条第二項及び第百七十一条第二項の規定に適合するものであればよい。

28　平成三十年十月三十一日以前に製作された貨物の運送の用に供する自動車（第五輪荷重を有する牽引自動車及び被牽引自動車を除く。）であって車両総重量が二十トンを超え二十二トン以下のもの（平成二十七年九月一日以降に指定を受けた型式指定自動車（平成二十七年八月三十一日以前に指定を受けた型式指定自動車から、種別、用途、原動機の種類及び主要構造、燃料の種類及び動力用電源装置の種類並びに適合する排出ガス規制値又は低排出ガス車認定実施要領に定める基準値以外に、型式を区別する事項に変更がないものを除く。）及び国土交通大臣が定める自動車を除く。）については、細目告示第十五条第二項、第九十三条第二項及び第百七十一条第二項の規定にかかわらず、道路運送車両の保安基準の細目を定める告示の一部を改正する告示（平成二十五年国土交通省告示第八百二十六号）による改正前の細目告示第十五条第二項、第九十三条第二項及び第百七十一条第二項の規定に適合するものであればよい。

29　平成三十年一月三十一日以前に製作された貨物の運送の用に供する自動車（第五輪荷重を有する車両総重量が十三トンを超える牽引自動車及び被牽引自動車を除く。）又は平成三十年一月三十一日以前に発行された出荷検査証に係る貨物の運送の用に供する自動車であって、当該出荷検査証の発行後十一月を経過しない間に新規検査若しくは予備検査を受けようとし、若しくは受けたもの（第五輪荷重を有する車両総重量が十三トンを超える牽引自動車及び被牽引自動車を除く。）であって、これらの自動車のうち、車両総重量が三・五トンを超え二十トン以下のもの（平成二十八年二月一日以降に指定を受けた型式指定自動車（平成二十八年一月三十一日以前に指定を受けた型式指定自動車から、種別、用途、原動機の種類及び主要構造、燃料の種類及び動力用電源装置の種類並びに適合する排出ガス規制値又は低排出ガス車認定実施要領に定める基準値以外に、型式を区別する事項に変更がないものを除く。）及び国土交通大臣が定める自動車を除く。）については、細目告示第十五条第二項、第九十三条第二項及び第百七十一条第二項の規定にかかわらず、道路運送車両の保安基準の細目を定める告示の一部を改正する告示（平成二十五年国土交通省告示第八百二十六号）による改正前の細目告示第十五条第二項、第九十三条第二項及び第百七十一条第二項の規定に適合するものであればよい。

30　平成二十九年一月三十一日（軽自動車にあっては平成三十年一月三十一日）以前に製作された貨物の運送の用に供する自動車（被牽引自動車を除く。）であって車両総重量が三・五トン以下のもの（平成二十七年九月一日（軽自動車にあっては平成二十八年二月一日）以降に指定を受けた型式指定自動車（平成二十七年八月三十一日（軽自動車にあっては平成二十八年一月三十一日）以前に指定を受けた型式指定自動車から、種別、用途、原動機の種類及び主要構造、燃料の種類及び動力用電源装置の種類並びに適合する排出ガス規制値又は低排出ガス車認定実施要領に定める基準値以外に、型式を区別する事項に変更がないものを除く。）及び国土交通大臣が定める自動車を除く。）については、細目告示第十五条第二項、第九十三条第二項及び第百七十一条第二項の規定にかかわらず、道路運送車両の保安基準の細目を定める告示の一部を改正する告示（平成二十五年国土交通省告示第八百二十六号）による改正前の細目告示第十五条第二項、第九十三条第二項及び第百七十一条第二項の規定に適合するものであればよい。

31　平成三十年八月三十一日以前に製作された貨物の運送の用に供する自動車（第五輪荷重を有す

る牽引自動車に限る。）であって車両総重量が十三トンを超えるもの（平成二十六年十一月一日以降に指定を受けた型式指定自動車から、種別、用途、原動機の種類及び主要構造、燃料の種類及び動力用電源装置の種類並びに適合する排出ガス規制値又は低排出ガス車認定実施要領に定める基準値以外に、型式を区別する事項に変更がないものを除く。）及び国土交通大臣が定める自動車を除く。）については、細目告示第十五条第二項、第九十三条第二項及び第百七十一条第二項の規定にかかわらず、道路運送車両の保安基準の細目を定める告示の一部を改正する告示（平成二十五年国土交通省告示第八百二十六号）による改正前の細目告示第十五条第二項、第九十三条第二項及び第百七十一条第二項の規定に適合するものであればよい。

32　平成二十九年一月三十一日以前に製作された被牽引自動車（最高速度25キロメートル毎時以下の自動車に牽引されるもの、平成二十七年九月一日以降に指定を受けた型式指定自動車及び国土交通大臣が定めるものを除く。）については、保安基準第十二条第二項並びに細目告示第十五条第六項、第九十三条第六項及び第百七十一条第六項の規定にかかわらず、道路運送車両の保安基準及び装置型式指定規則の一部を改正する省令（平成二十五年国土交通省令第七十三号）による改正前の保安基準第十二条第二項並びに道路運送車両の保安基準の細目を定める告示の一部を改正する告示（平成二十五年国土交通省告示第八百二十六号）による改正前の細目告示第十五条第六項及び第七項、第九十三条第六項及び第七項並びに第百七十一条第六項及び第七項の規定に適合するものであればよい。

33　平成三十年十月三十一日以前に製作された貨物の運送の用に供する自動車（第五輪荷重を有する牽引自動車及び被牽引自動車並びに第五十二項の自動車を除く。）であって車両総重量が二十トンを超え二十二トン以下のもの（平成二十八年十一月一日以降に指定を受けた型式指定自動車（平成二十八年十月三十一日以前に指定を受けた型式指定自動車から、種別、用途、原動機の種類及び主要構造、燃料の種類及び動力用電源装置の種類並びに適合する排出ガス車認定実施要領に定める認定の基準値以外に、型式を区別する事項に変更がないものを除く。）については、細目告示第十五条第二項第一号後段（走行中の自動車の旋回に著しい支障を及ぼす横滑り及び転覆を有効に防止することができる装置に係る部分に限る。）及び第九十三条第二項第一号後段（走行中の自動車の旋回に著しい支障を及ぼす横滑り及び転覆を有効に防止することができる装置に係る部分に限る。）並びに協定規則第十三号の規則5・2・1・32・は、適用しない。ただし、当該自動車（第二十八項の適用を受けるものを除く。）が走行中の自動車の旋回に著しい支障を及ぼす横滑り又は転覆を有効に防止することができる装置を備えるものである場合にあっては、当該装置は、協定規則第十三号の附則二十一に適合するものでなければならない。

34　令和三年十月三十一日以前に製作された専ら乗用の用に供する乗車定員十人以上の自動車（被牽引自動車、第五十二項の自動車及び立席を有するものを除く。）又は令和三年十月三十一日以前に発行された出荷検査証に係る専ら乗用の用に供する乗車定員十人以上の自動車（被牽引自動車、第五十二項の自動車及び立席を有するものを除く。）であって、当該出荷検査証の発行後十一月を経過しない間に新規検査若しくは予備検査を受けようとし、若しくは受けたものであって、これらの自動車のうち車両総重量が五トンを超え十二トン以下のもの（令和元年十一月一日以降に指定を受けた型式指定自動車（令和元年十月三十一日以前に指定を受けた型式指定自動車から、種別、用途、原動機の種類及び主要構造、燃料の種類及び動力用電源装置の種類並びに適合する排出ガス規制値又は低排出ガス車認定実施要領に定める認定の基準値以外に、型式を区別する事項に変更がないものを除く。）及び国土交通大臣が定める自動車を除く。）については、細目告示第十五条第二項第一号後段（走行中の自動車の旋回に著しい支障を及ぼす横滑り及び転覆を有効に防止することができる装置に係る部分に限る。）及び第九十三条第二項第一号後段（走行中の自動車の旋回に著しい支障を及ぼす横滑り及び転覆を有効に防止することができる装置に係る部分に限る。）並びに協定規則第十三号の規則5・2・1・32・は、適用しない。ただし、当該自動車（第二十五項の適用を受けるものを除く。）が走行中の自動車の旋回に著しい支障を及ぼす横滑り又は転覆を有効に防止することができる装置を備えるものである場合にあっては、当該装置は、協定規則第十三号の附則二十一に適合するものでなければならない。

35　令和三年十月三十一日以前に製作された貨物の運送の用に供する自動車（第五輪荷重を有する牽引自動車であって車両総重量が十三トンを超えるもの及び被牽引自動車並びに第五十二項の自動車を除く。）又は令和三年十月三十一日以前に発行された出荷検査証に係る貨物の運送の用に供する自動車（第五輪荷重を有する牽引自動車であって車両総重量が十三トンを超えるもの及び被牽引自動車並びに第五十二項の自動車を除く。）であって、当該出荷検査証の発行後十一月を経過しない間に新規検査若しくは予備検査を受けようとし、若しくは受けたものであって、これらの自動車のうち車両総重量が八トンを超え二十トン以下のもの（平成三十年十一月一日以降に指定を受けた型式指定自動車（平成三十年十月三十一日以前に指定を受けた型式指定自動車から、種別、用途、原動機の種類及び主要構造、燃料の種類及び動力用電源装置の種類並びに適合する排出ガス規制値又は低排出ガス車認定実施要領に定める認定の基準値以外に、型式を区別する事項に変更がないものを除く。）及び国土交通大臣が定める自動車を除く。）については、細目告示第十五条第二項第一号後段（走行中の自動車の旋回に著しい支障を及ぼす横滑り及び転覆を有効に防止することができる装置に係る部分に限る。）及び第九十三条第二項第一号後段（走行中の自動車の旋回に著しい支障を及ぼす横滑り及び転覆を有効に防止することができる装置に係る部分に限る。）並びに協定規則第十三号の規則5・2・1・32・は、適用しない。ただし、当該自動車（第二十九項の適用を受けるものを除く。）が走行中の自動車の旋回に著しい支障を及ぼす横滑り又は転覆を有効に防止することができる装置を備えるものである場合にあっては、当該装置は、協定規則第十三号の附則二十一に適合するものでなければならない。

36　令和三年十月三十一日以前に製作された貨物の運送の用に供する自動車（内燃機関以外を原動機とする貨物の運送の用に供する軽自動車、被牽引自動車及び第五十二項の自動車を除く。）、令和五年四月三十日以前に製作された内燃機関以外を原動機とする貨物の運送の用に供する軽自動車又は令和三年十月三十一日以前に発行された出荷検査証に係る貨物の運送の用に供する自動車（被牽引自動車及び第五十二項の自動車を除く。）であって、当該出荷検査証の発行後十一月を経過しない間に新規検査若しくは予備検査を受けようとし、若しくは受けたものであって、これらの自動車のうち車両総重量が八トン以下のもの（令和元年十一月一日以降に指定を受けた型式指定自動車（令和元年十月三十一日以前に指定を受けた型式指定自動車から、種別、用途、原動機の種類及び主要構造、燃料の種類及び動力用電源装置の種類並びに適合する排出ガス規制値又は低排出ガス車認定実施要領に定める認定の基準値以外に、型式を区別する事項に変更がないものを除く。）及び国土交通大臣が定める自動車を除く。）については、細目告示第十五条第二項第一号後段（走行中の自動車の旋回に著しい支障を及ぼす横滑り及び転覆を有効に防止することができる装置に係る部分に限る。）並びに第二号イ（走行中の自動車の旋回に著しい支障を及ぼす横滑り及び転覆を有効に防止することができる装置に係る部分に限る。）及びロ（走行中の自動車の旋回に著しい支障を及ぼす横滑りを有効に防止することができる装置及び緊急制動時に自動的に制動装置の制動力を増加させる装置に係る部分に限る。）並びに第九十三条第二項第一号後段（走行中の自動車の旋回に著しい支障を及ぼす横滑り及び転覆を有効に防止することができる装置に係る部分に限る。）並びに第二号イ（走行中の自動車の旋回に著しい支障を及ぼす横滑り及び転覆を有効に防止することができる装置に係る部分に限る。）及びロ（走行中の自動車の旋回に著しい支障を及ぼす横滑りを有効に防止することができる装置及び緊急制動時に自動的に制動装置の制動力を増加させる装置に係る部分に限る。）並びに協定規則第十三号の規則5・2・1・32・は、適用しない。ただし、当該自動車（第二十九項及び第三十項の適用を受けるものを除き、細目告示第十五条第二項第一号及び第二号イ並びに第九十三条第二項第一号及び第二号イの適用を受けるものに限る。）が走行中の自動車の旋回に著しい支障を及ぼす横滑り又は転覆を有効に防止することができる装置を備えるものである場合にあっては、当該装置は、協定規則第十三号の附則二十一に、当該自動車（第十六項の適用を受けるものを除き、細目告示第十五条第二項第二号ロ及び第九十三条第二項第二号ロの適用を受けるものに限る。以下この項において同じ。）が走行中の自動車の旋回に著しい支障を及ぼす横滑りを有効に防止することができる装置を備えるものである場合にあっては、当該装置は、協定規則第百四十号の規則5・、6・及び7・に、当該自動車が緊急制動時に自動的に制動装置の制動力を増加させる装置を備えるものである場合にあっては、当該装置は、協定規則第百三十九号の規則5・、6・及び7・に、それぞれ適合するものでなければならない。

37　専ら乗用の用に供する乗車定員十人以上の自動車（被牽引自動車及び第五十二項の自動車を除き、立席を有するものに限る。）であって車両総重量が六トンを超えるもの及び被牽引自動車（空気ばねを備えるものを除く。）については、当分の間、細目告示第十五条第二項第一号後段（走行中の自動車の旋回に著しい支障を及ぼす横滑り及び転覆を有効に防止することができる装置に係る部分に限る。）及び第六項第一号後段（走行中の自動車の旋回に著しい支障を及ぼす横滑り及び転覆を有効に防止することができる装置に係る部分に限る。）並びに第九十三条第二項第一号後段（走行中の自動車の旋回に著しい支障を及ぼす横滑り及び転覆を有効に防止することができる装置に係る部分に限る。）及び第六項第一号後段（走行中の自動車の旋回に著しい支障を及ぼす横滑り及び転覆を有効に防止することができる装置に係る部分に限る。）は、適用しない。ただし、当該自動車（第二十四項及び第三十二項の適用を受けるものを除く。）が走行中の自動車の旋回に著しい支障を及ぼす横滑り又は転覆を有効に防止することができる装置を備える場合にあっては、当該装置は、協定規則第十三号の附則二十一に適合するものでなければならない。

38　令和元年十月三十一日以前に製作された専ら乗用の用に供する乗車定員十人以上の自動車であって車両総重量が十二トンを超えるもの（平成二十九年十一月一日以降に指定を受けた型式指定自動車（平成二十九年十月三十一日以前に指定を受けた型式指定自動車から、種別、用途、原動機の種類及び主要構造、燃料の種類及び動力用電源装置の種類、適合する排出ガス規制値又は低排出ガス車認定実施要領に定める認定の基準値以外に、型式を区別する事項に変更がないものを除く。）及び国土交通大臣が定める自動車を除く。）については、細目告示第十五条第七項及び第九十三条第八項中「協定規則第131号」とあるのは「協定規則第131号初版」と読み替えることができる。

39　令和三年十月三十一日以前に製作された専ら乗用の用に供する乗車定員十人以上の自動車又は令和三年十月三十一日以前に発行された出荷検査証に係る専ら乗用の用に供する乗車定員十人以上の自動車であって、当該出荷検査証の発行後十一月を経過しない間に新規検査若しくは予備検査を受けようとし、若しくは受けたものであって、これらの自動車のうち車両総重量が五トン以下のもの（令和元年十一月一日以降に指定を受けた型式指定自動車（令和元年十月三十一日以前に指定を受けた型式指定自動車から、種別、用途、原動機の種類及び主要構造、燃料の種類及び動力用電源装置の種類、適合する排出ガス規制値又は低排出ガス車認定実施要領に定める認定の基準値以外に、型式を区別する事項に変更がないものを除く。）及び国土交通大臣が定める自動車を除く。）については、細目告示第十五条第七項、第九十三条第八項及び第百七十一条第八項の規定は、適用しない。ただし、当該自動車（平成二十六年二月十二日以前に製作されたものを除く。）が衝突被害軽減制動制御装置を備えるものである場合にあっては、細目告示第十五条第七項及び第九十三条第八項中「協定規則第131号」とあるのは「協定規則第131号初版又は協定規則第131号」と読み替えて、細目告示第十五条第七項、第九十三条第八項及び第百七十一条第八項の規定を適用するものとする。

40　令和元年十月三十一日以前に製作された貨物の運送の用に供する自動車（第五輪荷重を有する牽引自動車を除く。）であって車両総重量が二十二トンを超えるもの（平成二十九年十一月一日以降に指定を受けた型式指定自動車（平成二十九年十月三十一日以前に指定を受けた型式指定自動車から、種別、用途、原動機の種類及び主要構造、燃料の種類及び動力用電源装置の種類、適合する排出ガス規制値又は低排出ガス車認定実施要領に定める認定の基準値以外に、型式を区別する事項に変更がないものを除く。）及び国土交通大臣が定める自動車を除く。）については、細目告示第十五条第七項及び第九十三条第八項中「協定規則第131号」とあるのは「協定規則第131号初版」と読み替えることができる。

41　令和二年十月三十一日以前に製作された貨物の運送の用に供する自動車（第五輪荷重を有する牽引自動車を除く。）又は令和二年十月三十一日以前に発行された出荷検査証に係る貨物の運送の用に供する自動車（第五輪荷重を有する牽引自動車を除く。）であって、当該出荷検査証の発行後十一月を経過しない間に新規検査若しくは予備検査を受けようとし、若しくは受けたものであって、これらの自動車のうち車両総重量が二十トンを超え二十二トン以下のもの（平成三十年十一月一日以降に指定を受けた型式指定自動車（平成三十年十月三十一日以前に指定を受けた型式指定自動車から、種別、用途、原動機の種類及び主要構造、燃料の種類及び動力用電源装置の種類、適合する排出ガス規制値又は低排出ガス車認定実施要領に定める認定の基準値以外に、型式を区別する事項に変更がないものを除く。）及び国土交通大臣が定める自動車を除く。）については、細目告示第十五条第七項及び第九十三条第八項中「協定規則第131号」とあるのは「協定規則第131号初版」と読み替えることができる。

42　令和三年十月三十一日以前に製作された貨物の運送の用に供する自動車又は令和三年十月三十一日以前に発行された出荷検査証に係る貨物の運送の用に供する自動車であって、当該出荷検査証の発行後十一月を経過しない間に新規検査若しくは予備検査を受けようとし、若しくは受けたものであって、これらの自動車のうち車両総重量が三・五トンを超え八トン以下のもの（令和元年十一月一日以降に指定を受けた型式指定自動車（令和元年十月三十一日以前に指定を受けた型式指定自動車から、種別、用途、原動機の種類及び主要構造、燃料の種類及び動力用電源装置の種類、適合する排出ガス規制値又は低排出ガス車認定実施要領に定める認定の基準値以外に、型式を区別する事項に変更がないものを除く。）及び国土交通大臣が定める自動車を除く。）については、細目告示第十五条第七項、第九十三条第八項及び第百七十一条第八項の規定は、適用しない。ただし、当該自動車（平成二十六年二月十二日以前に製作されたものを除く。）が衝突被害軽減制動制御装置を備えるものである場合にあっては、細目告示第十五条第七項及び第九十三条第八項中「協定規則第131号」とあるのは「協定規則第131号初版又は協定規則第131号」と読み替えて、細目告示第十五条第七項、第九十三条第八項及び第百七十一条第八項の規定を適用するものとする。

43　令和二年十月三十一日以前に製作された貨物の運送の用に供する自動車（第五輪荷重を有する牽引自動車に限る。）又は令和二年十月三十一日以前に発行された出荷検査証に係る貨物の運送の用に供する自動車（第五輪荷重を有する牽引自動車に限る。）であって、当該出荷検査証の発行後十一月を経過しない間に新規検査若しくは予備検査を受けようとし、若しくは受けたものであって、これらの自動車のうち車両総重量が十三トンを超えるもの（平成三十年十一月一日以降に指定を受けた型式指定自動車（平成三十年十月三十一日以前に指定を受けた型式指定自動車から、種別、用途、原動機の種類及び主要構造、燃料の種類及び動力用電源装置の種類、適合する排出ガス規制値又は低排出ガス車認定実施要領に定める認定の基準値以外に、型式を区別する事項に変更がないものを除く。）及び国土交通大臣が定める自動車を除く。）については、細目告示第十五条第七項及び第九十三条第八項中「協定規則第131号」とあるのは「協定規則第131号初版」と読み替えることができる。

44　指定自動車等以外の自動車については、当分の間、細目告示第九十三条第二項第一号中「協定規則第13号の規則5.及び6.（連結状態における制動性能に係る部分を除く。）」とあるのは「道路運送車両の保安基準の細目を定める告示の一部を改正する告示（平成25年国土交通省告示第826号）による改正前の細目告示第93条第2項の規定」と、「協定規則第13号の附則13」とあるのは「道路運送車両の保安基準の細目を定める告示の一部を改正する告示（平成25年国土交通省告示第826号）による改正前の細目告示第93条第2項」と、「装置（協定規則第13号の附則21に適合するものに限る。）」とあるのは「装置」と、同条第八項中「協定規則第131号の規則5.及び6.に適合する衝突被害軽減制動制御装置を備えなければならない。この場合において、次に掲げる衝突被害軽減制動制御装置であってその機能を損なうおそれのある改造、損傷等のないものは、協定規則第131号の規則5.及び6.に適合するものとする」とあるのは「衝突被害軽減制動制御装置を備えなければならない。ただし、貨物の運送の用に供する自動車であって車両総重量が3.5トンを超えるもの（車軸の数が5以上であるものに限る。）にあっては、この限りでない。」と読み替えることができる。

45　指定自動車等以外の被牽引自動車であって車両総重量十トン超のものについては、細目告示第九十三条第六項の規定（協定規則第十三号の規則5・1・4・後段及び5・1・5・、附則十三の4・4・後段並びに附則十八に係る部分に限る。）にかかわらず、当分の間、道路運送車両の保安基準及び装置型式指定規則の一部を改正する省令（平成二十三年国土交通省令第四十四号）による改正前の保安基準第十七条の二第一項並びに道路運送車両の保安基準の細目を定める告示の一部を改正する告示（平成二十三年国土交通省告示第五百六十五号）による改正前の細目告示第九十九条第一項の規定に適合するものであればよい。

46　指定自動車等以外の被牽引自動車であって車両総重量十トン以下のものについては、保安基準第十二条第二項並びに細目告示第九十三条第六項及び第九十三条の二の規定にかかわらず、当分の間、道路運送車両の保安基準及び装置型式指定規則の一部を改正する省令（平成二十五年国土交通省令第七十三号）による改正前の保安基準第十二条第二項及び道路運送車両の保安基準の細目を定める告示の一部を改正する告示（平成二十五年国土交通省告示第八百二十六号）による改正前の細目告示第九十三条第六項及び第七項の規定に適合するものであればよい。

47　令和三年九月三十日以前に製作された自動車又は令和三年九月三十日以前に発行された出荷検査証に係る自動車であって、当該出荷検査証の発行後十一月を経過しない間に新規検査若しくは予備検査を受けようとし、若しくは受けたもの（平成三十年十月一日以降に指定を受けた型式指定自動車及び国土交通大臣が定めるものを除く。）については、細目告示第十五条第四項及び第九十三条第四項の規定にかかわらず、道路運送車両の保安基準の細目を定める告示の一部を改正する告示（平成二十七年国土交通省告示第四十二号）による改正前の細目告示第十五条第四項及び第九十三条第四項の規定に適合するものであればよい。

48　平成三十一年一月三十一日以前に製作された専ら乗用の用に供する乗車定員十人以上の自動車であって車両総重量が五トンを超えるもの及び貨物の運送の用に供する自動車であって車両総重量が十二トンを超えるものについては、細目告示第十五条第九項、第九十三条第十項及び第百七十一条第十項の規定は、適用しない。

49　平成二十九年一月三十一日以前に製作された自動車（専ら乗用の用に供する乗車定員十人以上の自動車であって車両総重量が五トンを超えるもの、貨物の運送の用に供する自動車であって車両総重量が十二トンを超えるもの、二輪自動車、側車付二輪自動車、三輪自動車、カタピラ及びそりを有する軽自動車、大型特殊自動車、小型特殊自動車並びに被牽引自動車を除く。）については、細目告示第十五条第九項、第九十三条第十項及び第百七十一条第十項の規定は、適用しない。

50　平成二十九年六月三十日以前に製作された自動車（二輪自動車に限る。）については、細目告示第十五条第九項、第九十三条第十項及び第百七十一条第十項の規定は、適用しない。

51　令和三年九月三十日以前に製作された自動車又は令和三年九月三十日以前に発行された出荷検査証に係る自動車であって、当該出荷検査証の発行後十一月を経過しない間に新規検査若しくは予備検査を受けようとし、若しくは受けたもの（平成三十年十月一日以降に指定を受けた型式指定自動車及び国土交通大臣が定めるものを除く。）については、細目告示第十五条第四項及び第九十三条第四項の規定にかかわらず、道路運送車両の保安基準の細目を定める告示の一部を改正する告示（平成二十九年国土交通省令第六百四十号）による改正前の細目告示第十五条第四項及び第九十三条第四項の規定に適合するものであればよい。

52　次の各号に掲げる自動車については、当分の間、細目告示第十五条第二項第一号後段（走行中の自動車の旋回に著しい支障を及ぼす横滑り及び転覆を有効に防止することができる装置に係る部分に限る。）並びに第九十三条第二項第一号後段（走行中の自動車の旋回に著しい支障を及ぼす横滑り及び転覆を有効に防止することができる装置に係る部分に限る。）は、適用しない。ただし、当該自動車（第二十四項から第三十一項までの適用を受けるものを除く。）が走行中の自動車の旋回に著しい支障を及ぼす横滑り又は転覆を有効に防止することができる装置を備える場合にあっては、当該装置は、協定規則第十三号の附則二十一に適合するものでなければならない。

一　貨物の運送の用に供する自動車であって車両総重量が二トン以下のもののうち、次に掲げる全ての要件を満たすもの

イ　少なくとも一つの前軸の両輪タイヤと一つの後軸の両輪タイヤに動力を同時に伝達することができる動力伝達装置を有すること（前軸又は後軸のいずれか一方の動力伝達を切り離すことができるものを含む。）。

ロ　前軸と後軸の間の駆動ギアをロックする構造を有すること又はこれと同等の性能を有する構造であること。

ハ　十分の三こう配の坂路を登坂する能力を有すること。

ニ　次に掲げる六項目のうち五項目以上を満たすこと。

(1)　地面と自動車の前軸の両輪タイヤ及び自動車の前軸の前方の車体に接する平面のなす角

度が二十五度以上
(2) 地面と自動車の後軸の両輪タイヤ及び自動車の後軸の後方の車体に接する平面のなす角度が二十度以上
(3) 自動車の前軸の両輪タイヤに接し自動車の前軸より後上方に延びる平面と自動車の後軸の両輪タイヤに接し自動車の後軸より前上方に延びる平面の交線が車体下面に接した状態において、この両平面のなす最小角度が二十度以上
(4) 自動車の前軸の両輪タイヤの最後端を結ぶ直線と後軸の両輪タイヤの最前端を結ぶ直線によって区切られる範囲内で、車体下面の最も低い位置にある固定物と地面の間の距離が二百ミリメートル以上
(5) 自動車の前軸直下の最低地上高が百八十ミリメートル以上。この場合、軸直下の最低地上高とは、地面に垂直で自動車の前軸を含む平面内において、両輪タイヤの接地点を通り、車体下面に接する円弧の頂点と地面の間の距離をいう。
(6) 自動車の後軸直下の最低地上高が百八十ミリメートル以上。この場合、軸直下の最低地上高とは、地面に垂直で自動車の後軸を含む平面内において、両輪タイヤの接地点を通り、車体下面に接する円弧の頂点と地面の間の距離をいう。

二 専ら乗用の用に供する乗車定員十人以上の自動車であって車両総重量が十二トン以下のもの及び貨物の運送の用に供する自動車であって車両総重量が二トンを超え十二トン以下のもののうち、次に掲げる全ての要件を満たすもの
イ 少なくとも一つの前軸の両輪タイヤと一つの後軸の両輪タイヤに動力を同時に伝達することができる動力伝達装置を有すること（前軸又は後軸のいずれか一方の動力伝達を切り離すことができるものを含む。）。
ロ 前軸と後軸の間の駆動ギアをロックする構造を有すること又はこれと同等の性能を有する構造であること。
ハ 百分の二十五こう配の坂路を登坂する能力を有すること。

三 専ら乗用の用に供する乗車定員十人以上の自動車であって車両総重量が十二トンを超えるもの及び貨物の運送の用に供する自動車であって車両総重量が十二トンを超えるもののうち、次に掲げる全ての要件を満たすもの。ただし、全ての軸の両輪タイヤに動力を伝達することができる動力伝達装置を有する場合には、ニに掲げる要件を満たさなくてもよい。
イ 全ての軸の両輪タイヤのうち、半数以上の軸の両輪タイヤに動力を伝達することができる動力伝達装置を有すること。
ロ 前軸と後軸の間の駆動ギアをロックする構造を有すること又はこれと同等の性能を有する構造であること。
ハ 百分の二十五こう配の坂路を登坂する能力を有すること。
ニ 次に掲げる六項目のうち四項目以上を満たすこと。
(1) 地面と自動車の前軸の両輪タイヤ及び自動車の前軸の前方の車体に接する平面のなす角度が二十五度以上
(2) 地面と自動車の後軸の両輪タイヤ及び自動車の後軸の後方の車体に接する平面のなす角度が二十五度以上
(3) 自動車の前軸の両輪タイヤに接し自動車の前軸より後上方に延びる平面と自動車の後軸の両輪タイヤに接し自動車の後軸より前上方に延びる平面の交線が車体下面に接した状態において、この両平面のなす最小角度が二十五度以上
(4) 自動車の前軸の両輪タイヤの最後端を結ぶ直線と後軸の両輪タイヤの最前端を結ぶ直線によって区切られる範囲内で、車体下面の最も低い位置にある固定物と地面の間の距離が三百ミリメートル以上
(5) 自動車の前軸直下の最低地上高が二百五十ミリメートル以上。この場合、軸直下の最低地上高とは、地面に垂直で自動車の前軸を含む平面内において、両輪タイヤの接地点を通り、車体下面に接する円弧の頂点と地面の間の距離をいう。
(6) 自動車の後軸直下の最低地上高が二百五十ミリメートル以上。この場合、軸直下の最低地上高とは、地面に垂直で自動車の後軸を含む平面内において、両輪タイヤの接地点を通り、車体下面に接する円弧の頂点と地面の間の距離をいう。

53 次に掲げる自動車（専ら乗用の用に供する自動車（二輪自動車、側車付二輪自動車、三輪自動車、カタピラ及びそりを有する軽自動車並びに被牽引自動車を除く。）であって乗車定員十人未満のもの及び貨物の運送の用に供する自動車（三輪自動車、カタピラ及びそりを有する軽自動車並びに被牽引自動車を除く。）であって車両総重量が三・五t以下のものに限る。以下この項において同じ。）については、細目告示第十五条第八項、第九十三条第九項及び第百七十一条第九項の規定は適用しない。
一 令和三年十月三十一日（輸入された自動車にあっては令和六年六月三十日）以前に製作された自動車
二 令和三年十一月一日から令和七年十一月三十日まで（輸入された自動車にあっては令和六年七月一日から令和八年六月三十日まで、貨物の運送の用に供する軽自動車にあっては令和三年十一月一日から令和九年八月三十一日まで）に製作された自動車であって、次に掲げるもの
イ 令和三年十月三十一日（輸入された自動車にあっては令和六年六月三十日）以前に指定を受けた型式指定自動車
ロ 令和三年十一月一日（輸入された自動車にあっては令和六年七月一日）以降に新たに指定を受けた型式指定自動車であって、令和三年十月三十一日（輸入された自動車にあっては令和六年六月三十日）以前に指定を受けた型式指定自動車から、種別、用途、原動機の種類及び主要構造、燃料の種類、動力用電源装置の種類、動力伝達装置の種類及び主要構造、懸架装置の種類及び主要構造、軸距並びに適合する排出ガス規制値又は低排出ガス車認定実施要領に定める認定の基準値以外に、型式を区別する事項に変更がないもの
ハ 国土交通大臣が定める自動車
三 令和七年十一月三十日（輸入された自動車にあっては令和八年六月三十日、貨物の運送の用に供する軽自動車にあっては令和九年八月三十一日）以前に発行された出荷検査証に係る自動車であって、当該出荷検査証の発行後十一月を経過しない間に新規検査又は予備検査を受けようとし、又は受けたもの

54 次に掲げる自動車以外の自動車については、当分の間、細目告示第九十三条第十一項及び第百七十一条第十一項の規定は適用しない。
一 令和三年十月一日（輸入された自動車にあっては令和四年十月一日）以降に新たに指定を受けた型式指定自動車のうち、指定を受けた時点における細目告示別添百二十四「継続検査等に用いる車載式故障診断装置の技術基準」1.に規定する対象装置の性能が令和三年九月三十日（輸入された自動車にあっては令和四年九月三十日）以前に指定を受けた型式指定自動車と同一でなく、かつ、指定を受けた日から起算して二年を経過したもの（新規登録（軽自動車にあっては新規検査）を初めて受けた日の属する月の前月の末日から起算して十月を経過したも

のに限る。）

二　国土交通大臣が定める自動車

55　令和四年九月三十日（輸入された自動車にあっては令和五年九月三十日）以前に指定を受けた型式指定自動車及び国土交通大臣が定める自動車については、令和六年九月三十日（輸入された自動車にあっては令和七年九月三十日）までの間、細目告示第九十三条第十一項及び第百七十一条第十一項の規定は適用しない。

56　次に掲げる自動車（専ら乗用の用に供する自動車（二輪自動車、側車付二輪自動車、三輪自動車、カタピラ及びそりを有する軽自動車並びに被牽引自動車を除く。）であって乗車定員十人未満のもの及び貨物の運送の用に供する自動車（三輪自動車、カタピラ及びそりを有する軽自動車並びに被牽引自動車を除く。）であって車両総重量が三・五トン以下のものに限る。以下この項において同じ。）については、細目告示第十五条第八項中「協定規則第152号」とあるのは「協定規則第152号初版」と読み替えることができる。

一　令和六年六月三十日以前に製作された自動車

二　令和六年七月一日から令和八年六月三十日まで（貨物の運送の用に供する軽自動車にあっては、令和六年七月一日から令和九年八月三十一日まで）に製作された自動車であって、次に掲げるもの

イ　令和六年六月三十日以前に指定を受けた型式指定自動車

ロ　令和六年七月一日以降に新たに指定を受けた型式指定自動車であって、令和六年六月三十日以前に指定を受けた型式指定自動車から、種別、用途、原動機の種類及び主要構造、燃料の種類、動力用電源装置の種類、動力伝達装置の種類及び主要構造、懸架装置の種類及び主要構造、軸距並びに適合する排出ガス規制値又は低排出ガス車認定実施要領に定める認定の基準値以外に、型式を区別する事項に変更がないもの

ハ　国土交通大臣が定める自動車

三　令和八年六月三十日（貨物の運送の用に供する軽自動車にあっては、令和九年八月三十一日）以前に発行された出荷検査証に係る自動車であって、当該出荷検査証の発行後十一月を経過しない間に新規検査又は予備検査を受けようとし、又は受けたもの

57　次に掲げる自動車（二輪自動車、側車付二輪自動車及び三輪自動車（最高速度二十五キロメートル毎時以下の自動車及び被牽引自動車を除く。）に限る。以下この項において同じ。）については、細目告示第十五条第四項及び第九十三条第四項の規定にかかわらず、道路運送車両の保安基準の細目を定める告示等の一部を改正する告示（令和二年国土交通省告示第千五百七十七号）による改正前の細目告示第十五条第四項及び第九十三条第四項の規定に適合するものであればよい。

一　令和五年八月三十一日以前に製作された自動車

二　令和五年九月一日から令和八年八月三十一日までに製作された自動車であって、次に掲げるもの

イ　令和五年八月三十一日以前に指定を受けた型式指定自動車

ロ　国土交通大臣が定める自動車

三　令和八年八月三十一日以前に発行された出荷検査証に係る自動車であって、当該出荷検査証の発行後十一月を経過しない間に新規検査又は予備検査を受けようとし、又は受けたもの

58　次に掲げる貨物の運送の用に供する自動車（車両総重量が二・八トンを超え三・五トン以下の貨物の運送の用に供する自動車（三輪自動車、カタピラ及びそりを有する軽自動車並びに被牽引自動車を除く。）に限る。以下この項において同じ。）については、細目告示第十五条第八項中「協定規則第152号」とあるのは「協定規則第152号改訂版補足改訂版」と読み替えることができる。

一　令和八年七月一日から令和九年八月三十一日までに製作された自動車であって、次に掲げるもの

イ　令和八年六月三十日以前に指定を受けた型式指定自動車

ロ　令和八年七月一日以降に新たに指定を受けた型式指定自動車であって、令和八年六月三十日以前に指定を受けた型式指定自動車から、種別、用途、原動機の種類及び主要構造、燃料の種類、動力用電源装置の種類、動力伝達装置の種類及び主要構造、懸架装置の種類及び主要構造、軸距並びに適合する排出ガス規制値又は低排出ガス車認定実施要領に定める認定基準の基準値以外に、型式を区別する事項に変更がないもの

ハ　国土交通大臣が定める自動車

二　令和九年八月三十一日以前に発行された出荷検査証に係る自動車であって、当該出荷検査証の発行後十一月を経過しない間に新規検査又は予備検査を受けようとし、又は受けたもの

59　指定自動車等以外の専ら乗用の用に供する自動車であって乗車定員十人未満のもの及び貨物の運送の用に供する自動車であって車両総重量が三・五トン以下の自動車については、当分の間、細目告示第九十三条第九項及び第百七十一条第九項は適用しない。

60　次に掲げる自動車（協定規則第十三号の規則5・2・1・26・の適用を受ける自動車に限る。）については、細目告示第十五条第二項第一号及び第六項第一号並びに第九十三条第二項第一号及び第六項第一号中「協定規則第13号」とあるのは「協定規則第13号第11改訂版補足第18改訂版」と読み替えることができる。

一　令和六年八月三十一日以前に製作された自動車

二　令和六年九月一日から令和八年八月三十一日までに製作された自動車であって、次に掲げるもの

イ　令和六年八月三十一日以前に指定を受けた型式指定自動車

ロ　令和六年九月一日以降に新たに指定を受けた型式指定自動車であって、同年八月三十一日以前に指定を受けた型式指定自動車と駐車制動装置の性能が同一のもの

ハ　国土交通大臣が定める自動車

三　令和八年八月三十一日以前に発行された出荷検査証に係る自動車であって、当該出荷検査証の発行後十一月を経過しない間に新規検査又は予備検査を受けようとし、又は受けたもの

61　次に掲げる自動車については、細目告示第十五条第七項及び第九十三条第八項の規定にかかわらず、道路運送車両の保安基準の細目を定める告示等の一部を改正する告示（令和五年国土交通省告示第一号）による改正前の第十五条第七項及び第九十三条第八項の規定に適合するものであればよい。この場合において、第十五条第七項及び第九十三条第八項中「協定規則第131号」とあるのは「協定規則第131号改訂版補足第２改訂版」と読み替えることができる。

一　令和七年八月三十一日以前に製作された自動車

二　令和七年九月一日から令和十年八月三十一日までに製作された自動車であって、次に掲げるもの

イ　令和七年八月三十一日以前に指定を受けた型式指定自動車

ロ　令和七年九月一日以降に新たに指定を受けた型式指定自動車であって、同年八月三十一日以前に指定を受けた型式指定自動車から、種別、用途、原動機の種類及び主要構造、燃料の種類、動力用電源装置の種類並びに適合する排出ガス規制値又は低排出ガス車認定実施要領

に定める認定の基準値以外に、型式を区別する事項に変更がないもの

ハ　国土交通大臣が定める自動車

三　令和十年八月三十一日以前に発行された出荷検査証に係る自動車であって、当該出荷検査証の発行後十一月を経過しない間に新規検査又は予備検査を受けようとし、又は受けたもの

62　次に掲げる自動車（協定規則第十三号の規則5・2・1・32・（d）に該当する自動車に限る。）については、細目告示第十五条第二項第一号及び第六項第一号並びに第九十三条第二項第一号及び第六項第一号中「協定規則第13号」とあるのは、「協定規則第13号第12改訂版補足第2改訂版」と読み替えることができる。

一　令和八年八月三十一日以前に製作された自動車

二　令和八年九月一日から令和十年八月三十一日までに製作された自動車であって、次に掲げるもの

イ　令和八年八月三十一日以前に指定を受けた型式指定自動車

ロ　令和八年九月一日以降に新たに指定を受けた型式指定自動車であって、同年八月三十一日以前に指定を受けた型式指定自動車と走行中の自動車の旋回に著しい支障を及ぼす横滑り及び転覆を有効に防止することができる装置の性能が同一のもの

ハ　国土交通大臣が定める自動車

三　令和十年八月三十一日以前に発行された出荷検査証に係る自動車であって、当該出荷検査証の発行後十一月を経過しない間に新規検査又は予備検査を受けようとし、又は受けたもの

63　協定規則第十三号の規則5・2・1・32・（a）から（c）までに該当する自動車については、当分の間、細目告示第十五条第二項第一号及び第六項第一号並びに第九十三条第二項第一号及び第六項第一号中「協定規則第13号」とあるのは、「協定規則第13号第12改訂版補足第2改訂版」と読み替えることができる。

64　次に掲げる自動車（協定規則第七十八号の規則5・1・19・の適用を受ける二輪自動車、側車付二輪自動車及び三輪自動車（最高速度二十五キロメートル毎時以下の自動車及び被牽引自動車を除く。）に限る。）については、細目告示第十五条第四項及び第九十三条第四項中「協定規則第78号」とあるのは、「協定規則第78号第5改訂版補足第2改訂版」と読み替えることができる。

一　令和六年八月三十一日以前に製作された自動車

二　令和六年九月一日から令和八年八月三十一日までに製作された自動車であって、次に掲げるもの

イ　令和六年八月三十一日以前に指定を受けた型式指定自動車

ロ　国土交通大臣が定める自動車

三　令和八年八月三十一日以前に発行された出荷検査証に係る自動車であって、当該出荷検査証の発行後十一月を経過しない間に新規検査又は予備検査を受けようとし、又は受けたもの

（牽引自動車及び被牽引自動車の制動装置）

第一〇条　平成十五年十二月三十一日以前に製作された自動車については、保安基準第十三条の規定並びに細目告示第十六条、第九十四条及び第百七十二条の規定にかかわらず、次の基準に適合するものであればよい。

一　牽引自動車及び被牽引自動車の制動装置は、牽引自動車と被牽引自動車とを連結した状態において、前条第一項第一号ロ及びチの基準並びに次の基準に適合しなければならない。

イ　前条第一項第一号又は第二号の自動車に牽引される場合にあっては、同項第一号ヲの基準

ロ　前条第一項第四号の自動車に牽引される場合にあっては、同号チの基準

二　前条第一項第六号ロ及びハに掲げる被牽引自動車にあっては、連結した状態において、牽引する牽引自動車の主制動装置のみで同項第一号ロ及び第四号ハの基準に適合する場合には、主制動装置を省略することができる。

三　牽引自動車及び被牽引自動車の制動装置（被牽引自動車の制動装置であって当該被牽引自動車を牽引する牽引自動車と接近することにより作用する構造であるもの（以下「慣性制動装置」という。）を除く。）は、走行中牽引自動車と被牽引自動車とが分離したときに、それぞれを停止させることができる構造でなければならない。ただし、車両総重量が一・五トン以下の一軸を有する被牽引自動車（セミトレーラを除く。）で連結装置が分離したときに連結装置の地面への接触を防止し、牽引自動車と被牽引自動車との連結状態を保つことができるものにあっては、この限りでない。

四　牽引自動車（最高速度三十五キロメートル毎時未満の大型特殊自動車、農耕作業用小型特殊自動車及び最高速度二十五キロメートル毎時以下の自動車を除く。）及び被牽引自動車（慣性制動装置を備える自動車を除く。）の主制動装置は、牽引自動車と被牽引自動車とを連結した状態において、次の基準に適合しなければならない。

イ　前条第一項第一号又は第二号の自動車に牽引される場合にあっては、同項第一号ルの基準

ロ　前条第一項第三号の自動車に牽引される場合にあっては、同号への基準

ハ　前条第一項第四号の自動車に牽引される場合にあっては、同号ニ及びトの基準

五　牽引自動車及び被牽引自動車の主制動装置（慣性制動装置を除く。）は、牽引自動車と被牽引自動車とを連結した状態において、牽引自動車の主制動装置を操作したときに、直ちに被牽引自動車の主制動装置が作用する構造でなければならない。

六　車両総重量が七トンを超える牽引自動車及び被牽引自動車（車両総重量十トン以下の被牽引自動車及び最高速度三十五キロメートル毎時未満の大型特殊自動車、農耕作業用小型特殊自動車又は最高速度二十五キロメートル毎時以下の自動車により牽引される被牽引自動車を除く。）の主制動装置は、牽引自動車と被牽引自動車とを連結した状態において、次の基準に適合しなければならない。

イ　前条第一項第一号の自動車に牽引される場合にあっては、同号ワ及びカの基準

ロ　前条第一項第四号の自動車に牽引される場合にあっては、同号リの基準

七　前条第一項第二号の自動車に牽引される車両総重量七百五十キログラム以下の被牽引自動車にあっては、連結した状態において、牽引する牽引自動車の主制動装置のみで同項第一号ロの基準及び第二号ロ(1)の基準（この場合において、ロの規定中「$0.0060V_i^2$」とあるのは「$0.0071V_i^2$」とする。）に適合する場合には、主制動装置を省略することができる。

2　次の表の上欄に掲げる自動車については、前項の規定のうち同表の下欄に掲げる規定は、適用しない。

自動車	条項
一　昭和三十八年九月三十日以前に製作された自動車	第三号
二　昭和四十三年七月三十一日以前に製作された自動車	第四号
三　昭和四十八年十一月三十日以前に製作された自動車（貨物の運送の用に供する普通自動車であって車両総重量が八トン以上又は最大積載量が五トン以上のもの及び乗車定員三十人以上の普通自動車を除く。）	第四号

四　昭和五十年三月三十一日以前に製作された牽引自動車と被牽引自動車とを連結した場合又は牽引自動車と同日以前に製作された被牽引自動車とを連結した場合における牽引自動車及び被牽引自動車	第五号
五　昭和五十年十一月三十日以前に製作された自動車	第四号（前条第一項第四号トの基準に係る部分に限る。）
六　平成三年九月三十日（専ら乗用の用に供する自動車であって車両総重量が十二トンを超えるもの（高速自動車国道等に係る路線以外の路線を定めて定期に運行する旅客自動車運送事業用自動車以外のもの）にあっては、平成四年三月三十一日）以前に製作された自動車	第六号
七　次に掲げる被牽引自動車以外の被牽引自動車であって、平成七年八月三十一日以前に製作されたもの イ　火薬類（保安基準第五十一条第二項各号に掲げる数量以下のものを除く。）を運送する被牽引自動車 ロ　危険物の規制に関する政令（昭和三十四年政令第三百六号）別表第三に掲げる指定数量以上の危険物を運送する被牽引自動車 ハ　保安基準別表第一に掲げる数量以上の可燃物を運送する被牽引自動車 ニ　百五十キログラム以上の高圧ガス（可燃性ガス及び酸素に限る。）を運送する被牽引自動車 ホ　放射性同位元素等による放射線障害の防止に関する法律施行規則（昭和三十五年総理府令第五十六号）第十八条の三第一項に規定する放射性輸送物（L型輸送物を除く。）を運送する場合若しくは放射性同位元素等車両運搬規則（昭和五十二年運輸省令第三十三号）第十八条の規定により運送する場合又は核燃料物質等の工場又は事業所の外における運搬に関する規則（昭和五十三年総理府令第五十七号）第三条に規定する核燃料輸送物（L型輸送物を除く。）若しくは同令第八条に規定する核分裂性輸送物を運送する場合若しくは核燃料物質等車両運搬規則（昭和五十三年運輸省令第七十二号）第十九条の規定により運送する場合に使用する被牽引自動車	第六号
八　牽引自動車と前条第二項第十号及び第十一号に掲げる被牽引自動車とを連結した場合又は牽引自動車であって次に掲げる自動車であるもの（三輪自動車を除く。）と被牽引自動車とを連結した場合における牽引自動車及び被牽引自動車 イ　前条第一項第一号の自動車（軽自動車及び車両総重量が三・五トンを超える自動車を除く。）であって平成十一年六月三十日以前に製作されたもの（平成九年十月一日以降に指定を受けた型式指定自動車を除く。） ロ　前条第一項第一号の自動車（軽自動車及び車両総重量が三・五トンを超える自動車に限る。）であって平成十二年六月三十日以前に製作されたもの（平成十年十月一日以降に指定を受けた型式指定自動車を除く。） ハ　前条第一項第二号の自動車（原動機の相当部分が運転者室又は客室の下にある自動車及びすべての車輪に動力を伝達できる構造の動力伝達装置を備えた自動車であって車枠を有するものを除く。）であって平成七年十二月三十一日（輸入された自動車にあっては平成十一年三月三十一日）以前に製作されたもの（輸入された自動車以外の自動車であって平成六年四月一日以降に指定を受けた型式指定自動車を除く。） ニ　前条第一項第二号の自動車（原動機の相当部分が運転者室又は客室の下にある普通自動車及び小型自動車並びにすべての車輪に動力を伝達できる構造の動力伝達装置を備えた普通自動車及び小型自動車であって車枠を有するものに限る。）であって平成十一年六月三十日（輸入された自動車にあっては平成十四年九月三十日）以前に製作されたもの（輸入された自動車以外の自動車であって平成九年十月一日以降に指定を受けた型式指定自動車を除く。） ホ　前条第一項第二号の自動車（原動機の相当部分が運転者室又は客室の下にある軽自動車及びすべての車輪に動力を伝達できる構造の動力伝達装置を備えた軽自動車であって車枠を有するものに限る。）であって平成十二年六月三十日以前に製作されたもの（平成十年十月一日以降に指定を受けた型式指定自動車を除く。）	第三号ただし書
九　牽引自動車であって次に掲げる自動車であるものと被牽引自動車とを連結した場合における牽引自動車及び被牽引自動車 イ　前号イからホまでに掲げる自動車（三輪自動車に限る。） ロ　前条第一項第三号の自動車であって平成十一年六月三十日以前に製作されたもの（平成九年十月一日以降に指定を受けた型式指定自動車を除く。）	第三号ただし書及び第四号

3　次の表の第一欄に掲げる自動車については、第一項の規定のうち同表第二欄に掲げる規定は、同表第三欄に掲げる字句を同表第四欄に掲げる字句に読み替えて適用する。

自動車	条項	読み替えられる字句	読み替える字句
一　昭和三十五年三月三十一日以前に製作された自動車	第二号	前条第一項第六号ロ及びハに掲げる被牽引自動車	車両総重量二トン未満の被牽引自動車及び最高速度二十五キロメートル毎時未満

			の牽引自動車により牽引される被牽引自動車
二　昭和四十五年五月三十一日以前に製作された牽引自動車と被牽引自動車とを連結した場合又は牽引自動車と同日以前に製作された被牽引自動車とを連結した場合における牽引自動車及び被牽引自動車	第一号	チの基準並びに次の	第四号ハの
三　牽引自動車と昭和三十五年四月一日から昭和四十六年十二月三十一日までに製作された被牽引自動車とを連結した場合における牽引自動車及び被牽引自動車	第二号	前条第一項第六号ロ及びハに掲げる被牽引自動車	車両総重量二トン未満の被牽引自動車及び最高速度二十キロメートル毎時未満の牽引自動車により牽引される被牽引自動車
	第三号	被牽引自動車の制動装置であって当該被牽引自動車を牽引する牽引自動車と接近することにより作用する構造であるもの（以下「慣性制動装置」という。）	車両総重量二トン未満の被牽引自動車及び最高速度二十キロメートル毎時未満の牽引自動車により牽引される被牽引自動車の制動装置
四　昭和四十八年十一月三十日以前に製作された牽引自動車と被牽引自動車とを連結した場合又は牽引自動車と同日以前に製作された被牽引自動車とを連結した場合における牽引自動車及び被牽引自動車	第一号	適合しなければならない。	適合しなければならない。この場合において、前条第一項第四号ハの基準中「九百ニュートン」とあるのは「千二百ニュートン」とする。
	第二号	省略することができる。	省略することができる。この場合において、同項第四号ハの基準中「九百ニュートン」とあるのは「千二百ニュートン」とする。
五　昭和四十五年六月一日から昭和五十年三月三十一日までに製作された牽引自動車と被牽引自動車とを連結した場合又は牽引自動車と当該期間に製作された被牽引自動車とを連結した場合における牽引自動車及び被牽引自動車	第一号	及びチの基準並びに次の	並びに第四号ハ及びチの
六　牽引自動車と前条第三項第六号イ及びロに掲げる被牽引自動車であって昭和五十年四月一日以降に製作されたものとを連結した場合又は牽引自動車であって次に掲げる自動車であるもの（昭和五十年四月一日以降に製作された自動車に限る。）と被牽引自動車とを連結した場合における牽引自動車及び被牽引自動車 イ　前条第一項第一号の自動車（軽自動車及び車両総重量が三・五トンを超える自動車を除く。）であって平成十一年六月三十日以前に製作されたもの（平成九年十月一日以降に指定を受けた型式指定自動車を除く。）	第一号	の基準並びに次の	並びに第四号ハ及びチの

ロ　前条第一項第一号の自動車（軽自動車及び車両総重量が三・五トンを超える自動車に限る。）であって平成十二年六月三十日以前に製作されたもの（平成十年十月一日以降に指定を受けた型式指定自動車を除く。）

ハ　前条第一項第二号の自動車（原動機の相当部分が運転者室又は客室の下にある自動車及びすべての車輪に動力を伝達できる構造の動力伝達装置を備えた自動車であって車枠を有するものを除く。）であって平成七年十二月三十一日（輸入された自動車にあっては平成十一年三月三十一日）以前に製作されたもの（輸入された自動車以外の自動車であって平成六年四月一日以降に指定を受けた型式指定自動車を除く。）

ニ　前条第一項第二号の自動車（原動機の相当部分が運転者室又は客室の下にある普通自動車及び小型自動車並びにすべての車輪に動力を伝達できる構造の動力伝達装置を備えた普通自動車及び小型自動車であって車枠を有するものに限る。）であって平成十一年六月三十日（輸入された自動車にあっては平成十四年九月三十日）以前に製作されたもの（輸入された自動車以外の自動車であって平成九年十月一日以降に指定を受けた型式指定自動車を除く。）

ホ　前条第一項第二号の自動車（原動機の相当部分が運転者室又は客室の下にある軽自動車及びすべての車輪に動力を伝達できる構造の動力伝達装置を備えた軽自動車であって車枠を有するものに限る。）であって平成十二年六月三十日以前に製作されたもの（平成十年十月一日以降に指定を受けた型式指定自動車を除く。）

ヘ　前条第一項第三号の自動車であって平成十一年六月三十日以前に製作されたもの（平成九年十月一日以降に指定を受けた型式指定自動車及び認定を受けた型式認定自動車を除く。）

七　牽引自動車と前条第三項第六号イ及びロに掲げる被牽引自動車であって昭和四十七年一月一日以降に製作されたものとを連結した場合又は牽引自動車であって前号イからヘまでに掲げる自動車であるもの（昭和四十七年一月一日以降に製作された自動車に限る。）と被牽引自動車とを連結した場合における牽引自動車及び被牽引自動車	第二号	前条第一項第六号ロ	車両総重量七百五十キログラム以下の被牽引自動車（車両総重量が当該被牽引自動車を牽引する牽引自動車の車両重量に五十五キログラムを加えた値の二分の一を超えるものを除く。）並びに前条第一項第六号ロ
	第三号	被牽引自動車の制動装置であって、当該被牽引自動車を牽引する牽引自動車と接近することにより作用する構造であるもの（以下「慣性制動装置」という。）	車両総重量七百五十キログラム以下の被牽引自動車並びに前条第一項第六号ロ及びハに掲げる被牽引自動車の制動装置
八　牽引自動車と前条第三項第六号イ及びロまでに掲げる被牽引自動車とを連結した場合又は牽引自動車であって第六号イからヘまでに掲げる自動車であるものと被牽引自動車とを連結した場合における牽引自動車及び被牽引自動車	第四号	慣性制動装置を備える自動車	車両総重量七百五十キログラム以下の被牽引自動車並びに前条第一項第六号ロ及びハに掲げる被牽引自動車
		次の	同項第四号ニ及びトの
	第五号	慣性制動装置	車両総重量七百五十キログラム以下の被牽引自動車並びに前条第一項第六号ロ及びハに掲げる被牽引自動車の主制動装置
	第六号	車両総重量が七トンを超える牽引自動車	専ら乗用の用に供する自動車であって車両総重量が十二トンを超えるもの（高速自動車国道等に係る路線以外の路線を定めて定期に運行する旅客自動車運送事業用自動車を除く。）及び車両総重量が七トンを超える牽引自動車
九　平成十五年十二月三十一日以前に製作された自動車	第四号及び第六号	二十五キロメートル毎時以下	二十キロメートル毎時未満

4　平成二十九年一月三十一日以前に製作された自動車（平成二十七年九月一日以降に指定を受けた型式指定自動車（平成二十七年八月三十一日以前に指定を受けた型式指定自動車から、種別、用途、原動機の種類及び主要構造、燃料の種類及び動力用電源装置の種類並びに適合する排出ガス規制値又は低排出ガス車認定実施要領に定める基準値以外に、型式を区別する事項に変更がないものを除く。）及び国土交通大臣が定める自動車を除く。）については、細目告示第十六条、第九十四条及び第百七十二条の規定にかかわらず、道路運送車両の保安基準の細目を定める告示の一部を改正する告示（平成二十五年国土交通省告示第八百二十六号）による改正前の細目告示第十六条、第九十四条及び第百七十二条の規定に適合するものであればよい。

5　牽引自動車と指定自動車等以外の被牽引自動車であって車両総重量十トン以下のものを連結した場合における牽引自動車及び被牽引自動車については、細目告示第九十四条の規定にかかわらず、当分の間、道路運送車両の保安基準の細目を定める告示の一部を改正する告示（平成二十五年国土交通省告示第八百二十六号）による改正前の細目告示第九十四条の規定に適合するものであればよい。

（緩衝装置）

第十一条　次の表の第一欄に掲げる自動車については、同表第二欄に掲げる規定は、同表第三欄に掲げる字句を同表第四欄に掲げる字句に読み替えて適用する。

自動車	条項	読み替えられる字句	読み替える字句
一　昭和三十五年三月三十一日以前に製作された自動車	保安基準第十四条	二十キロメートル毎時	二十五キロメートル毎時
二　昭和五十八年十二月三十一日以前に製作された自動車（緩衝装置に係る改造を行ったものを除く。）	保安基準第十四条	車両総重量二トン未満の被牽引自動車	車両総重量二トン未満の自動車

（燃料装置）

第十二条　昭和六十二年八月三十一日（専ら乗用の用に供する乗車定員十人以下の自動車であって輸入された自動車以外のものにあっては、昭和六十二年二月二十八日、輸入された自動車にあっては昭和六十三年三月三十一日）以前に製作された自動車については、保安基準第十五条の規定並びに細目告示第十八条、第九十六条及び第百七十四条の規定にかかわらず、次の基準に適合するものであればよい。

一　ガソリン、灯油、軽油、アルコールその他の引火しやすい液体を燃料とする自動車の燃料装置は、次の基準に適合しなければならない。

イ　燃料タンク及び配管は、堅ろうで、振動、衝撃等により損傷を生じないように取り付けられていること。

ロ　専ら乗用の用に供する自動車（乗車定員十一人以上の自動車、二輪自動車、側車付二輪自動車並びにカタピラ及びそりを有する軽自動車を除く。）の燃料タンク及び配管は、当該自動車が衝突等を受けた場合において、燃料が著しく漏れるおそれの少ない構造であること。

ハ　燃料タンクの注入口及びガス抜口は、自動車の動揺により燃料が漏れない構造であること。

ニ　燃料タンクの注入口及びガス抜口は、排気管の開口方向になく、かつ、排気管の開口部から三百ミリメートル以上離れていること。

ホ　燃料タンクの注入口及びガス抜口は、露出した電気端子及び電気開閉器から二百ミリメートル以上離れていること。

ヘ　燃料タンクの注入口及びガス抜口は、座席又は立席のある車室（隔壁により仕切られた運転者室を除く。）の内部に開口していないこと。

2　昭和五十年十一月三十日以前に製作された自動車については、前項第一号ロの規定は、適用しない。

3　次の各号に掲げる自動車については、細目告示第十八条第一項の規定にかかわらず、道路運送車両の保安基準の細目を定める告示の一部を改正する告示（平成二十七年国土交通省告示第七百二十三号）による改正前の細目告示第十八条第一項の規定に適合するものであればよい。

一　平成三十年八月三十一日以前に製作された自動車

二　平成三十年九月一日以降に製作された自動車であって、次に掲げるもの

イ　平成三十年八月三十一日以前に指定を受けた型式指定自動車

ロ　平成三十年九月一日以降に新たに指定を受けた型式指定自動車であって、平成三十年八月三十一日以前に指定を受けた型式指定自動車と燃料タンクの基本構造、材質及び車体への取付方法が同一であるもの

ハ　国土交通大臣が定める自動車

4　次の各号に掲げる自動車については、細目告示第十八条第二項及び第九十六条第三項の規定にかかわらず、道路運送車両の保安基準の細目を定める告示の一部を改正する告示（平成二十七年国土交通省告示第七百二十三号）による改正前の細目告示第十八条第二項及び第九十六条第三項の規定に適合するものであればよい。

一　平成三十年八月三十一日以前に製作された自動車

二　平成三十年九月一日以降に製作された自動車であって、次に掲げるもの

イ　平成三十年八月三十一日以前に指定を受けた型式指定自動車

ロ　平成三十年九月一日以降に新たに指定を受けた型式指定自動車であって、平成三十年八月三十一日以前に指定を受けた型式指定自動車と燃料タンクの基本構造、材質及び車体への取付方法並びに燃料タンク周辺の燃料漏れ防止に係る基本車体構造が同一であるもの

ハ　国土交通大臣が定める自動車

5　次の各号に掲げる自動車については、保安基準第十五条第二項の規定並びに細目告示第十八条第二項、第九十六条第三項及び第百七十四条第三項の規定にかかわらず、道路運送車両の保安基準等の一部を改正する省令（平成二十八年国土交通省令第五十号）による改正前の保安基準第十五条第二項の規定並びに道路運送車両の保安基準の細目を定める告示の一部を改正する告示（平成二十八年国土交通省告示第八百二十六号）による改正前の細目告示第十八条第二項、第九十六条第三項及び第百七十四条第三項の規定に適合するものであればよい。

一　令和五年八月三十一日（専ら乗用の用に供する乗車定員十人未満の自動車（車両総重量三・五トン未満のものに限る。以下この項において同じ。）であって、輸入された自動車にあっては令和二年八月三十一日、専ら乗用の用に供する乗車定員十人未満の自動車であって、輸入された自動車以外のものにあっては平成三十年八月三十一日）以前に製作された自動車

二　令和五年九月一日（専ら乗用の用に供する乗車定員十人未満の自動車であって、輸入された自動車にあっては令和二年九月一日、専ら乗用の用に供する乗車定員十人未満の自動車であって、輸入された自動車以外のものにあっては平成三十年九月一日）から令和十一年八月三十一日までに製作された自動車であって、次に掲げるもの

イ　令和五年八月三十一日（専ら乗用の用に供する乗車定員十人未満の自動車であって、輸入された自動車にあっては令和二年八月三十一日、専ら乗用の用に供する乗車定員十人未満の自動車であって、輸入された自動車以外のものにあっては平成三十年八月三十一日）以前に指定を受けた型式指定自動車

ロ　令和五年九月一日（専ら乗用の用に供する乗車定員十人未満の自動車であって、輸入された自動車にあっては令和二年九月一日、専ら乗用の用に供する乗車定員十人未満の自動車であって、輸入された自動車以外のものにあっては平成三十年九月一日）以降に新たに指定を受けた型式指定自動車であって、令和五年八月三十一日（専ら乗用の用に供する乗車定員十人未満の自動車であって、輸入された自動車にあっては令和二年八月三十一日、専ら乗用の用に供する乗車定員十人未満の自動車であって、輸入された自動車以外のものにあっては平成三十年八月三十一日）以前に指定を受けた型式指定自動車と運転者室及び客室を取り囲む部分（乗員保護装置を含む。）のフルラップ前面衝突時における乗車人員の保護に係る性能が同一であるもの

ハ　国土交通大臣が定める自動車

6　次の各号に掲げる自動車については、細目告示第十八条第二項第四号及び第九十六条第三項第四号の規定にかかわらず、道路運送車両の保安基準の細目を定める告示の一部を改正する告示（平成二十八年国土交通省告示第八百二十六号）による改正前の細目告示第二十二条第九項及び第百条第十項の規定に適合するものであればよい。

一　令和五年八月三十一日（専ら乗用の用に供する乗車定員十人未満の自動車（車両総重量二・五トン以下のものに限る。以下この項において同じ。）にあっては平成三十年八月三十一日）以前に製作された自動車

二　令和五年九月一日（専ら乗用の用に供する乗車定員十人未満の自動車にあっては平成三十年九月一日）から令和十一年八月三十一日までに製作された自動車であって、次に掲げるもの

イ　令和五年八月三十一日（専ら乗用の用に供する乗車定員十人未満の自動車にあっては平成三十年八月三十一日）以前に指定を受けた型式指定自動車

ロ　令和五年九月一日（専ら乗用の用に供する乗車定員十人未満の自動車にあっては平成三十年九月一日）以降に新たに指定を受けた型式指定自動車であって、令和五年八月三十一日（専ら乗用の用に供する乗車定員十人未満の自動車にあっては平成三十年八月三十一日）以前に指定を受けた型式指定自動車とオフセット衝突時における乗車人員の保護に係る性能が

同一であるもの
ハ　国土交通大臣が定める自動車
7　平成二十八年六月二十二日以前に製作された電力により作動する原動機を有する自動車（平成二十六年六月二十三日以降に指定を受けた型式指定自動車及び国土交通大臣が定める自動車を除く。）については、細目告示第十八条第二項第四号及び第九十六条第三項第四号の規定にかかわらず、道路運送車両の保安基準の細目を定める告示等の一部を改正する告示（平成二十三年国土交通省告示第六百七十号）による改正前の細目告示第二十二条第九項及び第百条第十項の規定に適合するものであればよい。
8　平成二十八年六月二十二日以前に製作された電力により作動する原動機を有する自動車（平成二十六年六月二十三日以降に指定を受けた型式指定自動車及び国土交通大臣が定める自動車を除く。）については、細目告示第十八条第二項第五号及び第九十六条第三項第五号の規定にかかわらず、道路運送車両の保安基準の細目を定める告示等の一部を改正する告示（平成二十三年国土交通省告示第六百七十号）による改正前の細目告示第二十二条第十項及び第百条第十二項の規定に適合するものであればよい。
9　次の各号に掲げる自動車については、細目告示第十八条第二項第六号及び第九十六条第三項第六号の規定は適用しない。
一　平成三十年六月十四日以前に製作された自動車
二　平成三十年六月十五日以降に製作された自動車であって、次に掲げるもの
イ　平成三十年六月十四日以前に指定を受けた型式指定自動車
ロ　平成三十年六月十五日以降に新たに指定を受けた型式指定自動車であって、平成三十年六月十四日以前に指定を受けた型式指定自動車と運転者室及び客室を取り囲む部分（乗員保護装置を含む。）のポールとの側面衝突時における乗車人員の保護に係る性能が同一であるもの
ハ　国土交通大臣が定める自動車
10　次の各号に掲げる自動車については、細目告示第十八条第二項第六号及び第九十六条第三項第六号中「協定規則第135号」とあるのは「協定規則第135号補足改訂版」と読み替えるものとする。
一　令和五年一月十九日以前に製作された自動車
二　令和五年一月二十日以降に製作された自動車であって、次に掲げるもの
イ　令和五年一月十九日以前に指定を受けた型式指定自動車
ロ　令和五年一月二十日以降に新たに指定を受けた型式指定自動車であって、令和五年一月十九日以前に指定を受けた型式指定自動車と運転者室及び客室を取り囲む部分（乗員保護装置を含む。）のポールとの側面衝突時における乗車人員の保護に係る性能が同一であるもの
ハ　国土交通大臣が定める自動車
11　次の各号に掲げる自動車については、細目告示第十八条第二項及び第九十六条第三項の規定にかかわらず、道路運送車両の保安基準の細目を定める告示の一部を改正する告示（平成二十九年国土交通省告示第八十八号）による改正前の細目告示第十八条第二項及び第九十六条第三項の規定に適合するものであればよい。
一　令和九年八月三十一日（専ら乗用の用に供する乗車定員十人未満の自動車にあっては令和二年八月三十一日）以前に製作された自動車
二　令和九年九月一日（専ら乗用の用に供する乗車定員十人未満の自動車にあっては令和二年九月一日）から令和十一年八月三十一日までに製作された自動車であって、次に掲げるもの
イ　令和九年八月三十一日（専ら乗用の用に供する乗車定員十人未満の自動車にあっては令和二年八月三十一日）以前に指定を受けた型式指定自動車
ロ　令和九年九月一日（専ら乗用の用に供する乗車定員十人未満の自動車にあっては令和二年九月一日）以降に新たに指定を受けた型式指定自動車であって、令和九年八月三十一日（専ら乗用の用に供する乗車定員十人未満の自動車にあっては令和二年八月三十一日）以前に指定を受けた型式指定自動車と運転者室及び客室を取り囲む部分（乗員保護装置を含む。）のフルラップ前面衝突時における乗車人員の保護に係る性能が同一であるもの
ハ　国土交通大臣が定める自動車
12　長さ二・五〇メートル、幅一・三〇メートル、高さ二・〇〇メートルを超えない軽自動車であって、最高速度六十キロメートル毎時以下のもののうち、高速自動車国道等において運行しないもの（ガソリン、灯油、軽油、アルコールその他引火しやすい液体を燃料とする自動車に限る。）については、当該自動車の燃料タンク及び配管の燃料漏れ防止に係る性能等に関し、保安基準第十五条第二項の告示で定める基準は、当分の間、細目告示第十八条第二項第一号及び第四号の規定にかかわらず、次に掲げる基準とすることができる。
一　次に掲げる基準に適合すること。この場合において、協定規則第九十四号及び協定規則第百三十七号の規定の適用については、協定規則第九十四号の附則三の4．の規定中「56－0／+1km／h」とあるのは「40－0／+1km／h」と、協定規則第百三十七号の附則三の4．の規定中「50－0／+1km／h」とあるのは「40－0／+1km／h」とそれぞれ読み替えるものとする。
イ　協定規則第九十四号の規則5．2．6．及び5．2．7．に定める基準に適合すること。
ロ　協定規則第百三十七号の規則5．2．6．及び5．2．7．に定める基準に適合すること。
二　第十五条第三十三項第二号に規定する標識を当該自動車の後面に見やすいように表示すること。ただし、既に当該標識を表示している場合は、この限りでない。
13　長さ二・五〇メートル、幅一・三〇メートル、高さ二・〇〇メートルを超えない軽自動車であって、最高速度六十キロメートル毎時以下のもののうち、高速自動車国道等において運行しないものについては、当分の間、細目告示第十八条第二項第六号の規定は適用しなくてもよい。この場合においては、前項第二号の規定を準用する。
14　次に掲げる自動車（次項の自動車を除く。）については、保安基準第十八条第二項の規定並びに細目告示第十八条第二項第一号及び第九十六条第三項第一号の規定にかかわらず、道路運送車両の保安基準等の一部を改正する省令（令和二年国土交通省令第百号）及び道路運送車両の保安基準の細目を定める告示等の一部を改正する告示（令和二年国土交通省告示第千五百七十七号）による改正前の保安基準第十八条第二項の規定並びに細目告示第十八条第二項第一号から第三号まで（協定規則第百三十七号の技術的な要件に係る部分に限る。）及び第九十六条第三項第一号から第三号まで（協定規則第百三十七号の技術的な要件に係る部分に限る。）の規定に適合するものであればよい。
一　令和九年八月三十一日以前に製作された自動車
二　令和九年九月一日から令和十一年八月三十一日までに製作された自動車であって、次に掲げるもの
イ　令和九年八月三十一日以前に指定を受けた型式指定自動車
ロ　令和九年九月一日以降に新たに指定を受けた型式指定自動車であって、令和九年八月三十一日以前に指定を受けた型式指定自動車と運転者室及び客室を取り囲む部分（乗員保護装置

を含む。）のフルラップ前面衝突時における乗車人員の保護に係る性能が同一であるもの

ハ　国土交通大臣が定める自動車

三　令和十一年八月三十一日以前に発行された出荷検査証に係る自動車であって、当該出荷検査証の発行後十一月を経過しない間に新規検査又は予備検査を受けようとし、又は受けたもの

15　次の各号に掲げる自動車のいずれにも該当するものについては、保安基準第十八条第二項の規定並びに細目告示第十八条第二項第一号及び第九十六条第三項第一号の規定にかかわらず、道路運送車両の保安基準等の一部を改正する省令（令和二年国土交通省令第百号）及び道路運送車両の保安基準の細目を定める告示等の一部を改正する告示（令和二年国土交通省告示第千五百七十七号）による改正前の保安基準第十八条第二項の規定並びに細目告示第十八条第二項第一号から第三号まで（協定規則第百三十七号の技術的な要件に係る部分に限る。）及び第九十六条第三項第一号から第三号まで（協定規則第百三十七号の技術的な要件に係る部分に限る。）の規定に適合するものであればよい。

一　次のいずれかに該当する自動車

イ　貨物の運送の用に供する車両総重量が二・八トンを超え三・五トン以下である小型自動車であってボンネットを有しないもの（車枠と車体が一体の構造のものを除く。）

ロ　イに掲げる自動車と、運転者室及び客室を取り囲む部分のうち運転者席より前方の構造が同一の普通自動車

二　次に掲げる自動車

イ　令和十四年八月三十一日以前に製作された自動車

ロ　令和十四年九月一日から令和十六年八月三十一日までに製作された自動車であって、次に掲げるもの

(1)　令和十四年八月三十一日以前に指定を受けた型式指定自動車

(2)　令和十四年九月一日以降に新たに指定を受けた型式指定自動車であって、同年八月三十一日以前に指定を受けた型式指定自動車と運転者室及び客室を取り囲む部分（乗員保護装置を含む。）のフルラップ前面衝突時における乗車人員の保護に係る性能が同一であるもの

(3)　国土交通大臣が定める自動車

ハ　令和十六年八月三十一日以前に発行された出荷検査証に係る自動車であって、当該出荷検査証の発行後十一月を経過しない間に新規検査又は予備検査を受けようとし、又は受けたもの

16　次に掲げる自動車については、細目告示第十八条第二項第三号及び第九十六条第三項第三号の規定にかかわらず、道路運送車両の保安基準の細目を定める告示等の一部を改正する告示（令和二年国土交通省告示第千五百七十七号）による改正前の細目告示第十八条第二項第一号（協定規則第三十四号の技術的な要件に係る部分に限る。）及び第三号（細目告示別添十七「衝突時等における燃料漏れ防止の技術基準」に係る部分及びただし書に限る。）並びに第九十六条第三項第一号（協定規則第三十四号の技術的な要件に係る部分に限る。）及び第三号（細目告示別添十七「衝突時等における燃料漏れ防止の技術基準」に係る部分に限る。）の規定に適合するものであればよい。

一　令和四年八月三十一日以前に製作された自動車

二　令和四年九月一日から令和六年八月三十一日までに製作された自動車であって、次に掲げるもの

イ　令和四年八月三十一日以前に指定を受けた型式指定自動車

ロ　令和四年九月一日以降に新たに指定を受けた型式指定自動車であって、令和四年八月三十一日以前に指定を受けた型式指定自動車と燃料タンクの基本構造、材質及び車体への取付方法並びに燃料タンク周辺の燃料漏れ防止に係る基本車体構造が同一であるもの

ハ　国土交通大臣が定める自動車

三　令和六年八月三十一日以前に発行された出荷検査証に係る自動車であって、当該出荷検査証の発行後十一月を経過しない間に新規検査又は予備検査を受けようとし、又は受けたもの

17　次に掲げる自動車については、保安基準第十八条第三項の規定並びに細目告示第十八条第二項第四号及び第九十六条第三項第四号の規定にかかわらず、道路運送車両の保安基準等の一部を改正する省令（令和二年国土交通省令第百号）及び道路運送車両の保安基準の細目を定める告示等の一部を改正する告示（令和二年国土交通省告示第千五百七十七号）による改正前の保安基準第十八条第三項の規定並びに細目告示第十八条第二項第四号及び第九十六条第三項第四号の規定に適合するものであればよい。

一　令和五年八月三十一日以前に製作された自動車

二　令和五年九月一日から令和十一年八月三十一日までに製作された自動車であって、次に掲げるもの

イ　令和五年八月三十一日以前に指定を受けた型式指定自動車

ロ　令和五年九月一日以降に新たに指定を受けた型式指定自動車であって、令和五年八月三十一日以前に指定を受けた型式指定自動車とオフセット衝突時における乗車人員の保護に係る性能が同一であるもの

ハ　国土交通大臣が定める自動車

三　令和十一年八月三十一日以前に発行された出荷検査証に係る自動車であって、当該出荷検査証の発行後十一月を経過しない間に新規検査又は予備検査を受けようとし、又は受けたもの

18　次に掲げる自動車については、保安基準第十八条第四項の規定並びに細目告示第十八条第二項第五号及び第九十六条第三項第五号の規定にかかわらず、道路運送車両の保安基準等の一部を改正する省令（令和二年国土交通省令第百号）及び道路運送車両の保安基準の細目を定める告示等の一部を改正する告示（令和二年国土交通省告示第千五百七十七号）による改正前の保安基準第十八条第四項の規定並びに細目告示第十八条第二項第五号及び第九十六条第三項第五号の規定に適合するものであればよい。

一　令和四年七月四日以前に製作された自動車

二　令和四年七月五日から令和六年七月四日までに製作された自動車であって、次に掲げるもの

イ　令和四年七月四日以前に指定を受けた型式指定自動車

ロ　令和四年七月五日以降に新たに指定を受けた型式指定自動車であって、令和四年七月四日以前に指定を受けた型式指定自動車と自動車との側面衝突時における乗車人員の保護に係る性能が同一であるもの

ハ　国土交通大臣が定める自動車

三　令和六年七月四日以前に発行された出荷検査証に係る自動車であって、当該出荷検査証の発行後十一月を経過しない間に新規検査又は予備検査を受けようとし、又は受けたもの

19　次に掲げる自動車については、細目告示第十八条及び第九十六条の規定にかかわらず、道路運送車両の保安基準の細目を定める告示等の一部を改正する告示（令和五年国土交通省告示第五百

七十二号）による改正前の細目告示第十八条及び第九十六条の規定に適合すればよい。この場合において、改正前の細目告示第十八条及び第九十六条の規定中「協定規則第34号」とあるのは「協定規則第34号第３改訂版補足第２改訂版」と読み替えるものとする。

一　令和八年八月三十一日以前に製作された自動車

二　令和八年九月一日以降に製作された自動車であって、次に掲げるもの

イ　令和八年八月三十一日以前に指定を受けた型式指定自動車

ロ　令和八年九月一日以降に新たに指定を受けた型式指定自動車であって、同年八月三十一日以前に指定を受けた型式指定自動車と燃料タンクの基本構造、材質及び車体への取付方法並びに燃料タンク周辺の燃料漏れ防止に係る基本車体構造が同一であるもの

ハ　国土交通大臣が定める自動車

（高圧ガスを燃料とする自動車の燃料装置）

第一三条　昭和四十六年十二月三十一日以前に製作された自動車については、細目告示第二十条第一項第二号、第九十八条第一項第二号及び第百七十六条第一項第二号の規定のうち、「及び導管は」を「は、車体外に取り付けるものを除き」に読み替えて適用する。

2　平成十七年三月三十日以前に保安基準第五十六条第四項の規定により認定を受けた圧縮水素ガスを燃料とする自動車については、当該認定を受けている期間は、細目告示第二十条第一項、第九十八条第一項及び第百七十六条第一項の規定の適用については、道路運送車両の保安基準の細目を定める告示の一部を改正する告示（平成十七年国土交通省告示第三百八十六号）による改正にかかわらず、なお従前の例による。

3　平成十七年三月三十日以前に保安基準第五十六条第四項の規定により認定を受けた圧縮水素ガスを燃料とする自動車については、当該認定を受けている期間は、細目告示第二十条第三項及び第四項、第九十八条第三項及び第四項並びに第百七十六条第三項及び第四項の規定は適用しない。

4　次の各号に掲げる自動車については、細目告示第二十条第一項及び第五項、第九十八条第一項及び第六項並びに第百七十六条第一項及び第五項の規定にかかわらず、道路運送車両の保安基準の細目を定める告示の一部を改正する告示（平成二十六年国土交通省告示第百二十六号）による改正前の細目告示第二十条第一項、第九十八条第一項及び第百七十六条第一項の規定に適合するものであればよい。この場合において、ガス容器のガス容器試験若しくはガス容器再試験又はガス容器附属品のガス容器附属品試験若しくはガス容器附属品再試験に係る基準は、道路運送車両の保安基準の細目を定める告示等の一部を改正する告示（令和五年国土交通省告示第千四十八号）による改正前の細目告示第二十条第五項第一号、第九十八条第六項第一号及び第百七十六条第五項第一号の規定にかかわらず、別添百三十二「圧縮天然ガスを燃料とする自動車のガス容器及びガス容器附属品の技術基準」のうち当該ガス容器又は当該ガス容器附属品の種類に応じて適用される基準とする。

一　令和四年二月二十八日以前に製作された圧縮天然ガスを燃料とする自動車

二　令和四年三月一日から令和五年二月二十八日までに製作された圧縮天然ガスを燃料とする自動車であって、次に掲げるもの

イ　令和四年二月二十八日以前に指定を受けた型式指定自動車

ロ　令和四年三月一日以降に新たに指定を受けた型式指定自動車であって、令和四年二月二十八日以前に指定を受けた型式指定自動車と原動機の種類及び主要構造、燃料の種類及び動力用電源装置の種類並びに適合する排出ガス規制値に定める設定基準値又は低排出ガス車認定実施要領に定める認定の基準値が同一であるもの

ハ　国土交通大臣が定める自動車

三　令和五年二月二十八日以前に発行された出荷検査証に係る自動車であって、当該出荷検査証の発行後十一月を経過しない間に新規検査又は予備検査を受けようとし、又は受けたもの

5　平成二十九年二月十二日以前に製作された圧縮水素ガスを燃料とする自動車については、細目告示第二十条第三項及び第四項、第九十八条第三項及び第四項並びに第百七十六条第三項の規定にかかわらず、道路運送車両の保安基準の細目を定める告示の一部を改正する告示（平成二十六年国土交通省告示第百二十六号）による改正前の細目告示第二十条第三項及び第四項、第九十八条第三項及び第四項並びに第百七十六条第三項の規定に適合するものであればよい。この場合において、ガス容器のガス容器試験若しくはガス容器再試験又はガス容器附属品のガス容器附属品試験若しくはガス容器附属品再試験に係る基準は、道路運送車両の保安基準の細目を定める告示等の一部を改正する告示（令和五年国土交通省告示第千四十八号）による改正前の細目告示第二十条第三項第一号、第九十八条第三項第一号及び第百七十六条第三項第一号に規定する基準にかかわらず、別添百三十一「圧縮水素ガスを燃料とする自動車のガス容器及びガス容器附属品の技術基準」のうち当該ガス容器又は当該ガス容器附属品の種類に応じて適用される基準とする。

6　次の各号に掲げる自動車については、細目告示第二十条第三項第四号及び第九十八条第三項第四号の規定は適用しないものとし、ガス容器のガス容器試験若しくはガス容器再試験又はガス容器附属品のガス容器附属品試験若しくはガス容器附属品再試験に係る基準は、道路運送車両の保安基準の細目を定める告示等の一部を改正する告示（令和五年国土交通省告示第千四十八号）による改正前の細目告示第二十条第三項第一号、第九十八条第三項第一号及び第百七十六条第三項第一号に規定する基準にかかわらず、別添百三十一「圧縮水素ガスを燃料とする自動車のガス容器及びガス容器附属品の技術基準」のうち当該ガス容器又は当該ガス容器附属品の種類に応じて適用される基準とする。

一　平成二十九年二月二十二日以前に製作された圧縮水素ガスを燃料とする二輪自動車及び側車付二輪自動車

二　平成二十九年二月二十二日以前に製作された圧縮水素ガスを燃料とする自動車以外の自動車（二輪自動車及び側車付二輪自動車に限る。この号及び次号において同じ。）を自動車又はその部分の改造、装置の取付け又は取り外しその他これらに類する行為（以下「改造等」という。）により、圧縮水素ガスを燃料とする自動車とした自動車であって、当該改造等が行われた後、平成二十九年二月二十二日までに初めて新規検査、構造等変更検査又は予備検査を受けるもの

三　平成二十九年二月二十二日以前に製作された圧縮水素ガスを燃料とする自動車以外の自動車を改造等により、圧縮水素ガスを燃料とする自動車とした検査対象外軽自動車であって、平成二十九年二月二十二日までに当該改造等が行われるもの

7　次の各号に掲げる自動車については、細目告示第二十条第三項及び第九十八条第三項の規定にかかわらず、道路運送車両の保安基準の細目を定める告示の一部を改正する告示（平成二十八年国土交通省告示第八百五十三号）による改正前の細目告示第二十条第三項及び第九十八条第三項の規定に適合するものであればよい。この場合において、ガス容器のガス容器試験若しくはガス容器再試験又はガス容器附属品のガス容器附属品試験若しくはガス容器附属品再試験に係る基準は、道路運送車両の保安基準の細目を定める告示等の一部を改正する告示（令和五年国土交通省告示第千四十八号）による改正前の細目告示第二十条第三項第一号、第九十八条第三項第一号及

び第百七十六条第三項第一号に規定する基準にかかわらず、別添百三十一「圧縮水素ガスを燃料とする自動車のガス容器及びガス容器附属品の技術基準」のうち当該ガス容器又は当該ガス容器附属品の種類に応じて適用される基準とする。

一　平成三十年八月三十一日以前に製作された圧縮水素ガスを燃料とする自動車（二輪自動車及び側車付二輪自動車を除く。以下次号において同じ。）

二　平成三十年九月一日以降に製作された圧縮水素ガスを燃料とする自動車であって、次に掲げるもの

イ　平成三十年八月三十一日以前に指定を受けた型式指定自動車

ロ　平成三十年九月一日以降に新たに指定を受けた型式指定自動車であって、平成三十年八月三十一日以前に指定を受けた型式指定自動車と原動機の種類及び主要構造、燃料の種類及び動力用電源装置の種類（動力用電源装置の種類に限る。）、車枠並びに適合する排出ガス規制値に定める設定基準値が同一であるもの

ハ　国土交通大臣が定める自動車

8　平成三十年八月三十一日以前に製作された圧縮水素ガスを燃料とする自動車（乗車定員十一人以上のもの及び車両総重量が二・八トンを超えるものに限る。）については、保安基準第十七条第三項の規定並びに細目告示第二十条第四項第三号、第九十八条第四項第三号及び第百七十六条第四項の規定にかかわらず、道路運送車両の保安基準等の一部を改正する省令（平成二十八年国土交通省令第五十号）による改正前の保安基準第十七条第一項及び第三項の規定並びに道路運送車両の保安基準の細目を定める告示の一部を改正する告示（平成二十八年国土交通省告示第八百五十三号）による改正前の細目告示第二十条第三項、第九十八条第三項及び第百七十六条第四項の規定に適合するものであればよい。

9　次の各号に掲げる自動車については、保安基準第十七条第三項の規定並びに細目告示第二十条第四項及び第九十八条第四項の規定にかかわらず、道路運送車両の保安基準等の一部を改正する省令（平成二十八年国土交通省令第五十号）及び道路運送車両の保安基準の細目を定める告示の一部を改正する告示（平成二十八年国土交通省告示第八百五十三号）による改正前の保安基準第十七条第三項の規定並びに細目告示第二十条第四項及び第九十八条第四項の規定に適合するものであればよい。

一　令和五年八月三十一日（専ら乗用の用に供する乗車定員十人未満の圧縮水素ガスを燃料とする自動車（車両総重量二・八トン以下のものに限る。以下この項において同じ。）であって、輸入された自動車にあっては令和二年八月三十一日、専ら乗用の用に供する乗車定員十人未満の自動車であって、輸入された自動車以外のものにあっては平成三十年八月三十一日）以前に製作された自動車

二　令和五年九月一日（専ら乗用の用に供する乗車定員十人未満の圧縮水素ガスを燃料とする自動車であって、輸入された自動車にあっては令和二年九月一日、専ら乗用の用に供する乗車定員十人未満の自動車であって、輸入された自動車以外のものにあっては平成三十年九月一日）以降に製作された自動車であって、次に掲げるもの

イ　令和五年八月三十一日（専ら乗用の用に供する乗車定員十人未満の圧縮水素ガスを燃料とする自動車であって、輸入された自動車にあっては令和二年八月三十一日、専ら乗用の用に供する乗車定員十人未満の自動車であって、輸入された自動車以外のものにあっては平成三十年八月三十一日）以前に指定を受けた型式指定自動車

ロ　令和五年九月一日（専ら乗用の用に供する乗車定員十人未満の圧縮水素ガスを燃料とする自動車であって、輸入された自動車にあっては令和二年九月一日、専ら乗用の用に供する乗車定員十人未満の自動車であって、輸入された自動車以外のものにあっては平成三十年九月一日）以降に新たに指定を受けた型式指定自動車であって、令和五年八月三十一日（専ら乗用の用に供する乗車定員十人未満の圧縮水素ガスを燃料とする自動車であって、輸入された自動車にあっては令和二年八月三十一日、専ら乗用の用に供する乗車定員十人未満の自動車であって、輸入された自動車以外のものにあっては平成三十年八月三十一日）以前に指定を受けた型式指定自動車と運転者室及び客室を取り囲む部分（乗員保護装置を含む。）のフルラップ前面衝突時における乗車人員の保護に係る性能が同一であるもの

ハ　国土交通大臣が定める自動車

10　次の各号に掲げる自動車については、細目告示第二十条第四項第四号及び第九十八条第四項第四号の規定にかかわらず、道路運送車両の保安基準の細目を定める告示の一部を改正する告示（平成二十八年国土交通省告示第八百五十三号）による改正前の細目告示第二十条第四項第二号及び第九十八条第四項第二号の規定に適合するものであればよい。

一　令和五年八月三十一日（専ら乗用の用に供する乗車定員十人未満の自動車（車両総重量二・八トン以下のものに限る。以下この項において同じ。）にあっては平成三十年八月三十一日）以前に製作された自動車

二　令和五年九月一日（専ら乗用の用に供する乗車定員十人未満の自動車にあっては平成三十年九月一日）から令和十一年八月三十一日までに製作された自動車であって、次に掲げるもの

イ　令和五年八月三十一日（専ら乗用の用に供する乗車定員十人未満の自動車にあっては平成三十年八月三十一日）以前に指定を受けた型式指定自動車

ロ　令和五年九月一日（専ら乗用の用に供する乗車定員十人未満の自動車にあっては平成三十年九月一日）以降に新たに指定を受けた型式指定自動車であって、令和五年八月三十一日（専ら乗用の用に供する乗車定員十人未満の自動車にあっては平成三十年八月三十一日）以前に指定を受けた型式指定自動車とオフセット衝突時における乗車人員の保護に係る性能が同一であるもの

ハ　国土交通大臣が定める自動車

11　次の各号に掲げる自動車については、細目告示第二十条第四項第五号及び第九十八条第四項第五号の規定は適用しない。

一　平成三十年六月十四日以前に製作された圧縮水素ガスを燃料とする自動車

二　平成三十年六月十五日以降に製作された圧縮水素ガスを燃料とする自動車であって、次に掲げるもの

イ　平成三十年六月十四日以前に指定を受けた型式指定自動車

ロ　平成三十年六月十五日以降に新たに指定を受けた型式指定自動車であって、平成三十年六月十四日以前に指定を受けた型式指定自動車と運転者室及び客室を取り囲む部分（乗員保護装置を含む。）のポールとの側面衝突時における乗車人員の保護に係る性能が同一であるもの

ハ　国土交通大臣が定める自動車

12　次の各号に掲げる自動車については、細目告示第二十条第四項第五号及び第九十八条第四項第五号中「協定規則第135号」とあるのは「協定規則第135号補足改訂版」と読み替えるものとする。

一　令和五年一月十九日以前に製作された圧縮水素ガスを燃料とする自動車

二　令和五年一月二十日以降に製作された圧縮水素ガスを燃料とする自動車であって、次に掲げるもの

イ　令和五年一月十九日以前に指定を受けた型式指定自動車

ロ　令和五年一月二十日以降に新たに指定を受けた型式指定自動車であって、令和五年一月十九日以前に指定を受けた型式指定自動車と運転者室及び客室を取り囲む部分（乗員保護装置を含む。）のポールとの側面衝突時における乗車人員の保護に係る性能が同一であるもの

ハ　国土交通大臣が定める自動車

13　次の各号に掲げる自動車については、細目告示第二十条第四項第一号及び第九十八条第四項第一号の規定にかかわらず、道路運送車両の保安基準の細目を定める告示の一部を改正する告示（平成二十九年国土交通省告示第八十八号）による改正前の細目告示第二十条第四項第一号及び第九十八条第四項第一号の規定に適合するものであればよい。

一　令和九年八月三十一日（専ら乗用の用に供する乗車定員十人未満の圧縮水素ガスを燃料とする自動車（車両総重量二・八トン以下のものに限る。以下この項において同じ。）にあっては令和二年八月三十一日）以前に製作された自動車

二　令和九年九月一日（専ら乗用の用に供する乗車定員十人未満の圧縮水素ガスを燃料とする自動車にあっては令和二年九月一日）から令和十一年八月三十一日までに製作された自動車であって、次に掲げるもの

イ　令和九年八月三十一日（専ら乗用の用に供する乗車定員十人未満の圧縮水素ガスを燃料とする自動車にあっては令和二年八月三十一日）以前に指定を受けた型式指定自動車

ロ　令和九年九月一日（専ら乗用の用に供する乗車定員十人未満の圧縮水素ガスを燃料とする自動車にあっては令和二年九月一日）以降に新たに指定を受けた型式指定自動車であって、令和九年八月三十一日（専ら乗用の用に供する乗車定員十人未満の圧縮水素ガスを燃料とする自動車にあっては令和二年八月三十一日）以前に指定を受けた型式指定自動車と運転者室及び客室を取り囲む部分（乗員保護装置を含む。）のフルラップ前面衝突時における乗車人員の保護に係る性能が同一であるもの

ハ　国土交通大臣が定める自動車

14　次の各号に掲げる自動車については、細目告示第二十条第五項第二号又は第六項第二号、第九十八条第六項第二号又は第七項第二号、第百七十六号第五項第四号又は第六項第四号の規定にかかわらず、道路運送車両の保安基準の細目を定める告示等の一部を改正する告示（平成三十年国土交通省告示第千百七十五号）による改正前の細目告示第二十条第五項第二号又は第六項第二号、第九十八条第六項第二号又は第七項第二号、第百七十六条第五項第四号又は第六項第四号の規定に適合するものであればよい。この場合において、ガス容器のガス容器試験若しくはガス容器再試験又はガス容器附属品のガス容器附属品試験若しくはガス容器附属品再試験に係る基準は、道路運送車両の保安基準の細目を定める告示等の一部を改正する告示（令和五年国土交通省告示第千四十八号）による改正前の細目告示第二十条第五項第一号、第九十八条第六項第一号及び第百七十六条第五項第一号の規定にかかわらず、燃料の種別に応じ別添百三十二「圧縮天然ガスを燃料とする自動車のガス容器及びガス容器附属品の技術基準」又は別添百三十三「液化天然ガスを燃料とする自動車のガス容器及び容器附属品の技術基準」のうち当該ガス容器又は当該ガス容器附属品の種類に応じて適用される基準とする。また、これらの別添の規定の適用にあっては「協定規則第110号」を「協定規則第110号第2改訂版」と読み替えることができる。

一　令和五年八月三十一日以前に製作された圧縮天然ガス又は液化天然ガスを燃料とする自動車

二　令和五年九月一日以降に製作された圧縮天然ガス又は液化天然ガスを燃料とする自動車であって、次に掲げるもの

イ　令和五年八月三十一日以前に指定を受けた型式指定自動車

ロ　令和五年九月一日以降に新たに指定を受けた型式指定自動車であって、令和五年八月三十一日以前に指定を受けた型式指定自動車と原動機の種類及び主要構造、燃料の種類及び動力用電源装置の種類並びに適合する排出ガス規制値又は低排出ガス車認定実施要領に定める認定の基準値が同一であるもの

ハ　国土交通大臣が定める自動車

15　平成三十一年一月一日以前に製作された圧縮水素ガスを燃料とする二輪自動車、側車付二輪自動車及び三輪自動車については、細目告示第二十条第三項、第九十八条第三項及び第百七十六条第三項の規定にかかわらず、道路運送車両の保安基準の細目を定める告示等の一部を改正する告示（平成三十年国土交通省告示第千三百九十五号）による改正前の細目告示第二十条第三項、第九十八条第三項及び第百七十六条第三項の規定に適合するものであればよいものとし、ガス容器のガス容器試験若しくはガス容器再試験又はガス容器附属品のガス容器附属品試験若しくはガス容器附属品再試験に係る基準は、道路運送車両の保安基準の細目を定める告示等の一部を改正する告示（令和五年国土交通省告示第千四十八号）による改正前の細目告示第二十条第三項第一号、第九十八条第三項第一号及び第百七十六条第三項第一号に規定する基準にかかわらず、別添百三十一「圧縮水素ガスを燃料とする自動車のガス容器及びガス容器附属品の技術基準」のうち当該ガス容器又は当該ガス容器附属品の種類に応じて適用される基準とする。

16　次に掲げる自動車については、細目告示第二十条第五項第二号又は第六項第二号、第九十八条第六項第二号又は第七項第二号及び第百七十六条第五項第四号又は第六項第四号の規定にかかわらず、道路運送車両の保安基準の細目を定める告示等の一部を改正する告示（令和元年国土交通省告示第七百十四号）による改正前の細目告示第二十条第五項第二号又は第六項第二号、第九十八条第六項第二号又は第七項第二号及び第百七十六条第五項第四号又は第六項第四号の規定に適合するものであればよい。この場合において、ガス容器のガス容器試験若しくはガス容器再試験又はガス容器附属品のガス容器附属品試験若しくはガス容器附属品再試験に係る基準は、道路運送車両の保安基準の細目を定める告示等の一部を改正する告示（令和五年国土交通省告示第千四十八号）による改正前の細目告示第二十条第五項第一号、第九十八条第六項第一号及び第百七十六条第五項第一号の規定にかかわらず、燃料の種別に応じ別添百三十二「圧縮天然ガスを燃料とする自動車のガス容器及びガス容器附属品の技術基準」又は別添百三十三「液化天然ガスを燃料とする自動車のガス容器及び容器附属品の技術基準」のうち当該ガス容器又は当該ガス容器附属品の種類に応じて適用される基準とする。また、これらの別添の規定の適用にあっては「協定規則第110号」を「協定規則第110号第3改訂版」と読み替えることができる。

一　令和七年八月三十一日以前に製作された圧縮天然ガスを燃料とする自動車

二　令和七年九月一日から令和九年八月三十一日までに製作された圧縮天然ガス又は液化天然ガスを燃料とする自動車であって、次に掲げるもの

イ　令和七年八月三十一日以前に指定を受けた型式指定自動車

ロ　令和七年九月一日以降に新たに指定を受けた型式指定自動車であって、令和七年八月三十一日以前に指定を受けた型式指定自動車と原動機の種類及び主要構造、燃料の種類及び動力

用電源装置の種類並びに適合する排出ガス規制値又は低排出ガス車認定実施要領に定める認定の基準値が同一であるもの

ハ　国土交通大臣が定める自動車

三　令和九年八月三十一日以前に発行された出荷検査証に係る圧縮天然ガス又は液化天然ガスを燃料とする自動車であって、当該出荷検査証の発行後十一月を経過しない間に新規検査又は予備検査を受けようとし、又は受けたもの

17　長さ二・五〇メートル、幅一・三〇メートル、高さ二・〇〇メートルを超えない軽自動車であって、最高速度六十キロメートル毎時以下のもののうち、高速自動車国道等において運行しないもの（圧縮水素ガスを燃料とする自動車に限る。）については、当該自動車のガス容器、配管その他の水素ガスの流路にある装置の燃料漏れ防止に係る性能等に関し、保安基準第十七条第三項の告示で定める基準は、当分の間、細目告示第二十条第四項第一号、第三号及び第四号の規定にかかわらず、次に掲げる基準とすることができる。

一　次に掲げる基準に適合すること。この場合において、協定規則第九十四号、協定規則第百三十四号の規則7・2・及び協定規則第百三十七号の規定の適用については、協定規則第九十四号の附則三の4・の規定中「56－0／＋1㎞／h」とあるのは「40－0／＋1㎞／h」と、協定規則第百三十七号の附則三の4・の規定中「50－0／＋1㎞／h」とあるのは「40－0／＋1㎞／h」とそれぞれ読み替えるものとする。

イ　協定規則第九十四号の附則三の規則1・、3・及び4・に定める方法並びに協定規則第百三十四号の附則五に定める方法により試験を行った結果、協定規則第百三十四号の規則7・2・1・から7・2・3・までに定める基準に適合すること。

ロ　協定規則第百三十四号の規則7・2・に定める基準に適合すること。

ロ　協定規則第百三十四号の規則7・2・に定める基準に適合すること。

ハ　協定規則第百三十七号の附則三に定める方法及び細目告示別添十七「衝突時等における燃料漏れ防止の技術基準」3・1・2・4・及び3・1・2・6・から3・1・2・8・までに定める方法により試験を行った結果、協定規則第百三十四号の規則7・2・1・から7・2・3・までに定める基準に適合すること。

二　第十五条第三十三項第二号に規定する標識を当該自動車の後面に見やすいように表示すること。ただし、既に当該標識を表示している場合は、この限りでない。

18　長さ二・五〇メートル、幅一・三〇メートル、高さ二・〇〇メートルを超えない軽自動車であって、最高速度六十キロメートル毎時以下のもののうち、高速自動車国道等において運行しないものについては、当分の間、細目告示第二十条第四項第五号の規定は適用しなくてもよい。この場合においては、前項第二号の規定を準用する。

19　次に掲げる自動車（次項の自動車を除く。）については、保安基準第十八条第二項の規定並びに細目告示第二十条第四項第一号及び第九十八条第四項第一号の規定にかかわらず、道路運送車両の保安基準等の一部を改正する省令（令和二年国土交通省令第百号）及び道路運送車両の保安基準の細目を定める告示等の一部を改正する告示（令和二年国土交通省告示第千五百七十七号）による改正前の保安基準第十八条第二項の規定並びに細目告示第二十条第四項第一号及び第九十八条第四項第一号の規定に適合するものであればよい。

一　令和九年八月三十一日以前に製作された自動車

二　令和九年九月一日から令和十一年八月三十一日までに製作された自動車であって、次に掲げるもの

イ　令和九年八月三十一日以前に指定を受けた型式指定自動車

ロ　令和九年九月一日以降に新たに指定を受けた型式指定自動車であって、令和九年八月三十一日以前に指定を受けた型式指定自動車と運転者室及び客室を取り囲む部分（乗員保護装置を含む。）のフルラップ前面衝突時における乗車人員の保護に係る性能が同一であるもの

ハ　国土交通大臣が定める自動車

三　令和十一年八月三十一日以前に発行された出荷検査証に係る自動車であって、当該出荷検査証の発行後十一月を経過しない間に新規検査又は予備検査を受けようとし、又は受けたもの

20　次の各号に掲げる自動車のいずれにも該当するものについては、保安基準第十八条第二項の規定並びに細目告示第二十条第四項第一号及び第九十八条第四項第一号の規定にかかわらず、道路運送車両の保安基準等の一部を改正する省令（令和二年国土交通省令第百号）及び道路運送車両の保安基準の細目を定める告示等の一部を改正する告示（令和二年国土交通省告示第千五百七十七号）による改正前の保安基準第十八条第二項の規定並びに細目告示第二十条第四項第一号及び第九十八条第四項第一号の規定に適合するものであればよい。

一　次のいずれかに該当する自動車

イ　貨物の運送の用に供する車両総重量が二・八トンを超え三・五トン以下である小型自動車であってボンネットを有しないもの（車枠と車体が一体の構造のものを除く。）

ロ　イに掲げる自動車と、運転者室及び客室を取り囲む部分のうち運転者席より前方の構造が同一の普通自動車

二　次に掲げる自動車

イ　令和十四年八月三十一日以前に製作された自動車

ロ　令和十四年九月一日から令和十六年八月三十一日までに製作された自動車であって、次に掲げるもの

(1)　令和十四年八月三十一日以前に指定を受けた型式指定自動車

(2)　令和十四年九月一日以降に新たに指定を受けた型式指定自動車であって、同年八月三十一日以前に指定を受けた型式指定自動車と運転者室及び客室を取り囲む部分（乗員保護装置を含む。）のフルラップ前面衝突時における乗車人員の保護に係る性能が同一であるもの

(3)　国土交通大臣が定める自動車

ハ　令和十六年八月三十一日以前に発行された出荷検査証に係る自動車であって、当該出荷検査証の発行後十一月を経過しない間に新規検査又は予備検査を受けようとし、又は受けたもの

21　次に掲げる自動車については、細目告示第二十条第四項第二号及び第九十八条第四項第二号の規定にかかわらず、道路運送車両の保安基準の細目を定める告示等の一部を改正する告示（令和二年国土交通省告示第千五百七十七号）による改正前の細目告示第二十条第四項第二号及び第九十八条第四項第二号の規定に適合するものであればよい。

一　令和四年八月三十一日以前に製作された自動車

二　令和四年九月一日から令和六年八月三十一日までに製作された自動車であって、次に掲げるもの

イ　令和四年八月三十一日以前に指定を受けた型式指定自動車

ロ　令和四年九月一日以降に新たに指定を受けた型式指定自動車であって、令和四年八月三十一日以前に指定を受けた型式指定自動車と燃料タンクの基本構造、材質及び車体への取付方

法並びに燃料タンク周辺の燃料漏れ防止に係る基本車体構造が同一であるもの

ハ　国土交通大臣が定める自動車

三　令和六年八月三十一日以前に発行された出荷検査証に係る自動車であって、当該出荷検査証の発行後十一月を経過しない間に新規検査又は予備検査を受けようとし、又は受けたもの

22　次に掲げる自動車については、細目告示第二十条第四項第四号及び第九十八条第四項第四号の規定にかかわらず、道路運送車両の保安基準の細目を定める告示等の一部を改正する告示（令和二年国土交通省告示第千五百七十七号）による改正前の細目告示第二十条第四項第四号及び第九十八条第四項第四号の規定に適合するものであればよい。

一　令和五年八月三十一日以前に製作された自動車

二　令和五年九月一日から令和十一年八月三十一日までに製作された自動車であって、次に掲げるもの

イ　令和五年八月三十一日以前に指定を受けた型式指定自動車

ロ　令和五年九月一日以降に新たに指定を受けた型式指定自動車であって、令和五年八月三十一日以前に指定を受けた型式指定自動車とオフセット衝突時における乗車人員の保護に係る性能が同一であるもの

ハ　国土交通大臣が定める自動車

三　令和十一年八月三十一日以前に発行された出荷検査証に係る自動車であって、当該出荷検査証の発行後十一月を経過しない間に新規検査又は予備検査を受けようとし、又は受けたもの

23　次に掲げる自動車（専ら乗用の用に供する乗車定員十人以上の自動車及び貨物の運送の用に供する自動車であって車両総重量が三・五トンを超える自動車に限る。以下この項において同じ。）については、細目告示第二十条第三項第五号、第九十八条第三項第五号及び第百七十六条第三項第二号ヌの規定は適用しなくてもよい。

一　令和四年八月三十一日以前に製作された圧縮水素ガスを燃料とする自動車

二　令和四年九月一日から令和六年八月三十一日までに製作された圧縮水素ガスを燃料とする自動車であって、次に掲げるもの

イ　令和四年八月三十一日以前に指定を受けた型式指定自動車

ロ　令和四年九月一日以降に新たに指定を受けた型式指定自動車であって、令和四年八月三十一日以前に指定を受けた型式指定自動車と原動機の種類及び主要構造、燃料の種類及び動力用電源装置の種類、車枠並びに適合する排出ガス規制値に定める設定基準値が同一であるもの

ハ　国土交通大臣が定める自動車

三　令和六年八月三十一日以前に発行された出荷検査証に係る自動車であって、当該出荷検査証の発行後十一月を経過しない間に新規検査を受けようとし、又は受けたもの

24　次に掲げる自動車については、細目告示第二十条第五項第二号又は第六項第二号、第九十八条第六項第二号又は第七項第二号及び第百七十六条第五項第四号又は第六項第四号の規定にかかわらず、道路運送車両の保安基準の細目を定める告示等の一部を改正する告示（令和四年国土交通省告示第七百十三号）による改正前の細目告示第二十条第五項第二号又は第六項第二号、第九十八条第六項第二号又は第七項第二号及び第百七十六条第五項第四号又は第六項第四号の規定に適合するものであればよい。この場合において、細目告示第二十条第五項第二号又は第六項第二号、第九十八条第六項第二号又は第七項第二号及び第百七十六条第五項第四号又は第六項第四号中「協定規則第110号」とあるのは「協定規則第110号第4改訂版補足第2改訂版」と読み替えるものとし、ガス容器のガス容器試験若しくはガス容器再試験又はガス容器附属品のガス容器附属品試験若しくはガス容器附属品再試験に係る基準は、道路運送車両の保安基準の細目を定める告示等の一部を改正する告示（令和五年国土交通省告示第千四十八号）による改正前の細目告示第二十条第五項第一号、第九十八条第六項第一号及び第百七十六条第五項第一号の規定に係わらず、燃料の種別に応じ別添百三十二「圧縮天然ガスを燃料とする自動車のガス容器及びガス容器附属品の技術基準」又は別添百三十三「液化天然ガスを燃料とする自動車のガス容器及びガス容器附属品の技術基準」のうち当該ガス容器又は当該ガス容器附属品の種類に応じて適用される基準とする。また、これらの別添の規定の適用にあっては「協定規則第110号」を「協定規則第110号第4改訂版」又は「協定規則第110号第5改訂版」と読み替えることができる。

一　令和七年八月三十一日以前に製作された圧縮天然ガス又は液化天然ガスを燃料とする自動車

二　令和七年九月一日から令和九年八月三十一日までに製作された圧縮天然ガス又は液化天然ガスを燃料とする自動車であって、次に掲げるもの

イ　令和七年八月三十一日以前に指定を受けた型式指定自動車

ロ　令和七年九月一日以降に新たに指定を受けた型式指定自動車であって、令和七年八月三十一日以前に指定を受けた型式指定自動車と原動機の種類及び主要構造、燃料の種類及び動力用電源装置の種類並びに適合する排出ガス規制値又は低排出ガス車認定実施要領に定める認定の基準値が同一であるもの

ハ　国土交通大臣が定める自動車

三　令和九年八月三十一日以前に発行された出荷検査証に係る圧縮天然ガス又は液化天然ガスを燃料とする自動車であって、当該出荷検査証の発行後十一月を経過しない間に新規検査又は予備検査を受けようとし、又は受けたもの

25　自動車（令和五年十二月二十日以前に発行された出荷検査証に係る自動車であって、当該出荷検査証の発行後十一月を経過しない間に新規検査又は予備検査を受けようとし、又は受けたものに限る。）については、細目告示第二十条第三項、第五項又は第六項の規定にかかわらず、道路運送車両の保安基準の細目を定める告示等の一部を改正する告示（令和五年国土交通省告示第千四十八号）による改正前の細目告示第二十条第三項、第五項又は第六項の規定に適合するものであればよい。

26　次に掲げる圧縮水素ガスを燃料とする自動車（二輪自動車、側車付二輪自動車、カタピラ及びそりを有する軽自動車、大型特殊自動車、小型特殊自動車並びに被牽引自動車を除く。）については、細目告示第二十条第三項及び第四項、第九十八条第三項及び第四項並びに別添百三十一「圧縮水素ガスを燃料とする自動車のガス容器及びガス容器附属品の技術基準」の規定中「協定規則第94号」とあるのは、「協定規則第94号第4改訂版補足第2改訂版」と、「協定規則第95号」とあるのは、「協定規則第95号第5改訂版補足第3改訂版」と、「協定規則第134号」とあるのは、「協定規則第134号改訂版補足第2改訂版」と、「協定規則第137号」とあるのは、「協定規則第137号第2改訂版補足第4改訂版」と読み替えることができる。

一　令和九年八月三十一日以前に製作された自動車

二　令和九年九月一日以降に製作された自動車であって、次に掲げるもの

イ　令和九年八月三十一日以前に指定を受けた型式指定自動車

ロ　令和九年九月一日以降に新たに指定を受けた型式指定自動車であって、令和九年八月三十一日以前に指定を受けた型式指定自動車と各衝突性能が同一であるもの

ハ　国土交通大臣が定める自動車

三　令和九年八月三十一日以前に発行された出荷検査証に係る自動車であって、当該出荷検査証の発行後十一月を経過しない間に新規検査又は予備検査を受けようとし、又は受けたもの

（電気装置）

第一四条　昭和四十六年十二月三十一日以前に製作された自動車については、細目告示第二十一条第一項第四号、第九十九条第一項第四号及び第百七十七条第一項第四号の規定は、適用しない。

2　平成十七年三月三十日以前に保安基準第五十六条第四項の規定により認定を受けた燃料電池自動車については、当該認定を受けている期間は、細目告示第二十一条第五項から第七項まで、第九十九条第五項から第八項まで並びに第百七十七条第五項から第七項までの規定は適用しない。

3　次の各号に掲げる自動車については、保安基準第十七条の二第五項及び第六項並びに細目告示第二十一条第五項及び第六項、第九十九条第七項から第十項まで並びに第百七十七条第五項から第七項までの規定は適用しない。

一　平成二十四年六月三十日以前に製作された電力により作動する原動機を有する自動車（二輪自動車、側車付二輪自動車、三輪自動車、カタピラ及びそりを有する軽自動車、大型特殊自動車、小型特殊自動車、被牽引自動車並びに燃料電池自動車を除く。）

二　平成二十四年六月三十日以前に製作された電力により作動する原動機を有する自動車（燃料電池自動車を除く。）以外の自動車（二輪自動車、側車付二輪自動車、三輪自動車、カタピラ及びそりを有する軽自動車、大型特殊自動車、小型特殊自動車並びに被牽引自動車を除く。）を改造等により、電力により作動する原動機を有する自動車（燃料電池自動車を除く。）とした自動車であって、当該改造等が行われた後、平成二十四年六月三十日までに初めて新規検査、構造等変更検査又は予備検査を受けるもの

4　次の各号に掲げる自動車については、細目告示第二十一条第五項及び第六項並びに第九十九条第七項から第十項までの規定にかかわらず、道路運送車両の保安基準の細目を定める告示等の一部を改正する告示（平成二十三年国土交通省告示第六百七十号）による改正前の細目告示第二十一条第二項及び第三項並びに第九十九条第二項から第四項までの規定に適合するものであればよい。

一　平成二十八年六月二十二日以前に製作された電力により作動する原動機を有する自動車（平成二十六年六月二十三日以降に指定を受けた型式指定自動車、二輪自動車、側車付二輪自動車、三輪自動車、カタピラ及びそりを有する軽自動車、大型特殊自動車、小型特殊自動車、被牽引自動車並びに燃料電池自動車を除く。）

二　平成二十六年六月二十二日以前に製作された電力により作動する原動機を有する自動車（燃料電池自動車を除く。）以外の自動車（二輪自動車、側車付二輪自動車、三輪自動車、カタピラ及びそりを有する軽自動車、大型特殊自動車、小型特殊自動車並びに被牽引自動車を除く。）を改造等により、電力により作動する原動機を有する自動車（燃料電池自動車を除く。）とした自動車であって、当該改造等が行われた後、平成二十四年七月一日から平成二十六年六月二十二日までに初めて新規検査、構造等変更検査又は予備検査を受けるもの

5　次の各号に掲げる自動車については、細目告示第二十一条第五項及び第九十九条第七項の規定にかかわらず、道路運送車両の保安基準の細目を定める告示等の一部を改正する告示（平成二十三年国土交通省告示第六百七十号）による改正前の細目告示第二十一条第四項及び第九十九条第五項の規定に適合するものであればよい。

一　平成二十八年六月二十二日以前に製作された燃料電池自動車（平成二十六年六月二十三日以降に指定を受けた型式指定自動車、二輪自動車、側車付二輪自動車、三輪自動車、カタピラ及びそりを有する軽自動車、大型特殊自動車、小型特殊自動車並びに被牽引自動車を除く。）

二　平成二十六年六月二十二日以前に製作された燃料電池自動車以外の自動車（二輪自動車、側車付二輪自動車、三輪自動車、カタピラ及びそりを有する軽自動車、大型特殊自動車、小型特殊自動車並びに被牽引自動車を除く。）を改造等により、燃料電池自動車とした自動車であって、当該改造等が行われた後、平成二十四年七月一日から平成二十六年六月二十二日までに初めて新規検査、構造等変更検査又は予備検査を受けるもの

6　次の各号に掲げる自動車については、細目告示第二十一条第六項及び第九十九条第八項から第十項までの規定は、適用しない。

一　平成二十八年六月二十二日以前に製作された燃料電池自動車（平成二十六年六月二十三日以降に指定を受けた型式指定自動車、二輪自動車、側車付二輪自動車、三輪自動車、カタピラ及びそりを有する軽自動車、大型特殊自動車、小型特殊自動車並びに被牽引自動車を除く。）

二　平成二十六年六月二十二日以前に製作された燃料電池自動車以外の自動車（二輪自動車、側車付二輪自動車、三輪自動車、カタピラ及びそりを有する軽自動車、大型特殊自動車、小型特殊自動車並びに被牽引自動車を除く。）を改造等により、燃料電池自動車とした自動車であって、当該改造等が行われた後、平成二十四年七月一日から平成二十六年六月二十二日までに初めて新規検査、構造等変更検査又は予備検査を受けるもの

7　平成二十八年七月三十一日以前に製作された自動車（大型特殊自動車及び小型特殊自動車を除く。）及び国土交通大臣が定める自動車については、保安基準第十七条の二第一項及び第二項の規定並びに細目告示第二十一条第一項及び第二項、第九十九条第一項及び第二項並びに第百七十七条第一項及び第二項の規定にかかわらず、道路運送車両の保安基準及び装置型式指定規則の一部を改正する省令（平成二十三年国土交通省令第四十四号）による改正前の保安基準第十七条の二第一項の規定並びに道路運送車両の保安基準の細目を定める告示の一部を改正する告示（平成二十三年国土交通省告示第五百六十五号）による改正前の細目告示第二十一条第一項及び第百七十七条第一項の規定に適合するものであればよい。

8　平成二十八年八月一日以降に製作された自動車（大型特殊自動車及び小型特殊自動車を除く。）のうち国土交通大臣が定める自動車については、保安基準第十七条の二第一項及び第二項の規定並びに細目告示第二十一条第一項及び第二項、第九十九条第一項及び第二項並びに第百七十七条第一項及び第二項の規定にかかわらず、当分の間、道路運送車両の保安基準及び装置型式指定規則の一部を改正する省令（平成二十三年国土交通省令第四十四号）による改正前の保安基準第十七条の二第一項並びに道路運送車両の保安基準の細目を定める告示の一部を改正する告示（平成二十三年国土交通省告示第五百六十五号）による改正前の細目告示第二十一条第一項、第九十九条第一項及び第百七十七条第一項の規定に適合するものであればよい。

9　平成二十八年十月二十七日以前に製作された大型特殊自動車及び小型特殊自動車以外の自動車（平成二十八年八月一日以降に指定を受けた型式指定自動車であって、外部電源に接続して原動機用蓄電池を充電する機能を有するものを除く。）については、細目告示第二十一条第一項及び第二項並びに第九十九条第一項及び第二項の規定にかかわらず、道路運送車両の保安基準の細目を定める告示の一部を改正する告示（平成二十三年国土交通省告示第千八十四号）による改正前の細目告示第二十一条第一項及び第二項並びに第九十九条第一項及び第二項の規定に適合するものであればよい。

10　平成二十八年十月二十八日以降に製作された大型特殊自動車及び小型特殊自動車以外の自動車

（外部電源に接続して原動機用蓄電池を充電する機能を有するものを除く。）については、細目告示第二十一条第一項及び第二項並びに第九十九条第一項及び第二項の規定にかかわらず、道路運送車両の保安基準の細目を定める告示の一部を改正する告示（平成二十三年国土交通省告示第千八十四号）による改正前の細目告示第二十一条第一項及び第二項並びに第九十九条第一項及び第二項の規定に適合するものであればよい。

11　次の各号に掲げる自動車については、細目告示第二十一条第五項及び第六項、第九十九条第七項から第九項並びに第百七十七条第五項から第七項の規定にかかわらず、道路運送車両の保安基準の細目を定める告示の一部を改正する告示（平成二十五年国土交通省告示第七百二十六号）による改正前の細目告示第二十一条第三項及び第四項、第九十九条第三項から第五項並びに第百七十七条第三項から第五項の規定に適合するものであればよい。

一　平成二十八年七月十四日（細目告示第二十一条第五項第一号及び第九十九条第七項第一号の国土交通大臣が定める自動車にあっては平成三十一年一月十九日）以前に製作された自動車（電力により作動する原動機を有する自動車以外の自動車（二輪自動車、側車付二輪自動車、三輪自動車、カタピラ及びそりを有する軽自動車、大型特殊自動車、小型特殊自動車並びに被牽引自動車を除く。以下この号において同じ。）を改造等により、電力により作動する原動機を有する自動車としたものであって、当該改造等が行われた後、平成二十八年七月十五日（細目告示第二十一条第五項第一号及び第九十九条第七項第一号の国土交通大臣が定める自動車にあっては平成三十一年一月二十日）以降に初めて新規検査、構造等変更検査又は予備検査を受けるものを除く。）

二　平成二十八年七月十四日以前に指定を受けた型式指定自動車（平成二十八年七月十五日以降に原動機の種類及び主要構造、燃料の種類並びに動力用電源装置の種類を変更するものを除く。）

三　平成二十八年七月十五日以降に新たに指定を受けた型式指定自動車（平成二十八年七月十四日以前に指定を受けた型式指定自動車に、原動機の種類及び主要構造、燃料の種類並びに動力用電源装置の種類についての変更以外の変更のみを行ったものに限る。）

四　国土交通大臣が定める自動車

12　次の各号に掲げる自動車については、細目告示第二十一条第六項第二号及び第九十九条第八項第二号の規定にかかわらず、道路運送車両の保安基準の細目を定める告示の一部を改正する告示（平成二十六年国土交通省告示第百二十六号）による改正前の細目告示第二十一条第四項第二号及び第九十九条第四項第二号の規定に適合するものであればよい。

一　平成二十七年八月十二日以前に製作された自動車

二　平成二十七年八月十三日以降に製作された自動車であって次に掲げるもの

イ　平成二十七年八月十二日以前に指定を受けた型式指定自動車であって、オフセット衝突時における乗車人員の保護に係る性能について変更のないもの

ロ　平成二十七年八月十三日以降に新たに指定を受けた型式指定自動車であって、平成二十七年八月十二日以前に指定を受けた型式指定自動車とオフセット衝突時における乗車人員の保護に係る性能が同一であるもの

ハ　国土交通大臣が定める自動車

13　次の各号に掲げる自動車については、細目告示第二十一条第六項第三号及び第九十九条第八項第三号の規定にかかわらず、道路運送車両の保安基準の細目を定める告示の一部を改正する告示（平成二十六年国土交通省告示第百二十六号）による改正前の細目告示第二十一条第四項第三号及び第九十九条第四項第三号の規定に適合するものであればよい。

一　平成二十七年八月十二日以前に製作された自動車

二　平成二十七年八月十三日以降に製作された自動車であって次に掲げるもの

イ　平成二十七年八月十二日以前に指定を受けた型式指定自動車であって、側面衝突時における乗車人員の保護に係る性能について変更のないもの

ロ　平成二十七年八月十三日以降に新たに指定を受けた型式指定自動車であって、平成二十七年八月十二日以前に指定を受けた型式指定自動車と側面衝突時における乗車人員の保護に係る性能が同一であるもの

ハ　国土交通大臣が定める自動車

14　次の各号に掲げる自動車（大型特殊自動車及び小型特殊自動車を除く。）については、細目告示第二十一条第一項及び第二項並びに第九十九条第一項及び第二項の規定にかかわらず、道路運送車両の保安基準の細目を定める告示の一部を改正する告示（平成二十六年国土交通省告示第九百七十五号）による改正前の細目告示第二十一条第一項及び第二項並びに第九十九条第一項及び第二項の規定に適合するものであればよい。

一　平成二十九年十月八日以前に製作された自動車

二　平成二十九年十月九日以降に製作された自動車であって次に掲げるもの

イ　平成二十九年十月九日以降に新たに指定を受けた型式指定自動車（外部電源に接続して原動機用蓄電池を充電する機能を有するものを除く。）

ロ　平成二十九年十月八日以前に指定を受けた型式指定自動車であって、電波障害防止に係る性能について変更のないもの

ハ　平成二十九年十月九日以降に新たに指定を受けた型式指定自動車（外部電源に接続して原動機用蓄電池を充電する機能を有するものに限る。）であって、平成二十九年十月八日以前に指定を受けた型式指定自動車と電波障害防止に係る性能について変更のないもの

ニ　国土交通大臣が定める自動車

15　次の各号に掲げる自動車については、保安基準第十七条の二第五項並びに同項の規定に基づく細目告示第二十一条第五項、第九十九条第七項及び第百七十七条第五項の規定は適用しない。

一　令和二年一月十九日以前に製作された電力により作動する原動機を有する二輪自動車、側車付二輪自動車及び三輪自動車（平成三十年一月二十日以降に指定を受けた型式指定自動車、施行規則第六十二条の三第一項の規定によりその型式の認定を受けた検査対象外軽自動車及び国土交通大臣が定める自動車を除く。）

二　令和二年一月十九日以前に製作された電力により作動する原動機を有する自動車（二輪自動車、側車付二輪自動車及び三輪自動車に限る。以下この号及び次号において同じ。）以外の自動車を改造等により、電力により作動する原動機を有する自動車とした自動車であって、当該改造等が行われた後、令和二年一月十九日までに初めて新規検査、構造等変更検査又は予備検査を受けるもの

三　令和二年一月十九日以前に製作された電力により作動する原動機を有する自動車以外の自動車を改造等により、電力により作動する原動機を有する自動車とした検査対象外軽自動車であって、令和二年一月十九日までに当該改造等が行われるもの

16　次の各号に掲げる自動車については、細目告示第二十一条第六項第一号及び第九十九条第八項第一号の規定にかかわらず、道路運送車両の保安基準の細目を定める告示の一部を改正する告示（平成二十八年国土交通省告示第八百二十六号）による改正前の細目告示第二十一条第四項第一

号及び第九十九条第四項第一号の規定に適合するものであればよい。

一　令和五年八月三十一日（専ら乗用の用に供する乗車定員十人未満の自動車（車両総重量三・五トン未満のものに限る。以下この項において同じ。）であって、輸入された自動車にあっては令和二年八月三十一日、専ら乗用の用に供する乗車定員十人未満の自動車であって、輸入された自動車以外のものにあっては平成三十年八月三十一日）以前に製作された自動車

二　令和五年九月一日（専ら乗用の用に供する乗車定員十人未満の自動車であって、輸入された自動車にあっては令和二年九月一日、専ら乗用の用に供する乗車定員十人未満の自動車であって、輸入された自動車以外のものにあっては平成三十年九月一日）から令和十一年八月三十一日までに製作された自動車であって、次に掲げるもの

イ　令和五年八月三十一日（専ら乗用の用に供する乗車定員十人未満の自動車であって、輸入された自動車にあっては令和二年八月三十一日、専ら乗用の用に供する乗車定員十人未満の自動車であって、輸入された自動車以外のものにあっては平成三十年八月三十一日）以前に指定を受けた型式指定自動車

ロ　令和五年九月一日（専ら乗用の用に供する乗車定員十人未満の自動車であって、輸入された自動車にあっては令和二年九月一日、専ら乗用の用に供する乗車定員十人未満の自動車であって、輸入された自動車以外のものにあっては平成三十年九月一日）以降に新たに指定を受けた型式指定自動車であって、令和五年八月三十一日（専ら乗用の用に供する乗車定員十人未満の自動車であって、輸入された自動車にあっては令和二年八月三十一日、専ら乗用の用に供する乗車定員十人未満の自動車であって、輸入された自動車以外のものにあっては平成三十年八月三十一日）以前に指定を受けた型式指定自動車と運転者室及び客室を取り囲む部分（乗員保護装置を含む。）のフルラップ前面衝突時における乗車人員の保護に係る性能が同一であるもの

ハ　国土交通大臣が定める自動車

17　次の各号に掲げる自動車については、細目告示第二十一条第六項第二号及び第九十九条第八項第二号の規定にかかわらず、道路運送車両の保安基準の細目を定める告示の一部を改正する告示（平成二十八年国土交通省告示第八百二十六号）による改正前の細目告示第二十一条第四項第二号及び第九十九条第四項第二号の規定に適合するものであればよい。

一　令和五年八月三十一日（専ら乗用の用に供する乗車定員十人未満の自動車（車両総重量二・五トン以下のものに限る。以下この項において同じ。）にあっては平成三十年八月三十一日）以前に製作された自動車

二　令和五年九月一日（専ら乗用の用に供する乗車定員十人未満の自動車にあっては平成三十年九月一日）から令和十一年八月三十一日までに製作された自動車であって、次に掲げるもの

イ　令和五年八月三十一日（専ら乗用の用に供する乗車定員十人未満の自動車にあっては平成三十年八月三十一日）以前に指定を受けた型式指定自動車

ロ　令和五年九月一日（専ら乗用の用に供する乗車定員十人未満の自動車にあっては平成三十年九月一日）以降に新たに指定を受けた型式指定自動車であって、令和五年八月三十一日（専ら乗用の用に供する乗車定員十人未満の自動車にあっては平成三十年八月三十一日）以前に指定を受けた型式指定自動車とオフセット衝突時における乗車人員の保護に係る性能が同一であるもの

ハ　国土交通大臣が定める自動車

18　次の各号に掲げる自動車については、細目告示第二十一条第六項第一号及び第九十九条第八項第一号の規定にかかわらず、道路運送車両の保安基準の細目を定める告示の一部を改正する告示（平成二十九年国土交通省告示第八十八号）による改正前の細目告示第二十一条第四項第一号及び第九十九条第四項第一号の規定に適合するものであればよい。

一　令和九年八月三十一日（専ら乗用の用に供する乗車定員十人未満の自動車（車両総重量三・五トン未満のものに限る。以下この項において同じ。）にあっては令和二年八月三十一日）以前に製作された自動車

二　令和九年九月一日（専ら乗用の用に供する乗車定員十人未満の自動車にあっては令和二年九月一日）から令和十一年八月三十一日までに製作された自動車であって、次に掲げるもの

イ　令和九年八月三十一日（専ら乗用の用に供する乗車定員十人未満の自動車にあっては令和二年八月三十一日）以前に指定を受けた型式指定自動車

ロ　令和九年九月一日（専ら乗用の用に供する乗車定員十人未満の自動車にあっては令和二年九月一日）以降に新たに指定を受けた型式指定自動車であって、令和九年八月三十一日（専ら乗用の用に供する乗車定員十人未満の自動車にあっては令和二年八月三十一日）以前に指定を受けた型式指定自動車と運転者室及び客室を取り囲む部分（乗員保護装置を含む。）のフルラップ前面衝突時における乗車人員の保護に係る性能が同一であるもの

ハ　国土交通大臣が定める自動車

19　次の各号に掲げる自動車については、細目告示第二十一条第一項及び第二項並びに第九十九条第一項の規定にかかわらず、道路運送車両の保安基準の細目を定める告示の一部を改正する告示（令和元年国土交通省告示第七百十四号）による改正前の細目告示第二十一条第一項及び第二項並びに第九十九条第一項の規定に適合するものであればよい。

一　令和四年八月三十一日以前に指定を受けた型式指定自動車

二　令和四年九月一日以降に新たに指定を受けた型式指定自動車であって、充電系連結システムが搭載されていないもの

三　国土交通大臣が定める自動車

20　自動運行装置を備える自動車以外の自動車（指定自動車等以外の自動車に限る。）については、当分の間、保安基準第十七条の二第三項及び第四項並びに細目告示第九十九条第三項から第六項まで並びに第百七十七条第三項及び第四項の規定は適用しない。

21　長さ二・五〇メートル、幅一・三〇メートル、高さ二・〇〇メートルを超えない軽自動車であって、最高速度六十キロメートル毎時以下のもののうち、高速自動車国道等において運行しないものについては、保安基準第十七条の二第六項の告示で定める基準は、当分の間、細目告示第二十一条第六項（第三号、第五号、第七号及び第八号を除く。）の規定にかかわらず、次に掲げる基準とすることができる。

一　次に掲げる基準に適合すること。この場合において、協定規則第十二号の規則5・5・、協定規則第九十四号、協定規則第百三十七号及び協定規則第百号の規則6・4・1・1・、6・4・2・1・1・、6・4・2・1・2・及び6・4・2・2・の規定の適用については、協定規則第九十四号の附則三の4・の規定中「56－0／＋1㎞／h」とあるのは「40－0／＋1㎞／h」と、協定規則第百三十七号の附則三の4・の規定中「50－0／＋1㎞／h」とあるのは「40－0／＋1㎞／h」とそれぞれ読み替えるものとする。

イ　協定規則第十二号の規則5・5・に定める基準に適合すること。ただし、協定規則第九十四号の規則5・2・8・又は協定規則第百三十七号の規則5・2・8・に適合している場合には、協定規則第十二号の規則5・5・に適合するものとする。

ロ　協定規則第百三十七号の規則5・2・8・に定める基準に適合すること。

ハ　原動機用蓄電池（作動電圧が直流六十ボルトを超え千五百ボルト以下又は交流三十ボルト（実効値）を超え千ボルト（実効値）以下のものに限る。）を備えた自動車にあっては、協定規則第百号の規則6・4・に定める基準に適合すること。

ニ　第十五条第三十三項第二号に規定する標識を当該自動車の後面に見やすいように表示すること。ただし、既に当該標識を表示している場合は、この限りでない。

22　自動運行装置を備える自動車であって、次に掲げるものについては、細目告示別添百二十の規定にかかわらず、道路運送車両の保安基準の細目を定める告示及び道路運送車両の保安基準第二章及び第三章の規定の適用関係の整理のため必要な事項を定める告示の一部を改正する告示（令和二年国土交通省告示第七百八十八号）による改正前の細目告示別添百二十の規定に適合するものであればよい。

一　令和四年六月三十日以前に製作された自動車

二　令和四年七月一日以降に製作された自動車であって、次に掲げるもの

イ　令和四年六月三十日以前に指定を受けた型式指定自動車

ロ　令和四年七月一日以降に新たに指定を受けた型式指定自動車であって、令和四年六月三十日以前に指定を受けた型式指定自動車とサイバーセキュリティシステム及びプログラム等改変システムに係る性能が同一であるもの

ハ　国土交通大臣が定める自動車

23　次に掲げる自動車については、細目告示別添百二十「サイバーセキュリティシステムの技術基準」3・3・の規定は、「含めるものとする。」とあるのを「含めるものとする。ただし、当該軽減策が技術的に実現不可能な場合、自動車製作者等は他の適切な軽減策を実施するものとし、技術的に実現可能であるリスクアセスメントを試験機関に説明するものとする。」と読み替えて適用する。

一　令和六年六月三十日以前に製作された自動車

二　令和六年七月一日以降に製作された自動車であって、次に掲げるもの

イ　令和六年六月三十日以前に指定を受けた型式指定自動車

ロ　国土交通大臣が定める自動車

24　自動運行装置を備える自動車以外の自動車であって、次に掲げるものについては、保安基準第十七条の二第三項及び第四項並びに細目告示第二十一条第三項及び第四項、第九十九条第三項から第六項まで並びに第百七十七条第三項及び第四項の規定は適用しない。

一　令和四年六月三十日（輸入された自動車にあっては令和五年六月三十日、電気通信回線を使用する方法によりプログラム等を改変する機能（当該改変による自動車の改造が法第九十九条の三第一項第一号の改造に該当する場合に限る。）を有しない自動車（以下この項において「一号特定改造非対応自動車」という。）にあっては令和五年十二月三十一日）以前に製作された自動車

二　令和四年七月一日（輸入された自動車にあっては、令和五年七月一日）から令和六年六月三十日まで（一号特定改造非対応自動車にあっては、令和六年一月一日から令和八年四月三十日まで）に製作された自動車であって、次に掲げるもの

イ　一号特定改造非対応自動車以外の自動車であって、令和四年六月三十日（輸入された自動車にあっては、令和五年六月三十日）以前に指定を受けた型式指定自動車

ロ　一号特定改造非対応自動車であって、令和五年十二月三十一日以前に指定を受けた型式指定自動車

ハ　一号特定改造非対応自動車以外の自動車のうち、令和四年七月一日（輸入された自動車にあっては、令和五年七月一日）以降に新たに指定を受けた型式指定自動車であって、令和四年六月三十日（輸入された自動車にあっては、令和五年六月三十日）以前に指定を受けた型式指定自動車とサイバーセキュリティシステム及びプログラム等改変システムに係る性能が同一であるもの

ニ　一号特定改造非対応自動車のうち、令和六年一月一日以降に新たに指定を受けた型式指定自動車であって、令和五年十二月三十一日以前に指定を受けた型式指定自動車とサイバーセキュリティシステム及びプログラム等改変システムに係る性能が同一であるもの

三　国土交通大臣が定める自動車

四　令和六年六月三十日（一号特定改造非対応自動車にあっては、令和八年四月三十日）以前に発行された出荷検査証に係る自動車であって、当該出荷検査証の発行後十一月を経過しない間に新規検査又は予備検査を受けようとし、又は受けたもの

25　自動運行装置を備える自動車であって、次に掲げるものについては、細目告示第二十一条第三項及び第四項並びに第九十九条第三項及び第五項の規定にかかわらず、道路運送車両の保安基準の細目を定める告示等の一部を改正する告示（令和二年国土交通省告示第千五百七十七号）による改正前の細目告示第二十一条第三項及び第四項並びに第九十九条第三項及び第五項の規定に適合するものであればよい。

一　令和四年六月三十日以前に製作された自動車

二　令和四年七月一日から令和六年六月三十日までに製作された自動車であって、次に掲げるもの

イ　令和四年六月三十日以前に指定を受けた型式指定自動車

ロ　令和四年七月一日以降に新たに指定を受けた型式指定自動車であって、令和四年六月三十日以前に指定を受けた型式指定自動車とサイバーセキュリティシステム及びプログラム等改変システムに係る性能が同一であるもの

ハ　国土交通大臣が定める自動車

三　令和六年六月三十日以前に発行された出荷検査証に係る自動車であって、当該出荷検査証の発行後十一月を経過しない間に新規検査又は予備検査を受けようとし、又は受けたもの

26　自動運行装置を備える自動車以外の自動車であって、プログラム等を改変する機能を有しない自動車については、保安基準第十七条の二第四項並びに細目告示第二十一条第四項、第九十九条第五項及び第六項並びに第百七十七条第四項の規定は適用しない。

27　次に掲げる自動車（次項の自動車を除く。）については、保安基準第十八条第二項の規定並びに細目告示第二十一条第六項第一号、第六号（細目告示別添百十一「電気自動車、電気式ハイブリッド自動車及び燃料電池自動車の衝突後の高電圧からの乗車人員の保護に関する技術基準」5・1・に係る部分に限る。）及び第七号（同別添6・1・に係る部分に限る。）並びに第九十九条第八項第一号、第六号（同別添5・1・に係る部分に限る。）及び第七号（同別添6・1・に係る部分に限る。）の規定にかかわらず、道路運送車両の保安基準の細目を定める告示等の一部を改正する告示（令和二年国土交通省告示第千五百七十七号）による改正前の保安基準第十八条第二項の規定並びに細目告示第二十一条第六項第一号、第六号（同別添5・1・に係る部分に限る。）及び第七号（同別添6・1・に係る部分に限る。）並びに第九十九条第八項第一号、第六号（同別

添5・1・に係る部分に限る。）及び第七号（同別添6・1・に係る部分に限る。）の規定に適合するものであればよい。

一　令和九年八月三十一日以前に製作された自動車

二　令和九年九月一日から令和十一年八月三十一日までに製作された自動車であって、次に掲げるもの

イ　令和九年八月三十一日以前に指定を受けた型式指定自動車

ロ　令和九年九月一日以降に新たに指定を受けた型式指定自動車であって、令和九年八月三十一日以前に指定を受けた型式指定自動車と運転者室及び客室を取り囲む部分（乗員保護装置を含む。）のフルラップ前面衝突時における乗車人員の保護に係る性能が同一であるもの

ハ　国土交通大臣が定める自動車

三　令和十一年八月三十一日以前に発行された出荷検査証に係る自動車であって、当該出荷検査証の発行後十一月を経過しない間に新規検査又は予備検査を受けようとし、又は受けたもの

28　次の各号に掲げる自動車のいずれにも該当するものについては、保安基準第十八条第二項の規定並びに細目告示第二十一条第六項第一号、第六号（細目告示別添百十一「電気自動車、電気式ハイブリッド自動車及び燃料電池自動車の衝突後の高電圧からの乗車人員の保護に関する技術基準」5・1・に係る部分に限る。）及び第七号（同別添6・1・に係る部分に限る。）並びに第九十九条第八項第一号、第六号（同別添5・1・に係る部分に限る。）及び第七号（同別添6・1・に係る部分に限る。）の規定にかかわらず、道路運送車両の保安基準等の一部を改正する省令（令和二年国土交通省令第百号）及び道路運送車両の保安基準の細目を定める告示等の一部を改正する告示（令和二年国土交通省告示第千五百七十七号）による改正前の保安基準第十八条第二項の規定並びに細目告示第二十一条第六項第一号、第六号（同別添5・1・に係る部分に限る。）及び第七号（同別添6・1・に係る部分に限る。）並びに第九十九条第八項第一号、第六号（同別添5・1・に係る部分に限る。）及び第七号（同別添6・1・に係る部分に限る。）の規定に適合するものであればよい。

一　次のいずれかに該当する自動車

イ　貨物の運送の用に供する車両総重量が二・八トンを超え三・五トン以下である小型自動車であってボンネットを有しないもの（車枠と車体が一体の構造のものを除く。）

ロ　イに掲げる自動車と、運転者室及び客室を取り囲む部分のうち運転者席より前方の構造が同一の普通自動車

二　次に掲げる自動車

イ　令和十四年八月三十一日以前に製作された自動車

ロ　令和十四年九月一日から令和十六年八月三十一日までに製作された自動車であって、次に掲げるもの

(1)　令和十四年八月三十一日以前に指定を受けた型式指定自動車

(2)　令和十四年九月一日以降に新たに指定を受けた型式指定自動車であって、同年八月三十一日以前に指定を受けた型式指定自動車と運転者室及び客室を取り囲む部分（乗員保護装置を含む。）のフルラップ前面衝突時における乗車人員の保護に係る性能が同一であるもの

(3)　国土交通大臣が定める自動車

ハ　令和十六年八月三十一日以前に発行された出荷検査証に係る自動車であって、当該出荷検査証の発行後十一月を経過しない間に新規検査又は予備検査を受けようとし、又は受けたもの

29　次に掲げる自動車については、保安基準第十八条第三項の規定並びに細目告示第二十一条第六項第二号及び第九十九条第八項第二号の規定にかかわらず、道路運送車両の保安基準等の一部を改正する省令（令和二年国土交通省令第百号）及び道路運送車両の保安基準の細目を定める告示等の一部を改正する告示（令和二年国土交通省告示第千五百七十七号）による改正前の保安基準第十八条第三項の規定並びに細目告示第二十一条第六項第二号及び第九十九条第八項第二号の規定に適合するものであればよい。

一　令和五年八月三十一日以前に製作された自動車

二　令和五年九月一日から令和十一年八月三十一日までに製作された自動車であって、次に掲げるもの

イ　令和五年八月三十一日以前に指定を受けた型式指定自動車

ロ　令和五年九月一日以降に新たに指定を受けた型式指定自動車であって、令和五年八月三十一日以前に指定を受けた型式指定自動車とオフセット衝突時における乗車人員の保護に係る性能が同一であるもの

ハ　国土交通大臣が定める自動車

三　令和十一年八月三十一日以前に発行された出荷検査証に係る自動車であって、当該出荷検査証の発行後十一月を経過しない間に新規検査又は予備検査を受けようとし、又は受けたもの

30　次に掲げる自動車については、保安基準第十八条第四項の規定並びに細目告示第二十一条第六項第三号及び第七号（別添百十一「電気自動車、電気式ハイブリッド自動車及び燃料電池自動車の衝突後の高電圧からの乗車人員の保護に関する技術基準」6・2・に係る部分に限る。）並びに第九十九条第八項第三号及び第七号（同別添6・2・に係る部分に限る。）の規定にかかわらず、道路運送車両の保安基準等の一部を改正する省令（令和二年国土交通省令第百号）及び道路運送車両の保安基準の細目を定める告示等の一部を改正する告示（令和二年国土交通省告示第千五百七十七号）による改正前の保安基準第十八条第四項の規定並びに細目告示第二十一条第六項第三号及び第七号（同別添6・2・に係る部分に限る。）並びに第九十九条第八項第三号及び第七号（同別添6・2・に係る部分に限る。）の規定に適合するものであればよい。

一　令和四年七月四日以前に製作された自動車

二　令和四年七月五日から令和六年七月四日までに製作された自動車であって、次に掲げるもの

イ　令和四年七月四日以前に指定を受けた型式指定自動車

ロ　令和四年七月五日以降に新たに指定を受けた型式指定自動車であって、令和四年七月四日以前に指定を受けた型式指定自動車と自動車との側面衝突時における乗車人員の保護に係る性能が同一であるもの

ハ　国土交通大臣が定める自動車

三　令和六年七月四日以前に発行された出荷検査証に係る自動車であって、当該出荷検査証の発行後十一月を経過しない間に新規検査又は予備検査を受けようとし、又は受けたもの

31　次に掲げる自動車については、細目告示第二十一条第六項第四号及び第六号（別添百十一「電気自動車、電気式ハイブリッド自動車及び燃料電池自動車の衝突後の高電圧からの乗車人員の保護に関する技術基準」5・2・に係る部分に限る。）並びに第九十九条第八項第四号及び第六号（同別添5・2・に係る部分に限る。）の規定にかかわらず、道路運送車両の保安基準の細目を定める告示等の一部を改正する告示（令和二年国土交通省告示第千五百七十七号）による改正前の細目告示第二十一条第六項第四号及び第六号（同別添5・2・に係る部分に限る。）並びに第九十九条第八項第四号及び第六号（同別添5・2・に係る部分に限る。）の規定に適合するもので

あればよい。

一　令和四年八月三十一日以前に製作された自動車

二　令和四年九月一日から令和六年八月三十一日までに製作された自動車であって、次に掲げるもの

イ　令和四年八月三十一日以前に指定を受けた型式指定自動車

ロ　令和四年九月一日以降に新たに指定を受けた型式指定自動車であって、令和四年八月三十一日以前に指定を受けた型式指定自動車と動力用電源装置の基本構造及び車体への取付方法並びに後面衝突後の高電圧からの乗車人員の保護に係る性能が同一であるもの

ハ　国土交通大臣が定める自動車

三　令和六年八月三十一日以前に発行された出荷検査証に係る自動車であって、当該出荷検査証の発行後十一月を経過しない間に新規検査又は予備検査を受けようとし、又は受けたもの

32　次に掲げる自動車については、細目告示第二十一条第五項第一号及び第六項（協定規則第百号に係る部分に限る。）、第九十九条第七項第一号及び第八項（協定規則第百号に係る部分に限る。）並びに第百七十七条第五項の規定にかかわらず、道路運送車両の保安基準の細目を定める告示等の一部を改正する告示（令和三年国土交通省告示第五百二十一号）による改正前の細目告示第二十一条第五項第一号及び第六項（協定規則第百号に係る部分に限る。）、第九十九条第七項第一号及び第八項（協定規則第百号に係る部分に限る。）並びに第百七十七条第五項の規定に適合するものであればよい。

一　令和五年八月三十一日以前に製作された自動車（電力により作動する原動機を有する自動車以外の自動車を改造等により、電力により作動する原動機を有する自動車（二輪自動車、側車付二輪自動車、三輪自動車、カタピラ及びそりを有する軽自動車、大型特殊自動車、小型特殊自動車並びに被牽引自動車を除く。）としたものであって、当該改造等が行われた後、令和五年九月一日以降に初めて新規検査、構造等変更検査又は予備検査を受けるものを除く。）

二　令和五年九月一日から令和七年八月三十一日までに製作された自動車（電力により作動する原動機を有する自動車以外の自動車を改造等により、電力により作動する原動機を有する自動車（二輪自動車、側車付二輪自動車、三輪自動車、カタピラ及びそりを有する軽自動車、大型特殊自動車、小型特殊自動車並びに被牽引自動車を除く。）としたものを除く。次号において同じ。）であって、次に掲げるもの

イ　令和五年八月三十一日以前に指定を受けた型式指定自動車

ロ　令和五年九月一日以降に新たに指定を受けた型式指定自動車（令和五年八月三十一日以前に指定を受けた型式指定自動車に、原動機の種類及び主要構造、燃料の種類並びに動力用電源装置の種類についての変更以外の変更のみを行ったものに限る。）

ハ　国土交通大臣が定める自動車

三　令和七年八月三十一日以前に発行された出荷検査証に係る自動車であって、当該出荷検査証の発行後十一月を経過しない間に新規検査又は予備検査を受けようとし、又は受けたもの

33　次に掲げる自動車については、当分の間、細目告示第二十一条第六項第一号及び第九十九条第八項第一号の規定にかかわらず、道路運送車両の保安基準の細目を定める告示等の一部を改正する告示（令和三年国土交通省告示第五百二十一号）による改正前の細目告示第二十一条第六項第一号及び第九十九条第八項第一号の規定に適合するものであればよい。

一　令和九年八月三十一日以前に製作された自動車

二　令和九年九月一日以降に製作された自動車であって、次に掲げるもの

イ　令和九年八月三十一日以前に指定を受けた型式指定自動車

ロ　令和九年九月一日以降に新たに指定を受けた型式指定自動車であって、令和九年八月三十一日以前に指定を受けた型式指定自動車と運転者室及び客室を取り囲む部分（乗員保護装置を含む。）のフルラップ前面衝突時における乗車人員の保護に係る性能が同一であるもの

ハ　国土交通大臣が定める自動車

三　令和九年八月三十一日以前に発行された出荷検査証に係る自動車であって、当該出荷検査証の発行後十一月を経過しない間に新規検査又は予備検査を受けようとし、又は受けたもの

34　次に掲げる自動車については、当分の間、細目告示第二十一条第六項第二号及び第九十九条第八項第二号の規定にかかわらず、道路運送車両の保安基準の細目を定める告示等の一部を改正する告示（令和三年国土交通省告示第五百二十一号）による改正前の細目告示第二十一条第六項第二号及び第九十九条第八項第二号の規定に適合するものであればよい。

一　令和五年八月三十一日以前に製作された自動車

二　令和五年九月一日以降に製作された自動車であって、次に掲げるもの

イ　令和五年八月三十一日以前に指定を受けた型式指定自動車

ロ　令和五年九月一日以降に新たに指定を受けた型式指定自動車であって、令和五年八月三十一日以前に指定を受けた型式指定自動車とオフセット衝突時における乗車人員の保護に係る性能が同一であるもの

ハ　国土交通大臣が定める自動車

三　令和五年八月三十一日以前に発行された出荷検査証に係る自動車であって、当該出荷検査証の発行後十一月を経過しない間に新規検査又は予備検査を受けようとし、又は受けたもの

35　次に掲げる自動車については、当分の間、細目告示第二十一条第六項第三号及び第九十九条第八項第三号の規定にかかわらず、道路運送車両の保安基準の細目を定める告示等の一部を改正する告示（令和三年国土交通省告示第五百二十一号）による改正前の細目告示第二十一条第六項第三号及び第九十九条第八項第三号の規定に適合するものであればよい。

一　令和五年八月三十一日以前に製作された自動車

二　令和五年九月一日以降に製作された自動車であって、次に掲げるもの

イ　令和五年八月三十一日以前に指定を受けた型式指定自動車

ロ　令和五年九月一日以降に新たに指定を受けた型式指定自動車であって、令和五年八月三十一日以前に指定を受けた型式指定自動車と自動車との側面衝突時における乗車人員の保護に係る性能が同一であるもの

ハ　国土交通大臣が定める自動車

三　令和五年八月三十一日以前に発行された出荷検査証に係る自動車であって、当該出荷検査証の発行後十一月を経過しない間に新規検査又は予備検査を受けようとし、又は受けたもの

36　次に掲げる自動車については、細目告示第二十一条第五項第二号、第九十九条第七項第二号及び第百七十七条第五項第十三号の規定にかかわらず、道路運送車両の保安基準の細目を定める告示等の一部を改正する告示（令和五年国土交通省告示第一号）による改正前の細目告示第二十一条第五項第二号、第九十九条第七項第二号及び第百七十七条第五項第十三号の規定（以下この項において「旧規定」という。）に適合するものであればよい。この場合において、旧規定中「協定規則第136号」とあるのは「協定規則第136号初版」と読み替えるものとする。

一　令和七年八月三十一日以前に製作された二輪自動車、側車付二輪自動車及び三輪自動車（電力により作動する原動機を有する自動車以外の自動車を改造等により、電力により作動する原

動機を有する二輪自動車、側車付二輪自動車及び三輪自動車としたものであって、当該改造等が行われた後、同年九月一日以降に初めて新規検査、構造等変更検査又は予備検査を受けるものを除く。）

二　電力により作動する原動機を有する自動車以外の自動車を改造等により、電力により作動する原動機を有する自動車とした検査対象外軽自動車であって、令和七年八月三十一日までに当該改造等が行われるもの

三　令和七年九月一日から令和九年八月三十一日までに製作された自動車（電力により作動する原動機を有する自動車以外の自動車を改造等により、電力により作動する原動機を有する二輪自動車、側車付二輪自動車及び三輪自動車としたものを除く。以下次号において同じ。）であって、次に掲げるもの

イ　令和七年八月三十一日以前に指定を受けた型式指定自動車及び認定を受けた型式認定自動車

ロ　令和七年九月一日以降に新たに指定を受けた型式指定自動車及び新たに認定を受けた型式認定自動車（同年八月三十一日以前に指定を受けた型式指定自動車及び認定を受けた型式認定自動車に、原動機の種類及び主要構造、燃料の種類並びに動力用電源装置の種類についての変更以外の変更のみを行ったものに限る。）

ハ　国土交通大臣が定める自動車

四　令和九年八月三十一日以前に発行された出荷検査証に係る自動車であって、当該出荷検査証の発行後十一月を経過しない間に新規検査又は予備検査を受けようとし、又は受けたもの

37　次に掲げる自動車については、細目告示第二十一条第六項第四号及び第九十九条第八項第四号の規定は適用しない。

一　令和五年八月三十一日以前に製作された自動車

二　令和五年九月一日以降に製作された自動車であって、次に掲げるもの

イ　令和五年八月三十一日以前に指定を受けた型式指定自動車

ロ　令和五年九月一日以降に新たに指定を受けた型式指定自動車であって、同年八月三十一日以前に指定を受けた型式指定自動車と運転者室及び客室を取り囲む部分（乗員保護装置を含む。）のポールとの側面衝突時における乗車人員の保護に係る性能が同一であるもの

ハ　国土交通大臣が定める自動車

三　令和五年八月三十一日以前に発行された出荷検査証に係る自動車であって、当該出荷検査証の発行後十一月を経過しない間に新規検査又は予備検査を受けようとし、又は受けたもの

38　次に掲げる自動車については、細目告示第二十一条第六項第六号及び第九十九条第八項第六号の規定中「協定規則第12号」とあるのは「協定規則第12号第4改訂版補足第5改訂版」と読み替えることができる。

一　令和五年八月三十一日以前に製作された自動車

二　令和五年九月一日以降に製作された自動車であって、次に掲げるもの

イ　令和五年八月三十一日以前に指定を受けた型式指定自動車

ロ　令和五年九月一日以降に新たに指定を受けた型式指定自動車であって、同年八月三十一日以前に指定を受けた型式指定自動車とかじ取装置における運転者の保護に係る性能が同一であるもの

ハ　国土交通大臣が定める自動車

三　令和五年八月三十一日以前に発行された出荷検査証に係る自動車であって、当該出荷検査証の発行後十一月を経過しない間に新規検査又は予備検査を受けようとし、又は受けたもの

（車枠及び車体）

第一五条　平成二十年十二月三十一日以前に製作された自動車については、保安基準第十八条第一項、第二項及び第四項の規定並びに同項の規定に基づく細目告示第二十二条第一項から第八項まで及び第十項、第百条第一項から第九項まで、第十二項及び第十三項並びに第百七十八条第一項から第八項まで及び第十項の規定にかかわらず、次の基準に適合するものであればよい。

一　自動車の車枠及び車体は、次の基準に適合しなければならない。

イ　車枠及び車体は、堅ろうで運行に十分耐えるものであること。

ロ　車体は、車枠に確実に取り付けられ、振動、衝撃等によりゆるみを生じないようになっていること。

ハ　車体の外形その他自動車の形状は、鋭い突起を有し、又は回転部分が突出する等他の交通の安全を妨げるおそれのあるものでないこと。ただし、大型特殊自動車及び小型特殊自動車にあっては、この限りでない。この場合において、次に掲げるものは、この基準に適合しないものとする。

(1)　乗車定員十人以下の専ら乗用の用に供する自動車（二輪自動車、側車付二輪自動車、三輪自動車、カタピラ及びそりを有する軽自動車並びに被牽引自動車を除く。）及びその形状が当該自動車の形状に類する自動車の後部に備えるバンパ（その端部が、車体後部側面付近にあるものに限る。）であって、次に該当しないもの

i　車体の凹部に組み込まれているもの

ii　車体との隙間が二十ミリメートルを超えず、かつ、直径百ミリメートルの球体を車体及びバンパに接触させた場合において球体に接触することがないものであって、その端部付近の部分が車体側に曲げられているもの

(2)　地上一・八メートル以下に備えられているアンテナの取付部であって、その付近の車体の最外側から突出しているもの

ニ　最後部の車軸中心から車体の後面までの水平距離は、最遠軸距の二分の一（物品を車体の後方へ突出して積載するおそれのない構造の自動車にあっては三分の二、その他の自動車のうち小型自動車にあっては、二十分の十一）以下であること。ただし、大型特殊自動車であって、操向する場合に必ず車台が屈折するもの又は最高速度三十五キロメートル毎時未満のもの及び小型特殊自動車にあっては、この限りでない。

二　自動車（専ら乗用の用に供する自動車であって乗車定員十一人以上のもの及びその形状が専ら乗用の用に供する自動車であって乗車定員十一人以上のものの形状に類する自動車、貨物の運送の用に供する自動車であって車両総重量二・八トンを超えるもの及びその形状が貨物の運送の用に供する自動車であって車両総重量二・八トンを超えるものの形状に類する自動車、二輪自動車、側車付二輪自動車、カタピラ及びそりを有する軽自動車、大型特殊自動車、小型特殊自動車、最高速度二十キロメートル毎時未満の自動車並びに被牽引自動車を除く。）の車枠及び車体は、当該自動車の前面が衝突等による衝撃を受けた場合において、運転者席及びこれと並列の座席のうち自動車の側面に隣接するものの乗車人員に過度の傷害を与えるおそれの少ない構造でなければならない。

三　座席の地上面からの高さが七百ミリメートル以下の自動車（専ら乗用の用に供する自動車であって乗車定員十人以上のもの及びその形状が専ら乗用の用に供する自動車であって乗車定員十人以上のものの形状に類する自動車、貨物の運送の用に供する自動車であって車両総重量

三・五トンを超えるもの及びその形状が貨物の運送の用に供する自動車であって車両総重量三・五トンを超えるものの形状に類する自動車、二輪自動車、側車付二輪自動車、三輪自動車、カタピラ及びそりを有する軽自動車、大型特殊自動車、小型特殊自動車並びに被牽引自動車を除く。）の車枠及び車体は、当該自動車の側面が衝突等による衝撃を受けた場合において、運転者席又はこれと並列の座席のうち衝突等による衝撃を受けた側面に隣接するものの乗車人員に過度の傷害を与えるおそれの少ない構造でなければならない。

2 次の表の上欄に掲げる自動車については、前項の規定のうち同表の下欄に掲げる規定は、適用しない。

自動車	条項
一 昭和三十四年九月十五日以前に製作された自動車（最後部の車軸中心から車体後面までの水平距離が長くなる改造を行う場合を除く。）	第一号ニ
二 昭和四十九年六月三十日以前に製作された自動車（回転部分が突出する改造を行ったものを除く。）	第一号ハ（回転部分の突出に係る部分に限る。）
三 平成七年十二月三十一日（輸入された自動車にあっては平成十一年三月三十一日）以前に製作された自動車（輸入された自動車以外の自動車であって平成六年四月一日以降に指定を受けた型式指定自動車を除く。）	第二号
四 平成十一年六月三十日以前に製作された自動車（輸入された自動車以外の自動車であって平成九年十月一日以降に指定を受けた型式指定自動車を除く。）であって次に掲げるもの イ 専ら乗用の用に供する普通自動車及び小型自動車（原動機の相当部分が運転者席又は客室の下にある自動車及びすべての車輪に動力を伝達できる構造の動力伝達装置を備えた自動車であって車枠を有するものに限る。） ロ 貨物の運送の用に供する普通自動車及び小型自動車であって車両総重量二・八トン以下のもの	第二号
五 平成十二年六月三十日以前に製作された自動車（輸入された自動車以外の自動車であって平成十年十月一日以降に指定を受けた型式指定自動車を除く。）であって次に掲げるもの イ 専ら乗用の用に供する軽自動車（原動機の相当部分が運転者室又は客室の下にある自動車及びすべての車輪に動力を伝達できる構造の動力伝達装置を備えた自動車であって車枠を有するものに限る。） ロ 貨物の運送の用に供する軽自動車であって車両総重量二・八トン以下のもの	第二号
六 平成十二年八月三十一日（輸入された自動車にあっては平成十五年九月三十日）以前に製作された自動車（輸入された自動車以外の自動車であって平成十年十月一日以降に指定を受けた型式指定自動車を除く。）	第三号

3 次の表の第一欄に掲げる自動車については、第一項の規定のうち同表第二欄に掲げる規定は、同表第三欄に掲げる字句を同表第四欄に掲げる字句に読み替えて適用する。

自動車	条項	読み替えられる字句	読み替える字句
一 平成十五年九月三十日以前に製作された自動車	第三号	座席の地上面からの高さが七百ミリメートル以下の自動車（専ら乗用の用に供する自動車であって乗車定員十人以上のもの及びその形状が専ら乗用の用に供する自動車であって乗車定員十人以上のものの形状に類する自動車、貨物の運送の用に供する自動車であって車両総重量三・五トンを超えるもの及びその形状が貨物の運送の用に供する自動車であって車両総重量三・五トンを超えるものの形状に類する自動車、二輪自動車、側車付二輪自動車、三輪自動車、カタピラ及びそりを有する軽自動車、大型特殊自動車、小型特殊自動車並びに被牽引自動車を除く。）	前号の規定が適用される自動車（座席の地上面からの高さが七百ミリメートルを超える自動車を除く。）

4 次の各号に掲げる自動車（次項の自動車を除く。）については、保安基準第十八条第六項（同項に基づく細目告示第二十二条第十三項第一号、第百条第十七項第一号及び第百七十八条第十三項を除く。）の規定は、適用しない。

一 平成十七年八月三十一日以前に製作された自動車

二 平成十七年九月一日から平成二十二年八月三十一日までに製作された自動車（平成十七年九月一日以降に指定を受けた型式指定自動車を除く。）

三 平成十七年九月一日から平成二十二年八月三十一日までに製作された自動車であって平成十七年九月一日以降に指定を受けた型式指定自動車（平成十七年八月三十一日以前に指定を受け

た型式指定自動車と種別、車体の外形、燃料の種類、動力用電源装置の種類、動力伝達装置の種類及び主要構造、走行装置の種類及び主要構造、操縦装置の種類及び主要構造、懸架装置の種類及び主要構造、車枠並びに主制動装置の種類が同一であるものに限る。）

5　次の各号に掲げる自動車のいずれにも該当するものについては、保安基準第十八条第六項（同項に基づく細目告示第二十二条第十三項第一号、第百条第十七項第一号及び第百七十八条第十三項を除く。）の規定は適用しない。

一　次のいずれかに該当する自動車

イ　座席の地上面からの高さが四百七十五ミリメートル以下の自動車

ロ　次に掲げる六項目のうち五項目以上を満たす自動車

(1)　地面と自動車の前軸の両輪タイヤ及び自動車の前軸の前方の車体に接する平面のなす角度が二十五度以上

(2)　地面と自動車の後軸の両輪タイヤ及び自動車の後軸の後方の車体に接する平面のなす角度が二十度以上

(3)　自動車の前軸の両輪タイヤに接し自動車の前軸より後上方に延びる平面と自動車の後軸の両輪タイヤに接し自動車の後軸より前上方に延びる平面の交線が車体下面に接した状態において、この両平面のなす最小角度が二十度以上

(4)　自動車の前軸の両輪タイヤの最後端と後軸の両輪タイヤの最前端を結ぶ直線によって区切られる範囲内で、車体下面の最も低い位置にある固定物と地面の間の距離が二百ミリメートル以上

(5)　自動車の前軸直下の最低地上高が百八十ミリメートル以上。この場合、軸直下の最低地上高とは、地面に垂直で自動車の前軸を含む平面内において、両輪タイヤの接地点を通り、車体下面に接する円弧の頂点と地面の間の距離をいう。

(6)　自動車の後軸直下の最低地上高が百八十ミリメートル以上。この場合、軸直下の最低地上高とは、地面に垂直で自動車の後軸を含む平面内において、両輪タイヤの接地点を通り、車体下面に接する円弧の頂点と地面の間の距離をいう。

ハ　保安基準第十八条第四項の規定が適用される自動車のうち貨物の運送の用に供するもの

ニ　原動機本体の前端を通り車両中心線に垂直な平面及び原動機本体の後端を通り車両中心線に垂直な平面と車両中心線とのそれぞれの交点の中点が、前面ガラスの下端の最前部をとおり車両中心線に垂直な平面より後方であり、かつ、最も後部にある座席の後端より前方にある自動車

ホ　原動機として、内燃機関及び駆動用の電動機又は油圧モーターを有し、それらが運転者室の前方に位置する自動車

ヘ　燃料電池自動車

二　次に掲げる自動車

イ　平成十九年八月三十一日以前に製作された自動車

ロ　平成十九年九月一日から平成二十四年八月三十一日までに製作された自動車（平成十九年九月一日以降に指定を受けた型式指定自動車を除く。）

ハ　平成十九年九月一日から平成二十四年八月三十一日までに製作された自動車であって平成十九年九月一日以降に指定を受けた型式指定自動車（平成十九年八月三十一日以前に指定を受けた型式指定自動車と種別、車体の外形、燃料の種類、動力用電源装置の種類、動力伝達装置の種類及び主要構造、走行装置の種類及び主要構造、操縦装置の種類及び主要構造、懸架装置の種類及び主要構造、車枠並びに主制動装置の種類が同一であるものに限る。）

6　次の各号に掲げる自動車については、細目告示別添二十四の規定にかかわらず、道路運送車両の保安基準の細目を定める告示の一部を改正する告示（平成十六年国土交通省告示第四百九十九号）による改正前の細目告示別添二十四の基準に適合するものであればよい。

一　平成十六年七月十五日以前に製作された自動車

二　平成十六年七月十六日以降に製作された自動車であって次に掲げるもの

イ　平成十六年七月十五日以前に指定を受けた型式指定自動車であって、側面衝突時の乗員保護に係る性能に変更のないもの

ロ　平成十六年七月十六日以降に新たに指定を受けた型式指定自動車であって、平成十六年七月十五日以前に指定を受けた型式指定自動車に、側面衝突時の乗員保護に係る性能についての変更以外の変更のみを行ったもの

ハ　国土交通大臣が定める自動車

7　平成二十一年六月二十二日以前に製作された自動車については、細目告示別添二十二4・1・4・の規定にかかわらず、道路運送車両の保安基準の細目を定める告示の一部を改正する告示（平成十七年国土交通省告示第千三百三十七号）による改正前の細目告示別添二十二4・1・4・の規定に適合するものであればよい。

8　次の各号に掲げる自動車については、細目告示別添二十四の規定にかかわらず、道路運送車両の保安基準の細目を定める告示の一部を改正する告示（平成十七年国土交通省告示第千三百三十七号）による改正前の細目告示別添二十四の基準に適合するものであればよい。

一　平成十九年八月十一日以前に製作された自動車

二　平成十九年八月十二日から平成二十三年八月十一日までに製作された自動車であって次に掲げるもの

イ　平成十九年八月十一日以前に指定を受けた型式指定自動車であって、平成十九年八月十二日以降に側面衝突時の乗員保護に係る性能について変更がないもの

ロ　平成十九年八月十二日以降に新たに指定を受けた型式指定自動車であって、平成十九年八月十一日以前に指定を受けた型式指定自動車と側面衝突時の乗員保護に係る性能が同一であり、かつ、平成十九年八月十二日以降に側面衝突時の乗員保護に係る性能について変更がないもの

ハ　国土交通大臣が定める自動車

9　次の各号に掲げる専ら乗用の用に供する自動車であって乗車定員十人未満のものについては、保安基準第十八条第三項並びに同項の規定に基づく細目告示第二十二条第九項、第百条第十項及び第十一項並びに第百七十八条第九項の規定は適用しない。

一　平成十九年八月三十一日以前に製作された自動車

二　平成十九年九月一日から平成二十一年八月三十一日までに製作された自動車（平成十九年九月一日以降に指定を受けた型式指定自動車を除く。）

三　平成十九年九月一日から平成二十一年八月三十一日までに製作された自動車であって平成十九年九月一日以降に指定を受けた型式指定自動車（平成十九年八月三十一日以前に指定を受けた型式指定自動車と前面衝突時における乗車人員の保護に係る性能が同一であるもの並びに運転者席の前方の車枠及び車体に係る改造を行ったものに限る。）

10　次の各号に掲げる貨物の運送の用に供する自動車については、保安基準第十八条第三項並びに同項の規定に基づく細目告示第二十二条第九項、第百条第十項及び第十一項並びに第百七十八条第九項の規定は適用しない。

一　平成二十三年三月三十一日以前に製作された自動車

二　平成二十三年四月一日から平成二十八年三月三十一日までに製作された自動車（平成二十三年四月一日以降に指定を受けた型式指定自動車を除く。）

三　平成二十三年四月一日から平成二十八年三月三十一日までに製作された自動車であって平成二十三年四月一日以降に指定を受けた型式指定自動車（平成二十三年三月三十一日以前に指定を受けた型式指定自動車と前面衝突時における乗車人員の保護に係る性能が同一であるもの並びに運転者席の前方の車枠及び車体に係る改造を行ったものに限る。）

11　平成二十四年六月三十日以前に製作された自動車については、細目告示第二十二条第九項及び第百条第十項中「協定規則第94号の規則5.（5.2.6.から5.2.8.までを除く。）及び6.」とあるのは「道路運送車両の保安基準の細目を定める告示の一部を改正する告示（平成十九年国土交通省告示第八十九号）による改正前の別添百四「オフセット衝突時の乗員保護の技術基準」」と読み替えるものとする。

12　平成二十二年三月三十一日以前に製作された自動車であって道路運送車両の保安基準の細目を定める告示の一部を改正する告示（平成二十年国土交通省告示第千二百十七号）による改正前の細目告示第六条第二項第二号、第八十四条第二項第二号及び第百六十二条第二項第二号の規定により測定するものについては、細目告示第二十二条第四項第九号、第百条第四項第十号及び第百七十八条第四項第十一号の規定は、適用しない。

13　令和元年八月二十三日以前に製作された貨物の運送の用に供する自動車であって、車両総重量が二・五トンを超え三・五トン以下である自動車（運転者席の着席基準点が前車軸中心線から後方に一・一メートルの線より後方に位置するもの（以下この条において「ボンネットを有する自動車」という。）に限る。）のうち、平成二十七年二月二十三日以前に指定を受けた型式指定自動車については、保安基準第十八条第六項の規定並びに細目告示第二十二条、第百条、第百七十八条及び別添九十九の規定は、適用しない。

14　次の各号に掲げる自動車については、保安基準第十八条第六項の規定並びに細目告示第二十二条、第百条、第百七十八条及び別添九十九の規定にかかわらず、道路運送車両の保安基準及び装置型式指定規則の一部を改正する省令（平成二十三年国土交通省令第四十四号）及び道路運送車両の保安基準の細目を定める告示の一部を改正する告示（平成二十三年国土交通省告示第五百六十五号）による改正前の保安基準第十八条第五項の規定並びに細目告示第二十二条、第百条、第百七十八条及び別添九十九の規定に適合するものであればよい。

一　平成三十年二月二十三日以前に製作された自動車であり、かつ、専ら乗用の用に供する乗車定員十人未満の自動車であって車両総重量二・五トン以下のもの（軽自動車にあっては、ボンネットを有するものに限る。）及び貨物の運送の用に供する車両総重量二・五トン以下の自動車であってボンネットを有するもの（平成二十五年四月一日以降に指定を受けた型式指定自動車（次に掲げるものを除く。）を除く。）

イ　平成二十五年三月三十一日以前に指定を受けた型式指定自動車と種別、車体の外形、原動機の種類及び主要構造、燃料の種類、動力用電源装置の種類、動力伝達装置の種類及び主要構造、走行装置の種類及び主要構造、操縦装置の種類及び主要構造、懸架装置の種類及び主要構造、車枠並びに主制動装置の種類が同一であるもの

ロ　平成二十五年三月三十一日以前に指定を受けた型式指定自動車から原動機の種類及び主要構造、燃料の種類、動力用電源装置の種類並びに動力伝達装置の種類及び主要構造が変更されたもの（乗用自動車のエネルギー消費性能の向上に関するエネルギー消費機器等製造事業者等の判断の基準等（平成二十五年経済産業省・国土交通省告示第二号）１の１－１の(4)及び貨物自動車のエネルギー消費性能の向上に関するエネルギー消費機器等製造事業者等の判断の基準等（平成十九年経済産業省・国土交通省告示第五号）１の１－１の(3)の右欄に掲げる基準エネルギー消費効率（以下この条において「平成二十七年度燃費基準」という。）に適合することを目的として変更されたものに限る。）

ハ　平成二十五年三月三十一日以前に指定を受けた型式指定自動車から懸架装置の種類及び主要構造が変更されたもの（歩行者の保護に係る性能が平成二十五年三月三十一日以前に指定を受けた型式指定自動車と同一であるものに限る。）

二　令和元年八月二十三日までに製作された専ら乗用の用に供する乗車定員十人未満の自動車であり、かつ、車両総重量二・五トンを超える自動車及びその形状が車両総重量二・五トンを超える自動車の形状に類する自動車（平成二十七年二月二十四日以降に指定を受けた型式指定自動車（次に掲げるものを除く。）を除く。）

イ　平成二十七年二月二十三日以前に指定を受けた型式指定自動車と種別、車体の外形、原動機の種類及び主要構造、燃料の種類、動力用電源装置の種類、動力伝達装置の種類及び主要構造、走行装置の種類及び主要構造、操縦装置の種類及び主要構造、懸架装置の種類及び主要構造、車枠並びに主制動装置の種類が同一であるもの

ロ　平成二十七年二月二十三日以前に指定を受けた型式指定自動車から原動機の種類及び主要構造、燃料の種類、動力用電源装置の種類並びに動力伝達装置の種類及び主要構造が変更されたもの（平成二十七年度燃費基準に適合することを目的として変更されたものに限る。）

ハ　平成二十七年二月二十三日以前に指定を受けた型式指定自動車から懸架装置の種類及び主要構造が変更されたもの（歩行者の保護に係る性能が平成二十七年二月二十三日以前に指定を受けた型式指定自動車と同一であるものに限る。）

三　平成三十年二月二十三日までに製作された専ら乗用の用に供する車両総重量二・五トン以下の軽自動車であってボンネットを有しないもの（平成二十六年十月一日以降に指定を受けた型式指定自動車（次に掲げるものを除く。）を除く。）

イ　平成二十六年九月三十日以前に指定を受けた型式指定自動車と種別、車体の外形、原動機の種類及び主要構造、燃料の種類、動力用電源装置の種類、動力伝達装置の種類及び主要構造、走行装置の種類及び主要構造、操縦装置の種類及び主要構造、懸架装置の種類及び主要構造、車枠並びに主制動装置の種類が同一であるもの

ロ　平成二十六年九月三十日以前に指定を受けた型式指定自動車から原動機の種類及び主要構造、燃料の種類、動力用電源装置の種類並びに動力伝達装置の種類及び主要構造が変更されたもの（平成二十七年度燃費基準に適合することを目的として変更されたものに限る。）

ハ　平成二十六年九月三十日以前に指定を受けた型式指定自動車から懸架装置の種類及び主要構造が変更されたもの（歩行者の保護に係る性能が平成二十六年九月三十日以前に指定を受けた型式指定自動車と同一であるものに限る。）

15　電力により作動する原動機を有する自動車以外の自動車（平成二十五年六月二十三日以降に指

定を受けた型式指定自動車及び国土交通大臣が指定する自動車を除く。）については、細目告示第二十二条第九項及び第百条第十項の規定にかかわらず、道路運送車両の保安基準の細目を定める告示等の一部を改正する告示（平成二十三年国土交通省告示第六百七十号）による改正前の細目告示第二十二条第九項及び第百条第十項の規定に適合するものであればよい。

16　平成二十八年六月二十二日以前に製作された電力により作動する原動機を有する自動車（平成二十六年六月二十三日以降に指定を受けた型式指定自動車及び国土交通大臣が定める自動車を除く。）については、細目告示第二十二条第九項及び第百条第十項の規定にかかわらず、道路運送車両の保安基準の細目を定める告示等の一部を改正する告示（平成二十三年国土交通省告示第六百七十号。以下この項において「平成二十三年改正告示」という。）による改正前の細目告示第二十二条第九項の規定に適合するものであればよい。ただし、平成二十五年六月二十三日から平成二十六年六月二十二日までに指定を受けた型式指定自動車及び国土交通大臣が定める自動車については、平成二十三年告示による改正前の細目告示第二十二条第九項の規定中「同規則改訂版補足第三改訂版」とあるのは、「同規則改訂版補足第四改訂版」に、平成二十三年改正告示による改正前の細目告示第百条第十項の規定中「協定規則第九十四号の技術的な要件」とあるのは、「協定規則第九十四号の技術的な要件（同規則改訂版補足第四改訂版の規則5・(5・2・8・を除く。）及び6・に限る。）」に読み替えるものとする。

17　電力により作動する原動機を有する自動車以外の自動車（平成二十五年六月二十三日以降に指定を受けた型式指定自動車及び国土交通大臣が指定する自動車を除く。）については、細目告示第二十二条第十項及び第百条第十二項の規定にかかわらず、道路運送車両の保安基準の細目を定める告示等の一部を改正する告示（平成二十三年国土交通省告示第六百七十号）による改正前の細目告示第二十二条第十項及び第百条第十二項の規定に適合するものであればよい。

18　平成二十八年六月二十二日以前に製作された電力により作動する原動機を有する自動車（平成二十六年六月二十三日以降に指定を受けた型式指定自動車及び国土交通大臣が定める自動車を除く。）については、細目告示第二十二条第十項及び第百条第十二項の規定にかかわらず、道路運送車両の保安基準の細目を定める告示等の一部を改正する告示（平成二十三年国土交通省告示第六百七十号）による改正前の細目告示第二十二条第十項及び第百条第十二項の規定に適合するものであればよい。

19　自動車（保安基準第十八条第六項各号に掲げるものを除く。）に対する細目告示別添九十九の規定の適用については、当分の間、同別添九十九別紙四2・2・1・の規定中「2・2・3・に規定されたインバースタイプ動的検定試験に従って検定されなければならない。検定インパクタは衝突試験十回毎に、2・2・2・に規定されたペンデュラムタイプの動的検定試験に従い検定する。インバースタイプ動的検定試験の場合は衝突試験は三十回毎とする。ただし、衝突試験三十回毎にペンデュラムタイプの動的検定試験の実施は必要ない。」とあるのは「2・2・2・に規定されたペンデュラムタイプ動的検定試験に従って検定されなければならない。検定インパクタは衝突試験十回毎に、2・2・2・に規定されたペンデュラムタイプの動的検定試験に従い検定する。」と読み替えることができる。

20　次の各号に掲げる自動車については、細目告示第二十二条第九項及び第百条第十項の規定にかかわらず、道路運送車両の保安基準の細目を定める告示の一部を改正する告示（平成二十六年国土交通省告示第百二十六号）による改正前の細目告示第二十二条第九項及び第百条第十項の規定に適合するものであればよい。

一　平成二十七年八月十二日以前に製作された自動車

二　平成二十七年八月十三日以降に製作された自動車であって次に掲げるもの

イ　平成二十七年八月十二日以前に指定を受けた型式指定自動車であって、オフセット衝突時における乗車人員の保護に係る性能について変更のないもの

ロ　平成二十七年八月十三日以降に新たに指定を受けた型式指定自動車であって、平成二十七年八月十二日以前に指定を受けた型式指定自動車とオフセット衝突時における乗車人員の保護に係る性能が同一であるもの

ハ　国土交通大臣が定める自動車

21　次の各号に掲げる自動車については、細目告示第二十二条第十項及び第百条第十二項の規定にかかわらず、道路運送車両の保安基準の細目を定める告示の一部を改正する告示（平成二十六年国土交通省告示第百二十六号）による改正前の細目告示第二十二条第十項及び第百条第十二項の規定に適合するものであればよい。

一　平成二十七年八月十二日以前に製作された自動車

二　平成二十七年八月十三日以降に製作された自動車であって次に掲げるもの

イ　平成二十七年八月十二日以前に指定を受けた型式指定自動車であって、側面衝突時における乗車人員の保護に係る性能について変更のないもの

ロ　平成二十七年八月十三日以降に新たに指定を受けた型式指定自動車であって、平成二十七年八月十二日以前に指定を受けた型式指定自動車と側面衝突時における乗車人員の保護に係る性能が同一であるもの

ハ　国土交通大臣が定める自動車

22　次の各号に掲げる自動車については、細目告示第二十二条第十三項及び第百条第十七項の規定にかかわらず、道路運送車両の保安基準の細目を定める告示の一部を改正する告示（平成二十七年国土交通省告示第四十二号。以下この項において「平成二十七年改正告示」という。）による改正前の細目告示第二十二条第十一項及び第百条第十四項の規定に適合するものであればよい。この場合において、平成二十七年改正告示による改正前の細目告示別添九十九3・2・1・2・中「別紙4の2.2.」とあるのは「協定規則第127号初版の附則6の1.」と読み替えることができる。

一　平成二十九年八月三十一日以前に製作された自動車

二　平成二十九年九月一日以降に製作された自動車であって次に掲げるもの

イ　平成二十九年八月三十一日以前に指定を受けた型式指定自動車

ロ　平成二十九年九月一日以降に新たに指定を受けた型式指定自動車であって、平成二十九年八月三十一日以前に指定を受けた型式指定自動車と種別、車体の外形、原動機の種類及び主要構造、燃料の種類、動力用電源装置の種類、動力伝達装置の種類及び主要構造、走行装置の種類及び主要構造、操縦装置の種類及び主要構造、懸架装置の種類及び主要構造（歩行者の保護に係る性能に変更がないものを除く。）、車枠並びに主制動装置の種類が同一であるもの

ハ　国土交通大臣が定める自動車

23　次の各号に掲げる自動車については、細目告示第十八条第二項、第二十二条第八項、第九十六条第三項及び第百条第八項並びに別添十七及び別添二十三の規定にかかわらず、道路運送車両の保安基準の細目を定める告示の一部を改正する告示（平成二十七年国土交通省告示第七百二十三号）による改正前の細目告示第十八条第二項、第二十二条第八項、第九十六条第三項及び第百条

第八項並びに別添十七及び別添二十三の規定に適合するものであればよい。
二　平成三十年八月三十一日以前に製作された自動車であって、次に掲げるもの
イ　平成三十年八月三十一日以前に指定を受けた型式指定自動車
ロ　平成三十年九月一日以降に新たに指定を受けた型式指定自動車であって、平成三十年八月三十一日以前に指定を受けた型式指定自動車と燃料タンクの基本構造、材質及び車体への取付方法並びに燃料タンク周辺の燃料漏れ防止に係る基本車体構造が同一であるもの
ハ　国土交通大臣が定める自動車

24　次の各号に掲げる自動車については、保安基準第十八条第五項の規定並びに細目告示第二十二条第十一項及び第十二項、第百条第十四項から第十六項まで及び第百七十八条第十一項及び第十二項の規定は適用しない。
一　平成三十年六月十四日以前に製作された自動車
二　平成三十年六月十五日以降に製作された自動車であって、次に掲げるもの
イ　平成三十年六月十四日以前に指定を受けた型式指定自動車
ロ　平成三十年六月十五日以降に新たに指定を受けた型式指定自動車であって、平成三十年六月十四日以前に指定を受けた型式指定自動車と運転者室及び客室を取り囲む部分（乗員保護装置を含む。）のポールとの側面衝突時における乗車人員の保護に係る性能が同一であるもの
ハ　国土交通大臣が定める自動車

25　次の各号に掲げる自動車については、保安基準第十八条第五項並びに細目告示第二十二条第十一項及び第百条第十四項の規定にかかわらず、道路運送車両の保安基準及び装置型式指定規則の一部を改正する省令（平成二十八年国土交通省令第一号）及び道路運送車両の保安基準の細目を定める告示の一部を改正する告示（平成二十八年国土交通省告示第二百二十六号）による改正前の保安基準第十八条第五項並びに細目告示第二十二条第十一項及び第百条第十四項の規定に適合するものであればよい。
一　令和五年一月十九日以前に製作された自動車
二　令和五年一月二十日以降に製作された自動車であって、次に掲げるもの
イ　令和五年一月十九日以前に指定を受けた型式指定自動車
ロ　令和五年一月二十日以降に新たに指定を受けた型式指定自動車であって、令和五年一月十九日以前に指定を受けた型式指定自動車と運転者室及び客室を取り囲む部分（乗員保護装置を含む。）のポールとの側面衝突時における乗車人員の保護に係る性能が同一であるもの
ハ　国土交通大臣が定める自動車

26　次の各号に掲げる自動車については、細目告示第二十二条第八項及び第百条第八項の規定にかかわらず、道路運送車両の保安基準の細目を定める告示の一部を改正する告示（平成二十八年国土交通省告示第八百二十六号）による改正前の細目告示第二十二条第八項及び第百条第八項の規定に適合するものであればよい。
一　令和五年八月三十一日（専ら乗用の用に供する乗車定員十人未満の自動車（車両総重量三・五トン未満のものに限る。以下この項において同じ。）であって、輸入された自動車にあっては令和二年八月三十一日、専ら乗用の用に供する乗車定員十人未満の自動車であって、輸入された自動車以外のものにあっては平成三十年八月三十一日）以前に製作された自動車
二　令和五年九月一日（専ら乗用の用に供する乗車定員十人未満の自動車であって、輸入された自動車にあっては令和二年九月一日、専ら乗用の用に供する乗車定員十人未満の自動車であって、輸入された自動車以外のものにあっては平成三十年九月一日）から令和十一年八月三十一日までに製作された自動車であって、次に掲げるもの
イ　令和五年八月三十一日（専ら乗用の用に供する乗車定員十人未満の自動車であって、輸入された自動車にあっては令和二年八月三十一日、専ら乗用の用に供する乗車定員十人未満の自動車であって、輸入された自動車以外のものにあっては平成三十年八月三十一日）以前に指定を受けた型式指定自動車
ロ　令和五年九月一日（専ら乗用の用に供する乗車定員十人未満の自動車であって、輸入された自動車にあっては令和二年九月一日、専ら乗用の用に供する乗車定員十人未満の自動車であって、輸入された自動車以外のものにあっては平成三十年九月一日）以降に新たに指定を受けた型式指定自動車であって、令和五年八月三十一日（専ら乗用の用に供する乗車定員十人未満の自動車であって、輸入された自動車にあっては令和二年八月三十一日、専ら乗用の用に供する乗車定員十人未満の自動車であって、輸入された自動車以外のものにあっては平成三十年八月三十一日）以前に指定を受けた型式指定自動車と運転者室及び客室を取り囲む部分（乗員保護装置を含む。）のフルラップ前面衝突時における乗車人員の保護に係る性能が同一であるもの
ハ　国土交通大臣が定める自動車

27　次の各号に掲げる自動車については、細目告示第二十二条第九項及び第百条第十項の規定にかかわらず、道路運送車両の保安基準の細目を定める告示の一部を改正する告示（平成二十八年国土交通省告示第八百二十六号）による改正前の細目告示第二十二条第九項及び第百条第十項の規定に適合するものであればよい。
一　令和五年八月三十一日（専ら乗用の用に供する乗車定員十人未満の自動車（車両総重量二・五トン以下のものに限る。以下この項において同じ。）にあっては平成三十年八月三十一日）以前に製作された自動車
二　令和五年九月一日（専ら乗用の用に供する乗車定員十人未満の自動車にあっては平成三十年九月一日）から令和十一年八月三十一日までに製作された自動車であって、次に掲げるもの
イ　令和五年八月三十一日（専ら乗用の用に供する乗車定員十人未満の自動車にあっては平成三十年八月三十一日）以前に指定を受けた型式指定自動車
ロ　令和五年九月一日（専ら乗用の用に供する乗車定員十人未満の自動車にあっては平成三十年九月一日）以降に新たに指定を受けた型式指定自動車であって、令和五年八月三十一日（専ら乗用の用に供する乗車定員十人未満の自動車にあっては平成三十年八月三十一日）以前に指定を受けた型式指定自動車とオフセット衝突時における乗車人員の保護に係る性能が同一であるもの
ハ　国土交通大臣が定める自動車

28　貨物の運送の用に供する軽自動車については、細目告示第二十二条第八項及び第百条第八項中協定規則第百三十七号に定める基準並びに細目告示第二十二条第九項及び第百条第十項中協定規則第九十四号に定める基準のうち、ダミーの搭載時における座席の前後方向の位置及びダミーの骨盤骨の角度の調整については、道路運送車両の保安基準の細目を定める告示の一部を改正する告示（平成二十八年国土交通省告示第八百二十六号）による改正前の別添二十三「前面衝突時の乗員保護の技術基準」に定める方法によることができる。

29 次の各号に掲げる自動車については、細目告示第二十二条第十三項及び第百条第十七項の規定にかかわらず、道路運送車両の保安基準の細目を定める告示の一部を改正する告示（平成二十八年国土交通省告示第八百二十六号）による改正前の細目告示第二十二条第十三項及び第百条第十七項の規定に適合するものであればよい。
一 平成二十九年十二月三十一日以前に製作された自動車
二 平成三十年一月一日以降に製作された自動車であって、次に掲げるもの
イ 平成二十九年十二月三十一日以前に指定を受けた型式指定自動車
ロ 平成三十年一月一日以降に新たに指定を受けた型式指定自動車であって、平成二十九年十二月三十一日以前に指定を受けた型式指定自動車と種別、車体の外形、動力伝達装置の種類及び主要構造、走行装置の種類及び主要構造、車枠並びに主制動装置の種類が同一であるもの
ハ 国土交通大臣が定める自動車

30 次の各号に掲げる自動車については、保安基準第十八条第七項並びに細目告示第二十二条第十四項、第百条第十九項及び第百七十八条第十四項の規定は適用しない。
一 平成三十年九月三十日以前に製作された自動車
二 平成三十年十月一日以降に製作された自動車であって、次に掲げるもの
イ 平成三十年九月三十日以前に指定を受けた型式指定自動車
ロ 平成三十年十月一日以降に新たに指定を受けた型式指定自動車であって、平成三十年九月三十日以前に指定を受けた型式指定自動車と車枠及び車体の主要構造の車両転覆時における乗車人員の保護に係る性能が同一であるもの
ハ 国土交通大臣が定める自動車

31 次の各号に掲げる自動車については、細目告示第二十二条第八項及び第百条第八項の規定にかかわらず、道路運送車両の保安基準の細目を定める告示の一部を改正する告示（平成二十九年国土交通省告示第八十八号）による改正前の細目告示第二十二条第八項及び第百条第八項の規定に適合するものであればよい。
一 令和九年八月三十一日（専ら乗用の用に供する乗車定員十人未満の自動車（車両総重量三・五トン未満のものに限る。以下この項において同じ。）にあっては令和二年八月三十一日）以前に製作された自動車
二 令和九年九月一日（専ら乗用の用に供する乗車定員十人未満の自動車にあっては令和二年九月一日）から令和十一年八月三十一日までに製作された自動車であって、次に掲げるもの
イ 令和九年八月三十一日（専ら乗用の用に供する乗車定員十人未満の自動車にあっては令和二年八月三十一日）以前に指定を受けた型式指定自動車
ロ 令和九年九月一日（専ら乗用の用に供する乗車定員十人未満の自動車にあっては令和二年九月一日）以降に新たに指定を受けた型式指定自動車であって、令和九年八月三十一日（専ら乗用の用に供する乗車定員十人未満の自動車にあっては令和二年八月三十一日）以前に指定を受けた型式指定自動車と運転者室及び客室を取り囲む部分（乗員保護装置を含む。）のフルラップ前面衝突時における乗車人員の保護に係る性能が同一であるもの
ハ 国土交通大臣が定める自動車

32 平成二十九年一月三十一日以前に製作された自動車については、細目告示第二十二条第十五項、第百条第二十項及び第百七十八条第十五項の規定は、適用しない。

33 長さ三・五〇メートル、幅一・三〇メートル、高さ二・〇〇メートルを超えない軽自動車であって、最高速度六十キロメートル毎時以下のもののうち、高速自動車国道等において運行しないものについては、当該自動車の車枠及び車体の前面衝突時の乗車人員の保護に係る性能に関し保安基準第十八条第二項の告示で定める基準並びに車枠及び車体のオフセット衝突時の乗車人員の保護に係る性能に関し保安基準第十八条第三項の告示で定める基準は、当分の間、細目告示第二十二条第八項及び第九項の規定にかかわらず、次に掲げる基準とすることができる。
一 次に掲げる基準に適合すること。この場合において、協定規則第九十四号の附則三の4・の規定中「56－0／＋1㎞／h」とあるのは「40－0／＋1㎞／h」と、協定規則第百三十七号の附則三の4・の規定中「50－0／＋1㎞／h」とあるのは「40－0／＋1㎞／h」とそれぞれ読み替えるものとする。
イ 協定規則第九十四号の規則5・（5・2・6・から5・2・8・までを除く。）及び6・に定める基準に適合すること。
ロ 協定規則第百三十七号の規則5・（5・2・6・から5・2・8・までを除く。）及び6・に定める基準に適合すること。
二 次の様式による標識を当該自動車の後面に見やすいように表示すること。ただし、既に当該標識を表示している場合は、この限りでない。

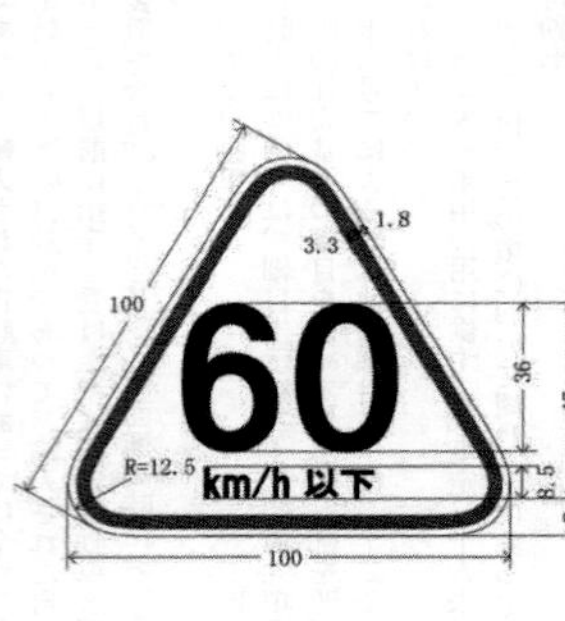

備考
一 縁線の色は赤色、文字の色は黒色、縁及び地の色は白色とする。
二 縁線の反射光の色は赤色、縁及び地の反射光の色は白色とする。
三 寸法の単位は、ミリメートルとする。
四 表示する場所は、車体後面の見やすい位置とする。

34 長さ三・五〇メートル、幅一・三〇メートル、高さ二・〇〇メートルを超えない軽自動車であって、最高速度六十キロメートル毎時以下のもののうち、高速自動車国道等において運行しないものについては、当分の間、保安基準第十八条第五項の規定並びに細目告示第二十二条第十一項及び第十二項並びに第百七十八条第十一項及び第十二項の規定は適用しなくてもよい。この場合においては、前項第二号の規定を準用する。

35 次に掲げる自動車については、細目告示第二十二条第二項の規定にかかわらず、道路運送車両の保安基準の細目を定める告示等の一部を改正する告示（令和二年国土交通省告示第千二十一

号）による改正前の細目告示第二十二条第二項の規定に適合するものであればよい。

二　令和四年八月三十一日以前に製作された自動車

一　令和四年九月一日以降に製作された自動車であって、次に掲げるもの

イ　令和四年八月三十一日以前に指定を受けた型式指定自動車

ロ　令和四年九月一日以降に指定を受けた型式指定自動車であって、令和四年八月三十一日以前に指定を受けた型式指定自動車と基本車体構造が同一のもの

ハ　国土交通大臣が定める自動車

三　令和四年八月三十一日以前に発行された出荷検査証に係る自動車であって、当該出荷検査証の発行後十一月を経過しない間に新規検査又は予備検査を受けようとし、又は受けたもの

36　次に掲げる自動車（次項の自動車を除く。）については、保安基準第十八条第二項の規定並びに細目告示第二十二条第八項及び第百条第八項の規定にかかわらず、道路運送車両の保安基準等の一部を改正する省令（令和二年国土交通省令第百号）及び道路運送車両の保安基準の細目を定める告示等の一部を改正する告示（令和二年国土交通省告示第千五百七十七号）による改正前の保安基準第十八条第二項の規定並びに細目告示第二十二条第八項及び第百条第八項の規定に適合するものであればよい。

一　令和九年八月三十一日以前に製作された自動車

二　令和九年九月一日から令和十一年八月三十一日までに製作された自動車であって、次に掲げるもの

イ　令和九年八月三十一日以前に指定を受けた型式指定自動車

ロ　令和九年九月一日以降に新たに指定を受けた型式指定自動車であって、令和九年八月三十一日以前に指定を受けた型式指定自動車と運転者室及び客室を取り囲む部分（乗員保護装置を含む。）のフルラップ前面衝突時における乗車人員の保護に係る性能が同一であるもの

ハ　国土交通大臣が定める自動車

三　令和十一年八月三十一日以前に発行された出荷検査証に係る自動車であって、当該出荷検査証の発行後十一月を経過しない間に新規検査又は予備検査を受けようとし、又は受けたもの

37　次の各号に掲げる自動車のいずれにも該当するものについては、保安基準第十八条第二項の規定並びに細目告示第二十二条第八項及び第百条第八項の規定にかかわらず、道路運送車両の保安基準等の一部を改正する省令（令和二年国土交通省令第百号）及び道路運送車両の保安基準の細目を定める告示等の一部を改正する告示（令和二年国土交通省告示第千五百七十七号）による改正前の保安基準第十八条第二項の規定並びに細目告示第二十二条第八項及び第百条第八項の規定に適合するものであればよい。

一　次のいずれかに該当する自動車

イ　貨物の運送の用に供する車両総重量が二・八トンを超え三・五トン以下である小型自動車であってボンネットを有しないもの（車枠と車体が一体の構造のものを除く。）

ロ　イに掲げる自動車と、運転者室及び客室を取り囲む部分のうち運転者席より前方の構造が同一の普通自動車

二　次に掲げる自動車

イ　令和十四年八月三十一日以前に製作された自動車

ロ　令和十四年九月一日から令和十六年八月三十一日までに製作された自動車であって、次に掲げるもの

(1)　令和十四年八月三十一日以前に指定を受けた型式指定自動車

(2)　令和十四年九月一日以降に新たに指定を受けた型式指定自動車であって、同年八月三十一日以前に指定を受けた型式指定自動車と運転者室及び客室を取り囲む部分（乗員保護装置を含む。）のフルラップ前面衝突時における乗車人員の保護に係る性能が同一であるもの

(3)　国土交通大臣が定める自動車

ハ　令和十六年八月三十一日以前に発行された出荷検査証に係る自動車であって、当該出荷検査証の発行後十一月を経過しない間に新規検査又は予備検査を受けようとし、又は受けたもの

38　次に掲げる自動車については、保安基準第十八条第三項の規定並びに細目告示第二十二条第九項及び第百条第十項の規定にかかわらず、道路運送車両の保安基準等の一部を改正する省令（令和二年国土交通省令第百号）及び道路運送車両の保安基準の細目を定める告示等の一部を改正する告示（令和二年国土交通省告示第千五百七十七号）による改正前の保安基準第十八条第三項の規定並びに細目告示第二十二条第九項及び第百条第十項の規定に適合するものであればよい。

一　令和五年八月三十一日以前に製作された自動車

二　令和五年九月一日から令和十一年八月三十一日までに製作された自動車であって、次に掲げるもの

イ　令和五年八月三十一日以前に指定を受けた型式指定自動車

ロ　令和五年九月一日以降に新たに指定を受けた型式指定自動車であって、令和五年八月三十一日以前に指定を受けた型式指定自動車とオフセット衝突時における乗車人員の保護に係る性能が同一であるもの

ハ　国土交通大臣が定める自動車

三　令和十一年八月三十一日以前に発行された出荷検査証に係る自動車であって、当該出荷検査証の発行後十一月を経過しない間に新規検査又は予備検査を受けようとし、又は受けたもの

39　次に掲げる自動車については、保安基準第十八条第四項の規定並びに細目告示第二十二条第十項及び第百条第十二項の規定にかかわらず、道路運送車両の保安基準等の一部を改正する省令（令和二年国土交通省令第百号）及び道路運送車両の保安基準の細目を定める告示等の一部を改正する告示（令和二年国土交通省告示第千五百七十七号）による改正前の保安基準第十八条第四項の規定並びに細目告示第二十二条第十項及び第百条第十二項の規定に適合するものであればよい。

一　令和四年七月四日以前に製作された自動車

二　令和四年七月五日から令和六年七月四日までに製作された自動車であって、次に掲げるもの

イ　令和四年七月四日以前に指定を受けた型式指定自動車

ロ　令和四年七月五日以降に新たに指定を受けた型式指定自動車であって、令和四年七月四日以前に指定を受けた型式指定自動車と自動車との側面衝突時における乗車人員の保護に係る性能が同一であるもの

ハ　国土交通大臣が定める自動車

三　令和六年七月四日以前に発行された出荷検査証に係る自動車であって、当該出荷検査証の発行後十一月を経過しない間に新規検査又は予備検査を受けようとし、又は受けたもの

40　次に掲げる自動車については、細目告示第二十二条第十三項及び第百条第十七項の規定中「協定規則第127号」とあるのは「協定規則第127号第2改訂版」と読み替えることができる。

一　令和六年七月六日以前に製作された自動車
二　令和六年七月七日から令和八年七月六日までに製作された自動車であって、次に掲げるもの
イ　令和六年七月六日以前に指定を受けた型式指定自動車
ロ　令和六年七月七日以降に新たに指定を受けた型式指定自動車であって、同年七月六日以前に指定を受けた型式指定自動車と種別、車体の外形、動力伝達装置の種類及び主要構造、走行装置の種類及び主要構造、車枠並びに主制動装置の種類が同一であるもの
ハ　国土交通大臣が定める自動車
三　令和八年七月六日以前に発行された出荷検査証に係る自動車であって、当該出荷検査証の発行後十一月を経過しない間に新規検査又は予備検査を受けようとし、又は受けたもの

41　次に掲げる自動車については、細目告示第二十二条第十三項及び第百条第十七項の規定中協定規則第百二十七号に定める基準のうち「ＷＡＤ2500」とあるのは「ＷＡＤ2100」と読み替えることができる。
一　令和十一年八月三十一日以前に製作された自動車
二　令和十一年八月三十一日以前に発行された出荷検査証に係る自動車であって、当該出荷検査証の発行後十一月を経過しない間に新規検査又は予備検査を受けようとし、又は受けたもの

42　次に掲げる自動車については、細目告示第二十二条第十三項及び第百条第十七項の規定中「協定規則第127号」とあるのは「協定規則第127号第３改訂版」と読み替えることができる。
一　令和八年八月三十一日以前に製作された自動車
二　令和八年九月一日以降に製作された自動車であって、次に掲げるもの
イ　令和八年八月三十一日以前に指定を受けた型式指定自動車
ロ　令和八年九月一日以降に新たに指定を受けた型式指定自動車であって、同年八月三十一日以前に指定を受けた型式指定自動車と種別、車体の外形、動力伝達装置の種類及び主要構造、走行装置の種類及び主要構造、車枠並びに主制動装置の種類が同一であるもの
ハ　国土交通大臣が定める自動車

（巻込防止装置）

第一六条　昭和五十五年十月三十一日以前に製作された自動車については、保安基準第十八条の二第一項及び第二項の規定並びに細目告示第二十三条、第百一条及び第百七十九条の規定にかかわらず、次の基準に適合するものであればよい。
一　貨物の運送の用に供する普通自動車（次項の自動車を除く。）及び車両総重量が八トン以上の普通自動車（乗車定員十一人以上の自動車及びその形状が乗車定員十一人以上の自動車の形状に類する自動車を除く。）の両側面には、次の基準に適合する巻込防止装置を備えなければならない。ただし、歩行者、自転車の乗車人員等が当該自動車の後車輪へ巻き込まれるおそれの少ない構造の自動車にあっては、この限りでない。
イ　巻込防止装置は、堅ろうで、かつ、歩行者が当該自動車の後車輪へ巻き込まれるおそれの少ない構造であること。
ロ　巻込防止装置は、空車状態において、その下縁の高さが地上六百ミリメートル以下となるよう取り付けられていること。
ハ　巻込防止装置は、その平面部前端と前車輪との間隔及びその平面部後端と後車輪との間隔が四百ミリメートル以下となるよう取り付けられていること。ただし、セミトレーラに備える巻込防止装置にあっては、その平面部の前端が補助脚より前方となるように取り付けられていること。
ニ　巻込防止装置は、その平面部が、最外側にある前車輪及び後車輪の接地部の中心点を結ぶ直線より外側にならないように取り付けられていること。
ホ　巻込防止装置は、振動、衝撃等によりゆるみ等を生じないように確実に取り付けられていること。

2　昭和四十八年十一月三十日以前に製作された貨物の運送の用に供する車両総重量が八トン以上又は最大積載量が五トン以上のものについては、保安基準第十八条の二第一項及び第二項の規定並びに細目告示第二十三条、第百一条及び第百七十九条の規定にかかわらず、次の基準に適合するものであればよい。
一　自動車の両側面は、歩行者が当該自動車の後輪へ巻き込まれるおそれの少ない構造でなければならない。
二　前号の自動車に該当する被牽引自動車を牽引する牽引自動車の両側面は、同号の基準に適合しなければならない。

3　昭和四十八年十一月三十日以前に製作された貨物の運送の用に供する普通自動車（車両総重量が八トン以上又は最大積載量が五トン以上のものを除く。）については、保安基準第十八の二及び道路運送車両の保安基準の一部を改正する省令（昭和五十四年運輸省令第八号）附則第四項、細目告示第二十三条、第百一条及び第百七十九条並びに第一項の規定は、適用しない。

（突入防止装置）

第一七条　平成十七年八月三十一日（長さ四・七メートル以下、幅一・七メートル以下、かつ、高さ二・〇メートル以下の自動車にあっては平成十九年八月三十一日）以前に製作された自動車については、保安基準第十八条の二第三項及び第四項の規定並びに細目告示第二十四条、第百二条及び第百八十条の規定にかかわらず、次の基準に適合するものであればよい。
一　貨物の運送の用に供する普通自動車（車両総重量が七トン以上の自動車及び牽引自動車を除く。）の後面には、次の基準に適合する突入防止装置を備えなければならない。ただし、他の自動車が追突した場合に追突した自動車の車体前部が突入するおそれの少ない構造の自動車にあっては、この限りでない。
イ　突入防止装置は、堅ろうであり、かつ、板状その他の自動車が追突した場合に追突した自動車の車体前部が突入することを有効に防止することができる形状であって、その長さは、これを備える自動車の幅の六十パーセント以上であること。
ロ　突入防止装置は、空車状態においてその下縁の高さが地上七百ミリメートル以下となるように取り付けられていること。
ハ　突入防止装置は、その平面部が車両中心面に直交する鉛直面上で車両中心面に対して対称の位置に取り付けられていること。
ニ　突入防止装置は、その平面部と空車状態において地上千五百ミリメートル以下にある当該自動車の他の部分の後端との水平距離が六百ミリメートル以下となるように取り付けられていること。
ホ　突入防止装置は、振動、衝撃等によりゆるみ等を生じないように確実に取り付けられていること。
二　貨物の運送の用に供する普通自動車であって、車両総重量が七トン以上のもの（牽引自動車を除く。）の後面には、次の基準に適合する突入防止装置を備えなければならない。ただし、

本号に規定する突入防止装置と同程度以上に他の自動車が追突した場合に追突した自動車の車体前部が突入することを防止することができる構造の自動車にあっては、この限りでない。

イ　突入防止装置は、その平面部の車両中心面に平行な鉛直面による断面の高さが百ミリメートル以上であって、その平面部の最外縁が後軸の車輪の最外側の内側二百ミリメートルまでの間にあること。

ロ　突入防止装置は、空車状態においてその下縁の高さが地上五百五十ミリメートル以下となるように取り付けられていること。

ハ　突入防止装置は、前号ハ及びホの基準に準じたものであること。

ニ　イからハまでに掲げるもののほか、突入防止装置は、他の自動車が追突した場合に追突した自動車の車体前部が著しく突入することを防止することができる構造であること。

2　次の表の上欄に掲げる自動車については、前項の規定のうち同表の下欄に掲げる規定は、適用しない。

自動車	条項
一　昭和四十三年七月三十一日以前に製作された自動車	第一号及び第二号
二　昭和四十八年十一月三十日以前に製作された貨物の運送の用に供する普通自動車（車両総重量が八トン以上若しくは最大積載量が五トン以上のもの又はこれらのものに該当する被牽引自動車を牽引する牽引自動車を除く。）	第一号及び第二号

3　次の表の第一欄に掲げる自動車については、第一項の規定のうち同表第二欄に掲げる規定は、同表第三欄に掲げる字句を同表第四欄に掲げる字句に読み替えて適用する。

自動車	条項	読み替えられる字句	読み替える字句
一　平成九年九月三十日以前に製作された自動車	第一号及び第二号	車両総重量が七トン以上	車両総重量が八トン以上又は最大積載量が五トン以上

4　第一項第二号の自動車（車両総重量が八トン以上又は最大積載量が五トン以上のものに限る。）であって昭和四十三年八月一日から平成四年五月三十一日までに製作されたものについては、同号の規定にかかわらず、同項第一号の基準に適合する突入防止装置を備えればよい。

5　保安基準第十八条の二第三項及び細目告示第二十四条第一項第二号又は第百二条第一項第一号の規定が適用される自動車のうち平成十七年九月一日（長さ四・七メートル以下、幅一・七メートル以下かつ高さ二・〇メートル以下の自動車にあっては平成十九年九月一日）から平成二十四年七月十日までに製作された自動車については、細目告示第二十四条第一項第二号及び第百二条第一項第一号の規定にかかわらず、道路運送車両の保安基準の細目を定める告示の一部を改正する告示（平成二十年国土交通省告示第八百六十九号）による改正前の細目告示別添二十五（突入を防止する構造装置を備える自動車にあっては同告示別添二十六）に適合するものであればよい。

6　保安基準第十八条の二第四項及び細目告示第二十四条第三項第二号の規定が適用される自動車のうち平成十七年九月一日（長さ四・七メートル以下、幅一・七メートル以下かつ高さ二・〇メートル以下の自動車にあっては平成十九年九月一日）から平成二十四年七月十日までに製作された自動車については、細目告示第二十四条第三項第二号の規定にかかわらず、道路運送車両の保安基準の細目を定める告示の一部を改正する告示（平成二十年国土交通省告示第八百六十九号）による改正前の細目告示別添二十六に適合するものであればよい。ただし、法第七十五条の三第一項の規定に基づく装置の型式の指定を行う場合にあっては、道路運送車両の保安基準の細目を定める告示の一部を改正する告示（平成二十年国土交通省告示第八百六十九号）による改正前の細目告示別添二十六3・2・3・及び3・3・6・の規定中「地上千五百ミリメートルを超える」とあるのは「地上三千ミリメートルを超える」と読み替えるものとする。

7　平成十七年九月一日（長さ四・七メートル以下、幅一・七メートル以下かつ高さ二・〇メートル以下の自動車にあっては平成十九年九月一日）から平成二十四年七月十日までに製作された自動車については、細目告示第百二条第三項第一号ヘ及び第百八十条第三項第一号ヘの規定は、適用しない。

8　平成二十七年七月二十五日以前に製作された自動車（二輪自動車、側車付二輪自動車、カタピラ及びそりを有する軽自動車、大型特殊自動車（ポール・トレーラを除く。）、小型特殊自動車、牽引自動車並びに貨物の運送の用に供する自動車（車両総重量三・五トン以下の小型自動車及び軽自動車を除く。）を除く。）については、保安基準第十八条の二第三項及び第四項並びに細目告示第二十四条、第百二条及び第百八十条の規定は、適用しない。

9　平成二十七年七月二十五日以前に製作された貨物の運送の用に供する自動車（車両総重量三・五トン以下の小型自動車、軽自動車及び牽引自動車を除く。）及びポール・トレーラについては、細目告示第二十四条第一項及び第三項、第百二条第一項及び第三項並びに第百八十条第一項及び第三項の規定にかかわらず、道路運送車両の保安基準の細目を定める告示の一部を改正する告示（平成二十四年国土交通省告示第八百二十九号）による改正前の細目告示第二十四条第一項及び第三項、第百二条第一項及び第三項並びに第百八十条第一項及び第三項の規定に適合するものであればよい。

10　次の各号に掲げる自動車については、細目告示第二十四条、第百二条及び第百八十条の規定にかかわらず、道路運送車両の保安基準の細目を定める告示の一部を改正する告示（平成二十八年国土交通省告示第八百二十六号）による改正前の細目告示第二十四条、第百二条及び第百八十条の規定に適合するものであればよい。

一　令和元年八月三十一日以前に製作された自動車

二　令和元年九月一日から令和三年八月三十一日までに製作された自動車であって、次に掲げるもの

イ　令和元年八月三十一日以前に指定を受けた型式指定自動車

ロ　令和元年九月一日以降に新たに指定を受けた型式指定自動車であって、令和元年八月三十一日以前に指定を受けた型式指定自動車と後方からの突入防止に係る性能が同一であるもの

ハ　国土交通大臣が定める自動車

三　令和三年八月三十一日以前に発行された出荷検査証に係る自動車であって、当該出荷検査証の発行後十一月を経過しない間に新規検査又は予備検査を受けようとし、又は受けたもの

（前部潜り込み防止装置）

第一七条の二　平成二十三年九月三十日以前に製作された自動車については、保安基準第十八条の二第五項及び第六項の規定並びに細目告示第二十四条の二、第百二条の二及び第百八十条の二の

規定は、適用しない。

（乗車装置）

第一八条 平成六年三月三十一日（輸入された自動車（専ら乗用の用に供する乗車定員十一人以上の自動車を除く。）にあっては平成七年三月三十一日）以前に製作された自動車については、保安基準第二十条の規定並びに細目告示第二十六条、第百四条及び第百八十二条の規定にかかわらず、次の基準に適合するものであればよい。

一 自動車の乗車装置は、乗車人員が動揺、衝撃等により転落又は転倒することなく安全な乗車を確保できる構造でなければならない。

二 運転者及び運転者助手以外の者の用に供する乗車装置を備えた自動車には、客室を備えなければならない。ただし、二輪自動車、側車付二輪自動車、カタピラ及びそりを有する軽自動車並びに緊急自動車にあっては、この限りでない。

三 自動車の運転者室及び客室は、必要な換気を得られる構造でなければならない。

四 専ら乗用の用に供する自動車のインストルメントパネル（運転者席及びこれと並列の座席の前方に設けられる計器類等の取付装置をいう。）は、当該自動車が衝突等による衝撃を受けた場合において、乗車人員の頭部等に過度の衝撃を与えるおそれの少ない構造でなければならない。ただし、乗車定員十一人以上の自動車、二輪自動車、側車付二輪自動車、カタピラ及びそりを有する軽自動車並びに最高速度二十キロメートル毎時未満の自動車にあっては、この限りでない。

2 昭和五十年三月三十一日以前に製作された自動車については、前項第四号の規定は、適用しない。

3 平成十九年三月三十一日以前に製作された自動車については、細目告示第二十六条第一項第二号の規定にかかわらず、座席の座面上における車両中心線上の鉛直面と平行な座席の中心線上において、その前端から二百ミリメートルの位置にある点と天井までの長さのうち背もたれと平行なものは、運転者席及びこれと並列の座席にあっては八百ミリメートル以上であればよい。ただし、着席時にその長さが八百五十ミリメートル以上ある場合においては、この限りでない。

4 細目告示第二十六条第二項及び第百四条第二項の規定は、当分の間、細目告示第二十六条第二項及び第百四条第二項ただし書中「協定規則第129号の規則6.1.6.」とあるのは「協定規則第44号第4改訂版補足第17改訂版の規則6.3.1.2.」と読み替えることができる。

5 令和二年一月二十一日以前に製作された専ら乗用の用に供する乗車定員十人未満の自動車（平成三十年一月二十二日以降に指定を受けた型式指定自動車（平成三十年一月二十一日以前に指定を受けた型式指定自動車から車体の外形、車枠及び軸距に変更がないものを除く。）及び国土交通大臣が定める自動車を除く。）については、細目告示第二十六条第四項及び第五項の規定にかかわらず、別添二十八「インストルメントパネルの衝撃吸収の技術基準」及び別添八十七「サンバイザの衝撃吸収の技術基準」の規定に適合するものであればよい。

（運転者席）

第一八条の二 平成三十年十月三十一日以前に製作された自動車（平成二十八年十一月一日以降に指定を受けた型式指定自動車（平成二十八年十月三十一日以前に指定を受けた型式指定自動車から、種別、用途、原動機の種類及び主要構造、燃料の種類及び動力用電源装置の種類、軸距並びに適合する排出ガス規制値又は低排出ガス車認定実施要領に定める基準値以外に、型式を区別する事項に変更がないものを除く。）及び国土交通大臣が定める自動車を除く。）については、細目告示第二十七条第一号、第百五条第一項第一号ロ及び第百八十三条第一項第一号ロの規定にかかわらず、道路運送車両の保安基準の細目を定める告示の一部を改正する告示（平成二十五年国土交通省告示第千百号）による改正前の細目告示第二十七条第一号、第百五条第一項第二号及び第百八十三条第一項第二号の規定に適合するものであればよい。

2 次に掲げる自動車（専ら乗用の用に供する自動車であって乗車定員十人以下のもの（二輪自動車、側車付二輪自動車、三輪自動車、カタピラ及びそりを有する軽自動車並びに被牽引自動車を除く。）及び貨物の運送の用に供する自動車であって車両総重量三・五トン以下のもの（三輪自動車及び被牽引自動車を除く。）に限る。）については、細目告示第二十七条第一号、第百五条第一項第一号及び第二号並びに第百八十三条第一項第一号及び第二号の規定にかかわらず、道路運送車両の保安基準の細目を定める告示等の一部を改正する告示（令和四年国土交通省告示第七百十三号）による改正前の細目告示第二十七条第一号及び第二号、第百五条第一項第一号及び第二号並びに第百八十三条第一項第一号及び第二号の規定に適合するものであればよい。この場合において、当該細目告示第二十七条第一号中「協定規則第125号」とあるのは「協定規則第125号改訂版補足第2改訂版」と読み替える。

一 令和五年八月三十一日以前に製作された自動車

二 令和五年九月一日から令和六年八月三十一日までに製作された自動車であって、次に掲げるもの

イ 令和五年八月三十一日以前に指定を受けた型式指定自動車

ロ 令和五年九月一日以降に新たに指定を受けた型式指定自動車であって、令和五年八月三十一日以前に指定を受けた型式指定自動車から、種別、用途、原動機の種類及び主要構造、燃料の種類及び動力用電源装置の種類、軸距並びに適合する排出ガス規制値又は低排出ガス車認定実施要領に定める基準値以外に、型式を区別する事項に変更がないもの

ハ 国土交通大臣が定める自動車

三 令和六年八月三十一日以前に発行された出荷検査証に係る自動車であって、当該出荷検査証の発行後十一月を経過しない間に新規検査又は予備検査を受けようとし、又は受けたもの

3 貨物の運送の用に供する車両総重量が三・五トン以下の自動車（三輪自動車及び被牽引自動車を除く。）であって次に掲げるものについては、細目告示第二十七条第一号、第百五条第一項第一号及び第百八十三条第一項第一号の規定にかかわらず、道路運送車両の保安基準の細目を定める告示等の一部を改正する告示（令和四年国土交通省告示第千四十号）による改正前の細目告示第二十七条第二号、第百五条第一項第一号、第百八十三条第一項第一号及び別添二十九の規定に適合するものであればよい。

一 令和六年六月三十日以前に製作された自動車

二 令和六年七月一日から令和八年六月三十日までに製作された自動車であって、次に掲げるもの

イ 令和六年六月三十日以前に指定を受けた型式指定自動車

ロ 令和六年七月一日以降に新たに指定を受けた型式指定自動車であって、同年六月三十日以前に指定を受けた型式指定自動車から、種別、用途、原動機の種類及び主要構造、燃料の種類及び動力用電源装置の種類、軸距並びに適合する排出ガス規制値又は低排出ガス車認定実施要領に定める基準値以外に、型式を区別する事項に変更がないもの

ハ 国土交通大臣が定める自動車

三 令和八年六月三十日以前に発行された出荷検査証に係る自動車であって、当該出荷検査証の

発行後十一月を経過しない間に新規検査又は予備検査を受けようとし、又は受けたもの

4　専ら乗用の用に供する乗車定員十人以上の自動車（二輪自動車、側車付二輪自動車、三輪自動車、カタピラ及びそりを有する軽自動車並びに被牽引自動車を除く。）及び貨物の運送の用に供する車両総重量が三・五トンを超える自動車（三輪自動車及び被牽引自動車を除く。）であって次に掲げるものについては、細目告示第二十七条第二号の規定にかかわらず、道路運送車両の保安基準の細目を定める告示等の一部を改正する告示（令和五年国土交通省告示第五百七十二号）による改正前の細目告示第二十七条第二号及び第三号の規定に適合するものであればよい。

一　令和七年十二月三十一日以前に製作された自動車

二　令和八年一月一日から令和十年十二月三十一日までに製作された自動車であって、次に掲げるもの

イ　令和七年十二月三十一日以前に指定を受けた型式指定自動車

ロ　令和八年一月一日以降に新たに指定を受けた型式指定自動車であって、令和七年十二月三十一日以前に指定を受けた型式指定自動車と、運転者席からの運転者の直接視野に係る性能が同一であるもの

ハ　国土交通大臣が定める自動車

三　令和十年十二月三十一日以前に発行された出荷検査証に係る自動車であって、当該出荷検査証の発行後十一月を経過しない間に新規検査又は予備検査を受けようとし、又は受けたもの

5　専ら乗用の用に供する乗車定員十人の自動車（二輪自動車、側車付二輪自動車、三輪自動車、カタピラ及びそりを有する軽自動車並びに被牽引自動車を除く。）であって次に掲げるものについては、細目告示第百五条第一項第二号及び第八十三条第一項第二号の規定にかかわらず、道路運送車両の保安基準の細目を定める告示等の一部を改正する告示（令和五年国土交通省告示第五百七十二号）による改正前の細目告示第百五条第一項第一号及び第八十三条第一項第一号の規定に適合するものであればよい。

一　令和七年十二月三十一日以前に製作された自動車

二　令和八年一月一日から令和十年十二月三十一日までに製作された自動車であって、次に掲げるもの

イ　令和七年十二月三十一日以前に指定を受けた型式指定自動車

ロ　令和八年一月一日以降に新たに指定を受けた型式指定自動車であって、令和七年十二月三十一日以前に指定を受けた型式指定自動車と、運転者席からの運転者の直接視野に係る性能が同一であるもの

ハ　国土交通大臣が定める自動車

三　令和十年十二月三十一日以前に発行された出荷検査証に係る自動車であって、当該出荷検査証の発行後十一月を経過しない間に新規検査又は予備検査を受けようとし、又は受けたもの

（座席）

第一九条　平成十九年六月三十日（乗車定員十一人以上の自動車及び貨物の運送の用に供する自動車にあっては平成二十四年六月三十日）以前に製作された自動車については、保安基準第二十二条の規定並びに細目告示第二十八条（第一項第一号を除く。）、第百六条（第一項第一号を除く。）及び第百八十四条（第一項第一号を除く。）の規定にかかわらず、次の基準に適合するものであればよい。

一　自動車の運転者以外の者の用に供する座席（またがり式の座席及び専ら幼児の運送を目的とする自動車（以下「幼児専用車」という。）の幼児用座席を除く。）は、一人につき、大きさが幅三百八十ミリメートル以上、奥行四百ミリメートル以上（非常口付近に設けられる座席にあっては幅三百八十ミリメートル以上、奥行二百五十ミリメートル以上）でなければならない。ただし、旅客自動車運送事業用自動車及び幼児専用車の座席以外の座席であって保安基準第二十二条の三第一項に規定する座席ベルト及び当該座席ベルトの取付装置を備えるものにあっては、この限りでない。

イ　補助座席（容易に折り畳むことができる座席で通路、荷台その他専ら座席の用に供する床面以外の床面に設けられる一人用のものをいう。以下同じ。）

ロ　乗車定員十一人以上の自動車に設けられる車掌の用に供する座席、これに相当する座席及び運転者助手の用に供する座席で、一人用のもの

ハ　かじ取ハンドルの回転角度がかじ取車輪の回転角度の七倍未満である三輪自動車の運転者席の側方に設けられる一人用の座席

一の二　自動車の運転者以外の者の用に供する座席（またがり式の座席及び幼児専用車の幼児用座席を除く。）は、一人につき、幅四百ミリメートル以上の着席するに必要な空間を有するものでなければならない。

二　幼児専用車の幼児用座席は、一人につき大きさが幅二百七十ミリメートル以上、奥行二百三十ミリメートル以上二百七十ミリメートル以下であり、床面からの高さが二百五十ミリメートル以下であり、かつ、前向きに設けられたものでなければならない。

三　座席には、その前方の座席、隔壁等と次に掲げる長さ以上の間げきがなければならない。ただし、前方の座席が当該座席と向かい合っているものにあっては、その二倍以上の長さの間げきがなければならない。この場合において、リクライニング機構を有する運転者席（運転者席と一体となって作動する座席又は並列な座席を含む。）にあっては背もたれを鉛直面から後方に三十度まで倒した状態とする。

イ　乗車定員十一人以上の自動車（緊急自動車を除く。）の座席（幼児専用車の幼児用座席を除く。）　二百ミリメートル

ロ　幼児専用車の幼児用座席　百五十ミリメートル

四　乗車定員十一人以上の自動車には、大部分の窓の開放部が有効幅五百ミリメートル以上、有効高さ三百ミリメートル以上である場合に限り、その通路に補助座席を設けることができる。

五　幼児専用車には、補助座席を幼児用座席として設けることができない。

六　専ら乗用の用に供する自動車（二輪自動車、側車付二輪自動車及び最高速度二十キロメートル毎時未満の自動車を除く。）及び貨物の運送の用に供する自動車（最高速度二十キロメートル毎時未満を除く。）の座席（次に掲げる座席を除く。）及び当該座席の取付装置は、当該自動車が衝突等による衝撃を受けた場合において、乗車人員等から受ける荷重に十分耐えるものでなければならない。

イ　またがり式の座席

ロ　容易に折り畳むことができる座席で通路、荷台その他専ら座席の用に供する床面以外の床面に設けられるもの

ハ　第一号ハの座席

ニ　横向きに備えられた座席

ホ　非常口付近に備えられた座席
へ　法第四十七条の二の規定により自動車を点検する場合に取り外しを必要とする座席
七　前号の自動車の座席（保安基準第二十二条の四に規定する頭部後傾抑止装置を含む。以下この号において同じ。）の後面部分は、当該自動車が衝突等による衝撃を受けた場合において、当該座席の後方の乗車人員の頭部等に過度の衝撃を与えるおそれの少ない構造でなければならない。ただし、前号イからへまでに掲げる座席の後面部分にあっては、この限りでない。

2　次の表の上欄に掲げる自動車については、前項の規定のうち同表の下欄に掲げる規定は、適用しない。

自動車	条項
一　昭和三十五年三月三十一日以前に製作された自動車（旅客自動車運送事業用自動車及び幼児専用車を除く。）	第三号
二　昭和五十年十一月三十日以前に製作された自動車	第六号及び第七号
三　平成二十四年六月三十日以前に製作された自動車（乗車定員十一人以上の自動車及び貨物の運送の用に供する自動車に限る。）	第六号及び第七号

3　次の表の第一欄に掲げる自動車については、第一項の規定のうち同表第二欄に掲げる規定は、同表第三欄に掲げる字句を同表第四欄に掲げる字句に読み替えて適用する。

自動車	条項	読み替えられる字句	読み替える字句
一　昭和二十六年六月三十日以前に製作された自動車	第四号	三百ミリメートル以上	二百八十ミリメートル以上
二　昭和三十五年三月三十一日以前に製作された自動車	第一号イ	床面に設けられる一人用のもの	床面に設けられるもの
三　昭和三十五年三月三十一日以前に製作された旅客自動車運送事業用自動車	第三号	二百ミリメートル	二百ミリメートル（車輪おおい等のためやむを得ないものにあっては、百八十ミリメートル）

4　平成二十四年六月三十日以前に製作された自動車については、細目告示第二十八条第六項及び第百六条第六項の表右欄中「協定規則第17号の規則5.及び6.（5.1.、5.3.から5.10.まで、6.1.5.、6.4.3.及び6.5.から6.7.までを除く。）に定める基準」「協定規則第17号の規則5.3.に定める基準」「協定規則第17号の規則5.2.及び6.（6.1.5.、6.4.3.及び6.5.から6.7.までを除く。）に定める基準」及び「協定規則第80号の規則5.、6.及び7.（7.4.を除く。）に定める基準」とあるのは「道路運送車両の保安基準の細目を定める告示の一部を改正する告示（平成19年国土交通省告示第854号）による改正前の細目告示別添30「座席及び座席取付装置の技術基準」」と読み替えることができる。

5　平成二十四年七月二十一日以前に製作された専ら貨物の運送の用に供する自動車以外の自動車及び平成二十八年七月二十一日以前に製作された専ら貨物の運送の用に供する自動車（平成二十六年七月二十二日以降に指定を受けた型式指定自動車を除く。）については、保安基準第二十二条第三項の規定にかかわらず、道路運送車両の保安基準及び装置型式指定規則の一部を改正する省令（平成二十一年国土交通省令第四十八号）による改正前の保安基準第二十二条第三項の規定に適合するものであればよい。

6　平成二十四年七月二十一日以前に製作された専ら貨物の運送の用に供する自動車以外の自動車及び平成二十八年七月二十一日以前に製作された専ら貨物の運送の用に供する自動車（平成二十六年七月二十二日以降に指定を受けた型式指定自動車を除く。）については、細目告示第二十八条第一項第三号及び第四号、第百六条第一項第三号及び第四号並びに第百八十四条第一項第三号及び第四号の規定は適用しないこととし、第二十八条第六項及び第百六条第六項の表右欄中「協定規則第17号の規則5.及び6.（5.1.、5.3.から5.10.まで、6.1.5.、6.4.3.及び6.5.から6.7.までを除く。）に定める基準」とあるのは「協定規則第17号第7改訂版補足第3改訂版の規則5.及び6.（5.3.から5.7.まで、5.10.から5.13.まで、6.4.3.4.、6.4.3.5.及び6.5.から6.6.3.までを除く。）に定める基準」と、「協定規則第17号の規則5.3.に定める基準」とあるのは「協定規則第17号第7改訂版補足第3改訂版の規則5.2.に定める基準」と、「協定規則第17号の規則5.2.及び6.（6.1.5.、6.4.3.及び6.5.から6.7.までを除く。）に定める基準」とあるのは「協定規則第17号第7改訂版補足第3改訂版の規則5.1.及び6.（6.4.3.4.、6.4.3.5.及び6.5.から6.6.3.までを除く。）に定める基準」と読み替えることができる。

7　平成二十九年七月二十五日以前に製作された自動車（平成二十六年七月二十六日以降に指定を受けた型式指定自動車及び国土交通大臣が定める自動車を除く。）については、細目告示第二十八条第一項第三号及び第四号並びに第六項、第百六条第一項第三号及び第四号並びに第六項並びに第百八十四条第一項第三号及び第四号の規定にかかわらず、道路運送車両の保安基準の細目を定める告示の一部を改正する告示（平成二十四年国土交通省告示第八百二十九号）による改正前の細目告示第二十八条第一項第三号及び第四号並びに第六項、第百六条第一項第三号及び第四号並びに第七項並びに第百八十四条第一項第三号及び第四号の規定に適合するものであればよい。

8　次に掲げる自動車については、細目告示第二十六条第一項第二号、第二十八条第六項の表右欄及び第百六条第六項の表右欄中「協定規則第17号」とあるのは「協定規則第17号第8改訂版補足第4改訂版」と、「規則5.及び6.（5.1.、5.3.から5.10.まで、6.1.5.、6.4.3.及び6.5.から6.7.までを除く。）」とあるのは「規則5.及び6.（5.1.、5.3.から5.8.まで、5.11.から5.14.まで、6.4.3.4.、6.4.3.5.及び6.5.から6.6.3.までを除く。）」と、「規則5.2.及び6.（6.1.5.、6.4.3.及び6.5.から6.7.までを除く。）」とあるのは「規則5.2.及び6.（6.4.3.4.、6.4.3.5.及び6.5.から6.6.3.までを除く。）」と読み替えることができる。
一　令和二年八月三十一日以前に製作された専ら乗用の用に供する乗車定員十人未満の自動車
二　令和二年九月一日から令和四年八月三十一日（輸入された自動車にあっては令和五年三月三十一日）までに製作された専ら乗用の用に供する乗車定員十人未満の自動車であって、次に掲げるもの
イ　令和二年八月三十一日以前に指定を受けた型式指定自動車
ロ　令和二年九月一日以降に新たに指定を受けた型式指定自動車であって、令和二年八月三十

一日以前に指定を受けた型式指定自動車と座席に係る性能が同一であるもの
ハ　国土交通大臣が定める自動車
三　令和四年九月一日以降に製作された専ら乗用の用に供する乗車定員十人未満の自動車であって、次に掲げるもの
イ　令和四年八月三十一日以前に指定を受けた型式指定自動車であって、協定規則第十七号の規則５・12・の適用を受けないもの
ロ　国土交通大臣が定める自動車
四　専ら乗用の用に供する乗車定員十人以上の自動車
五　貨物の運送の用に供する自動車
六　令和四年八月三十一日以前に発行された出荷検査証に係る自動車であって、当該出荷検査証の発行後十一月を経過しない間に新規検査又は予備検査を受けようとし、又は受けたもの

9　次の各号に掲げる専ら乗用の用に供する乗車定員十人以上の自動車については、細目告示第二十八条第一項第四号及び第六項並びに第百六条第六項の規定にかかわらず、道路運送車両の保安基準の細目を定める告示等の一部を改正する告示（令和二年国土交通省告示第六百二十九号）による改正前の細目告示第二十八条第一項第四号及び第六項並びに第百六条第六項の規定に適合するものであればよい。
一　令和三年八月三十一日以前に製作された自動車
二　令和三年九月一日から令和四年八月三十一日までに製作された自動車であって、次に掲げるもの
イ　令和三年八月三十一日以前に指定を受けた型式指定自動車
ロ　令和三年九月一日以降に新たに指定を受けた型式指定自動車であって、令和三年八月三十一日以前に指定を受けた型式指定自動車と座席及び座席の取付装置が同一であるもの
ハ　国土交通大臣が定める自動車
三　令和四年八月三十一日以前に発行された出荷検査証に係る自動車であって、当該出荷検査証の発行後十一月を経過しない間に新規検査又は予備検査を受けようとし、又は受けたもの

10　次に掲げる自動車については、細目告示第二十六条第一項第二号、第二十八条第六項及び第百六条第六項の規定にかかわらず、道路運送車両の保安基準の細目を定める告示等の一部を改正する告示（令和三年国土交通省告示第五百二十一号）による改正前の細目告示第二十六条第一項第二号、第二十八条第六項及び第百六条第六項の規定に適合するものであればよい。
一　令和四年八月三十一日以前に製作された自動車
二　令和四年九月一日から令和八年八月三十一日までに製作された自動車であって、次に掲げるもの
イ　令和四年八月三十一日以前に指定を受けた型式指定自動車
ロ　令和四年九月一日以降に新たに指定を受けた型式指定自動車であって、令和四年八月三十一日以前に指定を受けた型式指定自動車と座席及び座席の取付装置に係る性能が同一であるもの
ハ　国土交通大臣が定める自動車
三　令和八年八月三十一日以前に発行された出荷検査証に係る自動車であって、当該出荷検査証の発行後十一月を経過しない間に新規検査又は予備検査を受けようとし、又は受けたもの

11　次に掲げる自動車については、細目告示第二十六条第一項第二号、第二十八条第六項及び第百六条第六項中「協定規則第17号」とあるのは、「協定規則第17号第10改訂版」と読み替えることができる。
一　令和八年八月三十一日以前に製作された自動車
二　令和八年九月一日から令和十年八月三十一日までに製作された自動車であって、次に掲げるもの
イ　令和八年八月三十一日以前に指定を受けた型式指定自動車
ロ　令和八年九月一日以降に新たに指定を受けた型式指定自動車であって、令和八年八月三十一日以前に指定を受けた型式指定自動車と頭部後傾抑止装置の乗車人員の保護に係る性能が同一であるもの
ハ　国土交通大臣が定める自動車
三　令和十年八月三十一日以前に発行された出荷検査証に係る自動車であって、当該出荷検査証の発行後十一月を経過しない間に新規検査又は予備検査を受けようとし、又は受けたもの

（座席ベルト等）

第二〇条　昭和六十二年八月三十一日（専ら乗用の用に供する乗車定員十人以下の自動車であって輸入された自動車以外のものにあっては昭和六十二年二月二十八日、輸入された自動車にあっては昭和六十三年三月三十一日）以前に製作された自動車（次項から第四項までの自動車を除く。）については、保安基準第二十二条の三の規定並びに細目告示第三十条、第百八条及び第百八十六条の規定は適用しない。

2　昭和六十二年九月一日（専ら乗用の用に供する乗車定員十人以下の自動車であって輸入された自動車以外のものにあっては昭和六十二年三月一日、輸入された自動車にあっては昭和六十三年四月一日）から平成六年三月三十一日（輸入された自動車にあっては平成七年三月三十一日）までに製作された自動車（次項の自動車を除く。）については、保安基準第二十二条の三の規定並びに細目告示第三十条、第百八条及び第百八十六条の規定にかかわらず、次の基準に適合するものであればよい。
一　次の表の上欄に掲げる自動車（二輪自動車、側車付二輪自動車及び最高速度二十キロメートル毎時未満の自動車を除く。）には、当該自動車が衝突等による衝撃を受けた場合において、同表の中欄に掲げるその自動車の座席（保安基準第二十二条第三項第一号から第五号までに掲げる座席（第二号に掲げる座席にあっては、座席の後面部分のみが折り畳むことができるものを除く。）及び幼児専用車の幼児用座席を除く。）の乗車人員が、座席の前方に移動することを防止し、又は上半身を過度に前傾することを防止するため、それぞれ同表の下欄に掲げる座席ベルト及び当該座席ベルトの取付装置を備えなければならない。

自動車の種別	座席の種別	座席ベルトの種別
専ら乗用の用に供する普通自動車又は小型自動車若しくは軽自動車であって、乗車定員十人以下の自動車	運転者席及びこれと並列の座席のうち自動車の側面に隣接するもの	三点式座席ベルト等少なくとも当該座席の乗車人員が、座席の前方に移動することを防止し、かつ、上半身を過度に前傾することを防止するための座席ベルト（以下この表において「第二種座席ベルト」

		という。）
	運転者席及びこれと並列の座席以外の座席	二点式座席ベルト等少なくとも乗車人員の腰部の移動を拘束し、乗車人員が座席の前方に移動することを防止するための座席ベルト（第二種座席ベルトを除く。以下この表において「第一種座席ベルト」という。）又は第二種座席ベルト
普通自動車（専ら乗用の用に供する自動車であって、乗車定員十人以下のもの及び次号に掲げるものを除く。）並びに小型自動車及び軽自動車（乗車定員十人以下のものを除く。）	すべての座席	第一種座席ベルト又は第二種座席ベルト
専ら乗用の用に供する乗車定員十一人以上の普通自動車であって、次に掲げるもの イ　高速道路等において運行しない自動車 ロ　高速自動車国道等以外の道路のうち、自動車の最高速度が六十キロメートル毎時超とされているものを含む路線を定期に運行する旅客自動車運送事業用自動車	運転者席及びこれと並列の座席	第一種座席ベルト又は第二種座席ベルト

二　前号の座席ベルトの取付装置は、次の基準に適合するものでなければならない。

イ　当該自動車の衝突等によって座席ベルトから受ける荷重に十分耐えるものであること。

ロ　振動、衝撃等によりゆるみ、変形等を生じないようになっていること。

ハ　取り付けられる座席ベルトが有効に作用する位置に備えられたものであること。

ニ　乗降に際し損傷を受けるおそれがなく、かつ、乗降の支障とならない位置に備えられたものであること。

ホ　座席ベルトを容易に取り付けることのできる構造であること。

三　第一号の座席ベルトは、次の基準に適合するものでなければならない。

イ　当該自動車が衝突等による衝撃を受けた場合において、当該座席ベルトを装着した者に傷害を与えるおそれの少ない構造のものであること。

ロ　第二種座席ベルトにあっては、当該自動車が衝突等による衝撃を受けた場合において、当該座席ベルトを装着した者が、座席の前方に移動しないようにすることができ、かつ、上半身を過度に前傾しないようにすることができるものであること。

ハ　第一種座席ベルトにあっては、当該自動車が衝突等による衝撃を受けた場合において、当該座席ベルトを装着した者が座席の前方に移動しないようにすることができるものであること。

ニ　容易に、着脱することができ、かつ、長さを調節することができるものであること。

ホ　運転者席及びこれと並列の座席に備える第二種座席ベルト並びに運転者席に備える第一種座席ベルトにあっては、通常の運行において当該座席ベルトを装着した者がその腰部及び上半身を容易に動かし得る構造のものであること。

3　昭和五十年四月一日（普通自動車（専ら乗用の用に供するものを除く。）にあっては、昭和五十年十二月一日）から昭和六十二年八月三十一日（専ら乗用の用に供する乗車定員十人以下の自動車であって輸入された自動車以外のものにあっては昭和六十二年二月二十八日、輸入された自動車にあっては昭和六十三年三月三十一日）までに製作された自動車については、保安基準第二十二条の三の規定並びに細目告示第三十条、第百八条及び第百八十六条の規定にかかわらず、次の基準に適合するものであればよい。

一　次の表の上欄に掲げる自動車には、当該自動車が衝突等による衝撃を受けた場合において、同表中欄に掲げるその自動車の座席（保安基準第二十二条第三項第一号から第四号までに掲げる座席及び自動車の側面に隣接しない座席を除く。）の乗車人員が、座席の前方に移動することを防止し、又は上半身を過度に前傾することを防止するため、それぞれ同表の下欄に掲げる座席ベルト及び当該座席ベルトの取付装置を備えなければならない。

自動車の種別	座席の種別	座席ベルトの種別
専ら乗用の用に供する普通自動車又は小型自動車若しくは軽自動車（二輪自動車及び側車付二輪自動車を除く。）であって、乗車定員十一人以上の自動車又は最高速度二十キロメートル毎時未満の自動車以外のもの	運転者席及びこれと並列の座席	第二種座席ベルト（三点式座席ベルト等少なくとも乗車人員の腰部の移動を拘束し、かつ、上半身が前方に倒れることを防止することのできるものをいう。以下同じ。）固定した屋根を有さないために、第三号ロの基準に適合する座席ベルトを備えることができない自動車にあっては、第一種座席ベルト（二点式座席ベルト等少なくとも乗車人員の腰部の移動を拘束することができるものをいう。以下同じ。）
	運転者席及びこれと並列の座	第一種座席ベルト

	席以外の座席	
普通自動車（専ら乗用の用に供する自動車を除く。）	運転者席及びこれと並列の座席	第一種座席ベルト

二　前号の座席ベルトの取付装置及び座席ベルトは、座席ベルトの取付装置にあっては前項第二号の基準、座席ベルトにあっては同項第三号イからニまでの基準に適合するものでなければならない。

4　昭和四十四年四月一日から昭和五十年三月三十一日までに製作された自動車（昭和四十四年九月三十日までに製作された自動車にあっては、専ら乗用の用に供するもの（軽自動車を除く。）に限る。）には、当該自動車の座席（保安基準第二十二条第三項第一号から第四号までに掲げる座席及び自動車の側面に隣接しない座席を除く。）に係る第一種座席ベルトの取付装置を備えなければならない。ただし、普通自動車（専ら乗用の用に供するものを除く。）、乗車定員十一人以上の自動車、二輪自動車、側車付二輪自動車、大型特殊自動車、農耕作業用小型特殊自動車及び最高速度二十キロメートル毎時未満の自動車にあっては、この限りでない。

5　前項の第一種座席ベルトの取付装置は、第二項第二号各号の基準に適合するものでなければならない。

6　第四項の自動車の運転者席及びこれと並列の当該自動車の側面に隣接する座席（一般乗用旅客自動車運送事業の用に供する自動車にあっては運転者席及び旅客三人の用に供する座席、一般乗用旅客自動車運送事業の用に供する自動車以外の自動車で、昭和四十四年四月一日から同年九月三十日までに製作された専ら乗用の用に供するもの（軽自動車を除く。）及び同年十月一日から昭和四十八年十一月三十日までに製作されたものにあっては運転者席）に係る同項の第一種座席ベルトの取付装置には、第二項第三号イ、ハ及びニの基準に適合する座席ベルトを備えなければならない。

7　平成六年四月一日（輸入された自動車にあっては平成七年四月一日）から平成二十四年六月三十日までに製作された自動車については、保安基準第二十二条の三の規定並びに同条の規定に基づく細目告示第三十条（第六項を除く。）、第百八条（第八項を除く。）及び第百八十六条（第八項を除く。）の規定にかかわらず、次の各号に掲げる基準に適合するものであればよい。

一　次の表の上欄に掲げる自動車（二輪自動車、側車付二輪自動車及び最高速度二十キロメートル毎時未満の自動車を除く。）には、当該自動車が衝突等による衝撃を受けた場合において、同表の中欄に掲げるその自動車の座席（保安基準第二十二条第三項第一号から第四号まで及び第六号に掲げる座席（第二号に掲げる座席にあっては、座席の後面部分のみが折り畳むことができるものを除く。）及び幼児専用車の幼児用座席を除く。）の乗車人員が、座席の前方に移動することを防止し、又は上半身を過度に前傾することを防止するため、それぞれ同表の下欄に掲げる座席ベルト及び当該座席ベルトの取付装置を備えなければならない。

自動車の種別	座席の種別	座席ベルトの種別
専ら乗用の用に供する普通自動車又は小型自動車若しくは軽自動車であって、乗車定員十人以下の自動車	運転者席その他の自動車の側面に隣接する座席であって前向きのもの（以下この表において「運転者席等」という。）	当該座席の乗車人員が、座席の前方に移動することを防止し、かつ、上半身を過度に前傾することを防止するための座席ベルト（以下この表において「第二種座席ベルト」という。）
	運転者席等以外の座席	当該座席の乗車人員が、座席の前方に移動することを防止するための座席ベルト（第二種座席ベルトを除く。以下この表において「第一種座席ベルト」という。）又は第二種座席ベルト
普通自動車（専ら乗用の用に供する自動車であって、乗車定員十人以下のもの及び次号に掲げるものを除く。）並びに小型自動車及び軽自動車（乗車定員十人以下のものを除く。）	すべての座席	第一種座席ベルト又は第二種座席ベルト
専ら乗用の用に供する乗車定員十一人以上の普通自動車であって、次に掲げるもの イ　高速道路等において運行しない自動車 ロ　高速自動車国道等以外の道路のうち、自動車の最高速度が六十キロメートル毎時超とされているものを含む路線を定めて定期に運行する旅客自動車運送事業用自動車	運転者席及びこれと並列の座席	第一種座席ベルト又は第二種座席ベルト

二　前号の座席ベルトの取付装置は、細目告示第五条、第八十三条に規定する場合には道路運送車両の保安基準の細目を定める告示の一部を改正する告示（平成十八年国土交通省告示第九百七十八号）による改正前の細目告示別添三十一の基準に、細目告示第百六十一条に規定する場合には次の基準に適合するものでなければならない。

イ　当該自動車の衝突等によって座席ベルトから受ける荷重に十分耐えるものであること。

ロ　振動、衝撃等によりゆるみ、変形等を生じないようになっていること。

ハ　取り付けられる座席ベルトが有効に作用する位置に備えられたものであること。

ニ　乗降に際し損傷を受けるおそれがなく、かつ、乗降の支障とならない位置に備えられたものであること。

ホ　座席ベルトを容易に取り付けることができる構造であること。

三　第一号の座席ベルトは、細目告示第五条、第八十三条に規定する場合には、道路運送車両の保安基準の細目を定める告示の一部を改正する告示（平成十八年国土交通省告示第九百七十八号）による改正前の細目告示別添三十二の基準に、細目告示第百六十一条に規定する場合には次の基準に適合するものでなければならない。

イ　当該自動車が衝突等による衝撃を受けた場合において、当該座席ベルトを装着した者に傷害を与えるおそれの少ない構造のものであること。

ロ　第二種座席ベルトにあっては、当該自動車が衝突等による衝撃を受けた場合において、当該座席ベルトを装着した者が、座席の前方に移動しないようにすることができ、かつ、上半身を過度に前傾しないようにすることができるものであること。

ハ　第一種座席ベルトにあっては、当該自動車が衝突等による衝撃を受けた場合において、当該座席ベルトを装着した者が座席の前方に移動しないようにすることができるものであること。

ニ　容易に、脱着することができ、かつ、長さを調整することができるものであること。

ホ　第二種座席ベルト並びに運転者席に備える第一種座席ベルトにあっては、通常の運行において当該座席ベルトを装着した者がその腰部及び上半身を容易に動かし得る構造のものであること。

四　専ら乗用の用に供する普通自動車又は小型自動車若しくは軽自動車であって、乗車定員十人以下の自動車には、第一号の規定により備える運転者席の座席ベルトが装着されていない場合に、その旨を運転者に警報する装置を備えなければならない。

8　保安基準第二十二条の三第五項及び細目告示第三十条第十項の規定が適用される自動車のうち平成二十年八月三十一日までに製作された自動車（平成十七年九月一日以降に指定を受けた型式指定自動車（平成十七年八月三十一日以前に指定を受けた型式指定自動車から、用途、原動機の種類及び主要構造、燃料の種類、軸距並びに適合する排出ガス規制値以外に、型式を区別する事項について変更がないものを除く。）を除く。）については、細目告示別添三十三の規定にかかわらず、道路運送車両の保安基準の細目を定める告示の一部を改正する告示（平成十七年国土交通省告示第二百五十四号）による改正前の細目告示別添三十三に適合するものであればよい。

9　保安基準第二十二条の三第五項及び細目告示第三十条第十項の規定が適用される自動車のうち平成二十年九月一日（平成十七年九月一日以降に指定を受けた型式指定自動車（平成十七年八月三十一日以前に指定を受けた型式指定自動車から、用途、原動機の種類及び主要構造、燃料の種類、軸距並びに適合する排出ガス規制値以外に、型式を区分する事項について変更がないものを除く。）については指定を受けた日）から平成二十六年二月二日までに製作された自動車については、細目告示第三十条第四項の規定にかかわらず、道路運送車両の保安基準の細目を定める告示の一部を改正する告示（平成二十年国土交通省告示第八十九号）による改正前の細目告示別添三十三に適合するものであればよい。

10　保安基準第二十二条の三第五項及び細目告示第百八条第十二項第二号又は第百八十六条第十二項第二号の規定が適用される自動車のうち平成二十四年七月一日から平成二十六年二月二日までに製作された自動車については、細目告示第百八条第十二項第二号ただし書及び第百八十六条第八項第二号ただし書の規定にかかわらず、運転者席の座席ベルトが装着されていない場合にその旨を運転者に警報する装置がその電源投入後八秒以内の間に警報が停止するものであればよい。

11　平成二十四年七月二十一日以前に製作された専ら貨物の運送の用に供する自動車以外の自動車及び平成二十八年七月二十一日以前に製作された専ら貨物の運送の用に供する自動車（平成二十六年七月二十二日以降に指定を受けた型式指定自動車を除く。）については、保安基準第二十二条の三第一項の規定にかかわらず、道路運送車両の保安基準及び装置型式指定規則の一部を改正する省令（平成二十一年国土交通省令第四十八号）による改正前の保安基準第二十二条の三第一項の規定に適合するものであればよい。

12　平成二十四年七月二十一日以前に製作された貨物の運送の用に供する自動車以外の自動車及び平成二十八年七月二十一日以前に製作された貨物の運送の用に供する自動車（平成二十六年七月二十二日以降に指定を受けた型式指定自動車を除く。）については、細目告示第三十条第一項第一号中「協定規則第16号」とあるのは「協定規則第16号第５改訂版補足改訂版」と、第三十条第二項及び第百八条第四項中「協定規則第14号」とあるのは「協定規則第14号第６改訂版補足第４改訂版」と、第三十条第四項及び第百八条第六項中「協定規則第16号の規則6.、7.及び8.1.から8.3.6.まで（補助座席のうち通路に設けられるものにあっては6.及び7.に限る。）」とあるのは「協定規則第16号第５改訂版補足改訂版の規則6.、7.及び8.1.から8.3.5.まで」と、第三十条第十項中「協定規則第16号の規則8.4.（8.4.1.3.を除く。）」とあるのは「協定規則第16号第５改訂版補足改訂版の規則8.4.（8.4.1.1.を除く。）」と読み替えることができる。

13　平成二十九年七月二十五日以前に製作された自動車（平成二十六年七月二十六日以降に指定を受けた型式指定自動車及び国土交通大臣が定める自動車を除く。）については、細目告示第三十条第一項から第四項まで及び第十項並びに第百八条第五項の規定にかかわらず、道路運送車両の保安基準の細目を定める告示の一部を改正する告示（平成二十四年国土交通省告示第八百二十九号）による改正前の細目告示第三十条第一項から第四項まで及び第六項並びに第百八条第五項の規定に適合するものであればよい。

14　次の各号に掲げる自動車については、細目告示第三十条第一項、第四項及び第十項並びに第百八十六条第七項の規定にかかわらず、道路運送車両の保安基準の細目を定める告示の一部を改正する告示（平成二十六年国土交通省告示第六百七十五号）による改正前の細目告示第三十条第一項、第四項及び第六項並びに第百八十六条第七項の規定に適合するものであればよい。

一　平成二十七年六月九日以前に製作された自動車

二　平成二十七年六月十日以降に製作された自動車（座席ベルトに係る性能が平成二十七年六月九日以前に指定を受けた型式指定自動車と同一であるものに限る。）

三　国土交通大臣が定める自動車

15　令和三年十一月十四日（車両総重量十二トンを超える専ら乗用の用に供する自動車であって乗車定員十人以上のものにあっては平成三十年十一月十四日）以前に製作された自動車（令和元年十一月十五日（車両総重量十二トンを超える専ら乗用の用に供する自動車であって乗車定員十人以上のものにあっては平成二十九年十一月十五日）以降に指定を受けた型式指定自動車及び国土交通大臣が定める自動車を除く。）又は令和三年十一月十四日（車両総重量十二トンを超える専ら乗用の用に供する自動車であって乗車定員十人以上のものにあっては平成三十年十一月十四日）以前に発行された出荷検査証に係る自動車であって、当該出荷検査証の発行後十一月を経過しない間に新規検査若しくは予備検査を受けようとし、若しくは受けたものについては、保安基準第二十二条の三第一項並びに細目告示第三十条第一項及び第三項から第五項まで、第百八条第一項、第五項及び第七項並びに第百八十六条第一項の規定にかかわらず、道路運送車両の保安基等の一部を改正する省令（平成二十八年国土交通省令第七十八号）による改正前の保安基準第二十二条の三第一項の規定並びに道路運送車両の保安基準の細目を定める告示の一部を改正する告示（平成二十八年国土交通省告示第千三百三十四号）による改正前の細目告示第三十条第一項及び第三項から第五項まで、第百八条第一項、第五項及び第七項並びに第百八十六条第一項に適合するものであればよい。

16　保安基準第二十二条第三項第二号の座席（通路に設けられる補助座席に限る。）に備える座席ベルトの取付装置は、細目告示第三十条第二項及び第百八条第四項中協定規則第十四号に定める基準については、当分の間、道路運送車両の保安基準の細目を定める告示の一部を改正する告示（平成十八年国土交通省告示第九百七十八号）による改正前の別添三十一「座席ベルト取付装置の技術基準」に定める方法によることができる。この場合において、同別添3.1.中「22.300N（後ろ向き座席にあっては8.900N、バス等に備える座席にあっては2.940N）」とあるのは「2.940N」と、3.2.中「13.500N（後ろ向き座席にあっては5.400N、バス等に備える座席にあっては2.940N）」とあるのは「2.940N」と、4.1.2.1.中「75」とあるのは「90」と読み替えることができる。

17　保安基準第二十二条第三項第二号の座席（通路に設けられる補助座席に限る。）に備える座席ベルトは、細目告示第三十条第四項及び第百八条第六項中協定規則第十六号に定める基準については、当分の間、道路運送車両の保安基準の細目を定める告示の一部を改正する告示（平成十八年国土交通省告示第九百七十八号）による改正前の別添三十二「座席ベルトの技術基準」に定める方法によることができる。

18　令和元年十一月十四日以前に製作された自動車又は令和元年十一月十四日以前に発行された出荷検査証に係る自動車であって、当該出荷検査証の発行後十一月を経過しない間に新規検査若しくは予備検査を受けようとし、若しくは受けたものについては、保安基準第二十二条の三第四項の規定並びに細目告示第三十条第六項から第九項まで、第百八条第八項から第十一項まで及び第百八十六条第八項から第十一項までの規定は適用しない。

19　保安基準第二十二条の三第四項の座席ベルトの取付装置は、細目告示第三十条第六項の規定にかかわらず、当分の間、道路運送車両の保安基準の細目を定める告示の一部を改正する告示（平成十八年国土交通省告示第九百七十八号）による改正前の別添三十一「座席ベルト取付装置の技術基準」に定める方法によることができる。この場合において、同別添中3.1.中「22.300N（後ろ向き座席にあっては8.900N、バス等に備える座席にあっては2.940N）」とあるのは「2.940N」と、3.2.中「13.500N（後ろ向き座席にあっては5.400N、バス等に備える座席にあっては2.940N）」とあるのは「2.940N」と、4.1.2.1.中「75」とあるのは「90」と読み替えることができる。

20　保安基準第二十二条の三第四項の座席ベルトは、細目告示第三十条第八項の規定にかかわらず、当分の間、道路運送車両の保安基準の細目を定める告示の一部を改正する告示（平成十八年国土交通省告示第九百七十八号）による改正前の別添三十二「座席ベルトの技術基準」に定める方法によることができる。

21　次の各号に掲げる自動車については、保安基準第二十二条の三第五項の規定並びに細目告示第三十条第十項及び第十一項、第百八条第十二項及び第十三項並びに第百八十六条第十二項及び第十三項の規定にかかわらず、道路運送車両の保安基準等の一部を改正する省令（平成二十九年国土交通省令第三十九号）による改正前の保安基準第二十二条の三第五項の規定並びに道路運送車両の保安基準の細目を定める告示の一部を改正する告示（平成二十九年国土交通省告示第六百四十号）による改正前の細目告示第三十条第十項、第百八条第十二項及び第百八十六条第十二項の規定に適合するものであればよい。

一　令和二年八月三十一日以前に製作された自動車

二　令和二年九月一日以降に製作された自動車であって、次に掲げるもの

イ　令和二年八月三十一日以前に指定を受けた型式指定自動車

ロ　令和二年九月一日以降に新たに指定を受けた型式指定自動車であって、令和二年八月三十一日以前に指定を受けた型式指定自動車と座席ベルトの非装着時警報装置に係る性能及び基本車体構造が同一であるもの

ハ　国土交通大臣が定める自動車

22　次の各号に掲げる自動車に備える座席ベルトのうち、保安基準第二十二条第三項第七号に定める座席及び協定規則第十六号の規則15・4・2・に定める座席に備えるものについては、保安基準第二十二条の三第五項の規定並びに細目告示第三十条第十項、第百八条第十二項及び第百八十六条第十二項の規定は適用しない。

一　令和四年八月三十一日以前に製作された自動車

二　令和四年九月一日以降に製作された自動車であって、次に掲げるもの

イ　令和四年八月三十一日以前に指定を受けた型式指定自動車

ロ　令和四年九月一日以降に新たに指定を受けた型式指定自動車であって、令和四年八月三十一日以前に指定を受けた型式指定自動車と座席ベルトの非装着時警報装置に係る性能並びに基本車体構造が同一であるもの

ハ　国土交通大臣が定める自動車

23　次の各号に掲げる自動車については、細目告示第三十条第二項及び第三項並びに第百八条第四項及び第五項中「協定規則第14号」とあるのは、「協定規則第14号第8改訂版」又は「協定規則第14号第7改訂版補足第8改訂版」と読み替えることができる。

一　令和元年八月三十一日以前に製作された自動車

二　令和元年九月一日以降に製作された自動車（次号の自動車を除く。）であって、次に掲げるもの

イ　令和元年八月三十一日以前に指定を受けた型式指定自動車

ロ　令和元年九月一日以降に新たに指定を受けた型式指定自動車であって、令和元年八月三十一日以前に指定を受けた型式指定自動車と座席ベルトの取付装置が同一であるもの

ハ　国土交通大臣が定める自動車

三　令和元年九月一日から令和七年八月三十一日までに製作された四席以上連続した座席を有する専ら乗用の用に供する乗車定員十人未満の自動車及び貨物の運送の用に供する車両総重量が三・五トン以下の自動車（腰用帯部の取付装置の取付位置間隔が三百五十ミリメートル以上である座席ベルト取付装置を有するものを除く。）であって、次に掲げるもの

イ　令和元年八月三十一日以前に指定を受けた型式指定自動車

ロ　令和元年九月一日以降に新たに指定を受けた型式指定自動車であって、令和元年八月三十一日以前に指定を受けた型式指定自動車と座席ベルトの取付装置が同一であるもの

ハ　国土交通大臣が定める自動車

四　令和七年八月三十一日以前に発行された出荷検査証に係る自動車であって、当該出荷検査証の発行後十一月を経過しない間に新規検査又は予備検査を受けようとし、又は受けたもの

24　次の各号に掲げる自動車については、細目告示第三十条第一項、第四項及び第八項の規定にか

かわらず、道路運送車両の保安基準の細目を定める告示等の一部を改正する告示（令和元年国土交通省告示第六十八号）による改正前の細目告示第三十条第一項、第四項及び第八項の規定に適合するものであればよい。

一　令和二年八月三十一日以前に製作された自動車

二　令和二年九月一日から令和四年八月三十一日（輸入された自動車にあっては令和五年三月三十一日）まで製作された自動車であって、次に掲げるもの

イ　令和二年八月三十一日以前に指定を受けた型式指定自動車

ロ　令和二年九月一日以降に新たに指定を受けた型式指定自動車であって、令和二年八月三十一日以前に指定を受けた型式指定自動車と座席ベルトに係る性能が同一であるもの

ハ　国土交通大臣が定める自動車

三　令和四年九月一日以降に製作された自動車であって、次に掲げるもの

イ　令和四年八月三十一日以前に指定を受けた型式指定自動車であって、協定規則第十六号の規則8・1・8・の適用を受けないもの

ロ　国土交通大臣が定める自動車

四　令和四年八月三十一日以前に発行された出荷検査証に係る自動車であって、当該出荷検査証の発行後十一月を経過しない間に新規検査又は予備検査を受けようとし、又は受けたもの

25　長さ二・五〇メートル、幅一・三〇メートル、高さ二・〇〇メートルを超えない軽自動車であって、最高速度六十キロメートル毎時以下のもののうち、高速自動車国道等において運行しないものについては、当該自動車の座席ベルトの構造、操作性能等に関し保安基準第二十二条の三第三項の告示で定める基準は、当分の間、細目告示第三十条第四項の規定にかかわらず、次に掲げる基準とすることができる。

一　協定規則第十六号の規則6・、7・及び8・1・から8・3・6・までに定める基準に適合すること。この場合において、協定規則第十六号の附則一Bの12・の規定の適用については、協定規則第九十四号の附則三の4・の規定中「56－0／＋1㎞／h」とあるのは「40－0／＋1㎞／h」と読み替える。

二　第十五条第三十三項第二号に規定する標識を当該自動車の後面に見やすいように表示すること。ただし、既に当該標識を表示している場合は、この限りでない。

26　次に掲げる自動車については、細目告示第三十条第一項、第四項、第八項、第十項、第十一項、第百八条第六項及び第百八十六条第十三項の規定中「協定規則第16号」とあるのは「協定規則第16号第8改訂版補足第4改訂版」と読み替えることができる。

一　令和八年八月三十一日以前に製作された自動車

二　令和八年九月一日以降に製作された自動車であって、次に掲げるもの

イ　令和八年八月三十一日以前に指定を受けた型式指定自動車

ロ　令和八年九月一日以降に新たに指定を受けた型式指定自動車であって、令和八年八月三十一日以前に指定を受けた型式指定自動車とロアーテザーアンカレッジを使用する年少者用補助乗車装置取付具及び取り外しが可能な座席に備える座席ベルトの非装着時警報装置に係る性能が同一であるもの

ハ　国土交通大臣が定める自動車

三　令和八年八月三十一日以前に発行された出荷検査証に係る自動車であって、当該出荷検査証の発行後十一月を経過しない間に新規検査又は予備検査を受けようとし、又は受けたもの

（頭部後傾抑止装置）

第二十二条　平成二十四年六月三十日以前に製作された自動車については、保安基準第二十二条の四の規定並びに細目告示第三十一条、第百九条及び第百八十七条の規定にかかわらず、次の基準に適合するものであればよい。

一　自動車（普通自動車（専ら乗用の用に供するものを除く。）、乗車定員十一人以上の自動車、二輪自動車、側車付二輪自動車、大型特殊自動車、農耕作業用小型特殊自動車及び最高速度二十キロメートル毎時未満の自動車を除く。）の座席（保安基準第二十二条第三項第一号から第四号までに掲げる座席及び自動車の側面に隣接しない座席を除く。）のうち運転者席及びこれと並列の座席には、次の基準に適合する装置を備えなければならない。ただし、当該座席がイ及びロの基準に適合するものであるときは、この限りでない。

イ　他の自動車の追突等による衝撃を受けた場合において、当該自動車の乗車人員の頭部の過度の後傾を有効に抑止することのできるものであること。

ロ　乗車人員の頭部等に傷害を与えるおそれのない構造のものであること。

ハ　振動、衝撃等により脱落することのないように備えられたものであること。

2　次の表の上欄に掲げる自動車については、前項の規定のうち同表の下欄に掲げる規定は、適用しない。

自動車	条項
一　昭和四十四年三月三十一日以前に製作された自動車（一般乗用旅客自動車運送事業の用に供するものを除く。）	第一号
二　昭和四十五年三月三十一日以前に製作された自動車で専ら乗用の用に供するもの以外のもの	第一号

3　次の表の第一欄に掲げる自動車については、第一項の規定のうち同表第二欄に掲げる規定は、同表第三欄に掲げる字句を同表第四欄に掲げる字句に読み替えて適用する。

自動車	条項	読み替えられる字句	読み替える字句
一　昭和四十四年四月一日から昭和四十八年十一月三十日までに製作された自動車（昭和四十五年三月三十一日までに製作された自動車にあっては、専ら乗用の用に供するものに限る。）	第一号	運転者席及びこれと並列の座席	運転者席

4　次に掲げる自動車については、細目告示第三十一条第一項、第百九条第一項の規定にかかわらず、道路運送車両の保安基準の細目を定める告示等の一部を改正する告示（令和三年国土交通省告示第五百二十一号）による改正前の細目告示第三十一条第一項、第百九条第一項の規定に適合するものであればよい。

一　令和四年八月三十一日以前に製作された自動車
二　令和四年九月一日から令和八年八月三十一日までに製作された自動車であって、次に掲げるもの
イ　令和四年八月三十一日以前に指定を受けた型式指定自動車
ロ　令和四年九月一日以降に新たに指定を受けた型式指定自動車であって、令和四年八月三十一日以前に指定を受けた型式指定自動車と頭部後傾抑止装置の乗車人員の保護に係る性能が同一であるもの
ハ　国土交通大臣が定める自動車
三　令和八年八月三十一日以前に発行された出荷検査証に係る自動車であって、当該出荷検査証の発行後十一月を経過しない間に新規検査又は予備検査を受けようとし、又は受けたもの

5　次に掲げる自動車については、細目告示第三十一条第一項及び第百九条第一項中「協定規則第17号」とあるのは、「協定規則第17号第10改訂版」と読み替えることができる。
一　令和八年八月三十一日以前に製作された自動車
二　令和八年九月一日から令和十年八月三十一日までに製作された自動車であって、次に掲げるもの
イ　令和八年八月三十一日以前に指定を受けた型式指定自動車
ロ　令和八年九月一日以降に新たに指定を受けた型式指定自動車であって、令和八年八月三十一日以前に指定を受けた型式指定自動車と頭部後傾抑止装置の乗車人員の保護に係る性能が同一であるもの
ハ　国土交通大臣が定める自動車
三　令和十年八月三十一日以前に発行された出荷検査証に係る自動車であって、当該出荷検査証の発行後十一月を経過しない間に新規検査又は予備検査を受けようとし、又は受けたもの

（年少者用補助乗車装置等）

第二十二条　平成七年三月三十一日以前に製作された自動車については、保安基準第二十二条の五第三項並びに細目告示第三十二条第二項、第百十条第二項及び第百八十八条第二項の規定にかかわらず、次の基準に適合するものであればよい。
一　年少者用補助乗車装置を備える座席及び座席ベルトを損傷しないものであること。
二　当該自動車が衝突等による衝撃を受けた場合において、当該年少者用補助乗車装置を装着した者に傷害を与えるおそれの少ない構造のものであること。
三　当該自動車が衝突等による衝撃を受けた場合において、当該年少者用補助乗車装置を装着した者及び当該年少者用補助乗車装置が保安基準第二十二条の三第三項の基準に適合する座席ベルトにより座席の前方に移動しないようにすることができるものであること。
四　容易に着脱することができるものであること。

2　保安基準第二十二条の五第三項の規定並びに細目告示第三十二条第二項及び第百十条第二項の規定が適用される自動車のうち平成二十四年六月三十日以前に製作された自動車については、協定規則第百二十九号の規則4・、6・及び7・の規定にかかわらず、道路運送車両の保安基準の細目を定める告示の一部を改正する告示（平成十八年国土交通省告示第九百七十八号）による改正前の細目告示別添三十五の基準に適合するものであればよい。

3　平成二十四年六月三十日以前に製作された専ら乗用の用に供する自動車（乗車定員十人以上の自動車、運転者席及びこれと並列の座席以外の座席を有しない自動車、二輪自動車、側車付二輪自動車、三輪自動車、カタピラ及びそりを有する軽自動車並びに被牽引自動車を除く。）については、保安基準第二十二条の五第一項の規定は、適用しない。

4　緊急自動車、特種用途自動車及び幼児専用車については、当分の間、保安基準第二十二条の五第一項の規定は、適用しない。

5　次の各号に掲げる自動車については、細目告示第三十二条第一項本文及び第百十条第一項本文中「協定規則第145号の規則5.及び6.」とあるのは「協定規則第14号第7改訂版補足第8改訂版の規則5.（5.2.4.5.を除く。）、6.及び7.並びに協定規則第14号第7改訂版補足改訂版の規則5.2.4.5.」と、細目告示第三十二条第一項ただし書及び第百十条第一項ただし書中「協定規則第145号の規則5.3.」とあるのは「協定規則第14号第7改訂版補足第8改訂版の規則5.3.8.」と読み替えることができる。
一　平成二十五年四月十二日以前に製作された自動車
二　平成二十五年四月十三日以降に製作された自動車のうち、次のいずれかに該当するもの
イ　平成二十五年四月十二日以前に指定を受けた型式指定自動車（当該型式指定自動車からISOFIXトップテザー取付装置に変更がないものに限る。）
ロ　平成二十五年四月十三日以降に指定を受けた型式指定自動車（平成二十五年四月十二日以前に指定を受けた型式指定自動車からISOFIXトップテザー取付装置に変更がないものに限る。）
ハ　国土交通大臣が定める自動車

6　前項各号に掲げる自動車については、細目告示第百八十八条第一項第五号の規定は、適用しない。

7　平成二十五年四月十二日以前に製作された自動車については、細目告示第三十二条第一項本文中「、「ISOFIXトップテザー取付装置」（年少者用補助乗車装置の上部に備える取付具を取り付けるために設計された自動車に備える取付装置をいう。以下同じ。）及び「サポートレッグ接触面」（年少者用補助乗車装置の下部に備える固定具が接触する床面をいう。）をいう。以下同じ。）」とあるのは「及び「ISOFIXトップテザー取付装置」（年少者用補助乗車装置の上部に備える取付具を取り付けるために設計された自動車に備える取付装置をいう。以下同じ。）をいう。）」と、同項本文及び第百十条第一項本文中「協定規則第145号の規則5.及び6.」とあるのは「協定規則第14号第7改訂版補足第8改訂版の規則5.（5.3.8.を除く。）、6.及び7.並びに協定規則第14号第7改訂版補足改訂版の規則5.3.8.」と、細目告示第三十二条第一項ただし書及び第百十条第一項ただし書中「協定規則第145号の規則5.3.」とあるのは「協定規則第14号第7改訂版補足第7改訂版の規則5.3.8.」と、細目告示第百十条第一項及び第三項第二号並びに第百八十八条第一項並びに第二項第一号及び第四号中「年少者用補助乗車装置取付装置」（回転防止装置及び車両又は座席構造部から延びた2個の取付部で構成される取付装置をいう。）及びISOFIXトップテザー取付装置をいう。）」と、細目告示第百八十八条第一項本文中「次の各号」とあるのは「次の各号（第2号を除く。）」と読み替えることができる。

8　平成二十五年四月十二日以前に製作された自動車については、細目告示第百八十八条第一項第六号の規定にかかわらず、道路運送車両の保安基準の細目を定める告示の一部を改正する告示（平成二十四年国土交通省告示第二百三十六号）による改正前の細目告示第百八十八条第一項第五号の規定に適合するものであればよい。

9　平成二十五年四月十三日以降に製作された自動車については、細目告示第三十二条第一項中「、「ＩＳＯＦＩＸトップテザー取付装置」（年少者用補助乗車装置の上部に備える取付具を取り付けるために設計された自動車に備える取付装置をいう。以下同じ。）及び「サポートレッグ接触面」（年少者用補助乗車装置の下部に備える固定具が接触する床面をいう。以下同じ。）」とあるのは「及び「ＩＳＯＦＩＸトップテザー取付装置」（年少者用補助乗車装置の上部に備える取付具を取り付けるために設計された自動車に備える取付装置をいう。以下同じ。）」と、細目告示第百十条第一項及び第三項中「年少者用補助乗車装置取付具」とあるのは「年少者用補助乗車装置取付具（「ＩＳＯＦＩＸ取付装置」（回転防止装置及び車両又は座席構造部から延びた二個の取付部で構成される取付装置をいう。）及びＩＳＯＦＩＸトップテザー取付装置をいう。）」と、細目告示第百八十八条第一項本文中「年少者用補助乗車装置取付具（「ＩＳＯＦＩＸ取付装置」（回転防止装置及び車両又は座席構造部から延びた二個の取付部で構成される取付装置をいう。）及びＩＳＯＦＩＸトップテザー取付装置をいう。）」と、「次の各号」とあるのは「次の各号（第二号を除く。）」と、細目告示第百八十八条第一項第四号及び第六号並びに第二項第一号及び第三号中「年少者用補助乗車装置取付具」とあるのは「年少者用補助乗車装置取付具（「ＩＳＯＦＩＸ取付装置」（回転防止装置及び車両又は座席構造部から延びた二個の取付部で構成される取付装置をいう。）及びＩＳＯＦＩＸトップテザー取付装置をいう。）」と読み替えることができる。

10　細目告示第三十二条第二項及び第百十条第二項の規定は、当分の間（協定規則第四十四号の規則17・16・前段に定める年少者用補助乗車装置にあっては、令和二年八月三十一日（法第七十五条の三第一項の規定によりその型式について指定を受けたものにあっては平成二十九年八月三十一日）、協定規則第四十四号の規則17・16・後段に定める年少者用補助乗車装置にあっては、令和四年八月三十一日（法第七十五条の三第一項の規定によりその型式について指定を受けたものにあっては令和二年八月三十一日）、協定規則第四十四号の規則17・18・前段に定める年少者用補助乗車装置にあっては、令和五年八月三十一日（法第七十五条の三第一項の規定によりその型式について指定を受けたものにあっては令和元年八月三十一日）、協定規則第四十四号の規則17・18・後段に定める年少者用補助乗車装置にあっては、令和四年八月三十一日（法第七十五条の三第一項の規定によりその型式について指定を受けたものにあっては令和二年八月三十一日）、協定規則第四十四号の規則17・20・に定める年少者用補助乗車装置にあっては、令和五年八月三十一日（法第七十五条の三第一項の規定によりその型式について指定を受けたものにあっては令和二年八月三十一日）までの間）、細目告示第三十二条第二項及び第百十条第二項中「協定規則第129号の規則4.、6.及び7.」とあるのは「協定規則第44号の規則4.、6.から8.まで及び15.」と読み替えることができる。

11　令和二年八月三十一日以前に製作された自動車又は年少者用補助乗車装置並びに令和二年八月三十一日以前に発行された出荷検査証に係る自動車であって、当該出荷検査証の発行後十一月を経過しない間に新規検査若しくは予備検査を受けようとし、若しくは受けたものについては、細目告示第三十二条第二項及び第百十条第二項の規定にかかわらず、道路運送車両の保安基準の細目を定める告示の一部を改正する告示（平成二十九年国土交通省告示第八十八号）による改正前の細目告示第三十二条第二項及び第百十条第二項に適合するものであればよい。

12　令和四年八月三十一日以前に製作された自動車又は年少者用補助乗車装置及び令和四年八月三十一日以前に発行された出荷検査証に係る自動車であって、当該出荷検査証の発行後十一月を経過しない間に新規検査又は予備検査を受けようとし、又は受けたものについては、細目告示第三十二条第二項及び第百十条第二項の規定にかかわらず、道路運送車両の保安基準の細目を定める告示の一部を改正する告示（平成二十九年国土交通省告示第六百四十号）による改正前の細目告示第三十二条第二項及び第百十条第二項に適合するものであればよい。

13　当分の間、細目告示第三十二条第一項本文及び第百十条第一項本文中「協定規則第145号の規則5.及び6.」とあるのは「協定規則第14号第7改訂版補足第8改訂版の規則5.、6.及び7.」と、細目告示第三十二条第一項ただし書及び第百十条第一項ただし書中「協定規則第145号の規則5.3.」とあるのは「協定規則第14号第7改訂版補足第8改訂版の規則5.3.8.」と読み替えることができる。

14　次に掲げる年少者用補助乗車装置については、令和五年八月三十一日までの間、細目告示第三十二条第二項本文及び第百十条第二項中「協定規則第129号の規則4.、6.及び7.」とあるのは、「協定規則第44号の規則4.、6.から8.まで及び15.」と読み替えることができる。

一　令和三年八月三十一日以前に製作された年少者用補助乗車装置

二　令和三年九月一日以降に製作された年少者用補助乗車装置であって、令和三年八月三十一日以前に法第七十五条の三第一項の規定によりその型式について指定を受けたもの

15　座席に組み込まれた年少者用補助乗車装置については、細目告示第三十二条第二項本文及び第百十条第二項中「協定規則第129号の規則4.、6.及び7.」とあるのは、「協定規則第44号の規則4.、6.から8.まで及び15.」と読み替えることができる。

16　次に掲げる年少者用補助乗車装置については、細目告示第三十二条第二項本文及び第百十条第二項中「協定規則第129号」とあるのは、「協定規則第129号第3改訂版補足第9改訂版」と読み替えることができる。

一　令和八年八月三十一日以前に製作された年少者用補助乗車装置

二　令和八年九月一日から令和九年八月三十一日までに製作された年少者用補助乗車装置であって、令和八年八月三十一日以前に法第七十五条の三第一項の規定によりその型式について指定を受けたもの。

17　次に掲げる自動車については、細目告示第三十二条第一項本文及び第百十条第一項中「協定規則第145号」とあるのは、「協定規則第145号初版補足第2改訂版」と読み替えることができる。

一　令和八年八月三十一日以前に製作された自動車

二　令和八年九月一日から令和九年八月三十一日までに製作された自動車であって、次に掲げるもの

イ　令和八年八月三十一日以前に指定を受けた型式指定自動車

ロ　令和八年九月一日以降に新たに指定を受けた型式指定自動車であって、令和八年八月三十一日以前に指定を受けた型式指定自動車と年少者用補助乗車装置取付具の性能が同一であるもの

ハ　国土交通大臣が定める自動車

三　令和九年八月三十一日以前に発行された出荷検査証に係る自動車であって、当該出荷検査証の発行後十一月を経過しない間に新規検査又は予備検査を受けようとし、又は受けたもの

（通路）

第二三条　昭和三十五年三月三十一日以前に製作された自動車（旅客自動車運送事業用自動車及び幼児専用車を除く。）については、保安基準第二十三条並びに細目告示第三十三条、第百十一条

及び第百八十九条の規定にかかわらず、次の基準に適合するものであればよい。

一　通路は、安全且つ容易に通行できるものでなければならない。

二　乗車定員十一人以上の自動車（緊急自動車を除く。）、旅客自動車運送事業用自動車で乗車定員十人以下のもの及び幼児専用車には、乗降口から座席へ至ることのできる有効幅（通路に補助座席が設けられている場合は、当該補助座席を折り畳んだときの有効幅）三百ミリメートル以上の通路を設けなければならない。ただし、乗降口から直接着席できる座席については、この限りでない。

三　前号の規定の適用については、座席の前縁から二百五十ミリメートルの床面は、専ら座席の用に供する床面とする。

2　昭和三十七年九月三十日以前に製作された乗車定員十人以下の旅客自動車運送事業用自動車で、旅客の用に供する乗降口（乗降口から直接着席できる座席のためのみの乗降口（運転者のみの用に供するものを除く。）を除く。）が有効高さ九百ミリメートル以上有効開口幅五百ミリメートル以上であり、かつ、乗降口から旅客の用に供する座席（乗降口から直接着席できるものを除く。）までの旅客の出入りに際して使用する部分が有効高さ千二百ミリメートル以上有効幅三百ミリメートル以上又は有効高さ九百ミリメートル以上有効幅五百ミリメートル以上であるもの（乗降口又は旅客の出入りに際して使用する部分に係る改造を行う場合を除く。）については、前項第二号の規定は、適用しない。

3　昭和三十五年三月三十一日以前に製作された乗車定員十一人以上の自動車で幼児専用車以外のもの（座席定員が増加することとなる改造を行う場合を除く。）については、第一項第三号の規定は、適用しない。

第二四条（乗降口）　平成二十四年六月三十日以前に製作された自動車については、保安基準第二十五条並びに細目告示第三十五条、第百十三条及び第百九十一条の規定にかかわらず、次の基準に適合するものであればよい。

一　運転者室及び客室には、乗降口を設けなければならない。この場合において、客室の乗降口のうち一個は、右側面以外の面に設けなければならない。

二　乗車定員十一人以上の自動車（緊急自動車を除く。）及び幼児専用車の客室には、運転者及び運転者助手以外のすべての者が利用できる乗降口をその左側面に一個以上設けなければならない。

三　客室の乗降口には、確実に閉じることができるとびらを備えなければならない。ただし、鎖、ロープ等乗車している者が走行中に転落することを防止する装置を備えた場合は、この限りでない。

四　自動車（乗車定員十一人以上の自動車、大型特殊自動車、農耕作業用小型特殊自動車及び最高速度二十キロメートル毎時未満の自動車を除く。）の乗降口に備える扉は、当該自動車が衝突等による衝撃を受けた場合において、容易に開放するおそれがない構造でなければならない。

五　旅客自動車運送事業用自動車及び乗車定員十一人以上の自動車（緊急自動車及び幼児専用車を除く。）の乗降口は、左の基準に適合するものでなければならない。ただし、乗降口から直接着席できる座席のためのみの乗降口にあっては、この限りでない。

イ　乗降口の有効幅は、六百ミリメートル以上であること。

ロ　乗降口の有効高さは、千六百ミリメートル（細目告示第三十三条第一項、第百十一条第一項又は第百八十九条第一項の規定により通路の有効高さを千二百ミリメートルとすることができる自動車にあっては、千二百ミリメートル）以上であること。

ハ　空車状態において床面の高さが地上四百五十ミリメートルを超える自動車の乗降口には、一段の高さが四百ミリメートル（最下段の踏段にあっては、四百五十ミリメートル）以下の踏段を備えること。

ニ　ハの乗降口に備える踏段は、すべり止めを施したものであること。

ホ　ハの乗降口には、安全な乗降ができるように乗降用取手を備えること。

六　幼児専用車の乗降口は、左の基準に適合するものでなければならない。ただし、乗降口から直接着席できる座席のためのみの乗降口にあっては、この限りでない。

イ　空車状態において床面の高さが地上三百ミリメートルを超える自動車の乗降口には、一段の高さが二百ミリメートル（最下段の踏段にあっては、三百ミリメートル）以下であり、有効奥行（当該踏段の前縁からその直上の踏段の前縁までの水平距離をいう。以下同じ。）が二百ミリメートル以上である踏段を備えること。ただし、最下段以外の踏段で乗降口のとびら等のためやむをえないものにあっては、乗降口の有効幅のうち、三百五十ミリメートル以上の部分についてその有効奥行が二百ミリメートルあればよい。

ロ　乗降口及び踏段は、前号（ハを除く。）の基準に準じたものであること。

2　次の表の上欄に掲げる自動車については、前項の規定のうち同表の下欄に掲げる規定は、適用しない。

自動車	条項
一　昭和二十六年十二月三十一日以前に製作された自動車	第五号ハ
二　昭和三十五年三月三十一日以前に製作された自動車（旅客自動車運送事業用自動車及び幼児専用車を除く。）	第二号、第五号ロ及びハ
三　昭和三十七年九月三十日以前に製作された乗車定員十人以下の旅客自動車運送事業用自動車で、旅客の用に供する乗降口（乗降口から直接着席できる座席のためのみの乗降口（運転者のみの用に供するものを除く。）を除く。）が有効高さ九百ミリメートル以上有効開口幅五百ミリメートル以上であり、かつ、乗降口から旅客の用に供する座席（乗降口から直接着席できるものを除く。）までの旅客の出入りに際して使用する部分が有効高さ千二百ミリメートル以上有効幅三百ミリメートル以上又は有効高さ九百ミリメートル以上有効幅五百ミリメートル以上であるもの（乗降口又は旅客の出入りに際して使用する部分に係る改造を行う場合を除く。）	第五号イ及びロ
四　昭和四十五年十二月三十一日以前に製作された自動車	第一号後段
五　昭和五十年十一月三十日以前に製作された自動車	第四号

3　平成二十四年八月十一日以前に製作される自動車については、細目告示第三十五条第一項及び第百十三条第一項中「協定規則第11号の規則5．、6．及び7．」とあるのは「道路運送車両の保安基準の細目を定める告示の一部を改正する告示（平成19年国土交通省告示第854号）による改正前の細目告示別添36「とびらの開放防止の技術基準」」と読み替えることができる。

4　次に掲げる自動車については、細目告示第三十五条第一項、第百十三条第一項及び第百九十一条第一項の規定にかかわらず、道路運送車両の保安基準の細目を定める告示の一部を改正する告示（平成二十五年国土交通省告示第六十八号）による改正前の細目告示第三十五条第一項、第百十三条第一項及び第百九十一条第一項の規定に適合するものであればよい。

一　平成二十七年一月二十六日以前に製作された専ら乗用の用に供する乗車定員十人未満の自動車及び貨物の運送の用に供する車両総重量三・五トン以下の自動車

二　平成三十年一月二十六日以前に製作された専ら乗用の用に供する乗車定員十人の自動車及び貨物の運送の用に供する車両総重量三・五トンを超える自動車

5　平成二十六年三月三十一日以前に製作された自動車については、細目告示第三十五条第二項第三号、第百十三条第二項第三号及び第百九十一条第二項第三号の規定にかかわらず、道路運送車両の保安基準の細目を定める告示の一部を改正する告示（平成二十六年国土交通省告示第三百四十一号）による改正前の細目告示第三十五条第二項第三号、第百十三条第二項第三号及び第百九十一条第二項第三号の規定に適合するものであればよい。

6　次の各号に掲げる専ら乗用の用に供する乗車定員十人未満の自動車及び貨物の運送の用に供する自動車であって車両総重量が三・五トン以下のものについては、細目告示第三十五条第一項及び第百十三条第一項の規定にかかわらず、道路運送車両の保安基準の細目を定める告示の一部を改正する告示（平成二十七年国土交通省告示第七百二十三号）による改正前の細目告示第三十五条第一項及び第百十三条第一項の規定に適合するものであればよい。

一　平成二十八年八月三十一日以前に製作された自動車

二　平成二十八年九月一日以降に製作された自動車であって、次に掲げるもの

イ　平成二十八年八月三十一日以前に指定を受けた型式指定自動車

ロ　平成二十八年九月一日以降に新たに指定を受けた型式指定自動車であって、平成二十八年八月三十一日以前に指定を受けた型式指定自動車と乗降口の扉の開放防止に係る性能が同一であるもの

ハ　国土交通大臣が定める自動車

7　次の各号に掲げる専ら乗用の用に供する乗車定員十人の自動車及び貨物の運送の用に供する自動車であって車両総重量が三・五トンを超えるものについては、細目告示第三十五条第一項及び第百十三条第一項の規定にかかわらず、道路運送車両の保安基準の細目を定める告示の一部を改正する告示（平成二十七年国土交通省告示第七百二十三号）による改正前の細目告示第三十五条第一項及び第百十三条第一項の規定に適合するものであればよい。

一　平成三十年一月二十六日以前に製作された自動車

二　平成三十年一月二十七日以降に製作された自動車であって、次に掲げるもの

イ　平成三十年一月二十六日以前に指定を受けた型式指定自動車

ロ　平成三十年一月二十七日以降に新たに指定を受けた型式指定自動車であって、平成三十年一月二十六日以前に指定を受けた型式指定自動車と乗降口の扉の開放防止に係る性能が同一であるもの

ハ　国土交通大臣が定める自動車

（非常口）

第二五条　昭和三十一年十二月三十一日以前に製作された自動車については、保安基準第二十六条並びに細目告示第三十六条、第百十四条及び第百九十二条の規定にかかわらず、次の基準に適合するものであればよい。

一　幼児専用車及び乗車定員三十人以上の自動車（緊急自動車を除く。）には、左の基準に適合する非常口を設けなければならない。ただし、すべての座席が乗降口から直接着席できる自動車にあっては、この限りでない。

イ　非常口は、客室の右側面の後部又は後面に設けられていること。

ロ　乗車定員三十人以上の自動車の非常口は、次号及び第四号に掲げる場合を除き、有効幅四百ミリメートル以上、有効高さ千二百ミリメートル以上であること。

ハ　客室の右側面の後部に設ける非常口は、これに接して車輪おおいの張り出し又は前向座席があるためやむを得ない場合は、床面からの高さ四百五十ミリメートルまでの部分の有効幅が二百五十ミリメートル以上でその他の部分の有効幅が四百ミリメートル以上であり、かつ、有効高さが千二百ミリメートル以上であること。

ニ　客室の右側面の後部に設ける非常口は、これに接して車輪おおいの張り出しがない場合で前向座席があるためやむを得ない場合は、床面からの高さ六百五十ミリメートルまでの部分の有効幅が三百ミリメートル以上でその他の部分の有効幅が四百ミリメートル以上であり、かつ、有効高さが千三百ミリメートル以上であること。

ホ　乗車定員三十人未満の幼児専用車の非常口は、有効幅三百ミリメートル以上、有効高さ千ミリメートル以上であること。

ヘ　非常口には、常時確実に閉鎖することができ、火災、衝突その他の非常の際に客室の内外からかぎその他の特別な器具を用いないで開放できる外開きのとびらを備えること。この場合において、とびらは、自重により再び閉鎖することがないものでなければならない。

ト　非常口の附近には、バンパ、牽引こう、その他の脱出の妨げとなるものが突出しておらず、非常口の下縁と床面との間には段がついていないこと。

チ　非常口附近にある座席は、脱出の妨げとならないように、容易に取りはずし又は折り畳むことができる構造であること。

二　非常口を設けた自動車には、非常口又はその附近に、見やすいように、非常口の位置及びとびらの開放の方法が表示されていなければならない。この場合において、灯火により非常口の位置を表示するときは、その灯火の色は、緑色でなければならない。

三　非常口を設けた自動車には、非常口のとびらが開放した場合にその旨を運転者に警報する装置を備えなければならない。

2　次の表の上欄に掲げる自動車については、前項の規定のうち同表の下欄に掲げる規定は、適用しない。

自動車	条項
一　昭和三十五年三月三十一日以前に製作された自動車（幼児専用車を除く。）	第三号
二　昭和三十六年三月三十日以前に製作された乗車定員三十人以上の自動車で客室の長さが四・五メートル未満のもの	第一号

3　昭和二十六年三月三十一日以前に製作された自動車（幼児専用車を除く。）については、保安基準第二十六条並びに細目告示第三十六条、第百十四条及び第百九十二条の規定は、適用しない。

（窓ガラス）

第二六条　平成元年四月三十日以前に製作された自動車については、保安基準第二十九条並びに細目告示第三十九条、第百十七条及び第百九十五条の規定にかかわらず、次の基準に適合するもの

であればよい。

一　自動車の窓ガラス（最高速度三十五キロメートル毎時未満の大型特殊自動車及び最高速度二十キロメートル毎時未満の自動車（幼児専用車及び旅客自動車運送事業用自動車を除く。）にあっては、前面ガラス）は、安全ガラスでなければならない。ただし、衝突等により窓ガラスが損傷した場合において、当該ガラスの破片により乗車人員が傷害を受けるおそれの少ない場所に備えられたものにあっては、この限りでない。

二　自動車（被牽引自動車を除く。）の前面ガラスは、次の基準に適合するものでなければならない。ただし、ロ及びハの規定は、大型特殊自動車及び最高速度二十キロメートル毎時未満の自動車には、適用しない。

イ　透明で、運転者の視野を妨げるようなひずみのないものであること。

ロ　損傷した場合においても運転者の視野を確保できるものであること。

ハ　容易に貫通されないものであること。

三　自動車（被牽引自動車を除く。）の前面ガラス及び側面ガラス（運転者席より後方の部分を除く。）には、次に掲げるもの以外のものが装着され、はり付けられ、塗装され、又は刻印されていてはならない。

イ　整備命令標章

ロ　臨時検査合格標章

ハ　検査標章

ニ　自動車損害賠償保障法（昭和三十年法律第九十七号）第九条の二第一項（同法第九条の四において準用する場合を含む。）又は第十条の二第一項の保険標章、共済標章又は保険・共済除外標章

ホ　道路交通法第六十三条第四項の標章

ヘ　車室内に備えるはり付け式の後写鏡

ト　公共の電波の受信のために前面ガラスにはり付けるアンテナ。この場合において、乗用自動車であって細目告示別添三十七「窓ガラスの技術基準」2.8.に規定する前面ガラスの試験領域A（以下「試験領域A」という。）又は試験領域Bにはり付ける場合にあっては、次の⑴又は⑵に掲げる要件、乗用自動車以外であって試験領域Ⅰにはり付ける場合にあっては、⑶に掲げる要件を満足しなければならない。

⑴　試験領域A（以下「試験領域A」という。）にはり付ける場合にあっては、機器の幅が〇・五ミリメートル以下であり、かつ、三本以下であること。

⑵　試験領域B（試験領域Aと重複する領域を除く。）にはり付ける場合にあっては、機器の幅が一・〇ミリメートル以下であること。

⑶　試験領域Ⅰにはり付ける場合にあっては、機器の幅が一・〇ミリメートル以下であること。

チ　イからトに掲げるもののほか、装着され、はり付けられ、又は塗装された状態において、透明であり、かつ、運転者が交通状況を確認するために必要な視野の範囲に係る部分における可視光線の透過率が七十パーセント以上であることが確保できるもの

リ　自動車に盗難防止装置が備えられていることを表示する標識又は自動車の盗難を防止するために窓ガラスに刻印する文字及び記号であって、側面ガラスのうち、標識又は刻印の上縁の高さがその附近のガラス開口部（ウェザ・ストリップ、モール等と重なる部分及びマスキングが施されている部分を除く。）の下縁から百ミリメートル以下、かつ標識又は刻印の前縁がその附近のガラス開口部の後縁から百二十五ミリメートル以内となるように貼付又は刻印されたもの

ヌ　イからリまでに掲げるもののほか、国土交通大臣又は地方運輸局長が指定したもの

2　次の表の上欄に掲げる自動車については、前項の規定のうち同表の下欄に掲げる規定は、適用しない。

自動車	条項
一　昭和三十二年十二月三十一日以前に製作された旅客自動車運送事業用自動車	第一号
二　昭和四十五年五月三十一日以前に製作された自動車	第二号ロ
三　昭和四十八年十一月三十日以前に製作された自動車（幼児専用車及び旅客自動車運送事業用自動車を除く。）	第一号
四　昭和六十二年八月三十一日（専ら乗用の用に供する乗車定員十人以下の自動車であって輸入された自動車以外のものにあっては昭和六十二年二月二十八日、輸入された自動車にあっては昭和六十三年三月三十一日）以前に製作された自動車	第二号ハ

3　次の表の第一欄に掲げる自動車については、第一項の規定のうち同表第二欄に掲げる規定は、同表第三欄に掲げる字句を同表第四欄に掲げる字句に読み替えて適用する。

自動車	条項	読み替えられる字句	読み替える字句
一　昭和三十五年三月三十一日以前に製作された自動車	第二号	自動車（被牽引自動車を除く。）の前面ガラス	自動車の運転者席の前面ガラス
二　昭和三十三年一月一日から昭和四十八年十一月三十日までに製作された自動車（幼児専用車及び旅客自動車運送事業用自動車を除く。）	第二号イ	もの	安全ガラス
三　昭和四十五年六月一日から昭和六十二年八月三十一日（専ら乗用の用に供する乗車定員十人以下の自動車であって輸入された自動車以外のものにあっては昭和六十二年二月二十八日、輸入された自	第二号ロ	運転者の	運転者の直前の

動車にあっては昭和六十三年三月三十一日）までに製作された自動車			

4　令和元年六月三十日以前に製作された自動車（平成二十九年七月一日以降に指定を受けた型式指定自動車（平成二十九年六月三十日以前に指定を受けた型式指定自動車から、種別、用途、原動機の種類及び主要構造、燃料の種類、動力用電源装置の種類、軸距並びに適合する排出ガス規制値又は低排出ガス車認定実施要領に定める基準値以外に、型式を区別する事項に変更がないものを除く。）及び国土交通大臣が定める自動車を除く。）については、細目告示第三十九条、第百十七条及び第百九十五条の規定にかかわらず、道路運送車両の保安基準の細目を定める告示の一部を改正する告示（平成二十六年国土交通省告示第六百七十五号）による改正前の細目告示第三十九条、第百十七条及び第百九十五条の規定に適合するものであればよい。

5　貨物の運送の用に供する車両総重量が三・五トン以下の自動車であって次に掲げるものについては、細目告示第三十九条第三項、第百十七条第四項及び第百九十五条第五項の規定にかかわらず、道路運送車両の保安基準の細目を定める告示等の一部を改正する告示（令和四年国土交通省告示第千四十号）による改正前の細目告示第三十九条第三項、第百十七条第四項及び第百九十五条第五項の規定に適合するものであればよい。

一　令和六年六月三十日以前に製作された自動車

二　令和六年七月一日から令和八年六月三十日までに製作された自動車であって、次に掲げるもの

イ　令和六年六月三十日以前に指定を受けた型式指定自動車

ロ　令和六年七月一日以降に新たに指定を受けた型式指定自動車であって、同年六月三十日以前に指定を受けた型式指定自動車から、種別、用途、原動機の種類及び主要構造、燃料の種類及び動力用電源装置の種類、軸距並びに適合する排出ガス規制値又は低排出ガス車認定実施要領に定める基準値以外に、型式を区別する事項に変更がないもの

ハ　国土交通大臣が定める自動車

三　令和八年六月三十日以前に発行された出荷検査証に係る自動車であって、当該出荷検査証の発行後十一月を経過しない間に新規検査又は予備検査を受けようとし、又は受けたもの

（騒音防止装置）

第二七条　昭和五十一年八月三十一日以前に製作された普通自動車、小型自動車及び軽自動車であって次の表の自動車の種別の欄に掲げるもの（昭和五十一年一月一日以降に、指定を受けた型式指定自動車、認定を受けた型式認定自動車及び騒音防止装置認定自動車（道路運送車両法施行規則等の一部を改正する省令（平成十年運輸省令第六十七号）による改正前の道路運送車両法施行規則（以下単に「旧規則」という。）第六十二条の三の二第一項の規定によりその型式について認定を受けた自動車をいう。以下同じ。）を除く。）については、細目告示第四十条第一項第三号の規定にかかわらず、第九項、第十二項、第十三項、第十九項又は第二十一項の規定によるほか、法第七十五条第四項の検査又は施行規則第六十二条の三第五項の検査の際、同告示別添三十九「定常走行騒音の測定方法」に定める方法により測定した定常走行騒音及び同告示別添四十「加速走行騒音の測定方法」に定める方法により測定した加速走行騒音をデシベルで表した値がそれぞれ次の表の騒音の大きさに掲げる数値を超えない構造であればよい。

自動車の種別	騒音の大きさ	
	定常走行騒音	加速走行騒音
普通自動車、小型自動車及び軽自動車（専ら乗用の用に供する乗車定員十人以下の自動車及び二輪自動車（側車付二輪自動車を含む。以下この条及び次条において同じ。）を除く。）車両総重量が三・五トンを超え、原動機の最高出力が百五十キロワットを超えるもの	八十	九十二
車両総重量が三・五トンを超え、原動機の最高出力が百五十キロワット以下のもの	七十八	八十九
小型自動車（二輪自動車に限る。）	七十四	八十六
軽自動車（二輪自動車に限る。）	七十四	八十四

2　昭和五十二年八月三十一日以前に製作された普通自動車、小型自動車及び軽自動車であって次の表の自動車の種別の欄に掲げるもの（昭和五十二年一月一日以降に、指定を受けた型式指定自動車、認定を受けた型式認定自動車及び騒音防止装置認定自動車を除く。）については、細目告示第四十条第一項第三号の規定にかかわらず、第十一項から第十三項まで、第十五項、第十六項又は第十九項の規定によるほか、法第七十五条第四項の検査又は施行規則第六十二条の三第五項若しくは旧規則第六十二条の三の二第二項において準用する施行規則第六十二条の三第五項の検査の際、同告示別添三十九「定常走行騒音の測定方法」に定める方法により測定した定常走行騒音及び同告示別添四十「加速走行騒音の測定方法」に定める方法により測定した加速走行騒音をデシベルで表した値がそれぞれ次の表の騒音の大きさに掲げる数値を超えない構造であればよい。

自動車の種別	騒音の大きさ	
	定常走行騒音	加速走行騒音
普通自動車、小型自動車及び軽自動車（専ら乗用の用に供する乗車定員十人以下の自動車及び二輪自動車を除く。）であって車両総重量が三・五トン以下のもの	七十四	八十五
専ら乗用の用に供する乗車定員十人以下の普通自動車、小型自動車及び軽自動車（二輪自動車を除く。）	七十	八十四

3　昭和五十四年十一月三十日（軽油を燃料とする自動車及び二輪自動車であって輸入された自動車以外のものにあっては昭和五十五年二月二十九日、専ら乗用の用に供する乗車定員十人以下の普通自動車、小型自動車及び軽自動車（軽油を燃料とする自動車、二輪自動車及び輸入された自動車を除く。）にあっては昭和五十四年八月三十一日、輸入された自動車にあっては昭和五十六年三月三十一日）以前に製作された普通自動車、小型自動車及び軽自動車であって次の表の自動車の種別の欄に掲げるもの（第一項及び第二項の自動車並びに輸入された自動車以外の自動車であって昭和五十四年一月一日（軽油を燃料とする自動車及び二輪自動車にあっては昭和五十四年

四月一日）以降に、指定を受けた型式指定自動車、認定を受けた型式認定自動車及び騒音防止装置認定自動車を除く。）については、細目告示第四十条第一項第三号の規定にかかわらず、第九項、第十一項から第十三項まで、第十五項、第十六項、第十九項又は第二十一項の規定によるほか、法第七十五条第四項の検査又は施行規則第六十二条の三第五項若しくは旧規則第六十二条の三の二第二項において準用する施行規則第六十二条の三第五項の検査の際、同告示別添三十九「定常走行騒音の測定方法」に定める方法により測定した定常走行騒音及び同告示別添四十「加速走行騒音の測定方法」に定める方法により測定した加速走行騒音をデシベルで表した値に定める方法により測定した定常走行騒音及び加速走行騒音の大きさがそれぞれ次の表の騒音の大きさに掲げる数値を超えない構造であればよい。

自動車の種別		騒音の大きさ	
		定常走行騒音	加速走行騒音
普通自動車、小型自動車及び軽自動車（専ら乗用の用に供する乗車定員十人以下の自動車及び二輪自動車を除く。）	車両総重量が三・五トンを超え、原動機の最高出力が百五十キロワットを超えるもの	八十	八十九
	車両総重量が三・五トンを超え、原動機の最高出力が百五十キロワット以下のもの	七十八	八十七
	車両総重量が三・五トン以下のもの	七十四	八十三
専ら乗用の用に供する乗車定員十人以下の普通自動車、小型自動車及び軽自動車（二輪自動車を除く。）		七十	八十二
小型自動車及び軽自動車（二輪自動車に限る。）		七十四	八十三

4　専ら乗用の用に供する乗車定員十人以下の普通自動車、小型自動車及び軽自動車（二輪自動車を除く。）であって昭和五十八年八月三十一日（輸入された自動車にあっては、昭和五十九年三月三十一日）以前に製作されたもの（第二項及び第三項の自動車並びに輸入された自動車以外の自動車であって昭和五十七年十月一日以降に、指定を受けた型式指定自動車、認定を受けた型式認定自動車及び騒音防止装置認定自動車を除く。）については、細目告示第四十条第一項第三号の規定にかかわらず、第十一項、第十三項又は第十六項の規定によるほか、法第七十五条第四項の検査又は施行規則第六十二条の三第五項若しくは旧規則第六十二条の三の二第二項において準用する施行規則第六十二条の三第五項の検査（国土交通大臣が指定する自動車（型式指定自動車、型式認定自動車及び騒音防止装置認定自動車並びに法第十六条の規定により抹消登録を受けた自動車及び法第六十九条第四項の規定により自動車検査証が返納された自動車を除く。）にあっては、新規検査又は予備検査）の際、同告示別添三十九「定常走行騒音の測定方法」に定める方法により測定した定常走行騒音及び同告示別添四十「加速走行騒音の測定方法」に定める方法により測定した加速走行騒音をデシベルで表した値がそれぞれ次に掲げる数値を超えない構造であればよい。

一　定常走行騒音　七十デシベル

二　加速走行騒音　八十一デシベル

5　普通自動車、小型自動車及び軽自動車（専ら乗用の用に供する乗車定員十人以下の自動車及び二輪自動車を除く。）のうち、車両総重量が三・五トンを超え、原動機の最高出力が百五十キロワット以下のものであって昭和五十九年八月三十一日（輸入された自動車にあっては、昭和六十年三月三十一日）以前に製作されたもの（第一項及び第三項の自動車並びに輸入された自動車以外の自動車であって、昭和五十八年十月一日以降に、指定を受けた型式指定自動車、認定を受けた型式認定自動車及び騒音防止装置認定自動車を除く。）については、細目告示第四十条第一項第三号の規定にかかわらず、第十二項、第十九項又は第二十一項の規定によるほか、法第七十五条第四項の検査又は同令第六十二条の三第五項（旧規則第六十二条の三の二第二項において準用する場合を含む。）の検査（国土交通大臣が指定する自動車（型式指定自動車、型式認定自動車及び騒音防止装置認定自動車並びに法第十六条の規定により抹消登録を受けた自動車及び法第六十九条第四項の規定により自動車検査証が返納された自動車を除く。）にあっては、新規検査又は予備検査）の際、同告示別添三十九「定常走行騒音の測定方法」に定める方法により測定した定常走行騒音及び同告示別添四十「加速走行騒音の測定方法」に定める方法により測定した加速走行騒音をデシベルで表した値がそれぞれ次に掲げる数値を超えない構造であればよい。

一　定常走行騒音　七十八デシベル

二　加速走行騒音　八十六デシベル

6　次の表の自動車の種別の欄に掲げる自動車であって昭和六十年八月三十一日（輸入された自動車にあっては、昭和六十一年三月三十一日）以前に製作されたもの（第一項から第三項までの自動車並びに輸入された自動車以外の自動車であって、昭和五十九年十月一日以降に、指定を受けた型式指定自動車、認定を受けた型式認定自動車及び騒音防止装置認定自動車を除く。）については、細目告示第四十条第一項第三号の規定にかかわらず、第十二項、第十三項、第十五項、第十九項又は第二十一項の規定によるほか、法第七十五条第四項の検査又は同令第六十二条の三第五項（旧規則第六十二条の三の二第二項において準用する場合を含む。）の検査（国土交通大臣が指定する自動車（型式指定自動車、型式認定自動車及び騒音防止装置認定自動車並びに法第十六条の規定により抹消登録を受けた自動車及び法第六十九条第四項の規定により自動車検査証が返納された自動車を除く。）にあっては、新規検査又は予備検査）の際、同告示別添三十九「定常走行騒音の測定方法」に定める方法により測定した定常走行騒音及び同告示別添四十「加速走行騒音の測定方法」に定める方法により測定した加速走行騒音をデシベルで表した値がそれぞれ次の表の騒音の大きさに掲げる数値を超えない構造であればよい。

自動車の種別		騒音の大きさ	
		定常走行騒音	加速走行騒音
普通自動車、小型自動車及び軽自動車（専ら乗用の用に供する乗車定員十人以下の自動車及び二輪自動車を除く。）	車両総重量が三・五トンを超え、原動機の最高出力が百五十キロワットを超えるもの	八十	八十六
	車両総重量が三・五トン以下のもの	七十四	八十一

7　次の表の自動車の種別の欄に掲げる自動車であって昭和六十一年八月三十一日（輸入された自動車にあっては、昭和六十二年三月三十一日）以前に製作されたもの（第一項、第二項、第三項

及び第六項の自動車並びに輸入された自動車以外の自動車であって、昭和六十年十月一日以降に、指定を受けた型式指定自動車、認定を受けた型式認定自動車及び騒音防止装置認定自動車を除く。）については、細目告示第四十条第一項第三号の規定にかかわらず、第九項、第十二項、第十三項、第十五項、第十九項又は第二十一項の規定によるほか、法第七十五条第四項の検査又は同令第六十二条の三第五項（旧規則第六十二条の三の二第二項において準用する場合を含む。）の検査（国土交通大臣が指定する自動車（型式指定自動車、型式認定自動車及び騒音防止装置認定自動車並びに法第十六条の規定により抹消登録を受けた自動車及び法第六十九条第四項の規定により自動車検査証が返納された自動車を除く。）にあっては、新規検査又は予備検査）の際、同告示別添三十九「定常走行騒音の測定方法」に定める方法により測定した定常走行騒音及び同告示別添四十「加速走行騒音の測定方法」に定める方法により測定した加速走行騒音をデシベルで表した値がそれぞれ次の表の騒音の大きさに掲げる数値を超えない構造であればよい。

自動車の種別		騒音の大きさ	
		定常走行騒音	加速走行騒音
普通自動車、小型自動車及び軽自動車（専ら乗用の用に供する乗車定員十人以下の自動車及び二輪自動車を除く。）	車両総重量が三・五トンを超え、原動機の最高出力が百五十キロワットを超えるものであって、専ら乗用の用に供するもの以外のもののうち、すべての車輪に動力を伝達できる構造の動力伝達装置を備えたもの、セミトレーラを牽引する牽引自動車及びクレーン作業用自動車以外のもの	八十	八十六
	車両総重量が三・五トン以下のもののうち、すべての車輪に動力を伝達できる構造の動力伝達装置を備えたもの	七十四	八十一
軽自動車（二輪自動車に限る。）		七十四	七十八

8　普通自動車、小型自動車及び軽自動車（専ら乗用の用に供する乗車定員十人以下の自動車及び二輪自動車を除く。）のうち、車両総重量が三・五トンを超え、原動機の最高出力が百五十キロワットを超えるもの（専ら乗用の用に供するもの以外のものであってすべての車輪に動力を伝達できる構造の動力伝達装置を備えたもの、セミトレーラを牽引する牽引自動車及びクレーン作業用自動車に限る。）であって昭和六十二年十月三十一日（輸入された自動車にあっては、昭和六十三年三月三十一日）以前に製作されたもの（第一項、第七項及び第十七項の自動車並びに輸入された自動車以外の自動車であって、昭和六十一年十二月一日以降に、指定を受けた型式指定自動車、認定を受けた型式認定自動車及び騒音防止装置認定自動車を除く。）については、細目告示第四十条第一項第三号の規定にかかわらず、第十二項又は第二十一項の規定によるほか、法第七十五条第四項の検査又は同令第六十二条の三第五項（旧規則第六十二条の三の二第二項において準用する場合を含む。）の検査（国土交通大臣が指定する自動車（型式指定自動車、型式認定自動車及び騒音防止装置認定自動車並びに法第十六条の規定により抹消登録を受けた自動車及び法第六十九条第四項の規定により自動車検査証が返納された自動車を除く。）にあっては、新規検査又は予備検査）の際、同告示別添三十九「定常走行騒音の測定方法」に定める方法により測定した定常走行騒音及び同告示別添四十「加速走行騒音の測定方法」に定める方法により測定した定常走行騒音及び加速走行騒音の大きさがそれぞれ次に掲げる数値を超えない構造であればよい。

一　定常走行騒音　八十デシベル
二　加速走行騒音　八十六デシベル

9　次の表の上欄に掲げる区分に応じ同表の下欄に掲げる日以前に製作された小型自動車及び軽自動車（二輪自動車に限る。）については、細目告示第四十条第一項第一号及び第二号、第百十八条第一項及び第百九十六条第一項の規定にかかわらず、同告示別添三十九「定常走行騒音の測定方法」に定める方法により測定した定常走行騒音及び排気騒音（当該自動車の原動機が最高出力時の回転数の六十パーセントで無負荷運転されている場合に発生する、排気管の開口部から後方へ二十メートル離れた地上高さ一・二メートルの位置における騒音の大きさをいう。以下同じ。）をデシベルで表した値がそれぞれ八十五デシベルを超えない構造であればよい。

イ　型式指定自動車及び型式認定自動車	昭和四十六年三月三十一日（同日以前に指定を受けた型式指定自動車及び認定を受けた型式認定自動車にあっては、同年十二月三十一日）
ロ　騒音防止装置認定自動車	昭和五十年十二月三十一日
ハ　国土交通大臣が指定する自動車（イ及びロに掲げる自動車を除く。）	昭和五十三年十二月三十一日
ニ　イからハまでに掲げる自動車以外の自動車	昭和六十一年五月三十一日（輸入された自動車にあっては、平成元年三月三十一日）

10　小型自動車（二輪自動車に限る。）であって昭和六十三年八月三十一日（輸入された自動車にあっては、平成元年三月三十一日）以前に製作されたもの（第一項及び第三項の自動車並びに輸入された自動車以外の自動車であって、昭和六十二年十月一日以降に、指定を受けた型式指定自動車及び騒音防止装置認定自動車を除く。）については、細目告示第四十条第一項第三号の規定にかかわらず、前項又は第二十一項の規定によるほか、法第七十五条第四項の検査又は旧規則第六十二条の三の二第二項において準用する施行規則第六十二条の三第五項の検査（国土交通大臣が指定する自動車（型式指定自動車及び騒音防止装置認定自動車並びに法第六十九条第四項の規定により自動車検査証が返納された自動車を除く。）にあっては、新規検査又は予備検査）の際、同告示別添三十九「定常走行騒音の測定方法」に定める方法により測定した定常走行騒音及び同告示別添四十「加速走行騒音の測定方法」に定める方法により測定した加速走行騒音をデシベルで表した値に定める方法により測定した定常走行騒音及び加速走行騒音の大きさがそれぞれ次に掲げる数値を超えない構造であればよい。

一　定常走行騒音　七十四デシベル
二　加速走行騒音　七十八デシベル

11　次の表の上欄に掲げる区分に応じ同表の下欄に掲げる日以前に製作された専ら乗用の用に供する乗車定員十人以下の普通自動車、小型自動車及び軽自動車（二輪自動車を除く。）については、細目告示第四十条第一項第一号及び第二号、第百十八条第一項及び第百九十六条第一項の規定にかかわらず、同告示別添三十九「定常走行騒音の測定方法」に定める方法により測定した定常走行騒音及び排気騒音をデシベルで表した値に定める方法により測定した定常走行騒音及び排気騒音の大きさがそれぞれ八十五デシベルを超えない構造であればよい。

イ　型式指定自動車及び型式認定自動車	昭和四十六年三月三十一日（同日以前に指定を受けた型式指定自動車及び認定を受けた型式認定自動車にあっては、同年十二月三十一日）
ロ　騒音防止装置認定自動車	昭和五十年十二月三十一日
ハ　国土交通大臣が指定する自動車（イ及びロに掲げる自動車を除く。）	昭和五十三年十二月三十一日
ニ　イからハまでに掲げる自動車以外の自動車	昭和六十三年五月三十一日（輸入された自動車にあっては、平成三年三月三十一日）

12　次の表の上欄に掲げる区分に応じ同表の下欄に掲げる日以前に製作された普通自動車、小型自動車及び軽自動車（専ら乗用の用に供する乗車定員十人以下の自動車及び二輪自動車を除く。）については、細目告示第四十条第一項第一号及び第二号、第百十八条第一項及び第百九十六条第一項の規定にかかわらず、同告示別添三十九「定常走行騒音の測定方法」に定める方法により測定した定常走行騒音及び排気騒音をデシベルで表した値がそれぞれ八十五デシベルを超えない構造であればよい。

イ　型式指定自動車及び型式認定自動車	昭和四十六年三月三十一日（同日以前に指定を受けた型式指定自動車及び認定を受けた型式認定自動車にあっては、同年十二月三十一日）
ロ　騒音防止装置認定自動車	昭和五十年十二月三十一日
ハ　国土交通大臣が指定する自動車（イ及びロに掲げる自動車を除く。）	昭和五十三年十二月三十一日
ニ　イからハまでに掲げる自動車以外の自動車	平成元年五月三十一日（輸入された自動車にあっては、平成四年三月三十一日）

13　次の表の自動車の種別の欄に掲げる自動車であって、平成十一年八月三十一日（輸入された自動車にあっては、平成十二年三月三十一日）以前に製作されたもの（第九項、第十一項及び第十二項の自動車並びに輸入された自動車以外の自動車であって、平成十年十月一日以降に、指定を受けた型式指定自動車及び騒音防止装置指定自動車（細目告示第五条第八号に規定する騒音防止装置指定自動車をいう。以下同じ。）、認定を受けた型式認定自動車並びに騒音防止装置認定自動車を除く。）については、細目告示第四十条第一項第一号及び第二号、第百十八条第一項及び第百九十六条第一項の規定にかかわらず、同告示別添三十八「近接排気騒音の測定方法」に定める方法により測定した近接排気騒音及び同告示別添三十九「定常走行騒音の測定方法」に定める方法により測定した定常走行騒音をデシベルで表した値がそれぞれ次の表の騒音の大きさに掲げる数値を超えない構造であればよい。

自動車の種別	騒音の大きさ	
	定常走行騒音	近接排気騒音
専ら乗用の用に供する乗車定員十一人以上の普通自動車、小型自動車及び軽自動車（二輪自動車を除く。）であって、車両総重量が三・五トンを超え、原動機の最高出力が百五十キロワットを超えるもの	八十五	百七
専ら乗用の用に供する乗車定員六人以下の普通自動車、小型自動車及び軽自動車（二輪自動車を除く。）	八十五	百三
軽自動車（二輪自動車に限る。）	八十五	九十九

14　次の表の自動車の種別の欄に掲げる自動車であって、平成十一年八月三十一日（輸入された自動車にあっては、平成十二年三月三十一日）以前に製作されたもの（第一項から第四項まで、第六項及び第七項の自動車並びに輸入された自動車以外の自動車であって、平成十年十月一日以降に、指定を受けた型式指定自動車及び騒音防止装置指定自動車、認定を受けた型式認定自動車並びに騒音防止装置認定自動車を除く。）については、細目告示第四十条第一項第三号の規定にかかわらず、第九項、第十一項、第十二項又は前項の規定によるほか、法第七十五条第四項の検査又は同令第六十二条の三第五項（旧規則第六十二条の三の二第二項において準用する場合を含む。）若しくは施行規則第六十二条の四の検査（国土交通大臣が指定する自動車（型式指定自動車、型式認定自動車、騒音防止装置指定自動車及び騒音防止装置認定自動車並びに法第十六条の規定により抹消登録を受けた自動車及び法第六十九条第四項の規定により自動車検査証が返納された自動車を除く。）にあっては、新規検査又は予備検査）の際、同告示別添三十九「定常走行騒音の測定方法」に定める方法により測定した定常走行騒音及び同告示別添四十「加速走行騒音の測定方法」に定める方法により測定した加速走行騒音をデシベルで表した値がそれぞれ次の表の騒音の大きさに掲げる数値を超えない構造であればよい。

自動車の種別	騒音の大きさ	
	定常走行騒音	加速走行騒音
専ら乗用の用に供する乗車定員十一人以上の普通自動車、小型自動車及び軽自動車（二輪自動車を除く。）であって、車両総重量が三・五トンを超え、原動機の最高出力が百五十キロワットを超えるもの	八十	八十三
専ら乗用の用に供する乗車定員六人以下の普通自動車、小型自動車及	七十	七十八

び軽自動車（二輪自動車を除く。）		
軽自動車（二輪自動車に限る。）	七十四	七十五

15 普通自動車及び小型自動車（専ら乗用の用に供する乗車定員十人以下の自動車及び二輪自動車を除く。）であつて車両総重量が一・七トン以下のもの並びに軽自動車（専ら乗用の用に供する乗車定員十人以下の自動車及び二輪自動車を除く。）であつて運転者室の前方に原動機を有するもののうち、平成十二年八月三十一日（輸入された自動車にあつては、平成十三年三月三十一日）以前に製作されたもの（第十二項の自動車並びに輸入された自動車以外の自動車であつて、平成十一年十月一日以降に、指定を受けた型式指定自動車及び騒音防止装置指定自動車並びに認定を受けた型式認定自動車を除く。）については、細目告示第四十条第一項第一号及び第二号、第百十八条第一項及び第百九十六条第一項の規定にかかわらず、同告示別添三十八「近接排気騒音の測定方法」に定める方法により測定した近接排気騒音及び同告示別添三十九「定常走行騒音の測定方法」に定める方法により測定した定常走行騒音をデシベルで表した値がそれぞれ次に掲げる数値を超えない構造であればよい。

一　定常走行騒音　八十五デシベル

二　近接排気騒音　百三デシベル

16 専ら乗用の用に供する乗車定員七人以上十人以下の自動車（二輪自動車を除く。）であつて、平成十三年八月三十一日（輸入された自動車にあつては、平成十四年三月三十一日）以前に製作されたもの（第十一項の自動車並びに輸入された自動車以外の自動車であつて、平成十一年十月一日以降に、指定を受けた型式指定自動車及び騒音防止装置指定自動車を除く。）については、細目告示第四十条第一項第一号及び第二号、第百十八条第一項及び第百九十六条第一項の規定にかかわらず、同告示別添三十八「近接排気騒音の測定方法」に定める方法により測定した近接排気騒音及び同告示別添三十九「定常走行騒音の測定方法」に定める方法により測定した定常走行騒音をデシベルで表した値がそれぞれ次に掲げる数値を超えない構造であればよい。

一　定常走行騒音　八十五デシベル

二　近接排気騒音　百三デシベル

17 普通自動車及び小型自動車（専ら乗用の用に供する乗車定員十人以下の自動車及び二輪自動車を除く。）であつて、車両総重量が一・七トン以下のもの並びに軽自動車（専ら乗用の用に供する乗車定員十人以下の自動車及び二輪自動車を除く。）であつて、運転者室の前方に原動機を有するもののうち、平成十二年八月三十一日（輸入された自動車にあつては、平成十三年三月三十一日）以前に製作されたもの（第二項、第三項、第六項及び第七項の自動車並びに輸入された自動車以外の自動車であつて、平成十一年十月一日以降に、指定を受けた型式指定自動車及び騒音防止装置指定自動車並びに認定を受けた型式認定自動車を除く。）については、細目告示第四十条第一項第三号の規定にかかわらず、第十二項又は第十五項の規定によるほか、法第七十五条第四項の検査又は同令第六十二条の三第五項（旧規則第六十二条の二第二項において準用する場合を含む。）若しくは施行規則第六十二条の四の検査（国土交通大臣が指定する自動車（型式指定自動車、型式認定自動車、騒音防止装置指定自動車及び騒音防止装置認定自動車並びに法第十六条の規定により抹消登録を受けた自動車及び法第六十九条第四項の規定により自動車検査証が返納された自動車を除く。）にあつては、新規検査又は予備検査）の際、同告示別添三十九「定常走行騒音の測定方法」に定める方法により測定した定常走行騒音及び同告示別添四十「加速走行騒音の測定方法」に定める方法により測定した加速走行騒音をデシベルで表した値がそれぞれ次に掲げる数値を超えない構造であればよい。

一　定常走行騒音　七十四デシベル

二　加速走行騒音　七十八デシベル

18 専ら乗用の用に供する乗車定員七人以上十人以下の自動車（二輪自動車を除く。）であつて、平成十三年八月三十一日（輸入された自動車にあつては、平成十四年三月三十一日）以前に製作されたもの（第二項から第四項までの自動車並びに輸入された自動車以外の自動車であつて、平成十一年十月一日以降に、指定を受けた型式指定自動車及び騒音防止装置指定自動車を除く。）については、細目告示第四十条第一項第三号の規定にかかわらず、第十一項又は第十六項の規定によるほか、法第七十五条第四項の検査又は旧規則第六十二条の三の二第二項において準用する施行規則第六十二条の三第五項若しくは同令第六十二条の四の検査（国土交通大臣が指定する自動車（型式指定自動車、騒音防止装置指定自動車及び騒音防止装置認定自動車並びに法第十六条の規定により抹消登録を受けた自動車及び法第六十九条第四項の規定により自動車検査証が返納された自動車を除く。）にあつては、新規検査又は予備検査）の際、同告示別添三十九「定常走行騒音の測定方法」に定める方法により測定した定常走行騒音及び同告示別添四十「加速走行騒音の測定方法」に定める方法により測定した加速走行騒音をデシベルで表した値がそれぞれ次に掲げる数値を超えない構造であればよい。

一　定常走行騒音　七十デシベル

二　加速走行騒音　七十八デシベル

19 次の表の自動車の種別の欄に掲げる自動車であつて、平成十三年八月三十一日（ロに掲げる自動車にあつては、平成十四年八月三十一日）以前に製作されたもの（第十二項の自動車並びに輸入された自動車以外の自動車であつて、平成十二年十月一日以降に、指定を受けた型式指定自動車及び騒音防止装置指定自動車並びに認定を受けた型式認定自動車を除く。）については、細目告示第四十条第一項第一号及び第二号、第百十八条第一項第一号及び第百九十六条第一項の規定にかかわらず、同告示別添三十八「近接排気騒音の測定方法」に定める方法により測定した近接排気騒音及び同告示別添三十九「定常走行騒音の測定方法」に定める方法により測定した定常走行騒音をデシベルで表した値がそれぞれ次の表の騒音の大きさに掲げる数値を超えない構造であればよい。

自動車の種別	騒音の大きさ	
	定常走行騒音	近接排気騒音
イ　専ら乗用の用に供する乗車定員十一人以上の普通自動車及び小型自動車（二輪自動車を除く。）であつて、車両総重量が三・五トンを超え、原動機の最高出力が百五十キロワット以下のもののうち、すべての車輪に動力を伝達できる構造の動力伝達装置を備えたもの以外のもの	八十五	百五
ロ　普通自動車及び小型自動車（専ら乗用の用に供する乗車定員十人以下の自動車及び二輪自動車を除く。）であつて、車両総重量が一・七トンを超え三・五トン以下のもの	八十五	百三

ハ　軽自動車（専ら乗用の用に供する乗車定員十人以下の自動車及び二輪自動車を除く。）であって、運転者室の前方に原動機を有するもの以外のもの	八十五	百三

20　次の表の自動車の種別の欄に掲げる自動車であって、平成十三年八月三十一日（ロに掲げる自動車にあっては、平成十四年八月三十一日）以前に製作されたもの（第一項から第三項まで及び第五項から第七項までの自動車並びに輸入された自動車以外の自動車であって、平成十二年十月一日以降に、指定を受けた型式指定自動車及び騒音防止装置指定自動車並びに認定を受けた型式認定自動車を除く。）については、細目告示第四十条第一項第三号の規定にかかわらず、第十八項及び前項の規定によるほか、法第七十五条第四項の検査又は同令第六十二条の三第五項（旧規則第六十二条の三の二第二項において準用する場合を含む。）若しくは施行規則第六十二条の四の検査（国土交通大臣が指定する自動車（型式指定自動車、型式認定自動車、騒音防止装置指定自動車及び騒音防止装置認定自動車並びに法第十六条の規定により抹消登録を受けた自動車及び法第六十九条第四項の規定により自動車検査証が返納された自動車を除く。）にあっては、新規検査又は予備検査）の際、同告示別添三十九「定常走行騒音の測定方法」に定める方法により測定した定常走行騒音及び同告示別添四十「加速走行騒音の測定方法」に定める方法により測定した加速走行騒音をデシベルで表した値がそれぞれ次の表の騒音の大きさに掲げる数値を超えない構造であればよい。

自動車の種別	騒音の大きさ	
	定常走行騒音	加速走行騒音
イ　専ら乗用の用に供する乗車定員十一人以上の普通自動車及び小型自動車（二輪自動車を除く。）であって、車両総重量が三・五トンを超え、原動機の最高出力が百五十キロワット以下のもののうち、すべての車輪に動力を伝達できる構造の動力伝達装置を備えたもの以外のもの	七十八	八十三
ロ　普通自動車及び小型自動車（専ら乗用の用に供する乗車定員十人以下の自動車及び二輪自動車を除く。）であって、車両総重量が一・七トンを超え三・五トン以下のもの	七十四	七十八
ハ　軽自動車（専ら乗用の用に供する乗車定員十人以下の自動車及び二輪自動車を除く。）であって、運転者室の前方に原動機を有するもの以外のもの	七十四	七十八

21　次の表の自動車の種別の欄に掲げる自動車であって、平成十四年八月三十一日（イ及びハに掲げる自動車にあっては、平成十五年八月三十一日）以前に製作されたもの（第九項及び第十二項の自動車並びに輸入された自動車以外の自動車であって、平成十三年十月一日以降に、指定を受けた型式指定自動車及び騒音防止装置指定自動車並びに認定を受けた型式認定自動車を除く。）については、細目告示第四十条第一項第一号及び第二号、第百十八条第一項及び第百九十六条第一項の規定にかかわらず、同告示別添三十八「近接排気騒音の測定方法」に定める方法により測定した近接排気騒音及び同告示別添三十九「定常走行騒音の測定方法」に定める方法により測定した定常走行騒音をデシベルで表した値がそれぞれ次の表の騒音の大きさに掲げる数値を超えない構造であればよい。

自動車の種別	騒音の大きさ	
	定常走行騒音	近接排気騒音
イ　普通自動車、小型自動車及び軽自動車（専ら乗用の用に供する自動車及び二輪自動車を除く。）であって、車両総重量が三・五トンを超え、原動機の最高出力が百五十キロワットを超えるもの	八十五	百七
ロ　普通自動車、小型自動車及び軽自動車（専ら乗用の用に供する自動車であって乗車定員十人以下のもの及び乗車定員十一人以上であってすべての車輪に動力を伝達できる構造の動力伝達装置を備えたもの以外のもの並びに二輪自動車を除く。）であって、車両総重量が三・五トンを超え、原動機の最高出力が百五十キロワット以下のもの	八十五	百五
ハ　小型自動車（二輪自動車に限る。）	八十五	九十九

22　次の表の自動車の種別の欄に掲げる自動車であって、平成十四年八月三十一日（イ及びハに掲げる自動車にあっては、平成十五年八月三十一日）以前に製作されたもの（第一項、第三項、第五項から第八項まで及び第十項の自動車並びに輸入された自動車以外の自動車であって、平成十三年十月一日以降に、指定を受けた型式指定自動車及び騒音防止装置指定自動車並びに認定を受けた型式認定自動車を除く。）については、細目告示第四十条第一項第三号の規定にかかわらず、第九項、第十二項又は前項の規定によるほか、法第七十五条第四項の検査又は施行規則第六十二条の三第五項（旧規則第六十二条の三の二第二項において準用する場合を含む。）若しくは施行規則第六十二条の四の検査（国土交通大臣が指定する自動車（型式指定自動車、型式認定自動車、騒音防止装置指定自動車及び騒音防止装置認定自動車並びに法第十六条の規定により抹消登録を受けた自動車及び法第六十九条第四項の規定により自動車検査証が返納された自動車を除く。）にあっては、新規検査又は予備検査）の際、同告示別添三十九「定常走行騒音の測定方法」に定める方法により測定した定常走行騒音及び同告示別添四十「加速走行騒音の測定方法」に定める方法により測定した加速走行騒音をデシベルで表した値がそれぞれ次の表の騒音の大きさに掲げる数値を超えない構造であればよい。

自動車の種別	騒音の大きさ	
	定常走行騒音	加速走行騒音
イ　普通自動車、小型自動車及び軽自動車（専ら乗用の用に供する自動車及び二輪自動車を除く。）であって、車両総重量が三・五トンを超え、原動機の最高出力が百五十キロワットを超えるもの	八十	八十三

ロ　普通自動車、小型自動車及び軽自動車（専ら乗用の用に供する自動車であって乗車定員十人以下のもの及び乗車定員十一人以上であってすべての車輪に動力を伝達できる構造の動力伝達装置を備えたもの以外のもの並びに二輪自動車を除く。）であって、車両総重量が三・五トンを超え、原動機の最高出力が百五十キロワット以下のもの	七十八	八十三
ハ　小型自動車（二輪自動車に限る。）	七十四	七十五

23　内燃機関を原動機とする自動車であって、平成二十二年三月三十一日以前に製作されたものが備える消音器については、細目告示第四十条第二項の規定にかかわらず、破損及び腐食がないものであればよい。

24　内燃機関を原動機とする自動車であって、平成二十二年三月三十一日以前に製作されたものが備える消音器については、細目告示第百十八条第二項及び第三項並びに第百九十六条第二項及び第三項の規定にかかわらず、次の各号に掲げる基準に適合するものであればよい。

一　消音器の全部又は一部が取り外されていないこと。

二　消音器本体が切断されていないこと。

三　消音器の内部にある騒音低減機構が除去されていないこと。

四　消音器に破損及び腐食がないこと。

25　二輪自動車（側車付二輪自動車を除く。以下この項において同じ。）であって、平成二十八年十二月三十一日以前に製作されたものについては、次の各号に掲げる基準に適合するものであればよい。

一　二輪自動車（平成二十六年一月一日（輸入された自動車にあっては平成二十九年一月一日）以降に、指定を受けた型式指定自動車及び騒音防止装置指定自動車並びに認定を受けた型式認定自動車を除く。）については、細目告示別添三十九「定常走行騒音の測定方法」に定める方法により測定した定常走行騒音をデシベルで表した値が八十五デシベルを超える騒音を発しない構造であること。

二　二輪自動車（第九項の自動車並びに平成二十六年一月一日（輸入された自動車にあっては平成二十九年一月一日）以降に、指定を受けた型式指定自動車及び騒音防止装置指定自動車並びに認定を受けた型式認定自動車を除く。）については、細目告示第四十条第一項第二号の二、第百十八条第一項第三号及び第百九十六条第一項第三号の規定にかかわらず、第十三項及び第二十一項の規定によるほか、同告示別添三十八「近接排気騒音の測定方法」に定める方法により測定した近接排気騒音をデシベルで表した値が九十四デシベルを超える騒音を発しない構造であること。

三　次の表の自動車の種別の欄に掲げる自動車（第一項、第三項、第七項、第十項、第十四項及び第二十二項の自動車並びに平成二十六年一月一日（輸入された自動車にあっては平成二十九年一月一日）以降に、指定を受けた型式指定自動車及び騒音防止装置指定自動車並びに認定を受けた型式認定自動車を除く。）については、細目告示第四十条第一項第四号及び第百十八条第一項第四号の規定にかかわらず、第九項、第十三項及び第二十一項の規定によるほか、法第七十五条第四項の検査又は施行規則第六十二条の三第五項（旧規則第六十二条の三の二第二項において準用する場合を含む。）若しくは施行規則第六十二条の四の検査（国土交通大臣が指定する自動車（型式指定自動車、型式認定自動車、騒音防止装置指定自動車及び騒音防止装置認定自動車並びに法第十六条の規定により抹消登録を受けた自動車及び法第六十九条第四項の規定により自動車検査証が返納された自動車を除く。）にあっては、新規検査又は予備検査）の際、同告示別添三十九「定常走行騒音の測定方法」に定める方法により測定した定常走行騒音及び同告示別添四十「加速走行騒音の測定方法」に定める方法により測定した加速走行騒音をデシベルで表した値がそれぞれ次の表の騒音の大きさの欄に掲げる値を超える騒音を発しない構造であること。

自動車の種別	騒音の大きさ	
	定常走行騒音	加速走行騒音
小型自動車	七十二	七十三
軽自動車	七十一	七十三

26　令和三年八月三十一日以前に製作された二輪自動車（平成二十八年十月一日以降に指定を受けた型式指定自動車を除く。）のうち、使用の過程において、消音器（消音器と排気管が分割できる構造のものにあっては排気管を含む。）の改造、取付け又は取外しその他これらに類する行為により構造、装置又は性能に係る変更を行ったものについては、細目告示第百十八条第一項の規定にかかわらず、道路運送車両の保安基準の細目を定める告示の一部を改正する告示（平成二十五年国土交通省告示第六十八号）による改正前の細目告示第百十八条第一項の規定に適合するものであればよい。

27　令和三年一月二十日以降に指定を受けた型式指定自動車以外の二輪自動車（側車付二輪自動車を除く。）については、細目告示第四十条第一項第四号及び第百十八条第一項第四号の規定にかかわらず、協定規則第四十一号第四改訂版補足第二改訂版に規定する試験路において測定した値を用いることができる。

28　次の各号に掲げる自動車（二輪自動車、側車付二輪自動車、三輪自動車、カタピラ及びそりを有する軽自動車、大型特殊自動車並びに小型特殊自動車を除く。）については、細目告示第四十条、第百十八条及び第百九十六条の規定にかかわらず、道路運送車両の保安基準の細目を定める告示の一部を改正する告示（平成二十八年国土交通省告示第六百八十一号）による改正前の細目告示第四十条、第百十八条及び第百九十六条の規定に適合するものであればよい。

一　平成二十八年九月三十日以前に製作された自動車

二　平成二十八年十月一日から令和四年八月三十一日（貨物の運送の用に供する自動車のうち、技術的最大許容質量（自動車の構造、装置及び性能を勘案し、安全性の確保及び公害の防止その他の環境の保全の観点から十分許容される最大の質量をいう。以下この条において同じ。）が三・五トンを超え、十二トン以下の自動車にあっては令和五年八月三十一日）までに製作された自動車であって次に掲げるもの

イ　平成二十八年九月三十日以前に指定を受けた型式指定自動車

ロ　平成二十八年十月一日以降に指定を受けた型式指定自動車であって、平成二十八年九月三十日以前に指定を受けた型式指定自動車から、種別、用途、車体の外形、動力用電源装置の種類、懸架装置の種類及び主要構造、軸距並びに適合する排出ガス規制値又は低排出ガス車認定実施要領に定める認定の基準値以外に、型式を区分する事項に変更がないもの

ハ　国土交通大臣が定める自動車

三　令和五年三月三十一日（貨物の運送の用に供する自動車であって、技術的最大許容質量が三・五トンを超え、十二トン以下の自動車にあっては令和五年八月三十一日）以前に製作された輸入自動車

四　平成二十八年十月一日以降に製作された自動車（車両総重量が十二トンを超えるものに限る。）のうち、保安基準第五十五条の規定により保安基準第二条、第四条又は第四条の二の規定を適用しないものとされたものであって、三以上の車軸に動力を伝達できる動力伝達装置を備えたもの。

五　令和四年八月三十一日（貨物の運送の用に供する自動車であって、技術的最大許容質量が三・五トンを超え、十二トン以下の自動車にあっては令和五年八月三十一日）以前に発行された出荷検査証に係る自動車であって、当該出荷検査証の発行後十一月を経過しない間に新規検査又は予備検査を受けようとし、又は受けたもの。

29　次に掲げる自動車（二輪自動車、側車付二輪自動車、三輪自動車、カタピラ及びそりを有する軽自動車、大型特殊自動車並びに小型特殊自動車を除く。）については、細目告示第四十条第一項第五号、第百十八条第一項第三号ロ並びに第三項第二号ロ(1)及び第四号ロ(2)並びに第百九十六条第三項第二号ロ(2)の規定にかかわらず、道路運送車両の保安基準の細目を定める告示等の一部を改正する告示（令和四年国土交通省告示第千四十号）による改正前の細目告示第四十条第一項第五号、第百十八条第一項第三号ロ並びに第三項第二号ロ(1)及び第四号ロ(2)並びに第百九十六条第三項第二号ロ(2)（以下この項において「旧規定」という。）に適合するものであればよい。この場合において、旧規定中「フェーズ1」とあるのは「フェーズ2」と読み替えることができる。ただし、技術的最大許容質量が二・五トン以下の貨物の運送の用に供する自動車及び当該自動車の形状に類する乗車定員九人以下の専ら乗用の用に供する自動車のうち、総排気量が六百六十立方センチメートルを超え千四百九十五立方センチメートル未満であり、原動機の重心が前軸中心から後方に水平距離で三百ミリメートルから千五百ミリメートルの間に位置し、地面からのRポイント（運転者席の着座位置について自動車製作者等が定め、三次元座標方式に基づいて決定する設計点をいう。）の高さが八百ミリメートル以上あるものであって、後輪駆動であるものにあっては、当該規定にかかわらず、協定規則第五十一号の規則6・2・1・1・に定める方法により測定した加速走行騒音の値が七十四デシベルを超えない構造であればよい。

一　平成二十八年九月三十日以前に製作された自動車

二　平成二十八年十月一日から令和四年八月三十一日（貨物の運送の用に供する自動車のうち、技術的最大許容質量が三・五トンを超え、十二トン以下の自動車にあっては令和五年八月三十一日）までに製作された自動車であって次に掲げるもの

イ　令和二年八月三十一日（貨物の運送の用に供する自動車のうち、技術的最大許容質量が三・五トンを超え、十二トン以下の自動車にあっては令和四年八月三十一日）以前に指定を受けた型式指定自動車

ロ　令和二年九月一日（貨物の運送の用に供する自動車のうち、技術的最大許容質量が三・五トンを超え、十二トン以下の自動車にあっては令和四年九月一日）以降に指定を受けた型式指定自動車であって、令和二年八月三十一日（貨物の運送の用に供する自動車のうち、技術的最大許容質量が三・五トンを超え、十二トン以下の自動車にあっては令和四年八月三十一日）以前に指定を受けた型式指定自動車から、種別、用途、車体の外形、動力用電源装置の種類、懸架装置の種類及び主要構造、軸距並びに適合する排出ガス規制値又は低排出ガス車認定実施要領に定める認定の基準値以外に、型式を区分する事項に変更がないもの

ハ　国土交通大臣が定める自動車

三　令和五年三月三十一日（貨物の運送の用に供する自動車であって、技術的最大許容質量が三・五トンを超え、十二トン以下の自動車にあっては令和五年八月三十一日）以前に製作された輸入自動車

四　令和四年八月三十一日（貨物の運送の用に供する自動車であって、技術的最大許容質量が三・五トンを超え、十二トン以下の自動車にあっては令和五年八月三十一日）以前に発行された出荷検査証に係る自動車であって、当該出荷検査証の発行後十一月を経過しない間に新規検査又は予備検査を受けようとし、又は受けたもの。

30　二輪自動車であって、令和三年八月三十一日以前に製作されたもの（平成二十八年十月一日以降に指定を受けた型式指定自動車を除く。）については、細目告示第四十条、第百十八条及び第百九十六条の規定にかかわらず、道路運送車両の保安基準の細目を定める告示の一部を改正する告示（平成二十八年国土交通省告示第六百八十一号）による改正前の細目告示第四十条、第百十八条及び第百九十六条の規定に適合するものであればよい。

31　使用の過程において二輪自動車から側車付二輪自動車に改造を行ったものについては、細目告示第百十八条及び第百九十六条の規定にかかわらず、道路運送車両の保安基準の細目を定める告示の一部を改正する告示（平成二十八年国土交通省告示第六百八十一号）による改正前の細目告示第百十八条及び第百九十六条の規定に適合するものであればよい。

32　次の各号に掲げる軽自動車（二輪自動車、側車付二輪自動車、三輪自動車、カタピラ及びそりを有する軽自動車、大型特殊自動車並びに小型特殊自動車を除く。）については、細目告示第四十条、第百十八条及び第百九十六条の規定にかかわらず、道路運送車両の保安基準の細目を定める告示等の一部を改正する告示（平成三十年国土交通省告示第千七十五号）による改正前の細目告示第四十条、第百十八条及び第百九十六条の規定に適合するものであればよい。

一　平成三十年十月十五日以前に製作された自動車

二　平成三十年十月十六日以降に製作された自動車であって次に掲げるもの

イ　平成三十年十月十五日以前に指定を受けた型式指定自動車

ロ　平成三十年十月十六日から令和二年四月十五日までに指定を受けた型式指定自動車であって、平成三十年十月十五日以前に指定を受けた型式指定自動車から、種別、用途、車体の外形、動力用電源装置の種類、懸架装置の種類及び主要構造、軸距並びに適合する排出ガス規制値又は低排出ガス車認定実施要領に定める認定の基準値以外に、型式を区分する事項に変更がないもの

ハ　令和二年四月十六日以降に指定を受けた型式指定自動車であって、令和二年四月十五日以前に指定を受けた型式指定自動車から、種別、用途、車体の外形、動力用電源装置の種類、懸架装置の種類及び主要構造、軸距並びに適合する排出ガス規制値又は低排出ガス車認定実施要領に定める認定の基準値以外に、型式を区分する事項に変更がないもの（騒音防止装置に係る性能について変更がないものに限る。）

ニ　国土交通大臣が定める自動車

三　令和二年四月十五日以前に発行された出荷検査証に係る自動車であって、当該出荷検査証の発行後十一月を経過しない間に新規検査又は予備検査を受けようとし、又は受けたもの

33　次に掲げる自動車（二輪自動車、側車付二輪自動車、三輪自動車、カタピラ及びそりを有する軽自動車、大型特殊自動車並びに小型特殊自動車を除く。）については、細目告示第四十条、第

百十八条及び第百九十六条の規定にかかわらず、道路運送車両の保安基準の細目を定める告示等の一部を改正する告示（令和二年国土交通省告示第千二十一号）による改正前の細目告示第四十条、第百十八条及び第百九十六条の規定に適合するものであればよい。

一　令和二年九月二十四日以前に製作された自動車

二　令和二年九月二十五日以降に製作された自動車であって、次に掲げるもの

イ　令和二年九月二十四日以前に指定を受けた型式指定自動車

ロ　令和二年九月二十五日から令和三年九月二十四日までに指定を受けた型式指定自動車であって、令和二年九月二十四日以前に指定を受けた型式指定自動車から、種別、用途、車体の外形、動力用電源装置の種類、懸架装置の種類及び主要構造、軸距並びに適合する排出ガス規制値又は低排出ガス車認定実施要領に定める認定の基準値以外に、型式を区分する事項に変更がないもの

ハ　令和三年九月二十五日以降に指定を受けた型式指定自動車であって、令和三年九月二十四日以前に指定を受けた型式指定自動車から、種別、用途、車体の外形、動力用電源装置の種類、懸架装置の種類及び主要構造、軸距並びに適合する排出ガス規制値又は低排出ガス車認定実施要領に定める認定の基準値以外に、型式を区分する事項に変更がないもの（騒音防止装置に係る性能について変更がないものに限る。）

ニ　国土交通大臣が定める自動車

三　令和三年九月二十四日以前に発行された出荷検査証に係る自動車であって、当該出荷検査証の発行後十一月を経過しない間に新規検査又は予備検査を受けようとし、又は受けたもの

34　次に掲げる二輪自動車（側車付二輪自動車を除く。以下この項において同じ。）については、細目告示第四十条、第百十八条及び第百九十六条の規定にかかわらず、道路運送車両の保安基準の細目を定める告示等の一部を改正する告示（令和三年国土交通省告示第千二百九十四号）による改正前の細目告示第四十条、第百十八条及び第百九十六条の規定に適合するものであればよい。

一　令和五年八月三十一日（輸入された自動車にあっては、令和六年八月三十一日）以前に製作された二輪自動車

二　令和五年九月一日から令和六年八月三十一日までに製作された二輪自動車であって、次に掲げるもの

イ　令和五年八月三十一日以前に指定を受けた型式指定自動車

ロ　令和五年八月三十一日以前に施行規則第六十二条の三第一項の規定によりその型式について認定を受けた型式認定自動車

35　令和四年九月一日（貨物の運送の用に供する自動車であって、技術的最大許容質量が三・五トンを超え、十二トン以下の自動車にあっては令和五年九月一日）以降に製作された輸入自動車（二輪自動車、側車付二輪自動車、三輪自動車、カタピラ及びそりを有する軽自動車、大型特殊自動車並びに小型特殊自動車を除く。）のうち指定自動車等以外の自動車については、設備・体制整備等を行い試験の実施が可能となる環境が整うまでの間、細目告示第百十八条第一項第三号ロに規定する試験路にかかわらず、同告示別添四十「加速走行騒音の測定方法」に規定する試験路において測定した値を用いることができる。

36　次に掲げる自動車（二輪自動車、側車付二輪自動車、三輪自動車、カタピラ及びそりを有する軽自動車、大型特殊自動車並びに小型特殊自動車を除く。）については、細目告示第四十条第一項第五号、第百十八条第一項第三号ロ並びに第三項第二号ロ⑴及び第四号ロ⑵並びに百九十六条第三項第二号ロ⑵の規定中、「フェーズ3」とあるのは「フェーズ2」と読み替えることができる。ただし、技術的最大許容質量が二・五トン以下の貨物の運送の用に供する自動車及び当該自動車の形状に類する乗車定員九人以下の専ら乗用の用に供する自動車のうち、総排気量が六百六十立方センチメートルを超え千四百九十五立方センチメートル未満であり、原動機の重心が前軸中心から後方に水平距離で三百ミリメートルから千五百ミリメートルの間に位置し、地面からのRポイント（運転者席の着座位置について自動車製作者等が定め、三次元座標方式に基づいて決定する設計点をいう。）の高さが八百ミリメートル以上あるものであって、後輪駆動であるものにあっては、当該規定にかかわらず、協定規則第五十一号の規則6・2・1・1・に定める方法により測定した加速走行騒音の値が七十三デシベルを超えない構造であればよい。

一　令和六年十月七日（乗車定員十人以上の専ら乗用の用に供する自動車であって、技術的最大許容質量が五トンを超える自動車及び貨物の運送の用に供する自動車であって、技術的最大許容質量が三・五トンを超える自動車にあっては令和八年十月七日）以前に製作された自動車

二　令和六年十月八日（乗車定員十人以上の専ら乗用の用に供する自動車であって、技術的最大許容質量が五トンを超える自動車及び貨物の運送の用に供する自動車であって、技術的最大許容質量が三・五トンを超える自動車にあっては令和八年十月八日）から令和八年十月七日（乗車定員十人以上の専ら乗用の用に供する自動車であって、技術的最大許容質量が五トンを超える自動車及び貨物の運送の用に供する自動車であって、技術的最大許容質量が三・五トンを超える自動車にあっては令和九年十月七日）までに製作された自動車であって次に掲げるもの

イ　令和六年十月七日（乗車定員十人以上の専ら乗用の用に供する自動車であって、技術的最大許容質量が五トンを超える自動車及び貨物の運送の用に供する自動車であって、技術的最大許容質量が三・五トンを超える自動車にあっては令和八年十月七日）以前に指定を受けた型式指定自動車

ロ　令和六年十月八日（乗車定員十人以上の専ら乗用の用に供する自動車であって、技術的最大許容質量が五トンを超える自動車及び貨物の運送の用に供する自動車であって、技術的最大許容質量が三・五トンを超える自動車にあっては令和八年十月八日）以降に指定を受けた型式指定自動車であって、令和六年十月七日（乗車定員十人以上の専ら乗用の用に供する自動車であって、技術的最大許容質量が五トンを超える自動車及び貨物の運送の用に供する自動車であって、技術的最大許容質量が三・五トンを超える自動車にあっては令和八年十月七日）以前に指定を受けた型式指定自動車から、種別、用途、車体の外形、動力用電源装置の種類、懸架装置の種類及び主要構造、軸距並びに適合する排出ガス規制値又は低排出ガス車認定実施要領に定める認定の基準値以外に、型式を区分する事項に変更がないもの

ハ　国土交通大臣が定める自動車

三　令和八年十月七日（乗車定員十人以上の専ら乗用の用に供する自動車であって、技術的最大許容質量が五トンを超える自動車及び貨物の運送の用に供する自動車であって、技術的最大許容質量が三・五トンを超える自動車にあっては令和九年十月七日）以前に製作された輸入自動車

四　令和八年十月七日（乗車定員十人以上の専ら乗用の用に供する自動車であって、技術的最大許容質量が五トンを超える自動車及び貨物の運送の用に供する自動車であって、技術的最大許容質量が三・五トンを超える自動車にあっては令和九年十月七日）以前に発行された出荷検査証に係る自動車であって、当該出荷検査証の発行後十一月を経過しない間に新規検査又は予備検査を受けようとし、又は受けたもの

37　次に掲げる自動車（二輪自動車、側車付二輪自動車、三輪自動車、カタピラ及びそりを有する

軽自動車、大型特殊自動車並びに小型特殊自動車を除く。）については、細目告示第四十条、第百十八条及び第百九十六条の規定中「協定規則第51号」とあるのは「協定規則第51号第3改訂版補足第6改訂版」と読み替えることができる。
一　令和五年一月三日以前に製作された自動車
二　令和五年一月四日以降に製作された自動車であって、次に掲げるもの
イ　令和五年一月三日以前に指定を受けた型式指定自動車
ロ　令和五年一月四日から令和八年十月七日（乗車定員十人以上の専ら乗用の用に供する自動車であって、技術的最大許容質量が五トンを超える自動車及び貨物の運送の用に供する自動車であって、技術的最大許容質量が三・五トンを超える自動車にあっては令和九年十月七日）までに指定を受けた型式指定自動車であって、令和五年一月三日以前に指定を受けた型式指定自動車から、種別、用途、車体の外形、動力用電源装置の種類、懸架装置の種類及び主要構造、軸距並びに適合する排出ガス規制値又は低排出ガス車認定実施要領に定める認定の基準値以外に、型式を区分する事項に変更がないもの
ハ　令和八年十月八日（乗車定員十人以上の専ら乗用の用に供する自動車であって、技術的最大許容質量が五トンを超える自動車及び貨物の運送の用に供する自動車であって、技術的最大許容質量が三・五トンを超える自動車にあっては令和九年十月八日）以降に指定を受けた型式指定自動車であって、令和八年十月七日（乗車定員十人以上の専ら乗用の用に供する自動車であって、技術的最大許容質量が五トンを超える自動車及び貨物の運送の用に供する自動車であって、技術的最大許容質量が三・五トンを超える自動車にあっては令和九年十月七日）以前に指定を受けた型式指定自動車から、種別、用途、車体の外形、動力用電源装置の種類、懸架装置の種類及び主要構造、軸距並びに適合する排出ガス規制値又は低排出ガス車認定実施要領に定める認定の基準値以外に、型式を区分する事項に変更がないもの（騒音防止装置に係る性能について変更がないものに限る。）
ニ　国土交通大臣が定める自動車
三　令和八年十月七日（乗車定員十人以上の専ら乗用の用に供する自動車であって、技術的最大許容質量が五トンを超える自動車及び貨物の運送の用に供する自動車であって、技術的最大許容質量が三・五トンを超える自動車にあっては令和九年十月七日）以前に発行された出荷検査証に係る自動車であって、当該出荷検査証の発行後十一月を経過しない間に新規検査又は予備検査を受けようとし、又は受けたもの

38

次の各号に掲げる自動車（二輪自動車、側車付二輪自動車、三輪自動車、カタピラ及びそりを有する軽自動車、大型特殊自動車並びに小型特殊自動車を除く。）については、細目告示第四十条第一項第五号、第百十八条第一項第三号ロ及び第三項第二号ロ及び第百九十六条第三項第一号ロの規定にかかわらず、協定規則第五十一号第三改訂版補足第七改訂版に規定する試験路において測定した値を用いることができる。
一　令和十年九月二十四日以前に製作された自動車
二　令和十年九月二十五日以降に製作された自動車であって次に掲げるもの
イ　令和十年九月二十四日以前に指定を受けた型式指定自動車
ロ　令和十年九月二十五日以降に指定を受けた型式指定自動車であって、令和十年九月二十四日以前に指定を受けた型式指定自動車から、種別、用途、車体の外形、動力用電源装置の種類、懸架装置の種類及び主要構造、軸距並びに適合する排出ガス規制値又は低排出ガス車認定実施要領に定める認定の基準値以外に、型式を区分する事項に変更がないもの（騒音防止装置に係る性能について変更がないものに限る。）
ハ　国土交通大臣が定める自動車
三　令和十年九月二十四日以前に発行された出荷検査証に係る自動車であって、当該出荷検査証の発行後十一月を経過しない間に新規検査又は予備検査を受けようとし、又は受けたもの

（ばい煙、悪臭のあるガス、有害なガス等の発散防止装置）

第二八条　次の表の上欄に掲げる自動車については、細目告示の規定のうち同表の下欄に掲げる規定は、適用しない。

自動車	条項
一　昭和四十五年十二月三十一日以前に製作された自動車（同年九月一日以降に、指定を受けた型式指定自動車及び型式認定自動車（軽自動車に限る。）を除く。）	細目告示第四十一条第三項、第百十九条第三項及び第百九十七条第三項
二　昭和四十八年三月三十一日以前に製作された自動車（昭和四十七年七月一日以降に、指定を受けた型式指定自動車及び型式認定自動車（軽自動車に限る。）を除く。）	細目告示第四十一条第四項、第百十九条第四項及び第百九十七条第四項
三　昭和五十年三月三十一日以前に製作された自動車（昭和四十九年九月一日以降に、指定を受けた型式指定自動車及び細目告示第五条第十号に規定する一酸化炭素等発散防止装置指定自動車（以下、単に「一酸化炭素等発散防止装置指定自動車」という。）並びに旧規則第六十二条の四第一項の規定によりその型式について認定を受けた一酸化炭素等発散防止装置を備えた自動車（以下「一酸化炭素等発散防止装置認定自動車」という。）を除く。）	細目告示第四十一条第一項第五号から第八号まで及び第二項、第百十九条第一項第三号及び第四号並びに第二項並びに第百九十七条第二項
四　次に掲げる二輪自動車 イ　軽自動車であって、平成十一年八月三十一日（輸入された自動車にあっては、平成十二年三月三十一日）以前に製作されたもの（輸入された自動車以外の自動車であって、平成十年十月一日以降に認定を受けた型式認定自動車を除く。） ロ　小型自動車であって、平成十二年八月三十一日（輸入された自動車にあっては、平成十三年三月三十一日）以前に製作されたもの（輸入された自動車以外の自動車であって、平成十一年十月一日以降に指定を受けた型式指定自動車を除く。）	細目告示第四十一条第一項第十七号から第十九号まで、第二項及び第三項、第百十九条第一項第九号及び第十号、第二項並びに第三項並びに第百九十七条第一項第一号、第二項及び第三項

五　ガソリン又は液化石油ガスを燃料とする自動車であって次に掲げるもの イ　平成十四年八月三十一日（輸入された自動車以外の自動車であって、平成十二年十月一日以降に指定を受けた型式指定自動車及び一酸化炭素等発散防止装置指定自動車を除く。）以前に製作された細目告示第四十一条第一項第三号の表のイ及びロ及び同項第四号の表のイ及びロに掲げる自動車 ロ　平成十五年八月三十一日（輸入された自動車以外の自動車であって、平成十三年十月一日以降に指定を受けた型式指定自動車及び一酸化炭素等発散防止装置指定自動車を除く。）以前に製作された細目告示第四十一条第一項第三号の表のハ及び同項第四号の表のハに掲げる自動車並びに同条第一項第一号及び第二号の自動車（二輪自動車を除く。） ハ　平成十五年八月三十一日（輸入された自動車以外の自動車であって、平成十四年十月一日以降に指定を受けた型式指定自動車及び一酸化炭素等発散防止装置指定自動車を除く。）以前に製作された細目告示第四十一条第一項第三号の表のニ及び同項第四号の表のニに掲げる自動車	細目告示第四十一条第二項第四号、第百十九条第二項第四号及び第百九十七条第二項第四号
六　軽油を燃料とする自動車であって平成十六年八月三十一日以前に製作された細目告示第四十一条第一項第七号及び第八号並びに第五号及び第六号（車両総重量十二トン以下のものに限る。以下この号において同じ。）に掲げる自動車（輸入された自動車以外の自動車であって、平成十四年十月一日（同項第七号の表の二及び第八号の表の二並びに第五号及び第六号に掲げる自動車にあっては平成十五年十月一日）以降に指定を受けた型式指定自動車及び一酸化炭素等発散防止装置指定自動車を除く。）並びに平成十七年八月三十一日以前に製作された細目告示第四十一条第一項第五号及び第六号（車両総重量十二トンを超えるものに限る。）に掲げる自動車（輸入された自動車以外の自動車であって、平成十六年十月一日以降に指定を受けた型式指定自動車及び一酸化炭素等発散防止装置指定自動車を除く。）	細目告示第四十一条第二項第二号から第四号まで及び第三項、第百十九条第二項第二号から第四号まで及び第三項並びに第百九十七条第二項第二号から第四号まで及び第三項
七　軽油を燃料とする大型特殊自動車又は小型特殊自動車であって平成十六年八月三十一日以前に製作されたもの（輸入された自動車以外の自動車であって平成十五年十月一日以降に、指定を受けた型式指定自動車、一酸化炭素等発散防止装置指定自動車及び認定を受けた型式認定自動車を除く。）	細目告示第四十一条第一項第十五号及び第十六号並びに第二項、第百十九条第一項第八号及び第十一号並びに第二項並びに第百九十七条第一項第二号及び第二項

八　軽油を燃料とする大型特殊自動車又は小型特殊自動車であって次に掲げるもの イ　平成二十年八月三十一日以前に製作された定格出力が19kW以上37kW未満である原動機を備えた自動車（輸入された自動車以外の自動車であって平成十九年十月一日以降に、指定を受けた型式指定自動車、一酸化炭素等発散防止装置指定自動車及び認定を受けた型式認定自動車並びに平成十九年九月三十日以前に道路運送車両の保安基準の細目を定める告示の一部を改正する告示（国土交通省告示第千四百号）による改正後の細目告示第四十一条の基準（以下この表において「平成十八年基準」という。）に適合するものとして、指定を受けた型式指定自動車及び一酸化炭素等発散防止装置指定自動車並びに認定を受けた型式認定自動車を除く。） ロ　平成二十一年八月三十一日以前に製作された定格出力が37kW以上56kW未満である原動機を備えた自動車（輸入された自動車以外の自動車であって平成二十年十月一日以降に、指定を受けた型式指定自動車、一酸化炭素等発散防止装置指定自動車及び認定を受けた型式認定自動車並びに平成二十年九月三十日以前に平成十八年基準に適合するものとして、指定を受けた型式指定自動車及び一酸化炭素等発散防止装置指定自動車並びに認定を受けた型式認定自動車を除く。） ハ　平成二十二年八月三十一日以前に製作された定格出力が56kW以上75kW未満である原動機を備えた自動車（輸入された自動車以外の自動車であって平成二十年十月一日以降に、指定を受けた型式指定自動車、一酸化炭素等発散防止装置指定自動車及び認定を受けた型式認定自動車並びに平成二十年九月三十日以前に平成十八年基準に適合するものとして、指定を受けた型式指定自動車及び一酸化炭素等発散防止装置指定自動車並びに認定を受けた型式認定自動車を除く。） ニ　平成二十一年八月三十一日以前に製作された定格出力が75kW以上130kW未満である原動機を備えた自動車（輸入された自動車以外の自動車であって平成十九年十月一日以降に、指定を受けた型式指定自動車、一酸化炭素等発散防止装置指定自動車及び認定を受けた型式認定自動車並びに平成十九年九月三十日以前に平成十八年基準に適合するものとして、指定を受けた型式指定自動車及び一酸化炭素等発散防止装置指定自動車並びに認定を受けた型式認定自動車を除く。） ホ　平成二十年八月三十一日以前に製作された定格出力が130kW以上560kW未満である原動機を備えた自動車（輸入された自動車以外の自動車であって平成十八年十月一日以降に、指定を受けた型式指定自動車、一酸化炭素等発散防止装置指定自動車及び認定を受けた型式認定自動車並びに平成十八年九月三十日以前に平成十八年基準に適合するものとして、指定を受けた型式指定自動車及び一酸化炭素等発散防止	細目告示第百十九条第一項第十一号及び第百九十七条第一項第二号

装置指定自動車並びに認定を受けた型式認定自動車を除く。）

九　ガソリン又は液化石油ガスを燃料とする大型特殊自動車又は小型特殊自動車であって平成二十年八月三十一日以前に製作されたもの（輸入された自動車以外の自動車であって平成十九年十月一日以降に、指定を受けた型式指定自動車及び一酸化炭素等発散防止装置指定自動車並びに認定を受けた型式認定自動車並びに平成十九年九月三十日以前に平成十八年基準に適合するものとして、指定を受けた型式指定自動車及び一酸化炭素等発散防止装置指定自動車並びに認定を受けた型式認定自動車を除く。）

細目告示第四十一条第一項第十三号、第十四号及び第十九号並びに第二項、第百十九条第一項第七号及び第十号並びに第二項並びに第百九十七条第一項第一号並びに第二項

十　平成十八年九月三十日以前に製作されたガソリン又は液化石油ガスを燃料とする普通自動車又は小型自動車（型式指定自動車、一酸化炭素等発散防止装置指定自動車及び国土交通大臣が指定する自動車を除く。）のうち、車両総重量二・五トン（平成十五年九月一日以降に製作されたものにあっては車両総重量三・五トン）を超えるもの（専ら乗用の用に供する乗車定員十人以下のものを除く。）

細目告示第百十九条第一項第一号及び第二号

十一　平成十八年九月三十日以前に製作された軽油を燃料とする普通自動車及び小型自動車（型式指定自動車、一酸化炭素等発散防止装置指定自動車及び国土交通大臣が指定する自動車を除く。）のうち、車両総重量二・五トンを超えるもの（専ら乗用の用に供する乗車定員十人以下のものを除く。）であって次に掲げるもの

細目告示第百十九条第一項第三号及び第二項

イ　平成七年八月三十一日（輸入された自動車にあっては、平成八年三月三十一日）以前に製作された自動車であって、道路運送車両の保安基準の細目を定める告示の一部を改正する告示（平成二十六年国土交通省告示第四十三号。以下「平成二十六年改正告示」という。）による改正前の細目告示別添四十六「無負荷急加速黒煙の測定方法」に規定する方法により測定する黒煙による汚染度（以下この条において単に「黒煙による汚染度」という。）が五十パーセントを超えないもの。ただし、黒煙による汚染度の測定の前に、細目告示別添百九「無負荷急加速時に排出される排出ガスの光吸収係数の測定方法」に規定する方法により測定する排出ガスの光吸収係数（以下この条において単に「光吸収係数」という。）を測定する場合であって、当該光吸収係数が二・七六m^{-1}を超えないときは、黒煙による汚染度が五十パーセントを超えないものとみなす。

ロ　平成十一年六月三十日（輸入された自動車にあっては、平成十二年三月三十一日）以前に製作された自動車（車両総重量が二・五トンを超え三・五トン以下のものに限る。）、平成十一年八月三十一日（輸入された自動車にあっては、平成十二年三月三十一日）以前に製作された自動車（車両総重量が三・五トンを超え十二トン以下のものに限る。）及び平成十二年八月三十一日（輸入された自動車にあっては、平成十三年三月三十一日）以前に製作された自動車（車両総重量が十二トンを超えるものに限る。）であって、黒煙による汚染度が四十パーセントを超えないもの。ただし、黒煙による汚染度の測定の前に、光吸収係数を測定する場合であって、当該光吸収係数が一・六二m^{-1}を超えないときは、黒煙による汚染度が四十パーセントを超えないものとみなす。

ハ　イ及びロに掲げる自動車以外の自動車であって、黒煙による汚染度が二十五パーセントを超えないもの。ただし、黒煙による汚染度の測定の前に、光吸収係数を測定する場合であって、当該光吸収係数が〇・八〇m^{-1}を超えないときは、黒煙による汚染度が二十五パーセントを超えないものとみなす。

十二　平成二十七年二月二十八日以前に製作された軽油を燃料とする普通自動車及び小型自動車（平成二十五年九月三十日以前に指定を受けた型式指定自動車及び国土交通大臣が定める自動車に限る。）のうち、車両総重量が三・五トンを超えるもの（専ら乗用の用に供する乗車定員十人以下のものは除く。）

細目告示第四十一条第二項第五号イ

十三　軽油を燃料とする大型特殊自動車又は小型特殊自動車であって次に掲げるもの

細目告示第四十一条第三項、第百十九条第三項及び第百九十七条第三項

イ　平成二十九年八月三十一日以前に製作された定格出力が19kW以上56kW未満である原動機を備えた自動車（輸入された自動車以外の自動車であって、平成二十八年十月一日以降に指定を受けた型式指定自動車及び一酸化炭素等発散防止装置指定自動車並びに認定を受けた型式認定自動車並びに平成二十八年九月三十日以前に平成二十六年改正告示による改正後の細目告示第四十一条の基準（以下「平成二十六年基準」という。）に適合するものとして指定を受けた型式指定自動車及び一酸化炭素等発散防止装置指定自動車並びに認定を受けた型式認定自動車を除く。）

ロ　平成二十九年八月三十一日以前に製作された定格出力が56kW以上130kW未満である原動機を備えた自動車（輸入された自動車以外の自動車であって、平成二十七年十月一日以降に指定を受けた型式指定自動車及び一酸化炭素等発散防止装置指定自動車並びに認定を受けた型式認定自動車並びに平成二十七年九月三十日以前に平成二十六年基準に適合するものとして指定を受けた型式指定自動車及び一酸化炭素等発散防止装置指定自動車並びに認定を受けた型式認定自動車を除く。）

ハ　平成二十八年八月三十一日以前に製作された定格出力が130kW以上560kW未満である原動機を備えた自動車（輸入された自動車以外の自動車であって、平成二十六年十月一日以降に指定を受けた型式指定

自動車及び一酸化炭素等発散防止装置指定自動車並びに認定を受けた型式認定自動車並びに平成二十六年九月三十日以前に平成二十六年基準に適合するものとして指定を受けた型式指定自動車及び一酸化炭素等発散防止装置指定自動車並びに認定を受けた型式認定自動車を除く。）	
十四　平成二十九年八月三十一日以前に製作された二輪自動車及び側車付二輪自動車（輸入された自動車以外の自動車であって、平成二十八年十月一日以降に指定を受けた型式指定自動車及び一酸化炭素等発散防止装置指定自動車及び認定を受けた型式認定自動車並びに平成二十八年九月三十日以前に道路運送車両の保安基準の細目を定める告示の一部を改正する告示（平成二十七年国土交通省告示第八百二十六号。以下この条において「平成二十七年改正告示」という。）による改正後の細目告示第四十一条の基準（以下この条において「平成二十八年基準」という。）に適合するものとして指定を受けた型式指定自動車及び一酸化炭素等発散防止装置指定自動車並びに認定を受けた型式認定自動車を除く。）	細目告示第四十一条第二項第四号及び同条第四項、第百十九条第二項第四号及び同条第四項並びに第百九十七条第二項第四号及び同条第四項
十五　平成二十七年十一月十九日以前に指定を受けた型式指定自動車及び国土交通大臣が定める自動車	細目告示第四十一条第二項第五号ロ
十六　軽油以外を燃料とする自動車（平成二十九年九月十九日以前に指定を受けた型式指定自動車及び国土交通大臣が定める自動車に限る。）のうち、車両総重量が三・五トンを超えるもの（専ら乗用の用に供する乗車定員九人以下のものを除く。）	細目告示第四十一条第二項第五号ロ
十七　令和元年九月三十日以前に製作された自動車	細目告示別添四十二「軽・中量車排出ガスの測定方法」Ⅱ別紙5の3.3.1.から3.3.1.3.まで
十八　ガソリンを燃料とする直接噴射式の原動機を有する自動車（窒素酸化物還元触媒付ガソリン直噴車を除く。）であって次に掲げるもの イ　令和五年三月三十一日以前に製作された自動車（令和二年十二月一日以降に新たに指定を受けた型式指定自動車及び一酸化炭素等発散防止装置指定自動車を除く。） ロ　令和二年十二月一日から令和五年三月三十一日までに製作された自動車のうち、令和二年十二月一日以降に新たに指定を受けた型式指定自動車であって、同年十一月三十日以前に指定を受けた型式指定自動車と車体の外形、原動機の種類及び主要構造、燃料の種類及び動力用電源装置の種類、動力伝達装置の種類及び主要構造、走行装置の種類及び主要構造並びに排出ガス発散防止装置の仕様が同一であるもの ハ　令和二年十二月一日から令和五年三月三十一日までに製作された自動車のうち国土交通大臣が定める自動車 ニ　令和五年三月三十一日までに発行された出荷検査証に係る自動車であって、当該出荷検査証の発行後十一月を経過しない間に新規検査又は予備検査を受けようとし、又は受けたもの	細目告示第四十一条第一項第一号、第二号、第三号及び第四号（粒子状物質に係る部分に限る。）
十九　ガソリンを燃料とする直接噴射式の原動機を有する自動車（窒素酸化物還元触媒付ガソリン直噴車を除く。）であって、令和五年三月三十一日以前に製作された自動車（令和二年十二月一日以降に新たに指定を受けた型式指定自動車及び一酸化炭素等発散防止装置指定自動車を除く。）	細目告示第百十九条第一号、第二号及び第九号（粒子状物質に係る部分に限る。）
二十　ガソリンを燃料とする二輪自動車であって、令和八年十月三十一日以前に製作された自動車（令和六年十二月一日以降に新たに指定を受けた型式指定自動車、一酸化炭素等発散防止装置指定自動車及び認定を受けた型式認定自動車を除く。）	細目告示別添百十五「二輪車のばい煙、悪臭のあるガス、有害なガス等の発散防止装置に係る車載式故障診断装置の技術基準」Ⅲ・二・三・四・一・
二十一　細目告示第四十一条第一項第七号及び第八号並びに第百十九条第一項第四号に掲げる自動車のうち、次に掲げるもの イ　令和七年九月三十日以前に製作された自動車（令和五年十月一日以降に新たに指定を受けた型式指定自動車及び一酸化炭素等発散防止装置指定自動車を除く。） ロ　令和五年十月一日から令和七年九月三十日までに製作された自動車のうち、令和五年十月一日以降に新たに指定を受けた型式指定自動車であって、同年九月三十日以前に指定を受けた型式指定自動車と車体の外形、原動機の種類及び主要構造、燃料の種類及び動力用電源装置の種類、動力伝達装置の種類及び主要構造、走行装置の種類及び主要構造並びに排出ガス発散防止装置の仕様が同一であるもの ハ　令和五年十月一日から令和七年九月三十日までに製作された自動車のうち国土交通大臣が定める自動車 ニ　令和七年九月三十日以前に発行された出荷検査証に係る自動車であって、当該出荷検査証の発行後十一月を経過しない間に新規検査又	細目告示第四十一条第一項第七号及び第八号並びに第百十九条第一項第四号（粒子状物質の粒子数に係る部分に限る。）

は予備検査を受けようとし、又は受けたもの	
二十二　細目告示第四十一条第一項第三号及び第四号並びに第百十九条第一項第二号に掲げる自動車のうち、次に掲げるもの イ　令和八年九月三十日以前に製作された自動車（令和六年十月一日以降に新たに指定を受けた型式指定自動車及び一酸化炭素等発散防止装置指定自動車を除く。） ロ　令和六年十月一日から令和八年九月三十日までに製作された自動車のうち、令和六年十月一日以降に新たに指定を受けた型式指定自動車であって、同年九月三十日以前に指定を受けた型式指定自動車と車体の外形、原動機の種類及び主要構造、燃料の種類及び動力用電源装置の種類、動力伝達装置の種類及び主要構造、走行装置の種類及び主要構造並びに排出ガス発散防止装置の仕様が同一であるもの ハ　令和六年十月一日から令和八年九月三十日までに製作された自動車のうち国土交通大臣が定める自動車 ニ　令和八年九月三十日以前に発行された出荷検査証に係る自動車であって、当該出荷検査証の発行後十一月を経過しない間に新規検査又は予備検査を受けようとし、又は受けたもの	細目告示第四十一条第一項第三号及び第四号並びに第百十九条第一項第二号（粒子状物質の粒子数に係る部分に限る。）
二十三　細目告示第四十一条第一項第五号及び第六号並びに第百十九条第一項第三号に掲げる自動車のうち、次に掲げるもの イ　令和八年九月三十日以前に製作された自動車（令和五年十月一日以降に新たに指定を受けた型式指定自動車及び一酸化炭素等発散防止装置指定自動車を除く。） ロ　令和五年十月一日から令和八年九月三十日までに製作された自動車のうち、令和五年十月一日以降に新たに指定を受けた型式指定自動車であって、同年九月三十日以前に指定を受けた型式指定自動車と車体の外形、原動機の種類及び主要構造、燃料の種類及び動力用電源装置の種類並びに排出ガス発散防止装置の仕様が同一であるもの ハ　令和五年十月一日から令和八年九月三十日までに製作された自動車のうち国土交通大臣が定める自動車 ニ　令和八年九月三十日以前に発行された出荷検査証に係る自動車であって、当該出荷検査証の発行後十一月を経過しない間に新規検査又は予備検査を受けようとし、又は受けたもの	細目告示第四十一条第一項第五号及び第六号並びに第百十九条第一項第三号（粒子状物質の粒子数に係る部分に限る。）
二十四　細目告示第四十一条第一項第一号及び第二号並びに第百十九条第一項第一号に掲げる自動車のうち、次に掲げるもの イ　令和八年九月三十日以前に製作された自動車（令和六年十月一日以降に新たに指定を受けた型式指定自動車及び一酸化炭素等発散防止装置指定自動車を除く。） ロ　令和六年十月一日から令和八年九月三十日までに製作された自動車のうち、令和六年十月一日以降に新たに指定を受けた型式指定自動車であって、同年九月三十日以前に指定を受けた型式指定自動車と車体の外形、原動機の種類及び主要構造、燃料の種類及び動力用電源装置の種類、並びに排出ガス発散防止装置の仕様が同一であるもの ハ　令和六年十月一日から令和八年九月三十日までに製作された自動車のうち国土交通大臣が定める自動車 ニ　令和八年九月三十日以前に発行された出荷検査証に係る自動車であって、当該出荷検査証の発行後十一月を経過しない間に新規検査又は予備検査を受けようとし、又は受けたもの	細目告示第四十一条第一項第一号及び第二号並びに第百十九条第一項第一号（粒子状物質の粒子数に係る部分に限る。）
二十五　ガソリン又は液化石油ガスを燃料とする大型特殊自動車又は小型特殊自動車であって令和九年九月三十日以前に製作された定格出力が十九キロワット以上五百六十キロワット未満である原動機を備えたもの（輸入された自動車以外の自動車であって、令和六年十月一日以降に指定を受けた型式指定自動車及び一酸化炭素等発散防止装置指定自動車並びに認定を受けた型式認定自動車並びに令和六年九月三十日以前に道路運送車両の保安基準の細目を定める告示等の一部を改正する告示（令和六年国土交通省告示第二号）による改正後の細目告示第四十一条の基準に適合するものとして指定を受けた型式指定自動車及び一酸化炭素等発散防止装置指定自動車並びに認定を受けた型式認定自動車を除く。）	細目告示第四十一条第三項及び第百十九条第三項

2　昭和四十八年十一月三十日以前に製作された普通自動車及び小型自動車（昭和四十八年四月一日以降に指定を受けた型式指定自動車を除く。）については、細目告示第四十一条第一項第一号から第四号まで及び第二項の規定にかかわらず、法第七十五条第四項の検査の際、積車状態で次の表の上欄に掲げる運転条件で運行する場合に発生し、排気管から大気中に排出される排出物に含まれる一酸化炭素の容量比で表した測定値にそれぞれ同表の下欄に掲げる係数を乗じて得た値を加算した値が、ガソリンを燃料とする自動車にあっては二・五パーセント、液化石油ガスを燃料とするものにあっては、一・五パーセント以下であればよい。

運転条件	係数
原動機を無負荷運転している状態	〇・一一
発進から速度四十キロメートル毎時に至る加速状態	〇・三五
速度四十キロメートル毎時における定速状態	〇・五二
速度四十キロメートル毎時から停止に至る減速状態	〇・〇二

3　昭和四十八年十一月三十日以前に製作された軽自動車（昭和四十八年四月一日以降に道路運送車両法の一部を改正する法律（昭和四十七年法律第六十二号）附則第二条第五項の規定により指定を受けたもの、指定を受けた型式指定自動車及び施行規則第六十二条の三第一項の規定により型式について認定を受けたものを除く。）については、細目告示第四十一条第一項第三号及

び第四号並びに第二項の規定にかかわらず、型式指定自動車にあっては法第七十五条第四項の検査、一酸化炭素等発散防止装置指定自動車にあっては施行規則第六十二条の五第一項の検査（以下「完成検査等」という。）の際、積車状態で前項の表の上欄に掲げる運転条件で運行する場合に発生し、排気管から大気中に排出される排出物に含まれる一酸化炭素の容量比で表した測定値にそれぞれ同表の下欄に掲げる係数を乗じて得た値を加算した値が三・〇パーセント以下であればよい。

4　昭和五十年十一月三十日（二サイクルの原動機を有する軽自動車（専ら乗用の用に供するものに限る。）及び輸入された自動車にあっては、昭和五十一年三月三十一日）以前に製作された自動車であって第一表の自動車の種別の欄に掲げるもの（第二項及び第三項の自動車並びに昭和五十年四月一日以降に、指定を受けた型式指定自動車及び認定を受けた一酸化炭素等発散防止装置認定自動車を除く。）については、細目告示第四十一条第一項第三号及び第四号並びに第二項の規定にかかわらず、完成検査等の際、三十八キロメートル毎時以上四十二キロメートル毎時以下の範囲内の速度で十五分間以上運転を行った当該自動車を空車状態とし、これに二人の人員（人員一人の重量は、五十五キログラムとする。）が乗車し、又は百十キログラムの物品が積載された状態で、第二表に掲げる運転条件で運行する場合（以下単に「十モード法により運行する場合」という。）に発生し、排気管から大気中に排出される排出物に含まれる一酸化炭素、炭化水素及び窒素酸化物の走行距離一キロメートル当たりの排出量をグラムで表した値（炭化水素にあっては、炭素数当量による容量比で表した値をグラムに換算した値）がそれぞれ第一表の一酸化炭素の欄、炭化水素の欄又は窒素酸化物の欄に掲げる値を超えないものであればよい。

第一表

自動車の種別		一酸化炭素	炭化水素	窒素酸化物
普通自動車又は小型自動車（二輪自動車を除く。）であって、車両総重量が二・五トン以下のもの及び専ら乗用の用に供する乗車定員十人以下のもの並びに軽自動車（二輪自動車及び二サイクルの原動機を有するものを除く。）	ガソリンを燃料とするもの	二十六・〇	三・八〇	三・〇〇
	液化石油ガスを燃料とするもの	十八・〇	三・二〇	三・〇〇
二サイクルの原動機を有する軽自動車（二輪自動車を除く。）	ガソリン又は液化石油ガスを燃料とするもの	二十六・〇	二十二・五	〇・五〇

第二表

運転条件	
状態	時間（秒）
原動機を無負荷運転している状態	二十
発進から速度二十キロメートル毎時に至る加速走行状態	七
速度二十キロメートル毎時における定速走行状態	十五
速度二十キロメートル毎時から停止に至る減速走行状態	七
原動機を無負荷運転している状態	十六
発進から速度四十キロメートル毎時に至る加速走行状態	十四
速度四十キロメートル毎時における定速走行状態	十五
速度四十キロメートル毎時から速度二十キロメートル毎時に至る減速走行状態	十
速度二十キロメートル毎時における定速走行状態	二
速度二十キロメートル毎時から速度四十キロメートル毎時に至る加速走行状態	十二
速度四十キロメートル毎時から停止に至る減速走行状態	十七

5　昭和五十二年九月三十日以前に製作された二サイクルの原動機を有する軽自動車（専ら乗用の用に供するものであって、第三項及び第四項の規定の適用を受けるもの以外のものに限る。）については、細目告示第四十一条第一項第三号及び第四号並びに第二項並びに第百十九条第一項第二号及び第二項の規定にかかわらず、新規検査及び予備検査（以下「新規検査等」という。）の際、次の基準に適合するものであればよい。

一　当該自動車を十モード法により運行する場合に発生し、排気管から大気中に排出される排出物に含まれる一酸化炭素、炭化水素及び窒素酸化物の走行距離一キロメートル当たりの排出量をグラムで表した値（炭化水素にあっては、炭素数当量による容量比で表した値をグラムに換算した値）が、一酸化炭素にあっては二・七〇、炭化水素にあっては五・六〇、窒素酸化物にあっては〇・五〇を超えないものであること。

二　当該自動車を道路運送車両の保安基準の細目を定める告示の一部を改正する告示（平成十八年国土交通省告示第千二百六十八号。以下「平成十八年改正告示」という。）による改正前の細目告示別添四十二「軽・中量車排出ガスの測定方法」に規定する十一モード法（以下単に「十一モード法」という。）により運行する場合に発生し、当該排気管から大気中に排出される排出物に含まれる一酸化炭素、炭化水素及び窒素酸化物の排出量をグラムで表した値（炭化水素にあっては、炭素数当量による容量比で表した値をグラムに換算した値）が、一酸化炭素にあっては八十五・〇、炭化水素にあっては三十三・〇、窒素酸化物にあっては六・〇〇を超えないものであること。

三　前二号の基準に適合させるために当該自動車に備える一酸化炭素、炭化水素及び窒素酸化物を減少させる装置が、細目告示第四十一条第二項第一号から第三号まで及び第百十九条第二項第一号から第三号までに掲げる基準に適合したものであること。

6　細目告示第四十一条第一項第四号の表のイに掲げる自動車（二サイクルの原動機を有する軽自動車を除く。）であって昭和五十二年二月二十八日（輸入された自動車にあっては、昭和五十三年二月二十八日）以前に製作されたもの（第二項から第四項までの自動車並びに昭和五十一年四月一日以降に、指定を受けた型式指定自動車及び認定を受けた一酸化炭素等発散防止装置認定自動車を除く。）については、同条第一項第三号及び第四号並びに第二項並びに第百十九条第一項第二号及び第二項の規定にかかわらず、新規検査等の際、次の基準に適合するものであればよい。

一 当該自動車を十モード法により運行する場合に発生し、排気管から大気中に排出される排出物に含まれる一酸化炭素、炭化水素及び窒素酸化物の走行距離一キロメートル当たりの排出量をグラムで表した値（炭化水素にあっては、炭素数当量による容量比で表した値をグラムに換算した値）が、一酸化炭素にあっては二・七〇、炭化水素にあっては〇・三九、窒素酸化物にあっては一・六〇を超えないものであること。

二 当該自動車を十一モード法により運行する場合に発生し、排気管から大気中に排出される排出物に含まれる一酸化炭素、炭化水素及び窒素酸化物の排出量をグラムで表した値（炭化水素にあっては、炭素数当量による容量比で表した値をグラムに換算した値）が、一酸化炭素にあっては八十五・〇、炭化水素にあっては九・五〇、窒素酸化物にあっては十一・〇を超えないものであること。

三 前二号の基準に適合させるために当該自動車に備える一酸化炭素、炭化水素及び窒素酸化物を減少させる装置が、細目告示第四十一条第二項第一号から第三号まで及び第百十九条第二項第一号から第三号までに掲げる基準に適合したものであること。

7 第一表の自動車の種別の欄に掲げる自動車であって昭和五十三年三月三十一日以前に製作されたもの（第二項の自動車並びに昭和五十二年八月一日以降に、指定を受けた型式指定自動車及び認定を受けた一酸化炭素等発散防止装置認定自動車を除く。）については、細目告示第四十一条第一項第一号及び第二号並びに第二項の規定にかかわらず、完成検査等の際、第二表の上欄に掲げる運転条件で運行する場合に発生し、排気管から大気中に排出される排出物に含まれる一酸化炭素、炭化水素及び窒素酸化物の容量比（炭化水素にあっては、ノルマルヘキサン当量による容量比）で表した測定値にそれぞれ同表の下欄に掲げる係数を乗じて得た値を加算した値がそれぞれ第一表の一酸化炭素の欄、炭化水素の欄又は窒素酸化物の欄に掲げる値を超えないものであればよい。

第一表

自動車の種別		一酸化炭素	炭化水素	窒素酸化物
普通自動車又は小型自動車（二輪自動車を除く。）であって細目告示第四十一条第一項第一号及び第二号の自動車	ガソリンを燃料とするもの	百分の一・六	百万分の五百二十	百万分の二千二百
	液化石油ガスを燃料とするもの	百分の一・一	百万分の四百四十	百万分の二千二百

第二表

運転条件	係数
原動機を無負荷運転している状態	〇・一二五
原動機を毎分二千回転で運転している状態（この場合における吸気マニホールド内の負圧（大気圧よりも小さい圧力である場合における大気圧との圧力差をいう。以下この表において同じ。）は、十六・七キロパスカルとする。）	〇・一一四
原動機を毎分三千回転で運転している状態（この場合における吸気マニホールド内の負圧は、十六・七キロパスカルとする。）	〇・二七七
原動機を毎分三千回転で運転している状態（この場合における吸気マニホールド内の負圧は、二十六・七キロパスカルとする。）	〇・二五四
原動機を毎分二千回転で運転している状態（この場合における吸気マニホールド内の負圧は、五十六・〇キロパスカルとする。）	〇・一三九
原動機を毎分二千回転で運転している状態（この場合における吸気マニホールド内の負圧は、五十六・〇キロパスカルとする。）から、気化器の絞り弁を全閉にして毎分千回転に減速運転している状態（この場合において、原動機の回転数を毎分二千回転から毎分千回転に減速するのに要する時間は十秒間とする。）	〇・〇九一

8 軽油を燃料とする普通自動車及び小型自動車であって昭和五十三年三月三十一日以前に製作されたもの（第一項の表の第四号に掲げる自動車並びに昭和五十二年八月一日以降に、指定を受けた型式指定自動車及び認定を受けた一酸化炭素等発散防止装置認定自動車を除く。）については、細目告示第四十一条第一項第五号から第八号まで及び第二項並びに第百十九条第一項第三号及び第四号並びに第二項の規定にかかわらず、完成検査等の際、次の表の上欄に掲げる運転条件で運行する場合に発生し、排気管から大気中に排出される排出物に含まれる一酸化炭素、炭化水素及び窒素酸化物の容量比（炭化水素にあっては、炭素数当量による容量比）で表した測定値にそれぞれ同表の下欄に掲げる係数を乗じて得た値を加算した値が、一酸化炭素にあっては百万分の九百八十、炭化水素にあっては百万分の六百七十、窒素酸化物にあっては百万分の五百九十（直接噴射式の原動機を有する自動車にあっては、百万分の千）を超えないものであればよい。

運転条件	係数
原動機を無負荷運転している状態	〇・三五五
原動機を最高出力時の回転数の四十パーセントの回転数で全負荷運転している状態	〇・〇七一
原動機を最高出力時の回転数の四十パーセントの回転数でその負荷を全負荷の二十五パーセントにして運転している状態	〇・〇五九
原動機を最高出力時の回転数の六十パーセントの回転数で全負荷運転している状態	〇・一〇七
原動機を最高出力時の回転数の六十パーセントの回転数でその負荷を全負荷の二十五パーセントにして運転している状態	〇・一二二
原動機を最高出力時の回転数の八十パーセントの回転数でその負荷を全負荷の七十五パーセントにして運転している状態	〇・二八六

9 細目告示第四十一条第一項第三号の表のイ、同項第四号の表のイ及び第百十九条第一項第二号の表のイに掲げる自動車（専ら乗用の用に供する乗車定員十人以下の普通自動車及び小型自動車（二輪自動車を除く。）並びに専ら乗用の用に供する軽自動車（二輪自動車を除く。）に限る。）であって昭和五十四年二月二十八日（輸入された自動車にあっては、昭和五十六年三月三十一日）以前に製作されたもの（第二項から第六項までの自動車並びに輸入された自動車以外の自動車であって、昭和五十三年四月一日以降に、指定を受けた型式指定自動車及び認定を受けた一酸化炭

素等発散防止装置認定自動車を除く。）については、細目告示第四十一条第一項第三号及び第四号並びに第二項並びに第百十九条第一項第二号及び第二項の規定にかかわらず、新規検査等の際、次の基準に適合するものであればよい。

一　当該自動車を十モード法により運行する場合に発生し、排気管から大気中に排出される排出物に含まれる一酸化炭素、炭化水素及び窒素酸化物の走行距離一キロメートル当たりの排出量をグラムで表した値（炭化水素にあっては、炭素数当量による容量比で表した値をグラムに換算した値）が、一酸化炭素にあっては二・七〇、炭化水素にあっては〇・三九、窒素酸化物にあっては〇・八四（二サイクルの原動機を有する軽自動車にあっては〇・五〇、四サイクルの原動機を有する軽自動車並びに等価慣性重量が一トンを超える普通自動車及び小型自動車にあっては一・二〇）を超えないものであること。

二　当該自動車を十一モード法により運行する場合に発生し、排気管から大気中に排出される排出物に含まれる一酸化炭素、炭化水素及び窒素酸化物の排出量をグラムで表した値（炭化水素にあっては、炭素数当量による容量比で表した値をグラムに換算した値）が、一酸化炭素にあっては八十五・〇、炭化水素にあっては九・五〇、窒素酸化物にあっては八・〇〇（二サイクルの原動機を有する軽自動車にあっては六・〇〇、四サイクルの原動機を有する軽自動車並びに等価慣性重量が一トンを超える普通自動車及び小型自動車にあっては九・〇〇）を超えないものであること。

三　前二号の基準に適合させるために当該自動車に備える一酸化炭素、炭化水素及び窒素酸化物を減少させる装置が、細目告示第四十一条第二項第一号から第三号まで及び第百十九条第二項第一号から第三号までに掲げる基準に適合したものであること。

10　ガソリン又は液化石油ガスを燃料とする車両総重量が二・五トン以下の普通自動車及び小型自動車（専ら乗用の用に供する乗車定員十人以下の普通自動車及び小型自動車（二輪自動車を除く。）並びに専ら乗用の用に供する軽自動車（二輪自動車を除く。）を除く。）であって昭和五十四年十一月三十日（輸入された自動車にあっては、昭和五十六年三月三十一日）以前に製作されたもの（第二項から第四項までの自動車並びに輸入された自動車以外の自動車であって、昭和五十四年一月一日以降に、指定を受けた型式指定自動車及び認定を受けた一酸化炭素等発散防止装置認定自動車を除く。）については、細目告示第四十一条第一項第三号及び第四号並びに第二項並びに第百十九条第一項第二号及び第二項の規定にかかわらず、新規検査等の際、次の基準に適合するものであればよい。

一　当該自動車を十モード法により運行する場合に発生し、排気管から大気中に排出される排出物に含まれる一酸化炭素、炭化水素及び窒素酸化物の走行距離一キロメートル当たりの排出量をグラムで表した値（炭化水素にあっては、炭素数当量による容量比で表した値をグラムに換算した値）が、一酸化炭素にあっては十七・〇、炭化水素にあっては二・七〇（二サイクルの原動機を有する軽自動車にあっては、十五・〇）、窒素酸化物にあっては二・三〇（二サイクルの原動機を有する軽自動車にあっては、〇・五〇）を超えないものであること。

二　当該自動車を十一モード法により運行する場合に発生し、排気管から大気中に排出される排出物に含まれる一酸化炭素、炭化水素及び窒素酸化物の排出量をグラムで表した値（炭化水素にあっては、炭素数当量による容量比で表した値をグラムに換算した値）が、一酸化炭素にあっては百三十、炭化水素にあっては十七・〇（二サイクルの原動機を有する軽自動車にあっては、七十・〇）、窒素酸化物にあっては二十・〇（二サイクルの原動機を有する軽自動車にあっては、四・〇〇）を超えないものであること。

三　前二号の基準に適合させるために当該自動車に備える一酸化炭素、炭化水素及び窒素酸化物を減少させる装置が、細目告示第四十一条第二項第一号から第三号まで及び第百十九条第二項第一号から第三号までに掲げる基準に適合したものであること。

11　次の表の自動車の種別の欄に掲げる自動車であって昭和五十四年十一月三十日（輸入された自動車にあっては、昭和五十六年三月三十一日）以前に製作されたもの（第二項及び第七項の自動車並びに輸入された自動車以外の自動車であって、昭和五十四年一月一日以降に、指定を受けた型式指定自動車及び認定を受けた一酸化炭素等発散防止装置認定自動車を除く。）については細目告示第四十一条第一項第一号及び第二号並びに第二項の規定にかかわらず、完成検査等の際、第七項の第二表の上欄に掲げる運転条件で運行する場合に発生し、排気管から大気中に排出される排出物に含まれる一酸化炭素、炭化水素及び窒素酸化物の容量比（炭化水素にあっては、ノルマルヘキサン当量による容量比）で表した測定値にそれぞれ同表の下欄に掲げる係数を乗じて得た値を加算した値がそれぞれ次の表の一酸化炭素の欄、炭化水素の欄又は窒素酸化物の欄に掲げる値を超えないものであればよい。

自動車の種別		一酸化炭素	炭化水素	窒素酸化物
普通自動車又は小型自動車（専ら乗用の用に供するもの及び二輪自動車を除く。）であって車両総重量が二・五トンを超えるもの	ガソリンを燃料とするもの	百分の一・六	百万分の五百二十	百万分の千八百五十
	液化石油ガスを燃料とするもの	百分の一・一	百万分の四百四十	百万分の千八百五十

12　軽油を燃料とする普通自動車及び小型自動車であって昭和五十五年二月二十九日（輸入された自動車にあっては、昭和五十六年三月三十一日）以前に製作されたもの（第一項の表の第四号及び第八項の自動車並びに輸入された自動車以外の自動車であって、昭和五十四年四月一日以降に、指定を受けた型式指定自動車及び認定を受けた一酸化炭素等発散防止装置認定自動車を除く。）については、細目告示第四十一条第一項第五号から第八号まで及び第二項並びに第百十九条第一項第三号及び第四号並びに第二項の規定にかかわらず、完成検査等の際、次の各号に掲げる基準に適合するものであればよい。

一　第八項の表の上欄に掲げる運転条件で運行する場合に発生し、排気管から大気中に排出される排出物に含まれる一酸化炭素、炭化水素及び窒素酸化物の容量比（炭化水素にあっては、炭素数当量による容量比）で表した測定値にそれぞれ同表の下欄に掲げる係数を乗じて得た値を加算した値が、一酸化炭素にあっては百万分の九百八十、炭化水素にあっては百万分の六百七十、窒素酸化物にあっては百万分の五百（直接噴射式の原動機を有する自動車にあっては、百万分の八百五十）を超えないこと。

二　黒煙による汚染度が五十パーセントを超えないこと。ただし、黒煙による汚染度の測定の前に、光吸収係数を測定する場合であって、当該光吸収係数が一・七m^{-1}を超えないときは、黒煙による汚染度が五十パーセントを超えないものとみなす。

13　細目告示第四十一条第一項第三号の表のロ及び同項第四号の表のロに掲げる自動車であって昭和五十六年十一月三十日（輸入された自動車にあっては、昭和五十八年三月三十一日）以前に製作されたもの（第二項、第四項及び第十項の自動車並びに輸入された自動車以外の自動車であって、昭和五十六年一月一日以降に、指定を受けた型式指定自動車及び認定を受けた一酸化炭素等発散防止装置認定自動車を除く。）については、同条第一項第三号及び第四号並びに第二項並びに第百十九条第一項第二号及び第二項の規定にかかわらず、新規検査等の際、次の基準に適合するものであればよい。

一　当該自動車を十モード法により運行する場合に発生し、排気管から大気中に排出される排出物に含まれる一酸化炭素、炭化水素及び窒素酸化物の走行距離一キロメートル当たりの排出量をグラムで表した値（炭化水素にあっては、炭素数当量による容量比で表した値をグラムに換算した値）が、一酸化炭素にあっては十七・〇、炭化水素にあっては二・七〇、窒素酸化物にあっては一・四〇を超えないものであること。

二　当該自動車を十一モード法により運行する場合に発生し、排気管から大気中に排出される排出物に含まれる一酸化炭素、炭化水素及び窒素酸化物の排出量をグラムで表した値（炭化水素にあっては、炭素数当量による容量比で表した値をグラムに換算した値）が、一酸化炭素にあっては百三十、炭化水素にあっては十七・〇、窒素酸化物にあっては十・〇を超えないものであること。

三　前二号の基準に適合させるために当該自動車に備える一酸化炭素、炭化水素及び窒素酸化物を減少させる装置が、細目告示第四十一条第二項第一号から第三号まで及び第百十九条第二項第一号から第三号までに掲げる基準に適合したものであること。

14　細目告示第四十一条第一項第三号の表のハ及び同項第四号の表のハに掲げる自動車（車両総重量が二・五トン以下のものに限る。）であって昭和五十七年十月三十一日（輸入された自動車にあっては、昭和五十九年三月三十一日）以前に製作されたもの（第二項、第四項及び第十項の自動車並びに輸入された自動車以外の自動車であって、昭和五十六年十二月一日以降に、指定を受けた型式指定自動車及び認定を受けた一酸化炭素等発散防止装置認定自動車を除く。）については、同条第一項第三号及び第四号並びに第二項並びに第百十九条第一項第二号及び第二項の規定にかかわらず、新規検査等の際、次の基準に適合するものであればよい。

一　当該自動車を十モード法により運行する場合に発生し、排気管から大気中に排出される排出物に含まれる一酸化炭素、炭化水素及び窒素酸化物の走行距離一キロメートル当たりの排出量をグラムで表した値（炭化水素にあっては、炭素数当量による容量比で表した値をグラムに換算した値）が、一酸化炭素にあっては十七・〇、炭化水素にあっては二・七〇、窒素酸化物にあっては一・六〇を超えないものであること。

二　当該自動車を十一モード法により運行する場合に発生し、排気管から大気中に排出される排出物に含まれる一酸化炭素、炭化水素及び窒素酸化物の排出量をグラムで表した値（炭化水素にあっては、炭素数当量による容量比で表した値をグラムに換算した値）が、一酸化炭素にあっては百三十、炭化水素にあっては十七・〇、窒素酸化物にあっては十一・〇を超えないものであること。

三　前二号の基準に適合させるために当該自動車に備える一酸化炭素、炭化水素及び窒素酸化物を減少させる装置が、細目告示第四十一条第二項第一号から第三号まで及び第百十九条第二項第一号から第三号までに掲げる基準に適合したものであること。

15　細目告示第四十一条第一項第三号の表のニ及び同項第四号の表のニに掲げる自動車であって昭和五十七年十一月三十日（輸入された自動車にあっては、昭和五十九年三月三十一日）以前に製作されたもの（第三項、第四項及び第八項の自動車並びに輸入された自動車以外の自動車であって、昭和五十七年一月一日以降に、指定を受けた型式指定自動車及び認定を受けた一酸化炭素等発散防止装置認定自動車を除く。）については、同条第一項第三号及び第四号並びに第二項並びに第百十九条第一項第二号及び第二項の規定にかかわらず、新規検査等の際、次の基準に適合するものであればよい。

一　当該自動車を十モード法により運行する場合に発生し、排気管から大気中に排出される排出物に含まれる一酸化炭素、炭化水素及び窒素酸化物の走行距離一キロメートル当たりの排出量をグラムで表した値（炭化水素にあっては、炭素数当量による容量比で表した値をグラムに換算した値）が、一酸化炭素にあっては十七・〇、炭化水素にあっては二・七〇（二サイクルの原動機を有する軽自動車にあっては、十五・〇）、窒素酸化物にあっては一・六〇（二サイクルの原動機を有する軽自動車にあっては、〇・五〇）を超えないものであること。

二　当該自動車を十一モード法により運行する場合に発生し、排気管から大気中に排出される排出物に含まれる一酸化炭素、炭化水素及び窒素酸化物の排出量をグラムで表した値（炭化水素にあっては、炭素数当量による容量比で表した値をグラムに換算した値）が、一酸化炭素にあっては、百三十、炭化水素にあっては十七・〇（二サイクルの原動機を有する軽自動車にあっては、七十・〇）、窒素酸化物にあっては十一・〇（二サイクルの原動機を有する軽自動車にあっては、四・〇〇）を超えないものであること。

三　前二号の基準に適合させるために当該自動車に備える一酸化炭素、炭化水素及び窒素酸化物を減少させる装置が、細目告示第四十一条第二項第一号から第三号まで及び第百十九条第二項第一号から第三号までに掲げる基準に適合したものであること。

16　次の表の自動車の種別の欄に掲げる自動車であって昭和五十七年十一月三十日（輸入された自動車にあっては、昭和五十九年三月三十一日）以前に製作されたもの（第二項、第七項及び第十一項の自動車並びに輸入された自動車以外の自動車であって、昭和五十七年一月一日以降に、指定を受けた型式指定自動車及び認定を受けた一酸化炭素等発散防止装置認定自動車を除く。）については、細目告示第四十一条第一項第一号及び第二号並びに第二項の規定にかかわらず、完成検査等の際、第七項の第二表の上欄に掲げる運転条件で運行する場合に発生し、排気管から大気中に排出される排出物に含まれる一酸化炭素、炭化水素及び窒素酸化物の容量比（炭化水素にあっては、ノルマルヘキサン当量による容量比）で表した測定値にそれぞれ同表の下欄に掲げる係数を乗じて得た値を加算した値がそれぞれ次の表の一酸化炭素の欄、炭化水素の欄又は窒素酸化物の欄に掲げる値を超えないものであればよい。

自動車の種別		一酸化炭素	炭化水素	窒素酸化物
普通自動車又は小型自動車（専ら乗用の用に供するもの及び二輪自動車を除く。）であって車両総重量が二・五トンを超えるもの	ガソリンを燃料とするもの	百分の一・六	百万分の五百二十	百万分の千三百九十
	液化石油ガスを燃料とするもの	百分の一・一	百万分の四百四十	百万分の千三百九十

17　軽油を燃料とする普通自動車及び小型自動車であって昭和五十八年八月三十一日（専ら乗用の用に供する乗車定員十人以下の自動車であって輸入された自動車以外のものにあっては昭和五十七年十一月三十日、輸入された自動車にあっては昭和五十九年三月三十一日）以前に製作されたもの（第一項の表の第四号に掲げる自動車、第八項及び第十二項の自動車並びに輸入された自動車以外の自動車であって、昭和五十七年十月一日（専ら乗用の用に供する乗車定員十人以下の自動車にあっては、昭和五十七年一月一日）以降に、指定を受けた型式指定自動車及び認定を受け

た一酸化炭素等発散防止装置認定自動車を除く。）については、細目告示第四十一条第一項第五号から第八号まで及び第二項並びに第百十九条第一項第三号及び第四号並びに第二項の規定にかかわらず、完成検査等の際、次の各号に掲げる基準に適合するものであればよい。

一　第八項の表の上欄に掲げる運転条件で運行する場合に発生し、排気管から大気中に排出される排出物に含まれる一酸化炭素、炭化水素及び窒素酸化物の容量比（炭化水素にあっては、炭素数当量による容量比）で表した測定値にそれぞれ同表の下欄に掲げる係数を乗じて得た値を加算した値が、一酸化炭素にあっては百万分の九百八十、炭化水素にあっては百万分の六百七十、窒素酸化物にあっては百万分の四百五十（直接噴射式の原動機を有する自動車にあっては、百万分の七百）を超えないこと。

二　黒煙による汚染度が五十パーセントを超えないこと。ただし、黒煙による汚染度の測定の前に、光吸収係数を測定する場合であって、当該光吸収係数が二・七六m^{-1}を超えないときは、黒煙による汚染度が五十パーセントを超えないものとみなす。

18　軽油を燃料とする普通自動車及び小型自動車であって昭和五十九年六月三十日（輸入された自動車にあっては、昭和六十年三月三十一日）以前に製作されたもの（第一項の表の第四号に掲げる自動車、第八項、第十二項及び第十七項の自動車並びに輸入された自動車以外の自動車であって、昭和五十八年八月一日以降に、指定を受けた型式指定自動車及び認定を受けた一酸化炭素等発散防止装置認定自動車を除く。）については、細目告示第四十一条第一項第五号から第八号まで及び第二項並びに第百十九条第一項第三号及び第四号並びに第二項の規定にかかわらず、完成検査等の際、第八項の表の上欄に掲げる運転条件で運行する場合に発生し、排気管から大気中に排出される排出物に含まれる一酸化炭素、炭化水素及び窒素酸化物の容量比（炭化水素にあっては、炭素数当量による容量比）で表した測定値にそれぞれ同表の下欄に掲げる係数を乗じて得た値を加算した値が、一酸化炭素にあっては百万分の九百八十、炭化水素にあっては百万分の六百七十、窒素酸化物にあっては百万分の三百九十（直接噴射式の原動機を有する自動車にあっては、百万分の七百）を超えないものであればよい。

19　軽油を燃料とする専ら乗用の用に供する乗車定員十人以下の普通自動車及び小型自動車（手動式の変速装置を備えたものに限る。）であって昭和六十二年八月三十一日（輸入された自動車にあっては、昭和六十三年三月三十一日）以前に製作されたもの（第一項の表の第四号に掲げる自動車、第八項、第十二項、第十七項及び第十八項の自動車並びに輸入された自動車以外の自動車であって、昭和六十一年十月一日以降に、指定を受けた型式指定自動車及び認定を受けた一酸化炭素等発散防止装置認定自動車を除く。）については、細目告示第四十一条第一項第七号及び第八号並びに第二項並びに第百十九条第一項第四号及び第二項の規定にかかわらず、完成検査等の際、第八項の表の上欄に掲げる運転条件で運行する場合に発生し、排気管から大気中に排出される排出物に含まれる一酸化炭素、炭化水素及び窒素酸化物の容量比（炭化水素にあっては、炭素数当量による容量比）で表した測定値にそれぞれ同表の下欄に掲げる係数を乗じて得た値を加算した値が、一酸化炭素にあっては百万分の九百八十、炭化水素にあっては百万分の六百七十、窒素酸化物にあっては百万分の三百九十（直接噴射式の原動機を有する自動車にあっては、百万分の六百十）を超えないものであればよい。

20　軽油を燃料とする専ら乗用の用に供する乗車定員十人以下の普通自動車及び小型自動車（手動式の変速装置を備えたものを除く。）であって昭和六十三年八月三十一日（輸入された自動車にあっては、平成元年三月三十一日）以前に製作されたもの（第一項の表の第四号に掲げる自動車、第八項、第十二項、第十七項及び第十八項の自動車並びに輸入された自動車以外の自動車であって、昭和六十二年十月一日以降に、指定を受けた型式指定自動車及び認定を受けた一酸化炭素等発散防止装置認定自動車を除く。）については、細目告示第四十一条第一項第七号及び第八号並びに第二項並びに第百十九条第一項第四号及び第二項の規定にかかわらず、完成検査等の際、第八項の表の上欄に掲げる運転条件で運行する場合に発生し、排気管から大気中に排出される排出物に含まれる一酸化炭素、炭化水素及び窒素酸化物の容量比（炭化水素にあっては、炭素数当量による容量比）で表した測定値にそれぞれ同表の下欄に掲げる係数を乗じて得た額が、一酸化炭素にあっては百万分の九百八十、炭化水素にあっては百万分の六百七十、窒素酸化物にあっては百万分の三百九十（直接噴射式の原動機を有する自動車にあっては、百万分の六百十）を超えないものであればよい。

21　細目告示第四十一条第一項第三号の表のイ及び同項第四号の表のイに掲げる自動車であって平成元年十月三十一日（輸入された自動車にあっては、平成三年三月三十一日）以前に製作されたもの（第二項、第四項、第十項及び第十三項の自動車並びに輸入された自動車以外の自動車であって、昭和六十三年十二月一日以降に、指定を受けた型式指定自動車及び認定を受けた一酸化炭素等発散防止装置認定自動車を除く。）については、細目告示第四十一条第一項第三号及び第四号並びに第二項並びに第百十九条第一項第二号及び第二項の規定にかかわらず、新規検査等の際、次の基準に適合するものであればよい。

一　当該自動車を十モード法により運行する場合に発生し、排気管から大気中に排出される排出物に含まれる一酸化炭素、炭化水素及び窒素酸化物の走行距離一キロメートル当たりの排出量をグラムで表した値（炭化水素にあっては、炭素数当量による容量比で表した値をグラムに換算した値）が、一酸化炭素にあっては十七・〇、炭化水素にあっては二・七〇、窒素酸化物にあっては〇・八四を超えないものであること。

二　当該自動車を十一モード法により運行する場合に発生し、排気管から大気中に排出される排出物に含まれる一酸化炭素、炭化水素及び窒素酸化物の排出量をグラムで表した値（炭化水素にあっては、炭素数当量による容量比で表した値をグラムに換算した値）が、一酸化炭素にあっては百三十、炭化水素にあっては十七・〇、窒素酸化物にあっては八・〇〇を超えないものであること。

三　前二号の基準に適合させるために当該自動車に備える一酸化炭素、炭化水素及び窒素酸化物を減少させる装置が、細目告示第四十一条第二項第一号から第三号まで及び第百十九条第二項第一号から第三号までに掲げる基準に適合したものであること。

22　軽油を燃料とする車両総重量が二・五トン（直接噴射式の原動機を有する自動車にあっては、三・五トン）以下の普通自動車又は小型自動車（専ら乗用の用に供する乗車定員十人以下のものを除く。）であって平成元年十月三十一日（輸入された自動車にあっては、平成三年三月三十一日）以前に製作されたもの（第一項の表の第四号に掲げる自動車、第八項、第十二項、第十七項及び第十八項の自動車並びに輸入された自動車以外の自動車であって、昭和六十三年十二月一日以降に、指定を受けた型式指定自動車及び認定を受けた一酸化炭素等発散防止装置認定自動車を除く。）については、細目告示第四十一条第一項第五号から第八号まで及び第二項並びに第百十九条第一項第三号及び第四号並びに第二項の規定にかかわらず、完成検査等の際、第八項の表の上欄に掲げる運転条件で運行する場合に発生し、排気管から大気中に排出される排出物に含まれる一酸化炭素、炭化水素及び窒素酸化物の容量比（炭化水素にあっては、炭素数当量による容量比）で表した測定値にそれぞれ同表の下欄に掲げる係数を乗じて得た値を加算した値が、一酸化炭素にあっては百万分の九百八十、炭化水素にあっては百万分の六百七十、窒素酸化物にあっては百万分の三百九十（直接噴射式の原動機を有する自動車にあっては、百万分の六百十）を超えないものであればよい。

23　細目告示第四十一条第一項第三号の表のロ及びハ並びに同項第四号の表のロ及びハに掲げる自動車であって平成二年八月三十一日（輸入された自動車にあっては、平成三年三月三十一日）以前に製作されたもの（第二項、第四項、第十項及び第十四項の自動車並びに輸入された自動車以外の自動車であって、平成元年十月一日以降に、指定を受けた型式指定自動車及び認定を受けた一酸化炭素等発散防止装置認定自動車を除く。）については、同条第一項第三号及び第四号並びに第二項並びに第百十九条第一項第二号及び第二項の規定にかかわらず、新規検査等の際、次の基準に適合するものであればよい。

一　当該自動車を十モード法により運行する場合に発生し、排気管から大気中に排出される排出物に含まれる一酸化炭素、炭化水素及び窒素酸化物の走行距離一キロメートル当たりの排出量をグラムで表した値（炭化水素にあっては、炭素数当量による容量比で表した値をグラムに換算した値）が、一酸化炭素にあっては十七・〇、炭化水素にあっては二・七〇、窒素酸化物にあっては一・二六を超えないものであること。

二　当該自動車を十一モード法により運行する場合に発生し、排気管から大気中に排出される排出物に含まれる一酸化炭素、炭化水素及び窒素酸化物の排出量をグラムで表した値（炭化水素にあっては、炭素数当量による容量比で表した値をグラムに換算した値）が、一酸化炭素にあっては百三十、炭化水素にあっては十七・〇、窒素酸化物にあっては九・五〇を超えないものであること。

三　前二号の基準に適合させるために当該自動車に備える一酸化炭素、炭化水素及び窒素酸化物を減少させる装置が、細目告示第四十一条第二項第一号から第三号まで及び第百十九条第二項第一号から第三号までに掲げる基準に適合したものであること。

24　次の表の自動車の種別の欄に掲げる自動車であって平成二年八月三十一日（輸入された自動車にあっては、平成三年三月三十一日）以前に製作されたもの（第二項、第七項、第十一項及び第十六項の自動車並びに輸入された自動車以外の自動車であって、平成元年十月一日以降に、指定を受けた型式指定自動車及び認定を受けた一酸化炭素等発散防止装置認定自動車を除く。）については、細目告示第四十一条第一項第一号及び第二号並びに第二項の規定にかかわらず、完成検査等の際、第七項の第二表の上欄に掲げる運転条件で運行する場合に発生し、排気管から大気中に排出される排出物に含まれる一酸化炭素、炭化水素及び窒素酸化物の容量比（炭化水素にあっては、ノルマルヘキサン当量による容量比）で表した測定値にそれぞれ同表の下欄に掲げる係数を乗じて得た値を加算した値がそれぞれ次の表の一酸化炭素の欄、炭化水素の欄又は窒素酸化物の欄に掲げる値を超えないものであればよい。

自動車の種別		一酸化炭素	炭化水素	窒素酸化物
普通自動車又は小型自動車（専ら乗用の用に供するもの及び二輪自動車を除く。）であって車両総重量が二・五トンを超えるもの	ガソリンを燃料とするもの	百分の一・六	百万分の五百二十	百万分の九百九十
	液化石油ガスを燃料とするもの	百分の一・一	百万分の四百四十	百万分の九百九十

25　軽油を燃料とする車両総重量が二・五トン（直接噴射式の原動機を有する自動車にあっては、三・五トン）を超える普通自動車又は小型自動車（車両総重量が八トンを超えるセミトレーラをけん引するけん引自動車及びクレーン作業用自動車並びに専ら乗用の用に供する乗車定員十人以下のものを除く。）であって平成二年八月三十一日（輸入された自動車にあっては、平成三年三月三十一日）以前に製作されたもの（第一項の表の第四号に掲げる自動車、第八項、第十二項、第十七項及び第十八項の自動車並びに輸入された自動車以外の自動車であって、平成元年十月一日以降に、指定を受けた型式指定自動車及び認定を受けた一酸化炭素等発散防止装置認定自動車を除く。）については、細目告示第四十一条第一項第五号及び第六号並びに第二項並びに第百十九条第一項第三号及び第二項の規定にかかわらず、完成検査等の際、次の各号に掲げる基準に適合するものであればよい。

一　第八項の表の上欄に掲げる運転条件で運行する場合に発生し、排気管から大気中に排出される排出物に含まれる一酸化炭素、炭化水素及び窒素酸化物の容量比（炭化水素にあっては、炭素数当量による容量比）で表した測定値にそれぞれ同表の下欄に掲げる係数を乗じて得た値を加算した値が、一酸化炭素にあっては百万分の九百八十、炭化水素にあっては百万分の六百七十、窒素酸化物にあっては百万分の三百九十（直接噴射式の原動機を有する自動車にあっては、百万分の六百十）を超えないこと。

二　黒煙による汚染度が五十パーセントを超えないこと。ただし、黒煙による汚染度の測定の前に、光吸収係数を測定する場合であって、当該光吸収係数が二・七六m^{-1}を超えないときは、黒煙による汚染度が五十パーセントを超えないものとみなす。

26　細目告示第四十一条第一項第三号の表の二及び同項第四号の表の二に掲げる自動車であって平成三年八月三十一日（輸入された自動車にあっては、平成四年三月三十一日）以前に製作されたもの（第三項、第四項、第十項及び第十五項の自動車並びに輸入された自動車以外の自動車であって、平成二年十月一日以降に、指定を受けた型式指定自動車及び認定を受けた一酸化炭素等発散防止装置認定自動車を除く。）については、同条第一項第三号及び第四号並びに第二項並びに第百十九条第一項第二号及び第二項の規定にかかわらず、新規検査等の際、次の基準に適合するものであればよい。

一　当該自動車を十モード法により運行する場合に発生し、排気管から大気中に排出される排出物に含まれる一酸化炭素、炭化水素及び窒素酸化物の走行距離一キロメートル当たりの排出量をグラムで表した値（炭化水素にあっては、炭素数当量による容量比で表した値をグラムに換算した値）が、一酸化炭素にあっては十七・〇、炭化水素にあっては二・七〇（二サイクルの原動機を有する軽自動車にあっては、十五・〇）、窒素酸化物にあっては一・二六（二サイクルの原動機を有する軽自動車にあっては、〇・五〇）を超えないものであること。

二　当該自動車を十一モード法により運行する場合に発生し、排気管から大気中に排出される排出物に含まれる一酸化炭素、炭化水素及び窒素酸化物の排出量をグラムで表した値（炭化水素にあっては、炭素数当量による容量比で表した値をグラムに換算した値）が、一酸化炭素にあっては百三十、炭化水素にあっては十七・〇（二サイクルの原動機を有する軽自動車にあっては、七十・〇）、窒素酸化物にあっては九・五〇（二サイクルの原動機を有する軽自動車にあっては、四・〇〇）を超えないものであること。

三　前二号の基準に適合させるために当該自動車に備える一酸化炭素、炭化水素及び窒素酸化物を減少させる装置が、細目告示第四十一条第二項第一号から第三号まで及び第百十九条第二項第一号から第三号までに掲げる基準に適合したものであること。

27　軽油を燃料とする車両総重量が八トンを超える普通自動車又は小型自動車（セミトレーラをけ

ん引するけん引自動車及びクレーン作業用自動車に限る。）であって平成三年八月三十一日（輸入された自動車にあっては、平成四年三月三十一日）以前に製作されたもの（第一項の表の第四号に掲げる自動車、第八項、第十二項、第十七項及び第十八項の自動車並びに輸入された自動車以外の自動車であって、平成二年十月一日以降に、指定を受けた型式指定自動車及び認定を受けた一酸化炭素等発散防止装置認定自動車を除く。）については、細目告示第四十一条第一項第五号及び第六号並びに第二項の規定にかかわらず、完成検査等の際、次の各号に掲げる基準に適合するものであればよい。

一　当該自動車を第八項の表の上欄に掲げる運転条件で運行する場合に発生し、排気管から大気中に排出される排出物に含まれる一酸化炭素、炭化水素及び窒素酸化物の容量比（炭化水素にあっては、炭素数当量による容量比）で表した測定値にそれぞれ同表の下欄に掲げる係数を乗じて得た値を加算した値が、一酸化炭素にあっては百万分の九百八十、炭化水素にあっては百万分の六百七十、窒素酸化物にあっては百万分の三百九十（直接噴射式の原動機を有する自動車にあっては、百万分の六百十）を超えないものであること。

二　前号の基準に適合させるために当該自動車に備える一酸化炭素、炭化水素及び窒素酸化物を減少させる装置が、細目告示第四十一条第二項第一号に掲げる基準に適合したものであること。

三　黒煙による汚染度が五十パーセントを超えないこと。ただし、黒煙による汚染度の測定の前に、光吸収係数を測定する場合であって、当該光吸収係数が二・七六m^{-1}を超えないときは、黒煙による汚染度が五十パーセントを超えないものとみなす。

28　軽油を燃料とする専ら乗用の用に供する乗車定員十人以下の普通自動車及び小型自動車（車両重量が千二百六十五キログラム以下のものに限る。）であって平成三年十月三十一日（輸入された自動車にあっては、平成五年三月三十一日）以前に製作されたもの（第一項の表の第四号に掲げる自動車、第八項、第十二項、第十七項から第二十項までの自動車並びに輸入された自動車以外の自動車であって、平成二年十二月一日以降に、指定を受けた型式指定自動車及び認定を受けた一酸化炭素等発散防止装置認定自動車を除く。）については、細目告示第四十一条第一項第七号及び第八号並びに第二項並びに第百十九条第一項第四号及び第二項の規定にかかわらず、新規検査等の際、次の基準に適合するものであればよい。

一　当該自動車を十モード法により運行する場合に発生し、排気管から大気中に排出される排出物に含まれる一酸化炭素、炭化水素及び窒素酸化物の走行距離一キロメートル当たりの排出量をグラムで表した値（炭化水素にあっては、炭素数当量による容量比で表した値をグラムに換算した値）が、一酸化炭素にあっては二・七〇、炭化水素にあっては〇・六二、窒素酸化物にあっては〇・九八を超えないものであること。

二　前号の基準に適合させるために当該自動車に備える一酸化炭素、炭化水素及び窒素酸化物を減少させる装置が、細目告示第四十一条第二項第一号及び第百十九条第二項第一号に掲げる基準に適合したものであること。

29　次の表の自動車の種別の欄に掲げるガソリン又は液化石油ガスを燃料とする自動車のうち、平成三年十月三十一日（輸入された自動車にあっては、平成五年三月三十一日）以前に製作されたもの（第二項から第六項まで、第九項、第十項、第十三項から第十五項まで、第二十一項、第二十三項及び第二十六項の自動車を除く。）並びに平成三年十月三十一日（輸入された自動車にあっては、平成五年三月三十一日）以前に、指定を受けた型式指定自動車及び認定を受けた一酸化炭素等発散防止装置認定自動車並びに国土交通大臣が指定する自動車（型式指定自動車及び一酸化炭素等発散防止装置認定自動車を除く。）であって平成三年十一月一日（輸入された自動車にあっては、平成五年四月一日）以降に製作されたものについては、細目告示第四十一条第一項第三号及び第四号並びに第二項並びに第百十九条第一項第二号及び第二項の規定にかかわらず、新規検査等の際、次の基準に適合するものであればよい。

一　当該自動車を十モード法により運行する場合に発生し、排気管から大気中に排出される排出物に含まれる一酸化炭素、炭化水素及び窒素酸化物の走行距離一キロメートル当たりの排出量をグラムで表した値（炭化水素にあっては、炭素数当量による容量比で表した値をグラムに換算した値）がそれぞれ次の表の一酸化炭素の欄、炭化水素の欄又は窒素酸化物の欄に掲げる値を超えないものであること。

自動車の種別	一酸化炭素	炭化水素	窒素酸化物
イ　車両総重量が一・七トン以下又は専ら乗用の用に供する乗車定員十人以下の普通自動車及び小型自動車（二輪自動車を除く。）並びに専ら乗用の用に供する軽自動車（二輪自動車を除く。）	二・七〇	〇・三九	〇・四八
ロ　車両総重量が一・七トンを超え二・五トン以下の普通自動車及び小型自動車（前号に掲げる自動車及び二輪自動車を除く。）	十七・〇	二・七〇	〇・九八
ハ　軽自動車（イに掲げる自動車及び二輪自動車を除く。）	十七・〇	二・七〇（二サイクルの原動機を有する軽自動車にあっては、十五・〇）	〇・七四（二サイクルの原動機を有する軽自動車にあっては、〇・五〇）

二　当該自動車を十一モード法により運行する場合に発生し、排気管から大気中に排出される排出物に含まれる一酸化炭素、炭化水素及び窒素酸化物の排出量をグラムで表した値（炭化水素にあっては、炭素数当量による容量比で表した値をグラムに換算した値）がそれぞれ次の表の一酸化炭素の欄、炭化水素の欄又は窒素酸化物の欄に掲げる値を超えないものであること。

自動車の種別	一酸化炭素	炭化水素	窒素酸化物
イ　前号の表のイに掲げる自動車	八十五・〇	九・五〇	六・〇〇
ロ　前号の表のロに掲げる自動車	百三十	十七・〇	八・五〇
ハ　前号の表のハに掲げる自動車	百三十	十七・〇（二サイクルの原動機を有する軽自動車にあっては、七十・〇）	七・五〇（二サイクルの原動機を有する軽自動車にあっては、四・〇〇）

三　前二号の基準に適合させるために当該自動車に備える一酸化炭素、炭化水素及び窒素酸化物を減少させる装置が、細目告示第四十一条第二項第一号から第三号まで及び第百十九条第二項第一号から第三号までに掲げる基準に適合したものであること。

30　第一号の表の自動車の種別の欄に掲げる自動車（軽油を燃料とするものに限る。）のうち、平成三年十月三十一日（輸入された自動車にあっては、平成五年三月三十一日）以前に製作されたもの（第一項の表の第四号に掲げる自動車、第八項、第十二項、第十七項から第二十項まで、第二十二項及び第二十八項の自動車を除く。）並びに平成三年十月三十一日（輸入された自動車にあっては、平成五年三月三十一日）以前に、指定を受けた型式指定自動車及び認定を受けた一酸化炭素等発散防止装置認定自動車並びに国土交通大臣が指定する自動車（型式指定自動車及び一酸化炭素等発散防止装置認定自動車を除く。）であって平成三年十一月一日（輸入された自動車にあっては、平成五年四月一日）以降に製作されたもの（専ら乗用の用に供する乗車定員十人以下の普通自動車又は小型自動車であって車両重量が千二百六十五キログラム以下のものにあっては平成七年八月三十一日（輸入された自動車にあっては、平成八年三月三十一日）、専ら乗用の用に供する乗車定員十人以下の普通自動車又は小型自動車であって車両重量が千二百六十五キログラムを超えるものにあっては平成五年八月三十一日（輸入された自動車にあっては、平成六年三月三十一日）、車両総重量が一・七トン以下の普通自動車及び小型自動車（専ら乗用の用に供する乗車定員十人以下のものを除く。）にあっては平成六年八月三十一日（輸入された自動車にあっては、平成七年三月三十一日）以前に製作されたものに限る。）については、細目告示第四十一条第一項第七号及び第八号並びに第二項並びに第百十九条第一項第四号及び第二項の規定にかかわらず、新規検査等の際、次の基準に適合するものであればよい。

一　当該自動車を十モード法により運行する場合に発生し、排気管から大気中に排出される排出物に含まれる一酸化炭素、炭化水素及び窒素酸化物の走行距離一キロメートル当たりの排出量をグラムで表した値（炭化水素にあっては、炭素数当量による容量比で表した値をグラムに換算した値）がそれぞれ次の表の一酸化炭素の欄、炭化水素の欄又は窒素酸化物の欄に掲げる値を超えないものであること。

自動車の種別	一酸化炭素	炭化水素	窒素酸化物
イ　専ら乗用の用に供する乗車定員十人以下の普通自動車又は小型自動車であって車両重量が千二百六十五キログラム以下のもの	二・七〇	〇・六二	〇・七二
ロ　車両総重量が一・七トン以下又は専ら乗用の用に供する乗車定員十人以下の普通自動車及び小型自動車（前号に掲げる自動車を除く。）	二・七〇	〇・六二	一・二六

二　前号の基準に適合させるために当該自動車に備える一酸化炭素、炭化水素及び窒素酸化物を減少させる装置が、細目告示第四十一条第二項第一号及び第百十九条第二項第一号に掲げる基準に適合したものであること。

31　軽油を燃料とする専ら乗用の用に供する乗車定員十人以下の普通自動車及び小型自動車（車両重量が千二百六十五キログラムを超えるものに限る。）であって平成五年八月三十一日（輸入された自動車にあっては、平成六年三月三十一日）以前に製作されたもの（第一項の表の第四号に掲げる自動車、第八項、第十二項、第十七項から第二十項まで及び第三十項の自動車並びに輸入された自動車以外の自動車であって、平成四年十月一日以降に、指定を受けた型式指定自動車及び認定を受けた一酸化炭素等発散防止装置認定自動車を除く。）については、細目告示第四十一条第一項第七号及び第八号並びに第二項並びに第百十九条第一項第四号及び第二項の規定にかかわらず、新規検査等の際、次の基準に適合するものであればよい。

一　平成十八年改正告示による改正前の細目告示別添四十二「軽・中量車排出ガスの測定方法」に規定する十・十五モード法（以下単に「十・十五モード法」という。）により運行する場合に発生し、当該排気管から大気中に排出される排出物に含まれる一酸化炭素、炭化水素及び窒素酸化物の走行距離一キロメートル当たりの排出量をグラムで表した値（炭化水素にあっては、炭素数当量による容量比で表した値をグラムに換算した値）が、一酸化炭素にあっては二・七〇、炭化水素にあっては〇・六二、窒素酸化物にあっては一・二六を超えないものであること。

二　前号の基準に適合させるために当該自動車に備える一酸化炭素、炭化水素及び窒素酸化物を減少させる装置が、細目告示第四十一条第二項第一号及び第百十九条第二項第一号に掲げる基準に適合したものであること。

32　次の表の自動車の種別の欄に掲げる自動車であって平成五年八月三十一日（輸入された自動車にあっては、平成六年三月三十一日）以前に製作されたもの（第二項、第七項、第十一項、第十六項及び第二十四項の自動車並びに輸入された自動車以外の自動車であって、平成四年十月一日以降に、指定を受けた型式指定自動車及び認定を受けた一酸化炭素等発散防止装置認定自動車を除く。）については、細目告示第四十一条第一項第一号及び第二号並びに第二項の規定にかかわらず、完成検査等の際、次の基準に適合するものであればよい。

一　当該自動車を第七項の第二表の上欄に掲げる運転条件で運行する場合に発生し、排気管から大気中に排出される排出物に含まれる一酸化炭素、炭化水素及び窒素酸化物の容量比（炭化水素にあっては、ノルマルヘキサン当量による容量比）で表した測定値にそれぞれ同表の下欄に掲げる係数を乗じて得た値を加算した値がそれぞれ次の表の一酸化炭素の欄、炭化水素の欄又は窒素酸化物の欄に掲げる値を超えないものであること。

自動車の種別		一酸化炭素	炭化水素	窒素酸化物
普通自動車又は小型自動車（専ら乗用の用に供するもの及び二輪自動車を除く。）であって車両総重量が二・五トンを超えるもの	ガソリンを燃料とするもの	百分の一・六	百万分の五百二十	百万分の八百五十
	液化石油ガスを燃料とするもの	百分の一・一	百万分の四百四十	百万分の八百五十

二　前号の基準に適合させるために当該自動車に備える一酸化炭素、炭化水素及び窒素酸化物を減少させる装置が、細目告示第四十一条第二項第一号に掲げる基準に適合したものであること。

33　軽油を燃料とする車両総重量が一・七トン以下の普通自動車及び小型自動車（専ら乗用の用に供する乗車定員十人以下のものを除く。）であって平成六年八月三十一日（輸入された自動車にあっては、平成七年三月三十一日）以前に製作されたもの（第一項の表の第四号に掲げる自動車、第八項、第十二項、第十七項、第十八項、第二十二項及び第三十項の自動車並びに輸入された自動車以外の自動車であって、平成五年十月一日以降に、指定を受けた型式指定自動車及び認定を受けた一酸化炭素等発散防止装置認定自動車を除く。）については、細目告示第四十一条第一項第七号及び第八号並びに第百十九条第一項第四号及び第二項の規定にかかわらず、新規検査等の際、次の基準に適合するものであればよい。

一　当該自動車を十・十五モード法により運行する場合に発生し、排気管から大気中に排出される排出物に含まれる一酸化炭素、炭化水素及び窒素酸化物の走行距離一キロメートル当たりの排出量をグラムで表した値（炭化水素にあっては、炭素数当量による容量比で表した値をグラムに換算した値）が、一酸化炭素にあっては二・七〇、炭化水素にあっては〇・六二、窒素酸化物にあっては一・二六を超えないものであること。

二　前号の基準に適合させるために当該自動車に備える一酸化炭素、炭化水素及び窒素酸化物を減少させる装置が、細目告示第四十一条第二項第一号及び第百十九条第二項第一号に掲げる基準に適合したものであること。

34　軽油を燃料とする車両総重量が一・七トンを超え二・五トン以下の普通自動車及び小型自動車（専ら乗用の用に供する乗車定員十人以下のものを除く。）であって平成六年八月三十一日（輸入された自動車にあっては、平成七年三月三十一日）以前に製作されたもの（第一項の表の第四号に掲げる自動車、第八項、第十二項、第十七項、第十八項及び第二十二項の自動車並びに輸入された自動車以外の自動車であって、平成五年十月一日以降に、指定を受けた型式指定自動車及び認定を受けた一酸化炭素等発散防止装置認定自動車を除く。）については、細目告示第四十一条第一項第七号及び第八号並びに第二項の規定にかかわらず、完成検査等の際、次の基準に適合するものであればよい。

一　当該自動車を第八項の表の上欄に掲げる運転条件で運行する場合に発生し、排気管から大気中に排出される排出物に含まれる一酸化炭素、炭化水素及び窒素酸化物の容量比（炭化水素にあっては、炭素数当量による容量比）で表した測定値にそれぞれ同表の下欄に掲げる係数を乗じて得た値を加算した値が、一酸化炭素にあっては百万分の九百八十、炭化水素にあっては百万分の六百七十、窒素酸化物にあっては百万分の三百五十（直接噴射式の原動機を有する自動車にあっては、百万分の五百）を超えないものであること。

二　前号の基準に適合させるために当該自動車に備える一酸化炭素、炭化水素及び窒素酸化物を減少させる装置が、細目告示第四十一条第二項第一号に掲げる基準に適合したものであること。

35　軽油を燃料とする車両総重量が二・五トン以下の普通自動車及び小型自動車（専ら乗用の用に供する乗車定員十人以下のものを除く。）であって平成六年八月三十一日（輸入された自動車にあっては平成七年三月三十一日）以前に製作されたもの（輸入された自動車以外の自動車であって、平成五年十月一日以降に、指定を受けた型式指定自動車及び認定を受けた一酸化炭素等発散防止装置認定自動車を除く。）については、完成検査等の際、道路運送車両の保安基準の細目を定める告示の一部を改正する告示（平成二十年国土交通省告示第三百四十八号。以下「平成二十年改正告示」という。）による改正前の細目告示別添四十五「ディーゼル四モード黒煙の測定方法」に規定する黒煙四モード法（6・1・1の規定を除く。）により運行する場合に発生し、排気管から大気中に排出される排出物に含まれる黒煙による汚染の度合が五十パーセント以下であること。

36　軽油を燃料とする車両総重量が二・五トン以下の普通自動車及び小型自動車（専ら乗用の用に供する乗車定員十人以下のものを除く。）であって平成六年八月三十一日（輸入された自動車にあっては、平成七年三月三十一日）以前に製作されたもの（輸入された自動車以外の自動車であって、平成五年十月一日以降に、指定を受けた型式指定自動車及び認定を受けた一酸化炭素等発散防止装置認定自動車を除く。）については、細目告示第四十一条第一項第二十号、第百十九条第一項第十一号及び第百九十七条第一項第二号の規定にかかわらず、黒煙による汚染度が五十パーセントを超えないものであればよい。ただし、細目告示第五条第一号及び第百六十一条第一項各号（第二号及び第三号を除く。）に掲げる場合において、当該測定の前に光吸収係数を測定した場合にあっては、当該光吸収係数が二・七六m^{-1}を超えないものであればよい。

37　次の表の自動車の種別の欄に掲げる軽油を燃料とする自動車であって平成七年八月三十一日（輸入された自動車にあっては、平成八年三月三十一日）以前に製作されたもの（第一項の表の第四号に掲げる自動車、第八項、第十二項、第十七項から第二十項まで、第二十八項、第三十項及び第三十一項の自動車並びに輸入された自動車以外の自動車であって、平成六年十月一日以降に、指定を受けた型式指定自動車及び認定を受けた一酸化炭素等発散防止装置認定自動車を除く。）については、細目告示第四十一条第一項第七号及び第八号並びに第二項並びに第百十九条第一項第四号及び第二項の規定にかかわらず、新規検査等の際、次の基準に適合するものであればよい。

一　当該自動車を十・十五モード法により運行する場合に発生し、排気管から大気中に排出される排出物に含まれる一酸化炭素、炭化水素及び窒素酸化物の走行距離一キロメートル当たりの排出量をグラムで表した値（炭化水素にあっては、炭素数当量による容量比で表した値をグラムに換算した値）がそれぞれ次の表の一酸化炭素の欄、炭化水素の欄又は窒素酸化物の欄に掲げる値を超えないものであること。

自動車の種別		一酸化炭素	炭化水素	窒素酸化物
専ら乗用の用に供する乗車定員十人以下の普通自動車又は小型自動車	車両重量が千二百六十五キログラム以下のもの	二・七〇	〇・六二	〇・七二
	車両重量が千二百六十五キログラムを超えるもの	二・七〇	〇・六二	〇・八四

二　前号の基準に適合させるために当該自動車に備える一酸化炭素、炭化水素及び窒素酸化物を減少させる装置が、細目告示第四十一条第二項第一号及び第百十九条第二項第一号に掲げる基準に適合したものであること。

38　軽油を燃料とする車両総重量が二・五トンを超える普通自動車及び小型自動車（専ら乗用の用に供する乗車定員十人以下のものを除く。）であって平成七年八月三十一日（輸入された自動車にあっては、平成八年三月三十一日）以前に製作されたもの（第一項の表の第四号に掲げる自動車、第八項、第十二項、第十七項、第十八項、第二十二項、第二十五項及び第二十七項の自動車並びに輸入された自動車以外の自動車であって、平成六年十月一日以降に、指定を受けた型式指定自動車及び認定を受けた一酸化炭素等発散防止装置認定自動車を除く。）については、細目告示第四十一条第一項第五号から第八号までの規定にかかわらず、完成検査等の際、次の各号に掲げる基準に適合するものであればよい。

一　当該自動車を第八項の表の上欄に掲げる運転条件で運行する場合に発生し、排気管から大気中に排出される排出物に含まれる一酸化炭素、炭化水素及び窒素酸化物の容量比（炭化水素にあっては、炭素数当量による容量比）で表した測定値にそれぞれ同表の下欄に掲げる係数を乗じて得た値を加算した値が、一酸化炭素にあっては百万分の九百八十、炭化水素にあっては百万分の六百七十、窒素酸化物にあっては百万分の三百五十（直接噴射式の原動機を有する自動車にあっては、百万分の五百二十）を超えないものであること。

二　前号の基準に適合させるために当該自動車に備える一酸化炭素、炭化水素及び窒素酸化物を減少させる装置が、細目告示第四十一条第二項第一号に掲げる基準に適合したものであること。

三　黒煙による汚染度が五十パーセントを超えないこと。ただし、黒煙による汚染度の測定の前に、光吸収係数を測定する場合であって、当該光吸収係数が二・七六m⁻¹を超えないときは、黒煙による汚染度が五十パーセントを超えないものとみなす。

39　軽油を燃料とする専ら乗用の用に供する乗車定員十人以下の普通自動車及び小型自動車並びに軽油を燃料とする車両総重量が二・五トンを超える普通自動車及び小型自動車（専ら乗用の用に供する乗車定員十人以下のものを除く。）であって平成七年八月三十一日（輸入された自動車にあっては、平成八年三月三十一日）以前に製作されたもの（輸入された自動車以外の自動車であって、平成六年十月一日以降に、指定を受けた型式指定自動車及び認定を受けた一酸化炭素等発散防止装置認定自動車を除く。）については、完成検査等の際、平成二十年改正告示による改正前の細目告示別添四十五「ディーゼル四モード黒煙排出ガスの測定方法」に規定する黒煙四モード法（6・1・1の規定を除く。）により運行する場合に発生し、排気管から大気中に排出される排出物に含まれる黒煙による汚染の度合が五十パーセント以下であること。

40　軽油を燃料とする専ら乗用の用に供する乗車定員十人以下の普通自動車及び小型自動車並びに軽油を燃料とする車両総重量が二・五トンを超える普通自動車及び小型自動車（専ら乗用の用に供する乗車定員十人以下のものを除く。）であって平成七年八月三十一日（輸入された自動車にあっては、平成八年三月三十一日）以前に製作されたもの（輸入された自動車以外の自動車であって、平成六年十月一日以降に、指定を受けた型式指定自動車及び認定を受けた一酸化炭素等発散防止装置認定自動車を除く。）については、細目告示第四十一条第一項第二十号、第百十九条第一項第十一号及び第百九十七条第一項第二号の規定にかかわらず、黒煙による汚染度が五十パーセントを超えないものであればよい。ただし、細目告示第五条第一号及び第百六十一条第一項各号（第二号及び第三号を除く。）に掲げる場合において、当該測定の前に光吸収係数を測定した場合にあっては、当該光吸収係数が二・七六m⁻¹を超えないものであればよい。

41　細目告示第四十一条第一項第三号の表のハ及び同項第四号の表のハに掲げる自動車であって平成七年十月三十一日（輸入された自動車にあっては、平成八年三月三十一日）以前に製作されたもの（第二項、第四項、第十項、第十四項、第二十三項及び第二十九項の自動車並びに輸入された自動車以外の自動車であって、平成六年十二月一日以降に、指定を受けた型式指定自動車及び認定を受けた一酸化炭素等発散防止装置認定自動車を除く。）については、細目告示第四十一条第一項第三号及び第四号並びに第二項並びに第百十九条第一項第二号及び第二項の規定にかかわらず、新規検査等の際、次の基準に適合するものであればよい。

一　当該自動車を十・十五モード法により運行する場合に発生し、排気管から大気中に排出される排出物に含まれる一酸化炭素、炭化水素及び窒素酸化物の走行距離一キロメートル当たりの排出量をグラムで表した値（炭化水素にあっては、炭素数当量による容量比で表した値をグラムに換算した値）が、一酸化炭素にあっては十七・〇、炭化水素にあっては二・七〇、窒素酸化物にあっては〇・九八を超えないものであること。

二　当該自動車を十一モード法により運行する場合に発生し、排気管から大気中に排出される排出物に含まれる一酸化炭素、炭化水素及び窒素酸化物の排出量をグラムで表した値（炭化水素にあっては、炭素数当量による容量比で表した値をグラムに換算した値）が、一酸化炭素にあっては百三十、炭化水素にあっては十七・〇、窒素酸化物にあっては八・五〇を超えないものであること。

三　前二号の基準に適合させるために当該自動車に備える一酸化炭素、炭化水素及び窒素酸化物を減少させる装置が、細目告示第四十一条第二項第一号から第三号まで及び第百十九条第二項第一号から第三号までに掲げる基準に適合したものであること。

42　次の表の自動車の種別の欄に掲げる自動車であって平成八年十月三十一日（輸入された自動車にあっては、平成九年三月三十一日）以前に製作されたもの（第二項、第七項、第十一項、第十六項、第二十四項及び第三十二項の自動車並びに輸入された自動車以外の自動車であって、平成七年十二月一日以降に、指定を受けた型式指定自動車及び認定を受けた一酸化炭素等発散防止装置認定自動車を除く。）については、細目告示第四十一条第一項第一号及び第二号並びに第二項の規定にかかわらず、完成検査等の際、次の基準に適合するものであればよい。

一　当該自動車を別表第一の上欄に掲げる運転条件で運行する場合に発生し、排気管から大気中に排出される排出物に含まれる一酸化炭素、炭化水素及び窒素酸化物の一時間当たりの排出量をグラムで表した値（炭化水素にあっては、炭素数当量による容量比で表した値をグラムに換算した値）にそれぞれ同表の下欄に掲げる係数を乗じて得た値を加算した値を、同表の上欄に掲げる運転条件で運行する場合に発生した仕事率をキロワットで表した値にそれぞれ同表の下欄に掲げる係数を乗じて得た値を加算した値で除して得た値がそれぞれ次の表の一酸化炭素の欄、炭化水素の欄又は窒素酸化物の欄に掲げる値を超えないものであること。

自動車の種別		一酸化炭素	炭化水素	窒素酸化物
普通自動車又は小型自動車（専ら乗用の用に供するもの及び二輪自動車を除く。）であって車両総重量が二・五トンを超えるもの	ガソリンを燃料とするもの	百三十六	七・九〇	七・二〇
	液化石油ガスを燃料とするもの	百五	六・八〇	七・二〇

二　前号の基準に適合させるために当該自動車に備える一酸化炭素、炭化水素及び窒素酸化物を減少させる装置が、細目告示第四十一条第二項第一号から第三号までに掲げる基準に適合したものであること。

43　次の表の自動車の種別の欄に掲げる軽油を燃料とする自動車であって平成十一年六月三十日（輸入された自動車にあっては、平成十二年三月三十一日）以前に製作されたもの（第一項の表の第四号に掲げる自動車、第八項、第十二項、第十七項から第二十項まで、第二十二項、第二十八項、第三十項、第三十三項、第三十四項及び第三十七項の自動車並びに輸入された自動車以外の自動車であって、平成九年十月一日以降に、指定を受けた型式指定自動車及び一酸化炭素等発散防止装置指定自動車並びに認定を受けた一酸化炭素等発散防止装置認定自動車を除く。）については、細目告示第四十一条第一項第七号及び第八号並びに第二項並びに第百十九条第一項第四号及び第二項の規定にかかわらず、新規検査等の際、次の基準に適合するものであればよい。

一　当該自動車を十・十五モード法により運行する場合に発生し、排気管から大気中に排出される排出物に含まれる一酸化炭素、炭化水素、窒素酸化物及び粒子状物質の走行距離一キロメートル当たりの排出量をグラムで表した値（炭化水素にあっては、炭素数当量による容量比で表した値をグラムに換算した値）がそれぞれ次の表の一酸化炭素の欄、炭化水素の欄、窒素酸化物の欄又は粒子状物質の欄に掲げる値を超えないものであること。

自動車の種別	一酸化炭素	炭化水素	窒素酸化物	粒子状物質
イ　専ら乗用の用に供する乗車定員十人以下の普通自動車又は小型自動車であって車両重量が千二百六十五キログラム以下のもの	二・七〇	〇・六二	〇・七二	〇・三四
ロ　車両総重量が一・七トン以下の普通自動車及び小型自動車（専ら乗用の用に供する乗車定員十人以下のものを除く。）	二・七〇	〇・六二	〇・八四	〇・三四
ハ　車両総重量が一・七トンを超え二・五トン以下の普通自動車及び小型自動車（専ら乗用の用に供する乗車定員十人以下のもの以外のものであって手動式の変速装置を備えたものに限る。）	二・七〇	〇・六二	一・八二	〇・四三

二　前号の基準に適合させるために当該自動車に備える一酸化炭素、炭化水素及び窒素酸化物を減少させる装置が、細目告示第四十一条第二項第一号に掲げる基準に適合したものであること。

44　軽油を燃料とする車両総重量が二・五トンを超え三・五トン以下の普通自動車及び小型自動車（専ら乗用の用に供する乗車定員十人以下のものを除く。）であって平成十一年六月三十日（輸入された自動車にあっては、平成十二年三月三十一日）以前に製作されたもの（第一項の表の第四号に掲げる自動車、第八項、第十二項、第十七項、第十八項、第二十二項、第二十五項及び第三十八項の自動車並びに輸入された自動車以外の自動車であって、平成九年十月一日以降に、指定を受けた型式指定自動車及び一酸化炭素等発散防止装置指定自動車並びに認定を受けた一酸化炭素等発散防止装置認定自動車を除く。）については、細目告示第四十一条第一項第五号及び第六号並びに第二項の規定にかかわらず、完成検査等の際、次の各号に掲げる基準に適合するものであればよい。

一　当該自動車を別表第二の上欄に掲げる運転条件で運行する場合に発生し、排気管から大気中に排出される排出物に含まれる一酸化炭素、炭化水素、窒素酸化物及び粒子状物質の一時間当たりの排出量をグラムで表した値（炭化水素にあっては、炭素数当量による容量比で表した値をグラムに換算した値）にそれぞれ同表の下欄に掲げる係数を乗じて得た値を加算した値を、同表の上欄に掲げる運転条件で運行する場合に発生した仕事率をキロワットで表した値にそれぞれ同表の下欄に掲げる係数を乗じて値を加算した値で除して得た値が、一酸化炭素にあっては九・二〇、炭化水素にあっては三・八〇、窒素酸化物にあっては六・八〇（直接噴射式の原動機を有する自動車にあっては七・八〇）、粒子状物質にあっては〇・九六を超えないものであること。

二　前号の基準に適合させるために当該自動車に備える一酸化炭素、炭化水素及び窒素酸化物を減少させる装置が、細目告示第四十一条第二項第一号に掲げる基準に適合したものであること。

三　黒煙による汚染度が四十パーセントを超えないこと。ただし、黒煙による汚染度の測定の前に、光吸収係数を測定する場合であって、当該光吸収係数が一・六二m^{-1}を超えないときは、黒煙による汚染度が四十パーセントを超えないものとみなす。

45　前二項に規定する自動車については、完成検査等の際、平成二十年改正告示による改正前の細目告示別添四十五「ディーゼル四モード黒煙の測定方法」に規定する黒煙四モード法（6・1・1の規定を除く。）により運行する場合に発生し、排気管から大気中に排出される排出物に含まれる黒煙による汚染の度合が四十パーセント以下であること。

46　第四十三項及び第四十四項に規定する自動車については、細目告示第四十一条第一項第二十号、第百十九条第一項第十一号及び第百九十七条第一項第二号の規定にかかわらず、黒煙による汚染度が四十パーセントを超えないものであればよい。ただし、細目告示第五条第一号及び第百六十一条第一項各号（第二号及び第三号を除く。）に掲げる場合において、当該測定の前に光吸収係数を測定した場合にあっては、当該光吸収係数が一・六二m^{-1}を超えないものであればよい。

47　次の表の自動車の種別の欄に掲げる軽油を燃料とする自動車であって平成十一年八月三十一日（輸入された自動車にあっては、平成十二年三月三十一日）以前に製作されたもの（第一項の表の第四号に掲げる自動車、第八項、第十二項、第十七項から第二十項まで、第二十二項、第三十項、第三十一項、第三十四項及び第三十七項の自動車並びに輸入された自動車以外の自動車であって、平成十年十月一日以降に、指定を受けた型式指定自動車及び一酸化炭素等発散防止装置指定自動車並びに認定を受けた一酸化炭素等発散防止装置認定自動車を除く。）については、細目告示第四十一条第一項第七号及び第八号並びに第二項並びに第百十九条第一項第四号及び第二項の規定にかかわらず、新規検査等の際、次の基準に適合するものであればよい。

一　当該自動車を十・十五モード法により運行する場合に発生し、排気管から大気中に排出される排出物に含まれる一酸化炭素、炭化水素、窒素酸化物及び粒子状物質の走行距離一キロメートル当たりの排出量をグラムで表した値（炭化水素にあっては、炭素数当量による容量比で表した値をグラムに換算した値）がそれぞれ次の表の一酸化炭素の欄、炭化水素の欄、窒素酸化物の欄又は粒子状物質の欄に掲げる値を超えないものであること。

自動車の種別	一酸化炭素	炭化水素	窒素酸化物	粒子状物質
イ　専ら乗用の用に供する乗車定員十人以下の普通自動車又は小型自動車であって車両重量が千二百六十五キログラムを超えるもの	二・七〇	〇・六二	〇・八四	〇・三四
ロ　車両総重量が一・七トンを超え二・五トン以下の普通自動車及び小型自動車（専ら乗用の用に供する乗車定員十人以下のもの以外のものであって手動式の変速装置を備えたもの以外のものに限る。）	二・七〇	〇・六二	一・八二	〇・四三

二　前号の基準に適合させるために当該自動車に備える一酸化炭素、炭化水素、窒素酸化物及び粒子状物質を減少させる装置が、細目告示第四十一条第二項第一号及び第百十九条第二項第一号に掲げる基準に適合したものであること。

48　軽油を燃料とする車両総重量が三・五トンを超え十二トン以下の普通自動車及び小型自動車（専ら乗用の用に供する乗車定員十人以下のものを除く。）であって平成十一年八月三十一日（輸入された自動車にあっては、平成十二年三月三十一日）以前に製作されたもの（第一項の表の第四号に掲げる自動車、第八項、第十二項、第十七項、第十八項、第二十五項、第二十七項及び第三十八項の自動車並びに輸入された自動車以外の自動車であって、平成十年十月一日以降に、指定を受けた型式指定自動車及び一酸化炭素等発散防止装置指定自動車並びに認定を受けた一酸化炭素等発散防止装置認定自動車を除く。）については、細目告示第四十一条第一項第五号及び第六号並びに第二項の規定にかかわらず、完成検査等の際、次の基準に適合するものであればよい。

一　当該自動車を別表第二の上欄に掲げる運転条件で運行する場合に発生し、排気管から大気中に排出される排出物に含まれる一酸化炭素、炭化水素、窒素酸化物及び粒子状物質の一時間当たりの排出量をグラムで表した値（炭化水素にあっては、炭素数当量による容量比で表した値をグラムに換算した値）にそれぞれ同表の下欄に掲げる係数を乗じて得た値を加算した値を、同表の上欄に掲げる運転条件で運行する場合に発生した仕事率をキロワットで表した値にそれぞれ同表の下欄に掲げる係数を乗じて得た値を加算した値で除して得た値が、一酸化炭素にあっては九・二〇、炭化水素にあっては三・八〇、窒素酸化物にあっては六・八〇（直接噴射式の原動機を有する自動車にあっては七・八〇）、粒子状物質にあっては〇・九六を超えないものであること。

二　前号の基準に適合させるために当該自動車に備える一酸化炭素、炭化水素、窒素酸化物及び粒子状物質を減少させる装置が、細目告示第四十一条第二項第一号に掲げる基準に適合したものであること。

49　前二項に規定する自動車については、完成検査等の際、平成二十年改正告示による改正前の細目告示別添四十五「ディーゼル四モード黒煙排出ガスの測定方法」に規定する黒煙四モード法（6・1・1の規定を除く。）により運行する場合に発生し、排気管から大気中に排出される排出物に含まれる黒煙による汚染の度合が四十パーセント以下であること。

50　第四十七項及び第四十八項に規定する自動車については、細目告示第四十一条第一項第二十号、第百十九条第一項第十一号及び第百九十七条第一項第二号の規定にかかわらず、黒煙による汚染度が四十パーセントを超えないものであればよい。ただし、細目告示第五条第一号及び第百六十一条第一項各号（第二号及び第三号を除く。）に掲げる場合において、当該測定の前に光吸収係数を測定した場合にあっては、当該光吸収係数が一・六二m^{-1}を超えないものであればよい。

51　次の表の自動車の種別の欄に掲げるガソリン又は液化石油ガスを燃料とする自動車であって、平成十一年八月三十一日（輸入された自動車にあっては、平成十二年三月三十一日）以前に製作されたもの（第二項から第五項まで、第十項、第十四項、第十五項、第二十三項、第二十六項、第二十九項及び第四十一項の自動車並びに輸入された自動車以外の自動車であって、平成十年十月一日以降に、指定を受けた型式指定自動車及び一酸化炭素等発散防止装置指定自動車並びに認定を受けた一酸化炭素等発散防止装置認定自動車を除く。）については、細目告示第四十一条第一項第三号及び第四号並びに第二項並びに第百十九条第一項第二号及び第二項の規定にかかわらず、新規検査等の際、次の基準に適合するものであればよい。

一　当該自動車を十・十五モード法により運行する場合に発生し、排気管から大気中に排出される排出物に含まれる一酸化炭素、炭化水素及び窒素酸化物の走行距離一キロメートル当たりの排出量をグラムで表した値（炭化水素にあっては、炭素数当量による容量比で表した値をグラムに換算した値）が、それぞれ次の表の一酸化炭素の欄、炭化水素の欄又は窒素酸化物の欄に掲げる値を超えないものであること。

自動車の種別	一酸化炭素	炭化水素	窒素酸化物
イ　車両総重量が一・七トンを超え二・五トン以下の普通自動車及び小型自動車（専ら乗用の用に供する乗車定員十人以下の自動車及び二輪自動車を除く。）	十七・〇	二・七〇	〇・六三
ロ　軽自動車（専ら乗用の用に供する自動車及び二輪自動車を除く。）	十七・〇	二・七〇（二サイクルの原動機を有する軽自動車にあっては、十五・〇）	〇・七四（二サイクルの原動機を有する軽自動車にあっては、〇・五〇）

二　当該自動車を十一モード法により運行する場合に発生し、排気管から大気中に排出される排出物に含まれる一酸化炭素、炭化水素及び窒素酸化物の排出量をグラムで表した値（炭化水素にあっては、炭素数当量による容量比で表した値をグラムに換算した値）が、それぞれ次の表の一酸化炭素の欄、炭化水素の欄又は窒素酸化物の欄に掲げる値を超えないものであること。

自動車の種別	一酸化炭素	炭化水素	窒素酸化物
イ　前号の表のイに掲げる自動車	百三十	十七・〇	六・六〇
ロ　前号の表のロに掲げる自動車	百三十	十七・〇（二サイクルの原動機を有する軽自動車にあっては、七十・〇）	七・五〇（二サイクルの原動機を有する軽自動車にあっては、四・〇〇）

三　前二号の基準に適合させるために当該自動車に備える一酸化炭素、炭化水素及び窒素酸化物を減少させる装置が、細目告示第四十一条第二項第一号から第三号まで及び第百十九条第二項第一号から第三号までに掲げる基準に適合したものであること。

52　次の表の自動車の種別の欄に掲げる自動車であって、平成十一年八月三十一日（輸入された自動車にあっては、平成十二年三月三十一日）以前に製作されたもの（第二項、第七項、第十一項、第十六項、第二十四項、第三十二項及び第四十二項の自動車並びに輸入された自動車以外の自動車であって、平成十年十月一日以降に、指定を受けた型式指定自動車及び一酸化炭素等発散防止装置指定自動車並びに認定を受けた一酸化炭素等発散防止装置認定自動車を除く。）については、細目告示第四十一条第一号及び第二号並びに第二項の規定にかかわらず、完成検査等の際、次の基準に適合するものであればよい。

一　当該自動車を別表第一の上欄に掲げる運転条件で運行する場合に発生し、排気管から大気中に排出される排出物に含まれる一酸化炭素、炭化水素及び窒素酸化物の一時間当たりの排出量をグラムで表した値（炭化水素にあっては、炭素数当量による容量比で表した値をグラムに換算した値）にそれぞれ同表の下欄に掲げる係数を乗じて得た値を加算した値を、同表の上欄に掲げる運転条件で運行する場合に発生した仕事率をキロワットで表した値にそれぞれ同表の下欄に掲げる係数を乗じて得た値を加算した値で除して得た値が、それぞれ次の表の一酸化炭素の欄、炭化水素の欄又は窒素酸化物の欄に掲げる値を超えないものであること。

自動車の種別		一酸化炭素	炭化水素	窒素酸化物
普通自動車又は小型自動車（専ら乗用の用に供するもの及び二輪自動車を除く。）であって車両総重量が二・五トンを超えるもの	ガソリンを燃料とするもの	百三十六	七・九〇	五・九〇
	液化石油ガスを燃料とするもの	百五	六・八〇	五・九〇

二　前号の基準に適合させるために当該自動車に備える一酸化炭素、炭化水素及び窒素酸化物を減少させる装置が、細目告示第四十一条第二項第一号から第三号までに掲げる基準に適合したものであること。

53　ガソリン又は液化石油ガスを燃料とする自動車（二輪自動車を除く。）であって、平成十一年八月三十一日（輸入された自動車にあっては、平成十二年三月三十一日）以前に製作されたもの（輸入された自動車以外の自動車であって、平成十年十月一日以降に、指定を受けた型式指定自動車及び一酸化炭素等発散防止装置指定自動車並びに認定を受けた一酸化炭素等発散防止装置認定自動車を除く。）については、細目告示第四十一条第一項第十九号、第百十九条第一項第十号及び第百九十七条第一項第一号の規定にかかわらず、次の基準に適合するものであればよい。

一　原動機を無負荷運転している状態で発生し、排気管から大気中に排出される排出物に含まれる一酸化炭素の容量比で表した測定値が四・五パーセントを超えないものであること。

二　原動機を無負荷運転している状態で発生し、排気管から大気中に排出される排出物に含まれる炭化水素のノルマルヘキサン当量による容量比で表した測定値が、次の表の上欄に掲げる自動車の種別に応じ、それぞれ同表の下欄に掲げる値を超えないものであること。

自動車の種別	値
イ　ロ及びハに掲げる自動車以外の自動車	百万分の千二百
ロ　二サイクルの原動機を有する自動車	百万分の七千八百
ハ　ロに掲げる自動車以外の自動車であって当該自動車の原動機の構造が特殊であると国土交通大臣が認定した型式の自動車	百万分の三千三百

54　軽油を燃料とする車両総重量が十二トンを超える普通自動車及び小型自動車（専ら乗用の用に供する乗車定員十人以下の自動車を除く。）であって、平成十二年八月三十一日（輸入された自動車にあっては、平成十三年三月三十一日）以前に製作されたもの（第一項の表の第四号に掲げる自動車、第八項、第十二項、第十七項、第十八項、第二十五項、第二十七項及び第三十八項の自動車並びに輸入された自動車以外の自動車であって、平成十一年十月一日以降に、指定を受けた型式指定自動車及び一酸化炭素等発散防止装置指定自動車を除く。）については、細目告示第四十一条第一項第五号及び第六号並びに第二項の規定にかかわらず、完成検査等の際、第四十八項各号に掲げる基準に適合するものであればよい。

55　前項に規定する自動車については、完成検査等の際、平成二十年改正告示による改正前の細目告示別添四十五「ディーゼル四モード黒煙の測定方法」に規定する黒煙四モード法（6・1・1の規定を除く。）により運行する場合に発生し、排気管から大気中に排出される排出物に含まれる黒煙による汚染の度合が四十パーセント以下であること。

56　第五十四項に規定する自動車については、細目告示第百九十七条第一項第二号の規定にかかわらず、黒煙による汚染度が四十パーセントを超えないものであればよい。ただし、細目告示第五条第一号及び第百六十一条第一項各号（第二号及び第三号を除く。）に掲げる場合において、当該測定の前に光吸収係数を測定した場合にあっては、当該光吸収係数が一・六二 m^{-1} を超えないものであればよい。

57　細目告示第四十一条第一項第三号の表のイ及びロ並びに同項第四号の表のイ及びロに掲げる自動車であって平成十四年八月三十一日以前に製作されたもの（第二項から第六項まで、第九項、第十三項、第二十一項及び第二十九項の自動車並びに輸入された自動車以外の自動車であって、平成十二年十月一日以降に、指定を受けた型式指定自動車及び一酸化炭素等発散防止装置指定自動車を除く。）については、同条第一項第三号及び第四号並びに第二項並びに第百十九条第一項第二号及び第二項の規定にかかわらず、新規検査等及び完成検査等の際、次の基準に適合するものであればよい。

一　当該自動車を十・十五モード法により運行する場合に発生し、排気管から大気中に排出される排出物に含まれる一酸化炭素、炭化水素及び窒素酸化物の走行距離一キロメートル当たりの排出量をグラムで表した値（炭化水素にあっては、炭素数当量による容量比で表した値をグラムに換算した値）が、一酸化炭素にあっては二・七〇、炭化水素にあっては〇・三九、窒素酸化物にあっては〇・四八を超えないものであること。

二　当該自動車を十一モード法により運行する場合に発生し、排気管から大気中に排出される排出物に含まれる一酸化炭素、炭化水素及び窒素酸化物の排出量をグラムで表した値（炭化水素にあっては、炭素数当量による容量比で表した値をグラムに換算した値）が、一酸化炭素にあっては八十五・〇、炭化水素にあっては九・五〇、窒素酸化物にあっては六・〇〇を超えないものであること。

三　前二号の基準に適合させるために当該自動車に備える一酸化炭素、炭化水素及び窒素酸化物を減少させる装置が、細目告示第四十一条第二項第一号から第三号まで及び第百十九条第二項第一号から第三号までに掲げる基準に適合したものであること。

58　ガソリンを燃料とする自動車であって次に掲げるものは、細目告示第四十一条第四項、第百十九条第四項及び第百九十七条第四項の規定にかかわらず、燃料から蒸発する炭化水素の大気中への排出を有効に防止する装置を備えればよい。

一　平成十四年八月三十一日（輸入された自動車以外の自動車であって、平成十二年十月一日以降に、指定を受けた型式指定自動車及び一酸化炭素等発散防止装置指定自動車を除く。）以前に製作された細目告示第四十一条第一項第三号の表のイ及びロ並びに同項第四号の表のイ及びロに掲げる自動車

二　平成十五年八月三十一日（輸入された自動車以外の自動車であって、平成十三年十月一日以降に、指定を受けた型式指定自動車及び一酸化炭素等発散防止装置指定自動車を除く。）以前に製作された細目告示第四十一条第一項第一号及び第二号に掲げる自動車並びに同項第三号の

表のハ及び同項第四号の表のハに掲げる普通自動車及び小型自動車（二輪自動車を除く。）

三　平成十五年八月三十一日（輸入された自動車以外の自動車であって、平成十四年十月一日以降に、法第七十五条第一項の規定によりその型式について指定を受けた自動車及び一酸化炭素等発散防止装置指定自動車を除く。）以前に製作された細目告示第四十一条第一項第三号の表のニ及び同項第四号の表のニに掲げる自動車

59　細目告示第四十一条第一項第三号の表のハ及び同項第四号の表のハに掲げる自動車（車両総重量が二・五トン以下のものに限る。）であって平成十五年八月三十一日以前に製作されたもの（第二項、第三項、第四項、第五項、第十項、第十四項、第二十三項、第二十九項、第四十一項及び第五十一項の自動車並びに輸入された自動車以外の自動車であって、平成十三年十月一日以降に、指定を受けた型式指定自動車及び一酸化炭素等発散防止装置指定自動車を除く。）については、同条第一項第三号及び第四号並びに第二項並びに第百十九条第一項第二号及び第二項の規定にかかわらず、新規検査等及び完成検査等の際、次の基準に適合するものであればよい。

一　当該自動車を十・十五モード法により運行する場合に発生し、排気管から大気中に排出される排出物に含まれる一酸化炭素、炭化水素及び窒素酸化物の走行距離一キロメートル当たりの排出量をグラムで表した値（炭化水素にあっては、炭素数当量による容量比で表した値をグラムに換算した値）が、一酸化炭素にあっては八・四二、炭化水素にあっては〇・三九、窒素酸化物にあっては〇・六三を超えないものであること。

二　当該自動車を十一モード法により運行する場合に発生し、排気管から大気中に排出される排出物に含まれる一酸化炭素、炭化水素及び窒素酸化物の排出量をグラムで表した値（炭化水素にあっては、炭素数当量による容量比で表した値をグラムに換算した値）が、一酸化炭素にあっては百四、炭化水素にあっては九・五〇、窒素酸化物にあっては六・六〇を超えないものであること。

三　前二号の基準に適合させるために当該自動車に備える一酸化炭素、炭化水素及び窒素酸化物を減少させる装置が、細目告示第四十一条第二項第一号から第三号まで及び第百十九条第二項第一号から第三号までに掲げる基準に適合したものであること。

60　ガソリン又は液化石油ガスを燃料とする普通自動車又は小型自動車（二輪自動車を除く。）であって専ら乗用の用に供する自動車又は車両総重量が二・五トン以下の自動車以外のものであって平成十五年八月三十一日以前に製作されたもの（第二項、第七項、第十一項、第十六項、第二十四項、第三十二項、第四十二項及び第五十二項の自動車並びに輸入された自動車以外の自動車であって、平成十三年十月一日以降に、指定を受けた型式指定自動車及び一酸化炭素等発散防止装置指定自動車を除く。）については、細目告示第四十一条第一項第一号及び第二号並びに第二項の規定にかかわらず、新規検査等及び完成検査等の際、次の基準に適合するものであればよい。

一　当該自動車を別表第一の上欄に掲げる運転条件で運行する場合に発生し、排気管から大気中に排出される排出物に含まれる一酸化炭素、炭化水素及び窒素酸化物の一時間当たりの排出量をグラムで表した値（炭化水素にあっては、炭素数当量による容量比で表した値をグラムに換算した値）にそれぞれ同表の下欄に掲げる係数を乗じて得た値を加算した値を、同表の上欄に掲げる運転条件で運行する場合に発生した仕事率をキロワットで表した値にそれぞれ同表の下欄に掲げる係数を乗じて得た値を加算した値で除して得た値が、一酸化炭素にあっては六十八・〇、炭化水素にあっては二・二九、窒素酸化物にあっては五・九〇を超えないものであること。

二　前号の基準に適合させるために当該自動車に備える一酸化炭素、炭化水素及び窒素酸化物を減少させる装置が、細目告示第四十一条第二項第一号から第三号までに掲げる基準に適合したものであること。

61　細目告示第四十一条第一項第三号の表のニ及び同項第四号の表のニに掲げる自動車であって平成十五年八月三十一日以前に製作されたもの（第三項、第四項、第十五項、第二十六項、第二十九項及び第五十一項の自動車並びに輸入された自動車以外の自動車であって、平成十四年十月一日以降に、指定を受けた型式指定自動車及び一酸化炭素等発散防止装置指定自動車を除く。）については、同条第一項第三号及び第四号並びに第二項並びに第百十九条第一項第二号並びに第二項の規定にかかわらず、新規検査等及び完成検査等の際、次の基準に適合するものであればよい。

一　当該自動車を十・十五モード法により運行する場合に発生し、排気管から大気中に排出される排出物に含まれる一酸化炭素、炭化水素及び窒素酸化物の走行距離一キロメートル当たりの排出量をグラムで表した値（炭化水素にあっては、炭素数当量による容量比で表した値をグラムに換算した値）が、一酸化炭素にあっては八・四二（二サイクルの原動機を有する軽自動車にあっては、十七・〇）、炭化水素にあっては〇・三九（二サイクルの原動機を有する軽自動車にあっては、十五・〇）、窒素酸化物にあっては〇・四八（二サイクルの原動機を有する軽自動車にあっては、〇・五〇）を超えないものであること。

二　当該自動車を十一モード法により運行する場合に発生し、排気管から大気中に排出される排出物に含まれる一酸化炭素、炭化水素及び窒素酸化物の排出量をグラムで表した値（炭化水素にあっては、炭素数当量による容量比で表した値をグラムに換算した値）が、一酸化炭素にあっては百四（二サイクルの原動機を有する軽自動車にあっては、百三十）、炭化水素にあっては九・五〇（二サイクルの原動機を有する軽自動車にあっては、七十・〇）、窒素酸化物にあっては六・〇〇（二サイクルの原動機を有する軽自動車にあっては、四・〇〇）を超えないものであること。

三　前二号の基準に適合させるために当該自動車に備える一酸化炭素、炭化水素及び窒素酸化物を減少させる装置が、細目告示第四十一条第二項第一号及び第百十九条第二項第一号に掲げる基準に適合したものであること。

62　細目告示第四十一条第一項第八号の表のイ及びロに掲げる自動車であって平成十六年八月三十一日以前に製作されたもの（第一項の表第三号に掲げる自動車並びに第八項、第十二項、第十七項から第二十項まで、第二十二項、第二十八項、第三十項、第三十一項、第三十三項、第三十七項、第四十三項及び第四十七項の自動車を除く。）については、細目告示第四十一条第一項第八号及び第二項第一号並びに第百十九条第一項第四号及び第二項の規定にかかわらず、新規検査等の際、次の基準に適合するものであればよい。ただし、同告示第百十九条第一項第四号の規定の適用を受ける自動車にあっては、第三号の基準は適用しない。

一　十・十五モード法により運行する場合に発生し、排気管から大気中に排出される排出物に含まれる一酸化炭素、炭化水素、窒素酸化物及び粒子状物質の走行距離一キロメートル当たりの排出量をグラムで表した値（炭化水素にあっては、炭素数等量による容量比で表した値をグラムに換算した値）が、一酸化炭素にあっては二・七〇、炭化水素にあっては〇・六二、窒素酸化物にあっては〇・五五、粒子状物質にあっては〇・一四を超えないものであること。

二　前号の規定に適合させるために当該自動車に備える一酸化炭素、炭化水素、窒素酸化物又は粒子状物質を減少させる装置が、細目告示第四十一条第二項第一号及び第百十九条第二項第一号に掲げる基準に適合したものであること。

三　平成二十年改正告示による改正前の細目告示別添四十五「ディーゼル四モード黒煙の測定方

法」に規定する黒煙四モード法（6・1・1の規定を除く。）により運行する場合に発生し、排気管から大気中に排出される排出物に含まれる黒煙による汚染の度合が二十五パーセント以下であること。

63

細目告示第四十一条第一項第七号の表のイ及びロに掲げる自動車であって平成十六年八月三十一日以前に製作されたもの（第一項の表第三号に掲げる自動車並びに第八項、第十二項、第十七項から第二十項まで、第二十二項、第二十八項、第三十項、第三十一項、第三十三項、第三十七項、第四十三項及び第四十七項の自動車並びに輸入された自動車以外の自動車であって、平成十四年十月一日以降に、指定を受けた型式指定自動車及び一酸化炭素等発散防止装置指定自動車を除く。）については、細目告示第四十一条第一項第七号及び第二項の規定にかかわらず、完成検査等の際、次の基準に適合するものであればよい。

一　十・十五モード法により運行する場合に発生し、排気管から大気中に排出される排出物に含まれる一酸化炭素、炭化水素、窒素酸化物及び粒子状物質の走行距離一キロメートル当たりの排出量をグラムで表した値（炭化水素にあっては、炭素数等量による容量比で表した値をグラムに換算した値）の当該自動車及び当該自動車と同一の型式の自動車であって既に完成検査等を終了したすべてのものにおける平均値が、一酸化炭素にあっては二・一〇、炭化水素にあっては〇・四〇、窒素酸化物にあっては〇・四〇、粒子状物質にあっては〇・〇八を超えないものであること。

二　前号の規定に適合させるために当該自動車に備える一酸化炭素、炭化水素、窒素酸化物又は粒子状物質を減少させる装置が、細目告示第四十一条第二項第一号に掲げる基準に適合したものであること。

三　平成二十年改正告示による改正前の細目告示別添四十五「ディーゼル四モード黒煙の測定方法」に規定する黒煙四モード法（6・1・1の規定を除く。）により運行する場合に発生し、排気管から大気中に排出される排出物に含まれる黒煙による汚染の度合が二十五パーセント以下であること。

64

軽油を燃料とする普通自動車及び小型自動車（型式指定自動車及び一酸化炭素等発散防止装置指定自動車に限る。）であって、細目告示第四十一条第一項第七号の表のハに掲げる自動車（車両総重量が二・五トン以下のものに限る。）のうち、平成十六年八月三十一日以前に製作されたもの（第一項の表第三号に掲げる自動車並びに第八項、第十二項、第十七項、第十八項、第二十二項、第二十八項、第三十項、第三十一項、第三十四項、第三十七項、第四十三項及び第四十七項の自動車並びに輸入された自動車以外の自動車であって、平成十五年十月一日以降に指定を受けた型式指定自動車及び一酸化炭素等発散防止装置指定自動車を除く。）は、細目告示第四十一条第一項第七号の規定にかかわらず、完成検査等の際、次の基準に適合するものであればよい。

一　十・十五モード法により運行する場合に発生し、排気管から大気中に排出される排出物に含まれる一酸化炭素、炭化水素、窒素酸化物及び粒子状物質の走行距離一キロメートル当たりの排出量をグラムで表した値（非メタン炭化水素にあっては、炭素数当量による容量比で表した値をグラムに換算した値）により算出した値の当該自動車及び当該自動車と同一の型式の自動車であって既に完成検査等を終了したすべてのものにおける平均値が、それぞれ一酸化炭素については二・一〇、炭化水素については〇・四〇、窒素酸化物については〇・七〇、粒子状物質については〇・〇九を超えないものであること。

二　平成二十年改正告示による改正前の細目告示別添四十五「ディーゼル四モード黒煙の測定方法」に規定する黒煙四モード法（6・1・1の規定を除く。）により運行する場合に発生し、排気管から大気中に排出される排出物に含まれる黒煙による汚染の度合が二十五パーセント以下であること。

65

軽油を燃料とする普通自動車及び小型自動車（型式指定自動車及び一酸化炭素等発散防止装置指定自動車に限る。）であって、細目告示第四十一条第一項第七号の表のハに掲げる自動車（車両総重量が二・五トンを超えるものに限る。）及び同項第五号に掲げる自動車（車両総重量が十二トン以下のものに限る。）のうち、平成十六年八月三十一日以前に製作されたもの（第一項の表の第四号に掲げる自動車並びに第八項、第十二項、第十七項、第十八項、第二十二項、第二十五項、第二十七項、第三十八項、第四十四項及び第四十八項の自動車並びに輸入された自動車以外の自動車であって、平成十五年十月一日以降に指定を受けた型式指定自動車及び一酸化炭素等発散防止装置指定自動車を除く。）は、細目告示第四十一条第一項第五号及び第七号の規定にかかわらず、完成検査等の際、次の基準に適合するものであればよい。

一　別表第二の上欄に掲げる運転条件で運行する場合に発生し、排気管から大気中に排出される排出物に含まれる一酸化炭素、炭化水素、窒素酸化物及び粒子状物質の排出量をグラムで表した値（炭化水素にあっては、炭素数当量による容量比で表した値をグラムに換算した値）にそれぞれ同表の下欄に掲げる係数を乗じて得た値を加算した値を、同表の上欄に掲げる運転条件で運行する場合に発生した仕事率をキロワットで表した値にそれぞれ同表の下欄に掲げる係数を乗じて得た値を加算した値で除して得た値の当該自動車及び当該自動車と同一の型式の自動車であって既に完成検査等を終了したすべてのものにおける平均値が、一酸化炭素については七・四〇、炭化水素については二・九〇、窒素酸化物については四・五〇、粒子状物質については〇・二五を超えないものであること。

二　平成二十年改正告示による改正前の細目告示別添四十五「ディーゼル四モード黒煙の測定方法」に規定する黒煙四モード法（6・1・1の規定を除く。）により運行する場合に発生し、排気管から大気中に排出される排出物に含まれる黒煙による汚染の度合が二十五パーセント以下であること。

66

軽油を燃料とする普通自動車及び小型自動車（型式指定自動車及び一酸化炭素等発散防止装置指定自動車に限る。）であって、細目告示第四十一条第一項第五号に掲げる自動車（車両総重量が十二トンを超えるものに限る。）のうち、平成十七年八月三十一日以前に製作されたもの（第一項の表の第四号に掲げる自動車並びに第八項、第十二項、第十七項、第十八項、第二十七項、第三十八項及び第五十四項の自動車並びに輸入された自動車以外の自動車であって、平成十六年十月一日以降に指定を受けた型式指定自動車及び一酸化炭素等発散防止装置指定自動車を除く。）は、細目告示第四十一条第一項第五号の規定にかかわらず、完成検査等の際、次の基準に適合するものであればよい。

一　別表第二の上欄に掲げる運転条件で運行する場合に発生し、排気管から大気中に排出される排出物に含まれる一酸化炭素、炭化水素、窒素酸化物及び粒子状物質の排出量をグラムで表した値（炭化水素にあっては、炭素数当量による容量比で表した値をグラムに換算した値）にそれぞれ同表の下欄に掲げる係数を乗じて得た値を加算した値を、同表の上欄に掲げる運転条件で運行する場合に発生した仕事率をキロワットで表した値にそれぞれ同表の下欄に掲げる係数を乗じて得た値を加算した値で除して得た値の当該自動車及び当該自動車と同一の型式の自動車であって既に完成検査等を終了したすべてのものにおける平均値が、一酸化炭素については七・四〇、炭化水素については二・九〇、窒素酸化物については四・五〇、粒子状物質については〇・二五を超えないものであること。

二　平成二十年改正告示による改正前の細目告示別添四十五「ディーゼル四モード黒煙の測定方法」に規定する黒煙四モード法（6・1・1の規定を除く。）により運行する場合に発生し、排気管から大気中に排出される排出物に含まれる黒煙による汚染の度合が二十五パーセント以下であること。

67　軽油を燃料とする普通自動車及び小型自動車（型式指定自動車及び一酸化炭素等発散防止装置指定自動車を除く。）であって、細目告示第四十一条第一項第八号の表のハに掲げる自動車（車両総重量が二・五トン以下のものに限る。）のうち、平成十六年八月三十一日以前に製作されたもの（第一項の表の第四号に掲げる自動車並びに第八項、第十二項、第十七項、第十八項、第二十二項、第二十八項、第三十一項、第三十四項、第三十七項、第四十三項及び第四十七項の自動車を除く。）は、同告示第四十一条第一項第八号及び第百十九条第一項第四号の規定にかかわらず、新規検査等の際、次の基準に適合するものであればよい。ただし、同告示第百十九条第一項第四号の規定の適用を受ける自動車にあっては、第二号の基準は適用しない。

一　十・十五モード法により運行する場合に発生し、当該排気管から排出される排出物に含まれる一酸化炭素、非メタン炭化水素、窒素酸化物及び粒子状物質の走行距離一キロメートル当たりの排出量をグラムで表した値（非メタン炭化水素にあっては、炭素数当量による容量比で表した値をグラムに換算した値）が、一酸化炭素については二・七〇、炭化水素については〇・六二、窒素酸化物については〇・九七、粒子状物質については〇・一八を超えないものであること。

二　平成二十年改正告示による改正前の細目告示別添四十五「ディーゼル四モード黒煙の測定方法」に規定する黒煙四モード法（6・1・1の規定を除く。）により運行する場合に発生し、排気管から大気中に排出される排出物に含まれる黒煙による汚染の度合が二十五パーセント以下であること。

68　軽油を燃料とする普通自動車及び小型自動車（型式指定自動車及び一酸化炭素等発散防止装置指定自動車を除く。）であって、細目告示第四十一条第一項第八号の表のハに掲げる自動車（車両総重量が二・五トンを超えるものに限る。）及び同項第六号に掲げる自動車（車両総重量が十二トン以下のものに限る。）のうち、平成十六年八月三十一日以前に製作されたもの（第一項の表の第四号及び第十号に掲げる自動車並びに第八項、第十二項、第十七項、第十八項、第二十五項、第二十七項、第三十八項、第四十四項並びに第四十八項の自動車を除く。）は、細目告示第四十一条第一項第六号及び第八号並びに第百十九条第一項第四号の規定にかかわらず、新規検査等の際、次の基準に適合するものであればよい。ただし、同告示第百十九条第一項第四号の規定の適用を受ける自動車にあっては、第二号の基準は適用しない。

一　別表第二の上欄に掲げる運転条件で運行する場合に発生し、排気管から大気中に排出される排出物に含まれる一酸化炭素、炭化水素、窒素酸化物及び粒子状物質の排出量をグラムで表した値（炭化水素にあっては、炭素数当量による容量比で表した値をグラムに換算した値）にそれぞれ同表の下欄に掲げる係数を乗じて得た値を加算した値を、同表の上欄に掲げる運転条件で運行する場合に発生した仕事率をキロワットで表した値にそれぞれ同表の下欄に掲げる係数を乗じて得た値を加算した値で除して得た値が、一酸化炭素については九・二〇、炭化水素については三・八〇、窒素酸化物については五・八〇、粒子状物質については〇・四九を超えないものであること。

二　平成二十年改正告示による改正前の細目告示別添四十五「ディーゼル四モード黒煙の測定方法」に規定する黒煙四モード法（6・1・1の規定を除く。）により運行する場合に発生し、排気管から大気中に排出される排出物に含まれる黒煙による汚染の度合が二十五パーセント以下であること。

69　軽油を燃料とする普通自動車及び小型自動車（型式指定自動車及び一酸化炭素等発散防止装置指定自動車を除く。）であって、細目告示第四十一条第一項第六号に掲げる自動車（車両総重量が十二トンを超えるものに限る。）のうち、平成十七年八月三十一日以前に製作されたもの（第一項の表の第四号及び第十号に掲げる自動車並びに第八項、第十二項、第十七項、第十八項、第二十七項、第三十八項並びに第五十四項の自動車を除く。）は、細目告示第四十一条第一項第六号の規定にかかわらず、新規検査等の際、次の基準に適合するものであればよい。

一　別表第二の上欄に掲げる運転条件で運行する場合に発生し、排気管から大気中に排出される排出物に含まれる一酸化炭素、炭化水素、窒素酸化物及び粒子状物質の排出量をグラムで表した値（炭化水素にあっては、炭素数当量による容量比で表した値をグラムに換算した値）にそれぞれ同表の下欄に掲げる係数を乗じて得た値を加算した値を、同表の上欄に掲げる運転条件で運行する場合に発生した仕事率をキロワットで表した値にそれぞれ同表の下欄に掲げる係数を乗じて得た値を加算した値で除して得た値が、一酸化炭素については九・二〇、炭化水素については三・八〇、窒素酸化物については五・八〇、粒子状物質については〇・四九を超えないものであること。

二　平成二十年改正告示による改正前の細目告示別添四十五「ディーゼル四モード黒煙の測定方法」に規定する黒煙四ニード法（6・1・1の規定を除く。）により運行する場合に発生し、排気管から大気中に排出される排出物に含まれる黒煙による汚染の度合が二十五パーセント以下であること。

70　ガソリン又は液化石油ガスを燃料とする普通自動車、小型自動車及び軽自動車（型式指定自動車及び一酸化炭素等発散防止装置指定自動車に限る。）であって、細目告示第四十一条第一項第三号に掲げる自動車のうち、平成十九年八月三十一日（同号の表のニに掲げる自動車については、平成二十年八月三十一日）以前に製作されたもの（第二項から第七項まで、第九項から第十一項まで、第十三項から第十六項まで、第二十一項、第二十三項、第二十四項、第二十六項、第二十九項、第三十二項、第四十一項、第四十二項、第五十一項、第五十二項、第五十七項及び第五十九項から第六十一項までの自動車並びに輸入された自動車以外の自動車であって、平成十七年十月一日（同号の表のニに掲げる自動車については、平成十九年十月一日）以降に指定を受けた型式指定自動車及び一酸化炭素等発散防止装置指定自動車を除く。）は、同告示第四十一条第一項第三号の規定にかかわらず、完成検査等の際、次の各号の基準に適合するものであればよい。

一　当該自動車を十・十五モード法により運行する場合に発生し、その排気管から排出される排出物に含まれる一酸化炭素、炭化水素及び窒素酸化物の走行距離一キロメートル当たりの排出量をグラムで表した値（炭化水素にあっては、炭素数当量による容量比で表した値をグラムに換算した値）の、当該自動車及びそれと同一の型式の自動車であって既に完成検査等を終了したすべてのものにおける平均値が、それぞれ次の表の一酸化炭素、炭化水素及び窒素酸化物の欄に掲げる値を超えないものであること。

自動車の種別	一酸化炭素	炭化水素	窒素酸化物
イ　専ら乗用の用に供する乗車定員十人以下のもの	〇・六七	〇・〇八	〇・〇八
ロ　軽自動車であって、イに掲げるもの以外	三・三〇（二	〇・一三（二	〇・一三（二

のもの	サイクルの原動機を有するものにあっては、十三・〇)	サイクルの原動機を有するものにあっては、十二・〇)	サイクルの原動機を有するものにあっては、〇・三〇)
ハ　車両総重量が一・七トン以下のものであって、イ及びロに掲げるもの以外のもの	〇・六七	〇・〇八	〇・〇八
ニ　車両総重量が三・五トン以下のものであって、イからハまでに掲げるもの以外のもの	二・一〇	〇・〇八	〇・一三

二　当該自動車を十一モード法により運行する場合に発生し、その排気管から排出される排出物に含まれる一酸化炭素、炭化水素及び窒素酸化物の排出量をグラムで表した値（炭化水素にあっては、炭素数当量による容量比で表した値をグラムに換算した値）の、当該自動車及びそれと同一の型式の自動車であって既に完成検査等を終了したすべてのものにおける平均値が、それぞれ次の表の一酸化炭素、炭化水素及び窒素酸化物の欄に掲げる値を超えないものであること。

自動車の種別	一酸化炭素	炭化水素	窒素酸化物
イ　専ら乗用の用に供する乗車定員十人以下のもの	十九・〇	二・二〇	一・四〇
ロ　軽自動車であって、イに掲げるもの以外のもの	三十八・〇(二サイクルの原動機を有するものにあっては、百)	三・五〇（二サイクルの原動機を有するものにあっては、五十・〇)	二・二〇（二サイクルの原動機を有するものにあっては、二・五〇)
ハ　車両総重量が一・七トン以下のものであって、イ及びロに掲げるもの以外のもの	十九・〇	二・二〇	一・四〇
ニ　車両総重量が三・五トン以下のものであって、イからハまでに掲げるもの以外のもの	二十四・〇	二・二〇	一・六〇

71　ガソリン又は液化石油ガスを燃料とする普通自動車及び小型自動車（型式指定自動車及び一酸化炭素等発散防止装置指定自動車に限る。）であって、細目告示第四十一条第一項第一号に掲げる自動車のうち、平成十九年八月三十一日以前に製作されたもの（第二項、第七項、第十一項、第十六項、第二十四項、第三十二項、第四十二項、第五十二項及び第六十項の自動車並びに輸入された自動車以外の自動車であって、平成十七年十月一日以降に指定を受けた型式指定自動車及び一酸化炭素等発散防止装置指定自動車を除く。）は、細目告示第四十一条第一項第一号の規定にかかわらず、完成検査等の際、当該自動車を別表第一の上欄に掲げる運転条件で運行する場合に発生し、排気管から大気中に排出される排出物に含まれる一酸化炭素、炭化水素及び窒素酸化物の排出量をグラムで表した値（炭化水素にあっては、炭素数当量による容量比で表した値をグラムに換算した値）にそれぞれ同表の下欄に掲げる係数を乗じて得た値を加算した値を、同表の上欄に掲げる運転条件で運行する場合に発生した仕事率をキロワットで表した値にそれぞれ同表の下欄に掲げる係数を乗じて得た値を加算した値で除して得た値の当該自動車及び当該自動車と同一の型式の自動車であって既に完成検査等を終了したすべてのものにおける平均値が、一酸化炭素については十六・〇、炭化水素については〇・五八、窒素酸化物については一・四〇を超えないものであればよい。

72　軽油を燃料とする普通自動車及び小型自動車（型式指定自動車及び一酸化炭素等発散防止装置指定自動車に限る。）であって、細目告示第四十一条第一項第七号に掲げる自動車（同号の表のハに掲げる自動車にあっては車両総重量が二・五トン以下のものに限る。）のうち、平成十九年八月三十一日以前に製作されたもの（第一項の表の第四号に掲げる自動車並びに第八項、第十二項、第十七項から第二十項まで、第二十二項、第二十八項、第三十項、第三十一項、第三十三項、第三十四項、第三十七項、第四十三項、第四十七項及び第六十二項から第六十四項までの自動車並びに輸入された自動車以外の自動車であって、平成十七年十月一日以降に指定を受けた型式指定自動車及び一酸化炭素等発散防止装置指定自動車を除く。）は、同告示第四十一条第一項第七号の規定にかかわらず、完成検査等の際、次の基準に適合するものであればよい。

一　十・十五モード法により運行する場合に発生し、排気管から排出される排出物に含まれる一酸化炭素、炭化水素、窒素酸化物及び粒子状物質の走行距離一キロメートル当たりの排出量をグラムで表した値（炭化水素にあっては、炭素数当量による容量比で表した値をグラムに換算した値）の、当該自動車及びそれと同一の型式の自動車であって既に完成検査等を終了したすべてのものにおける平均値が、それぞれ次の表の一酸化炭素、炭化水素、窒素酸化物及び粒子状物質の欄に掲げる値を超えないものであること。

自動車の種別	一酸化炭素	炭化水素	窒素酸化物	粒子状物質
イ　専ら乗用の用に供する乗車定員十人以下のもののうち、車両重量が千二百六十五キログラム以下のもの	〇・六三	〇・一二	〇・二八	〇・〇五二
ロ　専ら乗用の用に供する乗車定員十人以下のもののうち、イに掲げるもの以外のもの	〇・六三	〇・一二	〇・三〇	〇・〇五六
ハ　車両総重量が一・七トン以下のものであって、イ及びロに掲げるもの以外のもの	〇・六三	〇・一二	〇・二八	〇・〇五二
ニ　車両総重量が二・五トン以下のものであって、イからハまでに掲げるもの以外のもの	〇・六三	〇・一二	〇・四九	〇・〇六

二　平成二十年改正告示による改正前の細目告示別添四十五「ディーゼル四モード黒煙の測定方法」に規定する黒煙四モード法により運行する場合に発生し、排気管から大気中に排出される

排出物に含まれる黒煙による汚染の度合が二十五パーセント以下であること。

73　軽油を燃料とする普通自動車及び小型自動車（型式指定自動車及び一酸化炭素等発散防止装置指定自動車に限る。）であって、細目告示第四十一条第一項第七号の表のハに掲げる自動車（車両総重量が二・五トンを超えるものに限る。）及び同項第五号に掲げる自動車のうち、平成十九年八月三十一日以前に製作されたもの（第一項の表の第四号に掲げる自動車並びに第八項、第十二項、第十七項、第十八項、第二十二項、第二十五項、第二十七項、第三十八項、第四十四項、第四十八項、第五十四項、第六十五項及び第六十六項の自動車並びに輸入された自動車以外の自動車であって、平成十七年十月一日以降に指定を受けた型式指定自動車及び一酸化炭素等発散防止装置指定自動車を除く。）は、細目告示第四十一条第一項第五号及び第七号の規定にかかわらず、完成検査等の際、次の各号に掲げる基準に適合するものであればよい。

一　当該自動車を別表第二の上欄に掲げる運転条件で運行する場合に発生し、排気管から大気中に排出される排出物に含まれる一酸化炭素、炭化水素、窒素酸化物及び粒子状物質の排出量をグラムで表した値（炭化水素にあっては、炭素数当量による容量比で表した値をグラムに換算した値）にそれぞれ同表の下欄に掲げる係数を乗じて得た値を加算した値を、同表の上欄に掲げる運転条件で運行する場合に発生した仕事率をキロワットで表した値にそれぞれ同表の下欄に掲げる係数を乗じて得た値を加算した値で除して得た値の当該自動車及び当該自動車と同一の型式の自動車であって既に完成検査等を終了したすべてのものにおける平均値が、一酸化炭素については二・二二、炭化水素については〇・八七、窒素酸化物については三・三八、粒子状物質については〇・一八を超えないものであること。

二　平成二十年改正告示による改正前の細目告示別添四十五「ディーゼル四モード黒煙の測定方法」に規定する黒煙四モード法により運行する場合に発生し、排気管から大気中に排出される排出物に含まれる黒煙による汚染の度合が二十五パーセント以下であること。

三　黒煙による汚染度が二十五パーセントを超えないこと。ただし、黒煙による汚染度の測定の前に、光吸収係数を測定する場合であって、当該光吸収係数が一・六二m^{-1}を超えないときは、黒煙による汚染度が二十五パーセントを超えないものとみなす。

74　ガソリン又は液化石油ガスを燃料とする普通自動車、小型自動車及び軽自動車（型式指定自動車及び一酸化炭素等発散防止装置指定自動車を除く。）であって、細目告示第四十一条第一項第四号に掲げる自動車のうち、平成十九年八月三十一日（同号の表の二に掲げる自動車については、平成二十年八月三十一日）以前に製作されたもの（第二項から第七項まで、第九項から第十一項まで、第十三項から第十六項まで、第二十一項、第二十三項、第二十四項、第二十六項、第二十九項、第三十二項、第四十一項、第四十二項、第五十一項、第五十二項、第五十七項及び第五十九項から第六十一項までの自動車を除く。）は、同告示第四十一条第一項第四号及び第百十九条第一項第二号の規定にかかわらず、新規検査等の際、次の各号の基準に適合するものであればよい。

一　当該自動車を十・十五モード法により運行する場合に発生し、その排気管から排出される排出物に含まれる一酸化炭素、炭化水素及び窒素酸化物の走行距離一キロメートル当たりの排出量をグラムで表した値（炭化水素にあっては、炭素数当量による容量比で表した値をグラムに換算した値）が、それぞれ次の表の一酸化炭素、炭化水素及び窒素酸化物の欄に掲げる値を超えないものであること。

自動車の種別	一酸化炭素	炭化水素	窒素酸化物
イ　専ら乗用の用に供する乗車定員十人以下のもの	一・二七	〇・一七	〇・一七
ロ　軽自動車であって、イに掲げるもの以外のもの	五・一一（二サイクルの原動機を有するものにあっては、十七・〇）	〇・二五（二サイクルの原動機を有するものにあっては、十五・〇）	〇・二五（二サイクルの原動機を有するものにあっては、〇・五〇）
ハ　車両総重量が一・七トン以下のものであって、イ及びロに掲げるもの以外のもの	一・二七	〇・一七	〇・一七
ニ　車両総重量が三・五トン以下のものであって、イからハまでに掲げるもの以外のもの	三・三六	〇・一七	〇・二五

二　当該自動車を十一モード法により運行する場合に発生し、その排気管から排出される排出物に含まれる一酸化炭素、炭化水素及び窒素酸化物の排出量をグラムで表した値（炭化水素にあっては、炭素数当量による容量比で表した値をグラムに換算した値）が、それぞれ次の表の一酸化炭素、炭化水素及び窒素酸化物の欄に掲げる値を超えないものであること。

自動車の種別	一酸化炭素	炭化水素	窒素酸化物
イ　専ら乗用の用に供する乗車定員十人以下のもの	三十一・一	四・四二	二・五〇
ロ　軽自動車であって、イに掲げるもの以外のもの	五十八・九（二サイクルの原動機を有するものにあっては、百三十）	六・四〇（二サイクルの原動機を有するものにあっては、七十・〇）	三・六三（二サイクルの原動機を有するものにあっては、四・〇〇）
ハ　車両総重量が一・七トン以下のものであって、イ及びロに掲げるもの以外のもの	三十一・一	四・四二	二・五〇
ニ　車両総重量が三・五トン以下のものであって、イからハまでに掲げるもの以外のもの	三十八・五	四・四二	二・七八

75　ガソリン又は液化石油ガスを燃料とする普通自動車及び小型自動車（型式指定自動車及び一酸化炭素等発散防止装置指定自動車を除く。）であって、細目告示第四十一条第一項第二号に掲げる自動車のうち、平成十九年八月三十一日以前に製作されたもの（第一項の表の第十一号に掲げる自動車並びに第二項、第七項、第十一項、第十六項、第二十四項、第三十二項、第四十二項、第五十二項及び第六十項の自動車を除く。）は、細目告示第四十一条第一項第二号及び第百十九条第一項第一号の規定にかかわらず、新規検査等の際、当該自動車を別表第一の上欄に掲げる運転条件で運行する場合に発生し、排気管から大気中に排出される排出物に含まれる一酸化炭素、

炭化水素及び窒素酸化物の排出量をグラムで表した値（炭化水素にあっては、炭素数当量による容量比で表した値をグラムに換算した値）にそれぞれ同表の下欄に掲げる係数を乗じて得た値を加算した値を、同表の上欄に掲げる運転条件で運行する場合に発生した仕事率をキロワットで表した値にそれぞれ同表の下欄に掲げる係数を乗じて得た値を加算した値で除して得た値が、一酸化炭素については二十六・〇、炭化水素については〇・九九、窒素酸化物については二・〇三を超えないものであればよい。

76 軽油を燃料とする普通自動車及び小型自動車（型式指定自動車及び一酸化炭素等発散防止装置指定自動車を除く。）であって、細目告示第四十一条第一項第八号に掲げるもの（同号の表のハに掲げる自動車にあっては車両総重量が二・五トン以下のものに限る。）のうち、平成十九年八月三十一日以前に製作されたもの（第一項の表の第四号に掲げる自動車並びに第八項、第十二項、第十七項から第二十項まで、第二十二項、第二十八項、第三十項、第三十一項、第三十三項、第三十四項、第三十七項、第四十三項、第四十七項、第六十二項、第六十三項及び第六十七項の自動車を除く。）は、同告示第四十一条第一項第八号及び第百十九条第一項第四号の規定にかかわらず、新規検査等の際、次の基準に適合するものであればよい。ただし、同告示第百十九条第一項第四号の規定の適用を受ける自動車にあっては、第二号の基準は適用しない。

一　当該自動車を十・十五モード法により運行する場合に発生し、排気管から排出される排出物に含まれる一酸化炭素、炭化水素、窒素酸化物及び粒子状物質の走行距離一キロメートル当たりの排出量をグラムで表した値（炭化水素にあっては、炭素数当量による容量比で表した値をグラムに換算した値）が、それぞれ次の表の一酸化炭素、炭化水素、窒素酸化物及び粒子状物質の欄に掲げる値を超えないものであればよい。

自動車の種別	一酸化炭素	炭化水素	窒素酸化物	粒子状物質
イ　専ら乗用の用に供する乗車定員十人以下のもののうち、車両重量が千二百六十五キログラム以下のもの	〇・九八	〇・二四	〇・四三	〇・一一
ロ　専ら乗用の用に供する乗車定員十人以下のもののうち、イに掲げるもの以外のもの	〇・九八	〇・二四	〇・四五	〇・一一
ハ　車両総重量が一・七トン以下のものであって、イ及びロに掲げるもの以外のもの	〇・九八	〇・二四	〇・四三	〇・一一
ニ　車両総重量が二・五トン以下のものであって、イからハまでに掲げるもの以外のもの	〇・九八	〇・二四	〇・六八	〇・一二

二　平成二十年改正告示による改正前の細目告示別添四十五「ディーゼル四モード黒煙の測定方法」に規定する黒煙四モード法により運行する場合に発生し、排気管から大気中に排出される排出物に含まれる黒煙による汚染の度合が二十五パーセント以下であること。

77 軽油を燃料とする普通自動車及び小型自動車（型式指定自動車及び一酸化炭素等発散防止装置指定自動車を除く。）であって、細目告示第四十一条第一項第八号の表のハに掲げる自動車（車両総重量が二・五トンを超えるものに限る。）及び同項第六号に掲げる自動車のうち、平成十九年八月三十一日以前に製作されたもの（第一項の表の第四号及び第十号に掲げる自動車並びに第八項、第十二項、第十七項、第十八項、第二十二項、第二十五項、第二十七項、第三十八項、第四十四項、第四十八項、第五十四項、第六十八項並びに第六十九項の自動車を除く。）は、細目告示第四十一条第一項第六号及び第八号並びに第百十九条第一項第三号及び第四号の規定にかかわらず、新規検査等の際、次の各号に掲げる基準に適合するものであればよい。ただし、同告示第百十九条第一項第三号及び第四号の規定の適用を受ける自動車（平成十八年九月三十日以前に製作されたものに限る。）にあっては、第二号の基準は適用しない。

一　当該自動車を別表第二の上欄に掲げる運転条件で運行する場合に発生し、排気管から大気中に排出される排出物に含まれる一酸化炭素、炭化水素、窒素酸化物及び粒子状物質の排出量をグラムで表した値（炭化水素にあっては、炭素数当量による容量比で表した値をグラムに換算した値）にそれぞれ同表の下欄に掲げる係数を乗じて得た値を加算した値を、同表の上欄に掲げる運転条件で運行する場合に発生した仕事率をキロワットで表した値にそれぞれ同表の下欄に掲げる係数を乗じて得た値を加算した値で除して得た値が、一酸化炭素については三・四六、炭化水素については一・四七、窒素酸化物については四・二二、粒子状物質については〇・三五を超えないものであること。

二　平成二十年改正告示による改正前の細目告示別添四十五「ディーゼル四モード黒煙の測定方法」に規定する黒煙四モード法により運行する場合に発生し、排気管から大気中に排出される排出物に含まれる黒煙による汚染の度合が二十五パーセント以下であること。

三　黒煙による汚染度が二十五パーセント以下であるもの。ただし、黒煙による汚染度の測定の前に、光吸収係数を測定する場合であって、当該光吸収係数〇・八〇m^{-1}を超えないときは、黒煙による汚染度が二十五パーセントをこえないものとみなす。

78 軽自動車（二輪自動車を除く。）のうち次の各号に掲げるもの以外のものには、点火時期制御方式、触媒反応方式又は国土交通大臣が指定する方式の排出ガス減少装置（排気管から大気中に排出される排出物に含まれる炭化水素又は窒素酸化物を有効に減少させる装置をいう。）であって国土交通大臣の定めるものを備えなければならない。

一　昭和四十八年三月三十一日以前に法第七十五条第一項若しくは道路運送車両法の一部を改正する法律（昭和四十七年法律第六十二号）附則第二条第五項の規定によりその型式について指定を受け、又は施行規則第六十二条の三第一項の規定によりその型式について認定を受けた自動車であって同年十二月一日以降に製作されたもの

二　昭和四十八年四月一日以降に法第七十五条第一項若しくは道路運送車両法の一部を改正する法律（昭和四十七年法律第六十二号）附則第二条第五項の規定によりその型式について指定を受け、又は施行規則第六十二条の三第一項の規定によりその型式について認定を受けた自動車

三　第四項又は第七項の基準に適合すると国土交通大臣が認定した型式の自動車

四　一酸化炭素等発散防止装置指定自動車

五　ガソリン又は液化石油ガスを燃料とする車両総重量三・五トン未満の普通自動車、小型自動車及び軽自動車（前各号に掲げるものを除く。）であって、昭和五十年十二月一日（二サイクルの原動機を有する軽自動車（専ら乗用の用に供するものに限る。）及び輸入された自動車にあっては、昭和五十一年四月一日）以降に製作されたもの

六　ガソリン又は液化石油ガスを燃料とする車両総重量三・五トン未満の普通自動車、小型自動車及び軽自動車以外の自動車であって国土交通大臣が指定するもの（第一号から第四号までに掲げるものを除く。）

七　昭和四十二年十二月三十一日以前に最初に法第七条第一項の新規登録を受けた自動車

八　軽自動車（第一号から第五号までに掲げるものを除く。）

79　前項第七号及び第八号の自動車は、国土交通大臣が指示するところにより、排気管から大気中に排出される排出物に含まれる炭化水素又は窒素酸化物を減少させるように点火装置を調整しなければならない。

80　ガソリン、液化石油ガス又は軽油以外を燃料とする普通自動車、小型自動車及び軽自動車のうち、平成十九年八月三十一日以前に製作されたもの（輸入された自動車以外の自動車であって、平成十七年十月一日以降に指定を受けた型式指定自動車及び一酸化炭素等発散防止装置指定自動車を除く。）については、細目告示第四十一条第一項第九号から第十二号まで並びに第百十九条第一項第五号及び第六号の規定は適用しない。

81　軽油を燃料とする普通自動車及び小型自動車（細目告示第百十九条第一項第四号の規定の適用を受ける自動車に限る。）については、設備・体制整備等を行い試験の実施が可能となる環境が整うまでの間、平成二十年改正告示による改正前の細目告示第百十九条第一項第十一号の規定は適用しない。

82　普通自動車及び小型自動車（第八十四項の表第一号及び第二号に掲げる自動車を除く。）並びに軽自動車であって型式指定自動車、一酸化炭素等発散防止装置指定自動車及び国土交通大臣が指定する自動車以外の自動車については、設備・体制整備等を行い試験の実施が可能となる環境が整うまでの間、細目告示第百十九条第二項第四号の規定にかかわらず、新規検査等の際、自動車に備えるばい煙、悪臭のあるガス、有害なガス等の発散防止装置の機能に支障が生じたときにその旨を運転者席の運転者に警報する装置を備えたものであればよい。なお、この場合にあっては、同告示第百九十七条第二項第四号の規定を準用する。

83　ガソリン又は液化石油ガスを燃料とする普通自動車、小型自動車及び軽自動車（型式指定自動車、一酸化炭素等発散防止装置指定自動車及び国土交通大臣が指定する自動車を除く。）については、設備・体制整備等を行い試験の実施が可能となる環境が整うまでの間、細目告示第百十九条第四項の規定にかかわらず、新規検査等の際、燃料から蒸発する炭化水素の排出を抑制する装置の取付けが確実であり、かつ、損傷なければよいものとする。

84　普通自動車、小型自動車及び大型特殊自動車（型式指定自動車、一酸化炭素等発散防止装置指定自動車及び国土交通大臣が指定する自動車を除く。）のうち次の表の上欄に掲げる自動車については、設備・体制整備等を行い試験の実施が可能となる環境が整うまでの間、同表下欄に掲げる規定は適用しない。

自動車	条項
一　平成十八年十月一日以降に製作された普通自動車又は小型自動車（専ら乗用の用に供する乗車定員十人以下のもの及び軽油を燃料とするものを除く。）であって車両総重量三・五トンを超えるもののうち、次のいずれかに該当する自動車 イ　保安基準第五十五条の規定により保安基準第二条、第四条、第四条の二の規定を適用しないものとされたもの又は保安基準第四条の二第一項及び第三項の告示で定めるもの（牽引自動車及び専ら乗用の用に供する乗車定員十一人以上の自動車であって、本邦において自動車を製作することを業とする者が製作したもの又は自動車を輸入することを業とする者が輸入したものであって外国において本邦に輸出される自動車を製作することを業とする者から自動車を輸入する契約を締結している者が当該契約に基づいて輸入したもの（外国において本邦に輸出される自動車を製作することを業とする者が自ら輸入した自動車を含む。）を除く。） ロ　空港整備法（昭和三十一年法律第八十号）第二条第一項に規定する空港の管理者が使用する消防自動車（すべての車輪に動力を伝達できる構造の動力伝達装置を備えたものに限る。） ハ　イ又はロに掲げるもの以外のものであって、車両総重量が五トンを超え、すべての車輪に動力を伝達できる構造の動力伝達装置を備えたもの又は三以上の車軸に動力を伝達できる動力伝達装置を備えたもの（本邦において自動車を製作することを業とする者が製作したもの又は自動車を輸入することを業とする者が輸入したものであって外国において本邦に輸出される自動車を製作することを業とする者から自動車を輸入する契約を締結している者が当該契約に基づいて輸入したもの（外国において本邦に輸出される自動車を製作することを業とする者が自ら輸入した自動車を含む。）を除く。）	細目告示第百十九条第一項第一号、第五号及び第二項
二　平成十八年十月一日以降に製作された軽油を燃料とする普通自動車及び小型自動車（専ら乗用の用に供する乗車定員十人以下のものを除く。）であって車両総重量三・五トン（平成十九年八月三十一日以前に製作されたものについては車両総重量二・五トン）を超えるもののうち、次のいずれかに該当する自動車 イ　平成十九年八月三十一日（輸入された自動車にあっては平成二十年七月三十一日）以前に製作された自動車のうち、黒煙による汚染度が二十五パーセントを超えないものであって、次のいずれかに該当する自動車。ただし、黒煙による汚染度を測定する前に、光吸収係数を測定する場合であって、当該光吸収係数が〇・八〇m^{-1}を超えないときは、黒煙による汚染度が二十五パーセントを超えないものとみなす。 (1)　保安基準第五十五条の規定により保安基準第二条、第四条、第四条の二の規定を適用しないものとされたもの又は保安基準第四条の二第一項及び第三項の告示で定めるもの（牽引自動車及び専ら乗用の用に供する乗車定員十一人以上の自動車であって、本邦において自動車を製作することを業とする者が製作したもの又は自動車を輸入することを業とする者が輸入したものであって外国において本邦に輸出される自動車を製作することを業とする者から自動車を輸入する契約を締結している者が当該契約に基づいて輸入したもの（外国において本邦に輸出される自動車を製作することを業とする者が自ら輸入した自動車	細目告示第百十九条第一項第三号及び第二項

を含む。）を除く。）

(2)　空港整備法第二条第一項に規定する空港の管理者が使用する消防自動車（全ての車輪に動力を伝達できる構造の動力伝達装置を備えたものに限る。）

(3)　(1)及び(2)に掲げる自動車以外の自動車であって、車両総重量が五トンを超え、すべての車輪に動力を伝達できる構造の動力伝達装置を備えたもの又は三以上の車軸に動力を伝達できる動力伝達装置を備えたもの（本邦において自動車を製作することを業とする者が製作したもの又は自動車を輸入することを業とする者が輸入したものであって外国において本邦に輸出される自動車を製作することを業とする者から自動車を輸入する契約を締結している者が当該契約に基づいて輸入したもの（外国において本邦に輸出される自動車を製作することを業とする者が自ら輸入した自動車を含む。）を除く。）

ロ　平成二十二年八月三十一日（車両総重量が三・五トンを超え十二トン以下の自動車にあっては、平成二十三年八月三十一日）以前に製作された自動車のうち、光吸収係数が〇・八〇m^{-1}を超えないものであって、次のいずれかに該当する自動車

(1)　保安基準第五十五条の規定により保安基準第二条、第四条、第四条の二の規定を適用しないものとされたもの又は保安基準第四条の二第一項及び第三項の告示で定めるもの（牽引自動車及び専ら乗用の用に供する乗車定員十一人以上の自動車であって、本邦において自動車を製作することを業とする者が製作したもの又は自動車を輸入することを業とする者が輸入したものであって外国において本邦に輸出される自動車を製作することを業とする者から自動車を輸入する契約を締結している者が当該契約に基づいて輸入したもの（外国において本邦に輸出される自動車を製作することを業とする者が自ら輸入した自動車を含む。）を除く。）

(2)　空港整備法第二条第一項に規定する空港の管理者が使用する消防自動車（全ての車輪に動力を伝達できる構造の動力伝達装置を備えたものに限る。）

(3)　(1)及び(2)に掲げる自動車以外の自動車であって、車両総重量が五トンを超え、すべての車輪に動力を伝達できる構造の動力伝達装置を備えたもの又は三以上の車軸に動力を伝達できる動力伝達装置を備えたもの（本邦において自動車を製作することを業とする者が製作したもの又は自動車を輸入することを業とする者が輸入したものであって外国において本邦に輸出される自動車を製作することを業とする者から自動車を輸入する契約を締結している者が当該契約に基づいて輸入したもの（外国において本邦に輸出される自動車を製作することを業とする者が自ら輸入した自動車を含む。）を除く。）

ハ　イ及びロに掲げる自動車以外の自動車のうち、光吸収係数が〇・五〇m^{-1}を超えないものであって、次のいずれかに該当する自動車

(1)　保安基準第五十五条の規定により保安基準第二条、第四条、第四条の二の規定を適用しないものとされたもの又は保安基準第四条の二第一項及び第三項の告示で定めるもの（牽引自動車及び専ら乗用の用に供する乗車定員十一人以上の自動車であって、本邦において自動車を製作することを業とする者が製作したもの又は自動車を輸入することを業とする者が輸入したものであって外国において本邦に輸出される自動車を製作することを業とする者から自動車を輸入する契約を締結している者が当該契約に基づいて輸入したもの（外国において本邦に輸出される自動車を製作することを業とする者が自ら輸入した自動車を含む。）を除く。）

(2)　空港整備法第二条第一項に規定する空港の管理者が使用する消防自動車（全ての車輪に動力を伝達できる構造の動力伝達装置を備えたものに限る。）

(3)　(1)及び(2)に掲げる自動車以外の自動車であって、車両総重量が五トンを超え、すべての車輪に動力を伝達できる構造の動力伝達装置を備えたもの又は三以上の車軸に動力を伝達できる動力伝達装置を備えたもの（本邦において自動車を製作することを業とする者が製作したもの又は自動車を輸入することを業とする者が輸入したものであって外国において本邦に輸出される自動車を製作することを業とする者から自動車を輸入する契約を締結している者が当該契約に基づいて輸入したもの（外国において本邦に輸出される自動車を製作することを業とする者が自ら輸入した自動車を含む。）を除く。）

三　平成十八年十月一日以降に製作された軽油を燃料とする普通自動車及び小型自動車（専ら乗用の用に供する乗車定員十人以下のものを除く。）であって車両総重量三・五トンを超えるもの（第一号に掲げる自動車を除く。）

平成二十年改正告示による改正前の細目告示第百十九条第一項第十一号

四　大型特殊自動車

細目告示第百十九条第一項第七号及び第二項

五　次に掲げる大型特殊自動車

細目告示第百十九条第一項第八号

イ　平成十六年九月一日から平成二十年八月三十一日までに製作された定格出力が19kW以上37kW未満又は75kW以上560kW未満である原動機を備えたもの

ロ　平成十六年九月一日から平成二十一年八月三十一日までに製作された定格出力が37kW以上56kW未満である原動機を備えたもの

ハ　平成十六年九月一日から平成二十二年八月三十一日までに製作された定格出力が56kW以上75kW未満である原動機を備えたもの

ニ　平成二十年九月一日から平成二十五年三月三十一日までに製作された定格出力が130kW以上560kW未満である原動機を備えたものであり、黒煙による汚染度が25パーセントを超えないもの。ただし、黒煙による汚染度の測定の前に、光吸収係数を測定する場合であって、当該光吸収係数が〇・八〇m^{-1}を超えないときは、黒煙による汚染度が二十五パーセントを超えないものとみなす。

ホ　平成二十年九月一日から平成二十五年十月三十一日までに製作された定格出力が130kW以上560kW未満である原動機を備えたものであり、黒煙による汚染度が二十五パーセントを超えないもの。ただし、黒煙による汚染度の測定の前に、光吸収係数を測定する場合であって、当該光吸収係数が〇・八〇m^{-1}を超えないときは、黒煙による汚染度が二十五パーセントを超えないものとみなす。

ヘ　平成二十年九月一日から平成二十七年八月三十一日までに製作された定格出力が19kW以上37kW未満である原動機を備えたものであり、黒煙による汚染度が四十パーセントを超えないもの。ただし、黒煙による汚染度の測定の前に、光吸収係数を測定する場合であって、当該光吸収係数が一・六二m^{-1}を超えないときは、黒煙による汚染度が四十パーセントを超えないものとみなす。

ト　平成二十一年九月一日から平成二十六年十月三十一日までに製作された定格出力が37kW以上56kW未満である原動機を備えたものであり、黒煙による汚染度が三十五パーセントを超えないもの。ただし、黒煙による汚染度の測定の前に、光吸収係数を測定する場合であって、当該光吸収係数が一・二七m^{-1}を超えないときは、黒煙による汚染度が三十五パーセントを超えないものとみなす。

チ　平成二十二年九月一日から平成二十六年三月三十一日までに製作された定格出力が56kW以上75kW未満である原動機を備えたものであり、黒煙による汚染度が三十パーセントを超えないもの。ただし、黒煙による汚染度の測定の前に、光吸収係数を測定する場合であって、当該光吸収係数が一・〇一m^{-1}を超えないときは、黒煙による汚染度が三十パーセントを超えないものとみなす。

リ　平成二十五年四月一日から平成二十八年八月三十一日までに製作された定格出力が130kW以上560kW未満である原動機を備えたものであり、黒煙による汚染度が二十五パーセントを超えないもの。ただし、黒煙による汚染度の測定の前に、光吸収係数を測定する場合であって、当該光吸収係数が〇・八〇m^{-1}を超えないときは、黒煙による汚染度が二十五パーセントを超えないものとみなす。

ヌ　平成二十五年十一月一日から平成二十九年八月三十一日までに製作された定格出力が75kW以上130kW未満である原動機を備えたものであり、黒煙による汚染度が二十五パーセントを超えないもの。ただし、黒煙による汚染度の測定の前に、光吸収係数を測定する場合であって、当該光吸収係数が〇・八〇m^{-1}を超えないときは、黒煙による汚染度が二十五パーセントを超えないものとみなす。

ル　平成二十六年四月一日から平成二十九年八月三十一日までに製作された定格出力が56kW以上75kW未満である原動機を備えたものであり、黒煙による汚染度が二十五パーセントを超えないもの。ただし、黒煙による汚染度の測定の前に、光吸収係数を測定する場合であって、当該光吸収係数が〇・八〇m^{-1}を超えないときは、黒煙による汚染度が二十五パーセントを超えないものとみなす。

ヲ　平成二十六年十一月一日から平成二十九年八月三十一日までに製作された定格出力が37kW以上56kW未満である原動機を備えたものであり、黒煙による汚染度が二十五パーセントを超えないもの。ただし、黒煙による汚染度の測定の前に、光吸収係数を測定する場合であって、当該光吸収係数が〇・八〇m^{-1}を超えないときは、黒煙による汚染度が二十五パーセントを超えないものとみなす。

ワ　平成二十七年九月一日から平成二十九年八月三十一日までに製作された定格出力が19kW以上37kW未満である原動機を備えたものであり、黒煙による汚染度が二十五パーセントを超えないもの。ただし、黒煙による汚染度の測定の前に、光吸収係数を測定する場合であって、当該光吸収係数が〇・八〇m^{-1}を超えないときは、黒煙による汚染度が二十五パーセントを超えないものとみなす。

カ　平成二十八年九月一日以降に製作された定格出力が130kW以上560kW未満である原動機を備えたものであり、かつ、光吸収係数が〇・五〇m^{-1}を超えないもの

ヨ　平成二十九年九月一日以降に製作された定格出力が19kW以上130kW未満である原動機を備えたものであり、かつ、光吸収係数が〇・五〇m^{-1}を超えないもの

85　ガソリンを燃料とする二輪自動車であって軽自動車（型式認定自動車に限る。）であるもののうち、平成十九年八月三十一日以前に製作されたもの（第一項の表の第五号イに掲げる自動車及び輸入された自動車以外の自動車であって平成十八年十月一日以降に認定を受けた型式認定自動車を除く。）は、細目告示第四十一条第一項第十七号の規定にかかわらず、施行規則第六十二条の三第五項の検査の際、当該自動車を道路運送車両の保安基準の細目を定める告示を改正する告示（平成十七年国土交通省告示第九百九号）による改正前の細目告示別添四十四「二輪車モード排出ガスの測定方法」に規定する二輪車モード法（以下単に「二輪車モード法」という。）

により運行する場合に発生し、排気管から大気中に排出される排出物に含まれる一酸化炭素、炭化水素及び窒素酸化物の走行距離一キロメートル当たりの排出量をグラムで表した値（炭化水素にあっては炭素数当量による容量比で表した値をグラムに換算した値）の当該自動車及び当該自動車と同一の型式の自動車であって既に施行規則第六十二条の三第五項の検査を終了したすべてのものにおける平均値が、それぞれ次の表の上欄に掲げる自動車の種別に応じ、それぞれ同表の一酸化炭素、炭化水素及び窒素酸化物の欄に掲げる値を超えないものであればよい。

自動車の種別	一酸化炭素	炭化水素	窒素酸化物
イ　二サイクルの原動機を有するもの	八・〇〇	三・〇〇	〇・一〇
ロ　四サイクルの原動機を有するもの	十三・〇	二・〇〇	〇・三〇

86　ガソリンを燃料とする二輪自動車であって小型自動車（型式指定自動車及び一酸化炭素等発散防止装置指定自動車に限る。）であるもののうち、平成二十年八月三十一日以前に製作されたもの（第一項の表の第五号ロに掲げる自動車並びに輸入された自動車以外の自動車であって平成十九年十月一日以降に指定を受けた型式指定自動車及び一酸化炭素等発散防止装置指定自動車を除く。）は、細目告示第四十一条第一項第十七号の規定にかかわらず、完成検査等の際、当該自動車を二輪車暖機モード法により運行する場合に発生し、排気管から大気中に排出される排出物に含まれる一酸化炭素、炭化水素及び窒素酸化物の走行距離一キロメートル当たりの排出量をグラムで表した値（炭化水素にあっては炭素数当量による容量比で表した値をグラムに換算した値）の当該自動車及び当該自動車と同一の型式の自動車であって既に完成検査等を終了したすべてのものにおける平均値が、それぞれ次の表の上欄に掲げる自動車の種別に応じ、それぞれ同表の一酸化炭素、炭化水素及び窒素酸化物の欄に掲げる値を超えないものであればよい。

自動車の種別	一酸化炭素	炭化水素	窒素酸化物
イ　二サイクルの原動機を有するもの	八・〇〇	三・〇〇	〇・一〇
ロ　四サイクルの原動機を有するもの	十三・〇	二・〇〇	〇・三〇

87　ガソリンを燃料とする二輪自動車であって小型自動車（型式指定自動車及び一酸化炭素等発散防止装置指定自動車を除く。）であるもののうち、平成二十年八月三十一日以前に製作されたもの（第一項の表の第五号ロに掲げる自動車を除く。）は、細目告示第四十一条第一項第十八号及び第百十九条第一項第九号の規定にかかわらず、新規検査等の際、当該自動車を二輪車暖機モード法により運行する場合に発生し、排気管から大気中に排出される排出物に含まれる一酸化炭素、炭化水素及び窒素酸化物の走行距離一キロメートル当たりの排出量をグラムで表した値（炭化水素にあっては炭素数当量による容量比で表した値をグラムに換算した値）がそれぞれ次の表の上欄に掲げる自動車の種別に応じ、それぞれ同表の一酸化炭素、炭化水素及び窒素酸化物の欄に掲げる値を超えないものであればよい。

自動車の種別	一酸化炭素	炭化水素	窒素酸化物
イ　二サイクルの原動機を有するもの	十四・四	五・二六	〇・一四
ロ　四サイクルの原動機を有するもの	二十・〇	二・九三	〇・五一

88　ガソリンを燃料とする二輪自動車であって軽自動車であるもののうち、平成十九年八月三十一日以前に製作されたもの（第一項の表の第五号イに掲げる自動車及び輸入された自動車以外の自動車であって平成十八年十月一日以降に認定を受けた型式認定自動車を除く。）については、細目告示第四十一条第一項第十九号、第百十九条第一項第十号及び第百九十七条第一項第一号の規定にかかわらず、原動機を無負荷運転している状態で発生し、排気管から大気中に排出される排出物に含まれる一酸化炭素の容量比で表した測定値及び同排出物に含まれる炭化水素のノルマルヘキサン当量による容量比で表した測定値が、次の表の上欄に掲げる自動車の種別に応じ、それぞれ同表の一酸化炭素及び炭化水素の欄に掲げる値を超えないものであればよい。

自動車の種別	一酸化炭素	炭化水素
イ　二サイクルの原動機を有するもの	四・五パーセント	百万分の七千八百
ロ　四サイクルの原動機を有するもの	四・五パーセント	百万分の二千

89　ガソリンを燃料とする二輪自動車であって小型自動車であるもののうち、平成二十年八月三十一日以前に製作されたもの（第一項の表の第五号ロに掲げる自動車並びに輸入された自動車以外の自動車であって平成十九年十月一日以降に指定を受けた型式指定自動車及び一酸化炭素等発散防止装置指定自動車を除く。）については、細目告示第四十一条第一項第十九号、第百十九条第一項第十号及び第百九十七条第一項第一号の規定にかかわらず、原動機を無負荷運転している状態で発生し、排気管から大気中に排出される排出物に含まれる一酸化炭素の容量比で表した測定値及び同排出物に含まれる炭化水素のノルマルヘキサン当量による容量比で表した測定値が、次の表の上欄に掲げる自動車の種別に応じ、それぞれ同表の一酸化炭素及び炭化水素の欄に掲げる値を超えないものであればよい。

自動車の種別	一酸化炭素	炭化水素
イ　二サイクルの原動機を有するもの	四・五パーセント	百万分の七千八百
ロ　四サイクルの原動機を有するもの	四・五パーセント	百万分の二千

90　軽油を燃料とする大型特殊自動車（型式指定自動車及び一酸化炭素等発散防止装置指定自動車に限る。）及び小型特殊自動車（型式認定自動車に限る。）のうち、平成二十年八月三十一日以前に製作された定格出力が130kW以上560kW未満である原動機を備えたもの（第一項の表の第八号に掲げる自動車及び輸入された自動車以外の自動車であって平成十八年十月一日以降に、指定を受けた型式指定自動車及び一酸化炭素等発散防止装置指定自動車並びに認定を受けた型式認定自動車を除く。）は、細目告示第四十一条第一項第十五号の規定にかかわらず、大型特殊自動車にあっては完成検査等の際、小型特殊自動車にあっては施行規則第六十二条の三第五項の検査の際、道路運送車両の保安基準の細目を定める告示の一部を改正する告示（平成二十二年国土交通省告示第百九十七号）による改正前の細目告示別添四十三「ディーゼル特殊自動車八モード排出ガスの測定方法」に規定するディーゼル特殊自動車八モード法（ただし、測定装置については、細目告示別添四十三「ディーゼル特殊自動車排出ガスの測定方法」の規定を適用することができる。以下次項から第百項まで、第百三十七項から第百四十七項までにおいて同じ。以下「平成二十二年改正告示による改正前のディーゼル特殊自動車八モード法」という。）により運行する場合に発生し、排気管から大気中に排出される排出物に含まれる一酸化炭素、炭化水素、窒素酸化物及び粒

子状物質の排出量をグラムで表した値（炭化水素にあっては、炭素数当量による容量比で表した値をグラムに換算した値）を、同ディーゼル特殊自動車八モード法により運行する場合に発生した仕事量をキロワット時で表した値でそれぞれ除して得た値の当該自動車及び当該自動車と同一の型式の自動車であって既に完成検査等又は施行規則第六十二条の三第五項の検査を終了したすべてのものにおける平均値が、一酸化炭素については三・五〇、炭化水素については一・〇〇、窒素酸化物については六・〇〇、粒子状物質については〇・二〇を超えないものであればよい。

91　軽油を燃料とする大型特殊自動車（型式指定自動車及び一酸化炭素等発散防止装置指定自動車を除く。）のうち、平成二十年八月三十一日以前に製作された定格出力が130kW以上560kW未満である原動機を備えたもの（第一項の表の第八号に掲げる自動車を除く。）は、細目告示第四十一条第一項第十六号及び第百十九条第一項第八号の規定にかかわらず、新規検査等の際、平成二十二年改正告示による改正前のディーゼル特殊自動車八モード法により運行する場合に発生し、排気管から大気中に排出される排出物に含まれる一酸化炭素、炭化水素、窒素酸化物及び粒子状物質の排出量をグラムで表した値（炭化水素にあっては、炭素数当量による容量比で表した値をグラムに換算した値）を、平成二十二年改正告示による改正前のディーゼル特殊自動車八モード法により運行する場合に発生した仕事量をキロワット時で表した値でそれぞれ除して得た値が、一酸化炭素については四・五五、炭化水素については一・三〇、窒素酸化物については七・八〇、粒子状物質については〇・二六を超えないものであればよい。

92　軽油を燃料とする大型特殊自動車（型式指定自動車及び一酸化炭素等発散防止装置指定自動車に限る。）及び小型特殊自動車（型式認定自動車に限る。）のうち、平成二十年八月三十一日以前に製作された定格出力が19kW以上37kW未満である原動機を備えたもの（第一項の表の第八号に掲げる自動車及び輸入された自動車以外の自動車であって平成十九年十月一日以降に、指定を受けた型式指定自動車及び一酸化炭素等発散防止装置指定自動車並びに認定を受けた型式認定自動車を除く。）は、細目告示第四十一条第一項第十五号の規定にかかわらず、大型特殊自動車にあっては完成検査等の際、小型特殊自動車にあっては施行規則第六十二条の三第五項の検査の際、平成二十二年改正告示による改正前のディーゼル特殊自動車八モード法により運行する場合に発生し、排気管から大気中に排出される排出物に含まれる一酸化炭素、炭化水素、窒素酸化物及び粒子状物質の排出量をグラムで表した値（炭化水素にあっては、炭素数当量による容量比で表した値をグラムに換算した値）を、平成二十二年改正告示による改正前のディーゼル特殊自動車八モード法により運行する場合に発生した仕事量をキロワット時で表した値でそれぞれ除して得た値の当該自動車及び当該自動車と同一の型式の自動車であって既に完成検査等又は施行規則第六十二条の三第五項の検査を終了したすべてのものにおける平均値が、一酸化炭素については五・〇〇、炭化水素については一・五〇、窒素酸化物については八・〇〇、粒子状物質については〇・八〇を超えないものであればよい。

93　軽油を燃料とする大型特殊自動車（型式指定自動車及び一酸化炭素等発散防止装置指定自動車を除く。）のうち、平成二十年八月三十一日以前に製作された定格出力が19kW以上37kW未満である原動機を備えたもの（第一項の表の第八号に掲げる自動車を除く。）は、細目告示第四十一条第一項第十六号及び第百十九条第一項第八号の規定にかかわらず、新規検査等の際、平成二十二年改正告示による改正前のディーゼル特殊自動車八モード法により運行する場合に発生し、排気管から大気中に排出される排出物に含まれる一酸化炭素、炭化水素、窒素酸化物及び粒子状物質の排出量をグラムで表した値（炭化水素にあっては、炭素数当量による容量比で表した値をグラムに換算した値）を、平成二十二年改正告示による改正前のディーゼル特殊自動車八モード法により運行する場合に発生した仕事量をキロワット時で表した値でそれぞれ除して得た値が、一酸化炭素については六・五〇、炭化水素については一・九五、窒素酸化物については十・四〇、粒子状物質については一・〇四を超えないものであればよい。

94　軽油を燃料とする大型特殊自動車（型式指定自動車及び一酸化炭素等発散防止装置指定自動車に限る。）及び小型特殊自動車（型式認定自動車に限る。）のうち、平成二十年八月三十一日以前に製作された定格出力が75kW以上130kW未満である原動機を備えたもの（第一項の表の第八号に掲げる自動車及び輸入された自動車以外の自動車であって平成十九年十月一日以降に、指定を受けた型式指定自動車及び一酸化炭素等発散防止装置指定自動車並びに認定を受けた型式認定自動車を除く。）は、細目告示第四十一条第一項第十五号の規定にかかわらず、大型特殊自動車にあっては完成検査等の際、小型特殊自動車にあっては施行規則第六十二条の三第五項の検査の際、平成二十二年改正告示による改正前のディーゼル特殊自動車八モード法により運行する場合に発生し、排気管から大気中に排出される排出物に含まれる一酸化炭素、炭化水素、窒素酸化物及び粒子状物質の排出量をグラムで表した値（炭化水素にあっては、炭素数当量による容量比で表した値をグラムに換算した値）を、平成二十二年改正告示による改正前のディーゼル特殊自動車八モード法により運行する場合に発生した仕事量をキロワット時で表した値でそれぞれ除して得た値の当該自動車及び当該自動車と同一の型式の自動車であって既に完成検査等又は施行規則第六十二条の三第五項の検査を終了したすべてのものにおける平均値が、一酸化炭素については五・〇〇、炭化水素については一・〇〇、窒素酸化物については六・〇〇、粒子状物質については〇・三〇を超えないものであればよい。

95　軽油を燃料とする大型特殊自動車（型式指定自動車及び一酸化炭素等発散防止装置指定自動車を除く。）のうち、平成二十年八月三十一日以前に製作された定格出力が75kW以上130kW未満である原動機を備えたもの（第一項の表の第八号に掲げる自動車を除く。）は、細目告示第四十一条第一項第十六号及び第百十九条第一項第八号の規定にかかわらず、新規検査等の際、平成二十二年改正告示による改正前のディーゼル特殊自動車八モード法により運行する場合に発生し、排気管から大気中に排出される排出物に含まれる一酸化炭素、炭化水素、窒素酸化物及び粒子状物質の排出量をグラムで表した値（炭化水素にあっては、炭素数当量による容量比で表した値をグラムに換算した値）を、平成二十二年改正告示による改正前のディーゼル特殊自動車八モード法により運行する場合に発生した仕事量をキロワット時で表した値でそれぞれ除して得た値が、一酸化炭素については六・五〇、炭化水素については一・三〇、窒素酸化物については七・八〇、粒子状物質については〇・三九を超えないものであればよい。

96　軽油を燃料とする大型特殊自動車（型式指定自動車及び一酸化炭素等発散防止装置指定自動車に限る。）及び小型特殊自動車（型式認定自動車に限る。）のうち、平成二十一年八月三十一日以前に製作された定格出力が37kW以上56kW未満である原動機を備えたもの（第一項の表の第八号に掲げる自動車及び輸入された自動車以外の自動車であって、平成二十年十月一日以降に、指定を受けた型式指定自動車及び一酸化炭素等発散防止装置指定自動車並びに認定を受けた型式認定自動車を除く。）は、細目告示第四十一条第一項第十五号の規定にかかわらず、大型特殊自動車にあっては完成検査等の際、小型特殊自動車にあっては施行規則第六十二条の三第五項の検査の際、平成二十二年改正告示による改正前のディーゼル特殊自動車八モード法により運行する場合に発生し、排気管から大気中に排出される排出物に含まれる一酸化炭素、炭化水素、窒素酸化物及び粒子状物質の排出量をグラムで表した値（炭化水素にあっては、炭素数当量による容量比で表した値をグラムに換算した値）を、平成二十二年改正告示による改正前のディーゼル特殊自動車八モード法により運行する場合に発生した仕事量をキロワット時で表した値でそれぞれ除して得た値の当該自動車及び当該自動車と同一の型式の自動車であって既に完成検査等又は施行規則第六十二条の三第五項の検査を終了したすべてのものにおける平均値が、一酸化炭素については五・〇〇、炭化水素については一・三〇、窒素酸化物については七・〇〇、粒子状物質については〇・四〇を超えないものであればよい。

97　軽油を燃料とする大型特殊自動車（型式指定自動車及び一酸化炭素等発散防止装置指定自動車を除く。）のうち、平成二十一年八月三十一日以前に製作された定格出力が37kW以上56kW未満である原動機を備えたもの（第一項の表の第八号に掲げる自動車を除く。）は、細目告示第四十一条第一項第十六号及び第百十九条第一項第八号の規定にかかわらず、新規検査等の際、平成二十二年改正告示による改正前のディーゼル特殊自動車八モード法により運行する場合に発生し、排気管から大気中に排出される排出物に含まれる一酸化炭素、炭化水素、窒素酸化物及び粒子状物質の排出量をグラムで表した値（炭化水素にあっては、炭素数当量による容量比で表した値をグラムに換算した値）を、平成二十二年改正告示による改正前のディーゼル特殊自動車八モード法により運行する場合に発生した仕事量をキロワット時で表した値でそれぞれ除して得た値が、一酸化炭素については六・五〇、炭化水素については一・六九、窒素酸化物については九・一〇、粒子状物質については〇・五二を超えないものであればよい。

98　軽油を燃料とする大型特殊自動車（型式指定自動車及び一酸化炭素等発散防止装置指定自動車に限る。）及び小型特殊自動車（型式認定自動車に限る。）のうち、平成二十二年八月三十一日以前に製作された定格出力が56kW以上75kW未満である原動機を備えたもの（第一項の表の第八号に掲げる自動車及び輸入された自動車以外の自動車であって平成二十年十月一日以降に、指定を受けた型式指定自動車及び一酸化炭素等発散防止装置指定自動車並びに認定を受けた型式認定自動車を除く。）は、細目告示第四十一条第一項第十五号の規定にかかわらず、大型特殊自動車にあっては完成検査等の際、小型特殊自動車にあっては施行規則第六十二条の三第五項の検査の際、平成二十二年改正告示による改正前のディーゼル特殊自動車八モード法により運行する場合に発生し、排気管から大気中に排出される排出物に含まれる一酸化炭素、炭化水素、窒素酸化物及び粒子状物質の排出量をグラムで表した値（炭化水素にあっては、炭素数当量による容量比で表した値をグラムに換算した値）を、平成二十二年改正告示による改正前のディーゼル特殊自動車八モード法により運行する場合に発生した仕事量をキロワット時で表した値でそれぞれ除して得た値の当該自動車及び当該自動車と同一の型式の自動車であって既に完成検査等又は施行規則第六十二条の三第五項の検査を終了したすべてのものにおける平均値が、一酸化炭素については五・〇〇、炭化水素については一・三〇、窒素酸化物については七・〇〇、粒子状物質については〇・四〇を超えないものであればよい。

99　軽油を燃料とする大型特殊自動車（型式指定自動車及び一酸化炭素等発散防止装置指定自動車を除く。）のうち、平成二十二年八月三十一日以前に製作された定格出力が56kW以上75kW未満である原動機を備えたもの（第一項の表の第八号に掲げる自動車を除く。）は、細目告示第四十一条第一項第十六号及び第百十九条第一項第八号の規定にかかわらず、新規検査等の際、平成二十二年改正告示による改正前のディーゼル特殊自動車八モード法により運行する場合に発生し、排気管から大気中に排出される排出物に含まれる一酸化炭素、炭化水素、窒素酸化物及び粒子状物質の排出量をグラムで表した値（炭化水素にあっては、炭素数当量による容量比で表した値をグラムに換算した値）を、平成二十二年改正告示による改正前のディーゼル特殊自動車八モード法により運行する場合に発生した仕事量をキロワット時で表した値でそれぞれ除して得た値が、一酸化炭素については六・五〇、炭化水素については一・六九、窒素酸化物については九・一〇、粒子状物質については〇・五二を超えないものであればよい。

100　第九十項、第九十二項、第九十四項、第九十六項及び第九十八項に規定する自動車については、第百四十七項、第百五十五項（第二号に係る部分に限る。）、第百五十七項（第二号に係る部分に限る。）、第百五十九項（第二号に係る部分に限る。）及び第百六十一項（第二号に係る部分に限る。）の規定並びに細目告示第四十一条第一項第十五号の規定にかかわらず、大型特殊自動車にあっては完成検査等の際、小型特殊自動車にあっては施行規則第六十二条の三第五項の検査の際、第九十一項、第九十三項、第九十五項、第九十七項及び第九十九項に規定する自動車については、第百四十七項、第百五十六項（第二号に係る部分に限る。）、第百五十八項（第二号に係る部分に限る。）、第百六十項（第二号に係る部分に限る。）及び第百六十二項（第二号に係る部分に限る。）の規定並びに細目告示第四十一条第一項第十六号及び第百十九条第一項第八号の規定にかかわらず、新規検査等の際、第九十項から第九十九項まで及び次項の規定に加え、平成二十二年改正告示による改正前のディーゼル特殊自動車八モード法により運行する場合に発生し、排気管から大気中に排出される排出物に含まれる黒煙による汚染の度合が四十パーセントを超えないものであればよい。

101　第九十項、第九十二項、第九十四項、第九十六項及び第九十八項に規定する自動車については、第百四十八項、第百五十五項（第三号に係る部分に限る。）、第百五十七項（第三号に係る部分に限る。）、第百五十九項（第三号に係る部分に限る。）及び第百六十一項（第三号に係る部分に限る。）の規定並びに細目告示第四十一条第一項第十五号の規定（細目告示第五条第四号、第五号、第七号及び第九号に掲げる場合に限る。）にかかわらず、第九十項、第九十二項、第九十四項、第九十六項、第九十八項及び前項の規定に加え、道路運送車両の保安基準の細目を定める告示の一部を改正する告示（平成十七年国土交通省告示第千四百号）による改正前の細目告示別添四十六「無負荷急加速黒煙の測定方法」に規定する運転条件で原動機を無負荷のまま急速に加速させた場合において、アクセルペダルを踏み込み始めた時から発生する排気管から大気中に排出される排出物に含まれる黒煙による汚染の度合が四十パーセント以下であればよい。

102　ガソリン又は液化石油ガスを燃料とする普通自動車、小型自動車及び軽自動車（型式指定自動車及び一酸化炭素等発散防止装置指定自動車に限る。）であって、細目告示第四十一条第一項第三号に掲げる自動車のうち、平成十五年十月一日から平成二十二年八月三十一日までに製作されたもの（輸入された自動車以外の自動車であって平成二十年十月一日以降に指定を受けた型式指定自動車（平成二十年九月三十日以前に指定を受けた型式指定自動車と種別、用途、車体の外形、原動機の種類及び主要構造、燃料の種類及び動力用電源装置の種類、動力伝達装置の種類及び主要構造、走行装置の種類及び主要構造、操縦装置の種類及び主要構造、懸架装置の種類及び主要構造、車枠、軸距、主制動装置の種類並びに排出ガス発散防止装置の仕様が同一であるものは除く。）及び一酸化炭素等発散防止装置指定自動車並びに細目告示別添四十八に規定するJ－OBDⅡを備えた自動車を除く。）は、細目告示第四十一条第一項第三号の規定にかかわらず、完成検査等の際、十・十五モード法により運行する場合に発生し、排気管から大気中に排出される排出物に含まれる一酸化炭素、非メタン炭化水素及び窒素酸化物の走行距離一キロメートル当たりの排出量をグラムで表した値（非メタン炭化水素にあっては、炭素数当量による容量比で表した値をグラムに換算した値）に〇・八八を乗じた値に、十一モード法により運行する場合に発生し、排気管から排出される排出物に含まれる一酸化炭素、非メタン炭化水素及び窒素酸化物の走行距離一キロメートル当たりの排出量をグラムで表した値（非メタン炭化水素にあっては、炭素数当量による容量比で表した値をグラムに換算した値）に〇・一二を乗じた値をそれぞれ加算した値の、当該自動車及びそれと同一の型式の自動車であって既に完成検査等を終了したすべてのものにおける平均値が、次の表の上欄に掲げる自動車の種別に応じ、それぞれ同表の一酸化炭素、非メタン炭化水素及び窒素酸化物の欄に掲げる値を超えないものであればよい。

自動車の種別	一酸化炭素	非メタン炭化水素	窒素酸化物
イ　専ら乗用の用に供する乗車定員十人以下の普通自動車、小型自動車又は軽自動車	一・一五	〇・〇五	〇・〇五
ロ　車両総重量が一・七トン以下の普通自動車又は小型自動車であって、イに掲げるもの以外のもの	一・一五	〇・〇五	〇・〇五
ハ　車両総重量が三・五トン以下の普通自動車又は小型自動車であって、イ及びロに掲げるもの以外のもの	二・五五	〇・〇五	〇・〇七
ニ　軽自動車であって、イに掲げるもの以外のもの	四・〇二	〇・〇五	〇・〇五

103　ガソリン又は液化石油ガスを燃料とする普通自動車、小型自動車及び軽自動車（型式指定自動車及び一酸化炭素等発散防止装置指定自動車を除く。）であって、細目告示第四十一条第一項第四号に掲げる自動車のうち、平成十五年十月一日から平成二十二年八月三十一日までに製作されたもの（細目告示別添四十八に規定するJ－OBDⅡを備えた自動車を除く。）は、細目告示第四十一条第一項第四号及び第百十九条第一項第二号の規定にかかわらず、新規検査等の際、十・十五モード法により運行する場合に発生し、排気管から大気中に排出される排出物に含まれる一酸化炭素、非メタン炭化水素及び窒素酸化物の走行距離一キロメートル当たりの排出量をグラムで表した値（非メタン炭化水素にあっては、炭素数当量による容量比で表した値をグラムに換算した値）に〇・八八を乗じた値に、十一モード法により運行する場合に発生し、当該排気管から排出される排出物に含まれる一酸化炭素、非メタン炭化水素及び窒素酸化物の走行距離一キロメートル当たりの排出量をグラムで表した値（非メタン炭化水素にあっては、炭素数当量による容量比で表した値をグラムに換算した値）に〇・一二を乗じた値をそれぞれ加算した値が、次の表の上欄に掲げる自動車の種別に応じ、それぞれ同表の一酸化炭素、非メタン炭化水素及び窒素酸化物の欄に掲げる値を超えないものであればよい。

自動車の種別	一酸化炭素	非メタン炭化水素	窒素酸化物
イ　専ら乗用の用に供する乗車定員十人以下の普通自動車、小型自動車又は軽自動車	一・九二	〇・〇八	〇・〇八
ロ　車両総重量が一・七トン以下の普通自動車又は小型自動車であって、イに掲げるもの以外のもの	一・九二	〇・〇八	〇・〇八
ハ　車両総重量が三・五トン以下の普通自動車又は小型自動車であって、イ及びロに掲げるもの以外のもの	四・〇八	〇・〇八	〇・一〇
ニ　軽自動車であって、イに掲げるもの以外のもの	六・六七	〇・〇八	〇・〇八

104　軽油を燃料とする普通自動車及び小型自動車（型式指定自動車及び一酸化炭素等発散防止装置指定自動車に限る。）であって、細目告示第四十一条第一項第七号に掲げる自動車のうち、平成十五年十月一日から平成二十二年八月三十一日までに製作されたもの（輸入された自動車以外の自動車であって平成二十年十月一日以降に指定を受けた型式指定自動車と種別、用途、車体の外形、原動機の種類及び主要構造、燃料の種類及び動力用電源装置の種類、動力伝達装置の種類及び主要構造、走行装置の種類及び主要構造、操縦装置の種類及び主要構造、懸架装置の種類及び主要構造、車枠、軸距、主制動装置の種類並びに排出ガス発散防止装置の仕様が同一であるものは除く。）及び一酸化炭素等発散防止装置指定自動車を除く。）は、細目告示第四十一条第一項第七号の規定にかかわらず、完成検査等の際、次の基準に適合するものであればよい。

一　十・十五モード法により運行する場合に発生し、排気管から大気中に排出される排出物に含まれる一酸化炭素、非メタン炭化水素、窒素酸化物及び粒子状物質の走行距離一キロメートル当たりの排出量をグラムで表した値（非メタン炭化水素にあっては、炭素数当量による容量比で表した値をグラムに換算した値）に〇・八八を乗じた値に、十一モード法により運行する場合に発生し、当該排気管から排出される排出物に含まれる一酸化炭素、非メタン炭化水素、窒素酸化物及び粒子状物質の走行距離一キロメートル当たりの排出量をグラムで表した値（非メタン炭化水素にあっては、炭素数当量による容量比で表した値をグラムに換算した値）に〇・一二を乗じた値をそれぞれ加算した値の、当該自動車及びそれと同一の型式の自動車であって既に完成検査等を終了したすべてのものにおける平均値が、次の表の上欄に掲げる自動車の種別に応じ、それぞれ同表の一酸化炭素、非メタン炭化水素、窒素酸化物及び粒子状物質の欄に掲げる値を超えないものであること。

自動車の種別	一酸化炭素	非メタン炭化水素	窒素酸化物	粒子状物質
イ　専ら乗用の用に供する乗車定員十人以下の普通自動車又は小型自動車であって、車両重量が千二百六十五キログラム以下のもの	〇・六三	〇・〇二四	〇・一四	〇・〇一三
ロ　専ら乗用の用に供する乗車定員十人以下の普通自動車又は小型自動車であって、イに掲げるもの以外のもの	〇・六三	〇・〇二四	〇・一五	〇・〇一四
ハ　車両総重量が一・七トン以下の普通自動車又は小型自動車であって、イ及びロに掲げるもの以外のもの	〇・六三	〇・〇二四	〇・一四	〇・〇一三
ニ　車両総重量が三・五トン以下の普	〇・六三	〇・〇二四	〇・二五	〇・〇一五

通自動車又は小型自動車であって、イからハまでに掲げるもの以外のもの				

二　平成二十年改正告示による改正前の細目告示別添四十五に規定する黒煙四モード法により運行する場合に発生し、排気管から大気中に排出される排出物に含まれる黒煙による汚染の度合が二十五パーセント以下であること。

105 軽油を燃料とする普通自動車及び小型自動車（型式指定自動車及び一酸化炭素等発散防止装置指定自動車を除く。）であって、細目告示第四十一条第一項第八号に掲げる自動車のうち、平成十五年十月一日から平成二十二年八月三十一日までに製作されたものは、細目告示第四十一条第一項第八号及び第百十九条第一項第四号の規定にかかわらず、新規検査等の際、次の基準に適合するものであればよい。

一　十・十五モード法により運行する場合に発生し、排気管から大気中に排出される排出物に含まれる一酸化炭素、非メタン炭化水素、窒素酸化物及び粒子状物質の走行距離一キロメートル当たりの排出量をグラムで表した値（非メタン炭化水素にあっては、炭素数当量による容量比で表した値をグラムに換算した値）に〇・八八を乗じた値に、十一モード法により運行する場合に発生し、当該排気管から排出される排出物に含まれる一酸化炭素、非メタン炭化水素、窒素酸化物及び粒子状物質の走行距離一キロメートル当たりの排出量をグラムで表した値（非メタン炭化水素にあっては、炭素数当量による容量比で表した値をグラムに換算した値）に〇・一二を乗じた値をそれぞれ加算した値が、次の表の上欄に掲げる自動車の種別に応じ、それぞれ同表の一酸化炭素、非メタン炭化水素、窒素酸化物及び粒子状物質の欄に掲げる値を超えないものであること。

自動車の種別	一酸化炭素	非メタン炭化水素	窒素酸化物	粒子状物質
イ　専ら乗用の用に供する乗車定員十人以下の普通自動車又は小型自動車であって、車両重量が千二百六十五キログラム以下のもの	〇・八四	〇・〇三二	〇・一九	〇・〇一七
ロ　専ら乗用の用に供する乗車定員十人以下の普通自動車又は小型自動車であって、イに掲げるもの以外のもの	〇・八四	〇・〇三二	〇・二〇	〇・〇一九
ハ　車両総重量が一・七トン以下の普通自動車又は小型自動車であって、イ及びロに掲げるもの以外のもの	〇・八四	〇・〇三二	〇・一九	〇・〇一七
ニ　車両総重量が三・五トン以下の普通自動車又は小型自動車であって、イからハまでに掲げるもの以外のもの	〇・八四	〇・〇三二	〇・二三	〇・〇二〇

二　平成二十年改正告示による改正前の細目告示別添四十五に規定する黒煙四モード法により運行する場合に発生し、排気管から大気中に排出される排出物に含まれる黒煙による汚染の度合が二十五パーセント以下であること。

106 ガソリン、液化石油ガス又は軽油以外を燃料とする普通自動車、小型自動車及び軽自動車（型式指定自動車及び一酸化炭素等発散防止装置指定自動車に限る。）であって、細目告示第四十一条第一項第十一号に掲げる自動車のうち、平成十五年十月一日から平成二十二年八月三十一日までに製作されたもの（輸入された自動車以外の自動車であって平成二十年十月一日以降に指定を受けた型式指定自動車（平成二十年九月三十日以前に指定を受けた型式指定自動車と種別、用途、車体の外形、原動機の種類及び主要構造、燃料の種類及び動力用電源装置の種類、動力伝達装置の種類及び主要構造、走行装置の種類及び主要構造、操縦装置の種類及び主要構造、懸架装置の種類及び主要構造、車枠、軸距、主制動装置の種類並びに排出ガス発散防止装置の仕様が同一であるものは除く。）及び一酸化炭素等発散防止装置指定自動車を除く。）は、細目告示第四十一条第一項第十一号の規定にかかわらず、完成検査等の際、十・十五モード法により運行する場合に発生し、排気管から大気中に排出される排出物に含まれる一酸化炭素、非メタン炭化水素、窒素酸化物及び粒子状物質の走行距離一キロメートル当たりの排出量をグラムで表した値（非メタン炭化水素にあっては、炭素数当量による容量比で表した値をグラムに換算した値）に〇・八八を乗じた値に、十一モード法により運行する場合に発生し、当該排気管から排出される排出物に含まれる一酸化炭素、非メタン炭化水素、窒素酸化物及び粒子状物質の走行距離一キロメートル当たりの排出量をグラムで表した値（非メタン炭化水素にあっては、炭素数当量による容量比で表した値をグラムに換算した値）に〇・一二を乗じた値をそれぞれ加算した値の、当該自動車及びそれと同一の型式の自動車であって既に完成検査等を終了したすべてのものにおける平均値が、次の表の上欄に掲げる自動車の種別に応じ、それぞれ同表の一酸化炭素、非メタン炭化水素、窒素酸化物及び粒子状物質の欄に掲げる値を超えないものであればよい。

自動車の種別	一酸化炭素	非メタン炭化水素	窒素酸化物	粒子状物質
イ　専ら乗用の用に供する乗車定員十人以下の普通自動車、小型自動車又は軽自動車であって、車両重量が千二百六十五キログラム以下のもの	一・一五	〇・〇五	〇・一四	〇・〇一三
ロ　専ら乗用の用に供する乗車定員十人以下の普通自動車、小型自動車又は軽自動車であって、イに掲げるもの以外のもの	一・一五	〇・〇五	〇・一五	〇・〇一四
ハ　車両総重量が一・七トン以下の普通自動車又は小型自動車であって、イ及びロに掲げるもの以外のもの	一・一五	〇・〇五	〇・一四	〇・〇一三
ニ　車両総重量が三・五トン以下の普通自動車又は小型自動車であって、イからハまでに掲げるもの以外のもの	二・五五	〇・〇五	〇・二五	〇・〇一五

の				
ホ　軽自動車であって、イ及びロに掲げるもの以外のもの	四・〇二	〇・〇五	〇・一五	〇・〇一四

107　ガソリン、液化石油ガス又は軽油以外を燃料とする普通自動車、小型自動車及び軽自動車（型式指定自動車及び一酸化炭素等発散防止装置指定自動車を除く。）であって、細目告示第四十一条第一項第十二号に掲げる自動車のうち、平成十五年十月一日から平成二十二年八月三十一日までに製作されたものは、細目告示第四十一条第一項第十二号及び第百十九条第一項第六号の規定にかかわらず、新規検査等の際、十・十五モード法により運行する場合に発生し、排気管から大気中に排出される排出物に含まれる一酸化炭素、非メタン炭化水素、窒素酸化物及び粒子状物質の走行距離一キロメートル当たりの排出量をグラムで表した値（非メタン炭化水素にあっては、炭素数当量による容量比で表した値をグラムに換算した値）に〇・八八を乗じた値に、十一モード法により運行する場合に発生し、当該排気管から排出される排出物に含まれる一酸化炭素、非メタン炭化水素、窒素酸化物及び粒子状物質の走行距離一キロメートル当たりの排出量をグラムで表した値（非メタン炭化水素にあっては、炭素数当量による容量比で表した値をグラムに換算した値）に〇・一二を乗じた値をそれぞれ加算した値が、次の表の上欄に掲げる自動車の種別に応じ、それぞれ同表の一酸化炭素、非メタン炭化水素、窒素酸化物及び粒子状物質の欄に掲げる値を超えないものであればよい。

自動車の種別	一酸化炭素	非メタン炭化水素	窒素酸化物	粒子状物質
イ　専ら乗用の用に供する乗車定員十人以下の普通自動車、小型自動車又は軽自動車であって、車両重量が千二百六十五キログラム以下のもの	一・九二	〇・〇八	〇・一九	〇・〇一七
ロ　専ら乗用の用に供する乗車定員十人以下の普通自動車、小型自動車又は軽自動車であって、イに掲げるもの以外のもの	一・九二	〇・〇八	〇・二〇	〇・〇一九
ハ　車両総重量が一・七トン以下の普通自動車又は小型自動車であって、イ及びロに掲げるもの以外のもの	一・九二	〇・〇八	〇・一九	〇・〇一七
ニ　車両総重量が三・五トン以下の普通自動車又は小型自動車であって、イからハまでに掲げるもの以外のもの	四・〇八	〇・〇八	〇・三三	〇・〇二〇
ホ　軽自動車であって、イ及びロに掲げるもの以外のもの	六・六七	〇・〇八	〇・二〇	〇・〇一九

108　ガソリン又は液化石油ガスを燃料とする普通自動車、小型自動車及び軽自動車（型式指定自動車及び一酸化炭素等発散防止装置指定自動車に限る。）であって、細目告示第四十一条第一項第三号に掲げる自動車のうち、平成十八年十一月一日から平成二十五年二月二十八日（吸蔵型窒素酸化物還元触媒を備えたガソリン直接噴射式の原動機を有する自動車（以下「窒素酸化物還元触媒付ガソリン直噴車」という。）にあっては、平成二十二年八月三十一日）までに製作されたもの（輸入された自動車以外の自動車であって平成二十三年四月一日（窒素酸化物還元触媒付ガソリン直噴車にあっては、平成二十一年十月一日）以降に指定を受けた型式指定自動車及び一酸化炭素等発散防止装置指定自動車を除く。）は、細目告示第四十一条第一項第三号の規定にかかわらず、完成検査等の際、十・十五モード法により運行する場合に発生し、排気管から大気中に排出される排出物に含まれる一酸化炭素、非メタン炭化水素及び窒素酸化物の走行距離一キロメートル当たりの排出量をグラムで表した値（非メタン炭化水素にあっては、炭素数当量による容量比で表した値をグラムに換算した値）に〇・七五を乗じた値に、細目告示別添四十二に規定するJC〇八Cモード法（以下単に「JC〇八Cモード法」という。）（ただし、等価慣性重量の設定、試験燃料の性状等及びその他の項目については、平成十八年改正告示による改正前の細目告示別添四十二の規定を適用するものとする。次項から第百十三項までにおいて同じ。）により運行する場合に発生し、当該排気管から排出される排出物に含まれる一酸化炭素、非メタン炭化水素及び窒素酸化物の走行距離一キロメートル当たりの排出量をグラムで表した値（非メタン炭化水素にあっては、炭素数当量による容量比で表した値をグラムに換算した値）に〇・二五を乗じた値をそれぞれ加算した値の、当該自動車及びそれと同一の型式の自動車であって既に完成検査等を終了したすべてのものにおける平均値が、次の表の上欄に掲げる自動車の種別に応じ、それぞれ同表の一酸化炭素、非メタン炭化水素及び窒素酸化物の欄に掲げる値を超えないものであればよい。

自動車の種別	一酸化炭素	非メタン炭化水素	窒素酸化物
イ　専ら乗用の用に供する乗車定員十人以下の普通自動車、小型自動車又は軽自動車	一・一五	〇・〇五	〇・〇五
ロ　車両総重量が一・七トン以下の普通自動車又は小型自動車であって、イに掲げるもの以外のもの	一・一五	〇・〇五	〇・〇五
ハ　車両総重量が三・五トン以下の普通自動車又は小型自動車であって、イ及びロに掲げるもの以外のもの	二・五五	〇・〇五	〇・〇七
ニ　軽自動車であって、イに掲げるもの以外のもの	四・〇二	〇・〇五	〇・〇五

109　ガソリン又は液化石油ガスを燃料とする普通自動車、小型自動車及び軽自動車（型式指定自動車及び一酸化炭素等発散防止装置指定自動車を除く。）であって、細目告示第四十一条第一項第四号に掲げる自動車のうち、平成十八年十一月一日から平成二十五年二月二十八日（窒素酸化物還元触媒付ガソリン直噴車にあっては、平成二十二年八月三十一日）までに製作されたものは、細目告示第四十一条第一項第四号及び第百十九条第一項第二号の規定にかかわらず、新規検査等の際、十・十五モード法により運行する場合に発生し、排気管から大気中に排出される排出物に含まれる一酸化炭素、非メタン炭化水素及び窒素酸化物の走行距離一キロメートル当たりの排出

量をグラムで表した値（非メタン炭化水素にあっては、炭素数当量による容量比で表した値をグラムに換算した値）に〇・七五を乗じた値に、JC〇八Cモード法により運行する場合に発生し、当該排気管から排出される排出物に含まれる一酸化炭素、非メタン炭化水素及び窒素酸化物の走行距離一キロメートル当たりの排出量をグラムで表した値（非メタン炭化水素にあっては、炭素数当量による容量比で表した値をグラムに換算した値）に〇・二五を乗じた値をそれぞれ加算した値が、次の表の上欄に掲げる自動車の種別に応じ、それぞれ同表の一酸化炭素、非メタン炭化水素及び窒素酸化物の欄に掲げる値を超えないものであればよい。

自動車の種別	一酸化炭素	非メタン炭化水素	窒素酸化物
イ　専ら乗用の用に供する乗車定員十人以下の普通自動車、小型自動車又は軽自動車	一・九二	〇・〇八	〇・〇八
ロ　車両総重量が一・七トン以下の普通自動車又は小型自動車であって、イに掲げるもの以外のもの	一・九二	〇・〇八	〇・〇八
ハ　車両総重量が三・五トン以下の普通自動車又は小型自動車であって、イ及びロに掲げるもの以外のもの	四・〇八	〇・〇八	〇・一〇
ニ　軽自動車であって、イに掲げるもの以外のもの	六・六七	〇・〇八	〇・〇八

110　軽油を燃料とする普通自動車及び小型自動車（型式指定自動車及び一酸化炭素等発散防止装置指定自動車に限る。）であって、細目告示第四十一条第一項第七号に掲げる自動車のうち、平成十八年十一月一日から平成二十二年八月三十一日（車両総重量が一・七トンを超え二・五トン以下のもの（専ら乗用の用に供する乗車定員十人以下のものを除く。）にあっては、平成二十三年八月三十一日）までに製作されたもの（輸入された自動車以外の自動車であって平成二十一年十月一日（車両総重量が、一・七トンを超え二・五トン以下のもの（専ら乗用の用に供する乗車定員十人以下のものを除く。）にあっては、平成二十二年十月一日）以降に指定を受けた型式指定自動車及び一酸化炭素等発散防止装置指定自動車を除く。）は、細目告示第四十一条第一項第七号の規定にかかわらず、完成検査等の際、次の基準に適合するものであればよい。

一　十・十五モード法により運行する場合に発生し、排気管から大気中に排出される排出物に含まれる一酸化炭素、非メタン炭化水素、窒素酸化物及び粒子状物質の走行距離一キロメートル当たりの排出量をグラムで表した値（非メタン炭化水素にあっては、炭素数当量による容量比で表した値をグラムに換算した値）に〇・七五を乗じた値に、JC〇八Cモード法（粒子状物質の測定方法については、平成二十年改正告示による改正前の細目告示別添四十二の規定を適用するものとする。次項から第百十三項まで、第百二十七項、第百二十八項、第百三十一項及び第百三十二項において同じ。）により運行する場合に発生し、当該排気管から排出される排出物に含まれる一酸化炭素、非メタン炭化水素、窒素酸化物及び粒子状物質の走行距離一キロメートル当たりの排出量をグラムで表した値（非メタン炭化水素にあっては、炭素数当量による容量比で表した値をグラムに換算した値）に〇・二五を乗じた値をそれぞれ加算した値の、当該自動車及びそれと同一の型式の自動車であって既に完成検査等を終了したすべてのものにおける平均値が、次の表の上欄に掲げる自動車の種別に応じ、それぞれ同表の一酸化炭素、非メタン炭化水素、窒素酸化物及び粒子状物質の欄に掲げる値を超えないものであればよい。

自動車の種別	一酸化炭素	非メタン炭化水素	窒素酸化物	粒子状物質
イ　専ら乗用の用に供する乗車定員十人以下の普通自動車又は小型自動車であって、車両重量が千二百六十五キログラム以下のもの	〇・六三	〇・〇二四	〇・一四	〇・〇一三
ロ　専ら乗用の用に供する乗車定員十人以下の普通自動車又は小型自動車であって、イに掲げるもの以外のもの	〇・六三	〇・〇二四	〇・一五	〇・〇一四
ハ　車両総重量が一・七トン以下の普通自動車又は小型自動車であって、イ及びロに掲げるもの以外のもの	〇・六三	〇・〇二四	〇・一四	〇・〇一三
ニ　車両総重量が三・五トン以下の普通自動車又は小型自動車であって、イからハまでに掲げるもの以外のもの	〇・六三	〇・〇二四	〇・二五	〇・〇一五

二　平成二十年改正告示による改正前の細目告示別添四十五に規定する黒煙四モード法により運行する場合に発生し、排気管から大気中に排出される排出物に含まれる黒煙による汚染の度合が二十五パーセント以下であること。

111　軽油を燃料とする普通自動車及び小型自動車（型式指定自動車及び一酸化炭素等発散防止装置指定自動車を除く。）であって、細目告示第四十一条第一項第八号に掲げる自動車のうち、平成十八年十一月一日から平成二十二年八月三十一日（車両総重量が一・七トンを超え二・五トン以下のもの（専ら乗用の用に供する乗車定員十人以下のものを除く。）にあっては、平成二十三年八月三十一日）までに製作されたものは、細目告示第四十一条第一項第八号及び第百十九条第一項第四号の規定にかかわらず、新規検査等の際、次の基準に適合するものであればよい。

一　十・十五モード法により運行する場合に発生し、排気管から大気中に排出される排出物に含まれる一酸化炭素、非メタン炭化水素、窒素酸化物及び粒子状物質の走行距離一キロメートル当たりの排出量をグラムで表した値（非メタン炭化水素にあっては、炭素数当量による容量比で表した値をグラムに換算した値）に〇・七五を乗じた値に、JC〇八Cモード法により運行する場合に発生し、当該排気管から排出される排出物に含まれる一酸化炭素、非メタン炭化水素、窒素酸化物及び粒子状物質の走行距離一キロメートル当たりの排出量をグラムで表した値（非メタン炭化水素にあっては、炭素数当量による容量比で表した値をグラムに換算した値）に〇・二五を乗じた値をそれぞれ加算した値が、次の表の上欄に掲げる自動車の種別に応じ、それぞれ同表の一酸化炭素、非メタン炭化水素、窒素酸化物及び粒子状物質の欄に掲げる値を超えないものであること。

自動車の種別	一酸化炭素	非メタン炭化水素	窒素酸化物	粒子状物質
イ　専ら乗用の用に供する乗車定員十人以下の普通自動車又は小型自動車であって、車両重量が千二百六十五キログラム以下のもの	〇・八四	〇・〇三二	〇・一九	〇・〇一七
ロ　専ら乗用の用に供する乗車定員十人以下の普通自動車又は小型自動車であって、イに掲げるもの以外のもの	〇・八四	〇・〇三二	〇・二〇	〇・〇一九
ハ　車両総重量が一・七トン以下の普通自動車又は小型自動車であって、イ及びロに掲げるもの以外のもの	〇・八四	〇・〇三二	〇・一九	〇・〇一七
ニ　車両総重量が三・五トン以下の普通自動車又は小型自動車であって、イからハまでに掲げるもの以外のもの	〇・八四	〇・〇三二	〇・二三	〇・〇二〇

二　平成二十年改正告示による改正前の細目告示別添四十五に規定する黒煙四モード法により運行する場合に発生し、排気管から大気中に排出される排出物に含まれる黒煙による汚染の度合が二十五パーセント以下であること。

112

ガソリン、液化石油ガス又は軽油以外を燃料とする普通自動車、小型自動車及び軽自動車（型式指定自動車及び一酸化炭素等発散防止装置指定自動車に限る。）であって、細目告示第四十一条第一項第十一号に掲げる自動車のうち、平成十八年十一月一日から平成二十二年八月三十一日までに製作されたもの（輸入された自動車以外の自動車であって平成二十一年十月一日以降に指定を受けた型式指定自動車及び一酸化炭素等発散防止装置指定自動車を除く。）は、細目告示第四十一条第一項第十一号の規定にかかわらず、完成検査等の際、十・十五モード法により運行する場合に発生し、排気管から大気中に排出される排出物に含まれる一酸化炭素、非メタン炭化水素、窒素酸化物及び粒子状物質の走行距離一キロメートル当たりの排出量をグラムで表した値（非メタン炭化水素にあっては、炭素数当量による容量比で表した値をグラムに換算した値）に〇・七五を乗じた値に、JC〇八Cモード法により運行する場合に発生し、当該排気管から排出される排出物に含まれる一酸化炭素、非メタン炭化水素、窒素酸化物及び粒子状物質の走行距離一キロメートル当たりの排出量をグラムで表した値（非メタン炭化水素にあっては、炭素数当量による容量比で表した値をグラムに換算した値）に〇・二五を乗じた値をそれぞれ加算した値の、当該自動車及びそれと同一の型式の自動車であって既に完成検査等を終了したすべてのものにおける平均値が、次の表の上欄に掲げる自動車の種別に応じ、それぞれ同表の一酸化炭素、非メタン炭化水素、窒素酸化物及び粒子状物質の欄に掲げる値を超えないものであればよい。

自動車の種別	一酸化炭素	非メタン炭化水素	窒素酸化物	粒子状物質
イ　専ら乗用の用に供する乗車定員十人以下の普通自動車、小型自動車又は軽自動車であって、車両重量が千二百六十五キログラム以下のもの	一・一五	〇・〇五	〇・一四	〇・〇一三
ロ　専ら乗用の用に供する乗車定員十人以下の普通自動車、小型自動車又は軽自動車であって、イに掲げるもの以外のもの	一・一五	〇・〇五	〇・一五	〇・〇一四
ハ　車両総重量が一・七トン以下の普通自動車又は小型自動車であって、イ及びロに掲げるもの以外のもの	一・一五	〇・〇五	〇・一四	〇・〇一三
ニ　車両総重量が三・五トン以下の普通自動車又は小型自動車であって、イからハまでに掲げるもの以外のもの	二・五五	〇・〇五	〇・二五	〇・〇一五
ホ　軽自動車であって、イ及びロに掲げるもの以外のもの	四・〇二	〇・〇五	〇・一五	〇・〇一四

113

ガソリン、液化石油ガス又は軽油以外を燃料とする普通自動車、小型自動車及び軽自動車（型式指定自動車及び一酸化炭素等発散防止装置指定自動車を除く。）であって、細目告示第四十一条第一項第十二号に掲げる自動車のうち、平成十八年十一月一日から平成二十二年八月三十一日までに製作されたものは、細目告示第四十一条第一項第十二号及び第百十九条第一項第六号の規定にかかわらず、新規検査等の際、十・十五モード法により運行する場合に発生し、排気管から大気中に排出される排出物に含まれる一酸化炭素、非メタン炭化水素、窒素酸化物及び粒子状物質の走行距離一キロメートル当たりの排出量をグラムで表した値（非メタン炭化水素にあっては、炭素数当量による容量比で表した値をグラムに換算した値）に〇・七五を乗じた値に、JC〇八Cモード法により運行する場合に発生し、当該排気管から排出される排出物に含まれる一酸化炭素、非メタン炭化水素、窒素酸化物及び粒子状物質の走行距離一キロメートル当たりの排出量をグラムで表した値（非メタン炭化水素にあっては、炭素数当量による容量比で表した値をグラムに換算した値）に〇・二五を乗じた値をそれぞれ加算した値が、次の表の上欄に掲げる自動車の種別に応じ、それぞれ同表の一酸化炭素、非メタン炭化水素、窒素酸化物及び粒子状物質の欄に掲げる値を超えないものであればよい。

自動車の種別	一酸化炭素	非メタン炭化水素	窒素酸化物	粒子状物質
イ　専ら乗用の用に供する乗車定員十人以下の普通自動車、小型自動車又は軽自動車であって、車両重量が千二百六十五キログラム以下のもの	一・九二	〇・〇八	〇・一九	〇・〇一七
ロ　専ら乗用の用に供する乗車定員十	一・九二	〇・〇八	〇・二〇	〇・〇一九

人以下の普通自動車、小型自動車又は軽自動車であって、イに掲げるもの以外のもの				
ハ　車両総重量が一・七トン以下の普通自動車又は小型自動車であって、イ及びロに掲げるもの以外のもの	一・九二	〇・〇八	〇・一九	〇・〇一七
ニ　車両総重量が三・五トン以下の普通自動車又は小型自動車であって、イからハまでに掲げるもの以外のもの	四・〇八	〇・〇八	〇・三三	〇・〇二〇
ホ　軽自動車であって、イ及びロに掲げるもの以外のもの	六・六七	〇・〇八	〇・二〇	〇・〇一九

114　ガソリン又は液化石油ガスを燃料とする普通自動車又は小型自動車（二輪自動車を除く。）であって専ら乗用の用に供する乗車定員十人以下のもの又は車両総重量三・五トン以下のもの（専ら乗用の用に供する乗車定員十人以下のものを除く。）並びに軽自動車（二輪自動車を除く。）のうち、平成二十二年八月三十一日以前に製作されたもの（第一項の表の第六号に掲げる自動車並びに輸入された自動車以外の自動車であって平成二十年十月一日以降に指定を受けた型式指定自動車（平成二十年九月三十日以前に指定を受けた型式指定自動車と種別、用途、車体の外形、原動機の種類及び主要構造、燃料の種類及び動力用電源装置の種類、動力伝達装置の種類及び主要構造、走行装置の種類及び主要構造、操縦装置の種類及び主要構造、懸架装置の種類及び主要構造、車枠、軸距、主制動装置の種類並びに排出ガス発散防止装置の仕様が同一であるものは除く。）及び一酸化炭素等発散防止装置指定自動車を除く。）は、細目告示第四十一条第二項第四号及び第百十九条第二項第四号の規定にかかわらず、平成十八年改正告示による改正前の細目告示別添四十八「自動車のばい煙、悪臭のあるガス、有害なガス等の発散防止装置に係る車載式故障診断装置の技術基準」に適合する装置を備えればよい。

115　ガソリン又は液化石油ガスを燃料とする普通自動車又は小型自動車（二輪自動車を除く。）であって専ら乗用の用に供する乗車定員十人以下のもの又は車両総重量三・五トン以下のもの（専ら乗用の用に供する乗車定員十人以下のものを除く。）並びに軽自動車（二輪自動車を除く。）のうち、平成二十五年二月二十八日以前に製作されたもの（第一項の表の第六号に掲げる自動車及び第百十四号の自動車並びに輸入された自動車以外の自動車であって平成二十三年四月一日以降に指定を受けた型式指定自動車及び一酸化炭素等発散防止装置指定自動車を除く。）は、細目告示第四十一条第二項第四号及び第百十九条第二項第四号に規定する別添四十八「自動車のばい煙、悪臭のあるガス、有害なガス等の発散防止装置に係る車載式故障診断装置の技術基準」の適用について、試験モードについてはJC〇八Hモード法に代えて十・十五モード法を適用することができるものとする。この場合において、JC〇八Cモード法による測定を行う場合の等価慣性重量の設定及び試験燃料の性状等については、平成十八年改正告示による改正前の細目告示別添四十二「軽・中量車排出ガスの測定方法」の規定を適用するものとする。

116　ガソリンを燃料とする自動車のうち、平成二十三年三月三十一日（輸入された自動車にあっては、平成二十五年二月二十八日）以前に製作されたもの（第一項の表の第三号に掲げる自動車及び第五十八項の自動車を除く。）並びに平成二十三年三月三十一日（輸入された自動車にあっては、平成二十五年二月二十八日）以前に指定を受けた型式指定自動車及び一酸化炭素等発散防止装置指定自動車並びに国土交通大臣が指定する自動車であって平成二十三年四月一日（輸入された自動車にあっては、平成二十五年三月一日）以降に製作されたものについては、細目告示第四十一条第四項及び第百十九条第四項の規定にかかわらず、平成十八年改正告示による改正前の別添四十九「燃料蒸発ガスの測定方法」に規定する運転条件及び測定条件により測定した燃料から蒸発する炭化水素の排出量をグラムで表した値（炭素数当量による容量比で表した値をグラムに換算した値）が二・〇グラムを超えないものであればよい。

117　細目告示第四十一条第一項第五号から第八号までの自動車であって次に掲げるもの（第一項の表の第四号に掲げる自動車並びに第八項、第十二項、第十七項から第二十項まで、第二十二項、第二十五項、第二十七項、第三十項、第三十一項、第三十三項、第三十四項、第三十七項、第三十八項、第四十三項、第四十四項、第四十七項、第四十八項及び第五十四項の自動車を除く。）については、同条第一項第二十号及び細目告示第百九十七条第一項第二号の規定にかかわらず、黒煙による汚染度が二十五パーセントを超えないものでなければならない。ただし、細目告示第五条第一号及び第百六十一条第一項各号（第二号及び第三号を除く。）に掲げる場合において、当該測定の前に光吸収係数を測定した場合にあっては、当該光吸収係数が〇・八〇m^{-1}を超えないものであればよい。

一　細目告示第四十一条第一項第五号又は第七号の自動車のうち、次に掲げるもの

イ　平成十九年八月三十一日（輸入された自動車にあっては、平成二十年七月三十一日）以前に法第七十五条第一項の指定の申請を行った型式指定自動車

ロ　平成十九年八月三十一日（輸入された自動車にあっては、平成二十年七月三十一日）以前に法第七十五条の三第一項の指定の申請を行った一酸化炭素等発散防止装置を備えた一酸化炭素等発散防止装置指定自動車

二　細目告示第四十一条第一項第六号又は第八号の自動車のうち、国土交通大臣が定めるもの

118　細目告示第百十九条第一項第三号又は第四号の自動車（第一項の表の第四号に掲げる自動車並びに第八項、第十二項、第十七項から第二十項まで、第二十二項、第二十五項、第二十七項、第三十項、第三十一項、第三十三項、第三十四項、第三十七項、第三十八項、第四十三項、第四十四項、第四十七項、第四十八項及び第五十四項の自動車を除く。）であって、平成十九年八月三十一日（輸入された自動車にあっては、平成二十年七月三十一日）以前に新規検査等において保安基準に適合していると認められたものについては、同条第一項第十一号及び細目告示第百九十七条第一項第二号の規定にかかわらず、黒煙による汚染度が二十五パーセントを超えないものでなければならない。ただし、細目告示第百六十一条第一項各号（第二号及び第三号を除く。）に掲げる場合において、当該測定の前に光吸収係数を測定した場合にあっては、当該光吸収係数が〇・八〇m^{-1}を超えないものであればよい。

119　細目告示第四十一条第一項第五号から第八号までの自動車（第一項の表の第四号に掲げる自動車並びに第八項、第十二項、第十七項から第二十項まで、第二十二項、第二十五項、第二十七項、第三十項、第三十一項、第三十三項、第三十四項、第三十七項、第三十八項、第四十三項、第四十四項、第四十七項、第四十八項、第五十四項及び第百十七項の自動車を除く。）については、平成二十二年九月三十日までの間、同条第一項第二十号及び細目告示第百九十七条第一項第二号の規定にかかわらず、細目告示第五条第一号及び第百六十一条第一項各号（第二号及び第三号を除く。）に掲げる場合において、黒煙による汚染度が二十五パーセント以下であるときは、細目

告示第四十一条第一項第二十号及び第百九十七条第一項第二号の規制値を超えないものとみなす。

120　細目告示第百十九条第一項第三号又は第四号の自動車（第一項の表の第四号に掲げる自動車並びに第八項、第十二項、第十七項から第二十項まで、第二十二項、第二十五項、第二十七項、第三十項、第三十一項、第三十三項、第三十四項、第三十七項、第三十八項、第四十三項、第四十四項、第四十七項、第四十八項及び第五十四項及び第百十八項の自動車を除く。）については、平成二十二年九月三十日までの間、第百九十七条第一項第二号の規定にかかわらず、細目告示第百六十一条第一項各号（第二号及び第三号を除く。）に掲げる場合において、黒煙による汚染度が二十五パーセント以下であるときは、細目告示第百九十七条第一項第二号の規制値を超えないものとみなす。

121　ガソリン又は液化石油ガスを燃料とする普通自動車及び小型自動車（型式指定自動車及び一酸化炭素等発散防止装置指定自動車に限る。）であって、細目告示第四十一条第一項第一号の規定の適用を受ける窒素酸化物還元触媒付ガソリン直噴車のうち、平成十五年十月一日から平成二十二年八月三十一日までに製作されたもの（輸入された自動車以外の自動車であって、平成二十一年十月一日以降に指定を受けた型式指定自動車及び一酸化炭素等発散防止装置指定自動車を除く。）は、同号の規定にかかわらず、完成検査等の際、同別添四十一に規定するＪＥ〇五モード法（以下この項、第百二十二項、第百二十九項及び第百三十項において単に「ＪＥ〇五モード法」という。）により運行する場合に発生し、排気管から大気中に排出される排出物に含まれる一酸化炭素、非メタン炭化水素及び窒素酸化物の排出量をグラムで表した値（非メタン炭化水素にあっては、炭素数当量による容量比で表した値をグラムに換算した値）を、ＪＥ〇五モード法により運行する場合に発生した仕事量をキロワット時で表した値でそれぞれ除して得た値の、当該自動車及びそれと同一の型式の自動車であって既に完成検査等を終了した全てのものにおける平均値が、一酸化炭素については十六・〇、非メタン炭化水素については〇・二三、窒素酸化物については〇・七を超えないものであればよい。

122　ガソリン又は液化石油ガスを燃料とする普通自動車及び小型自動車（型式指定自動車及び一酸化炭素等発散防止装置指定自動車を除く。）であって、細目告示第四十一条第一項第二号の規定の適用を受ける窒素酸化物還元触媒付ガソリン直噴車のうち、平成十五年十月一日から平成二十二年八月三十一日までに製作されたものは、同号及び第百十九条第一項第一号の規定にかかわらず、新規検査等の際、ＪＥ〇五モード法により運行する場合に発生し、当該排気管から大気中に排出される排出物に含まれる一酸化炭素、非メタン炭化水素及び窒素酸化物の排出量をグラムで表した値（非メタン炭化水素にあっては、炭素数当量による容量比で表した値をグラムに換算した値）を、ＪＥ〇五モード法により運行する場合に発生した仕事量をキロワット時で表した値でそれぞれ除して得た値が、一酸化炭素については二十一・三、非メタン炭化水素については〇・三一、窒素酸化物については〇・九を超えないものであればよい。

123　ガソリン又は液化石油ガスを燃料とする普通自動車、小型自動車及び軽自動車（型式指定自動車及び一酸化炭素等発散防止装置指定自動車に限る。）であって、細目告示第四十一条第一項第三号の規定の適用を受ける窒素酸化物還元触媒付ガソリン直噴車のうち、平成十八年十一月一日から平成二十二年八月三十一日までに製作されたもの（輸入された自動車以外の自動車であって平成二十一年十月一日以降に指定を受けた型式指定自動車及び一酸化炭素等発散防止装置指定自動車を除く。）は、同号の規定にかかわらず、完成検査等の際、細目告示別添四十二に規定するＪＣ〇八Ｈモード法（以下単に「ＪＣ〇八Ｈモード法」という。）により運行する場合に発生し、排気管から大気中に排出される排出物に含まれる一酸化炭素、非メタン炭化水素及び窒素酸化物の走行距離一キロメートル当たりの排出量をグラムで表した値（非メタン炭化水素にあっては、炭素数当量による容量比で表した値をグラムに換算した値）に〇・七五を乗じた値に、ＪＣ〇八Ｃモード法により運行する場合に発生し、当該排気管から排出される排出物に含まれる一酸化炭素、非メタン炭化水素及び窒素酸化物の走行距離一キロメートル当たりの排出量をグラムで表した値（非メタン炭化水素にあっては、炭素数当量による容量比で表した値をグラムに換算した値）に〇・二五を乗じた値をそれぞれ加算した値の、当該自動車及びそれと同一の型式の自動車であって既に完成検査等を終了したすべてのものにおける平均値が、次の表の上欄に掲げる自動車の種別に応じ、それぞれ同表の一酸化炭素、非メタン炭化水素及び窒素酸化物の欄に掲げる値を超えないものであればよい。

自動車の種別	一酸化炭素	非メタン炭化水素	窒素酸化物
イ　専ら乗用の用に供する乗車定員十人以下の普通自動車、小型自動車又は軽自動車	一・一五	〇・〇五	〇・〇五
ロ　車両総重量が一・七トン以下の普通自動車又は小型自動車であって、イに掲げるもの以外のもの	一・一五	〇・〇五	〇・〇五
ハ　車両総重量が三・五トン以下の普通自動車又は小型自動車であって、イ及びロに掲げるもの以外のもの	二・五五	〇・〇五	〇・〇七
ニ　軽自動車であって、イに掲げるもの以外のもの	四・〇二	〇・〇五	〇・〇五

124　ガソリン又は液化石油ガスを燃料とする普通自動車、小型自動車及び軽自動車（型式指定自動車及び一酸化炭素等発散防止装置指定自動車を除く。）であって、細目告示第四十一条第一項第四号の規定の適用を受ける窒素酸化物還元触媒付ガソリン直噴車のうち、平成十八年十一月一日から平成二十二年八月三十一日までに製作されたものを除く。）は、同号及び第百十九条第一項第二号の規定にかかわらず、新規検査等の際、ＪＣ〇八Ｈモード法により運行する場合に発生し、排気管から大気中に排出される排出物に含まれる一酸化炭素、非メタン炭化水素及び窒素酸化物の走行距離一キロメートル当たりの排出量をグラムで表した値（非メタン炭化水素にあっては、炭素数当量による容量比で表した値をグラムに換算した値）に〇・七五を乗じた値に、ＪＣ〇八Ｃモード法により運行する場合に発生し、当該排気管から排出される排出物に含まれる一酸化炭素、非メタン炭化水素及び窒素酸化物の走行距離一キロメートル当たりの排出量をグラムで表した値（非メタン炭化水素にあっては、炭素数当量による容量比で表した値をグラムに換算した値）に〇・二五を乗じた値をそれぞれ加算した値が、次の表の上欄に掲げる自動車の種別に応じ、それぞれ同表の一酸化炭素、非メタン炭化水素及び窒素酸化物の欄に掲げる値を超えないものであればよい。

自動車の種別	一酸化炭素	非メタン炭化水素	窒素酸化物
イ　専ら乗用の用に供する乗車定員十人以下の普通自動車、小型自動車又は軽自動車	一・九二	〇・〇八	〇・〇八
ロ　車両総重量が一・七トン以下の普通自動車又は	一・九二	〇・〇八	〇・〇八

小型自動車であって、イに掲げるもの以外のもの			
ハ　車両総重量が三・五トン以下の普通自動車又は小型自動車であって、イ及びロに掲げるもの以外のもの	四・〇八	〇・〇八	〇・一〇
ニ　軽自動車であって、イに掲げるもの以外のもの	六・六七	〇・〇八	〇・〇八

125
　軽油を燃料とする普通自動車及び小型自動車（型式指定自動車及び一酸化炭素等発散防止装置指定自動車に限る。）であって、細目告示第四十一条第一項第五号に掲げる自動車のうち、平成十五年十月一日から平成二十二年八月三十一日（車両総重量が三・五トンを超え十二トン以下のものにあっては、平成二十三年九月三十日）までに製作されたもの（輸入された自動車以外の自動車であって、平成二十一年十月一日（車両総重量が三・五トンを超え十二トン以下のものにあっては、平成二十二年十月一日）以降に指定を受けた型式指定自動車及び一酸化炭素等発散防止装置指定自動車を除く。）は、同号の規定にかかわらず、完成検査等の際、次の各号に掲げる基準に適合するものであればよい。

一　平成二十七年改正告示による改正前の細目告示別添四十一に規定するJE〇五モード法（以下この項、次項、第百六十四項及び第百六十五項において「平成二十七年改正告示による改正前のJE〇五モード法」という。ただし、粒子状物質の測定方法については、平成二十年改正告示による改正前の細目告示別添四十一の規定を適用するものとする。次項、第百二十九項及び第百三十項において同じ。）により運行する場合に発生し、排気管から大気中に排出される排出物に含まれる一酸化炭素、非メタン炭化水素、窒素酸化物及び粒子状物質の排出量をグラムで表した値（非メタン炭化水素にあっては、炭素数当量による容量比で表した値をグラムに換算した値）を、平成二十七年改正告示による改正前のJE〇五モード法により運行する場合に発生した仕事量をキロワット時で表した値でそれぞれ除して得た値の、当該自動車及びそれと同一の型式の自動車であって既に完成検査等を終了した全てのものにおける平均値が、一酸化炭素については二・二二、非メタン炭化水素については〇・一七、窒素酸化物については二・〇、粒子状物質については〇・〇二七を超えないものであること。

二　平成二十年改正告示による改正前の細目告示別添四十五に規定する黒煙四モード法により運行する場合に発生し、排気管から大気中に排出される排出物に含まれる黒煙による汚染の度合が二十五パーセント以下であること。

三　黒煙による汚染度が二十五パーセント以下であるもの。ただし、黒煙による汚染度の測定の前に、光吸収係数を測定する場合であって、当該光吸収係数〇・八〇m^{-1}を超えないときは、黒煙による汚染度が二十五パーセントを超えないものとみなす。

126
　軽油を燃料とする普通自動車及び小型自動車（型式指定自動車及び一酸化炭素等発散防止装置指定自動車を除く。）であって、細目告示第四十一条第一項第六号に掲げる自動車のうち、平成十五年十月一日から平成二十二年八月三十一日（車両総重量が三・五トンを超え十二トン以下のものにあっては、平成二十三年九月三十日）までに製作されたものは、同号及び第百十九条第一項第三号の規定にかかわらず、新規検査等の際、次の各号に掲げる基準に適合するものであればよい。

一　平成二十七年改正告示による改正前のJE〇五モード法により運行する場合に発生し、排気管から大気中に排出される排出物に含まれる一酸化炭素、非メタン炭化水素、窒素酸化物及び粒子状物質の排出量をグラムで表した値（非メタン炭化水素にあっては、炭素数当量による容量比で表した値をグラムに換算した値）を平成二十七年改正告示による改正前のJE〇五モード法により運行する場合に発生した仕事量をキロワット時で表した値でそれぞれ除して得た値が、一酸化炭素については二・九五、非メタン炭化水素については〇・二三、窒素酸化物については二・七、粒子状物質については〇・〇三六を超えないものであること。

二　平成二十年改正告示による改正前の細目告示別添四十五に規定する黒煙四モード法により運行する場合に発生し、排気管から大気中に排出される排出物に含まれる黒煙による汚染の度合が二十五パーセント以下であること。

三　黒煙による汚染度が二十五パーセント以下であるもの。ただし、黒煙による汚染度の測定の前に、光吸収係数を測定する場合であって、当該光吸収係数〇・八〇m^{-1}を超えないときは、黒煙による汚染度が二十五パーセントを超えないものとみなす。

127
　軽油を燃料とする普通自動車及び小型自動車（型式指定自動車及び一酸化炭素等発散防止装置指定自動車に限る。）であって、細目告示第四十一条第一項第七号に掲げる自動車のうち、平成十八年十一月一日から平成二十二年八月三十一日（車両総重量が一・七トンを超え二・五トン以下のもの（専ら乗用の用に供する乗車定員十人以下のものを除く。）にあっては、平成二十三年八月三十一日）までに製作されたもの（輸入された自動車以外の自動車であって平成二十一年十月一日（車両総重量が一・七トンを超え二・五トン以下のもの（専ら乗用の用に供する乗車定員十人以下のものを除く。）にあっては、平成二十二年十月一日）以降に指定を受けた型式指定自動車及び一酸化炭素等発散防止装置指定自動車を除く。）は、同号の規定にかかわらず、完成検査等の際、次の基準に適合するものであればよい。

一　JC〇八Hモード法（ただし、粒子状物質の測定方法については、平成二十年改正告示による改正前の細目告示別添四十二の規定を適用するものとする。次項、第百三十一項及び第百三十二項において同じ。）により運行する場合に発生し、排気管から大気中に排出される排出物に含まれる一酸化炭素、非メタン炭化水素、窒素酸化物及び粒子状物質の走行距離一キロメートル当たりの排出量をグラムで表した値（非メタン炭化水素にあっては、炭素数当量による容量比で表した値をグラムに換算した値）に〇・七五を乗じた値に、JC〇八Cモード法により運行する場合に発生し、当該排気管から排出される排出物に含まれる一酸化炭素、非メタン炭化水素、窒素酸化物及び粒子状物質の走行距離一キロメートル当たりの排出量をグラムで表した値（非メタン炭化水素にあっては、炭素数当量による容量比で表した値をグラムに換算した値）に〇・二五を乗じた値をそれぞれ加算した値の、当該自動車及びそれと同一の型式の自動車であって既に完成検査等を終了したすべてのものにおける平均値が、次の表の上欄に掲げる自動車の種別に応じ、それぞれ同表の一酸化炭素、非メタン炭化水素、窒素酸化物及び粒子状物質の欄に掲げる値を超えないものであること。

自動車の種別	一酸化炭素	非メタン炭化水素	窒素酸化物	粒子状物質
イ　専ら乗用の用に供する乗車定員十人以下の普通自動車又は小型自動車であって、車両重量が千二百六十五キログラム以下のもの	〇・六三	〇・〇二四	〇・一四	〇・〇一三
ロ　専ら乗用の用に供する乗車定員十	〇・六三	〇・〇二四	〇・一五	〇・〇一四

人以下の普通自動車又は小型自動車であって、イに掲げるもの以外のもの				
ハ　車両総重量が一・七トン以下の普通自動車又は小型自動車であって、イ及びロに掲げるもの以外のもの	〇・六三	〇・〇二四	〇・一四	〇・〇一三
ニ　車両総重量が三・五トン以下の普通自動車又は小型自動車であって、イからハまでに掲げるもの以外のもの	〇・六三	〇・〇二四	〇・二五	〇・〇一五

二　平成二十年改正告示による改正前の細目告示別添四十五に規定する黒煙四モード法により運行する場合に発生し、排気管から大気中に排出される排出物に含まれる黒煙による汚染の度合が二十五パーセント以下であること。

128　軽油を燃料とする普通自動車及び小型自動車（型式指定自動車及び一酸化炭素等発散防止装置指定自動車を除く。）であって、細目告示第四十一条第一項第八号に掲げる自動車のうち、平成十八年十一月一日から平成二十二年八月三十一日（車両総重量が一・七トンを超え二・五トン以下のもの（専ら乗用の用に供する乗車定員十人以下のものを除く。）にあっては、平成二十三年八月三十一日）までに製作されたものは、同号及び第百十九条第一項第四号の規定にかかわらず、新規検査等の際、次の基準に適合するものであればよい。

一　JC〇八Hモード法により運行する場合に発生し、排気管から大気中に排出される排出物に含まれる一酸化炭素、非メタン炭化水素、窒素酸化物及び粒子状物質の走行距離一キロメートル当たりの排出量をグラムで表した値（非メタン炭化水素にあっては、炭素数当量による容量比で表した値をグラムに換算した値）に〇・七五を乗じた値に、JC〇八Cモード法により運行する場合に発生し、当該排気管から排出される排出物に含まれる一酸化炭素、非メタン炭化水素、窒素酸化物及び粒子状物質の走行距離一キロメートル当たりの排出量をグラムで表した値（非メタン炭化水素にあっては、炭素数当量による容量比で表した値をグラムに換算した値）に〇・二五を乗じた値をそれぞれ加算した値が、次の表の上欄に掲げる自動車の種別に応じ、それぞれ同表の一酸化炭素、非メタン炭化水素、窒素酸化物及び粒子状物質の欄に掲げる値を超えないものであること。

自動車の種別	一酸化炭素	非メタン炭化水素	窒素酸化物	粒子状物質
イ　専ら乗用の用に供する乗車定員十人以下の普通自動車又は小型自動車であって、車両重量が千二百六十五キログラム以下のもの	〇・八四	〇・〇三二	〇・一九	〇・〇一七
ロ　専ら乗用の用に供する乗車定員十人以下の普通自動車又は小型自動車であって、イに掲げるもの以外のもの	〇・八四	〇・〇三二	〇・二〇	〇・〇一九
ハ　車両総重量が一・七トン以下の普通自動車又は小型自動車であって、イ及びロに掲げるもの以外のもの	〇・八四	〇・〇三二	〇・一九	〇・〇一七
ニ　車両総重量が三・五トン以下の普通自動車又は小型自動車であって、イからハまでに掲げるもの以外のもの	〇・八四	〇・〇三二	〇・二三	〇・〇二〇

二　平成二十年改正告示による改正前の細目告示別添四十五に規定する黒煙四モード法により運行する場合に発生し、排気管から大気中に排出される排出物に含まれる黒煙による汚染の度合が二十五パーセント以下であること。

129　ガソリン、液化石油ガス又は軽油以外を燃料とする普通自動車及び小型自動車（型式指定自動車及び一酸化炭素等発散防止装置指定自動車に限る。）であって、細目告示第四十一条第一項第九号に掲げる自動車のうち、平成十五年十月一日から平成二十二年八月三十日（車両総重量が三・五トンを超え十二トン以下のものにあっては、平成二十三年九月三十日）までに製作されたもの（輸入された自動車以外の自動車であって平成二十一年十月一日（車両総重量が三・五トンを超え十二トン以下のものにあっては、平成二十二年十月一日）以降に指定を受けた型式指定自動車及び一酸化炭素等発散防止装置指定自動車を除く。）は、同号の規定にかかわらず、完成検査等の際、JE〇五モード法により運行する場合に発生し、排気管から大気中に排出される排出物に含まれる一酸化炭素、非メタン炭化水素、窒素酸化物及び粒子状物質の排出量をグラムで表した値（非メタン炭化水素にあっては、炭素数当量による容量比で表した値をグラムに換算した値）を、JE〇五モード法により運行する場合に発生した仕事量をキロワット時で表した値でそれぞれ除して得た値の、当該自動車及びそれと同一の型式の自動車であって既に完成検査等を終了したすべてのものにおける平均値が、一酸化炭素については十六・〇、非メタン炭化水素については〇・二三、窒素酸化物については二・〇、粒子状物質については〇・〇二七を超えないものであればよい。

130　ガソリン、液化石油ガス又は軽油以外を燃料とする普通自動車及び小型自動車（型式指定自動車及び一酸化炭素等発散防止装置指定自動車を除く。）であって、細目告示第四十一条第一項第十号に掲げる自動車のうち、平成十五年十月一日から平成二十二年八月三十一日（車両総重量が三・五トンを超え十二トン以下のものにあっては、平成二十三年九月三十日）までに製作されたものは、同号及び第百十九条第一項第五号の規定にかかわらず、新規検査等の際、JE〇五モード法により運行する場合に発生し、排気管から大気中に排出される排出物に含まれる一酸化炭素、非メタン炭化水素、窒素酸化物及び粒子状物質の排出量をグラムで表した値（非メタン炭化水素にあっては、炭素数当量による容量比で表した値をグラムに換算した値）を、JE〇五モード法により運行する場合に発生した仕事量をキロワット時で表した値でそれぞれ除して得た値が、一酸化炭素については二二・三、非メタン炭化水素については〇・三一、窒素酸化物については二・七、粒子状物質については〇・〇三六を超えないものであればよい。

131　ガソリン、液化石油ガス又は軽油以外を燃料とする普通自動車、小型自動車及び軽自動車（型式指定自動車及び一酸化炭素等発散防止装置指定自動車に限る。）であって、細目告示第四十一条第一項第十一号に掲げる自動車のうち、平成十八年十一月一日から平成二十二年八月三十一日までに製作されたもの（輸入された自動車以外の自動車であって平成二十一年十月一日以降に指定を受けた型式指定自動車及び一酸化炭素等発散防止装置指定自動車を除く。）は、同号の規定にかかわらず、完成検査等の際、ＪＣ〇八Ｈモード法により運行する場合に発生し、排気管から大気中に排出される排出物に含まれる一酸化炭素、非メタン炭化水素、窒素酸化物及び粒子状物質の走行距離一キロメートル当たりの排出量をグラムで表した値（非メタン炭化水素にあっては、炭素数当量による容量比で表した値をグラムに換算した値）に〇・七五を乗じた値に、ＪＣ〇八Ｃモード法により運行する場合に発生し、当該排気管から排出される排出物に含まれる一酸化炭素、非メタン炭化水素、窒素酸化物及び粒子状物質の走行距離一キロメートル当たりの排出量をグラムで表した値（非メタン炭化水素にあっては、炭素数当量による容量比で表した値をグラムに換算した値）に〇・二五を乗じた値をそれぞれ加算した値の、当該自動車及びそれと同一の型式の自動車であって既に完成検査等を終了したすべてのものにおける平均値が、次の表の上欄に掲げる自動車の種別に応じ、それぞれ同表の一酸化炭素、非メタン炭化水素、窒素酸化物及び粒子状物質の欄に掲げる値を超えないものであればよい。

自動車の種別	一酸化炭素	非メタン炭化水素	窒素酸化物	粒子状物質
イ　専ら乗用の用に供する乗車定員十人以下の普通自動車、小型自動車又は軽自動車であって、車両重量が千二百六十五キログラム以下のもの	一・一五	〇・〇五	〇・一四	〇・〇一三
ロ　専ら乗用の用に供する乗車定員十人以下の普通自動車、小型自動車又は軽自動車であって、イに掲げるもの以外のもの	一・一五	〇・〇五	〇・一五	〇・〇一四
ハ　車両総重量が一・七トン以下の普通自動車又は小型自動車であって、イ及びロに掲げるもの以外のもの	一・一五	〇・〇五	〇・一四	〇・〇一三
ニ　車両総重量が三・五トン以下の普通自動車又は小型自動車であって、イからハまでに掲げるもの以外のもの	二・五五	〇・〇五	〇・二五	〇・〇一五
ホ　軽自動車であって、イ及びロに掲げるもの以外のもの	四・〇二	〇・〇五	〇・一五	〇・〇一四

132
ガソリン、液化石油ガス又は軽油以外を燃料とする普通自動車、小型自動車及び軽自動車（型式指定自動車及び一酸化炭素等発散防止装置指定自動車を除く。）であって、細目告示第四十一条第一項第十二号に掲げる自動車のうち、平成十八年十一月一日から平成二十二年八月三十一日までに製作されたものは、同号及び第百十九条第一項第六号の規定にかかわらず、新規検査等の際、ＪＣ〇八Ｈモード法により運行する場合に発生し、排気管から大気中に排出される排出物に含まれる一酸化炭素、非メタン炭化水素、窒素酸化物及び粒子状物質の走行距離一キロメートル当たりの排出量をグラムで表した値（非メタン炭化水素にあっては、炭素数当量による容量比で表した値をグラムに換算した値）に〇・七五を乗じた値に、ＪＣ〇八Ｃモード法により運行する場合に発生し、当該排気管から排出される排出物に含まれる一酸化炭素、非メタン炭化水素、窒素酸化物及び粒子状物質の走行距離一キロメートル当たりの排出量をグラムで表した値（非メタン炭化水素にあっては、炭素数当量による容量比で表した値をグラムに換算した値）に〇・二五を乗じた値をそれぞれ加算した値が、次の表の上欄に掲げる自動車の種別に応じ、それぞれ同表の一酸化炭素、非メタン炭化水素、窒素酸化物及び粒子状物質の欄に掲げる値を超えないものであればよい。

自動車の種別	一酸化炭素	非メタン炭化水素	窒素酸化物	粒子状物質
イ　専ら乗用の用に供する乗車定員十人以下の普通自動車、小型自動車又は軽自動車であって、車両重量が千二百六十五キログラム以下のもの	一・九二	〇・〇八	〇・一九	〇・〇一七
ロ　専ら乗用の用に供する乗車定員十人以下の普通自動車、小型自動車又は軽自動車であって、イに掲げるもの以外のもの	一・九二	〇・〇八	〇・二〇	〇・〇一九
ハ　車両総重量が一・七トン以下の普通自動車又は小型自動車であって、イ及びロに掲げるもの以外のもの	一・九二	〇・〇八	〇・一九	〇・〇一七
ニ　車両総重量が三・五トン以下の普通自動車又は小型自動車であって、イからハまでに掲げるもの以外のもの	四・〇八	〇・〇八	〇・二三	〇・〇二〇
ホ　軽自動車であって、イ及びロに掲げるもの以外のもの	六・六七	〇・〇八	〇・二〇	〇・〇一九

133
ガソリン、液化石油ガス又は軽油以外を燃料とする普通自動車、小型自動車及び軽自動車（型式指定自動車及び一酸化炭素等発散防止装置指定自動車に限る。）であって、細目告示第四十一条第一項第十一号に掲げる自動車のうち、平成二十年三月二十五日から平成二十五年二月二十八日までに製作されたもの（輸入された自動車以外の自動車であって平成二十三年四月一日以降に指定を受けた型式指定自動車及び一酸化炭素等発散防止装置指定自動車を除く。）は、同号の規定にかかわらず、完成検査等の際、十・十五モード法により運行する場合に発生し、排気管から大気中に排出される排出物に含まれる一酸化炭素、非メタン炭化水素、窒素酸化物及び粒子状物質の走行距離一キロメートル当たりの排出量をグラムで表した値（非メタン炭化水素にあっては、炭素数当量による容量比で表した値をグラムに換算した値）に〇・七五を乗じた値に、ＪＣ〇八Ｃモード法により運行する場合に発生し、当該排気管から排出される排出物に含まれる一酸化炭素、非メタン炭化水素、窒素酸化物及び粒子状物質の走行距離一キロメートル当たりの排出量をグラムで表した値（非メタン炭化水素にあっては、炭素数当量による容量比で表した値をグラム

に換算した値）に〇・二五を乗じた値をそれぞれ加算した値の、当該自動車及びそれと同一の型式の自動車であって既に完成検査等を終了したすべてのものにおける平均値が、次の表の上欄に掲げる自動車の種別に応じ、それぞれ同表の一酸化炭素、非メタン炭化水素、窒素酸化物及び粒子状物質の欄に掲げる値を超えないものであればよい。

自動車の種別	一酸化炭素	非メタン炭化水素	窒素酸化物	粒子状物質
イ　専ら乗用の用に供する乗車定員十人以下の普通自動車、小型自動車又は軽自動車	一・一五	〇・〇五	〇・〇八	〇・〇〇五
ロ　車両総重量が一・七トン以下の普通自動車又は小型自動車であって、イに掲げるもの以外のもの	一・一五	〇・〇五	〇・〇八	〇・〇〇五
ハ　車両総重量が三・五トン以下の普通自動車又は小型自動車であって、イ及びロに掲げるもの以外のもの	二・五五	〇・〇五	〇・一五	〇・〇〇七
ニ　軽自動車であって、イに掲げるもの以外のもの	四・〇二	〇・〇五	〇・〇八	〇・〇〇五

134　ガソリン、液化石油ガス又は軽油以外を燃料とする普通自動車、小型自動車及び軽自動車（型式指定自動車及び一酸化炭素等発散防止装置指定自動車を除く。）であって、細目告示第四十一条第一項第十二号に掲げる自動車のうち、平成二十年三月二十五日から平成二十五年二月二十八日までに製作されたものは、同号及び第百十九条第一項第六号の規定にかかわらず、新規検査等の際、十・十五モード法により運行する場合に発生し、排気管から大気中に排出される排出物に含まれる一酸化炭素、非メタン炭化水素、窒素酸化物及び粒子状物質の走行距離一キロメートル当たりの排出量をグラムで表した値（非メタン炭化水素にあっては、炭素数当量による容量比で表した値をグラムに換算した値）に〇・七五を乗じた値に、JC〇八Cモード法により運行する場合に発生し、当該排気管から排出される排出物に含まれる一酸化炭素、非メタン炭化水素、窒素酸化物及び粒子状物質の走行距離一キロメートル当たりの排出量をグラムで表した値（非メタン炭化水素にあっては、炭素数当量による容量比で表した値をグラムに換算した値）に〇・二五を乗じた値をそれぞれ加算した値が、次の表の上欄に掲げる自動車の種別に応じ、それぞれ同表の一酸化炭素、非メタン炭化水素、窒素酸化物及び粒子状物質の欄に掲げる値を超えないものであればよい。

自動車の種別	一酸化炭素	非メタン炭化水素	窒素酸化物	粒子状物質
イ　専ら乗用の用に供する乗車定員十人以下の普通自動車、小型自動車又は軽自動車	一・九二	〇・〇八	〇・一一	〇・〇〇七
ロ　車両総重量が一・七トン以下の普通自動車又は小型自動車であって、イに掲げるもの以外のもの	一・九二	〇・〇八	〇・一一	〇・〇〇七
ハ　車両総重量が三・五トン以下の普通自動車又は小型自動車であって、イ及びロに掲げるもの以外のもの	四・〇八	〇・〇八	〇・二〇	〇・〇〇九
ニ　軽自動車であって、イに掲げるもの以外のもの	六・六七	〇・〇八	〇・一一	〇・〇〇七

135　第百四項及び第百五項、第百十項及び第百十一項並びに第百二十五項から第百二十八項までに規定する自動車については、細目告示第百九十七条第一項第二号の規定にかかわらず、光吸収係数が〇・八〇m^{-1}を超えないものであればよい。

136　細目告示第四十一条第一項第三号、第七号及び第十一号に掲げる自動車であって平成二十一年七月三十一日以前に製作された自動車については、細目告示別添四十二の規定にかかわらず、道路運送車両の保安基準の細目を定める告示の一部を改正する告示（平成二十一年国土交通省告示第八百二十三号）による改正前の細目告示別添四十二の基準に適合するものであればよい。

137　軽油を燃料とする大型特殊自動車（型式指定自動車及び一酸化炭素等発散防止装置指定自動車に限る。）及び小型特殊自動車（型式認定自動車に限る。）であって、細目告示第四十一条第一項第十五号に掲げる自動車のうち、平成十七年十二月二日から平成二十五年三月三十一日までに製作された定格出力が130kW以上560kW未満である原動機を備えたもの（輸入された自動車以外の自動車であって平成二十三年十月一日以降に指定を受けた型式指定自動車及び一酸化炭素等発散防止装置指定自動車並びに認定を受けた型式認定自動車並びに平成二十三年九月三十日以前に道路運送車両の保安基準の細目を定める告示の一部を改正する告示（平成二十二年国土交通省告示第百九十七号）による改正後の細目告示第四十一条の基準（以下「平成二十三年基準」という。）に適合するものとして、指定を受けた型式指定自動車及び一酸化炭素等発散防止装置指定自動車並びに認定を受けた型式認定自動車を除く。）は、同号の規定にかかわらず、大型特殊自動車にあっては完成検査等の際、小型特殊自動車にあっては施行規則第六十二条の三第五項の検査の際、平成二十二年改正告示による改正前のディーゼル特殊自動車八モード法により運行する場合に発生し、排気管から大気中に排出される排出物に含まれる一酸化炭素、炭化水素、窒素酸化物及び粒子状物質の排出量をグラムで表した値（炭化水素にあっては、炭素数当量による容量比で表した値をグラムに換算した値）を、平成二十二年改正告示による改正前のディーゼル特殊自動車八モード法により運行する場合に発生した仕事量をキロワット時で表した値でそれぞれ除して得た値の、当該自動車及びそれと同一の型式の自動車であって既に完成検査等又は施行規則第六十二条の三第五項の検査を終了したすべてのものにおける平均値が、一酸化炭素については三・五〇、炭化水素については〇・四〇、窒素酸化物については三・六〇、粒子状物質については〇・一七を超えないものであればよい。

138　軽油を燃料とする大型特殊自動車（型式指定自動車及び一酸化炭素等発散防止装置指定自動車を除く。）であって、細目告示第四十一条第一項第十六号に掲げる自動車のうち、平成十七年十二月二日から平成二十五年三月三十一日までに製作された定格出力が130kW以上560kW未満である原動機を備えたものは、細目告示第四十一条第一項第十六号及び第百十九条第一項第八号の規定にかかわらず、新規検査等の際、平成二十二年改正告示による改正前のディーゼル特殊自動車八モード法により運行する場合に発生し、排気管から大気中に排出される排出物に含まれる一酸化炭素、炭化水素、窒素酸化物及び粒子状物質の排出量をグラムで表した値（炭化水素にあっては、炭素数当量による容量比で表した値をグラムに換算した値）を、平成二十二年改正告示による改正前のディーゼル特殊自動車八モード法により運行する場合に発生した仕事量をキロワット時で表した値でそれぞれ除して得た値が、一酸化炭素については四・五五、炭化水素については〇・五三、窒素酸化物については四・七九、粒子状物質については〇・二三を超えないものであればよい。

139　軽油を燃料とする大型特殊自動車（型式指定自動車及び一酸化炭素等発散防止装置指定自動車に限る。）及び小型特殊自動車（型式認定自動車に限る。）であって、細目告示第四十一条第一項第十五号に掲げる自動車のうち、平成十七年十二月二日から平成二十五年十月三十一日までに製作された定格出力が75kW以上130kW未満である原動機を備えたもの（輸入された自動車以外の自動車であって平成二十四年十月一日以降に指定を受けた型式指定自動車及び一酸化炭素等発散防止装置指定自動車並びに認定を受けた型式認定自動車並びに平成二十四年九月三十日以前に平成二十三年基準に適合するものとして、指定を受けた型式指定自動車及び一酸化炭素等発散防止装置指定自動車並びに認定を受けた型式認定自動車を除く。）は、同号の規定にかかわらず、大型特殊自動車にあっては完成検査等の際、小型特殊自動車にあっては施行規則第六十二条の三第五項の検査の際、平成二十二年改正告示による改正前のディーゼル特殊自動車八モード法により運行する場合に発生し、排気管から大気中に排出される排出物に含まれる一酸化炭素、炭化水素、窒素酸化物及び粒子状物質の排出量をグラムで表した値（炭化水素にあっては、炭素数当量による容量比で表した値をグラムに換算した値）を、平成二十二年改正告示による改正前のディーゼル特殊自動車八モード法により運行する場合に発生した仕事量をキロワット時で表した値でそれぞれ除して得た値の、当該自動車及びそれと同一の型式の自動車であって既に完成検査等又は施行規則第六十二条の三第五項の検査を終了したすべてのものにおける平均値が、一酸化炭素については五・〇〇、炭化水素については〇・四〇、窒素酸化物については三・六〇、粒子状物質については〇・二〇を超えないものであればよい。

140　軽油を燃料とする大型特殊自動車（型式指定自動車及び一酸化炭素等発散防止装置指定自動車を除く。）であって、細目告示第四十一条第一項第十六号に掲げる自動車のうち、平成十七年十二月二日から平成二十五年十月三十一日までに製作された定格出力が75kW以上130kW未満である原動機を備えたものは、細目告示第四十一条第一項第十六号及び第百十九条第一項第八号の規定にかかわらず、新規検査等の際、平成二十二年改正告示による改正前のディーゼル特殊自動車八モード法により運行する場合に発生し、排気管から大気中に排出される排出物に含まれる一酸化炭素、炭化水素、窒素酸化物及び粒子状物質の排出量をグラムで表した値（炭化水素にあっては、炭素数当量による容量比で表した値をグラムに換算した値）を、平成二十二年改正告示による改正前のディーゼル特殊自動車八モード法により運行する場合に発生した仕事量をキロワット時で表した値でそれぞれ除して得た値が、一酸化炭素については六・五〇、炭化水素については〇・五三、窒素酸化物については四・七九、粒子状物質については〇・二七を超えないものであればよい。

141　軽油を燃料とする大型特殊自動車（型式指定自動車及び一酸化炭素等発散防止装置指定自動車に限る。）及び小型特殊自動車（型式認定自動車に限る。）であって、細目告示第四十一条第一項第十五号に掲げる自動車のうち、平成十七年十二月二日から平成二十六年三月三十一日までに製作された定格出力が56kW以上75kW未満である原動機を備えたもの（輸入された自動車以外の自動車であって平成二十四年十月一日以降に指定を受けた型式指定自動車及び一酸化炭素等発散防止装置指定自動車並びに認定を受けた型式認定自動車並びに平成二十四年九月三十日以前に平成二十三年基準に適合するものとして、指定を受けた型式指定自動車及び一酸化炭素等発散防止装置指定自動車並びに認定を受けた型式認定自動車を除く。）は、同号の規定にかかわらず、大型特殊自動車にあっては完成検査等の際、小型特殊自動車にあっては施行規則第六十二条の三第五項の検査の際、平成二十二年改正告示による改正前のディーゼル特殊自動車八モード法により運行する場合に発生し、排気管から大気中に排出される排出物に含まれる一酸化炭素、炭化水素、窒素酸化物及び粒子状物質の排出量をグラムで表した値（炭化水素にあっては、炭素数当量による容量比で表した値をグラムに換算した値）を、平成二十二年改正告示による改正前のディーゼル特殊自動車八モード法により運行する場合に発生した仕事量をキロワット時で表した値でそれぞれ除して得た値の、当該自動車及びそれと同一の型式の自動車であって既に完成検査等又は施行規則第六十二条の三第五項の検査を終了したすべてのものにおける平均値が、一酸化炭素については五・〇〇、炭化水素については〇・七〇、窒素酸化物については四・〇〇、粒子状物質については〇・二五を超えないものであればよい。

142　軽油を燃料とする大型特殊自動車（型式指定自動車及び一酸化炭素等発散防止装置指定自動車を除く。）であって、細目告示第四十一条第一項第十六号に掲げる自動車のうち、平成十七年十二月二日から平成二十六年三月三十一日までに製作された定格出力が56kW以上75kW未満である原動機を備えたものは、細目告示第四十一条第一項第十六号及び第百十九条第一項第八号の規定にかかわらず、新規検査等の際、平成二十二年改正告示による改正前のディーゼル特殊自動車八モード法により運行する場合に発生し、排気管から大気中に排出される排出物に含まれる一酸化炭素、炭化水素、窒素酸化物及び粒子状物質の排出量をグラムで表した値（炭化水素にあっては、炭素数当量による容量比で表した値をグラムに換算した値）を、平成二十二年改正告示による改正前のディーゼル特殊自動車八モード法により運行する場合に発生した仕事量をキロワット時で表した値でそれぞれ除して得た値が、一酸化炭素については六・五〇、炭化水素については〇・九三、窒素酸化物については五・三二、粒子状物質については〇・三三を超えないものであればよい。

143　軽油を燃料とする大型特殊自動車（型式指定自動車及び一酸化炭素等発散防止装置指定自動車に限る。）及び小型特殊自動車（型式認定自動車に限る。）であって、細目告示第四十一条第一項第十五号に掲げる自動車のうち、平成十七年十二月二日から平成二十六年十月三十一日までに製作された定格出力が37kW以上56kW未満である原動機を備えたもの（輸入された自動車以外の自動車であって平成二十五年十月一日以降に指定を受けた型式指定自動車及び一酸化炭素等発散防止装置指定自動車並びに認定を受けた型式認定自動車並びに平成二十五年九月三十日以前に平成二十三年基準に適合するものとして、指定を受けた型式指定自動車及び一酸化炭素等発散防止装置指定自動車並びに認定を受けた型式認定自動車を除く。）は、同号の規定にかかわらず、大型特殊自動車にあっては完成検査等の際、小型特殊自動車にあっては施行規則第六十二条の三第五項の検査の際、平成二十二年改正告示による改正前のディーゼル特殊自動車八モード法により運行する場合に発生し、排気管から大気中に排出される排出物に含まれる一酸化炭素、炭化水素、窒素酸化物及び粒子状物質の排出量をグラムで表した値（炭化水素にあっては、炭素数当量による容量比で表した値をグラムに換算した値）を、平成二十二年改正告示による改正前のディーゼル特殊自動車八モード法により運行する場合に発生した仕事量をキロワット時で表した値でそれぞれ除して得た値の、当該自動車及びそれと同一の型式の自動車であって既に完成検査等又は施行規則第六十二条の三第五項の検査を終了したすべてのものにおける平均値が、一酸化炭素については五・〇〇、炭化水素については〇・七〇、窒素酸化物については四・〇〇、粒子状物質については〇・三〇を超えないものであればよい。

144 軽油を燃料とする大型特殊自動車（型式指定自動車及び一酸化炭素等発散防止装置指定自動車を除く。）であって、細目告示第四十一条第一項第十六号に掲げる自動車のうち、平成十七年十二月二日から平成二十六年十月三十一日までに製作された定格出力が37kW以上56kW未満である原動機を備えたものは、細目告示第四十一条第一項第十六号及び第百十九条第一項第八号の規定にかかわらず、新規検査等の際、平成二十二年改正告示による改正前のディーゼル特殊自動車八モード法により運行する場合に発生し、排気管から大気中に排出される排出物に含まれる一酸化炭素、炭化水素、窒素酸化物及び粒子状物質の排出量をグラムで表した値（炭化水素にあっては、炭素数当量による容量比で表した値をグラムに換算した値）を、平成二十二年改正告示による改正前のディーゼル特殊自動車八モード法により運行する場合に発生した仕事量をキロワット時で表した値でそれぞれ除して得た値が、一酸化炭素については六・五〇、炭化水素については〇・九三、窒素酸化物については五・三二、粒子状物質については〇・四〇を超えないものであればよい。

145 軽油を燃料とする大型特殊自動車（型式指定自動車及び一酸化炭素等発散防止装置指定自動車に限る。）及び小型特殊自動車（型式認定自動車に限る。）であって、細目告示第四十一条第一項第十五号に掲げる自動車のうち、平成十七年十二月二日から平成二十七年八月三十一日までに製作された定格出力が19kW以上37kW未満である原動機を備えたもの（輸入された自動車以外の自動車であって平成二十五年十月一日以降に指定を受けた型式指定自動車及び一酸化炭素等発散防止装置指定自動車並びに認定を受けた型式認定自動車並びに平成二十五年九月三十日以前に平成二十三年基準に適合するものとして、指定を受けた型式指定自動車及び一酸化炭素等発散防止装置指定自動車並びに認定を受けた型式認定自動車を除く。）は、同号の規定にかかわらず、大型特殊自動車にあっては完成検査等の際、小型特殊自動車にあっては施行規則第六十二条の三第五項の検査の際、平成二十二年改正告示による改正前のディーゼル特殊自動車八モード法により運行する場合に発生し、排気管から大気中に排出される排出物に含まれる一酸化炭素、炭化水素、窒素酸化物及び粒子状物質の排出量をグラムで表した値（炭化水素にあっては、炭素数当量による容量比で表した値をグラムに換算した値）を、平成二十二年改正告示による改正前のディーゼル特殊自動車八モード法により運行する場合に発生した仕事量をキロワット時で表した値でそれぞれ除して得た値の、当該自動車及びそれと同一の型式の自動車であって既に完成検査等又は施行規則第六十二条の三第五項の検査を終了したすべてのものにおける平均値が、一酸化炭素については五・〇〇、炭化水素については一・〇〇、窒素酸化物については六・〇〇、粒子状物質については〇・四〇を超えないものであればよい。

146 軽油を燃料とする大型特殊自動車（型式指定自動車及び一酸化炭素等発散防止装置指定自動車を除く。）であって、細目告示第四十一条第一項第十六号に掲げる自動車のうち、平成十七年十二月二日から平成二十七年八月三十一日までに製作された定格出力が19kW以上37kW未満である原動機を備えたものは、細目告示第四十一条第一項第十六号及び第百十九条第一項第八号の規定にかかわらず、新規検査等の際、平成二十二年改正告示による改正前のディーゼル特殊自動車八モード法により運行する場合に発生し、排気管から大気中に排出される排出物に含まれる一酸化炭素、炭化水素、窒素酸化物及び粒子状物質の排出量をグラムで表した値（炭化水素にあっては、炭素数当量による容量比で表した値をグラムに換算した値）を、平成二十二年改正告示による改正前のディーゼル特殊自動車八モード法により運行する場合に発生した仕事量をキロワット時で表した値でそれぞれ除して得た値が、一酸化炭素については六・五〇、炭化水素については一・三三、窒素酸化物については七・九八、粒子状物質については〇・五三を超えないものであればよい。

147 第百三十七項、第百三十九項、第百四十一項、第百四十三項及び第百四十五項に規定する自動車については、第百五十五項（第二号に係る部分に限る。）、第百五十七項（第二号に係る部分に限る。）、第百五十九項（第二号に係る部分に限る。）及び第百六十一項（第二号に係る部分に限る。）の規定並びに細目告示第四十一条第一項第十五号の規定にかかわらず、大型特殊自動車にあっては完成検査等の際、小型特殊自動車にあっては施行規則第六十二条の三第五項の検査の際、第百三十八項、第百四十項、第百四十二項、第百四十四項及び第百四十六項に規定する自動車については、第百五十六項（第二号に係る部分に限る。）、第百五十八項（第二号に係る部分に限る。）、第百六十項（第二号に係る部分に限る。）及び第百六十二項（第二号に係る部分に限る。）の規定並びに細目告示第四十一条第一項第十六号及び第百十九条第一項第八号の規定にかかわらず、新規検査等の際、第百三十七項から第百四十六項まで及び次項の規定に加え、平成二十二年改正告示による改正前のディーゼル特殊自動車八モード法により運行する場合に発生し、排気管から大気中に排出される黒煙による汚染の度合が次の表の上欄に掲げる自動車の種別に応じ、それぞれ同表の黒煙の欄に掲げる値を超えないものであればよい。

自動車の種別	黒煙
イ　定格出力が19kW以上37kW未満である原動機を備えた大型特殊自動車又は小型特殊自動車	四十パーセント
ロ　定格出力が37kW以上56kW未満である原動機を備えた大型特殊自動車又は小型特殊自動車	三十五パーセント
ハ　定格出力が56kW以上75kW未満である原動機を備えた大型特殊自動車又は小型特殊自動車	三十パーセント
ニ　定格出力が75kW以上560kW未満である原動機を備えた大型特殊自動車又は小型特殊自動車	二十五パーセント

148 第百三十七項から第百四十六項までに規定する自動車については、第百五十五項（第三号に係る部分に限る。）、第百五十六項（第三号に係る部分に限る。）、第百五十七項（第三号に係る部分に限る。）、第百五十八項（第三号に係る部分に限る。）、第百五十九項（第三号に係る部分に限る。）、第百六十項（第三号に係る部分に限る。）、第百六十一項（第三号に係る部分に限る。）及び第百六十二項（第三号に係る部分に限る。）の規定並びに細目告示第四十一条第一項第十五号及び第百十九条第一項第八号の規定にかかわらず、第百三十七項から第百四十六項まで及び前項の規定に加え、黒煙による汚染度が、次の表の上欄に掲げる自動車の種別に応じ、それぞれ同表の黒煙の欄に掲げる値を超えないものであればよい。ただし、黒煙による汚染度の測定の前に、光吸収係数を測定する場合であって、当該光吸収係数がそれぞれ同表の下欄に掲げる値を超えないときは、それぞれ同表の黒煙の欄に掲げる値を超えないものとみなす。

自動車の種別	黒煙	スクリーニング値
イ　定格出力が19kW以上37kW未満である原動機を備えた大型特殊自動車又は小型特殊自動車	四十パーセント	光吸収係数　一・六二m^{-1}

ロ　定格出力が37kW以上56kW未満である原動機を備えた大型特殊自動車又は小型特殊自動車	三十五パーセント	光吸収係数　一・二七m^{-1}
ハ　定格出力が56kW以上75kW未満である原動機を備えた大型特殊自動車又は小型特殊自動車	三十パーセント	光吸収係数　一・〇一m^{-1}
ニ　定格出力が75kW以上560kW未満である原動機を備えた大型特殊自動車又は小型特殊自動車	二十五パーセント	光吸収係数　〇・八〇m^{-1}

149
第百三十七項から第百四十六項までに規定する自動車については、細目告示第百九十七条第一項第二号の規定にかかわらず、黒煙による汚染度が、次の表の上欄に掲げる自動車の種別に応じ、それぞれ同表の黒煙の欄に掲げる値を超えないものであればよい。ただし、黒煙による汚染度の測定の前に、光吸収係数を測定する場合であって、当該光吸収係数が、それぞれ同表の下欄に掲げる値を超えないときは、それぞれ同表の黒煙の欄に掲げる値を超えないものとみなす。

自動車の種別	黒煙	スクリーニング値
イ　定格出力が19kW以上37kW未満である原動機を備えた大型特殊自動車又は小型特殊自動車	四十パーセント	光吸収係数　一・六二m^{-1}
ロ　定格出力が37kW以上56kW未満である原動機を備えた大型特殊自動車又は小型特殊自動車	三十五パーセント	光吸収係数　一・二七m^{-1}
ハ　定格出力が56kW以上75kW未満である原動機を備えた大型特殊自動車又は小型特殊自動車	三十パーセント	光吸収係数　一・〇一m^{-1}
ニ　定格出力が75kW以上560kW未満である原動機を備えた大型特殊自動車又は小型特殊自動車	二十五パーセント	光吸収係数　〇・八〇m^{-1}

150
ガソリンを燃料とする二輪自動車であって軽自動車（型式認定自動車に限る。）であるもののうち、平成二十五年八月三十一日以前に製作されたもの（第一項の表の第五号イに掲げる自動車及び第八十五項の自動車並びに輸入された自動車以外の自動車であって平成二十四年十月一日以降に認定を受けた型式認定自動車を除く。）及び平成二十五年九月一日以降に製作されたもののうち、輸入された自動車以外の自動車であって平成二十四年九月三十日以前に認定を受けた型式認定自動車については、細目告示第四十一条第一項第十七号の規定にかかわらず、施行規則第六十二条の三第五項の検査の際、当該自動車を道路運送車両の保安基準の細目を定める告示の一部を改正する告示（平成二十二年国土交通省告示第千二百十三号）による改正前の細目告示別添四十四「二輪車モード排出ガスの測定方法」に規定する二輪車モード法により運行する場合に発生し、排気管から大気中に排出される排出物に含まれる一酸化炭素、炭化水素及び窒素酸化物の走行距離一キロメートル当たりの排出量をグラムで表した値（炭化水素にあっては炭素数当量による容量比で表した値をグラムに換算した値）の当該自動車及び当該自動車と同一の型式の自動車であって既に施行規則第六十二条の三第五項の検査を終了したすべてのものにおける平均値が、一酸化炭素については二・〇、炭化水素については〇・三〇、窒素酸化物については〇・一五を超えないものであればよい。

151
ガソリンを燃料とする二輪自動車であって小型自動車（型式指定自動車及び一酸化炭素等発散防止装置指定自動車に限る。）であるもののうち、平成二十五年八月三十一日以前に製作されたもの（第一項の表の第五号ロに掲げる自動車及び第八十六項の自動車並びに輸入された自動車以外の自動車であって平成二十四年十月一日以降に指定を受けた型式指定自動車及び一酸化炭素等発散防止装置指定自動車を除く。）及び平成二十五年九月一日以降に製作されたもののうち、輸入された自動車以外の自動車であって平成二十四年九月三十日以前に指定を受けたものについては、細目告示第四十一条第一項第十七号の規定にかかわらず、完成検査等の際、当該自動車を道路運送車両の保安基準の細目を定める告示の一部を改正する告示（平成二十二年国土交通省告示第千二百十三号）による改正前の細目告示別添四十四「二輪車モード排出ガスの測定方法」に規定する二輪車モード法により運行する場合に発生し、排気管から大気中に排出される排出物に含まれる一酸化炭素、炭化水素及び窒素酸化物の走行距離一キロメートル当たりの排出量をグラムで表した値（炭化水素にあっては炭素数当量による容量比で表した値をグラムに換算した値）の当該自動車及び当該自動車と同一の型式の自動車であって既に完成検査等を終了したすべてのものにおける平均値が、一酸化炭素については二・〇、炭化水素については〇・三〇、窒素酸化物については〇・一五を超えないものであればよい。

152
ガソリンを燃料とする二輪自動車であって小型自動車（型式指定自動車及び一酸化炭素等発散防止装置指定自動車を除く。）であるもののうち、平成二十五年八月三十一日以前に製作されたもの（第一項の表の第五号ロに掲げる自動車及び第八十七項の自動車を除く。）については、新規検査等の際、当該自動車を道路運送車両の保安基準の細目を定める告示の一部を改正する告示（平成二十二年国土交通省告示第千二百十三号）による改正前の細目告示別添四十四「二輪車モード排出ガスの測定方法」に規定する二輪車モード法により運行する場合に発生し、排気管から大気中に排出される排出物に含まれる一酸化炭素、炭化水素及び窒素酸化物の走行距離一キロメートル当たりの排出量をグラムで表した値（炭化水素にあっては炭素数当量による容量比で表した値をグラムに換算した値）が、一酸化炭素については二・七、炭化水素については〇・四〇、窒素酸化物については〇・二〇を超えないものであればよい。

153
ガソリンを燃料とする二輪自動車であって軽自動車であるもののうち、平成二十五年八月三十一日以前に製作されたもの（第一項の表の第五号イに掲げる自動車及び第八十八項の自動車並びに輸入された自動車以外の自動車であって平成二十四年十月一日以降に認定を受けた型式認定自動車を除く。）及び平成二十五年九月一日以降に製作されたもののうち、輸入された自動車以外の自動車であって平成二十四年九月三十日以前に認定を受けたものについては、細目告示第四十一条第一項第十九号の規定にかかわらず、道路運送車両の保安基準の細目を定める告示の一部を改正する告示（平成二十二年国土交通省告示第千二百十三号）による改正前の細目告示別添四十四「二輪車モード排出ガスの測定方法」に規定する運転条件により原動機を無負荷運転している状態で発生し、排気管から大気中に排出される排出物に含まれる一酸化炭素の容量比で表した測定値及び同排出物に含まれる炭化水素のノルマルヘキサン当量による容量比で表した測定値が、一酸化炭素については三・〇%、炭化水素については百万分の千を超えないものであればよい。

154 ガソリンを燃料とする二輪自動車であって小型自動車であるもののうち、平成二十五年八月三十一日以前に製作されたもの（第一項の表の第五号ロに掲げる自動車及び第八十九項の自動車並びに輸入された自動車以外の自動車であって平成二十四年十月一日以降に指定を受けた型式指定自動車及び一酸化炭素等発散防止装置指定自動車を除く。）及び平成二十五年九月一日以降に製作されたもののうち、輸入された自動車以外の自動車であって平成二十四年九月三十日以前に指定を受けたものについては、細目告示第四十一条第一項第十九号の規定にかかわらず、道路運送車両の保安基準の細目を定める告示の一部を改正する告示（平成二十二年国土交通省告示第千二百十三号）による改正前の細目告示別添四十四「二輪車モード排出ガスの測定方法」に規定する運転条件により原動機を無負荷運転している状態で発生し、排気管から大気中に排出される排出物に含まれる一酸化炭素の容量比で表した測定値及び同排出物に含まれる炭化水素のノルマルヘキサン当量による容量比で表した測定値が、一酸化炭素については三・〇%、炭化水素については百万分の千を超えないものであればよい。

155 軽油を燃料とする大型特殊自動車（型式指定自動車及び一酸化炭素等発散防止装置指定自動車に限る。）及び小型特殊自動車（型式認定自動車に限る。）であって、平成二十八年八月三十一日までに製作された定格出力が130kW以上560kW未満である原動機を備えたもの（輸入された自動車以外の自動車であって、平成二十六年十月一日以降に指定を受けた型式指定自動車及び一酸化炭素等発散防止装置指定自動車並びに認定を受けた型式認定自動車並びに平成二十六年九月三十日以前に平成二十六年基準に適合するものとして指定を受けた型式指定自動車及び一酸化炭素等発散防止装置指定自動車並びに認定を受けた型式認定自動車を除く。）は、細目告示第四十一条第一項第十五号の規定にかかわらず、大型特殊自動車にあっては完成検査等の際、小型特殊自動車にあっては施行規則第六十二条の三第五項の検査の際、次の各号に掲げる基準に適合するものであればよい。

一　平成二十六年改正告示による改正前の細目告示別添四十三「ディーゼル特殊自動車排出ガスの測定方法」に規定するディーゼル特殊自動車八モード法により運行する場合に発生し、排気管から大気中に排出される排出物に含まれる一酸化炭素、非メタン炭化水素、窒素酸化物及び粒子状物質の排出量をグラムで表した値（非メタン炭化水素にあっては、炭素数当量による容量比で表した値をグラムに換算した値）を、同別添に規定するディーゼル特殊自動車八モード法により運行する場合に発生した仕事量をキロワット時で表した値でそれぞれ除して得た値の、当該自動車及びそれと同一の型式の自動車であって既に完成検査等又は施行規則第六十二条の三第五項の検査を終了したすべてのものにおける平均値及び同別添に規定する暖機状態でのNRTCモード法により運行する場合に発生し、当該排気管から大気中に排出される排出物に含まれる一酸化炭素、非メタン炭化水素、窒素酸化物及び粒子状物質の排出量をグラムで表した値（非メタン炭化水素にあっては、炭素数当量による容量比で表した値をグラムに換算した値）に〇・九を乗じた値に、同別添に規定する冷機状態でのNRTCモード法により運行する場合に発生し、当該排気管から大気中に排出される排出物に含まれる一酸化炭素、非メタン炭化水素、窒素酸化物及び粒子状物質の排出量をグラムで表した値（非メタン炭化水素にあっては、炭素数当量による容量比で表した値をグラムに換算した値）に〇・一を乗じた値をそれぞれ加算した値を、同別添に規定する暖機状態でのNRTCモード法により運行する場合に発生した仕事量をキロワット時で表した値に〇・九を乗じた値に、同別添に規定する冷機状態でのNRTCモード法により運行する場合に発生した仕事量をキロワット時で表した値に〇・一を乗じた値を加算した値でそれぞれ除して得た値の、当該自動車及びそれと同一の型式の自動車であって既に完成検査等又は施行規則第六十二条の三第五項の検査を終了したすべてのものにおける平均値が、一酸化炭素については三・五、非メタン炭化水素については〇・一九、窒素酸化物については二・〇、粒子状物質については〇・〇二を超えないものであること。

二　平成二十六年改正告示による改正前の細目告示別添四十三「ディーゼル特殊自動車排出ガスの測定方法」に規定するディーゼル特殊自動車八モード法により運行する場合に発生し、排気管から大気中に排出される排出物に含まれる黒煙による汚染の度合が二十五パーセントを超えないものであること。

三　黒煙による汚染度が二十五パーセントを超えないこと。ただし、黒煙による汚染度の測定の前に、光吸収係数を測定する場合であって、当該光吸収係数が〇・八〇m^{-1}を超えないときは、黒煙による汚染度が二十五パーセントを超えないものとみなす。

156 軽油を燃料とする大型特殊自動車（型式指定自動車及び一酸化炭素等発散防止装置指定自動車を除く。）であって、平成二十八年八月三十一日までに製作された定格出力が130kW以上560kW未満である原動機を備えたものは、細目告示第四十一条第一項第十六号及び第百十九条第一項第八号の規定にかかわらず、新規検査等の際、次の各号に掲げる基準に適合するものであればよい。

一　平成二十六年改正告示による改正前の細目告示別添四十三「ディーゼル特殊自動車排出ガスの測定方法」に規定するディーゼル特殊自動車八モード法により運行する場合に発生し、排気管から大気中に排出される排出物に含まれる一酸化炭素、非メタン炭化水素、窒素酸化物及び粒子状物質の排出量をグラムで表した値（非メタン炭化水素にあっては、炭素数当量による容量比で表した値をグラムに換算した値）を、同別添に規定するディーゼル特殊自動車八モード法により運行する場合に発生した仕事量をキロワット時で表した値でそれぞれ除して得た値及び同別添に規定する暖機状態でのNRTCモード法により運行する場合に発生し、当該排気管から大気中に排出される排出物に含まれる一酸化炭素、非メタン炭化水素、窒素酸化物及び粒子状物質の排出量をグラムで表した値（非メタン炭化水素にあっては、炭素数当量による容量比で表した値をグラムに換算した値）に〇・九を乗じた値に、同別添に規定する冷機状態でのNRTCモード法により運行する場合に発生し、当該排気管から大気中に排出される排出物に含まれる一酸化炭素、非メタン炭化水素、窒素酸化物及び粒子状物質の排出量をグラムで表した値（非メタン炭化水素にあっては、炭素数当量による容量比で表した値をグラムに換算した値）に〇・一を乗じた値をそれぞれ加算した値を、同別添に規定する暖機状態でのNRTCモード法により運行する場合に発生した仕事量をキロワット時で表した値に〇・九を乗じた値に、同別添に規定する冷機状態でのNRTCモード法により運行する場合に発生した仕事量をキロワット時で表した値に〇・一を乗じた値を加算した値でそれぞれ除して得た値が、一酸化炭素については四・六、非メタン炭化水素については〇・二五、窒素酸化物については二・七、粒子状物質については〇・〇三を超えないものであること。

二　平成二十六年改正告示による改正前の細目告示別添四十三「ディーゼル特殊自動車排出ガスの測定方法」に規定するディーゼル特殊自動車八モード法により運行する場合に発生し、排気管から大気中に排出される排出物に含まれる黒煙による汚染の度合が二十五パーセントを超えないものであること。

三　黒煙による汚染度が二十五パーセントを超えないこと。ただし、黒煙による汚染度の測定の前に、光吸収係数を測定する場合であって、当該光吸収係数が〇・八〇m^{-1}を超えないときは、黒煙による汚染度が二十五パーセントを超えないものとみなす。

157
軽油を燃料とする大型特殊自動車（型式指定自動車及び一酸化炭素等発散防止装置指定自動車に限る。）及び小型特殊自動車（型式認定自動車に限る。）であって、平成二十九年八月三十一日までに製作された定格出力が56kW以上130kW未満である原動機を備えたもの（輸入された自動車以外の自動車であって、平成二十七年十月一日以降に指定を受けた型式指定自動車及び一酸化炭素等発散防止装置指定自動車並びに認定を受けた型式認定自動車並びに平成二十七年九月三十日以前に平成二十六年基準に適合するものとして指定を受けた型式指定自動車及び一酸化炭素等発散防止装置指定自動車並びに認定を受けた型式認定自動車を除く。）は、細目告示第四十一条第一項第十五号の規定にかかわらず、大型特殊自動車にあっては完成検査等の際、小型特殊自動車にあっては施行規則第六十二条の三第五項の検査の際、次の各号に掲げる基準に適合するものであればよい。

一　平成二十六年改正告示による改正前の細目告示別添四十三「ディーゼル特殊自動車排出ガスの測定方法」に規定するディーゼル特殊自動車八モード法により運行する場合に発生し、排気管から大気中に排出される排出物に含まれる一酸化炭素、非メタン炭化水素、窒素酸化物及び粒子状物質の排出量をグラムで表した値（非メタン炭化水素にあっては、炭素数当量による容量比で表した値をグラムに換算した値）を、同別添に規定するディーゼル特殊自動車八モード法により運行する場合に発生した仕事量をキロワット時で表した値でそれぞれ除して得た値の、当該自動車及びそれと同一の型式の自動車であって既に完成検査等又は施行規則第六十二条の三第五項の検査を終了したすべてのものにおける平均値及び同別添に規定する暖機状態でのNRTCモード法により運行する場合に発生し、当該排気管から大気中に排出される排出物に含まれる一酸化炭素、非メタン炭化水素、窒素酸化物及び粒子状物質の排出量をグラムで表した値（非メタン炭化水素にあっては、炭素数当量による容量比で表した値をグラムに換算した値）に〇・九を乗じた値に、同別添に規定する冷機状態でのNRTCモード法により運行する場合に発生し、当該排気管から大気中に排出される排出物に含まれる一酸化炭素、非メタン炭化水素、窒素酸化物及び粒子状物質の排出量をグラムで表した値（非メタン炭化水素にあっては、炭素数当量による容量比で表した値をグラムに換算した値）に〇・一を乗じた値をそれぞれ加算した値を、同別添に規定する暖機状態でのNRTCモード法により運行する場合に発生した仕事量をキロワット時で表した値に〇・九を乗じた値に、同別添に規定する冷機状態でのNRTCモード法により運行する場合に発生した仕事量をキロワット時で表した値に〇・一を乗じた値を加算した値でそれぞれ除して得た値の、当該自動車及びそれと同一の型式の自動車であって既に完成検査等又は施行規則第六十二条の三第五項の検査を終了したすべてのものにおける平均値が、一酸化炭素については五・〇、非メタン炭化水素については〇・一九、窒素酸化物については三・三、粒子状物質については〇・〇二を超えないものであること。

二　平成二十六年改正告示による改正前の細目告示別添四十三「ディーゼル特殊自動車排出ガスの測定方法」に規定するディーゼル特殊自動車八モード法により運行する場合に発生し、排気管から大気中に排出される排出物に含まれる黒煙による汚染の度合が二十五パーセントを超えないものであること。

三　黒煙による汚染度が二十五パーセントを超えないこと。ただし、黒煙による汚染度の測定の前に、光吸収係数を測定する場合であって、当該光吸収係数が〇・八〇m^{-1}を超えないときは、黒煙による汚染度が二十五パーセントを超えないものとみなす。

158
軽油を燃料とする大型特殊自動車（型式指定自動車及び一酸化炭素等発散防止装置指定自動車を除く。）であって、平成二十九年八月三十一日までに製作された定格出力が56kW以上130kW未満である原動機を備えたものは、細目告示第四十一条第一項第十六号及び第百十九条第一項第八号の規定にかかわらず、新規検査等の際、次の各号に掲げる基準に適合するものであればよい。

一　平成二十六年改正告示による改正前の細目告示別添四十三「ディーゼル特殊自動車排出ガスの測定方法」に規定するディーゼル特殊自動車八モード法により運行する場合に発生し、排気管から大気中に排出される排出物に含まれる一酸化炭素、非メタン炭化水素、窒素酸化物及び粒子状物質の排出量をグラムで表した値（非メタン炭化水素にあっては、炭素数当量による容量比で表した値をグラムに換算した値）を、同別添に規定するディーゼル特殊自動車八モード法により運行する場合に発生した仕事量をキロワット時で表した値でそれぞれ除して得た値及び同別添に規定する暖機状態でのNRTCモード法により運行する場合に発生し、当該排気管から大気中に排出される排出物に含まれる一酸化炭素、非メタン炭化水素、窒素酸化物及び粒子状物質の排出量をグラムで表した値（非メタン炭化水素にあっては、炭素数当量による容量比で表した値をグラムに換算した値）に〇・九を乗じた値に、同別添に規定する冷機状態でのNRTCモード法により運行する場合に発生し、当該排気管から大気中に排出される排出物に含まれる一酸化炭素、非メタン炭化水素、窒素酸化物及び粒子状物質の排出量をグラムで表した値（非メタン炭化水素にあっては、炭素数当量による容量比で表した値をグラムに換算した値）に〇・一を乗じた値をそれぞれ加算した値を、同別添に規定する暖機状態でのNRTCモード法により運行する場合に発生した仕事量をキロワット時で表した値に〇・九を乗じた値に、同別添に規定する冷機状態でのNRTCモード法により運行する場合に発生した仕事量をキロワット時で表した値に〇・一を乗じた値を加算した値でそれぞれ除して得た値が、一酸化炭素については六・五、非メタン炭化水素については〇・二五、窒素酸化物については四・四、粒子状物質については〇・〇三を超えないものであること。

二　平成二十六年改正告示による改正前の細目告示別添四十三「ディーゼル特殊自動車排出ガスの測定方法」に規定するディーゼル特殊自動車八モード法により運行する場合に発生し、排気管から大気中に排出される排出物に含まれる黒煙による汚染の度合が二十五パーセントを超えないものであること。

三　黒煙による汚染度が二十五パーセントを超えないこと。ただし、黒煙による汚染度の測定の前に、光吸収係数を測定する場合であって、当該光吸収係数が〇・八〇m^{-1}を超えないときは、黒煙による汚染度が二十五パーセントを超えないものとみなす。

159
軽油を燃料とする大型特殊自動車（型式指定自動車及び一酸化炭素等発散防止装置指定自動車に限る。）及び小型特殊自動車（型式認定自動車に限る。）であって、平成二十九年八月三十一日までに製作された定格出力が37kW以上56kW未満である原動機を備えたもの（輸入された自動車以外の自動車であって、平成二十八年十月一日以降に指定を受けた型式指定自動車及び一酸化炭素等発散防止装置指定自動車並びに認定を受けた型式認定自動車並びに平成二十八年九月三十日以前に平成二十六年基準に適合するものとして指定を受けた型式指定自動車及び一酸化炭素等発散防止装置指定自動車並びに認定を受けた型式認定自動車を除く。）は、細目告示第四十一条第一項第十五号の規定にかかわらず、大型特殊自動車にあっては完成検査等の際、小型特殊自動車にあっては施行規則第六十二条の三第五項の検査の際、次の各号に掲げる基準に適合するものであればよい。

一　平成二十六年改正告示による改正前の細目告示別添四十三「ディーゼル特殊自動車排出ガスの測定方法」に規定するディーゼル特殊自動車八モード法により運行する場合に発生し、排気管から大気中に排出される排出物に含まれる一酸化炭素、非メタン炭化水素、窒素酸化物及び粒子状物質の排出量をグラムで表した値（非メタン炭化水素にあっては、炭素数当量による容量比で表した値をグラムに換算した値）を、同別添に規定するディーゼル特殊自動車八モード法により運行する場合に発生した仕事量をキロワット時で表した値でそれぞれ除して得た値の、当該自動車及びそれと同一の型式の自動車であって既に完成検査等又は施行規則第六十二条の三第五項の検査を終了したすべてのものにおける平均値及び同別添に規定する暖機状態でのNRTCモード法により運行する場合に発生し、当該排気管から大気中に排出される排出物に含まれる一酸化炭素、非メタン炭化水素、窒素酸化物及び粒子状物質の排出量をグラムで表した値（非メタン炭化水素にあっては、炭素数当量による容量比で表した値をグラムに換算した値）に〇・九を乗じた値に、同別添に規定する冷機状態でのNRTCモード法により運行する場合に発生し、当該排気管から大気中に排出される排出物に含まれる一酸化炭素、非メタン炭化水素、窒素酸化物及び粒子状物質の排出量をグラムで表した値（非メタン炭化水素にあっては、炭素数当量による容量比で表した値をグラムに換算した値）に〇・一を乗じた値をそれぞれ加算した値を、同別添に規定する暖機状態でのNRTCモード法により運行する場合に発生した仕事量をキロワット時で表した値に〇・九を乗じた値に、同別添に規定する冷機状態でのNRTCモード法により運行する場合に発生した仕事量をキロワット時で表した値に〇・一を乗じた値を加算した値でそれぞれ除して得た値の、当該自動車及びそれと同一の型式の自動車であって既に完成検査等又は施行規則第六十二条の三第五項の検査を終了したすべてのものにおける平均値が、一酸化炭素については五・〇、非メタン炭化水素については〇・七、窒素酸化物については四・〇、粒子状物質については〇・〇二五を超えないものであること。

二　平成二十六年改正告示による改正前の細目告示別添四十三「ディーゼル特殊自動車排出ガスの測定方法」に規定するディーゼル特殊自動車八モード法により運行する場合に発生し、排気管から大気中に排出される排出物に含まれる黒煙による汚染の度合が二十五パーセントを超えないものであること。

三　黒煙による汚染度が二十五パーセントを超えないこと。ただし、黒煙による汚染度の測定の前に、光吸収係数を測定する場合であって、当該光吸収係数が〇・八〇m^{-1}を超えないときは、黒煙による汚染度が二十五パーセントを超えないものとみなす。

160

軽油を燃料とする大型特殊自動車（型式指定自動車及び一酸化炭素等発散防止装置指定自動車を除く。）であって、平成二十九年八月三十一日までに製作された定格出力が37kW以上56kW未満である原動機を備えたものは、細目告示第四十一条第一項第十六号及び第百十九条第一項第八号の規定にかかわらず、新規検査等の際、次の各号に掲げる基準に適合するものであればよい。

一　平成二十六年改正告示による改正前の細目告示別添四十三「ディーゼル特殊自動車排出ガスの測定方法」に規定するディーゼル特殊自動車八モード法により運行する場合に発生し、排気管から大気中に排出される排出物に含まれる一酸化炭素、非メタン炭化水素、窒素酸化物及び粒子状物質の排出量をグラムで表した値（非メタン炭化水素にあっては、炭素数当量による容量比で表した値をグラムに換算した値）を、同別添に規定するディーゼル特殊自動車八モード法により運行する場合に発生した仕事量をキロワット時で表した値でそれぞれ除して得た値及び同別添に規定する暖機状態でのNRTCモード法により運行する場合に発生し、当該排気管から大気中に排出される排出物に含まれる一酸化炭素、非メタン炭化水素、窒素酸化物及び粒子状物質の排出量をグラムで表した値（非メタン炭化水素にあっては、炭素数当量による容量比で表した値をグラムに換算した値）に〇・九を乗じた値に、同別添に規定する冷機状態でのNRTCモード法により運行する場合に発生し、当該排気管から大気中に排出される排出物に含まれる一酸化炭素、非メタン炭化水素、窒素酸化物及び粒子状物質の排出量をグラムで表した値（非メタン炭化水素にあっては、炭素数当量による容量比で表した値をグラムに換算した値）に〇・一を乗じた値をそれぞれ加算した値を、同別添に規定する暖機状態でのNRTCモード法により運行する場合に発生した仕事量をキロワット時で表した値に〇・九を乗じた値に、同別添に規定する冷機状態でのNRTCモード法により運行する場合に発生した仕事量をキロワット時で表した値に〇・一を乗じた値を加算した値でそれぞれ除して得た値が、一酸化炭素については六・五、非メタン炭化水素については〇・九、窒素酸化物については五・三、粒子状物質については〇・〇三三を超えないものであること。

二　平成二十六年改正告示による改正前の細目告示別添四十三「ディーゼル特殊自動車排出ガスの測定方法」に規定するディーゼル特殊自動車八モード法により運行する場合に発生し、排気管から大気中に排出される排出物に含まれる黒煙による汚染の度合が二十五パーセントを超えないものであること。

三　黒煙による汚染度が二十五パーセントを超えないこと。ただし、黒煙による汚染度の測定の前に、光吸収係数を測定する場合であって、当該光吸収係数が〇・八〇m^{-1}を超えないときは、黒煙による汚染度が二十五パーセントを超えないものとみなす。

161

軽油を燃料とする大型特殊自動車（型式指定自動車及び一酸化炭素等発散防止装置指定自動車に限る。）及び小型特殊自動車（型式認定自動車に限る。）であって、平成二十九年八月三十一日までに製作された定格出力が19kW以上37kW未満である原動機を備えたもの（輸入された自動車以外の自動車であって、平成二十八年十月一日以降に指定を受けた型式指定自動車並びに認定を受けた型式認定自動車並びに平成二十八年九月三十日以前に平成二十六年基準に適合するものとして指定を受けた型式指定自動車及び一酸化炭素等発散防止装置指定自動車並びに認定を受けた型式認定自動車を除く。）は、細目告示第四十一条第一項第十五号の規定にかかわらず、大型特殊自動車にあっては完成検査等の際、小型特殊自動車にあっては施行規則第六十二条の三第五項の検査の際、次の各号に掲げる基準に適合するものであればよい。

一　平成二十六年改正告示による改正前の細目告示別添四十三「ディーゼル特殊自動車排出ガスの測定方法」に規定するディーゼル特殊自動車八モード法により運行する場合に発生し、排気管から大気中に排出される排出物に含まれる一酸化炭素、非メタン炭化水素、窒素酸化物及び粒子状物質の排出量をグラムで表した値（非メタン炭化水素にあっては、炭素数当量による容量比で表した値をグラムに換算した値）を、同別添に規定するディーゼル特殊自動車八モード法により運行する場合に発生した仕事量をキロワット時で表した値でそれぞれ除して得た値の、当該自動車及びそれと同一の型式の自動車であって既に完成検査等又は施行規則第六十二条の三第五項の検査を終了したすべてのものにおける平均値及び同別添に規定する暖機状態でのNRTCモード法により運行する場合に発生し、当該排気管から大気中に排出される排出物に含まれる一酸化炭素、非メタン炭化水素、窒素酸化物及び粒子状物質の排出量をグラムで表した値（非メタン炭化水素にあっては、炭素数当量による容量比で表した値をグラムに換算した値）に〇・九を乗じた値に、同別添に規定する冷機状態でのNRTCモード法により運行する場合に発生し、当該排気管から大気中に排出される排出物に含まれる一酸化炭素、非メタン炭化水素、窒素酸化物及び粒子状物質の排出量をグラムで表した値（非メタン炭化水素にあっては、炭素数当量による容量比で表した値をグラムに換算した値）に〇・一を乗じた値をそれぞれれ加算した値を、同別添に規定する暖機状態でのNRTCモード法により運行する場合に発生した仕事量をキロワット時で表した値に〇・九を乗じた値に、同別添に規定する冷機状態でのNRTCモード法により運行する場合に発生した仕事量をキロワット時で表した値に〇・一を乗じた値を加算した値でそれぞれ除して得た値の、当該自動車及びそれと同一の型式の自動車であって既に完成検査等又は施行規則第六十二条の三第五項の検査を終了したすべてのものにおける平均値が、一酸化炭素については五・〇、非メタン炭化水素については〇・七、窒素酸化物については四・〇、粒子状物質については〇・〇三を超えないものであること。

二　平成二十六年改正告示による改正前の細目告示別添四十三「ディーゼル特殊自動車排出ガスの測定方法」に規定するディーゼル特殊自動車八モード法により運行する場合に発生し、排気管から大気中に排出される排出物に含まれる黒煙による汚染の度合が二十五パーセントを超えないものであること。

三　黒煙による汚染度が二十五パーセントを超えないこと。ただし、黒煙による汚染度の測定の前に、光吸収係数を測定する場合であって、当該光吸収係数が〇・八〇m^{-1}を超えないときは、黒煙による汚染度が二十五パーセントを超えないものとみなす。

162　軽油を燃料とする大型特殊自動車（型式指定自動車及び一酸化炭素等発散防止装置指定自動車を除く。）であって、平成二十九年八月三十一日までに製作された定格出力が19kW以上37kW未満である原動機を備えたものは、細目告示第四十一条第一項第十六号及び第百十九条第一項第八号の規定にかかわらず、新規検査等の際、次の各号に掲げる基準に適合するものであればよい。

一　平成二十六年改正告示による改正前の細目告示別添四十三「ディーゼル特殊自動車排出ガスの測定方法」に規定するディーゼル特殊自動車八モード法により運行する場合に発生し、排気管から大気中に排出される排出物に含まれる一酸化炭素、非メタン炭化水素、窒素酸化物及び粒子状物質の排出量をグラムで表した値（非メタン炭化水素にあっては、炭素数当量による容量比で表した値をグラムに換算した値）を、同別添に規定するディーゼル特殊自動車八モード法により運行する場合に発生した仕事量をキロワット時で表した値でそれぞれ除して得た値及び同別添に規定する暖機状態でのNRTCモード法により運行する場合に発生し、当該排気管から大気中に排出される排出物に含まれる一酸化炭素、非メタン炭化水素、窒素酸化物及び粒子状物質の排出量をグラムで表した値（非メタン炭化水素にあっては、炭素数当量による容量比で表した値をグラムに換算した値）に〇・九を乗じた値に、同別添に規定する冷機状態でのNRTCモード法により運行する場合に発生し、当該排気管から大気中に排出される排出物に含まれる一酸化炭素、非メタン炭化水素、窒素酸化物及び粒子状物質の排出量をグラムで表した値（非メタン炭化水素にあっては、炭素数当量による容量比で表した値をグラムに換算した値）に〇・一を乗じた値をそれぞれ加算した値を、同別添に規定する暖機状態でのNRTCモード法により運行する場合に発生した仕事量をキロワット時で表した値に〇・九を乗じた値に、同別添に規定する冷機状態でのNRTCモード法により運行する場合に発生した仕事量をキロワット時で表した値に〇・一を乗じた値を加算した値でそれぞれ除して得た値が、一酸化炭素については六・五、非メタン炭化水素については〇・九、窒素酸化物については五・三、粒子状物質については〇・〇四を超えないものであること。

二　平成二十六年改正告示による改正前の細目告示別添四十三「ディーゼル特殊自動車排出ガスの測定方法」に規定するディーゼル特殊自動車八モード法により運行する場合に発生し、排気管から大気中に排出される排出物に含まれる黒煙による汚染の度合が二十五パーセントを超えないものであること。

三　黒煙による汚染度が二十五パーセントを超えないこと。ただし、黒煙による汚染度の測定の前に、光吸収係数を測定する場合であって、当該光吸収係数が〇・八〇m^{-1}を超えないときは、黒煙による汚染度が二十五パーセントを超えないものとみなす。

163　第百五十五項から第百六十二項までに規定する自動車については、第百九十七条第一項第二号の規定にかかわらず、黒煙による汚染度が二十五パーセントを超えないものであればよい。ただし、黒煙による汚染度の測定の前に、光吸収係数を測定する場合であって、当該光吸収係数が〇・八〇m^{-1}を超えないときは、黒煙による汚染度が二十五パーセントを超えないものとみなす。

164　軽油を燃料とする普通自動車及び小型自動車（型式指定自動車及び一酸化炭素等発散防止装置指定自動車に限る。）であって、細目告示第四十一条第一項第五号に掲げる自動車のうち、平成二十九年八月三十一日（第五輪荷重を有する牽引自動車にあっては平成三十年八月三十一日、車両総重量が三・五トンを超え七・五トン以下のものにあっては令和元年八月三十一日）以前に製作されたもの（輸入された自動車以外の自動車であって、平成二十八年十月一日（第五輪荷重を有する牽引自動車にあっては平成二十九年十月一日、車両総重量が三・五トンを超え七・五トン以下のものにあっては平成三十年十月一日）以降に指定を受けた型式指定自動車及び一酸化炭素等発散防止装置指定自動車並びに平成二十八年九月三十日以前に平成二十七年改正告示による改正後の細目告示第四十一条第一項第五号の基準に適合するものとして、指定を受けた型式指定自動車及び一酸化炭素等発散防止装置指定自動車を除く。）又は平成二十九年八月三十一日（第五輪荷重を有する牽引自動車にあっては平成三十年八月三十一日、車両総重量が三・五トンを超え七・五トン以下のものにあっては令和元年八月三十一日）以前に発行された出荷検査証に係るものであって、当該出荷検査証の発行後十一月を経過しない間に新規検査若しくは予備検査を受けようとし、又は受けたものについては、同号の規定にかかわらず、完成検査等の際、次の基準に適合するものであればよい。

一　平成二十七年改正告示による改正前のJE〇五モード法により運行する場合に発生し、排気管から大気中に排出される排出物に含まれる一酸化炭素、非メタン炭化水素、窒素酸化物及び粒子状物質の排出量をグラムで表した値（非メタン炭化水素にあっては、炭素数当量による容量比で表した値をグラムに換算した値）を、平成二十七年改正告示による改正前のJE〇五モード法により運行する場合に発生した仕事量をキロワット時で表した値でそれぞれ除して得た値の、当該自動車及びそれと同一の型式の自動車であって既に完成検査等を終了したすべてのものにおける平均値が、一酸化炭素については二・二二、非メタン炭化水素については〇・一七、窒素酸化物については〇・七、粒子状物質については〇・〇一〇を超えないものであること。

二　細目告示別添百九に規定する方法により排出ガスの光吸収係数を測定した場合にあっては、当該光吸収係数が〇・五〇m^{-1}を超えないものであること。

165　軽油を燃料とする普通自動車及び小型自動車（型式指定自動車及び一酸化炭素等発散防止装置指定自動車を除く。）であって、細目告示第四十一条第一項第六号に掲げる自動車のうち、平成二十九年八月三十一日（第五輪荷重を有する牽引自動車にあっては平成三十年八月三十一日、車両総重量が三・五トンを超え七・五トン以下のものにあっては令和元年八月三十一日）以前に製作されたもの又は平成二十九年八月三十一日（第五輪荷重を有する牽引自動車にあっては平成三十年八月三十一日、車両総重量が三・五トンを超え七・五トン以下のものにあっては令和元年八月三十一日）以前に発行された出荷検査証に係るものであって、当該出荷検査証の発行後十一月を経過しない間に新規検査若しくは予備検査を受けようとし、又は受けたものについては、同号及び第百十九条第一項第三号の規定にかかわらず、新規検査等の際、次の基準に適合するものであればよい。

一　平成二十七年改正告示による改正前のＪＥ〇五モード法により運行する場合に発生し、排気管から大気中に排出される排出物に含まれる一酸化炭素、非メタン炭化水素、窒素酸化物及び粒子状物質の排出量をグラムで表した値（非メタン炭化水素にあっては、炭素数当量による容量比で表した値）を平成二十七年改正告示による改正前のＪＥ〇五モード法により運行する場合に発生した仕事量をキロワット時で表した値でそれぞれ除して得た値が、一酸化炭素については二・九五、非メタン炭化水素については〇・二三、窒素酸化物については〇・九、粒子状物質については〇・〇一三を超えないものであること。

二　細目告示別添百九に規定する方法により排出ガスの光吸収係数を測定した場合にあっては、当該光吸収係数が〇・五〇m^{-1}を超えないものであること。

166　ガソリンを燃料とする二輪自動車であって、小型自動車（型式指定自動車及び一酸化炭素等発散防止装置指定自動車に限る。）又は軽自動車（型式認定自動車に限る。）であるもののうち、平成二十九年八月三十一日以前に製作されたもの（輸入された自動車以外の自動車であって、平成二十八年十月一日以降に指定を受けた型式指定自動車及び一酸化炭素等発散防止装置指定自動車並びに平成二十八年九月三十日以前に平成二十八年基準に適合するものとして指定を受けた型式指定自動車及び一酸化炭素等発散防止装置指定自動車及び認定を受けた型式認定自動車を除く。）は、細目告示第四十一条第一項第十七号の規定にかかわらず、小型自動車であるものにあっては完成検査等の際、軽自動車であるものにあっては型式認定検査の際、細目告示別添四十四「二輪車排出ガスの測定方法」に規定するＷＭＴＣモード法により運行する場合に発生し、排気管から大気中に排出される排出物に含まれる一酸化炭素、炭化水素及び窒素酸化物の走行距離一キロメートル当たりの排出量をグラムで表した値（炭化水素にあっては、炭素数当量による容量比で表した値をグラムに換算した値）の当該自動車及び当該自動車と同一の型式の自動車であって既に完成検査等又は型式認定検査を終了した全てのものにおける平均値が、一酸化炭素については二・六二、炭化水素については〇・二七、窒素酸化物については〇・二一を超えないものであればよい。

167　ガソリンを燃料とする二輪自動車であって小型自動車（型式指定自動車及び一酸化炭素等発散防止装置指定自動車を除く。）であるもののうち、平成二十九年八月三十一日以前に製作されたものは、細目告示第四十一条第一項第十八号及び細目告示第百十九条第一項第九号の規定にかかわらず、新規検査等の際、細目告示別添四十四「二輪車排出ガスの測定方法」に規定するＷＭＴＣモード法により運行する場合に発生し、排気管から大気中に排出される排出物に含まれる一酸化炭素、炭化水素及び窒素酸化物の走行距離一キロメートル当たりの排出量をグラムで表した値（炭化水素にあっては、炭素数当量による容量比で表した値をグラムに換算した値）が、一酸化炭素については三・四八、炭化水素については〇・三六、窒素酸化物については〇・二八を超えないものであればよい。

168　軽油を燃料とする普通自動車及び小型自動車であって、細目告示第四十一条第一項第五号、第六号及び細目告示第百十九条第一項第三号に掲げる自動車のうち、令和元年八月三十一日（第五輪荷重を有する牽引自動車にあっては令和二年八月三十一日、車両総重量が三・五トンを超え七・五トン以下のものにあっては令和三年八月三十一日）以前に製作されたもの（輸入された自動車以外の自動車であって、平成三十年十月一日（第五輪荷重を有する牽引自動車にあっては令和元年十月一日、車両総重量が三・五トンを超え七・五トン以下のものにあっては令和二年十月一日）以降に指定を受けた型式指定自動車及び一酸化炭素等発散防止装置指定自動車並びに平成三十年九月三十日以前に平成二十七年改正告示による改正後の細目告示第四十一条第二項第四号の基準に適合するものとして、指定を受けた型式指定自動車及び一酸化炭素等発散防止装置指定自動車を除く。）又は令和元年八月三十一日（第五輪荷重を有する牽引自動車にあっては令和二年八月三十一日、車両総重量が三・五トンを超え七・五トン以下のものにあっては令和三年八月三十一日）以前に発行された出荷検査証に係るものであって、当該出荷検査証の発行後十一月を経過しない間に新規検査若しくは予備検査を受けようとし、若しくは受けたものについては、細目告示第四十一条第二項第四号及び第百十九条第二項第四号の規定にかかわらず、平成二十七年改正告示による改正前の細目告示第四十一条第二項第四号（細目告示第百十九条第一項第三号に掲げる自動車にあっては、平成二十七年改正による改正前の細目告示第百十九条第二項第四号）の基準に適合するものであればよい。

169　軽油を燃料とする普通自動車及び小型自動車（型式指定自動車及び一酸化炭素等発散防止装置指定自動車に限る。）であって、細目告示第四十一条第二項第五号イに掲げる自動車のうち、平成二十九年八月三十一日（第五輪荷重を有する牽引自動車にあっては平成三十年八月三十一日、車両総重量が三・五トンを超え七・五トン以下のものにあっては令和元年八月三十一日）以前に製作されたもの（輸入された自動車以外の自動車であって、平成二十八年十月一日（第五輪荷重を有する牽引自動車にあっては平成二十九年十月一日、車両総重量が三・五トンを超え七・五トン以下のものにあっては平成三十年十月一日）以降に指定を受けた型式指定自動車及び一酸化炭素等発散防止装置指定自動車並びに平成二十八年九月三十日以前に平成二十七年改正告示による改正後の細目告示第四十一条第二項第五号イの基準に適合するものとして、指定を受けた型式指定自動車及び一酸化炭素等発散防止装置指定自動車を除く。）又は平成二十九年八月三十一日（第五輪荷重を有する牽引自動車にあっては平成三十年八月三十一日、車両総重量が三・五トンを超え七・五トン以下のものにあっては令和元年八月三十一日）以前に発行された出荷検査証に係るものであって、当該出荷検査証の発行後十一月を経過しない間に新規検査若しくは予備検査を受けようとし、又は受けたものについては、同号の規定にかかわらず、完成検査等の際、平成二十七年改正告示による改正前の細目告示第四十一条第一項第二十一号の基準に適合するものであればよい。

170　細目告示第四十一条第一項第三号、第四号、第七号、第八号、第十一号及び第十二号並びに第百十九条第一項第二号、第四号及び第六号に掲げる自動車のうち、次の各号に掲げる自動車については、細目告示別添四十二の規定にかかわらず、道路運送車両の保安基準の細目を定める告示の一部を改正する告示（平成二十九年国土交通省告示第百三十五号）による改正前の細目告示別添四十二の規定に適合するものであればよい。

一　平成二十九年三月三十日以前に製作された自動車

二　平成二十九年三月三十一日以降に製作された自動車であって次に掲げるもの

イ　平成二十九年三月三十日以前に指定を受けた型式指定自動車又は一酸化炭素等発散防止装置指定自動車であって、平成二十九年三月三十一日以降に排出ガス発散防止に係る性能について変更がないもの

ロ　国土交通大臣が定める自動車

三　平成二十九年三月三十日以前に発行された出荷検査証に係る自動車であって、当該出荷検査

証の発行後十一月を経過しない間に新規検査又は予備検査を受けようとし、又は受けたもの

171 平成二十九年十月九日以前に製作された自動車については、細目告示第四十一条第六項第二号、第百十九条第六項第二号及び第百九十七条第六項第二号の規定にかかわらず、道路運送車両の保安基準の細目を定める告示等の一部を改正する告示（平成二十九年国土交通省告示第九百六号）第一条による改正前の細目告示第四十一条第六項第二号、第百十九条第六項第二号及び第百九十七条第六項第二号の規定に適合するものであればよい。

172 ガソリン又は液化石油ガスを燃料とする普通自動車、小型自動車及び軽自動車（型式指定自動車及び一酸化炭素等発散防止装置指定自動車に限る。）であって、細目告示第四十一条第一項第三号に定める自動車のうち、次に掲げる自動車にあっては、同号の規定にかかわらず、完成検査等の際、道路運送車両の保安基準の細目を定める告示及び道路運送車両の保安基準第二章及び第三章の規定の適用関係の整理のため必要な事項を定める告示の一部を改正する告示（平成三十年国土交通省告示第五百二十八号。この条において「平成三十年改正告示」という。）による改正前の細目告示第四十一条第一項第三号イの基準に適合するものであればよい。

一 平成三十年九月三十日（細目告示第四十一条第一項第三号の表ハ及びニに掲げる自動車（この項において「中量貨物自動車等」という。）にあっては、令和元年九月三十日）以前に製作された自動車

二 平成三十年十月一日から令和二年十二月三十一日まで（中量貨物自動車等にあっては、令和元年十月一日から令和三年十二月三十一日まで）に製作された自動車であって、次に掲げる自動車

イ 中量貨物自動車等以外の自動車のうち、平成三十年九月三十日以前に指定を受けた型式指定自動車及び一酸化炭素等発散防止装置指定自動車

ロ 中量貨物自動車等のうち、令和元年九月三十日以前に指定を受けた型式指定自動車及び一酸化炭素等発散防止装置指定自動車

ハ 中量貨物自動車等以外の自動車のうち、平成三十年十月一日以降に新たに指定を受けた型式指定自動車であって、平成三十年九月三十日以前に指定を受けた型式指定自動車と車体の外形、原動機の種類及び主要構造、燃料の種類及び動力用電源装置の種類、動力伝達装置の種類及び主要構造、走行装置の種類及び主要構造並びに排出ガス発散防止装置の仕様が同一であるもの

ニ 中量貨物自動車等のうち、令和元年十月一日以降に新たに指定を受けた型式指定自動車であって、令和元年九月三十日以前に指定を受けた型式指定自動車と車体の外形、原動機の種類及び主要構造、燃料の種類及び動力用電源装置の種類、動力伝達装置の種類及び主要構造、走行装置の種類及び主要構造並びに排出ガス発散防止装置の仕様が同一であるもの

三 令和二年十二月三十一日（中量貨物自動車等にあっては令和三年十二月三十一日）までに発行された出荷検査証に係る自動車であって、当該出荷検査証の発行後十一月を経過しない間に新規検査又は予備検査を受けようとし、又は受けたもの

173 ガソリン又は液化石油ガスを燃料とする普通自動車、小型自動車及び軽自動車であって、細目告示第四十一条第一項第四号及び第百十九条第一項第二号に定める自動車のうち、次に掲げる自動車にあっては、細目告示第四十一条第一項第四号及び第百十九条第一項第二号の規定にかかわらず、新規検査等の際、平成三十年改正告示による改正前の細目告示第四十一条第一項第四号イ（細目告示第百十九条第一項第二号に掲げる自動車にあっては、平成三十年改正告示による改正前の第百十九条第一項第二号イ）の基準に適合するものであればよい。

一 平成三十年九月三十日（細目告示第四十一条第一項第四号の表ハ及びニ並びに第百十九条第一項第二号の表ハ及びニに掲げる自動車（この項において「中量貨物自動車等」という。）にあっては、令和元年九月三十日）以前に製作された自動車

二 平成三十年十月一日から令和二年十二月三十一日まで（中量貨物自動車等にあっては、令和元年十月一日から令和三年十二月三十一日）に製作された自動車であって、次に掲げる自動車

イ 指定自動車等以外の自動車

ロ 国土交通大臣が定める自動車

三 令和二年十二月三十一日（中量貨物自動車等にあっては令和三年十二月三十一日）までに発行された出荷検査証に係る自動車であって、当該出荷検査証の発行後十一月を経過しない間に新規検査又は予備検査を受けようとし、又は受けたもの

174 軽油を燃料とする普通自動車及び小型自動車（型式指定自動車及び一酸化炭素等発散防止装置指定自動車に限る。）であって、細目告示第四十一条第一項第七号に定める自動車のうち、次に掲げる自動車にあっては、同号の規定にかかわらず、完成検査等の際、平成三十年改正告示による改正前の細目告示第四十一条第一項第七号イの基準に適合するものであればよい。

一 平成三十年九月三十日（細目告示第四十一条第一項第七号の表ハに掲げる自動車（この項において「中量貨物自動車等」という。）にあっては、令和元年九月三十日）以前に製作された自動車

二 平成三十年十月一日から令和二年十二月三十一日まで（中量貨物自動車等にあっては、令和元年十月一日から令和三年十二月三十一日まで）に製作された自動車であって、次に掲げる自動車

イ 中量貨物自動車等以外の自動車のうち、平成三十年九月三十日以前に指定を受けた型式指定自動車及び一酸化炭素等発散防止装置指定自動車

ロ 中量貨物自動車等のうち、令和元年九月三十日以前に指定を受けた型式指定自動車及び一酸化炭素等発散防止装置指定自動車

ハ 中量貨物自動車等以外の自動車のうち、平成三十年十月一日以降に新たに指定を受けた型式指定自動車であって、平成三十年九月三十日以前に指定を受けた型式指定自動車と車体の外形、原動機の種類及び主要構造、燃料の種類及び動力用電源装置の種類、動力伝達装置の種類及び主要構造、走行装置の種類及び主要構造並びに排出ガス発散防止装置の仕様が同一であるもの

ニ 中量貨物自動車等のうち、令和元年十月一日以降に新たに指定を受けた型式指定自動車であって、令和元年九月三十日以前に指定を受けた型式指定自動車と車体の外形、原動機の種類及び主要構造、燃料の種類及び動力用電源装置の種類、動力伝達装置の種類及び主要構造、走行装置の種類及び主要構造並びに排出ガス発散防止装置の仕様が同一であるもの

三 令和二年十二月三十一日（中量貨物自動車等にあっては令和三年十二月三十一日）までに発行された出荷検査証に係る自動車であって、当該出荷検査証の発行後十一月を経過しない間に新規検査又は予備検査を受けようとし、又は受けたもの

175 軽油を燃料とする普通自動車及び小型自動車であって、細目告示第四十一条第一項第八号及び第百十九条第一項第四号に定める自動車のうち、次に掲げる自動車にあっては、細目告示第四十一条第一項第八号及び第百十九条第一項第四号の規定にかかわらず、新規検査等の際、平成三十

年改正告示による改正前の細目告示第四十一条第一項第八号イ（細目告示第百十九条第一項第四号に掲げる自動車にあっては、平成三十年改正告示による改正前の第百十九条第一項第四号イ）の基準に適合するものであればよい。

一　平成三十年九月三十日（細目告示第四十一条第一項第八号の表ハ及び第百十九条第一項第四号の表ハに掲げる自動車（この項において「中量貨物自動車等」という。）にあっては、令和元年九月三十日）以前に製作された自動車

二　平成三十年十月一日から令和二年十二月三十一日まで（中量貨物自動車等にあっては、令和元年十月一日から令和三年十二月三十一日まで）に製作された自動車であって、次に掲げる自動車

イ　指定自動車等以外の自動車

ロ　国土交通大臣が定める自動車

三　令和二年十二月三十一日（中量貨物自動車等にあっては令和三年十二月三十一日）までに発行された出荷検査証に係る自動車であって、当該出荷検査証の発行後十一月を経過しない間に新規検査又は予備検査を受けようとし、又は受けたもの

176　ガソリン、液化石油ガス又は軽油以外を燃料とする普通自動車、小型自動車及び軽自動車（型式指定自動車及び一酸化炭素等発散防止装置指定自動車に限る。）であって、細目告示第四十一条第一項第十一号に定める自動車のうち、次に掲げる自動車にあっては、同号の規定にかかわらず、完成検査等の際、平成三十年改正告示による改正前の細目告示第四十一条第一項第十一号イの基準に適合するものであればよい。

一　平成三十年九月三十日（細目告示第四十一条第一項第十一号の表ハ及びニに掲げる自動車（この項において「中量貨物自動車等」という。）にあっては、令和元年九月三十日）以前に製作された自動車

二　平成三十年十月一日から令和二年八月三十一日まで（中量貨物自動車等にあっては、令和元年十月一日から令和三年八月三十一日まで）に製作された自動車であって、次に掲げる自動車

イ　中量貨物自動車等以外の自動車のうち、平成三十年九月三十日以前に指定を受けた型式指定自動車及び一酸化炭素等発散防止装置指定自動車

ロ　中量貨物自動車等のうち、令和元年九月三十日以前に指定を受けた型式指定自動車及び一酸化炭素等発散防止装置指定自動車

ハ　中量貨物自動車等以外の自動車のうち、平成三十年十月一日以降に新たに指定を受けた型式指定自動車であって、平成三十年九月三十日以前に指定を受けた型式指定自動車と車体の外形、原動機の種類及び主要構造、燃料の種類及び動力用電源装置の種類、動力伝達装置の種類及び主要構造、走行装置の種類及び主要構造並びに排出ガス発散防止装置の仕様が同一であるもの

ニ　中量貨物自動車等のうち、令和元年十月一日以降に新たに指定を受けた型式指定自動車であって、令和元年九月三十日以前に指定を受けた型式指定自動車と車体の外形、原動機の種類及び主要構造、燃料の種類及び動力用電源装置の種類、動力伝達装置の種類及び主要構造、走行装置の種類及び主要構造並びに排出ガス発散防止装置の仕様が同一であるもの

三　令和二年八月三十一日（中量貨物自動車等にあっては令和三年八月三十一日）までに発行された出荷検査証に係る自動車であって、当該出荷検査証の発行後十一月を経過しない間に新規検査又は予備検査を受けようとし、又は受けたもの

177　ガソリン、液化石油ガス又は軽油以外を燃料とする普通自動車、小型自動車及び軽自動車であって、細目告示第四十一条第一項第十二号及び第百十九条第一項第六号に定める自動車のうち、次に掲げる自動車にあっては、細目告示第四十一条第一項第十二号及び第百十九条第一項第六号の規定にかかわらず、新規検査等の際、平成三十年改正告示による改正前の細目告示第四十一条第一項第十二号イ（細目告示第百十九条第一項第六号に掲げる自動車にあっては、平成三十年改正告示による改正前の第百十九条第一項第六号イ）の基準に適合するものであればよい。

一　平成三十年九月三十日（細目告示第四十一条第一項第十二号の表ハ及びニ並びに第百十九条第一項第六号の表ハ及びニに掲げる自動車（この項において「中量貨物自動車等」という。）にあっては、令和元年九月三十日）以前に製作された自動車

二　平成三十年十月一日から令和二年八月三十一日まで（中量貨物自動車等にあっては、令和元年十月一日から令和三年八月三十一日まで）に製作された自動車であって、次に掲げる自動車

イ　指定自動車等以外の自動車

ロ　国土交通大臣が定める自動車

三　令和二年八月三十一日（中量貨物自動車等にあっては令和三年八月三十一日）までに発行された出荷検査証に係る自動車であって、当該出荷検査証の発行後十一月を経過しない間に新規検査又は予備検査を受けようとし、又は受けたもの

178　次の各号に掲げる自動車（軽油を燃料とする普通自動車及び小型自動車であって、車両総重量が三・五トン以下のもの又は専ら乗用の用に供する乗車定員九人以下のものに限る。）については、細目告示第四十一条第二項第五号の規定にかかわらず、平成三十年改正告示による改正前の細目告示第四十一条第二項第五号の規定に適合するものであればよい。

一　令和四年九月三十日以前に製作された自動車

二　令和四年十月一日から令和六年九月三十日までに製作された自動車であって、次に掲げる自動車

イ　令和四年九月三十日以前に指定を受けた型式指定自動車及び一酸化炭素等発散防止装置指定自動車

ロ　令和四年十月一日以降に新たに指定を受けた型式指定自動車であって、令和四年九月三十日以前に指定を受けた型式指定自動車と車体の外形、原動機の種類及び主要構造、燃料の種類及び動力用電源装置の種類、動力伝達装置の種類及び主要構造、走行装置の種類及び主要構造並びに排出ガス発散防止装置の仕様が同一であるもの

三　令和六年九月三十日までに発行された出荷検査証に係る自動車であって、当該出荷検査証の発行後十一月を経過しない間に新規検査又は予備検査を受けようとし、又は受けたもの

四　国土交通大臣が定める自動車

179　軽油を燃料とする普通自動車及び小型自動車であって、車両総重量が三・五トン以下のもの又は専ら乗用の用に供する乗車定員九人以下のもののうち国土交通大臣が定める自動車については、細目告示別添百十九「路上走行時のディーゼル軽・中量車排出ガスに関する技術基準」３・１・及び３・１・１・の規定は、当分の間、次の表の上欄に掲げる字句を同表下欄に掲げる字句に読み替えて適用する。

読み替えられる字句	読み替える字句
3.1.　超過不可排出ガス制限値 通常の耐用期間を通して、この技術基準	3.1.　排出ガスの制限 通常の耐用期間を通して、この技術基準

に定める要件に従い想定される全ての路上走行試験の結果は、次の超過不可（NTE）排出ガス制限値を超えないものとする。 NTE排出ガス制限値＝CF×EL ここで、 CFは適合係数 ELは細目告示第41条第1項に掲げるNOxに係る値のうち当該自動車に適用される値 である。 3.1.1. 適合係数 3.1.におけるCFの値は2.0とする。	に定める要件に従い想定される全ての路上走行試験の結果は、細目告示第41条第1項に掲げるNOxに係る値のうち当該自動車に適用される値の2倍を著しく超えないものとする。

180 細目告示第四十一条第一項第五号及び第六号並びに第百十九条第一項第三号に掲げる自動車のうち、原動機として内燃機関及び電動機を備え、かつ、当該自動車の運動エネルギーを電気エネルギーに変換して電動機駆動用蓄電装置（以下「蓄電装置」という。）に充電する機能を備えた自動車（以下「電気式ハイブリッド自動車」という。）又は外部から蓄電装置を充電する機能を有している電気式ハイブリッド自動車であって、次の各号に掲げる自動車については、細目告示別添四十一の規定にかかわらず、同別添の過渡試験サイクル及び傾斜付き定常試験サイクルに係る規定に適合するものであればよい。

一 令和六年九月三十日（車両総重量が三・五トンを超え七・五トン以下のものにあっては令和八年九月三十日）以前に製作されたもの（輸入された自動車以外の自動車であって、令和四年十月一日（車両総重量が三・五トンを超え七・五トン以下のものにあっては令和六年十月一日）以降に指定を受けた型式指定自動車及び一酸化炭素等発散防止装置指定自動車並びに第三号に掲げる自動車を除く。）

二 令和六年九月三十日（車両総重量が三・五トンを超え七・五トン以下のものにあっては令和八年九月三十日）以前に発行された出荷検査証に係るものであって、当該出荷検査証の発行後十一月を経過しない間に新規検査若しくは予備検査を受けようとし、又は受けたもの

三 令和十一年九月三十日以前に製作された車両総重量が七・五トンを超え専ら乗用の用に供する乗車定員十一人以上の輸入された自動車以外の自動車（令和四年十月一日以降に指定を受けた型式指定自動車及び一酸化炭素等発散防止装置指定自動車を除く。）であって、保安基準第五十五条の規定により保安基準第二条、第四条又は第四条の二の規定を適用しないものとされたもの

181 ガソリンを燃料とする二輪自動車であって、小型自動車（型式指定自動車及び一酸化炭素等発散防止装置指定自動車に限る。）又は軽自動車（型式認定自動車に限る。）であるもののうち、令和四年十月三十一日以前に製作されたもの（令和二年十二月一日以降に新たに指定を受けた型式指定自動車、一酸化炭素等発散防止装置指定自動車及び認定を受けた型式認定自動車を除く。）は、細目告示第四十一条第一項第十七号の規定にかかわらず、小型自動車であるものにあっては完成検査等の際、軽自動車であるものにあっては型式認定検査の際、道路運送車両の保安基準の細目を定める告示等の一部を改正する告示（平成三十一年国土交通省告示第二百十二号）による改正前の細目告示別添四十四「二輪車排出ガスの測定方法」に規定するＷＭＴＣモード法により運行する場合に発生し、排気管から大気中に排出される排出物に含まれる一酸化炭素、炭化水素及び窒素酸化物の走行距離一キロメートル当たりの排出量をグラムで表した値（炭化水素にあっては、炭素数当量による容量比で表した値をグラムに換算した値）の当該自動車及び当該自動車と同一の型式の自動車であって既に完成検査等又は型式認定検査を終了した全てのものにおける平均値が、次の表の左欄に掲げる自動車の種別に応じ、それぞれ同表の一酸化炭素、炭化水素及び窒素酸化物の欄に掲げる値を超えないものであること。

自動車の種別	一酸化炭素	炭化水素	窒素酸化物
イ 総排気量が〇・一二五リットルを超え〇・一五〇リットル未満であり、かつ、最高速度が百キロメートル毎時未満の二輪自動車	一・一四	〇・三〇	〇・〇七
ロ 総排気量が〇・一二五リットルを超え〇・一五〇リットル未満であり、かつ、最高速度が百キロメートル毎時以上百三十キロメートル毎時未満の二輪自動車又は総排気量が〇・一五〇リットル以上であり、かつ、最高速度が百三十キロメートル毎時未満の二輪自動車	一・一四	〇・二〇	〇・〇七
ハ 総排気量が〇・一二五リットルを超え、かつ、最高速度が百三十キロメートル毎時以上の二輪自動車	一・一四	〇・一七	〇・〇九

182 ガソリンを燃料とする二輪自動車であって小型自動車（型式指定自動車及び一酸化炭素等発散防止装置指定自動車を除く。）であるもののうち、令和四年十月三十一日以前に製作されたものは、細目告示第四十一条第一項第十八号及び細目告示第百十九条第一項第九号の規定にかかわらず、新規検査等の際、道路運送車両の保安基準の細目を定める告示等の一部を改正する告示（平成三十一年国土交通省告示第二百十二号）による改正前の細目告示別添四十四「二輪車排出ガスの測定方法」に規定するＷＭＴＣモード法により運行する場合に発生し、排気管から大気中に排出される排出物に含まれる一酸化炭素、炭化水素及び窒素酸化物の走行距離一キロメートル当たりの排出量をグラムで表した値（炭化水素にあっては、炭素数当量による容量比で表した値をグラムに換算した値）が、次の表の左欄に掲げる自動車の種別に応じ、それぞれ同表の一酸化炭素、炭化水素及び窒素酸化物の欄に掲げる値を超えないものであること。

自動車の種別	一酸化炭素	炭化水素	窒素酸化物
イ 総排気量が〇・一二五リットルを超え〇・一五〇リットル未満であり、かつ、最高速度が百キロメートル毎時以上百三十キロメートル毎時未満の二輪自動車又は総排気量が〇・一五〇リットル以上であり、かつ、最高速度が百三十キロメートル	一・五八	〇・二四	〇・一〇

毎時未満の二輪自動車			
ロ　総排気量が〇・一二五リットルを超え、かつ、最高速度が百三十キロメートル毎時以上の二輪自動車	一・五八	〇・二二	〇・一四

183　ガソリンを燃料とする二輪自動車のうち、令和四年十月三十一日以前に製作されたもの（令和二年十二月一日以降に新たに指定を受けた型式指定自動車及び一酸化炭素等発散防止装置指定自動車及び認定を受けた型式認定自動車を除く。）については、細目告示第四十一条第一項第十九号の規定にかかわらず、道路運送車両の保安基準の細目を定める告示等の一部を改正する告示（平成三十一年国土交通省告示第二百十二号）による改正前の細目告示別添四十四「二輪車排出ガスの測定方法」に規定する運転条件により原動機を無負荷運転している状態で発生し、排気管から大気中に排出される排出物に含まれる一酸化炭素の容量比で表した測定値及び同排出物に含まれる炭化水素のノルマルヘキサン当量による容量比で表した測定値が、一酸化炭素については百分の三、炭化水素については百万分の千を超えないものであればよい。

184　ガソリンを燃料とする二輪自動車のうち、令和四年十月三十一日以前に製作されたもの（令和二年十二月一日以降に新たに指定を受けた型式指定自動車及び一酸化炭素等発散防止装置指定自動車及び認定を受けた型式認定自動車を除く。）については、細目告示第百十九条第一項第十号及び第百九十七条第一項第一号の規定にかかわらず、原動機を無負荷運転している状態で発生し、排気管から大気中に排出される排出物に含まれる一酸化炭素の容量比で表した測定値及び同排出物に含まれる炭化水素のノルマルヘキサン当量による容量比で表した測定値が、一酸化炭素については百分の三、炭化水素については百万分の千を超えないものであればよい。

185　ガソリンを燃料とする普通自動車、小型自動車（二輪自動車を除く。）及び軽自動車（二輪自動車を除く。）のうち、令和五年三月三十一日以前に製作された自動車又は同年三月三十一日以前に発行された出荷検査証に係る自動車であって、当該出荷検査証の発行後十一月を経過しない間に新規検査若しくは予備検査を受けようとし、若しくは受けたもの（令和三年一月一日以降に新たに指定を受けた型式指定自動車及び一酸化炭素等発散防止装置指定自動車（令和二年十二月三十一日以前に指定を受けた型式指定自動車と車体の外形、原動機の種類及び主要構造、燃料の種類及び動力用電源装置の種類、動力伝達装置の種類及び主要構造、走行装置の種類及び主要構造並びに燃料蒸発ガスの発散防止に係る性能が同一であるものを除く。）を除く。）及び国土交通大臣が定める自動車については、細目告示第四十一条第四項第一号及び第百十九条第四項第一号の規定にかかわらず、道路運送車両の保安基準の細目を定める告示等の一部を改正する告示（平成三十一年国土交通省告示第二百十二号）による改正前の細目告示第四十一条第四項及び第百十九条第四項の規定に適合するものであればよい。

186　ガソリンを燃料とする二輪自動車のうち、令和四年十月三十一日以前に製作された自動車（令和二年十二月一日以降に新たに指定を受けた型式指定自動車及び一酸化炭素等発散防止装置指定自動車及び認定を受けた型式認定自動車を除く。）については、細目告示第四十一条第四項第二号及び第百十九条第四項第二号の規定にかかわらず、道路運送車両の保安基準の細目を定める告示等の一部を改正する告示（平成三十一年国土交通省告示第二百十二号）による改正前の細目告示第四十一条第四項及び第百十九条第四項の規定に適合するものであればよい。

187　ガソリンを燃料とする二輪自動車のうち、令和四年十月三十一日以前に製作された自動車（令和二年十二月一日以降に新たに指定を受けた型式指定自動車及び一酸化炭素等発散防止装置指定自動車及び認定を受けた型式認定自動車を除く。）については、細目告示別添百十五の規定にかかわらず、道路運送車両の保安基準の細目を定める告示及び道路運送車両の保安基準第二章及び第三章の規定の適用関係の整理のため必要な事項を定める告示の一部を改正する告示（令和元年国土交通省告示第五百八十九号）による改正前の細目告示別添百十五の規定に適合するものであればよい。

188　ガソリンを燃料とする二輪自動車のうち、令和八年十月三十一日以前に製作された自動車（令和六年十二月一日以降に新たに指定を受けた型式指定自動車及び一酸化炭素等発散防止装置指定自動車及び認定を受けた型式認定自動車を除く。）については、細目告示別添百十五「二輪車のばい煙、悪臭のあるガス、有害なガス等の発散防止装置に係る車載式故障診断装置の技術基準」Ⅲ・二・五・の規定は、次の表の上欄に掲げる字句を同表下欄に掲げる字句に読み替えて適用する。

読み替えられる字句	読み替える字句
2.5.　ＯＢＤ閾値 ＯＢＤ閾値は、ＣＯについては1.900ｇ／km、ＮＭＨＣについては0.250ｇ／km、ＮＯxについては、0.300ｇ／km、ＰＭについては、0.050ｇ／kmとする。	2.5.　ＯＢＤ閾値 ＯＢＤ閾値は、次に掲げるとおりとする。 (a)　総排気量が0.125リットルを超え、かつ、最高速度が130km／h未満の二輪自動車にあっては、ＣＯについては2.170ｇ／km、ＴＨＣについては1.400ｇ／km、ＮＯxについては、0.350ｇ／kmとする。 (b)　総排気量が0.125リットルを超え、かつ、最高速度が130km／h以上の二輪自動車にあっては、ＣＯについては2.170ｇ／km、ＴＨＣについては0.630ｇ／km、ＮＯxについては、0.450ｇ／kmとする。

189　細目告示第四十一条第一項第三号、第四号、第七号、第八号、第十一号及び第十二号並びに第百十九条第一項第三号、第四号及び第六号に掲げる自動車のうち、次に掲げる自動車については、細目告示別添四十二の規定にかかわらず、道路運送車両の保安基準第二章及び第三章の規定の適用関係の整理のため必要な事項を定める告示及び道路運送車両の保安基準の細目を定める告示の一部を改正する告示（令和二年国土交通省告示第七百四号）による改正前の細目告示別添四十二の規定に適合するものであればよい。

一　令和三年九月三十日以前に製作された自動車

二　令和三年十月一日から令和八年九月三十日（軽油を燃料とするものにあっては令和七年九月三十日）までに製作された自動車であって次に掲げるもの

イ　令和三年九月三十日以前に指定を受けた型式指定自動車又は一酸化炭素等発散防止装置指定自動車

ロ　令和三年十月一日以降に新たに指定を受けた型式指定自動車であって、令和三年九月三十日以前に指定を受けた型式指定自動車と車体の外形、原動機の種類及び主要構造、燃料の種類及び動力用電源装置の種類、動力伝達装置の種類及び主要構造、走行装置の種類及び主要構造並びに排出ガス発散防止装置の仕様が同一であるもの

ハ　国土交通大臣が定める自動車

190　細目告示第四十一条第一項第三号、第四号、第七号、第八号、第十一号及び第十二号並びに第百十九条第一項第二号、第四号及び第六号に掲げる自動車のうち、次に掲げる自動車については、細目告示別添四十二のⅡの２・１・の規定を適用した後の車両への取付け又は車両における使用が可能な装置及び部品に係る世界技術規則の作成に関する協定第十五号第五改訂版（同規則の附則４の規定に限る。）にかかわらず、道路運送車両の保安基準の細目を定める告示及び道路運送車両の保安基準第二章及び第三章の規定の適用関係の整理のため必要な事項を定める告示の一部を改正する告示（令和二年国土交通省告示第七百四号）による改正前の細目告示別添四十二の規定（同別添のⅡの別紙４の規定に限る。）に適合するものであればよい。

一　令和四年九月三十日以前に製作された自動車

二　令和四年十月一日から令和八年九月三十日（軽油を燃料とするものにあっては令和七年九月三十日）までに製作された自動車であって次に掲げるもの

イ　令和四年九月三十日以前に指定を受けた型式指定自動車又は一酸化炭素等発散防止装置指定自動車

ロ　令和四年十月一日以降に新たに指定を受けた型式指定自動車であって、令和三年九月三十日以前に指定を受けた型式指定自動車と車体の外形、原動機の種類及び主要構造、燃料の種類及び動力用電源装置の種類、動力伝達装置の種類及び主要構造、走行装置の種類及び主要構造並びに排出ガス発散防止装置の仕様が同一であるもの

ハ　国土交通大臣が定める自動車

191　次に掲げる自動車以外の自動車については、細目告示第百十九条第二項及び第百九十七条第二項の規定にかかわらず、当分の間、道路運送車両の保安基準の細目を定める告示及び道路運送車両の保安基準第二章及び第三章の規定の適用関係の整理のため必要な事項を定める告示の一部を改正する告示（令和二年国土交通省告示第七百八十八号）による改正前の細目告示第百十九条第二項及び第百九十七条第二項の規定に適合するものであればよい。

一　令和三年十月一日（輸入された自動車にあっては令和四年十月一日）以降に新たに指定を受けた型式指定自動車のうち、指定を受けた時点における細目告示別添百二十四「継続検査等に用いる車載式故障診断装置の技術基準」１・に規定する対象装置の性能が令和三年九月三十日（輸入された自動車にあっては令和四年九月三十日）以前に指定を受けた型式指定自動車と同一でなく、かつ、指定を受けた日から起算して二年を経過したもの（新規登録（軽自動車にあっては新規検査）を初めて受けた日の属する月の前月の末日から起算して十月を経過したものに限る。）

二　国土交通大臣が定める自動車

192　令和四年九月三十日（輸入された自動車にあっては令和五年九月三十日）以前に指定を受けた型式指定自動車及び国土交通大臣が定める自動車については、令和六年九月三十日（輸入された自動車にあっては令和七年九月三十日）までの間、細目告示第百十九条第二項及び第百九十七条第二項の規定にかかわらず、道路運送車両の保安基準の細目を定める告示及び道路運送車両の保安基準第二章及び第三章の規定の適用関係の整理のため必要な事項を定める告示の一部を改正する告示（令和二年国土交通省告示第七百八十八号）による改正前の細目告示第百十九条第二項及び第百九十七条第二項の規定に適合するものであればよい。

193　細目告示第四十一条第一項第三号、第四号、第七号、第八号、第十一号及び第十二号並びに第百十九条第一項第二号、第四号及び第六号に掲げる自動車のうち、次に掲げる自動車については、細目告示別添四十二の規定にかかわらず、道路運送車両の保安基準の細目を定める告示等の一部を改正する告示（令和三年国土交通省告示第千八十四号。以下「令和三年改正告示」という。）による改正前の細目告示別添四十二の規定に適合するものであればよい。

一　令和四年九月三十日以前に製作された自動車

二　令和四年十月一日から令和八年九月三十日（軽油を燃料とするものにあっては令和七年九月三十日）までに製作された自動車であって次に掲げるもの

イ　令和四年九月三十日以前に指定を受けた型式指定自動車又は一酸化炭素等発散防止装置指定自動車

ロ　令和四年十月一日以降に新たに指定を受けた型式指定自動車であって、令和四年九月三十日以前に指定を受けた型式指定自動車と車体の外形、原動機の種類及び主要構造、燃料の種類及び動力用電源装置の種類、動力伝達装置の種類及び主要構造、走行装置の種類及び主要構造並びに排出ガス発散防止装置の仕様が同一であるもの

ハ　国土交通大臣が定める自動車

194　ガソリン、液化石油ガス又は軽油を燃料とする普通自動車及び小型自動車（二輪自動車を除く。）であって専ら乗用の用に供する乗車定員九人以下のもの又は車両総重量三・五トン以下のもの（専ら乗用の用に供する乗車定員九人以下のものを除く。）並びに軽自動車（二輪自動車を除く。）のうち、次に掲げる自動車については、細目告示別添四十八の規定にかかわらず、令和三年改正告示による改正前の細目告示別添四十八の規定に適合するものであればよい。

一　令和四年九月三十日以前に製作された自動車

二　令和四年十月一日から令和八年九月三十日（軽油を燃料とするものにあっては令和七年九月三十日）までに製作された自動車であって次に掲げるもの

イ　令和四年九月三十日以前に指定を受けた型式指定自動車又は一酸化炭素等発散防止装置指定自動車

ロ　令和四年十月一日以降に新たに指定を受けた型式指定自動車であって、令和四年九月三十日以前に指定を受けた型式指定自動車と車体の外形、原動機の種類及び主要構造、燃料の種類及び動力用電源装置の種類、動力伝達装置の種類及び主要構造、走行装置の種類及び主要構造並びに排出ガス発散防止装置の仕様が同一であるもの

ハ　国土交通大臣が定める自動車

195　細目告示第四十一条第一項第七号及び第八号並びに第百十九条第一項第四号に掲げる自動車のうち、次に掲げる自動車については、細目告示別添四十二の規定にかかわらず、道路運送車両の保安基準の細目を定める告示等の一部を改正する告示（令和四年国土交通省告示第千四十号）による改正前の細目告示別添四十二の規定に適合するものであればよい。

一　令和五年九月三十日以前に製作された自動車

二　令和五年十月一日から令和七年九月三十日までに製作された自動車であって次に掲げるもの

イ　令和五年九月三十日以前に指定を受けた型式指定自動車又は一酸化炭素等発散防止装置指定自動車

ロ　令和五年十月一日以降に新たに指定を受けた型式指定自動車であって、同年九月三十日以前に指定を受けた型式指定自動車と車体の外形、原動機の種類及び主要構造、燃料の種類及び動力用電源装置の種類、動力伝達装置の種類及び主要構造、走行装置の種類及び主要構造並びに排出ガス発散防止装置の仕様が同一であるもの

ハ　国土交通大臣が定める自動車

三　令和七年九月三十日以前に発行された出荷検査証に係る自動車であって、当該出荷検査証の発行後十一月を経過しない間に新規検査又は予備検査を受けようとし、又は受けたもの

196 細目告示第四十一条第一項第三号及び第四号並びに第百十九条第一項第二号に掲げる自動車のうち、次に掲げる自動車については、細目告示別添四十二の規定にかかわらず、道路運送車両の保安基準の細目を定める告示等の一部を改正する告示（令和四年国土交通省告示第千四十号）による改正前の細目告示別添四十二の規定に適合するものであればよい。

一　令和六年九月三十日以前に製作された自動車

二　令和六年十月一日から令和八年九月三十日までに製作された自動車であって次に掲げるもの

イ　令和六年九月三十日以前に指定を受けた型式指定自動車又は一酸化炭素等発散防止装置指定自動車

ロ　令和六年十月一日以降に新たに指定を受けた型式指定自動車であって、同年九月三十日以前に指定を受けた型式指定自動車と車体の外形、原動機の種類及び主要構造、燃料の種類及び動力用電源装置の種類、動力伝達装置の種類及び主要構造、走行装置の種類及び主要構造並びに排出ガス発散防止装置の仕様が同一であるもの

ハ　国土交通大臣が定める自動車

三　令和八年九月三十日以前に発行された出荷検査証に係る自動車であって、当該出荷検査証の発行後十一月を経過しない間に新規検査又は予備検査を受けようとし、又は受けたもの

197 ガソリンを燃料とする二輪自動車であって、次に掲げる自動車については、細目告示別添四十四の規定にかかわらず、道路運送車両の保安基準の細目を定める告示等の一部を改正する告示（令和四年国土交通省告示第千四十号）による改正前の細目告示別添四十四の規定に適合するものであればよい。この場合において、細目告示別添四十四のⅡの別紙3の表1中「バランスガス：He（HC：1ppmC等価以下、CO_2：400ppm以下）」とあるのは「バランスガス：He又はN_2（HC：1ppmC等価以下、CO_2：400ppm以下）」と読み替えることができる。

一　令和六年十一月三十日以前に製作された自動車

二　令和六年十二月一日以降に製作された自動車であって次に掲げるもの

イ　令和六年十一月三十日以前に指定を受けた型式指定自動車又は一酸化炭素等発散防止装置指定自動車

ロ　令和六年十二月一日以降に新たに指定を受けた型式指定自動車であって、同年十一月三十日以前に指定を受けた型式指定自動車と車体の外形、原動機の種類及び主要構造、燃料の種類及び動力用電源装置の種類、動力伝達装置の種類及び主要構造、走行装置の種類及び主要構造並びに排出ガス発散防止装置の仕様が同一であるもの

ハ　国土交通大臣が定める自動車

198 ガソリン、液化石油ガス又は軽油を燃料とする普通自動車及び小型自動車（二輪自動車を除く。）であって、専ら乗用の用に供する乗車定員九人以下のもの又は車両総重量三・五トン以下のもの（専ら乗用の用に供する乗車定員九人以下のものを除く。）並びに軽自動車（二輪自動車を除く。）のうち、次に掲げる自動車にあっては、細目告示別添四十八の規定にかかわらず、道路運送車両の保安基準の細目を定める告示等の一部を改正する告示（令和四年国土交通省告示第千四十号）による改正前の細目告示別添四十八の規定に適合するものであればよい。

一　令和六年九月三十日（軽油を燃料とするものにあっては令和五年九月三十日）以前に製作された自動車

二　令和六年十月一日から令和八年九月三十日まで（軽油を燃料とするものにあっては令和五年十月一日から令和七年九月三十日まで）に製作された自動車であって次に掲げるもの

イ　令和六年九月三十日（軽油を燃料とするものにあっては令和五年九月三十日）以前に指定を受けた型式指定自動車又は一酸化炭素等発散防止装置指定自動車

ロ　令和六年十月一日（軽油を燃料とするものにあっては令和五年十月一日）以降に新たに指定を受けた型式指定自動車であって、令和六年九月三十日（軽油を燃料とするものにあっては令和五年九月三十日）以前に指定を受けた型式指定自動車と車体の外形、原動機の種類及び主要構造、燃料の種類及び動力用電源装置の種類、動力伝達装置の種類及び主要構造、走行装置の種類及び主要構造並びに排出ガス発散防止装置の仕様が同一であるもの

ハ　国土交通大臣が定める自動車

三　令和八年九月三十日（軽油を燃料とするものにあっては令和七年九月三十日）以前に発行された出荷検査証に係る自動車であって、当該出荷検査証の発行後十一月を経過しない間に新規検査又は予備検査を受けようとし、又は受けたもの

199 ガソリンを燃料とする普通自動車、小型自動車（二輪自動車（側車付二輪自動車を含む。以下、この項において同じ。）を除く。）及び軽自動車（二輪自動車を除く。）のうち、次に掲げる自動車にあっては、細目告示別添四十二及び別添四十九の規定にかかわらず、道路運送車両の保安基準の細目を定める告示等の一部を改正する告示（令和四年国土交通省告示第千四十号）による改正前の細目告示別添四十二及び別添四十九の規定に適合するものであればよい。

一　令和六年九月三十日以前に製作された自動車

二　令和六年十月一日から令和八年九月三十日までに製作された自動車であって次に掲げるもの

イ　令和六年九月三十日以前に指定を受けた型式指定自動車又は一酸化炭素等発散防止装置指定自動車

ロ　令和六年十月一日以降に新たに指定を受けた型式指定自動車であって、同年九月三十日以前に指定を受けた型式指定自動車と車体の外形、原動機の種類及び主要構造、燃料の種類及び動力用電源装置の種類、動力伝達装置の種類及び主要構造、走行装置の種類及び主要構造並びに排出ガス発散防止装置の仕様が同一であるもの

ハ　国土交通大臣が定める自動車

三　令和八年九月三十日以前に発行された出荷検査証に係る自動車であって、当該出荷検査証の発行後十一月を経過しない間に新規検査又は予備検査を受けようとし、又は受けたもの

200 細目告示第四十一条第一項第五号及び第六号並びに第百十九条第一項第三号に掲げる自動車のうち、次に掲げる自動車については、細目告示別添四十一の規定にかかわらず、道路運送車両の保安基準の細目を定める告示等の一部を改正する告示（令和五年国土交通省告示第一号）による改正前の細目告示別添四十一の規定に適合するものであればよい。

一　令和五年九月三十日以前に製作された自動車

二　令和五年十月一日から令和八年九月三十日までに製作された自動車であって次に掲げるもの

イ　令和五年九月三十日以前に指定を受けた型式指定自動車又は一酸化炭素等発散防止装置指定自動車

ロ　令和五年十月一日以降に新たに指定を受けた型式指定自動車であって、同年九月三十日以前に指定を受けた型式指定自動車と車体の外形、原動機の種類及び主要構造、燃料の種類及

び動力用電源装置の種類並びに排出ガス発散防止装置の仕様が同一であるもの

ハ　国土交通大臣が定める自動車

三　令和八年九月三十日以前に発行された出荷検査証に係る自動車であって、当該出荷検査証の発行後十一月を経過しない間に新規検査又は予備検査を受けようとし、又は受けたもの

201　細目告示第四十一条第一項第一号及び第二号並びに第百十九条第一項第一号に掲げる自動車のうち、次に掲げる自動車については、細目告示別添四十一の規定にかかわらず、道路運送車両の保安基準の細目を定める告示等の一部を改正する告示（令和五年国土交通省告示第一号）による改正前の細目告示別添四十一の規定に適合するものであればよい。

一　令和六年九月三十日以前に製作された自動車

二　令和六年十月一日から令和八年九月三十日までに製作された自動車であって次に掲げるもの

イ　令和六年九月三十日以前に指定を受けた型式指定自動車又は一酸化炭素等発散防止装置指定自動車

ロ　令和六年十月一日以降に新たに指定を受けた型式指定自動車であって、同年九月三十日以前に指定を受けた型式指定自動車と車体の外形、原動機の種類及び主要構造、燃料の種類及び動力用電源装置の種類並びに排出ガス発散防止装置の仕様が同一であるもの

ハ　国土交通大臣が定める自動車

三　令和八年九月三十日以前に発行された出荷検査証に係る自動車であって、当該出荷検査証の発行後十一月を経過しない間に新規検査又は予備検査を受けようとし、又は受けたもの

202　道路運送車両の保安基準の細目を定める告示等の一部を改正する告示（令和三年国土交通省告示第千八十四号）による改正前の細目告示別添四十八の規定に適合する自動車については、細目告示別添百二十四の規定にかかわらず、道路運送車両の保安基準の細目を定める告示等の一部を改正する告示（令和五年国土交通省告示第五百七十二号）による改正前の細目告示別添百二十四の規定（以下この項において「旧規定」という。）に適合するものであればよい。この場合において、旧規定中「別添48」とあるのは「道路運送車両の保安基準の細目を定める告示等の一部を改正する告示（令和３年国土交通省告示第1084号）による改正前の別添48」と読み替えるものとする。

203　道路運送車両の保安基準の細目を定める告示等の一部を改正する告示（令和四年国土交通省告示第千四十号）による改正前の細目告示別添四十八の規定に適合する自動車については、細目告示別添百二十四中「協定規則第154号第２改訂版」とあるのは「協定規則第154号初版補足改訂版」と、「協定規則第154号」とあるのは「協定規則第154号改訂版補足改訂版」とそれぞれ読み替えることができる。

204　細目告示第四十一条第一項第三号、第四号、第七号、第八号、第十一号及び第十二号並びに第百十九条第一項第二号、第四号及び第六号に掲げる自動車のうち、次に掲げる自動車については、細目告示別添四十二のⅡの３・１・の規定は、適用しない。

一　令和六年九月三十日以前に製作された自動車

二　令和六年十月一日から令和八年九月三十日までに製作された自動車であって次に掲げるもの

イ　令和六年九月三十日以前に指定を受けた型式指定自動車又は一酸化炭素等発散防止装置指定自動車

ロ　令和六年十月一日から令和八年九月三十日までに新たに指定を受けた型式指定自動車であって、令和六年九月三十日以前に指定を受けた型式指定自動車と車体の外形、原動機の種類及び主要構造、燃料の種類及び動力用電源装置の種類、動力伝達装置の種類及び主要構造、走行装置の種類及び主要構造並びに排出ガス発散防止装置の仕様が同一であるもの

ハ　国土交通大臣が定める自動車

205　令和三年改正告示による改正前の細目告示別添四十八のⅡ・の規定が適用される自動車については、細目告示別添百二十四の４・の表中(5)の規定は適用しない。

206　次の各号に掲げる自動車（軽油を燃料とする普通自動車及び小型自動車であって車両総重量が三・五トン以下のもの又は専ら乗用の用に供する乗車定員九人以下のものに限る。）については、細目告示別添百十九の規定にかかわらず、道路運送車両の保安基準の細目を定める告示等の一部を改正する告示（令和六年国土交通省告示第二号）による改正前の細目告示別添百十九の規定に適合するものであればよい。この場合において、改正前の別添百十九の別紙１の６・１・の規定にかかわらず、ゼロドリフト及びスパンドリフトに関する試験前後の結果の差が同別添で規定する許容値を超えた場合は、協定規則第168号の附則７の５・０・に規定する補正式を用いて試験中の排出ガス濃度を補正してもよい。ただし、ドリフト補正後の排出ガス量が補正前の排出ガス量に対して±６％を超える場合は、当該試験を無効とする。

一　令和十年九月三十日以前に製作された自動車

二　令和十年十月一日から令和十二年九月三十日までに製作された自動車であって、次に掲げる自動車

イ　令和十年九月三十日以前に指定を受けた型式指定自動車及び一酸化炭素等発散防止装置指定自動車

ロ　令和十年十月一日以降に新たに指定を受けた型式指定自動車であって、令和十年九月三十日以前に指定を受けた型式指定自動車と車体の外形、原動機の種類及び主要構造、燃料の種類及び動力用電源装置の種類、動力伝達装置の種類及び主要構造、走行装置の種類及び主要構造並びに排出ガス発散防止装置の仕様が同一であるもの

ハ　国土交通大臣が定める自動車

三　令和十二年九月三十日までに発行された出荷検査証に係る自動車であって、当該出荷検査証の発行後十一月を経過しない間に新規検査又は予備検査を受けようとし、又は受けたもの

207　ガソリン又は液化石油ガスを燃料とする大型特殊自動車（型式指定自動車及び一酸化炭素等発散防止装置指定自動車に限る。）及び小型特殊自動車（型式認定自動車に限る。）であって、令和九年九月三十日までに製作された定格出力が十九キロワット以上五百六十キロワット未満である原動機を備えたもの（輸入された自動車以外の自動車であって、令和六年十月一日以降に指定を受けた型式指定自動車及び一酸化炭素等発散防止自動車並びに認定を受けた型式認定自動車並びに令和六年九月三十日以前に道路運送車両の保安基準の細目を定める告示等の一部を改正する告示（令和六年国土交通省告示第二号）による改正後の細目告示第四十一条第一項第十三号の基準に適合するものとして指定を受けた型式指定自動車及び一酸化炭素等発散防止装置指定自動車並びに認定を受けた型式認定自動車を除く。）は、細目告示第四十一条第一項第十三号の規定にかかわらず、大型特殊自動車にあっては完成検査等の際、小型特殊自動車にあっては施行規則第六十二条の三第五項の検査の際、道路運送車両の保安基準の細目を定める告示等の一部を改正する告示（令和六年国土交通省告示第二号）による改正前の細目告示別添百三「ガソリン・液化石油ガス特殊自動車７モード排出ガスの測定方法」に規定するガソリン・液化石油ガス特殊自動車７モード法により運行する場合に発生し、排気管から大気中に排出される排出物に含まれる一酸化

炭素、炭化水素及び窒素酸化物の排出量をgで表した値（炭化水素にあっては、炭素数当量による容量比で表した値をgに換算した値）を、同ガソリン・液化石油ガス特殊自動車7モード法により運行する場合に発生した仕事量をキロワット時で表した値でそれぞれ除して得た値の当該自動車及び当該自動車と同一の型式の自動車であって既に完成検査等又は施行規則第六十二条の三第五項の検査を終了したすべてのものにおける平均値が、一酸化炭素については二十・〇、炭化水素については〇・六〇、窒素酸化物については〇・六〇を超えないものであればよい。

208

ガソリン又は液化石油ガスを燃料とする大型特殊自動車（型式指定自動車及び一酸化炭素等発散防止装置指定自動車を除く。）であって、令和九年九月三十日までに製作された定格出力が十九キロワット以上五百六十キロワット未満である原動機を備えたものは、細目告示第四十一条第一項第十四号及び第百十九条第一項第七号の規定にかかわらず、新規検査等の際、道路運送車両の保安基準の細目を定める告示等の一部を改正する告示（令和六年国土交通省告示第二号）による改正前の細目告示別添百三「ガソリン・液化石油ガス特殊自動車7モード排出ガスの測定方法」に規定するガソリン・液化石油ガス特殊自動車7モード法により運行する場合に発生し、排気管から大気中に排出される排出物に含まれる一酸化炭素、炭化水素及び窒素酸化物の排出量をgで表した値（炭化水素にあっては、炭素数当量による容量比で表した値をgに換算した値）を、同ガソリン・液化石油ガス特殊自動車7モード法により運行する場合に発生した仕事量をキロワット時で表した値でそれぞれ除して得た値が、一酸化炭素については二六・六、炭化水素については〇・八〇、窒素酸化物については〇・八〇を超えないものであればよい。

（前照灯等）

第二九条　平成十七年十二月三十一日以前に製作された自動車については、保安基準第三十二条の規定並びに細目告示第四十二条、第百二十条及び第百九十八条の規定にかかわらず、次の基準に適合するものであればよい。

一　自動車（被牽引自動車及び最高速度二十キロメートル毎時未満の自動車を除く。以下この号から第四号までにおいて同じ。）の前面には、次の基準に適合する走行用前照灯を備えなければならない。

イ　走行用前照灯は、そのすべてを同時に照射したときは、夜間にその前方百メートル（除雪、土木作業その他特別な用途に使用される自動車で地方運輸局長の指定するもの、最高速度三十五キロメートル毎時未満の大型特殊自動車及び農耕作業用小型特殊自動車に備えるものにあっては、五十メートル）の距離にある交通上の障害物を確認できる性能を有し、かつ、その最高光度の合計は二十二万五千カンデラを超えないこと。

ロ　走行用前照灯の照射光線は、自動車の進行方向を正射するものであること。

ハ　走行用前照灯の灯光の色は、白色又は淡黄色であり、同時に点灯するすれ違い用前照灯を含むすべてが同一であること。

ニ　走行用前照灯の取付部は、照射光線の方向が振動、衝撃等により容易にくるわない構造であること。

二　走行用前照灯は、前号に掲げた性能を損なわないように、かつ、次の基準に適合するように取り付けられなければならない。

イ　走行用前照灯の数は、二個又は四個であること。ただし、二輪自動車及び側車付二輪自動車にあっては、一個又は二個、カタピラ及びそりを有する軽自動車並びに幅〇・八メートル以下の自動車（二輪自動車を除く。）にあっては、一個、二個又は四個であること。

ロ　走行用前照灯の点灯操作状態を運転者席の運転者に表示する装置を備えること。ただし、最高速度三十五キロメートル毎時未満の大型特殊自動車、農耕作業用小型特殊自動車、二輪自動車、側車付二輪自動車並びにカタピラ及びそりを有する軽自動車にあっては、この限りでない。

ハ　走行用前照灯は、左右同数であり（走行用前照灯を一個備える場合を除く。）、かつ、前面が左右対称である自動車に備えるものにあっては、車両中心面に対して対称の位置に取り付けられたものであること。ただし、二輪自動車ですれ違い用前照灯の側方に走行用前照灯を備えるものにあっては、走行用前照灯及びすれ違い用前照灯の中心が車両中心面に対して対称の位置にあればよい。

三　自動車の前面の両側には、次の基準に適合するすれ違い用前照灯を備えなければならない。ただし、二輪自動車、側車付二輪自動車、カタピラ及びそりを有する軽自動車並びに幅〇・八メートル以下の自動車には、次の基準に適合するすれ違い用前照灯をその前面に備えればよい。

イ　すれ違い用前照灯は、その照射光線が他の交通を妨げないものであり、かつ、そのすべてを同時に照射したときに、夜間にその前方四十メートル（第一号イ括弧書の自動車に備えるものにあっては、十五メートル）の距離にある交通上の障害物を確認できる性能を有すること。

ロ　すれ違い用前照灯は、イに規定するほか、第一号ハ及びニの基準に準じたものであること。

四　すれ違い用前照灯は、前号に掲げた性能を損なわないように、かつ、次の基準に適合するように取り付けられなければならない。

イ　すれ違い用前照灯の数は、二個であること。ただし、二輪自動車、側車付二輪自動車、カタピラ及びそりを有する軽自動車並びに幅〇・八メートル以下の自動車にあっては、一個又は二個であること。

ロ　二輪自動車、側車付二輪自動車並びにカタピラ及びそりを有する軽自動車以外の自動車に備えるすれ違い用前照灯は、その照明部の上縁の高さが地上一・二メートル以下（大型特殊自動車、農耕作業用小型特殊自動車及び第一号イ括弧書の地方運輸局長の指定する自動車に備えるすれ違い用前照灯でその自動車の構造上地上一・二メートル以下に取り付けることができないものにあっては、取り付けることができる最低の高さ）、下縁の高さが地上〇・五メートル以上（大型特殊自動車、農耕作業用小型特殊自動車及び第一号イ括弧書の地方運輸局長の指定する自動車に備えるすれ違い用前照灯でその自動車の構造上地上〇・五メートル以上に取り付けることができないものにあっては、取り付けることができる最高の高さ）となるように取り付けられていること。

ハ　二輪自動車、側車付二輪自動車並びにカタピラ及びそりを有する軽自動車に備えるすれ違い用前照灯は、その照明部の中心が地上一・二メートル以下となるように取り付けられていること。

ニ　すれ違い用前照灯は、その照明部の最外縁が自動車の最外側から四百ミリメートル以内（大型特殊自動車、農耕作業用小型特殊自動車及び第一号イ括弧書の地方運輸局長の指定する自動車に備えるすれ違い用前照灯でその自動車の構造上自動車の最外側から四百ミリメートル以内に取り付けることができないものにあっては、取り付けることができる最外側の位置）となるように取り付けられていること。ただし、二輪自動車、側車付二輪自動車、カタピラ及びそりを有する軽自動車並びに幅〇・八メートル以下の自動車に備えるすれ違い用前照灯にあってはこの限りでない。

ホ　すれ違い用前照灯は、イからニまでに規定するほか、第二号ハの基準に準じたものであること。

五　最高速度二十キロメートル毎時未満の自動車の前面には、灯光の色が白色又は淡黄色であってそのすべてが同一であり、かつ、安全な運行を確保できる適当な光度を有する走行用前照灯を一個、二個又は四個（二輪自動車及び側車付二輪自動車にあっては、一個又は二個）備えなければならない。この場合において、その光度が一万カンデラ以上のものにあっては、走行用前照灯のほかに照射光線が他の交通を妨げないすれ違い用前照灯を一個又は二個その前面に備えなければならない。

六　前号後段に規定するすれ違い用前照灯を備える自動車の走行用前照灯にあっては、前号の規定によるほか、第一号（ロ及びニに限る。）及び第二号ロの規定を、すれ違い用前照灯にあっては第三号（イを除く。）及び第四号（イを除く。）の規定を準用する。この場合において、第四号ロ中「農耕作業用小型特殊自動車」とあるのは「小型特殊自動車」と、同号ニ中「二輪自動車」とあるのは「最高速度二十キロメートル毎時未満の自動車、二輪自動車」と読み替えるものとする。

七　二輪自動車及び側車付二輪自動車に備える走行用前照灯及びすれ違い用前照灯は、前各号の規定によるほか、原動機が作動している場合に常にいずれかが点灯している構造でなければならない。

八　自動車には、次の基準に適合する前照灯照射方向調節装置（前照灯（走行用前照灯及びすれ違い用前照灯をいう。以下この号において同じ。）の照射方向を自動車の乗車又は積載の状態に応じて鉛直方向に調節するための装置をいう。以下同じ。）を備えることができる。

イ　前照灯照射方向調節装置は、すれ違い用前照灯の照射光線を自動車のすべての乗車又は積載の状態において確実に他の交通を妨げないようにすることができるものであること。

ロ　前照灯照射方向調節装置は、前照灯の照射方向を左右に調節することができないものであること。

ハ　手動式の前照灯照射方向調節装置は、運転者が運転者席において容易に、かつ、適切に操作できるものであること。

九　自動車に備える前照灯には、前照灯洗浄器を備えることができる。

十　前照灯洗浄器は、次の基準に適合するものでなければならない。

イ　前照灯のレンズ面の外側が汚染された場合において、前照灯の光度を回復するのに十分な洗浄性能を有するものであること。

ロ　第一号及び第三号に掲げる前照灯の性能を損なわないものであること。

ハ　走行中の振動、衝撃等により損傷を生じ、又は作動するものでないこと。

ニ　歩行者等に接触した場合において、歩行者等に傷害を与えるおそれのないこと。

十一　前照灯洗浄器は、前号に掲げる性能を損なわないように、かつ、次の基準に適合するように取り付けられなければならない。

イ　運転者が運転者席において容易に操作できるものであること。

ロ　灯火装置及び反射器並びに指示装置の性能を損なわないように取り付けられていること。

2　次の表の上欄に掲げる自動車については、前項の規定のうち同表の下欄に掲げる規定は、適用しない。

自動車	条項
一　昭和四十八年十一月三十日以前に製作された自動車	第四号ニ
二　平成十年三月三十一日以前に製作された二輪自動車及び側車付二輪自動車（輸入された自動車以外の自動車であって平成九年十月一日以降に指定を受けた型式指定自動車及び認定を受けた型式認定自動車を除く。）	第七号
三　平成十七年十二月三十一日以前に製作された自動車	第二号ロ及び第九号から第十一号まで

3　次の表の第一欄に掲げる自動車については、第一項の規定のうち同表第二欄に掲げる規定は、同表第三欄に掲げる字句を同表第四欄に掲げる字句に読み替えて適用する。

自動車	条項	読み替えられる字句	読み替える字句
一　昭和三十五年九月三十日以前に製作された自動車	第一号イ	百メートル（除雪、土木作業その他特別な用途に使用される自動車で地方運輸局長の指定するもの、最高速度三十五キロメートル毎時未満の大型特殊自動車及び農耕作業用小型特殊自動車に備えるものにあっては、五十メートル）	五十メートル（軽自動車、最高速度二十五キロメートル毎時未満の自動車に備えるものにあっては、十五メートル）
	第三号イ	四十メートル（第一号イ括弧書の自動車に備えるものにあっては、十五メートル）の距離にある交通上の障害物を確認できる性能を有すること。	十五メートルの距離にある交通上の障害物を確認できる性能を有すること。ただし、軽自動車、最高速度二十五キロメートル毎時未満の自動車に備えるものでその光源が二十五ワット以下のものにあっては、減光し又は照射方向を下向きに変換することができる構造でなくてもよい。

	第四号ロ	すれ違い用前照灯は、その照明部の上縁の高さが地上一・二メートル以下（大型特殊自動車、農耕作業用小型特殊自動車及び第一号イ括弧書の地方運輸局長の指定する自動車に備えるすれ違い用前照灯でその自動車の構造上地上一・二メートル以下に取り付けることができないものにあっては、取り付けることができる最低の高さ）、下縁の高さが地上〇・五メートル以上（大型特殊自動車、農耕作業用小型特殊自動車及び第一号イ括弧書の地方運輸局長の指定する自動車に備えるすれ違い用前照灯でその自動車の構造上地上〇・五メートル以上に取り付けることができないものにあっては、取り付けることができる最高の高さ）となるように取り付けられていること。	すれ違い用前照灯の照射光線の主光軸は、前方二十五メートルにおける地面からの高さが一・二メートルを超えないこと。
	第四号ハ	すれ違い用前照灯は、その照明部の中心が地上一・二メートル以下となるように取り付けられていること。	すれ違い用前照灯の照射光線の主光軸は、前方二十五メートルにおける地面からの高さが一・二メートルを超えないこと。

	第五号	光度が一万カンデラ以上のもの	光源が二十五ワットを超えるもの
二　昭和三十五年十月一日から昭和三十八年十月十四日までに製作された自動車	第一号イ	最高速度三十五キロメートル毎時未満の大型特殊自動車	大型特殊自動車
三　昭和四十四年三月三十一日以前に製作された自動車	第二号イただし書及び第四号イただし書	並びに幅〇・八メートル以下の自動車	、三輪自動車並びに幅〇・八メートル以下の自動車
四　昭和三十五年十月一日から昭和四十八年十一月三十日までに製作された自動車	第三号イ	四十メートル	三十メートル
五　昭和三十五年十月一日から平成十七年十二月三十一日までに製作された自動車	第四号ロ	上縁、下縁の高さが地上〇・五メートル以上（大型特殊自動車、農耕作業用小型特殊自動車及び第一号イ括弧書の地方運輸局長の指定する自動車に備えるすれ違い用前照灯でその自動車の構造上地上〇・五メートル以上に取り付けることができないものにあっては、取り付けることができる最高の高さ）となるように	中心となるように

4　平成十九年九月一日以降に指定を受けた型式指定自動車以外の自動車については、細目告示別添五十二3・23・の規定は、適用しない。

5　平成十八年一月一日から平成二十一年七月十日までに製作された自動車については、細目告示別添五十二4・2・8・の規定にかかわらず、道路運送車両の保安基準の細目を定める告示の一部を改正する告示（平成二十年国土交通省告示第八百六十九号）による改正前の細目告示別添五十二4・2・8・の規定に適合するものであればよい。

6　保安基準第三十二条第三項及び第六項並びに細目告示第四十二条第四項ただし書及び第七項ただし書の規定が適用される自動車のうち平成二十年七月十一日から平成二十三年一月十日までに法第七十五条の三第一項の規定に基づく装置の型式の指定を行う場合については、協定規則第四十八号の規則6・1・2・及び6・2・2・の規定にかかわらず、協定規則第四十八号第三改訂版補足第四改訂版の規則6・1・2・及び6・2・2・の規定に適合するものであればよい。

7 平成二十一年七月十日以前に製作された自動車については、協定規則第百二十三号改訂版補足第九改訂版の規則5・3・2・1・の規定は、適用しない。

8 平成十八年一月一日から平成二十六年九月三十日までに製作された自動車及び国土交通大臣が定めるものについては、細目告示第四十二条第二項及び第六項並びに別添五十二4・1・2・及び4・2・2・の規定にかかわらず、道路運送車両の保安基準の細目を定める告示の一部を改正する告示（平成二十一年国土交通省告示第七百七十一号）による改正前の細目告示第四十二条第二項及び第六項並びに別添五十二4・1・2・及び4・2・2・の規定に適合するものであればよい。

9 平成十八年一月一日から平成二十三年二月六日までに製作された自動車及び国土交通大臣が定めるものについては、細目告示別添五十二3・7・1・、3・22・及び3・23・の規定にかかわらず、道路運送車両の保安基準の細目を定める告示の一部を改正する告示（平成二十一年国土交通省告示第七百七十一号）による改正前の細目告示別添五十二3・7・1・、3・22・及び3・23・の規定に適合するものであればよい。

10 保安基準第三十二条第三項、第六項及び第九項並びに細目告示第四十二条第四項ただし書、第七項ただし書、第九項ただし書及び第十項ただし書の規定が適用される自動車のうち平成二十一年七月二十二日から平成二十三年二月六日までに法第七十五条の三第一項の規定に基づく装置の型式の指定を行う場合については、協定規則第四十八号第四改訂版補足改訂版の規定に適合するものであればよい。

11 平成二十一年十月二十三日以前に製作された最高速度二十キロメートル毎時未満の自動車、除雪、土木作業その他特別な用途に使用される自動車で地方運輸局長の指定するもの、最高速度三十五キロメートル毎時未満の大型特殊自動車、二輪自動車、側車付二輪自動車、農耕作業用小型特殊自動車並びにカタピラ及びそりを有する軽自動車以外の自動車及び国土交通大臣が定めるものについては、細目告示第四十二条第二項及び第六項並びに別添五十二4・1・2・及び4・2・2・の規定にかかわらず、道路運送車両の保安基準の細目を定める告示等の一部を改正する告示（令和元年国土交通省告示第七百十四号）による改正前の細目告示第四十二条第二項及び第六項並びに別添五十二4・1・2・及び4・2・2・の規定（以下この項において「旧規定」という。）に適合するものであればよい。この場合において、旧規定中「協定規則第98号改訂版補足第9改訂版」とあるのは「協定規則第98号補足第11改訂版」と、「協定規則第112号改訂版補足第8改訂版」とあるのは「協定規則第112号補足第10改訂版」と読み替えることができる。

12 平成十八年一月一日から平成二十四年十月二十三日までに製作された自動車及び国土交通大臣が定めるものについては、細目告示別添五十二3・27・の規定は、適用しない。

13 保安基準第三十二条第三項、第六項及び第九項並びに細目告示第四十二条第四項ただし書、第七項ただし書、第九項ただし書及び第十項ただし書の規定が適用される自動車のうち平成二十一年十月二十四日から平成二十四年十月二十三日までに法第七十五条の三第一項の規定に基づく装置の型式の指定を行う場合については、協定規則第四十八号第四改訂版補足第二改訂版の規定に適合するものであればよい。

14 平成二十二年八月十八日以前に製作された最高速度二十キロメートル毎時未満の自動車、除雪、土木作業その他特別な用途に使用される自動車で地方運輸局長の指定するもの、最高速度三十五キロメートル毎時未満の大型特殊自動車、二輪自動車、側車付二輪自動車、農耕作業用小型特殊自動車並びにカタピラ及びそりを有する軽自動車以外の自動車及び国土交通大臣が定めるものについては、細目告示第四十二条第二項及び第六項並びに別添五十二4・1・2・及び4・2・2・の規定にかかわらず、道路運送車両の保安基準の細目を定める告示等の一部を改正する告示（令和元年国土交通省告示第七百十四号）による改正前の細目告示第四十二条第二項及び第六項並びに別添五十二4・1・2・及び4・2・2・の規定（以下この項において「旧規定」という。）に適合するものであればよい。この場合において、旧規定中「協定規則第98号改訂版補足第9改訂版」とあるのは「協定規則第98号補足第12改訂版」と、「協定規則第112号改訂版補足第8改訂版」とあるのは「協定規則第112号補足第11改訂版」と読み替えることができる。

15 平成二十二年八月十八日以前に製作された自動車及び国土交通大臣が定めるものについては、細目告示第四十二条第八項、第百二十条第九項、別添五十二4・23・2・及び別添五十五4・1・の規定にかかわらず、道路運送車両の保安基準の細目を定める告示等の一部を改正する告示（令和元年国土交通省告示第七百十四号）による改正前の細目告示第四十二条第八項、第百二十条第九項、別添五十二4・23・2・及び別添五十五4・1・の規定（以下この項において「旧規定」という。）に適合するものであればよい。この場合において、旧規定中「同規則改訂版補足第9改訂版」とあるのは「同規則補足第3改訂版」と、「協定規則第123号改訂版補足第9改訂版」とあるのは「協定規則第123号補足第3改訂版」と読み替えることができる。

16 平成二十七年十二月八日以前に製作された最高速度二十キロメートル毎時未満の自動車、除雪、土木作業その他特別な用途に使用される自動車で地方運輸局長の指定するもの、最高速度三十五キロメートル毎時未満の大型特殊自動車、農耕作業用小型特殊自動車並びにカタピラ及びそりを有する軽自動車以外の自動車（二輪自動車にあっては令和十二年八月三十一日以前に製作されたものに限る。）並びに国土交通大臣が定める自動車については、細目告示第四十二条第二項及び第六項並びに別添五十二4・1・2・及び4・2・2・の規定にかかわらず、道路運送車両の保安基準の細目を定める告示等の一部を改正する告示（令和元年国土交通省告示第七百十四号）による改正前の細目告示第四十二条第二項及び第六項並びに別添五十二4・1・2・及び4・2・2・の規定（以下この項において「旧規定」という。）に適合するものであればよい。この場合において、旧規定中「協定規則第98号改訂版補足第9改訂版」とあるのは「協定規則第98号補足第13改訂版」と、「協定規則第112号改訂版補足第8改訂版」とあるのは「協定規則第112号補足第12改訂版」と読み替えることができる。

17 平成二十七年十二月八日以前に製作された自動車及び国土交通大臣が定める自動車については、細目告示第四十二条第八項、第百二十条第九項、別添五十二4・23・2・及び別添五十五4・1・の規定にかかわらず、道路運送車両の保安基準の細目を定める告示等の一部を改正する告示（令和元年国土交通省告示第七百十四号）による改正前の細目告示第四十二条第八項、第百二十条第九項、別添五十二4・23・2・及び別添五十五4・1・の規定（以下この項において「旧規定」という。）に適合するものであればよい。この場合において、旧規定中「同規則改訂版補足第9改訂版」とあるのは「同規則補足第4改訂版」と、「協定規則第123号改訂版補足第9改訂版」とあるのは「協定規則第123号補足第4改訂版」と読み替えることができる。

18 平成二十三年十月二十七日以前に製作された自動車及び国土交通大臣が定める自動車については、細目告示別添五十二4・1・7・1、4・1・7・2・、4・1・8・1・及び4・1・9・3・の規定は、適用しない。

19 保安基準第三十二条第三項、第六項及び第九項並びに細目告示第四十二条第四項ただし書、第七項ただし書、第九項ただし書及び第十項ただし書の規定が適用される自動車のうち平成二十四年十一月十八日から平成二十九年十一月十七日までに法第七十五条の三第一項の規定に基づく装置の型式の指定を行う場合については、協定規則第四十八号の規定にかかわらず、協定規則第四十八号第五改訂版の規定に適合するものであればよい。

20　平成二十七年七月二十五日以前に製作された二輪自動車、側車付二輪自動車及び国土交通大臣が定める自動車については、細目告示第四十二条第二項及び第六項の規定にかかわらず、道路運送車両の保安基準の細目を定める告示等の一部を改正する告示（令和元年国土交通省告示第七百十四号）による改正前の細目告示第四十二条第二項及び第六項の規定（以下この項において「旧規定」という。）に適合するものであればよい。この場合において、旧規定中「協定規則第113号第2改訂版」とあるのは「協定規則第113号補足第10改訂版」と読み替えることができる。

21　令和二年九月十四日以前に製作された二輪自動車及び側車付二輪自動車については、細目告示第四十二条第二項、第六項及び第八項の規定にかかわらず、道路運送車両の保安基準の細目を定める告示の一部を改正する告示（平成二十七年国土交通省告示第七百二十三号）による改正前の細目告示第四十二条第二項、第六項及び第八項の規定に適合するものであればよい。

22　次の各号に掲げる自動車（昼間走行灯を有するものを除く。）については、細目告示第百二十条第七項第十四号及び第十一項第十八号、第百九十八条第七項第十四号及び第十一項第十八号並びに別添五十二4・2・7・5・及び4・2・7・6・の規定は適用しない。

一　令和二年四月七日（専ら乗用の用に供する自動車（乗車定員十一人以上の自動車に限る。以下この項において同じ。）及び貨物の運送の用に供する自動車（車両総重量が三・五トンを超えるものに限る。以下この項において同じ。）にあっては令和三年四月七日）以前に製作された自動車

二　令和二年四月八日から令和三年十二月三十一日（内燃機関以外を原動機とする貨物の運送の用に供する軽自動車にあっては令和五年四月七日）まで（専ら乗用の用に供する自動車及び貨物の運送の用に供する自動車にあっては令和三年四月八日から令和五年十月七日まで）に製作された自動車であって、次に掲げるもの

イ　令和二年四月七日（専ら乗用の用に供する自動車及び貨物の運送の用に供する自動車にあっては令和三年四月七日）以前に指定を受けた型式指定自動車

ロ　令和二年四月八日（専ら乗用の用に供する自動車及び貨物の運送の用に供する自動車にあっては令和三年四月八日）以降に新たに指定を受けた型式指定自動車であって、令和二年四月七日（専ら乗用の用に供する自動車及び貨物の運送の用に供する自動車にあっては令和三年四月七日）以前に指定を受けた型式指定自動車と前照灯の型式が同一であるもの

ハ　国土交通大臣が定める自動車

三　令和三年十月七日（専ら乗用の用に供する自動車及び貨物の運送の用に供する自動車にあっては令和五年十月七日）以前に発行された出荷検査証に係る自動車であって、当該出荷検査証の発行後十一月を経過しない間に新規検査又は予備検査を受けようとし、又は受けたもの

23　保安基準第三十二条が適用される自動車（二輪自動車にあっては令和十二年八月三十一日以前に製作されたものに限る。）は、当分の間、細目告示第四十二条第一項、第二項、第六項、第八項及び第十一項、第百二十条第一項及び第九項並びに別添五十二4・1・2・及び4・2・2・の規定にかかわらず、道路運送車両の保安基準の細目を定める告示等の一部を改正する告示（令和元年国土交通省告示第七百十四号）による改正前の細目告示第四十二条第一項、第二項、第六項、第八項及び第十一項、第百二十条第一項及び第九項並びに別添五十二4・1・2・及び4・2・2・の規定（以下この項において「旧規定」という。）に適合するものであればよい。この場合において、旧規定中「同規則改訂版補足第9改訂版」とあるのは「同規則第2改訂版」と、「同規則改訂版補足第8改訂版」とあるのは「同規則第2改訂版」と、「協定規則第98号改訂版補足第9改訂版」とあるのは「協定規則第98号第2改訂版」と、「協定規則第112号改訂版補足第8改訂版」とあるのは「協定規則第112号第2改訂版」と、「同規則第2改訂版」とあるのは「同規則第3改訂版」と、「協定規則第113号第2改訂版」とあるのは「協定規則第113号第3改訂版」と、「協定規則第123号改訂版補足第9改訂版」とあるのは「協定規則第123号第2改訂版」と読み替えることができる。

24　次に掲げる二輪自動車については、細目告示第四十二条第四項及び第七項、第百二十条第三項及び第七項、第百九十八条第三項及び第七項並びに別添五十三の規定にかかわらず、道路運送車両の保安基準の細目を定める告示等の一部を改正する告示（令和二年国土交通省告示第千二十一号）による改正前の細目告示第四十二条第四項及び第七項、第百二十条第三項及び第七項、第百九十八条第三項及び第七項並びに別添五十三の規定に適合するものであればよい。

一　令和五年八月三十一日以前に製作された二輪自動車

二　令和五年九月一日から令和十二年八月三十一日までに製作された二輪自動車であって、次に掲げるもの

イ　令和五年八月三十一日以前に指定を受けた型式指定自動車

ロ　国土交通大臣が定める自動車

25　次の各号に掲げる自動車については、細目告示別添五十二4・2・7・5・及び4・2・7・6・の規定にかかわらず、道路運送車両の保安基準の細目を定める告示等の一部を改正する告示（令和四年国土交通省告示第七百十三号）による改正前の細目告示別添五十二4・2・7・5・及び4・2・7・6・の規定に適合するものであればよい。

一　令和六年八月三十一日以前に製作された自動車

二　令和六年九月一日から令和九年八月三十一日までに製作された自動車であって、次に掲げるもの

イ　令和六年八月三十一日以前に指定を受けた型式指定自動車

ロ　令和六年九月一日以降に新たに指定を受けた型式指定自動車であって、令和六年八月三十一日以前に指定を受けた型式指定自動車と前照灯の型式が同一であるもの

ハ　国土交通大臣が定める自動車

三　令和九年八月三十一日以前に発行された出荷検査証に係る自動車であって、当該出荷検査証の発行後十一月を経過しない間に新規検査又は予備検査を受けようとし、又は受けたもの

26　次に掲げる自動車については、細目告示第四十二条第一項、第二項、第六項、第八項及び第十一項、第百二十条第一項及び第九項、第百九十八条第一項、別添五十二4・1・2・、4・2・2・、4・23・2・、4・23・6・1・2・1・、4・23・6・3・、4・23・7・4・3・、4・23・8・2・、4・23・9・1・及び4・23・9・5・並びに別添五十三5・1・4・及び5・1・5・6・の規定にかかわらず、道路運送車両の保安基準の細目を定める告示等の一部を改正する告示（令和五年国土交通省告示第一号）による改正前の細目告示第四十二条第一項、第二項、第六項、第八項及び第十一項、第百二十条第一項及び第九項、第百九十八条第一項、別添五十二4・1・2・、4・2・2・、4・23・2・、4・23・6・1・2・1・、4・23・6・3・、4・23・7・4・3・、4・23・8・2・、4・23・9・1・及び4・23・9・5・並びに別添五十三5・1・4・及び5・1・5・6・の規定（以下この項において「旧規定」という。）に適合するものであればよい。この場合において、旧規定中「協定規則第149号」とあるのは「協定規則第149号補足第5改訂版」と読み替えることができる。

一　令和八年八月三十一日以前に製作された自動車
二　令和八年九月一日以降に製作された自動車（二輪自動車にあっては令和十二年八月三十一日以前に製作されたものに限る。）であって、次に掲げるもの
イ　令和八年八月三十一日以前に指定を受けた型式指定自動車
ロ　令和八年九月一日以降に新たに指定を受けた型式指定自動車であって、同年八月三十一日以前に指定を受けた型式指定自動車と前照灯の型式が同一であるもの
ハ　国土交通大臣が定める自動車

27　次に掲げる二輪自動車については、細目告示第四十二条第二項、第四項、第六項、第七項及び第九項並びに第百二十条第十一項の規定にかかわらず、道路運送車両の保安基準の細目を定める告示等の一部を改正する告示（令和六年国土交通省告示第五百十八号）による改正前の細目告示第四十二条第二項、第四項、第六項、第七項及び第九項並びに第百二十条第十一項の規定（以下この項において「旧規定」という。）に適合するものであればよい。この場合において、旧規定中「協定規則第53号」とあるのは、「協定規則第53号第3改訂版補足第4改訂版」と読み替えるものとする。
一　令和十年八月三十一日以前に製作された二輪自動車
二　令和十年九月一日から令和十二年八月三十一日までに製作された二輪自動車であって、次に掲げるもの
イ　令和十年八月三十一日以前に指定を受けた型式指定自動車
ロ　令和十年九月一日以降に新たに指定を受けた型式指定自動車であって、令和十年八月三十一日以前に指定を受けた型式指定自動車と前照灯の型式が同一であるもの
ハ　国土交通大臣が定める自動車
三　令和十二年八月三十一日以前に発行された出荷検査証に係る自動車であって、当該出荷検査証の発行後十一月を経過しない間に新規検査又は予備検査を受けようとし、又は受けたもの

（前部霧灯）

第三〇条　平成十七年十二月三十一日以前に製作された自動車については、保安基準第三十三条の規定並びに細目告示第四十三条、第百二十一条及び第百九十九条の規定にかかわらず、次の基準に適合するものであればよい。
一　自動車の前面には、前部霧灯を備えることができる。
二　前部霧灯は、次の基準に適合するものでなければならない。
イ　前部霧灯の照射光線は、他の交通を妨げないものであること。
ロ　前部霧灯は、イに規定するほか、前条第一項第一号ハ及びニの基準に準じたものであること。
三　前部霧灯は、前号に掲げた性能を損なわないように、かつ、次の基準に適合するように取り付けられなければならない。
イ　前部霧灯は、同時に三個以上点灯しないように取り付けられていること。
ロ　二輪自動車、側車付二輪自動車並びにカタピラ及びそりを有する軽自動車以外の自動車に備える前部霧灯は、その照明部の上縁の高さが地上〇・八メートル以下であって、すれ違い用前照灯の照明部の上縁を含む水平面以下（大型特殊自動車、小型特殊自動車及び前条第一項第一号イ括弧書の地方運輸局長の指定する自動車に備える前部霧灯でその自動車の構造上地上〇・八メートル以下に取り付けることができないものにあっては、その照明部の上縁がすれ違い用前照灯の照明部の上縁を含む水平面以下となる取り付けることができる最低の高さ）、下縁の高さが地上〇・二五メートル以上となるように取り付けられていること。
ハ　二輪自動車、側車付二輪自動車並びにカタピラ及びそりを有する軽自動車に備える前部霧灯は、その照明部の中心がすれ違い用前照灯の照明部の中心を含む水平面以下となるように取り付けられていること。
ニ　前部霧灯の照明部の最外縁は、自動車の最外側から四百ミリメートル以内（大型特殊自動車、小型特殊自動車及び前条第一項第一号イ括弧書の地方運輸局長の指定する自動車に備える前部霧灯でその自動車の構造上四百ミリメートル以内に取り付けることができないものにあっては、取り付けることができる最外側の位置）となるように取り付けられていること。ただし、前条第一項第二号イただし書の自動車及び前条第一項第五号の自動車に備える前部霧灯にあっては、この限りでない。
ホ　大型特殊自動車（ポール・トレーラを除く。）及び小型特殊自動車以外の自動車に備える前部霧灯の照明部は、前部霧灯の中心を通り自動車の進行方向に直交する水平線を含む、水平面より上方五度の平面及び下方五度の平面並びに前部霧灯の中心を含む、自動車の進行方向に平行な鉛直面より前部霧灯の内側方向十度の平面及び前部霧灯の外側方向四十五度の平面により囲まれる範囲においてすべての位置から見通すことができるように取り付けられていること。
ヘ　前部霧灯の点灯操作状態を運転者席の運転者に表示する装置を備えること。
ト　前部霧灯は、イからヘまでに規定するほか、前条第一項第二号ハの基準に準じたものであること。

2　次の表の上欄に掲げる自動車については、前項の規定のうち同表の下欄に掲げる規定は、適用しない。

自動車	条項
一　平成十七年十二月三十一日以前に製作された自動車	第三号ニからトまで

3　次の表の第一欄に掲げる自動車については、第一項の規定のうち同表第二欄に掲げる規定は、同表第三欄に掲げる字句を同表第四欄に掲げる字句に読み替えて適用する。

自動車	条項	読み替えられる字句	読み替える字句
一　昭和三十五年九月三十日以前に製作された自動車	第三号ロ	前部霧灯は、その照明部の上縁の高さが地上〇・八メートル以下であって、すれ違い用前照灯の照明部の上縁を含む水平面以下（大型特殊自動車、小型特殊自動車及び前条第一項第一号イ括弧書の地方運輸局長の指定する	前部霧灯の照射光線の主光軸は、前方二十五メートルにおける地面からの高さが一・二メートルを超えないこと。

		自動車に備える前部霧灯でその自動車の構造上地上〇・八メートル以下に取り付けることができないものにあっては、その照明部の上縁がすれ違い用前照灯の照明部の上縁を含む水平面以下となる取り付けることができる最低の高さ）、下縁の高さが地上〇・二五メートル以上となるように取り付けられていること。	
	第三号ハ	前部霧灯は、その照明部の中心がすれ違い用前照灯の照明部の中心を含む水平面以下となるように取り付けられていること。	前部霧灯の照射光線の主光軸は、前方二十五メートルにおける地面からの高さが一・二メートルを超えないこと。
二 昭和五十年三月三十一日以前に製作された自動車	第二号ロ	前部霧灯は、イに規定するほか、前条第一項第一号ハ及びニの基準に準じたものであること。	前部霧灯は、イに規定するほか、前条第一項第一号ハ及びニの基準に準じたものであること。この場合において、前条第一項第一号ハ中「の灯光の色は、白色又は淡黄色であり、そのすべてが」とあるのは「（その照射光線の主光軸が前方三十メートルから先の地面を照射するものに限る。）の灯光の色は、走行用前照灯の灯光の色と」と読み替えるものとする。
三 昭和三十五年十月一日から平成十七年十二月三十一日までに製作された自動車	第三号ロ	上縁の高さが地上〇・八メートル以下であって、すれ違い用前照灯の照明部の上縁を含む水平面以下（大型特殊自動車、農耕作業用小型特殊自動車、小型特殊自動車及び前条第一項第一号イ括弧書の地方運輸局長の指定する自動車に備える前部霧灯でその自動車の構造上地上〇・八メートル以下に取り付けることができないものにあっては、その照明部の上縁がすれ違い用前照灯の照明部の上縁を含む水平面以下となる取り付けることができる最低の高さ）、下縁の高さが地上〇・二五メートル以上	中心がすれ違い用前照灯の照明部の中心を含む水平面以下

4　平成十七年十二月三十一日以前に製作された自動車については、第一項第二号イの規定にかかわらず、前部霧灯は、次の基準に適合する構造とすることができる。

一　光度は、一万カンデラ以下であること。

二　照射光線の主光軸が前方四十メートル（昭和五十年三月三十一日以前に製作された自動車にあっては、三十メートル）から先の地面を照射するものは、その自動車のすれ違い用前照灯を点灯している場合には、点灯しない構造であること。

三　照射光線の主光軸は、下向きであること。

四　照射光線の主光軸（昭和五十年三月三十一日以前に製作された自動車にあっては、前方三十メートルから先の地面を照射するものに限る。）は、自動車の右外側線より右方の地面を照射しないものであること。

5　平成十九年九月一日以降に指定を受けた型式指定自動車以外の自動車については、細目告示別添五十二3・23・の規定は、適用しない。

6　保安基準第三十三条第二項及び細目告示第四十三条第一項が適用される自動車のうち平成十八年一月一日から平成二十一年七月十日までに製作された自動車については、細目告示第四十三条第一項の規定にかかわらず、道路運送車両の保安基準の細目を定める告示の一部を改正する告示（平成二十年国土交通省告示第八百六十九号）による改正前の細目告示別添五十七に適合するものであればよい。ただし、型式の指定等を行う場合以外の場合にあっては、道路運送車両の保安基準の細目を定める告示の一部を改正する告示（平成二十年国土交通省告示第八百六十九号）による改正前の細目告示別添五十七4・9・の前段規定中「スクリーン（別紙1参照）上の配光特性は表2の要件を満たすものとする。」とあるのは「スクリーン（別紙1参照）上の配光特性は表2の要件を満たすものとする。ただし、最小照度については、表2の配光表の最小照度の八〇%値、最大照度については、表2の配光表の最大照度の百二十%値まであればよい。」と読み替え、法第七十五条の三第一項の規定に基づく装置の型式の指定を行う場合にあっては、別添五十七2・11・及び2・12・並びに4・3・中「（協定規則第三十七号に定めるものにあってはその標準光束、ＪＩＳＣ七五〇六で規定されたものにあってはその規格に定められた試験全光束、その他のものにあっては設計された光束）」の規定及び4・5・は適用しないものとし、別添五十七4・3・中「標準電球又は定格電球」とあるのは「標準電球」と読み替えるものとする。

7　保安基準第三十三条第二項及び細目告示第四十三条第一項が適用される自動車のうち平成二十一年七月十一日から平成二十五年七月十日までに製作された自動車及び国土交通大臣が定める自動車については、細目告示第四十三条第一項の規定にかかわらず、協定規則第十九号第二改訂版補足第十三改訂版5・、6・、7・及び8・の技術的な要件に定める基準に適合するものであればよい。ただし、型式の指定等を行う場合以外の場合にあっては、協定規則第十九号第二改訂版補足第十三改訂版5・3・は適用しないこととし、協定規則第十九号第二改訂版補足第十三改訂版5・4・2・の規定にかかわらず、交換式電球の受金形状は、定格電球を使用する場合にあってはＪＩＳ規格Ｃ七七〇九に定められた形状とし、定格電球以外の電球を使用する場合にあってはその他の誤組付防止措置が図られた形状であればよいものとし、また、協定規則第十九号第二改訂版補足第十三改訂版6・の規定にかかわらず、最小照度及び最大照度は、協定規則第十九号第二改訂版補足第十三改訂版11・3・5・の規定に適合するものであればよい。

8　保安基準第三十三条第三項及び細目告示第四十三条第二項の規定が適用される自動車（二輪自動車、側車付二輪自動車並びにカタピラ及びそりを有する軽自動車を除く。）のうち国土交通大臣が定める自動車については、細目告示別添五十二4・3・5・及び4・3・6・1・の規定にかかわらず、道路運送車両の保安基準の細目を定める告示の一部を改正する告示（平成二十年国土交通省告示第八百六十九号）による改正前の細目告示別添五十二4・3・5・及び4・3・6・1・の規定に適合するものであればよい。

9　保安基準第三十三条第三項及び細目告示第四十三条第二項ただし書の規定が適用される自動車のうち平成二十年七月十一日から平成二十三年一月十日までに法第七十五条の三第一項の規定に基づく装置の型式の指定を行う場合に適用する基準は、協定規則第四十八号の規則6・3・6・1・1・は適用しないこととし、協定規則第四十八号の規則6・3・5・の規定にかかわらず、協定規則第四十八号第三改訂版補足第三改訂版の規則6・3・5・の規定に適合するものであればよい。

10　平成十八年一月一日から平成二十三年二月六日までに製作された自動車及び国土交通大臣が定めるものについては、細目告示別添五十二3・7・1・、3・22・及び3・23・の規定にかかわらず、道路運送車両の保安基準の細目を定める告示の一部を改正する告示（平成二十一年国土交通省告示第七百七十一号）による改正前の細目告示別添五十二3・7・1・、3・22・及び3・23・の規定に適合するものであればよい。

11　保安基準第三十三条第三項並びに細目告示第四十三条第二項ただし書及び第三項ただし書の規定が適用される自動車のうち平成二十一年七月二十二日から平成二十三年二月六日までに法第七十五条の三第一項の規定に基づく装置の型式の指定を行う場合については、協定規則第四十八号の規定にかかわらず、協定規則第四十八号第四改訂版補足改訂版の規定に適合するものであればよい。

12　保安基準第三十三条第三項並びに細目告示第四十三条第二項ただし書及び第三項ただし書の規定が適用される自動車のうち平成二十一年十月二十四日から平成二十四年十月二十三日までに法第七十五条の三第一項の規定に基づく装置の型式の指定を行う場合については、協定規則第四十八号の規定にかかわらず、協定規則第四十八号第四改訂版補足第二改訂版の規定に適合するものであればよい。

13　平成二十二年八月十八日以前に製作された自動車及び国土交通大臣が定めるものについては、細目告示第四十三条第一項及び別添五十二4・3・2・の規定にかかわらず、道路運送車両の保安基準の細目を定める告示等の一部を改正する告示（令和元年国土交通省告示第七百十四号）による改正前の細目告示第四十三条第一項及び別添五十二4・3・2・の規定（以下この項において「旧規定」という。）に適合するものであればよい。この場合において、旧規定中「協定規則第19号第3改訂版補足改訂版」とあるのは「協定規則第19号第4改訂版補足第10改訂版」と読み替えることができる。

14　平成二十七年十二月八日以前に製作された自動車及び国土交通大臣が定める自動車については、細目告示第四十三条第一項及び別添五十二4・3・2・の規定にかかわらず、道路運送車両の保安基準の細目を定める告示等の一部を改正する告示（令和元年国土交通省告示第七百十四号）による改正前の細目告示第四十三条第一項及び別添五十二4・3・2・の規定（以下この項において「旧規定」という。）に適合するものであればよい。この場合において、旧規定中「協定規則第19号第3改訂版補足第2改訂版」とあるのは「協定規則第19号第4改訂版補足第10改訂版」と読み替えることができる。

15　保安基準第三十三条第三項並びに細目告示第四十三条第二項ただし書及び第三項ただし書の規定が適用される自動車のうち平成二十四年十一月十八日から平成二十九年十一月十七日までに法第七十五条の三第一項の規定に基づく装置の型式の指定を行う場合については、協定規則第四十八号第五改訂版の規定に適合するものであればよい。

16　保安基準第三十三条が適用される自動車は、当分の間、細目告示第四十三条第一項並びに別添五十二4・3・2・、4・3・7・及び4・3・9・の規定にかかわらず、道路運送車両の保安基準の細目を定める告示等の一部を改正する告示（令和元年国土交通省告示第七百十四号）による改正前の細目告示第四十三条第一項並びに別添五十二4・3・2・、4・3・7・及び4・3・9・の規定（以下この項において「旧規定」という。）に適合するものであればよい。この場合において、旧規定中「同規則第4改訂版補足第10改訂版」とあるのは「同規則第5改訂版」と読み替えることができる。

17　次に掲げる二輪自動車については、細目告示第四十三条第二項、第百二十一条第三項、第百九十九条第三項及び別添五十三の規定にかかわらず、道路運送車両の保安基準の細目を定める告示等の一部を改正する告示（令和二年国土交通省告示第千二十一号）による改正前の細目告示第四十三条第二項、第百二十一条第三項、第百九十九条第三項及び別添五十三の規定に適合するものであればよい。

一　令和五年八月三十一日以前に製作された二輪自動車

二　令和五年九月一日から令和十二年八月三十一日までに製作された二輪自動車であって、次に掲げるもの

イ　令和五年八月三十一日以前に指定を受けた型式指定自動車

ロ　国土交通大臣が定める自動車

18　次に掲げる自動車については、細目告示第四十三条第一項並びに別添五十二4・3・2・、4・3・7・及び4・3・9・の規定にかかわらず、道路運送車両の保安基準の細目を定める告示等の一部を改正する告示（令和五年国土交通省告示第一号）による改正前の細目告示第四十三条第一項並びに別添五十二4・3・2・、4・3・7・及び4・3・9・の規定（以下この項において「旧規定」という。）に適合するものであればよい。この場合において、旧規定中「協定規則第149号」とあるのは「協定規則第149号補足第5改訂版」と読み替えることができる。

一　令和八年八月三十一日以前に製作された自動車

二　令和八年九月一日以降に製作された自動車であって、次に掲げるもの

イ　令和八年八月三十一日以前に指定を受けた型式指定自動車

ロ　令和八年九月一日以降に新たに指定を受けた型式指定自動車であって、同年八月三十一日以前に指定を受けた型式指定自動車と前部霧灯の型式が同一であるもの

ハ　国土交通大臣が定める自動車

19　次に掲げる二輪自動車については、細目告示第四十三条第二項の規定中「協定規則第53号」とあるのは、「協定規則第53号第3改訂版補足第4改訂版」と読み替えることができる。

一　令和十年八月三十一日以前に製作された二輪自動車

二　令和十年九月一日から令和十二年八月三十一日までに製作された二輪自動車であって、次に掲げるもの

イ　令和十年八月三十一日以前に指定を受けた型式指定自動車

ロ　令和十年九月一日以降に新たに指定を受けた型式指定自動車であって、令和十年八月三十一日以前に指定を受けた型式指定自動車と前部霧灯の型式が同一であるもの

ハ　国土交通大臣が定める自動車

三　令和十二年八月三十一日以前に発行された出荷検査証に係る自動車であって、当該出荷検査証の発行後十一月を経過しない間に新規検査又は予備検査を受けようとし、又は受けたもの

（側方照射灯）

第三十一条　平成二十七年三月三十一日以前に製作された専ら乗用の用に供する自動車であって乗車定員十人以上のもの及び貨物の運送の用に供する自動車であって車両総重量三・五トンを超えるもの並びに平成二十一年三月三十一日以前に製作された専ら乗用の用に供する自動車であって乗車定員十人未満のもの及び貨物の運送の用に供する自動車であって車両総重量三・五トン以下のものについて、その両側面の前部に側方照射灯を一個ずつ備える場合には、保安基準第三十三条の二の規定並びに細目告示第四十四条、第百二十二条及び第二百条の規定にかかわらず、次の各号に掲げる基準に適合するものであればよい。

一　側方照射灯の光度は、五千カンデラ以下であること。

二　側方照射灯は、方向指示器が作動している場合に限り、当該方向指示器が方向を指示している側のもののみが点灯する構造であること。

三　側方照射灯は、その照射光線の主光軸が、取付部より四十メートルから先の地面を照射しないものであり、かつ、取付部より後方の地面、左側に備えるものにあっては取付部より右方の地面、右側に備えるものにあっては取付部より左方の地面を照射しないものであること。

四　側方照射灯の灯光の色は、白色又は淡黄色であり、そのすべてが同一であること。

五　側方照射灯は、その照明部の上縁の高さがすれ違い用前照灯の照明部の上縁を含む水平面以下となるように取り付けられていること。

六　側方照射灯の照明部の最前縁は、自動車の前端から二・五メートルまでの間にあること。

七　側方照射灯の取付部は、照射光線の方向が振動、衝撃等により容易にくるわない構造であること。

2　平成八年一月三十一日以前に製作された自動車については、第一項の規定を適用する。この場合において、同項第五号中「上縁」については「中心」に読み替えて適用するものとする。

3　平成十九年九月一日以降に指定を受けた型式指定自動車以外の自動車については、細目告示別添五十二3・23・の規定は、適用しない。

4　平成十八年一月一日から平成二十一年七月十日までに製作された自動車については、協定規則第百十九号改訂版の規則5・4・の規定は、適用しない。

5　平成十七年四月六日から平成二十一年十月十四日までに製作された自動車については、細目告示第四十四条第一項、別添五十二2・13・及び協定規則第百十九号改訂版補足第六改訂版の規則5・3・の規定にかかわらず、道路運送車両の保安基準の細目を定める告示の一部を改正する告示（平成二十年国土交通省告示第千二百十七号）による改正前の細目告示第四十四条第一項、別添五十二2・13・及び別添百二3・2・の規定に適合するものであればよい。

6　平成十八年一月一日から平成二十三年二月六日までに製作された自動車及び国土交通大臣が定めるものについては、細目告示別添五十二3・7・1・、3・22・及び3・23・の規定にかかわらず、道路運送車両の保安基準の細目を定める告示の一部を改正する告示（平成二十一年国土交通省告示第七百七十一号）による改正前の細目告示別添五十二3・7・1・、3・22・及び3・23・の規定に適合するものであればよい。

7　保安基準第三十三条の二第三項及び細目告示第四十四条第二項ただし書の規定が適用される自動車のうち平成二十一年七月二十二日から平成二十三年二月六日までに法第七十五条の三第一項の規定に基づく装置の型式の指定を行う場合については、協定規則第四十八号の規定にかかわらず、協定規則第四十八号第四改訂版補足改訂版の規定に適合するものであればよい。

8　保安基準第三十三条の二第三項及び細目告示第四十四条第二項ただし書の規定が適用される自動車のうち平成二十一年十月二十四日から平成二十四年十月二十三日までに法第七十五条の三第一項の規定に基づく装置の型式の指定を行う場合については、協定規則第四十八号の規定にかかわらず、協定規則第四十八号第四改訂版補足第二改訂版の規定に適合するものであればよい。

9　平成二十八年六月二十二日以前に製作された自動車及び国土交通大臣が定める自動車については、細目告示第百二十二条第一項第一号及び第二百条第一項第一号並びに協定規則第百十九号改訂版補足第六改訂版の規則6・3・及び7・1・の規定にかかわらず、道路運送車両の保安基準の細目を定める告示等の一部を改正する告示（平成二十三年国土交通省告示第六百七十号）による改正前の細目告示第百二十二条第一項第一号及び第二百条第一項第一号並びに別添百二4・1・及び5・3・の規定に適合するものであればよい。

10　保安基準第三十三条の二第三項及び細目告示第四十四条第二項ただし書の規定が適用される自動車のうち平成二十四年十一月十八日から平成二十九年十一月十七日までに法第七十五条の三第一項の規定に基づく装置の型式の指定を行う場合については、協定規則第四十八号の規定にかかわらず、協定規則第四十八号第五改訂版の規定に適合するものであればよい。

11　保安基準第三十三条の二が適用される自動車は、当分の間、細目告示第四十四条第一項及び別

添五十二4・4・2・の規定にかかわらず、道路運送車両の保安基準の細目を定める告示等の一部を改正する告示（令和元年国土交通省告示第七百十四号）による改正前の細目告示第四十四条第一項及び別添五十二4・4・2・の規定（以下この項において「旧規定」という。）に適合するものであればよい。この場合において、旧規定中「同規則改訂版補足第6改訂版」とあるのは「同規則第2改訂版」と読み替えることができる。

12　次に掲げる自動車については、細目告示第四十四条第一項及び別添五十二4・4・2・の規定にかかわらず、道路運送車両の保安基準の細目を定める告示等の一部を改正する告示（令和五年国土交通省告示第一号）による改正前の細目告示第四十四条第一項及び別添五十二4・4・2・の規定（以下この項において「旧規定」という。）に適合するものであればよい。この場合において、旧規定中「協定規則第149号」とあるのは「協定規則第149号補足第5改訂版」と読み替えることができる。

一　令和八年八月三十一日以前に製作された自動車

二　令和八年九月一日以降に製作された自動車であって、次に掲げるもの

イ　令和八年八月三十一日以前に指定を受けた型式指定自動車

ロ　令和八年九月一日以降に新たに指定を受けた型式指定自動車であって、同年八月三十一日以前に指定を受けた型式指定自動車と側方照射灯の型式が同一であるもの

ハ　国土交通大臣が定める自動車

（低速走行時側方照射灯）

第三十一条の二　保安基準第三十三条の三が適用される自動車は、当分の間、細目告示第四十四条の二第二項及び別添五十二4・27・2・の規定にかかわらず、道路運送車両の保安基準の細目を定める告示等の一部を改正する告示（令和元年国土交通省告示第七百十四号）による改正前の細目告示第四十四条の二第二項及び別添五十二4・27・2・の規定（以下この項において「旧規定」という。）に適合するものであればよい。この場合において、旧規定中「同規則補足第22改訂版」とあるのは「同規則改訂版」と、「協定規則第23号補足第22改訂版」とあるのは「協定規則第23号改訂版」と読み替えることができる。

2　次に掲げる自動車については、細目告示第四十四条の二第二項及び別添五十二4・27・2・の規定にかかわらず、道路運送車両の保安基準の細目を定める告示等の一部を改正する告示（令和五年国土交通省告示第一号）による改正前の細目告示第四十四条の二第二項及び別添五十二4・27・2・の規定（以下この項において「旧規定」という。）に適合するものであればよい。この場合において、旧規定中「協定規則第148号」とあるのは「協定規則第148号補足第4改訂版」と読み替えることができる。

一　令和八年八月三十一日以前に製作された自動車

二　令和八年九月一日以降に製作された自動車であって、次に掲げるもの

イ　令和八年八月三十一日以前に指定を受けた型式指定自動車

ロ　令和八年九月一日以降に新たに指定を受けた型式指定自動車であって、同年八月三十一日以前に指定を受けた型式指定自動車と低速走行時側方照射灯の型式が同一であるもの

ハ　国土交通大臣が定める自動車

（車幅灯）

第三十二条　平成十七年十二月三十一日以前に製作された自動車については、保安基準第三十四条の規定並びに細目告示第四十五条、第百二十三条及び第二百一条の規定にかかわらず、次の基準に適合するものであればよい。

一　自動車（二輪自動車、カタピラ及びそりを有する軽自動車、最高速度二十キロメートル毎時未満の軽自動車並びに小型特殊自動車（長さ四・七メートル以下、幅一・七メートル以下、高さ二・〇メートル以下、かつ、最高速度十五キロメートル毎時以下の小型特殊自動車に限る。以下第三十六条第一項第一号、第三十七条第一項第一号、第四十二条第一項第一号及び第四十四条第一項第一号において同じ。）を除く。）の前面の両側には、車幅灯を備えなければならない。ただし幅〇・八メートル以下の自動車にあっては、当該自動車に備えるすれ違い用前照灯の照明部の最外縁が自動車の最外側から四百ミリメートル以内となるように取り付けられている場合には、その側の車幅灯を備えないことができる。

二　車幅灯は、次の基準に適合するものでなければならない。

イ　車幅灯は、夜間にその前方三百メートルの距離から点灯を確認できるものであり、かつ、その照射光線は、他の交通を妨げないものであること。

ロ　車幅灯の灯光の色は、白色、淡黄色又は橙色であり、そのすべてが同一であること。

ハ　車幅灯の照明部は、車幅灯の中心を通り自動車の進行方向に直交する水平線を含む、水平面より上方十五度の平面及び下方十五度の平面並びに車幅灯の中心を含む、自動車の進行方向に平行な鉛直面より車幅灯の内側方向四十五度の平面及び車幅灯の外側方向八十度の平面により囲まれる範囲においてすべての位置から見通すことができるものであること。

三　車幅灯は、前号（大型特殊自動車（ポール・トレーラを除く。）及び小型特殊自動車にあっては、同号ハに係る部分を除く。）に掲げた性能（車幅灯の照明部の上縁の高さが地上〇・七五メートル未満となるように取り付けられている場合にあっては、同号に掲げた性能のうち同号ハの基準中「下方十五度」とあるのは「下方五度」とし、専ら乗用の用に供する自動車（二輪自動車、側車付二輪自動車、三輪自動車、カタピラ及びそりを有する軽自動車並びに被牽引自動車を除く。）であって乗車定員が十人未満のもの又は貨物の運送の用に供する自動車（三輪自動車及び被牽引自動車を除く。）であって車両総重量三・五トン以下のものの前部に取り付けられている側方灯が同号ハに規定する性能を補完する性能を有する場合にあっては同号ハの基準中「外側方向八十度」とあるのは「外側方向四十五度」とする。）を損なわないように、かつ、次の基準に適合するように取り付けられなければならない。

イ　二輪自動車、側車付二輪自動車並びにカタピラ及びそりを有する軽自動車以外の自動車に備える車幅灯は、その照明部の上縁の高さが地上二・一メートル以下、下縁の高さが地上〇・三五メートル以上となるように取り付けられていること。

ロ　二輪自動車、側車付二輪自動車並びにカタピラ及びそりを有する軽自動車に備える車幅灯はその照明部の中心が地上二メートル以下となるように取り付けられていること。

ハ　車幅灯の照明部の最外縁は、自動車の最外側から四百ミリメートル以内（被牽引自動車にあっては、百五十ミリメートル以内）となるように取り付けられていること。

ニ　前面の両側に備える車幅灯は、車両中心面に対して対称の位置に取り付けられたものであること。ただし、前面が左右対称でない自動車の車幅灯にあっては、この限りでない。

ホ　車幅灯の点灯操作状態を運転者席の運転者に表示する装置を備えること。ただし、最高速度三十五キロメートル毎時未満の大型特殊自動車、小型特殊自動車並びに車幅灯と連動して点灯する運転者席及びこれと並列の座席の前方に設けられる計器類を備える自動車にあっては、この限りでない。

ヘ　第二十九条第一項第四号ニ括弧書の自動車に備える車幅灯は、前照灯又は前部霧灯が点灯している場合に消灯できない構造でなければならない。

四 方向指示器又は非常点滅表示灯と兼用の前面の両側に備える車幅灯は、方向指示器又は非常点滅表示灯を作動させている場合においては、前号への基準にかかわらず、方向の指示をしている側のもの又は両側のものが消灯する構造でなければならない。

2 次の表の上欄に掲げる自動車については、前項の規定のうち同表の下欄に掲げる規定は、適用しない。

自動車	条項
一 昭和三十五年九月三十日以前に製作された軽自動車	第一号
二 昭和四十八年十一月三十日以前に製作された自動車	第二号ロ
三 平成十七年十二月三十一日以前に製作された自動車	第二号ハ及び第三号ホ

3 次の表の第一欄に掲げる自動車については、第一項の規定のうち同表第二欄に掲げる規定は、同表第三欄に掲げる字句を同表第四欄に掲げる字句に読み替えて適用する。

自動車	条項	読み替えられる字句	読み替える字句
一 昭和三十五年九月三十日以前に製作された自動車	第一号ただし書き	幅〇・八メートル以下の自動車にあっては、当該自動車に備えるすれ違い用前照灯	すれ違い用前照灯
二 昭和四十八年十一月三十日以前に製作された自動車	第二号イ	四百ミリメートル	六百五十ミリメートル
		三百メートル	百五十メートル
	第三号へ	第二十九条第一項第四号ニ括弧書の自動車に備える車幅灯	車幅灯
		構造でなければならない。	構造でなければならない。ただし、すれ違い用前照灯の照明部の最外縁が自動車の最外側から四百ミリメートル以内となるように取り付けられている場合であってその側の車幅灯を備えたときは、当該車幅灯については、この限りでない。
三 昭和三十五年十月一日から昭和四十八年十一月三十日までに製作された自動車	第四号	でなければならない。	とすることができる。
	第一号ただし書き	幅〇・八メートル以下の自動車にあっては、当該自動車に備えるすれ違い用前照灯	すれ違い用前照灯
四 平成八年一月三十一日以前に製作された自動車	第三号イ	上縁の高さが二・一メートル以下、下縁の高さが地上〇・三五メートル以上	中心の高さが地上二メートル以下
五 平成八年二月一日から平成十七年十二月三十一日までに製作された自動車	第三号イ	上縁の高さが地上二・一メートル以下、下縁の高さが地上〇・三五メートル以上	上縁の高さが地上二・一メートル以下
六 平成十七年十二月三十一日以前に製作された自動車	第二号イ	あり、かつ、その照射光線は、他の交通を妨げないものであること。	あること。
	第三号	前号(大型特殊自動車(ポール・トレーラを除く。)及び小型特殊自動車にあっては、同号ハに係る部分を除く。)	前号
		性能(車幅灯の照明部の上縁の高さが地上〇・七五メートル未満となるように取り付けられている場合にあっては、同号に掲げた性能のうち同号ハの基準中「下方十五度」とあるのは「下方五度」とし、専ら乗用の用に供する自動車、側車付二輪自動車、三輪自動車、カタピラ及びそりを有	性能

		する軽自動車並びに被牽引自動車を除く。）であって乗車定員が十人未満のもの又は貨物の運送の用に供する自動車（三輪自動車及び被牽引自動車を除く。）であって車両総重量三・五トン以下のものの前部に取付けられている側方灯が同号ハに規定する性能を補完する性能を有する場合にあっては同号ハの基準中「外側方向八十度」とあるのは「外側方向四十五度」とする。）	
	第三号ニ	車両中心面に対して対称の位置	左右同じ高さ

4　平成十九年九月一日以降に指定を受けた型式指定自動車以外の自動車については、細目告示別添五十二3・23・の規定は、適用しない。

5　平成十八年一月一日から平成二十一年七月十日までに製作された自動車については、細目告示別添五十八3・9・の規定は、適用しない。

6　平成十八年一月一日から平成二十一年十月十四日までに製作された自動車については、細目告示第四十五条第一項、別添五十二2・13・及び別添五十八3・7・の規定にかかわらず、道路運送車両の保安基準の細目を定める告示の一部を改正する告示（平成二十年国土交通省告示第千二百十七号）による改正前の細目告示第四十五条第一項、別添五十二2・13・及び別添五十八3・7・の規定に適合するものであればよい。

7　平成十八年一月一日から平成二十三年二月六日までに製作された自動車及び国土交通大臣が定めるものについては、細目告示別添五十二3・7・1・、3・22・及び3・23・の規定にかかわらず、道路運送車両の保安基準の細目を定める告示の一部を改正する告示（平成二十一年国土交通省告示第七百七十一号）による改正前の細目告示別添五十二3・7・1・、3・22・及び3・23・の規定に適合するものであればよい。

8　保安基準第三十四条第三項及び細目告示第四十五条第二項ただし書の規定が適用される自動車のうち平成二十一年七月二十二日から平成二十三年二月六日までに法第七十五条の三第一項の規定に基づく装置の型式の指定を行う場合については、協定規則第四十八号の規定にかかわらず、協定規則第四十八号第四改訂版補足改訂版の規定に適合するものであればよい。

9　平成十八年一月一日から平成二十四年十月二十三日までに製作された自動車及び国土交通大臣が定めるものについては、細目告示別添五十二3・27・の規定は、適用しない。

10　保安基準第三十四条第三項及び細目告示第四十五条第二項ただし書の規定が適用される自動車のうち平成二十一年十月二十四日から平成二十四年十月二十三日までに法第七十五条の三第一項の規定に基づく装置の型式の指定を行う場合については、協定規則第四十八号の規定にかかわらず、協定規則第四十八号第四改訂版補足第二改訂版の規定に適合するものであればよい。

11　保安基準第三十四条第三項及び細目告示第四十五条第二項ただし書の規定が適用される自動車のうち平成二十四年十一月十八日から平成二十九年十一月十七日までに法第七十五条の三第一項の規定に基づく装置の型式の指定を行う場合については、協定規則第四十八号の規定にかかわらず、協定規則第四十八号第五改訂版の規定に適合するものであればよい。

12　平成二十九年十一月十七日以前に製作された自動車及び国土交通大臣が定める自動車については、細目告示第四十五条、第百二十三条及び第二百一条の規定にかかわらず、道路運送車両の保安基準の細目を定める告示の一部を改正する告示（平成二十五年国土交通省告示第千七十八号）による改正前の細目告示第四十五条、第百二十三条及び第二百一条の規定に適合するものであればよい。

13　令和二年六月十四日以前に製作された二輪自動車及び側車付二輪自動車については、細目告示第四十五条第一項の規定にかかわらず、道路運送車両の保安基準の細目を定める告示の一部を改正する告示（平成二十七年国土交通省告示第七百二十三号）による改正前の細目告示第四十五条第一項の規定に適合するものであればよい。

14　保安基準第三十四条が適用される自動車は、当分の間、細目告示第四十五条第一項並びに別添五十二4・11・2・及び4・11・8・の規定にかかわらず、道路運送車両の保安基準の細目を定める告示等の一部を改正する告示（令和元年国土交通省告示第七百十四号）による改正前の細目告示第四十五条第一項並びに別添五十二4・11・2・及び4・11・8・の規定（以下この項において「旧規定」という。）に適合するものであればよい。この場合において、旧規定中「同規則改訂版」とあるのは「協定規則第50号改訂版」と、「協定規則第50号補足第20改訂版」とあるのは「協定規則第50号補足第20改訂版」と読み替えることができる。

15　次に掲げる二輪自動車については、保安基準第三十四条第一項、細目告示第四十五条第二項、第百二十三条第三項、第二百一条第三項及び別添五十三の規定にかかわらず、道路運送車両の保安基準等の一部を改正する省令（令和二年国土交通省令第七十八号）及び道路運送車両の保安基準の細目を定める告示等の一部を改正する告示（令和二年国土交通省告示第千二十一号）による改正前の保安基準第三十四条第一項、細目告示第四十五条第二項、第百二十三条第三項、第二百一条第三項及び別添五十三の規定に適合するものであればよい。

一　令和五年八月三十一日以前に製作された二輪自動車

二　令和五年九月一日から令和十二年八月三十一日までに製作された二輪自動車であって、次に掲げるもの

イ　令和五年八月三十一日以前に指定を受けた型式指定自動車

ロ　国土交通大臣が定める自動車

16　次に掲げる自動車については、細目告示第四十五条第一項並びに別添五十二3・12・1・2・、4・11・2・及び4・11・8・の規定にかかわらず、道路運送車両の保安基準の細目を定める告示等の一部を改正する告示（令和五年国土交通省告示第一号）による改正前の細目告示第四十五条第一項並びに別添五十二3・12・1・2・、4・11・2・及び4・11・8・の規定（以下この項において「旧規定」という。）に適合するものであればよい。この場合において、旧規定中

「協定規則第148号」とあるのは「協定規則第148号補足第４改訂版」と読み替えることができる。
一　令和八年八月三十一日以前に製作された自動車
二　令和八年九月一日以降に製作された自動車であって、次に掲げるもの
イ　令和八年八月三十一日以前に指定を受けた型式指定自動車
ロ　令和八年九月一日以降に新たに指定を受けた型式指定自動車であって、同年八月三十一日以前に指定を受けた型式指定自動車と車幅灯の型式が同一であるもの
ハ　国土交通大臣が定める自動車

17　次に掲げる二輪自動車については、細目告示第四十五条第二項の規定中「協定規則第53号」とあるのは、「協定規則第53号第３改訂版補足第４改訂版」と読み替えることができる。
一　令和十年八月三十一日以前に製作された二輪自動車
二　令和十年九月一日から令和十二年八月三十一日までに製作された二輪自動車であって、次に掲げるもの
イ　令和十年八月三十一日以前に指定を受けた型式指定自動車
ロ　令和十年九月一日以降に新たに指定を受けた型式指定自動車であって、令和十年八月三十一日以前に指定を受けた型式指定自動車と車幅灯の型式が同一であるもの
ハ　国土交通大臣が定める自動車
三　令和十二年八月三十一日以前に発行された出荷検査証に係る自動車であって、当該出荷検査証の発行後十一月を経過しない間に新規検査又は予備検査を受けようとし、又は受けたもの

（前部上側端灯）

第三三条　平成十七年十二月三十一日以前に製作された自動車については、保安基準第三十四条の二の規定並びに細目告示第四十六条、第百二十四条及び第二百二条の規定にかかわらず、次の基準に適合するものであればよい。
一　自動車の前面の両側には、前部上側端灯を備えることができる。
二　前部上側端灯は、次の基準に適合するものでなければならない。
イ　前部上側端灯は、夜間にその前方三百メートルの距離から点灯を確認できるものであり、かつ、その照射光線は、他の交通を妨げないものであること。
ロ　前部上側端灯の灯光の色は、白色であること。
ハ　前部上側端灯の照明部は、前部上側端灯の中心を通り自動車の進行方向に直交する水平線を含む、水平面より上方十五度の平面及び下方十五度の平面並びに前部上側端灯の中心を含む、自動車の進行方向に平行な鉛直面より前部上側端灯の内側方向四十五度の平面及び前部上側端灯の外側方向八十度の平面により囲まれる範囲においてすべての位置から見通すことができるものであること。
三　前部上側端灯は、前号に掲げた性能を損なわないように、かつ、次の基準に適合するように取り付けられなければならない。
イ　被牽引自動車以外の自動車に備える前部上側端灯は、その照明部の上縁の高さが前面ガラスの最上端を含む水平面以上となるように取り付けられていること。
ロ　被牽引自動車に備える前部上側端灯は、取り付けることができる最高の高さに取り付けられていること。
ハ　前部上側端灯の照明部の最外縁は、自動車の最外側から四百ミリメートル以内となるように取り付けられていること。
ニ　前面の両側に備える前部上側端灯は、車両中心面に対して対称の位置に取り付けられたものであること（前面が左右対称でない自動車の前部上側端灯を除く。）。
ホ　前部上側端灯は、その照明部と車幅灯の照明部を車両中心面に直交する鉛直面に投影したときに二百ミリメートル以上離れるような位置に取り付けられていること。
ヘ　前部上側端灯は、車幅灯が点灯している場合に消灯できない構造であること。

2　平成十七年十二月三十一日以前に製作された自動車については、前項の規定を適用しなくてもよい。

3　平成十九年九月一日以降に指定を受けた型式指定自動車以外の自動車については、細目告示別添五十二3・23・の規定は、適用しない。

4　平成十八年一月一日から平成二十一年七月十日までに製作された自動車については、細目告示別添五十九3・6・の規定は、適用しない。

5　平成十八年一月一日から平成二十一年十月十四日までに製作された自動車については、細目告示第四十六条第一項、別添五十二2・13・及び別添五十九3・5・の規定にかかわらず、道路運送車両の保安基準の細目を定める告示の一部を改正する告示（平成二十年国土交通省告示第千二百十七号）による改正前の細目告示第四十六条第一項、別添五十二2・13・及び別添五十九3・5・の規定に適合するものであればよい。

6　平成十八年一月一日から平成二十三年二月六日までに製作された自動車及び国土交通大臣が定めるものについては、細目告示別添五十二3・7・1・、3・22・及び3・23・の規定にかかわらず、道路運送車両の保安基準の細目を定める告示の一部を改正する告示（平成二十一年国土交通省告示第七百七十一号）による改正前の細目告示別添五十二3・7・1・、3・22・及び3・23・の規定に適合するものであればよい。

7　保安基準第三十四条の二第三項及び細目告示第四十六条第二項ただし書の規定が適用される自動車のうち平成二十一年七月二十二日から平成二十三年二月六日までに法第七十五条の三第一項の規定に基づく装置の型式の指定を行う場合については、協定規則第四十八号の規定にかかわらず、協定規則第四十八号第四改訂版の規定に適合するものであればよい。

8　保安基準第三十四条の二第三項及び細目告示第四十六条第二項ただし書の規定が適用される自動車のうち平成二十一年十月二十四日から平成二十四年十月二十三日までに法第七十五条の三第一項の規定に基づく装置の型式の指定を行う場合については、協定規則第四十八号の規定にかかわらず、協定規則第四十八号第四改訂版補足第二改訂版の規定に適合するものであればよい。

9　保安基準第三十四条の二第三項及び細目告示第四十六条第二項ただし書の規定が適用される自動車のうち平成二十四年十一月十八日から平成二十九年十一月十七日までに法第七十五条の三第一項の規定に基づく装置の型式の指定を行う場合については、協定規則第四十八号の規定にかかわらず、協定規則第四十八号第五改訂版の規定に適合するものであればよい。

10　保安基準第三十四条の二が適用される自動車は、当分の間、細目告示第四十六条第一項並びに別添五十二4・15・2・及び4・15・7・の規定にかかわらず、道路運送車両の保安基準の細目を定める告示等の一部を改正する告示（令和元年国土交通省告示第七百十四号）による改正前の細目告示第四十六条第一項並びに別添五十二4・15・2・及び4・15・7・の規定に適合するものであればよい。

11　次に掲げる自動車については、細目告示第四十六条第一項並びに別添五十二4・15・2・及び4・15・7・の規定にかかわらず、道路運送車両の保安基準の細目を定める告示等の一部を改正する告示（令和五年国土交通省告示第一号）による改正前の細目告示第四十六条第一項並びに別添五十二4・15・2・及び4・15・7・の規定（以下この項において「旧規定」という。）に適

合するものであればよい。この場合において、旧規定中「協定規則第148号」とあるのは「協定規則第148号補足第４改訂版」と読み替えることができる。

一　令和八年八月三十一日以前に製作された自動車

二　令和八年九月一日以降に製作された自動車であって、次に掲げるもの

イ　令和八年八月三十一日以前に指定を受けた型式指定自動車

ロ　令和八年九月一日以降に新たに指定を受けた型式指定自動車であって、同年八月三十一日以前に指定を受けた型式指定自動車と前部上側端灯の型式が同一であるもの

ハ　国土交通大臣が定める自動車

（昼間走行灯）

第三三条の二　保安基準第三十四条の三が適用される自動車は、当分の間、細目告示第四十六条の二第一項及び別添五十二４・28・２・の規定にかかわらず、道路運送車両の保安基準の細目を定める告示等の一部を改正する告示（令和元年国土交通省告示第七百十四号）による改正前の細目告示第四十六条の二第一項及び別添五十二４・28・２・の規定（以下この項において「旧規定」という。）に適合するものであればよい。この場合において、旧規定中「同規則補足第20改訂版」とあるのは「同規則改訂版」と読み替えることができる。

２　次の各号に掲げる自動車については、細目告示別添五十二４・28・３・の規定にかかわらず、道路運送車両の保安基準の細目を定める告示等の一部を改正する告示（令和四年国土交通省告示第七百十三号）による改正前の細目告示別添五十二４・28・３・の規定に適合するものであればよい。

一　令和六年八月三十一日以前に製作された自動車

二　令和六年九月一日から令和九年八月三十一日までに製作された自動車であって、次に掲げるもの

イ　令和六年八月三十一日以前に指定を受けた型式指定自動車

ロ　令和六年九月一日以降に新たに指定を受けた型式指定自動車であって、令和六年八月三十一日以前に指定を受けた型式指定自動車と昼間走行灯の型式が同一であるもの

ハ　国土交通大臣が定める自動車

三　令和九年八月三十一日以前に発行された出荷検査証に係る自動車であって、当該出荷検査証の発行後十一月を経過しない間に新規検査又は予備検査を受けようとし、又は受けたもの

３　次に掲げる自動車については、細目告示第四十六条の二第一項及び別添五十二４・28・２・の規定にかかわらず、道路運送車両の保安基準の細目を定める告示等の一部を改正する告示（令和五年国土交通省告示第一号）による改正前の細目告示第四十六条の二第一項及び別添五十二４・28・２・の規定（以下この項において「旧規定」という。）に適合するものであればよい。この場合において、旧規定中「協定規則第148号」とあるのは「協定規則第148号補足第４改訂版」と読み替えることができる。

一　令和八年八月三十一日以前に製作された自動車

二　令和八年九月一日以降に製作された自動車であって、次に掲げるもの

イ　令和八年八月三十一日以前に指定を受けた型式指定自動車

ロ　令和八年九月一日以降に新たに指定を受けた型式指定自動車であって、同年八月三十一日以前に指定を受けた型式指定自動車と昼間走行灯の型式が同一であるもの

ハ　国土交通大臣が定める自動車

４　次に掲げる二輪自動車については、細目告示第四十六条の二第二項の規定中「協定規則第53号」とあるのは、「協定規則第53号第３改訂版補足第４改訂版」と読み替えることができる。

一　令和十年八月三十一日以前に製作された二輪自動車

二　令和十年九月一日から令和十二年八月三十一日までに製作された二輪自動車であって、次に掲げるもの

イ　令和十年八月三十一日以前に指定を受けた型式指定自動車

ロ　令和十年九月一日以降に新たに指定を受けた型式指定自動車であって、令和十年八月三十一日以前に指定を受けた型式指定自動車と昼間走行灯の型式が同一であるもの

ハ　国土交通大臣が定める自動車

三　令和十二年八月三十一日以前に発行された出荷検査証に係る自動車であって、当該出荷検査証の発行後十一月を経過しない間に新規検査又は予備検査を受けようとし、又は受けたもの

（前部反射器）

第三四条　平成十七年十二月三十一日以前に製作された自動車については、保安基準第三十五条の規定並びに細目告示第四十七条、第百二十五条及び第二百三条の規定にかかわらず、次の基準に適合するものであればよい。

一　被牽引自動車の前面の両側には、前部反射器を備えなければならない。

二　前部反射器は、次の基準に適合するものでなければならない。

イ　前部反射器は、夜間にその前方百五十メートルの距離から走行用前照灯（第二十九条第一項第一号イ括弧書の自動車に備える走行用前照灯及び同項第五号の走行用前照灯を除く。次条、第四十一条において同じ。）で照射した場合にその反射光を照射位置から確認できるものであること。

ロ　前部反射器の反射部は、文字及び三角形以外の形であること。

ハ　前部反射器による反射光の色は、白色であること。

三　前部反射器は、前号に掲げた性能を損なわないように、かつ、次の基準に適合するように取り付けられなければならない。

イ　前部反射器は、その反射部の上縁の高さが地上一・五メートル以下、下縁の高さが地上〇・二五メートル以上となるように取り付けられていること。

ロ　前部反射器の反射部の最外縁は、自動車の最外側から四百ミリメートル以内となるように取り付けられていること。

ハ　大型特殊自動車（ポール・トレーラを除く。）及び小型特殊自動車以外の自動車に備える前部反射器の反射部は、前部反射器の中心を通り自動車の進行方向に直交する水平線を含む、水平面より上方十度の平面及び下方十度の平面（前部反射器の反射部の上縁の高さが地上〇・七五メートル未満となるように取り付けられている場合にあっては、下方五度の平面）並びに前部反射器の中心を含む、自動車の進行方向に平行な鉛直面より前部反射器の内側方向三十度の平面（被牽引自動車に備える前部反射器にあっては、内側方向十度の平面）及び外側方向三十度の平面により囲まれる範囲においてすべての位置から見通すことができるように取り付けられていること。

ニ　前部反射器の取付位置は、イからハまでに規定するほか、第三十二条第一項第三号ニの基準に準じたものであること。

２　次の表の上欄に掲げる自動車については、前項の規定のうち同表の下欄に掲げる規定は、適用しない。

自動車	条項
一 昭和四十八年十一月三十日以前に製作された自動車	第二号ロ及びハ
二 平成十七年十二月三十一日以前に製作された自動車	第三号ハ

3 次の表の第一欄に掲げる自動車については、第一項の規定のうち同表第二欄に掲げる規定は、同表第三欄に掲げる字句を同表第四欄に掲げる字句に読み替えて適用する。

自動車	条項	読み替えられる字句	読み替える字句
一 昭和四十八年十一月三十日以前に製作された自動車	第一号	両側には、前部反射器を備えなければならない。	両側に次号の基準に適合する前部反射器を備える場合には、第三十二条第一項第一号の規定にかかわらず、これに車幅灯を備えないことができる。
二 平成十七年十二月三十一日以前に製作された自動車	第二号イ	百五十メートル	百メートル
	第二号ロ	文字及び三角形	文字
	第二号ハ	白色	白色又は橙色
	第三号イ	上縁の高さが地上一・五メートル以下、下縁の高さが地上〇・二五メートル以上	中心の高さが地上二メートル以下

4 平成二十四年十二月三十一日以前に製作された自動車については、細目告示別添五十二3・19・の規定にかかわらず、道路運送車両の保安基準の細目を定める告示の一部を改正する告示（平成十七年国土交通省告示第千三百三十七号）による改正前の細目告示別添五十二3・19・の規定に適合するものであればよい。

5 保安基準第三十四条第三項及び細目告示第四十七条第二項ただし書の規定が適用される自動車のうち平成二十四年十一月十八日から平成二十九年十一月十七日までに法第七十五条の三第一項の規定に基づく装置の型式の指定を行う場合については、協定規則第四十八号の規定にかかわらず、協定規則第四十八号第五改訂版の規定に適合するものであればよい。

6 保安基準第三十五条の規定が適用される自動車は、当分の間、細目告示第四十七条第一項及び別添五十二4・18・2・の規定にかかわらず、道路運送車両の保安基準の細目を定める告示等の一部を改正する告示（令和二年国土交通省告示第千二十一号）による改正前の細目告示第四十七条第一項及び別添五十二4・18・2・の規定に適合するものであればよい。

7 次に掲げる自動車については、細目告示第四十七条第一項及び別添五十二4・18・2・の規定にかかわらず、道路運送車両の保安基準の細目を定める告示等の一部を改正する告示（令和五年国土交通省告示第一号）による改正前の細目告示第四十七条第一項及び別添五十二4・18・2・の規定（以下この項において「旧規定」という。）に適合するものであればよい。この場合において、旧規定中「協定規則第150号」とあるのは「協定規則第150号補足第4改訂版」と読み替えることができる。

一 令和八年八月三十一日以前に製作された自動車

二 令和八年九月一日以降に製作された自動車であって、次に掲げるもの

イ 令和八年八月三十一日以前に指定を受けた型式指定自動車

ロ 令和八年九月一日以降に新たに指定を受けた型式指定自動車であって、同年八月三十一日以前に指定を受けた型式指定自動車と前部反射器の型式が同一であるもの

ハ 国土交通大臣が定める自動車

（側方灯及び側方反射器）

第三五条 平成十七年十二月三十一日以前に製作された自動車については、保安基準第三十五条の二の規定並びに細目告示第四十八条、第百二十六条及び第二百四条の規定にかかわらず、次の基準に適合するものであればよい。

一 次のイからホまでに掲げる自動車（専ら乗用の用に供するものを除く。）の両側面には、当該イからホまでに掲げる部分に側方灯又は側方反射器を備えなければならない。

イ 長さ九メートル以上の普通自動車 前部、中央部及び後部

ロ 長さ六メートル以上九メートル未満の普通自動車 前部及び後部

ハ 長さ六メートル以上の普通自動車である牽引自動車 前部

ニ 長さ六メートル未満の普通自動車である被牽引自動車 後部

ホ ポール・トレーラ 後部

二 側方灯は、次の基準に適合するものでなければならない。

イ 側方灯は、夜間側方百五十メートルの距離から点灯を確認できるものであり、かつ、その照射光線は、他の交通を妨げないものであること。

ロ 側方灯の灯光の色は、橙色であること。ただし、後部に備える側方灯であって尾灯、後部上側端灯、後部霧灯、制動灯又は後部反射器と構造上一体となっているもの又は兼用のものにあっては、赤色であってもよい。

ハ 側方灯の照明部は、側方灯の中心を通り自動車の進行方向に平行な水平面より上方十度の平面及び下方十度の平面並びに側方灯の中心を通り自動車の進行方向に垂直な鉛直面より前方三十度の平面及び後方三十度の平面により囲まれる範囲においてすべての位置から見通すことができるものであること。

三 側方灯は、前号（大型特殊自動車（ポール・トレーラを除く。）及び小型特殊自動車にあっては、同号ハに係る部分を除く。）に掲げる性能（側方灯の照明部の上縁の高さが地上〇・七五メートル未満となるように取り付けられている場合にあっては、同号ハの基準中「下方十度」とあるのは「下方五度」とする。）を損なわないように、かつ、次の基準に適合するように取り付けられなければならない。

イ 二輪自動車、側車付二輪自動車並びにカタピラ及びそりを有する軽自動車以外の自動車に備える側方灯は、その照明部の上縁の高さが地上二・一メートル以下、下縁の高さが地上〇・二五メートル以上となるように取り付けられていること。

ロ 二輪自動車、側車付二輪自動車並びにカタピラ及びそりを有する軽自動車に備える側方灯は、その照明部の中心が地上二メートル以下となるように取り付けられていること。

ハ　前部に備える側方灯の照明部の最前縁は、自動車の前端から当該自動車の長さの三分の一以内（除雪、土木作業その他特別な用途に使用される自動車に備える側方灯でその自動車の構造上自動車の前端から当該自動車の長さの三分の一以内に取り付けることができないものにあっては、取り付けることができる自動車の前端に近い位置）となるように取り付けられていること。

ニ　後部に備える側方灯の照明部の最後縁は、自動車の後端から一メートル以内（除雪、土木作業その他特別な用途に使用される自動車に備える側方灯でその構造上自動車の後端から一メートル以内に取り付けることができないものにあっては、取り付けることができる自動車の後端に近い位置）となるように取り付けられていること。

ホ　側方灯は、次条第一項第二号の基準に準じたものであること。ただし、方向指示器又は補助方向指示器（以下この条において「方向指示器等」という。）と兼用の側方灯は、方向指示器等を作動させている場合においては、当該作動中の方向指示器等と兼用の側方灯が消灯する構造でなければならない。

四　方向指示器等と兼用の側方灯以外の側方灯は、非常点滅表示灯を作動させている場合においては、当該非常点滅表示灯と同時に点滅する構造とすることができる。

五　側方反射器は、次の基準に適合するものでなければならない。

イ　側方反射器は、夜間にその側方百五十メートルの距離から走行用前照灯で照射した場合にその反射光を照射位置から確認できるものであること。

ロ　側方反射器の反射部は、文字及び三角形以外の形であること。

ハ　側方反射器による反射光の色は、橙色であること。ただし、後部に備える側方反射器であって尾灯、後部上側端灯、後部霧灯、制動灯又は後部に備える側方灯と構造上一体となっているものにあっては、赤色であってもよい。

六　側方反射器は、前号に掲げる性能を損なわないように、かつ、次の基準に適合するように取り付けられなければならない。

イ　側方反射器による反射光の色は、前部又は中央部に備えるものにあっては橙色、後部に備えるものにあっては橙色又は赤色であり、かつ、後部に備えるものはそのすべてが同一であること。

ロ　二輪自動車、側車付二輪自動車並びにカタピラ及びそりを有する軽自動車以外の自動車に備える側方反射器は、その反射部の上縁の高さが地上一・五メートル以下、下縁の高さが地上〇・二五メートル以上となるように取り付けられていること。

ハ　長さ六メートル未満の自動車の後部に備える側方反射器の反射部の最後縁は、自動車の後端から当該自動車の長さの三分の一以内（除雪、土木作業その他特別な用途に使用される自動車に備える側方反射器でその自動車の構造上自動車の後端から当該自動車の三分の一以内に取り付けることができないものにあっては、取り付けることができる自動車の後端に近い位置）となるように取り付けられていること。

ニ　二輪自動車、側車付二輪自動車、三輪自動車並びにカタピラ及びそりを有する軽自動車以外の自動車に備える側方反射器の反射部は、側方反射器の中心を通り自動車の進行方向に平行な水平線を含む、水平面より上方十度の平面及び下方十度の平面（側方反射器の反射部の上縁の高さが地上〇・七五メートル未満となるように取り付けられている場合にあっては、下方五度の平面）並びに側方反射器の中心を含む、自動車の進行方向に直交する鉛直面より側方反射器の前方向四十五度の平面及び後方向四十五度の平面により囲まれる範囲において

すべての位置から見通すことができるように取り付けられていること。

ホ　側方反射器の取付位置は、ロからニまでに規定するほか、第三号ロからニまで（長さ六メートル未満の自動車にあっては、同号ロ及びハ）の基準に準じたものであること。

2　次の表の上欄に掲げる自動車については、前項の規定のうち同表の下欄に掲げる規定は、適用しない。

自動車	条項
一　昭和五十年十一月三十日以前に製作された自動車	第一号から第六号まで
二　平成十七年十二月三十一日以前に製作された自動車	第六号ニ

3　次の表の第一欄に掲げる自動車については、第一項の規定のうち同表第二欄に掲げる規定は、同表第三欄に掲げる字句を同表第四欄に掲げる字句に読み替えて適用する。

自動車	条項	読み替えられる字句	読み替える字句
一　昭和五十年十二月一日から平成八年一月三十一日までに製作された自動車	第三号イ	上縁の高さが地上二・一メートル以下、下縁の高さが地上〇・二五メートル以上	中心の高さが地上二メートル以下
二　昭和五十年十二月一日から平成十七年十二月三十一日までに製作された自動車	第六号ロ	上縁の高さが地上一・五メートル以下、下縁の高さが地上〇・二五メートル以上	中心の高さが地上二メートル以下
三　平成八年二月一日から平成十七年十二月三十一日までに製作された自動車	第三号イ	上縁の高さが地上二・一メートル以下、下縁の高さが地上〇・二五メートル以上	上縁の高さが地上二・一メートル以下
四　平成十七年十二月三十一日以前に製作された自動車	第五号ロ	文字及び三角形	三角形
	第五号ハ	であること。ただし、後部に備える側方反射器であって尾灯、後部上側端灯、後部霧灯、制動灯又は後部に備える側方灯と構造上一体となっているものにあっては、赤色であってもよい。	又は赤色であること。

4　平成十七年十二月三十一日以前に製作された自動車については、第一項第二号の規定にかかわらず、側方灯は、次の基準に適合する構造とすることができる。

一　側方灯は、夜間側方百五十メートルの距離から点灯を確認できるものであること。

二　側方灯の灯光の色は、前部又は中央部に備えるものにあっては橙色、後部に備えるものにあっては橙色又は赤色であり、かつ、後部に備えるものはそのすべてが同一であること。

5　昭和五十年十一月三十日以前に製作されたポール・トレーラの両側面には、次の基準に適合する側方反射器を備えなければならない。

一　側方反射器は、夜間側方百五十メートル（昭和四十八年十一月三十日以前に製作されたポール・トレーラにあっては、百メートル）の距離から走行用前照灯で照射した場合にその反射光を照射位置から確認できるものであること。

二　側方反射器による反射光の色は、橙色又は赤色であること。

三　側方反射器の取付位置は、地上二メートル以下であること。

6　平成十九年九月一日以降に指定を受けた型式指定自動車以外の自動車については、細目告示別添五十二3・23・の規定は、適用しない。

7　平成十九年十二月三十一日以前に製作された自動車については、細目告示別添六十一4・1・の規定にかかわらず、道路運送車両の保安基準の細目を定める告示の一部を改正する告示（平成十七年国土交通省告示第千三百三十七号）による改正前の細目告示別添六十一4・1・の規定に適合するものであればよい。

8　平成十八年一月一日から平成二十一年七月十日までに製作された自動車については、細目告示別添六十一3・7・の規定は、適用しない。

9　平成十八年一月一日から平成二十一年十月十四日までに製作された自動車については、細目告示第四十八条第一項、別添五十二2・13・及び別添六十一3・6・の規定にかかわらず、道路運送車両の保安基準の細目を定める告示の一部を改正する告示（平成二十年国土交通省告示第千二百十七号）による改正前の細目告示第四十八条第一項、別添五十二2・13・及び別添六十一3・6・の規定に適合するものであればよい。

10　平成十八年一月一日から平成二十三年二月六日までに製作された自動車及び国土交通大臣が定めるものについては、細目告示別添五十二3・7・1・、3・22・及び3・23・の規定にかかわらず、道路運送車両の保安基準の細目を定める告示の一部を改正する告示（平成二十一年国土交通省告示第七百七十一号）による改正前の細目告示別添五十二3・7・1・、3・22・及び3・23・の規定に適合するものであればよい。

11　保安基準第三十五条の二第三項並びに細目告示第四十八条第二項ただし書及び第四項ただし書の規定が適用される自動車のうち平成二十一年七月二十二日から平成二十三年二月六日までに法第七十五条の三第一項の規定に基づく装置の型式の指定を行う場合については、協定規則第四十八号の規定にかかわらず、協定規則第四十八号第四改訂版補足改訂版の規定に適合するものであればよい。

12　保安基準第三十五条の二第三項及び第五項並びに細目告示第四十八条第二項ただし書及び第四項ただし書の規定が適用される自動車のうち平成二十一年十月二十四日から平成二十四年十月二十三日までに法第七十五条の三第一項の規定に基づく装置の型式の指定を行う場合については、協定規則第四十八号の規定にかかわらず、協定規則第四十八号第四改訂版補足第二改訂版の規定に適合するものであればよい。

13　保安基準第三十五条の二第三項及び第五項並びに細目告示第四十八条第二項ただし書及び第四項ただし書の規定が適用される自動車のうち平成二十四年十一月十八日から平成二十九年十一月十七日までに法第七十五条の三第一項の規定に基づく装置の型式の指定を行う場合については、協定規則第四十八号の規定にかかわらず、協定規則第四十八号第五改訂版の規定に適合するものであればよい。

14　保安基準第三十五条の二が適用される自動車は、当分の間、細目告示第四十八条第一項及び別添五十二4・21・2・の規定にかかわらず、道路運送車両の保安基準の細目を定める告示等の一部を改正する告示（令和元年国土交通省告示第七百十四号）による改正前の細目告示第四十八条第一項及び別添五十二4・21・2・の規定に適合するものであればよい。

15　保安基準第三十五条の二が適用される自動車は、当分の間、細目告示第四十八条第三項及び別添五十二4・20・2・の規定にかかわらず、道路運送車両の保安基準の細目を定める告示等の一部を改正する告示（令和二年国土交通省告示第千二十一号）による改正前の細目告示第四十八条第三項及び別添五十二4・20・2・の規定に適合するものであればよい。

16　次に掲げる二輪自動車については、保安基準第三十五条の二第一項、細目告示第四十八条第四項、第百二十六条第五項及び第七項、第二百四条第五項及び第七項並びに別添五十三の規定にかかわらず、道路運送車両の保安基準等の一部を改正する省令（令和二年国土交通省令第七十八号）及び道路運送車両の保安基準の細目を定める告示等の一部を改正する告示（令和二年国土交通省告示第千二十一号）による改正前の保安基準第三十五条の二第一項、細目告示第四十八条第四項、第百二十六条第五項及び第七項、第二百四条第五項及び第七項並びに別添五十三の規定に適合するものであればよい。

一　令和五年八月三十一日以前に製作された二輪自動車

二　令和五年九月一日から令和十二年八月三十一日までに製作された二輪自動車であって、次に掲げるもの

イ　令和五年八月三十一日以前に指定を受けた型式指定自動車

ロ　国土交通大臣が定める自動車

17　次に掲げる自動車については、細目告示第四十八条第一項及び別添五十二4・21・2・の規定にかかわらず、道路運送車両の保安基準の細目を定める告示等の一部を改正する告示（令和五年国土交通省告示第一号）による改正前の細目告示第四十八条第一項及び別添五十二4・21・2・の規定（以下この項において「旧規定」という。）に適合するものであればよい。この場合において、旧規定中「協定規則第148号」とあるのは「協定規則第148号補足第4改訂版」と読み替えることができる。

一　令和八年八月三十一日以前に製作された自動車

二　令和八年九月一日以降に製作された自動車であって、次に掲げるもの

イ　令和八年八月三十一日以前に指定を受けた型式指定自動車

ロ　令和八年九月一日以降に新たに指定を受けた型式指定自動車であって、同年八月三十一日以前に指定を受けた型式指定自動車と側方灯の型式が同一であるもの

ハ　国土交通大臣が定める自動車

18　次に掲げる自動車については、細目告示第四十八条第三項及び別添五十二4・20・2・の規定にかかわらず、道路運送車両の保安基準の細目を定める告示等の一部を改正する告示（令和五年国土交通省告示第一号）による改正前の細目告示第四十八条第三項及び別添五十二4・20・2・の規定（以下この項において「旧規定」という。）に適合するものであればよい。この場合において、旧規定中「協定規則第150号」とあるのは「協定規則第150号補足第4改訂版」と読み替え

ることができる。

一　令和八年八月三十一日以前に製作された自動車

二　令和八年九月一日以降に製作された自動車であって、次に掲げるもの

イ　令和八年八月三十一日以前に指定を受けた型式指定自動車

ロ　令和八年九月一日以降に新たに指定を受けた型式指定自動車であって、同年八月三十一日以前に指定を受けた型式指定自動車と側方反射器の型式が同一であるもの

ハ　国土交通大臣が定める自動車

19　次に掲げる二輪自動車については、細目告示第四十八条第四項の規定中「協定規則第53号」とあるのは、「協定規則第53号第3改訂版補足第4改訂版」と読み替えることができる。

一　令和十年八月三十一日以前に製作された二輪自動車

二　令和十年九月一日から令和十二年八月三十一日までに製作された二輪自動車であって、次に掲げるもの

イ　令和十年八月三十一日以前に指定を受けた型式指定自動車

ロ　令和十年九月一日以降に新たに指定を受けた型式指定自動車であって、令和十年八月三十一日以前に指定を受けた型式指定自動車と側方反射器の型式が同一であるもの

ハ　国土交通大臣が定める自動車

三　令和十二年八月三十一日以前に発行された出荷検査証に係る自動車であって、当該出荷検査証の発行後十一月を経過しない間に新規検査又は予備検査を受けようとし、又は受けたもの

（番号灯）

第三六条　昭和三十五年三月三十一日以前に製作された自動車については、保安基準第三十六条の規定並びに細目告示第四十九条、第百二十七条及び第二百五条の規定にかかわらず、次の基準に適合するものであればよい。

一　自動車の後面には、夜間後方二十メートルの距離から自動車登録番号標、臨時運行許可番号標、回送運行許可番号標又は車両番号標の数字等の表示を確認できる灯光の色が白色の番号灯を備えなければならない。但し、最高速度二十キロメートル毎時未満の軽自動車及び小型特殊自動車にあつては、この限りでない。

二　番号灯は、運転者席において消灯できない構造又は前照灯若しくは前部霧灯のいずれかが点灯している場合に消灯できない構造でなければならない。ただし、道路交通法第五十二条第一項の規定により前照灯を点灯しなければならない場合以外の場合において、前照灯又は前部霧灯を点灯させる場合に番号灯が点灯しない装置を備えることができる。

2　次の表の上欄に掲げる自動車については、前項の規定のうち同表の下欄に掲げる規定は、適用しない。

自動車	条項
一　昭和三十五年三月三十一日以前に製作された軽自動車	第一号

3　平成十九年九月一日以降に指定を受けた型式指定自動車以外の自動車については、細目告示別添五十二3・23・の規定は、適用しない。

4　平成十八年一月一日から平成二十三年二月六日までに製作された自動車及び国土交通大臣が定める自動車については、細目告示別添五十二3・7・1・、3・22・及び3・23・の規定にかかわらず、道路運送車両の保安基準の細目を定める告示の一部を改正する告示（平成二十一年国土交通省告示第七百七十一号）による改正前の細目告示別添五十二3・7・1・、3・22・及び3・23・の規定に適合するものであればよい。

5　保安基準第三十六条第三項及び細目告示第四十九条第二項ただし書の規定が適用される自動車のうち平成二十一年七月二十二日から平成二十三年二月六日までに法第七十五条の三第一項の規定に基づく装置の型式の指定を行う場合については、協定規則第四十八号の規定にかかわらず、協定規則第四十八号第四改訂版補足改訂版の規定に適合するものであればよい。

6　保安基準第三十六条第三項及び細目告示第四十九条第二項ただし書の規定が適用される自動車のうち平成二十一年十月二十四日から平成二十四年十月二十三日までに法第七十五条の三第一項の規定に基づく装置の型式の指定を行う場合については、協定規則第四十八号の規定にかかわらず、協定規則第四十八号第四改訂版補足第二改訂版の規定に適合するものであればよい。

7　保安基準第三十六条第三項及び細目告示第四十九条第二項ただし書の規定が適用される自動車のうち平成二十四年十一月十八日から平成二十九年十一月十七日までに法第七十五条の三第一項の規定に基づく装置の型式の指定を行う場合については、協定規則第四十八号の規定にかかわらず、協定規則第四十八号第五改訂版の規定に適合するものであればよい。

8　令和二年九月十四日以前に製作された自動車については、細目告示第四十九条第一項の規定にかかわらず、道路運送車両の保安基準の細目を定める告示の一部を改正する告示（平成二十七年国土交通省告示第七百二十三号）による改正前の細目告示第四十九条第一項の規定に適合するものであればよい。

9　保安基準第三十六条が適用される自動車は、当分の間、細目告示第四十九条第一項、第百二十七条第一項、第二百五条第一項及び別添五十二4・10・2・の規定にかかわらず、道路運送車両の保安基準の細目を定める告示等の一部を改正する告示（令和元年国土交通省告示第七百十四号）による改正前の細目告示第四十九条第一項、第百二十七条第一項、第二百五条第一項及び別添五十二4・10・2・の規定（以下この項において「旧規定」という。）に適合するものであればよい。この場合において、旧規定中「同規則補足第19改訂版」とあるのは「同規則改訂版」と、「協定規則第4号補足第19改訂版」とあるのは「協定規則第4号改訂版」と、「同規則補足第20改訂版」とあるのは「同規則改訂版」と、「協定規則第50号補足第20改訂版」とあるのは「協定規則第50号改訂版」と読み替えることができる。

10　次に掲げる二輪自動車については、細目告示第四十九条第二項及び別添五十三の規定にかかわらず、道路運送車両の保安基準の細目を定める告示等の一部を改正する告示（令和二年国土交通省告示第千二十一号）による改正前の細目告示第四十九条第二項及び別添五十三の規定に適合するものであればよい。

一　令和五年八月三十一日以前に製作された二輪自動車

二　令和五年九月一日から令和十二年八月三十一日までに製作された二輪自動車であって、次に掲げるもの

イ　令和五年八月三十一日以前に指定を受けた型式指定自動車

ロ　国土交通大臣が定める自動車

11　次に掲げる自動車については、細目告示第四十九条第一項、第百二十七条第一項、第二百五条第一項及び別添五十二4・10・2・の規定にかかわらず、道路運送車両の保安基準の細目を定める告示等の一部を改正する告示（令和五年国土交通省告示第一号）による改正前の細目告示第四十九条第一項、第百二十七条第一項、第二百五条第一項及び別添五十二4・10・2・の規定（以下この項において「旧規定」という。）に適合するものであればよい。この場合において、旧規定中「協定規則第148号」とあるのは「協定規則第148号補足第4改訂版」と読み替えることができ

きる。

一　令和八年八月三十一日以前に製作された自動車

二　令和八年九月一日以降に製作された自動車であって、次に掲げるもの

イ　令和八年八月三十一日以前に指定を受けた型式指定自動車

ロ　令和八年九月一日以降に新たに指定を受けた型式指定自動車であって、同年八月三十一日以前に指定を受けた型式指定自動車と番号灯の型式が同一であるもの

ハ　国土交通大臣が定める自動車

12　次に掲げる二輪自動車については、細目告示第四十九条第二項の規定中「協定規則第53号」とあるのは、「協定規則第53号第3改訂版補足第4改訂版」と読み替えることができる。

一　令和十年八月三十一日以前に製作された二輪自動車

二　令和十年九月一日から令和十二年八月三十一日までに製作された二輪自動車であって、次に掲げるもの

イ　令和十年八月三十一日以前に指定を受けた型式指定自動車

ロ　令和十年九月一日以降に新たに指定を受けた型式指定自動車であって、令和十年八月三十一日以前に指定を受けた型式指定自動車と番号灯の型式が同一であるもの

ハ　国土交通大臣が定める自動車

三　令和十二年八月三十一日以前に発行された出荷検査証に係る自動車であって、当該出荷検査証の発行後十一月を経過しない間に新規検査又は予備検査を受けようとし、又は受けたもの

（尾灯）

第三七条　平成十七年十二月三十一日以前に製作された自動車については、保安基準第三十七条の規定並びに細目告示第五十条、第百二十八条及び第二百六条の規定にかかわらず、次の基準に適合するものであればよい。

一　自動車（最高速度二十キロメートル毎時未満の軽自動車及び小型特殊自動車を除く。）の後面の両側には、尾灯を備えなければならない。ただし、二輪自動車、カタピラ及びそりを有する軽自動車並びに幅〇・八メートル以下の自動車には、尾灯を後面に一個備えればよい。

二　尾灯は、次の基準に適合するものでなければならない。

イ　尾灯は、夜間にその後方三百メートルの距離から点灯を確認できるものであり、かつ、その照射光線は、他の交通を妨げないものであること。

ロ　尾灯の灯光の色は、赤色であること。

ハ　尾灯の照明部は、尾灯の中心を通り自動車の進行方向に直交する水平線を含む、水平面より上方十五度の平面及び下方十五度の平面並びに尾灯の中心を含む、自動車の進行方向に平行な鉛直面より尾灯の内側方向四十五度の平面及び尾灯の外側方向八十度の平面により囲まれる範囲においてすべての位置から見通すことができるものであること。

三　尾灯は、前号（大型特殊自動車（ポール・トレーラを除く。）及び小型特殊自動車にあっては、同号ハに係る部分を除く。）に掲げる性能（尾灯の照明部の上縁の高さが地上〇・七五メートル未満となるように取り付けられている場合にあっては、同号ハの基準中「下方十五度」とあるのは「下方五度」とし、専ら乗用の用に供する自動車（二輪自動車、側車付二輪自動車、三輪自動車、カタピラ及びそりを有する軽自動車並びに被牽引自動車を除く。）であって乗車定員が十人未満のもの又は貨物の運送の用に供する自動車（三輪自動車及び被牽引自動車を除く。）であって車両総重量二・五トン以下のものの前部に取り付けられている側方灯が同号ハに規定する性能を補完する性能を有する場合にあっては同号ハの基準中「外側方向八十度」とあるのは「外側方向四十五度」とする。）を損なわないように、かつ、次の基準に適合するように取り付けられなければならない。

イ　尾灯は、前条第一項第二号の基準に準じたものであること。

ロ　二輪自動車、側車付二輪自動車並びにカタピラ及びそりを有する軽自動車以外の自動車に備える尾灯は、その照明部の上縁の高さが地上二・一メートル以下、下縁の高さが地上〇・三五メートル以上（セミトレーラでその自動車の構造上地上〇・三五メートル以上に取り付けることができないものにあっては、取り付けることができる最高の高さ）となるように取り付けられていること。

ハ　二輪自動車、側車付二輪自動車並びにカタピラ及びそりを有する軽自動車に備える尾灯は、その照明部の中心が地上二メートル以下となるように取り付けられていること。

ニ　後面の両側に備える尾灯にあっては、最外側にあるものの照明部の最外縁は、自動車の最外側から四百ミリメートル以内となるように取り付けられていること。

ホ　後面の両側に備える尾灯は、車両中心面に対して対称の位置に取り付けられたものであること（後面が左右対称でない自動車の尾灯を除く。）。

ヘ　尾灯の点灯操作状態を運転者席の運転者に表示する装置を備えること。ただし、最高速度三十五キロメートル毎時未満の大型特殊自動車、小型特殊自動車並びに尾灯と連動して点灯する運転者席及びこれと並列の座席の前方に設けられる計器類を備える自動車にあっては、この限りでない。

2　次の表の上欄に掲げる自動車については、前項の規定のうち同表の下欄に掲げる規定は、適用しない。

自動車	条項
一　昭和三十五年三月三十一日以前に製作された自動車	第三号イ及びニ
二　昭和三十五年三月三十一日以前に製作された軽自動車	第一号
三　平成十七年十二月三十一日以前に製作された自動車	第二号ハ及び第三号ヘ

3　次の表の第一欄に掲げる自動車については、第一項の規定のうち同表第二欄に掲げる規定は、同表第三欄に掲げる字句を同表第四欄に掲げる字句に読み替えて適用する。

自動車	条項	読み替えられる字句	読み替える字句
一　昭和三十五年三月三十一日以前に製作された自動車	第一号	後面の両側には、尾灯を備えなければならない。ただし、二輪自動車、カタピラ及びそりを有する軽自動車並びに幅〇・八メートル以下の自動車には、尾灯を後面に一個備えればよい。	後面には、尾灯を備えなければならない。

二　昭和四十四年三月三十一日以前に製作された自動車	第三号ニ	最外側にあるものの照明部の最外縁は、自動車の最外側から四百ミリメートル以内となるように取り付けられていること。	自動車の幅の五十パーセント以上の間隔を有するものであること。
三　昭和三十五年四月一日から昭和四十四年三月三十一日までに製作された自動車	第一号ただし書	幅〇・八メートル以下の自動車	幅二メートル未満の自動車（旅客自動車運送事業用自動車を除く。）
四　昭和四十八年十一月三十日以前に製作された自動車	第二号イ	三百メートル	百五十メートル
五　昭和三十五年四月一日から昭和四十八年十一月三十日までに製作された自動車	第一号	二輪自動車	二輪自動車、側車付二輪自動車
六　平成八年一月三十一日以前に製作された自動車	第三号ロ	上縁の高さが地上二・一メートル以下、下縁の高さが地上〇・三五メートル以上（セミトレーラでその自動車の構造上地上〇・三五メートル以上に取り付けることができないものにあっては、取り付けることができる最高の高さ）	中心の高さが地上二メートル以下
七　平成八年二月一日から平成十七年十二月三十一日までに製作された自動車	第三号ロ	上縁の高さが地上二・一メートル以下、下縁の高さが地上〇・三五メートル以上（セミトレーラでその自動車の構造上地上〇・三五メートル以上に取り付けることができないものにあっては、取り付け付	上縁の高さが地上二・一メートル以下

		けることができる最高の高さ）	
八　平成十七年十二月三十一日以前に製作された自動車	第二号イ	あり、かつ、その照射光線は、他の交通を妨げないものであること。	あること。
	第三号	前号（大型特殊自動車（ポール・トレーラを除く。）及び小型特殊自動車にあっては、同号ハに係る部分を除く。）に掲げる性能（尾灯の照明部の上縁の高さが地上〇・七五メートル未満となるように取り付けられている場合にあっては、同号ハの基準中「下方十五度」とあるのは「下方五度」とし、専ら乗用の用に供する自動車（二輪自動車、側車付二輪自動車、三輪自動車、カタピラ及びそりを有する軽自動車並びに被牽引自動車を除く。）であって乗車定員が十人未満のもの又は貨物の運送の用に供する自動車（三輪自動車及び被牽引自動車を除く。）であって車両総重量三・五トン以下のものの前部に取り付けられている側方灯が同号ハに規定する性能を補完する性能を有する場合にあっては、取り付	前号に掲げる性能

にあっては同号ハの基準中「外側方向八十度」とあるのは「外側方向四十五度」とする。）

4　昭和四十八年十一月三十日以前に製作された自動車については、第一項第三号イの規定にかかわらず、方向指示器又は非常点滅表示灯と兼用の後面の両側に備える尾灯は、方向指示器又は非常点滅表示灯を作動させている場合においては、方向の指示をしている側のもの又は両側のものが消灯する構造とすることができる。

5　平成十九年九月一日以降に指定を受けた型式指定自動車以外の自動車については、細目告示別添五十二3・23・の規定は、適用しない。

6　平成二十三年十二月三十一日以前に製作された自動車については、細目告示別添五十二4・12・3・の規定にかかわらず、道路運送車両の保安基準の細目を定める告示を改正する告示（平成十八年国土交通省告示第三百八十一号）による改正前の細目告示別添五十二4・12・3・の規定に適合するものであればよい。

7　平成十八年一月一日から平成二十一年七月十日までに製作された自動車については、細目告示別添六十四3・9・の規定は、適用しない。

8　平成十八年一月一日から平成二十一年十月十四日までに製作された自動車については、細目告示第五十条第一項、別添五十二2・13・及び別添六十四3・7・の規定にかかわらず、道路運送車両の保安基準の細目を定める告示の一部を改正する告示（平成二十年国土交通省告示第千二百十七号）による改正前の細目告示第五十条第一項、別添五十二2・13・及び別添六十四3・7・の規定に適合するものであればよい。

9　平成十八年一月一日から平成二十三年二月六日までに製作された自動車及び国土交通大臣が定める自動車については、細目告示別添五十二3・7・1・、3・22・及び3・23・の規定にかかわらず、道路運送車両の保安基準の細目を定める告示の一部を改正する告示（平成二十一年国土交通省告示第七百七十一号）による改正前の細目告示別添五十二3・7・1・、3・22・及び3・23・の規定に適合するものであればよい。

10　保安基準第三十七条第三項及び細目告示第五十条第二項ただし書の規定が適用される自動車のうち平成二十一年七月二十二日から平成二十三年二月六日までに法第七十五条の三第一項の規定に基づく装置の型式の指定を行う場合については、協定規則第四十八号の規定にかかわらず、協定規則第四十八号第四改訂版補足改訂版の規定に適合するものであればよい。

11　平成十八年一月一日から平成二十四年十月二十三日までに製作された自動車及び国土交通大臣が定めるものについては、細目告示別添五十二3・27・の規定は、適用しない。

12　保安基準第三十七条第三項及び細目告示第五十条第二項ただし書の規定が適用される自動車のうち平成二十一年十月二十四日から平成二十四年十月二十三日までに法第七十五条の三第一項の規定に基づく装置の型式の指定を行う場合については、協定規則第四十八号の規定にかかわらず、協定規則第四十八号第四改訂版補足第二改訂版の規定に適合するものであればよい。

13　保安基準第三十七条第三項及び細目告示第五十条第二項ただし書の規定が適用される自動車のうち平成二十四年十一月十八日から平成二十九年十一月十七日までに法第七十五条の三第一項の規定に基づく装置の型式の指定を行う場合については、協定規則第四十八号の規定にかかわらず、協定規則第四十八号第五改訂版の規定に適合するものであればよい。

14　令和二年九月十四日以前に製作された二輪自動車及び側車付二輪自動車については、細目告示第五十条第一項の規定にかかわらず、道路運送車両の保安基準の細目を定める告示の一部を改正する告示（平成二十七年国土交通省告示第七百二十三号）による改正前の細目告示第五十条第一項の規定に適合するものであればよい。

15　保安基準第三十七条が適用される自動車は、当分の間、細目告示第五十条並びに別添五十二4・12・2・及び4・12・8・の規定にかかわらず、道路運送車両の保安基準の細目を定める告示等の一部を改正する告示（令和元年国土交通省告示第七百十四号）による改正前の細目告示第五十条第一項及び別添五十二4・12・2・並びに4・12・8・の規定（以下この項において「旧規定」という。）に適合するものであればよい。この場合において、旧規定中「同規則補足第20改訂版」とあるのは「同規則改訂版」と、「協定規則第50号補足第20改訂版」とあるのは「協定規則第50号改訂版」と読み替えることができる。

16　次に掲げる二輪自動車については、細目告示第五十条第二項、第百二十八条第三項、第二百六条第三項及び別添五十三の規定にかかわらず、道路運送車両の保安基準の細目を定める告示等の一部を改正する告示（令和二年国土交通省告示第千二十一号）による改正前の細目告示第五十条第二項、第百二十八条第三項、第二百六条第三項及び別添五十三の規定に適合するものであればよい。

一　令和五年八月三十一日以前に製作された二輪自動車

二　令和五年九月一日から令和十二年八月三十一日までに製作された二輪自動車であって、次に掲げるもの

イ　令和五年八月三十一日以前に指定を受けた型式指定自動車

ロ　国土交通大臣が定める自動車

17　次に掲げる自動車については、細目告示第五十条第一項並びに別添五十二4・12・2・及び4・12・8・の規定にかかわらず、道路運送車両の保安基準の細目を定める告示等の一部を改正する告示（令和五年国土交通省告示第一号）による改正前の細目告示第五十条第一項並びに別添五十二4・12・2・及び4・12・8・の規定（以下この項において「旧規定」という。）に適合するものであればよい。この場合において、旧規定中「協定規則第148号」とあるのは「協定規則第148号補足第4改訂版」と読み替えることができる。

一　令和八年八月三十一日以前に製作された自動車

二　令和八年九月一日以降に製作された自動車であって、次に掲げるもの

イ　令和八年八月三十一日以前に指定を受けた型式指定自動車

ロ　令和八年九月一日以降に新たに指定を受けた型式指定自動車であって、同年八月三十一日以前に指定を受けた型式指定自動車と尾灯の型式が同一であるもの

ハ　国土交通大臣が定める自動車

18　次に掲げる二輪自動車については、細目告示第五十条第二項の規定中「協定規則第53号」とあるのは、「協定規則第53号第3改訂版補足第4改訂版」と読み替えることができる。

一　令和十年八月三十一日以前に製作された二輪自動車

二　令和十年九月一日から令和十二年八月三十一日までに製作された二輪自動車であって、次に掲げるもの

イ　令和十年八月三十一日以前に指定を受けた型式指定自動車

ロ　令和十年九月一日以降に新たに指定を受けた型式指定自動車であって、令和十年八月三十

一日以前に指定を受けた型式指定自動車と尾灯の型式が同一であるもの
ハ　国土交通大臣が定める自動車
三　令和十二年八月三十一日以前に発行された出荷検査証に係る自動車であって、当該出荷検査証の発行後十一月を経過しない間に新規検査又は予備検査を受けようとし、又は受けたもの

（後部霧灯）

第三八条　平成十七年十二月三十一日以前に製作された自動車については、保安基準第三十七条の二の規定並びに細目告示第五十一条、第百二十九条及び第二百七条の規定にかかわらず、次の基準に適合するものであればよい。
一　自動車の後面には、後部霧灯を備えることができる。
二　後部霧灯は、次の基準に適合するものでなければならない。
イ　後部霧灯の照射光線は、他の交通を妨げないものであること。
ロ　後部霧灯の灯光の色は、赤色であること。
三　後部霧灯は、前号に掲げた性能を損なわないように、かつ、次の基準に適合するように取り付けられなければならない。
イ　後部霧灯の数は、二個以下であること。
ロ　後部霧灯は、前照灯又は前部霧灯が点灯している場合にのみ点灯できる構造であり、かつ、前照灯又は前部霧灯のいずれが点灯している場合においても消灯できる構造であること。
ハ　後部霧灯は、次のいずれかの要件に適合する構造であること。
(1)　原動機を停止し、かつ、運転者席の扉を開放した場合に、後部霧灯の点灯操作装置が点灯位置にあるときは、その旨を運転者席の運転者に音により警報すること。
(2)　前照灯又は前部霧灯を消灯した場合にあっても点灯しているときは、尾灯は点灯しており、かつ、尾灯を消灯した後、前照灯又は前部霧灯を点灯した場合には、再度、後部霧灯の点灯操作を行うまで消灯していること。
ニ　二輪自動車、側車付二輪自動車並びにカタピラ及びそりを有する軽自動車以外の自動車に備える後部霧灯は、その照明部の上縁の高さが地上一メートル以下、下縁の高さが地上〇・二五メートル以上となるように取り付けられていること。
ホ　二輪自動車、側車付二輪自動車並びにカタピラ及びそりを有する軽自動車に備える後部霧灯は、その照明部の中心が地上一メートル以下となるように取り付けられていること。
ヘ　後部霧灯の照明部は、制動灯の照明部から百ミリメートル以上離れていること。
ト　大型特殊自動車（ポール・トレーラを除く。）及び小型特殊自動車以外の自動車に備える後部霧灯の照明部は、後部霧灯の中心を通り自動車の進行方向に直交する水平線を含む、水平面より上方五度の平面及び下方五度の平面並びに後部霧灯の中心を含む、自動車の進行方向に平行な鉛直面より後部霧灯の内側方向二十五度の平面及び後部霧灯の外側方向二十五度の平面により囲まれる範囲においてすべての位置から見通すことができるように取り付けられていること。
チ　後部霧灯を一個備える場合にあっては、当該後部霧灯の中心が車両中心面上又はこれより右側の位置となるように取り付けられていること。
リ　後部霧灯の点灯操作状態を運転者席の運転者に表示する装置を備えること。
ヌ　後面の両側に備える後部霧灯の取付位置は、ニからトまでに規定するほか、前条第一項第三号ホの基準に準じたものであること。

2　次の表の上欄に掲げる自動車については、前項の規定のうち同表の下欄に掲げる規定は、適用しない。

自動車	条項
一　平成十七年十二月三十一日以前に製作された自動車	第三号ト、チ及びヌ

3　次の表の第一欄に掲げる自動車については、第一項の規定のうち同表第二欄に掲げる規定は、同表第三欄に掲げる字句を同表第四欄に掲げる字句に読み替えて適用する。

自動車	条項	読み替えられる字句	読み替える字句
一　平成八年一月三十一日以前に製作された自動車	第三号ニ	上縁の高さが地上一メートル以下、下縁の高さが地上〇・二五メートル以上	中心の高さが地上一メートル以下
二　平成八年二月一日から平成十七年十二月三十一日までに製作された自動車	第三号ニ	上縁の高さが地上一メートル以下、下縁の高さが地上〇・二五メートル以上	上縁の高さが地上一メートル以下

4　平成十七年十二月三十一日以前に製作された自動車については、第一項第二号イ並びに第三号ロ及びハの規定にかかわらず、後部霧灯は、次の基準に適合する構造とすることができる。
一　後部霧灯の光度は、尾灯の光度を超えるものであること。
二　後部霧灯は、前照灯又は前部霧灯が点灯している場合にのみ点灯できる構造であり、かつ、前照灯又は前部霧灯のいずれが点灯している場合においても消灯できる構造であること。ただし、後部霧灯は、尾灯が点灯している場合に限り前照灯又は前部霧灯を消灯した場合にあっても点灯している構造とすることができる。この場合において、尾灯を消灯した後、前照灯又は前部霧灯を点灯した場合には、再度、後部霧灯の点灯操作を行うまで消灯している構造であること。

5　平成十九年九月一日以降に指定を受けた型式指定自動車以外の自動車については、細目告示別添五十二3・23・の規定は、適用しない。

6　平成十八年一月一日から平成二十一年七月十日までに製作された自動車については、細目告示別添六十五3・5・の規定は、適用しない。

7　平成十八年一月一日から平成二十一年十月十四日までに製作された自動車については、細目告示第五十一条第一項、別添五十二2・13・及び別添六十五3・3・の規定にかかわらず、道路運送車両の保安基準の細目を定める告示の一部を改正する告示（平成二十年国土交通省告示第千二百十七号）による改正前の細目告示第五十一条第一項、別添五十二2・13・及び別添六十五3・3・の規定に適合するものであればよい。

8　平成十八年一月一日から平成二十三年二月六日までに製作された自動車及び国土交通大臣が定める自動車については、細目告示別添五十二3・7・1・、3・22・及び3・23・の規定にかかわらず、道路運送車両の保安基準の細目を定める告示の一部を改正する告示（平成二十一年国土交通省告示第七百七十一号）による改正前の細目告示別添五十二3・7・1・、3・22・及び3・23・の規定に適合するものであればよい。

9　保安基準第三十七条の二第三項及び細目告示第五十一条第二項ただし書の規定が適用される自動車のうち平成二十一年七月二十二日から平成二十三年二月六日までに法第七十五条の三第一項の規定に基づく装置の型式の指定を行う場合については、協定規則第四十八号の規定にかかわらず、協定規則第四十八号第四改訂版補足改訂版の規定に適合するものであればよい。

10　保安基準第三十七条の二第三項及び細目告示第五十一条第二項ただし書の規定が適用される自動車のうち平成二十一年十月二十四日から平成二十四年十月二十三日までに法第七十五条の三第一項の規定に基づく装置の型式の指定を行う場合については、協定規則第四十八号の規定にかかわらず、協定規則第四十八号第四改訂版補足第二改訂版の規定に適合するものであればよい。

11　保安基準第三十七条の二第三項及び細目告示第五十一条第二項ただし書の規定が適用される自動車のうち平成二十四年十一月十八日から平成二十九年十一月十七日までに法第七十五条の三第一項の規定に基づく装置の型式の指定を行う場合については、協定規則第四十八号の規定にかかわらず、協定規則第四十八号第五改訂版の規定に適合するものであればよい。

12　保安基準第三十七条の二が適用される自動車は、当分の間、細目告示第五十一条第一項及び別添五十二4・13・2・の規定にかかわらず、道路運送車両の保安基準の細目を定める告示等の一部を改正する告示（令和元年国土交通省告示第七百十四号）による改正前の細目告示第五十一条第一項及び別添五十二4・13・2・の規定に適合するものであればよい。

13　次に掲げる二輪自動車については、細目告示第五十一条第二項、第百二十九条第三項、第二百七条第三項及び別添五十三の規定にかかわらず、道路運送車両の保安基準の細目を定める告示等の一部を改正する告示（令和二年国土交通省告示第千二十一号）による改正前の細目告示第五十一条第二項、第百二十九条第三項、第二百七条第三項及び別添五十三の規定に適合するものであればよい。

一　令和五年八月三十一日以前に製作された二輪自動車

二　令和五年九月一日から令和十二年八月三十一日までに製作された二輪自動車であって、次に掲げるもの

イ　令和五年八月三十一日以前に指定を受けた型式指定自動車

ロ　国土交通大臣が定める自動車

14　次に掲げる自動車については、細目告示第五十一条第一項及び別添五十二4・13・2・の規定にかかわらず、道路運送車両の保安基準の細目を定める告示等の一部を改正する告示（令和五年国土交通省告示第一号）による改正前の細目告示第五十一条第一項及び別添五十二4・13・2・（以下この項において「旧規定」という。）に適合するものであればよい。この場合において、旧規定中「協定規則第148号」とあるのは「協定規則第148号補足第4改訂版」と読み替えることができる。

一　令和八年八月三十一日以前に製作された自動車

二　令和八年九月一日以降に製作された自動車であって、次に掲げるもの

イ　令和八年八月三十一日以前に指定を受けた型式指定自動車

ロ　令和八年九月一日以降に新たに指定を受けた型式指定自動車であって、同年八月三十一日以前に指定を受けた型式指定自動車と後部霧灯の型式が同一であるもの

ハ　国土交通大臣が定める自動車

15　次に掲げる二輪自動車については、細目告示第五十一条第二項の規定中「協定規則第53号」とあるのは、「協定規則第53号第3改訂版補足第4改訂版」と読み替えることができる。

一　令和十年八月三十一日以前に製作された二輪自動車

二　令和十年九月一日から令和十二年八月三十一日までに製作された二輪自動車であって、次に掲げるもの

イ　令和十年八月三十一日以前に指定を受けた型式指定自動車

ロ　令和十年九月一日以降に新たに指定を受けた型式指定自動車であって、令和十年八月三十一日以前に指定を受けた型式指定自動車と後部霧灯の型式が同一であるもの

ハ　国土交通大臣が定める自動車

三　令和十二年八月三十一日以前に発行された出荷検査証に係る自動車であって、当該出荷検査証の発行後十一月を経過しない間に新規検査又は予備検査を受けようとし、又は受けたもの

（駐車灯）

第三九条　平成十七年十二月三十一日以前に製作された自動車については、保安基準第三十七条の三の規定並びに細目告示第五十二条、第百三十条及び第二百八条の規定にかかわらず、次の基準に適合するものであればよい。

一　自動車の前面及び後面の両側（カタピラ及びそりを有する軽自動車並びに幅〇・八メートル以下の自動車にあっては、前面及び後面又は後面）又はその両側面には、駐車灯を備えることができる。

二　駐車灯は、次の基準に適合するものでなければならない。

イ　駐車灯は、前面に備える駐車灯にあっては夜間前方百五十メートルの距離から、後面に備える駐車灯にあっては夜間後方百五十メートルの距離から、両側面に備える駐車灯にあっては夜間前方百五十メートル及び後方百五十メートルの距離から点灯を確認できるものであり、かつ、その照射光線は、他の交通を妨げないものであること。

ロ　駐車灯の灯光の色は、前面に備えるものにあっては白色、後面に備えるものにあっては赤色、両側面に備えるものにあっては自動車の進行方向が白色であり、かつ、自動車の後退方向が赤色であること。ただし、側方灯又は自動車の両側面に備える方向指示器と構造上一体となっている駐車灯にあっては、橙色であってもよい。

ハ　前面又は後面に備える駐車灯の照明部は、駐車灯の中心を通り自動車の進行方向に直交する水平線を含む水平面より上方十五度の平面及び下方十五度の平面並びに駐車灯の中心を通り自動車の進行方向に平行な鉛直面及び当該鉛直面より駐車灯の外側方向四十五度の平面により囲まれる範囲においてすべての位置から見通すことができるものであること。

ニ　両側面に備える駐車灯の照明部は、駐車灯の中心を通り自動車の進行方向に直交する水平線を含む水平面より上方十五度の平面及び下方十五度の平面並びに駐車灯の中心を通り自動車の進行方向に平行な鉛直面及び当該鉛直面より駐車灯の外側方向前方四十五度の鉛直面により囲まれる範囲並びに駐車灯の中心を通り自動車の進行方向に平行な水平線を含む水平面より上方十五度の平面及び下方十五度の平面並びに駐車灯の中心を通り自動車の進行方向に平行な鉛直面及び当該鉛直面より駐車灯の外側方向後方四十五度の鉛直面により囲まれる範囲においてすべての位置から見通すことができるものであること。

三　駐車灯は、前号（大型特殊自動車（ポール・トレーラを除く。）及び小型特殊自動車にあっては、同号ハ及びニに係る部分を除く。）に掲げる性能（駐車灯の照明部の上縁の高さが地上〇・七五メートル未満となるように取り付けられている場合にあっては、同号ハ及びニの基準中「下方十五度」とあるのは「下方五度」とする。）を損なわないように、かつ、次の基準に適合するように取り付けられなければならない。

イ　前面又は後面の両側に備える駐車灯の照明部の最外縁は、自動車の最外側から四百ミリ

メートル以内（被牽引自動車にあっては、百五十ミリメートル以内）となるように取り付けられていること。

ロ　前面又は後面の両側に備える駐車灯は、車両中心面に対して対称の位置に取り付けられたものであること。ただし、前面又は後面が左右対称でない自動車に備える駐車灯にあっては、この限りでない。

ハ　後面に備える駐車灯は、そのすべてが同時に点灯するものであること。ただし、長さ六メートル以上又は幅二メートル以上の自動車以外の自動車にあっては、左側又は右側の駐車灯のみ点灯する構造とすることができる。

ニ　前面に備える駐車灯は、後面（牽引自動車と被牽引自動車とを連結した場合においては、被牽引自動車の後面）に備える駐車灯が点灯している場合にのみ点灯する構造であること。

ホ　原動機の回転が停止している状態において点灯することができるものであること。

2　次の表の上欄に掲げる自動車については、前項の規定のうち同表の下欄に掲げる規定は、適用しない。

自動車	条項
一　昭和四十四年九月三十日以前に製作された自動車	第二号ロ及び第三号
二　昭和四十八年十一月三十日以前に製作された自動車	第二号ロ（前面に備える駐車灯に係る部分に限る。）

3　平成十七年十二月三十一日以前に製作された自動車については、第一項第一号の規定にかかわらず、自動車の後面の両側に駐車灯を備えることができる。

4　平成十七年十二月三十一日以前に製作された自動車については、第一項第二号の規定にかかわらず、駐車灯は、次の基準に適合する構造とすることができる。

一　前面に備える駐車灯は夜間前方百五十メートルの距離から、後面に備える駐車灯は夜間後方百五十メートルの距離から点灯を確認できるものであること。

二　前面に備える駐車灯については第三十二条第一項第二号ロの基準に、後面に備える駐車灯については第三十七条第一項第二号ロの基準に準じたものであること。

5　平成十九年九月一日以降に指定を受けた型式指定自動車以外の自動車については、細目告示別添五十二3・23・の規定は、適用しない。

6　平成十八年一月一日から平成二十一年七月十日までに製作された自動車については、細目告示別添六十六3・6・の規定は、適用しない。

7　平成十八年一月一日から平成二十一年十月十四日までに製作された自動車については、細目告示第五十二条第一項、別添五十二2・13・及び別添六十六3・5・の規定にかかわらず、道路運送車両の保安基準の細目を定める告示の一部を改正する告示（平成二十年国土交通省告示第千二百十七号）による改正前の細目告示第五十二条第一項、別添五十二2・13・及び別添六十六3・5・の規定に適合するものであればよい。

8　平成十八年一月一日から平成二十三年二月六日までに製作された自動車及び国土交通大臣が定める自動車については、細目告示別添五十二3・7・1・、3・22・及び3・23・の規定にかかわらず、道路運送車両の保安基準の細目を定める告示の一部を改正する告示（平成二十一年国土交通省告示第七百七十一号）による改正前の細目告示別添五十二3・7・1・、3・22・及び3・23・の規定に適合するものであればよい。

9　保安基準第三十七条の三第三項及び細目告示第五十二条第三項ただし書の規定が適用される自動車のうち平成二十一年七月二十二日から平成二十三年二月六日までに法第七十五条の三第一項の規定に基づく装置の型式の指定を行う場合については、協定規則第四十八号の規定にかかわらず、協定規則第四十八号第四改訂版補足改訂版の規定に適合するものであればよい。

10　保安基準第三十七条の三第三項及び細目告示第五十二条第三項ただし書の規定が適用される自動車のうち平成二十一年十月二十四日から平成二十四年十月二十三日までに法第七十五条の三第一項の規定に基づく装置の型式の指定を行う場合については、協定規則第四十八号の規定にかかわらず、協定規則第四十八号第四改訂版補足第二改訂版の規定に適合するものであればよい。

11　保安基準第三十七条の三第三項及び細目告示第五十二条第三項ただし書の規定が適用される自動車のうち平成二十四年十一月十八日から平成二十九年十一月十七日までに法第七十五条の三第一項の規定に基づく装置の型式の指定を行う場合については、協定規則第四十八号の規定にかかわらず、協定規則第四十八号第五改訂版の規定に適合するものであればよい。

12　保安基準第三十七条の三が適用される自動車は、当分の間、細目告示第五十二条第一項及び別添五十二4・14・2・の規定にかかわらず、道路運送車両の保安基準の細目を定める告示等の一部を改正する告示（令和元年国土交通省告示第七百十四号）による改正前の細目告示第五十二条第一項及び別添五十二4・14・2・の規定に適合するものであればよい。

13　次に掲げる自動車については、細目告示第五十二条第一項及び別添五十二4・14・2・の規定にかかわらず、道路運送車両の保安基準の細目を定める告示等の一部を改正する告示（令和五年国土交通省告示第一号）による改正前の細目告示第五十二条第一項及び別添五十二4・14・2・（以下この項において「旧規定」という。）に適合するものであればよい。この場合において、旧規定中「協定規則第148号」とあるのは「協定規則第148号補足第4改訂版」と読み替えることができる。

一　令和八年八月三十一日以前に製作された自動車

二　令和八年九月一日以降に製作された自動車であって、次に掲げるもの

イ　令和八年八月三十一日以前に指定を受けた型式指定自動車

ロ　令和八年九月一日以降に新たに指定を受けた型式指定自動車であって、同年八月三十一日以前に指定を受けた型式指定自動車と駐車灯の型式が同一であるもの

ハ　国土交通大臣が定める自動車

（後部上側端灯）

第四〇条　平成十七年十二月三十一日以前に製作された自動車については、保安基準第三十七条の四の規定並びに細目告示第五十三条、第百三十一条及び第二百九条の規定にかかわらず、次の基準に適合するものであればよい。

一　自動車には、後部上側端灯を備えることができる。

二　後部上側端灯は、次の基準に適合するものでなければならない。

イ　後部上側端灯は、夜間にその後方三百メートルの距離から点灯を確認できるものであり、かつ、その照射光線は、他の交通を妨げないものであること。

ロ　後部上側端灯の灯光の色は、赤色であること。

ハ　後部上側端灯の照明部は、後部上側端灯の中心を通り自動車の進行方向に直交する水平線を含む、水平面より上方十五度の平面及び下方十五度の平面並びに後部上側端灯の中心を含む、自動車の進行方向に平行な鉛直面より後部上側端灯の内側方向四十五度の平面及び後部上側端灯の外側方向八十度の平面により囲まれる範囲においてすべての位置から見通すことができるものであること。

三　後部上側端灯は、前号に掲げた性能を損なわないように、かつ、次の基準に適合するように取り付けられなければならない。

イ　後部上側端灯は、取り付けることができる最高の高さに取り付けられていること。

ロ　後部上側端灯の照明部の最外縁は、自動車の最外側から四百ミリメートル以内となるように取り付けられていること。

ハ　両側に備える後部上側端灯は、車両中心面に対して対称の位置に取り付けられたものであること（左右対称でない自動車の後部上側端灯を除く。）。

ニ　後部上側端灯は、その照明部と尾灯の照明部を車両中心面に直交する鉛直面に投影したときに二百ミリメートル以上離れるような位置に取り付けられていること。

ホ　後部上側端灯は、尾灯が点灯している場合に消灯できない構造であること。

2　平成十九年九月一日以降に指定を受けた型式指定自動車以外の自動車については、細目告示別添五十二3・23・の規定は、適用しない。

3　平成十八年一月一日から平成二十一年七月十日までに製作された自動車については、細目告示別添六十七3・7・の規定は、適用しない。

4　平成十八年一月一日から平成二十一年十月十四日までに製作された自動車については、細目告示第五十三条第一項、別添五十二2・13・及び別添六十七3・5・の規定にかかわらず、道路運送車両の保安基準の細目を定める告示の一部を改正する告示（平成二十年国土交通省告示第千二百十七号）による改正前の細目告示第五十三条第一項、別添五十二2・13・及び別添六十七3・5・の規定に適合するものであればよい。

5　平成十八年一月一日から平成二十三年二月六日までに製作された自動車及び国土交通大臣が定める自動車については、細目告示別添五十二3・7・1・、3・22・及び3・23・の規定にかかわらず、道路運送車両の保安基準の細目を定める告示の一部を改正する告示（平成二十一年国土交通省告示第七百七十一号）による改正前の細目告示別添五十二3・7・1・、3・22・及び3・23・の規定に適合するものであればよい。

6　保安基準第三十七条の四第三項及び細目告示第五十三条第二項ただし書の規定が適用される自動車のうち平成二十一年七月二十二日から平成二十三年二月六日までに法第七十五条の三第一項の規定に基づく装置の型式の指定を行う場合については、協定規則第四十八号の規定にかかわらず、協定規則第四十八号第四改訂版補足改訂版の規定に適合するものであればよい。

7　保安基準第三十七条の四第三項及び細目告示第五十三条第二項ただし書の規定が適用される自動車のうち平成二十一年十月二十四日から平成二十四年十月二十三日までに法第七十五条の三第一項の規定に基づく装置の型式の指定を行う場合については、協定規則第四十八号の規定にかかわらず、協定規則第四十八号第四改訂版補足第二改訂版の規定に適合するものであればよい。

8　保安基準第三十七条の四第三項及び細目告示第五十三条第二項ただし書の規定が適用される自動車のうち平成二十四年十一月十八日から平成二十九年十一月十七日までに法第七十五条の三第一項の規定に基づく装置の型式の指定を行う場合については、協定規則第四十八号の規定にかかわらず、協定規則第四十八号第五改訂版の規定に適合するものであればよい。

9　保安基準第三十七条の四が適用される自動車は、当分の間、細目告示第五十三条第一項及び別添五十二4・15・7・の規定にかかわらず、道路運送車両の保安基準の細目を定める告示等の一部を改正する告示（令和元年国土交通省告示第七百十四号）による改正前の細目告示第五十三条第一項及び別添五十二4・15・7・の規定に適合するものであればよい。

10　次に掲げる自動車については、細目告示第五十三条第一項並びに別添五十二4・15・2・及び4・15・7・の規定にかかわらず、道路運送車両の保安基準の細目を定める告示等の一部を改正する告示（令和五年国土交通省告示第一号）による改正前の細目告示第五十三条第一項並びに別添五十二4・15・2・及び4・15・7・の規定（以下この項において「旧規定」という。）に適合するものであればよい。この場合において、旧規定中「協定規則第148号」とあるのは「協定規則第148号補足第4改訂版」と読み替えることができる。

一　令和八年八月三十一日以前に製作された自動車

二　令和八年九月一日以降に製作された自動車であって、次に掲げるもの

イ　令和八年八月三十一日以前に指定を受けた型式指定自動車

ロ　令和八年九月一日以降に新たに指定を受けた型式指定自動車であって、同年八月三十一日以前に指定を受けた型式指定自動車と後部上側端灯の型式が同一であるもの

ハ　国土交通大臣が定める自動車

（後部反射器）

第四一条　平成十七年十二月三十一日以前に製作された自動車については、保安基準第三十八条の規定並びに細目告示第五十四条、第百三十二条及び第二百十条の規定にかかわらず、次の基準に適合するものであればよい。

一　自動車の後面には、次の基準に適合する後部反射器を備えなければならない。

イ　後部反射器（被牽引自動車に備えるものを除く。）の反射部は、文字及び三角形以外の形であること。

ロ　被牽引自動車に備える後部反射器の反射部は、正立正三角形又は帯状部の幅が一辺の五分の一以上の中空の正立正三角形であって、一辺が百五十ミリメートル以上二百ミリメートル以下のものであること。

ハ　後部反射器は、夜間にその後方百五十メートルの距離から走行用前照灯で照射した場合にその反射光を照射位置から確認できるものであること。

ニ　後部反射器による反射光の色は、赤色であること。

二　後部反射器は、前号に掲げた性能を損なわないように、かつ、次の基準に適合するように取り付けられなければならない。

イ　二輪自動車、側車付二輪自動車並びにカタピラ及びそりを有する軽自動車以外の自動車に備える後部反射器は、その反射部の上縁の高さが地上一・五メートル以下、下縁の高さが地上〇・二五メートル以上となるように取り付けられていること。

ロ　二輪自動車、側車付二輪自動車並びにカタピラ及びそりを有する軽自動車に備える後部反射器は、その反射部の中心が地上一・五メートル以下となるように取り付けられていること。

ハ　最外側にある後部反射器の反射部は、その最外縁が自動車の最外側から四百ミリメートル以内となるように取り付けられていること。ただし、二輪自動車並びにカタピラ及びそりを有する軽自動車に備えるものにあってはその中心が車両中心面上、側車付二輪自動車の二輪自動車部分に備えるものにあってはその中心が二輪自動車部分の中心面上となるように取り付けられていればよい。

ニ　大型特殊自動車（ポール・トレーラを除く。）、小型特殊自動車及び被牽引自動車以外の自動車に備える後部反射器の反射部は、後部反射器の中心を通り自動車の進行方向に直交する水平線を含む、水平面より上方十度の平面及び下方十度の平面（後部反射器の反射部の上縁の高さが地上〇・七五メートル未満となるように取り付けられている場合にあっては、下方五度の平面）並びに後部反射器の中心を含む、自動車の進行方向に平行な鉛直面より後部反射器の内側方向三十度の平面及び後部反射器の外側方向三十度の平面により囲まれる範囲においてすべての位置から見通すことができるように取り付けられていること。

ホ　大型特殊自動車（ポール・トレーラを除く。）、小型特殊自動車以外の被牽引自動車に備える後部反射器の反射部は、後部反射器の中心を通り自動車の進行方向に直交する水平線を含む、水平面より上方十五度の平面及び下方十五度の平面（後部反射器の反射部の上縁の高さが地上〇・七五メートル未満となるように取り付けられている場合にあっては、下方五度の平面）並びに後部反射器の中心を含む、自動車の進行方向に平行な鉛直面より後部反射器の内側方向三十度の平面及び後部反射器の外側方向三十度の平面により囲まれる範囲においてすべての位置から見通すことができるように取り付けられていること。

ヘ　後面の両側に備える後部反射器の取付位置は、イからホまでに規定するほか、第三十七条第一項第三号ホの基準に準じたものであること。

2　次の表の上欄に掲げる自動車については、前項の規定のうち同表の下欄に掲げる規定は、適用しない。

自動車	条項
一　平成十七年十二月三十一日以前に製作された自動車	第二号ニからヘまで

3　次の表の第一欄に掲げる自動車については、第一項の規定のうち同表第二欄に掲げる規定は、同表第三欄に掲げる字句を同表第四欄に掲げる字句に読み替えて適用する。

自動車	条項	読み替えられる字句	読み替える字句
一　昭和四十八年十一月三十日以前に製作された自動車	第一号ロ	正立正三角形又は帯状部の幅が一辺の五分の一以上の中空の正立正三角形であって、一辺が百五十ミリメートル以上二百ミリメートル以下のもの	正立正三角形で一辺が五十ミリメートル以上のもの又は中空の正立正三角形で帯状部の幅が二十五ミリメートル以上のもの
二　昭和四十八年十二月一日から平成十七年十二月三十一日までに製作された自動車	第一号ハ	百五十メートル	百メートル
	第一号ロ	一辺の五分の一 二百ミリメートル以下のもの	三十ミリメートルのもの
三　平成十七年十二月三十一日以前に製作された自動車	第一号イ	文字及び三角形	三角形
	第二号イ	上縁の高さが地上一・五メートル以下、下縁の高さが地上〇・二五メートル以上	中心の高さが地上一・五メートル以下

4　平成二十四年十二月三十一日以前に製作された自動車については、細目告示別添五十二3・19・の規定にかかわらず、道路運送車両の保安基準の細目を定める告示の一部を改正する告示（平成十七年国土交通省告示第千三百三十七号）による改正前の細目告示別添五十二3・19・の規定に適合するものであればよい。

5　保安基準第三十八条第三項及び細目告示第五十四条第二項ただし書の規定が適用される自動車のうち平成二十一年十月二十四日から平成二十四年十月二十三日までに法第七十五条の三第一項の規定に基づく装置の型式の指定を行う場合については、協定規則第四十八号の規定にかかわらず、協定規則第四十八号第四改訂版補足第二改訂版の規定に適合するものであればよい。

6　保安基準第三十八条第三項及び細目告示第五十四条第二項ただし書の規定が適用される自動車のうち平成二十四年十一月十八日から平成二十九年十一月十七日までに法第七十五条の三第一項の規定に基づく装置の型式の指定を行う場合については、協定規則第四十八号の規定にかかわらず、協定規則第四十八号第五改訂版の規定に適合するものであればよい。

7　保安基準第三十八条が適用される自動車は、当分の間、細目告示第五十四条第一項並びに別添五十二4・16・2・及び4・17・2・の規定にかかわらず、道路運送車両の保安基準の細目を定める告示等の一部を改正する告示（令和二年国土交通省告示第千二十一号）による改正前の細目告示第五十四条第一項並びに別添五十二4・16・2・及び4・17・2・の規定に適合するものであればよい。

8　次に掲げる二輪自動車については、細目告示第五十四条第二項、第百三十二条第三項、第二百十条第三項及び別添五十三の規定にかかわらず、道路運送車両の保安基準の細目を定める告示等の一部を改正する告示（令和二年国土交通省告示第千二十一号）による改正前の細目告示第五十四条第二項、第百三十二条第三項、第二百十条第三項及び別添五十三の規定に適合するものであればよい。

一　令和五年八月三十一日以前に製作された二輪自動車

二　令和五年九月一日から令和十二年八月三十一日までに製作された二輪自動車であって、次に掲げるもの

イ　令和五年八月三十一日以前に指定を受けた型式指定自動車

ロ　国土交通大臣が定める自動車

9　次に掲げる自動車については、細目告示第五十四条第一項並びに別添五十二4・16・2・及び4・17・2・の規定にかかわらず、道路運送車両の保安基準の細目を定める告示等の一部を改正する告示（令和五年国土交通省告示第一号）による改正前の細目告示第五十四条第一項並びに別添五十二4・16・2・及び4・17・2・の規定（以下この項において「旧規定」という。）に適合するものであればよい。この場合において、旧規定中「協定規則第150号」とあるのは「協定規則第150号補足第4改訂版」と読み替えることができる。

一　令和八年八月三十一日以前に製作された自動車

二　令和八年九月一日以降に製作された自動車であって、次に掲げるもの
イ　令和八年八月三十一日以前に指定を受けた型式指定自動車
ロ　令和八年九月一日以降に新たに指定を受けた型式指定自動車であって、同年八月三十一日以前に指定を受けた型式指定自動車と後部反射器の型式が同一であるもの
ハ　国土交通大臣が定める自動車

10　次に掲げる二輪自動車については、細目告示第五十四条第二項の規定中「協定規則第53号」とあるのは、「協定規則第53号第3改訂版補足第4改訂版」と読み替えることができる。
一　令和十年八月三十一日以前に製作された二輪自動車
二　令和十年九月一日から令和十二年八月三十一日までに製作された二輪自動車であって、次に掲げるもの
イ　令和十年八月三十一日以前に指定を受けた型式指定自動車
ロ　令和十年九月一日以降に新たに指定を受けた型式指定自動車であって、令和十年八月三十一日以前に指定を受けた型式指定自動車と後部反射器の型式が同一であるもの
ハ　国土交通大臣が定める自動車
三　令和十二年八月三十一日以前に発行された出荷検査証に係る自動車であって、当該出荷検査証の発行後十一月を経過しない間に新規検査又は予備検査を受けようとし、又は受けたもの

（大型後部反射器）

第四一条の二　平成二十三年八月三十一日以前に製作された自動車については、細目告示第五十五条第一項並びに同別添五十二4・19・及び同別添五十三5・14・並びに協定規則第七十号の技術的な要件（協定規則第七十号改訂版補足第十改訂版の技術的な要件（規則6・及び7・に限る。）をいう。）の規定にかかわらず、道路運送車両の保安基準の細目を定める告示の一部を改正する告示（平成十九年国土交通省告示第八十九号）による改正前の細目告示第五十五条第一項並びに同別添五十二4・19・及び同別添五十三5・14・並びに同別添六十九の規定に適合するものであればよい。

2　平成二十三年八月三十一日以前に製作された自動車については、細目告示第百三十三条第一項及び第二百十一条第一項の規定にかかわらず、大型後部反射器の反射光の色、明るさ、反射部の形状等に関し保安基準第三十八条の二第二項の告示で定める基準は、次に適合するものであればよい。この場合において、大型後部反射器の反射部の取扱いは、細目告示別添九十四「灯火等の照明部、個数、取付位置等の測定方法（第二章第二節及び同章第三節関係）」によるものとする。
一　大型後部反射器は、反射部及び蛍光部からなる一辺の長さが百三十ミリメートル以上の長方形であること。
二　大型後部反射器の反射部の面積（二以上の大型後部反射器を備える場合はその和）は、八百平方センチメートル以上であること。
三　大型後部反射器の蛍光部の面積（二以上の大型後部反射器を備える場合はその和）は、四百平方センチメートル以上であること。
四　大型後部反射器は、夜間にその後方百五十メートルの位置から走行用前照灯で照射した場合にその反射光を当該照射位置から確認できるものであること。
五　大型後部反射器は、昼間においてその後方百五十メートルの位置からその蛍光を確認できるものであること。
六　大型後部反射器による反射光の色は、黄色であること。
七　大型後部反射器による蛍光の色は、赤色であること。
八　大型後部反射器は、反射器が損傷し、又は反射面が著しく汚損しているものでないこと。

3　平成二十三年八月三十一日以前に製作された自動車については、細目告示第百三十三条第三項及び第二百十一条第三項の規定にかかわらず、大型後部反射器の取付位置、取付方法等に関し保安基準第三十八条の二第三項の告示で定める基準は、次に適合するものであればよい。この場合において、大型後部反射器の反射部、個数及び取付位置の測定方法は、細目告示別添九十四「灯火等の照明部、個数、取付位置等の測定方法（第二章第二節及び同章第三節関係）」によるものとする。
一　大型後部反射器の数は、四個以下であること。
二　大型後部反射器は、その上縁の高さが地上一・五メートル以下となるように取り付けること。
三　大型後部反射器（後面が左右対称でない自動車に備えるものを除く。）は、車両中心線上の鉛直面に対して対称に取り付けること。
四　大型後部反射器は、自動車の前方に表示しないように取り付けること。
五　大型後部反射器は、その取付部及びレンズ取付部にゆるみ等第二項に掲げる性能を損なわないように取り付けなければならない。

4　平成二十一年十月十四日以前に製作された自動車については、細目告示第五十五条第一項の規定にかかわらず、道路運送車両の保安基準の細目を定める告示等の一部を改正する告示（令和元年国土交通省告示第七百十四号）による改正前の細目告示第五十五条第一項の規定（以下この項において「旧規定」という。）に適合するものであればよい。この場合において、旧規定中「協定規則第70号改訂版補足第10改訂版」とあるのは「協定規則第70号改訂版補足第5改訂版」と読み替えることができる。

5　細目告示第五十五条第一項の規定が適用される自動車のうち国土交通大臣が定めるものについては、細目告示第五十五条第一項の規定にかかわらず、道路運送車両の保安基準の細目を定める告示の一部を改正する告示（平成二十年国土交通省告示第千二百十七号）による改正前の細目告示第五十五条第一項の規定に適合するものであればよい。

6　平成二十一年十月二十三日以前に製作された自動車及び国土交通大臣が定めるものについては、細目告示第五十五条第一項及び別添五十二4・19・2・の規定にかかわらず、道路運送車両の保安基準の細目を定める告示等の一部を改正する告示（令和元年国土交通省告示第七百十四号）による改正前の細目告示第五十五条第一項及び別添五十二4・19・2・の規定（以下この項において「旧規定」という。）に適合するものであればよい。この場合において、旧規定中「協定規則第70号改訂版補足第10改訂版」とあるのは「協定規則第70号改訂版補足第6改訂版」と読み替えることができる。

7　保安基準第三十八条の二が適用される自動車は、当分の間、細目告示第五十五条第一項、別添五十二4・19・2・及び別添五十三5・14・2・の規定にかかわらず、道路運送車両の保安基準の細目を定める告示等の一部を改正する告示（令和元年国土交通省告示第七百十四号）による改正前の細目告示第五十五条第一項、別添五十二4・19・2・及び別添五十三5・14・2・の規定（以下この項において「旧規定」という。）に適合するものであればよい。この場合において、旧規定中「同規則改訂版補足第10改訂版」とあるのは「同規則第2改訂版」と読み替えることができる。

8　次に掲げる自動車については、細目告示第五十五条第一項、別添五十二4・19・2・及び別添五十三5・14・2・の規定にかかわらず、道路運送車両の保安基準の細目を定める告示等の一部を改正する告示（令和五年国土交通省告示第一号）による改正前の細目告示第五十五条第一項、

別添五十二4・19・2・及び別添五十三5・14・2・の規定（以下この項において「旧規定」という。）に適合するものであればよい。この場合において、旧規定中「協定規則第150号」とあるのは「協定規則第150号補足第4改訂版」と読み替えることができる。

一　令和八年八月三十一日以前に製作された自動車

二　令和八年九月一日以降に製作された自動車であって、次に掲げるもの

イ　令和八年八月三十一日以前に指定を受けた型式指定自動車

ロ　令和八年九月一日以降に新たに指定を受けた型式指定自動車であって、同年八月三十一日以前に指定を受けた型式指定自動車と大型後部反射器の型式が同一であるもの

ハ　国土交通大臣が定める自動車

（再帰反射材）

第四一条の三　平成十九年七月三十一日以前に製作された自動車については、保安基準第三十八条の三並びに同条の規定に基づく細目告示第五十五条の二、第百三十三条の二及び第二百十一条の二の規定は、適用しない。

2　平成十九年七月三十一日以前に製作された自動車については、細目告示別添百五別紙6中5・及び7・の規定にかかわらず、道路運送車両の保安基準の細目を定める告示の一部を改正する告示（平成十九年国土交通省告示第八十九号）による改正前の細目告示別添百五5・の規定に適合するものであればよい。

3　平成二十三年十二月三十一日以前に製作された自動車については、細目告示別添五十二4・22・の規定にかかわらず、道路運送車両の保安基準の細目を定める告示の一部を改正する告示（平成十八年国土交通省告示第千二百三号）による改正前の細目告示別添五十二4・22・の規定を適用することができる。この場合において、自動車の構造上、再帰反射材を取り付けることが困難な自動車にあっては、同告示別添五十二4・22・3・3・中「80%以上」とあるのは「60%以上（特別に複雑な自動車の設計又は付属品を有するものにあっては少なくとも40%以上）」と読み替えることができる。

4　平成二十三年十二月三十一日以前に製作された自動車の再帰反射材の取付位置、取付方法等に関し、保安基準第三十八条の三第三項の告示で定める基準は、細目告示第百三十三条の二第三項及び第二百十一条の二第三項の規定にかかわらず、次に適合するものであればよい。この場合において、再帰反射材の反射部、個数及び取付位置の取扱いは、別添九十四「灯火等の照明部、個数、取付位置等の測定方法（第二章第二節及び同章第三節関係）」によるものとする。

一　線状再帰反射材は、以下の基準を満たすものとする。

イ　地面にできるだけ平行に取り付けること。

ロ　当該自動車の長さ及び幅の八十パーセント以上（自動車の構造上、再帰反射材をそれらの八十パーセント以上に取り付けることができない場合においては、六十パーセント以上（特別に複雑な自動車の設計又は付属品を有するものにあっては少なくとも四十パーセント以上））を識別できるように取り付けること。

ハ　不連続の場合、それらのすべての間隔は最も短いものの長さの五十パーセントを超えないこと。

ニ　下縁の高さが地上〇・二五メートル以上となるように取り付けること。

二　輪郭表示再帰反射材は、以下の基準を満たすものとする。

イ　地面にできるだけ平行又は垂直に取り付けること。

ロ　当該自動車の側面及び後面の輪郭をできるだけ正確に識別できるように取り付けること。

ハ　不連続の場合、それらのすべての間隔は最も短いものの長さの五十パーセントを超えないこと。

ニ　当該自動車の最下部に取り付けるものは、その下縁の高さが地上〇・二五メートル以上となるように取り付けること。

三　特徴等表示再帰反射材は、その他の灯火等の効果を阻害しないように、当該自動車の側面の輪郭表示再帰反射材の内側にのみ取り付けること。

5　平成二十三年十二月三十一日以前に製作された自動車であって、自動車の構造上、再帰反射材を取り付けることが困難な自動車にあっては、細目告示第百三十三条の二第三項第四号及び第五号並びに第二百十一条の二第三項第四号及び第五号並びに別添五十二4・22・5・1・2・及び4・22・5・2・2・中「70%以上」とあるのは「60%以上（特別に複雑な自動車の設計又は付属品を有するものにあっては少なくとも40%以上）」と読み替えることができる。

6　平成二十三年十二月三十一日以前に製作された自動車については、細目告示別添百五の規定にかかわらず、道路運送車両の保安基準の細目を定める告示の一部を改正する告示（平成十九年国土交通省告示第八百五十四号）による改正前の細目告示別添百五の規定に適合するものであればよいものとする。

7　平成十九年八月一日から平成二十一年十月十四日までに製作された自動車については、細目告示別添百五別紙六5・2・の規定にかかわらず、道路運送車両の保安基準の細目を定める告示の一部を改正する告示（平成二十年国土交通省告示第千二百十七号）による改正前の細目告示別添百五別紙六5・2・の規定に適合するものであればよい。

8　保安基準第三十八条の三第三項及び細目告示第五十五条の二第二項ただし書の規定が適用される自動車のうち平成二十一年十月二十四日から平成二十四年十月二十三日までに法第七十五条の三第一項の規定に基づく装置の型式の指定を行う場合については、協定規則第四十八号の規定にかかわらず、協定規則第四十八号第四改訂版補足第二改訂版の規定に適合するものであればよい。

9　保安基準第三十八条の三第三項及び細目告示第五十五条の二第二項ただし書の規定が適用される自動車のうち平成二十四年十一月十八日から平成二十九年十一月十七日までに法第七十五条の三第一項の規定に基づく装置の型式の指定を行う場合については、協定規則第四十八号の規定にかかわらず、協定規則第四十八号第五改訂版の規定に適合するものであればよい。

10　次に掲げる自動車については、別添五十二4・22・2・及び4・22・5・2・1・1・の規定にかかわらず、道路運送車両の保安基準の細目を定める告示等の一部を改正する告示（令和五年国土交通省告示第一号）による改正前の別添五十二4・22・2・及び4・22・5・2・1・1・の規定（以下この項において「旧規定」という。）に適合するものであればよい。この場合において、旧規定中「協定規則第150号」とあるのは「協定規則第150号補足第4改訂版」と読み替えることができる。

一　令和八年八月三十一日以前に製作された自動車

二　令和八年九月一日以降に製作された自動車であって、次に掲げるもの

イ　令和八年八月三十一日以前に指定を受けた型式指定自動車

ロ　令和八年九月一日以降に新たに指定を受けた型式指定自動車であって、同年八月三十一日以前に指定を受けた型式指定自動車と再帰反射材の型式が同一であるもの

ハ　国土交通大臣が定める自動車

（制動灯）

第四二条 平成十七年十二月三十一日以前に製作された自動車については、保安基準第三十九条の規定並びに細目告示第五十六条、第百三十四条及び第二百十二条の規定にかかわらず、次の基準に適合するものであればよい。

一 自動車（最高速度二十キロメートル毎時未満の軽自動車及び小型特殊自動車を除く。）の後面の両側には、制動灯を備えなければならない。ただし、二輪自動車、カタピラ及びそりを有する軽自動車並びに幅〇・八メートル以下の自動車には、制動灯を後面に一個備えればよい。

二 制動灯は、次の基準に適合するものでなければならない。

イ 制動灯は、昼間にその後方百メートルの距離から点灯を確認できるものであり、かつ、その照射光線は、他の交通を妨げないものであること。

ロ 尾灯と兼用の制動灯は、同時に点灯したときの光度が尾灯のみを点灯したときの光度の五倍以上となる構造であること。

ハ 制動灯の灯光の色は、赤色であること。

ニ 制動灯の照明部は、制動灯の中心を通り自動車の進行方向に直交する水平線を含む、水平面より上方十五度の平面及び下方十五度の平面並びに制動灯の中心を含む、自動車の進行方向に平行な鉛直面より制動灯の内側方向四十五度の平面及び制動灯の外側方向四十五度の平面により囲まれる範囲においてすべての位置から見通すことができるものであること。

三 制動灯は、前号（大型特殊自動車（ポール・トレーラを除く。）及び小型特殊自動車にあっては、同号ニに係る部分を除く。）に掲げた性能（制動灯の照明部の上縁の高さが地上〇・七五メートル未満となるように取り付けられている場合にあっては、同号に掲げた性能のうち同号ニの基準中「下方十五度」とあるのは「下方五度」とする。）を損なわないように、かつ、次の基準に適合するように取り付けられなければならない。

イ 制動灯は、主制動装置（牽引自動車と被牽引自動車とを連結した場合においては、当該牽引自動車又は被牽引自動車の主制動装置。以下本項中同じ。）又は補助制動装置（主制動装置を補助し、走行中の自動車を減速するための制動装置をいう。以下本項中同じ。）を操作している場合にのみ点灯する構造であること。ただし、空車状態の自動車について乾燥した平坦な舗装路面において八十キロメートル毎時（最高速度八十キロメートル毎時未満の自動車にあっては、その最高速度）から減速した場合の減速能力が、二・二メートル毎平方秒以下である補助制動装置にあっては、操作中に制動灯が点灯しない構造とすることができる。

ロ 二輪自動車、側車付二輪自動車並びにカタピラ及びそりを有する軽自動車以外の自動車に備える制動灯は、その照明部の上縁の高さが地上二・一メートル以下、下縁の高さが地上〇・三五メートル以上（セミトレーラでその自動車の構造上地上〇・三五メートル以上に取り付けることができないものにあっては、取り付けることができる最高の高さ）となるように取り付けられていること。

ハ 二輪自動車、側車付二輪自動車並びにカタピラ及びそりを有する軽自動車に備える制動灯は、その照明部の中心が地上二メートル以下となるように取り付けられていること。

ニ 後面の両側に備える制動灯の取付位置は、ロ及びハに規定するほか、第三十七条第一項第三号ニ及びホの基準に準じたものであること。

2 次の表の上欄に掲げる自動車については、前項の規定のうち同表の下欄に掲げる規定は、適用しない。

自動車	条項
一 昭和三十五年三月三十一日以前に製作された軽自動車及び最高速度二十五キロメートル毎時未満の自動車	第一号

3 次の表の第一欄に掲げる自動車については、第一項の規定のうち同表第二欄に掲げる規定は、同表第三欄に掲げる字句を同表第四欄に掲げる字句に読み替えて適用する。

自動車	条項	読み替えられる字句	読み替える字句
一 昭和三十五年三月三十一日以前に製作された自動車	第一号	後面の両側には、制動灯を備えなければならない。ただし、二輪自動車、カタピラ及びそりを有する軽自動車並びに幅〇・八メートル以下の自動車には、制動灯を後面に一個備えればよい。	後面には、制動灯を備えなければならない。
	第二号ロ	五倍以上	二倍以上
	第三号ニ	第三十七条第一項第三号ニ及びホ	第三十七条第一項第三号ホ
二 昭和四十八年十一月三十日以前に製作された自動車	第二号イ	百メートル	三十メートル
	第二号ハ	赤色	赤色又は橙色
三 昭和三十五年四月一日から昭和四十八年十一月三十日までに製作された自動車	第一号	の両側には、制動灯を備えなければならない。ただし、二輪自動車、カタピラ及びそりを有する軽自動車並びに幅〇・八メートル以下の自動車には、制動灯を後面に一個備えればよい。	（幅二メートル以上の自動車及び旅客自動車運送事業用自動車にあっては、後面の両側）には、制動灯を備えなければならない。
	第二号ロ	五倍以上	三倍以上
四 平成八年一月三十一日以前に製作された自動車	第三号ロ	上縁の高さが地上二・一メートル以下、下縁の高さが地上	中心の高さが地上二メートル以下

		〇・三五メートル以上（セミトレーラでその自動車の構造上地上〇・三五メートル以上に取り付けることができないものにあっては、取り付けることができる最高の高さ）	
五　平成八年二月一日から平成十七年十二月三十一日までに製作された自動車	第三号ロ	上縁の高さが地上二・一メートル以下、下縁の高さが地上〇・三五メートル以上（セミトレーラでその自動車の構造上地上〇・三五メートル以上に取り付けることができないものにあっては、取り付けることができる最高の高さ）	上縁の高さが地上二・一メートル以下
六　平成十七年十二月三十一日以前に製作された自動車	第二号イ	あり、かつ、その照射光線は、他の交通を妨げないものであること。	あること。
	第二号ニ	制動灯の照明部は、制動灯の中心を通り自動車の進行方向に直交する水平線を含む、水平面より上方十五度の平面及び下方十五度の平面並びに制動灯の中心を含む、自動車の進行方向に平行な鉛直面より制動灯の内側方向四十五度の平面及び制動灯の外側方向四十五度の平面により囲まれる範囲においてすべての位置から見通すことができるものであること。	制動灯は、後方十メートルの距離における地上二・五メートルまでのすべての位置からその照明部を見通すことができるように取り付けられたものであること。
	第三号	性能（制動灯の照明部の上縁の高さが地上〇・七五メートル未満となるように取り付けられている場合にあっては、同号に掲げた性能のうち同号ニの基準中「下方十五度」とあるのは「下方五度」とする。）	性能

4　昭和四十八年十一月三十日以前に製作された自動車については、第一項第三号イの規定にかかわらず、方向指示器と兼用の後面の両側に備える制動灯は、主制動装置を操作している場合に方向の指示をしていない側においてのみ点灯する構造とすることができ、非常点滅表示灯と兼用の後面の両側に備える制動灯は、非常点滅表示灯を作動させている場合においては、消灯する構造とすることができる。

5　平成十九年九月一日以降に指定を受けた型式指定自動車以外の自動車については、細目告示別添五十二3・23・の規定は、適用しない。

6　平成二十年十二月三十一日以前に製作された自動車については、細目告示別添九十四2・3・1・の規定にかかわらず、道路運送車両の保安基準の細目を定める告示の一部を改正する告示（平成十七年国土交通省告示第千四百三十七号）による改正前の細目告示別添九十四2・3・1・の規定に適合するものであればよい。

7　平成二十三年十二月三十一日以前に製作された自動車については、細目告示別添五十二4・9・3・1・の規定にかかわらず、道路運送車両の保安基準の細目を定める告示を改正する告示（平成十八年国土交通省告示第三百八十一号）による改正前の細目告示別添五十二4・9・3・1・の規定に適合するものであればよい。

8　平成十八年一月一日から平成二十一年七月十日までに製作された自動車については、細目告示別添七十3・7・の規定は、適用しない。

9　平成十八年一月一日から平成二十一年十月十四日までに製作された自動車については、細目告示第五十六条第一項、別添五十二2・13・及び別添七十3・5・の規定にかかわらず、道路運送車両の保安基準の細目を定める告示の一部を改正する告示（平成二十年国土交通省告示第千二百十七号）による改正前の細目告示第五十六条第一項、別添五十二2・13・及び別添七十3・5・の規定に適合するものであればよい。

10　平成十八年一月一日から平成二十三年二月六日までに製作された自動車及び国土交通大臣が定める自動車については、細目告示別添五十二3・7・1・、3・22・及び3・23・の規定にかかわらず、道路運送車両の保安基準の細目を定める告示の一部を改正する告示（平成二十一年国土交通省告示第七百七十一号）による改正前の細目告示別添五十二3・7・1・、3・22・及び

3・23・の規定に適合するものであればよい。

11　保安基準第三十九条第三項及び細目告示第五十六条第二項ただし書の規定が適用される自動車のうち平成二十一年七月二十二日から平成二十三年二月六日までに法第七十五条の三第一項の規定に基づく装置の型式の指定を行う場合については、協定規則第四十八号の規定にかかわらず、協定規則第四十八号第四改訂版補足改訂版の規定に適合するものであればよい。

12　平成十八年一月一日から平成二十四年十月二十三日までに製作された自動車及び国土交通大臣が定めるものについては、細目告示別添五十二3・7・1・2・2・及び3・27・の規定は、適用しない。

13　保安基準第三十九条第三項及び細目告示第五十六条第二項ただし書の規定が適用される自動車のうち平成二十一年十月二十四日から平成二十四年十月二十三日までに法第七十五条の三第一項の規定に基づく装置の型式の指定を行う場合については、協定規則第四十八号の規定にかかわらず、協定規則第四十八号第四改訂版補足第二改訂版の規定に適合するものであればよい。

14　保安基準第三十九条第三項及び細目告示第五十六条第二項ただし書の規定が適用される自動車のうち平成二十四年十一月十八日から平成二十九年十一月十七日までに法第七十五条の三第一項の規定に基づく装置の型式の指定を行う場合については、協定規則第四十八号の規定にかかわらず、協定規則第四十八号第五改訂版の規定に適合するものであればよい。

15　次の自動車については、細目告示第百三十四条第三項第一号、第二百十二条第三項第一号及び別添五十二4・9・6・の規定にかかわらず、道路運送車両の保安基準の細目を定める告示の一部を改正する告示（平成二十五年国土交通省告示第八百二十六号）による改正前の細目告示第百三十四条第三項第一号、第二百十二条第三項第一号及び別添五十二4・9・6・の規定に適合するものであればよい。

一　平成二十九年八月三十一日（立席を有するものにあっては平成三十年一月三十一日）以前に製作された専ら乗用の用に供する乗車定員十人以上の自動車（被牽引自動車を除く。）であって車両総重量が十二トンを超えるもの（平成二十六年十一月一日（立席を有するものにあっては平成二十八年二月一日）以降に指定を受けた型式指定自動車（平成二十六年十月三十一日（立席を有するものにあっては平成二十八年一月三十一日）以前に指定を受けた型式指定自動車から、種別、用途、原動機の種類及び主要構造、燃料の種類及び動力用電源装置の種類並びに適合する排出ガス規制値又は低排出ガス車認定実施要領に定める基準値以外に、型式を区別する事項に変更がないものを除く。）及び国土交通大臣が定める自動車を除く。）

二　平成三十年一月三十一日以前に製作された専ら乗用の用に供する乗車定員十人以上の自動車（被牽引自動車を除く。）であって車両総重量が五トンを超え十二トン以下のもの（平成二十八年二月一日以降に指定を受けた型式指定自動車（平成二十八年一月三十一日以前に指定を受けた型式指定自動車から、種別、用途、原動機の種類及び主要構造、燃料の種類及び動力用電源装置の種類並びに適合する排出ガス規制値又は低排出ガス車認定実施要領に定める基準値以外に、型式を区別する事項に変更がないものを除く。）及び国土交通大臣が定める自動車を除く。）

三　平成二十九年一月三十一日以前に製作された専ら乗用の用に供する乗車定員十人以上の自動車（被牽引自動車を除く。）であって車両総重量が五トン以下のもの（平成二十七年九月一日以降に指定を受けた型式指定自動車（平成二十七年八月三十一日以前に指定を受けた型式指定自動車から、種別、用途、原動機の種類及び主要構造、燃料の種類及び動力用電源装置の種類並びに適合する排出ガス規制値又は低排出ガス車認定実施要領に定める基準値以外に、型式を区別する事項に変更がないものを除く。）及び国土交通大臣が定める自動車を除く。）

四　貨物の運送の用に供する自動車（車両総重量二十二トン以下のもの並びに第五輪荷重を有する牽引自動車及び被牽引自動車を除く。）であって、次に掲げるもの

イ　平成二十九年八月三十一日以前に製作された自動車（平成二十六年十一月一日以降に指定を受けた型式指定自動車（平成二十六年十月三十一日以前に指定を受けた型式指定自動車から、種別、用途、原動機の種類及び主要構造、燃料の種類及び動力用電源装置の種類並びに適合する排出ガス規制値又は低排出ガス車認定実施要領に定める認定の基準値以外に、型式を区別する事項に変更がないものを除く。）及び国土交通大臣が定める自動車を除く。）

ロ　平成二十九年八月三十一日以前に発行された出荷検査証を有する自動車であって、当該出荷検査証の発行後十一月を経過しない間に新規検査又は予備検査を受けようとし、又は受けたもの（道路運送車両の保安基準の細目を定める告示の一部を改正する告示（平成二十五年国土交通省告示第千百号）による改正前の細目告示別添百十三「衝突被害軽減制動制御装置の技術基準」に適合する衝突被害軽減制動制御装置を備えたものに限る。）

五　平成三十年十月三十一日以前に製作された貨物の運送の用に供する自動車（第五輪荷重を有する牽引自動車及び被牽引自動車を除く。）であって車両総重量が二十トンを超え二十二トン以下のもの（平成二十七年九月一日以降に指定を受けた型式指定自動車（平成二十七年八月三十一日以前に指定を受けた型式指定自動車から、種別、用途、原動機の種類及び主要構造、燃料の種類及び動力用電源装置の種類並びに適合する排出ガス規制値又は低排出ガス車認定実施要領に定める基準値以外に、型式を区別する事項に変更がないものを除く。）及び国土交通大臣が定める自動車を除く。）

六　平成三十年一月三十一日以前に製作された貨物の運送の用に供する自動車（第五輪荷重を有する車両総重量が十三トンを超える牽引自動車及び被牽引自動車を除く。）であって車両総重量が三・五トンを超え二十トン以下のもの（平成二十八年二月一日以降に指定を受けた型式指定自動車（平成二十八年一月三十一日以前に指定を受けた型式指定自動車から、種別、用途、原動機の種類及び主要構造、燃料の種類及び動力用電源装置の種類並びに適合する排出ガス規制値又は低排出ガス車認定実施要領に定める基準値以外に、型式を区別する事項に変更がないものを除く。）及び国土交通大臣が定める自動車を除く。）

七　平成二十九年一月三十一日（軽自動車にあっては平成三十年一月三十一日）以前に製作された貨物の運送の用に供する自動車（被牽引自動車を除く。）であって車両総重量が三・五トン以下のもの（平成二十七年九月一日（軽自動車にあっては平成二十八年二月一日）以降に指定を受けた型式指定自動車（平成二十七年八月三十一日（軽自動車にあっては平成二十八年一月三十一日）以前に指定を受けた型式指定自動車から、種別、用途、原動機の種類及び主要構造、燃料の種類及び動力用電源装置の種類並びに適合する排出ガス規制値又は低排出ガス車認定実施要領に定める基準値以外に、型式を区別する事項に変更がないものを除く。）及び国土交通大臣が定める自動車を除く。）

八　平成三十年八月三十一日以前に製作された貨物の運送の用に供する自動車（第五輪荷重を有する牽引自動車に限る。）であって車両総重量が十三トンを超えるもの（平成二十六年十一月一日以降に指定を受けた型式指定自動車（平成二十六年十月三十一日以前に指定を受けた型式指定自動車から、種別、用途、原動機の種類及び主要構造、燃料の種類及び動力用電源装置の種類並びに適合する排出ガス規制値又は低排出ガス車認定実施要領に定める基準値以外に、型式を区別する事項に変更がないものを除く。）及び国土交通大臣が定める自動車を除く。）

九　平成二十九年一月三十一日以前に製作された被牽引自動車（最高速度25キロメートル毎時以

下の自動車に牽引される被牽引自動車、平成二十七年九月一日以降に指定を受けた型式指定自動車及び国土交通大臣が定める自動車を除く。）

16　令和二年九月十四日以前に製作された二輪自動車及び側車付二輪自動車については、細目告示第五十六条第一項の規定にかかわらず、道路運送車両の保安基準の細目を定める告示の一部を改正する告示（平成二十七年国土交通省告示第七百二十三号）による改正前の細目告示第五十六条第一項の規定に適合するものであればよい。

17　保安基準第三十九条が適用される自動車は、当分の間、細目告示第五十六条第一項並びに別添五十二4・9・2・及び4・9・7・1・の規定にかかわらず、道路運送車両の保安基準の細目を定める告示等の一部を改正する告示（令和元年国土交通省告示第七百十四号）による改正前の細目告示第五十六条第一項並びに別添五十二4・9・2・及び4・9・7・1・の規定（以下この項において「旧規定」という。）に適合するものであればよい。この場合において、旧規定中「同規則補足第20改訂版」とあるのは「同規則改訂版」と、「協定規則第50号補足第20改訂版」とあるのは「協定規則第50号改訂版」と読み替えることができる。

18　次に掲げる二輪自動車については、細目告示第五十六条第二項、第百三十四条第一項及び第三項、第二百十二条第一項及び第三項並びに別添五十三の規定にかかわらず、道路運送車両の保安基準の細目を定める告示等の一部を改正する告示（令和二年国土交通省告示第千二十一号）による改正前の細目告示第五十六条第二項、第百三十四条第一項及び第三項、第二百十二条第一項及び第三項並びに別添五十三の規定に適合するものであればよい。

一　令和五年八月三十一日以前に製作された二輪自動車

二　令和五年九月一日から令和十二年八月三十一日までに製作された二輪自動車であって、次に掲げるもの

イ　令和五年八月三十一日以前に指定を受けた型式指定自動車

ロ　国土交通大臣が定める自動車

19　次に掲げる自動車については、細目告示第五十六条第一項並びに別添五十二4・9・2・及び4・9・7・1・の規定にかかわらず、道路運送車両の保安基準の細目を定める告示等の一部を改正する告示（令和五年国土交通省告示第一号）による改正前の細目告示第五十六条第一項並びに別添五十二4・9・2・及び4・9・7・1・の規定（以下この項において「旧規定」という。）に適合するものであればよい。この場合において、旧規定中「協定規則第148号」とあるのは「協定規則第148号補足第4改訂版」と読み替えることができる。

一　令和八年八月三十一日以前に製作された自動車

二　令和八年九月一日以降に製作された自動車であって、次に掲げるもの

イ　令和八年八月三十一日以前に指定を受けた型式指定自動車

ロ　令和八年九月一日以降に新たに指定を受けた型式指定自動車であって、同年八月三十一日以前に指定を受けた型式指定自動車と制動灯の型式が同一であるもの

ハ　国土交通大臣が定める自動車

20　次に掲げる二輪自動車については、細目告示第五十六条第二項の規定中「協定規則第53号」とあるのは、「協定規則第53号第3改訂版補足第4改訂版」と読み替えることができる。

一　令和十年八月三十一日以前に製作された二輪自動車

二　令和十年九月一日から令和十二年八月三十一日までに製作された二輪自動車であって、次に掲げるもの

イ　令和十年八月三十一日以前に指定を受けた型式指定自動車

ロ　令和十年九月一日以降に新たに指定を受けた型式指定自動車であって、令和十年八月三十一日以前に指定を受けた型式指定自動車と制動灯の型式が同一であるもの

ハ　国土交通大臣が定める自動車

三　令和十二年八月三十一日以前に発行された出荷検査証に係る自動車であって、当該出荷検査証の発行後十一月を経過しない間に新規検査又は予備検査を受けようとし、又は受けたもの

（補助制動灯）

第四三条　平成十七年十二月三十一日以前に製作された自動車については、保安基準第三十九条の二の規定並びに細目告示第五十七条、第百三十五条及び第二百十三条の規定にかかわらず、次の基準に適合するものであればよい。

一　自動車の後面には、補助制動灯を備えることができる。

二　補助制動灯は、次の基準に適合するものでなければならない。

イ　補助制動灯の照射光線は、他の交通を妨げないものであること。

ロ　補助制動灯は、イに規定するほか、前条第一項第二号ハ及びニの基準に準じたものであること。この場合において、同号ニの基準中「上方十五度の平面及び下方十五度の平面」とあるのは「上方十度の平面及び下方五度の平面」と、「四十五度の平面」とあるのは「十度の平面」とする。

三　補助制動灯は、前号に掲げた性能を損なわないように、かつ、次の基準に適合するように取り付けられなければならない。

イ　補助制動灯の数は、一個であること（ハに掲げるただし書の規定により車両中心面の両側に一個ずつ取り付ける場合を除く。）。

ロ　補助制動灯は、その照明部の下縁の高さが地上〇・八五メートル以上又は後面ガラスの最下端の下方〇・一五メートルより上方であって、制動灯の照明部の上縁を含む水平面以上となるように取り付けられていること。

ハ　補助制動灯の照明部の中心は、車両中心面上にあること。ただし、自動車の構造上その照明部の中心を車両中心面上に取り付けることができないものにあっては、照明部の中心を車両中心面から百五十ミリメートルまでの間に取り付けるか、又は補助制動灯を車両中心面の両側に一個ずつ取り付けることができる。この場合において、両側に備える補助制動灯の取付位置は、取り付けることのできる車両中心面に最も近い位置であること。

ニ　補助制動灯は、尾灯と兼用でないこと。

ホ　補助制動灯は、制動灯が点灯する場合のみ点灯する構造であること。

2　次の表の上欄に掲げる自動車については、前項の規定のうち同表の下欄に掲げる規定は、適用しない。

自動車	条項
一　平成十七年十二月三十一日以前に製作された自動車	第二号イ及び第三号ロ

3　平成十九年九月一日以降に指定を受けた型式指定自動車以外の自動車については、細目告示別添五十二3・23・の規定は、適用しない。

4　平成二十一年十二月三十一日以前に製作された貨物の運送の用に供する自動車（バン型に限る。）であって車両総重量三・五トン以下のものにあっては、保安基準第三十九条の二第一項中「備えなければならない」を「備えることができる」に読み替えて適用する。

5　平成十八年一月一日から平成二十一年七月十日までに製作された自動車については、細目告示別添七十一3・7・の規定は、適用しない。
6　平成十八年一月一日から平成二十一年十月十四日までに製作された自動車については、細目告示第五十七条第一項、別添五十二2・13・及び別添七十一3・5・の規定にかかわらず、道路運送車両の保安基準の細目を定める告示の一部を改正する告示（平成二十年国土交通省告示第千二百十七号）による改正前の細目告示第五十七条第一項、別添五十二2・13・及び別添七十一3・5・の規定に適合するものであればよい。
7　平成十八年一月一日から平成二十三年二月六日までに製作された自動車及び国土交通大臣が定める自動車については、細目告示別添五十二3・7・1・、3・22・及び3・23・の規定にかかわらず、道路運送車両の保安基準の細目を定める告示の一部を改正する告示（平成二十一年国土交通省告示第七百七十一号）による改正前の細目告示別添五十二3・7・1・、3・22・及び3・23・の規定に適合するものであればよい。
8　保安基準第三十九条の二第三項及び細目告示第五十七条第二項ただし書の規定が適用される自動車のうち平成二十一年七月二十二日から平成二十三年二月六日までに法第七十五条の三第一項の規定に基づく装置の型式の指定を行う場合については、協定規則第四十八号の規定にかかわらず、協定規則第四十八号第四改訂版補足改訂版の規定に適合するものであればよい。
9　平成十八年一月一日から平成二十四年十月二十三日までに製作された自動車及び国土交通大臣が定めるものについては、細目告示別添五十二3・7・1・2・2・及び3・27・の規定は、適用しない。
10　保安基準第三十九条の二第三項及び細目告示第五十七条第二項ただし書の規定が適用される自動車のうち平成二十一年十月二十四日から平成二十四年十月二十三日までに法第七十五条の三第一項の規定に基づく装置の型式の指定を行う場合については、協定規則第四十八号の規定にかかわらず、協定規則第四十八号第四改訂版補足第二改訂版の規定に適合するものであればよい。
11　保安基準第三十九条の二第三項及び細目告示第五十七条第二項ただし書の規定が適用される自動車のうち平成二十四年十一月十八日から平成二十九年十一月十七日までに法第七十五条の三第一項の規定に基づく装置の型式の指定を行う場合については、協定規則第四十八号の規定にかかわらず、協定規則第四十八号第五改訂版の規定に適合するものであればよい。
12　保安基準第三十九条の二が適用される自動車は、当分の間、細目告示第五十七条第一項並びに別添五十二4・9・2・及び4・9・7・1・の規定にかかわらず、道路運送車両の保安基準の細目を定める告示等の一部を改正する告示（令和元年国土交通省告示第七百十四号）による改正前の細目告示第五十七条第一項並びに別添五十二4・9・2・及び4・9・7・1・の規定に適合するものであればよい。
13　次に掲げる二輪自動車については、細目告示第五十七条第一項及び第二項並びに別添五十三の規定にかかわらず、道路運送車両の保安基準の細目を定める告示等の一部を改正する告示（令和二年国土交通省告示第千二十一号）による改正前の細目告示第五十七条第一項及び第二項、第百三十五条第三項、第二百十三条第三項及び別添五十三の規定に適合するものであればよい。
一　令和五年八月三十一日以前に製作された二輪自動車
二　令和五年九月一日から令和十二年八月三十一日までに製作された二輪自動車であって、次に掲げるもの
イ　令和五年八月三十一日以前に指定を受けた型式指定自動車
ロ　国土交通大臣が定める自動車

14　次に掲げる自動車については、細目告示第五十七条第一項並びに別添五十二4・9・2・及び4・9・7・1・の規定にかかわらず、道路運送車両の保安基準の細目を定める告示等の一部を改正する告示（令和五年国土交通省告示第一号）による改正前の細目告示第五十七条第一項並びに別添五十二4・9・2・及び4・9・7・1・の規定（以下この項において「旧規定」という。）に適合するものであればよい。この場合において、旧規定中「協定規則第148号」とあるのは「協定規則第148号補足第4改訂版」と読み替えることができる。
一　令和八年八月三十一日以前に製作された自動車
二　令和八年九月一日以降に製作された自動車であって、次に掲げるもの
イ　令和八年八月三十一日以前に指定を受けた型式指定自動車
ロ　令和八年九月一日以降に新たに指定を受けた型式指定自動車であって、同年八月三十一日以前に指定を受けた型式指定自動車と補助制動灯の型式が同一であるもの
ハ　国土交通大臣が定める自動車
15　次に掲げる二輪自動車については、細目告示第五十七条第二項の規定中「協定規則第53号」とあるのは、「協定規則第53号第3改訂版補足第4改訂版」と読み替えることができる。
一　令和十年八月三十一日以前に製作された二輪自動車
二　令和十年九月一日から令和十二年八月三十一日までに製作された二輪自動車であって、次に掲げるもの
イ　令和十年八月三十一日以前に指定を受けた型式指定自動車
ロ　令和十年九月一日以降に新たに指定を受けた型式指定自動車であって、令和十年八月三十一日以前に指定を受けた型式指定自動車と補助制動灯の型式が同一であるもの
ハ　国土交通大臣が定める自動車
三　令和十二年八月三十一日以前に発行された出荷検査証に係る自動車であって、当該出荷検査証の発行後十一月を経過しない間に新規検査又は予備検査を受けようとし、又は受けたもの

（後退灯）

第四四条　平成十七年十二月三十一日以前に製作された自動車については、保安基準第四十条の規定並びに細目告示第五十八条、第百三十六条及び第二百十四条の規定にかかわらず、次の基準に適合するものであればよい。
一　自動車には、後退灯を備えなければならない。ただし、二輪自動車、側車付二輪自動車、カタピラ及びそりを有する軽自動車、小型特殊自動車並びに幅〇・八メートル以下の自動車並びにこれらにより牽引される被牽引自動車にあっては、この限りでない。
二　自動車の後退灯は、次の基準に適合するものでなければならない。
イ　後退灯は、昼間にその後方百メートルの距離から点灯を確認できるものであり、かつ、その照射光線は、他の交通を妨げないものであること。
ロ　後退灯の灯光の色は、白色であること。
三　後退灯は、前号に掲げた性能（法第七十五条の三第一項の規定によりその型式について指定を受けた白色の前部霧灯（以下この条において「型式指定前部霧灯」という。）が後退灯として取り付けられている場合にあっては当該型式指定前部霧灯の性能）を損なわないように、かつ、次の基準に適合するように取り付けられなければならない。
イ　後退灯の数は、二個以下であること。
ロ　後退灯は、変速装置（被牽引自動車にあっては、その牽引自動車の変速装置）を後退の位置に操作している場合にのみ点灯する構造であること。

ハ　大型特殊自動車（ポール・トレーラを除く。）及び小型特殊自動車以外の自動車に備える後退灯の照明部は、後退灯の中心を通り自動車の進行方向に直交する水平線を含む、水平面より上方十五度の平面及び下方五度の平面並びに後退灯の中心を含む、自動車の進行方向に平行な鉛直面より後退灯の内側方向四十五度の平面（後面の両側に後退灯が取り付けられている場合は、後退灯の内側方向三十度の平面）及び後退灯の外側方向四十五度の平面により囲まれる範囲においてすべての位置から見通すことができるように取り付けられていること。ただし、型式指定前部霧灯が後退灯として取り付けられている自動車にあっては、後退灯の照明部は、後退灯の中心を通り自動車の進行方向に直交する水平線を含む、水平面より上方五度の平面及び下方五度の平面並びに後退灯の中心を含む、自動車の進行方向に平行な鉛直面より後退灯の内側方向四十五度の平面（後面の両側に型式指定前部霧灯が後退灯として取り付けられている場合は、後退灯の内側方向十度の平面）及び後退灯の外側方向四十五度の平面により囲まれる範囲においてすべての位置から見通すことができるように取り付けられていればよい。

ニ　後退灯は、イからハまでに規定するほか、第三十七条第一項第三号ホの基準に準じたものであること。

2　次の表の上欄に掲げる自動車については、前項の規定のうち同表の下欄に掲げる規定は、適用しない。

自動車	条項
一　昭和三十九年四月十四日以前に製作された自動車	第一号
二　昭和四十四年三月三十一日以前に製作された自動車で長さ六メートル未満のもの	第一号
三　平成十七年十二月三十一日以前に製作された自動車	第三号ニ

3　次の表の第一欄に掲げる自動車については、第一項の規定のうち同表第二欄に掲げる規定は、同表第三欄に掲げる字句を同表第四欄に掲げる字句に読み替えて適用する。

自動車	条項	読み替えられる字句	読み替える字句
一　昭和三十二年三月三十一日以前に製作された自動車	第三号ロ	後退灯は	後退灯は、運転者席において点灯できない構造又は
二　平成八年一月三十一日以前に製作された自動車	第二号ロ	白色	白色又は淡黄色

4　平成十七年十二月三十一日以前に製作された自動車については、第一項第二号イ及び第三号ハの規定にかかわらず、後退灯は、次の基準に適合する構造とすることができる。

一　後退灯の光度は、五千カンデラ以下であること。

二　主として後方を照射するための後退灯の照射光線の主光軸は、下向きであり、かつ、後方七十五メートルから先の地面を照射しないこと。

5　平成十九年九月一日以降に指定を受けた型式指定自動車以外の自動車については、細目告示別添五十二3・23・の規定は、適用しない。

6　平成二十二年十二月三十一日以前に製作された自動車については、細目告示第百三十六条第三項第三号及び第二百十四条第三項第三号並びに別添五十二4・5・4・1・、別添五十三5・17・3・2・及び別添五十四4・4・3・1・の規定は、適用しない。

7　平成二十二年十二月三十一日以前に製作された自動車については、細目告示第百三十六条第三項第五号及び第九号並びに第二百十四条第三項第五号及び第九号並びに別添五十二4・5・5・並びに別添五十三5・17・3・4・の規定にかかわらず、道路運送車両の保安基準の細目を定める告示の一部を改正する告示（平成十七年国土交通省告示第千三百三十七号）による改正前の細目告示第百三十六条第三項第三号及び第七号並びに第二百十四条第三項第三号及び第七号並びに別添五十二4・5・5・並びに別添五十三5・17・3・3・の規定に適合するものであればよい。

8　平成二十七年十二月三十一日以前に製作された自動車については、細目告示第百三十六条第三項第一号及び第二百十四条第三項第一号並びに別添五十二4・5・3・及び別添五十四4・4・2・の規定にかかわらず、後退灯の数は、二個以下であればよい。

9　平成十八年一月一日から平成二十一年七月十日までに製作された自動車については、細目告示別添七十二3・4・の規定は、適用しない。

10　平成十八年一月一日から平成二十一年十月十四日までに製作された自動車については、細目告示第五十八条第一項、別添五十二2・13・及び別添七十二3・3・の規定にかかわらず、道路運送車両の保安基準の細目を定める告示の一部を改正する告示（平成二十年国土交通省告示第千二百十七号）による改正前の細目告示第五十八条第一項、別添五十二2・13・及び別添七十二3・3・の規定に適合するものであればよい。

11　平成十八年一月一日から平成二十三年二月六日までに製作された自動車及び国土交通大臣が定める自動車については、細目告示別添五十二3・7・1・、3・22・及び3・23・の規定にかかわらず、道路運送車両の保安基準の細目を定める告示の一部を改正する告示（平成二十一年国土交通省告示第七百七十一号）による改正前の細目告示別添五十二3・7・1・、3・22・及び3・23・の規定に適合するものであればよい。

12　保安基準第四十条第三項及び細目告示第五十八条第二項ただし書の規定が適用される自動車のうち平成二十一年七月二十二日から平成二十三年二月六日までに法第七十五条の三第一項の規定に基づく装置の型式の指定を行う場合については、協定規則第四十八号の規定にかかわらず、協定規則第四十八号第四改訂版補足改訂版の規定に適合するものであればよい。

13　保安基準第四十条第三項及び細目告示第五十八条第二項ただし書の規定が適用される自動車のうち平成二十一年十月二十四日から平成二十四年十月二十三日までに法第七十五条の三第一項の規定に基づく装置の型式の指定を行う場合については、協定規則第四十八号の規定にかかわらず、協定規則第四十八号第四改訂版補足第二改訂版の規定に適合するものであればよい。

14　保安基準第四十条第三項及び細目告示第五十八条第二項ただし書の規定が適用される自動車のうち平成二十四年十一月十八日から平成二十九年十一月十七日までに法第七十五条の三第一項の規定に基づく装置の型式の指定を行う場合については、協定規則第四十八号の規定にかかわらず、協定規則第四十八号第五改訂版の規定に適合するものであればよい。

15　保安基準第四十条が適用される自動車は、当分の間、細目告示第五十八条第一項及び別添五十二4・5・2・の規定にかかわらず、道路運送車両の保安基準の細目を定める告示等の一部を改正する告示（令和元年国土交通省告示第七百十四号）による改正前の細目告示第五十八条第一項及び別添五十二4・5・2・の規定に適合するものであればよい。

16　次に掲げる自動車については、細目告示第五十八条第一項及び別添五十二4・5・2・の規定にかかわらず、道路運送車両の保安基準の細目を定める告示等の一部を改正する告示（令和五年国土交通省告示第一号）による改正前の細目告示第五十八条第一項及び別添五十二4・5・2・の規定（以下この項において「旧規定」という。）に適合するものであればよい。この場合において、旧規定中「協定規則第148号」とあるのは「協定規則第148号補足第4改訂版」と読み替えることができる。

一　令和八年八月三十一日以前に製作された自動車

二　令和八年九月一日以降に製作された自動車であって、次に掲げるもの

イ　令和八年八月三十一日以前に指定を受けた型式指定自動車

ロ　令和八年九月一日以降に新たに指定を受けた型式指定自動車であって、同年八月三十一日以前に指定を受けた型式指定自動車と後退灯の型式が同一であるもの

ハ　国土交通大臣が定める自動車

（方向指示器）

第四五条　平成十七年十二月三十一日以前に製作された自動車については、保安基準第四十一条の規定並びに細目告示第五十九条、第百三十七条及び第二百十五条の規定にかかわらず、次の基準に適合するものであればよい。

一　自動車には、次に掲げるところにより方向指示器を備えなければならない。

イ　自動車には、方向指示器を自動車の車両中心線上の前方及び後方三十メートルの距離から指示部が見通すことのできる位置に少なくとも左右一個ずつ備えること。ただし、最高速度二十キロメートル毎時未満の自動車で、かじ取ハンドルの中心から自動車の最外側までの距離が六百五十ミリメートル未満であり、かつ、運転者席が車室内にないもの及び被牽引自動車にあっては、この限りでない。

ロ　自動車の後面の両側には、方向指示器を備えること。ただし、二輪自動車、側車付二輪自動車、カタピラ及びそりを有する軽自動車、大型特殊自動車、小型特殊自動車、幅〇・八メートル以下の自動車並びに前号ただし書の自動車にあっては、この限りでない。

ハ　自動車（車両総重量が八トン以上又は最大積載量が五トン以上の普通自動車（セミトレーラを牽引する牽引自動車、乗車定員十一人以上の自動車及びその形状が乗車定員十一人以上の自動車の形状に類する自動車を除く。以下「大型貨物自動車等」という。）、二輪自動車、側車付二輪自動車、カタピラ及びそりを有する軽自動車、幅〇・八メートル以下の自動車並びにイに掲げるただし書の自動車を除く。）の両側面には、方向指示器を備えること。

ニ　大型貨物自動車等には、両側面の前部（被牽引自動車に係るものを除く。）及び中央部に方向指示器を備えること。

ホ　牽引自動車（ロに掲げるただし書の自動車（大型特殊自動車及び小型特殊自動車を除く。）を除く。）と被牽引自動車とを連結した場合（牽引自動車又は被牽引自動車が大型貨物自動車等である場合を除く。）においては、その状態においてイの本文、ロの本文及びハの規定に適合するように方向指示器を備えること。

ヘ　大型貨物自動車等である牽引自動車及び被牽引自動車には、ニの規定に適合するように両側面の中央部に方向指示器を備えるほか、牽引自動車（ロに掲げるただし書の自動車（大型特殊自動車及び小型特殊自動車を除く。）を除く。）と被牽引自動車とを連結した場合（牽引自動車又は被牽引自動車が大型貨物自動車等である場合に限る。）においては、その状態において牽引自動車又は被牽引自動車にイの本文及びロの本文の規定に適合するように、かつ、両側面に方向指示器を備えること。

ト　イのただし書の自動車（被牽引自動車を除く。）で長さ六メートル以上のもの及び牽引自動車と被牽引自動車とを連結した状態における長さが六メートル以上となる場合における牽引自動車（ロに掲げるただし書の自動車（大型特殊自動車及び小型特殊自動車を除く。）に限る。）又は被牽引自動車には、イの本文の規定に準じて方向指示器を備えること。

二　方向指示器は、次の基準に適合するものでなければならない。

イ　方向指示器は、方向の指示を表示する方向百メートル（前号ハ、ニ（両側面の中央部に備える方向指示器を除く。）、ホ又はヘ（ニの規定により両側面の中央部に備える方向指示器を除く。）の規定により自動車の両側面に備える方向指示器にあっては、三十メートル）の距離から昼間において点灯を確認できるものであり、かつ、その照射光線は、他の交通を妨げないものであること。

ロ　方向指示器の灯光の色は、橙色であること。

ハ　方向指示器の指示部は、次の表の上欄に掲げる方向指示器の種別に応じ、同表の下欄に掲げる範囲においてすべての位置から見通すことができるものであること。

方向指示器の種別	範囲
a　自動車の前面又は後面に備える方向指示器	方向指示器の中心を通り自動車の進行方向に直交する水平線を含む、水平面より上方十五度の平面及び下方十五度の平面並びに方向指示器の中心を含む、自動車の進行方向に平行な鉛直面より方向指示器の内側方向四十五度の平面及び方向指示器の外側方向八十度の平面により囲まれる範囲
b　c及びdに掲げる自動車以外の自動車の両側面に備える方向指示器（第三号リに規定するものを除く。）	方向指示器の中心を通り自動車の進行方向に直交する水平線を含む、水平面より上方十五度の平面及び下方十五度の平面並びに方向指示器の中心を含む、自動車の進行方向に平行な鉛直面であって方向指示器の中心より後方にあるものより方向指示器の外側方向五度の平面及び方向指示器の外側方向六十度の平面により囲まれる範囲
c　次の(1)から(4)までに掲げる自動車（長さ六メートル以下のものを除く。）並びに(5)及び(6)に掲げる自動車の両側面に備える方向指示器（第三号リに規定するものを除く。） (1)　専ら乗用の用に供する自動車であって乗車定員十人以上のもの (2)　その形状が専ら乗用の用に供する自動車であって乗車定員十人以上のものの形	方向指示器の中心を通り自動車の進行方向に直交する水平線を含む、水平面より上方三十度の平面及び下方五度の平面並びに方向指示器の中心を含む、自動車の進行方向に平行な鉛直面であって方向指示器の中心より後方にあるものより方向指示器の外側方向五度の平面及び方向指示器の外側方向六十度の平面により囲まれる範囲

状に類する自動車 (3) 貨物の運送の用に供する自動車であって車両総重量三・五トン以下のもの (4) その形状が貨物の運送の用に供する自動車であって車両総重量三・五トン以下のものの形状に類する自動車 (5) 貨物の運送の用に供する自動車であって車両総重量三・五トンを超えるもの (6) その形状が貨物の運送の用に供する自動車であって車両総重量三・五トンを超えるものの形状に類する自動車	
d 二輪自動車、側車付二輪自動車、三輪自動車並びにカタピラ及びそりを有する軽自動車（方向指示器を側面のみに備えるものに限る。）の両側面に備える方向指示器	方向指示器の中心を通り自動車の進行方向に直交する水平線を含む上方十五度の平面及び下方十五度の平面並びに方向指示器の中心を含む、自動車の進行方向に平行な鉛直面（方向指示器の中心から自動車の前方にある平面に限る。）より方向指示器の内側方向五度の平面及び方向指示器の外側方向四十五度の平面により囲まれる範囲及び方向指示器の中心を含む、自動車の進行方向に平行な鉛直面（方向指示器の中心から自動車の後方にある平面に限る。）より方向指示器の内側方向五度の平面及び方向指示器の外側方向六十度の平面により囲まれる範囲

三　方向指示器は、前号（二輪自動車、側車付二輪自動車、三輪自動車並びにカタピラ及びそりを有する軽自動車にあっては同号ハの表aに係る部分を除き、大型特殊自動車（ポール・トレーラを除く。）及び小型特殊自動車にあっては同表a、b及びcに係る部分を除く。）に掲げる性能（方向指示器の指示部の上縁の高さが地上〇・七五メートル未満となるように取り付けられている場合にあっては、同表a及びbの基準中「下方十五度」とあるのは「下方五度」とし、専ら乗用の用に供する自動車（二輪自動車、側車付二輪自動車、三輪自動車、カタピラ及びそりを有する軽自動車並びに被牽引自動車を除く。）であって乗車定員が十人未満のもの若しくは貨物の運送の用に供する自動車（三輪自動車及び被牽引自動車を除く。）であって車両総重量三・五トン以下のものの前部又は後部に取り付けられる側方灯（灯光の色が橙色であるものに限る。）が同表aに規定する前面又は後面に備える方向指示器の性能を補完する性能を有する場合にあっては同表aの基準中「外側方向八十度」とあるのは「外側方向四十五度」とする。）を損なわないように、かつ、次の基準に適合するように取り付けられなければならない。

イ　方向指示器は、毎分六十回以上百二十回以下の一定の周期で点滅するものであること。

ロ　方向指示器は、車両中心面に対して対称の位置に取り付けられたものであること（車体の形状が左右対称でない自動車を除く。）。

ハ　二輪自動車、側車付二輪自動車並びにカタピラ及びそりを有する軽自動車以外の自動車に備える前方又は後方に対して方向の指示を表示するための方向指示器の指示部のうちそれぞれ最内側にあるものの最内縁の間隔は、六百ミリメートル（幅が千三百ミリメートル未満の自動車にあっては、四百ミリメートル）以上であり、かつ、それぞれ最外側にあるもの（セミトレーラを牽引する牽引自動車に備える後方に対して方向の指示を表示するための方向指示器を除く。）の指示部の最外縁は、自動車の最外側から四百ミリメートル以内となるように取り付けられていること。

ニ　二輪自動車、側車付二輪自動車並びにカタピラ及びそりを有する軽自動車に備える方向指示器は、その指示部の中心において、前方に対して方向の指示を表示するためのものにあっては三百ミリメートル（光源が八ワット以上のものにあっては二百五十ミリメートル）以上、後方に対して方向の指示を表示するためのものにあっては百五十ミリメートル以上の間隔を有するものであり、かつ、前照灯又は尾灯が二個以上備えられている場合の位置は、前方に対して方向の指示を表示するためのものにあっては最外側の前照灯より外側に、後方に対して方向の指示を表示するためのものにあっては最外側の尾灯より外側にあること。

ホ　二輪自動車、側車付二輪自動車並びにカタピラ及びそりを有する軽自動車以外の自動車に備える方向指示器は、その指示部の上縁の高さが地上二・一メートル（大型特殊自動車、小型特殊自動車及び自動車の両側面に備えるものにあっては、二・三メートル）以下、下縁の高さが地上〇・三五メートル以上（セミトレーラでその自動車の構造上地上〇・三五メートル以上に取り付けることができないものにあっては、取り付けることができる最高の高さ）となるように取り付けられていること。

ヘ　二輪自動車、側車付二輪自動車並びにカタピラ及びそりを有する軽自動車に備える方向指示器の指示部の中心は、地上二・三メートル以下となるように取り付けられていること。

ト　第一号ハ及びホの自動車の両側面に備える方向指示器の指示部の最前縁は、自動車の前端から二・五メートル以内（大型特殊自動車及び小型特殊自動車にあっては二・五メートル以内又は自動車の長さ（牽引自動車と被牽引自動車とを連結した場合にあっては、牽引自動車と被牽引自動車とを連結した状態における長さ。以下この号において同じ。）の六十パーセント以内、長さ六メートル以上の自動車にあっては自動車の長さの六十パーセント以内）となるように取り付けられていること。

チ　第一号ニの自動車の両側面の前部に備える方向指示器は、自動車の前端から運転者室又は客室の外側後端までの間に取り付けられていること。

リ　第一号ニ及びヘの自動車の両側面の中央部に備える方向指示器の指示部の最前縁は、運転者室又は客室の外側後端から二・五メートル以内（被牽引自動車にあっては、自動車の前端から四・五メートル以内）となるように取り付けられ、かつ、自動車の最外側から外側方一メートルの車両中心面に平行な鉛直面上で当該方向指示器の取付位置の前方一メートルから自動車の後端までに相当する点における地上一メートルから一・六メートルまでのすべての位置から指示部を見通すことができるように取り付けられていること。

ヌ　第一号ヘの自動車の両側面に備える方向指示器（前号に規定する方向指示器を除く。）の指示部の最前縁は、牽引自動車の前端からの長さの六十パーセント以内となるように取り付けられていること。

ル　運転者が運転者席において直接かつ容易に方向指示器（自動車の両側面に備える方向指示器を除く。）の作動状態を確認できない場合は、その作動状態を運転者に表示する装置を備えること。

四　自動車の両側面に備える方向指示器は、非常点滅表示灯を作動させている場合においては、当該非常点滅表示灯と同時に点滅する構造とすることができる。

2　次の表の上欄に掲げる自動車については、前項の規定のうち同表の下欄に掲げる規定は、適用しない。

自動車	条項
一　昭和三十五年三月三十一日以前に製作された自動車	第一号ロから二まで、第二号ハの表のａ（自動車の後面に備える方向指示器に関する部分に限る。）、ｂ及びｃ並びに第三号ト及びチ
二　昭和三十五年三月三十一日以前に製作された自動車で運転者席が車室内になく、かつ、かじ取りハンドルの中心から当該自動車の最外側までの距離が六百五十ミリメートル未満のもの	第一号
三　昭和三十五年三月三十一日以前に製作された牽引自動車で運転者席が車室内になく、かつ、かじ取りハンドルの中心から当該牽引自動車の最外側までの距離が六百五十ミリメートル未満のものと昭和三十五年三月三十一日以前に製作された被牽引自動車で牽引自動車のかじ取りハンドルの中心から当該被牽引自動車の最外側までの距離が六百五十ミリメートル未満のものとを連結した場合における牽引自動車及び被牽引自動車	第一号ホ及び第三号ト（第一号ホの自動車に関する部分に限る。）
四　昭和三十五年三月三十一日以前に製作された牽引自動車と昭和三十五年三月三十一日以前に製作された被牽引自動車とを連結した場合における牽引自動車及び被牽引自動車（前号の牽引自動車及び被牽引自動車を除く。）	第三号ヌ
五　昭和三十五年三月三十一日以前に製作された二輪自動車及び側車付二輪自動車	第三号ニ（間隔に関する部分に限る。）
六　昭和四十四年三月三十一日以前に製作された二輪自動車及び側車付二輪自動車	第一号イ
七　平成十七年十二月三十一日以前に製作された自動車	第二号ハの表のｄ

3　次の表の第一欄に掲げる自動車については、第一項の規定のうち同表第二欄に掲げる規定は、同表第三欄に掲げる字句を同表第四欄に掲げる字句に読み替えて適用する。

自動車	条項	読み替えられる字句	読み替える字句
一　昭和三十五年三月三十一日以前に製作された自動車	第二号ロ	橙色であること。	黄色又は橙色（第三号リに規定する方向指示器にあっては、橙色）であること。ただし、方向の指示を前方に表示するためのものについては白色又は乳白色、方向の指示を後方又は後側方に表示するためのもの（第三号リに規定する方向指示器を除く。）については赤色とすることができる。
二　昭和三十五年三月三十一日以前に製作された牽引自動車と昭和三十五年三月三十一日以前に製作された被牽引自動車とを連結した場合における牽引自動車及び被牽引自動車（前項第三号の牽引自動車及び被牽引自動車を除く。）	第一号ホ	イの本文、ロの本文及びハの規定	イの本文の規定
	第一号ヘ	イの本文及びロの本文の規定に適合するように、かつ、両側面に	イの本文の規定に適合するように
三　昭和四十四年九月三十日以前に製作された自動車	第一号ロ	自動車の後面	長さ六メートル以上の自動車の後面
		大型特殊自動車、小型特殊自動車、幅〇・八メートル以下の自動車	幅〇・八メートル以下の自動車
	第一号ハ	自動車（車両総重量が	長さ六メートル以上の自動車（車両総重量が
	第二号ハの本文	範囲においてすべての位置	位置

第二号ハの表方向指示器の種別の項	範囲	位置
第二号ハの表のａ	範囲	範囲におけるすべての位置
第二号ハの表のｂ	方向指示器の中心を通り自動車の進行方向に直交する水平線を含む、水平面より上方十五度の平面及び下方十五度の平面並びに方向指示器の中心を含む、自動車の進行方向に平行な鉛直面であって方向指示器の中心より後方にあるものより方向指示器の外側方向五度の平面及び方向指示器の外側方向六十度の平面により囲まれる範囲	前号ロの方向指示器を結ぶ直線上で自動車の最外側から一・五メートル外側の位置
第二号ハの表のｃ	方向指示器の中心を通り自動車の進行方向に直交する水平線を含む、水平面より上方三十度の平面及び下方五度の平面並びに方向指示器の中心を含む、自動車の進行方向に平行な鉛直面であって方向指示器の中心より後方にあるものより方向指示器の外側方向五度の平面及び方向指示器の外側方向六十度の平面により囲まれる範囲	前号ロの方向指示器を結ぶ直線上で自動車の最外側から一・五メートル外側の位置
第三号ト	自動車の前端から	自動車の長さ（牽引

		二・五メートル以内（大型特殊自動車及び小型特殊自動車にあっては二・五メートル以内又は自動車の長さ（牽引自動車と被牽引自動車とを連結した場合にあっては、牽引自動車と被牽引自動車とを連結した状態における長さ。以下この号において同じ。）の六十パーセント以内、長さ六メートル以上の自動車にあっては自動車の長さの六十パーセント以内）	自動車と被牽引自動車とを連結した場合にあっては、牽引自動車と被牽引自動車とを連結した状態における長さ。以下この号において同じ。）の六十パーセント以内
	第三号チ	自動車	自動車（長さ六メートル以上のものに限る。）
		自動車の前端から運転者室又は客室の外側後端までの間に	自動車の長さの六十パーセント以内に
四　昭和四十八年十一月三十日以前に製作された自動車	第二号イ	百メートル（前号ハ、ニ（両側面の中央部に備える方向指示器を除く。）、ホ又はヘ（ニの規定により両側面の中央部に備える方向指示器を除く。）の規定により自動車の両側面に備える方向指示器にあっては、三十メートル）の距離から昼間において点灯を	三十メートルの距離から指示部の形状が
	第三号イ	六十回	五十回
		点滅するものである	点滅し、又は光度が

		こと。	増減するものであること。ただし、第三号リに規定する方向指示器にあっては、毎分六十回以上百二十回以下の一定の周期で点滅するものでなければならない。
	第四号	点滅する構造とすることができる。	点滅し、又は光度が増減する構造（第三号リに規定する方向指示器にあっては、点滅する構造）とすることができる。この場合においては、当該方向指示器（第三号リに規定するものを除く。）を非常点滅表示灯とみなして、制動灯が点灯している場合には、その操作装置を操作した状態においても点滅又は光度の増減を停止する構造とすることができる。
五　昭和三十五年四月一日から昭和四十八年十一月三十日までに製作された自動車	第二号ロ	橙色であること。	黄色又は橙色（第三号リに規定する方向指示器にあっては、橙色）であること。ただし、二輪自動車及び側車付二輪自動車以外の自動車にあっては、方向の指示を前方に表示するためのものについては白色又は乳白色、方向の指示を後方又は後側方に表示するためのもの（第三号リに規定する方向指示器を除く。）については赤色とすることができる。
六　平成十七年十二月三十一日以前に製作された自動車	第二号イ	あり、かつ、その照射光線は、他の交通を妨げないものであること。	あること。
	第二号ハの表のa	前面又は後面 方向指示器の中心を通り自動車の進行方向に直交する水平線を含む、水平面より上方十五度の平面及び下方十五度の平面並びに方向指示器の中心を含む、自動車の進行方向に平行な鉛直面より方向指示器の内側方向四十五度の平面及び方向指示器の外側方向八十度の平面により囲まれる範囲	後面 第四十二条第一項第二号ニに規定する範囲に準じた範囲
	第三号	同表a、b及びc	a及びb
	第三号ハ	取り付けられていること。	取り付けられていること。ただし、方向指示器の指示部の中心の間隔が自動車の幅の五十パーセント以上であるものにあっては、この限りでない。
	第三号ホ	上縁の高さが地上二・一メートル（大型特殊自動車、小型特殊自動車及び自動車の両側面に備えるものにあっては、	中心の高さが地上二・三メートル以下

		二・三メートル）以下、下縁の高さが地上〇・三五メートル以上（セミトレーラでその自動車の構造上地上〇・三五メートル以上に取り付けることができないものにあっては、取り付けることができる最高の高さ）	

4　昭和三十五年三月三十一日以前に製作された自動車については、第一項第二号及び第三号（トからヌまでを除く。）の規定にかかわらず、次の基準に適合する灯火式方向指示器を備えることができる。ただし、第一項第三号リの規定により自動車の両側面に備える方向指示器にあっては、この限りでない。

一　指示部は、長さ八十ミリメートル以上、最大幅四十ミリメートル以上の赤色又は橙色の矢形であること。

二　方向指示器は、方向の指示を表示する方向三十メートルの距離から指示部の形状が確認できるものであること。

三　方向指示器は、自動車の幅の五十パーセント以上の間隔を有するものであること。

四　方向指示器は、第一項第三号ロ、ニ、ヘ及びル並びに第三項第六号の規定により読み替えられた第一項第三号ホの基準に準じたものであること。

5　昭和四十八年十一月三十日以前に製作された自動車については、第一項第二号及び第三号イからホまでの規定にかかわらず、次の基準に適合する腕木式方向指示器を備えればよい。ただし、第一項第三号リの規定により自動車の両側面に備える方向指示器にあっては、この限りでない。

一　指示部の両表示面の形状は、長さ百六十ミリメートル以上、最大幅三十五ミリメートル（長さ六メートル以上の自動車（後面の両側及び自動車の車両中心線上の前方三十メートルの距離から表示が確認できる位置に点滅式方向指示器を備えているものを除く。）にあっては、長さ百八十ミリメートル以上、最大幅四十ミリメートル）以上の剣形又は矢形であること。

二　方向の指示を表示する方向三十メートルの距離から指示部の表示面の形状が確認できるものであること。

三　指示部は、その内部に備えた灯火により夜間表示面の形状が確認できるものであること。

四　指示部の両表示面は、橙色（昭和三十九年十二月三十一日以前に製作された自動車に備えるものにあっては赤色又は橙色）に表示されるものであること。

五　指示部は、作動時には水平位置をとり、不作動時には確実に格納されるものであること。

六　取付位置は、地上二・三メートル以下であること。

6　第三項の表第四号の規定により読み替えられた第一項第三号イの規定の適用を受ける光度が増減する方向指示器は、次の基準に適合するものでなければならない。

一　車幅灯又は尾灯と兼用するものであること。

二　最大光度は、当該車幅灯又は尾灯の光度の三倍（昭和三十五年三月三十一日以前に製作された自動車に備えるものにあっては、二倍）以上であること。

7　昭和四十四年十月一日から平成二十二年三月三十一日（第一項第二号ハの表のcに掲げる自動車にあっては平成十七年十二月三十一日）までに製作された自動車については、同項第二号ハの表のb及びc並びに第三号本文（同項第二号ハの表のbに係る部分に限る。）の規定にかかわらず、自動車の両側面に備える方向指示器（同項第三号リに規定するものを除く。）は、次の基準に適合する構造とすることができる。

一　自動車（大型貨物自動車等、二輪自動車、側車付二輪自動車、カタピラ及びそりを有する軽自動車、幅〇・八メートル以下の自動車並びに第一項第一号イのただし書の自動車を除く。）の両側面に備える方向指示器は、自動車の後端（後面の両側に方向指示器を備えた自動車にあっては、当該方向指示器を結ぶ直線）を含み車両中心面に直交する鉛直面上で自動車の最外側から外側方一メートルの距離に相当する点における地上一メートルから二・五メートルまでのすべての位置から指示部を見通すことができるものであること。

二　大型貨物自動車等の両側面の前部に備える方向指示器は、自動車の後面の両側の方向指示器を結ぶ直線を含み車両中心面に直交する鉛直面上で自動車の最外側から外側方一メートルの距離に相当する点における地上一メートルから二・五メートルまでのすべての位置から指示部を見通すことができるものであること。

三　牽引自動車（第一項第一号ロのただし書の自動車（大型特殊自動車及び小型特殊自動車を除く。）を除く。）と被牽引自動車とを連結した場合（牽引自動車又は被牽引自動車が大型貨物自動車等である場合に限る。）において牽引自動車又は被牽引自動車の両側面に備える方向指示器は、被牽引自動車の後端（後面の両側に方向指示器を備えた自動車にあっては、当該方向指示器を結ぶ直線）を含み車両中心面に直交する鉛直面上で自動車の最外側から外側方一メートルの距離に相当する点における地上一メートルから二・五メートルまでのすべての位置から指示部を見通すことができるものであること。

8　平成十九年九月一日以降に指定を受けた型式指定自動車以外の自動車については、細目告示別添五十二3・23・の規定は、適用しない。

9　平成二十年十二月三十一日以前に製作された自動車については、細目告示別添九十四2・3・1・の規定にかかわらず、道路運送車両の保安基準の細目を定める告示の一部を改正する告示（平成十七年国土交通省告示第千四百三十七号）による改正前の細目告示別添九十四2・3・1・の規定に適合するものであればよい。

10　平成二十三年十二月三十一日以前に製作された自動車については、細目告示別添五十二4・6・4・2・の規定にかかわらず、道路運送車両の保安基準の細目を定める告示を改正する告示（平成十八年国土交通省告示第三百八十一号）による改正前の細目告示別添五十二4・6・4・2・の規定に適合するものであればよい。

11　平成十八年一月一日から平成二十一年七月十日までに製作された自動車については、細目告示別添七十三3・7・の規定は、適用しない。

12　保安基準第四十一条第三項及び細目告示第五十九条第三項の規定が適用される自動車（二輪自動車、側車付二輪自動車並びにカタピラ及びそりを有する軽自動車を除く。）のうち国土交通大臣が定める自動車については、細目告示別添五十二4・6・8・1・の規定にかかわらず、道路運送車両の保安基準の細目を定める告示の一部を改正する告示（平成二十年国土交通省告示第八百六十九号）による改正前の細目告示別添五十二4・6・8・1・の規定に適合するものであればよい。

13　保安基準第四十一条第三項及び細目告示第五十九条第三項ただし書の規定が適用される自動車のうち平成二十年七月十一日から平成二十三年一月十日までに法第七十五条の三第一項の規定に基づく装置の型式の指定を行う場合については、協定規則第四十八号の規則6・5・8・の規定にかかわらず、協定規則第四十八号第三改訂版補足第三改訂版の規則6・5・8・の規定に適合するものであればよい。

14　平成十八年一月一日から平成二十一年十月十四日までに製作された自動車については、細目告示第五十九条第一項、別添五十二2・13・及び別添七十三3・5・の規定にかかわらず、道路運送車両の保安基準の細目を定める告示の一部を改正する告示（平成二十年国土交通省告示第千二百十七号）による改正前の細目告示第五十九条第一項、別添五十二2・13・及び別添七十三3・5・の規定に適合するものであればよい。

15　平成十八年一月一日から平成二十三年二月六日までに製作された自動車及び国土交通大臣が定める自動車については、細目告示別添五十二3・7・1・、3・22・及び3・23・の規定にかかわらず、道路運送車両の保安基準の細目を定める告示の一部を改正する告示（平成二十一年国土交通省告示第七百七十一号）による改正前の細目告示別添五十二3・7・1・、3・22・及び3・23・の規定に適合するものであればよい。

16　保安基準第四十一条第三項及び細目告示第五十九条第三項ただし書の規定が適用される自動車のうち平成二十一年七月二十二日から平成二十三年二月六日までに法第七十五条の三第一項の規定に基づく装置の型式の指定を行う場合については、協定規則第四十八号の規定にかかわらず、協定規則第四十八号第四改訂版補足改訂版の規定に適合するものであればよい。

17　平成十八年一月一日から平成二十四年十月二十三日までに製作された自動車及び国土交通大臣が定めるものについては、細目告示別添五十二3・7・1・2・2・の規定は、適用しない。

18　保安基準第四十一条第三項及び細目告示第五十九条第三項ただし書の規定が適用される自動車のうち平成二十一年十月二十四日から平成二十四年十月二十三日までに法第七十五条の三第一項の規定に基づく装置の型式の指定を行う場合については、協定規則第四十八号の規定にかかわらず、協定規則第四十八号第四改訂版補足第二改訂版の規定に適合するものであればよい。

19　保安基準第四十一条第三項及び細目告示第五十九条第三項ただし書の規定が適用される自動車のうち平成二十四年十一月十八日から平成二十九年十一月十七日までに法第七十五条の三第一項の規定に基づく装置の型式の指定を行う場合については、協定規則第四十八号の規定にかかわらず、協定規則第四十八号第五改訂版の規定に適合するものであればよい。

20　平成二十九年十一月十七日以前に製作された自動車及び国土交通大臣が定める自動車については、細目告示第五十九条、第百三十七条及び第二百十五条の規定にかかわらず、道路運送車両の保安基準の細目を定める告示の一部を改正する告示（平成二十五年国土交通省告示第千七十八号）による改正前の細目告示第五十九条、第百三十七条及び第二百十五条の規定に適合するものであればよい。

21　令和二年九月十四日以前に製作された二輪自動車及び側車付二輪自動車については、細目告示第五十九条第一項及び第三項並びに第百三十七条第四項並びに第二百十五条第四項の規定にかかわらず、道路運送車両の保安基準の細目を定める告示の一部を改正する告示（平成二十七年国土交通省告示第七百二十三号）による改正前の細目告示第五十九条第一項、第二項及び第三項並びに第百三十七条第四項並びに第二百十五条第四項の規定に適合するものであればよい。

22　次の各号に掲げる自動車については、細目告示別添五十二4・6・7・4・の規定は、適用しない。

一　平成三十一年二月九日以前に製作された自動車

二　平成三十一年二月九日以前に発行された出荷検査証に係る自動車であって、当該出荷検査証の発行後十一月を経過しない間に新規検査を受けようとし、又は受けたもの

23　保安基準第四十一条が適用される自動車は、当分の間、細目告示第五十九条第一項、別添五十二3・9・3・及び4・6・8・1・並びに別添五十三4・3・1・の規定にかかわらず、道路運送車両の保安基準の細目を定める告示等の一部を改正する告示（令和元年国土交通省告示第七百十四号）による改正前の細目告示第五十九条第一項、別添五十二3・9・3・及び4・6・8・1・並びに別添五十三4・3・1・の規定（以下この項において「旧規定」という。）に適合するものであればよい。この場合において、旧規定中「同規則改訂版補足第29改訂版」とあるのは「同規則第2改訂版」と、「同規則補足第20改訂版」とあるのは「協定規則第6号第2改訂版」と、「協定規則第6号改訂版補足第29改訂版」とあるのは「同規則改訂版」と、「協定規則第50号補足第20改訂版」とあるのは「協定規則第50号改訂版」と読み替えることができる。

24　次に掲げる二輪自動車については、細目告示第五十九条第三項、第百三十七条第四項、第二百十五条第四項及び別添五十三の規定にかかわらず、道路運送車両の保安基準の細目を定める告示等の一部を改正する告示（令和二年国土交通省告示第千二十一号）による改正前の細目告示第五十九条第三項、第百三十七条第四項、第二百十五条第四項及び別添五十三の規定に適合するものであればよい。

一　令和五年八月三十一日以前に製作された二輪自動車

二　令和五年九月一日から令和十二年八月三十一日までに製作された二輪自動車であって、次に掲げるもの

イ　令和五年八月三十一日以前に指定を受けた型式指定自動車

ロ　国土交通大臣が定める自動車

25　次に掲げる自動車については、細目告示第五十九条第一項、別添五十二3・9・3・、4・6・2・及び4・6・8・1・並びに別添五十三4・3・1・の規定にかかわらず、道路運送車両の保安基準の細目を定める告示等の一部を改正する告示（令和五年国土交通省告示第一号）による改正前の細目告示第五十九条第一項、別添五十二3・9・3・、4・6・2・及び4・6・8・1・並びに別添五十三4・3・1・の規定（以下この項において「旧規定」という。）に適合するものであればよい。この場合において、旧規定中「協定規則第148号」とあるのは「協定規則第148号補足第4改訂版」と読み替えることができる。

一　令和八年八月三十一日以前に製作された自動車

二　令和八年九月一日以降に製作された自動車であって、次に掲げるもの

イ　令和八年八月三十一日以前に指定を受けた型式指定自動車

ロ　令和八年九月一日以降に新たに指定を受けた型式指定自動車であって、同年八月三十一日以前に指定を受けた型式指定自動車と方向指示器の型式が同一であるもの

ハ　国土交通大臣が定める自動車

26　次に掲げる二輪自動車については、細目告示第五十九条第三項の規定中「協定規則第53号」とあるのは、「協定規則第53号第3改訂版補足第4改訂版」と読み替えることができる。

一　令和十年八月三十一日以前に製作された二輪自動車

二　令和十年九月一日から令和十二年八月三十一日までに製作された二輪自動車であって、次に掲げるもの

イ　令和十年八月三十一日以前に指定を受けた型式指定自動車

ロ　令和十年九月一日以降に新たに指定を受けた型式指定自動車であって、令和十年八月三十一日以前に指定を受けた型式指定自動車と方向指示器の型式が同一であるもの

ハ　国土交通大臣が定める自動車

三　令和十二年八月三十一日以前に発行された出荷検査証に係る自動車であって、当該出荷検査証の発行後十一月を経過しない間に新規検査又は予備検査を受けようとし、又は受けたもの

（補助方向指示器）

第四六条　平成十七年十二月三十一日以前に製作された自動車については、保安基準第四十一条の二の規定並びに細目告示第六十条、第百三十八条及び第二百十六条の規定にかかわらず、次の基準に適合するものであればよい。

一　自動車の両側面には、方向指示器と連動して点滅する補助方向指示器を一個ずつ備えることができる。

二　補助方向指示器は、前条第二号ロ並びに第一項第三号ロ、ホ及びヘの基準に準じたものでなければならない。

三　前条第一項第四号の規定は、補助方向指示器について準用する。

2　昭和四十八年十一月三十日以前に製作された自動車については、前項第二号（前条第一項第二号ロの基準に係る部分に限る。）の規定及び前項第三号の規定により準用される前条第一項第四号の規定にかかわらず、補助方向指示器は、灯光の色を黄色又は橙色とすることができ、かつ、非常点滅表示灯を作動させている場合においては、当該非常点滅表示灯と同時に点滅し、又は光度が増減する構造とすることができる。この場合においては、当該補助方向指示器を非常点滅表示灯とみなして、制動灯が点灯している場合には、その操作装置を操作した状態においても点滅又は光度の増減を停止する構造とすることができる。

3　平成十九年九月一日以降に指定を受けた型式指定自動車以外の自動車については、細目告示別添五十二3・23・の規定は、適用しない。

（非常点滅表示灯）

第四七条　平成十七年十二月三十一日以前に製作された自動車については、保安基準第四十一条の三の規定並びに細目告示第六十一条、第百三十九条及び第二百十七条の規定にかかわらず、次の基準に適合するものであればよい。

一　自動車には、非常点滅表示灯を備えなければならない。ただし、二輪自動車、側車付二輪自動車、カタピラ及びそりを有する軽自動車、大型特殊自動車、幅〇・八メートル以下の自動車並びに最高速度四十キロメートル毎時未満の自動車並びにこれらにより牽引される被牽引自動車にあっては、この限りでない。

二　非常点滅表示灯については、第四十五条第一項第一号イ、ロ及びホからトまで、第二号（ハの表のb及びcを除く。）並びに第三号（トからヌまでを除く。）の規定（自動車の両側面に備える方向指示器に係るものを除く。）を準用する。ただし、盗難、車内における事故その他の緊急事態が発生していることを表示するための灯火（以下「非常灯」という。）として作動する場合には同条第一項第三号イに掲げる基準に適合しない構造とすることができる。

三　非常点滅表示灯は、前号に規定するほか次の基準に適合するものでなければならない。

イ　すべての非常点滅表示灯は、同時に作動する構造であること。

ロ　左右対称に取り付けられた非常点滅表示灯は、同時に点滅する構造であること。

2　次の表の上欄に掲げる自動車については、前項の規定のうち同表の下欄に掲げる規定は、適用しない。

自動車	条項
一　昭和四十四年三月三十一日以前に製作された自動車	第一号

3　次の表の第一欄に掲げる自動車については、第一項の規定のうち同表第二欄に掲げる規定は、同表第三欄に掲げる字句を同表第四欄に掲げる字句に読み替えて適用する。

自動車	条項	読み替えられる字句	読み替える字句
一　昭和四十八年十一月三十日以前に製作された自動車	第三号ロ	点滅	点滅し、又は光度が増減

4　昭和四十八年十一月三十日以前に製作された自動車については、第一項第二号の規定により準用される第四十五条第一項第二号イ、ロ及び第三号イ並びに第一項第三号ロの規定にかかわらず、非常点滅表示灯は、次の基準に適合する構造とすることができ、かつ、制動灯が点灯している場合には、その操作装置を操作した状態においても点滅又は光度の増減を停止する構造とすることができる。

一　点滅を表示する方向三十メートルの距離から表示部の形状が確認できるものであること。

二　毎分五十回以上百二十回以下の一定の周期で点滅し、又は光度が増減するものであること。

三　光度が増減するものは、車幅灯又は尾灯と兼用するものであること。

四　光度が増減するものの最大光度は、当該車幅灯又は尾灯の光度の三倍以上であること。

五　灯光の色は、黄色又は橙色であること。ただし、二輪自動車及び側車付二輪自動車以外の自動車にあっては、点滅を前方に表示するためのものについては白色又は乳白色、点滅を後方又は後側方に表示するためのものについては赤色とすることができる。

5　平成十九年九月一日以降に指定を受けた型式指定自動車以外の自動車については、細目告示別添五十二3・23・の規定は、適用しない。

6　平成二十二年六月十日以前に製作された自動車にあっては、細目告示第百三十九条第三項第四号及び第二百十七条第三項第四号の規定を適用しなくてもよいものとするとともに、細目告示別添五十二4・8・7・1・中、「他の操作装置と独立して手動で操作できるものでなければならない。」とあるのは、「他の操作装置と独立して操作できるものでなければならない。」と読み替え、同別添4・8・7・2・は適用しなくてもよいものとするほか、細目告示別添五十四6・6・1・中「他の操作装置と独立して手動で操作できるものでなければならない。」とあるのは、「他の操作装置と独立して操作できるものでなければならない。」と読み替え、同別添6・6・2・は適用しなくてもよいものとする。

7　平成二十六年一月二十九日以前に製作された自動車については、細目告示第百三十九条第三項第四号、第二百十七条第三項第四号及び別添五十二4・8・7・2・に関わらず道路運送車両の保安基準の細目を定める告示の一部を改正する告示（平成二十三年国土交通省告示第七十三号）による改正前の細目告示第百三十九条第三項第四号、第二百十七条第三項第四号及び別添五十二4・8・7・2・の規定に適合するものであればよい。

8　保安基準第四十一条の三第三項及び細目告示第六十一条第二項ただし書の規定が適用される自動車のうち平成二十四年十一月十八日から平成二十九年十一月十七日までに法第七十五条の三第

一項の規定に基づく装置の型式の指定を行う場合については、協定規則第四十八号の規定にかかわらず、協定規則第四十八号第五改訂版の規定に適合するものであればよい。

9　次の各号に掲げる自動車については、細目告示別添五十二4・8・1・の規定にかかわらず、道路運送車両の保安基準の細目を定める告示等の一部を改正する告示（平成三十年国土交通省告示第百四十七号）による改正前の細目告示別添五十二4・8・1・の規定に適合するものであればよい。

一　平成三十一年二月九日以前に製作された自動車

二　平成三十一年二月九日以前に発行された出荷検査証に係る自動車であって、当該出荷検査証の発行後十一月を経過しない間に新規検査又は予備検査を受けようとし、又は受けたもの

10　次に掲げる二輪自動車については、細目告示第六十一条第二項及び別添五十三の規定にかかわらず、道路運送車両の保安基準の細目を定める告示等の一部を改正する告示（令和二年国土交通省告示第千二十一号）による改正前の細目告示第六十一条第二項及び別添五十三の規定に適合するものであればよい。

一　令和五年八月三十一日以前に製作された二輪自動車

二　令和五年九月一日から令和十二年八月三十一日までに製作された二輪自動車であって、次に掲げるもの

イ　令和五年八月三十一日以前に指定を受けた型式指定自動車

ロ　国土交通大臣が定める自動車

11　次に掲げる二輪自動車については、細目告示第六十一条第二項の規定中「協定規則第53号」とあるのは、「協定規則第53号第3改訂版補足第4改訂版」と読み替えることができる。

一　令和十年八月三十一日以前に製作された二輪自動車

二　令和十年九月一日から令和十二年八月三十一日までに製作された二輪自動車であって、次に掲げるもの

イ　令和十年八月三十一日以前に指定を受けた型式指定自動車

ロ　令和十年九月一日以降に新たに指定を受けた型式指定自動車であって、令和十年八月三十一日以前に指定を受けた型式指定自動車と非常点滅表示灯の型式が同一であるもの

ハ　国土交通大臣が定める自動車

三　令和十二年八月三十一日以前に発行された出荷検査証に係る自動車であって、当該出荷検査証の発行後十一月を経過しない間に新規検査又は予備検査を受けようとし、又は受けたもの

（緊急制動表示灯）

第四七条の二　保安基準第四十一条の四第四項及び細目告示第六十一条の二第二項ただし書の規定が適用される自動車のうち平成二十四年十一月十八日から平成二十九年十一月十七日までに法第七十五条の三第一項の規定に基づく装置の型式の指定を行う場合については、協定規則第四十八号の規定にかかわらず、協定規則第四十八号第五改訂版の規定に適合するものであればよい。

2　次の自動車については、細目告示第百三十九条の二第三項第六号、第七号及び第九号並びに別添五十二4・24・8・3・1・、4・24・8・3・2・及び4・24・10・2・の規定にかかわらず、道路運送車両の保安基準の細目を定める告示の一部を改正する告示（平成二十五年国土交通省告示第八百二十六号）による改正前の細目告示第百三十九条の二第三項第六号、第七号及び第九号並びに別添五十二4・24・8・3・1・、4・24・8・3・2・及び4・24・10・2・の規定に適合するものであればよい。

一　平成二十九年八月三十一日（立席を有するものにあっては平成三十年一月三十一日）以前に製作された専ら乗用の用に供する乗車定員十人以上の自動車（被牽引自動車を除く。）であって車両総重量が十二トンを超えるもの（平成二十六年十一月一日（立席を有するものにあっては平成二十八年二月一日）以降に指定を受けた型式指定自動車（平成二十六年十月三十一日（立席を有するものにあっては平成二十八年一月三十一日）以前に指定を受けた型式指定自動車から、種別、用途、原動機の種類及び主要構造、燃料の種類及び動力用電源装置の種類並びに適合する排出ガス規制値又は低排出ガス車認定実施要領に定める基準値以外に、型式を区別する事項に変更がないものを除く。）及び国土交通大臣が定める自動車を除く。）

二　平成三十年一月三十一日以前に製作された専ら乗用の用に供する乗車定員十人以上の自動車（被牽引自動車を除く。）であって車両総重量が五トンを超え十二トン以下のもの（平成二十八年二月一日以降に指定を受けた型式指定自動車（平成二十八年一月三十一日以前に指定を受けた型式指定自動車から、種別、用途、原動機の種類及び主要構造、燃料の種類及び動力用電源装置の種類並びに適合する排出ガス規制値又は低排出ガス車認定実施要領に定める基準値以外に、型式を区別する事項に変更がないものを除く。）及び国土交通大臣が定める自動車を除く。）

三　平成二十九年一月三十一日以前に製作された専ら乗用の用に供する乗車定員十人以上の自動車（被牽引自動車を除く。）であって車両総重量が五トン以下のもの（平成二十七年九月一日以降に指定を受けた型式指定自動車（平成二十七年八月三十一日以前に指定を受けた型式指定自動車から、種別、用途、原動機の種類及び主要構造、燃料の種類及び動力用電源装置の種類並びに適合する排出ガス規制値又は低排出ガス車認定実施要領に定める基準値以外に、型式を区別する事項に変更がないものを除く。）及び国土交通大臣が定める自動車を除く。）

四　平成二十九年八月三十一日以前に製作された貨物の運送の用に供する自動車（第五輪荷重を有する牽引自動車及び被牽引自動車を除く。）であって車両総重量が二十二トンを超えるもの（平成二十六年十一月一日以降に指定を受けた型式指定自動車（平成二十六年十月三十一日以前に指定を受けた型式指定自動車から、種別、用途、原動機の種類及び主要構造、燃料の種類及び動力用電源装置の種類並びに適合する排出ガス規制値又は低排出ガス車認定実施要領に定める基準値以外に、型式を区別する事項に変更がないものを除く。）及び国土交通大臣が定める自動車を除く。）

五　平成三十年十月三十一日以前に製作された貨物の運送の用に供する自動車（第五輪荷重を有する牽引自動車及び被牽引自動車を除く。）であって車両総重量が二十トンを超え二十二トン以下のもの（平成二十七年九月一日以降に指定を受けた型式指定自動車（平成二十七年八月三十一日以前に指定を受けた型式指定自動車から、種別、用途、原動機の種類及び主要構造、燃料の種類及び動力用電源装置の種類並びに適合する排出ガス規制値又は低排出ガス車認定実施要領に定める基準値以外に、型式を区別する事項に変更がないものを除く。）及び国土交通大臣が定める自動車を除く。）

六　平成三十年一月三十一日以前に製作された貨物の運送の用に供する自動車（第五輪荷重を有する車両総重量が十三トンを超える牽引自動車及び被牽引自動車を除く。）であって車両総重量が三・五トンを超え二十トン以下のもの（平成二十八年二月一日以降に指定を受けた型式指定自動車（平成二十八年一月三十一日以前に指定を受けた型式指定自動車から、種別、用途、原動機の種類及び主要構造、燃料の種類及び動力用電源装置の種類並びに適合する排出ガス規制値又は低排出ガス車認定実施要領に定める基準値以外に、型式を区別する事項に変更がないものを除く。）及び国土交通大臣が定める自動車を除く。）

七　平成二十九年一月三十一日（軽自動車にあっては平成三十年一月三十一日）以前に製作され

た貨物の運送の用に供する自動車（被牽引自動車を除く。）であって車両総重量が三・五トン以下のもの（平成二十七年九月一日（軽自動車にあっては平成二十八年二月一日）以降に指定を受けた型式指定自動車（平成二十七年八月三十一日（軽自動車にあっては平成二十八年一月三十一日）以前に指定を受けた型式指定自動車から、種別、用途、原動機の種類及び主要構造、燃料の種類及び動力用電源装置の種類並びに適合する排出ガス規制値又は低排出ガス車認定実施要領に定める基準値以外に、型式を区別する事項に変更がないものを除く。）及び国土交通大臣が定める自動車を除く。）

八　平成三十年八月三十一日以前に製作された貨物の運送の用に供する自動車（第五輪荷重を有する牽引自動車に限る。）であって車両総重量が十三トンを超えるもの（平成二十六年十一月一日以降に指定を受けた型式指定自動車（平成二十六年十月三十一日以前に指定を受けた型式指定自動車から、種別、用途、原動機の種類及び主要構造、燃料の種類及び動力用電源装置の種類並びに適合する排出ガス規制値又は低排出ガス車認定実施要領に定める基準値以外に、型式を区別する事項に変更がないものを除く。）及び国土交通大臣が定める自動車を除く。）

九　平成二十九年一月三十一日以前に製作された被牽引自動車（最高速度25キロメートル毎時以下の自動車に牽引される被牽引自動車、平成二十七年九月一日以降に指定を受けた型式指定自動車及び国土交通大臣が定める自動車を除く。）

3　次に掲げる二輪自動車については、細目告示第六十一条の二第二項及び別添五十三の規定にかかわらず、道路運送車両の保安基準の細目を定める告示等の一部を改正する告示（令和二年国土交通省告示第千二十一号）による改正前の細目告示第六十一条の二第二項及び別添五十三の規定に適合するものであればよい。

一　令和五年八月三十一日以前に製作された二輪自動車

二　令和五年九月一日から令和十二年八月三十一日までに製作された二輪自動車であって、次に掲げるもの

イ　令和五年八月三十一日以前に指定を受けた型式指定自動車

ロ　国土交通大臣が定める自動車

4　次に掲げる二輪自動車については、細目告示第六十一条の二第二項の規定中「協定規則第53号」とあるのは、「協定規則第53号第3改訂版補足第4改訂版」と読み替えることができる。

一　令和十年八月三十一日以前に製作された二輪自動車

二　令和十年九月一日から令和十二年八月三十一日までに製作された二輪自動車であって、次に掲げるもの

イ　令和十年八月三十一日以前に指定を受けた型式指定自動車

ロ　令和十年九月一日以降に新たに指定を受けた型式指定自動車であって、令和十年八月三十一日以前に指定を受けた型式指定自動車と緊急制動表示灯の型式が同一であるもの

ハ　国土交通大臣が定める自動車

三　令和十二年八月三十一日以前に発行された出荷検査証に係る自動車であって、当該出荷検査証の発行後十一月を経過しない間に新規検査又は予備検査を受けようとし、又は受けたもの

（後面衝突警告表示灯）

第四七条の三　保安基準第四十一条の五第四項及び細目告示第六十一条の三第二項ただし書の規定が適用される自動車のうち平成二十四年十一月十八日から平成二十九年十一月十七日までに法第七十五条の三第一項の規定に基づく装置の型式の指定を行う場合については、協定規則第四十八号の規定にかかわらず、協定規則第四十八号第五改訂版の規定に適合するものであればよい。

2　次に掲げる二輪自動車については、細目告示第六十一条の三第二項の規定中「協定規則第53号」とあるのは、「協定規則第53号第3改訂版補足第4改訂版」と読み替えることができる。

一　令和十年八月三十一日以前に製作された二輪自動車

二　令和十年九月一日から令和十二年八月三十一日までに製作された二輪自動車であって、次に掲げるもの

イ　令和十年八月三十一日以前に指定を受けた型式指定自動車

ロ　令和十年九月一日以降に新たに指定を受けた型式指定自動車であって、令和十年八月三十一日以前に指定を受けた型式指定自動車と後面衝突警告表示灯の型式が同一であるもの

ハ　国土交通大臣が定める自動車

三　令和十二年八月三十一日以前に発行された出荷検査証に係る自動車であって、当該出荷検査証の発行後十一月を経過しない間に新規検査又は予備検査を受けようとし、又は受けたもの

（その他の灯火等の制限）

第四八条　平成十七年十二月三十一日以前に製作された自動車については、保安基準第四十二条の規定並びに細目告示第六十二条、第百四十条及び第二百十八条の規定にかかわらず、次の基準に適合するものであればよい。

一　自動車には、次に掲げる灯火を除き、後方を照射し若しくは後方に表示する灯光の色が橙色である灯火で照明部の上縁が地上二・五メートル以下のもの又は灯光の色が赤色である灯火を備えてはならない。

イ　側方灯

ロ　尾灯

ハ　後部霧灯

ニ　駐車灯

ホ　後部上側端灯

ヘ　制動灯

ト　補助制動灯

チ　方向指示器

リ　補助方向指示器

ヌ　非常点滅表示灯

ル　緊急自動車の警光灯

ヲ　火薬類又は放射性物質等を積載していることを表示するための灯火

ワ　旅客自動車運送事業用自動車の地上二・五メートルを超える高さの位置に備える後方に表示するための灯火（ホに掲げる灯火を除く。）

カ　一般乗合旅客自動車運送事業の用に供する自動車の終車灯

ヨ　一般乗用旅客自動車運送事業用自動車の空車灯及び料金灯

タ　旅客自動車運送事業用自動車の非常灯

レ　走行中に使用しない灯火

二　自動車には、次に掲げる灯火を除き、後方を照射し又は後方に表示する灯光の色が白色である灯火を備えてはならない。

イ　番号灯

ロ　後退灯

ハ　室内照明灯

ニ　一般乗合旅客自動車運送事業の用に供する自動車の方向幕灯
ホ　一般乗用旅客自動車運送事業の用に供する自動車の社名表示灯
ヘ　走行中に使用しない灯火
三　自動車（一般乗合旅客自動車運送事業の用に供する自動車を除く。）の前面ガラスの上方には、灯光の色が青紫色である灯火を備えてはならない。
四　自動車の前面ガラスの上方には、速度表示装置の速度表示灯と紛らわしい灯火を備えてはならない。
五　自動車には、側方灯、方向指示器、補助方向指示器、非常点滅表示灯、緊急自動車の警光灯、道路維持作業用自動車の灯火及び非常灯（旅客自動車運送事業用自動車に備えるもの及び室内照明灯と兼用するものに限る。）を除き、点滅する灯火又は光度が増減する灯火を備えてはならない。
六　自動車には、反射光の色が赤色である反射器であって前方に表示するもの又は反射光の色が白色である反射器であって後方に表示するものを備えてはならない。
七　自動車に備える灯火の直射光（前照灯にあっては、すれ違い用前照灯の直射光）又は反射光は、その自動車及び他の自動車の運転操作を妨げるものであってはならない。
八　第一号イからトまで及び同号ワに掲げる灯火（同号イに掲げる灯火にあっては自動車の両側面の後部に備える赤色のものに限り、同号ニに掲げる灯火にあっては自動車の後面に備えるものに限る。）は、前方を照射し、又は前方に表示するものであってはならない。
九　自動車に備える灯火は、前照灯、前部霧灯、側方照射灯、側方灯、番号灯、尾灯、後面に備える駐車灯、制動灯、補助制動灯、後退灯、方向指示器、補助方向指示器、非常点滅表示灯、速度表示装置の速度表示灯、室内照明灯、緊急自動車の警光灯、道路維持作業用自動車の灯火、火薬類又は放射性物質等を積載していることを表示するための灯火、旅客自動車運送事業用自動車の非常灯及び走行中に使用しない灯火（前面に備える駐車灯を除く。）を除き、光度が三百カンデラ以下のものでなければならない。
十　火薬類又は放射性物質等を積載していることを表示するための灯火及び補助制動灯は、他の灯火と兼用のものであってはならない。

2　次の表の上欄に掲げる自動車については、前項の規定のうち同表の下欄に掲げる規定は、適用しない。

自動車	条項
一　昭和四十八年十一月三十日以前に製作された自動車	第八号
二　昭和五十年十一月三十日以前に製作された自動車	第一号、第五号、第八号及び第九号（側方灯に関する部分に限る。）

3　平成二十三年二月七日以降に指定を受けた型式指定自動車以外の自動車については、細目告示別添五十二4・25・の規定は、適用しない。

4　平成二十九年十一月十七日以前に製作された自動車及び国土交通大臣が定める自動車については、細目告示別添五十二4・25・の規定にかかわらず、道路運送車両の保安基準の細目を定める告示の一部を改正する告示（平成二十四年国土交通省告示第千三百十九号）による改正前の細目告示別添五十二4・25・の規定に適合するものであればよい。

5　第七条第十四項、第十二条第十二項及び第十三項、第十三条第十七項及び第十八項、第十四条第二十一項、第十五条第三十三項及び第三十四項並びに第二十条第二十五項が適用される自動車に対する細目告示第六十二条第八項及び第二百十八条第八項の適用については、当分の間、同項ただし書中「及び専ら乗用の用に供する」とあるのは「、専ら乗用の用に供する」と、「掲げるもの」とあるのは「掲げるもの及び適用関係告示第15条第33項第2号に規定する標識」とそれぞれ読み替えるものとする。

6　次に掲げる二輪自動車については、細目告示第六十二条第十四項、第百四十条第十四項及び第二百十八条第十四項の規定中「協定規則第53号」とあるのは、「協定規則第53号第3改訂版補足第4改訂版」と読み替えることができる。
一　令和十年八月三十一日以前に製作された二輪自動車
二　令和十年九月一日から令和十二年八月三十一日までに製作された二輪自動車であって、次に掲げるもの
イ　令和十年八月三十一日以前に指定を受けた型式指定自動車
ロ　令和十年九月一日以降に新たに指定を受けた型式指定自動車であって、令和十年八月三十一日以前に指定を受けた型式指定自動車と車室外乗降支援灯の型式が同一であるもの
ハ　国土交通大臣が定める自動車
三　令和十二年八月三十一日以前に発行された出荷検査証に係る自動車であって、当該出荷検査証の発行後十一月を経過しない間に新規検査又は予備検査を受けようとし、又は受けたもの

（警音器）
第四九条　平成十五年十二月三十一日以前に製作された自動車については、保安基準第四十三条並びに細目告示第六十三条、第百四十一条及び第二百十九条の規定にかかわらず、次の基準に適合するものであればよい。
一　自動車（被牽引自動車を除く。）には、警音器を備えなければならない。
二　警音器は、次の基準に適合するものでなければならない。
イ　警音器の音の大きさ（二以上の警音器が連動して音を発する場合は、その和）は、自動車の前方二メートルの位置において百十五デシベル以下九十デシベル以上（動力が七キロワット以下の二輪自動車に備える警音器にあっては、百十五デシベル以下の適当な大きさ）又は自動車の前方七メートルの位置において百十二デシベル以下九十三デシベル以上（動力が七キロワット以下の二輪自動車に備える警音器にあっては、百十二デシベル以下八十三デシベル以上）であること。
ロ　警音器の音は、連続するものであり、かつ、音の大きさ及び音色が一定なものであること。
ハ　警音器は、サイレン又は鐘でないこと。
三　自動車（緊急自動車を除く。）には、車外に音を発する装置であって警音器と紛らわしいものを備えてはならない。ただし、歩行者の通行その他の交通の危険を防止するため自動車が右左折、進路の変更若しくは後退するときにその旨を歩行者等に警報するブザその他の装置又は盗難、車内における事故その他の緊急事態が発生した旨を通報するブザその他の装置については、この限りでない。

2　昭和三十五年三月三十一日以前に製作された自動車については、前項第二号イの規定中「動力が七キロワット以下の二輪自動車」を「軽自動車及び最高速度二十キロメートル毎時未満の自動

車」に読み替えて適用する。

（停止表示器材）

第五〇条　平成十七年三月三十一日以前に製作された停止表示器材（平成十二年三月三十一日以降に法第七十五条の三第一項の規定によりその型式について指定を受けた停止表示器材を除く。）については、保安基準第四十三条の四並びに細目告示第六十六条、第百四十四条及び第二百二十二条の基準にかかわらず、次の基準に適合する構造とすることができる。

一　停止表示器材は、反射部及びけい光部から成る一辺が五百ミリメートル以上の中空の正立正三角形で帯状部の幅が八十ミリメートル以下のものであること。

二　停止表示器材の反射部は、中空の正立正三角形で帯状部の幅が二十五ミリメートル以上五十ミリメートル以下のものであること。

三　停止表示器材のけい光部は、反射部に内接する中空の正立正三角形で帯状部の幅が三十ミリメートル以上三十三ミリメートル以下のものであること。

四　停止表示器材は、夜間二百メートルの距離から走行用前照灯で照射した場合にその反射光を照射位置から確認できるものであること。

五　停止表示器材は、昼間二百メートルの距離からそのけい光を確認できるものであること。

六　停止表示器材による反射光及びけい光の色は、赤色であること。

七　停止表示器材は、路面上に垂直に設置できるものであること。

八　停止表示器材は、容易に組み立てられる構造であること。

九　停止表示器材は、使用に便利な場所に備えられたものであること。

2　平成二十九年十月八日以前に製作された停止表示器材及び平成二十九年十月九日以降に製作されたもののうち平成二十九年十月八日以前に指定を受けたものについては、細目告示第六十六条の規定にかかわらず、道路運送車両の保安基準の細目を定める告示の一部を改正する告示（平成二十六年国土交通省告示第九百七十五号）による改正前の細目告示第六十六条の規定に適合するものであればよい。

3　保安基準第四十三条の四が適用される自動車は、当分の間、細目告示第六十六条の規定にかかわらず、道路運送車両の保安基準の細目を定める告示等の一部を改正する告示（令和元年国土交通省告示第六百十四号）による改正前の細目告示第六十六条の規定（以下この項において「旧規定」という。）に適合するものであればよい。この場合において、旧規定中「同規則第４改訂版補足改訂版」とあるのは「同規則第５改訂版」と読み替えることができる。

4　次に掲げる自動車については、細目告示第六十六条第一項の規定にかかわらず、道路運送車両の保安基準の細目を定める告示等の一部を改正する告示（令和五年国土交通省告示第一号）による改正前の細目告示第六十六条第一項の規定（以下この項において「旧規定」という。）に適合するものであればよい。この場合において、旧規定中「協定規則第150号」とあるのは「協定規則第150号補足第４改訂版」と読み替えることができる。

一　令和八年八月三十一日以前に製作された自動車

二　令和八年九月一日以降に製作された自動車であって、次に掲げるもの

イ　令和八年八月三十一日以前に指定を受けた型式指定自動車

ロ　令和八年九月一日以降に新たに指定を受けた型式指定自動車であって、同年八月三十一日以前に指定を受けた型式指定自動車と停止表示器材の型式が同一であるもの

ハ　国土交通大臣が定める自動車

（盗難発生警報装置）

第五一条　平成十八年六月三十日（軽自動車にあっては平成二十年六月三十日）以前に製作された自動車については、保安基準第四十三条の五第二項の規定並びに細目告示第六十七条、第百四十五条及び第二百二十三条の規定は、適用しない。

2　平成二十八年七月三十一日以前に製作された自動車については、細目告示別添七十八別紙二1・6・、1・8・及び2・3・の規定にかかわらず、道路運送車両の保安基準の細目を定める告示の一部を改正する告示（平成二十五年国土交通省告示第七百二十六号）による改正前の細目告示別添七十八別紙二1・6・、1・8・及び2・3・の規定を適用することができる。

3　平成二十八年八月一日以降に製作された自動車（外部から充電される電力により作動する原動機を有するものを除く。）及び平成二十八年十月二十八日以前に製作された自動車（平成二十八年七月三十一日以前に指定を受けた型式指定自動車であって、外部から充電される電力により作動する原動機を有するものに限る。）については、細目告示別添七十八別紙二1・6・、1・8・及び2・3・中「協定規則第10号」とあるのは「協定規則第10号第３改訂版」と読み替えることができる。

4　次に掲げる自動車については、細目告示第六十七条、第百四十五条及び第二百二十三条の規定にかかわらず、道路運送車両の保安基準の細目を定める告示等の一部を改正する告示（令和四年国土交通省告示第千四十号）による改正前の細目告示第六十七条、第百四十五条及び第二百二十三条の規定に適合するものであればよい。

一　令和五年十二月三十一日以前に製作された自動車

二　令和六年一月一日から令和八年四月三十日までに製作された自動車であって、次に掲げるもの

イ　令和五年十二月三十一日以前に指定を受けた型式指定自動車

ロ　令和六年一月一日以降に新たに指定を受けた型式指定自動車であって、令和五年十二月三十一日以前に指定を受けた型式指定自動車と盗難発生警報装置に係る性能が同一であるもの

ハ　国土交通大臣が定める自動車

三　令和八年四月三十日以前に発行された出荷検査証に係る自動車であって、当該出荷検査証の発行後十一月を経過しない間に新規検査又は予備検査を受けようとし、又は受けたもの

（車線逸脱警報装置）

第五一条の二　平成二十七年七月三十一日以前に製作された自動車については、保安基準第四十三条の六の規定並びに細目告示第六十七条の二、第百四十五条の二及び第二百二十三条の二の規定は、適用しない。

2　令和元年十月三十一日以前に製作された専ら乗用の用に供する乗車定員十人以上の自動車であって車両総重量が十二トンを超えるもの（平成二十九年十一月一日以降に指定を受けた型式指定自動車（平成二十九年十月三十一日以前に指定を受けた型式指定自動車から、種別、用途、原動機の種類及び主要構造、燃料の種類及び動力用電源装置の種類、適合する排出ガス規制値又は低排出ガス車認定実施要領に定める基準値以外に、型式を区別する事項に変更がないものを除く。）及び国土交通大臣が定める自動車を除く。）については、保安基準第四十三条の六の規定にかかわらず、道路運送車両の保安基準及び装置型式指定規則の一部を改正する省令（平成二十七年国土交通省令第三号）による改正前の保安基準第四十三条の六の規定に適合するものであればよい。

3　令和三年十月三十一日以前に製作された専ら乗用の用に供する乗車定員十人以上の自動車又は令和三年十月三十一日以前に発行された出荷検査証に係る専ら乗用の用に供する乗車定員十人以

上の自動車であって、当該出荷検査証の発行後十一月を経過しない間に新規検査若しくは予備検査を受けようとし、若しくは受けたものであって、これらの自動車のうち車両総重量が十二トン以下のもの（令和元年十一月一日以降に指定を受けた型式指定自動車（令和元年十月三十一日以前に指定を受けた型式指定自動車から、種別、用途、原動機の種類及び主要構造、燃料の種類及び動力用電源装置の種類、適合する排出ガス規制値又は低排出ガス車認定実施要領に定める基準値以外に、型式を区別する事項に変更がないものを除く。）及び国土交通大臣が定める自動車を除く。）については、保安基準第四十三条の六の規定にかかわらず、道路運送車両の保安基準及び装置型式指定規則の一部を改正する省令（平成二十七年国土交通省令第三号）による改正前の保安基準第四十三条の六の規定に適合するものであればよい。

4　令和元年十月三十一日以前に製作された貨物の運送の用に供する自動車（第五輪荷重を有する牽引自動車を除く。）であって車両総重量が二十二トンを超えるもの（平成二十九年十一月一日以降に指定を受けた型式指定自動車（平成二十九年十月三十一日以前に指定を受けた型式指定自動車から、種別、用途、原動機の種類及び主要構造、燃料の種類及び動力用電源装置の種類、適合する排出ガス規制値又は低排出ガス車認定実施要領に定める基準値以外に、型式を区別する事項に変更がないものを除く。）及び国土交通大臣が定める自動車を除く。）については、保安基準第四十三条の六の規定にかかわらず、道路運送車両の保安基準及び装置型式指定規則の一部を改正する省令（平成二十七年国土交通省令第三号）による改正前の保安基準第四十三条の六の規定に適合するものであればよい。

5　令和二年十月三十一日以前に製作された貨物の運送の用に供する自動車（第五輪荷重を有する牽引自動車を除く。）又は令和二年十月三十一日以前に発行された出荷検査証に係る貨物の運送の用に供する自動車（第五輪荷重を有する牽引自動車を除く。）であって、当該出荷検査証の発行後十一月を経過しない間に新規検査若しくは予備検査を受けようとし、若しくは受けたものであって、これらの自動車のうち車両総重量が二十トンを超え二十二トン以下のもの（平成三十年十一月一日以降に指定を受けた型式指定自動車（平成三十年十月三十一日以前に指定を受けた型式指定自動車から、種別、用途、原動機の種類及び主要構造、燃料の種類及び動力用電源装置の種類、適合する排出ガス規制値又は低排出ガス車認定実施要領に定める基準値以外に、型式を区別する事項に変更がないものを除く。）及び国土交通大臣が定める自動車を除く。）については、保安基準第四十三条の六の規定にかかわらず、道路運送車両の保安基準及び装置型式指定規則の一部を改正する省令（平成二十七年国土交通省令第三号）による改正前の保安基準第四十三条の六の規定に適合するものであればよい。

6　令和三年十月三十一日以前に製作された貨物の運送の用に供する自動車（第五輪荷重を有する牽引自動車であって車両総重量が十三トンを超えるものを除く。）又は令和三年十月三十一日以前に発行された出荷検査証に係る貨物の運送の用に供する自動車（第五輪荷重を有する牽引自動車であって車両総重量が十三トンを超えるものを除く。）であって、当該出荷検査証の発行後十一月を経過しない間に新規検査若しくは予備検査を受けようとし、若しくは受けたものであって、これらの自動車のうち車両総重量が八トンを超え二十トン以下のもの（平成三十年十一月一日以降に指定を受けた型式指定自動車（平成三十年十月三十一日以前に指定を受けた型式指定自動車から、種別、用途、原動機の種類及び主要構造、燃料の種類及び動力用電源装置の種類、適合する排出ガス規制値又は低排出ガス車認定実施要領に定める基準値以外に、型式を区別する事項に変更がないものを除く。）及び国土交通大臣が定める自動車を除く。）については、保安基準第四十三条の六の規定にかかわらず、道路運送車両の保安基準及び装置型式指定規則の一部を改正する省令（平成二十七年国土交通省令第三号）による改正前の保安基準第四十三条の六の規定に適合するものであればよい。

7　令和三年十月三十一日以前に製作された貨物の運送の用に供する自動車又は令和三年十月三十一日以前に発行された出荷検査証に係る貨物の運送の用に供する自動車であって、当該出荷検査証の発行後十一月を経過しない間に新規検査若しくは予備検査を受けようとし、若しくは受けたものであって、これらの自動車のうち車両総重量が三・五トンを超え八トン以下のもの（令和元年十一月一日以降に指定を受けた型式指定自動車（令和元年十月三十一日以前に指定を受けた型式指定自動車から、種別、用途、原動機の種類及び主要構造、燃料の種類及び動力用電源装置の種類、適合する排出ガス規制値又は低排出ガス車認定実施要領に定める基準値以外に、型式を区別する事項に変更がないものを除く。）及び国土交通大臣が定める自動車を除く。）については、保安基準第四十三条の六の規定にかかわらず、道路運送車両の保安基準及び装置型式指定規則の一部を改正する省令（平成二十七年国土交通省令第三号）による改正前の保安基準第四十三条の六の規定に適合するものであればよい。

8　令和二年十月三十一日以前に製作された貨物の運送の用に供する自動車（第五輪荷重を有する牽引自動車に限る。）又は令和二年十月三十一日以前に発行された出荷検査証に係る貨物の運送の用に供する自動車（第五輪荷重を有する牽引自動車に限る。）であって、当該出荷検査証の発行後十一月を経過しない間に新規検査若しくは予備検査を受けようとし、若しくは受けたものであって、これらの自動車のうち車両総重量が十三トンを超えるもの（平成三十年十一月一日以降に指定を受けた型式指定自動車（平成三十年十月三十一日以前に指定を受けた型式指定自動車から、種別、用途、原動機の種類及び主要構造、燃料の種類及び動力用電源装置の種類、適合する排出ガス規制値又は低排出ガス車認定実施要領に定める基準値以外に、型式を区別する事項に変更がないものを除く。）及び国土交通大臣が定める自動車を除く。）については、保安基準第四十三条の六の規定にかかわらず、道路運送車両の保安基準及び装置型式指定規則の一部を改正する省令（平成二十七年国土交通省令第三号）による改正前の保安基準第四十三条の六の規定に適合するものであればよい。

9　指定自動車等以外の自動車については、当分の間、細目告示第百四十五条の二第一項中「協定規則第130号の規則5.及び6.」とあるのは「当該自動車が走行中に車線から逸脱しようとしている、又は逸脱していることを検知した場合に運転者に警報するものであり、当該装置の解除装置を備える場合は、当該解除装置により車線逸脱警報装置が作動しない状態となったときにその旨を運転者席の運転者に的確かつ視覚的に警報するものであること」と読み替えることができる。

第五一条の三　次の各号に掲げる自動車については、保安基準第四十三条の七の規定は適用しない。

一　平成三十年三月七日以前に製作された自動車

二　平成三十年三月八日から令和二年十月七日までに製作された自動車であって、次に掲げるもの

イ　平成三十年三月七日以前に指定を受けた型式指定自動車

ロ　平成三十年三月八日以降に新たに指定を受けた型式指定自動車であって、平成三十年三月七日以前に指定を受けた型式指定自動車と歩行者等への当該自動車の接近の通報に係る性能が同一であるもの

ハ　国土交通大臣が定める自動車

三　令和二年十月七日以前に発行された出荷検査証に係る自動車であって、当該出荷検査証の発行後十一月を経過しない間に新規検査等を受けようとし、又は受けたもの

2　次に掲げる自動車以外の自動車については、当分の間、細目告示第百四十五条の三第三項及び第二百二十三条の三第三項の規定は適用しない。

一　令和三年十月一日（輸入された自動車にあっては令和四年十月一日）以降に新たに指定を受けた型式指定自動車のうち、指定を受けた時点における細目告示別添百二十四「継続検査等に用いる車載式故障診断装置の技術基準」1・に規定する対象装置の性能が令和三年九月三十日（輸入された自動車にあっては令和四年九月三十日）以前に指定を受けた型式指定自動車と同一でなく、かつ、指定を受けた日から起算して二年を経過したもの（新規登録（軽自動車にあっては新規検査）を初めて受けた日の属する月の前月の末日から起算して十月を経過したものに限る。）

二　国土交通大臣が定める自動車

3　令和四年九月三十日（輸入された自動車にあっては令和五年九月三十日）以前に指定を受けた型式指定自動車及び国土交通大臣が定める自動車については、令和六年九月三十日（輸入された自動車にあっては令和七年九月三十日）までの間、細目告示第百四十五条の三第三項及び第二百二十三条の三第三項の規定は適用しない。

4　次の各号に掲げる自動車については、細目告示第六十七条の三第一項の規定にかかわらず、協定規則第百三十八号改訂版補足第二改訂版に規定する試験路において測定した値を用いることができる。

一　令和十年九月二十四日以前に製作された自動車

二　令和十年九月二十五日以降に製作された自動車であって次に掲げるもの

イ　令和十年九月二十四日以前に指定を受けた型式指定自動車

ロ　令和十年九月二十五日以降に新たに指定を受けた型式指定自動車であって、令和十年九月二十四日以前に指定を受けた型式指定自動車と歩行者等への当該自動車の接近の通報に係る性能が同一であるもの

ハ　国土交通大臣が定める自動車

三　令和十年九月二十四日以前に発行された出荷検査証に係る自動車であって、当該出荷検査証の発行後十一月を経過しない間に新規検査又は予備検査を受けようとし、又は受けたもの

（事故自動緊急通報装置）

第五一条の四　次の各号に掲げる自動車については、保安基準第四十三条の八の規定は適用しない。

一　令和元年十二月三十一日以前に製作された自動車

二　令和二年一月一日から令和三年六月三十日まで（輸入された自動車にあっては令和二年一月一日から令和六年六月三十日まで）に製作された自動車であって、次に掲げるもの

イ　令和元年十二月三十一日以前に指定を受けた型式指定自動車

ロ　令和二年一月一日以降に新たに指定を受けた型式指定自動車であって、令和元年十二月三十一日以前に指定を受けた型式指定自動車と事故自動緊急通報装置に係る機能及び性能が同一であるもの

ハ　国土交通大臣が定める自動車

三　令和三年六月三十日（輸入された自動車にあっては令和六年六月三十日）以前に発行された出荷検査証に係る自動車であって、当該出荷検査証の発行後十一月を経過しない間に新規検査又は予備検査を受けようとし、又は受けたもの

2　令和三年七月一日以降に製作された自動車のうち国土交通大臣が定めるものについては、細目告示第六十七条の四及び第百四十五条の四中「協定規則第144号の規則35.（通報先に係る部分を除く。）」とあるのは「協定規則第144号改訂版の規則35.（通報先に係る部分を除く。）及び35.2.」と読み替えることができる。

3　次に掲げる自動車については、細目告示第六十七条の四及び第百四十五条の四の規定にかかわらず、道路運送車両の保安基準の細目を定める告示等の一部を改正する告示（令和二年国土交通省告示第千二十一号）による改正前の細目告示第六十七条の四及び第百四十五条の四の規定に適合するものであればよい。

一　令和四年八月三十一日以前に製作された自動車

二　令和四年九月一日以降に製作された自動車であって、次に掲げるもの

イ　令和四年八月三十一日以前に指定を受けた型式指定自動車

ロ　令和四年九月一日以降に新たに指定を受けた型式指定自動車であって、令和四年八月三十一日以前に指定を受けた型式指定自動車と事故自動緊急通報装置に係る機能及び性能が同一であるもの

ハ　国土交通大臣が定める自動車

三　令和四年八月三十一日以前に発行された出荷検査証に係る自動車であって、当該出荷検査証の発行後十一月を経過しない間に新規検査又は予備検査を受けようとし、又は受けたもの

（側方衝突警報装置）

第五一条の五　次に掲げる自動車については、保安基準第四十三条の九の規定は適用しない。

一　令和四年四月三十日以前に製作された自動車

二　令和四年五月一日から令和六年四月三十日までに製作された自動車であって、次に掲げるもの

イ　令和四年四月三十日以前に指定を受けた型式指定自動車

ロ　令和四年五月一日以降に新たに指定を受けた型式指定自動車であって、令和四年四月三十日以前に指定を受けた型式指定自動車と側方衝突警報装置に係る性能が同一であるもの

ハ　国土交通大臣が定める自動車

三　令和六年四月三十日以前に発行された出荷検査証に係る自動車であって、当該出荷検査証の発行後十一月を経過しない間に新規検査又は予備検査を受けようとし、又は受けたもの

（車両後退通報装置）

第五一条の六　次に掲げる自動車については、保安基準第四十三条の十の規定は適用しない。

一　令和七年一月十八日（輸入された自動車にあっては令和八年一月十八日）以前に製作された自動車

二　令和七年一月十九日から令和九年一月十八日まで（輸入された自動車にあっては令和八年一月十九日から令和十年一月十八日まで）に製作された自動車であって、次に掲げるもの

イ　令和七年一月十八日（輸入された自動車にあっては令和八年一月十八日）以前に指定を受けた型式指定自動車

ロ　令和七年一月十九日（輸入された自動車にあっては令和八年一月十九日）以降に新たに指定を受けた型式指定自動車であって、令和七年一月十八日（輸入された自動車にあっては令和八年一月十八日）以前に指定を受けた型式指定自動車と車両後退通報装置に係る性能が同一であるもの

ハ　国土交通大臣が定める自動車

三　令和九年一月十八日（輸入された自動車にあっては令和十年一月十八日）以前に発行された出荷検査証に係る自動車であって、当該出荷検査証の発行後十一月を経過しない間に新規検査

又は予備検査を受けようとし、又は受けたもの

（後写鏡等）

第五二条　平成十八年十二月三十一日以前に製作された自動車（平成十七年一月一日以降に指定を受けた型式指定自動車及び国土交通大臣が定める自動車を除く。）については、保安基準第四十四条第二項から第六項までの規定並びに細目告示第六十八条、第百四十六条及び第二百二十四条の規定にかかわらず、次の基準に適合するものであればよい。

一　自動車（ハンドルバー方式のかじ取装置を備える二輪自動車、側車付二輪自動車及び三輪自動車であつて車室（運転者が運転者席において自動車の左外側線附近の交通状況を確認できるものを除く。本条において同じ。）を有しないものを除く。）に備える後写鏡は、次の基準に適合するものでなければならない。ただし、二輪自動車、側車付二輪自動車、大型特殊自動車、農耕作業用小型特殊自動車及び最高速度二十キロメートル毎時未満の自動車に備えるものについてはロ及びハ、普通自動車（専ら乗用の用に供するものを除く。）及び乗車定員十一人以上の自動車に備えるものについてはハの規定は、適用しない。

イ　容易に方向の調節をすることができ、かつ、一定の方向を保持できる構造であること。

ロ　取付部附近の自動車の最外側より突出している部分の最下部が地上一・八メートル以下のものは、当該部分が歩行者等に接触した場合に衝撃を緩衝できる構造であること。

ハ　車室内に備えるものは、当該自動車が衝突等による衝撃を受けた場合において、乗車人員の頭部等に傷害を与えるおそれの少ない構造であること。

ニ　運転者が運転者席において、自動車（被牽引自動車を牽引する場合は、被牽引自動車）の左右の外側線上後方五十メートルまでの間にある車両の交通状況及び自動車（牽引自動車より幅の広い被牽引自動車を牽引する場合は、牽引自動車及び被牽引自動車）の左外側線附近（運転者が運転者席において確認できる部分を除く。）の交通状況を確認できるものであること。ただし、二輪自動車、側車付二輪自動車並びにカタピラ及びそりを有する軽自動車にあつては自動車の左右の外側線上後方五十メートル、小型特殊自動車にあつては自動車の右外側線上後方五十メートルまでの間にある車両の交通状況を確認できるものであればよい。

二　ハンドルバー方式のかじ取装置を備える二輪自動車、側車付二輪自動車及び三輪自動車であつて車室を有しないものに備える後写鏡は、次の基準に適合するものでなければならない。

イ　容易に方向の調節をすることができ、かつ、一定の方向を保持できる構造であること。

ロ　歩行者等に接触した場合において、衝撃を緩衝できる構造であり、かつ、歩行者等に傷害を与えるおそれのあるものでないこと。

ハ　運転者が後方の交通状況を明瞭かつ容易に確認できる構造であること。

三　前号の後写鏡は、同項に掲げる性能を損なわないように、かつ、次の基準に適合するように取り付けられなければならない。

イ　後写鏡の反射面の中心が、かじ取装置の中心を通り進行方向に平行な鉛直面から二百八十ミリメートル以上外側となるように取り付けられていること。

ロ　運転者が運転者席において、容易に方向の調節をすることができるように取り付けられていること。

ハ　自動車の左右両側（最高速度五十キロメートル毎時以下の自動車にあつては、自動車の左右両側又は右側）に取り付けられていること。

四　次の表の上欄に掲げる自動車（被牽引自動車を除く。）には、運転者が運転者席においてそれぞれ次の表の下欄に掲げる障害物を確認できる鏡その他の装置を備えなければならない。ただし、運転者が運転者席において当該障害物を直接確認できる構造の自動車にあつては、この限りでない。

自動車の種別	障害物
イ　乗車定員十一人以上の自動車及び車両総重量が八トン以上又は最大積載量が五トン以上の普通自動車（ロに掲げる自動車を除く。）	当該自動車の前面から〇・三メートルの距離にある鉛直面及び当該自動車の左側面から〇・三メートルの距離にある鉛直面と当該自動車との間にある高さ一メートルの障害物
ロ　車両総重量が八トン以上又は最大積載量が五トン以上の普通自動車であつて、原動機の相当部分が運転者室又は客室の下にあるもの（乗車定員十一人以上の自動車及びその形状が乗車定員十一人以上の自動車の形状に類する自動車を除く。）	当該自動車の前面から二メートルの距離にある鉛直面及び当該自動車の左側面から三メートルの距離にある鉛直面と当該自動車との間にある高さ一メートルの障害物

五　前号の装置の構造は、第一号ロの基準に準じたものでなければならない。

2　平成十八年十二月三十一日以前に製作されたハンドルバー方式のかじ取装置を備える二輪自動車、側車付二輪自動車及び三輪自動車であつて車室を有しないものについては、前項の規定にかかわらず、後写鏡は、次の基準に適合する構造とすることができる。ただし、二輪自動車及び側車付二輪自動車に備える後写鏡については、第二号及び第三号の基準は適用しない。

一　容易に方向の調節をすることができ、かつ、一定の方向を保持できる構造であること。

二　取付部附近の自動車の最外側より突出している部分の最下部が地上一・八メートル以下のものは、当該部分が歩行者等に接触した場合に衝撃を緩衝できる構造であること。

三　車室内に備えるものは、当該自動車が衝突等による衝撃を受けた場合において、乗車人員の頭部等に傷害を与えるおそれの少ない構造であること。

四　運転者が運転者席において、自動車（被牽引自動車を牽引する場合は、被牽引自動車）の左右の外側線上後方五十メートルまでの間にある車両の交通状況及び自動車（牽引自動車より幅の広い被牽引自動車を牽引する場合は、牽引自動車及び被牽引自動車）の左外側線附近（運転者が運転者席において確認できる部分を除く。）の交通状況を確認できるものであること。ただし、二輪自動車、側車付二輪自動車並びにカタピラ及びそりを有する軽自動車にあつては自動車の左右の外側線上後方五十メートルまでの間にある車両の交通状況を確認できるものであればよい。

3　次の表の上欄に掲げる自動車については、第一項及び前項の規定のうち同表の下欄に掲げる規定は、適用しない。

自動車	条項
一　昭和四十八年十一月三十日以前に製作された自動車	第一項第一号

	（二を除く。）及び前項（第四号を除く。）
二　昭和四十九年三月三十一日以前に製作された貨物の運送の用に供する自動車及び乗車定員十一人以上の自動車	第一項第一号（二を除く。）及び前項（第四号を除く。）
三　昭和五十年十一月三十日以前に製作された自動車	第一項第一号ハ及び第五号

4　昭和五十年十一月三十日以前に製作された自動車については、第一項第四号の表の第二欄中「及び当該自動車の左側面から〇・三メートルの距離にある鉛直面と当該自動車」を「と当該自動車」と読み替えて適用する。

5　次の各号に掲げる自動車については、保安基準第四十四条の規定並びに細目告示第六十八条、第百四十六条（第十項を除く。）及び第二百二十四条（第十項を除く。）の規定にかかわらず、道路運送車両の保安基準等の一部を改正する省令（平成二十八年国土交通省令第五十号）による改正前の保安基準第四十四条の規定並びに道路運送車両の保安基準の細目を定める告示の一部を改正する告示（平成二十八年国土交通省告示第八百二十六号）による改正前の細目告示第六十八条、第百四十六条及び第二百二十四条の規定に適合するものであればよい。

一　令和元年六月十七日以前に製作された自動車

二　令和元年六月十八日から令和三年九月十七日（内燃機関以外を原動機とする貨物の運送の用に供する軽自動車にあっては、令和四年十二月十七日）までに製作された自動車であって、次に掲げるもの

イ　令和元年六月十七日以前に指定を受けた型式指定自動車

ロ　令和元年六月十八日以降に新たに指定を受けた型式指定自動車であって、令和元年六月十七日以前に指定を受けた型式指定自動車と運転者の視野及び乗車人員等の保護に係る性能が同一であるもの

ハ　国土交通大臣が定める自動車

三　令和三年九月十七日以前に発行された出荷検査証に係る自動車であって、当該出荷検査証の発行後十一月を経過しない間に新規検査又は予備検査を受けようとし、又は受けたもの

6　平成二十八年十二月三十一日以前に製作された自動車については、細目告示第百四十六条第十項及び第二百二十四条第十項の規定は適用しない。

7　次に掲げる自動車については、細目告示別添八十一「直前直左確認鏡の技術基準」3・4・及び3・5・の規定は適用しない。

一　令和四年六月三十日以前に製作された自動車

二　令和四年七月一日以降に製作された自動車であって、次に掲げるもの

イ　令和四年六月三十日以前に指定を受けた型式指定自動車

ロ　国土交通大臣が定める自動車

三　令和四年六月三十日以前に発行された出荷検査証に係る自動車であって、当該出荷検査証の発行後十一月を経過しない間に新規検査又は予備検査を受けようとし、又は受けたもの

8　次の各号に掲げる自動車については、細目告示第六十八条、第百四十六条及び第二百二十四条の規定中「協定規則第46号」とあるのは、「協定規則第46号第4改訂版補足第9改訂版」と読み替えることができる。

一　令和六年八月三十一日以前に製作された自動車

二　令和六年九月一日から令和八年八月三十一日までに製作された自動車であって、次に掲げるもの

イ　令和六年八月三十一日以前に指定を受けた型式指定自動車

ロ　令和六年九月一日以降に新たに指定を受けた型式指定自動車であって、同年八月三十一日以前に指定を受けた型式指定自動車と、後方等確認装置及び後写鏡による運転者の視野及び乗車人員等の保護に係る性能が同一であるもの

ハ　国土交通大臣が定める自動車

三　令和八年八月三十一日以前に発行された出荷検査証に係る自動車であって、当該出荷検査証の発行後十一月を経過しない間に新規検査又は予備検査を受けようとし、又は受けたもの

9　次に掲げる自動車については、細目告示第六十八条第二項第一号ロ(2)の規定中「協定規則第46号の規則6.3.2.（試験条件は6.3.2.2.7.2.を適用するものとする。）及び6.3.3.（6.3.3.1.2.を除く。）」とあるのは、「別添79「衝撃緩和式後写鏡の技術基準」」と読み替えることができる。

一　令和六年一月三日以前に製作された自動車

二　令和六年一月三日以前に発行された出荷検査証に係る自動車であって、当該出荷検査証の発行後十一月を経過しない間に新規検査又は予備検査を受けようとし、又は受けたもの

10　当分の間、細目告示第六十八条第五項第一号の規定中「次に掲げる障害物」とあるのは「別添81「直前直左確認鏡の技術基準」に定めるところにより設置した高さ1m直径30cmの円柱」、同条第六項第1号の規定中「協定規則第166号の規則6.及び15.から17.まで」とあるのは「別添81「直前直左確認鏡の技術基準」」と読み替えることができる。

11　当分の間、細目告示第百四十六条第八項第一号イ及び第二百二十四条第八項第一号イ中「車体外後写鏡の鏡面中心が車体前面の側端部より前方に位置する自動車にあっては、当該車体外後写鏡側」とあるのは「運転者席側」と読み替えることができる。

12　指定自動車等以外の自動車については、細目告示第百四十六条第八項第一号イ及び第二百二十四条第八項第一号イ中「車体外後写鏡の鏡面中心が車体前面の側端部より前方に位置する自動車にあっては、当該車体外後写鏡側」とあるのは「運転者席側」と読み替えることができる。

（後退時車両直後確認装置）

第五二条の二　次に掲げる自動車については、保安基準第四十四条の二の規定は適用しない。

一　令和四年四月三十日以前に製作された自動車

二　令和四年五月一日から令和六年四月三十日までに製作された自動車であって、次に掲げるもの

イ　令和四年四月三十日以前に指定を受けた型式指定自動車

ロ　令和四年五月一日以降に新たに指定を受けた型式指定自動車であって、令和四年四月三十日以前に指定を受けた型式指定自動車と後退時車両直後確認装置に係る性能が同一であるもの

ハ　国土交通大臣が定める自動車

三　国土交通大臣が定める自動車

四　令和六年四月三十日以前に発行された出荷検査証に係る自動車であって、当該出荷検査証の発行後十一月を経過しない間に新規検査又は予備検査を受けようとし、又は受けたもの

（窓ふき器等）
第五三条　平成六年三月三十一日以前に製作された自動車については、保安基準第四十五条並びに細目告示第六十九条、第百四十七条及び第二百二十五条の規定にかかわらず、次の基準に適合するものであればよい。

一　自動車（二輪自動車、側車付二輪自動車、カタピラ及びそりを有する軽自動車並びに被牽引自動車を除く。）の前面ガラスには、前面ガラスの直前の視野を確保できる自動式の窓ふき器（左右に窓ふき器を備える場合は、同時に作動するものであること。）を備えなければならない。

二　前号の規定により窓ふき器を備えなければならない自動車（大型特殊自動車、農耕作業用小型特殊自動車及び最高速度二十キロメートル毎時未満の自動車を除く。）には、次の基準に適合する洗浄液噴射装置及びデフロスタ（前面ガラスの水滴等の曇りを除去するための装置をいう。以下同じ。）を備えなければならない。ただし、車室と車体外とを屋根、窓ガラス等の隔壁により仕切ることのできない自動車にあっては、デフロスタは備えることを要しない。

イ　洗浄液噴射装置にあっては、前面ガラスの外側が汚染された場合において、前面ガラスの直前の視野を確保するのに十分な洗浄液を噴射するものであること。

ロ　走行中の振動、衝撃等により損傷を生じ、又は作動するものでないこと。

三　自動車（乗車定員十一人以上の自動車、大型特殊自動車、農耕作業用小型特殊自動車及び最高速度二十キロメートル毎時未満の自動車を除く。）の車室内に備える太陽光線の直射による運転者席の運転者のげん惑を防止するための装置は、当該自動車が衝突等による衝撃を受けた場合において、乗車人員の頭部等に傷害を与えるおそれの少ない構造のものでなければならない。

2　次の表の上欄に掲げる自動車については、前項の規定のうち同表の下欄に掲げる規定は、適用しない。

自動車	条項
一　昭和四十六年十二月三十一日以前に製作された自動車	第二号
二　昭和四十八年十一月三十日以前に製作された自動車	第二号（同号イ及びロの基準に係る部分に限る。）
三　昭和五十年三月三十一日以前に製作された自動車	第二号（デフロスタに関する部分に限る。）及び第三号

3　次の表の第一欄に掲げる自動車については、第一項の規定のうち同表第二欄に掲げる規定は、同表第三欄に掲げる字句を同表第四欄に掲げる字句に読み替えて適用する。

自動車	条項	読み替えられる字句	読み替える字句
一　昭和三十五年三月三十一日以前に製作された自動車	第一号	前面ガラスの直前の視野を確保できる自動式の窓ふき器（左右に窓ふき器を備える場合は、同時に作動するものであること。）	運転者席の直前の視野を確保できる窓拭器（乗車定員十一人以上の自動車にあっては、自動式の窓ふき器）
二　昭和三十五年四月一日から昭和五十年三月三十一日までに製作された自動車（旅客自動車運送事業用自動車を除く。）	第一号	前面ガラスの直前の視野を確保できる自動式の窓ふき器（左右に窓ふき器を備える場合は、同時に作動するものであること。）	運転者席の直前の視野を確保できる自動式の窓ふき器
三　昭和四十七年一月一日から昭和五十年三月三十一日までに製作された自動車（旅客自動車運送事業用自動車を除く。）	第二号	前面ガラスの直前	運転者席の直前

4　昭和四十七年一月一日から昭和五十年三月三十一日までに製作された乗車定員十一人以上の旅客自動車運送事業用自動車で車掌を乗務させないで運行することを目的とするもの（被牽引自動車を除く。）には、デフロスタを備えなければならない。

（速度計）
第五四条　平成十八年十二月三十一日以前に製作された自動車については、保安基準第四十六条第一項並びに細目告示第七十条、第百四十八条及び第二百二十六条の規定にかかわらず、速度計は、次の基準に適合する構造とすることができる。

一　速度計は、運転者が容易に走行時における速度を確認できるものであること。

二　速度計の指度の誤差は、平坦な舗装路面で速度三十五キロメートル毎時以上（最高速度が三十五キロメートル毎時未満の自動車にあっては、その最高速度）において、正十五パーセント、負十パーセント以下であること。

三　アナログ式速度計（次号に規定するディジタル式速度計以外の速度計をいう。）の指示針の振れは、前号に掲げる状態において、正負三キロメートル毎時以下であること。

四　ディジタル式速度計（一定間隔をもって断続的に速度を表示する速度計をいう。）の表示の単位は、二・五キロメートル毎時以下とする。ただし、二十キロメートル毎時未満の速度を示す場合にあっては、この限りでない。

五　速度計は、照明装置を備えたもの、自発光式のもの又は文字板及び指示針に自発光塗料を塗ったものであって、運転者をげん惑させないものであること。

2　昭和三十五年三月三十一日以前に製作された自動車については、前項第四号中「二十キロメートル毎時」を「二十五キロメートル毎時」に読み替えて適用する。

3　平成二十年九月三十日以前に製作された軽自動車については、保安基準第四十六条第二項中「カタピラ及びそりを有する軽自動車」とあるのは「軽自動車」と読み替えるものとする。

4　次の各号に掲げる自動車については、保安基準第四十六条第二項の規定並びに細目告示第七十条、第百四十八条及び第二百二十六条の規定にかかわらず、道路運送車両の保安基準等の一部を改正する省令（平成二十八年国土交通省令第五十号）による改正前の保安基準第四十六条第二項の規定並びに道路運送車両の保安基準の細目を定める告示の一部を改正する告示（平成二十八年国土交通省告示第八百二十六号）による改正前の細目告示第七十条、第百四十八条及び第二百二十六条の規定に適合するものであればよい。

一　平成二十九年八月三十一日以前に製作された自動車

二　平成二十九年九月一日以降に製作された自動車であって、次に掲げるもの

イ　平成二十九年八月三十一日以前に指定を受けた型式指定自動車

ロ　平成二十九年九月一日以降に新たに指定を受けた型式指定自動車であって、平成二十九年八月三十一日以前に指定を受けた型式指定自動車と速度及び走行距離の表示に係る性能が同一であるもの

ハ　国土交通大臣が定める自動車

（事故情報計測・記録装置）

第五四条の二　次に掲げる自動車（専ら乗用の用に供する自動車のうち乗車定員十人未満のもの及び貨物の運送の用に供する自動車のうち車両総重量が三・五トン以下のものに限る。以下この項、第三項及び第四項において同じ。）については、保安基準第四十六条の二、細目告示第七十条の二、第百四十八条の二及び第二百二十六条の二の規定は適用しない。

一　令和四年六月三十日（輸入された自動車にあっては令和五年六月三十日）以前に製作された自動車

二　令和四年七月一日から令和八年六月三十日まで（輸入された自動車にあっては令和五年七月一日から令和八年六月三十日まで）に製作された自動車であって、次に掲げるもの

イ　令和四年六月三十日（輸入された自動車にあっては令和五年六月三十日）以前に指定を受けた型式指定自動車

ロ　令和四年七月一日（輸入された自動車にあっては令和五年七月一日）以降に新たに指定を受けた型式指定自動車であって、令和四年六月三十日（輸入された自動車にあっては令和五年六月三十日）以前に指定を受けた型式指定自動車と事故情報計測・記録装置に係る性能が同一であるもの

ハ　国土交通大臣が定める自動車

三　令和八年六月三十日以前に発行された出荷検査証に係る自動車であって、当該出荷検査証の発行後十一月を経過しない間に新規検査又は予備検査を受けようとし、又は受けたもの

2　保安基準第四十六条の二の規定が適用される自動車は、当分の間、細目告示第百四十八条の二及び第二百二十六条の二の規定は適用しない。

3　次に掲げる自動車については、細目告示第七十条の二及び第百四十八条の二第一項中「協定規則第160号規則1.4.及び5.」とあるのは、「協定規則第160号規則1.4.及び5.（5.4.1.を除く。）」と読み替えることができるものとする。

一　令和五年八月三十一日以前に製作された自動車（専ら乗用の用に供する乗車定員十人未満の自動車（車両総重量が二・五トン以下のものに限る。）及び貨物の運送の用に供する自動車（車両総重量が二・五トンを超え、三・五トン以下のものに限る。））

二　令和五年九月一日から令和十一年八月三十一日までに製作された自動車（専ら乗用の用に供する乗車定員十人未満の自動車（車両総重量が二・五トンを超え、三・五トン以下のものに限る。）及び貨物の運送の用に供する自動車（車両総重量が二・五トン以下のものに限る。））であって、次に掲げるもの

イ　令和五年八月三十一日以前に指定を受けた型式指定自動車

ロ　令和五年九月一日以降に新たに指定を受けた型式指定自動車であって、令和五年八月三十一日以前に指定を受けた型式指定自動車と運転者室及び客室を取り囲む部分（乗員保護装置を含む。）のオフセット前面衝突時における乗車人員の保護に係る性能が同一であるもの

ハ　国土交通大臣が定める自動車

三　令和九年八月三十一日以前に製作された貨物の運送の用に供する自動車であって車両総重量が二・五トンを超え、三・五トン以下のもの

四　令和九年九月一日から令和十一年八月三十一日までに製作された貨物の運送の用に供する自動車（車両総重量が二・五トンを超え、三・五トン以下のものに限る。）であって、次に掲げるもの

イ　令和九年八月三十一日以前に指定を受けた型式指定自動車

ロ　令和九年九月一日以降に新たに指定を受けた型式指定自動車であって、令和九年八月三十一日以前に指定を受けた型式指定自動車と運転者室及び客室を取り囲む部分（乗員保護装置を含む。）のフルラップ前面衝突時における乗車人員の保護に係る性能が同一であるもの

ハ　国土交通大臣が定める自動車

五　令和十一年八月三十一日以前に発行された出荷検査証に係る自動車（専ら乗用の用に供する乗車定員十人未満の自動車（車両総重量が二・五トンを超え、三・五トン以下のものに限る。）及び貨物の運送の用に供する自動車（車両総重量が三・五トン以下のものに限る。））であって、当該出荷検査証の発行後十一月を経過しない間に新規検査又は予備検査を受けようとし、又は受けたもの

4　次に掲げる自動車については、細目告示第七十条の二及び第百四十八条の二第一項中「協定規則第160号」とあるのは「協定規則第160号初版」と読み替えることができる。

一　令和六年六月三十日以前に製作された自動車

二　令和六年七月一日から令和八年六月三十日までに製作された自動車であって、次に掲げるもの

イ　令和六年六月三十日以前に指定を受けた型式指定自動車

ロ　令和六年七月一日以降に新たに指定を受けた型式指定自動車であって、令和六年六月三十日以前に指定を受けた型式指定自動車と事故情報計測・記録装置に係る性能が同一であるもの

ハ　国土交通大臣が定める自動車

三　令和八年六月三十日以前に発行された出荷検査証に係る自動車であって、当該出荷検査証の発行後十一月を経過しない間に新規検査又は予備検査を受けようとし、又は受けたもの

5　次に掲げる自動車（専ら乗用の用に供する自動車のうち乗車定員十人以上のもの及び貨物の運送の用に供する自動車のうち車両総重量が三・五トンを超えるものに限る。以下この項において同じ。）については、保安基準第四十六条の二並びに細目告示第七十条の二、第百四十八条の二及び第二百二十六条の二の規定は適用しない。

一　令和八年十一月三十日以前に製作された自動車

二　令和八年十二月一日から令和十一年十一月三十日までに製作された自動車であって、次に掲げるもの

イ　令和八年十一月三十日以前に指定を受けた型式指定自動車

ロ　令和八年十二月一日以降に新たに指定を受けた型式指定自動車であって、令和八年十一月

三十日以前に指定を受けた型式指定自動車と事故情報計測・記録装置に係る性能が同一であるもの

ハ　国土交通大臣が定める自動車

三　令和十一年十一月三十日以前に発行された出荷検査証に係る自動車であって、当該出荷検査証の発行後十一月を経過しない間に新規検査又は予備検査を受けようとし、又は受けたもの

6　次に掲げる自動車については、細目告示第七十条の二及び第百四十八条の二第一項中「協定規則第160号」とあるのは「協定規則第160号改訂版補足改訂版」と読み替えることができる。

一　令和六年八月三十一日以前に製作された自動車

二　令和六年九月一日から令和八年八月三十一日までに製作された自動車であって、次に掲げるもの

イ　令和六年八月三十一日以前に指定を受けた型式指定自動車

ロ　令和六年九月一日以降に新たに指定を受けた型式指定自動車であって、令和六年八月三十一日以前に指定を受けた型式指定自動車と事故情報計測・記録装置に係る性能が同一であるもの

ハ　国土交通大臣が定める自動車

三　令和八年八月三十一日以前に発行された出荷検査証に係る自動車であって、当該出荷検査証の発行後十一月を経過しない間に新規検査又は予備検査を受けようとし、又は受けたもの

（消火器）

第五五条　昭和四十五年五月三十一日以前に製作された自動車（保安基準第四十七条第一項第一号から第五号までに掲げる自動車（同項第三号及び第五号に掲げる自動車にあっては、細目告示第二条第一項第十号ニ及びホに掲げる可燃物のみを運送するもの及びこれらを牽引する牽引自動車に限る。）を除く。）については、細目告示第七十一条第二項第一号又は第二号、第百四十九条第二項第一号又は第二号及び第二百二十七条第二項第一号又は第二号の規定にかかわらず、主消火剤が、充てん量一リットル以上の四塩化炭素、充てん量一キログラム以上の炭酸ガス、充てん量〇・三リットル以上の一塩化一臭化メタン、充てん量〇・二リットル以上の二臭化四ふつ化エタン又は充てん量一・五キログラム以上の粉末消火薬剤である消火器を備えればよい。

2　昭和四十八年十一月三十日以前に製作された自動車であって、アルキルアルミニウム類を運送するものについては、細目告示第七十一条第二項第一号、第百四十九条第二項第一号及び第二百二十七条第二項第一号の規定にかかわらず、同号の表に掲げる適応消火器（消火粉末を放射する消火器であって、ナトリウム又はカリウムの重炭酸塩の充てん量が三・五キログラム以上のものを除く。）のいずれかを備えればよい。

（自動運行装置）

第五五条の二　自動運行装置を備える自動車であって、次に掲げるもののうち、細目告示第七十二条の二第十七号又は第百五十条の二第一項第十七号の基準に適合するもの（高速道路等における運行時に車両を車線内に保持する機能を有する自動運行装置を備える自動車（自動運行装置作動中の最高速度が六十キロメートル毎時以下であるものに限る。）以外の自動車を除く。）にあっては、第七十二条の二第四号及び第百五十条の二第一項第四号中「事前に十分な時間的余裕をもって」とあるのは「直ちに」と読み替えることができるものとする。ただし、この場合において、走行環境条件を満たさなくなった場合であっても、運転者が運転操作を行うまでの間、安全な制御を継続するものでなければならない。

一　令和四年六月三十日以前に製作された自動車

二　令和四年七月一日以降に製作された自動車であって、次に掲げるもの

イ　令和四年六月三十日以前に指定を受けた型式指定自動車

ロ　令和四年七月一日以降に新たに指定を受けた型式指定自動車であって、令和四年六月三十日以前に指定を受けた型式指定自動車と自動運行装置に係る性能が同一であるもの

ハ　国土交通大臣が定める自動車

2　第五項に規定する自動車については、道路運送車両の保安基準の細目を定める告示等の一部を改正する告示（令和二年国土交通省告示第千五百七十七号）による改正前の別添百二十二「高速道路等における低速自動運行装置を備える自動車の技術基準」（以下単に「別添百二十二」という。）3・1・4・2・1・中「リスク最小化制御が車両を停止させるために」とあるのは「リスク最小化制御が車両を停止させるため又は予定事象発生後に車両を安全に停止させるために」と、同別添3・1・4・3・1・中「5秒以内に」とあるのは「すみやかに」と、同別添3・1・4・3・2・中「強化されなければならない。」とあるのは「強化されなければならない。ただし、当該要求が運転操作を運転者に安全に引き継げるものである場合は、この限りでない。」と、同別添3・1・4・4・1・中「リスク最小化制御を行う場合」とあるのは「リスク最小化制御を行う場合及び10秒以内に作動しても他の交通に危険を及ぼさないリスク最小化制御を行う場合」と、同別添3・1・5・1・中「いずれかに掲げる場合」とあるのは「いずれかに掲げる場合又はリスク最小化制御中に、安全を確保しつつ自動車線維持システムが車線変更操作（路肩に対するものを含む。）を実行することができる場合」と、同別添3・2・1・3・1・中「うち少なくとも2つの判断基準」とあるのは「判断基準」と、「最大30秒以内に」とあるのは「適切な時間内に」と、同別添3・2・2・5・中「運転者の操作」とあるのは「運転者の操作及び車両の安全性が確保できる操作以外の操作」と、同別添3・2・2・6・中「行ってはならない。」とあるのは「行ってはならない。ただし、当該制御を行っても車両の安全性が確保できる場合にあっては、この限りでない。」と、「非作動の状態になってはならない。」とあるのは「非作動の状態になってはならない。ただし、機能が非作動になっても車両の安全性が確保できる場合にあっては、この限りでない。」と、同別添3・2・3・1・中「変化しなければならない。」とあるのは「変化しなければならない。ただし、運転者が意図せず当該システムを非作動の状態にすることを防止するために閾値を変化させる必要がない場合は、この限りでない。」と、同別添3・2・3・3・中「満たすものでなければならない。」とあるのは「満たすもの又は車両の安全性を確保できるものでなければならない。」と、同別添3・2・3・4・中「直ちに引継ぎ要求を発するものとする。」とあるのは「直ちに引継ぎ要求を発するものとする。ただし、運転者が操作を引き継いでいると判断できる場合においては、この限りでない。」と、同別添3・2・4・1・3・中「満たさなければならない。」とあるのは「満たさなければならない。ただし、安全に引継ぎを求めることができる引継ぎ要求の場合は、この限りでない。」と、同別添3・2・4・2・2・中「含むものとする。」とあるのは「含むものとする。ただし、作動中である旨を運転者に適切に表示できるものにあっては、この限りでない。」とそれぞれ読み替えることができるものとする。

3　次に掲げる自動車以外の自動車については、当分の間、細目告示第百五十条の二第三項の規定は適用しないものとし、第二百二十八条の二の規定にかかわらず、道路運送車両の保安基準の細目を定める告示及び道路運送車両の保安基準第二章及び第三章の規定の適用関係の整理のため必

要な事項を定める告示（令和二年国土交通省告示第七百八十八号）による改正前の第二百二十八条の二の規定に適合するものであればよい。

一　令和三年十月一日（輸入された自動車にあっては令和四年十月一日）以降に新たに指定を受けた型式指定自動車のうち、指定を受けた時点における細目告示別添百二十四「継続検査等に用いる車載式故障診断装置の技術基準」1・に規定する対象装置の性能が令和三年九月三十日（輸入された自動車にあっては令和四年九月三十日）以前に指定を受けた型式指定自動車と同一でなく、かつ、指定を受けた日から起算して二年を経過したもの（新規登録（軽自動車にあっては新規検査）を初めて受けた日の属する月の前月の末日から起算して十月を経過したものに限る。）

二　国土交通大臣が定める自動車

4　令和四年九月三十日（輸入された自動車にあっては令和五年九月三十日）以前に指定を受けた型式指定自動車及び国土交通大臣が定める自動車については、令和六年九月三十日（輸入された自動車にあっては令和七年九月三十日）までの間、細目告示第百五十条の二第三項の規定は適用しないものとし、第二百二十八条の二の規定にかかわらず、道路運送車両の保安基準の細目を定める告示及び道路運送車両の保安基準第二章及び第三章の規定の適用関係の整理のため必要な事項を定める告示の一部を改正する告示（令和二年国土交通省告示第七百八十八号）による改正前の第二百二十八条の二の規定に適合するものであればよい。

5　次に掲げる自動車については、細目告示第七十二条の二第四号、第六号、第十号、第十七号及び第十八号並びに第百五十条の二第一項第四号、第六号、第十号、第十七号及び第十八号の規定にかかわらず、道路運送車両の保安基準の細目を定める告示等の一部を改正する告示（令和二年国土交通省告示第千五百七十七号）による改正前の細目告示第七十二条の二第三号、第四号、第七号、第十四号及び第十五号並びに第百五十条の二第一項第三号、第四号、第七号、第十四号及び第十五号の規定に適合するものであればよい。

一　令和四年六月三十日以前に製作された自動車

二　令和四年七月一日以降に製作された自動車であって、次に掲げるもの

イ　令和四年六月三十日以前に指定を受けた型式指定自動車

ロ　令和四年七月一日以降に新たに指定を受けた型式指定自動車であって、令和四年六月三十日以前に指定を受けた型式指定自動車と自動運行装置に係る性能が同一であるもの

ハ　国土交通大臣が定める自動車

6　次に掲げる自動車については、細目告示第七十二条の二第十七号及び第十八号並びに第百五十条の二第一項第十七号及び第十八号の規定にかかわらず、道路運送車両の保安基準の細目を定める告示等の一部を改正する告示（令和五年国土交通省告示第一号）による改正前の細目告示第七十二条の二第十四号及び第十五号並びに第百五十条の二第一項第十四号及び第十五号の規定（以下この項において「旧規定」という。）に適合するものであればよく、別添百二十三「作動状態記録装置の技術基準」2・3・、2・4・、3・1・1・6・から3・1・1・10・、3・1・1・12・から3・1・3・3・まで、3・4・2・及び3・4・3・の規定は適用しない。この場合において、旧規定中「協定規則第157号」とあるのは、「協定規則第157号補足第3改訂版」と読み替えることができる。

一　令和五年八月三十一日以前に製作された自動車

二　令和五年九月一日から令和九年八月三十一日までに製作された自動車であって、次に掲げるもの

イ　令和五年八月三十一日以前に指定を受けた型式指定自動車

ロ　令和五年九月一日以降に新たに指定を受けた型式指定自動車であって、同年八月三十一日以前に指定を受けた型式指定自動車と自動運行装置に係る性能が同一であるもの

ハ　国土交通大臣が定める自動車

三　令和九年八月三十一日以前に発行された出荷検査証に係る自動車であって、当該出荷検査証の発行後十一月を経過しない間に新規検査又は予備検査を受けようとし、又は受けたもの

（運行記録計）

第五六条　平成十八年十二月三十一日以前に製作された自動車については、保安基準第四十八条の二並びに細目告示第七十三条、第百五十一条及び第二百二十九条の規定にかかわらず、次の基準に適合するものであればよい。

一　次の自動車（緊急自動車及び被牽引自動車を除く。）には、運行記録計を備えなければならない。

イ　貨物の運送の用に供する普通自動車であって、車両総重量が八トン以上又は最大積載量が五トン以上のもの

ロ　イの自動車に該当する被牽引自動車を牽引する牽引自動車

二　前号の自動車に備える運行記録計は、次の基準に適合するものでなければならない。

イ　二十四時間以上の継続した時間内における当該自動車についての次の事項を自動的に記録できる構造であること。

(1)　すべての時刻における瞬間速度

(2)　すべての二時刻間における走行距離

ロ　運行記録計の瞬間速度の記録の誤差は、平坦な舗装路面で速度三十五キロメートル毎時以上（最高速度が三十五キロメートル毎時未満の自動車にあっては、その最高速度）において、正十五パーセント、負十パーセント以下であること。

2　次に掲げる運行記録計については、別添八十九「運行記録計の技術基準」の規定にかかわらず、道路運送車両の保安基準の細目を定める告示等の一部を改正する告示（令和六年国土交通省告示第二号）による改正前の別添八十九「運行記録計の技術基準」の規定に適合するものであればよい。

一　令和十年三月三十一日以前に製作された運行記録計

二　令和十年四月一日以降に製作された運行記録計であって、令和十年三月三十一日以前に法第七十五条の三第一項の規定によりその型式について指定を受けた運行記録計

三　令和十年三月三十一日以前に製作された自動車に備える運行記録計

（速度表示装置）

第五七条　平成十八年十二月三十一日以前に製作された自動車については、保安基準第四十八条の三並びに細目告示第七十四条、第百五十二条及び第二百三十条の規定にかかわらず、次の基準に適合するものであればよい。

一　自動車には、速度表示装置を備えることができる。

二　速度表示装置は、次の基準に適合するものでなければならない。

イ　速度表示装置は、次表上欄に掲げる速度で走行する場合に同表下欄に掲げる個数の灯火（以下「速度表示灯」という。）を自動的に点灯する構造であること。

六十キロメートル毎時を超える速度	三個
四十キロメートル毎時をこえ六十キロメートル毎時以下の速度	二個
四十キロメートル毎時以下の速度	一個

ロ　速度表示灯は、前方百メートルの距離から点灯している灯火の数を確認できるものであること。

ハ　速度表示灯の灯光の色は、黄緑色であること。

ニ　速度表示灯の表示の誤差は、平坦な舗装路面で、速度三十五キロメートル毎時以上において、正十五パーセント、負十パーセント以下であること。

ホ　速度表示装置は、運転者が運転者席においてその作動状態を確認できる灯火その他の装置を備えたものであること。

三　速度表示装置は、前項に掲げた性能を損なわないように、かつ、次の基準に適合するように取り付けられなければならない。

イ　速度表示灯の取付位置は、前面ガラスの上方であり、かつ、地上一・八メートル以上であること。

ロ　速度表示灯は、横に配列するものとし、その点灯の順序は、左側の灯火、右側の灯火、中間の灯火の順であること。

ハ　速度表示灯の表示部の車両中心面に直交する鉛直面への投影面積は、四十平方センチメートル以上であること。

（緊急自動車）

第五八条　昭和四十八年十一月三十日以前に製作された自動車に対する細目告示第七十五条第一号、第百五十三条第一号及び第二百三十一条第一号の規定の適用については、同号中「300m」とあるのは「150m」と読み替えるものとする。

（旅客自動車運送事業用自動車）

第五九条　平成二十四年六月三十日以前に製作された自動車については、保安基準第五十条の規定並びに細目告示第七十七条、第百五十五条及び第二百三十三条の規定にかかわらず、次の基準に適合するものであればよい。

一　旅客自動車運送事業用自動車は、保安基準第二条から第四十八条までの規定によるほか、次の基準に適合しなければならない。

イ　緩衝装置及び旅客の座席は、旅客に不快な振動、衝撃を与えないものであること。

ロ　客室は、適当な採光が得られるものであること。

ハ　客室には、適当な室内照明灯を備えること。

ニ　運転者席の側面の窓は、簡易な操作により、有効幅及び有効高さがそれぞれ二百七十ミリメートル以上開放できる構造のものであること。

二　乗車定員十一人以上の旅客自動車運送事業用自動車にあっては、前号の規定によるほか、次の基準に適合しなければならない。

イ　室内照明灯は、客室内を均等に照明し、その光源は、客室床面積一平方メートルあたり五ワット（蛍光灯の場合にあっては二ワット）以上又はこれと同等以上の明るさであること。

ロ　乗降口の踏段（幼児専用車の乗降口に備える踏段を除く。）は、その有効奥行が三百ミリメートル以上であること。ただし、最下段以外の踏段で乗降口のとびら等のためやむをえないものにあっては、乗降口の有効幅のうち、三百五十ミリメートル以上の部分についてその有効奥行が三百ミリメートルあればよい。この場合において、次の上段までの高さが二百五十ミリメートル以下のものにあっては、二百九十ミリメートルまで短縮することができる。

ハ　車掌席を乗降口の附近に設けること（次号の自動車を除く。）。

ニ　運転者席と車掌席とが三メートル以上離れているものにあっては、その間にブザその他の連絡装置を備えること（次号の自動車を除く。）。

ホ　とびらを開閉する装置が動力式である乗降口には、その附近に、故障時などに手動でとびらを開放できる装置を備え、かつ、その位置及びとびらの開放方法を表示すること。

三　乗車定員十一人以上の旅客自動車運送事業用自動車で車掌を乗務させないで運行することを目的とするもの（被牽引自動車を除く。）は、前二号の規定によるほか、次の基準（路線を定めて定期に運行する乗車定員三十人以上の旅客自動車運送事業用自動車で立席定員のないものにあってはイからヘまでの基準、路線を定めて定期に運行する乗車定員二十九人以下の旅客自動車運送事業用自動車で立席定員のないものにあってはイからハまで及びホの基準、路線を定めて定期に運行する旅客自動車運送事業用自動車以外のものにあっては、イ、ハ及びホの基準）に適合しなければならない。

イ　乗降口の扉は、旅客が容易に開放することができない構造のものであること。

ロ　乗降口の扉は、運転者が運転者席において開閉できる構造のものであること。

ハ　乗降口の扉（運転者席に近接した乗降口の扉で運転者が直接に開閉の状態を確認できるものを除く。）を閉じた後でなければ発車することができない構造のものであり、かつ、その開閉の状態を運転者席の運転者に表示する灯火その他の装置を備えたものであること。ただし、乗降口の扉を閉じた後でなければ発車することができない構造の解除装置を備えた場合にあっては、当該解除装置が運転者席において容易に操作することのできるものでないこと。

ニ　運転者が運転者席において踏み段に旅客がいることを乗降口（運転者席に近接した乗降口で運転者が直接に旅客の存在の有無を確認できるものを除く。）ごとに確認できる灯火その他の装置を備えたものであること。

ホ　運転者が運転者席において乗降口その他客室内の状況を見ることができる鏡その他の装置を備えたものであること。

ヘ　運転者が運転者席において旅客に放送することができる装置（放送する場合にマイクロホンを手で保持する必要のないものに限る。）を備えたものであること。

ト　客室には、旅客が降車しようとするときに容易にその旨を運転者に通報するためのブザその他の装置を旅客の手近な位置に備えること。

四　乗車定員十人以下の旅客自動車運送事業用自動車は、第一号の規定によるほか、次の基準に適合しなければならない。

イ　旅客の用に供する座席の前縁とその前方の座席、隔壁等との間げきは、二百ミリメートル以上であること。

ロ　乗降口のとびらを開放する操作装置又はその附近には、とびらの開放方法を表示すること。

2　次の表の上欄に掲げる自動車については、前項の規定のうち同表の下欄に掲げる規定は、適用しない。

自　動　車	条　項
一　昭和三十七年九月三十日以前に製作された自動車	第二号ハ

3　次の表の第一欄に掲げる自動車については、第一項の規定のうち同表第二欄に掲げる規定は、同表第三欄に掲げる字句を同表第四欄に掲げる字句に読み替えて適用する。

自動車	条項	読み替えられる字句	読み替える字句
一　昭和四十四年三月三十一日以前に製作された自動車	第三号ハ	を閉じた後でなければ発車することができない構造のものであり、かつ、その開閉	の開閉

4　平成二十六年三月三十一日以前に製作された自動車については、細目告示第七十七条第四項第一号、第百五十五条第四項第一号及び第二百三十三条第四項第一号の規定にかかわらず、道路運送車両の保安基準の細目を定める告示の一部を改正する告示（平成二十六年国土交通省告示第三百四十一号）による改正前の細目告示第七十七条第二項第二号、第百五十五条第二項第二号及び第二百三十三条第二項第二号の規定に適合するものであればよい。

（ガス運送容器を備える自動車等）

第六〇条　昭和五十一年五月十九日以前に製作された自動車（同日後保安基準第五十条の二第一項の緩衝装置に係る改造又はガス運送容器の後面及び附属装置と同令第五十条の二第一項の緩衝装置との間の間隔に係る改造を行ったものを除く。）については、同令第五十条の二第二項の規定は、適用しない。

（危険物を運送する自動車）

第六一条　昭和四十八年十一月三十日以前に製作された自動車に対する細目告示第八十条第四項第二号、第百五十八条第四項第二号及び第二百三十六条第四項第二号の規定の適用については、同号中「危険物の規制に関する政令」とあるのは「危険物の規制に関する政令の一部を改正する政令（昭和46年6月1日政令第168号）による改正前の危険物の規制に関する政令」と、「第15条（第1項第1号を除く。）」とあるのは「第15条第2号から第10号まで」と読み替えるものとする。

（乗車定員及び最大積載量）

第六一条の二　平成十八年十二月三十一日以前に製作された専ら乗用の用に供する乗車定員十一人以上の自動車については、細目告示第八十一条第一項第五号、第百五十九条第一項第五号及び第二百三十七条第一項第五号の規定は、適用しない。

第三章　原動機付自転車の保安基準の適用関係の整理

第一節　一般原動機付自転車の保安基準の適用関係の整理

（制動装置）

第六二条　昭和三十五年三月三十一日以前に製作された一般原動機付自転車（付随車を除く。）については、保安基準第六十一条の規定並びに細目告示第二百四十二条、第二百五十八条及び第二百七十四条の規定にかかわらず、次の基準に適合する制動装置を備えていればよい。

一　制動装置は、後車輪を含む半数以上の車輪を制動すること。

二　制動装置は、乾燥した平坦な舗装路面で、その一般原動機付自転車の最高速度に応じ、次の表に掲げる制動能力を有すること。

種別	最高速度（キロメートル毎時）	制動初速度（キロメートル毎時）	停止距離（メートル）
第一種一般原動機付自転車	二十五以上	二十五	十以下
	十五以上二十五未満	十五	五以下
	十五未満	その最高速度	五以下
第二種原動機付自転車	三十五以上	三十五	十四以下
	二十五以上三十五未満	二十五	十以下
	十五以上二十五未満	十五	五以下
	十五未満	その最高速度	五以下

2　付随車及びこれを牽引する前項の一般原動機付自転車については、保安基準第六十一条の規定並びに細目告示第二百四十二条、第二百五十八条及び第二百七十四条の規定にかかわらず、付随車とこれを牽引する一般原動機付自転車とを連結した状態において前項第二号の基準に適合する制動装置を備えていればよい。

3　付随車を牽引する第一項の一般原動機付自転車の制動装置のみで同項第二号の基準に適合する場合には、保安基準第六十一条の規定並びに細目告示第二百四十二条、第二百五十八条及び第二百七十四条の規定にかかわらず、付随車の制動装置を省略することができる。

4　平成十一年六月三十日以前に製作された一般原動機付自転車（第一項の一般原動機付自転車及び平成九年十月一日以降に施行規則第六十二条の三第一項の規定によりその型式について認定を受けた一般原動機付自転車並びに付随車を除く。）については、保安基準第六十一条の規定並びに細目告示第二百四十二条、第二百五十八条及び第二百七十四条の規定にかかわらず、次の基準に適合する制動装置を備えていればよい。

一　制動装置は、後車輪を含む半数以上の車輪を制動すること。

二　制動装置は、乾燥した平坦な舗装路面で、その一般原動機付自転車の最高速度に応じ、次の表に掲げる制動能力を有すること。

種別	最高速度（キロメートル毎時）	制動初速度（キロメートル毎時）	停止距離（メートル）
第一種一般原動機付自転車	二十以上	二十	五以下
	二十未満	その最高速度	五以下
第二種原動機付自転車	三十五以上	三十五	十四以下

車		
二十以上三十五未満	二十	五以下
二十未満	その最高速度	五以下

5　付随車及びこれを牽引する前項の一般原動機付自転車については、保安基準第六十一条の規定並びに細目告示第二百四十二条、第二百五十八条及び第二百七十四条の規定にかかわらず、付随車とこれを牽引する一般原動機付自転車とを連結した状態において前項第二号の基準に適合する制動装置を備えていればよい。

6　付随車を牽引する第四項の一般原動機付自転車の制動装置のみで同項第二号の基準に適合する場合には、保安基準第六十一条の規定並びに細目告示第二百四十二条、第二百五十八条及び第二百七十四条の規定にかかわらず、付随車の制動装置を省略することができる。

7　平成二十一年六月十七日以前に製作された一般原動機付自転車（付随車を除く。以下この項において同じ。）、同月十八日から平成二十三年六月十七日までに製作された一般原動機付自転車（平成二十一年六月十八日以降に型式の認定を受けた一般原動機付自転車を除く。）及び平成二十一年六月十八日から平成二十三年六月十七日までに製作された一般原動機付自転車であって平成二十一年六月十八日以降に型式の認定を受けた一般原動機付自転車（平成十九年六月二十八日以前に型式の認定を受けた一般原動機付自転車と種別、車体の外形、燃料の種類、動力用電源装置の種類、動力伝達装置の種類及び主要構造、走行装置の種類及び主要構造、操縦装置の種類及び主要構造、懸架装置の種類及び主要構造、車枠並びに主制動装置の構造が同一であるものに限る。）には、細目告示第二百四十二条第二項及び第三項の規定にかかわらず、道路運送車両の保安基準の細目を定める告示の一部を改正する告示（平成十九年国土交通省告示第八百五十四号）による改正前の細目告示別添九十八「原動機付自転車の制動装置の技術基準」に定める基準及び次の基準に適合する二系統以上の制動装置を備えていればよいものとする。

一　制動装置は、堅ろうで運行に十分耐え、かつ、振動、衝撃、接触等により損傷を生じないように取り付けられているものであり、次に掲げるものでないこと。

イ　ブレーキ系統の配管又はブレーキ・ケーブル（配管又はブレーキ・ケーブルを保護するため、配管又はブレーキ・ケーブルに保護部材を巻きつける等の対策を施してある場合の保護部材は除く。）であって、ドラッグ・リンク、推進軸、排気管、タイヤ等と接触しているもの又は走行中に接触した痕跡があるもの

ロ　ブレーキ系統の配管又は接手部から、液漏れ又は空気漏れがあるもの又は他の部分との接触により液漏れや空気漏れが生じるおそれがあるもの

ハ　ブレーキ・ロッド又はブレーキ・ケーブルの連結部に緩みがあるもの

ニ　ブレーキ・ホースが著しくねじれて取り付けられているもの

ホ　ブレーキ・ペダルに遊びがないもの又は床面とのすきまがないもの

ヘ　ブレーキ・レバーに遊びがないもの又は引き代のないもの

ト　ブレーキ・レバーのラチェットが確実に作動しないもの

チ　イからトに掲げるもののほか、堅ろうでないもの又は振動、衝撃、接触等により損傷を生じないように取り付けられていないもの

二　主制動装置（走行中の一般原動機付自転車の制動に常用する制動装置をいう。以下同じ。）は、二輪を有する一般原動機付自転車にあっては二個の操作装置を有し、一個により前車輪を含む車輪を制動し、他の一個により後車輪を含む車輪を制動し、その他の一般原動機付自転車にあっては後車輪を含む半数以上の車輪を制動すること。この場合において、ブレーキ・ディスク、ブレーキ・ドラム等の制動力作用面が、ボルト、軸、歯車等の強固な部品により車軸と結合される構造は、「車輪を制動する」とされるものとする。

三　主制動装置の制動液は、配管を腐食し、原動機等の熱の影響を受けることによって気泡を生ずる等により当該主制動装置の機能を損なわないものであること。

四　液体の圧力により作動する主制動装置は、制動液の液量がリザーバ・タンクのふたを開けず容易に確認できる次に掲げるいずれかの構造を有するものであること。

イ　制動液のリザーバ・タンクが透明又は半透明であるもの

ロ　制動液の液面のレベルを確認できるゲージを備えたもの

ハ　制動液が減少した場合、運転者席の運転者に警報する液面低下警報装置を備えたもの

ニ　イからハに掲げるもののほか、制動液の液量がリザーバ・タンクのふたを開けず容易に確認できるもの

8　平成二十一年六月十七日以前に製作された一般原動機付自転車（付随車を除く。以下この項において同じ。）、同月十八日から平成二十三年六月十七日までに製作された一般原動機付自転車（平成二十一年六月十八日以降に型式の認定を受けた一般原動機付自転車を除く。）及び平成二十一年六月十八日から平成二十三年六月十七日までに製作された一般原動機付自転車であって平成二十一年六月十八日以降に型式の認定を受けた一般原動機付自転車（平成十九年六月二十八日以前に型式の認定を受けた一般原動機付自転車と種別、車体の外形、燃料の種類、動力用電源装置の種類、動力伝達装置の種類及び主要構造、走行装置の種類及び主要構造、操縦装置の種類及び主要構造、懸架装置の種類及び主要構造、車枠並びに主制動装置の構造が同一であるものに限る。）には、細目告示第二百五十八条第二項及び第三項の規定にかかわらず、道路運送車両の保安基準の細目を定める告示の一部を改正する告示（平成十九年国土交通省告示第八百五十四号）による改正前の細目告示別添九十八「原動機付自転車の制動装置の技術基準」に定める基準及び次の基準に適合する二系統以上の制動装置を備えていればよいものとする。

一　制動装置は、堅ろうで運行に十分耐え、かつ、振動、衝撃、接触等により損傷を生じないように取り付けられているものであり、次に掲げるものでないこと。

イ　ブレーキ系統の配管又はブレーキ・ケーブル（配管又はブレーキ・ケーブルを保護するため、配管又はブレーキ・ケーブルに保護部材を巻きつける等の対策を施してある場合の保護部材は除く。）であって、ドラッグ・リンク、推進軸、排気管、タイヤ等と接触しているもの又は走行中に接触した痕跡があるもの若しくは接触するおそれがあるもの

ロ　ブレーキ系統の配管又は接手部から、液漏れ又は空気漏れがあるもの

ハ　ブレーキ・ロッド又はブレーキ・ケーブルに損傷があるもの又はその連結部に緩みがあるもの

ニ　ブレーキ系統の配管に溶接又は肉盛等の修理を行った部品（パイプを二重にして確実にろう付けした場合の銅製パイプを除く。）を使用しているもの

ホ　ブレーキ・ホース又はブレーキ・パイプに損傷があるもの

ヘ　ブレーキ・ホースが著しくねじれて取り付けられているもの

ト　ブレーキ・ペダルに遊びがないもの又は床面とのすきまがないもの

チ　ブレーキ・レバーに遊びがないもの又は引き代のないもの

リ　ブレーキ・レバーのラチェットが確実に作動しないもの又は損傷しているもの

ヌ　イからリに掲げるもののほか、堅ろうでないもの又は振動、衝撃、接触等により損傷を生じないように取り付けられていないもの

二　主制動装置は、二輪を有する一般原動機付自転車にあっては二個の操作装置を有し、一個により前車輪を含む車輪を制動し、他の一個により後車輪を含む車輪を制動し、その他の一般原動機付自転車にあっては後車輪を含む半数以上の車輪を制動すること。この場合において、ブレーキ・ディスク、ブレーキ・ドラム等の制動力作用面が、ボルト、軸、歯車等の強固な部品により車軸と結合される構造は、「車輪を制動する」とされるものとする。

三　主制動装置の制動液は、配管を腐食し、原動機等の熱の影響を受けることによって気泡を生ずる等により当該主制動装置の機能を損なわないものであること。

四　液体の圧力により作動する主制動装置は、制動液の液量がリザーバ・タンクのふたを開けず容易に確認できる次に掲げるいずれかの構造を有するものであること。

イ　制動液のリザーバ・タンクが透明又は半透明であるもの

ロ　制動液の液面のレベルを確認できるゲージを備えたもの

ハ　制動液が減少した場合、運転者席の運転者に警報する液面低下警報装置を備えたもの

ニ　イからハに掲げるもののほか、制動液の液量がリザーバ・タンクのふたを開けず容易に確認できるもの

9　平成二十一年六月十七日以前に製作された一般原動機付自転車（次項の一般原動機付自転車及び付随車を除く。以下この項において同じ。）、同月十八日から平成二十三年六月十七日までに製作された一般原動機付自転車（平成二十一年六月十八日以降に型式の認定を受けた一般原動機付自転車を除く。）及び平成二十一年六月十八日から平成二十三年六月十七日までに製作された一般原動機付自転車であって平成二十一年六月十八日以降に型式の認定を受けた一般原動機付自転車（平成十九年六月二十八日以前に型式の認定を受けた一般原動機付自転車と種別、車体の外形、燃料の種類、動力用電源装置の種類、動力伝達装置の種類及び主要構造、走行装置の種類及び主要構造、操縦装置の種類及び主要構造、懸架装置の種類及び主要構造、車枠並びに主制動装置の構造が同一であるものに限る。）には、細目告示第二百七十四条第二項の規定にかかわらず、次の基準に適合する二系統以上の制動装置を備えていればよいものとする。

一　制動装置は、堅ろうで運行に十分耐え、かつ、振動、衝撃、接触等により損傷を生じないように取り付けられているものであり、次に掲げるものでないこと。

イ　ブレーキ系統の配管又はブレーキ・ケーブル（配管又はブレーキ・ケーブルを保護するため、配管又はブレーキ・ケーブルに保護部材を巻きつける等の対策を施してある場合の保護部材は除く。）であって、ドラッグ・リンク、推進軸、排気管、タイヤ等と接触しているもの又は走行中に接触した痕跡があるもの若しくは接触するおそれがあるもの

ロ　ブレーキ系統の配管又は接手部から、液漏れ又は空気漏れがあるもの

ハ　ブレーキ・ロッド又はブレーキ・ケーブルに損傷があるもの又はその連結部に緩みがあるもの

ニ　ブレーキ・ロッド又はブレーキ系統の配管に溶接又は肉盛等の修理を行った部品（パイプを二重にして確実にろう付けした場合の銅製パイプを除く。）を使用しているもの

ホ　ブレーキ・ホース又はブレーキ・パイプに損傷があるもの

ヘ　ブレーキ・ホースが著しくねじれて取り付けられているもの

ト　ブレーキ・ペダルに遊びがないもの又は床面とのすきまがないもの

チ　ブレーキ・レバーに遊びがないもの又は引き代のないもの

リ　ブレーキ・レバーのラチェットが確実に作動しないもの又は損傷しているもの

ヌ　イからリに掲げるもののほか、堅ろうでないもの又は振動、衝撃、接触等により損傷を生じないように取り付けられていないもの

二　制動装置は、かじ取り性能を損なわないで作用する構造及び性能を有するものであり、次に掲げるものでないこと。

イ　ブレーキの片ぎき等による横すべりをおこすもの

ロ　前車輪が後車輪より先にロックしてかじがきかなくなるもの

ハ　イ及びロに掲げるもののほか、かじ取り性能を損なうもの

三　主制動装置は、二輪を有する一般原動機付自転車にあっては二個の操作装置を有し、一個により前車輪を含む車輪を制動し、他の一個により後車輪を含む車輪を制動し、その他の一般原動機付自転車にあっては後車輪を含む半数以上の車輪を制動すること。この場合において、ブレーキ・ディスク、ブレーキ・ドラム等の制動力作用面が、ボルト、軸、歯車等の強固な部品により車軸と結合される構造は、「車輪を制動する」とされるものとする。

四　主制動装置は、繰り返して制動を行った後においても、その制動効果に著しい支障を容易に生じないものであること。

五　主制動装置の制動液は、配管を腐食し、原動機等の熱の影響を受けることによって気泡を生ずる等により当該主制動装置の機能を損なわないものであること。

六　液体の圧力により作動する主制動装置は、制動液の液量がリザーバ・タンクのふたを開けず容易に確認できる次に掲げるいずれかの構造を有するものであること。

イ　制動液のリザーバ・タンクが透明又は半透明であるもの

ロ　制動液の液面のレベルを確認できるゲージを備えたもの

ハ　制動液が減少した場合、運転者席の運転者に警報する液面低下警報装置を備えたもの

ニ　イからハに掲げるもののほか、制動液の液量がリザーバ・タンクのふたを開けず容易に確認できるもの

七　主制動装置は、雨水の付着等により、その制動効果に著しい支障を生じないものであること。

八　走行中の自動車の制動に著しい支障を及ぼす車輪の回転運動の停止を有効に防止できる装置を備えた自動車にあっては、その装置が正常に作動しないおそれが生じたときにその旨を運転者席の運転者に警報する装置を備えたものであること。

九　主制動装置を除く制動装置を備える一般原動機付自転車にあっては、当該制動装置（主制動装置を除く制動装置を二系統以上備える場合にはうち一系統）は、乾燥した五十分の九こう配の舗装路面で、機械的作用により停止状態に保持できる性能を有すること。この場合において、運転者の操作力は、足動式のものにあっては五百ニュートン以下、手動式のものにあっては四百ニュートン以下とし、当該装置を作動させた一般原動機付自転車を停止状態に保持した後において、なお、液圧、空気圧又は電気的作用を利用している制動装置は、この基準に適合しないものとする。

十　主制動装置は、乾燥した平たんな舗装路面で、イ及びロの計算式に適合する制動能力を有すること。この場合において、運転者の操作力は、足動式のものにあっては三百五十ニュートン以下、手動式のものにあっては二百ニュートン以下とする。

イ　$S_1 \leq 0.1V_1 + aV_1^2$

この場合において、原動機と走行装置の接続は断つこととし、

S_1は、停止距離（単位メートル）

V_1は、制動初速度（その一般原動機付自転車の最高速度の九十パーセントの速度とする。ただし、最高速度の九十パーセントの速度が六十キロメートル毎時を超える一般原動機付自転車にあっては、六十とする。）（単位キロメートル毎時）

αは、次の表の左欄に掲げる一般原動機付自転車の種別に応じ、同表の中欄に掲げる制動装置の作動状態において、同表の右欄に掲げる値とする。

一般原動機付自転車の種別	制動装置の作動状態	α
一個の操作装置で前輪及び後輪の制動装置を作動させることができない一般原動機付自転車	前輪の制動装置のみを作動させる場合	〇・〇〇八七
	後輪の制動装置のみを作動させる場合	〇・〇一三三
一個の操作装置で前輪及び後輪の制動装置を作動させることができる一般原動機付自転車	主たる操作装置により前輪及び後輪の制動装置を作動させる場合	〇・〇〇七六
	主たる操作装置以外の操作装置により前輪のみ、後輪のみ又は前輪及び後輪の制動装置を作動させる場合	〇・〇一五四

ロ　$S_2 \leqq 0.1V_2+0.0067V_2^2$

この場合において、

S_2は、停止距離（単位メートル）

V_2は、制動初速度（その一般原動機付自転車の最高速度の八十パーセントの速度とする。ただし、最高速度の八十パーセントの速度が百六十キロメートル毎時を超える一般原動機付自転車にあっては、百六十とする。）（単位キロメートル毎時）

10　平成二十一年六月十七日以前に製作された最高速度五十キロメートル毎時以下の第一種一般原動機付自転車（付随車を除く。以下この項において同じ。）、同月十八日から平成二十三年六月十七日までに製作された最高速度五十キロメートル毎時以下の第一種一般原動機付自転車（平成二十一年六月十八日以降に型式の認定を受けた一般原動機付自転車を除く。）及び平成二十一年六月十八日から平成二十三年六月十七日までに製作された五十キロメートル毎時以下の第一種一般原動機付自転車であって平成二十一年六月十八日以降に型式の認定を受けた一般原動機付自転車（平成十九年六月二十八日以前に型式の認定を受けた一般原動機付自転車と種別、車体の外形、燃料の種類、動力用電源装置の種類、動力伝達装置の種類及び主要構造、走行装置の種類及び主要構造、操縦装置の種類及び主要構造、懸架装置の種類及び主要構造、車枠並びに主制動装置の構造が同一であるものに限る。）には、細目告示第二百七十四条第三項の規定にかかわらず、次の基準に適合する二系統以上の制動装置を備えていればよいものとする。

一　制動装置は、前項第一号から第三号、第五号から第七号及び第九号から第十号までの基準に適合すること。

二　主制動装置は、乾燥した平たんな舗装路面で、次の計算式による制動能力を有すること。この場合において、運転者の操作力は、足動式のものにあっては三百五十ニュートン以下、手動式のものにあっては二百ニュートン以下とする。

$S \leqq 0.1V+\alpha V^2$

この場合において、原動機と走行装置の接続は断つこととし、

Sは、停止距離（単位メートル）

Vは、制動初速度（その一般原動機付自転車の最高速度の九十パーセントの速度とする。ただし、その一般原動機付自転車の最高速度の九十パーセントの速度が四十キロメートル毎時を超える場合にあっては、四十とする。）（単位キロメートル毎時）

αは、次の表の左欄に掲げる一般原動機付自転車の種別に応じ、同表の中欄に掲げる制動装置の作動状態において、同表の右欄に掲げる値とする。

一般原動機付自転車の種別	制動装置の作動状態	α
一個の操作装置で前輪及び後輪の制動装置を作動させることができない一般原動機付自転車	前輪の制動装置のみを作動させる場合	〇・〇二一一
	後輪の制動装置のみを作動させる場合	〇・〇一四三
一個の操作装置で前輪及び後輪の制動装置を作動させることができる一般原動機付自転車	主たる操作装置により前輪及び後輪の制動装置を作動させる場合	〇・〇〇八七
	主たる操作装置以外の操作装置により前輪のみ、後輪のみ又は前輪及び後輪の制動装置を作動させる場合	〇・〇一五四

11　令和三年九月三十日以前に製作された一般原動機付自転車（平成三十年十月一日以降に型式の認定を受けた一般原動機付自転車を除く。）については、細目告示第二百四十二条第二項及び第二百五十八条第二項の規定にかかわらず、道路運送車両の保安基準の細目を定める告示の一部を改正する告示（平成二十七年国土交通省告示第四十二号）による改正前の細目告示第二百四十二条第二項及び第二百五十八条第二項の規定に適合するものであればよい。

12　次の各号に掲げる一般原動機付自転車については、細目告示第二百四十二条第二項及び第二百五十八条第二項の規定にかかわらず、道路運送車両の保安基準の細目を定める告示の一部を改正する告示（平成二十九年国土交通省告示第八十八号）による改正前の細目告示第二百四十二条第二項及び第二百五十八条第二項の規定に適合するものであればよい。

一　平成二十九年二月八日以前に製作された一般原動機付自転車

二　平成二十九年二月九日から令和三年九月三十日までに製作された一般原動機付自転車であって、次に掲げるもの

イ　平成二十九年二月八日以前に施行規則第六十二条の三第一項の規定によりその型式について認定を受けた一般原動機付自転車

ロ　平成二十九年二月九日以降に施行規則第六十二条の三第一項の規定によりその型式について新たに認定を受けた一般原動機付自転車であって、同月八日以前に施行規則第六十二条の三第一項の規定によりその型式について認定を受けた一般原動機付自転車と制動装置に係る性能が同一であるもの

13　令和三年九月三十日以前に製作された一般原動機付自転車（平成三十年十月一日以降に型式の認定を受けた一般原動機付自転車を除く。）については、細目告示第二百四十二条第二項及び第二百五十八条第二項の規定にかかわらず、道路運送車両の保安基準の細目を定める告示の一部を

改正する告示（平成二十九年国土交通省告示第六百四十号）による改正前の細目告示第二百四十二条第二項及び第二百五十八条第二項の規定に適合するものであればよい。

14　次に掲げる一般原動機付自転車（最高速度五十キロメートル毎時以下の第一種一般原動機付自転車を除く。以下この項において同じ。）については、細目告示第二百四十二条第二項及び第二百五十八条第二項の規定にかかわらず、道路運送車両の保安基準の細目を定める告示等の一部を改正する告示（令和二年国土交通省告示第千五百七十七号）による改正前の細目告示第二百四十二条第二項及び第二百五十八条第二項の規定に適合するものであればよい。

一　令和五年八月三十一日以前に製作された一般原動機付自転車

二　令和五年九月一日から令和八年八月三十一日までに製作された一般原動機付自転車であって、次に掲げるもの

イ　令和五年八月三十一日以前に施行規則第六十二条の三第一項の規定によりその型式について認定を受けた一般原動機付自転車

ロ　令和五年九月一日以降に施行規則第六十二条の三第一項の規定によりその型式について新たに認定を受けた一般原動機付自転車であって、同年八月三十一日以前に施行規則第六十二条の三第一項の規定によりその型式について認定を受けた一般原動機付自転車と制動装置に係る性能が同一であるもの

15　次に掲げる一般原動機付自転車（最高速度五十キロメートル毎時以下の第一種一般原動機付自転車を除き、協定規則第七十八号の規則5・1・19・の適用を受ける二輪の原動機付自転車に限る。以下この項において同じ。）については、細目告示第二百四十二条第二項及び第二百五十八条第二項中「協定規則第78号」とあるのは、「協定規則第78号第5改訂版補足第2改訂版」と読み替えることができる。

一　令和六年八月三十一日以前に製作された一般原動機付自転車

二　令和六年九月一日から令和八年八月三十一日までに製作された一般原動機付自転車であって、次に掲げるもの

イ　令和六年八月三十一日以前に施行規則第六十二条の三第一項の規定によりその型式について認定を受けた一般原動機付自転車

ロ　令和六年九月一日以降に施行規則第六十二条の三第一項の規定によりその型式について新たに認定を受けた一般原動機付自転車であって、同年八月三十一日以前に施行規則第六十二条の三第一項の規定によりその型式について認定を受けた一般原動機付自転車と制動装置に係る性能が同一であるもの

（車体）

第六十二条の二　保安基準第六十一条の二（第一号に係る部分に限る。）並びに細目告示第二百四十二条の二第一項、第二百五十八条の二第一項及び第二百七十四条の二第一項の規定は、令和二年三月三十一日までの間は、適用しない。

2　令和三年三月三十一日以前に製作された一般原動機付自転車については、保安基準第六十一条の二（第二号に係る部分に限る。）並びに細目告示第二百四十二条の二第二項、第二百五十八条の二第二項及び第二百七十四条の二第二項の規定は、適用しない。

（ばい煙、悪臭のあるガス、有害なガス等の発散防止装置）

第六十三条　次に掲げる一般原動機付自転車については、保安基準第六十一条の三第二項から第四項までの規定は、適用しない。

一　平成十一年八月三十一日（輸入された第一種一般原動機付自転車にあっては、平成十二年三月三十一日）以前に製作された第一種一般原動機付自転車（輸入された第一種一般原動機付自転車以外の第一種一般原動機付自転車であって、平成十年十月一日以降に、施行規則第六十二条の三第一項の規定によりその型式について認定を受けた第一種一般原動機付自転車を除く。）

二　平成十二年八月三十一日（輸入された第二種原動機付自転車にあっては、平成十三年三月三十一日）以前に製作された第二種原動機付自転車（輸入された第二種原動機付自転車以外の第二種原動機付自転車であって、平成十一年十月一日以降に、施行規則第六十二条の三第一項の規定によりその型式について認定を受けた第二種原動機付自転車を除く。）

2　ガソリンを燃料とする第一種一般原動機付自転車（施行規則第六十二条の三第一項の規定によりその型式について認定された第一種一般原動機付自転車に限る。）であって平成十九年八月三十一日以前に製作されたもの（第二項第一号に掲げる第一種一般原動機付自転車及び輸入された第一種一般原動機付自転車以外の第一種一般原動機付自転車であって平成十八年十月一日以降に施行規則第六十二条の三第一項の規定によりその型式について認定を受けた第一種一般原動機付自転車を除く。）は、細目告示第二百四十三条第一項第一号又は第二号の規定にかかわらず、施行規則第六十二条の三第五項の検査の際、当該一般原動機付自転車を道路運送車両の保安基準の細目を定める告示を改正する告示（平成十七年国土交通省告示第九百九号）による改正前の細目告示別添四十四「二輪車モード排出ガスの測定方法」に規定する二輪車モード法（以下単に「二輪車暖機モード法」という。）により運行する場合に発生し、排気管から大気中に排出される排出物に含まれる一酸化炭素、炭化水素及び窒素酸化物の走行距離一キロメートル当たりの排出量をグラムで表した値（炭化水素にあっては炭素数当量による容量比で表した値）の当該一般原動機付自転車及び当該一般原動機付自転車と同一の型式の一般原動機付自転車であって既に施行規則第六十二条の三第五項の検査を終了したすべてのものにおける平均値が、次の表の上欄に掲げる一般原動機付自転車の種別に応じ、それぞれ同表の一酸化炭素、炭化水素及び窒素酸化物の欄に掲げる値を超えないものであればよい。

一般原動機付自転車の種別	一酸化炭素	炭化水素	窒素酸化物
イ　二サイクルの原動機を有するもの	八・〇〇	三・〇〇	〇・一〇
ロ　四サイクルの原動機を有するもの	十三・〇	二・〇〇	〇・三〇

3　ガソリンを燃料とする第二種原動機付自転車（施行規則第六十二条の三第一項の規定によりその型式について認定された第二種原動機付自転車に限る。）であって平成二十年八月三十一日以前に製作されたもの（第二項第二号に掲げる第二種原動機付自転車及び輸入された第二種原動機付自転車以外の第二種原動機付自転車であって平成十九年十月一日以降に施行規則第六十二条の三第一項の規定によりその型式について認定を受けた第二種原動機付自転車を除く。）は、細目告示第二百四十三条第一項第一号又は第二号の規定にかかわらず、施行規則第六十二条の三第五項の検査の際、当該一般原動機付自転車を二輪車暖機モード法により運行する場合に発生し、排気管から大気中に排出される排出物に含まれる一酸化炭素、炭化水素及び窒素酸化物の走行距離一キロメートル当たりの排出量をグラムで表した値（炭化水素にあっては炭素数当量による容量比で表した値）の当該一般原動機付自転車及び当該一般原動機付自転車と同一の型式の一般原動機付自転車であって既に施行規則第六十二条の三第五項の検査を終了したすべてのものにおける平均値が、次の表の上欄に掲げる一般原動機付自転車の種別に応じ、それぞれ同表の一酸化炭素、炭化水素及び窒素酸化物の欄に掲げる値を超えないものであればよい。

一般原動機付自転車の種別	一酸化炭素	炭化水素	窒素酸化物
イ　二サイクルの原動機を有するもの	八・〇〇	三・〇〇	〇・一〇
ロ　四サイクルの原動機を有するもの	十三・〇	二・〇〇	〇・三〇

4　ガソリンを燃料とする第一種一般原動機付自転車であって平成十九年八月三十一日以前に製作されたもの（第二項第一号に掲げる第一種一般原動機付自転車及び輸入された第一種一般原動機付自転車以外の第一種一般原動機付自転車であって平成十八年十月一日以降に施行規則第六十二条の三第一項の規定によりその型式について認定を受けた第一種一般原動機付自転車を除く。）は、細目告示第二百四十三条第一項第三号、第二百五十九条第一項及び第二百七十五条第一項の規定にかかわらず、原動機を無負荷運転している状態で発生し、排気管から大気中に排出される排出物に含まれる一酸化炭素の容量比で表した測定値及び同排出物に含まれる炭化水素のノルマルヘキサン当量による容量比で表した測定値が、次の表の上欄に掲げる一般原動機付自転車の種別に応じ、それぞれ同表の一酸化炭素及び炭化水素の欄に掲げる値を超えないものであればよい。

一般原動機付自転車の種別	一酸化炭素	炭化水素
イ　二サイクルの原動機を有するもの	四・五パーセント	百万分の七千八百
ロ　四サイクルの原動機を有するもの	四・五パーセント	百万分の二千

5　ガソリンを燃料とする第二種原動機付自転車であって平成二十年八月三十一日以前に製作されたもの（第二項第二号に掲げる第二種原動機付自転車及び輸入された第二種原動機付自転車以外の第二種原動機付自転車であって平成十九年十月一日以降に施行規則第六十二条の三第一項の規定によりその型式について認定を受けた第二種原動機付自転車を除く。）は、細目告示第二百四十三条第一項第三号、第二百五十九条第一項及び第二百七十五条第一項の規定にかかわらず、原動機を無負荷運転している状態で発生し、排気管から大気中に排出される排出物に含まれる一酸化炭素の容量比で表した測定値及び同排出物に含まれる炭化水素のノルマルヘキサン当量による容量比で表した測定値が、次の表の上欄に掲げる一般原動機付自転車の種別に応じ、それぞれ同表の一酸化炭素及び炭化水素の欄に掲げる値を超えないものであればよい。

一般原動機付自転車の種別	一酸化炭素	炭化水素
イ　二サイクルの原動機を有するもの	四・五パーセント	百万分の七千八百
ロ　四サイクルの原動機を有するもの	四・五パーセント	百万分の二千

6　総排気量が〇・〇五〇リットル以下であって、最高速度が五十キロメートル毎時以下のガソリンを燃料とする第一種一般原動機付自転車以外の一般原動機付自転車（施行規則第六十二条の三第一項の規定によりその型式について認定を受けたものに限る。）であるもののうち、平成二十五年八月三十一日以前に製作されたもの（第二項から第四項まで掲げる一般原動機付自転車及び輸入された一般原動機付自転車以外の一般原動機付自転車であって平成二十四年十月一日以降に施行規則第六十二条の三第一項の規定によりその型式について認定を受けたものを除く。）及び平成二十五年九月一日以降に製作されたもののうち、輸入された一般原動機付自転車以外の一般原動機付自転車であって平成二十四年九月三十日以前に施行規則第六十二条の三第一項の規定によりその型式について認定を受けたものについては、細目告示第二百四十三条第一項第一号の規定にかかわらず、施行規則第六十二条の三第五項の検査の際、当該一般原動機付自転車を道路運送車両の保安基準の細目を定める告示の一部を改正する告示（平成二十二年国土交通省告示第千二百十三号）による改正前の細目告示別添四十四「二輪車モード排出ガスの測定方法」に規定する二輪車モード法により運行する場合に発生し、排気管から大気中に排出される排出物に含まれる一酸化炭素、炭化水素及び窒素酸化物の走行距離一キロメートル当たりの排出量をグラムで表した値（炭化水素にあっては炭素数当量による容量比で表した値をグラムに換算した値）の当該一般原動機付自転車及び当該一般原動機付自転車と同一の型式の一般原動機付自転車であって既に施行規則第六十二条の三第五項の検査を終了したすべてのものにおける平均値が、一酸化炭素については二・〇、炭化水素については〇・五〇、窒素酸化物については〇・一五を超えないものであればよい。

7　総排気量が〇・〇五〇リットル以下であって、最高速度が五十キロメートル毎時以下のガソリンを燃料とする第一種一般原動機付自転車以外の一般原動機付自転車であるもののうち、平成二十五年八月三十一日以前に製作されたもの（第二項、第五項及び第六項に掲げる一般原動機付自転車並びに輸入された一般原動機付自転車以外の一般原動機付自転車であって平成二十四年十月一日以降に施行規則第六十二条の三第一項の規定によりその型式について認定を受けたものを除く。）については、細目告示第二百四十三条第一項第三号の規定にかかわらず、道路運送車両の保安基準の細目を定める告示の一部を改正する告示（平成二十二年国土交通省告示第千二百十三号）による改正前の細目告示別添四十四「二輪車モード排出ガスの測定方法」に規定する運転条件により原動機を無負荷運転している状態で発生し、排気管から大気中に排出される排出物に含まれる一酸化炭素の容量比で表した測定値及び同排出物に含まれる炭化水素のノルマルヘキサン当量による容量比で表した測定値が、一酸化炭素については三・〇％、炭化水素については百万分の千六百を超えないものであればよい。

8　ガソリンを燃料とする一般原動機付自転車であって平成二十九年八月三十一日以前に製作されたもの（輸入された一般原動機付自転車以外の一般原動機付自転車であって平成二十八年十月一日以降に施行規則第六十二条の三第一項の規定によりその型式について認定を受けた一般原動機付自転車を除く。）については、保安基準第六十一条の三第五項並びに細目告示第二百四十三条第二項第二号及び同条第四項、第二百五十九条第二項第二号及び同条第四項及び第二百七十五条第二項第二号及び同条第四項の規定は、適用しない。

9　ガソリンを燃料とする一般原動機付自転車（施行規則第六十二条の三第一項の規定によりその型式について認定を受けたもの（細目告示第二百四十三条第一項第二号の一般原動機付自転車を除く。）に限る。）であって平成二十九年八月三十一日以前に製作されたもの（輸入された一般原動機付自転車以外の一般原動機付自転車であって平成二十八年十月一日以降に施行規則第六十二条の三第一項の規定によりその型式について認定を受けたものを除く。）は、細目告示第二百四十三条第一項第一号の規定にかかわらず、施行規則第六十二条の三第五項の検査の際、細目告示別添四十四「二輪車排出ガスの測定方法」に規定するＷＭＴＣモード法により運行する場合に発生し、排気管から大気中に排出される排出物に含まれる一酸化炭素、炭化水素及び窒素酸化物の走行距離一キロメートル当たりの排出量をグラムで表した値（炭化水素にあっては、炭素数当量による容量比で表した値をグラムに換算した値）が、一酸化炭素については二・二、炭化水素については〇・四五、窒素酸化物については〇・一六を超えないものであればよい。

10　ガソリンを燃料とする一般原動機付自転車（施行規則第六十二条の三第一項の規定によりその

型式について認定を受けたものを除く。）は、細目告示第二百五十九条第二項第二号の規定にかかわらず、一般原動機付自転車に備えるばい煙、悪臭のあるガス、有害なガス等の発散防止装置の機能に支障が生じたときにその旨を運転者に警報する装置を備えたものであればよい。なお、この場合にあっては、同告示第二百七十五条第二項第二号の規定を準用する。

11　ガソリンを燃料とする一般原動機付自転車（施行規則第六十二条の三第一項の規定によりその型式について認定を受けたものを除く。）は、細目告示第二百五十九条第四項の規定にかかわらず、炭化水素の排出を抑制する装置の取付けが確実であり、かつ、当該装置に損傷がなければよいものとする。

12　ガソリンを燃料とする一般原動機付自転車（施行規則第六十二条の三第一項の規定によりその型式について認定を受けたものに限る。）であって、細目告示第二百四十三条第一項第一号に定める一般原動機付自転車のうち、令和四年十月三十一日（第一種一般原動機付自転車については、令和七年十月三十一日）以前に製作されたもの（令和二年十二月一日以降に施行規則第六十二条の三第一項の規定によりその型式について認定を受けたものを除く。）にあっては、同号の規定にかかわらず、施行規則第六十二条の三第五項の検査の際、道路運送車両の保安基準の細目を定める告示等の一部を改正する告示（平成三十一年国土交通省告示第二百十二号）による改正前の細目告示第二百四十三条第一項第一号の基準に適合するものであればよい。

13　ガソリンを燃料とする一般原動機付自転車（施行規則第六十二条の三第一項の規定によりその型式について認定を受けたものに限る。）のうち、令和四年十月三十一日（第一種一般原動機付自転車にあっては、令和七年十月三十一日）以前に製作されたもの（令和二年十二月一日以降に施行規則第六十二条の三第一項の規定によりその型式について認定を受けたものを除く。）については、細目告示第二百四十三条第一項第三号の規定にかかわらず、道路運送車両の保安基準の細目を定める告示等の一部を改正する告示（平成三十一年国土交通省告示第二百十二号）による改正前の細目告示別添四十四「二輪車排出ガスの測定方法」に規定する運転条件によりアイドリング運転している状態で発生し、排気管から大気中に排出される排出物に含まれる一酸化炭素の容量比で表した測定値及び同排出物に含まれる炭化水素のノルマルヘキサン当量による容量比で表した測定値が、一酸化炭素については百分の三、炭化水素については百万分の千六百を超えないものであればよい。

14　ガソリンを燃料とする一般原動機付自転車のうち、令和四年十月三十一日（第一種一般原動機付自転車にあっては、令和七年十月三十一日）以前に製作されたもの（令和二年十二月一日以降に施行規則第六十二条の三第一項の規定によりその型式について認定を受けたものを除く。）については、細目告示第二百五十九条第一項及び細目告示第二百七十五条第一項の規定にかかわらず、原動機を無負荷運転している状態で発生し、排気管から大気中に排出される排出物に含まれる一酸化炭素の容量比で表した測定値（暖機状態の一般原動機付自転車の排気管内にプローブ（一酸化炭素又は炭化水素の測定器の排出ガス採取部）を六十センチメートル程度挿入して測定するものとする。ただしプローブを六十センチメートル程度挿入して測定することが困難な一般原動機付自転車については、外気の混入を防止する措置を講じて測定するものとする。）及び同排出物に含まれる炭化水素のノルマルヘキサン当量による容量比で表した測定値が、一酸化炭素については百分の三、炭化水素については百万分の千六百を超えないものであればよい。

15　ガソリンを燃料とする一般原動機付自転車のうち、令和四年十月三十一日（第一種一般原動機付自転車にあっては、令和七年十月三十一日）以前に製作されたもの（令和二年十二月一日以降に施行規則第六十二条の三第一項の規定によりその型式について認定を受けたものを除く。）については、細目告示第二百四十三条第四項及び第二百五十九条第四項の規定にかかわらず、道路運送車両の保安基準の細目を定める告示等の一部を改正する告示（平成三十一年国土交通省告示第二百十二号）による改正前の細目告示第二百四十三条第四項及び第二百五十九条第四項の規定に適合するものであればよい。

16　ガソリンを燃料とする第一種一般原動機付自転車については、当分の間、道路運送車両の保安基準の細目を定める告示及び道路運送車両の保安基準第二章及び第三章の規定の適用関係の整理のため必要な事項を定める告示の一部を改正する告示（令和元年国土交通省告示第五百八十九号）による改正前の細目告示別添百十五の規定に適合するものであればよい。

17　ガソリンを燃料とする第二種原動機付自転車のうち、令和四年十月三十一日以前に製作されたもの（令和二年十二月一日以降に施行規則第六十二条の三第一項の規定によりその型式について認定を受けたものを除く。）については、細目告示別添百十五の規定にかかわらず、道路運送車両の保安基準の細目を定める告示及び道路運送車両の保安基準第二章及び第三章の規定の適用関係の整理のため必要な事項を定める告示の一部を改正する告示（令和元年国土交通省告示第五百八十九号）による改正前の細目告示別添百十五の規定に適合するものであればよい。

18　ガソリンを燃料とする第二種原動機付自転車については、当分の間、細目告示別添百十五「二輪車のばい煙、悪臭のあるガス、有害なガス等の発散防止装置に係る車載式故障診断装置の技術基準」Ⅲ・2・3・4・1・の規定は適用しない。

19　ガソリンを燃料とする第二種原動機付自転車のうち、令和九年十月三十一日以前に製作されたもの（令和七年十二月一日以降に施行規則第六十二条の三第一項の規定によりその型式について認定を受けたものを除く。）については、細目告示別添百十五「二輪車のばい煙、悪臭のあるガス、有害なガス等の発散防止装置に係る車載式故障診断装置の技術基準」Ⅲ・2・5・の規定は、次の表の上欄に掲げる字句を同表下欄に掲げる字句に読み替えて適用する。

読み替えられる字句	読み替える字句
2.5.　ＯＢＤ閾値 ＯＢＤ閾値は、ＣＯについては1.900g／km、ＮＭＨＣについては、0.300g／km、ＰＭについては、0.050g／kmとする。	2.5.　ＯＢＤ閾値 ＯＢＤ閾値は、次に掲げるとおりとする。 (a)　総排気量が0.050リットルを超え0.125リットル以下であり、かつ、最高速度が50km／h以下の原動機付自転車及び総排気量が0.125リットル以下であり、かつ、最高速度が50km／hを超え130km／h未満の原動機付自転車にあっては、ＣＯについては2.170g／km、ＴＨＣについては1.400g／km、ＮＯxについては、0.350g／kmとする。 (b)　総排気量が0.125リットル以下であり、かつ、最高速度が130km／h以上の原動機付自転車にあっては、ＣＯについては2.170g／km、ＴＨＣについては0.630g／km、ＮＯxについては、0.450g／kmとする。

20　ガソリンを燃料とする一般原動機付自転車（最高速度五十キロメートル毎時以下の第一種一般原動機付自転車を除く。）であって、次に掲げる一般原動機付自転車については、別添四十四の規定にかかわらず、道路運送車両の保安基準の細目を定める告示等の一部を改正する告示（令和四年国土交通省告示第千四十号）による改正前の細目告示別添四十四の規定に適合するものであればよい。

一　令和七年十一月三十日以前に製作された一般原動機付自転車

二　令和七年十二月一日以降に製作された一般原動機付自転車であって、次に掲げるもの

イ　令和七年十一月三十日以前に施行規則第六十二条の三第一項の規定によりその型式について認定を受けた一般原動機付自転車

ロ　令和七年十二月一日以降に施行規則第六十二条の三第一項の規定によりその型式について新たに認定を受けた一般原動機付自転車であって、同年十一月三十日以前に同項の規定によりその型式について認定を受けた一般原動機付自転車とばい煙、悪臭のあるガス、有害なガス等の発散防止装置に係る性能が同一であるもの

（前照灯）

第六四条　平成十年三月三十一日以前に製作された一般原動機付自転車（輸入された一般原動機付自転車以外の一般原動機付自転車であって平成九年十月一日以降に施行規則第六十二条の三第一項の規定によりその型式について認定を受けた一般原動機付自転車を除く。）については、保安基準第六十二条第二項及び第三項の規定並びに細目告示第二百四十四条、第二百六十条及び第二百七十六条の規定にかかわらず、次の基準に適合するものであればよい。

一　前照灯は、夜間前方十五メートル（最高速度二十キロメートル毎時以上の第二種原動機付自転車に備えるものにあっては、五十メートル）の距離にある交通上の障害物を確認できる性能を有すること。

二　前照灯の照射光線は、一般原動機付自転車の進行方向を正射し、その主光軸は、下向きであること。

三　前照灯の灯光の色は、白色又は淡黄色であること。

四　前照灯の取付位置は、地上一メートル以下であること。

五　光度が一万カンデラ以上の前照灯にあっては、減光し又は照射方向を下向きに変換することができる構造であること。

2　昭和三十五年九月三十日以前に製作された一般原動機付自転車については、前項第一号かっこ書の規定は、適用しない。

3　昭和三十五年九月三十日以前に製作された一般原動機付自転車については、第一項第四号の規定は、同号中「取付位置は、地上一メートル以下であること。」とあるのを「照射光線の主光軸は、前方十五メートルにおける地面からの高さが一メートルをこえないこと。」と、同項第五号の規定は、同号中「光度が一万カンデラ以上の」とあるのを「光源が二十五ワットをこえる」と読み替えて適用する。

4　令和七年六月十四日以前に製作された第一種一般原動機付自転車及び令和二年六月十四日以前に製作された第二種原動機付自転車については、細目告示第二百四十四条第一項、第二百六十条第一項及び第二百七十六条第一項の規定にかかわらず、道路運送車両の保安基準の細目を定める告示の一部を改正する告示（平成二十七年国土交通省告示第七百二十三号）による改正前の細目告示第二百四十四条第一項、第二百六十条第一項及び第二百七十六条第一項の規定に適合するものであればよい。

5　保安基準第六十二条が適用される一般原動機付自転車（二輪の一般原動機付自転車にあっては令和十二年八月三十一日以前に製作されたものに限る。）は、当分の間、細目告示第二百四十四条第一項、別添五十二4・1・2・及び4・2・2・並びに別添五十三5・1・4・及び5・1・5・6・の規定にかかわらず、道路運送車両の保安基準の細目を定める告示等の一部を改正する告示（令和元年国土交通省告示第七百十四号）による改正前の細目告示第二百四十四条第一項、別添五十二4・1・2・及び4・2・2・並びに別添五十三5・1・4・及び5・1・5・6・の規定に適合するものであればよい。

6　次に掲げる一般原動機付自転車については、細目告示第二百四十四条第三項、第二百六十条第二項、第二百七十六条第二項及び別添五十三の規定にかかわらず、道路運送車両の保安基準の細目を定める告示等の一部を改正する告示（令和二年国土交通省告示第千二十一号）による改正前の細目告示第二百四十四条第二項、第二百六十条第二項、第二百七十六条第二項及び別添五十三の規定に適合するものであればよい。

一　令和七年六月十四日以前に製作された二輪の第一種一般原動機付自転車

二　令和五年八月三十一日以前に製作された第二種原動機付自転車

三　令和七年六月十五日から令和十二年八月三十一日までに製作された二輪の第一種一般原動機付自転車であって、令和七年六月十四日以前に施行規則第六十二条の三第一項の規定によりその型式について認定を受けたもの

四　令和五年九月一日から令和十二年八月三十一日までに製作された第二種原動機付自転車であって、令和五年八月三十一日以前に施行規則第六十二条の三第一項の規定によりその型式について認定を受けたもの

7　次に掲げる一般原動機付自転車については、細目告示第二百四十四条第一項、別添五十二4・1・2・及び4・2・2・並びに別添五十三5・1・4・及び5・1・5・6・の規定にかかわらず、道路運送車両の保安基準の細目を定める告示等の一部を改正する告示（令和五年国土交通省告示第一号）による改正前の細目告示第二百四十四条第一項、別添五十二4・1・2・及び4・2・2・並びに別添五十三5・1・4・及び5・1・5・6・の規定（以下この項において「旧規定」という。）に適合するものであればよい。この場合において、旧規定中「協定規則第149号」とあるのは「協定規則第149号補足第5改訂版」と読み替えることができる。

一　令和八年八月三十一日以前に製作された一般原動機付自転車

二　令和八年九月一日から令和十二年八月三十一日までに製作された一般原動機付自転車であって、次に掲げるもの

イ　令和八年八月三十一日以前に施行規則第六十二条の三第一項の規定によりその型式について認定を受けたもの

ロ　令和八年八月三十一日以前に施行規則第六十二条の三第一項の規定によりその型式について認定を受けた一般原動機付自転車と前照灯の型式が同一であるもの

8　次に掲げる二輪の一般原動機付自転車については、細目告示第二百四十四条第三項及び第四項の規定中「協定規則第53号」とあるのは、「協定規則第53号第3改訂版補足第4改訂版」と読み替えることができる。

一　令和十年八月三十一日（輸入された二輪の一般原動機付自転車にあっては令和十二年八月三十一日）以前に製作された二輪の一般原動機付自転車

二　令和十年九月一日から令和十二年八月三十一日までに製作された二輪の一般原動機付自転車であって、令和十年八月三十一日以前に施行規則第六十二条の三第一項の規定によりその型式

について認定を受けた一般原動機付自転車と前照灯、前部霧灯、車幅灯、昼間走行灯及び車室外乗降支援灯の性能、取付位置及び取付方法に変更がないもの

（番号灯）

第六五条　昭和三十九年十月十四日以前に製作された一般原動機付自転車については、保安基準第六十二条の二の規定並びに細目告示第二百四十五条、第二百六十一条及び第二百七十七条の規定は、適用しない。

2　令和七年六月十四日以前に製作された第一種一般原動機付自転車及び令和二年六月十四日以前に製作された第二種原動機付自転車については、細目告示第二百四十五条第一項の規定にかかわらず、道路運送車両の保安基準の細目を定める告示の一部を改正する告示（平成二十七年国土交通省告示第七百二十三号）による改正前の細目告示第二百四十五条第一項の規定に適合するものであればよい。

3　保安基準第六十二条の二が適用される一般原動機付自転車は、当分の間、細目告示第二百四十五条第一項及び別添五十二4・10・2・の規定にかかわらず、道路運送車両の保安基準の細目を定める告示等の一部を改正する告示（令和元年国土交通省告示第七百十四号）による改正前の細目告示第二百四十五条第一項及び別添五十二4・10・2・の規定に適合するものであればよい。

4　次に掲げる一般原動機付自転車については、細目告示第二百四十五条第三項及び別添五十三の規定にかかわらず、道路運送車両の保安基準の細目を定める告示等の一部を改正する告示（令和二年国土交通省告示第千二十一号）による改正前の細目告示第二百四十五条第二項及び別添五十三の規定に適合するものであればよい。

一　令和七年六月十四日以前に製作された二輪の第一種一般原動機付自転車

二　令和五年八月三十一日以前に製作された第二種原動機付自転車

三　令和七年六月十五日から令和十二年八月三十一日までに製作された二輪の第一種一般原動機付自転車であって、令和七年六月十四日以前に施行規則第六十二条の三第一項の規定によりその型式について認定を受けたもの

四　令和五年九月一日から令和十二年八月三十一日までに製作された第二種原動機付自転車であって、令和五年八月三十一日以前に施行規則第六十二条の三第一項の規定によりその型式について認定を受けたもの

5　次に掲げる一般原動機付自転車については、細目告示第二百四十五条第一項及び別添五十二4・10・2・の規定にかかわらず、道路運送車両の保安基準の細目を定める告示等の一部を改正する告示（令和五年国土交通省告示第一号）による改正前の細目告示第二百四十五条第一項及び別添五十二4・10・2・の規定（以下この項において「旧規定」という。）に適合するものであればよい。この場合において、旧規定中「協定規則第148号」とあるのは「協定規則第148号補足第4改訂版」と読み替えることができる。

一　令和八年八月三十一日以前に製作された一般原動機付自転車

二　令和八年九月一日以降に製作された一般原動機付自転車であって、同年八月三十一日以前に施行規則第六十二条の三第一項の規定によりその型式について認定を受けたもの

三　令和八年九月一日以降に施行規則第六十二条の三第一項の規定によりその型式について認定を受けた一般原動機付自転車であって、同年八月三十一日以前に同項の規定によりその型式について認定を受けた一般原動機付自転車と番号灯の型式が同一であるもの

6　次に掲げる二輪の一般原動機付自転車については、細目告示第二百四十五条第三項の規定中「協定規則第53号」とあるのは、「協定規則第53号第３改訂版補足第４改訂版」と読み替えることができる。

一　令和十年八月三十一日（輸入された二輪の一般原動機付自転車にあっては令和十二年八月三十一日）以前に製作された二輪の一般原動機付自転車

二　令和十年九月一日から令和十二年八月三十一日までに製作された二輪の一般原動機付自転車であって、令和十年八月三十一日以前に施行規則第六十二条の三第一項の規定によりその型式について認定を受けた一般原動機付自転車と番号灯の性能、取付位置及び取付方法に変更がないもの

（尾灯）

第六六条　平成十七年十二月三十一日以前に製作された一般原動機付自転車については、保安基準第六十二条の三の規定並びに細目告示第二百四十六条、第二百六十二条及び第二百七十八条の規定にかかわらず、次の基準に適合するものであればよい。

一　一般原動機付自転車（最高速度二十キロメートル毎時未満のものを除く。）の後面には、第二号及び第三号に適合する尾灯を備えなければならない。

二　尾灯は次の基準に適合するものでなければならない。

イ　尾灯は、夜間にその後方百五十メートルの距離から点灯を確認できるものであること。

ロ　尾灯の灯光の色は、赤色であること。

三　尾灯は前号に掲げる性能を損なわないように、かつ、次の基準に適合するように取り付けなければならない。

イ　尾灯は、運転者席において消灯できない構造又は前照灯、前部霧灯若しくは車幅灯のいずれかが点灯している場合に消灯できない構造であること。ただし、道路交通法第五十二条第一項の規定により前照灯を点灯しなければならない場合以外の場合において、前照灯又は前部霧灯を点灯させる場合に尾灯が点灯しない装置を備えることができる。

ロ　尾灯は、その照明部の中心が地上二メートル以下となるように取り付けられていること。ただし、座席の地上面からの高さが五百ミリメートル未満の一般原動機付自転車（次に掲げるものを除く。）に備える尾灯のうち最上部にあるものは、その照明部の中心が地上一メートル以上、二メートル以下となるように取り付けられていること。

(1)　またがり式の座席を有する一般原動機付自転車

(2)　二輪の一般原動機付自転車

ハ　後面の両側に備えられる尾灯にあっては、最外側にあるものの照明部の最外縁は、一般原動機付自転車の最外側から四百ミリメートル以内となるように取り付けられていること。

ニ　後面に備える尾灯は、車両中心に対して左右対称に取り付けられたものであること（後面が左右対称でない一般原動機付自転車の尾灯を除く。）。

2　昭和四十八年十一月三十日以前に製作された一般原動機付自転車については、前項第三号イの規定にかかわらず、方向指示器と兼用の後面の両側に備える尾灯は、方向指示器を作動させている場合においては、方向の指示をしている側のものが消灯する構造とすることができる。

3　昭和三十九年十二月三十一日以前に製作された一般原動機付自転車については、保安基準第六十二条の三の規定並びに細目告示第二百四十六条、第二百六十二条及び第二百七十八条の規定にかかわらず、次の基準に適合するものであればよい。

一　一般原動機付自転車の後面には、尾灯を備えることができる。

二　尾灯は、夜間後方百五十メートルの距離から点灯を確認できるものであること。

三　尾灯の灯光の色は、赤色であること。

四　尾灯の取付位置は、地上二メートル以下であること。ただし、座席の地上面からの高さが五百ミリメートル未満の一般原動機付自転車（次に掲げるものを除く。）に備える尾灯のうち最上部にあるものは、その照明部の中心が地上一メートル以上、二メートル以下となるように取り付けられていること。

(1)　またがり式の座席を有する一般原動機付自転車

(2)　二輪の一般原動機付自転車

五　後面の両側に備える尾灯にあっては、一般原動機付自転車の幅の五十パーセント以上の間隔を有するものであること。

六　後面の両側に備える尾灯は、車両中心線に対して対象の位置に取り付けられたものであること。（後面が左右対称でない一般原動機付自転車の尾灯を除く。）

4　平成十七年十二月三十一日以前に製作された一般原動機付自転車については、細目告示第二百六十二条第一項第一号及び第二百七十八条第一項第一号中「５Ｗ以上30Ｗ以下」を「５Ｗ以上」と読み替えることができる。

5　令和七年六月十四日以前に製作された第一種一般原動機付自転車及び令和二年六月十四日以前に製作された第二種原動機付自転車については、細目告示第二百四十六条第一項、第二百六十二条第一項及び第二百七十八条第一項の規定にかかわらず、道路運送車両の保安基準の細目を定める告示の一部を改正する告示（平成二十七年国土交通省告示第七百二十三号）による改正前の細目告示第二百四十六条第一項、第二百六十二条第一項及び第二百七十八条第一項の規定に適合するものであればよい。

6　保安基準第六十二条の三が適用される一般原動機付自転車は、当分の間、細目告示第二百四十六条第一項並びに別添五十二４・12・２・及び４・12・８・の規定にかかわらず、道路運送車両の保安基準の細目を定める告示等の一部を改正する告示（令和元年国土交通省告示第七百十四号）による改正前の細目告示第二百四十六条第一項並びに別添五十二４・12・２・及び４・12・８・の規定に適合するものであればよい。

7　次に掲げる一般原動機付自転車については、細目告示第二百四十六条第三項及び別添五十三の規定にかかわらず、道路運送車両の保安基準の細目を定める告示等の一部を改正する告示（令和二年国土交通省告示第千二十一号）による改正前の細目告示第二百四十六条第二項及び別添五十三の規定に適合するものであればよい。

一　令和七年六月十四日以前に製作された二輪の第一種一般原動機付自転車

二　令和五年八月三十一日以前に製作された第二種原動機付自転車

三　令和七年六月十五日から令和十二年八月三十一日までに製作された二輪の第一種一般原動機付自転車であって、令和七年六月十四日以前に施行規則第六十二条の三第一項の規定によりその型式について認定を受けたもの

四　令和五年九月一日から令和十二年八月三十一日までに製作された第二種原動機付自転車であって、令和五年八月三十一日以前に施行規則第六十二条の三第一項の規定によりその型式について認定を受けたもの

8　次に掲げる一般原動機付自転車については、細目告示第二百四十六条第一項並びに別添五十二４・12・２・及び４・12・８・の規定にかかわらず、道路運送車両の保安基準の細目を定める告示等の一部を改正する告示（令和五年国土交通省告示第一号）による改正前の細目告示第二百四十六条第一項並びに別添五十二４・12・２・及び４・12・８・の規定（以下この項において「旧規定」という。）に適合するものであればよい。この場合において、旧規定中「協定規則第148号」とあるのは「協定規則第148号補足第４改訂版」と読み替えることができる。

一　令和八年八月三十一日以前に製作された一般原動機付自転車

二　令和八年九月一日以降に製作された一般原動機付自転車であって、同年八月三十一日以前に施行規則第六十二条の三第一項の規定によりその型式について認定を受けたもの

三　令和八年九月一日以降に施行規則第六十二条の三第一項の規定によりその型式について認定を受けた一般原動機付自転車であって、同年八月三十一日以前に同項の規定によりその型式について認定を受けた一般原動機付自転車と尾灯の型式が同一であるもの

9　次に掲げる二輪の一般原動機付自転車については、細目告示第二百四十六条第三項及び第四項の規定中「協定規則第53号」とあるのは、「協定規則第53号第３改訂版補足第４改訂版」と読み替えることができる。

一　令和十年八月三十一日（輸入された二輪の一般原動機付自転車にあっては令和十二年八月三十一日）以前に製作された二輪の一般原動機付自転車

二　令和十年九月一日から令和十二年八月三十一日までに製作された二輪の一般原動機付自転車であって、令和十年八月三十一日以前に施行規則第六十二条の三第一項の規定によりその型式について認定を受けた一般原動機付自転車と尾灯及び後部霧灯の性能、取付位置及び取付方法に変更がないもの

（制動灯）

第六七条　平成十七年十二月三十一日以前に製作された一般原動機付自転車については、保安基準第六十二条の四第二項及び第三項の規定並びに細目告示第二百四十七条、第二百六十三条及び第二百七十九条の規定にかかわらず、次の基準に適合するものであればよい。

一　制動灯は、昼間後方三十メートルの距離から点灯を確認できるものであること。

二　制動灯は、主制動装置（一般原動機付自転車と付随車とを連結した場合においては、当該一般原動機付自転車又は付随車の主制動装置。以下同じ。）又は補助制動装置（リターダ、排気ブレーキその他主制動装置を補助し、走行中の一般原動機付自転車を減速するための制動装置をいう。）を操作している場合にのみ点灯する構造であること。ただし、空車状態の一般原動機付自転車について乾燥した平坦な舗装路面において八十キロメートル毎時（最高速度が八十キロメートル毎時未満の一般原動機付自転車にあっては、その最高速度）から減速した場合の減速能力が二・二メートル毎秒以下である補助制動装置にあっては、操作中に制動灯が点灯しない構造とすることができる。

三　尾灯と兼用の制動灯は、前号の規定にかかわらず、主制動装置又は補助制動装置を操作している場合にのみその光度が三倍以上に増加する構造であること。ただし、前号ただし書の補助制動装置にあっては、その操作中に当該制動灯の光度を増加しない構造とすることができる。

四　制動灯の灯光の色は、赤色であること。

五　制動灯は、その照明部の中心が地上二メートル以下となるように取り付けられていること。

六　制動灯は後方十メートルの距離における地上二・五メートルまでのすべての位置からその照明部を見通すことができるように取り付けられたものであること。

七　後面の両側に備える制動灯にあっては、最外側にあるものの照明部の最外縁は、一般原動機付自転車の最外側から四百ミリメートル以内となるように取り付けられていること。

八　後面の両側に備える制動灯は、車両中心線に対して対称の位置に取り付けられたものであること（後面が左右対称でない一般原動機付自転車の制動灯を除く。）。

2　昭和三十九年十月十五日から昭和四十八年十一月三十日までに製作された一般原動機付自転車

については、前項第二号の規定にかかわらず、方向指示器と兼用の後面の両側に備える制動灯は、主制動装置を操作している場合に方向の指示をしていない側においてのみ点灯する構造とすることができる。

3　前項の一般原動機付自転車については、第一項第四号の規定にかかわらず、制動灯の灯光の色は、赤色又は橙色とすることができる。

4　昭和三十九年十月十四日以前に製作された一般原動機付自転車については、保安基準第六十二条の四の規定並びに細目告示第二百四十七条、第二百六十三条及び第二百七十九条の規定は、適用しない。

5　平成十七年十二月三十一日以前に製作された一般原動機付自転車については、細目告示第二百六十三条第一項第一号及び第二百七十九条第一項第一号中「15W以上60W以下」を「15W以上」と読み替えることができる。

6　令和七年六月十四日以前に製作された第一種一般原動機付自転車及び令和二年六月十四日以前に製作された第二種原動機付自転車については、細目告示第二百四十七条第一項、第二百六十三条第一項及び第二百七十九条第一項の規定にかかわらず、道路運送車両の保安基準の細目を定める告示の一部を改正する告示（平成二十七年国土交通省告示第七百二十三号）による改正前の細目告示第二百四十七条第一項、第二百六十三条第一項及び第二百七十九条第一項の規定に適合するものであればよい。

7　保安基準第六十二条の四が適用される一般原動機付自転車は、当分の間、細目告示第二百四十七条第一項並びに別添五十二4・9・2・及び4・9・7・1・の規定にかかわらず、道路運送車両の保安基準の細目を定める告示等の一部を改正する告示（令和元年国土交通省告示第七百十四号）による改正前の細目告示第二百四十七条第一項並びに別添五十二4・9・2・及び4・9・7・1・の規定に適合するものであればよい。

8　次に掲げる一般原動機付自転車については、細目告示第二百四十七条第三項及び別添五十三の規定にかかわらず、道路運送車両の保安基準の細目を定める告示等の一部を改正する告示（令和二年国土交通省告示第千二十一号）による改正前の細目告示第二百四十七条第二項及び別添五十三の規定に適合するものであればよい。

一　令和七年六月十四日以前に製作された二輪の第一種一般原動機付自転車

二　令和五年八月三十一日以前に製作された第二種原動機付自転車

三　令和七年六月十五日から令和十二年八月三十一日までに製作された二輪の第一種一般原動機付自転車であって、令和七年六月十四日以前に施行規則第六十二条の三第一項の規定によりその型式について認定を受けたもの

四　令和五年九月一日から令和十二年八月三十一日までに製作された第二種原動機付自転車であって、令和五年八月三十一日以前に施行規則第六十二条の三第一項の規定によりその型式について認定を受けたもの

9　次に掲げる一般原動機付自転車については、細目告示第二百四十七条第一項並びに別添五十二4・9・2・及び4・9・7・1・の規定にかかわらず、道路運送車両の保安基準の細目を定める告示等の一部を改正する告示（令和五年国土交通省告示第一号）による改正前の細目告示第二百四十七条第一項並びに別添五十二4・9・2・及び4・9・7・1・の規定（以下この項において「旧規定」という。）に適合するものであればよい。この場合において、旧規定中「協定規則第148号」とあるのは「協定規則第148号補足第4改訂版」と読み替えることができる。

一　令和八年八月三十一日以前に製作された一般原動機付自転車

二　令和八年九月一日以降に製作された一般原動機付自転車であって、同年八月三十一日以前に施行規則第六十二条の三第一項の規定によりその型式について認定を受けたもの

三　令和八年九月一日以降に施行規則第六十二条の三第一項の規定によりその型式について認定を受けた一般原動機付自転車であって、同年八月三十一日以前に同項の規定によりその型式について認定を受けた一般原動機付自転車と制動灯の型式が同一であるもの

10　次に掲げる二輪の一般原動機付自転車については、細目告示第二百四十七条第三項の規定中「協定規則第53号」とあるのは、「協定規則第53号第3改訂版補足第4改訂版」と読み替えることができる。

一　令和十年八月三十一日（輸入された二輪の一般原動機付自転車にあっては令和十二年八月三十一日）以前に製作された二輪の一般原動機付自転車

二　令和十年九月一日から令和十二年八月三十一日までに製作された二輪の一般原動機付自転車であって、令和十年八月三十一日以前に施行規則第六十二条の三第一項の規定によりその型式について認定を受けた一般原動機付自転車と制動灯の性能、取付位置及び取付方法に変更がないもの

（後部反射器）

第六十七条の二　令和七年六月十四日以前に製作された第一種一般原動機付自転車及び令和二年六月十四日以前に製作された第二種原動機付自転車については、細目告示第二百四十八条の規定にかかわらず、道路運送車両の保安基準の細目を定める告示の一部を改正する告示（平成二十八年国土交通省告示第二百二十六号）による改正前の細目告示第二百四十八条の規定に適合するものであればよい。

2　保安基準第六十三条の規定が適用される一般原動機付自転車は、当分の間、細目告示第二百四十八条第一項並びに別添五十二4・16・2・及び4・17・2・の規定にかかわらず、道路運送車両の保安基準の細目を定める告示等の一部を改正する告示（令和二年国土交通省告示第千二十一号）による改正前の細目告示第二百四十八条第一項並びに別添五十二4・16・2・及び4・17・2・の規定に適合するものであればよい。

3　次に掲げる一般原動機付自転車については、細目告示第二百四十八条第三項及び別添五十三の規定にかかわらず、道路運送車両の保安基準の細目を定める告示等の一部を改正する告示（令和二年国土交通省告示第千二十一号）による改正前の細目告示第二百四十八条第二項及び別添五十三の規定に適合するものであればよい。

一　令和七年六月十四日以前に製作された二輪の第一種一般原動機付自転車

二　令和五年八月三十一日以前に製作された第二種原動機付自転車

三　令和七年六月十五日から令和十二年八月三十一日までに製作された二輪の第一種一般原動機付自転車であって、令和七年六月十四日以前に施行規則第六十二条の三第一項の規定によりその型式について認定を受けたもの

四　令和五年九月一日から令和十二年八月三十一日までに製作された第二種原動機付自転車であって、令和五年八月三十一日以前に施行規則第六十二条の三第一項の規定によりその型式について認定を受けたもの

4　次に掲げる原動機付自転車については、細目告示第二百四十八条第一項並びに別添五十二4・16・2・及び4・17・2・の規定にかかわらず、道路運送車両の保安基準の細目を定める告示等の一部を改正する告示（令和五年国土交通省告示第一号）による改正前の細目告示第二百四十八条第一項並びに別添五十二4・16・2・及び4・17・2・の規定（以下この項において「旧規

定」という。）に適合するものであればよい。この場合において旧規定中「協定規則第150号」とあるのは「協定規則第150号補足第４改訂版」と読み替えることができる。

一　令和八年八月三十一日以前に製作された原動機付自転車

二　令和八年九月一日以降に製作された原動機付自転車であって、同年八月三十一日以前に施行規則第六十二条の三第一項の規定によりその型式について認定を受けたもの

三　令和八年九月一日以降に施行規則第六十二条の三第一項の規定によりその型式について認定を受けた原動機付自転車であって、同年八月三十一日以前に同項の規定によりその型式について認定を受けた原動機付自転車と後部反射器の型式が同一であるもの

5　次に掲げる二輪の一般原動機付自転車については、細目告示第二百四十八条第三項及び第四項の規定中「協定規則第53号」とあるのは、「協定規則第53号第３改訂版補足第４改訂版」と読み替えることができる。

一　令和十年八月三十一日（輸入された二輪の一般原動機付自転車にあっては令和十二年八月三十一日）以前に製作された二輪の一般原動機付自転車

二　令和十年九月一日から令和十二年八月三十一日までに製作された二輪の一般原動機付自転車であって、令和十年八月三十一日以前に施行規則第六十二条の三第一項の規定によりその型式について認定を受けた一般原動機付自転車と後部反射器及び側方反射器の性能、取付位置及び取付方法に変更がないもの

第六八条　削除

（警音器）

第六九条　平成十五年十二月三十一日以前に製作された一般原動機付自転車については、保安基準第六十四条の規定並びに細目告示第二百五十条、第二百六十六条及び第二百八十二条の規定にかかわらず、次の基準に適合するものであればよい。

一　一般原動機付自転車（付随車を除く。）には、警音器を備えなければならない。

二　警音器は、次の基準に適合するものでなければならない。

イ　警音器の音の大きさ（二以上の警音器が連動して音を発する場合は、その和）は、一般原動機付自転車の前方二メートルの位置において百十五デシベル以下九十デシベル以上（最高速度二十キロメートル毎時未満の一般原動機付自転車に備える警音器にあっては、百十五デシベル以下の適当な大きさ）であること。

ロ　警音器の音は、連続するものであり、かつ、音の大きさ及び音色が一定なものであること。

ハ　警音器は、サイレン又は鐘でないこと。

三　一般原動機付自転車には、車外に音を発する装置であって警音器と紛らわしいものを備えてはならない。ただし、歩行者の通行その他の交通の危険を防止するため一般原動機付自転車が右左折、進路の変更若しくは後退するときにその旨を歩行者等に警報するブザその他の装置又は盗難、車内における事故その他の緊急事態が発生した旨を通報するブザその他の装置については、この限りでない。

2　昭和四十八年十一月三十日以前に製作された一般原動機付自転車については、保安基準第六十四条第二項及び第三項の規定並びに細目告示第二百五十条、第二百六十六条及び第二百八十二条の規定にかかわらず、警音器は、適当な音響を発するものであればよい。

第七〇条　削除

（消音器）

第七一条　昭和五十一年八月三十一日以前に製作された一般原動機付自転車であって次の表の上欄に掲げるもの（同年一月一日以降に施行規則第六十二条の三第一項の規定によりその型式について認定を受けた一般原動機付自転車を除く。）については、細目告示第二百五十二条第一項第二号の規定にかかわらず、第五項、第六項又は第八項の規定によるほか、施行規則第六十二条の三第五項の検査の際、同告示別添三十九「定常走行騒音の測定方法」に定める方法により測定した定常走行騒音及び同告示別添四十「加速走行騒音の測定方法」に定める方法により測定した加速走行騒音をデシベルで表した値がそれぞれ次の表の騒音の大きさに掲げる数値を超えない構造であればよい。

一般原動機付自転車の種別	騒音の大きさ	
	定常走行騒音	加速走行騒音
第一種一般原動機付自転車	七十	八十
第二種原動機付自転車	八十	八十二

2　昭和五十五年二月二十九日（輸入された一般原動機付自転車にあっては、昭和五十六年三月三十一日）以前に製作された一般原動機付自転車（前項の一般原動機付自転車及び輸入された一般原動機付自転車以外の一般原動機付自転車であって、昭和五十四年四月一日以降に、施行規則第六十二条の三第一項の規定によりその型式について認定を受けた一般原動機付自転車を除く。）については、細目告示第二百五十二条第一項第二号の規定にかかわらず、第五項、第六項又は第八項の規定によるほか、施行規則第六十二条の三第五項の検査の際、同告示別添三十九「定常走行騒音の測定方法」に定める方法により測定した定常走行騒音及び同告示別添四十「加速走行騒音の測定方法」に定める方法により測定した加速走行騒音をデシベルで表した値がそれぞれ次に掲げる数値を超えない構造であればよい。

一　定常走行騒音　七十デシベル

二　加速走行騒音　七十九デシベル

3　昭和六十年二月二十八日（輸入された一般原動機付自転車にあっては、昭和六十一年三月三十一日）以前に製作された一般原動機付自転車（前二項の一般原動機付自転車及び輸入された一般原動機付自転車以外の一般原動機付自転車であって、昭和五十九年四月一日以降に、施行規則第六十二条の三第一項の規定によりその型式について認定を受けた一般原動機付自転車を除く。）については、細目告示第二百五十二条第一項第二号の規定にかかわらず、第五項、第六項又は第八項の規定によるほか、施行規則第六十二条の三第五項の検査の際、同告示別添三十九「定常走行騒音の測定方法」に定める方法により測定した定常走行騒音及び同告示別添四十「加速走行騒音の測定方法」に定める方法により測定した加速走行騒音をデシベルで表した値がそれぞれ次に掲げる数値を超えない構造であればよい。

一　定常走行騒音　七十デシベル

二　加速走行騒音　七十五デシベル

4　昭和六十二年八月三十一日（輸入された第二種原動機付自転車にあっては、昭和六十三年三月三十一日）以前に製作された第二種原動機付自転車（前三項の第二種原動機付自転車及び輸入された第二種原動機付自転車以外の第二種原動機付自転車であって、昭和六十一年十月一日以降に、施行規則第六十二条の三第一項の規定によりその型式について認定を受けた第二種原動機付自転車を除く。）については、細目告示第二百五十二条第一項第二号の規定にかかわらず、次項又は第八項の規定によるほか、施行規則第六十二条の三第五項の検査の際、同告示別添三十九「定常

走行騒音の測定方法」に定める方法により測定した定常走行騒音及び同告示別添四十「加速走行騒音の測定方法」に定める方法により測定した加速走行騒音をデシベルで表した値がそれぞれ次に掲げる数値を超えない構造であればよい。

一　定常走行騒音　七十デシベル

二　加速走行騒音　七十五デシベル

5　次の表の上欄に掲げる区分に応じ同表の下欄に掲げる日以前に製作された一般原動機付自転車については、細目告示第二百五十二条第一項、第二百六十八条第一項及び第二百八十四条第一項の規定にかかわらず、同告示別添三十九「定常走行騒音の測定方法」に定める方法により測定した定常走行騒音及び排気騒音をデシベルで表した値がそれぞれ八十五デシベルを超えないように、消音器等適当な消音装置を備えればよい。

施行規則第六十二条の三第一項の規定によりその型式について認定を受けた一般原動機付自転車	昭和四十六年三月三十一日（同日以前に施行規則第六十二条の三第一項の規定によりその型式について認定を受けた一般原動機付自転車にあっては、同年十二月三十一日）
前号に掲げる一般原動機付自転車以外の一般原動機付自転車	昭和六十一年五月三十一日（輸入された一般原動機付自転車にあっては、平成元年三月三十一日）

6　平成十一年八月三十一日（輸入された第一種一般原動機付自転車にあっては、平成十二年三月三十一日）以前に製作された第一種一般原動機付自転車（第五項の第一種一般原動機付自転車及び輸入された第一種一般原動機付自転車以外の第一種一般原動機付自転車であって、平成十年十月一日以降に、施行規則第六十二条の三第一項の規定によりその型式について認定を受けたものを除く。）については、細目告示第二百五十二条第一項、第二百六十八条第一項及び第二百八十四条第一項の規定にかかわらず、同告示別添三十八「近接排気騒音の測定方法」に定める方法により測定した近接排気騒音及び同告示別添三十九「定常走行騒音の測定方法」に定める方法により測定した定常走行騒音をデシベルで表した値がそれぞれ次に掲げる数値を超える騒音を発しない構造であればよい。

一　定常走行騒音　八十五デシベル

二　近接排気騒音　九十五デシベル

7　平成十一年八月三十一日（輸入された第一種一般原動機付自転車にあっては、平成十二年三月三十一日）以前に製作された第一種一般原動機付自転車（第一項から第三項までの第一種一般原動機付自転車及び輸入された第一種一般原動機付自転車以外の第一種一般原動機付自転車であって、平成十年十月一日以降に、施行規則第六十二条の三第一項の規定によりその型式について認定を受けたものを除く。）については、細目告示第二百五十二条第一項第二号の規定にかかわらず、第五項又は前項の規定によるほか、施行規則第六十二条の三第五項の検査の際、同告示別添三十九「定常走行騒音の測定方法」に定める方法により測定した定常走行騒音及び同告示別添四十「加速走行騒音の測定方法」に定める方法により測定した加速走行騒音をデシベルで表した値がそれぞれ次に掲げる数値を超えない構造であればよい。

一　定常走行騒音　七十デシベル

二　加速走行騒音　七十二デシベル

8　平成十四年八月三十一日以前に製作された第二種原動機付自転車（第五項の第二種原動機付自転車及び輸入された第二種原動機付自転車であって、平成十三年十月一日以降に施行規則第六十二条の三第一項の規定によりその型式について認定を受けたものを除く。）については、細目告示第二百五十二条第一項、第二百六十八条第一項及び第二百八十四条第一項の規定にかかわらず、同告示別添三十八「近接排気騒音の測定方法」に定める方法により測定した近接排気騒音及び同告示別添三十九「定常走行騒音の測定方法」に定める方法により測定した定常走行騒音をデシベルで表した値がそれぞれ次に掲げる数値を超える騒音を発しない構造であればよい。

一　定常走行騒音　八十五デシベル

二　近接排気騒音　九十五デシベル

9　平成十四年八月三十一日以前に製作された第二種原動機付自転車（第一項から第四項までの第二種原動機付自転車及び輸入された第二種原動機付自転車以外の第二種原動機付自転車であって、平成十三年十月一日以降に施行規則第六十二条の三第一項の規定によりその型式について認定を受けたものを除く。）については、細目告示第二百五十二条第一項第二号の規定にかかわらず、第五項又は前項の規定によるほか、施行規則第六十二条の三第五項の検査の際、同告示別添三十九「定常走行騒音の測定方法」に定める方法により測定した定常走行騒音及び同告示別添四十「加速走行騒音の測定方法」に定める方法により測定した加速走行騒音をデシベルで表した値がそれぞれ次に掲げる数値を超えない構造であればよい。

一　定常走行騒音　七十デシベル

二　加速走行騒音　七十二デシベル

10　内燃機関を原動機とする一般原動機付自転車であって、平成二十二年三月三十一日以前に製作されたものが備える消音器については、細目告示第二百五十二条第二項の規定にかかわらず、破損及び腐食がないものであればよい。

11　内燃機関を原動機とする一般原動機付自転車であって、平成二十二年三月三十一日以前に製作されたものが備える消音器については、細目告示第二百六十八条第二項及び第三項並びに第二百八十四条第二項及び第三項の規定にかかわらず、次の各号に掲げる基準に適合するものであればよい。

一　消音器本体が切断されていないこと。

二　消音器の内部にある騒音低減機構が除去されていないこと。

三　消音器に破損及び腐食がないこと。

12　二輪の一般原動機付自転車（総排気量が〇・〇五〇リットルを超えるもの又は最高速度が五十キロメートル毎時を超えるものに限る。）であって、平成二十八年十二月三十一日以前に製作されたものについては、次の各号に掲げる基準に適合するものであればよい。

一　一般原動機付自転車（平成二十六年一月一日（輸入された一般原動機付自転車にあっては平成二十九年一月一日）以降に、施行規則第六十二条の三第一項の規定によりその型式について認定を受けたものを除く。）については、細目告示別添三十九「定常走行騒音の測定方法」に定める方法により測定した定常走行騒音をデシベルで表した値が八十五デシベルを超える騒音を発しない構造であること。

二　次の表の一般原動機付自転車の種別の欄に掲げる一般原動機付自転車（第五項の一般原動機付自転車並びに平成二十六年一月一日（輸入された一般原動機付自転車にあっては平成二十九年一月一日）以降に、施行規則第六十二条の三第一項の規定によりその型式について認定を受けたものを除く。）については、細目告示第二百五十二条第一項第一号の二、第二百六十八条第一項第三号及び第二百八十四条第一項第三号の規定にかかわらず、第六項及び第八項の規定によるほか、同告示別添三十八「近接排気騒音の測定方法」に定める方法により測定した近接排気騒音をデシベルで表した値がそれぞれ次の表の騒音の大きさに掲げる値を超える騒音を発しない構造であること。

一般原動機付自転車の種別	騒音の大きさ
第一種一般原動機付自転車	八十四
第二種一般原動機付自転車	九十

三　次の表の一般原動機付自転車の種別の欄に掲げる一般原動機付自転車（第一項から第四項まで、第七項及び第九項の一般原動機付自転車並びに平成二十六年一月一日（輸入された一般原動機付自転車にあっては平成二十九年一月一日）以降に、施行規則第六十二条の三第一項の規定によりその型式について認定を受けたものを除く。）については、細目告示第二百五十二条第一項第三号及び第二百六十八条第一項第四号の規定にかかわらず、第五項、第六項及び第八項の規定によるほか、施行規則第六十二条の三第五項の検査の際、同告示別添三十九「定常走行騒音の測定方法」に定める方法により測定した定常走行騒音及び同告示別添四十「加速走行騒音の測定方法」に定める方法により測定した加速走行騒音をデシベルで表した値がそれぞれ次の表の騒音の大きさの欄に掲げる値を超える騒音を発しない構造であること。

一般原動機付自転車の種別	騒音の大きさ	
	定常走行騒音	加速走行騒音
第一種一般原動機付自転車	六十五	七十一
第二種原動機付自転車	六十八	七十一

13　令和三年八月三十一日以前に製作された二輪の一般原動機付自転車（総排気量が〇・〇五〇リットルを超えるもの又は最高速度が五十キロメートル毎時を超えるもの（平成二十八年十月一日以降に型式の認定を受けたものを除く。）に限る。）であって、消音器（消音器と排気管が分割できる構造のものにあっては排気管を含む。）の改造、取付け又は取外しその他これらに類する行為により構造、装置又は性能に係る変更を行ったものについては、細目告示第二百六十八条第一項の規定にかかわらず、道路運送車両の保安基準の細目を定める告示の一部を改正する告示（平成二十五年国土交通省告示第六十八号）による改正前の細目告示第二百六十八条第一項の規定に適合するものであればよい。

14　令和三年一月二十日以降に施行規則第六十二条の三第一項の規定によりその型式について認定を受けた一般原動機付自転車以外の一般原動機付自転車については、細目告示第二百五十二条第一項第三号及び第二百六十八条第一項第四号の規定にかかわらず、協定規則第四十一号第四改訂版補足第二改訂版に規定する試験路において測定した値を用いることができる。

15　二輪の一般原動機付自転車（総排気量が〇・〇五〇リットルを超えるもの又は最高速度が五十キロメートル毎時を超えるものに限る。）であって、令和三年八月三十一日以前に製作されたもの（平成二十八年十月一日以降に型式の認定を受けたものを除く。）については、細目告示第二百五十二条、第二百六十八条及び第二百八十四条の規定にかかわらず、道路運送車両の保安基準の細目を定める告示の一部を改正する告示（平成二十八年国土交通省告示第六百八十一号）による改正前の細目告示第二百五十二条、第二百六十八条及び第二百八十四条の規定に適合するものであればよい。

16　次に掲げる二輪の一般原動機付自転車（総排気量が〇・〇五〇リットルを超えるもの又は最高速度が五十キロメートル毎時を超えるものに限る。）については、細目告示第二百五十二条、第二百六十八条及び第二百八十四条の規定にかかわらず、道路運送車両の保安基準の細目を定める告示の一部を改正する告示（令和三年国土交通省告示第千二百九十四号）による改正前の細目告示第二百五十二条、第二百六十八条及び第二百八十四条の規定に適合するものであればよい。

一　令和五年八月三十一日（輸入された一般原動機付自転車にあっては、令和六年八月三十一日）以前に製作された一般原動機付自転車

二　令和五年九月一日から令和六年八月三十一日までに製作された一般原動機付自転車であって令和五年八月三十一日以前に施行規則第六十二条の三第一項の規定によりその型式について認定を受けたもの

（方向指示器）

第七一条の二　平成十七年十二月三十一日以前に製作された一般原動機付自転車については、保安基準第六十四条の三第二項及び第三項の規定並びに細目告示第二百五十二条の二、第二百六十八条の二及び第二百八十四条の二の規定にかかわらず、次の基準に適合するものであればよい。

一　方向指示器の灯光の色は、橙色であること。

二　方向指示器は、毎分六十回以上百二十回以下の一定の周期で点滅するものであること。

三　方向指示器は、車両中心面に対して対称の位置に取り付けられたものであること（車体の形状が左右対称でない一般原動機付自転車を除く。）。

四　一般原動機付自転車に備える方向指示器は、その指示部の中心において、前方に対して方向の指示を表示するためのものにあっては三百ミリメートル（光源が八ワット以上のものにあっては、二百五十ミリメートル）以上、後方に対して指示を表示するためのものにあっては百五十ミリメートル以上の間隔を有するものであり、かつ、前照灯又は尾灯が二個備えられている場合の位置は、前方に対して方向の指示を表示するためのものにあっては最外側の前照灯より外側に、後方に対して表示するためのものにあっては最外側の尾灯より外側にあること。

五　方向指示器の指示部の中心は、地上二メートル以下となるように取り付けられていること。

六　方向の指示を前方又は後方に対して表示するための方向指示器の各指示部の車両中心面に直交する鉛直面への投影面積は、七平方センチメートル以上であること。

七　方向指示器は、方向の指示を表示する方向三十メートルの距離から昼間において点灯を確認できるものであること。

2　昭和四十八年十一月三十日以前に製作された一般原動機付自転車については、保安基準第六十四条の三第二項及び第三項の規定並びに細目告示第二百五十二条の二、第二百六十八条の二及び第二百八十四条の二の規定にかかわらず、次の基準に適合するものであればよい。

一　腕木式又は点滅式（光度が増減する方式を含む。）のものであること。

二　腕木式方向指示器は、次に掲げる基準に適合するものであること。

イ　方向指示器の指示部の中心は、地上二メートル以下となるよう取り付けられていること。

ロ　運転者が運転者席において直接、かつ、容易に方向指示器（一般原動機付自転車の両側面に備える方向指示器を除く。）の作動状態を確認できない場合には、その作動状態を運転者に表示する装置を備えること。

三　点滅式方向指示器は、次の基準に適合するものであること。

イ　点滅式方向指示器は、毎分五十回以上百二十回以下の一定の周期で点滅し、又は光度が増減するものであること。

ロ　光度が増減する点滅式方向指示器は、車幅灯又は尾灯と兼用するものであること。
ハ　光度が増減する点滅式方向指示器の最大光度は、当該車幅灯又は尾灯の光度の三倍以上であること。
二　点滅式方向指示器の灯光の色は、黄色又は橙色であること。ただし、二輪の一般原動機付自転車（側車付のものを含む。）以外のものにあっては、方向の指示を前方に表示するためのものについては白色又は乳白色、方向の指示を後方又は後側方に表示するためのものについては赤色とすることができる。

3　昭和四十四年三月三十一日以前に製作された一般原動機付自転車については、保安基準第六十四条の三第一項の規定は、適用しない。

4　令和七年六月十四日以前に製作された第一種一般原動機付自転車及び令和二年六月十四日以前に製作された第二種原動機付自転車については、細目告示第二百五十二条の二第一項、第二項及び第三項、第二百六十八条の二第一項及び第二項並びに第二百八十四条の二第一項及び第二項の規定にかかわらず、道路運送車両の保安基準の細目を定める告示の一部を改正する告示（平成二十七年国土交通省告示第七百二十三号）による改正前の細目告示第二百四十九条第一項及び第二項、第二百六十五条第一項及び第二項並びに第二百八十一条第一項及び第二項の規定に適合するものであればよい。

5　保安基準第六十四条の三が適用される一般原動機付自転車は、当分の間、細目告示第二百五十二条の二第一項、別添五十二3・9・3・及び4・6・8・1・並びに別添五十三4・3・1・の規定にかかわらず、道路運送車両の保安基準の細目を定める告示等の一部を改正する告示（令和元年国土交通省告示第七百十四号）による改正前の細目告示第二百四十九条第一項、別添五十二3・9・3・及び4・6・8・1・並びに別添五十三4・3・1・の規定に適合するものであればよい。

6　次に掲げる一般原動機付自転車については、細目告示第二百五十二条の二第三項及び別添五十三の規定にかかわらず、道路運送車両の保安基準の細目を定める告示等の一部を改正する告示（令和二年国土交通省告示第千二十一号）による改正前の細目告示第二百四十九条第二項及び別添五十三の規定に適合するものであればよい。
一　令和七年六月十四日以前に製作された二輪の第一種一般原動機付自転車
二　令和五年八月三十一日以前に製作された第二種原動機付自転車
三　令和七年六月十五日から令和十二年八月三十一日までに製作された二輪の第一種一般原動機付自転車であって、令和七年六月十四日以前に施行規則第六十二条の三第一項の規定によりその型式について認定を受けたもの
四　令和五年九月一日から令和十二年八月三十一日までに製作された第二種原動機付自転車であって、令和五年八月三十一日以前に施行規則第六十二条の三第一項の規定によりその型式について認定を受けたもの

7　次に掲げる一般原動機付自転車については、細目告示第二百五十二条の二第一項、別添五十二3・9・3・、4・6・2・及び4・6・8・1・並びに別添五十三4・3・1・の規定にかかわらず、道路運送車両の保安基準の細目を定める告示等の一部を改正する告示（令和五年国土交通省告示第一号）による改正前の細目告示第二百五十二条の二第一項、別添五十二3・9・3・、4・6・2・及び4・6・8・1・並びに別添五十三4・3・1・の規定（以下この項において「旧規定」という。）に適合するものであればよい。この場合において、旧規定中「協定規則第148号」とあるのは「協定規則第148号補足第4改訂版」と読み替えることができる。
一　令和八年八月三十一日以前に製作された一般原動機付自転車
二　令和八年九月一日以降に製作された一般原動機付自転車であって、同年八月三十一日以前に施行規則第六十二条の三第一項の規定によりその型式について認定を受けたもの
三　令和八年九月一日以降に施行規則第六十二条の三第一項の規定によりその型式について認定を受けた一般原動機付自転車であって、同年八月三十一日以前に同項の規定によりその型式について認定を受けた一般原動機付自転車と方向指示器の型式が同一であるもの

8　次に掲げる二輪の一般原動機付自転車については、細目告示第二百五十二条の二第三項及び第四項の規定中「協定規則第53号」とあるのは、「協定規則第53号第3改訂版補足第4改訂版」と読み替えることができる。
一　令和十年八月三十一日（輸入された二輪の一般原動機付自転車にあっては令和十二年八月三十一日）以前に製作された二輪の一般原動機付自転車
二　令和十年九月一日から令和十二年八月三十一日までに製作された二輪の一般原動機付自転車であって、令和十年八月三十一日以前に施行規則第六十二条の三第一項の規定によりその型式について認定を受けた一般原動機付自転車と方向指示器及び非常点滅表示灯の性能、取付位置及び取付方法に変更がないもの

（後写鏡）

第七十一条の三　平成十八年十二月三十一日以前に製作されたハンドルバー方式のかじ取装置を備える一般原動機付自転車であって車室を有しないものに備える後写鏡については、保安基準第六十五条第三項及び第四項の規定並びに細目告示第二百五十二条の三第三項及び第四項、第二百六十八条の三第二項及び第四項並びに第二百八十四条の三第二項及び第四項の規定にかかわらず、後写鏡は、運転者が運転者席において一般原動機付自転車の左外側線上後方五十メートルまでの間にある車両の交通状況を確認できるものであればよい。

2　昭和三十九年十月十四日以前に製作された一般原動機付自転車については、保安基準第六十五条の規定並びに細目告示第二百五十二条の三、第二百六十八条の三及び第二百八十四条の三の規定は、適用しない。

3　次の各号に掲げる一般原動機付自転車については、保安基準第六十五条の規定並びに細目告示第二百五十二条の三、第二百六十八条の三及び第二百八十四条の三の規定にかかわらず、道路運送車両の保安基準等の一部を改正する省令（平成二十八年国土交通省令第五十号）による改正前の保安基準第六十四条の二の規定並びに道路運送車両の保安基準の細目を定める告示の一部を改正する告示（平成二十八年国土交通省告示第八百二十六号）による改正前の細目告示第二百五十一条、第二百六十七条及び第二百八十三条の規定に適合するものであればよい。
一　令和元年六月十七日以前に製作された一般原動機付自転車
二　令和元年六月十八日から令和三年六月十七日までに製作された一般原動機付自転車であって、次に掲げるもの
イ　令和元年六月十七日以前に施行規則第六十二条の三第一項の規定によりその型式について認定を受けた一般原動機付自転車
ロ　令和元年六月十八日以降に施行規則第六十二条の三第一項の規定によりその型式について新たに認定を受けた一般原動機付自転車であって、同月十七日以前に同項の規定によりその型式について認定を受けた一般原動機付自転車と、後写鏡による運転者の視野及び乗車人員等の保護に係る性能が同一であるもの

4　次の各号に掲げる一般原動機付自転車については、細目告示第二百五十二条の三の規定中「協

定規則第46号」とあるのは、「協定規則第46号第４改訂版補足第９改訂版」と読み替えることができる。

一　令和六年八月三十一日以前に製作された一般原動機付自転車

二　令和六年九月一日から令和八年八月三十一日までに製作された一般原動機付自転車であって、次に掲げるもの

イ　令和六年八月三十一日以前に施行規則第六十二条の三第一項の規定によりその型式について認定を受けた一般原動機付自転車

ロ　令和六年九月一日以降に施行規則第六十二条の三第一項の規定によりその型式について新たに認定を受けた一般原動機付自転車であって、同年八月三十一日以前に同項の規定によりその型式について認定を受けた一般原動機付自転車と、後写鏡による運転者の視野及び乗車人員等の保護に係る性能が同一であるもの

（速度計）

第七十二条　平成十八年十二月三十一日以前に製作された一般原動機付自転車については、保安基準第六十五条の二の規定並びに細目告示第二百五十三条、第二百六十九条及び第二百八十五条の規定にかかわらず、次の基準に適合する速度計を備えていればよい。

一　速度計は、運転者が容易に走行時における速度を確認できるものであること。

二　速度計の指度の誤差は、平坦な舗装路面で速度三十五キロメートル毎時以上（最高速度が三十五キロメートル毎時未満の自動車にあっては、その最高速度）において、正十五パーセント、負十パーセント以下であること。

三　アナログ式速度計の指示針の振れは、前号に掲げる状態において、正負三キロメートル毎時以下であること。

四　ディジタル式速度計（一定間隔をもって断続的に速度を表示する速度計をいう。）の表示の単位は、二・五キロメートル毎時以下とする。ただし、二十キロメートル毎時未満の速度を示す場合にあっては、この限りでない。

五　速度計は、照明装置を備えたもの、自発光式のもの又は文字板及び指示針に自発光塗料を塗ったものであって、運転者を幻惑させないものであること。

2　昭和三十五年三月三十一日以前に製作された第一種一般原動機付自転車については、保安基準第六十五条の二の規定並びに細目告示第二百五十三条、第二百六十九条及び第二百八十五条の規定は、適用しない。

3　昭和三十五年三月三十一日以前に製作された第二種原動機付自転車については、第一項第一号、第四号及び第五号の規定は適用しない。

（かじ取装置）

第七十三条　令和三年三月三十一日以前に製作された一般原動機付自転車については、保安基準第六十五条の三並びに細目告示第二百五十三条の二、第二百六十九条の二及び第二百八十五条の二の規定は、適用しない。

（座席ベルト）

第七十四条　保安基準第六十六条の二並びに細目告示第二百五十四条の二、第二百七十条の二及び第二百八十六条の二の規定は、令和二年三月三十一日までの間は、適用しない。

2　令和三年三月三十一日以前に製作された一般原動機付自転車（二輪の一般原動機付自転車及び最高速度二十キロメートル毎時未満の一般原動機付自転車並びに付随車を除く。）については、保安基準第六十六条の二第一項中「防止し、かつ、上半身を過度に前傾することを防止する」とあるのは「防止する」と、細目告示第二百七十条の二第二項及び第二百八十六条の二第二項中「次の各号」とあるのは「第一号から第三号まで」と、細目告示第二百七十条の二第二項第二号及び第二百八十六条の二第二項第二号中「でき、かつ、上半身を過度に前傾しないようにする」とあるのは「できる」と読み替えることができる。

（頭部後傾抑止装置等）

第七十五条　令和三年三月三十一日以前に製作された一般原動機付自転車については、保安基準第六十六条の三並びに細目告示第二百五十四条の三、第二百七十条の三及び第二百八十六条の三の規定は、適用しない。

2　次に掲げる一般原動機付自転車については、細目告示第二百五十四条の三の規定にかかわらず、道路運送車両の保安基準の細目を定める告示等の一部を改正する告示（令和三年国土交通省告示第五百二十一号）による改正前の細目告示第二百五十四条の三の規定に適合するものであればよい。

一　令和四年八月三十一日以前に製作された一般原動機付自転車

二　令和四年九月一日以降に製作された一般原動機付自転車であって、同年八月三十一日以前に施行規則第六十二条の三第一項の規定によりその型式について認定を受けた一般原動機付自転車と頭部後傾抑止装置の運転者の頭部の保護に係る性能が同一であるもの

（緊急制動表示灯）

第七十六条　次に掲げる一般原動機付自転車については、細目告示第二百五十四条の四第三項及び別添五十三の規定にかかわらず、道路運送車両の保安基準の細目を定める告示等の一部を改正する告示（令和二年国土交通省告示第千二十一号）による改正前の細目告示第二百四十九条の二第二項及び別添五十三の規定に適合するものであればよい。

一　令和七年六月十四日以前に製作された二輪の第一種一般原動機付自転車

二　令和五年八月三十一日以前に製作された第二種原動機付自転車

三　令和七年六月十五日から令和十二年八月三十一日までに製作された二輪の第一種一般原動機付自転車であって、令和七年六月十四日以前に施行規則第六十二条の三第一項の規定によりその型式について認定を受けたもの

四　令和五年九月一日から令和十二年八月三十一日までに製作された第二種原動機付自転車であって、令和五年八月三十一日以前に施行規則第六十二条の三第一項の規定によりその型式について認定を受けたもの

2　次に掲げる二輪の一般原動機付自転車については、細目告示第二百五十四条の四第三項の規定中「協定規則第53号」とあるのは、「協定規則第53号第３改訂版補足第４改訂版」と読み替えることができる。

一　令和十年八月三十一日（輸入された二輪の一般原動機付自転車にあっては令和十二年八月三十一日）以前に製作された二輪の一般原動機付自転車

二　令和十年九月一日から令和十二年八月三十一日までに製作された二輪の一般原動機付自転車であって、令和十年八月三十一日以前に施行規則第六十二条の三第一項の規定によりその型式について認定を受けた一般原動機付自転車と緊急制動表示灯の性能、取付位置及び取付方法に変更がないもの

（後面衝突警告表示灯）

第七十六条の二　次に掲げる二輪の一般原動機付自転車については、細目告示第二百五十四条の四の二第二項の規定中「協定規則第53号」とあるのは、「協定規則第53号第３改訂版補足第４改訂版」

と読み替えることができる。

一　令和十年八月三十一日（輸入された二輪の一般原動機付自転車にあっては令和十二年八月三十一日）以前に製作された二輪の一般原動機付自転車

二　令和十年九月一日から令和十二年八月三十一日までに製作された二輪の一般原動機付自転車であって、令和十年八月三十一日以前に施行規則第六十二条の三第一項の規定によりその型式について認定を受けた一般原動機付自転車と後面衝突警告表示灯の性能、取付位置及び取付方法に変更がないもの

第二節　特定小型原動機付自転車の保安基準の適用関係の整理

（特定小型原動機付自転車の保安基準）

第七七条　特定小型原動機付自転車については、道路交通法の一部を改正する法律（令和四年法律第三十二号）附則第一条第三号に掲げる規定の施行の日の前日までの間は、保安基準第三章第二節及び細目告示第三章第二節の規定にかかわらず、道路運送車両の保安基準の一部を改正する省令（令和四年国土交通省令第九十一号）による改正前の保安基準第三章及び道路運送車両の保安基準の細目を定める告示等の一部を改正する告示（令和四年国土交通省告示第千二百八十九号）による改正前の細目告示第三章の規定に適合するものであればよい。

（制動装置）

第七八条　特定小型原動機付自転車については、道路交通法の一部を改正する法律（令和四年法律第三十二号）附則第一条第三号に掲げる規定の施行の日の前日までの間は、細目告示第二百八十九条第三項、第三百二条第三項、第三百十五条第三項並びに別添九十八3・2・1・3・、3・4・1・3・、4・2・1・及び4・4・1・の規定にかかわらず、道路運送車両の保安基準の細目を定める告示等の一部を改正する告示（令和四年国土交通省告示第七百十三号）による改正前の細目告示第二百四十二条第三項、第二百五十八条第三項、第二百七十四条第三項並びに別添九十八3・2・1・3・、3・4・1・3・、4・2・1・及び4・4・1・の規定に適合するものであればよい。

（最高速度表示灯）

第七九条　道路交通法の一部を改正する法律（令和四年法律第三十二号）附則第一条第三号に掲げる規定の施行の日の前日以前に製作された特定小型原動機付自転車については、令和六年十二月二十二日までの間、保安基準第六十六条の十七の規定は、適用しない。

附　則

（道路運送車両の保安基準第二章の規定の適用関係の整理のため必要な事項を定める告示等の廃止）

次に掲げる告示は、廃止する。

一　道路運送車両の保安基準第二章の規定の適用関係の整理のため必要な事項を定める告示（平成十三年国土交通省告示第千三百七十五号）

二　道路運送車両の保安基準第三章の規定の適用関係の整理のため必要な事項を定める告示（平成十四年国土交通省告示第七百四十九号）

附　則〔平成二二・一二・一五国土交通省告示一二一二〕

（施行期日）

1　この告示は、公布の日から施行する。

（経過措置）

2　ガソリンを燃料とする二輪自動車（側車付二輪自動車を含む。）であって、第二条の規定による改正後の道路運送車両の保安基準第二章及び第三章の規定の適用関係の整理のため必要な事項を定める告示（平成十五年国土交通省告示第千三百十八号）第二十八条第百八十一項の規定の適用を受けるものについては、〔中略〕従前の例による。

附　則〔令和二・一二・二五国土交通省告示一五七七〕

（施行期日）

第一条　この告示は、令和三年一月三日から施行する。ただし、次の各号に掲げる規定は、当該各号に定める日から施行する。

一　〔略〕

二　次に掲げる規定　令和三年一月二十二日

イ　〔略〕

ロ　第二条中道路運送車両の保安基準第二章及び第三章の規定の適用関係の整理のため必要な事項を定める告示第十二条第十五項、第十三条第二十項、第十四条第二十項、第二十四項から第二十六項まで及び第三十項並びに第五十五条の二の改正規定

ハ　〔略〕

（経過措置）

第二条　道路運送車両の保安基準第二章及び第三章の規定の適用関係の整理のため必要な事項を定める告示第十四条第二十二項の規定の適用を受ける自動車について、特定改造等をしようとする者に対する自動車の特定改造等の許可に関する技術上の基準に係る細目等を定める告示の適用については、この告示による改正後の自動車の特定改造等の許可に関する技術上の基準に係る細目等を定める告示（以下「新告示」という。）の規定にかかわらず、なお従前の例によることができる。この場合において、この告示による改正前の自動車の特定改造等の許可に関する技術上の基準に係る細目等を定める告示（以下「旧告示」という。）第三条第一号中「3.2.2.(1)、(6)、(7)及び(8)」とあるのは「3.2.2.(1)、(6)及び(7)」と、旧告示別添二「サイバーセキュリティ業務管理システムの技術基準」3・2・2・中「プロセスにより、別紙に規定するリスク及び軽減策を含め」とあるのは「プロセスにより」と、同別添3・2・2・(2)中「プロセス。当該プロセスにおいては、別紙のパートAに規定する脅威その他の関連する脅威が考慮されるものとする。」とあるのは「プロセス」とすることができるものとし、旧告示第三条第二号並びに同別添3・2・2・(8)及び3・2・3・から3・2・4・2・までの規定は、適用しない。

2　道路運送車両の保安基準第二章及び第三章の規定の適用関係の整理のため必要な事項を定める告示第十四条第二十五項の規定の適用を受ける自動車について、特定改造等をしようとする者に対する自動車の特定改造等の許可に関する技術上の基準に係る細目等を定める告示の適用については、新告示の規定にかかわらず、なお従前の例によることができる。

附　則〔令和四・一二・一三国土交通省告示一二八九抄〕

（施行期日）

1　この告示は、公布の日から施行する。ただし、〔中略〕第二条中道路運送車両の保安基準第二章及び第三章の規定の適用関係の整理のため必要な事項を定める告示第七十九条の改正規定は、道路交通法の一部を改正する法律（令和四年法律第三十二号）附則第一条第三号に掲げる規定の施行の日〔令和五・七・一〕から施行する。

（道路運送車両の保安基準第二章及び第三章の規定の適用関係の整理のため必要な事項を定める

（告示の一部改正に伴う経過措置）

3　この告示の施行の日から道路交通法の一部を改正する法律附則第一条第三号に掲げる規定の施行の日の前日までの間は、この告示による改正後の道路運送車両の保安基準第二章及び第三章の規定の適用関係の整理のため必要な事項を定める告示目次中「―第七十九条」とあるのは「・第七十八条」とする。

附　則〔令和五・一・四国土交通省告示二〕

この告示は、公布の日から施行する。ただし、〔中略〕第三条中道路運送車両の保安基準第二章及び第三章の規定の適用関係の整理のため必要な事項を定める告示第五十一条の六の改正規定並びに第五条の規定は、令和五年一月十九日から施行する。

附　則〔令和五・六・五国土交通省告示五七二〕

この告示は、公布の日から施行する。ただし、次の各号に掲げる規定は、当該各号に定める日から施行する。

一　〔前略〕第三条中道路運送車両の保安基準第二章及び第三章の規定の適用関係の整理のため必要な事項を定める告示第十八条の二及び第五十二条第十項の改正規定並びに第五条及び第六条の規定　令和五年六月八日

二　〔前略〕第三条中道路運送車両の保安基準第二章及び第三章の規定の適用関係の整理のため必要な事項を定める告示第五十二条第十一項及び第十二項の改正規定　令和五年九月一日

附　則〔令和五・九・二二国土交通省告示九六九〕

この告示は、令和五年九月二十四日から施行する。〔以下略〕

附　則〔令和五・一〇・二〇国土交通省告示一〇四八〕

（施行期日）

この告示は、令和五年十二月二十一日から施行する。ただし、〔中略〕第二条中道路運送車両の保安基準第二章及び第三章の規定の適用関係の整理のため必要な事項を定める告示第二十八条第三項の改正規定は、公布の日から施行する。

附　則〔令和六・一・五国土交通省告示二〕

この告示は、公布の日から施行する。〔以下略〕

附　則〔令和六・三・二九国土交通省告示二六九〕

この告示は、公布の日から施行する。

附　則〔令和六・六・一四国土交通省告示五一八〕

この告示は、令和六年六月十五日から施行する。ただし、〔中略〕第三条中道路運送車両の保安基準第二章及び第三章の規定の適用関係の整理のため必要な事項を定める告示第五十四条の二第一項の改正規定及び同条第四項の次に及び第五項を加える改正規定〔中略〕は、令和六年六月二十日から施行する。

別表第一（ガソリン十三モード）

運転条件	係数
原動機を無負荷運転している状態	○・一五七
原動機を最高出力時の回転数の四十パーセントの回転数でその負荷を全負荷の四十パーセントにして運転している状態	○・○三六
原動機を最高出力時の回転数の四十パーセントの回転数でその負荷を全負荷の六十パーセントにして運転している状態	○・○三九
原動機を無負荷運転している状態	○・一五七
原動機を最高出力時の回転数の六十パーセントの回転数でその負荷を全負荷の二十パーセントにして運転している状態	○・○八八
原動機を最高出力時の回転数の六十パーセントの回転数でその負荷を全負荷の四十パーセントにして運転している状態	○・一一七
原動機を最高出力時の回転数の八十パーセントの回転数でその負荷を全負荷の四十パーセントにして運転している状態	○・○五八
原動機を最高出力時の回転数の八十パーセントの回転数でその負荷を全負荷の六十パーセントにして運転している状態	○・○二八
原動機を最高出力時の回転数の六十パーセントの回転数でその負荷を全負荷の六十パーセントにして運転している状態	○・○六六
原動機を最高出力時の回転数の六十パーセントの回転数でその負荷を全負荷の八十パーセントにして運転している状態	○・○三四
原動機を最高出力時の回転数の六十パーセントの回転数でその負荷を全負荷の九十五パーセントにして運転している状態	○・○二八
原動機を最高出力時の回転数の四十パーセントの回転数でその負荷を全負荷の二十パーセントにして運転している状態	○・○九六
原動機を最高出力時の回転数の四十パーセントの回転数でその負荷を全負荷の二十パーセントにして運転している状態から気化器の絞り弁を全閉にして最高出力時の回転数の二十パーセントの回転数に減速運転している状態（この場合において、原動機を最高出力時の回転数の四十パーセントの回転数から二十パーセントの回転数に減速するのに要する時間は十秒間とする。）	○・○九六

別表第二（ディーゼル十三モード）

運転条件	係数
原動機を無負荷運転している状態	○・二○五
原動機を最高出力時の回転数の四十パーセントの回転数でその負荷を全負荷の二十パーセントにして運転している状態	○・○三七
原動機を最高出力時の回転数の四十パーセントの回転数でその負荷を全負荷の四十パーセントにして運転している状態	○・○二七
原動機を無負荷運転している状態	○・二○五
原動機を最高出力時の回転数の六十パーセントの回転数でその負荷を全負荷の二十パーセントにして運転している状態	○・○二九
原動機を最高出力時の回転数の六十パーセントの回転数でその負荷を全負荷の四十パーセントにして運転している状態	○・○六四
原動機を最高出力時の回転数の八十パーセントの回転数でその負荷を全負荷の四十パーセントにして運転している状態	○・○四一
原動機を最高出力時の回転数の八十パーセントの回転数でその負荷を全負荷の六十パーセントにして運転している状態	○・○三二
原動機を最高出力時の回転数の六十パーセントの回転数でその負荷を全負荷の六十パーセントにして運転している状態	○・○七七
原動機を最高出力時の回転数の六十パーセントの回転数でその負荷を全負荷の八十パーセントにして運転している状態	○・○五五
原動機を最高出力時の回転数の六十パーセントの回転数でその負荷を全負荷の九十五パーセントにして運転している状態	○・○四九
原動機を最高出力時の回転数の八十パーセントの回転数でその負荷を全負荷の八十パーセントにして運転している状態	○・○三七
原動機を最高出力時の回転数の六十パーセントの回転数でその負荷を全負荷の五パーセントにして運転している状態	○・一四二

○自衛隊法〔抄〕

〔昭和二九・六・九
法律一六五〕

改正 前略…平成三〇・四法一三、法一七、六法六七、一二法八九、平成三一・四法一九、令和元・五法一〇、六法三七、法三八、一二法六三、令和二・六法六一、令和三・四法二三、五法四三、法四九、六法六一、法六五、法七五、令和四・四法二六、法三二、五法四四、法五五、令和四・六法六八、一一法八七、令和五・三法八、五法三四、令和六・四法二〇、五法二四

（道路運送車両法の適用除外）

第一一四条 道路運送車両法（昭和二十六年法律第百八十五号）の規定は、自衛隊の使用する自動車のうち、政令で定めるものについては、適用しない。

2 道路運送車両法の規定が適用されない自衛隊の使用する自動車については、防衛大臣は、保安基準並びに整備及び検査の基準を定めなければならない。

3 道路運送車両法の規定が適用されない自動車は、防衛大臣の定めるところにより、他の自動車と明らかに識別することができるような番号及び標識を付さなければならない。

4 自衛隊の使用する自動車以外の自動車は、前項に規定する番号若しくは標識又はこれらにまぎらわしい番号若しくは標識を付してはならない。

5 第三項の自動車に付する標識の制式は、官報で告示する。

（土砂等を運搬する大型自動車による交通事故の防止等に関する特別措置法の適用除外）

第一一四条の二 土砂等を運搬する大型自動車による交通事故の防止等に関する特別措置法（昭和四十二年法律第百三十一号）の規定は、自衛隊の使用する自動車については、適用しない。

○自動車点検基準

〔昭和二六・八・一〇
運輸省令七〇〕

改正 昭和二九・七運令四〇、昭和三二・三運令五、昭和三五・一〇運令三八、昭和三六・一〇運令五一、昭和三八・一〇運令五三、昭和四三・一一運令五七、昭和四五・七運令六七、昭和四八・一一運令四三、昭和四九・一一運令四五、昭和五四・七運令三三、昭和五八・三運令八、昭和六二・三運令二七、平成二・一一運令三一、平成七・二運令八、平成一〇・一〇運令六七、平成一一・一〇運令四六、平成一二・一一運令三九、平成一七・一二国交令一二二、平成一八・九国交令八六、平成一九・三国交令一一、平成二七・七国交令五一、平成三〇・六国交令五一、令和二・二国交令六、令和五・三国交令一八、一〇国交令八六

（日常点検基準）

第一条 道路運送車両法（昭和二十六年法律第百八十五号。以下「法」という。）第四十七条の二第一項の国土交通省令で定める技術上の基準は、次の各号に掲げる自動車の区分に応じ、当該各号に定めるとおりとする。

一 法第四十八条第一項第一号及び第二号に掲げる自動車 別表第一

二 法第四十八条第一項第三号に掲げる自動車 別表第二

（定期点検基準）

第二条 法第四十八条第一項の国土交通省令で定める技術上の基準は、次の各号に掲げる自動車の区分に応じ、当該各号に定めるとおりとする。

一 法第四十八条第一項第一号に掲げる自動車（被牽引自動車を除く。） 別表第三

二 法第四十八条第一項第一号に掲げる自動車（被牽引自動車に限る。） 別表第四

三 法第四十八条第一項第二号に掲げる自動車（二輪自動車を除く。） 別表第五

四 法第四十八条第一項第二号に掲げる自動車（二輪自動車に限る。） 別表第五の二

五 法第四十八条第一項第三号に掲げる自動車（二輪自動車を除く。） 別表第六

六 法第四十八条第一項第三号に掲げる自動車（二輪自動車に限る。） 別表第七

第三条 法第四十八条第一項第一号の国土交通省令で定める自家用自動車は、次に掲げる自動車とする。

一 車両総重量八トン以上の自家用自動車

二 車両総重量八トン未満で乗車定員十一人以上の自家用自動車

三 次に掲げる自動車であつて、道路運送法（昭和二十六年法律第百八十三号）第八十条第一項の規定により受けた許可に係る自家用自動車（前二号に掲げるもの及び二輪自動車（側車付二輪自動車を含む。）を除く。）

イ 貨物の運送の用に供する普通自動車及び小型自動車

ロ 専ら幼児の運送を目的とする普通自動車及び小型自動車

ハ 人の運送の用に供する三輪自動車

ニ 散水自動車、広告宣伝用自動車、霊きゅう自動車その他特種の用途に供する普通自動車及び小型自動車

ホ 大型特殊自動車

ヘ 検査対象外軽自動車

2 法第四十八条第一項第二号の国土交通省令で定める自家用有償旅客運送の用に供する自家用自動車は、次に掲げる自動車とする。

一 法第六十一条第二項第二号に規定する自家用乗用自動車

二 患者の輸送の用に供する車その他特種の用途に供する検査対象軽自動車（人の運送の用に供する三輪のものを除く。）

3 法第四十八条第一項第二号の国土交通省令で定める自家用自動車は、次に掲げる自動車とする。

一 道路運送法第七十八条第二号に規定する自家用有償旅客運送の用に供する自家用自動車（前項に規定するものを除く。）

二 道路運送法第八十条第一項の許可を受けて業として有償で貸し渡す自家用自動車

三 貨物の運送の用に供する自家用普通自動車及び小型自動車

四 専ら幼児の運送を目的とする自家用普通自動車及び小型自動車

五 自家用三輪自動車

六 広告宣伝用自動車その他特種の用途に供する自家用普通自動車及び小型自動車（二輪自動車（側車付二輪自動車を含む。）を除く。）

七 自家用大型特殊自動車

八 自家用検査対象外軽自動車（二輪の軽自動車を除く。）

（点検整備記録簿の記載事項等）

第四条 法第四十九条第一項第五号の国土交通省令で定める事項

は、次のとおりとする。

一　登録自動車にあつては自動車登録番号、法第六十条第一項後段の車両番号の指定を受けた自動車にあつては車両番号、その他の自動車にあつては車台番号

二　点検又は特定整備時の総走行距離

三　点検又は整備を実施した者の氏名又は名称及び住所（点検又は整備を実施した者が使用者と同一の者である場合にあつては、その者の氏名又は名称）

2　点検整備記録簿の保存期間は、その記載の日から、第二条第一号から第四号までに掲げる自動車にあつては一年間、同条第五号及び第六号に掲げる自動車にあつては二年間とする。

（点検等の勧告に係る基準）

第五条　法第五十四条第四項の国土交通省令で定める劣化又は摩耗により生ずる状態（法第七十一条の二第二項において準用する場合を含む。）は、別表第八に掲げるとおりとする。

2　法第五十四条第四項の国土交通省令で定める点検（法第七十一条の二第二項において準用する場合を含む。）は、次の各号に掲げる自動車の区分に応じ、当該各号に定めるとおりとする。

一　法第四十八条第一項第一号に掲げる自動車（被牽引自動車を除く。）別表第三に定める十二月ごとに行う点検

二　法第四十八条第一項第一号に掲げる自動車（被牽引自動車に限る。）別表第四に定める十二月ごとに行う点検

三　法第四十八条第一項第二号に掲げる自動車（二輪自動車を除く。）別表第五に定める十二月ごとに行う点検

四　法第四十八条第一項第二号に掲げる自動車（二輪自動車に限る。）別表第五の二に定める十二月ごとに行う点検

五　法第四十八条第一項第三号に掲げる自動車（二輪自動車を除く。）別表第六に定める二年ごとに行う点検

六　法第四十八条第一項第三号に掲げる自動車（二輪自動車に限る。）別表第七に定める二年ごとに行う点検

（自動車車庫の基準）

第六条　法第五十六条の技術上の基準は、次のとおりとする。

一　自動車車庫は、自動車車庫以外の施設と明りように区画されていること。

二　自動車車庫の面積は、常時保管しようとする自動車について、第一条に定める日常点検並びに当該自動車の清掃及び調整が実施できる充分な広さを有すること。

三　自動車車庫は、次の表に掲げる測定用器具、作業用器具、工具及び手工具（当該自動車車庫に常時保管しようとするすべての自動車に備えられているものを除く。）を有すること。

測定用器具	作業用器具、工具	手工具
イ　物さし又は巻尺	イ　ジャッキ又はリフト	イ　両口スパナ
ロ　タイヤ・ゲージ	ロ　注油器	ロ　ソケット・レンチ
ハ　タイヤ・デプス・ゲージ	ハ　ホイール・ナット・レンチ	ハ　プラグ・レンチ
ニ　（蓄電池の充放電の測定具）	ニ　輪止め	ニ　モンキー・レンチ
	ホ　（タイヤの空気充てん具）	ホ　プライヤ
	ヘ　（グリース・ガン）	ヘ　ペンチ
	ト　（点検灯）	ト　ねじ回し
	チ　（トルク・レンチ）	チ　（ハンド・ハンマ）
		リ　（点検用ハンマ）
プラグ・レンチについては、ジーゼル自動車のみの車庫には適用しない。括弧内のものは、有していることが望ましいものを示す。		

（自動車の点検及び整備に関する情報）

第七条　法第五十七条の二第一項の規定による自動車の型式に固有の技術上の情報の提供は、次に定めるところにより行うものとする。

一　当該自動車の販売を開始した日から六月以内に行うこと。

二　自動車特定整備事業者又は使用者が容易に入手できる方法により行うこと。ただし、少数生産車であること等により当該提供を受ける者が限定される場合又は次項（第二号に係る部分に限る。）の規定により情報を提供する場合にあつては、この限りでない。

三　自動車特定整備事業者又は使用者が第三項第三号に規定する作業機械（自動車製作者等が自ら製作、販売、授与又は貸与するものに限る。）の情報を用いて点検及び整備をすることができるよう、当該作業機械を提供すること。

四　提供した情報を変更したときは、これを周知させるための措置を講ずること。

2　前項の規定による提供は、次のとおりとすることができる。

一　有償（合理的かつ妥当な金額であつて、不当に差別的でないものに限る。）とすること。

二　自動運行装置その他点検及び整備のために通常利用される技術よりも高度な技術を利用する装置に係る情報を提供する場合にあつては、当該情報の提供を受ける者を、当該情報に基づく点検及び整備を適確に実施するに足りる能力及び体制を有することが確認された者に限ること。

三　当該自動車の流通の状況からみて当該提供を受ける者が著しく少数となつた場合においては、当該提供を終了すること。

3　法第五十七条の二第一項の国土交通省令で定める技術上の情報は、次に掲げるものとする。ただし、自動車の点検及び整備の目的以外の目的で使用されることにより、当該自動車について保安上及び公害防止上支障があるものとして国土交通大臣が定めるものを除く。

一　自動車の故障の状態を識別するための番号、記号その他の符号

二　道路運送車両法施行規則（昭和二十六年運輸省令第七十四号）第四十五条の四第二号に規定する装置の構造及び作動条件に関する情報

三　法第四十九条第二項に規定する特定整備に必要な自動車の構造及び装置に関する情報、点検及び整備の実施の方法に関する情報並びに作業機械の情報

四　前三号に掲げるもののほか、自動車の点検及び整備の適切な実施のために必要なものとして国土交通大臣が定める情報

第八条　法第五十七条の二第二項の国土交通省令で定める技術上の情報は、点検（法第四十七条の二及び第四十八条の規定によるものを除く。）の箇所、時期及び実施の方法並びに当該点検の結果必要となる整備の実施の方法とする。

附　則

1　この省令は、公布の日から施行し、昭和二十六年七月一日から適用する。

2　第二条第四号及び第五号に規定する自動車修正基準については、これが告示されるまでは、自動車整備基準（昭和二十三年七月運輸省告示第百八十五号）の例による。

附　則〔令和二・二・六国土交通省令六抄〕

（施行期日）

第一条　この省令は、道路運送車両法の一部を改正する法律（以下「改正法」という。）の施行の日（令和二・四・一）（以下「施行日」という。）から施行する。ただし、次の各号に掲げる規定は、当該各号に定める日から施行する。

一　第二条中自動車点検基準第二条、第四条第二項及び第五条第二項の改正規定並びに別表第五の次に一表を加える改正規定〔中略〕令和二年十月一日

二　第二条中自動車点検基準別表第三、別表第五及び別表第六

の改正規定〔中略〕　令和三年十月一日

（経過措置）

第七条　施行日において現に販売されている自動車の型式に固有の技術上の情報（自動車製作者等が自ら製作、販売、授与又は貸与する作業機械に関するものに限る。）であってその提供に相当の期間を要するものについては、令和二年十二月三十一日までは、第二条の規定による改正後の自動車点検基準第七条第一項（第三号に係る部分に限る。）の規定は、適用しない。

附　則〔令和五・三・三一国土交通省令一八〕

この省令は、令和五年七月一日から施行する。

附　則〔令和五・一〇・二〇国土交通省令八六抄〕

（施行期日）

第一条　この省令は、令和五年十二月二十一日から施行する。

別表第１（事業用自動車、自家用貨物自動車等の日常点検基準）（第一条関係）

点　検　箇　所	点　検　内　容
１　ブレーキ	１　ブレーキ・ペダルの踏みしろが適当で、ブレーキの効きが十分であること。 ２　ブレーキの液量が適当であること。 ３　空気圧力の上がり具合が不良でないこと。 ４　ブレーキ・ペダルを踏み込んで放した場合にブレーキ・バルブからの排気音が正常であること。 ５　駐車ブレーキ・レバーの引きしろが適当であること。
２　タイヤ	１　タイヤの空気圧が適当であること。 ２　亀裂及び損傷がないこと。 ３　異状な摩耗がないこと。 （※１）４　溝の深さが十分であること。 （※２）５　ディスク・ホイールの取付状態が不良でないこと。
３　バッテリ	（※１）　液量が適当であること。
４　原動機	（※１）１　冷却水の量が適当であること。 （※１）２　ファン・ベルトの張り具合が適当であり、かつ、ファン・ベルトに損傷がないこと。 （※１）３　エンジン・オイルの量が適当であること。 （※１）４　原動機のかかり具合が不良でなく、かつ、異音がないこと。 （※１）５　低速及び加速の状態が適当であること。
５　灯火装置及び方向指示器	点灯又は点滅具合が不良でなく、かつ、汚れ及び損傷がないこと。
６　ウインド・ウォッシャ及びワイパー	（※１）１　ウインド・ウォッシャの液量が適当であり、かつ、噴射状態が不良でないこと。 （※１）２　ワイパーの払拭状態が不良でないこと。
７　エア・タンク	エア・タンクに凝水がないこと。
８　運行において異状が認められた箇所	当該箇所に異状がないこと。

(注)①　（※１）印の点検は、当該自動車の走行距離、運行時の状態等から判断した適切な時期に行うことで足りる。

②　（※２）印の点検は、車両総重量８トン以上又は乗車定員30人以上の自動車に限る。

別表第2　（自家用乗用自動車等の日常点検基準）（第一条関係）

点検箇所	点検内容
1　ブレーキ	1　ブレーキ・ペダルの踏みしろが適当で、ブレーキのききが十分であること。 2　ブレーキの液量が適当であること。 3　駐車ブレーキ・レバーの引きしろが適当であること。
2　タイヤ	1　タイヤの空気圧が適当であること。 2　亀裂及び損傷がないこと。 3　異状な摩耗がないこと。 4　溝の深さが十分であること。
3　バッテリ	液量が適当であること。
4　原動機	1　冷却水の量が適当であること。 2　エンジン・オイルの量が適当であること。 3　原動機のかかり具合が不良でなく、かつ、異音がないこと。 4　低速及び加速の状態が適当であること。
5　灯火装置及び方向指示器	点灯又は点滅具合が不良でなく、かつ、汚れ及び損傷がないこと。
6　ウインド・ウォッシャ及びワイパー	1　ウインド・ウォッシャの液量が適当であり、かつ、噴射状態が不良でないこと。 2　ワイパーの払拭状態が不良でないこと。
7　運行において異状が認められた箇所	当該箇所に異状がないこと。

別表第3　（事業用自動車等の定期点検基準）（第二条、第五条関係）

点検箇所 ＼ 点検時期		3月ごと	12月ごと（3月ごとの点検に次の点検を加えたもの）
かじ取り装置	ハンドル		操作具合
	ギヤ・ボックス		1　油漏れ 2　取付けの緩み
	ロッド及びアーム類	（※2）　緩み、がた及び損傷	ボール・ジョイントのダスト・ブーツの亀裂及び損傷
	ナックル	（※2）　連結部のがた	
	かじ取り車輪		ホイール・アライメント
	パワー・ステアリング装置	1　ベルトの緩み及び損傷 （※2）2　油漏れ及び油量	取付けの緩み
制動	ブレーキ・ペダル	1　遊び及び踏み込んだときの床板とのすき間 2　ブレーキの効き具合	
	駐車ブレーキ機構	1　引きしろ 2　ブレーキの効き具合	
	ホース及びパイプ	漏れ、損傷及び取付状態	
	リザーバ・タンク	液量	
	マスタ・シリンダ、ホイール・シリンダ及びディスク・キャリパ		機能、摩耗及び損傷
	ブレーキ・チャンバ	ロッドのストローク	機能
	ブレーキ・バルブ、クイック・レリーズ・バルブ及びリレー・バルブ		機能

装置	倍力装置		1 エア・クリーナの詰まり 2 機能
	ブレーキ・カム		摩耗
	ブレーキ・ドラム及びブレーキ・シュー	1 ドラムとライニングとのすき間 (※2) 2 シューの摺動部分及びライニングの摩耗	ドラムの摩耗及び損傷
	バック・プレート		バック・プレートの状態
	ブレーキ・ディスク及びパッド	(※2) 1 ディスクとパッドとのすき間 (※2) 2 パッドの摩耗	ディスクの摩耗及び損傷
	センタ・ブレーキ・ドラム及びライニング	1 ドラムの取付けの緩み 2 ドラムとライニングとのすき間	1 ライニングの摩耗 2 ドラムの摩耗及び損傷
	二重安全ブレーキ機構		機能
走行装置	ホイール	(※2) 1 タイヤの状態 2 ホイール・ナット及びホイール・ボルトの緩み (※2) 3 フロント・ホイール・ベアリングのがた	(※3) 1 ホイール・ナット及びホイール・ボルトの損傷 2 リム、サイド・リング及びディスク・ホイールの損傷 3 リヤ・ホイール・ベアリングのがた
緩衝装置	リーフ・サスペンション	スプリングの損傷	取付部及び連結部の緩み、がた及び損傷
	コイル・サスペンション		1 スプリングの損傷 2 取付部及び連結部の緩み、がた及び損傷
	エア・サスペンション	1 エア漏れ (※2) 2 ベローズの損傷 (※2) 3 取付部及び連結部の緩み及び損傷	レベリング・バルブの機能
	ショック・アブソーバ	油漏れ及び損傷	

動力伝達装置	クラッチ	1 ペダルの遊び及び切れたときの床板とのすき間 2 作用 3 液量	
	トランスミッション及びトランスファ	(※2) 油漏れ及び油量	
	プロペラ・シャフト及びドライブ・シャフト	(※2) 連結部の緩み	1 自在継手部のダスト・ブーツの亀裂及び損傷 2 継手部のがた 3 センタ・ベアリングのがた
	デファレンシャル	(※2) 油漏れ及び油量	
電気装置	点火装置	(※2)(※4) 1 点火プラグの状態 (※7) 2 点火時期	(※7) ディストリビュータのキャップの状態
	バッテリ	ターミナル部の接続状態	
	電気配線	接続部の緩み及び損傷	
原動機	本体	(※2) 1 エア・クリーナ・エレメントの状態 2 低速及び加速の状態 3 排気の状態	シリンダ・ヘッド及びマニホールド各部の締付状態
	潤滑装置	油漏れ	
	燃料装置	燃料漏れ	
	冷却装置	ファン・ベルトの緩み及び損傷	水漏れ
ばい煙、悪臭のあるガス、有害なガス等の発散防止装置	ブローバイ・ガス還元装置		1 メターリング・バルブの状態 2 配管の損傷
	燃料蒸発ガス排出抑止装置		1 配管等の損傷 2 チャコール・キャニスタの詰まり及び損傷 3 チェック・バルブの機能
	一酸化炭素等発散防止装置		1 触媒反応方式等排出ガス減少装置の取付けの緩み及び損傷 2 二次空気供給装置の機能 3 排気ガス再循環装置の機能

発散防止装置		4　減速時排気ガス減少装置の機能 5　配管の損傷及び取付状態
警音器、窓拭き器、洗浄液噴射装置、デフロスタ及び施錠装置		作用
エグゾースト・パイプ及びマフラ	（※2）　取付けの緩み及び損傷	マフラの機能
エア・コンプレッサ	エア・タンクの凝水	コンプレッサ、プレッシャ・レギュレータ及びアンローダ・バルブの機能
高圧ガスを燃料とする燃料装置等	1　導管及び継手部のガス漏れ及び損傷 （※8）2　ガス容器及びガス容器附属品の損傷	ガス容器取付部の緩み及び損傷
車枠及び車体	1　非常口の扉の機能 2　緩み及び損傷 （※3）3　スペアタイヤ取付装置の緩み、がた及び損傷 （※3）4　スペアタイヤの取付状態 （※3）5　ツールボックスの取付部の緩み及び損傷	
連結装置		1　カプラの機能及び損傷 2　ピントル・フックの摩耗、亀裂及び損傷
座席		（※1）　座席ベルトの状態
開扉発車防止装置		機能
その他	シャシ各部の給油脂状態	（※5）（※6）　車載式故障診断装置の診断の結果

(注)①　（※1）印の点検は、人の運送の用に供する自動車に限る。

②　（※2）印の点検は、自動車検査証の交付を受けた日又は当該点検を行つた日以降の走行距離が3月当たり2千キロメートル以下の自動車については、前回の当該点検を行うべきこととされる時期に当該点検を行わなかつた場合を除き、行わないことができる。

③　（※3）印の点検は、車両総重量8トン以上又は乗車定員30人以上の自動車に限る。

④　（※4）印の点検は、点火プラグが白金プラグ又はイリジウム・プラグの場合は、行わないことができる。

⑤　（※5）印の点検は、大型特殊自動車を除く。

⑥　（※6）印の点検は、原動機、制動装置、アンチロック・ブレーキシステム及びエアバッグ（かじ取り装置並びに車枠及び車体に備えるものに限る。）、衝突被害軽減制動制御装置、自動命令型操舵機能及び自動運行装置に係る識別表示（道路運送車両の保安基準（昭和26年運輸省令第74号）に適合しないおそれがあるものとして警報するものに限る。）の点検をもって代えることができる。

⑦　（※7）印の点検は、ディストリビュータを有する自動車に限る。

⑧　（※8）印の点検は、圧縮天然ガス、液化天然ガス及び圧縮水素を燃料とする自動車に限り、大型特殊自動車及び検査対象外軽自動車を除く。

別表第４　（被牽引自動車の定期点検基準）（第二条、第五条関係）

	点検時期 点検箇所	３　月　ご　と	12　月　ご　と （３月ごとの点検に次の点検を加えたもの）
制動装置	ブレーキ・ペダル	ブレーキの効き具合	
	駐車ブレーキ機構	１　引きしろ ２　ブレーキの効き具合	
	ホース及びパイプ	漏れ、損傷及び取付状態	
	ブレーキ・チャンバ	ロッドのストローク	機能
	リレー・エマージェンシ・バルブ		機能
	ブレーキ・カム		摩耗
	ブレーキ・ドラム及びブレーキ・シュー	１　ドラムとライニングとのすき間 （※１）２　シューの摺動部分及びライニングの摩耗	ドラムの摩耗及び損傷
	バック・プレート		バック・プレートの状態
	ブレーキ・ディスク及びパッド	（※１）１　ディスクとパッドとのすき間 （※１）２　パッドの摩耗	ディスクの摩耗及び損傷
走行装置	ホイール	（※１）１　タイヤの状態 ２　ホイール・ナット及びホイール・ボルトの緩み	（※２）１　ホイール・ナット及びホイール・ボルトの損傷 ２　リム、サイド・リング及びディスク・ホイールの損傷 ３　ホイール・ベアリングのがた
緩衝装置	リーフ・サスペンション	スプリングの損傷	取付部及び連結部の緩み、がた及び損傷
	エア・サスペンション	１　エア漏れ （※１）２　ベローズの損傷 （※１）３　取付部及び連結部の緩み及び損傷	レベリング・バルブの機能
	ショック・アブソーバ	油漏れ及び損傷	
電気装置	電気配線	接続部の緩み及び損傷	
エア・コンプレッサ		エア・タンクの凝水	
車枠及び車体		１　緩み及び損傷 （※２）２　スペアタイヤ取付装置の緩み、がた及び損傷 （※２）３　スペアタイヤの取付状態 （※２）４　ツールボックスの取付部の緩み及び損傷	
連結装置			１　カプラの機能及び損傷 ２　キング・ピン及びルネット・アイの摩耗、亀裂及び損傷
その他		シャシ各部の給油脂状態	

（注）①　（※１）印の点検は、自動車検査証の交付を受けた日又は当該点検を行つた日以降の走行距離が３月当たり２千キロメートル以下の自動車については、前回の当該点検を行うべきこととされる時期に当該点検を行わなかつた場合を除き、行わないことができる。

②　（※２）印の点検は、車両総重量８トン以上の自動車に限る。

別表第５　（自家用貨物自動車等の定期点検基準）（第二条、第五条関係）

点検箇所		6月ごと	12月ごと（6月ごとの点検に次の点検を加えたもの）
かじ取り装置	ハンドル		操作具合
	ギヤ・ボックス		取付けの緩み
	ロッド及びアーム類		1　緩み、がた及び損傷 2　ボール・ジョイントのダスト・ブーツの亀裂及び損傷
	ナックル		連結部のがた
	かじ取り車輪		（※1）　ホイール・アライメント
	パワー・ステアリング装置	ベルトの緩み及び損傷	1　油漏れ及び油量 2　取付けの緩み
制動装置	ブレーキ・ペダル	（※1）1　遊び及び踏み込んだときの床板とのすき間 （※1）2　ブレーキの効き具合	1　遊び及び踏み込んだときの床板とのすき間 2　ブレーキの効き具合
	駐車ブレーキ機構	（※1）1　引きしろ （※1）2　ブレーキの効き具合	1　引きしろ 2　ブレーキの効き具合
	ホース及びパイプ	漏れ、損傷及び取付状態	
	リザーバ・タンク		液量
	マスタ・シリンダ、ホイール・シリンダ及びディスク・キャリパ		機能、摩耗及び損傷
	ブレーキ・バルブ、クイック・レリーズ・バルブ及びリレー・バルブ		機能
	倍力装置		1　エア・クリーナの詰まり 2　機能
	ブレーキ・ドラム及びブレーキ・シュー	ドラムとライニングとのすき間	1　シューの摺動部分及びライニングの摩耗 2　ドラムの摩耗及び損傷
	ブレーキ・ディスク及びパッド		1　ディスクとパッドとのすき間 2　パッドの摩耗 3　ディスクの摩耗及び損傷
	センタ・ブレーキ・ドラム及びライニング		1　ドラムの取付けの緩み 2　ドラムとライニングとのすき間 3　ライニングの摩耗 4　ドラムの摩耗及び損傷
	二重安全ブレーキ機構		機能
走行装置	ホイール	ホイール・ナット及びホイール・ボルトの緩み	（※4）1　タイヤの状態 2　フロント・ホイール・ベアリングのがた 3　リヤ・ホイール・ベアリングのがた
緩衝装置	リーフ・サスペンション		1　スプリングの損傷 2　取付部及び連結部の緩み、がた及び損傷
	コイル・サスペンション		取付部及び連結部の緩み、がた及び損傷
	ショック・アブソーバ		油漏れ及び損傷
動力伝達装置	クラッチ	1　ペダルの遊び及び切れたときの床板とのすき間 2　作用	液量
	トランスミッション及びトランスファ	（※4）　油漏れ及び油量	
	プロペラ・シャフト及びドライブ・シャフト	（※4）　連結部の緩み	1　自在継手部のダスト・ブーツの亀裂及び損傷 2　継手部のがた 3　センタ・ベアリングのがた
	デファレンシャル	（※4）　油漏れ及び油量	

電気装置	点火装置	（※4）（※5）1　点火プラグの状態 （※8）2　点火時期	（※8）　ディストリビュータのキャップの状態
	バッテリ		ターミナル部の接続状態
	電気配線		接続部の緩み及び損傷
原動機	本体	1　排気の状態 （※4）2　エア・クリーナ・エレメントの状態 （※2）3　エア・クリーナの油の汚れ及び量	低速及び加速の状態
	潤滑装置	油漏れ	
	燃料装置		燃料漏れ
	冷却装置	ファン・ベルトの緩み及び損傷	水漏れ
ばい煙、悪臭のあるガス、有害なガス等の発散防止装置	ブローバイ・ガス還元装置		1　メターリング・バルブの状態 2　配管の損傷
	燃料蒸発ガス排出抑止装置		（※1）1　配管等の損傷 （※1）2　チャコール・キャニスタの詰まり及び損傷 （※1）3　チェック・バルブの機能
	一酸化炭素等発散防止装置		1　触媒反応方式等排出ガス減少装置の取付けの緩み及び損傷 2　二次空気供給装置の機能 3　排気ガス再循環装置の機能 4　減速時排気ガス減少装置の機能 5　配管の損傷及び取付状態
警音器、窓拭き器、洗浄液噴射装置、デフロスタ及び施錠装置			作用
エグゾースト・パイプ及びマフラ			（※4）1　取付けの緩み及び損傷 2　マフラの機能
エア・コンプレッサ		エア・タンクの凝水	コンプレッサ、プレッシャ・レギュレータ及びアンローダ・バルブの機能
高圧ガスを燃料とする燃料装置等		1　導管及び継手部のガス漏れ及び損傷 （※9）2　ガス容器及びガス容器附属品の損傷	ガス容器取付部の緩み及び損傷
車枠及び車体			緩み及び損傷
座席			（※3）　座席ベルトの状態
その他		シャシ各部の給油脂状態	（※6）（※7）　車載式故障診断装置の診断の結果

(注)①　（※1）印の点検は、大型特殊自動車にあつては、行わなくてもよい。
②　（※2）印の点検は、大型特殊自動車に限る。
③　（※3）印の点検は、道路運送法第80条第1項の規定により受けた許可に係る自動車に限る。
④　（※4）印の点検は、自動車検査証の交付を受けた日又は当該点検を行つた日以降の走行距離が6月当たり4千キロメートル以下の自動車については、前回の当該点検を行うべきこととされる時期に当該点検を行わなかつた場合を除き、行わないことができる。
⑤　（※5）印の点検は、点火プラグが白金プラグ又はイリジウム・プラグの場合は、行わないことができる。
⑥　（※6）印の点検は、大型特殊自動車を除く。
⑦　（※7）印の点検は、原動機、制動装置、アンチロック・ブレーキシステム及びエアバッグ（かじ取り装置並びに車枠及び車体に備えるものに限る。）、衝突被害軽減制動制御装置、自動命令型操舵機能及び自動運行装置に係る識別表示（道路運送車両の保安基準に適合しないおそれがあるものとして警報するものに限る。）の点検をもつて代えることができる。
⑧　（※8）印の点検は、ディストリビュータを有する自動車に限る。
⑨　（※9）印の点検は、圧縮天然ガス、液化天然ガス及び圧縮水素を燃料とする自動車に限り、大型特殊自動車及び検査対象外軽自動車を除く。

別表第5の2　（有償で貸し渡す自家用二輪自動車等の定期点検基準）（第二条、第五条関係）

点検箇所＼点検時期		6　月　ご　と	12　月　ご　と（6月ごとの点検に次の点検を加えたもの）
かじ取り装置	ハンドル		操作具合
	フロント・フォーク	ステアリング・ステムの軸受部のがた	1　損傷 2　ステアリング・ステムの取付状態
制動装置	ブレーキ・ペダル及びブレーキ・レバー	1　遊び 2　ブレーキの効き具合	
	ロッド及びケーブル類	緩み、がた及び損傷	
	ホース及びパイプ	漏れ、損傷及び取付状態	
	マスタ・シリンダ、ホイール・シリンダ及びディスク・キャリパ	液漏れ	機能、摩耗及び損傷
	ブレーキ・ドラム及びブレーキ・シュー	（※1）1　ドラムとライニングとのすき間 （※1）2　シューの摺動部分及びライニングの摩耗	ドラムの摩耗及び損傷
	ブレーキ・ディスク及びパッド	（※1）1　ディスクとパッドとのすき間 （※1）2　パッドの摩耗	ディスクの摩耗及び損傷
走行装置	ホイール	（※1）1　タイヤの状態 2　ホイール・ナット及びホイール・ボルトの緩み （※1）3　フロント・ホイール・ベアリングのがた （※1）4　リヤ・ホイール・ベアリングのがた	
緩衝装置	サスペンション・アーム		連結部のがた及びアームの損傷
	ショック・アブソーバ		油漏れ及び損傷
動力伝達装置	クラッチ	クラッチ・レバーの遊び	作用
	トランスミッション	（※1）　油漏れ及び油量	
	プロペラ・シャフト及びドライブ・シャフト		継手部のがた
	チェーン及びスプロケット	1　チェーンの緩み 2　スプロケットの取付状態及び摩耗	
	ドライブ・ベルト	（※1）　摩耗及び損傷	
電気装置	点火装置	（※1）（※2）1　点火プラグの状態 2　点火時期	
	バッテリ	ターミナル部の接続状態	
	電気配線		接続部の緩み及び損傷
原動機	本体	（※1）1　エア・クリーナ・エレメントの状態 2　低速及び加速の状態 3　排気の状態	
	潤滑装置	油漏れ	
	燃料装置	1　燃料漏れ 2　リンク機構の状態 3　スロットル・バルブ及びチョーク・バルブの作動状態	
	冷却装置	水漏れ	
ばい煙、悪臭のあるガス、有害なガス等の発散防止装置	ブローバイ・ガス還元装置		配管の損傷
	燃料蒸発ガス排出抑止装置		1　配管等の損傷 2　チャコール・キャニスタの詰まり及び損傷 3　チェック・バルブの機能
	一酸化炭素等発散防止装置		1　二次空気供給装置の機能 2　配管の損傷及び取付状態

エグゾースト・パイプ及びマフラ	取付けの緩み及び損傷	マフラの機能
高圧ガスを燃料とする燃料装置等	1 導管及び継手部のガス漏れ及び損傷 （※3） 2 ガス容器及びガス容器附属品の損傷	ガス容器取付部の緩み及び損傷
フレーム	緩み及び損傷	
その他	シャシ各部の給油脂状態	

(注)① （※1）印の点検は、自動車検査証の交付を受けた日又は当該点検を行った日以降の走行距離が6月当たり1千5百キロメートル以下の自動車については、前回の当該点検を行うべきこととされている時期に当該点検を行わなかった場合を除き、行わないことができる。

② （※2）印の点検は、点火プラグが白金プラグ又はイリジウム・プラグの場合は、行わないことができる。

③ （※3）印の点検は、圧縮天然ガス、液化天然ガス及び圧縮水素を燃料とする自動車に限り、検査対象外軽自動車を除く。

別表第6 （自家用乗用自動車等の定期点検基準）（第二条、第五条関係）

点検箇所 ＼ 点検時期		1 年 ご と	2 年 ご と（1年ごとの点検に次の点検を加えたもの）
かじ取り装置	ハンドル		操作具合
	ギヤ・ボックス		（※1） 取付けの緩み
	ロッド及びアーム類		（※1） 1 緩み、がた及び損傷 2 ボール・ジョイントのダスト・ブーツの亀裂及び損傷
	かじ取り車輪		（※1） ホイール・アライメント
	パワー・ステアリング装置	ベルトの緩み及び損傷	1 油漏れ及び油量 （※1） 2 取付けの緩み
制動装置	ブレーキ・ペダル	1 遊び及び踏み込んだときの床板とのすき間 2 ブレーキの効き具合	
	駐車ブレーキ機構	1 引きしろ 2 ブレーキの効き具合	
	ホース及びパイプ	漏れ、損傷及び取付状態	
	マスタ・シリンダ、ホイール・シリンダ及びディスク・キャリパ	液漏れ	機能、摩耗及び損傷
	ブレーキ・ドラム及びブレーキ・シュー	（※1） 1 ドラムとライニングとのすき間 （※1） 2 シューの摺動部分及びライニングの摩耗	ドラムの摩耗及び損傷
	ブレーキ・ディスク及びパッド	（※1） 1 ディスクとパッドとのすき間 （※1） 2 パッドの摩耗	ディスクの摩耗及び損傷
走行装置	ホイール	（※1） 1 タイヤの状態 （※1） 2 ホイール・ナット及びホイール・ボルトの緩み	（※1） 1 フロント・ホイール・ベアリングのがた （※1） 2 リヤ・ホイール・ベアリングのがた

緩衝装置	取付部及び連結部		緩み、がた及び損傷
	ショック・アブソーバ		油漏れ及び損傷
動力伝達装置	クラッチ	ペダルの遊び及び切れたときの床板とのすき間	
	トランスミッション及びトランスファ	(※1) 油漏れ及び油量	
	プロペラ・シャフト及びドライブ・シャフト	(※1) 連結部の緩み	自在継手部のダスト・ブーツの亀裂及び損傷
	デファレンシャル		(※1) 油漏れ及び油量
電気装置	点火装置	(※1)(※2) 1 点火プラグの状態 (※4) 2 点火時期 (※4) 3 ディストリビュータのキャップの状態	
	バッテリ	ターミナル部の接続状態	
	電気配線		接続部の緩み及び損傷
原動機	本体	1 排気の状態 (※1) 2 エア・クリーナ・エレメントの状態	
	潤滑装置	油漏れ	
	燃料装置		燃料漏れ
	冷却装置	1 ファン・ベルトの緩み及び損傷 2 水漏れ	
ばい煙、悪臭のあるガス、有害なガス等の発散防止装置	ブローバイ・ガス還元装置		1 メターリング・バルブの状態 2 配管の損傷
	燃料蒸発ガス排出抑止装置		1 配管等の損傷 2 チャコール・キャニスタの詰まり及び損傷 3 チェック・バルブの機能
	一酸化炭素等発散防止装置		1 触媒反応方式等排出ガス減少装置の取付けの緩み及び損傷 2 二次空気供給装置の機能 3 排気ガス再循環装置の機能 4 減速時排気ガス減少装置の機能 5 配管の損傷及び取付状態
エグゾースト・パイプ及びマフラ		(※1) 取付けの緩み及び損傷	マフラの機能
高圧ガスを燃料とする燃料装置等		1 導管及び継手部のガス漏れ及び損傷 (※5) 2 ガス容器及びガス容器附属品の損傷	ガス容器取付部の緩み及び損傷
車枠及び車体			緩み及び損傷
その他		(※3) 車載式故障診断装置の診断の結果	

(注)① 法第61条第2項の規定により自動車検査証の有効期間を3年とされた自動車にあっては、2年目の点検は1年ごとの欄に掲げる基準によるものとし、3年目の点検は2年ごとの欄に掲げる基準によるものとする。

② (※1) 印の点検は、自動車検査証の交付を受けた日又は当該点検を行った日以降の走行距離が1年当たり5千キロメートル以下の自動車については、前回の当該点検を行うべきこととされる時期に当該点検を行わなかった場合を除き、行わないことができる。

③ (※2) 印の点検は、点火プラグが白金プラグ又はイリジウム・プラグの場合は、行わないことができる。

④ (※3) 印の点検は、原動機、制動装置、アンチロック・ブレーキシステム及びエアバッグ（かじ取り装置並びに車枠及び車体に備えるものに限る。）、衝突被害軽減制動制御装置、自動命令型操舵機能及び自動運行装置に係る識別表示（道路運送車両の保安基準に適合しないおそれがあるものとして警報するものに限る。）の点検をもって代えることができる。

⑤ (※4) 印の点検は、ディストリビュータを有する自動車に限る。

⑥ (※5) 印の点検は、圧縮天然ガス、液化天然ガス及び圧縮水素を燃料とする自動車に限る。

別表第７　（二輪自動車の定期点検基準）（第二条、第五条関係）

点検箇所＼点検時期		１　年　ご　と	２　年　ご　と（１年ごとの点検に次の点検を加えたもの）
かじ取り装置	ハンドル		操作具合
	フロント・フォーク	ステアリング・ステムの軸受部のがた	１　損傷 ２　ステアリング・ステムの取付状態
制動装置	ブレーキ・ペダル及びブレーキ・レバー	１　遊び ２　ブレーキの効き具合	
	ロッド及びケーブル類	緩み、がた及び損傷	
	ホース及びパイプ	漏れ、損傷及び取付状態	
	マスタ・シリンダ、ホイール・シリンダ及びディスク・キャリパ	液漏れ	機能、摩耗及び損傷
	ブレーキ・ドラム及びブレーキ・シュー	（※１）１　ドラムとライニングとのすき間 （※１）２　シューの摺動部分及びライニングの摩耗	ドラムの摩耗及び損傷
	ブレーキ・ディスク及びパッド	（※１）１　ディスクとパッドとのすき間 （※１）２　パッドの摩耗	ディスクの摩耗及び損傷
走行装置	ホイール	（※１）１　タイヤの状態 ２　ホイール・ナット及びホイール・ボルトの緩み （※１）３　フロント・ホイール・ベアリングのがた （※１）４　リヤ・ホイール・ベアリングのがた	
緩衝装置	サスペンション・アーム		連結部のがた及びアームの損傷
	ショック・アブソーバ		油漏れ及び損傷
動力伝達装置	クラッチ	クラッチ・レバーの遊び	作用
	トランスミッション	（※１）油漏れ及び油量	
	プロペラ・シャフト及びドライブ・シャフト		継手部のがた
	チェーン及びスプロケット	１　チェーンの緩み ２　スプロケットの取付状態及び摩耗	
	ドライブ・ベルト	（※１）摩耗及び損傷	
電気装置	点火装置	（※１）（※２）１　点火プラグの状態 ２　点火時期	
	バッテリ	ターミナル部の接続状態	
	電気配線		接続部の緩み及び損傷
原動機	本体	（※１）１　エア・クリーナ・エレメントの状態 ２　低速及び加速の状態 ３　排気の状態	
	潤滑装置	油漏れ	
	燃料装置	１　燃料漏れ ２　リンク機構の状態 ３　スロットル・バルブ及びチョーク・バルブの作動状態	
	冷却装置	水漏れ	
ばい煙、悪臭の	ブローバイ・ガス還元装置		配管の損傷
	燃料蒸発ガス排出抑止装置		１　配管等の損傷 ２　チャコール・キャニスタの詰まり及び損傷

あるガス、有害なガス等の発散防止装置			3　チェック・バルブの機能
	一酸化炭素等発散防止装置		1　二次空気供給装置の機能 2　配管の損傷及び取付状態
エグゾースト・パイプ及びマフラ		取付けの緩み及び損傷	マフラの機能
高圧ガスを燃料とする燃料装置等		1　導管及び継手部のガス漏れ及び損傷 （※3）2　ガス容器及びガス容器附属品の損傷	ガス容器取付部の緩み及び損傷
フレーム		緩み及び損傷	
その他		シャシ各部の給油脂状態	

(注)①　法第61条第2項の規定により自動車検査証の有効期間を3年とされた自動車にあつては、2年目の点検は1年ごとの欄に掲げる基準によるものとし、3年目の点検は2年ごとの欄に掲げる基準によるものとする。

②（※1）印の点検は、自動車検査証の交付を受けた日又は当該点検を行つた日以降の走行距離が1年当たり1千5百キロメートル以下の自動車については、前回の当該点検を行うべきこととされる時期に当該点検を行わなかつた場合を除き、行わないことができる。

③（※2）印の点検は、点火プラグが白金プラグ又はイリジウム・プラグの場合は、行わないことができる。

④（※3）印の点検は、圧縮天然ガス、液化天然ガス及び圧縮水素を燃料とする自動車に限り、検査対象外軽自動車を除く。

別表第8　（劣化又は摩耗により生ずる状態）（第五条関係）

装置	劣化又は摩耗により生ずる状態
かじ取り装置	1　ハンドルの操作具合の不良 2　ギヤ・ボックスの油漏れ 3　ロッド類又はアーム類の緩み、がた又は損傷 4　ロッド類又はアーム類のボール・ジョイントのダスト・ブーツの亀裂又は損傷 5　かじ取り車輪のホイール・アライメントの不良 6　パワー・ステアリング装置のベルトの緩み又は損傷 7　パワー・ステアリング装置の油漏れ 8　フロント・フォークの損傷 9　フロント・フォークのステアリング・ステムの取付状態の不良 10　フロント・フォークのステアリング・ステムの軸受部のがた
制動装置	1　主制動装置のきき具合の不良 2　駐車ブレーキのきき具合の不良 3　ホース又はパイプの漏れ、損傷又は取付状態の不良 4　マスタ・シリンダ、ホイール・シリンダ又はディスク・キャリパの液漏れ
走行装置	1　フロント・ホイール・ベアリングのがた 2　リヤ・ホイール・ベアリングのがた
緩衝装置	1　スプリングの損傷（エア・スプリングのエア漏れを含む。） 2　緩衝装置の取付部又は連結部の緩み、がた又は損傷 3　ショック・アブソーバの油漏れ又は損傷
動力伝達装置	1　トランスミッション又はトランスファの油漏れ 2　プロペラ・シャフト又はドライブ・シャフトの連結部の緩み 3　プロペラ・シャフト又はドライブ・シャフトの自在継手部のダスト・ブーツの亀裂又は損傷 4　デファレンシャルの油漏れ 5　チェーンの緩み 6　スプロケットの取付状態の不良又は摩耗
原動機	1　排気の状態の不良 2　潤滑装置の油漏れ 3　燃料装置の燃料漏れ 4　冷却装置のファン・ベルトの緩み又は損傷 5　冷却装置の水漏れ
その他	1　一酸化炭素等発散防止装置の触媒反応方式等排出ガス減少装置の取付けの緩み又は損傷 2　エグゾースト・パイプ又はマフラの取付けの緩み又は損傷 3　マフラの機能の不良

○自動車型式指定規則〔抄〕

〔昭和二六・九・一八〕
〔運輸省令八五〕

改正 昭和二七・七運令四八、昭和二八・四運令二三、昭和二九・一運令三、昭和三〇・九運令五〇、昭和三七・九運令四八、昭和三八・一〇運令四八、昭和四二・三運令一七、昭和四四・八運令四五、昭和四八・九運令三三、一一運令四五、昭和四九・一運令二、一一運令四五、昭和五三・一二運令六三、昭和五四・三運令八、昭和五八・三運令八、七運令三四、昭和六〇・一〇運令三四、昭和六一・三運令三、昭和六二・一二運令六三、平成元・七運令二四、平成三・三運令三、平成六・三運令一二、一一運令四八、平成七・二運令八、一二運令六六、運令七〇、平成八・二運令一〇、平成九・三運令一七、七運令四九、一二運令八一、平成一〇・五運令三一、九運令六五、一〇運令六七、平成一一・一〇運令四六、平成一二・一一運令三九、平成一三・三国交令三八、六国交令九九、平成一五・七国交令八一、平成一七・三国交令二七、一一国交令一〇四、一二国交令一一二、平成一八・一一国交令一〇六、平成一九・三国交令一一、平成二〇・六国交令四一、平成二八・三国交令一四、九国交令六四、平成二九・三国交令一一、六国交令三八、平成三〇・一〇国交令七九、令和元・五国交令七、六国交令二〇、令和二・二国交令六、三国交令二〇、八国交令六七、一〇国交令八四、一二国交令九八、令和三・一一国交令七三、令和六・三国交令二六

（この省令の適用）

第一条 道路運送車両法（以下「法」という。）第七十五条第一項の規定による自動車の型式についての指定（以下「指定」という。）の手続、同条第四項の検査の基準、同項の完成検査終了証の様式その他指定に関する実施細目は、この省令の定めるところによる。

（指定の申請）

第二条 指定の申請は、自動車を製作することを業とする者若しくはその者から自動車を購入する契約を締結している者であつて当該自動車を販売することを業とするもの（外国において本邦に輸出される自動車を製作することを業とする者又はその者から当該自動車を購入する契約を締結している者であつて当該自動車を本邦に輸出することを業とするものを含む。以下「製作者等」という。）又は特定改造等を業とする者が、製作若しくは販売（以下「製作等」という。）をする自動車又は特定改造等に係る改造のためのプログラム等が組み込まれる装置を取り付ける自動車について行うものとする。

第三条 指定を申請する者（以下「申請者」という。）は、国土交通大臣に対し、次に掲げる事項を記載した申請書（第一号様式）を、機構に対し、その写しを提出し、かつ、申請に係る自動車であつて運行（この項の規定による提示のためにするものを除く。）の用に供していないもの及び国土交通大臣が定めるところにより走行を行つたもの（以下「走行車」という。）を、機構に提示しなければならない。

一 車名及び型式

二 車台の名称及び型式

三 車体の名称及び型式

四 申請者の氏名又は名称及び住所

五 主たる製作工場の名称及び所在地

六 法第七十五条第四項の検査（以下「完成検査」という。）を実施する工場の名称及び所在地

七 完成検査終了証を発行する事業所の名称及び所在地

八 検査主任技術者の氏名及び経歴

2 前項の申請書及びその写しには、次に掲げる書面（申請書の写しにあつては、第四号から第十号までを除く。）を添付しなければならない。

一 自動車の構造、装置及び性能を記載した書面

二 自動車の外観図

三 道路運送車両の保安基準（昭和二十六年運輸省令第六十七号）の規定に適合することを証する書面（法第七十五条の二第一項の規定による指定を受けた特定共通構造部（以下「指定特定共通構造部」という。）又は法第七十五条の三第一項の規定による指定を受けた特定装置（以下「指定特定装置」という。）については、当該指定を受けたことを証する書面）

四 品質管理システム（申請に係る自動車の品質管理の計画、実施、評価及び改善に関し、申請者が自らの組織の管理監督を行うための仕組みをいう。）に係る業務組織及び実施要領を記載した書面（申請者が国際標準化機構第九〇〇一号の規格により登録されている場合（申請に係る自動車に関し、前項第五号の主たる製作工場について登録されている場合に限る。）にあつては、登録されていることを証する書面）

五 完成検査の業務組織及び実施要領並びに自動車検査用機械器具の管理要領を国土交通大臣が告示で定めるところにより記載した書面

六 法第四十一条各号に掲げる装置の検査の業務組織及び実施要領を記載した書面

七 完成検査終了証の発行要領を記載した書面

八 点検整備方式（自動車点検基準（昭和二十六年運輸省令第七十号）第七条第三項及び第八条の技術上の情報を含む。第五条の二において同じ。）を記載した書面

九 前条の購入契約を締結している者にあつては、当該契約書の写し

十 次に掲げる処分を受け、かつ、当該処分を受けた日以後初めて指定の申請をする者にあつては、当該処分に関する不正行為を防止するための措置が適切に講じられていることを証する書面

イ 法第七十五条第七項の規定による指定を受けた自動車（以下「指定自動車」という。）の型式についての指定の効力の停止

ロ 法第七十五条第八項の規定による指定自動車の型式についての指定の取消し

ハ 法第七十五条の二第四項の規定による指定特定共通構造部の型式についての指定の効力の停止

ニ 法第七十五条の二第五項の規定による指定特定共通構造部の型式についての指定の取消し

ホ 法第七十五条の三第五項の規定による指定特定装置の型式についての指定の効力の停止

ヘ 法第七十五条の三第六項の規定による指定特定装置の型式についての指定の取消し

3 国土交通大臣又は機構は、前二項に規定するもののほか、申請者に対し、指定に関し必要があると認めるときは、必要な書面の提出を求めることができる。

4 次の各号に掲げる自動車であつて、走行時に排気管から大気中に排出される排出物に含まれる当該各号に掲げる物質の大気中への排出を第一項の国土交通大臣が定めるところにより走行を行つた状態においても有効に抑止できる装置を有する自動車として国土交通大臣が定めるものについて同項の申請をする者は、同項の規定にかかわらず、国土交通大臣が定める書面の提出をもつて走行車の提示に代えることができる。

一 ガソリンを燃料とする自動車 一酸化炭素、炭化水素及び窒素酸化物又は一酸化炭素、炭化水素、窒素酸化物及び粒子状物質

二 液化石油ガスを燃料とする自動車 一酸化炭素、炭化水素及び窒素酸化物

三　軽油を燃料とする自動車　一酸化炭素、炭化水素、窒素酸化物、粒子状物質及び黒煙

第三条の二　前条第一項及び第二項の規定にかかわらず、指定を受けた者は、当該指定自動車の型式と重要でない部分のみが異なる型式（以下「同一と認められる型式」という。）について指定を申請する場合には、国土交通大臣に対し第一号様式の二による申請書及び当該指定自動車の型式と異なる部分に関する資料を、機構に対しそれらの写しを提出することをもつて、同条第一項に規定する申請書及びその写しの提出並びに申請に係る自動車の機構への提示並びに同条第二項に規定する書面（同項第十号に掲げる書面を除く。）の添付に代えることができる。

2　機構は、指定を受けた者に対し、前項の規定による申請に係る指定に関し必要があると認めるときは、当該申請に係る自動車の提示を求めることができる。

第三条の三　法第七十五条第三項に規定する判定の基準は、次のとおりとする。

一　第三条第一項の規定により機構に提示された自動車又は前条第一項の申請に係る自動車の構造、装置及び性能が、法第四十条各号に掲げる事項ごと及び法第四十一条各号に掲げる装置ごとに保安基準に適合すること。

二　第三条第一項の規定により機構に提示された自動車又は前条第一項の申請に係る自動車と同じ構造、装置及び性能を有する自動車が均一に製作されるよう品質管理が行われていること。

三　法第六十三条の三第一項に規定する改善措置の届出に関する重大な不正行為を行つた自動車製作者等が行つた指定の申請のうち、当該改善措置に係る自動車の部品と同種のものが使用されている自動車に係るものにあつては、当該改善措置及び当該改善措置の届出に関する不正行為の再発を防止するための措置が適切に講じられていること。

（勧告）

第三条の四　国土交通大臣は、指定自動車の制作者等（以下「指定製作者等」という。）がこの省令の規定に違反したとき、又は完成検査の実施に関し改善が必要であると認めるときは、当該指定製作者等に対し、その是正又は改善のため必要な措置をとるべきことを勧告することができる。

附　則

1　この省令は、公布の日から施行し、昭和二十六年七月一日から適用する。

2　車両規則第二十六条の二第三項の規定による自動車の指定に関する省令（昭和二十四年運輸省令第六十三号）は、廃止する。

3　〔略〕

○指定自動車整備事業規則〔抄〕

〔昭和三七・九・二六
運輸省令四九〕

改正　昭和三八・一〇運令五二、昭和四二・一運令三、五運令二七、昭和四四・一二運令五七、昭和四五・七運令六三、昭和四六・三運令一九、昭和四七・一二運令六五、昭和四八・九運令三三、昭和四九・五運令一八、昭和五三・二運令七、昭和五四・七運令三三、昭和五八・三運令八、昭和五九・六運令一八、昭和六〇・二運令五、六運令二二、昭和六一・九運令二九、平成元・七運令二四、平成六・一一運令四八、平成七・二運令八、平成九・二運令九、九運令六一、平成一〇・一〇運令六七、平成一一・一一運令三九、平成一一・四運令二三、八運令三七、平成一二・一一運令三九、平成一三・三国交令七二、平成一四・四国交令五八、六国交令七九、平成一五・三国交令一八、平成一六・三国交令三七、五国交令六五、八国交令八三、平成一七・三国交令一二、一一国交令一〇四、平成一八・四国交令五八、平成一九・三国交令一一、国交令三五、五国交令六〇、平成二〇・七国交令五九、九国交令七六、平成二七・一国交令一、一二国交令八六、平成二八・三国交令一四、一二国交令八七、平成二九・九国交令五六、平成三〇・六国交令五一、平成三一・三国交令八、令和元・六国交令二〇、令和二・二国交令六、令和三・一〇国交令六六、令和四・五国交令四五、国交令四六

（保安基準適合証等）

第九条　保安基準適合証及び保安基準適合標章の有効期間は、法第九十四条の五第四項の検査をした日から十五日間とする。

2　保安基準適合証及び限定保安基準適合証の様式は第一号様式、保安基準適合標章の様式は第二号様式（第七条第一項ただし書に規定する保安基準適合標章の様式にあつては、第二号様式の二）とする。

（登録情報処理機関に対する照会）

第九条の二　法第九十四条の五第十項の照会は、保安基準適合証に記載すべき事項について、電磁的方法により行うものとする。

2　前項の照会を受けた登録情報処理機関は、電磁的方法により当該照会に係る事項について国土交通大臣に対し通知しなければならない。

（法第九十四条の五の二第二項の国土交通省令で定める自動車）

第九条の三　法第九十四条の五の二第二項の国土交通省令で定める自動車は、次に掲げる自動車とする。

一　登録を受けたことがある自動車

二　検査対象軽自動車

三　二輪の小型自動車

附　則　〔平成二〇・七・七国土交通省令五九抄〕

（施行期日）

第一条　この省令は、公布の日から施行する。〔以下略〕

（経過措置）

第二条　第三条の規定による改正前の指定自動車整備事業規則第二号様式による保安基準適合標章（次条において「旧標章」という。）については、第一条の規定による改正後の道路運送車両の保安基準第二十九条第四項第二号の二の規定は、適用しない。

第三条　旧標章は、第三条の規定による改正後の指定自動車整備事業規則第二号様式にかかわらず、平成二十一年三月三十一日までは、なおこれを使用することができる。

附　則　〔平成三一年三月八日国土交通省令八〕

（施行期日）

1　この省令は、公布の日から施行する。

（経過措置）

2　第二条の規定による改正前の指定自動車整備事業規則第二号様式による保安基準適合標章は、同条の規定による改正後の指定自動車整備事業規則第二号様式の二にかかわらず、当分の間、なおこれを使用することができる。この場合には、自動車検査員は、押印することを要しない（第二条の規定による改正後の指定自動車整備事業規則第七条第一項ただし書に規定する場合に限る。）。

第一号様式（保安基準適合証、限定保安基準適合証）（第九条関係）

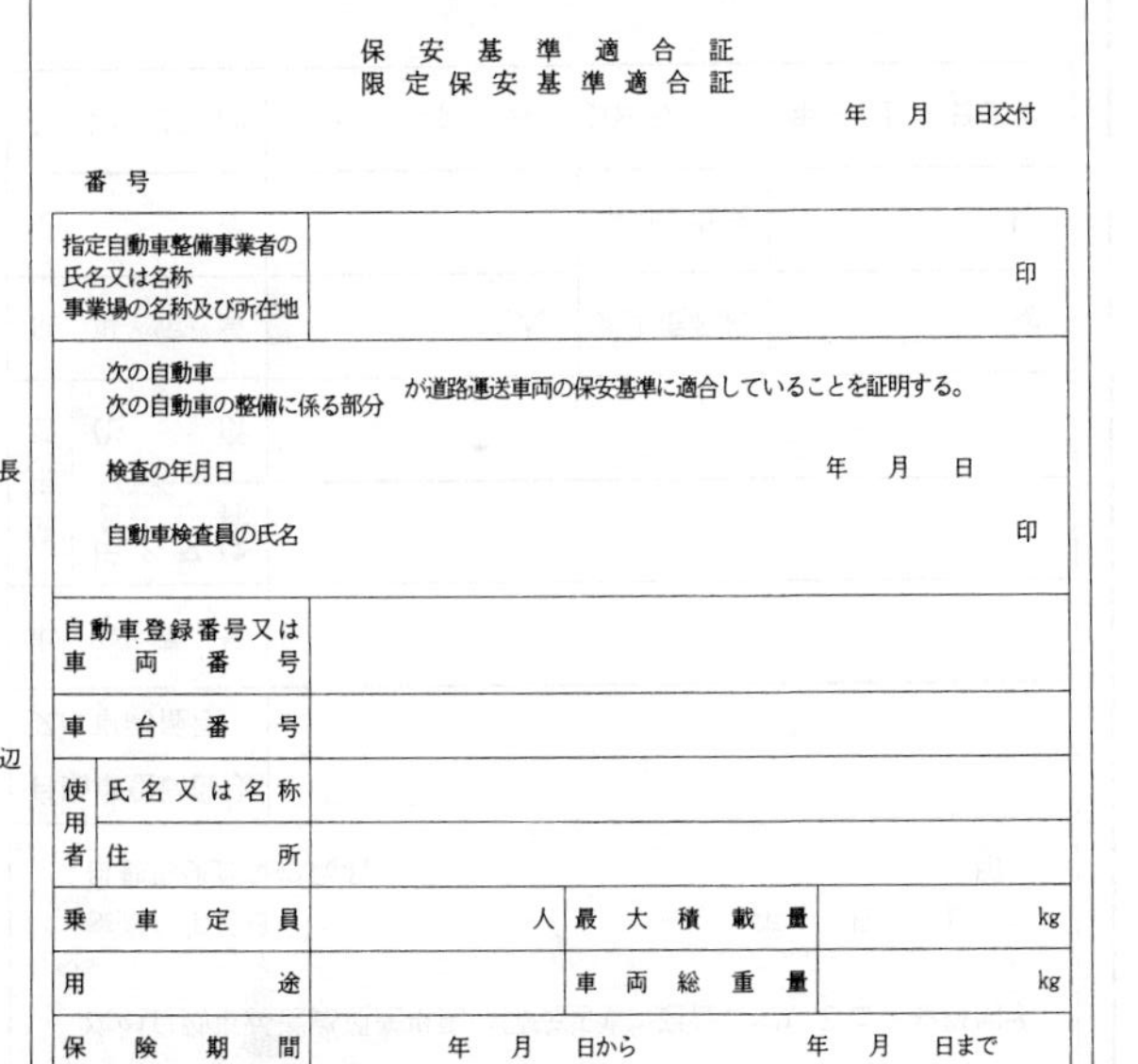

保　安　基　準　適　合　証
限　定　保　安　基　準　適　合　証

年　月　日交付

番　号

指定自動車整備事業者の氏名又は名称 事業場の名称及び所在地	印		
次の自動車 次の自動車の整備に係る部分　が道路運送車両の保安基準に適合していることを証明する。 検査の年月日　　年　月　日 自動車検査員の氏名　　印			
自動車登録番号又は車両番号			
車台番号			
使用者　氏名又は名称			
使用者　住所			
乗車定員	人	最大積載量	kg
用途		車両総重量	kg
保険期間	年　月　日から　　年　月　日まで		

注1．保安基準適合証の有効期間は、検査の日から１５日間とする。
　2．限定保安基準適合証は、有効な限定自動車検査証とともに提出すること。

長辺

短辺（日本産業規格A列６番）

備考(1)　不要の文字を抹消すること。
(2)　法第16条第１項の申請に基づく抹消登録を受けた自動車並びに法第69条第４項の規定による自動車検査証返納証明書の交付を受けた検査対象軽自動車及び二輪の小型自動車の場合は、「自動車登録番号又は車両番号」欄及び「保険期間」欄に記載しないこと。
(3)　法第71条の２第１項の規定による限定自動車検査証の交付を受けた自動車の場合は、「乗車定員」欄、「最大積載量」欄、「用途」欄、「車両総重量」欄及び「保険期間」欄に記載しないこと。
(4)　使用者が未定である場合は、「使用者」欄に所有者の「氏名又は名称」及び「住所」を記載すること。

第二号様式（保安基準適合標章）（第九条関係）

（表）

短辺　　（日本産業規格A列６番）

備考
(1)　有効期間が満了する日を表示する数字は、赤色又は黒色とすること。
(2)　有効期間及び自動車登録番号又は車両番号は、図示の例により表示すること。
(3)　寸法の単位は、ミリメートルとする。

（裏）

番号	年　月　日交付
指定自動車整備事業者の氏名又は名称 事業場の名称及び所在地	印
次の自動車が道路運送車両の保安基準に適合していることを証明する。 検査の年月日　　年　月　日 自動車検査員の氏名　　印	
自動車登録番号又は車両番号	
車台番号	
使用者　氏名又は名称	
使用者　住所	
乗車定員	人　｜　最大積載量　　kg
用途	車両総重量　　kg
保険期間	年　月　日から　年　月　日まで

第二号様式の二（保安基準適合標章）（第九条関係）（表）

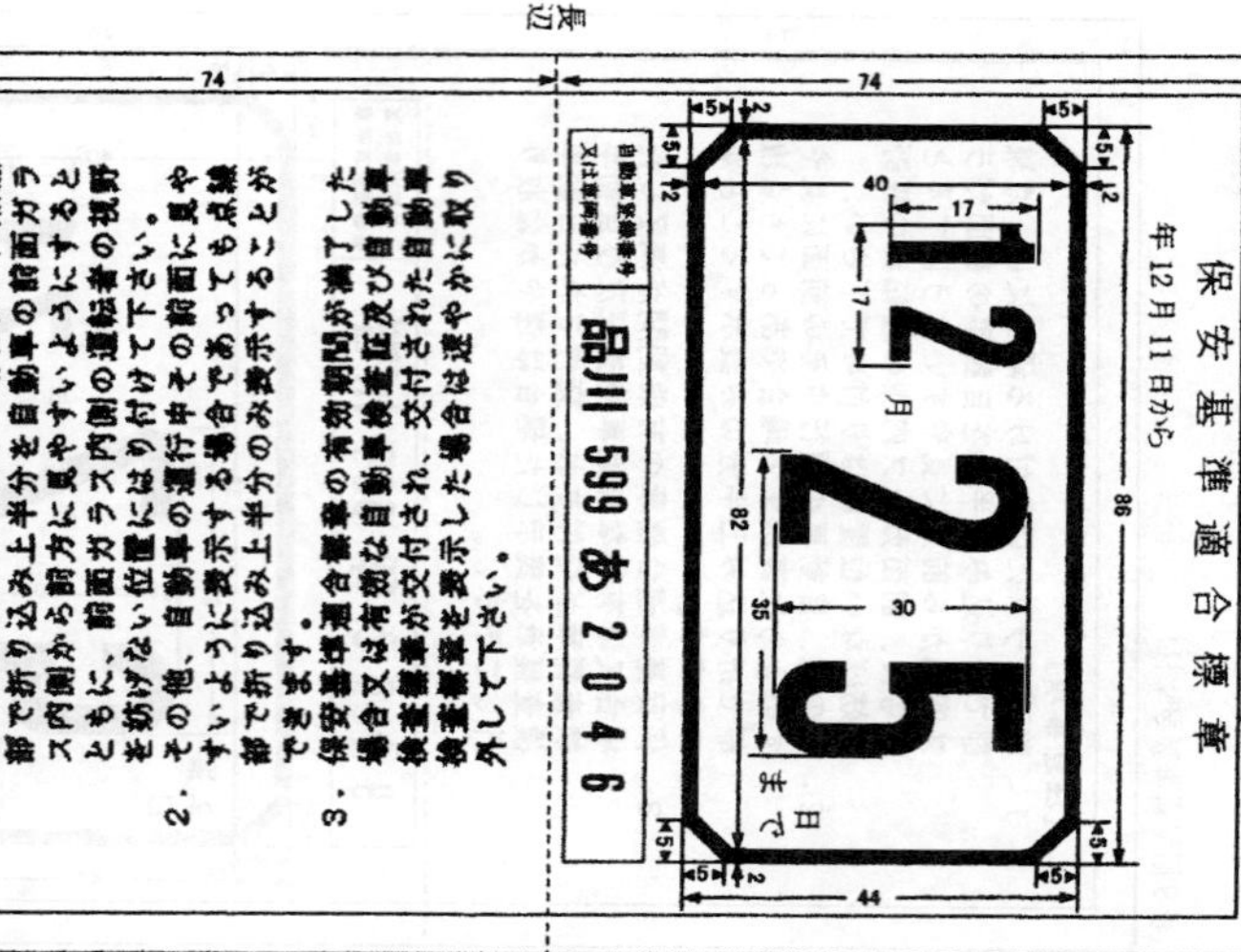

短辺（日本産業規格A列6番）

備考

(1) 有効期間が満了する日を表示する数字は、赤色又は黒色とすること。

(2) 有効期間及び自動車登録番号又は車両番号は、図示の例により表示すること。

(3) 寸法の単位は、ミリメートルとする。

（裏）

（電子申請用）

年　月　日交付

番　号

指定自動車整備事業者の氏名又は名称 事業場の名称及び所在地			
次の自動車が道路運送車両の保安基準に適合していることを証明する。 検査の年月日　　　　年　月　日 自動車検査員の氏名			
自動車登録番号又は車両番号			
車台番号			
使用者　氏名又は名称			
使用者　住所			
乗車定員	人	最大積載量	kg
用途		車両総重量	kg
保険期間	年　月　日から　年　月　日まで		

○自動車事故報告規則（抄）

（昭和二六・一二・二〇 運輸省令一〇四）

改正 昭和三一・三運令一三、昭和三八・四運令二三、一〇・運令五〇、昭和三九・七運令五二、昭和五五・一一運令四〇、昭和五九・六運令一八、昭和六〇・二運令五、昭和六二・三運令二七、運令二九、平成元・二運令五、三運令六、平成二・一一運令三一、平成六・三運令一二、平成八・一一運令五七、平成九・一二運令八一、平成一一・一一運令三九、平成一三・四国交令八八、七国交令一〇五、平成一四・六国交令七九、平成一五・一国交令六、九国交令九五、平成一七・一国交令三、平成一八・四国交令五五、九国交令八六、平成一九・三国交令一七、平成二〇・七国交令六六、平成二一・一一国交令六五、平成二四・三国交令三二、平成二七・一国交令六、平成三〇・一国交令一、一二国交令九〇、令和元・六国交令二〇、令和二・二国交令六、三国交令二〇、令和四・九国交令六六、令和五・三国交令三一

（この省令の適用）

第一条 自動車の事故に関する報告については、この省令の定めるところによる。

（定義）

第二条 この省令で「事故」とは、次の各号のいずれかに該当する自動車の事故をいう。

一 自動車が転覆し、転落し、火災（積載物品の火災を含む。以下同じ。）を起こし、又は鉄道車両（軌道車両を含む。以下同じ。）と衝突し、若しくは接触したもの

二 十台以上の自動車の衝突又は接触を生じたもの

三 死者又は重傷者（自動車損害賠償保障法施行令（昭和三十年政令第二百八十六号）第五条第二号又は第三号に掲げる傷害を受けた者をいう。以下同じ。）を生じたもの

四 十人以上の負傷者を生じたもの

五 自動車に積載された次に掲げるものの全部若しくは一部が飛散し、又は漏えいしたもの

イ 消防法（昭和二十三年法律第百八十六号）第二条第七項に規定する危険物

ロ 火薬類取締法（昭和二十五年法律第百四十九号）第二条第一項に規定する火薬類

ハ 高圧ガス保安法（昭和二十六年法律第二百四号）第二条に規定する高圧ガス

ニ 原子力基本法（昭和三十年法律第百八十六号）第三条第二号に規定する核燃料物質及びそれによつて汚染された物

ホ 放射性同位元素等の規制に関する法律（昭和三十二年法律第百六十七号）第二条第二項に規定する放射性同位元素及びそれによつて汚染された物又は同条第五項に規定する放射線発生装置から発生した同条第一項に規定する放射線によつて汚染された物

ヘ シアン化ナトリウム又は毒物及び劇物取締法施行令（昭和三十年政令第二百六十一号）別表第二に掲げる毒物又は劇物

ト 道路運送車両の保安基準（昭和二十六年運輸省令第六十七号）第四十七条第一項第三号に規定する品名の可燃物

六 自動車に積載されたコンテナが落下したもの

七 操縦装置又は乗降口の扉を開閉する操作装置の不適切な操作により、旅客に自動車損害賠償保障法施行令第五条第四号に掲げる傷害が生じたもの

八 酒気帯び運転（道路交通法（昭和三十五年法律第百五号）第六十五条第一項の規定に違反する行為をいう。以下同じ。）（特定自動運行旅客運送（道路運送法施行規則（昭和二十六年運輸省令第七十五号）第六条第一項第九号に規定する特定自動運行旅客運送をいう。以下この号において同じ。）又は特定自動運行貨物運送（貨物自動車運送事業法施行規則（平成二年運輸省令第二十一号）第三条第三号の三に規定する特定自動運行貨物運送をいう。以下この号において同じ。）を行う場合にあつては、旅客自動車運送事業運輸規則（昭和三十一年運輸省令第四十四号）第十五条の二第一項又は貨物自動車運送事業輸送安全規則（平成二年運輸省令第二十二号）第三条第一項に規定する特定自動運行保安員（以下「特定自動運行保安員」という。）が酒気を帯びて特定自動運行用自動車（同法第七十五条の十二第二項第二号イに規定する特定自動運行用自動車をいう。以下この号において同じ。）の運行の業務に従事する行為。第四条第一項第五号において同じ。）、無免許運転（同法第六十四条の規定に違反する行為をいう。）、大型自動車等無資格運転（同法第八十五条第五項から第九項までの規定に違反する行為をいう。）又は麻薬等運転（同法第百十七条の二第一項第三号の罪に当たる行為をいう。）（特定自動運行旅客運送又は特定自動運行貨物運送を行う場合にあつては、特定自動運行保安員が麻薬、大麻、あへん、覚醒剤又は毒物及び劇物取締法（昭和二十五年法律第三百三号）第三条の三の規定に基づく政令で定める物の影響により正常な運転ができないおそれがある状態で特定自動運行用自動車の運行の業務に従事する行為）を伴うもの

九 運転者又は特定自動運行保安員の疾病により、事業用自動車の運行を継続することができなくなつたもの

十 救護義務違反（道路交通法第百十七条の罪に当たる行為をいう。以下同じ。）があつたもの

十一 自動車の装置（道路運送車両法（昭和二十六年法律第百八十五号）第四十一条第一項各号に掲げる装置をいう。）の故障（以下単に「故障」という。）により、自動車が運行できなくなつたもの

十二 車輪の脱落、被牽引自動車の分離を生じたもの（故障によるものに限る。）

十三 橋脚、架線その他の鉄道施設（鉄道事業法（昭和六十一年法律第九十二号）第八条第一項に規定する鉄道施設をいい、軌道法（大正十年法律第七十六号）による軌道施設を含む。）を損傷し、三時間以上本線において鉄道車両の運転を休止させたもの

十四 高速自動車国道（高速自動車国道法（昭和三十二年法律第七十九号）第四条第一項に規定する高速自動車国道をいう。）又は自動車専用道路（道路法（昭和二十七年法律第百八十号）第四十八条の四に規定する自動車専用道路をいう。以下同じ。）において、三時間以上自動車の通行を禁止させたもの

十五 前各号に掲げるもののほか、自動車事故の発生の防止を図るために国土交通大臣（主として指定都道府県等（道路運送法施行令（昭和二十六年政令第二百五十号）第四条第一項の指定都道府県等をいう。以下同じ。）の区域内において行われる自家用有償旅客運送に係るものの場合にあつては、当該指定都道府県等の長）が特に必要と認めて報告を指示したもの

（報告書の提出）

第三条 旅客自動車運送事業者、貨物自動車運送事業者（貨物軽自動車運送事業者を除く。以下同じ。）、特定第二種貨物利用運送事業者及び自家用有償旅客運送者並びに道路運送車両法第五十条に規定する整備管理者を選任しなければならない自家用自動車の使用者（以下「事業者等」という。）は、その使用する自動車（自家用自動車（自家用有償旅客運送の用に供するもの

を除く。）にあつては、軽自動車、小型特殊自動車及び二輪の小型自動車を除く。）について前条各号の事故があつた場合には、当該事故があつた日（前条第十号に掲げる事故にあつては事業者等が当該救護義務違反があつたことを知つた日、同条第十五号に掲げる事故にあつては当該指示があつた日）から三十日以内に、当該事故ごとに自動車事故報告書（別記様式による。以下「報告書」という。）三通を当該自動車の使用の本拠の位置を管轄する運輸監理部長又は運輸支局長（以下「運輸監理部長又は運輸支局長」という。）を経由して、国土交通大臣に提出しなければならない。

2　前条第十一号及び第十二号に掲げる事故の場合には、報告書に次に掲げる事項を記載した書面及び故障の状況を示す略図又は写真を添付しなければならない。

一　当該自動車の自動車検査証の有効期間
二　当該自動車の使用開始後の総走行距離
三　最近における当該自動車についての大規模な改造の内容、施行期日及び施行工場名
四　故障した部品及び当該部品の故障した部位の名称（前後左右の別がある場合は、前進方向に向かつて前後左右の別を明記すること。）
五　当該部品を取りつけてから事故発生までの当該自動車の走行距離
六　当該部品を含む装置の整備及び改造の状況
七　当該部品の製作者（製作者不明の場合は販売者）の氏名又は名称及び住所

3　運輸監理部長又は運輸支局長は、報告書を受け付けたときは、遅滞なく、地方運輸局長を経由して、国土交通大臣に進達しなければならない。

4　第一項の規定にかかわらず、主として指定都道府県等の区域内において自家用有償旅客運送を行う者の場合にあつては、報告書を当該指定都道府県等の長に提出するものとする。

（事故警報）

第五条　国土交通大臣又は地方運輸局長は、報告書又は速報に基づき必要があると認めるときは、事故防止対策を定め、自動車使用者、自動車特定整備事業者その他の関係者にこれを周知させなければならない。

○道路交通に関する条約の実施に伴う道路運送車両法の特例等に関する法律

〔昭和三九・六・一八　法律一〇九〕

改正　昭和四四・八法六八、昭和五七・九法九一、昭和五九・五法二五、八法六七、平成元・一二法八三、平成六・七法八六、平成一〇・五法七四、平成一一・一二法一六〇、平成一四・五法五四、平成一八・五法四〇

（趣旨）

第一条　この法律は、道路交通に関する条約（以下「条約」という。）を実施するため、道路運送車両法（昭和二十六年法律第百八十五号）及び道路運送法（昭和二十六年法律第百八十三号）の特例その他必要な事項を定めるものとする。

（定義）

第二条　この法律で「自動車」とは、道路運送車両法第二条第二項に規定する自動車をいう。

2　この法律で「締約国登録自動車」とは、締約国（条約の締約国であつて日本国以外のものをいう。以下同じ。）若しくはその下部機構によりその法令に定める方法で登録されている自動車（被牽引自動車を除く。）であつて次の各号の要件に該当するもの又はこれにより牽引される被牽引自動車であつて次の各号の要件に該当するものをいう。

一　自家用自動車の一時輸入に関する通関条約第二条1、自家用自動車の一時輸入に関する通関条約の実施に伴う関税法等の特例に関する法律（昭和三十九年法律第百一号）第十条又は関税定率法（明治四十三年法律第五十四号）第十七条第一項（第十号に係る部分に限る。）の規定の適用を受けて輸入されたものであること。
二　当該自動車を輸入した者の使用に供されるものであること。
三　関税法（昭和二十九年法律第六十一号）第六十七条の輸入の許可を受けた日から一年を経過しないものであること。

（締約国登録自動車の登録証書の備付け）

第三条　締約国登録自動車（被牽引自動車を除く。）は、条約第十八条2に規定する登録証書を備え付けなければ、運行（道路運送車両法第二条第五項に規定する運行をいう。以下同じ。）の用に供してはならない。

（道路運送車両法等の適用除外）

第四条　締約国登録自動車については、道路運送車両法第四条、第十九条、第二十九条、第三十一条から第三十三条まで、第四十七条から第五十条まで、第五十四条第四項、第五十六条、第五十八条、第六十三条、第六十六条、第七十三条第一項及び第九十七条の三の規定は、適用しない。

2　締約国登録自動車については、道路運送法第九十五条の規定は、適用しない。

（登録証書の交付）

第五条　道路運送車両法第四条の登録又は同法第六十条第一項後段若しくは第九十七条の三第一項の規定による車両番号の指定を受けている自動車の使用者は、当該自動車を締約国において使用しようとするときは、国土交通大臣（軽自動車については、当該車両番号の指定をした地方運輸局長）から登録証書の交付を受けることができる。

2　原動機付自転車（道路運送車両法第二条第三項に規定する原動機付自転車をいう。）を締約国において使用しようとする者は、国土交通省令で定める事項を地方運輸局長に届け出て、登録証書の交付を受けることができる。

（省令への委任）

第六条　前条の登録証書の記載事項及び様式その他当該登録証書に関する実施細目は、国土交通省令で定める。

（権限の委任）

第七条　第五条第一項に規定する国土交通大臣の権限は、政令で定めるところにより、地方運輸局長に委任することができる。

2　第五条に規定する地方運輸局長の権限及び前項の規定により地方運輸局長に委任された権限は、政令で定めるところにより、運輸監理部長又は運輸支局長に委任することができる。

（罰則）

第八条　次の各号の一に該当する者は、三万円以下の罰金に処する。

一　第三条の規定に違反した者
二　条約第十九条若しくは第二十条の規定による登録番号若しくは識別記号の表示をせず、又は条約第二十一条に規定する証明記号をつけないで、締約国登録自動車を運行の用に供した者

附　則

1　この法律は、条約が日本国について効力を生ずる日（昭三九・九・六）から施行する。

2　〔他の法令改正に付き略〕

附　則〔昭和四四・八・一法律六八抄〕

（施行期日）

第一条　この法律中、第一条、次条、附則第三条及び附則第六条の規定は、公布の日から起算して六月をこえない範囲内において政令で定める日から、第二条、附則第四条及び附則第五条の規定は、公布の日から起算して一年をこえない範囲内において政令で定める日から施行する。

〔昭和四四政三〇七により、第一条、附則第二条、附則第三条及び附則第六条の規定は昭和四五・一・一から、第二条、附則第四条及び附則第五条の規定は昭和四五・三・一から施行〕

（罰則に関する経過措置）

第六条　この法律の施行前にした行為及び附則第二条第二項の規定により従前の例によることとされる検査に係る第一条の規定の施行後にした行為に対する罰則の適用については、なお従前の例による。

附　則〔昭和五九・八・一〇法律六七抄〕

（施行期日）

第一条　この法律は、公布の日から起算して一年を超えない範囲内において政令で定める日から施行する。

〔昭和五九政三三〇により、昭和六〇・四・一から施行〕

（経過措置）

第九条　この法律の施行前に、この法律による改正前の〔中略〕道路交通に関する条約の実施に伴う道路運送車両法の特例等に関する法律〔中略〕又はこれらの法律に基づく命令の規定によりした処分、手続その他の行為は、この法律による改正後の〔中略〕道路交通に関する条約の実施に伴う道路運送車両法の特例等に関する法律〔中略〕又はこれらの法律に基づく命令の相当規定によりした処分、手続その他の行為とみなす。

附　則〔平成一四・五・三一法律五四抄〕

（施行期日）

第一条　この法律は、平成十四年七月一日から施行する。

（経過措置）

第二八条　この法律の施行前にこの法律による改正前のそれぞれの法律若しくはこれに基づく命令（以下「旧法令」という。）の規定により海運監理部長、陸運支局長、海運支局長又は陸運支局の事務所の長（以下「海運監理部長等」という。）がした許可、認可その他の処分又は契約その他の行為（以下「処分等」という。）は、国土交通省令で定めるところにより、この法律による改正後のそれぞれの法律若しくはこれに基づく命令（以下「新法令」という。）の規定により相当の運輸監理部長、運輸支局長又は地方運輸局、運輸監理部若しくは運輸支局の事務所の長（以下「運輸監理部長等」という。）がした処分等とみなす。

第二九条　この法律の施行前に旧法令の規定により海運監理部長等に対してした申請、届出その他の行為（以下「申請等」という。）は、国土交通省令で定めるところにより、新法令の規定により相当の運輸監理部長等に対してした申請等とみなす。

第三〇条　この法律の施行前にした行為に対する罰則の適用については、なお従前の例による。

附　則〔平成一八・五・一九法律四〇抄〕

（施行期日）

第一条　この法律は、公布の日から起算して十月を超えない範囲内において政令で定める日から施行する。〔以下略〕

〔平成一八政三一六により、平成一八・一二・一から施行〕

第五編　自動車損害賠償保障

第五編　自動車損害賠償保障

○自動車損害賠償保障法〔抄〕（昭三〇法九七）……二〇二一
○自動車損害賠償保障法施行令〔抄〕（昭三〇政二八六）……二〇三四
○自動車損害賠償保障法施行規則〔抄〕（昭三〇運令六六）……二〇四〇
○独立行政法人自動車事故対策機構法〔抄〕（平一四法一八三）……二〇四一

5

○自動車損害賠償保障法〔抄〕

（昭和三〇・七・二九 法律九七）

改正 前略…平成二〇・六法五七、法六五、平成二五・六法五三、平成二六・六法六七、平成二七・六法四四、九法六三、平成二八・三法一三、平成二九・六法四五、令和元・五法一四、令和四・六法六五、令和五・六法六三

注 令和四年六月一七日法律第六八号の改正は、令和七年六月一日から施行のため、附則の次に（参考）として改正文を掲載いたしました。

第一章 総則

（この法律の目的）

第一条 この法律は、自動車の運行によつて人の生命又は身体が害された場合における損害賠償を保障する制度を確立するとともに、これを補完する措置を講ずることにより、被害者の保護を図り、あわせて自動車運送の健全な発達に資することを目的とする。

（定義）

第二条 この法律で「自動車」とは、道路運送車両法（昭和二十六年法律第百八十五号）第二条第二項に規定する自動車（農耕作業の用に供することを目的として製作した小型特殊自動車を除く。）及び同条第三項に規定する原動機付自転車をいう。

2 この法律で「運行」とは、人又は物を運送するとしないとにかかわらず、自動車を当該装置の用い方に従い用いることをいう。

3 この法律で「保有者」とは、自動車の所有者その他自動車を使用する権利を有する者で、自己のために自動車を運行の用に供するものをいう。

4 この法律で「運転者」とは、他人のために自動車の運転又は運転の補助に従事する者をいう。

第二章 自動車損害賠償責任

（自動車損害賠償責任）

第三条 自己のために自動車を運行の用に供する者は、その運行によつて他人の生命又は身体を害したときは、これによつて生じた損害を賠償する責に任ずる。ただし、自己及び運転者が自動車の運行に関し注意を怠らなかつたこと、被害者又は運転者以外の第三者に故意又は過失があつたこと並びに自動車に構造上の欠陥又は機能の障害がなかつたことを証明したときは、この限りでない。

（民法の適用）

第四条 自己のために自動車を運行の用に供する者の損害賠償の責任については、前条の規定によるほか、民法（明治二十九年法律第八十九号）の規定による。

第三章 自動車損害賠償責任保険及び自動車損害賠償責任共済

第一節 自動車損害賠償責任保険契約又は自動車損害賠償責任共済契約の締結強制

（責任保険又は責任共済の契約の締結強制）

第五条 自動車は、これについてこの法律で定める自動車損害賠償責任保険（以下「責任保険」という。）又は自動車損害賠償責任共済（以下「責任共済」という。）の契約が締結されているものでなければ、運行の用に供してはならない。

（保険者及び共済責任を負う者）

第六条 責任保険の保険者（以下「保険会社」という。）は、保険業法（平成七年法律第百五号）第二条第四項に規定する損害保険会社又は同条第九項に規定する外国損害保険会社等で、責任保険の引受けを行う者とする。

2 責任共済の共済責任を負う者は、次の各号に掲げる協同組合（以下「組合」という。）とする。

一 農業協同組合法（昭和二十二年法律第百三十二号）に基づき責任共済の事業を行う農業協同組合又は農業協同組合連合会（以下「農業協同組合等」という。）

二 消費生活協同組合法（昭和二十三年法律第二百号）に基づき責任共済の事業を行う消費生活協同組合又は消費生活協同組合連合会（以下「消費生活協同組合等」という。）

三 中小企業等協同組合法（昭和二十四年法律第百八十一号）に基づき責任共済の事業を行う事業協同組合又は協同組合連合会（以下「事業協同組合等」という。）

（自動車損害賠償責任保険証明書）

第七条 保険会社は、保険料の支払があつたときは、保険契約者に対して、当該自動車につき自動車損害賠償責任保険証明書を交付しなければならない。

2 保険契約者は、当該自動車損害賠償責任保険証明書の記載事項について変更があつたときは、自動車損害賠償責任保険証明書にその変更についての記入を受けなければならない。

3 保険会社は、前項の規定による記入の申出があつたときは、遅滞なく、その記入を行わなければならない。ただし、第二十二条第三項又は第四項の規定による請求をした場合において、その金額の支払がなかつたときは、この限りでない。

4 保険契約者は、自動車損害賠償責任保険証明書が滅失し、損傷し、又はその識別が困難となつたときは、保険会社に対して、その再交付を求めることができる。

5 自動車損害賠償責任保険証明書の記載事項その他自動車損害賠償責任保険証明書に関する細目は、国土交通省令で定める。

6 保険法（平成二十年法律第五十六号）第六条の規定は、責任保険については、適用しない。

（自動車損害賠償責任保険証明書の備付）

第八条 自動車は、自動車損害賠償責任保険証明書（前条第二項の規定により変更についての記入を受けなければならないものにあつては、その記入を受けた自動車損害賠償責任保険証明書。次条において同じ。）を備え付けなければ、運行の用に供してはならない。

（自動車損害賠償責任保険証明書の提示）

第九条 道路運送車両法第四条、第三十四条第一項、第三十六条の二第五項、第六十条第一項、第六十二条第二項（第六十三条第三項及び第六十七条第四項において準用する場合を含む。）、第六十七条第一項（使用者の変更に係る部分に限る。）、第七十一条第四項若しくは第九十七条の三又は総合特別区域法（平成二十三年法律第八十一号）第二十二条の二第三項に規定する処分を受けようとする者は、当該行政庁（道路運送車両法第七十四条の四の規定の適用があるときは、軽自動車検査協会。次項

から第五項までにおいて同じ。）に対して、自動車損害賠償責任保険証明書をも提示しなければならない。ただし、道路運送車両法第九十四条の五第八項の規定により保安基準適合証の提出があつた場合において同法第六十二条第二項に規定する処分を受けようとするとき、又は総合特別区域法第二十二条の二第三項に規定する処分を受けようとするときは、国土交通省令で定める方法により作成した自動車損害賠償責任保険証明書の写しの提出をもつて、自動車損害賠償責任保険証明書の提示に代えることができる。

2　前項本文の場合において、同項本文の処分を受けようとする者は、政令で定めるところにより、保険会社に委託して、当該自動車損害賠償責任保険証明書に記載すべき事項を電磁的方法（電子情報処理組織を使用する方法その他の情報通信の技術を利用する方法であつて国土交通省令で定めるものをいう。）により道路運送車両法第七条第四項の登録情報処理機関（次項及び第四項において「登録情報処理機関」という。）に提供することができる。

3　前項の規定により自動車損害賠償責任保険証明書に記載すべき事項が登録情報処理機関に提供されたときは、第一項本文の処分を受けようとする者は、当該自動車損害賠償責任保険証明書を当該行政庁に提示したものとみなす。

4　前項の場合において、当該行政庁は、登録情報処理機関に対し、国土交通省令で定めるところにより、必要な事項を照会するものとする。

5　当該行政庁は、自動車損害賠償責任保険証明書の提示又はその写しの提出がないときは、第一項の処分をしないものとする。道路運送車両法第五十八条第一項に規定する検査対象外軽自動車以外の自動車について、その提示又は提出があつた自動車損害賠償責任保険証明書又はその写しに記載された保険期間が、当該自動車検査証に記録すべき有効期間又は臨時運行の許可の有効期間若しくは回送運行の許可の有効期間が満了する日までの期間の全部と重複するものでない場合においても、同様とする。

6　道路運送車両法第九十四条の五第一項の規定により保安基準適合証及び保安基準適合標章の交付を請求しようとする者は同法第九十四条の三第一項の指定自動車整備事業者に対して、総合特別区域法第二十二条の二第十一項の規定により点検整備済証の交付を請求しようとする者は同項の指定点検整備事業者に対して、それぞれ自動車損害賠償責任保険証明書を提示しなければならない。

7　指定自動車整備事業者は、前項の規定による提示がないとき、又はその提示があつた自動車損害賠償責任保険証明書に記載された保険期間が、その日から道路運送車両法第九十四条の五第八項の規定により保安基準適合証の提出があつた場合において記入されるべき同法第六十一条第一項に規定する自動車検査証の有効期間（次項において単に「自動車検査証の有効期間」という。）が満了する日までの期間の全部と重複するものでないときは、同法第九十四条の五第一項の規定にかかわらず、保安基準適合証及び保安基準適合標章を交付してはならない。

8　指定点検整備事業者は、第六項の規定による提示がないとき、又はその提示があつた自動車損害賠償責任保険証明書に記載された保険期間が、その日から当該点検整備済証を添付して総合特別区域法第二十二条の二第一項の規定により自動車検査証の有効期間の伸長の申請がされた場合において記録されるべき自動車検査証の有効期間が満了する日までの期間の全部と重複するものでないときは、同条第十一項の規定にかかわらず、点検整備済証を交付してはならない。

（保険標章）

第九条の二　保険会社は、検査対象外軽自動車、原動機付自転車又は締約国登録自動車（道路交通に関する条約の実施に伴う道路運送車両法の特例等に関する法律（昭和三十九年法律第百九号）第二条第二項に規定する締約国登録自動車をいう。以下同じ。）について第七条第一項の規定により自動車損害賠償責任保険証明書を交付したときは、当該保険契約者に対して、保険標章を交付しなければならない。

2　保険標章には、国土交通省令で定めるところにより、保険期間の満了する時期を表示するものとする。

3　保険標章の有効期間は、保険期間と同一とする。

4　保険契約者は、保険標章が滅失し、損傷し、又はその識別が困難となつた場合その他国土交通省令で定める場合には、保険会社に対して、その再交付を求めることができる。

5　保険標章の様式その他保険標章に関する細目は、国土交通省令で定める。

第九条の三　検査対象外軽自動車、原動機付自転車及び締約国登録自動車は、国土交通省令で定めるところにより、保険標章を表示しなければ、運行の用に供してはならない。

2　保険標章は、当該検査対象外軽自動車、当該原動機付自転車又は当該締約国登録自動車以外の検査対象外軽自動車、原動機付自転車又は締約国登録自動車に表示してはならない。

3　有効期間を経過した保険標章は、検査対象外軽自動車、原動機付自転車又は締約国登録自動車に表示してはならない。

（自動車損害賠償責任共済証明書及び共済標章）

第九条の四　第七条及び第九条の二の規定は、責任共済について準用する。この場合において、これらの規定中「保険会社」とあるのは「組合」と、「保険料」とあるのは「共済掛金」と、「保険契約者」とあるのは「共済契約者」と、「自動車損害賠償責任保険証明書」とあるのは「自動車損害賠償責任共済証明書」と、「保険標章」とあるのは「共済標章」と、「保険期間」とあるのは「共済期間」と、第七条第三項中「第二十二条第三項又は第四項」とあるのは「第二十三条の三第一項において準用する第二十二条第三項又は第四項」と、同条第六項中「責任保険」とあるのは「責任共済」と、第九条の二第一項中「第七条第一項」とあるのは「第九条の四において準用する第七条第一項」と読み替えるものとする。

第九条の五　責任共済の契約が締結されている自動車に係る第八条及び第九条の規定の適用については、第八条（見出しを含む。）、第九条の見出し並びに同条第一項から第三項まで及び第五項から第八項までの規定中「自動車損害賠償責任保険証明書」とあるのは「自動車損害賠償責任共済証明書」と、第八条中「前条第二項」とあるのは「第九条の四において準用する第七条第二項」と、第九条第二項中「保険会社」とあるのは「組合」と、同条第五項、第七項及び第八項中「保険期間」とあるのは「共済期間」とする。

2　責任共済の契約が締結されている検査対象外軽自動車、原動機付自転車及び締約国登録自動車に係る第九条の三第一項の規定の適用については、同項中「保険標章」とあるのは、「共済標章」とする。

3　第九条の三第二項及び第三項の規定は、共済標章について準用する。

（適用除外）

第十条　第五条及び第七条から前条までの規定は、国その他の政令で定める者が政令で定める業務又は用途のため運行の用に供する自動車及び道路（道路法（昭和二十七年法律第百八十号）による道路、道路運送法（昭和二十六年法律第百八十三号）による自動車道及びその他の一般交通の用に供する場所をいう。以下同じ。）以外の場所のみにおいて運行の用に供する自動車については、適用しない。

（保険・共済除外標章）

第十条の二　国土交通大臣は、国土交通省令で定めるところにより、前条の規定の適用を受ける検査対象外軽自動車及び原動機付自転車（政令で定めるものを除く。）について、道路以外の場所のみにおいて運行の用に供するものとして、保有者に対して保険・共済除外標章を交付しなければならない。

2　保険・共済除外標章の有効期間は、国土交通省令で定める。

3　第一項に規定する検査対象外軽自動車及び原動機付自転車は、国土交通省令で定めるところにより、保険・共済除外標章を表示しなければ、運行の用に供してはならない。

4　第九条の二第四項及び第五項並びに第九条の三第二項及び第三項の規定は、保険・共済除外標章について準用する。

第二節　自動車損害賠償責任保険契約及び自動車損害賠償責任共済契約

（責任保険及び責任共済の契約）

第一一条　責任保険の契約は、第三条の規定による保有者の損害賠償の責任が発生した場合において、これによる保有者の損害及び運転者もその被害者に対して損害賠償の責任を負うべきときのこれによる運転者の損害を保険会社がてん補することを約し、保険契約者が保険会社に保険料を支払うことを約することによつて、その効力を生ずる。

2　責任共済の契約は、第三条の規定による保有者の損害賠償の責任が発生した場合において、これによる保有者の損害及び運転者もその被害者に対して損害賠償の責任を負うべきときのこれによる運転者の損害を組合がてん補することを約し、共済契約者が組合に共済掛金を支払うことを約することによつて、その効力を生ずる。

第一二条　責任保険の契約は、自動車一両ごとに締結しなければならない。

（保険金額）

第一三条　責任保険の保険金額は、政令で定める。

2　前項の規定に基づき政令を制定し、又は改正する場合においては、政令で、当該政令の施行の際現に責任保険の契約が締結されている自動車についての責任保険の保険金額を当該制定又は改正による変更後の保険金額とするために必要な措置その他当該制定又は改正に伴う所要の経過措置を定めることができる。

（免責）

第一四条　保険会社は、第八十二条の三に規定する場合を除き、保険契約者又は被保険者の悪意によつて生じた損害についてのみ、てん補の責めを免れる。

（保険金の請求）

第一五条　被保険者は、被害者に対する損害賠償額について自己が支払をした限度においてのみ、保険会社に対して保険金の支払を請求することができる。

（保険会社に対する損害賠償額の請求）

第一六条　第三条の規定による保有者の損害賠償の責任が発生したときは、被害者は、政令で定めるところにより、保険会社に対し、保険金額の限度において、損害賠償額の支払をなすべきことを請求することができる。

2　被保険者が被害者に損害の賠償をした場合において、保険会社が被保険者に対してその損害をてん補したときは、保険会社は、そのてん補した金額の限度において、被害者に対する前項の支払の義務を免かれる。

3　第一項の規定により保険会社が被害者に対して損害賠償額の支払をしたときは、保険契約者又は被保険者の悪意によつて損害が生じた場合を除き、保険会社が、責任保険の契約に基づき被保険者に対して損害をてん補したものとみなす。

4　保険会社は、保険契約者又は被保険者の悪意によつて損害が生じた場合において、第一項の規定により被害者に対して損害賠償額の支払をしたときは、その支払つた金額について、政府に対して補償を求めることができる。

（休業による損害等に係る保険金等の限度）

第一六条の二　保険会社が被保険者に対して支払うべき保険金又は前条第一項の規定により被害者に対して支払うべき損害賠償額（第二十八条の四第一項を除き、以下「保険金等」という。）のうち被害者が療養のため労働することができないことによる損害その他の政令で定める損害に係る部分は、政令で定める額を限度とする。

（支払基準）

第一六条の三　保険会社は、保険金等を支払うときは、死亡、後遺障害及び傷害の別に国土交通大臣及び内閣総理大臣が定める支払基準（以下「支払基準」という。）に従つてこれを支払わなければならない。

2　国土交通大臣及び内閣総理大臣は、前項の規定により支払基準を定める場合には、公平かつ迅速な支払の確保の必要性を勘案して、これを定めなければならない。これを変更する場合も、同様とする。

（書面の交付）

第一六条の四　保険会社は、保険金等の請求があつたときは、遅滞なく、国土交通省令・内閣府令で定めるところにより、支払基準の概要その他の国土交通省令・内閣府令で定める事項を記載した書面を当該請求を行つた被保険者又は被害者に交付しなければならない。

2　保険会社は、保険金等の支払を行つたときは、遅滞なく、国土交通省令・内閣府令で定めるところにより、支払つた保険金等の金額、後遺障害の該当する等級、当該等級に該当すると判断した理由その他の保険金等の支払に関する重要な事項であつて国土交通省令・内閣府令で定めるものを記載した書面を前項に規定する請求を行つた被保険者又は被害者に交付しなければならない。

3　保険会社は、第三条ただし書に規定する事項の証明があつたことその他の理由により保険金等を支払わないこととしたときは、遅滞なく、国土交通省令・内閣府令で定めるところにより、支払を行わないこととした理由を記載した書面を第一項に規定する請求を行つた被保険者又は被害者に交付しなければならない。

4　保険会社は、前三項の規定による書面の交付に代えて、政令で定めるところにより、被保険者又は被害者の承諾を得て、当該書面に記載すべき事項を電子情報処理組織を使用する方法その他の情報通信の技術を利用する方法であつて国土交通省令・内閣府令で定めるものにより提供することができる。この場合において、当該保険会社は、当該書面を交付したものとみなす。

（書面による説明等）

第一六条の五　保険会社は、前条第二項又は第三項の規定により書面を交付した後において、被保険者又は被害者から、国土交通省令・内閣府令で定めるところにより、書面により、保険金等の支払に関する重要な事項（同条第二項の国土交通省令・内閣府令で定める事項を除く。）であつて国土交通省令・内閣府令で定めるもの又は同条第三項に規定する支払を行わないこととした理由の詳細であつて国土交通省令・内閣府令で定めるものについて説明を求められたときは、次項前段に規定する場合を除き、国土交通省令・内閣府令で定めるところにより、当該説明を求めた者に対し、書面により、当該説明を求められた事項を説明しなければならない。ただし、当該説明を求めた者の同意があるときは、書面以外の方法により説明することができる。

2　保険会社は、前項の規定により説明を求められた場合であつて第三者の権利利益を不当に害するおそれがあるときその他正当な理由があるときは、当該説明を求められた事項の全部又は一部について説明をしないことができる。この場合において、保険会社は、説明をしない旨及びその理由を記載した書面を当該説明を求めた者に交付しなければならない。

3　第一項の規定による説明又は前項の規定による書面の交付（次項において「説明等」という。）は、第一項の規定により説明を求められた日から起算して三十日以内にしなければならない。

4　保険会社は、事務処理上の困難その他正当な理由により前項に規定する期間内に説明等をすることができないときは、同項に規定する期間内に、第一項の規定により説明を求めた者に対し、書面により、前項に規定する期間内に当該説明等をすることができない理由及び当該説明等の期限を通知しなければならない。

5 保険会社は、第一項の規定による書面による説明、第二項の規定による書面の交付又は前項の規定による書面による通知（以下「書面による説明等」という。）に代えて、政令で定めるところにより、被保険者又は被害者の承諾を得て、当該書面に記載すべき事項を電子情報処理組織を使用する方法その他の情報通信の技術を利用する方法であつて国土交通省令・内閣府令で定めるものにより提供することができる。この場合において、当該保険会社は、書面による説明等を行つたものとみなす。

（支払等の届出）

第一六条の六 保険会社は、保険金等の支払の適正化を図る必要性が特に高いものとして国土交通省令で定める死亡その他の損害に関し、保険金等を支払つたとき又は第十六条の四第三項の規定による書面の交付をしたときは、遅滞なく、国土交通省令で定めるところにより、その旨を国土交通大臣に届け出なければならない。

（国土交通大臣に対する申出）

第一六条の七 被保険者又は被害者は、保険会社による保険金等の支払又は支払に係る手続に関し、次のいずれかに該当する事実があるときは、国土交通大臣に対し、その事実を申し出ることができる。

一 保険金等の支払が支払基準に従つていないとき。

二 第十六条の四第一項から第三項までの規定による書面の交付を行つていないとき。

三 第十六条の五第一項の規定による説明、同条第二項の規定による書面の交付又は同条第四項の規定による通知を行つていないとき。

（指示等）

第一六条の八 国土交通大臣は、第十六条の六の規定による届出があつた場合、前条の規定による申出があつた場合その他の場合において、保険会社による保険金等の支払又は支払に係る手続が同条各号のいずれかに該当すると認めるときは、当該保険会社に対し、支払基準に従つた支払、第十六条の四第一項から第三項までの規定による書面の交付又は第十六条の五第一項の規定による説明、同条第二項の規定による書面の交付若しくは同条第四項の規定による通知をすべき旨の指示をするものとする。

2 国土交通大臣は、前項に規定する指示を行つたときは、遅滞なく、内閣総理大臣にその旨を通知しなければならない。

3 国土交通大臣は、第一項に規定する指示を受けた保険会社が、正当な理由がなくてその指示に従わなかつたときは、その旨を公表することができる。

4 国土交通大臣は、第一項に規定する指示を受けた保険会社が、前項の規定によりその指示に従わなかつた旨を公表された後において、なお、正当な理由がなくてその指示に係る措置をとらなかつたときは、当該保険会社に対し、その指示に係る措置をとるべきことを命ずることができる。

5 国土交通大臣は、第三項に規定する公表又は前項に規定する命令を行おうとするときは、あらかじめ、内閣総理大臣の同意を得るものとする。

（第十六条第一項の規定による損害賠償額の支払についての履行期）

第一六条の九 保険会社は、第十六条第一項の規定による損害賠償額の支払の請求があつた後、当該請求に係る自動車の運行による事故及び当該損害賠償額の確認をするために必要な期間が経過するまでは、遅滞の責任を負わない。

2 保険会社が前項に規定する確認をするために必要な調査を行うに当たり、被害者が正当な理由なく当該調査を妨げ、又はこれに応じなかつた場合には、保険会社は、これにより損害賠償額の支払を遅延した期間について、遅滞の責任を負わない。

（被害者に対する仮渡金）

第一七条 保有者が、責任保険の契約に係る自動車の運行によつて他人の生命又は身体を害したときは、被害者は、政令で定めるところにより、保険会社に対し、政令で定める金額を第十六条第一項の規定による損害賠償額の支払のための仮渡金として支払うべきことを請求することができる。

2 保険会社は、前項の請求があつたときは、遅滞なく、請求に係る金額を支払わなければならない。

3 保険会社は、第一項の仮渡金の金額が支払うべき損害賠償額を超えた場合には、その超えた金額の返還を請求することができる。

4 保険会社は、保有者の損害賠償の責任が発生しなかつた場合において、第一項の仮渡金を支払つたときは、その支払つた金額について、政府に対して補償を求めることができる。

（差押の禁止）

第一八条 第十六条第一項及び前条第一項の規定による請求権は、差し押えることができない。

（時効）

第一九条 第十六条第一項及び第十七条第一項の規定による請求権は、被害者又はその法定代理人が損害及び保有者を知つた時から三年を経過したときは、時効によつて消滅する。

（危険に関する重要な事項）

第二〇条 保険法第四条に規定する重要な事項は、責任保険の契約にあつては、次のとおりとする。

一 道路運送車両法の規定による自動車登録番号若しくは車両番号、地方税法（昭和二十五年法律第二百二十六号）第四百六十三条の十八第三項（同法第一条第二項において準用する場合を含む。）に規定する標識の番号又は道路交通に関する条約の規定による登録番号（これらが存しない場合にあつては、車台番号）

二 政令で定める自動車の種別

（責任保険の契約の解除等）

第二〇条の二 責任保険の契約の当事者は、次に掲げる場合に限り、責任保険の契約を解除することができる。

一 当該自動車が第十条に規定する自動車となつた場合

二 保険法第二十八条第一項の規定による場合

三 当該自動車について他に責任保険の契約又は責任共済の契約が締結されており、かつ、その契約の保険期間又は共済期間の終期が当該責任保険の契約の保険期間の終期と同一であるかその終期より遅いものである場合

四 その他国土交通省令で定める場合

2 責任保険の契約の当事者は、その契約を合意により解除し、又はその契約に解除条件を附することができない。

（告知義務違反による契約解除の効力）

第二一条 保険法第二十八条第一項の規定により、保険会社が責任保険の契約を解除したときは、その解除は、保険契約者が解除の通知を受けた日から起算して七日の後に、その効力を生ずる。

2 前項の解除の効力が生ずる日前に保険事故（保険法第五条第一項に規定する保険事故をいう。次条第三項において同じ。）が発生した場合には、同法第三十一条第二項第一号の規定にかかわらず、保険会社は、損害をてん補する責任を負う。この場合において、保険会社が損害をてん補したときは、保険契約者に対し、そのてん補した金額の支払を請求することができる。

（危険の増加又は減少による契約の変更）

第二二条 保険期間中に危険が増加し、又は減少したときは、責任保険の契約は、新たな危険に対応する責任保険の契約に変更されたものとみなす。

2 保険契約者又は被保険者は、保険期間中に危険が増加したこ

とを知つたときは、遅滞なく、これを保険会社に通知しなければならない。

3　保険期間中に危険が増加した後に保険事故が発生し、保険会社が損害をてん補した場合において、保険契約者又は被保険者が前項の通知を怠つていたときは、保険会社は、保険契約者に対し、そのてん補した金額の支払を請求することができる。

4　保険会社は、第一項の場合において、危険が増加したときは、保険契約者に対し、政令で定めるところにより増加する額の保険料の支払を請求することができる。

5　保険契約者は、第一項の場合において、危険が減少したときは、保険会社に対し、政令で定めるところにより減少する額の保険料の返還を請求することができる。

（保険法の適用）

第二十三条　責任保険の契約については、この法律に別段の定めがある場合を除くほか、保険法第一章、第二章（第五節を除く。）及び第五章の規定による。

（報告及び立入検査）

第二十三条の二　国土交通大臣は、第十一条から前条までの規定の施行に必要な限度において、国土交通省令で定めるところにより、保険会社に対し、責任保険の業務に関し報告をさせ、又はその職員に、保険会社の営業所、事務所その他の施設に立ち入り、責任保険の業務の状況若しくは帳簿、書類その他の物件を検査させ、若しくは関係者に質問させることができる。

2　前項の規定により立入検査又は質問をする職員は、その身分を示す証明書を携帯し、関係者の請求があつたときは、これを提示しなければならない。

3　第一項に規定する立入検査又は質問の権限は、犯罪捜査のために認められたものと解釈してはならない。

（責任保険の契約に関する規定等の準用）

第二十三条の三　第十二条から前条までの規定は、責任共済の契約について準用する。この場合において、これらの規定（第二十条の二第一項第三号を除く。）中「責任保険の契約」とあるのは「責任共済の契約」と、「責任保険」とあるのは「責任共済」と、「保険金額」とあるのは「共済金額」と、「保険会社」とあるのは「組合」と、「保険契約者」とあるのは「共済契約者」と、「被保険者」とあるのは「被共済者」と、「保険金」とあるのは「共済金」と、「保険金等」とあるのは「共済金等」と、「保険期間」とあるのは「共済期間」と、「保険料」とあるのは「共済掛金」と、第十六条の二中「前条第一項」とあるのは「第二十三条の三第一項において準用する第十六条第一項」と、「第二十八条の四第一項を除き、以下」とあるのは「以下」と、第十六条の五第一項中「前条第二項又は第三項」とあるのは「第二十三条の三第一項において準用する第十六条の四第二項又は第三項」と、第十六条の六中「第十六条の四第三項」とあるのは「第二十三条の三第一項において準用する第十六条の四第三項」と、第十六条の七第二号及び第十六条の八第一項中「第十六条の四第一項から第三項まで」とあるのは「第二十三条の三第一項において準用する第十六条の四第一項から第三項まで」と、第十六条の七第三号及び第十六条の八第一項中「第十六条の五第一項」とあるのは「第二十三条の三第一項において準用する第十六条の五第一項」と、第十六条の八第一項中「第十六条の六」とあるのは「第二十三条の三第一項において準用する第十六条の六」と、「前条」とあるのは「第二十三条の三第一項において準用する第十六条の七」と、第十六条の八第二項及び第五項中「内閣総理大臣」とあるのは「行政庁（農業協同組合等に係るものを行う場合にあつては第二十七条第一項に規定する行政庁とし、消費生活協同組合等に係るものを行う場合にあつては第二十七条の二第一項において読み替えて準用する第二十七条第一項に規定する行政庁とし、事業協同組合等に係るものを行う場合にあつては第二十七条の二第二項において読み替えて準用する第二十七条第一項に規定する行政庁とする。）」と、第十七条第一項中「第十六条第一項」とあるのは「第二十三条の三第一項において準用する第十六条第一項」と、第十八条中「第十六条第一項及び前条第一項」とあり、及び第十九条中「第十六条第一項及び第十七条第一項」とあるのは「第二十三条の三第一項において準用する第十六条第一項及び第十七条第一項」と、第二十条の二第一項第三号中「責任保険の契約の保険期間」とあるのは「責任共済の契約の共済期間」と読み替えるものとする。

2　国土交通大臣及び内閣総理大臣は、前項において準用する第十六条の三第一項に規定する支払基準を定め、又は変更しようとするとき並びに前項において準用する第十六条の四並びに同項において準用する第十六条の五第一項及び第五項に規定する国土交通省令・内閣府令を制定し、又は変更しようとするときは、あらかじめ、農林水産大臣、厚生労働大臣及び事業協同組合等の定款において組合員の資格として定められる事業の所管大臣（以下「事業所管大臣」という。）に協議するものとする。

第二節の二　指定紛争処理機関

（指定紛争処理機関の指定等）

第二十三条の五　国土交通大臣及び内閣総理大臣は、保険金等又は共済金等の支払に係る紛争（以下「紛争」という。）の公正かつ適確な解決による被害者の保護を図ることを目的とする一般社団法人又は一般財団法人であつて、次条第一項に規定する業務（以下「紛争処理業務」という。）に関し次に掲げる基準に適合すると認められるものを、その申請により、紛争処理業務を行う者として指定することができる。

一　職員、紛争処理業務の実施の方法その他の事項についての紛争処理業務の実施に関する計画が、紛争処理業務の適確な実施のために適切なものであること。

二　前号の紛争処理業務の実施に関する計画を適確に実施するに足りる経理的及び技術的な基礎を有するものであること。

三　役員及び職員の構成が、紛争処理業務の公正な実施に支障を及ぼすおそれがないものであること。

四　紛争処理業務以外の業務を行つている場合には、その業務を行うことによつて紛争処理業務の公正な実施に支障を及ぼすおそれがないものであること。

五　前各号に定めるもののほか、紛争処理業務を公正かつ適確に行うことができるものであること。

2　国土交通大臣及び内閣総理大臣は、前項の規定による指定（以下「指定」という。）をしたときは、その指定した者（以下「指定紛争処理機関」という。）の名称及び住所、紛争処理業務を行う事務所の所在地並びに紛争処理業務を開始する日を公示しなければならない。

3　指定紛争処理機関は、その名称若しくは住所又は紛争処理業務を行う事務所の所在地を変更しようとするときは、変更しようとする日の二週間前までに、その旨及びこれらの事項を変更しようとする日を国土交通大臣及び内閣総理大臣に届け出なければならない。

4　国土交通大臣及び内閣総理大臣は、前項の規定による届出があつたときは、当該届出に係る事項を公示しなければならない。

5　指定紛争処理機関は、国土交通省令・内閣府令で定めるところにより、指定紛争処理機関である旨について、その事務所において公衆に見やすいように掲示するとともに、電気通信回線に接続して行う自動公衆送信（公衆によつて直接受信されることを目的として公衆からの求めに応じ自動的に送信を行うことをいい、放送又は有線放送に該当するものを除く。）により公衆の閲覧に供しなければならない。

（業務）

第二十三条の六　指定紛争処理機関は、次に掲げる業務を行うものとする。

一　紛争の当事者である保険会社、組合、被保険者、被共済者又は被害者からの申請により、当該紛争の調停（以下「紛争処理」という。）を行うこと。

二　前号に掲げる業務に附帯する業務を行うこと。

2　前項第一号の申請の手続は、国土交通省令・内閣府令で定める。

（紛争処理委員）

第二三条の七　指定紛争処理機関は、人格が高潔で識見の高い者のうちから、国土交通省令・内閣府令で定める数以上の紛争処理委員を選任しなければならない。

2　指定紛争処理機関は、紛争処理を行うときは、前項の規定により選任した紛争処理委員のうちから、事件ごとに、指定紛争処理機関の長が指名する者に紛争処理を実施させなければならない。この場合において、指定紛争処理機関の長は、当該事件に関し当事者と利害関係を有することその他紛争処理の公正を妨げるべき事情がある紛争処理委員については、当該事件の紛争処理委員に指名してはならない。

3　前項の規定により指名される紛争処理委員のうち少なくとも一人は、弁護士でなければならない。

（役員等の選任及び解任）

第二三条の八　紛争処理業務に従事する指定紛争処理機関の役員（紛争処理委員を含む。次項及び次条において同じ。）の選任及び解任は、国土交通大臣及び内閣総理大臣の認可を受けなければ、その効力を生じない。

2　国土交通大臣及び内閣総理大臣は、指定紛争処理機関の役員が、第二十三条の十一第一項の認可を受けた指定紛争処理業務規程に違反したとき、紛争処理業務に関し著しく不適当な行為をしたとき、又はその在任により指定紛争処理機関が第二十三条の五第一項第三号に掲げる基準に適合しなくなつたときは、指定紛争処理機関に対し、その役員を解任すべきことを命ずることができる。

（秘密保持義務等）

第二三条の九　指定紛争処理機関の役員及び職員並びにこれらの職にあつた者は、紛争処理業務に関して知り得た秘密を漏らし、又は自己の利益のために使用してはならない。

2　指定紛争処理機関の役員及び職員で紛争処理業務に従事する者は、刑法（明治四十年法律第四十五号）その他の罰則の適用については、法令により公務に従事する職員とみなす。

（紛争処理業務の義務）

第二三条の一〇　指定紛争処理機関は、紛争処理業務を行うべきことを求められたときは、正当な理由がある場合を除き、遅滞なく、紛争処理業務を行わなければならない。

（紛争処理業務規程）

第二三条の一一　指定紛争処理機関は、紛争処理業務に関する規程（以下「紛争処理業務規程」という。）を定め、国土交通大臣及び内閣総理大臣の認可を受けなければならない。これを変更しようとするときも、同様とする。

2　紛争処理業務規程で定めるべき事項は、国土交通省令・内閣府令で定める。

3　国土交通大臣及び内閣総理大臣は、第一項の認可をした紛争処理業務規程が紛争処理業務の公正かつ適確な実施上不適当となつたと認めるときは、その紛争処理業務規程を変更すべきことを命ずることができる。

（説明又は資料提出の請求）

第二三条の一二　指定紛争処理機関は、紛争処理業務の実施に必要な限度において、保険会社又は組合に対して、文書若しくは口頭による説明又は資料の提出を求めることができる。

2　保険会社又は組合は、前項の規定による求めがあつたときは、正当な理由がない限り、これを拒んではならない。

（紛争処理の手続の非公開）

第二三条の一三　指定紛争処理機関が行う紛争処理の手続は、公開しない。ただし、指定紛争処理機関は、相当と認める者に傍聴を許すことができる。

（時効の完成猶予）

第二三条の一四　紛争処理による解決の見込みがないことを理由に指定紛争処理機関により当該紛争処理が打ち切られた場合において、当該紛争処理の申請をした紛争の当事者がその旨の通知を受けた日から一月以内に当該紛争処理の目的となつた請求について訴えを提起したときは、時効の完成猶予に関しては、当該紛争処理の申請の時に、訴えの提起があつたものとみなす。

2　第二十三条の十七第二項の規定により指定がその効力を失い、かつ、当該指定がその効力を失つた日に紛争処理が実施されていた紛争がある場合において、当該紛争処理の申請をした紛争の当事者が同条第四項の規定による通知を受けた日又は当該指定がその効力を失つたことを知つた日のいずれか早い日から一月以内に当該紛争処理の目的となつた請求について訴えを提起したときも、前項と同様とする。

3　指定が第二十三条の二十一第一項の規定により取り消され、かつ、その取消しの処分の日に紛争処理が実施されていた紛争がある場合において、当該紛争処理の申請をした紛争の当事者が同条第三項の規定による通知を受けた日又は当該処分を知つた日のいずれか早い日から一月以内に当該紛争処理の目的となつた請求について訴えを提起したときも、第一項と同様とする。

（訴訟手続の中止）

第二三条の一五　紛争について当該紛争の当事者間に訴訟が係属する場合において、次の各号に掲げる事由のいずれかに該当し、かつ、当該紛争の当事者の共同の申立てがあるときは、受訴裁判所は、四月以内の期間を定めて訴訟手続を中止する旨の決定をすることができる。

一　当該紛争について、当該紛争の当事者間において指定紛争処理機関による紛争処理が実施されていること。

二　前号に掲げる事由のほか、当該紛争の当事者間に指定紛争処理機関による紛争処理によつて当該紛争の解決を図る旨の合意があること。

2　受訴裁判所は、いつでも前項の決定を取り消すことができる。

3　第一項の申立てを却下する決定及び前項の規定により第一項の決定を取り消す決定に対しては、不服を申し立てることができない。

（事業計画等）

第二三条の一六　指定紛争処理機関は、毎事業年度、国土交通省令・内閣府令で定めるところにより、紛争処理業務に係る事業計画及び収支予算を作成し、当該事業年度の開始前に（指定を受けた日の属する事業年度にあつては、その指定を受けた後遅滞なく）、国土交通大臣及び内閣総理大臣の認可を受けなければならない。これを変更しようとするときも、同様とする。

2　指定紛争処理機関は、毎事業年度、国土交通省令・内閣府令で定めるところにより、紛争処理業務に係る事業報告書及び収支決算書を作成し、当該事業年度経過後三月以内に、国土交通大臣及び内閣総理大臣に提出しなければならない。

（業務の休廃止等）

第二三条の一七　指定紛争処理機関は、国土交通大臣及び内閣総理大臣の許可を受けなければ、紛争処理業務の全部又は一部を休止し、又は廃止してはならない。

2　国土交通大臣及び内閣総理大臣が前項の規定により紛争処理業務の全部の廃止を許可したときは、当該許可に係る指定は、その効力を失う。

3　国土交通大臣及び内閣総理大臣は、第一項の許可をしたときは、その旨を公示しなければならない。

4　第一項の規定により紛争処理業務の全部の廃止の許可を受けた者は、当該許可の日から二週間以内に、当該許可の日に紛争処理が実施されていた紛争の当事者に対し、当該許可を受けた旨及び第二項の規定により指定がその効力を失つた旨を通知しなければならない。

（帳簿の備付け等）

第二十三条の一八　指定紛争処理機関は、国土交通省令・内閣府令で定めるところにより、紛争処理業務に関する事項で国土交通省令・内閣府令で定めるものを記載した帳簿を備え付け、これを保存しなければならない。

（報告及び立入検査）

第二十三条の一九　国土交通大臣及び内閣総理大臣は、紛争処理業務の公正かつ適確な実施の確保に必要な限度において、国土交通省令・内閣府令で定めるところにより、指定紛争処理機関に対し、紛争処理業務に関し報告をさせ、又はその職員に、指定紛争処理機関の事務所に立ち入り、紛争処理業務の状況若しくは帳簿、書類その他の物件を検査させ、若しくは関係者に質問させることができる。

２　第二十三条の二第二項及び第三項の規定は、前項の規定による立入検査又は質問について準用する。

（監督命令）

第二十三条の二〇　国土交通大臣及び内閣総理大臣は、紛争処理業務の公正かつ適確な実施を確保するため必要があると認めるときは、指定紛争処理機関に対し、紛争処理業務に関し監督上必要な命令をすることができる。

（指定の取消し等）

第二十三条の二一　国土交通大臣及び内閣総理大臣は、指定紛争処理機関が次の各号のいずれかに該当するときは、その指定を取り消し、又は期間を定めて紛争処理業務の全部若しくは一部の停止を命ずることができる。

一　第二十三条の五第一項各号に掲げる基準に適合していないと認めるとき。

二　第二十三条の五第三項若しくは第五項、第二十三条の七、第二十三条の八第一項、第二十三条の十、第二十三条の十三、第二十三条の十六又は第二十三条の十七第一項の規定に違反したとき。

三　第二十三条の八第二項、第二十三条の十一第三項又は前条の規定による命令に違反したとき。

四　第二十三条の十一第一項の認可を受けた紛争処理業務規程によらないで紛争処理業務を行つたとき。

五　指定紛争処理機関又はその役員が、紛争処理業務に関し著しく不適当な行為をしたとき。

六　不正な手段により指定を受けたとき。

２　国土交通大臣及び内閣総理大臣は、前項の規定により指定を取り消し、又は紛争処理業務の全部若しくは一部の停止を命じたときは、その旨を公示しなければならない。

３　第一項の規定により指定の取消しの処分を受けた者は、当該処分の日から二週間以内に、当該処分の日に紛争処理が実施されていた紛争の当事者に対し、当該処分があつた旨を通知しなければならない。

（指定紛争処理機関への情報提供等）

第二十三条の二二　国土交通大臣及び内閣総理大臣は、指定紛争処理機関に対し、紛争処理業務の実施に関し必要な情報及び資料の提供を行うものとする。

（国土交通省令・内閣府令への委任）

第二十三条の二三　この節に規定するもののほか、指定紛争処理機関及び紛争処理業務に関し必要な事項は、国土交通省令・内閣府令で定める。

第三節　自動車損害賠償責任保険事業及び自動車損害賠償責任共済事業

（責任保険及び責任共済の契約の締結義務）

第二十四条　保険会社は、政令で定める正当な理由がある場合を除き、責任保険の契約の締結を拒絶してはならない。

２　組合は、次の各号に掲げる場合及び政令で定める正当な理由がある場合を除き、責任共済の契約の締結を拒絶してはならない。

一　農業協同組合法第十条第十七項ただし書の規定に違反することとなる場合

二　消費生活協同組合法第十二条第三項の規定に違反することとなる場合

三　中小企業等協同組合法第九条の二第九項において読み替えて適用する同条第三項ただし書（同法第九条の九第五項において読み替えて準用する場合を含む。）の規定に違反することとなる場合

（保険料率及び共済掛金率の基準）

第二十五条　責任保険の保険料率及び責任共済の共済掛金率は、能率的な経営の下における適正な原価を償う範囲内でできる限り低いものでなければならない。

（保険料率の審査等）

第二十六条　内閣総理大臣は、保険業法第三条第一項又は第百八十五条第一項の免許の申請があつた場合において、同法第五条第一項第四号（同法第百八十七条第五項において準用する場合を含む。以下この項において同じ。）に掲げる基準に適合するかどうかの審査を行うときは、責任保険については、同法第五条第一項第四号に掲げる基準のほか、前条の規定に適合するかどうかを審査しなければならない。

２　保険業法第百二十三条第一項（同法第二百七条において準用する場合を含む。）の内閣府令で定める事項には、責任保険に係る事項は、含まれないものとする。

３　内閣総理大臣は、保険業法第百二十三条第一項（同法第二百七条において準用する場合を含む。）の認可の申請があつた場合において、同法第百二十四条（同法第二百七条において準用する場合を含む。以下この項において同じ。）の審査を行うときは、責任保険の保険料率に係る事項については、同法第百二十四条第二号に定める基準のほか、前条の規定に適合するかどうかを審査しなければならない。

第二十六条の二　責任保険については、損害保険料率算出団体に関する法律（昭和二十三年法律第百九十三号）第十条の二、第十条の三、第十条の四第二項及び第三項後段、第十条の五第四項並びに第十条の六第一項から第四項までの規定は、適用しない。

２　責任保険についての損害保険料率算出団体に関する法律第十条の四第一項及び第三項前段の規定の適用については、同条第一項中「基準料率を中心とした一定の範囲内の保険料率（以下この条において「範囲料率」という。）」とあるのは「基準料率」と、同条第三項前段中「範囲料率」とあるのは「基準料率」と、「認可を受け、又は同条第二項の規定による届出を行つた」とあるのは「認可を受けた」とする。

３　責任保険についての損害保険料率算出団体に関する法律第十条の五第一項から第三項までの規定の適用については、同条第一項中「第十条の二第一項及び第二項に規定する期間が経過し、かつ、当該基準料率が第八条の規定に適合していると認めるとき」とあるのは「当該基準料率が第八条及び自動車損害賠償保障法（昭和三十年法律第九十七号）第二十五条の規定に適合していると認めるとき」と、同条第二項中「第十条の三第一項又は第二項の規定による意見聴取及び適合性審査」とあるのは「第八条及び自動車損害賠償保障法第二十五条の規定に適合するかどうかについての審査」と、同条第三項中「基準料率が第八条の規定に適合しないと認めるとき」とあるのは「基準料率が第八条又は自動車損害賠償保障法第二十五条の規定に適合しないと認めるとき」とする。

第二十六条の三　内閣総理大臣は、責任保険の保険料が能率的な経営の下における適正な原価を超えると認めるときは、保険会社又は損害保険料率算出団体に関する法律第二条第一項第三号に規定する損害保険料率算出団体に対して、責任保険の保険料率又は同項第六号に掲げる基準料率（第二十八条及び第二十九条の二において「基準料率」という。）の変更を命ずることがで

きる。

（農業協同組合等の行う責任共済の事業に係る共済規程の審査等）

第二七条　行政庁（農業協同組合法第九十八条第一項に規定する行政庁をいい、同条第十五項の規定により農林水産大臣の権限に属する事務を行うこととされた都道府県知事を含むものとする。）は、責任共済の事業（責任共済の契約によつて負う共済責任の再共済（以下「再共済」という。）の事業又は再共済の契約によつて負う再共済責任の再再共済（以下「再再共済」という。）の事業を含む。以下同じ。）を行おうとする農業協同組合等に対し、同法第十一条の十七第一項の規定により責任共済の事業についての共済規程の承認を行おうとする場合には、当該農業協同組合等が第一号及び第二号に掲げる基準に適合するかどうか並びに当該共済規程に記載された事項のうち事業の実施方法、共済契約又は共済掛金に係るものが第三号に掲げる基準に適合するかどうかを審査しなければならない。

一　当該農業協同組合等が責任共済の事業を健全かつ効率的に遂行するに足りる財産的基礎を有し、かつ、責任共済の事業に係る収支の見込みが良好であること。

二　当該農業協同組合等が、その人的構成等に照らして、責任共済の事業を的確、公正かつ効率的に遂行することができる知識及び経験を有し、かつ、十分な社会的信用を有する者であること。

三　共済規程に記載された事項が次に掲げる基準に適合するものであること。

イ　共済契約の内容が、共済契約者、被共済者、共済金額を受け取るべき者その他の関係者（以下この号において「共済契約者等」という。）の保護に欠けるおそれのないものであること。

ロ　共済契約の内容に関し、特定の者に対して不当な差別的取扱いをするものでないこと。

ハ　共済契約の内容が、公の秩序又は善良の風俗を害する行為を助長し、又は誘発するおそれのないものであること。

ニ　共済契約者等の権利義務その他共済契約の内容が、共済契約者等にとつて明確かつ平易に定められたものであること。

ホ　共済掛金が、第二十五条の規定に適合しているほか、合理的かつ妥当なものであり、また特定の者に対して不当な差別的取扱いをするものでないこと。

ヘ　その他農林水産省令で定める基準

2　前項に規定する行政庁は、責任共済の事業を行う農業協同組合等に対し農業協同組合法第十一条の十七第三項の規定により責任共済の事業についての共済規程の変更の承認を行おうとする場合には、共済規程に記載された事項のうち事業の実施方法、共済契約又は共済掛金に係るものが前項第三号に掲げる基準に適合するかどうかを審査しなければならない。

3　第一項に規定する行政庁は、責任共済の共済掛金が能率的な経営の下における適正な原価を超えると認めるときは、農業協同組合等に対して、責任共済の共済掛金率の変更を命ずることができる。

（消費生活協同組合等及び事業協同組合等の行う責任共済の事業に係る共済事業規約の審査等）

第二七条の二　前条の規定は、消費生活協同組合等が責任共済の事業を行う場合について準用する。この場合において、同条中「行政庁（農業協同組合法第九十八条第一項に規定する行政庁をいい、同条第十五項の規定により農林水産大臣の権限に属する事務を行うこととされた都道府県知事を含むものとする。）」とあるのは「行政庁（消費生活協同組合法第九十七条に規定する行政庁をいい、同法第九十七条の二の規定により厚生労働大臣の権限に属する事務を行うこととされた都道府県知事を含むものとする。）」と、「農業協同組合等」とあるのは「消費生活協同組合等」と、「同法第十一条の十七第一項の規定により責任共済の事業についての共済規程の承認」とあるのは「同法第四十条第五項の規定により責任共済の事業についての規約（以下「共済事業規約」という。）の設定の認可」と、「共済規程」とあるのは「共済事業規約」と、「農林水産省令」とあるのは「厚生労働省令」と、「農業協同組合法第十一条の十七第三項の規定により責任共済の事業についての共済規程の変更の承認」とあるのは「消費生活協同組合法第四十条第五項の規定により責任共済の事業についての共済事業規約の変更の認可」と読み替えるものとする。

2　前条の規定は、事業協同組合等が責任共済の事業を行う場合について準用する。この場合において、同条中「行政庁（農業協同組合法第九十八条第一項に規定する行政庁をいい、同条第十五項の規定により農林水産大臣の権限に属する事務を行うこととされた都道府県知事を含むものとする。）」とあるのは「行政庁（中小企業等協同組合法第百十一条第一項に規定する行政庁をいい、同条第三項の規定により主務大臣の権限に属する事務を行うこととされた都道府県知事及び同条第四項の規定により主務大臣の権限の一部を委任された地方支分部局の長を含むものとする。）」と、「農業協同組合等」とあるのは「事業協同組合等」と、「同法第十一条の十七第一項の規定により責任共済の事業についての共済規程の承認」とあるのは「同法第九条の六の二第一項（同法第九条の九第五項において準用する場合を含む。）の規定により責任共済の事業についての共済規程の認可」と、「農林水産省令」とあるのは「事業所管大臣が定める省令」と、「農業協同組合法第十一条の十七第三項の規定により責任共済の事業についての共済規程の変更の承認」とあるのは「中小企業等協同組合法第九条の六の二第四項（同法第九条の九第五項において準用する場合を含む。）の規定により責任共済の事業についての共済規程の変更の認可」と読み替えるものとする。

（同意）

第二八条　内閣総理大臣は、保険業法第三条第一項又は第百八十五条第一項の免許の申請があつた場合（責任保険について、同法第五条第一項第三号及び第四号（これらの規定を同法第百八十七条第五項において準用する場合を含む。）に掲げる基準並びに第二十五条の規定に適合するかどうかについて審査する必要がある場合に限る。）において、当該免許をしようとするときは、あらかじめ、国土交通大臣の同意を得るものとする。

2　内閣総理大臣は、保険業法第四条第二項第三号若しくは第四号又は第百八十七条第三項第三号若しくは第四号に掲げる書類に定めた事項のうち責任保険に関する部分について、同法第百二十三条第一項（同法第二百七条において準用する場合を含む。）の規定による認可又は同法第百三十一条若しくは第二百三条の規定による命令をしようとするときは、あらかじめ、国土交通大臣の同意を得るものとする。

3　内閣総理大臣は、責任保険の基準料率について、損害保険料率算出団体に関する法律第九条の三第一項の規定による届出があつた場合において、第二十六条の二第三項の規定により読み替えて適用する同法第十条の五第一項の規定により同法第十条の四第一項に規定する九十日を経過する日までの期間を相当と認める期間に短縮しようとするときは、あらかじめ、国土交通大臣の同意を得るものとする。同法第十条の五第三項の規定による命令をしないこととするときについても、同様とする。

4　内閣総理大臣は、責任保険の保険料率又は基準料率に関し、第二十六条の三の規定による変更命令又は損害保険料率算出団体に関する法律第十条の六第五項の規定による命令をしようとするときは、あらかじめ、国土交通大臣の同意を得るものとする。

5　内閣総理大臣は、保険会社がこの法律若しくはこの法律に基づく命令若しくはこれらに基づく処分に違反し、又は責任保険の保険約款若しくは保険料率について保険業法若しくは損害保険料率算出団体に関する法律若しくはこれらに基づく命令若しくはこれらに基づく処分に違反した場合において、保険業法第百三十三条又は第二百五条の規定による処分をしようとするときは、あらかじめ、国土交通大臣の同意を得るものとする。

（同意及び協議）

第二八条の二　第二十七条第一項に規定する行政庁は、責任共済の事業についての共済規程のうち事業の実施方法、共済契約又は共済掛金に係るものに関し、次の各号に掲げる処分をしようとするときは、あらかじめ、国土交通大臣及び内閣総理大臣の同意を得るものとする。

一　第二十七条第三項の規定による変更命令

二　農業協同組合法第十一条の十七第一項又は第三項の規定による承認

三　農業協同組合法第九十四条の二第二項又は第九十五条の規定による処分

2　前項に規定する行政庁は、責任共済の事業についての共済規程のうち事業の実施方法、共済契約又は共済掛金に係るものに関し、農業協同組合法第十一条の十七第二項の農林水産省令を制定し、又は変更しようとするときは、あらかじめ、国土交通大臣及び内閣総理大臣に協議するものとする。

3　第二十七条の二第一項において読み替えて準用する第二十七条第一項に規定する行政庁は、責任共済の事業についての共済事業規約のうち事業の実施方法、共済契約又は共済掛金に係るものに関し、次の各号に掲げる処分をしようとするときは、あらかじめ、国土交通大臣及び内閣総理大臣の同意を得るものとする。

一　第二十七条の二第一項において読み替えて準用する第二十七条第三項の規定による変更命令

二　消費生活協同組合法第四十条第五項の規定による認可

三　消費生活協同組合法第九十四条の二第一項、第二項、第四項若しくは第五項又は第九十五条第一項若しくは第二項の規定による処分

4　前項に規定する行政庁は、責任共済の事業についての共済事業規約のうち事業の実施方法、共済契約又は共済掛金に係るものに関し、消費生活協同組合法第二十六条の三第二項の規定により読み替えて適用される同条第一項の厚生労働省令を制定し、又は変更しようとするときは、あらかじめ、国土交通大臣及び内閣総理大臣に協議するものとする。

5　第二十七条の二第二項において読み替えて準用する第二十七条第一項に規定する行政庁は、責任共済の事業についての共済規程のうち事業の実施方法、共済契約又は共済掛金に係るものに関し、次の各号に掲げる処分をしようとするときは、あらかじめ、国土交通大臣及び内閣総理大臣の同意を得るものとする。

一　第二十七条の二第二項において読み替えて準用する第二十七条第三項の規定による変更命令

二　中小企業等協同組合法第九条の六の二第一項又は第四項（同法第九条の九第五項において準用する場合を含む。）の規定による認可

三　中小企業等協同組合法第百六条第一項又は第百六条の二第一項、第二項、第四項及び第五項の規定による処分

6　前項に規定する行政庁は、責任共済の事業についての共済規程のうち事業の実施方法、共済契約又は共済掛金に係るものに関し、中小企業等協同組合法第九条の六の二第三項の規定により読み替えて適用する同条第二項（同法第九条の九第五項において準用する場合を含む。）の省令を制定し、又は変更しようとするときは、あらかじめ、国土交通大臣及び内閣総理大臣に協議するものとする。

（準備金）

第二八条の三　保険会社は、保険業法第百十六条の規定にかかわらず、責任保険の事業から生じた収支差額及び運用益については、その全額を主務省令で定める準備金として積み立てるものとする。この場合において、積み立てた準備金は、責任保険の事業の収支の不足のてん補に充てる場合その他主務省令で定める場合を除き、取り崩してはならない。

2　前項の規定は、農業協同組合等に準用する。この場合において、同項中「保険会社」とあるのは「農業協同組合等」と、「保険業法第百十六条の規定にかかわらず」とあるのは「農業協同組合法第十一条の三十二の規定にかかわらず」と、「責任保険の事業」とあるのは「責任共済の事業」と読み替えるものとする。

3　第一項の規定は、消費生活協同組合等に準用する。この場合において、同項中「保険会社」とあるのは「消費生活協同組合等」と、「保険業法第百十六条の規定にかかわらず」とあるのは「消費生活協同組合法第五十条の七の規定にかかわらず」と、「責任保険の事業」とあるのは「責任共済の事業」と読み替えるものとする。

4　第一項の規定は、事業協同組合等に準用する。この場合において、同項中「保険会社」とあるのは「事業協同組合等」と、「保険業法第百十六条の規定にかかわらず、責任保険の事業」とあるのは「責任共済の事業」と読み替えるものとする。

5　第一項（前三項において準用する場合を含む。）の主務省令は、内閣総理大臣、厚生労働大臣、農林水産大臣、国土交通大臣及び事業所管大臣が共同で発する命令とする。

（共同プール事務）

第二八条の四　保険会社及び組合（責任共済の契約の締結により負う共済責任の全部を他の組合に再共済する契約を締結した組合及び当該再共済の契約の締結により負う再共済責任の全部を他の組合に再再共済する契約を締結した組合を除く。以下この条において同じ。）は、次の各号に掲げる方法により、相互間で共同して、保険料、保険金等の計算、配分及び徴収をする事務（以下この条において「共同プール事務」という。）を行うものとする。

一　責任保険の保険料その他この法律の規定により保険会社が収受したもの又は責任共済の共済掛金、再共済の再共済掛金若しくは再再共済の再再共済掛金その他この法律の規定により組合が収受したものから、第七十八条の規定により政府に納付したもの並びに保険会社の責任保険の事業を行うための費用（保険料から将来の保険金の支払に充てられると見込まれるもの及び同条の規定により政府に納付すべきものとされるものを控除した残額をいう。）又は組合の責任共済の事業を行うための費用（共済掛金、再共済掛金又は再再共済掛金から将来の共済金、再共済金又は再再共済金の支払に充てられると見込まれるもの及び同条の規定により政府に納付すべきものとされるものを控除した残額をいう。）を控除した残額を、次項の規約において保険会社及び組合別に定める割合（以下この条において「配分率」という。）に応じて保険会社及び組合に対して配分すること。

二　保険金その他この法律の規定により若しくは責任保険の契約に定めるところにより保険会社が支払つたもの又は共済金、再共済金若しくは再再共済金その他この法律の規定により若しくは責任共済、再共済若しくは再再共済の契約に定めるところにより組合が支払つたものから、第十六条第四項又は第十七条第四項（これらの規定を第二十三条の三第一項において準用する場合を含む。）の規定により政府から収受したものを控除した残額を配分率に応じて保険会社及び組合から徴収すること。

2　保険会社及び組合は、配分率その他共同プール事務に関し必要な事項を定める規約を作成し、保険会社にあつては国土交通大臣及び内閣総理大臣に、組合にあつては国土交通大臣及び当該組合を所管する厚生労働大臣、農林水産大臣又は事業所管大臣に届け出なければならない。当該規約の変更をしたときも、同様とする。

3　国土交通大臣は、共同プール事務の運営状況を把握するため、その必要の限度において、保険会社又は組合に対し、当該共同

プール事務に関し必要な報告又は資料の提出を求めることができる。この場合において、国土交通大臣は、あらかじめ、当該保険会社又は組合を所管する内閣総理大臣又は厚生労働大臣、農林水産大臣若しくは事業所管大臣に協議するものとする。

4 国土交通大臣並びに内閣総理大臣、厚生労働大臣、農林水産大臣及び事業所管大臣は、第二項の規定により届出を受けた規約の内容が法令に違反し、若しくは特定の者に対して不当な差別的取扱いをするものであると認めるとき、又は共同プール事務が適正に行われていないと認めるときは、保険会社又は組合に対し、共同して、規約の変更その他必要な措置を採るべき旨を命ずることができる。

（共同行為に関する通知）

第二九条 内閣総理大臣は、保険業法第百一条第一項第一号（同法第百九十九条において準用する場合を含む。）に掲げる責任保険の事業に関する共同行為に関して、同法第百二条第一項（同法第百九十九条において準用する場合を含む。）の規定による認可をしたときは、その旨を国土交通大臣に通知するものとする。

（損害率等の報告義務）

第二九条の二 保険会社及び組合は、内閣府令で定めるところにより、損害保険料率算出団体であつて責任保険の基準料率の算出を行うもののうち内閣総理大臣の指定するもの（次項において「料率団体」という。）に対して、損害率その他責任保険の保険料率又は責任共済の共済掛金率の算出に関し必要な事項を報告しなければならない。

2 組合は、料率団体に対し、責任保険の基準料率の算出の基礎となつた資料の提供を求めることができる。

3 内閣総理大臣は、第一項の内閣府令を制定し、又は変更しようとするときは、あらかじめ、国土交通大臣並びに厚生労働大臣、農林水産大臣及び事業所管大臣に協議するものとする。

（代理店契約）

第三〇条 保険会社又は組合は、自動車運送の振興を図ることを目的として組織する団体その他の者であつて、責任保険又は責任共済の事業の円滑な遂行上適当と認められるものと責任保険又は責任共済に関する代理店契約を締結するものとする。

第四節　自動車損害賠償責任保険審議会

（設置）

第三一条 金融庁に、自動車損害賠償責任保険審議会（以下「審議会」という。）を置く。

（諮問等）

第三三条 内閣総理大臣は、第二十八条第一項に規定する場合において同項に規定する処分をしようとするとき、又は同条第二項若しくは第四項に規定する処分をしようとするときは、審議会に諮らなければならない。同条第三項に規定する場合において、同項前段に規定する期間を短縮しようとするとき、又は同項後段に規定する命令をしないこととするときについても、同様とする。

2 内閣総理大臣は、第二十八条の二第一項、第三項又は第五項の規定による同意をしようとするときは、審議会に諮らなければならない。

3 審議会は、前項の規定による諮問に応じて、第二十八条の二第一項、第三項又は第五項の規定による内閣総理大臣の同意に関し調査審議する。

（委員）

第三五条 審議会の委員は、政令で定めるところにより、内閣総理大臣が国土交通大臣の同意を得て、任命する。

（政令への委任）

第三九条 第三十一条、第三十三条及び第三十五条に規定するもののほか、審議会の組織及び委員その他の職員その他審議会に関し必要な事項は、政令で定める。

第四章　自動車事故対策事業

第一節　総則

第七一条 政府は、この法律の規定により、自動車事故対策事業として、次条第一項に規定する自動車損害賠償保障事業及び第七十七条の二第一項に規定する被害者保護増進等事業を行う。

第二節　自動車損害賠償保障事業

（業務）

第七二条 政府は、自動車損害賠償保障事業として、次の業務を行う。

一 自動車の運行によつて生命又は身体を害された者がある場合において、その自動車の保有者が明らかでないため被害者が第三条の規定による損害賠償の請求をすることができないときに、被害者の請求により、政令で定める金額の限度において、その受けた損害を塡補すること。

二 責任保険の被保険者及び責任共済の被共済者以外の者が、第三条の規定によつて損害賠償の責に任ずる場合（その責任が第十条に規定する自動車の運行によつて生ずる場合を除く。）に、被害者の請求により、政令で定める金額の限度において、その受けた損害を塡補すること。

三 第十六条第四項又は第十七条第四項（これらの規定を第二十三条の三第一項において準用する場合を含む。）の規定による請求により、これらの規定による補償を行うこと。

2 前項各号の請求の手続は、国土交通省令で定める。

（他の法令による給付との調整等）

第七三条 被害者が、健康保険法（大正十一年法律第七十号）、労働者災害補償保険法（昭和二十二年法律第五十号）その他政令で定める法令に基づいて前条第一項第一号又は第二号の規定による損害の塡補に相当する給付を受けるべき場合には、政府は、その給付に相当する金額の限度において、同項第一号又は第二号の規定による損害の塡補をしない。

2 前条第一項第二号の場合において、被害者が第三条の規定による損害賠償の責に任ずる者から損害の賠償を受けたときは、政府は、その金額の限度において、同号の規定による損害の塡補をしない。

（第七十二条第一項第一号又は第二号の規定による損害の塡補についての履行期）

第七三条の二 政府は、第七十二条第一項第一号又は第二号の規定による損害の塡補の請求があつた後、当該請求に係る自動車の運行による事故及び塡補すべき損害の金額の確認をするために必要な期間が経過するまでは、遅滞の責任を負わない。

2 政府が前項に規定する確認をするために必要な調査を行うに当たり、被害者が正当な理由なく当該調査を妨げ、又はこれに応じなかつた場合には、政府は、これにより損害の塡補を遅延した期間について、遅滞の責任を負わない。

（差押えの禁止）

第七四条 第七十二条第一項第一号又は第二号の規定による請求権は、差し押さえることができない。

（時効）

第七五条 第十六条第四項若しくは第十七条第四項（これらの規定を第二十三条の三第一項において準用する場合を含む。）又は第七十二条第一項第一号若しくは第二号の規定による請求権は、これらを行使することができる時から三年を経過したときは、時効によつて消滅する。

（代位等）

第七六条　政府は、第七十二条第一項第一号又は第二号の規定による損害の塡補をしたときは、その支払金額の限度において、被害者が損害賠償の責任を有する者に対して有する権利を取得する。

2　政府は、保険契約者若しくは被保険者又は共済契約者若しくは被共済者の悪意によつて損害が生じた場合において、保険会社又は組合が第十六条第一項（第二十三条の三第一項において準用する場合を含む。）の規定により被害者に対して損害賠償額の支払をしたときは、その支払金額の限度において、被害者が保険契約者若しくは被保険者又は共済契約者若しくは被共済者に対して有する権利を取得する。

3　政府は、保有者の損害賠償の責任が発生しなかつた場合において、保険会社又は組合が第十七条第一項（第二十三条の三第一項において準用する場合を含む。）の規定により被害者に対して仮渡金の支払をしたときは、被害者に対してその返還を請求することができる。

（業務の委託）

第七七条　政府は、政令で定めるところにより、第七十二条第一項第一号又は第二号の規定による業務の一部を保険会社又は組合に委託することができる。

2　組合は、次の各号に掲げる規定にかかわらず、前項の規定により委託された業務を行うことができる。

一　農業協同組合法第十条

二　消費生活協同組合法第十条

三　中小企業等協同組合法第九条の二又は第九条の九

3　国土交通大臣は、第一項の規定による委託をしたときは、委託を受けた保険会社又は組合の名称その他国土交通省令で定める事項を告示しなければならない。

第三節　被害者保護増進等事業

（業務）

第七七条の二　政府は、被害者保護増進等事業として、次の業務を行う。

一　被害者の療養を行う施設の設置及び運営、被害者の療養生活の援護、被害者の受ける介護の援護その他の被害者の保護の増進を図るために必要な業務

二　道路運送法第二条第二項に規定する自動車運送事業（貨物利用運送事業法（平成元年法律第八十二号）第二条第八項に規定する第二種貨物利用運送事業を含む。）に従事する者に対する運行の安全の確保に関する事項の指導、自動車事故の発生の防止に資する機器及び装置の導入の促進その他の自動車事故の発生の防止を図るために必要な業務

2　政府は、被害者保護増進等事業に係る業務のうち、独立行政法人自動車事故対策機構法（平成十四年法律第百八十三号）第十三条に掲げるものについては、独立行政法人自動車事故対策機構に行わせるものとする。

（被害者保護増進等計画）

第七七条の三　国土交通大臣は、被害者保護増進等事業の安定的かつ効果的な実施を図るため、被害者保護増進等事業の実施に関する事項を定めた計画（以下「被害者保護増進等計画」という。）を作成するものとする。

2　被害者保護増進等計画に定める事項は、次のとおりとする。

一　被害者の生活の実態、自動車事故の発生の状況その他の被害者保護増進等事業の実施に際し考慮すべき事項

二　被害者保護増進等事業の目標に関する事項

三　前号の目標の達成のため実施すべき被害者保護増進等事業の概要に関する事項

3　国土交通大臣は、被害者保護増進等計画を作成するときは、あらかじめ、被害者その他の関係者の意見を反映させるために必要な措置を講ずるとともに、財務大臣に協議しなければならない。

4　国土交通大臣は、被害者保護増進等計画を作成したときは、遅滞なく、これを公表しなければならない。

5　前二項の規定は、被害者保護増進等計画の変更について準用する。

（助成）

第七七条の四　政府は、被害者保護増進等計画に基づき、独立行政法人自動車事故対策機構に対する独立行政法人通則法（平成十一年法律第百三号）第四十六条第一項の交付並びに独立行政法人自動車事故対策機構法第五条第三項の出資及び同法第十八条第一項の貸付け並びに独立行政法人自動車事故対策機構その他の被害者保護増進等計画に規定する事業を実施する者に対する補助を行うものとする。

第四節　雑則

（自動車事故対策事業賦課金）

第七八条　保険会社、組合及び第十条に規定する自動車のうち政令で定めるものを運行の用に供する者は、第七十一条に規定する自動車事故対策事業に必要な費用に充てるため、国土交通省令で定めるところにより、政令で定める金額を、自動車事故対策事業賦課金として政府に納付しなければならない。

（過怠金）

第七九条　政府は、第七十二条第一項第二号の規定による損害の塡補をしたときは、損害賠償の責に任ずる者に対して、政令で定める金額を過怠金として徴収することができる。

（徴収金の滞納処分）

第八〇条　第七十八条の自動車事故対策事業賦課金又は前条の過怠金を納付しない者があるときは、国土交通大臣は、期限を定めて督促をする。

2　国土交通大臣は、前項の規定による督促をするときは、納付義務者に対して督促状を発する。この場合において、督促状により定めるべき期限は、これを発する日から起算して十日以上経過した日でなければならない。

3　第一項の規定による督促は、時効の更新の効力を有する。

4　国土交通大臣は、第一項の規定による督促を受けた者が、同項の期限までに自動車事故対策事業賦課金又は過怠金を納付しないときは、国税滞納処分の例によつて、これを処分する。

（先取特権の順位）

第八一条　第七十八条の自動車事故対策事業賦課金及び第七十九条の過怠金の先取特権の順位は、国税及び地方税に次ぐ。

（自動車事故対策事業に関する費用の繰入れ）

第八二条　政府は、第十条に規定する自動車（第七十八条の政令で定めるもの及び道路以外の場所のみにおいて運行の用に供するものを除く。）について、第七十八条の自動車事故対策事業賦課金に相当する金額を、毎会計年度、予算で定めるところにより、国の他の会計から自動車安全特別会計に繰り入れるものとする。

2　政府は、この法律に規定する自動車損害賠償保障事業の業務の執行に要する経費の一部を、毎会計年度、予算で定めるところにより、一般会計から自動車安全特別会計に繰り入れるものとする。

（報告及び立入検査）

第八二条の二　国土交通大臣は、第七十八条の規定の施行に必要な限度において、国土交通省令で定めるところにより、保険会社若しくは組合に対し、その業務若しくは経理の状況に関し報告をさせ、又はその職員に、保険会社若しくは組合の営業所、事務所その他の施設に立ち入り、その業務の状況若しくは帳簿、書類その他の物件を検査させ、若しくは関係者に質問させることができる。

2　第二十三条の二第二項及び第三項の規定は、前項の規定によ

る立入検査又は質問について準用する。

第五章　雑則

（重複契約の場合の免責）

第八二条の三　一両の自動車について二以上の責任保険の契約又は責任共済の契約が締結されている場合においては、保険会社又は組合は、これらの契約のうち締結した時が最も早い契約以外の契約については、その締結した時が最も早い契約の保険期間又は共済期間と重複する保険期間又は共済期間において発生した自動車の運行による事故に係る損害のてん補、第十六条第一項（第二十三条の三第一項において準用する場合を含む。）の規定による損害賠償額の支払及び第十七条第一項（第二十三条の三第一項において準用する場合を含む。）の規定による仮渡金の支払（次項において「損害のてん補等」という。）の責めを免れる。

2　前項の場合において、同項の締結した時が最も早い契約が二以上あるときは、保険会社又は組合は、これらの契約のうち一の契約については、当該契約に関し損害のてん補等をすべき金額をこれらの契約の数で除して得た金額を超える金額について、損害のてん補等の責めを免れる。

3　保険会社又は組合は、第一項の締結した時が最も早い契約以外の契約に関して第十六条第一項（第二十三条の三第一項において準用する場合を含む。）の規定による損害賠償額の支払又は第十七条第一項（第二十三条の三第一項において準用する場合を含む。）の規定による仮渡金の支払（以下この項及び次項において「損害賠償額等の支払」という。）の請求があつた場合において、損害賠償額等の支払として給付をしたときは、保険会社若しくは組合又は被害者が当該請求に係る契約が第一項の締結した時が最も早い契約以外の契約であることを知つていた場合を除き、その給付をした額の限度において、被害者が損害賠償の責任を有する者に対して有する権利を取得するとともに、被害者に対してした給付の返還を請求する権利を失う。

4　前項の規定は、保険会社又は組合が第一項の締結した時が最も早い契約に関し第二項の規定により損害賠償額等の支払について責めを免れるべき金額の支払をした場合について準用する。この場合において、前項中「契約が第一項の締結した時が最も早い契約以外の契約であること」とあるのは「契約の他に第一項の締結した時が最も早い契約があること」と、「その給付をした額」とあるのは「第二項の規定により損害賠償額等の支払について責めを免れるべき金額」と読み替えるものとする。

（業務の管掌）

第八三条　政府の自動車事故対策事業の業務は、国土交通大臣が管掌する。

（権限の委任）

第八四条　内閣総理大臣は、この法律による権限（政令で定めるものを除く。）を金融庁長官に委任する。

2　第十条の二、前章及び第八十五条の規定により国土交通大臣の権限に属する事項は、政令で定めるところにより、地方運輸局長に行わせることができる。

（禁止行為等）

第八四条の二　何人も、行使の目的をもつて保険標章、共済標章若しくは保険・共済除外標章を偽造し、若しくは変造し、又は偽造若しくは変造に係るこれらの物件を使用してはならない。

2　何人も、行使の目的をもつて保険標章、共済標章若しくは保険・共済除外標章に紛らわしい外観を有する物件を製造し、又はこれらの物件を使用してはならない。

3　何人も、この法律の規定による場合その他正当な理由がある場合を除き、保険標章又は共済標章を他人に交付してはならない。

4　保険標章又は共済標章の適正な交付の確保に関し保険会社又は組合の遵守すべき事項は、国土交通省令で定める。

（証明書の提示）

第八五条　国土交通大臣は、第一条の目的を達成するため必要があると認めるときは、その職員に、道路その他自動車の所在する場所において、自動車を運転する者に対し、自動車損害賠償責任保険証明書又は自動車損害賠償責任共済証明書の提示を求めさせることができる。

2　前項の職員は、その身分を示す証明書を携帯し、関係者の請求があつたときは、これを提示しなければならない。

（政令への委任）

第八五条の二　この法律に規定するもののほか、この法律の実施のため必要な事項は、政令で定める。

（国土交通大臣の任務）

第八六条　国土交通大臣は、この法律に規定する職権の行使にあたつては、被害者の保護に欠けることがないように努めなければならない。

第六章　罰則

第八六条の二　第八十四条の二第一項の規定に違反した者は、三年以下の懲役若しくは百万円以下の罰金に処し、又はこれを併科する。

第八六条の三　次の各号のいずれかに該当する場合には、その違反行為をした者は、一年以下の懲役又は五十万円以下の罰金に処する。

一　第五条の規定に違反したとき。

二　第二十三条の九第一項の規定に違反して、その職務に関して知り得た秘密を漏らし、又は自己の利益のために使用したとき。

2　第八十四条の二第二項又は第三項の規定に違反した者は、一年以下の懲役又は五十万円以下の罰金に処する。

第八七条　偽りその他不正の手段により、自動車損害賠償責任保険証明書若しくは自動車損害賠償責任共済証明書又は保険標章、共済標章若しくは保険・共済除外標章の交付又は再交付を受けたときは、その違反行為をした者は、六月以下の懲役又は二十万円以下の罰金に処する。

第八七条の二　第十六条の八第四項（第二十三条の三第一項において準用する場合を含む。）の規定による命令に違反したときは、その違反行為をした者は、百万円以下の罰金に処する。

第八八条　次の各号のいずれかに該当する場合には、その違反行為をした者は、三十万円以下の罰金に処する。

一　第八条又は第九条の三第一項若しくは第二項（第九条の五第三項及び第十条の二第四項において準用する場合を含む。）の規定に違反したとき。

二　第二十三条の二第一項（第二十三条の三第一項において準用する場合を含む。）又は第八十二条の二第一項の規定による報告をせず、若しくは虚偽の報告をし、又はこれらの規定による検査を拒み、妨げ、若しくは忌避し、若しくはこれらの規定による質問に対して答弁せず、若しくは虚偽の答弁をしたとき。

三　第二十三条の十七第四項又は第二十三条の二十一第三項の規定による通知をせず、又は虚偽の通知をしたとき。

四　第二十八条の四第三項の規定による報告若しくは資料の提出をせず、又は虚偽の報告若しくは資料の提出をしたとき。

第八八条の二　次の各号のいずれかに該当する場合には、その違反行為をした指定紛争処理機関の役員又は職員は、三十万円以下の罰金に処する。
一　第二十三条の十七第一項の規定による許可を受けないで紛争処理業務の全部を廃止したとき。
二　第二十三条の十八の規定に違反して帳簿を備え付けず、帳簿に記載せず、若しくは帳簿に虚偽の記載をし、又は帳簿を保存しなかつたとき。
三　第二十三条の十九第一項の規定による報告をせず、若しくは虚偽の報告をし、又は同項の規定による検査を拒み、妨げ、若しくは忌避し、若しくは同項の規定による質問に対して答弁せず、若しくは虚偽の答弁をしたとき。

第八九条　次の各号のいずれかに該当する場合には、その違反行為をした者は、二十万円以下の罰金に処する。
一　第九条の三第三項（第九条の五第三項において準用する場合を含む。）の規定に違反したとき。
二　第八十四条の二第四項の規定に基づく国土交通省令の規定に違反したとき。
三　第八十五条第一項の規定による提示を拒み、又は妨げたとき。

第九〇条　法人の代表者又は法人若しくは人の代理人、使用人その他の従業者が、その法人又は人の業務又は財産に関して、第八十六条の三第一項又は第八十七条から前条までの違反行為をしたときは、行為者を罰するほか、その法人又は人に対しても、各本条の罰金刑を科する。

第九一条　保険会社又は組合が次の各号のいずれかに該当する場合には、保険会社の取締役若しくは執行役（保険業法第二条第九項に規定する外国損害保険会社等にあつてはその日本における代表者。以下同じ。）又は組合の理事は、百万円以下の過料に処する。
一　第十六条の六（第二十三条の三第一項において準用する場合を含む。）の規定による届出をせず、又は虚偽の届出をしたとき。
二　第二十三条の十二第二項の規定による説明若しくは資料の提出をせず、又は虚偽の説明若しくは資料の提出をしたとき。
三　第二十四条第一項又は第二項の規定に違反したとき。
四　第二十八条の四第四項の規定による命令に違反したとき。
2　保険会社又は損害保険料率算出団体が第二十六条の三の規定による命令に違反したときは、保険会社の取締役若しくは執行役又は損害保険料率算出団体の理事は、百万円以下の過料に処する。
3　組合が第二十七条第三項（第二十七条の二第一項及び第二項において準用する場合を含む。）の規定による命令に違反したときは、組合の理事は、百万円以下の過料に処する。

第九二条　偽りその他不正の手段により、第十六条の五第一項（第二十三条の三第一項において準用する場合を含む。）の規定による説明（第十六条の五第五項（第二十三条の三第一項において準用する場合を含む。）の規定により書面による説明等を行つたものとみなされる場合における説明を含む。）を受けた者は、十万円以下の過料に処する。

附　則

（施行期日）
1　この法律の施行期日は、公布の日から起算して八箇月をこえない範囲内において政令で定める日とする。
〔昭和三〇政一六四により、第五〇条、第八二条第二項の規定は、昭和三〇・八・五から、昭和三〇政二八五により、第一章、第三章第三節（第二四条を除く。）及び第四節、第八六条、第九一条第二項並びに附則第二項から第四項までの規定は、昭和三〇・一〇・二〇から、第二章、第六条、第七条、第一〇条、第三章第二節及び第五節（第五〇条を除く。）、第七一条、第七二条第二項及び第三項、第七五条、第七六条第二項及び第三項、第七七条、第七八条第一項、第八〇条、第八一条、第八三条並びに附則第五項から第一一項までの規定は、昭和三〇・一二・一から、第四章、第七二条第一項前段、第七三条、第七四条、第七六条第一項、第七八条第二項、第七九条、第八二条第一項、第八四条、第八九条及び第九〇条の規定は、昭和三一・二・一から、第五条、第八条、第九条、第二四条、第七二条第一項後段、第八五条、第八七条、第八八条及び第九一条第一項の規定は、自動車損害賠償保障法施行令（昭和三〇政二八六）第九条第一号から第八号までに掲げる自動車については、昭和三一・二・一、同条第九号から第一一号までに掲げる自動車については、昭和三一・二・一一、同条第一二号から第一八号までに掲げる自動車については、昭和三一・二・二一から施行〕

（一般会計からの繰入れの特例）
2　第八十二条第二項の規定は、当分の間、適用しない。
3　前項の場合においては、特別会計に関する法律（平成十九年法律第二十三号）第二百十三条第一項第一号ヘ及び第二百十五条第一項の規定は、適用しない。

（参考）

〇刑法等の一部を改正する法律の施行に伴う関係法律の整理等に関する法律〔抄〕
（令和四・六・一七　法律六八）

（船舶法等の一部改正）
第三四二条　次に掲げる法律の規定中「懲役」を「拘禁刑」に改める。
一～十六〔略〕
十七　自動車損害賠償保障法（昭和三十年法律第九十七号）第八十六条の二から第八十七条まで
十八～六十四〔略〕

附　則

（施行期日）
1　この法律は、刑法等一部改正法〔令和四年法律第六十七号〕施行日〔令和七・六・一〕から施行する。〔以下略〕

○自動車損害賠償保障法施行令

〔抄〕

〔昭和三〇・一〇・一八 政令二八六〕

改正 前略…平成一一・九政二六二、平成一二・六政三一二、平成一三・一二政四一九、平成一六・九政二七五、一〇政三一五、平成一七・五政一八七、平成一八・三政一三九、平成二〇・三政一一六、平成二三・五政一一六、平成二八・三政一三三、令和五・三政一〇〇、七政二四二

（自動車損害賠償責任保険証明書に記載すべき事項の電磁的方法による提供）

第一条 自動車損害賠償保障法（以下「法」という。）第九条第一項本文の処分を受けようとする者は、同条第二項の規定により自動車損害賠償責任保険証明書に記載すべき事項を登録情報処理機関に提供しようとするときは、国土交通省令で定めるところにより、あらかじめ、保険会社に対して書面又は電磁的方法により委託しなければならない。

（責任保険又は責任共済の契約の締結を要しない自動車の保有者及びその業務の範囲）

第一条の二 法第十条の政令で定める者は次の各号に掲げる者とし、同条の政令で定める業務は当該各号に掲げる者の区分に応じ当該各号に定める業務とする。

一 国 自衛隊法（昭和二十九年法律第百六十五号）第百十四条第一項の規定により道路運送車両法（昭和二十六年法律第百八十五号）の規定が適用されない自動車を使用する場合における自衛隊法に規定する自衛隊の任務の遂行に必要な業務

二 日本国とアメリカ合衆国との間の相互協力及び安全保障条約に基づき日本国内にあるアメリカ合衆国の軍隊 その任務の遂行に必要な業務

三 日本国における国際連合の軍隊の地位に関する協定に基づき日本国内にある国際連合の軍隊 その任務の遂行に必要な業務

四 日本国の自衛隊とオーストラリア国防軍との間における相互のアクセス及び協力の円滑化に関する日本国とオーストラリアとの間の協定の実施に関する法律（令和五年法律第二十六号）第二条第一項に規定するオーストラリア軍隊 その任務の遂行に必要な業務

五 日本国の自衛隊とグレートブリテン及び北アイルランド連合王国の軍隊との間における相互のアクセス及び協力の円滑化に関する日本国とグレートブリテン及び北アイルランド連合王国との間の協定の実施に関する法律（令和五年法律第二十七号）第二条第一項に規定する英国軍隊 その任務の遂行に必要な業務

（保険・共済除外標章の交付を要しない自動車の範囲）

第一条の三 法第十条の二第一項の政令で定める検査対象外軽自動車及び原動機付自転車は、前条各号に掲げる者が当該各号に定める業務のため運行の用に供する検査対象外軽自動車及び原動機付自転車とする。

（保険金額）

第二条 法第十三条第一項の保険金額は、死亡した者又は傷害を受けた者一人につき、次の各号に掲げる者の区分に応じ、当該各号に定める金額とする。

一 死亡した者 イ又はロに掲げる損害の区分に応じ、それぞれイ又はロに定める金額

イ 死亡による損害（ロに掲げる損害を除く。） 三千万円

ロ 死亡に至るまでの傷害による損害 百二十万円

二 介護を要する後遺障害（傷害が治つたとき身体に存する障害をいう。以下同じ。）をもたらす傷害を受けた者 イ又はロに掲げる損害の区分に応じ、それぞれイ又はロに定める金額

イ 別表第一に定める等級に該当する介護を要する後遺障害が存する場合（同一の等級に該当する介護を要する後遺障害が二存する場合を含む。）における当該介護を要する後遺障害による損害（ロに掲げる損害を除く。） 当該介護を要する後遺障害の該当する等級に応ずる同表に定める金額

ロ 介護を要する後遺障害に至るまでの傷害による損害 百二十万円

三 傷害を受けた者（前号に掲げる者を除く。） イからヘまでに掲げる損害の区分に応じ、それぞれイからヘまでに定める金額

イ 傷害による損害（ロからヘまでに掲げる損害を除く。） 百二十万円

ロ 別表第二に定める第五級以上の等級に該当する後遺障害が二以上存する場合における当該後遺障害による損害 重い後遺障害の該当する等級の三級上位の等級に応ずる同表に定める金額

ハ 別表第二に定める第八級以上の等級に該当する後遺障害が二以上存する場合（ロに掲げる場合を除く。）における当該後遺障害による損害 重い後遺障害の該当する等級の二級上位の等級に応ずる同表に定める金額

ニ 別表第二に定める第十三級以上の等級に該当する後遺障害が二以上存する場合（ロ及びハに掲げる場合を除く。）における当該後遺障害による損害 重い後遺障害の該当する等級の一級上位の等級に応ずる同表に定める金額（それぞれの後遺障害の該当する等級に応ずる同表に定める金額を合算した金額を超えるときは、その合算した金額）

ホ 別表第二に定める等級に該当する後遺障害が二以上存する場合（ロからニまでに掲げる場合を除く。）における当該後遺障害による損害 重い後遺障害の該当する等級に応ずる同表に定める金額

ヘ 別表第二に定める等級に該当する後遺障害が存する場合（ロからホまでに掲げる場合を除く。）における当該後遺障害による損害 当該後遺障害の該当する等級に応ずる同表に定める金額

2 法第十三条第一項の保険金額は、既に後遺障害のある者が傷害を受けたことによつて同一部位について後遺障害の程度を加重した場合における当該後遺障害による損害については、当該後遺障害の該当する別表第一又は別表第二に定める等級に応ずるこれらの表に定める金額から、既にあつた後遺障害の該当するこれらの表に定める等級に応ずるこれらの表に定める金額を控除した金額とする。

（保険会社に対する損害賠償額の支払の請求）

第三条 法第十六条第一項の損害賠償額の支払の請求は、次の事項を記載した書面をもつて行わなければならない。

一　請求する者の氏名及び住所
二　死亡した者についての請求にあつては、請求する者の死亡した者との続柄
三　加害者及び被害者の氏名及び住所並びに加害行為の行われた日時及び場所
四　当該自動車の道路運送車両法の規定による自動車登録番号若しくは車両番号、地方税法（昭和二十五年法律第二百二十六号）第四百六十三条の十八第三項（同法第一条第二項において準用する場合を含む。）に規定する標識の番号又は道路交通に関する条約の規定による登録番号（これらが存しない場合にあつては、車台番号）
五　保険契約者の氏名及び住所
六　請求する金額及びその算出基礎

2　前項の書面には、次の書類を添附しなければならない。
一　診断書又は検案書
二　前項第二号及び第三号の事項を証するに足りる書面
三　前項第六号の算出基礎を証するに足りる書面

（保険金によるてん補又は損害賠償額の支払に限度を設ける損害の種類及びその限度額）

第三条の二　法第十六条の二の政令で定める損害は、被害者が療養のため労働することができないことによる損害とし、同条の政令で定める額は、一日につき一万九千円とする。

（被保険者の意見の聴取等）

第四条　保険会社は、損害賠償額の支払をしようとするときは、あらかじめ、被保険者の意見を求めるものとする。

2　保険会社は、損害賠償額の支払をしたときは、遅滞なく、その旨を被保険者に通知するものとする。

（情報通信の技術を利用する方法）

第四条の二　保険会社は、法第十六条の四第四項の規定により同項に規定する事項を提供しようとするときは、国土交通省令・内閣府令で定めるところにより、あらかじめ、被保険者又は被害者に対し、その用いる同項前段に規定する方法（以下「電磁的方法」という。）の種類及び内容を示し、書面又は電磁的方法による承諾を得なければならない。

2　前項の規定による承諾を得た保険会社は、被保険者又は被害者から書面又は電磁的方法により電磁的方法による提供を受けない旨の申出があつたときは、当該被保険者又は被害者に対し、法第十六条の四第四項に規定する事項の提供を電磁的方法によつてしてはならない。ただし、当該被保険者又は被害者が再び前項の規定による承諾をした場合は、この限りでない。

第四条の三　前条の規定は、法第十六条の五第五項の規定により同項に規定する事項を提供しようとするときについて準用する。

（保険会社の仮渡金の金額）

第五条　法第十七条第一項の仮渡金の金額は、死亡した者又は傷害を受けた者一人につき、次のとおりとする。
一　死亡した者　二百九十万円
二　次の傷害を受けた者　四十万円
イ　脊柱の骨折で脊髄を損傷したと認められる症状を有するもの
ロ　上腕又は前腕の骨折で合併症を有するもの
ハ　大腿又は下腿の骨折
ニ　内臓の破裂で腹膜炎を併発したもの
ホ　十四日以上病院に入院することを要する傷害で、医師の治療を要する期間が三十日以上のもの
三　次の傷害（前号イからホまでに掲げる傷害を除く。）を受けた者　二十万円
イ　脊柱の骨折
ロ　上腕又は前腕の骨折
ハ　内臓の破裂
ニ　病院に入院することを要する傷害で、医師の治療を要する期間が三十日以上のもの
ホ　十四日以上病院に入院することを要する傷害
四　十一日以上医師の治療を要する傷害（第二号イからホまで及び前号イからホまでに掲げる傷害を除く。）を受けた者　五万円

（保険会社に対する仮渡金の支払の請求等）

第六条　第三条（請求する金額の算出基礎に係る部分を除く。）の規定は、法第十七条第一項の仮渡金の支払の請求について準用する。

2　第四条第二項の規定は、法第十七条第一項の仮渡金の支払をした場合について準用する。

（指定医の診断書の提出）

第七条　保険会社は、特に必要があると認めるときは、保険金、法第十六条第一項の損害賠償額又は法第十七条第一項の仮渡金の支払の請求をした者に対し、保険会社の指定する医師の診断書の提出を求めることができる。この場合において、必要な費用は、保険会社の負担とする。

（添附書類の省略）

第八条　次の請求をする場合においては、第三条第二項（第六条において準用する場合を含む。）の規定にかかわらず、同項第一号及び第二号の書類の添附を要しない。
一　法第十六条第一項の損害賠償額の支払の請求と同時にする法第十七条第一項の仮渡金の支払の請求
二　法第十七条第一項の仮渡金の支払の請求をした後にする法第十六条第一項の損害賠償額の支払の請求
三　法第十六条第一項の損害賠償額の支払の請求をした後にする法第十七条第一項の仮渡金の支払の請求

（危険が増加し、又は減少した場合の保険料の支払又は返還）

第一〇条　法第二十二条第四項の規定により保険会社が支払を請求し、又は同条第五項の規定により保険契約者が返還を請求することができる保険料の金額は、増加し、又は減少する前の危険に対応する責任保険の契約の保険料のうち、危険が増加し、又は減少した日から保険期間の末日までの日数につき日割計算により算出した保険料の金額と、新たな危険に対応する責任保険の契約で保険期間を同じくするものの保険料（当該保険期間の開始後に保険料の変更があつた場合には、変更前の保険料）のうち、同一日数につき日割計算により算出した保険料の金額との差額とする。

2　前項の規定により算出した金額に十円未満の端数があるとき、又はその金額が百円未満であるときは、その端数金額又はその全額を切り捨てる。

（準用規定）

第一一条　第一条、第二条から第八条まで及び第十条の規定は、責任共済の契約について準用する。この場合において、これらの規定中「自動車損害賠償責任保険証明書」とあるのは「自動車損害賠償責任共済証明書」と、「保険金額」とあるのは「共済金額」と、「保険会社」とあるのは「組合」と、「保険契約者」とあるのは「共済契約者」と、「保険金」とあるのは「共済金」と、「被保険者」とあるのは「被共済者」と、「責任保険」とあるのは「責任共済」と、「保険料」とあるのは「共済掛金」と、「保険期間」とあるのは「共済期間」と読み替えるものとする。

（自動車損害賠償保障事業が行う損害の填補の限度額）

第二〇条　法第七十二条第一項第一号又は第二号の政令で定める金額は、それぞれ、死亡した者又は傷害を受けた者一人につき、第二条第一項各号に掲げる者の区分に応じ、当該各号に定める金額とする。

2　法第十六条の二の規定及び第三条の二の規定は、法第七十二条第一項第一号又は第二号の規定により政府が行う損害の填補について準用する。

（法第七十三条第一項の政令で定める法令）

第二一条　法第七十三条第一項の政令で定める法令は、次のとおりとする。
一　船員保険法（昭和十四年法律第七十三号）

二　労働基準法（昭和二十二年法律第四十九号。他の法律において例による場合を含む。）
三　船員法（昭和二十二年法律第百号。他の法律において例による場合を含む。）
四　災害救助法（昭和二十二年法律第百十八号）
五　消防組織法（昭和二十二年法律第二百二十六号）
六　消防法（昭和二十三年法律第百八十六号）
七　水防法（昭和二十四年法律第百九十三号）
八　国家公務員災害補償法（昭和二十六年法律第百九十一号。他の法律において準用し、又は例による場合を含む。）
九　警察官の職務に協力援助した者の災害給付に関する法律（昭和二十七年法律第二百四十五号）
十　海上保安官に協力援助した者等の災害給付に関する法律（昭和二十八年法律第三十三号）
十一　公立学校の学校医、学校歯科医及び学校薬剤師の公務災害補償に関する法律（昭和三十二年法律第百四十三号）
十二　証人等の被害についての給付に関する法律（昭和三十三年法律第百九号）
十三　国家公務員共済組合法（昭和三十三年法律第百二十八号。他の法律において準用し、又は例による場合を含む。）
十四　国民健康保険法（昭和三十三年法律第百九十二号）
十五　災害対策基本法（昭和三十六年法律第二百二十三号）
十六　地方公務員等共済組合法（昭和三十七年法律第百五十二号）
十七　河川法（昭和三十九年法律第百六十七号）
十八　地方公務員災害補償法（昭和四十二年法律第百二十一号）
十九　高齢者の医療の確保に関する法律（昭和五十七年法律第八十号）
二十　介護保険法（平成九年法律第百二十三号）
二十一　武力攻撃事態等における国民の保護のための措置に関する法律（平成十六年法律第百十二号）

（自動車損害賠償保障事業の業務の委託）

第二十二条　政府は、法第七十七条第一項の規定により、損害の塡補額の支払の請求の受理、塡補すべき損害額に関する調査、損害の塡補額の支払その他法第七十二条第一項第一号又は第二号の規定による業務のうち損害の塡補額の決定以外のものを保険会社又は組合に委託することができる。

2　政府は、前項の規定により委託をした保険会社又は組合に対し、能率的な経営の下における適正な原価を償うに足りる金額を委託費として支払うものとする。

3　前項の委託費の支払の方法その他第一項の規定による委託契約に関する準則は、国土交通省令で定める。

（権限の委任）

第二十三条　法第八十四条第一項の政令で定める権限は、法第三十五条に規定する内閣総理大臣の権限とする。

2　法第十条の二第一項及び同条第四項において準用する法第九条の二第四項に規定する国土交通大臣の権限は、地方運輸局長に行なわせる。

3　法第八十五条第一項に規定する国土交通大臣の権限は、地方運輸局長も行うことができる。

別表第一（第二条関係）

等級	介護を要する後遺障害	保険金額
第一級	一 神経系統の機能又は精神に著しい障害を残し、常に介護を要するもの 二 胸腹部臓器の機能に著しい障害を残し、常に介護を要するもの	四千万円
第二級	一 神経系統の機能又は精神に著しい障害を残し、随時介護を要するもの 二 胸腹部臓器の機能に著しい障害を残し、随時介護を要するもの	三千万円

備考 各等級の後遺障害に該当しない後遺障害であつて、各等級の後遺障害に相当するものは、当該等級の後遺障害とする。

別表第二（第二条関係）

等級	後遺障害	保険金額
第一級	一 両眼が失明したもの 二 咀嚼及び言語の機能を廃したもの 三 両上肢をひじ関節以上で失つたもの 四 両上肢の用を全廃したもの 五 両下肢をひざ関節以上で失つたもの 六 両下肢の用を全廃したもの	三千万円
第二級	一 一眼が失明し、他眼の視力が〇・〇二以下になつたもの 二 両眼の視力が〇・〇二以下になつたもの 三 両上肢を手関節以上で失つたもの 四 両下肢を足関節以上で失つたもの	二千五百九十万円
第三級	一 一眼が失明し、他眼の視力が〇・〇六以下になつたもの 二 咀嚼又は言語の機能を廃したもの 三 神経系統の機能又は精神に著しい障害を残し、終身労務に服することができないもの 四 胸腹部臓器の機能に著しい障害を残し、終身労務に服することができないもの 五 両手の手指の全部を失つたもの	二千二百十九万円
第四級	一 両眼の視力が〇・〇六以下になつたもの 二 咀嚼及び言語の機能に著しい障害を残すもの 三 両耳の聴力を全く失つたもの 四 一上肢をひじ関節以上で失つたもの 五 一下肢をひざ関節以上で失つたもの 六 両手の手指の全部の用を廃したもの 七 両足をリスフラン関節以上で失つたもの	千八百八十九万円
第五級	一 一眼が失明し、他眼の視力が〇・一以下になつたもの 二 神経系統の機能又は精神に著しい障害を残し、特に軽易な労務以外の労務に服することができないもの 三 胸腹部臓器の機能に著しい障害を残し、特に軽易な労務以外の労務に服することができないもの 四 一上肢を手関節以上で失つたもの 五 一下肢を足関節以上で失つたもの 六 一上肢の用を全廃したもの 七 一下肢の用を全廃したもの 八 両足の足指の全部を失つたもの	千五百七十四万円
第六級	一 両眼の視力が〇・一以下になつたもの 二 咀嚼又は言語の機能に著しい障害を残すもの 三 両耳の聴力が耳に接しなければ大声を解することができない程度になつたもの 四 一耳の聴力を全く失い、他耳の聴力が四十センチメートル以上の距離では普通の話声を解することができない程度になつたもの 五 脊柱に著しい変形又は運動障害を残すもの 六 一上肢の三大関節中の二関節の用を廃したもの 七 一下肢の三大関節中の二関節の用を廃したもの 八 一手の五の手指又はおや指を含み四の手指を失つたもの	千二百九十六万円
第七級	一 一眼が失明し、他眼の視力が〇・六以下になつたもの 二 両耳の聴力が四十センチメートル以上の距離では普通の話声を解することができない程度になつたもの 三 一耳の聴力を全く失い、他耳の聴力が一メートル以上の距離では普通の話声を解することができない程度になつたもの 四 神経系統の機能又は精神に障害を残し、軽易な労務以外の労務に服することができないもの 五 胸腹部臓器の機能に障害を残し、軽易な労務以外の労務に服することができないもの 六 一手のおや指を含み三の手指を失つたもの又はおや指以外の四の手指を失つたもの 七 一手の五の手指又はおや指を含み四の手指の用を廃したもの	千五十一万円

	八　一足をリスフラン関節以上で失つたもの 九　一上肢に偽関節を残し、著しい運動障害を残すもの 十　一下肢に偽関節を残し、著しい運動障害を残すもの 十一　両足の足指の全部の用を廃したもの 十二　外貌に著しい醜状を残すもの 十三　両側の睾丸を失つたもの	
第八級	一　一眼が失明し、又は一眼の視力が〇・〇二以下になつたもの 二　脊柱に運動障害を残すもの 三　一手のおや指を含み二の手指を失つたもの又はおや指以外の三の手指を失つたもの 四　一手のおや指を含み三の手指の用を廃したもの又はおや指以外の四の手指の用を廃したもの 五　一下肢を五センチメートル以上短縮したもの 六　一上肢の三大関節中の一関節の用を廃したもの 七　一下肢の三大関節中の一関節の用を廃したもの 八　一上肢に偽関節を残すもの 九　一下肢に偽関節を残すもの 十　一足の足指の全部を失つたもの	八百十九万円
第九級	一　両眼の視力が〇・六以下になつたもの 二　一眼の視力が〇・〇六以下になつたもの 三　両眼に半盲症、視野狭窄又は視野変状を残すもの 四　両眼のまぶたに著しい欠損を残すもの 五　鼻を欠損し、その機能に著しい障害を残すもの 六　咀嚼及び言語の機能に障害を残すもの 七　両耳の聴力が一メートル以上の距離では普通の話声を解することができない程度になつたもの 八　一耳の聴力が耳に接しなければ大声を解することができない程度になり、他耳の聴力が一メートル以上の距離では普通の話声を解することが困難である程度になつたもの 九　一耳の聴力を全く失つたもの 十　神経系統の機能又は精神に障害を残し、服することができる労務が相当な程度に制限されるもの 十一　胸腹部臓器の機能に障害を残し、服することができる労務が相当な程度に制限されるもの 十二　一手のおや指又はおや指以外の二の手指を失つたもの 十三　一手のおや指を含み二の手指の用を廃したもの又はおや指以外の三の手指の用を廃したもの	六百十六万円
	十四　一足の第一の足指を含み二以上の足指を失つたもの 十五　一足の足指の全部の用を廃したもの 十六　外貌に相当程度の醜状を残すもの 十七　生殖器に著しい障害を残すもの	
第十級	一　一眼の視力が〇・一以下になつたもの 二　正面を見た場合に複視の症状を残すもの 三　咀嚼又は言語の機能に障害を残すもの 四　十四歯以上に対し歯科補綴を加えたもの 五　両耳の聴力が一メートル以上の距離では普通の話声を解することが困難である程度になつたもの 六　一耳の聴力が耳に接しなければ大声を解することができない程度になつたもの 七　一手のおや指又はおや指以外の二の手指の用を廃したもの 八　一下肢を三センチメートル以上短縮したもの 九　一足の第一の足指又は他の四の足指を失つたもの 十　一上肢の三大関節中の一関節の機能に著しい障害を残すもの 十一　一下肢の三大関節中の一関節の機能に著しい障害を残すもの	四百六十一万円
第十一級	一　両眼の眼球に著しい調節機能障害又は運動障害を残すもの 二　両眼のまぶたに著しい運動障害を残すもの 三　一眼のまぶたに著しい欠損を残すもの 四　十歯以上に対し歯科補綴を加えたもの 五　両耳の聴力が一メートル以上の距離では小声を解することができない程度になつたもの 六　一耳の聴力が四十センチメートル以上の距離では普通の話声を解することができない程度になつたもの 七　脊柱に変形を残すもの 八　一手のひとさし指、なか指又はくすり指を失つたもの 九　一足の第一の足指を含み二以上の足指の用を廃したもの 十　胸腹部臓器の機能に障害を残し、労務の遂行に相当な程度の支障があるもの	三百三十一万円
第十二級	一　一眼の眼球に著しい調節機能障害又は運動障害を残すもの 二　一眼のまぶたに著しい運動障害を残すもの 三　七歯以上に対し歯科補綴を加えたもの	二百二十四万円

	四　一耳の耳殻の大部分を欠損したもの 五　鎖骨、胸骨、ろく骨、けんこう骨又は骨盤骨に著しい変形を残すもの 六　一上肢の三大関節中の一関節の機能に障害を残すもの 七　一下肢の三大関節中の一関節の機能に障害を残すもの 八　長管骨に変形を残すもの 九　一手のこ指を失つたもの 十　一手のひとさし指、なか指又はくすり指の用を廃したもの 十一　一足の第二の足指を失つたもの、第二の足指を含み二の足指を失つたもの又は第三の足指以下の三の足指を失つたもの 十二　一足の第一の足指又は他の四の足指の用を廃したもの 十三　局部に頑固な神経症状を残すもの 十四　外貌に醜状を残すもの	
第十三級	一　一眼の視力が〇・六以下になつたもの 二　正面以外を見た場合に複視の症状を残すもの 三　一眼に半盲症、視野狭窄又は視野変状を残すもの 四　両眼のまぶたの一部に欠損を残し又はまつげはげを残すもの 五　五歯以上に対し歯科補綴を加えたもの 六　一手のこ指の用を廃したもの 七　一手のおや指の指骨の一部を失つたもの 八　一下肢を一センチメートル以上短縮したもの 九　一足の第三の足指以下の一又は二の足指を失つたもの 十　一足の第二の足指の用を廃したもの、第二の足指を含み二の足指の用を廃したもの又は第三の足指以下の三の足指の用を廃したもの 十一　胸腹部臓器の機能に障害を残すもの	百三十九万円
第十四級	一　一眼のまぶたの一部に欠損を残し又はまつげはげを残すもの 二　三歯以上に対し歯科補綴を加えたもの 三　一耳の聴力が一メートル以上の距離では小声を解することができない程度になつたもの 四　上肢の露出面にてのひらの大きさの醜いあとを残すもの 五　下肢の露出面にてのひらの大きさの醜いあとを残すもの 六　一手のおや指以外の手指の指骨の一部を失つたもの 七　一手のおや指以外の手指の遠位指節間関節を屈伸することができなくなつたもの 八　一足の第三の足指以下の一又は二の足指の用を廃したもの 九　局部に神経症状を残すもの	七十五万円

備考

一　視力の測定は、万国式試視力表による。屈折異状のあるものについては、矯正視力について測定する。

二　手指を失つたものとは、おや指は指節間関節、その他の手指は近位指節間関節以上を失つたものをいう。

三　手指の用を廃したものとは、手指の末節骨の半分以上を失い、又は中手指節関節若しくは近位指節間関節（おや指にあつては、指節間関節）に著しい運動障害を残すものをいう。

四　足指を失つたものとは、その全部を失つたものをいう。

五　足指の用を廃したものとは、第一の足指は末節骨の半分以上、その他の足指は遠位指節間関節以上を失つたもの又は中足指節関節若しくは近位指節間関節（第一の足指にあつては、指節間関節）に著しい運動障害を残すものをいう。

六　各等級の後遺障害に該当しない後遺障害であつて、各等級の後遺障害に相当するものは、当該等級の後遺障害とする。

○自動車損害賠償保障法施行規則

〔抄〕

〔昭和三〇・一二・一二
運輸省令六六〕

改正 前略…平成二八・三国交令一四、一二国交令八七、令和元・六国交令二〇、九国交令三三、令和三・八国交令五三、令和五・三国交令一六、令和六・三国交令二六、六国交令六七

（自動車損害賠償責任保険証明書）

第一条 自動車損害賠償保障法（昭和三十年法律第九十七号。以下「法」という。）第七条第一項の自動車損害賠償責任保険証明書は、第一号様式による。

（電磁的方法）

第一条の三 法第九条第二項の国土交通省令で定める方法は、次に掲げる方法とする。

一 送信者の使用に係る電子計算機と受信者の使用に係る電子計算機とを電気通信回線で接続した電子情報処理組織を使用する方法であつて、当該電気通信回線を通じて情報が送信され、受信者の使用に係る電子計算機に備えられたファイルに当該情報が記録されるもの

二 磁気ディスクその他これに準ずる方法により一定の情報を確実に記録しておくことができる物をもつて調製するファイルに情報を記録したものを交付する方法

（登録情報処理機関に対する照会）

第一条の四 法第九条第四項の照会は、同条第二項の規定により登録情報処理機関に提供された自動車損害賠償責任保険証明書に記載すべき事項について、電磁的方法により行うものとする。

2 前項の照会を受けた登録情報処理機関は、電磁的方法により当該照会に係る事項について当該行政庁に対し通知しなければならない。

（保険標章）

第一条の五

1・2 〔略〕

3 保険標章は、検査対象外軽自動車（道路運送車両法（昭和二十六年法律第百八十五号）第五十八条第一項の検査対象外軽自動車をいう。以下同じ。）、原動機付自転車（道路運送車両法第二条第三項の原動機付自転車をいう。以下同じ。）又は締約国登録自動車（法第九条の二第一項の締約国登録自動車をいう。以下同じ。）の前面ガラスの外側に前方から見やすいように貼り付けることによつて表示するものとする。ただし、運転者室又は前面ガラスのない検査対象外軽自動車及び道路運送車両法施行規則（昭和二十六年運輸省令第七十四号）第六十三条の二第三項ただし書の規定により臨時運転番号標の貸与を受けて運行の用に供する検査対象外軽自動車にあつては、検査対象外軽自動車の後面に取り付けられた車両番号標の左上部に、運転者室又は前面ガラスのない原動機付自転車にあつては、標識（地方税法（昭和二十五年法律第二百二十六号）第四百六十三条の十八第三項（同法第一条第二項において準用する場合を含む。）に規定する標識をいう。以下同じ。）（標識が存しない場合及び標識に貼り付けることが困難な場合にあつては、原動機付自転車の前面）に、運転者室又は前面ガラスのない締約国登録自動車にあつては、締約国登録自動車の後面に、それぞれ見やすいように貼り付けることによつて表示するものとする。

第一条の六 法第九条の二第四項の規定による保険標章の再交付を受けようとする者は、保険会社に対して、自動車損害賠償責任保険証明書を提示しなければならない。ただし、保険会社が、当該自動車損害賠償責任保険証明書の確認以外の方法により、当該者が締結した責任保険の契約の内容を適切に確認することができると認めるときは、この限りでない。

2 法第九条の二第四項の国土交通省令で定める場合は、次のとおりとする。

一 滅失又は損傷により保険標章を貼り付けた前面ガラスを使用することができなくなつた場合

二 滅失、損傷又は識別困難により保険標章を貼り付けた車両番号標又は標識を表示することができなくなつた場合

三 その他再交付を受けることについて正当な理由があると認められる場合

（保険会社に対する委託）

第一条の七 自動車損害賠償保障法施行令（昭和三十年政令第二百八十六号。以下「令」という。）第一条の保険会社に対する委託は、当該委託をしようとする者が、道路運送車両法第四条、第六十条第一項、第六十二条第二項（第六十三条第三項及び第六十七条第四項において準用する場合を含む。）、第七十一条第一項（使用者の変更に係る部分に限る。）若しくは第七十一条第四項又は総合特別区域法（平成二十三年法律第八十一号）第二十二条の二第三項に規定する処分を受けることとしている場合に限り、行うことができる。

（請求金額の算出基礎の記載）

第二条 令第三条第一項第六号の算出基礎の記載は、診療報酬の請求に係る明細その他損害額の内容及び根拠を明示してするものとする。

（責任保険の契約の解除の要件）

第五条の二 保険契約者は、次の場合には、責任保険の契約を解除することができる。

一 登録自動車について、道路運送車両法第十五条第一項の規定により永久抹消登録を受け、若しくは同条第五項の規定により永久抹消登録のあつた旨の通知を受けた場合（同条第一項第二号に掲げる事由に該当する場合に限る。）、同法第十五条の二第二項の規定により輸出抹消仮登録を受けた場合又は同法第十六条第一項の申請に基づく一時抹消登録を受けた場合

二 軽自動車又は二輪の小型自動車について、使用を廃止し、車両番号標を運輸監理部長、運輸支局長又は軽自動車検査協会に提出した場合

三 小型特殊自動車又は原動機付自転車について、使用を廃止した場合（特別区又は市町村の条例で小型特殊自動車又は原動機付自転車に当該特別区又は市町村の交付する標識を付すべき旨を定めている場合は、当該標識を特別区又は市町村の長に提出した場合に限る。）

四 登録証書（道路交通に関する条約の実施に伴う道路運送車両法の特例等に関する法律（昭和三十九年法律第百九号。以下「特例法」という。）第五条第一項の登録証書をいう。以下同じ。）の交付を受けた自動車について、特例法第二条第二項の締約国において使用するため関税法（昭和二十九年法律第六十一号）第六十七条の輸出の許可を受けた場合

五 締約国登録自動車について、関税法第六十七条の輸出の許可を受けた場合

六 道路運送車両法第三十四条第一項（同法第七十三条第二項において準用する場合を含む。）の臨時運行の許可を受けて運行の用に供する自動車について、臨時運行許可番号標を当該行政庁に返納した場合

六の二 道路運送車両法第三十六条の二第一項（同法第七十三条第二項において準用する場合を含む。）の許可を受けて運行の用に供する自動車について、回送運行許可番号標を運輸監理部長又は運輸支局長に返納した場合

七 道路運送車両法施行規則第六十三条の二第三項ただし書の規定により臨時運転番号標の貸与を受けて運行の用に供する検査対象外軽自動車について、臨時運転番号標を運輸監理部長又は運輸支局長に返還した場合

○独立行政法人自動車事故対策機構法〔抄〕

（平成一四・一二・一八）
（法律一八三）

改正　平成一六・六法一三〇、平成一八・一二法一〇九、平成二二・五法三七、平成二六・六法六七、令和四・六法六五、法六八

（目的）

第一条　この法律は、独立行政法人自動車事故対策機構の名称、目的、業務の範囲等に関する事項を定めることを目的とする。

（機構の目的）

第三条　独立行政法人自動車事故対策機構（以下「機構」という。）は、自動車の運行の安全の確保に関する事項を処理する者に対する指導、自動車事故による被害者に対しその身体的又は財産的被害の回復に資する支援等を行うことにより、自動車事故の発生の防止に資するとともに、自動車損害賠償保障法（昭和三十年法律第九十七号。以下「自賠法」という。）による損害賠償の保障制度と相まって被害者の保護を増進することを目的とする。

（中期目標管理法人）

第三条の二　機構は、通則法第二条第二項に規定する中期目標管理法人とする。

第三章　業務等

（業務の範囲）

第一三条　機構は、第三条の目的を達成するため、次の業務を行う。

一　道路運送法（昭和二十六年法律第百八十三号）第二条第二項に規定する自動車運送事業（貨物利用運送事業法（平成元年法律第八十二号）第二条第八項に規定する第二種貨物利用運送事業を含む。）の用に供する自動車（以下単に「自動車」という。）の運行の安全の確保に関する事項を処理する者に対し、当該事項に関する指導及び講習を行うこと。

二　自動車の運転者に対し、適性診断（自動車の運行の安全を確保するため、自動車の運行の態様に応じ運転者に必要とされる事項について心理学的又は医学的な方法による調査を行い、必要に応じて指導することをいう。）を行うこと。

三　自動車事故による被害者で後遺障害（傷害が治ってもなお身体に存する障害をいう。以下同じ。）が存するため治療及び常時の介護を必要とするものを収容して治療及び養護を行う施設を設置し、及び運営すること。

四　自動車事故により介護を必要とする後遺障害をもたらす傷害を受けた者であって国土交通省令で定める基準に適合するものに対し、介護料を支給すること。

五　次に掲げる被害者であって生活の困窮の程度が国土交通省令で定める基準に適合するものに対し、当該被害者に必要な資金の全部又は一部の貸付けを行うこと。

イ　自動車事故により死亡した者の遺族又は国土交通省令で定める後遺障害をもたらす傷害を受けた者の家族である義務教育終了前の児童

ロ　自動車事故による損害賠償についての債務名義を得た被害者であって当該債務名義に係る債権についてその全部又は一部の弁済を受けることが困難であると認められるもの

六　次に掲げる被害者であって生活の困窮の程度が国土交通省令で定める基準に適合するものに対し、当該被害者が損害賠償額又は損害の塡補として支払われる金額の支払を受けるまでの間、その支払を受けるべき金額の一部に相当する資金の貸付けを行うこと。

イ　自賠法の規定により後遺障害に係る損害賠償額の支払を受けるべき被害者

ロ　自賠法第四章第二節の規定による損害の塡補として支払われる金額の支払を受けるべき被害者

七　自賠法による損害賠償の保障制度について周知宣伝を行うこと。

八　自動車事故の発生の防止及び被害者の保護に関する調査及び研究を行い、その成果を普及すること。

九　前各号に掲げる業務に附帯する業務を行うこと。

（生活資金の返還の免除）

第一四条　機構は、前条第五号及び第六号の規定により貸付けを受けた者が死亡又は心身障害により当該貸付けを受けた資金（以下「生活資金」という。）を返還することができなくなったときは、生活資金の全部又は一部の返還を免除することができる。

附　則

（施行期日）

第一条　この法律は、平成十五年十月一日から施行する。〔以下略〕

（自動車事故対策センター法の廃止）

第七条　自動車事故対策センター法は、廃止する。

第六編　関係法令

第六編　関係法令

○道路運送法　（昭二六法一八三）……二〇五一
○旅客自動車運送事業運輸規則　（昭三一運令四四）……二〇八一
○自動車運転代行業の業務の適正化に関する法律　（平一三法五七）……二一〇七
○自動車の運転により人を死傷させる行為等の処罰に関する法律　（平二五法八六）……二一一七
○自動車の運転により人を死傷させる行為等の処罰に関する法律施行令　（平二六政一六六）……二一一九
○道路交通に関する条約〔抄〕　（昭三九条約一七）……二一二〇

6

○道路運送法

〔昭和二六・六・一 法律一八三〕

改正 前略…平成一六・六法八四、法一二四、一二法一四七、平成一八・三法一九、五法四〇、六法五〇、平成二一・六法六四、平成二三・六法六一、平成二五・一一法八三、平成二六・六法五一、法六九、平成二八・一二法一〇〇、法一〇六、平成二九・六法四五、令和元・六法三七、令和二・六法三六、令和五・四法一八

注1 令和四年六月一七日法律第六八号の改正は、令和七年六月一日から施行のため、附則の次に（参考）として改正文を掲載いたしました。

注2 令和六年五月一五日法律第二三号の改正は、公布の日から起算して一年を超えない範囲内において政令で定める日から施行のため、附則の次に（参考）として改正文を掲載いたしました。

第一章 総則

（目的）

第一条 この法律は、貨物自動車運送事業法（平成元年法律第八十三号）と相まつて、道路運送事業の運営を適正かつ合理的なものとし、並びに道路運送の分野における利用者の需要の多様化及び高度化に的確に対応したサービスの円滑かつ確実な提供を促進することにより、輸送の安全を確保し、道路運送の利用者の利益の保護及びその利便の増進を図るとともに、道路運送の総合的な発達を図り、もつて公共の福祉を増進することを目的とする。

（定義）

第二条 この法律で「道路運送事業」とは、旅客自動車運送事業、貨物自動車運送事業及び自動車道事業をいう。

2 この法律で「自動車運送事業」とは、旅客自動車運送事業及び貨物自動車運送事業をいう。

3 この法律で「旅客自動車運送事業」とは、他人の需要に応じ、有償で、自動車を使用して旅客を運送する事業であつて、次条に掲げるものをいう。

4 この法律で「貨物自動車運送事業」とは、貨物自動車運送事業法による貨物自動車運送事業をいう。

5 この法律で「自動車道事業」とは、一般自動車道を専ら自動車の交通の用に供する事業をいう。

6 この法律で「自動車」とは、道路運送車両法（昭和二十六年法律第百八十五号）による自動車をいう。

7 この法律で「道路」とは、道路法（昭和二十七年法律第百八十号）による道路及びその他の一般交通の用に供する場所並びに自動車道をいう。

8 この法律で「自動車道」とは、専ら自動車の交通の用に供することを目的として設けられた道で道路法による道路以外のものをいい、「一般自動車道」とは、専用自動車道以外の自動車道をいい、「専用自動車道」とは、自動車運送事業者（自動車運送事業を経営する者をいう。以下同じ。）が専らその事業用自動車（自動車運送事業者がその自動車運送事業の用に供する自動車をいう。以下同じ。）の交通の用に供することを目的として設けた道をいう。

第二章 旅客自動車運送事業

（種類）

第三条 旅客自動車運送事業の種類は、次に掲げるものとする。

一 一般旅客自動車運送事業（特定旅客自動車運送事業以外の旅客自動車運送事業）

イ 一般乗合旅客自動車運送事業（乗合旅客を運送する一般旅客自動車運送事業）

ロ 一般貸切旅客自動車運送事業（一個の契約により国土交通省令で定める乗車定員以上の自動車を貸し切つて旅客を運送する一般旅客自動車運送事業）

ハ 一般乗用旅客自動車運送事業（一個の契約によりロの国土交通省令で定める乗車定員未満の自動車を貸し切つて旅客を運送する一般旅客自動車運送事業）

二 特定旅客自動車運送事業（特定の者の需要に応じ、一定の範囲の旅客を運送する旅客自動車運送事業）

（一般旅客自動車運送事業の許可）

第四条 一般旅客自動車運送事業を経営しようとする者は、国土交通大臣の許可を受けなければならない。

2 一般旅客自動車運送事業の許可は、一般旅客自動車運送事業の種別（前条第一号イからハまでに掲げる一般旅客自動車運送事業の別をいう。以下同じ。）について行う。

（許可申請）

第五条 一般旅客自動車運送事業の許可を受けようとする者は、次に掲げる事項を記載した申請書を国土交通大臣に提出しなければならない。

一 氏名又は名称及び住所並びに法人にあつては、その代表者の氏名

二 経営しようとする一般旅客自動車運送事業の種別

三 路線又は営業区域、営業所の名称及び位置、営業所ごとに配置する事業用自動車の数その他の一般旅客自動車運送事業の種別（一般乗合旅客自動車運送事業にあつては、路線定期運行（路線を定めて定期に運行する自動車による乗合旅客の運送をいう。以下同じ。）その他の国土交通省令で定める運行の態様の別を含む。）ごとに国土交通省令で定める事項に関する事業計画

2 前項の申請書には、事業用自動車の運行管理の体制その他の国土交通省令で定める事項を記載した書類を添付しなければならない。

3 国土交通大臣は、申請者に対し、前二項に規定するもののほか、当該申請者の登記事項証明書その他必要な書類の提出を求めることができる。

（許可基準）

第六条 国土交通大臣は、一般旅客自動車運送事業の許可をしようとするときは、次の基準に適合するかどうかを審査して、これをしなければならない。

一 当該事業の計画が輸送の安全を確保するため適切なものであること。

二 前号に掲げるもののほか、当該事業の遂行上適切な計画を有するものであること。

三 当該事業を自ら適確に遂行するに足る能力を有するものであること。

（欠格事由）

第七条 国土交通大臣は、次に掲げる場合には、一般旅客自動車運送事業の許可をしてはならない。

一 許可を受けようとする者が一年以上の懲役又は禁錮の刑に処せられ、その執行を終わり、又は執行を受けることがなくなつた日から五年を経過していない者であるとき。

二 許可を受けようとする者が一般旅客自動車運送事業又は特定旅客自動車運送事業の許可の取消しを受け、その取消しの日から五年を経過していない者（当該許可を取り消された者

が法人である場合においては、当該取消しを受けた法人のその処分を受ける原因となつた事項が発生した当時現にその法人の業務を執行する役員（いかなる名称によるかを問わず、これと同等以上の職権又は支配力を有する者を含む。第六号、第八号、第四十九条第二項第四号並びに第七十九条の四第一項第二号及び第四号において同じ。）として在任した者で当該取消しの日から五年を経過していないものを含む。）であるとき。

三　許可を受けようとする者と密接な関係を有する者（許可を受けようとする者（法人に限る。以下この号において同じ。）の株式の所有その他の事由を通じて当該許可を受けようとする者の事業を実質的に支配し、若しくはその事業に重要な影響を与える関係にある者として国土交通省令で定めるもの（以下この号において「許可を受けようとする者の親会社等」という。）、許可を受けようとする者の親会社等が株式の所有その他の事由を通じてその事業を実質的に支配し、若しくはその事業に重要な影響を与える関係にある者として国土交通省令で定めるもの又は当該許可を受けようとする者が株式の所有その他の事由を通じてその事業を実質的に支配し、若しくはその事業に重要な影響を与える関係にある者として国土交通省令で定めるもののうち、当該許可を受けようとする者と国土交通省令で定める密接な関係を有する法人をいう。）が、一般旅客自動車運送事業又は特定旅客自動車運送事業の許可の取消しを受け、その取消しの日から五年を経過していない者であるとき。

四　許可を受けようとする者が、一般旅客自動車運送事業又は特定旅客自動車運送事業の許可の取消しの処分に係る行政手続法（平成五年法律第八十八号）第十五条の規定による通知があつた日から当該処分をする日又は処分をしないことを決定する日までの間に第三十八条第一項若しくは第二項又は第四十三条第八項の規定による事業の廃止の届出をした者（当該事業の廃止について相当の理由がある者を除く。）で、当該届出の日から五年を経過していないものであるとき。

五　許可を受けようとする者が、第九十四条第四項の規定による検査が行われた日から聴聞決定予定日（当該検査の結果に基づき一般旅客自動車運送事業又は特定旅客自動車運送事業の許可の取消しの処分に係る聴聞を行うか否かの決定をすることが見込まれる日として国土交通省令で定めるところにより国土交通大臣が当該許可を受けようとする者に当該検査が行われた日から十日以内に特定の日を通知した場合における当該特定の日をいう。）までの間に第三十八条第一項若しくは第二項又は第四十三条第八項の規定による事業の廃止の届出をした者（当該事業の廃止について相当の理由がある者を除く。）で、当該届出の日から五年を経過していないものであるとき。

六　第四号に規定する期間内に第三十八条第一項若しくは第二項又は第四十三条第八項の規定による事業の廃止の届出があつた場合において、許可を受けようとする者が、同号の通知の日前六十日以内に当該届出に係る法人（当該事業の廃止について相当の理由がある法人を除く。）の役員であつた者で、当該届出の日から五年を経過していないものであるとき。

七　許可を受けようとする者が営業に関し成年者と同一の行為能力を有しない未成年者である場合において、その法定代理人が前各号（第三号を除く。）又は次号のいずれかに該当する者であるとき。

八　許可を受けようとする者が法人である場合において、その法人の役員が前各号（第三号を除く。）のいずれかに該当する者であるとき。

（一般貸切旅客自動車運送事業の許可の更新）

第八条　一般貸切旅客自動車運送事業の許可は、五年ごとにその更新を受けなければ、その期間の経過によつて、その効力を失う。

2　前項の更新の申請があつた場合において、同項の期間（以下この条において「有効期間」という。）の満了の日までにその申請に対する処分がなされないときは、従前の一般貸切旅客自動車運送事業の許可は、有効期間の満了後もその処分がなされるまでの間は、なおその効力を有する。

3　前項の場合において、一般貸切旅客自動車運送事業の許可の更新がなされたときは、その有効期間は、従前の有効期間の満了の日の翌日から起算するものとする。

4　第五条から前条までの規定は、第一項の一般貸切旅客自動車運送事業の許可の更新について準用する。

（一般乗合旅客自動車運送事業の運賃及び料金）

第九条　一般乗合旅客自動車運送事業を経営する者（以下「一般乗合旅客自動車運送事業者」という。）は、旅客の運賃及び料金（旅客の利益に及ぼす影響が比較的小さいものとして国土交通省令で定める運賃及び料金を除く。以下この条、第三十一条第二号、第八十八条の二第一号及び第四号並びに第八十九条第一項第一号において「運賃等」という。）の上限を定め、国土交通大臣の認可を受けなければならない。これを変更しようとするときも、同様とする。

2　国土交通大臣は、前項の認可をしようとするときは、能率的な経営の下における適正な原価に適正な利潤を加えたものを超えないものであるかどうかを審査して、これをしなければならない。

3　一般乗合旅客自動車運送事業者は、第一項の認可を受けた運賃等の上限の範囲内で運賃等を定め、あらかじめ、その旨を国土交通大臣に届け出なければならない。これを変更しようとするときも、同様とする。

4　一般乗合旅客自動車運送事業者は、次に掲げる者を構成員とする協議会において、地域における需要に応じ当該地域の住民の生活のための旅客の運送を確保する必要がある路線又は営業区域（以下この項において「路線等」という。）に係る運賃等について協議が調つたときは、第一項及び前項の規定にかかわらず、当該協議が調つた事項を国土交通大臣に届け出ることにより、当該運賃等を定めることができる。当該協議会において当該運賃等の変更について協議が調つたときも、同様とする。

一　当該路線等をその区域に含む市町村（特別区を含む。以下同じ。）又は都道府県

二　当該運賃等を定めようとする一般乗合旅客自動車運送事業者

三　当該路線等を管轄する地方運輸局長

四　第一号に規定する市町村の長又は同号に規定する都道府県の知事が関係住民の意見を代表する者として指名する者

5　前項第一号に掲げる者は、同項の協議をするときは、あらかじめ、公聴会の開催その他の住民、利用者その他利害関係者の意見を反映させるために必要な措置を講じなければならない。

6　一般乗合旅客自動車運送事業者は、第一項の国土交通省令で定める運賃及び料金を定めるときは、あらかじめ、その旨を国土交通大臣に届け出なければならない。これを変更しようとするときも、同様とする。

7　国土交通大臣は、第三項若しくは第四項の運賃等又は前項の運賃若しくは料金が次の各号（第三項又は第四項の運賃等にあつては、第二号又は第三号）のいずれかに該当すると認めるときは、当該一般乗合旅客自動車運送事業者に対し、期限を定めてその運賃等又は運賃若しくは料金を変更すべきことを命ずることができる。

一　社会的経済的事情に照らして著しく不適切であり、旅客の利益を阻害するおそれがあるものであるとき。

二　特定の旅客に対し不当な差別的取扱いをするものであるとき。

三　他の一般旅客自動車運送事業者（一般旅客自動車運送事業を経営する者をいう。以下同じ。）との間に不当な競争を引

き起こすおそれがあるものであるとき。

（一般貸切旅客自動車運送事業の運賃及び料金）

第九条の二　一般貸切旅客自動車運送事業を経営する者（以下「一般貸切旅客自動車運送事業者」という。）は、旅客の運賃及び料金を定め、あらかじめ、国土交通大臣に届け出なければならない。これを変更しようとするときも、同様とする。

2　前条第七項の規定は、前項の運賃及び料金について準用する。この場合において、同条第七項中「当該一般乗合旅客自動車運送事業者」とあるのは、「当該一般貸切旅客自動車運送事業者」と読み替えるものとする。

（一般乗用旅客自動車運送事業の運賃及び料金）

第九条の三　一般乗用旅客自動車運送事業を経営する者（以下「一般乗用旅客自動車運送事業者」という。）は、運賃等（旅客の運賃及び料金（旅客の利益に及ぼす影響が比較的小さいものとして国土交通省令で定める料金を除く。）をいう。以下この条、第八十八条の二第三号及び第八十九条第一項第二号において同じ。）を定め、国土交通大臣の認可を受けなければならない。これを変更しようとするときも、同様とする。

2　国土交通大臣は、前項の認可をしようとするときは、次の基準によつて、これをしなければならない。

一　能率的な経営の下における適正な原価に適正な利潤を加えたものを超えないものであること。

二　特定の旅客に対し不当な差別的取扱いをするものでないこと。

三　他の一般旅客自動車運送事業者との間に不当な競争を引き起こすこととなるおそれがないものであること。

四　運賃等が対距離制による場合であつて、国土交通大臣がその算定の基礎となる距離を定めたときは、これによるものであること。

3　一般乗用旅客自動車運送事業者は、次に掲げる者を構成員とする協議会において、地域における需要に応じ当該地域の住民の生活のための旅客の運送を確保する必要がある営業区域に係る運賃等について協議が調つたときは、第一項の規定にかかわらず、当該協議が調つた事項を国土交通大臣に届け出ることにより、当該運賃等を定めることができる。当該協議会において当該運賃等の変更について協議が調つたときも、同様とする。

一　当該営業区域をその区域に含む市町村又は都道府県

二　当該運賃等を定めようとする一般乗用旅客自動車運送事業者

三　当該営業区域を管轄する地方運輸局長

四　第一号に規定する市町村の長又は同号に規定する都道府県の知事が関係住民の意見を代表する者として指名する者

4　前項第一号に掲げる者は、同項の協議をするときは、あらかじめ、公聴会の開催その他の住民、利用者その他利害関係者の意見を反映させるために必要な措置を講じなければならない。

5　一般乗用旅客自動車運送事業者は、第一項の国土交通省令で定める料金を定めるときは、あらかじめ、その旨を国土交通大臣に届け出なければならない。これを変更しようとするときも、同様とする。

6　第九条第七項の規定は、第三項の運賃等及び前項の料金について準用する。この場合において、同条第七項中「第三項又は第四項」とあるのは「第九条の三第三項」と、「当該一般乗合旅客自動車運送事業者」とあるのは「当該一般乗用旅客自動車運送事業者」と読み替えるものとする。

（運賃又は料金の割戻しの禁止）

第一〇条　一般旅客自動車運送事業者は、旅客に対し、収受した運賃又は料金の割戻しをしてはならない。

（運送約款）

第一一条　一般旅客自動車運送事業者は、運送約款を定め、国土交通大臣の認可を受けなければならない。これを変更しようとするときも同様とする。

2　国土交通大臣は、前項の認可をしようとするときは、次の基準によつて、これをしなければならない。

一　公衆の正当な利益を害するおそれがないものであること。

二　少なくとも運賃及び料金の収受並びに一般旅客自動車運送事業者の責任に関する事項が明確に定められているものであること。

3　国土交通大臣が一般旅客自動車運送事業の種別に応じて標準運送約款を定めて公示した場合（これを変更して公示した場合を含む。）において、当該事業を経営する者が、標準運送約款と同一の運送約款を定め、又は現に定めている運送約款を標準運送約款と同一のものに変更したときは、その運送約款については、第一項の規定による認可を受けたものとみなす。

（運賃及び料金等の公示）

第一二条　一般旅客自動車運送事業者（一般乗用旅客自動車運送事業者を除く。）は、国土交通省令で定めるところにより、運賃及び料金並びに運送約款を公示しなければならない。

2　路線定期運行を行う一般乗合旅客自動車運送事業者は、前項に掲げるもののほか、国土交通省令で定めるところにより、運行系統、運行回数その他の事項（路線定期運行に係るものに限る。）を公示しなければならない。

3　一般旅客自動車運送事業者は、前二項の規定により公示した事項を変更しようとするときは、国土交通省令で定めるところにより、あらかじめ、その旨を公示しなければならない。

（運送引受義務）

第一三条　一般旅客自動車運送事業者（一般貸切旅客自動車運送事業者を除く。次条において同じ。）は、次の場合を除いては、運送の引受けを拒絶してはならない。

一　当該運送の申込みが第十一条第一項の規定により認可を受けた運送約款（標準運送約款と同一の運送約款を定めているときは、当該運送約款）によらないものであるとき。

二　当該運送に適する設備がないとき。

三　当該運送に関し申込者から特別の負担を求められたとき。

四　当該運送が法令の規定又は公の秩序若しくは善良の風俗に反するものであるとき。

五　天災その他やむを得ない事由による運送上の支障があるとき。

六　前各号に掲げる場合のほか、国土交通省令で定める正当な事由があるとき。

（運送の順序）

第一四条　一般旅客自動車運送事業者は、運送の申込みを受けた順序により、旅客の運送をしなければならない。ただし、急病人を運送する場合、一般乗合旅客自動車運送事業について運送の申込みを受けた順序による旅客の運送を行うことにより輸送の効率が著しく低下する場合その他正当な事由がある場合は、この限りでない。

（事業計画の変更）

第一五条　一般旅客自動車運送事業者は、事業計画の変更（第三項、第四項及び次条第一項に規定するものを除く。）をしようとするときは、国土交通大臣の認可を受けなければならない。

2　第六条の規定は、前項の認可について準用する。

3　一般旅客自動車運送事業者は、営業所ごとに配置する事業用自動車の数その他の国土交通省令で定める事項に関する事業計画の変更をしようとするときは、あらかじめ、その旨を国土交通大臣に届け出なければならない。

4　一般旅客自動車運送事業者は、営業所の名称その他の国土交通省令で定める軽微な事項に関する事業計画の変更をしたときは、遅滞なく、その旨を国土交通大臣に届け出なければならない。

第一五条の二　路線定期運行を行う一般乗合旅客自動車運送事業者は、路線（路線定期運行に係るものに限る。）の休止又は廃止に係る事業計画の変更をしようとするときは、その六月前（旅客の利便を阻害しないと認められる国土交通省令で定める場合にあつては、その三十日前）までに、その旨を国土交通大臣に届け出なければならない。

2　国土交通大臣は、一般乗合旅客自動車運送事業者が前項の届出に係る事業計画の変更（同項の国土交通省令で定める場合における事業計画の変更を除く。）を行つた場合における旅客の利便の確保に関し、国土交通省令で定めるところにより、関係地方公共団体及び利害関係人の意見を聴取するものとする。

3　国土交通大臣は、前項の規定による意見の聴取の結果、第一項の届出に係る事業計画の変更の日より前に当該変更を行つたとしても旅客の利便を阻害するおそれがないと認めるときは、その旨を当該一般乗合旅客自動車運送事業者に通知するものとする。

4　一般乗合旅客自動車運送事業者は、前項の通知を受けたときは、第一項の届出に係る事業計画の変更の日を繰り上げることができる。

5　一般乗合旅客自動車運送事業者は、前項の規定により事業計画の変更の日を繰り上げるときは、あらかじめ、その旨を国土交通大臣に届け出なければならない。

6　一般乗合旅客自動車運送事業者は、第一項に規定する事業計画の変更をしようとするときは、国土交通省令で定めるところにより、あらかじめ、その旨を公示しなければならない。

（運行計画）

第一五条の三　路線定期運行を行う一般乗合旅客自動車運送事業者は、運行計画（運行系統、運行回数その他の国土交通省令で定める事項（路線定期運行に係るものに限る。）に関する計画をいう。以下同じ。）を定め、国土交通省令で定めるところにより、あらかじめ、国土交通大臣に届け出なければならない。

2　一般乗合旅客自動車運送事業者は、運行計画の変更（次項に規定するものを除く。）をしようとするときは、あらかじめ、その旨を国土交通大臣に届け出なければならない。

3　一般乗合旅客自動車運送事業者は、国土交通省令で定める軽微な事項に関する運行計画の変更をしたときは、遅滞なく、その旨を国土交通大臣に届け出なければならない。

（事業計画等に定める業務の確保）

第一六条　一般旅客自動車運送事業者は、天災その他やむを得ない事由がある場合のほか、事業計画（路線定期運行を行う一般乗合旅客自動車運送事業者にあつては、事業計画及び運行計画。次項において同じ。）に定めるところに従い、その業務を行わなければならない。

2　国土交通大臣は、一般旅客自動車運送事業者が前項の規定に違反していると認めるときは、当該一般旅客自動車運送事業者に対し、事業計画に従い業務を行うべきことを命ずることができる。

（天災等の場合における他の路線による事業の経営）

第一七条　一般乗合旅客自動車運送事業者は、路線を定めて行う一般乗合旅客自動車運送事業につき天災その他国土交通省令で定めるやむを得ない事由によりその路線において事業用自動車を運行することができなくなつたときは、第十五条第一項の規定にかかわらず、当該路線において事業用自動車の運行を再開することができることとなるまでの間、当該路線に係る輸送需要をできる限り満たすため必要な限度において、当該路線と異なる路線により事業を経営することができる。この場合において合理的に必要となる事業計画及び運行計画の変更については、第十五条第一項、第三項及び第四項、第十五条の二第一項並びに第十五条の三第二項及び第三項の規定は、適用しない。

（私的独占の禁止及び公正取引の確保に関する法律の適用除外）

第一八条　私的独占の禁止及び公正取引の確保に関する法律（昭和二十二年法律第五十四号）の規定は、次条第一項の認可を受けて行う次に掲げる行為には、適用しない。ただし、不公正な取引方法を用いるとき、一定の取引分野における競争を実質的に制限することにより旅客の利益を不当に害することとなるとき、又は第十九条の三第四項の規定による公示があつた後一月を経過したとき（同条第三項の請求に応じ、国土交通大臣が第十九条の二の規定による処分をした場合を除く。）は、この限りでない。

一　輸送需要の減少により事業の継続が困難と見込まれる路線において地域住民の生活に必要な旅客輸送を確保するため、当該路線において事業を経営している二以上の一般乗合旅客自動車運送事業者が行う共同経営に関する協定の締結

二　旅客の利便を増進する適切な運行時刻を設定するため、同一の路線において事業を経営している二以上の一般乗合旅客自動車運送事業者が行う共同経営に関する協定の締結

（協定の認可）

第一九条　一般乗合旅客自動車運送事業者は、前条各号の協定を締結し、又はその内容を変更しようとするときは、国土交通大臣の認可を受けなければならない。

2　国土交通大臣は、前項の認可の申請に係る協定の内容が次の各号に適合すると認めるときでなければ、同項の認可をしてはならない。

一　旅客の利益を不当に害さないこと。

二　不当に差別的でないこと。

三　加入及び脱退を不当に制限しないこと。

四　協定の目的に照らして必要最小限度であること。

（協定の変更命令及び認可の取消し）

第一九条の二　国土交通大臣は、前条第一項の認可に係る協定の内容が同条第二項各号に適合するものでなくなつたと認めるときは、その一般乗合旅客自動車運送事業者に対し、その協定の内容を変更すべきことを命じ、又はその認可を取り消さなければならない。

（公正取引委員会との関係）

第一九条の三　国土交通大臣は、第十九条第一項の認可をしようとするときは、公正取引委員会に協議しなければならない。

2　国土交通大臣は、前条の規定による処分をしたときは、遅滞なく、その旨を公正取引委員会に通知しなければならない。

3　公正取引委員会は、第十九条第一項の認可を受けた協定の内容が同条第二項各号に適合するものでなくなつたと認めるときは、国土交通大臣に対し、前条の規定による処分をすべきことを請求することができる。

4　公正取引委員会は、前項の規定による請求をしたときは、その旨を官報に公示しなければならない。

（禁止行為）

第二〇条　一般旅客自動車運送事業者は、発地及び着地のいずれもがその営業区域外に存する旅客の運送（路線を定めて行うものを除く。第二号において「営業区域外旅客運送」という。）をしてはならない。ただし、次に掲げる場合は、この限りでない。

一　災害の場合その他緊急を要するとき。

二　地域の旅客輸送需要に応じた運送サービスの提供を確保することが困難な場合として国土交通省令で定める場合において、地方公共団体、一般旅客自動車運送事業者、住民その他の国土交通省令で定める関係者間において当該地域における旅客輸送を確保するため営業区域外旅客運送が必要であることについて協議が調つた場合であつて、輸送の安全又は旅客の利便の確保に支障を及ぼすおそれがないと国土交通大臣が認めるとき。

（乗合旅客の運送）

第二一条　一般貸切旅客自動車運送事業者及び一般乗用旅客自動車運送事業者は、次に掲げる場合に限り、乗合旅客の運送をすることができる。

一　災害の場合その他緊急を要するとき。

二　一般乗合旅客自動車運送事業者によることが困難な場合において、一時的な需要のために国土交通大臣の許可を受けて地域及び期間を限定して行うとき。

（輸送の安全性の向上）

第二二条　一般旅客自動車運送事業者は、輸送の安全の確保が最も重要であることを自覚し、絶えず輸送の安全性の向上に努めなければならない。

（安全管理規程等）

第二二条の二　一般旅客自動車運送事業者（その事業の規模が国土交通省令で定める規模未満であるものを除く。以下この条において同じ。）は、安全管理規程を定め、国土交通省令で定めるところにより、国土交通大臣に届け出なければならない。これを変更しようとするときも、同様とする。

2　安全管理規程は、輸送の安全を確保するために一般旅客自動車運送事業者が遵守すべき次に掲げる事項に関し、国土交通省令で定めるところにより、必要な内容を定めたものでなければならない。

一　輸送の安全を確保するための事業の運営の方針に関する事項

二　輸送の安全を確保するための事業の実施及びその管理の体制に関する事項

三　輸送の安全を確保するための事業の実施及びその管理の方法に関する事項

四　安全統括管理者（一般旅客自動車運送事業者が、前三号に掲げる事項に関する業務を統括管理させるため、事業運営上の重要な決定に参画する管理的地位にあり、かつ、一般旅客自動車運送事業に関する一定の実務の経験その他の国土交通省令で定める要件を備える者のうちから選任する者をいう。以下同じ。）の選任に関する事項

3　国土交通大臣は、安全管理規程が前項の規定に適合しないと認めるときは、当該一般旅客自動車運送事業者に対し、これを変更すべきことを命ずることができる。

4　一般旅客自動車運送事業者は、安全統括管理者を選任しなければならない。

5　一般旅客自動車運送事業者は、安全統括管理者を選任し、又は解任したときは、国土交通省令で定めるところにより、遅滞なく、その旨を国土交通大臣に届け出なければならない。

6　一般旅客自動車運送事業者は、輸送の安全の確保に関し、安全統括管理者のその職務を行う上での意見を尊重しなければならない。

7　国土交通大臣は、安全統括管理者がその職務を怠つた場合であつて、当該安全統括管理者が引き続きその職務を行うことが輸送の安全の確保に著しく支障を及ぼすおそれがあると認めるときは、一般旅客自動車運送事業者に対し、当該安全統括管理者を解任すべきことを命ずることができる。

（運行管理者）

第二三条　一般旅客自動車運送事業者は、事業用自動車の運行の安全の確保に関する業務を行わせるため、国土交通省令で定める営業所ごとに、運行管理者資格者証の交付を受けている者のうちから、運行管理者を選任しなければならない。

2　前項の運行管理者の業務の範囲及び運行管理者の選任に関し必要な事項は、国土交通省令で定める。

3　一般旅客自動車運送事業者は、第一項の規定により運行管理者を選任したときは、遅滞なく、その旨を国土交通大臣に届け出なければならない。これを解任したときも同様とする。

（運行管理者資格者証）

第二三条の二　国土交通大臣は、次の各号のいずれかに該当する者に対し、運行管理者資格者証を交付する。

一　運行管理者試験に合格した者

二　事業用自動車の運行の安全の確保に関する業務について国土交通省令で定める一定の実務の経験その他の要件を備える者

2　国土交通大臣は、前項の規定にかかわらず、次の各号のいずれかに該当する者に対しては、運行管理者資格者証の交付を行わないことができる。

一　次条の規定により運行管理者資格者証の返納を命ぜられ、その日から五年を経過しない者

二　この法律若しくはこの法律に基づく命令又はこれらに基づく処分に違反し、この法律の規定により罰金以上の刑に処せられ、その執行を終わり、又はその執行を受けることがなくなつた日から五年を経過しない者

3　運行管理者資格者証の交付に関する手続的事項は、国土交通省令で定める。

（運行管理者資格者証の返納）

第二三条の三　国土交通大臣は、運行管理者資格者証の交付を受けている者がこの法律若しくはこの法律に基づく命令又はこれらに基づく処分に違反したときは、その運行管理者資格者証の返納を命ずることができる。

（運行管理者試験）

第二三条の四　運行管理者試験は、運行管理者の業務に関し必要な知識及び能力について国土交通大臣が行う。

2　運行管理者試験は、国土交通省令で定める実務の経験を有する者でなければ、受けることができない。

3　運行管理者試験の試験科目、受験手続その他試験の実施細目は、国土交通省令で定める。

（運行管理者等の義務）

第二三条の五　運行管理者は、誠実にその業務を行わなければならない。

2　一般旅客自動車運送事業者は、運行管理者に対し、第二十三条第二項の国土交通省令で定める業務を行うため必要な権限を与えなければならない。

3　一般旅客自動車運送事業者は、運行管理者がその業務として行う助言を尊重しなければならず、事業用自動車の運転者その他の従業員は、運行管理者がその業務として行う指導に従わなければならない。

第二四条　削除

（運転者の制限）

第二五条　一般旅客自動車運送事業者は、年齢、運転の経歴その他政令で定める一定の要件を備える者でなければ、その事業用自動車の運転をさせてはならない。ただし、当該運行が旅客の運送を目的としない場合は、この限りでない。

第二六条　削除

（輸送の安全等）

第二七条　一般旅客自動車運送事業者は、事業計画（路線定期運行を行う一般乗合旅客自動車運送事業者にあつては、事業計画及び運行計画）の遂行に必要となる員数の運転者の確保、事業用自動車の運転者がその休憩又は睡眠のために利用することができる施設の整備、事業用自動車の運転者の適切な勤務時間及び乗務時間の設定その他の運行の管理その他事業用自動車の運転者の過労運転を防止するために必要な措置を講じなければならない。

2　一般旅客自動車運送事業者は、事業用自動車の運転者が疾病により安全な運転ができないおそれがある状態で事業用自動車を運転することを防止するために必要な医学的知見に基づく措置を講じなければならない。

3　前二項に規定するもののほか、一般旅客自動車運送事業者は、事業用自動車の運転者、車掌その他旅客又は公衆に接する従業員（次項において「運転者等」という。）の適切な指導監督、事業用自動車内における当該事業者の氏名又は名称の掲示その他の旅客に対する適切な情報の提供その他の輸送の安全及び旅客の利便の確保のために必要な事項として国土交通省令で定めるものを遵守しなければならない。

4　国土交通大臣は、一般旅客自動車運送事業者が、第二十二条の二第一項、第四項若しくは第六項、第二十三条第一項、第二十三条の五第二項若しくは第三項又は前三項の規定又は安全管理規程を遵守していないため輸送の安全又は旅客の利便が

確保されていないと認めるときは、当該一般旅客自動車運送事業者に対し、運行管理者に対する必要な権限の付与、必要な員数の運転者の確保、施設又は運行の管理若しくは運転者等の指導監督の方法の改善、旅客に対する適切な情報の提供、当該安全管理規程の遵守その他その是正のために必要な措置を講ずべきことを命ずることができる。

5　一般旅客自動車運送事業者の事業用自動車の運転者及び運転の補助に従事する従業員は、運行の安全の確保のために必要な事項として国土交通省令で定めるものを遵守しなければならない。

（旅客の禁止行為）

第二八条　一般旅客自動車運送事業者の事業用自動車を利用する旅客は、他人に危害を及ぼすおそれがある物品若しくは他人の迷惑となるおそれがある物品であつて国土交通省令で定めるものを自動車内に持ち込み、又は走行中の自動車内でみだりに自動車の運転者に話しかけ、その他国土交通省令で定める行為をしてはならない。

2　一般乗合旅客自動車運送事業者の事業用自動車を利用する旅客は、自動車の車掌その他の従業員から乗車券の点検又は回収のため乗車券の提示又は交付を求められたときは、これを拒むことができない。

3　一般乗合旅客自動車運送事業者は、前項の規定に違反して乗車券の提示又は交付を拒んだ旅客又は有効の乗車券を所持しない旅客に対し、その旅客が乗車した区間に対応する運賃及び料金並びにこれと同額の割増運賃及び割増料金の支払を求めることができる。

（事故の報告）

第二九条　一般旅客自動車運送事業者は、その事業用自動車が転覆し、火災を起こし、その他国土交通省令で定める重大な事故を引き起こしたときは、遅滞なく事故の種類、原因その他国土交通省令で定める事項を国土交通大臣に届け出なければならない。

（国土交通大臣による輸送の安全にかかわる情報の公表）

第二九条の二　国土交通大臣は、毎年度、第二十七条第四項の規定による命令に係る事項、前条の規定による届出に係る事項その他の国土交通省令で定める輸送の安全にかかわる情報を整理し、これを公表するものとする。

（一般旅客自動車運送事業者による輸送の安全にかかわる情報の公表）

第二九条の三　一般旅客自動車運送事業者は、国土交通省令で定めるところにより、輸送の安全を確保するために講じた措置及び講じようとする措置その他の国土交通省令で定める輸送の安全にかかわる情報を公表しなければならない。

（公衆の利便を阻害する行為の禁止等）

第三〇条　一般旅客自動車運送事業者は、旅客に対し、不当な運送条件によることを求め、その他公衆の利便を阻害する行為をしてはならない。

2　一般旅客自動車運送事業者は、一般旅客自動車運送事業の健全な発達を阻害する結果を生ずるような競争をしてはならない。

3　一般旅客自動車運送事業者は、特定の旅客に対し、不当な差別的取扱いをしてはならない。

4　国土交通大臣は、前三項に規定する行為があるときは、一般旅客自動車運送事業者に対し、当該行為の停止又は変更を命ずることができる。

（事業改善の命令）

第三一条　国土交通大臣は、一般旅客自動車運送事業者の事業について旅客の利便その他公共の福祉を阻害している事実があると認めるときは、一般旅客自動車運送事業者に対し、次に掲げる事項を命ずることができる。

一　事業計画（路線定期運行を行う一般乗合旅客自動車運送事業者にあつては、事業計画又は運行計画）を変更すること。

二　運賃等の上限を変更すること。

三　第九条の三第一項の運賃又は料金を変更すること。

四　運送約款を変更すること。

五　自動車その他の輸送施設を改善すること。

六　旅客の円滑な輸送を確保するための措置を講ずること。

七　旅客の運送に関し支払うことあるべき損害賠償のため保険契約を締結すること。

第三二条　削除

（名義の利用、事業の貸渡し等）

第三三条　一般旅客自動車運送事業者は、その名義を他人に一般旅客自動車運送事業又は特定旅客自動車運送事業のため利用させてはならない。

2　一般旅客自動車運送事業者は、事業の貸渡しその他いかなる方法をもつてするかを問わず、一般旅客自動車運送事業又は特定旅客自動車運送事業を他人にその名において経営させてはならない。

第三四条　削除

（事業の管理の受委託）

第三五条　一般旅客自動車運送事業の管理の委託及び受託については、国土交通大臣の許可を受けなければならない。

2　国土交通大臣は、前項の許可をしようとするときは、受託者が当該事業を管理するのに適している者であるかどうかを審査して、これをしなければならない。

（事業の譲渡及び譲受等）

第三六条　一般旅客自動車運送事業の譲渡及び譲受は、国土交通大臣の認可を受けなければ、その効力を生じない。

2　一般旅客自動車運送事業者たる法人の合併及び分割は、国土交通大臣の認可を受けなければ、その効力を生じない。ただし、一般旅客自動車運送事業者たる法人と一般旅客自動車運送事業を経営しない法人が合併する場合において一般旅客自動車運送事業者たる法人が存続するとき又は一般旅客自動車運送事業者たる法人が分割をする場合において一般旅客自動車運送事業を承継させないときは、この限りでない。

3　第六条の規定は、前二項の認可について準用する。

4　一般旅客自動車運送事業者たる法人の合併又は分割があつたときは、合併後存続する法人若しくは合併により設立された法人又は分割により一般旅客自動車運送事業を承継した法人は、許可に基づく権利義務を承継する。

（相続）

第三七条　一般旅客自動車運送事業者が死亡した場合において、相続人（相続人が二人以上ある場合においてその協議により当該一般旅客自動車運送事業を承継すべき相続人を定めたときは、その者。以下同じ。）が被相続人の経営していた一般旅客自動車運送事業を引き続き経営しようとするときは、被相続人の死亡後六十日以内に、国土交通大臣の認可を受けなければならない。

2　相続人が前項の認可の申請をした場合においては、被相続人の死亡の日からその認可があつた旨又は認可をしない旨の通知を受ける日までは、被相続人に対してした一般旅客自動車運送事業の許可は、その相続人に対してしたものとみなす。

3　第六条の規定は、第一項の認可について準用する。

4　第一項の認可を受けた者は、被相続人に係る許可に基づく権利義務を承継する。

（事業の休止及び廃止）

第三八条　一般旅客自動車運送事業者（路線定期運行を行う一般乗合旅客自動車運送事業者を除く。）は、その事業を休止し、又は廃止しようとするときは、その三十日前までに、その旨を国土交通大臣に届け出なければならない。

2　路線定期運行を行う一般乗合旅客自動車運送事業者は、その事業を休止し、又は廃止しようとするときは、その六月前（利用者の利便を阻害しないと認められる国土交通省令で定める場合にあつては、その三十日前）までに、その旨を国土交通大臣に届け出なければならない。

3　第十五条の二第二項から第五項までの規定は、前項の場合について準用する。

4　一般旅客自動車運送事業者は、その事業を休止し、又は廃止しようとするときは、国土交通省令で定めるところにより、あらかじめ、その旨を公示しなければならない。

第三九条　削除

（許可の取消し等）

第四〇条　国土交通大臣は、一般旅客自動車運送事業者が次の各号のいずれかに該当するときは、六月以内において期間を定めて自動車その他の輸送施設の当該事業のための使用の停止若しくは事業の停止を命じ、又は許可を取り消すことができる。

一　この法律若しくはこの法律に基づく命令若しくはこれらに基づく処分又は許可若しくは認可に付した条件に違反したとき。

二　正当な理由がないのに許可又は認可を受けた事項を実施しないとき。

三　第七条第一号、第七号又は第八号に該当することとなつたとき。

第四一条　国土交通大臣は、前条の規定により事業用自動車の使用の停止又は事業の停止を命じたときは、当該事業用自動車の道路運送車両法による自動車検査証を国土交通大臣に返納し、又は当該事業用自動車の同法による自動車登録番号標及びその封印を取り外した上、その自動車登録番号標について国土交通大臣の領置を受けるべきことを命ずることができる。

2　国土交通大臣は、前条の規定による事業用自動車の使用の停止又は事業の停止の期間が満了したときは、前項の規定により返納を受けた自動車検査証又は同項の規定により領置した自動車登録番号標を返付しなければならない。

3　前項の規定により自動車登録番号標（次項に規定する自動車に係るものを除く。）の返付を受けた者は、当該自動車登録番号標を当該自動車に取り付け、国土交通大臣の封印の取付けを受けなければならない。

4　国土交通大臣は、第一項の規定による命令に係る自動車であつて、道路運送車両法第十六条第一項の申請（同法第十五条の二第五項の規定により申請があつたものとみなされる場合を含む。）に基づき一時抹消登録をしたものについては、前条の規定による事業用自動車の使用の停止又は事業の停止の期間が満了するまでは、同法第十八条の二第一項本文の登録識別情報を通知しないものとする。

第四二条　削除

（特定旅客自動車運送事業）

第四三条　特定旅客自動車運送事業を経営しようとする者は、国土交通大臣の許可を受けなければならない。

2　特定旅客自動車運送事業の許可を受けようとする者は、次に掲げる事項を記載した申請書を国土交通大臣に提出しなければならない。

一　氏名又は名称及び住所並びに法人にあつては、その代表者の氏名

二　路線又は営業区域、営業所の名称及び位置、営業所ごとに配置する事業用自動車の数その他国土交通省令で定める事項に関する事業計画

三　運送の需要者の氏名又は名称及び住所並びに運送しようとする旅客の範囲

3　国土交通大臣は、特定旅客自動車運送事業の許可をしようとするときは、次の基準に適合するかどうかを審査して、これをしなければならない。

一　当該事業の経営により、当該路線又は営業区域に関連する他の旅客自動車運送事業者（旅客自動車運送事業を経営する者をいう。以下同じ。）による一般旅客自動車運送事業の経営及び事業計画の維持が困難となるため、公衆の利便が著しく阻害されることとなるおそれがないこと。

二　当該事業の計画が輸送の安全を確保するため適切なものであること。

4　第五条第二項及び第三項並びに第七条の規定は、第一項の許可について準用する。

5　第十五条、第十七条、第二十条、第二十二条から第二十三条まで、第二十三条の五、第二十五条、第二十七条、第二十八条第一項、第二十九条から第二十九条の三まで、第三十三条、第四十条及び第四十一条の規定は、特定旅客自動車運送事業について準用する。この場合において、第十五条第二項中「第六条」とあるのは「第四十三条第三項」と、第十七条中「第十五条第一項の規定にかかわらず」とあるのは「第四十三条第五項において準用する第十五条第一項の規定にかかわらず」と、「事業計画及び運行計画の変更については、第十五条第一項、第三項及び第四項、第十五条の二第一項並びに第十五条の三第二項及び第三項」とあるのは「事業計画の変更については、第四十三条第五項において準用する第十五条第一項、第三項及び第四項」と読み替えるものとする。

6　特定旅客自動車運送事業を経営する者（以下「特定旅客自動車運送事業者」という。）は、旅客の運賃及び料金を定め、あらかじめ、国土交通大臣に届け出なければならない。これを変更しようとするときも同様とする。

7　国土交通大臣は、特定旅客自動車運送事業の経営により、当該路線又は営業区域に関連する一般旅客自動車運送事業の経営並びに事業計画及び運行計画の維持が困難となるため、公衆の利便が著しく阻害されるおそれがあると認めるときは、当該特定旅客自動車運送事業者に対し、相当の期限を定めて、公衆の利便を確保するためやむを得ない限度において、当該事業の実施方法の変更を命ずることができる。

8　特定旅客自動車運送事業者は、事業の管理を委託し、又は事業を休止し、若しくは廃止したときは、その日から三十日以内に、その旨を国土交通大臣に届け出なければならない。事業の管理の委託又は事業の休止について届出をした事項を変更したときも同様とする。

9　特定旅客自動車運送事業者について合併、分割（当該事業を承継させるものに限る。）若しくは相続があつたときは、当該事業を譲り受けた者又は合併後存続する法人若しくは合併により設立された法人、分割により当該事業を承継した法人若しくは相続人は、第一項の許可に基づく権利義務を承継する。

10　前項の規定により第一項の許可に基づく権利義務を承継した者は、その承継の日から三十日以内に、その旨を国土交通大臣に届け出なければならない。

第二章の二　民間団体等による旅客自動車運送の適正化に関する事業の推進

第一節　旅客自動車運送適正化事業実施機関による旅客自動車運送の適正化

（旅客自動車運送適正化事業実施機関の指定等）

第四三条の二　国土交通大臣は、国土交通省令で定めるところにより、旅客自動車運送に関する秩序の確立に資することを目的とする一般社団法人又は一般財団法人であつて、次条に規定する事業を適正かつ確実に行うことができると認められるものを、その申請により、運輸監理部及び運輸支局の管轄区域を勘案して国土交通大臣が定める区

域（以下この章において単に「区域」という。）ごとに、かつ、旅客自動車運送事業の種別（第三条第一号イからハまで及び第二号に掲げる旅客自動車運送事業の別をいう。以下この章において単に「種別」という。）ごとに、旅客自動車運送適正化事業実施機関（以下「適正化機関」という。）として指定することができる。

2　国土交通大臣は、前項の規定による適正化機関の指定をしたときは、当該適正化機関の名称、住所及び事務所の所在地並びに当該指定に係る区域及び種別を公示しなければならない。

3　適正化機関は、その名称、住所又は事務所の所在地を変更しようとするときは、あらかじめ、その旨を国土交通大臣に届け出なければならない。

4　国土交通大臣は、前項の規定による届出があつたときは、その旨を公示しなければならない。

（事業）

第四三条の三　適正化機関は、その区域において、次に掲げる事業（以下「適正化事業」という。）を行うものとする。

一　輸送の安全を阻害する行為の防止その他この法律又はこの法律に基づく命令の遵守に関し旅客自動車運送事業者（前条第一項の指定に係る種別の旅客自動車運送事業を経営する者に限る。以下この節において同じ。）に対する指導を行うこと。

二　旅客自動車運送事業者以外の者の旅客自動車運送事業（前条第一項の指定に係る種別のものに限る。以下この節において同じ。）を経営する行為の防止を図るための啓発活動を行うこと。

三　前号に掲げるもののほか、旅客自動車運送に関する秩序の確立に資するための啓発活動及び広報活動を行うこと。

四　旅客自動車運送事業に関する旅客からの苦情を処理すること。

五　輸送の安全を確保するために行う旅客自動車運送事業者への通知、第一号の規定による指導の結果の国土交通大臣への報告その他国土交通大臣がこの法律の施行のためにする措置に対して協力すること。

（苦情の解決）

第四三条の四　適正化機関は、旅客から旅客自動車運送事業に関する苦情について解決の申出があつたときは、その相談に応じ、申出人に必要な助言をし、当該苦情に係る事情を調査するとともに、当該申出人の対象となつた旅客自動車運送事業者に対し当該苦情の内容を通知してその迅速な処理を求めなければならない。

2　適正化機関は、前項の申出に係る苦情の解決について必要があると認めるときは、当該申出の対象となつた旅客自動車運送事業者に対し、文書若しくは口頭による説明又は資料の提出を求めることができる。

3　旅客自動車運送事業者は、適正化機関から前項の規定による求めがあつたときは、正当な理由がないのに、これを拒んではならない。

4　適正化機関は、第一項の申出、当該苦情に係る事情及びその解決の結果について旅客自動車運送事業者に周知させなければならない。

（説明又は資料提出の請求）

第四三条の五　適正化機関は、前条の規定によるもののほか、適正化事業の実施に必要な限度において、旅客自動車運送事業者に対し、文書若しくは口頭による説明又は資料の提出を求めることができる。

2　旅客自動車運送事業者は、適正化機関から前項の規定による求めがあつたときは、正当な理由がないのに、これを拒んではならない。

（改善命令）

第四三条の六　国土交通大臣は、適正化機関の適正化事業の運営に関し改善が必要であると認めるときは、適正化機関に対し、その改善に必要な措置を講ずべきことを命ずることができる。

（指定の取消し等）

第四三条の七　国土交通大臣は、適正化機関が前条の規定による命令に違反したときは、第四十三条の二第一項の指定を取り消すことができる。

2　国土交通大臣は、前項の規定により第四十三条の二第一項の指定を取り消したときは、その旨を公示しなければならない。

（国土交通省令への委任）

第四三条の八　第四十三条の二第一項の指定の手続その他適正化機関に関し必要な事項は、国土交通省令で定める。

第二節　一般貸切旅客自動車運送適正化機関の特則

（一般貸切旅客自動車運送適正化機関の指定）

第四三条の九　その種別が一般貸切旅客自動車運送事業である適正化機関（以下「一般貸切旅客自動車運送適正化機関」という。）の指定をしようとするときの第四十三条の二第一項の規定の適用については、同項中「次条」とあるのは、「次条及び第四十三条の十」とする。

（一般貸切旅客自動車運送適正化機関の事業）

第四三条の一〇　一般貸切旅客自動車運送適正化機関は、その区域において、適正化事業のほか、次に掲げる事業を行うものとする。

一　一般貸切旅客自動車運送事業の用に供する自動車の運転者の育成を図るための研修を行うこと。

二　駐車場その他の一般貸切旅客自動車運送事業の適正な運営に資するための共同施設の設置及び運営を行うこと。

（一般貸切旅客自動車運送適正化機関の指定の基準）

第四三条の一一　第四十三条の二第一項の規定にかかわらず、一般貸切旅客自動車運送適正化機関の指定の申請が次の各号のいずれかに該当していると認める場合には、国土交通大臣は、同項の指定をしてはならない。

一　現に当該指定の申請に係る区域について一般貸切旅客自動車運送適正化機関があること。

二　申請者が一般貸切旅客自動車運送適正化事業（第四十三条の十三第一項に規定する一般貸切旅客自動車運送適正化事業をいう。以下この条において同じ。）を公正かつ適確に実施することができないおそれがある者であること。

三　申請者が一般貸切旅客自動車運送適正化事業以外の事業を行う場合には、その事業を行うことによつて一般貸切旅客自動車運送適正化事業の公正かつ適確な実施に支障を及ぼすおそれがあるものであること。

四　申請者が第四十三条の二十第一項の規定により指定を取り消され、その取消しの日から五年を経過しない者であること。

五　申請者の役員で一般貸切旅客自動車運送適正化事業に従事するもののうちに、禁錮以上の刑に処せられ、又はこの法律の規定により罰金の刑に処せられ、その執行を終わり、又は執行を受けることがなくなつた日から五年を経過しない者があること。

（一般貸切旅客自動車運送適正化機関の指定の公示等）

第四三条の一二　一般貸切旅客自動車運送適正化機関に関する第四十三条の二第二項及び第四十三条の五第一項の規定の適用については、第四十三条の二第二項中「並びに当該指定」とあるのは「、当該指定」と、「を公示しなければ」とあるのは「並びに一般貸切旅客自動車運送適正化事業（第四十三条の十三第一項に規定する一般貸切旅客自動車運送適正化事業をいう。第四十三条の五第一項において同じ。）の開始の日を公示しなければ」と、第四十三条の五第一項中「適正化事業」とあるのは「一般貸切旅客自動車運送適正化事業」とする。

（一般貸切旅客自動車運送適正化事業規程）

第四三条の一三　一般貸切旅客自動車運送適正化機関は、第四十

三条の三及び第四十三条の十に規定する事業（以下「一般貸切旅客自動車運送適正化事業」という。）に関する規程（以下「一般貸切旅客自動車運送適正化事業規程」という。）を定め、一般貸切旅客自動車運送適正化事業の開始前に、国土交通大臣の認可を受けなければならない。これを変更しようとするときも、同様とする。

2　一般貸切旅客自動車運送適正化事業規程には、一般貸切旅客自動車運送適正化事業の実施の方法その他の国土交通省令で定める事項を定めておかなければならない。

3　国土交通大臣は、第一項の認可をした一般貸切旅客自動車運送適正化事業規程が一般貸切旅客自動車運送適正化事業の公正かつ適確な実施上不適当となつたと認めるときは、その一般貸切旅客自動車運送適正化機関に対し、これを変更すべきことを命ずることができる。

（事業計画等）

第四三条の一四　一般貸切旅客自動車運送適正化機関は、毎事業年度、一般貸切旅客自動車運送適正化事業に係る事業計画、収支予算及び資金計画を作成し、当該事業年度の開始前に（第四十三条の二第一項の指定を受けた日の属する事業年度にあつては、その指定を受けた後遅滞なく）、国土交通大臣の認可を受けなければならない。これを変更しようとするときも、同様とする。

2　一般貸切旅客自動車運送適正化機関は、毎事業年度、事業報告書、貸借対照表、収支決算書及び財産目録を作成し、当該事業年度の終了後三月以内に国土交通大臣に提出しなければならない。

（負担金の徴収）

第四三条の一五　一般貸切旅客自動車運送適正化機関は、一般貸切旅客自動車運送適正化事業の実施に必要な経費に充てるため、第四十三条の二第一項の指定に係る区域内に営業所を有する一般貸切旅客自動車運送事業者から、負担金を徴収することができる。

2　一般貸切旅客自動車運送適正化機関は、毎事業年度、前項の負担金の額及び徴収方法について、国土交通大臣の認可を受けなければならない。

3　一般貸切旅客自動車運送適正化機関は、前項の認可を受けたときは、当該一般貸切旅客自動車運送適正化機関の第四十三条の二第一項の指定に係る区域内に営業所を有する一般貸切旅客自動車運送事業者に対し、その認可を受けた事項を記載した書面を添付して、負担金の額、納付期限及び納付方法を通知しなければならない。

4　一般貸切旅客自動車運送事業者は、前項の規定による通知に従い、一般貸切旅客自動車運送適正化機関に対し、負担金を納付する義務を負う。

5　第三項の規定による通知を受けた一般貸切旅客自動車運送事業者（以下この条において「納付義務者」という。）は、納付期限までにその負担金を納付しないときは、負担金の額に納付期限の翌日から当該負担金を納付する日までの日数一日につき国土交通省令で定める率を乗じて計算した金額に相当する金額の延滞金を納付する義務を負う。

6　一般貸切旅客自動車運送適正化機関は、国土交通省令で定める事由があると認めるときは、前項の規定による延滞金の納付を免除することができる。

7　一般貸切旅客自動車運送適正化機関は、納付義務者が納付期限までにその負担金を納付しないときは、督促状により、期限を指定して、督促しなければならない。この場合において、その期限は、督促状を発する日から起算して十日以上経過した日でなければならない。

8　一般貸切旅客自動車運送適正化機関は、前項の規定による督促を受けた納付義務者がその指定の期限までにその督促に係る負担金及び第五項の規定による延滞金を納付しないときは、国土交通大臣にその旨を報告することができる。

9　国土交通大臣は、前項の規定による報告があつたときは、納付義務者に対し、一般貸切旅客自動車運送適正化機関に負担金及び第五項の規定による延滞金を納付すべきことを命ずることができる。

（区分経理）

第四三条の一六　一般貸切旅客自動車運送適正化機関は、国土交通省令で定めるところにより、一般貸切旅客自動車運送適正化事業に関する経理と一般貸切旅客自動車運送適正化事業以外の事業に関する経理とを区分して整理しなければならない。

（一般貸切旅客自動車運送適正化事業諮問委員会）

第四三条の一七　一般貸切旅客自動車運送適正化機関には、一般貸切旅客自動車運送適正化事業諮問委員会（以下この条において「諮問委員会」という。）を置かなければならない。

2　諮問委員会は、一般貸切旅客自動車運送適正化機関の代表者の諮問に応じ負担金の額及び徴収方法その他一般貸切旅客自動車運送適正化事業の実施に関する重要事項を調査審議し、及びこれらに関し必要と認める意見を一般貸切旅客自動車運送適正化機関の代表者に述べることができる。

3　諮問委員会の委員は、一般貸切旅客自動車運送事業者が組織する団体が推薦する者、一般貸切旅客自動車運送事業の用に供する自動車の運転者が組織する団体が推薦する者、学識経験のある者及び一般貸切旅客自動車運送事業に係る旅客のうちから、国土交通大臣の認可を受けて一般貸切旅客自動車運送適正化機関の代表者が任命する。

（役員の選任及び解任等）

第四三条の一八　一般貸切旅客自動車運送適正化機関の一般貸切旅客自動車運送適正化事業に従事する役員の選任及び解任は、国土交通大臣の認可を受けなければ、その効力を生じない。

2　国土交通大臣は、一般貸切旅客自動車運送適正化機関の一般貸切旅客自動車運送適正化事業に従事する役員又は職員が、この法律若しくはこの法律に基づく命令若しくはこれらに基づく処分若しくは一般貸切旅客自動車運送適正化事業規程に違反する行為をしたとき、一般貸切旅客自動車運送適正化事業に関し著しく不適当な行為をしたとき、又はその在任により一般貸切旅客自動車運送適正化機関が第四十三条の十一第五号に該当することとなるときは、一般貸切旅客自動車運送適正化機関に対し、その役員又は職員を解任すべきことを命ずることができる。

（監督命令）

第四三条の一九　国土交通大臣は、この法律を施行するため必要があると認めるときは、一般貸切旅客自動車運送適正化機関に対し、一般貸切旅客自動車運送適正化事業に関し監督上必要な命令をすることができる。

（一般貸切旅客自動車運送適正化機関の指定の取消し等）

第四三条の二〇　国土交通大臣は、一般貸切旅客自動車運送適正化機関が次の各号のいずれかに該当するときは、第四十三条の二第一項の指定を取り消すことができる。

一　この法律又はこの法律に基づく命令に違反したとき。

二　第四十三条の十一第二号又は第三号に該当することとなつたとき。

三　第四十三条の十三第一項の認可を受けた一般貸切旅客自動車運送適正化事業規程によらないで一般貸切旅客自動車運送適正化事業を行つたとき。

四　第四十三条の十三第三項、第四十三条の十八第二項又は前条の規定による命令に違反したとき。

五　第四十三条の十五第二項の認可を受けた事項に違反して、負担金を徴収したとき。

六　不当に一般貸切旅客自動車運送適正化事業を実施しなかつたとき。

2　国土交通大臣は、前項の規定により第四十三条の二第一項の指定を取り消したときは、その旨を公示しなければならない。

（一般貸切旅客自動車運送適正化機関の指定を取り消した場合

における経過措置）

第四三条の二一　前条第一項の規定により第四十三条の二第一項の指定を取り消した場合において、国土交通大臣がその取消し後に同一の区域について新たに一般貸切旅客自動車運送適正化機関を指定したときは、取消しに係る一般貸切旅客自動車運送適正化機関の一般貸切旅客自動車運送適正化事業に係る財産は、新たに指定を受けた一般貸切旅客自動車運送適正化機関に帰属する。

2　前項に定めるもののほか、前条第一項の規定により第四十三条の二第一項の指定を取り消した場合における一般貸切旅客自動車運送適正化事業に係る財産の管理その他所要の経過措置（罰則に関する経過措置を含む。）は、合理的に必要と判断される範囲内において、政令で定めることができる。

（一般貸切旅客自動車運送適正化機関に関する適用除外）

第四三条の二二　一般貸切旅客自動車運送適正化機関については、第四十三条の六及び第四十三条の七の規定は、適用しない。

第二章の三　指定試験機関

（指定試験機関の指定等）

第四四条　国土交通大臣は、その指定する者（以下「指定試験機関」という。）に、運行管理者試験の実施に関する事務（以下「試験事務」という。）を行わせることができる。

2　指定試験機関の指定は、試験事務を行おうとする者の申請により行う。

3　国土交通大臣は、指定試験機関の指定をしたときは、試験事務を行わないものとする。

（指定の基準）

第四五条　国土交通大臣は、他に指定試験機関の指定を受けた者がなく、かつ、前条第二項の申請が次に掲げる基準に適合していると認めるときでなければ、指定試験機関の指定をしてはならない。

一　職員、試験事務の実施の方法その他の事項についての試験事務の実施に関する計画が試験事務の適確な実施のために適切なものであること。

二　前号の試験事務の実施に関する計画を適確に実施するに足る経理的基礎及び技術的能力があること。

三　試験事務以外の業務を行つている場合には、その業務を行うことによつて試験事務が不公正になるおそれがないこと。

2　国土交通大臣は、前条第二項の申請をした者が次の各号のいずれかに該当するときは、指定試験機関の指定をしてはならない。

一　一般社団法人又は一般財団法人以外の者であること。

二　この法律の規定により罰金以上の刑に処せられ、その執行を終わり、又はその執行を受けることがなくなつた日から二年を経過しない者であること。

三　第四十五条の十一第一項又は第二項の規定により指定を取り消され、その取消しの日から二年を経過しない者であること。

四　その役員のうちに、次のいずれかに該当する者があること。

イ　第二号に該当する者

ロ　第四十五条の四第三項の規定による命令により解任され、その解任の日から二年を経過しない者

（指定の公示等）

第四五条の二　国土交通大臣は、指定試験機関の指定をしたときは、指定試験機関の名称、住所及び試験事務を行う事務所の所在地並びに試験事務の開始の日を公示しなければならない。

2　指定試験機関は、その名称若しくは住所又は試験事務を行う事務所の所在地を変更しようとするときは、その旨を国土交通大臣に届け出なければならない。

3　国土交通大臣は、前項の届出があつたときは、その旨を公示しなければならない。

（試験員）

第四五条の三　指定試験機関は、試験事務を行う場合において、運行管理者として必要な知識及び能力を有するかどうかの判定に関する事務については、国土交通省令で定める要件を備える者（以下「試験員」という。）に行わせなければならない。

（役員等の選任及び解任）

第四五条の四　指定試験機関の試験事務に従事する役員の選任及び解任は、国土交通大臣の認可を受けなければ、その効力を生じない。

2　指定試験機関は、試験員を選任し、又は解任したときは、遅滞なく、その旨を国土交通大臣に届け出なければならない。

3　国土交通大臣は、指定試験機関の役員又は試験員が、この法律、この法律に基づく命令若しくは処分若しくは第四十五条の六第一項の試験事務規程に違反したとき、又は試験事務に関し著しく不適当な行為をしたときは、その指定試験機関に対し、その役員又は試験員を解任すべきことを命ずることができる。

（秘密保持義務等）

第四五条の五　指定試験機関の役員若しくは職員（試験員を含む。）又はこれらの職にあつた者は、試験事務に関して知り得た秘密を漏らしてはならない。

2　試験事務に従事する指定試験機関の役員及び職員（試験員を含む。）は、刑法（明治四十年法律第四十五号）その他の罰則の適用については、法令により公務に従事する職員とみなす。

（試験事務規程）

第四五条の六　指定試験機関は、国土交通省令で定める試験事務の実施に関する事項について試験事務規程を定め、国土交通大臣の認可を受けなければならない。これを変更しようとするときも同様とする。

2　国土交通大臣は、前項の認可をした試験事務規程が試験事務の公正かつ適確な実施上不適当となつたと認めるときは、その指定試験機関に対し、これを変更すべきことを命ずることができる。

（事業計画等）

第四五条の七　指定試験機関は、毎事業年度、試験事務に係る事業計画及び収支予算を作成し、当該事業年度の開始前に（指定を受けた日の属する事業年度にあつては、その指定を受けた後遅滞なく）、国土交通大臣の認可を受けなければならない。これを変更しようとするときも同様とする。

2　指定試験機関は、毎事業年度、試験事務に係る事業報告書及び収支決算書を作成し、当該事業年度の終了後三月以内に国土交通大臣に提出しなければならない。

（帳簿の備付け等）

第四五条の八　指定試験機関は、国土交通省令で定めるところにより、帳簿を備え付け、これに試験事務に関する事項で国土交通省令で定めるものを記載し、及びこれを保存しなければならない。

（監督命令）

第四五条の九　国土交通大臣は、この法律を施行するため必要があると認めるときは、指定試験機関に対し、試験事務に関し監督上必要な命令をすることができる。

（業務の休廃止）

第四五条の一〇　指定試験機関は、国土交通大臣の許可を受けなければ、試験事務の全部若しくは一部を休止し、又は廃止してはならない。

2　国土交通大臣は、前項の許可をしたときは、その旨を公示しなければならない。

（指定の取消し等）

第四五条の一一　国土交通大臣は、指定試験機関が第四十五条第二項各号（第三号を除く。）のいずれかに該当するに至つたと

きは、その指定を取り消さなければならない。

2　国土交通大臣は、指定試験機関が次の各号のいずれかに該当するときは、その指定を取り消し、又は期間を定めて試験事務の全部若しくは一部の停止を命ずることができる。

一　この章の規定に違反したとき。

二　第四十五条第一項各号のいずれかに適合しなくなつたと認められるとき。

三　第四十五条の四第三項、第四十五条の六第二項又は第四十五条の九の規定による命令に違反したとき。

四　第四十五条の六第一項の規定により認可を受けた試験事務規程によらないで試験事務を行つたとき。

五　不正な手段により指定を受けたとき。

3　国土交通大臣は、第一項若しくは前項の規定により指定を取り消し、又は同項の規定により試験事務の全部若しくは一部の停止を命じたときは、その旨を公示しなければならない。

（国土交通大臣による試験事務の実施）

第四五条の一二　国土交通大臣は、指定試験機関が第四十五条の十第一項の規定による許可を受けて試験事務の全部若しくは一部を休止したとき、前条第二項の規定により試験事務の全部若しくは一部の停止を命じたとき、又は指定試験機関が天災その他の事由により試験事務の全部若しくは一部を実施することが困難となつた場合において必要があると認めるときは、第四十四条第三項の規定にかかわらず、試験事務の全部又は一部を自ら行うものとする。

2　国土交通大臣は、前項の規定により試験事務を行うこととし、又は同項の規定により行つている試験事務を行わないこととするときは、あらかじめ、その旨を公示しなければならない。

3　国土交通大臣が、第一項の規定により試験事務を行うこととし、第四十五条の十第一項の規定により試験事務の廃止を許可し、又は前条第一項若しくは第二項の規定により指定を取り消した場合における試験事務の引継ぎその他の必要な事項は、国土交通省令で定める。

第三章　貨物自動車運送事業

（貨物自動車運送事業）

第四六条　貨物自動車運送事業に関しては、貨物自動車運送事業法の定めるところによる。

第四章　自動車道及び自動車道事業

（免許）

第四七条　自動車道事業を経営しようとする者は、国土交通大臣の免許を受けなければならない。

2　自動車道事業の免許は、路線について行う。

3　自動車道事業の免許は、通行する自動車の範囲を限定して行うことができる。

（免許申請）

第四八条　自動車道事業の免許を受けようとする者は、次に掲げる事項を記載した申請書を国土交通大臣に提出しなければならない。

一　予定する路線

二　国土交通省令で定める事業計画

三　当該事業の経営が運輸上必要である理由

四　当該事業の開始のための工事の要否

2　前条第三項の規定により通行する自動車の範囲を限定する免許を受けようとする者は、申請書に前項に掲げる事項の外、通行させようとする自動車の範囲をあわせて記載しなければならない。

3　申請書には、一般自動車道の路線図及び事業の施設、事業収支見積その他国土交通省令で定める事項を記載した書類を添付しなければならない。

4　国土交通大臣は、申請者に対し、前三項に規定するもののほか、当該申請者の登記事項証明書その他必要な書類の提出を求めることができる。

（免許基準）

第四九条　国土交通大臣は、前条に規定する申請書を受理したときは、その申請が次の各号に適合するかどうかを審査しなければならない。

一　当該事業の開始が公衆の利便を増進するものであること。

二　当該事業の路線の選定が当該事業の経営の目的に適合するものであること。

三　当該一般自動車道の規模が当該地区における交通需要の量及び性質に適合するものであること。

四　当該事業を適確に遂行するに足る能力を有するものであること。

五　当該一般自動車道の路線の選定が道路法による道路で自動車のみの一般交通の用に供するものとの調整について特に考慮してなされているものであること。

六　前各号に掲げるもののほか、当該事業の計画が当該事業の長期にわたる経営の遂行上適切なものであること。

2　国土交通大臣は、前項の規定により審査した結果、その申請が同項の基準に適合していると認めたときは、次の場合を除いて、自動車道事業の免許をしなければならない。

一　免許を受けようとする者が一年以上の懲役又は禁錮の刑に処せられ、その執行を終わり、又は執行を受けることがなくなつた日から二年を経過していない者であるとき。

二　免許を受けようとする者が自動車道事業の免許の取消しを受け、取消しの日から二年を経過していない者であるとき。

三　免許を受けようとする者が営業に関し成年者と同一の行為能力を有しない未成年者である場合において、その法定代理人が前二号又は次号のいずれかに該当する者であるとき。

四　免許を受けようとする者が法人である場合において、その法人の役員が前三号のいずれかに該当する者であるとき。

（工事施行）

第五〇条　自動車道事業の免許を受けた者（以下「自動車道事業者」という。）は、一般自動車道の構造及び設備についての工事方法を定め、国土交通大臣の指定する期間内に、工事施行の認可を申請しなければならない。ただし、当該事業の用に供する一般自動車道が工事を必要としない場合は、この限りでない。

2　国土交通大臣は、前項の申請があつたときは、その工事方法が事業計画及び次条に規定する基準に適合しないと認める場合を除くほか、工事の完成の期間を指定して、前項の認可をしなければならない。

3　天災その他やむを得ない事由により、第一項の期間内に認可を申請することができないときは、国土交通大臣は、申請により期間を伸長することができる。

（一般自動車道の技術上の基準）

第五一条　一般自動車道は、道路、鉄道又は軌道と平面交差をすることができない。ただし、交通の量が少ない場合その他特別の事由がある場合であつて国土交通省令で定める設備を設けるときは、この限りでない。

2　一般自動車道は、その幅員、勾配、曲線、見通し距離、通信設備その他の構造及び設備について国土交通省令で定める技術上の基準に従わなければならない。

第五二条　削除

（路線等の公示）

第五三条　国土交通大臣は、第五十条第一項の規定により一般自動車道の工事施行の認可をしたときは、路線、幅員その他国土交通省令で定める事項を公示しなければならない。

（工事方法の変更）

第五四条　自動車道事業者は、工事方法を変更しようとするときは、国土交通大臣の認可を受けなければならない。ただし、路肩の幅員の拡張その他国土交通省令で定める軽微な工事方法の変更については、この限りでない。

２　国土交通大臣は、工事方法の変更によつて事業計画及び第五十一条の基準に適合しなくなると認める場合を除くほか、前項の認可をしなければならない。

３　自動車道事業者は、第一項ただし書の工事方法の変更をしたときは、遅滞なくその旨を国土交通大臣に届け出なければならない。

（工事方法変更の命令）

第五五条　国土交通大臣は、工事の施行中、第五十条第一項の工事施行の認可の際予測することができなかつたような事態が生じたことにより自動車の通行に支障を生ずるおそれがあると認めるときは、自動車道事業者に対し、工事方法の変更を命ずることができる。

（工事の完成）

第五六条　自動車道事業者は、第五十条第二項の工事の完成の期間内に、一般自動車道の工事を完成しなければならない。

２　第五十条第三項の規定は、前項の期間について準用する。

（工事の完成検査及び供用開始）

第五七条　自動車道事業者は、一般自動車道の工事を完成したときは、遅滞なく国土交通大臣の検査を受けなければならない。

２　国土交通大臣は、前項の検査の結果、当該一般自動車道の構造及び設備が、第五十条第一項の工事方法（第五十四条又は第五十五条の規定による変更があつたときは、変更があつたもの）に合致し、かつ、工事を要しなかつた部分につき事業計画及び第五十一条の基準に適合すると認めたときは、これを合格としなければならない。

３　自動車道事業者は、一般自動車道について前項の検査の合格があつたときは、遅滞なくその供用を開始しなければならない。

（構造設備の検査及び供用開始）

第五八条　自動車道事業者は、一般自動車道の工事を必要としないときは、免許の際国土交通大臣が指定する期間内に、一般自動車道の構造及び設備が事業計画及び第五十一条の基準に適合するかどうかについて、国土交通大臣の検査を受けなければならない。

２　前条第三項の規定は、前項の検査の合格があつた場合について準用する。

（一部検査及び供用開始）

第五九条　自動車道事業者は、一般自動車道の一部について国土交通大臣の検査を受けることができる。

２　第五十七条第二項の規定は、前項の検査の場合について準用する。

３　第五十七条第三項の規定は、前項の検査の合格があつた場合について準用する。

（事業の再開検査及び供用開始）

第六〇条　自動車道事業者は、現に休止している自動車道事業の全部又は一部を再開しようとするときは、一般自動車道の構造及び設備が事業計画及び第五十一条の基準に適合するかどうかについて、国土交通大臣の検査を受けなければならない。

２　第五十七条第三項の規定は、前項の検査の合格があつた場合について準用する。

（使用料金）

第六一条　自動車道事業者は、一般自動車道の使用料金を定め、国土交通大臣の認可を受けなければならない。これを変更しようとするときも同様とする。

２　国土交通大臣は、前項の認可をしようとするときは、左の基準によつて、これをしなければならない。

一　能率的な経営の下における適正な原価を償い、且つ、適正な利潤を含むものであること。

二　特定の使用者に対し不当な差別的取扱をするものでないこと。

三　使用者の使用料金を負担する能力にかんがみ、使用者が当該事業を利用することを困難にするおそれがないものであること。

３　第一項の使用料金は、定額をもつて明確に定められなければならない。

（供用約款）

第六二条　自動車道事業者は、供用約款を定め、国土交通大臣の認可を受けなければならない。これを変更しようとするときも同様とする。

２　第十一条第二項の規定は、前項の認可について準用する。

（保安上の供用制限）

第六三条　自動車道事業者は、通行する自動車の重量その他国土交通省令で定める保安上の供用制限を定め、国土交通大臣の認可を受けなければならない。これを変更しようとするときも同様とする。

２　国土交通大臣は、前項の認可をしようとするときは、次の基準によつて、これをしなければならない。

一　自動車の通行に対し危険を生ずるおそれがないものであること。

二　一般自動車道の保全を困難にするおそれがないものであること。

三　自動車の通行効率の著しい低下を来さないものであること。

（使用料金等の公示）

第六四条　自動車道事業者は、国土交通省令で定めるところにより、使用料金、供用約款及び前条の規定により認可を受けた事項を公示しなければならない。

２　第十二条第三項の規定は、前項の規定により公示した事項を変更しようとする場合について準用する。

（供用義務）

第六五条　自動車道事業者は、左の場合を除いては、一般自動車道の供用を拒絶してはならない。

一　当該供用の申込が第六十二条の規定により認可を受けた供用約款によらないものであるとき。

二　当該供用の申込が第六十三条の規定により認可を受けた供用制限に該当するとき。

三　当該供用に関し使用者から特別の負担を求められたとき。

四　当該供用により他の自動車の通行に著しく支障を及ぼすおそれがあるとき。

五　当該供用が法令の規定又は公の秩序若しくは善良の風俗に反するものであるとき。

六　天災その他やむを得ない事由により自動車の通行に支障があるとき。

（事業計画の変更）

第六六条　自動車道事業者は、事業計画を変更しようとするときは、国土交通大臣の認可を受けなければならない。ただし、営業所の名称その他国土交通省令で定める軽微な事項に係る変更については、この限りでない。

２　国土交通大臣は、前項の認可をしようとするときは、次の基準によつて、これをしなければならない。

一　事業計画の変更によつて公衆の利便を害することとなるおそれがないものであること。

二　事業計画の変更によつて当該一般自動車道の規模が当該地区における交通需要の量及び性質に適合しなくなるおそれがないものであること。

３　自動車道事業者は、第一項ただし書の事項について事業計画を変更したときは、遅滞なくその旨を国土交通大臣に届け出なければならない。

（構造又は設備の変更）

第六七条　第五十四条の規定は、自動車道事業者が一般自動車道の構造又は設備の変更をする場合について準用する。

（一般自動車道の管理）

第六八条　自動車道事業者は、一般自動車道をその構造及び設備が事業計画及び第五十一条の基準に適合するように維持しなければならない。

2　自動車道事業者は、国土交通省令で定める方法に従い、一般自動車道を検査しなければならない。

3　自動車道事業者は、一般自動車道が天災その他の事由により自動車の通行に支障を生じたときは、直ちにその通行の禁止その他適切な危害予防の措置を講ずるとともに、その復旧をしなければならない。

4　自動車道事業者は、前項の場合には、遅滞なく国土交通省令で定める事項を国土交通大臣に報告しなければならない。

5　自動車道事業者は、政令で定める道路標識を設置しなければならない。

6　一般自動車道を通行する自動車は、前項の道路標識の表示に従わなければならない。

（会計）

第六八条の二　自動車道事業者は、その事業年度、勘定科目の分類、帳簿書類の様式その他の会計に関する手続について国土交通省令で定めるところに従い、その会計を処理しなければならない。

（土地の立入及び使用）

第六九条　自動車道事業者は、一般自動車道に関する測量、実地調査又は工事のため必要があるときは、都道府県知事の許可を受け、他人の土地に立ち入り、又はその土地を一時材料置場として使用することができる。

2　自動車道事業者は、前項の規定により立入又は使用をしようとするときは、やむを得ない事由がある場合を除く外、あらかじめ、土地の占有者にその旨を通知しなければならない。

3　第一項の規定による立入又は使用によつて生じた損失は、立入又は使用の後、遅滞なく当該事業者においてこれを補償しなければならない。

4　前項の規定に基いて補償すべき損失は、第一項の規定による立入又は使用により通常生ずべき損失とする。

5　第三項の規定による補償について協議がととのわないとき、又は協議することができないときは、都道府県知事は、申請により裁定する。

6　前項の規定による裁定に係る補償金額について不服のある者は、その裁定のあつたことを知つた日から六箇月以内に、訴えをもつてその金額の増減を請求することができる。

7　前項の訴においては、当該事業者又は補償を受くべき者を被告とする。

（事業改善の命令）

第七〇条　国土交通大臣は、自動車道事業者の事業について公共の福祉を阻害している事実があると認めるときは、自動車道事業者に対し、次に掲げる事項を命ずることができる。

一　事業計画又は第六十三条の供用制限を変更すること。

二　一般自動車道の構造又は設備を改善すること。

三　使用料金又は供用約款を変更すること。

（事業の管理の受委託）

第七〇条の二　自動車道事業の管理の委託及び受託については、国土交通大臣の許可を受けなければならない。

2　国土交通大臣は、前項の許可をしようとするときは、次の基準によつて、これをしなければならない。

一　当該事業を継続して運営するために必要であること。

二　受託者が当該事業を管理するのに適している者であること。

（事業の休止及び廃止）

第七〇条の三　自動車道事業者は、その事業の全部又は一部を休止し、又は廃止しようとするときは、国土交通大臣の許可を受けなければならない。

2　国土交通大臣は、当該休止又は廃止によつて公衆の利便が著しく阻害されるおそれがあると認める場合を除くほか、前項の許可をしなければならない。

3　第三十八条第四項の規定は、自動車道事業者が事業の全部又は一部を休止し、又は廃止しようとする場合について準用する。

（法人の解散）

第七〇条の四　自動車道事業者たる法人の解散の決議又は総社員の同意は、国土交通大臣の認可を受けなければ、その効力を生じない。

2　前条第二項の規定は、前項の認可について準用する。

（免許の失効）

第七一条　次の場合には、自動車道事業の免許は、その効力を失う。

一　第五十条第一項及び第三項の期間内に工事施行の認可を申請しないとき。

二　第五十条第一項の規定による申請に対し不認可の処分を受けたとき。

三　第五十八条の規定による検査により不合格の処分を受けたとき。

四　事業の廃止の許可を受けたとき。

（準用規定）

第七二条　自動車道事業には、第十条、第三十条、第三十三条、第三十六条、第三十七条及び第四十条の規定を準用する。

（一般自動車道に接続する道路等の造設）

第七三条　国又は国の許可を受けた者が、一般自動車道に接続し、若しくは近接し、又はこれを横断して道路法による道路、自動車道、河川、運河、鉄道、軌道又は索道を造設しようとするときは、自動車道事業者は、当該一般自動車道の効用が妨げられる場合を除き、これを拒むことができない。

2　国土交通大臣は、前項の場合において、公共の福祉を確保するため必要があると認めるときは、自動車道事業者に対し、構造若しくは設備の変更又は設備の共用を命ずることができる。

3　前二項の場合において、その実施及びその方法並びに費用の負担につき協議が調わないときは、国土交通大臣は、申請により裁定する。自動車道事業者が受けた損失の補償についても同様とする。

4　第六十九条第三項及び第四項の規定は、第一項及び第二項の場合について、同条第六項及び第七項の規定は、前項の場合について準用する。

（道路等に接続する一般自動車道の造設）

第七四条　自動車道事業者は、道路法による道路、河川又は運河の管理者の許可を受けて道路法による道路、河川又は運河に接続し、若しくは近接し、又はこれを横断して一般自動車道を造設することができる。

2　前項の管理者は、当該公共物の効用を妨げない限り、これを許可しなければならない。

（専用自動車道）

第七五条　専用自動車道を設置した自動車運送事業者は、その全部又は一部の供用を開始しようとするときは、国土交通大臣の検査を受けなければならない。

2　国土交通大臣は、前項の検査の結果、当該専用自動車道の構造及び設備が、次項において準用する第五十条第一項の工事方法（次項において準用する第五十四条又は第五十五条の規定による変更があつたときは、変更があつたもの）に合致し、かつ、工事を要しなかつた部分につき事業計画及び次項において準用する第五十一条の基準に適合すると認めたとき（工事を必要としない場合にあつては、事業計画及び同項において準用する同条の基準に適合すると認めたとき）は、これを合格としなければならない。

3　専用自動車道には、第五十条第一項及び第二項、第五十一条、

第五十三条から第五十五条まで、第六十条第一項、第六十三条、第六十七条、第六十八条、第六十九条、第七十条、第七十三条並びに前条の規定を準用する。この場合において、第五十条第一項中「国土交通大臣の指定する期間内に、工事施行の認可を」とあるのは「工事施行の認可を」と、同条第二項中「工事の完成の期間を指定して、前項の認可を」とあるのは「前項の認可を」と読み替えるものとする。

（国の自動車道事業の経営）

第七十六条　国において自動車道事業を経営しようとするときは、当該官庁は、国土交通大臣の承認を受けなければならない。

２　第四十七条第二項及び第三項並びに第四十八条の規定は、前項の承認について準用する。

（適用除外）

第七十七条　国において経営する自動車道事業には、第四十七条から第五十条まで、第五十四条から第六十条まで、第六十二条、第六十三条、第六十七条、第六十八条の二、第七十条、第七十条の二、第七十条の四、第七十二条（第十条の規定の準用に関する部分を除く。）及び第七十五条（同条第三項中第五十一条、第五十三条、第六十八条、第六十九条、第七十三条及び第七十四条の規定の準用に関する部分を除く。）の規定を適用しない。

２　国において経営する自動車道事業について適用される規定中「免許」、「許可」又は「認可」とあるのは、「承認」と読み替えるものとする。

第五章　自家用自動車の使用

（有償運送）

第七十八条　自家用自動車（事業用自動車以外の自動車をいう。以下同じ。）は、次に掲げる場合を除き、有償で運送の用に供してはならない。

一　災害のため緊急を要するとき。

二　市町村、特定非営利活動促進法（平成十年法律第七号）第二条第二項に規定する特定非営利活動法人その他国土交通省令で定める者が、次条の規定により地域住民又は観光旅客その他の当該地域を来訪する者の運送その他の国土交通省令で定める旅客の運送（以下「自家用有償旅客運送」という。）を行うとき。

三　公共の福祉を確保するためやむを得ない場合において、国土交通大臣の許可を受けて地域又は期間を限定して運送の用に供するとき。

（登録）

第七十九条　自家用有償旅客運送を行おうとする者は、国土交通大臣の行う登録を受けなければならない。

（登録の申請）

第七十九条の二　前条の登録を受けようとする者は、次に掲げる事項を記載した申請書を国土交通大臣に提出しなければならない。

一　氏名又は名称及び住所並びに法人にあつては、その代表者の氏名

二　行おうとする自家用有償旅客運送の種別（国土交通省令で定める自家用有償旅客運送の別をいう。次号において同じ。）

三　路線又は運送の区域、事務所の名称及び位置、事務所ごとに配置する自家用有償旅客運送の用に供する自家用自動車（以下「自家用有償旅客運送自動車」という。）の数その他の自家用有償旅客運送の種別ごとに国土交通省令で定める事項

四　運送しようとする旅客の範囲

五　自家用有償旅客運送自動車の運行管理の体制の整備その他国土交通省令で定める事項について一般旅客自動車運送事業者の協力を得て行う運送（以下「事業者協力型自家用有償旅客運送」という。）を行おうとするときは、当該一般旅客自動車運送事業者の氏名又は名称及び住所

２　前項の申請書には、自家用有償旅客運送自動車の運行管理の体制その他の国土交通省令で定める事項を記載した書類を添付しなければならない。

（登録の実施）

第七十九条の三　国土交通大臣は、前条の規定による登録の申請があつた場合においては、次条第一項の規定により登録を拒否する場合を除くほか、次に掲げる事項を自家用有償旅客運送者登録簿（以下「登録簿」という。）に登録しなければならない。

一　前条第一項各号に掲げる事項

二　登録年月日及び登録番号

２　国土交通大臣は、前項の規定による登録をした場合においては、遅滞なく、その旨を申請者に通知しなければならない。

３　国土交通大臣は、登録簿を公衆の縦覧に供しなければならない。

（登録の拒否）

第七十九条の四　国土交通大臣は、第七十九条の二の規定による登録の申請が次の各号のいずれかに該当する場合には、その登録を拒否しなければならない。

一　申請者が一年以上の懲役又は禁錮の刑に処せられ、その執行を終わり、又は執行を受けることがなくなつた日から二年を経過していない者であるとき。

二　申請者が第七十九条の十二の規定による登録の取消しを受け、取消しの日から二年を経過していない者（当該登録を取り消された者が法人である場合においては、当該取消しを受けた法人のその処分を受ける原因となつた事項が発生した当時現にその法人の業務を執行する役員として在任した者で当該取消しの日から二年を経過していないものを含む。）であるとき。

三　申請者が自家用有償旅客運送の業務に関し成年者と同一の行為能力を有しない未成年者である場合において、その法定代理人が前二号又は次号のいずれかに該当する者であるとき。

四　申請者が法人である場合において、その法人の役員が前三号のいずれかに該当する者であるとき。

五　申請に係る自家用有償旅客運送に関し、国土交通省令で定めるところにより、地方公共団体、一般旅客自動車運送事業者又はその組織する団体、住民その他の国土交通省令で定める関係者間において、一般旅客自動車運送事業者によることが困難であり、かつ、地域における必要な旅客輸送を確保するため必要であることについて協議が調つていないとき。

六　申請者がその申請に係る自家用有償旅客運送に必要と認められる輸送施設の保有、運転者の確保、自家用有償旅客運送自動車の運行管理の体制の整備その他の輸送の安全及び旅客の利便の確保のために必要な国土交通省令で定める措置を講ずると認められないとき。

２　国土交通大臣は、前項の規定による登録の拒否をした場合においては、遅滞なく、その理由を示して、その旨を申請者に通知しなければならない。

（登録の有効期間）

第七十九条の五　第七十九条の登録の有効期間（次条第一項の有効期間の更新の登録を受けた場合における当該有効期間の更新の登録に係る第七十九条の登録の有効期間を含む。以下同じ。）は、登録の日から起算して二年とする。ただし、次の各号に掲げる場合については、それぞれ当該各号に定める期間とする。

一　次条第一項の有効期間の更新の登録を受けようとする者が、従前の第七十九条の登録の有効期間において次のイからハまでのいずれにも該当する場合（次号に掲げる場合を除く。）　三年

イ　第七十九条の九第二項の規定による命令を受けていないこと。

ロ　第七十九条の十の規定による届出に係る自家用有償旅客運送自動車の転覆、火災その他国土交通省令で定める重大

な事故を引き起こしていないこと。

ハ　第七十九条の十二第一項の規定による業務の全部又は一部の停止の命令を受けていないこと。

二　第七十九条の登録を受けようとする者が事業者協力型自家用有償旅客運送を行う者である場合又は次条第一項の有効期間の更新の登録を受けようとする者が事業者協力型自家用有償旅客運送を行う者であつて前号イからハまでのいずれにも該当する場合　五年

（有効期間の更新の登録）

第七十九条の六　第七十九条の登録の有効期間満了の後引き続き自家用有償旅客運送を行おうとする者は、国土交通省令で定めるところにより、国土交通大臣の行う有効期間の更新の登録を受けなければならない。

2　第七十九条の三及び第七十九条の四の規定は、有効期間の更新の登録について準用する。この場合において、第七十九条の三第一項第二号中「登録番号」とあるのは、「登録番号並びに有効期間の更新の登録の年月日」と読み替えるものとする。

3　第七十九条の登録の有効期間の満了の日までに更新の登録の申請があつた場合において、その申請について前項において準用する第七十九条の三第二項又は第七十九条の四第二項の通知があるまでの間は、従前の第七十九条の登録は、その登録の有効期間の満了後も、なおその効力を有する。

4　前項の場合において、有効期間の更新の登録がなされたときは、第七十九条の登録の有効期間は、従前の有効期間の満了の日の翌日から起算するものとする。

（変更登録等）

第七十九条の七　第七十九条の登録を受けた者（以下「自家用有償旅客運送者」という。）は、第七十九条の二第一項各号に掲げる事項の変更（第三項に規定するものを除く。）又は事業者協力型自家用有償旅客運送を行うかどうかの別の変更をしようとするときは、国土交通大臣の行う変更登録を受けなければならない。ただし、路線を定めて行う自家用有償旅客運送につき天災その他国土交通省令で定めるやむを得ない事由によりその路線において自家用有償旅客運送自動車を運行することができなくなつた場合に、当該路線において自家用有償旅客運送自動車の運行を再開することができることとなるまでの間、当該路線と異なる路線により自家用有償旅客運送を行う場合において合理的に必要となる変更については、この限りでない。

2　第七十九条の三及び第七十九条の四の規定は、前項の変更登録について準用する。この場合において、第七十九条の三第一項中「次に掲げる事項」とあるのは「変更に係る事項」と、第七十九条の四第一項中「次の各号のいずれか」とあるのは「第五号又は第六号」と読み替えるものとする。

3　自家用有償旅客運送者は、事務所の名称その他の国土交通省令で定める軽微な事項の変更をしたときは、その日から三十日以内に、その旨を国土交通大臣に届け出なければならない。

4　国土交通大臣は、前項の規定による届出を受理したときは、届出があつた事項を登録簿に登録しなければならない。

（旅客から収受する対価の公示等）

第七十九条の八　自家用有償旅客運送者は、その業務の開始前に、旅客から収受する対価を定め、国土交通省令で定めるところにより、これを公示し、又はあらかじめ、旅客に対し説明しなければならない。これを変更するときも同様とする。

2　前項の対価は、実費の範囲内であることその他の国土交通省令で定める基準に従つて定められたものでなければならない。

（輸送の安全及び旅客の利便の確保）

第七十九条の九　自家用有償旅客運送者は、自家用有償旅客運送自動車の運転者の乗務の管理その他の運行の管理、自家用有償旅客運送自動車への当該自動車である旨の表示その他の旅客に対する適切な情報の提供その他の輸送の安全及び旅客の利便の確保のために必要な事項として国土交通省令で定めるものを遵守しなければならない。

2　国土交通大臣は、自家用有償旅客運送者の業務について輸送の安全又は旅客の利便が確保されていないと認めるときは、自家用有償旅客運送者に対し、次に掲げる措置その他その是正のために必要な措置を講ずべきことを命ずることができる。

一　自家用有償旅客運送自動車の運行の管理の方法を改善すること。

二　路線又は運送の区域を変更すること。

三　旅客から収受する対価を変更すること。

四　旅客の運送に関し支払うことあるべき損害賠償のための保険契約を締結すること。

（事故の報告）

第七十九条の一〇　自家用有償旅客運送者は、その自家用有償旅客運送自動車が転覆し、火災を起こし、その他国土交通省令で定める重大な事故を引き起こしたときは、遅滞なく、事故の種類、原因その他国土交通省令で定める事項を国土交通大臣に届け出なければならない。

（業務の廃止）

第七十九条の一一　自家用有償旅客運送者は、その業務を廃止したときは、その日から三十日以内に、その旨を国土交通大臣に届け出なければならない。

（業務の停止及び登録の取消し）

第七十九条の一二　国土交通大臣は、自家用有償旅客運送者が次の各号のいずれかに該当するときは、六月以内において期間を定めてその業務の全部若しくは一部の停止を命じ、又は登録を取り消すことができる。

一　この法律若しくはこの法律に基づく命令若しくはこれらに基づく処分又は登録に付した条件に違反したとき。

二　不正の手段により第七十九条の登録、第七十九条の六第一項の有効期間の更新の登録又は第七十九条の七第一項の変更登録を受けたとき。

三　第七十九条の四第一項第一号、第三号、第四号又は第六号の規定に該当することとなつたとき。

四　その行う自家用有償旅客運送に関し、第七十九条の四第一項第五号の協議が調つた状態でなくなつたとき。

2　第七十九条の四第二項の規定は、前項の場合について準用する。

（登録の抹消）

第七十九条の一三　国土交通大臣は、第七十九条の登録の有効期間（第七十九条の六第三項に規定する場合にあつては、同項の規定によりなお効力を有することとされる期間を含む。）が満了したとき、第七十九条の十一の規定による届出があつたとき、又は前条第一項の規定による登録の取消しをしたときは、当該自家用有償旅客運送者の登録を抹消しなければならない。

（有償貸渡し）

第八〇条　自家用自動車は、国土交通大臣の許可を受けなければ、業として有償で貸し渡してはならない。ただし、その借受人が当該自家用自動車の使用者である場合は、この限りでない。

2　国土交通大臣は、自家用自動車の貸渡しの態様が自動車運送事業の経営に類似していると認める場合を除くほか、前項の許可をしなければならない。

（使用の制限及び禁止）

第八一条　国土交通大臣は、自家用自動車を使用する者が次の各号のいずれかに該当するときは、六月以内において期間を定めて自家用自動車の使用を制限し、又は禁止することができる。

一　第四条又は第四十三条第一項の許可を受けないで、自家用自動車を使用して旅客自動車運送事業を経営したとき。

二　貨物自動車運送事業法第三条若しくは第三十五条第一項の許可を受けず、又は同法第三十六条第一項の届出をしないで、自家用自動車を使用して貨物自動車運送事業を経営したとき。

三　有償で自家用自動車を運送の用に供したとき（第七十八条各号に掲げる場合を除く。）。

四　前条第一項の許可を受けないで、業として有償で自家用自動車を貸し渡したとき（同項ただし書の場合を除く。）。

2　第四十一条の規定は、国土交通大臣が前項の規定により自家用自動車の使用を禁止した場合について準用する。

第六章　雑則

（郵便物等の運送）

第八十二条　一般乗合旅客自動車運送事業者は、旅客の運送に付随して、少量の郵便物、新聞紙その他の貨物を運送することができる。

2　貨物自動車運送事業法第二十五条第一項の規定は、前項の規定により貨物を運送する一般乗合旅客自動車運送事業者について準用する。

（有償旅客運送の禁止）

第八十三条　貨物自動車運送事業を経営する者は、有償で旅客の運送をしてはならない。ただし、災害のため緊急を要するときその他やむを得ない事由がある場合であつて国土交通大臣の許可を受けたときは、この限りでない。

（運送に関する命令）

第八十四条　国土交通大臣は、当該運送が災害の救助その他公共の福祉を維持するため必要であり、かつ、当該運送を行う者がない場合又は著しく不足する場合に限り、一般旅客自動車運送事業者又は貨物自動車運送事業法による一般貨物自動車運送事業者（以下「一般貨物自動車運送事業者」という。）に対し、運送すべき旅客若しくは貨物、運送すべき区間、これに使用する自動車及び運送条件を指定して運送を命じ、又は旅客若しくは貨物の運送の順序を定めて、これによるべきことを命ずることができる。

2　前項の規定による命令で次条の規定による損失の補償を伴うものは、これによつて必要となる補償金の総額が国会の議決を経た予算の金額を超えない範囲内でこれをしなければならない。

（損失の補償）

第八十五条　前条第一項の規定による命令により損失を受けた者に対しては、その損失を補償する。

2　前項の規定による補償の額は、当該一般旅客自動車運送事業者又は一般貨物自動車運送事業者がその運送を行つたことにより通常生ずべき損失の額とする。

3　前二項に規定するもののほか、損失の補償に関し必要な事項は、国土交通省令で定める。

（免許等の条件又は期限）

第八十六条　免許、許可、登録又は認可には条件又は期限を付し、及びこれを変更することができる。

2　前項の条件又は期限は、公衆の利益を増進し、又は免許、許可、登録若しくは認可に係る事項の確実な実施を図るため必要な最少限度のものに限り、かつ、当該道路運送事業者（道路運送事業を経営する者をいう。以下同じ。）又は自家用有償旅客運送者に不当な義務を課することとならないものでなければならない。

（民法の特例）

第八十七条　次に掲げる取引に関して民法（明治二十九年法律第八十九号）第五百四十八条の二第一項の規定を適用する場合においては、同項第二号中「表示していた」とあるのは、「表示し、又は公表していた」とする。

一　一般乗合旅客自動車運送事業若しくは一般乗用旅客自動車運送事業による旅客の運送又は自家用有償旅客運送に係る取引

二　一般自動車道の通行に係る取引

（都道府県等の処理する事務等）

第八十八条　第四章（第六十一条、第七十条第三号（使用料金の変更に係る部分に限る。）及び第七十五条を除く。以下この項において同じ。）、前章及び第九十四条に規定する国土交通大臣の権限に属する事務は、第四章に規定する権限に属する事務にあつては政令で定めるところにより都道府県知事が、前章及び同条に規定する権限に属する事務にあつては政令で定めるところにより都道府県知事又は市町村長（特別区の区長を含む。第九十条第一項及び第二項において同じ。）が、それぞれその一部を行うこととすることができる。

2　第二章、第二章の二及び第四章からこの章までに規定する国土交通大臣の権限は、政令で定めるところにより、地方運輸局長に委任することができる。

3　前項の規定により地方運輸局長に委任された権限は、政令で定めるところにより、運輸監理部長又は運輸支局長に委任することができる。

（運輸審議会への諮問）

第八十八条の二　国土交通大臣は、次に掲げる処分等をしようとするときは、運輸審議会に諮らなければならない。

一　第九条第一項の規定による運賃等の上限の認可

二　第九条第七項（第九条の二第二項及び第九条の三第六項において準用する場合を含む。）の規定による運賃又は料金の変更の命令

三　第九条の三第一項の規定による運賃等の認可

四　第三十一条の規定による運賃等の上限又は運賃若しくは料金の変更の命令

五　第四十条（第四十三条第五項において準用する場合を含む。）の規定による事業の停止の命令又は許可の取消し

六　第九十四条の二の規定による基本的な方針の策定

（利害関係人等の意見の聴取）

第八十九条　地方運輸局長は、その権限に属する次に掲げる事項について、必要があると認めるときは、利害関係人又は参考人の出頭を求めて意見を聴取することができる。

一　一般乗合旅客自動車運送事業における運賃等の上限に関する認可

二　一般乗用旅客自動車運送事業における運賃等に関する認可

2　地方運輸局長は、その権限に属する前項各号に掲げる事項について利害関係人の申請があつたとき、又は国土交通大臣の権限に属する同項各号に掲げる事項若しくは旅客自動車運送事業の停止の命令若しくは許可の取消しについて国土交通大臣の指示があつたときは、利害関係人又は参考人の出頭を求めて意見を聴取しなければならない。

3　前二項の意見の聴取に際しては、利害関係人に対し、証拠を提出する機会が与えられなければならない。

4　第一項及び第二項の意見の聴取に関し必要な事項は、国土交通省令で定める。

（聴聞の特例）

第九〇条　地方運輸局長がその権限に属する旅客自動車運送事業若しくは自家用有償旅客運送の業務の停止の命令をしようとするとき、又は都道府県知事若しくは市町村長がその権限に属する自家用有償旅客運送の業務の停止の命令をしようとするときは、行政手続法第十三条第一項の規定による意見陳述のための手続の区分にかかわらず、聴聞を行わなければならない。

2　地方運輸局長の権限に属する旅客自動車運送事業の停止の命令若しくは許可の取消し若しくは自家用有償旅客運送の業務の停止の命令若しくは登録の取消しの処分又は都道府県知事若しくは市町村長の権限に属する自家用有償旅客運送の業務の停止の命令若しくは登録の取消しの処分に係る聴聞の主宰者は、行政手続法第十七条第一項の規定により当該処分に係る利害関係人が当該聴聞に関する手続に参加することを求めたときは、これを許可しなければならない。

3　前項の聴聞の主宰者は、聴聞の期日において必要があると認めるときは、参考人の出頭を求めて意見を聴取することができ

る。

（道路管理者の意見の聴取）

第九一条　国土交通大臣は、路線を定める旅客自動車運送事業につき第四条第一項又は第十五条第一項（路線の新設に係る事業計画の変更及び自動車の大きさ又は重量の増加を伴う事業計画の変更に限る。）の規定による処分をしようとするときは、国土交通省令で定めるところにより、当該処分により必要となる道路法による道路の構造及び設備に関する道路管理上の措置につき、当該道路管理者の意見を聴かなければならない。ただし、当該処分により運行することとなる事業用自動車の大きさ又は重量が、当該処分に係る路線と路線を共通にする他の旅客自動車運送事業者の当該共通にする路線の部分において運行する事業用自動車の大きさ又は重量を超えない場合（当該共通にする路線の部分に限る。）その他の道路管理者の意見を聴く必要がないものとして国土交通省令で定める場合は、この限りでない。

（地方公共団体への通知）

第九一条の二　国土交通大臣は、一般乗合旅客自動車運送事業（路線定期運行に係るものに限る。）について第四条第一項の許可又は第十五条第一項の認可の申請（路線の新設に係るものその他の国土交通省令で定めるものに限る。）があつたときは、国土交通省令で定めるところにより、当該申請があつた旨を関係地方公共団体に通知するものとする。

２　前項の規定による通知を受けた関係地方公共団体は、第九条第四項又は第七十九条の四第一項第五号の協議を行う必要があると認めるときは、国土交通省令で定めるところにより、地方公共団体、一般乗合旅客自動車運送事業者、住民その他の国土交通省令で定める関係者で構成される協議会を開催し、及び当該通知に係る申請者に対し協議会への参加を要請することができる。

（道路運送に関する団体）

第九二条　道路運送事業者その他の自動車を使用する者が次に掲げる事業の全部又は一部を行うことを目的として組織する団体は、その成立の日から三十日以内に、国土交通省令で定める事項について国土交通大臣に届け出なければならない。

一　構成員の行う道路運送に関する指導、調査及び研究
二　構成員の行う道路運送に必要な物資の共同購入、共同設備の設置その他構成員の行う道路運送に関する共同施設
三　構成員に対する道路運送に関し必要な資金の貸付け（手形の割引を含む。）及び構成員のためにするその借入れ
四　構成員の道路運送に関する債務の保証
五　構成員の行う道路運送に関し必要な資金の融通のあつせん
六　構成員の行う道路運送の用に供する物資の購入のあつせん
七　団体としての意見の公表又は適当な行政庁に対する申出
八　この法律の規定により構成員が提出する報告書等の取りまとめ
九　前号に掲げるもののほか、行政庁が構成員に対して発する通知の構成員への伝達その他行政庁の行うこの法律の施行のためにする措置に対する協力
十　この法律の違反行為の予防

（自動車運送の総合的発達のためにする措置）

第九三条　国土交通大臣は、自動車運送の総合的な発達を図るために、自動車運送相互の調整を図るとともに、自動車運送に関する資金の融通のあつ旋、自動車運送の用に供する物資の確保及び自動車事故による損害賠償を保障する制度の確立に努めなければならない。

（報告、検査及び調査）

第九四条　国土交通大臣は、この法律の施行に必要な限度において、道路運送事業者、自家用有償旅客運送者その他自動車を所有し、若しくは使用する者又はこれらの者の組織する団体に、国土交通省令で定める手続に従い、事業、自家用有償旅客運送の業務又は自動車の所有若しくは使用に関し、報告をさせることができる。

２　国土交通大臣は、この法律の施行に必要な限度において、適正化機関に、国土交通省令で定める手続に従い、その事業に関し、報告をさせることができる。

３　国土交通大臣は、この法律の施行に必要な限度において、指定試験機関に、国土交通省令で定める手続に従い、試験事務に関し、報告をさせることができる。

４　国土交通大臣は、この法律の施行に必要な限度において、その職員をして自動車、自動車の所在する場所又は道路運送事業者、自家用有償旅客運送者その他自動車を所有し、若しくは使用する者若しくはこれらの者の組織する団体の事務所その他の事業場（道路運送事業、自家用有償旅客運送の業務又は自動車の管理に係るものに限る。）に立ち入り、帳簿書類その他の物件を検査し、又は関係者に質問させることができる。

５　国土交通大臣は、この法律の施行に必要な限度において、その職員をして適正化機関又は指定試験機関の事務所に立ち入り、業務の状況若しくは帳簿書類その他の物件を検査し、又は関係者に質問させることができる。

６　国土交通大臣は、自動車による輸送の実情の調査を行うため特に必要があると認めるときは、その職員をして、当該調査のため必要な限度において、道路を通行する自動車の運転者に対し一時当該自動車を停止することを求め、及び運転者又はその補助者に輸送の経路、貨物の種類その他の事項を質問させることができる。

７　前三項の場合には、当該職員は、その身分を示す証票を携帯し、かつ、関係者の請求があつたときは、これを提示しなければならない。

８　第四項から第六項までの権限は、犯罪捜査のために認められたものと解釈してはならない。

（安全管理規程に係る報告の徴収又は立入検査の実施に係る基本的な方針）

第九四条の二　国土交通大臣は、前条第一項の規定による報告の徴収又は同条第四項の規定による立入検査のうち安全管理規程（第二十二条の二第二項第一号（第四十三条第五項において準用する場合を含む。）に係る部分に限る。）に係るものを適正に実施するための基本的な方針を定めるものとする。

（自動車に関する表示）

第九五条　自動車（軽自動車たる自家用自動車、乗車定員十人以下の乗用の自家用自動車、特殊自動車たる自家用自動車その他国土交通省令で定めるものを除く。）を使用する者は、その自動車の外側に、使用者の氏名、名称又は記号その他の国土交通省令で定める事項を見やすいように表示しなければならない。

（手数料）

第九五条の二　運行管理者試験を受けようとする者又は運行管理者資格者証の交付若しくは再交付を受けようとする者は、実費を勘案して国土交通省令で定める額の手数料を国（指定試験機関が行う試験を受けようとする者にあつては、当該指定試験機関）に納めなければならない。

２　前項の規定により指定試験機関に納められた手数料は、当該指定試験機関の収入とする。

（指定試験機関の処分等についての審査請求）

第九五条の三　この法律の規定による指定試験機関の処分又はその不作為に不服がある者は、国土交通大臣に対し、審査請求をすることができる。この場合において、国土交通大臣は、行政不服審査法（平成二十六年法律第六十八号）第二十五条第二項及び第三項、第四十六条第一項及び第二項、第四十七条並びに第四十九条第三項の規定の適用については、指定試験機関の上級行政庁とみなす。

（申請書等の経由）

第九五条の四　第四章（第六十一条及び第七十五条を除く。）及び第九十二条の規定による申請書その他の書類（同条の規定によるものについては、自動車道事業に係るものに限る。）で国

土交通大臣に提出すべきものは、国土交通省令で定めるところにより、都道府県知事及び地方運輸局長を経由して行わなければならない。

（事務の区分）

第九五条の五　第六十九条第一項及び前条の規定により都道府県が処理することとされている事務は、地方自治法（昭和二十二年法律第六十七号）第二条第九項第一号に規定する第一号法定受託事務とする。

第七章　罰則

第九六条　次の各号のいずれかに該当するときは、その違反行為をした者は、三年以下の懲役若しくは三百万円以下の罰金に処し、又はこれを併科する。

一　第四条第一項の規定に違反して一般旅客自動車運送事業を経営したとき。

二　第三十三条（第四十三条第五項及び第七十二条において準用する場合を含む。）の規定に違反したとき。

三　第四十七条第一項の規定に違反して自動車道事業を経営したとき。

第九七条　次の各号のいずれかに該当するときは、その違反行為をした者は、一年以下の懲役若しくは百五十万円以下の罰金に処し、又はこれを併科する。

一　第二十五条（第四十三条第五項において準用する場合を含む。）、第七十八条又は第八十三条の規定に違反したとき。

二　第二十七条第四項の規定による命令（輸送の安全の確保に係るものに限り、一般乗用旅客自動車運送事業者に対するものを除く。）に違反したとき。

三　第三十五条第一項又は第七十条の二第一項の規定により許可を受けてしなければならない事項を許可を受けないでしたとき。

四　第四十条（第四十三条第五項及び第七十二条において準用する場合を含む。）の規定による輸送施設の使用の停止又は事業の停止の処分に違反したとき。

五　第四十三条第一項の規定に違反して、特定旅客自動車運送事業を経営したとき。

六　第五十七条第一項、第五十八条第一項、第六十条第一項（第七十五条第三項において準用する場合を含む。）又は第七十五条第一項の規定による検査を受けないで、又はこれに合格しないで、自動車道の供用を開始したとき（第五十九条第一項の規定により一般自動車道の一部につき検査を受け、これに合格した場合において、その部分につき供用を開始したときを除く。）

七　不正の手段により第七十九条の登録又は第七十九条の六第一項の有効期間の更新の登録を受けたとき。

八　第八十一条第一項の規定による処分に違反したとき。

第九七条の二　次の各号の一に該当する者は、一年以下の懲役又は五十万円以下の罰金に処する。

一　第四十五条の五第一項の規定に違反してその職務に関して知り得た秘密を漏らした者

二　指定試験機関が第四十五条の十一第二項の規定による業務の停止の命令に違反した場合におけるその違反行為をした指定試験機関の役員又は職員

第九七条の三　第七十九条の十二第一項の規定による業務の停止の命令に違反したときは、その違反行為をした者は、六月以下の懲役若しくは五十万円以下の罰金に処し、又はこれを併科する。

第九八条　次の各号のいずれかに該当するときは、その違反行為をした者は、百万円以下の罰金に処する。

一　第九条第三項若しくは第六項、第九条の二第一項若しくは第九条の三第五項の規定による届出をしないで、又はこれらの規定若しくは第九条第四項若しくは第九条の三第三項の規定により届け出た運賃若しくは料金によらないで、運賃又は料金を収受したとき。

二　第九条第七項（第九条の二第二項及び第九条の三第六項において準用する場合を含む。）の規定による命令に違反して、運賃又は料金を収受したとき。

三　第九条の三第一項の規定による認可を受けないで、若しくは認可を受けた運賃若しくは料金によらないで、運賃若しくは料金を収受し（同条第三項の規定による届出をした場合を除く。）、又は第六十一条第一項の規定による認可を受けないで、若しくは認可を受けた使用料金によらないで、使用料金を収受したとき。

四　第十条（第七十二条において準用する場合を含む。）の規定に違反して、運賃又は料金の割戻しをしたとき。

五　第十一条第一項の規定による認可を受けないで、又は認可を受けた運送約款によらないで、運送契約を締結したとき。

六　第十三条、第二十条（第四十三条第五項において準用する場合を含む。）、第二十三条第一項（第四十三条第五項において準用する場合を含む。）、第四十一条第三項（第四十三条第五項及び第八十一条第二項において準用する場合を含む。）、第六十五条又は第六十八条第五項の規定に違反したとき。

七　第十五条第一項（第四十三条第五項において準用する場合を含む。）、第十九条第一項、第五十四条第一項（第六十七条において準用する場合を含む。）及び第七十五条第三項において準用する場合を含む。）又は第六十六条第一項の規定により認可を受けてしなければならない事項を認可を受けないでしたとき。

八　第十五条第三項（第四十三条第五項において準用する場合を含む。）又は第十五条の二第一項の規定による届出をしないで事業計画を変更したとき。

九　第十五条の三第一項の規定による届出をしないで運行をしたとき。

十　第十五条の三第二項の規定による届出をしないで運行計画を変更したとき。

十一　第十六条第二項、第十九条の二、第二十二条の二第三項若しくは第七項（これらの規定を第四十三条第五項において準用する場合を含む。）、第二十七条第四項（第四十三条第五項において準用する場合を含む。）、第三十条第四項（第七十二条において準用する場合を含む。）、第三十一条、第四十一条第一項（第四十三条第五項及び第八十一条第二項において準用する場合を含む。）、第五十五条（第七十五条第三項において準用する場合を含む。）、第七十条、第七十三条第二項（第七十五条第三項において準用する場合を含む。）又は第八十四条第一項の規定による命令に違反したとき（第二十七条第四項の規定による命令に違反したときにあつては、第九十七条第二号に該当する場合を除く。）

十二　第二十二条の二第一項（第四十三条第五項において準用する場合を含む。）の規定による届出をしないで、又は届け出た安全管理規程（第二十二条の二第二項第二号及び第三号（これらの規定を第四十三条第五項において準用する場合を含む。）に係る部分に限る。）によらないで、事業を行つたとき。

十三　第二十二条の二第四項（第四十三条第五項において準用する場合を含む。）の規定に違反して、安全統括管理者を選任しなかつたとき。

十四　第二十二条の二第五項又は第二十三条第三項（これらの規定を第四十三条第五項において準用する場合を含む。）の規定による届出をせず、又は虚偽の届出をしたとき。

十五　第三十八条第一項又は第二項の規定による届出をしない

で、又は虚偽の届出をして、事業を休止し、又は廃止したとき。

十六　第六十二条第一項若しくは第六十三条第一項（第七十五条第三項において準用する場合を含む。）の規定による認可を受けないで、又は認可を受けた供用約款若しくは供用制限によらないで、自動車道の供用契約を締結したとき。

十七　第七十条の三第一項又は第八十条第一項の規定により許可を受けてしなければならない事項を許可を受けないでしたとき。

十八　第九十四条第一項の規定による報告をせず、又は虚偽の報告をしたとき。

十九　第九十四条第四項の規定による検査を拒み、妨げ、若しくは忌避し、又は質問に対し虚偽の陳述をしたとき。

第九八条の二　次の各号のいずれかに該当するときは、その違反行為をした者は、五十万円以下の罰金に処する。

一　第七十九条の七第一項の規定に違反して、第七十九条の二第一項各号に掲げる事項又は事業者協力型自家用有償旅客運送を行うかどうかの別を変更したとき。

二　第七十九条の九第二項の規定による命令に違反したとき。

第九八条の二の二　次の各号のいずれかに該当するときは、その違反行為をした適正化機関の役員又は職員は、三十万円以下の罰金に処する。

一　第九十四条第二項の規定による報告をせず、又は虚偽の報告をしたとき。

二　第九十四条第五項の規定による検査を拒み、妨げ、若しくは忌避し、又は質問に対して陳述をせず、若しくは虚偽の陳述をしたとき。

第九八条の三　次の各号のいずれかに該当するときは、その違反行為をした指定試験機関の役員又は職員は、三十万円以下の罰金に処する。

一　第四十五条の八の規定に違反して、帳簿を備え付けず、帳簿に記載せず、若しくは帳簿に虚偽の記載をし、又は帳簿を保存しなかつたとき。

二　第四十五条の十の規定に違反して、試験事務の全部を廃止したとき。

三　第九十四条第三項の規定による報告をせず、又は虚偽の報告をしたとき。

四　第九十四条第五項の規定による検査を拒み、妨げ、若しくは忌避し、又は質問に対して陳述をせず、若しくは虚偽の陳述をしたとき。

第九九条　法人の代表者又は法人若しくは人の代理人、使用人その他の従業者がその法人又は人の業務又は所有し、若しくは使用する自動車に関し、次の各号に掲げる規定の違反行為をしたときは、行為者を罰するほか、その法人に対して当該各号に定める罰金刑を、その人に対して各本条の罰金刑を科する。

一　第九十七条（第二号に係る部分に限る。）　一億円以下の罰金刑

二　第九十六条、第九十七条（第二号に係る部分を除く。）又は第九十七条の三から第九十八条の二まで　各本条の罰金刑

第一〇〇条　自動車道若しくはその標識を損壊し、又はその他の方法で自動車道における自動車の往来の危険を生ぜしめた者は、五年以下の懲役に処する。

2　前項の未遂罪は、これを罰する。

3　みだりに第六十八条第五項の規定による道路標識に類似し、又はその効果を妨げるような工作物を設置した者は、六月以下の懲役又は五十万円以下の罰金に処する。

第一〇一条　人の現在する一般旅客自動車運送事業者の事業用自動車を転覆させ、又は破壊した者は、十年以下の懲役に処する。

2　前項の罪を犯しよつて人を傷つけた者は、一年以上の有期懲役に処し、死亡させた者は、無期又は三年以上の懲役に処する。

3　第一項の未遂罪は、これを罰する。

第一〇二条　第百条第一項の罪を犯しよつて自動車を転覆させ、又は破壊した者も前条の例による。

第一〇三条　過失により第百条第一項又は第百一条第一項の罪を犯した者は、三十万円以下の罰金に処する。その業務に従事する者が犯したときは、一年以下の禁錮又は五十万円以下の罰金に処する。

第一〇四条　次の各号のいずれかに該当する者は、二十万円以下の罰金に処する。

一　一般旅客自動車運送事業者の事業用自動車の乗務員の職務の執行を妨げた者

二　一般旅客自動車運送事業者の事業用自動車に石類を投げつけた者

三　第二十八条第一項（第四十三条第五項において準用する場合を含む。）の規定に違反した者

四　第六十八条第六項の規定に違反した者

第一〇五条　次の各号のいずれかに該当する者は、五十万円以下の過料に処する。

一　第十二条、第十五条の二第六項、第三十八条第四項（第七十条の三第三項において準用する場合を含む。）、第六十四条又は第九十五条の規定による公示若しくは表示をせず、又は虚偽の公示若しくは表示をした者

二　第十四条の規定に違反した者

三　第十五条第四項（第四十三条第五項において準用する場合を含む。）、第十五条の二第五項（第三十八条第三項において準用する場合を含む。）、第十五条の三第三項、第二十九条（第四十三条第五項において準用する場合を含む。）、第四十三条第八項若しくは第十項、第五十四条第三項（第六十七条（第七十五条第三項において準用する場合を含む。）及び第七十五条第三項において準用する場合を含む。）、第六十六条第三項、第七十九条の七第三項、第七十九条の十、第七十九条の十一又は第九十二条の規定による届出をせず、又は虚偽の届出をした者

四　正当な理由なく、第二十三条の三の規定による命令に違反して、運行管理者資格者証を返納しなかつた者

五　第二十九条の三（第四十三条第五項において準用する場合を含む。）の規定による公表をせず、又は虚偽の公表をした者

六　第四十三条第六項の規定による届出をしないで、又は届け出た運賃若しくは料金によらないで、運賃又は料金を収受した者

七　第六十八条第四項（第七十五条第三項において準用する場合を含む。）の規定による報告をせず、又は虚偽の報告をした者

八　第七十九条の八第一項の規定による公示をせず、若しくは虚偽の公示をし、又は説明をしなかつた者

附　則

1　この法律は、昭和二十六年七月一日から施行する。但し、第八条第二項及び第三項、第九条から第十一条まで、第六十一条第二項及び第三項、第七十二条（第九条の規定の準用に関する部分に限る。）、第八十五条第二項並びに第九十四条（第八十五条第二項の規定の準用に関する部分に限る。）の規定は、道路運送事業の運賃又は料金につき、物価統制令（昭和二十一年勅令第百十八号）第四条又は同令第七条の規定による統制額の存する間は、その統制額の存する部分については、適用しない。

2　第九条の三第二項第一号の規定の適用については、当分の間、「加えたもの」とあるのは、「加えたものを超えないもの」とする。

附　則〔昭和二八・八・五法律一六八抄〕

1　この法律は、昭和二十八年十月一日から施行する。

3　この法律の施行前にした改正前の道路運送法及び道路運送法施行法（昭和二十六年法律第百八十四号）第十一条の規定による一般自動車運送事業の免許又は道路運送法第四十六条の規定による種類若しくは事業区域の指定は、運輸省令で定めるとこ

ろにより、改正後の同法の規定に基いてしたものとみなす。

4　この法律の施行前にした改正前の道路運送法の規定による一般自動車運送事業の免許の申請は、運輸省令で定めるところにより、改正後の同法の規定に基いてしたものとみなす。

5　この法律の施行前にした行為に対する罰則の適用については、なお従前の例による。

附　則〔昭和三七・九・一五法律一六一抄〕

1　この法律は、昭和三十七年十月一日から施行する。

2　この法律による改正後の規定は、この附則に特別の定めがある場合を除き、この法律の施行前にされた行政庁の処分、この法律の施行前にされた申請に係る行政庁の不作為その他この法律の施行前に生じた事項についても適用する。ただし、この法律による改正前の規定によつて生じた効力を妨げない。

3　この法律の施行前に提起された訴願、審査の請求、異議の申立てその他の不服申立て（以下「訴願等」という。）については、この法律の施行後も、なお従前の例による。この法律の施行前にされた訴願等の裁決、決定その他の処分（以下「裁決等」という。）又はこの法律の施行前に提起された訴願等につきこの法律の施行後にされる裁決等にさらに不服がある場合の訴願等についても、同様とする。

4　前項に規定する訴願等で、この法律の施行後は行政不服審査法による不服申立てをすることができることとなる処分に係るものは、同法以外の法律の適用については、行政不服審査法による不服申立てとみなす。

5　第三項の規定によりこの法律の施行後にされる審査の請求、異議の申立てその他の不服申立ての裁決等については、行政不服審査法による不服申立てをすることができない。

6　この法律の施行前にされた行政庁の処分で、この法律による改正前の規定により訴願等をすることができるものとされ、かつ、その提起期間が定められていなかつたものについて、行政不服審査法による不服申立てをすることができる期間は、この法律の施行の日から起算する。

8　この法律の施行前にした行為に対する罰則の適用については、なお従前の例による。

9　前八項に定めるもののほか、この法律の施行に関して必要な経過措置は、政令で定める。

附　則〔昭和四六・六・一法律九六抄〕

（施行期日等）

1　この法律〔中略〕は、当該各号に掲げる日から施行する。

一・二〔略〕

三〔前略〕公布の日から起算して六月を経過した日

8　第二十四条の規定の施行の際現に経営している同条の規定による改正前の道路運送法（以下「旧道路運送法」という。）第三条第二項第六号の一般小型貨物自動車運送事業（第二十四条の規定による改正後の道路運送法（以下「新道路運送法」という。）第三条第四項第二号の無償貨物自動車運送事業又は同法第二条第五項の軽車両等運送事業に該当するものを除く。以下同じ。）に係る旧道路運送法第四条第一項の免許は、新道路運送法第三条第二項第五号の一般区域貨物自動車運送事業に係る同法第四条第一項の免許とみなす。

9　第二十四条の規定の施行前にした旧道路運送法第三条第二項第六号の一般小型貨物自動車運送事業に係る同法第四条第一項の免許の申請は、新道路運送法第三条第二項第五号の一般区域貨物自動車運送事業に係る同法第四条第一項の免許の申請とみなす。

10　第二十四条の規定の施行の際現に経営している旧道路運送法第三条第三項の特定自動車運送事業（新道路運送法第三条第四項の無償自動車運送事業又は同法第二条第五項の軽車両等運送事業に該当するものを除く。以下同じ。）に係る旧道路運送法第四条第一項の免許は、新道路運送法第四十五条第一項の許可とみなす。

11　第二十四条の規定の施行前にした旧道路運送法第三条第三項の特定自動車運送事業に係る同法第四条第一項の免許の申請は、新道路運送法第四十五条第一項の許可の申請とみなす。

12　第二十四条の規定の施行の際現に旧道路運送法第四条第一項の免許を受けている自動車運送事業で新道路運送法第三条第四項の無償自動車運送事業に該当するものを経営している者は、同法第四十五条の二第一項前段の届出をしないでも、当該事業を引き続き経営することができる。この場合において、同項後段の規定の適用については、当該免許に係る路線又は事業区域及び事業計画のうち同法第四十五条の二第一項前段の規定により届け出なければならない事項に該当するものは、同項前段の規定により届け出た事項とみなす。

13　第二十四条の規定の施行前にした旧道路運送法第四条第一項の免許の申請で新道路運送法第三条第四項の無償自動車運送事業に該当するものに係るものは、同法第四十五条の二第一項前段の規定によりした届出とみなす。

14　第二十四条の規定の施行の際現に旧道路運送法第八条第一項の規定により認可を受けている特定自動車運送事業に係る運賃及び料金は、新道路運送法第四十五条第七項の規定により届け出た運賃及び料金とみなす。

附　則〔昭和五九・八・一〇法律六七抄〕

（施行期日）

第一条　この法律は、公布の日から起算して一年を超えない範囲内において政令で定める日から施行する。

〔昭和五九政三三〇により、昭和六〇・四・一から施行〕

（経過措置）

第九条　この法律の施行前に、この法律による改正前の道路運送法〔中略〕又はこれらの法律に基づく命令の規定によりした処分、手続その他の行為は、この法律による改正後の道路運送法〔中略〕又はこれらの法律に基づく命令の相当規定によりした処分、手続その他の行為とみなす。

第一一条　この法律の施行の際現に陸運事務所の職員である者は、別に辞令を発せられない限り、運輸省又は沖縄開発庁の相当の機関の職員となるものとする。

附　則〔平成元・一二・一九法律八二抄〕

（施行期日）

第一条　この法律は、公布の日から起算して一年を超えない範囲内において政令で定める日から施行する。

〔平成二政二〇九により、平成二・一二・一から施行〕

（経過措置）

第七条　この法律の施行の際現に附則第二条の規定による廃止前の通運事業法（以下「旧通運事業法」という。）第二条第一項第一号の行為を行う事業（次条第一項の規定により第二種利用運送事業の許可を受けたものとみなされる者が経営する当該許可に係る事業に含まれるものを除く。）について旧通運事業法第四条第一項の免許を受けている者は、当該免許に係る事業の範囲内において、この法律の施行の日（以下「施行日」という。）に第一種利用運送事業及び運送取次事業についてそれぞれ第三条第一項の許可及び第二十三条の登録を受けたものとみなす。

2　前項の規定により第一種利用運送事業の許可を受けたものとみなされる者については、当該事業に係る旧通運事業法第五条第三項の事業計画（第四条第一項第三号に規定する事項に相当する事項に係る部分に限る。）を同号の事業計画とみなして、この法律の規定を適用する。

3　運輸大臣は、第一項の規定により運送取次事業の登録を受けたものとみなされる者に係る当該登録については、当該事業に係る旧通運事業法第五条第三項の事業計画に記載されている事項のうち第二十五条第一項第一号に掲げる事項に相当するもの及び同項第二号に掲げる事項を運送取次事業者登録簿に記載することにより行うものとする。

4　運輸大臣は、前項の場合において、第二十五条第一項第一号に掲げる事項の一部の事項について旧通運事業法第五条第三項の事業計画にこれに相当する事項の記載がないときその他必要があると認めるときは、施行日から一年を経過する日までの間に限り、運輸省令で定めるところにより、職権により、当該登録を更正することができる。

第八条 この法律の施行の際現に次の各号のいずれかに該当する者であって第二種利用運送事業に該当する事業を経営しているものは、当該免許（第二号に掲げる者にあっては、当該免許及び当該指定又は登録）に係る事業の範囲内において施行日に第二種利用運送事業について第三条第一項の許可を受けたものとみなす。

一 旧通運事業法第二条第一項第一号及び第二号の行為を行う事業について旧通運事業法第四条第一項の免許を受けている者

二 旧通運事業法第二条第一項第一号の行為を行う事業について旧通運事業法第四条第一項の免許を受けている者であって、旧通運事業法第十五条の規定により運輸大臣から取扱駅の指定を受けているもの又は附則第四条の規定による改正前の道路運送法（以下「旧道路運送法」という。）第二条第四項第三号の行為を行う事業について旧道路運送法第八十条第一項の登録を受けているもの

2 前項の規定により第二種利用運送事業の許可を受けたものとみなされる者については、当該事業に係る旧通運事業法第五条第三項の事業計画（第四条第一項第三号に規定する事項に相当する事項に係る部分に限る。）を同号の事業計画と、当該事業に係る旧通運事業法第五条第三項の事業計画（第四条第一項第四号に規定する事項に相当する事項に係る部分に限る。）若しくは旧道路運送法第五条第一項第三号の事業計画（第四条第一項第四号に規定する事項に相当する事項に係る部分に限る。）又は当該事業に係る旧道路運送法第八十二条第一項の自動車運送取扱事業者登録簿に記載されている事項のうち第四条第一項第四号に規定する事項に相当するものを同号の集配事業計画とみなして、この法律の規定を適用する。

3 運輸大臣は、前項の場合において、第四条第一項第四号に規定する事項の一部の事項について旧通運事業法第五条第三項の事業計画、旧道路運送法第五条第一項第三号の事業計画又は旧道路運送法第八十二条第一項の自動車運送取扱事業者登録簿にこれに相当する事項の記載がないときその他必要があると認めるときは、当該第二種利用運送事業の許可を受けたものとみなされる者に対し、施行日から一年を経過する日までの間に限り、運輸省令で定めるところにより、当該集配事業計画に追加する必要があると認められる事項を記載した届出書の提出を求めることができる。この場合において当該届出書の提出があったときは、第七条、第八条第一項及び第十五条第一号中「集配事業計画」とあるのは、「集配事業計画（附則第八条第三項に規定する届出書に記載された事項を含む。）」とする。

4 第一項の規定により第二種利用運送事業の許可を受けたものとみなされる者（同項第二号に掲げる者に限る。）がこの法律の施行後最初に第九条第一項の規定により届け出なければならない運賃及び料金については、同項中「あらかじめ」とあるのは、「この法律の施行の日から三月以内に」とする。

5 前項に規定する者がこの法律の施行後最初に第十一条第一項の規定により認可を受けなければならない利用運送約款については、同項中「、運輸大臣」とあるのは、「、この法律の施行の日から三月以内に、運輸大臣」とする。

第一二条 この法律の施行の際現に旧道路運送法第二条第四項第一号又は第二号の行為を行う事業について旧道路運送法第八十条第一項の登録を受けている者は、当該登録に係る事業の範囲内において、施行日に運送取次事業について第二十三条の登録を受けたものとみなす。

2 附則第七条第三項及び第四項の規定は、前項の規定により運送取次事業の登録を受けたものとみなされる者に係る当該登録について準用する。この場合において、これらの規定中「旧通運事業法第五条第三項の事業計画」とあるのは、「附則第四条の規定による改正前の道路運送法第八十二条第一項の自動車運送取扱事業者登録簿」と読み替えるものとする。

第一三条 この法律の施行の際現に旧道路運送法第二条第四項第三号の行為を行う事業（附則第八条第一項の規定により第二種利用運送事業の許可を受けたものとみなされる者が経営する当該許可に係る事業に含まれるものを除く。）について旧道路運送法第八十条第一項の登録を受けている者は、当該登録に係る事業の範囲内において、施行日に第一種利用運送事業について第三条第一項の許可を受けたものとみなす。

2 前項の規定により第一種利用運送事業の許可を受けたものとみなされる者については、当該事業に係る旧道路運送法第八十二条第一項の自動車運送取扱事業者登録簿に記載されている事項のうち第四条第一項第三号に規定する事項に相当する事項を同号の事業計画とみなして、この法律の規定を適用する。

3 運輸大臣は、前項の場合において、第四条第一項第三号に規定する事項の一部の事項について旧道路運送法第八十二条第一項の自動車運送取扱事業者登録簿にこれに相当する事項の記載がないときその他必要があると認めるときは、当該第一種利用運送事業の許可を受けたものとみなされる者に対し、施行日から一年を経過する日までの間に限り、運輸省令で定めるところにより、当該事業計画に追加する必要があると認められる事項を記載した届出書の提出を求めることができる。この場合において当該届出書の提出があったときは、第七条、第八条第一項及び第十五条第一号中「事業計画」とあるのは、「事業計画（附則第十三条第三項に規定する届出書に記載された事項を含む。）」とする。

第一八条 この法律の施行の際現に旧航空法第百二十二条の二第一項の免許を受け、かつ、旧道路運送法第二条第四項第三号の行為を行う事業について旧道路運送法第八十条第一項の登録を受けている者であって第二種利用運送事業に該当する事業を経営しているものは、当該免許又は登録に係る事業の範囲内において、施行日に第二種利用運送事業について第三条第一項の許可を受けたものとみなす。

2 前項の規定により第二種利用運送事業の許可を受けたものとみなされる者については、当該事業に係る旧航空法第百二十二条の二第二項において準用する旧航空法第百条第二項の事業計画（第四条第一項第三号に規定する事項に相当する事項に係る部分に限る。）を同号の事業計画と、当該事業に係る旧道路運送法第五条第一項第三号の事業計画（第四条第一項第四号に規定する事項に相当する事項に係る部分に限る。）又は当該事業に係る旧道路運送法第八十二条第一項の自動車運送取扱事業者登録簿に記載されている事項のうち第四条第一項第四号に規定する事項に相当するものを同号の集配事業計画とみなして、この法律の規定を適用する。

3 附則第八条第三項の規定は、前項の場合に準用する。この場合において、同条第三項中「旧通運事業法第五条第三項の事業計画、旧道路運送法第五条第一項第三号の事業計画」とあるのは「旧道路運送法第五条第一項第三号の事業計画」と、「附則第八条第三項」とあるのは「附則第十八条第三項において準用する附則第八条第三項」と読み替えるものとする。

4 附則第八条第四項及び第五項の規定は、第一項の規定により第二種利用運送事業の許可を受けたものとみなされる者について準用する。

第二〇条 この法律の施行の際現に旧航空法第百三十一条の二第一項の許可を受け、かつ、旧道路運送法第二条第四項第三号の行為を行う事業について旧道路運送法第八十条第一項の登録を受けている者であって第二種利用運送事業に該当する事業を経営しているものは、当該許可及び当該免許又は登録に係る事業の範囲内において、施行日に第二種利用運送事業について第三十五条第一項の許可を受

けたものとみなす。

2　前項の規定により第二種利用運送事業の許可を受けたものとみなされる者については、当該事業に係る旧航空法第百三十一条の二第二項において準用する旧航空法第百二十九条第二項の事業計画（第三十五条第四項の事業計画について同項の運輸省令で定める事項に相当する事項に係る部分に限る。）及び当該事業に係る旧道路運送法第五条第一項第三号の事業計画（第三十五条第四項の事業計画について同項の運輸省令で定める事項に相当する事項に係る部分に限る。）又は旧道路運送法第八十二条第一項の自動車運送取扱事業者登録簿に記載されている事項のうち第三十五条第四項の事業計画について同項の運輸省令で定める事項に相当するものを同項の事業計画とみなして、この法律の規定を適用する。

3　運輸大臣は、前項の場合において、第三十五条第四項の事業計画について同項の運輸省令で定める事項の一部の事項について旧道路運送法第五条第一項第三号の事業計画又は旧道路運送法第八十二条第一項の自動車運送取扱事業者登録簿にこれに相当する事項がないときその他必要があると認めるときは、当該第二種利用運送事業の許可を受けたものとみなされる者に対し、施行日から一年を経過する日までの間に限り、運輸省令で定めるところにより、当該第三十五条第四項の事業計画に追加する必要があると認められる事項を記載した届出書の提出を求めることができる。この場合において当該届出書の提出があったときは、第三十六条第一項、第二項及び第五項中「事業計画」とあるのは、「事業計画（附則第二十条第三項に規定する届出書に記載された事項を含む。）」とする。

4　附則第八条第四項の規定は、第一項の規定により第二種利用運送事業の許可を受けたものとみなされる者について準用する。この場合において、同条第四項中「第九条第一項」とあるのは、「第三十七条第一項」と読み替えるものとする。

第二十二条　附則第七条第一項、第八条第一項、第十一条第二項、第十二条第一項、第十三条第一項、第十四条第一項、第十七条第一項若しくは第十八条第一項の規定又は前条第二項の規定により第三条第一項の許可又は第二十三条の登録を受けたものとみなされる者であって、これらの規定により第一種利用運送事業若しくは第二種利用運送事業又は運送取次事業についてそれぞれ二以上の許可又は登録を受けたものとみなされるものについては、当該二以上の許可又は登録を一の許可又は登録とみなして、この法律の規定を適用する。

第二十三条　附則第七条第一項、第八条第一項、第十一条第二項、第十二条第一項、第十三条第一項、第十四条第一項、第十七条第一項、第十八条第一項又は第二十一条第二項の規定により第三条第一項の許可又は第二十三条の登録を受けたものとみなされる者についての第二十一条第二号及び第三十二条第一項第三号の規定の適用については、これらの規定中「該当するに至ったとき」とあるのは、「該当していたことが判明したとき又はいずれかに該当するに至ったとき」とする。

第二十五条　旧海上運送法、旧通運事業法、旧道路運送法、旧内航海運業法若しくは旧航空法（附則第二十八条において「旧海上運送法等」という。）又はこれらに基づく命令によりした処分、手続その他の行為で、この法律中相当する規定があるものは、附則第七条から第十五条まで、附則第十七条から第二十一条まで及び前条に規定するものを除き、運輸省令で定めるところにより、この法律によりしたものとみなす。

第二十八条　この法律の施行の際現に貨物運送取扱事業に該当する事業（旧海上運送法等に基づき免許、許可若しくは登録を受けること又は届出をすることを要する事業並びに附則第十条及び前二条の規定が適用される事業を除く。）を経営している者は、施行日から六月間は、第三条第一項若しくは第三十五条第一項の許可又は第二十三条若しくは第四十一条第一項の登録を受けないで、当該事業を経営することができる。その者がその期間内に当該事業についてこれらの規定による許可又は登録の申請をした場合において、その許可をする旨若しくはその許可をしない旨又はその登録をする旨若しくはその登録を拒否する旨の通知を受ける日までの間についても、同様とする。

第三十一条　附則第七条から前条までに定めるもののほか、この法律の施行に関して必要な経過措置は、政令で定める。

（検討）

第五十二条　政府は、この法律の施行後三年を経過した場合において、この法律の施行の状況について検討を加え、その結果に基づいて必要な措置を講ずるものとする。

附　則　〔平成元・一二・一九法律八三抄〕

（施行期日）

第一条　この法律は、公布の日から起算して一年を超えない範囲内において政令で定める日から施行する。

〔平成二政二二二により、平成二・一二・一から施行〕

（経過措置）

第二条　この法律の施行の際現に附則第十四条の規定による改正前の道路運送法（以下「旧法」という。）第三条第二項第四号の一般路線貨物自動車運送事業について旧法第四条第一項の免許を受けている者は、当該免許に係る事業について次項の規定により確認を受けたときは、その確認を受けた事業の範囲内において、この法律の施行の日（以下「施行日」という。）に一般貨物自動車運送事業について第三条の許可を受けたものとみなす。

2　前項に規定する者は、施行日から三月以内に、この法律の施行の際現に旧法第四条第一項の免許を受けて経営している旧法第三条第二項第四号の一般路線貨物自動車運送事業に関する第四条第一項第二号の営業区域に相当する区域その他の運輸省令で定める事項を記載した申請書を運輸大臣に提出して、その確認を受けることができる。

3　第一項に規定する者は、前項に規定する期間内（同項の確認を申請したときは、その確認をする旨又はその確認をしない旨の通知を受ける日までの間）は、第三条の許可を受けないで、当該事業を従前の例により引き続き経営することができる。

4　第一項の規定により一般貨物自動車運送事業の許可を受けたものとみなされる者については、当該事業に係る旧法第五条第一項第三号の事業計画（第四条第一項第二号及び同条第二項に規定する事項に相当する事項に係る部分に限る。）及び第二項の確認を受けた事項を第四条第一項第二号の事業計画とみなして、この法律の規定を適用する。この場合において、第七条第五項、第八条、第九条第一項及び第三項並びに第二十六条第一号中「事業計画」とあるのは、「事業計画（附則第二条第二項の確認を受けた事項を含む。）」とする。

5　第一項の規定により一般貨物自動車運送事業の許可を受けたものとみなされる者は、施行日から三年間は、第十八条第一項の規定にかかわらず、旧法第二十五条の二第一項の規定の例により運行管理者を選任することができる。この場合における当該運行管理者の解任の命令については、同条第三項及び第四項の規定の例によるものとする。

第三条　この法律の施行の際現に旧法第三条第二項第五号の一般区域貨物自動車運送事業について旧法第四条第一項の免許を受けている者は、当該免許に係る事業の範囲内において、施行日に一般貨物自動車運送事業について第三条の許可を受けたものとみなす。

2　前項の規定により一般貨物自動車運送事業の許可を受けたものとみなされる者については、当該事業に係る旧法第五条第一項第二号の事業区域及び同項第三号の事業計画（第四条第一項第二号に規定する事項に相当する事項に係る部分に限る。）を第四条第一項第二号の事業計画とみなして、この法律の規定を適用する。

3　運輸大臣は、前項の場合において、第四条第一項第二号に規定する事項の一部の事項について旧法第五条第一項第三号の事業計画にこれに相当する事項の記載がないときその他必要があると認めるときは、当該一般貨物自動車運送事業の許可を受けたものとみなされる者に対し、施行日から一年を経過する日までの間に限り、運輸省令で定めるところにより、当該第四条第一項第二号の事業計画に追加する必要があると認められる事項を記載した届出書の提出を求めることができる。この場合において当該届出書の提出があったときは、第七条第五項、第八条、第九条第一項及び第三項並びに第二十六条第一号中「事業計画」とあるのは、「事業計画（附則第三条第三項に規定する届出書に記載された事項を含む。）」とする。

4　前条第五項の規定は、第一項の規定により一般貨物自動車運送事業の許可を受けたものとみなされる者について準用する。

第四条　この法律の施行の際現に旧法第三条第三項第二号の特定貨物自動車運送事業について路線を定めて旧法第四十五条第一項の許可を受けている者は、当該許可に係る事業について次項の規定により確認を受けたときは、その確認を受けた事業の範囲内において、施行日に特定貨物自動車運送事業について第三十五条第一項の許可を受けたものとみなす。

2　前項に規定する者は、施行日から三月以内に、この法律の施行の際現に旧法第四十五条第一項の許可を受けて経営している旧法第三条第三項第二号の特定貨物自動車運送事業に関する第三十五条第二項第三号の営業区域に相当する区域その他の運輸省令で定める事項を記載した申請書を運輸大臣に提出して、その確認を受けることができる。

3　第一項に規定する者は、前項に規定する期間内（同項の確認を申請したときは、その確認をする旨又はその確認をしない旨の通知を受ける日までの間）は、第三十五条第一項の許可を受けないで、当該事業を従前の例により引き続き経営することができる。

4　第一項の規定により特定貨物自動車運送事業の許可を受けたものとみなされる者については、当該事業に係る旧法第四十五条第二項第三号の事業計画（第三十五条第二項第三号に規定する事項に相当する事項に係る部分に限る。）及び第二項の確認を受けた事項を第三十五条第二項第三号の事業計画とみなして、この法律の規定を適用する。この場合において、同条第五項において準用する第七条第五項並びに第三十五条第六項において準用する第九条第一項及び第三項中「事業計画」とあるのは、「事業計画（附則第四条第二項の確認を受けた事項を含む。）」とする。

5　第一項の規定により特定貨物自動車運送事業の許可を受けたものとみなされる者は、施行日から三年間は、第三十五条第六項において準用する第十八条第一項の規定にかかわらず、旧法第四十五条第五項において準用する旧法第二十五条の二第一項の規定の例により運行管理者を選任することができる。この場合における当該運行管理者の解任の命令については、旧法第四十五条第五項において準用する旧法第二十五条の二第三項及び第四項の規定の例によるものとする。

第五条　この法律の施行の際現に旧法第三条第三項第二号の特定貨物自動車運送事業について事業区域を定めて旧法第四十五条第一項の許可を受けている者は、当該許可に係る事業の範囲内において、施行日に特定貨物自動車運送事業について第三十五条第一項の許可を受けたものとみなす。

2　前項の規定により特定貨物自動車運送事業の許可を受けたものとみなされる者については、当該事業に係る旧法第四十五条第二項第二号の事業区域及び同項第三号の事業計画（第三十五条第二項第三号に規定する事項に相当する事項に係る部分に限る。）を第三十五条第二項第三号の事業計画とみなして、この法律の規定を適用する。

3　運輸大臣は、前項の場合において、第三十五条第二項第三号に規定する事項の一部の事項について旧法第四十五条第二項第三号の事業計画にこれに相当する事項の記載がないときその他必要があると認めるときは、当該特定貨物自動車運送事業の許可を受けたものとみなされる者に対し、施行日から一年を経過する日までの間に限り、運輸省令で定めるところにより、当該第三十五条第二項第三号の事業計画に追加する必要があると認められる事項を記載した届出書の提出を求めることができる。この場合において当該届出書の提出があったときは、同条第五項において準用する第七条第五項並びに第三十五条第六項において準用する第九条第一項及び第三項中「事業計画」とあるのは、「事業計画（附則第五条第三項に規定する届出書に記載された事項を含む。）」とする。

4　前条第五項の規定は、第一項の規定により特定貨物自動車運送事業の許可を受けたものとみなされる者について準用する。

第六条　附則第二条から前条までの規定により第三条又は第三十五条第一項の許可を受けたものとみなされる者であって、これらの規定により一般貨物自動車運送事業又は特定貨物自動車運送事業について、それぞれ二以上の許可を受けたものとみなされるものについては、当該二以上の許可を一の許可とみなして、この法律の規定を適用する。

第七条　貨物運送取扱事業法附則第八条第一項の規定により同法第二条第九項の第二種利用運送事業の許可を受けたものとみなされる者（同法附則第八条第一項第一号に掲げる者に限る。）は、第三十七条第二項及び第三項の規定の適用については、同条第二項に規定する者とみなす。

2　附則第二条第五項の規定は、前項に規定する者について準用する。

第八条　旧法又は旧法に基づく命令によりした処分、手続その他の行為で、この法律中相当する規定があるものは、附則第二条から第五条までに規定するものを除き、運輸省令で定めるところにより、この法律によりしたものとみなす。

第九条　二輪の自動車を使用して貨物軽自動車運送事業を経営する者については、施行日から二年間は、第三十六条の規定は、適用しない。

第一〇条　この法律の施行前にした行為並びに附則第二条第三項又は第四条第三項の規定により従前の例によることとされる場合及び附則第二条第五項（附則第三条第四項及び第七条第二項において準用する場合を含む。）又は第四条第五項（附則第五条第四項において準用する場合を含む。）の規定により旧法第二十五条の二第一項又は第三項（旧法第四十五条第五項において準用する場合を含む。）の規定の例によることとされる場合におけるこの法律の施行後にした行為に対する罰則の適用については、なお従前の例による。

第一一条　附則第二条から前条までに定めるもののほか、この法律の施行に関して必要な経過措置は、政令で定める。

附　則〔平成五・一一・一二法律八九抄〕

（施行期日）

第一条　この法律は、行政手続法（平成五年法律第八十八号）の施行の日（平成六・一〇・一）から施行する。

（諮問等がされた不利益処分に関する経過措置）

第二条　この法律の施行前に法令に基づき審議会その他の合議制の機関に対し行政手続法第十三条に規定する聴聞又は弁明の機会の付与の手続その他の意見陳述のための手続に相当する手続を執るべきことの諮問その他の求めがされた場合においては、当該諮問その他の求めに係る不利益処分の手続に関しては、この法律による改正後の関係法律の規定にかかわらず、なお従前の例による。

（罰則に関する経過措置）

第一三条　この法律の施行前にした行為に対する罰則の適用については、なお従前の例による。

（聴聞に関する規定の整理に伴う経過措置）

第一四条　この法律の施行前に法律の規定により行われた聴聞、聴問若しくは聴聞会（不利益処分に係るものを除く。）又はこれらのための手続は、この法律による改正後の関係法律の相当規定により行われたものとみなす。

（政令への委任）

第一五条　附則第二条から前条までに定めるもののほか、この法律の施行に関して必要な経過措置は、政令で定める。

　附　則〔平成六・一一・一一法律九七抄〕

（施行期日）

第一条　この法律〔中略〕は、それぞれ当該各号に定める日〔公布の日から起算して六月を超えない範囲内において政令で定める日〕から施行する。

〔平成七政五により、平成七・四・一から施行〕

（道路運送法の一部改正に伴う経過措置）

第一六条　第三十二条の規定の施行の際現に同条の規定による改正前の道路運送法（以下この条において「旧道路運送法」という。）第九条第一項の規定により認可を受けている運賃及び料金であって、第三十二条の規定による改正後の道路運送法（以下この条において「新道路運送法」という。）第九条第一項の運輸省令で定める料金又は同条第四項に規定する割引に相当する割引が行われた運賃及び料金に該当するものは、それぞれ同条第三項又は第四項の規定により届け出た運賃及び料金とみなす。

２　第三十二条の規定の施行の際現にされている旧道路運送法第九条第一項の規定による運賃及び料金の認可の申請であって、新道路運送法第九条第一項の運輸省令で定める料金に係るもの又は同条第四項に規定する割引に相当する割引に係るものは、それぞれ同条第三項又は第四項の規定によりした届出とみなす。

３　第三十二条の規定の施行前に受けた旧道路運送法第七十五条において準用する旧道路運送法第五十七条第一項又は第五十八条第一項の規定による検査は、新道路運送法第七十五条第一項の規定による検査とみなす。

４　第三十二条の規定の施行前に受けた旧道路運送法第七十五条において準用する旧道路運送法第五十九条第一項の規定による検査は、当該検査を受けた部分についての新道路運送法第七十五条第一項の規定による検査とみなす。

５　第三十二条の規定の施行の際現にされている旧道路運送法第七十五条において準用する旧道路運送法第五十七条第一項、第五十八条第一項又は第五十九条第一項の規定による検査の申請は、新道路運送法第七十五条第一項の規定による検査の申請とみなす。

　附　則〔平成七・五・八法律八五抄〕

（施行期日）

第一条　この法律は、公布の日から施行する。〔以下略〕

（罰則に関する経過措置）

第五条　この法律〔中略〕の施行前にした行為に対する罰則の適用については、なお従前の例による。

（政令への委任）

第六条　附則第二条から前条までに定めるもののほか、この法律の施行に関して必要となる経過措置（罰則に関する経過措置を含む。）は、政令で定める。

　附　則〔平成九・六・二〇法律九六抄〕

（施行期日）

第一条　この法律は、公布の日から起算して一月を経過した日から施行する。

（道路運送法の一部改正に伴う経過措置）

第七条　この法律の施行の際現に存する第十六条の規定による改正前の道路運送法（以下この条において「旧法」という。）第十八条第一項の認可を受けた協定については、この法律の施行の日から起算して一年間は、なお従前の例による。

２　前項に規定する協定で第十六条の規定による改正後の道路運送法（以下この条において「新法」という。）第十八条各号の協定のいずれかに該当するものについては、一般乗合旅客自動車運送事業者は、同項に規定する期間内においても、新法第十九条第一項の認可の申請をすることができる。この場合において、当該期間内に当該認可をすることとする処分があったときは、当該認可がその効力を生ずる日以後は、前項の規定は、適用しない。

３　この法律の施行の際現にされている旧法第十八条第一項の協定の認可の申請は、当該協定が新法第十八条各号の協定のいずれかに該当するものである場合は、運輸省令で定めるところにより、新法第十九条第一項の協定の認可の申請とみなす。

（罰則に関する経過措置）

第一六条　この法律の施行前にした行為並びに附則第三条第一項及び第四条第一項の規定によりなお効力を有することとされる場合並びに附則第五条、第六条、第七条第一項及び第八条第一項の規定によりなお従前の例によることとされる場合におけるこの法律の施行後にした行為に対する罰則の適用については、なお従前の例による。

　附　則〔平成一一・五・二一法律四八抄〕

改正　平成一一・一二法一六〇

（施行期日）

第一条　この法律は、平成十二年二月一日から施行する。〔以下略〕

（経過措置）

第二条　この法律の施行の際現にこの法律による改正前の道路運送法（以下「旧法」という。）第三条第一号ロの一般貸切旅客自動車運送事業について旧法第四条第一項の免許を受けている者は、当該免許に係る事業区域に対応する営業区域について、この法律の施行の日（以下「施行日」という。）にこの法律による改正後の道路運送法（以下「新法」という。）第四十二条の二第一項の許可を受けたものとみなす。この場合において、旧法の規定による免許に業務の範囲若しくは期間の限定又は条件若しくは期限が付されているときは、当該業務の範囲若しくは期間の限定又は条件若しくは期限は、新法の規定による許可に付されたものとみなす。

２　前項の規定により新法第四十二条の二第一項の許可を受けたものとみなされる者であって、二以上の許可を受けたものとみなされるものについては、当該二以上の許可を一の許可とみなして、新法の規定を適用する。

第三条　前条第一項の規定により一般貸切旅客自動車運送事業の許可を受けたものとみなされる者については、当該事業に係る旧法第五条第一項第三号の事業計画（新法第四十二条の二第二項第二号に規定する事項に相当する事項に係る部分に限る。）を新法第四十二条の二第二項第二号の事業計画とみなして、新法の規定を適用する。

２　国土交通大臣は、前項の場合において、新法第四十二条の二第二項第二号に規定する事項の一部の事項について旧法第五条第一項第三号の事業計画にこれに相当する事項の記載がないときその他必要があると認めるときは、当該一般貸切旅客自動車運送事業の許可を受けたものとみなされる者に対し、施行日から一年を経過する日までの間に限り、国土交通省令で定めるところにより、当該新法第四十二条の二第二項第二号の事業計画に追加する必要があると認められる事項を記載した届出書の提出を求めることができる。この場合において当該届出書の提出があったときは、新法第四十二条の二第七項、第九項及び第十項並びに同条第十三項において準用する第十六条及び第三十一条第一号中「事業計画」とあるのは、「事業計画（附則第三条第二項に規定する届出書に記載された事項を含む。）」とする。

第四条　この法律の施行の際現に旧法第三条第一号ロの一般貸切旅客自動車運送事業について旧法第九条第一項の認可を受けている運賃及び料金は、新法第四十二条の二第五項の規定により届け出た運賃及び料金とみなす。

第五条　前三条に規定するもののほか、旧法又は旧法に基づく命令によりした処分、手続その他の行為で、新法中相当する規定があるものは、運輸省令で定めるところにより、新法によりしたものとみなす。

（罰則に関する経過措置）

第六条　この法律の施行前にした行為に対する罰則の適用については、なお従前の例による。

（政令への委任）

第七条　附則第二条から前条までに定めるもののほか、この法律の施行に関し必要となる経過措置（罰則に関する経過措置を含む。）は、政令で定める。

附　則〔平成一一・七・一六法律八七抄〕

（施行期日）

第一条　この法律は、平成十二年四月一日から施行する。ただし、次の各号に掲げる規定は、当該各号に定める日から施行する。

一　〔前略〕附則〔中略〕第百六十条、第百六十三条、第百六十四条並びに第二百二条の規定　公布の日

二〜六　〔略〕

（国等の事務）

第百五十九条　この法律による改正前のそれぞれの法律に規定するもののほか、この法律の施行前において、地方公共団体の機関が法律又はこれに基づく政令により管理し又は執行する国、他の地方公共団体その他公共団体の事務（附則第百六十一条において「国等の事務」という。）は、この法律の施行後は、地方公共団体が法律又はこれに基づく政令により当該地方公共団体の事務として処理するものとする。

（処分、申請等に関する経過措置）

第百六十条　この法律（附則第一条各号に掲げる規定については、当該各規定。以下この条及び附則第百六十三条において同じ。）の施行前に改正前のそれぞれの法律の規定によりされた許可等の処分その他の行為（以下この条において「処分等の行為」という。）又はこの法律の施行の際現に改正前のそれぞれの法律の規定によりされている許可等の申請その他の行為（以下この条において「申請等の行為」という。）で、この法律の施行の日においてこれらの行為に係る行政事務を行うべき者が異なることとなるものは、附則第二条から前条までの規定又は改正後のそれぞれの法律（これに基づく命令を含む。）の経過措置に関する規定に定めるものを除き、この法律の施行の日以後における改正後のそれぞれの法律の適用については、改正後のそれぞれの法律の相当規定によりされた処分等の行為又は申請等の行為とみなす。

2　この法律の施行前に改正前のそれぞれの法律の規定により国又は地方公共団体の機関に対し報告、届出、提出その他の手続をしなければならない事項で、この法律の施行の日前にその手続がされていないものについては、この法律及びこれに基づく政令に別段の定めがあるもののほか、これを、改正後のそれぞれの法律の相当規定により国又は地方公共団体の相当の機関に対して報告、届出、提出その他の手続をしなければならない事項についてその手続がされていないものとみなして、この法律による改正後のそれぞれの法律の規定を適用する。

（不服申立てに関する経過措置）

第百六十一条　施行日前にされた国等の事務に係る処分であって、当該処分をした行政庁（以下この条において「処分庁」という。）に施行日前に行政不服審査法に規定する上級行政庁（以下この条において「上級行政庁」という。）があったものについての同法による不服申立てについては、施行日以後においても、当該処分庁に引き続き上級行政庁があるものとみなして、行政不服審査法の規定を適用する。この場合において、当該処分庁の上級行政庁とみなされる行政庁は、施行日前に当該処分庁の上級行政庁であった行政庁とする。

2　前項の場合において、上級行政庁とみなされる行政庁が地方公共団体の機関であるときは、当該機関が行政不服審査法の規定により処理することとされる事務は、新地方自治法第二条第九項第一号に規定する第一号法定受託事務とする。

（手数料に関する経過措置）

第百六十二条　施行日前においてこの法律による改正前のそれぞれの法律（これに基づく命令を含む。）の規定により納付すべきであった手数料については、この法律及びこれに基づく政令に別段の定めがあるもののほか、なお従前の例による。

（罰則に関する経過措置）

第百六十三条　この法律の施行前にした行為に対する罰則の適用については、なお従前の例による。

（その他の経過措置の政令への委任）

第百六十四条　この附則に規定するもののほか、この法律の施行に伴い必要な経過措置（罰則に関する経過措置を含む。）は、政令で定める。

2　〔略〕

附　則〔平成一一・一二・八法律一五一抄〕

（施行期日）

第一条　この法律は、平成十二年四月一日から施行する。〔以下略〕

（経過措置）

第三条　民法の一部を改正する法律（平成十一年法律第百四十九号）附則第三条第三項の規定により従前の例によることとされる準禁治産者及びその保佐人に関するこの法律による改正規定の適用については、次に掲げる改正規定を除き、なお従前の例による。

一〜二十五　〔略〕

第四条　この法律の施行前にした行為に対する罰則の適用については、なお従前の例による。

附　則〔平成一二・五・二六法律八六抄〕

改正　平成一二・五法九一

（施行期日）

第一条　この法律は、平成十四年三月三十一日までの間において政令で定める日から施行する。

〔平成一二政五三二により、平成一四・二・一から施行〕

（一般乗合旅客自動車運送事業等に関する経過措置）

第二条　この法律の施行の際現にこの法律による改正前の道路運送法（以下「旧道路運送法」という。）第三条第一号イの一般乗合旅客自動車運送事業又は同号ハの一般乗用旅客自動車運送事業についての旧道路運送法第四条第一項の免許を受けている者は、当該免許に係る路線又は事業区域に対応する路線又は営業区域について、この法律の施行の日（以下「施行日」という。）に、それぞれこの法律による改正後の道路運送法（以下「新道路運送法」という。）第三条第一号イの一般乗合旅客自動車運送事業又は同号ハの一般乗用旅客自動車運送事業についての新道路運送法第四条第一項の許可を受けたものとみなす。この場合において、旧道路運送法の規定による免許に業務の範囲若しくは期間の限定又は条件若しくは期限が付されているときは、当該業務の範囲若しくは期間の限定又は条件若しくは期限は、新道路運送法の規定による許可に付されたものとみなす。

2　前項の規定により新道路運送法第四条第一項の許可を受けたものとみなされる者であって、新道路運送法第三条第一号イの一般乗合旅客自動車運送事業又は同号ハの一般乗用旅客自動車運送事業について、それぞれ二以上の許可を受けたものとみなされるものについては、当該二以上の許可を一の許可とみなして、新道路運送法の規定を適用する。

第三条　前条第一項の規定により新道路運送法第四条第一項の許可を受けたものとみなされる者については、国土交通省令で定めるところにより、当該許可とみなされる旧道路運送法第四条第一項の免許に係る旧道路運送法第五条第一項第四号の事業計画（新道路運送法第五条第一項第三号に規定する事項に相当する事項に係る部分に限る。）を新道路運送法第五条第一項第三号の事業計画とみなして、新道路運送法の規定を適用する。

2　国土交通大臣は、前項の場合において、新道路運送法第五条第一項第三号に規定する事項の一部の事項について旧道路運送法第五条第一項第四号の事業計画にこれに相当する事項の記載がないときその他必要があると認めるときは、前条第一項の規

定により新道路運送法第四条第一項の許可を受けたものとみなされる者に対し、施行日から一年を経過する日までの間に限り、国土交通省令で定めるところにより、当該新道路運送法第五条第一項第三号の事業計画に追加する必要があると認められる事項を記載した届出書の提出を求めることができる。この場合において当該届出書の提出があったときは、新道路運送法第十五条第一項、第三項及び第四項、第十五条の二、第十六条、第十七条並びに第三十一条中「事業計画」とあるのは、「事業計画（附則第三条第二項に規定する届出書に記載された事項を含む。）」とする。

第四条　附則第二条第一項の規定により新道路運送法第三条第一号イの一般乗合旅客自動車運送事業についての新道路運送法第四条第一項の許可を受けたものとみなされる者については、当該事業に係る旧道路運送法第五条第一項第四号の事業計画（新道路運送法第十五条の三第一項に規定する事項に相当する事項に係る部分に限る。）を新道路運送法第十五条の三第一項の運行計画とみなして、新道路運送法の規定を適用する。

２　国土交通大臣は、前項の場合において、新道路運送法第十五条の三第一項に規定する事項の一部の事項について旧道路運送法第五条第一項第四号の事業計画にこれに相当する事項の記載がないときその他必要があると認めるときは、附則第二条第一項の規定により一般乗合旅客自動車運送事業についての新道路運送法第四条第一項の許可を受けたものとみなされる者に対し、施行日から一年を経過する日までの間に限り、国土交通省令で定めるところにより、当該新道路運送法第十五条の三第一項の運行計画に追加する必要があると認められる事項を記載した届出書の提出を求めることができる。この場合において当該届出書の提出があったときは、新道路運送法第十五条の三、第十六条、第十七条並びに第三十一条中「運行計画」とあるのは、「運行計画（附則第四条第二項に規定する届出書に記載された事項を含む。）」とする。

第五条　この法律の施行の際現に旧道路運送法第九条第一項の認可を受けている運賃及び料金又は同条第三項若しくは第四項の規定により届け出た運賃及び料金は、国土交通省令で定めるところにより、新道路運送法第三条第一号イの一般乗合旅客自動車運送事業に係るものにあっては新道路運送法第九条第一項の認可を受けた運賃及び料金の上限又は同条第三項若しくは第四項の規定により届け出た運賃及び料金と、新道路運送法第三条第一号ハの一般乗用旅客自動車運送事業に係るものにあっては新道路運送法第九条の三第一項の認可を受けた運賃及び料金又は同条第三項の規定により届け出た料金とみなす。

第六条　附則第二条第一項の規定により新道路運送法第四条第一項の許可を受けたものとみなされる者は、施行日から三年間は、新道路運送法第二十三条第一項の規定にかかわらず、旧道路運送法第二十三条第一項の規定の例により運行管理者を選任することができる。この場合における当該運行管理者の解任の命令については、同条第三項の規定の例によるものとする。

第七条　この法律の施行前に旧道路運送法第三条第一号イの一般乗合旅客自動車運送事業について旧道路運送法第三十八条第一項の規定によりされた申請に係る事業の休止又は廃止については、なお従前の例による。

（一般貸切旅客自動車運送事業に関する経過措置）

第八条　この法律の施行の際現に旧道路運送法第四十二条の二第一項の許可を受けている者は、施行日に新道路運送法第三条第一号ロの一般貸切旅客自動車運送事業についての新道路運送法第四条第一項の許可を受けたものとみなす。

２　前項の規定により新道路運送法第四条第一項の許可を受けたものとみなされる者は、施行日から三年間は、新道路運送法第二十三条第一項の規定にかかわらず、旧道路運送法第四十二条の二第十三項において準用する旧道路運送法第二十三条第一項の規定の例により運行管理者を選任することができる。この場合における当該運行管理者の解任の命令については、旧道路運送法第四十二条の二第十三項において準用する旧道路運送法第二十三条第三項の規定の例によるものとする。

（特定旅客自動車運送事業に関する経過措置）

第九条　この法律の施行の際現に旧道路運送法第四十三条第一項の許可を受けている者は、当該許可に係る路線又は事業区域に対応する路線又は営業区域について、施行日に新道路運送法第四十三条第一項の許可を受けたものとみなす。この場合において、旧道路運送法の規定による許可に期間の限定又は条件若しくは期限が付されているときは、当該期間の限定又は条件若しくは期限は、新道路運送法の規定による許可に付されたものとみなす。

２　前項の規定により新道路運送法第四十三条第一項の許可を受けたものとみなされる者であって、二以上の許可を受けたものとみなされるものについては、当該二以上の許可を一の許可とみなして、新道路運送法の規定を適用する。

３　第一項の規定により新道路運送法第四十三条第一項の許可を受けたものとみなされる者については、当該事業に係る旧道路運送法第四十三条第二項第二号の事業計画（新道路運送法第四十三条第二項第二号に規定する事項に相当する事項に係る部分に限る。）を新道路運送法第四十三条第二項第二号の事業計画とみなして、新道路運送法の規定を適用する。

４　国土交通大臣は、前項の場合において、新道路運送法第四十三条第二項第二号に規定する事項の一部の事項について旧道路運送法第四十三条第二項第二号の事業計画にこれに相当する事項の記載がないときその他必要があると認めるときは、第一項の規定により新道路運送法第四十三条第一項の許可を受けたものとみなされる者に対し、施行日から一年を経過する日までの間に限り、国土交通省令で定めるところにより、当該新道路運送法第四十三条第二項第二号の事業計画に追加する必要があると認められる事項を記載した届出書の提出を求めることができる。この場合において当該届出書の提出があったときは、新道路運送法第四十三条第五項並びに同項において準用する新道路運送法第十五条第一項、第三項及び第四項及び第十七条中「事業計画」とあるのは、「事業計画（附則第九条第四項に規定する届出書に記載された事項を含む。）」とする。

５　第一項の規定により新道路運送法第四十三条第一項の許可を受けたものとみなされる者は、施行の日から三年間は、同条第五項において準用する新道路運送法第二十三条第一項の規定にかかわらず、旧道路運送法第四十三条第五項において準用する旧道路運送法第二十三条第一項の規定の例により運行管理者を選任することができる。この場合における当該運行管理者の解任の命令については、旧道路運送法第四十三条第五項において準用する旧道路運送法第二十三条第三項の規定の例によるものとする。

（処分、手続等に関する経過措置）

第一〇条　附則第二条から前条までに規定するもののほか、旧道路運送法若しくはこの法律による改正前のタクシー業務適正化臨時措置法又はこれらの法律に基づく命令によりした処分、手続その他の行為で、新道路運送法又はこの法律による改正後のタクシー業務適正化特別措置法中相当する規定があるものは、国土交通省令で定めるところにより、それぞれこれらの法律によりしたものとみなす。

（罰則に関する経過措置）

第一一条　この法律の施行前にした行為並びに附則第六条、第八条第二項又は第九条第五項の規定により旧道路運送法第二十三条第一項又は第三項（旧道路運送法第四十二条の二第十三項又は第四十三条第五項において準用する場合を含む。）の規定の例によることとされる場合及び附則第七条の規定によりなお従前の例によることとされる場合における施行後にした行為に対する罰則の適用については、なお従前の例による。

（政令への委任）

第一二条　附則第二条から前条までに定めるもののほか、この法律の施行に関し必要となる経過措置（罰則に関する経過措置を含む。）は、政令で定める。

附　則〔平成一四・五・三一法律五四抄〕

（施行期日）

第一条　この法律は、平成十四年七月一日から施行する。

（経過措置）

第二八条　この法律の施行前にこの法律による改正前のそれぞれの法律若しくはこれに基づく命令（以下「旧法令」という。）の規定により海運監理部長、陸運支局長、海運支局長又は陸運支局の事務所の長（以下「海運監理部長等」という。）がした許可、認可その他の処分又は契約その他の行為（以下「処分等」という。）は、国土交通省令で定めるところにより、この法律による改正後のそれぞれの法律若しくはこれに基づく命令（以下「新法令」という。）の規定により相当の運輸監理部長、運輸支局長又は地方運輸局、運輸監理部若しくは運輸支局の事務所の長（以下「運輸監理部長等」という。）がした処分等とみなす。

第二九条　この法律の施行前に旧法令の規定により海運監理部長等に対してした申請、届出その他の行為（以下「申請等」という。）は、国土交通省令で定めるところにより、新法令の規定により相当の運輸監理部長等に対してした申請等とみなす。

第三〇条　この法律の施行前にした行為に対する罰則の適用については、なお従前の例による。

附　則〔平成一八・三・三一法律一九抄〕

（施行期日）

第一条　この法律は、公布の日から起算して九月を超えない範囲内において政令で定める日から施行する。ただし、次の各号に掲げる規定は、当該各号に定める日から施行する。

〔平成一八政三二八により、平成一八・一〇・一から施行〕

一　〔前略〕次条、附則第三条、第五条から第八条まで〔中略〕の規定　平成十八年四月一日

二　〔略〕

（運輸審議会への諮問に関する経過措置）

第二条　国土交通大臣は、第一条、第二条及び第五条から第九条までの規定の施行の日前においても、第一条の規定による改正後の鉄道事業法第五十六条の二（第二条の規定による改正後の軌道法第二十六条において準用する場合を含む。）、第五条の規定による改正後の道路運送法第九十四条の二、第六条の規定による改正後の貨物自動車運送事業法第六十条の二、第七条の規定による改正後の海上運送法第二十五条の二、第八条の規定による改正後の内航海運業法第二十六条の二第一項及び第九条の規定による改正後の航空法（以下「新航空法」という。）第百三十四条の二に規定する基本的な方針の策定のために、運輸審議会に諮ることができる。

2　前項の基本的な方針の策定に係る事項については、運輸審議会は、第十条中国土交通省設置法第十五条第一項の改正規定の施行前においても処理することができる。

（罰則に関する経過措置）

第六条　この法律（附則第一条各号に掲げる規定については、当該各規定）の施行前にした行為及び附則第四条の規定によりなお従前の例によることとされる場合における同条の規定の施行後にした行為に対する罰則の適用については、なお従前の例による。

（政令への委任）

第七条　附則第二条から前条までに規定するもののほか、この法律の施行に関し必要な経過措置（罰則に関する経過措置を含む。）は、政令で定める。

（検討）

第八条　政府は、この法律の施行後五年を目途として、この法律による改正後の規定の実施状況を勘案し、必要があると認めるときは、当該規定について検討を加え、その結果に基づいて必要な措置を講ずるものとする。

附　則〔平成一八・五・一九法律四〇抄〕

（施行期日）

第一条　この法律は、公布の日から起算して十月を超えない範囲内において政令で定める日から施行する。ただし、次の各号に掲げる規定は、当該各号に定める日から施行する。

〔平成一八政二七五により、平成一八・一〇・一から施行〕

一～三　〔略〕

四　第一条中道路運送法第四十一条第四項の改正規定〔中略〕公布の日から起算して二年六月を超えない範囲内において政令で定める日

〔平成二〇政八一により、平成二〇・一一・四から施行〕

（道路運送法の一部改正に伴う経過措置）

第二条　この法律の施行の際現に第一条の規定による改正前の道路運送法（以下「旧道路運送法」という。）第三条第一号イの一般乗合旅客自動車運送事業、同号ロの一般貸切旅客自動車運送事業又は同号ハの一般乗用旅客自動車運送事業についての旧道路運送法第四条第一項の許可を受けている者は、この法律の施行の日（以下「施行日」という。）にそれぞれ第一条の規定による改正後の道路運送法（以下「新道路運送法」という。）第三条第一号イの一般乗合旅客自動車運送事業、同号ロの一般貸切旅客自動車運送事業又は同号ハの一般乗用旅客自動車運送事業についての新道路運送法第四条第一項の許可を受けたものとみなす。この場合において、旧道路運送法第四条第一項の許可に条件又は期限が付されているときは、当該条件又は期限は、新道路運送法第四条第一項の許可に付されたものとみなす。

第三条　この法律の施行の際現に旧道路運送法第三条第一号ロの一般貸切旅客自動車運送事業についての旧道路運送法第四条第一項の許可を受けている者であって、旧道路運送法第二十一条第二号の許可を受けて乗合旅客の運送をしているものは、当該許可に期限が付されているときは、当該許可に係る乗合旅客の運送について、施行日に新道路運送法第二十一条第二号の許可を受けたものと、旧道路運送法第二十一条第二号の許可に期限が付されていないときは、当該許可に係る乗合旅客の運送について、施行日に新道路運送法第三条第一号イの一般乗合旅客自動車運送事業についての新道路運送法第四条第一項の許可を受けたものとみなす。この場合において、旧道路運送法第二十一条第二号の許可に付された期限は、新道路運送法第二十一条第二号の許可に付されたものと、旧道路運送法第二十一条第二号の許可に条件が付されているときは、当該条件は、新道路運送法第二十一条第二号の許可又は新道路運送法第四条第一項の許可に付されたものとみなす。

第四条　この法律の施行の際現に旧道路運送法第九条の二第一項の規定により届け出た運賃及び料金であって、旧道路運送法第二十一条第二号の許可（当該許可に期限が付されている場合を除く。）に係る乗合旅客の運送に係るものは、国土交通省令で定めるところにより、新道路運送法第九条第一項の認可を受けた運賃及び料金の上限又は同条第三項若しくは第五項の規定により届け出た運賃及び料金とみなす。

第五条　この法律の施行の際現に旧道路運送法第八十条第一項ただし書の許可を受けて自家用自動車を有償で運送の用に供している者は、当該許可に係る運送が新道路運送法第七十八条第二号に規定する自家用有償旅客運送に該当する場合にあっては、当該許可に係る運送について、施行日に新道路運送法第七十九条の登録を受けたものと、当該許可に係る運送が新道路運送法第七十八条第二号に規定する自家用有償旅客運送に該当しない場合にあっては、施行日に新道路運送法第七十八条第三号の許可を受けたものとみなす。この場合において、旧道路運送法第八十条第一項ただし書の許可に条件又は期限が付されているときは、当該条件又は期限は、新道路運送法第七十九条の登録又は新道路運送法第七十八条第三号の許可に付されたものとみなす。

第六条　この法律の施行の際現に旧道路運送法第八十条第二項の

許可を受けて自家用自動車を業として有償で貸し渡している者（当該者が当該自家用自動車の使用者である場合に限る。）は、施行日に新道路運送法第八十条第一項の許可を受けたものとみなす。この場合において、旧道路運送法第八十条第二項の許可に条件又は期限が付されているときは、当該条件又は期限は、新道路運送法第八十条第一項の許可に付されたものとみなす。

第七条　附則第二条から前条までに規定するもののほか、旧道路運送法又はこれに基づく命令の規定によりした処分、手続その他の行為で、新道路運送法又はこれに基づく命令の規定中にこれに相当する規定があるものは、国土交通省令で定めるところにより、新道路運送法又はこれに基づく命令の規定によりしたものとみなす。

（罰則に関する経過措置）

第一二条　この法律（附則第一条各号に掲げる規定については、当該規定）の施行前にした行為に対する罰則の適用については、なお従前の例による。

（政令への委任）

第一三条　附則第二条から前条までに定めるもののほか、この法律の施行に関し必要となる経過措置（罰則に関する経過措置を含む。）は、政令で定める。

（検討）

第一四条　政府は、この法律の施行後五年を目途として、この法律による改正後の規定の実施状況を勘案し、必要があると認めるときは、当該規定について検討を加え、その結果に基づいて必要な措置を講ずるものとする。

附　則〔平成一八・六・二法律五〇〕

改正　平成二三・六法七四

この法律は、一般社団・財団法人法の施行の日〔平成二〇・一二・一〕から施行する。〔以下略〕

一般社団法人及び一般財団法人に関する法律及び公益社団法人及び公益財団法人の認定等に関する法律の施行に伴う関係法律の整備等に関する法律〔抄〕

〔平成一八・六・二　法律五〇〕

（罰則に関する経過措置）

第四五七条　施行日前にした行為及びこの法律の規定によりなお従前の例によることとされる場合における施行日以後にした行為に対する罰則の適用については、なお従前の例による。

（政令への委任）

第四五八条　この法律に定めるもののほか、この法律の規定による法律の廃止又は改正に伴い必要な経過措置は、政令で定める。

附　則〔平成二五・一一・二七法律八三抄〕

（施行期日）

第一条　この法律は、公布の日から起算して二月を経過した日から施行する。〔以下略〕

（道路運送法の一部改正に伴う経過措置）

第一四条　この法律の施行前に第三条の規定による改正前の道路運送法（これに基づく命令を含む。）の規定によってした処分、手続その他の行為であって、同条の規定による改正後の道路運送法（これに基づく命令を含む。）に相当する規定があるものは、これらの規定によってした処分、手続その他の行為とみなす。

（罰則に関する経過措置）

第一五条　この法律（第二条の規定については、同条の規定）の施行前にした行為に対する罰則の適用については、なお従前の例による。

（政令への委任）

第一六条　附則第二条から前条までに定めるもののほか、この法律の施行に伴い必要な経過措置（罰則に関する経過措置を含む。）は、政令で定める。

（検討）

第一七条　政府は、この法律の施行後五年を経過した場合において、この法律による改正後の規定の実施状況について検討を加え、必要があると認めるときは、その結果に基づいて所要の措置を講ずるものとする。

附　則〔平成二六・六・四法律五一抄〕

（施行期日）

第一条　この法律は、平成二十七年四月一日から施行する。〔以下略〕

（道路運送法の一部改正に伴う経過措置）

第五条　この法律の施行の日前に第四十四条の規定による改正前の道路運送法第六十二条第一項の規定により行われた供用約款の認可の申請については、第四十四条の規定による改正後の道路運送法第九十五条の四の規定にかかわらず、なお従前の例による。

（処分、申請等に関する経過措置）

第七条　この法律（附則第一条各号に掲げる規定については、当該各規定。以下この条及び次条において同じ。）の施行前にこの法律による改正前のそれぞれの法律の規定によりされた許可等の処分その他の行為（以下この項において「処分等の行為」という。）又はこの法律の施行の際現にこの法律による改正前のそれぞれの法律の規定によりされている許可等の申請その他の行為（以下この項において「申請等の行為」という。）で、この法律の施行の日においてこれらの行為に係る行政事務を行うべき者が異なることとなるものは、附則第二条から前条までの規定又はこの法律による改正後のそれぞれの法律（これに基づく命令を含む。）の経過措置に関する規定に定めるものを除き、この法律の施行の日以後におけるこの法律による改正後のそれぞれの法律の適用については、この法律による改正後のそれぞれの法律の相当規定によりされた処分等の行為又は申請等の行為とみなす。

2　この法律の施行前にこの法律による改正前のそれぞれの法律の規定により国又は地方公共団体の機関に対し報告、届出、提出その他の手続をしなければならない事項で、この法律の施行の日前にその手続がされていないものについては、この法律及びこれに基づく政令に別段の定めがあるもののほか、これを、この法律による改正後のそれぞれの法律の相当規定により国又は地方公共団体の相当の機関に対して報告、届出、提出その他の手続をしなければならない事項についてその手続がされていないものとみなして、この法律による改正後のそれぞれの法律の規定を適用する。

（罰則に関する経過措置）

第八条　この法律の施行前にした行為に対する罰則の適用については、なお従前の例による。

（政令への委任）

第九条　附則第二条から前条までに規定するもののほか、この法律の施行に関し必要な経過措置（罰則に関する経過措置を含む。）は、政令で定める。

附　則〔平成二六・六・一三法律六九抄〕

（施行期日）

第一条　この法律は、行政不服審査法（平成二十六年法律第六十八号）の施行の日〔平成二八・四・一〕から施行する。

（経過措置の原則）

第五条　行政庁の処分その他の行為又は不作為についての不服申立てであってこの法律の施行前にされた行政庁の処分その他の行為又はこの法律の施行前にされた申請に係る行政庁の不作為に係るものについては、この附則に特別の定めがある場合を除き、なお従前の例による。

（訴訟に関する経過措置）

第六条　この法律による改正前の法律の規定により不服申立てに対する行政庁の裁決、決定その他の行為を経た後でなければ訴えを提起できないこととされる事項であって、当該不服申立てを提起しないでこの法律の施行前にこれを提起すべき期間を経過したもの（当該不服申立てが他の不服申立てに対する行政庁の裁決、決定その他の行為を経た後でなければ提起できないとされる場合にあっては、当該他の不服申立てを提起しないでこの法律の施行前にこれを提起すべき期間を経過したものを含む。）の訴えの提起については、なお従前の例による。

2　この法律の規定による改正前の法律の規定（前条の規定によりなお従前の例によることとされる場合を含む。）により異議申立てが提起された処分その他の行為であって、この法律の規定による改正後の法律の規定により審査請求に対する裁決を経た後でなければ取消しの訴えを提起することができないこととされるものの取消しの訴えの提起については、なお従前の例による。

3　不服申立てに対する行政庁の裁決、決定その他の行為の取消しの訴えであって、この法律の施行前に提起されたものについては、なお従前の例による。

（罰則に関する経過措置）

第九条　この法律の施行前にした行為並びに附則第五条及び前二条の規定によりなお従前の例によることとされる場合におけるこの法律の施行後にした行為に対する罰則の適用については、なお従前の例による。

（その他の経過措置の政令への委任）

第一〇条　附則第五条から前条までに定めるもののほか、この法律の施行に関し必要な経過措置（罰則に関する経過措置を含む。）は、政令で定める。

附　則　〔平成二八・一二・九法律一〇〇抄〕

（施行期日）

第一条　この法律は、公布の日から起算して一月を超えない範囲内において政令で定める日から施行する。ただし、第八条の改正規定並びに附則第三条及び第八条の規定は、平成二十九年四月一日から施行する。

〔平成二八政三八一により、平成二八・一二・二〇から施行〕

（許可の申請に関する経過措置）

第二条　この法律の施行の日（附則第四条において「施行日」という。）前にされたこの法律による改正前の道路運送法第四条第一項又は第四十三条第一項の許可の申請であって、この法律の施行の際、許可をするかどうかの処分がなされていないものについてのこれらの処分については、なお従前の例による。

（一般貸切旅客自動車運送事業の許可の更新に関する経過措置）

第三条　附則第一条ただし書に規定する改正規定の施行の際現に当該改正規定による改正前の道路運送法（以下この項において「旧法」という。）第三条第一号ロの一般貸切旅客自動車運送事業について旧法第四条第一項の許可を受けている者は、当該改正規定の施行の日に、当該改正規定による改正後の道路運送法（以下この条において「新法」という。）第三条第一号ロの一般貸切旅客自動車運送事業について新法第四条第一項の許可を受けたものとみなす。

2　前項の規定により新法第四条第一項の許可を受けたものとみなされる者の当該許可に係る附則第一条ただし書に規定する改正規定の施行の日後の最初の更新については、新法第八条第一項中「五年ごと」とあるのは、「道路運送法の一部を改正する法律（平成二十八年法律第百号）附則第三条第一項の規定により第四条第一項の許可を受けたとみなされた日から起算して五年を経過する日までの間において国土交通省令で定める期間を経過する日まで」とする。

（事業の休止及び廃止の届出に関する経過措置）

第四条　この法律による改正後の道路運送法第三十八条第一項の規定は、施行日から起算して三十日を経過した日以後にその事業を休止し、又は廃止する同項に規定する一般旅客自動車運送事業者について適用し、同日前にその事業を休止し、又は廃止した当該一般旅客自動車運送事業者については、なお従前の例による。

（罰則に関する経過措置）

第五条　この法律の施行前にした行為及び前条の規定によりなお従前の例によることとされる場合におけるこの法律の施行後にした行為に対する罰則の適用については、なお従前の例による。

（政令への委任）

第六条　この附則に定めるもののほか、この法律の施行に関し必要な経過措置は、政令で定める。

（検討）

第七条　政府は、この法律の施行後五年を経過した場合において、この法律による改正後の道路運送法の施行の状況について検討を加え、必要があると認めるときは、その結果に基づいて所要の措置を講ずるものとする。

附　則　〔平成二八・一二・一六法律一〇六抄〕

（施行期日）

1　この法律は、公布の日から起算して一月を経過した日から施行する。ただし、次項の規定は、公布の日から施行する。

（検討）

2　政府は、一般貸切旅客自動車運送事業者（道路運送法第九条の二第一項に規定する一般貸切旅客自動車運送事業者をいう。以下この項において同じ。）の事業用自動車（同法第二条第八項に規定する事業用自動車をいう。）（以下この項において単に「事業用自動車」という。）による運送の申込みが事業用自動車を利用する旅客以外の者により行われる場合において不適切な運送契約が締結されること等により、事業用自動車の運行の安全が確保されず、多数の旅客に甚大な被害が生じるおそれがあることに鑑み、一般貸切旅客自動車運送事業者の増加の状況、一般貸切旅客自動車運送事業者に係る法令の遵守の状況、事業用自動車の運行による事故の発生の状況その他の事情を勘案し、事業用自動車の運行の安全の確保を実効的に行うための方策について検討を加え、その結果に基づいて必要な措置を講ずるものとする。

附　則　〔平成二九・六・二法律四五〕

この法律は、民法改正法の施行の日〔令和二・四・一〕から施行する。ただし、〔中略〕第三百六十二条の規定は、公布の日から施行する。

民法の一部を改正する法律の施行に伴う関係法律の整備等に関する法律〔抄〕

〔平成二九・六・二法律四五〕

（罰則に関する経過措置）

第三六一条　施行日前にした行為及びこの法律の規定によりなお従前の例によることとされる場合における施行日以後にした行為に対する罰則の適用については、なお従前の例による。

（政令への委任）

第三六二条　この法律に定めるもののほか、この法律の施行に伴い必要な経過措置は、政令で定める。

附　則　〔令和元・六・一四法律三七抄〕

（施行期日）

第一条　この法律は、公布の日から起算して三月を経過した日から施行する。ただし、次の各号に掲げる規定は、当該各号に定める日から施行する。

一　〔前略〕第百四十九条、〔中略〕次条並びに附則第三条及び第六条の規定　公布の日

二～四　〔略〕

（行政庁の行為等に関する経過措置）

第二条　この法律（前条各号に掲げる規定にあっては、当該規定。以下この条及び次条において同じ。）の施行の日前に、この法律による改正前の法律又はこれに基づく命令の規定（欠格条項その他の権利の制限に係る措置を定めるものに限る。）に基づき行われた行政庁の処分その他の行為及び当該規定により生じた失職の効力については、なお従前の例による。

（罰則に関する経過措置）

第三条　この法律の施行前にした行為に対する罰則の適用については、なお従前の例による。

（検討）

第七条　政府は、会社法（平成十七年法律第八十六号）及び一般社団法人及び一般財団法人に関する法律（平成十八年法律第四十八号）における法人の役員の資格を成年被後見人又は被保佐人であることを理由に制限する旨の規定について、この法律の公布後一年以内を目途として検討を加え、その結果に基づき、当該規定の削除その他の必要な法制上の措置を講ずるものとする。

附　則〔令和二・六・三法律三六抄〕

（施行期日）

第一条　この法律は、公布の日から起算して六月を超えない範囲内において政令で定める日から施行する。ただし、附則第五条の規定〔中略〕は、公布の日から施行する。

〔令和二政三三〇により、令和二・一一・二七から施行〕

（罰則に関する経過措置）

第四条　施行日前にした行為及び前条第二項の規定によりなお従前の例によることとされる場合における施行日以後にした行為に対する罰則の適用については、なお従前の例による。

（政令への委任）

第五条　前三条に定めるもののほか、この法律の施行に関して必要な経過措置（罰則に関する経過措置を含む。）は、政令で定める。

（検討）

第六条　政府は、この法律の施行後五年を経過した場合において、この法律による改正後のそれぞれの法律の施行の状況について検討を加え、その結果に基づいて必要な措置を講ずるものとする。

2　政府は、情報通信技術その他の先端的な技術の活用が地域における旅客の運送に関するサービスの向上に重要な役割を果たすことに鑑み、この法律の施行後適当な時期において、当該サービスの利用者の利便の増進に資する多様な情報の共有を図るための基盤の整備、情報通信技術を活用した運賃及び料金の支払の円滑化の促進その他の当該サービスの提供に係る先端的な技術の活用に関する施策について検討を加え、その結果に基づいて必要な措置を講ずるものとする。

附　則〔令和四・六・一七法律六八抄〕

（施行期日）

1　この法律は、刑法等一部改正法〔令和四年法律第六十七号〕施行日〔令和七・六・一〕から施行する。ただし、次の各号に掲げる規定は、当該各号に定める日から施行する。

一　第五百九条の規定　公布の日

二　〔略〕

刑法等の一部を改正する法律の施行に伴う関係法律の整理等に関する法律〔抄〕

〔令和四・六・一七 法律六八〕

（罰則の適用等に関する経過措置）

第四四一条　刑法等の一部を改正する法律（令和四年法律第六十七号。以下「刑法等一部改正法」という。）及びこの法律（以下「刑法等一部改正法等」という。）の施行前にした行為の処罰については、次章に別段の定めがあるもののほか、なお従前の例による。

2　刑法等一部改正法等の施行後にした行為に対して、他の法律の規定によりなお従前の例によることとされ、なお効力を有することとされ又は改正前若しくは廃止前の法律の規定の例によることとされる罰則を適用する場合において、当該罰則に定める刑（刑法施行法第十九条第一項の規定又は第八十二条の規定による改正後の沖縄の復帰に伴う特別措置に関する法律第二十五条第四項の規定の適用後のものを含む。）に刑法等一部改正法第二条の規定による改正前の刑法（明治四十年法律第四十五号。以下この項において「旧刑法」という。）第十二条に規定する懲役（以下「懲役」という。）、旧刑法第十三条に規定する禁錮（以下「禁錮」という。）又は旧刑法第十六条に規定する拘留（以下「旧拘留」という。）が含まれるときは、当該刑のうち無期の懲役又は禁錮はそれぞれ無期拘禁刑と、有期の懲役又は禁錮はそれぞれその刑と長期及び短期（刑法施行法第二十条の規定の適用後のものを含む。）を同じくする有期拘禁刑と、旧拘留は長期及び短期（刑法施行法第二十条の規定の適用後のものを含む。）を同じくする拘留とする。

（裁判の効力とその執行に関する経過措置）

第四四二条　懲役、禁錮及び旧拘留の確定裁判の効力並びにその執行については、次章に別段の定めがあるもののほか、なお従前の例による。

（人の資格に関する経過措置）

第四四三条　懲役、禁錮又は旧拘留に処せられた者に係る人の資格に関する法令の規定の適用については、無期の懲役又は禁錮に処せられた者はそれぞれ無期拘禁刑に処せられた者と、有期の懲役又は禁錮に処せられた者はそれぞれ刑期を同じくする有期拘禁刑に処せられた者と、旧拘留に処せられた者は拘留に処せられた者とみなす。

2　拘禁刑又は拘留に処せられた者に係る他の法律の規定によりなお従前の例によることとされ、なお効力を有することとされ又は改正前若しくは廃止前の法律の規定の例によることとされる人の資格に関する法令の規定の適用については、無期拘禁刑に処せられた者は無期禁錮に処せられた者と、有期拘禁刑に処せられた者は刑期を同じくする有期禁錮に処せられた者と、拘留に処せられた者は刑期を同じくする旧拘留に処せられた者とみなす。

（経過措置の政令への委任）

第五〇九条　この編に定めるもののほか、刑法等一部改正法等の施行に伴い必要な経過措置は、政令で定める。

附　則〔令和五・四・二八法律一八抄〕

（施行期日）

第一条　この法律は、公布の日から起算して六月を超えない範囲内において政令で定める日から施行する。ただし、次の各号に掲げる規定は、当該各号に定める日から施行する。

〔令和五政二二〇により、令和五・一〇・一から施行〕

一　附則第五条の規定　公布の日

二　〔略〕

（道路運送法の一部改正に伴う経過措置）

第三条　この法律の施行前に第四条の規定による改正前の道路運送法第九条第四項の規定によりされた届出は、第四条の規定による改正後の道路運送法第九条第四項の規定によりされた届出とみなす。

（罰則に関する経過措置）

第四条　この法律の施行前にした行為及び附則第二条の規定によりなお従前の例によることとされる場合におけるこの法律の施行後にした行為に対する罰則の適用については、なお従前の例による。

（政令への委任）

第五条　前三条に定めるもののほか、この法律の施行に関し必要な経過措置（罰則に関する経過措置を含む。）は、政令で定める。

（検討）

第六条　政府は、この法律の施行後五年を目途として、この法律による改正後のそれぞれの法律の規定について、その施行の状況等を勘案して検討を加え、必要があると認めるときは、その結果に基づいて所要の措置を講ずるものとする。

附　則〔令和六・五・一五法律二三抄〕

（施行期日）

第一条　この法律は、公布の日から起算して一年を超えない範囲内において政令で定める日から施行する。〔以下略〕

（参考1）

○刑法等の一部を改正する法律の施行に伴う関係法律の整理等に関する法律〔抄〕

（令和四・六・一七　法律六八）

（道路運送法の一部改正）

第三五九条　道路運送法（昭和二十六年法律第百八十三号）の一部を次のように改正する。

第七条第一号中「懲役又は禁錮の刑」を「拘禁刑」に改める。

第四十三条の十一第五号中「禁錮」を「拘禁刑」に改める。

第四十九条第二項第一号及び第七十九条の四第一項第一号中「懲役又は禁錮の刑」を「拘禁刑」に改める。

第九十六条及び第九十七条中「懲役」を「拘禁刑」に改める。

第九十七条の二中「一に」を「いずれかに」に、「懲役」を「拘禁刑」に改める。

第九十七条の三並びに第百条第一項及び第三項中「懲役」を「拘禁刑」に改める。

第百一条第一項中「懲役」を「拘禁刑」に改め、同条第二項中「有期懲役」を「有期拘禁刑」に、「の懲役」を「の拘禁刑」に改める。

第百三条中「禁錮」を「拘禁刑」に改める。

附　則

（施行期日）

1　この法律は、刑法等一部改正法（令和四年法律第六十七号）施行日〔令和七・六・一〕から施行する。〔以下略〕

（参考2）

○流通業務の総合化及び効率化の促進に関する法律及び貨物自動車運送事業法の一部を改正する法律〔抄〕

（令和六・五・一五　法律二三）

附　則

（施行期日）

第一条　この法律は、公布の日から起算して一年を超えない範囲内において政令で定める日から施行する。〔以下略〕

（道路運送法等の一部改正）

第九条　次に掲げる法律の規定中「第二十五条第一項」を「第二十六条第一項」に改める。

一　道路運送法（昭和二十六年法律第百八十三号）第八十二条第二項

二・三〔略〕

○旅客自動車運送事業運輸規則

（昭和三一・八・一　運輸省令四四）

改正　前略…平成二四・三国交令二四、国交令二九、六国交令六七、平成二五・八国交令七一、平成二六・一国交令七、平成二八・八国交令六三、一一国交令七八、平成二九・一国交令一、七国交令四四、一二国交令七三、平成三〇・三国交令一九、四国交令四〇、六国交令五一、一二国交令九〇、平成三一・一国交令三、令和元・六国交令二〇、一二国交令四七、令和二・一国交令二、一〇国交令八六、一一国交令八七、国交令九三、令和三・八国交令五三、令和四・二国交令七、一二国交令八八、令和五・三国交令三一、八国交令六一、一〇国交令八三、令和六・二国交令一五、三国交令二二、国交令四二、四国交令五八

第一章　総則

（目的）

第一条　この省令は、旅客自動車運送事業の適正な運営を確保することにより、輸送の安全及び旅客の利便を図ることを目的とする。

（一般準則）

第二条　旅客自動車運送事業者（旅客自動車運送事業を経営する者をいう。以下同じ。）は、安全、確実かつ迅速に運輸を遂行するように努めなければならない。

2　旅客自動車運送事業者は、旅客又は公衆に対して、公平かつ懇切な取扱いをしなければならない。

3　旅客自動車運送事業者は、従業員に対し、輸送の安全及び旅客の利便を確保するため誠実に職務を遂行するように指導監督するとともに、当該指導監督を効果的かつ適切に行うため、必要な措置を講じなければならない。

4　旅客自動車運送事業者の従業員は、その職務に従事する場合は、輸送の安全及び旅客の利便を確保することに努めなければ

ならない。

（輸送の安全）

第二条の二　旅客自動車運送事業者は、経営の責任者の責務を定めることその他の国土交通大臣が告示で定める措置を講ずることにより、絶えず輸送の安全性の向上に努めなければならない。

（苦情処理）

第三条　旅客自動車運送事業者は、旅客に対する取扱いその他運輸に関して苦情を申し出た者に対して、遅滞なく、弁明しなければならない。ただし、氏名及び住所を明らかにしない者に対しては、この限りでない。

2　旅客自動車運送事業者は、前項の苦情の申出を受け付けた場合には、次に掲げる事項を営業所ごとに記録し、かつ、その記録を整理して一年間保存しなければならない。

一　苦情の内容
二　原因究明の結果
三　苦情に対する弁明の内容
四　改善措置
五　苦情処理を担当した者

第二章　事業者

（運賃及び料金等の実施等）

第四条　一般旅客自動車運送事業者は、運賃及び料金並びに運送約款を公示した後でなければ、これを実施してはならない。

2　前項の規定による公示は、営業所において公衆に見やすいように掲示するとともに、次に掲げる一般旅客自動車運送事業者の区分に応じ、それぞれ次に定める方法により行うものとする。

一　一般乗合旅客自動車運送事業者　次のいずれかに該当する場合を除き、当該一般乗合旅客自動車運送事業者のウェブサイトへの掲載その他の適切な方法
イ　一般乗合旅客自動車運送事業に常時使用する従業員の数が二十人以下である場合
ロ　一般乗合旅客自動車運送事業者が自ら管理するウェブサイトを有していない場合
二　一般貸切旅客自動車運送事業者　次のいずれかに該当する場合を除き、当該一般貸切旅客自動車運送事業者のウェブサイトへの掲載
イ　一般貸切旅客自動車運送事業に常時使用する従業員の数が二十人以下である場合
ロ　一般貸切旅客自動車運送事業者が自ら管理するウェブサイトを有していない場合
三　一般乗用旅客自動車運送事業者　次のいずれかに該当する場合を除き、当該一般乗用旅客自動車運送事業者のウェブサイトへの掲載
イ　一般乗用旅客自動車運送事業に常時使用する従業員の数が二十人以下である場合
ロ　一般乗用旅客自動車運送事業者が自ら管理するウェブサイトを有していない場合

3　一般乗用旅客自動車運送事業者は、地方運輸局長が定めるところにより、事業用自動車（運送の引受けが営業所のみにおいて行われるものを除く。）に運賃及び料金に関する事項を公衆及び事業用自動車を利用する旅客に見やすいように表示しなければならない。

4　一般乗用旅客自動車運送事業者は、運賃又は料金が対時間制による場合を除き、地方運輸局長が定めるところにより、運賃及び料金の額を事業用自動車内において事業用自動車を利用する旅客に見やすいように表示しなければならない。

（公示事項等）

第五条　一般乗合旅客自動車運送事業者は、道路運送法（昭和二十六年法律第百八十三号。第四十八条の十第一号イを除き、以下「法」という。）第十二条第一項に掲げる事項のほか、次に掲げる事項を公示しなければならない。

一　事業者及び当該営業所の名称
二　路線定期運行又は路線不定期運行を行う一般乗合旅客自動車運送事業者にあつては、当該営業所に係る運行系統
三　路線定期運行を行う一般乗合旅客自動車運送事業者にあつては、前号の運行系統ごとの運行回数、始発及び終発の時刻、運行間隔時間並びに他の営業所及び主な停留所への運行所要時間
四　路線不定期運行を行う一般乗合旅客自動車運送事業者が、発地の発車時刻又は着地の到着時刻を定める場合にあつては、当該発車時刻又は到着時刻
五　区域運行を行う一般乗合旅客自動車運送事業者にあつては、発地の発車時刻若しくは着地の到着時刻又は運行間隔時間

2　前項の規定による公示は、営業所において公衆に見やすいように掲示するとともに、次の各号のいずれかに該当する場合を除き、一般乗合旅客自動車運送事業者のウェブサイトへの掲載その他の適切な方法により行うものとする。

一　一般乗合旅客自動車運送事業に常時使用する従業員の数が二十人以下である場合
二　一般乗合旅客自動車運送事業者が自ら管理するウェブサイトを有していない場合

3　路線定期運行を行う一般乗合旅客自動車運送事業者は、法第十二条第二項に掲げる事項のほか、次に掲げる事項を公示しなければならない。

一　事業者及び当該停留所の名称
二　当該停留所に係る運行系統
三　前号の運行系統ごとの発車時刻（運行回数の頻繁な運行系統にあつては、始発及び終発の時刻並びに運行間隔時間をもつて代えることができる。）
四　一の停留所に係る二以上の乗降場所がある場合又は二以上の停留所が相互に近接している場合であつて旅客の利便のため必要があるときは、他方の乗降場所又は停留所に係る運行系統及びその位置
五　業務の範囲を限定する条件が付されている事業にあつては、その業務の範囲

4　前項の規定による公示は、停留所において公衆に見やすいように掲示するとともに、次の各号のいずれかに該当する場合を除き、一般乗合旅客自動車運送事業者のウェブサイトへの掲載その他の適切な方法により行うものとする。

一　一般乗合旅客自動車運送事業に常時使用する従業員の数が二十人以下である場合
二　一般乗合旅客自動車運送事業者が自ら管理するウェブサイトを有していない場合

（公示事項の変更の予告）

第六条　一般旅客自動車運送事業者（一般乗用旅客自動車運送事業者を除く。第十六条において同じ。）は、法第十二条第一項若しくは第二項又は前条第一項若しくは第三項の規定により公示した事項の変更について、法第十二条第三項の規定により公示するときは、緊急やむを得ない理由がある場合又は公衆の利便を阻害しない場合を除くほか、当該変更に係る事項を実施しようとする日の少なくとも七日前にこれをしなければならない。

2　前項の規定による公示は、営業所又は停留所において公衆に見やすいように掲示するとともに、次に掲げる一般旅客自動車運送事業者の区分に応じ、それぞれ次に定める方法により行うものとする。

一　一般乗合旅客自動車運送事業者　次のいずれかに該当する場合を除き、当該一般乗合旅客自動車運送事業者のウェブサイトへの掲載その他の適切な方法
イ　一般乗合旅客自動車運送事業に常時使用する従業員の数が二十人以下である場合

ロ　一般乗合旅客自動車運送事業者が自ら管理するウェブサイトを有していない場合
二　一般貸切旅客自動車運送事業者　次のいずれかに該当する場合を除き、当該一般貸切旅客自動車運送事業者のウェブサイトへの掲載
イ　一般貸切旅客自動車運送事業に常時使用する従業員の数が二十人以下である場合
ロ　一般貸切旅客自動車運送事業者が自ら管理するウェブサイトを有していない場合

（事業の休止及び廃止等の公示）

第七条　法第十五条の二第六項（法第三十八条第四項において準用する場合を含む。）及び法第三十八条第三項の規定により公示をするときは、緊急やむを得ない理由がある場合を除くほか、休止し、又は廃止しようとする日の少なくとも七日前までにこれをしなければならない。

2　一般旅客自動車運送事業者は、営業区域の休止又は廃止に係る事業計画の変更をしようとするときは、緊急やむを得ない場合を除くほか、休止し、又は廃止しようとする日の少なくとも七日前にその旨を公示しなければならない。

3　前二項の規定による公示は、営業所その他の事業所において公衆に見やすいように掲示するとともに、次に掲げる一般旅客自動車運送事業者の区分に応じ、それぞれ次に定める方法により行うものとする。
一　一般乗合旅客自動車運送事業者　次のいずれかに該当する場合を除き、当該一般乗合旅客自動車運送事業者のウェブサイトへの掲載その他の適切な方法
イ　一般乗合旅客自動車運送事業に常時使用する従業員の数が二十人以下である場合
ロ　一般乗合旅客自動車運送事業者が自ら管理するウェブサイトを有していない場合
二　一般貸切旅客自動車運送事業者　次のいずれかに該当する場合を除き、当該一般貸切旅客自動車運送事業者のウェブサイトへの掲載
イ　一般貸切旅客自動車運送事業に常時使用する従業員の数が二十人以下である場合
ロ　一般貸切旅客自動車運送事業者が自ら管理するウェブサイトを有していない場合
三　一般乗用旅客自動車運送事業者　次のいずれかに該当する場合を除き、当該一般乗用旅客自動車運送事業者のウェブサイトへの掲載
イ　一般乗用旅客自動車運送事業に常時使用する従業員の数が二十人以下である場合
ロ　一般乗用旅客自動車運送事業者が自ら管理するウェブサイトを有していない場合

（運送引受書の交付）

第七条の二　一般貸切旅客自動車運送事業者は、運送を引き受けた場合には、遅滞なく、当該運送の申込者に対し、次の各号に掲げる事項を記載した運送引受書を交付しなければならない。
一　事業者の名称
二　運行の開始及び終了の地点及び日時
三　運行の経路並びに主な経由地における発車及び到着の日時
四　旅客が乗車する区間
五　運転者、車掌その他の乗務員（第十五条の二第一項に規定する特定自動運行保安員（以下この号において「特定自動運行保安員」という。）を除く。第四十九条第一項及び第三項において同じ。）及び特定自動運行保安員（以下「乗務員等」という。）の休憩地点及び休憩時間（休憩がある場合に限る。）
六　乗務員等の運転又は業務の交替の地点（運転又は業務の交替がある場合に限る。）
七　運賃及び料金の額
八　前各号に掲げるもののほか、国土交通大臣が告示で定める事項

2　一般貸切旅客自動車運送事業者は、前項の規定による運送引受書の写しを運送の終了の日から三年間保存しなければならない。

3　一般貸切旅客自動車運送事業者は、運送の申込者に対して当該運送の引受けに際し手数料又はこれに類するものを支払つた場合には、その額を記載した書類を、前項の運送引受書の写しとともに、当該運送の終了の日から三年間保存しなければならない。

（乗車券）

第八条　一般乗合旅客自動車運送事業者は、運賃を収受したときは、少なくとも次の事項が記載され、又は電磁的方法（電子的方法、磁気的方法その他の人の知覚によつて認識することができない方法をいう。第二十四条第六項及び第七項並びに第二十六条第一項において同じ。）により記録された一定の様式の乗車券を発行しなければならない。ただし、事業用自動車内において運賃を収受したときは、普通乗車券を発行しないことができる。
一　普通乗車券及び回数乗車券にあつては、事業者の名称、通用区間及び運賃額
二　定期乗車券にあつては、前号の記載事項のほか、通用期間、発行の日付、使用者の氏名、年齢及び定期乗車券の種類

（運賃の払戻し等）

第九条　一般乗合旅客自動車運送事業者は、旅客から運賃の払戻しの請求があつたときは、次の各号の一に掲げる金額を払い戻さなければならない。この場合において、第二項及び第三項の規定により運賃を払い戻す場合を除くほか、事業者は、相当額の手数料を徴収することができる。
一　未使用の普通乗車券及び回数乗車券にあつては、通用期間内に限りその運賃額
二　通用期間前の定期乗車券にあつては、その運賃額
三　通用期間内の定期乗車券にあつては、通用期間の始めの日から運賃払戻の請求があつた日までを使用済期間とし、これを一日二回乗車の割合で普通運賃に換算し、その金額を運賃額から控除した残額（次項の場合にあつては、その運賃額を日割りにした金額に通用期間から使用済期間を控除した残りの日数を乗じた金額）

2　一般乗合旅客自動車運送事業者は、乗車券の様式の変更その他の理由によりすでに発行した乗車券を無効とする場合は、無効とする日の少なくとも一月前に、公示の日から無効とする日の少なくとも二月後の日までの間において乗車券の引換又は運賃の払戻をする旨の公示を営業所及び当該乗車券に係る通用区間を運行する事業用自動車内にしなければならない。

3　一般乗合旅客自動車運送事業者は、天災その他やむを得ない理由により運送を中断したときは、次の各号に掲げる旅客に対し、旅客の選択に応じ、当該各号のいずれかの取扱いをしなければならない。
一　普通乗車券を使用する旅客にあつては、その運賃額から乗車した区間に対する運賃額を控除した残額の払戻し又は乗車できなかつた区間を乗車することができる証票の発行
二　回数乗車券を使用する旅客及び第八条ただし書の規定により普通乗車券を発行しない事業用自動車に普通旅客運賃を支払つて乗車している旅客にあつては、その運賃額から乗車した区間に対する運賃額を控除した残額の払戻しを受けることができる証票の発行又は乗車できなかつた区間を乗車することができる証票の発行
三　定期乗車券を使用する旅客にあつては、その運賃額から乗車できた区間に対する原券と同一通用期間の定期旅客運賃を控除した残額を日割りにした金額に休日数を乗じた金額の払戻し又は原券の通用期間の延長

（領収証）

第一〇条　一般貸切旅客自動車運送事業者は、運賃又は料金を収受したときは、運賃又は料金の計算基礎を記載した領収証を発行しなければならない。ただし、乗車券を発行したときは、この限りでない。

2　一般乗用旅客自動車運送事業者は、運賃又は料金を収受した場合であつて旅客の求めがあつたときは、収受した運賃又は料金の額を記載した領収証を発行しなければならない。

（荷物切符）

第一一条　一般乗合旅客自動車運送事業者は、特約のある場合を除き、旅客の運送に附随して貨物を運送しようとするときは、運賃、料金及び運送区間を、その他の場合は荷送人及び荷受人の氏名又は名称及び住所、品名、個数、容積又は重量、運賃、料金、運送区間及び運送受付年月日を記載した一定の様式の荷物切符を荷送人に交付しなければならない。

2　一般乗合旅客自動車運送事業者は、前項の荷物切符と引換えでなければ、貨物を荷受人に引き渡してはならない。

（早発の禁止）

第一二条　一般乗合旅客自動車運送事業者は、第五条第一項第三号及び第三項第三号の規定により営業所及び停留所に掲示した発車時刻又は同条第一項第四号若しくは第五号の規定により営業所に掲示した発車時刻前に、事業用自動車を発車させてはならない。

（運送の引受け及び継続の拒絶）

第一三条　一般乗合旅客自動車運送事業者又は一般乗用旅客自動車運送事業者は、次の各号のいずれかに掲げる者の運送の引受け又は継続を拒絶することができる。

一　第十五条の二第七項又は第四十九条第四項の規定による制止又は指示に従わない者

二　第五十二条各号に掲げる物品（同条ただし書の規定によるものを除く。）を携帯している者

三　泥酔した者又は不潔な服装をした者等であつて、他の旅客の迷惑となるおそれのある者

四　付添人を伴わない重病者

五　感染症の予防及び感染症の患者に対する医療に関する法律（平成十年法律第百十四号）に定める一類感染症、二類感染症、新型インフルエンザ等感染症若しくは指定感染症（同法第四十四条の九の規定に基づき、政令で定めるところにより、同法第十九条又は第二十条の規定を準用するものに限る。）の患者（同法第八条（同法第四十四条の九において準用する場合を含む。）の規定により一類感染症、二類感染症、新型インフルエンザ等感染症又は指定感染症の患者とみなされる者を含む。）又は新感染症の所見がある者

（危険物等の輸送制限）

第一四条　一般乗合旅客自動車運送事業者は、第五十二条各号に掲げる物品（同条ただし書の規定によるものを除く。）を旅客の運送に付随して運送してはならない。

2　旅客自動車運送事業者は、第五十二条各号に掲げる物品（同条ただし書の規定によるものを除く。）を旅客の現在する事業用自動車で運搬してはならない。

（車掌の乗務）

第一五条　一般乗合旅客自動車運送事業者、一般貸切旅客自動車運送事業者及び特定旅客自動車運送事業者は、次の各号のいずれかに該当する場合には、事業用自動車（乗車定員十一人以上のものに限る。）に車掌を乗務させなければ、これを旅客の運送の用に供してはならない。ただし、天災その他やむを得ない理由のある場合はこの限りでない。

一　車掌を乗務させないで運行することを目的とした旅客自動車運送事業用自動車（被牽引自動車を除く。）であつて道路運送車両の保安基準（昭和二十六年運輸省令第六十七号）第五十条の告示で定める基準に適合していないものを旅客の運送の用に供するとき。

二　車掌を乗務させなければ道路及び交通の状況並びに輸送の状態により運転上危険があるとき。

三　旅客の利便を著しく阻害するおそれがあるとき。

（特定自動運行保安員の業務等）

第一五条の二　特定自動運行旅客運送（道路運送法施行規則（昭和二十六年運輸省令第七十五号）第六条第一項第九号に規定する特定自動運行旅客運送をいう。以下同じ。）を行おうとする旅客自動車運送事業者は、事業計画（路線定期運行を行う一般乗合旅客自動車運送事業者にあつては、事業計画及び運行計画）の遂行に十分な数の特定自動運行保安員（特定自動運行旅客運送の用に供する特定自動運行事業用自動車（事業用自動車のうち、旅客自動車運送事業の用に供する特定自動運行用自動車（道路交通法（昭和三十五年法律第百五号）第七十五条の十二第二項第二号イに規定する特定自動運行用自動車をいう。）をいう。以下同じ。）の運行の安全の確保に関する業務を行う者をいう。以下同じ。）を常時選任しておかなければならない。

2　旅客自動車運送事業者は、次の各号のいずれかに掲げる措置を講じなければ、特定自動運行事業用自動車を旅客の運送の用に供してはならない。

一　当該特定自動運行事業用自動車に特定自動運行保安員を乗務させること。

二　次に掲げる措置を講ずること。

イ　緊急を要する場合において旅客が特定自動運行保安員に連絡することができる装置及び特定自動運行事業用自動車を停止させることができる装置を当該特定自動運行事業用自動車に備えること。

ロ　営業所その他の適切な業務場所に特定自動運行保安員を配置し、当該特定自動運行保安員に道路交通法施行規則（昭和三十五年総理府令第六十号）第九条の二十九に規定する遠隔監視装置（以下この条において単に「遠隔監視装置」という。）その他の装置を用いて遠隔から運行の安全の確保に関する業務を行わせること。

3　特定自動運行旅客運送を行う旅客自動車運送事業者は、前項、第二十条、第二十一条第七項その他の輸送の安全に関する規定に基づく措置を適切に講ずることができるよう、必要な体制を整備しなければならない。

4　特定自動運行旅客運送を行う旅客自動車運送事業者は、特定自動運行事業用自動車の運行を中断し、又は旅客が死傷したときは、特定自動運行保安員に対し、当該旅客自動車運送事業者とともに、第十八条第一項各号若しくは第二項各号又は第十九条各号に掲げる事項を実施させなければならない。この場合において、旅客の生命を保護するための処置は、他の処置に先んじてさせなければならない。

5　特定自動運行旅客運送を行う旅客自動車運送事業者は、特定自動運行保安員に、次に掲げる行為をさせてはならない。

一　第五十二条各号に掲げる物品（同条ただし書の規定によるものを除く。）を旅客の現在する特定自動運行事業用自動車内に持ち込むこと。

二　酒気を帯びて事業用自動車の運行の業務に従事すること。

三　特定自動運行事業用自動車内で喫煙すること。

6　特定自動運行旅客運送を行う一般乗合旅客自動車運送事業者、一般貸切旅客自動車運送事業者及び特定旅客自動車運送事業者は、特定自動運行事業用自動車（乗車定員十一人以上のものに限る。）の特定自動運行保安員に、前項各号に掲げるもののほか、次に掲げる行為をさせてはならない。

一　運行時刻前に発車すること。

二　旅客の現在する自動車の走行中に職務を遂行するために必要な事項以外の事項について話をすること。

7　特定自動運行旅客運送を行う一般乗合旅客自動車運送事業者、一般貸切旅客自動車運送事業者及び特定旅客自動車運送事業者は、旅客が特定自動運行事業用自動車内において法令の規定又

は公の秩序若しくは善良の風俗に反する行為をするときは、特定自動運行保安員に対し、これを制止し、又は必要な事項を旅客に指示する等の措置を講ずることにより、輸送の安全を確保し、及び特定自動運行事業用自動車内の秩序を維持するように努めさせなければならない。

8　特定自動運行旅客運送を行う旅客自動車運送事業者は、輸送の安全の確保のため、特定自動運行保安員に対し、次に掲げる事項を遵守させなければならない。

一　酒気を帯びた状態にあるときは、その旨を当該旅客自動車運送事業者に申し出ること。

二　疾病、疲労、睡眠不足、天災その他の理由により安全に業務を遂行することができないおそれがあるときは、その旨を当該旅客自動車運送事業者に申し出ること。

三　特定自動運行事業用自動車の運行中に疾病、疲労、睡眠不足、天災その他の理由により安全に業務を継続することができないおそれがあるときは、その旨を旅客自動車運送事業者に申し出ること。

四　特定自動運行事業用自動車の運行中に当該特定自動運行事業用自動車の重大な故障を発見し、又は重大な事故が発生するおそれがあると認めたときは、直ちに、運行を中止し、旅客自動車運送事業者に報告すること。

五　坂路において特定自動運行事業用自動車（遠隔から業務を行う場合にあつては、遠隔監視装置）から離れるとき及び安全な運行に支障がある箇所を通過するときは、旅客を降車させること。

六　特定自動運行事業用自動車の故障等により踏切内で運行不能となつたときは、速やかに旅客を誘導して退避させるとともに、列車に対し適切な防護措置をとり、旅客自動車運送事業者に報告すること。

七　乗降口の扉は、停車前に旅客の乗降のために開かないこと。

八　発車音を吹鳴する場合は、旅客の安全及び特定自動運行事業用自動車の左側に、その運行に支障がないことを確認し、かつ、乗車口の扉を閉じた後、当該特定自動運行事業用自動車を発車させる前に行うこと。

九　乗降口の扉が閉じたことを確認した後に特定自動運行事業用自動車を発車させること。

十　業務を終了したときは、交替する特定自動運行保安員に対し、業務中の特定自動運行事業用自動車、道路及び運行の状況について通告すること。この場合において、その業務に従事する特定自動運行保安員は、当該特定自動運行事業用自動車の制動装置、走行装置その他の重要な部分の機能について点検をすること。

十一　特定自動運行保安員の業務の実施に円滑を欠くおそれがある服装をしないこと。

9　特定自動運行旅客運送を行う一般乗合旅客自動車運送事業者、一般貸切旅客自動車運送事業者及び特定旅客自動車運送事業者は、発車の直前に安全の確認ができた場合を除き、特定自動運行事業用自動車（乗車定員十一人以上のものに限る。）の特定自動運行保安員に対し、警音器を吹鳴させなければならない。

10　特定自動運行旅客運送を行う一般乗用旅客自動車運送事業者は、特定自動運行保安員が食事若しくは休憩のため運送の引受けをすることができない場合又は業務の終了等のため車庫若しくは営業所に回送しようとする場合には、特定自動運行保安員に対し、回送板を掲出させなければならない。

11　特定自動運行旅客運送を行う一般乗用旅客自動車運送事業者は、前項の場合以外の場合には、特定自動運行保安員に回送板を掲出させてはならない。

12　特定自動運行旅客運送を行う旅客自動車運送事業者は、特定自動運行事業用自動車に特定自動運行保安員を乗務させるときは、当該特定自動運行保安員に制服を着用させ、又はその他の方法によりその者が特定自動運行保安員であることを表示させなければならない。

（遅延に関する公示）

第一六条　一般旅客自動車運送事業者は、事業用自動車の到着が著しく遅延した場合は、速やかに原因を調査し、必要と認めるときは、その概要を公示しなければならない。

2　前項の規定による公示は、関係のある営業所その他の場所において公衆に見やすいように掲示するとともに、次に掲げる一般旅客自動車運送事業者の区分に応じ、それぞれ次に定める方法により行うものとする。

一　一般乗合旅客自動車運送事業者　次のいずれかに該当する場合を除き、当該一般乗合旅客自動車運送事業者のウェブサイトへの掲載その他の適切な方法

イ　一般乗合旅客自動車運送事業に常時使用する従業員の数が二十人以下である場合

ロ　一般乗合旅客自動車運送事業者が自ら管理するウェブサイトを有していない場合

二　一般貸切旅客自動車運送事業者　次のいずれかに該当する場合を除き、当該一般貸切旅客自動車運送事業者のウェブサイトへの掲載その他の適切な方法

イ　一般貸切旅客自動車運送事業に常時使用する従業員の数が二十人以下である場合

ロ　一般貸切旅客自動車運送事業者が自ら管理するウェブサイトを有していない場合

（事故に関する公示）

第一七条　一般乗合旅客自動車運送事業者は、天災その他の事故により事業計画又は運行計画に定めるところに従つて事業用自動車を運行することができなくなつたため、旅客の利便を阻害するおそれがある場合は、遅滞なく、次の各号に掲げる事項を公示しなければならない。

一　事故の発生した日時及び場所

二　事故の概要

三　復旧の見込

四　臨時の計画により事業用自動車を運行しようとするときは、その概要

五　旅客が当該運行系統又は運送の区間に代えて利用することができる他の運行系統若しくは運送の区間又は運送事業がある場合には、その概要

2　前項の規定による公示は、関係のある営業所その他の場所において公衆に見やすいように掲示するとともに、一般乗合旅客自動車運送事業者のウェブサイトへの掲載その他の適切な方法により行うものとする。ただし、一般乗合旅客自動車運送事業者が次のいずれかに該当する場合には、当該公示をウェブサイトへの掲載により行うことを要しない。

一　一般乗合旅客自動車運送事業に常時使用する従業員の数が二十人以下である場合

二　一般乗合旅客自動車運送事業者が自ら管理するウェブサイトを有していない場合

（事故の場合の処置）

第一八条　旅客自動車運送事業者は、事業用自動車の運行を中断したときは、当該自動車に乗車している旅客のために、次の各号に掲げる事項に関して適切な処置をしなければならない。

一　旅客の運送を継続すること。

二　旅客を出発地まで送還すること。

三　前各号に掲げるもののほか、旅客を保護すること。

2　一般乗合旅客自動車運送事業者は、前項の場合において、事業用自動車に旅客の運送に附随して運送する貨物を積載しているときは、当該貨物につき、次の各号に掲げる事項に関して適切な処置をしなければならない。

一　貨物の運送を継続すること。

二　貨物を発送地まで送還すること。

三　滅失し、きそんし、又は損害を受けないように貨物を保管すること。

（事故による死傷者に関する処置）

第一九条　旅客自動車運送事業者は、天災その他の事故により、旅客が死亡し、又は負傷したときは、次の各号に掲げる事項を実施しなければならない。

一　死傷者のあるときは、すみやかに応急手当その他の必要な措置を講ずること。

二　死者又は重傷者のあるときは、すみやかに、その旨を家族に通知すること。

三　遺留品を保管すること。

四　前各号に掲げるもののほか、死傷者を保護すること。

（損害を賠償するための措置）

第一九条の二　旅客自動車運送事業者は、事業用自動車の運行により生じた旅客その他の者の生命、身体又は財産の損害を賠償するための措置であつて、国土交通大臣が告示で定める基準に適合するものを講じておかなければならない。

（異常気象時等における措置）

第二〇条　旅客自動車運送事業者は、天災その他の理由により輸送の安全の確保に支障が生ずるおそれがあるときは、事業用自動車の乗務員等に対する必要な指示その他輸送の安全のための措置を講じなければならない。

（過労防止等）

第二一条　旅客自動車運送事業者は、過労の防止を十分考慮して、国土交通大臣が告示で定める基準に従つて、事業用自動車の運転者の勤務時間及び乗務時間を定め、当該運転者にこれらを遵守させなければならない。

2　旅客自動車運送事業者は、乗務員等が有効に利用することができるように、営業所、自動車車庫その他営業所又は自動車車庫付近の適切な場所に、休憩に必要な施設を整備し、及び乗務員等に睡眠を与える必要がある場合又は乗務員等が勤務時間中に仮眠する機会がある場合は、睡眠又は仮眠に必要な施設を整備し、並びにこれらの施設を適切に管理し、及び保守しなければならない。

3　旅客自動車運送事業者は、運転者に第一項の告示で定める基準による一日の勤務時間中に当該運転者の属する営業所で勤務を終了することができない運行を指示する場合は、当該運転者が有効に利用することができるように、勤務を終了する場所の付近の適切な場所に睡眠に必要な施設を整備し、又は確保し、並びにこれらの施設を適切に管理し、及び保守しなければならない。

4　旅客自動車運送事業者は、酒気を帯びた状態にある乗務員等を事業用自動車の運行の業務に従事させてはならない。

5　旅客自動車運送事業者は、乗務員等の健康状態の把握に努め、疾病、疲労、睡眠不足その他の理由により安全に運行の業務を遂行し、又はその補助をすることができないおそれがある乗務員等を事業用自動車の運行の業務に従事させてはならない。

6　一般乗合旅客自動車運送事業者及び一般貸切旅客自動車運送事業者は、運転者が長距離運転又は夜間の運転に従事する場合であつて、疲労等により安全な運転を継続することができないおそれがあるときは、あらかじめ、交替するための運転者を配置しておかなければならない。

7　旅客自動車運送事業者は、乗務員等が事業用自動車の運行中に疾病、疲労、睡眠不足その他の理由により安全に運行の業務を継続し、又はその補助を継続することができないおそれがあるときは、当該乗務員等に対する必要な指示その他輸送の安全のための措置を講じなければならない。

（運行に関する状況の把握のための体制の整備）

第二一条の二　旅客自動車運送事業者は、第二十条、前条第七項その他の輸送の安全に関する規定に基づく措置を適切に講ずることができるよう、事業用自動車の運行に関する状況を適切に把握するための体制を整備しなければならない。

（乗務距離の最高限度等）

第二二条　交通の状況を考慮して地方運輸局長が指定する地域（以下この条、次条及び第五十条第八項において「指定地域」という。）内に営業所を有する一般乗用旅客自動車運送事業者は、次項の規定により地方運輸局長が定める乗務距離の最高限度を超えて当該営業所に属する運転者を事業用自動車に乗務させてはならない。

2　前項の乗務距離の最高限度は、当該指定地域における道路及び交通の状況並びに輸送の状態に応じ、当該営業所に属する事業用自動車の運行の安全を阻害するおそれのないよう、地方運輸局長が定めるものとする。

3　地方運輸局長は、指定地域の指定をし、及び前項の乗務距離の最高限度を定めたときは、遅滞なく、その旨を公示しなければならない。

第二三条　前条第一項の一般乗用旅客自動車運送事業者は、指定地域内にある営業所に属する運転者に、その収受する運賃及び料金の総額が一定の基準に達し、又はこれを超えるように乗務を強制してはならない。

（点呼等）

第二四条　旅客自動車運送事業者は、事業用自動車の運行の業務に従事しようとする運転者又は特定自動運行保安員（以下「運転者等」という。）に対して対面により、又は対面による点呼と同等の効果を有するものとして国土交通大臣が定める方法（運行上やむを得ない場合は電話その他の方法。次項において同じ。）により点呼を行い、次の各号に掲げる事項について報告を求め、及び確認を行い、並びに事業用自動車の運行の安全を確保するために必要な指示を与えなければならない。

一　道路運送車両法（昭和二十六年法律第百八十五号）第四十七条の二第一項及び第二項の規定による点検の実施又はその確認

二　運転者に対しては、酒気帯びの有無

三　運転者に対しては、疾病、疲労、睡眠不足その他の理由により安全な運転をすることができないおそれの有無

四　特定自動運行保安員に対しては、特定自動運行事業用自動車による運送を行うために必要な自動運行装置（道路運送車両法第四十一条第一項第二十号に規定する自動運行装置をいう。）の設定の状況に関する確認

2　旅客自動車運送事業者は、事業用自動車の運行の業務を終了した運転者等に対して対面により、又は対面による点呼と同等の効果を有するものとして国土交通大臣が定める方法により点呼を行い、当該業務に係る事業用自動車、道路及び運行の状況について報告を求め、かつ、運転者に対しては酒気帯びの有無について確認を行わなければならない。この場合において、当該運転者等が他の運転者等と交替した場合にあつては、当該運転者等が交替した運転者等に対して行つた第十五条の二第八項第十号又は第五十条第一項第八号の規定による通告についても報告を求めなければならない。

3　一般貸切旅客自動車運送事業者は、夜間において長距離の運行を行う事業用自動車の運行の業務に従事する運転者等に対して当該業務の途中において少なくとも一回対面による点呼と同等の効果を有するものとして国土交通大臣が定める方法（当該方法により点呼を行うことが困難である場合にあつては、電話その他の方法）により点呼を行い、次の各号に掲げる事項について報告を求め、及び確認を行い、並びに事業用自動車の運行の安全を確保するために必要な指示を与えなければならない。

一　当該業務に係る事業用自動車、道路及び運行の状況

二　運転者に対しては、疾病、疲労、睡眠不足その他の理由により安全な運転をすることができないおそれの有無

4　旅客自動車運送事業者は、アルコール検知器（呼気に含まれるアルコールを検知する機器であつて、国土交通大臣が告示で定めるものをいう。以下同じ。）を営業所ごとに備え、常時有効に保持するとともに、第一項及び第二項の規定により酒気帯びの有無について確認を行う場合には、運転者の状態を目視等

で確認するほか、当該運転者の属する営業所に備えられたアルコール検知器を用いて行わなければならない。

5　旅客自動車運送事業者は、第一項から第三項までの規定により点呼を行い、報告を求め、確認を行い、及び指示をしたときは、運転者等ごとに点呼を行つた旨、報告、確認及び指示の内容並びに次に掲げる事項を記録し、かつ、その記録を一年間（一般貸切旅客自動車運送事業者にあつては、その内容を記録した電磁的記録（電子的方式、磁気的方式その他人の知覚によつては認識することができない方式で作られる記録であつて、電子計算機による情報処理の用に供されるものをいう。第二十六条第一項において同じ。）を三年間）保存しなければならない。

一　点呼を行つた者及び点呼を受けた運転者等の氏名

二　点呼を受けた運転者等が従事する運行の業務に係る事業用自動車の自動車登録番号その他の当該事業用自動車を識別できる表示

三　点呼の日時

四　点呼の方法

五　その他必要な事項

6　一般貸切旅客自動車運送事業者は、第一項から第三項までの規定により点呼を行つたときは、その状況を録音及び録画（電話その他の方法により点呼を行う場合にあつては、録音のみ）して電磁的方法により記録媒体に記録し、かつ、その記録を九十日間保存しなければならない。

7　一般貸切旅客自動車運送事業者は、第一項、第二項及び第四項の規定によりアルコール検知器を用いて運転者の酒気帯びの有無について確認を行うときは、当該確認に係る呼気の検査を行つている状況の写真（当該運転者を識別できるものに限る。）を撮影して電磁的方法により記録媒体に記録し、かつ、その記録を九十日間保存しなければならない。ただし、当該状況を前項の規定により録画する場合はこの限りでない。

（業務記録）

第二十五条　一般乗合旅客自動車運送事業者及び特定旅客自動車運送事業者は、運転者等が事業用自動車の運行の業務に従事したときは、次に掲げる事項を運転者等ごとに記録させ、かつ、その記録を一年間保存しなければならない。

一　運転者等の氏名

二　運転者等が従事した運行の業務に係る事業用自動車の自動車登録番号等当該自動車を識別できる記号、番号その他の表示

三　業務の開始及び終了の地点及び日時並びに主な経過地点及び業務に従事した距離

四　業務を交替した場合は、その地点及び日時

五　休憩又は仮眠をした場合は、その地点及び日時

六　第二十一条第三項の睡眠に必要な施設で睡眠をした場合は、当該施設の名称及び位置

七　道路交通法第六十七条第二項に規定する交通事故若しくは自動車事故報告規則（昭和二十六年運輸省令第百四号）第二条に規定する事故（第二十六条の二及び第三十七条第一項において「事故」という。）又は著しい運行の遅延その他の異常な状態が発生した場合にあつては、その概要及び原因

八　運転者等が従事した運行の業務に係る事業用自動車（乗車定員十一人以上のものに限る。）に車掌が乗務した場合は、その車掌名

九　前号の場合において、車掌がその業務を交替した場合は、交替した車掌ごとにその地点及び日時

2　一般貸切旅客自動車運送事業者は、運転者等が事業用自動車の運行の業務に従事したときは、前項各号に掲げる事項のほか、旅客が乗車した区間を運転者等ごとに記録させ、かつ、その記録を三年間保存しなければならない。

3　一般乗用旅客自動車運送事業者は、運転者等が事業用自動車の運行の業務に従事したときは、第一項第一号から第七号までに掲げる事項のほか、旅客が乗車した区間並びに運行の業務に従事した事業用自動車の走行距離計に表示されている業務の開始時及び終了時における走行距離の積算キロ数を運転者等ごとに記録させ、かつ、その記録を事業用自動車ごとに整理して一年間保存しなければならない。

4　旅客自動車運送事業者（一般乗用旅客自動車運送事業者にあつては、事業用自動車について長期間にわたり業務の交替がない場合に限る。）は、前三項の規定により記録すべき事項の一部について、運転者等ごとに記録させることに代え、道路運送車両の保安基準第四十八条の二第二項の規定に適合し、又はこれと同等の性能を有すると認められる運行記録計（以下「運行記録計」という。）により記録することができる。この場合において当該旅客自動車運送事業者は、当該記録すべき事項のうち運行記録計により記録された事項以外の事項を運転者等ごとに当該運行記録計による記録に付記させ、かつ、その付記に係る記録を一年間（一般乗用旅客自動車運送事業者にあつては事業用自動車ごとに整理して一年間、一般貸切旅客自動車運送事業者にあつては三年間）保存しなければならない。

（運行記録計による記録）

第二十六条　一般乗合旅客自動車運送事業者及び一般貸切旅客自動車運送事業者は、運転者等が事業用自動車の運行の業務に従事した場合（路線定期運行又は路線不定期運行を行う一般乗合旅客自動車運送事業の事業用自動車にあつては起点から終点までの距離が百キロメートルを超える運行系統を運行する場合、区域運行を行う一般乗合旅客自動車運送事業の事業用自動車にあつてはその運行の態様等を考慮して地方運輸局長が認める場合に限る。）は、当該自動車の瞬間速度、運行距離及び運行時間を運行記録計（一般貸切旅客自動車運送事業者にあつては、電磁的方法により記録することができるものとして国土交通大臣が告示で定めるものに限る。ただし、自動車の構造上の理由により当該告示で定める運行記録計を備えることが困難な場合は、この限りでない。）により記録し、かつ、その記録を一年間（一般貸切旅客自動車運送事業者にあつては、その内容を記録した電磁的記録を三年間）保存しなければならない。

2　事業用自動車の運行の管理の状況等を考慮して地方運輸局長が指定する地域（以下この項及び次項において「指定地域」という。）内に営業所を有する一般乗用旅客自動車運送事業者（当該許可を受ける個人のみが自動車を運行することにより当該事業を行うべき旨の条件の付された一般乗用旅客自動車運送事業の許可を受けた者（以下「個人タクシー事業者」という。）を除く。）は、指定地域の指定があつた日から一年を超えない範囲内において地方運輸局長が定める日以後においては、指定地域内にある営業所に属する運転者等が事業用自動車の運行の業務に従事した場合（事業用自動車の運行の態様等を考慮して地方運輸局長が認める場合を除く。）は、当該自動車の瞬間速度、運行距離及び運行時間を運行記録計により記録し、かつ、その記録を運転者等ごとに整理して一年間保存しなければならない。

3　地方運輸局長は、指定地域の指定をし、及び前項の日を定めたときは、遅滞なく、その旨を公示しなければならない。

（事故の記録）

第二十六条の二　旅客自動車運送事業者は、事業用自動車に係る事故が発生した場合には、次に掲げる事項を記録し、その記録を当該事業用自動車の運行を管理する営業所において三年間保存しなければならない。

一　乗務員等の氏名

二　事業用自動車の自動車登録番号その他の当該事業用自動車を識別できる表示

三　事故の発生日時

四　事故の発生場所

五　事故の当事者（乗務員等を除く。）の氏名

六　事故の概要（損害の程度を含む。）
七　事故の原因
八　再発防止対策

（運行基準図等）

第二十七条　一般乗合旅客自動車運送事業者は、次の各号に掲げる事項を記載した運行基準図を作成して営業所に備え、かつ、これにより事業用自動車の運転者等に対し、適切な指導をしなければならない。
一　路線定期運行又は路線不定期運行を行う一般乗合旅客自動車運送事業者にあつては、停留所又は乗降地点の名称及び位置並びに隣接する停留所間又は乗降地点間の距離
二　路線定期運行を行う一般乗合旅客自動車運送事業者にあつては、標準の運行時分及び平均速度
三　路線定期運行又は路線不定期運行を行う一般乗合旅客自動車運送事業者にあつては、道路の主なこう配、曲線半径、幅員及び路面の状態
四　踏切、橋、トンネル、交差点、待避所及び運行に際して注意を要する箇所の位置
五　その他運行の安全を確保するために必要な事項
2　路線定期運行を行う一般乗合旅客自動車運送事業者は、主な停留所の名称、当該停留所の発車時刻及び到着時刻その他運行に必要な事項を記載した運行表を作成し、かつ、これを事業用自動車の運転者等に携行させなければならない。

（経路の調査等）

第二十八条　一般貸切旅客自動車運送事業者は、運行の主な経路における道路及び交通の状況を事前に調査し、かつ、当該経路の状態に適すると認められる自動車を使用しなければならない。ただし、法第二十一条第二号の規定による許可を受けて乗合旅客を運送する場合にあつては、この限りでない。

（運行指示書による指示等）

第二十八条の二　一般貸切旅客自動車運送事業者は、運行ごとに次の各号に掲げる事項を記載した運行指示書を作成し、かつ、これにより事業用自動車の運転者等に対し適切な指示を行うとともに、これを当該運転者等に携行させなければならない。ただし、法第二十一条第二号の規定による許可を受けて乗合旅客を運送する場合にあつては、この限りでない。
一　運行の開始及び終了の地点及び日時
二　乗務員等の氏名
三　運行の経路並びに主な経由地における発車及び到着の日時
四　旅客が乗車する区間
五　運行に際して注意を要する箇所の位置
六　乗務員等の休憩地点及び休憩時間（休憩がある場合に限る。）
七　乗務員等の運転又は業務の交替の地点（運転又は業務の交替がある場合に限る。）
八　第二十一条第三項の睡眠に必要な施設の名称及び位置
九　運送契約の相手方の氏名又は名称
十　その他運行の安全を確保するために必要な事項
2　一般貸切旅客自動車運送事業者は、前項の規定による運行指示書を運行の終了の日から三年間保存しなければならない。

（地図の備付け）

第二十九条　一般乗用旅客自動車運送事業者は、事業用自動車（次項の規定の適用を受けるものを除く。）に少なくとも営業区域内の次の各号に掲げる事項が明示された地図であつて地方運輸局長の指定する規格に適合するものを備えておかなければならない。
一　道路
二　地名
三　著名な建造物、公園、名所及び旧跡並びに鉄道の駅
四　その他地方運輸局長が指定する事項
2　一般乗用旅客自動車運送事業者は、タクシー業務適正化特別措置法（昭和四十五年法律第七十五号）第二条第五項の指定地域内の営業所に配置する事業用自動車（運送の引受けが営業所のみにおいて行われるものを除く。）にあつては、次の各号に掲げる機能を有する機器を備えておかなければならない。
一　電子地図（電磁的方式により記録された地図（少なくとも営業区域内の前項各号に掲げる事項が明示された地図であつて同項の規格に適合するものに限る。）をいう。次号において同じ。）を当該機器の映像面に表示する機能
二　当該事業用自動車の位置情報を常時かつ即時に受信し、当該位置情報を当該機器の映像面に表示された電子地図に表示する機能
三　当該事業用自動車の運転者に対して目的地までの効率的な経路を適時に案内する機能

第三十条から第三十四条まで　削除

（運転者の選任等）

第三十五条　旅客自動車運送事業者は、事業計画（路線定期運行を行う一般乗合旅客自動車運送事業者にあつては、事業計画及び運行計画）の遂行に十分な数の事業用自動車の運転者を常時選任しておかなければならない。

第三十六条　旅客自動車運送事業者（個人タクシー事業者を除く。次条第一項、第二項及び第五項において同じ。）は、次の各号のいずれかに該当する者を運転者等として選任してはならない。
一　日日雇い入れられる者
二　二月以内の期間を定めて使用される者
三　試みの使用期間中の者（十四日を超えて引き続き使用されるに至つた者を除く。）
四　十四日未満の期間ごとに賃金の支払い（仮払い、前貸しその他の方法による金銭の授受であつて実質的に賃金の支払いと認められる行為を含む。）を受ける者
2　一般乗用旅客自動車運送事業者（個人タクシー事業者を除く。以下この章において同じ。）は、新たに雇い入れた者について、第三十八条第一項、第二項及び第五項並びに第三十九条に規定する事項（新たに雇い入れた者が一般乗用旅客自動車運送事業の事業用自動車の運転者として選任された経験を有する者である場合にあつては、第三十八条第一項に規定する事項及び第三十九条に規定する事項のうち営業区域内の地理に関し必要な事項）について、指導、監督及び特別な指導を行い、並びに適性診断を受診させた後でなければ、前条の運転者その他事業用自動車の運転者として選任してはならない。ただし、新たに雇い入れた者が、当該一般乗用旅客自動車運送事業者の営業区域内において、雇入れの日前二年以内に通算九十日以上一般乗用旅客自動車運送事業の事業用自動車の運転者であつたときは、この限りでない。

（乗務員等台帳及び乗務員証）

第三十七条　旅客自動車運送事業者は、事業用自動車の運転者等ごとに、第一号から第十号までに掲げる事項を記載し、かつ、第十一号に掲げる写真を貼り付けた一定の様式の乗務員等台帳を作成し、これを当該運転者等の属する営業所に備えて置かなければならない。
一　作成番号及び作成年月日
二　事業者の氏名又は名称
三　運転者等の氏名、生年月日及び住所
四　雇入れの年月日及び運転者等に選任された年月日
五　運転者に対しては、道路交通法に規定する運転免許に関する次の事項
イ　運転免許証の番号及び有効期限
ロ　運転免許の年月日及び種類
ハ　運転免許に条件が付されている場合は、当該条件
六　運転者の運転の経歴
七　事故を引き起こした場合は、その概要
八　運転者に対しては、道路交通法第百八条の三十四の規定による通知を受けた場合は、その概要

で確認するほか、当該運転者の属する営業所に備えられたアルコール検知器を用いて行わなければならない。

5　旅客自動車運送事業者は、第一項から第三項までの規定により点呼を行い、報告を求め、確認を行い、及び指示をしたときは、運転者等ごとに点呼を行つた旨、報告、確認及び指示の内容並びに次に掲げる事項を記録し、かつ、その記録を一年間（一般貸切旅客自動車運送事業者にあつては、その内容を記録した電磁的記録（電子的方式、磁気的方式その他人の知覚によつては認識することができない方式で作られる記録であつて、電子計算機による情報処理の用に供されるものをいう。第二十六条第一項において同じ。）を三年間）保存しなければならない。

一　点呼を行つた者及び点呼を受けた運転者等の氏名

二　点呼を受けた運転者等が従事する運行の業務に係る事業用自動車の自動車登録番号その他の当該事業用自動車を識別できる表示

三　点呼の日時

四　点呼の方法

五　その他必要な事項

6　一般貸切旅客自動車運送事業者は、第一項から第三項までの規定により点呼を行つたときは、その状況を録音及び録画（電話その他の方法により点呼を行う場合にあつては、録音のみ）して電磁的方法により記録媒体に記録し、かつ、その記録を九十日間保存しなければならない。

7　一般貸切旅客自動車運送事業者は、第一項、第二項及び第四項の規定によりアルコール検知器を用いて運転者の酒気帯びの有無について確認を行うときは、当該確認に係る呼気の検査を行つている状況の写真（当該運転者を識別できるものに限る。）を撮影して電磁的方法により記録媒体に記録し、かつ、その記録を九十日間保存しなければならない。ただし、当該状況を前項の規定により録画する場合はこの限りでない。

（業務記録）

第二十五条　一般乗合旅客自動車運送事業者及び特定旅客自動車運送事業者は、運転者等が事業用自動車の運行の業務に従事したときは、次に掲げる事項を運転者等ごとに記録させ、かつ、その記録を一年間保存しなければならない。

一　運転者等の氏名

二　運転者等が従事した運行の業務に係る事業用自動車の自動車登録番号等当該自動車を識別できる記号、番号その他の表示

三　業務の開始及び終了の地点及び日時並びに主な経過地点及び業務に従事した距離

四　業務を交替した場合は、その地点及び日時

五　休憩又は仮眠をした場合は、その地点及び日時

六　第二十一条第三項の睡眠に必要な施設で睡眠をした場合は、当該施設の名称及び位置

七　道路交通法第六十七条第二項に規定する交通事故若しくは自動車事故報告規則（昭和二十六年運輸省令第百四号）第二条に規定する事故（第二十六条の二及び第三十七条第一項において「事故」という。）又は著しい運行の遅延その他の異常な状態が発生した場合にあつては、その概要及び原因

八　運転者等が従事した運行の業務に係る事業用自動車（乗車定員十一人以上のものに限る。）に車掌が乗務した場合は、その車掌名

九　前号の場合において、車掌がその業務を交替した場合は、交替した車掌ごとにその地点及び日時

2　一般貸切旅客自動車運送事業者は、運転者等が事業用自動車の運行の業務に従事したときは、前項各号に掲げる事項のほか、旅客が乗車した区間を運転者等ごとに記録させ、かつ、その記録を三年間保存しなければならない。

3　一般乗用旅客自動車運送事業者は、運転者等が事業用自動車の運行の業務に従事したときは、第一項第一号から第七号までに掲げる事項のほか、旅客が乗車した区間並びに運行の業務に従事した事業用自動車の走行距離計に表示されている業務の開始時及び終了時における走行距離の積算キロ数を運転者等ごとに記録させ、かつ、その記録を事業用自動車ごとに整理して一年間保存しなければならない。

4　旅客自動車運送事業者（一般乗用旅客自動車運送事業者にあつては、事業用自動車について長期間にわたり業務の交替がない場合に限る。）は、前三項の規定により記録すべき事項の一部について、運転者等ごとに記録させることに代え、道路運送車両の保安基準第四十八条の二第二項の規定に適合し、又はこれと同等の性能を有すると認められる運行記録計（以下「運行記録計」という。）により記録することができる。この場合において当該旅客自動車運送事業者は、当該記録すべき事項のうち運行記録計により記録された事項以外の事項を運転者等ごとに当該運行記録計による記録に付記させ、かつ、その付記に係る記録を一年間（一般乗用旅客自動車運送事業者にあつては事業用自動車ごとに整理して一年間、一般貸切旅客自動車運送事業者にあつては三年間）保存しなければならない。

（運行記録計による記録）

第二十六条　一般乗合旅客自動車運送事業者及び一般貸切旅客自動車運送事業者は、運転者等が事業用自動車の運行の業務に従事した場合（路線定期運行又は路線不定期運行を行う一般乗合旅客自動車運送事業の事業用自動車にあつては起点から終点までの距離が百キロメートルを超える運行系統を運行する場合、区域運行を行う一般乗合旅客自動車運送事業の事業用自動車にあつてはその運行の態様等を考慮して地方運輸局長が認める場合に限る。）は、当該自動車の瞬間速度、運行距離及び運行時間を運行記録計（一般貸切旅客自動車運送事業者にあつては、電磁的方法により記録することができるものとして国土交通大臣が告示で定めるものに限る。ただし、自動車の構造上の理由により当該告示で定める運行記録計を備えることが困難な場合は、この限りでない。）により記録し、かつ、その記録を一年間（一般貸切旅客自動車運送事業者にあつては、その内容を記録した電磁的記録を三年間）保存しなければならない。

2　事業用自動車の運行の管理の状況等を考慮して地方運輸局長が指定する地域（以下この項及び次項において「指定地域」という。）内に営業所を有する一般乗用旅客自動車運送事業者（当該許可を受ける個人のみが自動車を運行することにより当該事業を行うべき旨の条件の付された一般乗用旅客自動車運送事業の許可を受けた者（以下「個人タクシー事業者」という。）を除く。）は、指定地域の指定があつた日から一年を超えない範囲内において地方運輸局長が定める日以後においては、指定地域内にある営業所に属する運転者等が事業用自動車の運行の業務に従事した場合（事業用自動車の運行の態様等を考慮して地方運輸局長が認める場合を除く。）は、当該自動車の瞬間速度、運行距離及び運行時間を運行記録計により記録し、かつ、その記録を運転者等ごとに整理して一年間保存しなければならない。

3　地方運輸局長は、指定地域の指定をし、及び前項の日を定めたときは、遅滞なく、その旨を公示しなければならない。

（事故の記録）

第二十六条の二　旅客自動車運送事業者は、事業用自動車に係る事故が発生した場合には、次に掲げる事項を記録し、その記録を当該事業用自動車の運行を管理する営業所において三年間保存しなければならない。

一　乗務員等の氏名

二　事業用自動車の自動車登録番号その他の当該事業用自動車を識別できる表示

三　事故の発生日時

四　事故の発生場所

五　事故の当事者（乗務員等を除く。）の氏名

六　事故の概要（損害の程度を含む。）
七　事故の原因
八　再発防止対策

（運行基準図等）

第二七条　一般乗合旅客自動車運送事業者は、次の各号に掲げる事項を記載した運行基準図を作成して営業所に備え、かつ、これにより事業用自動車の運転者等に対し、適切な指導をしなければならない。

一　路線定期運行又は路線不定期運行を行う一般乗合旅客自動車運送事業者にあつては、停留所又は乗降地点の名称及び位置並びに隣接する停留所間又は乗降地点間の距離
二　路線定期運行を行う一般乗合旅客自動車運送事業者にあつては、標準の運行時分及び平均速度
三　路線定期運行又は路線不定期運行を行う一般乗合旅客自動車運送事業者にあつては、道路の主なこう配、曲線半径、幅員及び路面の状態
四　踏切、橋、トンネル、交差点、待避所及び運行に際して注意を要する箇所の位置
五　その他運行の安全を確保するために必要な事項

2　路線定期運行を行う一般乗合旅客自動車運送事業者は、主な停留所の名称、当該停留所の発車時刻及び到着時刻その他運行に必要な事項を記載した運行表を作成し、かつ、これを事業用自動車の運転者等に携行させなければならない。

（経路の調査等）

第二八条　一般貸切旅客自動車運送事業者は、運行の主な経路における道路及び交通の状況を事前に調査し、かつ、当該経路の状態に適すると認められる自動車を使用しなければならない。ただし、法第二十一条第二号の規定による許可を受けて乗合旅客を運送する場合にあつては、この限りでない。

（運行指示書による指示等）

第二八条の二　一般貸切旅客自動車運送事業者は、運行ごとに次の各号に掲げる事項を記載した運行指示書を作成し、かつ、これにより事業用自動車の運転者等に対し適切な指示を行うとともに、これを当該運転者等に携行させなければならない。ただし、法第二十一条第二号の規定による許可を受けて乗合旅客を運送する場合にあつては、この限りでない。

一　運行の開始及び終了の地点及び日時
二　乗務員等の氏名
三　運行の経路並びに主な経由地における発車及び到着の日時
四　旅客が乗車する区間
五　運行に際して注意を要する箇所の位置
六　乗務員等の休憩地点及び休憩時間（休憩がある場合に限る。）
七　乗務員等の運転又は業務の交替の地点（運転又は業務の交替がある場合に限る。）
八　第二十一条第三項の睡眠に必要な施設の名称及び位置
九　運送契約の相手方の氏名又は名称
十　その他運行の安全を確保するために必要な事項

2　一般貸切旅客自動車運送事業者は、前項の規定による運行指示書を運行の終了の日から三年間保存しなければならない。

（地図の備付け）

第二九条　一般乗用旅客自動車運送事業者は、事業用自動車（次項の規定の適用を受けるものを除く。）に少なくとも営業区域内の次の各号に掲げる事項が明示された地図であつて地方運輸局長の指定する規格に適合するものを備えておかなければならない。

一　道路
二　地名
三　著名な建造物、公園、名所及び旧跡並びに鉄道の駅
四　その他地方運輸局長が指定する事項

2　一般乗用旅客自動車運送事業者は、タクシー業務適正化特別措置法（昭和四十五年法律第七十五号）第二条第五項の指定地域内の営業所に配置する事業用自動車（運送の引受けが営業所のみにおいて行われるものを除く。）にあつては、次の各号に掲げる機能を有する機器を備えておかなければならない。

一　電子地図（電磁的方式により記録された地図（少なくとも営業区域内の前項各号に掲げる事項が明示された地図であつて同項の規格に適合するものに限る。）をいう。次号において同じ。）を当該機器の映像面に表示する機能
二　当該事業用自動車の位置情報を常時かつ即時に受信し、当該位置情報を当該機器の映像面に表示された電子地図に表示する機能
三　当該事業用自動車の運転者に対して目的地までの効率的な経路を適時に案内する機能

第三〇条から第三四条まで　削除

（運転者の選任等）

第三五条　旅客自動車運送事業者は、事業計画（路線定期運行を行う一般乗合旅客自動車運送事業者にあつては、事業計画及び運行計画）の遂行に十分な数の事業用自動車の運転者を常時選任しておかなければならない。

第三六条　旅客自動車運送事業者（個人タクシー事業者を除く。次条第一項、第二項及び第五項において同じ。）は、次の各号のいずれかに該当する者を運転者等として選任してはならない。

一　日日雇い入れられる者
二　二月以内の期間を定めて使用される者
三　試みの使用期間中の者（十四日を超えて引き続き使用されるに至つた者を除く。）
四　十四日未満の期間ごとに賃金の支払い（仮払い、前貸しその他の方法による金銭の授受であつて実質的に賃金の支払いと認められる行為を含む。）を受ける者

2　一般乗用旅客自動車運送事業者（個人タクシー事業者を除く。以下この章において同じ。）は、新たに雇い入れた者については、第三十八条第一項、第二項及び第五項並びに第三十九条に規定する事項（新たに雇い入れた者が一般乗用旅客自動車運送事業の事業用自動車の運転者として選任された経験を有する者である場合にあつては、第三十八条第一項に規定する事項及び第三十九条に規定する事項のうち営業区域内の地理に関し必要な事項）について、指導、監督及び特別な指導を行い、並びに適性診断を受診させた後でなければ、前条の運転者その他事業用自動車の運転者として選任してはならない。ただし、新たに雇い入れた者が、当該一般乗用旅客自動車運送事業者の営業区域内において、雇入れの日前二年以内に通算九十日以上一般乗用旅客自動車運送事業の事業用自動車の運転者であつたときは、この限りでない。

（乗務員等台帳及び乗務員証）

第三七条　旅客自動車運送事業者は、事業用自動車の運転者等ごとに、第一号から第十号までに掲げる事項を記載し、かつ、第十一号に掲げる写真を貼り付けた一定の様式の乗務員等台帳を作成し、これを当該運転者等の属する営業所に備えて置かなければならない。

一　作成番号及び作成年月日
二　事業者の氏名又は名称
三　運転者等の氏名、生年月日及び住所
四　雇入れの年月日及び運転者等に選任された年月日
五　運転者に対しては、道路交通法に規定する運転免許に関する次の事項
イ　運転免許証の番号及び有効期限
ロ　運転免許の年月日及び種類
ハ　運転免許に条件が付されている場合は、当該条件
六　運転者の運転の経歴
七　事故を引き起こした場合は、その概要
八　運転者に対しては、道路交通法第百八条の三十四の規定による通知を受けた場合は、その概要

する。

事業の種別	事業用自動車	事業用自動車の数
一般乗合旅客自動車運送事業（法第三十五条第一項の規定による一般貸切旅客自動車運送事業者に対する管理の委託に係る許可を受けているものを除く。）	一般乗合旅客自動車運送事業及び特定旅客自動車運送事業の用に供する事業用自動車	二百両
一般乗用旅客自動車運送事業	一般乗用旅客自動車運送事業の用に供する事業用自動車	二百両

2 前項の規定は、法第四十三条第五項において準用する法第二十二条の二第一項の国土交通省令で定める規模について準用する。この場合において、前項中「次の表の上欄に掲げる事業の種別に応じ、同表中欄に掲げる事業用自動車の数が、同表下欄に掲げる数」とあるのは「一般乗合旅客自動車運送事業及び特定旅客自動車運送事業の用に供する事業用自動車の数が、二百両」と読み替えるものとする。

（安全管理規程の届出）

第四十七条の三 法第二十二条の二第一項（法第四十三条第五項において準用する場合を含む。以下同じ。）の規定により安全管理規程の設定の届出をしようとする者は、旅客の運送を開始する日（事業計画の変更により前条に規定する規模以上となる者にあつては、当該計画の変更の実施予定日）までに、次に掲げる事項を記載した安全管理規程設定届出書を提出しなければならない。

一 氏名又は名称及び住所並びに法人にあつては、その代表者の氏名
二 安全管理規程の実施予定日

2 前項の届出書には、次に掲げる書類を添付しなければならない。

一 設定した安全管理規程
二 その他安全管理規程に関し必要な事項を記載した書類

3 法第二十二条の二第一項の規定により安全管理規程の変更の届出をしようとする者は、変更後の安全管理規程の実施の日までに、次に掲げる事項を記載した安全管理規程変更届出書を提出しなければならない。

一 氏名又は名称及び住所並びに法人にあつては、その代表者の氏名
二 変更後の安全管理規程の実施予定日
三 変更した事項（新旧の対照を明示すること。）
四 変更を必要とする理由

4 前項の届出書には、次に掲げる書類を添付しなければならない。

一 変更後の安全管理規程
二 その他変更後の安全管理規程に関し必要な事項を記載した書類

（安全管理規程の内容）

第四十七条の四 法第二十二条の二第二項（法第四十三条第五項において準用する場合を含む。）の国土交通省令で定める安全管理規程の内容は、次のとおりとする。

一 輸送の安全を確保するための事業の運営の方針に関する次に掲げる事項
イ 基本的な方針に関する事項
ロ 関係法令及び安全管理規程その他の輸送の安全の確保のための定めの遵守に関する事項
ハ 取組に関する事項
二 輸送の安全を確保するための事業の実施及びその管理の体制に関する次に掲げる事項
イ 組織体制に関する事項
ロ 経営の責任者による輸送の安全の確保に係る責務に関する事項
ハ 安全統括管理者の責務及び権限に関する事項
三 輸送の安全を確保するための事業の実施及びその管理の方法に関する次に掲げる事項
イ 情報の伝達及び共有に関する事項
ロ 事故、災害等の防止対策の検討及び実施に関する事項
ハ 事故、災害等が発生した場合の対応に関する事項
ニ 教育及び研修に関する事項
ホ 内部監査その他の事業の実施及びその管理の状況の確認に関する事項
ヘ 輸送の安全に係る文書の整備及び管理に関する事項
ト 事業の実施及びその管理の改善に関する事項
四 安全統括管理者の選任及び解任に関する事項

（安全統括管理者の要件）

第四十七条の五 法第二十二条の二第二項第四号の国土交通省令で定める要件は、次の表の上欄に掲げる事業の種別に応じ、それぞれ同表下欄に掲げる者のいずれかに該当し、かつ、法第二十二条の二第七項（法第四十三条第五項において準用する場合を含む。次項において同じ。）の命令により解任され、解任の日から二年を経過しない者でないこととする。

事業の種別	安全統括管理者になることができる者
一般乗合旅客自動車運送事業又は一般貸切旅客自動車運送事業	一 旅客自動車運送事業（一般乗用旅客自動車運送事業を除く。）の輸送の安全に関する業務のうち、次のいずれかに該当するものに通算して三年以上従事した経験を有する者 イ 事業用自動車の運行の安全の確保に関する業務 ロ 事業用自動車の点検及び整備の管理に関する業務 ハ イ又はロに掲げる業務その他の輸送の安全の確保に関する業務を管理する業務 二 前号に掲げる者と同等以上の能力を有すると地方運輸局長が認める者
一般乗用旅客自動車運送事業	一 一般乗用旅客自動車運送事業の輸送の安全に関する業務のうち、次のいずれかに該当するものに通算して三年以上従事した経験を有する者 イ 事業用自動車の運行の安全の確保に関する業務 ロ 事業用自動車の点検及び整備の管理に関する業務 ハ イ又はロに掲げる業務その他の輸送の安全の確保に関する業務を管理する業務 二 前号に掲げる者と同等以上の能力を有すると地方運輸局長が認める者

2 法第四十三条第五項において準用する法第二十二条の二第二項第四号の国土交通省令で定める要件は、前項の表一般乗合旅客自動車運送事業又は一般貸切旅客自動車運送事業の項安全統括管理者になることができる者の欄に掲げる者のいずれかに該当し、かつ、法第二十二条の二第七項の命令により解任され、解任の日から二年を経過しない者でないこととする。

（安全統括管理者の選任及び解任の届出）

第四七条の六　旅客自動車運送事業者は、法第二十二条の二第五項（法第四十三条第五項において準用する場合を含む。）の規定による届出をしようとするときは、次に掲げる事項を記載した安全統括管理者選任（解任）届出書を提出しなければならない。

一　氏名又は名称及び住所並びに法人にあつては、その代表者の氏名

二　選任し、又は解任した安全統括管理者の氏名及び生年月日

三　選任し、又は解任した年月日

四　解任の届出の場合にあつては、その理由

2　前項の安全統括管理者選任届出書には、選任した安全統括管理者が事業運営上の重要な決定に参画する管理的地位にあること及び前条に規定する要件を備えることを証する書類を添付しなければならない。

（旅客自動車運送事業者による輸送の安全にかかわる情報の公表）

第四七条の七　旅客自動車運送事業者は、毎事業年度の経過後百日以内に、輸送の安全に関する基本的な方針その他の輸送の安全にかかわる情報であつて国土交通大臣が告示で定める事項について、インターネットの利用その他の適切な方法により公表しなければならない。この場合において、旅客自動車運送事業者は、国土交通大臣が告示で定めるところにより、遅滞なく、その内容を国土交通大臣に報告しなければならない。

2　旅客自動車運送事業者は、法第二十七条第四項（法第四十三条第五項において準用する場合を含む。）、法第三十一条又は第四十条（法第四十三条第五項において準用する場合を含む。）の規定による処分（輸送の安全に係るものに限る。）を受けたときは、遅滞なく、当該処分の内容並びに当該処分に基づき講じた措置及び講じようとする措置の内容をインターネットの利用その他の適切な方法により公表しなければならない。

（有償運送の許可を受けた自家用自動車の運行の管理）

第四七条の八　旅客自動車運送事業者は、法第七十八条第三号の許可を受けて公共の福祉を確保するためやむを得ず地域又は期間を限定して自家用自動車を用いて旅客の運送を行うときは、第十五条、第二十条、第二十一条、第二十四条、第二十五条、第二十六条、第二十六条の二、第二十七条、第二十八条、第二十八条の二、第三十七条、第三十八条及び第四十三条第二項の規定に準じて、当該自家用自動車の運行の管理を行わなければならない。

第三章　運行管理者

第一節　運行管理者の選任等

（運行管理者等の選任）

第四七条の九　旅客自動車運送事業者は、次の表の第一欄に掲げる事業の種別に応じ、それぞれ同表の第二欄に掲げる営業所ごとに同表の第三欄に掲げる種類の運行管理者資格者証（以下「資格者証」という。）を有する者の中から、同表の第四欄に掲げる数以上の運行管理者を選任しなければならない。

事業の種別	運行管理者の選任が必要な営業所	資格者証の種類	選任すべき運行管理者の数
一　一般乗合旅客自動車運送事業	乗車定員十一人以上の事業用自動車の運行を管理する営業所及び乗車定員十人以下の事業用自動車五両以上の運行を管理する営業所	旅客自動車運送事業運行管理者資格者証又は一般乗合旅客自動車運送事業運行管理者資格者証	当該営業所が運行を管理する事業用自動車の数を四十で除して得た数（一未満の端数があるときは、これを切り捨てるものとする。）に一を加算して得た数
二　一般貸切旅客自動車運送事業	事業用自動車十九両以下の運行を管理する営業所	旅客自動車運送事業運行管理者資格者証	二。ただし、当該営業所が運行を管理する事業用自動車の数が四両以下であつて、地方運輸局長が当該事業用自動車の種別、地理的条件その他の事情を勘案して当該事業用自動車の運行の安全の確保に支障を生ずるおそれがないと認める場合には、一。
	事業用自動車二十両以上九十九両以下の運行を管理する営業所	旅客自動車運送事業運行管理者資格者証	当該営業所が運行を管理する事業用自動車の数を二十で除して得た数（一未満の端数があるときは、これを切り捨てるものとする。）に一を加算して得た数
	事業用自動車百両以上の運行を管理する営業所	旅客自動車運送事業運行管理者資格者証	当該営業所が運行を管理する事業用自動車の数から百を引いた数を三十で除した数（一未満の端数があるときは、これを切り捨てるものとする。）に六を加算して得た数
三　一般乗用旅客自動車運送事業	事業用自動車五両以上の運行を管理する営業所	旅客自動車運送事業運行管理者資格者証又は一般乗用旅客自動車運送事業運行管理者資格者証	当該営業所が運行を管理する事業用自動車の数を四十で除して得た数（一未満の端数があるときは、これを切り捨てるものとする。）に一を加算して得た数
四　特定旅客自動車運送事業	乗車定員十一人以上の事業用自動車の運行を	旅客自動車運送事業運行管理者資格者証、一般乗合旅客	当該営業所が運行を管理する事業用自動車の数を四十で除して

	管理する営業所及び乗車定員十人以下の事業用自動車五両以上の運行を管理する営業所	自動車運送事業運行管理者資格者証、一般乗用旅客自動車運送事業運行管理者資格者証又は特定旅客自動車運送事業運行管理者資格者証	得た数（一未満の端数があるときは、これを切り捨てるものとする。）に一を加算して得た数

2　一の営業所において複数の運行管理者を選任する旅客自動車運送事業者は、それらの業務を統括する運行管理者（以下「統括運行管理者」という。）を選任しなければならない。

3　旅客自動車運送事業者は、資格者証若しくは貨物自動車運送事業法（平成元年法律第八十三号）第十九条第一項に規定する運行管理者資格者証を有する者又は国土交通大臣が告示で定める運行の管理に関する講習（以下単に「講習」という。）であつて次項において準用する第四十一条の二及び第四十一条の三の規定により国土交通大臣の認定を受けたものを修了した者のうちから、運行管理者の業務を補助させるための者（以下「補助者」という。）を選任することができる。ただし、法第二十三条の二第二項第一号に該当する者は、補助者に選任することができない。

4　第四十一条の二から第四十一条の十一までの規定は、前項の認定について準用する。この場合において、これらの規定中「第三十八条第二項」とあるのは「第四十七条の九第三項」と、「適性診断」とあるのは「講習」と読み替えるほか、次の表の上欄に掲げる規定中同表の中欄に掲げる字句は、それぞれ同表の下欄に掲げる字句に読み替えるものとする。

第四十一条の二第三項及び第四十一条の八	第四十一条の四	第四十七条の九第四項において準用する第四十一条の四
第四十一条の三第二項第二号及び第四十一条の十一第四号	第四十一条の九	第四十七条の九第四項において準用する第四十一条の九
第四十一条の四	第四十一条の十	第四十七条の九第四項において準用する第四十一条の十
第四十一条の五第一項	第四十一条の二第二項第三号又は第四号	第四十七条の九第四項において準用する第四十一条の二第二項第三号又は第四号
第四十一条の五第三項	第四十一条の三	第四十七条の九第四項において準用する第四十一条の三
第四十一条の五第四項	第四十一条の二第二項第一号若しくは第二号	第四十七条の九第四項において準用する第四十一条の二第二項第一号若しくは第二号
第四十一条の七	第四十一条の三第一項各号	第四十七条の九第四項において準用する第四十一条の三第一項各号
第四十一条の九第一号	第四十一条の三第二項第一号又は第三号	第四十七条の九第四項において準用する第四十一条の三第二項第一号又は第三号
第四十一条の九第二号	第四十一条の五第一項又は第四項	第四十七条の九第四項において準用する第四十一条の五第一項又は第四項
第四十一条の十一第二号	第四十一条の五第一項	第四十七条の九第四項において準用する第四十一条の五第一項
	第四十一条の二第二項第三号	第四十七条の九第四項において準用する第四十一条の二第二項第三号
第四十一条の十一第三号	第四十一条の五第四項	第四十七条の九第四項において準用する第四十一条の五第四項
	第四十一条の二第二項第一号又は第二号	第四十七条の九第四項において準用する第四十一条の二第二項第一号又は第二号

5　旅客自動車運送事業者が、法第七十八条第三号の許可を受けて公共の福祉を確保するためやむを得ず地域又は期間を限定して自家用自動車を用いて行う旅客の運送に係る第一項の規定の適用については、同項の表中「管理する事業用自動車」とあるのは「管理する事業用自動車及び自家用自動車」と、同表第一号及び第四号中「及び乗車定員十人以下の事業用自動車」とあるのは「並びに乗車定員十人以下の事業用自動車及び自家用自動車」と、同表第三号中「事業用自動車五両以上」とあるのは「事業用自動車及び自家用自動車五両以上」とする。

（運行管理者の業務）

第四十八条　旅客自動車運送事業の運行管理者は、次に掲げる業務を行わなければならない。

一　第十五条の規定により車掌を乗務させなければならない事業用自動車に車掌を乗務させること。

一の二　特定自動運行事業用自動車による運送を行おうとする場合にあつては、第十五条の二第二項の規定により特定自動運行保安員を乗務させ、又は遠隔からその業務を行わせること。

二　第二十条の場合において、同条の措置を講ずること。

三　第二十一条第一項の規定により定められた勤務時間及び乗務時間の範囲内において乗務割を作成し、これに従い運転者を事業用自動車に乗務させること。

三の二　第二十一条第二項の休憩に必要な施設及び睡眠又は仮眠に必要な施設並びに同条第三項の睡眠に必要な施設を適切に管理すること。

四　第二十一条第四項の乗務員等を事業用自動車の運行の業務に従事させないこと。

四の二　乗務員等の健康状態の把握に努め、第二十一条第五項の乗務員等を事業用自動車の運行の業務に従事させないこと。

五　第二十一条第六項の場合において、交替するための運転者を配置すること。

五の二　第二十一条第七項の場合において、同項の措置を講ずること。

六　事業用自動車の運転者等に対し、第二十四条の点呼を行い、報告を求め、確認を行い、指示を与え、記録し、及びその記録を保存し、並びに運転者に対して使用するアルコール検知器を常時有効に保持すること。

七　事業用自動車の運転者等に対し、第二十五条の記録をさせ、及びその記録を保存すること。

八　第二十六条の規定により記録しなければならない場合において、運行記録計を管理し、及びその記録を保存すること。

九　第二十六条の規定により記録しなければならない場合において、運行記録計により記録することのできない事業用自動車を運行の用に供さないこと。

九の二　第二十六条の二各号に掲げる事項を記録し、及びその記録を保存すること。

十　一般乗合旅客自動車運送事業の運行管理者にあつては、第二十七条第一項の運行基準図を作成して営業所に備え、これにより事業用自動車の運転者等に対し、適切な指導をすること。

十一　路線定期運行を行う一般乗合旅客自動車運送事業の運行管理者にあつては、第二十七条第二項の運行表を作成し、これを事業用自動車の運転者等に携行させること。

十二　一般貸切旅客自動車運送事業の運行管理者にあつては、第二十八条の調査をし、かつ、同条の規定に適合する自動車を使用すること。

十二の二　一般貸切旅客自動車運送事業の運行管理者にあつては、第二十八条の二の運行指示書を作成し、かつ、これにより事業用自動車の運転者等に対し適切な指示を行い、事業用自動車の運転者等に携行させ、及びその保存をすること。

十三　第三十五条の規定により運転者として選任された者（特定自動運行旅客運送を行う場合にあつては、第十五条の二第一項の規定により選任された特定自動運行保安員）以外の者を事業用自動車の運行の業務に従事させないこと。

十三の二　第三十七条の乗務員等台帳を作成し、営業所に備え置くこと。

十四　一般乗用旅客自動車運送事業の運行管理者にあつては、事業用自動車の運転者が乗務する場合には、次号の規定により運転者証を表示するときを除き、第三十七条第三項の乗務員証を携行させ、及びその者が乗務を終了した場合には、当該乗務員証を返還させること。

十五　一般乗用旅客自動車運送事業の運行管理者にあつては、タクシー業務適正化特別措置法第十三条の規定により運転者証を表示しなければならない事業用自動車に運転者を乗務させる場合には、当該自動車に運転者証を表示し、その者が乗務を終了した場合には、当該運転者証を保管しておくこと。

十六　事業用自動車の乗務員等に対し、第三十八条（第六項を除く。）の指導、監督及び特別な指導を行うとともに、同条第一項及び第三項の記録及び保存を行うこと。

十七　事業用自動車の運転者に第三十八条第二項の適性診断を受けさせること。

十八　第四十三条第二項の場合において、当該自動車に非常信号用具を備えること。

十九　前条第三項の規定により選任された補助者に対する指導及び監督を行うこと。

二十　法第二十五条ただし書（法第四十三条第五項において準用する場合を含む。）の場合を除き、旅客自動車運送事業用自動車の運転者の要件に関する政令（昭和三十一年政令第二百五十六号）の要件を備えない者に事業用自動車を運転させないこと。

二十一　自動車事故報告規則第五条の規定により定められた事故防止対策に基づき、事業用自動車の運行の安全の確保について、従業員に対する指導及び監督を行うこと。

2　前項の運行管理者は、法第七十八条第三号の許可を受けて公共の福祉を確保するためやむを得ず地域又は期間を限定して自家用自動車を用いて旅客の運送を行う場合においては、前項（第十三号、第十五号及び第二十号を除く。）の規定に準じて当該自家用自動車の運行の安全の確保に関する業務を行わなければならない。

3　統括運行管理者は、前二項の規定による運行管理者の業務を統括しなければならない。

（運行管理規程）

第四十八条の二　旅客自動車運送事業者は、運行管理者の職務及び権限、統括運行管理者を選任しなければならない営業所にあつてはその職務及び権限並びに事業用自動車の運行の安全の確保に関する業務の実行に係る基準に関する規程（以下「運行管理規程」という。）を定めなければならない。

2　前項の運行管理規程に定める運行管理者の権限は、少なくとも前条各号に掲げる業務を行うに足りるものでなければならない。

（運行管理者の監督）

第四十八条の三　旅客自動車運送事業者は、その運行管理者に対し、第四十八条各号に掲げる業務の適確な実行及び運行管理規程の遵守について適切な指導監督をしなければならない。

（運行管理者の講習）

第四十八条の四　旅客自動車運送事業者は、国土交通大臣が告示で定めるところにより、次に掲げる運行管理者に国土交通大臣が告示で定める講習であつて次項において準用する第四十一条の二及び第四十一条の三の規定により国土交通大臣の認定を受けたものを受けさせなければならない。

一　死者若しくは重傷者（自動車損害賠償保障法施行令第五条第二号又は第三号に掲げる傷害を受けた者をいう。）が生じた事故を引き起こした事業用自動車の運行を管理する営業所又は法第四十条（法第四十三条第五項において準用する場合を含む。）の規定による処分（輸送の安全に係るものに限る。）の原因となつた違反行為が行われた営業所において選任している者

二　運行管理者として新たに選任した者

三　最後に国土交通大臣が認定する講習を受講した日の属する年度の翌年度の末日を経過した者

2　第四十一条の二から第四十一条の十一までの規定は、前項の認定について準用する。この場合において、これらの規定中「第三十八条第二項」とあるのは「第四十八条の四第一項」と、「適性診断」とあるのは「講習」と読み替えるほか、次の表の上欄に掲げる規定中同表の中欄に掲げる字句は、それぞれ同表の下欄に掲げる字句に読み替えるものとする。

第四十一条の二第三項及び第四十一条の八	第四十一条の四	第四十八条の四第二項において準用する第四十一条の四
第四十一条の三第二項第二号及び第四十一条の十一第四号	第四十一条の九	第四十八条の四第二項において準用する第四十一条の九
第四十一条の四	第四十一条の十	第四十八条の四第二項において準用する第四十一条の十
第四十一条の五第一項	第四十一条の二第二項第三号又は第四号	第四十八条の四第二項において準用する第四十一条の二第二項第三号又は第四号
第四十一条の五第三項	第四十一条の三	第四十八条の四第二項において準用する第四十一条の三
第四十一条の五第四項	第四十一条の二第二項第一号若しくは第二号	第四十八条の四第二項において準用する第四十一条の二第二項第一号若しくは第二号
第四十一条の七	第四十一条の三第一項各号	第四十八条の四第二項において準用する第四

		十一条の三第一項各号
第四十一条の九第一号	第四十一条の三第二項第一号又は第三号	第四十八条の四第二項において準用する第四十一条の三第二項第一号又は第三号
第四十一条の九第二号	第四十一条の五第一項又は第四項	第四十八条の四第二項において準用する第四十一条の五第一項又は第四項
第四十一条の十一第二号	第四十一条の五第一項	第四十八条の四第二項において準用する第四十一条の五第一項
	第四十一条の二第二項第三号	第四十八条の四第二項において準用する第四十一条の二第二項第三号
第四十一条の十一第三号	第四十一条の五第四項	第四十八条の四第二項において準用する第四十一条の五第四項
	第四十一条の二第二項第一号又は第二号	第四十八条の四第二項において準用する第四十一条の二第二項第一号又は第二号

第二節　運行管理者資格者証

（運行管理者の資格要件）

第四十八条の五　法第二十三条の二第一項第二号の国土交通省令で定める一定の実務の経験その他の要件は、次の表の上欄に掲げる資格者証の種類に応じ、同表の下欄に掲げる種類の旅客自動車運送事業の事業用自動車の運行の管理に関し五年以上の実務の経験（法第二十一条第二号の規定による許可を受けて行う乗合旅客の運送に係るものを除く。）を有し、かつ、その間に、国土交通大臣が告示で定めるところにより、国土交通大臣が告示で定める講習であつて次項において準用する第四十一条の二及び第四十一条の三の規定により国土交通大臣の認定を受けたものを五回以上受講した者であることとする。

資格者証の種類	旅客自動車運送事業の種類
一　一般乗合旅客自動車運送事業運行管理者資格者証	一般乗合旅客自動車運送事業
二　一般乗用旅客自動車運送事業運行管理者資格者証	一般乗用旅客自動車運送事業
三　特定旅客自動車運送事業運行管理者資格者証	一般乗合旅客自動車運送事業、一般貸切旅客自動車運送事業、一般乗用旅客自動車運送事業又は特定旅客自動車運送事業

2　第四十一条の二から第四十一条の十一までの規定は、前項の認定について準用する。この場合において、これらの規定中「第三十八条第二項」とあるのは「第四十八条の五第一項」と、「適性診断」とあるのは「講習」と読み替えるほか、次の表の上欄に掲げる規定中同表の中欄に掲げる字句は、それぞれ同表の下欄に掲げる字句に読み替えるものとする。

第四十一条の二第三項及び第四十一条の八	第四十一条の四	第四十八条の五第二項において準用する第四十一条の四
第四十一条の三第二項第二号及び第四十一条の十一第四号	第四十一条の九	第四十八条の五第二項において準用する第四十一条の九
第四十一条の四	第四十一条の十	第四十八条の五第二項において準用する第四十一条の十
第四十一条の五第一項	第四十一条の二第二項第三号又は第四号	第四十八条の五第二項において準用する第四十一条の二第二項第三号又は第四号
第四十一条の五第三項	第四十一条の三	第四十八条の五第二項において準用する第四十一条の三
第四十一条の五第四項	第四十一条の二第二項第一号若しくは第二号	第四十八条の五第二項において準用する第四十一条の二第二項第一号若しくは第二号
第四十一条の七	第四十一条の三第一項各号	第四十八条の五第二項において準用する第四十一条の三第一項各号
第四十一条の九第一号	第四十一条の三第二項第一号又は第三号	第四十八条の五第二項において準用する第四十一条の三第二項第一号又は第三号
第四十一条の九第二号	第四十一条の五第一項又は第四項	第四十八条の五第二項において準用する第四十一条の五第一項又は第四項
第四十一条の十一第二号	第四十一条の五第一項	第四十八条の五第二項において準用する第四十一条の五第一項
	第四十一条の二第二項第三号	第四十八条の五第二項において準用する第四十一条の二第二項第三号
第四十一条の十一第三号	第四十一条の五第四項	第四十八条の五第二項において準用する第四十一条の五第四項
	第四十一条の二第二項第一号又は第二号	第四十八条の五第二項において準用する第四十一条の二第二項第一号又は第二号

（資格者証の様式及び交付）

第四十八条の六　資格者証は、第一号様式によるものとする。

2　資格者証の交付を申請しようとする者は、第二号様式による運行管理者資格者証交付申請書に住民票の写し若しくは個人番号カード（行政手続における特定の個人を識別するための番号の利用等に関する法律（平成二十五年法律第二十七号）第二条第七項に規定する個人番号カードをいう。以下同じ。）の写し又はこれらに類するものであつて氏名及び生年月日を証明する書類及び次の各号のいずれかの書類を添付して、提出しなければばならない。

一　運行管理者試験（以下「試験」という。）の合格通知

二　前条第一項に該当することを証する書類

3　前項の資格者証の交付の申請は、試験に合格した者にあつては、合格の日から三月以内に行わなければならない。

（資格者証の訂正）

第四八条の七　資格者証の交付を受けている者は、氏名に変更を生じたときは、第三号様式による運行管理者資格者証訂正申請書に当該資格者証及び住民票の写し若しくは個人番号カードの写し又はこれらに類するものであつて変更の事実を証明する書類を添付してその住所地を管轄する地方運輸局長に提出し、資格者証の訂正を受けなければならない。

2　資格者証の交付を受けている者は、前項に規定する資格者証の訂正に代えて、資格者証の再交付を受けることができる。

（資格者証の再交付）

第四八条の八　資格者証の交付を受けている者は、前条第二項の規定により資格者証の再交付の申請をしようとするとき又は交付を受けた資格者証を汚し、損じ、若しくは失つたために資格者証の再交付の申請をしようとするときは、第三号様式による運行管理者資格者証再交付申請書に既に交付を受けている資格者証（資格者証を失つた場合を除く。）及び住民票の写し若しくは個人番号カードの写し又はこれらに類するものであつて変更の事実を証明する書類（同条第二項の規定により資格者証の再交付の申請をする場合に限る。）を添付して、その住所地を管轄する地方運輸局長に提出しなければならない。

（資格者証の返納）

第四八条の九　資格者証を失つたために前条の規定により資格者証の再交付を受けた者は、失つた資格者証を発見したときは、遅滞なく、発見した資格者証をその住所地を管轄する地方運輸局長に返納しなければならない。

2　資格者証の交付を受けている者が死亡し、又は失踪宣告を受けたときは、戸籍法（昭和二十二年法律第二百二十四号）による死亡又は失踪宣告の届出義務者は、遅滞なく、その資格者証をその住所地を管轄する地方運輸局長に返納しなければならない。

第三節　運行管理者試験

（試験方法）

第四八条の一〇　試験は、次に掲げる事項について筆記の方法又は電子計算機その他の機器を使用する方法で行う。

一　次に掲げる法令についての専門的知識

イ　道路運送法

ロ　道路運送車両法

ハ　道路交通法

ニ　労働基準法（昭和二十二年法律第四十九号）

ホ　イからニまでに掲げる法律に基づく命令

二　その他運行管理者の業務に関し必要な実務上の知識及び能力

（試験の施行）

第四八条の一一　試験は、毎年少なくとも一回行う。

2　国土交通大臣（指定試験機関が試験事務を行う場合にあつては、指定試験機関。第四十八条の十四において同じ。）は、試験の期日、場所その他試験に関し必要な事項を公示する。

（受験資格）

第四八条の一二　試験は、試験の日の前日において自動車運送事業（貨物自動車運送事業法第二条第四項に規定する貨物軽自動車運送事業を除く。）の用に供する事業用自動車又は貨物自動車利用運送事業法第三十七条第三項に規定する特定第二種貨物利用運送事業者の事業用自動車の運行の管理に関し一年以上の実務の経験を有する者でなければ、受けることができない。

2　前項に規定する経験は、国土交通大臣が告示で定める講習であつて次項において準用する第四十一条の二及び第四十一条の三の規定により国土交通大臣の認定を受けたものを修了することをもつて代えることができる。

3　第四十一条の二から第四十一条の十一までの規定は、前項の認定について準用する。この場合において、これらの規定中「第三十八条第二項」とあるのは「第四十八条の十二第二項」と、「適性診断」とあるのは「講習」と読み替えるほか、次の表の上欄に掲げる規定中同表の中欄に掲げる字句は、それぞれ同表の下欄に掲げる字句に読み替えるものとする。

第四十一条の二第三項及び第四十一条の八	第四十一条の四	第四十八条の十二第三項において準用する第四十一条の四
第四十一条の三第二項第二号及び第四十一条の十一第四号	第四十一条の九	第四十八条の十二第三項において準用する第四十一条の九
第四十一条の四	第四十一条の十	第四十八条の十二第三項において準用する第四十一条の十
第四十一条の五第一項	第四十一条の二第二項第三号又は第四号	第四十八条の十二第三項において準用する第四十一条の二第二項第三号又は第四号
第四十一条の五第三項	第四十一条の三	第四十八条の十二第三項において準用する第四十一条の三
第四十一条の五第四項	第四十一条の二第二項第一号若しくは第二号	第四十八条の十二第三項において準用する第四十一条の二第二項第一号若しくは第二号
第四十一条の七	第四十一条の三第一項各号	第四十八条の十二第三項において準用する第四十一条の三第一項各号
第四十一条の九第一号	第四十一条の三第二項第一号又は第三号	第四十八条の十二第三項において準用する第四十一条の三第二項第一号又は第三号
第四十一条の九第二号	第四十一条の五第一項又は第四項	第四十八条の十二第三項において準用する第四十一条の五第一項又は第四項
第四十一条の十一第二号	第四十一条の五第一項	第四十八条の十二第三項において準用する第四十一条の五第一項
	第四十一条の二第二項第三号	第四十八条の十二第三項において準用する第四十一条の二第二項第三号
第四十一条の十一第三号	第四十一条の五第四項	第四十八条の十二第三項において準用する第四十一条の五第四項
	第四十一条の二第二項第一号又	第四十八条の十二第三項において準用する第

	は第二号	四十一条の二第二項第一号又は第二号

（受験の申請）

第四八条の一三　試験（指定試験機関が行うものを除く。）を受けようとする者は、第四号様式による運行管理者試験受験申請書に前条に規定する受験資格を有することを明らかにする書類を添付して、提出しなければならない。

2　指定試験機関が行う試験を受けようとする者は、当該指定試験機関が定めるところにより、運行管理者試験受験申請書を当該指定試験機関に提出しなければならない。

（試験結果の通知）

第四八条の一四　国土交通大臣は、受験者に、その試験の結果を遅滞なく通知しなければならない。

第四章　乗務員

（乗務員）

第四九条　旅客自動車運送事業者の事業用自動車の運転者、車掌その他の乗務員は、事業用自動車の運行を中断し、又は旅客が死傷したときは、当該旅客自動車運送事業者とともに、第十八条第一項各号若しくは第二項各号又は第十九条各号に掲げる事項を実施しなければならない。この場合において、旅客の生命を保護するための処置は、他の処置に先んじてしなければならない。

2　前項の乗務員は、次に掲げる行為をしてはならない。

一　第五十二条各号に掲げる物品（同条ただし書の規定によるものを除く。）を旅客の現在する事業用自動車内に持ち込むこと。

二　酒気を帯びて乗務すること。

三　事業用自動車内で喫煙すること。

3　一般乗合旅客自動車運送事業者、一般貸切旅客自動車運送事業者及び特定旅客自動車運送事業者の事業用自動車（乗車定員十一人以上のものに限る。）の乗務員は、前項各号に掲げるもののほか、次に掲げる行為をしてはならない。

一　運行時刻前に発車すること。

二　旅客の現在する自動車の走行中職務を遂行するために必要な事項以外の事項について話をすること。

4　前項の乗務員は、旅客が事業用自動車内において法令の規定又は公の秩序若しくは善良の風俗に反する行為をするときは、これを制止し、又は必要な事項を旅客に指示する等の措置を講ずることにより、輸送の安全を確保し、及び事業用自動車内の秩序を維持するように努めなければならない。

（運転者）

第五〇条　旅客自動車運送事業者の事業用自動車の運転者は、次に掲げる事項を遵守しなければならない。

一　第二十四条第一項第一号の点検をし、又はその確認をすること。

二　乗務しようとするとき及び乗務を終了したときは、第二十四条第一項及び第二項の規定により当該旅客自動車運送事業者が行う点呼を受け、これらの規定による報告をすること。

三　酒気を帯びた状態にあるときは、その旨を当該旅客自動車運送事業者に申し出ること。

三の二　疾病、疲労、睡眠不足、天災その他の理由により安全な運転をすることができないおそれがあるときは、その旨を当該旅客自動車運送事業者に申し出ること。

三の三　事業用自動車の運行中に疾病、疲労、睡眠不足、天災その他の理由により安全な運転を継続することができないおそれがあるときは、その旨を当該旅客自動車運送事業者に申し出ること。

四　事業用自動車の運行中に当該自動車の重大な故障を発見し、又は重大な事故が発生するおそれがあると認めたときは、直ちに、運行を中止すること。

五　坂路において事業用自動車から離れるとき及び安全な運行に支障がある箇所を通過するときは、旅客を降車させること。

六　踏切を通過するときは、変速装置を操作しないこと。

七　事業用自動車の故障等により踏切内で運行不能となつたときは、速やかに旅客を誘導して退避させるとともに、列車に対し適切な防護措置をとること。

八　乗務を終了したときは、交替する運転者に対し、乗務中の事業用自動車、道路及び運行の状況について通告すること。この場合において、乗務する運転者は、当該事業用自動車の制動装置、走行装置その他の重要な部分の機能について点検をすること。

九　第二十五条第一項、第二項又は第三項の記録（同条第四項の規定により、同条第一項、第二項又は第三項の規定により記録すべき事項を運行記録計による記録に付記する場合は、その付記による記録）を行うこと。

十　運転操作に円滑を欠くおそれがある服装をしないこと。

2　一般乗合旅客自動車運送事業者、一般貸切旅客自動車運送事業者及び特定旅客自動車運送事業者の事業用自動車（乗車定員十一人以上のものに限る。）の運転者は、前項各号に掲げるもののほか、次に掲げる事項を遵守しなければならない。ただし、第十五条の規定により車掌が乗務しない事業用自動車にあつては、第二号に掲げる事項を遵守すればよい。

一　発車は、車掌の合図によつて行うこと。

二　発車の直前に安全の確認ができた場合を除き警音器を吹鳴すること。

三　警報装置の設備がない踏切又は踏切警手が配置されていない踏切を通過しようとするときは、車掌の誘導を受けること。

四　自動車を後退させようとするときは、車掌の誘導を受けること。

3　第十五条の規定により車掌が乗務しない事業用自動車の運転者は、乗降口の扉を閉じた後でなければ発車してはならない。

4　次条第五号の規定は、第十五条の規定により車掌が乗務しない事業用自動車の運転者に準用する。

5　路線定期運行を行う一般乗合旅客自動車運送事業者の運転者は、乗務中第二十七条第二項の運行表を携行しなければならない。

6　一般乗用旅客自動車運送事業者の事業用自動車の運転者は、食事若しくは休憩のため運送の引受けをすることができない場合又は乗務の終了等のため車庫若しくは営業所に回送しようとする場合には、回送板を掲出しなければならない。

7　一般乗用旅客自動車運送事業者の事業用自動車の運転者は、前項の場合以外の場合には、回送板を掲出してはならない。

8　第二十二条第一項の一般乗用旅客自動車運送事業者の事業用自動車の運転者であつて、指定地域内にある営業所に属する者は、同項の乗務距離の最高限度を超えて乗務してはならない。

9　一般乗用旅客自動車運送事業者の事業用自動車の運転者は、乗務中第三十七条第三項の乗務員証を携行し、及び乗務を終了した場合には、当該乗務員証を返還しなければならない。

10　一般貸切旅客自動車運送事業者の事業用自動車の運転者は、第二十四条第三項に規定する乗務の途中において、同項の規定により一般貸切旅客自動車運送事業者が行う点呼を受け、同項の規定による報告をしなければならない。

11　一般貸切旅客自動車運送事業者の運転者は、乗務中第二十八条の二の運行指示書を携行しなければならない。

（車掌）

第五一条　一般乗合旅客自動車運送事業者、一般貸切旅客自動車運送事業者及び特定旅客自動車運送事業者の事業用自動車（乗車定員十一人以上のものに限る。）の車掌は、乗務中次に掲げる事項を遵守しなければならない。
一　警報装置の設備がない踏切又は踏切警手が配置されていない踏切を通過しようとするときは、踏切前で降車し、運行の安全を確認して運転者を誘導すること。
二　事業用自動車の故障等により踏切内で運行不能となつたときは、速やかに、旅客を誘導して退避させるとともに、列車に対し適切な防護措置をとること。
三　事業用自動車を後退させようとするときは、降車し、路肩又は障害物との間隔及び路面その他の道路の状況を運転者に通告するとともに誘導すること。
四　発車の合図は、旅客の安全及び事業用自動車の左側に、その運行に支障がないことを確認し、かつ、乗降口の扉を閉じた後に行うこと。
五　乗降口の扉は、停車前に旅客の乗降のために開かないこと。
六　車掌の業務の実施に円滑を欠くおそれがある服装をしないこと。

第五章　旅客

（物品の持込制限）

第五二条　旅客自動車運送事業者の事業用自動車を利用する旅客は、次に掲げる物品を自動車内に持ち込んではならない。ただし、品名、数量、荷造方法等について、国土交通大臣が告示で定める条件に適合する場合は、この限りでない。
一　火薬類（火薬類取締法（昭和二十五年法律第百四十九号）の火薬類をいう。ただし、五十発以内の実包及び空包であつて、弾帯又は薬ごうに挿入してあるものを除く。）
二　百グラムを超える玩具用煙火
三　揮発油、灯油、軽油、アルコール、二硫化炭素その他の引火性液体（喫煙用ライター及び懐炉に使用しているものを除く。）
四　百グラムを超えるフィルムその他のセルロイド類（ニトロ・セルローズを主材とした生地製品、半製品及びくずをいう。）
五　黄りん、カーバイト、金属ナトリウムその他の発火性物質及びマグネシウム粉、過酸化水素、過酸化ソーダその他の爆発性物質
六　放射性物質等（放射性同位元素等の規制に関する法律施行規則（昭和三十五年総理府令第五十六号）第十八条の三第一項の放射性同位元素等並びに核原料物質、核燃料物質及び原子炉の規制に関する法律（昭和三十二年法律第百六十六号）第二条第二項の核燃料物質及びそれによつて汚染された物をいう。）
七　苛性ソーダ、硝酸、硫酸、塩酸その他の腐食性物質
八　高圧ガス（高圧ガス保安法（昭和二十六年法律第二百四号）の高圧ガスをいう。ただし、消火器内に封入した炭酸ガス及び医薬用酸素器に封入した酸素ガスを除く。）
九　クロル・ピクリン、メチル・クロライド、液体青酸、クロロ・ホルム、ホルマリンその他の有毒ガス及び有毒ガスを発生するおそれのある物質
十　刃物
十一　五百グラムを超えるマッチ
十二　電池（乾電池を除く。）
十三　死体
十四　動物（身体障害者補助犬（身体障害者補助犬法（平成十四年法律第四十九号）の身体障害者補助犬をいう。）及びこれと同等の能力を有すると認められる犬並びに愛玩用の小動物を除く。）
十五　事業用自動車の通路、出入口又は非常口をふさぐおそれのあるもの
十六　前各号に掲げるもののほか、他の旅客の迷惑となるおそれのあるもの又は車室を著しく汚損するおそれのあるもの

（禁止行為）

第五三条　旅客自動車運送事業者の事業用自動車を利用する旅客は、自動車の事故の場合その他やむを得ない場合のほか、事業用自動車内において、次に掲げる行為（一般貸切旅客自動車運送事業者の事業用自動車を利用する旅客にあつては、第五号に掲げる行為を除く。）をしてはならない。
一　走行中みだりに運転者に話しかけること。
二　物品をみだりに車外へ投げること。
三　自動車の操縦装置、制動装置その他運行に必要な機械装置に手を触れ、又は非常口その他事故の際旅客を車外に脱出させるための装置を操作すること。
四　走行中乗降口の扉を開閉すること。
五　一般の旅客に対して寄附若しくは物品の購買を求め、演説し、勧誘し、又は物品を配付すること。
六　禁煙の表示のある自動車内で喫煙すること。
七　第四十九条第四項（特定自動運行事業用自動車を利用する旅客にあつては、第十五条の二第七項）の規定による制止又は指示に反すること。
八　走行中の自動車に飛び乗り、又は飛び降りること。

第六章　指定試験機関

（指定の申請）

第五四条　法第四十四条第二項の規定により指定試験機関の指定を申請しようとする者は、次に掲げる事項を記載した指定試験機関指定申請書を提出しなければならない。
一　名称及び住所並びに代表者の氏名
二　試験事務を行おうとする事務所の名称及び所在地
三　前号の事務所ごとの試験員の数
四　試験事務の開始の予定日
2　前項の申請書には、次に掲げる書類を添付しなければならない。
一　定款及び登記事項証明書
二　申請の日の属する事業年度の前事業年度における財産目録及び貸借対照表。ただし、申請の日の属する事業年度に設立された法人にあつては、その設立時における財産目録とする。
三　申請の日の属する事業年度及び翌事業年度における事業計画書及び収支予算書
四　役員の名簿及び履歴書
五　指定の申請に関する意思の決定を証する書類
六　組織及び運営に関する事項を記載した書類
七　試験事務を行おうとする事務所ごとに試験用設備の概要及び整備計画を記載した書類
八　試験事務の実施の方法に関する計画を記載した書類
九　試験員の選任に関する事項を記載した書類
十　現に行つている業務の概要を記載した書類
十一　役員のうちに法第四十五条第二項第四号イ又はロに該当する者がいないことを信じさせるに足る書類
十二　その他参考となる事項を記載した書類

（指定試験機関の名称等の変更の届出）

第五五条　指定試験機関は、法第四十五条の二第二項の規定による届出をしようとするときは、次に掲げる事項を記載した指定試験機関名称等変更届出書を提出しなければならない。
一　変更後の名称若しくは住所又は事務所の所在地
二　変更の予定日

（試験員の要件）

第五六条　法第四十五条の三の国土交通省令で定める要件は、次

の各号のいずれかに該当することとする。

一　資格者証の交付を受けている者であつて、旅客自動車運送事業の運行管理者として三年以上の実務の経験を有する者であること。

二　国土交通大臣が前号に掲げる者と同等以上の能力を有するものと認める者であること。

（役員の選任及び解任の認可の申請）

第五十七条　指定試験機関は、法第四十五条の四第一項の認可を受けようとするときは、次に掲げる事項を記載した指定試験機関役員選任（解任）認可申請書を提出しなければならない。

一　役員として選任しようとする者の氏名又は解任しようとする役員の氏名

二　選任の場合にあつては、その者の履歴

三　解任の場合にあつては、その理由

2　役員の選任に係る前項の申請書には、役員として選任しようとする者が法第四十五条第二項第四号イ及びロのいずれにも該当しないことを信じさせるに足る書類を添付しなければならない。

（試験員の選任及び解任の届出）

第五十八条　指定試験機関は、法第四十五条の四第二項の規定による届出をしようとするときは、次に掲げる事項を記載した試験員選任（解任）届出書を提出しなければならない。

一　試験員の氏名

二　選任の場合にあつては、その者の履歴並びにその者が試験事務を行う事務所の名称及び所在地

三　解任の場合にあつては、その理由

2　前項の場合において、選任の届出をしようとするときは、同項の届出書に、当該選任に係る者が第五十六条に規定する試験員の要件を備えることを明らかにする書類を添付しなければならない。

（試験事務規程）

第五十九条　法第四十五条の六第一項の国土交通省令で定める試験事務の実施に関する事項は、次のとおりとする。

一　試験事務を行う時間及び休日に関する事項

二　試験事務を行う事務所に関する事項

三　手数料の収納の方法に関する事項

四　試験事務の実施の方法に関する事項

五　試験の結果の通知に関する事項

六　試験員の選任及び解任並びにその配置に関する事項

七　試験事務に関する秘密の保持に関する事項

八　試験事務に関する帳簿及び書類の管理に関する事項

九　その他試験事務の実施に関し必要な事項

2　指定試験機関は、法第四十五条の六第一項前段の規定による認可を受けようとするときは、試験事務規程認可申請書に当該認可に係る試験事務規程を添付して、提出しなければならない。

3　指定試験機関は、法第四十五条の六第一項後段の規定による認可を受けようとするときは、次に掲げる事項を記載した試験事務規程変更認可申請書を提出しなければならない。

一　変更しようとする事項

二　変更の予定日

三　変更を必要とする理由

（事業計画等の認可の申請）

第六十条　指定試験機関は、法第四十五条の七第一項前段の規定による認可を受けようとするときは、事業計画等認可申請書に当該認可に係る事業計画書及び収支予算書を添付して、提出しなければならない。

2　指定試験機関は、法第四十五条の七第一項後段の規定による認可を受けようとするときは、変更しようとする事項及びその理由を記載した事業計画等変更認可申請書を提出しなければならない。

（帳簿）

第六十一条　法第四十五条の八の国土交通省令で定める帳簿の記載事項は、次のとおりとする。

一　試験年月日

二　試験地

三　受験者の受験番号、氏名及び生年月日

四　試験員の氏名

五　受験者の試験の結果

六　合格年月日

七　その他試験に関し必要な事項

2　法第四十五条の八の帳簿は、試験事務を行う事務所ごとに作成して備え付け、記載の日から三年間保存しなければならない。

（試験事務の休廃止の許可の申請）

第六十二条　指定試験機関は、法第四十五条の十第一項の許可を受けようとするときは、次に掲げる事項を記載した試験事務休止（廃止）許可申請書を提出しなければならない。

一　休止又は廃止しようとする試験事務の範囲

二　休止又は廃止の予定日及び休止しようとする場合にあつては、その期間

三　休止又は廃止の理由

（試験事務の引継ぎ）

第六十三条　指定試験機関は、法第四十五条の十二第三項に規定する場合にあつては、次に掲げる事項を行わなければならない。

一　試験事務を国土交通大臣に引き継ぐこと。

二　試験事務に関する帳簿及び書類を国土交通大臣に引き継ぐこと。

三　その他国土交通大臣が必要と認める事項

（公示）

第六十四条　指定試験機関の名称、住所及び試験事務を行う事務所の所在地並びに試験事務の開始の日は、次のとおりとする。

名称	住所	試験事務を行う事務所の所在地	試験事務の開始の日
公益財団法人運行管理者試験センター	東京都港区芝大門一丁目十六番三号芝大門壱六ビル七階	東京都港区芝大門一丁目十六番三号芝大門壱六ビル七階	平成十四年二月一日

2　法第四十五条の十第二項の公示（試験事務の全部の廃止の許可に係るものを除く。）、法第四十五条の十一第三項の公示（指定の取消しに係るものを除く。）及び法第四十五条の十二第二項の公示は、官報で告示することによつて行う。

（変更の報告）

第六十五条　指定試験機関は、次の各号のいずれかに該当する場合にあつては、遅滞なく、その旨を記載した報告書を国土交通大臣に提出しなければならない。

一　試験事務に従事しない役員に変更があつた場合

二　第五十八条第一項の選任の届出に係る試験員が、解任以外の理由により、当該事務所の試験員でなくなつた場合

（試験の実施結果の報告）

第六十六条　指定試験機関は、試験を実施したときは、遅滞なく、次に掲げる事項を記載した試験実施結果報告書を国土交通大臣に提出しなければならない。

一　試験年月日

二　試験地

三　受験者数

四　合格者数

五　合格年月日

2　前項の報告書には、合格者の受験番号、氏名及び生年月日を記載した合格者一覧表を添付しなければならない。

第七章　雑則

（国土交通大臣による輸送の安全にかかわる情報の公表）

第六六条の二　法第二十九条の二の国土交通省令で定める輸送の安全にかかわる情報は、次のとおりとする。

一　法第二十七条第四項、法第三十一条又は法第四十条の規定による処分（輸送の安全に係るものに限る。）を受けた者の氏名又は名称及び当該処分に係る違反の内容

二　法第二十九条の規定による届出に係る事項

三　法第九十四条第四項の規定による立入検査（輸送の安全の確保に係るものに限る。）に係る事項

四　前三号に掲げるもののほか、輸送の安全に重大な関係を有する事項がある場合には、その事項

2　法第二十九条の二の規定による公表は、インターネットの利用その他の適切な方法により行うものとする。

3　前二項の規定は、法第四十三条第五項において準用する法第二十九条の二の国土交通省令で定める輸送の安全にかかわる情報について準用する。

（手数料）

第六七条　法第九十五条の二第一項の国土交通省令で定める額は、次のとおりとする。

一　試験を受けようとする者　六千円

二　資格者証の交付又は再交付を受けようとする者　二百七十円（情報通信技術を活用した行政の推進等に関する法律（平成十四年法律第百五十一号）第六条第一項の規定により同項に規定する電子情報処理組織を使用して交付又は再交付の申請をする場合にあつては、二百六十円）

（届出）

第六八条　旅客自動車運送事業者は、次の表の上欄に掲げる場合に該当することとなつたとき（同表第五号及び第六号に掲げる場合にあつては、一般貸切旅客自動車運送事業者が当該各号の場合に該当することとなつたときに限る。）は、同表下欄に掲げる事項を営業所の所在地を管轄する運輸監理部長又は運輸支局長に届け出なければならない。

届出を行う場合	届出事項
一　法第二十三条第三項の規定により、運行管理者を選任し、又は解任した場合	一　届出者の氏名又は名称及び住所 二　事業の種類 三　営業所の名称及び位置 四　選任又は解任の年月日 五　運行管理者の氏名及び生年月日 六　資格者証の番号及び交付年月日 七　選任の場合にあつては、運行管理者の兼職の有無（兼職が有る場合は、その職名及び職務内容）
二　前号の届出に係る運行管理者が、転任、退職その他の理由により、当該営業所の運行管理者でなくなつた場合	運行管理者でなくなつた旨及びその理由
三　第四十条第二項の規定により、指導主任者を選任した場合	一　届出者の氏名又は名称及び住所 二　選任の年月日 三　指導主任者の氏名及び生年月日 四　指導主任者の兼職の有無（兼職が有る場合は、その職名及び職務内容）
四　前号の届出に係る指導主任者が、転任、退職その他の理由により、指導主任者でなくなつた場合	指導主任者でなくなつた旨及びその理由
五　第四十七条の九第三項の規定により、補助者を選任し、又は解任した場合	一　届出者の氏名又は名称及び住所 二　営業所の名称及び位置 三　選任又は解任の年月日 四　補助者の氏名及び生年月日 五　選任の場合にあつては、補助者が第四十七条の九第三項に規定する要件に該当することを証する事項 六　選任の場合にあつては、補助者の兼職の有無（兼職が有る場合は、その職名及び職務内容）
六　前号の届出に係る補助者が、転任、退職その他の理由により、当該営業所の補助者でなくなつた場合	補助者でなくなつた旨及びその理由

2　前項の規定による届出は、当該届出事由の発生した日から十五日以内に行うものとする。

（書類の管理）

第六九条　旅客自動車運送事業者は、第二十六条の二に規定する事故の記録、第三十八条第一項及び第三項の規定による指導監督の記録その他の国土交通大臣が告示で定める書類を適切に管理し、法第九十四条第一項の規定による報告の求め又は同条第四項の規定による立入検査を受けた場合に、速やかに提示できるようにしなければならない。

附　則

1　この省令は、公布の日から施行する。ただし、第五条第一項第七号の規定（第三十七条の規定による禁止行為に係るものに限る。）は昭和三十一年九月一日から、第十五条の規定（特定旅客自動車運送事業者に係るものに限る。）、第二十一条第三項（第四十六条第三項において準用する場合を含む。）、第二十五条（第四十六条第三項において準用する場合を含む。）、第二十八条第一項及び第二十九条第二項の規定（一般乗用旅客自動車運送事業者及び特定旅客自動車運送事業者に係るものに限り、第四十六条第一項において準用する場合を含む。）は昭和三十一年十一月一日から、第二十七条（第四十六条第三項において準用する場合を含む。）、第三十一条（第四十六条第一項において準用する場合を含む。）及び第三十二条（第四十六条第一項において準用する場合を含む。）の規定は昭和三十二年二月一日から並びに第二十三条及び第三十四条第四項の規定は昭和三十二年八月一日から施行する。

2　自動車運送事業等運輸規則（昭和二十七年運輸省令第百号）

は、廃止する。

附　則〔昭和三三・六・九運輸省令二二〕

1　この省令は、公布の日から施行する。ただし、改正後の第二十一条第二項及び第二十五条の二第二項の規定は、昭和三十三年八月十日から施行する。

2　この省令施行の際、現に改正前の第二十五条第一項（第四十六条第三項において準用する場合を含む。）の運行管理者として選任されている者は、昭和三十四年十月三十一日又は運行管理者を解任されるときのいずれか早いときまでは、改正後の第二十五条第一項（第四十六条第三項において準用する場合を含む。）の運行管理者とみなす。

附　則〔昭和三六・二・二運輸省令五〕

1　この省令は、公布の日から施行する。

2　この省令施行の際、現に改正前の第二十五条第一項（改正前の第四十六条第三項において準用する場合を含む。）の運行管理者として選任されている者は、昭和三十六年九月三十日までの間は、改正後の第二十五条の二第一項（改正後の第四十六条第一項において準用する場合を含む。）の要件を備えた者とみなす。

3　この省令施行前にした改正前の第二十五条第三項（改正前の第四十六条第三項において準用する場合を含む。）の規定による届出は、改正後の第二十五条の三（改正後の第四十六条第一項において準用する場合を含む。）の規定に基づいてしたものとみなす。

附　則〔昭和四二・五・一六運輸省令二三〕

1　この省令は、昭和四十二年九月一日から施行する。

2　改正後の第四十四条の三の規定は、一般区域貨物自動車運送事業及び特定貨物自動車運送事業の事業用自動車であつて、次に掲げるものについては、昭和四十三年二月二十九日までは、適用しない。

一　荷台を傾斜させる装置を有する自動車であつて、この省令の施行の際現に有効な自動車検査証の交付を受けているもの

二　荷台を傾斜させる装置を有しない自動車

3　改正後の第四十四条の三の規定は、一般区域貨物自動車運送事業及び特定貨物自動車運送事業の事業用自動車のうち、前項第二号に掲げる自動車であつて同項に規定する日を経過する際現に有効な自動車検査証の交付を受けているものについては、昭和四十三年三月一日から同年七月三十一日までの間は、適用しない。

附　則〔昭和五三・一〇・三一運輸省令五四抄〕

（施行期日）

1　この省令は、公布の日から施行する。

（経過措置）

7　この省令の施行の際現に改正前の自動車運送事業等運輸規則第八条第一項ただし書の規定により指定を受けている運行系統は、改正後の同令第八条ただし書の規定により届け出た運行系統とみなす。

附　則〔昭和五九・六・二二運輸省令一八抄〕

（施行期日）

第一条　この省令は、昭和五十九年七月一日から施行する。

（経過措置）

第二条　この省令の施行前に次の表の上欄に掲げる行政庁が法律若しくはこれに基づく命令の規定によりした許可、認可その他の処分又は契約その他の行為（以下「処分等」という。）は、同表の下欄に掲げるそれぞれの行政庁がした処分等とみなし、この省令の施行前に同表の上欄に掲げる行政庁に対してした申請、届出その他の行為（以下「申請等」という。）は、同表の下欄に掲げるそれぞれの行政庁に対してした申請等とみなす。

上欄	下欄
北海運局長	北海道運輸局長
東北海運局長（山形県又は秋田県の区域に係る処分等又は申請等に係る場合を除く。）	東北運輸局長
東北海運局長（山形県又は秋田県の区域に係る処分等又は申請等に係る場合に限る。）及び新潟海運監理部長	新潟運輸局長
関東海運局長	関東運輸局長
東海海運局長	中部運輸局長
近畿海運局長	近畿運輸局長
中国海運局長	中国運輸局長
四国海運局長	四国運輸局長
九州海運局長	九州運輸局長
神戸海運局長	神戸海運監理部長
札幌陸運局長	北海道運輸局長
仙台陸運局長	東北運輸局長
新潟陸運局長	新潟運輸局長
東京陸運局長	関東運輸局長
名古屋陸運局長	中部運輸局長
大阪陸運局長	近畿運輸局長
広島陸運局長	中国運輸局長
高松陸運局長	四国運輸局長
福岡陸運局長	九州運輸局長

附　則〔昭和六〇・一二・二四運輸省令四〇抄〕

（施行期日）

1　この省令は、公布の日から施行する。〔以下略〕

（経過措置）

2　一般路線貨物自動車運送事業者は、この省令の施行の日から六月以内に、その免許を受けた路線について現に運行に使用している道路を記載した図面（縮尺及び方位を記載した縮尺二十万分の一以上の平面図）を地方運輸局長に届け出なければならない。

附　則〔昭和六一・九・二六運輸省令二九抄〕

（施行期日）

第一条　この省令は、公布の日から施行する。ただし、第五条中自動車運送事業等運輸規則第二十五条の三、第二十五条の四及び第二十六条の三の改正規定は、昭和六十一年十月一日から施行する。

（自動車運送事業等運輸規則の一部改正に伴う経過措置）

第三条　この省令の施行の際現に第五条の規定による改正前の自動車運送事業等運輸規則第十五条第一項第一号の規定により指定を受けている運行系統は、第五条の規定による改正後の自動車運送事業等運輸規則第十五条第二項の規定により届け出た運行系統とみなす。

附　則〔平成一三・七・一一国土交通省令一〇五抄〕

（施行期日）

第一条　この省令は、道路運送法及びタクシー業務適正化臨時措置法の一部を改正する法律の施行の日（平成十四年二月一日）から施行する。

（旅客自動車運送事業等報告規則の一部改正に伴う経過措置）

第二条　この省令の施行前に開始する事業年度に係る第九条の規定による改正前の旅客自動車運送事業等報告規則第二条第一項に規定する営業報告書及び平成十三年四月一日から平成十四年三月三十一日までの一年間に係る同項に規定する輸送実績報告書の提出については、なお従前の例によることができる。

附　則〔平成一三・八・二四国土交通省令一一二〕

（施行期日）

第一条　この省令は、平成十四年二月一日から施行する。

（経過措置）

第二条　この省令による改正後の旅客自動車運送事業運輸規則（以下「新規則」という。）第二十四条第三項の規定は、この省令の施行の日前に同項に規定する記録をした場合については、適用しない。

第三条　この省令の施行の際現にこの省令による改正前の旅客自動車運送事業運輸規則第三十六条第二項の規定により指導が行われている新たに雇い入れた者については、新規則第三十六条第二項の規定にかかわらず、従前の例により事業用自動車の運転者として選任することができる。

附　則〔平成一六・三・二六国土交通省令二七〕

（施行期日）

第一条　この省令は、平成十六年四月一日から施行する。

（経過措置）

第二条　この省令の施行の際現に法第二十一条第二号の規定による許可を受けて行う乗合旅客の運送に係る事業用自動車の運行管理に関する実務の経験は、この省令による改正後の旅客自動車運送事業運輸規則第四十八条の五第一項に規定する一般貸切旅客自動車運送事業の事業用自動車の運行管理に関する実務の経験とみなす。

附　則〔平成一八・七・一四国土交通省令七八抄〕

（施行期日）

第一条　この省令は、運輸の安全性の向上のための鉄道事業法等の一部を改正する法律の施行の日（平成一八・一〇・一）から施行する。

（旅客自動車運送事業運輸規則の一部改正に伴う経過措置）

第八条　この省令の施行の際現に一般旅客自動車運送事業（その事業の規模がこの省令による改正後の旅客自動車運送事業運輸規則第四十七条の二第一項に規定する規模未満であるものを除く。）又は特定旅客自動車運送事業（その事業の規模が同令第四十七条の二第二項において準用する同条第一項に規定する規模未満であるものを除く。）を営む者は、施行日から三月以内に、安全管理規程の設定の届出及び安全統括管理者の選任の届出をするものとする。

附　則〔平成一八・九・七国土交通省令八六抄〕

（施行期日）

第一条　この省令は、道路運送法等の一部を改正する法律の施行の日（平成十八年十月一日）から施行する。

（乗合旅客の運送の許可に関する経過措置）

第一〇条　改正法附則第三条の規定により許可乗合旅客運送について新法第二十一条第二号の許可を受けたものとみなされる場合については、この省令による改正前の旅客自動車運送事業運輸規則（以下「旧運輸規則」という。）第四十七条の八及び第五十条第十一項の規定は、施行日以後も、改正法附則第三条の規定により当該許可に付されたものとみなされる期限が到来するまでの間は、なおその効力を有する。

（運行管理者に関する経過措置）

第一一条　みなし一般乗合旅客自動車運送事業者及び改正法附則第三条の規定により許可乗合旅客運送について新法第二十一条第二号の許可を受けたものとみなされる者は、施行日から三年間は、この省令による改正後の旅客自動車運送事業運輸規則（以下「新運輸規則」という。）第四十七条の九の規定にかかわらず、旧運輸規則第四十七条の九の規定の例により運行管理者を選任することができる。

2　新運輸規則第四十七条の九第二項及び第四十八条第二項の規定は、施行日から三年間は、適用しない。

3　施行日前に行われた旧運輸規則第四十八条の六第二項の表の下欄に掲げる種類の運行管理者試験に合格した者に係る法第二十三条の二第一項第一号の規定による運行管理者資格者証の交付については、なお従前の例による。

（処分、手続等に関する経過措置）

第一二条　旧法、旧施行規則又は旧運輸規則によりした処分、手続その他の行為で、新法、新施行規則又は新運輸規則の規定中にこれに相当する規定があるものは、それぞれ新法、新施行規則又は新運輸規則の規定によりしたものとみなす。

（届出書の経由）

第一三条　附則第三条第一項及び第五条第一項の規定により地方運輸局長に届出書を提出するときは、その住所の所在地を管轄する運輸監理部長又は運輸支局長を経由しなければならない。

附　則〔平成二四・三・二八国土交通省令二四抄〕

（施行期日）

第一条　この省令は、平成二十四年四月十六日から施行する。

（旅客自動車運送事業運輸規則の一部改正に伴う経過措置）

第二条　この省令の施行前に第一条の規定による改正前の旅客自動車運送事業運輸規則（以下「旧運輸規則」という。）第三十八条第二項の規定により国土交通大臣が認定した適性診断は、第一条の規定による改正後の旅客自動車運送事業運輸規則（以下「新運輸規則」という。）第三十八条第二項の規定により国土交通大臣が認定した適性診断とみなす。

第三条　この省令の施行前に旧運輸規則第四十七条の九第三項、第四十八条の四第二項、第四十八条の五第一項第一号及び第四十八条の十二第二項の規定により国土交通大臣が認定した講習は、それぞれ新運輸規則第四十七条の九第三項、第四十八条の四第一項、第四十八条の五第一項及び第四十八条の十二第二項の規定により国土交通大臣が認定した講習とみなす。

附　則〔平成二五・八・二三国土交通省令七二〕

（施行期日）

1　この省令は、平成二十六年五月一日から施行する。ただし、第四十七条の二の改正規定及び次項の規定は、平成二十五年十月一日から施行する。

（経過措置）

2　第四十七条の二の改正規定の施行の際現に一般乗合旅客自動車運送事業（法第三十五条第一項の規定による一般貸切旅客自動車運送事業者に対する管理の委託に係る許可を受けているものに限る。）又は一般貸切旅客自動車運送事業（その事業の規模がこの省令による改正前の旅客自動車運送事業運輸規則第四十七条の二第一項に規定する規模未満であるものに限る。）を営む者は、第四十七条の二の改正規定の施行の日から三月以内に、安全管理規程の設定の届出及び安全統括管理者の選任の届出をするものとする。

附　則〔平成二八・八・三一国土交通省令六三抄〕

（施行期日）

第一条　この省令（中略）は、平成二十八年十一月一日から施行する。

（経過措置）

第二条　第二条の規定による改正後の旅客自動車運送事業運輸規則第七条の二第三項の規定は、前条ただし書に規定する規定の施行の日以後に運送引受書を交付する場合について適用し、同日前に運送引受書を交付した場合については、なお従前の例による。

附　則〔平成二八・一一・一五国土交通省令七八〕

（施行期日）

第一条　この省令は、平成二十八年十二月一日から施行する。ただし、次の各号に掲げる規定は、当該各号に定める日から施行する。

一　〔略〕

二　第四条の規定　平成二十九年十二月一日

（経過措置）

第三条　第三条の規定による改正後の旅客自動車運送事業運輸規則（以下「新規則」という。）第二十四条第三項及び第五項の規定は、この省令の施行の日以後に運行を開始する場合について適用し、同日前に運行を開始した場合については、なお従前の例による。

第三条 一般貸切旅客自動車運送事業者及び特定旅客自動車運送事業者は、この省令の施行の際現に第三条の規定による改正前の旅客自動車運送事業運輸規則（以下「旧規則」という。）第四十七条の九第一項に規定する一般貸切旅客自動車運送事業運行管理者資格者証を有する者を、引き続き、運行管理者として選任することができる。

2 旅客自動車運送事業者は、この省令の施行の際現に旧規則第四十七条の九第一項に規定する一般貸切旅客自動車運送事業運行管理者資格者証を有する者を、引き続き、補助者として選任することができる。

第四条 この省令の施行の際現に旧規則第四十七条の九第三項の規定により補助者を選任している一般貸切旅客自動車運送事業者は、平成二十九年一月三十一日までに、次に掲げる事項を営業所の所在地を管轄する運輸監理部長又は運輸支局長に届け出なければならない。

一 届出者の氏名又は名称及び住所

二 営業所の名称及び位置

三 補助者の氏名及び生年月日

四 補助者が旧規則第四十七条の九第三項に規定する要件に該当することを証する事項

五 補助者の兼職の有無（兼職が有る場合は、その職名及び職務内容）

第五条 この省令の施行前に旧規則第四十八条の六第二項の資格者証の交付の申請をした者に対する旧規則第四十七条の九第一項に規定する資格者証の交付については、新規則第四十八条の五第一項の規定にかかわらず、なお従前の例による。

第六条 旧規則第二号様式による運行管理者資格者証交付申請書は、新規則第二号様式にかかわらず、当分の間、なおこれを使用することができる。

附　則〔平成二九・一二・二八国土交通省令七三抄〕

（施行期日）

1 この省令は、平成三十年四月一日から施行する。

（旅客自動車運送事業運輸規則の一部改正に伴う経過措置）

2 この省令の施行の際現に一般乗用旅客自動車運送事業（その事業の規模が第一条による改正前の旅客自動車運送事業運輸規則第四十七条の二第一項に規定する規模未満であって第一条による改正後の旅客自動車運送事業運輸規則第四十七条の二第一項に規定する規模以上であるものに限る。）を経営する者は、同項の規定にかかわらず、この省令の施行の日から三月以内に、安全管理規程の設定の届出及び安全統括管理者の選任の届出をするものとする。

附　則〔令和二・一一・二国土交通省令八七抄〕

（施行期日）

第一条 この省令は、令和三年二月一日から施行する。ただし、〔中略〕次条から附則第七条までの規定は、公布の日から施行する。

（旅客自動車運送事業運輸規則の一部改正に伴う経過措置）

第五条 この省令の施行の際現に一般旅客自動車運送事業（その事業の規模が旅客自動車運送事業運輸規則第四十七条の二第一項に規定する規模未満であるものを除く。）又は特定旅客自動車運送事業（その事業の規模が同令第四十七条の二第二項において準用する同条第一項に規定する規模未満であるものを除く。）を営む者は、施行日前においても、第二条（第三号に係る部分に限る。）の規定による改正後の旅客自動車運送事業運輸規則（以下この条において「新旅客自動車運送事業運輸規則」という。）の規定の例による安全管理規程の変更の届出をすることができる。この場合において、当該届出は、新旅客自動車運送事業運輸規則の相当する規定により施行日に行われたものとみなす。

附　則〔令和三・八・三二国土交通省令五三〕

（施行期日）

1 この省令は、令和三年九月一日から施行する。

（経過措置）

2 この省令の施行の際現にあるこの省令による改正前の様式による用紙は、当分の間、これを取り繕って使用することができる。

附　則〔令和四・一二・二八国土交通省令七〕

（施行期日）

1 この省令は、令和五年二月二十八日から施行する。

（経過措置）

2 この省令の施行の際現にあるこの省令による改正前の様式による申請書、証明書その他の文書は、この省令による改正後のそれぞれの様式にかかわらず、当分の間、なおこれを使用することができる。

附　則〔令和四・一二・九国土交通省令八八〕

この省令は、公布の日から施行する。

附　則〔令和五・三・三二国土交通省令三二〕

この省令は、所有者不明土地の利用の円滑化等に関する特別措置法の一部を改正する法律附則第一条第二号に掲げる規定の施行の日（令和五年四月一日）から施行する。

附　則〔令和五・八・一国土交通省令六一抄〕

（施行期日）

1 この省令は、公布の日から施行する。

（旅客自動車運送事業運輸規則の一部改正に伴う経過措置）

3 この省令の施行の際現に一般貸切旅客自動車運送事業者、一般乗用旅客自動車運送事業者又は特定旅客自動者運送事業者が旅客の運送を行うためこれらの事業の用に供している自動車については、第二条の規定による改正後の旅客自動車運送事業運輸規則第四十二条第三項の規定にかかわらず、なお従前の例による。

附　則〔令和五・一〇・一〇国土交通省令八三〕

（施行期日）

第一条 この省令は令和六年四月一日より施行する。ただし、第一条中旅客自動車運送事業運輸規則第四十一条の十一、第四十七条の九、第四十八条の四、第四十八条の五及び第四十八条の十二の改正規定並びに第二条の規定は、公布の日から施行する。

（旅客自動車運送事業運輸規則の一部改正に伴う経過措置）

第二条 令和六年三月三十一日以前に道路運送車両法（昭和二十六年法律第百八十五号）第七条第一項の規定による登録を受けた一般貸切旅客自動車運送事業の用に供する事業用自動車に係るこの省令による改正後の旅客自動車運送事業運輸規則第二十六条第一項の規定の適用については、令和七年三月三十一日までの間は、なお従前の例による。

附　則〔令和六・一二・二九国土交通省令一五抄〕

（施行期日）

1 この省令は、公布の日から施行する。

（経過措置）

3 タクシー業務適正化特別措置法第二条第五項に規定する指定地域内の営業所に属する登録運転者（同法第三条第一項に規定する登録運転者をいう。以下この項において同じ。）であって次の各号のいずれかに該当するものが乗務する事業用自動車（運送の引受けが営業所のみにおいて行われるものを除く。）に係るこの省令による改正後の旅客自動車運送事業運輸規則第二十九条の規定の適用については、この省令の施行の日（以下この項において「施行日」という。）から起算して五年を経過する日までの間は、なお従前の例による。

一 この省令の施行の際現に当該指定地域内の営業所に属する登録運転者である者（当該指定地域で行われた新試験に合格してタクシー業務適正化特別措置法第四条第一項の登録（次号イにおいて「登録」という。）を受けた者を除く。）

二　施行日以後に当該指定地域内の営業所に属する登録運転者となった者であって、次のいずれかに該当するもの

イ　登録の申請前二年以内に通算九十日以上当該指定地域内において一般乗用旅客自動車運送事業者の事業用自動車の運転者であった者（既に当該指定地域で行われた新試験に合格して登録を受けた者を除く。）

ロ　施行日前に当該指定地域で行われた試験について旧規則第三十九条第四項の合格証の交付を受けた者であって、当該合格証の交付を受けた日から起算して二年を経過していないもの

ハ　施行日前に当該指定地域で行われた試験において旧規則第三十九条第一項第二号に掲げる科目について合格点を得た者であって、同条第五項の通知があった日から起算して二年を経過していないもの

附　則〔令和六・三・一五国土交通省令二二〕

この省令は、公布の日から施行する。

附　則〔令和六・三・二九国土交通省令四二〕

この省令は、令和六年四月一日から施行する。

附　則〔令和六・四・三〇国土交通省令五八抄〕

（施行期日）

1　この省令は、令和六年六月三十日から施行する。

第1号様式（第48条の6関係）（日本産業規格A列4番）

運　行　管　理　者　資　格　者　証

資格者証番号

氏　　名

生年月日

道路運送法第23条の2の規定により、　　旅客自動車運送事業運行管理者資格者証を交付する。

年　　月　　日

地方運輸局長　　　　　　印

第2号様式（第48条の6関係）（日本産業規格A列4番）

運 行 管 理 者 資 格 者 証 交 付 申 請 書

年　　月　　日

地方運輸局長殿

収　　入
印　　紙

郵便番号

住　　所　　　　　　　　　　電話（連絡先）

（フリガナ）
氏　　名

生年月日

一般乗合
一般乗用　　特定　　（注(1)）旅客自動車運送事業運行管理者資格者証の交付を受けたいので、旅客自動車運送事業運輸規則第48条の6第2項の規定により、別紙書類を添付して申請します。

申請の区分	A	試　験　合　格	受験番号　　　　　（　年　月　日　合格）
	B	資　格　要　件	旅客自動車運送事業運輸規則第48条の5第1項に該当する。

注(1)　不要の文字は消すこと。

(2)　申請の区分の欄は、該当する区分の記号の1つを○で囲み、必要事項を記入すること。

第3号様式（第48条の7、第48条の8関係）（日本産業規格A列4番）

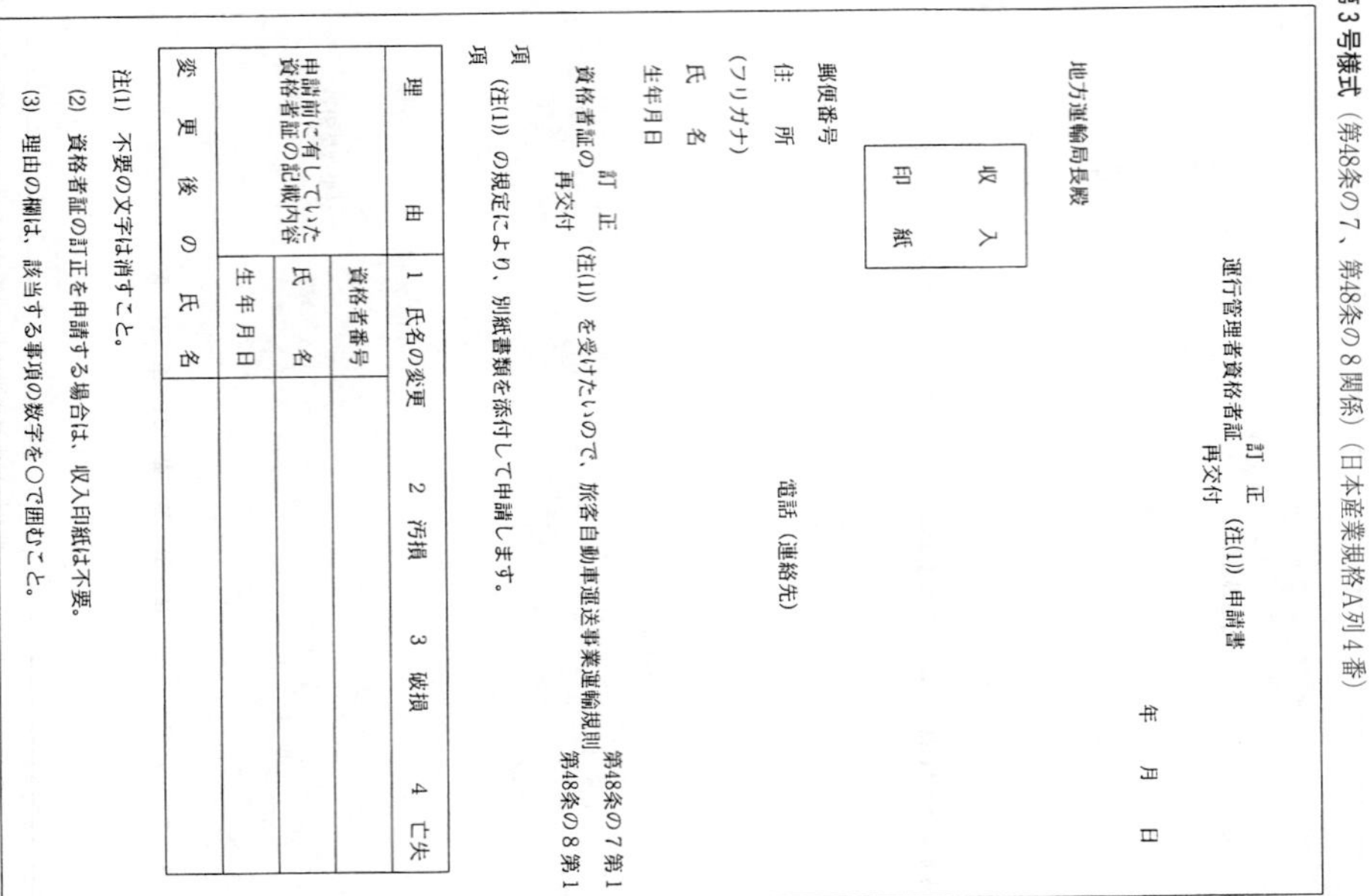

運行管理者資格者証 訂正／再交付（注(1)）申請書

年　月　日

地方運輸局長殿

収入印紙

郵便番号
住　所　　　　電話（連絡先）
（フリガナ）
氏　名
生年月日

資格者証の訂正／再交付（注(1)）を受けたいので、旅客自動車運送事業運輸規則第48条の7第1項／第48条の8第1項（注(1)）の規定により、別紙書類を添付して申請します。

理　由	1 氏名の変更　2 汚損　3 破損　4 亡失	
申請前に有していた資格者証の記載内容	資格者番号	
	氏　名	
	生年月日	
変更後の氏名		

注(1)　不要の文字は消すこと。
(2)　資格者証の訂正を申請する場合は、収入印紙は不要。
(3)　理由の欄は、該当する事項の数字を○で囲むこと。

第4号様式（第48条の13関係）

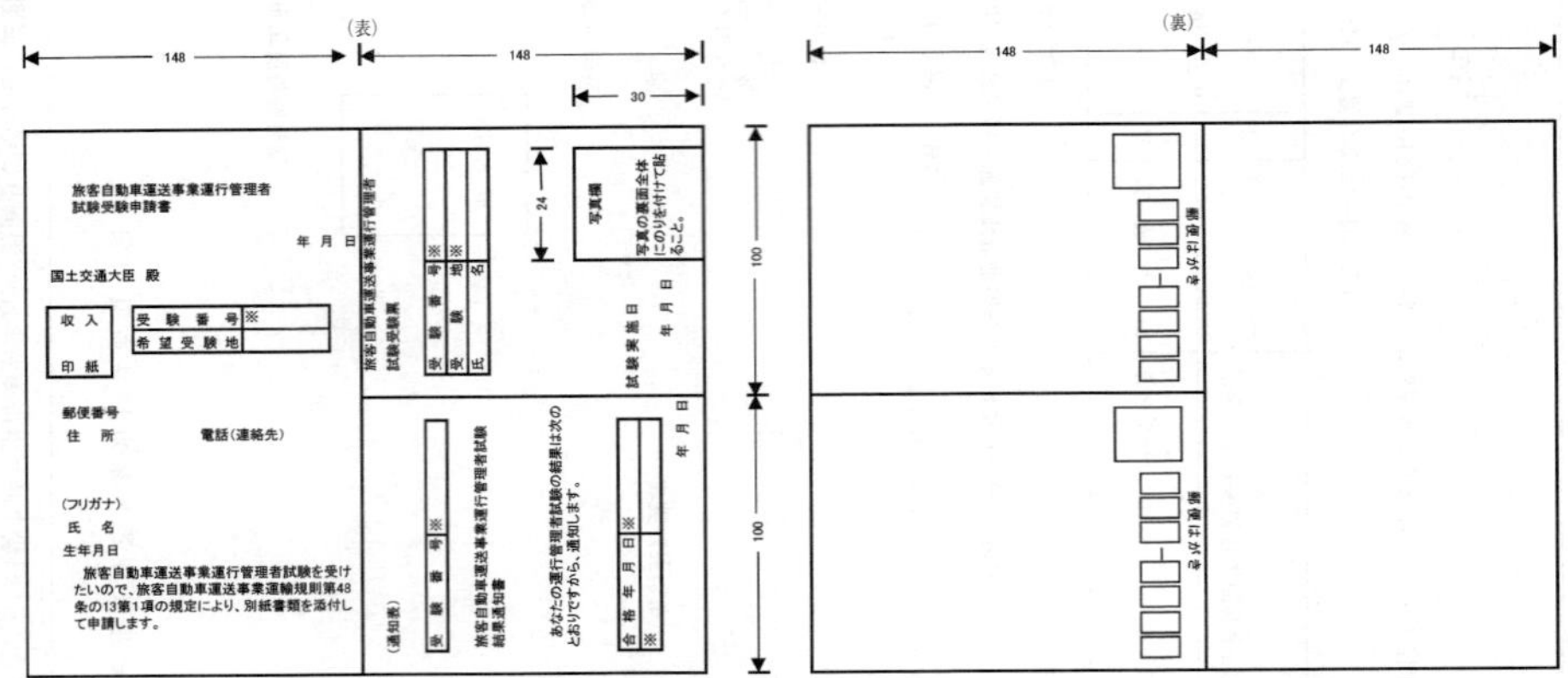

注（1）※の欄は記入しないこと。
（2）運行管理者試験受験票に貼る写真は、最近六月以内に撮影した無帽、正面、上三分身、無背景のものであること。
（3）寸法の単位は、ミリメートルとする。

○自動車運転代行業の業務の適正化に関する法律

〔平成一三・六・二〇
法律五七〕

改正　平成一四・五法四五、法五四、六法七七、平成一六・六法九〇、一二法一四七、平成一八・五法四〇、平成一九・六法九〇、平成二一・四法二一、平成二三・六法六一、平成二五・六法四三、平成二六・六法五一、令和元・六法三七、令和二・六法四二、令和四・四法三二、令和五・六法六三

注　令和四年六月一七日法律第六八号の改正は、令和七年六月一日から施行のため、附則の次に（参考）として改正文を掲載いたしました。

第一章　総則

（目的）

第一条　この法律は、自動車運転代行業を営む者について必要な要件を認定する制度を実施するとともに、自動車運転代行業を営む者の遵守事項を定めること等により、自動車運転代行業の業務の適正な運営を確保し、もって交通の安全及び利用者の保護を図ることを目的とする。

（定義）

第二条　この法律において「自動車運転代行業」とは、他人に代わって自動車（道路交通法（昭和三十五年法律第百五号）第二条第一項第九号に規定する自動車をいう。以下同じ。）を運転する役務を提供する営業であって、次の各号のいずれにも該当するものをいう。

一　主として、夜間において客に飲食をさせる営業を営む者から酒類の提供を受けて酒気を帯びた状態にある者（以下この条において「酔客」という。）に代わって自動車を運転する役務を提供するものであること。

二　酔客その他の当該役務の提供を受ける者を乗車させるものであること。

三　常態として、当該自動車に当該営業の用に供する自動車が随伴するものであること。

2　この法律において「自動車運転代行業者」とは、第四条の認定を受けて自動車運転代行業を営む者をいう。

3　この法律において「利用者」とは、第一項に規定する役務であって自動車運転代行業として提供されるもの（以下「代行運転役務」という。）の提供を受ける酔客その他の者をいう。

4　この法律において「運転代行業務」とは、代行運転自動車又は随伴用自動車を運転する業務をいう。

5　この法律において「運転代行業務従事者」とは、運転代行業務に従事する者をいう。

6　この法律において「代行運転自動車」とは、自動車運転代行業を営む者による代行運転役務の対象となっている自動車をいう。

7　この法律において「随伴用自動車」とは、自動車運転代行業の用に供される自動車のうち、代行運転自動車の随伴に用いられるものをいう。

第二章　自動車運転代行業の認定等

（自動車運転代行業の要件）

第三条　次の各号のいずれかに該当する者は、自動車運転代行業を営んではならない。

一　破産手続開始の決定を受けて復権を得ない者

二　禁錮以上の刑に処せられ、又はこの法律の規定により、若しくは道路運送法（昭和二十六年法律第百八十三号）第四条第一項、第四十三条第一項若しくは第七十八条（旅客の運送に係る部分に限る。）の規定若しくは道路交通法第七十五条第一項（第一号から第四号まで及び第七号については第十九条第一項の規定により読み替えて適用される場合及び同条第二項の規定によりみなして適用される場合を含むものとし、第五号及び第六号を除く。）の規定に違反し、若しくは同法第七十五条第二項（同条第一項第一号から第四号まで及び第七号に掲げる行為に係る部分については第十九条第一項の規定により読み替えて適用される場合を含むものとし、同法第七十五条第一項第五号及び第六号に掲げる行為に係る部分を除く。）若しくは同法第七十五条の二第一項（同法第二十二条の二第一項及び第六十六条の二第一項の規定による指示に係る部分については第十九条第一項の規定により読み替えて適用される場合を含むものとし、同法第五十八条の四の規定による指示に係る部分を除く。）若しくは第二項（第十九条第一項の規定により読み替えて適用される場合を含む。）の規定による命令に違反して罰金の刑に処せられ、その執行を終わり、又は執行を受けることがなくなった日から起算して二年を経過しない者

三　最近二年間に第二十三条第一項、第二十四条第一項又は第二十五条第二項第二号若しくは第三号の規定による命令に違反する行為をした者

四　集団的に、又は常習的に暴力的不法行為その他の罪に当たる違法な行為で国家公安委員会規則で定めるものを行うおそれがあると認めるに足りる相当な理由がある者

五　心身の故障により自動車運転代行業の業務を適正に実施することができない者として国家公安委員会規則で定めるもの

六　営業に関し成年者と同一の行為能力を有しない未成年者。ただし、その者が自動車運転代行業者の相続人であって、その法定代理人が前各号及び第九号のいずれにも該当しない場合を除くものとする。

七　代行運転自動車の運行により生じた利用者その他の者の生命、身体又は財産の損害を賠償するための措置が第十二条の国土交通省令で定める基準に適合すると認められないことについて相当な理由がある者

八　第十九条第一項の規定により読み替えて適用される道路交通法第七十四条の三第一項に規定する安全運転管理者及び第十九条第一項の規定により読み替えて適用される同法第七十四条の三第四項に規定する副安全運転管理者（以下「安全運転管理者等」という。）を選任すると認められないことについて相当な理由がある者

九　法人でその役員（業務を執行する社員、取締役、執行役又はこれらに準ずる者をいい、相談役、顧問その他いかなる名称を有する者であるかを問わず、法人に対し業務を執行する社員、取締役、執行役又はこれらに準ずる者と同等以上の支配力を有するものと認められる者を含む。）のうちに第一号から第五号までのいずれかに該当する者があるもの

（認定）

第四条　自動車運転代行業を営もうとする者は、前条各号のいずれにも該当しないことについて、都道府県公安委員会（以下「公安委員会」という。）の認定を受けなければならない。

（認定手続）

第五条　前条の認定（以下「認定」という。）を受けようとする者は、その主たる営業所の所在地を管轄する公安委員会に、次

に掲げる事項を記載した申請書を提出しなければならない。この場合において、当該申請書には、政令で定める書類を添付しなければならない。

一　氏名又は名称及び住所並びに法人にあっては、その代表者の氏名
二　主たる営業所その他の営業所の名称及び所在地
三　第十二条に規定する措置
四　安全運転管理者等の氏名及び住所
五　法人にあっては、その役員の氏名及び住所
六　随伴用自動車に関する事項であって政令で定めるもの

2　公安委員会は、前項の申請書を提出した者が第三条各号のいずれにも該当しないと認めたときは、認定をし、直ちにその者に対しその旨を通知しなければならない。

3　公安委員会は、第一項の申請書を提出した者が第三条各号のいずれかに該当すると認めたときは、認定を拒否する処分をし、直ちにその者に対しその旨を通知しなければならない。

4　公安委員会は、前二項の規定による処分をしようとするときは、あらかじめ、国土交通大臣に協議し、その同意を得なければならない。

（標識の掲示等）

第六条　自動車運転代行業者は、認定を受けたことを示す国家公安委員会規則で定める様式の標識について、主たる営業所の見やすい場所に掲示するとともに、その事業の規模が著しく小さい場合その他の国家公安委員会規則・国土交通省令で定める場合を除き、国家公安委員会規則で定めるところにより、電気通信回線に接続して行う自動公衆送信（公衆によって直接受信されることを目的として公衆からの求めに応じ自動的に送信を行うことをいい、放送又は有線放送に該当するものを除く。以下同じ。）により公衆の閲覧に供しなければならない。

2　自動車運転代行業者以外の者は、前項の標識又はこれに類似する標識を掲示し、又は電気通信回線に接続して行う自動公衆送信により公衆の閲覧に供してはならない。

（認定の取消し）

第七条　公安委員会は、自動車運転代行業者について、次の各号に掲げるいずれかの事実が判明したときは、その認定を取り消すことができる。

一　偽りその他不正の手段により認定を受けたこと。
二　第三条各号（第七号及び第八号を除く。）に掲げる者のいずれかに該当していること。
三　正当な事由がないのに、認定を受けてから六月以内に営業を開始せず、又は引き続き六月以上営業を休止し、現に営業を営んでいないこと。
四　三月以上所在不明であること。

2　公安委員会は、前項の規定により認定を取り消そうとするときは、あらかじめ、国土交通大臣に協議し、その同意を得なければならない。

（変更の届出等）

第八条　自動車運転代行業者は、第五条第一項各号に掲げる事項に変更があったときは、国家公安委員会規則で定めるところにより、主たる営業所の所在地を管轄する公安委員会（公安委員会の管轄区域を異にして主たる営業所を変更したときは、変更した後の主たる営業所の所在地を管轄する公安委員会）に、変更に係る事項その他の政令で定める事項を記載した届出書を提出しなければならない。この場合において、当該届出書には、政令で定める書類を添付しなければならない。

2　公安委員会は、前項の規定による届出書の提出があったときは、国土交通大臣に対し、その旨を通知しなければならない。

（廃業等の届出）

第九条　認定を受けた者は、自動車運転代行業を廃止したときは、遅滞なく、主たる営業所の所在地を管轄する公安委員会に、その旨を記載した届出書を提出しなければならない。

2　認定を受けた者が次の各号に掲げる場合のいずれかに該当することとなったときは、当該各号に掲げる者は、遅滞なく、主たる営業所の所在地を管轄する公安委員会に、その旨を記載した届出書を提出しなければならない。

一　死亡した場合　同居の親族又は法定代理人
二　法人が合併により消滅した場合　合併後存続し、又は合併により設立された法人の代表者

3　公安委員会は、前二項の規定による届出書の提出があったときは、国土交通大臣に対し、その旨を通知しなければならない。

（名義貸しの禁止）

第一〇条　自動車運転代行業者は、自己の名義をもって、他人に自動車運転代行業を営ませてはならない。

第三章　自動車運転代行業者の遵守事項等

（料金の掲示等）

第一一条　自動車運転代行業者は、その営業の開始前に、利用者から収受する料金を定め、当該料金について、その営業所において利用者に見やすいように掲示するとともに、第六条第一項に規定する国家公安委員会規則・国土交通省令で定める場合を除き、国土交通省令で定めるところにより、電気通信回線に接続して行う自動公衆送信により公衆の閲覧に供しなければならない。これを変更するときも、同様とする。

（損害賠償措置を講ずべき義務）

第一二条　自動車運転代行業者は、代行運転自動車の運行により生じた利用者その他の者の生命、身体又は財産の損害を賠償するための措置であって国土交通省令で定める基準に適合するものを講じておかなければならない。

（自動車運転代行業約款）

第一三条　自動車運転代行業者は、その営業の開始前に、自動車運転代行業約款を定め、これをその営業所において利用者に見やすいように掲示しなければならない。これを変更するときも、同様とする。

2　自動車運転代行業約款は、次の各号のいずれにも適合しているものでなければならない。

一　利用者の正当な利益を害するおそれがないものであること。
二　少なくとも料金の収受及び自動車運転代行業者の責任に関する事項であって国土交通省令で定めるものが明確に定められていること。

3　自動車運転代行業者は、第一項の規定による掲示をするときは、あらかじめ、国土交通省令で定めるところにより、同項の自動車運転代行業約款を国土交通大臣に届け出なければならない。これを変更しようとするときも、同様とする。

4　国土交通大臣が標準自動車運転代行業約款を定めて公示した場合（これを変更して公示した場合を含む。）において、自動車運転代行業者が、標準自動車運転代行業約款と同一の自動車運転代行業約款を定め、又は現に定めている自動車運転代行業約款を標準自動車運転代行業約款と同一のものに変更したときは、その自動車運転代行業約款については、前項の規定による届出をしたものとみなす。

5　自動車運転代行業者は、第一項の規定により自動車運転代行業約款を定め、又は変更したときは、第六条第一項に規定する国家公安委員会規則・国土交通省令で定める場合を除き、国土交通省令で定めるところにより、当該自動車運転代行業約款を電気通信回線に接続して行う自動公衆送信により公衆の閲覧に供しなければならない。

（運転代行業務の従事制限）

第一四条　次の各号のいずれかに該当する者は、運転代行業務従事者となってはならない。

一　第三条第一号から第四号までのいずれかに該当する者

二　心身の故障により運転代行業務を適正に実施することができない者として国家公安委員会規則で定めるもの

2　自動車運転代行業者は、前項各号のいずれかに該当する者を運転代行業務に従事させてはならない。

（代行運転役務の提供の条件の説明）

第一五条　自動車運転代行業者は、利用者に代行運転役務を提供しようとするときは、利用者が提供を受けようとする代行運転役務の内容を確認した上、国土交通省令で定めるところにより、第十一条の規定により定め、又は変更した料金、第十三条第一項の規定により定め、又は変更した自動車運転代行業約款の概要その他の代行運転役務の提供の条件について利用者に説明し、その説明に従って代行運転役務を提供しなければならない。

（代行運転自動車標識の表示）

第一六条　自動車運転代行業者は、利用者に代行運転役務を提供するときは、国家公安委員会規則で定めるところにより、代行運転自動車に国家公安委員会規則で定める様式の標識を表示しなければならない。

（随伴用自動車の表示等）

第一七条　自動車運転代行業者は、随伴用自動車に、国土交通省令で定めるところにより、認定を受けて自動車運転代行業を営んでいる旨の表示その他の国土交通省令で定める表示事項又は装置を表示し、又は装着しなければならない。

2　自動車運転代行業を営む者（自動車運転代行業者を除く。）は、随伴用自動車に前項の表示事項若しくは装置又はこれらに類似するものを表示し、又は装着してはならない。

3　自動車運転代行業者は、第一項に規定するもののほか、随伴用自動車への表示事項の表示又は装置の装着について、自動車運転代行業の業務を適正に実施するために必要と認められるものとして国土交通省令で定める事項を遵守しなければならない。

（利用者の利益の保護に関する指導）

第一八条　自動車運転代行業者は、その運転代行業務従事者に対し、当該運転代行業務を適正に実施させるため、国土交通省令で定めるところにより、料金の収受方法、代行運転役務の提供の条件の説明方法その他の利用者の利益の保護に関する事項について指導しなければならない。

（道路交通法の規定の読替え適用等）

第一九条　自動車運転代行業者についての道路交通法の規定の適用については、同法第二十二条の二第一項、第六十六条の二第一項、第七十四条第一項及び第二項、第七十四条の三（第五項を除く。）、第七十五条第一項（第五号及び第六号を除く。）、第百十七条の二第二項第一号及び第二号、第百十七条の二の二第二項、第百十八条第二項第三号、第百十九条の二、第百十九条の二の四第二項並びに第百十九条の三第二項第一号の規定に規定する車両（同法第二条第一項第八号に規定する車両をいう。第四項において同じ。）及び自動車には代行運転自動車が含まれるものとするほか、次の表の上欄に掲げる同法の規定中同表の中欄に掲げる字句は、それぞれ同表の下欄に掲げる字句とする。

読み替える規定	読み替えられる字句	読み替える字句
第二十二条の二第一項	当該車両の使用者（当該車両の運転者であるものを除く。以下この条において同じ。）	自動車運転代行業の業務の適正化に関する法律（平成十三年法律第五十七号。以下「運転代行業法」という。）第二条第二項に規定する自動車運転代行業者（以下単に「自動車運転代行業者」という。）
	の使用者が当該車両につき	につき自動車運転代行業者が
	当該車両の使用の本拠の位置	運転代行業法第二条第一項に規定する自動車運転代行業（以下単に「自動車運転代行業」という。）の主たる営業所（以下単に「主たる営業所」という。）の所在地
第五十八条の四	車両の使用者に	自動車運転代行業者に
	の使用者（当該車両の運転者であるものを除く。以下この条において同じ。）	（運転代行業法第二条第六項に規定する代行運転自動車（以下単に「代行運転自動車」という。）を除く。）につき自動車運転代行業者
	当該車両の使用の本拠の位置	主たる営業所の所在地
	車両の使用者に	自動車運転代行業者に
第六十六条の二第一項	当該車両の使用者（当該車両の運転者であるものを除く。以下この条において同じ。）	自動車運転代行業者
	の使用者が当該車両につき	につき自動車運転代行業者が
	当該車両の使用の本拠の位置	主たる営業所の所在地
	車両の使用者に	自動車運転代行業者に
第七十四条第一項	車両等の使用者	自動車運転代行業者
	当該車両等を	代行運転自動車又は運転代行業法第二条第七項に規定する随伴用自動車（以下単に「随伴用自動車」という。）その他の自動車運転代行業の用に供される車両を
	車両等の運転者及び安全運転管理者、副安全運転管理者その他当該車両等の運行を直接管理する地位にある者	車両の運転者並びに運転代行業法第十九条第一項の規定により読み替えて適用される第七十四条の三第一項に規定する安全運転管理者及び運転代行業法第十九条第一項の規定により読み替えて適用される第七十四条の三第四項に規定する副安全運転管理者
第七十四条第二項	車両の使用者は、当該車両	自動車運転代行業者は、代行運転自動車又は随伴用自動車その他の自動車運転代行業の用に供される車両

第七十四条の三第一項	自動車の使用者（道路運送法の規定による自動車運送事業者（貨物自動車運送事業法（平成元年法律第八十三号）の規定による貨物軽自動車運送事業を経営する者を除く。以下同じ。）、貨物利用運送事業法の規定による第二種貨物利用運送事業を経営する者及び道路運送法第七十九条の規定による登録を受けた者を除く。以下この条において同じ。）は、内閣府令で定める台数以上の自動車の使用の本拠	自動車運転代行業者は、その自動車運転代行業の営業所
第七十四条の三第二項	自動車の安全な運転を	代行運転自動車及び随伴用自動車その他の自動車運転代行業の用に供される自動車の安全な運転（以下この項、第六項及び第八項において単に「自動車の安全な運転」という。）を
	使用者の	自動車運転代行業者の
第七十四条の三第四項	自動車の使用者は、安全運転管理者	自動車運転代行業者は、自動車運転代行業法第十九条第一項の規定により読み替えて適用される第一項に規定する安全運転管理者（以下単に「安全運転管理者」という。）
	内閣府令で定める台数以上の自動車を使用する本拠	その自動車運転代行業の営業所
第七十四条の三第六項	安全運転管理者等が	安全運転管理者等（安全運転管理者又は運転代行業法第十九条第一項の規定により読み替えて適用される第四項に規定する副安全運転管理者をいう。以下同じ。）が
	自動車の使用者	自動車運転代行業者
第七十四条の三第七項から第九項まで	自動車の使用者	自動車運転代行業者
第七十五条第一項	自動車（	自動車運転代行業者又はその安全運転管理者等は、その自動車運転代行業の業務に関し、自動車（
	使用者（安全運転管理者等その他自動車の運行を直接管理する地位にある者を含む。次項において「使用者等」という。）は、その者の業務に関し、自動車の運転者	運転者
	掲げる行為	掲げる行為（代行運転自動車については、第五号及び第六号に掲げるものを除く。）
第七十五条第一項第七号	自動車を離れて直ちに運転することができない状態にする行為（当該行為により自動車が第四十四条第一項、第四十五条第一項若しくは第二項、第四十七条第二項若しくは第三項、第四十八条、第四十九条の三第三項、第四十九条の四若しくは第七十五条の八第一項の規定に違反して駐車することとなる場合のもの又は自動車がこれらの規定に違反して駐車している場合におけるものに限る。）	第四十四条第一項、第四十五条第一項若しくは第二項、第四十七条、第四十八条、第四十九条の三第二項から第四項まで、第四十九条の四、第四十九条の五後段又は第七十五条の八第一項の規定の違反となるような行為
第七十五条第二項	自動車の使用者等	自動車運転代行業者又はその安全運転管理者等
	自動車の運転者	随伴用自動車その他の自動車運転代行業の用に供される自動車の運転者
	行為	行為（随伴用自動車の運転者については、同項第五号又は第六号に掲げるものに限る。）
	自動車の使用者がその者	自動車運転代行業者がその自動車運転代行業
	当該違反に係る自動車の使用の本拠の位置	主たる営業所の所在地
	自動車の使用者に	自動車運転代行業者に
第七十五条第九項及び第十項	自動車の使用者	自動車運転代行業者
第七十五条の付記	第百十九条の二の四第二項	第百十九条の二の四第二項、第百十九条の三第二項第一号
第七十五条の二第	自動車の使用者	自動車運転代行業者
	当該使用者に係る	その指示に係る

一項	使用者が	自動車運転代行業者が
	当該自動車の使用の本拠の位置	主たる営業所の所在地
	当該使用者に対し	当該自動車運転代行業者に対し
	できる。	できる。ただし、当該違反行為が代行運転自動車又は随伴用自動車の運転者が行う最高速度違反行為又は過労運転である場合は、この限りでない。
第七十五条の二第二項	の使用者	（随伴用自動車を除く。）の使用者である自動車運転代行業者
	当該使用者	当該自動車運転代行業者
	当該車両の使用の本拠の位置	主たる営業所の所在地
第百十七条の二第二項第一号	第七十五条（自動車の使用者の義務等）第一項第三号	第七十五条（自動車の使用者の義務等）第一項第三号（運転代行業法第十九条第一項の規定により読み替えて適用される場合及び同条第二項の規定によりみなして適用される場合を含む。）
第百十七条の二第二項第二号	第七十五条（自動車の使用者の義務等）第一項第四号	第七十五条（自動車の使用者の義務等）第一項第四号（運転代行業法第十九条第一項の規定により読み替えて適用される場合及び同条第二項の規定によりみなして適用される場合を含む。）
第百十七条の二の二第二項第一号	第七十五条（自動車の使用者の義務等）第一項第一号	第七十五条（自動車の使用者の義務等）第一項第一号（運転代行業法第十九条第一項の規定により読み替えて適用される場合及び同条第二項の規定によりみなして適用される場合を含む。）
第百十七条の二の二第二項第二号	第七十五条（自動車の使用者の義務等）第一項第三号	第七十五条（自動車の使用者の義務等）第一項第三号（運転代行業法第十九条第一項の規定により読み替えて適用される場合及び同条第二項の規定によりみなして適用される場合を含む。）
第百十七条の二の二第二項第三号	第七十五条（自動車の使用者の義務等）第一項第四号	第七十五条（自動車の使用者の義務等）第一項第四号（運転代行業法第十九条第一項の規定により読み替えて適用される場合及び同条第二項の規定によりみなして適用される場合を含む。）
第百十八条第二項第三号	第七十五条（自動車の使用者の義務等）第一項第二号	第七十五条（自動車の使用者の義務等）第一項第二号（運転代行業法第十九条第一項の規定により読み替えて適用される場合及び同条第二項の規定によりみなして適用される場合を含む。）
	第五号	第五号（運転代行業法第十九条第一項の規定により読み替えて適用される場合を含む。）
第百十八条第二項第四号	第七十五条（自動車の使用者の義務等）第一項第六号	第七十五条（自動車の使用者の義務等）第一項第六号（運転代行業法第十九条第一項の規定により読み替えて適用される場合を含む。）
第百十九条第二項第四号	第七十五条（自動車の使用者の義務等）第一項第六号	第七十五条（自動車の使用者の義務等）第一項第六号（運転代行業法第十九条第一項の規定により読み替えて適用される場合を含む。）
第百十九条第二項第五号	第七十五条（自動車の使用者の義務等）第二項	第七十五条（自動車の使用者の義務等）第二項（運転代行業法第十九条第一項の規定により読み替えて適用される場合を含む。）
	第七十五条の二（自動車の使用者の義務等）第一項	第七十五条の二（自動車の使用者の義務等）第一項（運転代行業法第十九条第一項の規定により読み替えて適用される場合を含む。）
	第二項の	第二項（運転代行業法第十九条第一項の規定により読み替えて適用される場合を含む。）の
第百十九条の二	第七十四条の三（安全運転管理者等）第一項	第七十四条の三（安全運転管理者等）第一項（運転代行業法第十九条第一項の規定により読み替えて適用される場合を含む。）
	第四項	第四項（運転代行業法第十九条第一項の規定

		により読み替えて適用される場合を含む。）
	同条第六項	第七十四条の三第六項（運転代行業法第十九条第一項の規定により読み替えて適用される場合を含む。）
	第八項	第八項（運転代行業法第十九条第一項の規定により読み替えて適用される場合を含む。）
第百十九条の二の四第二項	第七十五条（自動車の使用者の義務等）第一項第七号の規定に違反したとき	第七十五条（自動車の使用者の義務等）第一項第七号（運転代行業法第十九条第一項の規定により読み替えて適用される場合及び同条第二項の規定によりみなして適用される場合を含む。）の規定に違反したとき（車両を離れて直ちに運転することができない状態にする行為（当該行為により車両が第四十四条第一項、第四十五条第一項若しくは第二項、第四十七条第二項若しくは第三項、第四十八条、第四十九条の三第三項、第四十九条の四若しくは第七十五条の八第一項の規定に違反して駐車することとなる場合のもの又は車両がこれらの規定に違反して駐車している場合におけるものに限る。）をすることを命じ、又は容認した場合に限る。）
第百十九条の三第二項第一号	又は	若しくは
	とき	とき又は運転代行業法第十九条第一項の規定により読み替えて適用される第七十五条（自動車の使用者の義務等）第一項第七号の規定に違反したとき（前条第二項の規定に該当する場合を除く。）

2　前項に規定するもののほか、代行運転自動車については、自動車運転代行業を営む者を代行運転自動車の使用者とみなして、道路交通法第七十五条第一項（第五号及び第六号を除く。）、第百十七条の二の二第二項第一号及び第二号、第百十七条の二の二第二項、第百十八条第二項第三号並びに第百十九条の二の四第二項の規定を適用する。

3　自動車運転代行業者が行う安全運転管理者等の選任及び解任については、道路交通法第七十四条の三第五項の規定は、適用しない。

4　自動車運転代行業の用に供される車両（随伴用自動車を除く。）の運転者が行う第一項の規定により読み替えて適用される道路交通法第七十五条第一項第七号に掲げる行為（道路交通法第七十五条第一項第七号に掲げる行為を除く。）については、第一項の規定により読み替えて適用される同法第七十五条第一項第七号及び第二項並びに第百十九条の三第二項第一号（同法第五十一条の五第一項に係る部分を除く。）の規定は、適用しない。

第四章　監督

（帳簿等の備付け）

第二〇条　自動車運転代行業者は、国家公安委員会規則で定めるところにより、営業所ごとに、その運転代行業務従事者の名簿その他のその者による自動車の運転に関する帳簿又は書類で国家公安委員会規則で定めるものを備え付け、必要な事項を記載しておかなければならない。

2　前項に規定するもののほか、自動車運転代行業者は、国土交通省令で定めるところにより、営業所ごとに、苦情の処理に関する帳簿その他の代行運転役務の提供に関する帳簿又は書類で国土交通省令で定めるものを備え付け、必要な事項を記載しておかなければならない。

（報告及び立入検査）

第二一条　公安委員会は、この法律の施行に必要な限度において、自動車運転代行業を営む者に対し、その業務に関し報告若しくは資料の提出を求め、又は警察職員に営業所に立ち入り、帳簿、書類その他の物件を検査させ、若しくは関係者に質問させることができる。

2　国土交通大臣は、この法律の施行に必要な限度において、自動車運転代行業を営む者に対し、その業務に関し報告若しくは資料の提出を求め、又はその職員に営業所に立ち入り、帳簿、書類その他の物件を検査させ、若しくは関係者に質問させることができる。

3　前二項の規定により立入検査をする職員は、その身分を示す証票を携帯し、関係者に提示しなければならない。

4　第一項及び第二項の規定による立入検査の権限は、犯罪捜査のために認められたものと解してはならない。

（指示）

第二二条　公安委員会は、自動車運転代行業者又はその安全運転管理者等若しくは運転代行業務従事者が、この法律若しくはこの法律に基づく命令の規定（次項に規定するものを除く。次条第一項並びに第二十五条第二項第一号及び第二号において同じ。）に違反し、又は運転代行業務に関し、特定道路交通法令（第十九条第一項の規定により読み替えて適用される道路交通法の規定（同法第七十四条の三（第五項を除く。）及び第七十五条第一項（第五号及び第六号を除く。）に係るものに限る。）並びにこれらの規定に基づく命令の規定をいう。次条第一項並びに第二十五条第二項第一号及び第二号において同じ。）に違反し、若しくは第十九条第一項の規定により読み替えて適用される道路交通法第七十五条第一項第七号に掲げる行為をした場合において、自動車運転代行業の業務の適正な運営が害されるおそれがあると認められるときは、当該自動車運転代行業者に対し、当該業務に関し必要な措置をとるべきことを指示することができる。この場合において、公安委員会は、国土交通大臣に対し、当該指示をした旨を通知しなければならない。

2　国土交通大臣は、自動車運転代行業者又はその運転代行業務従事者が、この法律若しくはこの法律に基づく命令の規定（第十一条、第十二条、第十三条第一項から第三項まで及び第五項、第十五条、第十七条、第十八条、第二十条第二項並びに前条第二項に係るものに限る。次条第二項において同じ。）に違反し、又は運転代行業務に関し道路運送法第四条第一項、第四十三条第一項若しくは第七十八条の規定に違反した場合において、自動車運転代行業の業務の適正な運営が害されるおそれがあると認められるときは、当該自動車運転代行業者に対し、当該業務に関し必要な措置をとるべきことを指示することができる。この場合において、国土交通大臣は、主たる営業所の所在地を管轄する公安委員会に対し、当該指示をした旨を通知しなければならない。

（営業の停止）

第二三条　公安委員会は、自動車運転代行業者又はその安全運転管理者等若しくは運転代行業務従事者がこの法律若しくはこの法律に基づく命令の規定に違反し若しくは運転代行業務に関し特定道路交通法令若しくは第十九条第一項の規定により読み替えて適用される道路交通法第二十二条の二第一項若しくは第六十六条の二第一項の規定による指示に違反した場合において自動車運転代行業の業務の適正な運営が著しく害されるおそれがあると認められるとき、自動車運転代行業者が前条第一項の規定による指示に違反したとき、又は国土交通大臣から次項の規定による要請があったときは、政令で定める基準に従い、当該自動車運転代行業者に対し、六月を超えない範囲内で期間を定めて、当該自動車運転代行業の全部又は一部の停止を命ずることができる。

2　国土交通大臣は、自動車運転代行業者又はその運転代行業務従事者がこの法律若しくはこの法律に基づく命令の規定に違反し若しくは運転代行業務に関し道路運送法第四条第一項、第四十三条第一項若しくは第七十八条の規定に違反した場合において自動車運転代行業の業務の適正な運営が著しく害されるおそれがあると認められるとき、又は自動車運転代行業者が前条第二項の規定による指示に違反したときは、主たる営業所の所在地を管轄する公安委員会に対し、前項の規定による命令をすべき旨を要請することができる。

3　公安委員会は、第一項の規定による命令をしようとするときは、あらかじめ、国土交通大臣に協議し、その同意を得なければならない。

（営業の廃止）

第二四条　公安委員会は、次の各号のいずれかに該当する者があるときは、その者に対し、自動車運転代行業の廃止を命ずることができる。

一　第五条第三項の規定による通知を受けて自動車運転代行業を営んでいる者

二　第七条第一項の規定により認定を取り消されて自動車運転代行業を営んでいる者

三　前二号に掲げる者のほか、第三条各号（第七号及び第八号を除く。）のいずれかに該当する者で自動車運転代行業を営んでいるもの（認定を受けている者を除く。）

2　公安委員会は、前項の規定による命令をしようとする場合には、あらかじめ、国土交通大臣に協議し、その同意を得なければならない。

（処分移送通知書の送付等）

第二五条　公安委員会は、自動車運転代行業を営む者に対し、第二十二条第一項の規定による指示又は第二十三条第一項若しくは前条第一項の規定による命令をしようとする場合において、当該処分に係る自動車運転代行業を営む者が主たる営業所を他の公安委員会の管轄区域内に変更していたときは、当該処分に係る事案に関する弁明の機会の付与を終了している場合を除き、速やかに現に主たる営業所の所在地を管轄する公安委員会に国家公安委員会規則で定める処分移送通知書を送付しなければならない。

2　前項の規定により処分移送通知書が送付されたときは、当該処分移送通知書の送付を受けた公安委員会は、次の各号に掲げる場合の区分に従い、それぞれ当該各号に定める処分をすることができるものとし、当該処分移送通知書を送付した公安委員会は、第二十二条第一項、第二十三条第一項及び前条第一項の規定にかかわらず、当該事案について、これらの規定による処分をすることができないものとする。

一　自動車運転代行業者又はその安全運転管理者等若しくは運転代行業務従事者が、この法律若しくはこの法律に基づく命令の規定に違反し、又は運転代行業務に関し、特定道路交通法令に違反し、若しくは第十九条第一項の規定により読み替えて適用される道路交通法第七十五条第一項第七号に掲げる行為をした場合において、自動車運転代行業の業務の適正な運営が害されるおそれがあると認められるとき　当該自動車運転代行業者に対し、当該業務に関し必要な措置をとるべきことを指示すること。

二　自動車運転代行業者又はその安全運転管理者等若しくは運転代行業務従事者がこの法律若しくはこの法律に基づく命令の規定に違反し若しくは運転代行業務に関し特定道路交通法令若しくは第十九条第一項の規定により読み替えて適用される道路交通法第二十二条の二第一項若しくは第六十六条の二第一項の規定による指示に違反した場合において自動車運転代行業の業務の適正な運営が著しく害されるおそれがあると認められるとき、自動車運転代行業者が第二十二条第一項の規定による指示に違反した場合又は国土交通大臣から第二十三条第二項の規定による要請があった場合　同条第一項の政令で定める基準に従い、当該自動車運転代行業者に対し、六月を超えない範囲内で期間を定めて、当該自動車運転代行業の全部又は一部の停止を命ずること。

三　前条第一項各号のいずれかに該当する者がある場合　その者に対し、自動車運転代行業の廃止を命ずること。

3　第一項の規定は、公安委員会が前項の規定により処分をしようとする場合について準用する。

第五章　雑則

（公安委員会と国土交通大臣との協力）

第二六条　公安委員会及び国土交通大臣は、自動車運転代行業の業務の適正な運営の確保に関し、相互に協力するものとする。

（方面公安委員会への権限の委任）

第二七条　この法律に規定する道公安委員会の権限は、政令で定めるところにより、方面公安委員会に委任することができる。

（都道府県が処理する事務）

第二八条　この法律に規定する国土交通大臣の権限に属する事務の一部は、政令で定めるところにより、都道府県知事が行うこととすることができる。

（経過措置）

第二九条　この法律の規定に基づき命令を制定し、又は改廃する場合においては、その命令で、その制定又は改廃に伴い合理的に必要と判断される範囲内において、所要の経過措置（罰則に関する経過措置を含む。）を定めることができる。

（命令への委任）

第三〇条　この法律に特別の定めがあるもののほか、この法律の実施のための手続その他この法律の施行に関し必要な事項は、国土交通省令又は国家公安委員会規則で定める。

第六章　罰則

第三一条　第二十三条第一項、第二十四条第一項又は第二十五条第二項第二号若しくは第三号の規定による命令に違反した者は、一年以下の懲役若しくは五十万円以下の罰金に処し、又はこれを併科する。

第三二条　次の各号のいずれかに該当する者は、三十万円以下の罰金に処する。

一　第五条第一項の規定による認定の申請をしないで、又はこれに係る同条第二項若しくは第三項の規定による通知を受ける前に自動車運転代行業を営んだ者

二　第十条の規定に違反して他人に自動車運転代行業を営ませた者

三　第十二条の規定に違反した者

四　第二十二条第一項若しくは第二項又は第二十五条第二項第一号の規定による指示に違反した者

五　偽りその他不正の手段により認定を受けた者

第三三条　次の各号のいずれかに該当する者は、二十万円以下の罰金に処する。

一　第五条第一項の申請書又は添付書類に虚偽の記載をして提出した者

二　第六条の規定に違反した者

三　第八条第一項の規定に違反して届出書の提出をせず、又は同項の届出書若しくは添付書類に虚偽の記載をして提出した者

四　第九条第一項の規定に違反して届出書の提出をせず、又は同項の届出書に虚偽の記載をして提出した者

五　第十一条の規定に違反した者

六　第十三条第一項又は第五項の規定に違反した者

七　第十三条第三項の規定による届出をしないで自動車運転代行業約款を掲示した者

八　第十六条の規定に違反した者

九　第十七条第一項又は第二項の規定に違反した者

十　第二十条第一項若しくは第二項の帳簿若しくは書類を備え付けず、又はこれらに必要な事項を記載せず、若しくは虚偽の記載をした者

十一　第二十一条第一項若しくは第二項の規定に違反して報告をせず、若しくは資料の提出をせず、若しくは同条第一項若しくは第二項の規定による報告若しくは資料の提出について虚偽の報告をし、若しくは虚偽の資料を提出した者又は同条第一項若しくは第二項の規定による立入検査を拒み、妨げ、若しくは忌避した者

第三四条　法人の代表者又は法人若しくは人の代理人、使用人その他の従業者が、その法人又は人の業務に関し、前三条の違反行為をしたときは、行為者を罰するほか、その法人又は人に対しても、各本条の罰金刑を科する。

第三五条　第九条第二項の規定に違反して届出書の提出をせず、又は同項の届出書に虚偽の記載をして提出した者は、十万円以下の過料に処する。

附　則

（施行期日）

第一条　この法律は、公布の日から起算して一年を超えない範囲内において政令で定める日から施行する。

〔平成一四政一二五により、平成一四・六・一から施行〕

（経過措置）

第二条　この法律の施行の際現に自動車運転代行業を営んでいる者は、この法律の施行の日から三月を経過する日（その者がその日以前に第五条第一項の規定による申請書を提出した場合にあっては、同条第二項又は第三項の規定による通知がある日）までの間は、第四条の認定を受けないで、引き続き当該自動車運転代行業を営むことができる。

第三条　道路交通法の一部を改正する法律（平成十三年法律第五十一号。以下「改正道路交通法」という。）の施行の日がこの法律の施行の日後である場合におけるこの法律の施行の日から改正道路交通法の施行の日の前日までの間の第十九条の規定の適用については、同条中「第百十七条の四第四号から第六号まで、第百十八条第一項第四号」とあるのは「第百十八条第一項第三号の三、第百十九条第一項第十一号」と、同条第一項の表の第百十七条の四第四号の項中「第百十七条の四第四号」とあるのは「第百十八条第一項第三号の三」と、同表の第百十七条の四第五号の項中「第百十七条の四第五号」とあるのは「第百十九条第一項第十一号」と、同表の第百十七条の四第六号の項中「第百十七条の四第六号」とあるのは「第百十八条第一項第三号の三」と、「第七十五条（自動車の使用者の義務等）第一項第四号」とあるのは「第四号」と、同表の第百十八条第一項第四号の項中「第百十八条第一項第四号」とあるのは「第百十八条第一項第三号の三」と、「第七十五条（自動車の使用者の義務等）第一項第二号」とあるのは「第二号」と、同表の第百十八条第一項第五号の項中「第百十八条第一項第五号」とあるのは「第百十八条第一項第三号の四」と、同表の第百十九条第一項第十一号の項中「第百十九条第一項第十一号」とあるのは「第百十九条第一項第十二号」と、同表の第百十九条第一項第十二号の項中「第百十九条第一項第十二号」とあるのは「第百十九条第一項第十二号の二」とする。

（検討）

第四条　政府は、この法律の施行後五年を経過した場合において、この法律の施行の状況について検討を加え、必要があると認めるときは、その結果に基づいて所要の措置を講ずるものとする。

附　則〔平成一四・五・三一法律五四抄〕

（施行期日）

第一条　この法律は、平成十四年七月一日から施行する。

（経過措置）

第二八条　この法律の施行前にこの法律による改正前のそれぞれの法律若しくはこれに基づく命令（以下「旧法令」という。）の規定により海運監理部長、陸運支局長、海運支局長又は陸運支局の事務所の長（以下「海運監理部長等」という。）がした許可、認可その他の処分又は契約その他の行為（以下「処分等」という。）は、国土交通省令で定めるところにより、この法律による改正後のそれぞれの法律若しくはこれに基づく命令（以下「新法令」という。）の規定により相当の運輸監理部長、運輸支局長又は地方運輸局、運輸監理部若しくは運輸支局の事務所の長（以下「運輸監理部長等」という。）がした処分等とみなす。

第二九条　この法律の施行前に旧法令の規定により海運監理部長等に対してした申請、届出その他の行為（以下「申請等」という。）は、国土交通省令で定めるところにより、新法令の規定により相当の運輸監理部長等に対してした申請等とみなす。

第三〇条　この法律の施行前にした行為に対する罰則の適用については、なお従前の例による。

附　則〔平成一六・六・九法律九〇抄〕

（施行期日）

第一条　この法律の規定は、次の各号に掲げる区分に従い、当該各号に定める日から施行する。

一　〔前略〕附則〔中略〕第二十五条の規定　公布の日

二　〔前略〕附則〔中略〕第十九条の規定　公布の日から起算して六月を超えない範囲内において政令で定める日

〔平成一六政二五六により、平成一六・一一・一から施行〕

三　〔前略〕附則第二十三条及び第二十四条の規定　公布の日から起算して一年を超えない範囲内において政令で定める日

〔平成一六政三八〇により、平成一七・四・一から施行〕

四　〔前略〕附則〔中略〕第二十条から第二十二条までの規定　公布の日から起算して二年を超えない範囲内において政令で定める日

〔平成一七政三七三により、平成一八・六・一から施行〕

五　〔略〕

（自動車運転代行業の業務の適正化に関する法律の一部改正に伴う経過措置）

第二一条　前条の規定の施行前に同条の規定による改正前の自動車運転代行業の業務の適正化に関する法律（以下この条におい

て「旧運転代行業法」という。）第十九条第一項の規定により読み替えて適用される道路交通法第七十五条の二第一項（同法第五十一条の四（同法第七十五条の八第三項において準用する場合を含む。次項及び第三項において同じ。）の規定による指示に係る部分に限る。）の規定による命令に違反して罰金の刑に処せられた者に係る自動車運転代行業の要件については、なお従前の例による。

２　前条の規定の施行前に、旧運転代行業法第十九条第一項の規定により読み替えて適用される道路交通法第五十一条の四の規定による指示を受けた自動車運転代行業の業務の適正化に関する法律第二条第二項に規定する自動車運転代行業については、旧運転代行業法第二十三条第一項及び第三項並びに第二十五条の規定は、前条の規定の施行後も、なおその効力を有する。

３　前条の規定の施行前に、旧運転代行業法第十九条第一項の規定により読み替えて適用される道路交通法第五十一条の四の規定によりされた指示に係る車両につき第三条の規定による改正前の道路交通法第七十五条第一項第七号に掲げる行為が行われた場合（自動車運転代行業の業務の適正化に関する法律第二条第六項に規定する代行運転自動車又は同条第七項に規定する随伴用自動車の運転者により行われた場合を除く。）については、前条の規定による改正後の同法第十九条第一項の規定により読み替えて適用される道路交通法第七十五条の二第一項の規定にかかわらず、なお従前の例による。

（罰則等に関する経過措置）

第二三条　第二条から第四条までの規定の施行前にした行為並びに附則第五条及び第二十一条第三項の規定によりなお従前の例によることとされる場合並びに附則第二十一条第二項の規定によりなおその効力を有することとされる場合におけるこの法律の施行後にした行為に対する罰則の適用については、それぞれなお従前の例による。

第二四条　第二条から第四条までの規定の施行前にした行為に対する反則行為の取扱いに関しては、それぞれなお従前の例による。

（その他の経過措置の政令への委任）

第二五条　附則第三条から第十四条まで、第二十一条、第二十三条及び前条に規定するもののほか、この法律の施行に伴い必要な経過措置（罰則に関する経過措置を含む。）は政令で定める。

附　則〔平成一九・六・二〇法律九〇抄〕

（施行期日）

第一条　この法律は、公布の日から起算して三月を超えない範囲内において政令で定める日から施行する。〔以下略〕

〔平成一九政二六五により、平成一九・九・一九から施行〕

（罰則に関する経過措置）

第一二条　この法律（附則第一条第一号に掲げる改正規定については、当該改正規定）の施行前にした行為並びに附則第三条第一項及び第四項の規定によりなお従前の例によることとされる場合における同号に掲げる規定の施行後にした行為に対する罰則の適用については、なお従前の例による。

（その他の経過措置の政令への委任）

第一三条　附則第二条から第六条まで及び前条に定めるもののほか、この法律の施行に関し必要な経過措置（罰則に関する経過措置を含む。）は、政令で定める。

附　則〔平成二六・六・四法律五一抄〕

（施行期日）

第一条　この法律は、平成二十七年四月一日から施行する。〔以下略〕

（処分、申請等に関する経過措置）

第七条　この法律（附則第一条各号に掲げる規定については、当該各規定。以下この条及び次条において同じ。）の施行前にこの法律による改正前のそれぞれの法律の規定によりされた許可等の処分その他の行為（以下この項において「処分等の行為」という。）又はこの法律の施行の際現にこの法律による改正前のそれぞれの法律の規定によりされている許可等の申請その他の行為（以下この項において「申請等の行為」という。）で、この法律の施行の日においてこれらの行為に係る行政事務を行うべき者が異なることとなるものは、附則第二条から前条までの規定又はこの法律による改正後のそれぞれの法律（これに基づく命令を含む。）の経過措置に関する規定に定めるものを除き、この法律の施行の日以後におけるこの法律による改正後のそれぞれの法律の適用については、この法律による改正後のそれぞれの法律の相当規定によりされた処分等の行為又は申請等の行為とみなす。

２　この法律の施行前にこの法律による改正前のそれぞれの法律の規定により国又は地方公共団体の機関に対し報告、届出、提出その他の手続をしなければならない事項で、この法律の施行の日前にその手続がされていないものについては、この法律及びこれに基づく政令に別段の定めがあるもののほか、これを、この法律による改正後のそれぞれの法律の相当規定により国又は地方公共団体の相当の機関に対して報告、届出、提出その他の手続をしなければならない事項についてその手続がされていないものとみなして、この法律による改正後のそれぞれの法律の規定を適用する。

（罰則に関する経過措置）

第八条　この法律の施行前にした行為に対する罰則の適用については、なお従前の例による。

（政令への委任）

第九条　附則第二条から前条までに規定するもののほか、この法律の施行に関し必要な経過措置（罰則に関する経過措置を含む。）は、政令で定める。

附　則〔令和元・六・一四法律三七抄〕

（施行期日）

第一条　この法律は、公布の日から起算して三月を経過した日から施行する。ただし、次の各号に掲げる規定は、当該各号に定める日から施行する。

一　〔前略〕次条並びに附則第三条及び第六条の規定　公布の日

二　〔前略〕第二章第二節〔中略〕の規定　公布の日から起算して六月を経過した日

三・四　〔略〕

（行政庁の行為等に関する経過措置）

第二条　この法律（前条各号に掲げる規定にあっては、当該規定。以下この条及び次条において同じ。）の施行の日前に、この法律による改正前の法律又はこれに基づく命令の規定（欠格条項その他の権利の制限に係る措置を定めるものに限る。）に基づき行われた行政庁の処分その他の行為及び当該規定により生じた失職の効力については、なお従前の例による。

（罰則に関する経過措置）

第三条　この法律の施行前にした行為に対する罰則の適用については、なお従前の例による。

（検討）

第七条　政府は、会社法（平成十七年法律第八十六号）及び一般社団法人及び一般財団法人に関する法律（平成十八年法律第四十八号）における法人の役員の資格を成年被後見人又は被保佐人であることを理由に制限する旨の規定について、この法律の公布後一年以内を目途として検討を加え、その結果に基づき、当該規定の削除その他の必要な法制上の措置を講ずるものとする。

附　則〔令和四・四・二七法律三三抄〕

（施行期日）

第一条　この法律は、公布の日から起算して一年を超えない範囲内において政令で定める日から施行する。ただし、次の各号に掲げる規定は、当該各号に定める日から施行する。

〔令和四政三九〇により、令和五・四・一から施行〕

一　〔略〕
二　〔前略〕附則〔中略〕第十五条の規定　公布の日から起算して六月を超えない範囲内において政令で定める日
〔令和四政三〇三により、令和四・一〇・一から施行〕
三・四　〔略〕

附　則〔令和四・六・一七法律六八抄〕

（施行期日）
1　この法律は、刑法等一部改正法〔令和四年法律第六十七号〕施行日〔令和七・六・一〕から施行する。ただし、次の各号に掲げる規定は、当該各号に定める日から施行する。
一　第五百九条の規定　公布の日
二　〔略〕

刑法等の一部を改正する法律の施行に伴う関係法律の整理等に関する法律〔抄〕
〔令和四・六・一七　法律六八〕

（罰則の適用等に関する経過措置）
第四四一条　刑法等の一部を改正する法律（令和四年法律第六十七号。以下「刑法等一部改正法」という。）及びこの法律（以下「刑法等一部改正法等」という。）の施行前にした行為の処罰については、次章に別段の定めがあるもののほか、なお従前の例による。
2　刑法等一部改正法等の施行後にした行為に対して、他の法律の規定によりなお従前の例によることとされ、なお効力を有することとされ又は改正前若しくは廃止前の法律の規定の例によることとされる罰則を適用する場合において、当該罰則に定める刑（刑法施行法第十九条第一項の規定又は第八十二条の規定による改正後の沖縄の復帰に伴う特別措置に関する法律第二十五条第四項の規定の適用後のものを含む。）に刑法等一部改正法第二条の規定による改正前の刑法（明治四十年法律第四十五号。以下この項において「旧刑法」という。）第十二条に規定する懲役（以下「懲役」という。）、旧刑法第十三条に規定する禁錮（以下「禁錮」という。）又は旧刑法第十六条に規定する拘留（以下「旧拘留」という。）が含まれるときは、当該刑のうち無期の懲役又は禁錮はそれぞれ無期拘禁刑と、有期の懲役又は禁錮はそれぞれその刑と長期及び短期（刑法施行法第二十条の規定の適用後のものを含む。）を同じくする有期拘禁刑と、旧拘留は長期及び短期（刑法施行法第二十条の規定の適用後のものを含む。）を同じくする拘留とする。

（裁判の効力とその執行に関する経過措置）
第四四二条　懲役、禁錮及び旧拘留の確定裁判の効力並びにその執行については、次章に別段の定めがあるもののほか、なお従前の例による。

（人の資格に関する経過措置）
第四四三条　懲役、禁錮又は旧拘留に処せられた者に係る人の資格に関する法令の規定の適用については、無期の懲役又は禁錮に処せられた者はそれぞれ無期拘禁刑に処せられた者と、有期の懲役又は禁錮に処せられた者はそれぞれ刑期を同じくする有期拘禁刑に処せられた者と、旧拘留に処せられた者は拘留に処せられた者とみなす。
2　拘禁刑又は拘留に処せられた者に係る他の法律の規定によりなお従前の例によることとされ、なお効力を有することとされ又は改正前若しくは廃止前の法律の規定の例によることとされる人の資格に関する法令の規定の適用については、無期拘禁刑に処せられた者は無期禁錮に処せられた者と、有期拘禁刑に処せられた者は刑期を同じくする有期禁錮に処せられた者と、拘留に処せられた者は刑期を同じくする旧拘留に処せられた者とみなす。

（経過措置の政令への委任）
第五〇九条　この編に定めるもののほか、刑法等一部改正法等の施行に伴い必要な経過措置は、政令で定める。

附　則〔令和五・六・一六法律六三抄〕

（施行期日）
第一条　この法律は、公布の日から起算して一年を超えない範囲内において政令で定める日から施行する。ただし、次の各号に掲げる規定は、当該各号に定める日から施行する。
〔令和五政一八四により、令和六・四・一から施行〕
一　〔前略〕附則第七条〔中略〕の規定　公布の日
二　〔略〕

（自動車運転代行業の業務の適正化に関する法律の一部改正に伴う経過措置）
第四条　この法律の施行前にした行為を理由とする自動車運転代行業の業務の適正化に関する法律第二十三条第一項又は第二十五条第二項第二号の規定による自動車運転代行業の停止の命令については、なお従前の例による。

（罰則に関する経過措置）
第六条　この法律の施行前にした行為に対する罰則の適用については、なお従前の例による。

（政令への委任）
第七条　この附則に定めるもののほか、この法律の施行に関し必要な経過措置（罰則に関する経過措置を含む。）は、政令で定める。

（参考）

○刑法等の一部を改正する法律の施行に伴う関係法律の整理等に関する法律〔抄〕
〔令和四・六・一七　法律六八〕

（自動車運転代行業の業務の適正化に関する法律の一部改正）
第一〇六条　自動車運転代行業の業務の適正化に関する法律（平成十三年法律第五十七号）の一部を次のように改正する。
第三条第二号中「禁錮」を「拘禁刑」に改める。
第三十一条中「懲役」を「拘禁刑」に改める。

附　則

（施行期日）
1　この法律は、刑法等一部改正法〔令和四年法律第六十七号〕施行日〔令和七・六・一〕から施行する。〔以下略〕

○自動車の運転により人を死傷させる行為等の処罰に関する法律

〔平成二五・一一・二七
法律八六〕

改正 令和二・六法四七、令和五・六法五六

注 令和四年六月一七日法律第六八号の改正は、令和七年六月一日から施行のため、附則の次に（参考）として改正文を掲載いたしました。

（定義）

第一条 この法律において「自動車」とは、道路交通法（昭和三十五年法律第百五号）第二条第一項第九号に規定する自動車及び同項第十号に規定する原動機付自転車をいう。

2 この法律において「無免許運転」とは、法令の規定による運転の免許を受けている者又は道路交通法第百七条の二の規定により国際運転免許証若しくは外国運転免許証で運転することができるとされている者でなければ運転することができないこととされている自動車を当該免許を受けないで（法令の規定により当該免許の効力が停止されている場合を含む。）又は当該国際運転免許証若しくは外国運転免許証を所持しないで（同法第八十八条第一項第二号から第四号までのいずれかに該当する場合又は本邦に上陸（住民基本台帳法（昭和四十二年法律第八十一号）に基づき住民基本台帳に記録されている者が出入国管理及び難民認定法（昭和二十六年政令第三百十九号）第六十条第一項の規定による出国の確認、同法第二十六条第一項の規定による再入国の許可（同法第二十六条の二第一項（日本国との平和条約に基づき日本の国籍を離脱した者等の出入国管理に関する特例法（平成三年法律第七十一号）第二十三条第二項において準用する場合を含む。）の規定により出入国管理及び難民認定法第二十六条第一項の規定による再入国の許可を受けたものとみなされる場合を含む。）又は出入国管理及び難民認定法第六十一条の二の十五第一項の規定による難民旅行証明書の交付を受けて出国し、当該出国の日から三月に満たない期間内に再び本邦に上陸した場合における当該上陸を除く。）をした日から起算して滞在期間が一年を超えている場合を含む。）、道路交通法第二条第一項第一号に規定する道路をいう。）において、運転することをいう。

（危険運転致死傷）

第二条 次に掲げる行為を行い、よって、人を負傷させた者は十五年以下の懲役に処し、人を死亡させた者は一年以上の有期懲役に処する。

一 アルコール又は薬物の影響により正常な運転が困難な状態で自動車を走行させる行為

二 その進行を制御することが困難な高速度で自動車を走行させる行為

三 その進行を制御する技能を有しないで自動車を走行させる行為

四 人又は車の通行を妨害する目的で、走行中の自動車の直前に進入し、その他通行中の人又は車に著しく接近し、かつ、重大な交通の危険を生じさせる速度で自動車を運転する行為

五 車の通行を妨害する目的で、走行中の車（重大な交通の危険が生じることとなる速度で走行中のものに限る。）の前方で停止し、その他これに著しく接近することとなる方法で自動車を運転する行為

六 高速自動車国道（高速自動車国道法（昭和三十二年法律第七十九号）第四条第一項に規定する道路をいう。）又は自動車専用道路（道路法（昭和二十七年法律第百八十号）第四十八条の四に規定する自動車専用道路をいう。）において、自動車の通行を妨害する目的で、走行中の自動車の前方で停止し、その他これに著しく接近することとなる方法で自動車を運転することにより、走行中の自動車に停止又は徐行（自動車が直ちに停止することができるような速度で進行することをいう。）をさせる行為

七 赤色信号又はこれに相当する信号を殊更に無視し、かつ、重大な交通の危険を生じさせる速度で自動車を運転する行為

八 通行禁止道路（道路標識若しくは道路標示により、又はその他法令の規定により自動車の通行が禁止されている道路又はその部分であって、これを通行することが人又は車に交通の危険を生じさせるものとして政令で定めるものをいう。）を進行し、かつ、重大な交通の危険を生じさせる速度で自動車を運転する行為

第三条 アルコール又は薬物の影響により、その走行中に正常な運転に支障が生じるおそれがある状態で、自動車を運転し、よって、そのアルコール又は薬物の影響により正常な運転が困難な状態に陥り、人を負傷させた者は十二年以下の懲役に処し、人を死亡させた者は十五年以下の懲役に処する。

2 自動車の運転に支障を及ぼすおそれがある病気として政令で定めるものの影響により、その走行中に正常な運転に支障が生じるおそれがある状態で、自動車を運転し、よって、その病気の影響により正常な運転が困難な状態に陥り、人を死傷させた者も、前項と同様とする。

（過失運転致死傷アルコール等影響発覚免脱）

第四条 アルコール又は薬物の影響によりその走行中に正常な運転に支障が生じるおそれがある状態で自動車を運転した者が、運転上必要な注意を怠り、よって人を死傷させた場合において、その運転の時のアルコール又は薬物の影響の有無又は程度が発覚することを免れる目的で、更にアルコール又は薬物を摂取すること、その場を離れて身体に保有するアルコール又は薬物の濃度を減少させることその他その影響の有無又は程度が発覚することを免れるべき行為をしたときは、十二年以下の懲役に処する。

（過失運転致死傷）

第五条 自動車の運転上必要な注意を怠り、よって人を死傷させた者は、七年以下の懲役若しくは禁錮又は百万円以下の罰金に処する。ただし、その傷害が軽いときは、情状により、その刑を免除することができる。

（無免許運転による加重）

第六条 第二条（第三号を除く。）の罪を犯した者（人を負傷させた者に限る。）が、その罪を犯した時に無免許運転をしたものであるときは、六月以上の有期懲役に処する。

2 第三条の罪を犯した者が、その罪を犯した時に無免許運転をしたものであるときは、人を負傷させた者は十五年以下の懲役に処し、人を死亡させた者は六月以上の有期懲役に処する。

3 第四条の罪を犯した者が、その罪を犯した時に無免許運転をしたものであるときは、十五年以下の懲役に処する。

4 前条の罪を犯した者が、その罪を犯した時に無免許運転をしたものであるときは、十年以下の懲役に処する。

附　則

（施行期日）

第一条 この法律は、公布の日から起算して六月を超えない範囲内において政令で定める日から施行する。

〔平成二六政一六五により、平成二六・五・二〇から施行〕

第二条～第一三条 〔他の法令改正に付き略〕

（罰則の適用等に関する経過措置）

第一四条 この法律の施行前にした行為に対する罰則の適用については、なお従前の例による。

第一五条 前条の規定によりなお従前の例によることとされる附

則第二条の規定による改正前の刑法第二百十一条第二項の罪は、附則第三条の規定による改正後の刑事訴訟法第三百十六条の三十三第一項の規定の適用については同項第四号に掲げる罪と、附則第四条の規定による改正後の少年法第二十二条の四第一項の規定の適用については同項第三号に掲げる罪とみなす。

第一六条　この法律の施行前に附則第二条の規定による改正前の刑法第二百八条の二（附則第十四条の規定によりなお従前の例によることとされる場合における当該規定を含む。）の罪を犯した者に対する出入国管理及び難民認定法第五条第一項第九号の二、第二十四条第四号の二、第二十四条の三第三号、第六十一条の二の二第一項第二号及び第六十一条の二の四第一項第八号の規定の適用については、これらの規定中「第十六条の罪又は」とあるのは「第十六条の罪」と、「第六条第一項」とあるのは「第六条第一項の罪又は同法附則第二条の規定による改正前の刑法第二百八条の二（自動車の運転により人を死傷させる行為等の処罰に関する法律附則第十四条の規定によりなお従前の例によることとされる場合における当該規定を含む。）」とする。

第一七条　この法律の施行前にした行為を理由とする附則第六条の規定による改正後の道路交通法第九十条第一項ただし書、第二項、第五項若しくは第六項若しくは第百三条第一項、第二項若しくは第四項又は第百七条の五第一項若しくは第二項若しくは同条第九項において準用する同法第百三条第四項の規定による運転免許の拒否、保留、取消し若しくは効力の停止又は自動車等の運転の禁止については、なお従前の例による。

2　この法律の施行前に道路交通法第八十四条第一項に規定する自動車等の運転に関し附則第二条の規定による改正前の刑法第二百八条の二又は第二百十一条第二項（附則第十四条の規定によりなお従前の例によることとされる場合におけるこれらの規定を含む。）の罪を犯した者（附則第七条の規定による改正後の刑法の一部を改正する法律附則第五条に規定する者を除く。）に対する附則第六条の規定による改正後の道路交通法第九十九条の二第四項第二号及び第百八条の四第三項第三号の規定の適用については、これらの規定中「第六条まで」とあるのは、「第六条までの罪、同法附則第二条の規定による改正前の刑法第二百八条の二若しくは第二百十一条第二項（自動車の運転により人を死傷させる行為等の処罰に関する法律附則第十四条の規定によりなお従前の例によることとされる場合におけるこれらの規定を含む。）」とする。

附　則〔令和四・六・一七法律六八抄〕

（施行期日）

1　この法律は、刑法等一部改正法〔令和四年法律第六十七号〕施行日〔令和七・六・一〕から施行する。ただし、次の各号に掲げる規定は、当該各号に定める日から施行する。

一　第五百九条の規定　公布の日

二　〔略〕

刑法等の一部を改正する法律の施行に伴う関係法律の整理等に関する法律〔抄〕 〔令和四・六・一七 法律六八〕

（罰則の適用等に関する経過措置）

第四四一条　刑法等の一部を改正する法律（令和四年法律第六十七号。以下「刑法等一部改正法」という。）及びこの法律（以下「刑法等一部改正法等」という。）の施行前にした行為の処罰については、次章に別段の定めがあるもののほか、なお従前の例による。

2　刑法等一部改正法等の施行後にした行為に対して、他の法律の規定によりなお従前の例によることとされ、なお効力を有することとされ又は改正前若しくは廃止前の法律の規定の例によることとされる罰則を適用する場合において、当該罰則に定める刑（刑法施行法第十九条第一項の規定又は第八十二条の規定による改正後の沖縄の復帰に伴う特別措置に関する法律第二十五条第四項の規定の適用後のものを含む。）に刑法等一部改正法第二条の規定による改正前の刑法（明治四十年法律第四十五号。以下この項において「旧刑法」という。）第十二条に規定する懲役（以下「懲役」という。）、旧刑法第十三条に規定する禁錮（以下「禁錮」という。）又は旧刑法第十六条に規定する拘留（以下「旧拘留」という。）が含まれるときは、当該刑のうち無期の懲役又は禁錮はそれぞれ無期拘禁刑と、有期の懲役又は禁錮はそれぞれその刑と長期及び短期（刑法施行法第二十条の規定の適用後のものを含む。）を同じくする有期拘禁刑と、旧拘留は長期及び短期（刑法施行法第二十条の規定の適用後のものを含む。）を同じくする拘留とする。

（裁判の効力とその執行に関する経過措置）

第四四二条　懲役、禁錮及び旧拘留の確定裁判の効力並びにその執行については、次章に別段の定めがあるもののほか、なお従前の例による。

（人の資格に関する経過措置）

第四四三条　懲役、禁錮又は旧拘留に処せられた者に係る人の資格に関する法令の規定の適用については、無期の懲役又は禁錮に処せられた者はそれぞれ無期拘禁刑に処せられた者と、有期の懲役又は禁錮に処せられた者はそれぞれ刑期を同じくする有期拘禁刑に処せられた者と、旧拘留に処せられた者は拘留に処せられた者とみなす。

2　拘禁刑又は拘留に処せられた者に係る他の法律の規定によりなお従前の例によることとされ、なお効力を有することとされ又は改正前若しくは廃止前の法律の規定の例によることとされる人の資格に関する法令の規定の適用については、無期拘禁刑に処せられた者は無期禁錮に処せられた者と、有期拘禁刑に処せられた者は刑期を同じくする有期禁錮に処せられた者と、拘留に処せられた者は刑期を同じくする旧拘留に処せられた者とみなす。

（経過措置の政令への委任）

第五〇九条　この編に定めるもののほか、刑法等一部改正法等の施行に伴い必要な経過措置は、政令で定める。

附　則〔令和五・六・一六法律五六抄〕

（施行期日）

第一条　この法律は、公布の日から起算して一年を超えない範囲内において政令で定める日から施行する。ただし、次の各号に掲げる規定は、当該各号に定める日から施行する。

〔令和六政一六六により、令和六・六・一〇から施行〕

一　〔略〕

二　〔前略〕附則第三十一条中自動車の運転により人を死傷させる行為等の処罰に関する法律（平成二十五年法律第八十六号）附則第十六条の改正規定〔中略〕　公布の日から起算して九月を超えない範囲内において政令で定める日

〔令和五政二九六により、令和五・一二・一から施行〕

（参考）

○刑法等の一部を改正する法律の施行に伴う関係法律の整理等に関する法律〔抄〕 〔令和四・六・一七 法律六八〕

（自動車の運転により人を死傷させる行為等の処罰に関する法律の一部改正）

第六六条　自動車の運転により人を死傷させる行為等の処罰に関する法律（平成二十五年法律第八十六号）の一部を次のように改正する。

第二条中「懲役に処し」を「拘禁刑に処し」に、「有期懲役」を「有期拘禁刑」に改める。

第三条第一項及び第四条中「懲役」を「拘禁刑」に改める。

第五条中「懲役若しくは禁錮」を「拘禁刑」に改める。

第六条第一項中「有期懲役」を「有期拘禁刑」に改め、同条第二項中「懲役に処し」を「拘禁刑に処し」に、「有期懲役」を「有期拘禁刑」に改め、同条第三項及び第四項中「懲役」を「拘禁刑」に改める。

附　則

（施行期日）

1　この法律は、刑法等一部改正法〔令和四年法律第六十七号〕施行日〔令和七・六・一〕から施行する。〔以下略〕

○自動車の運転により人を死傷させる行為等の処罰に関する法律施行令

〔平成二六・四・二三　政令一六六〕

改正　令和二・六政二〇五

（定義）

第一条　この政令において「自動車」とは、自動車の運転により人を死傷させる行為等の処罰に関する法律（以下「法」という。）第一条第一項に規定する自動車をいう。

（通行禁止道路）

第二条　法第二条第八号の政令で定める道路又はその部分は、次に掲げるものとする。

一　道路交通法（昭和三十五年法律第百五号）第八条第一項の道路標識等により自動車の通行が禁止されている道路又はその部分（当該道路標識等により一定の条件（通行の日又は時間のみに係るものを除く。次号において同じ。）に該当する自動車に対象を限定して通行が禁止されているもの及び次号に掲げるものを除く。）

二　道路交通法第八条第一項の道路標識等により自動車の通行につき一定の方向にするものが禁止されている道路又はその部分（当該道路標識等により一定の条件に該当する自動車に対象を限定して通行が禁止されているものを除く。）

三　高速自動車国道（高速自動車国道法（昭和三十二年法律第七十九号）第四条第一項に規定する道路をいう。）又は自動車専用道路（道路法（昭和二十七年法律第百八十号）第四十八条の四に規定する自動車専用道路をいう。）の部分であって、道路交通法第十七条第四項の規定により通行しなければならないとされているもの以外のもの

四　道路交通法第十七条第六項に規定する安全地帯又はその他の道路の部分

（自動車の運転に支障を及ぼすおそれがある病気）

第三条　法第三条第二項の政令で定める病気は、次に掲げるものとする。

一　自動車の安全な運転に必要な認知、予測、判断又は操作のいずれかに係る能力を欠くこととなるおそれがある症状を呈する統合失調症

二　意識障害又は運動障害をもたらす発作が再発するおそれがあるてんかん（発作が睡眠中に限り再発するものを除く。）

三　再発性の失神（脳全体の虚血により一過性の意識障害をもたらす病気であって、発作が再発するおそれがあるものをいう。）

四　自動車の安全な運転に必要な認知、予測、判断又は操作のいずれかに係る能力を欠くこととなるおそれがある症状を呈する低血糖症

五　自動車の安全な運転に必要な認知、予測、判断又は操作のいずれかに係る能力を欠くこととなるおそれがある症状を呈するそう鬱病（そう病及び鬱病を含む。）

六　重度の眠気の症状を呈する睡眠障害

附　則

（施行期日）

1　この政令は、法の施行の日（平成二十六年五月二十日）から施行する。

2・3　〔他の法令改正に付き略〕

附　則〔令和二・六・二六政令二〇五〕

この政令は、自動車の運転により人を死傷させる行為等の処罰に関する法律の一部を改正する法律の施行の日〔令和二・七・二〕から施行する。

○道路交通に関する条約〔抄〕

（昭和三九・八・七 条約一七）

締約国は、統一規則を定めることにより国際道路交通の発達及び安全を促進することを希望して、次の規定を協定した。

第一章 総則

第一条

1 締約国は、その道路の使用に関する管轄権を留保して、その道路をこの条約に定める条件に従つて国際交通の用に供することに同意する。

2 締約国は、一年の期間をこえて引き続きその領域内にとどまつている自動車、被牽引車又は運転者にこの条約の利益を及ぼすことを要求されない。

第二条

1 この条約の附属書は、この条約の不可分の一部とする。ただし、いずれの国も、この条約の署名若しくは批准若しくはこれへの加入の時に、又はその後いつでも、宣言によりこの条約の適用について附属書一又は附属書二を排除することができるものと了解される。

2 締約国は、1の規定に基づいて排除した附属書一又は附属書二につき、いつでも、国際連合事務総長に対し、当該通告の日からその拘束を受ける旨を通告することができる。

第三条

1 税関、警察、衛生その他に関する手続の簡素化により国際道路交通を容易にするための措置であつて、その実施について締約国の全部又は一部が合意しており又は将来合意するものは、この条約の目的に適合するものと認められる。

2(a) 締約国は、国際交通を認められる自動車の輸入につき、輸入税の支払を保証する担保の提供を要求することができる。そのような担保が提供されない場合には、輸入税が徴収されるものとする。

(b) 締約国は、この条の規定の適用上、その領域内に設立されている団体であつて、当該自動車について有効な国際通関書類（たとえば通関手帳）を発給した国際団体に加盟しているものによる保証を認めるものとする。

3 締約国は、この条約に規定する手続の履行のため、同一の国際道路上にあつて対応している税関事務所又はその支所の執務時間を同一にするよう努力するものとする。

第四条

この条約の適用上、

「国際交通」とは、少なくとも一の国境を越える交通をいう。

「道路」とは、車両の交通のために公衆に開放されている道をいう。

「車道」とは、本来車両の通行に使用される道路の部分をいう。

「通行帯」とは、一縦列の車両の通行に十分な幅を有するように区分された車道の部分をいう。

「運転者」とは、道路において車両（自転車を含む。）を運転し、若しくは牽引用、積載用若しくは乗用に用いられている動物若しくは家畜の群を誘導する者又はそれらのものを現実に統御する者をいう。

「自動車」とは、道路において本来人又は貨物の運搬に使用されるすべての自動推進式の車両（レール又は架線によつて走行する車両を除く。）をいう。附属書一の拘束を受ける国については、同附属書に規定する補助エンジンを装備する自転車をこの定義において除外するものとする。

「分節車両」とは、自動車と前車軸を有しない被牽引車との結合体であつて、被牽引車の一部が自動車にのせられ、かつ、被牽引車及びその積載物の重量の相当の部分が自動車によつてささえられるものをいう。このような被牽引車は、「セミトレーラ」という。

「被牽引車」とは、自動車によつて牽引されることを目的とする車両をいう。

「自転車」とは、自動推進式でない自転車をいう。附属書一の拘束を受ける国については、同附属書に規定する補助エンジンを装備する自転車をこの定義において含ませるものとする。

車両の「積載重量」とは、運行することができる状態で停止している車両及びその積載物の重量（運転者及び同乗者の重量を含む。）をいう。

「最大積載量」とは、車両の登録国の権限のある当局が宣言した積載物の重量の限度をいう。

車両の「許容最大重量」とは、運行することができる状態にある車両の重量及び最大積載量の和をいう。

第五条

この条約は、有償で行なう人の輸送又は乗車している者の携帯品以外の貨物の輸送を認めるものと解してはならない。これらの事項及びこの条約に定めのないすべての事項は、他の国際条約又は国際協定の適用を受けることを条件として、国内法の管轄に属するものと了解される。

第二章 道路交通に関する規則

第六条

締約国は、この章に定める規則の遵守を確保するために適切な措置を執るものとする。

第七条

運転者、歩行者その他の道路使用者は、交通に危険を及ぼし又は交通を妨げることがないように行動しなければならない。これらの者は、人体又は公私の財産に損害を与えるような行為を避けなければならない。

第八条

1 一単位として運行されている車両又は連結車両には、それぞれ運転者がいなければならない。

2 牽引用、積載用又は乗用に用いられている動物には、運転者がいなければならず、家畜には、入口に一定の表示のある特別の区域における場合を除くほか、付添人がいなければならない。

3 集団で移動する車両又は動物には、国内法令で定める数の運転者がいなければならない。

4 前記の集団は、必要に応じ、交通の便宜のため、適当な長さの部分に分割され、かつ、各部分の間に十分な間隔が設けられていなければならない。この規定は、遊牧民の移住が行なわれる地方には、適用しない。

5 運転者は、常に、車両を適正に操縦し、又は動物を誘導することができなければならない。運転者は、他の道路使用者に接近するときは、当該他の道路使用者の安全のために必要な注意を払わなければならない。

第九条

1 道路において同一方向に進行する車両は、道路の同一の側を通行するものとし、その通行する側は、それぞれの国においてすべての道路について統一されていなければならない。ただし、一方通行に関する国内法令の適用は、妨げられないものとする。

2 運転者は、原則として、また、第七条の規定により必要とされるときは、次のことを守らなければならない。

(a) 二の通行帯を有し、二方通行を行なうこととされている車道においては、自己が進行する方向に適応した側の通行帯において車両を運行すること。

(b) 二をこえる通行帯を有する車道においては、自己が進行する方向に適応した側の車道の端に最も近い通行帯において車両を運行すること。

3 動物は、国内法令に従い、できる限り道路の端近くを通行させなければならない。

第一〇条

車両の運転者は、常に車両の速度を制御していなければならず、また、適切かつ慎重な方法で運転しなければならない。運転者は、状況により必要とされるとき、特に見とおしがきかないときは、徐行し、又は停止しなければならない。

第一一条

1 運転者は、行き違うとき又は追い越されるときは、自己が進行する方向に適応した側の車道の端にできる限り寄らなければならない。運転者は、追い越すときは、当該国で実施されている規則に従い、追い越される車両又は動物の左側又は右側を通行しなければならない。この規定は、路面電車及び道路上の列車並びに山間道路には、適用しないことがある。

2 運転者は、車両又は付添人のいる動物と接近する場合には、次のことを守らなければならない。

(a) 行き違うときは、反対の方向からくる車両又は付添人のいる動物の通行に十分な余地を残すこと。

(b) 追い越されるときは、自己が進行する方向に適応した側の車道の端にできる限り寄り、加速しないでいること。

3 追い越そうとする運転者は、危険を伴うことなく追い越すため十分な余地があり、かつ、前方の見とおしが十分にきくことを確認しなければならない。追い越した後は、運転者は、追い越された車両、歩行者又は動物の進行を妨げないことを確認した上で、当該国で実施されている規則に従つて右側又は左側に車両をもどさなければならない。

第一二条

1 運転者は、三差路、十字路その他の交差点又は踏切に接近するときは、事故を防止するため特に注意を払わなければならない。

2 道路又は道路の区間については、交差点において優先通行権を与えることができる。この優先権は、標識によつて示すものとし、運転者は、そのような道路又は道路の区間に接近したときは、当該道路又は道路の区間を通行している運転者を優先させなければならない。

3 2の規定が適用されていない交差点における優先通行権については、附属書二の拘束を受ける国においては、同附属書の規定を適用する。

4 運転者は、左折し又は右折するに先だつて、次のことを守らなければならない。

(a) 他の道路使用者に危険を及ぼすことなく左折し又は右折することができることを確認すること。

(b) 左折し又は右折する意思を表わす適切な合図をすること。

(c) 自己が進行する方向に適応した側に左折し又は右折しようとするときは、できる限り車道のその側の端に寄ること。

(d) 第十六条2に定める場合を除くほか、自己が進行する方向に適応した側とは反対の側に右折し又は左折しようとするときは、できる限り車道の中央に寄ること。

(e) いかなる場合にも、反対の方向からの交通を妨害しないこと。

第一三条

1 車両又は動物をとめておく場合には、可能なときは、車道の外に置かなければならず、これが不可能なときは、できる限り車道の端に寄せておかなければならない。運転者は、事故を防止するために必要なすべての注意を払つた後でなければ、車両又は動物から離れてはならない。

2 車両及び動物は、危険を及ぼし又は障害となるおそれのある場所、特に道路の交差点、まがりかど若しくは坂の頂上又はそれらの附近にとめておいてはならない。

第一四条

車両の積載物が損傷又は危険の原因とならないことを確保するため、必要なすべての注意が払われなければならない。

第一五条

1 道路上の車両又は連結車両は、日没から夜を通じて、又は気象状況により必要とされるときは、前面に少なくとも一個の白色灯を、後面に少なくとも一個の赤色灯を点灯していなければならない。

自転車又は二輪の自動車（側車付きのものを除く。）以外の車両が前面に白色灯一個のみを備えているときは、その白色灯は、反対の方向からの交通に近い側に備えていなければならない。

前面に二個の白色灯を備えることが義務的である国においては、これらの白色灯のうち一個は車両の右側に、一個は車両の左側に備えなければならない。

赤色灯は、前面に備える一又は二以上の白色灯の点灯装置とは別個の装置により、又は、車両が短く構造上可能なときは、同一の装置によつて点灯することができる。

2 いかなる場合にも、車両は、前方に向けた赤色灯若しくは赤色の反射器又は後方に向けた白色灯若しくは白色の反射器を備えてはならない。この規定は、車両の登録国の国内法令が白色又は黄色の後退灯を認めている場合には、これについて適用しない。

3 灯火及び反射器は、車両の存在を他の道路使用者に明示することを確保するものでなければならない。

4 締約国又はその下部機構は、通常の安全状態を保障するためすべての措置を執ることを条件として、次の車両についてこの条の規定を適用しないものとすることができる。

(a) 特殊な目的のため又は特殊な条件の下に使用される車両

(b) 特殊な形体又は種類の車両

(c) 十分に照明されている道路に停止している車両

第一六条

1 この章の規定は、トロリーバスに適用する。

2 (a) 自転車の運転者は、自転車道を使用する義務が国内法令により定められ、又はその義務が適当な標識により表示されている場合には、自転車道を使用しなければならない。

(b) 自転車の運転者は、状況により必要とされるときは、一列で進行しなければならず、また、国内法令に定める特別の場合を除くほか、自転車を三台以上並列させて車道を進行してはならない。

(c) 自転車の運転者は、車両に自己を牽引させてはならない。

(d) 第十二条4(d)の規定は、国内法令に別段の定めがあるときは、自転車の運転者には、適用しない。

第三章　標識及び信号機

第一七条

1 方式の画一性を確保するため、締約国の道路に設置される道路標識及び信号機は、できる限りその国において採用されているものに限定されなければならない。新たな標識の採用が必要な場合には、使用される記号の形、色及び図案は、その国で用いられている方式に適合しなければならない。

2 正規の標識の数は、必要最小限度にとどめなければならない。これらの標識は、それが不可欠である場所にのみ設置するものとする。

3 警戒標識は、道路使用者に警告を適切に与えるため、表示されている障害の存する場所から十分な距離を置いて設置しなければならない。

4　標識の目的に関係がなく、かつ、標識を見にくくし又はその性格を変えるおそれのある掲示を正規の標識につけることは、禁止しなければならない。

5　正規の標識と混同され、又はその判読を一層困難にするおそれのあるすべての標示板及び掲示を設置することは、禁止しなければならない。

第四章　国際交通における自動車及び被牽引車に適用する規定

第一八条

1　自動車は、この条約の利益を享受するためには、締約国又はその下部機構によりその法令に定める方法で登録されなければならない。

2　権限のある当局又は正当に権限を与えられた団体は、少なくとも登録番号と称する一連番号、車両の製作者の名称又は商標、製作番号又は製作者の一連番号、最初の登録の日付並びに登録証書の発給申請者の氏名及び住所を記載した登録証書を発給するものとする。

3　締約国は、反証がない限り、前記の登録証書をそれに記入された事項を証明するものとして認めなければならない。

第一九条

1　自動車は、少なくともその後面の特定の標板上又は車両自体の後面に、権限のある当局が付与した登録番号を表示しなければならない。自動車が一又は二以上の被牽引車を牽引している場合には、その被牽引車又は最後部の被牽引車は、自動車の登録番号又はその被牽引車自体の登録番号を表示しなければならない。

2　登録番号の構成及びその表示の方法は、附属書三に定めるとおりとする。

第二〇条

1　自動車は、その後面の標板上又は車両自体の後面に、登録番号のほかに、当該自動車の登録地の識別記号を表示しなければならない。この識別記号は、国又は登録に関して独立の単位を構成する領域を示すものでなければならない。自動車が一又は二以上の被牽引車を牽引している場合には、この識別記号は、その被牽引車又は最後部の被牽引車の後面にも表示しなければならない。

2　識別記号の構成及びその表示の方法は、附属書四に定めるとおりとする。

第二一条

自動車及び被牽引車は、附属書五に定める証明記号をつけていなければならない。

第二二条

1　自動車及び被牽引車は、機能が良好でなければならず、また、運転者、同乗者又は道路上の人に危険を及ぼし、又は公私の財産に損害を与えることがないように整備されていなければならない。

2　さらに、自動車及び被牽引車並びにこれらの装置は、附属書六の規定に適合するものでなければならず、また、自動車の運転者は、同附属書に定める規則を遵守しなければならない。

3　この条の規定は、トロリーバスに適用する。

第二三条

1　締約国又はその下部機構の道路を通行することを認められる車両の最大寸法及び最大重量は、国内法令の定めるところによる。地域的協定の当事国が指定し、又はそのような協定がない場合において締約国が指定する道路においては、許容最大寸法及び許容最大重量は、附属書七に定めるとおりとする。

2　この条の規定は、トロリーバスに適用する。

第五章　国際交通における自動車の運転者

第二四条

1　締約国は、自国の領域への入国を許可された運転者で、附属書八に定める条件を満たしており、かつ、他の締約国若しくはその下部機構の権限のある当局又はその当局が正当に権限を与えた団体から、適性を有することを実証した上で、発給を受けた有効な運転免許証を所持するものに対し、附属書九及び附属書十に規定する種類の自動車でその運転免許証の発給の対象となつているものを、新たな試験を受けることなく、自国の道路において運転することを認めるものとする。

2　もつとも、締約国は、自国の領域への入国を許可された運転者が国内運転免許証を必要としない国又は附属書九に定める様式に合致しない国内運転免許証を発給している国からきた者である場合には特に、その者が附属書十に定める様式に合致した国際運転免許証を携行することを要求することができる。

3　国際運転免許証は、運転者が適性を有することを実証した後、締約国若しくはその下部機構の権限のある当局又はその当局が正当に権限を与えた団体が、シール又はスタンプを施した上で、発給したものでなければならない。この運転免許証の所持者は、すべての締約国内において、その運転免許証の発給の対象となつている種類の自動車を、新たな試験を受けることなく、運転することができる。

4　国内運転免許証及び国際運転免許証の使用は、その発給の条件が満たされなくなつたことが明らかであるときは、認めないことができる。

5　締約国又はその下部機構は、運転者が当該締約国の法令によれば運転免許の取消し又はその効力の停止の対象となるような交通法規の違反を犯した場合に限り、その運転者による前記の運転免許証の使用を禁止することができる。この場合には、運転免許証の使用を禁止した締約国又はその下部機構は、当該運転免許証を差し出させ、使用禁止の期間が満了する時又はその所持者が当該締約国の領域から退去する時のいずれか早い方の時までこれを保管することができ、また、当該運転免許証にその使用禁止について記載し、かつ、その運転免許証を発給した当局に当該運転者の氏名及び住所を通報することができる。

6　この条約の効力発生の日から五年の期間においては、千九百二十六年四月二十四日にパリで署名された自動車交通に関する国際条約又は千九百四十三年十二月十五日にワシントンで署名のため開放された全米自動車交通の規制に関する条約の規定に基づいて国際交通を認められ、かつ、当該条約に基づき必要とされる書類を所持する運転者は、この条の条件を満たすものとみなす。

第二五条

締約国は、国内運転免許証又は国際運転免許証を所持する者が交通違反のために訴訟手続を受けるときはその者がだれであるかを明らかにするための情報を相互に提供することを約束する。締約国は、さらに、重大な事故に係る外国の車両の所有者又は登録者がだれであるかを明らかにするために必要な情報を提供することを約束する。

第六章　国際交通における自転車に適用する規定

第二六条

自転車は、次に掲げるものを備えなければならない。
(a) 少なくとも一の有効な制動装置
(b) ベルから成る警音器（他の警音器であつてはならない。）で相当の距離から聞くことができるもの
(c) 日没から夜を通じて、又は気象状況により必要とされるときは、前面に一個の白色灯又は黄色灯及び後面に一個の赤色灯又は赤色の反射器

第七章　最終規定

第二七条

1　この条約は、すべての国際連合加盟国並びに千九百四十九年にジュネーヴで開催された道路輸送及び自動車輸送に関する国際連合会議に出席するよう招請されたすべての国による署名のため、千九百四十九年十二月三十一日まで開放しておく。

2　この条約は、批准されなければならない。批准書は、国際連合事務総長に寄託するものとする。

3　この条約は、千九百五十年一月一日以後は、1に規定する国でこの条約に署名しなかつたものにより加入のため、及び国際連合の経済社会理事会が、決議により、加入の資格を有するものと宣言する他のすべての国による加入のため、開放しておく。この条約は、また、国際連合を施政権者とする信託統治地域のためにされる加入のため、開放しておく。

4　加入は、加入書を国際連合事務総長に寄託することにより行なうものとする。

第二八条

1　いかなる国も、署名、批准若しくは加入の際に、又はその後いつでも、国際連合事務総長にあてた通告により、自国が国際関係について責任を有する領域の全部又は一部にこの条約を適用する旨を宣言することができる。この条約の規定は、事務総長がその通告を受領した日の後三十日目の日から、又はこの条約がその時に効力を生じていないときはその効力を生じた日から、その通告に掲げる領域に適用する。

2　締約国は、状況が許すときは、自国が国際関係について責任を有する領域にこの条約の適用を及ぼすために必要な措置をできる限りすみやかに執ることを約束する。ただし、憲法上の理由により必要があるときは、その領域の政府の同意を得ることを条件とする。

3　1の規定に基づき自国が国際関係について責任を有するいずれかの領域にこの条約を適用する旨を宣言した国は、その後いつでも、事務総長にあてた通告により、その通告に掲げる領域へのこの条約の適用を終止する旨を宣言することができる。この条約は、その通告の日から一年を経過した後、その領域への適用を終止する。

第二九条

この条約は、五番目に寄託される批准書又は加入書の寄託の日の後三十日目の日に効力を生ずる。前記の批准書又は加入書の寄託の日の後にこの条約を批准し又はこれに加入する国については、この条約は、その批准書又は加入書の寄託の後三十日目の日に効力を生ずる。

国際連合事務総長は、署名国及び加入国並びに道路輸送及び自動車輸送に関する国際連合会議に出席するよう招請された他のすべての国に対し、この条約が効力を生ずる日を通告するものとする。

第三〇条

この条約は、締約国の間の関係において、千九百二十六年四月二十四日にパリで署名された自動車交通に関する国際条約及び道路交通に関する国際条約並びに千九百四十三年十二月十五日にワシントンで署名のため開放された全米自動車交通の規制に関する条約を終了させ、かつ、これらの諸条約に代わるものとする。

以上の証拠として、下名の代表は、その全権委任状を示し、それが良好妥当であると認められた後、この条約に署名した。

千九百四十九年九月十九日にジュネーヴで、ひとしく正文である英語及びフランス語により本書一通を作成した。

アフガニスタン以下七〇か国

附属書一

自動車及び自転車の定義に関する追加規定

総排気量五十立方センチメートル（三・〇五立方インチ）以下の内燃機関を補助エンジンとして装備する自転車は、その構造において自転車のすべての本来の特性を保有する限り、自動車と認めないものとする。

附属書二

優先通行権

1　二の車両が、いずれの一方の道路も他方の道路に対して優先権を有しない二の道路から、同時に交差点に接近したときは、右側通行の国にあつては左方から接近する車両は、左側通行の国にあつては右方から接近する車両は、他方の車両を優先させなければならない。

2　優先権は、路面電車及び道路上の列車には、適用しないことがある。

附属書三

国際交通における車両の登録番号

1　車両の登録番号は、数字又は数字及び文字から成るものとする。数字は、国際連合の文書に使用されるアラビア数字とし、文字は、ラテン文字とする。他の数字又は文字を使用するときは、前記の数字又は文字による表示を添えるものとする。

2　登録番号は、晴天の昼間において二十メートル（六十五フィート）の距離から識別することができるものでなければならない。

3　登録番号を特定の標板上に表示するときは、この標板は、車両の中心面に対して直角となるように、鉛直の又は鉛直に近い状態で固定しなければならない。登録番号を車両自体に固定し又は塗書するときは、その番号は、車両の後面の鉛直の又は鉛直に近い表面に固定し又は塗書しなければならない。

4　後面の登録番号は、附属書六に定めるとおりに照明しなければならない。

附属書四

国際交通における車両の識別記号

1　識別記号は、三字以内のラテン大文字から成るものとする。文字は、縦の長さが少なくとも八十ミリメートル（三・一インチ）、太さが少なくとも十ミリメートル（〇・四インチ）のものとする。文字は、横長の楕円形の白地に黒色で塗書するものとする。

2　識別記号が三字から成るときは、楕円の大きさは、横の長さが少なくとも二百四十ミリメートル（九・四インチ）、縦の長さが少なくとも百四十五ミリメートル（五・七インチ）のものとする。識別記号の文字が三字より少ないときは、楕円の大きさは、横の長さが少なくとも百七十五ミリメートル（六・九インチ）、縦の長さが少なくとも百十五ミリメートル（四・五インチ）のものとする。

二輪の自動車の識別記号については、楕円の大きさは、識別記号が一字、二字又は三字のいずれから成る場合にも、横の長さが少なくとも百七十五ミリメートル（六・九インチ）、縦の長さが少なくとも百十五ミリメートル（四・五インチ）のものとする。

3　各国及び各領域の識別記号は、次のとおりとする。

オーストラリア……AUS
オーストリア……A
ベルギー……B
　ベルギー領コンゴー……CB
ブルガリア……BG

チリ……RCH
チェッコスロヴァキア……CS
デンマーク……DK
フランス……F
　アルジェリア、テュニス、モロッコ、フランス領インド……F
　ザール……SA
インド……IND
イラン……IR
イスラエル……IL
イタリア……I
レバノン……RL
ルクセンブルグ……L
オランダ……NL
ノールウェー……N
フィリピン……PI
ポーランド……PL
スウェーデン……S
スイス……CH
トルコ……TR
南アフリカ連邦……ZA
連合王国……GB
　オールダニー……GBA
　ガーンジー……GBG
　ジャージー……GBJ
　アデン……ADN
　バハマ……BS
　バストランド……BL
　ベチユアナランド……BP
　英領ホンデュラス……BH
　サイプラス……CY
　ガンビア……WAG
　ジブラルタル……GBZ
　ゴールド・コースト……WAC
　香港……HK
　ジャマイカ……JA
　ジョホール……JO
　ケダー……KD
　ケランタン……KL
　ケニア……EAK
　ラブアン……SS
　マラッカ……SS
　マラヤ（ネグリ・センビラン、パハン、ペラク、セランゴール）……FM
　マルタ……GBY
　モーリシアス……MS
　ナイジェリア……WAN
　北ローデシア……NR
　ニアサランド……NP
　ペナン……SS
　ペルリス……PS
　ウェルズレー州……SS
　セイシェル……SY
　シエラ・レオーネ……WAL
　ソマリランド……SP
　南ローデシア……SR
　スワジランド……SD
　タンガニイカ……EAT
　トレンガヌ……TU
　トリニダッド……TD
　ウガンダ……EAU
　ウィンドワード諸島
　　グレナダ……WG
　　セント・ルシア……WL
　　セント・ヴィンセント……WV
　　ザンジバル……EAZ
アメリカ合衆国……USA
ユーゴースラヴィア……YU

識別記号をまだ通告していない国は、この条約の署名若しくは批准又はこれへの加入に際し、自国が選択した識別記号を国際連合事務総長に通告するものとする。

4　識別記号を特定の標板上に表示するときは、この標板は、車両の中心面に対して直角となるように、鉛直の又は鉛直に近い状態で固定しなければならない。識別記号を車両自体に固定し又は塗書するときは、その記号は、車両の後面の鉛直の又は鉛直に近い表面に固定し又は塗書しなければならない。

附属書五

国際交通における車両の証明記号

1　証明記号は、次のものから成る。

(a)　自動車については、

(i)　車両の製作者の名称又は商標

(ii)　車台又は車体（車台のない場合）につけた製作番号又は製作者の一連番号

(iii)　製作者が原動機に製作番号をつけるときは、その製作番号

(b)　被牽引車については、(a)(i)及び(ii)に掲げる事項又は権限のある当局が当該被牽引車に付与した証明記号

2　前記の証明記号は、見やすい場所につけられなければならず、また、識別が容易であり、かつ、容易に消し又は改変することができないものでなければならない。

附属書六

国際交通における自動車及び被牽引車の装置に関する技術上の条件

I　制動装置

(a)　二輪の自動車（側車付きのものを含む。）以外の自動車の制動装置

自動車は、これを運行する上り又は下りの坂道において、いかなる積載状態においても有効に、安全に、かつ、迅速にその走行を制御し、及びこれを停止させることができる制動装置を備えなければならない。

制動装置は、一方の装置が作用しないときに他方の装置により妥当な距離内において車両を停止させることができる構造の二系統の装置により操作されるものでなければならない。この附属書の適用上、これらの制動装置の一方を「常用制動装置」、他方を「駐車用制動装置」という。

駐車用制動装置は、運転者が不在の場合にも、機械的作用のみによつて、作動した状態に保持されることができるものでなければならない。

いずれの制動装置も、車両の中心面の両側の対称な位置に取りつけられた車輪に制動力を及ぼすことができるものでなければならない。

制動面は、クラッチ、ギヤ・ボックス又はフリー・ホィールにより瞬間的に分離される場合以外は分離されることができない方式により、常に車輪に接続させておかなければならない。

制動装置の少なくとも一方は、車輪に直接に取りつけられ、又は制動装置の機能を損ずるおそれのない部分を通じて取りつけられている制動面に作用することができるものでなければならない。

(b)　被牽引車の制動装置

許容最大重量が七百五十キログラム（千六百五十ポンド）をこえる被牽引車は、車両の中心面の両側の対称な位置に取りつけられた車輪に作用し、かつ、半数以上の車輪に作用す

る少なくとも一系統の制動装置を備えなければならない。

この規定は、許容最大重量が、七百五十キログラム（千六百五十ポンド）をこえないが、牽引する車両の空車状態における重量の二分の一をこえる被牽引車にも適用する。

許容最大重量が三千五百キログラム（七千七百ポンド）をこえる被牽引車の制動装置は、牽引する車両の常用制動装置を操作することにより作用させることができるものでなければならない。許容最大重量が三千五百キログラム（七千七百ポンド）をこえない被牽引車の制動装置は、牽引する車両にその被牽引車が接近することにより作用するもの（慣性制動装置）とすることができる。

被牽引車の制動装置は、その被牽引車が連結を解かれているときに車輪の回転を防止することができるものでなければならない。

制動装置を備える被牽引車は、走行中に分離したときにその被牽引車を自動的に停止させることができる装置を備えなければならない。この規定は、二輪の宿営用被牽引車又は重量が七百五十キログラム（千六百五十ポンド）をこえる貨物用の軽量の被牽引車で、主連結装置のほかに鎖又はワイヤ・ロープの副連結装置を備えるものには、適用しない。

(c) 分節車両及び自動車と被牽引車との連結車両の制動装置

(i) 分節車両

(a)の規定は、分節車両にも適用する。許容最大重量が七百五十キログラム（千六百五十ポンド）をこえるセミトレーラは、牽引する車両の常用制動装置を操作することにより作用させることができる少なくとも一系統の制動装置を備えなければならない。

セミトレーラの制動装置は、さらに、そのセミトレーラが連結を解かれているときに車輪の回転を防止することができるものでなければならない。

国内法令により要求されるときは、制動装置を備えるセミトレーラは、走行中に分離したときにそのセミトレーラを自動的に停止させることができる装置を備えなければならない。

(ii) 自動車と被牽引車との連結車両

自動車と一又は二以上の被牽引車との連結車両は、これを運行する上り又は下りの坂道において、いかなる積載状態においても有効に、安全に、かつ、迅速にその走行を制御し、及びこれを停止させることができる制動装置を備えなければならない。

(d) 二輪の自動車（側車付きのものを含む。）の制動装置

二輪の自動車は、手又は足によつて操作することができ、かつ、迅速にその走行を制御し、及びこれを停止させることができる二系統の制動装置を備えなければならない。

Ⅱ 灯火装置

(a) 二輪の自動車（側車付きのものを含む。）以外の自動車で平たん地における速度が二十キロメートル（十二マイル）毎時をこえることができるものは、晴天の夜間においてその前方の道路を百メートル（三百二十五フィート）の距離まで十分に照明することができる少なくとも二個の白色又は黄色の走行灯を前面に備えなければならない。

(b) 二輪の自動車（側車付きのものを含む。）以外の自動車で平たん地における速度が二十キロメートル（十二マイル）毎時をこえることができるものは、晴天の夜間においてその前方の道路を三十メートル（百フィート）の距離まで、他の道路使用者（交通の方向のいかんを問わない。）を眩惑させることなく、必要に応じ十分に照明することができる二個の白色又は黄色のすれ違い灯を前面に備えなければならない。

すれ違い灯は、他の道路使用者を眩惑させることのない照明が必要とされ又は義務づけられるすべての場合において、走行灯の代わりに使用しなければならない。

(c) 二輪の自動車（側車付きのものを含む。）は、(a)及び(b)の規定にそれぞれ適合する少なくとも一個の走行灯及び一個のすれ違い灯を備えなければならない。ただし、総排気量が五十立方センチメートル（三・〇五立方インチ）以下の原動機を有する二輪の自動車については、この義務を免除することができる。

(d) 二輪の自動車（側車付きのものを除く。）以外の自動車は、二個の白色の車幅灯を前面に備えなければならない。これらの車幅灯は、晴天の夜間においてその前方百五十メートル（五百フィート）の距離から確認することができるものでなければならず、他の道路使用者を眩惑させないものでなければならない。

これらの車幅灯の照明部のうち車両の中心面から最も遠い部分は、車両の最外側にできる限り近くなければならず、いかなる場合にも、その最外側から四百ミリメートル（十六インチ）以内になければならない。

車幅灯は、夜間、その使用が義務づけられているすべての場合において点灯していなければならず、また、すれ違い灯の照明部のいかなる部分も車両の最外側から四百ミリメートル（十六インチ）以内にないときは、すれ違い灯と同時に点灯していなければならない。

(e) 自動車及び連結車両の最後部にある被牽引車は、晴天の夜間においてその後方百五十メートル（五百フィート）の距離から確認することができる少なくとも一個の赤色灯を後面に備えなければならない。

(f) 自動車又は被牽引車の後面の登録番号は、晴天の夜間において後方二十メートル（六十五フィート）の距離から識別しうるように照明されることができなければならない。

(g) 赤色の尾灯及び後面の登録番号灯は、車幅灯、すれ違い灯又は走行灯のいずれとも同時に点灯していなければならない。

(h) 二輪の自動車（側車付きのものを除く。）以外の自動車は、二個の赤色の反射器（なるべく三角形以外の形のもの）を後面において両側の対称な位置に備えなければならない。それぞれの反射器の車両の外側に近い外縁は、車両の最外側にできる限り近くなければならず、いかなる場合にも、車両の最外側から四百ミリメートル（十六インチ）以内になければならない。これらの反射器は、赤色の尾灯が前記の条件に適合する場合には、その赤色の尾灯に組み込むことができる。これらの反射器は、二個の走行灯により照明された場合に、晴天の夜間において少なくとも百メートル（三百二十五フィート）の距離から確認することができるものでなければならない。

(i) 二輪の自動車（側車付きのものを除く。）は、一個の赤色の反射器（なるべく三角形以外の形のもの）で、(h)にいう確認についての条件に適合するものを、赤色の尾灯に組み込んで又は別個に、後面に備えなければならない。

(j) 被牽引車及び分節車両は、二個の赤色の反射器（なるべく三角形のもの）を後面において両側の対称な位置に備えなければならない。これらの反射器は、二個の走行灯により照明された場合に、晴天の夜間において少なくとも百メートル（三百二十五フィート）の距離から確認することができるものでなければならない。

反射器の形が三角形である場合には、その三角形は、一辺が少なくとも百五十ミリメートル（六インチ）の正立の正三角形でなければならない。それぞれの反射器の車両の外側に近い頂点は、車両の最外側にできる限り近くなければならず、いかなる場合にも、車両の最外側から四百ミリメートル（十六インチ）以内になければならない。

(k) 二輪の自動車以外の自動車及び連結車両の最後部にある被牽引車は、少なくとも一個の赤色又は橙色の制動灯を後面に備えなければならない。この制動灯は、自動車の常用制動装

置を操作した際に点灯するものでなければならない。制動灯が赤色であり、かつ、赤色の尾灯に組み込まれ又はこれと兼用されているときは、その光度は、赤色の尾灯の光度より大きくなければならない。牽引する車両の制動灯の後方からの確認が可能であるような大きさの被牽引車又はセミトレーラは、制動灯を備えることを要しない。

(l) 自動車が方向指示器を備えているときは、その方向指示器は、次のいずれかのものでなければならない。

(i) 車両の両側から外方に突出する可動腕木で、その腕木が水平の位置にあるときは光度が変化しない橙色の灯火によつて照明されるもの

(ii) 車両の両側に取り付けられた橙色の灯火で、周期的に点滅し又は光度が増減するもの

(iii) 車両の前面及び後面の両側に取りつけられた灯火で、周期的に点滅し又は光度が増減するもの。その灯火の色は、前面のものは白色又は橙色とし、後面のものは赤色又は橙色とする。

(m) 方向指示器を除くほか、いかなる灯火も、周期的に点滅し又は光度が増減するものであつてはならない。

(n) 車両が同一の目的に使用される二以上の灯火を備える場合には、それらの灯火は、同色のものでなければならず、側車付きの二輪の自動車における場合を除くほか、そのうちの二個は、車両の中心面に対して対称な位置になければならない。

(o) 二以上の灯火がそれぞれこのIIの関係規定に適合するときは、それらの灯火を同一の灯火装置に組み込むことができる。

III その他の条件

(a) かじ取装置

自動車は、容易に、迅速に、かつ、確実に自動車を転回させることができる堅牢なかじ取装置を備えなければならない。

(b) 後写鏡

自動車は、運転者がその席から車両の後方の道路を確認することができるような位置に、適当な大きさの少なくとも一個の後写鏡を備えなければならない。ただし、この規定は、二輪の自動車（側車付きのものを含む。）には、適用しない。

(c) 警音器

自動車は、十分な音響を発する少なくとも一個の警音器を備えなければならない。ただし、警音器は、ベル、鐘、サイレンその他不快な音響を発する装置であつてはならない。

(d) 窓ふき器

前面ガラスを有する自動車は、運転者が常に操作していなくても作用する有効な少なくとも一個の窓ふき器を備えなければならない。ただし、この規定は、二輪の自動車（側車付きのものを含む。）には、適用しない。

(e) 前面ガラス

前面ガラスは、変質しない、透明な、かつ、破壊の際にも鋭利な破片を生じない物質を用いたものでなければならず、また、これを通して見る物体が変形して見えるものであつてはならない。

(f) 後退装置

空車状態における重量が四百キログラム（九百ポンド）をこえる自動車は、運転者席から操作される後退装置を備えなければならない。

(g) 消音器

自動車は、過度の又は異常な音響を防止するため、継続的に作用する消音器で運転者が運転中にその作用を中断させることができないものを備えなければならない。

(h) タイヤ

自動車及びその被牽引車の車輪には、空気入りタイヤ又はこれと同程度の弾性を有するタイヤを取りつけなければならない。

(i) 斜面における車両の暴走を防止するための器具

許容最大重量で三千五百キログラム（七千七百ポンド）をこえる自動車は、山岳地方を通行するにあたり、その山岳地方が存在する国における国内法令の定めに従い、車輪止めその他車両が前方又は後方に暴走することを防ぐための器具を備えなければならない。

(j) 一般規定

(i) 自動車の機械装置又は附属品は、可能である限り、火災又は爆発の危険がなく、有害なガス又は不快な臭気を発散せず、騒音を発生せず、また、衝突の際に危険をもたらさないものでなければならない。

(ii) 自動車は、運転者が、安全に運転することができるために、前方及び左右を十分に確認することができるような構造を有しなければならない。

(iii) 制動装置及び灯火装置に関する規定は、制動装置、灯火及び反射器についての登録国の国内法令に適合する身体障害者用車両には、適用しない。この(iii)の規定の適用上、「身体障害者用車両」とは、空車状態における重量が三百キログラム（七百ポンド）をこえず、速度が三十キロメートル（十九マイル）毎時をこえない自動車であつて、身体上の欠陥又は機能障害がある者が使用するように特に設計され、製作され（単に改造されることを含まない。）、かつ、本来そのような者により使用されるものをいう。

IV 連結車両

(a) 連結車両は、牽引する車両及び一又は二の被牽引車で構成することができる。分節車両は、一の被牽引車を牽引することができる。ただし、分節車両を人の輸送に用いるときは、その分節車両が牽引する被牽引車は、二以上の車軸を有するものであつてはならず、また、人の輸送に用いられてはならない。

(b) もつとも、締約国は、車両による一の被牽引車のみの牽引を認める旨及び分節車両による被牽引車の牽引を認めない旨を表明することができる。締約国は、また、分節車両を人の輸送に用いることを認めない旨を表明することができる。

V 暫定規定

この附属書のI、II及びIII(e)の規定は、この条約の効力発生後二年を経過した後に最初の登録を行なつた自動車及びこれによつて牽引される被牽引車に適用する。この条約の効力発生後二年を経過する前に最初の登録を行なつた自動車及び被牽引車については、これらの規定は、この条約の効力発生後五年を経過した後に適用する。

それまでの間は、次の規定を適用する。

(a) 自動車は、相互に独立した二系統の制動装置を備え、又は二つの独立した操作装置を有する一系統の制動装置であつて、その一方の操作装置が作用しない場合にも他方の操作装置が作用するものを備えなければならない。これらの制動装置は、いかなる場合にも、十分有効に、かつ、迅速に作用するものでなければならない。

(b) 自動車は、単独で通行する場合には、日没から夜を通じて、前面に少なくとも二個の白色灯を、一個は右側に、一個は左側に備え、及び後面に一個の赤色灯を備えなければならない。

二輪の自動車（側車付きのものを除く。）については、前面の灯火を一個とすることができる。

(c) 自動車は、その前方の道路を十分な距離まで有効に照明することができる一又は二以上の装置を備えなければならない。ただし、前記の二個の白色灯がこの条件を満たす場合は、この限りでない。

三十キロメートル（十九マイル）毎時をこえる速度で走行することができる車両については、この距離は、百メートル（三百二十五フィート）未満であつてはならない。

(d) 眩惑効果を有する灯火は、他の道路使用者と行き違う場合又は眩惑効果の除去が有用である場合に眩惑効果を除去するための装置を備えなければならない。ただし、眩惑効果を除

去した場合にも、道路は、少なくとも二十五メートル（八十フィート）の距離まで十分に照明されなければならない。

(e) 被牽引車を牽引する自動車は、前面の灯火に関する限り、単独の自動車に適用される規定と同一の規定に従わなければならず、当該被牽引車は、後面に赤色の尾灯を備えなければならない。

附属書七

国際交通における車両の寸法及び重量

1 この附属書は、第二十三条の規定に従つて指定される道路に適用する。

2 前記の道路においては、許容最大寸法及び許容最大重量は、車両が積車状態にあると空車状態にあるとを問わず、次のとおりとする。ただし、車両は、登録国の権限のある当局が宣言した最大積載量をこえて積載をしてはならない。

	メートル	フィート
(a) 全幅	二・五〇	八・二〇
(b) 全高	三・八〇	一二・五〇
(c) 全長		
二の車軸を有する貨物用車両	一〇・〇〇	三三・〇〇
二の車軸を有する乗用車両	一一・〇〇	三六・〇〇
三以上の車軸を有する車両	一一・〇〇	三六・〇〇
分節車両	一四・〇〇	四六・〇〇
被牽引車が一台の連結車両（注1）	一八・〇〇	五九・〇〇
被牽引車が二台の連結車両（注1）	二二・〇〇	七二・〇〇

注1 連結車両に関する附属書六Ⅳの規定は、この附属書に掲げる連結車両にも適用する。

(d) 許容最大重量

	メートル・トン	ポンド
(i) 最大荷重の車軸につき（注2）	八・〇〇	一七、六〇〇

注2 車軸に加わる荷重とは、車両の外側に達する一・〇〇メートル（四〇インチ）の間隔の二の平行な横断鉛直面の間に中心があるすべての車輪を通じて道路に加わる重量の総体をいうものとする。

	メートル・トン	ポンド
(ii) 最大荷重のタンデム車軸群（一群中の二の車軸の間隔が一・〇〇メートル（四〇インチ）以上二・〇〇メートル（七フィート）未満のもの）につき	一四・五〇	三二、〇〇〇

(iii) 車両一台又は分節車両その他の連結車両一単位につき

車両又は分節車両その他の連結車両の両端の車軸間の距離（単位メートル）	車両又は分節車両その他の連結車両の許容最大重量（単位メートル・トン）
一以上　二未満	一四・五〇
二〃　三〃	一五・〇〇
三〃　四〃	一六・二五
四〃　五〃	一七・五〇
五〃　六〃	一八・七五
六〃　七〃	二〇・〇〇
七〃　八〃	二一・二五
八〃　九〃	二二・五〇
九〃　一〇〃	二三・七五
一〇〃　一一〃	二五・〇〇
一一〃　一二〃	二六・二五
一二〃　一三〃	二七・五〇
一三〃　一四〃	二八・七五
一四〃　一五〃	三〇・〇〇
一五〃　一六〃	三一・二五

車両又は分節車両その他の連結車両の両端の車軸間の距離（単位フィート）	車両又は分節車両その他の連結車両の許容最大重量（単位ポンド）
三以上　七未満	三二、〇〇〇
七〃　八〃	三二、四八〇
八〃　九〃	三三、三二〇
九〃　一〇〃	三四、一六〇
一〇〃　一一〃	三五、〇〇〇
一一〃　一二〃	三五、八四〇
一二〃　一三〃	三六、六八〇
一三〃　一四〃	三七、五二〇
一四〃　一五〃	三八、三六〇
一五〃　一六〃	三九、二〇〇
一六〃　一七〃	四〇、〇四〇
一七〃　一八〃	四〇、八八〇
一八〃　一九〃	四一、七二〇
一九〃　二〇〃	四二、五六〇
二〇〃　二一〃	四三、四〇〇
二一〃　二二〃	四四、二四〇
二二〃　二三〃	四五、〇八〇
二三〃　二四〃	四五、九二〇
二四〃　二五〃	四六、七六〇
二五〃　二六〃	四七、六〇〇
二六〃　二七〃	四八、四四〇
二七〃　二八〃	四九、二八〇
二八〃　二九〃	五〇、一二〇
二九〃　三〇〃	五〇、九六〇
三〇〃　三一〃	五一、八〇〇
三一〃　三二〃	五二、六四〇
三二〃　三三〃	五三、四八〇
三三〃　三四〃	五四、三二〇
三四〃　三五〃	五五、一六〇
三五〃　三六〃	五六、〇〇〇
三六〃　三七〃	五六、八四〇
三七〃　三八〃	五七、六八〇
三八〃　三九〃	五八、五二〇
三九〃　四〇〃	五九、三六〇
四〇〃　四一〃	六〇、二〇〇
四一〃　四二〃	六一、〇四〇
四二〃　四三〃	六一、八八〇
四三〃　四四〃	六二、七二〇
四四〃　四五〃	六三、五六〇
四五〃　四六〃	六四、四〇〇
四六〃　四七〃	六五、二四〇
四七〃　四八〃	六六、〇八〇
四八〃　四九〃	六六、九二〇
四九〃　五〇〃	六七、七六〇

一六〃	一七〃	三二・五〇
一七〃	一八〃	三三・七五
一八〃	一九〃	三五・〇〇
一九〃	二〇〃	三六・二五

五〇〃	五一〃	六八、六〇〇
五一〃	五二〃	六九、四四〇
五二〃	五三〃	七〇、二八〇
五三〃	五四〃	七一、一二〇
五四〃	五五〃	七一、九六〇
五五〃	五六〃	七二、八〇〇
五六〃	五七〃	七三、六四〇
五七〃	五八〃	七四、四八〇
五八〃	五九〃	七五、三二〇
五九〃	六〇〃	七六、一六〇
六〇〃	六一〃	七七、〇〇〇
六一〃	六二〃	七七、八四〇
六二〃	六三〃	七八、六八〇
六三〃	六四〃	七九、五二〇
六四〃	六五〃	八〇、三六〇

(iv) 国際交通を認められた車両に関し、(iii)に掲げる表のメートル法単位で表示される許容最大重量がフィート及びポンドで表示される許容最大重量と異なるときは、その二の数値のうち大きい方の数値をとるものとする。

3 締約国は、2の表に掲げる数値をこえる許容最大重量を設定する地域的協定を締結することができる。ただし、最大荷重の車軸の許容最大重量は、十三メートル・トン（二万八千六百六十ポンド）をこえないことが望ましい。

4 締約国は、この附属書の適用を受ける道路を指定する場合において、その道路が次のような道路であるときは、その道路における交通について暫定的に許容される最大寸法及び最大重量を明示しなければならない。

(a) この附属書において許容された寸法又は重量の車両の通行を制限している渡船施設、トンネル又は橋を有する道路

(b) その性質又は状況により前記の車両の通行を制限する必要がある道路

5 締約国又はその下部機構は、寸法又は重量がこの附属書に定める最大寸法又は最大重量をこえる車両又は連結車両について、交通の特別許可を与えることができる。

6 締約国又はその下部機構は、この附属書の適用を受けるいずれかの指定道路が、破損又は豪雨、降雪、雪解けその他好ましくない気象状況のため、通常許容される重量の車両によつて著しく損壊されるおそれがあるときは、一定期間を限り、その指定道路における自動車の通行を制限し若しくは禁止し、又はその道路を通行する車両の重量を制限することができる。

附属書八

国際交通において自動車の運転者が満たすべき条件

第二十四条に規定する条件に従つて自動車を運転することができるための最低年齢は、十八歳とする。

もつとも、締約国又はその下部機構は、他の締約国が十八歳未満の者に対して発給した二輪の自動車又は身体障害者用車両のみに係る運転免許証を認めることができる。

附属書九

運転免許証の様式

寸法　縦一〇五ミリメートル
横七四ミリメートル

色彩　淡紅色

1 運転免許証は、発給国の法令で定める言語で作成する。

2 運転免許証の「運転免許証」という標題は、1に規定する言語で記載し、かつ、フランス語による訳語"Permis de conduire"を併記する。

3 記入事項は、ラテン文字又はいわゆる英国風の筆記体文字で記載する。他の文字を使用するときは、前記のいずれかの文字による記載を添えるものとする。

4 発給国の権限のある当局が附記する事項は、国際交通には、適用しない。

5 楕円形の中には、附属書四に定める識別記号を記入する。

外側のページ

国　　　　名

運　転　免　許　証

内側のページ

	この運転免許証で運転することができる車両	
A	二輪の自動車（側車付きのものを含む。）、身体障害者用車両及び空車状態における重量が400キログラム（900ポンド）をこえない三輪の自動車	当局のシール又はスタンプ
B	乗用に供され、運転者席のほかに8人分をこえない座席を有する自動車又は貨物輸送の用に供され、許容最大重量が3,500キログラム（7,700ポンド）をこえない自動車。この種類の自動車には、軽量の被牽（けん）引車を連結することができる。	当局のシール又はスタンプ
C	貨物輸送の用に供され、許容最大重量が3,500キログラム（7,700ポンド）をこえる自動車。この種類の自動車には、軽量の被牽（けん）引車を連結することができる。	当局のシール又はスタンプ
D	乗用に供され、運転者席のほかに8人分をこえる座席を有する自動車。この種類の自動車には、軽量の被牽（けん）引車を連結することができる。	当局のシール又はスタンプ
E	運転者が免許を受けたB、C又はDの自動車に軽量の被牽（けん）引車以外の被牽（けん）引車を連結した車両	当局のシール又はスタンプ

車両の「許容最大重量」とは、運行することができる状態にある車両の重量及びその最大積載量の和をいう。

「最大積載量」とは、車両の登録国の権限のある当局が宣言した積載物の重量の限度をいう。

「軽量の被牽（けん）引車」とは、許容最大重量が750キログラム（1,650ポンド）をこえない被牽（けん）引車をいう。

発給国の権限のある当局の備考欄（定期更新を含む。）

	住所の変更
1. 姓	
※ 2. 名	当局のシール又はスタンプ
※※ ※※※ 3. 生年月日及び出生地	年月日
4. 住所	署名
※※※※ 所持者の署名 写真 35mm×45mm	当局のシール又はスタンプ 年月日 署名
5. 発給当局	
6. 発給地 発給年月日	当局のシール又はスタンプ
7. 有効期限	年月日
第 号 当局のシール又はスタンプ	署名
当局の署名	発給国の権限のある当局が附記する事項

※ 父又は夫の姓を併記することができる。
※※ 又は発給当日におけるおよその年齢
※※※ 判明している場合
※※※※ 又は所持者のぼ印

附属書十
国際運転免許証の様式
寸法 縦一四八ミリメートル
横一〇五ミリメートル
色彩 表紙 灰色
各ページ 白色

第一ページ及び第二ページは、発給国の一又は二以上の国語で作成する。最終ページは、フランス語で作成する。

国際運転免許証の追補ページには、最終ページの第一部の本文を他の言語で記載する。追補ページは、次の言語で作成する。

(a) 発給国の法令で定める言語
(b) 国際連合の公用語
(c) 発給国が任意に選択する最大限六のその他の言語

運転免許証の各国の言語による本文については、各政府が、自国の言語による公定訳文を国際連合事務総長に通知するものとする。

記入事項は、ラテン文字又はいわゆる英国風の筆記体文字で記載する。

第一ページ（表紙）

（国　名）

国際自動車交通

国 際 運 転 免 許 証

………………………の道路交通に関する条約

発給地………………………

発給年月日………………………

当局のシール又はスタンプ

当局の署名若しくはシール
又は
当局から権限を与えられた団体の署名若しくはシール

第二ページ（表紙の裏面）

この運転免許証は、すべての締約国の領域（これを発給する締約国の領域を除く。）において、発給の日から一年間、この運転免許証の最終ページにおいて特定する種類の車両の運転について有効とする。

〔締約国名表（任意）のための空欄〕

この運転免許証は、その所持者が自己の旅行する各国において施行されている居住又は職業に関する法令を遵守する義務にいかなる影響をも及ぼさないものとする。

（第一部）

運転者に関する事項	姓	1
	名*	2
	出生地**	3
	生年月日***	4
この運転免許証で運転することができる車両	住所	5

二輪の自動車（側車付きのものを含む。）、身体障害者用車両及び空車状態における重量が400キログラム（900ポンド）をこえない三輪の自動車	A
乗用に供され、運転者席のほかに８人分をこえない座席を有する自動車又は貨物輸送の用に供され、許容最大重量が 3,500キログラム（7,700ポンド）をこえない自動車。この種類の自動車には、軽量の被牽引車を連結することができる。	B
貨物輸送の用に供され、許容最大重量が3,500キログラム（7,700ポンド）をこえる自動車。この種類の自動車には、軽量の被牽引車を連結することができる。	C
乗用に供され、運転者席のほかに８人分をこえる座席を有する自動車。この種類の自動車には、軽量の被牽引車を連結することができる。	D
運転者が免許を受けたＢ、Ｃ又はＤの自動車に軽量の被牽引車以外の被牽引車を連結した車両	E

車両の「許容最大重量」とは、運行することができる状態にある車両の重量及びその最大積載量の和をいう。

「最大積載量」とは、車両の登録国の権限のある当局が宣言した積載物の重量の限度をいう。

「軽量の被牽引車」とは、許容最大重量が750キログラム（1,650ポンド）をこえない被牽引車をいう。

除外 この運転免許証の所持者は、…………（国名）における運転を次の理由により禁止される。 ………………………… ………………………… 当局のシール又はスタンプ　場所………… 年月日………… 署名 上の欄がすでに使用されているときは、他の除外欄を使用するものとする。	除外 （Ⅰ－Ⅷの国）

*　父又は夫の姓を併記することができる。
**　判明している場合
***　又は発給当日におけるおよその年齢
****　又は所持者のぼ印

（第二部）

1 ……………………
2 ……………………
3 ……………………
4 ……………………
5 ……………………

写　真

A	シール又はスタンプ
B	シール又はスタンプ
C	シール又はスタンプ
D	シール又はスタンプ
E	シール又はスタンプ

所持者の署名****

除外
（国名）

Ⅰ……………… Ⅴ………………
Ⅱ……………… Ⅵ………………
Ⅲ……………… Ⅶ………………
Ⅳ……………… Ⅷ………………

最終ページ

（右条約の英文）〔略〕

第七編　参考資料

7

第七編　参考資料

○反則手続と刑事手続……二二四一
○交通反則通告手続……二二四二
○指示・使用制限のフロー……二二四三
○放置駐車違反の責任追及の流れ……二二四四
○交通切符等の適用の対象となる車両等の種類……二二四五
○保安基準適用時期一覧……二二四六
○反則金一覧表……二二七一
○交通違反等の点数一覧表……二二七二
○交通事故の場合の付加点数……二二七三
○処分基準点数……二二七三
○制動距離と摩擦係数から速度を推定する方法……二二七四
○車両の外観図……二二七五
○乗用自動車の構造図……二二七九
○人体外部の名称……二二八〇

7

反則手続と刑事手続

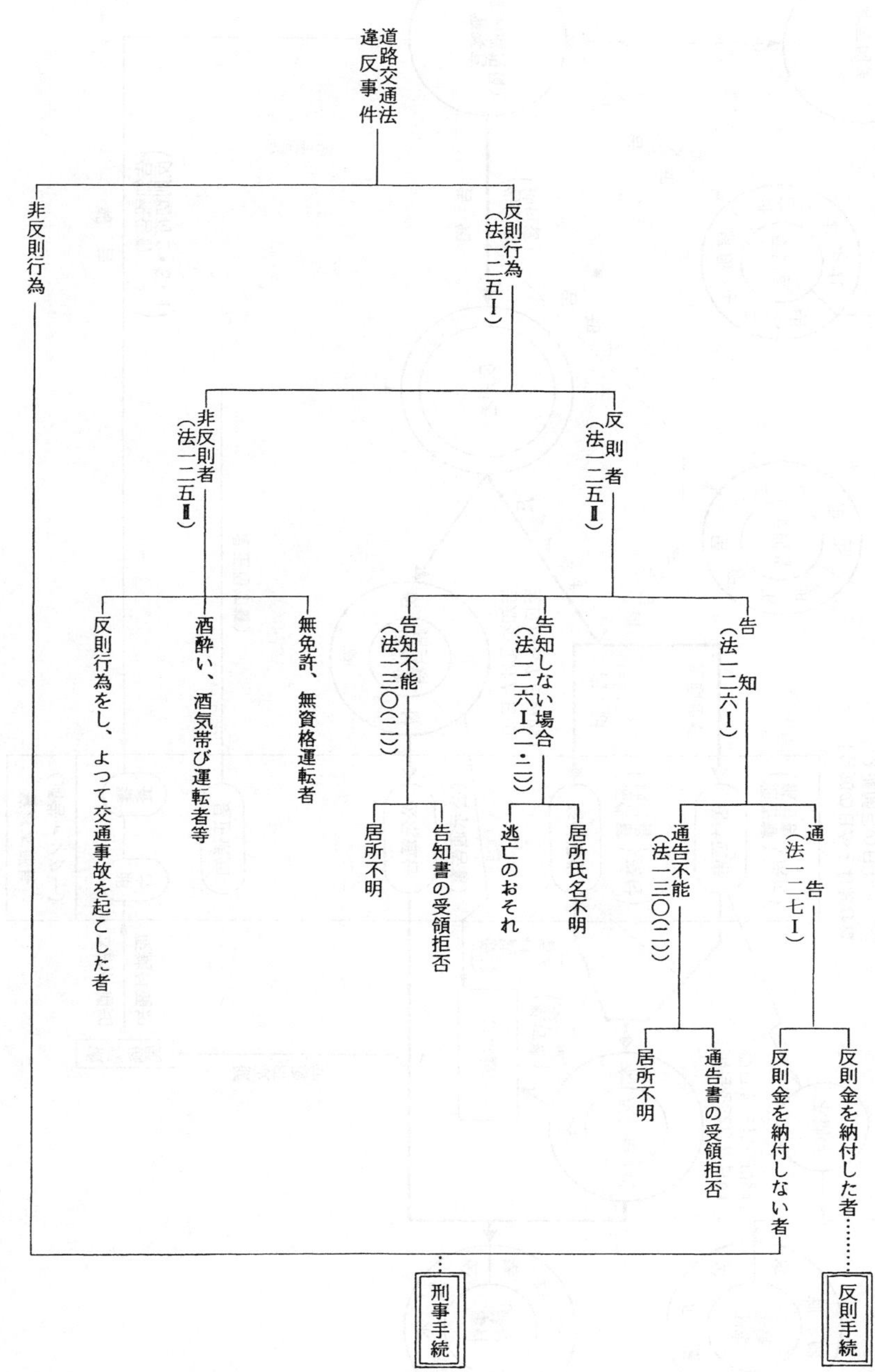
道路交通法違反事件
非反則行為
反則行為（法一二五Ⅰ）
非反則者（法一二五Ⅱ）
反則者（法一二五Ⅱ）
反則行為をし、よって交通事故を起こした者
酒酔い、酒気帯び運転者等
無免許、無資格運転者
告知不能（法一三〇(一)）
告知しない場合（法一二六Ⅰ(一・二)）
告知（法一二六Ⅰ）
居所不明
告知書の受領拒否
逃亡のおそれ
居所氏名不明
通告不能（法一三〇(二)）
通告（法一二七Ⅰ）
居所不明
通告書の受領拒否
反則金を納付しない者
反則金を納付した者
刑事手続
反則手続

交通反則通告手続

警察官（交通巡視員）
報告
（告知報告書 反則切符2・3・4）
警察本部長（通告センター）
審査
照合
本納付通知
仮納付通知
徴収機関
是正通知
（是正通知書）
領収済通知
告知
（告知書 納付書）
反則者
仮 反則金相当額 納付
公示通告
（公示通告書）
日本銀行
（仮納付書 現金）
（納付書 現金）
事件終結
不提起 訴
公判 審 不 開始
「告知を受けた日の翌日から７日以内」
仮納付せず
出頭
交付通告
（通告書 納付書）交付
出頭せず
送付通告
（通告書 納付書）送付
本納付 反則金
「通告を受けた日の翌日から10日以内」
不納付
刑事手続
公訴提起
審判開始
告知不能
通告不能
不告知
居所 氏名不明 反則者 逃亡のおそれ
居所不明 反則者 受領拒否
非反則者
「告知の日からおおむね２週間目の日」

指示・使用制限のフロー

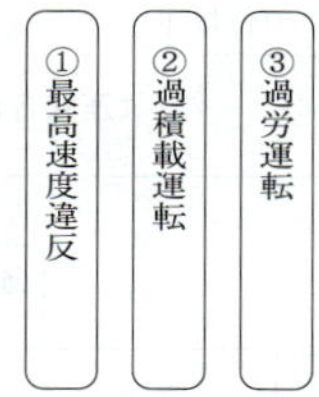

- 無免許・無資格運転
- 最高速度違反
- 酒酔い・酒気帯び運転
- 過労運転等
- 積載制限違反
- 放置駐車

自動車の使用者等が、業務に関し自動車の運転者に対し、上記の行為を下命・容認

↓

自動車の使用者が、業務に関し、自動車を使用することが著しく道路における交通の危険を生じさせ又は著しく交通の妨害となるおそれがあると認めるとき

↓

- ①最高速度違反
- ②過積載運転
- ③過労運転

車両の運転者が上記の行為を行った場合

※①、③の行為は使用者の業務に関する場合に限る

※②の行為は警察官による過積載車両に係る措置命令がされた場合に限る

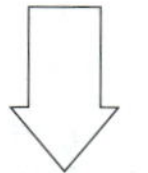

車両の使用者が、当該車両につき、これらの行為を防止するため必要な運行の管理を行っていると認められないとき

↓

車両の使用の本拠の位置を管轄する公安委員会

車両の使用者に対する 指　示

↓

１年以内に指示に係る違反行為が行われ、かつ、使用者が自動車を使用することが、著しく交通の危険を生じさせるおそれがあると認めるとき

↓

- ④放置駐車

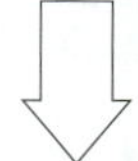

公安委員会が、車両の使用者に対し放置違反金納付命令をした場合

↓

当該納付命令に係る標章が取り付けられた日前６月以内に、当該使用者が、当該車両について、３回以上（当該使用者に使用制限命令を受けた前歴のある場合は、１、２回）、納付命令を受けたことがあり、かつ、当該使用者が当該車両を使用することについて著しく交通の危険を生じさせ又は著しく交通の妨害となるおそれがあると認めるとき

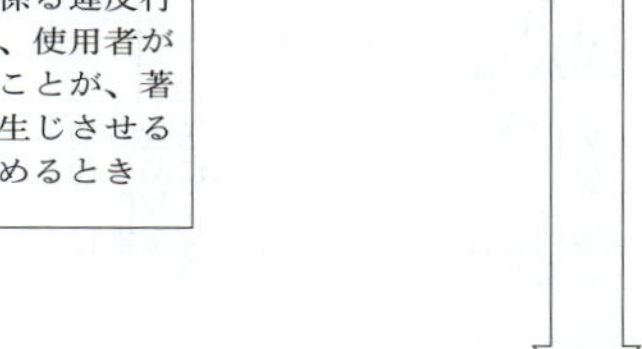

↓

自動車（※④については「車両」）の使用の本拠の位置を管轄する公安委員会

６月以内	３月以内	３月以内

自動車（車両）の使用者に対する 使　用　制　限

放置駐車違反の責任追及の流れ

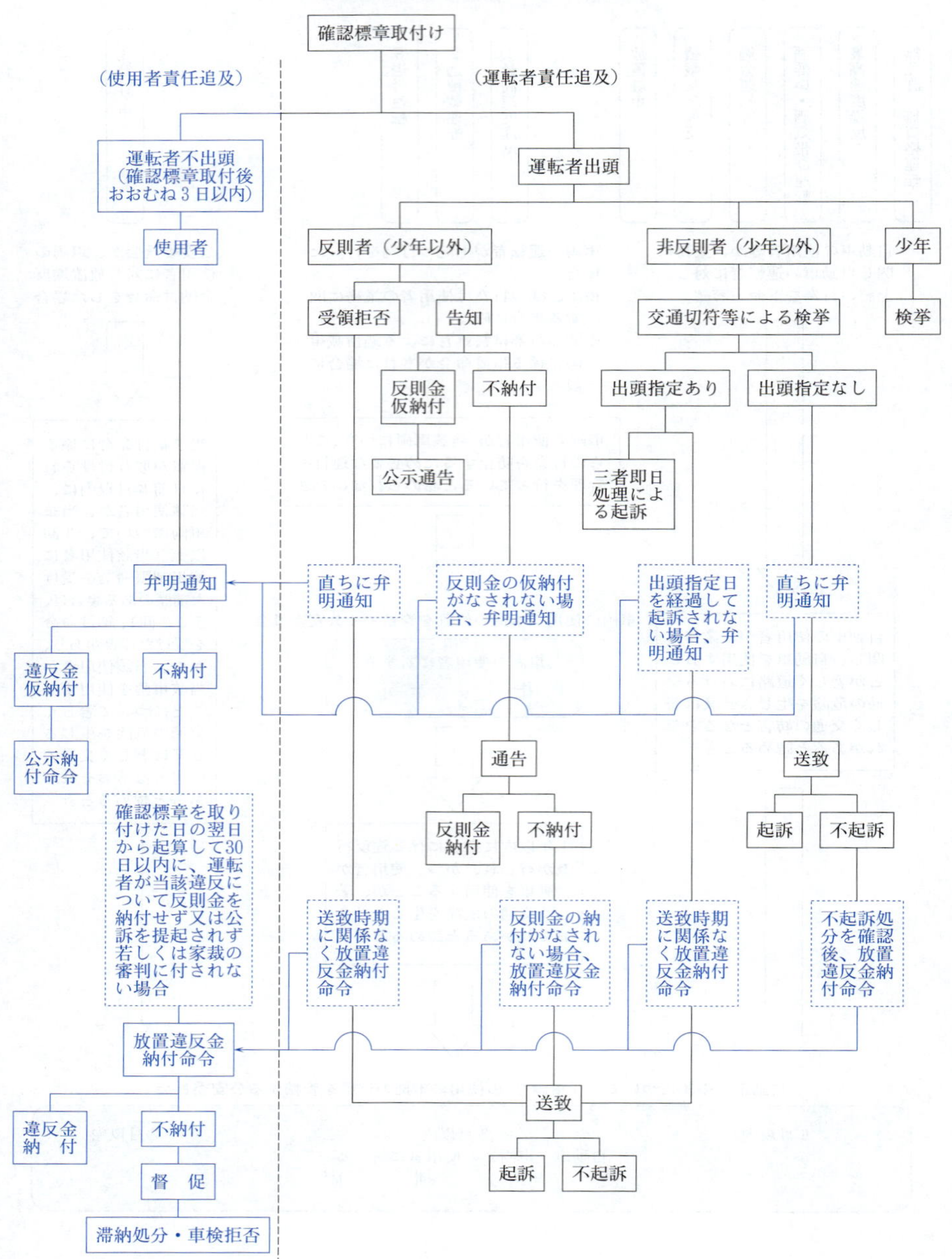

※　「少年」とは、送致時少年である者をいう。
※　放置違反金が納付（仮納付）されても、運転者が当該違反について反則金を納付した場合又は公訴を提起され、若しくは家庭裁判所の審判に付された場合は、放置違反金は還付（返還）されることとなる。
※　上図は、標準的な責任追及の流れを示したものであり、悪質な駐車違反については運転者の出頭、不出頭にかかわらず責任追及を徹底することとなる。

交通切符等の適用の対象となる車両等の種類

<table>
<tr><th colspan="3">違反車両等</th><th rowspan="2">説明</th></tr>
<tr><th>種類</th><th colspan="2">区分</th></tr>
<tr><td rowspan="10">大型車（※注1）</td><td rowspan="3">大型</td><td>バス</td><td>乗車定員が30人以上のもの</td></tr>
<tr><td>マイクロバス</td><td>車両総重量が11,000kg以上で、乗車定員が29人以下のもの</td></tr>
<tr><td>貨物</td><td>○車両総重量が11,000kg以上のもの
○最大積載量が6,500kg以上のもの</td></tr>
<tr><td rowspan="2">中型</td><td>バス</td><td>○乗車定員が11人以上29人以下のもの
○車両総重量が7,500kg以上11,000kg未満のもの</td></tr>
<tr><td>貨物</td><td>○車両総重量が7,500kg以上11,000kg未満のもの
○最大積載量が4,500kg以上6,500kg未満のもの</td></tr>
<tr><td rowspan="2">準中型</td><td>乗用</td><td rowspan="2">乗車定員が10人以下のもの
車両総重量が3,500kg以上7,500kg未満のもの
最大積載量が2,000kg以上4,500kg未満のもの</td></tr>
<tr><td>貨物</td></tr>
<tr><td colspan="2">大型特</td><td>カタピラを有する自動車、ロード・ローラ、グレーダ、スクレーパ等で小型特殊自動車以外のもの</td></tr>
<tr><td colspan="2">トロリーバス</td><td>架線から供給される電力により、かつ、レールによらないで運転するもの</td></tr>
<tr><td colspan="2">路面電車</td><td>レールにより運転するもの</td></tr>
<tr><td rowspan="7">普通車</td><td rowspan="3">普通</td><td>乗用</td><td rowspan="3">乗車定員が10人以下のもの
車両総重量が3,500kg未満のもの
最大積載量が2,000kg未満のもの
ただし、他の区分の車両等を除く。</td></tr>
<tr><td>貨物</td></tr>
<tr><td>三輪</td></tr>
<tr><td rowspan="3">軽</td><td>四乗</td><td rowspan="3">三輪、四輪の自動車で総排気量が660cc以下のもののうち、長さ3.4m以下、幅1.48m以下、高さ2.0m以下のもの</td></tr>
<tr><td>四貨</td></tr>
<tr><td>三輪</td></tr>
<tr><td colspan="2">ミニカー</td><td>総排気量20cc、定格出力0.25kWを超え、総排気量50cc、定格出力0.6kW以下の原動機を有する三輪以上のもので車室の側面が構造上開放されていないもの、又は輪間距離が0.5mを超えるもの</td></tr>
<tr><td rowspan="4">二輪車</td><td colspan="2">大自二</td><td>総排気量400ccを超え、又は定格出力が20.00kWを超えるもの（側車付を含む。）</td></tr>
<tr><td colspan="2">普自二</td><td>総排気量250ccを超え400cc以下のもの（側車付を含む。）</td></tr>
<tr><td colspan="2">軽二</td><td>総排気量125ccを超え250cc以下のもの（側車付を含む。）</td></tr>
<tr><td colspan="2">二種原</td><td>総排気量50ccを超え125cc以下のもの又は定格出力0.6kWを超え1.0kW以下のもの（側車付を含む。）</td></tr>
<tr><td rowspan="2">原付車</td><td colspan="2">小型特</td><td>カタピラを有する自動車、ロード・ローラ等で、最高速度が15km/hを超える速度を出すことができない構造であって長さ4.7m以下、幅1.7m以下、高さ2.0m以下のもの（ヘッドガード、安全キャブ、安全フレームその他これに類する装置が備えられている自動車で、当該装置を除いた部分の高さが2.0m以下のものにあっては、2.8m以下）</td></tr>
<tr><td colspan="2">一種原</td><td>総排気量が50cc以下のもの又は定格出力0.6kW以下のもの（ミニカーに該当するものを除く。）</td></tr>
<tr><td colspan="3">重被けん引車</td><td>けん引されるための構造、装置を有する軽車両で車両総重量が750kgを超えるもの</td></tr>
<tr><td rowspan="3">軽車両（※注2）</td><td colspan="2">自転車</td><td rowspan="3">(a) 人若しくは動物の力により、又は他の車両に牽引され、かつ、レールによらないで運転する車（そり及び牛馬を含み、小児用の車（小児が用いる小型の車で、歩きながら用いるもの以外のもの）を除く。）
(b) 原動機を用い、かつ、レール又は架線によらないで運転する車であって、車体の大きさ及び構造を勘案して(a)に準ずるものとして内閣府令で定めるもの</td></tr>
<tr><td colspan="2">荷車</td></tr>
<tr><td colspan="2">その他</td></tr>
</table>

※注１　車両等の種類欄の「大型車」とは、反則金の区分に係るものである。
※注２　軽車両は、移動用小型車、身体障害者用の車及び歩行補助車等以外のものをいう。
（道路交通法施行令別表第６の備考三の１参照）

保安基準適用時期一覧

自動車の保安基準（普通、小型、軽、大特、小特）　　（令和６年１月５日国土交通省告示第２号まで）

<table>
<tr><th>保安基準条―項―号</th><th>（保細告条）
規制の概要</th><th>規制対象車両</th><th>適用時期</th></tr>
<tr><td rowspan="2">原動機及び動力伝達装置
第８―４
第８―５</td><td>速度が90km/hを超えて走行しないよう原動機に速度抑制装置を備えること。</td><td>車両総重量８トン以上又は最大積載量５トン以上の貨物自動車及び牽引車</td><td>下表参照</td></tr>
<tr><td colspan="3">
<table>
<tr><th colspan="2">自動車の種類</th><th rowspan="2">適用期日</th></tr>
<tr><th>適合する排出ガス規制</th><th>初度登録年月日</th></tr>
<tr><td rowspan="3">平成６年排出ガス規制適合車</td><td>平成10年１月１日以降</td><td>15年９月１日以降の最初の検査の日</td></tr>
<tr><td>平成９年１月１日～９年12月31日</td><td>16年９月１日以降の最初の検査の日</td></tr>
<tr><td>平成８年12月31日以前</td><td>17年９月１日以降の最初の検査の日</td></tr>
<tr><td rowspan="3">平成10、11年排出ガス規制以降の排出ガス規制適合車</td><td>平成15年１月１日以降</td><td>15年９月１日以降の最初の検査の日</td></tr>
<tr><td>平成14年１月１日～14年12月31日</td><td>16年９月１日以降の最初の検査の日</td></tr>
<tr><td>平成13年12月31日以前</td><td>17年９月１日以降の最初の検査の日</td></tr>
<tr><td rowspan="3">上記以外の自動車</td><td>平成14年１月１日以降</td><td>15年９月１日以降の最初の検査の日</td></tr>
<tr><td>平成11年１月１日～13年12月31日</td><td>16年９月１日以降の最初の検査の日</td></tr>
<tr><td>平成10年12月31日以前</td><td>17年９月１日以降の最初の検査の日</td></tr>
</table>
</td></tr>
<tr><td>走行装置等
第９―１</td><td>（167）
タイヤ空気圧監視装置を備えること。</td><td>・定員10人未満の乗用自動車（二輪、側車二輪、三輪自動車、スノーモービル、被けん引車を除く。）
・総重量3.5トン以下の貨物自動車（三輪自動車、スノーモービル、被けん引車を除く。）</td><td>平30．２．１以降製作車</td></tr>
<tr><td>第９―２</td><td>（167）
タイヤの溝の摩耗限度
二輪、側車二輪…0.8㎜
その他の自動車…1.6㎜</td><td>全車（最高速度40km/h未満、大特及びこれらによりけん引される被けん引車を除く。）</td><td>製作年にかかわらず適用</td></tr>
<tr><td rowspan="3">操縦装置
第10―１</td><td>（168）
前照灯、窓拭器等操作装置の識別表示、変速装置のシフト・パターン表示、方向指示器の操作方向表示をすること。</td><td>全車</td><td>48．12．１以降製作車</td></tr>
<tr><td>（168）
協定規則第121号に規定する識別等の要件とする。</td><td>・総重量５トンを超え定員10人以上の乗用自動車及び総重量12トンを超える貨物自動車
・上記以外
（側車二輪、三輪自動車、スノーモービル、大特、小特、被けん引車を除く。）</td><td>平31．２．１以降製作車

平29．２．１以降製作車</td></tr>
<tr><td>（168）
協定規則第60号に規定する識別等の要件とする。</td><td>二輪自動車（側車二輪を除く。）</td><td>平29．７．１以降製作車</td></tr>
<tr><td rowspan="2">かじ取装置
第11―２</td><td rowspan="2">（169）
衝撃吸収式のステアリング構造であること。</td><td>乗用自動車（定員11人以上、二輪、側車二輪、スノーモービル、最高速度50km/h未満を除く。）</td><td>48．10．１以降製作車</td></tr>
<tr><td>乗用自動車（最高速度50km/h未満、かじ取ハンドル軸の中心線と水平面とのなす角度が35度を超える構</td><td>平21．９．１以降製作車</td></tr>
</table>

保安基準条―項―号	（保細告条） 規制の概要	規制対象車両	適用時期
		造のかじ取装置を備えた自動車に限る。）	
		貨物自動車（総重量1.5トン以上を除く。）	平23．4．1以降の新型車（継続生産車及び平23．4．1以降の新型車で平23．3．31以前の新型車と同一の装置を備えるものは平28．4．1以降製作車）
施錠装置 第11の2―1	施錠装置を備えること。（詳細は保細告170）	乗用自動車（定員11人以上を除く。）	48．12．1以降製作車
		貨物自動車（総重量3.5トン超を除く。）	平18．7．1以降製作車（軽自動車は平20．7．1以降製作車）
制動装置 第12	二重安全ブレーキ構造であること。 （詳細は保細告171）	全車（最高速度35km/h未満の大特、農耕用小特、最高速度25km/h未満及び非常制動装置を備えたものを除く。）	48．12．1以降製作車（積載量5トン以上又は総重量8トン以上の普通貨物自動車及び定員30人以上は43．8．1以降製作車）
	（171） 制動液漏れ警報装置を備えること。	油圧ブレーキ車（最高速度35km/h未満の大特、農耕用小特、最高速度25km/h未満、二輪、側車二輪、非常制動装置を備えたものを除く。）	50．12．1以降製作車
	（171） 空気圧力等が不足した時の警報装置を備えること。	エアーブレーキ車	45．6．1以降製作車
	（171） ・アンチロックブレーキシステム（ＡＢＳ）装置を備えること。 ・ＡＢＳが故障したときの警報装置を備えること。	・総重量12トンを超える自家用バス、貸切バス及び高速バス ・総重量13トンを超えるけん引自動車 ・総重量7トンを超えるけん引自動車	平4．4．1以降製作車 平3．10．1以降製作車 平7．9．1以降製作車
		上記以外 ・総重量5トン超12トン以下で定員10人以上の乗用自動車（被けん引車を除く。） ・総重量5トン以下で定員10人以上の乗用自動車（被けん引車を除く。） ・総重量22トンを超える貨物自動車（けん引車及び被けん引車を除く。） ・総重量20トン超22トン以下の貨物自動車（けん引車及び被けん引車を除く。） ・総重量3.5トン超20トン以下の貨物自動車（けん引車及び被けん引車を除く。） ・総重量3.5トン以下の貨物自動車（被けん引車を除く。） ・総重量3.5トンを超える被けん引自動車	平28．2．1以降の新型車（継続生産車は平30．2．1以降製作車） 平27．9．1以降の新型車（継続生産車は平29．2．1以降製作車） 平26．11．1以降の新型車（継続生産車は平29．9．1以降製作車） 平27．9．1以降の新型車（継続生産車は平30．11．1以降製作車） 平28．2．1以降の新型車（継続生産車は平30．2．1以降製作車） 平27．9．1以降の新型車（継続生産車は平29．2．1以降製作車） 軽自動車にあっては、平28．2．1以降の新型車（継続生産車は平30．2．1以降製作車） 平27．9．1以降の新型車（継続生産車は平29．2．1以降製作車）

保安基準条—項—号	（保細告条） 規制の概要	規制対象車両	適用時期
		・乗用自動車（定員10人以上を除く。）	平24．10．1以降の新型車（継続生産車は平26．10．1以降製作車）
		・軽自動車	平26．10．1以降の新型車（継続生産車は平30．2．24以降製作車）
		・二輪自動車（エンデューロ二輪及びトライアル二輪を除く。）	平30．10．1以降の新型車（継続生産車は令3．10．1以降製作車）
	（171） 車両安定性制御装置	・総重量12トンを超える定員10人以上の乗用自動車（立席を有する自動車及び被けん引車を除く。）	平26．11．1以降の新型車（継続生産車は平29．9．1以降製作車）
		・総重量5トン超12トン以下で定員10人以上の乗用自動車（被けん引車を除く。）	令元．11．1以降の新型車（継続生産車は令3．11．1以降製作車）
		・総重量5トン以下で定員10人以上の乗用自動車（被けん引車を除く。）	平27．9．1以降の新型車（継続生産車は平29．2．1以降製作車）
		・総重量13トンを超えるけん引自動車	平26．11．1以降の新型車（継続生産車は平30．9．1以降製作車）
		・総重量22トンを超える貨物自動車（けん引車及び被けん引車を除く。）	平26．11．1以降の新型車（継続生産車は平29．9．1以降製作車）
		・総重量20トン超22トン以下の貨物自動車（総重量13トンを超えるけん引車及び被けん引車を除く。）	平28．11．1以降の新型車（継続生産車は平30．11．1以降製作車）
		・総重量8トン超20トン以下の貨物自動車（総重量13トンを超えるけん引車及び被けん引車を除く。）	平30．11．1以降の新型車（継続生産車は令3．11．1以降製作車）
		・総重量8トン以下の貨物自動車（被けん引車を除く。）	令元．11．1以降の新型車（継続生産車は令3．11．1以降製作車）
		・総重量3.5トンを超える被けん引自動車（空気ばねを備えるものに限る。）	平27．9．1以降の新型車（継続生産車は平29．2．1以降製作車）
		・乗用自動車（乗車定員10人以上を除く。）	新型車：平24．10．1（軽自動車は平26．10．1）以降の新型車 継続生産車：平26．10．1（軽自動車は平30．2．24）以降製作車
	（171） 衝突被害軽減ブレーキを備えること。	・総重量20トン以上22トン以下の貨物自動車	平28．11．1以降の新型車（継続生産車及び平28．11．1以降の新型車で平28．10．31以前の新型車と同一の装置を備えるものは平30．11．1以降製作車）
		・総重量22トンを超える貨物自動車	平26．11．1以降の新型車（継続生産車及び平26．11．1以降の新型車で平26．10．31以前の新型車と同一の装置を備えるものは平29．9．1以降製作車）
		・総重量13トンを超えるけん引車	平26．11．1以降の新型車（継続生産車及び平26．11．1以降の新型車で平26．10．31以前の新型車と同一の装置を備えるものは平30．9．1以降製作車）
		・総重量12トンを超える乗用自動車（乗車定員10人以上で立席を有しないものに限る。）	平26．11．1以降の新型車（継続生産車及び平26．11．1以降の新型車で平26．10．31以前の新型車と同一の装置を備えるものは平29．9．1以降製作車）

保安基準条―項―号	（保細告条） 規制の概要	規制対象車両	適用時期
	（171） ブレーキアシストシステムを備えること。	・乗用自動車（乗車定員10人以上を除く。）	新型車：平24.10.1（軽自動車は平26.10.1）以降の新型車 継続生産車：平26.10.1（軽自動車は平30.2.24）以降製作車
	（171） 衝突被害軽減ブレーキを備えること。 （制動制御に係る性能要件の強化）	・総重量12トンを超える定員10人以上の乗用自動車（被けん引車を除く。） ・総重量12トン以下で定員10人以上の乗用自動車（被けん引車を除く。） ・総重量3.5トン超8トン以下の貨物自動車（被けん引車を除く。） ・総重量8トン超20トン以下の貨物自動車（総重量13トン超のけん引車及び被けん引車を除く。） ・総重量20トン超22トン以下の貨物自動車（総重量13トン超のけん引車及び被けん引車を除く。） ・総重量22トンを超える貨物自動車（総重量13トン超のけん引車及び被けん引車を除く。） ・総重量13トンを超えるけん引車	平29.11.1以降の新型車（継続生産車は令元.11.1以降製作車） 令元.11.1以降の新型車（継続生産車は令3.11.1以降製作車） 令元.11.1以降の新型車（継続生産車は令3.11.1以降製作車） 平30.11.1以降の新型車（継続生産車は令3.11.1以降製作車） 平30.11.1以降の新型車（継続生産車は令2.11.1以降製作車） 平29.11.1以降の新型車（継続生産車は令元.11.1以降製作車） 平30.11.1以降の新型車（継続生産車は令2.11.1以降製作車）
	（171） 衝突被害軽減制動制御装置を備えること。 （装着義務対象車の追加）	・乗車定員10人未満の乗用自動車（二輪、側車付二輪、三輪、スノーモービル、被けん引車を除く。） ・車両総重量3.5トン以下の貨物自動車（三輪、スノーモービル、被けん引車を除く。） ・上記の自動車で道路維持作業用自動車又は緊急自動車であって車両前部に特殊な装備を有するものは除く。	国産：令3.11.1以降の新型車（継続生産車は令7.12.1以降、軽トラックの継続生産車は令9.9.1以降） ※継続生産車には令3.11.1以降の新型車で令3.10.30以前の新型車と同一の構造のものを含む。 輸入：令6.7.1以降の新型車（継続生産車は令8.7.1以降） ※継続生産車には令6.7.1以降の新型車で令6.6.30以前の新型車と同一の構造のものを含む。
	（171） 衝突被害軽減制動制御装置を備えること。 （制動制御に係る性能要件の強化）	・乗車定員10人未満の乗用自動車（二輪、側車付二輪、三輪、スノーモービル、被けん引車を除く。） ・車両総重量3.5トン以下の貨物自動車（三輪、スノーモービル、被けん引車を除く。） ・上記の自動車で道路維持作業用自動車又は緊急自動車であって車両前部に特殊な装備を有するものは除く。	令6.7.1以降の新型車（継続生産車は令8.7.1以降、軽トラックの継続生産車は令9.9.1以降） ※継続生産車には令6.7.1以降の新型車で令6.6.30以前の新型車と同一の構造のものを含む。
		・乗用自動車（乗車定員10人以上） ・車両総重量3.5トンを超える貨物自動車 ・上記の自動車で高速道路等を運行しないもの及び道路維持作業用自動車又は緊急自動車であって車	令7.9.1以降の新型車（継続生産車は令10.9.1以降） ※継続生産車には令7.9.1以降の新型車で令7.8.31以前の新型車と同一の構造のものを含む。

保安基準条―項―号	（保細告条） 規制の概要	規制対象車両	適用時期
		両前部に特殊な装備を有するものは除く。	
第13	二重安全ブレーキ構造であること。 連結した状態で告示で定める基準に適合のこと。	・前条第1項第13号のけん引自動車及び火薬類、危険物等危険性を有する物品を運送する被けん引自動車（総重量10トン以下の被けん引自動車、最高速度35km/h未満の大特、農耕用小特又は最高速度25km/h未満の自動車にけん引される被けん引自動車を除く。）との連結状態 ・前条第1項第13号のけん引自動車及び被けん引自動車（総重量10トン以下の被けん引自動車、最高速度35km/h未満の大特、農耕用小特又は最高速度25km/h未満の自動車にけん引される被けん引自動車を除く。）との連結状態	平3.10.1以降製作車 平7.9.1以降製作車
緩衝装置 第14	ばねその他の緩衝装置を備えること。 （詳細は保細告173）	全車（大特、農耕用小特、総重量2トン未満の被けん引車、最高速度20km/h未満を除く。）	製作年にかかわらず適用。ただし、総重量2トン未満の自動車（緩衝装置の改造を行ったものを除く。）は、59.1.1以降製作車
燃料装置 第15―1	燃料漏れ防止の安全性向上 ・燃料タンク注入キャップ紛失防止 ・注入キャップからの漏れ防止 （詳細は保細告174）	ガソリン、灯油、軽油、アルコール、その他引火しやすい液体を燃料とする自動車（定員11人以上、総重量3.5トンを超える貨物自動車、二輪、側車二輪、スノーモービル、大特、小特、被けん引車を除く。）	平30.9.1以降の新型車
第15―2	衝突時における燃料漏れ防止構造であること。 （詳細は保細告174）	普通乗用自動車、小型自動車、軽自動車（定員11人以上、総重量3.5トンを超える貨物自動車、二輪、側車二輪、スノーモービルを除く。）	乗用自動車は50.12.1以降製作車（乗用自動車以外は62.3.1、輸入車は63.4.1以降製作車）
車枠、車体 第18―1―(2)	回転部分の突出の禁止 （詳細は保細告178） ※専ら乗用の用に供する自動車（10人未満）は、測定範囲内において最外側がタイヤとなる部分については、突出量が10mm未満の場合には外側方向に突出していないものとみなす。	全車（大特、小特を除く。）	49.7.1以降製作車 （回転部分の突出改造車は製作年にかかわらず適用）
第18―2	車枠及び車体は前面が衝撃等を受けた場合に運転者等に過度の傷害を与えない構造であること。 （詳細は保細告178）	全車（定員11人以上、総重量2.8トン超の貨物自動車、二輪、側車二輪、スノーモービル、大特、小特、最高速度20km/h未満、被けん引車を除く。）	平6.4.1以降の新型車（継続生産車は平8.1.1輸入車は平11.4.1以降製作車）
		・ワンボックス車 ・車枠を有する4WD車 ・総重量2.8トン以下の貨物自動車	平9.10.1以降の新型車（継続生産車は平11.7.1以降製作車）
		・軽ワンボックス車	平10.10.1以降の新型車

保安基準条—項—号	（保細告条） 規制の概要	規制対象車両	適用時期
		・軽の車枠を有する４ＷＤ車 ・総重量2.8トン以下の軽貨物自動車	（継続生産車は平12．７．１以降製作車）
		総重量2.8トン超3.5トン以下の貨物自動車	令５．９．１以降の新型車（継続生産車は令11．９．１以降製作車）
第18—３	車枠及び車体は前面のうち運転者席側の一部が衝突等により変形を生じた場合に運転者等に過度の傷害を与えない構造であること。 （詳細は保細告178）	全車（定員10人以上、総重量2.5トン超の自動車、二輪、側車二輪、スノーモービル、大特、小特、被けん引車を除く。）	乗用自動車：平19．９．１以降の新型車（継続生産車は平21．９．１以降製作車） 貨物自動車：平23．４．１以降の新型車（継続生産車は平28．４．１以降製作車）
		総重量2.5トン超3.5トン以下の乗用自動車（定員10人以上を除く。）	令５．９．１以降の新型車（継続生産車は令11．９．１以降製作車）
第18—４	車枠及び車体は側面が衝撃等を受けた場合に運転者等に過度の傷害を与えない構造であること。 （詳細は保細告178）	座席面高さ0.7ｍ以下の自動車（定員10人以上、総重量2.8トン超の貨物自動車、二輪、側車二輪、三輪、スノーモービル、大特、小特、被けん引車を除く。）	平10．10．１以降の新型車（継続生産車は平12．９．１、輸入車は平15．10．１以降製作車）
		総重量2.8トン超3.5トン以下の貨物自動車	平15．10．１以降製作車
		全車（座席面高さ0.7ｍを超える総重量3.5トン超の乗用自動車、定員10人以上、総重量3.5トン超の貨物自動車、二輪、側車二輪、三輪、スノーモービル、大特、小特、被けん引車を除く。）	令４．７．５以降の新型車（継続生産車は令６．７．５以降製作車）
第18—５	車枠及び車体は側面の一部が衝撃等を受け変形を生じた場合に運転者席又はこれと並列の座席のうち変形を生じた側の乗員に過度の傷害を与えない構造であること。 （詳細は保細告178）	定員10人未満の乗用車、総重量3.5トン以下で前車軸中心から運転者席の角度が22.0°より小さいもの、運転者席から後車軸中心までの距離と運転者席から前車軸中心までの距離の比が1.30より小さいもの。	平30．６．15以降の新型車
第18—６	車枠及び車体は前面が歩行者の頭部及び脚部に過度の傷害を与えない構造であること。 （詳細は保細告178）	定員10人未満の乗用自動車、総重量3.5トン以下で、運転席の着席基準点が全車軸中心線より後方に1.1メートルを超える位置にある貨物自動車	
		総重量2.5トン以下の乗用自動車及び貨物自動車	平25．４．１以降の新型車（継続生産車及び平25．４．１以降の新型車で平25．３．31以前の新型車と同一の装置を備えるものは平30．２．24以降製作車）
		総重量2.5トンを超える乗用自動車及び総重量2.5トンを超え3.5トン以下の貨物自動車	平27．２．24以降の新型車（継続生産車及び平27．２．24以降の新型車で平27．２．23以前の新型車と同一の装置を備えるものは令元．８．24以降製作車）
第18—７	車枠及び車体は車体上部が転覆等により変形を生じた	車両総重量12トン超かつ乗車定員18人以上の乗用自動	平30．10．１以降の新型車

保安基準条—項—号	（保細告条） 規制の概要	規制対象車両	適用時期
	場合において乗員に過度の傷害を与えない構造であること。 （詳細は保細告178）	車（二階建ての自動車、立席を有する自動車を除く。）	
巻込防止装置等 第18の２—１	サイドガードを備えること。 （179） 下縁…地上450㎜以下 上縁…地上650㎜以上	積載量５トン以上又は総重量８トン以上の普通貨物自動車及び総重量８トン以上の普通自動車（バス型を除く。）	製作年にかかわらず適用
（昭和54年３月運輸省令第８号附則第４項）	サイドガードを備えること。 （179） 下縁…地上600㎜以下	普通貨物自動車（積載量５トン以上又は総重量８トン以上を除く。）	48.12.１以降製作車 （積載量５トン以上又は総重量８トン以上の被けん引車をけん引するけん引車は43.８.１以降製作車）
突入防止装置 第18の２—３、４	追突した自動車の車体前部が突入することを有効に防止する装置を後面に備えること。	乗用自動車、貨物自動車（けん引車を除く。）	
	（180） 長さ…車幅の60%以上 下縁…地上700㎜以下 取付位置…地上1500㎜以下の車体部分の後端から600㎜以下	総重量3.5トン以下	平17.９.１（長さ4.7m、幅1.7m、高さ2.0m以下は平19.９.１）以降製作車
	（180） 断面高さ…100㎜以上 下縁…地上550㎜以下 最外縁…後車輪の最外側より100㎜の間 取付位置…地上1500㎜以下の車体部分の後端から400㎜以下	総重量3.5トン超	
	（保整告17） 下縁…地上550㎜以下 幅……後車輪の最外側より200㎜の間 断面高さ…100㎜以上	総重量７トン以上の普通貨物自動車（けん引車を除く。）	平９.10.１以降製作車 （積載量５トン以上又は総重量８トン以上の普通貨物自動車は平４.６.１以降製作車）
	（保整告17） 長さ…車幅の60%以上 下縁…地上700㎜以下 取付位置…地上1500㎜以下の車体部分の後端から600㎜以下	総重量７トン未満の普通貨物自動車（けん引車を除く。）	48.12.１以降製作車（積載量５トン以上又は総重量８トン以上の普通貨物自動車は43.８.１以降製作車）
	下縁…地上550㎜以下 最外縁…後車輪の最外側より100㎜の間 取付位置…車体部分の後端から450㎜以下	全車（総重量3.5ｔ超の貨物自動車、二輪、側車二輪、スノーモービル、大特、小特、被けん引自動車を除く。）	平27.７.26以降製作車
	断面高さ…100㎜以上 下縁…地上550㎜以下 最外縁…後車輪の最外側より100㎜の間 取付位置…地上2000㎜以下の車体部分の後端から450㎜以下	総重量3.5トン超の貨物自動車	
	①総重量８トン超の貨物自動車、ポール・トレーラ 断面高さ…120㎜以上（昇降リフト付車100㎜以上） 下縁高さ…エアサス等装着車450㎜以下（それ	自動車（二輪、側車付二輪、スノーモービル、大特（ポール・トレーラを除く。）、小特、けん引自動車を除く。）	令元.９.１以降の新型車（継続生産車は令３.９.１以降製作車）

保安基準条—項—号	（保細告条） 規　制　の　概　要	規　制　対　象　車　両	適　用　時　期
	以外の自動車500㎜以下）。なお、エアサス等装着車で最後輪から装着平面部までの距離が2550㎜を超えるもの及びそれ以下の自動車で最後輪から装着平面部までの距離が2260㎜を超えるもの等は550㎜以下 取付位置…車両後面からの距離300㎜以下、後車軸の最外側より100㎜以内（装置が後輪の最外側を超えた車体構造部となる場合は後車輪の最外側を超えてもよい。以下同じ。） ②総重量3.5トン超８トン以下の貨物自動車、ポール・トレーラ 断面高さ…100㎜以上 下縁高さ…550㎜以下 取付位置…車両後面からの距離400㎜以下、後車軸の最外側より100㎜以内 ③乗用自動車、乗合自動車、総重量3.5トン以下の貨物自動車 断面高さ…無し 下縁高さ…550㎜以下 取付位置…車両後面からの距離400㎜以下、後車軸の最外側より100㎜以内 （詳細は保細告180）		
前部潜り込み防止装置 第18の２—５、６	（180の2） 堅ろうで車体前部が潜り込むことを有効に防止することができる形状であること。 取付位置…下縁高さ400㎜以下	総重量3.5トン超7.5トン以下の貨物自動車（三輪自動車、被けん引自動車、前輪駆動車を除く。）	平23．9．1以降製作車
	（180の２） 断面高さ…100㎜以上（総重量12トン超は120㎜以上） 下縁…地上400㎜以下（コンクリート・ミキサー車及びダンプ車は、地上450㎜以下） 最外縁…前車輪の最外側より100㎜以内又は運転台の乗降口のステップの最外側より200㎜以内 取付位置…地上1800㎜以下の車体部分の前端から400㎜以下	総重量7.5トン超の貨物自動車（三輪自動車、被けん引自動車、前輪駆動車を除く。）	
乗車装置 第20—４	座席、天井張り等運転者室及び客室の内装は難燃性の材料を使用すること。 （詳細は保細告182）	自動車（二輪、側車二輪、スノーモービル、大特、小特を除く。）	平６．４．１以降製作車（輸入車（定員11人以上を除く。）は平７．４．１以降製作車）
第20—５	インストルメントパネルは衝撃吸収構造であること。 （詳細は保細告182）	乗用自動車（定員11人以上、二輪、側車二輪、スノーモービル、最高速度20㎞/h未満を除く。）	50．4．1以降製作車

保安基準条—項—号	（保細告条） 規　制　の　概　要	規　制　対　象　車　両	適　　用　　時　　期
第20—６	サンバイザは衝撃緩和構造であること。 （詳細は保細告182）	全車（定員11人以上、大特、農耕用小特、最高速度20km/h未満を除く。）	50．４．１以降製作車
運転者席 第21	（183） 自動車の前方２ｍにある高さ１ｍ、直径0.3ｍの円柱を鏡等を用いず直接視認できること。	専ら乗用の用に供する自動車（乗車定員11人以上のものを除く。） 車両総重量が3.5トン以下の貨物自動車	
	（183） 運転者席における運転者のアイポイントを通る水平面のうちアイポイントを通る鉛直面より前方に視野を妨げる遮蔽物がないこと。	定員10人未満の乗用車（二輪、側車二輪、三輪自動車、スノーモービル、被けん引車を除く。）	平28．11．１以降の新型車（継続生産車は平30．11．１以降製作車）
	（183） 前面ガラスのうち車両中心面と平行な面上のガラス開口部の下縁より上部であって運転者席における運転者のアイポイントを通る車両中心線に直行する鉛直面より前方の部分に装飾板を備えていないこと。	下記の自動車以外の自動車 ・専ら乗用の用に供する自動車（乗車定員10人以下） ・貨物の運送の用に供する自動車（車両総重量3.5トン以下）	製作年にかかわらず適用
座席 第22—２	（184） 運転者席以外の座席の寸法は幅380㎜、奥行400㎜以上であること。 ただし、規定のシートベルトを備えた場合はこの限りでない。	幼児専用車の幼児用座席を除く。	
第22—３	座席及び座席取付装置は衝突時の衝撃荷重に耐える構造であること。 （詳細は保細告184）	乗用自動車（定員11人以上、二輪、側車二輪、最高速度20km/h未満を除く。）	50．12．１以降製作車
		トラック、バス	平24．７．１以降製作車
第22—４	シートバック後面は衝撃吸収構造であること。 （詳細は保細告184）	乗用自動車（定員11人以上の路線バス、二輪、側車二輪、最高速度20km/h未満を除く。）	50．12．１以降製作車（高速バスは平24．７．１以降製作車）
座席ベルト 第22の３	座席ベルト及びベルト取付装置を備えること。 （詳細は保細告186）	１　乗用自動車（定員10人以下） 運転者席 助手席窓側 後席窓側 その他	 44．４．１（軽は44．10．１）以降製作車 48．12．１以降製作車 50．４．１以降製作車 62．３．１以降製作車
		２　小型自動車及び軽自動車（１を除く。） 運転者席 助手席窓側 後席窓側 横向き座席（総重量3.5トン以上） その他（折りたたみ座席を除く。） その他（折りたたみ座席に限る。）	 44．10．１以降製作車 48．12．１以降製作車 50．４．１以降製作車 平26．７．22以降の新型車（継続生産車は平28．７．22以降製作車） 62．９．１以降製作車 平26．７．22以降の新型車（継続生産車は平28．７．22以降製作車）
		３　普通自動車（１を除く。） 運転者席 助手席窓側	 50．12．１以降製作車 50．12．１以降製作車

保安基準条―項―号	（保細告条） 規制の概要	規制対象車両	適用時期
		後席窓側	62. 9. 1以降製作車
		横向き座席（総重量3.5トン以上）	平26. 7. 22以降の新型車（継続生産車は平28. 7. 22以降製作車）
		その他（折りたたみ座席を除く。）	62. 9. 1以降製作車
		その他（折りたたみ座席に限る。）	平26. 7. 22以降の新型車（継続生産車は平28. 7. 22以降製作車）
		4　バス	
		運転者席	62. 9. 1以降製作車
		前席	62. 9. 1以降製作車
		後席（一般路線バスを除く。）	62. 9. 1以降製作車
		横向き座席（一般路線バスを除く。）	平24. 7. 22以降製作車
		補助座席（通路に設けられた容易に折りたたむことができる座席）	車両総重量12トン超：平29. 11. 15以降の新型車（継続生産車は平30. 11. 15以降の製作車） 車両総重量12トン未満：令元. 11. 15以降の新型車（継続生産車は令3. 11. 15以降の製作車）
	座席ベルト非装着時警報装置を備えること。 （詳細は保細告186）	乗用自動車（10人未満）、小型自動車、軽自動車	平6. 4. 1以降の製作車（輸入車は平7. 4. 1以降の製作車）
	シートベルトリマインダーを備えること。 （詳細は保細告186）	運転席のみ：乗用自動車（10人未満）、小型自動車、軽自動車	平26. 2. 3以降の製作車
		全座席：乗用自動車（10人未満）、総重量3.5トン以下の貨物自動車 運転席及び助手席：乗用自動車（10人以上）、総重量3.5トン超の貨物自動車	令2. 9. 1以降の製作車 ※取外し可能な座席等を備えた自動車の当該座席部分は令4. 9. 1以降の製作車
頭部後傾抑止装置等 第22の4	ヘッドレストを備えること。 （詳細は保細告187）	1　乗用自動車（定員10人以下）	
		運転者席	44. 4. 1以降製作車
		助手席窓側	48. 12. 1以降製作車
		2　小型自動車及び軽自動車（1の自動車を除く。）	
		運転者席	45. 4. 1以降製作車
		助手席窓側	48. 12. 1以降製作車
		3　GVW3.5トン以下のトラック、バス	平24. 7. 1以降製作車
年少者用補助乗車装置等 第22の5	年少者用補助乗車装置取付具を2個以上備えること。	乗用自動車（定員10人以上、運転者席及びこれと並列の座席以外の座席を有しない自動車、二輪、側車二輪、三輪、スノーモービル、被けん引車を除く。）	平24. 7. 1以降製作車
通路 第23	（189） 通路を設けること。	定員11人以上及び幼児専用車	
物品積載装置 第27―2	さし枠の装着等の禁止 （詳細は保細告193）	土砂等を運搬する大型ダンプカー	製作年にかかわらず適用

保安基準条―項―号	（保細告条） 規制の概要	規制対象車両	適用時期
窓ガラス 第29	（195） 全ての窓ガラスは安全ガラスでなければならない。	全車（最高速度35km/h未満の大特、小特、最高速度20km/h未満の自動車は前面ガラスのみ。）	48.12.1以降製作車
		全車（最高速度25km/h以下の自動車を除く。）	平29.7.1以降の新型車（継続生産車は令元.7.1以降製作車）
	（195） 前面ガラスは合わせガラスを装備すること。	全車（大特、小特、最高速度20km/h未満の自動車、被けん引車を除く。）	46.6.1以降製作車
		全車（最高速度40km/h未満の自動車を除く。）	平29.7.1以降の新型車（継続生産車は令元.7.1以降製作車）
第29―3	（195） 前面ガラス及び側面ガラス（運転者席より後方の部分を除く。）は、可視光線透過率が70%以上	全車（被けん引自動車を除く。）	平1.4.30以降製作車
第29―4―(6)	（195） 前面ガラス及び側面ガラス（運転者席より後方の部分を除く。）に可視光線透過率が70%以下となる着色フィルム等を貼付禁止	全車（被けん引自動車を除く。）	
騒音防止装置 第30―1	排気騒音85デシベル以下	全車（近接排気騒音適用以前）	製作年にかかわらず適用
	近接排気騒音110デシベル以下	大型特殊、小型特殊	製作年にかかわらず適用
	近接排気騒音96デシベル以下	乗用車（定員10人以下）（原動機が後部以外のもの）	平11.10.1以降の新型車（継続生産車は平13.9.1輸入車は平14.4.1以降製作車）（定員7人以上） 上記以外の車は103デシベル以下 平10.10.1以降の新型車（継続生産車は平11.9.1輸入車は平12.4.1以降製作車）（定員6人以下） 上記以外の車は103デシベル以下
	近接排気騒音100デシベル以下	乗用車（定員10人以下）（原動機が後部のもの）	平11.10.1以降の新型車（継続生産車は平13.9.1輸入車は平14.4.1以降製作車）（定員7人以上） 上記以外の車は103デシベル以下 平10.10.1以降の新型車（継続生産車は平11.9.1輸入車は平12.4.1以降製作車）（定員6人以下） 上記以外の車は103デシベル以下
	近接排気騒音94デシベル以下	小型二輪	平13.10.1以降の新型車（継続生産車及び輸入車は平15.9.1以降製作車） 上記以外の車は99デシベル以下
		軽二輪	平10.10.1以降の新型車（継続生産車は平11.9.1輸入車は平12.4.1以降製作車）

保安基準条―項―号	（保細告条） 規制の概要	規制対象車両	適用時期
			上記以外の車は99デシベル以下
	近接排気騒音（測定方法R41）94デシベル以下 （詳細は保細告196）	小型二輪及び軽二輪（側車二輪を除く。）	平26．1．1以降の新型車（継続生産車及び輸入車は平29．1．1以降製作車）
	近接排気騒音99デシベル以下	車両総重量3.5トン超・原動機最高出力150kW超 ・乗合	平10．10．1以降の新型車（継続生産車は平11．9．1輸入車は平12．4．1以降製作車） 上記以外の車は107デシベル以下
		・トラック	平13．10．1以降の新型車（継続生産車及び輸入車は平15．9．1以降製作車） 上記以外は107デシベル以下
	近接排気騒音98デシベル以下	車両総重量3.5トン超・原動機最高出力150kW以下 ・乗合（全輪駆動車以外のもの）	平12．10．1以降の新型車（継続生産車及び輸入車は平13．9．1以降製作車） 上記以外の車は105デシベル以下
		・乗合（全輪駆動車）	平13．10．1以降の新型車（継続生産車及び輸入車は平14．9．1以降製作車） 上記以外の車は105デシベル以下
		・トラック	平13．10．1以降の新型車（継続生産車及び輸入車は平14．9．1以降製作車） 上記以外の車は105デシベル以下
	近接排気騒音97デシベル以下	車両総重量1.7トン超3.5トン以下	平12．10．1以降の新型車（継続生産車及び輸入車は平14．9．1以降製作車） 上記以外の車は103デシベル以下
		車両総重量1.7トン以下	平11．10．1以降の新型車（継続生産車は平12．9．1輸入車は平13．4．1以降製作車） 上記以外の車は103デシベル以下
		・軽自動車 （エンジンが運転者席の前方以外）	平12．10．1以降の新型車（継続生産車及び輸入車は平13．9．1以降製作車） 上記以外の車は103デシベル以下
		・軽自動車 （エンジンが運転者席の前方、乗用車以外）	平11．10．1以降の新型車（継続生産車は平12．9．1輸入車は平13．4．1以降製作車） 上記以外の車は103デシベル以下
	近接排気騒音（測定方法R51）協定規則第51号に基づき測定された値（車検証等に記載）から5デシベルを超えないこと。 （詳細は保細告196）	協定規則第51号対象車 普通自動車、小型自動車及び軽自動車（被けん引自動車、二輪車、側車付二輪車、三輪車及びスノーモービルを除く。）	平28．10．1以降の新型車（継続生産車及び輸入車は令4．9．1以降製作車。ただし、GVW3.5トン超12トン以下のトラックは令5．9．1以降製作車）

保安基準条―項―号	（保細告条） 規　制　の　概　要	規　制　対　象　車　両	適　用　時　期
	近接排気騒音（測定方法R41）協定規則第41号に基づき測定された値（車検証等に記載）から５デシベルを超えないこと。 （詳細は保細告196）	協定規則第41号対象車 ・小型二輪 ・軽二輪	平28.10.１以降の新型車（継続生産車及び輸入車は令３.９.１以降製作車）
第30―２	消音器を備えること。	内燃機関を有する自動車	製作年にかかわらず適用
	（196―２） 消音器の騒音低減機能を容易に除去できる構造でないこと。	全車（輸入車を含む。）	平22.４.１以降製作車
	（196―２、３） 加速走行騒音を有効に防止できるものであること。	定員11人以上及び総重量3.5トン超の自動車を除く。	
		協定規則第51号対象車 普通自動車、小型自動車及び軽自動車（被けん引自動車、二輪車、側車付二輪車、三輪車及びスノーモービルを除く。）	平28.10.１以降の新型車（継続生産車及び輸入車は令４.９.１以降製作車。ただし、GVW3.5トン超12トン以下のトラックは令５.９.１以降製作車）
		協定規則第41号対象車 ・小型二輪 ・軽二輪	平28.10.１以降の新型車（継続生産車及び輸入車は令３.９.１以降製作車）
ばい煙等発散防止装置 第31―２	アイドルＣＯ規制 ４サイクル車 1.0%以下 2.0%以下 ２サイクル車 4.5%以下	ガソリン車及びＬＰＧ車 四輪自動車 軽自動車 四輪自動車 軽自動車	平10.10.１以降の新型車（継続生産車は平11.９.１輸入車は平12.４.１以降製作車） 上記以外は製作年にかかわらず4.5%以下
	アイドルＨＣ規制 ４サイクル車 300ppm以下 500ppm以下 ２サイクル車 7800ppm以下	ガソリン車及びＬＰＧ車 四輪自動車 軽自動車 四輪自動車 軽自動車	平10.10.１以降の新型車（継続生産車は平11.９.１輸入車は平12.４.１以降製作車） 上記以外は製作年にかかわらず、４サイクル車は、1200ppm、２サイクル車は、7800ppm以下（特殊なエンジンは、3300ppm）
	アイドルＣＯ.ＨＣ規制 ２・４サイクル車 4.5%以下 ４サイクル車 2000ppm以下 ２サイクル車 7800ppm以下	軽二輪	平10.10.１以降の新型車（継続生産車は平11.９.１輸入車は平12.４.１）以降製作車
		小型二輪	平11.10.１以降の新型車（継続生産車は平12.９.１輸入車は平13.４.１以降製作車）
	アイドルＣＯ.ＨＣ規制 ２・４サイクル車 3.0%以下 1000ppm以下	軽二輪	平18.10.１以降の新型車（継続生産車及び輸入車は平19.９.１以降製作車）
		小型二輪	平19.10.１以降の新型車（継続生産車及び輸入車は平20.９.１以降製作車）
	アイドルＣＯ.ＨＣ規制 ２・４サイクル車 0.5%以下 1000ppm以下	軽二輪・小型二輪	令２.12.１以降の新型車（継続生産車及び輸入車は令４.10.31以降製作車）
	アイドルＣＯ.ＨＣ規制 1.0%以下 500ppm以下	大型特殊自動車 小型特殊自動車 （原動機の定格出力が19kW～560kW）	平19.10.１以降の新型車（継続生産車及び輸入車は平20.９.１以降製作車）

保安基準条—項—号	（保細告条） 規制の概要	規制対象車両	適用時期
	黒煙規制 黒煙による汚染度50%以下	下記規制車以外	製作年にかかわらず適用
	黒煙による汚染度40%以下	平５年及び平６年規制車（乗用車、トラック、バス）	平５．10．１以降の新型車（継続生産車は平６．９．１輸入車は平７．４．１以降製作車）（乗用車及びＧＶＷ2.5ｔ超１年後）
	黒煙による汚染度25%以下	平９年以降規制車（乗用車、トラック、バス）	平９．10．１以降の新型車（継続生産車は平11．７．１輸入車は平12．４．１以降製作車）（車両重量1265kg超の乗用車、自動変速機のＧＶＷ1.7ｔ～2.5ｔ。ＧＶＷ3.5ｔ超１年後ＧＶＷ12ｔ超２年後）
	ＰＭ規制 光吸収係数　0.80m—１	普通自動車及び小型自動車	平19．９．１（輸入車は平20．８．１）以降の新型車
	光吸収係数　0.50m—１	乗用車、軽・中量車及び重量車の一部（車両総重量1.7ｔ以下、2.5ｔ～3.5ｔ、12ｔ超えるトラック、バス）	平21．10．１以降の新型車（継続生産車及び輸入車は平22．９．１以降製作車）
		中量車及び重量車の一部（車両総重量1.7ｔ～2.5ｔ及び3.5ｔ～12ｔ）	平22．10．１以降の新型車（継続生産車及び輸入車は平23．９．１以降製作車）
	黒煙規制 黒煙による汚染度40%	大特・小特 原動機の定格出力 19kW～37kW	平19．10．１以降の新型車（継続生産車及び輸入車は平20．９．１以降製作車） 平25．10．１以降の新型車（継続生産車及び輸入車は平27．９．１以降製作車）は汚染度25%
	黒煙による汚染度35%	原動機の定格出力 37kW～56kW	平20．10．１以降の新型車（継続生産車及び輸入車は平21.９．１以降製作車） 平25．10．１以降の新型車（継続生産車及び輸入車は平26．11．１以降製作車）は汚染度25%
	黒煙による汚染度30%	原動機の定格出力 56kW～75kW	平20．10．１以降の新型車（継続生産車及び輸入車は平22．９．１以降製作車） 平24．10．１以降の新型車（継続生産車及び輸入車は平26．４．１以降製作車）は汚染度25%
	黒煙による汚染度25%	原動機の定格出力 75kW～130kW	平19．10．１以降の新型車（継続生産車及び輸入車は平20．９．１以降製作車）
	黒煙による汚染度25%	原動機の定格出力 130kW～560kW	平18．10．１以降の新型車（継続生産車及び輸入車は平20．９．１以降製作車）
	（197—２） 光吸収係数　0.50m—１	大特・小特 ディーゼル車 原動機の定格出力 19kW以上56kW未満 ディーゼル車 原動機の定格出力 56kW以上130kW未満 ディーゼル車 原動機の定格出力	平28．10．１以降の新型車（継続生産車及び輸入車は平29．９．１） 平27．10．１以降の新型車（継続生産車及び輸入車は平29．９．１） 平26．10．１以降の新型車（継続生産車及び輸入車は

保安基準条―項―号	（保細告条）規制の概要	規制対象車両	適用時期
		130kW以上560kW未満	平28.9.1）
第31―4	ブローバイガス還元装置を備えること。	ガソリン車、ＬＰＧ車（下記以外）	45.9.1以降の新型車（継続生産車は46.1.1以降製作車） ・軽二輪は、平10.10.1以降の新型車（継続生産車は平11.9.1輸入車は平12.4.1以降製作車） ・小型二輪は、平11.10.1以降の新型車（継続生産車は平12.9.1輸入車は平13.4.1以降製作車）
		ガソリン車、ＬＰＧ車（大特・小特） 原動機の定格出力 19kW以上560kW未満	令6.10.1以降の新型車（継続生産車及び輸入車は令9.10.1）
		ディーゼル車（下記以外）	平14.10.1以降の新型車（継続生産車及び輸入車は平16.9.1以降製作車）
		ディーゼル車（大特・小特） 原動機の定格出力 19kW以上56kW未満 ディーゼル車（大特・小特） 原動機の定格出力 56kW以上130kW未満 ディーゼル車（大特・小特） 原動機の定格出力 130kW以上560kW未満	平28.10.1以降の新型車（継続生産車及び輸入車は平29.9.1） 平27.10.1以降の新型車（継続生産車及び輸入車は平29.9.1） 平26.10.1以降の新型車（継続生産車及び輸入車は平28.9.1）
第31―5	燃料蒸発ガス抑止装置を備えること。	ガソリン車（二輪、側車二輪、特殊車を除く。）	47.7.1以降の新型車（継続生産車は48.4.1以降製作車）
第31の2	対策地域（東京都、神奈川県、埼玉県、千葉県、愛知県、三重県、大阪府及び兵庫県の一部）で使用する車のＮＯx及びＰＭの排出量が基準値を超えないこと。	貨物自動車、バス、特種用途自動車及び乗用車の新車及び使用過程車（ディーゼル車、ガソリン車、ＬＰＧ車）	（新車）…平14.10.1以降製作車 （使用過程車）…自動車の種別及び車齢に応じて定める一定期間経過後
前照灯 第32―1	前面に走行用前照灯を備えること。 （詳細は保細告198）	全車（被けん引車は除く。）	製作年にかかわらず適用
第32―2	色・明るさ 協定規則第98号又は協定規則第112号に適合すること。 （詳細は保細告198）	最高速度35km/h未満の大特、二輪、側車二輪、小特、スノーモービル以外	平18.1.1以降製作車
	白色で夜間前方100ｍの障害物を確認できること。 （詳細は保細告198）	最高速度35km/h未満の大特、二輪、側車二輪、小特、スノーモービル	平18.1.1以降製作車
	協定規則第98号、協定規則第112号又は協定規則第113号に適合すること。 （詳細は保細告198）	二輪及び側車二輪	令2.6.15以降製作車
第32―4	前面の両側にすれ違い用前照灯を備えること。 （詳細は保細告198）	全車（被けん引車、最高速度20km/h未満は除く。）	製作年にかかわらず適用
第32―6	すれ違い用前照灯に自動点灯機能を有すること。 （詳細は保細告198）	全車（二輪車、側車付二輪車、三輪車、スノーモービル、大特、小特を除く。）	乗用自動車（11人以上）及び総重量3.5トン超のもの：令3.4.8以降の新型車（継続生産車は令5.10.8以降の製作車） 上記以外の自動車：令2.4.8以降の新型車（継続

保安基準条—項—号	（保細告条） 規制の概要	規制対象車両	適用時期
			生産車は令３.10.８以降の製作車）
車幅灯 第34—１	前面の両側に車幅灯を備えること。 二輪車にあっては１個備えればよい。 （詳細は保細告201）	自動車（スノーモービル、最高速度20km/h未満の軽自動車、最高速度15km/h未満の小特（長さ4.7ｍ、幅1.7ｍ、高さ2.0ｍ以下）を除く。）	48.12.１以降製作車（35.10.１～48.11.30製作車は前照灯の照明部の最外縁が最外側から400mm以内にあれば備えなくてよい。）。 二輪車は令５.９.１以降製作車（令５.８.31以前に型式指定を受けたものを除く。）
第34—２	色・明るさ 車幅灯の技術基準に適合すること。（詳細は保細告201）	全車（二輪、スノーモービル、最高速度20km/h未満の軽自動車、小特を除く。）	平18.１.１以降製作車
	協定規則第50号又は車幅灯の技術基準に適合すること。（詳細は保細告201）	二輪及び側車二輪	令２.６.15以降製作車
前部反射器 第35—１	前面の両側に前部反射器を備えること。 （詳細は保細告203）	被けん引車	48.12.１以降製作車
側方灯及び側方反射器 第35の２—１	両側面に側方灯又は側方反射器を備えること。		50.12.１（乗用自動車にあっては平18.１.１）以降製作車（ポール・トレーラは、製作年にかかわらず両側面に側方反射器を備えなければならない。）
—(1) —(2) —(3) —(4) —(5)		長さ６ｍを超える普通自動車 長さ６ｍ以下の普通けん引車 長さ６ｍ以下の普通被けん引車 二輪自動車 ポール・トレーラ	平18.１.１以降製作車 （平17.12.31以前製作車は次のとおり） 長さ９ｍ以上の普通自動車…前部、中央部、後部 長さ６～９ｍの普通自動車…前部、後部 二輪車は令５.９.１以降製作車（令５.８.31以前に型式指定を受けたものを除く。） 長さ６ｍ未満の普通けん引車…前部 長さ６ｍ未満の普通被けん引車…後部 ポール・トレーラ…後部
番号灯 第36—１	後面に番号灯を備えること。 （詳細は保細告205）	全車（最高速度20km/h未満の軽自動車、小特を除く。）	製作年にかかわらず適用（軽自動車は35.４.１以降製作車）
第36—２	（205） 番号灯は前照灯、前部霧灯、車幅灯のいずれかと連動していること（運転者席で消灯できない構造でもよい。）。		
尾灯 第37—１	後面の両側に尾灯を備えること（二輪、スノーモービル、幅0.8ｍ以下は１個備えればよい。）。 （詳細は保細告206）	全車（最高速度20km/h未満の軽自動車、スノーモービル、小特を除く。）	35.４.１（幅２ｍ未満（旅客運送事業用を除く。）は44.４.１）以降製作車 35.３.31以前製作車は１個備えればよい（軽自動車は備えなくてよい。）。
第37—２	色・明るさ 尾灯の技術基準に適合すること。（詳細は保細告206）	全車（最高速度20km/h未満の軽自動車、スノーモービル、小特を除く。）	平18.１.１以降製作車
	協定規則第50号又は尾灯の技術基準に適合すること。 （詳細は保細告206）	二輪及び側車二輪	令２.６.15以降製作車
後部反射器 第38—１	後面に後部反射器を備えること。	全車	製作年にかかわらず適用

保安基準条―項―号	（保細告条） 規　制　の　概　要	規　制　対　象　車　両	適　用　時　期
	（詳細は保細告210）		
大型後部反射器 第38の２	（211） （後部反射器の大きさ、取付け位置等の規制の強化） ・トレーラ以外の自動車 色…反射部＝黄、蛍光部＝赤 形…縞模様、縞幅＝100±2.5㎜ ・トレーラ 色…反射部＝黄、蛍光部＝赤 形…額縁型、縁取幅＝40±１㎜ （共通） ・一辺が130㎜以上、幅130㎜以上150㎜以下（トレーラ195㎜以上230㎜以下）の長方形、かつ、その長さの合計が1,130㎜以上2,300㎜以下 ・昼間において後方150ｍの位置から赤色部を確認できること。 ・取付個数は、１個、２個又は４個以下 ・取付位置は、下縁の高さ0.25ｍ以上、上縁の高さ1.5ｍ以下 ・左右対称	総重量７トン以上の貨物自動車	平23．９．１以降製作車（平23．８．31以前製作車は次のとおり） 色…反射部＝黄、蛍光部＝赤 形…長方形（４個以下） 大きさ…反射部＝800㎠以上、蛍光部＝400㎠以上 反射性能等…昼間において蛍光を150ｍの距離から確認できること 取付け位置…上縁が地上1.5ｍ以下
制動灯 第39―１	後面の両側に制動灯を備えること。 （二輪、スノーモービル、幅0.8ｍ以下は１個備えればよい。） （詳細は保細告212）	全車（最高速度20㎞/ｈ未満の軽自動車、小特を除く。）	48．12．１（幅２ｍ以上及び旅客運送事業用は、35．４．１）以降製作車 35．３．31以前製作車は１個備えればよい（軽自動車及び最高速度25㎞/ｈ未満は備えなくてよい。）。
第39―２	色・明るさ 制動灯の技術基準に適合すること。（詳細は保細告212）	全車（最高速度20㎞/ｈ未満の軽自動車、スノーモービル、小特を除く。）	平18．１．１以降製作車
	協定規則第50号又は制動灯の技術基準に適合すること。 （詳細は保細告212）	二輪及び側車二輪	令２．６．15以降製作車
補助制動灯 第39の２	後面には、補助制動灯を備えなければならない。 （詳細は保細告213）	・乗用自動車（定員10人未満）	平18．１．１以降製作車
		・総重量3.5トン以下の貨物自動車（バン型に限る。）	平22．１．１以降製作車
後退灯 第40―１	後退灯を備えること。 （詳細は保細告214）	全車（二輪、側車二輪、スノーモービル、小特、幅0.8ｍ以下及びこれらによりけん引される被けん引車を除く。）	44．４．１（長さ６ｍ以上は、39．４．15）以降製作車
方向指示器 第41―１	方向指示器を備えること。	全車（最高速度20㎞/ｈ未満かつ長さが６ｍ未満で運転者席が車室内にないもの及び連結長さが６ｍ未満となる被けん引車を除く。）	
	（215） 前方及び後方30ｍから見える位置に左右１個ずつ備えること。	最高速度20㎞/ｈ未満で運転者席が車室内にないもの及び被けん引車を除く。	製作年にかかわらず適用（二輪、側車二輪は44．４．１以降製作車）
	後面の両側に方向指示器を備えること。	全車（二輪、側車二輪、スノーモービル、大特、小特、	44．10．１（長さ６ｍ以上は35．４．１）以降製作車

保安基準条―項―号	（保細告条） 規制の概要	規制対象車両	適用時期
		幅0.8m以下、最高速度20km/h未満で運転者席が車室内にないもの及び被けん引車を除く。）	
	側面方向指示器を備えること。	全車（大型貨物自動車等、二輪、側車二輪、スノーモービル、幅0.8m以下、最高速度20km/h未満で運転者席が車室内にないもの及び被けん引車を除く。）	44.10.1（長さ6m以上は35.4.1）以降製作車
	両側面の前部及び中央部に方向指示器を備えること。	大型貨物自動車等（被けん引車は両側面の前部を除く。）	前部は35.4.1以降製作車 中央部は製作年にかかわらず適用
第41―2	色・明るさ 橙色で、昼間100mの距離から点灯を確認できること。 （詳細は保細告215）	二輪、側車二輪、三輪及びスノーモービル	平18.1.1以降製作車
	方向指示器の技術基準に適合すること。 （詳細は保細告215）	二輪、側車二輪、三輪及びスノーモービル以外	平18.1.1以降製作車
	協定規則第6号又は協定規則第50号に適合すること。 （詳細は保細告215）	二輪及び側車二輪	令2.6.15以降製作車
非常点滅表示灯 第41の3―1	非常点滅表示灯を備えること。 （詳細は保細告217）	全車（二輪、側車二輪、スノーモービル、大特、幅0.8m以下、最高速度40km/h未満及びこれらによりけん引される被けん引車を除く。）	44.4.1以降製作車
灯光の色等の制限 第42	禁止された灯火等を備えてはならない。 （詳細は保細告218）	全車	製作年にかかわらず適用
警音器 第43―1	警音器を備えること。 （詳細は保細告219）	全車（被けん引車を除く。）	製作年にかかわらず適用
第43―2	（219） ミュージックホーン等の装着の禁止	全車（被けん引車を除く。）	製作年にかかわらず適用
非常信号用具 第43の2	（220） 非常信号用具を備えること。	全車（二輪、側車二輪、大特、小特、被けん引車を除く。）	製作年にかかわらず適用
車線逸脱警報装置 第43の6	（223の2） 作動中、確実に機能すること。	・定員10人以上の乗用自動車（二輪、側車二輪、三輪自動車、スノーモービル、被けん引車を除く。） ・総重量3.5トンを超える貨物自動車（三輪自動車、スノーモービル、被けん引車を除く。）	平27.8.1以降製作車
	車線逸脱警報装置を備えること。	・総重量12トンを超える定員10人以上の乗用自動車 ・総重量12トン以下で定員10人以上の乗用自動車 ・総重量22トンを超える貨物自動車（けん引車を除く。） ・総重量20トン超22トン以下の貨物自動車（けん引車を除く。） ・総重量8トン超20トン以下の貨物自動車（総重量	平29.11.1以降の新型車（継続生産車は平31.11.1以降製作車） 令元.11.1以降の新型車（継続生産車は令3.11.1以降製作車） 平29.11.1以降の新型車（継続生産車は令元.11.1以降製作車） 平30.11.1以降の新型車（継続生産車は令2.11.1以降製作車） 平30.11.1以降の新型車（継続生産車は令3.11.1

保安基準条―項―号	（保細告条） 規制の概要	規制対象車両	適用時期
		13トンを超えるけん引車を除く。） ・総重量3.5トン超８トン以下の貨物自動車（総重量13トンを超えるけん引車を除く。） ・総重量13トンを超えるけん引車	以降製作車） 令元．11．１以降の新型車（継続生産車は令３．11．１以降製作車） 平30．11．１以降の新型車（継続生産車は令２．11．１以降製作車）
車両接近通報装置 第43の７	車両接近通報装置を備えること。 （詳細は保細告223の３）	ハイブリッド自動車等（二輪車、側車付二輪車、三輪車、スノーモービル、大特、小特及び被けん引車を除く。）	平30．３．８以降の新型車（継続生産車は令２．10．８以降の製作車）
事故自動緊急通報装置 第43の８	機能、性能等の基準に適合すること。 （装備は任意） 当該装置が正常に作動しないおそれがある旨を示す警報が適正に作動すること。 （詳細は保細告223の４）	総重量3.5トン以下の乗用自動車（10人未満）及び貨物自動車	令２．１．１以降の新型車（継続生産車は令３．７．１以降製作車）
側方衝突警報装置 第43の９	側方衝突警報装置を備えること。 （詳細は保細告223の５）	総重量８トンを超える貨物自動車	令４．５．１以降の新型車（継続生産車は令６．５．１以降） ※継続生産車には令４．５．１以降の新型車で令４．４．30以前の新型車と装置が同一の構造のものを含む。
車両後退通報装置 第43の10	車両後退通報装置を備えること。 （詳細は保細告223の６）	総重量3.5トンを超える自動車（定員10人以上、貨物自動車）	令７．１．19以降の新型車（継続生産車は令９．１．19以降） ※継続生産車には令７．１．19以降の新型車で令７．１．18以前の新型車と装置が同一の構造のものを含む。 ※輸入自動車は１年遅れで適用
後写鏡 第44―１	後写鏡を備えること。	全車（被けん引車を除く。）	製作年にかかわらず適用
	後写鏡に代えて、協定規則第46号に適合するカメラモニタリングシステムを備えることができる。	全車（二輪車、側車付二輪車、三輪車、スノーモービル、大特、小特及び被けん引車を除く。）	平28．６．18施行
第44―２	（224） 左右外側線上後方50mまで及び左外側線付近を確認できる後写鏡を備えること。	全車（ハンドルバー式二輪、側車二輪及び三輪車で車室を有していないものを除く。）	
第44―３	（224） 左右両側（最高速度50km/h以下は左右両側又は右側）に後写鏡を備えること。	ハンドルバー式二輪、側車二輪及び三輪車で車室を有していないもの	製作年にかかわらず適用
第44―５	（224） アンダーミラー、サイドアンダーミラーを備えること。 （確認範囲 ……前　面0.3m 左側面0.3m）	定員11人以上の自動車 キャブオーバ型以外の総重量８トン以上又は積載量５トン以上の普通自動車	50．12．１以降製作車（50．11．30以前製作車は、アンダーミラーのみ備えればよい。）
		全車（二輪、側車二輪、スノーモービル、大特、小特、被けん引車及び直接又は後写鏡より確認できる自動車を除く。）	平17．１．１以降の新型車（継続生産車は平19．１．１以降製作車）
	（224）	乗用自動車（乗車定員10人	製作年にかかわらず適用

保安基準条―項―号	（保細告条） 規　制　の　概　要	規　制　対　象　車　両	適　用　時　期
	車体外左右後写鏡より前方の範囲にあり、車体と接する高さ１ｍ直径30㎝の円柱を直接確認できること。若しくは、検知装置により協定規則第166号に定める範囲に設置した対象物を検知できること。	以上、二輪、側車付二輪、三輪、スノーモービル、被けん引車を除く。） 貨物自動車（車両総重量が3.5トンを超える自動車、三輪、被けん引車を除く。）	ただし、当分の間、既存の基準に適合する視認装置を備えていればよい。
	（224） 大型車左折事故防止対策用のアンダーミラー、サイドアンダーミラーを備えること。 （確認範囲…前　面２ｍ 左側面３ｍ）	キャブオーバ型の総重量８トン以上又は積載量５トン以上の普通自動車（いわゆるバス型自動車を除く。）	製作年にかかわらず適用
後退時車両直後確認装置 第44の２	後退時車両直後確認装置を備えること。 （詳細は保細告224の２）	自動車（二輪、側車付二輪、三輪、スノーモービル、大特、小特、被けん引車、装置を備えることができないものとして告示で定めるものを除く。）	令４．５．１以降の新型車（継続生産車は令６．５．１以降） ※継続生産車には令４．５．１以降の新型車で令４．４．30以前の新型車と装置が同一の構造のものを含む。
窓ふき器等 第45―１	窓ふき器を備えること。 （詳細は保細告225）	全車（二輪、側車二輪、スノーモービル、被けん引車を除く。）	製作年にかかわらず適用
第45―２	洗浄液噴射装置を備えること。 （詳細は保細告225）	全車（二輪、側車二輪、スノーモービル、被けん引車、大特、農耕用小特、最高速度20km/h未満を除く。）	47．１．１以降製作車
	曇りを除去するデフロスタを備えること。 （詳細は保細告225）		50．４．１以降製作車
	高性能のデフロスタを備えること。 （詳細は保細告225）	乗用自動車と軽乗用自動車（定員10人以下）	平６．４．１以降製作車
速度計等 第46	速度計及び走行距離計を備えること。 （詳細は保細告226）	全車（スノーモービルは走行距離計を、最高速度20km/h未満及び被けん引車は速度計及び走行距離計を省略できる。）	製作年にかかわらず適用（軽自動車（スノーモービルを除く。）の走行距離計は平20．10．１以降製作車）
	走行距離計は、二輪自動車は５桁以上、四輪自動車は６桁以上の走行距離を表示すること。	全車（スノーモービル、最高速度20km/h未満の自動車及び被けん引車を除く。）	平29．９．１以降の製作車
事故情報計測・記録装置 第46の２－１	事故情報計測・記録装置を備えること。 衝突等による衝撃を受ける事故が発生した場合、当該自動車の瞬間速度その他の情報を計測し、その結果を記録する。 （詳細は保細告226の２）	乗用自動車（乗車定員10人以上、二輪、側車付二輪、三輪、スノーモービル、被けん引車を除く。） 貨物自動車（車両総重量が3.5トンを超える自動車、三輪、被けん引車を除く。）	令４．７．１以降の新型車（継続生産車は令８．７．１以降）
自動運行装置 第48―１	自動運行装置を備えることができる。 自動運行装置の作動中、確実に作動するものであること。 （詳細は保細告228の２）	自動車（二輪、側車付二輪、三輪、スノーモービル、大特、小特、被けん引車を除く。）	製作年にかかわらず適用（令２．４．１以降）
運行記録計 第48の２	運行記録計を備えること。 （詳細は保細告229）	総重量８トン以上又は積載量５トン以上の普通貨物自動車及びこれに該当する被けん引車をけん引するけん	製作年にかかわらず適用

保安基準条—項—号	(保細告条) 規制の概要	規制対象車両	適用時期
		引車（緊急自動車、被けん引車を除く。）	
旅客自動車運送事業用自動車 第50	(233) アクセル・インターロック等、扉が閉じた状態でないと、発車することができない装置を備えること。	ワンマン・バス	44. 4. 1以降製作車

一般原動機付自転車の保安基準

保安基準条—項—号	(保細告条) 規制の概要	規制対象車両	適用時期
制動装置 第61—1	2系統以上の制動装置を備えること。 （詳細は保細告274）	一般原動機付自転車（付随車を除く。）	製作年にかかわらず適用
	(242) アンチロックブレーキシステム（ABS）又は、コンバインドブレーキシステム（CBS）を備えること。	第二種	平30. 10. 1以降の新型車（継続生産車は令3. 10. 1以降製作車）
車体 第61の2	他の交通からの視認性が確保されるもの （詳細は保細告274の2）	一般原動機付自転車（二輪のもの及び付随車を除く。）	令2. 4. 1以降は製作年にかかわらず適用
	回転部分の突出の禁止 （詳細は保細告274の2）	一般原動機付自転車（二輪のもの及び付随車を除く。）	令3. 4. 1以降の製作車
ばい煙等発散防止装置 第61の3—2	(275) アイドルCO. HC規制 4.5%以下 4サイクル車 2000ppm以下 2サイクル車 7800ppm以下	一般原動機付自転車	第一種は平10. 10. 1以降の新型車（継続生産車は平11. 9. 1輸入車は平12. 4. 1以降製作車） 第二種は平11. 10. 1以降の新型車（継続生産車は平12. 9. 1輸入車は平13. 4. 1以降製作車） 上記以外の車は適用外
	アイドルCO. HC規制 3.0%以下 1600ppm以下		第一種は平18. 10. 1以降の新型車（継続生産車、輸入車は平19. 9. 1以降製作車） 第二種は平19. 10. 1以降の新型車（継続生産車、輸入車は平20. 9. 1以降製作車）
	アイドルCO. HC規制 0.5%以下（総排気量0.05L以下で最高速度50km/h以下の原付は3.0%以下） 1600ppm以下		令2. 12. 1以降の新型車（継続生産車及び輸入車は令4. 10. 31以降製作車（第一種原付は令7. 10. 31以降製作車））
第61の3—4	ブローバイガス還元装置を備えること。		第一種は平10. 10. 1以降の新型車（継続生産車は平11. 9. 1輸入車は平12. 4. 1以降製作車） 第二種は平11. 10. 1以降の新型車（継続生産車は平12. 9. 1輸入車は平13. 4. 1以降製作車） 上記以外の車は適用外
前照灯 第62	前照灯を備えること。 （詳細は保細告276）	一般原動機付自転車（付随車を除く。）	製作年にかかわらず適用
	夜間前方40mの障害物を確認できること。 灯光の色は白 （詳細は保細告276）		令2. 6. 15以降製作車

保安基準条―項―号	（保細告条） 規制の概要	規制対象車両	適用時期
番号灯 第62の2	番号灯を備えること。 （詳細は保細告277）	一般原動機付自転車（最高速度20km/h未満を除く。）	39.10.15以降製作車
尾灯 第62の3	後面に尾灯を備えること。 （詳細は保細告278）	一般原動機付自転車（最高速度20km/h未満を除く。）	40.1.1以降製作車
	光源は5W以上30W以下 （詳細は保細告278）		平18.1.1以降製作車
	夜間後方300mから点灯が確認できること。 照明部の大きさ15cm²以上 （詳細は保細告278）		令2.6.15以降製作車
	尾灯のうち最上部にあるもの 照明部中心1m以上2m以下 （詳細は保細告278）	座席の地上面からの高さが500mm未満の一般原動機付自転車（二輪及びまたがり式座席である一般原動機付自転車を除く。）	令2.4.1以降は製作年にかかわらず適用
制動灯 第62の4	後面に制動灯を備えること。 （詳細は保細告279）	一般原動機付自転車（最高速度20km/h未満を除く。）	39.10.15以降製作車
	光源は15W以上60W以下 （詳細は保細告279）		平18.1.1以降製作車
	昼間後方100mから点灯が確認できること。 照明部の大きさ20cm²以上 （詳細は保細告279）		令2.6.15以降製作車
後部反射器 第63	後面に後部反射器を備えること。 （詳細は保細告280）	一般原動機付自転車	製作年にかかわらず適用
警音器 第64	警音器を備えること。 （詳細は保細告282）	一般原動機付自転車（付随車を除く。）	製作年にかかわらず適用（音量規制は、48.12.1以降製作車）
消音器 第64の2―1	（284） 近接排気騒音95デシベル以下	一般原動機付自転車（付随車を除く。） 第一種及び第二種	46.4.1以降の新型車（継続生産車は47.1.1輸入車は平元.4.1以降製作車）
	近接排気騒音84デシベル以下	第一種	平10.10.1以降の新型車（継続生産車は平11.9.1輸入車は平12.4.1以降製作車）
	近接排気騒音（測定方法R41）84デシベル以下 （詳細は保細告284）	第一種（最高速度が50km/h超） （三輪以上のものを除く。）	平26.1.1以降の新型車（継続生産車及び輸入車は平29.1.1以降製作車）
	近接排気騒音90デシベル以下	第二種	平13.10.1以降の新型車（継続生産車及び輸入車は平14.9.1以降製作車）
	近接排気騒音（測定方法R41）90デシベル以下 （詳細は保細告284）	第二種（内燃機関を原動機とするもの又は最高速度が50km/h超） （三輪以上のものを除く。）	平26.1.1以降の新型車（継続生産車及び輸入車は平29.1.1以降製作車）
	近接排気騒音（測定方法R41） 協定規則第41号に基づき測定された値（プレート等に記載）から5デシベルを超えないこと。 （詳細は保細告284）	二輪の一般原動機付自転車	平28.10.1以降の新型車（継続生産車及び輸入車は令3.9.1以降製作車）
第64の2―2	消音器を備えること。 （詳細は保細告284）	内燃機関を有する一般原動機付自転車	製作年にかかわらず適用

保安基準条―項―号	（保細告条） 規制の概要	規制対象車両	適用時期
	消音器の騒音低減機能を容易に除去できる構造でないこと。	二輪の一般原動機付自転車	平22．4．1以降製作車
	消音器が加速走行騒音を有効に防止するものであること。 （詳細は保細告284）	二輪の一般原動機付自転車	平28．10．1以降の新型車（継続生産車及び輸入車は令3．9．1以降製作車）
方向指示器 第64の3	方向指示器を備えること。 （詳細は保細告284の2）	一般原動機付自転車（最高速度20km/h未満を除く。）	44．4．1以降製作車
	前方表示は表示部最内縁240mm以上 後方表示は照明部中心150mm以上 （詳細は保細告284の2）		令2．6．15以降製作車
後写鏡 第65	後写鏡を備えること。	一般原動機付自転車（付随車を除く。）	39．10．15以降製作車
	（284の3） 左右外側線上後方50mまで及び左外側線付近を確認できる後写鏡を備えること。（二輪は左右外側線上後方50mまでを確認できるものであればよい。）	一般原動機付自転車（ハンドルバー式の二輪及び三輪で車室を有していないものを除く。）	
	左右両側（最高速度50km/h以下は左右両側又は右側）に後写鏡を備えること。	ハンドルバー式で車室を有していないもの	平19．1．1以降製作車（平18．12．31以前製作車は左外側線上後方50mまでを確認できるもの）
速度計 第65の2	速度計を備えること。 （詳細は保細告285）	一般原動機付自転車（最高速度20km/h未満を除く。）	製作年にかかわらず適用（第一種一般原動機付自転車は、35．4．1以降製作車）
かじ取装置 第65の3	衝撃を与えるおそれの少ない構造であること。 （詳細は保細告285の2）	一般原動機付自転車（二輪のもの及び付随車を除く。）	令3．4．1以降の製作車
座席ベルト等 第66の2	座席ベルトを備えること（2点式又は3点式）。 （詳細は保細告286の2）	一般原動機付自転車（二輪のもの及び付随車を除く。）	令2．4．1以降は製作年にかかわらず適用
	座席ベルトを備えること（3点式）。 （詳細は保細告286の2）		令3．4．1以降の製作車
頭部後傾抑止装置等 第66の3	ヘッドレストを備えること（またがり式座席を除く。）。 （詳細は保細告286の3）	一般原動機付自転車（二輪のもの及び付随車を除く。）	令3．4．1以降の製作車

特定小型原動機付自転車の保安基準

保安基準条―項―号	(保細告条) 規制の概要	規制対象車両	適用時期
制動装置 第66の6	2系統以上の制動装置を備えること。そのうち1系統は停止状態に保持できること。 (詳細は保細告315)	特定小型原動機付自転車	製作年にかかわらず適用
車体 第66の7	回転部分の突出の禁止 (詳細は保細告316)	特定小型原動機付自転車	製作年にかかわらず適用
	走行安定性を確保できること。 (詳細は保細告316)		
前照灯 第66の8	前照灯を備えること。 (詳細は保細告317)	特定小型原動機付自転車	製作年にかかわらず適用
	夜間前方15mの障害物を確認できること。 灯光の色は白 (詳細は保細告317)		
尾灯 第66の9	後面に尾灯を備えること。 (詳細は保細告318)	特定小型原動機付自転車	製作年にかかわらず適用
	光源は5W以上30W以下 (詳細は保細告318)		
	夜間後方300mから点灯が確認できること。 照明部の大きさ15㎠以上 (詳細は保細告318)		
制動灯 第66の10	後面に制動灯を備えること。 (詳細は保細告319)	特定小型原動機付自転車	製作年にかかわらず適用
	光源は15W以上60W以下 (詳細は保細告319)		
	夜間後方100mから点灯が確認できること。 照明部の大きさ20㎠以上 (詳細は保細告319)		
後部反射器 第66の11	後面に後部反射器を備えること。 (詳細は保細告320)	特定小型原動機付自転車	製作年にかかわらず適用
警音器 第66の12	警音器を備えること。 (詳細は保細告321)	特定小型原動機付自転車	製作年にかかわらず適用
	空気式及び電動空気式以外の警音器以外の警音器にあっては、適当な音響を発するものでよい。 (詳細は保細告321)		
方向指示器 第66の13	方向指示器を備えること。 (詳細は保細告322)	特定小型原動機付自転車	製作年にかかわらず適用
	前方表示は表示部最内縁240㎜以上 後方表示は照明部中心150㎜以上 (詳細は保細告322)		
速度抑制装置 第66の14	速度抑制装置を備えること。 (詳細は保細告323)	特定小型原動機付自転車	製作年にかかわらず適用
	容易に設定速度の変更又は解除ができないこと。 (詳細は保細告323)		

保安基準条—項—号	（保細告条） 規制の概要	規制対象車両	適用時期
電気装置 第66の15	火災等により乗車人員への障害等を生じるおそれがないこと。 （詳細は保細告324）	特定小型原動機付自転車	製作年にかかわらず適用
乗車装置 第66の16	転倒等することなく安全な乗車を確保できる構造であること。 座席がない場合は、その床面に滑り止め加工がされていること。 （詳細は保細告325）	特定小型原動機付自転車	製作年にかかわらず適用
最高速度表示灯 第66の17	最高速度表示灯を備えること。 （詳細は保細告326） 昼間前方及び後方25mから点灯又は点滅が確認できること。 照明部の大きさ７㎠以上 （詳細は保細告326） 灯光の色は緑色 ６km/h超では点灯 ６km/h以下では点滅 （詳細は保細告326）	道交法第17条第３項に規定する特定小型原動機付自転車	令５．７．１以降製作車（令６．12．23以降、製作年にかかわらず適用）

反則金一覧表

（令和５年７月１日施行）
（単位千円）

反則行為の種類	反則行為の種別		大型車	普通車	二輪車	小型特殊車	原付
積載物重量制限超過	10割以上		※	35	30	25	
	5割以上10割未満		40	30	25	20	
	5割未満		30	25	20	15	
速度超過	高速	35km以上40km未満	40	35	30	20	
	高速	30km以上35km未満	30	25	20	15	
	25km以上30km未満		25	18	15	12	
	20km以上25km未満		20	15	12	10	
	15km以上20km未満		15	12	9	7	
	15km未満		12	9	7	6	
携帯電話使用等（保持）			25	18	15	12	
放置駐車違反	駐停車禁止場所等	高齢運転者等専用場所等	27	20	12	12	
		高齢運転者等専用場所等以外	25	18	10	10	
	駐車禁止場所等	高齢運転者等専用場所等	23	17	11	11	
		高齢運転者等専用場所等以外	21	15	9	9	
大型自動二輪車等乗車方法違反			／	／	12	／	
遮断踏切立入り			15	12	9	7	
駐停車違反	駐停車禁止場所等	高齢運転者等専用場所等	17	14	9	9	
		高齢運転者等専用場所等以外	15	12	7	7	
	駐車禁止場所等	高齢運転者等専用場所等	14	12	8	8	
		高齢運転者等専用場所等以外	12	10	6	6	
信号無視	赤色等		12	9	7	6	
	点滅		9	7	6	5	
通行区分違反			12	9	7	6	
高速自動車国道等車間距離不保持			12	9	7	6	
追越し違反			12	9	7	6	
踏切不停止等			12	9	7	6	
交差点安全進行義務違反			12	9	7	6	
環状交差点安全進行義務違反			12	9	7	6	
横断歩行者等妨害等			12	9	7	6	
整備不良	制動装置等		12	9	7	6	
	尾灯等		9	7	6	5	
作動状態記録装置不備			12	9	7	6	／
安全運転義務違反			12	9	7	6	
自動運行装置使用条件違反			12	9	7	6	／
本線車道横断等禁止違反			12	9	7	6	／
高速自動車国道等運転者遵守事項違反			12	9	7	6	／
通行禁止違反			9	7	6	5	
歩行者用道路徐行違反			9	7	6	5	
歩行者側方安全間隔不保持等			9	7	6	5	
急ブレーキ禁止違反			9	7	6	5	
法定横断等禁止違反			9	7	6	5	
路面電車後方不停止			9	7	6	5	
優先道路通行車妨害等			9	7	6	5	
環状交差点通行車妨害等			9	7	6	5	
徐行場所違反			9	7	6	5	
指定場所一時不停止等			9	7	6	5	
積載物大きさ制限超過			9	7	6	5	
積載方法制限超過			9	7	6	5	
幼児等通行妨害			9	7	6	5	
安全地帯徐行違反			9	7	6	5	
免許条件違反			9	7	6	5	

反則行為の種別	大型車	普通車	二輪車	小型特殊車	原付
通行帯違反	7	6		5	
路線バス等優先通行帯違反	7	6		5	／
道路外出右左折合図車妨害	7	6		5	
指定横断等禁止違反	7	6		5	
車間距離不保持	7	6		5	
進路変更禁止違反	7	6		5	
追い付かれた車両の義務違反	7	6		5	
乗合自動車発進妨害	7	6		5	
割込み等	7	6		5	
交差点右左折等合図車妨害	7	6		5	
指定通行区分違反	7	6		5	
交差点優先車妨害	7	6		5	
緊急車妨害等	7	6		5	
交差点等進入禁止違反	7	6		5	
無灯火	7	6		5	
減光等義務違反	7	6		5	
合図不履行	7	6		5	
合図制限違反	7	6		5	
警音器吹鳴義務違反	7	6		5	
乗車積載方法違反	7	6		5	
定員外乗車	7	6		5	
牽引違反	7	6		5	／
泥はね運転	7	6		5	
転落等防止措置義務違反	7	6		5	
転落積載物等危険防止措置義務違反	7	6		5	
安全不確認ドア開放等	7	6		5	
停止措置義務違反	7	6		5	
騒音運転等	7	6		5	
初心運転者等保護義務違反	7	6		5	／
公安委員会遵守事項違反	7	6		5	
消音器不備	7	6		5	
最低速度違反	7	6		5	／
本線車道通行車妨害	7	6		5	／
本線車道緊急車妨害	7	6		5	／
牽引自動車本線車道通行帯違反	7	6	／	／	
故障車両表示義務違反	7	6		5	／
仮免許練習標識表示義務違反	7	6	／	／	
通行許可条件違反	6	4		3	
歩道徐行等義務違反	／	／		3	
路側帯進行方法違反	／	／		3	
軌道敷内違反	6	4		3	
道路外出右左折方法違反	6	4		3	
交差点右左折方法違反	6	4		3	
環状交差点左折等方法違反	6	4		3	
制限外許可条件違反	6	4		3	
原付牽引違反	／	／		／	3
運行記録計不備	6	4	／	／	
初心運転者標識表示義務違反	6	4	／	／	
聴覚障害者標識表示義務違反	6	4	／	／	
本線車道出入方法違反	6	4		3	／
警音器使用制限違反	3	3		3	
免許証不携帯	3	3		3	

注 ⑴ 大型車とは大型自動車、中型自動車、準中型自動車、大型特殊自動車、トロリーバス及び路面電車。普通車とは普通自動車及び軽自動車。二輪車とは大型自動二輪車及び普通自動二輪車。原付車とは、一般原動機付自転車及び特定（特例特定を含む。）小型原動機付自転車をいいます。

⑵ 「積載物重量制限超過」の欄の「大型車」の※印は、悪質な違反となり、反則金でなく、直接罰金等が科せられます。

⑶ 「速度超過」の欄の「高速」は、高速自動車国道又は自動車専用道路をいいます。

⑷ 「放置駐車違反」及び「駐停車違反（駐車禁止場所等（高齢運転者等専用場所等以外））」の欄の「大型車」は、重被牽引車を含みます。

⑸ 「初心運転者標識表示義務違反」の欄の「大型車」は、準中型免許を受けていた期間が１年に達しない者（当該免許取得前に２年以上普通免許を受けていた者を除く。）のみに適用されます。

⑹ 「聴覚障害者標識表示義務違反」の欄の「大型車」は、準中型自動車のみに適用されます。

⑺ 「歩道徐行等義務違反」「路側帯進行方法違反」は、特例特定小型原動機付自転車に限ります。

交通違反等の点数一覧表

（令和５年７月１日施行）

交通違反の種類			点数	酒気帯び点数 0.15以上 0.25未満 (mg/ℓ)
特定違反	運転殺人等		62	
特定違反	危険運転致死等		62	
特定違反	運転傷害等	治療期間３月以上又は後遺障害	55	
特定違反	運転傷害等	治療期間30日以上３月未満	51	
特定違反	運転傷害等	治療期間15日以上30日未満	48	
特定違反	運転傷害等	治療期間15日未満	45	
特定違反	運転傷害等	建造物損壊	45	
特定違反	危険運転致傷等	治療期間３月以上又は後遺障害	55	
特定違反	危険運転致傷等	治療期間30日以上３月未満	51	
特定違反	危険運転致傷等	治療期間15日以上30日未満	48	
特定違反	危険運転致傷等	治療期間15日未満	45	
特定違反	酒酔い運転		35	
特定違反	麻薬等運転		35	
特定違反	妨害運転（著しい交通の危険）		35	
特定違反	救護義務違反		35	
共同危険行為等禁止違反			25	
無免許運転			25	
大型自動車等無資格運転			12	19
仮免許運転違反			12	19
酒気帯び運転	0.25mg/ℓ以上		25	
酒気帯び運転	0.15mg/ℓ以上0.25mg/ℓ未満		13	
過労運転等			25	
妨害運転（交通の危険のおそれ）			25	
無車検運行			6	16
無保険運行			6	16
速度超過	50km以上		12	19
速度超過	30km以上50km未満		6	16
速度超過	25km以上30km未満		3	15
速度超過	高速	40km以上50km未満	6	16
速度超過	高速	35km以上40km未満	3	15
速度超過	高速	30km以上35km未満	3	15
速度超過	高速	25km以上30km未満	3	15
速度超過	20km以上25km未満		2	14
速度超過	15km以上20km未満		1	14
速度超過	15km未満		1	14
積載物重量制限超過	10割以上	大型等	6	16
積載物重量制限超過	10割以上	普通等	3	15
積載物重量制限超過	５割以上10割未満	大型等	3	15
積載物重量制限超過	５割以上10割未満	普通等	2	14
積載物重量制限超過	５割未満	大型等	2	14
積載物重量制限超過	５割未満	普通等	1	14
携帯電話使用等	交通の危険		6	16
携帯電話使用等	保持		3	15
放置駐車違反	駐停車禁止場所等	高齢運転者等専用場所等	3	
放置駐車違反	駐停車禁止場所等	高齢運転者等専用場所等以外	3	
放置駐車違反	駐車禁止場所等	高齢運転者等専用場所等	2	
放置駐車違反	駐車禁止場所等	高齢運転者等専用場所等以外	2	
保管場所法違反	道路使用		3	
保管場所法違反	長時間駐車		2	
警察官現場指示違反			2	14
警察官通行禁止制限違反			2	14
信号無視	赤色等		2	14
信号無視	点滅		2	14
通行禁止違反			2	14
歩行者用道路徐行違反			2	14
通行区分違反			2	14
歩行者側方安全間隔不保持等			2	14
急ブレーキ禁止違反			2	14
法定横断等禁止違反			2	14
高速自動車国道等車間距離不保持			2	14
追越し違反			2	14
路面電車後方不停止			2	14
踏切不停止等			2	14
遮断踏切立入り			2	14
優先道路通行車妨害等			2	14
交差点安全進行義務違反			2	14
環状交差点通行車妨害等			2	14
環状交差点安全進行義務違反			2	14
横断歩行者等妨害等			2	14
徐行場所違反			2	14

交通違反の種類			点数	酒気帯び点数 0.15以上 0.25未満 (mg/ℓ)
指定場所一時不停止等			2	14
駐停車違反	駐停車禁止場所等	高齢運転者等専用場所等	2	14
駐停車違反	駐停車禁止場所等	高齢運転者等専用場所等以外	2	14
駐停車違反	駐車禁止場所等	高齢運転者等専用場所等	1	14
駐停車違反	駐車禁止場所等	高齢運転者等専用場所等以外	1	14
整備不良	制動装置等		2	14
整備不良	尾灯等		1	14
作動状態記録装置不備			2	14
安全運転義務違反			2	14
幼児等通行妨害			2	14
安全地帯徐行違反			2	14
騒音運転等			2	14
消音器不備			2	14
大型自動二輪車等乗車方法違反			2	14
自動運行装置使用条件違反			2	14
高速自動車国道等措置命令違反			2	14
本線車道横断等禁止違反			2	14
高速自動車国道等運転者遵守事項違反			2	14
免許条件違反			2	14
番号標表示義務違反			2	14
混雑緩和措置命令違反			1	14
通行許可条件違反			1	14
通行帯違反			1	14
路線バス等優先通行帯違反			1	14
軌道敷内違反			1	14
道路外出右左折方法違反			1	14
道路外出右左折合図車妨害			1	14
指定横断等禁止違反			1	14
車間距離不保持			1	14
進路変更禁止違反			1	14
追い付かれた車両の義務違反			1	14
乗合自動車発進妨害			1	14
割込み等			1	14
自動車等交差点右左折方法違反			1	14
交差点右左折等合図車妨害			1	14
指定通行区分違反			1	14
環状交差点左折等方法違反			1	14
交差点優先車妨害			1	14
緊急車妨害等			1	14
交差点等進入禁止違反			1	14
無灯火			1	14
減光等義務違反			1	14
合図不履行			1	14
合図制限違反			1	14
警音器吹鳴義務違反			1	14
乗車積載方法違反			1	14
定員外乗車			1	14
積載物大きさ制限超過			1	14
積載方法制限超過			1	14
制限外許可条件違反			1	14
けん引違反			1	14
原付けん引違反			1	14
転落等防止措置義務違反			1	14
転落積載物等危険防止措置義務違反			1	14
安全不確認ドア開放等			1	14
停止措置義務違反			1	14
初心運転者等保護義務違反			1	14
座席ベルト装着義務違反			1	14
幼児用補助装置使用義務違反			1	14
乗車用ヘルメット着用義務違反			1	14
初心運転者標識表示義務違反			1	14
聴覚障害者標識表示義務違反			1	14
最低速度違反			1	14
本線車道通行車妨害			1	14
本線車道緊急車妨害			1	14
本線車道出入方法違反			1	14
けん引自動車本線車道通行帯違反			1	14
故障車両表示義務違反			1	14
仮免許練習標識表示義務違反			1	14

注 (1) 「酒気帯び」の数値は、呼気１リットルに含むアルコール保有量をいいます。
(2) 「速度超過」の欄の「高速」は高速自動車国道又は自動車専用道路をいいます。
(3) 「座席ベルト装着義務違反」の助手席以外の着用については、高速自動車国道等のみの点数となります。
(4) この表にない違反行為には点数がつけられません。
(5) 同時にこの表の２以上の違反行為をした場合には、そのいずれか高い点数のみがつけられることになります。
(6) 「初心運転者標識表示義務違反」は、準中型免許（当該免許取得前に２年以上普通免許を受けていた者を除く。）及び普通免許を受けていた期間が１年に達しない者のみの点数となります。
(7) 「聴覚障害者標識表示義務違反」は、準中型自動車、普通自動車のみの点数となります。

交通事故の場合の付加点数

（平成21年6月1日施行）

事故の種別	責任の程度	点数
死亡事故	責任の程度が重いとき	20点
	責任の程度が軽いとき	13点
治療期間が3月以上の傷害事故 後遺障害がある場合	責任の程度が重いとき	13点
	責任の程度が軽いとき	9点
治療期間が30日以上3月未満の傷害事故 後遺障害がない場合	責任の程度が重いとき	9点
	責任の程度が軽いとき	6点
治療期間が15日以上30日未満の傷害事故 後遺障害がない場合	責任の程度が重いとき	6点
	責任の程度が軽いとき	4点
治療期間が15日未満の傷害事故 建造物損壊事故	責任の程度が重いとき	3点
	責任の程度が軽いとき	2点

処分基準点数

（平成21年6月1日施行）

◆一般違反行為による処分基準

欠格期間等		累積点数			
		前歴がない者	前歴が1回の者	前歴が2回の者	前歴が3回以上の者
免許の取消し（拒否）	5(5)年欠格	45点以上	40点以上	35点以上	30点以上
	4(5)年欠格	40点～44点	35点～39点	30点～34点	25点～29点
	3(5)年欠格	35点～39点	30点～34点	25点～29点	20点～24点
	2(4)年欠格	25点～34点	20点～29点	15点～24点	10点～19点
	1(3)年欠格	15点～24点	10点～19点	5点～14点	4点～9点
免許の停止（保留）		6点～14点	4点～9点	2点～4点	2点又は3点

◆特定違反行為による処分基準

欠格期間等		累積点数			
		前歴がない者	前歴が1回の者	前歴が2回の者	前歴が3回以上の者
免許の取消し（拒否）	10(10)年欠格	70点以上	65点以上	60点以上	55点以上
	9(10)年欠格	65点～69点	60点～64点	55点～59点	50点～54点
	8(10)年欠格	60点～64点	55点～59点	50点～54点	45点～49点
	7(9)年欠格	55点～59点	50点～54点	45点～49点	40点～44点
	6(8)年欠格	50点～54点	45点～49点	40点～44点	35点～39点
	5(7)年欠格	45点～49点	40点～44点	35点～39点	
	4(6)年欠格	40点～44点	35点～39点		
	3(5)年欠格	35点～39点			

注　この表の前歴とは、過去3年間の免許の効力の停止を受けたことをいいます。

（　）の年数は、免許の拒否・取消し・6月を超える期間の自動車等の運転禁止を受けたことがある者が、一定の期間に再び拒否・取消し・6月を超える期間の自動車等の運転禁止を受けた場合の欠格年数を示します。

制動距離と摩擦係数から速度を推定する方法

(1) 制動距離と摩擦係数から速度を推定する方法

この関係を表す公式として、次式がある。

$V = 3.6\sqrt{2g\mu S}$ (km/h)

V＝速度（km/h）
μ＝摩擦係数
S＝制動距離（メートル）
g＝重力加速度（$9.8m/s^2$）

この公式に次表の摩擦係数（μの値）と、事故現場に残されたスリップ痕から制動距離を測定して、事故発生当時における事故車の制動開始時の速度を推定算出することができる。なお、現場の路面がアスファルトの場合には、〔新品タイヤの摩擦係数〕か〔摩耗タイヤの摩擦係数〕のいずれかの図によるμの値を目安とすること。

ゴムタイヤと路面間の摩擦係数（μの値）

路面の種類 ＼ 路面の条件		乾燥		湿潤	
		50km/h以下	50km/h以上	50km/h以下	50km/h以上
		自 ～ 至	自 ～ 至	自 ～ 至	自 ～ 至
コンクリート	新	0.80～1.00	0.70～0.85	0.50～0.80	0.40～0.75
	中	.60～ .80	.60～ .75	.45～ .70	.45～ .65
	古	.55～ .75	.50～ .65	.45～ .65	.45～ .60
アスファルトおよびタール	新	.80～1.00	.65～ .70	.50～ .80	.45～ .75
	中	.60～ .80	.55～ .70	.45～ .70	.40～ .65
	古	.55～ .75	.45～ .65	.45～ .65	.40～ .60
	タール過剰	.50～ .60	.35～ .60	.30～ .60	.25～ .55
煉瓦	新	.75～ .95	.60～ .65	.50～ .75	.45～ .70
	古	.60～ .80	.55～ .75	.40～ .70	.40～ .60
石畳	新	.75～1.00	.70～ .90	.65～ .90	.60～ .85
	古	.50～ .70	.45～ .65	.30～ .50	.25～ .50
砂利	油で固めたもの	.55～ .85	.50～ .80	.40～ .80	.40～ .60
	ばら	.40～ .70	.40～ .70	.45～ .75	.45～ .75
石炭ガラ	固めたもの	.50～ .70	.50～ .70	.65～ .75	.65～ .75
石		.50～ .75	.55～ .75	.55～ .75	.55～ .75
氷	滑らか	.10～ .25	.07～ .20	.05～ .10	.05～ .10
金網	固い	.30～ .55	.35～ .35	.30～ .60	.30～ .60
	軟らかい	.10～ .25	.10～ .20	.30～ .60	.30～ .60
	孔あき	.70～ .90	.55～ .75	.25～ .45	.20～ .35

(2) 事故現場のスリップ痕を測定し自動車等の推定速度を算出する方法

下記図表の制動距離（S）の目盛と摩擦係数（μ）の目盛に定規等を当てて、その線上に交わった速度（V）の目盛が自動車等の推定速度である。

スリップ痕による車速算出表

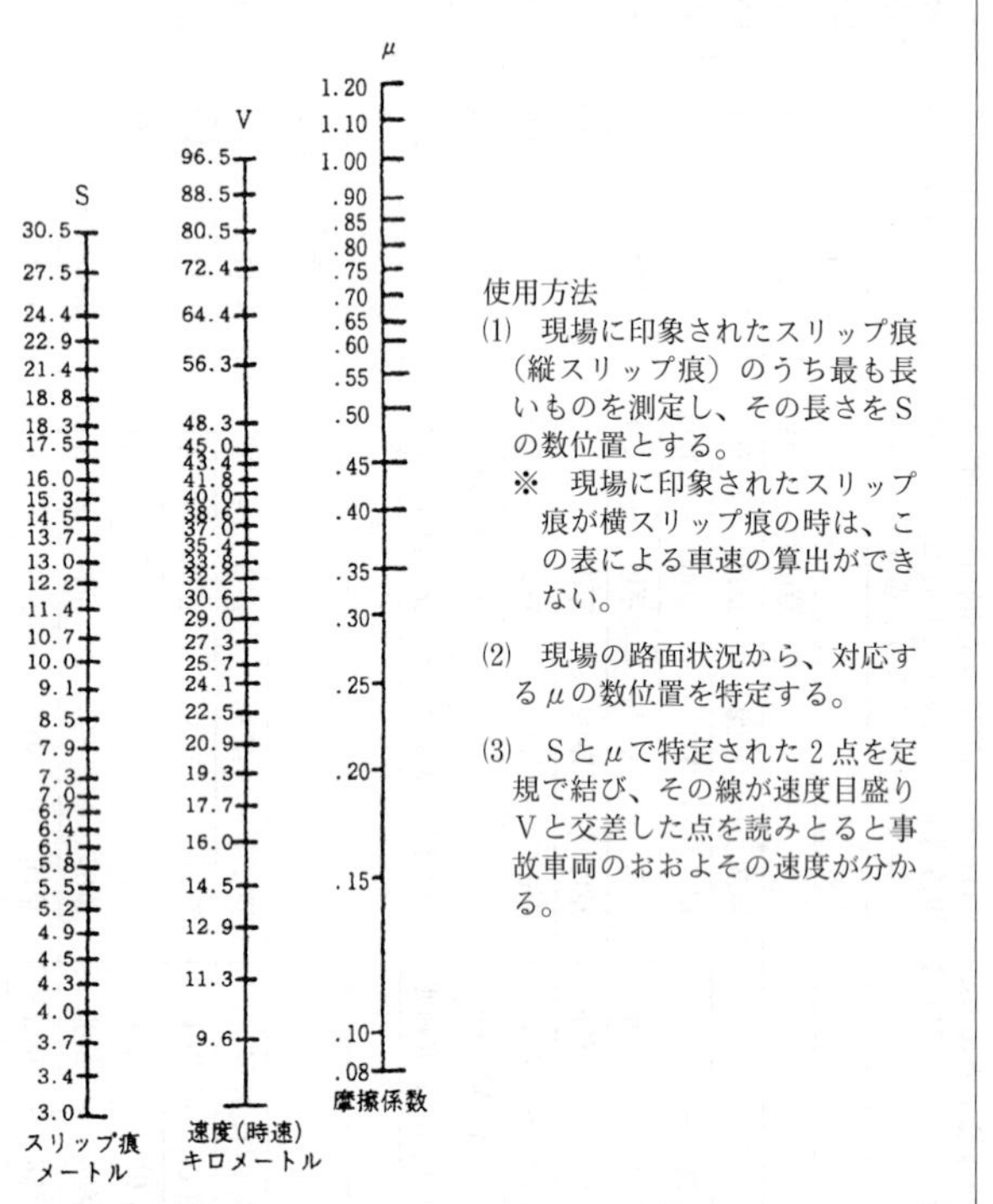

使用方法

(1) 現場に印象されたスリップ痕（縦スリップ痕）のうち最も長いものを測定し、その長さをSの数位置とする。

※ 現場に印象されたスリップ痕が横スリップ痕の時は、この表による車速の算出ができない。

(2) 現場の路面状況から、対応するμの数位置を特定する。

(3) Sとμで特定された2点を定規で結び、その線が速度目盛りVと交差した点を読みとると事故車両のおおよその速度が分かる。

車両の外観図

（セダン）

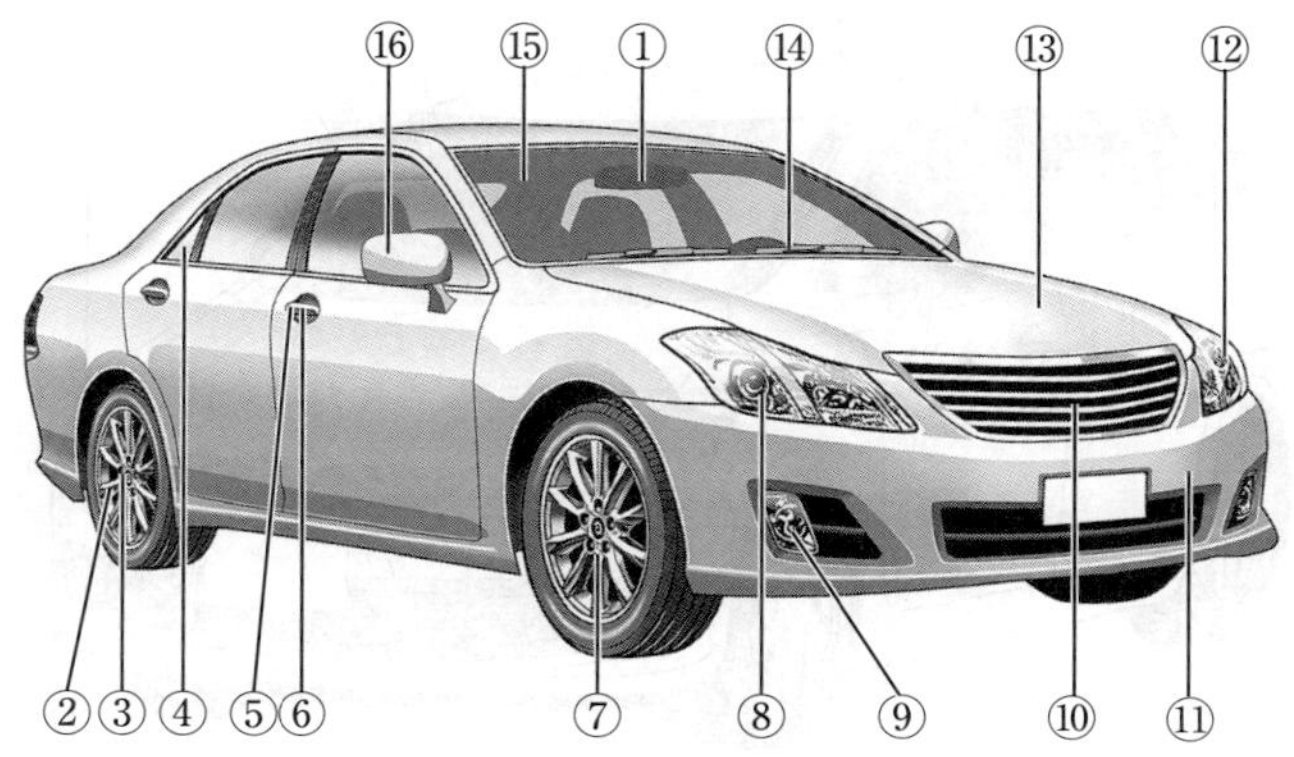

① ルーム・ミラー（室内鏡）
② アルミホイール
③ リア・ホイール（後車輪）
④ リア・ベンチレーター・ウインド（後部三角窓）
⑤ ドアキー（扉鍵）
⑥ 外側フロント・ドア・ハンドル（前扉外側把手）
⑦ フロント・ホイール（前車輪）
⑧ パーキング・ウインカー・ランプ(駐車灯､方向指示灯)
⑨ フォグ・ランプ
⑩ ラジエーター・グリル（放熱器前部飾）
⑪ フロント・バンパー（前部緩衝器）
⑫ ヘッド・ランプ（前照灯）
⑬ エンジン・フード（ボンネット）（機関部覆蓋）
⑭ ワイパー（窓払拭器）
⑮ フロント・ウインド・ガラス（前部窓ガラス）
⑯ ドア・ミラー（バック・ミラー）（後写鏡）

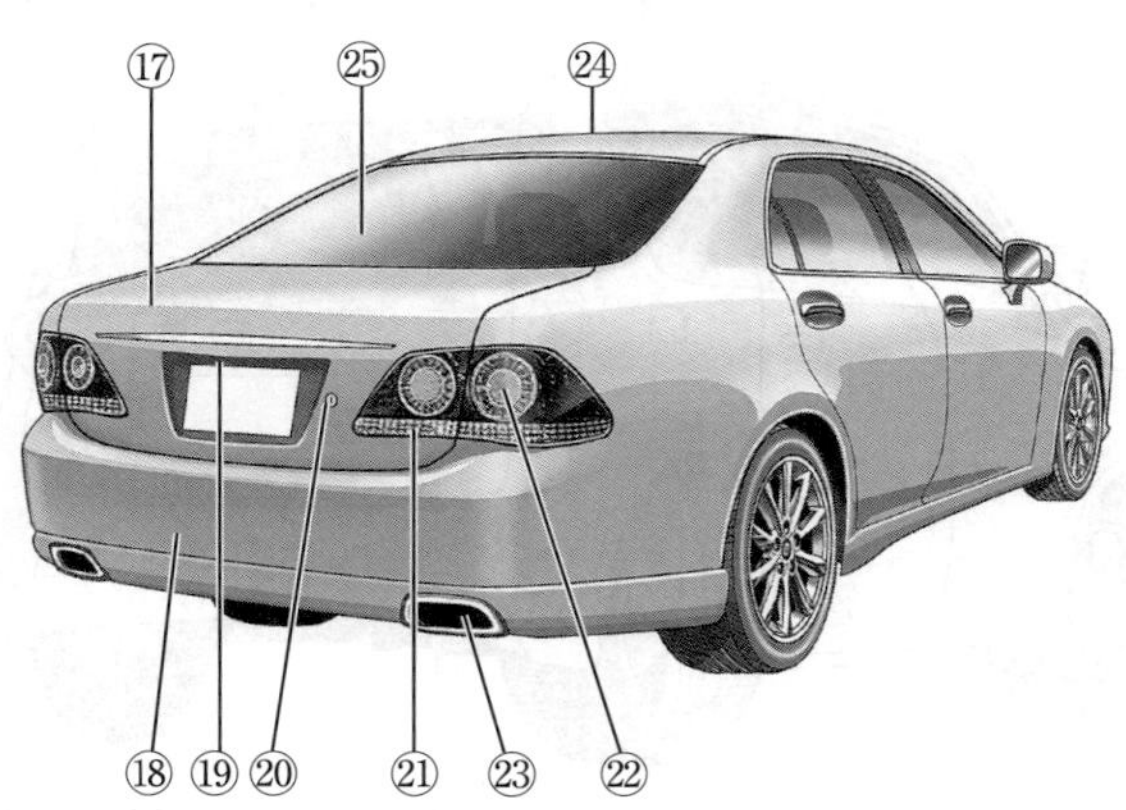

⑰ リア・トランクリッド（後部物入れ）
⑱ リア・バンパー（後部緩衝器）
⑲ ライセンス・ランプ（番号灯）
⑳ トランク・キー（物入れ鍵）
㉑ バック・ランプ（後退灯）
㉒ テール・ストップ・ウインカー・ランプ
（コンビネーション・ランプ）（尾灯、制動灯、方向指示灯）
㉓ マフラー
㉔ ルーフ・パネル（屋根）
㉕ リア・ウインド・ガラス（後部窓ガラス）

（ミニバン）

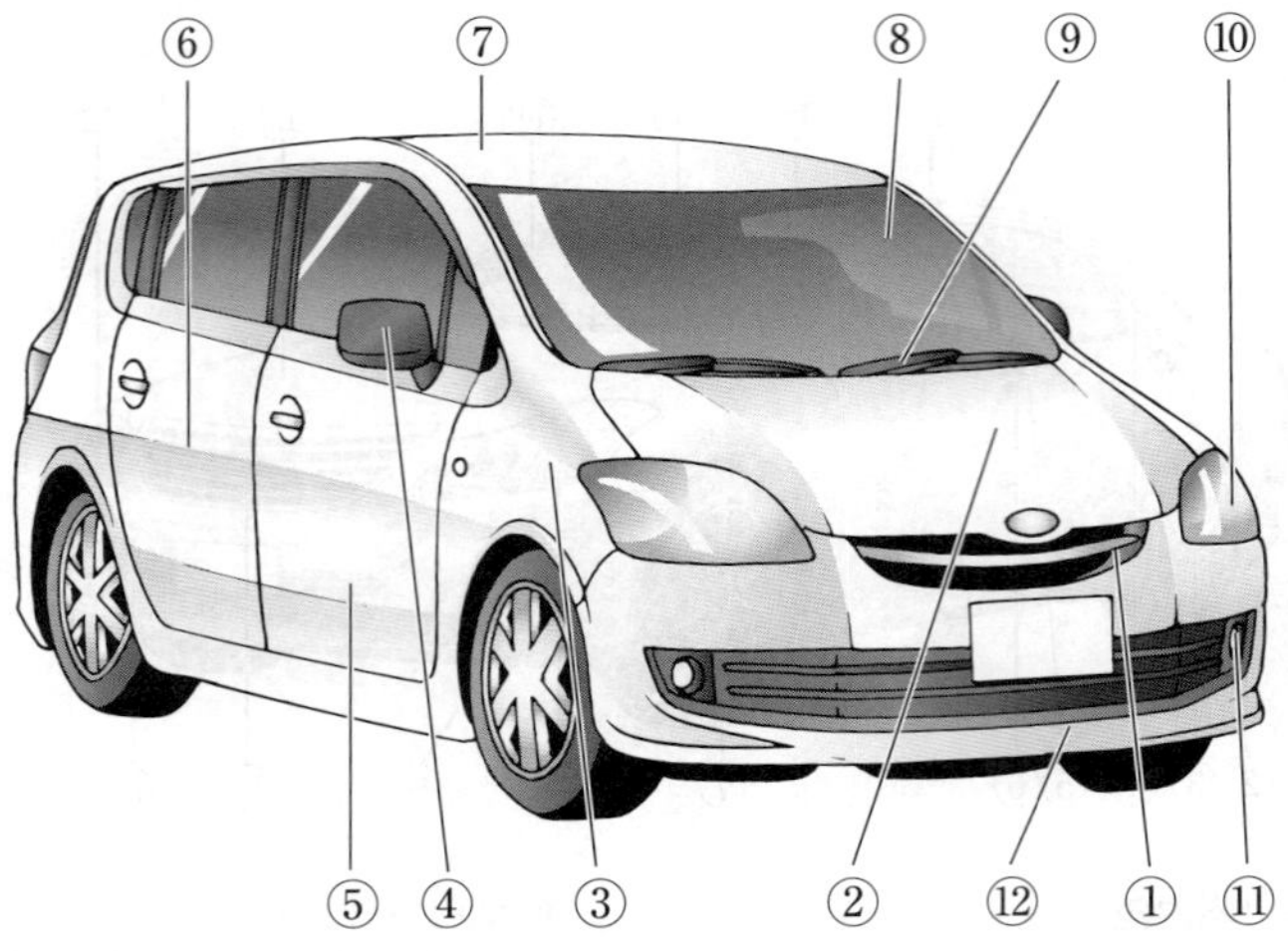

①フロント・グリル	⑦ルーフ・パネル
②ボンネット	⑧フロント・ウインド・ガラス
③フロント・フェンダ	⑨ウインド・ワイパー
④バック・ミラー	⑩ヘッド・ランプ
⑤フロント・ドア	⑪フォグ・ランプ
⑥リア・ドア	⑫フロント・バンパ

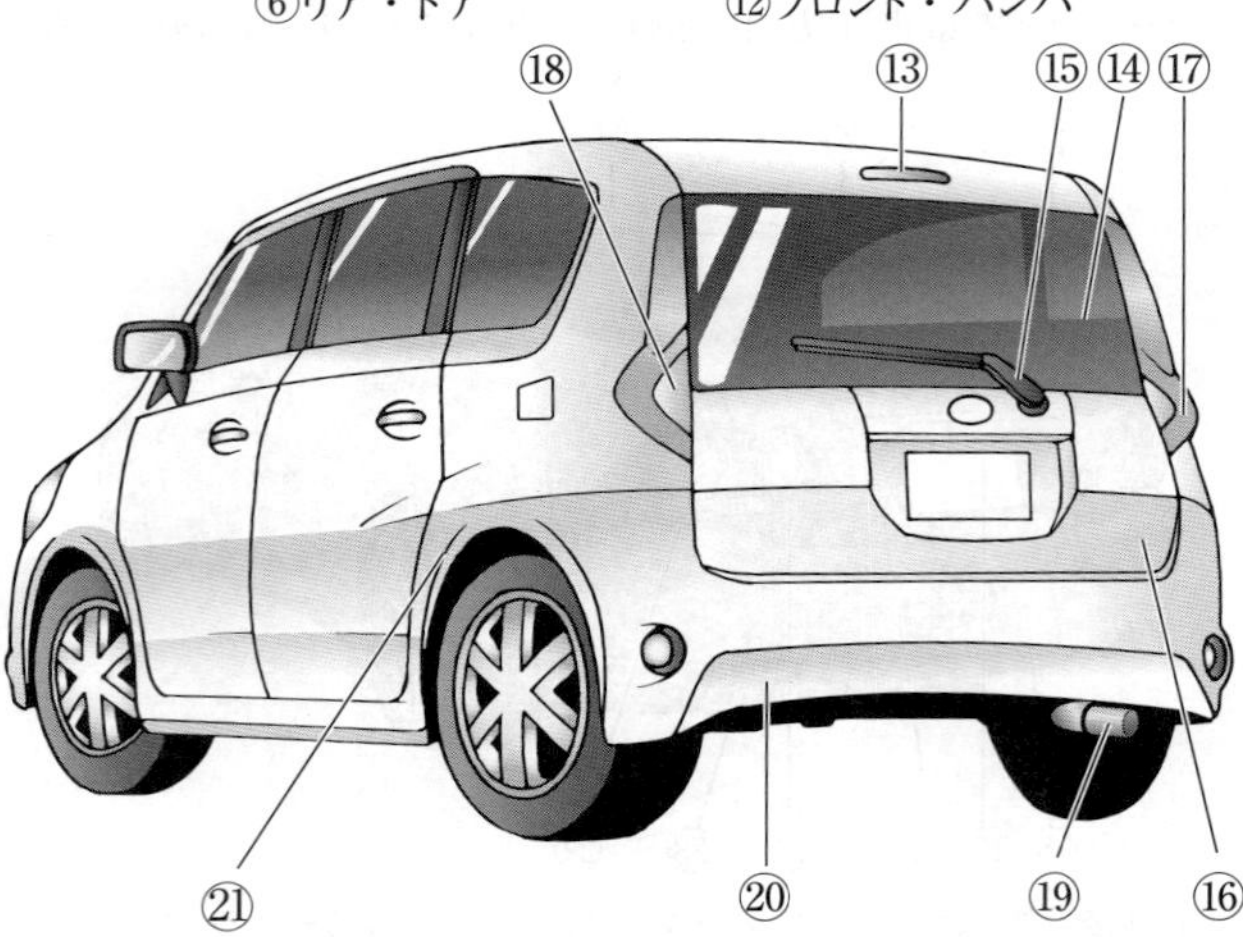

⑬ハイマウント・ストップランプ	⑱ターン・シグナル・ランプ
⑭リア・ゲート・ガラス	⑲マフラー
⑮リア・ワイパー	⑳リア・バンパ
⑯テール・ゲート	㉑リア・フェンダ
⑰制動灯	

（自動二輪車）

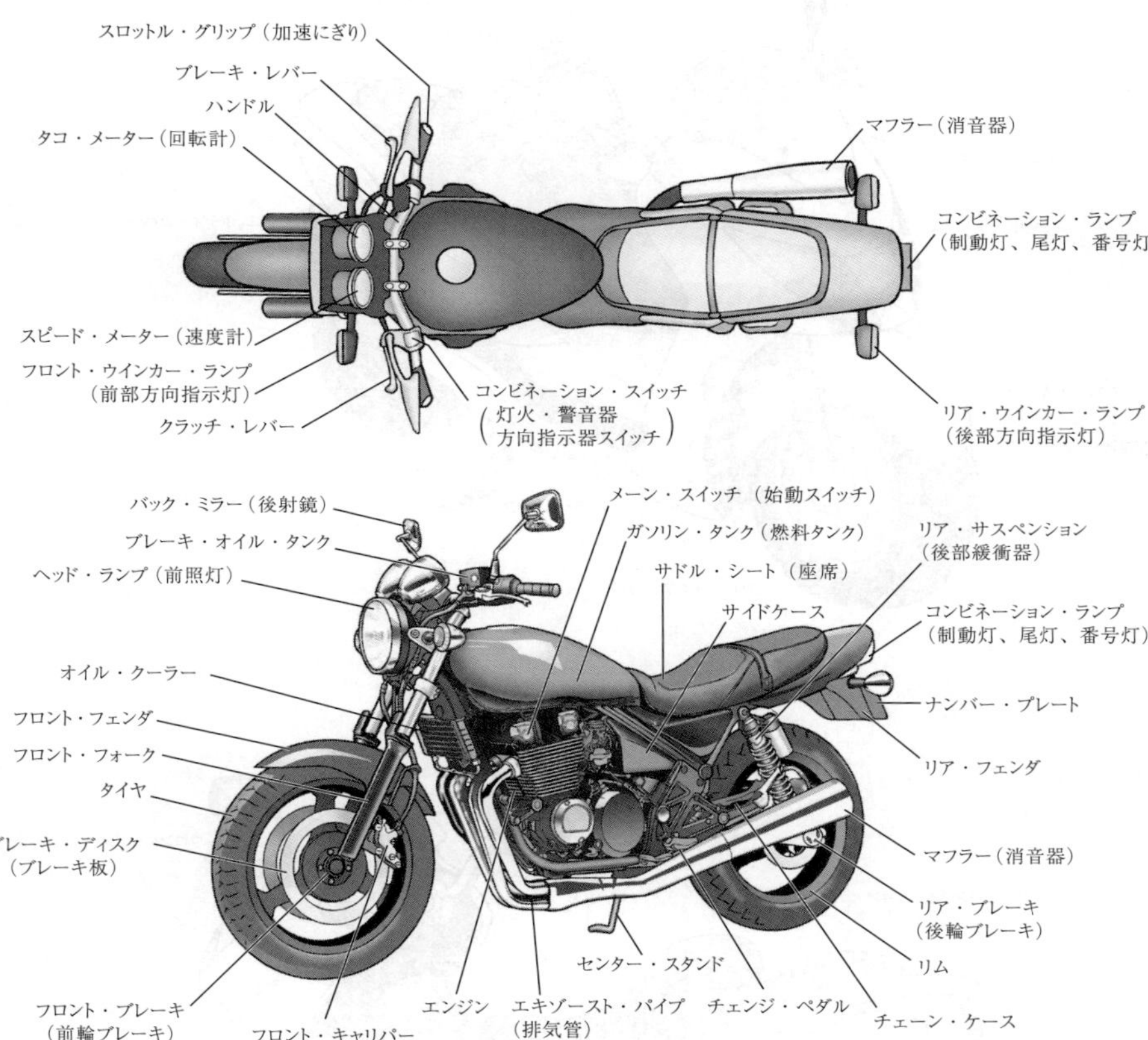
スロットル・グリップ（加速にぎり）
ブレーキ・レバー
ハンドル
タコ・メーター（回転計）
マフラー（消音器）
コンビネーション・ランプ
（制動灯、尾灯、番号灯）
スピード・メーター（速度計）
フロント・ウインカー・ランプ
（前部方向指示灯）
クラッチ・レバー
コンビネーション・スイッチ
（灯火・警音器
方向指示器スイッチ）
リア・ウインカー・ランプ
（後部方向指示灯）
バック・ミラー（後射鏡）
ブレーキ・オイル・タンク
ヘッド・ランプ（前照灯）
メーン・スイッチ（始動スイッチ）
ガソリン・タンク（燃料タンク）
サドル・シート（座席）
サイドケース
リア・サスペンション
（後部緩衝器）
コンビネーション・ランプ
（制動灯、尾灯、番号灯）
オイル・クーラー
ナンバー・プレート
フロント・フェンダ
フロント・フォーク
リア・フェンダ
タイヤ
ブレーキ・ディスク
（ブレーキ板）
マフラー（消音器）
リア・ブレーキ
（後輪ブレーキ）
リム
センター・スタンド
フロント・ブレーキ
（前輪ブレーキ）
フロント・キャリパー
エンジン
エキゾースト・パイプ
（排気管）
チェンジ・ペダル
チェーン・ケース

（スクーター）

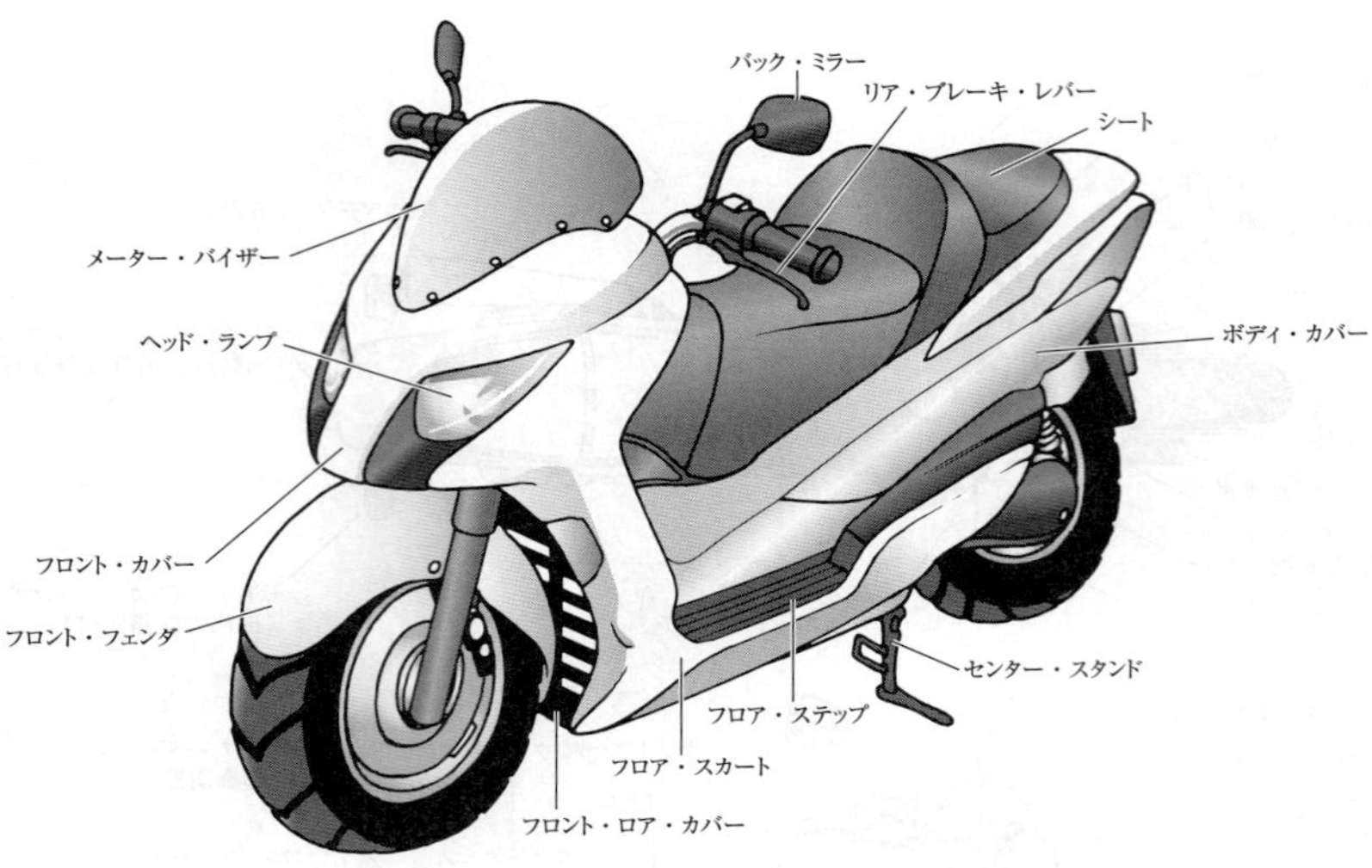
バック・ミラー
リア・ブレーキ・レバー
シート
メーター・バイザー
ヘッド・ランプ
ボディ・カバー
フロント・カバー
フロント・フェンダ
センター・スタンド
フロア・ステップ
フロア・スカート
フロント・ロア・カバー

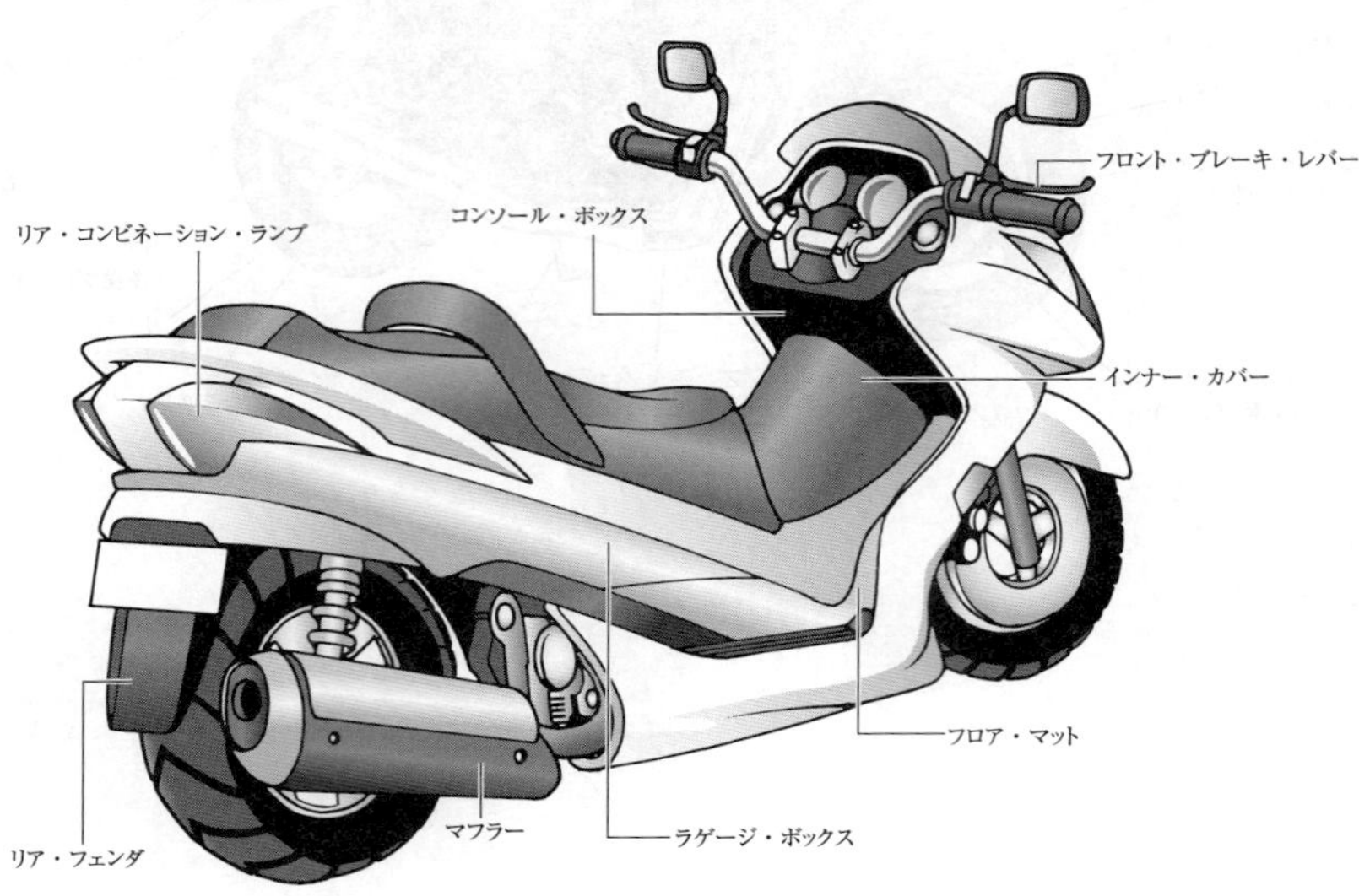
フロント・ブレーキ・レバー
コンソール・ボックス
リア・コンビネーション・ランプ
インナー・カバー
フロア・マット
マフラー
ラゲージ・ボックス
リア・フェンダ

乗用自動車の構造図

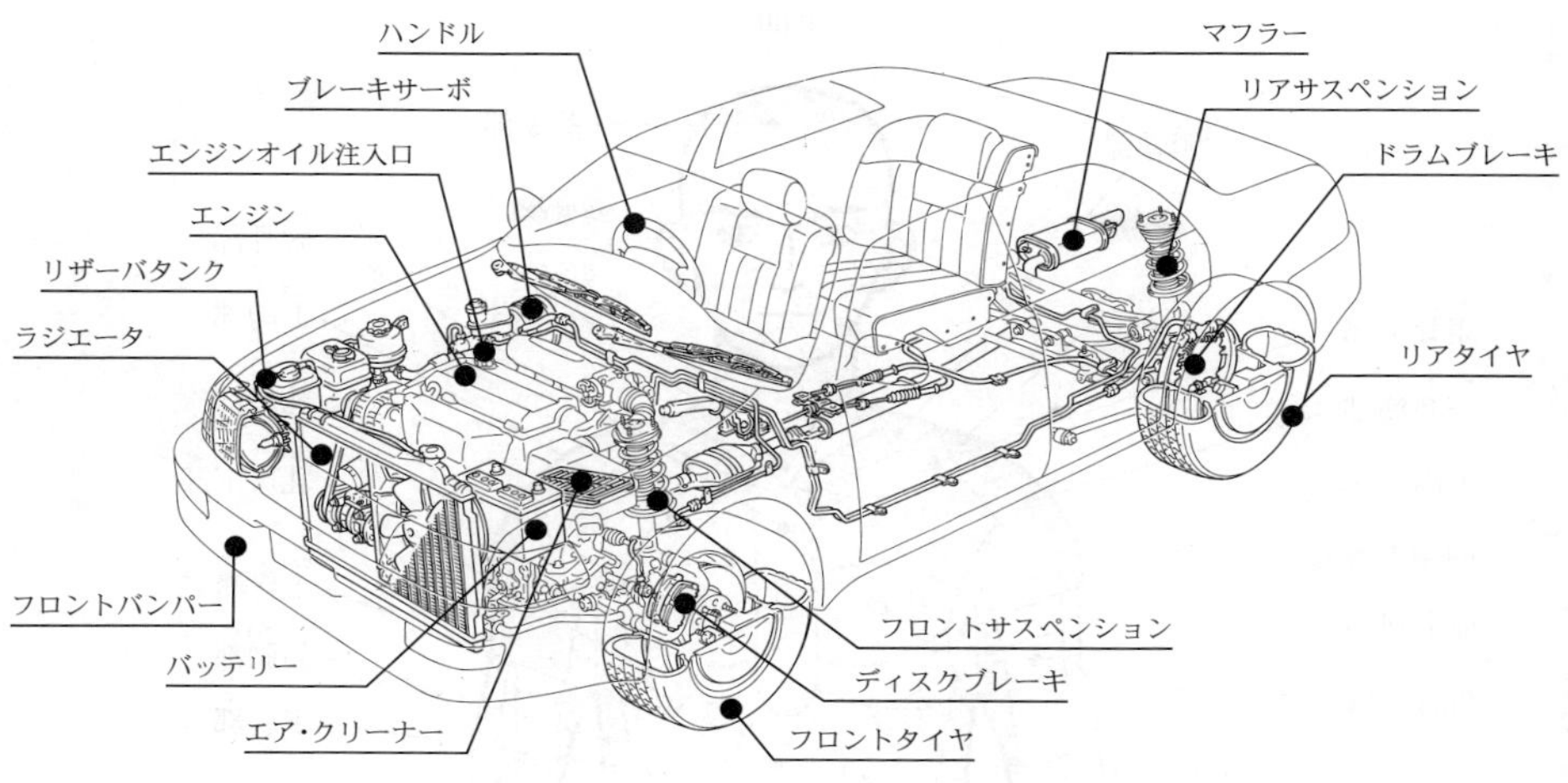
ハンドル
ブレーキサーボ
エンジンオイル注入口
エンジン
リザーバタンク
ラジエータ
フロントバンパー
バッテリー
エア・クリーナー
マフラー
リアサスペンション
ドラムブレーキ
リアタイヤ
フロントサスペンション
ディスクブレーキ
フロントタイヤ

人体外部の名称

（正面）

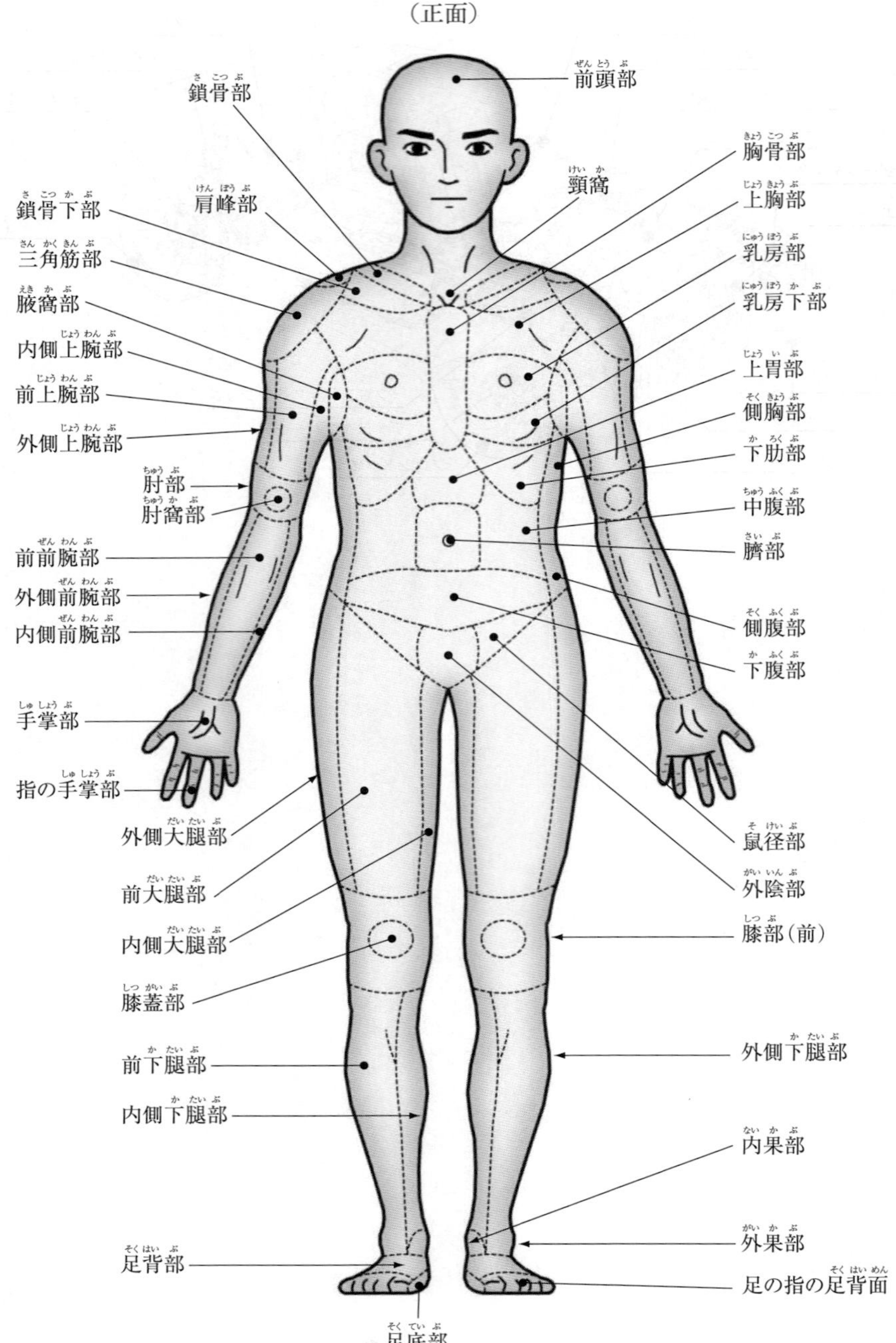
前頭部
鎖骨部
胸骨部
頸窩
上胸部
鎖骨下部
肩峰部
三角筋部
乳房部
腋窩部
乳房下部
内側上腕部
上胃部
前上腕部
側胸部
外側上腕部
下肋部
肘部
肘窩部
中腹部
前前腕部
臍部
外側前腕部
内側前腕部
側腹部
下腹部
手掌部
指の手掌部
鼠径部
外側大腿部
外陰部
前大腿部
膝部（前）
内側大腿部
膝蓋部
外側下腿部
前下腿部
内側下腿部
内果部
外果部
足背部
足の指の足背面
足底部

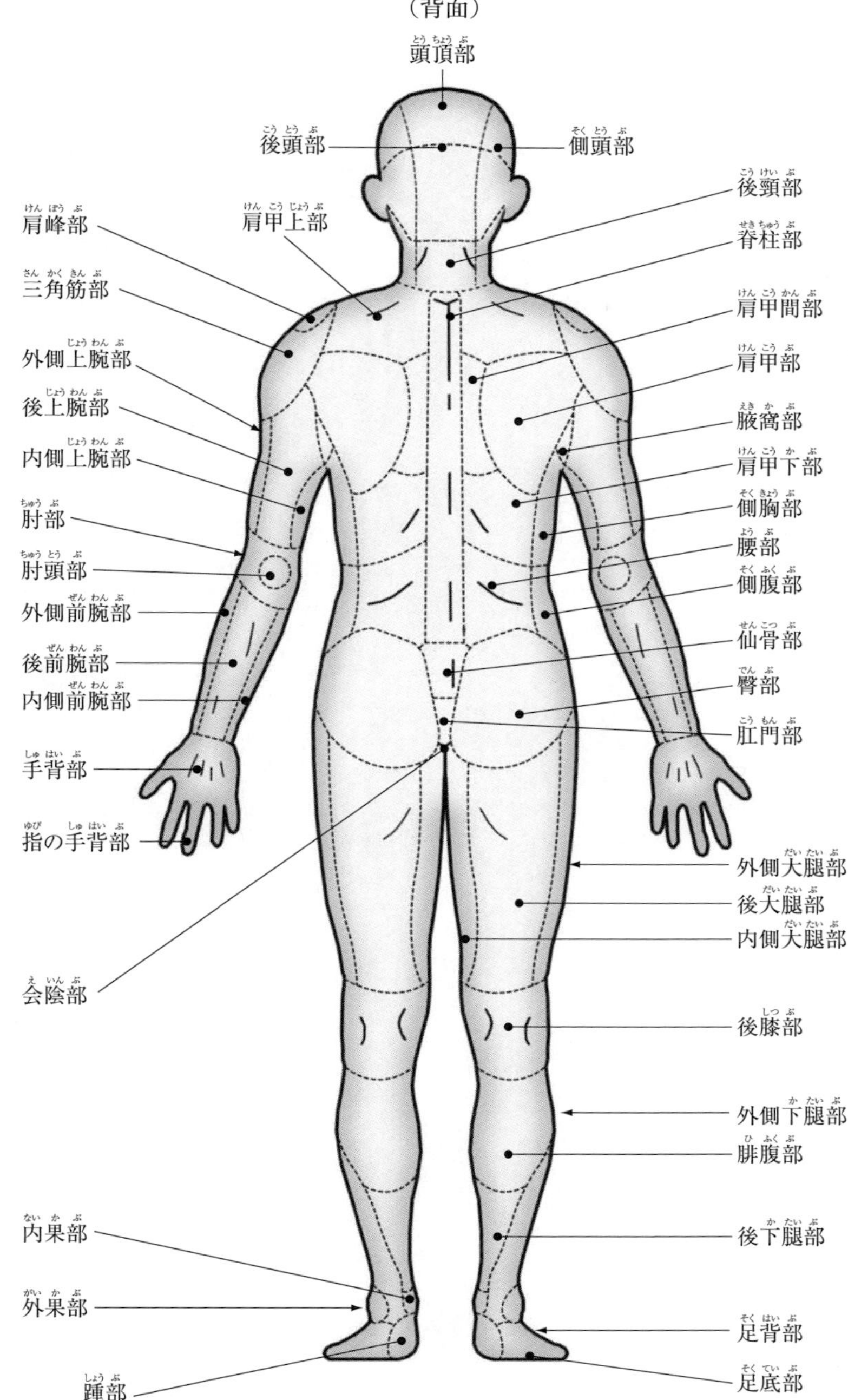
（背面）
頭頂部
後頭部
側頭部
後頸部
脊柱部
肩峰部
肩甲上部
三角筋部
肩甲間部
外側上腕部
肩甲部
後上腕部
腋窩部
内側上腕部
肩甲下部
側胸部
肘部
腰部
肘頭部
側腹部
外側前腕部
仙骨部
後前腕部
臀部
内側前腕部
肛門部
手背部
指の手背部
外側大腿部
後大腿部
内側大腿部
会陰部
後膝部
外側下腿部
腓腹部
内果部
後下腿部
外果部
足背部
踵部
足底部

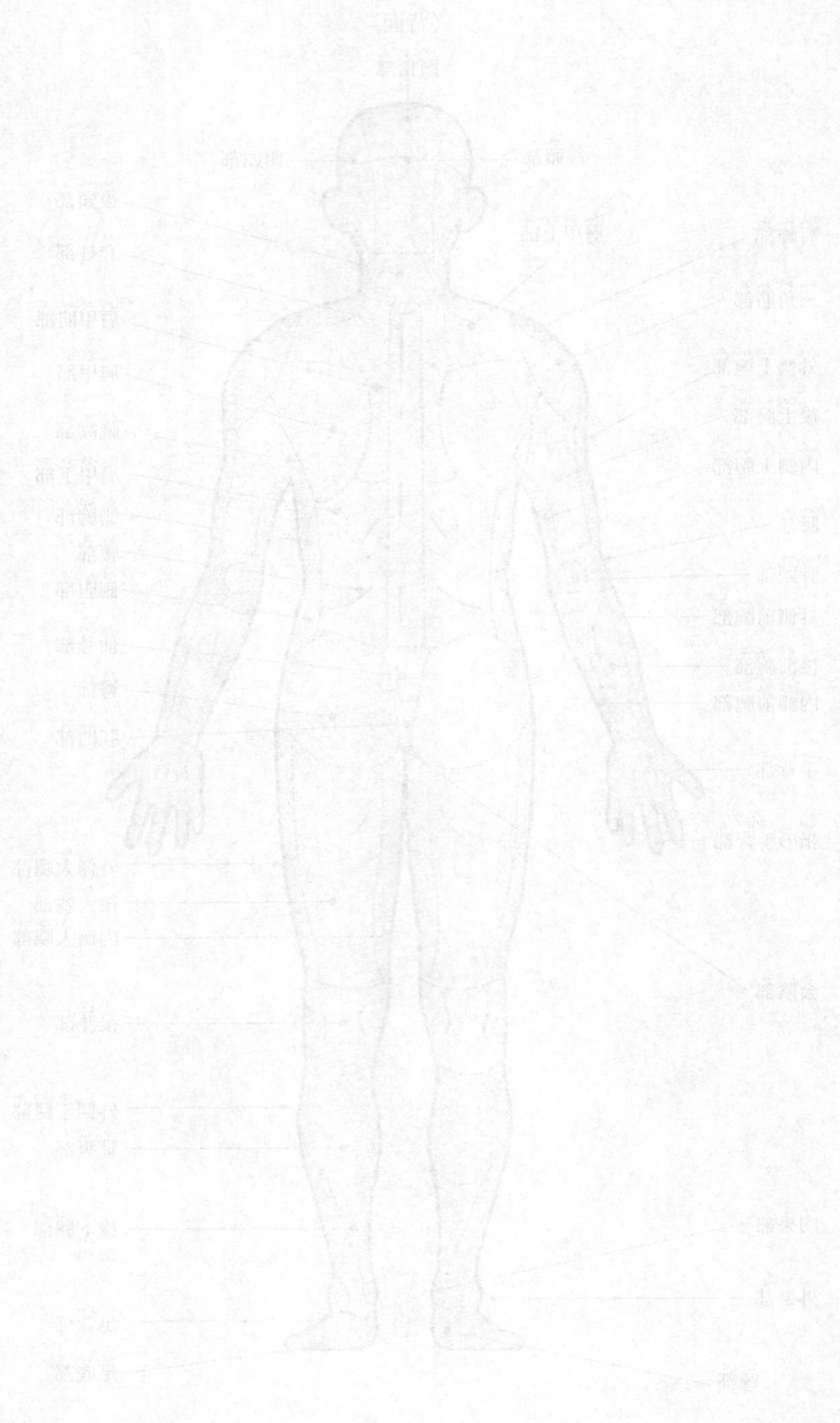

令和７年版

三段対照式　交通実務六法

昭和44年７月１日　初　版　発　行
令和６年９月１日　令和７年版発行

編　集　交通警察実務研究会
発行者　星　沢　卓　也
発行所　東京法令出版株式会社

112-0002　東京都文京区小石川５丁目17番３号　03(5803)3304
534-0024　大阪市都島区東野田町１丁目17番12号　06(6355)5226
062-0902　札幌市豊平区豊平２条５丁目１番27号　011(822)8811
980-0012　仙台市青葉区錦町１丁目１番10号　022(216)5871
460-0003　名古屋市中区錦１丁目６番34号　052(218)5552
730-0005　広島市中区西白島町11番９号　082(212)0888
810-0011　福岡市中央区高砂２丁目13番22号　092(533)1588
380-8688　長野市南千歳町1005番地
〔営業〕TEL 026(224)5411　FAX 026(224)5419
〔編集〕TEL 026(224)5412　FAX 026(224)5439
https://www.tokyo－horei.co.jp/

ISBN978-4-8090-1486-4